R.N. Champlin, Ph.D.
O NOVO TESTAMENTO INTERPRETADO

Versículo por Versículo

| VOLUME 1 | MATEUS / MARCOS |

Nova Edição
Revisada – 2014

Av. Jacinto Júlio, 27 • São Paulo, SP
CEP 04815-160 • Tel: (11) 5668-5668
WWW.HAGNOS.COM.BR | EDITORIAL@HAGNOS.COM.BR

© 2014 Russell Norman Champlin

Nova edição revisada: 2014
4ª reimpressão: setembro de 2023

REVISÃO
Noemi Lucilia L. Soares Ferreira
Raquel Fleishner
Priscila Porcher
João Guimarães
Equipe Hagnos

DIAGRAMAÇÃO
Agência Foco
Sônia Peticov
Cátia Soderi

CAPA
Maquinaria Studio

EDITOR
Aldo Menezes

COORDENADOR DE PRODUÇÃO
Mauro Terrengui

IMPRESSÃO E ACABAMENTO
Imprensa da Fé

As opiniões, as interpretações e os conceitos emitidos nesta obra são de responsabilidade do autor e não refletem necessariamente o ponto de vista da Hagnos.

Todos os direitos desta edição reservados à
EDITORA HAGNOS LTDA.
Rua Geraldo Flausino Gomes, 42, conj. 41
CEP 04575-060 — São Paulo, SP
Tel.: (11) 5990-3308

E-mail: hagnos@hagnos.com.br
Home page: www.hagnos.com.br

Editora associada à:

Dados Internacionais de Catalogação na Publicação (CIP)
(Câmara Brasileira do Livro, SP, Brasil)

CHAMPLIN, Russell Norman, 1933-2018

O Novo Testamento Interpretado: versículo por versículo. Volume 1: Artigos introdutórios; Mateus; Marcos / Russell Norman Champlin. São Paulo: Hagnos, 2014.

Bíblia N.T. — Crítica e interpretação
I. Título

ISBN 85-88234-32-7

01-5625   CDD-225.6

Índices para catálogo sistemático:
Novo Testamento: interpretação e crítica 225.6

Dedicatória

Dedico este comentário

In Memoriam

Jacob Geerlings, Ph. D.,
meu professor e amigo, mestre do Novo Testamento,

e a

Leônidas Hegenberg, Ph. D.,
meu amigo, filósofo por excelência.

Agradecimentos

Agradeço o trabalho e interesse das pessoas que tornaram possível a publicação desta obra. João Marques Bentes dedicou-se à tradução do original em inglês durante muitos anos. Minha esposa, Irene, e Zélia de Araújo trabalharam longas horas na composição do texto. Vera Lúcia de Oliveira e Neusa Maria da Silva, com uma dedicação excepcional, revisaram as traduções e realizaram diversas tarefas na parte gráfica do projeto.

As Sociedades Bíblicas Unidas fizeram valiosa contribuição à qualidade desta publicação, permitindo o uso de sua terceira edição do Novo Testamento Grego e de seu Comentário Textual. A Imprensa Bíblica Brasileira, gentilmente, contribuiu com sua tradução do Novo Testamento para o português.

Abreviações

Traduções Utilizadas

Inglês

ASV	American Standard Version
BR	Berkeley Version
GD	Goodspeed
KJ	King James
NE	New English Bible
RSV	Revised Standard Version
TT	A Translation for Translators
WM	Charles B. Williams

Português

AA	João Ferreira de Almeida, Revista e Atualizada
AC	João Ferreira de Almeida, Revista e Corrigida
IB	Tradução da Imprensa Bíblica Brasileira
F	Padre Antônio Pereira de Figueiredo
M	Tradução dos monges beneditinos de Maredsous

Bibliografia

Neste comentário, todos os livros do Novo Testamento têm suas próprias introduções. Nessas introduções, apresentam-se bibliografias com listas completas dos livros utilizados como fontes.

Livros mais citados

A exposição baseia-se, essencialmente, sobre os comentários em série que, em parte, representam a herança de literatura bíblica na língua inglesa. Aqui se apresenta uma lista:

ALFORD, Henry, The Greek Testament, Deighton, Bell and Co., Cambridge, 1871.

CALVIN, John, Calvin's Commentaries, Wm. B. Eerdmans Pub. Co., Grand Rapids, 1949.

CLARKE, Adam, Clarke's Commentary, Abingdon Press, Nashville (sem data)

Comprehensive Commentary on the Holy Bible, (diversos autores), American Pub. Co., Philadelphia, 1887.

ELLICOTT, Charles John, (e outros autores), Ellicott's Commentary on the Whole Bible, Zondervan Pub. House, Grand Rapids, 1954.

Expositor's Bible, (diversos autores), Wm. B. Eerdmans Pub. Co., Grand Rapids, 1956.

Expositor's Greek Testament, (diversos autores), Wm. B. Eerdmans Pub. Co. Grand Rapids, 1956.

GILL, John, Dr. Gill's Commentary, Baker Book House, Grand Rapids, edição baseada numa publicação de 1851.

International Critical Commentary, (diversos autores), T and T Clark, Edinburgh, 1965.

Interpreter's Biblie (diversos autores), Abingdon-Cokesbury Press, Nashville, 1951.

JAMIESON, Fausset and Brown, Critical and Experimental Commentary, Wm. B. Eerdmans Pub. Co., Grand Rapids, 1948.

LANGE, John Peter (e outros autores), Lange's Commentary, Zondervan Pub. House, Grand Rapids, (sem data).

MEYER, Heinrich August Wilhelm, Meyer's Commentary on the New Testament, Funk and Wagnalls, N.Y., 1884.

ROBERTSON, Archibald Thomas, Word Pictures in the New Testament, Broadman Press, Nashville, 1930.

VINCENT, Marvin R., Word Studies in the New Testament, Wm. B. Eerdmans Pub. Co., Grand Rapids, 1946

WORDSWORTH, Charles, The Greek Testament , Rivingtons, Waterloo Place, London, 1875.

Conteúdo dos Artigos Introdutórios

ARTIGOS MISCELÂNEOS	Autor	Página
Esboço da história da Bíblia em português	Russell Champlin	6
Jesus	*	9
A importância de Paulo	*	25
Livros apócrifos do Novo Testamento e outra literatura cristã antiga	*	34

DEUS		
O argumento ontológico	Anselmo	37
O argumento ontológico	Russell Champlin	38
Cinco argumentos em prol da existência de Deus	Tomás de Aquino	40
Comentário sobre os cinco argumentos de Aquino	F. C. Copleston	41
Reafirmação contemporânea de argumentos tradicionais em prol da existência de Deus	A. E. Taylor	44
O clássico argumento do relógio	William Paley	48
Crítica contemporânea aos argumentos tradicionais em favor da existência de Deus	J. J. C. Smart	50

A IMORTALIDADE DA ALMA		
Uma prova da imortalidade da alma	Jacques Maritain	55
Quando os mortos voltam!	Henry L. Pierce	58
Uma abordagem científica à crença na alma e em sua sobrevivência ante a morte física	*	60
O mundo não-físico do Dr. Gustav Stromberg	James Crenshaw	69
Epílogo: comentário sobre abusos e advertências		73

O NOVO TESTAMENTO GREGO		
Manuscritos antigos do Novo Testamento	*	77
Introdução ao texto grego	Sociedades Bíblicas Unidas	94
Introdução ao comentário textual do Novo Testamento Grego	Bruce M. Metzger	106

O PANO DE FUNDO HISTÓRICO DO NOVO TESTAMENTO		
Período intertestamentário: acontecimentos e condições do mundo ao tempo de Jesus	*	111

A FÉ E DISCUSSÕES		
O conhecimento e a fé religiosa	*	122
A crença religiosa e o problema de verificação	*	128

O NOVO TESTAMENTO: ASSUNTOS E PROBLEMAS		
O cânon do Novo Testamento	*	135
A língua do Novo Testamento	*	140
Historicidade dos evangelhos	*	145
O problema sinóptico	*	152
A tradição profética e a nossa época	*	158

O EVANGELHO		
Reconsiderando o evangelho – um diálogo	*	163
Evangelho de Mateus	*	256

* Indica artigos escritos pelo autor deste comentário

ARTIGOS MISCELÂNEOS

Esboço da história da Bíblia em português

Russel Champlin

I. ANOS DE PREPARAÇÃO

II. TRADUÇÃO DA BÍBLIA COMPLETA

1. Almeida
2. Figueiredo
3. Rodhen
4. Soares
5. Brasileira
6. Revisão de Almeida
7. Revisão de Almeida (Imprensa Bíblia Brasileira)
8. A Bíblia na Linguagem de Hoje (Novo Testamento)

III. BIBLIOGRAFIA

IV. DIAGRAMA DE ILUSTRAÇÃO

I. ANOS DE PREPARAÇÃO

O rei de Portugal, D. Diniz (1279-1325) traduziu os vinte primeiros capítulos do livro de Gênesis, usando, como base, a Vulgata Latina. Pode-se ver que o começo da tradução da Bíblia em português ocorreu antes da tradução da Bíblia para o inglês, por João Wycliff.

O rei D. João I (1385-1433) ordenou a tradução dos evangelhos, do livro de Atos e das epístolas de Paulo. Essa obra foi realizada por "padres" católicos, que se utilizaram da Vulgata Latina como base. Desses esforços, resultou uma publicação que incluía os livros mencionados e o livro de Salmos, do Antigo Testamento, traduzido pelo próprio rei.

Nos anos seguintes, foram preparadas diversas traduções de porções bíblicas, como os evangelhos, traduzidos do francês pela infanta Dona Filipa, filha do Infante D. Pedro e neta do rei D. João I; o evangelho de Mateus e porções dos demais evangelhos, pelo frei cisterciense Bernardo de Alcobaça, que se baseou na Vulgata Latina. Este último trabalho foi publicado em Lisboa, no século XV. Valentim Fernandes publicou uma harmonia dos evangelhos, em 1495. Nesse mesmo ano, foi publicada uma tradução das epístolas e dos evangelhos, feita pelo jurista Gonçalo Garcia de Santa Maria. Por ordem da rainha Leonora, dez anos mais tarde, eram traduzidos e publicados o livro de Atos e as epístolas gerais.

II. TRADUÇÃO DA BÍBLIA

1. Tradução de João Ferreira de Almeida

Nasceu João Ferreira de Almeida em Torre de Tavares, Portugal, em 1628. Ao realizar sua obra de tradutor, era pastor protestante. Aprendeu o hebraico e o grego, e assim usou os mss dessas línguas como base de sua tradução, ao contrário dos outros tradutores mencionados acima, que sempre se utilizavam da Vulgata Latina como base. Todavia, aqueles que conhecem os mss, sabem que um bom texto da Vulgata Latina (a despeito das desvantagens de usar o latim ao invés de usar o grego), é superior aos mss do Textus Receptus, como representante do texto original. O Textus Receptus serviu de base para a primeira tradução de Almeida. O Textus Receptus representa os mss do grupo bizantino, o mais fraco e mais recente entre os mss gregos. A Vulgata Latina representa o grupo de mss que se intitula "ocidental", que é superior ao "bizantino". Almeida traduziu em primeiro lugar o NT, publicando-o em 1681, em Amsterdam, na Holanda. O seu título foi: "O Novo Testamento, Isto he o Novo Concerto de Nosso Fiel Senhor e Redemptor Iesu Christo, traduzido na Língua Portuguesa", o qual por si mesmo revela o tipo de português arcaico que foi usado. Essa tradução continha numerosos erros. O próprio Almeida compilou uma lista de dois mil erros, e Ribeiro dos Santos afirmou que encontrou um número ainda maior de erros. Muitos desses erros foram feitos pela comissão holandesa, que procurou harmonizar a tradução de Almeida com a versão holandesa de 1637. Nota-se, igualmente, que Almeida preparou uma tradução literal, e que teve cuidado demais em harmonizá-la com as versões castelhana e holandesa. Além de ter-se baseado no Textus Receptus, foi influenciado pela edição de Beza, que pertence aos mss "ocidentais". No artigo sobre os manuscritos, o leitor encontrará explicações sobre os tipos de textos e os valores dos diversos mss gregos e latinos, onde será abordada a questão dos mss do NT. Devemo-nos lembrar de que, ao tempo de Almeida, não existia "nenhum papiro", e poucos eram os unciais (mss em letras maiúsculas), razão pela qual foi necessário lançar mão de fontes inferiores. Por exemplo, o Textus Receptus, feito por Erasmo, em 1516, e que foi o primeiro NT impresso, teve como base principal quatro mss, a saber: Ms 1 (século X), ms 2 (século XV), ms 2 (Atos e Paulo, século XIII) e ms 1 (Apocalipse, século XII). Somente o ms 1 tem algum valor, e mesmo assim Erasmo não se apoiou muito nele, por achá-lo, um tanto errático. O ms 2 é, essencialmente, o Textus Receptus, pertencendo, assim, ao século XV. Almeida empregou a edição de Elzevir do Textus Receptus, de 1633. E a Bíblia completa, traduzida por Almeida, só foi publicada nos primórdios do século XVIII. A despeito do texto inferior por ele usado, bem como dos muitos erros e das edições

e correções, essa é a tradução que tem sido mais bem aceita pelos protestantes de fala portuguesa. As edições mais modernas têm obtido notáveis progressos na melhoria do texto e da tradução em geral. Depois da Reforma, a tradução original de Almeida foi a décima terceira a ser feita em um idioma moderno.

a. Tradução de Antônio Pereira de Figueiredo

Antônio Pereira de Figueiredo, que preparou a primeira tradução da Bíblia inteira, baseada na Vulgata Latina, nasceu em Mação, Portugal, a 14 de fevereiro de 1725. Essa tradução consumiu dezoito anos de trabalho. Em 1896, foi publicada a primeira tradução de Figueiredo, em colunas paralelas da Vulgata latina e da tradução em português. Essa tradução foi aprovada e usada pela Igreja de Roma, e também foi aprovada pela rainha D. Maria II, em 1842. Penetrou em Portugal por meio de publicações da Sociedade Bíblica Britânica e Estrangeira. É inegável que a linguagem de Figueiredo era superior à de Almeida, porquanto era mais culto do que este último. Naturalmente que, por haver usado a Vulgata Latina como base, tem a desvantagem de não representar o melhor texto do NT que conhecemos hoje em dia, mediante os mss unciais mais antigos e mediante os papiros, os quais Figueiredo desconhecia por só terem sido descobertos muito mais tarde. A tradução de Figueiredo, pois, saiu do prelo um século depois da de Almeida.

Em 1952, foi publicada uma nova edição pela Livraria Católica do Rio de Janeiro, com comentários baseados em vários teólogos católicos. No Brasil, a primeira tradução foi feita por frei Joaquim de Nossa Senhora de Nazaré, somente do NT. Foi publicada em São Luís do Maranhão, e a impressão foi feita em Portugal.

Várias traduções de porções bíblicas ou da Bíblia inteira têm sido feitas neste século XX. Entre elas, temos a tradução dos evangelhos feita por D. Duarte Leopoldo e Silva (na forma de harmonia), evangelhos e Atos traduzidos do francês pelo Colégio da Imaculada Conceição, em Botafogo, Rio de Janeiro, e os evangelhos e o livro de Atos, traduzidos da Vulgata Latina, pelos padres franciscanos, em 1909.

2. Tradução do Padre Huberto Rodhen

Em 1930, o padre Huberto Rodhen traduziu o NT inteiro diretamente do grego. Ele foi o primeiro tradutor católico a fazer esse tipo de tradução na história da Bíblia portuguesa. Essa tradução foi publicada pela Cruzada de Boa Imprensa, organização católico-romana. A linguagem da tradução é bela, mas, infelizmente, tal como na tradução de Almeida, foram usados textos inferiores.

3. Tradução do Padre Matos Soares

Essa é a versão mais popular entre os católicos. Foi baseada na Vulgata Latina e, em 1932, recebeu apoio papal por meio de carta dirigida ao Vaticano. Quase a metade dessa tradução contém explicações dos textos, em notas entre parênteses. Essas notas parentéticas incluem, naturalmente, dogmas da Igreja Romana, à qual pertencia o tradutor.

4. Tradução brasileira

Foi preparada sob a direção do Dr. H. C. Tucker, tendo ficado concluída em 1917. Essa tradução nunca foi muito popular. Em 1956, de cada cem Bíblias vendidas pela Sociedade Bíblica do Brasil, somente oito eram da Tradução Brasileira. Sua grande vantagem era ter usado mss melhores do que os que foram usados na tradução de Almeida, além de ter sido melhorada na ortografia portuguesa da época. A despeito desses fatos, essa tradução não é mais impressa.

5. Revisão da tradução de Almeida — Edição revista e atualizada

Trabalho realizado por uma comissão que agiu sob os auspícios da Sociedade Bíblica do Brasil, trabalho esse iniciado em 1945. A linguagem foi muito melhorada, e não resta dúvidas de que, nessa revisão, foram usados mss gregos dos melhores, muito superiores dos do Textus Receptus, que Almeida tinha à sua frente para usar na tradução original que fez. Apesar disso, em diversos lugares do texto, nota-se que foram retidas palavras inferiores, que só figuram nos manuscritos mais recentes. Por exemplo, em Mateus 6.13 — "[...] pois teu é o reino, o poder e a glória para sempre. Amém" —, são palavras que só aparecem nos manuscritos gregos mais recentes, e que, em certas edições, têm sido colocadas sem nenhum sinal que indique que não fazem parte do texto original. Algumas edições têm o cuidado de colocar essas palavras entre colchetes, a fim de indicar que, para serem usadas, não se baseiam em autoridade suficiente nos mss gregos. Isso provoca grande confusão entre as edições. Os textos de João 5.4, Mateus 18.11, 21.44 e Marcos 5.3, entre outros, podem ser mencionados como exemplos desse caso. Todos esses versículos contêm palavras que só aparecem em mss inferiores. Não obstante, somos forçados a admitir que a base do texto grego dessa revisão é muito superior àquela usada por Almeida, em sua tradução original.

6. Revisão da Tradução de Almeida — Imprensa Bíblica Brasileira

Foi publicada como Bíblia completa em 1967, no Rio de Janeiro. Essa revisão é recente e ainda não houve tempo suficiente para notar-se a reação do público brasileiro quanto à linguagem e ao estilo da tradução. Só o futuro pode aprovar ou não essa tradução e mostrar a sua aceitação entre as igrejas. Facilmente, porém, pode-se comprovar que essa tradução está mais bem baseada nos mss gregos do que a Almeida Revista e Atualizada. Como exemplo disso, as referências mencionadas no parágrafo acima trazem algum sinal que mostra que se trata de palavras duvidosas, baseadas em mss inferiores e não nos melhores mss. Usualmente, essas palavras foram deslocadas do texto e postas em nota de rodapé. Outros exemplos que indicam que essa tradução segue os melhores mss são: Marcos 3.14, que elimina as palavras aos quais deu também o nome de apóstolos, palavras essas que procedem de manuscritos inferiores do grego. Marcos 7.16 foi um versículo eliminado. Entrou no texto de Marcos como uma harmonia com o texto de Mateus 11.15. Foram também eliminados os vss. 44 e 46 do nono capítulo do evangelho de Marcos. Tudo isso serve apenas de exemplos, dentre muitos casos nos quais essa revisão segue os melhores manuscritos. O leitor poderá notar muitos outros casos, nas notas da própria revisão. Gostaríamos que sua linguagem e estilo fossem bem acolhidos pelo povo evangélico, porquanto a sua base está nos melhores mss., devendo ser aceitável a qualquer pessoa que conheça o texto grego do NT e os manuscritos que formam uma sólida base na qual se alicerçou essa revisão.

7. A Bíblia na Linguagem de Hoje (Novo Testamento)

Essa publicação da United Bible Societies (através de seu ramo brasileiro) se baseia na segunda edição (1970) do texto grego dessa sociedade. Esse texto tem tirado proveito da vantagem da maior parte da pesquisa moderna, pelo que é bom representante do original. Não é diferente do texto de Nestle, em qualquer ponto essencial, embora o "aparato crítico" que acompanha a edição de Nestle e a edição da United Bible Societies, em publicações técnicas, se diferencie quanto à apresentação, apesar de baseadas nos mesmos estudos sobre os manuscritos.

Foi propósito da United Bible Societies publicar em vários idiomas, Novos Testamentos que reflitam a linguagem comum e corrente. Portanto, é de esperar-se que essas publicações, apesar de terem sido feitas em idiomas diversos, tenham apresentações similares. Comumente, as novas traduções são vilipendiadas por pessoas que as ouvem pela primeira vez, estando elas afeitas a ouvir o evangelho de determinado modo. Usualmente, um raciocínio mais sóbrio e a passagem do tempo suavizam o tratamento inicial duro que uma nova tradução recebe. Infelizmente, com freqüência, a crítica se baseia apenas na observação "esta tradução é diferente aqui e ali", quando comparada com "esta outra tradução que costumo usar". Raramente tais críticas se baseiam na erudição e no texto grego. Outrossim, as "formas deixadas de fora" em novas traduções normalmente são as simples excisões de adições, mudanças e harmonias feitas por escribas medievais (que distorceram o texto original), — adições que não têm nenhum direito de ser reputadas originais, pois estão ausentes na maioria dos manuscritos antigos, especialmente nos papiros.

A passagem do tempo provará para nós uma avaliação adequada sobre essa nova tradução. Gostaríamos que isso se desse mediante o estudo do original, e não mediante meras comparações com as traduções já existentes.

III. BIBLIOGRAFIA

Enciclopédia Delta Larousse, artigo sobre A Bíblia, Editora Delta, Rio de Janeiro, 1970.
MEIN, John. A Bíblia e como chegou até nós. Imprensa Bíblica Brasileira, 1972.
METZGER, Bruce M. The Text of the New Testament. Oxford, New York, 1964.

IV. DIAGRAMA DE ILUSTRAÇÃO

As Fontes
- Os manuscritos originais: século I
- Os manuscritos mais antigos — os papiros: séculos II-III
- Os unciais mais antigos: séculos IV-VIII
- Os Minúsculos: séculos IX-XVI
- O Textus Receptus de Erasmo (1516) e de Elzevir (1633)
- A Vulgata Latina

Porções
Os anos de preparação: parte de Gênesis, traduzido para o português por D. Diniz, o rei (1279-1325), da Vulgata. Em 1385-1433, D. João I, rei, ordenou a tradução dos evangelhos, Atos, Cartas de Paulo. Os evangelhos traduzidos do francês, por D. Filipa, neta do rei D. João I. Evangelho de Mateus e porções dos outros, da Vulgata, pelo Frei Cisterciense Bernardo de Alcobaça. Harmonia dos Evangelhos, de Valentim Fernandes, 1495. Epístolas e Evangelhos traduzidos pelo jurista Gonçalo Garcia de Santa Maria. Atos e Epístolas Gerais, traduzidos por ordem da rainha Leonora, em 1505.

A Bíblia Inteira
- A décima terceira tradução numa língua moderna. A Bíblia inteira: tradução do grego por Almeida, princípio do século XVIII.
- Tradução de Figueiredo, 1896, da Vulgata Latina: Bíblia inteira.
- Tradução do Padre Huberto Rodhen, usando o texto grego como base, 1930.
- Tradução da Vulgata por Padre Matos Soares, 1932.
- Tradução Brasileira, do grego, 1956.
- Almeida Revista e Atualizada, comissão da Sociedade Bíblica do Brasil, desde 1945.
- Revisão da Almeida, Tradução da Imprensa Bíblica Brasileira, 1967.
- A Bíblia na Linguagem de Hoje (Novo Testamento), Sociedade Bíblica do Brasil, 1973.

Tradução de Wycliff   Christian Computer Art

Jerusalém na sua glória — *Christian Computer Art*

Jesus

Russel Champlin

INTRODUÇÃO

I. IDENTIFICAÇÃO

1. Magnitude de sua Influência

2. Muitas ideias sobre sua Pessoa
- a. Não-existência
- b. Gnósticos
- c. Docetismo
- d. Ário
- e. Emanação
- f. Liberalismo
- g. Triteísmo
- h. Posição do NT (ortodoxa, trinitária)

II. MINISTÉRIO

1. Antes do ministério na Galileia
- a. Preexistência - João 1
- b. Nascimento - Mateus 1; Lucas 1 e 2
- c. Infância
- d. Relações para com João Batista e os essênios
- e. Batismo de Jesus
- f. Tentação
- g. Primeiros discípulos
- h. Ministério na Judeia

2. Ministério na Galileia
- a. Acontecimentos preliminares
- b. Identificação como Filho do homem
- c. Sinagogas
- d. Escolha dos doze
- e. Grandes sermões
- f. Obras prodigiosas
- g. Envio dos doze
- h. Morte de João Batista
  - i. Os três circuitos pela Galileia

3. Jesus parte da Galileia
- a. Retirada para Tiro
- b. Jesus se revela
- c. Viagem a Jerusalém

4. Jesus na Judeia
- a. Ensinos em Jerusalém
- b. Ministério na Pereia

5. Dias finais de Jesus
- a. Entrada triunfal em Jerusalém
- b. Traição
- c. Última Ceia
- d. Jardim do Getsêmani
- e. Aprisionamento
- f. Julgamentos de Jesus
- g. Crucificação
- h. Descida ao hades
- i. Ressurreição

III. ENSINOS

1. Fontes

2. Natureza sem-par

3. Temas básicos
- a. O reino de Deus
- b. O Filho do homem
- c. Missão messiânica
- d. Princípios éticos
- e. Acontecimentos futuros: o conhecimento especial de Jesus
- f. Morte de Cristo e seu significado
- g. Realção de Cristo com o judaísmo
- h. Diversos temas das parábolas de Jesus

IV. BIBLIOGRAFIA

INTRODUÇÃO

Qualquer tentativa de expor de modo breve e completo a identificação, o ministério e os ensinos de Jesus, deve ser vista como algo semelhante à tentativa de colocar o oceano dentro de uma xícara. A grandeza de Jesus, sua subseqüente vastíssima influência, e nosso conhecimento relativamente exíguo de sua vida, ministério e ensinos, de pronto nos colocam em um dilema, porquanto qualquer esforço terá de ficar muito aquém do alvo de uma caracterização adequada de sua pessoa. Todo este comentário é apenas uma tentativa um pouco mais extensa de caracterizar Jesus e sua importância; e a existência de muitos comentários, alguns deles versículo por versículo, lado a lado com muitos outros volumes de diversas categorias, demonstra que essa tarefa jamais poderá ser realizada de modo completo ou perfeito.

Este comentário é lançado na esperança de que pelo menos seja útil, e de que o ponto de vista aqui apresentado sobre Jesus seja impressionante, a fim de se descobrir aquela "glória em seu seio que transfigura a ti e a mim". Este breve artigo de introdução só pode esperar salientar o esboço geral dos assuntos abordados, e seu propósito específico consiste em explicar os temas básicos de Jesus e de seu ministério, confiando que o leitor se interesse suficientemente por seguir avante com um estudo mais detalhado: destas questões. Esse estudo poderá ser realizado mediante o exame dos livros aludidos nas diversas "bibliografias", dadas nas seções introdutórias, bem como na bibliografia geral, além do emprego de outros livros porventura disponíveis na língua portuguesa, e também mediante o uso deste comentário.

O leitor que lançar mão desses diversos mananciais de informação certamente obterá uma visão mais compreensiva acerca de Jesus, de sua identificação, de seu ministério e de seus ensinos. Não pode haver ocupação mais importante do que essa, pois em verdade o destino de Cristo determina nosso destino pessoal. Sua vida mostrou o caminho pelo qual teremos eventualmente de seguir, na qualidade de homens, se temos a esperança de retornar a Deus. A vida de Cristo, tal como ela é atualmente, é o nosso alvo. Quando a sua glória final tornar-se realizada, seremos co-herdeiros juntamente com ele. Assim, pois, de forma bem real, o estudo da vida de Jesus e sua importância é, ao mesmo tempo, uma sondagem na significação mesma de nossa existência e uma previsão em nosso destino. Por certo todos nós deveríamos nos interessar nessa inquirição.

I. Identificação

1. Magnitude de sua influência

Ao que sabemos, Jesus nada escreveu, apesar de muitos sentirem a necessidade essa que prossegue até hoje, pois cada geração precisa ter os próprios intérpretes sobre o sentido da vida de Cristo. Jesus jamais deixou a Palestina durante o seu ministério terreno (exceto que, de certa feita, esteve na região de Tiro e Sidom), mas o seu nome é conhecido em toda parte do mundo. Os historiadores afiançam-nos que, antes do fim do século II d.C., vinte distintos grupos religiosos tinham saltado à existência, todos afirmando alguma espécie de origem em Cristo, embora apresentando definições diferentes e contraditórias acerca dele e de seu ministério. Antes do fim do século IV d.C., havia mais de oitenta desses grupos, mas hoje exauriria a boa matemática se quiséssemos contar o número de grupos existentes, todos supostamente alicerçados em sua autoridade.

É verdade que quando qualquer gênio criador aparece entre os homens, o resultado natural é uma modalidade de conflito e de revolução. As pessoas que entram em contacto com o mesmo precisam ser modificadas por ele, ou, por outro lado, têm de fazer-lhe tenaz resistência, a fim de se livrarem de sua possível influência. Quanto mais elevada for a estatura desse gênio criador, tanto mais intenso será o conflito, a modificação e a mudança na vida daqueles que entram em contacto com ele. No caso de Jesus, essa verdade é óbvia. Até mesmo os elementos liberais, que negam completamente a divindade de Cristo, reconhecem, não obstante, o valor de sua pessoa; e, na maioria dos casos, nem procuram livrar-se totalmente de sua influência. Que isso continue ocorrendo quase dois mil anos depois de sua vida terrena, por si mesmo é grande indicação da magnitude de sua pessoa. Os ateus e agnósticos são igualmente afetados por ele, mas, nesses casos, o conflito e a reação adversa são ativados. Alguns têm passado a vida inteira no tentame de anular e desacreditar a sua influência e de diminuir-lhe a importância. Essa oposição é apenas um testemunho involuntário acerca da grandeza de Cristo. Os crentes apresentam a maior evidência de sua grandeza, porquanto procuram incorporar em si mesmos "algo" de sua vida. Aqueles que conseguem isso em maior profundidade são os mais excelentes exemplos de sua magnitude. Quase vinte séculos não têm podido diminuir as modificações, alterações e transformações e conflitos que a presença de Jesus criou nesta terra.

10 |Artigos introdutórios| NTI

Fora das próprias Escrituras não contamos com muito testemunho ou material que nos forneça informações sobre Jesus. Ele é mencionado pelos historiadores romanos Tácito (Anais XV.44), Suetônio (Cláudio, 25; Nero, 16) e Plínio (Epístolas X.96), e pelo famoso historiador judeu Flávio Josefo, em uma passagem altamente interpolada (Ant. XVIII. 3.3). Existem também numerosas referências indiretas a Jesus na literatura judaica posterior, em sua maioria, adversa. Os livros apócrifos do NT se baseiam nele, mas nenhum estudo chegou até nossas mãos capaz de distinguir quanto dessa informação é digna de confiança e quanto não é. A maioria das histórias dos livros apócrifos do Novo Testamento se baseia nos quatro evangelhos, pelo que também não têm valor independente. Não obstante, há certa quantidade de informações adicionais, nesses livros, que provavelmente é autêntica; porém, os eruditos sobre os livros apócrifos são poucos, pelo que fica extremamente limitado para nós o valor desses livros como fontes informativas dignas de fé. De modo geral, só nos resta pesquisar as páginas do NT, para que encontremos informações fidedignas acerca de Jesus.

É fato sobejamente conhecido e muito comentado que, fora dos evangelhos, pouquíssima informação existe sobre a vida de Jesus, e, realmente, pouquíssimas citações diretas. Pode-se aprender muito por meio dos apóstolos e seus ensinos, e existem muitas revelações de doutrinas que se tornaram parte do sistema cristão, mas pouquíssimo que se tenha originado do ministério terreno de Jesus propriamente dito. Por esse motivo, ficamos à mercê dos quatro evangelhos (ou quase inteiramente) quanto a fontes informativas sobre Jesus. E nem mesmo esses livros são biografias no sentido moderno do termo, mas, de fato, são uma modalidade distinta de literatura. Os "evangelhos", em si mesmos, são um tipo diferente de literatura, embora incorporem breve esboço biográfico sobre a vida de Jesus. Não podemos estar totalmente certos quanto à ordem cronológica dos acontecimentos nos evangelhos, porquanto, de forma geral, Marcos traça o esboço básico (isto é, os outros, com a exceção de João, usaram o evangelho de Marcos como seu esboço) ao passo que Papias, discípulo do apóstolo João, diz-nos que Marcos nem sempre registrou os acontecimentos em sua exata ordem cronológica. Todavia, a base das narrativas de Marcos é, essencialmente, as memórias de Pedro; pelo que nem sempre podemos depender da ordem cronológica dos acontecimentos, embora possamos confiar na historicidade dos mesmos.

Quanto a uma análise geral do conteúdo e das fontes informativas dos evangelhos, o leitor pode examinar o artigo da introdução intitulado O problema sinóptico, bem como as notas introdutórias a cada evangelho. A respeito da questão da "historicidade", ou seja, do fato que as narrativas são fidedignas do ponto de vista histórico, o leitor deveria examinar a seção da introdução ao comentário chamada Historicidade. Quanto à questão acerca de serem os textos dos evangelhos dignos de confiança ou não (bem como os textos de todo o NT), conforme os conhecemos, embora não exista mais nenhum documento original de nenhum dos livros do NT, o leitor deveria consultar a seção intitulada "Manuscritos do Novo Testamento".

2. Muitas ideias sobre sua pessoa

O progresso da história não tem alterado grandemente as várias opiniões do mundo sobre Jesus, pois nos tempos modernos encontramos todos os pontos de vista representados desde o mundo antigo, embora, talvez, em formas modificadas. Apresentamos aqui, de forma abreviada, esses principais pareceres:

a. Não-existência

Alguns antigos, tanto quanto alguns modernos, têm preferido crer que Jesus realmente nunca existiu, mas que surgiu uma espécie de "culto ao Salvador" (provavelmente entre os essênios), que criou o personagem do "Messias", posteriormente identificado com Jesus. Quiçá os psicólogos chamassem isso de uma espécie de "cumprimento de desejo", que é uma das funções psíquicas dos seres humanos. Israel anelava por um Messias, por um Salvador, por um Libertador. Daí alguns deles passaram a criar tal personagem. Talvez alguma figura pouco conhecida, chamada "Jesus", tivesse estado de alguma forma associada a tal movimento; mas o "Jesus" do cristianismo histórico seria principalmente uma personalidade lendária. David Strauss, teólogo alemão (1873), em seu livro, Life of Jesus, levantou a questão da realidade histórica de Jesus, e apresentou a conclusão a que chegou de que a história de "Jesus" é quase inteiramente mitológica. Author Drews, em sua obra "The Christ Myth", procura demonstrar que já havia um culto ao Salvador antes dos tempos cristãos, que havia criado um "Messias", e que os cristãos subseqüentemente tomaram de empréstimo desse culto o seu "Salvador", disso se desenvolvendo a doutrina, em torno da pessoa do homem chamado "Jesus". Diversas formas dessa ideia geral têm aparecido em círculos liberais. Alguns acreditam no "Jesus" histórico, mas também crêem que foi criado um "Jesus teológico", personagem esse meramente mitológico. Isso significaria que os evangelhos são narrativas feitas por zelotes maníacos, não sendo fidedignas como documentos históricos. Por conseguinte, pouco ou nada se conheceria acerca do "Jesus histórico", realmente.

De modo geral, essa teoria não tem sido bem aceita em círculos históricos, ortodoxos ou liberais. De fato, se é impossível demonstrar a existência de Jesus, seria difícil, se não mesmo impossível, demonstrar a existência da maioria dos personagens antigos. Jesus foi mencionado pelos historiadores romanos Tácito (Anais XV.44), Suetônio (Cláudio, 25; Nero, 16) e Plínio, o Jovem (Epístolas X.96). A data desses escritos é 115 d.C., 125 d.C. e 110 d.C., respectivamente. Em obras de Flávio Josefo temos a declaração de que Jesus era "um homem bom (se é legal chamá-lo um homem), com quem se associavam homens bons" (Ant. XVIII.3.3). Essa declaração é reputada como altamente interpolada, mas pelo menos temos aqui uma referência ao Jesus histórico, bem como alguma indicação acerca de seu caráter. Nos tempos que se seguiram imediatamente à vida de Jesus, até mesmos os seus mais figadais adversários jamais tentaram negar a sua existência; pelo contrário, as declarações zombeteiras a seu respeito, tais como as alusões indiretas que a ele no Talmude, servem também de provas, pelo menos, da sua existência. O Talmude chama-o de mágico que aprendeu suas artes mágicas no Egito, e de enganador do povo; e a despeito disso ser um testemunho adverso, contudo, comprova a sua existência.

b. Gnósticos

Na igreja cristã, quase desde o princípio, surgiu um ponto de vista acerca de Jesus que tentava incorporar dentro de sua identificação várias ideias da filosofia e da mitologia gregas, além de pensamentos orientais e judaicos. Os textos de 1João 2.2 e 4.2,3 e as epístolas aos Colossenses e aos Efésios parecem ser tentativas de combater diversos aspectos dessas ideias externas acerca de Jesus. De conformidade com o pensamento gnóstico, Jesus tornou-se parte da ordem dos anjos, talvez o mais exaltado deles, talvez, não. Talvez seja o deus deste mundo, porém também há muitos outros deuses. Ele é uma criatura superior, mas não o Deus que está acima de todos, nem é filho, em qualquer sentido especial, conforme ensina a doutrina trinitária bíblica. Pelas passagens mencionadas acima (1João) aprende-se que os gnósticos negavam a verdadeira humanidade de Jesus, porquanto não diziam que "[...] Jesus Cristo veio em carne..." Nas epístolas aos Colossenses e aos Efésios, ficamos sabendo que negavam a deidade essencial de Jesus Cristo, provavelmente rebaixando-o a alguma das ordens de anjos. O problema do gnosticismo é o mesmo problema que enfrentamos hoje em dia. Jesus teve uma vida grande e incomum. — Como poderia ele ter vivido como viveu? Os gnósticos respondem: Jesus pertencia a alguma ordem angelical, e não à humanidade. Deve ter havido muitas variedades de explicações, entre os gnósticos, acerca da vida de Jesus, e essa heresia era um dos principais flagelos da igreja primitiva. Alguns aceitavam que Jesus era um ser humano controlado por um ser celestial; mas outros criam que um "ser angelical" descera à terra a fim de cumprir uma missão, e que a sua humanidade não passava de uma ilusão. Esse era o elemento do docetismo ético dentro do gnosticismo.

Muitos gnósticos, conforme se dava com os partidários do docetismo, ensinavam que o espírito de Cristo descera sobre Jesus, quando de seu batismo, mas deixara-o quando de sua morte. Assim sendo, o homem Jesus não podia ser inseparavelmente identificado com o "espírito descendente de Cristo".

c. Docetismo

Essa palavra se deriva do termo grego dokeo, que significa "parecer". Cerinto (85 d.C.) foi um dos principais advogados dessa opinião acerca de Jesus. Ele era alexandrino e discípulo de Filo, o famoso filósofo judeu neoplatônico (até 50 d.C.). O seu ensino geral é que a "humanidade" de Cristo era "ilusória", apenas "parecia" ser real. Entre outras, temos a ideia de que Jesus já existia como homem quando o "espírito de Cristo" veio controlá-lo, mas que não houve verdadeira encarnação de Cristo, nem o Cristo sofreu ou morreu, tão-somente o Cristo divino apossou-se de Jesus, quando de seu batismo, e o abandonou quando de sua morte na cruz. Em sentido algum, o homem Jesus seria Deus, mas tão-somente um homem um pouco melhor e mais sábio do que os demais.

Márciom ensinava certa forma de docetismo quando afirmava que, apesar de ter sofrido, o Cristo não nascera como outros homens, nem tivera começo na história, mas aparecera subitamente, vindo dos céus, durante o reinado de Tibério. Parte da doutrina islamita também tem elementos do docetismo.

Os primeiros pais da Igreja, Inácio, Irineu e Tertuliano, opuseram-se vigorosamente ao docetismo. Tertuliano escreveu diversos artigos contra essa heresia, como também o fizeram outros dos pais; e a maior parte de nossas informações a respeito das primeiras heresias nos chega por meio dessas fontes. Parte da doutrina gnóstica tinha tendências ou implicações docéticas, e era possível a alguém ser gnóstico e docético ao mesmo tempo. Ótima ilustração disso é Márciom. Se o espírito de Cristo viera controlar o homem Jesus, não havia "Cristo humano" real, porquanto seu espírito viera e se fora, mas não fazia parte da personalidade de Jesus. Outros também eliminavam completamente a "humanidade", imaginando que Jesus teria surgido repentinamente dos céus, pelo que também não havia nenhuma natureza humana. E a forma humana que parecia existir, era tão-somente uma ilusão. Essa posição geralmente elimina qualquer ideia sobre o "Salvador sofredor". — Cristo apenas pareceria ter sofrido. Ele era por demais divino para sofrer.

Salientar demasiadamente a deidade de Cristo, a expensas de sua humanidade, como tão freqüentemente se verifica nas modernas igrejas evangélicas, em realidade é uma forma de docetismo. Também nos esquecemos por muitas vezes que essa humanidade foi real, que as suas limitações eram reais, e que Jesus precisou "aprender a obediência pelas cousas que sofreu". Mui freqüentemente fazemos de Jesus um homem irreal, e terminamos por ensinar uma forma qualquer de docetismo. O evangelho de Pedro (livro apócrifo do NT, 130 d.C.) é tão docético quanto os Atos de João (170 d.C.). Outros dos evangelhos refletem o docetismo e o gnosticismo. Os docetistas tinham muito em comum com os gnósticos, mas finalmente formaram uma seita separada. Basta-nos, entretanto, um pouco de reflexão para que percebamos que tanto o gnosticismo como o docetismo estão vivos no mundo, até o dia de hoje.

d. Ário

O arianismo, que derivou seu nome de Ário, presbítero de Alexandria, em 256-336 d.C., e que era discípulo de Luciano de Antioquia, combinava o ponto de vista monárquico e adopcionista com a "cristologia de Logos", de Orígenes. O monarquianismo do termo grego "monarchia", que sugere "unidade", salientava a unidade da deidade em oposição às distinções dentro da deidade (como ensina o trinitarismo). A doutrina do "logos", por sua vez, procurava estabelecer a transcendência de Deus, e o "logos" seria uma emanação ou expressão de Deus, mas não podia ser identificado com o Deus altíssimo, que deveria ser visto como totalmente transcendental. Entretanto, para Ário, o logos era perfeita criatura, parte da criação de Deus, embora pudesse ser um agente ativo em outros atos da criação. Ário cria que o "logos" se tornara carne em Jesus, mas negava que Jesus (ou Cristo) possuísse alma humana. A pessoa de Cristo não possuiria deidade essencial. Cristo teria sido a primeira das criaturas e a maior de todas, e talvez se tivesse tornado em uma espécie de Deus, por adoção, mas jamais como o Pai transcendental. Todavia, poderia ser objeto da adoração dos homens. A ideia essencial de Ário era que a deidade essencial jamais poderia identificar-se com a esfera terrena inferior, porquanto isso seria uma espécie de contaminação. A "deidade" de Cristo, portanto, tinha de ser de sorte diferente. Aqueles que têm estudado a filosofia platônica reconhecem aqui a influência dos ensinos dos "universais" e dos "demiurgos", nos quais estes últimos criam o mundo visível (nosso mundo) de conformidade com o desígnio dos primeiros. Muitas variedades de arianismo se têm desenvolvido, em variegados graus, dependentes do reconhecimento conferido à pessoa de Cristo, mas nenhuma dessas variedades lhe atribui a deidade essencial do Pai. Após a excomunhão de Ário, suas doutrinas se propagaram largamente e, em pouco tempo, toda a igreja oriental se transformou em uma batalha "metafísica". O concílio de Nicéia condenou os pontos de vista de Ário e estabeleceu o "trinitarismo" (325 d.C.).

Certas facções do cristianismo atual são bem definidamente arianas em seu caráter:

e. Emanação

A emanação é a doutrina que diz que tudo quanto existe derivou-se da Realidade ou Ser supremo, absoluto, mais alto. Aqueles que têm estudado a filosofia platônica e, especialmente a adaptação religiosa dessa filosofia, que tem sido intitulada neoplatonismo, facilmente poderão ver que tais ideias foram aplicadas a Cristo, por parte de alguns, na igreja primitiva. Pode-se ilustrar a ideia geral pensando no sol e em seus raios. Os raios emanam do sol, e, em realidade, são uma expressão da essência do sol. Quanto mais afastado alguém estiver do sol, maior será a escuridão que verá. Deus Pai é como o sol. Sua emanação mais forte é o Filho. Um pouco mais distantes encontramos os seres angelicais. Em seguida, os homens podem ser contemplados muito distantes de Deus, embora continuem sendo uma emanação divina. Finalmente, encontra-se a matéria pura, que está tão distante de Deus, que habita em trevas absolutas. O texto de Hebreus 1.3 fala-nos de Cristo nestes temos: "[...] é o resplendor da glória", parece expressar uma ideia de emanação, embora os intérpretes e comentaristas (que conhecem as questões envolvidas) façam muitos desvios e contorções para evitarem essa interpretação. Caso uma ideia de emanação fosse aceita por nós, nesse versículo, haveria muitas implicações que os gnósticos e outros extraíam, quando falavam de Cristo como uma emanação de Deus. Entretanto, podemos ver nesse versículo meramente uma forma de expressão poética, o que parece indicar que Cristo é a expressão especial de Deus, tal como os raios do sol são expressões do sol. Alguns dos primeiros pais da Igreja foram neoplatonistas em graus variados (por exemplo, Justino Mártir, Orígenes e Clemente de Alexandria), pelo que algumas das primeiras teologias que surgiram na Igreja continham ideias de emanação. Essa ideia parece criar uma espécie de panteísmo, e é justamente esse o elemento da ideia que tem provocado a reação a ela. Muitos daqueles que ensinavam as ideias neoplatônicas na igreja primitiva também fazem Deus totalmente transcendental, e assim pareciam ensinar contra as ideias básicas do teísmo, que ensina que Deus criou e continua diretamente interessado na criação.

f. Liberalismo

Quando Jesus estava no templo, ocupado nos negócios de seu Pai, Maria e José não puderam compreendê-lo, e ficaram perplexos. Muitas pessoas que não fariam objeção em ser catalogados como liberais, continuam perplexos ante a personalidade de Jesus. Caracterizar o liberalismo, mediante algumas poucas palavras, é tarefa impossível; pelo que, o melhor que se pode esperar fazer é apresentar uma brevíssima descrição, adicionando algumas poucas ideias liberais específicas acerca da identificação de Jesus Cristo. A palavra liberal é definida, pelo Oxford Dictionary, como "epíteto original e distintivo daquelas 'artes' e 'ciências' que eram consideradas dignas de um homem livre, em oposição às atividades servis ou mecânicas". Quando isso é aplicado à teologia, fica subentendido que o liberalismo é uma realização educacional e espiritual, prenhe às dignidades e responsabilidades e direitos da liberdade. Segundo essa definição, um liberal é um homem livre, em contraste ao conservador, que pode estar "escravizado" à tradição e às interpretações mecânicas e absolutistas. Os liberais pretendem interpretar sem o empecilho dos preconceitos e convenções. Suspeitam das autoridades, e algumas vezes se revoltam contra elas. Talvez creiam na revelação, mas não identificam essa revelação com nenhum livro ou com nenhum indivíduo. Talvez cheguem a aceitar o sobrenatural, mas sua compreensão acerca do sobrenatural não pode ser limitada a nenhuma coleção de livros, regras etc., ou a nenhuma autoridade, tal como uma igreja, papa, padre, ministro etc. Para os liberais, as declarações literais das Escrituras não bastam. A despeito de poderem acreditar que a Bíblia é uma revelação válida, não identificam esse livro com uma revelação infalível. Os liberais não empregam "textos comprovantes" para neles basearem qualquer conhecimento. Estudam a Bíblia como estudariam qualquer outro livro, motivados por considerações lingüísticas, históricas e sociais. Não aceitam a Bíblia como autoridade absoluta, isto é, que seja perfeitamente veraz, completa e sem erro. Procuram separar ali o falso do verdadeiro. O liberalismo, naturalmente, é tão antigo quanto o cristianismo, mas tornou-se especificamente proeminente na igreja a partir do século XIX e no século XX, pelo que se trata de um movimento um tanto moderno, como um tipo de pensamento teológico mais universal. Assim é que surgiu o "modernismo", termo largamente utilizado como sinônimo de liberalismo.

Por causa da base muito vasta do pensamento "liberal", há muitas variedades de liberais, a começar por aqueles que poderiam ser considerados essencialmente conservadores (isto é, aqueles que mantêm algumas poucas opiniões liberais, paralelamente a pontos de vista conservadores) e terminando por aqueles que negam terminantemente qualquer doutrina sobrenatural, e que podem até mesmo ser indivíduos ateus que encontram algum valor nos princípios religiosos, mas separadamente de seus valores "metafísicos". Muitos indivíduos liberais enfatizam os elementos sociais e éticos da religião, e não os elementos doutrinários. A leitura de exposições bíblicas feitas por liberais revela que alguns milagres são aceitos por eles, enquanto que outros são rejeitados; algumas das declarações de Jesus são aceitas como autênticas, mas outras são rejeitadas como palavras da igreja que foram postas nos lábios de Jesus algum tempo depois de ele ter vivido na terra. Alguns liberais aceitam uma espécie de divindade em Jesus, ao passo que outros só vêem uma pessoa humana de considerável valor. Alguns rejeitam as tendências principais do ensinamento evangélico. Por exemplo, alguns vêem um Jesus patriota e político, e não meramente um Jesus religioso, crendo que Cristo morreu principalmente como vítima do estado romano, por ser um ativista político. Essa é a tese dos recentes livros escritos pelo padre anglicano S. G. F. Brandon, "Jesus and the Zealots" (Scribner) e "The Trial of Jesus" (Stein & Day). Esse autor acredita que o evangelho original (o de Marcos), por causa das perseguições movidas pelas autoridades romanas (perseguições essas que então começavam), evitou implicar Roma na morte de Jesus, e assim exagerou grandemente a parte desempenhada pelos judeus. Isso teria sido seguido pelos demais evangelhos, e então Roma ficou quase isenta de culpa, ao mesmo tempo que se criou uma espécie de "anti-semitismo". Tais ideias, como é lógico, forçosamente negam de todo o valor total ou a natureza fidedigna das narrativas que se encontram nos evangelhos, e especulam com pequenos "indícios", a fim de criar argumentos. Por exemplo, a purificação do templo, por Jesus, é vista não principalmente como um ato religioso, que se teria originado na indignação de Cristo, em face dos abusos religiosos das autoridades judaicas, mas como um "ataque" ao tesouro do templo, a fim de desapossar seus diretores sedentos de dinheiro, e tudo isso em favor dos pobres. Esse ato, pois, é visto pelos liberais como ação social e política, e não como ação religiosa. Por conseguinte, Jesus teria morrido como patriota, nas mãos de estrangeiros romanos, — um "rebelde-mártir" em prol de seu povo. Esse tipo de interpretação é típico do liberalismo, o qual não se sente obrigado a aceitar, totalmente e sem questão, as declarações do NT acerca da identidade e do ministério de Jesus Cristo.

g. Triteísmo

Existem alguns que vêem Jesus como Deus, isto é, que adotam a divindade de Jesus, mas que não aceitam o conceito trinitário da deidade. O triteísmo é a opinião de que existem três deuses, a saber, Pai, Filho e Espírito Santo. Esses três são distinguidos por uma essência de ser que os alça acima de todos os outros seres, o que lhes confere o direito de serem chamados deuses. O triteísmo, em realidade, é uma forma de politeísmo. Alguns que professam crer no "trinitarismo", por equívoco, realmente crêem no "triteísmo". O triteísmo ensina uma substância separada, bem como personagens separados. João Filipon, do século XV d.C., mediante uma interpretação extrema do trinitarismo, em realidade ensinava o triteísmo. Ensinava ele que três hipóstasis devem significar três substâncias. Roscelin, do século XV d.C., ensinava que as pessoas da trindade são apenas "nominalmente" um, a saber, apenas quanto ao nome, ou por designação apenas, e não como realidade. Isso não passa de triteísmo. Entre os grupos que atualmente se dão o título de cristãos, existem aqueles que defendem o triteísmo. Um exemplo notável disso é o mormonismo. Muitos crentes individuais não compreendem o conceito trinitário de Deus, e de fato são tristeístas, sem distinguirem a diferença.

h. Posição do NT (ortodoxa, trinitária)

O conceito de Jesus, que finalmente veio a ser reputado ortodoxo, de conformidade com as páginas do NT, é a explicação trinitária. Ao identificarmos Jesus, adicionamos a isso o ensino de sua verdadeira humanidade e, mediante esses dois conceitos (trinitário e humano), chegamos à verdadeira identificação. A palavra "trindade" não se encontra na Bíblia, nem no Antigo nem no Novo Testamento. Foi empregada pelo pai Tertuliano, já desde o fim do século II d.C. Tornou-se uma parte formal da teologia cristã pelo século IV de nossa era. Essa é uma doutrina distintiva do cristianismo, e "reúne, em uma única grande generalização, com referência ao ser e às atividades de Deus, todos os principais aspectos da verdade cristã" (Lowry). O vocábulo trindade é meramente uma tentativa teológica de definir, em termos mais ou menos compreensíveis, a substância de Deus, declarando que Deus é um em seu ser essencial, mas que a essência divina existe em três formas ou modos, cada qual constituindo uma pessoa; mas ainda assim, de tal modo, que a essência divina existe em cada uma dessas pessoas. Mas a grande realidade é que ninguém, realmente, pode compreender o que isso significa, mas tudo não passa de uma tentativa de esclarecer algo acerca de Deus. O conhecimento humano é tremendamente limitado até mesmo quanto à questão material mais simples; pelo que também certamente é impossível para nós compreender realmente a essência e as manifestações de Deus. O que sabemos nos é transmitido em termos humanos, que compreendemos por meio de padrões humanos. Ninguém pode reivindicar para si mesmo grande conhecimento acerca da essência de Deus. Podemos conhecer um pouco mais acerca de suas obras, mas até mesmo nesse particular nossa compreensão humana é limitada pelo fato de que tudo nos chega em formas humanas, e não divinas. O concílio de Nicéia (325 d.C.) se pronunciou contra o arianismo e em favor do trinitarismo "Deus de Deus, luz da luz, vero Deus de vero Deus, sendo de uma só substância com o Pai" (falando acerca do Filho). Isso é "trinitarismo"; mas fica bem aquém da verdadeira compreensão das questões abordadas, pois qualquer exemplo apresentado para ilustrar o trinitarismo, necessariamente terá de ser insuficiente e inadequado.

Essa doutrina não é bem desenvolvida no AT e as tentativas de vê-la na palavra "elohim", uma palavra hebraica no plural que indica Deus, não são bem fundadas no idioma hebraico. Essa forma plural era usada para magnificar o conceito e elevar o sentido, isto é, o plural agia como uma forma de aumentativo, e não indicava necessariamente o plural em número. Não obstante, podem-se ver traços dessa doutrina em Deus e seu Espírito, no Anjo do Senhor (que era chamado pelo nome divino) e no Servo do Senhor (indícios messiânicos). Nas passagens de Provérbios 8.22 e Jó 28.23-27, a Palavra ou Verbo é personificada como a Sabedoria. O texto de Isaías 9.6 atribui divindade ao "filho que nasceu", e toda a terminologia desse texto sugere igualdade com o Pai. O Espírito de Deus tem proeminência sobre tudo quanto lhe pertence, e ninguém pode defender, pelas Escrituras, que o Espírito Santo é meramente uma espécie de influência, e não uma pessoa (ver Is 9.2; 42.1; Jl 2.28; Ez 36.36,27). Todos os elementos se acham presentes, mas disso não se seguiria obviamente o trinitarismo, a menos que o NT não tivesse sido escrito. É por esse motivo que os judeus não são trinitários.

O trinitarismo é mais claro no NT. Ali, Pai, Filho e Espírito Santo são reconhecidos como pessoas distintas, com atividades diversas; não obstante, ao mesmo tempo o NT procura preservar o monoteísmo. Essa dualidade de expressão leva-nos ao trinitarismo. Três pessoas, mas ao mesmo tempo um Deus (não três deuses) — isso é o que o trinitarismo tenta definir. São numerosas as referências à distinção que existe entre o Pai, o Filho e o Espírito Santo. Um desses principais exemplos é a narrativa do batismo, onde as três pessoas se fizeram presentes. O Filho foi imerso, o Pai falou do céu, e o Espírito desceu em forma de pomba (ver Mt 3.16,17). A fórmula batismal, dada na Grande Comissão — "[...] em nome do Pai, e do Filho e do Espírito Santo..." demonstra a mesma verdade (Mt 28.19,20). Entretanto, tais declarações poderiam provar, igualmente, o triteísmo, e alguns têm frisado que as três personagens, na cena do batismo, foram vistas a ocupar diferentes lugares no espaço. A bênção apostólica — "A graça do Senhor Jesus Cristo, e o amor de Deus, e a comunhão do Espírito Santo sejam com todos vós" (2Co 13.13) — demonstra o uso que havia na igreja primitiva e que as três pessoas eram vistas como dotados de essência e exaltação especiais e idênticas, segundo se pode subentender seu esforço.

Passagens como Filipenses 2 ensinam a igualdade entre Pai e Filho. Passagens como João 1, Colossenses 1 e 2, Efésios 1 e Filipenses 2 ensinam a divindade do Filho. Passagens como Lucas 1.35; João 15.26; At 2.32,33 ensinam o ministério do Espírito Santo, e também sua personalidade e suas relações com o Pai e o Filho. Todavia, tudo isso poderia indicar triteísmo, e não trinitarismo. Para essa indicação, precisamos depender de declarações neotestamentárias que defendem o monoteísmo, das quais 1Coríntios 8.6 serve de exemplo, e que tem o propósito de negar especificamente as nações politeístas (como no vs. 5 do mesmo capítulo) — "[...] todavia, para nós há um só Deus, o Pai [...] e um só Senhor, Jesus Cristo..." Se continuarmos vinculando o NT ao AT, teremos de interpretar o pensamento do NT de acordo com o AT, onde há declarações como "[...] eu sou Deus, e não há outro" (Is 45.22); "[...] Há outro Deus além de mim? Não, não há outra Rocha que eu conheça" (Is 44.8, ARA); "[...] eu sou Deus, e não há outro semelhante a mim" (Is 46.9). O NT, interpretado à luz do AT, elimina a possibilidade de qualquer tipo de interpretação politeísta, e o triteísmo é politeísmo. Não é provável que a igreja primitiva, sendo composta essencialmente de judeus, e tendo seguido essencialmente os princípios da teologia judaica, tivesse sido politeísta. O trinitarismo oferece o único meio de escape para que se possa aceitar a divindade do Filho e do Espírito Santo, sem que se deixe de ser monoteísta. Continua havendo um só Deus, mas existente em três essências, em três expressões dessa essência. Naturalmente que não compreendemos muito sobre o sentido dessas palavras, e certamente nada das realidades por detrás delas, porquanto compreendemos pouquíssimo acerca da essência de Deus. De fato, nem sabemos do que se compõe a matéria[...] quanto menos a divina substância!...

Não obstante, pode-se tentar descrever Deus em termos que tenham sentido para nós, e essa tentativa leva-nos ao conceito trinitário, e não ao triteísmo. A palavra "pessoa" pode ser ilusória, pois esse termo sempre designa para nós um indivíduo separado, racional e moral. No que diz respeito, porém, ao ser de Deus (de acordo com o pensamento trinitário), não existem três indivíduos, mas três autodistinções pessoais dentro de uma única essência divina. No homem, a personalidade indica independência; mas, ao aplicar-se a Deus, isso não é verdade. — Cada pessoa é autoconsciente e auto-orientada, mas jamais independente das demais. Deus é uma unidade, e não dividido em três partes. Dentro dessa unidade, todavia, há diversidade. O Pai é a fonte da vida e da criação. Ele é o primeiro. Diz-se ser ele o originador. O Filho é a fonte da vida e da criação. Ele é Alfa; ele é Ômega. O Filho é eternamente gerado com o Pai; ele é o segundo. O Espírito, que procede eternamente do Pai e do Filho, é o terceiro. Diz-se que ele é o executor da vontade divina. Esses termos, "primeiro", "segundo" e "terceiro" não indicam nem prioridade de tempo, nem de existência e nem de dignidade, poder ou posição. Todas as três pessoas são igualmente eternas, iguais em dignidade e poder. Portanto, usamos esses termos para ajudar-nos a compreender algo de suas manifestações.

No entanto, Jesus, o Filho de Deus, também se tornou homem. Certamente que o NT ensina isso. O segundo capítulo de Filipenses ensina, bem definidamente, a humanidade de Jesus, em sua encarnação. O Filho esvaziou-se, não de sua divindade, mas de seus direitos e poderes, bem como de seu conhecimento — como homem. Palmilhou pela vereda que os homens devem seguir, e sob condições próprias aos homens. Jesus "[...] aprendeu a obediência pelas coisas que sofreu..." (Hb 5.8, ARA). Também não sabia todas as coisas (ver Mc 13.32), mas dependia de Deus-Espírito Santo, a fim de desenvolver-se como homem e tornar-se suficientemente poderoso para realizar os prodígios que fez. Sofreu as dores e tristezas próprias a todos os homens, e, no jardim do Getsêmani, hesitou e enfraqueceu sob a tremenda carga. Contudo, foi vitorioso, não por ser Deus (embora o fosse), mas por causa daquilo que chegara a ser como homem. Jesus era verdadeiro homem, porquanto a encarnação foi real. Um número demasiado de elementos da Igreja acredita em um Jesus docético (ver "b" na discussão anterior). Ver, em Filipenses 2.6,7 e nas notas ali, uma declaração mais completa sobre a humanidade de Jesus Cristo.

Jesus, portanto, era o Deus-Homem — não meio Deus e meio homem, mas verdadeiro Deus e verdadeiro homem. Como juntar esses pensamentos num só é algo impossível, pois o hiato entre o que conhecemos de Deus e o que conhecemos do homem é demasiadamente lato. Podemos descrever muita coisa do lado humano, e pouquíssimo do lado divino, mas essa doutrina nos apresenta um paradoxo, isto é, um ensino que parece contradizer a si mesmo. Entretanto, apesar da aparente contradição, suas implicações são importantíssimas, porquanto no Deus-Homem vemos revelados os propósitos de nossos destinos. Ele tomou sobre si mesmo a natureza humana, a fim de elevar-nos de nossa triste condição humana. Sua vida tornou-se o padrão da nossa, não só moralmente, mas também no aspecto metafísico, porquanto não só procuramos imitar a sua vida, mas também seremos um dia transformados segundo a sua própria imagem, assumindo a sua essência. Essa é a mais alta promessa do evangelho, e, de fato, o ponto principal do evangelho. Ver as notas detalhadas sobre as implicações dessas afirmações, em Romanos 8.29 e no contexto geral daquele capítulo. O plano da encarnação, que criou o "Deus-Homem", é o mesmo plano que nos eleva à alta posição na criação vindoura, como novas criaturas, como novos tipos de seres, modelados segundo a personalidade do Deus-Homem, porquanto seremos, coletivamente, a sua plenitude (Ef 1.23). Ver notas sobre os três últimos versículos de Efésios 1, quanto aos detalhes dessas implicações.

Dessa maneira, se vê a importância da identificação de Jesus, pois a descoberta de sua identificação é, ao mesmo tempo, a descoberta de nossa identificação. (Ver a declaração introdutória a esta seção sobre "identificação".)

II. MINISTÉRIO

Diz o evangelho de João: "Há, porém, ainda muitas outras coisas que Jesus fez. Se todas elas fossem relatadas uma por uma, creio eu que nem no mundo inteiro caberiam os livros que seriam escritos" (Jo 21.25, ARA). Naturalmente que isso é uma amostra de hipérbole oriental, não obstante, indica algo do problema de tentar esboçar o ministério de Jesus. Deve ter havido muitas coisas que ele fez, muitos milagres que realizou, muitas palavras que proferiu, e que jamais foram registradas por nenhum autor, enquanto que muitas outras ocorrências que encontraram lugar em documentos escritos primitivos, subseqüentemente devem ter-se perdido para nunca mais serem restauradas. Gostaríamos de ter conhecimento de tudo isso, mas nossos únicos documentos fidedignos, como material informativo sobre a vida de Jesus, são os quatro evangelhos. Existem alusões esparsas sobre ele nos escritos de Flávio Josefo, de Tácito, de Suetônio e nas tradições talmúcidas posteriores (embora nem todas essas referências sejam favoráveis), mas todas se revestem de pouquíssimo valor histórico. Há também diversas tradições a seu respeito, algumas nos evangelhos apócrifos e outras independentes dessas fontes, tradições essas que buscam descrever sua infância e os anos anteriores ao seu ministério público. Algumas dessas tradições afiançam-nos que ele passou tempo a estudar na Índia e no Egito, e que estudou com os essênios, no monte Carmelo, que não ficava muito distante de Nazaré. Quanta verdade existe nessas tradições, não temos meios de saber, pelo que ninguém pode apresentar declarações definidas acerca de seus anos formativos.

Sabemos, todavia, que o homem Jesus deve ter recebido uma educação essencialmente "judaica", porquanto os seus ensinamentos deixam transparecer isso. Sua recomendação acerca do celibato (ver Mt 19.10-12), todavia, era um conceito contrário às ideias judaicas, e realmente reflete um importante ensino dos essênios, pelo que é possível que Jesus tenha mantido conexões com esse grupo, como também João Batista. Os primeiros discípulos de Jesus, mui provavelmente haviam estado sob a influência dos ensinos dos essênios, por intermédio de João Batista. (Ver a nota sobre os "essênios", em Lc 1.80 e Mt 3.1.) As narrativas dos evangelhos apócrifos fornecem muita evidência de que foram históricas ordinariamente produzidas pela imaginação desenfreada (sempre que diferem dos quatro evangelhos), e que as freqüentes narrativas autênticas que ali aparecem não passam de cópias ou adaptações das narrativas dos evangelhos do NT. Há uma pequena quantidade de material que, sendo autêntica e não produto da imaginação, pode ser posta lado a lado aos evangelhos, como informação. Ninguém jamais preparou um estudo que determinasse exatamente quanta informação adicional poderia ser obtida desses evangelhos apócrifos; mas, certamente, não poderia ser uma informação abundante. Portanto, considerando as atuais fontes de informação de que dispomos, posto que a arqueologia não nos tem proporcionado nada de novo, somos forçados a depender quase totalmente dos quatro evangelhos, quando queremos obter conhecimentos acerca do ministério de Jesus. Apresentamos, a seguir, em forma de esboço, as principais épocas desse ministério:

1. Antes do ministério na Galileia

a. Preexistência — João 1

b. Nascimento — Mateus 1; Lucas 1 e 2

c. Infância

Jesus nasceu, talvez em 6 a.C., em Belém da Judeia. Foi criado em Nazaré. Tinha certo número de irmãos e irmãs (Tiago, José, Judas e Simão — ver Mc 6.3). Trabalhou como aprendiz de carpinteiro, em Nazaré. Quando seu pai adotivo, José, faleceu, provavelmente tornou-se o único carpinteiro de Nazaré, por ser essa uma localidade tão pequena, que nem ao menos foi mencionada por Josefo, embora este tivesse feito a lista de muitas cidades da Galileia. O Talmude também jamais menciona a localidade. Lucas apresenta-nos uma única instância de Jesus (Lc 2.52), onde descreve como Jesus confundia os mestres do templo, devido ao seu conhecimento. Durante esse tempo, Jesus pode ter conhecido a João Batista (pois era parente seu, e, provavelmente, seu primo) e evidentemente teve algum contacto com os essênios. Jesus passou cerca de trinta anos nessa pequena aldeia da Galileia, anos estes de preparação; mas os detalhes sobre esse período estão totalmente perdidos para a história.

d. Relações de Jesus com João Batista e os essênios.

Poderíamos dizer, como tentativa, que Jesus teve algum contacto com João Batista e os essênios. O ministério de João Batista foi poderoso, e alguns chegaram a pensar ser ele o Messias. O ministério de Jesus, entretanto, ainda foi mais poderoso que o de João Batista, e foi uma espécie de continuação desse ministério (ver Lc 3.7).

e. Batismo de Jesus

Quanto ao sentido desse acontecimento, ver notas em Mateus 3.6,13-17. Jesus identificou-se com o movimento do arrependimento e com o anúncio do reino dos céus que breve viria. Continuou o ministério de João Batista, e, após o falecimento deste, provavelmente tenha ficado com a maioria dos seus discípulos.

f. Tentação

O início do ministério de Jesus foi causa natural das tentações lançadas por Satanás, porquanto nenhum pioneiro pode continuar caminho sem ser testado, porque, de outro modo, não seria considerado um guia digno de confiança (ver Lc 4 e Mt 4).

g. Primeiros discípulos

Pouco depois, Jesus entrou em contacto com seus primeiros discípulos — Pedro, André, Tiago e João. Alguns têm sugerido que esse contacto se efetuou primeiro na área de Jerusalém, durante uma das festividades religiosas dos judeus (de acordo com o registro no evangelho de João), mas que, posteriormente, Jesus tornou a entrar em contacto com eles, na Galileia, e seu discipulado tornou-se oficial. (Ver Mt 4.18,19, em comparação com Jo 1.28,35-51.)

h. Ministério na Judeia

Isso ocorreu antes do ministério na Galileia. Evidentemente, Jesus teve um ministério preliminar na Judeia. Somente João descreve esse ministério, mas é possível que Lucas 4.44, onde os melhores e mais antigos mss gregos dizem "Judeia", ao invés de "Galileia" (ver notas textuais ali), mencione, em termos gerais, aquilo que João apresentou em maior detalhada: de João 1.19 ao fim do capítulo (primeiros contactos com os primeiros discípulos); João 2 (primeiro milagre — mudança da água em vinho); João 3 (entrevista com Nicodemos); João 4 (ministério em Samaria e provável primeira purificação do templo, João 2.13-22, embora muitos eruditos pensem que isso é uma referência fora da ordem cronológica, ou então que essa é a purificação mencionada nos evangelhos sinópticos, como parte da última semana do ministério de Jesus, mas que está deslocada da ordem real dos acontecimentos).

2. Ministério na Galileia

Jesus nasceu em Belém e, no princípio de sua vida, habitou em Nazaré; mas, por ter sido rejeitado em Nazaré, mudou-se para Cafarnaum (ver Mt 4.13).

a. Acontecimentos preliminares

João Batista foi aprisionado e muitos de seus seguidores tornaram-se discípulos de Jesus. Ele pregava o arrependimento e o reino de Deus, afirmando que breve seria estabelecido na terra. Jesus Cristo viajou pela Galileia e pregou em muitas sinagogas, mas principalmente, nos primeiros dias, na famosa sinagoga de Cafarnaum (ver Mt 4). Sua fama se propagou até a Síria, Decápolis, Jerusalém e outros lugares (ver Mt 4.24,25).

b. Identificação como Filho do homem

Jesus se identificou como Filho do homem, dando indicações de sua missão messiânica, embora, a essa altura dos acontecimentos, isso não tivesse sido declarado abertamente.

c. Sinagogas

Jesus fez das sinagogas, congregações judaicas, o seu principal ponto de contacto, embora também pregasse ao ar livre. Jesus declarava ensinos éticos, reexaminava os princípios da lei, demonstrava a sua autoridade, elevou imensamente o tom e a qualidade do ministério nas sinagogas. Não tinha treinamento formal e nem credenciais ordinariamente requeridas de um mestre na sinagoga; a despeito disso, era largamente aceito como mestre (ver Mt 4-8).

d. Escolha dos doze

Jesus selecionou doze discípulos especiais, que o acompanharam em seu segundo circuito pela Galileia (ver Mt 10).

e. Grandes sermões

Jesus pregou grandes sermões, cujos esboços e conteúdos gerais, no evangelho de Mateus, se encontram em cinco grandes blocos de ensinos, pois esse é o evangelho que com maior cuidado preserva os ensinamentos de Jesus. (Ver Mt 5-7,10,13,18;14.2-26.2.) Os principais temas desses sermões são os princípios éticos do reino de Deus, a nova lei, a lei do amor, instruções aos discípulos especiais, discursos sobre a natureza do reino, os problemas comunitários da Igreja, e o fim desta dispensação (profecias de Jesus).

f. Obras prodigiosas

As sinagogas, finalmente, cerraram as portas para Jesus e seu ministério. Ele provocara muita oposição e inveja. Sua mensagem era por demais poderosa, crítica e revolucionária para os judeus (ver Mc 6.3 e Lc 4.22). Jerusalém enviou espiões que procurassem desacreditar a Jesus. Mas Jesus os confundiu, o que apenas intensificou a ira e a oposição de seus adversários. Após a declaração de Marcos 6.5,6, não lemos mais que Jesus falou em alguma

14 |Artigos introdutórios| NTI

sinagoga. A sinagoga deixara de servir-lhe de instrumento para a propagação de sua mensagem, excetuando-se alguns poucos indivíduos convertidos. Evidentemente, de então para diante, Jesus começou a ensinar ao ar livre.

g. Envio dos doze

Jesus enviou doze discípulos como ministros especiais (ver Mt 10). Jesus ensinou-lhes como deveriam ser discípulos, como deveriam depender dele, como deveriam pregar, curar e andar em suas pisadas. Jesus enviou-os a colher uma ceifa porque proclamava o fim breve da ordem de coisas que prevalecia e o estabelecimento do reino de Deus à face da terra. Os discípulos de Jesus enfrentaram a mesma oposição que ele mesmo encontrara. Não conseguiram converter a Galileia, como um todo, para Deus. Foram vistos alguns poucos sendo convertidos, mas nenhum território para o estabelecimento do reino foi conseguido (ver Lc 7.31-35). Um ministério similar foi efetuado por setenta discípulos selecionados. (ver Lc 10). Talvez esse tenha sido o terceiro circuito pela Galileia.

h. Morte de João Batista

João foi assassinado a mando de Herodes, e o estabelecimento de um reino literal foi inteiramente rejeitado (ver Mt 14).

i. Os três circuitos pela Galileia

Foram os seguintes: (a) Mateus 3-8; Marcos 1; Lucas 3,4 — Jesus foi com quatro pescadores; (b) Mateus 10.13; Marcos 1; Lucas 3.5 — Jesus foi com os doze; (c) Lucas 10.1-17; Mateus 9,14-18; Marcos 6-9; Lucas 9-11 — Jesus enviou os doze (e depois os setenta).

3. Jesus parte da Galileia

A multiplicação dos pães para os quatro mil (Mc 8.1-9) assinala o fim do ministério galileu. A sinagoga se fechara para Jesus, ele ganhara apenas alguns verdadeiros discípulos, embora muitos, dentre o povo comum, continuassem simpatizando com sua causa; mas as autoridades religiosas tinham feito progressos notáveis, fazendo a opinião popular voltar-se contra Jesus, e muitos temiam segui-lo abertamente. Entre o ministério galileu e o da semana final em Jerusalém, encontramos uma série indefinida de eventos. Os autores dos evangelhos obviamente não estavam interessados em prover uma narrativa detalhada ou sistemática dessas ocorrências. Assim sendo, temos de juntá-las à base das escassas evidências com que contamos.

a. Retirada para Tiro

Evidentemente, Jesus a princípio retirou-se para a região de Tiro (ver as passagens de Mc 8.24 e 7.31). Entre essas referências temos a história da mulher siro-fenícia (Mc 7.24-30). Imediatamente depois disso, temos a cura do surdo-mudo. Muitos crêem que a multiplicação dos pães para os quatro mil teve lugar em território gentílico, fazendo parte do ministério não-judaico, um acontecimento que sucedeu antes da semana final, na área de Jerusalém. O texto de Mateus 8.14-19 pode indicar que Jesus primeiro partiu de Genezaré, após se ter recusado a apresentar um "sinal" para os fariseus; então, tendo atravessado para Betsaida, dali foi para a região de Tiro. Mas, à base da narrativa, isso não pode ser afirmado com certeza. Após a visita a Tiro, Jesus evidentemente retornou a Betsaida (tendo realizado ali alguns poucos milagres), e então foi para as aldeias de Cesaréia de Filipe, onde Pedro apresentou sua grande confissão (Mc 8.27-33 com Mt 16.13-20). Marcos também menciona um ministério "na região de Decápolis" (Mc 7.31). Este teve lugar mais ou menos nesse tempo, o que teria sido de interesse particular para os leitores romanos de Marcos. É óbvio que Marcos tencionava indicar algo sobre a tencionada universalidade da mensagem e do ministério de Jesus, embora tais questões ainda não tivessem sido claramente definidas. A significação desse ministério, incluindo o de Tiro, é que, nessa época, Jesus começou a declarar abertamente a necessidade de sua morte, indicando o sentido que os apóstolos deveriam ver nesse acontecimento. Nesse tempo, Jesus preferia não ser seguido pelas multidões (ver Mc 7.24), posto que precisava de tempo para refletir, para planejar e para ganhar coragem para os acontecimentos que breve ocorreriam, e que nessa altura via com tanta clareza. Parece que ele andava sozinho durante a maior parte do tempo, dispensando até mesmo a companhia dos discípulos. Jesus refletia sobre sua missão entre os judeus (ver Mt 15.24). Sabia que, a considerar pelos padrões terrenos e numéricos, a missão havia falhado inteiramente. Jesus contemplava os seus sofrimentos, e nisso se via claramente o "Servo Sofredor", o "Filho do homem", o "Homem de dores" (Mc 9.12).

b. Jesus se revela

Jesus revelou sua pessoa como Servo Sofredor e como Filho do homem, e Pedro reconheceu a filiação especial de Jesus (ver Mt 16.13-20). As pedras fundamentais estavam lançadas para a doutrina cristã, e o cristianismo seria distintivamente firmado como revelação separada do judaísmo. Pela primeira vez, Jesus fez alusão à edificação de sua Igreja. (Ver notas em Mt 16.13-20, que discutem os variegados problemas que cercam esse texto, a posição de Pedro, o sentido da palavra "pedra", o significado de "igreja" etc.) A fim de confirmar a posição de Jesus e a fim de que se reconhecesse a aprovação divina, o Pai fez com que o Filho passasse pela experiência da transfiguração. Esse acontecimento teve muita significação, e devem ser consultadas as notas em Mateus 17. O reconhecimento é um desses sentidos. Outro desses sentidos é que isso fornecia aos discípulos

uma experiência que os fortaleceria por muitas vezes, em tempos posteriores, quando tivessem de enfrentar a perseguição. Lembravam-se de Jesus glorificado, e se firmavam. Durante esse período, Jesus tirou proveito da tranqüilidade e do vagar comparativo a fim de instruir os discípulos. Haveria de deixá-los dentro em breve. Deveriam preparar-se para esse grande acontecimento, que agora estava tão próximo. E, assim, os apóstolos aprenderam a conhecê-lo como nunca antes, a despeito de sua contínua associação íntima com ele. Alguns situam o ministério na Peréia nessa altura dos acontecimentos, fazendo-o preceder imediatamente o ministério final de Jesus, em Jerusalém. Outros, porém, fazem desse ministério na Peréia uma espécie de retirada de Jerusalém, depois de Jesus já ter chegado nessa cidade — antes, porém, da semana final.

c. Viagem a Jerusalém

Da Galileia, Jesus partiu para Samaria (Lc 9.51-56). Ali Jesus foi rejeitado. Marcos nada nos diz acerca disso, mas meramente afirma que ele entrou nas regiões da Judeia, do outro lado do Jordão (ver Mc 10.1). Isso é interpretado de diversas maneiras: alguns pensam que esse foi um ministério na Peréia; outros imaginam que o próprio Jesus atravessou Samaria, enquanto seus discípulos, nesse ínterim, cruzavam a Peréia. Até que ponto Jesus penetrou nessa região, não sabemos. Provavelmente, ele atravessou o Jordão para tornar a atravessá-lo de volta, em um dos vaus que conduzia à estrada de Jericó. Progredindo o grupo em direção a Jerusalém, Marcos nos oferece uma indicação sobre a atitude emocional dos discípulos: "[...] Estes se admiravam e o seguiam tomados de apreensões..." (Mc 10.32, ARA). Alguns acreditam que a primeira frase se aplica a Jesus — "Ele estava admirado" —, mas essa conjectura não tem alicerce nenhum no texto grego. Provavelmente, temos aqui dois grupos distintos de discípulos — os doze e os outros que os seguiam —, conforme deve ter ocorrido com freqüência nas viagens de Jesus, especialmente quando a jornada tinha por seu objetivo a visita a Jerusalém, para freqüentar alguma festividade religiosa. Sabemos que pelo menos os discípulos de Jesus devem ter aprendido algo de suas advertências melancólicas acerca de sua morte próxima, e que estavam admirados e temerosos.

Em Marcos 10.42-45 temos o pronunciamento de Jesus sobre o resgate que a sua vida daria em favor de "muitos". Não podemos atribuir essas palavras a reflexos paulinos sobre a igreja primitiva, como se fossem interpolações posteriores à narrativa do evangelho. Pois essa ideia de "resgate" também é judaica pois, na literatura judaica, lê-se que outros deram sua vida como resgate e, além disso, a doutrina de Paulo estava profundamente arraigada no cristianismo primitivo. Teorias distorcidas sobre a expiação não nos devem furtar da clara percepção de Jesus de que ele sofreria em favor dos homens. Em Jericó, a cerca de vinte e quatro quilômetros de Jerusalém, ele encontrou o filho de Timeu, o cego, que o chamou de "Filho de Davi". E nisso vemos que sua missão messiânica era conhecida na área de Jerusalém, e que a sua fama se espalhara por todas as regiões de Israel. (Ver Mc 10.46-52.)

4. Jesus na Judeia

Neste ponto, não podemos seguir apenas um dos evangelhos para traçar os acontecimentos, mas precisamos lançar mão de todos eles. O evangelho de Marcos sugere que as ocorrências finais se seguiram rapidamente umas às outras, isto é, concentraram-se em uma única semana da vida terrena de Jesus — a última. Essa história final foi dividida em dias, e se encaminha rapidamente ao clímax. Entretanto, apesar de geralmente ser aceito e ensinado que houve apenas uma semana final, certo número de estudiosos têm procurado demonstrar que o período foi mais longo, estendendo-se talvez por um mês ou mais. Por detrás dessa conjectura, a principal evidência é a informação derivada de várias referências no evangelho de João; e ultimamente esse evangelho de João se tem recomendado como historicamente fidedigno (até mesmo quando aparentemente contradiz os evangelhos sinópticos), o que é aceito até mesmo por eruditos liberais. Pelas referências em Marcos 11.26 e 14.13,14, onde Jesus é visto a ensinar "dia após dia", talvez tenhamos uma indicação sobre um período mais prolongado. Em Lucas 19.47 e 21.37,38, transparece a mesma ideia. João 7-12, com os acontecimentos ali registrados, parece confirmar de modo definitivo essa impressão de um período de tempo mais lato. As referências de João 7.10,14,32; 8.20; 10.22,40-42; 11.54 e 12.1 mostram que esse evangelista tinha fontes distintas e valiosas de informação acerca desse período de tempo, o que não aparece nos evangelhos sinópticos. Maurice Goguel (The Life of Jesus, traduzido por Olive Wyon, New York: The Macmillan Co., 1933), acredita que Jesus partiu da Galileia com os seus discípulos pouco antes da festa dos Tabernáculos (ver Jo 7.2), em setembro ou outubro, e que continuou a ensinar em Jerusalém até a Festa da Dedicação (ver Jo 10.22), em dezembro, e que pouco depois disso retirou-se para a Peréia, do outro lado do Jordão (ver Jo 10.40; 11.54). Dali voltou à capital, "seis dias" antes da Páscoa. Esse pano de fundo nos ajuda a compreender melhor as diversas controvérsias com os fariseus, que parecem ter ocorrido todas no espaço de alguns poucos dias, nos evangelhos sinópticos. O argumento em favor de um período mais longo, em Jerusalém, assevera que essas muitas controvérsias não ocorreram no espaço de alguns poucos dias, e, sim, dentro de um período de tempo bem maior. Nesse caso, os evangelhos sinópticos teriam feito uma condensação dos acontecimentos em foco. Marcos registrou cinco controvérsias principais, provavelmente representativas de muitas outras controvérsias similares, que não são especificamente mencionadas.

a. Ensinos em Jerusalém

Durante as controvérsias com que se defrontou, Jesus ensina sua "missão messiânica", porquanto é o Filho de Davi, mas, ao mesmo tempo, seu Senhor. Também ensina que, na qualidade de Messias, tinha o direito de ensinar e de realizar milagres e exigir discipulado, a despeito do fato de não possuir as credenciais ordinárias das escolas rabínicas. Jesus ensinava uma ressurreição literal e a realidade do mundo espiritual. O reino de Deus esteve em sua mente até o fim, embora soubesse que um reino literal não seria então estabelecido. Entretanto, ensinava os aspectos mais latos desse reino, a saber, seus sentidos espirituais, indicando, em suas predições, que o reino literal ainda seria firmado. Jesus expôs uma série de parábolas que indicam que os homens devem aguardar ansiosamente a chegada do reino e o seu segundo advento, isto é, a parousia. Mostrou também as conseqüências sérias para os que não se mantêm nessa expectativa e não se preparam para isso. Mostrou o triunfo final de Cristo, o qual finalmente governará. Advertências dessa sorte têm sido corretamente vinculadas à passagem que se encontra em Marcos 13 e que tem paralelo em Mateus 24 (o Pequeno Apocalipse). Jesus se identificou, em conexão com esses acontecimentos, com o vindouro "Filho do homem", e ligou isso à profecia de Daniel 7.13.

b. Ministério na Pereia

Assim como Jesus foi impelido para o deserto, após o seu batismo, a fim de preparar-se para o seu ministério, neste ponto de sua atuação final na Judeia, retirou-se para a Pereia. Lembramo-nos de que, quando do encerramento de seu ministério na Galileia, ele também se retirou, por algum tempo, para Tiro. "Novamente, se retirou para além do Jordão, para o lugar onde João batizava no princípio; e ali permaneceu" (Jo 10.40, ARA). Quantas memórias deve ter isso provocado! Agora, porém, João estava morto, e Jesus sabia que, em breve, se reuniria ao seu espírito. Jesus terminou indo para uma pequena aldeia chamada Efraim (ver Jo 11.54). É provável que tenha ficado ali por um mês ou mais; porém, não podemos afirmar isso com certeza. Alguns têm sugerido que esse período foi de três meses. Jesus enfrentara muitas controvérsias com as autoridades religiosas, e a mais acirrada de todas certamente foi em torno de sua declaração de ser capaz de destruir o templo e construí-lo novamente em três dias. Muitos se devem ter escandalizado ante essa declaração, e é evidente que Jesus agora já rompera com o judaísmo, por causa do estado em que o havia encontrado. Talvez esperasse que muitos se separassem do judaísmo, tal era o estado de corrupção dessa religião. Talvez tivesse esperado que, ao voltar, encontrasse apoio popular, e que o estabelecimento literal do reino, à face da terra, viesse a ser uma realidade. No entanto, ele foi desapontado novamente, porquanto na Galileia o povo só queria um Messias político, pois não estava espiritualmente preparado para acolher Jesus e a sua mensagem. Alguns acreditam que a sua retirada para a Pereia tenha sido uma medida essencialmente política, e que, ao partir, gozava do apoio das massas, mas, ao voltar, o ardor popular diminuíra. Alguns crêem que, desse modo, o próprio Jesus afastara dele o povo. Mas essa interpretação exagera as possíveis intenções políticas de Jesus, ao passo que, no relato dos evangelhos, transparece que em realidade Jesus evitava apresentar-se como personagem político. Provavelmente, a sua retirada para a Pereia tivera o propósito de suas outras retiradas, a saber, preparar-se espiritualmente para a luta que breve viria. Planejou o que finalmente faria em Jerusalém, pois não podia desistir da batalha. A desconhecida aldeia de Efraim foi o cadinho onde se misturaram os seus pensamentos. Jesus talvez tenha passado ali dias sem ser reconhecido completamente. E, dessa maneira, moldou os seus pensamentos, longe de amigos e adversários, entre as rochas do deserto.

5. Dias finais de Jesus

Quanto a esta parte da vida de Jesus, dependemos principalmente do esboço fornecido por Marcos, com algum escasso material adicional em Lucas. Mateus segue Marcos bem de perto. Os primitivos cristãos compreendiam a história da paixão à luz da profecia do AT, pelo que, aqui e ali se vê alguma referência às profecias cumpridas em incidentes particulares. Isso é especialmente verdadeiro no evangelho de Mateus. Uma nota de admiração e urgência permeia a seção inteira que aborda a última semana da vida de Jesus. Vê-se as controvérsias, a indignação das autoridades religiosas, a frivolidade das multidões, a ignorância e o desânimo dos apóstolos, a coragem de Jesus, o golpe esmagador da cruz e a magnificente e emocionalmente dominante vitória da ressurreição. É digno de nota que cerca de um terço do conteúdo dos evangelhos se concentra em torno dos acontecimentos dessa última semana. Essas narrativas foram escritas sem nenhum comentário acerca do que essas cenas significaram para o mundo, e com toda a razão. Os posteriores evangelhos apócrifos, porém, fazem Jesus proferir muitas palavras interpretativas.

a. Entrada triunfal em Jerusalém

Poucos dias antes da páscoa, Jesus entrou de modo significativo em Jerusalém. A cidade inteira se agitou, parecendo mesmo que Jesus estava prestes a ser aceito como o Messias, porquanto foi chamado de Filho de Davi. No templo, realizou diversos prodígios de vulto. É evidente que Jesus entrou na cidade da maneira que fez (montado em um jumentinho), a fim de dramatizar o seu conceito de Messias. Embora sabendo que fora rejeitado como Messias, quis ensinar ao povo o verdadeiro conceito espiritual desse personagem. Seja como for, a sua atração como Messias foi-se gradualmente dissipando. Seus amigos estavam perplexos, sem saber o que aconteceria em seguida; mas sabiam que Jesus era odiado pelas autoridades, e que a situação era perigosa.

b. Traição

Judas, mais arguto que os outros discípulos, compreendeu que toda a aparente intenção do ministério de Jesus fracassara. Não haveria reino, e nem Jesus seria rei. Sabia que os inimigos de Jesus eram poderosos. Sabia que facilmente poderia participar da triste sorte de Jesus, e não podia esquecer-se do trágico fim de João Batista, e, em um momento de cobiça, o que lhe era incomum, porquanto o amor ao dinheiro parece ter sido a sua fraqueza proeminente, resolveu tirar proveito material da situação. Supriu a informação necessária para o aprisionamento de Jesus, em troca de pequena quantia em dinheiro. A traição, por parte de um dos doze elementos de confiança, deve ter assustado a pequena comunidade cristã. A expressão "[...] um dos doze..." é reiterada por Marcos (Mc 14.10,20,43). Judas, cegado pela luz da presença de Jesus, não conseguiu ver a sua glória, e traiu o maior personagem da história humana. Ao assim fazer, gravou para sempre o seu nome nas páginas da história, e até hoje chamamos os traidores de "Judas". Alguns escritores, como Schweitzer ("Quest of the Historical Jesus", p. 394), acreditam que o que Judas Iscariotes traiu foi o "segredo messiânico", isto é, que Jesus cria ser o Messias, e estava preparado para declarar-se como tal, o que teria sido uma ameaça às autoridades, tanto religiosas quanto civis. Parece-nos claro, porém, que esse "segredo" há muito fora revelado, não por Judas, e, sim, pelo próprio Jesus. O que Judas desvendou foi o local onde Jesus costumava recolher-se, pois Jesus se retirou novamente da atenção pública. As autoridades não podiam ter certeza se ele reapareceria. Judas, entretanto, removeu esse receio da mente das autoridades, revelando onde poderiam aprisionar Jesus.

c. Última ceia

Essa ceia tem todos os sinais de ter sido uma observância com fins deliberados, e não apenas o cumprimento da páscoa, embora esse propósito também estivesse em mira. Sabendo que o fim se acercava, Jesus referiu-se a si mesmo como o Cordeiro de Deus — ele é a expiação pelo pecado, o salvador, o resgate (ver Mc 14.24 e 11.25). Esse ato tornou-se a base do rito supremo da adoração cristã, mas também tem sofrido muitas perversões e exageros. Aqui se comemora a revelação de uma das verdades supremas do cristianismo, ou seja, que Jesus é o pão espiritual, o sustento da vida espiritual.

d. Jardim do Getsêmani

Jesus "começou a sentir-se tomado de pavor e de angústia" (Mc 14.33, ARA). Foi um ser humano que entrou no jardim, a fim de orar. Foi um ser humano que sofreu muitas agonias, e que momentaneamente retrocedeu, mas que, logo em seguida, avançou para a vitória. Foi um ser humano que naquele momento precisou de consolo e do fortalecimento da oração. Anjos vieram ministrar-lhe, o auxílio estava a caminho, mas foi um ser humano que pediu esse socorro. É isso que torna Jesus compreensível para nós, porque, a menos que tivesse sido realmente humano, dificilmente poderíamos encontrar qualquer consolo na história do Getsêmani. Com freqüência demasiada, na igreja, ouve-se falar de um Jesus docético, que é divino, mas que não é verdadeiramente humano, mas só tinha aparência humana. (Ver as notas em Fp 2.7, quanto ao ensino da humanidade de Jesus). A agonia do jardim foi tanto mais real porque Jesus sofreu tudo sozinho. Ele provou, em sua vida, que, em sentido bem real, "cada homem é uma ilha". Sentimos saudades em nossa própria casa e somos estrangeiros debaixo do sol. Jesus sofreu plenamente muitas limitações humanas, mas venceu a tudo. Isso dá sentido à sua vida e à nossa também, porquanto ele é apenas o caminho, mas é também o pioneiro do caminho. Ele mostrou o caminho e ele é o caminho. Jesus triunfou na provação mais tenebrosa, e perto dele também haveremos de triunfar.

e. Aprisionamento

O aprisionamento de Jesus foi efetuado por um grupo armado com espadas e cacetes, enviado pelos principais sacerdotes e liderado por Judas Iscariotes (ver Mc 14.37,38). João oferece a informação adicional de que também houve o acompanhamento de um grupo de soldados romanos, o que subentende que Pilatos estava mancomunado com as autoridades religiosas (ver Jo 18.12). O temível fim levou todos os discípulos a temerem pela própria vida, que todos eles fugiram, pois tinham bem viva na memória outros casos de indivíduos que haviam tentado alguma revolução, e sabiam a sorte terrível que os romanos reservavam para os tais. (Ver Mc 14.50).

f. Julgamentos de Jesus

Pelas narrativas bíblicas, parece claro que Jesus não foi julgado no sentido verdadeiro do termo, porquanto sua sorte já fora determinada de antemão pelos principais sacerdotes. Esses julgamentos serviram apenas de "publicidade". No evangelho de Marcos, lê-se sobre um julgamento noturno, seguido por outro, cedo pela manhã. Lucas, porém, parece situar todos os

16 |Artigos introdutórios| NTI

acontecimentos pela manhã. — À noite, provavelmente Jesus foi manuseado violentamente pela polícia do templo (Lc 22.54-65). Pedro, que horas antes fugira, quando do aprisionamento de Jesus, agora seguia tudo à distância, até que chegou o momento em que negou finalmente a Jesus, segundo o Senhor mesmo predissera que sucederia. Jesus foi conduzido e guardado na casa de Anás, o qual, após um interrogatório preliminar, enviou-o amarrado à presença de Caifás, o sumo sacerdote, genro de Anás (ver Jo 18.13,19-24). Caifás mostrou-se astuto, pois conseguiu levar Jesus a admitir "blasfêmia", ao proclamar abertamente a sua missão messiânica e a sua filiação especial a Deus. Jesus deve ter feito o coração de Caifás saltar de satisfação ao dizer que o Filho do homem viria entre nuvens a fim de governar, porque nessa declaração Jesus deixou transparecer seus interesses políticos. A expressão "todo-poderoso", que se encontra nesse texto (Mc 14.62), deriva-se de Salmos 110.1 e Daniel 7.13, e alude, evidentemente, ao próprio Deus, que é o grande poder. Jesus se referia à sua "parousia", mas provavelmente as autoridades religiosas pensaram que ele se estivesse referindo a alguma insurreição futura, feita em nome de Deus. Tendo declarado essas coisas, entretanto, Jesus removeu a necessidade de qualquer testemunho adicional. Aos olhos de todos ele era, claramente, um blasfemo.

Continua questão disputada se o sinédrio teria ou não poder para decretar a punição capital. Os evangelhos deixam entendido que somente o procurador romano estava investido de tal autoridade, e o historiador Mommsen afirma que isso é correto. As acusações foram expostas de tal maneira a Pilatos, que não deixaram margem de ignorância sobre elas. Disseram que Jesus proibira os judeus de pagar tributo a César, tendo-se proclamado rei (ver Lc 23.2). A primeira acusação era obviamente falsa, mas a segunda tinha bases na verdade, e que o próprio Jesus não queria negar. Alguns têm exagerado o elemento político, fazendo de Jesus pouco mais que um revolucionário religioso e político. (Ver esse assunto na introdução a este comentário, na seção intitulada "Identificação".) Pilatos não queria deixar aumentar as suas tribulações permitindo que Jesus continuasse agitando o povo, quer essas acusações específicas fossem verdadeiras, quer não; pelo que também Pilatos repeliu o testemunho de sua consciência, e assim o seu nome ficou para sempre registrado na história, como aquele que negou o direito e a consciência, homem que se mostra moralmente fraco, quando a situação é vantajosa para seus interesses pessoais. As multidões vêm a sorte de Jesus, perdem toda esperança de ele ser o Messias, resignam-se a continuar oprimidas pelos romanos, e, em espírito de ódio, descarregam sobre Jesus sua indignação e frustração. Agora todos querem ver Jesus crucificado, a fim de vê-lo padecer sob a ira dos romanos, da qual eles mesmos tinham esperado escapar.

g. Crucificação

Cícero descrevia a crucificação como "o mais cruel e odioso dos castigos" ("The Verrine Orations", V.64). O flagelo que antecedia à crucificação era por si só uma introdução terrível à cruz; mas Marcos menciona o fato apenas de passagem (Mc 15.15), o que é típico da grande moderação que assinala toda essa narrativa. Jesus sofreu todas as agonias, e elas foram tão horríveis, que ninguém ousa descrevê-las, pois o fato é suficientemente doloroso, e ninguém poderia suportar a descrição das minúcias. "Então o crucificaram..." é tudo quanto é dito, sem nenhuma adição. Isso ocorreu no Gólgota, lugar que se assemelhava a uma "caveira", local esse que até hoje pode ser visto (ver nota em Mt 27.33). Jesus foi crucificado às 9 horas da manhã, e às 15 horas já estava morto. Jesus estava morto; os discípulos estavam dispersos; as multidões, que antes se mostravam sedentas de sangue, agora estavam chocadas, e provavelmente sentiam o amargor do remorso. Um corpo foi arriado da cruz, arroxeado e sangrento, e foi depositado em um túmulo novo, pertencente a um homem rico. Esse túmulo pode ser visitado até hoje. (Ver nota em Mt 27.60). A execução teve lugar em uma sexta-feira. (Ver nota sobre essa questão, em Mt 27.1; e acerca da cruz, em Mt 10.38).

h. Descida ao Hades

Jesus teve um ministério pós-morte, pré-ressurreição, no Hades, como é afirmado em diversas passagens do NT, principalmente em 1Pedro 3.18-20; 4.6. Essa doutrina, não popular em algumas denominações evangélicas modernas, ou ignorada completamente, era reconhecida universalmente pelos pais antigos da Igreja. O ministério de Jesus no Hades era um ministério de redenção. A Igreja não tem concordado sobre a extensão e o significado dessa redenção (ou restauração), mas a maioria dos pais antigos da Igreja pensava que isto estendia o "dia da possibilidade da salvação" para a segunda vinda. A nossa morte pessoal, então, não seria o fim do dia de graça. Notas completas sobre o assunto poderão ser encontradas em 1Pedro 3.18. O ministério da Descida aumenta enormemente o poder da missão messiânica, e exalta Cristo, que é o Salvador de todos os mundos, em todos os mundos.

i. Ressurreição

O corpo de Jesus dormiu até o primeiro dia da semana, pela manhã. Alguns afirmam que Jesus ressuscitou no sábado à noite, mas os relatos bíblicos não fornecem base para essa opinião (ver nota em Mt 28.1). Pedro declara que Jesus teve um ministério anterior à sua ressurreição, no mundo dos espíritos (ver 1Pe 3.18-20; 4.6). Assim surgiu a lume um novo e espantoso fato — a ressurreição. O impacto foi tão grande, que podemos ver os seus efeitos nas narrativas do fato. Essas narrativas são fragmentárias, e certamente diferem umas das outras quanto aos detalhes e às seqüências. É muito difícil preparar uma harmonia entre as quatro narrativas que nos são dadas nos evangelhos, porque é óbvio que os autores dessas narrativas tinham pouco interesse em descrever, minuciosamente e na ordem das coisas, tudo quanto aconteceu. Escreveram apressadamente, aproveitando os relatos de que dispunham, transmitindo-nos o fato espantoso da ressurreição, sem se importar muito com os pormenores. Jesus estivera morto. Os discípulos tinham sido assaltados pelo medo e se tinham ocultado, por não quererem compartilhar da mesma horrível sorte. Agora, porém, as notícias se espalhavam rapidamente, propagando que Jesus estava vivo outra vez e que já aparecera a algumas mulheres. A notícia foi crescendo de intensidade, ao passar de boca em boca. Um rumor ajuntava que Pedro também já vira a Jesus. Esta última notícia foi mais bem recebida porque, de uma mulher, se poderia esperar que propagasse notícias exageradas, mas Pedro era mais digno de confiança. Então, a história adquiriu furos de maior evidência ainda, porque alguns dos onze já o tinham visto, e também outros que não pertenciam a esse grupo mais seleto de discípulos. Finalmente, todos os onze, com exceção de Tomé, chegaram a vê-lo. Tomé disse que não creria enquanto não visse a Jesus e o apalpasse, mas certamente seu coração bateu descompassado, porquanto esperava, contra a esperança, que essas narrativas estivessem baseadas em fatos reais. Então, finalmente, o próprio Senhor Jesus apareceu no meio deles, um tanto diferente, mas perfeitamente reconhecível. Ao ver as cicatrizes dos cravos em suas mãos e pés, e ao ver a cicatriz deixada pela lança, Tomé exclamou: "Senhor meu, e Deus meu!" (Jo 20.28).

As narrativas dos evangelhos são eternas e imperecíveis, mas não representam os relatos mais antigos sobre o novo e espantoso acontecimento — a ressurreição de Jesus. Os relatos de Atos (2.24; 3.15; 4.10; 10.40 etc.) e os de Paulo (1Co 15.8; Rm 1.4. etc.) são mais antigos. Paulo nos diz que mais de quinhentos irmãos viram a Jesus de uma só vez, e, quando esse apóstolo escreveu, a maioria desses quinhentos ainda vivia, de modo que seria fácil falar em testemunhas oculares. O cristianismo fez depender o seu destino e a sua natureza sem-par da exatidão histórica desse acontecimento. Ela demonstra o poder eterno de Cristo, bem como nossa fulgurante esperança futura, porque, se a morte não pode reter uma alma ou um corpo, então nos está asseguranda a vitória final. Paulo reverberou a grande afirmativa cristã quando declarou: "Por que se julga incrível entre vós que Deus ressuscite os mortos?" (At 26.8, ARA). Certamente que esse evento não é incrível como clímax da vida de Jesus Cristo, que desafia toda descrição no que respeito ao seu poder, à sua beleza, à sua graça, ao seu significado e à sua esperança. A morte não pode reter um homem como ele.

III. ENSINOS

Embora a quantidade de material de que dispomos acerca dos ensinamentos de Jesus não seja grande, as implicações são tão vastas, que nem mesmo todos os volumes que já foram escritos acerca de Jesus e seus ensinos têm satisfeito as mentes daqueles que buscam a verdade e a autêntica expressão religiosa revelada. As interpretações sobre os ensinamentos de Jesus são tão numerosas quanto as opiniões sobre a sua pessoa e o sentido de seu ministério. Por conseguinte, nesta pequena porção desta seção introdutória, podemos esperar apresentar apenas um esboço lato do que Jesus ensinou, esperando compreender apenas os temas principais. Este próprio comentário é uma tentativa mais extensa de apresentar Jesus e os seus ensinos e também de examinar a implicação desses ensinos, especialmente no que se aplica à nossa vida, esperança e destino.

1. Fontes

O corpo principal dos ensinos de Jesus acha-se preservado nos quatro evangelhos, embora o livro de Atos, o Apocalipse e as epístolas sirvam para corroborar a mensagem essencial de Jesus. Essas obras posteriores, entretanto, não citam freqüentemente Jesus, e nem mesmo apresentam paráfrases do que ele disse. Sabemos que as primeiras epístolas de Paulo foram publicadas antes dos evangelhos, pelo que não se poderia esperar que contivessem citações dos mesmos; mas é surpreendente que não contenham mais citações oralmente extraídas e baseadas em pesquisas pessoais, nos muitos documentos escritos que devem ter surgido à luz antes dos quatro evangelhos que conhecemos. É também verdade que as epístolas paulinas posteriores (escritas após os evangelhos) não citam os evangelhos nem quaisquer outras tradições que porventura contivessem ensinos de Jesus. Assim, tal como se dá com o conhecimento que se tem acerca da vida histórica de Jesus, outro tanto se verifica quanto aos seus ensinos — somos obrigados a depender pesadamente dos quatro evangelhos. Os evangelhos apócrifos apresentam material adicional, embora a maioria dos ensinos que parecem fidedignos se baseie nos quatro evangelhos, que antecederam àqueles. Entretanto, é muito provável que exista nesses evangelhos apócrifos algum material adicional autêntico. Quem fizesse um estudo especial nesses documentos, a fim de separar o que parece válido e que não é baseado nos quatro evangelhos canônicos, prestaria um grande serviço à causa do cristianismo. Existe ainda certo número de declarações, fora dos evangelhos, que chegou até nós, sendo possível que muitas delas sejam autênticas. Essas declarações são intituladas pelos eruditos como declarações "não-canônicas" de Jesus. Importantes escavações arqueológicas foram levadas a efeito por B. P. Grenfell e A. S. Hunt, em Behnesa, a antiga Oxyrynchus, a cerca de dezesseis quilômetros do rio Nilo, situada no canal principal (Bahr Yusef), que trazia água para a região de Fayum. Essa cidade, na antiguidade, foi a capital do distrito de Oxyrynchus. Nos séculos IV e V de nossa era, tornara-se famosa como comunidade cristã.

Foi nessa localidade, pois, que se desenterraram alguns papiros contendo diversas declarações atribuídas a Jesus, algumas delas similares às que se lêem nos evangelhos, embora outras sejam diferentes. Foram publicadas sob o título de Logia, em 1897. Algumas delas dizem como se segue: "Jesus diz: Exceto jejueis para o mundo, de maneira alguma encontrareis o reino de Deus; e exceto se fizerdes do sábado um verdadeiro sábado, de modo algum vereis ao Pai". "Jesus diz: Estive no meio do mundo e na carne fui visto por eles e encontrei todos os homens bêbados, e a ninguém encontrei sedento entre eles e a minha alma se entristeceu por causa dos filhos dos homens, porque estão cegos em seus corações, e não vêem". "Onde houver dois, não estão sem Deus, e onde houver ao menos um, digo que estou com ele. Levanta a pedra, e ali me encontrarás, racha a lenha, e ali estou eu". "Jesus diz: Ouves com um dos ouvidos, mas o outro ouvido fechaste". Outras declarações desse grupo são similares ou iguais às declarações canônicas, tais como a cidade edificada sobre uma colina, mas há uma declaração na qual Jesus supostamente diz que ninguém pode cair nem ocultar-se. Em 1903, Grenfell e Hunt descobriram outro fragmento de papiro, em Oxyrynchus, que continha mais declarações atribuídas a Jesus, o qual foi publicado sob o título "New Sayings of Jesus and Fragment of a Lost Gospel from Oxyrynchus" (London, 1904). Esses documentos indicam como eram populares as declarações de Jesus entre os cristãos do Egito, e também ilustram o tipo de coleções feitas por eles. O quanto de autenticidade se encontra nessas coleções é incerto, e provavelmente assim será sempre. Não obstante, não há que duvidar que pelo menos uma parte dessas declarações é autêntica. Outras declarações não-canônicas de Jesus podem ser encontradas em mss gregos e latinos do NT, os quais se afastam em muito da tradição textual ordinária. Isso é particularmente verdadeiro acerca do texto "ocidental" do NT (isto é, manuscritos que chegaram a nós vindos do "ocidente" — partes da África, da Itália e da Europa). Os códices D e W são os principais exemplares. O códex D e algumas traduções latinas também contêm um texto mais longo no livro de Atos dos Apóstolos do que o texto geralmente aceito, acrescentando detalhes sobre a vida e as palavras dos apóstolos, e fornecendo algumas informações de natureza geográfica. O leitor interessado poderá encontrar essas declarações adicionais e mais informações no corpo deste comentário, nas seguintes referências: Mateus 20.28; 23.27; Marcos 13.2; 16.3; Lucas 5.10,11; 6.4; 11.35,36; 11.53,54; 23.42,43; 25.53; João 6.56.

O leitor pode verificar facilmente que, embora exista algum material adicional que preserva algumas declarações de Jesus, e que parte dessas declarações certamente é autêntica, ficamos limitados aos quatro evangelhos como fontes informativas fidedignas para que compreendamos os ensinamentos de Jesus, porquanto o material adicional extrabíblico é reduzido.

2. Natureza sem-par

Todos concordam em que os ensinamentos básicos de Jesus podem ser encontrados no judaísmo revelado. De fato, a teologia cristã tem suas raízes ali. Muitas das declarações de Jesus podem ser encontradas na literatura rabínica, algumas vezes em sua forma exata e outras vezes modificada. Certo número dessas declarações, todavia, deve ter sido autêntico, porque não encontramos nenhum traço da mesma em nenhuma peça literária. A habilidade especial de Jesus, ao manusear com o pensamento judaico, era a de eliminar o supérfluo e prejudicial ou mesmo o errôneo, preservando o melhor da tradição, tanto no AT quanto nos escritos rabínicos. Alguns dos bem conhecidos temas judaicos receberam nova vida ou nova interpretação nas mãos de Jesus. Por exemplo, o ensino sobre o reino de Deus (ou do céu). Esse tema era antigo e familiar entre os judeus, mas Jesus fez com que ele passasse a soar com uma nova urgência, pois proclamou que o reino estava às portas, e que ele mesmo era o rei, por ser o Messias. Jesus também ensinou a ressureição dos mortos e indicou que esse evento faria parte integral do estabelecimento do reino. Mais do que qualquer outro contemporâneo ou do que qualquer profeta do AT, ele revelou a espiritualidade do reino e demonstrou que este não pode ser encarado como mero sistema político de governo. Por causa da espiritualidade do reino, o arrependimento é urgente e necessário. Essa renovação e nova ênfase, bem como a proclamação de que o rei já estava presente, fez com que o ensino de Jesus sobre o "Reino de Deus" fosse não apenas novo, mas absolutamente sem-par. Jesus também revolucionou outros ensinamentos, incluindo muitos ensinos básicos da lei, tal como o sentido do divórcio, do adultério, do amor etc. De fato, Jesus reinterpretou a lei "de modo radical". Isso não significa que ele não tenha tido companhia entre os escritores rabínicos, pois a verdade é que ele privava dessa companhia, em muitos particulares. No entanto, o que ele disse e fez foi revolucionário e até mesmo sem igual.

Jesus veio para ensinar sobre o pequeno rebanho, em contraste com a correnteza principal do judaísmo, e, finalmente, usou a palavra "igreja", com ela indicando um tipo inteiramente novo de comunidade religiosa. Esses ensinos eram sem igual. Desde o décimo sexto capítulo de Mateus, temos os primórdios dessa nova ordem, e seguiam-se a ela muitas instruções que se aplicavam aos diversos problemas que porventura surgissem no seio da nova comunidade. O desenvolvimento do tema messiânico, aplicado à personalidade do próprio Jesus, certamente era uma novidade em Israel. O Servo Sofredor era um conceito novo para o pensamento judaico, pois, embora certos textos do AT indiquem claramente sua existência, o pensamento judaico deixara passar completamente em branco as suas implicações. As "duas vindas" do Messias, igualmente eram uma novidade, porque, embora referidas no AT, não foram compreendidas pelos teólogos judeus. O tema do resgate ou "expiação" era bem conhecido entre os judeus, mas aplicar tal tema a um homem, ou seja, ao Messias, era reconhecido como possível apenas por alguns poucos. O ensino sobre a ressurreição era bem conhecido e largamente aceito nos dias de Jesus, na congregação judaica; Jesus, porém, transformou-o em uma doutrina poderosa, ao ressuscitar pessoalmente e ao insuflar esperança a todos sobre a conquista da morte. Nas mãos de Jesus, a ressurreição se tornou um ensino novo e revolucionário, e a igreja primitiva se desenvolveu à base do mesmo, tendo-o propagado por toda parte. O corpo inteiro das profecias de Jesus, a começar por Mateus 20, mas especialmente Mateus 24, forma um grupo de ensinos acerca de acontecimentos futuros e de sua significação que é definidamente sem-par, e não unicamente novo. Em suma, podemos afirmar que a natureza sem-par dos ensinos de Jesus nos fornece as pedras fundamentais sobre as quais está alicerçado o cristianismo. E naquilo em que o cristianismo difere do judaísmo, nisso mesmo os ensinamentos de Jesus diferem da correnteza principal do judaísmo de seus dias.

3. Temas básicos

Tal como outros líderes religiosos, Jesus proclamou verdades acerca de Deus e da busca espiritual. Diferentemente, porém, de outros líderes, também ensinou a identificação e a importância de sua própria pessoa como Filho único de Deus, o Messias, o Salvador, o Rei e o Juiz. Assim sendo, a sua mensagem não consistia meramente de um sistema de teologia, mas era uma auto-revelação. Essa mensagem começou desde o princípio, e se estendeu até as suas últimas palavras (ver Lc 2.48-50 e Jo 20.17).

a. O reino de Deus

Mateus empregou quase exclusivamente o título "reino dos céus", e é certo que ele não entende com isso coisa nenhuma que os outros também não tencionavam dizer. O texto de Mateus 19.23,24 usa os termos um em lugar do outro, o que prova positivamente o que acabamos de dizer. São termos sinônimos. Jesus jamais ofereceu nenhuma definição do que esses termos significavam para ele, pelo que temos de examinar muitas passagens, para que obtenhamos uma visão geral e compreensiva. A expressão "reino dos céus" se encontra cerca de trinta vezes no evangelho de Mateus. A ideia básica desse conceito é a região ou reino onde tudo está sujeito a Deus, onde sua autoridade prevalece. Esse reino, portanto, pode ser presente ou futuro, externo ou interno. Jesus proclamou um reino literal, sobre a face da terra, onde Deus haveria de governar; e, segundo ele, logo haveria de ser estabelecido. Esse reino, por conseguinte, deve ser ao mesmo tempo político e religioso, com ordem social e governo.

Não obstante, João fala da impossibilidade de alguém entrar no "reino de Deus" sem o novo nascimento; e apesar de Jesus certamente ter visto a necessidade da conversão, para os que entrassem no reino terrestre, parece óbvio que Jesus também deve ter usado o termo para referir-se a algo como o "céu", segundo é empregado esse termo na igreja atual. No céu, ou lugares celestiais, Deus governa; ali está o seu reino. Os homens podem entrar nesse reino mediante o novo nascimento. Esse uso, pois, é muito diferente do reino literal, à face da terra, como governo terrestre sobre o qual Deus exerceria controle. Esse termo também pode ser entendido como a influência de Deus sobre um mundo ímpio, e alguns, hoje em dia, se referem à Igreja como o reino sobre a terra, porquanto exerce sua influência no mundo. Quando Jesus declarou que o reino está "dentro" do indivíduo, ou, traduzindo mais exatamente, "entre vós" (ver Lc 17.21), provavelmente ele tinha em vista algo como isso. Ele e seus discípulos formavam uma espécie de reino de Deus, um começo, um núcleo do reino que era esperado entre os homens.

Desde os dias de Orígenes que os intérpretes têm tentado fazer com que a expressão "entre vós" signifique a condição espiritual do indivíduo — o reino de Deus estaria na vida desta ou daquela pessoa, como se o sentido fosse "dentro de vós". Apesar de esta ser uma tradução possível, o contexto parece ser contrário a essa interpretação, pelo que a tradução mais exata é mesmo "entre vós", o que nos transmite a ideia que já foi mencionada. Não obstante, em certo sentido, o reino de Deus pode estar "dentro" de nós, ainda que esse texto não indique isso. Assim, pois, vê-se que o termo pode ser complexo, formado por muitos elementos do NT. O tema a respeito do reino era um dos principais temas, se não mesmo o principal deles no ministério de Jesus, juntamente com o qual ele ensinava a sua própria missão messiânica e real. Os crentes (ainda que não todos) continuam esperando o reino terreno em resultado da

|Artigos introdutórios| NTI

segunda vinda de Cristo. A melhor e mais completa descrição sobre o reino, especialmente em seus aspectos espirituais, e como esses aspectos podem ser aplicados aos homens, se encontra em Mateus 13. A leitura da exposição ali feita dará ao leitor ampla compreensão sobre o que estava envolvido no ensino de Jesus sobre o reino. O reino de Deus é encarado como a súmula de todas as bênçãos e benefícios espirituais, e conquistá-lo pode custar um alto preço, ainda que nenhum preço seja alto demais (ver Mt 13.44-46). Dessa forma, Jesus convocou os seus discípulos ao "sacrifício" e à dedicação, bem como ao sofrimento, quando necessário, para que pudessem ser membros autênticos desse reino.

b. O Filho do homem

Alguns têm ensinado que, apesar de Jesus ter declarado que o Filho do homem viria entre "nuvens do céu", é impossível ele se ter identificado com esse personagem, e a igreja ter chegado à conclusão de que o Filho do homem não é o mesmo Jesus Cristo. A simples leitura dos diversos textos que mencionam esse termo é suficiente para convencer a qualquer leitor de que essa ideia é falsa. A sua vinda com as nuvens faz alusão a um futuro aparecimento glorioso do reino, isto é, a "parousia", o que não forma uma ideia contraditória ao ensino geral de Jesus, sobre ele mesmo como Filho do homem. O próprio termo vem de uma expressão hebraica e indica, principalmente, uma posição de humildade, isto é, a posição de um homem comum, sem privilégios especiais. Essa expressão é usada por cerca de oitenta vezes com respeito a Jesus, a maioria das quais por ele mesmo. É empregada da seguinte maneira: (1) Jesus era um ser humano, um homem comum, um homem típico, um homem identificado com outros homens, compartilhando de sua posição, natureza e sofrimento; (2) Com esse termo, Jesus se vincula ao personagem profetizado em Daniel 7.13,14. Por esse título o ministério sem igual e poderoso de Jesus é usualmente indicado, bem como a sua estatura metafísica especial. A missão ou ministério indicado inclui a sua futura segunda vinda, quando Jesus aparecerá como juiz universal. (Ver Jo 5.22-27.) (3) A ideia do Filho do homem "sofredor" foi um resultado natural da necessidade da missão terrena de Jesus. Na qualidade de Filho do homem, Jesus deve sofrer como homem representativo. Jesus veio a encarar essa parte de sua missão como inevitável, e, de fato, esse foi seu serviço supremo em favor dos homens (ver Mc 10.45; 14.22-24). (4) É título messiânico.

c. Missão messiânica

A palavra "Messias" significa ungido — e o vocábulo "Cristo" vem do termo grego equivalente. A palavra Cristo, em realidade, é um adjetivo que se transformou em substantivo próprio, passando a designar um indivíduo — Jesus Cristo — embora os reis, os sacerdotes e os profetas também fossem "ungidos". O próprio Jesus usou esse termo para identificar-se, utilizando-se dele como título (ver Mt 23.8,10). A unção tinha o propósito de confirmar a autoridade daquele que recebia determinados ofícios ou funções. Jesus, o maior de todos os reis, sacerdotes e profetas, foi chamado de o Cristo por causa de sua unção, efetuada pelo Espírito Santo, para seu ofício e missão especiais. A unção com óleo era aplicada aos enfermos, aos cegos e até mesmo aos mortos (ver Tg 5.14; Jo 9.5,11; Mc 14.8). Jesus, na qualidade de ungido, exercia sua autoridade espiritual sobre esses males.

A palavra "Messias" era usada no judaísmo como título oficial que indica a expectação central dos judeus quanto aos benefícios possíveis e profetizados da parte de Deus, e que visavam à nação de Israel. O pleno desenvolvimento das ideias messiânicas pertence ao judaísmo posterior, e talvez seja surpreendente para alguns o conhecimento de que esse termo só se encontra por duas vezes em todo o AT, a saber, em Daniel 9.25,26. Não obstante, as alusões a Cristo são abundantes nos vários escritos não bíblicos, os quais, em sua essência, eram comentários das Escrituras sagradas. Alguns acreditam, entretanto, que as chamadas passagens messiânicas do AT (quer usem ou não a palavra "Messias") eram simples títulos aplicados a profetas ou reis vivos, sem nenhuma significação escatológica. Contrariamente a essa ideia, pode-se observar que muitíssimas dessas passagens (tais como os chamados salmos messiânicos) vão muito além do que se poderia esperar ser dito a reis e profetas de Israel. A julgar pelos comentários feitos pelos judeus, parece certo que eles esperavam o aparecimento de um grande personagem futuro, que agiria como libertador e rei. O Messias, pois, pode ser definido como um personagem "teológico", isto é, uma pessoa que incorporaria, em si mesmo, de maneira toda especial, a "salvação" e o livramento do povo de Israel, o povo de Deus. O Messias seria o instrumento dos propósitos de Deus.

O elemento temporal desse livramento e dessa salvação pode ser um verdadeiro problema, pois a grande verdade é que sempre houve e sempre haverá desacordo entre as autoridades judaicas, acerca do tempo do aparecimento do Messias. Os textos de Hebreus 1.2 e 1João 2.18 falam sobre os últimos dias, o que obviamente é um termo de origem judaica para indicar o tempo do reinado do Messias, em contraste com todos os tempos anteriores ao Messias. Na passagem de Hebreus 1.2, poderíamos traduzir, com muito maior razão, "os últimos destes dias" onde a palavra "destes" se referiria aos dias imediatamente anteriores ao Messias, os dias finais da antiga dispensação. Nos últimos daqueles dias, pois, é que o Messias apareceu. É verdade que pelo menos a expressão "últimos dias", segundo o uso atual da igreja, refere-se aos dias que precederão imediatamente a segunda vinda de Cristo ou o estabelecimento do reino celestial sobre a face da terra; mas a escatologia judaica não aludia necessariamente a isso, ao empregar a expressão "últimos dias".

A doutrina do Messias, tanto no AT como no pensamento judaico em geral, não é claramente declarada, conforme esperaríamos que o fosse. Muitos judeus não esperavam o cumprimento de todas as escrituras messiânicas em uma só pessoa. Os essênios aguardavam três personagens separados que haveriam de cumprir essas expectações.

Alguns judeus distinguiam entre o "profeta vindouro" e o Messias (ver Mt 11.3), ao passo que outros faziam os dois termos aplicarem-se ao mesmo personagem. Nem todos os intérpretes judeus criam que o Messias teria de ser, necessariamente, o Filho de Davi, embora o texto de Mateus 22.42 ilustre o fato de que Cristo seria o Filho de Davi, segundo era também a opinião prevalente dos judeus ao tempo de Jesus. Alguns judeus deixavam passar completamente em branco um personagem terreno, nunca pensando em um bebê que cresceria como homem normal e que se manifestaria como o Messias; antes, pensavam que a história do mundo chegaria ao fim de modo súbito, em meio a cataclismos, quando uma figura sobrenatural desceria do céu a fim de assumir o controle do mundo. Enquanto isso, outros, que se satisfaziam com as coisas conforme elas eram, que gozavam de riquezas e do luxo, negavam ou ignoravam qualquer espécie de intervenção messiânica. Essa era justamente a atitude dos saduceus, que acima de tudo temiam perder sua posição privilegiada mediante qualquer alteração na ordem ou mediante qualquer revolta. No caso de outros, ainda, era costumeiro identificar governantes terrenos com o Messias, como se esses governantes, em sua autoridade terrena, estivessem cumprindo as exigências das profecias messiânicas. Alguns viam o Messias no livramento político e religioso da nação de Israel pela revolta dos hasmoneanos. Os herodianos chegaram mesmo a proclamar que Herodes era o Messias; mas deve-se ajuntar que tais ideias não obtinham o favor geral entre o povo.

O NT define mais claramente o ofício do Messias, acrescentando novas dimensões ao mesmo, e identificando Jesus como o Messias tão longamente esperado. A conexão essencial do judaísmo com o cristianismo depende exatamente dessa identificação. Os cristãos primitivos criam que Jesus cumpriu todas as exigências das profecias messiânicas, e que havia apenas um "messias", e não três. Criam também que não haveria um "profeta vindouro" separado, além do profeta representado na figura do Messias. Vários aspectos da missão do Messias foram definidos, tais como o aspecto do Servo Sofredor. Esse servo, no conceito bíblico, é o agente de Deus na restauração nacional, mas também ministraria entre os gentios. (Ver Is 7; 42.1-4). Esperava-se que ele tivesse um tipo definido de ministério entre os pobres, os enfermos e os necessitados (ver Is 42.5-25), e os primitivos cristãos viam um cumprimento completo de todas essas ideias na pessoa de Jesus.

Esse servo seria um "Servo Sofredor", embora essa ideia jamais tivesse sido geralmente reconhecida pelos judeus, que jamais a aplicariam ao Messias. Embora Isaías 53 indique claramente esse aspecto da missão do Messias, os intérpretes judeus nunca o entenderam com clareza. O NT confirma essa interpretação e, embora alguns eruditos mais liberais do NT duvidem que o próprio Jesus tenha feito essa identificação, passagens tais como Mateus 20.18,19,28 e 21.38-42, além de diversas outras predições de Jesus acerca de seus próprios sofrimentos, parecem mostrar claramente que Jesus, ao identificar-se como o Messias, ao mesmo tempo ilustrou essa sua missão com a figura do Servo Sofredor.

Jesus parece ter-se referido à sua missão messiânica tanto em termos presentes como em termos futuros. O Messias seria o arauto do reino futuro; seria aquele que haveria de sofrer e de dar a sua vida em resgate de muitos; seria aquele cuja vida haveria de demonstrar a validade das reivindicações messiânicas; mas também seria o rei futuro que ainda viria e estabeleceria o seu domínio neste mundo (ver Mt 26.64,65). Alguns intérpretes liberais têm procurado demonstrar que Jesus jamais falou sobre sua missão messiânica ou a defendeu, ou mesmo chegou a reivindicar tal autoridade; mas essa opinião é extremamente estranha, quando nos lembramos de que nossas únicas fontes de informação, sobre qualquer autoridade acerca dos ensinamentos ministrados por Jesus, são os quatro evangelhos, cuja intenção, conforme os evangelhos deixam transparecer abertamente, era justamente a de provar que Jesus era o Messias prometido. A acusação que provocou a sua execução era de que havia blasfemado por ter feito elevadas reivindicações, como servo especial de Deus. Os soldados zombavam dele e diziam: "Profetiza-nos, ó Cristo, quem é que te bateu!" (Mt 26.68, ARA). E a acusação estampada na cruz foi: "Jesus, o Rei dos Judeus".

Tudo isso indica que as reivindicações da missão messiânica de Jesus não foram apresentadas apenas pelos crentes primitivos mas, em primeiro lugar, pelo próprio Jesus. É verdade que, com freqüência, ele teve de ocultar a sua verdadeira identidade, certamente devendo-se isso às ideias errôneas nutridas pelo povo sobre o Messias profetizado, que julgava ser essa uma figura essencialmente política e guerreira. Ora, Jesus sempre evitou imiscuir-se nas questões políticas terrenas. Ele contemplava um reino espiritual, um líder espiritual, uma reforma e uma renovação religiosa; mas as multidões não estavam preparadas para acolher esse tipo de Messias que Jesus idealizava.

d. Princípios éticos

Todos reconhecem que o judaísmo é essencialmente uma religião ética, e desde os tempos mais antigos a ênfase do mesmo tem recaído sobre os elementos éticos. Os dez mandamentos, embora apresentados em uma fórmula básica distintiva do judaísmo revelado, refletem, contudo, em grande parte, o que é reconhecido como uma moralidade essencial na maioria das religiões do mundo. Jesus, como filho de Israel, foi um mestre essencialmente ético, embora não o fosse exclusivamente (conforme fica demonstrado pelos outros temas básicos de seus ensinos, referidos nesta seção). Não obstante, parece verdade que os elementos éticos são os que ocuparam, de maneira predominante, os sermões e as instruções particulares expostos por Jesus. Com esse termo — princípios éticos —, queremos indicar o seguinte: (1) conduta; (2) princípios ou regras que são recomendados como normas dessa conduta; (3) esforço crítico do estudo e da reflexão que têm por desígnios sistematizar, organizar e aplicar tais princípios. O NT (incluindo os evangelhos) apresenta vasto acúmulo de material que serve de uma espécie de sistema "ético organizado".

Deve ser óbvio, em toda a ética cristã básica (ética alicerçada nas declarações de Jesus), que esse é um reflexo da ética judaica básica. A ética cristã modificou a ênfase de parte do ensino judaico, e foi além da tradição judaica em outras particularidades. Por exemplo, o casamento misto não era reputado válido no judaísmo. (Por misto, o cristianismo entende o casamento entre um crente e um não-crente, ou entre um judeu e um não-judeu). O cristianismo, porém, reconhece os casamentos mistos como válidos, ainda que não feitos com sabedoria. Essa é a mensagem de 1Coríntios 7.13,14. Quanto a uma instância de ênfase, Jesus recomendava o celibato aos que do Senhor recebem esse dom, tal como já tinham feito os essênios, e como Paulo confirmou posteriormente; mas, de modo geral, certamente a ênfase judaica não recaía sobre o celibato. No que tange ao divórcio, Jesus falou em termos mais severos do que qualquer judeu comum. Essas são apenas algumas sugestões acerca das diferenças de ênfase ou acerca das modificações que podem ser vistas nos ensinamentos de Jesus, quando confrontados com os princípios éticos do judaísmo; passemos, agora, a observar certos pontos particulares.

Em primeiro lugar, consideremos o grande método básico ou a grande consideração dos ensinos éticos de Jesus, que em sua maioria podem ser identificados com as normas do judaísmo. Os que estão familiarizados com a ética do ponto de vista da filosofia devem-se lembrar de que os sistemas éticos têm bases extremamente variadas. Por exemplo, parte da conduta reputada ética pode basear-se em considerações inteiramente humanas. Protágoras de Abdera (450 a.C.) fez soar a nota chave de grande parte da ética moderna, ao dizer: "O homem é a medida de todas as coisas". Com isso, ele quis dizer que as considerações éticas, como quaisquer outras considerações que afetam a vida humana, devem ter seu fundamento apenas naquilo que é bom para o homem, naquilo que é útil para o ser humano, que obtém os alvos desejados pelos homens, e não naquilo que agrada a algum deus ou deuses, ou ao que pode ser reputado como um nebuloso após-vida. A ética pragmática está alicerçada nessa atitude. O que mostra ser bom, após tentativa e erro, é bom para nós, e o que é bom para nós hoje talvez não seja o que será bom amanhã. Por conseguinte, essa ética pragmática não pode estar baseada em princípios "eternos" ou "teístas". De modo geral, na ética pragmática, as considerações "divinas" ou eternas se fazem completamente ausentes.

Ora, nem o judaísmo nem Jesus basearam seus princípios éticos nessas crenças. E existem outros que refletem uma ética cínica ou pessimista, os quais negam que exista qualquer valor humano autêntico, e que, por isso mesmo, assumem uma posição adversa ou pelo menos céptica acerca de qualquer pronunciamento que procure regulamentar a conduta humana. O pessimismo ensina que a própria existência é o maior de todos os males, e que o maior pecado do homem é o de "ter nascido" (Schopenhauer). Evidentemente, Jesus não compartilhava dessas ideias. Mas ensinou que há bens positivos que devem ser obtidos e maus positivos que devem ser evitados. Os estóicos, por sua vez, ensinavam que qualquer espécie de emoção é má, quer positiva, quer negativa. Segundo essa filosofia, o desejo é mau, a busca e a pesquisa também são processos maus. Somente o desprendimento total da vida é aceito como princípio ético para os estóicos. Segundo eles, é mister exercer a "apatia" ante tudo. Embora Jesus tenha aprendido a controlar o próprio ser de maneira extraordinária, dificilmente alguém poderia classificar a sua "compaixão" pelas multidões como um sentimento de "apatia". Por outro lado, os epicuristas e hedonistas criam que somente o prazer é um alvo digno da existência humana, e que se deve usar da inteligência na busca do prazer. Jesus permitia o prazer, certamente mais do que João Batista, mas via alvos mais elevados na vida do que o prazer.

Sócrates cria que o perfeito conhecimento do bem assegura, automaticamente, a conduta perfeita. Assim sendo, igualava a bondade com o conhecimento. Acreditava que o indivíduo que realmente soubesse o que é bom para ele, automaticamente faria o que é bom. Portanto, Sócrates ensinava a auto-realização e a compreensão como a busca básica do homem, porquanto,

segundo pensava, isso o conduziria à conduta perfeita. Sua vida, pois, foi dedicada à busca do entendimento da bondade. Essa ideia é boa até onde vai, mas ignora a natureza pervertida do homem, que algumas vezes prefere conscientemente o mal, ao invés do bem, e sempre para seu dano próprio. Jesus, portanto, foi muito mais fundo do que Sócrates, porque a sua missão visou essencialmente a transformar a natureza básica do homem, e não simplesmente insuflá-lo à auto-realização. Em geral, poderíamos classificar o sistema ético de Jesus como teísta. Com isso, queremos dizer que seu sistema ético tem por base a grande consideração do que Deus representa. Deus é o legislador, e o homem é responsável, antes de tudo, para com Deus, e apenas secundariamente para consigo mesmo e para com seus semelhantes. A ética teísta geralmente ensina princípios éticos "eternos" e "imutáveis", enquanto a ética pragmática admite mudança e alteração. A ética teísta conta com um Deus eterno e imutável que impede a mudança de qualquer modalidade. Se houver mudança, será tão-somente em resultado de uma melhor compreensão sobre Deus e seus caminhos, e não pela mudança no próprio Deus ou em seus ensinos. Por conseguinte, Jesus falou de princípios eternos, e todo o seu sistema repousa nesses princípios. Esperamos, por conseguinte, que, a despeito da passagem de dois mil anos, a contar da vida terrena de Jesus, os princípios e exigências básicas permaneçam inalteráveis.

Falando de maneira muito "generalizada", podemos classificar os sistemas éticos em sistemas relativistas e absolutistas. Pelo termo "absolutista", compreende-se também a ideia de categoria. Os princípios éticos absolutistas ou categóricos ensinam que os princípios éticos são absolutos, não estando sujeitos a modificações, formando uma categoria permanente e imutável. Princípios eternos e imutáveis são inatos ao homem e foram dados por Deus. Entretanto, é possível alguém ter ideias de princípios absolutistas ou categóricos sem pôr Deus no quadro de suas considerações, porque pode crer que a "natureza" ou algum outro princípio "universal" que não seja "Deus" pode servir de fundamento da conduta ética. Em contraste com isso, temos a ética "relativista", que ensina que não existem princípios eternos, e, sim, pessoas, condições, estruturas sociais e muitas outras condições, que determinam o que é bom para nós o que não o é, e que as mudanças nas pessoas, nas estruturas sociais e em outras condições também modificam os princípios éticos. Vê-se, portanto, que, se considerarmos uma classificação geral, Jesus ensinou princípios éticos absolutistas ou categóricos, pois a ética "teísta" é um dos ramos desse tipo de sistema ético.

Consideremos agora algumas particularidades sobre esses ensinamentos éticos. Com esse propósito, não podemos fazer nada melhor do que examinar, ainda que de passagem, os conceitos do Sermão da Montanha, em Mateus 5-7.

1. A paternidade de Deus — Jesus via Deus como a fonte de toda a vida humana, e como benfeitor de todos, tal como um pai humano deseja o bem de todos os seus filhos. Jesus expandiu grandemente o conceito judaico de Deus, porquanto apresentou um Deus universal, e não um Deus local. Esse conceito é básico para os princípios éticos de Jesus e forma um contraste definido e violento com o judaísmo comum. Por muitas vezes, Jesus empregou o termo "vosso Pai que está nos céus", no Sermão da Montanha e em outros lugares (ver Mt 5.45; 6.1,6,14,18). Isso não visava a contradizer a ideia de que alguns são "filhos do diabo", nem afirmar a conversão como experiência para todos os homens. Serve, porém, para despertar-nos para a realidade da grande compaixão de Jesus, e também que, por força da criação, em sentido bem real, todos têm a fonte de sua existência em Deus, e que esse deve ser o alvo de todos. Por esse motivo é que nos é oferecida a possibilidade e a grande realidade de muitos benefícios que são dados aos homens de modo geral. A missão do Messias tinha por finalidade declarar a salvação universal oferecida por Deus. Até que grau de perfeição Deus haverá de, finalmente, desenvolver essa missão, antes do término da história da humanidade, aqui ou no além, pode-se tão-somente conjecturar; mas as implicações são vastíssimas.

2. O princípio do amor — Jesus ensinou insistentemente essa virtude. Ele mesmo foi enviado ao mundo por motivo do amor do Pai. Jesus exercia grande compaixão para com as multidões. O décimo quinto capítulo do evangelho de João é uma demonstração dessa atitude, e muitos dos princípios do Sermão da Montanha repousam nesse alicerce. O novo mandamento consiste do amor, pois essa é a virtude que realmente cumpre todos os requerimentos da lei. Precisamos sentir pelos outros o que sentimos por nós mesmos. Sabemos o que é o amor-próprio e o praticamos, porquanto quase todos os nossos atos se baseiam no egoísmo. Cuidamos de nós mesmos, de nossos planos para o futuro, vestimo-nos e temos cuidado com nossa saúde. No seio da família tornamos mais evidente esse princípio do amor, pois amamos os membros íntimos de nosso círculo familiar, e nossa grande preocupação é o bem-estar dos mesmos. Ora, o que Jesus quer é justamente que nosso amor se expanda para abranger o mundo inteiro, incluindo até mesmo os nossos inimigos. A vereda do amor é a vereda mais curta para o desenvolvimento e o progresso espirituais. O próprio Jesus foi o exemplo supremo de como deve funcionar esse princípio. O amor não somente diz que não se deve matar, mas proíbe até mesmo o odiar (ver Mt 5.21). O amor diz não somente que não se deve

20 |Artigos introdutórios| NTI

adulterar, mas nem mesmo cobiçar (ver Mt 5.28). O amor não somente diz que não se deve provocar a violência, mas nos instrui até mesmo a sermos ativos pacificadores (ver Mt 5.9). Aquele que cultiva em sua vida o amor de Jesus, nutrindo-o em seu homem interior, será mais rapidamente transformado à imagem de Cristo, que é o grande propósito da existência humana.

3. Respeito à autoridade constituída — Assim ensinou Jesus, ao falar especificamente da lei e dos profetas como autoridades religiosas (ver Mt 5.19). Jesus aprovava a lei e os profetas, embora algumas vezes tivesse discordado de seus contemporâneos no tocante à interpretação que davam à lei e aos profetas. Jesus ensinou uma inquirição espiritual sincera e fervorosa durante esta vida, e baseou essa inquirição em antigas pedras fundamentais — as pedras básicas do judaísmo revelado. Por conseguinte, aqueles que desobedecem aos mandamentos só causam dano a si mesmos. E aqueles que quebram os mandamentos e ensinam outros a quebrá-los prejudicam duplamente a si mesmos e aos outros, sendo, por isso, chamados de mínimos do reino dos céus.

4. Jesus aprofundou parte do ensino do judaísmo contemporâneo — Todos reconheciam que o assassínio é um mal. Mas Jesus procurou mostrar que o ódio é uma forma de homicídio. Críticas severas, uma língua virulenta e odiosa, ira etc. são formas de assassínio, porquanto ferem e destroem as suas vítimas, ainda que não causem a morte do corpo físico. Quanto ainda temos de aprender acerca disso na igreja, que por muitas vezes se torna cena de ódio amargo e de debates acirrados! Quantos crentes têm destruído um irmão na fé! Quantas igrejas evangélicas têm destruído pastores! Quantos "anciãos" ou "autoridades" da igreja têm destruído a juventude da igreja por fazerem coisas movidos pela ira, criticando amargamente, devido ao ódio que se instala em seu coração! Se Jesus estivesse pessoalmente conosco, hoje em dia nas nossas igrejas, procuraria aprofundar nossos conceitos acerca do que é o homicídio. E se ele estivesse em nosso coração, faria a mesma coisa sem ser notado (ver Mt 5.21,22).

5. Jesus aprofundou a moral no tocante ao adultério — Um homem talvez possa congratular-se com ele mesmo se não toca em mulher; mas Jesus revelou que a cobiça por uma mulher já é adultério. E que homem pode congratular-se por nunca ter cobiçado? Jesus não ensinava aqui contra as instituições sociais da poligamia e do concubinato (Mt 5.27), e não é provável que ele classificasse esses costumes sociais dos judeus como adultério; mas em Mateus 5.31,32, e especialmente mais tarde, em Mateus 19.3-9, pelo menos desencorajou tais práticas como indignas daquele que verdadeiramente procura progredir em sua vida espiritual. A lei de Jesus referente ao adultério requer uma transformação completa no íntimo, em contraste com a regulamentação das ações externas que era tão comum na ética judaica. Um bom exame nessa lei ensina-nos o quanto ainda temos de caminhar para sermos moralmente transformados segundo a imagem de Cristo — e esse é um dos propósitos ou alvos desta nossa existência terrena.

Jesus pregava uma pinha dura sobre o divórcio, que é totalmente adversa às filosofias e à sociologia modernas. Muitos eruditos acreditam que o registro das palavras de Jesus por Marcos, que não permitem nenhum desvio nesse particular, são as verdadeiras palavras de Jesus (ver Mc 10.1-9). Em geral, contudo, a igreja tem preferido a versão de Mateus 19.9, que permite o divórcio — e, provavelmente o novo casamento do cônjuge inocente (ver notas sobre esta última passagem) — por razão de fornicação. Os sociólogos e psiquiatras do mundo inteiro não se sentem à vontade ante as declarações de Jesus, pois crêem que há muitos motivos válidos para o divórcio e que existem muitos outros crimes que uma pessoa casada pode cometer contra seu companheiro ou companheira de matrimônio, que são piores do que o adultério. É possível que, se o assunto tivesse sido mais extensamente examinado, e sob outros prismas, Jesus tivesse acrescentado aos seus ensinos outros detalhes sobre a questão; mas os evangelhos servem para revelar a ênfase principal de Jesus sobre a questão do casamento e do divórcio. Como sempre foi típico em Jesus, ele alicerçou a questão inteira sobre princípios eternos. "No princípio..." "[...] Deus..." fez assim como assim. Desde o princípio, a norma tem sido "homem-uma mulher". Nenhum estudo moderno tem melhorado esse princípio, e reconhecemos instintivamente a sua validade. Mediante esse preceito, Jesus indica a inferioridade ou mesmo o mal da poligamia e do concubinato. "Um homem-uma mulher" é o melhor, e está de conformidade com o desígnio original das coisas. Isso envolve mais do que meras diferenças de ênfases entre Jesus e o judaísmo — o que se praticava entre os judeus de seus dias era uma completa distorção do princípio eterno.

7. Recomendação do celibato — Conforme já foi dito, Jesus baseava os seus ensinamentos éticos sobre o alicerce de uma intensa pesquisa espiritual — aquela pesquisa que leva os homens de volta à presença de Deus. Portanto, sobre determinadas questões que não envolviam necessariamente os princípios do bem e do mal, Jesus enfatizava o bem que seria melhor que outros bens. Jesus honrava o matrimônio e procurou elevar o pensamento judaico sobre o assunto, ao mostrar que o casamento não pode ser rompido por razão nenhuma. Jesus também elevou a posição da mulher na sociedade judaica e proferiu coisas que tinham em vista solapar o alicerce do duplo padrão que

era tão geralmente praticado em Israel, em seus dias. Não obstante, parece perfeitamente claro, lendo-se Mateus 19.10-12, que Jesus reconhecia o valor do celibato, pelo menos no caso de algumas pessoas. Somente alguns podiam receber essa doutrina. Essas pessoas, porém, podem buscar melhor o reino dos céus se praticarem o celibato. Esse princípio concorda com o que Paulo procurou expressar posteriormente, em 1Coríntios 7.7 (e nesse capítulo em geral). Muitas religiões reconhecem o mesmo princípio, e aqueles que tentam viajar pela estrada mística, em sua inquirição religiosa, ou aqueles que buscam iluminação sobre questões especiais dizem-nos que o celibato é a melhor condição para quem quer dedicar-se a essa busca intensiva. Isso não significa, porém, que Jesus tenha criado ordens religiosas ou decretado essa prática para as mesmas. Essas ordens religiosas são desenvolvimentos posteriores da cristandade, e não têm nenhuma autoridade nos ensinamentos de Jesus. Todavia, o princípio do celibato, como questão particular, como ajuda no processo espiritual, permanece aprovado e recomendado tanto por Jesus como por Paulo. Esse ensino não era desconhecido para a corrente principal do judaísmo; mas certamente não era praticado de forma generalizada. No entanto, era uma das principais doutrinas dos essênios. Jesus teve algum contacto com os essênios; e alguns dizem que esse contacto era vital e contínuo, no que era seguido por João Batista. O certo é que Jesus adicionou a sua autoridade a esse preceito.

8. Jesus mostra o alvo da inquirição espiritual — "Portanto, sede vós perfeitos como perfeito é o vosso Pai celeste" (Mt 5.48, ARA). Aqui Jesus falava da perfeição moral no sentido absoluto. A palavra "perfeito" pode significar "maduro", e certamente Jesus recomendava a maturidade espiritual; porém, este ensino é mais profundo do que isso. A igreja geralmente tem perdido de vista o fato de que o alvo da inquirição espiritual é a perfeição absoluta, que envolve a transformação total nos aspectos moral e metafísico. Paulo ensina a mesma coisa no primeiro capítulo de Efésios, ao falar sobre o fato de sermos o "corpo" de Cristo. Isso envolve transformação total, tanto moral como metafisicamente. A perfeição absoluta é o nosso alvo. O texto de Hebreus 2.10 ensina a mesma coisa que fala acerca da verdade que Jesus vai conduzindo "[...] muitos filhos à glória...". Jesus participou da nossa natureza a fim de que pudéssemos participar da sua natureza, em sentido absoluto. Romanos 8 ensina a mesma verdade ao dizer que estamos sendo transformados à imagem de Cristo. É em direção a esse acontecimento que a criação inteira geme e sofre dores de parto. Essa é a obra especial de Deus — a duplicação de seu Filho. Aqueles que forem assim transformados serão muito mais elevados que os anjos em sua estatura metafísica, e serão tão perfeitos moralmente quanto o próprio Deus. Esse é um alvo extremamente elevado, e é nessa direção que se deve orientar a inquirição espiritual. Esse conceito (refletido em Mt 5.48), portanto, é a base de todos os princípios éticos de Jesus. É por essa razão que Jesus requeria um discipulado minucioso em todos os pontos. Esse é o motivo por que ele elevou os princípios do "amor à humanidade", a ponto de incluir nesse amor os próprios inimigos. É por essa razão que ele regulamentou a conduta entre os sexos e quanto ao matrimônio. Esses princípios éticos são necessários para o sucesso e para o rápido progresso na inquirição cristã que visa a atingir a grande imagem moral de Deus e à imagem metafísica de Cristo. Muitas outras particularidades poderiam ser mencionadas além das que foram referidas nesta breve seção, mas as que foram aqui ventiladas nos dão a idéia dos princípios éticos de Jesus e o alvo ou propósito de toda existência e conduta dos homens.

e. Acontecimentos futuros. O conhecimento especial de Jesus

Os evangelhos mostram que Jesus tinha poderes especiais de conhecimento, inclusive da telepatia e do conhecimento prévio. Este fato é apresentado pelos evangelistas como a prova (entre muitas) do messiado autêntico de Jesus. Os rabinos previram um Messias dotado de tais poderes e os evangelhos mostram que, neste ponto, como com muitos outros, Jesus cumpriu as esperanças do povo de Israel. Poderes elevados do conhecimento podem ser a propriedade de meros homens, pois o homem é um espírito, e deve ter altos poderes espirituais. Estes são ainda mais notáveis em pessoas de alto desenvolvimento de espiritualidade. Não é preciso supor que o conhecimento especial de Jesus tenha sido uma propriedade da sua divindade, embora possa parecer que os evangelistas tenham apresentado essa capacidade aos seus leitores como se fosse uma prova disso. De qualquer maneira, não nos devemos esquecer da extrema importância da humanidade de Cristo. (Ver notas sobre este assunto em Fp 2.7,8.) De modo geral, podemos declarar que Jesus, normalmente, nas suas façanhas, se limitou aos seus poderes humanos espirituais (desenvolvidos e usados pelo Espírito Santo) quando fez seus milagres, com a provável exceção dos milagres "da natureza" (como o ato de acalmar as águas do mar, multiplicar o pão etc.), quando, evidentemente, usava seus poderes divinos. Foi desígnio da encarnação que Jesus fosse limitado (normalmente) às mesmas fontes a que nós temos acesso. Nisto, ele nos mostrou o caminho do desenvolvimento espiritual. Jesus era homem verdadeiro, que labutava como homem, que sofreu e se desenvolveu tal como todos os seus irmãos. Seus poderes especiais, por conseguinte, dependiam normalmente de seu desenvolvimento como homem. Se assim não fosse, as suas palavras que indicam que os discípulos podem fazer as mesmas coisas que ele fez, contanto que tenham fé, quase não teriam sentido.

Sua íntima comunhão com o Pai, mediante o Espírito Santo, transformava toda a sua pessoa. Ele ia se tornando um ser diferente. Tendo sido feito, por pouco tempo, menor do que os anjos, agora, mediante a inquirição e o desenvolvimento espirituais, na qualidade de homem, se ia elevando. E isso ele fez justamente para nos mostrar o caminho. Jesus foi ao mesmo tempo o caminho e o pioneiro desse caminho; e tudo quanto ele fez é possível para nós, a começar pelos milagres e a terminar pela perfeição moral. Ele é o alvo em todos os aspectos da vida cristã. Seremos semelhantes a ele em nossa natureza, e essa transformação está aberta para nós. Precisamos, tão-somente, andar como ele andou, nos desenvolver como ele se desenvolveu, e nos tornar indivíduos que seguem seriamente essa inquirição, porquanto, não há limite para isso.

Portanto, parece lógico afirmar que os especiais poderes telepáticos de Jesus e seu conhecimento prévio eram manifestações dessa sua humanidade altamente desenvolvida, de sua humanidade espiritualizada. Nada disso nega a sua divindade, mas tem o propósito de declarar, sem o menor equívoco, a sua verdadeira humanidade.* Jesus, portanto, foi um grande previsor do futuro, um profeta de acontecimentos futuros. Jesus deve ter previsto muitos acontecimentos pormenorizados de sua vida diária. As Escrituras nos dizem que ele previu a negação de Pedro e a traição de Judas. Ele previu a extensão da oposição que lhe seria movida, tanto pelas autoridades religiosas como pelo povo em geral. É impossível saber com certeza, mas, segundo os detalhes de que dispomos, parece certo que sua vida se assinalava pelo conhecimento prévio de muitas minúcias de seu cotidiano. Entretanto, preocupam-nos mais aquelas profecias que dizem respeito a nós e ao mundo em geral. Jesus previu a sua morte como resgate em favor de muitos (ver Mt 20.28; Mc 10.45). Há três grandes avisos sobre a aproximação de sua morte, no evangelho de Mateus, e o texto de Mateus 20.28 nos apresenta a avaliação de Jesus sobre sua própria morte (ver notas nesse vs.). Jesus também previu a sua ressurreição (ver Mc 9.9). Previu que teria breve ministério após a sua ressurreição, pois advertiu aos discípulos que fossem encontrá-lo na Galileia (ver Mt 28.7). Em conexão com esses eventos, ele previu o seu triunfo eventual sobre os seus inimigos e o sucesso de seu ministério universal (ver Mt 24; Mc 13; Lc 21.5-36). Nesses ensinamentos, naturalmente, Jesus indicou a vitória de Deus nos homens e entre eles (ver Mt 10.23; 16.28; Mc 9.1; Lc 22.69). Por causa de sua rejeição, Israel passaria pelo juízo, e, como símbolo desse juízo, Jesus previu a destruição de Jerusalém, bem como a intensificação, e não o desaparecimento do poder romano em Israel (ver Mc 13.1,2), sendo essa uma de suas mais famosas profecias de breve prazo. Embora esse acontecimento estivesse próximo, suas implicações iam longe, por ser esse um símbolo do fato de Israel ter sido posto temporariamente de lado, que é o tema abordado extensivamente por Paulo em Romanos 9-11, especialmente no décimo primeiro capítulo. Quase desde o princípio de seu ministério Jesus predisse o aparecimento da igreja (ver Mt 16 e as notas ali existentes). Por semelhante modo, descreveu o método geral da ação de Deus, antes da restauração de Israel, bem como os acontecimentos que teriam lugar quando do estabelecimento do reino. Ele predisse o derramamento especial do Espírito Santo, que seria o agente no seio da igreja, a fim de cumprir nela os propósitos de Deus. (Ver Jo 16.7-22; Lc 24.49).

A passagem mais famosa das profecias de Jesus é Mateus 24, cujo paralelo é Marcos 13. Aqui é exposto um sumário dos acontecimentos ali previstos:

1. "Predição da destruição de Jerusalém", como símbolo da queda e da rejeição de Israel.

2. "Surgimento de religiões falsas" e de pseudo-cristos, como característica da "era da igreja", quando o cristianismo haveria de tornar-se poderoso e ser um fator mundial de maior envergadura que o judaísmo.

3. "Desordem geral" e violência que haveriam de caracterizar a história humana durante esse período, e que se tornariam muito mais graves pouco antes do estabelecimento literal do reino.

4. "Perseguição contra os verdadeiros discípulos", por parte de homens ímpios e desarrazoados, os quais ficarão cada vez pior, ao aproximar-se o fim desse período — Em resultado dessa maldade crescente, muitos discípulos esfriarão, isto é, perderão a coragem de continuar na inquirição espiritual.

5. "Nova mensagem", o evangelho do reino, não diferente da mensagem que Jesus pregou a Israel, mas uma mensagem que deverá ser anunciada pelos seus discípulos em escala internacional, que abrangerá todas as nações. Isso tem sido parcialmente cumprido no ministério da igreja, mas alude especificamente à proclamação do reino pouco antes do fim, quase inteiramente levado a efeito durante o período da Grande Tribulação, um período de sete anos, que precederá de imediato o estabelecimento do reino.

6. "Aparecimento do anticristo" e da abominação desoladora, também mencionada em Daniel 9. A questão também é abordada em 2Tessalonissences 2.

7. "Grande e amarga perseguição contra Israel", nos dias da tribulação, intitulada angústia de Jacó. Essa perseguição será um grande agente na restauração de Israel, porquanto os israelitas nela entraram ainda como nação que rejeita a Cristo.

8. Nesse capítulo, Jesus descreve de modo abreviado a "Grande Tribulação", mostrando que será um período de angústias sem paralelo e de sofrimento universal. A maior parte do livro de Apocalipse segue paralela a essas profecias, posto que quase todo esse volume se dedica à descrição minuciosa desses acontecimentos.

9. "Alguns serão preservados" durante esse período (os "eleitos"), tempo esse que será assinalado pela violência quase ilimitada dos homens, bem como pelas tremendas comoções da natureza, incluindo a fúria das ondas, a destruição incontrolável das águas do mar, grandes terremotos, pragas generalizadas, enfermidades e morte de milhões de criaturas humanas.

10. Imediatamente antes do aparecimento de Cristo em glória, quando ele vier a fim de reinar, "os próprios céus sofrerão vários distúrbios notáveis". Provavelmente, a atmosfera da terra será perfurada, permitindo a entrada de calor intenso, que destruirá a muitos (ver Ap 16.8,9). Os físicos também estão predizendo essa modalidade de acontecimentos, o que indica que os tempos realmente estão próximos. Alguém escreveu o seguinte: "Oxalá não fosse verídico o Apocalipse; mas é". Alguns físicos explicam que a causa de muitos desastres naturais (terremotos, maremotos etc.) é o fato de que pólos da terra estão mudando (o que já aconteceu antes), o que provoca muitos distúrbios na natureza, quando as costas marítimas são destruídas, quando os oceanos invadem muitas áreas continentais, quando há terremotos de proporções gigantescas. Um bem conhecido místico de nossos dias (falecido em 1945) indicou que essas destruições serão tão universais e intensas, que apenas uma pequena porcentagem da atual população do mundo conseguirá sobreviver. É bem possível que essa profecia sobre a Grande Tribulação seja um dos tópicos mais pregados atualmente nas igrejas. Estará a igreja dormindo?

11. "Jesus ensinou a sua segunda vinda". Será literal e visível, e será a causa do estabelecimento do reino longamente esperado à face da terra, inaugurando o reino milenar. Será acompanhado pelo julgamento dos ímpios. Será estabelecida uma nova ordem, e o livro de Apocalipse indica uma espécie de espiritualização da humanidade; isso significa que os que tiverem permissão para entrar com vida na era milenar (que incluirá nações inteiras) receberão a transformação parcial em seu ser, embora continuem sendo humanos. Essa gente terá vida extremamente longa, e muitos deles provavelmente viverão durante todos os mil anos.

À luz desses acontecimentos, Jesus ensinou a necessidade de fidelidade no discipulado, como principal característica para que a humanidade atravesse com sucesso esse período de julgamento, tanto da tribulação como no período depois desse evento. Segundo a opinião de alguns, a "Igreja" ficará isenta da tribulação, embora muitos crentes sinceros digam o contrário. Se a Igreja tiver de atravessar a tribulação, terá de ser preparada por advertências similares às contidas aqui. Em caso contrário, mesmo assim seus membros devem ser discipulados fiéis, porquanto a Igreja também passará pelo juízo do trono de Cristo. (Quanto à questão do "arrebatamento", ver as notas em 1Ts 4.15.)

f. Morte de Cristo e seu significado

A teologia do NT acerca do sentido da morte de Cristo é bastante extensa. A maioria dos ensinos concernentes à expiação e a outros efeitos da morte de Cristo emerge das epístolas, e não dos evangelhos, e quase sempre da pena do apóstolo Paulo. Podemos alistar as principais implicações da morte de Jesus da seguinte forma:

1. Em relação à Igreja e aos santos. Expiação por substituição — Cristo tornou-se pecado por nós, levando a nossa penalidade, e nós temos ficado com sua justiça. Cristo se tornou o fim da lei para aqueles que crêem: a Igreja não está debaixo da lei no que respeita à justificação. Reina agora uma nova lei no que implanta o poder de praticarmos a justiça — essa a lei do Espírito (ver Rm 8) Foi efetuada a redenção que nos livra do pecado e de seu poder, e que, finalmente, nos livrará de sua presença. Foi apresentada expiação a Deus, removendo a ira contra os homens e seus pecados. O próprio pecado já foi julgado, pelo que finalmente desaparecerá como um dos fatores da existência. Foi instaurada a purificação de pecados, tanto a do pecado passado como progressivamente e também na vida vindoura. A justificação vem por meio da fé na expiação. Gozamos de identificação especial com Cristo (o batismo espiritual; ver Rm 6). Participamos de sua morte e ressurreição por meio de um processo místico, e recebemos o benefício decorrente de ambas. A expiação assegura-nos a glorificação final e a nossa transformação segundo a imagem de Cristo, tanto moral quanto metafisicamente.

2. Sentido da morte de Cristo para Israel — A morte de Jesus cumpriu a promessa que foi feita a essa nação concernente ao Messias-Servo Sofredor. Essa morte conseguiu o necessário para a redenção nacional. Removeu os símbolos da salvação na forma de sacrifícios de animais e de outros ritos, dando-nos a substância tão longamente esperada. Eventualmente, assegurará o estabelecimento da nação de Israel à testa de todas as nações, quando a obra de Deus completar-se por meio de Cristo. Isso assegurará alta posição para a nação de Israel, durante o milênio. No que respeita a todos os demais povos, a

22 |Artigos introdutórios| NTI

salvação individual será providenciada, embora os alvos finais sejam um tanto diferentes do que no caso da igreja.

3. Sentido da morte de Cristo para as nações — Algumas nações terão permissão de entrar no período milenar, e experimentarão certa espiritualização de seus seres, que, apesar de continuarem pessoas humanas e mortais, terão a existência terrena grandemente prolongada e serão realmente mais espirituais, em sua natureza moral e metafísica, do que os homens de hoje em dia. Nações dotadas de imortalidade serão finalmente estabelecidas à face da terra, o que também será resultado direto da obra da expiação de Cristo e de outras realizações do Senhor Jesus, em sua missão benéfica em favor dos homens.

4. Sentido da morte de Cristo para a criação física — A criação física inteira, segundo a conhecemos atualmente, será renovada. A maldição contra o pecado será suspensa. Eventualmente, haverá uma nova criação, que instaurará novos céus e nova terra.

5. Sentido da morte de Cristo para os céus — A passagem de Hebreus 9.23 indica a purificação dos lugares celestiais, em resultado da morte de Cristo. Sabemos que o pecado começou nos lugares celestiais, e não à face da terra. Finalmente, porém, o princípio do pecado será removido dos lugares celestiais. Os seres celestiais deixaram de lutar contra esse princípio pecaminoso. Obterão a vitória completa e final, demonstrando que seres dotados de livre-arbítrio podem preferir o bem ao invés de preferir o mal.

6. Relação da morte de Cristo com os anjos caídos, os demônios e Satanás — Segundo ensina Colossenses 2, o reino da maldade finalmente cairá. Essa destruição será gradual. A morte de Cristo assegurou a destruição final desse reino, embora até agora não tenha produzido esse resultado final.

7. Influência da morte de Cristo sobre o Hades; sobre o inferno — 1Pedro 3.18-20; 4.6 e outras passagens do NT falam de um ministério de Cristo no Hades. Alguns vêem este ministério como uma oferta completa de salvação aos perdidos, além do túmulo, até que a segunda vinda de Cristo termine este tempo, este dia de oportunidade. Isso significa que a nossa morte pessoal não marca esse limite. A maioria dos antigos pais da Igreja tinham este ponto de vista, como João de Damasco (séc. VIII) nos informa em seu livro A Fonte de Sabedoria. Apenas nos tempos modernos é que qualquer seção de tamanho razoável da igreja tem ignorado ou rejeitado o fato da Descida de Cristo ao Hades. Alguns vêem esse ministério do submundo como um meio de "restauração", mas não como a salvação evangélica para os perdidos. Em outras palavras, o seu ministério no Hades "melhorou" o seu estado de perdição. Efésios 4.9,10 demonstra que os efeitos desse ministério são permanentes ao estado de todos os homens em todo lugar. O assunto, logicamente, tem sido sujeito a muita controvérsia, e a alguns abusos. Notas detalhadas são apresentadas sobre este assunto em 1Pedro 3.18.

8. Por causa de sua obra remidora (que inclui sua morte expiatória), Cristo será estabelecido como cabeça do universo, e não somente da terra (ver Ef 1; Cl 1,2). Jesus é o grande alvo de toda a criação. Os crentes serão transformados, moral e metafisicamente, à imagem de Cristo. Toda a criação, todas as criaturas, celestiais e terrenas, terão em Cristo o seu centro. O ponto mais alto de toda a criação será a duplicação da pessoa de Jesus Cristo nos homens redimidos.

O leitor poderá observar que quase todas essas doutrinas emergem das epístolas, especialmente das de autoria de Paulo. Muitos se interessam pelo quadro exposto nos evangelhos, especialmente em face de que as ideias ali apresentadas resultam diretamente das palavras autênticas e verdadeiras do próprio Jesus, e não das palavras dos discípulos, como desenvolvimento posterior da Igreja. Alguns eruditos mais liberais insistem em dizer que a Igreja criou um Jesus "teológico", sem nenhuma ligação com o Jesus histórico. Por isso, rejeitam quase que totalmente as epístolas como verdadeiras representações de Jesus. Esses mesmos mestres negam, igualmente, qualquer ensino que se aproxime do ensino das epístolas que porventura se ache nos evangelhos. A grande verdade, porém, é que os evangelhos expõem um quadro da expiação que a torna universal. Se não quisermos aceitar esse testemunho, seremos obrigados a depender de conjecturas para encontrar a verdade, e, embora todo homem seja um agente moral livre, que pode fazer toda forma de conjectura, o crente sério, especialmente se a sua experiência religiosa é válida e vívida, terá de rejeitar o método da conjectura na busca pela verdade. A vida de Jesus foi tão grande, as suas obras foram tão profundas, que parece razoável aceitar o testemunho dos evangelhos como explicação de sua grandeza. Durante a parte final do seu ministério, Jesus devotou grande parte de sua atenção à sua morte próxima e ao sentido de sua morte para os seus discípulos. (Ver Mt 16.21; Mc 8.31; 9.31; 10.33,34; Lc 9.22,44; 22.37; Jo 6.51; 10.11-18.) Jesus declarou que a sua morte seria um resgate em favor de muitos (ver Mt 20.28). As tentativas da parte de alguns, que procuram negar isso como parte dos próprios ensinos de Jesus, por alegarem que ele não poderia compreender a sua morte dessa maneira, têm falhado inteiramente. Que alguém desse a sua vida como resgate pelo povo não era um conceito inteiramente estranho ao judaísmo. Naturalmente que o resgate oferecido por Jesus deve ser compreendido em sentido diferente do oferecido

da própria vida, por parte de algum profeta, segundo esse oferecimento deve ter sido compreendido pelos judeus. Jesus ilustrou isso na cena da "última ceia". Nessa oportunidade, ele ensinou claramente as implicações espirituais desse ensino. (Ver Lc 22.19,20; Mt 26.27,28; Mc 14.22-24.. A passagem de Mateus 26.27,28 indica que a morte de Cristo nos traz a remissão de pecados, estabelecendo uma nova aliança entre Deus e os homens. (Ver também Lc 22.20.). A linguagem usada é similar à de Isaías 52.13—53.12, que descreve, em forma profética, a vinda do Messias-Servo Sofredor. Devemos nos lembrar, também, de que os discípulos imediatos de Jesus, especialmente Pedro, se tornaram seus intérpretes especiais na igreja primitiva, ao passo que Paulo assevera que o seu "evangelho" não diferia em nada do deles. A igreja primitiva, de modo geral, aceitava a interpretação de Paulo, não achando que fosse incoerente com a que haviam recebido da parte dos discípulos imediatos de Jesus. Passagens tais como Mateus 28.19,20 emprestam universalidade ao ensino que a morte de Cristo e os benefícios dela decorrentes não podem ser aceitos como limitados a qualquer nação ou povo.

g. Relação de Cristo com o judaísmo

A relação entre Jesus e seus ensinos e o judaísmo, já transpareceu nos comentários acima acerca de Jesus, de sua identificação, de seu ministério e de seus ensinamentos distintivos; pelo que também basta apresentar aqui um "breve sumário". A magnitude de sua pessoa eleva-o de imediato acima de qualquer profeta, sacerdote ou rei de Israel. Pelos fins do século II de nossa era, mais de vinte religiões distintas se tinham desenvolvido em torno de seu nome. Pelos fins do século IV de nossa, era mais de oitenta desses grupos já haviam surgido, enquanto a corrente principal do cristianismo se transformara em uma religião universal, mais que fora o judaísmo ou mesmo mais do que essa seita religiosa tentara ser. Jesus tinha muitas características próprias dos mestres e profetas judeus, e o seu ministério visava especialmente à nação de Israel. Entretanto, quase desde o início de seu ministério Jesus foi rejeitado. Já no oitavo capítulo do evangelho de Marcos, vemos uma rejeição definida à pessoa de Jesus e ao seu ministério. A sinagoga fora fechada para Jesus. Enganamo-nos quando vemos, no ministério de Jesus, apenas um movimento reformista no seio do judaísmo. Não é de forma alguma improvável que Jesus tivesse tido muito contacto com os essênios, tal como acontecera com João Batista. Jesus se identificou desde o começo com o movimento de João Batista e, pela história, sabemos que os essênios já se tinham alienado, como um grupo, do judaísmo e das sinagogas. A alienação de Jesus não demorou muito mais, e as sinagogas cerraram-lhe as portas, o que forçou o Senhor a pregar ao ar livre. Seu ministério, por conseguinte, dificilmente poderia ser reputado como movimento reformador. Consistia mais da formação de um grupo distinto dentro do judaísmo. Posteriormente (Mt 16), Jesus intitulou o seu grupo de seguidores de "sua Igreja". Embora alienado e separado da corrente principal do judaísmo, Jesus continuava a ministrar para toda a nação de Israel, pois disso consistia sua missão como Messias.

A separação entre Jesus e o judaísmo tradicional pode ser visto ainda com maior clareza nos ensinos dos evangelhos. Já no décimo sexto capítulo do evangelho de Mateus, encontramos menção à igreja. Os capítulos que vêm logo em seguida, baseados nos ensinos de Jesus, contêm diversas instruções acerca de problemas que poderiam surgir na sua "igreja". Jesus estabeleceu leis disciplinares, leis de amor mútuo entre os crentes, leis de autoridade no seio da igreja, leis relativas ao perdão entre os membros da igreja, leis acerca das atitudes que devem ser mantidas para com os novos convertidos, leis sobre as relações familiares, leis acerca das atitudes para com as crianças. Esses ensinos indicam o aparecimento, desde o começo, de um grupo totalmente separado dentro do judaísmo, e também que a igreja de Jesus se separaria, finalmente, de modo total do judaísmo, em grau maior que os essênios (ver Mt 16-19). Parte do ensino sobre o reino dos céus reflete certo colorido de uma "era da Igreja", isto é, representa o reino visto na igreja que surgia e se desenvolvia, e não como desenvolvimento dentro do judaísmo (ver Mt 13). Jesus, em seus ensinos sobre a sua própria pessoa como Filho do homem, foi muito além do que se poderia esperar no judaísmo convencional, especialmente porque universalizou o conceito de Filho do homem. Por semelhante modo, a ideia inteira da sua missão messiânica é universalizada nos evangelhos.

Marcos procura mostrar que o cristianismo não deve ser entendido apenas como um ramo do judaísmo. As seções finais desse evangelho e dos demais enfatizam, particularmente, essa característica, ao mostrar que o evangelho deverá ser anunciado a todas as nações e que Jesus voltará como rei e juiz universal.

Nem mesmo os ensinamentos éticos de Jesus podem ser inteiramente contidos dentro da tradição judaica. Jesus elevou a Deus como pai universal dos homens, assim alterando um princípio judaico exclusivista. Jesus ensinou um princípio de amor universal, em favor de todos os homens, ao passo que a maioria dos mestres judaicos permitia ou mesmo encorajava o ódio contra os inimigos estrangeiros. Jesus muito elevou os princípios éticos, mostrando que o ódio é reputado por Deus como assassínio, e que a cobiça já é adultério aos olhos do Senhor. A posição da mulher também foi guindada a novos níveis, bem como todo o conceito do matrimônio, devido ao princípio eterno de "um homem-uma mulher". Mais do que qualquer outro mestre antigo ou moderno, Jesus apontou para o alvo da perfeição absoluta, e ensinou que os homens, finalmente, serão semelhantes a Deus no aspecto moral, quando atingirem totalmente o alvo determinado para eles pela vontade de Deus. (Ver Mt 5.48.)

Na qualidade de profeta sobre acontecimentos futuros, Jesus ultrapassou a tudo quanto se conhecia no judaísmo, especialmente em face de ter revelado não apenas o futuro de Israel, mas também o futuro de todas as nações e de todos os homens, e, mais especialmente ainda, por ter revelado que ele, finalmente, seria rei e juiz universal. O judaísmo jamais reconheceu nenhum ensino semelhante a esse, e nesses particulares é que vemos a distinção entre o judaísmo e o cristianismo, que equivale à distinção entre o judaísmo e Jesus Cristo.

Talvez o mais distintivo de todos os ensinamentos de Jesus seja o da expiação, e do sentido geral de sua morte, não visando apenas aos indivíduos, mas também às nações e ao universo em geral, incluindo tanto a criação física como a espiritual, tanto os homens como os anjos, tanto a terra como os lugares celestiais. Jesus, por conseguinte, emprestava um sentido universal ao seu ministério e aos seus ensinos. Essa universalidade é a marca distintiva do cristianismo, e, em seus muitos e variados aspectos, reflete a natureza das relações entre Jesus e o judaísmo. Jesus é o Salvador dos crentes, será Senhor e Rei deles; mas também é o Salvador do mundo inteiro, e o seu nome está acima de todo e qualquer outro nome.

h. Diversos temas das parábolas de Jesus

Finalmente, a fim de completarmos esta seção sobre Jesus e seus ensinamentos, observemos, em forma esboçada, os diversos temas das suas parábolas. Jesus deve ter proferido muitas outras parábolas que não se acham registradas, mas aquelas de que dispomos mui provavelmente servem de boa indicação sobre os assuntos que ele ensinou por esse método. Encontramos 41 parábolas de Jesus. O evangelho de Mateus contém 23 delas, 10 das quais não se encontram em nenhum dos outros evangelhos. O evangelho de Marcos contém apenas 8 das 41 parábolas, e apenas uma que os outros não registraram — a parábola da semente em crescimento (Mc 4.26-29). O evangelho de Lucas foi o que melhor preservou as parábolas de Jesus, porquanto contém 30 das 41 dessas parábolas, 16 das quais foram registradas exclusivamente por ele. (Quanto a uma lista completa das parábolas de Jesus, bem como sua localização etc., ver a introdução a este comentário, na seção intitulada "O problema sinóptico". Essa seção também contém a lista dos milagres de Jesus registrados nos evangelhos.)

Quando se fala sobre as parábolas de Jesus, deve-se usar uma ampla definição desse termo, porquanto algumas de suas parábolas mais extensas, que fornecem explicações pormenorizadas (como a parábola do "semeador", em Mt 13.3-23), poderiam ser chamadas, com mais razão, de alegorias. Também se poderia empregar a designação de "símiles" para as parábolas mais breves, como a da pérola de grande preço, em Mateus 14.45,46. O evangelho de João não usa "parábolas", "alegorias" ou "símiles", e sim, "metáforas". Por exemplo, as expressões de Jesus quando diz "Eu sou a porta", "Eu sou o caminho", "Eu sou o pão que desceu do céu" etc., são metáforas, as quais ilustram um objeto ou ensino, identificando-o com outro objeto. Uma símile pode ser parecida com uma metáfora, exceto que explana a comparação, ou, segundo poderíamos dizer, que explica os seus "símbolos". Uma parábola, segundo a definição dos dicionários, é uma história simples contada com o fito de ilustrar, ensinar, moralizar, ou ainda doutrinar. Usualmente não procura ensinar algo com cada minúcia, como é o caso das alegorias. Com o uso da palavra "parábola", aplicada às histórias narradas por Jesus, queremos incluir o que poderia ser chamado, com mais acerto, em alguns casos pelo menos, de "símile", em outros casos, de "alegoria", e ainda em outros, de "metáfora". Por conseguinte, a palavra "parábola", necessariamente assume um sentido muito extenso, incluindo todas essas ideias. Abaixo temos a tentativa de ilustrar os principais temas das 41 parábolas de Jesus, preservadas para nós nos evangelhos.

1. Parábolas que explicam diversos aspectos do reino dos céus

(a) Jesus mantém uma relação especial com o reino dos céus ou reino de Deus. Ele prepara o caminho, e prega a mensagem; e assim a mensagem se torna conhecida entre os homens. A maioria dos homens a rejeita, mas outros a recebem e produzem fruto em vários graus — parábola do semeador: Mateus 13.3; Marcos 4.3; Lucas 8.4. Nesse reino, surgem discípulos falsos que causam condições destrutivas. Mas o julgamento final separará os falsos dos verdadeiros — parábola do joio: Mateus 13.36. O reino desfrutará de um fenomenal crescimento exterior — parábola do grão de mostarda: Mateus 13.31; Marcos 4.30; Lucas 13.18. O reino será dotado de notável poder inerente de crescimento — parábola do fermento: Mateus 13.33; Lucas 13.20. O reino cresce de uma forma inconsciente para os observadores — parábola da semente: Marcos 4.3. O reino tem grande valor, e pode ser descoberto acidentalmente, isto é, sem que haja busca consciente; mas mesmo nesse caso o seu grande valor será percebido por quem o encontrar — parábola do tesouro escondido: Mateus 13.34. O reino tem grande valor e pode ser objeto de intensas pesquisas, e, quando encontrado por aquele que o busca, o seu valor é imediatamente reconhecido — parábola da pérola de grande preço:

Mateus 13.45. O reino se estenderá a muitos povos, nações e indivíduos, e reunirá tanto bons quanto maus; mas uma separação seletiva final haverá de purificar o reino — parábola da rede de pesca: Mateus 13.47. O reino se assemelha a uma grande festa de casamento, com muitos convidados presentes, alguns aceitáveis e outros, não — Parábola das bodas: Lucas 14.7. A parábola da grande festa ilustra a mesma verdade: Lucas 14.16.

Perto do fim de seu ministério, Jesus apresentou outra série de parábolas do reino, visando a ilustrar especialmente os fatos de o mesmo ter sido tirado das mãos de Israel, o juízo aguardar dos que rejeitarem o reino, e de todos os homens deverem estar preparados para esperar o reino. Assim é que temos a parábola dos dois filhos (Mt 21.28), a parábola dos trabalhadores na vinha (Mt 20.1), a parábola do casamento do filho do rei (Mt 22.1), a parábola da figueira (Mc 13.28; Mt 24.32; Lc 21.29), a parábola dos servos (Mc 13.34; Lc 12.35), a parábola do pai de família e do ladrão (Mt 24.42; Lc 12.36), a parábola do servo bom e do servo mau (Mt 24.45; Lc 12.42), a parábola das dez virgens (Mt 25.1), a parábola dos talentos (Mt 25.14; Lc 19.11), a parábola das ovelhas e dos bodes (Mt 25.31). Com essas parábolas, Jesus ilustrou o quanto é insensato rejeitar a sua mensagem, e também ilustrou a rejeição de Israel, o sucesso final do reino, a volta do rei a fim de reinar, a necessidade de vigilância diligente e de serviço no reino, para quem deseja ser verdadeiro discípulo do rei.

O termo reino dos céus (ou reino de Deus) tem assumido muitos sentidos diversos, e o próprio Jesus o empregou de diversas maneiras. O conceito básico é a ideia da dimensão onde todos estão sujeitos a Deus, ou pelo menos onde há a tentativa de pôr tudo sob o seu controle. O reino pode ser o reino terreno; o reino celestial; o mundo do além, onde ninguém pode entrar sem passar pelo novo nascimento; ou a influência da verdade e da espiritualidade entre os homens. A igreja pode ser um agente do reino, bem como seu ponto ou consideração central. O reino pode ser encarado como a súmula de todos os benefícios espirituais, pelo que também nenhum preço é alto demais para ser pago por sua aquisição. Por conseguinte, as parábolas do reino têm uma aplicação vastíssima, que afeta nossa vida inteira. Deveríamos ser os servos fiéis, os recebedores da semente, interessados pelo crescimento do reino, vigiando pelo retorno do rei. Deveríamos buscar o seu reino como buscaríamos um tesouro ou uma pérola excelente, e deveríamos estar dispostos a nos desfazer de qualquer e de todas as nossas posses, a fim de adquirirmos o reino, que se reveste de valor infinito. Portanto, as parábolas do reino incluem muitas lições acerca do discipulado cristão e acerca da inquirição espiritual.

2. Parábolas que ensinam a natureza revolucionária da doutrina cristã

As duas primeiras parábolas de Jesus que foram registradas ensinam exatamente isso. Trata-se das parábolas dos panos e remendos novos e velhos e dos odres novos e velhos: Marcos 2.21,22; Mateus 9.16,17.

3. Parábola que ataca o preconceito e a hipocrisia religiosos

É o caso da parábola dos lavradores maus: Marcos 12.1; Mateus 21.33; Lucas 20.29.

4. Parábolas que ensinam vários princípios éticos

Por meio de suas parábolas, Jesus ensinou a necessidade de misericórdia — parábola do servo incompassivo: Mateus 18.21. Ensinou também a necessidade de misericórdia e de sermos perdoadores, porquanto o pecador pode ser restaurado — parábola do filho pródigo: Lucas 15.11; e parábola da moeda perdida: Lucas 15.8.

5. Parábolas que ensinam o amor de Deus pelos homens

Jesus ilustrou esse amor de Deus por toda a humanidade com o princípio de que Deus não quer que ninguém pereça — parábola da ovelha perdida: Mateus 18.11; Lucas 15.3.

6. Parábolas que frisam a graça

Jesus ensinou parábolas nesse sentido, como as da ovelha perdida, do filho pródigo e do servo incompassivo, nas quais ilustrou o princípio da graça, que chega ao ponto de perdoar inúmeras vezes.

7. Parábolas que ilustram aspectos do discipulado cristão

Jesus também usou parábolas com esse propósito. As primeiras intenções não são suficientes, e é melhor obedecer finalmente, ainda que haja rebeldia a princípio, do que mostrar boa intenção no princípio mas nunca realizar o serviço. É o caso da parábola dos dois filhos (Mt 21.28), da parábola da vinha (Mt 20.1-16). A parábola dos talentos (Mt 25.4) também ilustra certos aspectos do discipulado cristão, embora a grande verdade seja que ilustre principalmente a rejeição do reino por parte de Israel. Nessa classificação, cabem também as parábolas do tesouro perdido, e da pérola de grande preço, as quais falam do grande prêmio a ser conquistado pelo verdadeiro discípulo, incentivando-os ao verdadeiro discipulado cristão.

8. Parábolas "sobre a oração"

Jesus contou a parábola do amigo importuno (Lc 11.5) e da viúva persistente (Lc 18.1), a fim de ensinar a importância da oração e seus notáveis resultados.

9. Parábolas sobre a insuficiência das riquezas

Jesus ensinou-nos a usar corretamente o dinheiro, bem como o modo de tratarmos os outros, para nosso próprio benefício espiritual. É o caso da parábola do mordomo desonesto (Lc 16.1).

11. Parábola sobre a religião falsa

Existe uma religião falsa, que se ufana de suas realizações mas que é repelida por Deus, embora os homens tanto a favoreçam. Jesus relatou uma parábola nesse sentido, que também mostra como os homens podem encontrar-se com Deus, mediante o arrependimento e a confiança simples. Foi o que ele ensinou na parábola do fariseu e do publicano (Lc 12.16).

12. Parábolas sobre a volta do rei

Nessas parábolas, Jesus se referia à sua parousia ou aparecimento em glória, mostrando que devemos estar preparados para esse acontecimento. Cinco são as parábolas que nos ensinam a necessidade de preparação: parábola do dono da casa (Mt 42.42), parábola do mordomo sábio (Mt 24.45), parábola das dez virgens (Mt 25.1), parábola dos talentos (Mt 25.14) e a parábola das ovelhas e dos bodes (Mt 25.31).

Conforme mencionamos antes, em conexão com essas parábolas, foram também ensinadas lições específicas a Israel, como nação, como também foram ilustrados certos elementos da doutrina do reino.

13. Parábolas sobre a sabedoria de ouvir a Cristo

Jesus mostrou, numa parábola, quão grande sabedoria mostra aquele que lhe dá ouvidos, e, em contraste, quão louco é o que não lhe dá atenção. É o caso da parábola dos dois fundamentos (Mt 7.24; Lc 6.47).

14. Parábolas contra os preconceitos religiosos e raciais

15. Parábolas sobre o alto custo do discipulado

Querendo ilustrar quanto custa a verdadeira religião e o discipulado cristão autêntico, Jesus contou a parábola da torre que não foi terminada (Lc 14.28) e do rei que se preparava para a guerra (Lc 14.31).

Vemos, pois, que as parábolas de Jesus incluem muitas implicações éticas, doutrinárias e dispensacionais que não estão incluídas neste comentário. Um estudo minucioso acerca de cada parábola, com o auxílio deste comentário, poderá ilustrar esse fato, preenchendo os hiatos quanto aos pormenores que foram deixados em branco neste artigo.

IV. BIBLIOGRAFIA

Sobre a identificação de Jesus:
ANDERSON, H. Jesus and Christian Origins, 1964.
BORCHERT, O. The Original Jesus, 1964.
BOWMAN, J. W. The Intention of Jesus. Philadelphia, Penn.: Westminster Press, 1943.
CASE, S. J. Jesus. Chicago: University of Chicago Press, 1928.
KNOX, John. The Man Christ Jesus. Chicago: Willett, Clark and Co., 1941.
MACKINNON, James. The Historic Jesus. London: Longmans, Green and Co., 1932.

Sobre o Ministério de Jesus:
CADOUX, C.J., 1948.
DANIEL-ROPES, H. Jesus in His Time, 1955.
FARRAR, F. W. The Life of Christ, 1874.
GOGUEL, Maurice. The Life of Jesus. London: George Allen & Unwin, 1933.
GRANT, F. C. The Gospel of the Kingdom. New York: The MacMillan Co., 1940.
GOODSPEED, E. J. The Life of Jesus. Chicago: The University of Chicago Press, 1950.
Johnson, S. E. Jesus in His Own Times, 1959.
OGG, G. Chronology of the Public Ministry of Jesus, 1940.
ROBINSON, J. M. A New Quest of the Historical Jesus, 1959.
SCHWEITZER, A., The Quest of the Historical Jesus, 1936.
WARFIELD, B. B. The Person and Work of Christ, 1950.

Sobre os Ensinos de Jesus:
DODD, C. H. The Parables of the Kingdom New York: Charles Scribner's Sons, 1936
OESTERLY, W. O. E. The Gospel Parables in the Light of their Jewish Background. New York: The MacMillan Co., 1936.
PORTER, F. C. The Mind of Christ in Paul, 1930.
STEWART, J. S. The Life and Teaching of Jesus Christ, 1958.

Maria e Isabel   *Christian Computer Art*

José pedindo abrigo   *Christian Computer Art*

Jesus em Nazaré   *Christian Computer Art*

Jesus com 12 anos em Jerusalém   *Christian Computer Art*

Ensinando na sinagoga   *Christian Computer Art*

Jesus e a mulher pecadora   *Christian Computer Art*

Vinde a mim   *Christian Computer Art*

Lavando os pés dos discípulos   *Christian Computer Art*

A preparação do corpo de Jesus by Rembrandt   *Christian Computer Art*

A importância de Paulo

Russell Champlin

I. VIDA
1. **Fontes de informação**
2. **Passado**
3. **Primeira viagem missionária**
4. **O concílio apostólico**
5. **Segunda viagem missionária**
6. **Terceira viagem missionária**
7. **Aprisionamento e encarceramento em Roma**
8. **Paulo, de novo livre, vai à Espanha**
9. **Segundo encarceramento e morte**
10. **Cronologia da vida de Paulo**

II. SIGNIFICAÇÃO DE PAULO
1. **As escolas críticas e Paulo**
2. **As epístolas paulinas**
3. **O servo de Cristo**
4. **O apóstolo dos gentios**
5. **A doutrina de Paulo**
6. **Paulo e Jesus**

III. BIBLIOGRAFIA

I. VIDA

1. Fontes de informação

Sabe-se muito mais acerca de Paulo do que acerca de qualquer outro personagem apostólico. Nosso conhecimento sobre esse apóstolo e a sua carreira é praticamente tudo quanto se sabe acerca do desenvolvimento do cristianismo, durante aqueles dias. Fora de suas epístolas e do livro de Atos dos Apóstolos, no NT temos apenas uma referência adicional a ele, a saber, em 2Pedro 3.15, onde se lê: "[...] o nosso amado irmão Paulo..." A fonte primária de informação, portanto, é o livro de Atos; a fonte secundária de informação são as suas epístolas e as alusões incidentais que ele faz a si mesmo e às suas viagens. Entretanto, alguns têm ensinado que, apesar de fornecerem menos informações sobre ele, as epístolas são mais valiosas para o estabelecimento da cronologia — pelo menos uma cronologia que é mais extensa e que inclui os últimos poucos anos de sua vida, acerca das quais o livro de Atos nada nos diz. Isso incluiria o seu período de liberdade entre os dois encarceramentos a que foi sujeito em Roma, e seu martírio eventual.

Fora do NT há algum material informativo, mas usualmente esse não é reputado como digno de muita confiança. Por exemplo, temos o livro apócrifo ("Atos de Paulo", que só foi escrito na segunda metade do século II d.C. Essa obra contém alguns incidentes e viagens de Paulo que não se encontram nas páginas do NT, mas parecem ser quase totalmente lendários. A arqueologia em nada tem podido contribuir para comprovar esse material, e atualmente não há modo de afirmarmos a veracidade de nenhuma informação adicional, sobre a vida de Paulo, contida nesse livro apócrifo. Há muitas declarações sobre Paulo nos escritos dos pais da Igreja, mas quase todos esses se derivam, de algum modo, do livro de Atos ou das epístolas de Paulo, e outra parte se deve, provavelmente, ao material legendário que se foi avolumando em torno da pessoa de Paulo. A comunidade cristã, em sua maior parte, compunha-se de pessoas vindas das classes humildes, pelo que também os historiadores antigos a ignoraram quase completamente; e é por esse motivo que temos tão escassa informação acerca do desenvolvimento inicial do cristianismo, nos escritos desses autores seculares. A arqueologia fornece-nos alguma informação sobre os muitos lugares que foram visitados por Paulo, bem como acerca de sua cidade natal, Tarso; porém, excetuando-se as influências culturais que tais localidades devem ter exercido sobre Paulo, não se pode extrair, dessas informações, nenhum elemento adicional sobre a pessoa de Paulo. Por conseguinte, resta-nos analisar o livro de Atos dos Apóstolos e as epístolas paulinas; e toda outra informação deve ser aceita apenas experimentalmente.

2. Passado

Neste ponto, estamos mais limitados do que acerca dos anos posteriores de Paulo. Do nascimento de Paulo até o seu aparecimento em Jerusalém, como perseguidor dos crentes, temos apenas informações muito esparsas. Sabemos que ele nasceu em Tarso, "cidade não insignificante" (ver At 21.39), descrição essa que tem sido confirmada pelas escavações arqueológicas de Sir William Ramsay. Naquele tempo, Tarso (na Cilícia) foi incorporada à província da Síria. Tarso, por essa época, já tinha história antiga, e fora cidade importante por muitos séculos antes da era cristã. Tarso chegou a ser a cidade mais importante da Cilícia. Essa cidade se tornou uma região de síntese entre o oriente e o ocidente, entre a cultura grega, a cultura oriental, e, finalmente, a cultura romana. Sabe-se também que era um centro cultural, e que ali era muito forte a variedade do estoicismo romano.

Paulo nasceu como cidadão romano, provavelmente porque seu pai também já era cidadão romano. Ao nascer, o menino recebeu o nome de Saulo, provavelmente devido ao rei Saul, mas é provável que também fosse chamado Paulo como cognome latino. Paulo significa pequeno, e isso pode-se ter devido ao fato de que seus pais o chamavam de "pequerrucho", mas também é possível que ele tenha recebido o nome de Paulo, simplesmente por ter som semelhante ao nome de "Saulo". É possível também que o apóstolo tivesse um nome romano; mas, nesse caso, não deve tê-lo usado com freqüência, porquanto não temos nenhuma informação sobre qual seria esse nome. A alteração posterior de seu nome — de Saulo para Paulo — mui provavelmente foi apenas a adoção de seu apelido como nome próprio. Não se sabe qual o ano do nascimento de Paulo; porém, quando do apedrejamento de Estêvão (que ocorreu em cerca de 32 d.C.), lemos que Saulo era um jovem. É razoável supor, por conseguinte, que ele tenha nascido na primeira década do século I d.C., sendo, assim, um contemporâneo mais jovem de Jesus, embora não haja nenhuma evidência de que ele tenha visto alguma vez o Senhor. E não é mesmo provável que o tenha visto, pois Paulo jamais se refere ao fato.

Os progenitores de Paulo eram judeus muito religiosos, pertencentes à seita dos fariseus, ou, pelo menos, fortemente influenciados por esse grupo; e pertenciam à tribo de Benjamim. Nada se sabe acerca da ocupação do pai de Paulo, e nem mesmo sabemos qual era o seu nome. Jerônimo cita uma tradição que assevera que a família de Paulo viera originalmente da Galileia, e que dali migrara para Tarso. Se essa tradição expressa a verdade, então o fato de que eram cidadãos romanos mostra que essa imigração tivera lugar em tempo considerável antes do nascimento de Paulo. De conformidade com o livro de Atos, Paulo tinha uma irmã que vivia em Jerusalém (ver At 23.16), mas não há menção de nenhum irmão. O próprio Paulo aprendera uma profissão, provavelmente em Tarso, a de fabricante de tendas (ver At 18.3), posto que fosse costume entre os judeus ensinar aos filhos alguma profissão. Não é improvável, pois, que seu pai também tivesse sido fabricante de tendas, o qual teria ensinado essa arte ao seu filho. Paulo foi instruído no judaísmo estrito, e os seus principais interesses se centralizaram nas questões religiosas, éticas e metafísicas. Alguns acreditam que ele tivesse sido bem instruído na cultura, na estética e na filosofia grega e romana (à base de textos como At 17). Outros, porém, alicerçando-se em Atos 22.3 e 26.4, procuram mostrar que a permanência de Paulo em Tarso, quando menino, deve ter sido muito breve, porquanto ele mesmo diz que se criara em Jerusalém. Quanto a esses detalhes não podemos ter certeza, mas o exame detido das epístolas de Paulo mostra que ele deve ter estudado a filosofia estóica (por causa da grande similaridade com os escritos de Sêneca, o estóico romano); e o seu grego é uma excelente variedade do grego helenista, não dando evidências de ter sido uma linguagem "adquirida". Em Jerusalém, Paulo estudou sob orientação do grande Rabban Gamaliel, o Velho, que era altamente respeitado como mestre.

As palavras de Paulo em Gálatas 1.14 mostram que ele era indivíduo intensamente religioso desde a juventude, tendo-se destacado nessas questões acima dos outros jovens de sua idade. Freqüentava regularmente a sinagoga, e é muito provável que geralmente tomasse parte na adoração. Mais tarde, seguiu sua tradição farisaica, tornando-se membro dessa seita. Sendo indivíduo religioso tão intenso, tinha alta consideração pelas Escrituras, e a sua conversão não alterou a sua atitude, embora talvez ele tenha compreendido que algumas passagens eram alegóricas e outras, literais, conforme se vê em 1Coríntios 10.1-11 e em Gálatas 4.22-31. Apesar de ele reconhecer esse fato, as suas epístolas demonstram a influência de outros treinamentos. Os filósofos estóicos e cínicos de Tarso eram geralmente evangélicos, em suas abordagens, porquanto geralmente pregavam nas esquinas das ruas, nos mercados e em outros lugares públicos. Por causa disso, Paulo deve tê-los conhecido; e mui provavelmente também tenha estudado em suas escolas.

Antes de sua conversão, sendo ainda jovem, Paulo perseguiu a Igreja e muniu-se da autorização de cartas oficiais para fazer isso. Portanto, é muito provável que pertencesse a uma família proeminente, ou, pelo menos, que se tenha distinguido extraordinariamente como líder e zelote religioso, sendo por isso mesmo encarregado de uma tão importante missão.

As passagens de 1Coríntios 2.3 e 2Coríntios 10.10 indicam que a aparência física de Paulo não era de impressionar, e a descrição que há sobre ele, no livro apócrifo Atos de Paulo e Tecla, concorda com esse ponto de vista: "E ele viu Paulo que se aproximava, um homem de baixa estatura, quase calvo, torto de pernas, de corpo volumoso, sobrancelhas unidas, um nariz um tanto adunco, cheio de graça: pois algumas vezes parecia um homem, e, de outras vezes, tinha a fisionomia de um anjo".

Conversão — Muita discussão se tem centralizado em torno das razões psicológicas por detrás da conversão de Paulo, que, antes, respirava "ameaças e mortes contra os discípulos do Senhor" (At 9.1), mas que, mui repentinamente,

|Artigos introdutórios| NTI

tornou-se igualmente zeloso defensor dos cristãos e fundador de congregações cristãs. Que tipo de acontecimento foi esse, que causou tão drástica transformação? Naturalmente que as respostas são muitas, algumas delas até mesmo contraditórias à fé e à sensibilidade cristã. Antes de esboçarmos a ocorrência, conforme o próprio Paulo a descreveu, notemos algumas outras ideias acerca do que aconteceu: alguns nos querem levar a crer que Paulo era um esquizofrênico, ou que, de outra maneira, era mentalmente afetado, tendo sido essas as condições das quais se desencadearam as experiências místicas por ele consideradas como encontros com Jesus. Essa condição teria sido provocada por certo complexo de culpa, por haver perseguido e matado cristãos, e o resultado natural disso teria sido a sua conversão ao movimento que ele antes perseguia. Esse ponto de vista é dificílimo de ser consubstanciado, a menos que se admita que a sua conversão também o tenha curado de sua insanidade, pois as suas epístolas e tudo quanto sabemos acerca dele, dificilmente mostram que ele era homem mentalmente desequilibrado. Outros acreditam que Paulo simplesmente tenha sofrido um ataque epiléptico na estrada para Damasco. Não há, porém, nenhuma evidência de que a epilepsia cause alguma experiência mística. Certamente que a interpretação dada por Paulo, acerca do que ocorreu com ele, não pode ser compreendida como narração de um ataque epiléptico. Outros têm suposto que os sentimentos de culpa de Paulo se tornaram tão intensos, e que seu horror interno pelo que fizera aos crentes era tão forte, que esses sentimentos provocaram uma experiência psicológica incomum. Isso, naturalmente, tem ocorrido com alguns, e os turbilhões mentais têm tido como resultado essas experiências tipo místicas. Mas, poderíamos indagar até que ponto essas experiências seriam capazes de levar uma pessoa à conversão, e mantê-la convertida, especialmente quando se sabe que essa conversão levou a pessoa a opor-se àquilo que antes defendera, e a defender um movimento que, certamente como fariseu que era, lhe deve ter sido tão repugnante. Parece mais provável que o próprio Paulo soubesse perfeitamente bem o que aconteceu com ele, sendo certo que chegaremos muito mais perto da verdade se, neste particular, aceitarmos literalmente o que a Bíblia relata.

A história da conversão de Paulo é contada em três porções diversas do livro de Atos (9.3-19; 22.6-21; 26.12-18), havendo variações quanto aos pormenores, ainda que tudo concorde essencialmente entre si. Em suas epístolas, Paulo não dá nenhuma descrição desse acontecimento, mas indica que algo de sobrenatural lhe aconteceu, porquanto ele reivindica revelação direta de sua mensagem, da parte de Cristo (ver 1Co 15.3-8; Gl 1.15,16.) Ele afirma que o seu encontro com Cristo não diferiu da experiência dos outros apóstolos, embora não o tenha visto em carne. Paulo assevera ter tido contacto real, ainda que por meio de visão ou de experiência mística. Essa ocorrência tem todos os sinais de uma experiência mística, tais como o brilhante esplendor, o sentimento de temor, a purificação psicológica e a renovação espiritual, e até mesmo (conforme ocorre algumas vezes, nesses casos) alguma forma de incapacidade física temporal logo em seguida, o que, na experiência de Paulo, foi a cegueira. Portanto, parece lógico supormos que Paulo teve uma experiência mística real, que o seu contacto com algum poder mais alto foi genuíno, poder esse que o próprio Paulo define como Jesus; e grande parte da teologia e da experiência cristã depende dessa declaração.

Naturalmente que essa não foi a única experiência mística de Paulo, pois ele também menciona algumas outras (como a visita ao terceiro céu, em 2Co 12). Parece que ele recebeu nada menos que sete grandes visões, e a sua doutrina repousa sobre a informação transmitida por meio delas. O cristianismo repousa sobre o aparecimento do Cristo ressurreto aos vários apóstolos e sobre a mensagem que ele lhes trouxe quando voltou de entre os mortos. Se esse fundamento for removido, nos restará ainda um judaísmo reformado (que também repousa em experiências místicas, como as de Moisés). Removendo-se essas formas de experiência, o que nos restará, quando muito, será uma forma de filosofia religiosa, e não a religião revelada que certamente o cristianismo é. Por que se pensaria ser impossível que Deus se revela aos homens? E por que se pensaria ser impossível, neste mundo admirável, que Jesus, o Cristo, um personagem metafísico altamente exaltado, não pudesse revelar-se aos homens?

A conversão de Paulo talvez tenha ocorrido por volta de 35 d.C. Após sua conversão, Paulo passou alguns poucos dias com os discípulos de Damasco. Pregou ali por algumas vezes, ensinando, particularmente, que Jesus era o Messias. Depois disso, retirou-se para a Arábia, possivelmente para a região de Hourã, uma bacia fértil, que fica a cerca de oitenta quilômetros ao sul da cidade de Damasco, diretamente a leste do extremo sul do mar da Galileia. Outros crêem que a área aludida era o país dos nabateus e a península do Sinai. Aquele, mais acessível para quem partisse de Damasco, mas este último lugar revestindo-se de grande significação religiosa, por causa de sua conexão com a transmissão da lei, sendo possível que Paulo tivesse preferido essa atmosfera. Passou algum tempo em seu retiro, e dali, como é provável, esteve por diversas vezes em Damasco, e voltou. A sua mensagem era essencialmente a mesma, desde o princípio; mas, por essa altura, Paulo "[...] mais e mais se fortalecia e confundia os judeus que moravam em Damasco, demonstrando que Jesus é o Cristo" (At 9.22, ARA).

Pouco depois disso, Paulo visitou Jerusalém pela primeira vez, após a sua conversão, tendo ficado com Pedro por quinze dias, para consulta e consolo mútuo (ver Gl 1.18). Dali, partiu ele para as regiões da Síria e da Cilícia (ver Gl 1.2). É provável que tenha visitado sua cidade natal, Tarso, tendo permanecido naquela região por algum tempo, embora não tenhamos nenhuma informação acerca disso. Enquanto Paulo pregava em Tarso, Barnabé e outros líderes cristãos se encontravam em Antioquia, onde se ia desenvolvendo uma poderosa comunidade cristã. A passagem de Atos 11.25 narra que Barnabé foi a Tarso, à procura de Paulo, sem dúvida para obter a sua ajuda na igreja em Antioquia, que precisava de uma liderança maior e mais forte. Isso foi um movimento provocado pela providência divina, pois armou o palco para a longa carreira de Paulo como apóstolo-missionário.

3. Primeira viagem missionária

Em cerca de 46 d.C., Paulo e Barnabé foram comissionados pela igreja em Antioquia a se atirarem numa excursão evangelística. Essa viagem os fez atravessar a ilha de Chipre (onde Barnabé nascera), tendo passado pelo "sul da Galácia" (ver At 13,14). Na companhia de Paulo e Barnabé ia também João Marcos, autor do chamado evangelho de Marcos. Este era primo de Barnabé. Ao chegarem a Perge, capital da Panfília, por razões para nós desconhecidas, Marcos preferiu descontinuar a expedição e regressou a Jerusalém, sua terra. Talvez Marcos não estivesse disposto a dar prosseguimento a uma tão difícil viagem. Paulo ressentiu a sua partida, julgando-a um ato de deserção e, mais tarde, não consentiu que Marcos o acompanhasse em outra excursão missionária (ver At 15.38). Isso tornou-se motivo de acirrado debate entre Paulo e Barnabé, pois também eram humanos e estavam sujeitos a errar. De Perge viajaram a Psídia, um distrito em uma ilha, onde realmente teve começo a evangelização da Ásia Menor. Em Antioquia da Psídia, em um dia de sábado, os dois missionários expuseram a sua importante mensagem messiânica, e foram bem acolhidos. No sábado seguinte, entretanto, já fora criada uma amarga oposição por parte de alguns judeus radicais. E os missionários cristãos foram obrigados a abandonar a cidade.

Dali partiram para Icônio, importante cidade comercial da Licaônia. Seguindo seu costume original, pregaram na sinagoga dos judeus, e obviamente tiveram êxito, pois ficaram ali por tempo considerável. Mas eis que os radicais novamente provocaram um levante, que forçou Paulo e Barnabé a fugirem, finalmente. Daí foram para Listra e Derbe, nenhuma das quais era considerada cidade de grande importância. Essas cidades ficavam localizadas na parte oriental da Licaônia. As superstições locais levaram as multidões a identificarem os missionários com Zeus (Barnabé) e com Hermes (Paulo). Um culto improvisado na hora, por alguns sacerdotes locais, em honra aos dois "deuses", teve de ser interrompido pelos missionários, porque sabiam que tal título não era merecido. Não demorou, porém, para que os judeus radicais atacassem novamente, e em Listra (At 14) Paulo foi apedrejado.

Alguns intérpretes acreditam que foi nessa ocasião que Paulo teve a sua visão do terceiro céu (2Co 12), e que ele realmente esteve morto, mas reviveu. É possível que sua alma tenha sido momentaneamente liberta de seu corpo dormente e à beira da morte, o que algumas vezes ocorre, conforme também se tem aprendido em estudos parapsicológicos. O certo é que os enviados, tendo partido de Listra, foram pregar em Derbe. Começaram a voltar desse ponto, a fim de confirmar na fé os novos convertidos, e assim passaram sucessivamente por Listra, Icônio e Antioquia da Psídia. Oficiais foram eleitos para as congregações. Dali partiram os missionários para Perge, e, finalmente, para Atalia, importante porto marítimo da Panfília. Ali chegando, embarcaram em um navio a fim de irem para Antioquia da Síria, de onde tinham partido dois anos antes. Essa primeira viagem levara-os às áreas de Chipre, Panfília, Psídia e Licaônia, e nesses lugares novas igrejas cristãs foram estabelecidas.

4. O concílio apostólico

O grande influxo de gentios na igreja cristã que se ia formando, criava grandes problemas entre os elementos judaicos, especialmente no tocante às exigências da lei mosaica, e particularmente no que dizia respeito à lei cerimonial e à questão da circuncisão. A fim de dar solução a esses problemas e com o fito de fornecer uma resposta universal e autoritária aos mesmos, Paulo e Barnabé subiram a Jerusalém, a fim de conferenciarem com os apóstolos (ver At 15). Corria o ano de 49 d.C., calculadamente. O concílio determinou que os gentios não eram obrigados a cumprir as exigências da lei, e que não deveria haver maior "cargo" do que absterem-se os gentios de alimentos oferecidos a ídolos, do sangue, da carne de animais sufocados e da falta de castidade, isto é, de todas as formas de pecados sexuais. As restrições visavam a uma aplicação essencialmente local, e não eram como padrão universal para todos os gentios, embora talvez tenham servido de precedentes para a solução de problemas que surgissem posteriormente. Tudo foi feito (isto é, as decisões de proibir certas coisas, esboçadas na lei cerimonial) a fim de ajudar os membros judeus e gentios da igreja a se darem bem uns com os outros com mais facilidade.

5. Segunda viagem missionária

Paulo, então já dono de maior experiência em viagens missionárias, ansiava por partir novamente. Devido às divergências com Barnabé, por causa de João Marcos, dessa vez Paulo preferiu levar Silas (ver At 15.40—18.22). Partindo de Antioquia, seguiram por terra para as igrejas do "sul da Galácia", e em Listra o grupo foi engrossado com a adesão do jovem Timóteo. Ali chegando, o Espírito Santo desviou-os da direção ocidental, e passaram a viajar na direção norte, atravessando o "norte da Galácia". Em Trôade, uma visão indicou que a Macedônia (no continente europeu) era um dos alvos dessa viagem. Assim sendo, começou a evangelização da Grécia. Foram visitadas as cidades de Filipos, Tessalônica e Beréia. Na Acaia (sul da Grécia), foram visitadas as cidades de Atenas e Corinto. Paulo demorou-se em Corinto por quase dois anos. Em Trôade, Lucas se reunira ao grupo missionário, e parece certo que nesse tempo começou ele a escrever a sua importantíssima narrativa da igreja primitiva, chamada de Atos dos Apóstolos, obra da qual se obtém quase todo o conhecimento de que dispomos acerca de Paulo e suas viagens, bem como do desenvolvimento da igreja primitiva em geral.

Durante suas viagens, Paulo se mantinha em contacto com as congregações cristãs anteriormente organizadas por meio de epístolas, certo número das quais têm chegado até nós, tendo-se tornado parte de nosso NT. As epístolas de 1 e 2Tessalonicenses devem ter sido escritas a esse tempo. De Corinto, Paulo partiu para Éfeso, onde ficou durante pouco tempo. Dali, em viagem apressada, passou por Jerusalém e chegou a Antioquia da Síria. Dessa maneira encerrou-se a sua segunda viagem missionária. Essa segunda viagem missionária evidentemente ocupou de ano e meio a dois anos, e provavelmente terminou em cerca de 51 d.C. Depois disso, Paulo passou mais algum tempo (quanto, exatamente, não sabemos), em Antioquia da Síria.

6. Terceira viagem missionária

Foi a época do ministério em volta do mar Egeu (ver At 18.23—20.38). Sob diversos aspectos, esse foi o período mais importante da vida de Paulo. A província da Ásia foi evangelizada, e postos avançados do cristianismo foram lançados na Grécia. Durante esses anos, Paulo escreveu 1 e 2Coríntios, Romanos, e talvez (ainda que não todas) algumas das chamadas "epístolas da prisão" — 1 e 2Timóteo e Tito. De Antioquia, Paulo partiu para Éfeso. Ali passou cerca de três anos, tendo estabelecido um dos centros mais importantes do cristianismo, a despeito da feroz oposição, movida tanto pelos judeus como pelos aderentes da adoração à deusa Artemisa (Diana). Desse ponto, provavelmente Paulo visitou diversas outras áreas ao redor, mas seu trabalho principal se concentrou em Éfeso. Tornou a visitar as congregações cristãs ao redor do mar Egeu, que haviam sido anteriormente fundadas. Atravessando Trôade, Paulo chegou à Macedônia, onde escreveu a epístola chamada 2Coríntios, e dali partiu para Corinto. Nessa cidade, ele passou o inverno e escreveu a epístola aos Romanos, antes de continuar viagem até Mileto, um porto próximo de Éfeso.

Por essa altura, Paulo desejou subir a Jerusalém, a fim de levar auxílio aos crentes pobres dali (empobrecidos pela perseguição e pela fome), enviados pelos crentes gentílicos. A princípio ele queria ir à Síria por via marítima, mas, devido a uma armadilha que lhe fizeram para tirar-lhe a vida, preferiu viajar por terra, tendo atravessado a Macedônia. Dali, ele e seus companheiros de viagem tomaram um navio e velejaram ao longo das costas ocidentais da Ásia Menor. Breves paradas foram efetuadas em diversos lugares, incluindo Mileto, cidade portuária de Éfeso, o que forneceu a Paulo a oportunidade de despedir-se, finalmente, dos crentes que ali habitavam. Eventualmente desembarcaram em Tiro, na costa da Síria. A despeito das várias advertências sobre os perigos que ele teria de enfrentar em Jerusalém, Paulo prosseguiu viagem. Chegou a Jerusalém no Pentecoste, provavelmente em cerca de 56 d.C. Sua terceira viagem missionária, por conseguinte, terminou após um pouco mais de três anos de atividades.

7. Aprisionamento e encarceramento em Roma

Paulo se movimentara com admirável liberdade, embora nunca o tivesse feito sem teste, tribulação e perseguição. Jerusalém rejeitara muitos homens piedosos, muitos profetas, o próprio Jesus; e Paulo não estava destinado a conseguir maior êxito ali. O texto de Atos 21.17—28.16 conta a história. Os judeus radicais, nessa ocasião, não tiveram de perseguir a Paulo, mas ele caiu direito na armadilha que lhe preparam. O mais estranho é que a dificuldade foi provocada por alguns judeus que vinham da província da Ásia, que por acaso estavam no templo e reconheceram Paulo; foram eles que agitaram as multidões e fizeram-nas atacar o apóstolo. As autoridades romanas aprisionaram Paulo por estar perturbando a ordem. A essa altura, Paulo fez um discurso na escadaria do templo, contando com pormenores como ele fora perseguidor dos crentes, como se convertera, e como pregara a Jesus como Messias de Israel. Paulo foi ameaçado de açoites pelas autoridades romanas, mas, informando-as de que era cidadão romano, o tribuno militar resolveu soltá-lo. Essa ação causou tal protesto, por parte dos judeus, que, para sua própria proteção, Paulo foi levado de volta às barracas militares. Os judeus, ato contínuo, conspiraram em matá-lo, e por isso Paulo foi removido para Cesaréia, com um grupo armado. Ali foi conduzido à residência de Félix, procurador romano, sendo guardado sob sentinela, no palácio de Herodes.

Evidentemente, esteve em Cesaréia pelo espaço de dois anos, e alguns crêem que ali ele escreveu a sua epístola aos Colossenses, aos Efésios e a Filemom; mas uma data posterior para essas epístolas é mais provável.

Após dois anos de administração mal-sucedida, Félix foi chamado de volta a Roma, e Pórcio Festo tomou o seu lugar. Este era homem de caráter amargo. (Isso aconteceu em cerca de 58 d.C.). Quando o novo procurador recusou-se a ouvir o caso de Paulo, em Jerusalém, os judeus desceram a Cesaréia, a fim de, ali, o acusarem. Assacaram graves acusações contra ele, as quais Paulo negou categoricamente. Foi então que Paulo apelou para César, o que era direito de todos os cidadãos romanos; e, dessa maneira, criou-se o motivo de sua viagem a Roma. Antes de partir para Roma, Paulo falou perante o rei Agripa II e sua irmã, Berenice. Esse Herodes era o bisneto de Herodes, o Grande. Nessa oportunidade, Paulo repetiu a história de sua conversão, e é óbvio que impressionou favoravelmente os que a ouviram.

Dali, viajando pelo mar, Paulo partiu para Roma, juntamente com muitos outros prisioneiros. Fez diversas paradas ao longo do caminho, incluindo a permanência de três meses em Malta. Paulo chegou a Roma em 59 d.C., não como homem livre, mas, não obstante, como poderosa testemunha do cristianismo. Chegando a Roma, Paulo não foi tratado como prisioneiro no sentido ordinário, e nem como criminoso. Ali ele desfrutou do que se denominava "libera custodia", isto é, podia viver em sua própria casa, desfrutando de muitos privilégios de liberdade de ação, mas sempre acompanhado de um guarda. Paulo pregava àqueles que o visitavam, explicando-lhes as razões de seu aprisionamento; e também enviava epístolas a lugares distantes. Foi provavelmente nesse período que foram escritas as epístolas aos Colossenses, a Filemom, aos Filipenses (e, provavelmente, aos Efésios).

O livro de Atos dos Apóstolos encerra-se bruscamente, não como um livro inacabado, e, sim, dando a ideia de que o autor tencionava escrever outra seção ou outro livro, a fim de suplementá-lo. Lucas escrevera um evangelho e, então, essa história, e não é de modo algum impossível que ele tivesse planejado ainda escrever outro volume. De conformidade com a tradição cristã primitiva, Lucas continuou sendo fiel auxiliar de Paulo até o martírio deste e, então, deu continuação ao seu ministério, no evangelho, por mais vinte anos (até 84 d.C.), até que, finalmente, faleceu em Beócia, na Grécia, com a idade de oitenta e quatro anos. Se podemos confiar nessa tradição, ficamos completamente atônitos, por não sabermos por que não foi "completada" a história de Paulo, em um escrito subseqüente, juntamente com outros importantes acontecimentos que estariam ocorrendo na igreja, após o seu falecimento.

8. Paulo, de novo livre, vai à Espanha

Nenhum relato bíblico nos diz que Paulo foi libertado novamente a fim de ministrar outra vez; mas existem algumas evidências que dão essa indicação. É possível que ele tenha sido libertado em cerca de 63 d.C., e que tenha visitado tanto a Espanha como a área do mar Egeu, uma vez mais. A epístola de Clemente (nos vss. 5-7, 95 d.C.), o cânon muratoriano (170 d.C.) e o livro apócrifo Atos de Pedro (1.3, 200 d.C.) falam de uma visita de Paulo à Espanha. As epístolas pastorais, ou pelo menos 2Timóteo, parecem envolver um ministério posterior à história narrada no livro de Atos, desenvolvido no oriente, pelo que também parece que Paulo pôde cumprir o seu desejo de visitar a Espanha, conforme expressou em Romanos 15.24.

9. Segundo encarceramento e morte

Não se sabe quais as circunstâncias do segundo encarceramento de Paulo, embora a tradição indique que ele foi aprisionado pela segunda vez, levado de volta a Roma e lançado na prisão. Sabe-se que Nero odiava os cristãos, e que chegou mesmo a usar os seus jardins pessoais como locais de torturas cruéis, nas quais os cristãos eram obrigados a enfrentar animais ferozes. Essa perseguição rebentou em cerca de 64 d.C. Provavelmente, Paulo foi aprisionado, com muitos outros cristãos, em cerca de 64 d.C. Na qualidade de cidadão romano, é provável que tenha sido julgado por um tribunal; entretanto, quais tenham sido as acusações contra ele ou quais as condições do julgamento, não temos meios de saber. Paulo sofreu o martírio em Roma, provavelmente no ano de 65 d.C. De acordo com certa tradição, ele foi decapitado. É possível que nesse período final de sua vida tenham sido escritas as chamadas epístolas pastorais — 1 e 2Timóteo, e Tito — e, igualmente, a epístola aos Efésios. Assim terminou a carreira do maior e mais influente exponente do cristianismo em toda a sua história, após ter combatido o bom combate, ter terminado a carreira e ter conservado a fé. Não há que duvidar que o esperam as coroas prometidas (ver 2Tm 4.7).

10. Cronologia da vida de Paulo

> **I. VIDA DE PAULO ANTES DO CONTACTO COM OS SEGUIDORES DE JESUS**
>
> **1. Provável nascimento e infância em Tarso (judeu da dispersão) (At 22.3; Gl 1.21) — 5 d.C.**

|Artigos introdutórios| NTI

> **2. Vida como judeu zeloso da seita dos fariseus (Gl 1.13,14; Fp 3.3-6; At 26.4,5) — 20-26 d.C.**
>
> **II. VIDA COMO PERSEGUIDOR DOS SEGUIDORES DE JESUS (GL 1.13; 1CO 15.9; AT 8.3; 9.1) — 32 D.C.**
>
> **III. CONVERSÃO DE PAULO (GL 1.15; 1CO 9.1; TALVEZ 1CO 12.1-4; AT 9.1-19; 22.4-16; 26.9-18) — CERCA DE 35 D.C.?**
>
> **IV. CARREIRA DE PAULO COMO APÓSTOLO**
>
> **1. Três anos na Arábia e em Damasco (e outras áreas) (Gl 1.17) — 32-39 d.C. Problema: Sobre o que ele meditava, ou quais as suas atividades?**
>
> **2. Quinze dias de visita a Jerusalém — Paulo viu Pedro e Tiago, irmão de Jesus (Gl 1.27).**
>
> **3. Sua obra na Síria, Cilícia e Galácia, e talvez também nas regiões ocidentais — Macedônia e Grécia (14 anos) (Gl 1.21) — 35-93 d.C.**
>
> > **a. Escreveu a maioria de suas epístolas: 2Tessalonicenses (2Co 6.14—7.1)**
> >
> > **b. Possível aprisionamento em Éfeso: Colossenses, Filipenses e Filemom**
> >
> > **c. Visita a Jerusalém — visita de conferência (Gl 2.1; At 15) — 49 d.C.**
> >
> > **d. Volta à Ásia (província romana) 1 e 2Co 10—13 Período de crise com os cristãos judaizantes — Gálatas (2Co 10—13; Gl, Fp 3.2—4.7)**
>
> **4. Solução da Crise**
>
> > **e. Termina a coleta para os pobres de Jerusalém — 55 d.C. (2Co 1—9, exceto 6.14—7.1; 1Co 16.1-4; 2Co 9.1-15; Rm 15.14-32)**
> >
> > **f. Planos de visitar a Espanha e Roma (Rm 15.24,28) — 56 d.C. 2Coríntios 1—9; Romanos 16 (Pedro a Febe)**
>
> **5. Viagem a Jerusalém, levando a oferta — não há referências diretas, exceto as que antecipam o evento — 57 d.C.**
>
> **6. Aprisionamento em Roma — conforme a tradição cristã. (At 20) — 59 d.C.**
>
> **7. Novamente livre, talvez com um ministério na Espanha — cerca de um ano. (Só tradição cristã, sem nenhuma alusão bíblica.)**
>
> **8. Segundo aprisionamento e morte. (Só tradição cristã, sem nenhuma alusão bíblica.) — 65 d.C.**

II. SIGNIFICAÇÃO DE PAULO

1. As escolas críticas e Paulo

Albert Schweitzwer (Paul and his interpreters, 1912) salientou o fato de que com freqüências as Escrituras têm sido usadas por pessoas comuns e por intérpretes, tão-somente como uma mina de textos de prova, sem nenhuma consideração histórica ou exegética. Esses dizem que qualquer argumento pode ser solucionado simplesmente abrindo-se a Bíblia em certa passagem que, alegadamente, traz a resposta. Os opositores, em qualquer debate, pareciam igualmente habilidosos em apelar para "textos de prova", empregando esse método. O século XVIII testemunhou uma revolta contra tais princípios, pelos pietistas e racionalistas, os quais, por razões diferentes entre si, procuravam distinguir a exegese das conclusões providas pelas considerações dos credos e pelo simples exame de "textos de prova".

(a) O trabalho de J. S. Semler (1725-91) e J. D. Michaelis — Esses homens tentaram aplicar métodos de crítica histórico-literária às Escrituras, tendo esboçado normas hermenêutica, na esperança de mostrar que o NT não se desenvolveu em um vácuo, mas que se devem aplicar indagações históricas e literárias, se quisermos entender apropriadamente a sua mensagem. A filologia foi introduzida como parte da abordagem histórica na interpretação e na solução dos problemas. À base desses estudos, mostrou-se que em 1 e 2Coríntios temos uma correspondência do apóstolo com os crentes de Corinto, e não meramente duas epístolas, incluindo, talvez, um grupo de quatro epístolas, que, finalmente, foram reunidas em duas divisões principais. E outras sugestões semelhantes foram feitas, no tocante às epístolas de Paulo.

(b) A Escola de Tubingen — No século XIX, na Alemanha, surgiram formas mais radicais de escolas críticas da Bíblia. Obras de autores tais como G. W. Bromiley (Biblical Criticism) e J. E. Schmidt, Schleiermacher e F. C. Baur (de Tubingen), levantaram dúvidas sobre a autenticidade de 1 e 2Timóteo e de

2Tessalonicenses, à base de considerações literárias, lingüísticas e de vocabulário. Baur só deixou intactos cinco dos vinte e sete livros do NT, como testemunhos incontáveis do período apostólico e escritos pelos próprios apóstolos. Baur tentou distinguir a verdadeira literatura apostólica mediante o princípio interpretativo da "tendência". As duas grandes tendências que teriam dado colorido à literatura apostólica eram o conflito entre Paulo e o cristianismo gentílico, de um lado, e o cristianismo judaico estrito e a ameaça do gnosticismo, do outro; sob essas tendências teriam sido escritas as chamadas epístolas gerais. De conformidade com essa teoria da "tendência", toda literatura que tentasse reconciliar a controvérsia judaico-paulina, ou tentasse reconciliar em parte o gnosticismo, foi classificada como não-apostólica, e isso extirpava a maior parte dos livros existentes do NT, tornando-os não apostólicos. Baur também ensinava que Paulo foi o helenizador do cristianismo.

Em resultado disso, essa escola convenceu a bem poucos, além de si mesma. Pois não é lógico supormos que um homem, só e em tão pouco tempo, pudesse ter helenizado o cristianismo (e assim tivesse alterado seu caráter original). É verdade também que esse elemento helenístico, apesar de presente, tem sido altamente exagerado; e Paulo, sendo judeu criado em Jerusalém e ali criado como fariseu, certamente não foi quem helenizara a si mesmo. A citação de Paulo, feita em 1Clemente (95 d.C.) e nos escritos de Inácio (110 d.C.), onde não se vê nenhum reflexo de um suposto conflito entre Paulo e uma tendência judaizante, nesse período, são argumentos fatais às teorias da Escola de Tubingen. Baur ficou na mira de vários conservadores, principalmente J. C. K. Hofman e os seguidores de Schleiermacher. No entanto, o golpe mais devastador foi dado por um ex-discípulo de Baur, A. Ritschl, o qual abandonou a ideia da alegada hostilidade entre Paulo e os discípulos originais de Cristo. Ele salientou a unidade dos discípulos e a unidade essencial da mensagem cristã. Os discípulos posteriores dessa escola de Tubingen começaram a aceitar como paulinas quase todas as epístolas atribuídas a Paulo (exceto 2Tessalonicenses, as epístolas pastorais e Efésios, cuja aceitação, em muitos lugares, não era mais considerada essencial à ortodoxia).

As controvérsias sobre a autoria revolvem em torno de Efésios, Colossenses e as epístolas pastorais, sobretudo essas últimas; e as discussões podem ser vistas in loc. Os "clássicos paulinos" (que poucos duvidam ser de autoria de Paulo) são Romanos, Gálatas, 1 e 2Coríntios. A essas quatro, outras cinco são adicionadas pela maioria dos estudiosos, com pouca hesitação, a saber, 1 e 2Tessalonicenses, Filipenses, Colossenses e Filemom.

Somos forçados a reconhecer, entretanto, que algum bem surgiu dessa controvérsia, pois os intérpretes foram alertados para a necessidade de se levarem em conta as considerações históricas e literárias, para que se faça bom juízo do NT. Baur trouxe a lume uma abordagem indutivo-histórica ao cristianismo primitivo, e libertou as pesquisas da ideia de que nada havia a ser aprendido, posto que todas as conclusões já tivessem sido formadas.

(c) Os eruditos britânicos e norte-americanos examinaram a reconstrução apresentada por Baur, mas, na maioria dos casos, não se deixaram persuadir. O conjunto de escritos paulinos (com exceção de Hebreus, que poucos eruditos têm atribuído a Paulo, porquanto o próprio livro não reivindica tal autoria) permaneceu de pé. Sólida exegese histórica saiu da pena de Lightfoot e de Ramsay. Este último só escreveu após intensa pesquisa arqueológica. Tais autores confirmaram a autoria lucana do livro de Atos; e isso aumentou a credibilidade e esclareceu a cronologia desse livro, no que se relaciona a Paulo.

(d) Outros eruditos têm produzido teorias sobre o conjunto paulino de escritos. E. J. Goodspeed conjecturou que, em cerca de 90 d.C., algum admirador de Paulo (talvez Onésimo, conforme J. Knox também sugeriu mais tarde) tenha publicado as epístolas de Paulo, tendo escrito pessoalmente a epístola aos Efésios como epístola generalizadora ou como tratado introdutório.

De conformidade com a tradição, Onésimo, ex-escravo, eventualmente veio a tornar-se superintendente da igreja de Éfeso, pelo que estaria em posição de fazer isso. Toda essa ideia, todavia, se esvai em fumaça, quando consideramos que nada há, na própria epístola aos Efésios, que indique que ela tenha encabeçado ou terminado um conjunto de epístolas paulinas; e nem se pode provar que essa epístola contenha um sumário não escrito por Paulo acerca do pensamento desse apóstolo.

(e) A crítica literária do século atual tem procurado discutir e desenvolver os seguintes temas: a) Esforço contínuo para obter uma construção histórica geral das epístolas de Paulo e de seu pensamento. b) Determinação exata das epístolas que Paulo teria escrito ou não. c) Determinação da origem e das datas das epístolas pastorais, que alguns supõem terem sido escritas por algum discípulo de Paulo, que procurava expressar as atitudes desse apóstolo. d) Determinação das epístolas paulinas e não-paulinas. e) Solução para várias questões relativas à unidade, à autoria e à interpretação das epístolas paulinas individuais.

Outras implicações dessas pesquisas se encontram no parágrafo abaixo acerca das epístolas paulinas.

2. As epístolas paulinas

Quanto aos detalhes do esboço fornecido aqui, o leitor pode examinar a introdução de cada epístola. Embora, ao longo dos séculos, toda correspondência que tem chegado até nós com o epíteto de paulina, isto é, escrita por Paulo, tenha sido posta em dúvida, por alguns, como autêntica. Existem quatro escritos paulinos clássicos que nem mesmo os eruditos modernos põem em dúvida, mesmo entre os mais liberais. Trata-se das epístolas aos Romanos, aos Gálatas e 1 e 2Coríntios. Lutero dizia que, se pudéssemos ao menos preservar o evangelho de João e a epístola aos Romanos, o cristianismo não poderia ser extinto. Entretanto, mais geralmente aceitam-se os nove livros seguintes como saídas realmente da pena de Paulo: Romanos, 1 e 2Coríntios, Gálatas, Filipenses, Colossenses, 1 e 2Tessalonicenses e Filemom. Para muitos, as epístolas de 1 e 2Timóteo e Tito (as epístolas pastorais), além de Efésios, são consideradas obras dos discípulos de Paulo (escritas em seu nome). E a epístola aos Hebreus (apesar de não ter sido rejeitada no cânon do NT) é quase universalmente rejeitada como epístola escrita por Paulo. (Quanto a detalhes sobre essas declarações, consultar a introdução a cada uma dessas epístolas). De modo geral, nas pesquisas mais recentes, a atenção se tem desviado da autoria das epístolas para outras questões. Por exemplo, costuma-se discutir sobre a forma original das epístolas ou a sua unidade essencial. Teria sido escrita realmente aos crentes de Roma a chamada epístola aos Romanos? Nesse caso, por que alguns manuscritos omitem as palavras "A todos [...] que estais em Roma...", em 1.7, e "[...] em Roma", em 1.15? Qual teria sido a forma original dessa epístola, já que alguns mss contêm mais de uma doxologia finalizadora? Por exemplo, a doxologia em Rm 16.25-27 se encontra em L, 103, 1175 e no Sy (h), em 14.23, ao passo que os mss. A, P, 5 e 33, além de algumas tradições armênias, têm-na em ambos os lugares. O antigo ms P (46) tem-na somente após o cap. 15. Teriam sido escritas duas epístolas — uma mais longa e outra mais breve —, que eventualmente foram combinadas para formar uma só, deixando incerto o local exato da doxologia? (Ver os textos em foco, quanto às respostas experimentais.) Nas epístolas aos Coríntios, alguns eruditos distinguem nada menos de quatro epístolas diversas, que eventualmente foram combinadas para formar somente duas. (Ver a introdução a 1Co., quanto aos detalhes.) Os melhores mss de Efésios não trazem a expressão "em Éfeso", em 1.1; dessa epístola. Foi essa epístola realmente escrita aos crentes de Éfeso, ou teria ela sido, originalmente, uma circular enviada às igrejas da Ásia Menor, sem nenhuma designação específica quanto ao destino? Como a expressão "em Éfeso" veio a fazer parte do texto? (Ver a introdução a essa epístola e as notas textuais em 1.1.) Essas questões são expostas aqui, a fim de dar exemplos, ao leitor, sobre os tipos de problemas discutidos nas introduções às epístolas, bem como na exposição geral.

3. O servo de Cristo

As epístolas de Paulo freqüentemente apresentam-no como servo "escravo" de Cristo. No original, o termo usado é doulos, e geralmente tem sido mal traduzido por "servo", e não pela sua tradução mais exata: "escravo". Paulo usou um termo forte, a fim de indicar que ele fora comprado por bom preço, porquanto, tendo sido antes um homem indigno, por ter perseguido e matado cristãos, a sua dívida era imensa e insolúvel. Sua vida toda, da conversão por diante, foi um esforço por contrabalançar suas más ações, e disso se originou uma dedicação que tem inspirado o mundo inteiro durante séculos, e que tem sido eternamente usada, em sermões, como ilustração do discipulado cristão. Todo aquele que é chamado para perto do Senhor, o Mestre, torna-se um escravo, como Paulo (conforme é indicado em 1Co 3.23 e 7.22,23), e isso forma a ideia básica do discipulado totalmente dedicado que Paulo requer dos seguidores de Cristo. O Senhor (tal como os senhores de escravos) exerce direitos absolutos sobre todo pensamento, ambição, palavra, ação e alvo da vida de seus escravos. Outro tanto se aplica à liberdade de ação dos escravos; mas, segundo a concepção paulina, estar verdadeiramente livre é ser escravo completo de Jesus, pois é, então, que o crente encontra a verdadeira liberdade de alma, além de completo livramento do pecado e de seus efeitos, sem falar na completa transformação segundo a imagem de Cristo. Paulo descreve o pecado como um carecer da glória de Deus (Rm 3.23) e, com isso, ele revela a sua correta atitude para com o pecado. O pecado é a degradação da personalidade humana. Os homens foram criados para coisas exaltadas, para serem exaltados acima dos próprios anjos, porque, ao serem transformados segundo a imagem de Cristo (ver Ef 1 e Rm 8), tornam-se, realmente, superiores aos anjos. O pecado é a marca da humanidade envilecida, não transformada segundo o modelo divino. O verdadeiro escravo de Jesus progride muito mais rapidamente no caminho da absoluta transformação segundo a imagem de Cristo, e isso contribui para a verdadeira glória de Deus. Aqueles que persistem no pecado, portanto, "carecem" dessa glória. O verdadeiro escravo do Senhor, por conseguinte, é, realmente, um homem liberto, pois somente no cumprimento de seu destino é que o homem é libertado de seu estado inferiorizado pelo pecado.

Aos seus escravos é que Cristo ensina o seu amor, e é então que aprendemos a mansidão, a graça e a gentileza de Cristo. (Ver 2Co 10.1; Rm 12.1; 1Co 1.10.) Aos seus escravos é que Cristo transmite os pensamentos de sua mente (Fp 2.1-18), e isso fala de certa comunhão mística com o Senhor ressurreto e assunto ao céu. Para Paulo, esse companheirismo era muito real, e ele procurou transmitir o sentido dessa experiência aos discípulos de Jesus. Com grande freqüência, expressões tais como "em Cristo" e "mente de Cristo", são termos vazios para a igreja moderna, porque temos perdido de vista o sentido dessas coisas. Não nos nossos estudos de teologia, nos livros impressos ou nos sermões falados, e, sim, na experiência e na realidade do nosso dia-a-dia.

Paulo ensinava a obediência da fé, porquanto a fé em Cristo era vista pelo apóstolo como uma realidade vital, como uma transmissão da própria vida de Deus, por meio da pessoa real, viva, ativa e comunicadora chamada Espírito Santo. O apóstolo Paulo comparava-se a uma ama que cuida ternamente de infantes, ajustando a dieta dos mesmos às suas necessidades e capacidades (ver 1Co 3.1-3; 1Ts 2.7). Comparou-se também àquele que apresenta uma noiva ao seu noivo (ver 2Co 11.2,3). Igualmente, comparou a igreja ao campo de Deus, onde ele trabalhava a fim de produzir frutos. Dessas e de outras maneiras, Paulo demonstrou quanta dedicação se exige desse serviço absoluto a Cristo. Acima de tudo, o apóstolo esclareceu que o amor de Deus exige tais sacrifícios (ver Rm 5.5; 2Co 5.13). Mostrou, ainda, que antes de sua conversão traçara uma trilha de violência, ódio e homicídio, e justamente contra aqueles que menos mereciam esse tratamento, isto é, os cristãos. Mas eis que o amor de Deus, por intermédio de Cristo, modificara tudo isso, e foi justamente esse amor que o tornara escravo de Cristo, posição na qual Paulo se sentia verdadeiramente livre. Desde que fora conquistado por esse amor, ele é que passara a receber os golpes violentos da parte de homens ímpios e desarrazoados. Por conseguinte, quando contemplamos, ainda que superficialmente, a vida desse homem, compreendemos por que motivo os tradutores não têm sido capazes de traduzir o termo doulos por "escravo", preferindo um vocábulo mais suave, como "servo". Infelizmente, nossa vida também reflete essa substituição. Nesse exemplo de total consagração à causa do Senhor, encontramos uma das significações da vida de Paulo.

4. O apóstolo aos gentios

Outra das grandes significações da vida de Paulo é o fato de que ele representava aquele princípio da nova religião revelada que não somente aceitava os pecadores, os publicanos e os desprezados, mas também lhes prometia um destino mais elevado do que qualquer coisa exposta pelo judaísmo. Em seu caráter essencial (pelo menos até os tempos helenistas), o judaísmo tem sido uma religião terrena, com alvos e promessas terrenos. O cristianismo, porém, volta-se para as coisas da outra vida, e é essa atitude, em seu ensino acerca da total transformação do crente segundo a imagem de Jesus, o Messias, o Senhor eterno, que, aos olhos dos judeus, inspirava aos gentios "pretensões" e ambições jamais ouvidas. Paulo tornou-se o porta-voz mais proeminente dessa nova mensagem, sendo bem reconhecido o fato de que somente Paulo expõe, com clareza e pormenores, a mensagem central da posição e do destino da "igreja", que declaradamente, e na realidade, viria a ser essencialmente uma igreja gentílica.

Paulo se opusera amargamente a essa mensagem, até mesmo quando ela ainda estava em sua forma primitiva, nas mãos dos outros apóstolos, antes das grandes revelações que encontramos em Romanos, em Efésios e em Colossenses, as quais, verdadeiramente, deram à igreja cristã a sua definição final. Antes de sua conversão, Paulo não podia aceitar, e até mesmo abominava, uma mensagem que falava de um Messias que fora crucificado e que ressuscitara. Aquele filho de Benjamim, o fariseu, era por demais astuto para não ser capaz de discriminar o possível impacto que esse Messias crucificado e ressurreto haveria de imprimir à comunidade judaica. Outrossim, certos porta-vozes da nova religião tinham anunciado publicamente que Deus ab-rogara as exigências da lei antiga, tais como a circuncisão, a justiça mediante a observância da lei, e os sacrifícios no templo, porque tudo isso eram símbolos que haviam sido cumpridos pelo Messias, o antítipo de todos esses tipos simbólicos. Além disso, também haviam anunciado que esse mesmo Messias era Senhor de todos, e que em breve estabeleceria o longamente esperado Reino de Deus, e que a nação judaica, como um todo, corria o perigo de perder a participação nesse reino. Sendo fariseu, Paulo sentia repugnância por tais ensinos, e, em seu zelo pela justiça que lhe parecia autêntica, que ele reputava estar exclusivamente na lei e nos ritos que saturavam o judaísmo, tornou-se o mais temível opositor do cristianismo. Não haveria de descansar enquanto não desaparecesse da face da terra o último vestígio dessa nova heresia. Sabia a que fazia oposição, e por que motivos se opunha.

Entretanto, eis que, repentinamente, o próprio Jesus resolveu interferir na loucura do jovem, apanhando-o no ato de intensificar os seus violentos esforços de derrubar a igreja. A experiência mística de Paulo, pois, "purificou-o" e "modificou-o", mas deixou perfeitamente intacta a sua natureza ardente e zelosa. A princípio, Paulo podia pregar apenas a mensagem messiânica, pois até aquele ponto ainda não recebera maiores luzes sobre o sentido da morte de Cristo, as vastas implicações de sua ressurreição e ascensão. Por isso é que, em Damasco, ele pregou que Jesus era o Messias. É provável que, em sua retirada para a "Arábia", tenha recebido as visões preliminares e as revelações que o equiparam para a tarefa de quarenta anos que tinha à sua frente. O texto de Gálatas 1.14,15 indica que um dos ingredientes essenciais das revelações recebidas por Paulo é que o seu ministério seria entre os "gentios". Posteriormente, no concílio efetuado em Jerusalém (sobre o qual lemos no

30 |Artigos introdutórios| NTI

segundo capítulo da epístola aos Gálatas), vemos que a sua missão especial foi reconhecida e aprovada pelos demais apóstolos. Dessa forma, Paulo lançou-se ao cumprimento do grandioso desígnio de Deus, como nem mesmo os profetas da antiguidade haviam imaginado. Alguns deles tinham previsto a salvação dos gentios, mas as indicações acerca da Igreja — a noiva de Cristo — são escassas no AT; e mesmo assim foram expostas de forma velada, em tipos e sombras. O grande propósito do oitavo capítulo de Romanos e do primeiro capítulo de Efésios jamais havia sido exposto por lábios judeus antes de Paulo.

Paulo aprendeu o propósito da cruz, conforme ele explica em 1Coríntios 15, onde se vê que a expiação ali efetuada faz parte integral do plano geral do evangelho. Ele percebeu que o esforço humano jamais poderia realizar o que foi realizado na cruz do Calvário. E assim também os seus esforços anteriores, como fariseu, assumiram um novo significado, pois em seus frenéticos esforços para obter a justiça própria, mediante a observância da lei, Paulo recebeu uma lição perfeitamente objetiva da total necessidade da justiça que vem por meio de Cristo. Posteriormente, ele usou de sua experiência como lição objetiva (Fp 3), pois ninguém poderia vangloriar-se de mais obras na carne do que o jovem Paulo. "Mas foi exatamente esse jovem" que chegou a compreender que o destino do homem está nas mãos de Cristo. Viver corretamente não é o alvo principal do destino humano. Isso deve ser feito e será feito por todos os verdadeiros discípulos de Cristo, mas essa vida resulta da transformação do crente à imagem mesma de Jesus Cristo. Paulo passou da noção de que a vida é aquilo que um homem faz para a ideia muito mais elevada: a vida é aquilo em que nos tornamos metafísica e moralmente transformados segundo a imagem do Caminho — o pioneiro do caminho, e o próprio caminho que deve ser por nós palmilhado. Paulo começou a perceber o destino humano como uma longa e grande busca, a qual finalmente conduz à própria presença de Deus, e os que ali chegam são transformados em seres à própria imagem de Deus impressa neles, os quais de fato, não serão menos santos do que o próprio Deus. Essa grandiosa e elevada mensagem tornou-se o grande poder impulsionador por detrás do zelo de Paulo, e ele foi por toda parte do mundo gentílico com o intuito de proclamá-la. Os capítulos 9 a 11 da epístola aos Romanos consistem de revelações concernentes ao destino de Israel e, à base dessas revelações, Paulo sabia que a nação de Israel seria posta de lado por algum tempo, que a época dos gentios deveria chegar ao término de seu curso, até que toda a Igreja tivesse sido chamada. Por essa razão, passou a buscar ainda com maior determinação a salvação dos gentios, a fim de estabelecer a igreja, permitindo, assim, que Deus tornasse a chamar a nação de Israel, a qual, no fim, teria um destino um tanto diferente do da igreja.

A cruz também se revestia de significação simbólica na missão de Paulo como apóstolo aos gentios. Significava sacrifício, conformidade com a morte de Cristo (ver Rm 6), o que, por outro lado, significa não-conformidade com o mundo. A cruz fala de dor, de sofrimento e de angústia em sua forma mais intensa, e Paulo aceitava essas coisas como sinais de seu ministério. Por toda parte era assediado pelos radicais, e sua longa lista de sofrimentos, em 2Co 11.23-28, menciona espancamentos, muitos aprisionamentos (dos quais temos o registro de apenas alguns, talvez em número de três), apedrejamentos, açoites com flagelos e com varas, naufrágios, perigos de assaltantes e inundações, fome, exaustão física devido a trabalhos contínuos e árduos, frio e falta de vestes apropriadas. Acima de tudo, pesava-lhe nas costas o fardo psicológico do cuidado por todas as igrejas locais. Trazia em seu corpo as marcas do Senhor Jesus, tal como Jesus levava, em suas mãos e em seus pés, os sinais dos cravos da cruz. Isso fazia parte da significação de Paulo como apóstolo dos gentios. Era um autêntico soldado da cruz, e exibia um discipulado de consagração sem-par, que o mundo jamais pode esquecer, e que ficou para sempre gravado nas páginas das Santas Escrituras, para escrutínio de todos. Paulo anunciou uma mensagem distintiva, que falava do exaltado destino da humanidade, e foi um mensageiro distinto dessa mensagem, e é desses dois fatores que aprendemos outro significado da vida de Paulo.

5. A doutrina de Paulo

A descrição mais completa da doutrina de Paulo pode ser encontrada nas diversas centenas de páginas sobre suas epístolas, neste comentário, cujos pontos centrais são discutidos na introdução a cada livro. Aqui temos apenas uma tentativa de salientar o caráter central dessa mensagem, em torno da qual tudo o mais é subserviente.

A reforma protestante salientava a justiça ou justificação mediante a fé e, nos séculos seguintes esse continuou sendo o fator controlador de toda a interpretação dos escritos de Paulo. Mui infelizmente, os intérpretes não sondaram ainda com mais profundidade o pensamento do apóstolo, pois apesar de ele ter salientado a justiça e a justificação, essas ideias tão-somente são parte de uma mensagem maior, porções necessárias, para dizer a verdade, mas apenas partes componentes de um grande plano. É possível que, se os reformadores e aqueles que os seguiram tivessem tido mais compreensão, a igreja de hoje talvez compreendesse melhor a descrição do "grande evangelho" de Paulo. Desafortunadamente, porém, a igreja tem estacado mais ou menos onde a reforma a deixou, e muito raramente o evangelho completo de Paulo é pregado na igreja comum. Não será isso um dos motivos para a intranquilidade? Muitos

não se sentem desassossegados e, algumas vezes, até mesmo famintos de informações pertinentes à inquirição espiritual? Sim, parece que o povo evangélico anela por uma mensagem mais profunda, por uma tentativa mais profunda de compreender por que estamos aqui e para onde nos dirigimos. Paulo nos dá essa informação, mas esta dificilmente é pregada. Certamente que a salvação é mais do que o perdão dos pecados e a mudança de endereço para o "céu". Com que freqüência, porém, ouvimos prédicas que vão além disso? Seria declaração por demais ousada dizer que o evangelho de Paulo, na sua forma completa, raramente é pregado na igreja moderna?

Homens como L. Usteri (1824) e A. F. Daehne (1835) explicaram Paulo em termos da justiça imputada, segundo é ensinado na epístola aos Romanos. Em contraste com isso, H. E. G. Paulus salientou a "nova criação" e a "santificação" (conforme se vê em passagens como 2Co 5.17 e Rm 6). Grande discernimento foi exposto por Paulus, o qual declarou que a fé em Jesus, significa, na análise final, a fé de Jesus. E que coisa admirável seria se pudéssemos aprender esse conceito, pois nos conduziria a uma compreensão mais profunda do apóstolo Paulo. Imaginemo-nos, por um momento, a exercer realmente a fé de Jesus, a mesma fé que ele exercia. Isso, porém, é impossível, a menos que sejamos pessoas "como Jesus", moralmente transformadas para sermos como ele era. Não obstante, avançar da fé em Jesus para a fé de Jesus, foi um discernimento que a reforma não doou à igreja, e que a igreja atual só pode explicar e compreender da maneira mais nebulosa.

F. C. Baur, que interpretava à base do arcabouço do idealismo de Hegel (1845), procurou primeiramente compreender Paulo em termos do Espírito, dado mediante a união com Cristo, por meio da fé — e, talvez, um tanto inconscientemente, ele tenha conseguido notável avanço na interpretação, pois não resta a menor dúvida de que o Espírito é a grande chave para o cumprimento do tema central de Paulo. Por semelhante modo, a ideia da união com Cristo é importante, embora esse conceito místico tenha geralmente desaparecido dos sermões da igreja e da literatura da Escola Dominical. A despeito de Paulo ter sido um místico, parece que o misticismo tem caído no esquecimento, ou mesmo tenha sido geralmente rejeitado. Entretanto, mais tarde, Baur retrocedeu e voltou ao padrão estabelecido pela reforma, dividindo as diversas doutrinas paulinas em compartimentos, sem nenhuma tentativa de vê-las como um conceito unificado. Muitos outros escritores seguiam esse padrão, e ingenuamente pensaram que, ao descreverem individualmente as diversas doutrinas, haviam, ao mesmo tempo, exposto o pensamento de Paulo.

R. A. Lipsius (1853) deu um grande passo à frente quando reconheceu a "redenção" como o grande princípio unificador na doutrina de Paulo, e definiu também dois pontos de vista: o jurídico (a justificação) e o ético (a nova criação). Seguindo essa orientação, Hermann Luedemann, em seu livro The Anthropology of the Apostle Paul (1872), concluiu que os dois lados da redenção realmente repousam sobre esses dois aspectos da natureza humana. Do ponto de vista "judaico" anterior de Paulo — Gálatas e Romanos 1-4 —, a redenção aparece como um veredicto judicial de inocência; mas, para o Paulo mais maduro (Rm 5—8 e Ef 1), a redenção surge como uma transformação ético-física da "carne" para o "espírito", mediante a comunhão com o Espírito Santo. A fonte da primeira ideia é a morte de Cristo e a nossa participação nessa morte. A fonte da primeira ideia é a ressurreição de Cristo e a nossa participação nessa ressurreição, com sua implicação de um tipo de vida nova e transformada. Richard Kabisch recuou ao supor que essa redenção visa unicamente a livrar a alma do julgamento vindouro. Pois o destino humano envolve muito mais do que isso, embora, ouvindo alguém os sermões que geralmente se pregam nas igrejas, talvez não chegue a conclusão mais elevada do que essa. Albert Schweitzer, seguindo as indicações de Luedemann e Kabisch, desenvolveu uma síntese na qual ensinava que Paulo tencionava que sua "redenção" fosse principalmente escatológica, isto é, um fim dos acontecimentos mundiais. O fato é que o segundo capítulo da epístola aos Filipenses contradiz essa posição, como também o quinto capítulo da segunda epístola aos Coríntios. Schweitzer também errou ao pensar que, posto que o mundo não terminasse imediatamente, conforme Paulo pensava, passou o apóstolo a expor um "misticismo físico", no qual os sacramentos, pela mediação do Espírito Santo, servem de mediador da ressurreição de Cristo e de seus efeitos sobre o crente. "Misticismo", sim; mas misticismo físico, pelos elementos físicos dos sacramentos, jamais. Nada poderia estar mais distante do pensamento de Paulo, porque ele sempre destacou o puramente espiritual em detrimento do físico. Tinha razão, todavia, ao supor que Paulo ensinou que a união com Cristo, nesta vida, por meio do Espírito, assegura ao crente a participação na ressurreição espiritual de Cristo, quando de sua "parousia".

O grande tema central de Paulo — qual é ele? É a salvação. Mas um ponto de vista muito especial da salvação. O grande tema de Paulo é soteriológico, e, se o quisermos, bem podemos usar o termo "redenção", pois isso diz exatamente a mesma coisa. Que espécie de salvação Paulo ensinou? Permitamos que os versículos seguintes falem por si mesmos: "[...] assim como nos escolheu, nele, antes da fundação do mundo, para sermos santos e irrepreensíveis perante ele; e em amor nos predestinou para ele, para a adoção de filhos, por meio de Jesus Cristo, segundo o beneplácito de sua vontade [...] e qual a suprema grandeza do seu poder para com os que cremos, segundo a eficácia da força do seu poder; o qual exerceu ele em Cristo, ressuscitando-o dentre os mortos e fazendo-o sentar à sua direita nos lugares celestiais, acima de todo principado, e potestade, e poder, e domínio, e de todo nome que se possa referir não só no presente século, mas também no vindouro. E pôs todas as coisas debaixo dos pés e, para ser o cabeça sobre todas as coisas, o deu à Igreja, a qual é o seu corpo, a plenitude daquele que a tudo enche em todas as coisas" (Ef 1.4,5,19-23, ARA). "Pois todos os que são guiados pelo Espírito de Deus são filhos de Deus. [...] O próprio Espírito testifica com o nosso espírito que somos filhos de Deus. Ora, se somos filhos, somos também herdeiros, herdeiros de Deus e co-herdeiros com Cristo; se com ele sofrermos, também com ele seremos glorificados. [...] A ardente expectativa da criação aguarda a revelação dos filhos de Deus. [...] gememos em nosso íntimo, aguardando a adoção de filhos, a qual é o seu corpo, a redenção do nosso corpo [...] Sabemos que todas as coisas cooperam para o bem daqueles que amam a Deus, daqueles que são chamados segundo o seu propósito. Porquanto aos que de antemão conheceu, também os predestinou para serem conformes à imagem de seu Filho, a fim de que ele seja o primogênito entre muitos irmãos. E aos que predestinou, a esses também chamou; e aos que chamou, a esses também justificou; e aos que justificou, a esses também glorificou. [...] nem a altura, nem a profundidade, nem qualquer outra criatura poderá separar-nos do amor de Deus, que está em Cristo Jesus, nosso Senhor" (Rm 8.14,16,17,19,23,28-30,39, ARA).

A participação na imagem metafísica de Cristo indica a participação na natureza divina, segundo Colossenses 2.9,10 mostra claramente (ver também Ef 3.19). Ver a extensa exposição sobre aqueles versículos, onde é traçada a doutrina na história eclesiástica e na teologia. Participamos da "natureza divina" quando participamos da "imagem de Cristo". Naturalmente, disso participamos de modo finito, pois Deus é "infinito". Todavia, trata-se do mesmo "tipo" de "forma de vida", da mesma "essência de ser" que o próprio Cristo tem, o que é infinitamente exemplificado em Deus Pai. Diferimos da natureza de Deus Pai na "extensão" da participação na essência divina, mas não quanto ao "tipo". Ver João 5.25,26 e 6.57, quanto a notas sobre a vida "necessária" e "independente" de Deus, e como os homens, mediante a participação na ressurreição de Cristo, chegam a participar desse tipo de vida. Já que Deus é infinito, e será sempre o alvo da existência humana, terrena ou celestial, mortal ou imortal, sempre haverá um progresso infinito na direção desse alvo. Não pode haver estagnação na inquirição espiritual, pois seus horizontes são infinitos. Já que há uma infinidade com a qual seremos cheios, também haverá um preenchimento infinito. (Ver 2Pe 1.4 quanto a notas adicionais sobre esse conceito).

O plano é imenso e sua realização é além das capacidades humanas. Portanto, a salvação se realiza pela graça de Deus. Ver notas completas sobre este tema em Efésios 2.8.[1] A seguir, estão relacionados os pontos mais destacados desse evangelho:

(a) Plano divino da redenção e transformação dos homens segundo a própria imagem de Cristo, a imagem absolutamente moral e metafísica de Cristo, que é um plano eterno, e que, em realidade, é a razão mesma da existência da criação. (Essa é, igualmente, a mensagem do primeiro capítulo do evangelho de João, porquanto a vida — a criação física — existe para prover material para a "luz" ou criação espiritual. O primeiro capítulo da epístola aos Colossenses ensina a mesma verdade.)

(b) O alvo de Deus é a "adoção" de muitos filhos, que ainda serão iguais (sempre em potencial) e totalmente semelhantes (em essência de ser) a seu Filho, Jesus Cristo.

(c) Deus enviou Jesus, não só para ser o Caminho, mas também para mostrar o caminho. Em sua vida humana, Jesus viveu o tipo de experiência que devemos ter. Sua vida não foi somente um espetáculo para ser admirado, mas é um padrão que precisa ser duplicado em nós. Jesus, em sua vida humana, "[...] aprendeu a obediência pelas coisas que sofreu...", e, como homem, em sua existência humana, "[...] tendo sido aperfeiçoado, tornou-se o Autor da salvação eterna para todos os que lhe obedecem" (Hb 5.8,9, ARA). Os que lhe obedecem são aqueles que agem como ele agiu e são o que ele foi, mediante uma obediência verdadeiramente completa e perfeita. Não obstante, esse é o alvo, e a transformação moral provoca a transformação metafísica, exatamente como ocorreu no caso de Jesus, o qual, devido à sua comunhão íntima com o Pai, mediante o Espírito (que é o agente transformador, 2Co 3.18), foi capaz de multiplicar pães, andar sobre a água e até mesmo ressuscitar a mortos, incluindo a si mesmo, após a sua morte. Ele vivificou o seu próprio corpo, tão grande foi o seu poder espiritual.

Lembremo-nos da lição da encarnação: Jesus, manifestação do Verbo Eterno, veio participar literalmente da natureza humana. Ele não era um anjo que, fundindo a natureza humana com a divina, abriu o caminho para todos os homens. Todos os remidos haverão de participar de sua "natureza glorificada", de sua divindade de modo real, tal como sua participação da natureza humana foi real. Essa é a grande lição mística da encarnação. Cristo Jesus é divino, a fim de ser "admirado"; mas também é divino a fim de ser "duplicado" em "outros filhos", pois os remidos são filhos do mesmo Pai. Naturalmente, Jesus

participou infinitamente da divindade, mas nossa participação será sempre finita. Contudo, a essência dessa participação é real; não é uma imitação. A eternidade inteira será passada enchendo o finito com o infinito, enchendo o que é secundário com o que é primário, havendo uma gradual e prodigiosa transformação da alma humana segundo a imagem e a natureza de Cristo (ver 2Pe 1.4 e Cl 2.9,10).

Lembremo-nos das outras lições: a lição de sua vida, a lição de sua morte, a lição de sua ressurreição e ascensão, a lição de sua infinita e interminável glorificação. Em tudo isso temos símbolos místicos do progresso e da redenção humanos. Pois em todos os pontos seremos assemelhados a ele, tal como em todos os pontos ele se fez como nós.

"E todos nós, com o rosto desvendado, contemplando, como por espelho, a glória do Senhor, somos transformados, de glória em glória, na sua própria imagem, como pelo Senhor, o Espírito" (2Co 3.18, ARA).

(d) Jesus cumpriu a sua missão, tendo vivido a admirável vida que teve, tendo morrido como expiação pelo pecado, tendo sido ressuscitado dentre os mortos, e, nesse processo, sendo transformado de homem mortal em homem imortal, assunto ao céu e glorificado — e tudo isso como homem — pois ele foi o primeiro homem imortal de Deus, o padrão para o resto da humanidade. Nessa glorificação, ele foi ainda mais profundamente transformado, e continua esperando sua glorificação maior, quando receber a sua Noiva, a Igreja. A última porção do primeiro capítulo de Efésios demonstra que foi o infinito poder de Deus que realizou tudo isso, o poder de Deus por intermédio do Espírito. Esse mesmo Espírito está em nós, e tenciona realizar em nós a mesma obra. Morremos a morte de Cristo, compartilhamos de sua ressurreição e de sua ascensão e participamos de sua glorificação. Ele é quem preenche tudo em todos, e que está acima de todos; a despeito do que, o completamos, pois somos a sua plenitude, e nada tão elevado dito acerca dos anjos (Ef 1.23).

O próprio Espírito sussurra aos nossos ouvidos a respeito de qual é o nosso elevadíssimo destino, pois o destino de Cristo é o nosso, e sabemos quão grande é ele e quão vasto é o seu destino, como cabeça do universo inteiro. A criação física inteira se impacienta, esperando essa poderosíssima manifestação dos filhos de Deus, como homens imortais, transformados e espantosamente glorificados, pois eles serão verdadeiramente filhos e irmãos de Cristo, e não menos perfeitos (potencialmente, sempre) e exaltados, embora cabeça e corpo tenham ofícios distintos. Outro tanto se dá com Cristo e a igreja. E assim como a cabeça de um corpo tem certa ascendência sobre esse corpo, assim também Cristo tem proeminência sobre a igreja. Não seremos sub-herdeiros de Cristo, e, sim, co-herdeiros. Não estamos seguindo uma estrada diferente da dele, nem um alvo diferente do seu; seguimos exatamente a mesma estrada que Cristo, e visamos ao mesmo alvo. A predestinação de Deus assegura o alcance desse alvo, e é nas provisões dessa predestinação que seremos totalmente "transformados", e não apenas perdoados de nossos pecados, nem apenas nos aproximando do "céu", conforme há séculos o "evangelho" vem sendo pregado pela igreja.

(e) Por conseguinte, do que consiste a justificação? Consiste de um passo na direção do alvo, que envolve o pecado que precisa ser eliminado, porque os filhos devem ser tão santos quanto o próprio Deus. E que será a santificação? É apenas a estrada pela qual estamos caminhando, enquanto vamos sendo transformados moralmente à imagem de Cristo, o que também produz uma transformação metafísica, isto é, a transformação literal da natureza de nosso próprio ser. O nosso alvo, portanto, é a absoluta perfeição moral, não menos santa do que a santidade de Deus, que nos torna não (potencialmente) menos amorosos, não menos compassivos, não menos eficazes (em nossas respectivas esferas) na realização de sua obra e na expressão de sua natureza. Obteremos a imagem moral de Deus, que os anjos nunca possuirão e jamais possuíram. O próprio Jesus ordenou que fôssemos perfeitos, tal como o Pai, nos céus, é perfeito (ver Mt 5.48). Esse é o nosso alvo eterno, e a nossa transformação total tornar-se-á uma realidade. Possuiremos a natureza moral de Deus. Mais do que isso, possuiremos a imagem metafísica de Cristo, que está acima de todos, de todos os nomes, de todos os poderes, até mesmo dos poderes angelicais. Nossa participação nisso será total. Os termos "filhos de Deus" e "irmãos de Cristo" indicam algo tremendamente elevado. E ainda que tivéssemos a perfeita descrição dessas verdades, do ponto de vista metafísico, não poderíamos compreender suas implicações. O nosso atual desenvolvimento não permitiria a completa apreensão dessas verdades profundíssimas. Portanto, que significa estar alguém em Cristo? Isso fala da atual comunhão mística com ele, por meio do Espírito. Já conhecemos algo da transformação à sua imagem, porque já estamos começando a viver a sua vida. A energia de sua vida, em sentido bem real, já transparece em nós, e o céu já desceu à terra, e ele nos circunda por meio de seu Espírito. De maneiras ainda desconhecidas, ele está conosco, mas esse estar conosco, com toda a probabilidade, consiste em uma real transferência de alguma espécie de energia espiritualizada que o Espírito de Deus transmite, e essa energia, mui provavelmente, é a substância da própria vida. Essa é a "salvação" presente, e a participação nessa salvação é que produz os atuais padrões de "santificação". E a santificação presente provoca as transformações metafísicas de nossa natureza. E tudo isso está pleno

---

1   A graça exige, todavia, a cooperação da vontade humana. Ver Fp 2.12,13.

de autêntica imortalidade. Daí o crente parte para a ressurreição, então para a ascensão, e, finalmente, para a glorificação, que não se trata de um ato isolado, mas de um processo, o que continua acontecendo até mesmo com Cristo, nosso irmão mais velho. E o alvo final é a perfeição e a transformação absolutas. É a tudo isso que se denomina salvação, e esse é o evangelho anunciado por Paulo. O leitor poderá julgar, por si mesmo, quanto dessa verdade é pregada atualmente nas igrejas evangélicas. A simplificação do evangelho, como se este fosse resumido ao perdão dos pecados e a uma viagem ao céu, tem prejudicado a todos nós. Tem deixado os crentes desassossegados, porque, interna ou externamente, perguntam se não há mais nada além disso? Os crentes, pois, ficam descontentes, pois o cristianismo tem perdido o seu fio cortante e desafiador. Precisamos pregar o evangelho de Paulo. Precisamos aprender o que isso significa na experiência diária. Precisamos conhecer, na realidade diária, o que significa estar alguém "em Cristo".

6. Paulo e Jesus

Os estudos sobre o pensamento paulino, do século XX, se devotaram especialmente a três perguntas: (a) Qual a relação entre Paulo e Jesus? (b) Quais as fontes do pensamento de Paulo? (c) Qual o papel da escatologia na doutrina de Paulo? Dessas três, a primeira — Qual a relação entre Paulo e Jesus? — é a mais ultrajante e problemática. A distinção entre os dois pensamentos básicos de Paulo — justiça "jurídica" (Rm 1-4) e justiça (ética) (Rm 5-8) se têm desenvolvido em um estudo muito importante, e a maioria dos escritores sobre o assunto se tem pronunciado a favor da ideia "ética" como mais básica ao pensamento paulino posterior, como mais representativa de Paulo em seus anos maduros. Pelo menos pode-se dizer que isso certamente se parece mais com o pensamento expresso nas epístolas de Efésios e Colossenses e com a mensagem geral da redenção ou "salvação" (conforme se explicou na seção anterior), e que certamente essa é a mensagem central do apóstolo Paulo. Por conseguinte, temos certo tipo de "misticismo de Cristo", a saber, Cristo, o Deus-homem que do céu desce a este mundo rodeado pelo mal, incluindo uma espessa nuvem de poder demoníaco. A união com Cristo (isto é, a comunhão mística com ele) tornou-se o principal conceito acerca do sentido e da direção da atual experiência humana. E essa união assegura a eventual "ressurreição" juntamente com ele, que é o passo inicial da glorificação da alma.

Esses pensamentos lançaram os fundamentos para uma série de estudos, e muitos intérpretes, ao lerem os evangelhos e as palavras de Jesus, segundo elas estão ali escritas, para em seguida lerem Paulo, especialmente seus "escritos posteriores", como as epístolas aos Efésios e aos Colossenses, começaram a indagar se as duas mensagens ou "evangelhos" seriam realmente um só. Alguns negaram isso em termos inequívocos. (W. Wrede, em sua obra Paulus (1905), expôs a questão nos termos mais francos. Ali Paulo é visto não como verdadeiro discípulo do rabino Jesus, mas realmente um segundo fundador do cristianismo. A piedade individual e a salvação futura ensinadas por Jesus (ideias comuns ao judaísmo dos dias de Jesus) haviam sido transformadas, pelo teólogo Paulo, em uma redenção presente por meio da morte e da ressurreição do Cristo-Deus. Quem aceitar esse ponto de vista terá de escolher Jesus, e assim permanecer bem perto do judaísmo, ou preferir Paulo, entrando em uma diferente esfera religiosa. A tendência parecia permanecer com Jesus, e não levar muito a sério as ideias de Paulo.

A controvérsia acerca da suposta diferença entre Paulo e Jesus conduziu a uma investigação ainda mais detalhada sobre as origens do pensamento paulino. F. C. Baur explicava o pensamento de Paulo à base da controvérsia eclesiástica, isto é, Paulo era contrário ao judaísmo antigo, e, sendo o "helenizador" do cristianismo, fez declarações diversas que visam a afastar o cristianismo o mais possível do judaísmo. Schweitzer explicava que a origem do pensamento de Paulo era o seu problema escatológico peculiar, uma adaptação quase exclusiva das ideias do judaísmo-cristianismo. As pesquisas na história judaica, porém, não têm contribuído para consubstanciar essa ideia.

Outros, como R. Reitzenstein e W. Bousset, pensavam que tinham encontrado o manancial do pensamento paulino, em uma espécie de mistura das religiões misteriosas orientais-helenistas e de elementos doutrinários do judaísmo. É verdade que os mistérios falavam de deuses que morriam e tornavam a viver, de "senhores" e de redenção por meio de sacramentos. Qualquer um que leia os clássicos, e suas adaptações religiosas posteriores, naturalmente verá os paralelos (ver a seção da introdução a este comentário intitulada "Período intertestamentário: acontecimentos e condições do mundo ao tempo de Jesus", que fala sobre a "religião" do mundo greco-romano). Estudos posteriormente feitos abrandaram o impacto dessa ideia, mostrando, acima de tudo, que tais ideias não eram totalmente estranhas ao pensamento judaico, especialmente ao pensamento judaico posterior. Finalmente, observamos que a ideia da "religião misteriosa" não conquistou muita aprovação, embora tenha continuado a exercer grande influência sobre os estudos acerca de Paulo.

Alguns também tentaram ligar o pensamento de Paulo com as ideias gnósticas, especialmente as ideias gnósticas acerca da natureza do mundo, seus muitos níveis de espíritos, autoridades etc. (conforme alguns crêem estar refletido em Efésios e no primeiro capítulo de Colossenses). Sabemos, todavia, que essas duas epístolas de fato são livros escritos contra as formas iniciais da heresia gnóstica, e não é provável que Paulo tivesse apoiado um acordo justamente com a heresia que atacava. Essas ideias sobre muitos níveis de espíritos, autoridades etc. eram comuns ao judaísmo posterior, e Paulo não teria de tomar de empréstimo dos primitivos gnósticos essas ideias. Alguns têm argumentado que a menção de Paulo sobre "principados", "poderes", "potestades" e "domínios" não significa que ele tivesse aceitado como verídicos os muitos níveis de poderes espirituais nos lugares celestiais, mas que, ao usar esses termos, meramente estava querendo dizer que, sem importar que poderes existissem, Cristo é o cabeça desses poderes, sendo Deus sobre todos. Isso, entretanto, equivale a subestimar o pensamento de Paulo, pois parece perfeitamente claro, na análise dessas passagens, que Paulo aceitava esses níveis de poder, embora não os tivesse descrito. Bultmann aproximou-se mais da verdade, ao mostrar que Paulo estava alicerçado no judaísmo helenista e no cristianismo helenista, que tem seus conceitos básicos de judaísmo ético em uma redenção sacramental; porém, dizer, como Bultmann asseverou, que essas ideias foram tingidas pelo gnosticismo, é um erro; porque, segundo elas aparecem nas epístolas de Paulo, dificilmente precisamos atribuí-las a quaisquer ideias gnósticas.

Paulo concordava essencialmente com a declaração gnóstica de que existem vários níveis de seres espirituais, que existem princípios bons e maus neste mundo, cada qual investido de sua autoridade, tanto no céu como na terra. Contrariamente aos gnósticos, porém, o apóstolo ensinava que, à testa de todos esses poderes, avulta a pessoa de Cristo, que é o Deus e criador de tudo (ver Cl 2.8-16). Cristo não pode ser classificado em nenhuma das categorias de espíritos. Os papiros do Mar Morto foram um embaraço para a identificação do gnosticismo com o pensamento paulino, segundo dizia Bultmann, posto que ali já se encontrasse expresso o dualismo ético que Paulo teria encontrado, supostamente, no gnosticismo, e que, subseqüentemente, teria influenciado a sua doutrina. Portanto, essas ideias são anteriores ao gnosticismo. Contudo, não havia necessidade de se esperar pelo descobrimento dos papiros do Mar Morto para sabermos isso, pois, a simples leitura da literatura antiga nos fornece essas ideias básicas. Para começar, o estudioso deve ler Platão, onde se encontram todas as ideias dualistas que alguém poderia desejar. Outrossim, no gnosticismo primitivo, não há a doutrina da "descida de um redentor" (esse foi um desenvolvimento posterior, no gnosticismo, sobre o qual o apóstolo não teve conhecimento), o que mostra que é impossível que a ideia paulina tivesse sido tomada de empréstimo de gnosticismo. E assim tem continuado a controvérsia, em que vários autores assumem diversas posições em torno da questão, como é o caso de Grant, que vê Paulo como homem cujo mundo espiritual se situa entre as ideias apocalípticas judaicas e o gnosticismo plenamente desenvolvido do segundo século da era cristã. Ele acha que a tendência de Paulo, ao interpretar a ressurreição, era, entre outras coisas, torná-la um triunfo sobre os poderes cósmicos. (De fato, Cl 2.15 diz exatamente isso). Paulo, no entanto, não tinha de apelar para o gnosticismo para encontrar essa ideia, porque a necessidade de tal triunfo é comum ao judaísmo posterior, e o próprio Jesus expressou a mesma ideia, ao declarar: "Eu via Satanás caindo do céu como um relâmpago" (Lc 10.18). Ver a nota, nesse texto, sobre os detalhes do julgamento gradual de Satanás, que não difere da ideia de Paulo sobre a obra redentora de Cristo como força que finalmente triunfará sobre os poderes cósmicos.

Naturalmente, o próprio gnosticismo era sistema altamente misturado, pois tomava elementos emprestados da mitologia grega, da filosofia, das religiões misteriosas, de várias formas de misticismo oriental, e, diretamente, do próprio judaísmo, como também do cristianismo, depois que este entrou em cena. Portanto, é quase impossível dizer-se "Isto Paulo tomou por empréstimo do gnosticismo", até mesmo nos casos que parecem "empréstimos" feitos daquele sistema. O mais provável é que ideias que Paulo e os gnósticos tinham em comum, fossem simplesmente pontos de concordância, sem que houvesse nenhum empréstimo direto. A tendência, mais recentemente, tem sido negar, ignorar ou suavizar a suposta "influência gnóstica sobre Paulo", à proporção que se vai entendendo melhor qual era o "meio ambiente de conceitos" do primeiro século. Não se pode negar, é claro, que muitas das ideias e expressões desse apóstolo refletem sua própria cultura, pelo que são "empréstimos" tirados das ideias correntes. Contudo, cremos que as grandes pedras fundamentais de sua doutrina se derivam de uma fonte superior, repousando sobre alicerce mais firme que a mera repetição de ideias comuns a todos. Levamos a sério sua reivindicação de haver recebido "muitas" revelações (ver 2Co 12.1). Ele recebeu "visões e revelações", e fala de sua experiência no "terceiro céu" como ilustração desse fato. Cf Gálatas 1 e Efésios 3.3ss, Paulo era um místico de primeira ordem, e grande parte dos pontos distintivos do cristianismo repousam sobre suas visões, que se concretizaram nas Escrituras, preservadas para nós no Novo Testamento.

A discussão acima, sobre as origens do pensamento paulino, leva-nos à conclusão de que, apesar de grande parte da doutrina de Paulo não ter sido ouvida dos lábios de Jesus, isto é, na exposição que os evangelhos fazem daquilo que Jesus ensinou, em nada estava em desacordo com os seus ensinos essenciais. Paulo não teve, por outro lado, de pedir emprestadas as ideias do gnosticismo. Outrossim, pode-se observar que a discussão inteira sobre as "origens", conforme ela é apresentada pelos autores mencionados, ignora por completo a questão da inspiração, dando a entender que Paulo não era inspirado pelo Espírito Santo, segundo ele declarava que era, ou que ele não aprendeu o seu evangelho por revelação, conforme ele mesmo declarou (Gl 1.12). A leitura das epístolas de Paulo não nos pode deixar de convencer que, quer isso expresse a verdade, quer não, o apóstolo pensava que aquilo que ensinava chegara ao seu conhecimento por meio de visões e revelações e que ele alicerçava o seu evangelho sobre esses fundamentos.

Mais especificamente, acerca de Jesus e de Paulo, podem-se fazer as seguintes observações: O leitor deve consultar a seção da introdução que descreve Jesus, a sua identificação, o seu ministério e os seus ensinamentos. Na seção que aborda os seus ensinamentos, descobre-se que Jesus era bom representante do judaísmo, em sua forma mais excelente; mas é um erro vê-lo apenas como tal. Pois ele se reputava divino, igual ao Pai, em uma posição metafísica altamente exaltada. Por exemplo, consideremos a sua declaração: "[...] entretanto, eu vos declaro que desde agora vereis o Filho do homem assentado à direita do Todo-poderoso, e vindo sobre as nuvens do céu" (Mt 26.64, ARA). O sumo sacerdote ficou extremamente perturbado ante essa declaração, e rasgou as próprias vestes, pois para ele o que Jesus afirmara parecia uma grande blasfêmia. Outrossim, Mateus 24 (o "pequeno apocalipse", como é chamado) mostra, de maneira bem definida, um Jesus metafísico altamente exaltado, e não meramente um rabino judeu que não tinha as credenciais fornecidas pelas escolas judaicas. Pela narrativa dos dias finais de Jesus e sua eventual crucificação, parece claro que a principal acusação contra ele foi de que blasfemava, ao declarar-se mais do que um mero homem. O ponto de vista de Jesus sobre sua missão messiânica não se limitava à de um mero homem que cumpria uma incumbência. Para ele, o Messias era um homem de origem celestial, dotado de um ministério celestial e terreno. Foi justamente esse o conceito que o levou à cruz, mas de fato ele não foi apenas um reformador. Sua declaração, em Mateus 20,28, que diz: "[...] tal como o Filho do homem, que não veio para ser servido, mas para servir e dar a sua vida em resgate por muitos", indica o conceito de Jesus acerca de sua vida e morte, cuja finalidade era oferecer expiação e vida espiritual, e não meramente servir de exemplo. A mesma verdade é destacada nos textos de Mateus 26.26-29; Marcos 14.22-26 e Lucas 22.14-20, onde Jesus deu instruções a respeito da ceia memorial, a qual indica que ele contemplava sua missão como realizadora da expiação e de uma redenção sacramental.

Não se pode dizer, por conseguinte, que Paulo tenha criado essa ideia, porquanto a sua passagem central sobre a questão — 1Co 11.23-26 — é apenas uma compilação ou sumário do mesmo material de ensino que se reflete nos evangelhos. Portanto, a doutrina que alguns querem fazer-nos crer que foi tomada de empréstimo de alguma forma de gnosticismo ou de judaísmo helenizado, em realidade já estava presente nas palavras mesmas de Jesus.

A expiação subentende a ideia básica da justificação pela fé. Essa doutrina não é claramente ensinada nos evangelhos; e poucos afirmam isso. Mas a expiação é o alicerce dessa doutrina, e, de fato, todo o sistema sacrificial dos judeus aponta para esse ensino. A expiação só se torna necessária quando o indivíduo não é capaz de fazer tudo por si mesmo, ou seja, quando a salvação, o "livramento", está fora de seus recursos. O judaísmo inteiro, pois, salientava essa verdade. É verdade que a doutrina formal da justificação pela fé não é esboçada nos evangelhos, embora existam ali as condições básicas que requerem a sua delineação final. É verdade que Paulo foi além do que se lê nas palavras de Jesus, nos evangelhos, mas isso não significa, necessariamente, que ele tenha contradito o Senhor. Ninguém procura ocultar o fato de que o cristianismo é um desenvolvimento dos pontos de vista preliminares dos evangelhos, e, realmente, esse fato é confiantemente proclamado, pois o próprio Paulo, ao mencionar as revelações que recebeu, declara que as doutrinas da igreja lhe tinham sido dadas para serem expostas por ele. Ninguém afirma também que os evangelhos fornecem uma clara apresentação da igreja. A Paulo, foi dado o privilégio de fazê-lo. Jesus, no entanto, antecipou-se e mesmo predisse que a sua igreja seria uma comunidade religiosa separada do judaísmo. Por conseguinte, dificilmente alguém pode pensar em Jesus tão-somente como um reformador do judaísmo. Há evidências de que Jesus se alienou da corrente principal do judaísmo desde quase o princípio de seu ministério. De fato, já no décimo sexto capítulo do evangelho de Mateus, vê-se que uma nova comunidade estava se formando. No décimo oitavo capítulo do mesmo livro, vêem-se as regras básicas que os discípulos deveriam seguir em suas relações mútuas no seio da igreja. A partir do décimo sexto capítulo do evangelho de Mateus, temos o arcabouço básico da "nova comunidade religiosa". Portanto, o que Paulo fez foi adicionar estatura a esse arcabouço, e, por meio das revelações que recebeu, indicou o destino da igreja, o qual, para sermos verazes, se encontra só nos escritos paulinos. Paulo nos fornece dimensões vastamente ampliadas acerca do destino do homem (que é descrito

de modo breve sob a seção "e" desta mesma introdução). Ninguém afirma que Jesus, nos evangelhos, expôs qualquer coisa assim; mas as ideias não são contraditórias, e, sim, suplementares.

Devemos dar atenção à declaração de Paulo, em Gálatas 2.2,6-8, onde ele mostra que, propositalmente, visou aos demais apóstolos, a fim de verificar se o seu "evangelho" em alguma coisa não estava de acordo com o que pregavam. Assim, descobriu que não havia desacordo nenhum, e, além disso, que nada podiam acrescentar ao que ele ensinava. Verificou que o evangelho de Pedro era igual ao seu, embora as suas esferas de atividade fossem diferentes, pois Pedro fora enviado aos judeus, ao passo que Paulo fora enviado aos gentios. Pedro confirma o fato com suas próprias palavras, no segundo capítulo de Atos, ao falar sobre a expiação. E em Atos 15.9,10, lemos que Pedro disse: "E não estabeleceu distinção alguma entre nós e eles, purificando-lhes pela fé os corações. Agora, pois, por que tentais a Deus, pondo sobre a cerviz dos discípulos um jugo que nem nossos pais puderam suportar, nem nós?" Nessa oportunidade, como é claro, Pedro declarou a necessidade da "justificação mediante a fé". O ponto disso é que Paulo, quanto aos pontos básicos — sem pensarmos por enquanto sobre os grandes suplementos com que ele contribuiu para a mensagem cristã total, ou seja, as revelações especiais que recebeu —, em coisa nenhuma estavam em desacordo com os outros apóstolos quanto a essa doutrina.

Certamente que os outros apóstolos, que andaram com Jesus durante três anos, conheciam perfeitamente a sua doutrina e as suas intenções, e não se teriam deixado enganar por Paulo, se seus ensinos estivessem equivocados. É verdade que os ensinamentos de Jesus, conforme os encontramos registrados, eram principalmente éticos, mas essa ética não é contrária ao cristianismo paulino. Também é verdade que muitas das ideias de Paulo não se encontram nos registros sobre as palavras de Jesus, isto é, o silêncio reina nesses particulares; mas o próprio Paulo foi o primeiro a admitir tal fenômeno, ao dizer que as revelações lhe confiaram explicações novas quanto ao destino da humanidade. Nada mais se pode fazer, no sentido de pesquisar o Jesus histórico, do que aceitar o testemunho daqueles que foram seus íntimos, que o viram e que o imitaram. Os outros apóstolos também declararam que Jesus era o Senhor da glória, personagem de elevadíssima estatura metafísica. O evangelho de João é uma declaração expandida dessa verdade. E um pequeno fragmento desse evangelho, intitulado P (52), definidamente escrito em cerca de 100 d.C., mostra que esse evangelho provavelmente foi escrito antes do ano 100 d.C. Assim sendo, temos no evangelho de João uma das primeiras interpretações apostólicas da pessoa de Jesus. Pedro declarou, no primeiro capítulo de sua primeira epístola, que aguardamos do céu o Senhor, o aparecimento de Jesus Cristo (ver 1Pe 1.7), e que, pela sua morte e ressurreição, chega até nós a redenção e a expiação dos pecados (1Pe 1.18-20). A passagem de 2Pe 1.17,18 menciona a glória da transfiguração que foi contemplada pelos apóstolos originais (conforme é descrita no décimo sétimo capítulo de Mateus), e isso faz parte da descrição de Jesus como personagem metafísico altamente exaltado, o "Senhor da glória", conforme Paulo o denomina em 1Coríntios 2.8. No texto de 1Pedro 4.11, nos é ensinado o domínio eterno de Jesus. Portanto, concluímos que o "Jesus teológico" destaca-se com grande evidência nos escritos dos apóstolos primitivos de Jesus, como Pedro. Se Pedro não era capaz de interpretar corretamente a pessoa de Jesus, após tão longa e intensa associação que teve com ele (e o livro de Atos reflete o alto conceito que os apóstolos tinham de Jesus, como personagem metafísico), então resta-nos conjecturar para descobrir quem era realmente Jesus. É importante notar que, também nessa particularidade, Pedro e Paulo estavam de pleno acordo. Pode-se dizer, pois, que não pode ser comprovada nenhuma contradição entre Jesus e Paulo. O que permanece de pé, e ninguém se aventuraria a negá-lo, é que estava reservado para Paulo revelar, por meio do Espírito Santo, as doutrinas mais profundas sobre a natureza do mundo dos espíritos, e o chamamento e o alto destino da igreja, conforme o judaísmo jamais pudera imaginar, e que Jesus meramente indicou de passagem.

III. BIBLIOGRAFIA:

Bacon, B. W. The Story of St. Paul. New York: The Century Co., 1927.

Deisman, G. Adolf. Paul, A Study in Social and Religious History. New York: George H. Doran, 1926.

Dodd, C. H. The Meaning of Paul for Today. New York: George H. Doran, 1920.

Findlay, G. G. Paul, the Apostle. in James Hastings, ed. "A Dictionary of the Bible", vol. III, New York: Charles Scribner's Sons, 1930.

Hatch, William. The Life of Paul. Minear, Paul S. Paul, the Apostle, articles of the "Interpreter's Bible", Nashville: Abington-Cokesbury Press, 1951.

McNeile, Alan Hugh. St. Paul, His Life, Letters and Christian Doctrine. Cambridge: University Press, 1938.

Porter, Frank C. The Mind of Christ in Paul. New York: Charles Scribner's Sons, 1930

Titus, Eric Lane. Essentials of NT Study. New York: The Ronald Press, 1958.

Wrede, Wilhem. Paulus. Tubingen: J. C. B. Mohr, 1906.

Livros apócrifos do Novo Testamento e outra literatura cristã antiga

Russell Champlin

I. **ESCRITOS PATRÍSTICOS**

II. **LITERATURA APÓCRIFA**

1. **Evangelhos**

2. **Atos**

3. **Epístolas**

4. **Apocalipses**

5. **Ensinos**

III. **CRONOLOGIA DA LITERATURA**

IV. **BIBLIOGRAFIA**

I. ESCRITOS PATRÍSTICOS

Naturalmente, o NT representa o escrito mais antigo que possuímos e que trata das origens do cristianismo e dos ensinamentos do sistema cristão. Em segundo lugar, quanto à antiguidade, após o NT, e mais antigos que os livros apócrifos o NT, avultam os escritos dos primitivos cristãos, alguns dos quais foram discípulos imediatos dos apóstolos. As epístolas de Clemente e de Barnabé e o livro intitulado Pastor de Hermas tiveram grande influência na igreja primitiva e em algumas das primeiras coleções de escritos do NT, nos quais esses livros mencionados foram incluídos. Em algumas seções da cristandade, esses livros adquiriram uma posição quase canônica, enquanto alguns crentes, pessoalmente, aceitavam-nos como perfeitamente canônicos. Entretanto, a tendência geral foi a de ir eliminando aqueles livros que não repousavam sobre autoridade apostólica direta ou escritos diretamente pelos apóstolos, ou ainda aqueles cujo material provinham diretamente de fontes apostólicas, como, por exemplo, o evangelho de Marcos.

Os principais desses escritos, com suas respectivas datas, são os seguintes: (1) I Clemente (95 d.C.), usualmente reputado como uma epíst. genuína de Clemente aos crentes de Corinto, (por alguns, considerado como o Clemente de Fp 4.3, embora isso seja incerto). Entretanto, provavelmente ele foi um discípulo de Pedro, e um dos primeiros líderes da igreja em Roma. (2) II Clemente (150 d.C.). Essa epístola não é reputada como autêntica, isto é, não é um escrito autêntico de Clemente, na opinião da maioria dos eruditos modernos. (3) Epístola de Barnabé (primeira metade dos século II d.C.). Essa obra é realmente anônima, pois não há nenhuma evidência de que Barnabé a tenha escrito. Trata-se de uma curiosa comparação entre o legalismo judaico e os padrões éticos do cristianismo. (4) Epístola de Policarpo (antes de 155 d.C.). Epístola genuína de Policarpo à igreja em Filipos. (5) Epístolas de Inácio (cerca de 115 d.C.). Inácio escreveu certo número de epístolas em seu próprio nome, a maioria das quais quando provavelmente viajava para ser martirizado em Roma. Sete dessas epístolas que permanecem até hoje são consideradas escritos genuínos de Inácio. São epístolas endereçadas a Éfeso, Magnésia, Trales, Roma, Filadélfia, Esmirna e ao bispo de Esmirna (Policarpo). (6) O Pastor de Hermas (130-150 d.C.). Essa obra não é realmente uma epístola, mas se assemelha mais a um apocalipse. Contém visões, exortações e algumas parábolas. (7) O Didache (transliteração do termo grego que significa "ensino", século II ou III d.C.). Essa obra foi descoberta no fim do século XIX. Trata-se de obra pseudônima, cujo título completo em português seria "Ensino do Senhor aos gentios através dos doze apóstolos". A primeira parte da obra descreve os "Dois Caminhos", sendo uma espécie de expansão dos "dois caminhos" principalmente éticos. A última parte do livro dá instruções acerca do uso dos sacramentos e acerca de algumas práticas eclesiásticas. Alguns acreditam que a epístola de Barnabé foi uma das fontes do conteúdo deste livro. (8) Epístola a Diogneto (século III d.C.). Talvez esta obra fosse mais bem classificada entre as "apologias", cuja descrição vem mais abaixo. Esse livro foi endereçado a Diogneto, pelo que seu nome foi preservado, mas não sabemos quem foi o seu autor. (9) Nessa coleção poderíamos incluir a obra O martírio de Policarpo, que foi um dos primeiros exemplos dos "Atos dos Mártires", e que posteriormente se tornaram um dos temas favoritos dos escritos cristãos. À parte esta última, a coleção desses livros difere do NT no fato de que não expõe narrativas da vida de crentes bem conhecidos e acrescenta pouquíssimo conhecimento ao que já se sabe sobre os eventos históricos da vida de Jesus. Esses livros, contudo, foram expressões espontâneas dos cristãos primitivos que procuravam definir as implicações da vida de Cristo, e que servem de testemunho da autenticidade e da grandeza da vida que ele viveu.

Algumas obras foram escritas particularmente com o propósito de apresentar uma defesa do cristianismo. Essas obras foram produzidas nos séculos II e III d.C., e, consideradas isoladamente, compõem uma coletânea separada de escritos primitivos que vieram à existência por causa da vasta influência da vida de Jesus sobre o mundo antigo. As mais longas e mais bem conhecidas dessas "apologias" são as de Justino Mártir, que incluem o seu Diálogo com Trifo, o qual é apresentado nessa apologia como um questionador judeu acerca das ideias básicas do cristianismo. Essa obra apresenta a defesa do cristianismo contra as críticas judaicas. A "primeira" e "segunda" apologias da obra foram dirigidas a elementos gentílicos. Outros escritos pertencentes a essa mesma natureza, de outros autores, contêm defesas do cristianismo misturadas com ataques contra as religiões pagãs. A função dessas últimas era não somente convencer os incrédulos, mas também confirmar os crentes em suas crenças. Muitas dessas primeiras apologias se perderam inteiramente, salvo alguma menção em outras obras. Aquelas que continuam disponíveis até hoje são as seguintes: 1. Aristides de Atenas — Essa apologia tem sido restaurada mediante uma tradução siríaca e à base de uma forma da mesma obra, incorporada em uma obra literária grega posterior. 2. Justino Mártir — Além de seu livro Diálogo com Trifo, temos mais duas de suas apologias. 3. Taciano — Discurso aos Gregos. 4. Atenágoras — Embaixada em favor dos cristãos. 5. Teófilo de Antioquia — A Autólico. Essa obra é apresentada em três volumes.

Além dessas obras mencionadas especificamente por nome, houve muitíssimas outras, escritas por diversos cristãos da antiguidade, mas que se perderam inteiramente (são mencionadas apenas por título em outros escritos, mas nenhuma cópia tem sido encontrada) ou, pelo menos, foram preservadas apenas na forma de pequeníssimos fragmentos. Mediante esse grande impulso que levou muitos a escreverem, podemos notar o formidável impacto que a vida de Cristo exerceu sobre o mundo antigo, e disso se pode concluir que ele não viveu uma vida ordinária e nem foi um homem qualquer.

Em segundo lugar, tudo isso demonstra, ao menos indiretamente, a autenticidade do NT, e, particularmente dos evangelhos, que expõem a história da vida de Jesus Cristo. Se Jesus tivesse sido um homem ordinário e não tivesse feito o que lhe é atribuído, não é provável que tantos tivessem escrito a seu respeito, na tentativa de mostrar a autenticidade de sua vida e de suas palavras.

II. LITERATURA APÓCRIFA

Essas coletâneas de escritos são, geralmente, menos conhecidas, embora sejam mais numerosas que as dos livros apócrifos do AT. O termo geralmente indica aquelas obras não-canônicas, que afirmam fornecer informação adicional de espécie supostamente autêntica, sobre Cristo, seus apóstolos, ou outros seguidores de Cristo. Mediante essa definição, eliminamos, por assim dizer, o que poderia ser mais acertadamente denominado de literatura patrística, ou seja, a literatura produzida pelos primeiros pais da Igreja, como cartas ou tratados. Sob essa classificação, podem ser alistadas as cartas de Clemente, Inácio, Policarpo, Papias, e outras. Além dessas, inclui-se o Didache, a epístola de Barnabé e o Pastor de Hermas, usualmente classificados de "patrísticos", apesar de várias dificuldades quanto à autoria e o conteúdo.

A maior parte da literatura apócrifa do NT pode ser classificada como o próprio NT — evangelhos, atos, epístolas e apocalipses. A literatura que vai além dessas classificações são as obras que se declaram cânones de disciplina eclesiástica e de liturgia, como as "Constituições Apostólicas", que afirmam representar práticas apostólicas, e o "Testamento de nosso Senhor", que faz a assertiva ousada de conter os discursos de Cristo proferidos depois de sua ressurreição.

Muitos e variados motivos estão por detrás da produção dessas obras posteriores, muitas da quais escritas em nome de um dos apóstolos ou de algum dos outros cristãos primitivos bem conhecidos. O motivo mais óbvio é o vasto impacto da pessoa de Cristo no mundo. É natural que uma pessoa como ele provocasse a imaginação e o interesse dos homens, o bastante para causar a escrita de numerosas obras, por pessoas que viveram depois da era apostólica. Algumas foram escritas para preencher os detalhes da vida de Cristo ou dos apóstolos, onde os livros canônicos não prestam essa informação. Assim é que há vários evangelhos que, supostamente, nos dão detalhes dos anos da infância de Cristo. Epístolas e tratados foram escritos em nome dos apóstolos, fornecendo detalhes sobre certos pontos de doutrina, ou expandindo muito que já era óbvio nas epístolas canônicas. Outros escreveram para projetar no pensamento cristão as suas doutrinas ou preconceitos favoritos; e o exemplo mais óbvio são os muitos documentos gnósticos, tanto evangelhos como epístolas. As vidas dos apóstolos, bem como a vida de Cristo, também inspiraram a escrita de muitos "atos"; e, apesar de algo desse material ser apenas suplementar, outra parte torce propositalmente as informações ou fabrica incidentes e afirmativas para promover uma doutrina ou grupo religioso que veio à existência mais tarde.

1. Os evangelhos apócrifos

Evangelho segundo aos Hebreus — Essa obra (100 d.C.) era conhecida por bom número dos primeiros pais da Igreja, como Clemente de Alexandria, Orígenes, Hegesipo, Eusébio e Jerônimo. É um evangelho de forte tom judaico, que usa Mateus como fonte principal de informações. Alguns, nos primeiros séculos, julgaram tratar-se do original hebraico de Mateus, mencionado por Papias. Provavelmente, foi uma espécie de evangelho "local", dos cristãos judeus da Síria, e que continha algum material autêntico. Desse evangelho, Eusébio refere-se à narrativa sobre uma mulher com muitos pecados, que foi acusada perante Jesus. Alguns crêem tratar-se da história da última porção de João 7 e do início de João 8, que teria sido tomada de empréstimo daquela fonte, visto que a evidência manuscrita é contra a autenticidade desse relato, em nosso evangelho de João. (Ver nota textual em Jo 7.53.) Embora esse evangelho pareça ter algum valor, tendo gozado de respeito em pequena porção da igreja primitiva, nunca foi admitido no cânon pela igreja em geral.

Evangelho aos Egípcios — Conhecido principalmente em referências ao mesmo, por Clemente de Alexandria, no "Stromateis". É uma espécie de diálogo ascético entre Cristo e Salomé. Foi usado por alguns gnósticos para repudiar as relações sexuais. Sua data cai entre 130 a 150 d.C., sendo uma óbvia fabricação.

Evangelho de Tomé — Uma cópia desse evangelho foi achada entre os mss descobertos em Nag-Hammadi. Essa descoberta trouxe à luz 13 códices cópticos, contendo quarenta e nove tratados gnósticos. (Ver nota em Cl 1.15, quanto aos detalhes da descoberta.) O evangelho de Tomé é o único evangelho apócrifo completo descoberto até o momento. Contém 114 "logia" ou declarações, atribuídas a Jesus, supostamente escritas pelo apóstolo Tomé. Três fontes são evidentes: (1) cerca de metade dessas declarações foi tomada de empréstimo dos evangelhos canônicos; (2) algumas foram tomadas de empréstimo de outros evangelhos apócrifos, principalmente dos evangelhos aos Egípcios e aos Hebreus; (3) uma fonte desconhecida. Alguns crêem que essa fonte desconhecida merece igual consideração que os evangelhos canônicos, mas parece que, embora algumas declarações autênticas se façam presentes, em geral são meras fabricações dos gnósticos. Assim, esse documento é importante testemunho não do desenvolvimento do cristianismo histórico, mas do desenvolvimento da cristologia gnóstica. Data de cerca de 100 d.C.

Evangelho de Pedro — Contém elementos gnósticos e implicações docéticas. Está um tanto marcado por elemento miraculoso, espúrio e tolo. Reduz a culpa de Pilatos, aumenta a culpa de Herodes e dos judeus — possivelmente, uma concessão ao governo romano dominante. O grito: "Deus meu, Deus, meu, por que me abandonaste?" é transformado em "Meu poder, me abandonaste", um tom gnóstico. Data de meados do século II.

Evangelho de Nicodemos (entre os séculos II e V) — Produzido por um autor piedoso, que salienta fortemente a deidade de Cristo e apresenta algumas declarações vívidas, mas certamente forjadas, usando os evangelhos canônicos como base, além do chamado "Atos de Pilatos". A altamente colorida "Descida ao inferno" é boa peça literária, que copia ideias gregas acerca do submundo, mas certamente não é inspirada. O livro vindica inteiramente Pilatos, o que levou à santificação de Pilatos em algumas seções da igreja. Seu martírio é ainda celebrado na Igreja Cóptica.

Evangelhos de Infância (séculos II a V) — O mais popular desses é o "Protevangelium de Tiago". Foi escrito em defesa de certas teorias sobre a virgindade perpétua de Maria, e narra muitas histórias fabulosas sobre a vida de Maria.

Evangelho de Tomé sobre a infância de Jesus Cristo — Contém muitas narrativas fabulosas sobre o princípio da vida terrena de Jesus, algumas das quais retratam-no mais como santo executor, e não como suave Salvador. Por várias ocasiões, ele teria matado miraculosamente outras crianças, que o teriam ofendido, e sem se arrepender disso. Graças a Deus, tudo não passa de invencionice.

Outros evangelhos existem de interesse secundário, muitos dos quais escritos pelos gnósticos, em apoio e propaganda de suas crenças.

2. Atos apócrifos

Atos de João (150-160 d.C.) — Descreve milagres e cita sermões, gnósticos em seu caráter. É bastante ascético em suas ideias morais, mas contém descrições repulsivas.

Atos de Paulo (cerca de 150 d.C.) — Contém a seção chamada Atos de Paulo e Tecla, que seria a história de uma jovem de Icônio, convertida por meio de Paulo, e que rompeu seu noivado por causa de sua prédica. Seu alvo principal é exaltar a virgindade perpétua. Outra seção dá mais correspondência do apóstolo com os coríntios; e outra seção fala sobre o martírio de Paulo, que, todavia, é lendário. O tom geral da outra é extremamente ascético, mas no mais é ortodoxo.

Atos de Pedro (século II) — Apresenta supostos incidentes do ministério de Pedro, a queda da Igreja de Roma devido às vilezas de Simão Mago, a fuga de Pedro de Roma, sua volta e crucificação de cabeça para baixo. Acredita-se ter sofrido influência gnóstica, e é muito ascético em sua tonalidade.

Atos de Tomé (fins do século II) — Descreve Tomé, missionário na Índia, e suas aventuras. Muito ascético em seu caráter, sofreu influências gnósticas. "Atos de André", que narra pregações entre os canibais, milagres e persuasão para que se pratique a abstinência sexual. Data do começo do século III.

3. Epístolas apócrifas

Terceira Epístola aos Coríntios e Epístola dos Apóstolos — Uma espécie de fabricações de visões, ligadas na forma de um discurso. Tudo escrito a fim de expor supostos ensinos de Cristo, após sua ressurreição.

Correspondência entre Paulo e Adgar, rei de Edessa — Eusébio fez tradução, do siríaco, dessa suposta correspondência, julgando obviamente haver alguma verdade nela. Mas nada pode ser provado nesse sentido.

Epístola aos laodicenses — Escrita para materializar a epístola mencionada em Colossenses 4.16, mas sendo apenas uma fileira de declarações paulinas, tiradas de outras fontes e ligadas entre si.

Correspondência entre Paulo e Sêneca — Provavelmente foi feita tencionando obter o favor, nos círculos filosóficos, para a leitura das verdadeiras epístolas de Paulo. Embora a ética de Paulo reflita certa variedade do estoicismo romano (do qual Sêneca era um dos porta-vozes) e apesar de Paulo haver nascido em um centro do estoicismo romano (Tarso), não há nenhuma evidência de ter havido correspondência entre esses homens, que foram contemporâneos um do outro.

4. Apocalipses

O mais bem conhecido é o Apocalipse de Pedro, a única obra apócrifa sobre a qual há evidências positivas de haver tido posição quase-canônica por qualquer espaço de tempo. O fragmento "Muratonian" (ms posterior, datado em cerca de 180 d.C.), que contém um alista dos livros canônicos aceitos, menciona essa obra, juntamente com uma nota que algumas igrejas não a liam publicamente. Parece ter estado em uso em algumas seções da igreja, pelo menos até o século V. Contém visões do Senhor transfigurado, detalhes chocantes da punição dos condenados. Eusébio reputava-o espúrio. Houve vários apocalipses de origem gnóstica, incluindo alguns Apocalipses de Paulo. Um desses era conhecido por Orígenes (225 d.C.).

5. Ensinos

Houve outras obras gnósticas apócrifas, como o Apócrifon de João, dando doutrinas secretas (gnósticas) supostamente ensinadas pelo Senhor a João. (Foi encontrado entre os mss de Nag. Hammadi). Data de cerca de 180 d.C.. O Apócrifon de Tiago, também achado entre os mss de Nag. Hammadi. Data de cerca de 125 d.C., e em geral está livre da doutrina gnóstica, embora, quanto ao estilo, se pareça com outros livros apócrifos de origem definidamente gnóstica. A obra chamada Homilias Clementinas é uma espécie de reflexão de uma novela do segundo século, acerca da conversão de Clemente ao cristianismo, mediante a influência de Pedro. Apresenta um tipo fortemente "judaico" de cristianismo.

Embora a simples leitura dessas obras seja suficiente para convencer a maioria das pessoas de que sua não inclusão no cânon foi perfeitamente justa, contudo, o mundo cristão certamente ficaria endividado com alguém que, mediante estudo e pesquisa diligente, pudesse recolher aqueles elementos dessas obras que, provavelmente, são autênticos, e que acrescentaria, pelo menos em pequena medida, ao nosso conhecimento sobre a vida e as declarações de Cristo e dos apóstolos. Quanto a uma discussão sobre esses princípios, à base das quais foi formado o cânon das Escrituras, ver o artigo sobre este assunto na introdução a este comentário.

36 |Artigos introdutórios| NTI

III. CRONOLOGIA DA LITERATURA

Desenvolvimento da literatura do NT e de outra literatura cristã primitiva. Datado e comparado com a História Geral e com a História narrada no NT

Datas	História Geral	História do Novo Testamento	Literatura
Até 47 a.C.	Antípatre, procurador da Judeia (pai de Herodes, o Grande)		
50 a.C.	Herodes, o Grande (40-4 a.C.)	Nascimento de Jesus (8-4 a.C.)	
1 d.C.	César Augusto (27 a.C.-14 d.C.		
14 d.C.	Tibério (14-37 d.C.)		
28 d.C.	Pôncio Pilatos, procurador (26-36 d.C.)	Pregação de João Batista (28 d.C.)	
30 d.C.		Crucificação de Jesus (30 d.C.) Desenvolvimento da igreja	
32 d.C.		Conversão de Paulo (32-39 d.C.) Paulo em Jerusalém (37-38 d.C.)	
38 d.C.	Gaio e Calígula (37-41 d.C.)		
46 d.C.	Cláudio (41-54 d.C.)	Evangelização do sul da Galácia (45-46 d.C. - At 13,14)	
	Fome na Palestina (46 d.C.)	Concílio de Jerusalém (46-47 d.C. -At 11.30; 15.2; Gl 2.11)	
50 d.C.	Expulsão dos judeus de Roma, sob Cláudio (49 d.C.)	Primeira viagem missionária de Paulo (46-47 d.C. - At 13,14)	
51 d.C.	Gálio, procônsul da Acaia (51-52 d.C.)	Segunda viagem missionária de Paulo (48-51 d.C. - At 16,17) Paulo em Corinto (50 d.C. - At 18)	1Ts (50 d.C.)
53 d.C.	Félix, procurador (52-58 d.C.)	Terceira viagem missionária (53 d.C. Éfeso, 54-57; At 19)	1Co (54-55 d.C.) Mc (50-54 d.C.)
58 d.C.	Nero (54-68 d.C.)	Paulo em Macedônia e na Grécia (55-58 d.C. - At 20.1-6; 21.17)	Gl (54-55 d.C.)
	Festo, procurador (58-62 d.C.)	Paulo em Jerusalém (56 d.C. - At 21)	2Co (55 d.C.)
59 d.C.		Paulo em Roma (59 d.C. -At 28)	Rm (56 d.C.)
61 d.C.		Fim da história de Atos (61 d.C.)	Cl (59 d.C.) Fm (59-61 d.C.)
62 d.C.		Martírio de Tiago, irmão do Senhor (62 d.C.)	Fp (59-61 d.C.) Ef (59-61 d.C.) 1 e 2Tm (61-62 d.C.) Tt (61 d.C.)
64 d.C.	Perseguição de Nero (64 d.C.)	Martírio de Paulo (61-64 d.C.)	1Pe (60-64 d.C.?)
66 d.C.		Começa a revolta dos judeus. Cristãos fogem para Pela (66 d.C.)	Hb (70-80 d.C.)
70 d.C.	Galva, Oto, Vitélio (68-69 d.C.)	Queda de Jerusalém (70 d.C.)	Tg (75-80)
	Vespasiano (69-79 d.C.)	Perseguições de Domiciano (81-96 d.C.)	Lc—At (75-80 d.C.) Mt (75-80 d.C.)
81 d.C.	Pompeu (79 d.C.)		
	Tito (79-81 d.C.)		Ap (100 d.C.) Jo (100 d.C.)
100 d.C.		Morte de João (100 d.C.)	1, 2 e 3Jo (100 d.C.)
	Plínio persegue os cristãos (112 d.C.)		Jd (100 d.C.) 1Clem. (100 d.C.)
	Inácio martirizado em Roma (115 d.C.)		Inácio (100 d.C.)
Segundo século			Didache (140 d.C.) 2Pe (150 d.C.) 2Clemen. (150 d.C.) Pastor de Hermas (130-150 d.C.) Ev. de Tomé (100-150 d.C.) Ev. dos Egípcios (150 d.C.) Ev. de Pedro (160 d.C.) Ev. de Nicodemos (Séc. II-V?) Ev. da Infância (séc. II-V) Atos de João (150-160 d.C.) Atos de Pedro (160 d.C.) Atos de Tomé (180-200 d.C.) 2Co (200 d.C.) Ep. Laodicenses (180 d.C.?) Paulo e Sêneca (190 d.C.?) Apo. de Pedro (180 d.C.) Apo. de João (180 d.C.) Apo. de Tiago (125-180 d.C.?) Apo. de Paulo (225 d.C.)

IV. BIBLIOGRAFIA:

The Ante-Nicene Fathers, ed. Alexander Roberts and James Donaldson, New York: Charles Scribner's Sons, 1899-1900.

The Apocryphal New Testament, Oxford: Clarendon Press, 1924 (Trad. Montague R. James)

The Apostolic Fathers. Trd. Kirsopp Lake (Loeb Classical Library), London: William Heinemann, 1912.

A. Fresh Approach to the New Testament and Early Christian Literature, Martin Dibelius, New York: Charles Scribner's Sons, 1936.

History of Early Christian Literature in the First Three Centuries, Gustav Kruger, New York: The MacMillan Co. 1897.

The Literature of the New Testament, Ernest Scott, New York: Columbia University Press, 1956.

Ver também:

E. Hennecke-W. Schneemelcher, Neutestamentliche Apokryphen. I. 1959. Ed. R. McL. Wilson, 1962, II. 1963

J. Jeremias1, 1957.

Ver também

KEPLER, T. S. Contemporary Thinking about Paul, 1950.

RIDDERBOS, H. Paul and Jesus, 1958.

WIKENHAUSER. Pauline Mysticism, 1960.

WILSON, R. The Gnostic Problem. 1958.

DEUS

O argumento ontológico

Anselmo

Anselmo (1033-1109), arcebispo de Canterbury, e que foi o mais importante filósofo do século XI, é mais conhecido na atualidade como o criador do Argumento Ontológico. O Proslogium foi escrito entre os anos de 1077 e 1078.

A porção que oferecemos aqui foi extraída da obra de Anselmo, intitulada Proslogium, Monologium, Apêndice em Favor do Insensato, por Gaulinon; e Cur Deus Homo, traduzidos por S. N. Deane (1903), capítulos II e V.

CAPÍTULO II

Deus existe verdadeiramente, embora o insensato tenha dito em seu coração que Não há Deus.

E assim, Senhor, tu que dás entendimento à fé, concede-me, até onde sabes ser proveitoso, que eu compreenda que és conforme cremos; e que és aquilo que cremos seres. Realmente, cremos que és um ser como nada maior pode ser concebido. Ou não existirá tal natureza, somente porque o insensato disse em seu coração que "Não há Deus" (Sl 14.1)? Seja como for, porém, esse mesmo indivíduo insensato, quando ouve falar naquele ser ao qual me refiro — um ser como nada maior pode ser concebido —, compreende aquilo que ouve, e aquilo que compreende faz parte de sua compreensão, embora ele não compreenda que isso existe.

Pois uma coisa é um objeto fazer parte do entendimento; outra coisa é compreender que esse citado objeto existe. Quando um pintor concebe inicialmente o quadro que mais tarde pintará, já o tem em seu entendimento, mas ainda não compreende que o mesmo já existe, porquanto ainda não o executou. Entretanto, depois da pintura executada, o pintor tanto tem o quadro em seu entendimento como também compreende que o mesmo existe, porque já o executou.

Por conseguinte, até mesmo o insensato fica convencido de que existe algo no entendimento como nada maior pode ser concebido. Quando ouve falar sobre isso, o insensato o compreende. Ora, tudo quanto pode ser compreendido, existe no entendimento. E é evidente que aquilo como nada maior pode ser concebido não pode existir somente no entendimento. Pois, supondo que isso exista exclusivamente no entendimento, então não pode ser concebido como existente na realidade; e isso ainda é maior.

Portanto, se aquilo como nada maior pode ser concebido existe exclusivamente no entendimento, o próprio ser como nada maior pode ser concebido seria um ser como outro maior pode ser concebido. É óbvio, porém, que isso é impossível. Donde se conclui que não há que duvidar que exista um ser como nada maior pode ser concebido, o qual existe tanto no entendimento como na realidade.

CAPÍTULO III

Não se pode conceber que Deus não existe. — Pois Deus é aquilo como nada maior pode ser concebido. — Aquilo que pode ser concebido como não existente não é Deus.

E certamente Deus existe tão verdadeiramente, que não pode ser concebido como não existente. Pois não é possível conceber-se um ser que não pode ser concebido como não existente; e isso é maior do que algo que pode ser concebido como não existente. Assim, pois, se aquilo como nada maior pode ser concebido puder ser concebido como não existente, então já não será aquilo como nada maior pode ser concebido. Isso, todavia, é uma contradição irreconciliável. Portanto, existe tão verdadeiramente um ser como nada maior pode ser concebido como existente, que o mesmo nem mesmo pode ser concebido como não existente; e esse ser és tu, ó Senhor, nosso Deus.

Desse modo, existes verdadeiramente, ó Senhor, meu Deus, de maneira a não se poder conceber que não existes; e com toda a razão. Pois se a mente pudesse conceber um ser superior a ti, tal criatura se elevaria acima do próprio criador; e isso é absurdo ao extremo. De fato, tudo o mais quanto existe, exceptuando-se somente a tua pessoa, pode ser concebido como não existente. Somente a ti, pois, cabe a posição de existir mais verdadeiramente que todos os outros seres; o que significa que pertences a uma categoria superior à de todos os outros. Pois, tudo o mais quanto existe, não existe tão verdadeiramente como tua pessoa, e, portanto, pertence a uma categoria inferior da existência. Por conseguinte, por que o insensato disse em seu coração que "Não há Deus" (Sl 14.1), posto ser tão evidente, para qualquer mente racional, que existes na mais alta categoria da existência? Por que, a menos que esse indivíduo seja embotado e insensato?

CAPÍTULO IV

Como o insensato tem dito em seu coração aquilo que não pode ser concebido. — Uma coisa pode ser concebida de duas maneiras: (1) Quando o vocábulo que a exprime é concebido; (2) quando a própria coisa é compreendida. No que tange ao vocábulo, Deus não pode ser concebido como não existente; na realidade ele não pode sê-lo.

No entanto, o insensato tem dito em seu coração aquilo que ele mesmo não pode conceber; pois como é que ele poderia ter deixado de conceber aquilo que disse no seu coração? Porquanto é a mesma coisa conceber ou dizer no coração.

Mas, se realmente, ou melhor, posto que realmente ele tanto concebesse, visto que disse em seu coração, como também não disse em seu coração, porque não podia concebê-lo, então há mais de uma forma em que uma coisa é concebida ou dita no coração. Pois, em certo sentido, um objeto qualquer é concebido quando é concebido o vocábulo que o exprime; e, por outro lado, quando é compreendida a própria entidade que é o citado objeto.

No primeiro desses sentidos, pois, Deus pode ser concebido como não existente; mas, no segundo, sob hipótese nenhuma. Porque todo aquele que compreende o que é a água e o que é o fogo jamais poderá conceber o fogo como água, de conformidade com a natureza dos próprios fatos, embora tal confusão seja possível de acordo com os meros vocábulos. Por semelhante modo, ninguém que compreenda o que Deus é poderá conceber que Deus não existe; embora diga tal coisa em seu coração, com ou sem nenhuma significação estranha. Pois Deus é aquilo como nada maior pode ser concebido. E aquele que realmente compreende isso, certamente entende que esse ser existe tão verdadeiramente, que não ao menos se pode concebê-lo como não existente. Por conseguinte, aquele que compreende que Deus existe dessa maneira, não pode conceber que ele não existe.

Agradeço-te, gracioso Senhor, agradeço-te; porque aquilo que eu anteriormente cria mediante a tua abundância, agora o entendo pela tua iluminação, de forma que, se eu me inclinasse por descrer que existes verdadeiramente, eu não seria capaz de compreender que assim pode ser a verdade.

CAPÍTULO V

Deus é tudo quanto é melhor ser do que não ser, e ele, na qualidade de único se auto-existente, criou todas as coisas do nada.

Portanto, que és tu, Senhor Deus, senão aquele como nada maior pode ser concebido? Mas que és tu, exceto aquilo que, como o mais elevado de todos os seres, é o único que existe por si mesmo e que cria todas as outras coisas do nada? Pois qualquer coisa que não é assim, é menos do que algo que pode ser concebido. Isso, entretanto, não pode ser concebido a teu respeito. Portanto, que bem faz falta ao Deus supremo, através de quem vem todo o bem? Assim sendo, tu és justo, veraz, bendito, e tudo quanto é melhor existir do que não existir. Pois é melhor ser justo do que ser não justo; é melhor ser bendito do que ser não bendito.

O argumento ontológico

Russell Champlin

"Deus é tudo que é melhor ser do que não ser." (Anselmo)

INTRODUÇÃO
I. DEFINIÇÃO
II. REFUTAÇÃO
III. ERRO BÁSICO DE SEUS OPONENTES
IV. SUA AFIRMAÇÃO
V. BIBLIOGRAFIA

INTRODUÇÃO

Para a mentalidade religiosa há algo de atrativo na declaração aparentemente absurda de Agostinho: "Credo ut intelligam" ("Creio, para que possa compreender"). Com isso, ele queria dizer que o conhecimento começa pela fé, e a fé é um exercício da alma. O indivíduo que não tem fé permanece entre as tenazes das trevas da ignorância, porquanto ainda não atingiu a esfera do acolhimento mental que lhe permitiria apreender qualquer verdade realmente importante. Participa e ufana-se tão-somente daquela realidade de nível inferior conhecida apenas pela percepção dos sentidos, mas que ignora e até mesmo põe em ridículo as verdadeiras e sublimes realidades, como Deus e a alma.

Mas a alma religiosa, impulsionada por um tipo delicioso de preconceito, virtualmente salta de alegria quando lê as proposições ainda mais indefensáveis de Tertuliano: "Credo quia absurdum" ("Creio porque é absurdo"), ou conforme lemos essa afirmativa de forma mais completa em "De Carne Christi", 5: "É crível porque é absurdo; é certo, porque é impossível". Tertuliano podia fazer tais asseverações porque tinha a confiança de que as verdades mais elevadas não se conformam à razão humana, e, muito menos, à percepção dos nossos sentidos, percepção essa que nos confere um conhecimento meramente provincial, mas jamais pode alçar-se aos lugares celestiais para dali trazer-nos Deus, não podendo afirmar nada de significativo a seu respeito. Por essa razão é que, para as mentes humanas ordinárias, uma grande verdade geralmente é reputada como um absurdo; mas esse próprio absurdo é um ponto em favor da mesma. Alfred North Whitehead disse: "Se voltarmos nossa atenção para as novidades de pensamento, durante nosso tempo de vida terrena, observaremos que quase todas as ideias realmente novas se revestem de certo aspecto de insensatez quando são expostas pela primeira vez". Ora, se isso é verdade no que toca a novas ideias ordinárias, que dizem respeito às coisas materiais, quanto mais poderíamos aplicar essa declaração à "ideia divina", conceito que se eleva muito acima de qualquer possibilidade de investigação humana, a qual se orienta apenas "cientificamente"?

Entretanto, para mostrarmos que todas essas declarações aparentemente insensatas não pertencem somente aos pais da igreja cristã e nem à Idade Média, eis que Kierkegaard impingiu ao mundo filosófico a sua tão distorcida declaração: "Deus é o mais ridículo de todos os seres", com o que, segundo nos parece, ele quis dar a entender que o entendimento humano, sem importar como impelido, na realidade não pode avançar muito no caminho da descrição da ideia divina.

Todavia, para pessoas dotadas de sentimentalidade religiosa, essas declarações, longe de serem repelentes, são motivos de júbilo, de mescla com um pouco de ufania, pois enquanto os outros homens tentam encontrar solução para os problemas contando meramente com a percepção dos sentidos, os quais, por sua própria admissão não sabem realmente muito acerca da natureza de tais problemas, por outro lado, existem algumas pessoas, "homens de fé", que receberam outro meio de conhecer até mesmo as verdades mais profundas, tais como a existência e a natureza de Deus e a imortalidade.

É possível que o encanto de tais declarações de fé, que tão ousadamente solapam a ciência, o ceticismo e o ateísmo, seja o mesmo encanto que cerca o argumento ontológico. Esse argumento apela exclusivamente para a razão, ao fazer as suas assertivas, deixando de lado os chamados testemunhos preciosos das provas experimentais, que ocupam de tal modo os pensamentos do mundo moderno. Aqueles que se aferram ao argumento ontológico são dotados de um espírito agostiniano — estão convencidos de que afirmar que o conhecimento só nos pode ser transmitido por meio da percepção dos sentidos é cerrar as portas e janelas da casa do conhecimento; e visto que essa casa da razão foi assim fechada, o ar puro da razão se tornou pesado, e os homens se sentem virtualmente sufocados por suas proposições empíricas, as quais não conduzem a parte alguma, exceto a um mais profundo ateísmo e desespero. Portanto, abramos de par em par a casa do conhecimento e respiremos o ar fresco da razão, para que assim possamos subir até Deus.

I. DEFINIÇÃO

Na tentativa de ajudar-nos na aproximação a Deus, Anselmo buscou criar um argumento em favor de sua existência, que também pode ajudar-nos na sua descrição, que possa originar-se da razão pura, onde nenhuma falácia baseada na percepção dos sentidos venha a distorcer o quadro. Essa tentativa, pois, resultou na formulação da seguinte declaração: Por definição, Deus é o mais perfeito dos seres, de tal modo que é impossível conceber outro ser mais perfeito que ele; porém, se supuséssemos que ele existe apenas como uma proposição intelectual, e não na realidade, então seria clara, por essa mesma circunstância, a possibilidade de imaginarmos um ser mais perfeito que o nosso suposto ser perfeito, a saber, um ser que realmente existisse. Portanto, Deus, o ser perfeito, deve realmente existir.

Essa asseveração de Anselmo se baseou em sua observação de que os homens não têm meramente a ideia da perfeição, nem a ideia de ser, tão-somente, mas que entretemos a ideia de "um ser perfeito", de um "ens realissimum". Esse argumento de Anselmo, na realidade, é uma faceta do argumento "axiológico" a respeito de Deus, isto é, o argumento baseado no valor, visto que se chega ao mesmo mediante uma consideração de valores. Pois temos a ideia de valores maiores e menores, aqueles valores mais ou menos completos e perfeitos que há na natureza. Essa ideia força-nos a chegar a uma dentre duas conclusões: Poderíamos dar início a uma pesquisa acerca daquilo que é mais elevado e absolutamente perfeito, indo de uma coisa para outra, ou chegando até o infinito, numa tentativa interminável e infrutífera de encontrar aquele ser mais elevado de todos; ou podemos fazer essa jornada abreviar-se e simplificar-se, dizendo que tal ser de fato existe, e que sabemos de sua existência pela razão pura.

II. REFUTAÇÃO

O mundo não teve de esperar por muito tempo até alguém tentar refutar esse argumento. Gaunilo salientou que o argumento de Anselmo necessariamente nos pode levar a uma "ideia" acerca de algum ser perfeito, de um ser tão perfeito, que nenhum pensamento subseqüente poderia acrescentar coisa alguma à sua grandiosidade, mas que isso não nos força, necessariamente, a tirar a conclusão de que tal ideia deve ter o seu paralelo no mundo objetivo. Assim também poderíamos imaginar alguma ilha perfeita no meio do oceano; porém, nenhum esforço de pensamento ou de imaginação pode trazer essa ilha à existência real. A ideia de um ser perfeito simplesmente não implica na existência de um ser perfeito. Esse contra-argumento parece suficientemente convincente; mas prossigamos até a "afirmação" do argumento de Anselmo.

Outros indivíduos têm procurado demonstrar que não podemos atribuir existência a qualquer coisa, visto que todas as atribuições se alicerçam na experiência ou nas "proposições sintéticas". As proposições sintéticas fundam sua verdade sobre a experiência, e não sobre meras ideias especulativas. Portanto, a existência não poderia ser concebida; antes, é um fato que se pode experimentar. A existência de qualquer e de todos os sujeitos juntamente, com seus predicados (se estes forem concebidos meramente pela razão"), pode ser negada sem nenhuma autocontradição. Por conseguinte, nenhuma ideia, que meramente seja parte da imaginação ou faculdade da razão, tem necessariamente o seu paralelo no mundo dos seres reais. Em conseqüência, para que o "ens realissimum", seja conhecido, é mister que seja experimentado, e isso por meio da faculdade da percepção dos sentidos, a fim de que possa ser reconhecido como real; e nenhuma proposição lógica pode concretizar isso na realidade. É claro, entretanto, que não possuímos nenhuma "experiência" acerca do ens realissimum, o que significa que não podemos afirmar a sua existência. Não podemos transferir as nossas proposições lógicas para o terreno da realidade. Sabemos o que é real tão-somente pela experiência, e as afirmações sobre a realidade sempre devem proceder dos juízos sintéticos, isto é, daqueles derivados da percepção dos sentidos. A existência não é uma ideia, mas é um fato que pode ser experimentado. Parece que esse contra-argumento destrói a validade do argumento ontológico; mas devemos continuar pensando e esperar pela afirmação do argumento de Anselmo.

III. O ERRO BÁSICO DE SEUS OPONENTES

Na realidade, esta porção da discussão é uma parte da "afirmação" do argumento ontológico; é apresentada aqui, em separado, ocupando uma posição anterior por causa de sua importância, visto que nos ajuda a afirmar que o argumento ontológico se reveste de algum valor, não podendo ser eliminado facilmente.

O erro fundamental dos oponentes de Anselmo, em seu argumento, é que eles não percebem que tudo se alicerça sobre a "suposição ontológica".

Disso consiste a declaração básica do racionalismo, o qual assevera que a natureza da inteligência humana corresponde à natureza da realidade final, e que a inteligência divina é, parcial e imperfeitamente, duplicada na inteligência humana, ainda que na realidade. Há, portanto, certa "afinidade" entre inteligência humana (por meio da alma, da criação ou emanação de Deus) e a realidade final, a realidade espiritual, também chamada Deus. Portanto, como fragmento da inteligência divina, o homem naturalmente sabe, pela razão pura, alguma coisa acerca da inteligência última, a qual designamos pelo nome de Deus. Não existe meramente uma comunicação natural entre os dois, embora isso também seja uma verdade, mas o menor é, na realidade, uma expressão do maior. A primeira parte completa do Proslogium de Anselmo está permeada desse conceito.

Segue-se, portanto, que o argumento ontológico não é mera "proposição lógica", pelo menos para os seus defensores. Aqueles que o refutam, ordinariamente fazem-no sobre a suposição de que Anselmo, tendo criado uma proposição lógica, habilmente formulada, automaticamente teve o impulso de supor que essa proposição deveria ter o seu paralelo no mundo das realidades. Pelo contrário, Anselmo supunha a transmissão da inteligência superior para as inteligências inferiores, tanto na forma da transmissão ou comunicação de conhecimento como na forma de uma expressão natural de conhecimento àquele ser íntimo que tem algo da própria natureza daquilo que se descreve por esta proposição. O argumento ontológico, pois, torna-se tanto uma proposição racional como uma proposição mística, e não apenas uma proposição lógica. Para destruí-lo, por conseguinte, é necessário que seus opositores mostrem ser falsas tanto a proposição do racionalismo (seu tipo de conhecimento "a-priori") como a proposição do misticismo (com sua ideia de comunicações divinas). Assim, pois, para provar que o argumento ontológico não pode ser verdadeiro, é necessário que o opositor consiga o feito extraordinário de refutar as ideias básicas de Platão, bem como da maioria das religiões, que dependem, essencialmente, do misticismo, como base para as suas ideias. E isso, como é óbvio, não é uma tarefa fácil.

IV. AFIRMAÇÃO

Com base na "suposição ontológica", afirmamos que, enquanto os sistemas filosóficos do racionalismo, da intuição e do misticismo não tiverem sido refutados, revestindo-se de algum valor em potencial, o argumento ontológico pode ser igualmente veraz. Note-se que não dizemos que "deve" ser veraz. Se realmente existe uma realidade superior, e se essa realidade prefere comunicar-se com alguma inteligência inferior, o que, por si mesmo, seria criação ou emanação, ou se essa inteligência inferior, por suas próprias faculdades, pode reconhecer o seu progenitor, então o argumento ontológico permanece como um argumento possivelmente verdadeiro. Se a "intuição" é possível para a personalidade humana, deixando de lado a percepção dos sentidos a fim de obter conhecimento, por algum meio misterioso e ainda desconhecido (conforme os estudos no ramo da parapsicologia parecem nos mostrar), então, o argumento ontológico continua sendo um meio que nos capacita a conhecer realidades superiores, ainda que não de um modo "comprovado".

Para derrubar por terra, completa e finalmente, o argumento ontológico, seria necessário provar, além de qualquer dúvida possível, que a "intuição" é uma ideia falsa. Portanto, aquele que se arroga o direito de entrar em batalha contra o argumento ontológico, na realidade está enfrentando Platão, os intuicionistas e os místicos, pois se, em última análise, puder mostrar-se que há algum valor nesses sistemas, então também residirá valor no argumento ontológico. Assim, pois, o argumento ontológico não tenta concretizar a existência, mas meramente afirma que a realidade última é um fato, e que sabemos desse fato porque a própria realidade última o transmite para nós, tanto pela transferência de conhecimento como pela função natural da razão, a qual, visto fazer parte da razão suprema, mediante certo raciocínio disciplinado, pelo menos conseguirá afirmar a existência de seu progenitor. Anselmo, pois, tomou a posição de que, quando se punha a fazer uma afirmação lógica concernente à existência de Deus, meramente expressava o que devia expressar, por causa da própria natureza de seu ser interior, que naturalmente reconheça e agora declarava algo sobre o seu "criador", porque sua natureza íntima tinha afinidade com o seu criador. O conhecimento, pois, da categoria mais profunda, não precisa alicerçar-se sobre a experiência, mas pode derivar-se da razão pura, que é uma propriedade inerente à personalidade humana.

Parece-nos, por conseguinte, que o argumento ontológico se alicerça sobre certos pontos de vista metafísicos fundamentais, acerca da natureza da personalidade humana; e, para ab-rogá-lo completamente seria necessário comprovar a existência de uma personalidade humana totalmente diversa daquilo que Anselmo supunha ser. A verdade é que não nos podemos desfazer com facilidade das ideias de Anselmo acerca da natureza da personalidade humana, porquanto certo número de mentes universais tem descrito a essência humana com termos similares. Quanto mais ficamos sabendo acerca da personalidade humana, tanto mais ficamos preparados para admitir que um grande mistério nos circunda, sendo perfeitamente possível que a ciência do século XXI venha a refutar o obstinado materialismo do século XX, e que a imortalidade, por exemplo, venha a ser aceita como um fato científico simples acerca do que compõe o homem; e, se isso for confirmado, então qualquer coisa que Anselmo postulou se tornará facilmente possível.

Por meio do argumento apresentado nos parágrafos acima, a objeção de Gaunilo é refutada, porquanto, na verdade, não estamos tratando de mera "ideia" de ser perfeito, mas estamos manuseando com uma suposição ontológica, que repousa sobre a validade possível do racionalismo e de certas formas de misticismo, bem como sobre a possível descrição correta acerca da personalidade humana, capaz de entrar em contato com uma realidade superior, já que essa mesma personalidade humana faz parte dessa realidade superior. Outrossim, uma ilha perfeita, criada pela imaginação, na realidade é uma ficção arbitrária contingente, que envolve uma contradição, e não um ser necessário, não podendo mesmo ser algo posto na mesma categoria de um ser existente. Além disso, uma realidade suprema, que transmite algo de si mesma para a inteligência humana é uma realidade possível, ao passo que uma ficção arbitrária contingente dificilmente pode ser classificada nessa categoria.

O argumento fundamental sobre "proposições sintéticas" não é um argumento válido, porquanto supõe que tudo quanto o homem pode vir a saber terá de chegar ao seu conhecimento pela função dos sentidos, isto é, pela experiência. Isso declara que a razão, como função mais elevada da personalidade humana, é um mito, que a intuição que ultrapassa os cinco sentidos é uma ficção, e que todas as reivindicações do misticismo acerca da obtenção de conhecimento são, ipso facto, falsas. Ao contrário, os estudos modernos no campo da parapsicologia, como no caso do "efeito de Backster", que demonstrou existir uma espécie de comunicação telepática entre todas as coisas vivas, envolvendo até mesmo animais unicelulares, plantas etc., e que se torna possível por meio de alguma forma ainda desconhecida e indescritível de energia, não dependente da percepção dos sentidos, mas um veículo da inteligência, a despeito disso, parece servir de demonstração do fato de que o conhecimento não se limita à percepção dos sentidos, no tocante à sua obtenção.

As "fotografias psíquicas" (fotografias feitas mediante a energia mental), conforme os estudos demonstrados por Jule Eisenbud, da Universidade de Colorado, nos Estados Unidos da América do Norte, são outro fator que nos mostra haver outro veículo da inteligência, além da percepção dos sentidos. Limitar toda a capacidade de obtenção de conhecimento aos cinco sentidos é, na realidade, fechar as janelas da casa do conhecimento, ignorando, propositadamente, todos os outros meios possíveis e reais de que dispomos para obter conhecimentos. A afirmação de que o conhecimento pode ser obtido extra-sensorialmente, é uma declaração de que o argumento ontológico se reveste de certa verdade, ainda que não declare que o mesmo seja realmente verdadeiro. Esta discussão, em sua inteireza, procura declarar que o argumento ontológico tem sido parcialmente mal compreendido, e que há certas coisas que podem ser ditas em seu favor; e que, embora esse argumento não seja necessariamente verdadeiro, pode envolver alguma verdade.

Enquanto esse argumento "puder" ser verdadeiro, sem importar se o é ou não, realmente, permanecerá entre nós, com seu encanto inerente, como parte da caçada dos mundos filosófico e religioso. Parte dessa caçada consistirá do fato de que determinados filósofos, que se mostram simpáticos para com os meios intuitivos, racionais e místicos de obter o conhecimento, quando não tiverem mais nada com o que ocupar o seu tempo, continuarão a escrever acerca do assunto.

* * *

Quem és tu, Senhor Deus, senão aquele que nada pode ser concebido como maior? Mas que és tu, exceto aquilo que, como o mais elevado de todos os seres, é o único que pode existir por si mesmo, que cria todas as outras coisas do nada? Pois tudo quanto não chega a isso é menor do que algo que possa ser concebido. Mas isso não pode ser concebido a teu respeito. Por conseguinte, que bem falta ao Deus Supremo, por meio de quem fluem todos os bens? Assim, pois, és justo, veraz bendito, bem como tudo que é melhor ser do que não ser. Pois é melhor ser justo do que não justo; e é melhor ser bendito do que não bendito. (Anselmo, Proslogium, capítulo V).

V. BIBLIOGRAFIA

Realms of Philosophy, William S. Sahakian e Mabel Lewis Sahakian. Schenkman Pub. Co., Cambridge, Mass., 1965 (p. 242-269).

History of Philosophy, B. A. G. Fuller, Sterling M. McMurrin. Nova Iorque: Henry Holt and Co., 1955 (p. 372,372, seção um; p. 239, seção dois).

God and Philosophy, Etiene Gilson: Yale University Press, Clinton, Mass., 1961 (p. 38-145).

Proslogium, "Monologium", Anselmo.

Cinco argumentos em prol da existência de Deus

Tomás de Aquino

Tomás de Aquino (1225-1274) é o mais famoso dos filósofos cristãos da era medieval. O seu grande empreendimento intelectual foi a expressão de uma filosofia cristã vazada em termos aristotélicos, ainda que anteriormente Aristóteles tivesse sido reputado como uma ameaça à fé cristã. Nos séculos que se passaram desde então, Tomás de Aquino veio a ser o virtual filósofo oficial da Igreja Católica Romana.

A EXISTÊNCIA DE DEUS PODE SER PROVADA DE CINCO MODOS.

A primeira e mais manifesta dessas maneiras é o argumento baseado no movimento. É certo, evidente para os nossos sentidos, que certas coisas do mundo se encontram em movimento. Ora, tudo quanto se movimenta é movido por outra coisa, pois nada pode mover-se, exceto em potencialidade relativa àquilo na direção do que se movimenta; ao passo que uma coisa se move enquanto está em ação. Pois o movimento nada mais é senão a redução de algo da potencialidade para a realidade. Nada, porém, pode ser reduzido da potencialidade para a realidade, a não ser por meio de algo que esteja em estado de realidade. Assim sendo, aquilo que é realmente quente, como o fogo, faz com que a madeira, que é potencialmente quente, torne-se realmente quente, e assim movimenta e modifica a madeira. Ora, não é possível que a mesma coisa seja, ao mesmo tempo, real e potencialmente quente; mas potencialmente é simultaneamente frio. Portanto, é impossível que, quanto a um mesmo aspecto e da mesma forma, uma coisa seja tanto o objeto movedor como o objeto movido, isto é, que possa mover a si mesmo. Por conseguinte, tudo quanto se move deve ser movido por outra coisa. E, se aquilo pelo que um objeto é movido também se movimenta, é mister que igualmente tenha sido movimentado por outro objeto, e assim por diante. Isso, no entanto, não pode prosseguir até o infinito, porque nesse caso não haveria o movimentador primário, posto que os movimentadores subseqüentes se movimentem somente quando são movimentados pelo primeiro movimentador; tal como um cajado se move somente porque é movimentado pela mão. Por essa razão, pois, é necessário chegarmos a um primeiro movimentador, que não é movido por nenhuma outra coisa; e todos compreendem que esse é Deus.

A segunda dessas maneiras se baseia na natureza das causas eficientes. Neste mundo de coisas palpáveis, descobrimos que há uma ordem de causas eficientes. Não há nenhum caso conhecido (e nem mesmo isso seria possível) em que uma coisa qualquer é a causa eficiente de si mesma; pois, nesse caso, seria anterior a ela mesma, o que é simplesmente impossível. Ora, no terreno de causas eficientes, não é possível retrocedermos até o infinito, porque em todas as causas eficientes que se sucedem por ordem, a primeira é a causa da causa intermediária, e esta causa intermediária é a causa da causa final, sem importar se a causa intermediária é uma só ou são diversas. Ora, retirar a causa é retirar o seu efeito. Portanto, se não há nenhuma causa primária entre as causas eficientes, não haverá causa final, e nem haverá causa intermediária. Por outro lado, se fosse possível, quanto às causas eficientes, "retrocedermos até o infinito", não haveria nenhuma causa primária eficiente, e nem haveria efeito final, como também não haveria nenhuma outra causa eficiente intermediária. Mas tudo isso é claramente falso. Assim, pois, é necessário admitirmos uma primeira causa eficiente, à qual todos aplicam o nome de Deus.

A terceira maneira de provar a existência de Deus se alicerça na possibilidade e na necessidade, podendo ser exposta como se segue. Na natureza encontramos coisas que são possíveis de ser e não ser, pois são geradas, podendo ser corrompidas; e, conseqüentemente, é possível serem ou não serem. No entanto, é impossível que essas condições perdurem para sempre, porque aquilo que pode não ser, em algum período de tempo não existe. Portanto, se tudo pode não ser, então, em algum período de tempo coisa nenhuma havia em existência. Ora, se isso expressa uma verdade, então até mesmo agora nada haveria em existência, porque aquilo que não existe começa a existir somente por meio de algo já existente. Portanto, se houve tempo em que nada existia, seria impossível para qualquer coisa começar a existir; e, assim sendo, até mesmo agora nada haveria em existência — o que é um absurdo. Por conseguinte, não é que todos os seres sejam meramente possíveis, mas também deve haver algo cuja existência é necessária. Toda coisa necessária é, porém, necessariamente causada por outra, ou não. Ora, é impossível retrocedermos até o infinito quanto às coisas necessárias, que têm sua necessidade causada por outra, conforme também já se descobriu ser isso impossível no que tange às causas eficientes. Assim sendo, não podemos deixar de admitir a existência de algum ser que tem em si mesmo a própria necessidade, não tendo recebido essa necessidade de outro, antes ser a causa da necessidade de tudo mais. E a esse ser todos os homens chamam de Deus.

A quarta maneira de provar a existência de Deus se firma no sistema de gradação que se encontra em todas as coisas. Entre os seres existem alguns que são mais e outros que são menos bons, verazes, nobres etc. Entretanto, mais ou menos são atribuídos a diferentes coisas, conforme se assemelham, de diferentes modos, a algo que é o máximo, do mesmo modo que se diz que algo está mais quente, em relação àquilo que é mais quente. E, assim sendo, existe algo que é o mais veraz, que é o melhor, o mais nobre, e, conseqüentemente, algo mais ser que os outros seres, porquanto aquelas coisas que são maiores na verdade são maiores em seu próprio ser, conforme está escrito em Metaph. II Metaph. la, 1 (993b 30). Ora, o máximo dentro de qualquer gênero é a causa de tudo quanto existe nesse gênero, da mesma forma que o fogo, que é o máximo do calor, é a causa de todas as coisas quentes, conforme também é dito naquele mesmo livro. Idem (993b 25). Por conseguinte, deve haver algo que, para todos os seres, é a causa do ser de todos eles, de sua bondade e de todas as suas outras perfeições; e a isso chamamos de Deus.

A quinta maneira de ser provada a existência de Deus se alicerça no governo do mundo. Percebemos que as coisas às quais falta o conhecimento, tal como os corpos naturais, atuam visando a uma finalidade qualquer, o que se evidencia em todas as suas ações, o que fazem quase sempre da mesma forma, de modo a obterem os melhores resultados. Por conseguinte, é patente que obtêm o seu alvo não fortuitamente, e, sim, por meio de algum desígnio. Ora, tudo aquilo ao que falta o conhecimento não pode dirigir-se a uma finalidade, a menos que seja orientado por algum ser dotado de conhecimento e inteligência; tal como a flecha é orientada pelo arqueiro. Portanto, existe algum ser inteligente por meio de quem todas as coisas naturais são dirigidas às suas respectivas finalidades. E a esse ser chamamos de Deus.

Extraído da obra de Tomás de Aquino, *Summa Theologica*, na obra intitulada The Basic Writings of st. Thomas Aquinas (1945), editada por A. C. Pegis, parte I, Q.2, artigo 3.

Comentário sobre os cinco argumentos de Aquino

F. C. Copleston

F. C. Copleston (1907), membro da ordem religiosa dos jesuítas, é mais conhecido por causa de sua obra em muitos volumes History of Philosophy, que está se tornando rapidamente uma obra padrão na língua inglesa. Esse autor se tem mostrado muito ativo, formando elos de ligação entre o tomismo e as demais áreas do pensamento.

Extraído da obra de F .C. Copleston Aquinas (1955), capítulo III.

Naturalmente que Tomás de Aquino não negava que os homens podem chegar a saber que Deus existe por outros meios que não as reflexões filosóficas. Jamais ele asseverou também que a crença da maioria das pessoas que aceitam a proposição que Deus existe resulta de seus elaborados argumentos metafísicos, criados por elas mesmas, ou dos argumentos metafísicos criados por outros, sobre os quais elas meditaram. Ele não confundia o assentimento puramente intelectual ante a conclusão a que se chega por tais argumentos metafísicos com a fé cristã viva e o amor de Deus. Mas pensava ele que a meditação sobre características perfeitamente familiares do mundo concedem-nos amplas evidências em prol da existência de Deus. A própria reflexão, sustentada e desenvolvida no nível metafísico, é difícil, e Aquino explicitamente reconheceu e confessou essa dificuldade: certamente não considerava ele que todos são capazes de reflexões metafísicas contínuas. Ao mesmo tempo, os fatos empíricos sobre os quais se fundamentavam suas reflexões eram, para ele, fatos perfeitamente familiares. A fim de ver as relações entre as coisas finitas e o ser da qual elas dependem, não é mister que alguém apele para pesquisas científicas, descobrindo assim fatos empíricos até então desconhecidos. E nem o metafísico descobre Deus de maneira análoga à do explorador que subitamente descobre uma ilha ou uma flor até então desconhecidas. O que o investigador metafísico precisa é de atenção e de reflexão, e não de pesquisa ou exploração.

Quais são, pois os fatos familiares que para Tomás de Aquino lhe davam a entender a existência de Deus? A menção desses fatos pode ser encontrada nos famosos "Cinco Argumentos" que provam a existência de Deus, esboçados em sua obra Summa Theologica 1a, 2,3. No primeiro argumento, Aquino começa por dizer que "É certo, evidente para os nossos sentidos, que certas coisas do mundo se encontram em movimento". Precisamos relembrar que, à semelhança de Aristóteles, ele entendia que o termo "movimento" tem o sentido lato de modificação, da redução de um estado de potencialidade para o estado de ação; não se referia exclusivamente a um movimento local. No segundo argumento, ele começa com a observação: "Neste mundo de coisas palpáveis descobrimos que há uma ordem de causas eficientes". Em outras palavras, dentro da nossa experiência com as coisas e com suas relações mútuas, tomamos consciência de causalidade eficiente. Assim, ao passo que no primeiro argumento ele começa pelo fato de algumas coisas sofrerem a ação de outras, sendo assim modificadas, no segundo argumento, ele se estriba sobre o fato de algumas coisas agirem sobre outras, como causas eficientes. No terceiro argumento, ele começa por dizer que "na natureza, encontramos coisas que são possíveis serem e não serem; pois são geradas, podendo ser corrompidas; e, conseqüentemente, é possível que algumas coisas venham à existência e desapareçam". Em outras palavras, percebemos que algumas coisas são corruptíveis ou perecíveis. Na quarta prova, Aquino observa que "entre os seres existem alguns que são mais e outros menos bons, verazes etc." Finalmente, quanto ao quinto argumento, ele diz: "Percebemos que as coisas às quais falta o conhecimento, tal como os corpos naturais, atuam visando a uma finalidade qualquer, o que se evidencia em todas as suas ações, o que fazem sempre da mesma maneira, de modo a obterem os melhores resultados".

Penso que pouca é a dificuldade encontrada na aceitação dos fatos empíricos que dão início aos três primeiros argumentos. Pois ninguém realmente duvida que algumas coisas sofrem a ação de outras, sendo modificadas ou "movimentadas", que algumas coisas agem sobre outras, e que algumas coisas são perecíveis. Cada um de nos tem consciência, por exemplo, de que ele sofre ações e é modificado, de que algumas vezes ele age como causa eficiente, e é perecível. E ainda que alguém zombasse da confirmação de sua consciência de ter nascido e de que morrerá, o fato é que sabe muito bem que outras pessoas nasceram e morreram. No entanto, os pontos iniciais dos dois argumentos finais de Aquino podem causar alguma dificuldade. Pois a proposição de que existem diferentes graus de perfeição nos coisas requer muito mais completa análise do que Aquino confere a isso, em seu breve esboço sobre seu quarto argumento. E isso porque o esboço esquemático das cinco provas da existência de Deus não visava a satisfazer mentes críticas como é a mentalidade dos filósofos sazonados, mas como material introdutório dirigido aos "novatos" nos estudos teológicos. Além disso, seja como for, Aquino pôde naturalmente apelar para ideias familiares de seus contemporâneos do século XIII, ideias essas que ainda não haviam sido sujeitas às críticas radicais que as assediaram posteriormente. Ao mesmo tempo, não é muito difícil compreendermos o que ele queria dizer. Estamos todos acostumados a pensar e a falar como se, por exemplo, houvesse diferentes graus de inteligência e de capacidade intelectual. A fim de calcularmos os diferentes graus, precisamos, como é lógico, de pontos de referência fixos ou padronizados. Uma vez, porém, dados esses pontos de referência, estamos acostumados a fazer declarações que subentendem diferentes graus de perfeições. E embora essas declarações necessitem passar por uma análise mais íntima, referem-se a algo que cabe dentro da experiência ordinária, e que tem expressão na linguagem diária. No que diz respeito ao quinto argumento, o leitor moderno pode encontrar grande dificuldade ao tentar descobrir o que Aquino queria dizer, se porventura confinar sua atenção à relevante passagem da Summa Theologica. Se, porém, o mesmo leitor examinar a Summa contra Gentiles (1,13), descobrirá que Aquino asseverava que vemos coisas de diferentes naturezas cooperando na produção e manutenção de uma ordem ou sistema relativamente estável. Quando Aquino firma que vemos coisas puramente materiais a agirem visando a uma finalidade qualquer, não quer dizer que agem de forma análoga à dos seres humanos, os quais agem conscientemente, visando a propósitos definidos. De fato, o ponto chave do argumento é que não o fazem assim. O que ele queria dizer é que diferentes modalidades de coisas, como o fogo e a água, cujos comportamentos são determinados pelas suas diversas formas, cooperam, não conscientemente, mas como algo automático, de tal modo, que surge uma ordem ou sistema relativamente estável. E novamente, embora muito mais pudesse ser dito, se tivéssemos de esperar uma discussão completa sobre essa questão, a ideia básica não encerra nada de particularmente extraordinário, e nem encerra nada contrário às nossas experiências e expectações ordinárias.

Também não devemos perder de vista o fato de que Aquino fala com considerável disciplina: ele evita generalizações largas. Assim é que no seu primeiro argumento ele não afirma que todas as coisas materiais são movidas, mas sim que vemos que algumas coisas, neste mundo, segundo percebemos, são movidas ou modificadas. Quanto ao seu terceiro argumento, ele não assevera que todas as coisas finitas são contingentes, e sim que estamos cônscios de que algumas coisas vêm à existência e desaparecem. E, no tocante ao seu "quinto argumento", ele não assevera que há uma ordem ou sistema mundial invariável, mas antes, que vemos corpos naturais que agem sempre ou quase sempre da mesma forma. Portanto, a dificuldade que pode ser experimentada, no tocante às provas expostas por Tomás de Aquino sobre a existência de Deus, não diz tanto respeito aos fatos empíricos ou aos alegados fatos empíricos com que ele dá início aos seus argumentos, mas diz respeito à percepção com que esses fatos dão a entender a existência de Deus.

Talvez se deva dizer imediatamente alguma coisa sobre essa ideia de "implicação". Na realidade, Tomás de Aquino jamais usa essa palavra quando fala sobre os cinco argumentos, mas se refere a "prova" e demonstração. E pelo vocábulo "demonstração" ele quer dar a entender, nesse contexto, aquilo que ele denomina de demonstratio quia (S. T., 1a, 2,2), a saber, uma prova causal da existência de Deus, procedente da afirmação de algum fato empírico, como, por exemplo, o fato de existirem coisas que se alteram, partindo daí para a afirmação de uma causa transcendental. Na realidade, é o segundo argumento que apresenta uma prova estritamente causal, no sentido que aborda explicitamente a ordem de causalidade eficiente; porém, em cada um de seus argumentos, transparece, de uma forma ou de outra, a ideia da dependência ontológica a uma causa transcendental. A convicção de Tomás de Aquino era que a plena compreensão dos fatos empíricos que foram selecionados para serem considerados naqueles cinco argumentos envolve a percepção da dependência desses fatos a alguma causa transcendental. A existência de coisas que se modificam, por exemplo, segundo a sua opinião, não se explica por si mesma: ela só pode tornar-se inteligível quando vista como dependente de uma causa transcendental, uma causa, por assim dizer, que não pertence à ordem das coisas que se modificam.

Para o leitor moderno, isso pode sugerir que Tomás de Aquino se preocupava com explicações causais no sentido em que ele procurava formular uma hipótese empírica a fim de explicar determinados fatos. Ele, porém, não considerava a proposição que afirma a existência de Deus como uma hipótese causal no sentido de ser revisável em princípio, como uma hipótese, ou seja, em outras palavras, que concebivelmente pode ser sujeita à revisão, à luz de novos informes empíricos, ou como uma hipótese que pode ser suplantada por uma hipótese mais econômica. Essa particularidade talvez possa ser percebida com maior clareza no caso de seu terceiro argumento, que se baseia sobre o fato de existirem coisas que podem vir à existência e desaparecer. Segundo a opinião de Aquino, nenhum novo conhecimento científico acerca da constituição física dessas coisas poderia afetar a validade do seu argumento. Ele não olhava para uma "demonstração" da existência de Deus como uma hipótese empírica no sentido em que a teoria eletrônica, por exemplo, é declarada como uma hipótese empírica. Naturalmente que todos podem objetar que, conforme a sua própria opinião, os argumentos cosmológicos em favor da existência de Deus na realidade são análogos às hipóteses empíricas das

|Artigos introdutórios| NTI

ciências, e que esses argumentos se revestem de uma função preditiva; mas não se pode dizer daí que essa interpretação pode ser atribuída legitimamente a Tomás de Aquino. Não nos devemos deixar iludir pelas ilustrações que ele algumas vezes oferece com base em teorias científicas de sua época. Porquanto essas ilustrações são meras tentativas para elucidar um ponto qualquer em termos facilmente accessíveis à compreensão dos seus leitores: têm por intuito indicar que as provas acerca da existência de Deus eram, para ele, hipóteses empíricas, conforme o sentido moderno desse vocábulo.

Significaria isso, por conseguinte, que Tomás de Aquino reputava a existência de Deus como algo logicamente vinculado a fatos como as transformações ou o vir à existência e ao desaparecimento? Naturalmente que ele não considerava a proposição que diz que "é possível algumas coisas virem à existência e desaparecerem" como se essa proposição indicasse necessariamente aquela outra que afirma "existir um ser absolutamente necessário ou independente", no sentido de a afirmação de uma dessas proposições e a negação da outra envolverem alguém em contradição verbal ou em contradição lingüística formal. Ele, porém, pensava que a análise metafísica do que significa objetivamente ser uma coisa que vem à existência e desaparece mostra-nos que tal coisa deve depender existencialmente de um ser absolutamente necessário. E também pensava ele que a análise metafísica daquilo que significa objetivamente ser uma coisa em mutação, mostra-nos que tal coisa depende de um ser movimentador supremo, o qual não pode ser abalado. Segue-se daí que, para Tomás de Aquino, qualquer pessoa é envolvida em uma contradição se chegar a interpretar as proposições: "é possível que algumas coisas venham à existência e desapareçam", e "existem coisas que se modificam", ao mesmo tempo que nega as proposições que afiançam "'existir um ser absolutamente necessário" e "existir um movimentador supremo, que não pode ser abalado". No entanto, essa contradição só se patenteia por meio da análise metafísica. E o envolvimento em questão é, fundamentalmente, um envolvimento ontológico ou causal.

Não são poucos os filósofos (certamente todos os empiristas) que poderiam comentar que, se isso representa realmente a mentalidade de Tomás de Aquino, é claro que ele confundia a relação causal com o envolvimento lógico. Devemo-nos lembrar, entretanto, de que, embora Aquino estivesse convencido da proposição que assevera o fato de tudo quanto começar a existir ter uma causa, por outro lado é absolutamente certo que ele não pensava na existência de qualquer coisa finita envolvendo a existência de qualquer outra coisa finita, no sentido de a existência de qualquer objeto finito poder ser declarada como algo que envolve logicamente a existência de Deus. Dentro da linguagem teológica, uma vez que admitimos a existência de um Criador onipotente, podemos daí dizer que ele pode criar e pode manter em existência qualquer coisa finita, mesmo sem a existência de qualquer outra coisa finita. Mas não se segue disso que possa existir qualquer coisa finita independentemente de Deus. Em outras palavras, Tomás de Aquino não estava na obrigação de apresentar outros exemplos do envolvimento ontológico que ele assevera haver entre a existência das coisas finitas e a existência de Deus. E, embora as relações entre as criaturas e Deus sejam análogas, quanto a certos particulares, as relações entre uma coisa finita e outra, quanto à dependência causal, aquelas relações anteriores, se as considerarmos como tais, são sem paralelo. Tomás de Aquino não confundia relações causais em geral com envolvimentos lógicos; pelo contrário, asseverava a existência de uma relação sem-par entre as coisas finitas e a causa transfinita transcendental da qual todas elas dependem.

Talvez seja digno de ênfase o fato de não se seguir necessariamente, com base nos pontos de vista de Tomás de Aquino, que a abordagem metafísica da existência de Deus é uma questão fácil. É verdade que ele confiava no poder da razão humana para atingir o conhecimento da existência de Deus; e, além disso, ele não considerava que os seus argumentos precisavam do apoio da retórica ou do apelo emocional. E na "Summa Theologica", na qual escrevia para novatos nos meandros teológicos, ele afirma os seus argumentos de forma ousada e talvez de maneira desconcertantemente impessoal. Não podemos, porém, concluir legitimamente que ele pensasse que é fácil para um homem chegar ao conhecimento da existência de Deus mediante as meditações filosóficas isoladas. Na realidade, ele faz uma declaração explícita com o sentido oposto. Pois estava bem consciente de que, na vida humana, outros fatores além das reflexões metafísicas exercem uma poderosa influência. Outrossim, é evidente que ele concordaria que é sempre possível estacarmos o processo da reflexão em um ponto particular qualquer.

Para Tomás de Aquino, todo ser, até onde é ou tem vida, é uma entidade inteligente. Podemos, porém, considerar as coisas partindo de ângulos diversos, quando então observamos aspectos diferentes de uma mesma verdade. Por exemplo, posso considerar o vir à existência e o desaparecimento simplesmente em relação a exemplos definidos e com base em um ponto de vista subjetivo. Entristece-me pensar que alguém a quem amo provavelmente falecerá antes de mim, deixando, por assim dizer, um hiato em minha vida. Ou entristece-me pensar que poderei morrer, ficando incapacitado de completar a obra que iniciei. Ou posso considerar o vir à existência e o desaparecimento com base em algum ponto de vista científico. Quais serão as causas fenomenais finitas da decomposição orgânica ou da geração de um organismo? Entretanto, também podem considerar

o vir à existência e o desaparecimento puramente como tais, objetivamente, adotando um ponto de vista metafísico e dirigindo a minha atenção para o tipo de ser, considerado como tal, que é capaz de vir à existência e de desaparecer da existência. E ninguém poderá compelir-me a adotar este ou aquele ponto de vista. Se eu estiver resolvido a permanecer no nível, digamos, de alguma ciência particular, ali permanecerei; e todas as discussões terão de terminar ali. As reflexões metafísicas, nesse caso, não terão nenhum sentido para mim. No entanto, o ponto de vista metafísico é um ponto de vista possível, e a reflexão metafísica pertence a uma completa apreensão das coisas, tanto quanto isso é possível para as mentes finitas. E, se porventura eu adotar esse ponto de vista e me conservar em um estado de reflexão contínua, segundo Tomás de Aquino estava convencido, tornar-se-á claro para mim uma relação existencial de dependência, o que não se tornaria claro para mim se eu permanecesse em um nível diferente de reflexão. No entanto, tal como os fatores estranhos (tal como a influência da perspectiva geral promovida por uma civilização técnica) podem ajudar-me a produzir a minha decisão de permanecer em um nível não-metafísico de reflexão, assim também podem os fatores estranhos influenciar as minhas reflexões dentro do nível metafísico. Para mim parece ser um erro crasso a sugestão de que Tomás de Aquino não reputava as reflexões metafísicas como uma forma possível do indivíduo tomar consciência da existência de Deus, e que ele considerava tais reflexões, segundo têm sugerido alguns escritores, como mera justificação racional a uma certeza que é necessariamente atingida por meio de algum outro meio. Pois, se isso constitui uma justificação racional em qualquer sentido, então penso que essa é uma forma possível de tomarmos consciência da existência de Deus. Não se pode concluir daí necessariamente, entretanto, que essa seja uma forma fácil ou comum de se chegar a tal conhecimento.

Após essas observações de natureza geral, volto-me para os cinco argumentos expostos por Tomás de Aquino acerca da existência de Deus. Quando de seu primeiro argumento ele asseverava que "movimento" ou alteração significa a redução de uma coisa que passa do estado de potencialidade para o estado de ação, e que uma coisa qualquer não pode ser reduzida da potencialidade para a ação exceto devido à influência de um agente que já se encontra em estado de ação. Nesse sentido, "tudo quanto se movimenta é movido por outra coisa". E argumenta ele, finalmente, que, a fim de ser evitado o retrocesso infinito na cadeia de movimentadores, deve-se admitir a existência de um movimentador primário que não pode ser abalado. "E todos compreendem que esse é Deus".

Uma declaração qualquer, como "todos compreendem que esse é Deus" ou como "a esse ser todos chamam de Deus", ocorre no fim de cada argumento, embora eu prefira adiar aqui as considerações a respeito disso para outra ocasião. Quanto à eliminação de um retrocesso infinito, explicarei o que Tomás de Aquino quis dizer ao usar a palavra retirar, após esboçar a sua segunda prova, que é similar à primeira, quanto à sua estrutura.

Ao passo que no primeiro argumento Tomás de Aquino considera uma coisa como a sofrer a ação de outra, como algo que é modificado ou "movimentado", em seu segundo argumento ele as considera como agentes ativos, como causas eficientes. Argumenta ele que existe uma hierarquia de causas eficientes, em que uma causa subordinada é dependente da causa acima dela, dentro da hierarquia das causas eficientes. E, depois de excluir a hipótese de um retrocesso infinito, ele passa a tirar a conclusão que deve haver uma primeira causa eficiente, à qual chamamos de Deus.

Ora, é obviamente impossível discutirmos sobre esses argumentos de forma proveitosa, a menos que eles sejam primeiramente compreendidos. E compreendê-los erroneamente é por demais fácil, embora os termos e as frases empregados nos sejam ou não-familiares ou capazes de serem tomados em um sentido diferente do sentido tencionado pelo seu autor. Em primeiro lugar, é essencial compreendermos que, em seu primeiro argumento, Tomás de Aquino supôs que o movimento ou modificação depende da ação de um "movimentador", aqui e agora, como também supôs, em seu segundo argumento, existirem causas eficientes no mundo que até mesmo em sua atividade causal são aqui e agora dependentes da atividade causal de outras causas. É por essa razão que falei sobre uma "hierarquia", referindo esse vocábulo ao termo "série". Aquilo sobre o que Tomás de Aquino pensava pode ser ilustrado da seguinte maneira: Um filho depende de seu pai, no sentido de que não teria existido não fora a atividade causal de seu pai. Quando o filho age por si mesmo, porém, já não se mostra dependente, aqui e agora, de seu progenitor. Não obstante, é dependente aqui e agora quanto a outros fatores. Sem a atividade do ar, por exemplo, ele não poderia agir por si mesmo; e a atividade preservadora da vida do ar, por sua vez, depende, aqui e agora, de outros fatores, e estes, por sua vez, ainda dependem de outros fatores. Não digo que esta ilustração é adequada em todos os pontos, para o propósito aqui colimado; mas pelo menos ilustra o fato de que, quando Aquino fala sobre uma "ordem" de causas eficientes, ele não pensava em uma série que retrocedia passado a dentro, e, sim, pensava sobre uma hierarquia de causas, na qual um membro subordinado é aqui e agora dependente da atividade causal de um membro superior. Pois, se eu der corda ao meu relógio, durante a noite, o mesmo continuará funcionando sem qualquer outra interferência da minha parte. No entanto, a atividade da pena, que traça estas palavras sobre a página, é aqui e agora dependente da atividade de minha mão, o que, agora e aqui depende ainda de outros fatores.

O sentido do repúdio à ideia de um retrocesso infinito, por esta altura, deve estar claro para os leitores. Tomás de Aquino não rejeitava a possibilidade de uma série infinita como tal. Já pudemos demonstrar que ele não pensava que alguém já tivesse obtido sucesso na demonstração da impossibilidade de uma série infinita de acontecimentos que se estendesse passado adentro. Por conseguinte, ele não dava a entender que queria eliminar a possibilidade de uma série infinita de causas e efeitos, em que um dado membro dependia de um membro anterior, digamos X ou Y, mas que não dependa, uma vez tendo vindo à existência, aqui e agora, da presente atividade causal do membro anterior. Por assim dizer, não convém que imaginemos uma série linear ou horizontal, e, sim, uma hierarquia vertical, em que um membro inferior dependa, aqui e agora, da presente atividade causal do membro imediatamente superior, e assim por diante. É esse tipo vertical de série, prolongado ao infinito, que Tomás de Aquino rejeitou. E ele rejeitou essa ideia à base do fato de que, a menos que exista um membro "primeiro", um movimentador que por sua vez não é abalado, e por sua vez é uma causa não dependente da atividade causal de qualquer outra causa superior, não seria possível explicarmos o "movimento" ou atividade causal do membro inferior. Esse é o seu ponto de vista. Suprima-se o primeiro movimentador que não pode ser abalado, e não haverá nenhum movimento ou alteração aqui e agora. Suprima-se a primeira causa eficiente e não haverá nenhuma atividade causal aqui e agora. Por conseguinte, se descobrirmos que algumas coisas do mundo são modificadas, deve haver necessariamente um movimentador que não é abalado por nenhuma outra causa. E se existem causas eficientes no mundo, deve haver uma primeira causa eficiente, totalmente independente de quaisquer outras causas. E a palavra "primeira" (ou sua cognata, primária) não indica primeiro quanto à ordem temporal, e, sim, suprema ou primeira dentro de uma ordem ontológica.

Uma observação sobre a palavra "causa" cabe bem aqui. O que Tomás de Aquino teria dito precisamente sobre os "Davis Humes", do século XIV ou da era moderna, obviamente é impossível dizermos. Mas é indubitável que ele cria em eficácias causas reais, bem como em relações causas reais. Naturalmente que ele tinha consciência de que a eficácia causal não é objeto da visão, no sentido em que manchas coloridas são objetos da visão; mas ele considerava que o ser humano tem a consciência de relações causais reais; e, se ele realmente compreendia a palavra percepção como algo que envolve a cooperação dos sentidos e do intelecto, podemos dizer que "percebemos" a causalidade. E é de presumir-se que ele teria dito que a suficiência de uma interpretação fenomenalista da causalidade, visando a propósitos da ciência física, nada comprova contra a validade de uma noção metafísica de causalidade. É óbvio que é possível disputar a sua análise acerca de modificações ou "movimentos" e acerca de se a causalidade eficiente é válida ou inválida, bem como se realmente existe tal coisa como uma hierarquia de causas. E a nossa opinião acerca da validade ou invalidade dos argumentos de Tomás de Aquino sobre a existência de Deus depende extensamente de nossas respostas a essas questões. No entanto, a menção de uma série matemática e infinitos é irrelevante para a discussão sobre os argumentos desse teólogo. E é justamente esse o ponto que tenho procurado esclarecer.

No seu terceiro argumento, Tomás de Aquino parte do fato de que algumas coisas vêm à existência e perecem, donde também conclui que é possível para essas mesmas coisas existirem ou não existirem: elas não existem "necessariamente". Em seguida ele argumenta que é impossível para as coisas que pertencem a essa categoria, existirem sempre, pois "aquilo que pode não ser, em algum período de tempo não existe". Ora, se todas as coisas pertencessem a essa categoria, em algum tempo não existiria. É claro que Aquino estava supondo, por causa de seu argumento, a hipótese de um tempo infinito, e a sua prova tem por desígnio cobrir essa hipótese. Ele não diz que o tempo infinito é impossível — o que diz é que, se o tempo é infinito, e se todas as coisas são capazes de não existirem, então essa potencialidade seria inevitavelmente concretizada no tempo infinito. Nesse caso, houve tempo em que nada existia. Se realmente, porém, houve um tempo em que nada havia, também nada agora existiria. Porquanto nenhuma coisa pode trazer a si mesma à existência. No entanto, é patente que existem as coisas. Por conseguinte, jamais se poderia dizer em verdade que houve tempo em que nada existia. E, por conseguinte, é impossível que todas as coisas sejam capazes de existir ou de não existir. Deve haver, portanto, algum ser necessário. Mas quiçá esse ser seja necessário no sentido de que o mesmo deve existir, se todas as demais coisas existem; em outras palavras, sua necessidade pode ser meramente hipotética. Todavia, não podemos prosseguir até o infinito, dentro da série ou hierarquia dos seres necessários. Se o fizermos, não explicaremos a presença, aqui e agora, de seres capazes de existirem ou de não existirem. Portanto, devemos asseverar a existência de um ser que é absolutamente necessário (por se necessarium) e totalmente independente. "E a esse ser chamamos de Deus".

Esse argumento pode parecer bem desnecessariamente complicado e obscuro. É mister, porém, que o vejamos em seu contexto histórico. Conforme já tivemos ocasião de mencionar, Tomás de Aquino formulou o seu argumento de tal maneira que se tornasse independente das questões: o mundo existe ou não existe desde a eternidade. Entretanto, ele quis mostrar que, em qualquer dessas hipóteses, deve ter havido um ser necessário. Quanto à introdução de hipotéticos seres necessários, ele queria mostrar que, ainda que existam tais seres, talvez dentro dos limites do universo, que não são corruptíveis no sentido em que uma flor é corruptível, ainda assim deve existir um ser absolutamente independente. Finalmente, no que diz respeito à terminologia, Tomás de Aquino se utilizou da comum expressão medieval "ser necessário". Na realidade, ele não usa o termo ser contingente no argumento, e, em lugar disso, fala sobre seres "possíveis"; mas tudo resulta na mesma coisa. E, embora os vocábulos "contingente" e "necessário" sejam atualmente empregados para indicar proposições, e não seres, tenho preferido reter a maneira de falar de Tomás de Aquino. Sem importar se alguém aceita ou não o seu argumento, não penso que exista uma dificuldade insuperável para que esse alguém entenda a sua linha de pensamento.

Precisamos admitir que o quarto argumento de Tomás de Aquino é de difícil apreensão. Aquino argumentou que existem graus de perfeição nas coisas. Tipos diferentes de coisas finitas possuem perfeições diferentes em diversos graus limitados. Em seguida, ele argumentou não somente que se existem diferentes graus de uma perfeição como é a bondade, então é que existe um bem supremo do qual as outras coisas se aproximam, e também que todos os graus limitados de bondade são causados pelo bem supremo. E visto que a bondade é um termo intercambiável com a palavra ser, até onde uma coisa é boa como ser, o bem supremo é o ser supremo, bem como a causa de ser de todas as outras coisas. Por conseguinte, deve haver algo que, para todos os seres, é a causa do ser de todos eles, de sua bondade e de todas as suas outras perfeições; e a isso chamamos de Deus.

Tomás de Aquino se refere a algumas observações de Aristóteles, de sua obra Metafísica; mas esse argumento nos faz lembrar imediatamente das obras de Platão intituladas Symposium e Republica. E parece estar envolvida a doutrina platônica da participação. Tomás de Aquino não estava imediatamente familiarizado com nenhuma dessas obras de Platão, mas a linha do pensamento platônico lhe era familiar por intermédio de outros escritores. E tal pensamento jamais desapareceu da filosofia. De fato, alguns daqueles teístas que rejeitam ou duvidam da validade dos argumentos "cosmológicos" parecem sentir uma marcante atração por certa variedade do quarto argumento de Tomás de Aquino, argumentando que no reconhecimento dos valores objetivos reconhecemos implicitamente a Deus como valor supremo. Entretanto, se a linha de pensamento, representado pelo quarto desses argumentos de Aquino, tiver de significar alguma coisa para o leitor moderno médio, é mister que seja apresentado de forma bastante diferente daquela pela qual foi expressa por Tomás de Aquino, que foi capaz de supor que os seus leitores embalavam ideias e pontos de vista que não mais podem ser pressupostos.

Finalmente, o quinto argumento de Tomás de Aquino, se considerarmos o apresentado na Summa Theologica, juntamente com o que ele diz na Summa contra Gentiles, pode ser expresso mais ou menos como segue. A atividade e o comportamento de cada coisa podem ser determinados por sua forma. Observamos, porém, coisas materiais de tipos extremamente diferentes a cooperarem entre si de tal modo a produzirem e manterem uma ordem ou um sistema mundial relativamente estável. Obtêm uma finalidade, isto é, a produção e a manutenção de uma ordem cósmica. Entretanto, coisas materiais e sem inteligência certamente não cooperam conscientemente, tendo em vista algum propósito. Se porventura dissermos que cooperam na realização de uma finalidade ou propósito, isso não significa que tencionam a realização de tal ordem de forma análoga àquela com que um homem pode agir conscientemente, tendo em vista a concretização de um propósito seu. Por semelhante modo, quando Tomás de Aquino fala sobre a operação "visando a uma finalidade", nessa conexão, ele pensava mais sobre a utilidade de certas coisas para a raça humana. Não queria dizer, por exemplo, que a erva cresce a fim de alimentar as ovelhas, e que as ovelhas existem a fim de servirem de alimento e material para vestuário dos seres humanos. Antes, ele pensava sobre a cooperação inconsciente de diferentes espécies de coisas materiais, na produção e manutenção de um sistema cósmico relativamente estável, e não sobre os benefícios que nos advêm do uso que fazemos de determinados objetos. E o seu argumento tinha por intuito mostrar que essa cooperação, por parte de coisas materiais heterogêneas, mostra claramente a existência de um autor extrinsecamente inteligente dessa cooperação, o qual atua tendo em vista os seus propósitos. Se porventura Tomás de Aquino tivesse vivido nos dias da hipótese evolucionária, sem dúvida teria argumentado que essa hipótese evolucionária dá apoio e não invalida a conclusão de seu quinto argumento.

Nenhum desses cinco argumentos era inteiramente novo, conforme também o próprio Aquino estava inteiramente consciente. Não obstante, ele os desenvolveu e os organizou para que formassem um todo coerente. Com isso, não quero dizer, entretanto, que ele considerava que a validade de alguns desses argumentos em particular dependa da validade dos outros quatro. Pois pouca dúvida pode haver de que ele pensava que cada argumento seja válido por seu "próprio direito". Entretanto, segundo já tive oportunidade de observar, conformam-se a determinado padrão, e se complementam mutuamente no sentido de que, em cada argumento, as coisas são consideradas de um ponto de vista diferente, ou sob um aspecto diferente. Existem tantas formas diversas de abordarmos a questão de Deus.

Reafirmação contemporânea de argumentos tradicionais *em prol da existência de Deus*

A. E. Taylor

A. E. Taylor (1869-1945) foi professor de Filosofia Moral da Universidade de Edimburgo, na Escócia. Tornou-se bem conhecido tanto como intérprete de Platão quanto como um filósofo de ideias originais.
Extraído do artigo de A. E. Taylor, The Vindication of Religion, da obra "Essays Catholic and Critical" (1926), editada por E. G. Selwyn.

I. DA NATUREZA PARA DEUS

1. O argumento que "parte da natureza para a natureza de Deus" pode ser apresentado sob formas extremamente diferentes, e com mui diferentes graus de persuasão, correspondentes ao conhecimento mais ou menos definido e exato das diferentes épocas acerca dos fatos detalhados da natureza, bem como do maior ou menor grau de articulação atingido pela lógica. Contudo, o pensamento principal que subjaz a essas diferentes variações é sempre o mesmo, ou seja, dos pontos incompletos para o completo, do que é dependente para o que é independente, do que é temporal para o que é eterno. A natureza, no sentido do complexo de "objetos apresentados à nossa atenção", os corpos animados e inanimados que nos circundam, bem como os nossos próprios corpos que cooperam com cada um deles, antes de tudo, é algo sempre incompleto; não possui limites ou fronteiras; o horizonte, no tempo e no espaço retrocede indefinidamente, à medida que vamos avançando em nossa aventura de exploração. "Para além do mar, há mais mar". E, além disso, a natureza sempre se mostra dependente; nenhuma porção da mesma contém sua explicação completa em si mesma; a fim de explicarmos por que qualquer porção é o que é, sempre teremos de levar em conta as relações dessa porção com alguma outra porção, o que, por sua vez, requer como explicação a relação para com uma terceira porção, e assim por diante, interminavelmente. E quanto mais completo e mais rico se vai tornando o nosso conhecimento acerca do conteúdo da natureza, tanto mais, e não tanto menos imperativo se torna encontrar a explanação de todas as coisas, em relação a cada porção por sua vez; e cada porção, por sua parte, exige um esclarecimento similar. Novamente, a mutabilidade transparece claramente em face de cada nova porção da natureza — "Tudo é passageiro, e nada é permanente". O que esteve no passado, agora não está mais; e o que está agora aqui, não mais estará algum dia. "Ali estava a rocha onde rola o mar". Até mesmo aquilo que, à primeira vista, parece ser permanente, quando é examinado de maneira mais cuidadosa, mostra tão-somente possuir um nascimento e uma decadência mais lentos. Até mesmo na Idade Média cristã se pensava que o firmamento permanecia imutável desde o dia da sua criação, até que finalmente fosse dissolvido em meio a grande explosão de calor, quando da nova criação; e a astronomia moderna relata-nos a produção e a dissolução graduais de "sistemas estelares" completos. Pensamentos como esses sugeriram à mente grega, desde a própria infância da ciência, a conclusão que a natureza não é um sistema fechado em si mesmo, não sendo a sua própria razão de ser. Por detrás de toda essa temporalidade e alteração deve haver algo imutável e eterno, que é a fonte originária de tudo quanto é mutável e a explicação do porquê das coisas serem como são.

* * *

No primeiro caso, esse senso de mutabilidade deu origem somente ao desejo de saber o que é o estofo permanente daquilo a que chamamos de coisas, as quais seriam somente suas fases passageiras. Seria a água, o vapor, o fogo, ou talvez algo inteiramente diferente dessas coisas? A grande questão que se destacava em primeiro plano, para todos os antigos homens de ciência era justamente algo extremamente diferente dizer todas as coisas são água ou dizer "Creio em Deus". No fundo, entretanto, a inquirição pelo estofo com que as coisas todas são feitas é um primeiro passo, incerto e um tanto cego, dado na mesma direção que o famoso argumento de Aristóteles, adotado por Tomás de Aquino, em favor da existência de um Movimentador inabalável (o qual, permanecendo immotus in se, é a origem de todo o movimento e vida deste mundo inferior), na direção também em que seguem todos os desde então familiares argumentos "a posteriori" sobre a existência de Deus.

2. Foi apenas mais um passo dado nessa mesma direção, que não demorou a ser dado pelos primeiros fundadores da ciência, quando se percebeu que a persistência de um "estofo" imutável não serve de explicação completa para os fatos aparentes da natureza, tornando-se então claro que nos é conveniente indagar de onde procede o movimento que é a vida de todos os processos naturais. Essa é a forma com que o problema se apresentou para Aristóteles e para o seu grande seguidor, Tomás de Aquino. Criam eles que a "natureza é uniforme" no sentido de que todos os movimentos aparentemente irregulares e ilegítimos, com os quais a vida nos torna familiarizados no mundo ao nosso redor, se originam e são efeitos de outros movimentos aqueles dos "céus", que seriam absolutamente regulares e uniformes. De acordo com esse ponto de vista, o movimento supremamente uniforme e dominante da natureza pode ser naturalmente identificado com a revolução diurna e aparentemente absolutamente regular de todo o firmamento estelar ao redor do globo terrestre. Aristóteles, entretanto, não se contentava em aceitar o mero fato dessa suposta revolução como um fato final que não precisa de mais

nenhuma explanação. Pois nenhum movimento se explica por si mesmo, pelo que também precisamos inquirir pela "causa" ou razão pela qual os céus exibem esse movimento contínuo e uniforme. Entretanto, essa razão Aristóteles e os seus seguidores só sabiam explicar na linguagem do mito imaginado. Embora nada possa pôr a si mesmo em movimento, o movimento que permeia o universo inteiro da natureza deve ter sido iniciado por algo que não pode ser movimentado por qualquer outra coisa, e que, por isso mesmo, não é mutável e sujeito a variações, mas por toda a eternidade é sempre o mesmo e perfeito, não permitindo e nem necessitando de qualquer desenvolvimento de qualquer espécie. "De um princípio assim é que depende o céu inteiro" (Aristóteles, Metafísica, 1072b, 14). E segue-se, de outras pressuposições da filosofia de Aristóteles, que esse "princípio" deve ser aceito como uma inteligência viva e perfeita. Assim sendo, na formulação aristotélica sobre os princípios da ciência natural, chegamos ao resultado explícito de que a natureza, em sua estrutura mais íntima, só pode ser explicada como algo que depende de uma origem perfeita e eterna da vida, fonte essa que não é nem a própria natureza e nem qualquer parte dela. A "transcendência de Deus" tem sido finalmente explicitamente afirmada como verdade sugerida (Aristóteles e Tomás de Aquino teriam dito como "verdade demonstrada") pela análise racional da própria natureza. Em princípio o argumento deles é o mesmo de toda forma posterior da chamada "prova cosmológica".

Examinemos de volta, de acordo com essa linha de pensamento, a questão em foco. Dessa linha de pensamento é que as "provas da existência de Deus" que nos são familiares têm sido desenvolvidas nas obras populares sobre a teologia natural, indagando de nós mesmos que valor permanente tem esse desenvolvimento para nós, e até que ponto o mesmo contribui para sugerir-nos a real existência de um Deus a quem um homem religioso pode adorar "em Espírito e em verdade". Precisamos supor que o próprio pensamento é necessariamente antiquado, porque a linguagem em que o mesmo foi vazado nos impressiona como uma linguagem ultrapassada, ou porque aqueles que o apresentaram inicialmente mantinham certos pontos de vista sobre os detalhes da estrutura da natureza (notavelmente, o conceito geocêntrico da astronomia) que agora são obsoletos. É perfeitamente possível que a essa substituição de pensamentos antiquados por pontos de vista contemporâneos, no tocante à natureza do universo estelar ou no tocante à fixidez das espécies animais, deixa inalterada a força do argumento, sem importar qual seja essa força. Existem duas críticas em particular que faríamos bem em eliminar de uma vez por todas, porquanto, apesar de ambas parecerem plausíveis, segundo penso, a menos que eu esteja redondamente enganado, estão totalmente equivocadas.

O ponto central do argumento acerca da necessidade de uma fonte inabalável de movimento não deve ser perdido de vista. Poderemos compreendê-lo melhor se nos lembramos de que, no vocabulário de Aristóteles, a palavra movimento indica as modificações de toda sorte, de tal modo aquilo que é asseverado é que deve haver alguma causa imutável ou fonte de modificação. Outrossim, não devemos imaginar que já nos desvencilhamos desse argumento ao dizermos que não há nenhuma pressuposição científica de que a série de alterações que compõe a vida da natureza pode não ter sido sem um começo e está destinada a não ter fim. Tomás de Aquino, cujos famosos cinco argumentos sobre a existência de Deus são todos variações do argumento baseado no movimento, ou, conforme diríamos hodiernamente, o apelo do princípio da causalidade, foi igualmente o filósofo que criou sensação entre os pensadores cristãos de seu tempo, ao insistir inflexivelmente no fato de, à parte da revelação dada nas Escrituras, nenhuma razão poder ser aduzida a fim de se dizer que o mundo teve começo ou precisa ter fim, conforme de fato Aristóteles mantinha o conceito de que o mundo não teve começo nem fim.

A dependência que transparece nesse argumento nada tem a ver com a questão da sucessão do tempo. O que Aquino realmente queria dizer é que o nosso conhecimento sobre qualquer acontecimento que ocorre na natureza não será completo enquanto não entendermos a razão completa desse acontecimento. Enquanto soubermos somente que A é assim porque B é assim, mas não pudermos dizer por que B é como é, nosso conhecimento será incompleto. Só será completo quando estivermos na posição que nos capacite dizer que A é assim porque Z é desse ou daquele jeito, em que Z é algo que encerra de tal maneira a própria razão de ser, que seria uma insensatez indagarmos "por que" motivo Z é o que é. E isso, de imediato, nos conduz à conclusão de que, em vista de sempre termos o direito de indagar acerca de qualquer evento da natureza, a razão por que esse acontecimento é o que é, e quais são as suas condições, o Z, que é a sua própria "razão de ser" não pode pertencer à própria natureza. O ponto nevrálgico desse raciocínio consiste precisamente do fato que trata de um argumento baseado na razão de existir uma natureza em face da realidade de uma "supernatureza"; e esse ponto em nada é afetado pela pergunta que busca saber se houve começo para o tempo, ou se houve um tempo em que não havia nenhum "acontecimento".

Outrossim, não devemos permitir ser desviados da trilha certa por meio da observação plausível, mas superficial, que diz ser o problema inteiro sobre a "causa do movimento" originário da suposição desnecessária que as coisas estiveram antes em repouso, mas que depois começaram a movimentar-se, de tal maneira que é suficiente começarmos — a exemplo dos modernos físicos — com uma pluralidade de partículas em movimento, ou átomos, ou elétrons, para nos livrarmos de toda essa difícil questão. Não seria também relevante a observação de que os físicos modernos reconhecem não haver nenhum movimento absolutamente uniforme, como aquele atribuído por Aristóteles ao firmamento, mas tão-somente há movimentos mais ou menos estáveis. Por exemplo, se começarmos por um sistema de "partículas", todas elas em movimento uniforme, ainda assim não haverá explicação para o surgimento de movimentos "diferenciais". E se começarmos, a exemplo do que tentou fazer Epicuro, com uma chuva de partículas, todas elas se movimentando na mesma direção, e com a mesma velocidade relativa, ainda assim não se poderá esclarecer como essas partículas chegaram a unir-se a fim de formar os complexos. E se preferirmos, seguindo o exemplo de Herbert Spencer, começar com uma nebulosa estritamente homogênea, ainda será necessário explicar, o que Spencer não conseguiu fazer, como veio a entrar nesse quadro a "heterogeneidade". Será mister pensarmos em variedade individual, bem como em "uniformidade", em qualquer das teorias que se queira postular acerca dos informes originais, se quisermos que o resultado dê um mundo semelhante ao nosso, o qual, conforme disse Mill com carradas de razão, é não somente uniforme, mas também infinitamente variegado. E: nihilo, nihil fit, e de um espaço uniformemente em branco, nada fit senão um espaço em branco igualmente uniforme. E ainda que, "per impossible", se pudesse excluir toda a variedade individual do informe inicial de um sistema de ciência natural, com toda a razão se poderia pedir que se desse uma explicação acerca dessa singular ausência de variedade, e qualquer explanação naturalista a respeito só poderia assumir a forma de derivação de algum estado mais primitivo de coisas, o qual não se caracterizaria pela "uniformidade" absoluta. A verdade é que nem a uniformidade e nem a variedade se explicam por si mesmas, sem importar com qual delas queiramos começar. Pois em ambos os casos teremos de enfrentar o mesmo antigo dilema. O informe inicial deve ser meramente aceito como um "fato" bruto, para o qual não há nenhum motivo; ou então, se houver qualquer razão, é necessário que a mesma seja encontrada fora da natureza, naquilo que é "sobrenatural".

* * *

Podemos, por exemplo, considerar como o antiquado argumento baseado na passagem do "movimento" para a fonte "inabalável" do movimento, quando é declarado em sua forma mais geral, até hoje ainda pode ser apresentado. Conforme já pudemos ver, o argumento simplesmente passa do que é temporal, condicional e mutável para algo eterno, incondicional e imutável como sua origem. O ponto central de todo esse raciocínio é que toda a explicação de dados fatos ou acontecimentos envolve a inclusão de outros fatos inexplicáveis; qualquer explicação de qualquer coisa, se porventura pudéssemos obter uma explicação assim, requereria, por conseguinte, que acompanhássemos o fato explicado de volta a algo que contém a sua própria explicação em si mesmo, algo que é e que é por seu próprio direito; tal coisa como é óbvio, não é mero acontecimento ou mero fato, pelo que também não pode fazer parte integrante da natureza, que é o complexo de todos os acontecimentos e fatos, mas antes, faz parte da natureza superior. Todo homem tem o direito de dizer, se assim o preferir, que pessoalmente ele não se importa em gastar o seu tempo exercendo essa maneira de pensar, mas que prefere ocupar-se no descobrimento de novos fatos, bem como de novas e até então insuspeitadas relações entre os fatos. E não precisamos acusá-lo por causa dessa sua preferência; e isso porque nos cabe o direito de indagar, daqueles que estão despertos para a significação do antigo problema, como é que eles se propõem a dar-lhe solução, se porventura rejeitam a inferência que parte do não-terminado e condicional para aquilo que é perfeito e incondicional. Quanto a mim, posso perceber apenas duas alternativas.

1. A primeira alternativa consiste em dizer, conforme fez Hume (ou antes, o crítico cético nos Diálogos. Não podemos estar certos de que Hume concordaria com essa sugestão). Em seu "Diálogos sobre a Religião Natural", que, embora cada porção da natureza pode depender de outras porções para que seja explicada, o sistema inteiro dos fatos ou acontecimentos a que chamamos de natureza pode, como um todo, ser explicado por si mesmo; o próprio "mundo" pode ser esse "ser necessário" acerca do qual cada membro considerado isoladamente é temporal, pode ser eterno se considerado como um complexo. Cada membro pode ser incompleto, mas o todo pode ser completo; cada membro pode ser mutável, mas o todo pode ser imutável. E assim, conforme têm dito muitos filósofos de ontem e de hoje, o "eterno" pode ser simplesmente o temporal quando plenamente compreendido; assim não haveria nenhum contraste entre a natureza e a "supernatureza", mas tãosomente entre a "natureza compreendida como um todo" e a natureza como a aprendemos, isto é, fragmentariamente. O pensamento parece excelente, mas não acredito que poderá resistir à crítica.

A própria primeira pergunta, sugerida pela espécie de fórmula que acabei de citar, indaga se na realidade não é uma autocontradição chamar a natureza de um "todo"; pois, se assim é na realidade, é claro que não haverá como apreendermos a natureza como algo que ela não é. E penso que é perfeitamente claro que a natureza no sentido de complexo de acontecimentos, em virtude de sua própria estrutura, é algo incompleto e não um todo verdadeiro. Talvez eu possa explicar melhor esse ponto mediante um exemplo absurdamente simplificado. Suponhamos que a natureza se constitua de apenas quatro constituintes, isto é, A, B, C e D. Supostamente devemos "explicar" o comportamento de A mediante a estrutura de B, C e D, e bem assim mediante a ação conjunta de B, C e D com A e, similarmente, com cada um dos outros três constituintes. É perfeitamente óbvio que, com um conjunto de "leis gerais" de alguma espécie, podemos "explicar" a razão de A se comportar como o faz, contanto que saibamos tudo acerca de sua estrutura, bem como acerca das estruturas respectivas de B, C e D. Não obstante, ainda assim fica inteiramente sem explicação a razão de A dever estar presente, ou por que, se esse elemento está ali, deveria ter B, C e D como seus vizinhos, e não outros elementos com estruturas inteiramente diversas desses elementos. Que isso é assim tem de ser aceito como um fato "bruto", que não pode ser explicado e nem é auto-explanatório. Assim, pois, nenhum acúmulo de conhecimento sobre as "leis naturais" poderá esclarecer o presente estado da natureza, a menos que também suponhamos isso como um fato bruto que a distribuição de "matéria" e "energia" (ou quaisquer outras coisas que reputemos como elementos últimos no nosso sistema de física), há um milhão de anos atrás, foi assim como assim. Contando com as mesmas "leis", mas com uma distribuição "inicial" diferente, o estado real do mundo atual seria inteiramente diferente do que é. Usando a terminologia de Mill, tanto "colocações" como leis de causação precisam entrar em todas as nossas explicações de cunho científico. E embora seja verdade que, à medida que aumenta o nosso conhecimento vamos aprendendo continuamente a atribuir causas para as "colocações particulares" originalmente aceitas como fatos brutos, só conseguimos avançar quando retrocedemos para outras "colocações" anteriores, que igualmente precisamos aceitar como fatos brutos e inexplicados. Conforme declarou M. Meyerson, só nos livramos do inexplicável em um ponto, ao preço de introduzi-lo novamente em algum outro lugar. Ora, qualquer tentativa de abordar o complexo de fatos a que denominamos natureza, como algo que pode ser visto como auto-explanatório, à medida que nosso conhecimento sobre esses fatos vai aumentando, tornar-se-ia quase auto-explicado se ao menos conhecêssemos todos esses fatos, o que equivale à tentativa de eliminarmos inteiramente o fato bruto, reduzindo a natureza a um mero complexo de leis. Em outras palavras, trata-se de uma tentativa de manufaturar existentes particulares com base em meros universais, tentativa essa que, por isso mesmo, deve terminar em fracasso. E o progresso que há na ciência dá testemunho sobre isso. Quanto mais avançamos, reduzindo a face visível da natureza a meras "leis", mais complexa, e não menos, se torna a massa de caracteres que nos deixa perplexos, mas que precisamos atribuir a fatos brutos inexplicáveis aos nossos constituintes finais. Um elétron é uma dose muito mais intragável de fato bruto do que um dos duros e impenetráveis corpúsculos conceituados por Newton.

Por conseguinte, podemos asseverar com justiça que se nos rendermos à sugestão de que a natureza, contanto que a conhecêssemos o bastante, seria vista como um todo auto-explanatório, é seguir uma ilusão. A dualidade de "leis" e "fatos" não pode ser eliminada das ciências naturais; e isso significa que, no fim, ou a natureza não pode ser explicada sob hipótese alguma, ou então, se ela pode ser explicada, a explicação deve ser buscada em algo fora, e do que a natureza depende.

2. Assim sendo, não é de surpreender que tanto entre os cientistas como entre os filósofos, na atualidade tenha aparecido uma forte tendência de desistir da tentativa de explicar completamente a natureza, retrocedendo eles para o pluralismo final. Isso significa que nos rendemos, admitindo a dualidade das "leis" e dos "fatos". Supomos assim que existe uma pluralidade de constituintes finalmente diversos na natureza, cada qual com seu próprio caráter específico e com sua maneira própria de comportar-se; e a nossa tarefa, na tentativa de explicação, consistiria somente de mostrar como se pode entender o mundo, conforme o percebemos, por meio das leis mais simples e em menor número, leis de interação entre esses diferentes elementos constitutivos. Em outras palavras, desistimos inteiramente da tentativa de "explicar a natureza", pois contentamo-nos em "explicar" as "porções" menores da natureza em termos de seu caráter específico e de suas relações para com outras porções. É óbvio que essa é uma forma de ceder inteiramente justificada, no caso de um cientista que esteja procurando encontrar a solução de algum problema particular como, por exemplo, a descoberta das condições sob as quais uma nova "espécie" permanente se origina e se conserva. Isso, porém, se transforma em questão inteiramente diferente quando está em foco saber-se se o "pluralismo final" pode ser ou não a última palavra sobre uma "filosofia da natureza". Se assim pensarmos, isso significará que, no fim, não possuiremos nenhuma razão que nos capacite a afirmar por que razão deve existir tantos

elementos finais constitutivos da natureza conforme se diz que existem, ou por que razão esses elementos devem ter as características particulares que dizemos que os mesmos possuem, exceto que "sucede que assim é o caso". E isso nos leva a aquiescer ante "fatos brutos", não porque, de conformidade com nosso atual estado de conhecimento, não sejamos capazes de compreender melhor, mas sob a alegação de que não há e nem pode haver nenhuma explanação. E isso nos levaria a insuflar um mistério ininteligível no coração mesmo da realidade.

Talvez possa ser retrucado: "E por que não deveríamos reconhecer isso, já que, gostemos ou não de tal coisa, teremos de chegar a essa conclusão no fim?" Bem, pelo menos pode-se replicar que aquiescer ante tal "final inexplicável" como ponto final significa que nos é negada a validade da própria suposição sobre a qual está edificada a ciência humana inteira. Através de toda a história do progresso científico tem-se considerado como questão pacífica que não se deve aquiescer ante os fatos brutos inexplicáveis; e sempre que os homens se defrontam com aquilo que, em nosso presente estado de compreensão, tiver de ser aceito como mero fato, temos o direito de pedir posteriores esclarecimentos; pois seria uma falsidade para com o espírito da ciência se assim não agíssemos. E assim chegamos inevitavelmente à conclusão de que ou os próprios princípios que inspiram e orientam a pesquisa científica são todos ilusórios, ou então a própria natureza deve depender de alguma realidade que pode explicar-se por si mesma, e que, por isso mesmo, não é nem a natureza e nem qualquer porção integrante da natureza, mas antes, no sentido estrito das palavras, é uma realidade "sobrenatural" ou "transcendental" — transcendental, isto é, no sentido de que nela é vencida a dualidade das "leis" e dos "fatos" que é uma característica da natureza e de cada porção constitutiva da natureza. Não se trata essa realidade de um mero "fato bruto", e, no entanto, não é também alguma lei ou complexo universal abstrato de tais leis, mas antes, um Ser realmente existente e auto-iluminador, que poderíamos ver, se porventura pudéssemos apreender o seu verdadeiro caráter, que ter esse caráter e ser tal caráter são a mesma coisa. Essa é a maneira pela qual a natureza, conforme me parece, inevitavelmente aponta para fora de si mesma, na qualidade daquilo que é temporal e mutável, para "outrem", que é "eterno e imutável"

* * *

II. DO HOMEM PARA DEUS

Quanto a esta particularidade, podemos tecer considerações mais breves. Se a meditação sobre as criaturas em geral nos conduz a uma rota em circuito e a uma luz mortiça que focaliza o Criador, a meditação sobre o ser moral do homem sugere mais diretamente a Deus, com muito maior clareza. Pois agora começamos a galgar um novo estágio da subida para um nível superior. Esse caminho ascendente para Deus se assemelha à montanha do purgatório de Dante: quanto mais alto se tiver subido, tanto mais fácil é subir mais alto ainda. Por meio da natureza, quando muito, vemos a Deus sob um disfarce pesadíssimo que nos permite discernir pouco mais do que o fato de que alguém se encontra ali; mas, dentro de nossa própria vida moral vemos a Deus, por assim dizer, com a máscara meio tirada.

Uma vez mais, o caráter geral da subida é o mesmo; começamos com o que é temporal, com certo senso do que é natural, terminando com o que é eterno e sobrenatural. Entretanto, a linha de pensamento que aqui exploramos, embora se assemelhe àquela primeira, é de tal modo independente, que a natureza e o homem são como duas testemunhas que jamais tiveram a oportunidade da acareação. O testemunho mais claro e mais enfático dado pelo homem, acerca daquilo que foi testificado um tanto mais ambiguamente pela natureza, fornece uma posterior confirmação de nossa esperança, a qual já nos era sugerida pela natureza, um tanto mais retificada.

Uma única sentença será suficiente para mostrar tanto a analogia existente entre o argumento "Do homem para Deus" e o argumento baseado na natureza, como a real independência dessas duas formas de testemunho. Conforme temos insistido, a natureza, quando inspecionada, aponta para o "sobrenatural" que deve haver acima dela, como sua própria pressuposição. Mas, se olharmos para dentro de nós mesmos, veremos que no homem se encontram a "natureza" e a "supernatureza". O homem tem, no próprio coração, tanto a natureza como a supernatureza, refletindo, ao mesmo tempo, tanto o que é temporal como o que é eterno. Diferentemente dos animais irracionais, até onde podemos julgar a vida íntima do homem, este não precisa adaptar-se rigidamente ao seu meio ambiente tão-somente; antes, precisa ajustar-se a dois meios ambientes, isto é, ao secular e ao eterno. E, embora ao homem caiba por desígnio ser finalmente um habitante dos lugares celestiais ao lado de Deus na eternidade, o homem jamais pode sentir-se realmente à vontade nesta esfera terrestre; quando muito, tal como Abraão, ele é um peregrino que se encaminha para a terra invisível prometida; e quando pior, à semelhança de Caim, o homem é como um fugitivo sem rumo, que se torna um vagabundo à face do globo. A própria imagem de seu Criador, que foi estampada sobre ele, não serve apenas de sinal de seu legítimo direito de domínio sobre as demais criaturas; esse é também o "sinal de Caim", que todos os homens procuram evitar. Portanto, entre todas as criaturas, muitas das quais são bastante

cômicas, somente o homem se mostra trágico. A vida do homem, quando muito, é um tragicomédia; e, quando encarada sob o seu pior aspecto, é uma tragédia negra. E é perfeitamente natural que assim seja, pois, se o homem tem em comum com os animais do campo apenas o "ambiente" temporal, a sua vida inteira não passa de uma perpétua tentativa para encontrar uma solução racional de uma equação que ele ainda não aprendeu. Só pode conseguir ajustar-se a um de seus dois "meios ambientes", mediante sacrifícios pessoais e ajustamento ao outro; não pode manter-se igualmente sintonizado com o eterno e com o secular ao mesmo tempo, tal como um piano não pode estar afinado com todas as tonalidades musicais ao mesmo tempo.

Na prática, sabemos como essa dificuldade é aparentemente resolvida, nas melhores vidas humanas. Essa dificuldade é solucionada mediante o cultivo de nossos apegos terrenos, mas em que também praticamos um alto desprendimento, não "fixando demasiadamente os nossos corações" nem mesmo nos melhores bens temporais, visto que o melhor que há desses bens são "apenas sombras", as quais usam as criaturas, mas sempre nos lembrando do tempo em que não mais poderemos usá-las. Portanto, devemos amá-los, mas com restrições, cuidando para não rendermos o coração a qualquer desses bens. Os homens sábios não precisam ser lembrados de que a recusa deliberada e voluntária dos excessos de coisas boas deste mundo é uma medida necessária, como proteção contra a avaliação exagerada daquilo que é secular, em qualquer vida humana digna de ser vivida. Por outro lado, os sábios também reconhecem que a renúncia aos bens terrenos, se eles recomendam, não é recomendada visando a tão-somente ficarem "destituídos de bens". O bem sempre deve ser renunciado visando a um "bem superior". No entanto, é patente que o "bem superior" não pode ser nenhuma das coisas boas que há nesta existência secular. Pois não há nenhum dos bens terrenos que não possa ou não deva ser renunciado, sob certas circunstâncias, em algum período da existência do homem.

Não quero dizer com isso, meramente, que certas circunstâncias exigem o sacrifício de certas coisas que o "indivíduo médio sensual" chama de bem —conforto, riquezas, influência, posição social, e coisas semelhantes. Pois nenhum moralista sério pensaria em considerar nenhuma dessas coisas, quando muito, como bens inferiores. Mas refiro-me ao fato de que a mesma coisa é verdade no tocante àquelas coisas que homens de molde superior estão prontos a sacrificar, por serem bens obviamente secundários. Por exemplo, poucos são os bens materiais, se é que há algum deles, que possam ser comparados com as nossas afeições pessoais. Não obstante, um homem, deve estar preparado para sacrificar todas as suas afeições pessoais no serviço de sua nação, ou para sacrificá-las por aquilo que ele acredita honestamente ser a igreja de Deus. Existem, porém, coisas que aqueles que amam mais profundamente a sua pátria ou a sua igreja devem estar preparados para sacrificar, embora essas coisas estejam tão perto de seu coração. Posso morrer pelo meu país, como tantos combatentes têm feito, deixando esposa e filhinhos, a fim de arriscar a vida nos campos de batalha; porém, não me convém adquirir paz e segurança para o país que tanto amo, mediante o assassinato, mesmo que seja de um inimigo perigoso e que não sente remorsos. Posso permitir que meu corpo seja queimado em defesa da fé, e posso permitir que meus pequeninos fiquem sem o pão diário por essa causa, mas não devo tentar defender a fé mediante a fraude ou o dolo. Alguém poderia argumentar que, visando ao bem da raça humana, um homem deve estar preparado para sacrificar a própria independência de sua terra natal; porém, em troca, mesmo que seja da vantagem da humanidade inteira, não se pode insultar a justiça, baixando sentença reconhecidamente injusta contrária aos inocentes. Pois se as coisas não forem desse modo, então todo o arcabouço de nossa moralidade se dissolverá. Por outro lado, se elas são realmente assim, então o bem maior, em troca do qual devo estar preparado a sacrificar tudo o mais, deve ser algo incomensurável com o "bem-estar" da igreja ou do Estado, ou mesmo da humanidade inteira. Se esse bem maior tiver de produzir fruto, o mesmo deve encontrar-se onde todas as vantagens materiais sucumbem e terminam, isto é, no além, como diriam os "neoplatonistas", ou "nos céus", como diriam os cristãos ordinários.

Se este mundo passageiro, no qual ficamos apenas por algum tempo, fosse realmente o nosso lar, o nosso único lar, penso que deveria ser impossível justificar tão completa e total rendição como preconizo acima; por outro lado, estejamos certos de que o sacrifício não é maior do que nos é exigido, quando a necessidade surge, de acordo com os mais elementares princípios da moralidade. Todo aquele que fala em "dever", pensando realmente em dever, nesse próprio ato está dando testemunho sobre aquilo que é sobrenatural e sobretemporal, como o lar destinado finalmente para o homem. Não podemos duvidar de que todos admitem a existência de um número demasiado de regras em nossa moralidade convencional, as quais não são universal e incondicionalmente obrigatórias; quanto a essas, "devemo-nos" conformar sob certas condições especificadas e compreendidas. Devo mostrar-me generoso somente depois de haver satisfeito as justas reivindicações de meus credores, do mesmo modo que devo abster-me de tirar vingança por conta própria, quando a sociedade me supre o maquinismo legal que cobra as afrontas por força da lei. Todo aquele, porém, que fala em "dever", seja como for, deve com isso querer dizer que, quando as condições necessárias forem cumpridas, a obrigação será absoluta. Podem surgir ocasiões em que não estarei forçado a dizer a verdade a um inquiridor; porém, se aparecer uma única ocasião em que devo dizer a verdade, então não devo ocultá-la, "ainda que o céu venha abaixo".

Ora, se jamais existir uma única ocasião em que eu devo dizer a verdade, ou fazer qualquer outra coisa "a qualquer custo", conforme estamos acostumados a dizer, qual é o bem em nome do qual essa exigência incondicional me é imposta? É impossível que se trate de qualquer bem secular que se possa nomear, como a minha saúde ou prosperidade material, ou mesmo a prosperidade e a existência feliz da humanidade. Pois, devido às conseqüências de meus atos serem intermináveis e imprevisíveis, jamais poderei ter a certeza de que não estarei pondo em perigo esses mesmos bens mediante minhas ações, apesar de eu estar certo de que esta ou aquela atitude é exatamente a que devo tomar. Não há que duvidar, entretanto, de que alguém pode apelar para a taxa de probabilidade como seu guia da vida e dizer: "Devo fazer isto ou aquilo, porque me parece ser o caminho mais provável para produzir o próprio bem-estar temporal, bem como o bem-estar de minha família, o de minha nação etc." E não há que duvidar de que, na prática, essas são as considerações por causa das quais somos constantemente influenciados. É evidente, porém, que essas coisas não podem ser o motivo mais peremptório da obrigação, a menos que toda a moralidade tenha de ser reduzida à posição de uma ilusão conveniente. Pois dizer que a base final de uma obrigação é o mero fato de um homem pensar que isso fomentaria este ou aquele alvo concreto e tangível envolve a conseqüência de que ninguém estaria obrigado a praticar nenhuma ação, a menos que pense que a mesma produzirá certos resultados e que pode fazer qualquer coisa que queira, contanto que imagine produzir isso os resultados colimados. Creio no meu coração que até mesmo os escritores que mais adiante vão, professando aceitar essas conclusões, fazem contra si mesmos uma injustiça moral. Estou convencido de que não existe nenhum deles, sem importar qual a teoria que defende, e que, na prática, não trace a linha divisória em algum ponto e diga: "Não farei isto, sem importar o custo para mim mesmo, para quem quer que seja, ou para todos". Ora, uma obrigação totalmente independente de todas as "conseqüências" temporais não pode justificar-se à base das vantagens temporais, e nenhuma criatura pode por ela constranida a encontrar o seu bem exclusivamente naquilo que é temporal. Somente para um ser que, em sua estrutura, adaptou-se aos interesses eternos, é que se pode dizer com significação: "Deves".

Pode-se ver que o pensamento sobre o qual me demorei em meu último parágrafo é um dos temas fundamentais e mais constantes do principal tratado ético de Emanuel Kant — "Crítica da Razão Prática". É uma das características de Kant que, conforme penso, erroneamente, ele desconfiava totalmente da sugestão do "sobrenatural" como algo derivado da contemplação da própria natureza, e que, devido a um temor exagerado do fanatismo e da superstição desregulados, característicos deste século, ele estava inteiramente cego para a terceira fonte de sugestão sobre a qual ainda nos convém falar. Portanto, para Kant, o nosso conhecimento de nosso próprio ser moral, como criaturas que possuem obrigações incondicionais, é que recebia todo o peso do argumento. Quanto a isso, confesso que Kant parecia estar inteiramente equivocado. Pois a plena força da vindicação da religião não pode ser sentida a menos que reconheçamos que o seu peso não é sustentado apenas por

um único fio, e, sim, por uma corda de três fios entrelaçados: precisamos integrar Bonaventura, Thomas e Butler com Kant, a fim de apreciarmos a força verdadeira da posição do crente. No entanto, para mim, Kant parece inquestionavelmente correto até esse ponto. Porque ainda que nada existisse que nos sugerisse que somos ao mesmo tempo cidadãos de um mundo natural e temporal e de um mundo sobrenatural e eterno, a revelação de nossa divisão íntima contra nós mesmos, o que nos é conferido pela consciência, quando ela é devidamente meditada, é suficiente para despertar-nos para essa realidade. Ou, expressando o que quero dizer de forma bastante diferente, quero frisar que, dentre todos os pensadores filosóficos que se têm preocupado com a vida do homem como um ser moral, os dois pensadores que se destacam, até mesmo na estimativa daqueles que com eles não concordam, são os dois grandes e imorredouros moralistas da literatura — Platão, e Emanuel Kant —, exatamente os dois que mais vigorosamente têm insistido sobre aquilo que os indivíduos de mentes secularizadas costumam chamar, depreciativamente, de "Dualismo"— este mundo e o outro mundo —, ou então, utilizando-nos da linguagem de Kant, "o homem como um fenômeno (natural)" e "o homem como uma realidade (sobrenatural)". Negar a realidade dessa antítese é arrancar as próprias vísceras da moralidade.

Podemos perceber isso de imediato, por exemplo, se compararmos Kant com Davi Hume, ou então Platão com Aristóteles. Porquanto é perfeitamente óbvio que Platão e Kant realmente se importavam sobre a questão da moralidade prática, ao passo que Aristóteles e Hume não tinham essa preocupação, ou, pelo menos, essa preocupação não era tão intensa como deveria sê-lo. Nas mãos de Hume, a bondade moral é tão completamente nivelada com a mera respeitabilidade, que ele chega a dizer, exatamente com essas palavras, que a nossa aprovação à virtude e a nossa desaprovação ao vício, no fundo, dependem de nossa preferência a um homem bem-vestido, em detrimento de um homem malvestido. Entretanto, Aristóteles se preocupava muito mais profundamente do que isso com essa questão. Para ele, a bondade moral dependia do desencargo dos deveres de um bom cidadão, de um bom pai de família e de um bom vizinho nesta vida secular, e tinha sempre o cuidado de insistir que não devemos nos furtar dessas obrigações. No entanto, quando chega a vez de Aristóteles falar sobre a verdadeira felicidade do homem, bem como sobre o tipo de vida que lhe convém viver "como ser que tem algo de divino em si", descobrimos que a vida dessa porção divina, para ele, não significava mais do que a promoção da ciência. Para Aristóteles, viver perto de Deus não significava a justiça, a misericórdia e a humildade, a exemplo de Platão e dos profetas hebreus, e, sim, significa ser alguém um metafísico, um físico ou um astrônomo. A justiça, a misericórdia e a humildade realmente deveriam ser praticadas, mas somente visando a algum propósito secular, a fim de que o homem de ciência tivesse um meio ambiente ordeiro e calmo na sociedade, e assim pudesse ser livre, o que não aconteceria se tivesse de lutar contra paixões desordenadas em si mesmo ou em seus semelhantes, e a fim de que pudesse dedicar a maior parcela de tempo possível aos interesses que realmente valem a pena. Não se pode dizer acerca de Hume, ou de Aristóteles, e nem mesmo de nenhum dos moralistas que fazem da moralidade meramente uma questão de corretos ajustamentos sociais neste mundo temporal, o que se pode dizer acerca de Platão ou de Kant, isto é, beati qui esuriunt et siunt justitiam. A "preocupação com o outro mundo" é uma característica dos maiores moralistas teóricos, bem como também das vidas mais nobres, sem importar quais as teorias que professam.

O clássico argumento do relógio

William Paley

William Paley (1743-1805) foi um filósofo moral e teólogo britânico. Sua maior contribuição foi realizada na literatura ética. No seu tratado, Natural Theology (1802), ele desenvolveu uma analogia de Deus como um fabricante de relógios, que se tornou famosa. Essa analogia apresentamos a seguir.

Suponhamos que, ao atravessar um caminho, eu tropeçasse em uma pedra. E então que alguém me perguntasse como aquela pedra veio a aparecer ali. Nesse caso, eu poderia responder que, a menos que eu soubesse algo em contrário, deve ter sido posta ali desde sempre; e não seria muito fácil mostrar o absurdo de minha resposta.

Suponhamos, porém, que eu tivesse encontrado um relógio no chão, e que alguém me indagasse como o relógio viera parar naquele lugar. Nesse caso, dificilmente eu pensaria na resposta dada no caso anterior — que, a menos que eu obtivesse alguma prova em contrário, aquele relógio deveria ter estado ali desde sempre. Todavia, por que razão a resposta que serviria para o caso de uma pedra não serviria para o caso de um relógio? Por esta razão, e por nenhuma outra, a saber, que, ao passarmos a inspecionar o relógio, perceberíamos (o que não poderia ser descoberto na pedra) que suas diversas partes foram feitas e reunidas para determinado propósito, como, por exemplo, que foram formadas e ajustadas de tal maneira a ser produzido movimento, movimento esse regulado de tal forma a marcar as diversas horas do dia; que, se as diversas partes do relógio tivessem formatos diferentes daqueles que têm, fossem de dimensões diferentes do que são, ou tivessem sido dispostas em outra posição, ou em outra ordem qualquer, então, ou nenhum movimento seria registrado pela máquina, ou não haveria utilidade para o relógio, segundo encontramos agora. Considerando algumas de suas partes componentes mais óbvias, bem como as suas respectivas funções, todas as quais tendem a obter um único resultado: vemos uma caixa cilíndrica que contém uma mola elástica em espiral, que, devido ao seu esforço de expandir-se, faz o mecanismo funcionar [...] Também observamos que as rodas da engrenagem foram feitas de bronze, a fim de não se enferrujarem; e que as molas são feitas de aço, pois nenhum outro metal é tão elástico; e que na face superior do relógio fora posto um vidro, material empregado em nenhuma outra porção do relógio, porquanto, se tivesse sido empregado em seu lugar qualquer substância que não fosse transparente, as horas não poderiam ser verificadas a menos que se abrisse o mecanismo. Uma vez observado esse mecanismo, fica clara a inferência que reputamos inevitável — aquele relógio deve ter tido um fabricante; que deve ter havido, em algum tempo, num lugar ou noutro, um artífice ou artífices que formaram o relógio com o intuito de nele encontramos; os quais compreenderam a maneira de fabricá-lo, tendo traçado o desígnio de seu emprego.

I. "Segundo entendo", essa conclusão de maneira alguma ficaria debilitada se jamais tivéssemos visto antes um relógio; se jamais tivéssemos conhecido um artífice capaz de fabricar um desses aparelhos; e se fôssemos inteiramente incapazes de executar pessoalmente uma obra dessa envergadura...

II. E nem, em "segundo lugar", conforme compreendo, seria invalidada a nossa conclusão, se algumas vezes o relógio funcionasse mal ou raramente se mostrasse exato na marcação das horas, [...] pois não é mister que um mecanismo seja perfeito a fim de ficar demonstrado o desígnio com que foi feito: ainda menos necessário se torna isso quando a única pergunta é sobre o fato de ter sido ele feito ou não com algum desígnio.

III. E nem, em "terceiro lugar", seria necessário dar qualquer foro de incerteza ao argumento, ainda que descobríssemos algumas poucas partes no relógio, para as quais não víssemos a sua utilidade dentro do quadro geral; ou mesmo que houvesse algumas partes acerca das quais não pudéssemos atribuir nenhuma utilidade...

IV. Em "quarto lugar", nem qualquer indivíduo, em sua mente sã, haveria de pensar que o relógio, com seu complicado maquinismo, poderia ser explicado pela declaração de que deveria ser alguma combinação fortuita de materiais; ou que qualquer outro objeto que tivesse sido encontrado no lugar do relógio, devesse ter contido alguma configuração interna ou outra; e que essa configuração poderia ser a estrutura mais exibida, a saber, todas as partes componentes do relógio, embora em uma estrutura diferente.

V. Em "quinto lugar", nem o inquiridor haveria de obter mais satisfação, se lhe respondêssemos que existem nas coisas certo princípio de ordem fortuita que dispôs as partes componentes do relógio e sua forma e situação presentes. E isso porque jamais teria visto um relógio fabricado por efeito desse princípio de ordem; e nem mesmo poderia formar ideia do sentido desse princípio de ordem, distinto da inteligência de um fabricante de relógios.

VI. Em "sexto lugar", ele ficaria surpreendido se ouvisse dizer que o mecanismo do relógio não pode servir de prova de simulacro, mas tão-somente de motivo para induzir a mente a assim pensar.

VII. E não menos surpreso ficaria se fosse informado de que o relógio que tinha nas mãos nada mais era senão o resultado das leis de natureza metafísica. Porquanto trata-se de um perversão da linguagem atribuir a qualquer lei o papel de causa eficiente e operativa do que quer que seja. Toda lei pressupõe um agente, pois é apenas o modo pelo qual esse agente age: subentende poder, pois é a ordem segundo a qual esse poder atua. Sem esse agente, sem esse poder, ambos os quais são distintos dela, a lei nada faz e nada é.

VIII. E, "finalmente", o nosso suposto observador também não poderia abandonar a sua conclusão, e assim perder a confiança em sua verdade, se lhe fosse dito que ele nada sabia sobre a questão. Pois a verdade é que ele sabe bastante para o seu argumento — ele conhece a utilidade do objeto — ele conhece a subserviência e a adaptação dos meios ao fim colimado. Uma vez que sejam reconhecidos esses pontos, a sua ignorância sobre os outros pontos, as suas possíveis dúvidas sobre os demais pontos, jamais poderão afetar a segurança de seu raciocínio. A consciência de que pouco sabe não requer que ele desconfie daquilo que já sabe.

CONTINUAÇÃO DO ARGUMENTO

Suponhamos, em seguida, que a pessoa que encontrou o citado relógio, após algum tempo, viesse a descobrir que, em adição a todas as propriedades que ele vinha observando até ali, o relógio possuísse a inesperada propriedade de, no decurso de seus movimentos, vir a produzir um outro relógio semelhante a ele mesmo [...] qual seria o efeito dessa descoberta sobre a sua conclusão anterior?

I. O primeiro efeito seria o de aumentar a sua admiração pelo invento, e também o de aumentar a sua convicção sobre a grande habilidade do inventor...

II. Ele refletiria que, embora o relógio estivesse ali à sua frente, — em certo sentido — o fabricante do relógio fosse ele mesmo, no decurso de seus próprios movimentos, seria algo muito diferente em sentido do caso em que, por exemplo, um carpinteiro é o fabricante de uma cadeira; o autor de sua invenção, a causa da relação entre suas partes componentes e o seu emprego. No que diz respeito a isso, o primeiro relógio não teria sido causa, de forma alguma, do segundo relógio — pelo menos não no sentido de ter sido o autor da constituição e da ordem, ou das partes contidas no novo relógio, ou dessas mesmas partes, mediante a ajuda e a instrumentalidade daquilo que foi produzido...

III. Embora não seja agora mais provável que o relógio individual, que fora encontrado pelo nosso suposto observador, tenha sido feito imediatamente pelas mãos de um artífice, todavia, essa alteração de forma alguma modifica a conclusão de que um artífice foi originalmente empregado na produção de um relógio, tendo concentrado a sua atenção nesse mister. O argumento baseado no desígnio permanece assim inalterado. Os sinais de desígnio e de invenção não serão atribuídos agora de forma diferente do que eram antes [...] Estamos agora indagando sobre a causa dessa subserviência a um uso, aquela relação para com uma finalidade, que já observamos no relógio à nossa frente. Nenhuma resposta será dada a essa pergunta com a réplica que um relógio anterior o produziu. Pois não pode haver plano sem um planejador; nem invenção sem um inventor; nem arranjo sem alguém que possa traçar esse propósito; nem meios apropriados a uma finalidade, a execução na realização dessa finalidade, sem que essa finalidade tenha sido contemplada, ou sem que os meios tenham sido adaptados à mesma. Arranjo, disposição de partes, subserviência dos meios a uma finalidade, relação de instrumentos para com determinado uso — tudo subentende a presença de inteligência e de mente. Por conseguinte, ninguém pode acreditar racionalmente, que um relógio insensível, inanimado, o qual se originou do relógio à nossa frente, tenha sido a causa apropriada do mecanismo que tanto admiramos nele — como se verdadeiramente se tivesse construído o instrumento, disposto em ordem as suas diversas partes, dado a cada uma o seu papel, determinado a ordem, ação e dependência mútua das mesmas, e houvesse combinado os seus diversos movimentos, para obtenção de um único resultado...

IV. E nem se ganha coisa alguma levando a dificuldade um passo mais adiante, isto é, supondo-se que o relógio à nossa frente foi produzido por outro relógio, este por outro ainda, e assim indefinidamente. Nosso retroceder, até esse ponto, não nos leva mais perto, em qualquer grau de satisfação, às origens do assunto. Pois, dessa maneira, a invenção continuaria sem explicação. Ainda haveríamos de procurar um inventor. Essa suposição nem supre e nem dispensa a mente planejadora. Se a dificuldade fosse diminuindo à medida que fôssemos retrocedendo e recuássemos indefinidamente, haveríamos de exauri-la [...] Não há diferença alguma quanto ao ponto em questão [...] entre uma série e outra; entre uma série que é finita, e uma série que é infinita. Uma corrente, composta de um número infinito de elos não pode sustentar-se mais do que uma corrente feita de um número finito de elos [...] Aumentando-se o número de elos, por exemplo, de dez para cem, de cem para mil etc., não nos aproximaremos, em grau algum, da solução, e nem haverá a menor tendência para a auto-sustentação [...] Isso se assemelha extraordinariamente com o caso que temos à frente. Por sua própria construção, a máquina que estamos inspecionando demonstra invenção e desígnio. A invenção deve ter tido um inventor; o plano deve ter tido um planejador; e isso sem importar se a máquina se derivou imediatamente de outra máquina, ou não. Essa circunstância não altera o caso [...] Um inventor continua sendo necessário. Nenhuma tendência é percebida, nenhuma aproximação é feita da diminuição dessa necessidade. Continua a mesma coisa, em cada sucessão dessas máquinas; uma sucessão de dez, de cem ou de mil; tal como sucede numa série, assim também sucede na próxima; uma série finita, tanto quanto uma série infinita [...] sem a menor diferença, invenção e desígnio continuam inexplicados pela mera multiplicação dos casos.

A pergunta não consiste de "como é que o primeiro relógio veio à existência?" [...] Supor que assim é equivale a supor que não faria diferença se tivéssemos encontrado uma pedra ou um relógio. Na natureza do caso, as questões metafísicas dessa pergunta não têm lugar; pois no relógio que estamos examinando podemos ver invenção e desígnio; finalidade e propósito; meios adaptados a um fim, e também adaptação a esse propósito. E assim, a pergunta que se destaca irresistivelmente em nossos pensamentos é: "De onde se deriva essa invenção e desígnio?" O que se busca é a mente que tencionou, a mão adaptadora, a inteligência por meio da qual essa mão foi orientada. Essa pergunta, essa exigência, não pode ser abalada pelo número crescente ou pela sucessão de substâncias [...] É inútil, portanto, atribuir uma série de tais causas, ou alegar que tal série possa ser levada de volta até o infinito...

V. [...] A conclusão que é sugerida pelo primeiro exame feito no relógio, acerca de seu funcionamento, de sua construção e de seus movimentos, é que deve ter tido um artífice como causa e autor de sua construção, o qual compreendeu seu mecanismo e traçou o desígnio de sua utilização. Essa conclusão é invencível. Um "segundo" exame apresenta-nos uma nova descoberta. O relógio é encontrado, no decurso de seus movimentos, a fim de produzir outro relógio similar a ele mesmo; e não somente isso, mas nele percebemos certo sistema ou organização, separadamente calculado para alcançar esse propósito. Que feito produziria essa descoberta, ou qual o efeito que deveria produzir sobre nossa inferência anterior? Que efeito teria, senão, além de tudo que já foi dito, aumentar em muito a nossa admiração pela habilidade que foi empregada na construção de tal maquinismo?

Ou, ao invés disso, todos esses fatos nos fariam voltar para a conclusão oposta, a saber, que nenhuma arte ou habilidade de qualquer espécie foi envolvida na construção do relógio? [...] Poderia esta última conclusão ser mantida sem que se caísse no maior dos absurdos? Não obstante, isso é o ateísmo.

Avaliação do argumento de Paley, à base do desígnio:

O argumento de Paley é criticado à base do fato que se alicerçou em um tipo mecânico de universo, de conformidade com a ciência do século XVIII, o qual ficou eliminado pelo conceito darwiniano do mundo, que postula um universo orgânico, em desenvolvimento, crescente, e não em uma máquina estática, sujeita às leis fixas da mecânica. A evolução darwiniana explica o artífice do argumento de Paley em termos da "seleção natural", dessa maneira procurando eliminar a função do Deus de Paley; contudo, o que a "seleção natural" imaginada por Darwin não consegue fazer, e que ainda não foi explicada, é a adaptação da razão humana à ordem cósmica. Porque a seleção natural se restringe a explicar a preservação da vida. Conforme assevera William Sorley: "Se continuarmos aferrados à teoria da evolução, e rejeitarmos a teologia ordinária, contudo teremos de admitir que existe certa adaptação (que não pode ser explicada pela seleção natural) entre a nossa razão e a ordem cósmica real — um desígnio maior do que qualquer desígnio que Paley jamais imaginou. E não é apenas quanto ao intelecto somente, mas também quanto à moralidade do universo de valores intrínsecos, que devemos asseverar a existência de certa adaptação entre as nossas mentes e a ordem universal".[1] De que consistem esses valores, e de que modo eles comprovam a existência de Deus, descobriremos subseqüentemente, quando a nossa atenção for dirigida ao Argumento Axiológico de Sorley.

[1] W. R. Sorley, Moral Values and the Idea of God (Cambridge: Cambridge University Press, 2ª edição, 1921), p. 326.

> **OPINIÃO DO AUTOR DESTE COMENTÁRIO:** Eu aprecio esta breve avaliação, mas não vai longe o bastante. Paley pensava que havia uma diferença entre a pedra na qual tropeçara e o relógio, no que diz respeito à nossa necessidade de explicar o "desígnio" das coisas. Mas, na realidade, não há diferença. A pedra é tão maravilhosa quanto o relógio e possessa de um desígnio tão imenso, que Paley, em sua época, não poderia ter imaginado sequer uma parte diminuta dele. Encontrar uma pedra exige uma explicação acerca de um Artífice. Note também que o que chamamos de coisa inanimada não pode ser pensado como o produto de uma seleção natural. O seu desígnio não tem sido produzido por algum longo processo de evolução, mas é real e demanda que procuremos alguma razão suficiente para ele. A razão nos leva de volta a Deus, o Grande Artífice. Então, que negócio é esse de resolucionar supostamente o "problema de desígnio", pela mera produção das palavras mágicas, seleção natural, mesmo no que diz respeito aos organismos vivos? Como — podemos perguntar — funciona a seleção natural? Que inteligência está por trás dela? Pode funcionar por acaso? Leva mais fé para aceitar isto do que para aceitar o conceito de um Grande Artífice. No máximo, a expressão "seleção natural" pode implicar meramente em como funciona a Mente Divina, em determinada parte da natureza. É a seleção natural semente? Que maravilhosas coisas a falta de mente ativa tem produzido! Os homens pensantes reconhecerão que o conceito intitulado seleção natural, nos leva ao Artífice, e não para longe dele. Logicamente, sabemos que a seleção natural opera neste mundo, apesar de que eventos caóticos e cataclísmicos produzem mudanças imediatas, pulos para a frente e para trás. Ainda está aberto ao questionamento sério, mesmo no terreno científico, se este conceito pode explicar a origem do homem, como nós o conhecemos. Que a seleção natural opera no mundo de outras maneiras, não nos resta dúvida. Mas para pedir a mim mesmo que creia nela como "não-pensante" é demais. Isto é tomar um passo para trás na explicação de um "porquê" do desígnio e não um passo em direção desta explicação.

Crítica contemporânea aos argumentos tradicionais em favor da existência de Deus

J. J. C. Smart

J. J. C. Smart (1920-) é professor de filosofia da universidade de Adelaide, na Austrália. O presente ensaio é uma apresentação eminentemente clara das objeções contra os tradicionais argumentos teístas, com base na perspectiva da filosofia analítica contemporânea.

Este artigo foi extraído de uma conferência pública apresentada por J. J. C. Smart, intitulada A Existência de Deus, na universidade de Adelaide, em 1951.

Esta conferência não serve para discutir se Deus existe. Sua finalidade é discutir as razões que os filósofos têm exposto ao afirmarem que Deus existe. Em outras palavras, visa a discutir certos argumentos.

Em primeiro lugar, seria bom declararmos o que podemos esperar obter disso. Naturalmente que se descobríssemos que qualquer dos argumentos tradicionais em favor da existência de Deus é hígido, obteríamos nesta hora, neste domingo à tarde, algo de inestimável valor, tal como ninguém conseguiu obter de uma hora de trabalho em sua vida anterior. Pois, de uma hora de trabalho, receberíamos a resposta para aquela pergunta sobre a qual, acima de tudo, queremos saber a resposta. Isso supõe, pelo momento, que a pergunta "Deus existe" é uma pergunta apropriada. O fato de uma pergunta ser correta no que concerne à gramática ordinária, não nos assegura que tenha sentido. Por exemplo: "A virtude corre mais rápida do que o comprimento?" está perfeitamente certo quando diz respeito à gramática ordinária; porém, não há que duvidar que não é uma pergunta revestida de significação. Novamente: "Quão rapidamente flui o tempo?" é uma pergunta perfeita, gramaticalmente falando, mas não se reveste de significado claro. Ora, alguns filósofos perguntariam se a pergunta "Deus existe?" é uma pergunta apropriada. O maior perigo que envolve o teísmo, no presente momento, não vem da parte de pessoas que negam a validade dos argumentos em prol da existência de Deus, porquanto muitos teólogos cristãos não crêem que a existência de Deus possa ser provada, e certamente não se encontra, em nenhuma porção do Antigo e do Novo Testamentos, nenhuma evidência de que as religiões dos homens têm uma base metafísica. O principal perigo que ameaça o teísmo hoje em dia vem da parte de pessoas que pretendem dizer que as declarações "Deus existe" e "Deus não existe" são igualmente absurdas. O conceito de Deus, eles querem dizer, é um conceito sem sentido. Mais adiante, eu mesmo fornecerei subsídios que não nos permitem pensar que a pergunta "Deus existe?" seja, no sentido mais pleno, uma pergunta apropriada; mas também fornecerei bases para crermos que admitir isso não é pôr necessariamente um perigo à teologia.

Entretanto, suponhamos por um momento que a pergunta "Deus existe?" seja uma pergunta apropriada. Agora indagamos: Pode um estudo acerca das provas tradicionais em favor da existência de Deus capacitar-nos para dar uma resposta afirmativa a essa pergunta? Minha afirmação é que isso não pode ser feito. Salientarei aquilo que para mim parecem falácias existentes nos principais argumentos tradicionais em favor da existência de Deus. Portanto, provar que os argumentos em foco não são válidos significa que Deus não existe? De forma nenhuma. Pois dizer que um argumento não é válido não significa a mesma coisa que dizer que a sua conclusão é falsa. Não obstante, se descobrirmos que os argumentos que examinamos são todos falazes, o que obteremos dessa nossa investigação? Bem, uma coisa que obteremos é um ponto de vista mais justo (apesar de mais austero) daquilo que o argumento filosófico pode fazer por nós. Mais importante que isso, entretanto, obteremos um discernimento mais profundo na natureza lógica de certos conceitos, particularizando, naturalmente, os conceitos de deidade e de existência. Outrossim, obteremos alguns indícios que nos mostrem se a filosofia pode prestar algum serviço aos teólogos; e também obteremos alguns indícios sobre como a filosofia pode ser útil. Penso sobre isso de forma afirmativa, mas preciso advertir que muitos, e talvez a maioria dos filósofos de hoje em dia, não concordariam comigo quanto a essa particularidade...

Uma característica notável, que deve impressionar a todos quantos examinam pela primeira vez os argumentos usuais em favor da existência de Deus, é a extrema brevidade desses argumentos. Variam de algumas poucas linhas a algumas poucas páginas. Tomás de Aquino apresenta cinco argumentos em três páginas! Não é realmente extraordinário que tão grande conclusão seja obtida com tanta facilidade? Antes de continuarmos a discutir sobre quaisquer dos argumentos tradicionais em detalhe, quero fornecer bases gerais para suspeitarmos de qualquer pessoa que afirme dar solução a uma questão controvertida, por meio de um breve e compacto argumento.

A minha razão para duvidar que um breve e compacto argumento possa solucionar qualquer questão controvertida é a seguinte: qualquer argumento pode ser revertido. Quero explicar como funciona. Está envolvida uma questão elementar de lógica. Consideremos um argumento baseado em duas premissas, p e q, que nos levem à conclusão, r:

$$p$$
$$\frac{q}{r.}$$

Se um argumento é válido, isto é, se r realmente se conclui com base em p e q, esse argumento nos levará à harmonia com respeito a r, contanto que já haja harmonia acerca de p e q. Por exemplo, consideremos as premissas:

p Todos os jogadores de cricket, A, B, e C, têm o direito de passe livre para os jogos do Oval de Adelaide, para os jogos de Sheffield Shield etc. (é inteiramente fora de dúvida que isso se pode obter das regras da Associação de Cricket Sul Australiana).

q John Wilkin é um jogador de cricket da categoria A, B, ou C (outra questão destituída de controvérsias, pois todos o conhecem).

E DISSO PODEMOS CONCLUIR QUE:

r John Wilkin tem o direito de passe livre para os jogos do Oval de Adelaide, par aos jogos de Sheffield Shield etc.

AGORA, entretanto, queremos considerar este argumento: 1

p Nada pode vir à existência, exceto por meio da atividade de alguma outra coisa ou ser previamente existente.

q O mundo teve um começo em tempo.

PORTANTO:

r O mundo veio à existência por meio da atividade de alguma coisa, ou ser previamente existente. Se esse argumento é válido (como certamente o é), então também deve ser verdade que

(*não-r*) O mundo não veio à existência por meio da atividade de alguma coisa ou ser previamente existente

o que subentende que, ou

(*não-p*) Algo pode vir à existência de outro modo que não por meio da atividade de uma coisa ou ser previamente existente

ou

(*não-q*) O mundo não teve começo dentro do tempo.

Em outras palavras, *p* é válido, então *não-r* e *não-r* devem ser igualmente válidos.

$$\frac{q}{r} \qquad \frac{q}{não\text{-}p} \qquad \frac{q}{não\text{-}q}$$

Ora, é bem possível que uma pessoa pense que existem menos razões para acreditarmos em r do que temos para acreditarmos em (*não-r*) ou (*não-q*). E, nesse caso, o argumento *p*, embora perfeitamente válido, não a convencerá.

$$\frac{\bar{q}}{r}$$

Portanto, se inclinará por argumentar na direção oposta, isto é, baseando-se na falsidade de *r*, concluirá pela falsidade de *p* ou de *q*.

Este último exemplo, por si mesmo, talvez seja um argumento não muito bom em favor da existência de Deus; mas apresentei-o puramente como um exemplo, a fim de mostrar que uma das coisas a que devemos estar atentos, naturalmente, é se os argumentos que nos são apresentados são válidos. Acredito que no caso de qualquer argumento metafísico, descobre-se que, se as premissas não são controvertidas, o argumento, infelizmente, não é válido; e, se o argumento for válido, as premissas, infelizmente, são tão duvidosas como a conclusão a que visam suportar.

Com essas advertências em mente, passaremos agora a discutir os três mais famosos argumentos em favor da existência de Deus. Esses argumentos são os seguintes:

I. ARGUMENTO ONTOLÓGICO.

II. ARGUMENTO COSMOLÓGICO.

III. ARGUMENTO TELEOLÓGICO.

O primeiro argumento — que é o argumento ontológico — realmente não se estriba em premissa nenhuma. Procura mostrar que haveria uma contradição na tentativa de negar a existência de Deus. Foi formulado pela primeira vez por Anselmo, tendo sido posteriormente utilizado por Descartes. Não se trata de um argumento convincente para os ouvidos modernos, e Tomás de Aquino mostrou essencialmente as razões corretas que nos forçam a rejeitá-lo. Não obstante, é importante para nós discutirmos tal argumento, porquanto entendermos o que está errado no mesmo é algo necessário na avaliação do segundo argumento, isto é, o argumento cosmológico. Esse segundo argumento se baseia em uma premissa, a despeito de não ser uma premissa isenta de controvérsias. Essa premissa é a que diz que alguma coisa existe. Penso que todos poderíamos concordar com isso. Já o argumento teleológico é menos austero em sua maneira de ser que os dois argumentos anteriores. Este último procura argumentar em prol da existência de Deus não puramente "a priori", arraigando-se no fato simples de que alguma coisa existe, e, sim, se fundamenta sobre as características reais observáveis na natureza, a saber, aquelas que parecem servir de provas de desígnio ou propósito.

Haveremos de discutir sobre esses três argumentos pela ordem. Não direi apenas que são os únicos argumentos que têm sido propostos em favor da existência de Deus, mas também penso que são os argumentos mais importantes dessa categoria. Por exemplo, as célebres "Cinco Maneiras", de Tomás de Aquino, expõem, quanto às três primeiras, variantes do argumento cosmológico, ao passo que a quinta maneira é tão-somente uma forma modificada do argumento teleológico.

I. **ARGUMENTO ONTOLÓGICO** Conforme já observei, não contém nenhuma premissa alicerçada em fatos. Trata-se de uma "redução ao absurdo" da suposição que Deus não existe. Ora, as provas da categoria da "redução ao absurdo" devem ser suspeitadas sempre que houver dúvidas se é significativa a declaração a ser comprovada. Por exemplo, é extremamente fácil, conforme qualquer pessoa familiarizada com os chamados "paradoxos lógicos" pode asseverar, apresentar uma declaração não obviamente sem sentido, de tal modo que tanto ela como sua negação impliquem em uma contradição. Por conseguinte, a menos que estejamos certos da significação de uma declaração, não podemos considerar a "redução ao absurdo" de sua contradição como prova da verdade. Esse ponto de vista é bem conhecido para aqueles que estão afeitos à filosofia matemática; há mesmo uma bem conhecida escola de matemáticos, escola essa encabeçada por Brouwer, que, sob certas circunstâncias, se recusa a empregar provas da categoria da redução ao absurdo. Entretanto, não quero fazer mais pressão sobre essa crítica ao argumento ontológico, visto que tal crítica é um tanto ou quanto mal endereçada (embora tenha sido preconcebida por filósofos católicos, os quais têm feito objeção ao argumento ontológico dizendo que o mesmo não mostra primeiramente que o conceito de um ser perfeito ao infinito é um conceito possível). Por enquanto, suponhamos que a pergunta "Deus existe?" seja uma pergunta apropriada; e, se realmente ela é apropriada, não se pode levantar objeção nenhuma ao ato de responder à mesma por intermédio de uma prova da categoria da redução ao absurdo. Podemos, antes, contentar-nos com as críticas mais usuais ao argumento ontológico.

O argumento ontológico se tornou famoso devido a Descartes. Pode ser encontrado no início de sua Quinta Meditação. Conforme já observei antes, esse argumento foi originalmente apresentado por Anselmo, embora eu lamente ter de dizer que, ao lermos Descartes, jamais poderíamos suspeitar desse fato! Descartes salienta que, na matemática, podemos deduzir várias coisas puramente a priori, conforme ele diz: "Por exemplo, quando imagino um triângulo, embora não exista e talvez nunca tenha existido tal figura em qualquer lugar [...] mas permanece de pé o fato, não obstante, de que essa figura possui certa natureza determinada, bem como forma ou essência, tudo o que não é [...] formado por mim, e nem depende de meu pensamento em coisa alguma; conforme transparece da circunstância que diversas propriedades do triângulo podem ser demonstradas, como, por exemplo, que seus três ângulos são iguais à soma de dois ângulos retos, que seu lado maior é subentendido por seu ângulo maior, e coisas semelhantes". Descartes prossegue, então, a fim de sugerir que, da mesma forma que considerarmos a soma de seus ângulos como igual a dois ângulos retos é algo envolvido na ideia de um triângulo, assim também a existência está envolvida na própria ideia de um ser infinitamente perfeito, o que nos leva à conclusão, portanto, de que seria tão grande contradição alguém asseverar que um ser infinitamente perfeito não existe, como asseverar que os três ângulos de um triângulo não somam a dois ângulos retos, ou que seus lados não são maiores, juntamente que os seus três lados. Portanto, conforme diz Descartes, podemos afirmar que um ser infinitamente perfeito existe "necessariamente" da mesma forma que podemos dizer que os dois lados de um triângulo, considerados juntamente, são necessariamente maiores do que o seu terceiro lado.

Esse argumento é extraordinariamente falaz. Pois dizer que isto ou aquilo existe não é a mesma coisa, sob hipótese alguma, que dizer que isto ou aquilo tem esta ou aquela propriedade. Não é ampliar um conceito, e, sim, dizer que um conceito se aplica a algo, e se um conceito se aplica ou não a algo não pode ser percebido por meio do exame do próprio conceito. Pois a existência não é uma propriedade. "Urrar" é uma propriedade dos tigres; e dizer alguém que "os tigres mansos urram" é dizer algo sobre os tigres mansos, mas dizer que "existem tigres mansos" não é dizer algo sobre os tigres mansos, mas tão-somente que existem. Certa feita, o professor G. E. Moore destacou a diferença entre a existência e uma propriedade, como a de ser um tigre manso, de ser um tigre ou de ser um predador, lembrando-nos que, pela sentença "alguns tigres mansos não urram", vemos uma sentença perfeita sobre os tigres,

enquanto dizer que "não existem alguns tigres mansos" não tem significação clara. O erro fundamental que existe no argumento ontológico, portanto, é que trata da palavra "existe", dentro da sentença "existe um ser infinitamente perfeito" como se isso atribuísse uma propriedade de existência a um ser infinitamente perfeito, tal como o vocábulo "amoroso", dentro da frase "um ser infinitamente perfeito é amoroso", ou como o vocábulo "urram", dentro da frase "os tigres mansos urram", atribui uma propriedade; e isso porque o verbo "existir", dentro da sentença "existe um ser infinitamente perfeito", não atribui propriedade a algo já concebido como existente, mas tão-somente assevera que o conceito de um ser infinitamente perfeito se aplica a algo. Nesse caso, o verbo "existir" tira-nos do mundo dos conceitos puros. Sendo assim, jamais poderá haver nenhuma "contradição lógica" na negação de que Deus existe. Vale a pena mencionarmos que incorreremos com menor probabilidade de cair nesse erro em que cai o argumento ontológico, se usarmos a expressão "existe algo assim como assim", do que se usarmos a forma mais capaz de enganar-nos e que diz "um assim como assim existe".

Gostaria de mencionar ainda outra objeção interessante, embora menos essencial, ao argumento de Descartes. Ele falava como se se pudesse deduzir outras propriedades, digamos, de um triângulo, por meio da consideração de sua definição. É digno, porém, de esclarecimento que, com base na definição de um triângulo, como figura limitada por três linhas retas, pode-se deduzir tão-somente trivialidades, como a que diz que essa figura está limitada por mais de uma linha, por exemplo. De forma nenhuma é contraditório dizer-se que os dois lados de um triângulo, considerados juntamente, não são maiores do que o seu terceiro lado, ou então que os seus ângulos não são iguais a dois ângulos retos. A fim de que se obtenha uma contradição, precisamos levar em conta os axiomas específicos da geometria euclidiana. (Que o leitor se lembre de sua geometria, aprendida nos bancos escolares, como costumava provar que os ângulos de um triângulo são iguais à soma de dois ângulos retos. Através do vértice C, do triângulo ABC, traça-se uma linha paralela a BA; e assim se supõe o axioma dos paralelos como começo). As definições, por si mesmas, não são potencialmente dedutivas. Apesar de ter sido pessoalmente um matemático notável, Descartes estava profundamente equivocado quanto à natureza da matemática. Não obstante, podemos interpretá-lo ao dizer que, com base na definição de um triângulo, juntamente com os axiomas da geometria euclidiana, podem ser deduzidas diversas coisas, como o fato de os ângulos de um triângulo somarem dois ângulos retos. Entretanto, isso tão-somente serve para mostrar-nos quão puro jogo de símbolos é a matemática; começa-se com uma série de axiomas, e opera-se com eles por meio de certas regras de inferência. Tudo quanto os matemáticos requerem é que a série de axiomas seja coerente constante. Sem importar se tem aplicação ou não à realidade, isso jaz fora do âmbito da matemática pura. A geometria não é um modelo apropriado para servir de prova de uma existência real.

II. **ARGUMENTO COSMOLÓGICO.** Esse argumento pelo menos parece mais promissor do que o argumento ontológico. Faz parte de uma premissa alicerçada sobre um fato, fornecendo-nos um estribo para o mundo real das coisas, e vai além da consideração de meros conceitos. Esse argumento tem sido apresentado sob diversas formas; mas, para os propósitos presentes, deve ser exposto como se segue:

* * *

Tudo quanto existe no mundo, ao nosso redor, é contingente. Em outras palavras, no que diz respeito a qualquer coisa em particular, é perfeitamente concebível que essa coisa não tenha existido. Por exemplo, se alguém perguntasse por que esta ou aquela pessoa existe, a resposta seria que isso se deve ao fato de que ela tinha pais; e, se se insistisse em perguntar por que esses pais existiriam, a resposta seria que foram gerados por seus pais, e assim, sucessivamente; porém, por mais que se retroceda nesse processo, conforme se poderia argumentar, não se teria tornado o fato de sua existência realmente inteligível. Porquanto, por mais que se retroceda em uma série assim, tão-somente se retrocederá até algo que poderia não ter existido em algum tempo. Para que haja uma explicação realmente satisfatória sobre a razão pela qual quaisquer coisas contingentes (tal como eu e meus ouvintes, nesta sala) existem, será necessário que se comece eventualmente com algo que, por si mesmo, não é contingente; em outras palavras, é mister que se inicie como algo sobre o que não se possa dizer ter havido tempo em que não existia, ou seja, devemos começar postulando um ser necessário. Por conseguinte, a primeira parte desse argumento se reduz ao seguinte: Se qualquer coisa existe, é necessário que exista um ser absolutamente necessário. Alguma coisa existe. Portanto, um ser absolutamente necessário deve existir.

A segunda porção desse argumento consiste em provar que um ser necessariamente existente deve ser infinitamente perfeito, que é Deus. Emanuel Kant (2) asseverava que esse segundo estágio do argumento é apenas o argumento ontológico novamente apresentado; e, se realmente assim são as coisas, é evidente que o argumento cosmológico é apenas uma fraude. Começa todo feliz com uma premissa existencial (alguma coisa existe), mas isso serve somente de cobertura para o emprego subseqüente do argumento ontológico. Essa crítica de Kant tem sido aceita de modo geral; mas penso que certos filósofos tomistas têm razão, por haverem atribuído à crítica de Kant um equívoco elementar quanto à lógica. Kant afirmou, de forma perfeitamente correta, que a conclusão do segundo estágio do argumento cosmológico, é: "Todos os seres necessariamente existentes são seres infinitamente perfeitos". Isso, segundo ele prossegue dizendo, subtende que "Alguns seres infinitamente perfeitos são seres necessariamente existentes".Visto, porém, que só poderia existir um ser infinitamente perfeito e ilimitado, poderíamos substituir a proposição que diz "Alguns seres infinitamente perfeitos são seres necessariamente existentes", por outra, que diz: (A fim de que este último ponto se torne mais claro, desejo apresentar um exemplo análogo). Se é verdade que alguns homens que são primeiros-ministros da Austrália são liberais, e se é também verdade que existe somente um primeiro-ministro da Austrália que é liberal, e se é também verdade que existe somente um primeiro-ministro da Austrália, então poderemos dizer igualmente bem que todos os que são primeiros-ministros da Austrália são também liberais. (Porquanto a palavra "alguns" significa "pelo menos, um"; e, se existe apenas um primeiro-ministro, então, "pelo menos um" é equivalente a "um", o que, neste caso, é "todos"). Por conseguinte, a conclusão do segundo estágio do argumento cosmológico é que "todos os seres infinitamente perfeitos são seres necessariamente existentes". Isso, entretanto, é o princípio do argumento ontológico, contra o qual já tivemos oportunidade de levantar críticas, motivo pelo qual também os proponentes do argumento cosmológico, como Tomás de Aquino, igualmente o rejeitam pessoalmente.

Kant, entretanto, incorreu em um equívoco extremamente simples. Ele esqueceu-se de que a existência de um ser necessário já fora provada (ou que pensava que isso já havia sido provado) na primeira porção do argumento. E, assim, ele modificou a sentença "Todos os seres necessários são seres infinitamente perfeitos", transformando-a em "Alguns seres infinitamente perfeitos são seres necessários". Se essa modificação tiver de ser válida, então a existência de um ser necessário já teria sido pressuposta. Kant foi enganado por certa ambigüidade existente na palavra "todos". "O fato de que todos os Xs são Ys pode subentender que existem alguns Xs ou não." Por exemplo, se eu disser: "Todas as pessoas que estão nesta sala se interessam pela filosofia", já fica pressuposto que existem algumas pessoas nesta sala. E disso poderíamos deduzir que "Algumas pessoas interessadas pela filosofia são pessoas que estão nesta sala". Por conseguinte, a sentença "Todas as pessoas que estão nesta sala se interessam pela filosofia" diz mais que aquela outra que afirma "Se alguém estivesse nesta sala, se interessaria pela filosofia", pois isso seria verdade ainda que nesta sala, realmente, não houvesse pessoa alguma. (Enquanto escrevia esta conferência, eu estava perfeitamente certo de que, se alguém viesse, estaria interessado pela filosofia; e eu poderia ter plena certeza disso, ainda que eu tivesse duvidado que alguém realmente viria.) Ora, algumas vezes "Todos os Xs são Ys" significa somente que "Se alguma coisa é um X é um Y". Tomemos, por exemplo, a sentença: "Todos os crimes serão julgados". Isso não subentende que existem ou existirão quaisquer criminosos. De fato, o objetivo do destaque dado a essa sentença é tornar mais provável que não haverá quaisquer criminosos. Tudo quanto diz a sentença "Todos os crimes serão julgados" é que "Se alguém se tornar criminoso, será julgado". Por conseguinte, a crítica de Kant não pode permanecer de pé. Pois, ao usar a palavra "todos", ele colocou, a si mesmo e a outras pessoas, algumas vezes em uma posição e, às vezes, em outra posição.

Apesar de concordar, até este ponto, com os críticos tomistas de Emanuel Kant, ainda assim eu quero asseverar que o argumento cosmológico é radicalmente capenga. A verdade é que a dificuldade tem lugar em um ponto muito anterior daquele determinado por Kant. A dificuldade aparece no primeiro estágio do argumento. Pois o primeiro estágio do argumento arroga-se ao direito de argumento em favor da existência de um ser necessário. E, com a expressão "ser necessário", o argumento cosmológico significa um "ser logicamente necessário", isto é, "um ser cuja não-existência é inconcebível, mais ou menos da mesma forma que um triângulo de quatro lados é inconcebível". A grande dificuldade daquele argumento, entretanto, consiste no fato de que o conceito de um ser logicamente necessário é um conceito autocontraditório, semelhante ao conceito de um quadrado arredondado. Pois, em primeiro lugar, a palavra "necessário" é um predicado de proposições e não de coisas. Em outras palavras, podemos contrastar proposições necessárias tais como "3X2=5" ou "uma coisa não pode ser inteiramente vermelha e inteiramente verde ao mesmo tempo"; ou ainda: "Está chovendo e não está chovendo". Também podemos contrastar essas proposições com as proposições contingentes como aquelas que dizem: "O Sr. Menzies é o primeiro-ministro da Austrália", "A terra é levemente achatada nos pólos" e "O açúcar é solúvel na água". As proposições da primeira classe são garantidas exclusivamente pelas regras do uso dos símbolos que contêm. No caso das proposições pertencentes à segunda classe, é deixada em aberto uma possibilidade genuína de concordância ou não com a realidade; pois, se elas são verdadeiras ou falsas, depende das convenções de nossa linguagem, e, sim, da realidade. (Comparemos o contraste entre a sentença que diz: "O equador fica a 90 graus dos pólos", que nada nos diz sobre a geografia senão aquilo que

foi convencionado na confecção dos mapas, com outra sentença que diz: "Adelaide é uma cidade que fica a 55 graus do pólo sul", a qual nos dá um fato geográfico). Por conseguinte, nenhuma proposição informativa pode ser logicamente necessária. Ora, visto que a palavra "necessário" é uma palavra que se aplica primariamente a proposições, teremos de interpretar a frase "Deus é um ser necessário" como "A proposição: Deus existe, é logicamente necessária". No entanto, esse é o princípio do argumento ontológico, não havendo maneira de evitarmos sua conclusão, desta vez, conforme fizemos com a crítica enunciada por Emanuel Kant. Nenhuma proposição existencial pode ser logicamente necessária, pois vimos que a verdade de uma proposição logicamente necessária depende apenas de nossos símbolos, ou seja, dizer a mesma coisa de outra maneira, com base na relação dos conceitos. Vimos, porém, ao discutirmos sobre o argumento ontológico, que uma proposição existencial não diz que um conceito está envolvido em outro, e, sim, que um conceito se aplica a alguma coisa. Uma proposição existencial deve ser muito diferente de qualquer proposição logicamente necessária, tal como, por exemplo, uma proposição matemática, porque as convenções de nosso simbolismo claramente deixam-nos abertas as possibilidades de afirmarmos ou negarmos uma proposição existencial; e é a realidade, e não os símbolos que usamos, que decidirá aquilo que devemos afirmar ou negar.

A exigência de que a existência de Deus seja algo logicamente necessário é, portanto, uma autocontradição. E quando percebemos isso e voltamos a examinar o primeiro estágio do argumento cosmológico, este não mais nos parece compelidor, e, de fato, agora parece que contém um absurdo. Se fizermos retroceder a nossa memória, haveremos de lembrar que o argumento dizia como se segue: Se explicarmos por que algo existe e por que é o que é, teremos de explicá-lo mediante uma referência a outra, e teremos de explicar o que essa coisa é, tecendo-se referência ainda a uma terceira coisa, e assim por diante, retrocedendo cada vez mais. Pode-se sugerir, por conseguinte, que, a menos que possamos retroceder a uma primeira causa logicamente necessária, ficaremos permanentemente insatisfeitos, intelectualmente falando. Pois, de outra maneira, só poderemos retroceder até algo que poderia ter sido diferente, com relação ao que as mesmas perguntas podem ser feitas por sua vez.

Esse é o argumento; mas agora percebemos que pedir uma primeira causa logicamente necessária é pedir algo mais difícil do que pedir para nós o sol. Para nós, é apenas fisicamente impossível pegarmos no sol; mas, se eu fosse alguns milhões de vezes maior em minha estatura, poderia talvez estender o braço e agarrar esse astro luminoso, entregando-o para meus ouvintes. Em outras palavras, eu sei o que significa dar o sol a alguém, embora, na realidade, eu não possa fazê-lo como um fato. Uma primeira causa logicamente necessária, entretanto, não é impossível da mesma forma que dar o sol para alguém é impossível; não, mas é algo logicamente impossível. É contraditória a expressão que afirma "Um ser logicamente necessário", da mesma forma que é contraditória aquela outra que garante que existe um "quadrado arredondado". Não somente é boa a afirmativa que ficaríamos intelectualmente satisfeitos com uma causa logicamente necessária, pois nada mais nos poderia satisfazer. Com grande facilidade podemos ter um desejo absurdo. Todos gostariam de poder comer o nosso bolo e continuar com ele, para futura ocasião; mas isso em nada altera sobre um fato totalmente absurdo e autocontraditório. Rejeitamos o argumento cosmológico, portanto, porque repousa sobre um total absurdo.

* * *

III. ARGUMENTO TELEOLÓGICO. Vimos que o argumento cosmológico falhou porque lançou uso do conceito absurdo de um ser logicamente necessário. Passamos agora a considerar o terceiro argumento. Chama-se também "argumento baseado no desígnio". Mas seria mais apropriadamente chamado de argumento visando desígnio, conforme Kemp Smith o denomina, porquanto é claro que o universo foi designado por um grande arquiteto, o que equivale a supor uma grande porção da conclusão a ser ainda provada. Ou também poderíamos chamá-lo de "argumento baseado no desígnio aparente". Esse argumento é perfeitamente discutido nos Diálogos sobre a Religião Natural, de David Hume, obra para a qual eu gostaria de chamar a vossa atenção. Nesses diálogos, o argumento é apresentado como se segue: "Olhai o mundo ao vosso redor: Contemplai a totalidade e cada porção do mesmo: Descobrireis que ele nada é senão uma grande máquina, subdividida em um número infinito de máquinas secundárias [...] A curiosa adaptação dos meios aos fins, por toda a natureza, assemelha-se exatamente, embora exceda em muito, às produções da invenção humana [...] Por conseguinte, visto que os efeitos se assemelham uns aos outros, somos levados a inferir, por meio de todas as regras da analogia, que as causas também se assemelham; e que o Autor da natureza é um tanto similar à mente do homem; embora possuidor de muitas superiores faculdades, proporcionais à grandiosidade da obra que ele executou".

Esse argumento pode ser criticado imediatamente em dois pontos particulares, a saber:

1. Poderíamos indagar se a analogia entre o universo e as coisas artificiais como casas, navios, móveis e máquinas (coisas essas que podemos admitir

como designadas) é muito próxima. Ora, em qualquer sentido ordinário da linguagem, é usual dizer-se que as plantas não foram designadas. Se insistirmos sobre a analogia entre o universo e uma planta, ao invés de entre o universo e uma máquina, chegaremos a uma conclusão bem diferente. E por que razão uma das analogias deveria ser reputada como melhor ou pior do que a outra?

2. Ainda que a analogia entre o universo e coisas artificiais não fosse remota, serviria tão-somente para sugerir que o universo foi planejado por um "mui grande" (mas não infinito) arquiteto; e, notemos, um arquiteto, mas não um criador. Pois, se levarmos a sério essa analogia, teremos de observar que não criamos os materiais com os quais fazemos casas, máquinas e assim por diante, mas tão-somente — pomos em ordem — os materiais.

Essa, por meio de um esboço abreviado, é a objeção geral contra o argumento baseado no desígnio, podendo ser aplicada a qualquer de suas formas. Na forma como esse argumento foi exposto por alguns teólogos, como Paley, tal argumento naturalmente, ainda se torna mais sujeito a críticas. Pois Paley pôs ênfase especial sobre o olho de um animal qualquer, que ele pensou ter sido planejado por um sábio criador, visando ao benefício desse animal. Parecia-lhe inconcebível como é que, de outra maneira, um órgão tão complexo e tão bem adaptado às necessidades do animal, poderia ter surgido. Ou ouçamos a Henry More, que disse: "Por que motivo temos três juntas em nossas pernas e em nossos braços, como também em nossos dedos, senão que isso seria melhor do que ter duas ou quatro juntas? E por que nossos dentes incisivos são afiados como formões, próprios para cortar, mas nossos dentes molares são largos e próprios para esmagar, ao invés dos dentes incisivos e dos caninos? Por que, senão que devemos ter feito uma brusca mudança, para poder sobreviver por intermédio daquelas condições piores? Outrossim, porque os dentes são tão habilidosamente colocados, ou antes, por que não existem dentes em outros ossos, como existem nos maxilares? Pois teriam sido tão capazes de uso como os que existem. Mas a razão de tudo isso é que nada foi feito insensatamente ou em vão; isto é, há uma providência divina que põe em ordem todas as coisas". Esse tipo de argumento perdeu toda a sua força de persuasão, porque a teoria da evolução pelo menos tenta explicar por que razão os nossos dentes foram tão habilidosamente colocados em nossos maxilares, por que temos o número mais conveniente de juntas em nossos dedos, e assim por diante. As espécies animais que não possuíam características vantajosas não poderiam ter sobrevivido na competição com aquelas espécies mais privilegiadas.

O tipo de argumento que Paley e Henry More usaram, por conseguinte, é inteiramente convincente. Voltemos para o conceito mais amplo, isto é, o do universo como um todo, que parece mostrar as marcas de um Planejador benévolo e inteligente. Bacon expressou essa crença de forma vigorosa, quando disse: "Eu creria antes nas fábulas e nas lendas do Talmude e do Alcorão do que em que esse arcabouço universal foi feito sem uma mente". Portanto, quando nossos sentimentos estão sob certa forma, o universo nos impressiona. Noutras oportunidades, porém, quando nossos sentimentos mudam, vemos as coisas de forma bem diferente. Citando novamente os diálogos de David Hume: "Contemplai o universo ao derredor. Que imensa profusão de seres, animados e organizados, sensíveis e ativos! Podemos admirar essa prodigiosa variedade e fecundidade. Inspecionemos, entretanto, um pouco mais de perto essas existências vivas, os únicos seres dignos de nossa consideração. Quão hostis e destruidores uns contra os outros! Quão insuficientes são todos eles para a sua própria felicidade! [...] essa totalidade nada nos apresenta senão a ideia de uma Natureza totalmente louca! [...] essa totalidade nada nos apresenta senão a ideia de uma Natureza cega, impregnada de um grande princípio vivificador e a derramar, de seu seio, sem discernimento ou cuidados paternais, seus filhos aleijados e abortivos! Na realidade, grande é o sofrimento, embora se possa atribuir uma parte desse sofrimento às escolhas morais do homem, erroneamente feitas, o que nos salva daquilo que muitas pessoas considerariam como o maior bem da liberdade moral; não obstante, ainda assim, resta um imenso resíduo de sofrimentos aparentemente desnecessários, isto é, desnecessários no sentido de que poderiam ser impedidos por um ser onipotente. A dificuldade envolvida nisso consiste em reconciliar a presença do mal e do sofrimento com a asserção de que Deus é, ao mesmo tempo, onipotente e benévolo. Se já acreditamos na existência de um Deus onipotente e benévolo, então alguma tentativa pode ser feita para que se encontre solução para o problema do mal, argumentando que os valores existentes no mundo formam uma espécie de unidade orgânica, e que o melhoramento de qualquer 'porção' do mundo talvez não seja teoricamente absurdo. Entretanto, se o mal apresenta certa dificuldade para a mente crente, apresenta uma dificuldade insuperável para aquele que deseja argumentar racionalmente, com base no mundo, que explicaria a existência de um Deus onipotente e benévolo. Conforme ele nos parece nesta vida, é diferente do que um homem [...] esperaria de antemão da parte de uma deidade muito poderosa, sábia e benévola? Deve ser estranho o preconceito que leva alguém a afirmar de outro modo. E disso tudo eu concluo que, por mais coerente que seja o mundo, admitindo-se certas suposições e conjecturas, com a ideia de tal deidade, isso jamais nos poderá

fornecer uma inferência concernente à sua existência".

O argumento teleológico, portanto, é extremamente débil; mas, seja como for, ainda que fosse um argumento são, serviria somente para provar a existência de um grandíssimo arquiteto, e não para provar a existência de um Criador onipotente e benévolo.

Não obstante, o "argumento teleológico" exerce certo fascínio sobre nós que a razão não pode fazer desvanecer facilmente. David Hume, em seu décimo segundo diálogo, e depois de ter despedaçado o argumento baseado no desígnio, nos onze diálogos anteriores, apesar de tudo, diz como segue: "Um propósito, uma intenção, um desígnio nos impressionam, ainda que sejamos os mais descuidados e estúpidos pensadores; e nenhum homem pode ser tão endurecido em sistemas absurdos, que rejeite isso a todo o tempo [...] todas as ciências quase nos orientam a reconhecermos insensivelmente o primeiro Autor". Por semelhante modo, Emanuel Kant, antes de passar a exibir a falácia desse argumento, diz acerca do mesmo, apesar de tudo: "Essa prova sempre merecerá ser mencionada com respeito. É a prova mais antiga, mais clara e mais de acordo com o bom senso comum da humanidade. Insufla vida ao estudo da natureza, do mesmo modo que deriva a sua existência e obtém sempre um vigor novo nessa fonte. Sugere finalidades e propósitos, onde nossa observação não poderia tê-los detectado por si mesmo, e amplia o nosso conhecimento sobre a natureza por meio do conceito orientador de uma unidade especial, cujo princípio se encontra fora da natureza. Esse conhecimento [...] de tal forma fortifica a crença em um autor supremo da natureza, que tal crença adquire a força de uma convicção irresistível. Até parece um paradoxo que um argumento inválido venha a impor tanto respeito, até mesmo da parte daqueles que o têm demonstrado como inválido". A solução desse paradoxo talvez seja mais ou menos como se segue: O argumento baseado no desígnio não é bom como argumento. No entanto, naqueles que possuem a semente de uma atitude genuinamente religiosa, e que esta já se encontra em seu íntimo, os fatos para os quais o argumento baseado no desígnio nos chama a atenção, produzem um poderoso efeito. Esses fatos demonstram a grandiosidade e a majestade do universo, fatos evidentes para qualquer pessoa que olhe para o alto, em uma noite estrelada, o que é enormemente ampliado para nós mediante o avanço da ciência teórica. Não obstante, só exercem esse efeito sobre as pessoas de mente já religiosa, sobre as pessoas que têm capacidade de sentir o tipo religioso de admiração. Em outras palavras, o argumento baseado no desígnio na realidade não é um argumento; e, ainda que seja reputado como tal, é um argumento débil, apesar do que serve de poderoso instrumento para despertar as emoções religiosas.

Algo similar poderia ter sido dito até mesmo com relação ao "argumento cosmológico". Como argumento, esse argumento cosmológico não pode resistir à crítica, sob hipótese alguma; de fato, trata-se de uma apresentação inteiramente absurda, ao empregar a noção de um ser logicamente necessário. A despeito disso, apela para alguma coisa profundamente arraigada em nossa natureza humana. Repousa sobre o fato de que a existência é necessária. A lógica nos diz que esse fato não é um fato, de maneira nenhuma, antes, é um truísmo, como o "fato" de um círculo não ser um quadrado. Além disso, o argumento cosmológico procura alicerçar a existência de minha pessoa ou de vossas pessoas, ou a existência desta mesa, sobre a existência de um ser logicamente necessário, em razão do que também comete um absurdo crasso, porquanto a noção de um ser logicamente necessário é uma noção autocontraditória. Portanto, a única coisa racional a dizer, se alguém nos perguntar "Por que esta mesa existe?", é que este ou aquele carpinteiro a fez. Podemos retroceder em uma série dessa natureza; mas não devemos entreter a ideia absurda de retrocedermos até alguma coisa logicamente necessária. Entretanto, façamos agora esta outra pergunta: "Por que alguma coisa existiria, afinal de contas?" A lógica nos parece dizer que a única resposta que não é absurda é aquela que declara: "E por que ela não existiria?" Não obstante, embora eu saiba que qualquer resposta, que siga as diretrizes do argumento cosmológico, possa ser reduzida a pedaços pela lógica correta, sinto mesmo assim o impulso de continuar fazendo essa indagação. De fato, embora a lógica me tenha ensinado a considerar tal pergunta com a mais grave das suspeitas, com freqüência a minha mente parece ficar sob a imensa significação que ela tem para mim. Que qualquer coisa exista, afinal de contas, para mim parece ser motivo do mais profundo respeito. No entanto, é outra questão se as demais pessoas sentem esse mesmo tipo de respeito, ou se eu e as demais pessoas devemos realmente ter esse respeito. Penso que devemos ser caracterizados por tal respeito. Nesse caso, surge aquela pergunta que diz: "Se 'por que qualquer coisa existiria, afinal de contas?' não pode ser interpretada segundo os moldes do argumento cosmológico, isto é, como uma solicitação absurda para a postulação sem sentido de um ser logicamente necessário, que tipo de pergunta será essa? Que tipo de pergunta é aquela que indaga: 'Por que qualquer coisa deveria existir, afinal de contas?'" Tudo o que posso responder é: Por enquanto, não sei dizer qual é a sua resposta.

1. Devo esta ilustração, bem como a aplicação inteira da ideia da reversão de argumentos, ao professor D. A. T. Gasking, de Melbourne, Austrália.

2. Crítica da Razão Pura, A 603.

3. Ver, por exemplo, Fr. T. A. Johnston, Australasian Journal of Philosophy, vol. XXI, p. 14,15, ou D. J. B. Hawkins, Essentials of Theism, p. 67-70, e a revisão do livro de Fr. Hawkins, por A. Donagan, Australasian Journal of Philosophy, vol. XXVIII, especialmente a p. 129.

4 Ver também a conferência Henrietta Hertz, de N. Kemp Smith, intitulada É Crível a Existência Divina?, Proceedings of the British Academy, 1931.

Sugestões para leituras posteriores:

Importantes exposições, alicerçadas em vários argumentos tradicionais em prol da existência de Deus podem ser encontradas nas obras de René Descartes, Meditations; de G. W. Leibniz, Monadology; de George Berkeley, Dialogues; e de Josiah Royce, The Conception of God (Nova Iorque: Macmillan, 1898).

As apresentações contemporâneas dos argumentos tomistas incluem as obras de G. H. Joyce, The Principles of Natural Theology (Nova Iorque: Longmans, Green, 1951); de Réginald Garrigou-Lagrande, God, His Existence and His Nature (St. Louis: Herter Book Co., 1934-1936); E. L. Mascal, He Who Is (Nova Iorque: Longmans, Green, 1949).

Artigos recentes acerca do argumento ontológico incluem os de Norman Malcolm, Anselm's Ontological Argumentos, "Philosophical Review" (1960); e de W. P. Alston, The Ontological Argument Revised, "Philosophical Review" (1960). A edição janeiro de 1961 da "Philosophical Review" contém certo número de críticas do artigo de Malcolm. A obra de Charles Hartshorne, The Logic of Perfection, sobre o mesmo tema, está prestes a ser lançada pela "The Open Court Publishing Company".

O argumento teleológico recebeu ampla exposição na obra intitulada Evidences of the Existence and Attributes of the Deity, pelo pensador do século XVIII, Guilherme Paley. Uma boa apresentação moderna é a de A. E. Taylor, e sua obra intitulada Does God Exist? (Nova Iorque: Macmillan, 1947).

Importantes apresentações do argumento moral estão contidas nas obras de Emanuel Kant, Crítica da Razão Prática; de W. R. Sorley, Moral Values and the Idea of God (Nova Iorque: Cambridge University Press, 1919); e a de A. E. Taylor, Does God Exist?

A crença em uma deidade pessoal não absoluta é defendida por J. S. Mill, Three Essays on Religion; por A. N. Whitehead, Process and Reality (Nova Iorque: Macmillan, 1929); e por W. P. Montague, Belief Unbound (New Haven: Yale University Press, 1930).

Importantes críticas dos argumentos podem ser encontradas nas obras de J. M. E. McTaggart, Some Dogmas of Religion (Londres: Arnold, 1906); de John Laird, Theism and Cosmology (Londres: Allen and Unwin, 1940); e Mind and Deity (Londres: Allen and Unwin, 1941); e de Bertrand Russel, Why I Am Not a Christian and Other Essays (Nova Iorque: Simon and Schuster, 1957).

Versões distintamente diferentes dos argumentos tradicionais estão contidas nas obras de Austen Farrar, Finite and Infinite (Westminster: Dacre Press, 1943); e de Jacques Maritain, Approaches to God, tradução de Peter O'Reilly (Nova Iorque: Herper, 1954).

O Dr. Smart, em correspondência pessoal, tem me dado, gentilmente, a permissão para usar seu artigo em meu comentário. A sua inclusão é devido ao meu desejo de apresentar diante do leitor como os filósofos modernos, de mentes kantianas, positivistas lógicas, negam a validade das provas tradicionais da existência de Deus. A Igreja Católica Romana toma a posição de que a existência de Deus pode ser provada pela necessidade de explicação da Causa Primária, do Artífice, conceitos de Perfeição, de Valor etc. Os teólogos protestantes têm sido influenciados pela filosofia kantiana, e em sua grande maioria, têm abandonado provas vindas da natureza, razão etc., mas baseiam-se na "fé", essencialmente, para terem a segurança interior da realidade de Deus e do seu interesse nos homens. A fé é baseada parcialmente na razão, mas essencialmente em revelação (o profeta e sua visão e formas de experiências místicas).

É minha opinião pessoal que enquanto não podemos ter provas que satisfaçam às demandas da lógica moderna e da filosofia empírica, ainda estas provas existem na natureza e na razão, para que, mesmo afastados da "revelação" possamos ser assegurados da existência de Deus, bem como do seu interesse pela humanidade. O Dr. Smart, e sua classe, erram, em minha opinião, quando supõem (como fazem os empíricos) que nós podemos ter conhecimento das coisas apenas pelos nossos sentidos, pela nossa percepção sensorial. Logo, Deus, fora do universo, pela definição empírica, não pode ser sentido, portanto não pode ser demonstrado como um ser existente. Se a teoria do Dr. Smart sobre apenas os sentidos para o conhecimento fosse verdadeira, então as conclusões que ele tira disto, provavelmente seriam também verdadeiras. Se podemos, porém, ter conhecimento das coisas pela razão, intuição e pela experiência mística, que ultrapassam ou transcendem às experiências dos cinco sentidos, então facilmente Deus poderia ser conhecido e, portanto, provado como existente, sem sequer aplicarmos de maneira nenhuma as percepções sensoriais. Acreditamos que existe grande evidência para essa ultrapassagem e para essa transcendência. Não podemos cercar o conhecimento e dizermos que "Apenas os seus cinco sentidos podem saber alguma coisa". As proclamações dos místicos e racionalistas, bem como as dos intuicionistas, poderiam ser válidas. Certamente, os estudos modernos em parapsicologia tendem a negar que nós podemos saber as coisas apenas pelos cinco sentidos. Aqueles que têm tido contacto com místicos, com sua sabedoria e realizações, sabem que a teoria dos sentidos apenas não faz sentido.

O argumento mais poderoso, talvez, é aquele feito pelo desígnio, como o Dr. Smart tem demonstrado em seu artigo. Pela expressão mágica seleção natural, presumivelmente, nos livramos da necessidade de um Artífice. Isto, no entanto, é para esconder a verdade, não para clarificá-la, pois assim "como", perguntamos funciona uma "seleção natural", que poder está atrás dela? Que inteligência a faz possível? Somos pedidos a acreditar que "funciona por acidente"? Isto requer mais fé para se acreditar do que a simples aceitação de um Artífice. Além disso, o que dizer sobre a imensa criação em sua substância inanimada, que logicamente, não é envolvida em seleção natural? O que pode ser responsável por esta criação? A razão nos força a voltar ao conceito de um criador responsável pela criação. Por meio disto não chegamos necessariamente ao Deus cristão ou a conceitos específicos. Mas não é isto que procuramos, de qualquer maneira. Procuramos, meramente, provas da existência de Deus. Utilizamos outros meios para descrever o que podemos acerca dele.

Em relação ao seu criticismo sobre o argumento ontológico, ele erra por não entender que este depende da suposição ontológica de que a mente humana está em contacto com a mente divina, ou que há uma intercomunicação entre elas. Esta comunicação pode-se tornar evidente por intermédio de impulsos da intuição, razão e da experiência mística. Logo, o argumento ontológico não depende meramente de uma "proposição lógica" que falsamente exige a existência. Se a sabedoria pudesse vir pela razão, pela intuição ou pelo misticismo, então o argumento ontológico poderia ser verdadeiro, e estes meios poderiam ultrapassar e transcender os meros processos lógicos. Apenas provando-se que a razão, a intuição e a experiência mística são mitos, pode-se remover todo o poder do argumento ontológico. Este comentário apresenta o argumento ontológico de Anselmo, junto com um artigo à parte de avaliação.

A IMORTALIDADE DA ALMA

Uma prova da imortalidade da alma

Jacques Maritain

Jacques Maritain (1882) é talvez o filósofo tomista contemporâneo mais liderante. Tem trabalhado em todos os ramos da filosofia, aplicando os princípios tomistas aos problemas contemporâneos. Deixou ele a sua França nativa em 1940, e desde então tem residido nos Estados Unidos da América do Norte.

Este artigo foi extraído da obra de Jacques Maritain, The Range of Reason (1952), The Immortality of the Soul.

I. A EXISTÊNCIA DA ALMA

É sobre essa imortalidade, e sobre o modo como os escolásticos fundamentaram a sua certeza racional que eu agora gostaria de falar.

Naturalmente que devemos entender que temos uma alma, antes de podermos discutir se a alma é imortal. Como Tomás de Aquino procedeu quanto a essa questão?

Antes de tudo, ele observou que o homem tem certa atividade, a atividade do intelecto, que por si mesma é imaterial. A atividade do intelecto é imaterial porque o objeto proporcional ou conatural do intelecto humano não é, como os objetos dos sentidos, uma categoria particular e limitada das coisas, ou antes, uma categoria limitada das propriedades qualitativas das coisas. O objeto proporcional ou "conatural" do intelecto é a natureza das coisas perceptíveis pelos sentidos, consideradas de uma forma que a tudo abarca, sem importar o sentido com que as consideramos. Não consiste apenas — como no caso do sentido da visão — de cores ou de coisas coloridas (que absorvem e refletem tais ou quais raios de luz), e nem como no caso do sentido da audição — de sons ou das fontes originárias dos sons; mas é antes o universo inteiro e a contextura da realidade perceptível pelos sentidos, que pode ser conhecida pelo intelecto, porquanto o intelecto não faz ponto final nas qualidades, mas perscruta mais além, e passa a examinar a essência (aquilo que uma coisa é). Esse próprio fato é uma prova da espiritualidade ou da completa isenção de materialidade de nosso intelecto; pois cada atividade na qual a matéria desempenha um papel intrínseco está limitada a determinada categoria de objetos materiais, como é o caso dos sentidos, que percebe apenas aquelas propriedades capazes de agir sobre os seus órgãos físicos.

De fato, já há certa imaterialidade no conhecimento dado pelos sentidos; o conhecimento, como tal, é uma atividade imaterial, porquanto ao efetuar o ato de conhecer, torno-me, ou sou, a própria coisa que conheço, outra coisa que não eu, até onde essa coisa é outra que não eu. E como poderei ser eu, como poderei tornar-me outra coisa que não eu, senão de forma supra-objetiva ou imaterial? O conhecimento dos sentidos é um tipo grandemente paupérrimo de conhecimento; até o ponto que é um conhecimento, é imaterial, mas é uma atividade imaterial intrinsecamente condicionada pelo funcionamento material dos órgãos dos sentidos, e dependente desse funcionamento. O conhecimento prestado pelos sentidos é a realização imaterial, a atuação imaterial e o produto de um órgão corporal vivo; e seu próprio objeto é também algo meio-material, meio-imaterial, ou seja, uma qualidade física intencional ou imaterialmente presente, dentro do meio por meio do qual age nos órgãos dos sentidos (algo comparável à maneira pela qual a ideia de um pintor se faz imaterialmente presente em seu pincel).

No entanto, no campo do conhecimento intelectual, temos de nos haver com uma atividade que em si mesma é completamente imaterial. O intelecto humano é capaz de saber qualquer coisa que participa do ser e da verdade; o universo inteiro está sujeito ao mesmo; e isso significa que, a fim de ser conhecido, um objeto reconhecido pelo intelecto foi despido de qualquer condição existencial de materialidade. Esta rosa, que vejo, tem contornos; mas o ser sobre o qual estou pensando, é mais espaçoso do que o espaço. O objeto do intelecto é universal, como, por exemplo, aquele objeto universal ou desindividualizado que é aprendido na ideia de homem, de animal ou de átomo; o objeto do intelecto é um universal que permanece sendo aquilo que é enquanto estiver sendo identificado com uma infinidade de indivíduos. E isso só é possível porque as coisas, a fim de se tornarem objetos da mente, foram inteiramente separadas de sua existência material. A isso precisamos acrescentar que a operação de nosso intelecto não cessa ante o conhecimento da natureza das coisas perceptíveis pelos sentidos; "vai bem além"; conhece por analogia as naturezas espirituais; estende-se ao terreno das coisas meramente possíveis; o seu campo tem uma magnitude infinita.

Assim sendo, os objetos conhecidos pelo intelecto humano, considerados não como coisas existentes em si mesmas, mas precisamente como objetos que determinam o intelecto e estão unidos ao mesmo, são puramente imateriais.

Outrossim, da mesma forma que a condição do objeto é imaterial, assim igualmente a condição do ato que diz respeito ao mesmo é determinada ou especificada pelo mesmo. O objeto do intelecto humano, como tal, é puramente imaterial; o ato do intelecto humano é também puramente imaterial.

Outrossim, se o ato do poder intelectual é puramente imaterial, esse poder mesmo é, por semelhante modo, puramente imaterial. No homem, esse animal pensante, o intelecto é um poder puramente espiritual. Não há que duvidar que isso depende do corpo, isto é, que isso depende das condições do cérebro. Sua atividade pode ser perturbada ou impedida por alguma desordem física, por uma explosão de ira, pela ingestão de álcool ou de algum narcótico. Mas essa dependência é de natureza extrínseca. Existe porque a nossa inteligência não pode agir sem a atividade conjunta da memória e da imaginação, dos sentidos internos e dos sentidos externos, todos os quais são capacidades orgânicas que residem em algum órgão material, em alguma porção especial do corpo. No tocante ao próprio intelecto, este não é intrinsecamente dependente do corpo, posto que a sua atividade seja imaterial; o intelecto humano não reside em qualquer órgão especial do corpo humano. Não está contido pelo corpo, mas antes, o intelecto é que contém o corpo. Utiliza-se do cérebro, porquanto os órgãos dos sentidos internos se encontram arraigados no cérebro; não obstante, o cérebro não é um órgão da inteligência; não existe porção nenhuma do organismo cujo ato seja uma operação intelectual. O intelecto não tem órgão.

Finalmente, embora a capacidade intelectual seja espiritual, ou puramente imaterial em si mesma, a sua primeira raiz substancial, o princípio subjacente do qual esse poder procede e que age por sua instrumentalidade, é também espiritual.

Bastam essas considerações acerca da espiritualidade do intelecto. Ora, o pensamento, ou seja, a operação do intelecto, é um ato ou emanação do homem, considerado como uma unidade; e quando penso, não é apenas o meu intelecto que pensa: quem pensa é o eu, o meu próprio ser. E o meu próprio ser é um ser dotado de corpo; envolve matéria; não é algo puramente espiritual ou imaterial. O corpo é uma porção essencial do homem. O intelecto não é o homem inteiro.

Por conseguinte, o intelecto, ou antes, a raiz substancial do intelecto, que deve ser tão imaterial quanto o intelecto, é apenas uma parte, apesar de ser uma porção essencial, da substância do homem.

Contudo, o homem não é um agregado, uma justaposição de duas substâncias; antes, o homem é um todo natural, um único ser, uma única substância.

Conseqüentemente, devemos concluir que a essência ou substância do homem é uma única essência singela, embora essa substância única seja um composto, cujos componentes são o corpo e o intelecto espiritual, ou antes, a matéria, da qual o corpo é feito, e o princípio espiritual, onde reside a faculdade do intelecto. A matéria — no sentido aristotélico de matéria-prima, ou seja, aquela raiz potencial ou o estofo comum de toda a substância corpórea — sim, a matéria substancialmente unida ao princípio espiritual do intelecto, é ontologicamente amoldada, isto é, toma a sua forma, desde o íntimo, nas profundezas maiores do ser, mediante esse princípio espiritual, como se dele recebesse um impulso substancial e vital, a fim de constituir aquele nosso corpo. Nesse sentido, Tomás de Aquino, seguindo Aristóteles, afirma que o intelecto é a forma, a forma substancial do corpo humano.

Essa é a noção escolástica da alma humana. A alma humana, que é o princípio arraigador da faculdade intelectual, é o primeiro princípio de vida do corpo humano, bem como a forma substancial, a entelechia desse corpo. E a alma humana é não somente uma forma substancial ou entelechia, como o são as almas das plantas e dos animais irracionais, de conformidade com a filosofia biológica de Aristóteles; pois a alma humana é igualmente um espírito, uma substância espiritual capaz de existir à parte da matéria, posto que seja o princípio arraigador do poder espiritual, cujo ato é intrinsecamente independente da matéria. A alma humana é ao mesmo tempo alma e espírito; e é a sua substancialidade, a subsistência e a existência, que é transmitida à substância humana inteira, a fim de tornar a substância humana aquilo que ela é, fazendo-a subsistir e existir. Cada elemento do corpo humano é humano, e existe como tal em virtude da existência imaterial da alma humana. Nosso corpo, nossas mãos, nossos olhos, existem em virtude da existência de nossa alma.

A alma imaterial é a primeira raiz substancial não somente do intelecto, mas também de tudo aquilo que, em nós, é alguma atividade espiritual; e é igualmente a primeira raiz substancial de todas as nossas demais atividades vivas. Seria inconcebível que uma alma não-espiritual, aquele tipo de alma que não é um espírito e não pode existir sem a matéria informante — a saber, as almas das plantas e dos animais irracionais, segundo a biologia aristotélica — viesse a possuir um poder ou faculdade superior ao seu próprio grau no ser, isto é, imaterial, ou pudesse agir por meio de alguma instrumentalidade supramaterial, independente de qualquer órgão corpóreo e estrutura física. Quando se trata, porém, da questão de um espírito que é uma alma, ou seja, uma "alma espiritual", como é o caso da alma humana, então é perfeitamente concebível que essa alma possua, à parte de quaisquer faculdades imateriais ou espirituais, outros poderes e atividades que sejam orgânicos e materiais, e que, no tocante à união entre a alma e o corpo, pertençam a um nível inferior ao nível do espírito.

II. ESPIRITUALIDADE DA ALMA HUMANA

Assim sendo, o mesmo caminho pelo qual os escolásticos chegaram à conclusão da existência da alma humana também firmou a sua espiritualidade. Da mesma forma que o intelecto é espiritual, isto é, intrinsecamente independente da matéria, em sua operação e em sua natureza, assim também, e pela mesma razão, a alma humana, a raiz substancial do intelecto, é espiritual, isto é, intrinsecamente independente da matéria, em sua natureza e em sua existência; a alma humana não vive por causa do corpo, mas o corpo vive por causa da alma humana. A alma humana é uma substância espiritual que, devido à sua união substancial com a matéria, empresta existência e formação ao corpo.

Esse é o meu segundo ponto. Conforme já tivemos ocasião de verificar, os escolásticos demonstraram esse ponto pela análise metafísica da operação intelectual, distinguida cuidadosamente da operação dos sentidos. Naturalmente que os escolásticos postulavam muitas outras evidências em apoio à sua demonstração. Nas suas considerações sobre o intelecto observaram, por exemplo, que este último é capaz de reflexão perfeita, ou seja, de dobrar-se inteiramente sobre si mesmo — não à maneira de uma folha de papel, cuja metade pode ser dobrada sobre a outra metade, mas de forma completa, de tal modo que possa apreender a sua operação inteira, penetrando ali o conhecimento; e também pode conter a si mesmo e ao seu próprio princípio, o eu existente, em sua própria atividade de conhecimento, num reflexo perfeito ou autocontido, do que qualquer agente material, existente no espaço e no tempo, é essencialmente incapaz. Neste ponto somos confrontados pelo fenômeno do autoconhecimento, de "prise de conscience", em que o intelecto toma consciência de si mesmo, o que é um privilégio do espírito, e o que Hegel (seguindo Agostinho) haveria de enfatizar, e o que também desempenha tão tremendo papel na história da humanidade e no desenvolvimento de suas energias espirituais.

Por semelhante modo, é possível demonstrar-se que a vontade humana, que está arraigada no intelecto, e que é capaz de determinar a si mesma, ou de dominar o próprio motivo ou juízo que a determina e se torna eficaz pela própria vontade, é similarmente espiritual, tanto em sua operação como em sua natureza. Cada agente material está sujeito ao determinismo universal. O livre-arbítrio é o privilégio, o glorioso e o grande privilégio de um agente dotado de poder imaterial.

Somos responsáveis por nós mesmos; decidimos por nós mesmos e damos preferência às próprias finalidades e aos próprios destinos. Somos capazes de um amor espiritual e supra-sensual, bem como de desejos e de uma alegria supra-sensuais, que naturalmente se misturam com nossas emoções orgânicas e sensuais, mas que, por si mesmas, são afeições da vontade espiritual, despertadas por meio da luz imaterial do discernimento intelectual. Deleitamo-nos na beleza, desejamos a perfeição e a justiça, amamos a verdade, amamos a Deus, amamos todos os homens — não somente os membros de nosso grupo social, família, classe ou nação —, e isso porque todos os homens são seres humanos e são filhos de Deus. Os santos, aqueles homens que por toda parte são chamados de homens espirituais, experimentam certa contemplação que firma a sua alma em uma paz superior e mais forte que o mundo inteiro; e passam por conflitos íntimos, crucificações e mortes que somente uma vida superior e mais poderosa do que a existência biológica pode sofrer e atravessar — e continuar viva. E nós mesmos sabemos que podemos deliberar sobre nós mesmos, julgando as próprias ações, apegando-nos ao que é bom, porque é bom, sem nenhuma outra razão. E todos nós sabemos, mais ou menos obscuramente, que somos pessoas, que temos direitos e deveres, que preservamos a dignidade humana dentro de nós mesmos. Cada um de nós pode, em certos momentos de sua existência, descer até as maiores profundezas do ego, fazendo ali algum compromisso eterno ou dando ali um presente de si mesmo, ou então enfrentando algum julgamento irrefutável de sua consciência; e cada um de nós, em tais ocasiões, sozinho consigo mesmo, sente que é um universo para si mesmo, imerso no grande universo estelar, mas de forma nenhuma dominado pelo mesmo.

Por todas essas formas convergentes, podemos perceber e experimentar, até certo ponto, e de forma concreta, aquela realidade viva de nossas raízes espirituais, ou seja, daquilo que está acima do tempo em nós, e que as provas filosóficas tornam intelectualmente certo, ainda que sob a forma abstrata de um conhecimento científico.

III. A IMORTALIDADE DA ALMA HUMANA

O terceiro ponto se alicerça imediatamente sobre o segundo. A imortalidade da alma humana é o corolário imediato de sua espiritualidade. A alma, que é espiritual por si mesma, intrinsecamente independente da matéria, em sua natureza e existência, não pode deixar de existir. Um espírito — isto é, uma "forma" que de nada precisa senão de si mesma (salvo do influxo da causa primária) para exercer a sua existência — uma vez que venha a existir, não mais pode deixar de existir. Uma alma espiritual não pode corromper-se, visto que não possui matéria; não pode desintegrar-se, visto que não possui partes substanciais algumas; não pode perder a sua unidade individual porque é auto-subsistente; e nem pode perder a sua energia interna, porquanto ela contém dentro de si mesma todas as fontes de suas energias. A alma humana não pode morrer. Uma vez que ela exista, não pode desaparecer; existirá necessariamente para sempre perdurará sem fim.

Assim sendo, a razão filosófica, posta a funcionar por um grande metafísico como foi Tomás de Aquino, é capaz de provar a imortalidade da alma humana de maneira demonstrativa. Naturalmente que essa demonstração subentende vasta e articulada teia de introspecções, noções e princípios metafísicos (relacionada à essência e à natureza, à substância, ao ato e à potência, à matéria, à forma, à operação etc.) cuja validade é necessariamente pressuposta. Podemos apreciar amplamente a força da demonstração escolástica somente quando percebemos a significação e a ampla validade das noções metafísicas envolvidas. Se os tempos modernos se sentem perdidos em face do conhecimento metafísico, imagino que não devemos lançar a culpa sobre o conhecimento metafísico, e, sim, sobre os tempos modernos e sobre o debilitamento da razão que se tem experimentado nos tempos modernos.

Não é surpreendente, por outro lado, que a demonstração filosófica que acabo de sumariar seja uma demonstração abstrata e difícil. As grandes e fundamentais verdades que não são espontaneamente apreendidas pelo instinto natural da mente humana são sempre as verdades mais difíceis de serem estabelecidas pela razão filosófica. No tocante à imortalidade da alma humana, a razão filosófica deve usar o mui refinado e elaborado conceito da imaterialidade, um conceito remoto da compreensão natural; e isso não somente no caso dos homens primitivos, mas igualmente no caso de todos quantos pensam com a sua imaginação, ao invés de fazê-lo com o seu intelecto. Certos monges da Ásia Menor, durante os primeiros séculos do cristianismo, não ficaram indignados ante a ideia de que Deus é um ser imaterial? Eles não usavam nossos idiomas modernos, e, no entanto, estavam convencidos de que o uso do vocábulo imaterial dá a entender algo privado de matéria, ou seja, não ser coisa alguma. Certamente criam na imortalidade da alma, mas é duvidoso se realmente entendiam a força do argumento que temos empregado.

Os homens primitivos não filosofavam; mas, a despeito disso, dispunham de uma forma própria, instintiva e não-conceitual de acreditar na imortalidade da alma. Era uma crença fundamentada sobre uma experiência obscura do eu, bem como sobre as aspirações naturais do espírito que há em nós e que procura vencer a morte. Não precisamos nos atirar a uma análise dessa crença natural, instintiva e não-filosófica na imortalidade. Eu gostaria meramente de citar uma passagem extraída de um livro escrito pelo extinto cientista Pierre Lecomte du Nouy. Referindo-se ao homem pré-histórico, ele disse: "O homem de Neanderthal, que viveu nos tempos paleolíticos, não somente sepultava os seus mortos, mas também, algumas vezes, sepultava-os em terreno comum. Um exemplo disso se encontra na Grotte des Enfants, perto de Mentone. Por causa desse respeito que ele tinha para com os seus mortos, temos chegado a um conhecimento anatômico do homem de Neanderthal mais perfeito do que o conhecimento que possuímos de certas raças que se tornaram extintas somente há pouco tempo, ou de raças ainda existentes, como os tasmanianos. Não se deve mais pensar em questão de instinto. Já estamos pensando juntamente com a aurora do pensamento humano, que se revela em uma espécie de revolta contra a morte. E a revolta contra a morte subentende amor por aqueles que se foram, bem como a esperança que o seu desaparecimento não será final. Vemos essas ideias, que talvez tenham sido as primeiras, a se desenvolverem progressiva e paralelamente aos primeiros sentimentos artísticos. Rochas chatas, na forma de dólmens, eram postas de modo a proteger o rosto e a cabeça daqueles que eram sepultados. Posteriormente, ornamentos, armas, alimentos e as cores que servem para adornar o corpo, passaram a ser postos também nos túmulos. É insuportável a ideia de que tudo termina. O morto haveria de despertar, teria fome, teria de defender-se, e haveria de querer adornar-se". (L'Avenir de l'Esprit, Gallimard, Paris, 1941, p. 188).

Esse mesmo autor passa a observar que, em vista das noções primordiais, como aquelas do bem e do mal, ou da imortalidade, nasceram espontaneamente nos seres humanos mais primitivos. Essas noções, por essa mesma razão, devem ser examinadas e escrutinizadas como possuidoras de valor absoluto.

Penso que esses pontos de vista, expressos por Lecomte du Nouy, são verdadeiros e nos levam a pensar. A priori, é provável que as grandes e básicas ideias, as ideias primárias, contidas nos mitos do homem primitivo, e transmitidas através de séculos pela herança comum da humanidade, são mais hígidas do que ilusórias, e merecem mais respeito do que desprezo. Ao mesmo tempo, somos livres para preferir uma genuína demonstração filosófica.

IV. A CONDIÇÃO E O DESTINO DA ALMA IMORTAL

O que pode esclarecer-nos a filosofia acerca da condição natural da alma imortal, após a morte de seu corpo? Esse é o meu quarto e último ponto. Realmente, a filosofia pode nos contar pouquíssimo acerca dessa questão. Tentemos sumariar as poucas indicações que existem. Todas as faculdades orgânicas e sensuais da alma humana permanecem dormentes em uma alma separada, pois não podem ser postas a funcionar sem o corpo. A alma separada, por si mesma, está engolfada em um sono completo no que diz respeito ao mundo material; os sentidos externos e sua percepção desapareceram; as imagens da memória e da imaginação, os impulsos dos instintos e das paixões também desapareceram. Esse sono, entretanto, não se assemelha ao sono que conhecemos, — obscuro e povoado de sonhos; antes, é lúcido e inteligente, bem vivo para as realidades espirituais. Com base no próprio fato de sua separação do corpo, a alma agora se conhece por si mesma; sua própria substância se tornou transparente para o seu intelecto; ela é intelectualmente penetrada até as suas maiores profundezas. A alma vem assim a conhecer a si mesma de maneira intuitiva; fica ofuscada por sua própria beleza, a beleza de uma substância espiritual, e conhece outras coisas, pela própria substância já conhecida, na mesma medida em que outras coisas se assemelham a ela. Conhece a Deus por meio da imagem de Deus que é a própria alma. E de conformidade com seu estado de existência incorpórea, recebe da parte de Deus, que é o sol dos espíritos, certas ideias e inspirações que a iluminam diretamente, e que ajudam a luz natural do intelecto humano, daquele intelecto que, conforme fraseou Tomás de Aquino, é o mais baixo, dentro da hierarquia dos espíritos.

Tomás de Aquino ensina também que tudo quanto pertence ao intelecto e ao espírito, e, especialmente à memória intelectual, mantém vivo, na alma separada, o tesouro inteiro do conhecimento, adquirido durante a nossa vida corporal. O conhecimento intelectual, as virtudes intelectuais adquiridos aqui neste mundo mais vil, subsistem na alma separada. Se por um lado as imagens da memória dos sentidos, que têm sua sede no cérebro, desaparecem, aquilo que penetrou na memória intelectual é preservado. Assim, pois, de maneira intelectual e espiritual, a alma separada sempre conhece aqueles a quem amou. E a esses ama de forma espiritual. E é capaz de conversar com outros espíritos, abrindo para os mesmos aquilo que permanece em seus pensamentos íntimos, e que é aproveitado por sua livre-vontade.

Podemos imaginar, portanto, que no momento em que a alma abandona o corpo, ela se sinta subitamente imersa em si mesma, como se estivesse em um abismo rebrilhante, onde, tudo quanto estava sepultado em seu interior, tudo quanto ali estava morto, ressuscita para a plena luz, até o ponto em que isso é abarcado pelas profundezas subconscientes ou supraconscientes da vida espiritual de seu intelecto e vontade. Então, tudo quanto é verdadeiro e bom, existente na alma, se torna uma bênção para ela, ao toque de sua luz revelatória e que em tudo penetra; e tudo quanto estiver retorcido e for mau, transforma-se num tormento para a alma, sob o efeito dessa mesma luz.

Não creio que a razão natural possa prosseguir mais ainda em sua compreensão sobre a condição natural da alma separada. De que consistiria a vida e a felicidade da alma, se o seu estado após a morte fosse um estado puramente natural? Seu bem supremo consistiria de sabedoria, de vida espiritual sem empecilhos, de amizade mútua, e, antes de tudo, de avançar constantemente no conhecimento natural e no amor de Deus, a quem, entretanto, jamais veriam face a face. Seria felicidade em movimento, mas sem jamais ser absolutamente cumprida — aquilo que Leibniz chamou de un chemin par des plaisirs, "um caminho em meio a prazeres espirituais".

Porém, se desejarmos saber mais do que isso, não poderemos ir além do ponto a que chega a filosofia? A própria filosofia, nesse caso, nos confiará à orientação de um conhecimento cujas fontes originárias são superiores às da própria filosofia. Os cristãos autênticos sabem que o homem não vive em um estado de natureza pura. Sabem que o homem foi criado em estado de graça, mas que, após o primeiro pecado ter ferido a nossa raça, o homem vem vivendo em um estado de natureza decaída ou redimida; sabem que o homem foi criado para desfrutar de uma bênção sobrenatural. Em resposta à questão do destino das almas separadas, os sábios escolásticos não falavam como filósofos, e, sim, como teólogos, cujo conhecimento repousa sobre os informes da revelação divina.

Até onde o homem participa dos privilégios metafísicos de espírito e de personalidade, tem aspirações que transcendem à natureza humana e às possibilidades, as quais, conseqüentemente, podem ser denominadas de aspirações transnaturais: o anelo por um estado em que viria a conhecer as coisas de forma completa e sem erro, e no qual desfrutaria de perfeita comunhão com os espíritos, e onde seria livre sem o perigo de falhar ou pecar, e onde habitaria em uma pátria de justiça infindável, possuidor de conhecimento intuitivo da causa primária do ser.

Esse anelo não pode ser cumprido pela natureza. Só pode ser cumprido pela graça. A alma imortal está envolvida e engajada no grande drama da redenção. Se, no momento de sua separação do corpo, no momento em que sua escolha é fixada imutavelmente e para sempre, a alma imortal der preferência à sua própria vontade e ao seu amor-próprio, em detrimento da vontade e do dom de Deus, se ela preferir a miséria, juntamente com o orgulho, ao invés de preferir as bênçãos da graça, então lhe será concedido aquilo que ela desejar. Haverá de ter seu desejo, e jamais deixará de querê-lo e preferi-lo, porquanto a livre escolha feita na condição de um espírito puro é uma escolha eterna. Se a alma, porém, abrir-se para a vontade e o dom de Deus, a quem ama mais do que à própria existência, então lhe será concedido aquilo que ela ama, e entrará para sempre na alegria do ser não-criado. Verá a Deus face a face e conhecerá a ele, tal como por ele é conhecido, isto é, intuitivamente. E assim a alma se tornará Deus por participação, conforme disse São João da Cruz e, por meio da graça, atingirá aquela comunhão na vida divina, aquela bem-aventurança por causa da qual todas as coisas foram criadas. E o grau dessa própria bênção, o grau de sua visão, corresponderá ao grau de seu ímpeto interno, que se projeta para o âmago de Deus, ou, em outras palavras, corresponderá ao grau de amor a que tiver atingido em sua vida terrena.

Em última análise, pois, devemos dizer juntamente com São João da Cruz que é de conformidade com o nosso amor que seremos julgados. Em seu estado de bem-aventurança, a alma imortal conhecerá a criação no criador, por intermédio daquele tipo de conhecimento que Agostinho intitulou de conhecimento matutino, por ser produzido na manhã eterna das ideias criativas; a alma imortal será igual aos anjos, e se comunicará livremente com o reino inteiro dos espíritos; amará a Deus, dali por diante visto claramente, com uma soberana necessidade; e exercerá seu livre-arbítrio no tocante a todas as suas ações concernentes às criaturas, embora esse livre-arbítrio não mais esteja sujeito ao fracasso e ao pecado; a alma habitará no reino da justiça infindável, isto é, no reino das três pessoas divinas e dos espíritos abençoados; se apegará e possuirá a essência divina que, de forma infinitamente mais clara e mais inteligível do que quaisquer de nossas ideias, iluminará o intelecto humano interiormente, e servirá por si mesma de meio inteligível, de forma atuante pela qual ela será conhecida. De conformidade com uma linha dos Salmos que Tomás de Aquino amava e repetia com freqüência: Na tua luz vemos a luz.

Tais foram os ensinamentos de Tomás de Aquino, tanto como filósofo quanto como teólogo, acerca da condição e do destino da alma humana. A imortalidade não é uma sobrevivência mais ou menos precária, bem ou malsucedida, em outros homens ou em outras ondas ideais do universo. A imortalidade é uma propriedade inalienável e natural da alma humana, na qualidade de substância espiritual. E a graça faz com que a vida eterna se torne possível para todos, tanto para os mais destituídos quanto para os mais bem-dotados. A vida eterna da alma imortal consiste de sua união transformadora com Deus, bem como da vida íntima de Deus, numa união que é realizada incoativamente neste mundo inferior, pelo amor e pela contemplação, ainda que venha a sê-lo, de maneira definida e perfeita, após o falecimento do corpo, por meio da visão beatífica. Pois a vida eterna começa neste mundo, e a alma do homem vive e respira onde ela prefere por amor; e o amor, por uma fé viva, tem força suficiente para levar a alma do homem a experimentar unidade com Deus — "duas naturezas em um único espírito e amor divino" — *dos naturalezas en un espiritu y amor de Dios*.

Não acredito que um filósofo possa discutir acerca da imortalidade da alma sem levar em consideração as noções complementares que o pensamento religioso adiciona às respostas verdadeiras e inadequadas que a razão e a filosofia podem fornecer por si mesmas.

Quando os mortos voltam!

Esses mortos redivivos algumas vezes narram experiências verificáveis, que desafiam as leis conhecidas pela ciência.

Por Henry L. Pierce

Henry L. Pierce é um psicologista que desde há muito tem estado semelhantemente interessado pela parapsicologia. Com base em sua experiência, como escritor de questões médico-científicas, para a Pittsburgh Post-Gazette, destacou esses diversos casos nos quais os pacientes relataram ocorrências fora do corpo, após se terem recuperado da morte clínica.

A morte sobreveio repentinamente a um empregado da companhia de energia elétrica de Pittsburgh, no ano passado. Sua idade era de trinta e sete anos. Ele foi eletrocutado. Os médicos declaram-no morto. Não perderam, porém, as esperanças. Talvez, mediante a administração de oxigênio e por outras modernas técnicas médicas, pudessem fazê-lo reviver. E conseguiram.

Quando a vítima recuperou a consciência, tinha uma história estranha e fascinante para contar. Enquanto estivera morto, esclareceu ele, sentiu que abandonava seu próprio corpo. E insistiu em que havia feito uma visita ao seu próprio lar, em estado desacordado.

Um sonho? Talvez.

No entanto, foi capaz de descrever, com pormenores, a visita que um vizinho fizera à sua casa, bem como a conversa que tivera lugar durante essa alegada visita!

Essa história, em traços gerais, tem sido narrada antes, e pode repetir-se indefinidamente nos anos vindouros. O número de casos parecidos já se vai multiplicando. Novas drogas, massagens do coração e cirurgia cardíaca estão trazendo um número crescente de indivíduos de volta dentre os mortos; e essas pessoas narram experiências, passadas durante a morte, que parecem desafiar as leis conhecidas pela ciência. Tais experiências poderiam ser sonhos. Como aquele trabalhador da companhia de eletricidade, entretanto, essas pessoas, com freqüência, são capazes de descreve acontecimentos que tiveram lugar a alguma distância — acontecimentos que elas dizem ter visto em primeira mão.

Uma operária em trabalhos de cerâmica, em Montana, chegou a um milímetro da morte, durante uma luta intensa com um ataque de pneumonia. Conta ela a seguinte história:

"Não me lembro de haver perdido a consciência. Disseram-me mais tarde que caí em coma profundo. Repentinamente, porém, fui capaz de ver a mim mesma, deitada sobre o leito. Vi meu marido e o médico, e ouvi tudo quanto disseram. Pensavam que eu não conseguiria resistir até o amanhecer. Conversaram durante pouco tempo, e então entraram na sala de estar. Parecia que eu era capaz de segui-los. Meu marido tomou de um livro, que vinha lendo, e leu um parágrafo para o médico, e então ambos debateram um pouco sobre o assunto."

Depois que essa mulher recuperou a consciência, disse a seu esposo tudo quanto havia observado. E ele confirmou cada detalhe.

Um sonho?

Talvez. Ou talvez ela tenha conseguido ouvir o bastante da conversa, em seu estado comatoso, para poder adicionar o restante. Ou talvez, tal como o operário da companhia de eletricidade, ela se tenha aventurado para além da pouco compreendida fronteira da percepção extra-sensorial — o terreno ocupado pela telepatia e pela clarividência.

A maioria desses casos é cuidadosamente suprimida. Larga publicidade é dada ao prodígio médico que algumas vezes consegue fazer reviver os recém-clinicamente mortos. No entanto, a experiência real do paciente com a morte é criteriosamente evitada. O temor do ridículo é uma das razões disso. Os pacientes se sentem temerosos — temerosos de não ser cridos, temerosos de ser reputados "desequilibrados". Isso aconteceu ao empregado da companhia de eletricidade. Isso também sucedeu ao indivíduo que, após ter passado por profundo período de coma, alegou ter avistado e conversado com sua esposa, que pouco tempo antes havia morrido em um acidente de trânsito.

Os médicos e as enfermeiras não gostam de ver que esses casos receberam publicidade. Com grande raridade, eles os mencionam em seus relatórios. Os jornalistas raramente são convidados a cobrir as histórias onde o sobrenatural aparentemente está envolvido, sem importar quão dramática tenha sido a subseqüente recuperação do paciente.

Uma mulher da região ocidental do Estado norte-americano da Pennsylvania foi declarada morta, após ter sofrido um ataque do coração. Depois que a trouxeram de volta à vida, graças aos modernos métodos cirúrgicos, aos jornalistas foi prometido que o caso produziria dramático material para suas narrativas. Marcaram-se as datas possíveis para entrevistas com a paciente. Repentinamente, porém, o pessoal do hospital mudou diametralmente de parecer. Aos jornalistas foi notificado, sem nenhuma outra explicação, que, de forma nenhuma, lhes seria permitido conversar com a paciente. E o pessoal da seção de relações públicas do hospital, que antes havia asseverado a necessidade de ser dada publicidade ao caso, tornou-se inexplicavelmente silencioso. Disseram apenas que a paciente "não parecia

estar passando muito bem", e que não se podia confiar nos seus juízos. Os médicos cerraram seus livros firmemente em torno do caso, e a identidade dessa paciente jamais foi revelada.

No entanto, os próprios médicos não estão imunes a essas experiências insondáveis. Um médico de sessenta e oito anos de idade, da cidade de Búfalo, Estado de Nova Iorque, nos Estados Unidos da América do Norte, jazia moribundo, após sofrer longa enfermidade. Ao aproximar-se a noite, ele caiu em estado de inconsciência. Sua esposa e seu cunhado estavam ao lado de seu leito.

"Cerca de três horas da madrugada" — relata o seu cunhado — "ele acordou subitamente de um profundo coma. Parecia perfeitamente racional e na plena posse de suas faculdades. Declarou ter estado em algum outro lugar. Não o descreveu, mas repetia: 'Não estive aqui; estive em algum outro lugar'. Faleceu antes de amanhecer o dia."

Maiores minúcias encontramos em torno do caso de um médico e diplomata britânico, Sir Auckland Geddes. Em um discurso feito diante da Real Sociedade Médica, intitulado "A Voice from the Grandstand" (Uma voz da tribuna), Sir Auckland descreveu o que denominou de "a experiência de um homem que atravessou os próprios portais da morte, e foi trazido de volta à vida pelo tratamento médico".

O paciente de Sir Auckland foi aparentemente envenenado. O veneno o atingiu tão violentamente, que ele nem ao menos teve tempo para chamar por socorro. Eis a sua descrição:

"Eu quis telefonar pedindo ajuda, mas descobri que não podia fazê-lo; assim, placidamente, desisti da tentativa. Percebi que estava gravemente enfermo, e revisei de maneira rápida a minha situação econômica. Depois disso, em nenhuma ocasião pareceu-me que a minha consciência ficava envenenada; mas repentinamente entendi que a minha consciência se separava de outra consciência que também era minha."

Essa segunda consciência, no dizer de Sir Auckland, gradualmente se tornou dominante, à proporção que a condição física do paciente foi piorando. E continuou o paciente em sua descrição:

"Gradualmente percebi que podia ver, não somente o meu corpo e o leito em que eu me encontrava, mas tudo quanto havia na casa e no jardim; e então percebi que não estava vendo 'coisas' apenas em minha cidade, mas igualmente em Londres e na Escócia; de fato, por onde quer que a minha atenção era dirigida, segundo me pareceu; e a explicação que recebi, sem saber eu qual a origem, mas que eu mesmo me vi chamando de meu 'preceptor', é que eu estava livre em uma dimensão temporal do espaço na qual agora, de alguma forma, era equivalente a 'aqui', no espaço ordinário tridimensional da vida diária."

Como uma pessoa pode ver em tal estado, se não possui olhos materiais?

Sir Auckland declarou que, embora parecesse ter uma visão através de dois olhos, e mais "apreciava" do que realmente "via" as coisas — mais ou menos como se uma forma inteiramente diferente de percepção (extra-sensorial?) houvesse tomado o lugar da percepção normal.

Foi nesse estado, ainda segundo testemunho de Sir Auckland, que o paciente "viu" uma mulher entrar em seu quarto de dormir. E o próprio paciente prosseguiu:

"Percebi que ela tomou um tremendo choque, e a vi correr para o telefone. Vi o meu médico abandonar os seus pacientes e vir apressadamente, e cheguei a ouvi-lo, ou o vi a pensar: 'Ele está quase morto!' Ouvi-o falar bem claramente comigo, sobre o coma; porém, eu não estava mais em contacto com o meu corpo, e não lhe pude responder".

O médico aplicou no paciente uma injeção, e o paciente, segundo Sir Auckland, teve o seguinte a dizer a respeito disso:

"Quando o coração começou a pulsar com mais vigor, fui atraído de volta, e fiquei imensamente aborrecido, visto que eu estava tão interessado e começava a compreender onde eu estava e o que eu estava vendo. Voltei ao corpo realmente irado, por ter sido puxado de volta para onde eu estivera; e, uma vez que voltei, toda a claridade de visão, sobre qualquer coisa e sobre tudo, desapareceu. E fiquei possuído por mera réstia de consciência, um tanto sufocada pela dor".

Teria sido um sonho?

Sir Auckland, entretanto, declarou que a experiência não teve a tendência de ir-se dissipando como um sonho. "O que devemos pensar a respeito disso?", indagou ele. E acrescentou: "De uma coisa podemos estar bem certos: não foi uma simulação".

Um cirurgião escocês, Sir Alexander Ogston, relatou como estivera bem perto da morte, devido a uma febre tifóide, no hospital Bloemfontein, na África do Sul.

"A mente e o corpo pareciam-me duplos" — declarou ele — "e até certo ponto estavam separados. Tomei consciência do meu corpo como uma massa inerte e caída perto da porta; pertencia-me, mas não era eu."

Nessa condição, segundo afirmou, teve "a estranha consciência de que podia enxergar através das paredes do edifício, embora estivesse consciente de que elas estavam ali. Tudo parecia transparente para os meus sentidos".

Sir Ogston contou como vira outro médico, noutra porção do hospital, piorar gravemente de sua enfermidade, gritar e morrer. Não soubera coisa nenhuma acerca da existência daquele outro médico, declarou. E acrescentou: "Vi que cobriam o seu cadáver, tendo-o transportado suavemente, estando os pés dele descalços, calma e secretamente."

Mais tarde, as enfermeiras confirmaram o acontecido, tal como o paciente em foco havia dito.

Não é preciso que alguém morra ou mesmo que se aproxime da morte para passar por uma experiência similar. Muitas pessoas sabem o que significa alguém procurar despertar no meio de um sono profundo, somente para descobrir que não podem fazê-lo. Se, porventura, o leitor já passou por essa experiência, sabe quão aterrorizante ela pode ser. A gente tem perfeita consciência do ambiente que nos cerca; e tenta gritar, mas não pode emitir um único som. A gente procura beliscar-se, mas percebe que não pode mover os dedos. Por alguns momentos, pelo menos, perde-se o controle sobre o próprio corpo.

Um jovem de vinte anos, da cidade de Búfalo, nos Estados Unidos da América do Norte, passou por essa experiência por duas vezes. Sucede que ele estava, então, interessado nas questões da percepção extra-sensorial. Portanto, na segunda ocasião em que isso me aconteceu, esqueci o terror por tempo bastante para tentar uma experiência.

"Eu queria descobrir se, naquele estado, o alcance de minha percepção poderia ser estendido, como na telepatia ou clarividência. Dirigi a minha atenção para as condições atmosféricas, o que, naqueles tempos, era para mim uma espécie de passatempo. De alguma forma, que não sei explicar, fui capaz de ver que uma onde de frio se movia em nossa direção, vinda do Estado do Colorado. Na manhã seguinte, uma predição revisada, enviada pelo serviço de meteorologia, avisava sobre uma onde de frio que se aproximava, vinda do Colorado!"

Pura coincidência?

Talvez. Pois ondas de frio não são incomuns no mês de dezembro, quando essa experiência teve lugar. Mas, do Estado do Colorado? O jovem disse que, se tivesse sabido que se aproximava uma onda de frio, ele a teria esperado dos Estados de Montana, Dakota do Sul ou Dakota do Norte, e não do Estado de Colorado, que fica mais ao sul.

O que pensa a ciência sobre tudo isso?

A maioria dos médicos se mostra cética. Vêem pacientes que morrem todos os dias. Sabem o que é contemplar um paciente que "se vai". Sabem que alguns pacientes, no momento da morte, parecem ver amigos e parentes já falecidos. Não é incomum ver um paciente moribundo abrir bem os olhos, como que surpreendido, e ouvi-lo a proferir o nome de sua esposa ou de algum colega há muito falecido, como que em uma saudação admirada. A maioria dos médicos, porém, acredita que tais pacientes estejam sofrendo de alguma alucinação.

Teriam razão esses médicos? Esses pacientes realmente estariam tão enfermos, que não sabiam o que estavam vendo? Estariam de "mente nublada", por causa da febre alta e da enfermidade?

O Dr. Karlis Osis, Diretor de Pesquisas da Fundação de Parapsicologia de Nova Iorque, está procurando descobrir isso. Enviou uma lista de perguntas a médicos e enfermeiras de toda a nação norte-americana, perguntando se já haviam observado pacientes passarem por experiências como essas. Solicitava ele informações médicas detalhadas acerca desses pacientes. Haviam eles recebido drogas, antes de falecerem? Estavam atacados de febre muito alta? Deliravam? Havia quaisquer venenos que atuavam sobre seu corpo? Pareciam ter a mente enevoada ou clara?

Quando todos os relatórios haviam sido enviados de volta, o Dr. Osis contava com grande quantidade de fatos sobre mil trezentos e setenta pacientes moribundos que, segundo disseram os médicos e as enfermeiras, haviam se comportado como quem tivesse visto um amigo ou um parente já falecido. E as respostas ao questionário eram realmente surpreendentes.

Os pacientes que, segundo os relatórios, tinham aparentemente saudado amigos e parentes já mortos, de maneira evidente estavam de mente clara, não estavam sob o efeito de drogas, e não estavam atacados por febres altas! Os médicos e as enfermeiras que assistiram à morte desses pacientes disseram que a maioria deles parecia perfeitamente racional, plenamente cônscia de seus respectivos ambientes, até os seus últimos instantes de vida.

Os pacientes que pareciam ter a mente perturbada eram aqueles que estavam sob o efeito de fortes sedativos, ou que sofriam de febre acima de 41 graus centígrados. E esses, com grande freqüência, descreveram visões sobre monstros; demônios ou animais espantosos. Muitos desses pacientes, confusos, tiveram também alucinações com amigos e parentes ainda vivos — algo que jamais aconteceu aos pacientes de mente clara.

Significaria isso que algumas pessoas realmente vêem o além, no momento da morte? Haveria uma fronteira, entre a vida e a morte, onde os vivos e os mortos algumas vezes têm permissão de se encontrar?

Talvez, algum dia, saibamos as respostas para essas perguntas.

Uma abordagem científica à crença na alma e em sua sobrevivência ante a morte física

Russel Champlin

A mim é mais fácil pensar que dois professores ianques mentiriam do que crer que cairiam pedras do céu.
(Thomas Jefferson)

Ninguém está imune ao ceticismo exagerado, nem mesmo um erudito e ex-presidente dos Estados Unidos da América. Thomas Jefferson expressou essa vigorosa objeção diante da possibilidade de haver pedras celestes, no ano de 1807, quando um meteorito precipitou-se no solo, perto de Weston, Connecticut, Estados Unidos da América, e dois professores de Yale College foram recolhê-lo.

Edward J. Olsen, catedrático de mineralogia do Museu Field de História Natural, de Chicago, atribui o ceticismo de Jefferson à posição dogmática tomada pela prestigiosa Academia de Ciências, de Paris. Escrevendo no boletim daquele museu, Olsen aludiu a que, em 1771, a Academia de Ciências, de Paris, que então era reputada centro da erudição científica ocidental, "declarou solenemente que 'a queda de pedras do firmamento' é algo fisicamente impossível", e que não existiriam meteoritos como tais; antes, estes seriam rochas terrestres, atingidas por relâmpagos.

Esse pronunciamento, diz Olsen, foi assinado, entre outros nomes de renome, pelo brilhantíssimo Antoine Lavoisier, o qual é considerado pai da moderna ciência da química. O triste resultado disso é que instituições e indivíduos que possuíam coleções de meteoritos ficaram embaraçados com a própria credulidade e doaram ou jogaram fora essas coleções.

Não precisamos ler muitas páginas da história das descobertas científicas para descobrir evidências abundantes de que a maior parte das ideias novas e revolucionárias tem sido recebida com o mesmo tipo de ceticismo irrefletido, da parte de muitos que pertencem à comunidade científica, mormente pelos que labutam em outros campos de estudo e pensamento, incluindo a religião organizada. As novas ideias, sem importar sua veracidade, sempre trazem certo aspecto de insensatez, quando proferidas pela primeira vez. Embora meteoritos antigos com freqüência fossem objetos de adoração, nas religiões antigas, tendo sido encontrados em templos com 4 mil anos de antiguidade, e embora por toda a história tenha havido notícias de tais "pedras celestes", a famosa Academia de Paris, aplicando sua própria e especial sabedoria-ignorante, declarou que tais fenômenos são "fisicamente impossíveis". Sempre será verdade, porém, que quando os homens negam algo, por estar envolvidos nas capas da ignorância, isso não merece um momento de atenção de nossa parte, mas o que os homens afirmam, com base em suas experiências, sempre é merecedor de nosso interesse.

Não é de surpreender, pois, que a ciência, como comunidade organizada, não anele por aceitar testar reivindicações de capacidades especiais de inteligência nos indivíduos que podem ler os pensamentos alheios, localizar objetos por meios misteriosos de detecção extra-sensória, deixar impressões sobre filmes fotográficos, curar enfermidades e até predizer o futuro. Contudo, deve-se admitir que os pioneiros que estudam esses fenômenos são, em sua maioria, cientistas, e não teólogos ou filósofos. É de estranhar quando se contempla o fato de que os campeões da sobrevivência da alma ante a morte biológica se acham nos laboratórios. Pois, se a ciência e a fé religiosa têm afirmado a existência e "a sobrevivência" da alma, por tanto tempo quanto os homens podem lembrar, quem finalmente apresentará argumentos, baseados no experimento e no teste, que comprovarão a veracidade dessa milenar e grandiosa crença, será o cientista. Quando isso suceder, por toda parte os homens considerarão com novos olhos a vida que lhes está ao redor. Os homens serão forçados a levar mais a sério a fé religiosa, pois uma crença imensamente importante receberá confirmação experimental. Os prodigiosos avanços que estão sendo efetuados hoje em dia, no campo dos estudos da parapsicologia, principalmente em universidades e hospitais, parecem indicar que esse dia da prova científica da existência da alma não está longe.

O intuito deste artigo é ligar várias descobertas científicas aos principais conceitos filosóficos da alma, no que tange ao corpo. Outros artigos desta seção, sobre a imortalidade, defendem a alma dos pontos de vista teológico e filosófico. Contendemos que, apesar de podermos ter certeza da sobrevivência da alma, pelo método teológico ou pelo método filosófico, também podemos chegar a essa certeza, de modo válido, pela ciência.

Apesar de haver modos de investigar a questão da sobrevivência do ponto de vista da experiência ou do experimento proposital, a maneira mais frutífera parece ser o simples exame "do que o homem é". Isto é, se examinarmos os vários fenômenos inerentes à personalidade humana, ficaremos convictos de que uma pessoa é muito mais do que o seu corpo. A teoria materialista de que só existe a matéria, e de que tudo quanto sucede é movimento, se esboroa sob o peso das evidências que emergem do estudo das complexidades e admiráveis capacidades da personalidade humana. Este artigo apresenta uma seleção de itens que deveriam expandir nossa visão sobre o que é o homem.

O esboço do artigo é como segue:

I. OBSERVAÇÕES PRELIMINARES

II. A NATUREZA HUMANA: O PROBLEMA MENTE-CORPO

III. LUZ DERIVADA DA CIÊNCIA

IV. CONCLUSÃO: O QUE FICA IMPLÍCITO NO QUE SE DISSE

V. BIBLIOGRAFIA

I. OBSERVAÇÕES PRELIMINARES

1. As duas grandes áreas filosófico-teológicas de pensamento e crença, afetadas pelos estudos científicos no campo da parapsicologia

a. Epistemologia (gnosiologia)

Como ficamos sabendo das coisas? Quais os limites de nosso conhecimento? O cientista rígido, não-iluminado por certos aspectos dos estudos modernos, declara que não pode haver conhecimento exceto por meio dos cinco sentidos físicos (empirismo). E até esse "conhecimento" seria uma "taxa de probabilidade", pelo que não haveria tal coisa como um conhecimento certo e perfeito (=ceticismo). O tipo cético de cientista nega a própria existência dos poderes intuitivos e telepáticos no homem, já que tais capacidades não encontram lugar de aceitação em sua ciência materialista. O conhecimento intuitivo talvez se relacione à "mente", em contraste com o "cérebro", e esse cientista está certo de que não há mentes, mas apenas cérebros.

Outros supõem que o conhecimento pode ser obtido pela "razão", à parte da percepção dos sentidos (=racionalismo). Esses homens, filósofos ou teólogos, supõem que existe "mente" na personalidade humana, e não apenas cérebro, além do que crêem na existência de uma "mente universal", da qual as mentes individuais podem participar, obtendo formas de elevado conhecimento, que transcendem totalmente à "experiência pessoal". Alguns também postulam a "mente divina", tendo a fé em que as mentes humanas têm afinidade com a mente divina, sendo, portanto, passíveis de obter grande lastro de conhecimentos.

Ainda outros estão convencidos de que o real conhecimento é direto e imediato, sendo recebido sem o concurso de qualquer meio, ou o dos sentidos ou o da razão (=intuição). De onde viria esse conhecimento intuitivo? Qual seria a sua fonte? Alguns dizem: "Isso é real, mas não sabemos qual seja a sua origem". Outros asseveram: "Vem da mente divina como uma dádiva, ou vem da mente cósmica, guardiã de todo o conhecimento". Sócrates afirmava a existência da mente cósmica (mente universal) e pensava que os princípios éticos podem vir a ser conhecidos dessa origem, inteiramente à parte do experimento.

Além da razão e da intuição, há também a revelação. Os poderes mais elevados ou o Poder é que dá conhecimento aos homens como uma "dádiva", mediante sonhos e revelações (=misticismo). Isso foi concretizado nas Escrituras ou livros sagrados. Sobre tais livros, e, portanto, sobre o misticismo, alicerçam-se quase todas as religiões.

Se um homem pode obter conhecimento à parte de sua aparelhagem física da percepção dos sentidos, então um ou mais dos meios acima mencionados de obter conhecimento estariam em operação. Os estudos da parapsicologia tendem por comprovar exatamente isso.

b. Ontologia (estudo do ser). Antropologia, o problema mente-corpo

A segunda área da qual os estudos da parapsicologia fazem diferença está em nosso entendimento do que é o homem. Temos apenas um cérebro, apenas um corpo, ou ambas essas coisas são veículos de uma entidade espiritual? Os chamados fenômenos psíquicos e espirituais são meras manifestações do que é físico, e não energias separadas? (=epifenomenalismo).

Ou existe uma mente ou alma no complexo humano de energias, que age juntamente com o corpo? (=interacionismo). Ou é o homem uma forma ainda mais complexa de energias, um corpo, uma mente e um espírito (alma) (=substancialismo). A essas perguntas retornaremos na seção II.

2. A natureza das qualidades espirituais e/ou psíquicas de saber e ser

Geralmente, usamos os termos "espiritual" e "psíquico" como sinônimos. Ambos aludem às supostas qualidades não-físicas e às manifestações da personalidade humana. Algumas vezes, esses termos são distinguidos: "espiritual" indica as qualidades de um homem que tem consciência de Deus, por meio da fé e da experiência religiosa; "psíquico" indica as qualidades não-físicas e manifestações da personalidade humana, mas de natureza puramente "natural", e não de natureza transcendental ou pertencente ao outro mundo.

A filosofia grega, até antes do tempo de Platão, defendia a espiritualidade do ser humano e fazia a distinção entre o corpo e a mente (ou alma) quanto à essência do ser. Platão considerava o tipo de conhecimento que podemos ter por meio dos sentidos como "inferior" e até como um "obstáculo" ao verdadeiro conhecimento. Sendo que o real é imaterial, ele deve ser conhecido por meios imateriais como pela razão e pelo misticismo. Para Platão, a realidade de qualquer coisa é espiritual, enquanto a matéria simplesmente torna-se um veículo do espírito. É notável que a mundividência platônica (e, certamente, bíblica, nestes particulares) não é muito diferente do que a visão do mundo que um bom número de físicos têm hoje em dia. Não é raro ler um tratado de um físico distintamente platônico em tom. Talvez não esteja muito distante o dia em que a ciência e a religião compartilharão de uma mundividência que incorporará a matéria controlada pelo espírito.

* * *

(a) A base de todo o saber, incluindo o conhecimento dos sentidos, na realidade é o que é espiritual ou psíquico. Alguns têm mantido esse ponto de vista bastante extremo. Há mais de 25 anos, o Dr. R. H. Thouless, um psicólogo, e o Dr. B. P. Wiesner, um bioquímico, propuseram uma teoria que deveria ter chamado mais atenção do que o fez. A hipótese deles foi que até a normal percepção dos sentidos se verifica (quando transpira no cérebro) por meio da função psíquica no homem. Nessa teoria, a função psíquica é primária ao conhecimento e à experiência, e sempre envolvida neles, longe de ser algo "estranho", que ocorre apenas ocasionalmente. Segundo a mesma teoria, tal como o aparelho da percepção dos sentidos recebe os estímulos externos, assim também a percepção interior, ou função psíquica, julga e avalia as percepções externas. Outrossim, o homem interior, a "alma", que possui a função psíquica, inicia, mediante a psicocinética (=poder do pensamento para mover a matéria), a atividade motora do corpo, e o corpo, desse modo, obedece à ordem da alma. O sistema nervoso, pois, seria o meio pelo qual os impulsos psíquicos seriam transmitidos. Nos homens, as funções psíquica e espiritual agem de modo simbólico. Assim é que uma visão ou um sonho fala mediante símbolos, alguns deles bizarros, a fim de atrair nossa atenção. Segundo a teoria acima descrita, até mesmo a percepção dos sentidos é traduzida pela função psíquica para a forma de símbolos. Os objetos reais, portanto, não seriam percebidos diretamente, mas apenas como símbolos. Teríamos nomes para esses símbolos, como "quente", "frio", "doce", "amargo", "vermelho", "aspereza", "solidez". Tais vocábulos, porém, apesar de "normalmente" tidos como indicações da natureza real dos objetos percebidos, mediante ainda essa teoria são apenas representações "simbólicas" dos objetos. Filosoficamente falando, esse modo de dizer não é diferente do realismo crítico, que supõe a existência de um mundo real, mas que não conhecemos de nenhum modo real, já que nossa maneira de conhecer é faltosa e parcial. Além disso, porém, essa teoria assegura-nos que até os símbolos que empregamos para descrever o que sabemos, são manifestações da função psíquica do homem.

Tudo quanto essa teoria quer dizer é que o homem é, primariamente, "espírito" ou "alma", e que até os estímulos físicos chegam a ele por via das funções da alma, isto é, as percepções internas, que operam simbolicamente. Incorremos em erro ao fazer clara distinção entre o corpo e a alma, quanto ao "saber", pois, na realidade, há uma íntima "interação" entre as duas coisas (=interacionalismo), sendo que a alma sempre é a mediadora de todo conhecimento, ainda que use dos sentidos físicos em sua operação.

(b) O cérebro como filtro. Alguns dizem que o cérebro, apesar de ser notável instrumento, não é o "conhecedor" exclusivo. Longe disso, na realidade, ele é um tipo de filtro, isto é, um limitador. Impõe a nós uma visão do "real" que, sem dúvida, está longe de ser uma real visão da realidade. O cérebro só dá atenção ao que é vital para o físico, primariamente, para a "sobrevivência", e então para o trabalho diário, para o prazer etc. A "mente" ou "alma", de outra parte, estaria envolvida em maior participação no que é real, real esse que permanece essencialmente desconhecido para o cérebro. O conhecimento humano pode ser racional, intuitivo ou mesmo místico, e a qualidade espiritual no homem possui tal conhecimento. O cérebro, porém, continua a "filtrar" informações, para benefício da função e da vida do corpo. Alguém poderia indagar: "Se a telepatia é um fenômeno real, por que não temos consciência do mesmo nos acontecimentos da vida diária?" A resposta é que o cérebro filtra esses impulsos, a menos que venham com grande impacto emocional, como quando falece uma pessoa amada. Então, por instantes, uma função psíquica se torna uma realidade na experiência. Visto que isso ocorre raramente, muitos duvidam de que ao menos exista. Dizem eles: "Isso nunca aconteceu comigo, portanto, os que dizem que isso sucede, estão mentindo ou estão equivocados". Outros, que admitem tais fenômenos, dizem: "Acontecem comigo e com outros, mas sem freqüência. Portanto, são reais, mas raros em nossa experiência". A verdade mais provável, entretanto, é que o cérebro, agindo como um filtro, não nos permite experimentar continuamente essas coisas, ou, pelo menos, não reconhecemos a presença delas, porque o cérebro as distorce e nos faz pensar que são coisas "normais", e não extra-sensoriais. Assim, quando alguém recebe um impulso telepático, muda isso (por meio do cérebro) para um mero pensamento seu, perdendo de vista a sua origem exterior. Quando, porém, alguém dorme, e a função do cérebro se altera (isto é, diferentes ondas cerebrais se tornam predominantes, diversas das do estado desperto) e os impulsos psíquicos se tornam mais freqüentes. Chegam-nos, então, essencialmente, em imagens de sonho, a linguagem do sono, simbólicas e, às vezes, até mesmo místicas. O fenômeno psíquico mais comum é o sonho de conhecimento prévio, a saber, aquele sonho que vislumbra o futuro. Temos até 20 sonhos por noite, e nosso futuro imediato é simbolicamente representado nesses sonhos. As técnicas de laboratório, que capturam informes dos sonhos, nos têm conferido esse conhecimento. A auto-sugestão, quando estamos dormindo, pode fazer com que tenhamos consciência (quando acordamos) de alguma informação válida que os sonhos nos mediaram, por meio de símbolos. Mas o cérebro, no normal estado desperto, filtra tais informações ou as distorcem.

(c) O cérebro como uma ilha. Prossigamos, com outra analogia. Olhando a face do oceano, podemos ver uma série de ilhas. Na realidade estão "separadas", porque, conforme se pode ver claramente, estão separadas por água e estão "isoladas". Essa é uma autêntica visão da realidade. Ali vemos que não existem ilhas, pois, no fundo do mar, todas as ilhas se tornam uma única massa de terra. Assim, pois, o cérebro é como uma ilha. É um separador; divide a minha realidade da realidade do leitor e me dá características pessoais. E o mesmo acontece ao leitor. Mas, em nível subjacente, há o "subconsciente", a mente. Ali os homens se tornam unidos, e o fluxo de informações, para lá e para cá, é livre e fácil. No nível da alma, há uma humanidade, em contraste com o indivíduo. As funções da alma se vão tornando mais e mais reais e evidentes, na proporção em que nos afastamos da ilha. Um homem é mais que um homem; ele é um elemento de uma unidade, isto é, um rebento da humanidade. A humanidade é uma substância espiritual. Em suas individualizações, manifesta-se em um veículo físico, principalmente dirigido pelo cérebro, um maravilhoso instrumento, mas somente um instrumento da inteligência, e não a própria inteligência.

Teologicamente, em Romanos 5, Paulo vê o homem como mais do que um indivíduo. Ele é participante da "humanidade", pelo que recebeu do primeiro homem, Adão, certas características indesejáveis. Mas, de Cristo, o segundo homem, recebe características desejáveis, que lhe garantem a salvação da alma. Seja como for, o homem nunca está só, mas, para o bem ou para o mal, está sempre unido ao que é forçado a ser, por fazer parte da humanidade.

Filosoficamente falando, tal como no conceito platônico do "universal", o indivíduo também não é uma substância para si mesmo, mas faz parte da substância universal da "humanidade". Sua natureza e destino dependem dessa participação, e não meramente do que o torna distinto, seu corpo.

Cientificamente falando, o que é demonstrado pelo efeito de Backster, o homem não é um indivíduo isolado, não é uma ilha. No nível "subconsciente", tem 'intercomunicação' com todas as formas de vida. (Quanto a informações sobre esse "efeito de Backster", ver seção III, "Luz derivada da ciência".)

Cientificamente falando, na teoria da física avançada, chamada teoria de "campo de força", chegamos bem perto da visão platônica da realidade. Segundo essa teoria, a base não é o átomo, e sim, o átomo é uma concentração de energia psíquica. O campo de energia é primário ao desenvolvimento físico, é a "força de vida" que molda o físico, a fim de prover, para si mesmo, um veículo de expressão. Esse conceito também é desenvolvido na seção III, "Forças de vida que moldam o nosso mundo".

A personalidade, pois, é individualidade; mas o real ser humano está envolvido na natureza genérica da total consciência da humanidade, o que é compartilhado coletivamente. As experiências dos místicos têm lugar quando o "filtro" (cérebro) deles fica inativo — isso é comumente conhecido. Quando isso ocorre, o homem deixa de ser mera ilha. Ele sente unidade com todas as coisas; obtém conhecimento "não-sensorial", por meio da telepatia, da intuição, de uma visão ou de um sonho. Ele pede emprestado conhecimentos de outras mentes, e até da mente superior. Um homem, deixando de lado a função insular de seu cérebro, pode, temporariamente, tornar-se como o fundo do mar. Atinge a cada e a todos; sente unidade e harmonia.

A ilha pode desaparecer, mas o fundo do mar permanece. Assim também um cérebro; um corpo pode desaparecer, mas a alma permanece, pois participa da humanidade, é uma substância espiritual. Existe o campo eletromagnético; tem realidade e estrutura, mas não tem corpo, conforme conhecemos os corpos. Assim, por igual modo, a alma é um campo de força, e sobrevive à remoção do corpo, que servirá de veículo de expressão no mundo físico. A alma sobrevive como uma personalidade bem desabrochada, e não como um fantasma sem mente. O homem, enquanto ainda está no corpo, quando aprende a desligar-se do filtro (o cérebro), manifesta qualidades espirituais. Seu conhecimento transcende ao que é apenas sensorial. Pode obter energia de poder, como um taumaturgo. A fotografia Kirliana (cuja descrição aparece na seção III) mostra que o poder de curar é real, mesmo que lhe falte ainda qualquer descrição científica. Pode ser fotografada mediante uma espécie de radiografia, e faz sinais em chapas de filmes de raios-X. Tem também certo peso, mas a física, por enquanto, ainda não pode descrevê-la.

3. A realidade e os místicos

Bertrand Russel fez algumas sugestões que manuseamos e ampliamos aqui, quanto à "perspectiva mundial" dos místicos.

(a) Os místicos afirmam que há meios válidos e não-sensoriais de acesso à informação acerca da realidade, como a razão, a intuição e a revelação. Porque esses meios se aproximam mais da verdade universal do que a percepção dos sentidos. São eles mais válidos do que o conhecimento obtido pelos sentidos.

(b) O conceito de tempo linear dado pelos sentidos do corpo é ilusório. Há outros modos válidos de experimentar o tempo.

(c) A separação espacial também é uma ilusão. De fato, há uma unidade subjacente que liga a tudo, tanto em questões de conhecimento como em questões do ser. A separação espacial é apenas uma forma de encarar a realidade, mas não é a única maneira e nem a mais verdadeira.

(d) O mal é uma ilusão, porque, quando todas as coisas são corretamente entendidas, ou quando se vê o "grande quadro", os elementos "fora de lugar" se ajustam em seus lugares. Essa crença (de alguns) dos místicos, apesar de levar a interessantes avenidas de discussão, está fora do escopo deste artigo, que tenciona apenas demonstrar que a maneira de ver os místicos tem validade, especificamente, que a ciência tende a confirmar certos pontos de vista dos místicos.

Lawrence Leshan, psicólogo e clínico, se tem interessado vivamente pela questão da sobrevivência, aplicando à mesma as evidências do "campo de força". Ele trabalhou no Research Facility of Rockland State Hospital e no Instituto de Biologia Aplicada. Portanto, ele traz importantes credenciais para suas investigações sobre a sobrevivência da alma. A tese de LeShan, quando todos os pontos isolados são reunidos, depois de ter ele considerado as teorias da física avançada e as ideias dos místicos, é simplesmente que os físicos teóricos, ao descreverem a realidade em termos de campos e partículas, concordam basicamente com a "perspectiva mundial" dos místicos. Einstein dizia a mesma coisa de outro modo: O universo mais parece ser uma imensa ideia do que uma magnífica máquina (=idealismo). Ou o espírito é primário, e tudo quanto a ciência tem a dizer, eventualmente será apenas uma descrição das operações do espírito. Por espírito, queremos indicar um campo de força mais básico do que a matéria, primordial e não sujeito à dissolução (dizemo-lo pela fé), e, portanto, não limitado pelo tempo e pelo espaço, conforme os conhecemos. Algum dia, talvez a ciência possa comprovar a sobrevivência da alma, mas jamais poderá comprovar sua imortalidade, pois jamais chegará o tempo em que não se possa dizer que a alma, tal como o corpo, antes dela, pode ser reduzida a zero. Quanto à imortalidade necessariamente teremos de recorrer à filosofia e à fé religiosa; recorremos à razão, à intuição e à revelação, no que toca a esse tipo de verdade. Entretanto, a ciência bem poderá vir a comprovar a existência e a sobrevivência da alma, ante a morte biológica.

II. A NATUREZA HUMANA: O PROBLEMA MENTE-CORPO

Incluímos aqui só as ideias principais, recusando-nos a afundar em especulações que não merecem nossa atenção. Portanto, discutiremos apenas o "epifenomenalismo", o "interacionismo", o "aspecto duplo" e o "substancialismo".

1. Epifenomenalismo

Essa é a ideia que diz que o homem é apenas uma coisa — um corpo físico. O homem seria um monismo, composto de energia atômica. Portanto, todas as chamadas funções "psíquicas" ou "espirituais" poderiam ser explicadas como fraude ou ilusão, ou então como funções do corpo. Essas funções seriam materiais, e não psíquicas. Não haveria mentes, mas somente "corpos". Apesar de haver muitos mistérios na função corporal, não haveria mistérios inerentes. A ciência, empregando apenas a teoria atômica, algum dia haverá de poder explicar todos os mistérios, sem apelar para o dualismo. Naturalmente, o epifenomenalismo é materialista. Por exemplo, admitindo a existência de tal coisa como a telepatia, alguns, mas não todos os seus mentores, apelam para que, pela fé, aceitemos que algum dia a teoria materialista explicará tudo. Seria devido, por exemplo, à existência de partículas "subatômicas" que, algum dia, a ciência materialista poderá descrever essas coisas, sem voltar-se para alguma teoria que postule algum tipo de energia não-física.

A psicologia behaviorista tem dependido muito dessa teoria, pregando sua doutrina de reducionismo, isto é, todos os chamados fenômenos psíquicos poderiam ser reduzidos a alguma função do corpo. Outrossim, de acordo com o materialismo, todas essas funções deixariam de existir quando da morte do corpo, pois o corpo seria a fonte de todas elas.

Na seção III deste artigo, apresentamos evidências suficientes, como cremos, para demonstrar que os fenômenos conhecidos, inerentes à personalidade humana, vão além dos confins da atual teoria materialista, não podendo, de forma nenhuma, ser explicados por ela. Devemos quebrar as peias do materialismo, a fim de obter qualquer tipo de explicação para as maravilhas que compõem um ser humano.

2. Interacionismo

Essa é a teoria também chamada de teoria orgânica. É uma "dicotomia". Em outras palavras, reconhece a existência do corpo e da alma, como substâncias distintas. Dentro dessa teoria, porém, a "alma" não é uma substância transcendental, antes, faz parte "natural" da complexa estrutura humana. O corpo afeta a alma, e a alma, o corpo. Isto é, há "interação" entre eles. Isso é verdade, apesar do fato de que não sabemos o locus dessa interação. Talvez seja em cada célula, pois a alma permearia cada célula do corpo. Poderia ser na glândula pineal do cérebro (Descartes). Saber de sua localização, porém, não é importante. Existe a interação, a despeito de nossa falta de conhecimento sobre seu local. Não sabemos como uma substância não-física pode agir sobre uma de natureza física, nem como uma substância física pode atuar sobre outra, não-física, mas isso em nada derrotaria o fato de que isso sucede. Não se pretenderia solucionar todos os mistérios, mas somente prover uma teoria mais adequada do que é o ser humano. As evidências implicam em que o homem é um "dualismo", e não um monismo.

William James, o famoso filósofo pragmático, e também Carl Jung, antigo amigo e associado de Freud, fundador da psicologia analítica, são bem conhecidos defensores dessa teoria. Entre seus argumentos, figura aquele que tenta demonstrar que o epifenomenalismo não pode explicar adequadamente as manifestações psíquicas, como a enfermidade do corpo, ou mesmo a morte, causadas por meios psíquicos, bem como os muitos fenômenos conhecidos de nós por meio da parapsicologia, como a telepatia, a clarividência, a cura psíquica, o conhecimento prévio etc. Esses pesquisadores afirmam que a existência da alma, e seu poder sobre o corpo, são fatos demonstrados pela psicologia e pelas ciências físicas.

A alma pela evolução. Alguns interacionistas, frisando a natureza "natural" da alma, supõem que a própria alma é o produto mais elevado e impressionante da evolução. O desejo de sobreviver à morte proveu um meio para o homem sobreviver à mesma. Alguns ateus têm sido atraídos por essa teoria, e, assim, têm aceitado a existência da alma sem lhe suporem alguma origem divina. A maioria dos interacionistas, porém, apesar de verem a alma como algo "natural", postulam para a mesma uma fonte divina, ou, pelo menos, uma origem superior àquele tipo de vida em que ela mesma se encontra.

3. O duplo aspecto

Esse é um conceito que incorpora, de modo prático, o "interacionismo", mas que permanece monista, como teoria. Essa teoria admite a existência da alma, mas insiste em que a "substância" da alma não é essencialmente diferente do corpo, pois por detrás de ambos haveria uma substância comum. Isso significaria que corpo e alma seriam manifestações de uma única forma de energia. Talvez a ciência dos séculos XXI, XXII ou XXIII tenha algum meio de afirmar ou negar a veracidade dessa teoria.

4. Substancialismo

Esse conceito concebe uma tricotomia. Isto é, o homem seria um complexo formado de corpo-mente-espírito, havendo interação entre os três. Naturalmente, há muitas versões do substancialismo. Contudo, todos supõem que o espírito (ou a alma) é uma substância transcendental, isto é, afinal de contas, não pertence a este mundo, não sendo parte natural do mesmo. Platão representa esse pensamento; ele via a alma como pré e post-existente, no tocante à vida física, além de dizer que, na realidade, ela não pertence a este mundo. Só o pecado teria trazido a alma humana a um lugar vil como a terra. Nesses conceitos, incluindo-se a pré-existência, ele foi seguido pelos pais alexandrinos da Igreja, como Clemente, Orígenes etc. Alguns diziam que a alma é criada por Deus quando do nascimento ou concepção (=criacionismo), mas destinada a um mundo superior, e, portanto, um ser transcendental em potencial. Outros supõem a alma como produto da procriação, tal como é o corpo (=traducionismo), embora ainda lhe atribuam um destino mais elevado que a plana terrestre. Outrossim, no que toca à natureza da "mente", não há consenso geral. Alguns vêem a mente como uma função mental que perece por ocasião da morte; outros a vêem como uma função mental, mas que sobrevive à morte e se une à alma em sua ascensão. Alguns teólogos cristãos chamam a mente de "alma", distinguindo-a do "espírito". Fazem dela a "consciência terrestre" (função mental) ou autoconsciência, ao passo que o espírito seria somente "cônscio de Deus". Outros, baseados em evidências da moderna parapsicologia, fazem da "mente" uma espécie de substância semifísica, vitalidade capaz de sobreviver, uma espécie de entidade fantasma, mas que, eventualmente, estaria passível de dissolução, ao passo que o espírito ascenderia para sempre.

Por definição cristã, a alma ou espírito é uma substância pura e simples, não estando sujeita à dissolução, destinada a uma existência superior, à qual realmente pertence. De acordo com a definição aristotélica, a alma é intelecto puro, um "impulsionador primário", um exemplo de "impulsionador primário" transcendental; mas sua sobrevivência poderia ser fato ou não, como "personalidade individual", substância (=agnosticismo). Definida segundo os moldes platônicos, a alma ou espírito é uma substância transcendental, um universal, não passível de dissolução, mas que se encaminha para um eventual encontro com Deus, sua fonte originária, quando então deixará de ser um indivíduo, pois será absorvido pela alma universal (=um aspecto do realismo radical).

III. LUZ DERIVADA DA CIÊNCIA

É surpreendente para algumas pessoas que os estudos científicos tenham muita luz para esclarecer a questão da sobrevivência. As descrições seguintes, de mistura com teorias, tentam mostrar quão inadequado é o materialismo, ante a possibilidade da existência e da sobrevivência da alma, face à morte biológica.

Aparelho dos fenômenos psíquicos — Antes de descrever alguns estudos que subentendem a existência da alma, bem como sua sobrevivência, é útil considerarmos como o que é psíquico ou espiritual está relacionado ao "aparelho" que usa para sua manifestação.

1. O Dr. Robert Ornstein, pesquisador do Langley Porter Neuropsychiatric Institute, em São Francisco, Estados Unidos da América, crê, por seus estudos e experimentos em laboratórios com vários níveis de ondas cerebrais, que ao pessoa mística usa, principalmente, o hemisfério direito de seu cérebro, enquanto o pensador analítico, que expõe conhecimento "linear" (informe sobre informe, com uma conclusão), usa, essencialmente, o seu "hemisfério esquerdo". O conhecimento ocidental é uma questão de passo a passo, uma busca linear, de natureza analítica. O conhecimento místico, entretanto, mais favorecido nas religiões e no Oriente, é de abordagem mais santificada, enfatizando a intuição e as experiências místicas. O Dr. Ornstein pesquisou os processos mentais dos dois hemisférios do cérebro, tendo demonstrado a distinção dos tipos de pensar e saber, conforme se disse acima. Tem ensinado seus alunos a se utilizarem de ambos os hemisférios, empregando exercícios que regulam as ondas cerebrais. (Ver o item 2, abaixo, acerca dos vários tipos de ondas cerebrais.) A onda "alfa", por exemplo, de uma pessoa desperta, mas relaxada, é favorável à atividade psíquica e espiritual. Não é impossível que um psíquico ou místico natural seja, pelo menos em certos casos, alguém que naturalmente emprega o hemisfério direito do seu cérebro, sendo inclinado, assim, para o conhecimento intuitivo, sem saber o que está fazendo, ou a razão de receber o tipo de conhecimento e os modos de obter conhecimento que lhe são próprios. A pesquisa do Dr. Ornstein, juntamente com a de muitos outros, de natureza similar, tem mostrado que o conhecimento intuitivo é possível mediante a manipulação das ondas cerebrais empregadas no estado consciente. (Suas ideias são esboçadas em seu livro The Psychology of Consciouness, em 1972.)

2. Obra um tanto similar foi preparada pelo Dr. Bernard Green. No momento, ele prepara um livro que dará o relato de suas descobertas, o qual será publicado pela Prentice-Hall. O Dr. Green tem feito conferências em Oxford, na Sorbone, na Universidade de Roma e em outras universidades, e é psicólogo atuante na cidade de Nova Iorque. Afirma ele que podem ser distinguidos cinco tipos de ondas cerebrais, cada qual típica de certo modo de pensar e de ter conhecimento:

(a)[2] Onda Gama — é a onda usualmente associada com pessoas que vivem em estado de ilusão, como os paranóicos e esquizofrênicos.

(b) Onda Delta — É a "onda inconsciente", que emana quando a pessoa está em sono profundo, mas que também está associada a pessoas que sofrem certas neuroses.

(c) Onda Beta — É a comum "onda racional", que emana quando se está lendo, trabalhando, ou se está atarefado nas atividades comuns da vida.

(d) Onda Alfa — Essa onda está associada à criatividade, à cognição e à meditação profunda ou contemplação. Abre as portas para os fenômenos psíquicos.

(e) Onda Teta — Essa onda está associada à experiência psíquica, à telepatia etc., mas também com as elevadas experiências espirituais. No comprimento "teta" de onda, o indivíduo deixa de agir sobre seu corpo.

O Dr. Green assegura que as pessoas podem aprender a utilizar os vários estados e atividade cerebral, ou seja, de consciência; mas que a experiência espiritual requer, igualmente, a correção de antigos problemas, ódios, temores, erros praticados e sofridos etc. Se essas reivindicações, bem como outras, são verazes, então, na interação da alma com o corpo, são empregados tipos específicos de ondas. Se, conforme ele diz, no comprimento "teta" de onda, pode-se aprender até a abandonar o corpo, isto é, a alma pode agir sozinha, sem a interferência do corpo (=projeção da psique), então ele conseguiu estabelecer, em laboratório, o fato de que a inteligência pode ser "extracerebral". Isso, uma vez comprovado, será um golpe fatal sobre o materialismo, que afirma que não pode haver intelecção sem um cérebro. Naturalmente, a consciência durante a morte clínica, quando não há mais ondas cerebrais, prova a mesma coisa, e isso é um fenômeno bem documentado. (Ver a discussão que se segue.)

2   Ciclos por segundo: Delta: 1-3; Theta: 4-7; Alpha: 8-12; Beta: 13-22.

3. A glândula pineal

Descartes supunha que o "locus" da interação corpo-alma é a glândula pineal. Essa glândula, localizada no cérebro, em alguns animais, tem a forma de um olho, pelo que alguns a têm denominado de "o terceiro olho". Alguns experimentadores afirmam que certos exercícios desenvolvem o seu uso, e que, por causa disso, experiências psíquicas e espirituais recebem um bem-disposto veículo de expressão. Sem importar se isso é uma verdade ou não, esperamos mais luz para tomar uma decisão. A ciência desconhece função para essa glândula, mas alguns supõem que se trata de um órgão sensório do qual sobre um vestígio.

4. Ensinando os cegos a "ver"

Experimentos interessantes têm sido efetuados por Carol Ann Liaros, psicóloga e professora, que envolvem o ato de ensinar cegos a "ver" por meios psíquicos. O método usado é aquele que os ensina a distinguir cores, por meio de reações dérmicas, embora, nesse caso, não sejam usadas as mãos diretamente sobre os objetos, motivo por que as variações de calor não podem justificar o fenômeno. Após 20 horas de treinamento, a maior parte de seus estudantes é capaz de distinguir cores, formatos de objetos e a posição dos mesmos, quando próximos. A primeira experiência dela foi efetuada em uma pequena igreja, em Amherst, Nova Iorque, e, devido ao seu sucesso inicial nessa atividade, desde então ela tem dirigido muitas classes semelhantes, em várias partes da nação norte-americana. O admirável nos experimentos de Carol não é meramente que os cegos aprendem a distinguir cores e formatos, mas que há "irrompimentos" nos quais podem, realmente, "visualizar" uma sala, uma pessoa, os trajes e as cores que uma pessoa veste. Típico dessas experiências foi o caso de Lola Reppenhagem, uma cega que participou do programa de Carol, intitulado "Projeto: consciência dos cegos no Exército de Salvação, em Búfalo, Nova Iorque". Essa senhora, ao encontrar-se um dia com sua filha, "viu" que ela estava vestida com um "slack" vermelho e com uma blusa branca. Ao perguntarmos a essas pessoas como conseguem ver, elas dizem que esse é um tipo de "conhecer", ao invés de ver, que de algum modo parece estar relacionado à região da testa. Isso pode indicar a ativação da glândula pineal, que poderia mostrar-se ativa na "visão-psíquica", que é capaz de substituir a visão sensória de maneira crua. Embora se trate de um "saber", e não de uma visão, a sensação é a de que realmente se vê, a menos que se comecem a fazer análises sobre a questão.

IV. CONCLUSÃO: O QUE FICA IMPLÍCITO NO QUE SE DISSE

A importância desse tipo de estudo, no que tange ao tema deste artigo, é a razão de ele parecer demonstrar os fenômenos psíquicos como "naturais", além do fato de o complexo de energias humanas transcender ao que é meramente sensório, pelo que não pode ser aquela máquina a que é reduzido pelo materialismo. Esses experimentos também tendem a confirmar a tese da "interação", ou seja, que a interação entre alma e corpo é algo comum, um fenômeno natural, de todos os dias.

Vários experimentos:

Cremos que os experimentos descritos aqui esmagam o materialismo e exigem tão grande revisão de sua teoria básica de homem-máquina-conhecimento-através-somente-da-percepção-sensorial, que ela não pode continuar de pé, conforme a conhecemos. Se finalmente for comprovado que as energias envolvidas nos fenômenos psíquicos são totalmente naturais, e que se puder provar que esse "natural" de alguma forma é atômico, ainda assim é muito provável que a nova definição deva incluir as antigas ideias do homem como um duplo ou tríplice complexo de energias. Portanto, a nova "ciência atômica" será espiritualizada, tendo de confessar que o homem tem, ou, melhor ainda, "é" uma alma, e que o seu corpo é apenas seu veículo de expressão. Por outro lado, esses estudos podem conduzir-nos a uma nova e totalmente radical perspectiva do homem, isto é, à confissão que "Platão estava com a razão": o homem é um espírito, envolvido no drama sagrado da alma, sendo um ser transcendental (=substancialismo).

1. O campo da parapsicologia muito avançou desde as adivinhações com cartões de J. B. Rhine, efetuadas pela Duke University. Contudo, parece certo o bastante que mesmo esses meios crus têm podido demonstrar que um homem não pode ser apenas "material", conforme esse termo é atualmente definido. Estaticamente, e algumas vezes de forma avassaladora, os estudos de Rhine têm demonstrado a existência, nas pessoas, da telepatia, do poder de mover objetos com o pensamento (=psicocinética) e até do conhecimento prévio. Um de seus estudantes foi capaz de adivinhar 26 cartões em seguida, isto é, seu desenho, se um círculo, uma estrela, ondas etc. (havia cinco desenhos diversos, dando uma taxa de probabilidade de um em cinco de ser adivinhado o desenho de cada cartão invisível). Qualquer série envolvia cinco desenhos diferentes, sempre em números iguais, pelo que sem importar quantas adivinhações estivessem envolvidas, a chance era sempre de 5 contra 1 de se "acertar". Algumas vezes, os estudantes acertavam em bilhões contra um. Mui significativamente, os céticos acertavam "abaixo" da média, mostrando que sua indisposição em crer nas capacidades psíquicas levava sua mente consciente a rejeitar dar ao experimentador a satisfação da prova

|Artigos introdutórios| NTI

estatística de sua teoria. E também significativamente, muitos desses céticos "deslocavam" suas adivinhações. Em outras palavras, ao invés de adivinharem o cartão sob consideração, iam até o "próximo cartão", identificando-o, embora continuasse intocado na pilha. Uma dessas "deslocações" sem dúvida é tão significativa quanto um acerto direto, revelando bastante sobre como a mente opera em prejuízo próprio. Que a maioria das pessoas demonstraram resultados apenas medianamente significativos é fato que somente confirma que, enquanto o "filtro" ou cérebro está ativo, por estar, provavelmente na onda "beta", é admirável que qualquer habilidade telepática ou outra se tenha evidenciado. O relativo "embotamento" desse modo de experiência levou outros pesquisadores a tentarem métodos mais interessantes e estimuladores. E têm sido recompensados com resultados convincentes.

2. Os Drs. Montague Ullman, M.D., e Stanley Krippner, Ph.D., no Maimonides Hospital de Brookly, Nova Iorque, têm usado os estudos de sonhos a fim de demonstrarem a telepatia. Esse método consiste na tentativa de uma pessoa, ao contemplar uma pintura famosa, fazer outra pessoa ser influenciada quanto aos seus sonhos. Em um experimento, por exemplo, o "enviador" contemplava uma pintura que representa dois corpos de peixes mortos em um prato, com uma vela acesa atrás. O "recebedor", em seu sonho, visualizara cenas de "morte", "água", "natação", "ato de acender uma vela" e, com freqüência, mencionar a palavra "veneno" (em inglês, "poison"). Os intérpretes provavelmente estavam corretos ao suporem que isso era uma associação verbal como vocábulo francês "poisson", que significa "peixe".

Quando a Última ceia, de Leonardo da Vinci, foi usada como estimulador, o recebedor, em seus sonhos, visualizou mágica, doze homens empurrando um bote para a água, estando juntos com um grupo de homens, com a certeza íntima de que um deles era malicioso. Tais resultados têm convencido os pesquisadores de que o "conteúdo dos sonhos" pode ser influenciado pela transmissão telepática do pensamento.

3. Experimentos de Kamensky-Nikolaiev sobre a telepatia

Alguns dos estudos mais convincentes e reveladores no campo da teologia têm sido efetuados em laboratórios de Moscou e Leningrado. Os dois participantes têm sido Kamensky, em Moscou, e Nikolaiev, em Leningrado, e seu objetivo foi enviar mensagens telepáticas entre essas duas cidades. Os pesquisadores sabem muito bem que a distância não impede nem enfraquece os impulsos psíquicos envolvidos na telepatia e na clarividência. Os pesquisadores que efetuaram as experiências ficaram convencidos de poder descobrir vários "envolvimentos cerebrais", no processo telepático, não se podendo duvidar que obtiveram o que buscavam.

Nikolaiev, que agiu como receptor, não tinha ideia de onde seriam enviadas as mensagens telepáticas. Para preparar-se para elas, lançou-se ao exercício típico de acalmar-se para entrar na onda cerebral Alfa, a qual, conforme tem ficado comprovado em muitas experiências, abre caminho para a telepatia e para outros impulsos psíquicos. As pessoas que têm essas habilidades são capazes de utilizar essa onda cerebral, sem terem consciência de que estão pondo de lado a "onda Beta, de todo dia", para usar a onda "Alfa psíquica-criativa". Apenas sabem, experimentalmente, que disso resulta certa atitude de "calma" e "meditação". A maioria das pessoas experimenta a onda Alfa apenas por alguns segundos, mas alguns meditadores são capazes de suster essa condição por longos períodos de tempo. É quase certo que poetas e outros artistas usam inconscientemente a onda Alfa em seus momentos de — inspiração, sem saber o que estão fazendo.

Ficando na onda Alfa, Nikolaiev estava pronto a receber as mensagens vindas de Moscou. Foi determinado que após o "enviador" ter começado sua "transmissão", dentro de poucos segundos as ondas Alfa de Nikolaiev seriam subitamente bloqueadas, e, então, que ele começaria a entender, como que intuitivamente, o conteúdo da mensagem enviada. O admirável é que, se a mensagem envolvesse uma "imagem" de qualquer espécie, a ativação cerebral se localizava na região occipital, a porção associada à visão; se a mensagem dissesse respeito a som, a atividade tinha lugar na área do temporal do receptor, a qual normalmente se ocupa com sons etc. É admirável contemplar que a imaginação se ocupa com sons etc., e significante notar que a imaginação de uma pessoa, envolvendo imagens visuais, sons etc., pode ser registrada pelo cérebro de outra, ativando as áreas apropriadas. A mesma coisa ocorre durante os sonhos. Se predominar a vista, então haverá uma atividade correspondente no cérebro, própria da área associada com o senso da visão, como também se dá no caso de outras funções sensoriais e suas áreas cerebrais relacionadas.

Em vários testes, no tocante aos experimentos aqui descritos, foram registradas mudanças dramáticas nas ondas cerebrais do enviador e do receptor, durante seu "contacto" telepático. Os dois homens desenvolveram tão poderosa "comunicação intuitiva", que ambos não só entraram na onda Alfa durante a "transmissão", mas também ambos registraram o número exato de ondas por segundo, no alcance de ondas Alfa. Descobriu-se que uma luz de corrente alternada, entrando pelos olhos, pode provocar a correspondente freqüência de onda daquela luz; e esse meio artificial, pois, pode produzir uma ou outra das diversas ondas cerebrais que já descrevemos

antes. Pessoas, quando em meditação, também têm podido controlar essas freqüências.

Em uma experiência que envolveu Kamensky e Nikolaiev, luzes de diferentes freqüências foram acesas separadas (mas simultaneamente) nos olhos de Kamensky. Esse duplo estímulo provocou freqüências conflitantes em cada lado do cérebro, e disso resultou uma náusea instantânea. De imediato, os mesmos padrões apareceram simultaneamente no cérebro do Nikolaiev, dando-lhe a sensação de enjôo do mar. Nem um nem outro conseguiu efetuar outras experiências naquele dia.

Esses informes provam, acima de qualquer dúvida, que o cérebro está envolvido de vários modos nas comunicações telepáticas. Não há também que duvidar de que está envolvida alguma forma de energia, embora por enquanto dela não existam descrições. Essa energia será atômica, ou formada de partículas subatômicas, ainda desconhecidas da ciência? Ou poderá tratar-se de uma energia que não pode ser classificada como atômica? É regularmente certo que muitos, senão a maioria, dos "eventos psíquicos" ou dessas habilidades, são totalmente naturais, e algum dia serão descritos como tais nos manuais de física. No entanto, mesmo que os eventos psíquicos sejam naturais e que, algum dia, estejam sujeitos a estudo científico comum, isso não significa que não envolvam o que é conhecido como a porção espiritual da natureza humana. O alvo deste artigo é demonstrar quão plausível é a suposição de que a própria alma, algum dia, será sujeitada à investigação científica, pela corrente principal da ciência, e não meramente por certos pioneiros das áreas marginais, conforme se vê atualmente. Sem importar que chamemos a alma de energia atômica ou extra-atômica, isso não fará qualquer diferença quanto à sua realidade. Nos eventos psíquicos, a mente, em cooperação com o cérebro, pode estar envolvida, caso no qual a mente age como campo de energia distinto da energia envolvida no corpo, embora usando, como seu veículo, o corpo.

4. A Dra. Thelma Moss, em sua tese doutoral, na Universidade da Califórnia, em Los Angeles, deu uma taxa de 1000 para 1, quanto à realidade da telepatia. Seu experimento consistiu em enviadores que viam transparências e filmes dramáticos, como o assassinato de Kennedy, e outras cenas que provocavam emoção. Os enviadores tentavam enviar suas impressões aos recebedores, em salas separadas. Psicólogos treinados confirmavam o sucesso da experiência, com base em relatos de "imagens mentais" que chegavam às mentes dos recebedores, estando em estado de calma contemplação, ao mesmo tempo que se exibiam as transparências e os filmes. Outros participantes eram estudantes, que supostamente receberiam tais imagens mentais, mas sem terem "enviadores" correspondentes. Esses estudantes não tiveram imagens mentais significativas durante seu estado de contemplação, e relataram coisas sem nenhuma relação com as transparências e filmes que eram exibidos.

5. Consideremos o pletismógrafo — Trata-se de uma luva (ou dedo) de borracha, que registra alterações na pressão do sangue, na mão. Conforme se sabe, quando uma pessoa usa seu poder de raciocínio, mais sangue corre para a cabeça, deixando uma pressão menor nas mãos. O pletismógrafo registra a baixa de pressão na mão. Os pesquisadores têm usado esse instrumento ao mostrar que, na transferência de pensamento, sem importar se a pessoa tem consciência disso ou não, algo sucede no seu cérebro. Um experimento envolveu a tentativa de afetar o cérebro de outros (causando a baixa pressão sanguínea na mão), enviando nomes de diferentes categorias, isto é: (a) nomes conhecidos de enviadores e recebedores; (b) nomes conhecidos apenas pelos enviadores; (c) nomes conhecidos apenas pelos recebedores; (d) nomes desconhecidos por ambos, escolhidos sem nenhuma relação com uma lista telefônica. Como já era de esperar, os nomes conhecidos por ambos com freqüência baixavam a pressão na mão do recebedor; os nomes conhecidos apenas pelos recebedores produziam o mesmo resultado, embora com menor freqüência; os nomes conhecidos somente pelos enviadores ocasionalmente surtiam esse efeito; os nomes desconhecidos por ambos raramente ocasionavam algum efeito. O objetivo do experimento não era o de fazer o recebedor saber qual o nome, mas meramente o de verificar que nomes, enviados durante um período específico de segundos, podiam fazer baixar a pressão do sangue na mão do recebedor, presumivelmente fazendo o sangue correr para o cérebro. A energia mental que assim entrasse no cérebro, raciocinaram os pesquisadores, produziria esse efeito no físico dos recebedores. E suas suposições eram bem fundamentadas.

6. O efeito de Backster — Passando agora para estudos de natureza mais espantosa, consideremos o trabalho de Cleve Backster, proprietário e operador da Backster School of Lie Detection no centro de Manhattan, Nova Iorque. Ele é considerado um dos maiores técnicos nesse campo, nos Estados Unidos da América. Credita-se a ele o planejamento do equipamento polígrafo, em uso atual, sendo o compilador do Standard Polygraph Examiner Notepack, o qual é largamente usado pelos examinadores com polígrafo.

Suas descobertas diziam respeito, primariamente, à percepção de plantas e outras formas inferiores de vida, as quais estão registradas em seu relatório de pesquisa, "Evidência de Percepção Primária na Vida Vegetal", que se pode obter escrevendo-se para o Backster Research Foundation, Inc. — 165 W.46th. Suite 404, Nova Iorque, N.I. 10036.

O Sr. Backster suspeitava que formas inferiores de vida tinham percepção, algo que lhe ocorreu por pura intuição. Para suas suspeitas, ele ligou elétrodos de um detector de mentiras a uma folha de planta. O detector de mentiras opera enviando uma débil corrente de eletricidade através do objeto em que os fios forem ligados. Se houver qualquer mudança no campo eletromagnético daquele objeto, isso ficará registrado no gráfico. O detector de mentiras do Sr. Backster primeiro registrou sua ameaça, que fizera por pensamento, de queimar a folha. Um tanto surpreendido e abalado, apesar de sua intuição original, ele continuou o experimento. Em uma série, a planta (por meio do gráfico de detector de mentiras) registrou seu pensamento de queimar uma folha, sua saída da sala para buscar os fósforos, seu ato de acender o fósforo, e até seu ato de queimar a planta — clara evidência de que a planta estava recebendo sua energia mental. A planta saberia o que ele estava fazendo? Como poderíamos responder a isso? Essa reação poderia ser mecânica, mas o fato de que ele fora capaz de condicionar plantas, como Pavlov fizera com cães, e que as plantas demonstraram ter uma espécie de memória, parece indicar algo além de qualquer sugestão anterior sobre a forma de vida sofisticada das plantas.

O registro de "pensamentos" opera também à distância. Uma senhora, que sabia pilotar aviões, mas que se sentia nervosa sempre que voava, deixou uma planta favorita sua no escritório do Sr. Backster. E, a qualquer distância, quando aquela senhora aterrissava, a planta registrava o seu alívio mental.

Experimentos têm sido igualmente bem-sucedidos com outras formas de vida vegetal, como amebas, lêvedos, sangue, esperma etc. Este último, por exemplo, quando aproximado de seu dono, identifica-o fazendo o gráfico dar um salto, ao mesmo tempo que nada sucede quando aproximado de outros homens. Nesse caso, a "vida" fica suspensa em líquidos e os elétrodos são fixados a um tubo de ensaio que contém o líquido.

Consideremos um assassino de plantas — Seis homens foram enviados ao escritório do Sr. Backster, um dos quais haveria de arrancar uma planta do solo, despedaçando-a, jogando-a ao chão e pisoteando-a; em suma, cometendo um herbicídio. O Sr. Backster não sabia quem cometera o crime, e nem estivera presente quando isso fora feito. Trazendo aqueles homens de volta ao seu escritório, conseguiu identificar o assassino, ao fazer com que, um por um, os seis homens passassem diante da planta. Ao chegar a vez do culpado, o detector de mentiras deu um salto, indicando que fora ele.

O que esse experimento indica? Indica, pelo menos, que há uma espécie de intercomunicação entre todos os seres vivos, que envolve uma forma de energia que ainda não foi descrita pela nossa ciência. A fotografia Karliana tem mostrado que há uma energia dessa natureza que circunda todas as coisas vivas. É possível que essa energia esteja envolvida na percepção do pensamento humano pelas plantas. Não sabemos, porém, se a planta tem consciência de sua própria percepção. Talvez Anaxágoras, o filósofo pré-socrático, tivesse razão quando disse que as plantas são somente animais fixos no solo. Lembremo-nos de nossa anterior discussão sobre as "ilhas" e o "fundo do mar". O cérebro é uma ilha, mas, sob o nível da água, está unida aquela ilha às outras ilhas, não estando mais isolada. A mente consciente normalmente é uma ilha, mas o subconsciente parece estar em contacto com os elementos não-físicos de todas as coisas vivas, ou, pelo menos, em potencial. Talvez a ciência do século XXI tenha a descobrir a natureza e o modus operandi dessa energia. Sem dúvida, nossos atuais experimentos e definições mostram-se crus. Contudo, por que não seríamos ousados a ponto de pensar que a vida, toda a vida, é mais do que antes supúnhamos? A vida talvez seja espiritual, afinal de contas, e que a forma física seja apenas um veículo, incluindo as plantas e as formas inferiores de vida.

O Professor H. H. Price, de Oxford, disse em verdade:

"Não devemos ter medo de estar dizendo asneiras. As gerações futuras provavelmente ficarão perplexas, não porque nossas ousadas teorias são bizarras, mas por serem conservadores e terem uma natureza tão tímida."

Para aqueles dotados de mente religiosa, que se inclinariam por chamar todos os fenômenos que lhes são estranhos (como os fenômenos psíquicos), de atividade dos demônios, bem poderíamos indagar por que os demônios se apossariam de plantas, amebas e vestígios de sangue. Esse tipo de "asneira" certamente chocará as gerações futuras, que descreverão os fenômenos psíquicos em termos "naturais", mais ou menos como agora falamos de coisas como a circulação sanguínea. Isso não quer dizer que não existam coisas como forças espirituais "invisíveis". Essa realidade está além de qualquer dúvida, até onde podemos ver as coisas; mas não explica simples capacidades psíquicas nos homens, ainda que, sem dúvida, forças malignas se possam manifestar nos homens, e isso de maneiras "psíquicas". O homem é um espírito e, naturalmente, possui poderes e manifestações espirituais.

7. Fotografia psíquica — Ted Serios tem mostrado a capacidade de projetar imagens mentais em um filme fotográfico comum. O Dr. Julius Eisenbud, da Universidade de Colorado, escreveu um livro sobre suas experiências com Ted, intitulado "O mundo de Ted Serios", que mostra um grande número de tais fotografias. O Dr. Eisenbud, médico psiquiatra, conta muitas confirmações de colegas professores e de observadores desse fenômeno, que atestam sua validade. Ted pode impressionar filmes com o pensamento, deixando uma fotografia, uma pintura, ou simples impressões. Pode "imitar" objetos conhecidos, ou criar as cenas de uma cidade que nem existe. Parece que ele pode pôr "imagens mentais" de qualquer sorte em um filme, e até mesmo, telepaticamente, reproduzir imagens mentais de outras pessoas. A máquina fotográfica pode ter lente ou não. isso não faz nenhuma diferença. Outrossim, Ted pode produzir imagens mentais sobre vários filmes, ao mesmo tempo. Sabemos que tipo de energia pode deixar marcas sobre um filme fotográfico. Aqui está outra forma de energia que atravessa a gaiola de Faraday, que bloqueia as energias conhecidas, como as de rádio e as de eletricidade. No entanto, provavelmente estamos manuseando uma forma desconhecida de energia, talvez condutora do pensamento, que algum dia quiçá venha a ser descrita pela ciência, não sendo então considerada mais misteriosa do que as "ondas de rádio" o eram originalmente. Outros estudos indicam que o complexo de energias não-físicas existentes no homem pode operar extracerebralmente, estando relacionado à natureza espiritual do homem. Os itens que se seguem, os "campos de vida", e o retorno da "morte clínica", certamente sugerem isso.

8. Os Campos de Vida que moldam o nosso mundo — A fotografia Kirliana

A humanidade, agora enamorada como conceito materialista, algum dia poderá reconhecer a dívida imensa que deve a homens como H. S. Burr e E. K. Kunt. O prof. Harold Saxton Burr, Ph.D, e E. K. Kunt, professor de anatomia da Yale University School of Medicine, por muitos anos realizaram experiências com os campos elétricos que circundam as coisas vivas, tendo noticiado descobertas extraordinárias. Com instrumentos que detectam campos eletromagnéticos, esses homens demonstraram que cada espécie tem um campo circundante característico. Foram chamados de campos-V ou "Campos de vida". No homem, mostraram que o campo se estende por quatro metros, e em coisas simples, como ovas de rã, a dez centímetros. Na "aura" assim existente, no caso da ova, a rã adulta pode ser predita pelos "padrões de luz" e dos "desenhos", podendo-se notar até a posição das pernas, da cabeça, do sistema nervoso etc. Em outras palavras, o "campo de vida" é anterior ao desenvolvimento de sua contraparte física e, evidentemente, é o guia ou força inteligente que controla o seu desenvolvimento. No caso da rã, se um experimentador removesse o material do qual normalmente se desenvolveria a cabeça, e o trocasse pelo material de onde surgiriam as pernas (citando apenas um exemplo de troca possível), ainda assim as pernas e cabeça se desenvolveriam nos seus devidos lugares. Isso indica que as células não são especializadas, antes, podem desenvolver-se em qualquer coisa, e que o "campo de vida" é a força que determina que célula se tornará em qualquer parte do elemento físico. O "campo de vida" persiste pelo crescimento do embrião, até transformar-se em uma rã adulta. Houve um período no desenvolvimento do girino quando uma perna poderia ser amputada, pois outra perna se desenvolveria. Enquanto isso, o "campo de vida" se mantinha inalterado, apesar de sua contraparte física estar sendo modificada nisto ou naquilo. Outrossim, no homem, se alguém tiver sofrido a perda de um dedo da mão, no "campo de vida" haverá ainda cinco dedos.

9. As experiências de Burr resultaram em um livro chamado Blueprint for Immortality, The Electric Patterns of Life, Neville Spearman Ltd., Londres, 1972. Burr expressa a crença de que os campos de vida não são resultantes da atividade biológica na massa física, antes, são as próprias fontes originárias do desenvolvimento biológico e da formação do corpo físico. Postulou ele, também que os eletroencefalogramas não são medições da atividade do cérebro (físico), mas alterações refletidas no próprio "campo de vida", o que, sua vez, alteram as ondas do cérebro físico. Os campos de vida evidentemente não se assemelham, quanto à forma, à coisa física por eles criada, embora tenham padrões de colorido que pertencem a certos elementos físicos futuros, embora Burr, até onde se pode descobrir, não tenha especificado isso. As formas de vida que tenho visto nas fotografias Kirlianas (uma forma de radiografia), entretanto, têm a forma do objeto físico.

A fotografia kirliana — Trata-se de uma espécie de radiografia capaz de capturar os campos de luz existentes em torno de todos os objetos, animados e inanimados, embora aqueles que circundam os animados sejam consideravelmente diferentes, modificando-se com as emoções e o estado de saúde, enquanto os que circundam os objetos inanimados permanecem fixos na natureza. Parece que aquilo que Burr detectou mediante instrumentos, a fotografia captura em filmes. A fotografia kirliana recebeu nome do casal russo, Semyon e Valentina Kirlian. Certo dia, Kirlian, um eletricista, notou que se seus dedos tocavam em uma chapa de papel fotográfico, estando em um campo de corrente elétrica de alta freqüência, apareciam impressões de estranhos zigue-zagues, manchas e linhas sobre o papel. Impressionado com isso, e querendo melhorar as suas imagens, ele desenvolveu, com extrema dificuldade, uma nova câmera e um método especial de tirar fotografias. Uma vez que conseguiu desenvolver sua nova forma de fotografia, relatou: "Galáxias de fagulhas azuis, violetas, amarelas e douradas brilharam contra um pano de fundo negro. Algumas piscavam, outras brilhavam com constância, e ainda outras relampejavam a intervalos. Enquanto uma porção dessas fagulhas não tinha movimentos, outra parte percorria labirintos luminosos. Sobre essas fantásticas galáxias de luzes fantasmagóricas, havia lampejos rebrilhantes e multicoloridos, e também pequenas

|Artigos introdutórios| NTI

nuvens apagadas". Foi assim que se abriu um novo e fantástico mundo, para ser contemplado pelos homens. Logo se descobriu que todas as formas de vida possuem seu próprio e característico campo de luz.

O Dr. William Tiller, metalurgista, que durante cinco anos foi deão do Materials Science Department of Stanford, e que tem títulos no campo da física, e, recentemente, completou um Guggenheim Fellowship, em Oxford, tendo estudado intensamente os campos eletrodinâmicos visíveis na fotografia kirliana, declarou que o mundo apresentado atualmente pela ciência é, pelo menos, "incompleto", se não mesmo falso. Ele acredita que as pessoas, pelo mundo inteiro, estão aprendendo a despertar aqueles sistemas sensoriais que nos permitem perceber diferentes dimensões do universo. Além disso, ele especula que há outras formas de energia que não a energia eletromagnética, e que algumas são mais lentas e outras mais rápidas que a luz, quanto à sua velocidade.

O que é o "campo de vida? Essa pergunta, naturalmente, é extremamente difícil de ser respondida. Mas é mais fácil especular. Conforme alguns supõem, pode ser a emanação de energia do "contracorpo", no homem, ou em qualquer espécie viva sob consideração. Os místicos, quando "fora do corpo" (=projeção da psique), afirmam que o espírito tem outro veículo, semelhante ao corpo, sólido ao toque, enquanto a pessoa está na outra dimensão, ao passo que o outro material é transparente e não-resistente ao toque. Outros, ainda, têm especulado que estamos falando diretamente da alma. Pelo menos, estamos falando de uma forma de realidade que transcende ao veículo físico que chamamos de corpo. Se essa energia é a emanação do contracorpo, então, certamente está aliada à alma, a qual continua fora de nossa capacidade de descrição, embora não haja razões para duvidarmos de sua realidade. O campo de vida será a forma de energia que a alma usa, ao desenvolver seu próprio corpo, no caso de formas inferiores de vida, ou um veículo usado por uma inteligência superior para a criação de formas físicas? Ou, na forma de vida, já chegamos à "substância da alma"? Provavelmente, o que se vê na obra de Burr e na fotografia kirliana são "efeitos" de "causas" ainda desconhecidas. Voltamos ao difícil problema, científico e filosófico, da "causa". Com freqüência, podemos medir ou, pelo menos, identificar efeitos, mas temos dificuldades com as causas; mas não é impossível que aquilo que os homens têm chamado de alma esteja, de algum modo, por detrás desses efeitos, direta ou indiretamente. No momento, não podemos falar com grande inteligência sobre a fotografia kirliana, mas suas implicações são imensas. Entretanto, não desesperemos. Imagine-se a tentativa de explicar os raios-X aos homens comuns e leigos de 150 anos atrás!

Burr afirma que as pessoas, bem como tudo, são literalmente mantidas juntas pelos "campos de vida" que são organizadores. Sem a inteligência divina que governa as leis por detrás desses campos, o universo inteiro se desintegraria em caos, em milésimos de segundo.

Seus estudos têm adicionado uma nova dimensão ao argumento teleológico (=argumento baseado no desígnio), em prol da existência de Deus. Escreve ele, pois:

"É impossível imaginar que o desenvolvimento, passo a passo, do sistema nervoso, sucedeu por acaso e sem orientação. Você e eu, pois, somos produtos de um padrão de organização, ou, dizendo-o de outro modo, somos a conseqüência de um desígnio. É dificílimo pensar em uma peça do aparelho de qualquer espécie — quer se trate de um ferro elétrico ou de um esmagador de átomos —, que não seja produto da mente de um planejador. Portanto, já que o universo exibe um plano, não é pulo no espaço supor que seja o produto de um Planejador."

10. Adicionamos, finalmente, à nossa discussão, um pouco de certeza acerca da alma, que nos deriva da experiência humana. Essa experiência recebe um toque do que é científico, já que está sujeita à observação de natureza regulada e sistemática, o que, naturalmente, é uma função básica do método científico. Assim, Henry Pierce, editor científico do Pittsburgh Post Gazette, interessou-se especialmente pelo fenômeno do "retorno após a morte clínica". Ele desvendou, em pesquisas em hospitais, entre médicos, enfermeiras e pacientes, a realidade do que acontece quando homens e mulheres retornam da morte física, mesmo após muitas horas, os quais têm narrativas maravilhosas para contar sobre a vida do outro lado. Temos razão para crer que as pessoas podem penetrar nos primeiros estágios da morte, e mesmo assim retornar, até mesmo depois do alma ter se separado do corpo. Esse é o tipo de história que as pessoas relatam, quando contam suas experiências. Podem também narrar com exatidão o que lhes sucedera durante seu período de morte, quando o coração não mais pulsava e as ondas cerebrais tinham cessado totalmente de existir. Alguns têm "experiências terrenas" durante esse tempo, algumas delas de natureza transcendental. (Não desenvolvemos aqui o tema, porquanto um artigo, de autoria de Henry Pierce, aparece nesta mesma seção do comentário, acerca da imortalidade.)

A Dra. Elizabeth Kuebler-Ross é perita reconhecida em tanatologia (estudo da morte e seu processo). Como médica e psiquiatra, ela já entrou naturalmente em contacto com a morte, por muitas vezes. Tem estudado e observado a vida e morte de muitos enfermos condenados à morte, tendo efetuado pesquisas psicológicas com essas pessoas. Como resultado, ela escreveu dois bem conhecidos livros sobre a morte. São intitulados Sobre a morte e o morrer e Perguntas e respostas sobre a morte. Antes de seus estudos sobre a morte, incorporados nesses livros, a Dra. Kuebler-Ross não cria na "sobrevivência" da personalidade humana ante a morte biológica. Sua pesquisa modificou-lhe a mentalidade. A princípio, ela pensava que estava descobrindo uma "ciência" contraditória, e ficou embaraçada ante suas descobertas. Finalmente, centenas de casos a convenceram da grande possibilidade da sobrevivência. Agora, porém, ela teme ser ridicularizada pela "comunidade científica", cujos dogmas ela ousou desafiar.

Alguns dos casos discutidos em seu livro envolvem a "morte clínica". Com surpreendente freqüência, os relatos que as pessoas contam, voltando desse estado, são similares em tudo. A maioria das pessoas "revividas" após a morte clínica, ou seja, cujos corações não mais pulsavam e que não tinham mais ondas cerebrais, dizem que a "morte" é uma sensação indescritivelmente maravilhosa. Essa gente não mais temia a morte, ainda que continuassem a viver diariamente sob o perigo de serem vitimadas por ela. A Dra. Kuebler-Ross entrevistou centenas de pacientes que haviam sido declaradas clinicamente mortas. Aquela gente invariavelmente dizia que uma "auto-entidade" se separara do "corpo". Quando isso acontece, diziam eles, sente-se grande sentimento de paz e tranqüilidade. Muitas dessas pessoas testemunham a cena dos médicos revivendo o corpo morto. Muitas tentaram transmitir-lhes que a morte é boa, e que eles deixassem aquelas tentativas. As pessoas que abandonaram o corpo sempre dão boas-vindas àquelas que lhes são queridas. Algumas pessoas especialmente religiosas percebem figuras religiosas importantes que vêm à transição. Um caso típico diz o que se segue:

"A paciente disse-me que olhara para baixo e ficara surpreendida ante a palidez da face de seu corpo. Então teve consciência da equipe médica que corria para ressuscitar o corpo trazendo aparelhos para o quarto. Embora a mulher, naquele momento, não demonstrasse pulsações, nem pulso, nem ondas cerebrais, mais tarde ela narrou quem entrara no quarto e o que haviam dito. Contou que tentara dizer à equipe de ressurreição que não tivesse tanto trabalho com ela, mas não a podiam ouvir. Após alguns poucos momentos, ela sentiu que desaparecia a sua nova consciência. Naquele instante, os instrumentos começaram a registrar sinais vitais novamente."

O que fica demonstrado por isso é que o homem é mais que seu corpo, e que sua inteligência, apesar de usar o cérebro como um veículo, também pode operar, de modo por enquanto misterioso e desconhecido, sem o cérebro físico. Talvez continue a usar um veículo, a saber, o contracérebro, no contracorpo, sobre o que já discutimos. Talvez a alma não precise de nenhum instrumento para operar, sendo o princípio mesmo da inteligência, um "intelecto", conforme supusemos na discussão anterior.

Se a inteligência, no momento de entrar nos primeiros estágios da morte, quando o corpo fica clinicamente morto, permanece normal, e, além disso, se não há a perda da "consciência" e a identidade pessoal não é atingida, então isso nos exibe o fato da inteligência "extracerebral". Nesse caso, fica demonstrado que o cérebro é apenas um veículo da inteligência, sob certas circunstâncias, e não a própria inteligência. A inteligência é algo muito mais vasto que qualquer órgão físico, que possa contê-la temporariamente. Filosoficamente falando, falamos do ser vital como o "intelecto", conforme se via, por exemplo, em Aristóteles. Teologicamente, chamamos esse intelecto de fagulha do Grande Intelecto. O "real", afinal, pode ser conforme foi suposto pelo Idealismo, isto é, um campo de força de energia, não idêntica àquilo que chamamos de matéria. Pode ser uma energia não-material, mais básica que a própria matéria como uma forma de vida. Em outras palavras, a matéria pode ser apenas uma manifestação sua. A matéria, portanto, não é a substância da vida, mas tão-somente uma de suas expressões. No ser humano, o campo de força, que sobrevive ante a morte biológica, pode ser chamado de alma ou intelecto. Ou o campo de força, conforme nos foi desvendado pela fotografia e mediante instrumentos, pode ser outro veículo do "intelecto". Seja como for, as evidências mostram que o homem é muito mais do que o seu corpo, e que "aquilo que ele é" sobrevive à morte física.

Relacionados à experiência da "volta da morte biológica", há aqueles casos em que a morte tem lugar, mas, antes de suceder isso, são dadas informações pelo moribundo que mostram que o homem real apenas está saindo da vida física, e não morrendo juntamente com ela. "Visões no leito de morte", e tipos similares de experiência, têm atraído a atenção de ministros, médicos e pesquisadores psíquicos, e há abundante literatura sobre o tema. Essas experiências muito se parecem com aquelas que acabamos de descrever, em diversos aspectos. Por exemplo, é comum que os moribundos digam que viram "visitantes" que vieram vê-los passar pela transição. Algumas vezes, o visitante ou visitantes, de fato, está "morto", conforme usamos popularmente o vocábulo, mas esse fato passa despercebido pelos moribundos. Em um volume pequeno, mas monumental, intitulado "Visões do leito de morte", Sir William Barrett, notório físico de Dublin, relata a seguinte história:

"Estive presente pouco antes da morte da Sra. B, em companhia de seu marido e de sua mãe. Seu marido estava debruçado por sobre a esposa, falando com ela, quando, empurrando-o para um lado, ela disse: "Oh, não atrapalhe; é lindo!" Então, voltando-se dele para mim, estando eu do outro lado do leito, a Sra. B. disse: "Oh, ali está Vida". Ela se referia à sua irmã, cuja morte, ocorrida três semanas antes, fora ocultada da Sra. B. Posteriormente, a mãe dela, que estivera presente na ocasião, contou-me, conforme eu já disse, que Vida era o nome da falecida irmã da Sra. B., e cuja enfermidade e falecimento a Sra. B. ignorava, pois tinham impedido cuidadosamente que a notícia lhe fosse dada, em face da seriedade de sua doença."

Há vários tipos de explicação, para experiências como essa:

1. A explicação telepática — A Sra. B. Poderia ter percebido telepaticamente que sua irmã morrera, e, como é comum, poderia ter confundido esses pensamentos "exteriores" como se fossem seus próprios. Ela também poderia ter tido uma alucinação, obtendo uma suposta visão "exterior", consolando-se com a ilusão de que seu fim real ainda não chegara, antes, que a morte é, realmente, uma experiência agradável, incluindo a reunião com entes amados. Apesar de admitir-se que a mente humana é capaz de tais contorções, essa explanação está sujeita a críticas válidas. Essas experiências têm sido "compartilhadas" com pessoas vivas. Ministros e médicos, por ocasião de casos de morte, bem como familiares presentes ao falecimento de entes queridos, ocasionalmente têm tido as mesmas visões que os moribundos. Para explicar esse fenômeno, a suposição de que uma alucinação coletiva, acompanhada por telepatia coletiva, seja capaz de criar tal acontecimento é tão difícil ou mesmo mais difícil do que aceitar que a sobrevivência da alma, como algo possível a seres humanos. Os estudos anteriores, que indicam a viabilidade da hipótese da sobrevivência, de um ponto de vista científico, são contrários à ideia da telepatia e da alucinação coletivas.

2. A explicação de fraude — Tais narrativas, segundo alguns supõem, seriam invenções, e não acontecimentos reais. Essa explicação, porém, não é uma tentativa séria para solucionar o enigma das experiências de leito de morte, pois, apoiando-se em preconceitos, resolve que muitas centenas de tais relatos, por grande e diferente número de pessoas, muitas delas honestas e religiosas, devem "contar uma boa história à custa da verdade". Além disso, esses fenômenos transcendem a todas as barreiras de raça e cultura, e são por demais "numerosos" e similares para serem baseados em fraude. Tachando esses casos de fraudes, brincamos com convicções que se fizeram "sagradas" para muitas pessoas que tiveram envolvidos nesses casos seus entes queridos.

3. A teoria dos demônios — É essa a pior de todas as explanações. Ao invés de uma manifestação do espírito humano, o que haveria nelas seriam espíritos enganadores que convenceriam os moribundos de que seres queridos tinham vindo para "levá-los para o outro lado". Por que fariam isso? Por que espíritos malignos se empenhariam em "enganar" a um moribundo, a fim de infundir-lhe confiança e esperança nos instantes da morte? Isso não se parece com o que os demônios gostam de fazer, sendo eles maus. Contra essa teoria, além de seu óbvio absurdo, há o fato de que tais visitas sucedem a todos os tipos de pessoas, até às mais religiosas e fiéis, incluindo as pertencentes a todos os ramos da igreja cristã. Dar qualquer crédito a essa teoria leva-nos a crer que pessoas não sujeitas ao poder demoníaco durante sua vida, mas exemplos de vida cristã, subitamente, em seu leito de morte, tornam-se sujeitas a esse poder. Além disso, já que crianças pequenas passam por tais experiências, teríamos de supor que elas também estão sujeitas a poderes demoníacos, embora durante o resto de sua vida nada disso lhes possa ser atribuído, por serem relativamente inocentes.

4. A teoria de forma de pensamento — O pensamento é uma energia. Um pensamento criado em um moribundo, devido ao seu poderoso desejo de sobrevivência, poderia exteriorizar uma forma "visível" que seria vista pelo moribundo, bem como pelas pessoas presentes à cena da morte. Essa teoria é uma modificação da primeira teoria, sendo passível da mesma crítica.

5. A teoria que resta, provavelmente, é a verdadeira — A morte é apenas uma transição. O corpo sucumbe, mas o espírito se eleva. A vida é um grande prosseguimento, e o corpo é apenas um veículo de vida em determinada esfera, sujeito a um conjunto especial de circunstâncias.

Consideremos outro desses casos, que envolveu uma menina pequena (conforme o relato no livro de Sir William Barrett).

"Em uma cidade vizinha havia duas meninas pequenas, Jennie e Edite, uma com cerca de oito anos de idade, e a outra um pouco mais velha. Eram colegas de escola e amigas íntimas. Em junho de 1889, ambas adoeceram de difteria. Ao meio-dia de uma quarta-feira, Jennie morreu. Os pais de Edite, como também seus médicos, tiveram o extremo cuidado de impedir que ela soubesse da morte de sua coleguinha. Temiam o efeito dessa notícia sobre as condições de saúde de Jennie. Para provar que haviam obtido êxito, e que ela de nada soubera, pode-se mencionar que, no sábado, 8 de junho, ao meio-dia, pouco antes de perder a consciência de tudo quanto sucedia ao seu redor, ela escolheu duas fotografias suas para serem enviadas a Jennie, além de dizer às pessoas que a atendiam, que lhe transmitissem o seu adeus. Edite faleceu meia-hora depois das 18 horas do sábado, dia 8 de junho. Ela se animara e se despedira de seus amigos, falava em morrer, e parecia não ter medo. Ela parecia estar vendo um amigo ou outro membro da família que sabia já haver falecido. Até esse ponto, tudo parecia similar a outros casos. Então, subitamente, e com grande expressão de surpresa, ela se voltou para seu pai e exclamou: "Ora, papai! O senhor não me disse que Jennie estava aqui!" E imediatamente ela estendeu os braços, como que para receber alguém, e lhe disse: "Oh, Jennie, estou tão alegre que você está aqui!"

Sir Barrett, cujo livro citamos, ficou intrigado ante a enorme quantidade desse material. O clérigo inglês, J. S. Pollock, em seu livro Mortos e desaparecidos, reuniu uma coletânea dessas narrativas, escolhidas dentre 500 casos que ele recolhera em suas pesquisas. Frank Podmore, um pesquisador inglês, relatou o caso de três irmãs que, estando juntas, viram pairando sobre o leito de morte de uma delas uma luz brilhante, onde apareceram os rostos de dois de seus irmãos mortos.

Nos arquivos da British Society for Psychical Research e da American Society for Psychical Research, há certo número de casos em que o espírito foi realmente visto ao deixar o corpo. Um desses casos foi registrado no Diário da SPR. Esse caso foi apresentado por Richard Hodgson, homem que tinha a fama de ser arguto investigador, no início deste século.

"O Sr. G., abraçado à sua esposa que falecia, viu que se formavam, perto da porta, 'três nuvens estratos separadas e distintas'. Essas nuvens gradualmente se aproximaram do leito e o envolveram. Disse o Sr. G: "Então, olhando através da névoa, contemplei, de pé, perto da cabeça de minha esposa moribunda, a figura de uma mulher'. Ele também viu 'duas pessoas de branco', que 'se ajoelharam ao lado de minha esposa, aparentemente se inclinando na direção dela, além de outras figuras que pairavam por sobre o leito, de forma mais ou menos distinta. Acima de minha esposa, e ligada com uma corda que saía de sua testa, por sobre seu olho esquerdo, flutuava, em posição horizontal, uma figura despida e branca, aparentemente seu "corpo astral". Após observar essa figura por algumas horas, ele contemplou a morte real de sua esposa. 'Com um estertor, minha esposa deixou de respirar [...] com seu último hálito [...] quando a alma deixou o corpo, a corda se partiu. Subitamente, desapareceu a figura astral. Todas as outras personagens desapareceram também naquele instante."

Esse caso frisa diversas características interessantes, todas comuns em tais casos, conforme se tem relatado por todo o mundo. Em primeiro lugar, há o "corpo astral", conforme alguns o denominam, que é apenas o "contracorpo" que já mencionamos neste artigo, de onde emana o "campo vital" de energia irradiada. A aura humana evidentemente é uma irradiação do contracorpo. Neste artigo, já indicamos que essa energia pode ser vista por algumas pessoas, e, com a ajuda de lentes especiais e exercícios visuais, a maioria das pessoas interessadas na tentativa, também têm podido vê-la. Se todos pudessem fazê-lo, sem ajuda, então seria fácil testificar, com olhos naturais, o tipo de coisas relatadas no parágrafo acima. Pensemos na esperança que tomaria conta do homem se ele, somente dentro do alcance natural de sua visão, pudesse ver mais. Tudo isso faz-nos lembrar da história bíblica de Eliseu e seu servo. O rei da Síria enviara grande exército contra Israel. O servo de Eliseu, levantando-se cedo pela manhã, viu as hostes Sírias. Com grande terror, ele foi despertar seu senhor. Eliseu lhe disse que não tivesse receio, proferindo as palavras famosas: "Não temas; porque os que estão conosco são mais do que os que estão com eles". Então Eliseu orou para que seu servo visse a "realidade" da situação: "Ó Senhor, peço-te que lhe abras os olhos, para que veja". E assim o servo teve seus olhos abertos, e eis que a montanha foi vista coalhada de cavalos e carros de fogo, ao redor de Eliseu. (2Rs 6.16,17). Esta passagem bíblica supõe a existência de seres invisíveis. Se a "faixa" da visão natural do homem fosse ampliada, que maravilhas poderíamos contemplar; e talvez a mais comum entre elas fosse a sobrevivência da personalidade por ocasião da morte!

Outra coisa a ser notada aqui é "o fio de prata". Há também referências bíblicas nesse particular: "[...] antes que se rompa o fio de prata, e se despedace o copo de ouro, e se quebre o cântaro junto à fonte, e se desfaça a roda junto ao poço, e o pó volte à terra, como o era, e o espírito volte a Deus, que o deu" (Ec 12.6,7, ARA). São expressões poéticas acerca da morte física, mas é bem provável que a tradição do "fio de prata" tenha entrado na poesia pelo fato de o mesmo ter sido visto; e ele continua sendo visto por alguns, quando a morte se aproxima. O que é esse fio ou corda? Parece ser um elo de ligação entre as energias físicas e não-físicas do complexo humano. Pode ser até mesmo uma espécie de cordão umbilical. É deveras interessante, pois, que a morte seja produzida pelo partir dessa corda, o que dá à pessoa o nascimento em uma vida nova e superior. Não são incomuns as visões à "beira do leito", nas quais essa corda é partida; e isso usualmente é feito por um dos espíritos que veio auxiliar na morte-nascimento, pelo que se poderia chamá-los de parteiras espirituais. Florence Marryat, a autora da era vitoriana, em diversas ocasiões foi testemunha de mortes, e em algumas ocasiões viu o fio de prata. Ela descreveu o mesmo como uma ligação entre o corpo e o contracorpo, tendo a aparência de "fios de luz", como "eletricidade".

Um pastor anglicano, G. Maurice Elliott, que durante o seu trabalho ministerial com freqüência acompanhou moribundos, afirmou que em muitas ocasiões testemunhou a saída da alma do corpo. Ele descreve um desses casos, narrando: "Vimos (sua esposa também observou a visão), bem por cima da cama, uma névoa tênue e branca [...] Dentro de pouco tempo, ela tomou a forma perfeita da pessoa que sofria [...] um fio como de prata estava ligado ao corpo físico, e ajudantes o cortaram".

68 |Artigos introdutórios| NTI

O místico inglês, Tudor Pole, apresentou uma descrição similar de uma morte que vira: "Diretamente por cima do moribundo, vi uma forma sombria que pairava em posição horizontal, a cerca de sessenta centímetros acima do leito. A forma estava ligada ao corpo físico por dois fios transparentes [...] a figura cresceu até tornar-se uma contraparte do corpo. Personagens auxiliares cortaram esses fios". Karlis Osis, psicólogo nascido na Letônea, enviou questionários a cinco mil médicos e a cinco mil enfermeiras, para descobrir a freqüência dos tipos de visões à beira do leito que vimos descrevendo. A obra resultante — "Observações à beira de leito por médicos e enfermeiras" — tornou-se um clássico no seu campo. Osis descobriu que raramente as pessoas que morriam sentiam medo, e, de fato, com bastante freqüência, achavam-se em estado de exaltação. Houve o cuidado de investigar e relatar casos de pacientes que não estavam drogados. Descobriu ele que um número muito maior de "moribundos" tem visões do que as pessoas em vida normal. Essas visões ocorriam, predominantemente, entre uma hora a um dia antes da morte. Geralmente, os pacientes têm plena consciência dos fatos, não se podendo pensar em meros sonhos. Curiosamente, nem todas as pessoas vistas nessas visões estão "mortas", embora nelas predomine o número de pessoas falecidas. Isso nos leva à interessante especulação de que as almas de "pessoas vivas" podem ajudar-nos na morte de entes queridos, e de algum modo, desconhecido da ciência, ajudam-nos na transição. Em muitos desses casos, a visão é compartilhada pelo visitante e pelo visitado, ainda que, fisicamente, as pessoas estivessem bem separadas. Nesses casos, os sobreviventes têm alguma história interessante, que coincide com a narrativa do moribundo, pouco antes do seu falecimento. Evidências críveis de sobrevivência têm sido dadas por indivíduos não drogados e nem marcadamente perturbados, nem por sedativos e nem por delírios. Os visitantes espirituais são reconhecidos invariavelmente como "anjos de misericórdia", que facilitam a transição. São bem acolhidos, pois, pelos moribundos. Usualmente, os visitantes são íntimos ou parentes. Algumas vezes, um único espírito acompanha o processo da morte, mas normalmente há diversos deles.

Duncan Macdougall, um médico da Nova Inglaterra, no começo do século, registrou perdas inesperadas de peso no momento da morte, e até hoje isso não foi explicado. Hipólito Baraduc, na França, fotografou a morte de sua esposa, e registrou três nuvens similares às que já descrevemos no caso da Sra. G., cujo marido viu três nuvens separadas e distintas. O engenhoso físico americano, R. A. Watters, em 1934, fotografou o "duplo" de um rato que matou, em um Câmara de Nuvem Wilson. Já descobrimos, neste artigo, que "campos de vida" circundam todas as criaturas vivas. Seria demais supor que a vida, toda vida, realmente é espiritual, e que todos os corpos são meros veículos?

Similares a esses estudos e observações acerca do retorno após a morte clínica e ao próprio processo de morte, são aqueles que tratam da "projeção da psique". Trata-se da habilidade de alguns de "deixar o corpo" e viajar para obter informações no estado espiritual, impossíveis de serem obtidas pelos meios de percepção normal, e parte dessa informação pode transcender o tipo de informação disponível aos sentidos.

O Dr. Robert Crookall, um geólogo inglês, dotado de credenciais científicas em outros campos também, dedicou 30 anos ao estudo da projeção da psique. Ele chama atenção para o fato de que a experiência da projeção da psique se parece muito com os casos de "leito de morte", parecendo ser um aspecto temporário daquilo que, na morte, é algo "permanente". Em cerca de 20% dos casos que envolvem a projeção da psique, o "duplo" toma a posição horizontal, pairando por sobre o corpo, e então se torna o veículo da inteligência, bem como o modo de transporte. A mesma coisa ocorre no caso da morte. Em cerca de 20%, igualmente, o fio de prata é visto ligando o corpo flutuante ao corpo físico. Na projeção da psique, a grande diferença é que esse fio não se parte. Parece que a personalidade humana é capaz da "bilocalização", e essa bilocalização é boa previsão do que sucede no processo da morte, não o levando, contudo, à conclusão final.

O Dr. Charles Tart, da Universidade da Califórnia, em Davis, estudou esse fenômeno com grande êxito, obtendo certa "respeitabilidade" para o mesmo em alguns círculos inteligentes. Pelo menos, nem todos os psicólogos continuam pensando tratar-se de algo patológico. Uma prática criada por ele é a que envolve trancar uma pessoa que diz ter regularmente a experiência (ou espontaneamente, ou pelo poder da vontade), em uma sala de hospital. Em uma prateleira, bem elevada no quarto, se põe uma mensagem. O objetivo é que a "alma" suba e leia a mensagem, transmitindo o seu conteúdo ao pesquisador. Toma-se o cuidado de não haver meios físicos pelos quais isso possa ser feito. Assim, a mensagem está irremediavelmente "fora de vista", até onde chegam os olhos naturais. Contudo, aqueles que se "projetam" lêem-na com sucesso. Na maioria dos casos, a alma não se interessa muito por tais coisas, e assim sai do quarto, atravessando facilmente as paredes. A entidade pode observar, então, o que ocorre subseqüentemente sujeitada à validação por parte do pesquisador. Tudo isso indica a realidade da milenar crença na bilocalização. Em outras palavras, a personalidade humana, mesmo quando no estado "mortal",

é capaz de estar em dois lugares ao mesmo tempo, em um, fisicamente, e em outro, espiritualmente. Várias pessoas, como algumas daquelas que têm sido chamadas de "santos", conhecidas por sua espiritualidade, têm tido a capacidade da bilocalização, mas o fenômeno não está limitado a tais pessoas, de modo nenhum. A reivindicação de "projeção" é tão antiga quanto a própria história, mas só recentemente os pesquisadores, em universidades, se têm disposto a submetê-la a teste, sob condições controladas.

O artigo anterior foi traçado para mostrar a fraqueza da teoria materialista. Mostramos que a personalidade humana é dotada de várias "capacidades" que não podem ser explicadas por essa teoria. Mostramos que os "fenômenos observáveis", os que meramente podem ser observados ou os que são sujeitos a controle de laboratório, ultrapassam qualquer "base teórica" que a tese materialista nos oferece. Mostramos que a inteligência pode ser "extra-cerebral". Nossa discussão tem mostrado que há uma força patente na teoria interacionista, bem como plausibilidade na teoria substancialista. As religiões, pelo mundo todo, favorecem o substancialismo, e muitas mentes universais o têm defendido sem embaraço. A verdadeira defesa do substancialismo, porém, não pode partir da ciência — pelo menos, por enquanto. Essa disciplina, por sua natureza inerente, limita-se ao aqui e ao agora, àquilo que se pode tocar, ver, ouvir etc. O substancialismo transcende em muito a tudo isso, mas nem por isso é algo irreal ou falso. As coisas que podem ser vistas, ouvidas ou tocadas, estudadas pela ciência, têm um significativo valor para a porção espiritual do homem, e o melhor conhecimento delas subentende aspectos de uma realidade superior, pois o físico está perenemente em contacto com o espiritual, e o estudo do que é físico, ou daquilo que se pensa ser meramente físico (embora assim não ocorra, realmente) pode revelar aspectos do não-físico. Portanto, não é impossível que, eventualmente, o "defensor" da sobrevivência da alma humana ante a morte biológica, venha a ser a ciência. O que a filosofia racionalista tem especulado, o que a teologia tem afirmado em seus dogmas, poderá vir a ser "provado" pelo que o cientista faz em seu laboratório. Quando aparecer essa "prova", os homens passarão a viver num mundo bem diferente. Essa prova transcenderá, em importância e interesse, a qualquer descoberta da ciência feita até o presente. Se um homem, ao levantar-se da cama pela manhã, puder dizer para si mesmo: "Meu verdadeiro eu jamais morrerá!", isso fará tremenda diferença na maneira com que ele passará a agir, no modo em que ele passará a viver, na forma pela qual ele pensará sobre si próprio e sobre seus semelhantes, nas suas motivações, nos seus ideais, em todos os seus esforços e em todos os seus sofrimentos.

As majestosas verdades do substancialismo, pelo menos no presente, permanecem fora do alcance da ciência. Não é provável que, nesta década, alguém possa construir um foguete capaz de entrar na esfera dos universais, de Platão, ou dos lugares celestiais, postulados pelo cristianismo bíblico. Contudo, não é de modo nenhum impossível que a própria alma seja um excelente foguete, uma vez liberada do corpo, podendo fazer vôos impressionantes até as dimensões da realidade última.

Edifica para ti mansões mais majestosas,
Oh, minha alma,
Enquanto as estações ligeiras passam!
Deixa teu passado de teto baixo!
Que cada novo templo, mais nobre que o anterior,
Feche-te do céu com uma cúpula mais vasta,
Até que, por fim, fiques livre,
Abandonando tua pequena concha no mar intranqüilo da vida!

(Oliver Wendell Holmes)

V. BIBLIOGRAFIA

Backster, Cleve. Evidence of Primary Perception in Plant Life. New York, NY: Backster Foundation, 1968.

Broad, C. D. Human Personality and the Possibility of its Survival. Berkeley: University of California Press, 1955.

Burr, H. S. Blueprint for Immortality: The Electric Patterns of Life. Londres: Neville Spearman Ltda., 1972.

Eisenbud, Jule. The World of Ted Sérios. New York: William Morrow and Co., 1968.

James, William. Human Immortality, Boston: Houghton Mifflin, 1893.

Jung, Carl. Modern Man in Search of a Soul. New York: Harcourt, Brace and Co., 1968.

McTaggart, J. M. E. Some Dogmas of Religion, Londres: Arnold, 1906.

Murphy, Gardner. An Outline of Survival Evidence and Difficulties Confronting the Survival Hypothesis, Journal of American Society for Psychic Research, 1945.

Ornstein, Robert. The Psychology of Consciousness. 1972.

Rhine, J. B. Extra-Sensory Perception, Boston: Bruce Humphris Publs., 1964.

O mundo não-físico do Dr. Gustav Stromberg

James Crenshaw

Uma base fidedigna para a crença na sobrevivência da alma e da memória.

Sobre o autor: Procedente do Estado norte-americano de Oregon, James Crenshaw criou-se na Califórnia, freqüentou o San Diego State College e a UCLA, formando-se bacharel em literatura inglesa. Sua carreira consiste em escrever, como membro da equipe de jornais e também como free-lancer.

No decorrer dos anos tornou-se hábil na cobertura de casos tribunícios e de questões que envolvem a lei. Em conseqüência disso, já foi homenageado por sete vezes pelo Tribunal Estadual da Califórnia. É também um dos poucos leigos que tiveram um artigo publicado pelo Diário da Associação de Tribunais Norte-Americanos.

Gustaf Stromberg, que foi um dos mais famosos astrônomos do mundo, cria que a vida inteira e toda a matéria se originam inteiramente de um mundo não-físico, conservando raízes nesse mundo. Ele imaginava uma espécie de dimensão eterna de onde emergem energia e forma, segundo um plano proposital de padrões ou campos preexistentes, que governariam o mundo percebido pelos nossos cinco sentidos.

O Dr. Stromberg, que por quase três décadas foi parte da equipe de trabalho do Observatório de Monte Wilson, no sul do Estado norte-americano da Califórnia, dependia de informes científicos e de ideias de seus colegas cientistas na promoção de seus pontos de vista de que um mundo imaterial sustenta e guia tanto o desenvolvimento das formas vivas como a natureza da chamada matéria inanimada. Outrossim, ele chegou à conclusão de que a consciência sobrevive à morte, depois de sua associação com a matéria física, e que a memória é transportada para o mundo não-físico.

Suas teorias estão sendo agora renovadas por outros filósofos-cientistas que estão descobrindo novas evidências de que o conceito mecânico e não-teleológico da vida (que não vê propósito nas coisas) "está ultrapassado".

Quando o livro do Dr. Stromberg, The Sou of the Universe (A alma do universo), foi publicado pela primeira vez, em 1940 (David McKay Co., Filadélfia, Pennsylvania, USA), suas ideias de que os campos organizadores são as forças diretrizes por detrás das formas vivas ainda não haviam sido plenamente corroboradas em laboratório. Subseqüentemente, na Universidade de Yale, o Dr. H. S. Burr e os seus associados levaram a efeito uma série de experiências cujo fim era o de testar a própria teoria "eletrodinâmica" da vida. E as investigações dos mesmos mostraram que todas as plantas e todos os animais vivos são rodeados por campos de energia elétrica, complexos em seu padrão, e que se estendem para bem além dos limites visuais dos organismos vivos. O mais significativo de tudo é que eles descobriram que, quando o suprimento de oxigênio necessário para manter o metabolismo de um organismo é reduzido, o campo que pode ser medido (e observado) e que o envolve e aparentemente o conserva, contrai-se, sem haver nenhuma modificação em sua estrutura, chegando a desaparecer completamente quando ocorre a morte.

Declarou Burr: "É muito difícil escaparmos à conclusão de que o padrão elétrico ocupa posição primária, e de que, até certo ponto, pelo menos determina o padrão morfológico".

Essa é uma conclusão preliminar revestida da maior importância para os biologistas e cientistas porque, se a mesma é correta, isso significa que a matéria viva é organizada, em todos os estágios de crescimento, por um campo de força elétrica que parece possuir certa inteligência toda própria, desaparecendo quando da morte física, e deixando que o corpo material se desintegre no pó de sua própria química.

Stromberg postulou que tais campos de força emergem daquilo e voltam para aquilo que ele chamou de "mundo não-físico", imaginando o mundo de formas físicas como padrões de energia que emergem de um mundo não-físico que possui as próprias estruturas imateriais. A matéria viva em particular, afirmava ele, origina-se do mundo não-físico e existe por causa do mesmo — tal como os arquétipos postulados por Platão — mundo esse que governaria as formas que a energia assume quando surgem desse reino intangível.

Conforme entendia o Dr. Stromberg, a estrutura e a composição dos organismos vivos, seriam determinadas por "sistemas imateriais de ondas" ou "campos vivos", possuidores de propriedades inatas que lhes permitiriam arranjar certos tipos de moléculas nas formas complexas e altamente organizadas das plantas e dos animais vivos. O poder orientador dessa energia organizadora invisível poderia ser observado, sobretudo no processo da mitose (divisão celular). Esses processos observáveis têm tornado possível o desenvolvimento de uma teoria científica sobre as relações entre a mente e a matéria, provendo, incidentalmente, uma base fidedigna para a antiga crença na sobrevivência da alma e na preservação de suas memórias após a morte física. Em outras palavras, os padrões de ondas, associadas à memória e à personalidade, necessariamente se transfeririam para o mundo não-físico, talvez ressurgindo (reencarnados) fisicamente em período posterior, com modificações dependentes do desenvolvimento consciente por detrás dos padrões emersos.

Embora o Dr. Burr e os seus associados da Universidade de Yale estivessem fazendo as suas experiências, enquanto o Dr. Stromberg estava formulando a sua teoria sobre o mundo não-físico, este último não tinha consciência das investigações confirmatórias que eram feitas por aqueles, até que seu livro se completou. Nas suas experiências, o Dr. Burr colocou medidores de microvolts extremamente sensíveis perto de organismos vivos, e, em muitos casos, dentro deles. Ele e os seus colegas confirmaram o fato já de antemão observado que o potencial elétrico em uma massa fluida viva variava de um ponto para outro, o que indicava, por conseguinte, a existência de um padrão. Com seu refinado equipamento, foram capazes de traçar um mapa dos campos de força organizadores, bem como as modificações havidas nesses campos durante o crescimento normal dos organismos. Mediram e mapearam também as alterações verificadas durante o mais drástico processo de metamorfose — quando, por exemplo, uma larva se transforma em uma borboleta.

Após a publicação de seu livro The Soul of the Universe, o Dr. Stromberg propôs, alicerçado sobre as pesquisas feitas na Universidade de Yale, uma teoria sobre campos vivos autônomos. Stromberg acreditava que as origens desses campos elétricos organizadores não poderiam ser colocadas nas partículas eletricamente carregadas de que a matéria, geralmente, se supõe composta. Pelo contrário, ele cria que tais campos deveriam ser considerados como "singularidades" (unidades motivadoras) em campos de força preexistentes, além do espaço e do tempo, não dotadas de qualquer propriedade métrica, como, por exemplo, as dimensões. Entretanto, esses campos teriam características topológicas ou morfológicas (formato).

"Os campos dessa modalidade poderiam ser imaginados como existentes em uma forma extremamente contraída e dormente, em uma célula de ovo ou em uma semente", declarou Stromberg. Se dermos um passo mais, poderíamos postular que o campo vivo, quando se encontra em sua forma potencial, não tem nenhuma dimensão em absoluto, em cujo caso deveria ser considerado como uma potencialidade não-física.

O Dr. Stromberg concluiu também que a ideia de fontes vivas, existentes no mundo não-físico, que viriam a se tornar elementos vivos do mundo físico, está em perfeita consonância com a sua teoria anterior de energia emergente.

"A vida parece ter emergido vinda de 'outro mundo', e não daquele mundo descrito pela ciência da física", comentou Stromberg.

Ele sentiu que essa ideia é paralela à ideia apresentada pelo grupo de Burr, que postulava que os 'campos organizadores' são "primariamente, propriedades do universo e que, em maior ou menor grau, são modificados pela presença da matéria, estando dependentemente relacionados, por isso mesmo, ao campo de força e as partículas". (Esta citação é extraída de uma carta que Burr escreveu a Stromberg).

"A fim de explicarmos as relações existentes entre a mente e a matéria", continuou Stromberg, "precisamos supor a existência de um mundo não-físico". E ele continuava dizendo que muitos tipos de emergência também existem, vindos do mundo não-físico para este mundo limitado pelo espaço-tempo, concluindo ainda que esses dois mundos "por toda a parte são contíguos"— isto é, estão adjacentes um ao outro, ou em contacto.

Ele também imaginava a emergência tanto das qualidades mentais como das qualidades físicas a este mundo físico limitado pelo espaço-tempo, como algo que inclui o senso de cor, de urgência, de prazer e de dor, bem como a energia, em todas as suas manifestações. Por conseguinte, visto que a origem das qualidades mentais se encontraria no mundo não-físico, seguir-se-ia que uma personalidade que perdeu o seu arcabouço físico poderia continuar a ser infernal ou celestialmente consciente dessas qualidades, ali.

O pensamento do Dr. Stromberg, em seus últimos anos de vida (ele faleceu em janeiro de 1962), é reputado como influenciado pelo descobrimento daquilo que tem sido chamado de quinta dimensão, ou "dimensão da eternidade", conforme ela foi chamada por um grupo de matemáticos ingleses, encabeçado por J. G. Bennett. A introdução dessa quinta dimensão, traçada para simplificar e generalizar as leis físicas, tem-se mostrado útil na física teórica, especialmente na formulação da dificílima teoria de campo unificado — uma expressão matemática em uma simples fórmula para explicar todos os fatos conhecidos acerca das forças elétricas, magnéticas e gravitacionais.

Stromberg observou que Albert Einstein foi incapaz de formular tal teoria, embora houvesse feito diversas tentativas para fazê-lo, utilizando-se somente de quatro dimensões do espaço e do tempo.

"A adição da quinta dimensão, dentro do arcabouço de referências cósmico, tem possibilitado a inclusão, na descrição do universo, daquelas características que não se alteram com o tempo", afirmou Stromberg. E prosseguiu: "Bennett, portanto, deu à quinta dimensão o expressivo nome de 'eternidade'. A razão principal para a introdução dessa quinta e nova dimensão, em nosso quadro mundial, era a necessidade de um domínio no cosmos em que não houvesse qualquer dissipação de energia".

|Artigos introdutórios| NTI

Depois do aparecimento do livro de Bennett sobre a quinta dimensão, o Dr. Stromberg percebeu que a dimensão da "eternidade" era praticamente idêntica ao seu conceito de um tempo não-físico no mundo, de onde emergiriam energias e de onde seriam recebidos os padrões das formas vivas. A introdução da dimensão da eternidade, no arcabouço da física teórica, tornou possível conceber um mundo real além do espaço e do tempo físicos.

Stromberg acreditava que "o domínio da eternidade [...] é a habitação de Deus", bem como a habitação da "alma imortal do homem, depois que este despiu as suas vestes externas de carne". E o Dr. Stromberg igualmente cria que o homem pode manter comunicação com esse poder universal.

"A introdução do arcabouço mundial em cinco dimensões nos tem possibilitado explicar certo número de fenômenos psíquicos", declarou, de certa feita, o Dr. Stromberg.

Por semelhante modo, ele tinha a certeza de que o desenvolvimento espiritual e ético do homem continua daquela "habitação cósmica" que existe além do espaço e do tempo, até que cada indivíduo tenha cumprido a missão para a qual foi criado.

"Agora faremos uma suposição fundamental", escreveu ele, pouco antes de sua própria jornada para a eternidade. "No mundo não-físico, além do espaço e do tempo, que aqui tem sido denominado de domínio da eternidade, jaz a origem final de todas as coisas: a energia, a matéria, a vida, a consciência e a mente. Em suma, todas as características do mundo, tanto físicas como mentais, devemos supor como originadas e 'arraigadas' nesse domínio extrafísico recentemente descoberto. Essa suposição deve ser reputada como 'uma hipótese em funcionamento', e a sua justificação depende do fato de poder ser ela explicada ou não, ou antes, de ajudar-nos a apreender as relações existentes entre os fenômenos físicos e os fenômenos mentais."

Os físicos que, de modo geral, têm abandonado a antiga noção de que partículas finais são a substância mesma da matéria, de agora por diante deveriam descobrir que a ideia da quinta dimensão, ou dimensão da eternidade, está compatível com a natureza ondeante da matéria.

Embora esses físicos considerassem a matéria como uma forma de energia, o Dr. Stromberg observou: "As radiações solares podem ser matematicamente descritas como um movimento ondeante, embora não como uma vibração em uma substância material (meio ambiente). As ondas representam a modificação da energia que emerge em um lugar particular do mundo físico. O que emerge, a radiação, consiste de pequenas parcelas de energia que os físicos denominam de fótons e corpúsculos. A energia pode ser considerada como algo que surge vinda do mundo não-físico para o nosso mundo físico."

As partículas, assim sendo, seriam antes o resultado do que a causa das "pequenas parcelas de energia" que surgiriam neste nosso universo físico.

"Tem-se descoberto", escreveu ainda o Dr. Stromberg, "que as propriedades de um campo de força não podem ser o efeito de partículas eletricamente carregadas, que se supõem existentes dentro do átomo. Por exemplo, os elétrons, diferentemente do que se dizia antes, não se movem em órbitas em volta dos núcleos atômicos, e, sim, movem-se como balas de um lugar para outro."

Em um documento publicado em 1946, para o Instituto Franklin, acerca da energia emergente, escreveu o Dr. Stromberg: "Na matéria, é a estrutura de campo que se move, e não os corpúsculos envolvidos. O equívoco que tem surgido em todo o nosso pensamento científico consiste de termos aceito a antiga ideia de uma matéria sólida em movimento contínuo, forçada sobre nós pela crueza de nossos órgãos de percepção, os quais a tudo aplicam uma característica dos elementos da matéria. Quando for abandonada essa ideia de corpúsculos em movimento, então desaparecerão as nossas dificuldades por obter um quadro unificado sobre a natureza corpuscular e sobre a natureza ondeante da matéria e da radiação..."

O Dr. Stromberg assumia a posição de que, no caso da estrutura atômica, teria sido respondida a antiga pergunta sobre o que viria primeiro: a galinha ou o ovo. A noção grega de partículas sólidas, com blocos perfazedores da matéria, feneceu inteiramente, e, em seu lugar, tem aparecido a ideia de "um campo autônomo". Os campos de força — sustentava ainda o Dr. Stromberg — seriam as linhas diretrizes de todas as estruturas. Quanto a esse conceito, ele tem recebido um apoio generalizado.

"O campo que determina as características dos átomos e a propagação dos elétrons", disse ainda ele, "consiste de elementos oscilantes, dotados de propriedades similares a um sistema de ondas. E essas determinariam, estatisticamente, onde e quando podemos esperar que apareçam as partículas transportadoras de energia (tais como os elétrons)."

Segue-se disso, igualmente, que os campos que determinam a estrutura e a função de um organismo vivo são autônomos; em outras palavras, não são determinados pela configuração e pelas ações dos átomos, dentro da matéria de que se compõe o organismo.

Por conseguinte, as partículas não seriam as causas motivadoras dos campos de energia; antes, seriam o seu resultado. "As partículas em repouso", declarou ele, "possuem energias, massas, movimento angular e, em alguns casos pelo menos, cargas elétricas de certa intensidade definida, fato esse que indica que possuem propriedades que não podem ser expressas em termos de nosso conceito de um espaço e de um tempo contínuos."

Albert Einstein, que escreveu o preâmbulo do livro do Dr. Stromberg, indagou, em seu próprio livro de ensaios, Out of My Later Years: "Não seria possível explicar a inércia total das partículas eletromagneticamente?" E ele mesmo respondeu como segue: "O que me parece certo [...] é que nos alicerces de qualquer teoria de campo coerente, não pode haver, em adição ao conceito de campo, qualquer conceito concernente a partículas. A teoria inteira deve estar baseada exclusivamente sobre equações diferenciais parciais, e sobre suas soluções singularmente independentes".

Outro cientista chegou ao extremo de declarar que o átomo sólido tem sido reduzido praticamente a um conceito mental.

A tese de Sromberg, em apoio à possibilidade de energias emergirem de um mundo não-físico neste mundo de matéria (conforme o conhecemos), inclina-se decisivamente sobre a ideia de que as partículas, na realidade, são conjuntos de energia padronizada, percebidos pelos nossos sentidos físicos por causa de sua estrutura vibratória.

A existência de campos diretrizes é algo mais do que mera teoria, desde que se fizeram os estudos pioneiros na Universidade de Yale e em outros centros pesquisadores. Nos anos recentes tem havido intensa pesquisa em conexão com aquilo que se tornou conhecido como "ondas permanentes" e campos elétricos, associados à matéria viva, pesquisa essa que suplementa extraordinariamente os estudos efetuados na Universidade de Yale. De fato, a ponte entre a física e a biologia, nessa área de pesquisa, se vai alargando e se firmando, à medida que os anos passam.

Escreveu o Dr. Stromberg: "Erwin Schrodinger, fundador da moderna mecânica de ondas, tem aplicado as considerações mecânicas ondeantes a fim de explicar a estabilidade dos campos que regulam a estrutura dos organismos vivos. Ele comparou os genes, os elementos hereditários existentes nos núcleos das células germinativas, reproduzidos pelas células do corpo, com cristais líquidos e aperiódicos, que se mostram relativamente estáveis em temperaturas ordinárias.

A estrutura dos genes, nas células germinativas, é duplicada nos genes das células do corpo, e encontramos um sistema de ondas nos genes, o que serve de centros diretrizes e estabilizadores na formação de um organismo vivo.

A estrutura fixa de um órgão, por exemplo, deve ser considerada, portanto, como resultante de fatores estabilizadores existentes nos núcleos das células. Esses efeitos estabilizadores são evidentes na cura dos ferimentos e na restauração e regeneração dos órgãos danificados".

O embriologista alemão, Hans Spemann (e Stromberg chama-o de "um dos maiores"), desde o ano de 1921 já havia introduzido a ideia de campos organizadores, depois de haver feito experiências que demonstravam que, na blastópora (a minúscula abertura existente em um embrião, em seu estágio de gástrula), pode-se observar uma onda progressiva de organização, em estudos microscópicos, ao mesmo tempo que ocorrem modificações na aparência externa da célula. Significativamente, todas as células parecem ter as mesmas potencialidades latentes, parecendo que é o campo de força que determina quais dessas potencialidades se desenvolverão em cada porção separada do embrião.

O estágio mais facilmente reconhecido é aquele em que as camadas exteriores da célula da blastópora se transformam na cavidade do embrião, processo esse que tem lugar tanto no homem como, praticamente, em todos os animais. A organização e o desenvolvimento das várias porções corporais e suas funções são, por igual modo, bem dirigidos.

"Poderíamos comparar um campo vivo a uma melodia", escreveu Stromberg. "Uma melodia musical é o efeito, sobre nosso órgão de audição, de uma seqüência de freqüências de tempo, e a melodia não se altera se for tocada rápida ou lentamente, forte ou pianíssimo, contanto que as freqüências e a sua ordem permaneçam inalteradas.

Um campo de força é um padrão de freqüências que existe no espaço, como também no tempo. Um campo vivo, por conseguinte, poderia ser descrito como um padrão intricado de freqüência, uma 'sinfonia de vida' que retém as suas propriedades quando passa por grandes modificações quanto ao tamanho. As intricadas propriedades físicas indicam a existência de qualidades de um tipo inteiramente diferente daquelas qualidades descritas pela ciência da física."

E que poderíamos dizer acerca do papel do chamado código genético, nessa sinfonia de vida?

Os defensores da ideia do mecanismo, que rapidamente estão se tornando uma minoria entre aqueles estudiosos que procuram expor um quadro completo das forças da vida, pretendem fazer-nos acreditar que os genes e os cromossomos, juntamente com aquelas misteriosas substâncias genéticas conhecidas como DNA e RNA, produziriam os seus efeitos através de meras reações químicas — não bem compreendidas até o momento, para dizermos a verdade, mas que poderiam talvez ser finalmente esclarecidas em termos de modificações químicas, se as examinássemos bem de perto e por tempo suficiente.

Essa estrutura mecânica, porém, depende pesadamente da aceitação implícita da ideia de partículas "discretas" (individualmente distintas). Assim sendo, os genes e os seus códigos, juntamente com as estranhas substâncias (DNA e RNA), que estariam associadas à transmissão de características hereditárias específicas e agrupadas, deveriam ser pintados como elementos computadorizados em uma máquina programadora fabulosamente complexa e minuciosa.

É verdade que os ácidos ribonucléicos e deozyribonucléicos, embora até o momento não tenham sido artificialmente sintetizados, conforme se pode comprovar, produzem resultados genéticos especializados. E isso tende a dar apoio à teoria puramente química da hereditariedade, especialmente devido ao fato de que determinadas combinações de características parecem estar associadas a certa substância — como se fosse uma configuração de características agrupadas — ao passo que características isoladas não tão definidamente relacionadas parecem seguir com outra substância genética.

Stromberg e aqueles cientistas que concordam com ele retrucam que, visto não mais nos preocuparmos com meras partículas, até onde diz respeito a estruturas físicas, todas essas combinações devem ser consideradas como uma magnificente interação entre campos de força vastamente complexos. Não haveria nada como partículas em um sentido sólido; existem tão-somente campos de energia que necessariamente governam a atividade das partículas aparentes, as quais são resultados, e não causas. Esses campos de força não somente orientariam a estrutura de um organismo, mas são a própria estrutura. Existem consideráveis evidências de que esses campos de força são "autônomos", e não dependentes das estruturas que percebemos com os nossos sentidos para existirem. Os defensores da ideia mecânica encontram imensa dificuldade para explicarem, exclusivamente por meio das reações químicas, essas ações orientadoras.

E visto que esses campos diretrizes vão para algum mundo não-físico, por ocasião da morte do organismo (ou visto que tais campos se contraem a ponto de não mais poderem ser detectados), Stromberg e os seus apoiadores acreditam que, originalmente, devem ter emergido do mesmo mundo não-físico, de conformidade com um plano infinito, dirigido por aquilo que eles chamam de "alma do universo".

Ora, que significa tudo isso para o terreno da pesquisa psíquica e para as especulações sobre o destino final do homem?

Certamente tudo isso empresta um alento novo às especulações acerca da reencarnação do homem no mundo não-físico.

Entretanto, quais seriam as relações e qual seria a importância do universo não-físico perante o nosso mundo material de todos os dias?

— "Todas as nossas memórias estão indelevelmente gravadas em um campo elétrico vivo, arraigado em um mundo não-físico, mas bem real. Após nossa morte, quando a mente não é mais bloqueada pela matéria inerte, provavelmente poderemos relembrar todas essas memórias, até mesmo aquelas das quais nunca tivemos consciência durante a nossa vida orgânica".

O homem que declarou isso foi um dos principais pensadores científicos da nossa época. Muitos crêem que suas conclusões afetarão profundamente as futuras interpretações sobre as descobertas científicas, especialmente aquelas atinentes à biologia e à física, ligadas à natureza da vida e ao destino final do indivíduo.

O Dr. Gustaf Stromberg, astrônomo mundialmente renomado, matemático e físico, que durante vinte e oito anos pertenceu à equipe de trabalho do Observatório do Monte Wilson, na Califórnia, disse também:

"Um novo e eficaz elemento foi ultimamente introduzido em nosso quadro científico global. Na realidade, esse novo elemento é antiqüíssimo, posto que, por muitos séculos, povos de muitas culturas tenham sentido intuitivamente que essa fonte de poder deveria existir. Com base na análise das descobertas científicas em vários campos, penso que tenho podido mostrar que, supondo a existência de uma mente universal, capaz de atividade proposital, podemos entender melhor o mundo no qual vivemos e do qual fazemos parte. Em linguagem simples, essa mente universal, pode ser descrita como um ser de poder ilimitado.

E a esse ser chamamos Deus".

Stromberg baseou sua conclusão em seus estudos científicos. Disse ele igualmente que "um conceito similar ao Deus de muitas religiões é indispensável para que se compreenda mais perfeitamente a ciência moderna".

E prosseguiu: "A ideia da existência de Deus é necessária para garantir uma base lógica para as modernas teorias sobre a origem da matéria e da energia. É necessária para que se compreenda mais perfeitamente a ciência moderna".

E prosseguiu: "A ideia da existência de Deus é necessária para garantir uma base lógica para as modernas teorias sobre a origem da matéria e da energia. É necessária para que se compreenda a origem dos campos elétricos organizados e propositais que existem em todos os organismos e células vivos.

A ideia de Deus, na forma de uma mente universal, é necessária para explicar a origem de nossa própria mente e de nossa consciência".

Seu amplo ponto de vista universal, desenvolveu-se com a passagem dos anos, ao observar ele o firmamento através do grande telescópio de cem polegadas (o maior do mundo, até à ereção do Observatório do Monte Palomar), e ao estudar as descobertas relacionadas à ciência, acerca de outros campos fora da astronomia.

Por volta de 1940, quando ele publicou seu primeiro livro, The Soul of the Universe, já havia concluído que por detrás do mundo físico há um mundo-importante mundo não-físico, no qual tem raízes tudo quanto percebemos com nossos cinco sentidos. Outrossim, ele cria que toda a vida e crescimento são controlados por energias emergentes de campos vivos que se manifestam fisicamente, mas vindos desse mundo não-físico.

A descoberta e a medição dos "campos organizadores", em associação a essa matéria viva, anunciada principalmente na Universidade de Yale, corroborou suas descobertas teóricas. E então, quando o matemático inglês J. G. Bennett e seus associados surgiram com uma adição palpável à quarta dimensão de Einstein, chamada "eternidade", ou quinta dimensão, o Dr. Stromberg encontrou maior corroboração para o seu conceito de um grande terreno universal, de forças invisíveis, que se fazem sentir e que motivam diretamente, se é que não governam e controlam tudo quanto existe no mundo sólido dos nossos sentidos.

"A introdução de uma dimensão eterna ao arcabouço da física teórica possibilitou-nos formar um quadro de uma dimensão transcendental ao espaço físico e ao tempo físico", decidiu ele.

Que relação há entre a personalidade, o pensamento e a memória humanos e essa recém-concebida eternidade?

Stromberg muito se alegrou por descobrir que suas conclusões anteriores, concernentes à indestrutibilidade da memória — que subentende a sobrevivência da consciência após a morte física —, adaptavam-se admiravelmente bem à dimensão eterna de Bennett — uma espécie de plano perpendicular, onde existe um tempo não-físico que não pode ser medido por relógios. (Bennett solucionou matematicamente essa questão, com extrema habilidade.)

Stromberg declarou que cria que a dimensão eterna de Bennett é praticamente idêntica ao seu já descrito mundo não-físico, onde tempo e espaço não existem no sentido terreno.

* * * *

O Dr. Stromberg não endossava as manifestações mediúnicas, nem as práticas dos espíritos. Apesar disso, achava que a comunicação entre este mundo e o mundo espiritual seria metafisicamente impossível, e não contrária às leis da natureza. É interessante notar que algumas pessoas místicas falam do mundo espiritual como uma esfera onde não há tempo nos termos terrenos, embora haja seqüência de eventos.

No prefácio de meu livro, Telephone Between Words (De Vorss & Co., Los Angeles, Califórnia), o Dr. Stromberg escreveu acerca de extensos estudos sobre os fenômenos físicos, feitos pela British and American Societies for Psychical Research e pelas universidades de maior nome nos Estados Unidos e na Europa: "grande massa de evidências tem sido coligida que, entre outras coisas, têm comprovado que os fenômenos da telepatia e da clarividência certamente são reais e envolvem uma comunicação direta entre as mentes de diferentes pessoas.

A razão por que a realidade de tais fenômenos geralmente não tem sido aceita depende — e isso é interessante comentário sobre a maneira de pensar de nosso mundo moderno — não de qualquer incoerência ou por não serem completas essas evidências, e, sim, da ausência de qualquer teoria científica que explique os fatos observados...

Em anos recentes, algum progresso tem sido feito no desenvolvimento de teorias científicas que explanem os fenômenos físicos em geral. Uma dessas teorias foi desenvolvida, não para explicar fenômenos psíquicos, mas para dar explicação satisfatória sobre o elevado grau de organização no mundo vivo e sobre a inter-relação entre nosso sistema nervoso e nossas atividades mentais".

Naturalmente, Stromberg se referia à própria teoria de energias emergentes e de campos organizadores que se originam no mundo não-físico. Também aludia à interdependência entre a memória e a consciência, como entidades não-físicas, e sua manifestação em organismos corpóreos, neste mundo físico.

E Stromberg concluiu que há uma lei de conservação da memória, tal como há uma lei de conservação de energia, do impulso e das cargas elétricas. As memórias seriam preservadas e poderiam ser reproduzidas posteriormente, podendo também servir para identificar uma "alma" particular.

Escreveu ele: "Nossas memórias não podem ser impressas nos átomos de nossos cérebros, posto que novos átomos sejam continuamente incorporados no cérebro, ao passo que antigos átomos são removidos como produtos de decomposição, de modo que temos um novo cérebro em tempo relativamente curto. Portanto, as memórias devem ser impressas em associação com o campo cerebral; em outras palavras, o campo não-material de forças que organiza e estabiliza a matéria da qual o cérebro é feito".

O "campo do cérebro", como algo distinto dos átomos e das moléculas que perfazem a estrutura física, que age qual modelo matriz, confere ao cérebro a natureza complexa que possui. Esse campo é extremamente estável, disse ele, porquanto as impressões ali feitas (isto é, a memória) podem permanecer inalteráveis durante a vida inteira, não sendo destruídas pela penetrante radiação cósmica a que o cérebro está continuamente exposto. E escreveu ele ainda:

"Nossos corpos estão morrendo continuamente; a cada segundo algumas células do corpo morrem e outras nascem. Esse processo é modificado em nosso cérebro, onde novas células não podem ser formadas por divisões, pelo que devem existir potencialmente, no embrião e no zigoto.

As memórias provavelmente não podem ser associadas a quaisquer células nervosas particulares. Tal como o pensamento, não podem ser localizadas em qualquer porção isolada do cérebro. Antes, parecem ser associadas ao campo do cérebro como um todo. Quando um homem morre, seu campo cerebral se contrai e seu cérebro se desintegra rapidamente, porquanto sua estrutura não é mais sustentada por seu campo organizador. Esse campo contém todas as memórias de um homem, ou sua alma, se assim quisermos chamá-las.

Para onde vai ela? Tal como os outros campos (associados aos corpos vivos) ela vai para um mundo fora do espaço e do tempo. Vai para o mesmo mundo de onde veio originalmente, para o mundo onde a própria vida tem origem. Embora não mais conte com nenhuma estrutura de campo, não podemos mais chamá-la de campo, e o único nome que lhe podemos aplicar é alma".

Ao abordar — questão da memória em relação aos fenômenos psíquicos —, o que toca em todo o problema da sobrevivência pessoal, o Dr. Stromberg aludiu às comunicações espíritas como contactos com "complexos de memória". Esses, disse ele, podem pertencer a uma pessoa falecida recentemente no sentido biológico — ou falecida desde há muito.

"Visto que os pensamentos pertencem ao domínio eterno do universo", escreveu o Dr. Stromberg, "concluímos que as ideias e associações de homens desde há muito falecidos, no sentido biológico, podem continuar existindo em forma eficaz e podem influenciar os pensamentos e os ideais de homens modernos. Se isso é assim, então o homem não somente é onipresente, mas também é permanente."

Entretanto, ele não eliminava inteiramente a possibilidade da reencarnação. Embora os campos organizadores de matéria viva parecessem estar vinculados a alguma força orientadora — finalmente, com algum propósito cósmico —, ele pôde entender que as memórias subsistentes de uma "alma" podem, por meio de alguma circunstância concebível, ser submergidas e reprojetadas em uma forma de vida física. Isso seria apenas um passo na "roda da necessidade", ou seja, nos ciclos de reencarnação em que as memórias submersas teriam uma profunda influência motivadora sobre a vida externamente manifestada do indivíduo.

Ele defendia especificamente a antiga crença na indestrutibilidade dos "registros akashicos", ou seja, as memórias cósmicas impressas em indivíduos, grupos e mundos — um sistema infinitamente complexo de registros, feito no éter universal, onde as memórias e as impressões emocionais são permanentemente mantidas.

"Se aceitarmos a teoria da indestrutibilidade das memórias, deveremos esperar que cada acontecimento que foi registrado na consciência de qualquer homem também foi registrado no domínio eterno do universo", afirmou ele. "Desse modo, chegamos à antiga ideia de um indestrutível registro akashico, bem conhecido na filosofia mística, mas que agora assume expressões científicas modernas.

Parece que somos capazes de retirar, do imenso reservatório de memórias cósmicas, aquelas que representam as nossas próprias experiências, com a exclusão de todas as demais memórias. Algumas vezes, porém, parece que apanhamos memórias que pertencem a uma personalidade inteiramente diferente. Por si mesmo, isso não é mais difícil de compreender do que os conhecidos fatos da telepatia."

O Dr. Stromberg disse ainda: "Embora raramente consideradas entre os fenômenos psíquicos, as memórias conscientes deveriam ser incluídas entre eles. Constituem uma importante manifestação da psique humana; mas estamos tão familiarizados com eles, que geralmente esquecemos que a existência da memória requer uma explicação. Creio que, se pudéssemos resolver o mistério da memória, isso nos daria uma explicação sobre muitos outros fenômenos psíquicos".

Ele criticou a antiga ideia de que as memórias são representadas pelas circunvoluções ou impressões feitas no cérebro físico. Ele salientou que o cérebro é uma estrutura fluida, e que não podemos pensar em impressões complexas e duradouras em um cérebro, do mesmo modo que não podemos escrever a história de uma vida sobre a água ou sobre areias movediças.

Ao chegar às suas conclusões gerais atinentes à sobrevivência da personalidade humana, ele ignorou quase todo o grande acúmulo de literatura sobre pesquisas psíquicas, bem como os dogmas da religião organizada, embora tenha observado que algumas memórias sobreviventes nos atormentarão, ao passo que outras nos abençoarão no mundo não-físico. Nossa consciência, disse ele, fornece-nos um leve indício do que se pode esperar, em grau ainda mais intenso, nas dimensões não-físicas.

E acrescentou: "Isso, segundo me parece, é o céu e o inferno, indicados pelas muitas recentes descobertas da ciência moderna".

Stromberg concordava com o filósofo Henri Bergson, quando este afirmava que os átomos de nosso cérebro são obstáculos que impedem uma avalanche de sentimentos, pensamentos e memórias de descer sobre a mente que tem consciência terrena, tudo ao mesmo tempo.

"Os átomos formam uma tela ou véu", disse Stromberg, "que nos possibilita concentrarmo-nos sobre as exigências imediatas de nossa vida terrena. Mas, quando esse véu desaparece, por ocasião da morte, nossas memórias, sobre esta vida e talvez sobre vidas anteriores, acumulam-se sem empecilho, atormentando-nos ou abençoando-nos, e, acima de tudo, ensinando-nos qual o sentido real da vida.

Se Bergson está com a razão, e se por vida devemos entender o desenvolvimento mental, e não-físico, então, quando sobrevém a morte, começa de novo a vida real...".

Os homens bons e altamente desenvolvidos, segundo se pode pensar, naturalmente sentem-se elevadamente felizes no mundo não-físico, não tendo nenhum impulso de visitar novamente um lugar como esta nossa triste terra.

Esse sofrimento, no entanto, não pode ser uma finalidade por si mesmo; não serviria a nenhum propósito útil se não ensinasse ao indivíduo que sofre uma lição útil para ele, no futuro.

Stromberg acreditava que a consciência é um tesouro de memórias transferido para o mundo não-físico, e isso conferiria ao indivíduo não apenas as recompensas merecidas ou qualquer coisa que exista na dimensão eterna, mas também a oportunidade de novos desenvolvimentos, melhorias e progresso, tal como muitas religiões têm ensinado através da história.

Naturalmente, há certa dose de conjectura em tudo isso, mas pelo menos podemos dizer que não há conflito entre a ciência moderna e as seculares ideias sobre a vida após a morte física, com recompensas e castigos.

"Homens sábios de todos os séculos têm apreendido intuitivamente essas ideias fundamentais sobre o sentido de nossa vida. Isso não é surpreendente, embora o raciocínio seja uma característica fundamental do mundo não-físico, e que as nossas ideias estejam alicerçadas sobre esse mundo não-físico, de onde todos viemos, e para o qual retornaremos, por ocasião da morte", escreveu ele.

As crenças de Stromberg são apoiadas por declarações similares feitas pelo falecido Sir James Jeans, eminente astrônomo e físico inglês, que baseou suas conclusões em seus estudos acerca da natureza da matéria e sua estrutura atômica. De certa feita ele disse: "Por conjecturas, somos levados a pensar no espaço e no tempo como uma espécie de superfície externa da natureza, como a superfície de uma profunda corrente. Os eventos que afetam nossos sentidos são como as pequenas ondas que surgem à superfície da correnteza; mas suas origens — os objetos materiais — lançam raízes profundas nessa correnteza...

[...] Não temos o direito de supor que este mundo externo [...] por si mesmo limitado dentro dos limites do espaço e do tempo [...] deve ser removido para algum novo plano de pensamento, antes de podermos perceber que as partículas e as ondas são quadros simbólicos de um só e mesmo universo".

Tal como os religiosos, Stromberg, em todos os seus escritos, deixou claro que ele defendia um ponto de vista teleológico do universo — por detrás de tudo há sentido e propósito.

"Se nossa vontade não estiver em harmonia com a vontade cósmica, por algum tempo podemos retardar nosso próprio desenvolvimento, e reconhecer o conflito em nossos próprios sofrimentos", disse ele.

Ele não tinha dúvidas de que a humanidade, eventualmente, se elevará a um elevado nível ético — de acordo com o ponto de vista total sempre há avanço.

"Mas sempre teremos de aprender as lições requeridas [...] a maioria de nossas lições consistem em experiências dolorosas; mas, quando olhamos na direção do alvo, a felicidade retorna às nossas almas."

O propósito da vida parecia perfeitamente evidente para Stromberg. Ele acreditava que, no domínio da eternidade, deve haver inúmeros elementos de vida em sua forma puramente mental, cada qual com sua estrutura proposital, capaz de realizar uma função definida, ao emergir neste mundo físico. A alguns desses elementos ele denominava "instrumentos" das atividades mentais; outros representariam as forças motivadoras, no desenvolvimento dos órgãos e das funções corporais. Cada elemento da vida existe sob forma potencial, como uma ideia existente no domínio da eternidade não-física, ou então, conforme adicionava Stromberg, "na mente do Todo-poderoso".

E continuava ele: "O mundo físico do espaço, do tempo e da energia, e o mundo não-físico das ideias, encontram-se em contacto potencial um com o outro; e quando certos pontos de contacto são estimulados ou ativados, um elemento mental emerge como elemento organizador físico eficaz (um campo de força vivo), neste mundo...

Se as moléculas dos tipos apropriados se fizerem presentes, o campo organizador se expande, e a subseqüente incorporação de matéria o torna fisicamente observável. Dessa maneira, podemos entender como uma ideia pura, no domínio eterno, pode tornar-se 'carne'.

Têm sido oferecidas certas razões para a crença de que existe um Deus ativo no mundo não-físico, para além do espaço e do tempo, e que podemos manter comunicação com esse poder universal, por meio de nossa mente. Acredito que o 'domínio eterno' é a 'habitação' de Deus, e essa é igualmente a moradia da alma imortal do homem, o que representa o seu eu verdadeiro, depois que ele se desvencilha destas 'roupagens de carne'.

Acredito também que, nessa habitação cósmica, além do espaço e do tempo, terá prosseguimento o desenvolvimento espiritual e ético do homem, até que possa ele cumprir a missão para a qual foi criado".

Gustaf Stromberg queria dizer que, contrariamente a certa maneira moderna de pensar, Deus está perfeitamente vivo, e que somente a forma obsoleta de pensar a respeito dessa realidade é que está morta.

EPÍLOGO

Comentário sobre abusos e advertências

Encerramos esta seção sobre imortalidade com algumas advertências a respeito de como os estudos científicos sobre a alma e as qualidades espirituais humanas têm sido confundidos e misturados com armadilhas do ocultismo. Por ter isso acontecido, muitos cristãos têm sido relutantes em tomar um interesse em tais estudos, e alguns têm sido abertamente hostis no que a eles se refere. Enquanto esta posição é extrema, é verdade que há perigos a serem evitados no que diz respeito aos estudos de parapsicologia. As páginas de encerramento desta seção tentam apontar abusos que devem ser evitados.

ESBOÇO

I. A OPOSIÇÃO DA IGNORÂNCIA

II. O PSÍQUICO USADO ERRONEAMENTE PARA PROMOVER O SATANISMO

III. O PSÍQUICO USADO ERRONEAMENTE PARA PROMOVER O ESPIRITISMO

IV. O PSÍQUICO USADO ERRONEAMENTE PARA PROMOVER A RELIGIÃO ORIENTAL

V. O PSÍQUICO USADO ERRONEAMENTE PARA PROMOVER UM FALSO MISTICISMO

VI. ABUSOS PESSOAIS

1. Meditação não-centralizada em Cristo

2. Poderes ocultos e semi-ocultos

3. Substituição de espiritualidade verdadeira

VII. A PRÁTICA E O DESENVOLVIMENTO DOS PODERES PSÍQUICOS PODEM LEVAR A UMA INVASÃO ESPIRITUAL MALÉFICA

VIII. DEVE-SE TOMAR CUIDADO COM A ALTA TENSÃO ESPIRITUAL

IX. O OCULTO NA IGREJA

1. Atalhos para a espiritualidade (substituições e desilusões)

2. A invasão de poderes demoníacos

3. O anticristo, um homem de poderes ocultos surpreendentes

4. A grande infiltração

5. Desilusões e insensatez

X. UMA AVALIAÇÃO

Os artigos mencionados acima têm lidado com um assunto delicado. Enquanto que muitos, senão a maioria dos cristãos, admitem que o homem, como espírito, naturalmente deve manifestar poderes espirituais, como na telepatia, na precognição etc., não são poucos os que evitam, ou fazem aberta oposição, a qualquer estudo que diga respeito a esses poderes. Existem verdadeiros abusos, e o resumo acima tem a intenção de colocá-los em foco.

I. A OPOSIÇÃO DA IGNORÂNCIA

Aqui achamos um dos extremos. Alguns cristãos se recusaram a considerar ou a aprender qualquer coisa sobre o que acontece hoje em dia nos laboratórios, no que diz respeito aos estudos sobre as qualidades espirituais do homem. Uma equação simples da parapsicologia com o oculto tem sido comum em alguns grupos religiosos. Esta posição é, sem dúvida, extrema e é uma simplificação que nos afasta da verdade ao invés de nos aproximar dela. O homem, como um ser espiritual, possui, naturalmente, habilidades do tipo espiritual, como aquelas descritas nos artigos precedentes; é certamente mais importante estudar (mesmo cientificamente) a natureza da alma humana e do psíquico. Os abusos (como aqueles a serem discutidos agora) não nos devem roubar da sabedoria apropriada. Toda a sabedoria verdadeira é de Deus e possui a sua importância e uso. A demonstração científica da realidade e da sobrevivência da alma da morte corporal seria o maior de todos os feitos científicos. Isto, por si, não deve ser oposicionado, enquanto é legítimo, mesmo necessário, opor abusos que podem associar-se com estudos desta natureza.

II. O PSÍQUICO USADO ERRONEAMENTE PARA PROMOVER O SATANISMO

As profecias bíblicas prevêem que nos tempos finais as forças satânicas tomarão o controle deste mundo. Os falsos profetas, com poderes psíquicos verdadeiros atrairão muitos discípulos. O ceticismo simples sofrerá um golpe fatal à medida que os poderes paranormais se tornarem tão comuns e amplamente demonstrados, que se tornará moda acreditar no sobrenatural ou pelo menos no sobre-humano. Alguns que anteriormente eram céticos tentarão dar explicações científicas dos poderes humanos (e demoníacos) extraordinários. Sendo portadores da mesma doença de alma que anteriormente infligia ceticismo sobre eles, esses se tornarão defensores de novas teorias que afastarão os homens daquilo que é verdadeiramente espiritual.

Farão um deus de uma nova ciência que pode explicar os fenômenos psíquicos ao invés de afastá-la com explicações como faziam anteriormente. Esses homens reconhecerão a espiritualidade inerente ao homem, logo, seus poderes elevados, mas perverterão qualquer verdadeira compreensão de tais e negarão a necessidade de qualquer conceito de Deus que levaria os homens a uma verdadeira apreciação do trabalho divino na criação. Esses homens se tornarão fantoches do anticristo, e o "satanismo" não mais será o culto bizarro que hoje é. Ao invés disso, as massas serão arrastadas para o culto do anticristo que será adorado e, através dele, o próprio Satã. Não há dúvida de que as várias formas de psiquismo e demonismo completos com verdadeiros, mas mentirosos milagres, tomarão parte em tudo isso. Essas coisas se tornarão "provas" do culto, assim como os milagres de Jesus foram feitos com a intenção de autenticar a sua missão messiânica. Ver Apocalipse 9.3ss,16; 13.

III. O PSÍQUICO USADO ERRONEAMENTE PARA PROMOVER O ESPIRITISMO

A tese principal do espiritismo é a de que o homem é um espírito e, como espírito, sobrevive à morte biológica. É natural, portanto, para os espíritas tomarem como bem-vinda qualquer pesquisa científica que tende a demonstrar as suas crenças básicas. As revelações cristãs mostram que o homem é um espírito e que ele sobrevive à morte física. Mostram também que, em algumas ocasiões, os espíritos humanos podem e realmente voltam para comunicar alguma mensagem, ou possuem algum tipo de contato com os humanos mortais. A experiência humana, bem separada de qualquer revelação religiosa, dogma ou suporte, demonstra estas mesmas verdades. A Bíblia, porém, proíbe a busca proposital de tais experiências e indica que estas, se continuarem sendo buscadas, podem ser prejudiciais e perigosas. Provavelmente, a maioria daquilo que acontece no espiritismo ou é natural (o uso de poderes espirituais inerentes, representados como seres espirituais "exteriores", mas que são apenas projeções ou criações do próprio ser humano), ou é o resultado do contato com seres espirituais verdadeiros, de muitas categorias, alguns neutros — elementares—, alguns bons-maus, alguns negativos e danosamente maléficos. Presumimos que existem muitas ordens de seres espirituais no mundo(s) invisível(eis), alguns dos quais podem ser chamados acertadamente de "demoníacos" e alguns que não merecem esse título, mas todos dos quais não são entidades humanas. Efésios 6.12 indica um mundo espiritual de muitas ordens. O que dizemos sobre as ordens de seres espirituais do tipo não-humano, naturalmente entra no campo da especulação, pois, até o presente momento, temos muito pouca informação sobre esses seres. De qualquer modo, os dogmas e a experiência humana concordam que a busca de contato com esses seres é algo que o homem, no seu estado presente, ficará melhor sem esse tipo de dano. Ocasionalmente, como foi implicado antes, um médium espírita pode fazer um contato genuíno com um espírito humano desencarnado. Parece que a condição final das almas humanas não será estabelecida até a segunda vinda de Cristo, (ver notas em 1Pe 4.6). Se isto for verdade, então, em raras ocasiões, algum contato poderia ser feito. Mas os estudos psíquicos certamente indicam que:

1. nunca se pode realmente estar certo de que um contato com um espírito humano foi conseguido, ao invés de um contato com algum outro tipo de espírito que imita um contato desta natureza;

2. mesmo que um contato desse tipo seja feito, tal contato não é desejável, já que os espíritos humanos com que às vezes se pode obter contato, são normalmente de baixa qualidade espiritual e farão danos aos mortais, e não bem. Muitos pais cristãos antigos (seguindo a doutrina judaica comum) supunham que os demônios eram, na realidade, espíritos humanos baixos. Os bons teólogos da igreja moderna suportam o conceito de que os demônios não são de uma única ordem, mas incluem espíritos humanos baixos, seres angelicais caídos, e, provavelmente, outras ordens de seres totalmente desconhecidas pela nossa teologia presente. Esta identificação da forma de vida dos demônios, não é importante para a nossa tese, que, dita de maneira simples é a de que o espiritismo é uma religião deficiente mesmo se alguma verdade possa ser encontrada em suas afirmações de terem conseguido "contatos".

É justamente aqui, no que diz respeito ao espiritismo, que muitos ministros cristãos têm falhado. Eles têm usado a "aproximação avestruz" para os problemas. Isto é, sem nenhum estudo ou conhecimento, têm declarado todos os fenômenos psíquicos "do diabo". Entrementes, a ciência está fazendo um retorno a esse tipo de avaliação. As escolas estão sendo carregadas pelas saias da ciência, ao invés de pelas saias da igreja, em alguns lugares e em algumas ocasiões, têm promovido cursos ou demonstrações de poderes psíquicos. A explicação antiga — "Foi o diabo que fez isso" — não tem sido convincente quando diversos instrumentos científicos, fotografia radiográfica e detectores de campos eletromagnéticos têm demonstrado, sem sombra de dúvida, que, na maioria dos fenômenos psíquicos, estamos lidando com

74 |Artigos introdutórios| NTI

energias verdadeiras, que algum dia, provavelmente não muito distante, serão descritas pela ciência. Os testes que demonstram a telepatia, como nos estudos de sonhos e como o uso do pletismógrafo, são repetíveis. O pensamento tem sido demonstrado como uma energia que pode marcar filme comum e provocar reações em matéria vivente, tanto vegetal quanto animal. Deixe-nos considerar a cena, então, da menina ou menino evangélico que presencia, ou toma parte em tais experiências. Ele fica convencido da "naturalidade" de certos fenômenos psíquicos porque duvida que demônios estejam residindo em máquinas e filmes ou em plantas e amostras de sangue que reagem à força do pensamento humano. Quando menciona tais coisas ao pastor da igreja, porém, ele recebe um sermão sobre brincar com poderes "ocultos". Não é difícil ver que esse jovem não vai se impressionar com o entendimento ausente de pensamento e de conhecimento do seu ministro. Agora, deixe-nos imaginar um amigo na escola, um espírita, que diz: "Nós temos conhecimento dessas coisas desde há muito tempo, antes da ciência começar a demonstrá-las".

Esse amigo, talvez seja um bom exemplo da naturalidade dos fenômenos psíquicos (verdadeiro, em muitos casos), mas, ao mesmo tempo, mostra que é natural para o homem, um ser espiritual, procurar contato com seres espirituais desencarnados (falso). Se o jovem cristão possui a tendência de ser instável, talvez caia por tal tipo de aproximação. Essa "queda" é de culpa, em grande parte, do pastor que não possuía sabedoria o bastante para mostrar que, enquanto grande parte dos fenômenos psíquicos são, com freqüência, totalmente humanos e naturais, não segue que devemos nos envolver em tentativas de fazer contato com forças espirituais potencialmente alienígenas.

Admito; por que deveria eu negá-lo? Sou um ser espiritual, e meu corpo, um mero veículo. Isto pode ser demonstrado num laboratório. Isto é, pode ser mostrado como tendo eu poderes espirituais. Por que deveria eu negar esse fato?

IV. O PSÍQUICO USADO ERRONEAMENTE PARA PROMOVER A RELIGIÃO ORIENTAL

Sem dúvida, é triste ver jovens revoltados contra a presente expressão da Igreja, negarem a pessoa e a missão de Cristo (como algo realmente distinto em comparação com a grande quantidade de "profetas"), pela associação com as religiões orientais. Não há dúvida de que parte da atração dessas religiões é o fato de que promovem os poderes ocultos e a sabedoria. Jesus e seus primeiros discípulos demonstraram poderes místicos impressionantes, e um verdadeiro misticismo nos deveria levar a Cristo, e não nos afastar dele, como insiste Colossenses 2. Há um falso misticismo que promove proximidade do Espírito, que leva os homens para mais perto de Cristo. Um falso misticismo é, finalmente, destrutivo para a espiritualidade. É uma cena estranha ver "cristãos" que nunca se preocuparam em aprender as Escrituras, nem em se aproximar de Cristo de maneira especial, de repente se embebedando com estudos de religiões orientais, e mui rapidamente aprendendo mais sobre estas do que jamais souberam sobre o cristianismo. Uma senhora, que por acaso encontrei, rapidamente se tornava mestre em conceitos sobre certas seitas orientais. Essa mulher tinha sido "tradicionalmente" uma cristã em toda a sua vida. Durante nossa conversa, surgiu o fato de que ela nem mesmo era dona de uma Bíblia!

A tradição profética é clara sobre o fato de que a "cristandade" dos últimos tempos será uma espécie de culto de uma era "pós-cristã", que misturará o Oriente e o Ocidente, isto é, será um tipo de cristianismo com uma forte mistura de religião oriental. O resultado será que a verdadeira fé cristã praticamente desaparecerá da face da terra. Já podemos verificar o início desse processo, e isso é apenas mais uma profecia que se cumpre em nosso tempo. O anticristo levará muito à frente essa sequência de fatos, já que eles unirão o Oriente e o Ocidente em um gigantesco e perverso híbrido. Enquanto ele chefiará muitas seitas religiosas sob uma louca bandeira, a força principal atrás dele, no que diz respeito a poderes religiosos, será esse falso, híbrido cristianismo. Certamente, isto acontecerá em nossos tempos.

V. O PSÍQUICO USADO ERRONEAMENTE PARA PROMOVER UM FALSO MISTICISMO

Referimo-nos agora sobre isto em parte. O falso misticismo, porém, transcenderá o envolvimento com as religiões orientais. Pessoas sedentas pelo místico, o incomum, ou mesmo o bizarro, usam erroneamente os poderes psíquicos para promover um falso misticismo. Na verdade, se podemos julgar as coisas que lemos, as pessoas estão na realidade substituindo a fé religiosa tradicional, por ambos: "psiquismo" e "misticismo". Psiquismo é o uso (e abuso) dos poderes psíquicos humanos naturais. Um homem que desenvolve e usa poderes telepáticos e de clarividência, ou poderes de cura, que podem ser apenas de suas próprias qualidades espirituais inerentes, pode substituir qualquer fé substancial em Cristo pela excitação de tais práticas.

Essa substituição, cremos, está acontecendo dentro da igreja, em ramificações do movimento carismático, não meramente do "lado de fora" entre cristãos de caracteres instáveis. Sobre este assunto, discutiremos

com mais delonga no item "O oculto na igreja", parte 9. Em contraste com o mero psiquismo, misticismo é o suposto contato real com seres espirituais exteriores, ou com forças espirituais "exteriores". Obviamente, todas as religiões estão baseadas nisso, porque é a visão do profeta, concretizada em escrita, e "oficial" por canonização, que se torna a base da fé e da prática. Um falso misticismo é o contato com os poderes ou seres exteriores, que não aceitam ou promovem ativamente a pessoa e a glória de Cristo. Os gnósticos (contra os quais, oito livros do NT foram escritos) tinham muitos objetos de sua procura mística, as ordens dos anjos (e demônios) e, entre eles, também procuraram um falso cristo, que não se assemelhava muito com o Cristo dos apóstolos, mas que era apenas um entre muitos poderes mais elevados, um das ordens dos anjos, ou "aeons" como eles os chamavam. Hoje em dia, temos muitos gnósticos (em espírito) no mundo religioso. Colossenses mostra que os gnósticos tinham visões verdadeiras (2.18-20). Eles diziam: "Eu vi, eu vi!" Paulo replicou, em outras palavras: "E daí! O que suas visões fizeram para promover o poder de Cristo dentro de vocês?" Tinham um misticismo que não possuía Cristo como o cabeça. Tinham comunhão com seres menores, alguns deles, ou a maioria deles, talvez, não aliados a Cristo (Cl 2.20, o "stoiqueia", os "espíritos elementares").

VI. ABUSOS PESSOAIS

Nossa discussão já nos levou à consideração desse fator. Tentamos aqui somente colocar em foco alguns pontos importantes:

1. Meditação não-centralizada em Cristo

A meditação, através da história cristã, tem sido usada por alguns para promover a espiritualidade. Esse uso é legítimo e é especialmente valoroso, no que diz respeito à "iluminação". Quase que certamente, o texto de Efésios 1.17,18 encoraja o seu uso, indiretamente. A meditação é simplesmente um tipo de contemplação, e, se centralizada em Cristo, pode acalmar o espírito humano, para que o Espírito Santo possa falar, dando paz e harmonia, iluminação e visão espiritual. A meditação é uma aliada e uma companheira da oração. É ouvir Deus, enquanto que a oração é falar com ele. Entretanto, essa prática tem sido mal usada. Grande parte da meditação, como tem sido hoje praticada, é tanto extra como não-cristã. A ciência tem mostrado que a meditação pode causar um estado de consciência alterado. Isto significa simplesmente que as ondas cerebrais mudam do limite normal, Beta, (de 13 a 24 oscilações por segundo) para um estado de oscilação inferior, como Alfa, (de 8 a 12). Em Alfa, a pessoa é mais sensível psíquica e espiritualmente, e, como tem sido demonstrado, muito mais criativa. A pessoa passa a ter compreensões valorosas de problemas, e momentos de criatividade artística (ou talvez, científica). O transe do místico é um estado de consciência alterado, e, sem dúvida, muitas revelações bíblicas vieram aos profetas nesse estado. Durante o decorrer de qualquer dia determinado, todo ser humano vivente, passará por estados de consciência variáveis. Tudo isso é natural, e até necessário para a vida e saúde. Os problemas aparecem quando há o abuso.

Por exemplo, o homem que, propositalmente, tenta provocar estados de consciência alterados, pelo uso da meditação, pode se tornar sensitivo espiritualmente para seres espirituais alienígenas. A possessão ou influência demoníaca (em casos extremos) pode resultar disso. Todo homem possui uma proteção psíquica natural. É difícil para seres invisíveis penetrarem em seu escudo mental. A meditação pode enfraquecer esse escudo. Se é o Espírito Santo que me acompanha, e Cristo é o objeto da minha contemplação, então a meditação pode abrir o meu espírito para sua iluminação. Mas se Cristo não é o objeto da minha meditação e se algum espírito alienígena me acompanha, então a meditação pode abrir minha alma para a influência maligna.

2. Poderes ocultos e semi-ocultos

Do modo acima sugestionado e, geralmente, pelo abuso dos poderes psíquicos inerentes, o homem pode sujeitar-se a forças exteriores e alienígenas. Alguns pesquisadores têm desencorajado qualquer tipo de exercício que for calculado para desenvolver os poderes psíquicos, considerando-os como um gigante dormente que não deve ser perturbado. Aqueles que encorajam o seu desenvolvimento, quase sempre, previnem contra o uso do hipnotismo, sem comentar sobre a freqüência a sessões espíritas.

3. Substituição de uma espiritualidade verdadeira

Vários escritores cristãos, que aceitam livremente a existência dos poderes psíquicos ou da alma, como inerentes à personalidade humana, fazem uma forte distinção entre a demonstração dos poderes psíquicos e os poderes genuínos do Espírito. Um autor de renome, cujos livros possuem larga aceitação nas igrejas evangélicas, afirma que muitos ministros estão fazendo o que fazem por intermédio de poderes psíquicos e poderes da alma (qualidades espirituais inerentes) ao invés de fazê-lo por qualquer manifestação real do Espírito. Se isso é verdade na igreja, será muito mais verdadeiro no mundo onde os homens substituem qualquer influência do Espírito por aquilo que eles mesmos podem fazer e ser, pelo desenvolvimento de suas habilidades espirituais! Se as qualidades espirituais inerentes são usadas e melhoradas pelo ministério do Espírito, então quem pode fazer objeção? O uso dessas qualidades e a sua melhoria transformarão a pessoa, sendo que um processo transcendente também estará ocorrendo. O homem que realmente não está aberto para o poder transformador do Espírito, talvez preso a um vício, ao orgulho humano, ou a outro fator de impedimento, pode, de qualquer modo, conquistar para si um grande nome pela mostra de seus poderes inerentes, especialmente se esses poderes puderem imitar o místico.

VII. A PRÁTICA E O DESENVOLVIMENTO DE PODERES PSÍQUICOS PODEM LEVAR A UMA INVASÃO ESPIRITUAL MALÉFICA

Não pode haver dúvida de que o homem, como um ser espiritual, possui os poderes que estudos em laboratórios indicam que ele possui. Tomemos o caso do poder psico-sinético, isto é, a habilidade da mente de mover a matéria. Pediram a certa senhora, conhecida como capaz de mover objetos pelo pensamento concentrado, que separasse uma gema de ovo de sua clara, apenas pelo desejo de que isso acontecesse. Ela foi capaz de conseguir esse empenho, mas levou meia hora de agonia e resultou na perda de quase um quilo de peso. Esse estudo, e outros semelhantes a esse, mostram que a energia que está sendo manipulada, possui certo peso. Estudos feitos à cama de moribundos, cama arrumada como uma escala, mostram que, no momento da morte, há uma perda instantânea, mesmo que pequena, de peso. É uma tarefa fácil aprender como causar a movimentação da agulha de uma bússola, pelo exercício da força de vontade, enquanto a agulha permanece em seu compartimento de vidro, sem ser tocada. Existem pequenas máquinas inventadas e patenteadas que podem ser movimentadas meramente por pensamento concentrado, sem nenhuma outra fonte de energia. Não sabemos se o poder do pensamento poderá, no futuro, ser uma fonte de energia utilizada com vantagem. Quando a eletricidade foi demonstrada pela primeira vez num laboratório, uma pessoa proeminente declarou: "A eletricidade é um brinquedo de cientistas e sempre o será". Não podemos dizer até que ponto os poderes inerentes do homem são capazes de ser usados na comunicação e como uma fonte de energia, mas a descoberta de coisas estranhas e aparentemente sem nenhum uso prático, como hoje são consideradas, possuem a qualidade de se tornar ferramentas importantes e práticas no mundo de amanhã.

Tomando-se como verdadeiro aquilo que dissemos, encaramos ainda o problema de uma pessoa dever ou não desenvolver seus poderes psíquicos. Como cristãos, podemos primeiramente responder que tudo que fazemos deve ser de algum modo centralizado na glória de Cristo, e o desejo de desenvolver qualquer capacidade, espiritual ou física, para nosso próprio benefício e entretenimento, é errado. Se eu desenvolvesse qualquer habilidade espiritual, que tipo de uso poderia fazer dela a fim de aumentar a minha espiritualidade e a minha capacidade de servir a Cristo? Uma resposta honesta a esta pergunta solucionará para a maioria dos cristãos o problema do desenvolvimento psíquico. É verdade, tanto dentro da igreja quanto fora, que aqueles que têm procurado o desenvolvimento psíquico, especialmente se, nessa tentativa, usaram o hipnotismo, têm se emaranhado em dificuldades de natureza mental, como sintomas de paranóia, e alguns têm evidentemente atraído para si alguma força ou forças espirituais alienígenas que têm ameaçado a sua vida. No movimento carismático, tão comum na igreja de hoje, alguns se têm envolvido no psiquismo, assim imitando o misticismo. Muitos se têm tornado mentalmente perturbados (geralmente em formas de paranóia), e alguns, julgamos, se têm tornado uma ferramenta de forças demoníacas. Estes fatos devem servir de cautela no que diz respeito ao desenvolvimento espiritual, em contraste com o desenvolvimento tradicional da espiritualidade por meio da oração, da meditação, do estudo das Sagradas Escrituras e da prática de bons atos. Já falamos do perigo verdadeiro de substituir o psíquico pelo espiritual, mesmo dentro da igreja.

O principal problema, no que diz respeito ao desenvolvimento dos poderes psíquicos, é o de que ainda não sabemos exatamente com o que estamos lidando. A ciência um dia será capaz de nos informar sobre a natureza das energias psíquicas, bem como de seu modus operandi. Não é impossível que, além disso, os homens sejam capazes de dizer o que é puramente humano, portanto, natural, e o que é extra-humano. Com esses tipos de conhecimentos, deverá se tornar tanto seguro quanto perfeitamente natural para um homem desenvolver seus poderes psíquicos. Até lá, pelo menos para a maioria das pessoas, parece ser melhor deixar o gigante adormecido descansando.

VIII. DEVE-SE TOMAR CUIDADO COM A ALTA TENSÃO ESPIRITUAL

Vários intérpretes cristãos têm suposto que o homem, antes da queda, natural e seguramente usava as suas habilidades de telepatia, clarividência, precognição etc. Dentre outras coisas, a queda tornou os homens menos como seres espirituais puros e mais como os animais, causando a diminuição de seus poderes mentais e espirituais e o seu (dos poderes) enterramento sob suas qualidades animais dos cinco sentidos, dos quais, principalmente, ele agora depende para a sua conduta diária. O homem, em seu estado decaído, não é o tipo de ser (nos referimos à maioria), que pode fácil ou seguramente recuperar as suas capacidades anteriores. Poderíamos compará-las com um fio de alta tensão. Uma pessoa pode estender no ar, a sua antena espiritual ou psíquica. Em primeiro lugar, esse ar é de uma quantidade desconhecida para ele. Em segundo lugar, possui poderes tanto naturais-humanos-desconhecidos,

como não-humanos-sobrenaturais. No desenvolvimento psíquico proposital, a sua antena pode fazer contato com um fio de alta tensão, e o desastre será o resultado. O fio de alta tensão pode ser o próprio ser não-físico da pessoa que está dormente, mas ameaçador, como um vulcão ativo, mas que no momento está quieto. Alguns pesquisadores, impressionados com esse fato, têm desencorajado o desenvolvimento proposital do psíquico, até que o avançar da ciência mostre um caminho seguro para seguir.

IX. O OCULTO NA IGREJA

Em alguns pontos da nossa discussão esse assunto tem sido tratado. Com o mesmo lidamos extensivamente no Diálogo, na seção final — O caminho da busca espiritual —, onde a questão dos dons espirituais é explanada. Portanto, aqui apresentamos um mero esboço de ideias.

1. Atalhos para a espiritualidade (substituições e desilusões)

A experiência cristã, como demonstrada pela vida dos gigantes espirituais sobre os quais lemos, e ocasionalmente encontramos pessoalmente, mesmo hoje em dia, indica que não há uma forma rápida e fácil de obter a verdadeira espiritualidade. Há um longo processo de santificação graduada necessário, se qualquer poder espiritual verdadeiro e duradouro se quiser obter. As pessoas, mal preparadas para o caminho árduo, presas a este ou àquele vício, têm corrido para um método rápido de desenvolvimento espiritual. Elas o chamam de "batismo do Espírito". Nessa experiência, línguas são faladas, e, supostamente, são elas o sinal de que o Espírito tem favorecido um deles, presenteando-nos com um avanço espiritual significativo. Muitos que se têm valido desse atalho descobrem que o caminho que trilharam não os levou para mais perto de Cristo, mas apenas ao orgulho humano, e em alguns casos, a uma variedade de perigos. Essa experiência pode substituir a verdadeira espiritualidade. É quase uma característica constante daqueles que possuem pouca paciência para o estudo das Escrituras. Outra característica é que eles enfrentarão problemas com a paranóia, a influência e a possessão demoníaca.

A observação dos movimentos carismáticos de hoje em dia indica que a maioria deles é psiquismo ao invés de misticismo verdadeiro. Temos telepatia natural em funcionamento. Línguas podem ser faladas, o que tem sido provado em experiências não-religiosas, fora da igreja cristã. A auto-hipnose pode produzir as condições sob as quais praticamente todas as manifestações "pentecostais" podem ser realizadas. O homem, em si, por ser uma entidade espiritual, possui todas as habilidades necessárias para a imitação dos dons espirituais, incluindo a cura, que pode ser um feito puramente humano. Estamos dizendo que muitos cristãos têm achado meios de usar os seus poderes psíquicos, e, por eles, fazem o que fazem. O poder psíquico se manifestará irregularmente. Em determinado momento, um homem realizará curas. Amanhã ele não terá esse poder. Neste momento, um homem fará uma profecia "verdadeira", intuindo corretamente uma condição presente. Dado um bom avanço; ele poderá até prever o futuro. Amanhã, tendo reduzidos os seus poderes, por causa de condições ainda não compreendidas, ele fará uma falsa profecia, criando problemas, ao invés de solucioná-los. Se o Espírito estivesse em total controle dos poderes naturais de um homem, estaríamos certos em denominar tal coisa como um verdadeiro dom espiritual, mesmo que não houvesse uma intervenção direta do Espírito ou de alguma força angelical. A evidência mostra que o Espírito não está em controle, ou então como podemos explicar a histeria, a confusão, a desordem.

Julgamos que o psiquismo tem sido usado como um atalho para a espiritualidade, sem alcançar êxito.

2. A invasão de poderes demoníacos

A evidência mostra que o movimento carismático de hoje em dia está envolvido em mais do que psiquismo. Pessoas comprometidas com o movimento, ainda nele envolvidas, ou já o tendo abandonado, testemunham sobre a consciência de estar possessas por poderes demoníacos. Os cultos pentecostais, de vários modos, são desesperadamente similares aos cultos do espiritismo, não da variedade mais sofisticada, mas espiritismo do tipo mais baixo e bárbaro. As manifestações demoníacas causam contorções da face, perda de controle sobre os músculos, transe, línguas, profecias e curas. As profecias bíblicas indicam claramente que os últimos dias serão caracterizados por uma invasão dos poderes demoníacos. Essa invasão não tem sido mantida fora das portas da igreja.

É surpreendente o que lemos! Cá está um autor cristão atacando todas as formas do oculto e do psíquico, agrupando-as todas em uma gigantesca massa, sem fazer distinção entre os estudos científicos em laboratórios, facilitados pelo uso de máquinas sofisticadas, e o satanismo! Agora viramos algumas páginas. O que é isto?! Trata-se, breve e superficialmente, e quase que de uma forma neutra, do movimento carismático, que é, em muitos casos, simplesmente o oculto dentro da igreja.

Novamente me surpreendo: Esse autor cristão ataca acertadamente o oculto. Ele deplora o uso cristão de horóscopos, e alguns, nas igrejas da moda, substituindo o culto de oração pelo culto espírita. O seu cabelo fica em pé quando ele pensa em cristãos usando um hexagrama ou outra forma de adivinhação, a maioria dos quais são inúteis de qualquer maneira, e apenas jogos que as pessoas jogam. Mas veja isto! Ele promove ativamente o movimento carismático atual, em muitos lugares, e de diversas maneiras, e o oculto verdadeiro dentro da igreja.

Nossa discussão do oculto dentro da igreja não implica que todo o movimento carismático pode ser assim descrito. No último item fazemos uma curta avaliação da situação em geral.

3. O anticristo, um homem de poderes ocultos surpreendentes

Procuramos dois, possivelmente três, personagens: o anticristo essencialmente político, o seu falso profeta e, possivelmente, um terceiro, uma figura do tipo João Batista, que estabelecerá a fama do anticristo no mundo, e, por assim dizer, entregará a ele as multidões. Apocalipse 17.8 mostra que esse personagem tem uma história precedente no que diz respeito à humanidade, e ascenderá do Hades. Ele tem sido o homem de Satanás por muito tempo. Apocalipse 18.3 mostra que ele estará envolvido no oculto, e terá poderes realizadores de milagres. Apocalipse 16.13,14, mostra que ele e seu falso profeta promoverão um culto demoníaco no qual os poderes operantes serão extra e sobre-humanos. Estes poderes impressionarão profundamente os céticos e o mundo cairá alegremente aos pés do anticristo, com um senso de autorrealização. Apocalipse 3.20 mostra que os tempos finais verão um falso cristianismo, e que Cristo estará do lado de fora e não do lado de dentro da Igreja. O anticristo controlará as religiões do mundo, com um falso cristianismo no centro de seu culto. É certo, então, que a Igreja terá poderes ocultos, já que o seu cabeça verdadeiro será um homem supremamente possesso por Satanás e cuja influência penetrará cada fibra do seu sistema religioso. O ceticismo bruto, como aquele promovido pela ciência nos séculos XIX e XX, de repente será passado para trás e, então, substituído. Será substituído por uma falsa espiritualidade que envolverá um misticismo pervertido. A Igreja dos tempos finais não escapará dessa falsa espiritualidade. É quase certo que esse processo já começou e que a igreja, mesmo agora, pensando que tem avançado para áreas de espiritualidade mais livres, como o uso de dons do Espírito, tem, na verdade, no que diz respeito, pelo menos a alguns, se movimentado para os estágios preliminares de uma falsa espiritualidade, que se tornará cada vez mais poderosa com o passar do tempo.

Acreditamos firmemente que a geração que cresce com o anticristo, dentro e fora da Igreja, estará muito mais sujeita a vícios, drogas, embriaguez, fraqueza espiritual, ausência de propósitos espirituais definidos, do que foram as outras gerações.

4. A grande infiltração

Temos mencionado vários versículos que implicam que haverá atividade demoníaca fortemente aumentada no mundo e na Igreja nos últimos dias. Somemos as referências já dadas, em Apocalipse 9.14,16. Forças extremamente poderosas e malignas serão liberadas pela terra, que, em tempos anteriores, foram mantidas presas e não foram permitidas seduzir, perverter e destruir o homem. A cristandade se tornará completamente corrupta. As grandes denominações, tendo há muito perdido qualquer aliança real com Cristo, alegremente farão aliança com o anticristo. Uma falsa cristandade se formará, misturada com as religiões orientais. A igreja compartilhará dos poderes ocultos de seu mestre. Verdadeiros cristãos serão perseguidos econômica e fisicamente. Os lugares de encontro dos verdadeiros cristãos serão fechados. O estado fechará as suas escolas. A Igreja, fiel a Cristo, se tornará secreta, como nos tempos romanos. A Igreja será derrubada essencialmente por infiltração dos homens de Satanás. Escolas, fiéis anteriormente, terão homens leais ao anticristo e às forças obscuras em posições-chave. Enquanto pregam amor e irmandade, eles praticarão o ódio e promoverão a destruição. O que começará como sutil e gradual, terminará rápido e abertamente. Na verdadeira Igreja, paredes de dogmas cairão à medida que a perseguição espalhar a sua destruição maligna. Uma vez envolvidos em línguas, os verdadeiros cristãos abandonarão essa forma de expressão, e acharão uma nova e verdadeira espiritualidade, a presença do Espírito, e darão as mãos a outros que procuram o mesmo tipo de iluminação espiritual. Haverá uma nova irmandade que transcenderá as velhas barreiras das denominações. Isso, entretanto, será uma unidade espiritual e não uma unidade de organização.

5. Desilusões e insensatez

1. Há a desilusão daqueles que rejeitam (acertadamente) horóscopos, cartomancia, leitura de mãos etc., mas que aceitam uma forma muito mais forte e pervertida do oculto, na própria igreja, como temos descrito nos parágrafos acima.

2. Há a desilusão da hipo e da hiperexcitação. Estes são estados de consciência alterados, provocados por agentes calmantes ou estimulantes. A hipoexcitação é um estado de ondas cerebrais diminuídas, cujo efeito pode ser produzido por meditação e drogas. À medida que as ondas cerebrais diminuem, os movimentos oculares (normalmente de um por segundo) também diminuem. Nesse caso, os olhos se tornam incapazes de fixar um objeto na visão. O olho humano depende do movimento ocular um-por-segundo, para poder "fixar" um objeto na visão. Quando o olho não pode mais fixar um objeto na visão, então a pessoa pode se tornar sujeita a alucinações e várias formas de pseudomisticismo, que nada mais é do que psiquismo e a soltagem dos processos imaginários. Na hiperexcitação temos o oposto. Tem sido mostrado que estimulantes, como as drogas, ou qualquer forma de agitação, como música rápida e rockiana, podem alterar as ondas cerebrais, aumentando a sua rapidez, e também causando o aumento dos movimentos oculares. Deste modo, quando uma pessoa chega ao ponto em que o olho não é mais capaz de fixar um objeto na visão, alucinações podem resultar. A pessoa pensa que está tendo uma visão, mas, na realidade, ela está apenas vendo a projeção da sua própria imaginação. Esta é outra forma de psiquismo que se projeta como misticismo. É óbvio para todos os observadores, que muitos ramos do movimento carismático de hoje, dependem da hiperexcitação para conseguir as suas manifestações. Isto é uma desilusão e um avanço em espiritualidade. Estamos lidando com o simples fato de que alguns cristãos têm encontrado maneiras de soltar certos poderes psíquicos. A espiritualidade é outro assunto.

X. UMA AVALIAÇÃO

O bom dentro do ruim — Algumas pessoas, cujas opiniões respeitamos, afirmam que o que dissemos sobre o movimento carismático não se aplica a todas as facetas nele envolvidas. Esperamos sinceramente que essa avaliação seja correta e que, em alguns pontos, se não de maneira geral, tenha havido uma restauração real de alguns dons espirituais. Olhando o assunto do ponto de vista do momento, porém, não podemos supor que ele tenha resultado em uma restauração geral. Olhando o assunto do ponto de vista histórico, vemos no próprio NT que, desde o início, a forma carismática de expressar espiritualidade era fraca e sujeita a muitos abusos. Em Corinto, quase que certamente havia ambos — o psiquismo e o demonismo bruto —, talvez em maior quantidade do que qualquer manifestação verdadeira do poder do Espírito. A observação e a consideração nos levaram a acreditar que este método de expressão espiritual, foi desde o início uma maneira relativamente fraca de desenvolvimento e prática espirituais, e, com razão, saiu de cena. Sejamos corajosos o bastante para dizer que, de modo geral, os processos espirituais e históricos, têm deixado de lado este modo de espiritualidade. Cremos que deve haver algo melhor, algo mais seguro, algo menos sujeito às imitações e infiltrações de Satanás. Cremos que certas profecias indicam que a expressão carismática terá uma nova forma de manifestação.

Os dons espirituais se manifestarão de um novo modo. Toda igreja, em todas as épocas, precisa dos dons espirituais. Efésios 4.7-16 torna isso claro. Os dons espirituais, porém, não têm de se manifestar da maneira em que se apresentavam no primeiro século. Homens, cheios de poder, em palavras e atos, não precisam ter o sinal das línguas, mas precisam ter a presença do Espírito. Dogmaticamente, usando o suposto texto de prova de 1Coríntios 13.10 (veja nota, in loc.), não podemos dizer que os dons, como manifestados no primeiro século, deveriam desaparecer. Dogmaticamente, dizemos (usando Ef 4.7-16) que os dons espirituais devem persistir em qualquer época; mas, história e profeticamente, dizemos que a sua expressão pode ser muito real, sem "armadilhas carismáticas". Praticamente, dizemos então, que uma forma melhor de espiritualidade é preservada para nós, que não elimina os dons espirituais, mas faz com que tenhamos e apliquemos a presença do Espírito de maneiras mais seguras e produtivas.

Não ponha uma cerca ao redor de Deus!

Meus amigos, não podemos dogmaticamente dizer como Deus deve agir em nossos dias em relação aos dons espirituais. Certamente, alguns exercem legitimamente esses dons segundo o modus operandi do primeiro século. Outros imitam esses dons, e até promovem uma falsa espiritualidade, por um misticismo forçado. Em outros casos, os dons são utilizados sem as decorações carismáticas típicas do primeiro século. Os caminhos de Deus são muitos, e indivíduos, sendo realmente tais, podem agir de uma forma ou de outra, pela inspiração do Espírito. Esperamos o fim da confusão que reina agora, para o benefício da Igreja, e para o avanço do evangelho no mundo. Até que cheguemos a essa condição, devemos ter cuidado com a maneira com que criticamos os outros em relação ao exercício de sua espiritualidade. Devemos nos lembrar das exigências da liberdade cristã.

O NOVO TESTAMENTO GREGO

Manuscritos antigos do Novo Testamento

Russell Champlin

Testemunhos sobre o texto do Novo Testamento

ESBOÇO

I. INFORMAÇÃO GERAL

II. LISTA DOS PAPIROS

III. LISTA DOS MANUSCRITOS UNCIAIS E DOS MAIS IMPORTANTES MANUSCRITOS MINÚSCULOS

IV. DESCRIÇÃO DAS VERSÕES E ESCRITOS DOS PAIS DA IGREJA

V. FONTES DAS VARIANTES NOS MANUSCRITOS

VI. PRINCÍPIOS DA RESTAURAÇÃO DO TEXTO

VII. ILUSTRAÇÕES DE COMO SÃO ESCOLHIDAS AS FORMAS CORRETAS, QUANDO HÁ VARIANTES NO TEXTO

VIII. ESBOÇO HISTÓRICO DA CRÍTICA TEXTUAL DO NOVO TESTAMENTO

IX. BIBLIOGRAFIA

X. IMAGENS

I. INFORMAÇÃO GERAL

Nosso propósito neste artigo é vir a entender que testemunhos antigos existem sobre o texto do NT. Discutimos a natureza e importância dos manuscritos gregos (papiros, unciais e minúsculos); o testemunho das traduções antigas (versões), sobretudo o latim e o siríaco; as citações feitas pelos antigos pais do texto do NT e de que modo elas se comparam aos manuscritos e ao que agora possuímos na forma de textos gregos impressos; os princípios por meio dos quais são escolhidas as formas corretas quando há variantes.

1. Manuscritos gregos

a. Os papiros

Entre os séculos I e VII, os manuscritos antigos eram escritos em papiro, ainda que, por volta do século IV, na maior parte do mundo, o pergaminho tivesse substituído o papiro. Possuímos 76 papiros, que contêm mais de três quartas partes do texto do NT, com alguma justaposição.

b. Os manuscritos unciais

Em pergaminho — Há 252 manuscritos dessa natureza, pertencentes aos séculos IV a IX. Esses manuscritos foram escritos no que equivale mais ou menos às nossas letras "maiúsculas".

c. Os manuscritos minúsculos

Em pergaminho — Há 2.646 manuscritos dessa natureza, datados a partir do século IX até a invenção da imprensa, no século XV. Os manuscritos minúsculos foram escritos no que equivale mais ou menos às nossas letras "minúsculas", e os mais recentes são virtuais "manuscritos", em contraste com material "impresso".

d. Os lecionários

Em pergaminho — Esses manuscritos eram preparados a fim de serem lidos nas igrejas, e trazem o texto do NT dividido em passagens "selecionadas", com esse propósito. Há alguma adaptação no começo e no fim desses manuscritos, mas, de modo geral, trazem o texto corrente normal do NT. Existem 1.997 desses manuscritos. Foram produzidos paralelamente aos manuscritos unciais e minúsculos, mencionados acima, e têm as mesmas datas. Devido à escassez dessa natureza, e porque talvez a maioria das pessoas das igrejas antigas não sabia ler, o NT era lido nas igrejas, e as "seleções" para leitura, que eventualmente foram determinadas para domingos e dias santos específicos, quando formavam uma "coletânea" coerente, tornaram-se conhecidas no que agora chamamos "lecionários". Essa prática, na realidade, foi emprestada dos judeus, entre os quais se lia, a cada sábado, porções da lei e dos profetas durante o culto.

Pode-se ver, pois, que há mais de 5.000 manuscritos gregos do NT, que datam desde o século II até a invenção da imprensa. É óbvio que o NT é o documento mais confirmado dos tempos antigos. Admira-nos quão escassa é a evidência em forma de manuscritos que há em favor dos grandes clássicos não-bíblicos. Alguns deles dependem de alguns poucos manuscritos medievais. A obra antiga não-bíblica melhor confirmada é a Ilíada, de Homero, que era a "bíblia" dos gregos. Está preservada em 457 papiros, dois manuscritos e 188 minúsculos, nenhum dos quais é comparavelmente tão antigo, em confronto com a data da Ilíada original, conforme se dá no caso dos manuscritos do NT, em comparação a seu original. Entre as tragédias, os testemunhos em prol de Eurípedes são os mais abundantes, mas há apenas 54 papiros e 276 pergaminhos com suas obras, e a maioria pertence à Idade Média. A volumosa história de Roma, de Valleius Paterculus, sobreviveu até os tempos modernos em um único e incompleto manuscrito, que se perdeu no século XVII. Os Anais do famoso historiador romano, Tácito, como sua confirmação mais antiga de seus seis primeiros livros, contam apenas com um só manuscrito, e datado do século IX. As obras de muitos autores famosos da antiguidade foram preservadas para nós somente em manuscritos compostos na Idade Média. Em contraste com isso, o NT conta com 5.000 manuscritos gregos, alguns dos quais datam de cerca de um século após a composição dos originais, além de muitas traduções verdadeiramente antigas.

2. Os ostracas

São pedaços quebrados de cerâmica, que contêm alguns textos citados do NT. Os mais pobres algumas vezes usavam argila como material de escrita. Apesar de os ostracas serem importante fonte arqueológica de informação, trata-se de uma fonte informativa curiosa, mas sem importância para o texto do NT. Há apenas 25 deles que contêm porções breves de seis livros do NT. Seus textos são: Mateus 27.31,32; Marcos 5.40,41; 9.17,18,22; 16.21; Lucas 12.13-16; 22.40-71; João 1.1-9; 1.14-17; 18.19-25; 19.15-17.

3. Os amuletos

Há amuletos ou talismãs de boa sorte que contêm citações de versículos do NT. Abrangem o período dos séculos IV a XIII, em pergaminho, papiro, louça de barro e madeira. Sem dúvida, eram usados, pelo menos em alguns casos, para afastar os maus espíritos e a má sorte, ou tinham algum outro uso supersticioso. Em muitos deles há a oração do Pai Nosso, mas versículos variegados do NT também estão incluídos. Tal como os ostracas, os amuletos não perfazem um testamento importante em favor do NT. Durante a história da Igreja, o uso de talismãs tem sido tão abundante, que foram necessárias advertências e proibições baixadas pelos decretos eclesiásticos ou por importantes personagens da Igreja. Tais reprimendas se acham nos escritos de Eusébio e Agostinho, bem como nos decretos do Sínodo de Laodicéia. A proibição baixada por aquele concílio até mesmo ameaçava de exclusão nessa advertência: "[...] e aqueles que usam tais coisas, ordenamos que sejam expulsos da igreja".

4. As versões

Há importantes traduções do original grego do NT para dez idiomas antigos, conforme a descrição abaixo:

Latim — A tradição latina começou em cerca de 150 d.C. O "Latim Antigo" (anterior à "Vulgata") conta com cerca de 1.000 manuscritos. Após o século IV, a versão latina foi padronizada na Vulgata. Há cerca de 8.000 traduções latinas do tipo Vulgata, pelo que a tradição latina conta com cerca de 10.000 manuscritos conhecidos, ou seja, mais ou menos o dobro dos manuscritos em grego. (Ver a seção IV deste artigo, quanto às informações detalhadas.)

Siríaco — Quanto ao siríaco antigo há apenas dois manuscritos, mas revestem-se de grande importância. Datam dos séculos IV e V. A tradição siríaca foi padronizada no Peshitto, do qual há mais de 350 manuscritos do século V em diante. (Ver a seção IV deste artigo, quanto a informações detalhadas.)

Capta — Esse é o NT do Egito. Há duas variações desse texto, dependendo da localização geográfica. O saídico veio do sul do Egito, contando com manuscritos desde o século IV. O boárico veio do norte do Egito, contando com um manuscrito do século IV, mas os demais são de origem bem posterior. Nos séculos após o século IV, os manuscritos captas foram muito multiplicados, pelo que há inúmeras cópias pertencentes a essa tradição. Formam um grupo valioso, pois são de caráter "alexandrino", concordando com os manuscritos gregos mais antigos e dignos de confiança.

Armênio — Essa tradição começou no século V. Com a exceção do latim, há mais manuscritos dessa tradição do que qualquer outra. Já foram catalogados 2.000 deles. A versão armênia tem vários representantes do tipo de texto "cesareano", mas muitos pertencem à classe bizantina. (Ver a seção IV deste artigo, quanto às explicações sobre esses termos.)

Geórgico — Os georgianos eram um povo da Geórgia caucásica, um agreste distrito montanhoso entre os mares Negro e Cáspio, que receberam o evangelho durante a primeira parte do século IV. Supomos que a tradição geórgica de manuscritos começou não muito depois, mas não há quaisquer manuscritos anteriores ao ano 897. O seu "tipo de texto" é cesareano.

Etíope — Essa tradição conta com manuscritos datados desde o século XIII. Há cerca de 1.000 desses manuscritos, essencialmente do tipo de texto bizantino.

Gótico — Algum tempo depois dos meados do século IV, Ulfilas, chamado o apóstolo dos gados, traduziu a Bíblia do grego para o gótico, uma antiga

78 |Artigos introdutórios| NTI

língua germânica. Agora há apenas fragmentos, do século V em diante. São essencialmente do tipo de texto bizantino, com alguma mistura de formas ocidentais. O texto bizantino, entretanto, é de uma variedade anterior à daquela que finalmente veio a fazer parte do Textus Receptus.

Eslavônico — O NT foi traduzido para o búlgaro antigo, usualmente denominado eslavônico antigo, pouco depois dos meados do século IV. Há poucos manuscritos, que datam desse tempo em diante. Fazem parte do tipo de texto bizantino.

Árabe e persa — Alguns poucos manuscritos têm sido preservados nesses idiomas; mas são de pouca importância no campo da crítica textual. Quanto à versão árabe, os problemas de seu estudo são complexos e continuam sem solução, pelo que é possível que ela seja mais importante do que se tem suposto até hoje.

* * *

5. Citações dos pais da Igreja

São tão extremamente numerosas as citações feitas pelos antigos pais da Igreja, de textos do NT, em seus escritos, que bastaria essa fonte para quase podermos reconstituí-lo em sua inteireza. Somente nas obras de Orígenes (254 d.C.) temos quase todo o NT em forma de citação. Os críticos textuais usam as citações de cerca de 50 diferentes pais antigos, ao compilarem delas o que se conhece do NT. A dificuldade dessa fonte é que muitas das citações foram feitas de memória, pelo que elas são de pouco valor na determinação da natureza exata dos manuscritos que foram usados. Contudo, deve-se atribuir um valor imenso a essa fonte informativa. (Ver descrição mais detalhada na seção IV deste artigo.)

* * *

II. LISTA DOS PAPIROS

DESIGNAÇÃO	DATA	LOCALIZAÇÃO	CONTEÚDO	TIPO DE TEXTO
p¹	III	Filadélfia, University of Pennsylvania Museum	Mt 1.1-9,12,14-20,23	Alexandrino
p²	VI	Florence, Museo Archeológico, Inv. n. 7134	Jo 11.12-15	misturado
p³	VI	Viena, Osterreichische Nationalbibliotheck, Sammlung Papyrus Erzherzog Rainer, n. G 2323	Lc 7.36-45; 10.38-41	Alexandrino
p⁴	III	Paris, Bibliotheque Nationale, n.Gr 1120, sup. 2°	Lc 1.58,59,62—2.1,6,7; 3.8-38; 4.2,29-32,34,35; 5.3-8,30-38; 6.1-16	Alexandrino
p⁵	III	Londres, British Museum, p. 782 e 2484	Jo 1.23-31,33-41; 16.14-30; 20.11-17,19,20,22-25	Ocidental
p⁶	IV	Estrasburgo, Biblioteque de la Université, 351, 335, 379, 381, 383, 384.	Jo 10.1,2,4-7,9,10; 11.1-8,45-52	Mistura de Alexandrino e Cesareano
p⁷	V	Perdido. Antes em Kiev, Biblioteca da Academia de Ciências da Ucrânia	Lc 4.1,2	Indeterminado
p⁸	IV	Perdido. Antes em Berlim, Staatliche Museen, p. 8683	At 4.31-37; 5.2-9; 6.1-6,8-15	Mistura de Alexandrino e Ocidental
p⁹	III	Cambridge, Massachusetts, Harvard University, Semitic Museum, n° 3736	1Jo 4.11,12,14-17	Alexandrino
p¹⁰	IV	Cambridge, Massachusetts, Harvard University, Semitic Museum, n° 2218	Rm 1.1-7	Alexandrino
p¹¹	VII	Leningrado, Biblioteca Pública do Estado.	1Co 1.17-23; 2.9-12,14; 3.1-3; 4.3-5; 5.7,8; 6.5-7,11-18; 7.3-6,10-14	Alexandrino
p¹²	III	Nova Iorque, Pierpont Morgan Library, n° G3	Hb 1.1	Indeterminado
p¹³	III/IV	Londres, British Museum, P 1532 (verso); Florence, Bib. Medicea Laurenziana	Hb 2.14—5.5; 10.8-22,29—12.17	Alexandrino
p¹⁴	V	Monte Sinai, Mosteiro de Santa Catarina, n° 14	1Co 1.25-27; 2.6-8; 3.8—10.20	Alexandrino
p¹⁵	III	Cairo, Museu de Antiguidades, n° 47423	1Co 7.18—8.4	Alexandrino
p¹⁶	III/IV	Cairo, Museu de Antiguidades, n° 47424	Fp 3.9-17; 4.2-8	Alexandrino
p¹⁷	IV	Cambridge, Inglaterra, University Library, gr. theol. f. 13 (P), Add. 5893	Hb 9.12-19	
p¹⁸	III/IV	Londres, British Museum, P, 2053 (verso)	Ap 1.4-7	Alexandrino
p¹⁹	IV/V	Oxford, Bodleian Library, Ms. gr. Bibli. d.6 (P)	Mt 10.32—11.5	Ocidental
p²⁰	III	Princeton, New Jersey, University Library, Classical Seminary AM 4117 (15)	Tg 2.19—3.9	Alexandrino
p²¹	IV/V	Allentown, Pennsylvania, Library of Muhlenberg College Theol. pap.3	Mt 12.24-26,31-33	Ocidental
p²²	III	Glasgow, University Library, Ms 2-x.1	Jo 15.25-27; 16.1,2,21-32	Ocidental com Alexandrino
p²³	III	Urbana, Illinois, University of Illinois, Classical Arch. & Art Museum, G.P. 1229	Tg 1.10-12,15-18	Alexandrino
p²⁴	IV	Newton Centre, Massachusetts, Library of Andover Newton Theological School	Ap 5.5-8; 6.5-8	Alexandrino
p²⁵	IV	Perdido. Antes em Berlim Staatliche Museen, P. 16388	Mt 18.32-34; 19.1-3,5-7,9,10	Ocidental
p²⁶	c.600	Dallas, Texas, Southern Methodist University, Lane Museum	Rm 1.1-16	Alexandrino
p²⁷	III	Cambridge, Inglaterra, University Library, Add. Ms 7211	Rm 8.12-22,24-27,33-39; 9.1-3,5-9	Alexandrino com alguma mistura Ocidental

p[28]	III	Berkeley, Calif., Library of Pacific School of Religion, Pap. 2	Jo 6.8-12,17-22	Alexandrino
p[29]	III	Oxford, Bodleian Library, Ms. Gr. Bibl. g.4 (P)	At 26.7,8,20	Ocidental(?)
p[30]	III	Ghent, University Library, U. Lib. P. 61	1Ts 4.13,16-18; 5.3,8-10,12-18,26-28; 2Ts 1.2	Misturado
p[31]	VII	Manchester, Inglaterra, John Rylands Library, P. Ryl. 4	Rm 12.3-8	Alexandrino
p[32]	c.200	Manchester, Inglaterra, John Rylands Library, P. Ryl. 5.	Tt 1.11-15; 2.3-8	Alexandrino com mistura Ocidental
p[33]	VI	Viena, Osterreichische Nationalbibliothek, n° 190	At 15.22,24,27-32	Alexandrino
p[34]	VII	Viena, Osterreichische Nationalbibliothek, n° 191	1Co 16.4-7,10; 2Co 5.18-21; 10.13,14; 11.2,4,6,7	Alexandrino
p[35]	IV	Florence, Biblioteca Medicea Laurenziana	Mt 25.12-15,20-23	Alexandrino & Ocidental
p[36]	VI	Florence, Biblioteca Medicea Laurenziana	Jo 3.14-18,31,32	Alexandrino & Ocidental
p[37]	III/IV	Ann Arbor, Michigan, University of Michigan Library, Invent. n° 1570	Mt 26.19-52	Cesareano
p[38]	c.300	Ann Arbor, Michigan, University of Michigan Library, Invent. n° 1571		
p[39]	III	Chester, Pennsylvania, Crozer Theological Seminary Library, n° 8864	Jo 8.14-22	Alexandrino
p[41]	VIII	Viena, Osterreichische Nationalbibliothek, Pap. K. 7541-8	At 17.28—18.2,24,25,27; 19.1-4,6-8,13-16,18,19; 20.9-13,15,16,22-24,26-28,35-38; 21.1-3; 22.12-14,17	Ocidental
p[42]	VIII	Viena, Osterreichische Nationalbibliothek, KG 8706	Lc 1.54,55; 2.29-32	Bizantino Antigo
p[43]	VI	Londres, British Museum, Pap. 2241		Ap 2.12,13; 15.8—16.2
p[44]	VI	Nova Iorque, Metropolitan Museum of Art, Inv. 14-1-527	Mt 17.1-3,6,7; 18.15-17,19; 25.8-10; Jo 10.8-14; 9.3-5; 12.16-18	Alexandrino
p[45]	III	Dublim, Chester Beatty Museum; e Viena, Osterreichische Nationalbibliotheck, P. Gr. Vind. 31974	Mt 20.24-32; 21.13-19; 25.41-46; 26.1-39; 4.36-40; 5.15-26,38—6.3,16-25,36-50; 7.3-15,25—8.1,10-26,34—9.8,18-31; 11.27-33; 12.1,5-8,13-19,24-28; Lc 6.31-41,45—7.7; 9.26-41,45—10.1,6-22,26—11.1,6-25,28-46,50—12.12,18-37,42—13.1,6-24,29—14.10,17-33; Jo 10.7-25,31—11.10,18-36,43-57; At 4.27-36; 5.10-20,30-39—6.7-7.2,10-21,32-41,52—8.1,14,25,34—9.6,16-27,35—10.2,10-23,31-41; 11.2-14,24; 12.5,13-22; 13.6-16,25-36,46—14.3,15-23; 15.2-7,19-26,38—16.4,15-21,32-40; 17.9-17	Alexandrino
p[46]	c.200	Dublin, Chester Beatty Museum, e Ann Arbor, Michigan, University of Michigan Library, Inven. n° 6238	Rm 5.17—6.3,5-14; 8.15-25,27-35,37—9.32; 10.1—11.22,24-33,36—14.8,9—15.9 (fragm.), 11-33; 16.1-23,25-27; Hb, 1 e 2Co, Ef, Gl, Fp, Cl (toda com lacunas); 1Ts 1.1,9,10; 2.1-3; 5.5-9,23,28	Alexandrino
p[47]	III	Dublin, Chester Beaty Museum	Ap 9.10—17.2 (com pequenas lacunas)	Alexandrino
p[48]	III	Florence, Museo Medicea Laurenziana	At 23.11-17,23-29	Ocidental
p[49]	III	New Haven, Connecticut, Yale University Library, P. 415	Ef 4.16-29,31—5.13	Alexandrino
p[50]	IV/V	New Haven, Connecticut, Yale University Library, P. 1543	At 8.26-32; 10.26-31	Alexandrino
p[51]	c. 400	Londres, British Museum	Gl 1.2-10,13,16-20	Alexandrino, parcialmente eclético
p[52]	II	Manchester, John Rylands Library, P. Ryl. Gr. 457	Jo 18.31-34,37,38	Alexandrino
p[53]	III	Ann Arbor, Michigan University of Michigan Library, Invent. n° 6652	Mt 26.29-40; At 9.33-38,40—10.1	Alexandrino com mistura
p[54]	V	Princenton, New Jersey, Princeton University Library, Garrett Depos. 7742	Tg 2.16-18,21-25; 3.2-4	Alexandrino
p[55]	VI/VII	Viena, Osterreichische Nationalbibliotheck, P. Gr. Vind. 26214	Jo 1.31-33,35-38	Alexandrino
p[56]	V	Viena, Osterreichische Nationalbibliothek, P. Gr. Vind. 19918	At 1.1,4,5,7,10,11	Alexandrino

|Artigos introdutórios| NTI

p[57]	IV	Viena, Osterreichische Nationalbibliothek, P. Gr. Vind. 26020	At 4.36—5.2,8-10	Alexandrino
p[58]	VI	Viena, Osterreichische Nationalbibliothek, P. Gr. Vind. 17972, 3613354, 35831	At 7.6-10,13-18	Alexandrino com mistura
p[59]	VII	Nova Iorque, New York University, Washington Square College of Arts and Sciences, Department of Classics, P. Colt. 3	Jo 1.26,28,49,51; 2.15,16; 11.40-52; 12.25,29,31,35; 17.24-26; 18.1,2,16,17,22; 21.7,12,13,15,17-20,23	Não-classificado
p[60]	VII	Nova Iorque, New York University, Washington Square College of Arts and Sciences, Department of Classics, P. Colt 4	Jo 16.29—19.26 com lacunas	Alexandrino
p[61]	c.700	Nova Iorque, New York University, Washington Square College of Arts and Sciences, Department of Classics, P. Colt. 5	Rm 16.23,25-27; 1Co 1.1,2,6; 5.1-3,5,6,9-13; Fp 3.5,9,12-16; Cl 1.3-7,9-13; 4.15; 1Ts 1.2,3; Tt 3.1-5,8-11,14,15; Fm 4-7	Alexandrino
p[62]	IV	Oslo, University Library	Mt 11.25-30	Alexandrino
p[63]	c.500	Berlim, Staatliche Museen	Jo 3.14-18; 4.9,10	Não-classificado
p[64]	c.200	Oxford, Magdalen College	Mt 26.7,10,14,15,22,23,31-33	Não-classificado
p[65]	III	Florence, Biblioteca Medicea Laurenziana	1Ts 1.2-10; 2.1,6-13	Alexandrino
p[66]	c.200	Colônia/Genebra, Bibliotheque Bodmer	Jo 1.1—6.10,35; 14.26 com fragm. de 14.27—21.9	Alexandrino com mistura
p[67]	III	Barcelona, Fundación San Lucas Evangelista, P. Barc. I	Mt 3.9-15; 5.20-22,25-28	Alexandrino
p[68]	VII	Leningrado, Biblioteca Pública do Estado, Gr. 258	1Co 4.12-17,19-21; 5.1-3	Bizantino
p[69]	III	?	Lc 22.41,45-48,58-61	Misturado
p[70]	III	?	Mt 11.26,27; 12.4,5	Não-classificado
p[71]	IV	?	Mt 19.10,11,17,18	Alexandrino
p[72]	III	Colônia/Genebra, Bibliotheque Bodmer	Judas, 1 e 2Pedro	Alexandrino c/mistura
p[73]	?	Colônia/Genebra, Bibliotheque Bodmer	Mt 25.43; 26.2,3	Não-classificado
p[74]	III/IV	Colônia/Genebra, Bibliotheque Bodmer	At 1.1-11,13-15,18,19,22-25; 2.2-4,6—3.26; 4.2-6,8-27,29—27.25,27—28.31; Tg 1.1-6,8-19,21-25,27—2.15,19-22,25—3.1,5,6,10-12,14,17—4.8,11,14; 5.1-3,7-9,12-14,19,20; 1Pe 1.1,2,7,8,12,13,19,20,25; 2.7,11,12,18,24; 3.4,5; 2Pe 2.21; 3.4,11,16; 1Jo 1.1,6; 2.1,2,7,13-24,18,19,25,26; 3.1,2,8,14,19,20; 4.1,6,7,12,16,17; 5.3,4,10,17,18; 2Jo 1,6,7,12,13; 3Jo 6,12; Jd 3,7,12,18,24,25	Alexandrino
p[75]	III	Colônia/Genebra, Bibliotheque Bodmer	Lc 3.18-22,33—4.2,34—5.10,37—6.4,11—7.32,35-43,46; 18.18; 22.4—24.53; Jo 1.1; 13.10; 14.8—15.8 (com lacunas)	Alexandrino
p[76]	VI	Viena, Osterreichische Nationalbibliothek, P. Gr. Vind. 36102	Jo 4.9-12	Não-classificado

. **Papiros, conforme são distribuídos entre os vários livros do NT:**

Número dos papiros:	
Mt: 1 19 21 25 35 37 44 45 53 62 64 65 67 70 71 73	1Ts: 30 46 61 65
Mc: 45	2Ts: 30
Lc: 3 4 7 42 45 69 75	Tt: 32 61
Jo: 2 5 6 22 28 36 44 45 52 55 59 60 63 66 75 76	Fm: 61
At: 8 29 33 38 41 45 48 50 53 56 58 74	Hb: 12 13 17 46
Rm: 10 26 27 31 40 46 61	Tg: 20 23 54 74
1Co: 11 14 15 34 46 61 68	1Pe: 72 74
2Co: 34 46	2Pe: 72 74
Gl: 46 51	1Jo: 9 74
Ef: 46 49	2Jo: 74
Fp: 16 46 61	Jd: 72 74
Cl: 46 61	Ap: 18 24 43 47

III. LISTA DOS MANUSCRITOS UNCIAIS E DOS MAIS IMPORTANTES MANUSCRITOS MINÚSCULOS

a. Evangelhos

Designação		Data	Localização	Conteúdo	Tipo de Texto
ℵ	Sinaiticus	IV	Londres, British Museum	NT inteiro	Alexandrino
A	Alexandrinus	V	Londres, British Museum	NT, exceto Mt 1.1—25.6; Jo 6.50—8.52; 2Co 4.13—12.6	Nos evangelhos, bizantino antigo; no resto, Alexandrino
B	Vaticanus	IV	Biblioteca do Vaticano	NT até Hb 9.14	Alexandrino
C	Ephraemi	V	Bibliothèque Nationale, Paris	Todo o NT, com muitas lacunas	Alexandrino
D	Bezae	V/VI	Cambridge University Library	Evangelhos e Atos, c/lacunas	Ocidental
E	Basiliensis	VIII	Basle Library, Basle, Suíça	Evangelhos	Bizantino
F	Boreelinanus	IX	University Library de Ultrecht	Evangelhos	Bizantino
G	Siedelianus (Wolfii A)	X	British Museum, Londres	Evangelhos	Bizantino
H	Siedelianus II (Wolfii B)	IX/X	Biblioteca Pública de Hamburgo	Evangelhos c/lacunas	Bizantino
K	Cyprius	IX	Bibliothèque Nationale, Paris	Evangelhos	Bizantino
L	Regius	VIII	Bibliothèque Nationale, Paris	Evangelhos	Alexandrino
M	Campianus	IX/X	Bibliothèque Nationale, Paris	Evangelhos	Bizantino
N	Purpureus	VI	Biblioteca do Vaticano, Biblioteca Pública de Leningrado, Mosteiro de Mt. Atos, Bibliothèque Nationale, Paris, British Museum, Londres	230 folhas dos evangelhos	Bizantino c/mistura de Cesareano
O	Sinopensis	VI	Bibliothèque Nationale, Paris	43 folhas de Mateus (caps. 13—24)	Cesareano
P	Guelpherbytanus A	VI	Ducal Library, Wolfenbuttel	Evangelhos c/lacunas	Bizantino
Q	Guelpherbytanus B	VI	Ducal Library, Wolfenbuttel	Porções de Lucas e João	Bizantino
R	Nitriensis	VI	British Museum, Londres	Porções de Lucas	Ocidental
S	Vaticanus 354	949	Biblioteca do Vaticano	Evangelhos	Bizantino
T	Borgianus	V	Collegium de Propaganda Fide, Roma	Fragmentos de Lucas e João com a versão saídica	Alexandrino
U	Nanianus	IX/X	Biblioteca de S. Marcos, Veneza	Evangelhos	Bizantino
V	Mosquensis	IX	Moscou	Evangelhos até João 7.29. Depois, outra mão, em minúsculas	Bizantino
W	Freerianus	IV	Freer Gallery of Art, Washington, D.C.	Evangelhos	Mt 8.13—24.53; Bizantino; Mc 1.1—5.30 Ocidental; Mc 5.31—16.20, Cesareano; Lc 1.1—8.12; Jo 5.12—21.25 Alexandrino; Jo 1.1—5.11, misturado
X	Monacensis	IX/X	University Library de Munique	Fragmentos dos evangelhos	Bizantino, c/mistura ocasional Alexandria
Y	Barberini	VIII	Biblioteca Baberin, Roma	Jo 16.3—19.41	Bizantino
Z	Dublinensis	V/VI	Trinity College Library, Dublim	32 folhas (295 vss) de Mateus	Alexandrino
	Tischendorfianus	IX/X	Bodleian Library, Oxford	Evangelhos com versão latina	Bizantino (ocidental em latim)
Δ	Sangallensis	IX	Biblioteca de St. Gall, Suíça	Evangelhos com versão latina	Marcos, Alexandrina; o resto, Bizantino
Θ	Koridethi	IX	Tiflis, Geórgia, URSS	Evangelhos	Cesareano
Λ	Tishendorfianus III	IX	Bodleian Library, Oxford	Lucas e João	Bizantino
Ξ	Zacynthius	VII	Library of the British and Foreign Biblie Society, Londres	342 vss de Lucas	Alexandrino
Π	Petropolitanus	IX	Biblioteca Pública de Leningrado	Evangelhos	Bizantino
Σ	Rossanensis	VI	Arcepisbo de Rossano, extremo sul da Itália	Mateus e Marcos	Bizantino c/mistura Cesareana
Φ	Beratinus	VI	Berat, Albânia (igreja de S. Jorge)	Mateus e Marcos	Cesareano
Ψ	Laurensis	VIII	Mosteiro de Laura, no Mt. Atos	Evangelhos (após Mc 9), Atos, Epístolas	Bizantino c/alguma mistura Alexandrina
Ω	Athos Dionysius	IX/X	Mosteiro de Dionísio, Mt. Atos	Evangelhos	Bizantino

Quanto aos evangelhos, temos outros manuscritos unciais, marcados com a designação "0", como 0124 (fragmentos de Lc e Jo), 0131 (Mc 7—9), a maior parte dos quais é fragmentar. A designação "0" veio a ser usada quando não havia mais letras dos alfabetos grego e latino, para serem usadas como referências a manuscritos.

82 |Artigos introdutórios| NTI

b. Manuscritos unciais de Atos e das Epístolas Católicas

Designação	Data	Localização	Conteúdo	Tipo de texto
A				
B		Ver informações sobre esses manuscritos sob "1", os Evangelhos.		
C				
D				
Ψ				
E (2)	Laudianus	VI	Boleian Library, Oxford	Atos, com versão latina	Bizantino (grego) Ocidental (latim)
H (a ou 2)	Mutinensis	IX	Grande Biblioteca Ducal de Módena	Atos, exceto sete últimos capítulos	Bizantino
K	Mosquensis	IX	Moscou	Epístolas Católicas, Hebreus e Epístolas Paulinas	Ocidental
L (2)	Angelicus	IX	Biblioteca Angelicana, Roma	Epístolas Católicas, Atos Epístolas Paulinas	Bizantino
P (2)	Porphyrianus	X	Biblioteca Pública de Leningrado	Atos, Epístolas Católicas, Epístolas Paulinas	Bizantino c/alguma mistura Ocidental
S (ap)	Athous	VIII	Mosteiro de Laura, Mt. Atos	Atos, Epístolas Católicas, Epístolas Paulinas	Bizantino

Tal como no caso dos evangelhos, há outros unciais quanto a esses livros, especialmente fragmentários, identificados com um "0", além de um número, como 0189 (Atos 5), 0206 (1Pedro 5).

c. Epístolas Paulinas e Hebreus

Designação	Data	Localização	Conteúdo	Tipo de texto
A		Ver informação sobre esses manuscritos sob "1", os evangelhos.		
B				
C				
K		Ver informação sobre esses manuscritos sob "2", Atos e Epístolas Católicas		
L				
P				
S				
Ψ				
D (2) Claromontanus	VI	Bibliothèque Nationale, Paris	Epístolas Paulinas, Hebreus (com versão latina)	Ocidental
E (3) Sangermanensis; este manuscritos é cópia de D (2).	IX	Biblioteca Pública de Leningrado	Epístolas Paulinas, Hebreus (com versão latina)	Ocidental
F (2) Augiensis	IX	Trinity College Library, Cambridge	Epístolas Paulinas, Hebreus (com versão latina)	Ocidental
G (3) Boernerianus	IX	Dresden	Epístolas Paulinas, Hebreus (com versão latina)	Ocidental
I Washingtonianus II	V	Freer Museum, Washington	84 folhas em condição fragmentar das Epístolas Paulinas e de Hebreus	Alexandrino
M Uffenbachianus	IX	Londres, Hamburgo, Paris	Porções das Epístolas Paulinas	Alexandrino

Fragmentos: 061 (1Tm 3,6); 0208 (Cl 1 e 2; 1Ts 2); 0220 (Rm 4 e 5) e outros.

d. Apocalipse

Designação	Data	Localização	Conteúdo	Tipo
A		Ver informação sobre esses manuscritos sob "1", os evangelhos		
C				
P		Ver informação sobre este manuscrito sob "2", Atos e Epístolas Católicas.		
B (r ou 046) Vaticanus 2066	VII/IX	Biblioteca do Vaticano	Apocalipse Completo	Bizantino
E (051)	IX/X	Mt Atos	Apocalipse	Bizantino
F (052)	X	Mt. Atos	Apocalipse	Bizantino

Fragmentos: 0207 (Ap 9): 1229 (Ap 18 e 19) e outros.

Quanto ao Apocalipse, há menor número de manuscritos do que acerca de qualquer outro livro neotestamentário. Existem cerca de 300 manuscritos gregos, dos quais somente dez são unciais, e três deles contêm apenas uma única folha. Contudo, o Apocalipse é melhor e mais remotamente confirmado do que qualquer outro documento antigo não-bíblico.

e. Os mais importantes manuscritos minúsculos

Os manuscritos gregos em legras **"minúsculas"** ou **"cursivas"** são bastante numerosos. O desenvolvimento da escrita em letras minúsculas antecede ao século IX d.C., mas foi somente a partir de então que essa forma de letra começou a ser usada nos manuscritos do NT. Os primeiros manuscritos minúsculos, naturalmente, conservaram características dos manuscritos unciais que os posteriores eliminaram, chegando a "arredondar as letras", afastando-se a aparência de "impressão" para o aspecto de escrita "à mão". O termo "minúsculo" vem do latim, minúsculus, palavra que significa "pequeno". O desenvolvimento dessa forma de escrita foi resultado natural da necessidade de escrever mais ligeiro e com maior facilidade. Após alguns séculos, desenvolveu-se a moderna "caligrafia à mão", como resultado direto do estilo dos manuscritos minúsculos. Já que se sabe que os escribas começaram a usar a escrita em letras minúsculas no século IX, de imediato pode-se datar todos os manuscritos do NT que têm esse estilo de escrita como pertencentes ao século IX em diante. É verdade, obviamente, que alguns escribas continuaram a usar as letras "unciais", pelo que alguns manuscritos unciais datam dos fins do século XI; por exemplo, o códex Cyprius (K). Esse manuscrito parece bem mais antigo do que realmente é. Alguns estudiosos têm tentado datá-lo de tão cedo quanto o século VII, mas os estudos feitos acerca da Família Pi, da qual ele é membro, têm mostrado que ele não pode datar de muito antes do século XI, pois reflete o desenvolvimento textual daquela época. Devemo-nos lembrar que cada manuscrito reflete uma "idade do texto", e não apenas uma antiguidade calculada pelo estilo de escrita utilizada. Portanto, é fácil julgar se um manuscrito é "tardio" ou não o é realmente, ou se pertence a uma época anterior, tendo sido copiado de um manuscrito antigo. Cada manuscrito traz consigo a imagem do desenvolvimento histórico do texto. Assim sendo, há níveis de idade textual dentro das tradições textuais. Luciano se utilizou de um "antigo" texto bizantino, e foi o primeiro dos pais da Igreja a usar esse tipo de texto (século IV d.C.). Dentro da tradição do texto bizantino, porém, há certo desenvolvimento, com um número sempre crescente de variantes, adicionadas por escribas medievais. Pela época em que se chega ao Textus Receptus, há um texto "bizantino posterior", com muitas formas que Luciano jamais conheceu. Datando de antes do século IV d.C., temos o tipo de texto "Cesareano", que, na realidade, é um texto mesclado de uma época anterior, pois combina formas alexandrinas e ocidentais, cuja mistura produziu um "tipo de texto" distintivo. Orígenes usou esse tipo de texto em cerca de 250 d.C.

Antes do Cesareano, houve o desenvolvimento do tipo de texto **Ocidental**, com formas distintivas adicionadas aos originais ou excisões dos mesmos, o que produziu um tipo de texto com variantes notáveis, algumas das quais, talvez, historicamente autênticas. Em outras palavras, algumas poucas declarações de Jesus foram adicionadas, as quais quiçá sejam autênticas, embora não figurem nos evangelhos originais. Outro tanto se dá quanto ao livro de Atos. Detalhes históricos e geográficos se encontram na versão **ocidental** de Atos, que não estão contidos nos originais, mas que refletem genuinamente condições da época dos apóstolos. Antes do desenvolvimento do texto "ocidental", houve o texto "Alexandrino", que é quase puro como cópia do original, mas que encerra certa proporção de modificações gramaticais e de estilo, feitas por escribas educados, que queriam melhorar às vezes "áspero koiné" dos autores do NT. Há também certo número de "interpolações" no texto alexandrino, que o texto ocidental omitiu. Portanto, os mais antigos manuscritos (os papiros e os antigos manuscritos unciais) são quase todos da variedade alexandrina. Alguns poucos dos mais antigos pais da Igreja citam manuscritos que contêm esse tipo de texto. Alguns poucos papiros e alguns dos mais antigos manuscritos unciais exibem o tipo de texto ocidental. Quanto mais antigo for um manuscrito latino, tanto mais próximo do tipo de texto alexandrino; mas a maioria dos manuscritos latinos trazem um texto ocidental. Então vem o texto Cesareano mesclado, com alguns poucos papiros e alguns poucos escritos de pais da Igreja. O tipo de texto bizantino, ainda mais mesclado, não conta com nenhum testemunho, na forma de manuscrito ou de escrito patrístico, senão a partir do século IV d.C., e, finalmente, quando recebe confirmação, assume uma **forma anterior** dessa tradição, à qual falta um grande número de formas que, afinal, como um grupo, vieram a representar esse tipo de texto, o qual foi para sempre solidificado no Textus Receptus. Tudo quanto foi dito aqui foi exposto a fim de mostrar que não é difícil datar um manuscrito de acordo com o tipo de texto do mesmo. Sabemos quando a vasta maioria das variantes penetrou no texto. Não há nisso nenhum mistério, pois o texto tem sido estudado do ponto de vista do seu desenvolvimento histórico.

Os manuscritos minúsculos, pois, começando, a partir do século IX, são muito menos importantes como grupo do que os manuscritos unciais. Alguns poucos deles preservam o antigo tipo de texto Alexandrino, além de alguns poucos preservarem o tipo Ocidental ou Cesareano; mas a vasta maioria (conforme se poderia esperar com base em suas datas comparativamente recentes), representa o texto bizantino em seus vários níveis de desenvolvimento histórico.

Há 2.646 códices minúsculos, os mais importantes dos quais passamos agora a descrever:

Família 1 — Uma "família" é um grupo de manuscritos cujo **arquétipo** ou "ancestral" pode ser reconstruído mediante a comparação entre seus "descendentes". Em outras palavras, tais manuscritos estão relacionados e têm um "arquétipo" comum. A família 1 consiste dos manuscritos 1, 118, 131 e 209, pertencentes aos séculos XII a XIV D.C. O texto desse grupo freqüentemente conforma-se ao texto do manuscrito uncial Theta (Códex Koridethi). Todos esses manuscritos representam o grupo Cesareano, que traz esse nome porque se pensa que esse texto **mesclado** teve seu desenvolvimento histórico em Cesaréia, começando pelo século III d.C. O códex 1 foi usado por Erasmo como um dos quatro utilizados na compilação do Textus Receptus, mas ele não se utilizou grandemente do mesmo porque com grande freqüência diferia dos manuscritos bizantinos. Tudo isso se deveu à ignorância geral sobre os valores comparativos dos manuscritos do NT, nos dias de Erasmo, como também se deveu à falta de manuscritos verdadeiramente antigos que pudessem ser utilizados. Erasmo não contava nem sequer com um manuscrito uncial, em papiro ou pergaminho, para fazer compilação de um texto impresso. (Conteúdo: os evangelhos.)

Família 13 — Esse grupo de mss relacionados entre si chama-se **Ferrar**, em honra ao professor William Hugh Ferrar, da Universidade de Dublim, na Escócia, o qual, em 1868, descobriu que os manuscritos 13, 69, 124 e 346 estão intimamente ligados, pelo que devem ter descendido de um único arquétipo. Sabemos hoje em dia que essa família é muito maior do que Ferrar pensava, pois, além dos manuscritos mencionados, há também os de núm. 230, 543, 788, 826, 828, 983, 1698 e 1709. Tanto a Família 13 quanto a Família 1, representam o tipo de texto "Cesareano". Mais adiante, em nossa discussão neste artigo, notaremos os tipos de texto em seus aspectos distintivos. Os manuscritos da Família 13 datam dos séculos XI a XV d.C. A característica mais notável dessa família é que registra a história da mulher apanhada em adultério depois de Lucas 1.38, não em João 7.53—8.11. Talvez, esse incidente fosse uma tradição **flutuante** sobre as atividades da vida de Jesus, que achou caminho nos evangelhos em diferentes lugares, mas que não faz parte dos escritos originais. Entretanto, foi um incidente mui provavelmente genuíno da vida de Jesus, de modo que escribas subseqüentes sentiram que não deveria faltar esse episódio à narrativa do evangelho, o que explica sua adição. Os mais antigos manuscritos omitem a narrativa, e nos manuscritos em que ela está inserida, pode ser encontrada em João 7.53ss, no fim do evangelho de João ou em Lucas 21.38ss. (Conteúdo: os evangelhos.)

Família Pi: Esse é o grupo mais numeroso de manuscritos **relacionados** entre si, para o que se conseguiu reconstruir um arquétipo comum. A família Pi conta com cerca de 100 membros, o mais importante dos quais é Pi, Códex Petropolitanus, que data do século IX d.C. O arquétipo dessa família, porém, e do qual Pi é uma cópia boa e exata, pertencia ao século IV d.C., e era representante do artigo texto bizantino, com mistura com o tipo cesareano. O códex A (Alexandrinus), também bizantino nos evangelhos, conta com um texto similar, mas sua mistura inclui alta porcentagem de formas alexandrinas. É possível que a família Pi represente o texto de Luciano, pai da igreja (século IV d.C.), mas é mais provável que esse texto seja mais próximo de A do que de Pi. Seja como for, ambos esses códices representam aspectos diferentes do desenvolvimento do texto bizantino, em sua forma mais primitiva. Os mss P e A faltam muitas formas, que figuram no Textus Receptus, pois aquele texto representa um desenvolvimento posterior do texto bizantino, tendo incluído anotações e mesclas de muitos escribas medievais. É provável que A e Pi tenham tido uma origem comum, embora remota. O diagrama abaixo ilustra isso, bem como a natureza geral desses manuscritos:

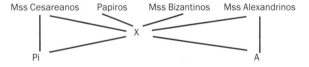

Nesse diagrama, "X" representa a origem comum de Pi e A.

Os mais importantes manuscritos da Família Pi são: Pi, K, Y (unciais); e os minúsculos 112, 1079, 1219, 1500, 1346, 265, 1816, 178, 489, 652, 1313, 389 e 72, alistados segundo a qualidade do texto em comparação ao arquétipo restaurado. (Conteúdo: os evangelhos.)

O termo **tipo de texto** subentende a similaridade do texto originalmente devida à reprodução repetida em uma comum área geográfica. "Família" subentende uma relação bem mais íntima; por estudo, o arquétipo de tais manuscritos pode ser reconstruído, assim reduzindo os muitos membros da família a um só manuscrito, que representa o estado do texto antes da transição para tempos posteriores, por cópias sucessivas.

Apesar que A e Pi representarem ambos uma forma antiga do tipo de texto bizantino, quando diferem um do outro, A tem variantes características dos manuscritos C, L e 33 (tipo de texto alexandrino posterior), ao passo que Pi se caracteriza por variantes comuns às famílias 1 e 13 (texto cesareano).

84 |Artigos introdutórios| NTI

Outros manuscritos minúsculos que merecem atenção são os seguintes:

Ms 28 — Pertence ao século XI, e tem variantes notáveis, seguindo principalmente as diferenças cesareanas, sobretudo no evangelho de Marcos. (Conteúdo: os evangelhos.)

Ms 33 — É chamado "rei" dos manuscritos minúsculos, pois tem bom tipo de texto alexandrino, que é o mais antigo texto existente. Mais adiante neste artigo, damos explicações sobre as naturezas dos tipos de texto e listas de manuscritos referentes a cada grupo. O ms 33 pertence ao século IX, mas contém uma "antiguidade textual" bem maior. É provável que seu escriba tenha copiado um ms. uncial antiqüíssimo, algo raro no caso dos manuscritos minúsculos, mas que ocasionalmente sucedia. (Conteúdo: todo o NT.)

Ms 61 — Não se reveste de importância especial, mas é mencionado por ter sido o primeiro manuscrito grego a ser achado que incluía a passagem de 1João 5.7,8, a "declaração trinitária". Data dos séculos XV ou XVI, e pode ter sido produzido com o fim precípuo de levar Erasmo a imprimir os versículos mencionados. Certamente, esses versículos não faziam parte do original grego, mas se originaram como explicações escribais em certas versões latinas. Do latim, as palavras foram finalmente transferidas para o grego, mas entraram na tradição grega bem mais tarde. Quanto às notas completas sobre a questão, o leitor deveria consultar as evidências dadas em 1João 5.7. (Conteúdo: todo o NT.)

Ms 81 — Data de 1044 d.C. É um dos melhores manuscritos minúsculos, bom representante do texto alexandrino de Atos, concordando com os melhores manuscritos minúsculos e papiros. (Conteúdo: Atos.)

Ms 157 — Data do século XII e representa o tipo de texto cesareano. Trata-se de uma cópia feita para o imperador João Comeno (1118-1143). Muito se parece ao ms 33, porém mais ainda às famílias 1 e 13 e Theta. Um colofão, achado no fim de cada evangelho, afirma que foi copiado e corrigido de "antigos manuscritos, em Jerusalém". Vários outros manuscritos contêm esse mesmo colofão, a saber, o uncial Lambda e os minúsculos 20, 164, 215, 262, 300, 376, 428, 565, 686, 718 e 1071. (Conteúdo: os evangelhos.)

Ms 383 — Vem do século XIII e representa o tipo de texto ocidental. Esse tipo de texto tem várias subdivisões, já que se desenvolveu em áreas geográficas da Europa, Norte da África e Roma. (Conteúdo: Atos, Epístolas Paulinas e Epístolas Católicas.)

Ms 565 — Data do século XIII, mas evidentemente foi copiado de um manuscrito uncial muito mais antigo. Concordando com freqüência com o texto de Theta, é classificado como cesareano, embora também contenha muitas formas alexandrinas. É um dos mais belos entre todos os manuscritos do NT, tendo sido escrito em letras douradas sobre pergaminho púrpura. Contém o colofão mencionado na descrição do manuscrito 157. (Conteúdo: os evangelhos.)

Ms 579 — Pertence ao século XIII, mas preserva texto muito mais antigo, tendo o texto alexandrino em Marcos, Lucas e João, embora seja bizantino em Mateus. Tem dois términos para o evangelho de Marcos. Ver discussão sobre esse problema geral em Marcos 16.9, onde há completa nota textual. (Conteúdo: os evangelhos.)

Ms 614 — É do século XIII, mas tem bom texto representativo do tipo de texto ocidental. (Conteúdo: Atos, Epístolas Católicas e Epístolas Paulinas.)

Ms 700 — Do século XI ou XII, difere do Textus Receptus em 2.724 particularidades, 270 delas completamente singulares em si mesmas. Seu texto é essencialmente cesareano, aliando-se com freqüência aos mss 565 e Theta, quando há variantes. Na versão lucana da oração do Pai Nosso, em lugar das palavras "Venha o teu reino", lê-se "Venha sobre nós o Espírito Santo e nos purifique", conforme os textos conhecidos por Márciom e Gregório de Nissa. (Conteúdo: os evangelhos.)

Ms 892 — Embora date dos séculos IX ou X, deve ter sido copiado de antigo manuscrito uncial, pois representa uma boa forma do texto alexandrino. O escriba preservou as divisões em páginas e linhas do manuscrito uncial, de onde se fez a cópia. (Conteúdo: os evangelhos.)

Ms 1241 — Vem dos séculos XII ou XIII e apresenta o texto alexandrino, concordando freqüentemente com C, L, Delta e 33, quando há variantes no texto. (Conteúdo: todo o NT, exceto o livro de Apocalipse.)

Ms 1424 e Família 1424 — Estes manuscritos apresentam o texto cesareano. O ms 1424 é o mais antigo do grupo, datando do século IX. Tem todo o NT, na seguinte ordem: Evangelhos, Atos, Epístolas Católicas, Apocalipse, Epístolas Paulinas, com um comentário acerca de todos os livros, excetuando o Apocalipse, tendo esse comentário escrito à margem. Outros manuscritos do mesmo grupo são: M, 7, 27, 71, 115 (Mateus e Marcos), 160 (Mateus e Marcos), 179 (Mateus e Marcos), 185 (Lucas e João), 267, 349, 517, 692 (Mateus e Marcos), 827 (Mateus e Marcos), 945, 954, 990 (Mateus e Marcos), 1010, 1082 (Mateus e Marcos), 1188 (Lucas e João), 1194, 1207, 1223, 1293, 1391, 1402 (Mateus e Marcos), 1606, 1675 e 2191 (Mateus e Marcos).

Ms 1739 — Pertence ao séc. X. A importância desse manuscrito não está em seu texto, mas em suas notas marginais, que foram compiladas dos escritos de Irineu, Clemente de Alexandria, Orígenes, Eusébio e Basílio. (Conteúdo do próprio manuscrito: Atos e Epístolas.) O texto é alexandrino.

Ms 2053 — Data do século XIII, contendo o texto de Apocalipse com o comentário de Ecumênio. Alguns eruditos consideram seu texto superior ao de p[47] e Aleph, quanto ao Apocalipse, comparando-o com o códex A, no tocante a esse mesmo livro.

IV. DESCRIÇÃO DAS VERSÕES E ESCRITOS DOS PAIS DA IGREJA

A seguir, apresentamos informações sobre as versões (traduções) feitas com base no grego, juntamente com a identificação quanto ao tipo de texto.

1. **Versão latina** — Há mais traduções latinas do NT do que manuscritos gregos. Crê-se que as primeiras versões latinas vieram a lume em 150 d.C. Alguns estudiosos subdividem as versões latinas em três subcategorias: (a) Africana; (b) Européia; (c) Italiana, que seria uma revisão das outras duas. As citações de Cipriano (259 d.C.) representam a forma africana; as citações de Irineu, a forma européia; e as citações de Agostinho (350 d.C.), a forma italiana. Alguns eruditos disputam essa tríplice divisão, argumentando que o suposto ramo "italiano" é apenas uma forma da Vulgata. Seja como for, os manuscritos que trazem a versão latina em diversas apresentações, antes do advento da Vulgata (a qual foi uma tentativa para harmonizar e consolidar a tradição latina (382 d.C. em diante), são denominados de Latim Antigo.

Em cerca de 382 d.C., o papa **Damasco** confiou a Jerônimo a tarefa de produzir uma versão latina autorizada, com o propósito de eliminar a confusão que surgira naquele idioma com respeito aos manuscritos do NT. Jerônimo queixou-se, diante do papa, de que havia quase tantas versões quanto manuscritos. Ilustrando a veracidade dessa declaração, pode-se frisar que Lucas 24.4-5 tem pelo menos vinte e sete formas variantes nos mss no Latim Antigo que conhecemos, e isso é típico do que sucedeu àqueles manuscritos. Assim é que Jerônimo, utilizando vários antigos manuscritos gregos e latinos, incumbiu-se de pôr em ordem a versão latina. Utilizou-se de manuscritos gregos essencialmente do tipo de texto alexandrino, bem como de manuscritos latinos que tinham uma antiqüíssima forma do texto "ocidental". O resultado de seus labores foi uma boa versão, "ocidental" em seu caráter, porém mais próxima do tipo de texto alexandrino que as cópias posteriores da Vulgata. O seu texto, porém, não era tão bom quanto certos manuscritos no Latim Antigo. Essa tradução (ou compilação) recebeu o título de "Vulgata", que significa "comum" (em latim, "vulgare" significa "tornar comum"). A Vulgata, por conseguinte, tornou-se a Bíblia dos povos latinos.

a. Manuscritos do Latim Antigo, Grupo Africano

1) Códex Palatinus, designado pela letra "e". As versões latinas são comumente identificadas por letras minúsculas, ao passo que as letras "maiúsculas" representam os manuscritos gregos unciais. O códex "e" data do século V, contendo porções dos evangelhos. Apesar do códex Palatinus ser essencialmente africano, foi modificado ao estilo europeu, e é similar ao texto usado por Agostinho.

2) Códex Fleury, designado "h", é um palimpsesto do século VI, ou seja, manuscrito escrito por cima de um manuscrito em pergaminho, que fora usado para outro fim, mas que depois fora apagado. Isso algumas vezes era feito porque o pergaminho era material escasso e de difícil preparo. O manuscrito contém cerca de 1/4 do livro de Atos, juntamente com porções das Epístolas Católicas e o livro de Apocalipse. A tradução é bastante livre, e há muitos equívocos escribais.

3) Códex Bobbiensis, designado "k", data do começo do século V, e é o membro mais importante do grupo africano. Contém apenas cerca da metade de Mateus e Marcos. Há sinais paleográficos que indicam que esse manuscrito foi copiado de um papiro do século II. Contém o fim "mais breve" do evangelho de Marcos. Ver aquele problema textual em Mc 16:9.

b. Manuscritos do Latim Antigo, Grupo Europeu:

1) Códex Vercellensis, designado "a", foi escrito por Eusébio, bispo de Vercelli, que foi martirizado em 370 ou 371. Depois de "k" é a mais importante de todas as versões do Latim Antigo. Contém somente os evangelhos.

2) Códex Veronensis, designado "b", data do século V, com um texto parecidíssimo com o da "Vulgata" que Jerônimo produzira. Contém os evangelhos quase completos, mas na seguinte ordem: Mateus, João, Lucas e Marcos.

3) Códex Colbertinus, designado "c", data do século XII e contém os quatro evangelhos. É essencialmente "europeu" em sua natureza, mas com mistura de formas "africanas".

4) Códex Bezae, designado "d", data do século V. É a porção latina do códex D (Bezae), em grego. O latim não parece ser tradução do grego do mesmo manuscrito, mas preserva um texto latino que representa o século III d.C. Concorda ocasionalmente com "k" e "a", quando todas as demais autoridades diferem. Tem os evangelhos e o livro de Atos.

5) Códex Corbiensis, designado "ff 2", data dos séculos V ou VI, contendo os quatro evangelhos, com um texto similar a "a" e "b".

6) Códex Gigas, designado "gig", data do século XIII, mas contém um texto que representa o século IV, em Atos. Nesses livros, o texto é próximo das citações bíblicas de Lúcifer de Cagliari (na Sardenha). Em um texto de menor valor, o manuscrito tem a Bíblia inteira em latim. É chamado

"Gigas" por ser um gigante entre os manuscritos, pois cada página mede cerca de 51 cm X 92 cm. Além do texto bíblico, contém as "Etimologias" de Isidoro de Sevilha, uma enciclopédia geral em 20 volumes. Alguns o têm chamado de "Bíblia do Diabo", devido à lenda que foi produzida com a ajuda do diabo. Presumivelmente, o escriba que o produziu recebeu tal tarefa por causa de alguma infração contra a disciplina no mosteiro. Esse escriba, porém, não queria fazer penitência, pelo que, em uma única noite, com o auxílio do diabo, a quem conclamara, terminou seu manuscrito. Assim diz a lenda.

c. Os mais importantes manuscritos da Vulgata Latina

1) Códex Amiatinus, 700 d.C., contém toda a Bíblia latina. Muitos críticos o reputam como o melhor manuscrito de todas as versões da Vulgata. É designado "A".

2) Códex Cavensis, designado "C", data do século IX e contém a Bíblia toda.

3) Códex Dublinensis, também chamado Livro de Armagh, data dos séculos VIII ou IX e contém todo o NT, juntamente com a apócrifa Epístola de Paulo aos Laodicenses. Representa o que se chama "irlandesa", que se caracteriza por pequenas adições e assertivas, mas aqui e ali evidentemente sofreu algumas modificações com base em manuscritos gregos cesareanos. Esse manuscrito é designado "D".

4) Códex Fuldensis, designado "F", data entre 541 e 546 d.C. Contém todo o NT, juntamente com a apócrifa Epístola de Paulo aos Laodicenses. O seu texto é ótimo, similar ao de "A". Os evangelhos, nesse manuscrito, são arranjados em uma única e contínua narrativa, evidentemente imitando o "Diatessaron" de Taciano, uma antiga "harmonia" dos evangelhos (cerca de 170 d.C.).

5) Códex Mediolanensis, designado "M", data do começo do século VI e contém os evangelhos. Tem um texto que se equipara em qualidade ao de A e F, pelo que é um dos melhores manuscritos da Vulgata.

6) Códex Lindisfarne, designado "Y", data de cerca de 700 e contém os evangelhos. É um texto similar ao de "A", sendo acompanhado por um interlinear anglo-saxão, a mais antiga forma dos evangelhos no ancestral da Bíblia inglesa.

7) Códex Harleianus, designado "Z", contém os evangelhos e data dos séculos VI ou VII.

8) Códex Sangallensis, designado "n", data do século V, quando talvez Jerônimo ainda vivesse; contém os evangelhos, sendo a mais antiga versão da Vulgata daquela seção do NT.

9) Códex p, data do século X. Contém os evangelhos, escritos em pergaminho púrpura com letras douradas.

Edições da Vulgata — O concílio de Trento (1546) ordenou a preparação de uma edição autêntica da Bíblia Latina, e essa foi executada por ordem do papa Sixtus V, que autorizou sua publicação em 1590. Uma bula papal ameaçava excomungar aqueles que modificassem seu texto, ou imprimissem o mesmo com listas de variante. O papa Clemente VIII, em 1592, publicou outra edição autorizada, que diferia da anterior em quatro mil e novecentos casos. A bula ameaçadora, que acabamos de mencionar, não foi tomada muito a sério, e, mais tarde, declarou-se não ter sido devida e canonicamente promulgada. Eruditos beneditinos, desde o ano de 1907, têm feito um trabalho de revisão da Vulgata Latina; o Antigo Testamento já foi publicado, mas prossegue o trabalho no caso do NT. Em Oxford, um grupo de eruditos anglicanos produziu uma edição com aparato crítico de variantes. Isso foi iniciado por John Wordsworth e H. J. White, que no começo publicaram somente os evangelhos. O último volume, que contém o Apocalipse, foi completado por H. F. D. Sparks, em 1954.

Manuscritos da Vulgata são extremamente abundantes nas bibliotecas, museus e mosteiros da Europa, e é por essa circunstância que existem cerca de dez mil versões latinas. A versão latina (sobretudo o Latim Antigo) nos dá nosso mais importante testemunho sobre o texto do NT, excetuando-se os manuscritos gregos unciais e em papiro. Certamente o Latim Antigo contém melhor representação dos documentos originais ou dos manuscritos minúsculos em grego. Nos manuscritos gregos, o "texto ocidental" está bem representado, especialmente pelo Códex D. A discussão sobre os manuscritos gregos, unciais e minúsculos, demonstrou isso amplamente. O texto "ocidental" se caracteriza por paráfrases, adições, correções, omissões e, algumas vezes, transmissão ou "mudança de ordem" do material. No livro de Atos, o texto ocidental é tão diferente, que constitui outra edição daquele livro. Ali, muito material foi adicionado que é provavelmente autêntico quanto às informações prestadas, mas não representa isso o texto original de Atos.

2. A Versão Siríaca: Se o **Siríaco Antigo** é normalmente identificado com o tipo de texto "ocidental", seu texto não é completo ou coerentemente tal coisa, pois contém mistura de formas puramente alexandrina, e, algumas vezes, um texto todo seu. Apesar de admitirem sua grande similaridade ao texto ocidental, alguns eruditos preferem chamar o Siríaco de "texto Oriental", em distinção ao "texto Ocidental".Os manuscritos siríacos recentes, porém, têm um comum tipo de texto bizantino, como se esperaria com base no desenvolvimento histórico de seu texto, paralelo ao dos manuscritos do NT em geral. As primeiras traduções siríacas provavelmente surgiram em cerca de 250 d.C., um século depois das traduções latinas. O Siríaco, apesar de fornecer-nos antiquíssimo e importante testemunho ao texto do NT, não é tão importante quanto a versão latina.

Os eruditos têm distinguido na tradição siríaca cinco níveis diferentes ou versões distintas, a saber:
a. O Siríaco Antigo
b. O Peshitto, ou Vulgata Siríaca
c. O Filoxeniano
d. O Harcleano
e. O Siríaco Palestino
Os manuscritos importantes desse grupo, alistados, segundo as divisões acima, são os seguintes:

a. O Siríaco Antigo

Preserva somente os evangelhos, e é representado apenas por dois manuscritos.

1) Códex Sinaiticus, designado Si^s, data dos séculos IV ou V, e é o mais importante da tradição siríaca. Tem afinidades com o tipo de texto ocidental e alexandrino, embora tenha bom número de variantes que são distintamente suas, de tal modo, que se diz que representa o texto "Oriental".

2) Códex Curetoniano, designado Si^c, data do século V. Exibe texto um tanto mais recente e inferior do que o Sinaiticus, mas ocasionalmente lhe é superior. Seja como for, os dois manuscritos representam, de modo geral, a mesma tradição textual.

Fora dos evangelhos, o Siríaco Antigo não sobreviveu com os manuscritos existentes. Sabemos algo do que era sua natureza mediante citações do NT por parte dos pais orientais da Igreja. Porções do comentário de Efraem, contido em cópias gregas e armênias, provêem informações sobre o caráter "Oriental" desse texto.

b. O Peshitto

Essa versão surgiu pelos finais do século IV, provavelmente a fim de suplantar as versões divergentes e em luta do Siríaco Antigo, mais ou menos como a Vulgata Latina suplantara o Latim Antigo. O "cânon" do Peshitto contém apenas 22 livros, já que 2Pedro, 2 e 3João, Judas e Apocalipse não foram aceitos como livros autorizados na igreja oriental de alguns lugares, senão já em data posterior. Até que a erudição recente mostrasse outra coisa, geralmente se supunha que o "Jerônimo" da Versão Siríaca fosse Rábula, bispo de Edessa (411-431 d.C.), porém agora pensa-se que sua versão foi a "pré-Peshitto", que assinalou a transição do Siríaco Antigo para o Peshitto posterior. O Peshitto é representado por 350 manuscritos existentes, alguns dos quais recuam até os séculos V ou VI. Os mais antigos manuscritos do Peshitto têm muito das formas ocidental e alexandrina, e até mesmo os posteriores são essencialmente ocidentais fora do evangelho. Os evangelhos, entretanto, na maioria dos manuscritos posteriores ao Peshitto, evidenciam o tipo de texto bizantino.

c. e d. As Versões Filoxeniana e/ou Harcleana

Os críticos textuais têm visto ser quase impossível deslindar os problemas textuais que envolvem essas versões. Os dois textos são designados Si^{ph} e Si^h. Mediante colofões dos próprios manuscritos, alguns têm pensado que a versão teve sua origem com Filoxeno, bispo de Mabugue, em 508, e que ela foi reeditada em 616, por Tomás de Harkel (Heraclea), bispo de Mabugue, o qual, supostamente, teria adicionado algumas notas marginais baseadas em alguns poucos antigos manuscritos gregos. Outros afirmam que Tomás de Harkel fez uma revisão completa, produzindo uma versão distinta. Se houve ou não duas versões, foi nesse tempo (durante o século VI) que as Epístolas Católicas menores e o Apocalipse (que até então eram rejeitados), foram adicionados ao "cânon" das igrejas sírias. No livro de Atos, o texto Harcleano é distintamente ocidental, e um dos mais importantes testemunhos desse tipo de texto; mas fora de Atos, o texto bizantino se impôs. Há cerca de 50 manuscritos que representam essa versão, ou versões. O melhor manuscrito desse grupo data de 1170; um dos manuscritos existentes, porém, data do século VII, outro é do século VIII, sendo dois do século X, e o restante, posterior a essa data.

e. O Siríaco Palestino

Essa tradição é designada Si^{pal}, e data do século V. Somente três manuscritos restantes representam essa versão, além de alguns fragmentos. Os manuscritos têm um dialeto siríaco diferente dos demais manuscritos siríacos conhecidos, dialeto esse que pode ser com exatidão apodado de Aramaico Ocidental ou "Judaico". Parece que Antioquia foi seu ponto de origem, e esse texto evidentemente era usado só na Palestina. O tipo de texto dessa versão é misto, embora alguns o chamem de Cesareano.

3. A Versão Copta — O copta era a forma mais recente da antiga língua egípcia, que até os tempos cristãos era escrita em hieróglifos, mas que afinal adotou as letras maiúsculas gregas como símbolos. No tocante aos manuscritos do NT, há duas variações (dialetos) em seu texto, dependendo da localização geográfica: o Saídico, do sul do Egito, que tem manuscritos que datam do século IV; e o Boárico, do norte do Egito, que tem um manuscrito do século IV, e o resto de origem posterior. Após o século IV, esses manuscritos se multiplicaram grandemente, e o resultado é que há muitas cópias atualmente. Crê-se que a origem do Saídico é do século III, mas que o Boárico é um

86 |Artigos introdutórios| NTI

tanto mais tardio. Ambas as versões concordam essencialmente com o tipo de texto alexandrino, embora o Saídico, nos evangelhos e no livro de Atos, tenha mescla ocidental.

4. O Armênio — Essa tradição teve seu começo no século V. Já foram catalogados 2.000 manuscritos. Alguns são do tipo de texto "cesareano", mas outros são bizantinos, o que se poderia esperar da data tardia em que essa tradição começou. Alguns eruditos apontam para Mesrope (falecido em 439 d.C.), um soldado que se tornou missionário cristão, como originador da versão armênia, presumivelmente traduzida do grego. Outros dizem que quem criou a versão, traduzindo-a do siríaco, foi o Católico Saaque (Isaque, o Grande, 390-349), segundo diz Moisés de Corion, sobrinho e discípulo de Mesrope. Alguns dizem que Mesrope a criou, com a ajudar de Saaque.

5. A Versão Geórgica — O povo de Geórgia caucásica, um distrito montanhoso agreste, entre os mares Negro e Cáspio, recebeu o evangelho durante a primeira parte do século IV. Supomos que a tradição geórgica de manuscritos não começou muito depois disso; mas não possuímos quaisquer manuscritos de tempo anterior a 897. Seu tipo de texto é cesareano. Nos evangelhos temos o códex Adysh (897) e o códex Opiza (913), e suas designações são Geó (1) e Geó (2)

6. A Versão Etíope — Essa tradição conta com manuscritos do século XIII e de datas posteriores. Há cerca de mil manuscritos ao todo, representantes dessa versão. Pertencem ao tipo de texto bizantino, o que é natural, levando-se em conta o início tardio dessa tradução, em uma época em que o texto bizantino era dominante.

7. A Versão Gótica — Algum tempo depois dos meados do século IV, Ulfilas, apelidado Apóstolo dos Godos, traduziu a Bíblia do grego para o gótico, um antigo idioma germânico. Agora temos apenas alguns poucos fragmentos do século V em diante. São do tipo de texto essencialmente bizantino, com mistura de formas ocidentais. O texto bizantino representado nessa versão, porém, é de variedade anterior àquela que veio a ser solidificada no Textus Receptus.

8. A Versão Eslavônica: O NT foi traduzido para o Búlgaro Antigo, usualmente chamado Eslavônico Antigo, logo após os meados do século IX. Restam apenas alguns poucos manuscritos que datam do século IX em diante. Essa tradição tem um tipo de texto bizantino.

9. As Versões Árabes e Persas — Alguns poucos manuscritos têm sido preservados nesses idiomas; mas a maioria dos eruditos crê que têm pouca importância para a crítica textual do NT. No tocante ao árabe, os problemas estudados são complexos, e continuam sem solução, pelo que é possível que essa versão seja mais importante do que se supõe. Todavia, não há nenhum manuscrito árabe anterior ao século VII, e não é provável que qualquer coisa de monta resulte de manuscritos cuja data é tão posterior.

OS PAIS DA IGREJA

As citações dos antigos pais da Igreja, dos séculos I a VI, nos têm provido rica fonte de informações sobre o texto do NT. Essas citações são **numerosíssimas**, de tal modo que o NT inteiro poderia ser reconstituído por meio delas, mesmo sem a ajuda dos manuscritos gregos e das versões. Só as citações de Orígenes (254 d.C.) contêm quase todo o NT. O problema das "citações", como é óbvio, é que muitas delas eram feitas de memória, pelo que são inexatas, sobretudo as mais breves, que raramente eram copiadas. Apesar disso, essas citações são uma valiosa ajuda, e é fácil determinar o "tipo de texto" de onde os pais as retiraram. O desenvolvimento histórico do texto do NT pode ser percebido pelas citações dos pais, e não meramente pelos próprios manuscritos. Os mais antigos pais citam os tipos de texto alexandrino e ocidental, entre os quais alguns poucos são cesareanos, e somente na época de Luciano, no século IV, é que surge um tipo de texto bizantino; mesmo assim, trata-se de uma forma anterior desse texto, e não do texto posterior e mesclado que transparece no Textus Receptus. Na seção VI deste artigo, sobre os manuscritos antigos do NT, discutem-se os princípios da restauração do texto; e nesse material o leitor achará uma lista dos **tipos de textos** que os pais citaram. Deve-se notar que as citações do NT, nos escritos dos pais, são extremamente numerosas e compreensivas antes do século IV, mas nenhum pai, dos séculos I e IV, usou manuscritos que representam o texto bizantino. Isso é assim porque esse texto não existia antes do século IV, pois foi um desenvolvimento histórico do texto, mediante mescla e harmonias escribais, comentários e anotações, e não o texto original do próprio NT. Pode-se também observar, no tocante às versões, que nenhum texto bizantino existia antes do século IV. Contudo, até mesmo os manuscritos bizantinos diferem dos mais antigos, nos papiros, em apenas 15% do texto; e a maior parte dessa diferença consiste de variações na soletração, na substituição de sinônimos etc., isto é, coisas de importância relativamente pequena. Quando ocorrem variantes importantes, usualmente não é muito difícil determinar a forma original, e apenas bem raramente os críticos textuais supõem que a forma se perdeu completamente.

OS PAIS DA IGREJA E SUAS DATAS

Atos de Paulo e Tecla, II d.C.	Cipriano, 250	Gregório (Nazianzeno), 389	Porfírio, III
Africano, Júlio, III	Cirilo, 444	Gregório (de Nissa), IV	Primásio, VI
Ambrósio, 379	Diálogo de Timóteo e Áquila, V	Irineu, II	Prisciliano, 385
Ambrosiastro, IV	Didache, 130	Isidoro Pelus, V	Pseudo-Inácio, V
Apolinário, IV	Dionísio, III	Jerônimo, 420	Pseudo-Vergílio, V
Atanásio, 373	Doroteu, VI	Justino, II	Rufino, 410
Agostinho, 430	Efraem (sírio), 378	Lúcifer, 371	Teodoro, IV/V
Barsalibi, 1171	Epifânio, 402	Márciom, II	Tertuliano, II/III
Beda, 735	Eusébio, 340	Nono IV	Ticônio, IV
Crisóstomo 407	Eutálio, V	Orígenes, 254	Vergílio, V
Clemente Alexandrino, 212	Evangelium Patri, II	Papias, II	
Pseudo-Clemente, Homílias, II e IV	Evangelium Hebraeos, I	Pelágio, IV/V	
Clemente Romano, I	Fulgêncio 533	Policarpo, 155	

V. FONTES DE VARIANTES NOS MANUSCRITOS

Conforme é bem sabido, não temos nenhum documento **original** de obras dos tempos antigos, e isso inclui os próprios documentos bíblicos. Portanto, qualquer restauração do texto depende de cópias. É verdade também que, embora haja 5.000 manuscritos gregos e milhares de traduções em vários idiomas, não existem dois documentos que sejam exatamente iguais. Até mesmo quando um manuscrito era copiado de outro, surgiam diferenças entre os dois. Sabemos, por exemplo, que o manuscrito designado E é cópia do manuscrito D2, e que o manuscrito 489 é cópia do 1219, embora, na cópia, diversas variantes textuais tenham aparecido nesses manuscritos. Um escriba cuidadoso do evangelho de Mateus, que realmente procurasse evitar variantes, produziria talvez 20 variantes por acidente, descuido, transposição de palavras, homoeoteleuton e homoeoarcteton, sinônimos, haplografia etc. Um escriba descuidado, que copiasse um livro do tamanho do evangelho de Mateus, facilmente produziria várias centenas de variantes. Alguns escribas modificavam propositalmente passagens que se adaptassem às suas doutrinas preconcebidas, e muitos deles "harmonizavam" passagens, especialmente entre os evangelhos e entre Colossenses e Efésios. O ideal dos críticos textuais é restaurar o texto do NT até sua forma perfeitamente original. Apesar de esse ideal talvez nunca ter podido efetivar-se antes do descobrimento dos próprios originais ou "autógrafos", todos aqueles que estão enfronhados nesse mister sabem que, a despeito de não ter atingido seu alvo absoluto, esse ideal tem sido alcançado numa aproximação notável. O NT é o mais bem confirmado de todos os documentos da história antiga, e a abundância de evidências, na forma de manuscritos gregos, traduções e citações dos primeiros pais da Igreja, tem tornado possível a restauração de seu texto a um grau realmente admirável.

Apresentamos a seguir os motivos dos erros e das variantes, nos manuscritos antigos do NT:

a. Variantes não-intencionais:
⊙ erros **mecânicos**, equívocos da pena;
⊙ **transposição** de letras ou palavras;

- ⊙ **substituição** de sons similares ou de letras e palavras similares;
- ⊙ **confusão** de letras e palavras, com outras de forma e sentido diverso;
- ⊙ omissão simples, não-intencional;
- ⊙ omissão por **homoeoteleuton** — salto de uma palavra para outra, devido a términos semelhantes, ou de uma sentença ou parágrafo para outro, devido a términos semelhantes em ambos, com a omissão das palavras intermediárias;
- ⊙ omissão por **homoeoarcteton** — salto de uma palavra para outra devido a começos semelhantes, ou de uma sentença ou parágrafo para outro, por causa de começos semelhantes em ambos, com omissão das palavras intermediárias;
- ⊙ **haplografia** — omissão de uma palavra repetida na mesma sentença, usualmente quando a repetição se dá sem palavras diversas intermediárias. Assim, "verdadeiramente, verdadeiramente", tornou-se apenas "verdadeiramente".
- ⊙ **ditografia** — repetição errônea de uma palavra ou sentença, ou parte de uma sentença, como quando "verdadeiramente" se tornou "verdadeiramente, verdadeiramente";
- ⊙ **interpolação** — adição de algo, talvez primeiramente à margem, talvez como comentário, explicação ou harmonia com outra passagem, mas que, subseqüentemente, tornou-se parte do próprio texto; tal "comentário" é incluso no texto, e os demais escribas não mais o omitem. Nos manuscritos do NT, as interpolações eram freqüentemente feitas por "memória", quando o escriba se lembrava de outra passagem com fraseado similar, o que o impelia a adicionar algo. (Ver Cl 1.14 quanto a uma variante textual dessa natureza.) Algumas interpolações não eram intencionais, sendo adicionadas por rotina ou inadvertência. Outras, porém, naturalmente, eram propositais.
- ⊙ erros de **acentuação** — Ocasionalmente, a má colocação ou ausência de um acento fazia diferença no sentido das palavras. Às vezes, os escribas se equivocavam quanto à acentuação, criando essas variantes.
- ⊙ erros devidos à **divisão faltosa** de palavras — Os manuscritos antigos não traziam espaços entre as palavras. Ocasionalmente, divisões diferentes de palavras resultam em uma compreensão diferente das sentenças.
- ⊙ variantes **ortográficas** — As palavras do grego antigo, devido à falta de padronização em dicionários escritos, e devido à existência de vários dialetos, tinham muitas formas diversas na soletração. Ocasionalmente, uma soletração diferente pode nos envolver em um modo gramatical diferente, ou mesmo em dois vocábulos diversos, de significado totalmente diferente. Além disso, certas vogais ou ditongos que têm o mesmo som, podiam ser confundidos e um ser substituído por outro. Assim, com freqüência, dava-se entre "umon" e "emon", estabelecendo diferença entre o pronome da segunda e da primeira pessoa. O ditongo "ai" veio a ser pronunciado do mesmo modo que a vogal "e", com o resultado que o imperativo plural, na segunda pessoa, veio a ser pronunciado (em seu final) como o infinitivo passivo e médio, com modificação natural na significação. Essas formas de "desastres" ortográficos são numerosas no grego posterior.
- ⊙ erros em **manuscritos ditados** — Alguns manuscritos eram ditados de um escriba para outro, e o fato deste último não "ouvir corretamente" provocava muitas variantes no texto.
- ⊙ variantes e erros devido à **restauração** de certos manuscritos mutilados, que eram usados como exemplares na cópia, ou que eram simplesmente restaurados a fim de serem usados.

b. Variantes intencionais:

- ⊙ **harmonia proposital** de uma passagem com outra, maximé nos livros que têm passagens similares em outros livros. Isso sucedeu com freqüência nos evangelhos, e em Colossenses em confronto com Efésios.
- ⊙ **melhoramentos** gramaticais ou de estilo — Livros como Marcos e Apocalipse, que com freqüência tinham um grego deficiente no original, foram aprimorados por escribas eruditos.
- ⊙ variantes **litúrgicas** — para fazer uma passagem mais bem adaptada ao uso litúrgico, alguns escribas faziam modificações, omissões e adições.
- ⊙ variantes **suplementares** ou restaurativas — Alguns escribas se arrogavam o direito de adicionar narrativas ou comentários aos originais, a fim de dar melhores informações ou explicações. Ocasionalmente, tais adições contêm material histórico e geograficamente autêntico.
- ⊙ **simplificação** de frases difíceis — A tentativa de melhor entendimento levou alguns escribas a modificarem os originais. Onde o grego é difícil de entender, pode-se esperar simplificações e modificações.
- ⊙ **adições,** a fim de injetar doutrinas em uma passagem, onde elas não figuram no original. 1João 5.7, a "declaração trinitária", é um claro exemplo disso. Havia também modificação para evitar alguma "doutrina difícil". Assim, em João 1.18, as palavras "Deus, o único gerado", foram modificadas para "Filho único gerado" ou "Filho unigênito", como simplificação que busca evitar a dificuldade de explicar o que significaria o conceito de um Deus gerado. Os escribas não perceberam que uma pausa solucionaria o problema, a saber: "único gerado, o próprio Deus", de tal modo que "único gerado" ou "unigênito" se refere ao "Filho", ao passo que o vocábulo "Deus" alude à sua natureza essencial.

Dessas e de outras maneiras, milhares de variantes entraram nos antigos manuscritos do NT, e o trabalho de muitos críticos textuais tem sido o de restaurá-lo.

VI. PRINCÍPIOS DA RESTAURAÇÃO DO TEXTO

Tem sido mister examinar, comparar e selecionar laboriosamente os manuscritos do NT, a fim de se saber quais são os melhores, não somente quanto à data, mas também quanto à data do texto. Esse estudo tem levado não só a um melhor conhecimento dos manuscritos, individualmente considerados, mas ao entendimento de que, a grosso modo, pelo menos, eles se dividem em vários grupos ou tipos de texto, usualmente seguindo áreas geográficas específicas onde foram produzidos. Os críticos textuais não mais apenas computam o número de manuscritos de que se favorece certa variante, pois sabem que foram os manuscritos posteriores e inferiores, e não os melhores e mais antigos, que foram grandemente multiplicados. Portanto, quase sempre, a variante errônea é a que conta com o maior número de manuscritos a seu favor, pois foi durante a Idade Média que se multiplicou o maior número de manuscritos; e então já se desenvolvera um texto **mesclado**, que continha muitas notas, harmonias, comentários e modificações feitas por escribas medievais. A luta por manter o Textus Receptus no trono, por pessoas honestas, mas equivocadas, que usualmente lêem deficientemente o grego e pouco ou nada conhecem no campo da crítica textual, é essencialmente a luta por reter a "bagagem" que o texto foi adquirindo através de séculos de transição. Tais pessoas ignoram o fato de que o texto bizantino (uma sua forma posterior se acha no Textus Receptus) nem ao menos existia senão já no século IV. Nenhum manuscrito grego ou versão traz essa forma antes disso, e nem se acha nos escritos de qualquer dos país da Igreja. Aqueles que consideram o NT um documento inspirado não deveriam ansiar por reter as notas feitas por escribas medievais, negligenciando ignorantemente os papiros, os primeiros manuscritos unciais e os escritos dos primeiros país da Igreja, os quais usavam um NT mais puro do que qualquer coisa do texto bizantino. Tudo isso é questão de registro histórico.

Ao tratar com a massa de 5.000 manuscritos gregos, 10.000 versões latinas, vários milhares de manuscritos em outras versões e intermináveis citações do NT feitas pelos primeiros país da Igreja, foi sendo descoberto, mui gradualmente, que, a grosso modo, os manuscritos, versões e citações podem ser reduzidos a tipos de textos representativos. O primeiro passo de desvio para fora dos originais foi o texto alexandrino. **Escribas eruditos** aprimoraram a gramática e o estilo dos autores originais e intercalaram algumas interpolações. Contudo, o texto alexandrino é quase puro, talvez com a porcentagem de 2% ou 3% de erro. O primeiro passo radical para longe do texto original ou neutro (neutro, por não ter modificações, por ter permanecido puro, conforme era originalmente) foi dado na igreja ocidental. Muitas omissões e adições (algumas vezes de material historicamente autêntico, mas que não fazia parte dos originais) tiveram lugar. Escribas ocidentais algumas vezes, faziam paráfrases e transpunham material. Contudo, na contagem numérica real, as modificações do texto ocidental, quando confrontadas com os originais, não são muitas. Algumas vezes, o texto ocidental repele "interpolações" alexandrinas; e, nesses casos, está correto em comparação a todos os demais tipos de texto, pois as interpolações quase sempre foram retidas pelos textos cesareano e bizantino. Em seguida (cerca do século III), houve a mescla de manuscritos ocidentais e alexandrinos, sendo produzido o tipo de texto cesareano. Maior mescla ainda, juntamente com variegadas modificações, produziu o texto bizantino. Todas as "fontes de variantes", ventiladas sob o ponto V deste artigo, operavam antes dos meados do século IV, e o texto bizantino (também chamado sírio ou **koiné**), resultou disso. Mais adiante, de mais particular, consideraremos os tipos de texto. Notemos agora a teoria da descendência textual, que é aceita pela maioria dos eruditos modernos, pelo menos de modo geral:

Os originais do NT foram completados nos fins do primeiro século, ou talvez, no caso de alguns livros, no começo do segundo século. À proporção que iam sendo enviadas cópias às várias principais áreas geográficas do mundo, o palco foi-se armando para os **tipos de texto,** que representam tanto desenvolvimentos históricos do texto, como modificações nos originais que vieram a ser associados a determinadas áreas geográficas e centros cristãos. Em Alexandria, um centro de erudição, cópias dos originais, contemporâneas dos próprios originais, receberam certas modificações gramaticais e de estilo, além de pequena dose de interpolações escribais, modificando as cópias originais na proporção de 2% ou 3% do texto. Através de vários séculos, os manuscritos que se originaram nessa área, talvez tenham recebido tanto quanto 5% de modificação. Entrementes, em Roma e áreas circundantes, antes de 150 d.C., estava tendo lugar uma modificação mais radical do texto, o que nos deu o tipo de texto **ocidental**, além do **alexandrino**. O texto ocidental foi submetido a adições de algum material autêntico, nos evangelhos e no livro de Atos, que não estava contido nos originais, isto é, algumas poucas declarações e incidentes da vida de Jesus e dos apóstolos, além de informações topográficas. Muitas excisões e adições, entretanto, foram feitas meramente com base nas predileções dos escribas. A tradição latina, que começou em cerca de 150 d.C., naturalmente refletia o texto grego das regiões onde o texto ocidental era produzido. Márciom usou esse tipo de texto, tal como o fez (provavelmente) Taciano, e, mais tarde, Irineu, Tertuliano e Cipriano; e, com base nisso, temos informações pelo menos bastante exatas sobre quando se desenvolveu esse tipo de texto. Pelos meados do segundo século, já estava bem desenvolvido, embora manuscritos posteriores dessem mostras de níveis variegados um pouco mais remotos dos autógrafos do NT.

No tocante ao texto cesareano, alguns supõem que teve origem no Egito, tendo sido levado a Cesaréia por Orígenes, de onde foi trazido a Jerusalém. Vários testemunhos cesareanos têm o chamado colofão de Jerusalém (descrito sob o ms 157, na seção III deste artigo); e isso dá a entender que pelo menos alguns manuscritos cesareanos foram produzidos naquela localidade. Tal como no caso dos demais tipos de texto, há "níveis" no tipo de texto cesareano, que refletem séculos anteriores ou posteriores. Os manuscritos que Orígenes trouxe do Egito, refletidos em P (45), W (Mc 5.31—16.20), Fam. 1, 13 e vários lecionários gregos, pertenciam a uma forma anterior desse texto.

No desenvolvimento subseqüente, encontramos um texto mais remoto dos autógrafos do NT, preservado em Theta, 565, 700, em algumas citações de Orígenes e Eusébio, na versão Armênia Antiga, e em alguns manuscritos do Siríaco Antigo. O texto cesareano parece ter-se desenvolvido originalmente da mesma dos textos alexandrino e ocidental, e teve seu surgimento nos fins do século II, que é o recuo máximo, porém, mais provavelmente, desenvolveu-se essencialmente no século III. Com a passagem do tempo, esse texto assumiu certa quantidade de material incomum tanto ao texto alexandrino quanto ao texto ocidental, pelo que não é mera mescla daqueles dois. Assim sendo, tornou-se menos homogêneo dentre os grupos de texto. Historicamente falando, isso foi apenas outro estágio no desenvolvimento na direção do texto bizantino.

O primeiro pai da igreja a citar o texto bizantino foi Luciano, dos primórdios do século IV. Alguns supunham que o próprio Luciano ou algum associado ou associados é quem preparou um texto "mesclado", que tentava harmonizar cópias variantes que tinham chegado à atenção deles. Se houve ou não uma revisão proposital do texto, o certo é que, pela época de Luciano, veio à existência um texto mesclado, que agora chamamos de bizantino, antioqueano ou "Koiné"; e virtualmente não existe erudito que não reconheça esse texto como secundário. O fato de que nenhum ms grego e nenhuma versão contém o texto bizantino senão a partir do século V serve de prova absoluta de seu surgimento tardio; e devemos lembrar que nenhum dos pais da Igreja o citou, embora as citações feitas pelos pais dos três primeiros séculos sejam numerosíssimas, de muitos lugares do mundo, até ao século IV. Se o texto bizantino existisse antes dos fins do século III ou dos primórdios do século IV, seria impossível que tantos pais da Igreja, antes desse tempo, e espalhados por todos os centros do cristianismo, tivessem evitado citá-lo. Deve-se notar também que as citações desse texto, feitas por Luciano, e o texto do códex A, nos evangelhos (século V, nosso mais antigo testemunho em seu favor) são de um "remoto texto bizantino", e não daquele que transparece no Textus Receptus, que representa um tempo quando muitas outras formas e modificações já tinham sido incorporadas ao texto, acerca do que Luciano nada sabia.

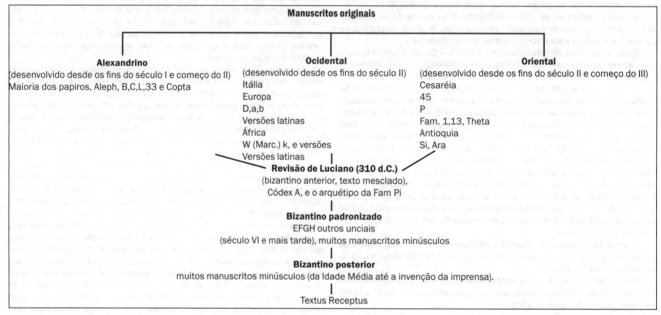

DIAGRAMA DOS TIPOS DE TEXTO

A discussão acima indica algo tanto do desenvolvimento históricos dos tipos de texto como suas importâncias relativas. Os princípios citados a seguir, relacionados à restauração do texto, no que se aplica aos tipos de texto, decorrem desses fatos:

1. O texto bizantino, isoladamente, está sempre **errado**. Em outras palavras, se em favor de alguma forma, temos somente manuscritos bizantinos, é quase impossível que isso represente a forma original.

2. O texto ocidental, isoladamente, **raramente** representa o original. A exceção a isso é quando o texto ocidental é mais breve que o alexandrino, sobretudo quando manuscritos cesareanos e bizantinos também são mais breves. Nesse caso, escribas ocidentais evidentemente não copiaram certas "interpolações" do texto alexandrino. Essas formas são denominadas por certos eruditos de "não-interpolações ocidentais". Algumas vezes, desse modo, escribas ocidentais retiveram o original, em contraposição a todos os outros tipos de texto.

3. O texto alexandrino, embora isolado, com freqüência retém a forma original, em contraposição a modificações posteriores que figuram nos demais tipos de texto. Isso é verdade porque, quanto à data real, o texto alexandrino é mais antigo, faltando-lhe aquela "bagagem" posterior que se foi acumulando na transição do texto. Portanto, se tivermos um papiro, que, juntamente com Aleph e Vaticanus, favorece alguma forma, contra todos os demais testemunhos, apesar do vasto número de manuscritos que algumas vezes dizem o contrário, esses poucos manuscritos ainda assim preservam a forma do autógrafo. (Ver a variante em João 1.18, quanto à ilustração acerca disso).

4. O texto alexandrino, quando concorda com o ocidental, **quase sempre** representa o original. As exceções são raríssimas, pois.

5. O texto cesareano, isoladamente, **raramente** ou **nunca** representa o original. A forma em Mt 27.15, "Jesus Barrabás" (quanto ao nome daquele homem), ao invés do simples "Barrabás", talvez seja exceção a isso. Nesse caso, somente determinados escribas da parte ocidental do mundo, permitiram que Barrabás se chamasse Jesus, embora fosse esse um nome comum naqueles dias. Portanto, a maioria dos escribas apagou o termo "Jesus". Essa forma, que faz o texto cesareano ser corrigido em relação a todos os demais, na realidade é apenas um acidente de transmissão textual, e não um desenvolvimento natural e esperado disso. Em favor da forma aqui aludida temos Theta, Fam. 1 e o Si. Essa forma era conhecida de Orígenes, embora ele a tenha rejeitado, não pode ser algo textualmente impossível, mas porque cria que o nome de Jesus não deve ser usado quanto a malfeitores (em Mt Comm. ser. 121).

Outros princípios utilizados na determinação do texto original do NT, juntamente com notas sobre a evidência acerca dos tipos de texto:

1. **É impossível** chegar-se ao texto original meramente com a contagem do número de manuscritos que concordam com as variantes. Os manuscritos mais recentes e inferiores foram grandemente multiplicados, durante a Idade Média. Isso é ABC no estudo do texto, sujeito a grande comprovação dos fatos, com base na consideração das versões e citações dos pais da Igreja, bem à parte dos próprios manuscritos gregos. Procurando determinar a forma original, mediante a escolha da variante que conta com o maior número de manuscritos, quase sempre somos levados à decisão errônea.

2. A contagem dos manuscritos mais antigos, por exemplo, os unciais dos primeiros seis séculos, é que mais freqüentemente nos fornecerá a forma original, e não o método acima mencionado; mas isso também é maneira incerta de determinar a forma original. Um ou dois manuscritos unciais, apoiados por um papiro, mais provavelmente terá a forma original do que aquela variante apoiada por uma dúzia de manuscritos dos séculos V ou VI. Devemos lembrar que os estudos textuais têm podido reconstituir a "história" do texto, sabendo-se quando as variantes penetraram no texto. Portanto, supor, apenas por força do argumento ou de preconceito, que alguns dos manuscritos posteriores foram copiados de manuscritos mais antigos, do que alguns dos manuscritos verdadeiramente antigos, é um exercício de futilidade. Um manuscrito pode ser datado, não meramente segundo o "tempo de produção", mas também de acordo com a "data do texto" representada. As citações dos pais da Igreja e o desenvolvimento das versões, possibilitam-nos datar as "datas do texto" dos manuscritos com bastante exatidão. Há alguns poucos "manuscritos posteriores" que encerram datas de texto remotas; e sabe-se quais são esses manuscritos. Não há adivinhação nesse tipo de pesquisa, pois há material abundante com que trabalhar, e derivado de muitos séculos. Quando um manuscrito posterior tem uma data de texto antigo, geralmente se afasta do texto bizantino, aproximando-se dos textos alexandrino e ocidental, ou, em alguns casos menos radicais, aproximando-se do texto bizantino antigo, afastando-se de um período bizantino posterior.

3. Além de notarmos o tipo de texto geral de cada manuscrito que presta a sua evidência a uma forma particular, é mister determinar que nível daquele tipo de texto é representado pelo manuscrito em pauta, remoto ou posterior. Todos os membros de cada tipo diferem entre si. Seguindo o que é sugerido aqui, a data do texto do manuscrito em questão pode ser determinada, e não meramente a data real de sua produção. A data do texto de um manuscrito é mais importante que a mera data de sua produção.

4. Deve-se dar preferência às "formas mais breves", já que era natural que os escribas ornassem o texto, tornando-o mais longo, ao invés de abreviarem o mesmo. Uma exceção a isso ocorre quando os escribas encurtam a fim de simplificar. "Formas mais longas" do que os autógrafos, entretanto, são muito comuns no NT, sobretudo devido à atividade harmonizadora, particularmente nos evangelhos e em outros lugares onde um livro é similar a outro, como no caso das epístolas aos Efésios e aos Colossenses.

5. As formas "difíceis" usualmente representam o original, já que foram sujeitadas à simplificação ou aclaramento, atividade essa que produziu variantes. O texto de João 1.18 é um bom exemplo disso. A fim de evitar a doutrina aparentemente difícil do "Deus unigênito", escribas modificaram o texto para o familiar "Filho unigênito". Gramática deficiente também foi corrigida, sobretudo quando o erro gramatical torna difícil a compreensão.

6. Deve-se notar qual das variantes sob consideração **mais provavelmente** foi a causa da mudança no texto. A variante que parece ser a "causa" da modificação representa o texto original. Hb 10.34 é um excelente exemplo disso: há três formas desse versículo. Uma delas diz: "Tivestes compaixão de mim em minhas cadeias." Outra declara: "Tivestes compaixão de minhas cadeias." E a terceira afirma: "Tivestes compaixão dos prisioneiros". Na forma traduzida, no que toca a esse caso em particular, é impossível determinar qual dessas três variantes provocou as outras duas. No grego, porém, a tarefa torna-se fácil. A forma original era "prisioneiros" (confirmada em A D (1) H e nas versões latinas e siríacas em geral). Trata-se do termo grego **desmiois**. Acidentalmente, um "iota" foi retirado do vocábulo, produzindo **desmois** ou "cadeias" (confirmado em P (46) Psi 81 e citado desse modo por Orígenes). Entretanto, asseverar: "Tivestes compaixão de cadeias" não faz um bom sentido. Por isso os escribas adicionaram a palavra "minhas", o que resultou em: "Tivestes compaixão de minhas cadeias", conforme Aleph e a tradição "koiné" em geral dizem.

7. Se todos esses métodos expostos falharem, e a forma continuar em dúvida (o que raramente sucede), então será mister julgar pelo estilo e pelos hábitos do autor original. Considerando aquilo que certamente é autêntico no livro, pode-se determinar, em muitos casos, que palavra ou expressão o autor original mais provavelmente teria utilizado. Considerando sua posição doutrinária normal, podemos julgar algumas variantes que têm importância doutrinária. Talvez seja necessário considerar igualmente os hábitos dos escribas dos manuscritos, especialmente na escolha dos sinônimos e na soletração dos vocábulos. Um escriba podia introduzir em um manuscrito muitas variantes desse tipo, levando-o a tornar-se ainda mais afastado do autógrafo do que o manuscrito que era copiado.

Os tipos de texto e os testemunhos que lhes dizem respeito:

O que expomos a seguir deve tornar bem evidente que tipos de texto são mais antigos e valiosos. Deve-se observar que quase todos os papiros ficam sob os tipos de texto alexandrino e ocidental, o que também se dá no caso das citações dos pais da Igreja. Deve-se notar que os tipos de texto cesareano e bizantino não contam com a confirmação de testemunhos senão já no século III, e mais tarde.

1. Tipo de texto alexandrino e seus testemunhos:
Papiros: Papiros de números 1,3,4,6,8 (parte), 10,11,13,14,15,16,18,20,23,24,26,27,28,31,32,33,34,35(parte), 39,40,43,44,45(parte), 46,47,49,50,51(parte), 52,54,55,56,57,58,59, 60,61,62,65,67,71,7274 e 75.
Unciais: Aleph, A (exceto no caso dos evangelhos), B,C,L,T,W,Xi e Psi.
Minúsculo: 33,579,892,1241,3053 e 2344.
Versões: Copta, parte do Latim Antigo e do Siríaco Antigo.
Pais: Atanásio, Orígenes, Esíquio, Cirilo de Alexandria, Cosmas Indicopleustes (parte).

2. Tipo de texto ocidental e seus testemunhos:
Papiros: Papiros de números 5,8 (parte), 19,25,27,29,35(parte), 36(parte), 38, 41 e 48.
Unciais: D,W (nos evangelhos), D E F e G (nas epístolas).
Versões: Latina, Siríaca (parte) e Etíope.
Pais: O grupo inteiro dos pais latinos ou ocidentais, e os pais sírios até cerca de 450 d.C. Alguns pais gregos, pelo menos em parte: Irineu, Taciano, Clemente de Alexandria, Eusébio, Orígenes (parte), Márciom, Hipólito, Tertuliano, Cipriano, Ambrósio, Agostinho, Jerônimo e Pelágio.

3. Tipo de texto oriental ou cesareano, e seus testemunhos:
Papiros: Papiros de números 37 e 45(parte).
Unciais: Theta, W(em Marcos), H³, N e O.
Minúsculos: Fam 1, Fam 13, Fam 1424, 565 e 700.
Versões: Geórgica, Armênia e alguma Siríaca.

4. Tipo de texto bizantino e seus testemunhos:
Papiros: P. 42, 68. Que o tipo de texto bizantino tenha dois papiros representantes pode parecer significativo a princípio, para aqueles que preterem o Textus Receptus como bom representante do NT original. Mas toda essa aparente significação desaparece quando consideramos duas coisas: primeiro, esse texto é representado por dois papiros só, que incorporam somente 18 versículos (Lc 1.54,55; 2.29-42; 1Co 4.12-17, 19-21; 5.1-3); segundo, esses mss datam dos séc. VII e VIII, bem dentro do tempo em que o texto bizantino não só já se desenvolvera, mas também fora padronizado em vários mss unciais. Portanto, que esses mss foram escritos no material de nome "papiro" foi apenas um acidente histórico, não indicando antiguidade verdadeira ou excelência de texto.

Unciais: O número maior de manuscritos unciais, após o século V, pertence ao tipo de texto bizantino. Nada há nisso de estranho, pois o texto bizantino antigo já estava desenvolvido na primeira porção do século IV. Provavelmente, a revisão de Luciano (começo do século IV), que produziu uma espécie de padronização e texto mesclado, foi questão de primeira importância ao fazer escribas posteriores copiarem e multiplicarem o tipo de texto bizantino. Portanto, temos E,F,G,H,R,P,S,U,V,W (em Marcos e porções de Lucas), Pi, Psi, Ômega (todos nos evangelhos). O códex A tem forma antiquíssima do texto bizantino nos evangelhos, e talvez represente a revisão de Luciano. Fora dos evangelhos, esse manuscrito é alexandrino, e nos próprios evangelhos retém muitas formas alexandrinas que o Textus Receptus perdeu. Data do século V pelo que já seria de se esperar que tivesse esse tipo de texto, pois o texto alexandrino e os demais, mais próximos dos autógrafos originais, já haviam sido mesclados no texto bizantino antigo. O resto dos manuscritos alistados, exceto W, são dos séculos VI e depois. No livro de Atos, o texto bizantino é representado por H,L,P, e S; no Apocalipse, por 046, 051 e 052.

Minúsculos: A maior parte de todos os manuscritos minúsculos, que data do século IX e depois dele, porquanto esse estilo de escrita à mão não era usado antes desse tempo, encerra o tipo de texto bizantino. Isso é natural, considerando-se suas datas tardias, bem como o fato de que bem antes do século IX o texto já fora padronizado e mesclado e que esse texto mesclado subseqüentemente foi multiplicado muitas vezes.

Versões: Esse texto é representado pelo Peshitto e pelo Eslavônico. O Siríaco Antigo, porém, é ocidental, com alguma mistura de cesareano e alexandrino.

Pais: Luciano (310 d.C.) exibiu o texto bizantino em seus primeiros estágios de desenvolvimento; pais da Igreja comparativamente tardios, como Crisóstomo (407 d.C.), Gregório de Nissa (395 d.C.) e Gregório Nissense (389 d.C.) usaram o texto bizantino com estágios diversos de seu desenvolvimento.

VII. ILUSTRAÇÕES DE COMO AS FORMAS CORRETAS SÃO ESCOLHIDAS, QUANDO HÁ VARIANTES NO TEXTO

1. Mt 12.47:
"E alguém lhe disse: 'Tua mãe e teus irmãos estão lá fora e querem falar-te' " (ARA).
Os manuscritos que contêm esse versículo são C,D,Z,Theta, a tradição bizantina em geral e os manuscritos latinos a,b,c,f,g,e,h.
E os manuscritos que omitem o versículo são Aleph, B,L, Gamma, os manuscritos latinos ff e k, e a tradição siríaca em geral.

|Artigos introdutórios| NTI

Em primeiro lugar, deve-se notar que os mais antigos manuscritos omitem esse versículo. Nenhum manuscrito antes do século V o exibe. Notemos que os manuscritos da tradição alexandrina também o omitem. Embora a vasta maioria de manuscritos o exiba, não são eles manuscritos importantes e fidedignos, para nada dizermos de sua origem comparativamente recente. Examinando a evidência, parece que o versículo foi adicionado pela primeira vez na igreja ocidental, onde os escribas manuseavam o texto mui livremente. Dali o versículo também passou para o grupo cesareano, que foi antiga mescla dos textos alexandrino e ocidental. Naturalmente, essa tradição foi transportada para a tradição bizantina, ou seja, para a grande maioria de manuscritos, pois esse texto raramente omite qualquer "bagagem" acumulada no texto. A adição parece ter sido, originalmente, uma glosa escribal supérflua, baseada sobre informações claramente implícitas no vs. 46, que o antecede. A evidência esmagadora, porém, favorece a omissão.

2. Mc 3.32:

"Eis que tua mãe, teus irmãos e tuas irmãs estão de fora, perguntando por ti".

Reter "tuas irmãs", A, D, it, got, minus. Omit: Aleph, B, L, W, Theta.

Em contraste com a ilustração anterior, aqui a decisão é difícil. As palavras "e tuas irmãs" são omitidas na tradição alexandrina em geral e no tipo de texto cesareano em geral. São retidas nas tradições ocidental e bizantina ("koiné"). Do ponto de vista dos tipos de texto, a decisão pareceria fácil, pois a omissão é bem mais provável. Entretanto, poderia ser argumentado que a forma "mais difícil" é a adição, já que, historicamente falando, é altamente improvável que as irmãs de Jesus acompanhassem sua mãe e seus irmãos em busca dele. Os costumes orientais dificilmente permitiriam tal coisa. Todavia, contra a ideia de que isso faria a adição sobre as **irmãs** tornar-se a forma mais difícil, é perfeitamente possível que escribas posteriores, com sua mente bem afastada dos costumes orientais, mecanicamente tenham expandido a lista a fim de incluir as irmãs. Não é provável que as palavras tivessem sido omitidas deliberadamente (se fossem autênticas), meramente por não serem sugeridas nos vss. 31 e 34, onde são mencionados os parentes de Jesus. É possível, porém, que, porque o próprio Jesus mencionou o termo "irmãs", em 10.29, alguns escribas tenham transportado esse vocábulo para o texto, no vs. 32, embora seja provável que Jesus não tenha feito nenhuma alusão direta às suas irmãs, no cap. 10. Parece altamente provável, pois, que a omissão é a forma correta, e certamente a evidência textual positiva e objetiva assim o indica.

3. Lc 11.13:

"Se vós, pois, sendo maus, sabeis dar boas dádivas aos vossos filhos, quanto mais dará o Pai celestial o Espírito Santo àqueles que lho pedirem?"

Os manuscritos que contêm as palavras **Espírito Santo** são P (45) Aleph, A B C R L, a Vulgata Latina, os pais da Igreja, Márciom e Tertuliano, bem como a tradição bizantina em geral.

Em lugar de "Espírito Santo", o manuscrito D e as versões latinas em geral dizem **boa dádiva**. O manuscrito cesareano Theta traz o plural, **boas dádivas.**

Em prol dos termos "Espírito Santo", deve-se notar que a totalidade das tradições textuais, excetuando-se a ocidental, retém essa forma, que também é citada por alguns dos pais ocidentais da igreja, pelo que nem mesmo a tradição ocidental favorece solidamente a modificação. É provável que "boa dádiva" (ou "boas dádivas") tenha tido origem em um mero equívoco da pena de um escriba, em momento de descuido, devido à influência das palavras anteriores, "boas dádivas", já genuinamente contidas no versículo. Esse "equívoco" subseqüentemente foi multiplicado, por ter sido copiado em outros manuscritos do tipo de texto ocidental, além de alguns poucos manuscritos do grupo cesareano.

4. Hb 10.34:

"[...] tivestes compaixão de mim em minhas cadeias..."

Este versículo, conforme se diz anteriormente, figura em Aleph, Clemente e a tradição bizantina em geral.

A forma "[...] **tivestes compaixão dos prisioneiros...**" figura em A,D,H,33 e na maioria das versões latinas e siríacas.

"[...] tivestes compaixão de cadeias..." é a forma de P (46), Psi, 81, e das citações de Orígenes.

Já que há manuscritos alexandrinos em favor de todas as três formas, a decisão não pode ser tomada estritamente segundo as evidências dos tipos de texto. Há espécies de variantes dificílimas, pois devemos abordar outras considerações além das de caráter textual objetivo. A evidência textual "objetiva" parece favorecer a segunda ou a terceira dessas formas. Mas a solução se deriva da observação a respeito de qual das três formas tenha, provavelmente, provocado as outras duas. A forma das variantes, na tradução, apenas nos diria que a terceira não é provável, já que faz pouco sentido; mas quando examinamos os termos gregos envolvidos, a solução torna-se fácil. O original sem dúvida era: "[...] tivestes compaixão dos prisioneiros", que traria o vocábulo grego "desmiois" (prisioneiros). Por acidente, em algumas cópias, foi omitida a primeira letra **iota**, produzindo o termo "desmois", que significa "cadeias", fazendo o texto dizer: "[...] tivestes compaixão de cadeias". Isso, porém, não tinha sentido, pelo que outros escribas adicionaram o termo "minhas"

("mou"), fazendo com que o texto dissesse: "[...] tivestes compaixão de minhas cadeias". Essa forma, entretanto, conforme se pode perceber, surgiu como correção de um equívoco, pelo que dificilmente representa o original.

O que fizemos acima, no caso de quatro variantes, é apenas minúsculo exemplo de como as formas corretas são escolhidas quando há variantes no texto. Nas notas críticas do comentário, existem todas as explicações do "Comentário Textual do Novo Testamento Grego", das Sociedades Bíblicas Unidas. Estas notas ventilam um grande número de variantes do NT, estabelecendo os princípios mediante os quais as formas corretas devem ser solucionadas. A leitura daquele comentário dará aos interessados uma prática abundante na escolha das formas corretas.

VIII. ESBOÇO HISTÓRICO DA CRÍTICA TEXTUAL DO NT

Alguns dos primeiros pais da Igreja, sobretudo Orígenes e Jerônimo, observaram as muitas variantes que tinham entrado no texto, criando confusão; e se preocuparam com isso, e ocasionalmente tentaram opinar sobre o assunto, distinguindo formas melhores de piores. Entretanto, foi somente após a **invenção da imprensa** que se fez qualquer coisa de coerente e significativo no campo da crítica textual do NT. Mesmo depois da invenção da imprensa, o NT grego já surgiu tardiamente na cena dos textos impressos. O primeiro grande produto da imprensa de Gutembergue foi uma magnificente edição da Bíblia; mas essa era a Bíblia de Jerônimo, a Vulgata Latina, publicada em Mains, entre 1450 e 1456. Pelo menos cem edições da Bíblia latina se seguiram, dentro dos cinqüenta anos seguintes. Em 1488, uma edição da Bíblia hebraica completa foi impressa de Soncino, na Lombardia; e antes do ano 1500 já tinham sido publicadas Bíblias em várias línguas vernáculas da Europa ocidental, a saber, em tcheco (boêmio), francês, alemão e italiano. Parte da demora na produção do NT grego se deveu à preparação de um caráter tipográfico aceitável para a igreja. De modo geral, foi reproduzida a aparência geral da forma manuscrita grega minúscula, mas os impressores a princípio incorreram no erro de tentar duplicar os muitos tipos variegados de letras, combinações de letras etc., que se achavam nos manuscritos, pelo que tinham uma fonte de cerca de 200 caracteres diferentes, ao invés dos 24 necessários. **Finalmente,** toda essa variação foi abandonada, excetuando-se o "sigma" que se escreve no fim ou no meio das palavras, que diferem entre si.

1. O Cardeal Ximenes, em 1502, começou a compilar um manuscrito grego para ser impresso. O mesmo, porém, não veio à lume, senão já em 1522.

2. Erasmo (1516) foi o primeiro a compilar e imprimir o NT grego. Antes de 1535, esse texto já passara por quatro edições. O terceiro desses tinha o texto que posteriormente recebeu o nome de Textus Receptus. Esse nome, a princípio, foi apenas um "artifício" de propaganda, um louvor exagerado do impressor de uma edição do tipo de texto que Erasmo usou. O termo não veio à existência senão em 1624, quando os irmãos Bonaventure e Abrahan Elzevir, impressores em Leiden, fizeram a jactância de elogiarem a própria publicação: "(o leitor tem) o texto que é agora recebido por todos, no qual nada damos de modificado ou corrompido". Contudo, esse texto foi uma forma posterior do texto bizantino, que a erudição moderna tem mostrado não ser evidenciado por nenhum tipo de testemunho, como manuscritos gregos, versões ou citações dos pais, senão a partir do século IV. E, mesmo quando surge um testemunho em prol desse texto "mesclado", é de variedade antiqüíssima do mesmo, bem mais próximo ao original do NT do que é o Textus Receptus, que reflete um estágio do desenvolvimento do texto grego quando já se acumulara volumosa bagagem através dos séculos. O poder que o Textus Receptus obteve se deveu ao fato de que não teve competidores na forma de textos impressos por longo tempo; e, por causa disso, aqueles que usavam o NT grego impresso, como base de suas traduções, naturalmente produziam o NT nos idiomas vernáculos que retinham as muitas formas que o Textus Receptus solidificara, mas que não faziam parte do NT original. O povo se acostumara com essas formas, e suspeitava de quem ousasse pronunciar-se contra elas.

A defesa ao Textus Receptus, na realidade, é uma defesa às várias "traduções" feitas do mesmo, com as quais os povos se tinham familiarizado. Aquilo que nos é familiar, ao que já creditamos certa lealdade, e que é "aceito" por nós, devido à "familiaridade", estabelece no cérebro certa "cadeia de reações", e tudo quanto ouvimos ou lemos que não se adapta a essa cadeia, nos faz sentir impacientes. Essa "impaciência" é tomada como se fosse uma **reação espiritual** contra algo, quando tudo não passa de uma reação cerebral à familiaridade ou não-familiaridade. Devido a essa reação cerebral, que aceita o familiar e repele o não-familiar, muitas formas, que constituem cerca de 15% do texto do NT, mas que não podem ser achadas em nenhum dos manuscritos gregos antes do século IV, e nem em nenhum outro testemunho, a maior parte do qual só penetrou no texto em cerca do século VI, quando o texto bizantino veio a ser padronizado, continuam aferradas ao texto sagrado. Poucos entre aqueles que defendem essas formas ao menos conhecem a sua história, e nem ao menos sabem que os manuscritos que serviram de base para sua compilação eram posteriores e inferiores em qualidade.

Manuscritos usados na compilação do Textus Receptus (TR):

Ms 1, datado do século X d.C. Esse manuscrito pertence ao tipo de texto cesareano.

Ms 2, datado do século XII, o principal manuscrito usado por Erasmo, representa o estágio mais corrompido do tipo de texto bizantino (nos evangelhos).

Ms 2 (Atos e Paulo), data do século XIII e representa o texto bizantino posterior.

Ms 1 (Apocalipse), data do século XII,e vem do texto bizantino posterior.

Além dos manuscritos gregos, Erasmo dependeu da **Vulgata Latina** quanto a algumas formas, especialmente no caso dos versículos finais do Apocalipse, para os quais ele não dispunha de nenhum manuscrito grego. Deve-se notar que ele não contava com nenhum manuscrito em papiro, que agora testifica sobre mais de 3/4 do NT, fazendo-nos retroceder ao século II. Não tinha também nenhum manuscrito grego uncial, dos quais agora possuímos cerca de 250, datados dos séculos IV ao IX. Infelizmente, Erasmo não fez melhor utilização nem mesmo dos manuscritos que tinha, porquanto o ms 1, do grupo cesareano, é muito superior aos demais, que ele mais usou. Ele evitou esse texto por causa de sua suposta natureza "errática". Mas tudo ele fez na ignorância, não tendo nenhuma noção dos princípios da crítica textual, pois naquilo em que o texto do citado manuscrito era "errático", era porque lhe faltavam as anotações, modificações e harmonizações, além de outras espécies de erros feitos pelos escribas medievais, que tinham produzido um texto imensamente "mesclado" e expandido.

A história da crítica textual é, essencialmente, a **eliminação** dos 15% de bagagem que os manuscritos gregos do NT tiveram de sobrecarregar durante os séculos da transmissão do texto por meio de cópias à mão. Essa "sobrecarga" veio a ser solidificada no Textus Receptus. Naturalmente, a maior parte desses 15% não se reveste de nenhuma importância, pois envolve soletração de palavras, ordem diferente de palavras, sinônimos etc. A despeito disso, porém, há variantes importantes que envolvem questões doutrinárias, e que justificam tudo quanto se tem feito na área da crítica textual. No entanto, o Textus Receptus e os papiros apresentam a mesma mensagem. O acúmulo inteiro de variantes não conseguiu modificar a mensagem, nem mesmo nas minúcias. No entanto, há certa dose de **rearranjo** de versículos que ensinam qualquer dada doutrina, pois o estudo tem eliminado alguns "textos de prova" e tem adicionado outros. Por exemplo, a divindade de Cristo é ensinada em João 1.18, nos mss alexandrinos, mas não nos mss bizantinos. Em 1Tm 3.16, os mss bizantinos têm este ensino, mas os mss alexandrinos, não. As diversas outras passagens centrais que ensinam a sua divindade não trazem variantes críticas, pelo que a doutrina transparece com igual clareza nos textos alexandrino ou bizantino. Se cremos ou não na divindade de Cristo, isso não depende da crítica textual — ou crítica baixa — e, sim, da "alta crítica", isto é, daquela espécie de investigação ou raciocínio que vai além do que o texto diz, levando em conta muitos outros fatores, certos ou errôneos. Até mesmo os estudiosos mais liberais têm de admitir que o NT ensina a divindade de Cristo, mas muitos deles repelem esse ensinamento por outros motivos, históricos ou teológicos. E aqueles que se apegam à ideia da "inspiração verbal" deveriam ser os mais ansiosos por **restaurarem** o texto e eliminarem a bagagem de 15%, ainda que, de modo geral, nenhuma questão doutrinária importante esteja envolvida.

3. Muitas edições, de vários impressores, compiladas por diversos eruditos, mas que retinham o texto geral do Textus Receptus, foram impressas após a época de Erasmo. De 1546 em diante, Estéfano imprimiu várias edições do texto grego, que eram essencialmente parecidas ao Textus Receptus.

4. Beza, amigo e sucessor de Calvino, em Genebra, publicou nada menos de nove edições do NT grego, entre 1565 a 1604, e uma décima edição foi publicada postumamente, em 1611. Quatro delas eram edições independentes (as de 1565, 1582, 1588 e 1598), ao passo que as demais eram reimpressões em pequeno número. Embora Beza possuísse o códex D, designado "Bezae" em honra a seu possuidor, sendo esse o principal representante do texto **ocidental** (bem superior ao bizantino, embora contendo suas falhas), seu NT grego não se desviou muito do Textus Receptus. Suas edições tenderam por popularizar e estereotipar o Textus Receptus. Os tradutores da King James Version (Bíblia inglesa autorizada), muito se valeram das edições de Beza, de 1588-1589 e 1598.

5. Os irmãos Elzevir, Bonaventure e Abrahan, impressores em Leiden, publicaram sete edições do NT grego, seguindo bem de perto o Textus Receptus. Suas edições vieram a ser intensamente usadas nos Estados Unidos da América, tal como as de Estéfano foram usadas intensamente na Inglaterra.

6. De 1516 e 1750, o Textus Receptus reinou sozinho, devido à ausência da competição, para reconhecer o valor comparativo dos manuscritos.

7. Em 1707, foi dado um grande passo avante, porém, quando John Mill preparou um "aparato crítico", utilizando-se dos manuscritos ABCD(2) e E(2) e K, paralelamente a vários manuscritos minúsculos, incluindo a rainha dos minúsculos, o ms33. Isso forneceu aos eruditos os meios para a compilação de um texto melhor; mas o próprio Mill não se aventurou a imprimir um texto diferente, mas antes, reteve o Textus Receptus. Mill compilou variantes entre 3.040 dos quase 8.000 versículos do NT, tendo usado 100 manuscritos ao todo; e também discutiu sobre as evidências patrísticas. Antes desse tempo (1575), o Dr. John Fell, deão da Igreja de Cristo, e depois bispo de Oxford, fizera

algo similar, e até usou o códex B (Vaticanus), e evidências extraídas das versões gótica e boárica; mas o seu erro consistiu de não separar numa lista as evidências dos manuscritos, tendo meramente indicado por números quantos manuscritos concordavam com cada variante, o que é quase inútil como base para a tomada de decisões em prol ou contra as formas. Por conseguinte, a obra de Mill foi muito mais significativa em termos de **avanço** da crítica textual.

8. J. Bengel (1734), um erudito luterano, deu um grande passo à frente quando começou a classificar as formas como: a. excelentes — supostas como originais; b. melhores — formas tradicionais impressas nos textos gregos (da variedade do Textus Receptus); c. tão boas quanto às formas dos textos impressos conhecidos; d. inferiores — formas que devem ser rejeitadas. Ele usou o aparato e as confrontações de Mill, e adicionou algo de sua lavra. Bengel também iniciou a divisão das formas em categorias de tipos de texto, aludindo a textos **asiáticos** e **africanos.** Abandonou o método de meramente "contar o número" de manuscritos quanto a qualquer variante, pois o mero número em favor de qualquer forma não indica autenticidade.

Embora Bengel fosse homem de grande piedade pessoal, tendo feito avanços significativos em favor da restauração do NT grego original, foi perseguido e chamado inimigo das Santas Escrituras.

9. Jacó Wettstein (1693-1754), nativo de Basle, melhorou o texto e foi o primeiro que usou letras maiúsculas para os manuscritos gregos unciais, e letras minúsculas para os manuscritos gregos minúsculos. Por haver **mexido** no texto, foi deposto de seu pastorado e exilado. Mais tarde, porém, obteve a posição de professor de filosofia e hebraico, no colégio arminiano de Amsterdã, e reiniciou seus estudos textuais. Em adição ao material textual, provou um léxico de citações de autores gregos, latinos e rabínicos, que continua sendo valioso tesouro da coletânea clássica, patrística e rabínica. Pessoalmente, ele não publicou nenhum novo texto do NT grego, mas provou muitos novos confrontos e melhorou os antigos, que se tornaram valiosos para os eruditos posteriores. Continuou a usar o Textus Receptus em suas publicações, e lançou as bases para o eventual afastamento daquele texto.

10. Johan Salomo Semler melhorou o conhecimento das "classificações" dos manuscritos do NT, distinguindo três revisões, a saber: a. alexandrina, derivada de Orígenes, de manuscritos siríacos e das versões boárica e etíope; b. oriental, com os textos antioqueano e constantinopolitano (manuscritos usados pelas igrejas daquelas áreas); c. ocidental, com as versões e os pais latinos. Embora seus dois primeiros tipos de texto estivessem bastante confusos devido a elementos heterogêneos, pelo menos ele viu que tais classificações podiam ser úteis no estudo textual.

11. Antes do tempo que poderia ser chamado de "período da crítica moderna", outros seguiram a Semler. William Bowyer (1699-1777) usou e melhorou a obra de Wettstein, afastando mais ainda do texto do Textus Receptus. Compilou quase 200 páginas de emendas conjecturais, que diziam respeito ao texto e à pontuação do NT grego. Bowyer foi um dos **mais eruditos** impressores ingleses de quem há qualquer registro.

12. Eduardo Harwood (1729-1794), um ministro não-conformista inglês, de Londres, em 1776, publicou uma edição em dois volumes do texto do NT, que se afastou do Textus Receptus em mais de 70% das variantes ventiladas. Quanto aos evangelhos e ao livro de Atos, ele usou o códex Bezae, e quanto às epístolas paulinas usou o ms D (2), o Claromontanus, ou seja, utilizou-se de um tipo de texto **ocidental**. Entretanto, consultou outros manuscritos e incluiu anotações sobre particularidades especiais.

13. Johan Jakob Griesbach (1745-1812) marca o início da moderna crítica textual. Ele alistou os manuscritos em três grupos: a. Ocidental; b. Alexandrino; c. Bizantino. Foi por esse tempo que o Textus Receptus, nos círculos da erudição em geral, começou a perder terreno. Evidência esmagadora estava sendo montada para comprovar sua inferioridade, para todos quantos quisessem dedicar tempo a essas considerações. Os textos de Griesbach, tal como os de Bengel e Semler, incluíam elementos heterogêneos. Por exemplo, ao grupo alexandrino ele atribuiu os escritos de Orígenes, os manuscritos unciais, C,L e K, e as versões boárica, armênia, etíope e siríaca harcleana. Isso está longe de um **tipo de texto** viável, mas combina o que agora se sabe pertencer aos tipos de texto alexandrino, cesareano e bizantino. Contudo, sua identificação de manuscritos "bizantinos" posteriores (onde fez muitas identificações corretas) como inferiores, foi um grande avanço para o texto do NT, afastando-o do texto mesclado que estava preservado no Textus Receptus. Além de seu trabalho com os tipos de texto, Griesbach estabeleceu muitas regras valiosas para os críticos textuais. Por exemplo, ele preferiu as formas mais breves, exceto quando estivessem envolvidos homoeoteleuton, homoeoarcteton, ou outros fatores. Além desse "cânon" de formas mais breves, ele tinha catorze outras regras básicas para os críticos textuais.

14. Karl Lachmann (1793-1851), preferindo os manuscritos A,B,C e partes dos manuscritos H e P, fez voltar o texto ao século IV. Ele se afastou totalmente do Textus Receptus, e publicou um NT baseado em seu aparato. Foi o primeiro erudito a romper claramente com o Textus Receptus, tanto no aparato quanto nas notas, bem como no uso de um texto grego totalmente diferente. Lachmann foi amargamente perseguido pelo que fizera, por homens

|Artigos introdutórios| NTI

que deveriam ser melhores conhecedores dos fatos, considerando o estágio a que a crítica textual chegara por esse tempo. Alguns se queixavam de que ele se firmou sobre alguns poucos códices; e em muitos lugares isso expressa uma verdade. Não obstante, eram manuscritos verdadeiramente antigos e fidedignos, e o descobrimento dos papiros provou que Lachmann tinha razão na maioria de suas decisões.

15. Na Inglaterra, nos meados do século XIX, foi Samuel P. Tregelles (1813-1875) quem teve maior sucesso em fazer os eruditos ingleses perceberem a falácia do apoio ao Textus Receptus. Ele continuou e melhorou a obra de Lachmann, fazendo retornar o texto do NT aos séculos II e III d.C.

16. Lobegott Friedrich Constantin von Tischendorf (1815-1874) é aquele a quem devemos maior agradecimento, devido à sua contribuição ao estudo do texto do NT. Escreveu mais de 150 livros e artigos, a maior parte dos quais diretamente ligados à crítica bíblica. Entre 1841 e 1872, preparou oito edições do seu justamente famoso Testamento Grego, que contém grande massa de evidência, grega, patrística e das versões. É lamentável que ele não tenha tido nenhum acesso aos papiros; pois, nesse caso, sua obra até hoje se situaria entre as melhores e mais completas. Foi ele quem descobriu pessoalmente o códex Sinaiticus, e, por causa disso, sua preferência exagerada por suas formas pode ser descontada. Deu preferência, quase sempre a qualquer forma que tivesse em seu favor tanto a Aleph (Sinaíticus) quanto a B (Vaticanus); e, ao fazer assim, naturalmente, ele quase sempre tomou a decisão correta. Sua preferência exagerada por Aleph, e o fato de que lhe faltava a evidência prestada pelos papiros, tornava impossível para ele avançar o texto até século I de nossa era; mas podemos estar certos de que esse tipo de texto representa um desenvolvimento não posterior ao século II, com pequeníssima porcentagem de erro. Seu texto é essencialmente **alexandrino**, de tipo bem remoto. Tischendorf fazia seu trabalho como uma tarefa divinamente determinada. Escreveu à sua noiva: "Estou diante de uma incumbência sagrada, a luta para recuperar a forma original do NT".

17. Caspar Renê Gregory preparou para o texto de Tischendorf uma valiosa "Prolegomena", e a publicou em três partes (Leipzig, 1884, 1890 e 1894). Esse volume foi publicado mais tarde na Alemanha, em três volumes, sob o título "Textkritik des Neuen Testamentes" (Leipzig, 1900-1909). **O sistema** de designar os manuscritos unciais mediante letras maiúsculas, e os manuscritos minúsculos por números, as versões latinas por letras minúsculas, e os papiros pela letra "P", bem como a designação dos manuscritos gregos unciais por "0", e mais um número (de vez que todas as letras gregas e latinas já haviam sido usadas), foi o sistema usado por Gregório, em parte tomado por empréstimo e em parte inventado; e esse é o sistema que até hoje se usa.

18. Henry Alford (1810-1871) é mais bem lembrado devido a seu comentário sobre o NT grego, mas também merece ser mencionado por sua defesa vigorosa dos princípios textuais que vários dos eruditos acima mencionados tinham formulado. De acordo com suas próprias palavras, ele trabalhava visando "à demolição de uma reverência indigna e pedante em favor do texto recebido, que se interpunha no caminho de toda a oportunidade de descobrir a genuína Palavra de Deus (página 76 de seu **Prolegomena** ao Testamento Grego, com um texto criticamente revisado).

19. Em 1881, Brooke Foss Westcott (1825-1901) e Fenton John Anthony Hort (1828-1892) publicaram a edição crítica mais digna de nota do NT grego que já aparecera até seus dias. Foi publicada em dois volumes, um com o texto, e o outro com uma introdução e apêndice, no qual se exibiam os princípios críticos sobre os quais se fundamentava o texto deles, juntamente com a discussão de várias passagens problemáticas. Esses homens refinaram os princípios exarados por Griesbach, Lachmann e outros, e distinguiram quatro tipos de texto: a. neutro — o grupo de manuscritos que atualmente chamamos de "alexandrino remoto"; b. alexandrino — que hoje em dia chamamos de !"alexandrino posterior", compostos dos mss C,L, códex 33, das versões coptas e das citações dos pais da Igreja, Clemente, Orígenes, Dionísio, Dídimo e Cirilo. Esses manuscritos foram por eles contrastados com o tipo **neutro** (ou o que julgavam ser o puro texto original, com modificações desprezivelmente pequenas), que era representado pelos mss Aleph e B. É que não contavam com os papiros, a maioria dos quais também teria sido situada no grupo dos manuscritos "Neutros", se tivessem tido a oportunidade de examiná-los. c. ocidental — composto do ms D e das versões latinas, Dᵖ e das citações de Márciom, Taciano, Justino, Irineu, Hipólito, Tertuliano e Cipriano. d. Siríaco ou aquilo que atualmente denominaríamos bizantino — composto de manuscritos posteriores, nenhum mais antigo que o século V, e a maioria posterior ao século VI, dos quais o Textus Receptus era a forma mais recente. A erudição mais recente tem confirmado, de modo geral, os princípios textuais de Westcott e Hort, embora o "Neutro" seja atualmente reconhecido como texto não verdadeiramente neutro, mas representante de texto antiqüíssimo, que incluía pouquíssimas interpolações e correções gramaticais feitas por escribas eruditos, que tentaram eliminar a natureza desajeitada e a gramática deficiente dos autores originais do NT.

Westcott e Hort é que cunharam a expressão **não-interpolações ocidentais,** em alusão aos lugares do texto ocidental onde haviam sido omitidas as interpolações "neutras", ou simplesmente não eram conhecidas nas localidades geográficas onde os manuscritos de cunho ocidental eram produzidos. Portanto, ficamos sabendo através disso que eles reconheciam que o seu texto "Neutro" não era 100% puro, e, por conseguinte, não era 100% neutro.

20. Bernhard Weiss (1827-1918), professor de exegese neotestamentária em Kiel e Berlim, produziu um texto do NT grego em três volumes, em Leipzig, 1894-1900. Embora operando sob princípios diferentes, na escolha das variantes, o texto de Weiss mostrou-se notavelmente similar ao de Westcott e Hort. Ele classificou os tipos de erros, e, quando os achava, eliminava-os do texto. Esses erros são: a. harmonizações, sobretudo nos evangelhos; b. intercâmbio de palavras; c. omissões e adições; d. alterações da ordem de palavras; e. variações ortográficas. Ele observou que formas seriam mais apropriadas ao estilo e à teologia de cada autor sagrado, e escolheu as variantes que pareciam mais bem harmonizar-se com o intuito geral do texto. Portanto, seu método foi essencialmente "subjetivo"; mas, mesmo assim, ele veio a encarar o códex B (**Vaticanus**) como o melhor manuscrito isolado, coincidindo assim com a opinião de Westcott e Hort. Foi natural, pois, que Weiss, não menos que vários eruditos antes dele, se tenha afastado tanto do texto do Textus Receptus.

21. Hermann Freiherr Von Soden (1852-1913) publicou uma maciça e monumental edição do NT, intitulado "Die Schriften des Neuen Testamentes in ihrer altesten erreichbaren Textgestalt hergestellt auf Grund ihrer Textgeschichte; I. Teil, Untersuchungen (Berlim, 1902-1910); II Teil, Text mit Apparat (Gottingen, 1913). Seus princípios textuais, porém, representam um retrocesso — ao ponto de alguns terem chamado sua obra de "fracasso magnificente".Ele realizou, porém, uma grande obra no texto bizantino, conferindo-nos muitas classificações válidas quanto aos níveis de seu desenvolvimento; e é devido a isso que é relembrado, até onde vai a sua contribuição para os estudos textuais. Ele dividiu os manuscritos em três tipos de texto, cada qual representando uma área geográfica onde esses supostos textos se desenvolveram. Assim sendo, teríamos: I, para Jerusalém; K, para **koiné**, o nosso bizantino; e H, para o pai da Igreja Hesíquio, que equivalia mais ou menos ao texto "Neutro" de Westcott e Hort, já que aquele pai usou uma variedade bem remota do texto alexandrino. Von Soden situou nesses três grupos, tipos de manuscritos, bem diversos, de tal modo que somente a classificação "koiné" pode mostrar-se autêntica. Além disso, ele preferia o grupo "I", como o mais próximo do original, e assim preferiu usualmente formas que hoje em dia chamaríamos de "ocidental", ainda que seu grupo "I" sob hipótese alguma fosse um texto ocidental coerente. Situou ele nesse grupo os manuscritos D e Theta, um ocidental e outro cesareano, e tão diversificado era esse suposto texto "I", que lhe foi mister imaginar dezessete subgrupos. De maneira equivocada, von Soden normalmente escolhia aquelas variantes que tinham os dois simples votos dos três grupos, embora se deva admitir que ele também tenha lançado mão de alguns outros princípios gerais. Não obstante, o texto que ele produziu era muito inferior ao de Westcott e Hort e de seus antecessores imediatos.

22. Eberhard Nestle (1851-1913) preparou uma edição do NT grego para a Wurtembergische Bibelanstalt, Stuttgart, 1898, que atualmente já passou por 26 edições, tornando-se a edição mais usada e famosa de todos os Novos Testamentos gregos. Seu texto se baseia essencialmente sobre uma comparação dos textos editados por Tischendorf, Westcott e Hort e Berhard Weiss (todos já descritos neste artigo), de tal modo que, onde dois dos três concordam, isso é reputado como a forma original. Deve-se dizer, porém, que a 26ª edição não segue essa regra inflexivelmente, porquanto são extraídas novas evidências dos lecionários e de outros manuscritos que antes não eram incluídos.

23. O Novo Testamento Grego das Sociedades Bíblicas Unidas: (três edições, a terceira, 1975). O texto grego deste NT é igual ao texto de Nestle, mas as notas críticas (sobre variantes textuais) foram preparadas especificamente para tradutores. Um número menor de variantes é tratado, mas as explicações são mais detalhadas. Como companheiro do texto (3ª edição), as Sociedades Bíblias publicaram um **Comentário Textual** que discute as principais 2.000 variantes, oferecendo motivos para as escolhas feitas. Por bondosa permissão das Sociedades Bíblicas Unidas, esse comentário textual é impresso no presente comentário, suas evidências sendo incluídas nas notas textuais nas referências onde existem variantes textuais. O texto grego no presente comentário é a terceira edição do Novo Testamento Grego das Sociedades Bíblicas Unidas, também usado com permissão.

Vários eruditos modernos têm preparado estudos que melhoram nosso conhecimento nas diversas áreas da crítica do NT; mas são por demais numerosos para serem alistados e descritos individualmente. Deve-se notar, porém, que os princípios gerais estabelecidos por Westcott e Hort, embora tenham sofrido algumas leves modificações, de modo geral, se têm comprovado válidos como meios de restauração do texto do NT à sua forma original. Nenhum erudito moderno de renome, no campo da crítica textual, que tem contribuído com publicações para esse terreno, defende o Textus Receptus em nenhuma forma, como o texto mais próximo do NT original. Até as mais conservadoras escolas que têm cursos de crítica textual, têm abandonado essa defesa inútil a esse texto posterior e mesclado. Devemos um voto de agradecimento, portanto, àqueles que, contra tão grande oposição, tomaram a sério a sua tarefa de devolver ao mundo um texto essencialmente puro do NT, porquanto perceberam a seriedade de seu empreendimento, realizando-a com zelo e dedicação.

IX. BIBLIOGRAFIA

PORTER, J. Scott. Principles of Textual Criticism with their Application to Old and New Testaments. London, 1848.

TREGELLES, Samuel Prideaux. Introduction to the Textual Criticism of the New Testament (volume IV de An Introduction to the Critical Study and Knowledge of the Holy Scriptures), por Thomas Hartwell Horn, 10ª edição, London, 1856, com a 13ª edição em 1872.

SCRIVENER, F. H. A. A Plain Introduction to the Criticism of the New Testament. London, 1861; 2ª edição, Cambridge, 1874; 3ª edição, London (Edward Miller), 1894.

WESTCOTT, Brooke Foss e HORT, Fenton John Antony. The New Testament in the Original Greek. Cambridge e London, 1881; 2ª edição, 1896.

NESTLE, Eberhard, Einfuhrung in das griechische Neue Testament, Gottingen, 1897; 2ª edição, 1899; 3ª edição, 1909. Tradução inglesa da 2ª edição alemã por William Eadie, Introduction to the Textual Criticism of the Greek N.T. London, 1901.

VINCENT, Marvin R. A History of the Textual Criticism of the New Testament, New York, 1899.

GREGORY, Caspar René. Canon and Text of the New Testament. NewYork, 1907. Pelo mesmo autor, "Prolegomena", vol.3 da obra de Tischendorf, Novum Testamentum Graece, Leipzig, 1884-1894.

VON SODEN, Hermann Freiherr. Die Schriften des Neuen Testaments in ihrer altesten erreichbaren Textgestalt. L. Teil, "Untersuchungen", i. Abteilung, "Die Textzeugen", Berlin, 1902. ii. Abteilung, "Die Textformen", A. "Der Apostolos mit Apokalypse", 1910.

SOUTER, Alexander, The Text and Canon of the New Testament, London, 1913, com revisão por C. S. C. Williams, em 1954.

ROBERTSON, A. T. An Introduction to the Textual Criticism of the New Testament. New York, 1925; 2ª edição, 1928.

KENYON, Frederic G. The Text of the Greek Bible, a Students'Handbook. London, 1949. Também Our Bible and the Ancient Manuscripts. New York, Herper and Row, 1962.

METZGER, Bruce M. The Text of the New Testament. New York, Oxford University Press, 1964.

GEERLINGS, Jacob, editor, Studies and Documents, Salt Lake City, Utah, University of Utah Press, uma série de estudos textuais com várias datas.

X. IMAGENS

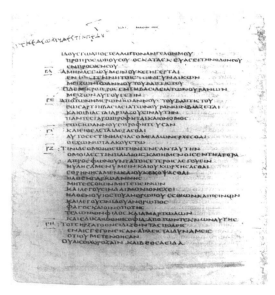

Códex D   *Christian Computer Art*

Códex Gigas, Latim   *Christian Computer Art*

Códex Sinaiticus   *Christian Computer Art*

P(46)   *Christian Computer Art*

Introdução ao texto Grego
✶ ✶ ✶ ✶ ✶ ✶

Este comentário apresenta um profundo estudo dos manuscritos do Novo Testamento.

Primeiro: É apresentado um artigo que fornece informação geral, bem como teoria textual.

Segundo: O livro Um comentário textual sobre o Novo Testamento Grego (Editor: Bruce Metzger, uma publicação das Sociedades Bíblicas Unidas) é reproduzido inteiramente dentro da seção técnica do comentário. A introdução a este comentário é impressa como um artigo introdutório no primeiro volume deste comentário.

Terceiro: A introdução ao Novo Testamento Grego das Sociedades Bíblicas Unidas é também apresentada como um artigo introdutório e este tratamento nos dá um farto volume de informação sobre o texto grego do NT.

A nova edição do Novo Testamento Grego, usado neste comentário, trata cerca de 1.500 variantes em profundidade e o Comentário Textual versa sobre essas variantes, explicando por que algumas delas têm sido reconhecidas como representantes do texto original, e por que outras têm sido recusadas. Além dessas 1.500 variantes, alguns outros milhares a mais são tratados de maneira mais abreviada na seção técnica do comentário versículo por versículo.

O uso do inglês: Certas porções do artigo a seguir, como também palavras de explicação usadas no aparato crítico, têm sido deixadas em inglês. Normalmente, aparatos críticos empregam palavras e expressões latinas; mas o leitor notará que, no comentário, na seção técnica, o inglês é usado ao invés do latim. A bibliografia apresentada ao final do presente artigo faz uso, também, do inglês, quando livros nesta língua são mencionados. Devido a esse tipo de coisa, entende-se que o leitor em geral deve ser capaz de entender o que está escrito, sem uma tradução em português. Em relação ao inglês neste aparato, foi suposto que o leitor, em geral, entenderia melhor essa língua do que o latim. Para preservar a precisão de muitos anos de pesquisa, ocupando o tempo de muitos pesquisadores, o aparato crítico tem sido reproduzido em offset, e deixado no vernáculo original, sem sofrer a alteração de qualquer tradução.

Apresentamos abaixo uma pesquisa geral dos "testemunhos" ao texto do NT. As páginas que se seguem derivam-se da introdução do texto grego do NT, provido pela United Biblie Societies que, graciosamente, me deram permissão para usar seu NT grego, em sua 3ª edição. A informação que se segue é a completa explanação do "testemunho" por detrás do texto grego, adotado para uso neste comentário.

Para melhor compreensão das características especiais desta edição, como o arranjo do material, o alcance das evidências e a maneira de citações, as seções seguintes descrevem o texto, o aparato e o sistema de referências. Dispõe-se também uma lista, em ordem alfabética, de símbolos e abreviações, e uma bibliografia.

I. O TEXTO

1) As divisões em versículos se alicerçam sobre a 25ª edição ao texto grego de Nestle-Aland; com poucas exceções, sendo essas idênticas às divisões em versículos que foram inicialmente introduzidas por Stephanus, em sua edição do Novo Testamento Grego, em 1551, sendo largamente adotadas pelas edições modernas. Diferenças significativas são indicadas no aparato de pontuação.

2) Os títulos das seções baseiam-se nos que são publicados pela United Bible Societies, para uso de tradutores.

3) Referências cruzadas a passagens paralelas acham-se imediatamente abaixo dos títulos das seções.

4) Numerais subscritos no texto aludem ao aparato textual, onde, para facilitar a referência do aparato ao texto, o número do versículo também foi incluído.

5) Letras itálicas sobrescritas aludem ao aparato de pontuação; o uso múltiplo da mesma letra indica que o conjunto de variantes de pontuação envolve de uma posição no texto.

6) Palavras em negrito são usadas para identificar citações diretas, extraídas do AT. Com exceção de alguma adaptação feita pelo autor, as variações secundárias não são tipograficamente distinguidas.

7) Passagens poéticas citadas e passagens que possuem uma estrutura formal evidente são indentadas, com até três graus de recuo.

8) Nas questões que envolvem pontuação, a comissão deu atenção especial aos problemas e necessidades dos tradutores. Dentro dos parágrafos, são usadas as seguintes espécies de "interrupções": (a) sinais terminais de pontuação, isto é, ponto ou ponto de interrogação, seguidos por uma letra maiúscula; (b) sinais terminais seguidos por uma letra minúscula; (c) dois pontos (ponto suspenso), que é sempre seguido por uma letra minúscula; (d) vírgula. Citações e discurso direto são introduzidos por uma letra maiúscula, antecedida por uma vírgula. Divisões interparagráficas, indicadas em algumas edições por meio de diferentes espacejamentos entre sinais terminais de pontuação e as palavras seguintes, não foram usadas.

9) [ ] Colchetes foram usados para incluir palavras que são consideradas como de dúbia validade textual.

10) ⟦ ⟧ Colchetes duplos são usados para envolver passagens que são consideradas como adições posteriores ao texto, mas que foram retidas devido à sua evidente antiguidade e sua importância dentro da tradição textual.

II. O APARATO TEXTUAL

Conforme foi dito no prefácio, as variantes citadas no aparato textual são, primariamente, aquelas que se mostram significativas para os tradutores ou que são necessárias para o estabelecimento firme do texto. Algumas poucas outras variantes têm sido incluídas porque contêm diferenças importantes quanto às formas dos nomes próprios, ou porque provêm informação suplementar valiosa.

1. Avaliação da evidência em prol do texto

Por meio das letras A, B, C e D, postas entre "chaves" — { } —, no começo de cada conjunto de variantes textuais, a comissão buscou indicar o grau relativo de certeza a que se chegou, com base tanto nas considerações internas como na evidência externa, para a forma adotada como texto. A letra A significa que o texto é virtualmente certo; a letra B indica que há algum grau de dúvida; a letra C significa que há considerável grau de dúvida a respeito de o texto ou o aparato conter a forma superior; e, finalmente, a letra D mostra que há elevadíssimo grau de dúvida acerca da forma selecionada para o texto.

O número aparentemente grande de decisões tipo C deve-se à circunstância de muitas formas das classes A e B não trazerem variantes inclusas no aparato, por não serem importantes para os propósitos desta edição. De longe, a maior proporção do texto representa o que se poderia chamar de grau A de certeza.

2. Evidência dos manuscritos gregos

A evidência dos manuscritos gregos inclui papiros, unciais tradicionalmente designados por letras maiúsculas (referidas como "letras unciais"), unciais designados por números arábicos com a inicial O (os "unciais numerados"), minúsculos (numerados sem o O inicial), e lecionários (numerados com a inicial I). Todos os manuscritos são citados e identificados de acordo com a nomenclatura Gregory-Aland, que se acha em Kurt Aland, **Kurzgefasste Liste** (ver a bibliografia).

Os papiros abaixo foram recentemente arranjados e a evidência fornecida pelos mesmos é citada sempre que provêm informes para uma variante inclusa no aparato. Já que a maioria dos papiros é fragmentar, sua citação é comparativamente infrequente.

Número	Conteúdo	Localização	Data
p^1	e	Philadelphia	III
p^2	e	Florence	VI
p^3	e	Vienna	VI/VII
p^4	e	Paris	III
p^5	e	London	III
p^6	e	Strassburg	IV
p^8	a	Berlin	IV
p^{10}	p	Cambridge, Mass.	IV
p^{11}	p	Leningrad	VII
p^{13}	p	London and Florence	III/IV
p^{15}	p	Cairo	III
p^{16}	p	Cairo	III/IV
p^{18}	r	London	III/IV
p^{19}	e	Oxford	IV/V
p^{21}	e	Allentown, Pa.	IV/V
p^{22}	e	Glasgow	III

p[23]	c	Urbana, Ill.	early III
p[24]	r	Newton Center, Mass.	IV
p[25]	e	Berlin	late IV
p[26]	p	Dallas	about 600
p[27]	p	Cambridge	III
p[30]	p	Ghent	III
p[33]	a	Vienna	VI
p[36]	e	Florence	VI
p[37]	e	Ann Arbor, Mich.	III/IV
p[38]	a	Ann Arbor, Mich.	about 300
p[39]	e	Chester, Pa.	III
p[40]	p	Heidelberg	III
p[41]	a	Vienna	VIII
p[45]	ea	Dublin: Chester Beatty, and Vienna	III
p[46]	p	Dublin: Chester Beatty, and Ann Arbor, Mich.	about 200
p[47]	r	Dublin: Chester Beatty	late III
p[48]	a	Florence	late III
p[49]	p	New Haven, Conn.	late III
p[50]	a	New Haven, Conn.	IV/V
p[51]	p	P. Oxy. 2157	about 400
p[58]	a	Vienna	VI
p[59]	e	New York: P. Colt 3	VII
p[60]	e	New York: P. Colt 4	VII
p[61]	p	New York: P. Colt 5	about 700
p[63]	e	Berlin	about 500
p[64]	e	Oxford and Barcelona	about 200
p[65]	p	Florence	III
p[66]	e	Geneva: P. Bodmer II	about 200
p[67]	e	Barcelona	about 200
p[68]	p	Leningrad	VII?
p[70]	e	P. Oxy. 2384	III
p[71]	e	P. Oxy. 2385	IV
p[72]	c	Geneva: P. Bodmer VII, VIII	III/IV
p[74]	ac	Geneva: P. Bodmer XVII	VII
p[75]	e	Geneva: P. Bodmer XIV, XV	early III
p[76]	e	Vienna	VI

[1] **e**=evangelhos; **a**=Atos e Epístolas Católicas; **p**=Epístolas de Paulo; **r**=Apocalipse

Os seguintes manuscritos unciais assinalados por letras, selecionados devido a seu valor na determinação do texto, foram citados de edições anteriores do NT grego. Foram investigados principalmente onde a evidência impressa era contraditória ou incompleta.

Manuscrito	Conteúdo	Localização	Data
א	01	eapr	London: Sinaiticus	IV
A	02	eapr	London: Alexandrinus	V
B	03	eap	Rome: Vaticanus	IV
C	04	eapr	Paris: Ephreami Rescriptus	V
D	05	ea	Cambridge: Bezae Cantabrigiensis	VI
D	06	p	Paris: Claromontanus	VI
D[abs1]		p	Abschrift (copy of Claromontanus)	IX
E	07	e	Basel	VIII
E	08	a	Oxford: Laudianus	VI

F	09	e	Utrecht	IX
F	010	p	Cambridge	IX
G	011	e	London and Cambridge	IX
G	012	p	Dresden: Boernerianus	IX
H	013	e	Hamburg and Cambridge	IX
H	015	p	Athos and elsewhere: Euthalianus	VI
I	016	p	Washington	V
K	017	e	Paris	IX
K	018	ap	Moscow	IX
L	019	e	Paris: Regius	VIII
L	020	ap	Rome	IX
M	021	e	Paris	IX
N	022	e	Leningrad and elsewhere	VI
O	023	e	Paris	VI
P	024	e	Wolfenbuttel	VI
P	025	apr	Leningrad	IX
Q	026	e	Wolfenbuttel	V
S	028	e	Rome	949
T	029	e	Rome	V
U	030	e	Venice	IX
V	031	e	Moscow	IX
W	032	e	Washington: Freer Gospels	V
X	033	e	Munich	X
Y	034	e	Cambridge	IX
Γ	036	e	Leningrad and Oxford	X
Δ	037	e	St. Gall	IX
Θ	038	e	Tiflis: Koridethi	IX
Λ	039	e	Oxford	IX
Ξ	040	e	London: Zacynthius	VI/VIII?
Π	041	e	Leningrad	IX
Σ	042	e	Rossano	VI
Φ	043	e	Athos?	VI
Ψ	044	eap	Athos	VIII/IX

Os manuscritos unciais numerados abaixo foram sistematicamente citados com base em uma nova investigação feita pelo Institut fur neutestamentliche Textforschung, Munster/Westf. Em muitos casos, são fragmentares, pelo que são citados de modo comparativamente infrequente:

Número	Conteúdo	Data			
046	r	X	063	e	IX
047	e	VIII	064	e	VI
048	ap	V	065	e	VI
049	ap	IX	066	a	VI
050	e	IX	067	e	VI
051	r	X	068	e	V
052	r	X	070	e	VI
053	e	IX	071	e	V/VI
054	e	VIII	073	e	VI
056	ap	X	074	e	VI
058	e	IV	076	a	V/VI
059	e	IV/V	078	e	VI
060	e	VI	079	e	VI
061	p	V	081	p	VI
062	p	V	082	p	VI
			083	e	VI/VII

|Artigos introdutórios| NTI

Número	Conteúdo	Data
084	e	VI
085	e	VI
086	e	VI
087	e	VI
088	p	V/VI
090	e	VI
092b	e	VI
093	a	VI
095	a	VIII
096	a	VII
097	a	VII
099	e	VII
0100	e	VII
0102	e	VII
0105	e	X
0106	e	VII
0107	e	VII
0108	e	VII
0109	e	VII
0110	e	VI
0111	p	VII
0112	e	VI/VII
0113	e	V
0115	e	VIII
0116	e	VIII
0117	e	IX
0119	e	VII
0120	a	IX
0121a	p	X
0121b	p	X
0122	p	IX
0124	e	VI
0125	e	V?
0126	e	VIII
0128	e	IX
0129	p	IX
0130	e	IX
0131	e	IX
0132	e	IX
0134	e	VIII
0136	e	IX
0138	e	IX
0141	e	X
0142	ap	X
0143	e	VI
0146	e	VIII
0148	e	VIII
0155	e	IX
0156	a	VIII

Número	Conteúdo	Data
0159	p	VI
0162	e	IV
0165	a	V
0170	e	V/VI
0171	e	IV
0172	p	V
0175	a	V
0176	p	IV
0177	e	X
0179	e	VI
0180	e	VI
0181	e	IV
0182	e	V
0186	p	V/VI
0187	e	VI
0189	a	IV
0190	e	VI
0191	e	VI
0193	e	VII
0196	e	IX
0197	e	IX
0201	p	V
0202	e	VI
0206	a	IV
0207	r	IV
0208	p	VI
0209	ap	VII
0210	e	VII
0214	e	IV
0216	e	V
0217	e	V
0220	p	III
0221	p	IV
0223	p	VI
0225	p	VI
0226	p	V
0229	r	VIII
0230	p	IV
0232	a	III
0234	e	VIII
0235	e	VI/VII
0236	a	V
0237	e	VI
0238	e	VIII
0242	e	IV
0243	p	X
0246	a	VI
0250	e	VIII

Os seguintes manuscritos gregos minúsculos, selecionados após um exame crítico de mais de mil manuscritos, foram sistematicamente citados porque exibem significativo grau de independência da chamada tradição de manuscritos bizantinos. Muitos deles não foram anteriormente citados em edições impressas. Foram coligidos para esta edição pelo Institut fur neustestamentliche Textforschung, em Munster/Westf.

Número	Conteúdo	Data	Número	Conteúdo	Data
1	eap	XII	1253	e	XV
1	r	XII	1344	e	XII
13	e	XIII	1365	e	XII
28	e	XI	1505	eap	1084
33	eap	IX	1546	e	1263?
81	ap	1044	1611	apr	XII
88	apr	XII	1646	eap	1172
94	r	XII	1739	ap	X
104	apr	1087	1828	apr	XII
181	ap	XI	1854	apr	XI
326	ap	XII	1859	ar	XIV
330	eap	XII	1877	ap	XIV
436	ap	XI	1881	ap	XIV
451	ap	XI	1962	p	XI
565	e	IX	1984	p	XIV
614	ap	XIII	1985	p	1561
629	ap	XIV	2020	r	XV
630	ap	XIV	2042	r	XIV
700	e	XI	2053	r	XIII
892	e	IX	2065	r	XV
945	eap	XI	2073	r	XIV
1006	er	XI	2081	r	XI
1009	e	XIII	2127	eap	XII
1010	e	XII	2138	apr	1072
1071	e	XII	2148	e	1337
1079	e	X	2174	e	XIV
1195	e	1123	2344	apr	XI
1216	e	XI	2412	ap	XII
1230	e	1124	2432	r	XIV
1241	eap	XII	2492	eap	XIII
1242	eap	XIII	2495	eapr	XIV/XV

Os manuscritos minúsculos abaixo foram citados somente quando se revestem de significação especial quanto a certas variantes. A evidência desses manuscritos foi extraída de edições impressas do NT grego, e não foi averiguada.

Número	Conteúdo	Data	Número	Conteúdo	Data
2	ap	XII	35	eapr	XI
4	e	XII	36	a	XII
4	ap	XV	37	e	XI
5	eap	XIV	38	eap	XIII
7	p	XI	42	apr	XI
17	e	XV	53	e	XIV
18	eapr	1364	56	e	XV
22	e	XII	57	eap	XII
31	e	XIII	58	e	XV
			61	eapr	XVI

63	e	X
69	eapr	XV
71	e	XII
73	e	XII
76	eap	XII
80	e	XII
94	ap	XIII
97	ap	XII
102	ap	1345
103	ap	XI
108	e	XI
110	apr	XII
113	e	XI
118	e	XIII
119	e	XII
122	eap	XII
124	e	XI
127	e	XI
130	e	XV
131	eap	XIV
137	e	XI
138	e	XII
142	eap	XI
157	e	XII
162	e	1153
174	e	1052
179	e	XII
181	r	XV
182	e	XIV
185	e	XIV
205	eapr	XV
206	ap	XIII
209	eap	XIV
216	ap	1358
225	e	1192
230	e	1013
234	eap	1278
235	e	1314
237	e	X
238	e	XI
239	e	XI
240	e	XII
241	eapr	XI
242	eapr	XII
244	e	XII
245	e	1199
248	e	1275
249	e	XIV
253	e	XI
254	apr	XIV
255	ap	XII
256	apr	XI

259	e	XI
263	eap	XIII
273	e	XIII
274	e	X
291	e	XIII
296	eapr	XVI
299	e	X
301	e	XI
307	a	X
309	ap	XIII
322	ap	XV
323	ap	XI
325	apr	XI
327	ap	XIII
328	ap	XIII
336	apr	XV
346	e	XII
348	e	1022
372	e	XVI
378	ap	XII
397	e	X/XI
407	e	XII
424	apr	XI
425	ap	1330
429	ap	XIV
429	r	XV
431	eap	XI
435	e	X
440	eap	XII
441	ap	XIII
460	ap	XIII
462	ap	XIII
465	ap	XI
467	apr	XV
468	apr	XIII
469	apr	XIII
472	e	XIII
474	e	XI
482	e	1285
483	eap	1295
489	eap	1316
491	eap	XI
495	e	XII
517	eapr	XI/XII
522	eapr	1515
543	e	XII
544	e	XIII
547	eap	XI
569	e	1161
579	e	XIII
605	ap	X
618	ap	XII

623	ap	1037
627	apr	X
635	ap	XI
692	e	XII
713	e	XII
788	e	XI
792	er	XIII
808	eapr	XII
826	e	XII
828	e	XII
915	ap	XIII
917	ap	XII
927	eap	1133
954	e	XV
983	e	XII
998	e	XII
1012	e	XI
1047	e	XIII
1077	e	X
1093	e	1302
1110	e	XI
1170	e	XI
1175	ap	XI
1210	e	XI
1215	e	XIII
1217	e	1186
1221	e	XI
1224	e	XII
1293	e	XI
1311	ap	1090
1319	eap	IXX
1321	e	XI
1342	e	XIII/XIV
1396	e	XIV
1424	eap	IX/X
1443	e	1047
1445	e	1323
1518	ap	XV
1522	ap	XIV
1574	e	XIV

1582	e	949
1597	eapr	1289
1626	eapr	XV
1675	e	XIV
1689	e	1200
1758	ap	XIII
1778	r	XV
1835	a	XI
1836	ap	X
1837	ap	XI
1838	ap	XI
1873	ap	XII
1898	ap	X
1906	p	1056
1908	p	XI
1923	p	XI
1925	p	XI
2028	r	1422
2029	r	XVI
2030	r	XII
2033	r	XVI
2038	r	XVI
2044	r	1560
2048	r	XI
2049	r	XVI
2050	r	1107
2054	r	XV
2058	r	XIV
2067	r	XV
2068	r	XVI
2069	r	XV
2071	r	1622
2074	r	X
2083	r	1560
2091	r	XV
2193	e	X
2302	r	XV
2329	r	X
2351	r	X/XI
2386	e	XII
2595	r	XV

Os símbolos e abreviações abaixo são usados em conexão com a citação da evidência dos manuscritos gregos:

f^{1} Família I: manuscritos 1, 118,131 e 209.

f^{13} Família 13: manuscritos 13, 69, 124, 174, 230 (174 e 230 não são usados em Marcos), 346, 543, 788, 826, 898, 983 e 1689.

Byz texto da maioria dos manuscritos bizantinos.

Byz^{pt} parte da tradição dos manuscritos bizantinos.

* texto da mão original de um manuscrito.

^{c} corretor de um manuscrito.

^{c,2,3} corretores sucessivos de um manuscrito; no caso de A, D (Bezae Cantabrigiensis) e D (Claromontanus) os sucessivos corretores são tradicionalmente designados como (a,b,c,d,e.)

^{mg} evidência textual contida na margem de um manuscrito.

^{gr} texto grego de um manuscrito bilíngue (e. g., D, E e G), onde difere do texto correspondente no idioma paralelo.

|Artigos introdutórios| NTI

vid indica aparente apoio a uma dada forma em um manuscrito cujo estado de preservação torna impossível uma verificação completa.

? indica que um testemunho provavelmente apoia dada forma, embora persista alguma dúvida.

( ) indica que um testemunho apoia a forma em favor da qual é citada, mas se desvia da mesma quanto a detalhes secundários.

cj conjectura.

supp uma porção de um manuscrito é suprida por mão posterior, onde falta o original.

sic indica uma anormalidade reproduzida exatamente com base no original.

txt o texto de um manuscrito, quando difere de outra forma dada na seção de comentário que acompanha o texto.

comm a seção de comentário de um manuscrito onde a forma difere do texto grego acompanhante.

Os seguintes lecionários gregos, a maioria dos quais não previamente usada em edições do NT grego, foram sistematicamente citados no aparato textual. A citação dos mesmos se baseia sobre averiguações recentes, feitas para esta edição, na Universidade de Chicago, ou então se baseia nos registros do projeto de Lecionários Gregos ali existente.

Deve-se observar que os lecionários gregos não contêm textos extraídos do livro de Apocalipse e de certas porções de Atos e das Epístolas, e que certo número deles dá apenas as lições de sábados e domingos, e não das lições diárias. Isso explica a ausência de citações de evidências de lecionários em certas passagens. Outrossim, lec. 309, lec. 490 e lec. 1610 são fragmentares.

Número	Conteúdo	Data
l 10	e	XIII
l 12	e	XIII
l 32	e	XI
l 59	a	XII
l 60	ea	1021
l 69	e	XII
l 70	e	XII
l 76	e	XII
l 80	e	XII
l 147	a	XII
l 150	e	995
l 184	e	1319
l 185	e	XI
l 211	e	XII
l 292	e	IX
l 299	e	XIII
l 303	e	XII
l 309	e	X
l 313	e	XIV
l 333	e	XIII
l 374	e	1070
l 381	e	XI
l 490	e	IX
l 547	e	XIII
l 597	a	X
l 598	a	XI

Número	Conteúdo	Data
l 599	a	XI
l 603	a	XI
l 680	ea	XIII
l 809	a	XII
l 847	e	967
l 883	a	IX
l 950	e	1289/90
l 1021	a	XII
l 1127	e	XII
l 1153a	e	XIV
l 1231	e	X
l 1298	a	XI
l 1356	a	X
l 1364	a	XII
l 1365	a	XII
l 1439	a	XII
l 1441	a	XIII
l 1443	a	1053
l 1579	e	XIV
l 1590	a	XIII
l 1599	e	IX
l 1610	e	XV
l 1627	e	XI
l 1634	e	XII
l 1642	e	XIII
l 1663	e	XIV

Os lecionários gregos abaixo foram citados com base em edições anteriores do NT grego, onde, em sua maior parte, foram esporadicamente usados. Com algumas exceções, não foram averiguados quanto a esta edição.

Número	Conteúdo	Data
l 1	e	X
l 4	e	XI
l 5	e	X
l 6	ea	XIII
l 7	e	1204
l 11	e	XIII
l 13	e	XII
l 14	e	XVI
l 15	e	XIII
l 17	e	IX
l 18	e	XII
l 19	e	XIII
l 20	e	1047
l 21	e	XII
l 24	e	X
l 26	e	XIII
l 31	e	XII
l 33	e	XI
l 34	e	IX
l 36	e	VIII/IX
l 37	ea	XII
l 38	a	XV
l 44	ea	XII
l 47	e	X
l 48	e	1055
l 49	e	X/XI
l 51	e	XIV
l 53	ea	XV
l 54	ea	1470
l 55	ea	1602
l 57	ea	XV
l 62	a	XII
l 63	e	IX
l 64	e	IX
l 68	e	XII
l 159	e	1061
l 164	a	1172
l 174	ea	XIII
l 181	e	980
l 183	e	X
l 187	e	XIII
l 191	e	XII
l 210	e	XII
l 219	e	XII
l 223	ea	XV
l 224	e	XIV
l 225	e	1437
l 226	e	XIV

Número	Conteúdo	Data
l 227	e	XIV
l 230	e	XIII
l 241	ea	1199
l 253	e	1020
l 260	e	?
l 276	e	XIII
l 302	e	XV
l 305	e	XII
l 331	e	1272
l 368	a	IX
l 372	e	1055
l 574	e	1125
l 611	a	XIII
l 805	e	IX
l 823	e	X
l 845	e	IX
l 850	e	XII
l 854	e	1167
l 855	e	1175
l 861	e	XII
l 871	e	XII
l 952	e	1148
l 956	e	XV
l 961	e	XII
l 983	e	XIII
l 997	e	XII
l 1014	e	X
l 1043	e	V
l 1084	e	1292
l 1141	a	1105
l 1291	a	XIV
l 1294	a	XIV
l 1300	a	XI
l 1311	a	1116
l 1345	a	IX
l 1346	e	X
l 1348	e	VII
l 1349	e	IX
l 1350	e	IX
l 1353	e	VII
l 1357	a	XV
l 1440	e	XII
l 1504	a	X
l 1564	e	XII
l 1578	e	XIV
l 1602	e	VIII
l 1613	e	XV
l 1632	e	XIII
l 1635	e	XIII

NTI|Artigos introdutórios| 99

As abreviações seguintes são usadas em conexão com a evidência fornecida pelos lecionários:

Lect forma da maioria dos lecionários no Sinaxarião (o chamado "ano móvel", começando pela Páscoa) e no Menologião (o "ano fixo", começando a 1º de setembro), quando esses concordam entre si.

Lect[m] forma da maioria dos lecionários no Menologião, quando difere do Sinaxarião ou ocorre somente no Menologião.

l[12,etc.] um lecionário individual citado por número, seguindo a lista de Gregory-Aland, quando difere da maioria de formas nas passagens do Sinaxarião.

l[135m,etc.] um lecionário individual em seu Menologião, que difere da maioria dos outros lecionários.

l[76s,m,etc.] um lecionário individual no qual tanto passagens no Sinaxarião quanto no Menologião concordam.

l[135pt,etc.] um lecionário individual que contém uma passagem por duas ou mais vezes, com formas que diferem entre si, pelo que é alistado como apoio parcial a uma forma.

3. Evidência das versões antigas

A evidência citada das versões antigas inclui o Latim (Ítala ou Latim Antigo, e Vulgata), Siríaco, Copta, Gótico, Armênio, Etíope, Geórgio e, raramente, Árabe, Núbio, Alto Alemão Antigo, Persa, Provençal e Eslavônico. A evidência das versões tem sido derivada, primariamente, de edições impressas (ver bibliografia). Ela sempre deve ser usada com cautela, já que o próprio processo de tradução com frequência obscurece sua base textual, e as semelhanças podem ser meramente acidentais, sobretudo se uma tradução é relativamente livre. Por causa da incerteza de seu caráter, não é infrequentemente citada essa evidência com um ponto de interrogação (para indicar que a estrutura gramatical do idioma dificulta uma citação confiante naquele ponto), ou com um parênteses (para indicar que há similaridade, mas não identidade de formas).

Ítala ou Latim Antigo (Séculos II a IV d.C.)

Os seguintes manuscritos foram citados nesta edição:

Manuscrito		Conteúdo	Nome	Data	Editor
a	3	e	Vercellensis	IV	Julicher
a²	16	e	Curiensis	V	Julicher
ar	61	eapcr	Ardmachanus	IX	Gwynn
aur	15	e	Aureus	VII	Julicher
b	4	e	Veronensis	V	Julicher
β	26	e	Carinthianum	VII	Julicher
c	6	eapcr	Colbertinus	XII/XIII	Julicher
d	5	eac	Bezae Cantabrigiensis	V	Julicher
d	75	p	Claromontanus	V/VI	Tischendorf
dem	59	apcr	Demidovianus	XIII	Mathaei
div	-	pcr	Divionensis	XIII	Wordsworth-White
e	2	e	Palatinus	V	Julicher
e	50a	a	Laudianus	VI	Tischendorf
e	76	p	Sangermanensis	IX	Tischendorf
f	10	e	Brixianus	VI	Julicher
f	78	p	Augiensis	IX	Scrivener
ff	66	c	Corbeiensis	X/XI	Wordsworth-White
ff¹	9	eac	Corbeiensis I	X	Julicher
ff²	8	e	Corbeiensis II	V	Julicher
g	77	p	Boernerianus	IX	Matthaei
g¹	7	eapcr	Sangermanensis	IX	Julicher
gig	51	eapcr	Gigas	XIII	Belsheim; Wordsworth-White
gue	79	p	Guelferbytanus	VI	Tischendorf
h	12	e	Claromontanus	V	Julicher
h	55	acr	Floriacensis	V	Buchanan

haf	-	r	Hafnianus	X	Wordsworth-White
i	17	e	Vindobonensis	V	Julicher
j	22	e	Sarzanensis	VI	Julicher
k	1	e	Bobiensis	IV/V	Julicher
l	11	e	Rhedigeranus	VII/VIII	Julicher
l	67	eapcr	Legionensis	VII	Fischer
m		eapcr	Speculum (or Ps-Augustine)	IV-IX	Julicher; Wordworth-White
mon	86	p	Monza	X	Frede
n	16	e	Sangallensis	X	Julicher
o	16	e	Sangallensis	VII	Julicher
p	20	e	Sangallensis	VIII	Julicher
p	54	eapcr	Perpinianensis	XIII	Wordsworth
ph	63	a	Philadelphiensis	XII	Sanders
π	18	e	Stuttgartensis	VII	Julicher
q	13	e	Monacensis	VII	Julicher
q	64	c	Monacensis	VII	de Bruyne
r	57	a	Schlettstadtensis	VII/VIII	Morin
r¹	14	e	Usserianus I	VII	Julicher
r²	28	e	Usserianus II	VIII/IX	Julicher
r³	64	p	Monacensis	VII	de Bruyne
ρ	24	e	Ambrosianus	VII/VIII	Julicher
s	21	e	Ambrosianus	V	Julicher
s	53	ac	Bobiensis	VI	White
t	56	eapcr	Liber Comicus Toletanus	XI	Morin
t	19	e	Bernensis	VI	Julicher
v	25	e	Vindobonensis	VII	Julicher
v	81	p	Parisiensis	about 800	Souter
w	83	p	Waldeccensis	XI	Schultze
x	-	p	Bodleianus	IX	Wordsworth-White
z	65	pcr	Harleianus Londiniensis	VIII	Buchanan

Vulgata (século IV DdC.)

vg Vulgata, quando as edições Clementina e Wordsworth-White concordam entre si.

vg[c1] quando a edição Clem. difere da de Wordsworth-White.

vg[ww] quando a edição de Wordsworth-White difere da Clem.

Siríaco (séculos II ou III até VII d.C.)

1. Siríaco Antigo

syr[s] Sinaítico (Lewis)

syr[c] Curetoniano (Burkitt)

2. Peshitto e siríaco posterior

syr[p] Peshitto (Pusey e Gwilliam; edição da B.F.B.S.)

syr[pal] Palestino (Lewis e Gibson, e outros)

syr[ph] Philoxeniano (Gwynn)

syr[h] Harcleano (White)

sir (hmg) uma forma marginal

sir (hgr) uma forma marginal grega

sir (h) com * uma forma do texto siríaco, assinalado com asteriscos, para indicar a existência de uma variante.

Copta (séculos III a VI d.C.)

cop[sa] Saídico (Horner, Kasser, Thompson)

cop[bo] Boháirico (Horner, Kasser)

cop[fay] Faiúmico (Husselman e outros)

cop[ach] Aquinímico (Lefort, Thompson)

cop[ach2] Subaquinímico (Thompson)

Gótico (século IV)
goth Gótico (Streitberg)
Armênio (séculos IV ou V d.C.)
arm Armênio (Zohrab)
Etíope (século VI d.C.)
eth^ro Etíope (Rome)
eth^pp Etíope (Pell, Platt, e Praetorius)
eth^ms Etíope (Paris Ms. Eth. n. 32, séculos XIII-XIV)
Geórgico (século V)
geo Geórgico (Blake, Briere, Garitte)
     geó (1,2) mss que representam as duas principais tradições geórgicas
     geó (a,b) mss que foram a base do geó (2)
nub **Núbio** (século VI)

Outras versões

Citações ocasionais das versões seguintes têm sido derivadas de edições impressas do NT grego:
Árabe
antigo Alto Alemão
Persa
Provençal ou Francês Antigo
Antigo Eslavônico Eclesiástico

4. Evidência dos pais da Igreja

A evidência em prol de citações extraídas dos pais da Igreja foi tirada quase totalmente de edições impressas do NT grego, e ainda foi averiguada. Esses informes nem sempre são dignos de confiança, já que muitas das edições patrísticas empregadas por editores anteriores dos NT gregos são obsoletas. Outrossim, um pai da Igreja não infrequentemente citou a mesma passagem de mais de uma forma, muitas vezes de memória, e não consultando um manuscrito, o que deu origem a muitas variantes. Além disso, os manuscritos dos pais da Igreja sofreram as usuais modificações de transcrição, ao que todos os manuscritos antigos foram sujeitos; isso foi especialmente verdadeiro no caso de textos bíblicos, onde a tendência dos escribas era acomodar formas à tradição textual bizantina.

Os seguintes pais da Igreja são citados no aparato, em sua presumível sequência cronológica, e usualmente segundo a soletração de Altaner (sem tradução para o português). As datas fornecidas geralmente são as do falecimento de cada um; mas em muitos casos a data é apenas uma aproximação. Por causa das consideráveis dificuldades envolvidas na distinção de abreviações tradicionais, e quanto à conveniência no uso, os nomes dos pais da Igreja são dados por inteiro, juntamente com alguns poucos outros autores e escritos antigos dos quais a autoria é desconhecida ou debatida.

Nome	Data
Acacius	366
Acts of Pilate	IV
Acts of Thomas	III
Adamantius	300
Addai (ver Teaching de Addai)	
Africanus	240
Alexander, of Alexandria	328
Ambrose	397
Ambrosiaster	IV
Ammonius	III
Ammonius-Alexandria	V
Amphilochius	394
Anastasius-Abbot	VIII?
Anastasius, of Antioch	700
Andrew, of Caesarea	614
Andrew-Crete	740
Ansbert	VIII
Anthony	VIII ou XII

Antiochus, de St. Saba	614
Aphraates	367
Apollinaris, the Younger	390
Apostolic Canons	IV
Apostolic Constitutions	380
Apringius	551
Archelaus	278
Arethas	914
Aristides	II
Arius	336
Arnobius	460
Asterius	341
Athenagoras	II
Athanasius	373
Augustine	430
Basil, the Great	379
Beatus	786
Bede	735
Caelestinus, of Rome	IV
Caesarius, of Arles	542

Caesarius-Nazianzus	369
Carpocrates	II
Cassian	435
Cassiodorus	580
Chromatius	407
Chrysostom	407
Claudius, of Turin	IX
Clement, of Alexandria	215
Cosmos	550
Cyprian	258
Cyril, of Alexandria	444
Cyril-Jerusalem	386
de Promissionibus	453
Diadochus	468
Diatessaron, of Tatian	II
Didache	II
Didascalia	III
Didymus, of Alexandria	398
Diodore	394
Diognetus	II
Dionysius, the Great, of Alexandria	265
Docetists	II
Druthmarus	840
Ephraem	373
Epiphanius	403
Eugippius	533
Eulogius	607
Eusebian Canons	IV
Eusebius, of Caesarea	339
Eustathius	337
Euthalius	V
Eutherius	434
Euthymius	XII
Facundus	569
Fastidius	V
Faustinus	380
Faustus, of Riez	490
Faustus-Milevis	IV-V
Ferrandus	IV
Fulgentius	533
Gaudentius	406
Gelasius-Cyzicus	475
Gennadius, of Marseilles	505
Gennadius-Constantinople	471
Gildas	570
Gospel of the Ebionites	II

Gospel of the Nazarenes	II
Gregory-Elvira	392
Gregory-Nazianzus	390
Gregory-Nyssa	394
Gregory-Thaumaturgus	270
Haymo	841
Hegemonius	350
Hegesippus	180
Heracleon	II
Hesychius, of Jerusalem	450
Hesychius-Salonitan	418
Hieracus	302
Hilary	367
Hippolytus	235
Ignatius	110
Irenaeus	202
Isidore	435
Jacob-Nisibis	338
Jerome	420
John-Damascus	749
Julian-Eclanum	454
Julius, I	352
Justin	165
Juvencus	330
Leo	461
Leontius	VI
Viliberatus	566
Liber Graduum	320
Lucifer, of Cagliari	370
Macarius, Magnes	400
Macrobius	IV
Manes	277
Manicheans	III
Marcion	II
Marcus, Eremita	430
Marius Mercator	V
Maternus	348
Maximinus	428
Maximus, II, of Turin	423
Maximus-Confessor	662
Melitius	381
Methodius	III
Naassenes	II/III
Nestorius	451
Niceta	414
Nonnus	431
Novatian	III
Oecumenius	VI
Optatus	385
Origen	254

Orosius	418	Rebaptism (de Rebaptismate)	III?
Orsisius	380	Rufinus	410
Pacian	392	Rupertus	1135
Palladius	431	Salvian	480
Pamphilus	310	Sedulius-Scotus	IX
Papias	II	Serapion	362
Papyrus Oxyrhynchus 405	IV	Severian	408
Paschal Chronicle	630	Severus	538
Paulinus-Nola	431	Socrates, of Constantinople	439
Pelagius	412	Sozomen	450
Perateni	III	Sulpicius	420
Peter-Alexandria	311	Synesius	414
Peter-Laodicea	VI	Tatian (see Diatessaron)	II
Petilianus	V	Teaching of Addai	400
Philo-Carpasia	401	Tertullian	220
Phoebadius	392	Theodore, of Mopsuestia	428
Photius	895		
Pierius	309	Theodore-Heraclea	358
Polycarp	156	Theodore-Studita	826
Porphyry	III	Theodoret	466
Possidius	V	Theodotus, of Byzantium	II
Primasius	552		
Priscillian	385	Theodotus-Ancyra	445
Proclus	446	Theophilus, Antioch	180
Procopius	538	Theophylact	1077
Promissionibus, de	453	Theotecnus	III
Ps-Ambrose	VI	Titus-Bostra	378
Ps-Athanasius	VI	Tyconius	380
Ps-Augustine	?	Valentinians	II
Ps-Chrysostom	VI	Valentinus	160
Ps-Clement	IV	Valerian	460
Ps-Cyprian	?	Varimadum	380
Ps-Dionysius	V	Victor-Antioch	V
Ps-Hippolytus	?	Victor-Tunis	566
Ps-Ignatius	V	Victor-Vita	489
Ps-Jerome	V	Victorinus-Pettau	304
Ps-Justin	IV/V	Victorinus-Rome, Marius	362
Ps-Oecumenius	X		
Ps-Theodulus	VI/VII?	Vigilius	484
Ps-Titus	?	Zeno	372
Ps-Vigilius	?		
Ptolemy, a Gnostic	II		

O problema do Diatessarom de Taciano é particularmente completo, devido à natureza indireta da evidência, bem como à diversidade resultante de teorias e opiniões acerca dessa tradição. Quando o nome Diatessarom é usado sem designação sobrescrita (ver abaixo), usualmente se refere à versão árabe, que foi extensamente citada em prol do Diatessarom, a comissão a incluiu, embora com esta palavra de cautela.

As abreviações abaixo são frequentemente usadas na citação da evidência dos pais da Igreja:

( ) indica que um pai da Igreja suporta a forma em que ele é citado, embora se desvie da mesma em detalhes íntimos.

txt a lemá, isto é, a porção citada do texto do NT, sobre a qual se baseia o comentário de um pai da Igreja, onde a mesma difere da forma do texto citada no próprio comentário.

comm o texto do NT é citado no comentário, onde a citação difere da lemá.

ed edição(ões) publicada de um pai da Igreja.

ms, mss manuscrito(s) de um pai da Igreja, quando difere do texto editado.

gr texto grego de um pai da Igreja, em distinção de uma versão em outro idioma.

lat a versão latina de um pai da Igreja grego.

arm a versão armênia de um pai da Igreja.

slav a versão eslavônica de um pai da Igreja.

acc. to de conformidade com.

1/2, 2/3, 5/7 etc. a segunda figura da fração indica o número de vezes em que uma passagem particular é citada por um pai da Igreja, e a primeira especifica o número de vezes em que a passagem é citada na forma particular da variante em que a fração é colocada.

a, b, c diferentes manuscritos dos escritos de Teofilacto. Os sobrescritos não indicam corretores de manuscritos, como é o caso com A e D.

a, bav, c, p diferentes manuscritos de André de Cesareia, em seu Comentário sobre o Apocalipse.

Abreviações especiais, usadas em conexão com o Diatessarom, incluem:

a árabe

e citação feita por Efraem

earm citação preservada na versão armênia do comentário de Efraem

esyr citação preservada no texto siríaco do comentário de Efraem

f Fulda

i Italiano (concordância entre t e v)

l Liège

n Holandês Antigo (concordância entre l e s)

p Persa

s Stuttgart

t Toscano

v Veneziano

III. APARATO DE PONTUAÇÃO

Segundo notamos acima, o aparato de pontuação inclui cerca de seiscentas passagens onde a diferença de pontuação parece ser particularmente significativa para a interpretação do texto. Cada problema sucessivo de pontuação é assinalado por uma letra sobrescrita em itálico, no texto, o que é repetido em cada ponto onde um conjunto relacionado de alternativas de pontuação pode ser empregado.

Várias dificuldades agudas estão envolvidas na comparação de pontuação em diferentes edições gregas e em traduções em idiomas modernos: 1. diferentes edições do texto grego empregam símbolos de pontuação com valores diversos (um editor, por exemplo, pode tender a usar dois pontos, onde outro geralmente usa vírgulas); 2. o valor de um sinal de pontuação deve ser analisado não apenas em termos da prática usual de um editor, mas também em relação a outros sinais de pontuação dentro do contexto; 3. sistemas de pontuação empregados nas edições do NT grego e nas traduções em idiomas modernos não correspondem completamente entre si; 4. os tradutores em idiomas modernos diferem entre si ainda mais largamente do que os editores do NT grego, na variedade de sinais de pontuação usados e na diversidade de valores associados aos mesmos. Segundo isso, não foi possível estabelecer um sistema mediante o qual sinais específicos de pontuação possam ser comparados segundo uma base puramente formal. Antes, tem sido mister avaliar os símbolos e determinar suas funções, "pesando" cada conjunto de variantes significativas.

Sinais de pontuação, pois, têm sido analisados e avaliados em termos de duas funções principais: a) indicação de interrupções significativas na estrutura, como, por exemplo, entre parágrafos, entre sentenças completas, entre cláusulas principais dentro de sentenças, e entre frases relacionadas; b). identificação da natureza de uma construção gramatical, como, por exemplo, uma declaração, uma pergunta, ou uma ordem.

No entanto, já que a função primária dos sinais de pontuação é indicar interrupções ou transições, os diferentes sinais de pontuação foram classificados como segue: parágrafo, "interrupção" maior, "interrupção" menor, e nenhum. Outros tipos de interrupção são identificados por travessões, parênteses, ou pingos que mostram elipses. Sinais de pontuação terminais, que normalmente indicam algum tipo de interrupção principal, servem para indicar diferenças entre perguntas (indicadas por um sinal de interrogação ou por exclamação), declarações e ordens.

Problemas especiais, atinentes ao termo grego ? ti que pode introduzir discurso indireto, discurso direto, construção causal, pergunta, ou então, que pode servir a alguma outra função na sentença. Nesta edição, quando oti introduz discurso indireto, nenhuma vírgula o antecede, e nem a palavra seguinte é escrita com inicial maiúscula. Quando oti é usado para introduzir discurso direto, nenhum sinal de pontuação antecede ou segue o mesmo, mas a palavra seguinte começa com inicial maiúscula. Quando oti introduz uma construção causal, uma vírgula pode antecedê-lo; e o próprio termo é sempre com inicial maiúscula quando é causal no começo de discurso direto.

|Artigos introdutórios| NTI

O conjunto das principais alternativas, dadas no aparato de pontuação, envolve os seguintes casos:

parágrafo principal — interrupção de um parágrafo, em contraste com uma total interrupção em uma sentença.

maior, menor, nenhum — uma interrupção maior (com frequência equivalente a um ponto, dois pontos ou ponto-e-vírgula) em contraste com uma interrupção menor (usualmente indicada por uma vírgula) e também em contraste com nenhuma pontuação.

pergunta, declaração, ordem — o contraste entre pergunta e não-pergunta usualmente é claramente distinguido nos textos gregos; mas, em certos contextos, o contraste adicional entre declaração e ordem pode tornar-se explícito somente nas traduções.

exclamação — uma categoria não assinalada em grego, mas com frequência usada nas traduções, a fim de indicar uma pergunta retórica (que no grego pode aparecer como uma pergunta) ou uma declaração enfática (que no grego é assinalada somente por um ponto).

travessão, parênteses — ambos os casos indicam interrupções na estrutura. Um travessão geralmente é empregado para indicar a interrupção na sintaxe da sentença, ao passo que os parênteses são usados para envolver material explanatório ou suplementar.

elipse — palavras em uma sentença incompleta, que precisam ser supridas, são indicadas por três pontos.

direto (ou recitativo), indireto, causal, interrogativo — diferentes empregos de oti, embora em alguns casos seja difícil interpretar a função de oti, já que um editor pode ter preferido deixá-lo ambÒíguo.

texto diferente — o texto subjacente é tão diferente, que nenhuma correspondência pode ser indicada.

Via de regra, formas alternativas de pontuação são dadas somente quando representadas por alguma edição grega ou tradução moderna; mas, em alguns poucos casos, possibilidades adicionais foram anotadas, embora nenhuma autoridade seja citada em seu favor.

Os seguintes símbolos e abreviações também têm sido usados com o aparato de pontuação:

? indica que a citação de uma edição ou tradução particular é duvidosa, já que a evidência não apoia claramente nem uma nem outra alternativa.

( ) parênteses mostram diferenças secundárias de detalhes na pontuação, ao mesmo tempo que indicam que a autoridade apoia de modo geral a pontuação em favor da qual é citada.

ed uma edição diferente de um texto ou tradução grega que não concorda com as outras edições em determinado ponto.

mg1, mg2 uma forma marginal em uma das traduções.

mg alternativas sucessivas à margem de uma tradução.

As seguintes edições do NT grego e traduções em idiomas modernos foram citados no aparato de pontuação:

TR Textus Receptus (Oxford, 1873). Em casos de diferenças de divisões de versículos, a edição de Stephanus, 1559 e outras, foram consultadas.

WH Westcott e Hort (1881).

Bov Bover (4ª edição, 1959). Em alguns casos onde o tipo tornou-se ilegível, foi consultada a primeira edição (1943).

Nes Nestle-Aland (25ª edição, 1963).

BF² British and Foreign Bible Society edição do texto grego de Nestle (2ª edição, 1958).

Av Authorized ou King James Version. The New Testament Parallel Edition, AV e RSV (Nelson, 1961) e o New Testament Octapla, editado por Luther A. Weigle (Nelson, 1962) foram usados. A Octapla inclui a edição de 1873 da AV, editada por F. H. A. Scrivener.

RV Revised or English Revised Version (1881).

ASV American Standard Version (1901).

RSV Revised Standard Version (1946, e edições subsequentes).

NEB The New English Bible, New Testament (1961).

TT The New Testament: A Translation for Translators (1966).

Zür Die Heilige Schrift (Zurique, 1942).

Luth Das Neue Testament, nach der Übersetzung Martin Luthers, Revidierter Text (1956).

Jer Le Nouveau Testament... de l'Ecole Biblique de Jérusalem (1958).

Seg Le Nouveau Testament, Traduction de Loius Segond (Nouvelle Revision,

IV. SISTEMA DE REFERÊNCIAS CRUZADAS

As referências cruzadas, dadas no fim da página, com as principais palavras gregas envolvidas, incluem as seguintes categorias: 1. citações extraídas de livros bíblicos e não-bíblicos; 2. alusões definidas, onde se supõe que o escritor sagrado tinha em mente um texto específico das Escrituras; 3. paralelos literários e outros. As referências às passagens paralelas são dadas imediatamente depois dos títulos das seções, e não nas referências cruzadas. Quando os números dos versículos das edições em inglês diferem do AT hebraico, é seguida a numeração empregada na RSV.

As seguintes abreviações são usadas no sistema de referências:

Gn	Gênesis			
Êx	Êxodo		Ml	Malaquias
Lv	Levítico		Mt	Mateus
Nm	Números		Mc	Marcos
Dt	Deuteronômio		Lc	Lucas
Js	Josué		Jo	João
Jz	Juízes		At	Atos
Rt	Rute		Rm	Romanos
1, 2Sm	1 e 2Samuel		1, 2Co	1 e 2Coríntios
1, 2Rs	1 e 2Reis		Gl	Gálatas
Ed	Esdras		Ef	Efésios
Ne	Neemias		Fp	Filipenses
Et	Ester		Cl	Colossenses
Jó	Jó		1, 2Ts	1 e 2Tessalonicenses
Sl	Salmos		1, 2Tm	1 e 2Timóteo
Pv	Provérbios		Tt	Tito
Ec	Eclesiastes		Fm	Filemom
Ct	Cantares de Salomão		Hb	Hebreus
Is	Isaías		Tg	Tiago
Jr	Jeremias		1, 2Pe	1 e 2Pedro
Lm	Lamentações de Jeremias		1, 2, 3Jo	1, 2 e 3João
Ez	Ezequiel		Jd	Judas
Dn	Daniel		Ap	Apocalipse
Os	Oseias		Bar	Baruque
Jl	Joel		En	Enoque
Am	Amós		1, 2Esd	1 e 2Esdras
Ob	Obadias		Jdth	Judite
Jn	Jonas		1,2,3,4 Macc	I, II, III e IVMacabeus
Mq	Miqueias		Ps Sol	Salmos de Salomão
Na	Naum		Sir	Siraque
Hc	Habacuque		Sus	Susan
Sf	Sofonias		Tob	Tobias
Ag	Ageu		Wsd	Sabedoria
Zc	Zacarias			

Outros escritos citados:
Aratus
Ascensão de Isaías
Assunção de Moisés
Epimenides
Ps-Epimenides
Menandro

As seguintes abreviações também são usadas no sistema de referências:

MT o Texto Massorético, onde o mesmo difere do grego.

LXX a Septuaginta, onde difere do hebraico.

Teodotion Texto de Teodócio do AT grego.

V. LISTA PRINCIPAL DE SÍMBOLOS E ABREVIAÇÕES

{ } enfeixa uma letra — A, B, C, D — que indica o grau relativo de certeza da forma adotada no texto

[[ ]] enfeixa palavras consideradas dúbias quanto à validade textual.

á â enfeixa passagens consideradas adições posteriores ao texto, mas que são de evidente antiguidade e importância.

( ) indica que um testemunho ou edição apoia a forma em favor da qual é citada, mas com diferenças secundárias.

* forma da mão original que copiou o manuscrito.

? indica que determinado testemunho provavelmente apoia uma forma, mas que há alguma dúvida. O sinal de interrogação também é usado quando uma versão antiga, devido à estrutura gramatical do idioma, é citada em apoio a duas ou mais formas gregas. No aparato de pontuação, indica que a citação de uma edição ou tradução particular é duvidosa, já que a evidência não apoia claramente uma ou outra alternativa.

1/2, 2/3, 5/7 etc. a segunda figura de cada fração indica o número de vezes que uma passagem particular é citada por um pai da Igreja, e a primeira figura especifica o número de vezes que essa passagem é citada na forma particular da variante com que a fração é posta.

2, 3, 4 numerais sobrescritos, usados para indicar os sucessivos corretores de um manuscrito.

a, b, c, d, e corretores sucessivos dos manuscritos a, D (Bezae Cantabrigiensis) e D (Claromontanus).

a, b, c manuscritos dos escritos de Teofilacto.

a, bav, c, p manuscritos do comentário de André de Cesareia sobre o Apocalipse.

a indica que um manuscrito constante na lista de Gregory-Aland contém o livro de Atos e, algumas vezes, as Epístolas Católicas ou Gerais.
No caso de lecionários, indica que o manuscrito contém lições extraídas de Atos e das Epístolas.

acc, to conforme.

arab versão árabe.

arm versão armênia

ASV American Standard Version (1901).

AV Authorized ou King James Version (1961) (B. F. B. S. 2ª edição, 1958).

Bov Bover, Novi Testamenti Biblia Graeca et Latina (4ª edição, 1959).

Byz Forma da maioria dos manuscritos bizantinos.

Byzpt parte da tradição dos manuscritos bizantinos.

c indica que um manuscrito contém todas ou parte das Epístolas Católicas ou Gerais.

c corretor de um manuscrito.

causal indica a função causal de oti e, uma dada passagem.

cj conjectura.

comm seção de comentário de um manuscrito, onde a forma difere do texto grego acompanhante. É usada também para designar o texto do NT citado no comentário de um pai da Igreja, quando a citação difere do texto acompanhante do NT.

copach versão Copta, dialeto aquinímico.

copach2 versão Copta, dialeto subaquinímico.

copfay versão Copta, dialeto faiúmico.

copbo copsa versão Copta, boáirico e saídico.

dash indica interrupção na sintaxe de uma sentença.

different text usado no aparato de pontuação, quando o texto de uma edição ou versão é tão diferente, que não se pode indicar qualquer correspondência com as outras edições e versões citadas.

direct indica que oti introduz discurso direto.

e indica que um manuscrito constante na lista de Gregory-Aland contém todos ou parte dos Evangelhos.

ed edição(ões) de um pai da Igreja. No aparato de pontuação indica que uma edição não concorda com outras edições.

ellipsis palavras em uma sentença incompleta que precisam ser supridas, indicadas por três pontos.

ethpp a edição de Pell Platt da versão Etíope (B. F. B. S, 1826).

ethro edição de Roma da versão Etíope (1548 – 1549).

exclamation não é assinalado esse ponto nos textos gregos, mas com frequência é usado nas traduções para traduzir perguntas retóricas (que no grego podem ser assinaladas como perguntas) ou declarações enfáticas (que no grego são assinaladas somente por um ponto).

f 1 Família 1, um grupo de manuscritos gregos que pela primeira vez foi descrito por Lake.

f 13 Família 13, um grupo de manuscritos gregos que pela primeira vez foi descrito por Farrar.

geo versão Geórgica.

geo1, 2 manuscritos que representam as duas principais tradições geórgicas.

geoA, B manuscritos que formam a base do geo 2.

goth versão Gótica.

gr o texto grego de um manuscrito bilíngue (D, E, G), onde difere do texto correspondente no idioma paralelo. É usado também no caso de pais da Igreja para distingui-lo de uma versão em outro idioma.

indirect indica que oti introduz um discurso indireto.

interrogative indica que oti introduz uma construção interrogativa.

it com várias letras sobrescritas, indica manuscritos da Ítala ou Latim Antigo.

Jer Le Nouveau Testament... de l'Ecole Biblique de Jérusalem (1958).

lat versão latina de um pai da Igreja grego.

l um lecionário, identificado pelo número sobrescrito que a segue.

lm um lecionário em seu Menologião.

ls um lecionário em seu Sinaxarião.

l pt um lecionário individual que contém uma passagem duas ou mais vezes com formas diferentes uma das outras, pelo que é alistado em apoio "parcial" a determinada forma.

Lect forma da maioria dos lecionários no Sinaxarião e no Menologião, quando esses concordam entre si.

Lectm formas do Menologião, quando estas diferem no Sinaxarião ou aparecem somente no Menologião.

Luth Das Neue Testament, nach der Ubersetzung Martin Luthers, Revidierter Text (1956).

LXX Septuaginta ou tradução grega do AT.

m um lecionário em seu Menologião.

major uma interrupção ou transição principal na pontuação de determinada passagem.

minor uma interrupção ou transição secundária na pontuação de determinada passagem.

mg evidência textual contida na margem de um manuscrito. No aparato de pontuação, (mg) indica uma forma marginal de uma tradução moderna.

mg1,2 alternativas sucessivas na margem de uma tradução.

ms, mss manuscrito(s) de uma versão antiga, ou dos escritos de um pai da Igreja, quando difere do texto editado.

NEB The New English Bible, New Testament (1961).

Nes Nestle-Aland, Novum Testamentum Graece (25ª edição, 1963).

none nenhuma interrupção ou transição na pontuação de uma dada passagem.

nub versão Núbia.

Old Ger versão Alto Alemão Antigo.

p indica que um manuscrito constante na lista de Gregory-Aland contém todas ou parte das Epístolas de Paulo.

p1,etc. um papiro, identificado pelo número sobrescrito que o segue.

paragraph interrupção ou transição de um parágrafo, em contraste com a completa interrupção de uma sentença.

parens parênteses são usados para envolver material explanatório ou suplementar no texto grego. São usados com manuscritos, versões antigas ou traduções modernas, para indicar similaridade, mas não identidade de formas.

pers versão Persa.

Provençal versão Provençal.

r indica que um manuscrito constante da lista de Gregory-Aland contém todo ou parte do Apocalipse.

RSV Revised Standard Version of the New Testament (1946).

RV Revised ou English Revised Version of the New Testament (1881).

s um lecionário em seu Sinaxarião.

Seg Segond, Le Nouveau Testament (1962).

sic uma anormalidade reproduzida exatamente do original.

slav versão Eslavônica

supp porção de um manuscrito suprida por uma mão posterior, onde o original está em falta.

syrc versão Siríaca Curetoniana.

syrh Versão Siríaca Harcleana.

syrhgr uma forma grega marginal na Versão Siríaca Harcleana.

syrhmg uma forma marginal na Versão Siríaca Harcleana.

syrh with * asteriscos, no texto Siríaco Harcleano, indica uma forma diferente.

syrp Versão Siríaca Peshitto.

syrpal Versão Siríaca Palestina.

syrs Versão Siríaca Sinaítica.

Theod Texto de Teodócio do AT grego.

TR Textus Receptus (Oxford, 1873).

TT The New Testament: A Translation for Translators (1966).

txt texto de um manuscrito do NT ou de um pai da Igreja, quando difere de outra forma dada na seção de comentário que acompanha o texto.

vg Versão Vulgata.

vgc1 edição Clementina da Vulgata, quando difere da edição de Wordsworth-White.

vgww edição de Wordsworth-White da Vulgata, quando difere da edição Clementina.

104 |Artigos introdutórios| NTI

vg[www with []] edição de Wordsworth-White imprime a palavra(s) em colchetes para indicar dúbia validade textual.

[vid] indica aparente apoio em prol de dada forma em um manuscrito, cujo estado de conservação torna impossível uma completa averiguação.

WH Westcott e Hort, The New Testament in the Original Greek (1881).

Zür Die Heilige Schrift (Zurique, 1942).

* * * * * * *

V. BIBLIOGRAFIA

ALAND, Kurt. Kurzgefasste Liste der Griechischen Handschriftern des Neuen Testaments: I. Gesamtubersicht. Berlin: Walter de Gruyter und Co., 1963.

ALTANER, Berthold. Patrology. Translated from the 5th Geran edition by Hilda C. Graef. Freiburg: Herder; London and Edinburgh: Nelson, 1960.

BAUER, Walter. Griechisch-Deutsches Wörterbuch zu den Schriftern des Neuen Testaments und der ubrigen urchristlichen Literatur. 5th edition. Berlin: Verlag Alfred Töpelmann, 1958. Translated and adapted into English from the 4th German edition by William F. Arndt and F. W. Gingrich. Cambridge University Press and University of Chicago Press, 1957.

BELSHEIM, Johannes. Die Apostelgeschichte und die Offenbarung Johannis in einer alten lateinischen Ubersetzung aus dem "Gigas librorum" auf der königlichen Bibliothek zu Stockholm. Christiania, 1879. [it[gig]]

_____. Epistulae Paulinae ante Hieronymum Latine translatae ex Codice Sangermanensi: Christiania, 1885-1887. [E, it[e]]

_____. Fragmenta Novi Testamenti in translatione Latina antehieronymiana ex libro qui vocatur Speculum eruit er ordine librorum Novi Testamenti exposuit. (Skriften udg. af Videnskabsselskabet i Christianias, Hist.-filos. Kl., 1899, nr. ii). Christiania, 1899. [it[m]]

BENSLY, R. L. The Harklean Version of the Epistle to the Hebrews, Chap. XI.28—XIII.25. Cambridge, 1899. [syr[h]]

BEURON. see Vetus Latina.

B. F. B. S. see The New Testament in Syriac.

BLACK, Matthew ed. A Christian Palestinian Syriac Horologion (Berlin Ms. Or. Oct. 1019). Cambridge, 1954. [syr[pal]]

BLAKE, Robert P. The Old Georgian Version of the Gospel of Mark from the Adysh Gospels with the variants of the Opiza and Tbet' Gospels, edited with a Latin translation. (Patrologia Orientalis, v. 20, fasc. 3.) Paris, 1929.

_____. The Old Georgian Version of the Gospel of Matthew from the Adysh Gospels with the variants of the Opiza and the Tbet' Gospels, edited with a Latin translation. (Patrologia Orientalis, v. 24, fasc 1.) Paris, 1933.

_____ and BRIÈRE, Maurice. The Old Georgian Version of the Gospel of John and the Adysh Gospels with the variants of the Opiza ant Tbet' Gospels, edited with a Latin translation. (Patrologia Orientalis, v. 26, fasc. 4.) Paris, 1950.

BOVER, José M. Novi Testamenti Biblia Graeca et Latina. 4th edition. Madrid, 1959.

BRIÈRE, Maurice. La version géorgienne ancienne de l'Évangile de Luc, d'après les Évangiles d'Adich, avec les variantes des Évangiles d'Opiza et de Tbet'; éditée avec une traduction latine. (Patrologia Orientalis, v. 27, fasc. 3.) Paris, 1955.

BRUYNE, Donatien de. Les Fragments de Freising—épîtres de S. Paul et épîtres catholiques. (Collectanea Biblica Latina, 5.) Rome, 1921. [it[r3]]

BUCHANAN, Edgar S. The Epistles and Apocalypse from the Codex Harleianus. (Sacred Latin Texts, 1.) London, 1912. [it[z]]

_____. The Four Gospels from the Codex Corbeiensis, together with fragments of the Catholic Epistles, of the Acts and of the Apocalypse from the Fleury Palimpsest. (Old Latin Biblical Texts, 5.) Oxford, 1907. [it[ff2,h]]

BURKITT, Francis C. Evangelion da-Mepharreshê. The Curetonian Version of the Four Gospels, with the Readings of the Sinai Palimpsest and the early Syriac Patristic Evidence. 2 volumes. Cambridge, 1904. [syr[c]]

CURETON, William. Remains of a Very Antient Recension of the Four Gospels in Syriac. London, 1858. [syr[c]]

The Ethiopic New Testament, edited by Petrus Ethyops et al. Rome, 1548-1549. [eth[ro]]

FISCHER, Bonifatius. "Ein neuer Zeuge zum westlichen Text der Apostelgeschichte", in Biblical and Patristic Studies in Memory of Robert Pierce Casey, edited by J. N. Birdsall and R. W. Thomson (p.33-63). Freiburg: Herder, 1963. [it[1]]

FREDE, H. J. Altlateinische Paulus-Handschriften. Freiburg: Herder, 1964. [it[mon]]

GARITTE, Gerard. L'ancienne version géorgienne des Actes des Apôtres; d'après deux manuscrits de Sinaï. (Bibl. du Muséon, 38.) Louvain, 1955.

GREGORY, C. R. Prolegomena. See Tischendorf.

GRIFFITH, Francis L. The Nubian Texts of the Christian Period. (Abhandlungen der königl. preuss. Akademie der Wissenschaften, phil.-hist. Classe, 1913, Nr. 8.) Berlin, 1913.

GWILLIAM, G. H. The Palestinian Version of the Holy Scriptures, Five More Fragments. (Anecdota Oxoniensia.) Oxford: The Bodleian Library, 1893. [syr[pal]]

GWYNN, John. The Apocalypse of St. John in a Syriac Version Hitherto Unknown. Dublin and London, 1897. [syr[ph]]

GWYNN, John. Liber Ardmachanus: The Book of Armagh. Dublin, 1913. [it[ar]]

_____. Remnants of the Later Syriac Versions of the Bible. The Four Minor Catholic Epistles in the Original Philoxenian Version. London and Oxford, 1909. [syr[ph]]

HARRIS, J. Rendel, Biblical Fragments from Mont Sinai. London, 1890. [syr[pal]]

Die Heilige Schrift des Alten und des Neuen Testaments. Zurich: Verlag der Zwingli-Bibel, 1942.

The Holy Bible, Revised Version. Oxford University Press and Cambridge University Press, 1885.

The Holy Bible, American Standard Version. New York: Thomas Nelson and Sons, 1901.

[HORNER, George.] The Coptic Version of the New Testament in the Northern Dialect otherwise called Memphitic and Bohairic. 4 volumes. Oxford: The Clarendon Press, 1898-1905. [cop[bo]]

_____. The Coptic Version of the New Testament in the Southern Dialect otherwise called Sahidic and Thebaic. 7 volumes. Oxford: The Clarendon Press, 1911-1922. [cop[sa]]

HOSKIER, H. C. Concerning the Text of the Apocalypse. 2 volumes. London: Bernard Quaritch, 1929.

HUSSELMAN, Elinor M. The Gospel of John in Fayumic Coptic. (The University of Michigan, Kelsey Museum of Archaeology, Studies 2.) Ann Arbor: Kelsey Museum of Archaeology, 1962. [cop[fay]]

JULICHER, Adolf; MATZKOW, Walter; ALAND, Kurt. Itala: Das Neue Testament in altlateinischer Uberlieferung. 4 volumes [Matthew–John]. Berlin: Walter de Gruyter und Co., 1938-1963.

H KAINH DIAQHKH. 2nd edition with revised critical apparatus. London: British and Foreign Bible Society, 1958.

KASSER, Rodolphe. Papyrus Bodmer III: Évangile de Jean et Genèse I-IV,2 en bohaïrique. (Corpus Scriptorum Christianorum Orientalium, v. 177, 178. Scriptores Coptici, Tomi 25, 26.) Louvain: Secrétariat du Corpus SCO, 1960. [cop[bo]]

_____. Papyrus Bodmer XIX: Évangile de Matthieu XIV,28–XXVIII,20, Épître aux Romains I,1–II,3 en sahidique. (Bibliotheca Bodmeriana.) Cologny-Genève, 1962. [cop[sa]]

LAKE, Kirsopp. Codex 1 of the Gospels and Its Allies. (Texts and Studies, v. VII, n. 3.) Cambridge, 1902. [f[1]]

_____; LAKE, Silva; GEERLINGS, Jacob. Family 13 (The Ferrar Group). 4 volumes [Matthew–John]. (Studies and Documents, XI, XIX, XX, XXI.) [Mark =] London: Christophers, and University of Pennsylvania Press, 1941. [Matthew, Luke, and John=] Salt Lake City, Utah: University of Utah Press, 1961-1962. [f[13]]

LAND, J. P. N. Anecdota syriaca. (Lugduni Batavorum, Tomus IV.) Leiden: E. J. Brill, 1875. [syr[pal]]

LEFORT, L. Th. "Fragments bibliques en dialecte akhmîmique", Le Muséon, v. 66 (1953), p. 1-30.

_____. "Fragments de S. Luc en akhmîmique" Le Muséon, v. 62 (1949), pp. 199-205.

LEGG, S. C. E. Novum Testamentum Graece secundum Textum Westcotto-Hortianum. Evangelium secundum Marcum. Oxford: The Clarendon Press, 1935.

_____. Novum Testamentum Graece secundum Textum Westcotto-Hortianum, Evangelium secundum Matthaeum. Oxford: The Clarendon Press, 1940.

LEWIS, Agner Smith, Catalogue of the Syriac MSS in the Convent of St. Catharine on Mount Sinai. (Studia Sinaitica, I.) London, 1894. [syr[pal]]

_____. Codex Climaci rescriptus: fragments of sixth century Palestinian Syriac texts of the Gospels, of the Acts of the Apostles and of St. Paul's Epistles. Also fragments of an early Palestinian lectionary of the Old Testament. (Horae Semiticae, 8.) Cambridge, 1909. [syr[pal]]

_____. The Old Syriac Gospels, or, Evangelion da-Mepharreshê; being the text of the Sinai or Syro-Antiochene Palimpsest, including the latest additions and emendations, with the variants of the Curetonian text, corroborations from many other MSS., and a list of quotations from ancient authors. London, 1910. [syr[s]]

_____ and GIBSON, Margaret Dunlop. Palestinian Syryac Texts. From Palimpsest Fragments in the Taylor-Schechter Collection. London, 1900. [syr[pal]]

_____ and GIBSON, Margaret Dunlop. The Palestinian Syriac Lectionary of the Gospels. London, 1899. [syr[pal]]

_____; NESTLE, Eberhard; GIBSON, Margaret Dunlop. A Palestinian Syriac Lectionary, containing lessons from the Pentateuch, Job, Proverbs, Prophets, Acts and Epistles. London, 1897. [syr[pal]]

LUTHER, Martin. Das Neue Testament unseres Herrn und Heilandes Jesus Christ. Revidierter Text. Stuttgart: Wurttembergische Bibelanstalt, 1956.

MARGOLIOUTH, G. The Liturgy of the Nile. Reprinted from the Journal of the Royal Asiatic Society, 1896, p. 677-727. London, 1895. [syr[pal]]

MATTHAEI, C. F. Novum Testamentum, XII, tomis distinctum Graece et Latine. Textum denuo recensuit, varias lectiones nunquam antea vulgatas ex centum codicibus MSS... 12 volumes. Rigae, 1782-1788. [it^dem]

MATTHAEI, C. F. XIII. Epistolarum Pauli Codex Graecus cum versione Latina veteri vulgo Antehieronymiana olim Boernerianus nunc Bibliothecae Electoralis Dresdensis... Lipsiae, 1791. [it^g]

MERK, Augustinus. Novum Testamentum Graece et Latine. 9th edition. Rome: Pontifical Biblical Institute, 1964.

MORIN, Germain. Études, textes, découvertes. Contributions à la littérature et à l'histoire des douze premiers siècles. Volume 1. (Anecdota Maredsolana, 2e Série.) Paris: Abbaye de Maredsous, 1913. [it^r1]

_____. Liber Comicus sive Lectionarius missae quo Toletana Ecclesia ante annos mille et ducentos utebatur. (Anecdota Maredsolana,1.) Maredsoli, 1893. [it^t]

NESTLE, Eberhard; NESTLE, Erwin; ALAND, Kurt. Novum Testamentum Graece. 5th edition. Stuttgart: Wurttembergische Bibelanstalt; New York: American Bible Society, 1963.

Das Neue Testament unseres Herrn und Heilandes Jesus Christ, nach der Deutschen Ubersetzung D. Martin Luthers. Revidierter Text. Stuttgart: Wurttembergische Bibelanstalt, 1956.

The New English Bible New Testament. Oxford University Press and Cambridge University Press, 1961.

The New Testament. Revised Standard Version and King James Version in Parallel Columns. New York: Thomas Nelson and Sons, [1961?].

The New Testament: A Translation for Translators. London: British and Foreign Bible Society, 1966.

The New Testament in Syriac. London: British and Foreign Bible Society, 1905-1920. [syr^p]

Le Nouveau Testament, traduit en français sous la direction de l'École Biblique de Jérusalem. Paris: les Éditions du Cerf, 1958.

PERROT, Ch. "Un fragment christo-palestinien découvert à Khirbet Mird, Actes des Apôtres x:28-29; 32-41", Revue biblique, 70 (1963), p. 506-555. [syr^pal]

PLATT, T. Pell. The Ethiopic New Testament. London, 1826. Revised by F. Praetorius. Leipsig, 1899. [eth^pp]

PUSEY, Philip E. and GWILLIAM, G. H. Tetraevangelium Sanctum juxta simplicem Syrorum versionem ad fidem codicum, Massorae, editionum denue recognitum. Oxford: The Clarendon Press, 1901. [syr^p]

Rome, see The Ethiopic New Testament.

SANDERS, H. A. The Text of Acts in Ms. 146 of the University of Michigan (Proceedings of the American Philosophical Society, 77, 1.) Philadelphia, 1937. [it^ph]

SCHMID, Josef. Studien zur Geschichte des griechischen Apokalypse-Textes. 3 volumes. (Munchener Theologische Studien.) Munchen: Karl Zink Verlag, 1955-1956.

SCHULTHESS, Fridericus. Lexicon Syropalaestinum. Berlin, 1903. Lists Palestinian Syriac manuscripts and fragments.

SCHULTZE, V., Codex Waldeccensis. Munchen, 1904. [it^w]

SCRIVENER, F. H. [A.], An Exact Transcript of the Codex Augiensis, Cambridge and London, 1859. [it^f]

SEGOND, Louis. Le Nouveau Testament. Nouvelle Revision. Paris: Société Biblique Française, 1962.

SODEN, Hermann von. Die Schriften des Neuen Testaments in ihrer ältesten erreichbaren Textgestalt. 4 volumes. Teil 1, Abteilung 1-3, Berlin: Verlag von Alexander Duncker, 1902-1910; Teil 2, Text mit Apparat, Göttingen: Vandenhoeck und Ruprecht, 1913.

SOUTER, A. Miscellanea Ehrle 1. (Studi e Testi 137.) Rome, 1924. [it^v]

_____. Nouum Testamentum Graece, editio altera penitus reformata. Oxonii: E Typographeo Clarendoniano, 1947.

STREITBERG, William. Die gotische Bibel. 2nd edition, 2 volumes. (Germanische Bibliothek, II, 3.) Heidelberg, 1919; reprinted, 1950.

THOMPSON, Herbert. The Coptic Version of the Acts of the Apostles and the Pauline Epistles in the Sahidic Dialect. Cambridge, 1932. [cop^ea]

_____. The Gospel of St. John According to the Earliest Coptic Manuscript. London: British School of Archaeology, 1924 [cop^ach, ach2]

TILL, W. C., in Bulletin of the John Rylands Library, 42 (1959), p. 220-240. List of cop^fay manuscripts and fragments.

TISCHENDORF, Constantinus, Anecdota Sacra et Profana. Editio repetita, emendata, aucta. Lipsiae, 1861. [it^gue]

_____. Codex Claromontanus. Lipsiae, 1852. [it^d]

_____. Codex Laudianus, sive Actus apostolorum Graece et Latine. (Monumenta sacra inedita, nova collectio, vol. 9.) Lipsiae, 1870. [it^e]

_____. Novum Testamentum Graece. Editio octava critica maior, 2 volumes. Leipzig, 1869-1872. Volume 3, Prolegomena, edited by C. R. Gregory. Leipzig, 1894.

VASCHALDE, A., in Revue biblique, N.S., 16 (1919), p. 220-43, 513-31; 29 (1920), p. 91-106, 241-58; 30 (1921), p. 237-46; 31 (1922), p. 81-88, 234-58; in Le Muséon, 43 (1930), p. 409-31; 45 (1932), p. 117-56; 46 (1933), p. 299-313. Lists of cop^fay manuscripts and fragments.

Vetus Latina: Die Reste der Altlateinischen Bibel, nach Petrus Sabatier neu gesammelt und herausgegeben von der Erzabtei Beuron. 1, Verzeichnis der Sigel fur Handschriften und Kirchenschriftsteller, Freiburg: Herder, 1949; Verzeichnis der Sigel fur Kirchenschriftsteller, 2te Aufl. 1963. 24/1, Epistula ad Ephesios, 1962-1964. 26, Epistulae Catholicae, Apocalypsis; 1-3 Lieferung, Jac—2 Pt., 1956-1960.

VOGELS, Henr. J. Novum Testamentum Graece et Latine. 4th edition. Freiburg im Breisgau and Barcelona: Herder, 1955.

WESTCOTT, Brooke Foss, and Hort, Fenton John Anthony, The New Testament in the Original Greek. Volume 1, Text; volume 2, Introduction [and] Appendix. Cambridge and London: Macmillan and Company, 1881; 2nd edition of volume 2, 1896.

WHITE, Henry J. Portions of the Acts of the Apostles, of the Epistles of St. James, and of the First Epistle of St. Peter from the Bobbio Palimpsest. (Old Latin Biblical Text, 4). Oxford: The Clarendon Press, 1897. [it^s]

WHITE, Joseph. Actuum Apostolorum et Epistolarum tam catholicarum quam Paulinarum versio Syriaca Philoxeniana. 2 volumes. Oxford, 1799-1803. [syr^h]

_____. Sacrorum Evangeliorum versio Syriaca Philoxeniana. 2 volumes. Oxford, 1778. [syr^h]

WORDSWORTH, John and WHITE, Henry J. et al., Novum Testamentum Domini Nostri Iesu Christi Latine Secundum Editionem Sancti Hieronymi. 3 volumes. Oxford: The Clarendon Press, 1889-1954.

ZOHRAB, J. The Holy Bible (Armenian). Venice: Convent of San Lazzaro, 1805.

Zurich, see Die Heilige Schrift.

Introdução ao Comentário Textual do *Novo Testamento Grego*

Prefácio

Este volume visa a servir de complemento à terceira edição do Novo Testamento Grego da United Bible Societies, editado por Kurt Aland, Matthew Black, Carlo M. Martini, Bruce M. Metzger e Allen Wikgren.

Uma das principais finalidades deste comentário é mostrar as razões que levaram a comissão, ou a maioria de seus membros, a adotar certas formas textuais a serem inclusas no texto, relegando outras formas ao aparato crítico. Com base nos votos da comissão, como também na maioria dos casos, em notas mais ou menos completas das discussões que precederam à votação, o autor procurou dar forma e expressão às discussões: (a) o principal problema ou problemas envolvidos em cada série de variantes; (b) a avaliação e resolução da comissão sobre esses problemas. Ao escrever o comentário, foi mister não só revisar o que a comissão fizera, mas também consultar de novo os vários comentários, concordâncias, sinopses, léxicos, gramáticas e obras de referência similares que foram utilizadas pelos membros da comissão durante suas discussões. Mais de uma vez, o registro das discussões mostrou-se incompleto porque, em meio à vívida troca de opiniões, a comissão chegara a uma decisão sem a enunciação formal dessas razões, que no momento pareceram ser autoevidentes. Nesses casos, foi necessário que o autor suplementasse, ou mesmo reconstituísse, o teor das discussões da comissão.

A Introdução Geral ao comentário inclui um esboço das principais formas de considerações que a comissão levou em conta, ao escolher entre textos variantes. Familiarizando-se com esses critérios (p. 4), o leitor será capaz de entender mais prontamente as pressuposições que subjazem às avaliações da comissão quanto aos textos divergentes.

Em **adição** às 1.440 séries de variantes, supridas no aparato da edição da Sociedade Bíblica, a seleção das quais foi feita principalmente com base em sua importância exegética para o tradutor e para o estudioso, a comissão sugeriu que alguns dos outros textos também mereciam ser discutidos no volume complementar. Portanto, o autor incluiu comentários sobre cerca de 600 séries adicionais de variantes, espalhadas por todo o NT. E a maioria delas, deve-se notar, ocorrem no livro de Atos, o qual, devido a seus problemas textuais peculiares, parece exigir atenção especial (ver a Introdução ao Livro de Atos).

Nos comentários sobre as variantes que fazem parte do aparato do volume de texto, foi reputado suficiente apenas citar os manuscritos mais importantes; se assim o desejar, o leitor do comentário poderá suplementar a citação parcial da evidência consultando o aparato mais completo no volume de texto. Por outro lado, ocasionalmente, a discussão no comentário suplementa o aparato no volume de texto mediante a citação de testemunhas adicionais, algumas poucas as quais não eram conhecidas quando operava a comissão, além de outras que foram consideradas bastante importantes para serem citadas no aparato crítico. Já que este volume tem por desígnio ajudar os tradutores e estudiosos que talvez não tenham extensa biblioteca, os comentários sobre as 600 séries adicionais de variantes são acompanhados por uma citação mais ou menos completa da evidência, extraída de aparatos críticos modelos como os de Tischendorf, Von Soden, Nestle, Merk, Bover, Souter, Hoskier (no Apocalipse), e Wordsworth-White, bem como nas edições de manuscritos individuais (no tocante a informações acerca dos manuscritos gregos citados no comentário, mas não no volume de texto, ver abaixo, p. 115-117).

O comentário começou a ser escrito em 1964, quando o autor, ausentando-se para descanso de seus usuais deveres acadêmicos, atuava como membro do Institute for Advanced Study, in Princeton. Nos anos seguintes, quando o primeiro esboço de cada seção principal se completou, foi posto a circular entre os demais membros da comissão para garantir que os comentários refletiriam adequadamente as deliberações tomadas por eles. Com frequência, os membros da comissão diferiam em sua avaliação quanto à evidência textual, pelo que muitas formas foram adotadas à base da maioria dos votos. Em casos especiais, quando um membro que defendia uma opinião de minoria sentia fortemente que a maioria se equivocara seriamente, foi-lhe dada ocasião para exprimir seus pontos de vista. Esses comentários ocasionais, identificados pelas iniciais do escritor e postos dentro de colchetes, são adicionados à discussão principal do problema textual em questão.

O autor é grato aos professores Black, Martini e Wikgren, que, tendo lido o original manuscrito do comentário, fizeram várias sugestões, correções e adições que foram incorporadas no volume. Quanto aos erros que restam, o autor é o único responsável, naturalmente. Devemos também expressar apreciação pela capaz e cortês assistência dada pelo Dr. Robert P. Markham em todos os estágios da obra. A formidável tarefa de bater à máquina o manuscrito foi executada com excepcional exatidão pela Sra. Richard E. Munson. Similarmente, o artesanato da firma de Maurice Jacobs, Inc., merece recomendações pela alta qualidade de seu trabalho, o que incluiu a preparação de um sortimento especial de tipos em grego, para representar o tipo de escrita usado nos manuscritos unciais. A assistência na tarefa cansativa da revisão de provas foi entregue ao Dr. Markham, ao Sr. Stanley L. Morris, à Sra. Munson, ao Dr. Errol Rhodes e ao professor Wikgren. Finalmente, desejo expressar meus agradecimentos sinceros ao Dr. Eugene A. Nida, da American Bible Society, por me ter convidado a preparar esse complemento do nosso texto grego. Embora a escrita do volume tenha sido um empreendimento muito maior e exato do que parecia, quando aceitei o convite, agora que o mesmo está completo, sou grato a ele, por me ter dado a oportunidade de expandir, conforme espero, a utilidade da edição do NT Grego da United Bible Societies.

Bruce M. Metzger
Princeton Theologial Seminary
30 de setembro de 1970

Nota ao leitor: O Comentário Textual das Sociedades Bíblicas Unidas se acha totalmente traduzido e reproduzido no presente comentário. As variantes e comentários estão localizados nas referências do NT onde existem problemas textuais. Agradeço a gentil cooperação das Sociedades Bíblicas, o que fez possível a publicação, em português, desta obra monumental.

Russel Champlin

I. ABREVIATURAS

1. Autores e Editores Modernos

Bauer-Arndt-Gingrech – A Greek-English Lexicon of the New Testament and Other Early Christian Literature, tradução e adaptação do Griechisch-deutsches Worterbuch zu den Schriften des Neuen Testaments und der ubrigen urchristlichen Literatur, 4te Aufl., 1952, de Walter Bauer, por William F. Arndt e F. Wilbur Gingrich (Chicago e Cambridge, 1957).

Black, Aramaic Approach – An Aramaic Approach to the Gospels and Acts, por Matthew Black (Oxford, 1946, 3ª edição, 1967).

Blass-Debrunner-Funk – A Greek Grammar of the New Testament and Other Early Christian Literature; tradução e revisão da nona-décima edição de F. Blass e A. Debrunner, por Rober W. Funk (Chicago, 1961).

Bruce – The Acts of the Apostles; "The Greek Text with Introduction and Commentary". por F. F. Bruce (Londres, 1961).

Clark – The Acts of the Apostles; "A Critical Edition with Introduction and Notes on Selected Passages", por Albert C. Clark (Oxford, 1933).

Haenchen – Die Apostelgeschicte, neu ubersetzt und erklärt von Ernst Haenchen, 5te Auf. (Kritisch-exegetischer Kommentar uber das Neue Testament, begrundet von H. A. W. Meyer; Gottingen, 1965).

Harris – Codex Bezae, a Study of the So-Called Western Text of the New Testament, por J. Render Harris (Texts and Studies, vol. II; Cambridge, 1891).

Hort – F. J. A. Hort, Notes on Select Readings, em "The New Testament in the Original Greek", texto revisado por Brooke Foss Westcott e Fenton John Anthony Hort; vol. II Introduction and Appendix (Cambridge e Londres, 1881; 2ª edição, 1896).

Lake and Cadbury – The Beginnings of Christianity; vl. "The Acts of the Apostles" editado por F. J. Foakes Jackson e Kirsopp Lake; Vol: IV, English Translation and Commentary, por Kirsopp Lake e Henry J. Cabdury (Londres, 1933).

Metzger – The Text of the New Testament, Its Transmission, Corruption, and Restoration, por Bruce M. Metzger (Oxford, 1964, 2ª edição, 1968).

Moulton, Prolegomena – A Grammar of New Testament Greek, por James Hope Moulton; vol. I, Prolegomena (Edinburgo, 1906, 3ª edição, 1908).

Moulton-Howard, A Grammar of New Testament Greek, por James Hope Moulton e Wilbert Francis Howard; vol. II, Accidence and Word-Formation (Edinburgo, 1929).

Moulton and Millingan – The Vocabulary of the Greek Testament Illustrated from the Papyri and Other Non-Literary Sources, por James Hope Moulton e George Milligan (Londres, 1930).

Moulton-Turner – A Grammar of New Testament Greek, por James Hope Moulton; vol. III, Syntax, por Nigel Turner (Edinburgo, 1963)

Ropes – The Text of Acts, por James Hardy Ropes, que é o volume III do "The Beginnings of Christianity", Part I, The Acts of the Apostles, editado por F. J. Foakes Jackson e Kirsopp Lake (Londres, 1926).

Torrey – The Composition and Date of Acts, por C. C. Torrey (Harvard Theological Studies, Vol. I; Cambridge, Massachusetts, 1916).

Turner (ver Moulton-Turner).

Weiss, Der Codex D – Der Codex D in der Apostelgeschichte, Textkritische

Untersuchungen, por Bernhard Weiss (Text. und Untersuchungen, Neue Folge, II. Band; Leipzig, 1899).

Westcott and Hord, Introduction: The New Testament in the Original Greek, texto revisado por Brooke Foss Westcott e Fenton John Anthony Hort; vol. II, Introduction; and Appendix: (Cambridge e Londres, 1881; 2ª edição, 1896.)

Zuntz, The Text of the Epistles: a Disquision upon the Corpus Paulinum, por G. Zuntz (Londres, 1953).

2. Outras Abreviações:

ad loc.	= ad locum (na passagem)
al	= alia (outros testemunhos)
ASV	= American Standard Version (1901)
AV	= Authorized ou King James Version (1611)
bis	= duas vezes
cf.	= confer (comparar)
e.g.	= exempli gratia (por exemplo)
hiat	= está faltando (usado em alguma passagem de um manuscrito fragmentar)
i.e.	= id est (isto é)
NEB	= New English Bible (New Testament, 1961)
RSV	= Revised Standard Version (New Testament, 1946)
s.v.	= sub voce (sob a palavra)
ter	= três vezes
vid	= videtur (parece; usado para indicar que um texto não é seguro, especialmente em algum manuscrito danificado).

* * *

Quanto às abreviações dos títulos dos livros da Bíblia, e a sigla dos manuscritos e antigas versões do NT., ver a Introdução ao "The Greek New Testament" (3ª edição), suplementadas pela sigla dos testemunhos alistados no Apêndice, no fim do presente volume. Quanto a maiores informações acerca dos manuscritos gregos individuais, citado no aparato, ver a obra de Caspar René Gregory, Textkritik des Neuen Testamentes, 3 volumes (Leipzig, 1900-1909), e Kurt Aland, Kurzgefasste Liste der griechischen Handschriften des Neuen Testaments; I. Gesamtubersicht (Berlim, 1963), com suplementos na obra de Aland, Materialien zur neutestamentlich Handschriftenkunde, I (Berlim, 1969), p. 7ss.

N.B. – Quando a sigla de um manuscrito estiver contida entre parêntesis, isso significa que o manuscrito dá apoio à forma em quase todos os aspectos, mas difere em algum detalhe ou detalhes sem importância.

Deve-se observar que, de conformidade com a teoria que os membros de f(1) e f(13) foram sujeitados a uma acomodação progressiva ao texto bizantino posterior, os eruditos têm firmado o texto dessas famílias adotando as formas dos testemunhos das famílias de manuscritos que diferem do Textus Receptus. Portanto, a citação da sigla f(1) ou f(13) pode, em qualquer dada instância, indicar uma minoria dos manuscritos (ou mesmo um único manuscrito) que pertencem a essa família.

II. INTRODUÇÃO

Quase todos os comentários sobre a Bíblia buscam explicar o sentido das palavras, frases e ideias do texto bíblico em seu contexto mais próximo e mais remoto. Um comentário textual, porém, ocupa-se com a indagação suprema: Qual é o texto original da passagem? Que tal pergunta seja feita — e respondida — antes que alguém explique o significado do texto, origina-se de duas circunstâncias: (a) nenhum dos documentos originais da Bíblia foi preservado até hoje; (b) as cópias existentes diferem umas das outras.

A despeito do grande número de comentários gerais e especializados sobre os livros do NT, pouquíssimos abordam adequadamente os problemas textuais. De fato, não existe um sequer que abranja o NT inteiro; e aqueles que suprem discussões mais amplas foram escritos no século passado, e, é claro, estão inteiramente obsoletos hoje em dia. Entre as obras do século XIX exclusivamente devotadas aos problemas textuais, temos o comentário de Rinck, sobre os Atos dos Apóstolos e as Epístolas,[1] e os três volumes de Reiche sobre as Epístolas Paulinas e as Católicas.[2] Não tão versas, mas muito mais bem conhecidas, estão as **"Notas sobre Textos Seletos"**, incluídas no segundo volume, intitulado "Introduction and Appendix", de B. F. Westcott e na obra de

F. J. A. Hort, "The New Testament in the Original Greek" (Cambridge e Londres, 1881).[3] Aproximadamente 425 passagens são ventiladas nessas Notas, algumas das quais envolvem longas discussões que serão perenemente valiosas, enquanto outras provêm meramente a citação da evidência, sem qualquer comentário. A segunda edição do volume (1896) contém quase 50 notas adicionais, preparadas por F. C. Burkitt, e aborda o recém-descoberto manuscrito siríaco Sinaítico dos evangelhos. No fim do século XIX, Edward Miller, discípulo do Deão J. W. Burgon, publicou a primeira parte de seu "Textual Commentary upon the Holy Gospels" (Londres, 1899), cobrindo os primeiros catorze capítulos do evangelho de Mateus. Todavia, tal título é inapropriado, pois, ao invés de ser um comentário no sentido usual do termo, nada mais envolve senão um aparato crítico de textos variantes.

O século XX viu a publicação da dissertação doutoral de Zwaan, devotada aos problemas textuais de 2Pedro e Judas,[4] bem como as elaboradas análises de Turner acerca do uso de Marcos, culminando em "A Textual Commentary on Mark I".[5] Mais recentemente, R. V. G. Tasker proveu cerca de 270 breves "Note on Variant Readings" no apêndice de sua edição de The Greek New Testament (Oxford e Cambridge, 1964), cujo texto pode ser considerado como aquele que jaz por detrás da The New English Bible (1961).

Nas páginas seguintes, o leitor achará uma sucinta declaração sobre: 1) a história da transmissão do texto do NT; 2) os principais critérios empregados na escolha entre testemunhos conflitantes ao texto; 3) os principais testemunhos ao NT, alistados segundo os tipos de texto.

1. História da transmissão do texto do NT

Nos primeiros dias da Igreja cristã, após uma carta apostólica ser enviada a uma congregação ou a um indivíduo, ou após um evangelho ser escrito para satisfazer às necessidades de um público leitor em particular, eram preparadas cópias para ampliar sua influência e permitir que outros também fossem beneficiados. Era inevitável que tais cópias manuscritas contivessem maior ou menor número de diferenças no fraseado, em relação ao original. A maior parte das divergências se originava de causas bastante acidentais, como a troca de uma letra ou palavra por outra semelhante. Se duas linhas vizinhas de um manuscrito começassem ou terminassem com o mesmo grupo de letras, ou se duas palavras similares estivessem próximas em uma mesma linha, era fácil aos olhos do copista saltar do primeiro grupo para o segundo grupo de letras; e assim era omitida uma parte do texto (o que é chamado de "homoeoarcton" ou "homoeoteleuton", dependendo de a similaridade de letras ocorrer no começou ou no fim das palavras). No fenômeno contrário, um escriba podia retroceder do segundo para o primeiro grupo, copiando inconscientemente uma ou mais palavras por duas vezes (o que é chamado ditografia). As letras que eram pronunciadas da mesma forma algumas vezes confundiam (o que é chamado itacismo). Esses erros acidentais são quase inevitáveis quando passagens extensas são copiadas à mão, e tendem especialmente por ocorrer se o copista tem visão deficiente, se é interrompido enquanto trabalha, ou devido à fadiga, tornando-se menos atendo à sua tarefa do que deveria ser.

Outras divergências no fraseado originaram-se de tentativas deliberadas de suavizar arestas gramaticais ou de estilo, ou de eliminar obscuridades reais ou imaginárias no texto. Algumas vezes um copista substituía ou adicionava o que lhe parecia uma palavra ou forma mais apropriada, talvez derivada de uma passagem paralela (o que é chamado **harmonização** ou **assimilação**). Assim, durante os anos que se seguiam imediatamente à composição dos diversos documentos que eventualmente foram coligidos para formar o NT, centenas, se não mesmo milhares, de variantes foram surgindo.

Ainda outras formas de divergências se originaram quando os documentos do NT foram traduzidos do grego para outros idiomas. Nos séculos II e III, depois de o cristianismo ser introduzido na Síria, no Norte da África, na Itália e no centro e sul do Egito, tanto congregações inteiras como crentes, individualmente, com certeza haveriam de desejar cópias das Escrituras nos próprios idiomas. Assim foram produzidas cópias das versões em siríaco, em latim e nos vários dialetos coptas usados no Egito. Essas versões foram seguidas, nos séculos IV d.C. em diante, por outras versões, em armênio, geórgico, etíope, árabe e núbio, no Oriente, e em gótico e (bem mais tarde), finalmente, em anglo-saxão, no Ocidente.

A exatidão de tais traduções estava diretamente vinculada a dois fatores: (a) o grau de familiaridade do tradutor tanto com o grego quanto com o idioma para o qual era feita a tradução; (b) o cuidado devotado à tarefa da tradução. Não é de surpreender que tenham surgido consideráveis divergências,

---

1 Wilhelm Friedrich Rinck, Lucubratio critica in Acta Apostolorum, Epistolas Catholicas et Paulinas, in qua de classibus librorum manu scriptum, quaestio instituitur, descriptio ver lectio septem codicum Marcionarum exhibitur, atque observationes ad plurima loca cum Apostoli tum Evangeliorum dijudicanda et emendanda proponuntur (Basel, 1830).

Antes de Rinck, J. H. Griesbach iniciou um comentário textual completo sobre o NT, mas terminou apenas as porções sobre Mateus e Marcos (Commentarius criticus in textum Graecum Novi Testamenti, particula I, Jena, 1798; particula II Jena, 1811). Pode-se também mencionar que, em 1844, J. I. Doedes comentou consideravelmente sobre quase cinquenta passagens que envolvem problemas textuais importantes no NT, em seu Verhandeling over de Tekstkritik des Nieuwen Verbonds (Teyler's Godgeleerd Genootschap, vol. XXXIV; Haarlem, 1844), p. 387-481.

2 Johann George Reiche Commentarius criticus in Novum Testamentum, quo loca graviora et difficiliora lectionis dubiae accurate recensentur et explicantur; Tom. I, Epistolas Pauli ad Romanos et ad Corinthios datas continens (Guttingen, 1853); Tom. II, Epistolas Apostoli Pauli minores continens (1859); Tom. III, Epistolam ad Hebraeos et Epistolas Catholicas continens (1862).

3 Em dois volumes intitulada *The Revisers' Greek Text* (Boston, 1892), em formato de comentário, S. W. Whitney discute cerca de 700 passagens na Revised Version de 1881, que fora traduzida com base no texto de Westcott and Hort; em quase todos os casos, Whitney prefere o *Textus Receptus*, representado pela chamada Authorized Version, ou King James Version.

4 Johannes de Zwann, II Petrus em Judas; textuitgave met inleidende studien en textueelen commentaar (Leiden, 1909).

5 C. H. Turner, *Marcan Usage: Notes, Critical and Exegetical, on the Second Gospel*, Journal of Theological Studies, xxv (1923-1924), p. 377-386; xxvi (1924-1925), p. 12-20, 145-156, 225-240, 337- 346; xxvii (1925-1926), p. 58-62; xxviii (1926-1927), p. 9-30, 349-362. O comentário textual foi publicado no Journal of Theological Studies, xxviii (1926-1927), p. 145-158.

108 |Artigos introdutórios| NTI

primariamente nas primeiras versões, quando diversas pessoas faziam diferentes traduções do que poderia ser formas levemente variadas do texto grego; e, em segundo lugar, quando essas traduções, para um ou outro idioma, eram transmitidas em cópias manuscritas, feitas por escribas que, estando familiarizados com alguma forma levemente diferente de texto (ou um texto grego diferente ou uma diferente versão), ajustavam as novas cópias ao que eles consideravam o fraseado preferível.

Nos primeiros séculos da expansão da Igreja cristã, desenvolveu-se, de forma gradual, o que se chamou de "textos locais" do NT. Congregações recém-fundadas em alguma grande cidade ou proximidades, como Alexandria, Antioquia, Constantinopla, Cartago ou Roma, eram providas com cópias das Escrituras na forma corrente em cada área. Quando eram preparadas cópias adicionais, o número de textos e traduções especiais era conservado e, até certo ponto, aumentado, de tal modo que, com o tempo, aparecia um tipo de texto mais ou menos peculiar àquela localidade. Hoje em dia, é possível identificar o tipo de texto preservado nos manuscritos do NT mediante a comparação de seus textos característicos com as citações dessas passagens nos escritos dos pais da Igreja, que viveram nesses principais centros eclesiásticos ou suas proximidades.

Ao mesmo tempo, o caráter distinto de um texto local tendia a tornar-se diluído e misturado com outros tipos de texto. Um manuscrito do evangelho de Marcos, copiado em Alexandria, por exemplo, que mais tarde fosse levado a Roma, sem dúvida influenciaria até certo ponto aos escribas, que estivessem usando as formas do texto de Marcos então correntes em Roma. No todo, porém, durante os primeiros séculos, as tendências de desenvolver e preservar um tipo particular de texto prevaleceram sobre as tendências de misturar os textos. Assim, surgiram vários tipos distintivos de texto do NT, dos quais os mais importantes são os seguintes:

O texto Alexandrino, que Westcott e Hort chamaram de texto **Neutro** (um título duvidoso) e que usualmente é reputado como o melhor texto, o mais fiel na preservação do original. As características do texto alexandrino são a brevidade e a austeridade. Em outras palavras, é geralmente mais breve que o texto de outras formas, e não exibe o grau de polimento gramatical e estilístico que caracteriza o texto bizantino, ou, em menor grau, o tipo de texto de Cesaria. Até recentemente, os dois principais testemunhos do texto alexandrino foram o códex Vaticanus (B) e o códex Sinaiticus (a), manuscritos em pergaminho e datados em cerca dos meados do século IV d.C. Entretanto, com a aquisição dos papiros Bodmer, particularmente p (66) e p (75), ambos copiados cerca do fim do século II ou começo do século III d.C., há provas agora de que o tipo de texto alexandrino retrocede a um arquétipo que deve ser datado no começo do século II d.C. As versões saídica e boárica com frequência contêm textos tipicamente alexandrinos.

O texto Ocidental, que era largamente corrente na **Itália** e na **Gália,** bem como no Norte da África e noutros lugares (incluindo o Egito), também pode ser traçado de volta até o século II d.C. Foi usado por Márciom, Taciano, Irineu, Tertuliano e Cipriano. Sua presença no Egito é demonstrada pelo papiro p (38) (cerca de 300 d.C.) e por p (48) (cerca do fim do século III d.C.). Os mais importantes manuscritos gregos que apresentam um tipo ocidental de texto são o códex Bezae (D), do século V ou VI d.C. (que contém os evangelhos e o livro de Atos), o códex Claromontanus (D), do século VI d.C. (que contém as epístolas paulinas), e, quanto a Marcos 1.1 e 5.30, o códex Washingtonianus (W), dos fins do século IV ou começo do século V d.C. Por igual modo, as versões em Latim Antigo são testemunhos dignos de nota em prol do tipo de texto ocidental; essas se dividem em três grupos principais — as formas africana, italiana e espanhola dos textos em Latim Antigo.

A principal característica das formas ocidentais é o gosto pelas paráfrases. Palavras, cláusulas e até mesmo sentenças inteiras foram livremente modificadas, omitidas ou inseridas. Algumas vezes o motivo para isso parece ter sido a harmonização; em outras ocasiões, o motivo era o enriquecimento da narrativa mediante a inclusão de material tradicional ou apócrifo. Alguns textos envolvem alterações inteiramente triviais, para as quais não se pode descobrir qualquer razão especial. Uma das características do texto ocidental que nos deixa perplexos (e esse tipo de texto usualmente é mais longo que as outras formas de texto) é que no fim do evangelho de Lucas e em alguns poucos outros lugares do NT, certos testemunhos ocidentais omitem palavras e passagens que se fazem presentes em outras formas de texto, incluindo o alexandrino. Ainda que no fim do século passado certos eruditos se dispuseram a reputar essas formas mais breves como originais (Westcott e Hord denominavam-nas de "não-interpolações ocidentais"), a partir da aquisição dos papiros de Bodmer, muitos eruditos, hoje em dia, inclinam-se por considerá-las formas aberrantes.

No livro de Atos, os problemas levantados pelo texto ocidental se tornam mais agudos, pois o texto ocidental desse livro é quase 10% mais longo do que a forma comumente tida como texto original do mesmo. Por essa razão, este volume devota proporcionalmente mais espaço às variantes textuais de Atos do que de qualquer outro livro do NT, havendo também uma introdução especial aos fenômenos textuais do livro de Atos (ver At 1.1, depois do versículo grego).

O texto cesareano, que parece ter-se originado no Egito (o que é confirmado pelo Papiro Chester Beatty, p (45)) talvez tenha sido trazido por Orígenes para Cesareia, onde foi usado por Eusébio e outros. De Cesareia, foi levado para Jerusalém, onde foi usado por Cirilo e por alguns armênios, os quais, em data remota, tinham uma colônia em Jerusalém. Missionários armênios levaram o texto cesareano para Geórgia, onde o texto influenciou a versão geórgica, bem como um manuscrito grego uncial de cerca do século IX (Q, códex Koridethi). Outrossim, talvez a erudita edição das Epístolas Paulinas, por Eutálio, tenha sido feita em Cesareia (conforme pensa Zunta).[6]

Portanto, parece que o tipo de texto cesareano tem tido uma longa e diversificada carreira.[7] Segundo a opinião da maioria de eruditos, trata-se de um texto oriental, que data da primeira parte do século III d.C., caracterizando-se por uma distintiva mescla de formas ocidentais e alexandrinas. Pode-se também observar certo esforço em busca da elegância nas expressões, uma característica especial do tipo bizantino de texto.

Outro tipo de texto oriental, corrente em **Antioquia** e cercanias, é preservado até hoje principalmente nos antigos testemunhos siríacos, a saber, nos manuscritos Sinaítico e Curetoniano dos Evangelhos, bem como nas citações bíblicas contidas nas obras de Afraates e Efraem.

O texto bizantino, que também é chamado texto Sírio (conforme Westcott e Hort), o texto Koiné (conforme Von Soden), ou texto Eclesiástico (conforme Lake) ou mesmo texto Antioquiano (conforme Ropes), de modo geral é o último dos tipos distintivos de texto do NT. Caracteriza-se principalmente por sua lucidez e forma completa. Os que moldaram esse texto procuraram suavizar qualquer aspereza da linguagem, combinando dois ou mais textos divergentes em uma forma expandida (o que é chamado de **conflação**), além de harmonizarem passagens paralelas divergentes. Esse texto mesclado, talvez produzido em Antioquia da Síria, foi levado para Constantinopla, de onde foi largamente distribuído por todo o império bizantino. Ele é mais bem representado hoje em dia pelo Códex Alexandrino (nos evangelhos; mas não em Atos e nas Epístolas ou no Apocalipse), nos manuscritos unciais posteriores e na grande massa dos manuscritos minúsculos. Assim, excetuando algum manuscrito ocasional que veio a preservar alguma forma anterior de texto, durante o período de cerca dos séculos VI ou VII d.C., até a invenção da imprensa com tipos móveis (1450-1456), a forma bizantina de texto passava geralmente como forma autorizada de texto e era um dos tipos de texto mais largamente aceitos e postos em circulação.

Após a invenção da imprensa, por Gutembergue, o que tornou mais rápida a produção de livros, e, portanto, mais barata do que era possível quando das cópias feitas à mão, foi o aviltado texto bizantino que se tornou a forma padrão do NT em edições impressas. Essa infeliz situação não foi totalmente inesperada, pois os manuscritos gregos do NT que eram mais disponíveis para os primeiros editores e impressores eram justamente aqueles contidos no corrompido texto bizantino.

A primeira edição publicada do Testamento Grego impresso, em Basel, em 1516, foi preparada por Desidério Erasmo, o erudito e humanista holandês. Já que Erasmo não pôde encontrar nenhum manuscrito que contivesse o Testamento Grego em sua inteireza, ele utilizou vários manuscritos para as diversas divisões do NT. Quanto à maior parte de seu texto, ele dependeu de dois manuscritos bastante inferiores, atualmente na biblioteca da universidade de Basel, um para os evangelhos e outro para o livro de Atos e as Epístolas, ambos datados de cerca do século XII d.C. Erasmo comparou-os com dois ou três outros manuscritos, e ocasionalmente fez correções à margem ou entre as linhas da cópia dada ao impressor. Quanto ao livro de Apocalipse, ele contava apenas com um manuscrito, datado do século XII d.C., que ele tomara por empréstimo de seu amigo, Reuchlin. Ora, a essa cópia faltava a folha final, que continha os seis últimos versículos do livro. Para esses versículos, pois, Erasmo teve de depender da Vulgata Latina, de Jerônimo, retraduzindo-os para o grego. Como já seria de esperar em tal modo de proceder, aqui e ali, na reconstituição desses versículos, por parte de Erasmo, há várias formas que nunca foram encontradas em qualquer manuscrito grego — mas que continuaram a ser perpetuadas até hoje nas impressões do chamado Textus Receptus do NT Grego. Em outras porções do NT, Erasmo também introduziu, vez por outra, em seu texto grego, material derivado da forma corrente da Vulgata Latina.

O testamento grego de Erasmo foi tão procurado, que a primeira edição logo se esgotou, e uma segunda edição se fez necessária. Foi essa segunda edição, de 1519, na qual alguns (mas nem todos) dos muitos erros tipográficos da primeira edição foram corrigidos, que Martinho Lutero e Guilherme Tyndale usaram como base de suas traduções do NT para o alemão e para o inglês.

---

6   G. Zuntz, The Text of the Epistles; a Disquisition upon the Corpus Paulinum (Londres, 1953), p. 153ss.

7   Quanto a um sumário da principal pesquisa sobre o chamado texto cesareano, ver Metzger, The Caesarean Text of the Gospels, Journal of Biblical Literature, lxiv (1945), p. 457-489, reimpressa com adições na obra de Metzger, Chapters in the History of New Testament Textual Criticism (Leiden e Grand Rapids, 1963), p. 42-72. Alguns poucos eruditos duvidam ser possível identificar o texto cesareano, como, por exemplo, Kurt Aland, em "The Bible in Modern Scholarship", editada por J. Philip Hyatt (Nashville, 1965), p. 336ss, reimpressa na obra de Aland, Studien zur Uberlieferung des Neuen Testaments und seines Textes (Berlim, 1967), p 188ss.

Nos anos que se seguiram, muitos outros editores e impressores publicaram boa variedade de edições do Testamento Grego. Todos reproduziram mais ou menos o mesmo tipo de texto, a saber, aquele preservado nos manuscritos bizantinos posteriores. Até mesmo quando sucedia que um editor tivesse acesso a manuscritos mais antigos — como quanto Teodoro Beza, amigo e sucessor de Calvino em Genebra, adquiriu o manuscrito do quinto ou sexto século que tem hoje em dia o seu nome, bem como o códex Claromontano, de século VI d.C., ele fazia relativamente pouco uso dos mesmos, porquanto esses se desviavam demasiadamente do texto que, então, se tornara padronizado em cópias posteriores.

Edições anteriores do NT Grego, dignas de nota, incluem duas edições publicadas por Roberto Etienne (comumente conhecido sob a forma latina de seu nome, Stephanus), o famoso impressor parisiense que mais tarde se mudou para Genebra, lançou sua sorte com os protestantes daquela cidade. Em 1550, Stephanus publicou em Paris a sua terceira edição, a editio Regia, uma magnifique edição em fólio. Esse foi o primeiro Testamento Grego impresso a conter um aparato crítico. Nas margens internas de suas páginas, Stephanus incluiu diversas variantes com base em catorze manuscritos gregos, bem como formas derivadas de outra edição impressa, a Complutensiana Poliglota. A quarta edição de Stephanus (Genebra, 1551), que contém duas versões latinas (a Vulgata e a de Erasmo), é digna de nota por ter sido a primeira vez que o texto do NT foi dividido em versículos numerados.

Teodoro Beza publicou nada menos que nove edições do Testamento Grego, entre 1565 e 1604, e uma décima edição apareceu após seu falecimento, em 1611. A importância da obra de Beza jaz na extensão em que suas edições tenderam a popularizar e estereotipar o que veio a ser chamado de Textus Receptus. Os tradutores da Authorized Version ou King James Version, de 1611, fizeram largo uso das edições de Beza, lançadas entre 1588-89 e 1598.

A expressão Textus Receptus, aplicada ao texto do NT, originou-se de outra expressão empregada pelos irmãos Elzevir, os quais eram impressores em Leiden, e depois, em Amsterdã. O prefácio à sua segunda edição do Testamento Grego (1633) contém a sentença: "Textum ergo habes nunc ab omnibus receptum in quo nihil immutatum aut corruptum damus" ("Portanto, caro leitor, tens agora o texto aceito por todos, no qual nada foi modificado e nem corrompido"). Em certo sentido, essa orgulhosa afirmativa dos irmãos Elzevir em favor de sua edição parece justificada, porquanto essa edição, quanto a vários particulares, não diferia das aproximadamente 160 outras edições do Testamento Grego impresso que haviam sido publicadas desde que Erasmo publicara sua primeira edição, em 1516. Em sentido mais exato, todavia, a forma bizantina do texto grego, reproduzida em todas as primeiras edições impressas, estava desfigurada, conforme se mencionou acima, mediante o acúmulo, durante séculos, de miríades de alterações feitas pelos escribas, algumas de pouca significação, mas outras de consequências consideráveis.

Foi o corrupto texto bizantino que proveu o texto para quase todas as traduções do NT para os idiomas modernos até ao século XIX. No século XVIII, os eruditos tinham colhido muitíssimas informações de muitos manuscritos gregos, bem como dos testemunhos patrísticos e das versões.No entanto, exceptuando três ou quatro editores, que corrigiram timidamente alguns dos erros mais patentes do Textus Receptus, essa aviltada forma do texto do NT foi sendo reimpressa, edição após edição. Foi somente na primeira metade do século XIX (1831) que um erudito alemão dos clássicos, Karl Lachmann, aventurou-se a aplicar ao NT os critérios que usara nas suas edições dos escritos clássicos. Subsequentemente, apareceram outras edições críticas, incluindo as preparadas por Constantin von Tischendorf, cuja oitava edição (1669-1872) permanece um tesouro monumental de variantes textuais, e aquela preparada por dois eruditos de Cambridge, **B. F. Westcott e F. J. A. Hort** (1881). Foi esta última edição que foi tomada como base para a presente edição da United Bible Societies. No século XX, com a descoberta de vários manuscritos do NT, muito mais antigos que tudo quanto até então se conhecia, tornou-se possível produzir edições do NT que se aproximem cada vez mais do que é considerado o fraseado dos documentos originais.

2. Critérios usados na escolha entre textos conflitantes nos testemunhos do NT

Na seção anterior, o leitor terá visto que, durante cerca de catorze séculos, quando o NT era transmitido por meio de manuscritos, numerosas modificações e acréscimos entraram no texto. Dentre os aproximadamente cinco mil manuscritos gregos que se conhecem atualmente de porções do NT ou de todo ele, não existem dois deles que concordem particularmente em todos os pormenores. Defrontados por grande massa de textos conflitantes, os editores têm de decidir que variantes devem ser incluídas no texto e quais as que devem ser relegadas ao aparato crítico. Embora, a princípio, isso pareça ser uma tarefa ingente, em meio a tantos milhares de variantes textuais, dentre as quais sejam selecionadas aquelas formas reputadas como originais, os eruditos textuais têm desenvolvido certos critérios de avaliação geralmente reconhecidos. Segundo se verá, essas considerações dependem

de probabilidades; e, algumas vezes, o crítico textual deve pesar um jogo de probabilidades contra outro. Outrossim, o leitor deve ser avisado, desde o início, que, embora os critérios seguintes tenham sido traçados em forma de esboço geral bem arrumado, sua aplicação nunca pode ser empreendida de maneira meramente mecânica ou estereotipada. O alcance e complexidade dos informes textuais são tão grandes, que nenhum jogo de regras bem arrumado ou mecanicamente traçado pode ser aplicado com precisão matemática. Cada uma e todas as variantes precisam ser consideradas em separado, e não julgadas meramente segundo uma regra de índice. Conservando em mente essa nota de cautela, o leitor poderá perceber que o esboço dos critérios dado a seguir visa tão-somente a ser uma descrição conveniente das mais importantes considerações que a comissão levou em conta, ao escolher entre as variantes textuais.

As principais categorias ou tipos de critérios e considerações que ajudam o estudioso a calcular o valor relativo das variantes são aqueles que envolvem: I. A evidência externa, que diz respeito aos próprios manuscritos; II. a evidência interna, que diz respeito a duas espécies de considerações: (a) as que dizem respeito às probabilidades de transcrição (isto é, relacionadas aos hábitos dos escribas); (b) as que dizem respeito às probabilidades intrínsecas (isto é, relacionadas ao estilo do autor).[8]

III. ESBOÇO DOS CRITÉRIOS

1. Evidência externa, que envolve considerações que dizem respeito a:

a. A data e o caráter do testemunho. De modo geral, os manuscritos mais antigos são geralmente mais livres de erros que surgem da cópia repetida. Ainda de maior importância que a antiguidade do próprio documento, porém, são a data e o caráter do tipo de texto que ele incorpora, bem como o grau de cuidado tomado pelo copista, ao produzir o manuscrito.

b. A distribuição geográfica dos testemunhos que apoiam uma variante textual. Por exemplo, o apoio conjunto de testemunhos de Antioquia, Alexandria e Gália em favor de uma dada variante, quando todos os outros fatores são iguais, é mais significativo que o testemunho de manuscritos que representam uma única localidade ou sede eclesiástica. Por outro lado, porém, é preciso certificar que testemunhos geograficamente remotos são, na realidade, independentes uns dos outros. Por exemplo, os acordos entre os testemunhos no Latim Antigo e no Siríaco Antigo algumas vezes devem-se à influência comum exercida pelo Diatessarom de Taciano.

c. A relação genealógica de textos e famílias de testemunhos. Meros números de testemunhos que apoiem uma dada variante textual não provam, necessariamente, a superioridade daquela variante. Por exemplo, se em dada sentença a forma "x" fosse apoiada por vinte manuscritos e a forma "y", por apenas um manuscrito, o apoio numérico relativo em favor de "x" de nada valeria se viesse a ser descoberto que todos aqueles vinte manuscritos são apenas cópias feitas de um único manuscrito, não mais existente, cujo escriba fora o primeiro a introduzir aquela variante particular. A comparação, nesse caso, deve ser feita entre o único manuscrito que contém a forma "y" e o único ancestral dos vinte manuscritos que contêm a forma "x".

d. Os testemunhos devem ser pesados, e não tanto contados. Em outras palavras, o princípio enunciado no parágrafo prévio precisa ser elaborado: os testemunhos que são geralmente dignos de confiança em casos sem ambiguidade merecem receber um peso predominante, nos casos quando os problemas textuais forem ambíguos e a sua solução for incerta. Ao mesmo tempo, todavia, já que o peso relativo dos vários tipos de evidência difere quanto a diferentes tipos de variantes, deve haver não apenas uma avaliação mecânica das evidências.

2. Evidência interna, a que envolve dois tipos de probabilidades:

a. Probabilidades de transcrição, que dependem dos hábitos dos escribas e das características paleográficas existentes nos manuscritos.

1) De modo geral, as formas mais difíceis devem ser preferidas, particularmente quando o sentido, à superfície, parece errôneo, embora, após mais madura consideração, esse sentido mostra-se correto. (Neste ponto, "mais difícil" significa "mais difícil para o escriba", que se sentiria tentado a fazer uma emenda. A principal característica de quase todas as emendas feitas pelos escribas é a sua superficialidade, o que com frequência combina "a aparência de melhoria com a ausência de sua realidade".[9] É óbvio que a categoria "forma mais difícil" é relativa, e algumas vezes se chega a um ponto em que uma forma deve ser julgada tão difícil, que só pode ter surgido por acidente na cópia).

---

8 A tabela de critérios foi adaptada com base no volume deste autor, *The Text of the New Testament, its Transmissions, Corruption and Restoration* (Oxford, 1964; 2ª edição, 1968), que pode ser consultado para se obterem mais amplos informes sobre a ciência e a arte da crítica textual.

9 Westcott e Hort, op. cit., vol. II, p. 27.

2) De modo geral, as formas mais curtas são preferíveis, exceto nos casos em que:

(a) possam ter ocorrido equívocos visuais devido a homoeoarcton ou homoeoteleuton (isto é, quando o olho do copista saltou inadvertidamente de uma palavra para outra, que contém a mesma sequência de letras);

(b) o escriba tiver omitido material que ele poderia ter considerado supérfluo, ou severo, ou contrário à crença pia, ao uso litúrgico ou a práticas ascéticas.

3) Já que os escribas com frequência harmonizavam entre si passagens

divergentes, em passagens paralelas (ou em citações do AT ou em diferentes narrativas dos evangelhos sobre o mesmo acontecimento ou episódio), aquela forma que envolve a dissidência verbal usualmente é preferível àquela que concorda verbalmente com outra.

4) Os escribas, algumas vezes:

(a) **Substituíam** uma palavra estranha por um sinônimo mais familiar;

(b) **Alteravam** uma forma gramatical menos refinada ou menos elegante expressão léxica, em consonância com preferências do grego ático;

(c) **Adicionavam** pronomes, conjuntos e expletivos para produzir um texto mais suave.

b. Probabilidades intrínsecas, que dependem de considerações sobre o que o autor mais provavelmente deve ter escrito. O crítico textual leva em conta:

1) De modo geral:

(a) O **estilo** e o vocabulário do autor por todo o livro;

(b) O **contexto** imediato; e

(c) A **harmonia** com os usos do autor em outros textos;

2) Nos evangelhos:

(a) O pano de fundo **aramaico** dos ensinamentos de Jesus;

(b) A **prioridade** do evangelho de Marcos;

(c) A **influência** da comunidade cristã sobre a formulação e transmissão da passagem em questão.

É óbvio que nem todos esses critérios são aplicáveis a todos os casos. O crítico textual deve saber quando é próprio dar maior consideração a um tipo de evidência e menor a outro tipo. Já que a crítica é uma arte, tanto quanto uma ciência, é inevitável que, em alguns casos diferentes, eruditos avaliem variadas a significação das evidências. Essa divergência é quase inevitável quando, conforme sucede às vezes, a evidência está tão dividida que, por exemplo, a forma mais difícil se acha somente nos testemunhos posteriores, ou a forma mais longa se encontra somente nos testemunhos mais antigos.

A fim de indicar o grau relativo de certeza, na mente da comissão, quanto à forma adotada como texto,[10] uma letra identificadora aparece entre colchetes, no começo de cada série de variantes textuais. A letra (A) significa que o texto é virtualmente certo, ao passo que (B) indica que há certo grau de dúvida concernente à forma selecionada para o texto. A letra (C) quer dizer que há considerável grau de dúvida, não se sabendo dizer se é no texto ou no aparato crítico que está a forma superior; ao passo que a letra (D) mostra que há alto grau de dúvida concernente à forma selecionada para o texto. De fato, entre as decisões marcadas com um (D), algumas vezes nenhuma das formas variantes pode ser recomendada como original, pelo que o único recurso foi imprimir a forma menos insatisfatória.

3. Lista de testemunhos segundo o tipo de texto

A seguir, são citados alguns dos mais importantes testemunhos de texto do NT, arranjados em lista segundo o tipo predominante de texto exibido por cada testemunho. Pode-se observar que, em alguns casos, diferentes seções do NT, dentro do mesmo testemunho, pertencem a diferentes tipos de texto.

10   Pode-se notar que esse sistema é similar, em princípio, mas diverso em aplicação do que é seguido   por Johann Albrecht Bengel em sua edição do NT Grego (Tubingen, 1734).

---

a. Testemunhos Alexandrinos

1) Proto-Alexandrinos:

$\mathbf{p}^{45}$ (em Atos) $\mathbf{p}^{46}$ $\mathbf{p}^{66}$ $\mathbf{p}^{75}$ ℵ B Saídico (em parte), Clemente de Alexandria, Orígenes (em parte), e a maior parte dos fragmentos em papiro com texto paulino.

2) Alexandrinos Posteriores:

Evangelhos: (C)[11] L T W (em Lc 1.1—8.12 e Jo) X Z ZΔ(em Marcos) Ξ Ψ(em Marcos; parcialmente em Lucas de João) 33 579 892 1241 Boárico.

Atos: $\mathbf{p}^{50}$ A (C) Ψ 33 81 104 326

Epístolas Paulinas: A (C) H I Ψ 33 81 104 326 1739

Epístolas Católicas: $\mathbf{p}^{20}$ $\mathbf{p}^{23}$ A (C) Ψ 33 81 104 326 1739

Apocalipse: A (C) 1006 1611 1854 2053 2344; não tão bons $\mathbf{p}^{47}$ ℵ.

b. Testemunhos Ocidentais

Evangelhos: D W (em Marcos 1.1—5.30) 0171, Latim Antigo (sir (s) e sir (c) em parte), primeiros Pais Latinos, Diatessarom de Taciano.

Atos: $\mathbf{p}^{29}$ $\mathbf{p}^{38}$ $\mathbf{p}^{48}$ D E 383 614 1739 Sir (hmg) sir (pal mss) cop (G67) primeiros Pais Latinos, Efraem.

Epístolas: Bilíngues greco-latinos, D F G Pais Gregos até o fim do séc. *iii*, mss do Lat. ant. e primeiros pais da Igreja, pais sírios até cerca de 450 d.C.

Pode-se observar que quanto ao livro do Apocalipse, nenhum testemunho Ocidental específico tem sido identificado.

c. Testemunhos Cesareanos

1. Pré-Cesareano: $\mathbf{p}^{45}$ W (em Marcos 5.31—16.20) f(1) f(13) 28.

2. Cesareanos propriamente ditos: Q 565 700 arm geó Orígenes (em parte) Eusébio, Cirilo-Jerusalém.

A classificação dos testemunhos Cesareanos em pré-cesareanos propriamente ditos tem sido mais plenamente explorada no texto do evangelho de Marcos, mas, algumas vezes, agrupamentos similares são pressupostos válidos quanto aos demais evangelhos também. Pouquíssima pesquisa tem sido feita na identificação do texto cesareano (se houve tal texto) nos demais livros do NT.

d. Texto Bizantino[12]

Evangelhos: A E F G H K P S V W (em Mateus e Lucas 8.13—24.53) Π Ψ (parcialmente em Lucas e João) Ω e a maioria dos manuscritos minúsculos.

Atos: H L P 049 e a maioria dos manuscritos minúsculos.

Epístolas: L 049 e a maioria dos manuscritos minúsculos.

Apocalipse: 049 051 052 e a maioria dos manuscritos minúsculos.

Ao avaliarmos as listas anteriores de testemunhos, dois comentários se tornam apropriados:

(a) As tabelas incluem somente os testemunhos que são reconhecidos mais ou menos geralmente como principais representantes dos diversos tipos de texto. Testemunhos adicionais, vez por outra, têm sido atribuídos a uma ou outra categoria. Por exemplo, entre os representantes mais fracos do texto Cesareano, B. H. Streeter sentia-se inclinado a incluir os manuscritos de luxo, púrpura, N, O Σ, bem como U Λ Φ 157 544 FAM. 1424 1071 e 1604, e outros eruditos têm identificado como cesareanos ainda outros testemunhos.

(b) Apesar de o leitor ser encorajado a consultar, vez por outra, a lista dos testemunhos dados acima, no próprio comentário, nunca se deve supor que a identidade de apoio externo para duas séries separadas de variantes textuais requer juízos idênticos concernentes ao texto original. Embora a evidência externa quanto a duas séries de variantes textuais possa ser exatamente a mesma, considerações de probabilidades de transcrição e/ou intrínsecas de textos podem conduzir a juízos bastante diversos acerca do texto original. Isso, como é claro, é apenas outro modo de dizer que a crítica textual é uma arte, tanto quanto uma ciência, exigindo que cada série de variantes seja avaliada à luz das mais amplas considerações de evidências externas e de probabilidades internas.

11   Nesta lista, os parêntesis indicam que o texto do manuscrito assim designado é de caráter misto.
12   Segundo foi mencionado antes, esses têm sido variegadamente designados por outros escritores como   testemunhos antioqueanos, sírios, eclesiásticos ou "koiné".

O PANO DE FUNDO HISTÓRICO DO NOVO TESTAMENTO

Período intertestamentário:
acontecimentos e condições *do mundo ao tempo de Jesus*

Russell Champlin

I. O PERÍODO INTERTESTAMENTÁRIO

II. PÉRSIA

III. OS PTOLOMEUS E OS SELÊUCIDAS

IV. OS MACABEUS E A INDEPENDÊNCIA

V. INTROMISSÃO ROMANA

VI. DESCOBRIMENTOS ARQUEOLÓGICOS QUE ILUSTRAM ESSES ANOS

VII. A PALESTINA AO TEMPO DE JESUS

1. Pano de fundo

2. Antípatre

3. Herodes, o grande

4. Os vários Herodes do Novo Testamento

5. O nacionalismo judaico

6. Revolta e destruição de Jerusalém

VIII. O MUNDO GRECO-ROMANO

1. Pano de fundo

2. Moralidade

3. Filosofia

4. Religião

IX. BIBLIOGRAFIA

X. DIAGRAMAS:

1. Israel, Pérsia, Egito e Síria

2. Os selêucidas

3. Os hasmoneanos

4. Os herodianos

5. Acontecimentos durante os tempos do Novo Testamento: Roma, Palestina, o Novo Testamento

I. O PERÍODO INTERTESTAMENTÁRIO

As condições gerais desse período podem ser relembradas sabendo-se que houve quatro períodos distintos em que esses quatrocentos anos podem ser divididos: 1. período persa — 430-322 a.C.; 2. período grego — 321-167 a.C.; 3. período da independência — 167-63 a.C.; 4. período romano — 63 a.C. até Jesus Cristo.

II. PÉRSIA

Israel caiu sob o controle persa. A Pérsia foi a grande potência mundial durante cerca de duzentos anos, e foi mais ou menos na metade desse período que Israel seguiu para o cativeiro. Nomes como Artaxerxes I, Xerxes II, Dario II e Artaxerxes II são nomes familiares entre nós, como reis persas que governaram durante esse tempo. Neemias reconstruiu Jerusalém durante o governo de Artaxerxes I. Usualmente, os persas eram clementes, e tanto a autoridade civil como a autoridade religiosa foram restabelecidas em Israel durante esse período. O império persa caiu sob Dario III, em cerca de 331 a.C.

III. OS PTOLOMEUS E OS SELÊUCIDAS

Com a queda da Pérsia, o equilíbrio do poder mundial passou da Ásia para o ocidente, para a potência crescente dos gregos. Quase todos estão bem familiarizados com o nome de Alexandre, o Grande, o qual, com a idade de vinte anos, assumiu o comando do exército macedônio e, em um período extremamente breve, reduziu aos seus pés todas as demais potências, tendo varrido o Egito, a Assíria, a Babilônia e a Pérsia.

Alexandre conquistou a Palestina em cerca de 332 a.C., poupou a cidade de Jerusalém e disseminou a língua e a cultura gregas por toda parte. Marchas forçadas e bebidas imoderadas arrebataram-lhe a vida quando contava apenas trinta e três anos de idade, estando ele na Babilônia, no ano de 323 a.C. Quando de seu falecimento, morreu também a ideia de um governo universal, e, em cumprimento da profecia de Daniel (Dn 11.4,5), o seu reino foi dividido. O império foi repartido entre os quatro generais de Alexandre. As duas porções orientais ficaram com generais separados — a Síria ficou com Seleuco, e o Egito, com Ptolomeu. Dessa maneira, vieram à existência os ptolomeus (reis gregos do Egito) e os selêucidas (reis gregos da Síria). Outros domínios foram estabelecidos em resultado da morte de Alexandre; mas só esses dois

têm alguma significação na história bíblica, em relação ao período entre os Testamentos. A princípio, a Palestina ficou debaixo do controle sírio, mas não muito depois passou para o controle egípcio. Assim permaneceram as coisas durante cerca de cem anos, até 198 a.C. Durante esse período, os judeus estiveram dispersos, e Alexandria serviu de importante centro político e cultural, o que propiciou meios do Antigo Testamento ser traduzido para o grego, tradução essa que tomou o nome de "Septuaginta", representada também pelo símbolo "LXX" (que significa "70", em latim), por causa da tradição que foi completada em 70 anos, por setenta e dois tradutores judeus da Palestina. Sob os "ptolomeus", os judeus prosperaram, e até exigiram importante centro religioso em Alexandria.

Entretanto, em 198 a.C., Antíoco, o Grande, reconquistou a Palestina, e esta voltou ao controle dos "selêucidas". Em 175-164 a.C., os judeus foram severamente perseguidos por Antíoco Epifânio, que estava resolvido a exterminá-los, juntamente com sua religião. Esse é o "pequeno chifre" de Daniel 8.9, descrito nessa passagem profética. No ano de 168 a.C., Antíoco Epifânio profanou o templo de Jerusalém, oferecendo uma porca sobre o altar. Tornou-se o tipo vívido do ainda futuro anticristo, que, semelhantemente, atacará e procurará destruir qualquer verdadeiro testemunho de Deus. Antíoco Epifânio cometeu muitas outras atrocidades contra os judeus, incluindo a tentativa de destruir todos os mss das Escrituras. Seus excessos é que provocaram a revolta dos macabeus, o que resultou no eventual período de independência dos israelitas.

IV. OS MACABEUS E A INDEPENDÊNCIA

O período de independência israelita é também conhecido como período macabeu ou hasmoneano. (O nome de família dos macabeus era "Hasmom"). Matatias, um sacerdote, tinha cinco filhos, de nome Judas, Jônatas, Simão, João e Eleazar. Judas foi guerreiro de habilidade extraordinária, tendo reunido as forças necessárias para a libertação dos judeus. Em 165 a.C., Judas purificou e reconsagrou o templo, e esse acontecimento passou a ser comemorado pela festa da Dedicação. Um período de cem anos de independência surgiu a partir daí. Essa liberdade, porém, terminou em 63 a.C., quando os romanos conquistaram a Palestina.

V. INTROMISSÃO ROMANA

Em 63 a.C., os romanos, comandados por Pompeu, tomaram a Palestina. Antípatre, um idumeu (isto é, edomita descendente de Esaú), foi nomeado governador da Judeia. A Judeia incluía as regiões da Galileia, Samaria, Judeia, Traconite e Pereia (algumas vezes intituladas, coletivamente, de "Judeia"). Essas divisões haviam sido estabelecidas ainda durante o período sírio, mas permaneceram durante a maior parte do tempo ao período romano, que o seguiu. Com Antípatre é que começou o governo dos Herodes, tão bem conhecido nos evangelhos. Herodes, o Grande, era filho de Antípatre. (Quanto a maiores informações sobre os Herodes, ver nota em Lc 9.7, sobre os "herodianos", ver Lc 9.7 e Mc 3.6). Os herodianos eram o partido político que favorecia a linhagem dos Herodes, como artifício para evitar o governo romano direto. Muitos consideravam a sucessão dos Herodes como o "Messias". No tempo do governo de Herodes, o Grande, é que nasceu Jesus. Foi no tempo do governo do tetrarca Herodes (também chamado Antipas, um dos filhos mais novos de Herodes, o Grande, Lc 3.19) que Jesus morreu e ressuscitou.

VI. DESCOBRIMENTOS ARQUEOLÓGICOS QUE ILUSTRAM ESSES ANOS

As descobertas arqueológicas têm servido para adicionar informações ao nosso cabedal de conhecimentos sobre aqueles tempos, além das informações que temos podido recolher nas fontes escritas. Muitos têm dito, e com frequência, que o livro de Daniel está em conflito com a história, ao afirmar que Belsazar era o rei da Babilônia ao tempo da queda dessa cidade. Existem documentos históricos que indicam que Nabonido foi o último rei da Babilônia, e que não foi morto pelos conquistadores, e, sim, que lhe foi dada uma pensão para viver. Pelos meados do século XIX, porém, foram descobertos alguns tabletes de argila, na região da antiga Babilônia. Juntamente com o pai de Nabonido, evidentemente, ele passava grande parte de seu tempo na Arábia, tendo nomeado Belsazar à posição de monarca reinante, por causa de sua ausência habitual. Outras descobertas, como a dos papiros de Elefantina (assim chamados devido a uma ilha desse nome, localizada no rio Nilo, a cerca de 940 quilômetros ao sul de Cairo), confirmaram certo número de detalhes contidos nos livros de Esdras e Neemias, tais como a menção de Sambalate e o governo de Artaxerxes I, coincidentes com certos acontecimentos descritos em livros bíblicos, mormente à volta de Neemias para reedificar Jerusalém. Provas arqueológicas foram também descobertas quanto à família de Tobias. Perto da atual Amã, foram descobertos os túmulos dessa família.

Com os **sucessores de Artaxerxes** I (465-423 a.C.) é que se iniciou o período intertestamentário. A Palestina tornou-se parte da quinta satrapia (ou província) persa, cuja capital era Damasco ou Samaria.

112 |Artigos introdutórios| NTI

Existem abundantes achados arqueológicos que esclarecem as conquistas de Alexandre. Foi descoberto um mosaico que ilustra a destruição dos exércitos de Dario III, por Alexandre, o Grande. Esse mosaico foi encontrado nas escavações em Pompeia, efetuadas em 1831. O cerco de Tiro, pelas tropas de Alexandre, cumpriu, nos mínimos detalhes, as profecias de Ezequiel (capítulo 26). As pedras e a madeira da cidade foram realmente lançadas à beira-mar, quando Alexandre as usou para formar um molhe que atingisse a ilha onde estava edificada a cidade, acerca de oitocentos metros de distância da praia, e que os habitantes da cidade continental tinham construído, depois de terem fugido daquela cidade. **Josefo** relata-nos que Alexandre visitou Jerusalém; mas essa informação só é consubstanciada pelo Talmude dos judeus, nada se sabendo quanto à autenticidade da história.

Muitas moedas e vasos de barro, desenterrados, têm fornecido evidência sobre o governo dos ptolomeus, do Egito, sobre a Palestina. Túmulos belamente pintados, com inscrições gregas, foram descobertos em Marissa, ao norte de Beth Gubrin (Eleuterópolis), na estrada de Gaza, pertencentes à segunda metade do século III a.C. Numerosas moedas dos reis selêucidas, incluindo Antíoco Epifânio (175-164 s.C.), têm sido descobertas em diversas cidades da Síria e da Palestina.

Durante o tempo das lutas de independência dos **macabeus**, os dois grandes partidos do judaísmo os fariseus e os saduceus — vieram à existência. Os fariseus apoiavam ardorosamente o movimento de independência, e tiveram início admirável, exaltando a lei de Deus, aguardando o Messias e esperando a ressurreição. Os saduceus, por outro lado, acolhiam a cultura helênica, interessando-se mais pelas vantagens materiais. Sem dúvida, não eram ortodoxos nas questões religiosas, e por isso mesmo eram desprezados pelos fariseus. O ódio que surgiu entre esses dois grupos terminou por afundar o reino hasmoneano. Os essênios também se desenvolveram como um grupo distinto entre os judeus, nesse período. Os papiros do Mar Morto dão muita informação valiosa sobre eles. (Ver nota sobre os "fariseus", em Mc 3.6; sobre os "saduceus", em Mt 22.23; e sobre os "essênios", em Lc 1.80). Na cidade de Gezer, foi desenterrada uma das fortalezas de Simão Macabeu. Muitos outros remanescentes foram encontrados, tais como moedas, cerâmicas, e, no caso da cidade de Marissa, uma gravura helenística típica, ilustrando a vida e a cultura da Palestina durante esse período. Foram encontradas moedas que trazem o título de "rei", estampado tanto em grego como em hebraico, referentes aos reis hamoneanos.

Há também abundantes achados arqueológicos que ilustram o governo da linhagem dos **Herodes**, durante a qual Cristo viveu e morreu. Herodes, o Grande, foi destacado edificador, e algumas de suas estruturas têm sido desenterradas. A cerca de dez quilômetros ao sul de Belém, foi identificado o "herodium". Era uma espécie de castelo forte, uma magnificente estrutura, evidentemente com a finalidade de servir de memorial perpétuo dos Herodes. Herodes, o Grande, porém, é mais bem lembrado devido à matança dos inocentes, sendo este o seu mais apropriado memorial. Herodes também erigiu o templo de Jerusalém, posteriormente destruído pelos romanos. Esse templo foi iniciado em cerca de 19 a.C., e chegava aos estágios finais durante o ministério de Jesus. Restos de um templo construído por Herodes, em Samaria, podem também ser vistos até hoje. (Ver nota, em Lc 2.31, quanto a outras estruturas de Herodes).

VII. A PALESTINA AO TEMPO DE JESUS

1. Pano de fundo

Na tentativa de destruir a religião judaica, os excessos de Antíoco Epifânio conduziram à oposição unida por parte de todo o Israel. Os macabeus (assim chamados por causa da alcunha de Judas, embora o nome da família fosse "Hasmom", foram os líderes do momento que os israelitas precisavam. Judas Macabeu centralizou todas as atividades judaicas ao redor da capital, Jerusalém, dando assim algum terreno comum ao povo, embora grandes seções do país, especialmente na Galileia e na Pereia, permanecessem essencialmente sob controle estrangeiro. Essas áreas tinham culturas não-judaicas que datavam de séculos, e as populações judaicas que ali havia eram esparsas. Os hasmoneanos obtiveram domínio quase total depois da revolta contra Antíoco Epifânio, e Hircano, Aristóbulo e Alexandre Janeu oficiaram como sumos sacerdotes ungidos, sempre de armas ao alcance da mão, para defenderem sua independência e domínio há pouco conquistados.

Entretanto, **esses tempos bons** não poderiam durar muito, e, como sempre, começaram a multiplicar-se os abusos nos círculos políticos. Gradualmente, uma oposição profunda se foi formando entre o povo, contra a casa real. Isso começou a aparecer desde os anos de João Hircano. (Ver o gráfico que se segue, nesta seção, que dá a lista dos reinados dos Hasmoneus e suas datas aproximadas.) A história revela-nos que Alexandre Janeu foi um governante sanguinário. Durante esse tempo, rebentou uma guerra civil que encharcou Jerusalém em sangue durante cinco anos. Após o falecimento de Janeu, sua viúva, Alexandra, mediante grande astúcia, evitou ainda maior derramamento de sangue, e isso ela fez concedendo maior autoridade aos súditos não-reais e aumentando o poder do concílio de Jerusalém, além de

ter introduzido nesse concílio os "escribas", os quais, aos olhos do povo, eram considerados líderes mais dignos que os membros da linhagem real, cujos sacerdotes, em geral, eram menos educados e menos cultos. A morte de Alexandra, entretanto, foi o sinal para novas lutas pelo poder no seio da dinastia dos hasmoneanos. Seus dois filhos, Aristóbulo e Hircano, opunham-se amargamente um ao outro. Aristóbulo era uma cópia fiel de seu pai, amante da guerra, e, embora Hircano hesitasse em combater e fosse incompetente, contava com o apoio do astuto Antípatre (pai de Herodes, o Grande). Em tempos anteriores, Antípatre fora conselheiro de Alexandre Janeu.

Finalmente, Hircano, auxiliado por um bando de árabes nabateus, assediou o seu irmão em Jerusalém. Roma já criara província forte na Síria (dos remanescentes do reino selêucida), mas jamais interferira muito em Jerusalém. Intensificando-se, porém, a guerra civil ali, finalmente Roma resolveu intervir, e com essa intervenção dissipou-se a independência israelita uma vez mais. Pompeu, o general romano, entrou em Jerusalém no ano de 63 a.C. Israel perdeu seus territórios extrajudaicos; as cidades gregas da costa marítima e ao longo do vale do Jordão foram libertadas das mãos dos odiados judeus. Samaria e Galileia foram reunidas à recém-formada província da Síria. Muitos saudaram essa intervenção romana como ótima medida, posto que outros tantos já estavam exaustos com a luta pelo poder no seio da dinastia hasmoneana. Flávio Josefo apresenta a lista de muitas "cidades libertadas", tais como Gaza, Azoto, Jope, Jamnia, a Torre de Estrato, Dora (todas na costa marítima). No interior, havia Samaria, Citópolis, Hipos, Gadara, Pela, Dion e, sem dúvida nenhuma, muitas outras. Novas cidades do outro lado do Jordão se uniram a Citópolis com uma espécie de aliança comercial, a "aliança de dez cidades", e que popularmente veio a ser conhecida como **Decápolis**. Dessa maneira, o minúsculo estado judeu retornou à posição política em que estivera cem anos antes, desnudo de terras e de sua independência. De maneira geral, todavia, Pompeu não modificou as formas de governo local, e os seus sucessores seguiram essa orientação. Por isso, sob muitos aspectos, a vida sob os romanos era preferível à vida sob os hasmoneanos. Alguns chegaram a aclamar esses acontecimentos como a aurora da independência, mas os judeus, de maneira geral, não compartilhavam desse entusiasmo. João Hircano, que fora deixado temporariamente no poder, finalmente perdeu o que lhe restava, e seus antigos territórios tornaram-se parte da província da Síria.

2. Antípatre

As condições não se demorariam a alterar. Durante o espaço de dez anos (63-53 a.C.), enquanto os acontecimentos acima descritos estavam ocorrendo, Antípatre, ex-conselheiro de Alexandre Janeu, e mais tarde campeão de Janeu, preferia ficar em segundo plano, ao mesmo tempo, porém, que cultivava a favor dos romanos. Por algum tempo, João Hiarcano ocupou a posição de "etnarca", principalmente por causa da influência favorável de Antípatre ante os romanos. Mais ou menos por esse tempo, a própria Roma experimentou terrível guerra civil, que começou quando César atravessou a Rubicon, e terminou finalmente com a vitória de Otávio (mais tarde, intitulado Augusto), em Ácio. Todos esses acontecimentos, que tiveram lugar em 49 e 31 a.C., produziram seus reflexos na Palestina. Antípatre, mediante cálculos astutos e inteligentes, sempre conseguiu ficar do lado vitorioso na luta pelo poder entre os romanos. Transferia sua lealdade à medida que as condições o exigiam, de Pompeu para César, então para Filipe, daí para Antônio; e, depois de Ácio, para Otávio. Tudo isso foi largamente recompensado pelos romanos. César aboliu a quíntupla divisão em que a Palestina fora dividida. Hircano ficou com uma seção unida (etnarca) que consistia da Judeia unida, tendo recebido posição senatorial conferida por Roma.Por seus vários serviços, Antípatre recebera a cidadania romana tão cobiçada e, temporariamente, tornou-se primeiro-ministro de João Hircano. As reivindicações de Aristóbulo e de Antígono, seu pai, haviam sido totalmente ignoradas. Jerusalém tornou-se, uma vez mais, a capital nominal da região.

3. Herodes, o grande

Herodes, o hábil e astuto filho de Antípatre, durante esse período mostrou ser um valioso aliado dos oficiais romanos no oriente. Foi nomeado governador militar de toda a fronteira do sul da Síria (Coele-Síria), pelo governador romano dessa província. A morte de Antípatre permitiu que Herodes obtivesse a ascendência sobre Jerusalém, e o pequeno estado judeu que circundava a cidade ficou em suas mãos. Imediatamente Herodes sofreu a oposição da linhagem dos hasmoneanos, que, naturalmente, viam nele o seu maior obstáculo à possível restauração da liberdade. Antígono encabeçava essa oposição, e, ao intensificar-se a mesma, os romanos resolveram intervir, a fim de preservar e consolidar os seus interesses na Palestina. Para tanto, Herodes foi nomeado "rei dos judeus". A princípio, o título parecia vazio, mas não demorou a Herodes torná-lo válido. No espaço de três anos já obtivera completo controle, e Antígono foi executado. Herodes foi monarca autêntico, mas jamais se esqueceu de que usava a coroa por permissão dos romanos. Nesse ínterim, a vitória de Otávio sobre Antônio e Cleópatra trouxe um período de paz e tranquilidade relativas.

Augusto (Otávio), por meio de uma série de medidas sábias, obteve autoridade completa sobre o Império Romano, que assim, ainda mais completamente do que antes, transformou-se de democracia em monarquia. Foram nomeados para esse império governadores diretamente responsáveis por dirigi-lo. Por toda parte, porém, conforme a norma romana, esses governadores tinham a liberdade de agir segundo as circunstâncias. Augusto preferia nomear líderes "locais" a enviar governadores romanos para governarem as províncias. Ora, Herodes era um desses homens, aos olhos de Otávio. Durante o reinado de Herodes, que se prolongou por quarenta anos, distrito após distrito das áreas ao redor, foi sendo adicionado ao seu reino. Sob o governo de Herodes, "Israel" recuperou as fronteiras aproximadas que Alexandre Janeu conquistara e consolidara, como resultado de sua revolta contra os selêucidas.

Esse período, considerado em linhas gerais, se caracterizou pela prosperidade generalizada, a despeito da tirania geralmente intensa, criada pelos diversos governantes. Augusto encontrou Roma construída de tijolos, e deixou-a erigida em mármore. Herodes foi grande edificador, e, entre outras coisas, construiu o templo, ginásios, anfiteatros, aquedutos e novas cidades, incluindo Samaria, que há muito tempo jazia em ruínas. A fim de prover um porto para a costa tão inóspita, Herodes construiu Cesareia Estratones, que foi erigida no antigo sítio da Torre de Estrado. Não demorou para que essa cidade se tornasse uma das principais da Palestina. No entanto, a principal realização de Herodes foi a construção do templo. Este se tornou motivo de um refrão: "Quem ainda não viu o templo de Herodes, ainda não viu o que é belo". Herodes também realizou outras coisas. Em certos pontos, mostrou ser uma miniatura de Augusto. A terra sob seu governo desfrutou de paz, ainda que temporariamente apenas, e ele muito se esforçou para eliminar o banditismo. Em períodos de escassez, era provido trigo gratuitamente, além de vestes para os pobres. Os impostos, entretanto, eram altíssimos: 33%, em 20 a.C., e 25%, seis anos mais tarde. Apesar de ter alguns pontos favoráveis, o governo de Herodes foi assinalado por muitas atrocidades, violências e homicídios, e, em tempo nenhum, ele gozou de popularidade entre as massas, a despeito dos esforços do partido político denominado "os herodianos", que dava preferência a ele, e não ao governo direto de Roma.

O falecimento de Herodes, em 4 a.C., provocou grandes e duradouras modificações nos acontecimentos políticos de Israel. Seu reino foi dividido em três porções, administradas por três de seus muitos filhos. Filipe ficou com os distritos ao norte e a leste da Galileia. A Galileia e a Pereia ficaram com Antipas. Arquelau recebeu a seção sul do reino anterior de seu pai, isto é, a Judeia, a Samaria e a Iduméia. Antipas e Filipe governaram durante muitos anos, tendo permanecido no poder até bem depois da crucificação de Jesus. Assim, pois, enquanto Jesus permaneceu na Galileia ou enquanto viajava pelas terras do sul, além do Jordão, percorria os domínios de Antipas. Quando Jesus viajou à Cesareia de Filipe (conforme está registrado nos evangelhos de Mateus e Marcos), chegou ao território e à capital do distrito de Filipe. É óbvio que o povo o favorecia, porquanto continuou no poder até seu falecimento, em 34 d.C. Antipas ainda governou por mais tempo (cinco anos mais), finalmente caindo no desagrado, mediante as manipulações de seu sobrinho, Agripa; e, por ter caído no desagrado do imperador (Gaio), foi finalmente banido. Esse Herodes é mais bem lembrado como assassino de João Batista.

Arquelau não se saiu tão bem quanto os outros. Não demorou a surgirem distúrbios em seus territórios. Era homem violento, tal como fora seu pai, Herodes, o Grande, pelo que logo caiu no desagrado do povo em geral. Em 6 d.C., foi acusado de desgoverno, e foi convocado a Roma por Augusto. O resultado é que foi retirado do governo e banido. Sua província, daí por diante, ficou sob o controle direto de Roma, por intermédio de "procuradores", isto é, governadores nomeados pelo governo central do império. Copônio foi o primeiro desses procuradores.

4. Os vários Herodes do Novo Testamento

Os Herodes do NT são aqui descritos com mais pormenores.

a. Herodes, o Grande — Governante dos judeus de 40 a 4 a.C. Nasceu em cerca de 73 a.C. Era descendente de idumeus (isto é, edomitas), povo conquistado e trazido para o judaísmo por João Hircano, em cerca de 130 a.C. Assim sendo, os Herodes, ainda que não fossem judeus por nascimento, eram-no pelo menos por religião. Essa religião, no entanto, era usada por eles como veículo para incitação de seu governo secular, isto é, visavam tão-somente aos próprios interesses. Herodes, o Grande, foi nomeado procurador da Judeia em cerca de 47 a.C. Pouco depois, a Galileia também ficou sob o seu controle. Após o assassinato de César, ele desfrutou da boa vontade de Antônio. O título de Herodes, o Grande, "Rei dos Judeus", foi-lhe conferido por Antônio e Otávio. Faziam-lhe oposição os descendentes dos macabeus (cujo verdadeiro nome de família era Hasmom, pelo que eram chamados de hasmoneanos). Essa família controlara Israel antes do domínio romano, e ressentia muito o governo exercido por Herodes. Todavia, ele casou-se com Mariamne, membro dessa família hasmoneana, por ser neta de um ex-sumo sacerdote, Hircano II. Todavia, essa medida não eliminou as suspeitas dos principais sobreviventes dos hasmoneanos. Por isso mesmo, Herodes foi assassinando um por um deles, incluindo a própria

Mariamne, bem como dois filhos que tivera com ela. Essa foi apenas uma dentre as muitas matanças efetuadas por Herodes, o Grande. Foi esse mesmo Herodes que matou as criancinhas inocentes de **Belém** (ver Mt 2). Pouco antes de sua morte, ordenou a execução de seu filho, Antípatre, e providenciou para que após a sua morte todos os seus nobres fossem mortos, a fim de que não houvesse falta de lamentadores ao ensejo de seu falecimento. Herodes, o Grande, morreu de uma enfermidade fatal do estômago e dos intestinos.

Por toda parte o seu nome se tornou conhecido por suas copiosas atividades como construtor. Essas atividades foram realizadas não só dentro dos seus domínios, mas até mesmo em cidades estrangeiras (por exemplo, Atenas). Em seus territórios, ele reconstruiu a cidade de Samaria (dando-lhe o nome de Sebaste, em honra ao imperador). Reedificou a torre de Estrato, na costa do mar Mediterrâneo, e construiu ali um porto artificial, chamando-o de Cesareia. O seu maior empreendimento como edificador, porém, foi a edificação do magnífico templo de Jerusalém, o qual foi construído para ultrapassar o de Salomão, o que foi conseguido em diversas particularidades. Esse templo substituiu o que fora construído após o cativeiro babilônico, embora os judeus os considerassem idênticos. As páginas da história informam que essa construção teve por objetivo apaziguar os judeus, indignados que estavam ante as suas traições e o assassinato de muitos líderes, incluindo sacerdotes. Entretanto, os judeus jamais puderam esquecer o desaparecimento criminoso da família hasmoneana, às mãos de Herodes, o Grande.

b. Arquelau, chamado "Herodes o Etnarca", em suas moedas. Herodes, o Grande, doou o seu reino a três de seus filhos — a Judeia e a Samaria, a Arquelau (Mt 2.22); a Galileia e a Pereia, a Antipas; e os territórios do nordeste, a Filipe (Lc 3.1). Augusto ratificou essas doações. Arquelau era o filho mais velho de Herodes com sua esposa samaritana, Maltace. O programa de construções iniciado por Herodes, o Grande, foi continuado por Arquelau. Parece, entretanto, que a grande ambição de Arquelau era ultrapassar seu pai em crueldade e iniquidade. Seu governo, finalmente, tornou-se intolerável, e uma embaixada enviada da Judeia e de Samaria conseguiu a remoção de Arquelau do governo. Foi nessa altura dos acontecimentos que a Judeia tornou-se uma província romana, passando a ser governada por procuradores nomeados pelo imperador.

c. Herodes, o Tetrarca (ver Lc 3.19 e 9.7). Era chamado também de Antipas. Era um dos filhos mais novos de Herodes, o Grande, com Maltace. Os distritos da Galileia e da Pereia eram o seu território. É lembrado, nos evangelhos, como o que prendeu, encarcerou e executou João Batista, e também como o que teve breve encontro com Jesus, quando do julgamento deste (Lc 23.7). Foi também grande construtor. Edificou a cidade de Tibério. Divorciou-se de sua esposa (filha do rei nabateu, Aretas IV), a fim de casar-se com Herodias, esposa de seu meio irmão Herodes Filipe, e foi por causa disso que João Batista o acusou. Essa ação, eventualmente, foi a causa de sua queda, porquanto Aretas usou esse argumento como desculpa (provavelmente válida aos seus olhos) de fazer guerra contra Herodes, o Tetrarca, tendo-o vencido de maneira decisiva. Esse Herodes terminou os seus dias no exílio.

d. Herodes Agripa, chamado de Herodes, o rei, em Atos 12.1. Era filho de Aristóbulo, neto de Herodes, o Grande. Era sobrinho de Herodes, o Tetrarca, e irmão de Herodias. Após a execução de seu pai, em 7 a.C., foi levado a Roma. Deixou aquela cidade por ter incorrido em grandes dívidas e, subsequentemente, foi favorecido por Antipas. Por ter ofendido o imperador Tibério, foi encarcerado; mas depois da morte de Tibério, ganhou novamente a liberdade. Posteriormente, recebeu os territórios ao nordeste da Palestina, como governante; e, quando Antipas (seu tio) foi banido, ficou também encarregado da Galileia e da Pereia. O imperador Cláudio aumentou mais ainda os seus territórios, acrescentando a Judeia e a Samaria, pelo que Agripa governou, finalmente, um território que era quase idêntico ao que fora controlado por seu avô, Herodes, o Grande. Procurou obter o favor dos judeus e, aparentemente, conseguiu muito êxito nessa tentativa. Assediou os apóstolos, provavelmente por essa mesma razão, e matou Tiago, o irmão de João (ver At 12.2). Sua morte, súbita e horrível, é registrada por Lucas, em Atos 12.23, sendo atribuída a um julgamento divino. Seu filho único, também chamado Agripa, veio a governar todos os territórios dominados por seu pai. Suas duas filhas, Berenice (At 25.13) e Drusila (At 24.24), foram outras duas sobreviventes dessa família.

e. Agripa, filho de Herodes Agripa — Ainda era jovem demais para assumir o governo quando do falecimento de seu pai. Mais tarde, recebeu o título de rei, conferido pelo imperador Cláudio, e passou a governar as porções norte e nordeste da Palestina. Tempos depois, Nero aumentou os seus territórios. De 48 a 66 d.C., foi-lhe outorgada a autoridade de nomear os sumos sacerdotes dos judeus. Procurou diligentemente evitar a guerra entre os judeus e os romanos, mas falhou (66 d.C.). Permaneceu leal a Roma. É conhecido, nas páginas do NT, por causa de seu encontro com o apóstolo Paulo, encontro esse registrado em Atos 25.13—26.32. O texto de Atos 26.28 diz que Agripa proferiu estas palavras: "Por pouco me persuades a me fazer cristão". No entanto, embora alguns prefiram a tradução mais ou menos como: "Com pouca persuasão tentas fazer-me um cristão!" (ASV), ou "Estás muito apressado em persuadir-me a tornar-me um cristão!" (GD e WM), é evidente que Agripa disse essas palavras em tom jocoso, e não com seriedade. Morreu sem filhos, em cerca de 100 d.C.

114 |Artigos introdutórios| NTI

Os herodianos eram o partido político que favorecia a família dos Herodes, preferindo o seu governo ao domínio romano direto. (Ver nota sobre os "herodianos", em Mc 3.6).

5. O nacionalismo judaico

As alterações políticas e econômicas resultantes mais diretamente do governo romano causaram uma oposição ainda mais intensa por parte dos judeus, o que levou à revolta encabeçada por **Judas, o Galileu** (ver At 5.37). A Galileia, sua terra, não foi diretamente envolvida nessa revolta. O próprio Judas foi morto no processo da revolta. Parece também que ele estivera envolvido em uma revolta sem êxito, efetuada cerca de dez anos antes. Após essa experiência, Roma apertou ainda mais o seu domínio sobre Israel. Essa revolta, embora tivesse sido facilmente derrotada pelas tropas romanas, teve importante efeito nos desenvolvimentos históricos posteriores. Alguns acreditam que o partido político radical chamado de "os zelotes", se originou nessa ocasião; mas a história mostra que esse movimento é anterior a essa revolta. Não obstante, a revolta serviu para consolidar a oposição a Roma. O lema da organização dos zelotes passou a ser: "A espada, sem nada poupar; e não há rei senão **Yahweh**". Outra figura, chamada Hezequias, também liderou uma revolução abortiva, e foi destruída por Herodes Antipas. Além dessas revoltas, houve outros levantes de menor monta, dirigidos por essa organização política extremista. Josefo jamais usa o termo "zelote" para designar esse grupo, pelo que também não se tem certeza de que esse tenha sido o seu verdadeiro nome, embora alguns eruditos continuem a retê-lo.

Nos anos que se seguiram, de maneira comum, os partidos nacionalistas de Israel não tiveram a capacidade de sacudir a nação em uma revolta de escala geral, pelo menos enquanto as condições permaneceram suportáveis pelo povo. As condições se agravaram na Palestina quando Gaio (sobrinho-neto de Tibério) passou a governar em Roma, após o falecimento de Tibério, em 37 d.C. Gaio resolveu colocar a própria estátua no templo de Jerusalém. Ao governador da Síria é que deveria ter sido atribuído o crédito de impedir tal coisa, porque a tentativa de Gaio causou indignação geral, e esta teria sido muito mais generalizada se tivesse realmente acontecido. No entanto, o povo deu o crédito a **Agripa** (neto de Herodes, o Grande). Agripa fora nomeado chefe da tetrarquia de Filipe, em 34 d.C, após a morte deste. Ao seu território, foi acrescentada uma considerável porção de outras áreas (incluindo algumas da Judeia), e uma vez mais Israel teve à sua frente um governante à semelhança de um rei. Agripa tinha também sangue judeu, porque sua avó era a princesa hasmoneana Mariamne, a desgraçada esposa de Herodes, o Grande.

Subsequentes governadores (**procuradores**) geralmente governaram áreas maiores que a de Pilatos, e geralmente foram antagônicos ao povo judeu. Por conseguinte, durante um período de cerca de 20 anos, aproximadamente, as tensões foram aumentando. Durante esse tempo, os missionários cristãos evangelizavam por toda parte, enfrentando a oposição, tanto dos judeus como dos romanos. O desastre como que pairava no ar, e a profecia de Jesus, sobre a destruição de Jerusalém, deve ter sido o tópico das conversas entre as famílias cristãs. De fato, por essa altura, qualquer um que quisesse interpretar os acontecimentos poderia ver quão facilmente a predição feita por Jesus se cumpriria.

6. Revolta e destruição de Jerusalém

Finalmente, em 66 d.C., irrompeu subitamente a tempestade que se vinha concentrando e que ameaçava por tanto tempo. Por cem anos, os romanos haviam dominado a Palestina, mas a mão de ferro usara uma luva de veludo. Em 66 d.C., entretanto, os romanos tiraram a luva de veludo. A rebelião cada vez mais intensa provou, aos olhos de Roma, que sua política de relativa tolerância, na Palestina, fora um equívoco. Durante quatro anos, a ira de Roma se fez sentir. Jerusalém caiu finalmente, e vastas áreas, por toda a Palestina, foram destruídas. E essa destruição foi tão completa, que a arqueologia não tem sido capaz de identificar, sem sombra de dúvida, nenhuma das sinagogas que havia em Israel no século I de nossa era. Grande número de judeus foi crucificado em Jerusalém, até não poder mais encontrar-se madeira para continuar fabricando cruzes. O belo templo construído por Herodes foi arrasado, pedra por pedra, cumprindo assim a predição de Jesus, que reverberou clara e altissonante: "[...] Em verdade vos digo que não ficará aqui pedra sobre pedra, que não seja derribada" (Mt 24.2, ARA).

Lembrando-se da advertência de Jesus, para que fugissem ante a destruição, os cristãos fugiram para Pela, ao saberem que a dianteira dos exércitos romanos não estava longe. Por causa dessa fuga, seus companheiros judeus não-cristãos jamais os perdoaram. Os terríveis clamores dos judeus que haviam crucificado a Jesus, exclamando: "Caia sobre nós o seu sangue e sobre nossos filhos!" (Mt 27.25, ARA); e: "Não temos rei, senão César" (Jo 19.15, ARA), devem ter ressoado aos ouvidos de muitos, durante aqueles dias horrendos. Jerusalém caiu, o sinédrio foi extinto, e Roma passou a governar suprema sobre a terra de Israel.

Acerca dos anos seguintes (antes do imperador Hadriano) temos escassa informação; mas não há dúvidas de que, durante esse tempo, as chamas da revolta se foram outra vez ativando gradualmente. Como que para fazer as chamas arderem ainda com mais intensidade, Hadriano (imperador romano de 117 a 138 d.C.) resolveu erigir um novo templo dedicado a "Zeus Capitolino", no antigo local do templo de Jerusalém. Os romanos tornaram a questão ainda pior quando também descontinuaram a circuncisão, o que, entretanto, em realidade era apenas parte de uma proibição geral (por decreto imperial) contra a mutilação física, que visava especialmente à prática da castração, prática de diversos cultos orientais. Foi nessa época que surgiu um grande patriota, de nome Bar Cocheba, que chegou a fazer reivindicações messiânicas. De maneira quase incrível, essa reivindicação foi largamente aceita, até mesmo pelos eruditos rabinos judeus, como **Akiba**. Akiba patrocinou a causa do novo messias, e realmente fez campanhas em seu favor, em viagens por toda a Palestina. Nos dias dos macabeus, os "hasideanos" (ou "piedosos") já haviam reunido forças suficientes para consolidar planos de independência; e uma vez mais houve esperanças de uma Palestina libertada. As multidões julgavam que as coisas divinas estavam em jogo, e é sabido que não existe zelo mais profundo que o zelo religioso, nem violência como a violência religiosa.

Naturalmente que a revolta fracassou. E dessa vez os romanos realmente perderam a paciência. No local onde ficava Jerusalém foi construída uma cidade romana, de nome Aelia Capitolina, e os judeus foram proibidos de ao menos entrarem na cidade. Alguns anos mais tarde, essa severidade foi relaxada, permitindo que entrassem na cidade uma vez por ano, a fim de que chorassem ante o chamado muro das lamentações.

Estava reservado a **Constantino** (imperador romano em 310 d.C., e que se tornou nominalmente cristão) restaurar Jerusalém aos religiosos, como lugar de adoração. Ele também restaurou o antigo nome de "Jerusalém" à cidade.

Quanto a outros detalhes, concernentes às condições religiosas, sociais e políticas da Palestina, durante o tempo de Jesus, o leitor deveria ver as seguintes notas, que tratam de questões específicas: sobre os principais sacerdotes, Marcos 11.27; sobre os "escribas", Marcos 3.22; sobre os "fariseus", Marcos 3.6; sobre os "saduceus", Mateus 22.23; sobre os "herodianos", Marcos 3.6; sobre o "sinédrio", Mateus 22.23; sobre os "essênios", Lucas 1.80 e Mateus 3.1; sobre as "sinagogas", Lucas 4.33; sobre os "publicanos", Mateus 5.46; e sobre os "samaritanos", Lucas 10.30. No fim desta seção, vários gráficos são apresentados, a fim de esboçar os acontecimentos do período intertestamentário, e também desde Herodes até a destruição de Jerusalém, tais como a "Cronologia do período intertestamentário", "Os selêucidas", "Os hasmoneanos", "Os Herodes" e acontecimentos durante o período do NT. É um esboço comparativo dos acontecimentos ocorridos em Roma e na Palestina, paralelamente a ocorrências especificamente mencionadas no NT.

VIII. O MUNDO GRECO-ROMANO

A fim de caracterizar as condições do mundo greco-romano, ao tempo de Jesus Cristo, observaremos de passagem os seguintes pontos: pano de fundo, moralidade, filosofia e religião. Todos esses fatores formam importantes considerações acerca do estudo do levantamento e desenvolvimento do cristianismo. O cristianismo não se originou e nem se desenvolveu num vazio, e o estudo das condições e circunstâncias então reinantes sempre servirá de ajuda na compreensão dos elementos de qualquer instituição, movimento social ou sociedade religiosa.

1. Pano de Fundo

As páginas anteriores, nesta seção, oferecem breves descrições acerca das condições políticas e sociais dos diversos períodos de tempo que antecederam o ministério de Jesus, tais como o domínio persa (430-332 a.C.), o período grego (331-167 a.C.), o período de independência sob os macabeus (167-63 a.C.), a interferência dos romanos desde 63 a.C. até a destruição final de Jerusalém, ao tempo do imperador Hadriano (132 d.C.). O período que antecedeu de perto ao surgimento do cristianismo é frequentemente intitulado de era helenística, porque os gregos ("**helenos**", no idioma grego), mediante as conquistas de Alexandre, "helenizaram" o mundo então conhecido e fizeram com que o mundo dessa época se tornasse cultura literária. Sabemos que, naqueles dias, até mesmo muitos autores romanos escreveram no idioma grego e, a despeito da perda do poder político, a cultura grega continuava muito apreciada e buscada, e muitas famílias romanas das classes mais abastadas tinham professores gregos, filósofos e eruditos na literatura grega, especialmente quanto aos escritos de Homero. Os romanos não foram inovadores em quase coisa nenhuma, especialmente no tocante aos aspectos culturais dos estudos e empreendimentos humanos, pelo que também entre eles eram tomados de empréstimo e cultivados os elementos da cultura grega. O período helenístico é ordinariamente considerado como o tempo que vai da morte de Alexandre, o Grande, até a fundação do Império Romano, por Augusto (323-30 a.C.). Nos séculos anteriores, a cultura da Grécia esteve em desenvolvimento e atingiu notável grau de maturidade. Os acontecimentos políticos e militares, especialmente aqueles provocados por Alexandre, fizeram essa cultura expandir-se para muito além das fronteiras gregas, atingindo, realmente, todo o mundo civilizado então conhecido. O "idioma grego" tornou-se universal, e, pelos estudos da arqueologia, sabe-se que era falado em todas as capitais do mundo, incluindo a própria Jerusalém.

Politicamente falando, essa era foi assinalada pelo declínio dos estados mais antigos e anteriormente poderosos, e pelas culturas da antiguidade. As civilizações da Mesopotâmia e do Egito já tinham tido a sua oportunidade e há muito que estavam no processo do declínio e da decadência. Poderíamos dizer a mesma coisa quanto à própria Palestina, e até mesmo quanto à Grécia. Os dias de Davi e Salomão jamais retornaram, e a história de Israel passou a ser caracterizada pelo domínio estrangeiro e pelas revoltas contra essa dominação. Os estados gregos primeiramente desfrutaram de um período de dependência aos seus conquistadores, e então penetraram em sua longa noite de obscuridade. Ao desmembrar-se o mundo antigo, somente o lato poder de Roma deu ao mesmo certa aparência de unidade. Esse poder em realidade fundia e dividia elementos em uma nova síntese. Alguns acreditam que o Império Romano, que foi a culminação da evolução política da antiguidade, foi o mais forte e iluminado governo do mundo antigo. Pelo menos pode-se observar que a **cultura helenista** ensinara ao mundo algo acerca da importância do indivíduo, a despeito do fato de a escravidão e outras formas de degradação social, ainda prevalecerem por toda parte. Estava reservado a Jesus Cristo ensinar realmente ao mundo essa lição; mas é uma lição que a humanidade continua se esforçando por aprender como convém. A filosofia ensinara aos homens que se interessassem pelo seu destino pessoal, pelo poder do pensamento e pela dignidade do conhecimento.

Alexandre foi capaz de realizar seus prodígios militares parcialmente porque os gregos já haviam colonizado muitas áreas além-fronteiras. Ocuparam Creta, a maior parte de Chipre, as ilhas do mar Egeu, as praias da Ásia Menor até considerável profundidade, além de grandes áreas ao longo das margens do mar Negro, as costas da Líbia e da Cirenaica, da África. Além de suas colônias, os gregos mantinham postos comerciais avançados até lugares tão distantes como o delta do rio Nilo. No ocidente, haviam penetrado no sul da Itália e adquirido uma porção substancial da Sicília, da Sardenha, da Córsega, e haviam estabelecido colônias até mesmo no sul da Gália e na Espanha. Todas essas áreas jamais se tornaram **alvo** de qualquer sistema político unificado, mas a propagação da cultura e da influência gregas se tornou possível por meio dessas áreas colonizadas. A erudição grega se tornou uma espécie de laço comum entre todas elas. Peregrinos vinham à Grécia, provenientes de muitas partes do mundo, a fim de admirarem a arte e a arquitetura gregas, e a fim de aprenderem mais da língua e do espírito dos gregos. Por conseguinte, o mundo estava pronto para Alexandre, pois o que ele fez essencialmente foi propagar o poder político e militar dos gregos, onde a cultura grega já havia preparado o caminho. Alexandre primeiramente firmou-se em sua própria terra, e então penetrou rapidamente em muitas outras áreas, derrotando Dario III, em Isso, nas planícies da Cilícia, em 333 a.C. Dirigiu-se, então, para o sul, tendo penetrado na Síria e destruído a cidade de Tiro, aliada da Pérsia. Dessa forma, ele exterminou a supremacia marítima dos fenícios, os quais, durante muitos séculos, haviam sido os comerciantes e os marinheiros do Oriente Próximo, sendo os únicos verdadeiros rivais dos gregos nos mares daquela época.

Quando os habitantes de Jerusalém receberam a notícia da sorte de Tiro, imediatamente entraram em entendimentos com Alexandre. Alexandre aceitou a lealdade dos judeus, e deixou a cidade essencialmente intocável. Em seguida, Alexandre conquistou o Egito. Mas isso foi feito sem luta, porque os egípcios regozijaram-se em ser libertados da influência e do controle dos persas. Pouco tempo mais tarde, Alexandre estabeleceu a cidade que traz seu nome até o dia de hoje, perto da boca do Nilo, chamada Roseta. Após ter desfechado o golpe final contra o império persa já extremamente combalido, em Arbela, no norte da Mesopotâmia, em 331 a.C., Alexandre invadiu a Índia. Ali obteve vitórias militares, mas foi fisicamente exaurido. Voltou à Babilônia somente para morrer ali, subitamente, em 321 a.C.

Um dos sonhos de Alexandre era o de estabelecer um governo e um povo universais. Ele mesmo e dez mil de seus soldados casaram-se com mulheres asiáticas, lançando, com isso, os símbolos do universalismo. De alguma forma, Alexandre criou realmente certo universalismo, que consistia da cultura grega, incluindo suas influências nas áreas da "filosofia", das "artes" e da "língua". Ele esperara que o mundo unido pudesse levar avante os ideais gregos. E foi assim que, com Alexandre, o Grande, o poder do mundo mudou da Ásia para a Europa. Chegara o fim da supremacia asiática. Sem disso ter consciência, Alexandre preparara o caminho para acontecimentos ainda de maior envergadura, a saber, o levantamento da religião verdadeiramente universal, o cristianismo. O idioma grego tornou-se o veículo da propagação universal do cristianismo, e os ideais gregos ajudaram no desenvolvimento de uma fraternidade universal, onde, todos quantos se acham "em Cristo", não conhecem distinções entre "judeus e gregos".

A morte de Alexandre, todavia, interrompeu suas visões e ambições, e as lutas pelo mando, que se seguiram entre os seus generais e outros oficiais, tiveram início. O reino de Alexandre foi dividido entre os seus generais, os detalhes acerca disso podem ser vistos nesta seção, nas suas primeiras páginas. Mais ou menos por esse tempo, o poder romano começou a ser sentido em áreas diversas, largamente separadas entre si. As legiões romanas combateram contra os macedônios e os derrotaram em Cinoscéfale, e os gregos receberam as legiões romanas com entusiasmo. As relações entre os gregos e os romanos, porém, nem sempre foram muito boas, porque descobrimos que cinquenta anos mais tarde (em 146 a.C.), os romanos destruíram a cidade de Corinto e venderam grande parte de sua população à escravidão. No entanto, essa cidade foi reedificada por Júlio César, e mais uma vez prosperou. Na porção oriental, a área pertencente aos selêucidas, Roma foi obtendo controle gradual, até que Pompeu, o Grande, conquistou a região e a anexou ao Império Romano, em 64 a.C. No ano de 63 a.C., Pompeu conquistou a Palestina, a fim de estabelecer a ordem, porquanto rebentara a guerra civil por causa das ambições de dois irmãos hasmoneanos, Hircano e Aristóbulo. Pelo tempo em que os romanos conquistaram a Palestina, já haviam consolidado o seu poder na Síria e em outros lugares.

Foi preciso longo tempo para que Roma chegasse à maturidade. Quando a Grécia já chegara ao seu zênite, os romanos ainda levaram uma existência tribal. A monarquia primitiva do povo romano foi derrubada em cerca de 500 a.C., tendo sido substituída por uma república vigorosa, que perdurou até 30 a.C. Foi então que Augusto formou o Império Romano. Durante o tempo de Alexandre, os romanos unificaram a Itália, unificação essa que se completou por volta de 264 a.C. (ao tempo da primeira guerra púnica). Se Alexandre tivesse continuado vivo, provavelmente teria invadido essas áreas; o seu falecimento, porém, permitiu a continuação desse desenvolvimento. Quando Roma conseguiu subjugar completamente Cartago, em 146 a.C., já era senhora suprema do ocidente. Então, começou o processo da conquista de áreas ao norte e ao oriente. Grande parte das terras continentais da Grécia caiu nas mãos dos romanos, bem como eles passaram a controlar porções da Ásia Menor. Dessa forma, os rivais mais próximos estavam tão distantes como o Egito e a Síria. Nos séculos que se seguiram, esses territórios foram gradualmente tornando-se parte do Império Romano em expansão. Conforme já explicamos, em 63 a.C., a Síria e Palestina haviam sido subjugadas. A conquista da Gália, por Júlio César, completou-se em cerca de 49 a.C. Júlio César tornou-se um herói, e o único rival sério de Pompeu. Entretanto, eis que assassinos o prostraram na câmara do senado, em março de 44 a.C. Os seus homicidas temiam o fim da república e o princípio da ditadura; e esses temores eram justificados. Contudo, a morte de Júlio César praticamente não alterou o rumo dos acontecimentos.

César havia nomeado Otávio como seu herdeiro. Este tinha então dezoito anos de idade e era neto da irmã de César. Marco Antônio, que estivera associado a César, nas cruzadas militares na Gália, procurou ignorar esse testamento e obter pessoalmente o poder. Otávio, porém, já era muito astuto, apesar de ser ainda jovem, e, mediante habilidosas manipulações, fizera-se nomear general; e, subsequentemente, com seu exército, entrou em Roma e forçou o senado a nomeá-lo cônsul.

Desenvolveram-se rivalidades por toda parte, e, a fim de enfrentar a crise, Otávio (posteriormente intitulado Augusto) formou um "triunvirato" com seus rivais, Antônio e Lépido, de cujo auxílio precisava a fim de derrotar a Bruto e Cássio, os dois líderes do assassinato de Júlio César. Na batalha que houve em **Filipos**, em 42 a.C., as forças de Bruto e Cássio, que representavam a causa republicana, foram derrotadas. Bruto e Cássio se suicidaram. Então, os triúnviros dividiram os despojos. Antônio recebeu a Gália e as províncias orientais; a África ficou com Lépido; e a Itália e a Espanha ficaram em mãos de Otávio. Lépido, entretanto, logo se retirou, entregando a África a Otávio. A Gália também não demorou a ficar nas mãos de Otávio. Entrementes, Antônio separou-se de sua esposa, que, infelizmente para ele, era irmã de Otávio, por ter-se apaixonado de Cleópatra. Lançou-se também em grandiosas movimentações de tropas e campanhas militares, pelo oriente, exigindo maior número de soldados por parte de Otávio. Isso Otávio recusou-se a fazer, e logo se reacenderam as antigas rivalidades. Os dois rivais se enfrentaram armados em Ácio, em 31 a.C. Antônio contava com o apoio de sua amada rainha egípcia, e da grande flotilha de navios egípcios; mas pouco depois do início da batalha, ela fugiu. Antônio deixou tudo a fim de segui-la. Otávio perseguiu os amantes até o Egito. Novamente por um acontecimento estranho, Otávio triunfou. Cleópatra mandou a Antônio uma mensagem falsa, dizendo que estava morrendo. Ao ouvir isso, Antônio se suicidou. Por mais estranho que isso pareça, Cleópatra procurou atrair Otávio com seus encantos. Contudo, tendo falhado na tentativa, também cometeu suicídio. Em seguida, Otávio anexou o Egito e o transformou em província imperial.

A república estava definitivamente morta (por volta de 30 a.C.). Sendo, porém, oficialmente apenas um cônsul, Otávio não pôs a coroa na cabeça. Manteve as formas externas da democracia, mas foi esmagando lentamente a sua essência, dentro das engrenagens do governo. Tornou-se tribuno, general, "pai da pátria" e "príncipe", mas não era oficialmente intitulado rei ou imperador. O seu reino, entretanto, era perfeitamente real, e foi caracterizado pela paz e pela prosperidade material. O seu governo só terminou em 14 d.C., com sua morte. Encontrou Roma construída de tijolos, e deixou-a construída de mármore. Muitos sentiam gratidão genuína pelo que ele fizera, porquanto lembravam-se ou sabiam da era de violência e derramamento de sangue que antecedera à sua subida ao poder.

Abaixo examinamos algumas das condições sociais do tempo que caracterizava o mundo em que Jesus viveu:

2. Moralidade

As Escrituras, tanto do AT como do NT, em termos latos, fazem referência à moralidade do mundo antigo como corrupta. Qualquer sociedade caracterizada pela idolatria, **dificilmente** poderia ser aquilatada de outro modo pelos autores sagrados. Passagens como o primeiro capítulo da epístola aos Romanos descrevem, com pormenores, alguns aspectos da decadência moral dos antigos. Nas Escrituras, a base da verdadeira moralidade é considerada como a verdadeira lealdade a Deus. Faltando esta, profetas e apóstolos jamais se deixariam impressionar por demonstrações externas de moralidade, sem importar tais manifestações. Os museus modernos atestam quão generalizada era a idolatria. Do Egito, têm vindo pássaros, cães, touros, crocodilos, abelhas e outras coisas mumificadas, que eram objetos de adoração. Com a possível exceção do zoroastrismo da Pérsia, todas as culturas antigas se caracterizavam por tais conceitos de divindade.

Paulo considera a depravação sexual como resultado dos conceitos errôneos sobre Deus e também como resultado da rejeição da revelação que é dada a todos, a da natureza e da pessoa de Deus, nas maravilhas da natureza. O livro de Apocalipse concorda com a melancólica descrição de Paulo e com os autores da igreja primitiva, tais como Inácio, Justino, Irineu, Tertuliano, Clemente de Alexandria e Orígenes, que não falam com grande variação acerca dessa questão. Os autores cristãos, a começar por Paulo, sentiam-se especialmente chocados ante a depravação homossexual que era chamada "paiderastia" (literalmente, "amor aos meninos"). Platão, em seu diálogo intitulado "Symposim", indica que esse vício era bem conhecido em seus dias, e que não era considerado uma perversão pela maioria das pessoas. Por essa razão é que tal pecado é geralmente conhecido por pecado "grego". Alguns escritos antigos parecem idolatrar o amor entre pessoas do mesmo sexo, como, por exemplo, **Sapho**, a bem conhecida antiga poetisa grega; e alguns chegam a pensar que Platão também se entregava a tais práticas. No entanto, aquele que conhece as raízes da filosofia platônica, com sua ênfase sobre a supressão dos prazeres "carnais" e sua elevação dos aspectos mentais e espirituais dos homens, dificilmente poderá aceitar tal suposição.

No escritos antigos, há muitos indícios de que então prevalecia a lassidão sexual, o que é demonstrado pelo fato de as experiências sexuais antes do casamento não serem ordinariamente consideradas más, por muitos filósofos gregos e romanos. O adultério, todavia, era fortemente combatido, especialmente por filósofos como Platão e Aristóteles, e, evidentemente, por Sócrates, conforme este é citado nos escritos de Platão, posto que o próprio Sócrates nada deixou escrito.

Sabe-se que, nas cidades antigas, nos cultos pagãos, o sexo desempenhava papel preponderante, e que muitas sacerdotisas eram pouco mais que prostitutas templárias. Os poderes da procriação eram, dessa maneira, adorados pelos meios simbólicos, e o sexo se tornou o grande símbolo dessa adoração. É importante observar, nessa conexão, que os pagãos tinham deuses considerados pelos seus adoradores como sexualmente desviados, o que transparece até mesmo nas tradições gerais estampadas na literatura antiga. Seria muito difícil que os adoradores desses deuses tivessem a convicção de que era necessário viver uma vida mais moral do que os esses deuses.

A prostituição era uma "instituição" e uma "profissão" perfeitamente reconhecida nas culturas antigas, e o AT indica que isso sucedeu até mesmo entre os antigos judeus. Nosso vocábulo "fornicação" deriva-se da palavra latina "fornix", que significa "arco" ou "cúpula". Na Roma antiga, os lupanares funcionavam em lugares subterrâneos. Daí também patrocinar um lupanar era "fornicar" ("fornicare"). As jovens escravas é que eram vítimas desse deboche. Lê-se que muitas famílias antigas vendiam meninas não desejadas a esse tipo de escravidão. Justino, em sua **Primeira Apologia** (capítulo XXVII) ataca decididamente essa prática; e por seus escritos ficamos sabendo que a prostituição masculina também era tão prevalente quanto a feminina, e que meninos e meninas eram vendidos, ainda na infância ou meninice, a fim de serem criados desse modo. Tal como nas sociedades modernas, isso conduziu a muitos acontecimentos brutais e horrendos, porquanto os escravos não eram senhores do próprio corpo, e muitos eram torturados e mortos por sadistas. A prostituição organizada era ajudada pela religião organizada, conforme foi indicado no parágrafo anterior. Os **ritos de fertilidade,** ligados às prostitutas do templo, ou separadas das mesmas, sancionavam com sua autoridade religiosa as perversões sexuais. Lemos que essas práticas continuam perfeitamente vivas no culto de Siva, até o nosso tempo. Estrabão ("Geografia", VIII.6.20) conta-nos que o templo de Afrodite, em Corinto, tinha mil escravas sagradas ou prostitutas templárias. Essa prática era também comercial, e Corinto era um centro popular de turismo e comércio, parcialmente por causa dessa instituição.

A escravidão também era uma tremenda mácula no código moral dos antigos. Era prática comum condenar prisioneiros de guerra ou povos conquistados à escravidão. Assim, foi possível, em uma única venda, entregar nada menos de cinquenta mil pessoas à servidão. Flávio Josefo nos diz (**Guerras dos Judeus,** VI.9.3) que Tito, após ter conquistado Jerusalém, em 70 d.C., escravizou noventa e sete mil judeus. Além dessas práticas, havia negociantes profissionais de escravos. De fato, tudo isso perfazia um gigantesco comércio. Os escravos eram frequentemente mais cultos que os seus captores, pois descobrimos que alguns eram médicos, filósofos, mestres e artistas. O bem conhecido filósofo estoico, Epicteto, antes fora escravo. Seu proprietário chegou a reconhecer suas habilidades, libertou-o e educou-o; mas poucos eram tão afortunados quanto ele. Lê-se, como nos escritos de Sêneca, sobre um senhor qualquer que, ocasional e voluntariamente, dava liberdade aos seus escravos. Infelizmente, o cristianismo não atacou frontalmente essa instituição, e as epístolas de Paulo refletem a presença de escravos nas casas de cristãos. Paulo admoestou os escravos crentes a obedecerem aos seus senhores, como um dever cristão; mas também exigiu tratamento humano para os escravos, por parte dos senhores crentes, frisando que, "em Cristo", não há "escravo nem livre" (ver Gl 3.28). Outrossim, ele e outros autores do NT enfatizaram o amor, como princípio orientador em todas as coisas, e foi essa ênfase que gradualmente esmigalhou a instituição da escravatura. Alguns tradutores consideram que a passagem de 1Timóteo 1.10 é um ataque contra a servidão, especialmente contra os negociantes de escravos; e, se isso é verdade, pelo menos temos esse ensino direto contra essa prática. A tradução de Williams (em inglês) alista, entre as coisas condenadas pelo apóstolo Paulo, "homens que fazem de outros homens seus escravos". Isso é uma referência definida **à escravidão**; mas o sentido da palavra não é aceito concordemente por todos os tradutores. A tradução de Almeida Revista e Atualizada traz "raptores de homens"; a tradução da Imprensa Bíblica Brasileira traz "roubadores de homens"; e a tradução de Almeida Revista e Corrigida traz também a mesma expressão: "roubadores de homens". (Ver as notas sobre esse versículo, in loc.). Houve vários escritores antigos que condenaram a crueldade dessa prática. Epicteto (Discursos I.13.1—3) dizia que o homem e seu escravo são irmãos, filhos do mesmo Deus. Cícero e Plínio, o Jovem, eram conhecidos pelo tratamento humano que davam aos seus escravos. O imperador Hadriano procurou eliminar parte da crueldade e proibiu a morte de qualquer escravo sem a permissão de um magistrado. Não foi senão em 428 d.C., entretanto, que foram baixadas leis que proibiam a prostituição de escravos. Os escravos eram também vítimas frequentes da crucificação, e esse tipo de execução, a princípio, se limitava exclusivamente a eles. Gradualmente, entretanto, passou a ser usado contra os criminosos políticos e os tipos vis de rebeldes, na sociedade.

Talvez a crucificação seja uma boa medida para indicar a extensão da crueldade que persistia no mundo antigo. Lemos que durante o cerco de Jerusalém, no ano de 66—70 d.C., Tito crucificou nada menos de quinhentos judeus diariamente, do lado de fora dos muros da cidade, de onde os cadáveres podiam ser vistos. (Josefo, **Guerra dos Judeus**, II.5.2; V.6.5; V.11.1). Estava destinado a Constantino, o imperador romano, nominalmente cristão (depois de 300 d.C.), abolir essa prática.

Outras formas de violência organizada e oficial maculavam a imagem de Roma. Criminosos em grande número eram postos a se combaterem entre si, como **gladiadores,** nas arenas, e isso servia de forma de diversão pública. Josefo conta ("Guerra dos Judeus", VII.2,1) que esse esporte era apreciado por comunidades na Palestina e na Síria, e não somente em Roma. Outras modalidades de violência pública, empregadas como esportes, consistiam em lançar pessoas aos animais ferozes, ou de fazer os cativos de guerra se digladiarem entre si. Em um desses espetáculos, preparado por Tito no dia do aniversário de Domiciano, dois mil e quinhentos cativos foram mortos dessa maneira. (Ver "Guerras dos Judeus", VII.3.1.) Outros esportes públicos favoritos eram os combates forçados entre animais ferozes, ou a matança de animais. E nessas matanças, as vítimas preferidas pareciam ser os elefantes.

Os cristãos eram perseguidos e mortos das maneiras mencionadas acima. Ser queimado na fogueira tornou-se um método de execução, mas provavelmente após o tempo em que foi escrito o NT (ver notas sobre 1Co 13.3). **Tácito** (Anais XV.44), o famoso historiador romano, narra que, durante o reinado de Nero, os cristãos eram mortos vestidos em peles de animais e sendo lançados a cães ferozes. Muitos outros foram crucificados, muitos combateram contra animais ferozes. Nero usava os próprios jardins particulares para esses espetáculos. As cartas de Inácio, bispo de Antioquia (115 d.C.) revelam que ele esperava esse tipo de morte, quando a caminho de Roma, a fim de responder às acusações feitas contra ele. Policarpo, bispo de Esmirna, morreu queimado na fogueira, em cerca de 155 d.C.

A sociedade do mundo antigo, naturalmente, tinha também seu lado melhor, especialmente nas realizações da arte, da literatura, da filosofia e nas instituições da lei romana. Os gregos foram os pioneiros de alguma arte dramática e em formas literárias, tendo-as aperfeiçoado a um grau que não foi igualado nem mesmo pelas nações modernas. A filosofia do mundo ocidental ainda repousa em cheio sobre os alicerces gregos. As leis de muitas nações ainda se baseiam sobre os fundamentos lançados pelos romanos. **O estoicismo** desenvolveu a ideia da fraternidade universal e da doutrina da dignidade do homem. O cristianismo, isto é, os escritos fundamentais do cristianismo, desenvolveram e expandiram esses temas. Todos quantos leem **Sêneca** (o filósofo estoico romano) e Paulo reconhecem a grande similaridade de ideias e de sua expressão entre os dois. Paulo foi criado em um centro de estoicismo romano, a cidade de Tarso, e essa influência pode ser vista em seus escritos. Nem tudo quanto saíra da pena dos filósofos ou de outros elementos dignos da sociedade antiga foi rejeitado pelos apóstolos, e por que haveria de sê-lo, quando parte de suas ideias estava de pleno acordo com os conceitos básicos hebreus e cristãos? Algo do estilo dos escritos de Paulo, particularmente como se vê nas epístolas aos Gálatas e aos Romanos, reflete o método de ensino e escrita das escolas filosóficas. E por que não seriam refletidas essas coisas, se elas são boas e dignas? Nem Paulo e nem qualquer dos outros autores do NT se desenvolveram em um vácuo, e as características pessoais de qualquer homem resultam, parcialmente, de seus anos formativos.

3. Filosofia

Caracterizar a filosofia antiga, juntamente com as adaptações e modificações sofridas na sociedade romana, não é tarefa fácil. É muito mais fácil observar quais as **influências** filosóficas sobre o cristianismo do que oferecer um esboço lato da filosofia em geral. Portanto, esta pequena seção procura mencionar apenas a maioria das questões básicas. Os grandes filósofos sistemáticos foram Platão e Aristóteles, e deles é que vêm as ideias metafísicas básicas da filosofia antiga. Sócrates foi o mestre de Platão, e Platão foi o mestre de Aristóteles. Aristóteles era mestre particular de Alexandre, o Grande. Platão desenvolveu aquilo que se chama de **dualismo**. Ele estabeleceu grande diferença entre a durabilidade e a importância da natureza essencial do mundo superior das formas ou ideias e o mundo inferior das particularidades (de que o nosso mundo consiste). O nosso mundo seria meramente uma imitação daquele mundo superior, e o "demiurgo" criou o nosso mundo usando como modelo o mundo superior de existência eterna. O cristianismo ensina a mesma espécie de dualismo, e em termos que não diferem grandemente daqueles que foram usados por Platão (embora o sentido tencionado possa ser vastamente diferente), e não surpreendente, porquanto alguns dos primitivos pais da Igreja, que formularam a terminologia e a expressão da teologia cristã foram filósofos neoplatônicos, a saber, Justino, Orígenes, Clemente de Alexandria, e outros. O "platonismo" assumiu uma forma religiosa intitulada neoplatonismo, e os pais da Igreja foram influenciados por esse desenvolvimento. Para Platão, o conhecimento é o conhecimento daquele mundo superior de "formas", tal como o conhecimento, para os cristãos, deve ser essencialmente o conhecimento de Deus e da alma. Na busca pelo conhecimento, Platão frisou a razão, a intuição e o misticismo, e não a experiência dos sentidos (isto é, a percepção dos sentidos), e o cristianismo concorda plenamente com essa avaliação. Platão não tentou formular uma Teologia, mas é óbvio que ele rejeitou as noções antropomórficas e politeístas de seus contemporâneos. Ensinou algumas proposições fortemente teológicas, como, por exemplo, a imortalidade da alma, em favor do que ele formulou argumentos baseados na razão e na intuição, que jamais puderam ser melhorados pelos pensadores modernos.

Platão ensinava uma **tripartida personalidade** humana: corpo (vegetal), mente (ânimo), com o que entendia, essencialmente, a parte emotiva do homem, e alma (que seria a parte mais elevada e eterna do homem). A boa conduta se caracterizaria pelo domínio da alma por meio da razão, que resulta na subjugação do corpo e suas paixões. Dessa maneira, Platão enfatizava a alma acima do corpo e ensinava a eternidade da mesma, a qual, segundo a sua doutrina, tem uma afinidade especial com o mundo superior das ideias. Outros sistemas éticos antigos tinham outras ideias, entretanto. O epicurismo ensinava que o prazer é o alvo da vida, mas enfatizava sempre os prazeres mentais. O hedonismo também salientava os prazeres, mas os prazeres físicos, carnais. O estoicismo pensava que todas as emoções eram más, e por isso destacava a necessidade do desprendimento, isto é, a apatia. Sócrates ensinava a necessidade de conhecimento para que houvesse a correta conduta ética, crendo, talvez ingenuamente, que o homem que sabe o que é realmente melhor para ele não agirá contrariamente aos seus melhores interesses. O "cinismo" ensinava que não existem valores éticos ou humanos reais, e que a independência deve ser o alvo do homem, isto é, independência da sociedade e de todos os seus julgamentos de valores. Os romanos nada criaram de novo na filosofia, incluindo os princípios éticos. A única filosofia original, escrita em latim, foi a de Agostinho, no seu tratado sobre o tempo. O restante da filosofia romana é a mera reestruturação da filosofia grega, com pontos de vista especialmente ecléticos.

Quanto à ética, os filósofos romanos geralmente combinavam o que consideravam ser o melhor em todos os sistemas, mas especialmente elementos epicures e estoicos. É possível que o estoicismo modificado fosse a ideia mais dominante, estando ligado a nomes como Sêneca, Cícero, Epicteto e Marco Aurélio. O estoicismo romano abandonou a "apatia" como o alvo da vida e ensinava a "disciplina", a "moderação", o "autocontrole", a "obediência". Essa forma de estoicismo (que não era realmente estoicismo, segundo as definições dos gregos) adaptou-se muito melhor ao robusto espírito romano do que a variedade mais antiga. É justamente essa forma de estoicismo que transparece ocasionalmente em Paulo, especialmente em seus escritos éticos e sobre a conduta do crente.

Aristóteles exerceu pequena influência entre os primitivos cristãos e os pais da Igreja cristã. Sua doutrina de "substância" e de "causa primária", porém, tornou-se um importante fator na formação da filosofia medieval de Tomás de Aquino. Essa filosofia veio a tornar-se o alicerce do pensamento filosófico da Igreja Católica Romana. De conformidade com o pensamento aristotélico, cada objeto se compõe de substância e atributos. Um dos aspectos de seu ensino sobre a substância indica que esta é metafísica e está fora do alcance dos sentidos, e que os atributos (coisas de natureza não-essencial a um objeto) podem alterar-se sem que se altere a essência de qualquer coisa. A doutrina da **transubstanciação** tem sua base nesse pensamento, pois, segundo essa doutrina, acredita-se que o pão e o vinho podem ser alterados quanto à sua substância, isto é, de pão e vinho, passam a ser o corpo e o sangue de Jesus, sem que haja nenhuma alteração nos seus atributos. Assim sendo, os testes científicos podem não determinar nenhuma transformação no vinho e no pão, embora a sua "substância" se tenha modificado; e a substância não está sujeita a testes científicos. Aristóteles ensinava que tudo se compõe de matéria em movimento, e que o movimento é causado pela "causa primária", a única que permanece imóvel, mas que move tudo ao seu redor ao "ser amado". Tomás de Aquino desenvolveu essa ideia como prova da existência de Deus, salientando que todos os movimentos devem ter uma causa, e mostrando ainda que somente Deus pode ser essa causa.

Além das influências sobre o pensamento filosófico antigo sobre o cristianismo, conforme são mencionadas nos parágrafos anteriores, podemos alistar de passagem algumas outras: formas de educação, a prática e os métodos exegéticos, formas retóricas etc. **Os discursos públicos** tiveram seus paralelos, nas comunidades cristãs, nos cultos públicos, especialmente no estilo do sermão, nas primeiras assembleias cristãs. As escolas filosóficas tiveram influência na formação da teologia sistemática cristã, especialmente após 150 d.C, através de ministros filósofos teólogos como Justino, Orígenes e Clemente de Alexandria, os quais sistematizaram a teologia e frequentemente se utilizaram da terminologia filosófica nesse processo. Esse tipo de atividade aumentou e floresceu nos tempos medievais, no chamado "escolasticismo", quando a filosofia e a teologia tornaram-se, na prática, uma só disciplina. (Quanto ao completo tratamento desses acontecimentos, ver a obra The Influence of Greek Ideas on Christianity, por Edwin Hatch, New York: Harper and Brothers).

4. Religião

Zeus e outros deuses — É necessário que uma literatura tão estilisticamente elevada como a Ilíada, de Homero, se tivesse baseado em diversos séculos de desenvolvimento, antes que tão elevada grandiosidade pudesse ser conseguida. Homero (século IX a.C.) ao escrever sua bela composição — sem dúvida, tirando proveito de muitas fontes literárias; e é bem provável que grande parte da Ilíada não tenha sido escrita por ele, mas tenha sido adicionada posteriormente —, preservou para nós uma grande herança de pensamento. Poucos ou mesmo nenhum escritor se tem igualado ao estilo simples, mas elevado e estranhamente belo de Homero. As suas obras são a "bíblia" da Grécia antiga. A despeito de sua beleza literária, que é um fato indisputável, o conceito de um deus ou deuses, que ali aparecem, nos deixa desolados. Cronos, pai de Zeus, furtara o seu poder de Urano, seu pai, e de Rea. Era um canibal vitorioso, que devorava os seus filhos assim que nasciam. Zeus, entretanto, foi escondido por sua mãe, e uma pedra foi provida em lugar de Zeus, para que Cronos engolisse, embrulhada em panos, como disfarce. Zeus foi muito astuto, e, ao chegar à maturidade, foi capaz de derrotar seu vingativo pai, tornando-se um rei universal e todo-poderoso, que mantinha o seu governo mediante o uso de relâmpagos, e não mediante a influência da bondade e sua aplicação. Zeus teria amado pelo menos seis esposas, duas das quais foram suas irmãs, e não resistia a uma viagem ocasional à terra para caçar alguma mulher especialmente bela, ainda que terrena. Essas ideias, relacionadas aos deuses antigos, não eram incomuns; cria-se mesmo que muitos homens eram filhos de deuses e de mulheres humanas, ou vice-versa. Tais filhos eram ocasionalmente chamados **herois**, sendo em geral homens capazes de grandes feitos.

Zeus — originalmente senhor único do universo — dividiu o seu governo com dois irmãos, seus: Poseidon, que tomou conta dos oceanos, e Hades, que se apossou do submundo. Zeus permaneceu nos céus, e por isso passou a ser especialmente associado às tempestades, às trovoadas e a outras manifestações atmosféricas que tanto aterrorizavam os antigos. A organização real dos muitos deuses gregos não era diferente demais da sociedade feudal. Algumas vezes, os súditos de Zeus, por também serem divinos, tornavam-se extremamente rebeldes, e então era mister todo o poder de Zeus para acalmar a tempestade e, às vezes, só o poderoso relâmpago era capaz disso. O seu poder sempre estava sujeito a revisão e a possíveis modificações, porquanto Cronos, Urano e Rea, antes dele, tinham caído.

Em geral, a **moral dos deuses** era muito semelhante à dos homens que os tinham imaginado. Estavam sujeitos aos mesmos afetos, ódios, contendas, violências e paixões, e, a julgar pelos padrões terrenos, cometiam os mesmos pecados que seus criadores. É fácil de se ver, portanto, quão pouco valor ético tinha esse pano de fundo a oferecer a qualquer cultura. Naturalmente que muitos gregos rejeitavam esses deuses antropomórficos; mas até mesmo nos tempos de Sócrates a rejeição aos deuses equivalia à traição. E, na "Apologia" de Platão, vê-se que uma das acusações feitas contra Sócrates foi a de "ateísmo". (Mas essa acusação não parece ter podido consubstanciar-se.)

Em torno do âmago central dos ensinos acerca dos deuses, desenvolveram-se diversos cultos de natureza especializada. Na Acrópole (principal colina de Atenas) foi construído o grande Partenon, em honra a Atena, que veio a ser a principal deidade daquela cidade. Isso se tornou símbolo da unidade e do poderio da cidade.

O deus **Hades** era estimado em alta honra (sendo irmão de Zeus), e templos foram edificados em sua honra; porém esse culto nunca se tornou influência poderosa na Grécia. De conformidade com a mitologia grega, quando da morte, a "alma" ou "sombra" da pessoa era levada por Hermes para o submundo, onde Hades exercia seu domínio. Carom, o barqueiro, fazia as almas atravessarem o rio Estix, mas somente quando elas pagavam determinada quantia com uma moeda. Muitos gregos eram sepultados com uma moeda na boca, para cuidar dessa despesa. No submundo (posteriormente chamado hades por causa do deus desse nome) as almas levariam uma espécie de existência sombria, sem consciência verdadeira, mas nebulosa. Essa ideia foi-se alterando paulatinamente, entretanto, para a de uma existência real, se não mesmo feliz.

Os mistérios eleusianos (ritos de natureza religiosa praticados em Eleusis, na costa do sul da Ática) estavam vinculados ao deus Hades, e esse culto se tornou extremamente popular. Baseava-se no ciclo das estações, com ênfase especial sobre os ciclos alternados de morte e vida, de primavera e inverno. **Demétria** era uma das deusas especiais desse culto, e a ela era atribuída a guarda dos campos férteis. Core ou Persefone, sua filha, seria o espírito protetor da vegetação, enquanto que Platão ou Hades era o deus dos mortos, que a cada outono trazia morte a todas as coisas vivas. Muitos santuários foram edificados em honra a Demétria, e Hades era ao mesmo tempo temido e odiado, talvez por muitos. Os adeptos desse culto evidentemente esperavam que, pela ação benéfica de Demétria, pudessem ter uma vida futura, após a morte, caracterizada pela felicidade e pela prosperidade. O ensinamento central dizia respeito à história de uma deusa que morrera e ressuscitara dos mortos, e os iniciados nesse culto criam que, mediante identificação com essa deusa, também pudessem conquistar a morte e o submundo, rompendo assim as cadeias escravizadoras da imortalidade. É óbvia a similaridade dessa ideia com a morte e a ressurreição de Cristo; mas todas as tentativas que têm procurado demonstrar que a doutrina cristã da ressurreição se tenha originado, pelo menos parcialmente, nesse culto, têm falhado e têm sido rejeitadas pela grande maioria dos eruditos modernos. Certamente que o pensamento hebreu, pelo tempo de Jesus, não era menos orientado na direção da ressurreição do que esses cultos, e, se o cristianismo porventura tivesse de tomar de empréstimo alguma ideia, não teria de fazê-lo dos mistérios eleusianos. Não obstante, a verdade ilustrada é importantíssima, sem importar onde ela se encontre.

O culto de Dionísio — Era chamado também de **Baco**. Baco era, primariamente, o deus do vinho. Dionísio, tal como Persefone, morreu e ressuscitou, e estava associado aos festivais do inverno e da primavera. Os seus cultistas criam que beber vinho ao ponto de chegar a certo êxtase, provocado pela ingestão do vinho e pela dança, fazia com que o seu espírito entrasse neles. Gradualmente, essas práticas se transformaram em orgias sexuais. O culto de Dionísio passou a ser identificado com esse tipo de moral degradada.

O culto de Apolo — Apolo era o deus que punia, e as suas flechas tiravam a vida de muitos homens. Entretanto, teria funções muito mais amplas, porquanto era reputado como ajudador da humanidade, o pai da medicina, o inspirador dos poetas, dos videntes e dos adivinhos. Assim é que muitos monumentos, templos e santuários lhe foram construídos; e as multidões criam que sua influência profética poderia ser experimentada, e muitos profetizavam em seu nome. Um de seus oráculos famosos era o de Delfos, e muitas ações eram determinadas por declarações proferidas dali.

Asclépio, filho de Apolo, era considerado o médico divino. Asclépio teria gerado dois filhos, que eram pintados como curadores, nos tempos de Homero. E também teria gerado uma filha, Higeia, deusa da saúde. Havia um santuário dedicado a Asclépio, em Atenas, entre o teatro e a Acrópole, que Paulo deve ter visto ao visitar essa cidade. Em realidade, os santuários a ele consagrados eram numerosos por toda a Grécia. Os santuários dedicados a Asclépio eram, para os gregos, o que os hospitais são para nós; mas também não eram muito diferentes dos santuários modernos da Igreja Católica Romana, e muitas curas milagrosas eram efetuadas ali, segundo se noticiava.

De modo geral, no mundo pagão antigo, pode-se observar que cada terra, país e território, tinha seus próprios cultos e seus deuses nacionais. Entretanto, devido à helenização produzida pela cultura grega, e porque a cultura grega predominara sobre as demais, o mundo antigo, quanto às suas crenças religiosas, usava as ideias gregas como elemento sintetizador. Deuses antigos tinham seus nomes alterados para as designações gregas. Nesse processo, novas dimensões eram acrescentadas aos conceitos gregos antigos. Os elementos se misturavam, não era desconhecido o fato de, geralmente, os devotos de um culto serem também devotos de outros. A Ásia Menor tinha um culto similar ao de Eleusis, centralizado em torno de **Cibele**, a terra-mãe, e de **Atis**, seu amante, o espírito da vegetação que morria anualmente no outono, e que se levantava dos mortos na primavera. Lê-se que muitos ritos bárbaros acompanhavam esse culto, e que os sacerdotes realmente decepavam os seus órgãos genitais e lançavam-nos no altar de Cibele, enquanto rodopiavam em uma dança frenética. Em outro rito, um devoto se deitava por baixo de um touro, o qual era morto, julgando-se que o sangue do touro limparia os pecados do devoto, e que assim este renasceria para a eternidade.

Mitra era o deus dos soldados. Esse deus foi adorado a princípio pelos antigos arianos, que, subsequentemente, levaram seu culto à Índia. Daí o culto chegou à Ásia Menor. Após o ano de 67 a.C., depois que os piratas das costas da Cilícia foram derrotados, Pompeu levou alguns dos cativos a Roma, e eles espalharam o culto de Mitra ali também, pois alguns desses cativos eram praticantes desse culto. A adoração a esse deus se propagou entre as tropas romanas. No mundo romano, Mitra era identificado com o deus-sol. O rito central consistia no abate de um touro e da ingestão de seu sangue. Dizia-se, igualmente, que Mitra morria no inverno e ressuscitava na primavera. Os seguidores do culto de Mitra observavam o nascimento de Mitra a 25 de dezembro. Quando o cristianismo foi obtido a ascendência sobre esse rival (que por algum tempo foi o principal rival do cristianismo, em Roma), o antigo costume e celebração foi sendo modificado em celebração do nascimento de Cristo, e é justamente nesse dia que o chamado Natal continua sendo celebrado na maioria da cristandade, até hoje.

O culto de Ísis — Era um desenvolvimento de uma religião egípcia, a qual, partindo de sua fortaleza no Egito, se foi espalhando por todo o mundo mediterrâneo. Sua teologia, tal como no caso de alguns outros que já foram mencionados, baseava-se na mudança das estações do ano. Ísis e seu filho, Horos, eram a original madona e seu filho do mundo helenístico. Ísis era a terra-mãe; Osíris era seu marido-irmão, e era cultuado como espírito protetor da vegetação. Osíris tinha um irmão, Sete, que era reputado como deus mau, e que por isso mesmo representava o espírito do mal no mundo. Sete matou Osíris e ocultou o seu corpo. Mas Ísis, auxiliada por outras divindades, encontrou o corpo de Osíris e o fez reviver. Portanto, esse culto também girava em torno de um símbolo de morte e ressurreição, que a princípio provavelmente estava relacionado aos ciclos das estações, mas que gradualmente se tornou questão de convicção religiosa pessoal, fomentando a esperança da imortalidade pessoal. **Os Ptolomeus**, uma dinastia grega que governou o Egito após o falecimento de Alexandre, o Grande, parecem ter propagado esse culto em volta do mundo mediterrâneo. Osíris foi absorvido pelo conceito do deus grego Serápis (palavra formada de Osíris e Ápis). Uma inscrição dedicada a Serápis ainda pode ser vista entalhada no pilar direito da porta de Sião, no muro sul de Jerusalém. Foi posto ali por um porta-estandarte da terceira legião de Cirene, em cerca de 115 d.C. Muitas moedas cunhadas após o começo do segundo século trazem também a imagem de Serápis, o Osíris helenizado.

Religião Romana — Pode-se caracterizar a religião romana mais ou menos nos mesmos termos com que falamos sobre a filosofia romana. Em Roma e nas áreas ao redor, houve um período paralelo às crenças politeístas dos gregos, e praticamente as mesmas ideias se desenvolveram. Na fase da propagação da cultura grega, designações romanas foram identificadas com deuses gregos, até o ponto de ser difícil encontrar qualquer diferença. Assim sendo, Zeus e Júpiter tornaram-se nomes intercambiáveis para o mesmo deus. Afrodite e Vênus foram identificadas, como também Poseidom e Netuno, Hefaísto e Vulcano, Demétria e Ceres, além de muitos outros. Roma tinha crenças religiosas separadas, e também festividades religiosas distintas, e atribuía aos seus imperadores certa forma de divindade. Daí a religião passou a ser identificada com o patriotismo, e o **culto ao imperador** foi, principalmente, a tentativa de preservar o patriotismo. Por causa disso, originaram-se as perseguições movidas por alguns imperadores, como Nero e Domiciano, que se adoravam como deuses e que exigiam essa adoração por parte dos outros.

Por conseguinte, foi para um mundo assinalado pelas contendas, pela violência, pelo ódio, pela moral degradada e pelas religiões pagãs diversificadas, mas sempre pervertidas, que veio Jesus, o Cristo. As páginas deste comentário são um testemunho sobre a diferença que ele causou nesse mundo, e que continua causando, para todos quantos quiserem dar-lhe ouvidos, confiar nele e lhe ser **obedientes**.

IX. BIBLIOGRAFIA

ANGUS, Samuel. The Environment of Early Christianity. New York: Charles Scribner's Sons, 1920.

BELL, H. I. Cults and Creeds in Greco-Roman Egypt, 1953.

BEVAN, E. R. A History of Egypt under the Ptolemaic Dinasty, 1928; e The House of Seleucus, 1902.

BICKERMAN, E. The Maccabees, 1947.

ENSLIN, Morton Scott. Christian Beginnings. New York: Harper and Row, 1956.

FARMER, W. R. Maccabees, Zealots and Josephus, 1956.

GUIGNEBERT, Charles. The Jewish World in the Time of Jesus. New York: E. P. Dutton and Co., 1939.

JOSEFO, Flávio. The Jewish War in the Antiquities. London: William Heineman, 1943.

SAMUEL, A. E. Ptoleimac Chronology, 1962.

TCHERIKOVER, V. Hellenistic Civilization and the Jews, 1959

X. DIAGRAMAS

1. Israel Pérsia Egito e Síria

Data:	Israel
538	Zorobabel Sheshbazaar; alguns voltaram a Jerusalém.
537	O começo da reconstrução do templo. Interrupção da construção do templo
520	A construção recomeçada
516	O templo é completado (3 de Adar, 10 de março)
458	Ezra vai a Jerusalém
445-433	O Templo de Neemias em Jerusalém

Data:	Israel
324	Israel sob o domínio da Síria
282	Ptolomeu I Soter
320	A Judéia torna-se parte do império de Ptolomeu, anexada por Ptolomeu I
198	A Palestina torna-se parte do império sírio, permanecendo até os Macabeus
167-40	Os Macabeus (hasmoneanos) A libertação de Israel Matatias, o pai, inspirou a revolta
166-161	Judas Macabeu
160-143	Jonatan Macabeu
143-135	Simão Macabeu
135-104	João Hircano I
104-103	Aristóbolo I
103-76	Alexandre Jannaeus
76-67	Rainha Salomé Alexandra e Hircano II
67-40	Hircano II e Aristóbolo II
64	Pompeu estabelece o protetorado romano; Israel é dominado
40	Herodes o Grande apontado como rei dos judeus
37-4	Governo de Herodes

	Egito
323	Ptolomeu I Soter
285-246	Ptolomeu II, Philadelphus
246-222	Ptolomeu III, Euergetes
222-205	Ptolomeu IV, Philopater
204-180	Ptolomeu V, Ephiphanes

	Império Persa:
539-540	Ciro
530-522	Cambises
522-486	Dario I
486-465	Xerxes I (Assuero)
464-423	Artaxerxes I
423-404	Dario II Nothus
404-359	Artaxerxes II Mnemon
359-337	Artaxerxes III Ochus
338-335	Arses
336-331	Dario III Codomanus
331-323	Alexandre de Macedônia

	Síria
312-281	Seleuco, I Nicator
281-261	Antíoco, I Soter
261-246	Antíoco, II Theos
246-225	Seleuco II
225-223	Seleuco III Soter
223-187	Antíoco III, O Grande
187-175	Seleuco IV
175-163	Antíoco IV Epiphanes
163-162	Antíoco V
162-150	Demétrio I
139-129	Antíoco VII Sidetes

2. Os selêucidas
Os Números Indicam a Ordem do Reinado de Cada Um

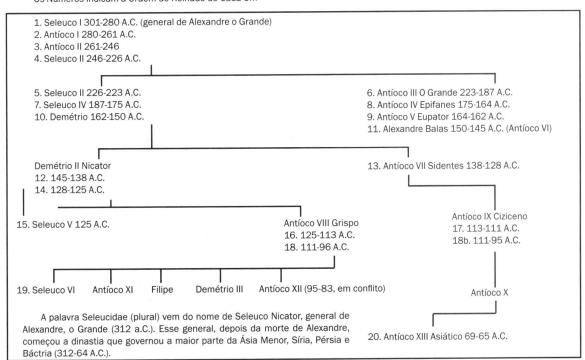

3. Os hasmoneanos
Os números indicam a ordem do reinado de cada um.

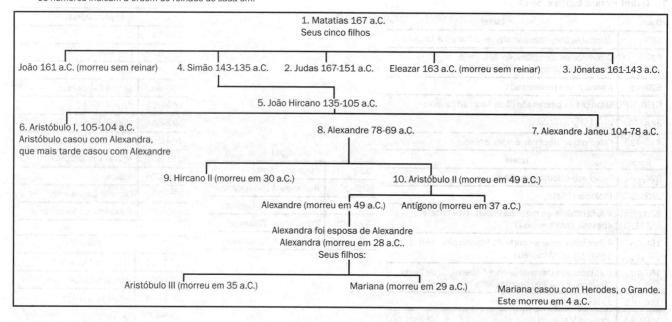

4. Os herodianos
Foram incluídas todas as referências bíblicas

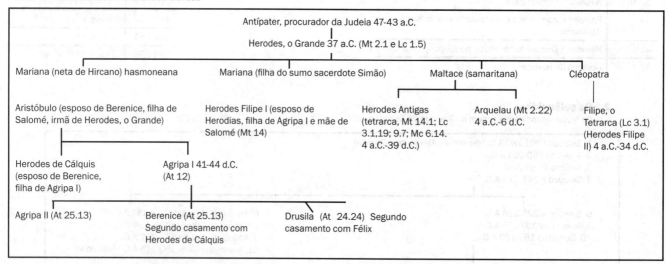

História judaica de 63 a.C. a 70 d.C.
1. Início do domínio romano: 63 a.C.-4 a.C. Poder indireto, luta entre Roma e os hasmoneanos.
2. Poder indireto, governo de Herodes (sujeito a Roma): 40 a.C.-44 d.C.
3. Judeia, Samaria, Idumeia (que constituíam a província romana da Judeia) governada por procuradores romanos: 6 d.C.-41 d.C.
4. Palestina inteira governada por Agripa: 41 d.C.-44 d.C.
5. Palestina inteira governada diretamente por Roma, até a destruição de Jerusalém: 44 d.C.-70 d.C.

5. Acontecimentos durante os tempos do Novo Testamento: Roma, Palestina, O Novo Testamento

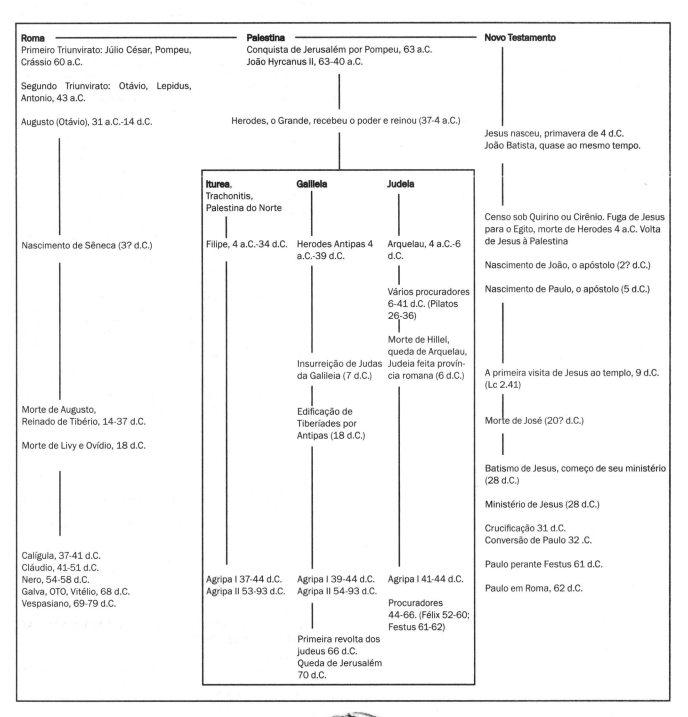

Roma
Primeiro Triunvirato: Júlio César, Pompeu, Crássio 60 a.C.

Segundo Triunvirato: Otávio, Lepidus, Antonio, 43 a.C.

Augusto (Otávio), 31 a.C.-14 d.C.

Nascimento de Sêneca (3? d.C.)

Morte de Augusto, Reinado de Tibério, 14-37 d.C.

Morte de Livy e Ovídio, 18 d.C.

Calígula, 37-41 d.C.
Cláudio, 41-51 d.C.
Nero, 54-58 d.C.
Galva, OTO, Vitélio, 68 d.C.
Vespasiano, 69-79 d.C.

Palestina
Conquista de Jerusalém por Pompeu, 63 a.C.
João Hyrcanus II, 63-40 a.C.

Herodes, o Grande, recebeu o poder e reinou (37-4 a.C.)

Ituréa, Trachonitis, Palestina do Norte
Filipe, 4 a.C.-34 d.C.

Galileia
Herodes Antipas 4 a.C.-39 d.C.

Insurreição de Judas da Galileia (7 d.C.)

Edificação de Tiberíades por Antipas (18 d.C.)

Agripa I 37-44 d.C.
Agripa II 53-93 d.C.

Agripa I 39-44 d.C.
Agripa II 54-93 d.C.

Primeira revolta dos judeus 66 d.C.
Queda de Jerusalém 70 d.C.

Judeia
Arquelau, 4 a.C.-6 d.C.

Vários procuradores 6-41 d.C. (Pilatos 26-36)

Morte de Hillel, queda de Arquelau, Judeia feita província romana (6 d.C.)

Agripa I 41-44 d.C.

Procuradores 44-66. (Félix 52-60; Festus 61-62)

Novo Testamento

Jesus nasceu, primavera de 4 d.C.
João Batista, quase ao mesmo tempo.

Censo sob Quirino ou Cirênio. Fuga de Jesus para o Egito, morte de Herodes 4 a.C. Volta de Jesus à Palestina

Nascimento de João, o apóstolo (2? d.C.)

Nascimento de Paulo, o apóstolo (5 d.C.)

A primeira visita de Jesus ao templo, 9 d.C. (Lc 2.41)

Morte de José (20? d.C.)

Batismo de Jesus, começo de seu ministério (28 d.C.)

Ministério de Jesus (28 d.C.)

Crucificação 31 d.C.
Conversão de Paulo 32 .C.

Paulo perante Festus 61 d.C.

Paulo em Roma, 62 d.C.

Vespasiano *Christian Computer Art*

A FÉ E DISCUSSÕES

O Conhecimento e a *fé religiosa*

Russell Champlin

Esboço

INTRODUÇÃO

I. A FILOSOFIA E A CIÊNCIA

II. PONTOS DE VISTA FILOSÓFICOS SOBRE A NATUREZA E AS FONTES DO CONHECIMENTO

1. Empirismo
2. Racionalismo
3. Intuição
4. Misticismo
5. Ceticismo
6. Positivismo lógico
7. Psiquismo

III. TEORIAS DA VERDADE — CRITÉRIOS

1. Realismo
2. Sentimentos
3. Costumes e tradições
4. Tempo
5. Intuição
6. Revelação (misticismo)
7. Instinto
8. Maioria, pluralidade
9. Autoridade
10. Correspondência
11. Pragmatismo
12. Conformidade
13. Coerência

IV. BIBLIOGRAFIA

INTRODUÇÃO

Importância do tema: Os religiosos estão interessados em "como sabemos as coisas" que já aceitamos como verdade, e também em "como se aprende mais". Para a pessoa que pensa, esse interesse envolve-a naturalmente em aspectos daquilo que, na filosofia, recebeu o nome de "teoria do conhecimento" ou gnosiologia (epistemologia). O artigo aqui apresentado procura expor, em forma de esboço, os diversos sistemas de conhecimento e as teorias de verdade, relacionando-as, de forma breve, à crença religiosa.

Conhecimento linear — O Ocidente ficou quase tomado de obsessão pelo chamado conhecimento "linear", ou seja, o tipo de conhecimento que se baseia no "pensar em uma linha", informe após informe, com conclusões tiradas da investigação "empírica". Essa quase obsessão tornou-se um ídolo, a ponto de qualquer conhecimento "extra-empírico" ser tido como impossível. No Oriente, em contraste, o fato do o conhecimento poder ser obtido pela razão, intuição e misticismo é tomado como algo pacífico, e o conhecimento "linear" é degradado por muitos como um tipo inferior de conhecimento.

Conhecimentos dos hemisférios esquerdo e direito do cérebro — Pesquisas recentes indicam que os tipos de conhecimento "linear" (empírico) são governados pelo hemisfério esquerdo do cérebro, ao passo que os discernimentos intuitivos ou místicos são governados pelo hemisfério direito. É possível melhorar as funções intuitivas mediante o desenvolvimento do hemisfério direito do cérebro, por meio do exercício e da prática. A "disposição" de um indivíduo, pois, quanto aos "modos de obter conhecimento" pode ser uma questão de desenvolvimento cerebral, ou mesmo questão de pura chance; mas isso está sujeito a modificações, para um lado ou para outro. Entretanto, o fato de o "conhecimento" ser governado pelo "cérebro" não prova que o conhecimento é função meramente cerebral. As pessoas que têm experimentado os fenômenos "fora do corpo", isto é, a capacidade da alma de deixar o corpo físico temporariamente e voltar, têm dito que são retidas a "consciência" e a "razão", ao mesmo tempo que a faculdade intuitiva é imensamente incrementada. Isso indica, portanto, que, apesar de o cérebro ser um veículo do conhecimento, governado no complexo humano normal de alma-corpo, é tão-somente um "veículo", e não a fonte da inteligência ou do conhecimento, e que o conhecimento, na personalidade humana, no nível da alma, existe e funciona sem o luxo do cérebro.

Este artigo expõe o tema de modo "filosófico", porquanto a filosofia, e não a teologia, é que tem desenvolvido uma sistemática "teoria do conhecimento".

A filosofia surgiu como uma forma de pesquisa científica, na tentativa de encontrar uma explicação racional para a natureza do mundo. Os primitivos filósofos também eram cientistas; mas, como é típico na história da filosofia, foram mais do que isso: incorporavam em si mesmos o espírito do poeta e do místico.

Tales de Mileto (600 a.C.) é o filósofo mais primitivo que se conhece. Ele se interessava por explanar os processos do movimento e das alterações, bem como a natureza da multiplicidade; e, com esse fim, criou a teoria chamada "hilozoísmo". Era uma teoria chã, terrena, que não ascendia às questões da razão universal, à primeira causa ou Deus. Não obstante, como homem, Tales tinha os olhos fitos nas estrelas. No fim de uma tarde, quando as estrelas começavam a ficar visíveis, Tales contemplava embevecido a cena, sem observar para onde ia. Subitamente, caiu em um poço. Uma espirituosa criada trácia observou imediatamente que Tales desejava tanto saber o que ocorria no firmamento, que não viu onde punha os pés. Há um refrão moderno, que diz respeito especialmente às pessoas religiosas, no sentido de viverem tão absorvidas pelas coisas celestiais, que não têm nenhuma utilidade terrena.

I. FILOSOFIA E CIÊNCIA

A filosofia e a ciência, como disso se depreende, encaram os problemas sob luz diferente, a menos, naturalmente, que a filosofia seja reduzida a mero método científico, conforme se dá no positivismo lógico. Os cientistas se preocupam com "utilidade", "preço", "trabalho", "delito", "energia", "densidade". Os filósofos concentram seu interesse em "experiência", "conhecimento", "justiça", "significação", "verdade", "propósito", "Deus" e "alma".

O fenômeno social do furto — As ciências sociais falam da influência do ambiente, dos fatores hereditários físicos e mentais, como também dos modos e meios de correção, incluindo escolas especializadas ou instituições corretivas. A filosofia, pois, faz os seguintes tipos de aquilatação: (a) Julgamentos de valores — o roubo é mau porque contradiz que se sabe acerca da conduta ideal. (b) Julgamentos morais — o roubo é uma função da consciência pervertida. (c) Julgamentos antropológicos — o roubo é propensão de uma alma corrupta, a qual, de alguma outra existência, trouxe consigo essa má tendência. (d) Julgamentos espirituais — o roubo, considerado como forma de perversão moral, provoca a função da justiça de Deus, ou de alguma elevada força cósmica; e a punição é seu resultado. (e) Julgamentos metafísicos — as almas más podem sofrer punição que transcende aos limites do tempo e do espaço, ao passo que as almas boas aguardam a bem-aventurança.

Pode-se perceber facilmente, por meio dessa ilustração, como a filosofia é capaz de ultrapassar em muito o campo das pesquisas da ciência, em sua inquirição por conhecer qualquer coisa, ou em suas descrições sobre a natureza de qualquer coisa. Isso se aplica à esfera da gnosiologia. A mente estritamente científica, por sua vez, não se mostra muito simpática para com grande parte do que a filosofia tem a dizer acerca do conhecimento, de seu escopo, de suas limitações, de suas possibilidades, de seus propósitos e de seus métodos.

Não há que duvidar que, se a filosofia considera problemas dessa monta, sob um prisma diferente do que o faz a ciência, é certo que assim também o faz a religião. A crença religiosa necessariamente apela a um "tribunal superior", em relação a qualquer problema de conhecimento e solução de problema, e não pode sentir-se restringida ao conhecimento que se deriva apenas dos sentidos (empirismo). Segundo determinado ponto de vista, a religião é um meio de conhecimento que transcende ao modo de pensar linear.

II. PONTOS DE VISTA FILOSÓFICOS SOBRE A NATUREZA E AS FONTES DO CONHECIMENTO

1. Empirismo

(a) Acredita que todo o conhecimento humano vem pela percepção dos sentidos. (b) A percepção dos sentidos é concretizada nos informes fornecidos pela "experiência". (c) A experiência desenvolve a memória. (d) A memória desenvolve a linguagem. (e) A linguagem desenvolve a faculdade discursiva. (f) A faculdade discursiva desenvolve todas as vastas sutilezas da intelecção humana, as complexidades do conhecimento humano. Tudo isso tem por alicerce a percepção dos sentidos ou a "experiência".

* *

Empirismo é "conhecimento mediante a percepção dos sentidos". Tem-nos dado máquinas e medicamentos e outras coisas úteis. Pode atuar como veículo para um conhecimento superior, para uma visão, por exemplo, a qual pode ser "vista" ou que aparentemente pode ser vista pelos olhos. A mentalidade religiosa, porém, não fica satisfeita diante desse pensamento — e com razão —, porque todo o conhecimento deve ser medido por meio dos cinco sentidos.

2. Racionalismo

Consiste da supremacia da razão. (a) Esse sistema crê que o conhecimento ultrapassa a mera percepção dos sentidos, fundamentando-se em uma faculdade superior da natureza humana, usualmente equiparada com "alma" ou "mente". (b) A "mente" tem afinidades com a natureza do universo. (c) Existiriam ideias latentes. (d) A percepção dos sentidos pode até mesmo servir de obstáculo para o conhecimento humano. (e) O racionalismo se interessa por verdades "finais" enquanto o empirismo se interessa por verdades terrenas.

Os pensadores religiosos, tanto quanto os filosóficos, supõem — e com razão — que a razão pura, inteiramente à parte dos sentidos físicos e dos informes por eles fornecidos, pode chegar a alguma verdade. O conhecimento de Deus e dos valores éticos podem ser conseguidos desse modo, conforme Paulo sugere em Romanos 1.

3. Intuição

(a) Acredita no conhecimento imediato. (b) Até mesmo sem o auxílio dos meios da experiência e da razão. (c) Tal conhecimento se derivaria de uma fonte desconhecida, a "mente universal", "Deus", a "comunidade das mentes", de natureza humana ou de outra categoria. A intuição reconhece a natureza essencial de um objeto, o que a experiência pode descrever apenas parcialmente.

A intuição, que tem a forma de "conhecimento imediato", não mediado nem pelos sentidos e nem pela razão, pode chegar ao "discernimento" acerca da verdade espiritual, incluindo os problemas éticos e as questões relativas à alma, sua existência, sobrevivência e destino. O exercício na meditação espiritual pode desenvolver a intuição.

4. Misticismo

Trata-se do conhecimento proveniente de um ser superior, de uma força cósmica, interna ou externa. Segundo o misticismo oriental, essa força seria interna, isto é, a alma. Segundo o misticismo ocidental, seria externa, isto é, Deus, a mente cósmica, os anjos, os santos, os espíritos dos mortos etc. "O conhecimento é dom dos deuses".

O misticismo é a verdadeira base de toda a crença religiosa, pois as "visões" e "profecias", concretizadas nas Escrituras ou "livros sagrados", dão à religião a sua autoridade. O misticismo crê que Deus pode revelar-se e realmente revela-se a si mesmo. Em outras palavras, é algo altamente "teísta", e não deísta. O teísmo ensina que Deus está interessado pelos homens e faz intervenções na história humana. Suas intervenções geralmente se dão através de indivíduos, e mediante meios místicos. Já o deísmo nega que Deus se faça presente; e, mesmo que Deus exista, conforme dizem os deístas, ele trata com os homens somente por intermédio das leis naturais.

5. Ceticismo:

Diz que o conhecimento é impossível, se nos referimos a um conhecimento certo ou infalível. O ceticismo radical segue o "nihilismo": nada existe. Conforme diz Georgias: "Nada existe; e se algo existisse, seria incognoscível; e, mesmo que se pudesse conhecer, seria incomunicável". Já o ceticismo moderado postula um nível de probabilidade, que dá o suficiente para que "arrisquemos a vida", nessa proposição. Por exemplo, que o sol surge no oriente e se põe no ocidente. O ceticismo é resultado natural do empirismo. A percepção dos sentidos é básica nesse sistema, mas a percepção dos sentidos não é digna de confiança em sentido absoluto, sendo meramente uma "percepção mental" das coisas, e não o verdadeiro conhecimento da realidade das coisas. Por exemplo, a cor "alaranjada" pode ser descrita como certa intensidade da vibração da luz; porém, se examinarmos a natureza da luz, descobriremos que, na realidade, não sabemos o que é a luz. "Alaranjada", assim sendo, é apenas um termo conveniente que descreve uma percepção mental acerca de alguma coisa, e em nada contribui para descrever qualquer fator sobre a natureza real da luz.

De modo geral, o ceticismo é grande oponente da crença religiosa. Agostinho tinha sem dúvida razão quando supôs que a esfera do ceticismo é a esfera das trevas. Em outras palavras, quando um homem possui mente cética, com certeza "habita espiritualmente" em um lugar onde sua iluminação é impossível. Somente quando abre a mente para a "crença" é que se possibilita o avanço no conhecimento espiritual. O ceticismo é frequentemente uma "condição espiritual", e não apenas uma "atitude mental". Agostinho declarou: **Creio, para que possa entender.** Aquele que se aproxima da vida com a mente aberta da crença, embora possa cair no precipício de "crer demais", é passível de obter o "entendimento", pois tem o tipo de mente que o Espírito pode ensinar. É melhor crer demais do que pouco demais, simplesmente porque a "crença" é uma forma de busca espiritual que permite à mente receber iluminação ao nível da alma. Isso não significa que estejamos dispensados da "investigação honesta", que empregará todas as nossas faculdades do conhecimento, incluindo a empírica. Existe tal coisa como dogma morto e amortecedor, que também é adversário da verdadeira fé. O ceticismo é a maldição do liberalismo; mas o dogma amortecedor é a maldição do fundalismo.

6. Positivismo lógico

É uma forma de ceticismo, que limita a filosofia ao método científico empírico. Rejeita todas as proposições metafísicas como "destituídas de significação", porquanto não cabem no terreno da percepção humana. O ateísmo, portanto, incorreu em erro tanto quanto o teísmo, porque, não menos que este, pretende fazer uma declaração de conhecimento sobre algo que nos é impossível conhecer. Até mesmo o conhecimento "científico" não passa de mero nível de probabilidade, ou seja, de "inferência lógica".

O positivismo lógico é o máximo do ceticismo, até onde vai a religião. Não acredita que os problemas religiosos sejam dignos de atenção, ou mesmo sejam sujeitos à investigação, e rejeita todo o conhecimento "empírico" por não poder ser "conhecimento certo", sobretudo qualquer outra forma de "conhecimento". Deve-se admitir que o positivismo lógico, como um "método científico", tem seu valor; mas, no tocante à religião, é apenas destrutivo. Nesse campo, é o homem exibindo a sua ignorância.

7. Psiquismo

Essa palavra deriva-se do termo grego "psuche", que quer dizer "mente" ou "alma". Esse é o campo dos estudos da parapsicologia: a telepatia, a clarividência, a psicosinésia (capacidade de mover objetos pelo poder do pensamento), a psicofotografia e o conhecimento anterior. Talvez essa habilidade seja em parte empírica (baseada em alguma energia física, posto que ainda desconhecida), em parte intuitiva, em parte racional e em parte mística. A revolta contra o materialismo e o empirismo radical (ceticismo) é que tem provocado o intenso interesse em torno da parapsicologia.

A parapsicologia é a investigação feita sobre os temas acima mencionados. É uma ciência legítima, e deve ser tratada como tal. Contudo, existe o "oculto negro" contra o qual devemos ser advertidos, que penetra em esferas proibidas do conhecimento e em atividades espirituais de cunho negativo.

* *

III. TEORIAS DA VERDADE — CRITÉRIOS

1. Realismo

a. realismo ingênuo.

Trata-se do realismo em oposição ao idealismo. Seus criadores foram James McCosh, Thomas Reid e outros filósofos escoceses. A realidade seria exatamente o que parece aos sentidos, e não um concurso imperceptível de átomos em movimento, conforme os físicos atômicos afirmam. Este objeto à minha frente é uma escrivaninha, um objeto sólido e marrom, com várias configurações geométricas. Uma árvore, o firmamento, um edifício etc. são todos exatamente o que parecem ser. Cores, dimensões, solidez, formas, peso, tudo é conforme parece ser. Os realistas ingênuos procuram eliminar tudo quanto creem ser uma complicação desnecessária da filosofia.

Observações acerca do realismo ingênuo

1) Preserva a verdade do "bom senso", no âmbito em que todos vivem. Embora os objetos, cientificamente falando, não sejam "sólidos", dois automóveis que colidam de frente apoiam a realidade do realismo ingênuo. Um jovem enamorado de uma bela jovem não se interessa muito pela sua estrutura atômica. Basta-lhe a beleza física evidente que ela tem.

2) Todavia, a verdade do realismo ingênuo é parcial. Nas coisas há uma natureza mais profunda, que essa escola prefere ignorar; e essa natureza pode ser o "espírito", como energia ou ser invisível, isto é, a estrutura atômica invisível das coisas, ou energias como ondas de luz, raios-x etc. — a verdadeira natureza das coisas.

3) O realismo ingênuo depende da percepção dos sentidos, e o faz com uma fé simples; no entanto, essa percepção pode ser enganosa, errônea, débil ou totalmente falsa. Ilustrações: [...] os trilhos de uma estrada de ferro, que parecem encontrar-se em um ponto distante. Um graveto fino, lançado na água, parece ondear em seguida.

b. Realismo crítico

Segundo essa posição, o mundo externo é real, e não depende da "mente" ou da "percepção mental", para que tenha realidade; e nem deixa de existir meramente porque nenhum ser inteligente o percebe. No entanto, não é ainda aquilo que a percepção dos sentidos nos diz. (Seus defensores são George Santayna, C. A. Strong, R. W. Sellars, Durant Drake e Bertrand Russell).

Observações sobre o realismo crítico

1) Nossos sentidos nos dão uma verdade prática, embora esta fique muito aquém de qualquer noção da verdadeira essência das coisas.

2) A ciência nos fornece descrições das coisas, e se refere a átomos, eléctrons, nêutrons, prótons, quarks e outras partículas; mas essas descrições, apesar de chegarem mais perto da verdadeira natureza das coisas do que o faz a percepção dos sentidos, nos outorgam um conhecimento ainda incompleto, se, de fato, qualquer conhecimento sobre a realidade final é possível.

3) Com a expressão "fé animal" aceitamos a existência de um mundo objetivo e real, apesar de que, no momento, não contamos com meios precisos para descrevê-lo.

c. Novo realismo

(Defendido por E. B. Holt, W. T. Marvin e W. P. Montague). O objeto conhecido é o verdadeiro objeto, sendo real a apresentação do mesmo, e não mera apresentação (como se dá no caso do realismo crítico). Os objetos que

124 |Artigos introdutórios| NTI

podem ser percebidos são reais, e as descrições sobre os mesmos, apesar de parciais, são descrições reais.

Observações sobre o novo realismo:

1) Nessa escola há uma posição intermediária entre o realismo ingênuo e o realismo crítico, que preserva o "monismo" do realismo ingênuo.

2) Simplesmente tem mais "fé" do que o realismo crítico, removendo assim o elemento de ceticismo.

A maioria dos religiosos, pelo menos no Ocidente, se compõe de "realistas", no sentido que creem que o que se vê com os olhos e se toca com os dedos, representa a realidade "objetiva". Contudo, nem por isso desprezam "outra realidade" que não possa ser conhecida, mas que depende de "meios" superiores de conhecimento, além dos sentidos, como sejam a "razão", a "intuição" e o "misticismo". A realidade conhecida pelos "sentidos", para os tais, é uma "realidade inferior". Desde que as coisas são exatamente assim, sem importar se as conhecemos ou não perfeitamente, e sem importar se as podemos conhecer perfeitamente, essas questões se tornam secundárias.

2. Sentimentos

Estes são usados como critério para a seleção dos alimentos; atuam também quase exclusivamente na questão da escolha do companheiro da vida, no matrimônio. Transparece ainda por detrás das ações de todos os homens, de muitas e diferentes maneiras. Por igual modo, transparece por detrás de sua "escolha" das teorias: compare-se, por exemplo, Agostinho, filho de Mônica, influenciado por Ambrósio, com o filho criado por um cientista materialista e ateu; não é difícil predizer que tipo de religião, filosofia ou teoria científica os atrairá.

Observações sobre os sentimentos:

a. Como critério para averiguação da verdade, os sentimentos são um meio débil e ilusório, porquanto os sentimentos usualmente são vagos e mal definidos, se não entram mesmo em conflito uns com os outros; e no campo das pesquisas científicas e filosóficas os sentimentos também são estéreis.

b. Nenhuma outra teoria ou base de teoria, porém, é tão poderosa na tomada de decisão sobre as coisas como os sentimentos, influenciados como vivemos por anos de condicionamento aos mesmos.

É óbvio que os "sentimentos" muito têm a ver com as crenças e o sistema religioso de uma pessoa. Contudo, a crença religiosa transcende aos sentimentos humanos, e tudo pode ser reorientado ou mesmo revolucionado por uma fonte superior de conhecimento. Os "sentimentos" são mais condicionadores da verdade do que um meio real para obtê-la. Os sentimentos, como é claro, também se podem tornar em empecilhos à verdade, e não somente aquilo que determina a "escolha das crenças".

3. Costumes e tradições

Os critérios para averiguação da verdade ética e para as ideias políticas e religiosas, com frequência se baseiam em vários costumes ou tradições. Os atos diários também se alicerçam sobre os mesmos. A maioria das pessoas não chega aos princípios morais por ações racionais ou empíricas, e, sim, seguindo costumes prevalentes na igreja, no governo, na família, na nação, na cidade ou no bairro. As mulheres se sentem particularmente embaraçadas por usarem um vestido noturno durante o dia, ao fazerem compras, sem importar quão belo e funcional seja o tal vestido. E a maior parte daquilo que as pessoas fazem é similarmente obrigatório.

Observações sobre os costumes e tradições:

a. Os costumes se transformam em tradições mediante o uso, com a passagem do tempo.

b. Os costumes e tradições não servem de critérios válidos para verificação da verdade no sentido absoluto, pois os costumes e tradições variam de cultura para cultura. O costume das tribos esquimós de deixarem ao relento os membros idosos do clã, ou de entregarem a mulher para passar a noite com um visitante, como parte da hospitalidade doméstica, não são exemplos aprovados em outras sociedades. No entanto, um costume pode ser um critério válido para a averiguação da verdade, quando se toma o ponto de vista pragmático sobre a verdade.

4. Tempo

Alguém poderia dizer: "Sei que o cristianismo é verdadeiro, porque tem resistido ao teste do desgaste do tempo". O judaísmo, o hinduísmo e algumas outras religiões, contudo, são ainda mais antigas que o cristianismo. Esse critério faria de muitas superstições verdades automáticas, pois dificilmente qualquer delas é uma inovação. Apesar de virtualmente inútil como critério da verdade, o "tempo" é uma poderosa força unificadora entre os adeptos de qualquer sistema, sem importar se é de natureza religiosa, social ou política.

5. Intuição

Seus mentores foram Henri Bergson, Borden Parker Bowne, George Santayana, Carl Jung, pai da psicologia analítica. Segundo essa posição, a verdade é encarada como algo que nos chega imediatamente, sem o concurso da razão ou da experiência, por meio da percepção dos sentidos.

a. Intuição científica — Todo conhecimento se baseia na percepção dos sentidos; mas o cérebro pode atuar como computador, armazenando e avaliando a experiência adquirida pela percepção dos sentidos; e, subitamente, sem qualquer explicação aparente, o cérebro tira uma conclusão. Um cientista pode despertar no meio da noite com a solução para o problema, que o havia deixado perplexo durante meses. No entanto, apesar desse processo ser deveras misterioso, não é mister que o consideremos "extra-empírico".

b. Todavia, o sistema filosófico que se chamou de "intuição" não pertence a esse tipo de intuição mecânica ou empírica: o conhecimento chega imediatamente ao homem interior, no nível do subconsciente (a alma), e este é então transmitido à mente consciente. Sua origem é: (1) desconhecida; (2) a mente universal; (3) a percepção da alma; (4) Deus, os deuses, os poderes cósmicos.

Thomas Edison, inventor da lâmpada elétrica, dos discos fonográficos e de outras invenções, afirmava ter recebido desse modo suas ideias. Ao receber a ideia sobre a lâmpada elétrica, isto é, de que se poderia obter iluminação, eletricamente, de uma lâmpada incandescente, lhe sobreveio também, repentinamente, a ideia de como essa energia elétrica poderia ser medida e vendida comercialmente.

Observações sobre a intuição:

1) A intuição se impacienta ante o mecanismo da experiência e dos sentidos, estando convicta de que tais meios fornecem apenas descrições das coisas, e não da essência das mesmas, isto é, de sua natureza real e distintiva.

2) O conhecimento intuitivo é imediato e profundo, porque se trata de "compreensão", e não de mera fórmula. O conhecimento científico é **simbólico e discursivo** e, por sua natureza, é parcial, e, algumas vezes, superficial.

3) O conhecimento intuitivo nos faz entender as grandes "verdades", como "Deus", a "imortalidade", os "princípios morais"; enfim, as grandes verdades metafísicas. Já o conhecimento científico nem ao menos chega à verdade completa do que seja a matéria.

Os poetas tendem por aceitar pontos de vista intuitivos sobre o conhecimento, conforme se depreende do seguinte poema de Walt Whitman:

Quando se ouvia o erudito astrônomo;
Quando as provas, as cifras, foram catalogadas perante mim;
Quando me foram mostrados os mapas, os diagramas,
Para adicionar, dividir e medi-los;
Quando eu, sentado, ouvia o astrônomo que conferenciava
Sob muitos aplausos, no salão de conferências,
Quão logo, inexplicavelmente, fiquei cansado e enfadado;
Até que, levantando-me e saindo sem ruído, pus-me a vaguear,
Ao ar úmido e místico da noite, de vez em quando,
Olhava, em silêncio perfeito, as estrelas.

As provas astronômicas e os mapas do firmamento deixavam Walt Whitman profundamente insatisfeito. O astrônomo falava muito sobre as estrelas, mas não as mostrava. No entanto, uma contemplação silente e pacífica, desvendando muito mais para a alma do poeta.

Um impulso em um bosque primaveril
Pode ensinar-nos mais sobre o homem,
Sobre o mal ou o bem morais,
Do que todos os sábios podem fazer.
Doce é a história que nos conta a natureza;
Nosso intelecto intruso
Distorce as belas formas das coisas —
Matamos quando dissecamos.
Basta de ciência e de arte;
Fechem-se aquelas folhas estéreis;
Apresentai-vos, e trazei um coração
Que observe e que acolha.

(William Wordsworth)

4) O conhecimento intuitivo tende a ser antiintelectual; e por certo é antiempírico, sendo mesmo ocasionalmente hostil ao empirismo.

A intuição tem servido de força e fonte poderosa da verdade (ou daquilo que se julga ser a verdade) em quase todos os sistemas religiosos. Nem todos os indivíduos que se tornam partidários de um sistema religioso acham valor especial na intuição. Às raízes, porém, de quase todos os sistemas religiosos avulta a crença que a verdade pode vir por "meios imediatos", deixando de lado a necessidade das investigações empíricas e, "ultrapassando" até mesmo o poder da razão. O indivíduo religioso usualmente crê que, da parte de sua alma, podem vir certas informações às quais o seu corpo não tem acesso. A alma, por ser a porção imaterial do homem, está sujeita ao contacto com as realidades imateriais, pelo que também pode receber um "dom do conhecimento" vindo da parte de Deus, sem a necessidade da compilação de informes e da avaliação dos mesmos, feitas pelo cérebro. Acredita-se que a intuição tem valor especial na apreensão das ações humanas "morais". "Intuímos" as ações corretas e erradas. Não dependemos do "tempo" e das "circunstâncias", para que estes nos ditem de que maneira devemos viver corretamente. Outrossim, a verdade ética reside nas realidades espirituais, e não nas considerações temporais. A verdade ética deve transformar o que é temporal, elevando-o a um nível superior da existência, e nunca ser transformada pelo mesmo em uma espécie de "licença" para nos servirmos a nós mesmos.

6. Revelação (misticismo)

É a posição de Kierkegaard (do existencialismo moderno, da teologia do neo-ortodoxismo), de Agostinho, de Platão e da maioria das religiões do mundo. A verdade se derivaria de Deus, dos deuses, de forças espirituais mais elevadas que o homem, quer pessoais quer impessoais, ou então da alma interior, como um ser superior. As primeiras origens são postuladas pelo misticismo ocidental; e a última, pelo misticismo oriental. O misticismo ensina que as verdades são conferidas por Deus ou pelos deuses, sem a mediação da percepção dos sentidos (embora os sentidos possam servir de veículos), sem o concurso da razão, e até mesmo sem a presença da intuição. No entanto, há variedades do misticismo que admitem a ajuda da intuição, sobretudo em suas variedades orientais.

Observações sobre o misticismo:

a. Diversas dessas supostas revelações são contraditórias, e a verificação das mesmas é dificílima. Algumas dessas revelações podem ser meras alucinações, ou resultantes de um sistema nervoso desequilibrado.

b. O cristianismo tradicional tem aplicado vários critérios para testar as experiências e as revelações místicas: (a) Tomás de Aquino asseverava que Deus jamais daria uma revelação contrária à lógica, apesar de que as revelações podem ultrapassar os limites da lógica formal. (b) Toda revelação deve ser de natureza "moral": esse seria o teste ético. (c) Poderíamos aplicar também o teste da autoridade: uma revelação qualquer concorda com o que Jesus, Pedro, o Novo Testamento ou o papa dizem?

c. A exemplo da intuição, a revelação tenta outorgar ao homem as verdades divinas: a natureza de Deus e suas obras, a imortalidade e o destino da alma, a conduta moral ideal etc., e tem pouca paciência com o conhecimento que se prende às questões diárias da vida, como as invenções de maquinismos, o descobrimento de drogas ou o prolongamento e preservação da mera existência física.

d. A **fé** ocupa lugar de máxima importância no misticismo.

FÉ

Oh, mundo, não escolheste a melhor parte!
Não é sábio ser apenas sábio,
E fechar os olhos para a visão interior,
Mas é sabedoria acreditar no coração.
Colombo achou um mundo, e não tinha mapa,
Salvo o da fé, decifrado nas estrelas;
Confiar na empresa invencível da alma
Era toda sua ciência, toda a sua arte.
Nosso conhecimento é uma tocha fumegante
Que ilumina o caminho um passo de cada vez,
Através de um vazio de mistério e espanto.
Ordena, pois, que brilhe a luz terna da fé,
A única capaz de dirigir nosso coração mortal
Aos pensamentos sobre as coisas divinas.

George Santayana

É óbvio que o maior "meio" isolado de obtenção da verdade, até onde diz respeito ao indivíduo religioso, é o misticismo, a fonte da revelação. As Escrituras são as visões concretizadas dos profetas. Os dons espirituais, necessários para o desenvolvimento da igreja (Ef 4; Rm 12 e 1Co 12—14) são misticamente mediados, porquanto são inspirados e dirigidos pelo Espírito Santo.

7. Instinto

(Postulado por Sigmund Freud e George Santayana.) Crê que aquilo que é necessário, por determinação da natureza, representa a verdade. A sede subentende tanto a existência quanto a necessidade da água. O sono implica na verdade de um corpo que precisa de restauração e repouso. O sexo mostra a necessidade da procriação. Os impulsos ou sentimentos religiosos revelam a verdade das proposições religiosas, pelo menos em termos fundamentais e gerais. O instinto que nos faz buscar a bondade e a justiça, bem como punir a má conduta e o mal, revela-nos algo sobre a verdade moral. O instinto do artista, que o leva a pintar, a compor poemas ou música, fala-nos de algo sobre a verdade estética.

Observações sobre o instinto:

a. Tais como os sentimentos, os instintos são vagos e muitas vezes contraditórios.

b. Grande variação de discrepâncias pode ser observada entre os instintos de pessoas diferentes.

c. Mesmo admitindo a validade dos vários instintos e das verdades que os mesmos buscam, o conhecimento religioso, filosófico e científico tem de ultrapassar os limites alcançados pelos instintos.

8. Maioria, pluralidade

Pluralidade, "consensus gentium" — As organizações democráticas, de ordem religiosa, política, social ou governamental, se fundamentam sobre a suposição da validade desse critério para averiguação da verdade. Cícero dizia: "Aquilo sobre o que concorda a natureza de todos os homens é necessariamente verdadeiro". (De Natura Deorum, i. 16). Agostinho baseou um argumento em favor da existência de Deus e da alma imortal humana sobre a suposição que a maioria dos homens e das culturas tem alguma forma dessa crença, a menos que sejam ensinados a não fazê-lo, tendo sido educados propositalmente de modo contrário; e isso nos levaria à forçosa conclusão de que tanto Deus quanto a alma existem.

Observações sobre a opinião da maioria:

a. Embora a decisão da maioria seja método desejável de resolver questões de natureza política ou social, dificilmente ele será adequado para solucionar problemas científicos, filosóficos ou mesmo religiosos.

b. Esse método é aplicável à verdade prática, tal como o realismo ingênuo; no entanto, é de valor dúbio no descobrimento da verdade objetiva sobre qualquer coisa. As antigas ideias cosmológicas se alicerçavam nesse método, tendo assim surgido os conceitos de que a terra é achatada, de que o sol gira em torno da terra etc. Tudo era apenas a opinião da maioria. No entanto, eventualmente comprovou-se sua falsidade.

9. Autoridade

Tomás de Aquino, muitos filósofos do escolasticismo, a maioria dos teólogos e a maioria dos religiosos, aceitam certas verdades com base na autoridade. Visões e revelações estão concretizadas em escrituras santas. A verdade bíblica é uma das colunas mestras das supostas verdades da cultura ocidental. Pais da Igreja, bispos, papas e organizações eclesiásticas derivam sua "verdade" da autoridade; e eles mesmos se fazem autoridades. A "ciência", porém, da maneira em que é atualmente interpretada, tanto para muitas pessoas não-religiosas como para muitos religiosos, é uma "autoridade", da parte da qual aceitam a "verdade", sem nenhuma tentativa de investigação pessoal. A autoridade é o critério usado na averiguação das verdades científicas, filosóficas, morais e religiosas. Por exemplo, o papa pronunciou-se contrariamente ao uso da pílula anticoncepcional, e milhões de pessoas, ao redor do mundo, não fazem mais indagações sobre a correta ação moral a ser tomada em relação à mesma.

Observações sobre a autoridade:

a. A verdade aceita por meio da autoridade repousa sobre a premissa de que as autoridades, em qualquer campo do saber humano, devem conhecer mais que os observadores externos.

b. A autoridade religiosa se alicerça sobre a validade da revelação, e se desfaz totalmente quando a suposta revelação mostra ser produto de uma ilusão ou alucinação.

c. A autoridade científica se fundamenta sobre a base claudicante da percepção dos sentidos e de um conjunto de teorias em eterna mutação. É bem possível que quase toda a verdade, com base na autoridade, seja prática e subjetiva, e não objetiva.

O mundo religioso oferece uma incrível variedade de "autoridades"; de fato, há quase tantas autoridades quanto indivíduos religiosos. Contudo, há algumas autoridades básicas que recebem aclamação quase universal, como a dos "livros sagrados". Realmente, tais autoridades possuem maior dose de verdade do que aquela que geralmente seguimos.

10. Correspondência

(Postulada por Bertrand Russell). Afirma que quando uma ideia concorda com seu objeto, isto é, corresponde ao mesmo, então essa ideia é verdadeira. Por exemplo, tenho a ideia de que choveu em São Paulo a 5 de fevereiro de 1968. Se primeiramente concordarmos sobre o que significa "chover", então, mediante meios objetivos, como os registros dos jornais, as tabelas meteorológicas ou a palavra de alguém dotado de excelente memória, que diga se realmente choveu ou não nesse dia, poderei afirmar a veracidade ou falsidade dessa ideia. Todas as "ideias" científicas podem ser similarmente comprovadas, mediante a experiência e a prática reais, e as ideias comprovadas por informes e provas, que "correspondam" à realidade dos fatos são ideias verdadeiras.

Observações sobre a posição da "correspondência":

a. Problemas de definição podem modificar essa questão: qual é a natureza exata da minha "ideia"? quão válidas são as minhas observações confirmatórias dessa ideia? Por exemplo, o que significa "chover"? o que é "São Paulo"? ou até que ponto se cumpriram as previsões da meteorologia a 5 de fevereiro de 1968?

b. Mais profundamente ainda, que tipo de **verdade** procuro demonstrar: verdade prática, absoluta ou teórica?

A teoria da correspondência da verdade é, essencialmente, a verdade do "empirismo", pelo que, quanto à crença religiosa, tem valor limitado. Sem dúvida, reveste-se de algum valor, pois algumas crenças repousam sobre "acontecimentos históricos". A ressurreição, por exemplo, do ponto de vista histórico, pode ser sujeitada à teoria da correspondência. Há registros concretos que podem corresponder ao "fato" crido.

11. Pragmatismo

(Ensinado por William James, Charles Sanders Pierce e John Dewey). Consideremos os pontos seguintes:

a. Charles Sanders Pierce ensinava certa forma de **pragmatismo científico:** uma espécie de positivismo lógico cauteloso, que reconhecia a necessidade de o método científico e de todas as proposições estarem finalmente alicerçadas na experiência, embora também não rejeitasse algumas formas da "metafísica", como se fossem necessariamente impossíveis. Assim sendo, as proposições que se prestam à investigação talvez não sejam total e finalmente investigadas, mas o sentido de uma declaração ou ideia consiste da súmula de suas consequências verificáveis; e os fatos ficam necessariamente implícitos em tais consequências. O método de Pierce, na verificação do conhecimento, se assemelha ao do **realismo crítico.** Juntamente com o positivismo, assevera que algumas proposições não têm significação, porquanto ultrapassam as possibilidades humanas de resposta. Algumas proposições, como "Deus existe", não estão mais perto de serem demonstradas do que há mil anos passados. Todavia, o problema reside na própria proposição, e não no conhecimento humano. Algumas proposições, de fato, não estão meramente "sem solução", mas são "insolúveis". Quando Pierce vivia, a proposição "Existe uma alma imortal?" figurava entre essas proposições, segundo sua maneira de pensar. Contudo, suponho que, se ele estivesse vivo até hoje, e pudesse examinar as novas evidências comprobatórias da existência da alma, admitiria a possibilidade de comprovar, experimental e cientificamente, esse item do pensamento metafísico.

b. O pragmatismo como **algo prático** (pensamento de William James): Segundo esse filósofo, permanece de pé a necessidade de investigação; mas o valor e a veracidade de uma ideia dependem de sua utilidade ou função, e não de sua verificação científica. Na verdade, não buscamos aquilo que é final, e, sim, a diferença feita pelas ideias em nossa existência pessoal, em nosso bem-estar psicológico e em nossa conduta. Ilustração com a pessoa de Deus: Podemos estar razoavelmente certos de que, se de fato Deus existe, ele fica mais satisfeito com nossa crença em sua existência do que com o ateísmo. Embora não possamos averiguar a validade dessa crença, ou da religião em geral, e nem possamos negar sua veracidade, podemos ao menos seguir a orientação expediente de sermos religiosos, como uma espécie de garantia para o futuro. Se porventura, em última análise, Deus realmente não existir, e nem a imortalidade, [...] não teremos perdido nada. Se, pelo contrário, Deus existe e a imortalidade é fato, então só teremos a ganhar com nossa cautela. Isso é pragmatismo no mais alto nível, e se reveste de uma astúcia que ultrapassa os limites do tempo e do espaço.

"Qualquer um que insista em que há um planejador, e que esteja certo de que esse planejador é divino, deriva certo benefício pragmático do termo; de fato, o mesmo benefício que vimos derivar-se dos termos Deus, Espírito ou o Absoluto. O 'planejamento', por mais inútil que seja como mero princípio racionalista, posto acima ou por detrás das coisas, para a nossa admiração, se a nossa fé se concretiza em algo teísta, torna-se um termo de 'promessa'. Fazendo isto redundar em experiência, obtemos uma perspectiva mais confiante sobre o futuro. [...] Essa vaga confiança no futuro é o único significado pragmático que se pode discernir no presente, nos termos 'planejamento' e 'planejador'. [...] Mais do que essa significação prática não possuem as palavras 'Deus', 'livre-arbítrio', 'desígnio' etc. Entretanto, por mais obscuras que elas possam ser em si mesmas, ou por mais intelectualmente que as aceitemos, quando as pomos junto à passagem da vida, conosco, as trevas da existência tornam-se em luz ao nosso redor. [...] Somente o pragmatismo pode infundir certa significação positiva a essas trevas, e por causa disso ela volta inteiramente as costas ao ponto de vista intelectualista" (William James, Pragmatism, p. 114, 115, 121, 122).

William James pensava que se pode basear a religião sobre o "pragmatismo". "Quais são as consequências práticas de minhas crenças?" "Elas me ajudam a viver melhor?" "Elas me infundem esperança diante da tragédia e da morte?" Nesse caso, elas possuem "valor veraz", simplesmente porque têm valor prático na vida, sem importar a "verdade última" acerca de qualquer questão. É óbvio que a maioria dos religiosos sentem que essa maneira de buscar a verdade é muito inferior, se é que é válida. Contudo, a maior parte das pessoas religiosas apega-se "ainda mais" à sua fé religiosa porque esta, de fato, traz benefícios a "curto prazo", de natureza prática, e não apenas promessas a "longo prazo", que se concretizem em "mundos eternos da imortalidade". Desse modo, valorizam o pragmatismo como meio de buscar a verdade, embora não digam isso mediante alguma espécie de afirmação lógica.

c. Pragmatismo ético ou humanista (idealizado por F. C. S. Schiller): De acordo com essa ideia, verdadeiro e falso são apenas sinônimos de "útil" e "inútil". Quando uma pessoa declara que uma crença qualquer é verdadeira, simplesmente quer dizer que ela cabe dentro da soma total de seus interesses. As verdadeiras crenças, pois, podem modificar-se juntamente com as circunstâncias e os interesses. Ninguém procuraria uma verdade absoluta, porquanto, mesmo que ela existisse, estaria fora do alcance da pesquisa humana. A verdade se resume no "interesse humano", estando especialmente vinculada à atividade ética.

"No que tange ao fato físico da avaliação da verdade, pode-se chamar a verdade de função final de nossas atividades intelectuais. No que concerne aos objetos avaliados como 'verdadeiros', a verdade é aquela manipulação dos mesmos objetos que, sob experiência, mostram ser úteis, primariamente para alguma finalidade humana, mas, em análise final, para aquela perfeita harmonia da totalidade de nossa vida, que forma a nossa aspiração final" (Humanism, p. 61). A verdade pode ser egoísta ou altruísta; porém, de acordo com Schiller, ela é essencialmente egoísta, de tal modo que todo indivíduo tem sua "verdade". Esse sistema ignora ou subordina a verdade objetiva da ciência, e faz da verdade uma questão de interesse social.

d. Verdade **experimental** (ensinada por John Dewey): A verdade seria o êxito na inquirição, em qualquer campo da atividade humana. Determinamos o valor verdadeiro das proposições na ação real da existência diária. Incorporamos o método científico em todas as nossas pesquisas, e absorvemos o que é melhor nas teorias tradicionais da correspondência e da coerência; mas insuflamos nisso a ideia da verdade como um "valor". Ora, os valores são humanos e precisam ser comprovados pela experiência.

"O acordo ou correspondência se verifica entre o propósito ou plano e sua própria execução ou cumprimento; entre o mapa de um curso de ação, traçado a fim de guiar nosso comportamento, e o resultado obtido ao agirmos de conformidade com as indicações desse roteiro. Exatamente até que ponto esse acordo difere do êxito?" (Essays in Experimental Logic, p. 239, 240). John Dewey apresenta-nos a ilustração de alguém que se perdeu em uma floresta, e que passa a utilizar-se de um mapa ou de outras indicações disponíveis, para sair da mesma. Nesse processo, pois, o indivíduo lança mão da razão, da tentativa e do erro, bem como de indicações concretas. O seu "êxito", ao conseguir sair a salvo da floresta, será a sua "verdade". De fato, seria a única forma de verdade de que ele necessitaria ou poderia vir a ter. Toda a atividade humana, incluindo as pesquisas científicas, teria esse mesmo caráter.

Observações sobre o pragmatismo:

1) Obviamente, em relação à vida diária, os cristãos, como todos os demais homens, agem de acordo com o que é prático, quando não existem princípios morais e espirituais que devem governar as ações.

2) Mas para o cristão sincero é impossível basear uma vida sobre esses princípios. O melhor dos sistemas pragmáticos, do ponto de vista religioso, é o de William James. Contudo, até o sistema por ele sugerido não tem nada a ver com a fé verdadeira. No lugar de fé ele tem colocado uma aposta piedosa. Ele aposta que Deus existe; ele aposta que a alma existe e sobreviverá, e deixa estes princípios terem alguma influência na vida dele. Isto é melhor do que o ateísmo cru, mas dificilmente pode agradar a Deus, porque somente uma verdadeira fé pode fazer isto (Hb 11.2,6).

3) O pragmatismo, basicamente, é um tipo de agnosticismo ou ceticismo que tem abandonado qualquer busca de uma verdade fixa ou absoluta. Ora, a fé cristã declara que esse tipo de conhecimento pode ser alcançado, não por meios meramente práticos baseados nas percepções, mas pela razão, pela intuição e, especialmente, pela revelação.

12. Conformidade

Divide-se nas duas variedades abaixo discriminadas:

a. "Conformidade **frouxa**", que seria a mera ausência de qualquer contradição. Por exemplo: "João gosta de milho", "Hoje é quinta-feira", "O Brasil produz muito café" (o que se sabe só de viver algum tempo no Brasil). Trata-se de um critério muito fraco para averiguação da verdade, ainda que, com frequência, mostre-se correto.

b. "Conformidade **rigorosa** (criada por Borden Parker Bowne): É o método do "vigor e rigor". As declarações ou proposições precisam ser feitas, necessária e logicamente, cada qual com base na anterior. Por exemplo: "Todos os homens são mortais. Sócrates é um homem. Portanto, Sócrates é mortal". (Lógica dedutiva). Entretanto, temos nesse caso um sistema fechado de conhecimento, que depende da validade de cada uma de suas proposições. Essa afirmativa sobre Sócrates é muito provável; mais do que isso, é certa. Considere-se, porém, esta outra: "Todos os homens são racionais. Os portugueses são homens. Portanto, todos os portugueses são racionais". As religiões dogmáticas erigem seus sistemas de acordo com a ideia de "conformidade". Todavia, nem sempre seus seguidores se sentem felizes ante suas suposições fundamentais. Por exemplo, como ilustração a premissa fundamental do "teísmo".

13. Coerência

(pensamento de Edgar S. Brightman e Hegel) — Qualquer julgamento é verdadeiro, contanto que seja autocompatível e esteja coerentemente vinculado ao nosso sistema de juízos como um todo. "Coerência" é um dos termos técnicos para a razão; pelo que também a "coerência" é a teoria básica do racionalismo, no que tange à verdade. Em suas formas mais radicais, essa posição aceita as ideias latentes, a faculdade da razão como uma espécie de atividade da alma, e até mesmo a alma como fagulha da divindade, como também que o pensamento disciplinado leva o homem, automaticamente, às verdades essenciais da natureza. Em suas formas menos extremas, a posição tomada pela "coerência" pode incorporar os demais critérios de averiguação da verdade, aplicando aos mesmos o raciocínio coerente, em suas formulações e em sua busca pelas soluções. Ordinariamente, contudo, esse sistema é mais racionalista do que científico. Como ilustração do fato, basta-nos pensar sobre a tríada de Hegel — a crença que diz que o universo, e tudo quanto nele existe, devem operar de acordo com os princípios básicos de "tese", "antítese" e "síntese". Aplicando essa tríada ao mundo das artes, teríamos: 1. Arquitetura — escultura — pintura. 2. Pintura — música — poesia. 3. Poesia epopeia — poesia lírica — poesia dramática. Assim sendo, a síntese das artes seria a arte dramática, teatro.

As pessoas religiosas dependem, mais do que imaginam, da teoria da coerência sobre a verdade. Quando ouvem alguma doutrina que não lhes "soa bem", declaram-na "falsa". E por que motivo ela não lhes "soa bem"? Simplesmente porque não é **coerente** com o sistema que já aceitaram. É possível, naturalmente, dar início com proposições basicamente "inverídicas". Nesse caso, é tolice fazer outras proposições mostrarem-se "coerentes" com elas. Já que a teoria da coerência sobre a verdade se alicerça sobre o "racionalismo", convém supormos que se "treinarmos a própria mente" para reconhecer a verdade, poderemos obter proposições iniciais basicamente boas. Nesse caso, essas proposições servirão de guias para a adição de outras, as quais, por sua vez, devem ser coerentes com as proposições anteriores.

Sumário

1) É útil para cristãos sinceros saber alguma coisa sobre o que os homens pensam sobre os meios, alcance e limites do conhecimento. Este artigo tenta demonstrar o que os homens têm pensado e escrito sobre a gnosiologia. Aqui e lá, no artigo, oferecemos pequenas avaliações das ideias apresentadas, do ponto de vista religioso.

2) O homem que quer saber algo sobre a alma e Deus (os objetos verdadeiros de conhecimento significante) não ficará satisfeito com o que as percepções dos sentidos podem alcançar. O cristão, como qualquer outro homem, aprecia o que este tipo de conhecimento nos faz; isto é, máquinas, confortos, remédios, as façanhas da ciência. Estas coisas, entretanto, pertencem a este mundo, que não é o objeto principal do conhecimento do homem de fé.

3) O sistema de racionalismo tem alguma coisa para oferecer ao homem de fé. Provavelmente, filósofos como Platão e Descartes tinham razão em supor que o raciocínio, sem nenhuma ajuda dos sentidos, nos pode fazer compreender princípios éticos, aceitar a grande realidade da existência e sobrevivência da alma, e a existência de Deus, bem como suas exigências. A razão humana tem uma afinidade com a razão divina, e por si mesma alcança importantes dados de conhecimentos para a vida espiritual. O capítulo 1 de Romanos declara que o homem pode conhecer a Deus, e saber quais as exigências de seu governo, pela razão, sem a ajuda da revelação.

4) A intuição (conhecimento sem os meios da razão, ou das percepções) pode ser usada pelas forças espirituais para dar ao homem um conhecimento significante. A própria alma da pessoa ou forças superiores (inclusive o Espírito Santo) podem ser as fontes de um "conhecimento imediato" que tem muito para nos ensinar a respeito das exigências da nossa fé. Crescendo espiritualmente, o homem será sempre mais sujeito às intuições que promovem a fé. Certamente, existe no homem uma faculdade intuitiva que pode transcender aos dados de conhecimento que vêm através das percepções físicas.

5) Nosso artigo tem demonstrado que a fé religiosa se baseia principalmente sobre o misticismo, ou a "revelação". Deus, na sua bondade, se tem revelado por intermédio dos profetas. As visões e mensagens dos profetas têm sido concretizadas nas Escrituras. Assim, as Escrituras foram dadas como "um dom de Deus". Nas Escrituras, temos a fonte principal do nosso conhecimento, e a "autoridade" da nossa fé.

6) A vida diária do homem de fé baseia-se também em uma forma do misticismo, isto é, no ministério do Espírito Santo. A vida cristã, verdadeiramente vivida, depende deste ministério, isto é, depende da presença e influência do Espírito. É impossível ser um verdadeiro discípulo de Cristo sem essa influência que funciona como uma força transformadora.

7) A palavra "misticismo", neste artigo, e por meio do comentário, significa simplesmente "um contato verdadeiro" com uma força ou forças, com uma pessoa, ou pessoas, sobrenaturais. Segundo esta definição básica, até as doutrinas da conversão e santificação baseiam-se no misticismo, porque nelas está envolvido "um contato", com o Espírito, que transcende ao mero humano. Sem o "toque divino", a fé cristã seria simplesmente outra filosofia religiosa. É o misticismo que dá à fé sua natureza divina, e que comunica, afinal, a própria natureza metafísica de Cristo a todos os homens que têm entregado sua alma a ele.

* * *

IV. BIBLIOGRAFIA

Carnell, John Edward. A Philosophy of the Christian Religion. Eerdmans Pub. Co: Grand Rapids, Mich., 1952.

Chisholm, Roderick M. Theory of Knowledge. Prentice-Hall: Englewood Cliffs, NJ, 1966.

Gilson, Étienne. God and Philosophy. Yale University Press: Clinton Mass., 1959.

Hick, John. Philosophy of Religion. Prentice-Hall: Englewood Cliffs, NJ, 1956.

Sahakian, William S. e Lews, Mabel. Realms of Philosophy. Shenkman Pub. Co: Cambridge, Mass., 1965.

A crença religiosa e o *problema de verificação*

Russell Champlin

Esboço

DECLARAÇÃO INTRODUTÓRIA

I. DEFINIÇÃO E COMENTÁRIOS SOBRE VERIFICAÇÃO

II. QUAL A RAZÃO DAS DÚVIDAS? O PROBLEMA E SUGESTÕES PRELIMINARES ACERCA DAS SOLUÇÕES

III. A VERIFICAÇÃO COM BASE NA EXPERIÊNCIA RELIGIOSA

IV. A VERIFICAÇÃO MORAL

V. A VERIFICAÇÃO MÍSTICA

VI. A VERIFICAÇÃO CIENTÍFICA

VII. A VERIFICAÇÃO ESCATOLÓGICA

VIII. BIBLIOGRAFIA

DECLARAÇÃO INTRODUTÓRIA. PARÁBOLA DO CRÍTICO MUSICAL SEM O SENSO DE TONALIDADE.

Se um personagem político, um militar ou um homem violento declara que "a religião é o ópio do povo", com o que, como é óbvio, quer dar a entender algo que "detrata", milhões de pessoas concordam com ele, até mesmo muitos que não se acham debaixo de sua autoridade. Chegam mesmo, alguns, a considerar "pensadores avançados" a ele e aos que refletem seus sentimentos. Se, porém, um homem, cujo conhecimento sobre física se limita ao que aprendeu no curso ginasial, chega a ouvir uma conferência, dirigida por um físico mundialmente famoso, o qual descreve a mais recente teoria sobre o seu campo, vier dali dizendo-nos que é "loucura" o que declarara o augusto professor, dificilmente chamaríamos esse homem de "pensador avançado". É estranho, pois, que os homens que são claros inimigos da religião, mas que pouco conhecimento têm dela, dotados ainda de menor experiência no "campo" da fé religiosa, sejam reputados pensadores avançados quando se manifestam, de modo negativo, sobre os valores e as verdades religiosas. É "conduta científica" comum não levar a sério as declarações daqueles que pretendem ser autoritaristas em suas afirmações concernentes a coisas "fora de seu campo". A fé religiosa merece a mesma consideração que damos, de bom grado, a outros campos do conhecimento e da experiência.

PARÁBOLA DO CRÍTICO MUSICAL SEM O SENSO DE TONALIDADE

Seguindo essa linha de raciocínio, consideremos esse "**crítico musical**". Foi contratado por representantes de uma companhia que vende discos de "música popular", a fim de ouvir e criticar uma sinfonia que tocaria peças de Ludwig van Beethoven. Todavia, não tinha ele senso de tonalidade, e aqueles insidiosos vendedores de "música pop" sabiam disso. Já anteviam o tipo de relatório que lhe daria. Seus comentários totalmente negativos os ajudariam a desviar aficionados da música clássica para o produto deles. Sabiam, também, que o crítico sem senso de tonalidade seria ouvido, porque, nos termos dessa parábola, aquele homem era "famoso" em algum outro campo de conhecimento. Digamos que ele era famoso no campo da arqueologia. E assim foi armado o palco para o total "desmascaramento" de Beethoven. E o famoso arqueólogo, mas infame crítico musical, ultrapassa em muito ao que dele esperavam os vendedores dos discos. Declarou ele que a música era tão terrível, que não poderia ficar ouvindo a chamada "sinfonia" até o fim; abandonou-a pelo meio, suspeitando que alguma forma de plano sinistro e até mesmo diabólico estava envolvido, tão desagradável lhe parecera a apresentação.

E os vendedores de música popular, que já sonhavam com o fiasco de Beethoven, declararam tal crítico "pensador avançado". Quanto a nós, nos sentiríamos mais inclinados por chamá-lo de pior dos filisteus. "Mas isso jamais poderia acontecer na realidade!", dirá alguém. Contudo, em "outros campos", é justamente isso que está sucedendo todos os dias, por inspiração dessa mesma espécie de críticos.

I. DEFINIÇÃO E COMENTÁRIOS SOBRE VERIFICAÇÃO

1. A verificação não é algo necessariamente "lógico", e nem é uma "afirmação detalhada, segundo o modo de proceder científico". Se a verificação consistisse nisso, ficariam "sem" verificação algumas profundíssimas verdades, daquela categoria que aceitamos todos os dias. Aceitamos que a "eletricidade" é um fato, e conhecemos algumas "formas" de usá-la; mas pouco ou nada sabemos acerca de sua verdadeira natureza, de sua formação metafísica. Sabemos algumas coisas "acerca" da matéria; mas, quanto a seu elemento "primário", estamos tão em trevas como estavam os filósofos jônicos. Para cada coisa que sabemos quanto aos processos biológicos do corpo humano, somos confrontados por um milhar de mistérios; mas não é por essa razão que negamos a existência e as funções do corpo humano.

Segundo dizia Walt Whitman, "um feijão, em seu pé, confunde a erudição de todos os séculos" (parte de seu poema "A Hub for the Universe"). Contudo, sabemos que o "feijão" é bom como alimento, e que coisas semelhantes a ele são essenciais para a vida e o bem-estar humanos.

2. A verificação consiste na "**remoção de dúvidas razoáveis**" sobre alguma coisa. É isso que deve ser, "basicamente", para nós, a verificação, para que qualquer "afirmação" tenha sentido. Contudo, a verificação envolve algo mais. Por exemplo, se me dissessem que no quarto contíguo há um artigo exótico, vindo do "oriente", a fim de "verificar" o acerto dessa declaração, tudo quanto eu teria de fazer era entrar nesse quarto e ver o objeto pessoalmente. Ao entrar no quarto, eu veria um objeto deveras estranho. Sem maiores investigações, eu não poderia dizer muito sobre ele, e certamente nada poderia dizer sobre a sua "função". Com uma simples olhada, porém, eu teria "verificado" a assertiva básica que foi feita. Com maior investigação, raciocínio e experimentos, eu seria capaz de dizer muito mais sobre o dito objeto, fazendo, desse modo, uma "verificação" mais detalhada. As crenças religiosas básicas podem ser verificadas de maneira "básica"; e os "técnicos" dentro desse campo, quanto ao conhecimento e à experiência, podem oferecer-nos alguns detalhes que julgaríamos não serem possíveis.

3. Quando a verificação se torna vital. A verificação pode ser "válida", sem que seja "vital". Ter encontrado o "exótico" objeto oriental no quarto contíguo é "verificação válida" sobre a declaração de alguém, que dissera que tal objeto existia. Foram-me assim "removidas" as dúvidas razoáveis sobre aquela assertiva; mas, para mim, isso pode nada significar. Todavia, se eu me sentir curioso acerca daquele objeto, poderei exigir maior verificação. Ao examinar o objeto, digamos, descubro um fio elétrico no mesmo. Com base em minha experiência com fios elétricos, poderei supor que estou manuseando alguma espécie de máquina. Verifico que há uma tomada, que pode ser ligada na parede. E é o que faço, esperando que a corrente necessária seja a de 110 volts. E, por sorte, assim sucede. Um motor elétrico começa a funcionar com energia; posso sentir um ar que sopra do objeto. Um saco plástico estufa para fora; e daí concluo que o "exótico" objeto é uma espécie de comum secador de cabelos. Isso ainda não é algo vital para mim, embora possa sê-lo para minha esposa (ou para minha filha adolescente, cujos cabelos são mais longos que os de minha mulher). Portanto, convido minha esposa para ver o objeto. Ela o experimenta. Diz-me ela que o objeto aquece bem e que pode calcular o tempo que exigiria para enxugar-lhe os cabelos lavados. É que ela tem uma espécie de conhecimento que nem mesmo o fabricante possui, a saber, o da "experiência pessoal". Se eu estiver interessado, poderei ler um livreto que acompanha o aparelho, obtendo assim ulteriores informações, como especificações para seu uso, sugestões para manutenção, reparo etc. Se um aparelho como esse tiver qualquer utilidade para mim, a verificação deixará de ser básica e meramente informativa. Assumirá o aspecto de "vitalidade", porque aquele aparelho passou a ser visto por mim como algo útil para o meu cotidiano.

Na opinião de alguns filósofos do campo da filosofia religiosa, a "verificação", necessariamente, deve incluir **algo vital** à experiência humana, algo que "faz diferença" na vida. Mas a ilustração acima pode mostrar que a "verificação" que faço pode não alterar minha vida de modo nenhum, nem mesmo se chegar a despertar o meu interesse. Tomando um exemplo concreto, posso ficar convencido de que as "curas pela fé" são mais do que o condicionamento psicológico, porquanto envolvem a transferência de certa "energia desconhecida", que pode ser posta em ação por meios "religiosos". Se, porém, estiver gozando saúde, talvez em nada me interesse por esse fenômeno. Admito sua realidade, mas isso não é vital para mim, em sentido experimental, "fazendo diferença" quanto ao meu modo de viver. O "fenômeno" citado não admite nenhuma dúvida para mim; e me parece religiosamente significativo; mas, a meu ver, esses são "fatos" indiferentes. Nesse caso, mesmo que eu sempre conserve essa atitude, aquilo que não tem "valor experimental" para mim, pode ser admitido como algo "religiosamente significativo", um "fato verificável e que se reveste de importância para pessoas religiosas, para quem se trata de algo vital. É mesmo possível imaginarmos, sem que isso envolva qualquer contradição em relação a esse raciocínio, que poderia não haver nenhuma pessoa interessada no fenômeno das curas espirituais; elas permaneceriam sendo um "fato verificável". Todavia, a maioria dos "fatos religiosos verificáveis" são também "vitais" para muitas pessoas.

O positivismo lógico não se dispõe a vincular a palavra "conhecimento" a qualquer coisa que não tenha uso prático; e o pragmatismo concorda com isso. O presente artigo defende a posição que até mesmo esse critério pode ser satisfeito. A verdade religiosa pode ser verificada, incluindo-se a ideia de que **faz diferença** na vida de uma pessoa.

4. Atitude do cristianismo para com a verificação. Há cristãos de mente mais conservadora que supõem que a "fé" se baseia sobre fatos "verificáveis" da história, da ciência, do misticismo e da moralidade. Tomemos, por exemplo, o fato de que a ressurreição de Cristo foi um evento histórico autêntico, e que isso envolve implicações tremendas, relativas à nossa sobrevivência sobre a morte e relativas ao nosso "bem-estar" no estado espiritual. E outros alicerces da fé, que são "historicamente fidedignos", poderiam ser salientados. Por conseguinte, do ponto de vista conservador, a "verificação" da fé cristã nos faz penetrar em muitos ramos do estudo humano, incluindo até mesmo pesquisas puramente científicas. As conclusões buscadas em tão alta investigação não precisam ser "completas" ou totalmente válidas para dizermos que, de modo geral, a fé religiosa tem sido confirmada. Algumas crenças baseadas na "história", não estão mais sujeitas à investigação científica, tendo-se tornado questões do "credo", podendo ser aceitas exclusivamente pela fé. Entretanto, até mesmo os credos, despidos de toda a verificação "científica", têm transformado muitas vidas para melhor, o que significa que satisfazem à necessidade central da verificação, a saber, que tais crenças fazem "diferença" na vida das pessoas.

A maior parte dos cristãos liberais supõe que a fé religiosa pode sobreviver de modo bem aceitável sem nenhuma base histórica, ou mesmo sem a investigação da ciência. Salientam eles que a fé pode ser transmitida até mesmo com símbolos mitológicos. De fato, os símbolos mitológicos têm servido de veículos da fé religiosa desde os primórdios; mas isso não quer dizer que a "verdade religiosa" só é possível quando os veículos são "reais". Por exemplo, em meu credo religioso pode haver o mito acerca do conflito que teria havido entre um deus da vida e um deus de muitas cabeças, de nome "Morte", o qual foi morto. Se meu deus da vida venceu o monstro de morte, então poderei afirmar, com toda a confiança: "A morte não pode matar". E isso me dotará da crença válida na existência após a morte física. Essa crença pode me ser transmitida por meio de um mito; apesar disso, ela é perfeitamente válida. No meu caso, a "verificação" dessa crença teria de ser feita mediante um veículo não-histórico, mais ou menos da forma descrita na discussão abaixo, nas seções III até VIII. O propósito deste artigo é, meramente, o de frisar que a fé religiosa tem os próprios métodos de verificação, e não o objetivo de abordar a dissensão que existe entre as várias escolas de pensamento, dentro dos limites do cristianismo. Todos os crentes são crentes porque foram convencidos, formal ou informalmente, consciente ou inconscientemente, de que pelo menos algumas de suas "crenças" são passíveis de verificação. A continuação da igreja cristã depende dessa "consciência" da possibilidade de verificação. Assim sendo, sua continuação serve de prova de que muitas pessoas se satisfazem com a "verificação" da sua fé religiosa, embora de maneira bem ampla, e, talvez, até nebulosa.

5. Algumas afirmações são verificáveis, mas não podem ser falsificadas. Sem dúvida, essa circunstância serve de ajuda à fé religiosa; mas não é algo absolutamente necessário. Essa situação pode ser ilustrada dentro do campo da matemática. O símbolo matemático "pi" representa a "relação da circunferência de um círculo para com seu diâmetro". Vale 3,14159265... Alguém poderia argumentar que, visto tratar-se de uma dízima periódica, eventualmente aparecerão quatro números sete em seguida. Alguém poderia responder que isso é **altamente** improvável; e esse alguém poderia estar com toda a razão. A própria afirmação, porém, não é "falsificável", porquanto poderíamos passar a eternidade adicionando números decimais após a vírgula. Por outro lado, essa afirmativa é potencialmente "verificável", ou seja, "pode" ser verdadeira. E assim, poderíamos asseverar que a vida após a morte física, no caso da personalidade humana, é algo "verificável". Tudo quanto precisamos fazer, para verificar tal afirmação, é morrer. No entanto, se não há sobrevivência da personalidade humana, após a morte biológica, não haverá ninguém para dizer "Eu bem que disse"; pelo que a proposta não é "falsificável". Essa circunstância é que permite às pessoas religiosas muito falarem sobre "coisas futuras" com plena confiança, sem nenhuma possibilidade de "falsificação" de suas crenças, porquanto elas descrevem apenas condições futuras. Contudo, apesar de, ocasionalmente, algumas pessoas religiosas se aproveitarem dessa circunstância para continuar ensinando os seus pontos de vista, a maioria dos cristãos anseia que a verificação da sua fé religiosa envolva muito mais que isso. Desejam mais que a mera "verificação potencial", sem nenhuma possibilidade de falsificação.

II. QUAL A RAZÃO DAS DÚVIDAS? O PROBLEMA E SUGESTÕES PRELIMINARES ACERCA DAS SOLUÇÕES

1. O grande culpado é o **problema do mal**. Se existe um Deus todo-poderoso, todo-bondade e onisciente, por que ele permite que haja tanta maldade e tanta agonia neste mundo? Esse é um dos mais difíceis problemas de toda a filosofia e de toda a teologia. Tem sido apresentado de muitas maneiras, e respondido com as mais diferentes respostas. Torna-se ainda mais complexo porque envolve a "maldade natural", isto é, o sofrimento que procede de "causas naturais", como as inundações, os incêndios, as enfermidades e a morte (atos divinos, segundo a concepção popular), ou de "causas morais", ou seja, o sofrimento que se deriva da pervertida vontade humana, como as guerras, os assassinatos, os muitos abusos de homens contra seus semelhantes, a "desumanidade do homem contra o homem". É difícil, para muitas pessoas, admitirem que Deus esteja envolvido em tanto sofrimento. Sentem elas que, se estivessem no lugar de Deus, tendo os poderes divinos, teriam criado um universo muito melhor do que aquele em que vivemos hoje em dia.

É possível que **Epicuro** tenha exposto o problema tão claramente quanto o poderia fazer qualquer outro, ao afirmar:

"Ou Deus quer remover a maldade deste mundo, mas não pode; ou ele pode, mas não quer; ou ele não pode e nem quer; ou, finalmente, ele tanto pode como quer fazê-lo. Se ele tem a vontade, mas não o poder, isso mostra fraqueza, o que é contrário à natureza de Deus. Se ele tem o poder, mas não tem a vontade, isso mostra malignidade, o que é também contrário à sua natureza. Se ele não pode e nem quer, então tanto é impotente quanto maligno, e, consequentemente, não pode ser Deus. E se ele pode e quer (a única possibilidade coerente com a natureza de Deus), então de onde vem o mal, ou por que ele não impede esse mal?"

A existência do mal, neste mundo e no homem, tanto o natural quanto o moral, leva-nos, aparentemente, a ter de confrontar, com outros, alguns dos atributos divinos. Deus sabe que todas as coisas devem ocorrer, mas não impede o mal. Se ele é todo-poderoso, por que não o faz? Se ele não sabe tudo quanto sucederá, isto é, se o mal "pega-o de surpresa" [...] isso é difícil de imaginarmos acerca de Deus. Se ele sabe o mal que ocorrerá, mas nada faz para impedi-lo, então podemos supor que ele não é "todo-bondade", conforme o credo cristão declara que ele é. Ora, se tivermos de nutrir dúvidas sobre o próprio Deus, então não restará muita coisa de valor dentro da religião, com exceção, talvez, de seus aspectos éticos, os quais podemos cultivar sem o acompanhamento de nenhuma religião formal. A psicologia, a filosofia e a política têm os respectivos "sistemas éticos", que podem ser retidos sem nenhuma vinculação religiosa.

Conforme veremos, as respostas que têm sido dadas sobre o problema do mal não são conclusivas, não satisfazem a quem quer que seja, simplesmente porque esse problema transcende à nossa capacidade mental; não podemos sondá-lo. Abaixo expomos as tentativas feitas para solucionar o problema. Algumas delas são decididamente melhores do que outras; e certamente alguma verdade há ali, embora não fiquemos totalmente satisfeitos com a dose de verdade que nos é assim transmitida.

2. Respostas para o problema do mal

a. O próprio Epicuro sugeriu o argumento **natural**, fundamentado no "deísmo", do qual ele foi o progenitor filosófico. O deísmo ensina que, apesar de haver um "Deus", poder ou um ser "sobre-humano", ou uma força cósmica criadora, está ele "divorciado" de sua criação, tendo estabelecido as leis naturais para reinarem em seu lugar. Não faria intervenção na história da humanidade, e nem castigaria ou galardoaria os homens. A "onipotência" de Deus, portanto, na realidade seria apenas "matéria em movimento", e sua "benevolência" consistiria apenas de processos de causa e efeito. De acordo com esse ponto de vista, o "mal" existe; mas não há nenhum deus no quadro, ainda que, "em algum ponto" exista algum ser ou alguma coisa suprema. Mas, se existe mesmo um deus, terá este abandonado a sua criação. O mal, portanto, procederia de causas naturais, como também do modo como os homens pervertem a si mesmos, e não de um deus ou de Deus. A maior parte das pessoas religiosas não encontra nenhuma satisfação, razão ou consolo na "explicação deísta". Pois lhes parece pouco ou nenhum consolo se existe um deus cuja existência não faz nenhuma diferença para a vida humana.

b. Um ponto de vista teísta, embora pessimista, permeava a antiga cultura grega. Segundo diziam os gregos, Deus ou alguns deuses realmente existiriam; mas, à nossa semelhança, eles seriam tanto bons quanto maus, pelo que poderiam ser causas diretas do mal. Esse ponto de vista **pessimista** elimina a perfeita "benevolência" de Deus. Ele poderia ser todo-poderoso, mas não todo-bondoso. Os gregos também imaginavam a existência de deuses todo-bondosos e benévolos, mas aos quais simplesmente faltava o poder de impor sua vontade, exceto em esferas e meios muito limitados. De acordo com esse raciocínio, o mal existe, mas controlá-lo completamente está fora do poder ou da vontade de Deus e dos deuses, o que explicaria a existência do mal neste mundo.

c. Há um ponto de vista **otimista** que estipula que "esse é o melhor mundo possível". Essa maneira de encarar o problema simplesmente assevera a nossa ignorância, pois não sabemos por que este mundo não é melhor; e assim admitimos que não podemos chegar a nenhum argumento "compreensível" acerca do que fazer com os atributos divinos que, aparentemente, se entrechocam, os quais não podem entrar em ação todos ao mesmo tempo, no tocante ao mal que há neste mundo. Pela fé, supomos que temos o melhor mundo possível, embora nossa razão contradiga tal ideia.

d. Uma variação da ideia acima é que, "finalmente", o bem triunfará sobre o mal, embora não tenhamos uma boa explicação acerca da "origem" do mal, e nem saibamos por que razão o mal se demora entre nós por tanto tempo. Podemos fazer algumas tentativas para explicar esses "problemas"; mas repousamos mais sobre a confiança de que o bem triunfará finalmente, e não sobre o raciocínio a respeito do presente tempo, que busca a "razão" das coisas.

Artigos introdutórios | NTI

e. Alguns dos primeiros pais da Igreja e teólogos cristãos procuraram solucionar o problema do mal negando a própria existência do mal. Segundo diziam, o mal é apenas a ausência do bem, tal como as trevas são a ausência da luz. Agostinho e Tomás de Aquino propuseram esse ponto de vista. Alguns casos há em que essa ideia parece funcionar. Por exemplo, se eu quisesse descrever o "mal do adultério", poderia dizer algo como: "O adultério é apenas um desejo legítimo 'mal orientado' e não um desejo mau". Entretanto, apesar de vermos nisso algum sentido, o que se pode dizer no caso de certos pecados como o homicídio? Certamente, esse pecado é causado por um estado "privado" de bem; mas parece, de maneira clara, ser um ato "abertamente" maldoso, e não meramente a ausência de algum bem.

f. A explicação religiosa popular. Quando um ministro cristão é indagado acerca do problema do mal, mais certamente responderá que o mal de fato existe, mas que o mesmo teve (e tem) sua "origem" e "perpetração" na pervertida vontade do homem. Se lhe for perguntado sobre a maneira em que isso pode relacionar-se ao "mal natural", como o mal das inundações, dos incêndios e de outros desastres naturais, sem dúvida ele dirá que essas coisas também resultaram do caos causado pela queda; primeiramente, a queda dos anjos, e, depois, a do homem. Essas declarações contêm alguma verdade; mas o problema volta à tona quando se pergunta por que Deus criou os anjos e o homem, sabendo perfeitamente bem o que ambos fariam; e, então, permitiu que essas criaturas trouxessem o caos à criação? Isso não faz de Deus, indiretamente, uma causa do mal, ou, até mesmo a sua "causa"? Se, propositalmente, eu deixar à solta um lunático com tendências homicidas, e ele vier a matar alguém (embora eu mesmo não seja o assassino), nesse caso, não terei sido uma causa indireta do assassinato? Não seriam muitos os tribunais que me julgariam inocente nesse caso, se eu, realmente, tivesse conhecimento sólido sobre as tendências assassinas do tal lunático. Afirmamos que Deus tem perfeito conhecimento de tudo, mas que criou grande número de lunáticos homicidas, isto é, sabendo ele, a todo tempo que eram potencialmente assim, embora os tenha deixado seguir o próprio caminho.

g. Há outro ponto de vista teísta popular. A maior parte do que é asseverada acima, no ponto "f", é também estabelecido; podemos, porém, acrescentar a esse ponto mais um item, o qual afirma que, apesar de Deus haver "permitido" a entrada do mal, conforme é descrito acima, ele tinha um plano mediante o qual esse próprio mal viria a se tornar instrumento, nas mãos de Deus, que levaria a um bem maior. Desse modo, a redenção obtém para o crente mais do que ele perdera na queda, no pecado. A maioria dos crentes, porém, não se dispõe a incluir nesse quadro os "incrédulos", os quais deverão sofrer o mais horrendo castigo pelas maldades que tiverem praticado. Nesse caso, simplesmente somos forçados a admitir, por força desse próprio argumento, que a "maior parte da criação" foi criada diante do perfeito conhecimento de que teria sido melhor se nunca os incrédulos houvessem nascido. Ora, isso nos lança na agonia (se é que chegamos a meditar) de ter de sustentar o conceito que faz Deus criar um aborto tremendo que termina em indescritível sofrimento, por toda a eternidade — a coisa mais temível imaginada por alguém, mas quase incapaz de resolver qualquer "problema do mal". Antes, isso faz Deus parecer mais a grande causa do mal do que a causa do bem. Muitos bons teólogos têm agonizado diante desse conceito; e somente um homem dotado de sentimentos superficiais, se porventura defende tal ponto de vista, poderia não ter razões para "alarme teológico" diante dessa horrenda situação.

h. Sem a pretensão de **ter a resposta** para o problema do mal, gostaria de sugerir um "modo de pensar" que nos poderia conduzir na "direção" da solução. Deus foi o criador; ele é todo-bondade, onisciente e todo-poderoso. Contudo, o mal existe e é bem real no mundo. Não queremos usar o truque filosófico, pensando que o mal é apenas a ausência do bem, mas entendemos que Deus criou tudo, sabendo perfeitamente que os seres que ele criou (alguns deles, pelo menos) haveriam de preferir o mal e criariam o caos. Contudo, foi mister que ele desse a esses seres o "livre-arbítrio", embora soubesse que perverteriam o uso dessa liberdade. Deus lhes concedeu o livre-arbítrio a fim de que, por meio da criação, ele chegasse a uma "criação espiritual" superior à primeira, na qual compartilharia da própria natureza com o homem, a própria natureza divina (ver 2Pe 1.4). O homem não poderia vir a participar dessa natureza divina sem o **veículo** do livre-arbítrio, porque isso é que o levaria, positivamente, às dimensões da bondade superior, pela experiência. Por conseguinte, para Deus havia "algo mais importante" do que preservar um universo destituído de mal. E essa coisa mais importante — a eventual elevação do homem à glória suprema — levou-o a "permitir" a existência do mal, no presente. O mal não surpreende a Deus e nem o deixa sem solução para o mesmo. Antes, até mesmo o mal pode ser usado como parte do programa de treinamento que leva o homem a desejar, e então a buscar, o bem supremo, o "summum bonum". Se nos for imposto o argumento, como certamente sucederá, que ainda assim Deus é a "causa indireta" do mal, podemos admitir que isso expressa a verdade, embora de maneira "não-maligna", que não prejudica a natureza todo-bondade de Deus. E isso se dá, em primeiro lugar, porque a própria vontade pervertida do homem é a causa direta do mal; e, em segundo lugar, porque o livre-arbítrio fazia parte necessária da obtenção do

supremo bem; em terceiro lugar, porque até mesmo esse mal não é finalmente importante, já que não é permanente; e, finalmente, porque até mesmo o mal "temporário" é uma lição que nos é necessária, a saber, que devemos buscar o bem por amor ao próprio bem, já que o bem é bom e produz bons resultados. Se compreendermos, realmente, o que o mal faz conosco, eventualmente haveremos de escolher o bem. Quando todos os homens, finalmente, tiverem escolhido o bem, o caos que há na natureza também desaparecerá.

Finalmente, se nos for apresentado o argumento de que, segundo os padrões e credos do cristianismo, a **maioria dos homens** não participará do "bem final", poderemos responder com as revelações dadas nos textos de 1Pedro 3.18-20; 4.6; e Efésios 1, onde se aprende que a bondade divina, em Cristo, produzirá uma restauração absolutamente universal, embora essa venha a manifestar-se em graus variegados de bem-estar, mas todos atingidos pela lealdade prestada a Deus por intermédio de Cristo. E isso significa, usando-se a terminologia teológica, que, apesar de nem todos os homens serem "eleitos", todos participam do grandioso plano da criação espiritual que Deus traçou por meio de Cristo. E ainda assim poderemos falar sobre os "perdidos" e sobre a "perda infinita" que sofrerão os "não-eleitos"; mas esses são termos que visam a descrever "comparativamente" as coisas, porquanto não participar da "natureza divina" (ver Cl 2.10; Ef 3.19 e 2Pe 1.4) importa em "perda infinita", sem importar em que outro estado de bem-estar um homem venha a obter.

i. Tendo-nos assim munido de uma solução "razoável" para o problema do mal, vemos que não precisamos do ateísmo, que elimina do universo a própria existência de Deus, a fim de explicar por que as coisas podem ser tão más. E também não precisamos da suposição exposta pelo positivismo lógico, que considera vãs todas essas especulações, supondo que o único conhecimento que podemos ter é aquele "cientificamente orientado", o qual nos fornece os meios do bem-estar prático e físico. Certamente esse é um ponto de vista míope sobre a vida, em todos os seus aspectos. Afirmamos que pode haver e há meios de verificarmos a fé religiosa.

III. A VERIFICAÇÃO COM BASE NA EXPERIÊNCIA RELIGIOSA

Tendo visto qual é a definição de verificação, e por que algumas pessoas duvidam que se pode dizer muito de significativo sobre o assunto, agora damos início a vários argumentos a fim de mostrar como a crença religiosa pode ser verificada. Começemos com a simples experiência religiosa. Temos por suposição básica que somente os "técnicos" no conhecimento e nas experiências de caráter religioso podem verificar corretamente no que creem. E como conseguem fazer isso?

1. Abordagens negativas ao problema da verificação com base na experiência religiosa. — Nossa discussão não poderia ser honesta ou completa se não observássemos esse modo de pensar.

a. A parábola do jardineiro. Suponhamos que dois homens chegam a certa clareira, nos bosques, onde encontram um pequeno trecho de flores. Um deles se maravilha ante o "desígnio" do arranjo das flores, e, convenientemente, ignora as ervas daninhas e sinais de caos. O outro nota claramente o caos e as ervas daninhas e atribui o suposto "desígnio" da formação ao puro acaso. O primeiro argumenta que um "jardineiro" estivera ali trabalhando. O outro assegura que não poderia ter havido nenhum jardineiro, pois ele não teria permitido aquelas ervas daninhas, a sufocarem as flores. A fim de dar solução à discussão, concordam em vigiar o local, para ver se um jardineiro viria ou não cuidar das flores. Ficam observando atentamente por várias noites. Nenhum jardineiro aparece. Aquele que afirmava "não" haver jardineiro mostra-se triunfante; mas o que dizia "haver" um jardineiro meramente assevera que o jardineiro é "invisível". Por isso, colocam um aparelho eletrônico, capaz de detectar a aproximação de qualquer campo eletromagnético, mesmo que seja invisível ao olho humano. Novamente, nada é notado. Quando o primeiro salienta isso, o segundo diz que o jardineiro tanto é invisível como não tem nenhum campo eletromagnético conhecido. Contudo, afirma ele, o jardineiro existe e cuida do seu jardim. A essa altura, o que dizia "não" haver jardineiro, desiste desgostoso, pois sabe que esse jardineiro continuará existindo sem importar quanta evidência, e de que tipo, ele possa apresentar, para mostrar a impossibilidade de sua existência.

A aplicação dessa parábola ao problema da crença religiosa é óbvia. A mesma experiência humana, de que todos compartilham mutuamente, indica para alguns que o Jardineiro (Deus) existe; mas, para outras pessoas, isso indica que sua existência é impossível de ser comprovada, o que significa que ela é, pelo menos, duvidosa. Para aqueles que têm essa última opinião, a crença religiosa é uma questão de "interpretação" de experiências mútuas, e não de "experiências diferentes e teisticamente convincentes". A parábola relatada acima aprova o "ateísmo", como forma inevitável de entender a existência humana, no que tange aos conceitos dos "poderes" mais elevados. Neste artigo, porém, tentamos mostrar que existem "visitas discerníveis" do Jardineiro, refletidas em experiências "diferentes" que pessoas religiosas têm, mas pessoas não-religiosas não têm. Portanto, o problema da verificação da crença religiosa não pode ser resolvido exclusivamente com base na interpretação de certos tipos de experiência, de que compartilham todos os seres humanos.

b. A parábola do "blique". Devemos o vocábulo "blique" a R. M. Hare, da Universidade de Oxford, embora há muito tempo tenhamos conosco a ideia nele envolvida. O Dr. Hare pede-nos que imaginemos certo lunático, que tivesse um "blique" acerca de todos os professores universitários. Esse lunático imagina que todos os indivíduos dessa profissão são maus e tencionam prejudicá-lo. Não importa o que eles lhe façam, e nem quão bem-intencionados estejam, pois ele continua a supor que, daqueles "professores", não poderá vir outra coisa senão a maldade. As ações bem-intencionadas são consideradas como truques, que buscam enganá-lo, de maneira a prejudicá-lo de alguma forma diabólica. É que o lunático tinha um "blique", acerca de professores universitários. Um "blique", por conseguinte, é uma "crença", ao mesmo tempo infalsificável, mas também, impossível de ser averiguada, pelo menos no caso daquele que a sustenta. Não se trata do tipo de questão que possa ser investigado por qualquer meio de verificação.

Consideremos, porém, o "blique" que envolve a confiança no "volante" de um automóvel. Fazemo-lo girar para a esquerda ou para a direita. Talvez nada saibamos a respeito de seu funcionamento mecânico, e nem acerca da resistência do metal nele empregado. Temos, porém, um "blique" acerca de volantes de automóveis. Confiamos neles, sem exigir nenhuma prova, sem argumentos, sem discussão. Nesse caso, o "blique" é veraz, baseado em fatos, em contraste com o caso anterior, que é, de maneira clara, inteiramente falso.

Portanto, segundo supomos, o Dr. Hare assim pensava acerca das crenças religiosas, no tocante ao problema da verificação. Nada pode apelar à crença, sem importar se essa crença é negativa (contrária à crença religiosa), ou se é positiva, a posição oposta à primeira. A crença, outrossim, pode estar alicerçada sobre fatos metafísicos, ou pode não ter base nenhuma. A crença, entretanto, não está sujeita à investigação. Essa ideia, naturalmente, elimina o conceito inteiro de "verificação", embora nem por isso torne falsa a crença religiosa. A maior parte das pessoas religiosas acredita que mais pode ser dito em favor de sua fé do que isso. Acreditam que podem descobrir evidências em favor da "visita do Jardineiro". O conceito de "blique" é quase totalmente positivista, lógico, em sua mentalidade, atitude essa que afirma que a investigação, quanto aos assuntos religiosos ou quanto à metafísica, é algo inteiramente inútil, porque nosso conhecimento se limita aos sentidos, o que não pode ser empregado em tal investigação. Contra a mentalidade do positivismo, entretanto, tal conceito dá a entender que algumas crenças religiosas podem ser verazes, a despeito da ausência de meios para sua investigação. O positivismo lógico não afirma, dogmaticamente, que a crença religiosa seja algo destituído de bom senso; mas a sua mentalidade deixa isso implícito.

2. Abordagem positiva ao problema da verificação com base na experiência religiosa:

a. A fé. A fé transforma. Isso está sujeito à verificação com base na experiência. Já que a fé transforma, pode-se concluir que tem base em fatos. A causa pode ser subentendida como tão grande quanto seus efeitos.

> Nossa fé é um farol, e não apenas um portal em uma tempestade,
> Mas um raio constante de vida a ser vivida, em qualquer forma.
> Ela nos guia e dirige; quando o mundo se escurece, ela permanece firme.
> Ela ilumina todos os recantos, enquanto queima esplendorosamente.

> *(Marcella I. Silberstorff)*

Fé
> Oh, mundo, não escolheste a melhor parte!
> Não é sabedoria ser apenas sábio,
> E fechar os olhos para a visão interna;
> Mas é sabedoria crer no coração.
> Colombo encontrou um mundo, e não tinha mapa,
> Salvo o da fé, decifrado nos céus;
> Confiar na suposição invencível da alma
> Era toda a sua ciência, e sua única arte.
> Nosso conhecimento é uma tocha de pinho fumarento,
> Que ilumina a vereda apenas um passo à frente,
> Que atravessa um vácuo de mistério e medo.
> Ordena, pois, à terna luz da fé que brilhe,
> Mediante o que somente é guiado o coração mortal
> Para pensar os pensamentos divinos.

> *(George Santayana)*

A fé na existência de Deus, a fé em sua provisão por meio de Cristo, a fé na existência e na sobrevivência da alma após a morte física; os homens vivem e morrem por essa fé; a vida dos homens é melhorada porque eles têm uma fé assim. E quem pode dizer que a grande companhia de "crentes" está equivocada em suas suposições?

b. Agostinho argumentava que Deus ordenou o mundo de tal modo, que o "ceticismo" naturalmente leva um homem a habitar nas **trevas** espirituais. Sendo um crente ortodoxo, ele acreditava que o conflito entre o poder divino e o poder diabólico, em nível cósmico, é real, e que os homens são envolvidos nesse conflito. A maldade cósmica envolve muitos truques, e um deles consiste em insuflar no indivíduo o ceticismo. Nessa "atmosfera mental", o indivíduo é cegado por um poder literalmente cósmico, mas perverso, a fim de, primeiramente, reagir, e então negar, as realidades espirituais. Torna-se ele o "cego" do mundo espiritual, sem os "meios" para perceber a verdade. E assim apalpa nas trevas, e a estas chama de luz. Para si mesmo é um "pensador avançado"; mas, segundo uma estimativa autêntica, não passa de um cego. Por isso é que dizia Agostinho: "Creio, para que possa compreender". Segundo a sua estimativa, a compreensão não nos é dada quando primeiramente duvidamos, e, então, investigamos. Pois que "incrédulos" estão realmente interessados em investigar as crenças religiosas? Antes, a própria compreensão tem início e medra no solo da **fé**. Os céticos puseram a árvore da vida em um deserto. Ali é uma terra ressequida e cansada, sem fruto, plena de desespero. Por essa razão é que o cético Bertrand Russell dizia que vivia em "confiante desespero". O ceticismo, por assim dizer, é um julgamento divino contra os homens que preferiram "não crer" de tal modo, que não podem vir a ser iluminados. As joias da fé jazem esmagadas debaixo da mão de ferro do professor cético; e seus cegos estudantes dão vivas à morte de Deus. Congratulam-se com eles mesmos por terem lançado fora o "jugo da superstição", mas, na realidade, só racharam os vasos que contêm a água da vida, e em breve terão de enfrentar uma sede que não pode mais ser saciada.

c. As pessoas religiosas acreditam que a "intuição" e o "sentimento correto" acompanham a fé. Isso é uma realidade porque, conforme afirmam os filósofos, as grandes verdades estão além da investigação dos sentidos. Elas nos precisam ser reveladas por intermédio da razão, da intuição, dos sentimentos, ou pelas revelações divinas que são formas de misticismo. Se alguém frisar que as várias religiões não têm os mesmos "sentimentos" ou "intuições" acerca das coisas, basta-nos replicar que o "quadro básico", dentro das várias religiões, é constante, e que Deus, eventualmente, cuidará dos "detalhes" da crença religiosa. As pessoas religiosas veem todas, bem claramente, a verdade de Deus, a verdade da alma, a verdade da necessidade de mediação (como no caso de Jesus Cristo), e a verdade moral. Essas crenças são suficientes, agindo como guias da vida; são suficientes para que, por elas, sacrifiquemos a vida.

> Não o encontrei no mundo ou no sol,
> Nas asas da águia ou nos olhos do inseto;
> Nem por indagações feitas pelos homens,
> As tolas teias que eles têm tecido.

> Se, tendo a fé caído no sono,
> Eu ouvisse uma voz: "Não creias mais",
> E ouvisse uma praia que retumbasse
> Com ondas no abismo da impiedade,

> Um calor dentro do peito dissolveria
> A parte mais gélida da razão,
> E, como homem iracundo, o coração
> Se ergueria e diria: "Mas eu sinto!"

> *(Alfred Lord Tennyson)*

IV. A VERIFICAÇÃO MORAL
Temos aqui, na realidade, uma subcategoria do ponto anterior, sobre a "experiência religiosa", embora nós a julguemos suficientemente importante para exigir menção separada.

A despeito das ideias diversas que as várias religiões possam ter, quase todas elas compartilham de uma comum "base moral". Aquelas coisas que são "certas ou erradas", aquilo que "deve ou não deve ser feito", a necessidade do amor etc., são questões sobre as quais há concórdia quase universal entre as pessoas religiosas.

O problema do bem. Temos falado acerca do "problema do mal" e acerca de como muitas pessoas são empurradas para o ateísmo, devido ao que está "errado no mundo". Por que não podemos falar sobre o "problema do bem", acerca do que está "certo no mundo", sendo levados para o "teísmo", desse modo? É um fato fácil de verificar que a fé religiosa dá às pessoas uma atitude mais humana para com a vida, além de conferir-lhes amor ao próximo. Apesar do fato de algumas pessoas religiosas serem os piores "odiadores profissionais" contra tudo que não concorda com o "credo" delas, a realidade é que a crença religiosa muito tem feito para fazer surgir o que há de melhor nas pessoas. Quando a fé leva um homem a ser melhor, isso é indicação clara, é evidência de que o Jardineiro realmente faz visitas ao seu jardim.

Consideremos o recente acontecimento, em que um casal e seus dois filhos, ao passearem pelos maravilhosos campos do Alaska, no inverno, subitamente se viram frente a frente com um furioso urso marrom. O homem e sua esposa levavam seus filhos em sacas, às costas. O urso atacou primeiramente o homem, e feriu-o tão severamente, que ele ficou impossibilitado de reagir.

Vendo isso, a mulher apanhou um galho para defender todos. Passou a bater no urso, sem causar-lhe dano, mas insistentemente. De repente, sem nenhum motivo aparente, o urso resolveu bater em retirada. A família inteira foi salva pela coragem da mulher, ou houve algo mais? Não teria sido esse um daqueles casos em que o amor conquista tudo? Mais tarde, disse o chefe daquela família: "Não me venham dizer que a família está morta, ou que Deus está morto!"

Estamos falando sobre a verificação moral da fé religiosa. Há um fortíssimo amor que é impulsionado por essa fé; há uma vida aprimorada; homens são transformados pela fé. Não serão essas coisas visitas do Jardineiro? Se existe um "problema do mal", mediante o qual os homens são levados a duvidar da própria existência de Deus, que dizer sobre o problema do bem? Não será possível que o fantasma que há na máquina seja o Espírito Santo?

Consideremos o caso do alcoolismo. Os Alcoólatras Anônimos têm alcançado sucesso na reabilitação de indivíduos de vida destroçada. Os dois princípios usados por eles, administrados com a ajuda de drogas medicinais, têm sido a "solidariedade humana" e a "confiança em um Ser supremo", ambos, conceitos religiosos centrais. De muitas formas, a fé religiosa tem salvado vidas arruinadas que eram escravizadas por vícios de décadas. O fato de isso não ter funcionado, no caso de alguns que supostamente passaram por essa experiência de "conversão", nada é contra o fato de ela ter transformado efetivamente a muitas outras vidas, no âmbito moral. Não podemos considerar como coisa superficial o "Cristo na vida".

Cristo na Vida

Cristo na vida, valor incomparável, que isso te baste;
Nenhum outro argumento, nem defesa, nem apelo eloquente ou artifício,
Eu te apresento; antes, Cristo na vida, que isso te baste.
Não falo do excelente e sutil debate da filosofia,
De argumentos ontológicos, teleológicos, cosmológicos, disso não falo;
Desafio-te com as exigências da alma,
Repreendo teu espírito morno, tua rebeldia e ignorância;
Que esta palavra chegue, a voz que põe fim a toda contenda,
Que isto te baste: Cristo na vida!

(Russell Champlin)

V. A VERIFICAÇÃO MÍSTICA

Embora nem todas as pessoas religiosas tenham consciência disso, o fato é que todas as religiões têm base no misticismo; as experiências místicas estão por detrás das revelações e da autoridade da fé religiosa. As visões tidas por homens, as visitações divinas etc. formam a base de nossos "livros sagrados". Apesar de a fé religiosa poder sobreviver sem o misticismo, não há que negar que é a "voz dos profetas" que empresta poder à fé.

1. Personagens religiosos bem conhecidos e o poder do misticismo. É errônea a suposição de que todos os místicos são pessoas de baixo nível mental ou de parcas realizações educacionais, o que tornaria dúbias as suas declarações no que tange a qualquer tipo de avanço no conhecimento. Consideremos a honrada tradição dos místicos: Platão, Paulo, Plotino, Agostinho, Inácio, Tomás de Aquino. Alguns deles têm sido homens de grande gênio filosófico e analítico, ao passo que outros têm sido homens dotados de profundo poder e discernimento espirituais. É muito difícil supormos que a mensagem que eles têm anunciado, a respeito de Deus e da alma, estivesse equivocada; e todos eles nos trouxeram, pelo menos, essa mensagem. Tomás de Aquino foi um dos maiores filósofos analíticos; mas, em seus últimos anos de vida, deixou de escrever. Quando foi interrogado por seus alunos sobre a razão de agir assim, replicou que suas experiências religiosas eram tão grandes, que seus escritos lhe pareciam apenas palha. Ficara sob a influência de Bernardo, o místico, a maior influência moral de sua época.

Os místicos concordam pelo menos sobre dois importantes temas: a) A experiência mística **ilumina**, sobretudo espiritualmente, provendo importante discernimento quanto a áreas vitais da crença; b). a experiência mística também **transforma** moralmente o indivíduo. Quando foi acusada por membros de sua igreja de entrar em contacto com o diabo, mediante o que estaria recebendo por meio de suas visões, Santa Tereza replicou que suas experiências místicas a tinham transformado moralmente, pelo que era impossível que fossem obra do diabo. Esse é o melhor critério que temos para distinguir o falso do autêntico misticismo. É o teste mais válido que se pode sugerir.

Certo dia, Inácio disse ao padre Laynez que uma única hora de meditação, em Manresa, lhe ensinara mais verdades sobre as realidades celestiais que todos os ensinamentos de todos os doutos, juntamente, poderiam ter-lhe ensinado. Suas visões o iluminaram para que "compreendesse" mistérios profundos, como o da Trindade, invadindo a sua alma com tal doçura, que a mera memória das mesmas, tempos depois, faziam-no derramar lágrimas em abundância. (Bartoli-Michel, "Vir de Saint Ignace de Loyola", i. 34-36). Com base em outra tradição, sabe-se que Jacó Boehme veio a receber grande

conhecimento, especialmente no que diz respeito à natureza e à razão da criação, bem como ao sentido e ao destino da vida.

Tomás de Aquino, ao raciocinar acerca da "revelação" e das experiências místicas, procurou traçar linhas mestras que ajudam a distinguir o que é espiritual e autêntico do que é meramente psíquico, ou, em outros casos, do que é realmente falso. 1) As revelações ou experiências místicas devem ser "morais". Em outras palavras, elas não podem contradizer o que se conhece por princípios "justos"; não inspiram atos imorais e ímpios. 2) Se forem autênticas, as experiências místicas concordam com as Escrituras Sagradas e com as autoridades da igreja. 3). As experiências místicas autênticas podem transcender à razão e à lógica, mas não as contradizem inerentemente. É claro que podemos descobrir algumas falhas, nessas declarações de Tomás de Aquino, mas são válidas de modo geral. Poderíamos acrescentar a elas uma subcategoria ao argumento "moral". As experiências místicas "transformam moralmente" o indivíduo. Elas são uma força positiva em favor do bem; elas promovem a inquirição espiritual. Quase todos os místicos salientam esse ponto, embora não o façam na forma de um argumento formal.

As experiências místicas autênticas, com seu poder moral e suas graças iluminadoras, podem ser encaradas como traços de visitas do Jardineiro divino entre os homens. Muitos grandes homens e santos têm sido formados por meio de experiências místicas; e eles mesmos reconhecem a realidade do Jardineiro, o qual não deixou o homem sem testemunho, sem poder espiritual.

2. As modernas experiências místicas tendem a servir de verificação da fé religiosa. Aquilo a que chamamos de "dons espirituais" se evidencia no cristianismo atual. Milagres, certamente, não são coisas do passado. Tememos que haja aí muito do que é falso entre o que é veraz, mas isso em nada diminui a glória do que é verdadeiro. Existem hoje, como nos séculos passados, pessoas de alto poder espiritual, que fazem verdadeiros milagres. O "fantasma na máquina" pode ser o Espírito Santo, como um filósofo tem sugerido. Quando um homem faz alguma coisa além das capacidades comuns humanas, encontramos em seu ato um traço dos passos do Jardineiro divino, quando visita o homem.

O misticismo (isto é, um contato genuíno de Deus ou do Espírito com o homem) continua a iluminar os homens. Consideremos a experiência do Dr. R. M. Bucke, um psiquiatra canadense:

Eu passara a noite em uma grande cidade, em companhia de dois amigos, a ler e discutir poemas e filosofia. Separamo-nos à meia-noite. Eu tinha de fazer longa viagem em um trole, até onde eu estava alojado. Minha mente, sob profunda influência das ideias, imagens e emoções, relembrava a leitura e as conversas, sentindo-se calma e tranquila. Eu me achava em um estado de prazer calmo, quase passivo; na realidade, eu não pensava, mas deixava que as ideias, imagens e emoções fluíssem por si mesmas, por assim dizer, através de minha mente. De maneira súbita, sem nenhuma advertência, vi-me envolto em uma nuvem de cor de fogo. Por um instante pensei em Fogo, uma imensa conflagração em algum lugar próximo, naquela grande cidade; mas logo em seguida percebi que o fogo estava dentro de mim mesmo. Imediatamente, depois desceu sobre mim um senso de exultação, de imensa alegria, acompanhada ou imediatamente seguida por uma iluminação intelectual impossível de se descrever. Entre outras coisas, eu não vim meramente a crer, mas vi que o universo não se compõe de matéria morta, mas, bem pelo contrário, é uma Presença Viva; e tornei-me cônscio da vida eterna em mim mesmo. Não se tratou da convicção de que eu teria a vida eterna, mas da consciência de que, ali mesmo, eu possuía a vida eterna; vi que todos os homens são imortais; e que a ordem cósmica é tal que, sem nenhuma dúvida, todas as coisas cooperam para o bem de cada um e de todos; que o princípio fundamental deste mundo, e de todos os mundos, é aquilo a que denominamos Amor, e que a felicidade de cada um e de todos, em última análise, é algo absolutamente certo. A visão perdurou apenas por alguns segundos, e desapareceu; mas a memória da mesma e o senso de realidade do que ela me ensinara, ficaram comigo durante o quarto de século que se tem passado desde então. Eu sabia que o que a visão me mostrara era uma verdade. Eu atingira um ponto de vista do qual pude perceber que tudo deveria ser veraz. Esse ponto de vista, essa convicção, e, segundo posso dizer, essa consciência, nunca se perderam, nem mesmo durante períodos da mais profunda depressão. (Extraído de seu livro Cosmic Consciousness, 1901, p. 7,8).

O estudo sobre o primeiro capítulo da carta aos Efésios demonstra que a maioria desses discernimentos já estavam contidos nas antigas revelações cristãs, embora certos segmentos da moderna igreja cristã neguem alguns desses itens. (Ver, especialmente, Ef 1.9,10).

3. Moderna experiência mística, conhecida pessoalmente pelo autor do presente artigo. Meu irmão, que é missionário no Suriname, teve uma experiência mística de primeira magnitude. No interior daquele país, domina o paganismo cru. Juntamente com várias crianças de sua escola, e outros convertidos cristãos, ele foi convidado para ver uma exibição do médico-feiticeiro, na qual este dançaria sobre vidros quebrados e sobre brasas, sem nenhum dano para ele mesmo. Sem suspeitar de quaisquer motivos escusos, meu irmão foi, juntamente com as pessoas mencionadas, a fim de ver aquela demonstração de poderes estranhos. Quando, porém, o médico-feiticeiro terminou a exibição, conforme tinha dito que faria, desafiou o povo a retornar aos "velhos caminhos", abandonando a fé cristã. E prometeu que, se assim fizessem, ele também lhes daria o poder de fazerem o que tinha feito. Isso iluminou, em um instante, a mente do missionário, quanto à razão por que fora convidado. Foi então que ele aceitou o desafio. Declarou que faria a mesma coisa que fizera o médico-feiticeiro, porque Deus é dotado de poder. Tirando os sapatos, ele pisou sobre os cacos de vidro. Quando percebeu que os seus pés não estavam sendo cortados, pisou sobre os cacos cada vez com mais força, quebrando os pedaços maiores em menores. Então, pôs-se a pisar sobre as brasas, que ainda estavam bem acesas e crepitantes. É verdade que sentiu o calor, mas o fogo não o queimou. A exibição terminou com argumentos acalorados e em confusão geral. Naquela noite, o missionário se ajoelhou e fez esta oração simples: "Senhor, se, pela manhã, houver ferimentos ou queimaduras em meus pés, terás sofrido uma tremenda derrota". Chegou a manhã seguinte, o missionário saltou da cama e examinou os próprios pés. Não havia nenhum sinal, nem queimaduras, e nem golpes. E ainda no começo do dia, os habitantes da vila vieram ver o missionário. "Deixe-nos ver os seus pés", pediram eles. O missionário lhes mostrou os pés. Não havia marcas e nem queimaduras. "Oh", exclamaram, "**Deus realmente tem poder!**"

Esse é um caso, absolutamente verídico, que cria diversos problemas para os céticos, quanto ao poder da religião e à validade das crenças religiosas. Pois o médico-feiticeiro e o missionário evangélico fizeram o mesmo prodígio, algo que um professor universitário não estaria disposto a tentar, quanto menos a realizar.

Como é que o médico-feiticeiro e o missionário evangélico fizeram tal coisa? O médico-feiticeiro diz: "Por meio do poder dos espíritos". E o missionário evangélico diz: "Por meio do poder do Espírito". Este último alude ao mesmo Espírito Santo, mediante o qual o progresso da fé cristã tem tido prosseguimento em meio a um povo que, de outro modo, teria sido tentado a voltar ao paganismo. —Ambos confirmam a existência do poder espiritual, a validade das crenças religiosas; e ambos deram apoio às suas declarações com uma tremenda demonstração. O escopo deste artigo não permite entrar nos "comos" e nos "porquês" daquele feito, realizado por ambos, mas somente procura destacar que há um "como genuíno" que responde aos "importantes porquês" de existirem poderes espirituais, negativos e maus, ou então positivos e benéficos.

4. Os místicos são os técnicos no campo da crença e das experiências religiosas. O âmago do presente artigo é esta seção sobre o misticismo. Lembrem-se acerca de como começamos a falar, sobre o crítico musical sem o senso de tonalidade. Quando ele teceu algum comentário de desprezo a Beethoven, ninguém o chamou de "pensador avançado". A despeito de quaisquer outras qualificações que porventura ele tivesse, ninguém diria que seu relatório sobre a sinfonia foi justo e digno de confiança. Ora, os místicos são aqueles que escutam melhor a música celestial, aos "tons espirituais da existência humana". Esses são os "técnicos" aos quais devemos dar atenção. O que quer que o mais humilde homem diga, descrevendo o que passou, por "experiência" própria, é digno de ser ouvido. No entanto, qualquer coisa que algum homem diga, sendo ele erudito ou não, em sua ignorância, devido à sua falta de experiência, não merece um momento sequer de nossa atenção. Não faz muitas décadas que os homens mais "sábios" negaram a existência mesma dos meteoritos, intitulando exemplares dos mesmos de "rochas feridas por descargas elétricas", porque, segundo diziam, qualquer tolo sabe que não caem pedras do céu. No entanto, durante quatro mil anos vinham sendo guardados meteoritos em templos, pois os aldeões "sabiam" que os mesmos tinham, realmente, caído do céu, pelo que, segundo pensavam, deveriam ter consigo algum poder ou graça divina.

E quando um representante de Tomás Edison visitou a Academia Francesa de Ciências, a fim de mostrar como funcionava o "disco", foi expulso fisicamente dali, pois qualquer tolo sabe que "a cera não pode falar", e julgaram que tudo não passava de um truque barato de ventriloquia. A lição é clara. Há "técnicos" no campo da religião. É lógico que a eles é que devemos apelar, quando queremos declarações acerca da verificação das crenças religiosas. Alguns deles têm sido "mentes universais". Consideremos Platão, Paulo, Agostinho, Tomás de Aquino etc. Eles estavam acordes entre si sobre grandes verdades: a verdade de Deus; a verdade da alma; a verdade da moralidade; a verdade da mediação. Diferiam entre si quanto a detalhes, mas, em que campo do conhecimento não se verifica outro tanto?

VI. A VERIFICAÇÃO CIENTÍFICA

O que tem a ciência a dizer, em defesa das crenças religiosas? Bastante, por mais surpreendente que isso possa parecer para alguns. É verdade que os homens de ciência, através da história, têm atacado a religião; e a maioria de seus ataques se tem mostrado bem-sucedida. A cristandade já defendeu a ideia de uma terra plana, de uma terra que não se move, e da terra como centro do universo. E as autoridades eclesiásticas defendiam denodadamente essas posições, como também o faziam muitos cientistas. Mas os dogmas desnecessários, fortes como o ferro e sem misericórdia como o bronze, em

vão defendem o erro. Os pioneiros da ciência, por meio de muita agonia, finalmente abriram o caminho que conduziu à derrota do dogma. A derrota, entretanto, não tem servido de lição. A igreja tem por hábito acumular dogmas indefensáveis, que lhe dão deleite, mas que lhe causam danos. Apesar disso, tem sido ela a guardiã de outra grande e vital verdade. A ciência presente, mediante a "parapsicologia", está à beira de demonstrar a existência da alma, após a morte física, bem como a existência de seres espirituais. Trata-se de profunda verdade, que nos é vital. Quase todos nós estamos interessados na questão da sobrevivência após a morte física. Se a ciência chegar a demonstrar que isso, realmente, pode suceder, muitos céticos terão de considerar longamente, uma segunda vez, a muitas de suas posições de crença-dúvida.

Apresentamos na introdução ao comentário, um artigo especificamente sobre estudos científicos que implicam na existência e na sobrevivência da alma. Diversos itens de pesquisas recentes são incluídos. Nestas páginas, o leitor vai encontrar uma verificação científica de uma crença religiosa de grande importância.

Ver o artigo intitulado "Uma abordagem científica à crença na alma e em sua sobrevivência ante a morte física".

Muitas outras formas de estudo dessa natureza poderiam ser mencionadas. Porém, basta-nos dizer que a ciência, eventualmente, poderá ser a **campeã da alma**, e, nesse caso, a mentalidade da humanidade inteira terá de modificar-se. Até mesmo aqueles que têm crido na alma e na sua sobrevivência, subitamente terão uma nova apreciação do impacto dessa verdade sobre toda a vida. Certamente que essa descoberta, confirmada em laboratório, promoverá um interesse geral e profundo pelas realidades espirituais. A igreja falará com nova e convincente autoridade; os cientistas se aproximarão de seus estudos com admiração, acerca da realidade da vida. Haverá a síntese entre o pensamento científico e o pensamento religioso; e os homens perceberão o quanto é veraz a declaração dos filósofos, que afirmam que "a verdade é uma só". Sem nenhum pejo, os homens começarão novamente a dizer: "Eu creio". A ciência, em nossos dias, está verificando pelo menos uma importante crença religiosa. Amanhã será tão comum falar na "alma", em nossos estudos sobre a personalidade humana, como é comum falar atualmente sobre a circulação do sangue; e quando o conhecimento humano tiver chegado a esse estágio, nos laboratórios, toda a humanidade muito terá ganhado. Até mesmo sinais das pegadas do Jardineiro a ciência está descobrindo com suas experiências. Os homens verão o seu "rosto" quando chegarem, não somente a crer, mas também a "saber" que a alma é imortal.

VII. A VERIFICAÇÃO ESCATOLÓGICA

A pessoa confiantemente religiosa dirá: "Finalmente, todos vereis que eu estou com a razão". É que ela acredita que haverá uma "verificação escatológica", embora não dependa disso para ter a confiança religiosa.

1. Parábola da viagem à cidade celeste. Dois homens arrastavam-se ao longo de uma estrada difícil. Um deles era cético e ateu, e o outro era crente. A estrada era dificultosa e poeirenta. O cético só encontrava ali evidências de tristeza e dor, de mistura com o caos em geral. Para ele, a estrada não ia para parte nenhuma. O crente, no entanto, descobria, naquela mesma experiência e naqueles mesmos acontecimentos, os quais ambos experimentavam, evidências de benevolência e desígnio. O cético pensava que a estrada só levava ao desespero, e, finalmente, à morte, o mal final. O crente cria que a estrada conduzia à "cidade celeste" e asseverava: "Algum dia, você verá!" É que tinha a confiança de que a vida se reveste de propósito e tem um grande destino. No presente, porém, não contava com nenhuma comprovação esmagadora, e talvez contasse apenas com algumas poucas indicações; no entanto, pensava que o "futuro" mostraria que ele tinha razão. Tinha ele uma "verificação escatológica". Por enquanto, deixamos ambos de lado sem a concretização da prometida "verificação"; mas, pelo menos, temos sido levados a pensar, temos sido levados a embalar esperança. As outras formas de verificação, que temos observado no presente artigo, justificam a nossa esperança quanto ao futuro.

2. Parábola da sala de aquecimento central. Nos países frios, geralmente há nas casas o que se chama de "aquecimento central". Um forno grande, usualmente em um quarto especial, no porão, bombeia ar quente, por meio de tubos que vão por toda a casa, levando calor a cada cantinho frio. Imaginemos agora dois "seres subterrâneos", que nunca viram o "mundo lá de cima", que de algum modo foram varando caminho até o "porão" e entraram diretamente na sala do forno. Para conveniência da nossa parábola, imaginemos que, no mundo subterrâneo daqueles seres, encoberto por seu teto de pedras, havia rumores, dogmas e histórias sobre o "mundo lá de cima", com um "céu aberto" de estranha beleza, com muitas habitações e com uma raça de seres muito superiores aos seres subterrâneos. Alguns dos seres subterrâneos denominavam essas histórias de "mitos". Outros inquiriam: "Como se pode saber com certeza?" E ainda outros diziam: "É impossível investigar tais coisas, pois nosso conhecimento se limita à percepção dos sentidos, que se confinam ao nosso mundo, e ninguém pode investigar o que porventura exista acima do teto de pedras". A verdade, porém, é que alguns daqueles seres afirmavam a realidade do "mundo lá de cima", embora nunca o tivessem visto. E alguns dentre eles até asseveravam ter tido visões do mesmo, referindo-se ao "mundo superior" como algo "inspirado".

Voltemos agora à sala da fornalha. Acabam de chegar ali dois seres subterrâneos. O primeiro pensa que tão-somente chegaram a outro nível do seu próprio mundo. O outro supõe que foi feita nova e grandiosa descoberta. O cético salienta quão desagradável é a atmosfera do lugar. Está cheia de fumaça; há ratos e baratas correndo ao redor. Portanto, não seria o portal de coisa nenhuma, mas apenas um final horroroso. O outro, entretanto, percebe "desígnio" naquela sala, apesar de seu meio ambiente enfumaçado. Supõe, após inspeção, que ela deve ter alguma função, que essa função é boa, e que, de alguma forma, está vinculada ao "mundo lá de cima". Não pode ver a "mansão" que lhe fica imediatamente por cima, apesar do que postula a sua existência. Sabe que a sala da fornalha é um local miserável, mas também está convencido que é começo de algo melhor. Deixemos de lado os dois seres subterrâneos, um dos quais duvida, enquanto o outro crê. Admitimos que "carregamos" esta parábola com itens em favor do "teísmo". Esperamos, porém, que o presente artigo indique que esse "carregamento" seja justificado, isto é, que a fé religiosa seja passível de verificação.

3. Finalmente, consideremos a parábola do ateu que sobreviveu à morte física. "É preciso que eu tenha provas", dizia ele. E assim, a morte mostrou-lhe que a morte não mata. Ele morreu no corpo físico, mas continuava existindo. Essa foi a sua primeira surpresa. Vê o seu corpo caído ali, morto como a proverbial maçaneta da porta. Ele exclama: "Não estou morto; não sou aquele corpo". Especulemos, por conseguinte, o que isso significaria para ele:

a. Se ele sobrevivesse em **qualquer estado**. Se porventura ele sobrevivesse em qualquer estado, se a morte biológica não mata a personalidade humana, ele teria de admitir que uma importantíssima doutrina religiosa estava com a razão, e que ele estava equivocado. Ora, se ele estava equivocado em uma área tão importante, é razoável pensar que ele poderia estar enganado quanto a muitas outras áreas. Deus, por exemplo, bem que poderia existir mesmo, como um ser espiritual puro, conforme agora ele se via ser.

b. Se ele sobrevivesse, mas entrasse em um **estado pior**. Nesse caso, agora lhe seriam conferidas duas grandes revelações. A primeira é que a religião cristã tinha razão ao afirmar a existência da alma e sua sobrevivência ante a morte física; e a segunda é que ela parece ter tido razão ao predizer o "julgamento"; porquanto faz parte do ensinamento cristão geral que um homem julgado "entra em um estado pior" do que aquele em que vivia quando em seu estado mortal. Esse "estado pior" pode não ser exatamente semelhante ao que lhe tínhamos dito, e pode até mesmo ser bem diferente de nossa descrição; todavia, sendo "pior", ele teria de interpretar que o mesmo envolve alguma espécie de "julgamento". Ele havia espalhado desespero, e não esperança, e agora colhia o que tinha semeado. Teria de admitir, portanto, que estava equivocado quanto a duas áreas vitais do pensamento; e isso abre a possibilidade de que ele estivesse equivocado ainda em outras áreas vitais.

c. Se ele sobrevivesse em um estado **muito parecido** com aquele que conhecemos à face da terra, ele deveria ter as mesmas formas de pensamento descritas sob o ponto "a", mencionado acima.

d. Se ele sobrevivesse em um **estado melhor**, teria de admitir duas coisas: a primeira é que a fé religiosa estava com a razão acerca da "questão da sobrevivência" da alma, ao passo que ele estava equivocado; e a segunda é que a fé religiosa falava acerca de um "Deus benévolo" e de certa solução para o problema do mal. E esse era o problema que o levara a duvidar até mesmo da existência de Deus. E agora que ele, antes um ateu rebelde, se acha em um estado melhor que o anterior, sem importar o grau de melhoramento, tem de admitir, embora ainda não veja a Deus, que deve haver alguma "força benévola" que opera no universo, que reverte os horrores dos sofrimentos terrenos, que faz a morte tornar-se um benefício e não o desastre final. Essas considerações poderiam até mesmo conduzi-lo a Deus, a buscar ao Senhor, a crer. A antecipação das mesmas torna muitos homens crentes, agora mesmo.

Temos de admitir que carregamos essa palavra em favor do teísmo, por semelhante modo. No entanto, a "verificação científica" da alma, que temos discutido há pouco, permite-nos e até mesmo encoraja-nos a fazê-lo. Essa espécie de verificação, sem qualquer outra ajuda, permite-nos afirmar a validade potencial da "parábola do ateu que sobreviveu" à morte física, sem importar no que resulte de sua morte física.

Oh, se traçarmos um círculo prematuro,
Sem nos importar o ganho além,
Ansiosos por lucro imediato, certamente
Má terá sido a nossa barganha!

(Robert Browning)

Edifica para ti mansões mais imponentes, ó minha alma,
Enquanto as rápidas estações se passam!
Deixa de lado teu passado de teto baixo!
Que cada novo templo, mais nobre que o anterior,
Te feche do céu com uma cúpula mais vasta,
Até que, por fim, estejas livre,
Deixando tua concha pequena no mar agitado da vida.

(Oliver Wendell Holmes)

VIII. BIBLIOGRAFIA

ABERNATHY, George L. e Thomas A. Langfor (org). Philosophy of Religion: A Book of Readings. New York: The Macmillan Co., 1962.

ALSTON, William R. (org). Religious Belief and Philosophical Thought, NewYork: Harcourt, Brace and World, Inc., 1963.

DUCASSE, C. J., A Philosophical Scrutiny of Religion. New York: Ronald Press, Co., 1953.

HICK, John (org). Classical and Contemporary Readings in the Philosophy of Religion. Englewood Cliffs, New Jersey: Prentice-Hall, Inc., 1963.

HICK, John. Philosophy of Religion. Englewood Cliffs, New Jersey: Prentice-Hall, Inc., 1963.

OBSERVAÇÕES

1) Este artigo é filosófico, portanto, não procura fazer finas distinções teológicas. Antes, em vez de apresentar conclusões dogmáticas, busca investigar modos de pensar sobre o assunto tratado.

2) Alguns dos pensamentos oferecidos nos argumentos não representam as convicções do autor. Por exemplo, na parábola sobre o "ateu", não achamos que ele vá encontrar um "estado melhor" no mundo espiritual depois da morte. 1Pedro 4.6, indica claramente que qualquer melhoramento no estado dos desobedientes será realizado pelo julgamento, não sem ele.

3) O artigo foi escrito essencialmente para céticos; portanto, enfatiza argumentos que vêm por meio da religião natural, embora não exclua o "misticismo", que, obviamente, é um meio de verificação que vem diretamente da religião revelada.

4) Neste tratado, como em todo o comentário, a palavra **misticismo** indica qualquer contato genuíno (embora, sutil) com uma força super-humana. Esta definição é a mais básica da palavra. O cristianismo, como deve ser claro, segundo esta definição, é uma religião altamente mística. As Escrituras baseiam-se nas experiências místicas (visões, inspirações) dos profetas e apóstolos. As experiências místicas, históricas e modernas, são os meios mais poderosos para demonstrar a validade da fé religiosa.

5) O comentário, de modo geral, depende da verdade da religião revelada; mas em alguns dos artigos de introdução, o autor não hesita em utilizar certos argumentos da religião natural. Esses argumentos são desenvolvidos filosoficamente.

6) Temos muitos meios para alcançar a verdade de Deus. A verdade é uma só, e se a discutirmos científica, filosófica ou teologicamente — se nossa discussão for válida —, alcançaremos a mesma verdade.

7) Em Atenas, entre filósofos, Paulo não hesitou em utilizar argumentos filosóficos. 1Pedro 3.15 mostra-nos que devemos estar prontos para defender a esperança da nossa fé. Acreditamos que essa defesa pode incluir os diversos tipos de argumentos apresentados neste artigo.

O NOVO TESTAMENTO: ASSUNTOS E PROBLEMAS

O cânon do Novo Testamento

Russell Champlin

ESBOÇO:

I. A PALAVRA *CÂNON*

II. INFLUÊNCIAS NA FORMAÇÃO DO CÂNON (*ESBOÇO*)

1. O Antigo Testamento

2. Da vida e as palavras de Jesus

3. A nova religião cristã

4. Os apóstolos

5. Os pais apostólicos

6. Os concílios

III. RESUMO DA HISTÓRIA DO CÂNON

IV. PRINCÍPIOS QUE FORMARAM O CÂNON

V. OS LIVROS *CONTROVERTIDOS* NOS PAIS, CONCÍLIOS E CATÁLOGOS

VI. BIBLIOGRAFIA

I. A PALAVRA *CÂNON*

Essa palavra é uma forma latina da palavra **kanon** que, no grego, significa **cana**. Tratava-se de uma planta usada de várias maneiras para medir e pautar. Assim sendo, o termo passou a significar "regra" ou "pauta", e, mais tarde, uma lista de coisas ou itens escritos em uma coluna. O vocábulo "kanon", por extensão, passou a significar "regra" ou "padrão". Quando falamos sobre o **cânon das Escrituras** (e, neste caso, o AT) referimo-nos à lista de livros aceitos pela igreja em geral como livros que foram escritos sob a inspiração divina, os quais, por isso mesmo, são usados como regra de fé e da experiência prática da religião cristã. Numa análise do cânon do NT é mister examinarmos o desenvolvimento da autoridade e da aceitação dos vinte e sete livros que hoje em dia são reputados canônicos, e também precisamos examinar a história e a autoridade de cada um desses vinte e sete livros.

II. INFLUÊNCIAS NA FORMAÇÃO DO CÂNON (*ESBOÇO*)

1. O AT, que forneceu o impulso criador de um **novo** testamento.

2. A vida e as palavras de Jesus Cristo, e, em consequência, a necessidade de criar uma autoridade além da autoridade do AT.

3. A nova religião cristã, que criou a necessidade de mais **Escrituras** além das Escrituras judaicas, para formar a base da nova revelação.

4. Os apóstolos, primeiros grandes líderes da **nova religião** revelada, os quais, com seus livros e epístolas, forneceram a base das novas Escrituras.

5. Os pais apostólicos, que criaram os **cânones primitivos** e uma nova autoridade na igreja cristã primitiva.

6. Os concílios da igreja primitiva e medieval.

III. RESUMO DA HISTÓRIA DO CÂNON

HISTÓRIA:

1. Durante o •tempo dos apóstolos•, algumas das epístolas de Paulo e um ou mais evangelhos já eram aceitos como Escritura.

2. Já no "começo do século II d.C.", de modo geral, ainda não universal, treze epístolas de Paulo eram recebidas como Escrituras, como também os quatro evangelhos, as epístolas de 1João e 1Pedro, e também o livro de Apocalipse — totalizando vinte livros ou mais. Irineu aceitava vinte e dois livros (185). Alguns livros não aceitos hoje em dia foram aceitos por certos elementos dos primeiros séculos, especialmente a epístola de Barnabé, as epístolas de Clemente e o Pastor de Hermas.

3. "Durante o século III d.C.", eram aceitos quase universalmente todos os vinte e sete livros do NT, com exceção da epístola de Tiago. Contudo, alguns aceitavam essa epístola também. Orígenes foi o primeiro dos pais da Igreja a aceitar a epístola de Tiago (254 d.C.), mas também aceitava a epístola de Barnabé e o Pastor de Hermas, pelo que seu NT constava de vinte e nove livros.

4. "No século IV d.C.", chegou-se à fixação quase universal do **cânon** do NT, tal como existe hoje em dia.

5. "Os concílios", tanto os antigos como os da Idade Média, em geral aprovaram o cânon de vinte e sete livros, tal como os conhecemos na atualidade.

7. "Indivíduos da antiguidade", da Igreja Média e dos tempos modernos, retiveram ou retêm diversas opiniões, especialmente com relação aos **livros discutidos**: Tiago, 2Pedro, 2 e 3João, Hebreus, Judas e Apocalipse — ao todo, sete livros.

IV. PRINCÍPIOS QUE FORMARAM O CÂNON

1. Circulação universal — Alguns livros jamais foram aceitos, por falta de circulação, enquanto outros foram aceitos tardiamente por falta de circulação na igreja universal, pois circulavam somente em certos setores da igreja.

2. Autoria dos apóstolos ou dos discípulos dos apóstolos — Dentre os livros de autoria dos apóstolos, temos as epístolas de Paulo e de Pedro, e o

evangelho de João. Dentre os de autoria dos discípulos, temos os evangelhos de Marcos e de Lucas, o livro de Atos, a epístola aos Hebreus etc.

3. Livros segundo a tradição e a doutrina dos apóstolos — Lucas, Atos, Hebreus, Apocalipse e 2Pedro.

4. Houve rejeição de livros escritos mais tarde, após o tempo dos apóstolos. Isso explica a rejeição final das epístolas de Clemente e de outros livros.

5. Foram também rejeitados os escritos ridículos ou fabulosos. Entre esses, podemos enumerar a maior parte dos livros apócrifos, o evangelho de Tomé, o evangelho de André, os atos de Paulo, o Apocalipse de Pedro etc.

6. Houve rejeição de literatura escrita que visava a propagar "heresias", como o evangelho de Tomé, diversos outros evangelhos, epístolas falsas e apócrifas. Ver detalhes no artigo sobre Os Livros Apócrifos — ver o índice.

7. Uso universal por parte da igreja universal — alguns livros foram aceitos apenas por determinados setores da igreja, ou somente por alguns indivíduos. Finalmente, os vinte e sete atuais livros do NT foram aceitos e passaram a ser universalmente usados na igreja cristã.

Consideremos, finalmente, (voltando para ponto "2" do esboço) alguns fatores que contribuíram na história do cânon e na formação dos princípios que dirigiram a formação do cânon do NT. Ver o esboço dado (2).

a. Influência do AT — A história do cânon do AT é longa e complexa, e não é o tema deste estudo. É importante notar aqui apenas que, depois de alguns séculos de desenvolvimento, o cânon do AT foi finalmente estabelecido antes do fim do século I a.C. Grande parte da congregação judaica aceitava diversos livros apócrifos, pelo que não havia opinião unânime sobre o assunto. Seja como for, com ou sem esses livros apócrifos, nossa investigação sobre o cânon do NT em nada se modifica. A **verdade** é que, então, já existia o fato de comunidades religiosas que compilavam listas de livros dotados de autoridade religiosa. Aqueles que estudam a história e a literatura dos povos antigos notam que todos esses povos contaram com sua literatura sagrada. Os romanos contavam com os escritos sibilinos; os gregos tinham os escritos de Homero, de Musaio e de Orfeu. Os egípcios colecionaram os quarenta e dois livros de Hermes, o Livro dos Mortos e outros mais. Por semelhante modo, a nova religião cristã sentiu a necessidade de contar com uma fonte escrita de "autoridade", que servisse de base à fé e à prática cristãs. Não queremos dizer, com isso, que as novas Escrituras não usufruíram da orientação e da inspiração do Espírito Santo; mas é óbvio que a formação do cânon sofre influências da esfera humana também. Igualmente, é claro que nessa esfera humana, Deus usa indivíduos e circunstâncias para efetuar suas obras e sua vontade.

Assim é que a igreja primitiva aceitava os livros do AT como dotados de autoridade religiosa e de "inspiração divina". Esses livros formaram o **cânon** mais primitivo da igreja cristã, embora seja evidente que neles estavam ausentes determinados ensinos — os ensinos distintos do cristianismo, emanados de Cristo ou dos apóstolos. Portanto, os livros que continham as palavras de Cristo e dos apóstolos facilmente foram aceitos como parte do cânon das Escrituras. Houve um processo longo e complexo antes que todos os livros que hoje temos no NT o constituíssem, particular ou coletivamente. No NT encontramos grande número de citações e alusões tomadas por empréstimo do AT. Vemos também que os autores do NT aceitaram a ideia de que Jesus era o Cristo prometido no AT, pelo que, os profetas do AT são, ao mesmo tempo, os profetas antigos da fé cristã. Ao usar tanto o AT como o NT para formar a "Bíblia", o cristianismo fez a ligação entre as antigas e as novas revelações divinas. Dessa maneira, é que se estabeleceu a base histórica do cristianismo. Contudo, essa base não foi unicamente histórica, porquanto, é claro, muitas das ideias, especialmente éticas, do NT, foram derivadas do AT. Pode-se dizer, por conseguinte, que o AT foi não somente o precedente que exerceu influência na formação de um "novo" Testamento (documento escrito), mas também que exerceu notável influência no caráter e nas ideias dessa nova coleção de livros sagrados.

b. Influência da vida e das palavras de Jesus Cristo — Nunca homem algum falou como Jesus. **Ninguém jamais** viveu como ele. Considerando sua vida e suas palavras, achamos não somente uma explicação para a existência do NT, mas também entendemos que seria impossível que, depois da vida de um homem como ele, não tivessem sido escritos muitos livros a seu respeito. O sentido e a ilustração desse fato podem ser observados pelo leitor na existência não só do NT, mas também na existência dos livros apócrifos do NT, porquanto muitos "evangelhos", "atos" e "epístolas" foram escritos por diversos indivíduos, descrevendo as vidas dos doze apóstolos ou outros cristãos antigos. Ver o artigo na introdução ao comentário sobre este assunto. A referência que se acha em Lucas 1.1-3 mostra que muitos escreveram livros sobre Cristo e suas palavras, e que o próprio Lucas usou partes desses livros como base do evangelho que escreveu. Dizendo isto, porém, não queremos afirmar que Lucas usou livros "apócrifos", porquanto não se sabe da existência de nenhum livro apócrifo escrito antes de Lucas. Esses livros que Lucas usou são desconhecidos hoje em dia, com exceção do evangelho de Marcos. No artigo intitulado "O problema sinóptico", abordamos as origens dos evangelhos. Devemos notar que a vida e as palavras de Jesus não deixaram de ser observadas pelo mundo, e que até hoje o mundo continua a observá-las, e muitos continuam escrevendo a respeito do assunto. Foi apenas natural, portanto, que parte das seções aceitas como "escritura sagrada" relatassem as palavras de Jesus e descrevessem a sua vida. Esses livros foram designados desde o princípio pelo nome de "evangelhos". Houve, no entanto, outros "evangelhos" que foram rejeitados. No início deste artigo, tratamos dos princípios que nortearam a aceitação ou rejeição dos livros que viriam a compor o cânon do NT.

c. Influência da nova religião cristã, e a consequente necessidade de novas escrituras — O cristianismo teve por berço o judaísmo, mas, desde seus primórdios, os novos elementos dos ensinos de Cristo e dos apóstolos exerceram grande influência sobre os cristãos. Muito dificilmente um judeu estrito aceitaria os ensinamentos de Cristo sobre a lei das cerimônias, sobre o divórcio etc.; mas o maior despropósito seria aceitar as declarações de Cristo sobre si mesmo, ou seja, sobre sua divindade. O próprio Jesus disse: "[...] edificarei a minha igreja...". Como Lutero, Jesus foi separado da organização religiosa, que estava nas mãos das autoridades religiosas da época, e, tal como o reformador, logo contou com uma igreja estabelecida em seu nome. Nota-se, igualmente, que nas epístolas dos apóstolos desde o princípio penetraram elementos não-judaicos. Apesar de, a princípio, o povo cristão ter permanecido no seio das sinagogas judaicas, quando Cristo ressuscitou dentre os mortos já havia notáveis dessemelhanças entre os israelitas e os cristãos. A principal diferença era feita pelo próprio Cristo. Cristo foi mais do que um reformador — ele é o Deus-Homem, e com a sua ressurreição provou ser o primeiro homem imortal, tornando-se, dessa maneira, o padrão da vida e do destino de todos os cristãos. Essas explicações encontramos nas palavras de Jesus e dos apóstolos. É natural, pois, que a nova religião cristã tivesse adotado os livros e as epístolas que continham essas diferenças como suas "escrituras sagradas". Pode-se dizer, também, que bastava a existência da nova religião para que se impusesse a existência de novas "escrituras", que servissem de base à nova religião revelada.

d. Influência dos apóstolos — Não há que duvidar que as epístolas de Paulo, como também as dos demais autores sagrados, apresentam matéria que eles reputavam ser de inspiração divina. Por muitas vezes, Paulo fala das revelações que recebeu, dando a entender que as crenças ali apresentadas não eram propriamente suas. (Ver Gl 1.8,9,11; Ef 1.8-11; 1Co 15.51; 2Co 12.7-13). Bem cedo, muitos denominaram as epístolas de Paulo de **escritura** (ver 2Pe 3.15,16, em combinação com 1.21). O autor do livro de Apocalipse tinha consciência indiscutível que o seu livro seria considerado parte integrante das escrituras sagradas (ver Ap 22.19,20).

O parecer de E. J. Goodspeed, de que foi feita uma coletânea de epístolas, mediante um ato excepcional (em 80-85 d.C.), parece mais razoável que a opinião de Harnack e outros, que pensam que o **corpus** dos escritos sagrados foi crescendo gradativamente. A evidência é que muitos elementos influentes da igreja cristã aceitaram pelo menos determinadas epístolas de Paulo, bem como, mui provavelmente, outros livros do NT, como **escritura** inspirada durante o tempo dos apóstolos. Após o falecimento dos apóstolos, sua influência aumentou, ao invés de diminuir, pelo que foi natural que muitos livros tivessem sido escritos em nome deles, e também que seus escritos autênticos tivessem sido recebidos pela igreja como "escrituras" inspiradas, dotadas de não menor autoridade que o AT.

Outros argumentos nos mostram que no tempo dos apóstolos as suas epístolas já exerciam grande influência e eram extensamente usadas, são os seguintes: Paulo **solicitava** que as igrejas trocassem de epístolas (ver Cl 4.16). Certas epístolas mostram grande cuidado em sua preparação, como as epístolas aos Romanos e aos Hebreus. É impossível que os autores dessas epístolas pensassem que suas obras seriam lançadas no lixo pelos seus destinatários. O autor do livro de Apocalipse mostra claramente que ele queria que a igreja lesse, cresse e usasse o seu livro. (Ver Ap 22.19.) Não é provável que Marcos tivesse composto seu livro, contando a história de "Jesus Cristo", o Filho de Deus, pensando que a igreja haveria de lê-lo apenas por uma vez, para em seguida jogá-lo fora. **Não é provável** que Lucas tivesse efetuado tanto preparo e pesquisa para escrever seu livro a um oficial do governo romano com a ideia de que os próprios cristãos logo jogariam fora essa magistral obra histórica. Aquele que lê o NT pode sentir o forte propósito que seus autores tiveram de estabelecer, comunicar e glorificar a mensagem da nova religião revelada. Dificilmente alguém poderia aceitar a ideia de que tudo isso fora fruto de um impulso momentâneo, sem nenhum grande anelo ou finalidade. O fato de Mateus e Lucas terem usado o evangelho de Marcos como alicerce de seus livros mostra que eles confiavam na veracidade da narrativa apresentada por Marcos. Assim sendo, podemos ver como a influência dos próprios apóstolos e de outras autoridades da igreja primitiva serviu de importante fator na formação do cânon do NT.

e. Influência dos pais apostólicos, que criaram os cânones primitivos — Marciano, perto do fim do século II d.C., pregou uma doutrina de dois deuses:

o Deus do AT, que seria um Deus de juízo, e o Deus do NT, que seria um Deus bondoso e misericordioso, e mais exaltado que o primeiro. **Marciano** rejeitava o AT como "escritura" autêntica para a igreja, e expôs doutrinas que não podiam ser aceitas pela igreja em geral. Pensava ele que os apóstolos (com exceção de Paulo) tinham pervertido o evangelho que haviam recebido de Jesus. Por esse motivo, Marciano aceitava somente o evangelho de Lucas (que ele modificou onde bem quis) e dez das epístolas de Paulo (ficando omissas as epístolas aos Hebreus, 1 e 2Timóteo, Tito e Filemom). Pode-se dizer que esse foi o primeiro cânon do NT, ainda que não tenha sido aceito pela igreja de modo geral. Outrossim, esse cânon de Marciano foi usado como base para aqueles que se seguiram, a despeito do fato de os pais apostólicos terem escrito violentamente contra Marciano. Antes dessa data é certo que algumas das epístolas de Paulo e os evangelhos eram usados e reputados como "escritura sagrada"; mas até então ninguém se pronunciara a respeito, como fez Marciano. Como exemplo disso, temos provas de que **Clemente** conhecia os evangelhos e até mesmo os empregou em suas epístolas (90 d.C.). A epístola de 2Clemente e a epístola de Barnabé usam porções das epístolas de Paulo (130 d.C.). Provavelmente, já se tinham fixado opiniões diversas, entre os pais apostólicos, no tocante a determinadas porções do NT como "escritura"; mas foi preciso esperar que Marciano fizesse uma declaração definida e compreensível a respeito disso. Assim sendo, Marciano é quem forçou os pais da Igreja a se pronunciarem.

Irineu de Leão (185 d.C.), em seu livro Sabedoria, falsamente chamada, que refutava o gnosticismo e às vezes é intitulado "Contra Heresias", mostra que os quatro evangelhos eram recebidos como "escritura", com a autoridade do AT. Irineu também cita o livro de Atos dos Apóstolos como "escritura". Isso indica que ele também aceitava as epístolas de Paulo, o Apocalipse e algumas das epístolas universais como "escritura sagrada". Contudo, rejeitava a epístola aos Hebreus, por não ter sido escrita por Paulo. Em contraste com a maioria dos pais apostólicos, Irineu citou o Pastor de Hermas como parte das "escrituras" (provavelmente 200 d.C.). O cânon do Pastor de Hermas se compunha de vinte e dois livros.

Hipólito de Roma (234 d.C.) citou a maior parte do NT como **escritura** e também falou dos dois "testamentos" — o Velho e o Novo. Também aludiu aos "quatro" evangelhos. Alguns acham que ele é que fez a lista de livros canônicos encontrada no Fragmento Muratoriano, ainda que não haja provas dessa afirmação.

O Cânon Muratoriano (170-210 d.C.) — O nome desse fragmento provém do primeiro editor do manuscrito, **Ludovico Muratori**. Uma lista de livros considerados canônicos foi encontrada em um manuscrito em latim, na cidade de Milão. Essa lista inclui as epístolas de Paulo, duas epístolas de João e uma de Judas, mas não menciona nenhuma das epístolas de Pedro ou a de Tiago. Outros livros aceitos pelo cânon Muratoriano, mas que não fazem parte do cânon atual, são a Sabedoria de Salomão e o Pastor de Hermas, o qual, todavia, não era recomendado para ser lido publicamente na igreja. O Fragmento Muratoriano reveste-se de grande importância porque mostra diversas coisas: 1. O desenvolvimento do cânon foi grande antes dessa data; 2. a maior parte dos livros que temos em nosso NT já era aceita naquela época; 3. o processo do estabelecimento do cânon ainda estava em desenvolvimento; 4. havia muitos livros que eram aceitos por alguns, mas não pela igreja em geral.

Tertuliano de Cartago (200 d.C.) — Cartago foi o primeiro centro do cristianismo latino e que teve um cânon quase igual ao de Irineu. Ambos aceitavam os quatro evangelhos e as treze epístolas de Paulo. Em contraste com Irineu, porém, Tertuliano rejeitava o Pastor de Hermas como livro pertencente à coleção sagrada. Pode-se ver, pelos fatos mencionados, que os cânones do NT, até o fim do século III d.C. — ou seja, o de Roma, o de Leão e o de Cartago — parecem ter variado um pouco entre si.

Orígenes de Alexandria (254 d.C.) — Ele dividia os livros religiosos em duas categorias: os **reconhecidos** e os **discutidos**. Ele mesmo aceitava a todos, mas admitia que nem todos concordavam com a sua opinião. Os livros reconhecidos eram: os quatro evangelhos, as catorze epístolas de Paulo (incluindo a epístola aos Hebreus), o livro de Atos, as duas epístolas universais, 1Pedro, 1João e o Apocalipse de João — ao todo, vinte e dois livros. Os livros discutidos eram: a epístola de Tiago — e é notável que nenhum escritor antigo tenha incluído essa epístola em seu "cânon" do NT, o que se prolongou até o tempo da Reforma, porquanto o próprio Lutero chamou-a de "epístola de palha" —, 2 e 3João, 2Pedro, Judas, epístola de Barnabé e o Pastor de Hermas.

O Códex Claromontano, do século VI d.C., é um manuscrito grego e latino do NT que tem uma lista de livros canônicos que não contém a epístola aos Hebreus, e, sim, o Pastor de Hermas, os Atos de Paulo e o Apocalipse de Pedro. As divergências nos cânones muitas vezes dependiam da geografia. Por exemplo, a igreja siríaca aceitava o livro chamado **Evangelho segundo os Hebreus**, e também outra pseudo-epístola de Paulo, 3Coríntios; mas o Apocalipse de João só foi aceito ali bem mais tarde. A opinião da igreja cristã de Alexandria parece ter sido idêntica à de Orígenes. A igreja de Roma e de outras regiões ocidentais provavelmente consideravam que o cânon do NT incluía os livros que apareciam na tradução latina. Assim sendo, figuravam ali os quatro evangelhos, as treze epístolas de Paulo, as três epístolas universais de João, 1Pedro, Judas e o Apocalipse de João. Mais tarde, a epístola aos Hebreus também veio a fazer parte do "cânon"; mas, na antiga versão latina, faltavam 2Pedro e Tiago. A versão etíope contava com todos os vinte e sete livros do NT que temos hoje em dia, além de mais outros sete, que eram as epístolas de Clemente e outros livros que coletivamente eram chamados **Sínodo**, e que incluem o Apocalipse de Pedro. Além desses, algumas pessoas, ainda que não toda a igreja cristã, aceitavam mais oito livros, intitulados "Constituições Apostólicas", publicados em nome de Clemtne, os quais continham diversas leis eclesiásticas.

Eusébio — As opiniões mantidas pela igreja em geral, até o século IV d.C., refletem-se no resumo preparado por Eusébio, o pai da história eclesiástica, e cuja história foi terminada em 326 d.C. Ele dividiu a lista em três porções: 1. Livros **reconhecidos** (homologoumena); 2. Livros **discutidos** (antilegomena); 3. Livros **espúrios** (notha).

Os "reconhecidos" eram: os quatro evangelhos, Atos dos Apóstolos, as catorze epístolas de Paulo, 1Pedro, 1João, e, de acordo com alguns, o Apocalipse de João.

Os "discutidos" eram: Tiago, Judas, 2Pedro e 2 e 3João.

Os "espúrios" eram: Atos de Paulo, Pastor de Hermas, Apocalipse de Pedro, a epístola de Barnabé, o Didache, o evangelho segundo os Hebreus, e, de acordo com alguns, o Apocalipse de João.

Eusébio fez uma lista de livros que considerava terem sido produzidos só a interesse das opiniões hereges, que por isso mesmo não figuravam nem entre os livros espúrios. Essa última lista incluía o evangelho de **Tomé**, o evangelho de **Pedro**, o evangelho de **Matias**, Atos de **André** e **João**, e outros livros apócrifos.

Fixação do Cânon — Foi no século IV d.C. que o cânon **se fixou** de forma quase universal, com Atanásio de Alexandria (325 d.C.). Naquele tempo, o "cânon" passou a incluir os vinte e sete livros que temos hoje em nosso NT. Um dos proeminentes personagens do cristianismo egípcio foi Atanásio, bispo de Alexandria, depois do concílio de Niceia (325 d.C.). Ele ocupou essa posição por quase cinquenta anos. Era costume seu enviar cartas às igrejas de sua diocese, por ocasião da Páscoa. No ano de 367 d.C. ele enviou uma carta (Carta Pascal 39) estabelecendo a lista de livros sagrados que deveriam ser lidos nas igrejas. Essa lista era exatamente a mesma que contém os atuais vinte e sete livros do NT. Além desses livros, Atanásio "recomendava" a leitura do Ensino (Didache) dos Apóstolos e do Pastor de Hermas, mas como literatura benéfica e não como livros inspirados divinamente como os demais. Outros livros que ele reputava como proveitosos, como literatura, foram a Sabedoria de Salomão, a Sabedoria de Siraque, Ester (com as adições gregas), Judite e Tobias (livros apócrifos do AT). E assim ficou firmado o "cânon" nas igrejas cristãs do oriente.

No ocidente e em outros lugares, a fixação do "cânon" foi feita por decisão de **concílios**, em Cartago, em 397 d.C., quando uma lista, idêntica à de Atanásio, foi aprovada. Ao mesmo tempo, autores latinos mostraram interesse pelo problema e fixaram os limites do cânon como já haviam feito Atanásio e o concílio de Cartago. Esses autores latinos foram Prisciliano, na Espanha, Rufino de Aquileia, na Gália, e Agostinho, na África do Norte, cujas opiniões exerceram forte influência na decisão a que se chegou em Cartago. A versão de Jerônimo — a Vulgata Latina — tornou-se a Bíblia padrão da Europa ocidental. Essa versão continha os mesmos vinte e sete livros que hoje temos no NT.

f. Influência dos concílios da igreja primitiva e medieval — Os concílios também exerceram influência na formação do "cânon" do NT. Pode-se dizer que os concílios não formaram o cânon, mas tão-somente tiveram a função de declarar a opinião geral das igrejas, em diversas partes do mundo, servindo, por isso mesmo, para consolidarem e oficializarem essas opiniões.

O concílio de **Laodiceia**, em 363 d.C., proibiu o uso dos livros não-canônicos, pelo que é provável que uma lista determinada, como aquela que conhecemos atualmente, tenha sido aprovada. (Foram aceitos todos os nossos vinte e sete livros, com exceção do Apocalipse).

O concílio de **Hipona**, na África, em 393 d.C., aceitou todos os vinte e sete livros que temos hoje em dia.

O concílio de **Cartago**, em 397 d.C., aprovou esses vinte e sete livros.

O concílio de **Cartago**, em 419 d.C., confirmou essa posição, mas separou a epístola aos Hebreus dos escritos de Paulo, não aceitando a ideia de que Paulo é quem a escrevera. Agostinho foi um dos principais personagens desses dois concílios.

O concílio de **Niceia**, em 325 d.C., aceitou o cânon de Atanásio (todos os atuais vinte e sete livros do NT).

Eusébio, bispo de Cesareia, na Palestina, aceitou essa decisão do concílio de Niceia, mas não sem fazer algumas restrições.

Crisóstomo, patriarca de Constantinopla, autor de muitos comentários, e que foi a principal **força influenciadora** na igreja do oriente ao seu tempo (398 d.C.), aceitava os quatro evangelhos, o livro de Atos, as catorze epístolas de Paulo, as três epístolas universais (mas não 2Pedro, 1 e 2João, Tiago e Judas ou o Apocalipse). Esse é o chamado "cânon" daquela parte do mundo, a despeito da falta de qualquer decisão oficial, tomada em concílio.

O concílio de Trento, da Igreja Romana (1546) aceitou a Bíblia tal como a temos hoje em dia, mas, no AT incluiu vários livros apócrifos.

Os cristãos protestantes, principalmente sob a influência de Lutero e de sua tradução da Bíblia para o alemão, aceitavam a Bíblia tal como a encontramos hoje — sem os livros apócrifos do AT. A Igreja Anglicana (1562) rejeitou oficialmente esses livros apócrifos, e aceitou todos os outros sem levantar dúvidas.

É fato bem conhecido que, fora dos concílios, muitos indivíduos, em particular, incluindo entre eles até mesmo muitos líderes da igreja, durante a Idade Média e até o tempo da reforma, não aceitavam certos livros, ou pelo menos não lhes davam o mesmo valor que emprestavam a outros. Por exemplo, **Lutero** rejeitou as epístolas de Tiago e de Judas (considerando este último uma cópia inexata de 2Pedro), e considerou que a epístola aos Hebreus não era de origem apostólica. Até mesmo entre as epístolas de Paulo ele estabeleceu categorias de valores, considerando mais as epístolas aos Romanos, aos Gálatas e aos Efésios. O evangelho de João era o que merecia sua maior consideração. **Carlstadt**, contemporâneo de Lutero e líder protestante, dividiu os livros sagrados do NT em três categorias diversas. **Zwinglio**, líder do protestantismo suíço, rejeitou o livro de Apocalipse, mas aceitou as epístolas de Tiago e aos Hebreus. **Calvino** rejeitou 2 e 3João e o Apocalipse, e reservava certas dúvidas quanto a 2Pedro. Aceitou as epístolas de Judas e Tiago, mas aludiu ao fato de que muitos nutriam dúvidas a respeito delas.

g. A posição moderna — Os grupos conservadores, tanto dentre os protestantes como dentre os católicos, aceitam o "cânon" do NT conforme foi estabelecido pelos antigos. Os representantes da teologia liberal, por sua vez, não estão tentando criar um novo "cânon", a despeito do fato de que, provavelmente, nutrem dúvidas sobre a validade do cânon atual. Realmente, há toda uma forma de ideias sobre o "cânon", como sempre aconteceu desde o princípio de sua formação. Certos indivíduos, conservadores em todos os outros pontos de vista, não aceitam determinados livros do NT, usualmente um ou mais dos mesmos livros discutidos pelos antigos, a saber, Tiago, 2Pedro, 2 e 3João, Hebreus, Judas e Apocalipse. Muitos estudiosos, principalmente liberais, acreditam que certos livros aceitos nos tempos antigos e na Idade Média como apostólicos em realidade não o são, como 2Pedro, Hebreus, Apocalipse e Tiago. A maior parte dos conservadores aceita a epístola aos Hebreus como canônica, mas rejeita a ideia de que foi Paulo quem a escreveu. Todas as ideias modernas em realidade são muito antigas, pois toda essa variedade de opiniões surgiu desde o princípio da formação do "cânon". Quando, porém, se fala de grupos religiosos ou denominações, então a **fixação do** cânon do século XVI permanece até o dia de hoje.

138 |Artigos introdutórios| NTI

V. LIVROS CONTROVERTIDOS NOS PAIS, CONCÍLIOS E CATÁLOGOS

REFERÊNCIAS AOS LIVROS CONTROVERTIDOS NOS PRIMEIROS PAIS

Data	Pai	Ep. Hebreus	Judas	Tiago	2 e 3João	2Pedro	Apocalipse	Ep. Barn.	Pastor Herm.	Ep. Clem.	Apoc. Pedro
95	Clemente de Roma	= Ep. 36 etc. cf. Hieron. de vir. ill. 15		= Ep. 10,38		= Ep. 11					
125	Policarpo					= Ep. 3					
150	Justino Mártir	= Apol. I:12,63					Dial. 81				
180	Irineu	! Eus., H.E. v:26		?? Adv. Haer. iv:16.2	* Adv. Haer. I:16,3		* Adv. H.v: 35. Cf. Eus. H.E. V:8		* Adv. H.iv. 20,2. Cf. Eus. H.E. v:8	** Adv. H. iii:3,3	
200	Clemente de Alexandria	* Strom. vi:8 par. 62. cf. Eus. H.E. vi:14	* Str.iii:2 par.11. Cf. Eus. H.E. vi:13	** Cf. Eus. H.E. vi:14	** Str.15, p.66	** Eus. H.E. vi:14	* Paed. ii.10 par. 108; Str. vi:13, par. 107	* Strom. ii:6, par.31. Cf. Eus. H.E. vi:13	* Strom. i:29 par. 181	* Strom. iv:17 par.107. Cf. Eus. H.E. vi:13	** Cf. Eus. H.E. vi:13
200	Tertuliano	? De pudic.20 Barnabé	* de Hab. mul.3				*Adv. Marc. iii.14		! De pudic. 10, 20 ? de orat.12		
225	Orígenes	* Ap. Eus. H.E. vi:25	* Comm. in Mt. x. par.17 ? Id.T. xviii:3	? Comm. in Joann. xix:6 * Sel. In Sal.xxx	** Hom. in Jos. vii:1	* Hom. in Jos. vii:1; in Lev. iv:4. Cf Sel. in Ps.iii	* Ap. Eus. H.E. vi:25; Comm.. in J. i 14	* C. Cels. 1:63	* Princ. ii:1 Comm. in Rom. xvi:14	* Sel. in Eze. viii	
250	Dionísio Alexandria	* Ap. Eus. H. E. vi:41		= Comm. in Luc. xxii:46		? Ap. Eus. H.E. vii:25	* Eus. H.E. vii:10 ? H.E. vii:24				
250	Cipriano	! De exh. mart.11					* De op et eleem.14				
225	Hipólito	! Prot. 121					* De Anticr. 36				
300	Metódio	= De Resur.5. p.269 Conv.5:7					* De Resurr.9, par.315; Conv. viii:4 p.143				
325	Eusébio	* Ecl. Proph. 1:20: Cf. H.E.iii.3	? H.E. iii:25	? H.E. iii:25	? H.E. iii:25	? H.E. iii:25	? H.E. iii:25	! H.E. iii:25	! H.E. iii:25	! H.E.iii:25	! H.E. iii:25

Chave: = coincidência verbal   ? expressão de dúvida quanto à posição no "cânon"
* citação direta   ! clara rejeição
** evidência não conclusiva   ?? referência incerta

OS CONCÍLIOS E CATÁLOGOS
Atinentes aos livros disputados

Catálogo e data	Hebreus	Judas	Tiago	2, 3João	2Pedro	Apocalipse	Epíst. Barn.	Pastor Hermas	Epíst. Clem.	Apoc. Pedro.
I. Catálogos conciliares:										
Laodiceia 364	*	*	*	*	*					
Cartago 419	*	*	*	*	*	*				
II. Catálogos orientais.										
1. Síria:										
Peshitto 420	*		*							
Junílio 550	*	?	?	?	?	?				
João Damasceno 750	*	*	*	*	*	*				
Ebed Jesu 1285	*		*							
2. Palestina:										
Eusébio 325	*	?	?	?	?	?	!	!		!
Cirilo 360	*	*	*	*	*					
Epifânio 400	*	*	*	*	*	*				
3. Alexandria:										
Orígenes 250	*	?	?	?	?	*				
Atanásio 350	*	*	*	*	*	*		!		
4. Ásia Menor:										
Gregório Nazianzeno 340	*	*	*	*	*					
Anfilócio 374	*	?	?	?	?	?				
5. Constantinopla:										
Crisóstomo 400	*		*							
Leôncio 540		*	*	*	*	*				
Nicéforo 800	*	*	*	*	?	?	!	!	?	?
II. Catálogos ocidentais:										
1. África										
Cód. Clarom. (D. Paulus VI)	??	*	*	*	*	*	*			*
Agostinho 400	*	*	*	*	*	*				
2. Itália:										
Cân. Murat. 170		*		??		*		!		*
Filátrio 400		*	*	*	*					
Jerônimo 400	*	*	*	*	*	*				
Rufino 400	*	*	*	*	*	*		!		
Inocente 417	*	*	*	*	*	*				!
Gelásio 470	*	*	*	*	*	*		!		
Cassiodoro 550	*		*			*				
3. Espanha:										
Isidoro de Sevilha 608	*	*	*	*	*	*				

Chave: ver a página anterior

VI. BIBLIOGRAFIA
BLACKMAN, E. E. The New Testament in the Apostolic Gathers. 1905
Encyclopedia of Religion. Ed. Vergilius Ferm. Artigo sobre cânon, 1964.
ENSLIN, Morton Scott. The Literature of the Christian Movement. (ch. XLV), 1956.
GOODSPEED. The Formation of the New Testament. 1926.
KNOX, J. Marcion and the New Testament. 1942.
MCNEILE, A. H. Introduction to the Study of the New Testament. 1953.
SOUTER, A. The Text and Canon of the New Testament. 1954.
WIKENHAUSER, A., New Testament Introduction, Part I, The Canon of the New Testament. 1958.

A língua do *Novo Testamento*

Russell Champlin

ESBOÇO

I. A LÍNGUA GREGA: HISTÓRIA

II. O GREGO DO NOVO TESTAMENTO

III. OS PAPIROS

IV. OS OSTRACAS

V. OS PAPIROS DO NOVO TESTAMENTO

VI. AS INFLUÊNCIAS LINGUÍSTICAS E HISTÓRICAS QUE TÊM DETERMINADO O CARÁTER DO NOVO TESTAMENTO

VII. CARACTERÍSTICAS INDIVIDUAIS DOS AUTORES DO NOVO TESTAMENTO

VIII. A LINGUAGEM USADA POR JESUS

IX. BIBLIOGRAFIA

I. A LÍNGUA GREGA: HISTÓRIA

O grego como idioma universal — A história do idioma grego remonta para além de 2000 a.C., chegando mesmo aos tempos pré-históricos, às tribos primitivas da família **ariana**. É muito provável que as tribos originais que falavam o grego mais primitivo habitassem nas praias do mar Negro. Alguns sábios acreditam que certos dialetos se desenvolveram formando o idioma grego, antes mesmo das tribos terem penetrado na área da Grécia atual. Os mais antigos dialetos parecem ter sido o dórico, o aeólico e o jônico. O desenvolvimento desses dialetos teria ocorrido entre 1600 e 2000 a.C., tendo aparecido com quatro grupos distintos: aeólico (lésbio, tessalônico e boécio), ático-jônico, arcádio-cipriota, e grego ocidental (noroeste da Aetólia, Lacris, Elis e outros lugares; e dórico, na Corcira, em Creta, em Rodes e em outros lugares).

A primeira migração de povos gregos para a Europa continental deve ter tido lugar antes de 1900 a.C. Provavelmente, esse êxodo teve lugar através da Ásia Menor, segundo o que a erudição moderna tem demonstrado, com o auxílio da arqueologia. Essa data é, por diversos séculos, anterior à data que previamente se calculava.

O **período clássico** do idioma grego é situado desde Homero (900 a.C.) até as conquistas de Alexandre (330 a.C.). Posto que o dialeto ático fosse proeminente na literatura grega antiga e na atividade filosófica, esse dialeto foi gradualmente sobrepujando os demais, exercendo uma influência mais vasta que os outros. O dialeto ático, que era falado inclusive em Atenas, tornou-se a força que amoldou o desenvolvimento da língua grega. Filipe da Macedônia (meados do século IV a.C.) efetuou a unificação política da Grécia, e assim foi descontinuado o isolamento em que viviam as cidades-estados dos gregos. Os dialetos começaram a desaparecer. O filho de Filipe, **Alexandre, o Grande**, mediante suas conquistas de âmbito mundial, espalhou a cultura e a língua gregas por toda parte. O resultado disso, no que diz respeito ao idioma, foi dissipar mais ainda as diferenças dialetais, emergindo assim uma única forma essencial do idioma grego, o "**koiné**". Desse modo, o grego se tornou um idioma universal. As datas do período do "koiné" vão de 300 a.C. a 330 d.C., aproximadamente. Os historiadores dizem-nos que esse grego era francamente falado em Roma, em Alexandria, em Jerusalém e em outros centros populosos, tanto quanto era falado em Atenas. Olhando de volta pelos corredores da história, vemos que os principais fatores, que fizeram surgir esse grego comum, a linguagem universal de então, foram quatro: 1) extensa colonização pelos gregos, espalhando assim a cultura, o idioma e o poderio gregos no mundo antigo; 2) a íntima filiação política e comercial dos povos gregos separados, o que provocou a fusão de todos os dialetos; 3) os entrelaçamentos religiosos, que tiveram o mesmo efeito. As grandes festividades nacionais em centros religiosos como Olímpia, Delos e Delfos, proveram o solo fértil para esse fator; 4) as conquistas de Alexandre, o Grande, que foram o fator que maior impulso deu à universalização do idioma grego. O NT é o maior monumento desse idioma universal.

O grego "koiné" é essencialmente **ático**, mas contém elementos dos outros dialetos, especialmente no que toca à forma e soletração de algumas palavras. Deve-se notar também que uma simplificação geral do ático clássico teve lugar na formação do "koiné", tanto gramaticalmente como em suas expressões, como qualquer estudante, tanto do grego "koiné" como do grego clássico pode averiguar. Assim sendo, o grego "koiné" pode ser muito mais facilmente traduzido pelo estudante moderno do que os escritos clássicos.

II. O GREGO DO NOVO TESTAMENTO

Muita controvérsia tem girado em torno da discussão sobre o caráter exato do grego do NT. No princípio, os dois campos opostos foram os chamados **puristas** e **hebraístas**. Os primeiros criam que a revelação de Deus no NT não poderia ser dada senão na mais excelente linguagem — e, para eles, isso significava o grego ático clássico. Muitos eruditos primitivos trabalharam diligentemente para demonstrar essa tese, mas sem o menor resultado, porquanto, evidentemente, o NT não cabe dentro desse molde. Em primeiro lugar, conta com várias centenas de palavras distintas, palavras de forma usada no grego ático clássico, além de muitos outros termos revestidos de sentido diferente daquele que possuíam no período clássico. Em segundo lugar, é óbvio que outros dialetos gregos, além do ático, podiam ser vistos, de alguma forma, nas palavras e na gramática exibidas no NT. A impossibilidade óbvia dos puristas de demonstrarem na prática a sua causa deu aos hebraístas uma vitória temporária. Estes últimos mantinham que o NT contém uma forma especial de grego, um grego hebraico, variedade distinta conhecida apenas na Bíblia — na Septuaginta e no NT. Essa era a opinião prevalente até o início do século XX. No começo desse século, porém, o descobrimento de numerosos documentos em papiros, alguns fragmentários, e outras porções bastante extensas, começou a revolucionar todo o método de estudo da filologia neotestamentária. **Tornou-se** óbvio que tanto os puristas como os hebraístas estavam fundamentalmente equivocados. Os sábios começaram a ver que o NT havia sido escrito na língua comum do povo, a língua franca do mundo greco-romano. Muitíssimos papiros bíblicos e não-bíblicos foram encontrados. Entre eles, as declarações não-bíblicas de Jesus, manuscritos autênticos do NT, escritos completos não-bíblicos, como cartas particulares, petições, pesquisas de terras, testamentos, contas, contratos e outros tipos de correspondência diária, além de vários tipos de literatura cristã primitiva. Tudo isso demonstrou que, quanto à linguagem, o NT não é substancialmente diferente da linguagem comum daquela época. A vasta maioria das palavras do NT, desconhecidas no grego clássico, têm sido encontradas nesses documentos. Naturalmente, o grego do NT ainda assim ocupa lugar à parte, no sentido de que qualquer obra mais extensa é dona do próprio lugar. Em certas porções, tem seu uso distintivo de alguns termos, e, mediante seus vários autores, tem seu estilo todo próprio. Parte do NT foi escrito em bom grego literário "koiné" (nome esse que significa **comum**), um termo que designa o grego helênico ali empregado, o que tem em vista o linguajar "comum" do povo, o grego padronizado da época, em contraste com a linguagem dos autores clássicos. Lucas e Paulo usaram uma boa forma de "koiné literário", em contraste com a linguagem mais coloquial do homem de rua, sem grande educação. Por outro lado, Marcos e o livro de Apocalipse, revelam um "koiné" menos educado, contendo erros gramaticais como geralmente o povo comum comete. Os escritos de Lucas (Lucas, Atos) e a epístola aos Hebreus, refletem um idioma mais clássico que o de Paulo; e Lucas chega a ocasionalmente usar um termo em seu sentido clássico, e não próprio do "koiné". Todavia, todos os livros, como um todo, podem ser seguramente catalogados na corrente da linguagem comum do século I de nossa era, a despeito de representarem aspectos vários da corrente.

No entanto, tudo isso precisa ser dito sem que se desprezem certos livros, e os evangelhos em particular, que mostram influências do hebraico e do aramaico, visto que a língua materna de Cristo e seus apóstolos era o aramaico. Apenas alguns poucos eruditos se têm recusado a conceder a possibilidade de certas fontes aramaicas para esses livros. A atual tendência do estudo a respeito disso parece indicar que a "influência aramaica" tem sido provada como parte legítima do grego "koiné". E assim, apesar de continuar-se a admitir a **influência** aramaica, todos reconhecem que a linguagem essencial do NT é o grego "koiné", largamente usado na época por todo o mundo greco-romano.

III. OS PAPIROS

Calcula-se que cerca de 25 mil **papiros** têm sido descobertos, os quais confirmam a natureza do grego do NT, segundo se descreve acima. A maioria desses papiros, naturalmente, consiste-se de matéria não-bíblica, como cartas particulares, notas, contratos etc.

No que toca aos papiros, entre as mais importantes descobertas temos: das ruínas de Herculano, na Itália, chegou às nossas mãos o remanescente de uma biblioteca filosófica, que constituiu a primeira descoberta substancial de papiros. Em Behnesa, antiga **Oxyrynchus**, no Egito, foram desenterrados papiros contendo declarações extrabíblicas atribuídas a Jesus. Foram publicados em 1897, sob o título "Logia". No sul de Fayum, Egito, sendo utilizados como envoltórios e estofos de crocodilos mumificados (por serem estes divinizados pelos antigos), foram descobertos muitíssimos papiros, contendo contratos, cartas particulares, pesquisas de terras e grande variedade de outros documentos. Esses papiros foram descobertos por acidente, quando um operário irado (indignado por nada haver achado de mais valor do que crocodilos mumificados) jogou um deles contra uma rocha. O crocodilo partiu-se pelo meio, e os olhos admirados do operário viram esses documentos. Muitos outros crocodilos mumificados produziram mais papiros.

As descobertas de papiros contendo literatura cristã primitiva, mas não parte do NT, também têm ajudado a iluminar a linguagem do NT. Entre essas, há uma cópia do Pastor de Hermas, uma conclusão diferente de Atos, onze páginas mais longas, um sermão de Melito de Sardes — "Sobre a paixão" —, além de partes das obras de certo número dos pais da Igreja, como Irineu, Aristides, Clemente, e alguns livros apócrifos, além de hinos cristãos, orações, cartas etc.

Muitas inscrições têm sido encontradas que ilustram em parte a linguagem do NT. Usualmente, porém, uma inscrição é feita em linguagem um tanto formal e artificial, pelo que seu valor, com essa finalidade, é limitado.

IV. OS OSTRACAS

Outra evidência arqueológica de grande importância para o estudo do grego do NT é a descoberta de **ostracas**.

Muitos milhares de ostracas têm sido achados em montes de lixo, túmulos, sepulturas e outros tipos de lugares explorados pela arqueologia. Os ostracas são pedaços quebrados de argila ou vasos, usados pelas classes mais pobres como material de escrita. Preservam registros de muitas espécies, incluindo recibos de impostos, cartas pessoais etc. Dos muitos milhares desses pedaços de ostraca apenas 20 contêm qualquer porção do NT. Desses, dez registram a extensa passagem de Lucas 22.40-71. Outros trazem Mateus 27.31,32; Marcos 5.40,41; 9.17,18,22; Lucas 12.13-16; João 1.1-9; 1.1-17; 18.19-25; 19.15-17. Embora pouquíssimas passagens bíblicas tivessem sido assim preservadas, e essas pertençam aproximadamente ao século VII, não sendo, por isso mesmo, especialmente antigos, os ostracas não-bíblicos têm desempenhado importante papel, lançando luz sobre muitos detalhes das características linguísticas do NT.

Os ostracas escritos não em grego, mas especialmente em **cóptico**, ainda que nada ilustrem sobre a linguagem do NT, revestem-se de importância no tocante à história do cristianismo, pois alguns contêm cartas, hinos e outros escritos cristãos semelhantes.

V. OS PAPIROS DO NOVO TESTAMENTO

Nas últimas poucas décadas têm sido descobertos muitos papiros manuscritos do NT. Variam quanto à data, entre o século II e o século VII, e assim fornecem-nos um texto muito mais antigo que qualquer outro conhecido antes do século XX. Quando Erasmo (no século XVI) compilou o que atualmente se conhece como **Textus Receptus** (do que a maioria das primeiras traduções foi feita), o mais antigo manuscrito de que dispunha era o Códex I, um manuscrito do século X. Portanto, pode-se ver facilmente que os tradutores modernos têm a vantagem de contar com manuscritos muito mais antigos. Toda informação provida pelos antigos manuscritos descobertos tem sido incorporada em textos gregos modernos, como o texto de **Nestle**, que já passou por mais que 25 edições, apresentando sempre novas descobertas. Agora possuímos 76 papiros do NT grego, alguns fragmentários, mas outros contendo largas porções do mesmo. Cerca de 79% do NT está coberto pelos papiros, e certas porções desse volume por mais de um manuscrito. Os papiros mais completos são o P(45) — largas porções dos evangelhos — e P(46) — a maior parte das epístolas paulinas; o P(47) — porções de Atos, Tiago, 1 e 2Pedro, 1, 2 e 3João —, o P(75) — muito de Lucas e João — e o P(72) — Judas, 1 e 2Pedro. Veja lista completa dos papiros no artigo sobre os manuscritos do NT, na introdução a este comentário.

VI. AS INFLUÊNCIAS LINGUÍSTICAS E HISTÓRICAS QUE TÊM DETERMINADO O CARÁTER DO NOVO TESTAMENTO

São diversas essas influências. Embora algo do que foi exposto anteriormente procure mostrar que a influência exercida pelos idiomas hebraico e aramaico tenha sido exagerada, seria um sério engano subentender, com isso, que o NT não exibe muita influência linguística e estilística de muitas obras literárias anteriores, que lhe afetaram até mesmo a gramática. O tipo de linguagem usado no NT, tanto no tocante ao estilo como no tocante à gramática, é um desdobramento, pois começou muito antes, nos escritos dos autores clássicos. Por exemplo, já no século IV a.C., nos escritos dos autores das comédias gregas, pode-se ver uma influência, não nos seus temas, mas no fato de esses autores terem começado a empregar a linguagem do povo comum, em contraste com uma linguagem literária elevada. O NT foi escrito quase que inteiro nesse tipo de linguagem. Os historiadores gregos, tais como Xenofonte, Heródoto e Tucídides, criaram **uma prosa** (em contraste com a poesia, que durante muito tempo fora a única forma de expressão literária) que contribuiu para o tipo de prosa que eventualmente foi usado no NT. No século II a.C., Políbio escreveu em um grego não muito diferente do de Lucas, no livro de Atos. Foi o grego ático **"koiné"**, e esse desenvolvimento pavimentou o caminho para o idioma universal que serviu de veículo para os autores do NT. Por meio de tudo isto, temos o processo da simplificação e da universalização, e ambos esses aspectos foram necessários para que o NT fosse largamente divulgado e tivesse larga esfera de influência. Antigos oradores gregos, tais como Diordoro e Dionísio, também participaram na preparação do caminho para o tipo de linguagem e estilo que se encontra no NT, especialmente

segundo se nota em alguns escritos de Paulo, destacando-se a sua epístola aos Romanos.

De modo geral, podem-se distinguir **quatro correntes** de tradição linguística:

1. A Septuaginta — Dentre todas as obras literárias da antiguidade, a Septuaginta ou **LXX** (tradução da Bíblia hebraica para o grego) é a que tem exercido influência mais poderosa sobre o conteúdo e o caráter do NT. Muitas citações neotestamentárias (de fato, a maioria delas) foram extraídas diretamente dessa obra, e não do Antigo Testamento em hebraico; por isso, sua linguagem e estilo transparecem com proeminência nas páginas do NT. A LXX reflete o grego "koiné", o que também ocorre com o NT. O pensamento oriental dá colorido à parte de sua linguagem, mas talvez a maior influência, fora do grego "koiné" típico, seja encontrada nos sentidos dos vocábulos. Posto que a LXX tenha sido uma tradução do hebraico, é natural que os sentidos das palavras, ocasionalmente, se baseiem em ideias hebraicas, e não em qualquer elemento distintamente grego. Por trás de termos como "justiça", "justificação", "fé", "verdade", "conhecimento", "graça" e muitos outros semelhantes, precisamos esperar a influência das ideias hebraicas, havendo necessidade, pois, de uma redefinição de muitos vocábulos gregos para que se adaptem ao conteúdo religioso do cristianismo histórico, o qual, afinal de contas, foi altamente influenciado pelos conceitos hebraicos já existentes. Se por um lado, as estruturas gramaticais de qualquer passagem podem ser bom grego "koiné", com influências ocasionais de uma sentença ou de uma palavra tipicamente hebraica ou mesmo do uso gramatical hebraico, por ouro lado, as ideias expressas podem ser, essencialmente, mais um desdobramento ou extensão do que já era pensado na Bíblia hebraica e expresso no idioma hebraico. Muitas interpretações equivocadas se têm originado da falta de apreciação desse fator. Note-se, por exemplo, o uso do termo "santificado", em 1Coríntios 7.14, onde se lê: "Porque o marido incrédulo é santificado no convívio da esposa, e a esposa incrédula é santificada no convívio do marido crente..." (ARA). Alguns intérpretes têm insistido em uma ideia totalmente cristã, neste caso, como se a **santificação** fosse uma forma de salvação, ou, pelo menos, uma grande tendência para a salvação, ou mesmo uma espécie de "graça" conferida por intermédio do cônjuge crente.

John Gill, o grande erudito bíblico do hebraico, em seu comentário (in loc.), salientou a possível verdadeira interpretação dessa passagem, ao demonstrar, à base de conceitos e da literatura hebraica, que tudo quanto está em vista aqui é que o casamento deve ser considerado um matrimônio **legal**. Ordinariamente, um judeu não aceitaria um casamento misto (de um crente com um incrédulo) como casamento legítimo. Paulo, pois, quis dizer que o casamento deve ser considerado legal em casos tais, porquanto os filhos são legítimos. É isso que se deve entender aqui por **santificado**, sendo uma modalidade diferente de santificação daquilo que se encontra geralmente como conceito neotestamentário de "santificação". Esse é um exemplo da influência de ideias hebraicas, ou, pelo menos, do fato que conceitos hebraicos podem, com frequência, determinar o sentido da passagem. É em questões semelhantes a essa que se pode ver a influência mais profunda da cultura e do idioma hebraicos no NT. A LXX trouxe para o NT grande parte dessa influência, embora disfarçada pelo uso da linguagem grega. Para os hebreus, a palavra "psyche" significava apenas **vida**, e não se referia diretamente à alma imortal. O texto de Mateus 10.39 evidentemente reflete esse uso. Não obstante, nos autores gregos como Platão, essa palavra geralmente significa a parte imaterial do homem, a alma imortal, e provavelmente isso é o que está em vista, no v. 28 desse mesmo capítulo (Mt 10.28). Assim sendo, no mesmo capítulo, temos as duas ideias, que se originaram em culturas diferentes. Naturalmente que, nos dias de Jesus, muitos judeus aceitavam a doutrina da imortalidade da alma (certamente isso era o que Paulo acreditava; ver 2Co 5), pelo que o idioma hebraico (realmente era o aramaico, nos dias de Jesus, pois o verdadeiro hebraico não era mais falado pelo povo comum) incorporou outras ideias na definição de suas palavras. De modo geral, observamos que a influência hebraica é grande no NT, embora se expresse mais na forma de definição de palavras, de conceitos etc., do que no uso gramatical, ainda que este último fator seja também verdadeiro, especialmente no tocante a determinados autores, como, por exemplo, no caso do Apocalipse, que evidencia ser o aramaico a língua nativa de seu autor. O grego usado por ele é pobre e imita as estruturas sintáticas comuns ao aramaico.

2. A segunda grande corrente de influência, na linguagem e estilo do NT, é a tradição histórica dos autores gregos, o uso da prosa que começou com Heródoto, foi continuado com Tucídides e foi modificado e simplificado para transformar-se no grego "koiné", por Xenofonte, sendo finalmente expresso em bom grego "koiné" (essencialmente o dialeto ático, embora também um idioma universal) por Políbio. Esse tipo de grego é demonstrado principalmente na narrativa do NT, a saber, nos evangelhos e no livro de Atos. Pelo tempo de Políbio, a maior parte das modificações gramaticais já haviam tido lugar, ficando formado assim o grego "koiné", e é no NT que vemos aquela linguagem grandemente simplificada que se tornou universal, a qual, para Platão, teria parecido estranha, e para os antigos gramáticos teria parecido ofensiva. Por

142 |Artigos introdutórios| NTI

exemplo, o modo optativo é quase inexistente, pois o subjuntivo absorveu a maioria de seus sentidos. Paulo e Lucas lançaram mão do optativo, mas, mesmo em seus escritos, sua ocorrência não é grande. No grego "koiné" há um uso mais simplificado, uma variedade maior, maior liberdade no emprego das formas. A gramática geralmente não se caracteriza por grande exatidão, havendo falta de concordância entre os pronomes e seus antecedentes. Os verbos nem sempre concordam em número com seus sujeitos. O sistema de verbos é simplificado, pois o aoristo e o imperfeito eram usados quase que um em substituição ao outro, sem grande diferença no tipo de ação expressa. As preposições passaram a ser usadas com mais liberdade e com sentidos novos. O tempo perfeito passou a ser usado sem expressar, necessariamente, a "ação completa com resultados contínuos".

3. Uma terceira corrente de influência pode ser vista na filosofia grega. A filosofia grega desenvolveu o idioma grego como veículo de expressão de pensamentos abstratos. Por exemplo, **arche**, causa primária (em Platão), certamente é o sentido tencionado em passagens tais como Apocalipse 3.14, onde Cristo é referido como o "princípio da criação de Deus". Cristo não foi a primeira coisa criada, mas antes, a "causa primária" da criação. A palavra "morphe", que tem o sentido de "forma", é usada no conceito paulino de que Cristo é a "forma" de Deus, em Filipenses 2.6, que significa que ele concentra em si mesmo as propriedades essenciais do Pai. Ao expressar-se assim, Paulo se utilizou de uma forma filosófica de expressão e desenvolveu termos que expressam pensamentos abstratos. Por muitas vezes os termos adquirem significações diferentes, mas o uso é o mesmo, isto é, os termos assumem sentidos técnicos, e isso é um desenvolvimento especial dos filósofos gregos. Naturalmente que tal desenvolvimento era universal, pelo que não podemos dizer que essa corrente de influência (ou tipo de influência) tem origem exclusivamente grega. Não obstante, encontramos o fato que os primeiros pais da Igreja, tais como Orígenes e Clemente de Alexandria, além de muitos outros, desenvolveram a teologia cristã empregando a **terminologia** dos filósofos gregos. Esses homens geralmente foram influenciados pelo neoplatonismo, um tipo de aplicação religiosa das ideias de Platão, e alguns deles foram francamente neoplatonistas.

4. A quarta grande corrente de influência no NT, justamente a descrita com mais evidência nas páginas anteriores, pelo que não necessita de ser ainda mais enfatizada aqui, foi a linguagem do povo comum, o grego "koiné", que se transformara em idioma universal. Sabemos que, ao tempo de Jesus, em todas as cidades principais do mundo antigo se falava o grego "koiné", incluindo a cidade de Jerusalém. O NT, portanto, em sua essência, é um documento desse idioma.

VII. CARACTERÍSTICAS INDIVIDUAIS DOS AUTORES DO NOVO TESTAMENTO

A qualidade do grego "koiné", apresentada nos diversos livros do NT, de alguma forma é idêntica da primeira à última página. Eis uma breve caracterização dessas várias qualidades de grego "koiné":

Pode-se dizer que, de forma geral, a qualidade do grego "koiné", apresentado no NT, está mais afastada do grego usado em Atenas, em seu período de glória, do que do grego "koiné" dos autores contemporâneos não-judeus. Quase todos os livros do NT foram escritos por judeus, pelo que não se pode esperar o mesmo tipo de grego que se poderia esperar de autores não-judeus. Em menor ou maior extensão, quase todos os livros do NT exibem alguma influência semita no vocabulário, na sintaxe ou no estilo. Parte dessa influência pode ser atribuída diretamente ao AT, e parte do fato de o aramaico ter sido falado na Palestina ao tempo em que foi escrito o NT, e que seus autores também falavam esse idioma. Vemos que até mesmo Lucas, que não era judeu, por causa de seu grande conhecimento e uso da versão LXX, ou AT vertido para o grego, ocasionalmente duplica a fraseologia característica dessa tradução grega do AT. Como **ilustração** desse fenômeno, temos apenas de lembrar a influência que a tradução da Bíblia, feita por Lutero, exerceu sobre o idioma germânico. Essa influência foi tão poderosa, que o alemão, que até então consistia de diversos dialetos distintos, dali por diante se unificou, finalmente produzindo o caráter particular do idioma alemão moderno. Por semelhante modo, a LXX deu colorido ao estilo e à expressão dos autores do NT. O idioma deles, portanto, apesar de continuar sendo definitivamente o grego "koiné", não é inteiramente idêntico ao grego "koiné" de autores não-judeus.

Comecemos por aqueles que demonstram um grego "koiné" da mais alta qualidade:

Epístola aos Hebreus — O **primeiro** lugar deve ser dado a esse livro, cujo autor certamente não pode ter sido Paulo. Isso é fartamente demonstrado pela qualidade e pelo estilo do grego em que foi lavrado, muito superior ao de Paulo, e certamente diferente, tanto quanto ao vocabulário como quanto à expressão literária em geral. Praticamente nenhum erudito do grego pode ver o mesmo autor por detrás das epístolas de Paulo e por detrás da epístola aos Hebreus. (Ver introdução ao livro aos Hebreus, quanto aos detalhes). Essa é a obra literária do NT que exibe a mais fraca influência **hebraica**, a despeito de ter sido dirigida aos hebreus. Suas citações, todavia, invariavelmente foram extraídas da LXX. O seu autor fez uso de um rico vocabulário grego, empregando-o com grande aptidão. Esse livro apresenta todas as indicações de ter sido escrito por alguém que não só falava o grego como língua nativa, mas que também aprendeu a usá-la com eficiência. O seu estilo é característico de um erudito com grande prática. Distingue-se por sua cadência rítmica, tão cultivada pelos "bons" autores gregos. Algumas vezes, o seu autor escolheu as suas palavras a fim de produzir aliteração. Por exemplo, no primeiro versículo desse tratado, há cinco palavras que começam com a sílaba "pol", "pal", ou "pro", e em Hebreus 9.27, dentre cinco palavras consecutivas, quatro começam com "a". Tal como os bons autores **clássicos**, o autor procura evitar juntar duas palavras quando uma termina com vogal e a outra começa com vogal (o que se chama hiato). O autor demonstra o conhecimento e a habilidade de usar os truques de estilo dos retóricos. Diferentemente de Paulo, ele jamais permitiu que as suas emoções o dominassem e afetassem a sintaxe de suas construções gramaticais. As emoções de Paulo algumas vezes produziram expressões de alto naipe, embora vertidas em uma sintaxe grega estranha. Isso se faz totalmente ausente na epístola aos Hebreus. Em geral, pode-se dizer que o autor dessa epístola demonstra a habilidade de um notável escritor no idioma grego, pelo que a sua obra se destaca muito acima de toda e qualquer produção literária do NT, se a conceituarmos tão-somente por suas características linguísticas.

Epístola de Tiago — Esta breve epístola conta com muitas das características mencionadas acerca do autor da epístola aos Hebreus. A linguagem é de um grego **excelente**, e tem um estilo notavelmente elevado e pitoresco, que se assemelha ao dos profetas hebreus. Embora o tom e a mensagem geral sejam distintamente judaicos, talvez mais do que qualquer outro dos livros do NT, contudo a linguagem contém poucos hebraísmos. O autor observa certas questões técnicas da gramática grega, tal como o uso das duas negativas gregas, "ou" e "me". Exibe farto vocabulário grego, escolhendo palavras que são relativamente raras, sendo quase certo que seu autor falava o grego como idioma nativo. Tal como o autor da epístola aos Hebreus, ele se dá ao luxo de empregar a arte da aliteração. Por exemplo, três palavras proeminentes em 1.21 dessa epístola começam com a letra "d". Por muitas vezes, ele termina duas ou mais palavras em íntima justaposição com a mesma sílaba ou sílabas, como em 1.7,14; 2.16,19; 5.5,6. O seu estilo se caracteriza por certa concisão epigramática.

Evangelho de Lucas e Livro de Atos — Lucas, o **médico amado** (Cl 4.14), demonstrou considerável aptidão como escritor na língua grega. Suas peças literárias exibiram maior versatilidade do que qualquer outra obra do NT. Seu prefácio elaborado redigido para o seu evangelho (Lc 1.1-4) pode ser comparado favoravelmente com os prefácios de famosos historiadores gregos, como Heródoto e Tucídides. Lucas demonstra possuir sólida cultura ao usar um grande e bem escolhido vocabulário. Seus dois livros contêm cerca de setecentos e cinquenta vocábulos que não se encontram em nenhuma outra porção do NT, e isso é uma grande proporção, considerando-se que o vocabulário total do NT é de apenas cerca de cinco mil palavras. O pensamento frequentemente repetido de que o seu vocabulário exibe um vocabulário **médico** especial não tem sido bem recebido pela maioria dos eruditos modernos, mas pelo menos essas palavras indicam uma boa educação e uma sólida cultura. Todavia, é definidamente verdadeiro que a sua posição como médico e que os seus conhecimentos da medicina deixaram traços que se destacam no evangelho de Lucas e no livro de Atos. (Ver Lc 4.38, em comparação com Mt 8.14 e Mc 1.30, onde Lucas faz uma descrição mais exata sobre a "febre alta"; outro tanto se verifica com respeito a Lc 5,12, em contraste com Mt 8.2 e Mc 1.40, onde Lucas diz que o homem estava "coberto de lepra").

Lucas emprega o modo **optativo** por vinte e oito vezes, embora esse modo já tivesse quase desaparecido no grego "koiné" de seus dias, e não figure nos escritos de Mateus, João, Tiago e no livro de Apocalipse. Seu emprego do idioma grego não é muito diferente do grego de Políbio, Dioscórides e Josefo. Os autores dotados de boa cultura não apreciavam palavras estrangeiras de som estranho, e Lucas exibiu sua aversão por elas. Assim ele **omite** palavras tais como "Boanerges, conforme se vê no evangelho de Marcos, além de muitas palavras distintamente aramaicas como "hosana", "Getsêmani", "abba", "Gólgota", e "Eloí, Eloí, lamá sabactâni". Ao invés do vocábulo aramaico "rabi", que aparece por dezesseis vezes nos demais evangelhos, ele usa a palavra distintamente grega para **mestre**. Não obstante, Lucas não reescreveu completamente as narrativas de Marcos e de outras fontes menos literárias que usou, e nessas seções encontramos influências de expressões aramaicas, bem como outros elementos indesejáveis do ponto de vista literário. Por conseguinte, podem ser vistos dois níveis de qualidade. Por exemplo, no livro de Atos, a primeira porção do livro, que diz respeito a situações e testemunhos palestinianos, pode-se observar um grego menos culto, que algumas vezes contém semitismos bem definidos. A última parte do livro, porém, pelo fato escrito acerca de situações totalmente gentílicas, foi vazada em um grego "koiné" muito mais elegante.

Primeira Epístola de Pedro — Para o leitor médio, talvez seja **surpreendente** saber que o grego dessa epístola é mais próximo aos padrões do grego clássico do que do grego "koiné" vernáculo. Seu autor empregou a LXX nas citações, demonstrando ter perfeito conhecimento daquela obra; porém, ao mesmo tempo, deixou os sinais de seu estilo, até mesmo nas citações feitas. Usou o artigo definido grego com mais aptidão do que qualquer outro dos autores do NT. Usou o termo grego ὡς com grande habilidade, que só é igualada na epístola aos Hebreus. Seu vocabulário é vasto e bem selecionado. O grego dessa epístola é totalmente diverso daquele que seria falado por um pescador da Galileia, cujo idioma nativo fosse o aramaico, pelo que se tem sugerido com frequência que o estilo e o idioma dessa epístola se devem ao amanuense de Pedro, Silvano (Ver 1Pe 5.12).

Pode-se afirmar que todos os autores acima usaram um bom grego "koiné" literário, embora não se possa dizer outro tanto das obras que vêm em seguida:

Evangelho de Marcos — A **falta de polimento** no grego usado por Marcos é obscurecida pela tradução, posto que poucos tradutores imitassem propositadamente os erros gramaticais somente para serem mais fiéis ao original. Não obstante, até mesmo as traduções **refletem** os elementos mais pobres, como o uso frequente da palavra copulativa "e". Por exemplo, dos quarenta e cinco versículos do primeiro capítulo, nada menos de trinta e cinco começam por "e". Doze dos dezesseis capítulos começam pela palavra "e". E de um total de oitenta e oito seções e subseções desse evangelho, oitenta começam com "e". Marcos usa um vocabulário de cerca de 1270 palavras, das quais apenas oitenta lhe são peculiares. Isso mostra que ele empregou um vocabulário extremamente comum.

Todavia, o que falta a Marcos em estilo e em graça, é contrabalançado em **novidade** e **vigor**. Em algumas seções, Marcos é o mais emocional e comovente dos autores evangélicos. O seu idioma se caracteriza pela simplicidade, mas mesmo assim ele consegue certa grandeza. Embora o grego "koiné" de Marcos possa ser classificado entre os exemplos mais deficientes do NT, e que sem dúvida ele se sentia mais à vontade com o aramaico do que com o grego (o seu evangelho é o que contém o maior número de aramaísmo), ele demonstra que dominava bem o grego "koiné" coloquial. A seu crédito também poderíamos dizer que ele deve ser relembrado um tanto como inovador literário e gênio artístico, porquanto inventou uma nova modalidade de literatura. Antes dele, ninguém jamais escrevera nada parecido com o seu "evangelho".

O livro de Apocalipse — **Dionísio de Alexandria** (século III d.C., de conformidade com a História Eclesiástica VII, 25.25, de Eusébio), chamou o grego em que foi escrito este livro de "bárbaro e não-gramatical". Seu texto demonstra frequentes violações da sintaxe grega, falta de harmonia e concordância entre verbos e sujeitos ou entre pronomes e antecedentes. Com frequência, o autor cai em expressões **não-gregas**, imitando o uso semita. De acordo com o uso semita, ele emprega construções pleonásticas. Por exemplo, diz ele: "[...] Ao que vencer, dar-lhe-ei..." (2.7). Ou poderíamos traduzir literalmente outra frase: "[...] tenho posto diante de ti uma porta aberta, que ninguém pode fechar..." (3.8). Esse tipo de construção é estranho, mas explicável à base da gramática hebraica (coordenação de uma partícula com um verbo finito). Em geral, o autor desconsidera os gêneros (exemplos: 1.10; 4.1,8; 11.4; 19.20, além de muitos outros casos). Alguns desses casos devem-se ao fato de o autor **pensar** segundo padrões semitas, enquanto outros casos talvez se devam, simplesmente, ao descuido, porquanto em muitas outras oportunidades o autor observou os gêneros.

A despeito da falta de **adornos** literários e gramaticais, não há falta de grandeza e poder no livro. Certas passagens solenes e sonoras são quase poeticamente rítmicas, e entre elas se encontram algumas das melhores passagens literárias conhecidas pelo homem (Ver 4.11; 5.9,10; 7.15-17; 11.17,18; 15.3,4; 18.2-8; 19.24). Tem-se observado que alguns textos têm o toque da **voz de órgão** de Milton, o que se pode discernir até mesmo nas traduções para línguas modernas. Bruce Metzger diz: "Somente um poeta pode apreciar um poeta" (introdução ao "Interprete's Bible", "Language of the New Testament", p. 49). Por essa razão, Christina G. Rossetti foi capaz de perceber e interpretar certas nuances no Apocalipse que se perdem inteiramente para mentes mais prosaicas. (Ver o livro de C. G. Rossetti, intitulado The Face of the Deep: A Devotional Commentary on the Apocalypse, 2ª edição, London: Society for Promoting Christian Knowledge, 1893).

Evangelho de Mateus — Do ponto de vista de **qualidade** do grego "koiné", este evangelho fica a meio-termo entre Marcos e Lucas, isto é, ele é inferior a Lucas, mas superior a Marcos. O estilo de Mateus é menos individualista que o deles. É mais suave que o de Marcos, porém mais monótono que o de Lucas. O vocabulário de Mateus é **mais rico** que o de Marcos, mas menos variado que o de Lucas. Mateus usa cerca de 95 palavras que lhe são características, enquanto que Marcos usa 41 e Lucas, 151 dessas palavras. Mateus corrige alguns dos erros estilísticos mais crassos de Marcos, como em Mateus 12.14: "tomaram conselho", em lugar de "deram conselho", de Marcos (alguns dizem "formaram conselho", Mc 3.6). Em muitos lugares, Mateus elimina o uso do presente histórico. O autor gostava de seguir o arranjo rabínico, como o de enfileirar coisas de três em três: três divisões na genealogia (Mt 1.1-17), três tentações (4.1-11), três ilustrações sobre a retidão (6.1-18), três

mandamentos (7.7), três milagres de cura (8.1-15), três milagres que demonstram poder (8.23-9.8), e um bom número de outros arranjos semelhantes. Isso também pode ser visto em relação ao número sete: sete cláusulas na oração do Pai Nosso (Mt 6.9-13), sete cestos (15.37), sete irmãos (22.15) e sete als (cap. 3).

De modo geral, pode-se observar que o grego "koiné" desse evangelho nem é muito deficiente nem muito polido e literário. Não obstante, o documento produzido foi um dos maiores livros jamais escritos, e desde os tempos antigos tem sido favorito de muitos.

Evangelho e Epístolas de João — O evangelho de João se caracteriza por sua extrema **simplicidade**. Certamente que qualquer menino de escola daqueles tempos poderia ler o grego ali apresentado; mas essa simplicidade faz parte de sua grandiosidade, no que não encontra rival em nenhum livro do NT. João emprega um vocabulário ainda menor que Marcos. Usa pouquíssimos verbos compostos e poucos adjetivos. Fala de modo simples, porém, eloquente, de "verdade", "amor", "luz", "testemunho", "mundo", "pecado", "julgamento" e "**vida**". Sua construção sintática é tão simples, que quase chega a ser infantil. Empregou muitas construções que envolvem o vocábulo "e" (partaxe) quando outra partícula copulativa teria produzido algo estilisticamente mais aceitável. Por exemplo: "Examinais as Escrituras, porque julgais ter nelas a vida eterna, **e** são elas mesmas que testificam de mim. **Contudo** não quereis vir a mim para terdes vida" (Jo 5.39,40, ARA; no grego, a palavra aqui traduzida por **contudo** também é **kai**, ou seja, **e**). Algumas vezes eliminou até mesmo a cópula **e**, e simplesmente ligou as ideias sem as palavras conectivas (o que se chama **assintedon**, na gramática). Por exemplo, os primeiros vinte versículos do décimo quinto capítulo seguem-se uns aos outros sem nenhuma conjunção. O grego de João é relativamente puro, tanto nas palavras como na gramática, mas encontram-se ali algumas expressões que são tipicamente semitas, e não gregas. João escreveu com sentenças curtas, mas cheias de significado. Usou de maneira excessiva o tempo perfeito, três vezes mais que Marcos e Lucas, com o que mui provavelmente desejava salientar as consequências permanentes e a significação eterna das palavras e da obra do **Filho unigênito** de Deus. Apesar de suas falhas literárias, o evangelho de João destaca-se numa modalidade de grandeza sem-par nos escritos do NT.

Epístolas de Paulo — Sabemos muito mais acerca de **Paulo** do que com respeito a qualquer outro autor do NT. Sabemos que ele era judeu, mas que nasceu e foi criado em um centro intelectual **gentílico**, a cidade de Tarso. Por conseguinte, era um judeu **hefenista**. Evidentemente falava tanto o aramaico (o hebraico mencionado em At 21.40, pois o verdadeiro hebraico não era falado na Palestina durante o primeiro século da era cristã) como o grego. Seu treinamento, aos pés de Gamaliel (At 22.3), certamente lhe garantiu um perfeito conhecimento do idioma e da cultura hebraicos e do AT. Não há nenhuma evidência direta de que Paulo era versado nos escritores clássicos, quer poetas, quer filósofos; mas transparece, em suas alusões, que ele deve ter estudado consideravelmente a filosofia, especialmente o **estoicismo**. Sabemos que a cidade de Tarso era um centro da versão romanizada do estoicismo, e aqueles que leem Sêneca (contemporâneo de Paulo) e as epístolas paulinas podem notar a grande similaridade de muitas expressões e ilustrações empregadas por ambos, como o vocabulário de Paulo que não se deriva de fontes literárias gregas, mas do tesouro comum do grego ordinariamente falado. É muito provável que o fato de ele ter ditado suas cartas tivesse exercido influência no tipo de grego coloquial nelas encontrado. Paulo se utilizou frequentemente da **LXX**, embora algumas vezes tenha preferido citar diretamente do AT em hebraico. Somente a epístola aos Efésios contém muitos semitismos, porquanto o resto de sua correspondência se notabiliza pela ausência dessa influência.

O material exposto por Paulo é frequentemente arranjado em diálogo retórico de perguntas e respostas. Ele também usava a **diatribe**, que pode ser encontrada nos filósofos estoicos. No entanto, sabemos que os rabinos costumavam usar também esse tipo de ensino, e pode ser que essa influência, no caso de Paulo, fosse tão real quanto o estoicismo romano. Paulo se deixava levar por emoções ardentes e intensas, e por causa disso o seu grego ordinariamente coloquial algumas vezes se tornava elevado e dinâmico. Essa atitude produziu grandiosas passagens como Romanos 8 e 1Coríntios 13, acerca das quais alguns têm dito que sua dicção "se eleva às alturas de Platão, no Faedro". (Ver Eduar Norden, "Die antike Kunstprosa, vl Jahrhundert v. Chr. bis in die Zeit der Renaissance", Leipzig and Berlin, B.G. Teubner, 1923, II, p. 509). O **fervor emotivo** de Paulo com frequência embaralhou a sua sintaxe, pois, às vezes, ele começava uma sentença, mas jamais a terminava, ou, noutros casos, muito mais adiante voltava ao pensamento inicialmente começado. Assim sendo, ele criava interrupções em sua gramática que se chamam **anacolutos**, o que significa que duas frases não têm sequência lógica, seguindo corretamente uma à outra. (Ver Rm 5.12,13). A linguagem de Paulo se assemelha ao próprio homem, isto é, variegado, dinâmico, mas algumas vezes interrompido. Foi dito por um renomado dos clássicos: "O grego de Paulo nada tem a ver com nenhuma escola ou uso, mas se origina desabrigado e com borbulhante efeito, de seu próprio coração; isto é grego verdadeiro." [Ulrich von Wilamowitz-Moeelendorff, "Die Griechishe Literatur und Sprache" (Die Kultur den Gegenwart, Teil I, Abteilung viii; 2ª edição; Berlin und Leipzir;

144 |Artigos introdutórios| NTI

B. G. Teubner, 1905) p. 157]. É verdade que suas epístolas pastorais exibem um estilo diferente, talvez devido ao estilo variegado do próprio escritor, que era um autor criativo; ou talvez se deva, pelo menos em parte, ao fato de ele ter empregado diversos **amanuenses** para escrever as suas epístolas. Os diferentes temas dessas epístolas certamente também afetaram o estilo e o vocabulário das mesmas.

Segunda Epístola de Pedro — Metzger já observou que 2Pedro talvez seja o único livro do NT que tenha tirado proveito do fato de ter sido traduzido (**op. cit.** p. 52). O grego dessa epístola dá a impressão de que o autor não falava grego como sua língua nativa, ou mesmo como sua segunda língua falada, e, sim, que a **aprendera** em livros. O autor se esforça, um tanto **artificialmente**, por produzir uma elegante peça de literatura, mas a construção de suas sentenças, algumas vezes arrastadas e desajeitadas, arruína esse propósito. A grande divergência de estilo, de vocabulário e de linguagem, entre 1 e 2Pedro, tem levantado, na mente de muitos eruditos, dúvidas sobre a autoria petrina de 2Pedro. Jerônimo e outros explicaram o fenômeno à base de uso de diferentes amanuenses, mas muitas outras autoridades, antigas e modernas (como Lutero), têm negado que Pedro tenha escrito a epístola chamada 2Pedro. Calvino sugeriu que um dos **discípulos** de Pedro tenha escrito essa epístola no nome e no espírito de seu mestre. A maioria dos intérpretes modernos acredita que 2Pedro, por conseguinte, é uma pseudepígrafe escrita no princípio do segundo século de nossa era, quando os gostos literários artificiais dos aticistas chegaram ao seu clímax. **Lutero** cria que 2Pedro era uma espécie de rearranjo da epístola de Judas.

Epístola de Judas — O autor desta epístola domina um grego "**koiné**" muito melhor que o autor de 2Pedro. Selecionou os seus vocábulos com gosto literário, empregando-os devidamente. Dentro de vinte e cinco versículos, o **optativo** aparece por duas vezes. Da mesma forma que Mateus, o autor apreciava as tríades (ver os vss. 2,5-7,8,11,12,19,22,23,25). A epístola de Judas é representativa de um grego "**koiné**" idiomático de estilo moderadamente bom.

VIII. A LINGUAGEM USADA POR JESUS

Jesus falava o aramaico comum, que era um dialeto do **siríaco**. Essa era a linguagem falada pelo povo comum da Palestina, no primeiro século da era cristã, posto que o hebraico clássico há muito deixara de ser uma língua viva, como ocorre hoje ao grego e ao latim. Os eruditos estudavam o hebraico, para que pudessem examinar o AT em hebraico; mas, do ponto de vista erudito, o povo comum certamente pouco compreendia a respeito disso. A maior parte das instruções dadas por Jesus, se não mesmo todas, foram originalmente entregues no idioma aramaico. Marcos deixou transparecer isso ao suprir palavras e expressões aramaicas, lado a lado a seus equivalentes gregos. Por exemplo, **Talitha cumi** (Mc 5.41), **ephphatha** (7.34), **abba** (14.36), **Eloi, Eloi, lama sabachthani**(15.34). Algumas das declarações de Jesus envolvem algum jogo de palavras que se perdem na versão grega. Pela história, fica-se sabendo que os hebreus gostavam de charadas, e Jesus evidentemente as empregava. Em sua declaração: "**Guias cegos!** que coais o mosquito, e engolis um camelo" (Mt 23.24), provavelmente envolvia um jogo de palavras que abrangia dois vocábulos, **galma** (mosquito) e **gamla** (camelo). No aramaico, as palavras "cometer" e "escravo" são similares, e, em João 8.34, parece que uma palavra sugere a outra, pois ali lemos: "[...] todo aquele que **comete** pecado é **escravo** do pecado". Um desses jogos de palavras tem deixado os intérpretes caírem nos abismos da confusão e do mal-entendido. Em Mateus 16.18, Jesus disse a Pedro: "Também eu te digo que tu és **kepha**, e sobre esta **kepha** (a mesma palavra, sempre como sentido de **rocha**) edificarei a minha igreja..." As exigências da gramática grega fazem essas duas ocorrências da palavra aramaica serem vertidas de modo um tanto diferente; e, por esse motivo, muitos intérpretes têm suposto que Jesus não tencionava falar sobre **Pedro,** ao referir à **pedra.** (Ver a exposição detalhada dessa passagem, em Mateus, in loc.).

Sabemos que o grego "koiné" era falado em quase **todas as capitais** do mundo antigo, ao tempo de Jesus, e isso incluía até mesmo **Jerusalém**. Também sabemos que o uso do grego era largamente distribuído por toda a Galileia, especialmente por causa do intenso comércio com nações gentílicas que ali havia, além do fato de que se tratava de uma população mista que habitava aqueles territórios. Jesus, portanto, provavelmente também falava o grego. Não é provável, todavia, que suas declarações doutrinárias e outras tivessem sido originalmente feitas nesse idioma, embora seja quase certo que os originais dos evangelhos de Mateus, Marcos, Lucas e João tenham sido escritos na **língua grega**.

IX. BIBLIOGRAFIA

Deissmann, Adolf. Light from the Ancient East. New York: George H. Doran & Co., 1927.

Dodd, C. H. The Bible and the Greeks. London: Hodder and Stoughton, 1935.

Moule, C. F. D. An Idiom-Book of NT Greek. Cambridge: University Press, 1960.

Moulton, James H. e Howard, W. F. A Grammar of New Testament Greek. Vol. 1, and Word-Formation. Edinburgh: T. And T. Clark, 1929.

Moulton, James H. e Milligan, George. The Vocabulary of the Greek Testament. London: Hodder and Stoughton, 1930.

Robertson, A. T. A Grammar of the Greek New Testament in the Light of Historical Research. 5ª edição, New York: Richard R. Smith, 1931.

Ver também:

Barr, J. The Semantics of Biblical Language, 1961.

Matthew, Black. An Aramaic Approach to the Four Gospels and Acts. 1953.

Historicidade dos evangelhos

Russell Champlin

I. CETICISMO

II. MEIOS DE CONHECIMENTO

III. PROBLEMA DO INTERESSE HISTÓRICO

IV. A COMPELIDORA REALIDADE DE JESUS

V. TESTEMUNHOS DE MARCOS E PEDRO

VI. TESTEMUNHO DE LUCAS

VII. TESTEMUNHO DE MATEUS

VIII. TESTEMUNHO DE PAULO

IX. TESTEMUNHO DA IGREJA PRIMITIVA

X. TESTEMUNHO DOS LIVROS APÓCRIFOS E OUTROS PRIMITIVOS ESCRITOS CRISTÃOS

XI. INFLUÊNCIA DIVINA DOS EVANGELHOS

XII. O QUE NÃO SIGNIFICA A HISTORICIDADE

XIII. BIBLIOGRAFIA

Podemos aceitar com confiança a informação que os evangelhos nos apresentam acerca da identificação, da vida e dos ensinamentos de Jesus Cristo? Para os crentes sinceros, essa pergunta é crítica. Queremos saber quem ele foi, que fez e o que ensinou. Queremos saber que significado tem para nós os registros dos evangelhos. Por essa causa, poucas perguntas se revestem de maior importância do que a que aborda a validade histórica dos evangelhos.

Temível é o caso,
Lágrimas há no mero relato;
Inevitavelmente chegou o tempo
Quando ninguém podia dizer,
"Eu vi".
Jubiloso é o caso,
Alegria há no mero relato;
É chegado o tempo
Quando eu posso dizer, "Eu sei",
Porquanto "eles viram".

Russell Champlin

I. CETICISMO

Até mesmo as mentes mais brilhantes são potencialmente sujeitas ao **ceticismo exagerado**, mesmo em face das evidências mais convincentes. A comunidade científica, por longo tempo, recusou-se a reconhecer a realidade dos meteoritos, devido ao raciocínio "a priori" de que "qualquer tolo sabe que pedras não podem cair do céu". Somente uns poucos ousavam fazer coleções de "pedras caídas do céu", ao passo que homens de grande inteligência e realização zombavam dessa realidade. Quando, finalmente, as evidências em favor dessas pedras se tornaram esmagadoras, a comunidade científica foi forçada a refazer as "teorias cósmicas", a fim de incluir a queda de pedras vindas do espaço. O ceticismo exagerado penetrou na igreja juntamente com a ênfase sobre o método científico, próprio de nossa época, paralelamente à desconfiança em todas as reivindicações e autoridades eclesiásticas.

Hoje em dia, o espírito de ceticismo anda tão generalizado que, para alguns, qualquer ideia contrária às realidades espirituais, embora totalmente destituída da verdade, merece mais atenção que alguma **declaração de fé**, sem importar as provas que pareçam justificar a mesma.

Infelizmente, o ceticismo tornou-se popular hoje em dia no seio da igreja, e os homens se deleitam em despedaçar as antigas tradições e os objetos sagrados. David Strauss, de certa escola alemã de teologia, em seu livro, Vida de Jesus (1836), chegou a duvidar seriamente da própria existência de Jesus, referindo-se ao "mito histórico de Jesus". Desde então, popularizou-se a busca pelo "Jesus histórico", com a confiança de que o Jesus dos evangelhos na realidade é uma figura mitológica, uma invenção da igreja primitiva, distorção de entusiastas fanáticos. Certo Author Drews, em seu livro O Mito de Cristo, asseverou um culto pré-cristão ao salvador, do qual teria sido emprestada a história de Cristo. Outros têm dito essencialmente a mesma coisa, com base em evidências supostamente alicerçadas sobre os papiros do Mar Morto, que mencionam um líder religioso intitulado "Mestre da Justiça". E a fim de achar nele um arquétipo do Jesus dos evangelhos, têm tido que inventar muitas invenções fantasiosas. Rudolf Bultman e seus discípulos, embora aceitando Jesus como personagem histórico, têm dito que circunda à sua pessoa um tão denso nevoeiro de mitos que tornou-se necessário abordarmos os primitivos documentos cristãos com uma pronunciada atitude de "desmitologização".

Este artigo busca dar algumas razões simples pelas quais essa atividade, talvez efetuada por homens no espírito da investigação honesta, tende a prejudicar, ao invés de promover a fé cristã. Outrossim, a posição deste artigo é que tais ideias representam posições extremas, que tendem a impedir o conhecimento da "verdade de Jesus", ao invés de ajudar-nos nessa busca. Este artigo, pois, procura salientar que temos bons motivos para confiar nos registros evangélicos como relatos exatos do que Jesus foi, fez e disse.

Ceticismo, cegueira da alma — Meus amigos, considerem o que declarou o grande Agostinho: "Creio, para que possa entender". Agostinho disse isso com base na convicção acerca das realidades metafísicas de que "a crença é a base do conhecimento", ao passo que o "ceticismo" é a "base da ignorância". Permitam-me explicar, em termos os mais simples, o que isso quer dizer. Existe a realidade das forças antiespirituais. Essas forças podem cativar a mente dos homens. O ceticismo é um terreno fértil onde as forças antiespirituais medram à vontade. O ceticismo pode até mesmo resultar da atividade de seres tenebrosos, que invadem a atmosfera da consciência dos homens. Portanto, há um "reino do ceticismo", o qual é o reino das trevas espirituais. Todo cético é naturalmente privado de luz espiritual, porque habita nas trevas. Por outro lado, há o reino da "luz espiritual". A **crença** ajuda-nos a entrar nesse reino. Uma vez que entremos nesse reino, nossas almas se tornam "sujeitas à iluminação espiritual". É somente então que chegamos a "entender" as verdades espirituais, pois tornamo-nos passíveis de sua revelação. Portanto, é pura verdade aquilo que Agostinho disse: "Creio, para que possa entender". O que ele quis dizer foi: "Tenho uma fé simples bastante para conservar abertos os canais de iluminação espiritual. Evito o ceticismo, que é o reino das trevas, que entope esses canais".

Destaca-se pois, aquela verdade que diz que **é melhor crer demais** que crer de menos. Isso, naturalmente, não nos isenta da investigação honesta, pois Deus nos livre dos dogmas mortos! Investigamos, devemos investigar; mas devemos fazê-lo com um espírito de acolhimento espiritual, e não com ódio no coração pelo que é antigo e tradicional.

Evitemos o extremo oposto. Tenho falado do ceticismo, tanchando-o conforme ele é, ou seja, "o campo das trevas espirituais, que apaga a verdade potencialmente aprendida". Há, porém, outro perigo, a saber, o perigo do "ódio sagrado", falsamente assim chamado porque nada do que é sagrado promete o ódio ao próximo. Pensemos nos ataques da "literatura do ódio", que tem sido produzida por homens que a si mesmos se reputam espirituais. Na "defesa da verdade", alguns indivíduos se têm tornado **agentes do ódio**. Meus amigos, isso faz parte do "reino das trevas", tanto quanto o ceticismo.

II. MEIOS DE CONHECIMENTO

Consideremos como chegamos a saber das coisas:

1. Por meio dos cinco sentidos. Esse é o meio de conhecimento de "todos os dias". Os filósofos reconhecem a debilidade desse método, pois os sentidos podem ser inexatos, e até mesmo ilusórios. A ciência ensina-nos que as realidades profundas da vida não estão sujeitas aos meros sentidos. Contudo, nosso conhecimento "prático" nos chega pelos sentidos. Mediante esse conhecimento, criamos medicamentos e máquinas que nos ajudam a obter uma vida física mais abastada. As verdades morais e espirituais, porém, requerem um tipo mais apurado e poderoso de "conhecimento", do que aquele alcançado pelos meros sentidos.

2. Por meio da razão. A mente humana é constituída de tal modo, que a "razão disciplinada" pode chegar a certas verdades, sem a ajuda da experiência dos sentidos. Entre elas citamos as verdades "morais" ou "éticas". Cremos que a mente humana está sujeita à comunicação com o ser divino, e que, se fizer busca honesta por certas verdades, pode obtê-las. Rejeitamos a tese de que a verdade ética depende exclusivamente do meio ambiente, dependendo dos tempos e condições em mutação. A razão pode transcender a tudo isso.

3. Por meio da intuição. Esse é o "conhecimento imediato", que não precisa ser mediado pelos "sentidos", pela "razão". O indivíduo, no "nível da alma", é capaz de certos "discernimentos" que podem transmitir-lhe a verdade. A "fonte" da intuição pode ser desconhecida, ou pode provir da alma ou de Deus, ou de alguma outra força espiritual, como o ministério dos anjos. Certamente a intuição pode ensinar-nos a "verdade moral", podendo até transcender à mesma, conferindo-nos determinados discernimentos acerca da realidade metafísica superior.

4. Por meio do conhecimento místico. Este pode assumir duas formas: conhecimento místico "objetivo" e conhecimento místico "subjetivo". O conhecimento místico objetivo envolve "visões", "sonhos" e "revelações", que procedem de uma fonte espiritual superior. Por exemplo, há revelações que foram dadas aos profetas, do que resultaram as "Escrituras". Esse "conhecimento" é um "dom de Deus", transcendendo aos sentidos, à razão e à intuição. Há também o Espírito que se revela à alma, que nos ensina internamente, o que é o "caminho subjetivo".

Em termos simples, pois, temos descrito "como sabemos das coisas". Cremos que a experiência cristã envolve **todos** esses meios de conhecimento. Cremos que aquilo que os evangelhos narram é "historicamente fidedigno", e isso foi conhecido mediante a "percepção dos sentidos". Eles

146 |Artigos introdutórios| NTI

"viram"; portanto, nós "cremos". Tal conhecimento, entretanto, pode ser confirmado por minha "razão" ou por minha "intuição". Percebo o poder da vida de Jesus. Minha razão me diz que a verdade "deve estar por detrás do registro que conta sobre essa vida inigualável de Jesus. Posso também receber discernimentos intuitivos que me digam a mesma coisa, ou que confirmem para mim certas doutrinas ou realidades espirituais da mensagem de Cristo". Mediante a comunhão mística com o Espírito, o **Jesus histórico** torna-se o "Cristo que em nós vem habitar". Portanto, posso aproximar-me dos evangelhos com mais do que mera "curiosidade histórica". Desejo saber o que essas coisas significam para a minha alma, e não apenas para minha mente interrogativa. Confio no Jesus histórico, mas também desejo que em mim opere o Cristo eterno. Desejo ver confirmada a realidade de suas obras históricas, mas estou igualmente interessado na realidade presente de suas operações espirituais.

Sendo esse o caso, evitarei "cortar e queimar" aqueles que discordarem de mim, para que evite o campo de trevas espirituais que isso representa. Assim ajo porque meu interesse em Jesus é mais profundo do que obter mera "confirmação histórica". Quero também ter a presente "confirmação espiritual", para que minha alma regrida na transformação segundo a sua imagem (ver Rm 8.29; 2Pe 1.4 e Cl 2.10). Creio que se pode apresentar uma **defesa adequada** da natureza fidedigna dos evangelhos; mas também acredito que "Cristo na vida" é ainda mais importante; pois apesar de Cristo poder nascer em Belém por mil vezes, se não tiver nascido em mim, minha alma continua desamparada. Se creio que é historicamente exato que Cristo foi crucificado, e se minhas investigações podem confirmar isso para mim, de que me adiantará tal coisa se eu mesmo não for "crucificado com Cristo"? Sim, até onde me diz respeito, em caso contrário ele continuará no sepulcro, sem importar minhas asseverações históricas, se eu, por causa de quem ele ressuscitou, continuo escravizado ao pecado.

Assim, pois, há vários meios de conhecimento, como também há diversos objetos desse conhecimento. Aceito a "realidade histórica" de Jesus, e creio que os evangelhos são narrativas fidedignas acerca dele. Minha alma, entretanto, anela por conhecer ao Cristo eterno. Se esse desejo não for concretizado em nós, de que valerão todas as nossas defesas intelectuais e a pompa acadêmica?

III. PROBLEMA DO INTERESSE HISTÓRICO

A questão crítica sobre a qual deve basear-se qualquer investigação sobre a **historicidade**, parece ser o "interesse histórico" dos autores dos evangelhos. É verdade que uma verdade espiritual pode ser comunicada até mesmo por meio de um mito. Em minha literatura sagrada talvez haja o mito de um monstro de seis cabeças, que é o destruidor de todo o bem. Talvez nem exista tal monstro, mas pode ser símbolo vivo de uma verdade bem real. Alguns crentes se consolam nessa circunstância da "verdade simbolicamente mediada", e pensam que a questão da natureza histórica fidedigna dos documentos cristãos é bastante destituída de importância. Apesar de percebermos que a verdade pode transcender à história, não exigindo de modo absoluto "acontecimentos" históricos sobre os quais se alicerce, acreditamos que há boas razões para supor que determinados eventos históricos trazem em si mesmos a manifestação da verdade. Por conseguinte, é importante que o homem chamado Jesus fosse a encarnação do ser divino, apesar de ser igualmente verdadeiro homem. É importante que ele realmente tenha realizado os milagres que lhe são atribuídos, mediante o poder do Espírito, pois por esses relatos documentados posso ver como Deus é capaz de operar entre os homens, visando ao bem dos mesmos, e como ele é capaz de manifestar-se ao homem. É importante saber que, "historicamente" falando, Jesus ressuscitou dentre os mortos, pois assim vejo como o impulso da vida divina, operando no homem, pode fazer qualquer coisa, chegando mesmo a elevá-lo a um nível superior da existência, livrando-o do que é mundano, profano e físico.

Tem sido negado por alguns que os evangelistas tivessem tido qualquer autêntico interesse histórico; ou então, se o tiveram, que esse foi assoberbado por relatos exagerados e fanáticos, mesclados com lendas.

1. O exame feito nesses documentos revela um **interesse histórico**, e bastante intenso. Quem pode ler o prefácio de Lucas e duvidar disso? "Visto que muitos houve que empreenderam uma narração coordenada dos fatos que entre nós se realizaram, conforme nos transmitiram os que desde o princípio foram deles testemunhas oculares e ministros da palavra, igualmente a mim me pareceu bem, depois de acurada investigação de tudo desde sua origem, dar-te por escrito, excelentíssimo Teófilo, uma exposição em ordem..." (Lc 1.1-3, ARA). Vários importantes fatores de imediato se nos apresentam:

a. Lucas afirmava que seus relatos se alicerçavam sobre narrativas de **testemunhas oculares**. Sob o ponto V, intitulado "Testemunho de Marcos e Pedro", abordamos essa questão, não sem evidências históricas.

b. Lucas afirmava que certas pessoas, ainda vivas, tinham **visto** as coisas sobre as quais ele escrevia, e que aquilo que Jesus fizera e dissera era "crido com máxima firmeza".

c. Lucas afirmava ter feito **cuidadosa investigação**, tendo descoberto evidências significativas e confirmações do que estava prestes a relatar.

d. Lucas usou o evangelho de Marcos como seu principal esboço histórico, pelo que deve ter ficado **satisfeito**, mediante suas investigações, de que o que ali estava contido, refletia fatos históricos objetivos.

e. Lucas, por ser médico (Cl 4.12), provavelmente teria se mostrado sóbrio e **cuidadoso**, não se deixando arrastar por relatos de "entusiastas fanáticos".

f. Lucas estava em posição **imensamente melhor** para conhecer a situação "histórica" do cristianismo primitivo, do que qualquer crítico moderno, o qual, apesar de todos os seus protestos, tem que basear-se essencialmente sobre "sentimentos a priori", no tocante ao que "provavelmente sucedeu", mas que não conta com nenhum meio palpável de comprovar os seus sentimentos.

2. A investigação feita nesses documentos sagrados revela muito quanto a detalhes e descrições minuciosas, que convencem, a qualquer estudioso das Escrituras, versículo por versículo (conforme tenho feito por muitos anos, utilizando-me de diversas fontes), que o "testemunho ocular" é o responsável por aquilo que foi escrito. Tomemos, por exemplo, o único **pão** de Marcos 8.14, que aparece na descrição preliminar da multiplicação dos pães para os quatro mil. Alguém no barco lembrou o fato de os discípulos não terem tido cuidado de trazer alimentos, e terem conseguido apenas aquela parca merenda; e foi sobre essa lembrança que se baseou a história. Notemos, em Marcos 8.19,20, em confronto com Mateus 15.37, por sua vez comparado com Marcos 6.43 e Mateus 14.20 (multiplicação dos pães para as cinco mil pessoas), como são usados constantemente os termos que significam **cestas**, em que uma indica uma cesta grande e outra, uma cesta pequena. E em cada caso os evangelhos preservam a mesma palavra nas narrativas paralelas, em distinção ao vocábulo usado na outra multiplicação de pães. Os textos de Marcos 6.43 e Mateus 14.20 (textos paralelos) trazem apenas um termo; os textos de Marcos 8.19,20 e Mateus 15.37 (os textos paralelos da outra narrativa da multiplicação), trazem uma palavra diferente. Alguém vira os tipos de cestas usados em cada incidente, e teve suficiente interesse histórico para relatar esse particular.

Notemos como Lucas, em 3.1ss baseia sua narrativa sobre circunstâncias históricas contemporâneas. Isso é outra ilustração do interesse "histórico", que alguns críticos supõem estar ausente nesses documentos, a fim de abrir caminho para a suposta nuvem de mitos que presumivelmente circundaria a vida de Jesus.

3. Há um fato psicológico por detrás da hipótese do mito. Consideremos frontalmente a psicologia por detrás da atividade da **desmitologização**. Por que certos homens sentem um impulso íntimo de se ocuparem de tal atividade? Respondendo francamente, não será porque **não podem engolir** as narrativas conforme elas estão? Não pensam eles que "todos esses milagres fabulosos certamente indicam invenção"? Em outras palavras, a "imensidade" do que Jesus fez ofusca a mente deles, e então, ao rejeitarem essa imensidade, naturalmente sentem ser mister rejeitar a historicidade das narrativas sagradas. Creem que somente nos contos mitológicos uma pessoa pode fazer o que os evangelhos dizem que Jesus fez. Para começar, essa atitude se deriva da falta de compreensão do potencial da personalidade humana para ofuscar a mente, inteiramente à parte da "operação divina no ser humano". Atualmente, estão tendo lugar milagres fantásticos, especialmente no campo das curas, que não respeitam limites e dogmas religiosos. Curas instantâneas ocorrem mediante a imposição de mãos. A fotografia Kirliana (um tipo de radiografia) mostra a transferência de uma forma de energia ainda desconhecida, quando das curas espirituais. Pelos estudos atuais, sabe-se que a mente humana é capaz de feitos gigantescos, que envolvem até mesmo o "conhecimento prévio", para nada dizermos da simples telepatia e de "meios estranhos de conhecimento". Portanto, se o que Jesus fazia está sendo feito, ainda que ninguém o faça com tanta profundidade e constância quanto ele, em nossos próprios dias, por pessoas que reconhecemos como "meros homens", como se poderia duvidar que o grande Jesus fez tudo quanto se diz que ele fez? Meu irmão, missionário no Suriname, andou sobre o fogo e vidro quebrado, com os pés descalços, sem sofrer qualquer dano, ante o desafio de um feiticeiro local. Sei que isso é um fato. Sei de outros que curam qualquer enfermidade. Como, pois, pode-se duvidar que Jesus pudesse fazer tudo isso e mais ainda, já que o Espírito estava com ele, conforme ainda não aprendemos a fazê-lo estar conosco? Se Deus é um Deus do impossível, e entrou no mundo da encarnação, então é que qualquer coisa era possível em Jesus. O conceito básico do **teísmo**, em contraste com o **deísmo**, exige que aceitemos, sem quaisquer tentativas de explicação, a possibilidade da realidade histórica dos evangelhos, incluindo até mesmo suas reivindicações mais fantásticas. O "teísmo" assevera que Deus está conosco, mostrando-se ativo nos negócios humanos; já o "deísmo" diz que Deus está divorciado da vida humana, tendo deixado em seu lugar, em operação, meras "leis naturais". Não será possível que o combate contra a historicidade dos evangelhos se fundamente sobre o pensamento "deísta", ao passo que o cristianismo autêntico é normalmente teísta em alto grau?

IV. A COMPELIDORA REALIDADE DE JESUS

Para nosso próprio bem, entremos em outra avenida de pensamento. Pensemos nos mais de cem livros (dos quais temos conhecimento, podendo haver um número muito maior) que têm resultado da vida e da influência de Jesus. **Um gênio criativo**, bom ou mau, requer a reação humana, e sempre provoca a escrita de abundante literatura. A imensidade da pessoa de Jesus é evidenciada nos resultados prodigiosos de sua influência, vistos nos muitos grupos religiosos que têm crescido em torno dele (vinte grupos distintos antes do fim do século II d.C.), e mais de cem documentos. Considerando-se o poder de sua pessoa, como se pode pensar que "aqueles que viram" poderiam ter olvidado o que viram? Há certos acontecimentos de nossa vida que nunca esquecemos, sem importar os eventos intermediários. Que cidadão norte-americano já esqueceu o que estava fazendo, quando ouviu a notícia de que o presidente John Kennedy fora assassinado? Foi acontecimento que marcou a consciência dos norte-americanos. A memória tornou-se eterna quanto àquele evento. Outro tanto deve ter sucedido sobre Jesus e seus seguidores. Muito se tem explorado a possibilidade de "lapsos de memória", e pouquíssimo tem sido estudado acerca de **lembranças indelevelmente fixadas**, por causa da grandeza de Jesus. Ouso dizer que aqueles que viram meu irmão andar de pés descalços sobre fogo e vidro quebrado, na atmosfera emocionalmente carregada que deve ter havido, quando ele foi desafiado a fazê-lo pelo feiticeiro, para sempre fixaram em sua memória aquele acontecimento. Como, pois, no caso de Jesus, cujas obras foram magnificentes além de toda a comparação, poderia ter sido diferente? Mesmo que cem anos se tivessem passado, desde o acontecimento até ter sido ele registrado em forma escrita, as vívidas narrativas orais das testemunhas oculares teriam preservado um conhecimento exato dos acontecimentos. Aquilo que porventura teria sido adicionado ou retirado não poderia afetar, de nenhum modo crítico, a natureza fidedigna desses relatos.

Consideremos o caso de Tucídides. Os historiadores clássicos reputam suas narrativas como fidedignas, embora se admita que ele tenha inventado alguns discursos, conversas e detalhes, em suas histórias, a fim de emprestar à sua obra estilo e continuidade. Contudo, poucos (ou mesmo ninguém) acreditam que ele tenha narrado erroneamente suas historias, de qualquer **modo crítico**. Muitos até respeitam a dose de pesquisas que ele incluiu em seus escritos. Os eventos registrados foram importantes para os gregos e marcaram profundamente as mentes gregas, pelo que foram registrados acuradamente. Mas por que se pensaria que Lucas, por exemplo, foi menor historiador do que Tucídides? Lucas tinha muitas vantagens acima desse, principalmente porque ele podia consultar facilmente, e assim o fez, testemunhas oculares sobre a maior parte das coisas sobre as quais escreveu. Se os "eventos gregos" impressionaram bastante a Tucídides, levando-o a escrever uma narrativa respeitavelmente exata, por que razão os "eventos palestinos" não teriam impressionado suficientemente os discípulos de Jesus, levando-os a se tornarem fontes fidedignas de narrativas históricas? Qual é o preconceito que faz alguns homens chegarem a outra conclusão? Tem isso algo a ver com a psicologia envolvida no caso, conforme se supõe sob a seção III, ponto 3? Certamente a compelidora realidade de Jesus teria levado alguns de seus seguidores a serem historiadores respeitáveis, não menos que a compelidora realidade de certas guerras gregas, que inspiraram Tucídides no registro cuidadoso dos eventos.

É somente quando crê pelos **sentimentos a priori** que Jesus não poderia ter feito o que os evangelistas disseram que ele fez, ou não poderia ter sido o que disseram que ele foi, que alguém pode ser forçado a duvidar da historicidade essencial de suas narrativas. Isso é a mesma coisa que dizer que o "ceticismo" está postado diante do timão do barco que procura desacreditar às mesmas, mas esse barco sem dúvida naufragará nos escolhos.

V. TESTEMUNHOS DE MARCOS E PEDRO

1. Papias identificou o evangelho de Marcos com as **memórias** de Pedro. Alguns eruditos dizem que "Papias estava apenas conjecturando". Podemos dizer corretamente, sem temor de contradição, que esses eruditos estão apenas conjecturando que Papias conjecturava. Seja como for, estava ele em melhor posição de conjecturar do que nós, hoje em dia. (Ver a introdução ao evangelho de Marcos, sob "autoria", onde há plena discussão a respeito disso.) Naturalmente, não é vital para a questão da exatidão histórica do evangelho de Marcos a suposição de que João Marcos tenha sido seu autor. Na realidade, essa é uma questão lateral. O que nos interessa, antes de tudo, é a **memória indelével** devido à natureza prodigiosa dos próprios acontecimentos, e, em segundo lugar, se são narrativas ou não de testemunhas oculares. A primeira coisa não é menos significativa do que a segunda. É perfeitamente possível que um evangelho pudesse ter sido escrito até mesmo cem anos após os acontecimentos narrados, mas que preservasse descrições essencialmente exatas, se os próprios acontecimentos fossem suficientemente impressionantes para criar uma espécie de tradição oral vital.

2. Marcos preservou narrativas de testemunhas oculares. Um erudito católico-romano, papirologista, José O'Callaghan, descobriu entre o material dos papiros do Mar Morto, um fragmento de 17 letras, que corta verticalmente cinco linhas do texto, e que ele identificou como Marcos 6.52,53. Seu trabalho sobre isso foi relatado na publicação do Instituto Bíblico Pontifício de Roma, intitulada **bíblica**. Além desse fragmento, O'Callaghan vinculou um fragmento de cinco letras a Marcos 4.28, além de um fragmento de sete letras a Tiago 1.23,24. Outras identificações "prováveis" incluem Atos 27.38; Marcos 12.17 e Romanos 5.11,12. Identificações possível incluem 2Pedro 1.15 e Marcos 6.48. Esses fragmentos foram escritos no tipo de escrita grega "zierstil", a qual, conforme dizem os paleógrafos, era usada mais ou menos enter 50 a.C. e 50 d.C. Isso significaria que o evangelho de Marcos poderia ter sido escrito **antes** do ano 50 de nossa era, o que certamente indicaria que se alicerçou sobre narrativas de "testemunhas oculares". Naturalmente, alguns eruditos duvidam da validade dessas identificações. Com ou sem esses fragmentos, e apesar de bom hiato de tempo entre os próprios eventos e suas descrições "escritas", há toda razão para supormos que os próprios acontecimentos foram bastante impressionantes para assegurar um registro essencialmente acurado.

3. Interesse teológico. Se Pedro e/ou qualquer outro apóstolo, serviu de base das narrativas históricas do evangelho de Marcos, é difícil imaginar que qualquer "interesse teológico" tenha podido colorir seus relatos, furtando-lhes a sua historicidade essencial. Poderiam homens que acompanharam Jesus em suas viagens e que o ouviram diretamente, ter o desejo de distorcer o que sabiam ser a verdade, a fim de servir a algum interesse teológico? É muito mais provável que a **própria teologia** tenha sido um desenvolvimento natural da natureza momentosa da história ocorrida. A negação da historicidade dos evangelhos, por si mesma, resulta do "interesse teológico" dos críticos modernos, mais do que qualquer outra coisa.

4. Preservação do evangelho de Marcos. Esse é o evangelho que contém poucas das declarações de Jesus, que não registra o Sermão da Montanha e nem a narrativa do nascimento de Jesus. É o chamado "evangelho escasso". Não obstante, foi preservado. Sua preservação serve de forte indicação de que o seu **conteúdo histórico** foi altamente valorizado e confiado por autores sagrados posteriores. Foi considerado uma história digna de figurar lado a lado com evangelhos mais elaborados, porque tinha uma contribuição muito significativa a fazer: narrava, essencialmente e de forma exata, a vida e as obras de Jesus.

5. Sua utilização por Lucas, que definidamente tinha forte interesse histórico (ver Lc 1.1ss e 3.1ss), não pode ser desconsiderada como confirmação da sua exatidão histórica. Lembremo-nos de que, se o próprio Lucas não foi testemunha ocular, entrou em contato com aqueles que o foram, e deles extraiu o seu material. O texto de Lucas 1.2 afirma que os informantes de Lucas foram testemunhas oculares. Não pode haver nenhuma dúvida de que o evangelho de Marcos foi um dos documentos empregados por Lucas; e sua preocupação para utilizar-se de narrativas de **testemunhas oculares** quase certamente significa que ele reputou o evangelho de Marcos exatamente como tal.

6. O evangelho de Mateus é anônimo. Sem importar quem possa ter sido o seu autor, é óbvio que ele compilou cuidadosamente a sua obra, motivo por que ele se tornou uma das mais principais fontes sobre as declarações de Jesus. Ele se deve ter preocupado sobre o que **incluir** em sua obra. O fato de ele ter escolhido a Marcos como base de seu esboço histórico serve de evidência convincente de que aquele documento tinha grande prestígio, sendo considerado digno de confiança.

7. Os maiores dentre os ensinamentos. Os ensinamentos contidos no evangelho de Marcos e nos demais evangelhos trazem em si a própria autenticação. Quem mais, senão Jesus, poderia ter dado ensinamentos tão poderosos, que cativaram a mente dos homens e alteraram a alma humana para melhor? Julgamos que as declarações que possuímos de Jesus são declarações históricas fidedignas. De outro modo, quem foi o **gênio** por detrás delas? Quem foi aquele que agora é uma força invisível por detrás desses documentos?

8. Os milagres fabulosos. Neste ponto, temos uma das questões que talvez seja a mais crítica, no tocante à historicidade. Alguns simplesmente não conseguem crer que Jesus ou qualquer outro poderia ter feito o que os evangelhos dizem que ele realizou. Na realidade, porém, a questão é bem outra. Em comparação com a **grandeza de Jesus**, os milagres são bastante insignificantes. Sua grandeza transcende a meros milagres. Sob o ponto IV temos desenvolvido essa linha de pensamento. O avanço do conhecimento, conforme se tem feito através da parapsicologia, tornou totalmente obsoleta a dúvida sobre a historicidade dos evangelhos, por causa dos muitos e grandes milagres que eles relatam.

9. A deterioração da fé, devido aos séculos que se têm passado desde que aconteceram os eventos registrados nos evangelhos, infelizmente caracteriza a muitos, e não à "fé". Muito diferente foi o caso dos apóstolos. Pedro foi capaz de dizer: "Eu vi". Pedro disse a Jesus: "[...] **tens as palavras da vida eterna**" (Jo 6.68). Teria sido extremamente difícil fazer de Pedro um cético. Os autores dos evangelhos conheciam pessoalmente a Pedro e a outros apóstolos. Porventura poderiam ter produzido obras que distorciam o que Pedro e outros viram? Pedro como que dizia: "Eu vi, por isso creio". Muitos, porém, dizem hoje em dia: "Não vi, pelo que não acredito". Que tragédia a ausência de fotógrafos ser o pai da incredulidade! Bem-aventurados são aqueles que, embora não tenham visto, creem.

VI. TESTEMUNHO DE LUCAS

Grande parte da discussão acima abordou esse aspecto, pelo que aqui expomos um esboço, e não uma discussão:

1. Lucas asseverava que obteve seu material de "testemunhas oculares" (ver Lc 1.2).

2. Asseverava que seus informantes "ainda viviam", pelo que podiam ainda ser consultados (ver Lc 1.2,3).

3. Asseverava ter feito "cuidadosa investigação", subentendendo que colhera o melhor material possível, das fontes mais fidedignas.

4. Empregou o evangelho de Marcos (como seu esboço histórico), assim apondo sua chancela de "aprovação àquela fonte".

5. Acrescentou muitas "afirmativas de Jesus", nas quais mostra o gênio, do Mestre, e não o próprio gênio. Essas declarações são auto-autenticadoras.

6. Lucas estava em posição "imensamente melhor" que historiadores antigos, que são respeitados pelos eruditos e cujas obras são reputadas essencialmente exatas, o que lhe permitiu conferir-nos relatos acurados.

7. Sendo médico e homem educado, Lucas dificilmente se teria deixado arrastar por narrativas de "entusiastas fanáticos". Mais provavelmente, como homem aberto para testemunho veraz, estava convicto, além de qualquer dúvida, de que registrava para nós o que realmente sucedeu e o que Jesus realmente foi.

8. A arqueologia tem tendido por "confirmar as declarações históricas" de Lucas, ao invés de levantar dúvida sobre elas. Os arqueólogos tomam Lucas a sério como historiador.

9. Confiadamente, Lucas aceitou o "valor da verdade" do que escreveu, e isso refletia uma solene crença. Estava tão convicto disso, que ardentemente procurou convencer a outros. Cria no seu produto (ver Lc 1.1,4). Achava-se em posição histórica de onde podia fazer uma avaliação inteligente, o que não sucede no caso dos seus críticos modernos.

10. Se for declarado, conforme pouquíssimos o fazem, que o evangelho de Lucas não foi escrito por Lucas, isso é questão lateral. O prefácio do evangelho mostra-nos que estamos em "território de testemunhas oculares", e que todas as declarações acima, exceto a sétima, se ajustam ao caso, pelo que pouco importa quem realmente escreveu o livro, pois isso em nada fere a sua historicidade. Contudo, de fato, até mesmo o sétimo item se ajusta ao caso, pois a qualidade literária do evangelho de Lucas demonstra convincentemente que estamos tratando com um homem educado, que dificilmente se deixaria arrastar pela fraude.

VII. O TESTEMUNHO DE MATEUS

Já que o evangelho de Mateus na verdade é anônimo, o que crermos sobre sua autoria dependerá muito de nossa aceitação da tradição, e da forma em que interpretarmos as tradições que circundam esse evangelho. Devido a certas declarações de Papias, acerca dos **logoi** de Jesus, "escritas em aramaico" por Mateus, esse evangelho veio a ser conhecido como o de Mateus. É provável, porém, que essas "logoi" não fossem este evangelho. A identificação foi natural, mas errônea. É bem possível que essas "logoi" possam ser identificadas com o documento "Q", ou estejam de, algum modo, relacionadas ao mesmo. Nesse caso, muitos dos ensinamentos deste evangelho repousam sobre autoridade apostólica, e isso não dá lugar a qualquer consideração pequena no tocante à "historicidade" do evangelho. O autor deste evangelho mostrou ter confiança no esboço histórico de Marcos, porquanto utilizou-se do mesmo, com poucas modificações, em suas narrativas históricas. Esse autor foi muito mais que mero compilador, porquanto exibe evidências de elevada inteligência. Podemos estar **certos** de que ele foi cuidadoso acerca de suas fontes informativas, e de que deve tê-las considerado dignas de confiança. Algumas das testemunhas oculares continuavam vivas, mesmo que este evangelho tenha sido escrito tão tarde quanto na década de 80 ou 90 d.C., conforme alguns estudiosos supõem. É certo, por conseguinte, que, ainda que ele não tenha sido uma testemunha ocular, estava em contacto com as tais, e que tanto confirmou o que recebera da parte de fontes escritas, como adicionou alguns poucos elementos, provenientes de testemunho oral separado. (Ver a introdução ao evangelho de Mateus, quanto a questões de "autoria" e "data".)

VIII. TESTEMUNHO DE PAULO

Não há provas de que Paulo tenha usado qualquer evangelho em seus escritos, e suas citações das declarações de Jesus, vindas de qualquer fonte, são **surpreendentemente** poucas. É verdade que Paulo não estava demasiadamente preocupado com a história da vida de Jesus, porquanto já conhecera o Cristo eterno. Mas também não contradiz o Cristo histórico com este último, conforme fazem alguns críticos modernos, como se houvesse alguma contradição entre os dois. Ele não mostrou estar cônscio de nenhuma contradição entre o Jesus **histórico** e o **teológico**. As relações de Paulo à historicidade dos evangelhos residem na questão do "interesse teológico". É verdade que Paulo, e outros como ele, modificaram o Jesus original para uma personagem celestial, ficando assim corrompidos os próprios evangelhos, por terem recebido forçosamente um sabor teológico? Nesse caso, esse sabor

teológico poderia justificar as histórias miraculosas, pois agora Jesus seria uma personagem celestial, que saiu a fazer feitos miraculosos, ao passo que o Jesus original teria sido apenas um mestre maravilhoso. Essa teoria, porém, perde a força quando lemos o primeiro capítulo da epístola aos Gálatas, um dos mais antigos, ou mesmo o mais antigo dos livros do NT (ver a introdução àquele livro, sob "data"), onde se entende que o evangelho de Paulo não era diferente do evangelho dos demais apóstolos, que tinham conhecido a Jesus na carne. É impossível imaginarmos que a força da personalidade de Paulo tenha forçado os outros apóstolos a ensinarem um "Jesus teológico", em substituição ao Jesus "histórico", ao qual eles tinham conhecido tão bem. Se o Jesus de Paulo era idêntico ao deles, e se sua mensagem era a mesma, o Jesus histórico também deve ser o Jesus teológico.

Deve-se admitir que tenha havido o desenvolvimento doutrinário, o **surgimento** do dogma cristão; mas isso começou antes mesmo de Paulo, isto é, nos próprios evangelhos. Contudo, parece inequívoco que a imensidade do que Jesus era e fez foi a causa desse desenvolvimento teológico; esse crescimento não foi a causa pela qual os evangelhos obtiveram o elemento miraculoso. A grandeza da vida de Jesus e seus ensinamentos, em seu meio ambiente, **deram origem**, e com razão, à doutrina de que ele não foi mero homem, mas a encarnação de Deus no homem. Em sua pessoa achamos o alto ideal do que um homem pode e deve ser. No processo da transformação em sua imagem, Deus se encarna em nós, como fizera em Jesus Cristo. (Ver Rm 8.29; Cl 2.10 e 2Pe 1.4, onde essa doutrina é explicada.)

Outrossim, Paulo teve um "interesse histórico" no tocante ao evangelho, segundo nos revela claramente o texto de 1Coríntios 15. Ele apelou para as 500 testemunhas oculares da ressurreição, a maioria das quais, disse ele, ainda vivia quando escreveu aquela epístola. Ele não divorciou o Jesus literalmente ressurreto do Jesus que ascendeu aos céus. Um resultou do outro, e os dois eram o mesmo. E eram o mesmo porque os "acontecimentos terrenos" resultaram na feitura do Cristo celestial. Paulo fala sobre as aparições do Cristo ressurreto, e assegura-nos que ele foi um daqueles para quem Jesus apareceu. É somente quando cremos que os céus não podem descer à terra, que o infinito não pode vir até o finito, que Deus não pode e nem mesmo intervém na história humana, que achamos difícil acreditar na experiência e nas palavras de Paulo. É fato sobejamente conhecido que Paulo era homem altamente educado, dotado de considerável inteligência, bem como de uma experiência espiritual superlativa. Rejeitar o seu testemunho, a fim de aceitar as hipóteses dos céticos modernos é algo parecido com o suicídio espiritual.

IX. TESTEMUNHO DA IGREJA PRIMITIVA

Chegou o tempo quando ninguém mais vivia para dizer: **"Eu vi"**. Contudo, a igreja primitiva, confiando no que as testemunhas originais tinham visto, dizia: **"Eu creio"**. A vitalidade espiritual da igreja primitiva, que a fez espalhar-se rapidamente e por toda a parte (ver Cl 1.6), evidencia que não somente "criam" devido a um testemunho indireto, mas também devido ao fato de que se cumprira a promessa de Jesus de que enviaria o seu Espírito, o seu "alter ego". Portanto, em certo sentido, Jesus, em seu aspecto histórico ou em seu aspecto teológico, nunca se foi embora. A igreja mais antiga, as 500 testemunhas da ressurreição, e outros, como aqueles aludidos em 2Coríntios 5.15, que conheceram a Cristo pessoalmente, formavam o núcleo da igreja universal. Tais como os apóstolos, eles não precisavam depender de testemunhos secundários. Tinham conhecido a Jesus, tinham-no visto realizando seus prodígios e tinham ouvido seus inigualáveis ensinamentos. Teria sido extremamente difícil fazer deles céticos, embora hoje em dia, no seio da própria igreja, pareça que céticos estão sendo formados, à esquerda e à direita, com uma facilidade que aterroriza.

Nas suas primeiras pregações, Pedro aludiu, **franca** e **naturalmente**, aos muitos milagres feitos por Jesus (ver At 2.22,32). Falou disso como algo bem sabido. Jesus contava com testemunho abundante, pela auto-autenticação de sua vida poderosa. Porventura a falta de fotografias poderia destruir agora a fé?

X. TESTEMUNHO DOS LIVROS APÓCRIFOS E OUTROS PRIMITIVOS ESCRITOS CRISTÃOS

Pode parecer estranho conclamar os livros apócrifos do NT para que nos ajudem na defesa da autenticidade dos registros históricos dos evangelhos. Todavia, consideremos os pontos seguintes:

1. Os livros apócrifos reconhecem a **vida prodigiosa** de Jesus. Ele foi um gênio criador que requeria reação da parte dos homens. Esses escritos, embora essencialmente lendários, pelo menos reagem a ele. São contados em pelo menos cem (evangelhos, atos, epístolas e apocalipses). (Ver o artigo sobre eles, na introdução ao comentário.) Provavelmente, contêm pequena quantidade de material "extracanônico" que é válido.

2. Os evangelhos apócrifos **prestam testemunho**, talvez não bem acolhido, à validade dos evangelhos canônicos, porquanto repetem, como que validando muitos trechos dos mesmos.

3. Acima de tudo, os evangelhos apócrifos representam uma **explosão literária**, como sempre se segue a qualquer vida extraordinariamente grande. Jesus não era o tipo de pessoa que se possa ignorar. O impulso literário foi extraordinariamente agitado por ele, o que significa que ele deve ter sido pessoa incomum. A sua vida inspirou muitos escritos; e até hoje continua a inspirar muitos escritos. Não está distante dessa observação admitir-se que ele realmente foi o que os evangelhos asseveram que ele foi, e que realmente realizou aquilo que afirmam que ele fez.

O que foi dito acerca dos escritos apócrifos, também é verdade quanto aos escritos dos primeiros pais da Igreja, as cartas de Policarpo, Clemente e outros. A influência de Jesus continuou com eles. Seria possível esperar que um aldeão galileu logo viesse a ser esquecido, sem importar qualquer fama local que tivesse obtido. Isso, porém, não sucedeu no caso de Jesus. Os pais da Igreja, muitos deles homens de grande valor pessoal, cujos nomes reverenciamos até hoje, sentiram ser mister trazer sua sabedoria e grandeza, expressas em sua vida e escritos, aos pés de Jesus. Quando admitimos a força dessa observação, não estamos longe de admitir que Cristo foi o que os evangelhos dizem que ele foi, e fez o que dizem que ele fez.

XI. INFLUÊNCIA DIVINA DOS EVANGELHOS

J. B. Philiphs, tradutor do NT, declarou que seu trabalho de tradução o levará à convicção firme da **inspiração divina** desse documento. Consideremos a vasta influência transformadora que o NT tem exercido através dos séculos. O NT é o príncipe de todos os escritos gregos, numa esfera onde não é fácil ser príncipe. Esse é o documento que tem provocado as maiores vidas que jamais viveram. Esse é o documento que reflete

a glória do seu seio

e transfigura a ti e a mim.

Se Jesus tivesse sido um homem comum, se tivesse vivido uma vida comum, e os evangelhos o tivessem representado com exageros, não é provável que isso tivesse sucedido. Outrossim, o Livro que nos fala sobre ele traz "o tom da verdade". Tem uma verdade e um poder inerentes que modifica a nós e às nossas opiniões e ideais. Poderia ser, portanto, que esse Livro fosse apenas o produto de homens? Não, isso não parece possível. Sentimo-nos confiantes, pois, na realidade de que Deus pôs suas mãos sobre os evangelhos. E, sendo essa a verdade, é difícil ver que, a despeito do elemento humano que certamente contém, que suas "histórias" e "ensinamentos" sejam uma representação falsa do que Jesus foi e fez. A influência divina dos evangelhos é sinal seguro de sua "origem divina"; e sua "origem divina" é segurança de sua exatidão essencial.

XII. O QUE NÃO SIGNIFICA A HISTORICIDADE

Os céticos são bem conscientes de certos problemas do NT e é aconselhável que os crentes saibam a natureza desses problemas. A historicidade dos evangelhos é perfeitamente segura no meio das pequenas e triviais dificuldades que podem ser apresentadas. Nos parágrafos seguintes, examinamos os tipos de coisas que, para algumas pessoas, lançam dúvidas sobre a historicidade dos evangelhos.

É um estudo superficial e talvez uma imaturidade espiritual, exigir que o NT não tenha problema nenhum. Se examinarmos o texto, versículo por versículo, certamente, acharemos vestígios obviamente humanos. Pois que diferença pode fazer à minha fé se Marcos escreveu "ele fiz" no lugar de "ele fez"? Que diferença pode fazer para minha fé se o evangelho de João situa a "unção em Betânia", antes da entrada triunfal, ao passo que Mateus e Marcos a situa depois desse fato bíblico? E que diferença pode fazer à minha fé se o escriba que veio indagar a Jesus sobre o "maior mandamento" é encarado como um inquiridor honesto, em Marcos, mas como um fraudulento intencional, em Mateus e em Lucas? E que diferença pode fazer à minha fé se observo que Mateus alterou a ordem de certos eventos históricos, associando aos mesmos ensinamentos diferentes do que o fazem Marcos e Lucas, ou, em outras palavras, há "deslocações" de material, requeridas pelo desígnio de seu livro? Historicidade não é a mesma coisa que "sem problemas". É preciso uma pesquisa desonesta, uma defesa puramente dogmática, sem qualquer investigação, para que alguém afirme que historicidade tenha esse significado. Consideremos, por amor à honestidade, os pontos abaixo:

1. Oração do Pai Nosso

Em Mateus 6.9-13	Em Lucas 11.1-4
Nosso Pai que estás nos céus	Pai,
santificado seja o teu nome	santificado seja o teu nome,
venha o teu reino,	venha o teu reino,
seja feita a tua vontade,	(omitidas por Lucas)
na terra como nos céus	
dá-nos hoje o pão diário	dá-nos dia a dia o pão diário
e perdoa-nos as nossas dívidas	e perdoa-nos nossos pecados
segundo perdoamos aos nossos devedores	pois também perdoamos a todo o que nos deve,
e não nos leves à tentação,	e não nos leves à tentação
mas livra-nos do mal.	

Pode-se fazer uma pergunta: **Qual dessas duas** versões representa o que Jesus proferiu? Provavelmente, a mais simples, a de Lucas, que foi um tanto ornada por Mateus ou pela fonte informativa que ele usou. No entanto, o fato de que houve algum adorno literário nos evangelhos não impede a historicidade essencial dos evangelhos e nem prejudica a minha fé. As diferenças são confirmações de historicidade, e não agentes contrários à mesma. Se os evangelhos fossem produtos de fraude calculada, ou mesmo de "harmonização fixa", não haveria senão harmonia total, sem nenhuma discrepância. Visto que neles não há essas condições, sabemos que os evangelhos não foram sujeitados a essa forma de atividade; e, por causa disso, mais ainda podemos confiar neles.

2. O título posto à cruz
Mateus: "ESTE É JESUS, O REI DOS JUDEUS" (27.37).
Marcos: "O REI DOS JUDEUS" (15.26)
Lucas: "ESTE É O REI DOS JUDEUS (23.38)
João: "JESUS NAZARENO, REI DOS JUDEUS" (19.19)

Qual desses representa o título original? É extremamente engenhoso supor que cada autor sagrado tenha registrado "apenas parte" do título original, e que a "combinação" de todos eles nos leva a obter o título integral. Isso é harmonia a **qualquer preço**, até mesmo ao preço da honestidade. Não podemos ter absoluta certeza sobre o título exato, se é que alguns dos quatro evangelistas o registrou com acurácia absoluta. Contudo, em que isso pode ser prejudicial à minha fé, ou à minha confiança na natureza fidedigna essencial dos registros sagrados? A fé será realmente fraca, e o dogma forte, quando se tem por necessário achar "reconciliações" e "harmonias" para diferenças como essas.

3. Deslocações de material e de acontecimentos, em relação aos ensinamentos acompanhantes, nos evangelhos

Lucas 11	Mateus:
1.4	6.9-13
5-8(somente Lucas)	
9,10	7.7,8
11-13	7.9-11
14-23	12.22-37
24-28	12.43-45 (c/v. 27,28 de Lucas, só em Lucas)
29-32	12.39-42 (c/alguma reversão da ordem das declarações)
33	Vários paralelos: Mt 5.15,16 e Mc 4.21,22
34,35	6.22,23
36 (leve expansão editorial em Lucas, não em Mateus)	
37,38 (editorial em Lucas, não em Mateus)	
39,40	23.25,26
41 (Lucas somente)	
42	23.23
43	23.5-7
44	23.27,28
45 (editorial em Lucas somente)	
46	23.4
47-48	23.29-32
49-51	23.34-46
52	23.13 (com pequenas variações)
53,54 (Lucas somente).	

O leitor cuidadoso pode observar aqui que o material manuseado por Lucas está espalhado em quatro capítulos diferentes em Mateus, pois as conexões históricas (os eventos que acompanham as declarações) e a **ordem cronológica** da sequência de eventos são diferentes. Aprendemos claramente que os próprios evangelistas não se preocupavam com a harmonia exata, conforme exigem alguns intérpretes modernos. Com frequência, há "deslocações" de eventos, especialmente em Mateus, de modo que os mesmos acontecimentos aparecem em períodos diversos do ministério de Jesus,

150 |Artigos introdutórios| NTI

o que não sucede em Marcos e Lucas. Lucas usualmente segue de perto o esboço de Marcos. Mateus, entretanto, não hesita em afastar-se do mesmo. Pois o evangelho de Mateus é "típico", e não "cronológico". Ele constituiu cinco grandes blocos de ensinamentos de Jesus, cada qual sendo uma "coletânea" de declarações similares, em torno das quais, ele construiu seu evangelho. Mas esses "blocos" são interrompidos em Lucas, quando aparecem paralelos, e as declarações são dispersas em muitos eventos históricos diversos, em confronto com Mateus. Mateus ignorou a **cronologia** em muitos lugares, algo que as harmonias lamentam profundamente. Seu desígnio, porém, não foi produzir um evangelho dotado de harmonia perfeita com as fontes informativas que ele usou. Assim sendo, deslocou material, dando sequências diferentes de eventos e declarações, em comparação ao que fizeram Marcos e Lucas. Poderíamos indagar: Que narrativa representa as coisas exatamente como elas sucederam? É verdade que, em tais casos, Mateus e Lucas não podem estar certos ao mesmo tempo. A questão, no entanto, não tem importância, pois a harmonia estrita não é necessária para termos fé em sua historicidade. Aqueles que exigem tal coisa ficarão terrivelmente desapontados.

Consideremos o quadro seguinte, que deixa os harmonistas perplexos:

Mateus	Marcos	Lucas
1. O Leproso (8.1-4)	1. A sogra de Pedro (1.29-31)	1. A sogra de Pedro (4.38,39)
2. O servo do centurião (8.5-13)	2. O leproso (1.40-45)	2. O leproso (5.12-15)
3. A sogra de Pedro (8.14,15)	3. Tempestade acalmada (4.35-41)	3. O servo do centurião (7.1-10)
4. Desculpas de dois discípulos (8.18-22)	4. O endemoninhado gadareno (5.1-20)	4. Tempestade acalmada (8.22-25)
5. Tempestade acalmada (8.23-27)		5. Endemoninhado gadareno (8.26-39)
6. Endemoninhados gadarenos (8.19-22)		6. Desculpas de dois discípulos (9.57-62)

4. Erros gramaticais

Amigos, não há autor do NT que ocasionalmente não quebre alguma regra da gramática grega. Os piores ofensores são **Marcos** e o **Apocalipse**. O grego desses livros tem sido descrito como "bárbaro" pelos gramáticos do grego. Com frequência não satisfaz nem os modos helenistas, quanto menos os padrões clássicos. Os leitores sérios do NT grego sabem disso, e qualquer comentário comum, versículo por versículo, frisa algum erro gramatical no texto original. Diz-se acerca do grande evangelista Dwight L. Moody, que ele não era "gramatical" em seus sermões. O mesmo pode ser dito do evangelista Marcos e do revelador João. Mas, apesar de sua gramática deficiente, eles produziram documentos poderosíssimos, dos quais muito se pode aprender. Historicidade não tem nada a ver com "gramática perfeita" ou "nenhum erro de linguagem". Os hábitos linguísticos dos autores sagrados se evidenciam patentemente em seus livros, e o Espírito Santo não corrigiu essas deficiências. Para satisfazer a curiosidade do leitor, damos aqui uma lista de erros gramaticais do Livro de Apocalipse, e quem souber ler o grego, poderá satisfazer suas investigações: Apocalipse 1.4,5,10,15; 2.20; 3.12; 4.1,7,8; 5.6,11,12,13; 7.4; 9.5,13,14; 11.4,15; 12.5; 13.14; 14.3; 15.12; 17.16; 19.14,20; 20.2; 21.9. Essa lista, sob hipótese nenhuma, é exaustiva ou completa.

5. Diferentes ordens cronológicas dos mesmos eventos

Consideremos a questão da **unção em Betânia:**

Em Mateus, figura após a entrada triunfal (26.6ss).

Em Marcos, após a entrada triunfal (14.33ss).

Em João, antes da entrada triunfal (12.3).

Em Lucas, em período totalmente diferente do ministério de Jesus, motivo por que os harmonistas negam tratar-se do mesmo evento (7.37ss).

Papias, a autoridade que defende a teoria de que Marcos foi o autor do evangelho que traz o seu nome, diz-nos que Marcos não registrou os eventos da vida de Jesus **necessariamente** na ordem em tiveram lugar. Não é de admirar, pois, por essa e outras razões, que os evangelistas originais não se preocuparam acerca dessa área, conforme fazem alguns harmonistas modernos.

6. Diferentes interpretações para os mesmos eventos

Mateus e Lucas interpretam a visita de certo escriba, que veio indagar de Jesus sobre o **maior mandamento**, como um ato desonesto e capcioso de sua parte, a fim de "tentar" a Jesus, para que ficasse desacreditado entre o povo. Trata-se de uma das narrativas de "controvérsia", que mostra como Jesus foi derrubado pelas hipócritas autoridades religiosas. (Ver Mt 22.35ss e Lc 10.25ss, em um período diferente do ministério de Jesus). Isso deve ser confrontado com Maros 12.28ss., onde esse escriba é apresentado como um inquiridor honesto, que chegou até a receber elogios da parte de Jesus.

Os exemplos aqui dados **podem ser** multiplicados muitas vezes, conforme sabem os estudiosos do NT, versículo por versículo. Na realidade, o fato de os evangelhos não concordarem perfeitamente entre si, e a existência de erros humanos aqui e acolá, são fatores que **favorecem** a sua historicidade, e não devem ser tidos como fatores contrários. Se esses documentos tivessem sido forjados ou corrigidos pelos cristãos primitivos, certamente teriam sido postos em harmonia uns com os outros, ficando ainda eliminados os erros gramaticais, sendo niveladas todas as dificuldades. O fato de isso não ter acontecido leva-nos a confiar em sua natureza essencialmente fidedigna, apesar dos pequenos problemas, que jamais devem prejudicar a fé.

Os evangelhos e o Cristo por eles apresentado alçam-se três metros acima das contradições dos céticos. São uma torre para a fé e uma vereda para a alma. Contam-nos com exatidão quem era Jesus e o que ele realizou. E de que mais precisamos, além disso?

SUMÁRIO:

Quanto aos problemas apresentados, devemos considerar os seguintes fatos:

1. Lucas e Mateus, na utilização dos materiais e esboço de Marcos (para incluir a cronologia de eventos), poderiam ter copiado tudo com precisão, produzindo cópias exatas. Neste caso, uma harmonia perfeita poderia ter sido realizada. Lucas e Mateus, todavia, obviamente, não se sentiam constrangidos em seguir este método de utilização dos materiais de Marcos, e, portanto, não copiaram Marcos servilmente. As diferenças foram produzidas propositadamente, em muitos casos, por causa do desígnio literário dos autores ou, às vezes, foram produzidas indiferentemente, isto é, sem nenhuma coerção íntima que exigiu que os materiais de Marcos não pudessem ser alterados.

2. Lucas e Mateus, usando, em comum, materiais não-marcanos, como o suposto documento "Q", uma fonte dos ensinos de Jesus, que Marcos não possuía, não os reproduziram servilmente. Portanto, Mateus produziu uma versão da oração do Senhor, levemente diferente daquela de Lucas. A mesma coisa aconteceu no caso de um bom número dos discursos e ditados de Jesus. Provavelmente, o próprio Jesus, em ocasiões diferentes falou as mesmas coisas, numa variedade de modos verbais. Uma variedade de expressões dificilmente pode ser considerada um fenômeno que enfraquece a realidade da historicidade dos evangelhos.

3. A igreja primitiva, com os evangelhos nas mãos, antes de qualquer larga distribuição, podia ter alterado todos os textos que apresentam dificuldades triviais, para produzir uma perfeita harmonia nos discursos de Jesus, bem como na ordem cronológica dos acontecimentos. O fato de a igreja, com plenas oportunidades, não ter agido assim é uma prova de que uma harmonia exata nos evangelhos não foi considerada importante quanto à historicidade dos mesmos.

4. Todos os documentos do NT, pela própria preservação e uso deles, através dos séculos, por muitas pessoas de todas as camadas da humanidade, devem ser considerados escrituras de alto valor e poder. Os autores, então, devem ser considerados pessoas de capacidade literária considerável. É certo que cada um deles estava bem consciente de qualquer fraqueza que possuía, quanto ao uso da gramática grega, e capacidade de manipular essa linguagem. Marcos, por exemplo, devia ter sabido que sua gramática grega não foi igual em qualidade à de Apolo ou Paulo. Ele devia saber que usava, comumente, expressões que teriam doído nos ouvidos dos eruditos de Alexandria. Se ele tivesse considerado esse ponto um aspecto de importância, ele poderia ter tido seu evangelho revisado, com a maior tranquilidade, até no próprio círculo apostólico. Ou, sendo que ele escreveu seu evangelho em Roma, facilmente, ele poderia tê-lo colocado nas mãos de alguém que tivesse um conhecimento gramático adequado para eliminar qualquer uso cru, duvidoso, ou erro gramatical. O fato de Marcos não se ter interessado em fazer isso, mostra que ele não achava que um erro gramatical aqui e lá prejudicaria a precisão histórica do seu trabalho. De fato, sua expressão e poder como autor não foram prejudicados por essa falta de revisão. Lucas, embora um homem literário bastante superior a Marcos, não hesitou em usar os materiais de Marcos. Ele não teria feito isso se não tivesse confiado na exatidão dos dados da história marcana. Se Lucas, um companheiro dos apóstolos confiava em Marcos como historiador, é difícil entender por que nós não podemos também ter essa confiança em seus escritos.

Os tipos de erros que temos descrito são triviais. Somente os céticos mais cegos vão considerar tais coisas como obstáculos à historicidade.

* *

XIII.BIBLIOGRAFIA

Ver as "apologias" recentes:

KUYPER, Abraham. Principles of Sacred Theology

CARNELL, E. J. Introduction to Christian Apologetics

RAMM, Bernard. Types of Apologetic System

TIL, C. Van, The Defense of the Faith.

Ver também:

Encyclopedia of Religion, ed. Vergilius Ferm, artigo sobre Autoridade. Littlefield: Adams & Co., 1964.

The Expositor's Greek Testament, artigo no v.1, Concerning the Three Gospels, seção II, Historicity. Erdmans, Grand Rapids, 1956.

The New Testament as Literature, Gospels and Acts, Historical Accuracy. p. 9ss, Buckner, B. Trawick. New York: Barnes & Noble, 1964.

The Ring of Truth, J. B. Philips. New York: Macmillan and Co., 1967.

O problema sinóptico

Russell Champlin

ESBOÇO

I. A PALAVRA "SINÓPTICO"
II. EXPOSIÇÃO DO PROBLEMA
III. IDEIAS SOBRE A ORIGEM DOS EVANGELHOS SINÓPTICOS
1. Teoria do não-documento
2. Teoria do documento *único*
3. Teoria dos *dois* documentos
4. Teoria dos *quatro* documentos
IV. MARCOS, PRINCIPAL FONTE (*HISTÓRICA*) DOS SINÓPTICOS
V. BIBLIOGRAFIA
* *
VI. ILUSTRAÇÃO DAS SIMILARIDADES E DIFERENÇAS ENTRE OS EVANGELHOS SINÓPTICOS

I. A PALAVRA "SINÓPTICO"

O termo **sinóptico** deriva-se do grego "synoptikos", forma adjetivada de "synopsis", formada de **syn** (com) e **opsis** (vista), o que, aplicado aos evangelhos, veio a significar "vistos de um comum ponto de vista". Isso significa que os três evangelhos chamados "sinópticos" encaram a vida, os ensinamentos e a significação da vida de Jesus do mesmo ponto de vista, em contraste com o ângulo de João, cuja apresentação é bem diferente. Uma harmonia passável pode ser reconstruída com os evangelhos sinópticos, que registram a vida de Jesus na Galileia, com algumas viagens laterais a outros lugares. O evangelho de João, porém, limita-se quase inteiramente ao que Jesus disse e fez na área de Jerusalém, razão por que dificilmente se adapta às narrativas dos evangelhos sinópticos com exatidão. A razão desse ponto de vista comum, conforme agora se reconhece quase universalmente, é que Mateus e Lucas usaram o anterior evangelho de Marcos como seu esboço histórico. Mateus **não segue servilmente** a ordem de eventos da narrativa de Marcos, mas adapta esses eventos em cinco grandes blocos de ensinamentos, o que constitui o âmago de seu evangelho. Esses blocos são os capítulos 3-7; 8-10; 11-13; 14-18 e 19-25. A fim de acomodar o esboço histórico de Marcos a seus blocos didáticos, foi mister refazer a ordem de alguns dos acontecimentos. Lucas, por outro lado, quase sempre conserva a ordem de acontecimentos exposta por Marcos, mas omite uma seção bastante longa (a maior parte dos capítulos 6-8), e faz duas longas inserções no material de Marcos, que ele recolhera de outras fontes informativas. Grande parte dessas inserções de Lucas acham-se em Mateus, mas de maneira esparsa, e não da forma condensada em um número específico de seções. Mateus e Lucas adicionam à narrativa histórica de Marcos muitos ensinamentos de Jesus, pois o evangelho original continha pouquíssimo desse material. Dispunham de algum material comum, mas também de algum material distinto, pelo que variam não somente de Marcos, mas também um do outro. Devido a essas diferenças (amplamente comentadas em III.4 e V deste artigo) é que temos três evangelhos distintos. Devido às suas similaridades, entretanto, sobretudo um esboço histórico em comum, na realidade apresentam um "ponto de vista comum", no tocante à vida e aos ensinamentos de Jesus, sendo apropriadamente chamados "sinópticos". Outrossim, o material diversificado que há neles não é contraditório, antes, suplementar; pelo que até mesmo suas diferenças não diminuem seu caráter "sinóptico".

II. EXPOSIÇÃO DO PROBLEMA

É bem mais **fácil** expor a natureza do problema das "fontes informativas dos evangelhos sinópticos" do que **afirmar** qualquer conclusão certa. Desde os primeiros anos, após sua produção, sempre se reconheceu que os três evangelhos — Mateus, Marcos e Lucas — são muito similares em conteúdo e apresentação. Essa semelhança aparece não só no plano geral da narrativa histórica e dos ensinamentos, mas até nos termos escolhidos para expressar essas coisas. É quase impossível evitar a conclusão de que houve um empréstimo de uns aos outros, ou, pelo menos, de fontes informativas comuns. Talvez tenha havido tanto um "empréstimo" direto como o "uso comum" de certas fontes. O "problema sinóptico" alude àquela "dificuldade" que está envolvida na determinação, com qualquer precisão, das relações exatas entre os evangelhos de Mateus, Marcos e Lucas; e isso, naturalmente, envolve a dificuldade de determinar quais foram as "fontes informativas" desses evangelhos.

Pode-se postular certo número de perguntas que incorporam em si mesmas a essência do problema sinóptico:

1. Os evangelhos foram escritos "independentemente" uns dos outros, sem qualquer fonte comum oral ou escrita, sendo as narrativas feitas somente de memória?

2. Se houve fontes comuns escritas ou orais, de que **natureza** e **quantas** eram elas?

3. Qual dos evangelhos sinópticos é **primário**? E esse evangelho foi usado diretamente como fonte de informação pelos demais evangelistas? Nesse caso, como explicar as diferenças, até mesmo no material em comum?

4. Qual foi a **fonte** de material usado pelos evangelhos não-primários, naquilo em que estão de acordo entre si, nas passagens que não figuram em Marcos?

5. Quando um evangelho não-primário tem material peculiar a si mesmo, qual foi sua **fonte informativa**?

6. Quais foram **as fontes** informativas do evangelho primário?

As discussões que se seguem dão resposta a todas essas indagações, embora não na ordem em que elas são feitas aqui. No fim da discussão sobre a "Teoria dos quatro documentos", ponto 4 seção III, são dadas as respostas a essas perguntas, de forma abreviada, e na ordem em que são aqui alistadas.

III. IDEIAS SOBRE A ORIGEM DOS EVANGELHOS SINÓPTICOS

1. Teoria do "não-documento"

Essa é a ideia que diz que os chamados evangelhos sinópticos se desenvolveram independentemente uns dos outros, sem nenhuma "fonte comum" na tradição oral ou escrita. Segundo essa posição, supõe-se que os vários autores apenas tenham escrito o que viram ou ouviram, sem consultar nenhuma fonte informativa comum.

Essa é uma forma muito simplória de considerar o problema, que não pode resistir nem mesmo a uma investigação superficial. Todos os estudiosos do Novo Testamento repelem essa ideia, e algumas das razões dessas rejeições são as seguintes:

a. As obras e palavras de Jesus foram vastíssimas (Jo 20.30; 21.25). De acordo com a teoria do "não-documento", como se pode explicar por que os autores dos evangelhos de Mateus, Marcos e Lucas acertaram com o mesmo esboço histórico, já que se tratava apenas de um "esboço"? Por que escolheram os mesmos acontecimentos "representativos", quando poderiam ter selecionado muitos outros? Os evangelhos sinópticos contam com cerca de 85% de material em comum, isto é, material registrado pelo menos por dois dentre os três, e a similaridade do material **histórico** ainda é mais notável. Isso jamais poderia ter ocorrido, a menos que houvesse alguma interdependência, ou mediante empréstimo direto, ou mediante a utilização de fontes informativas comuns.

b. Com base na teoria do **não-documento**, é impossível explicar o emprego de palavras e frases idênticas, parágrafos quase idênticos, pelos três evangelhos, ao descreverem um mesmo evento, ou ao relatarem algum ensinamento de Jesus. Se não usaram fontes informativas comuns, poderíamos esperar com razão a mesma história em "geral", ensinamentos expostos mais ou menos da mesma forma, e com algumas expressões em comum; porém, a similaridade, e às vezes a "igualdade" de palavras, frases e narrativas são grandes demais para supormos que as relações entre os evangelhos sinópticos são acidentais. Tomemos, por exemplo, o caso da cura do paralítico (Mc 2.10; Mt 9.6 e Lc 5.24). Jesus, respondendo a seus críticos, diz: "Ora, para que saibais que o Filho do homem tem sobre a terra autoridade para perdoar pecados — disse ao paralítico: [...] Levanta-te..." Todos os três evangelistas concordam, sem nenhuma variação, nas palavras exatas da declaração de Jesus, e a interrompem todos com o mesmo parêntesis um tanto desajeitado, e no mesmo ponto. É impossível supor que os três autores poderiam ter produzido isso, incorporando o mesmo parêntesis, um tanto infeliz, se não tivessem compartilhado da mesma fonte, que apresentava a narrativa na mesma forma, ou que ao menos Mateus e Lucas houvessem simplesmente usado Marcos como fonte informativa. Outro tanto sucede aos vocábulos, até mesmo raros. Em Marcos 9.42 temos a expressão "pedra de moinho" (no grego, literalmente, é "pedra de moinho girada por um asno", o que é expressão extremamente incomum). No entanto, Mateus 18.6 a reproduz. Em Marcos 13.20, temos "Não tivesse o Senhor 'abreviado' aqueles dias...", palavras que literalmente significam "tivesse mutilado", o que é expressão raríssima, pois não é utilizada para outra coisa senão para mutilações físicas. No entanto, no paralelo de Mateus 24.22, o uso dessa expressão é duplicado. Esses exemplos poderiam ser multiplicados grandemente pela simples comparação das diversas narrativas.

c. Papias, discípulo de João (apóstolo?), diz-nos que Marcos não registrou os acontecimentos da vida de Jesus necessariamente na ordem em que sucederam. Sendo fato que a ordem de acontecimentos em Marcos nem sempre reflete os fatos históricos, como poderiam os autores de Mateus e Lucas ter registrado de modo geral a mesma ordem de acontecimentos? Se porventura escreveram de memória, quase certamente teriam corrigido a ordem dada por Marcos, apresentando ordens diversas para os acontecimentos da vida de Jesus. Outrossim, se tivessem escrito de memória, sem qualquer interdependência, é certo que não haveria tanta harmonização quanto à ordem dos eventos, pois muitos anos se tinham escoado desde a sua ocorrência até o seu registro, permitindo o tempo que os lapsos de memória influíssem sobre a ordem dos acontecimentos. (Ver as citações de Papias em Eusébio, História Eclesiástica III. 39.15.)

2. Teoria do documento *único*

Alguns estudiosos supõem que os evangelhos sinópticos tenham tido, como fonte informativa, um único documento, usado em comum por seus autores. As diferenças surgiram quando cada autor modificou, apegou ou adicionou material. Esse "documento" poderia ter sido um documento escrito ou uma "tradição oral" padronizada de alguma sorte, que serviu de fonte única postulada.

Essa teoria, naturalmente, é rejeitada pela esmagadora maioria dos eruditos, pelas seguintes razões:

a. Embora a teoria do "documento único" seja superior àquela que fora ventilada, não oferece qualquer solução razoável para a inquirição nas naturezas diversas dos três evangelhos sinópticos. Pois resta ainda inquirir sobre o material que foi **adicionado** ao proposto documento único. Pois o que foi adicionado se reveste de natureza significativa. Em outras palavras, o que os evangelhos sinópticos têm em comum pode nos permitir supor que esses evangelhos não teriam "um único documento" em comum, e essa seria a fonte informativa comum dos "ensinamentos" apresentados por Mateus e Lucas, que Marcos ou não possuía, ou preferiu não utilizar. Se o documento original incluía os "ensinamentos", então não podemos imaginar por que razão Marcos preferiu apagar os mesmos, assim produzindo um evangelho "magro". A fonte informativa dos "ensinamentos, "Q", consiste de cerca de duzentos e cinquenta versículos. Sob hipótese alguma, Marcos teria deixado de lado tão grande acúmulo de tão excelente material.

b. Igualmente difíceis de explicar seria o que se convencionou chamar matérias "M" e "L", ou seja, aquelas narrativas e acontecimentos, juntamente com ensinamentos, que somente Mateus registra (**M**), ou que somente Lucas registra (**L**). Dificilmente, esse material poderia fazer parte de um "único documento" original, que foi usado por todos os três evangelistas. A matéria é suficientemente extensa para mostrar que devem ter sido usadas informativas reais, pois não podem ter sido produto de mera imaginação ou adorno literário. A fonte informativa "M" consiste de cerca de 300 versículos (ou seja, uma terça parte da totalidade do volume do evangelho de Mateus), contida somente em Mateus. . A fonte informativa "L" equivale a cerca de 40% do volume total de Lucas, e só ele apresenta esse material. Essa tão grande adição proporcional dificilmente se deveu à imaginação dos autores sagrados, e nem se pode pensar que Marcos omitiu os denominados materiais **m e l**, se o "único" documento usado por todos eles como fonte, os continha. (A natureza mais exata das supostas fontes adicionais, como **Q, M, L**, é debatida em III.4, sob o título "Teoria dos quatro documentos", e pormenores às peculiaridades de cada um deles.)

c. O testemunho do prólogo de Lucas (1.1) é definidamente contrário à teoria do "documento único", pois afirma especificamente que havia muitas fontes, indicando de maneira clara que vários outros também já haviam escrito. Quando alguém "empreende uma narração", usualmente o faz em forma escrita, e Lucas diz que muitos já se tinham atarefado em tal atividade. A verdade da questão parece ser a de que Lucas, pelo menos, se utilizou de muitas fontes informativas, tanto orais quanto escritas.

3. Teoria dos *dois* documentos

Quase todos os eruditos que estudam essas questões, consideram Marcos como o evangelho original (pelo menos dentre os que conhecemos hoje em dia); e que esse evangelho foi usado como base para o esboço histórico de Mateus e Lucas é posição firme de muitos. Na seção IV deste artigo, há provas abundantes em apoio a essa reivindicação. A Marcos, como "fonte histórica", alguns acrescentam "Q", a fonte didática, isto é, os "ensinamentos de Jesus" (cerca de 250 versículos), que Mateus e Lucas têm em comum, mas não Marcos. O símbolo "Q" vem do alemão "quelle", que significa "fonte", e indica especificamente um conjunto de ensinamentos de Jesus.

A fim de ilustrar a teoria dos "dois documentos", apresentamos o diagrama abaixo:

Fontes dos Sinópticos

Protomarcos:

Evangelho de Marcos

Evangelho de Mateus

"Q" ("quelle"), fonte dos ensinamentos

Evangelho de Lucas

(Quanto a uma explicação das fontes de Marcos — o protomarcos — ver III.4, a "Teoria dos Quatro Documentos".) Supomos que Marcos tenha usado várias fontes orais e escritas, incluindo a tradição preservada na igreja de Roma e as memórias de Pedro. Mateus e Lucas, por sua vez, se utilizaram

do evangelho de Marcos, pelo que dispuseram do esboço histórico em geral, além de alguns ensinamentos de Jesus. E a isso ambos adicionaram os "ensinamentos" ou "Q".

A ideia da fonte em "dois documentos", porém, imediatamente ficou sujeita à crítica, pois ainda resta explicar os 40% de material lucano (**L**), bem como 1/3 do material de Mateus (**M**), que não provieram nem de Marcos e nem de **Q**, e que são substanciais e obviamente autênticos em sua natureza, forçando-nos a postular fontes informativas adicionais, provavelmente em forma escrita. Lucas, por exemplo, conta com 16 parábolas que lhe são totalmente peculiares. Ele não teria criado essas histórias sobre Jesus. Podemos meramente crer que Lucas pode ter recolhido algures essas parábolas de Jesus, e que constituíram uma fonte da qual Marcos e Mateus não dispuseram. Por igual modo, Mateus tem 10 parábolas que não se acham nem em Lucas e nem em Marcos, pelo que deve ter tido acesso a documentos ou, pelo menos, a um documento, sobre o qual os outros nunca puseram as mãos, porque o ignoravam totalmente. Além disso, no tocante a algum material usado por Mateus, Lucas tem apenas em forma abreviada e fragmentar. Por exemplo, o Sermão da Montanha. Lucas tem fragmentos do mesmo, dispersos por seu livro. É difícil crer que ele tenha suado a mesma fonte informativa que Mateus usou nesse caso; mas tinha algum material similar e idêntico, embora em menor quantidade, paralelo à fonte informativa usada por Mateus. Lucas registra a parábola do credor com dois devedores (7.41-50), do bom samaritano (10.25-37), do amigo importuno (11.5-10), do rico insensato (12.16-21), da figueira estéril (13.18,19), quatro outras parábolas (14.7-33), da moeda perdida (15.8-10), seis outras parábolas (15.11—18.8), além de sete milagres (4.30; 5.1; 7.11; 13.11; 14.1; 17.11; 22.50), registros sobre os quais os outros nada dizem. Deve ter havido alguma fonte informativa ou mesmo várias para esse material empregado exclusivamente por Lucas. Além das dez parábolas peculiares a Mateus, há três milagres que somente esse evangelho encerra (9.27; 9.32 e 17.24). Torna-se bem evidente, pois, que houve mais fontes informativas envolvidas na compilação dos evangelhos do que meramente os dois propostos pela teoria dos "dois documentos".

4. Teoria dos *quatro* documentos

Nenhum erudito moderno diria que a teoria dos "quatro documentos" se aproxima da perfeição, e nem que nos dá o quadro mais completo da verdade dos fatos. No entanto, de modo geral, essa teoria nos fornece uma boa maneira de "abordar" o problema, e, como teoria, certamente tem sido mais frutífera que as outras que já foram propostas. É possível que mais fontes informativas estejam envolvidas, e não somente quatro; mas é igualmente possível que muitas coisas declaradas nessa teoria sejam válidas, ainda que não possamos proferir nenhuma resposta absoluta no caso do problema das fontes informativas.

DIAGRAMA ILUSTRATIVO DA TEORIA DOS "QUATRO DOCUMENTOS":

Fontes dos Sinópticos

M

Tradição da igreja de Antioquia da Síria

Protomarcos

Evangelho de Marcos, 55 d.C.

Evangelho de Mateus, cerca de 85 d.C.

Q

("Quelle"), fonte de ensinamentos, 50 d.C. ou antes

Evangelho de Lucas, cerca de 80 d.C.

L

tradição da igreja de Cesareia e outros lugares

EXPLICAÇÃO DAS FONTES INFORMATIVAS:

a. O protomarcos

Ao considerarmos esse tema, abordamos uma série inteiramente nova de problemas e debates. Na introdução ao evangelho de Marcos, seção 6, a questão é discutida. Aqui, pois, expomos somente conclusões. Certos testemunhos antigos, e especificamente Papias (discípulo de João ou do "presbítero") vinculados com trechos do próprio evangelho, mostram que uma porção central de Marcos se baseia no testemunho ocular apostólico, a saber, o de Pedro. Mediante outras referências do NT (fora do evangelho de Marcos), ficamos sabendo que Marcos e Pedro tiveram associados, pelo que não teria havido problema para Marcos compilar grande parte de seu evangelho por meio de informações que lhe fossem dadas diretamente por Pedro. Marcos conta com o respaldo da autoridade apostólica. (Ver 1Pe 5.13, onde Marcos é chamado por Pedro de seu "filho"). A maioria dos eruditos crê que por detrás do testemunho de Pedro temos a tradição da igreja de Roma, pois Marcos é o evangelho romano. Cada um dos principais centros cristãos se tornou depósito de certo número de tradições, escritas ou orais, da parte de testemunhas oculares, ou mediante relatos em segunda ou terceira mão. Vários desses centros do cristianismo se tornaram fontes informativas dos evangelistas que escreveram evangelhos canônicos. Além disso, devemos supor que algum material de Marcos proveio de tradições orais e escritas, algumas apostólicas (baseadas em outros apóstolos além de Pedro), e outras de testemunhas secundárias, as quais não tinham participado dos próprios acontecimentos, mas conheciam pessoas que deles haviam participado. Sem dúvida, algumas narrativas sobre a vida de Jesus e alguns de seus ensinamentos foram preservados para os evangelhos mediante uma única testemunha, e não mediante uma comunidade eclesiástica. O texto de Lucas 1.1 indica que muitos já tinham posto em forma escrita a vida de Jesus. É possível, pois, que, enquanto procuramos reduzir nossos principais testemunhos a supostos "quatro", na realidade tenha havido muito mais que isso. Todavia, com "quatro" se pode classificar, de modo geral, as fontes informativas dos evangelhos sinópticos.

DIAGRAMA DAS FONTES INFORMATIVAS DE MARCOS:

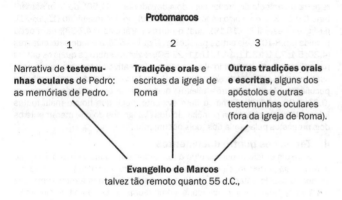

b. M – tradição da igreja de Antioquia.

Muitos creem que o evangelho de Mateus foi escrito em Antioquia da Síria. Se isso é verdade, naturalmente o autor sagrado teria se utilizado de material, oral e escrito, preservado naquela comunidade eclesiástica. Cada comunidade eclesiástica "isolou" certo acúmulo de matéria válida acerca da vida e dos ensinamentos de Jesus, tornando-se assim uma fonte de informações que representava determinada área geográfica. Antioquia da Síria foi um dos primeiros centros do cristianismo, e o evangelho de Mateus, desde o começo, foi o evangelho mais popular naquela localidade. Inácio, supervisor de Antioquia (107 d.C.?) mostrou sua preferência pelo evangelho de Mateus. Alguns chegam mesmo a supor que a passagem de Mateus 16.17-19 tenha sido uma adição, feita naquela comunidade, ao texto do evangelho, porquanto Pedro era muito estimado naquela porção do mundo.

M – aquilo que pertence distintivamente a Mateus – representa cerca de 300 versículos, uma boa parte dos quais, de algum modo, trata de leis e de costumes judaicos. Observando isso, alguns eruditos preferem identificar com "M" a "Judeia" ou mesmo "Jerusalém"; e, nesse caso, a igreja de Jerusalém seria a fonte informativa. Alguns, que identificam "M" com Jerusalém, então identificam "Q" com Antioquia. Outros identificam "M" com o partido judaizante extremo de Jerusalém, embora a evidência em torno disso não seja muito convincente.

Material "M". Consiste do seguinte: A genealogia (1.1-16); algumas narrativas como as dos magos (2.1-12), várias parábolas, como as que se acham em 13.36-43,44,45,46,47-50; 18.23-35; 20.1-16; 21.28-32; 22.1-14; 25.1-13,31-36. Mateus conta três milagres que os outros não narram: a cura dos dois cegos (9.27); a cura do endemoninhado (9.32); e a moeda na boca do peixe (17.24). Além disso, as questões atinentes ao julgamento, crucificação e ressurreição, embora tomadas largamente por empréstimo de Marcos, aqui e acolá exibem alguns detalhes e narrativas em Mateus, que não figuram em nenhuma outra porção. Mateus diz especificamente que o dinheiro oferecido a Judas foi trinta moedas de prata; identifica Judas como traidor, por ocasião da última ceia, o que Marcos não faz; conta a história do sonho da esposa de Pilatos, e fala do terremoto e da ressurreição de santos quando da crucificação de Jesus; alude à vigília ante o túmulo, e ao suborno dado aos soldados, para que mentissem. No entanto, Mateus omite a aparição de Jesus aos discípulos, na Judeia (após sua ressurreição) e não menciona o fato da ascensão, embora nos forneça a aparição de Jesus na Galileia, além de dar-nos uma forma distintiva da Grande Comissão. Algumas das coisas aqui sugeridas como provenientes de M, poderiam provir de narrativas individuais, da parte de pessoas não relacionadas de forma nenhuma à comunidade eclesiástica de Antioquia ou de Jerusalém, ou de onde quer que a fonte M se tenha desenvolvido. Contudo, não pode haver dúvida razoável de que um documento (que consiste de várias tradições orais e escritas, finalmente registradas) realmente existisse e de que foi empregada pelo autor do evangelho de Mateus, uma tradição de que ele dispunha, mas fora do acesso dos demais evangelistas sinópticos.

c. A fonte "Q" ("quelle")

Cerca de 250 a 300 versículos são preservados em comum por Mateus e Lucas, os **ensinamentos** de Jesus, que não são registrados por Marcos. Supõe-se, pois, que esse bloco de material veio de uma fonte que aqueles dois autores tiveram, mas que Marcos não conhecia, ou que ignorou (mais provavelmente a primeira possibilidade). Alguns eruditos têm pensado que **Q** foi o documento a que Papias aludiu como "Oráculos do Senhor", da autoria de Mateus. Mateus foi todo escrito em grego. Todavia, não é impossível que os "Oráculos do Senhor", escritos por Mateus, sejam uma fonte de **Q** ou, pelo menos, que estejam relacionados a ela. Talvez a fonte **Q** seja uma tradução daqueles oráculos ou, pelo menos, estivesse baseada nos mesmos. É altamente improvável, porém, que os "Oráculos do Senhor" sejam a mesma coisa que o evangelho de Mateus, conforme pensavam vários estudiosos da antiguidade, pois não há nenhuma evidência de que Mateus seja tradução proveniente do aramaico. Seja como for, sem importar quais sejam as relações entre **Q** e os **Oráculos**, é improvável que Lucas simplesmente tenha copiado informações de Mateus, incluindo apenas esta porção, porquanto, se ele contasse com uma cópia do evangelho de Mateus, é quase certo que teria incluído muito mais do mesmo do que o material **Q**. Pelo contrário, houve uma fonte informativa, como os "Oráculos do Senhor", ao qual ambos tiveram acesso. Não existem boas evidências de que Mateus tenha dependido de Lucas, ou vice-versa; mas a evidência esmagadora é de que ambos se estribaram em uma fonte informativa comum, a qual identificamos pela letra **Q**.

O material **Q** — Consiste do seguinte: Já que essa fonte inclui essencialmente os ensinamentos de Jesus, consiste principalmente das parábolas: Mt 7.24-47 com Lc 6.47-49; Mt 12.43-45 com Lc 11.24-26; Mt 13.33 com Lc 13.20,21; Mt 18.12-14 com Lc 15.3-7; Mt 24.42-44 com Lc 12.36-40; Mt 24.45-51 com Lc 12.42-48; Mt 25.14-30 com Lc 19.11-27. Alguns incluem nessa fonte certas narrativas, como a forma adornada da história da tentação, a narrativa sobre o servo do centurião de Cafarnaum, e algum material concernente a João Batista.

Alguns eruditos têm atacado a própria **existência** de qualquer documento **Q**; por isso mesmo, normalmente a existência do material Mateus-Lucas é explicado com base em duas tradições "justapostas", mas um tanto diversas, tendo Mateus se alicerçado em uma delas, ao passo que Lucas se baseou na outra. Outros estudiosos, porém, simplesmente supõem um empréstimo direto de Mateus a Lucas, ou de Lucas a Mateus. Apesar de isso ser possível, é extremamente improvável que Lucas, ao utilizar-se de Lucas, tenha omitido nada menos que dezesseis parábolas e muito outro material, algum dele de cunho histórico. Se Lucas copiou de Mateus, por que ele omitiu dez parábolas e três milagres, e por que ele não procurou reconciliar suas narrativas do nascimento e sua genealogia ao que Mateus escreveu, ou por que não incorporou em seu evangelho certas narrativas, sobretudo acerca dos incidentes iniciais da vida de Jesus? Parece que, se houve qualquer empréstimo direto, Mateus e Lucas seriam muito mais parecidos um com o outro, do mesmo modo que quase a totalidade do evangelho de Marcos foi incorporado por Mateus e Lucas, simplesmente porque Marcos foi verdadeiramente usado como fonte informativa de ambos. Se Mateus de fato tivesse sido uma das fontes informativas de Lucas, teríamos um evangelho lucano bem maior; pois, se Lucas achou por bem usar cerca de 60% de Marcos, incorporando em seu evangelho seis grandes blocos de material, é provável que ele não tivesse usado menor proporção do evangelho de Mateus. Nesse caso, ele teria usado bem mais material, e o material comum a Mateus e Lucas certamente ultrapassaria de 250 versículos. No entanto, as diferenças entre Mateus e Lucas são simplesmente grandes demais para supor-se que houve qualquer "interdependência". O evangelho de Mateus incorpora 600 dos 661 versículos de Marcos; e se o autor de Mateus tivesse usado Lucas como fonte informativa, teria produzido um evangelho bem mais amplo. Por que ele teria usado tanto de Marcos, e comparativamente tão pouco de Lucas?

Por conseguinte, apesar de não podermos **provar** a existência da fonte **Q** da mesma forma irrefutável com que podemos "provar" que Marcos foi usado como fonte tanto de Mateus como de Lucas, esse conceito é o melhor que já foi apresentado para explicar o material comum em Mateus e Lucas, no tocante aos "ensinamentos" de Jesus. Todavia, no presente é impossível fazer qualquer descrição veraz do material **Q**. E porções daquilo que atribuímos a **Q** poderiam pertencer a outra fonte que continha material similar, de tal modo que cada autor sagrado se tivesse utilizado de mais de uma fonte, que continha material parecido, embora o produto final tenha produzido resultado similar.

d. Fonte "L"

tradição da igreja de Cesareia? Essa suposta fonte informativa representa cerca de 40% do volume de Lucas, e envolve tanto ensinamento quanto narrativa histórica. A tradição antiga associa Lucas a Antioquia, mas isso não quer dizer que ele tenha escrito ali o seu evangelho, como se houvesse se valido das tradições existentes naquela cidade. Alguns supõem que o evangelho de Lucas foi escrito em Roma; outros pensam que foi escrito em Éfeso ou Corinto. O fato é que, historicamente falando, não podemos vincular textualmente o evangelho de Lucas a nenhum lugar específico. O livro de Atos mostra-nos que Lucas acompanhou Paulo em muitas de suas viagens missionárias; mas Lucas quase certamente escreveu o seu evangelho após as experiências narradas no livro de Atos, pelo que nenhuma localização geográfica pode ser demarcada como local onde ele tenha escrito seu livro. Alguns estudiosos veem evidências, no próprio material lucano, de uma origem palestina, sobretudo no tocante a algumas parábolas. Entretanto, qualquer material "palestino" com facilidade poderia ter sido preservado na igreja de Cesareia ou em qualquer outro lugar, tendo sido compilado ali, e não em Jerusalém. De acordo com a tradição antimarcionita, após o falecimento de Paulo, Lucas continuou seu ministério na Beócia, na Grécia, até a idade de 84 anos; e, nesse caso, seu evangelho pode ter sido escrito ali. Contudo, o próprio Lucas fala-nos de suas investigações e pesquisas (Lc 1.1-3), sendo perfeitamente possível que "L", seu material distintivo, realmente seja uma **compilação** de achados baseados em tradições derivadas de muitos lugares e de muitas pessoas, algumas das quais seriam narrativas feitas por testemunhas oculares diretas, apostólicas ou não, ao passo que outras seriam narrativas em segunda mão. Com facilidade ele poderia ter interrogado os setenta discípulos, tanto quanto os onze apóstolos originais; e por que motivo duvidaríamos do fato de grande parte de seu material (material que outros evangelhos não possuem) se ter originado de suas extensas pesquisas? Já que Cesareia foi um dos primeiros centros cristãos, parte da sua fonte informativa, "L", poderia ter-se alicerçado sobre as tradições daquele lugar.

O material **L** — Consiste do seguinte: O material distintivamente lucano são as palavras que estão em Lucas 7.36-50; 10.25-37; 11.5-10; 12.16-21; 13.6-9; 14.7-11; 14.16-24; 14.28-30; 14.31-33; 15.8-10; 15.11-32[13*]; 16.19-31; 17.7-10; 18.1-8; 18.9-14. Lucas registra seis milagres que os demais não fazem: Lucas 5.1; 7.11; 13.11; 14.1; 17.11 e 22.50. A isso precisamos acrescentar os capítulos introdutórios ao evangelho, a genealogia e certas "narrativas sobre o nascimento", bem como a "longa viagem a Jerusalém", para celebração da última Páscoa (que alguns estudiosos denominam "Documento de Viagem", que tem boa porção de material histórico, além de declarações de Jesus), Lucas 9.51—18.14. A seção de Lc 6.20—8.3 também não pertence a Marcos; e, na história da última semana da vida terrena de Jesus, encontramos a adição de vários detalhes que não se acham na história de Marcos. Entre esses detalhes, temos o "suor como sangue", no jardim do Getsêmani, a declaração que diz: "Pai, perdoa-lhes, porque...", a conversa dos ladrões na cruz, a promessa do paraíso a um deles, a caminhada até Emaús, uma aparição de Jesus em Jerusalém, após a ressurreição, a ascensão, e a volta dos seguidores de Jesus a Jerusalém, a fim de adorarem. Não restam dúvidas de que Lucas seguiu uma tradição diferente, nessas narrativas, em confronto com aquilo que Marcos soube.

Como no caso da fonte informativa **Q**, alguns estudiosos têm duvidado da própria existência de **L**, como fonte isolada, preferindo supor que em seu lugar houve muitas fontes informativas miscelâneas, ou mesmo que Lucas meramente desertou de seu posto de historiador, e "compôs" vários incidentes e parábolas, que figuram somente em seu evangelho, e não nos outros. É bem mais provável, porém, que Lucas fosse homem honesto, capaz de descobrir muitas coisas que outros não descobriram, tendo-as reunido em uma "compilação". A isso chamamos de **L**, e não nos sentimos na obrigação de associar esse material a qualquer dada comunidade eclesiástica. A fonte **L** certamente resulta da pesquisa mencionada em Lucas 1.1-3. Apesar de não ter sido alguma "fonte isolada", como pode ter sido o caso de **Q**, não obstante, tratava-se de composição escrita, cuidadosamente preparada por Lucas, que repousava sobre incidentes autênticos da maravilhosa história.

O leitor poderá observar que nossa explicação sobre a "teoria dos quatro documentos" não se ocupa em seguir simplesmente as linhas que outros eruditos têm sugerido. Em nossas ideias, essa teoria sofreu várias modificações e especulações. Nenhuma teoria **arrumadinha** das fontes dos evangelhos pode ser construída de forma a satisfazer ao menos uma minoria dentre os eruditos. Contudo, de modo cru, a teoria dos "quatro documentos" é a que mais se aproxima da verdade, conforme acreditamos, no tocante às fontes informativas dos evangelhos sinópticos.

Sumário das respostas às perguntas feitas na seção II deste artigo:

1) Os evangelhos sinópticos se caracterizam por sua "interdependência". Mateus e Lucas dependeram de Marcos acerca do esboço histórico. É altamente improvável, porém, que Lucas tenha dependido de Mateus, ou Mateus de Lucas.

---

13 · Também 16.1-9

2) Quase certamente, Mateus e Lucas, em parte dos ensinamentos que expõem, dependem de uma fonte comum que chamamos de **Q**. Também pode ter havido outras fontes informativas menores e não-identificadas, ou pode ter havido fontes múltiplas, que continham material similar, as quais, quando copiadas (cada evangelista copiou de fontes distintas, embora similares), deram a aparência que dependiam de uma única fonte comum.

3) O evangelho de Marcos certamente **é primário**, tendo sido diretamente usado como fonte informativa por Mateus e Lucas; ou então um protomarcos foi utilizado por eles, o qual não diferia materialmente do evangelho de Marcos. Diferenças nas seções comuns a Marcos podem ser explicadas com base no trabalho "editorial" feito pelos dois outros autores sagrados. Ou então, se foi usado um protomarcos, muitas dessas diferenças (em comparação com o resultante evangelho de Marcos) podem ter estado já contidas naquele documento (ou documentos). (Ver a seção IV quanto a provas sobre a posição primária do evangelho de Marcos, e seu uso como fonte informativa.)

4) A fonte "Q", cuja natureza exata não pode ser definida com as evidências que possuímos no momento, foi **a fonte usada** por Mateus e Lucas, quando os dois estão em consonância com o material não pertencente a Marcos.

5) Mateus, um evangelho não-primário, ao usar material peculiar a si mesmo, tinha uma fonte, **M**, que é descrita sob a seção III.4.2. Lucas contou com a fonte "L", descrita em III.4.4.

6) As fontes do evangelho primário **foram diversas**, como as memórias de Pedro, a tradição da igreja de Roma (para a qual contribuíram muitos participantes), e os relatos de testemunhas oculares, algumas apostólicas, juntamente com relatos em segunda mão, provenientes de outras comunidades ou indivíduos. (Ver sobre o "protomarcos", em III.4.1.)

As conclusões da presente investigação são consideradas meras **tentativas**, estando sujeitas a revisão. Contudo, embora de modo algum queiramos ser dogmáticos, cremos que algumas das coisas aqui ditas nos aproximam mais da verdade concernente às fontes informativas dos evangelhos sinópticos, do que poderíamos fazer previamente, antes de qualquer investigação.

IV. MARCOS, PRINCIPAL FONTE (*HISTÓRICA*) DOS SINÓPTICOS

Reconhece-se de forma **virtualmente universal**, hoje em dia, em contraste com os séculos anteriores, que o evangelho de Marcos foi o evangelho original (daqueles que foram preservados até nós), e que Mateus e Lucas se utilizaram ambos desse evangelho como alicerce do seu esboço histórico da vida de Jesus. A ideia antiga, popularizada por Agostinho, é que Mateus era o evangelho original, e que o evangelho de Marcos era um sumário do mesmo. Entretanto, grande massa de evidência favorece a ideia da posição primária de Marcos, além de favorecer a suposição de que Marcos tenha sido usado diretamente como fonte informativa de Mateus e Lucas. As evidências acerca disso, são as seguintes:

1. Dentre o número total de versículos de Marcos — 661 —, nada menos de 600 se acham em Mateus, ou seja, cerca de noventa por cento. Se Mateus não usou Marcos como seu esboço histórico, então deve ter usado um protomarcos que divergia muito levemente do resultante do evangelho de Marcos.

2. A narrativa de Mateus usualmente segue o evangelho de Marcos, embora ele tenha omitido alguns versículos, evidentemente por amor à brevidade; ou então modifica algo aqui e ali, a fim de obter melhor estilo literário. Outras modificações provavelmente se devem à tentativa do autor sagrado de eliminar alguns elementos ásperos, como a aparente aspereza de Jesus para com um leproso (ver Mt 8.2,3, em comparação com Mc 1.43); ou então, em outro caso, a fim de eliminar a exibição de ira por parte de Jesus, que o autor sagrado pode não ter sentido apropriado à imagem aceita de sua pessoa (cf. Mt 12.10-14 e 19.13-15 com Mc 3.5 e 10.14). Em Mateus, algumas passagens foram **alteradas** ou **desenvolvidas**, a fim de torná-las mais aplicáveis às condições posteriores da igreja, do que se dava no tempo refletido no evangelho de Marcos, que lhe é anterior. O famoso capítulo dezesseis, com seu "material eclesiástico", igreja edificada sobre Pedro, disciplina etc.), certamente é um exemplo do que dizemos.

3. A narrativa de Mateus normalmente segue a ordem de acontecimentos que achamos em Marcos, mas ele não hesita em alterar essa ordem, se a mesma se presta melhor a seus propósitos. O autor sagrado que produziu essencialmente um evangelho dos **ensinamentos** de Jesus, arranjou seu material em cinco blocos, a saber: caps. 3—7; 8—10; 11—13; 14—18 e 19—25. A narrativa histórica se adapta, então, a esse plano básico; e, por causa disso ele foi forçado a alterar, ocasionalmente, a ordem de acontecimentos que figuram no evangelho de Marcos. As "diferenças" entre Mateus e Marcos, pois, podem ser assim esclarecidas, sem qualquer dificuldade maior, no tocante àquela porção dos dois evangelhos que são quase idênticos. Sob III.4 temos explicado as diferenças entre esses dois evangelhos, no tocante àquilo em que Mateus suplementa o evangelho de Marcos.

4. Lucas utilizou-se de cerca de 70% do volume total do evangelho de Marcos. Embora tivesse usado menor proporção de Marcos, do que fizera Mateus, é mais exato na transcrição dos informes. **Normalmente**, Lucas preservou a mesma ordem de acontecimentos que Marcos apresenta, a mesma ordem de palavras, com menos omissões do que se vê em Mateus.

156 |Artigos introdutórios| NTI

Lucas usou seis grandes blocos do material de Marcos, além de porções menores. Ele omite somente uma grande seção de Marcos, inteiramente, isto é, Mc 6.45 — 8.26, que alguns eruditos apodam de "Grande Omissão". As modificações feitas por Lucas, em confronto com Marcos, podem ser atribuídas às tentativas lucanas de melhorar o grego e o estilo de Marcos, omitindo relevâncias, suavizando ou idealizando as "imagens" empregadas por Jesus e pelos discípulos, omitindo incidentes incongruentes ou incompreensíveis, como a maldição à figueira (Mc 11.12-14,20-22). Em certo lugar, o próprio Lucas **confunde** o esboço histórico, ao inserir no plano simples de Marcos o longo "documento de viagem" — Lc 9.51—18.14 — que de modo nenhum se adapta bem em qualquer harmonia com os evangelhos de Marcos e Mateus, ainda que, sem dúvida nenhuma, apresente material autêntico. É provável o fato de que Lucas tenha recolhido maior abundância de material histórico do que Marcos, o que o impediu de seguir estritamente o esboço histórico de Marcos; e assim, um tanto desajeitadamente, ele incluiu parte de seu material, interrompendo o esboço deixado por Marcos.

5. Sucede que, dos 661 versículos de Marcos, 600 são **incorporados** por Mateus e Lucas, deixando apenas cinco dúzias deles sem ser copiadas. Se, no entanto, Marcos meramente condensou Mateus, conforme criam os antigos, é impossível entender por que razão ele deixou de fora quase 50%; e mais difícil ainda é entender o motivo pelo qual Marcos deixou de lado, quase inteiramente, os ensinamentos de Jesus. Seria isso uma omissão inconcebível e imperdoável. Se Mateus tivesse sido escrito primeiro, não haveria nenhuma razão para Marcos ter sido escrito. Podemos, entretanto, entender facilmente a razão de Mateus, ao usar um evangelho "escasso", sentir-se compelido a acrescentar ensinamentos ao esboço histórico que lhe foi provido. Mateus acrescentou também alguns eventos adicionais, baseados em fontes informativas que estavam à sua disposição, mas não à disposição de Marcos, o que explica a existência tanto do material **Q** quanto do material **M**, no evangelho de Mateus.Por outro lado, devido às suas pesquisas intensas, Lucas teve grande acúmulo de material que não esteve ao alcance nem de Mateus e nem de Marcos; e assim, apesar de ter o material **Q** à sua disposição, em conjunção com Mateus, também adicionou ao esboço de Marcos, o que agora chamamos de fonte informativa **L**.

6. Pode-se observar certa **dependência verbal** de Mateus e Lucas a Marcos, ao empregarem aquele evangelho, o que dificilmente pode ser creditado meramente à oportunidade. Essa é outra indicação da posição primária de Marcos, como também do fato de que este foi usado diretamente como fonte informativa dos demais evangelhos sinópticos. (Ver essa dependência verbal ilustrada em III.1.b do presente artigo.)

7. A escassez de Marcos é prova conclusiva de que este não poderia ter sido escrito sob o alicerce de Mateus ou Lucas como fonte informativa. Dentre as 41 parábolas registradas nos evangelhos sinópticos, Marcos conta apenas com oito, e apenas uma dessas parábolas é singular a Marcos, ou seja, não é encontrada nem em Mateus e nem em Lucas: a semente que medra (ver Mc 4.26-29). É impossível supor que, se Marcos **tivesse tido acesso** a tanto material como esse, o teria deixado de lado, e isso propositalmente. Mateus tem dez parábolas que não figuram nem em Marcos e nem em Lucas; e Lucas tem dezesseis dessas parábolas. Se Marcos tivesse usado Mateus ou Lucas como fonte informativa, isso não teria acontecido. Marcos certamente teria incluído algumas daquelas declarações de Jesus. Dentre quarenta milagres ou mais, narrados nos evangelhos sinópticos, Marcos registra vinte, ou seja, cerca da metade, e somente dois milagres narrados por ele não foram duplicados por Mateus e Lucas, a saber, a cura do surdo-mudo (Mc 7.31) e a cura de certo cego (Mc 8.22). É difícil acreditar que Marcos teria deixado de registrar mais da metade dos milagres, sobre os quais poderia ter escrito se porventura tivesse diante dele fontes informativas que os historiassem.

8. O evangelho de Marcos nada nos diz acerca do nascimento e do começo da vida terrena de Jesus, e não supre genealogia. Se ele tivesse Mateus ou Lucas para usar como fonte informativa, seria extremamente provável que não houvesse incluído parte daquele material.

V. BIBLIOGRAFIA

Bultmann, Rudolf. "Form Criticism": "A New Method of New Testament Research, traduzido por F. C. Grant: Chicago, Willett, Clark e Co, 1934.

Enslin, Morton Scott. "Christian Beginnings", v. 3, The Literature of the Christian Movement; ch. xliii, "The Synoptic Problem", New York: Harper and Brothers Publ, 1956.

Filson, Floyd V. "Origins of the Gospels". New York: Abingdon Press, 1939.

Grant, Frederick C. "The Growth of the Gospels". New York: Abingdon Press, 1933.

Streeter, B. H. "The Four Gospels". London: Macmillan Co., 1930.

Taylor, Vincent. "The Formation of the Gospel Tradition". London: Macmillan Co., 1933.

Trawick, Buckner B. "The New Testament as literature". Gospels and Acts, New York: Barnes and Noble Inc., 1964.

VI. ILUSTRAÇÃO DAS SIMILARIDADES E DIFERENÇAS ENTRE OS EVANGELHOS SINÓPTICOS

As 41 parábolas dos evangelhos sinópticos e suas propostas fontes:

Fontes supostas	Parábola	Marcos	Mateus	Lucas
Q	Os dois alicerces		7.24-27	6.47-49
Marcos	Remendo novo em vestes velhas	2.21	9.16	5.36
Marcos	Vinho novo em odres velhos	2.22	9.17	5.37,38
L	Os dois devedores			7.36-50
Q	O espírito imundo		12.43-45	11.24-26
Marcos	O semeador	4.3-20	13.3-23	8.4-15
L	O bom samaritano			10.25-27
Proto-marcos	A semente que medra	4.26-29		
L	O amigo importuno			11.5-10
M	O joio		13.36-43	
L	O rico insensato			12.16-21
L	A figueira estéril			13.6-9
Marcos	A semente de mostarda	4.30-32	13.31,32	13.18,19
Q	O fermento		13.33	13.20,21
M	O tesouro escondido		13.34	
M	A pérola de grande preço		13.45,46	
M	A rede de pesca		13.47-50	
L	O conviva importuno			14.7-11
L	A grande ceia			14.16-24
L	A torre			14.28-30
L	O rei em preparativos de guerra			14.31-33
Q	A ovelha perdida		18.12-14	15.3-7
M	O servo sem misericórdia		18.23-35	
L	A moeda perdida			15.8-10
M	Os trabalhadores na vinha		20.1-16	
L	O filho pródigo			15.11-32
L	O mordomo desonesto			16.1-9
L	O rico e Lázaro			16.19-31
L	O lavrador e seu servo			17.7-10
L	A viúva e o juiz iníquo			18.1-8
L	O fariseu e o publicano			18.9-14
M	Os dois filhos		21.28-32	
Marcos	Os lavradores maus	12.1-12	21.33-48	20.9-19
M	A festa de casamento		22.1-14	
Marcos	A figueira florescente	13.28,29	24.32,33	21.29-31
Marcos	Os servos vigilantes	13.34-37		12.35-38
Q	O dono de casa e o ladrão		24.42-44	12.36-40
Q	O mordomo sábio		24.45-51	12.42-48
M	As dez virgens		25.1-13	
Q	Os talentos		25.14-30	19.11-27
M	As ovelhas e os bodes		25.31-37	

e. Milagres num só evangelho:

Os milagres de Jesus, narrados em uma só fonte; M, L ou protomarcos

O milagre e sua suposta fonte	Mateus	Marcos	Lucas
Derivados de M:			
A cura dos dois cegos	9.27		
A cura de um endemoninhado	9.32		
A moeda na boca do peixe	17.24		
Derivados do protomarcos:			
A cura do surdo-mudo		7.31	
A cura do cego		8.22	
Derivado de L:			
A pesca maravilhosa			5.1
A ressurreição do filho da viúva			7.11
A cura da mulher enferma			13.11
A cura do hidrópico			14.1
A cura dos dez leprosos			17.11
A cura da orelha decepada de Malco			22.50

Também há vários milagres registrados somente por João, que são dados aqui para satisfazer à curiosidade do leitor, embora não envolvam os evangelhos sinópticos:

Transformação da água em vinho	João 2.1
Cura do filho de um oficial do rei	4.46
Cura de um paralítico	5.1
Cura de um cego de nascença	9.1
Ressurreição de Lázaro	11.43
Pesca maravilhosa	21.1

Milagres narrados em dois evangelhos, derivados de Marcos ou "Q"

f. Milagres em Marcos ou Q:

O milagre e sua suposta fonte	Mateus	Marcos	Lucas
Marcos: Cura do endemoninhado de Cafarnaum		1.23	4.33
"Q": Cura do filho de um centurião	8.5		7.1
"Q": Cura do endemoninhado surdo-mudo	12.22		11.14
Marcos: Cura da filha da mulher cananeia	15.21	7.24	
Marcos: Multiplicação de pães para os 4.000	15.32	8.1	
Marcos: Maldição da figueira	21.18	11.12	

g. Milagres narrados em três evangelhos, derivados de Marcos

O milagre e sua suposta fonte	Mateus	Marcos	Lucas
Cura do leproso	8.2	1.40	5.12
Cura da sogra de Pedro	8.14	1.30	4.38
A tempestade acalmada	8.26	4.37	8.22
Cura dos endemoninhados de Gadara	8.28	5.1	8.27
Cura do paralítico	9.2	2.3	5.18
Cura da mulher enferma	9.20	5.25	8.43
Ressurreição da filha de Jairo	9.23	5.38	8.49
Cura do homem de mão mirrada	12.10	3.1	6.6
Jesus anda sobre a água (provavelmente de mais de uma fonte)	14.25	6.48	(João 6.15)
Cura do jovem endemoninhado	17.14	9.17	9.38
Cura do cego de Jericó	20.30	10.47	18.35

h. Único milagre narrado nos quatro evangelhos

Multiplicação dos pães para 5.000
Mateus 14.15; Marcos 6.30; Lucas 9.10 e João 6.1

A tradição profética e a nossa época

Russell Champlin

O propósito deste breve artigo é fazer soar o alarma que adverte os homens: "Os últimos dias estão às portas". A verdade é que, na igreja, em muitas épocas diversas, os homens têm pensado nisso equivocadamente. Contudo, não pode haver dúvida de que os "tempos mudaram", e que há "muitas coisas novas debaixo do sol". As predições bíblicas que dificilmente poderiam ser cumpridas em outros séculos podem concretizar-se facilmente em nossa época.

Talvez a própria brevidade deste artigo chame a atenção dos leitores. Neste comentário bíblico não há artigo mais importante que este. Consideremos a natureza momentosa do pensamento: "Nossa época pode ser o tempo do fim. As pessoas que agora vivem contemplarão acontecimentos relatados nas Sagradas Escrituras que indicam que o últimos dias estão às portas.

Esboço

I. OS SINAIS DOS TEMPOS
1. O progresso da ciência
2. O aumento do poder
3. O soerguimento de Israel
4. O fortalecimento da Rússia
5. O incremento da imoralidade
   a. A loucura do sexo
   b. A falta de controle
   c. A época do alcoolismo e dos tóxicos
6. O aumento do ocultismo

II. A MOLDAGEM DO FUTURO
1. A vinda do anticristo, o filho do Oriente
2. A federação de dez reinos
3. O levantamento e a queda da igreja
4. A grande tribulação
5. A Terceira Guerra Mundial
6. A Quarta Guerra Mundial — *Armagedom*
7. O cataclismo vindouro
8. A segunda vinda de Cristo

III. QUE SE PODE FAZER?

A maior parte dos itens deste esboço tem sido transcrita em algum ponto deste comentário bíblico, pelo que podemos apresentar este artigo em forma de esquema, e não na forma discursiva.

I. OS SINAIS DOS TEMPOS

1. O progresso da ciência

"[...] muitos o esquadrinharão, e o saber se multiplicará" (Dn 12.4b, ARA).

Newton, estudando as profecias bíblicas, incluindo esta (ele a estudou na versão inglesa), declarou que algum dia os homens poderiam viajar à espantosa velocidade de oitenta quilômetros por hora. Voltaire zombou dele, e fez observações cortantes acerca de como até a grande mente de Newton era pervertida pelo estudo das Escrituras, "pois", dizia Voltaire, "se alguém viajar a oitenta quilômetros por hora, conforme todos sabem, ficará sufocado". Agora podemos rir desse pensador; mas o que não podemos despedir com um sorriso é o fato de o grande progresso científico de nossa época ter cumprido as profecias bíblicas além da mais arrojada imaginação, estabelecendo o palco para a agonia da terra que terá de preceder à volta de Cristo.

2. O aumento do poder

O homem tem agora a capacidade de brandir o poder necessário para descarregar sobre a terra eventos cataclísmicos como os que são descritos nessa profecia de Daniel, no Apocalipse e em 2Pedro. Agora é verdade que os homens podem dissolver os elementos com calor abrasador, fazendo cair fogo sobre as ilhas, que podem ser totalmente destruídas. O descobrimento da energia atômica tornou possível a vasta destruição predita em Apocalipse 4-19, inteiramente à parte de causas sobrenaturais, embora creiamos que estas também estarão envolvidas na agonia final da terra, antes do estabelecimento da idade áurea. A **bomba infernal** imporá ao homem a maldição que ele atraiu contra si mesmo. Os fundamentos da terra serão abalados, e a terra balouçará. (Ver Is 24.16,17; 24.19,20; Jl 2.10; 2Pe 3.10). Uma libra de urânio tem o poder destrutivo em potencial de cinco milhões de libras de T.N.T. Há poder suficiente, na energia atômica de uma pequena moeda, para destruir uma cidade tão grande quanto Nova Iorque. Em Hiroshima, mediante uma minúscula bomba atômica — mero bebê entre as armas que se conhecem hoje em dia —, sessenta mil pessoa foram mortas em um segundo, e quatro milhas quadradas da cidade foram obliteradas. Quarenta mil pessoas morreram, em seguida, vítimas dos efeitos daquela explosão. A proporção de destruição e de mortes ainda foi maior em Nagasaki. Oitenta e cinco daquelas bombas poderiam destruir todas as principais cidades dos Estados Unidos. Uma nação inteira poderia ser varrida completamente do mapa em questão de horas. A bomba de hidrogênio é mil vezes mais poderosa que as minúsculas bombas atômicas iniciais. Isso é algo novo sob o sol, o que torna nossos tempos o palco possível, sim, e até mesmo indiscutível, para a agonia final da terra.

3. O ressurgimento de Israel

"Restaurarei a sorte de Judá e de Israel, e os edificarei como no princípio" (Jr 33.7, ARA).

"Tomar-vos-ei entre as nações, e vos congregarei de todos os países, e vos trarei para a vossa terra" (Ez 36.24, ARA).

"Plantá-los-ei (a Israel) na sua terra, e, dessa terra que lhes dei, já não serão arrancados, diz o Senhor, teu Deus" (Am 9.15, ARA).

Ver também Romanos 10, sobre a restauração de Israel e sua eventual salvação evangélica.

Essa restauração do povo de Israel, de volta à sua terra — em nossa época (algo novo debaixo do sol) —, destaca-se entre os sinais do fim dos tempos, em primeiro lugar. Os estudiosos da Bíblia costumavam debater sobre o cumprimento "literal" desse sinal do fim. A história nos forneceu a resposta. De nada nos adiantará dizer, conforme fazem alguns, que a própria profecia estava se "autocumprindo". É melhor reconhecer o poder de Deus que opera em nosso mundo. Manter a posição dos céticos é permanecer nas trevas, não se deixando sujeitar à iluminação espiritual.

A volta de Israel à sua terra armou o palco para seu conflito com as nações árabes, conflito este que será o estopim da Terceira e da Quarta Guerras Mundiais, (e esta última será o Armagedom). (Ver mais abaixo "A moldagem do futuro" e seguir as referências dadas no corpo do comentário, quanto a minúcias). O retorno de Israel também possibilitará a "salvação nacional", prometida a essa nação em Romanos 11.26. Nossos filhos, se não nós, veremos Israel "nacionalmente" convertida a Cristo. Dentro de um tempo indeterminado, Israel se tornará poderosa nação cristã "missionária", a mais fanática de todas, substituindo certas nações que agora arcam com a responsabilidade missionária no mundo. Isso será um feito do Senhor, e maravilhoso aos nossos olhos.

4. O fortalecimento da Rússia

Ezequiel 38 e 39 descrevem a posição da Rússia nos últimos dias. A Rússia ocupará lugar central quando da Terceira Guerra Mundial — para, nós não será esta a batalha do Armagedom —, quando então à China caberá o papel principal; e ambas se voltarão contra a federação de dez reinos do anticristo. Tudo começará com a invasão russa às terras dos combatentes árabes e judeus (pois esse conflito prosseguirá interminavelmente); e isso provocará o início da Terceira Guerra Mundial. Essa guerra será o principal cumprimento da predição apocalíptica sobre o "cavalo vermelho" (6.4). De modo nunca antes visto, a paz será tirada da face da terra. Isso levará a um clímax uma série de conflitos, mas será a guerra horrorosa por excelência, perdendo em violência apenas para a batalha ainda futura do **Armagedom**. Isso fará parte do período da tribulação.

5. O incremento da imoralidade

a. A loucura do sexo

A era imediatamente antes da segunda vinda de Cristo será semelhante à era de Sodoma. (ver Lc 17.26-30). Aquela foi uma época de apetite sexual, uma era de sexo desabrido, uma fase de comercialismo pervertido (ver o registro bíblico em Gn 19). O próprio vocábulo "sodomia" sugere práticas sexuais depravadas. Hoje em dia, há psicólogos que falam com seriedade acerca da homossexualidade (um dos principais pecados de Sodoma) como alternativa natural ao matrimônio heterossexual. O cinema, a televisão, os jornais e as revistas refletem a tendência de nossa época, a qual fez do mundo inteiro uma grande Sodoma. Até mesmo a propaganda e o entretenimento se apoiam, como apelo, sobre as "muletas do sexo". O pior aspecto do problema é que a igreja da "crença fácil" não mais encara os pecados sexuais como algo muito sério.

"Sabe, porém, isto: Nos últimos dias, sobrevirão tempos difíceis, pois os homens serão egoístas [...] sem domínio de si [...] mais amigos dos prazeres que amigos de Deus, tendo forma de piedade, negando-lhe, entretanto, o poder. Foge também destes" (2Tm 3.1-5, ARA).

Nenhum indivíduo viciado penetrará no reino dos céus: "Sabei, pois, isto: nenhum [...] impuro [...] tem herança no reino de Cristo e de Deus. Mas a impudicícia e toda sorte de impurezas [...] nem sequer se nomeiem entre vós, como convém a santos" (Ef 5.5,3, ARA).

b. A falta de controle

Consideremos como a Corte Suprema dos Estados Unidos trata da pornografia. Pode-se exibir qualquer coisa em um cinema ou em uma revista, contanto que tenha "algum valor social". Em outras palavras, se em um filme puder ser achada qualquer coisa útil, não importa quão degenerado seja esse filme, ele pode ser exibido ao público. Que padrão baixo é esse, declarado pela mais elevada corte do país! Isso é típico da "falta de controle" sobre a depravação que caracteriza a nossa época. Sodoma tornou-se conhecida por se ter abandonado a todas as formas de desregramento. A ausência de controle é ilustrada principalmente na igreja, onde a música dos clubes noturnos se tornou agora um padrão aceito. Os membros mais antigos ficam por ali assentados, enquanto tudo sucede, com pouco ou nenhum protesto. Os filósofos sabem que a música provoca estados metafísicos. Como pode haver qualquer conversão autêntica quando uma "música vil" é usada para "inspirar" os cultos?

c. A época do alcoolismo e dos tóxicos

Um comentador do Apocalipse predisse que o fim dos tempos se caracterizaria pelas drogas e pelo alcoolismo. Isso ele supôs ao notar que a palavra traduzida como "feitiçarias" subentende o uso de drogas, o que realmente sucedia na antiguidade. As drogas eram usadas como auxílio na feitiçaria, como acontece até hoje. Essa predição foi feita em 1930, antes de surgir na cultura geral o problema dos tóxicos. Contemplemos o que está sucedendo em nossos dias. Quase todos os jovens já experimentaram os tóxicos, e grande número deles faz uso contínuo das drogas. Os tempos do fim serão a era mais acentuada pelo alcoolismo e pelos tóxicos, já havida desde o começo do mundo.

6. O aumento do ocultismo

Devemos cuidar para não chamar de "ocultismo" à ciência mental legítima. Muita coisa vem sendo feita, com o nome de "parapsicologia", que é ciência legítima; pois essa é realmente um ramo da "antropologia", sendo que suas descobertas abordam aspectos da natureza humana e do potencial humano. Por ser um ente espiritual, o homem possui características espirituais, inclusive a telepatia, o conhecimento prévio, o poder de cura, e até mesmo a "bilocalização", ou seja, a capacidade de fazer "viagens com a alma", enquanto o corpo físico ainda está vivo.

Não nos equivoquemos, porém, pois a magia negra está em ascendência em nossos dias, e continuará aumentando, até que as forças satânicas se tenham apossado de muitos, se não mesmo da maioria dos homens. O fim de tudo será a adoração direta a Satanás, por intermédio do **anticristo**, tal como agora os crentes adoram a Deus por intermédio de Cristo (ver Ap 9, sobre os julgamentos dos "ais", que quase certamente falam da invasão de poderes demoníacos da terra, nos últimos dias). Até agora, a terra tem tido proteção natural, primeiramente porque Deus assim quer e protege os homens dos piores poderes demoníacos, pela influência de seu Espírito no mundo; e, em segundo lugar, porque, por maus que sejam os homens, ainda não chegaram ao baixo nível de degradação que será mister para atrair os espíritos malignos mais vis. Quando os homens estiverem "preparados", pela própria vontade perversa, então ocorrerá a invasão satânica; e quando a proteção divina for removida, o mundo se tornará um inferno em vida, uma floresta louca e pervertida pelas mais baixas formas de violência e iniquidade. O resultado final será a adoração a Satanás, conforme se vêm em 2Tessalonicenses 2.4 e Apocalipse 13.8.

Ocultismo negro na igreja — Sem dúvida o mais trágico aspecto do incremento da magia negra no mundo de hoje é que dentro da própria igreja cristã ela se vai tornando proeminente. Os homens têm podido perceber que os **dons espirituais** são necessários para o desenvolvimento espiritual apropriado da igreja (conforme se vê em Ef 4, Rm 12 e 1Co 12-14). Esses dons não servem de mera autenticação das mensagens proféticas. São para nós, e nenhuma igreja precisa tanto desses dons como a de hoje em dia. No entanto, uma igreja mal preparada para buscar os dons, que pouco saiba sobre os poderes psíquicos e seus perigos, aleijada por um baixo caráter moral, ao abrir sua consciência a poderes espirituais ocultos, tem recebido "espíritos", e não o Espírito.

Essa observação sob hipótese alguma é uma acusação contra qualquer pessoa em particular, que tenha sido envolvida pelo poder das trevas, ao invés do poder da luz. É apenas uma advertência de que isso sucede atualmente, no seio mesmo da igreja evangélica. Esse problema, e toda a questão dos dons espirituais, é o problema mais crítico que a igreja atual enfrenta. Por outro lado, cremos que se manifestam dons espirituais genuínos hoje em dia, e que os mesmos estão à nossa disposição; mas há a questão dos poderes das trevas, que se manifestam lado a lado com os poderes divinos. 1João 4.1ss trata claramente da necessidade de "discernir os espíritos" para saber se vêm de Deus ou não. Homens totalmente destituídos de moral por toda a parte falam em línguas, profetizam e curam. São falsos ministros de Cristo, porquanto os verdadeiros dons espirituais **purificam** e **santificam**, criando a imagem santa de Cristo em nós. Todo o progresso espiritual, se vem da parte de Deus, traz consigo a transformação moral. Toda a conversa contrária a isso é uma insensatez. O próprio processo salvador é produzido "mediante a santificação", e não tentando evitá-la (ver 2Ts 2.13).

II. A MOLDAGEM DO FUTURO

1. A vinda do anticristo, o filho do Oriente

Levamos **a sério** as predições bíblicas que falam do surgimento de um homem poderosíssimo, o qual será tão perverso quanto poderoso. Fará com que todos os homens iníquos, que têm enchido as páginas da história, se assemelhem a crianças. Pensemos na imensa perversidade de Hitler, o qual será reduzido a um "brinquedo infantil" por esse outro poder supremamente maligno! A nota geral do anticristo é dada em 2Tessalonicenses 2.3, onde o leitor poderá encontrar detalhes. Pode ser que esse homem já viva de acordo as declarações de alguns místicos, mas, somente Deus sabe quando irá de fato existir. Alguns predizeram que o anticristo nasceu em 5 de fevereiro de 1962. Notemos que esse "ano" é igual a 666, numericamente considerado, pois se adicionarmos 1+9+6+2=18, ou seja, três vezes seis. O "666" original era simplesmente o equivalente ao valor numérico do nome **Nero César**, que os cristãos primitivos esperavam que fosse o anticristo. Em outras palavras, segundo pensavam, Nero se reencarnaria e se ocuparia de sua missão satânica. Mas isto é somente **conjecturas** que 1962 tenha alguma significação, e não dizemos isso como algo infalivelmente certo, já que carecem de fundamentação bíblica. (Ver Ap 13.18, quanto às muitas conjecturas que circundam a questão desse número). O certo é que esse homem, seguindo o padrão deixado por Cristo, mas duplicando-o de modo perverso, há de se tornar conhecido e conseguirá obter grande autoridade e poder.

O anticristo terá dois centros de atividades: Jerusalém e Roma. Ele encabeçará a federação futura de dez reinos, que será o braço de seu poder. Contará também com o seu próprio "João Batista", um precursor, o qual, mediante nossos meios de comunicação em massa, publicará a sabedoria e o poder desse homem, levando o mundo a aclamá-lo dentro de pouco tempo. Toda a sabedoria dos séculos brilhará nos olhos do anticristo, mas essa sabedoria será negra e pervertida em suas operações. Será promovida a pior de todas as perseguições religiosas, encabeçada por ele, e a igreja terá de agir subterraneamente, às ocultas.

O anticristo fará oposição, como poderíamos supor da própria palavra, a qualquer verdadeiro culto a Cristo. Ele terá com ele a ciência, que nega a existência de Deus, e usará as descobertas miraculosas desta para negar a necessidade de Deus na vida dos humanos. Ao mesmo tempo, imaginamos que ele será um psíquico e operador de milagres do mais elevado grau. Ele fará com que os céticos se convertam a um tipo de espiritualidade, mas que na realidade é falsa, que tornará corruptas as próprias almas dos homens.

2. A federação de dez reinos

(Ver Ap 13.1 e 17.12). A grosso modo, essa federação representará o reavivamento do império romano; mas não se limitará necessariamente a nações europeias. Ao nosso ver, ela se comporá destes países: Inglaterra, Itália, França, Bélgica, Alemanha, Holanda, Suécia, Japão, Canadá e Estados Unidos. Essas nações atuarão como braço do poder do anticristo, sendo usadas para se oporem à Rússia, na Terceira Guerra Mundial, e à China, na Quarta Guerra Mundial (Armagedom).

3. O levantamento e a queda da igreja

O terceiro capítulo do Apocalipse indica que uma igreja que avança espiritualmente existirá juntamente com uma igreja que fracassa e apostata. Já estamos vendo o começo disso. Alguns homens têm entrado pela vereda da renúncia, buscando o máximo dos dons e do poder de Deus, mostrando-se vitoriosos sobre a inquirição espiritual. Ao mesmo tempo, os dons espirituais estão sendo pervertidos mediante a **influência dos espíritos** e da magia negra que tem penetrado na igreja. Moralmente falando, os ministros falsos são pútridos. A música dos clubes noturnos é atualmente aceita nos cultos de adoração, e até mesmo usada na tentativa de trazer os pecadores ao arrependimento. Esse dualismo de condições fará a igreja levantar-se e cair, ao mesmo tempo.

4. A grande tribulação

(Ver as notas completas sobre esse tema, em Ap 7.14). Muitos eruditos bíblicos limitam esse período a sete anos, ou seja, três anos e meio para a "tribulação" e outro tanto para a "grande tribulação", em que um período se seguirá imediatamente ao outro. Mas tomamos o número "7", nesse caso, como símbolo do ciclo perfeito da tribulação, que os homens merecem, promovido pelo anticristo, entre outros fatores espirituais. Portanto, cremos que esse período de sofrimentos sem precedentes, de pragas, guerras e destruições perdurará muito mais do que sete anos, talvez até sete vezes sete, ou seja, 49 anos, ou mais ainda. Incluirá o aparecimento do anticristo (desde seu começo), e também a Terceira e a Quarta Guerras Mundiais. A tribulação incluirá o lançamento de poderes fantasticamente destrutivos, do homem contra o homem; mas também incluirá o açoite da natureza contra os homens. O mar bramirá e ficará fora de controle, e os cientistas não conseguirão explicar o que estará sucedendo. **Terremotos** sobrevirão com sofrimentos nunca igualados. Do firmamento cairão pesadas chuvas de meteoritos, e um cometa (ou mais de um, no decorrer dos anos) atingirá a terra.

Como pode ser notado acima, é possível que o período de sete anos seja literal, tornando-se um tempo de crise específica para Israel. É possível que a igreja escape desse período. Nesse caso, os sete anos serão um tempo exclusivo dentro da moldura de uma tribulação muito mais duradoura.

5. A Terceira Guerra Mundial

Grande terremoto atingirá Israel, dando a seus inimigos árabes uma vantagem momentânea, do que resultará a **invasão** das terras de Israel. Perdas imensas terão lugar, em ambos os lados, por um período de tempo indeterminado. A Rússia e seus aliados intervirão e ocuparão as terras de todos os participantes. Haverá muita miséria, derramamento de sangue e pestilência. O anticristo e sua federação de dez reinos se moverão para expulsar a Rússia das terras ocupadas. A Rússia, observando isso, dará início à guerra atômica. Muitas das cidades da Europa, dos Estados Unidos e da Rússia serão destruídas. A humanidade temerá, e com boas razões, pela própria sobrevivência. A vastíssima destruição modificará as condições atmosféricas. O sol não brilhará em meio às trevas. As forças comunistas terão sido isoladas no Oriente Médio, como foram os alemães em Estalingrado. Serão destruídas pelos exércitos da federação de dez reinos, com armamentos atômicos. O anticristo será o grande heroi conquistador de todos os tempos. Os Estados Unidos e a Rússia não serão mais nações poderosas, devido à vastíssima destruição que ambos os países sofrerão nessa guerra. Será, então, a oportunidade da China.

A conversão de Israel

Em meio a esse pior de todos os holocaustos, subitamente se tornará visível no firmamento o sinal do Filho do homem, uma grande cruz luminosa. Jesus será visto corporalmente entre os soldados israelenses, que estarão lutando pela sobrevivência da própria nação, quando estiverem quase perdendo a esperança de que isso será possível. As notícias de que "Jesus está conosco" se propagarão como um incêndio por todo o Israel. Os homens serão convocados para a vitória. Israel se proclamará uma nação cristã; e, tendo sobrevivido, se tornará a mais poderosa **nação cristã missionária** da época.

Os eventos como agora acontecem, nos mostram alguns detalhes do que exatamente será envolvido na conquista de terras pela Rússia. O petróleo certamente será um fator de importância vital. Pensemos no que significará para as nações do ocidente a Rússia controlar os suprimentos de petróleo, agora sob o poder dos árabes! Nações como o Japão, não possuem recursos naturais de petróleo e dependem da importação. Essas nações que têm tudo a perder pelo controle comunista do petróleo árabe, se unirão ao anticristo, para expelir a Rússia dos países árabes e da Palestina. Será, então, que surgirá a **Terceira Guerra Mundial**.

Nós não temos chamado a Terceira Guerra Mundial de Armagedom, mas já que o "gran finale" da guerra será na Palestina, talvez fosse melhor que víssemos o Armagedom como a consistência tanto da Terceira como da Quarta Guerra Mundiais. Logo, o Armagedom em si seria uma série de eventos e não uma guerra única, ou uma única batalha. A segunda vinda de Cristo começa com o Armagedom, e este próprio é uma série de eventos, pelos quais o mundo é levado a ajoelhar-se, tomando Cristo então o controle do mundo.

Apocalipse 16.15 indica que o Armagedom é o início da vinda de Cristo.

6. A Quarta Guerra Mundial — *Armagedom*

Estando outras nações debilitadas, e não sendo mais poderosas nações a Rússia e os Estados Unidos, **a China** iniciará vastas conquistas, o que provavelmente durará pelo período de muitos anos. A Ásia inteira, grande parte da Europa e da Rússia serão conquistadas. Então, finalmente, os acontecimentos uma vez mais se centralizarão em torno da Palestina. Milhões de tropas chinesas acorrerão à Palestina; mas o anticristo, mediante sua poderosa federação de nações, fará chover armas atômicas sobre elas. Os que porventura chegarem à Palestina estarão grandemente debilitados, e serão totalmente destruídos. A agonia que circundará tudo isso — a vastíssima destruição — o enfraquecimento que derrubará todas as nações de joelhos, será o Armagedom. Esse acontecimento (na realidade, uma série de acontecimentos), finalmente, fará o mundo inteiro cair aos pés de Cristo. O mundo terá aprendido o que significa deixar Cristo fora de sua vida e o que significa convidar Satanás e as suas forças para que dominem. Hoje mesmo o mundo está aprendendo o que é esse drástico **abandono**; mas eventualmente o mundo inteiro terá de voltar-se para Cristo, se ao menos quiser sobreviver. (Ver as notas completas sobre o "Armagedom", em Ap 14.14). O Armagedom culminará com alguma espécie de intervenção divina contra o anticristo. O fato de haver derrotado a China o deixará na posição de único mandante do globo terrestre. Como será ele derrubado, não é dito exatamente; mas isso ocorrerá mediante a "parousia"

ou segundo advento de Cristo, o que, mui provavelmente, irá se cumprindo por etapas. Esses detalhes deixamos ao encargo de revelações futuras, as quais se tornarão possíveis mediante os próprios acontecimentos.

As igrejas e o anticristo – Disto fazemos um novo parágrafo, pois é aqui que precisamos de atenção especial. Sim, o anticristo cativará a ciência e converterá os céticos. Mas como pode ser imaginado que ele não poderia tomar conta dos "sistemas religiosos"? É quase certo que ele dominará o Conselho Mundial de Igrejas. É quase certo que ele dominará uma grande porção da Igreja Católica Romana, bem como a maioria dos grupos independentes. Eles cairão diante dele; serão enganados. Surgindo, porém, de todos os grupos, estará um resquício, sem bandeiras distintivas (pois a perseguição une os fieis) que fará oposição ao anticristo, com grandes perdas, medidas em termos de perseguição e morte. Os nossos dias verão a maior perseguição religiosa de todos os tempos, que fará com que até os danos provocados pelo comunismo pareçam insignificantes.

O anticristo promoverá um culto pessoal, mas a cristandade que o suporta será um novo tipo de religião, uma espécie de mistura de religiões ocidentais e orientais. Será uma forma de cristianismo, mas um tipo falso. O anticristo, porém, será universal, e não se identificará com nenhum grupo determinado, nem tão pouco será o cabeça de qualquer denominação cristã particular, que repentinamente aumenta o seu poder. Todas as religiões, em toda parte se tornarão seus servos.

Outra tendência é o incremento do "ceticismo", o que já provocou uma apostasia. Tal situação, entretanto, se multiplicará imensamente nos últimos dias (ver 2Tm 3.1ss, quanto à predição sobre essa "apostasia"). Historicamente, aquele texto foi escrito contra os gnósticos, uma seita imoral que, durante certo tempo, procurou exibir-se como se fora a igreja cristã. Os apóstatas do futuro serão os modernos gnósticos amorais. Que denominação formará a igreja apóstata? Creio que os intérpretes se têm equivocado, ao supor que uma denominação particular, como a Igreja Católica Romana, será a igreja apóstata dos últimos dias. Parece bem mais provável que essa será composta de largo segmento de todas as denominações, e, por igual modo, a "igreja que se levantará" surgirá dentre todas as denominações!

E qual será o fim dessa apostasia? O fim dessa apostasia na igreja será idêntico ao fim da apostasia no resto do mundo. Essa igreja **aceitará o anticristo** como se fosse o verdadeiro Cristo e adorará a Satanás por seu intermédio. Essa igreja não resistirá a nenhum dos atrevimentos do anticristo; pelo contrário, haverá de ajudá-lo em sua busca de lealdade universal. Já a igreja que se levantar terá de ocultar-se e sofrerá a pior perseguição de todos os tempos.

A igreja atravessará o período de tribulação? A essa difícil pergunta, respondemos com um **sim**. A questão é abordada em 1Tessalonicenses 4.15, onde ambos os lados da questão são expostos. O mais forte argumento contra a ideia de um arrebatamento pré-tribulacional da igreja é o fato de o livro que descreve a própria tribulação, o Apocalipse, ter sido escrito para uma igreja composta de "mártires em potencial", uma igreja que haveria de sofrer a ira romana, e não escapar da mesma. O Apocalipse é um "manual para os mártires". Não foi escrito para os judeus e nem para satisfazer a curiosidade acerca do futuro, mas a fim de mostrar a uma igreja que sofria o modo em que as coisas piorarão, e a maneira com que os crentes devem postar-se firmes em tempos de tribulação. O Apocalipse é essencialmente um aviso à igreja para que resista em meio à mais feroz perseguição. O texto de Apocalipse 17.10ss mostra que a igreja primitiva esperava o fim em sua própria época, numa série de "oito" governantes, o último dos quais seria o anticristo. Não há nenhuma indicação bíblica de que a igreja escaparia ao látego de qualquer deles. Bem pelo contrário, a igreja terá de enfrentar cada um deles, inclusive o anticristo, sofrendo horrendamente.

Às notas acima, devemos adicionar esta, que é importante para tornar mais clara a explicação: Quando dizemos que a igreja passará pela tribulação, estamos falando de uma tribulação que durará cerca de quarenta anos, e não meramente sete, como alguns têm suposto. Muito definitivamente, a igreja, **falsa e verdadeira**, terá de negociar com ele. Aqueles que o rejeitarem serão perseguidos, e não haverá salvo-conduto para isto. Entretanto, isto é bom, e não maléfico, pois a igreja muito necessita da purificação que resultará de tudo isso. — A igreja, como hoje a vemos, não pode voar.

Em relação ao arrebatamento, antes ou durante o "período de sete anos" — Nós especulamos neste artigo que este número é simbólico, e poderá significar um período muito mais longo de tempo, até mesmo sete vezes sete, ou quarenta e nove anos. Ou então esse período de sete anos poderia ser um período especial que se relacione com Israel, dentro da extensão do período de perseguição (durante o percurso da "tribulação"). É possível que, se este período for literalmente de sete anos de duração, a igreja, tendo sido purificada na "tribulação", possa ser arrebatada antes dos sete anos específicos de profecia, ou durante o seu percurso. Desta maneira, a igreja passará pela "tribulação", mas escapará do período tradicional de sete anos que, presumivelmente, será de natureza mais intensa. À medida que este tempo se aproxima de nós, obteremos um melhor entendimento dos detalhes envolvidos nesses assuntos. Mas não nos devemos enganar acerca disto: a igreja, toda ela, passará pela perseguição das perseguições, e pelas mãos do **anticristo**.

À medida que os eventos se aproximam, eles lançam suas **sombras**. Nas sombras, vemos o formato dos eventos. Então, as profecias se tornam mais claras. De qualquer forma, as profecias não foram escritas meramente para a nossa curiosidade, mas para instruir aqueles que vivem nos tempos em que essas profecias haverão de se concretizar. Logicamente, as profecias também servem de aviso, e este artigo foi escrito com o propósito específico de dar um aviso.

7. O cataclismo vindouro

A geologia revela-nos que, por muitas vezes, na história do globo terrestre, seus pólos magnéticos subitamente mudaram de posição, provocando imensos dilúvios destruidores. O dilúvio da época de Noé provavelmente foi o último desses cataclismos. O que parece suceder então é o seguinte: o âmago liquefeito da terra está em movimento e exerce pressão em uma direção, fazendo a crosta terrestre ficar tensa naquela direção. **Forças cósmicas** eletromagnéticas exercem força na direção oposta, assim estabilizando a crosta terrestre, para que não sofra grandes modificações de posição. Enquanto a terra atravessa o espaço, porém, ocasionalmente o campo cósmico eletromagnético é alterado, diminui, ou desaparece. Isso permite que a força dada ao âmago liquefeito da terra exerça livre pressão sobre a crosta. E isso significa que uma nova localização para os pólos é subitamente criada, com o afundamento de antigos continentes, o soerguimento de novos, e, de modo geral, uma destruição prodigiosa. Cremos que o globo terrestre se encaminha para outro acontecimento dessa natureza. Alguns cientistas predizem que isso pode estar próximo. Isso pode ter algo a ver com a derrubada do anticristo, e pode estar associado ao segundo advento de Cristo.

8. A segunda vinda de Cristo

(Ver Ap 19.11, quanto à nota geral sobre esse evento, o qual, na realidade, provavelmente será uma série de acontecimentos). Esses acontecimentos serão tanto físicos quanto espirituais, tanto visíveis quanto invisíveis para os sentidos humanos. Seja como for, o resultado é que Cristo assumirá o controle do poder do mundo inteiro. Alguns dizem que isso será "visível e físico"; mas outros afirmam que tudo será "espiritual". Sem importar seu modus operandi, o reinado de Cristo será perfeitamente real, e por meio disso, será estabelecido o milênio, a idade áurea. A passagem de Apocalipse 16.15ss indica que o Armagedom será o primeiro passo da "parousia" ou segunda vinda de Cristo.

III. QUE SE PODE FAZER?

Em face desses momentosos eventos, que posso eu fazer? Se esses acontecimentos se destinam aos meus dias, que diferença isso deveria fazer para mim?

Antes de tudo, devo voltar a atenção para meu desenvolvimento espiritual e para o cumprimento de minha missão. Devo preocupar-me com minhas palavras, com minha vida e com o exemplo que dou, procurando instruir outros, especialmente meus filhos e os que me estiverem próximos, a fim de que esses tremendos eventos não apanhem desprevenido nenhum deles, por eu mesmo não ter feito soar o alarme.

Que se pode dizer sobre meu desenvolvimento espiritual e sobre o cumprimento de minha missão pessoal?

1. Resolvo levar a sério o estudo das Escrituras e das questões espirituais, para treinar meu intelecto e para que eu vá sendo transformado segundo a imagem de Jesus Cristo. Devo dedicar-me à erudição espiritual. Preciso voltar a mente para o Senhor Deus, evitando o que é mundano e profano, bem como os vícios que combatem contra a alma.

2. Resolvo fazer da oração um fator importante de minha vida. Recuso-me a permitir que esse fator ocupe tão pouco espaço em minha vida, como tem sido até agora. Estou resolvido a aprender a agonizar em oração.

3. Resolvo aprender a criar em minha vida a meditação centralizada em Jesus Cristo, a irmã gêmea da oração. Se possível, terei em minha casa um quarto exclusivamente dedicado à oração e à meditação. Se outros podem ter salas de recreação, de música ou para receber hóspedes, posso ter um lugar separado, consagrado à oração e à meditação espiritual. Meditarei sobre a bondade, o poder, o amor e a santidade de Cristo, e esperarei que ele me transforme segundo a sua imagem. Aquietarei minha alma diante dele, e aguardarei que seu Espírito me ilumine. Mediante a iluminação do Espírito (impossível, a menos que eu lhe dê condições adequadas para que chegue à minha alma), virei a conhecer a Cristo de uma forma como nunca o conheci antes.

4. Resolvo entrar na vereda da "renúncia", entendendo que o discipulado cristão consiste realmente de "tomarmos a cruz" e seguirmos a Cristo. Por meio de passagens bíblicas como Efésios 5.3-5 e 2Tessalonicenses 2.13, entendo que não haverá salvação sem a santificação, quanto menos a vitória na inquirição espiritual. Repelirei todos os vícios, sabendo que minha alma nada poderá saber de Cristo, enquanto eu os retiver. Rejeitarei vigorosamente a "crença fácil", própria de nossa época, tanto quanto tenho rejeitado o legalismo morto. Mediante a transformação segundo a imagem de Cristo, terei minha alma transformada em sua natureza metafísica (ver 2Co 3.18), e assim virei a participar da natureza divina (2Pe 1.4; Cl 2.10).

5. Resolvo seguir o exemplo de Cristo, o qual "andou por toda parte, fazendo o bem" (At 10.38). Reconhecerei que a **prática do bem** em prol de outros é mais do que uma expressão natural de minha conversão; é também uma "força espiritualizadora" para a minha alma. Enquanto for praticando o bem em favor de outros, seguindo assim o exemplo de Cristo, minha alma irá sendo elevada para um estado mais alto da existência espiritual, porquanto é Deus quem opera em mim tanto o querer como o realizar, segundo o seu beneplácito. Aquele que opera por meu intermédio, ao mesmo tempo, e por causa dessa exata circunstância, também opera em mim. Dessa maneira, vou-me tornando semelhante a Cristo, tanto em meus atos quanto em meu ser. E esse é o alvo mesmo do evangelho.

Desse modo, estarei preparado para encontrar-me com ele, podendo ouvir de sua parte o "Muito bem, servo bom e fiel" (Mt 25.23).

A segunda vinda

Girando e girando em círculos cada vez maiores,
O falcão não pode ouvir o falcoeiro;
As coisas se esboroam; o centro não se firma;
Mera anarquia é solta sobre o mundo,
A maré manchada de sangue é solta, e por toda a parte
A cerimônia da inocência é afogada;
Aos melhores, falta toda a convicção, enquanto os piores
Estão cheios de apaixonada intensidade.
Certamente alguma revelação está próxima;
Certamente a segunda vinda está às portas.
A segunda vinda! Nem bem são proferidas essas palavras,
E a vasta imagem do Spiritus Mundi
Perturba-me a visão: em algum lugar, nas areias do deserto,
Uma forma, com corpo de leão e cabeça de homem,
Com olhar vazio e sem dó como o sol,
Move suas pernas lentas, enquanto ao seu derredor
Circulam sombras dos indignados pássaros do deserto.
As trevas voltam; mas agora reconheço
Que vinte séculos de sono de pedra
Transformaram-se em pesadelo por um berço de embalo,
E que fera selvagem, tendo chegado finalmente a sua hora,
Escorrega na direção de Belém, a fim de nascer?

William Butler Yeats

O anticristo, com olhar vazio, tão sem misericórdia quanto o sol, pode já ter nascido, o necessário precursor da segunda vinda.

* * *

Observações

1. O número bíblico-místico para indicar provação é quarenta: o dilúvio durou quarenta dias antes que Noé mandasse o corvo para achar um lugar para pousar (Gn 7.17; 8.6. Moisés fez jejum durante quarenta dias no monte, antes de receber a lei (Êx 24.18; 34.28). Golias manteve seu desafio contra Israel durante quarenta dias. A advertência de Jonas contra Nínive durou quarenta dias. Parece razoável, então, assumir que a Tribulação durará quarenta anos. O período tradicional de sete anos, neste caso, será um tempo de importância especial para Israel, particularmente em relação às ações do anticristo. Esses sete anos serão de agonia intensa para Israel e para o resto do mundo. Possivelmente, representarão a parte pior da tribulação. Pode ser que a igreja seja arrebatada antes desse período, mas até esse tempo, será a companheira de Israel em sofrimentos, e será purificada no processo. O Apocalipse deixa isso bastante claro. Foi escrito, originalmente, para ser um manual para mártires cristãos, enfrentando os terrores do império romano. Não é provável que o livro não tenha a mesma utilidade no futuro, quando suas profecias forem cumpridas na tribulação.

2. A segunda vinda de Cristo não será um único acontecimento. Será, antes, uma série de eventos, constituindo uma intervenção divina gigante na história universal. A palavra "parousia", no seu uso no NT, pode se aplicar a diversos acontecimentos, começando com o Armagedom (Ap 16.15,16), estendendo-se até à destruição final da própria terra (2Pe 3.4-12). A referência dada no Apocalipse não contém a palavra "parousia", mas indica, claramente, que a volta de Cristo começa com o Armagedom. O texto de 2Pedro 3.4,12 contém a palavra. Portanto, interpretando largamente, a "vinda" ou "manifestação" de Cristo revolucionará completamente toda a criação, se realizará sobre um grande período de tempo e incluirá muitos acontecimentos e realizações, alguns deles terrestres e literais, e outros espirituais, nos céus, bem como na terra. O próprio milênio será uma parte da "manifestação" de Cristo que trará vastíssimas mudanças na terra. Toda a criação, pelo poder da manifestação de Cristo, entrará num novo e imensamente elevado ciclo, que, afinal, será absorvido no estado eterno. O homem tribal da terra será substituído pelo homem cósmico de uma vida de longa duração. Os eleitos em Cristo serão

transformados e compartilharão a forma de vida que Cristo possui e, assim, se tornarão em uma nova espécie.

3. A Terceira Guerra Mundial — descrita em Ezequiel 38 e 39, e certamente incluída no simbolismo do cavalo vermelho de Apocalipse 6.4 — terá uma variedade de causas, mas a principal delas será o conflito sobre energia. A Rússia, ocupando os territórios de Israel e das nações árabes, controlará o petróleo do mundo. A tentativa do anticristo, com sua federação de dez nações, de expulsar a Rússia daquele território, provocará uma guerra atômica. Em junho de 1977, pela primeira vez, eu vi em jornais e revistas, advertências de altos oficiais militares dos Estados Unidos que diziam ser o controle do petróleo árabe um dos objetivos do poder militar da Rússia, e que facilmente isso poderia resultar na invasão da Palestina e áreas adjacentes.

4. O oculto na igreja. É triste ver como, em tantos lugares, as forças malignas vão se exibindo sob a bandeira cristã, no movimento carismático. Certamente, o oculto tem-se infiltrado na igreja. Essa condição vai se tornar pior, especialmente enquanto a igreja se desintegra sob a pressão do anticristo. Falsas manifestações carismáticas vão se tornar parte do culto do anticristo. Alguns poucos (acreditamos) que têm poderes carismáticos genuínos, vão ultrapassar, espiritualmente, línguas e suas expressões companheiras, e acharão uma nova manifestação e presença do Espírito, sem os adornos dos dons espirituais, como se manifestaram no primeiro século. O processo espiritual-histórico ultrapassará este modo de expressão espiritual. Infelizmente, até nos tempos do NT, este tipo de espiritualidade se mostrou fraco e sujeito a muitos abusos. Em nossos dias, e aumentando no decorrer do tempo, os dons espirituais serão mais evidentes na igreja. Homens serão poderosos em palavras e obras, mas o movimento de línguas-profecias, como nós o conhecemos hoje, desaparecerá da igreja verdadeira. Homens terão poderosos dons espirituais, mas estes serão manifestados sem o modus operandi carismático do primeiro século.

5. Considere esta tragédia: Em muitos lugares na igreja cristã a santificação tem sido apresentada como uma opção da fé cristã, e não como elemento necessário e integral de salvação. Este ensino tem agradado àqueles que pregam um evangelho de crença-fácil, mas contradiz radicalmente textos das Escrituras como Efésios 5.3-6; Gálatas 5.19-21; 1Coríntios 6.8-11; 1João 1.6; 3.5,6,7,8,9 e 2Tessalonicenses 2.13. Consideremos a cena, então, da chegada ao anticristo e seu culto acompanhado, finalmente, pelas agonias da tribulação. Muitos cristãos, manejando de maneira enfraquecida o que se refere à santificação, aceitando a doutrina insidiosa da graça-barata, de súbito terão de enfrentar o anticristo em um mundo total e radicalmente iníquo. O que vai acontecer pode ser facilmente previsto: alguns, já tendo se enganado sobre questões importantes da espiritualidade, se tornarão seguidores do culto do anticristo, seguindo os passos de Judas, que será o pai espiritual deles. Outros vão abandonar, completamente, a igreja cristã, procurando manter alguma espécie de neutralidade. Outros serão purificados pelo fogo da tribulação. Considere a tragédia do tipo de pregação que promete à igreja da crença-fácil uma fuga fácil da tribulação, por meio do arrebatamento. Antes, a nossa pregação deve advertir a igreja que, agora mesmo, estamos às portas de uma imensa luta entre as forças do bem e do mal, sim, às portas da tribulação, e serão muitas as baixas no campo da batalha.

***

Adendo

A tradição profética, em alguns pontos, inclusive na cronologia proposta, não está seguindo as interpretações dos estudiosos.

Declarações

1. **Os críticos** simplesmente observam que sistemas proféticos são essencialmente sem base porque precognição do futuro não é uma capacidade dos homens, e não existem "profetas" com esse poder.

2. **Outros** acham que as profecias vão acontecer, mas nós erramos a respeito das datas previstas.

3. **Ainda outros** dizem que a Bíblia não tem nenhuma cronologia e que qualquer tentativa de marcar datas é fruto da imaginação dos intérpretes.

4. Ou a **própria tradição** profética, enquanto pode prever os grandes traços de acontecimentos futuros, não é suficientemente exata para garantir que tudo o que se fala acontece. Além disso, datas são sempre duvidosas.

5. Ou, usando o **exemplo de Nínive**, que ganhou um século por arrependimento, talvez Deus tenha mudado de ideia e dado ao mundo mais tempo do que havia originalmente planejado.

6. Ou ainda, um **adiamento** explica tudo. O que foi profetizado vai acontecer, mas mais tarde, talvez nem dentro do nosso tempo.

Observações

1. O artigo vê a Rússia em conflito com o Ocidente numa Terceira Guerra Mundial. O colapso do comunismo na Europa e na Rússia torna esta ideia improvável num futuro próximo.

2. A federação de dez reinos, interpretada como surgindo da Comunidade das Nações Europeias, tem-se tornado uma profecia duvidosa.

3. Os grandes cataclismos podem acontecer mas não se pode afirmar com exatidão quando vão acontecer..

4. O anticristo, deve chegar a qualquer momento, mas resulta temerário apontar uma data para que isto aconteça.

5. Sempre achamos que sabemos mais do que sabemos; e a **teologia** sempre está envolvida neste erro. A verdade é uma aventura e aqueles que a tratam de outra maneira sempre estarão sujeitos à consternação.

Erramos, certamente, nas nossas especulações e interpretações da profecia. Não é claro, porém, **até que ponto** temos errado ou até que ponto temos acertado. Somente a passagem dos próximos anos revelará a verdade sobre este assunto.

(Russell Champlin, novembro de 1993

O EVANGELHO

Reconsiderando o evangelho
Um diálogo

Russell Champlin

Personagens:

Súnesis (entendimento)
Sofós (sábio)
Zetetés (inquiridor)
Matetés (aprendiz)
Scepticós (examinador)
Epítropos (guardião)

Na Biblioteca

Súnesis – O que o traz aqui tão cedo, Zetetés? Nossa primeira reunião não era para madrugadores, mas para uma respeitável 10 horas da manhã.

Zetetés – Eu sei, mas sua observação em classe, dias passados, sobre certas crenças dos pais alexandrinos, me surpreendeu, e assim...

Súnesis – Assim você vive folheando aqueles livros, procurando um que contenha os escritos desses pais, especialmente Clemente e Orígenes, para que possa dizer: Eis aqui! Não é isso que Clemente ensinou, afinal!

Zetetés – Realmente não é isso. É que estou ansioso para preparar-me um pouco para as discussões que teremos acerca dos pontos básicos do evangelho.

Súnesis – Sim, a sugestão de Matetés, de que tivéssemos algumas discussões exploratórias fora do horário das aulas, realmente foi muito boa. Penso que as pessoas aprendem melhor desse modo, longe das pressões da competição e do estudo formal.

Zetetés – Isso é verdade. A propósito, o que você faz aqui tão cedo?

Súnesis – Como você deve estar lembrado, Sofós pediu-me que fosse o moderador da discussão. Portanto, nestes últimos dias venho compilando uma lista de tópicos que poderíamos seguir.

Zetetés – Ótimo. Quantos você já escolheu?

Súnesis – Penso que a lista está completa. Há sete itens.

Zetetés – Talvez fosse boa ideia dedicar uma manhã para cada tópico, pedindo a cada membro do grupo que venha preparado para discutir cada item, chegado o seu dia. Quantos você pensa que estarão presentes às discussões?

Súnesis – Naturalmente, Sofós estará presente para conservar-nos na vereda certa e para atacar qualquer absurdo óbvio que um de nós diga. Scepticós sem dúvida também virá.

Zetetés – Isso com certeza. Ultimamente ele tem estado com frequência na biblioteca, pesquisando, e aposto que ele está se preparando para um vívido debate. Não há nada de que ele mais goste que uma vigorosa discussão.

Súnesis – Já notei isso. Ele faz valer o seu nome, que significa "examinador".

Zetetés – Pensei que significava "cético".

Súnesis – Esse é o sentido moderno do termo; antigamente, queria dizer "aquele que examina mais de perto", sobretudo ao referir-se à atividade mental.

Zetetés – Certamente ele age assim — demais, de fato. A fé religiosa, penso eu, deveria ser mais simples do que ele a torna. Ele entra por muitos caminhos e desvios, buscando a verdade que deseja.

Scepticós – Ah, então apanhei vocês dois falando a meu respeito, hein?

Súnesis – Estávamos apenas nos aquecendo. O melhor ainda não tinha chegado, mas você entrou de mansinho na biblioteca, não foi?

Zetetés – Provavelmente essa é a última vez que ele estará quieto até terminarem nossas discussões.

Scepticós – Oh, não sei se será assim. Talvez eu seja abafado pelo entendimento e pela sabedoria do grupo. Mas tenho certeza de que Epítropos não permitirá nenhum debate indisciplinado.

Súnesis – Isso me faz lembrar que acabara de dizer a Zetetés que pessoas comporão nosso grupo de debate. Haverá três de nós. E, sem dúvida, Epítropos também estará presente, ainda que eu esteja certo de que, à sua maneira tranquila, ele não se manifestará muito, a menos que saiamos pela tangente; e, então, ele nos fará voltar à verdade básica.

Scepticós – Sim, ele não é grande especulador e se apega muito ao que considera verdade firme. De fato, às vezes penso que ele tem pouca paciência com o que ultrapassa suas crenças, que lhe dão satisfação pessoal.

Súnesis – Toda pessoa tem seu jeito; além disso, é bom que Epítropos viva à altura de seu nome, agindo como "guardião" do que é certo, conforme ele o vê, mesmo que não se aventure muito a isso.

Scepticós – Quem mais estará presente, além dos quatro que você mencionou?

Súnesis – Já mencionei Sofós, e, contando com Epítropos, isso já dá cinco. E suponho que apareça somente mais outro, que é Matetés.

Zetetés – Seis será o bastante para trazer-nos uma boa representação de pontos de vista.

Scepticós – E também bastante, sem dúvida, para dizerem um monte de absurdos.

Zetetés – Vejo que você já está em boa forma. Por antecipação, já está reduzindo argumentos a tolices.

Scepticós – Prometo que serei respeitoso.

Zetetés – É bom que seja, pois vejam os que acabam de chegar ao grupo. Bom dia, Sofós, Epítropos e Matetés. O fez com que vocês chegassem juntos?

Scepticós – Sem dúvida todos combinaram apresentar os mesmos argumentos, como uma frente unida.

Sofós – Mera coincidência, Scepticós. Nem tudo pode ser reduzido à lógica. "Cedo, Senhor, permite-me buscar teu favor; cedo deixa-me fazer tua vontade."

Epítropos – O que disse Agostinho, como prefácio às suas discussões filosóficas?

Súnesis – Em resposta à pergunta "Que queres saber?", ele simplesmente respondeu: "Quero conhecer a Deus e à alma". "Só isso?" veio a réplica admirada. "Só isso", retrucou Agostinho.

Scepticós – Não vejo nada de ilógico nisso.

Sofós – Essa deveria ser a nossa atitude ao começarmos a nossa discussão sobre "Reconsiderando o evangelho". O que foi que Platão disse sobre a "filosofia", ou seja, "a busca pela sabedoria"?

Matetés – Ele disse: "Filosofia, a mais nobre das inquirições".

Zetetés – Não são muitos os que creem nisso, sobretudo quando a "filosofia" é a inquirição pela sabedoria divina.

Sofós – Sim, existe um hino antigo que entoa em tons hígidos e fortes:

Quão grandes a sabedoria e o amor
Que encheram os átrios lá do alto -
Que enviaram o Salvador das alturas
Para sofrer aqui e morrer.

Seu precioso sangue livremente verteu -
Sua vida voluntariamente a deu.
Um sacrifício impoluto por mim,
Para salvar um mundo moribundo.

Epítropos – Os gregos do tempo de Paulo não veriam muita sabedoria nisso, mas finalmente ficou provado, mesmo entre os gregos, que alguns dos mais poderosos intelectos de tempos posteriores foram atraídos para a órbita de Cristo. Pensemos em Justino Mártir.

Matetés – Sim, ele tem uma história despertadora, e ele mesmo foi um exemplo impressionante. Tendo nascido de pais pagãos, em cerca de 100 d.C., e sendo bem-educado na filosofia grega, depois de converter-se ao cristianismo viajava de lugar para lugar, tal como outros filósofos profissionais, fazendo pregações sobre a verdade das crenças cristãs.

Súnesis – É verdade. Ele nunca abandonou seus trajes de filósofo, marca de sua profissão, mas passou a dar ainda mais valor à sua busca e ao seu ensino da sabedoria do que o fizera antes. Ele usou o que era, o que sabia, e levou muitos aos pés do Senhor.

Epítropos – E ao fazê-lo, foi muito mais bem sucedido no seu método filosófico do que Paulo, quando este tentou imitar o estilo grego na colina de Marte. E talvez em 167, em Roma, o martírio o recolheu para o Senhor.

Matetés – Cristo, finalmente, atraiu os gregos, mas mesmo nos dias de Paulo ele atraiu a muitos. Os seguidores de "Apolo", em Corinto, provavelmente eram convertidos dentre os filósofos.

Súnesis – Também penso assim, e os "seguidores de Cristo" provavelmente eram "místicos"; e os seguidores de Pedro deveriam ser legalistas; e os "seguidores de Paulo" provavelmente foram os que criticavam a seus irmãos legalistas e se ufanavam de revelações superiores. Portanto, houve várias facções, contemplando a Cristo e seu evangelho de vários modos, mas todos incuravelmente atraídos por ele. É interessante notarmos que Paulo, apesar de não ter concordado com vários deles, não quis começar uma "nova igreja" ou uma "nova denominação". Antes, procurou reuni-los em torno de seu denominador comum – o Cristo. Na verdade, Cristo é universal e não pode ser categorizado. Naturalmente, faço alusão ao Cristo real, àquele que disse: "E eu, quando for levantado da terra, todos atrairei a mim" [Jo 12.32]. Não me refiro ao Cristo frequentemente reduzido nas igrejas atuais, ao Cristo que é meramente um exaltado bispo metodista, ou a um supremo pastor batista, ou a um ideal sacerdote anglicano, ou a um mais elevado papa romanista.

Sofós – Quanta verdade! E como é interessante seguir esse assunto! Em nossa discussão, certamente voltaremos a ventilar isso de alguma forma. Escolhi Súnesis para fazer um estudo sobre os tópicos que melhor fariam parte de nossa discussão. Você já preparou uma lista completa, Súnesis?

Súnesis – Sim. Ela contém sete tópicos, a saber:

1. A PALAVRA EVANGELION, EM SEU SENTIDO E USOS
2. OS MEIOS DO SABER (EPISTEMOLOGIA)
3. O MEIO DA TRANSFORMAÇÃO (CONVERSÃO)
4. O MEIO DE RENUNCIAR (SANTIFICAÇÃO)
5. O MEIO DA GLÓRIA (TRANSFORMAÇÃO)
6. O MEIO DA UNIDADE (UNIVERSALIDADE DA MISSÃO DE CRISTO)
7. O MEIO DA INQUIRIÇÃO ESPIRITUAL (PARA MIM O VIVER É CRISTO)

Zetetés – Antes eu tinha sugerido a Súnesis que abordássemos um tópico por semana.

Súnesis – Penso que é uma boa ideia. Não antecipo nenhuma dificuldade no manuseio do tópico de hoje, o primeiro da lista, já que o grupo certamente vem munido de amplas informações sobre os sentidos e usos da palavra "evangelion". Outrossim, temos um dicionário para consultar.

Zetetés – Penso que seria útil, Súnesis, antes de iniciarmos nossa primeira discussão, explicar para todos por que foi dado o título específico "Reconsiderando o evangelho". Afinal, depois de todos esses séculos, precisa ele ainda ser "reconsiderado"?

Scepticós – A fase da "reconsideração" teria passado se todos os cristãos, pelo menos, finalmente tivessem chegado a um acordo geral sobre seu significado. Enquanto não houver essa condição, a "reconsideração" não somente é possível mas é aconselhável. Perdoe-me, Súnesis, por ter metido a minha colher no meio.

Súnesis – O ponto que você destacou é vital, e não tem que se desculpar pela intrusão. Enquanto os interessados na fé cristã, conhecedores da história eclesiástica, da literatura bíblica e da teologia, discordarem sobre o significado das várias porções da "maravilhosa estória", sempre haverá lugar para a reconsideração, para novo exame. Isto é, enquanto não concordarem os supostos "amigos do evangelho", aqueles que respeitam a Cristo, devem estar dispostos a reexaminar aspectos do evangelho. Não o faríamos por causa dos inimigos do evangelho. Naturalmente, cada denominação pensa que chegou ao zênite, e que resta agora somente juntar algumas pontas desconexas. O estranho é que todas elas têm mais ou menos a mesma atitude, tachando de hereges, não-iluminados, sem erudição ou algo similar, aqueles que não concordam com elas. Isso, porém, é um modo míope de olhar as coisas, que mais serve para fomentar o orgulho humano do que a pesquisa séria da verdade. **É horrível o orgulho humano!** O sectarismo geralmente age como camisa-de-força que prende a verdade. É a limitação e mesmo a distorção da verdade. Não há que duvidar que todas as denominações distorcem alguma verdade, pois faz parte da natureza mesma das teologias sistemáticas ignorar ou distorcer "o que não se ajusta", a fim de apresentar um sistema unificado. As denominações poderiam até ser consideradas "poses fixas" da verdade.

Zetetés – O que você quer dizer com isso, exatamente?

Súnesis – Quero dizer que uma denominação, sendo produto de certos movimentos da história, e agindo como força que enfatiza alguma verdade, toma como que a posição de uma "pose parada" da verdade. E, então, se põe a propalar isso como se fora a verdade inteira de Deus.

Scepticós – A verdade é dinâmica, e não estagnada, não é uma "pose fixa". Uma denominação, qualquer que seja sua utilidade (como a de juntar pessoas para o trabalho, pois congrega indivíduos de igual opinião), tende por cristalizar a verdade em algum ponto do desenvolvimento histórico. E aqueles que "prosseguem" são tidos como quem segue pela "trilha errada", pelos que estão na denominação.

Zetetés – O que se pode fazer para impedir que isso aconteça?

Súnesis – Há algumas respostas óbvias para isso, além de outras que talvez não sejam tão óbvias. Primeiro, devemos ter o cuidado de conhecer e entender os antigos e os modernos pontos de vista alheios. Deveríamos ser menos beligerantes, exercendo a lei do amor para com aqueles que têm "opiniões" diferentes das nossas. Deveríamos estudar os escritos dos pais da Igreja. Deveríamos "ler, a fim de considerar, e não para condenar". Além disso, há para todos certa "iluminação", contanto que leiamos corretamente o primeiro capítulo de Efésios. Assim, poderemos ter melhor compreensão da "antiga verdade", e talvez até sejamos convencidos de alguma "nova verdade". O estudo, talvez aliado à iluminação, quase sempre faz com que até uma verdade antiga pareça maior e mais vital do que havíamos pensado anteriormente.

Zetetés – Você defende a tese de que todos os cristãos deveriam ser eruditos e/ou místicos?

Súnesis – Não penso que eu gostaria de ser advogado dessa doutrina, mas todo homem espiritual sério deveria ter algo do erudito e algo do místico. No entanto, nem todos andam assim atarefados, não é verdade? Há bons livros que podem ser lidos, e há câmaras secretas nas quais podemos entrar para orar e meditar. Você já leu sobre o que um rabi deve passar, para merecer o seu título? Se você soubesse, talvez ficasse surpreendido e até chocado. Em contraste, você talvez sinta um pouco de vergonha da maneira preguiçosa com que busca as realidades divinas. Quantos de nós trabalham até a exaustão para saber mais, para ser mais? Contentamo-nos em receber a "pose fixa" da verdade que nossa denominação nos apresenta? Como é fácil deixar os anos se passarem, sem melhorar a nós mesmos e à nossa inquirição espiritual!

Sofós – Sim, é verdade. Lembro-me de certa citação tirada do Talmude: "O único "homem livre" é o que estuda a Torah". Os demais são escravos. É fácil sermos escravos da passividade, da tradição, do sectarismo, da simples preguiça espiritual.

Matetés – Lembro-me dos versos daquele hino antigo, que diz: "Como pensaremos em obter tão grande galardão, se agora evitamos a luta?" Certamente essa é uma verdade eterna. A imensidade do valor do alvo requer uma enormidade de labor em sua inquirição. De fato, trata-se de uma busca pela vida inteira.

Zetetés – Penso que parte do crescimento espiritual, no qual aprendemos mais e mais da verdade – ficando assim impedida a estagnação – é a simples prática das boas obras.

Epítropos – Interessante. Mas o que você quis dizer com isso?

Zetetés – Creio que quando uma pessoa se esforça para pôr em prática a lei do amor, está ajudando não só aos outros; também está elevando a qualidade espiritual de seu próprio ser.

Epítropos – E o que você entende por "elevar a qualidade espiritual do próprio ser"? Talvez seja desenvolver bons hábitos espirituais?

Zetetés – Isso está incluído, mas há muito mais do que isso. Creio que nossa transformação à imagem de Cristo envolve verdadeira mudança do "tipo" de energias espirituais, na direção de nosso ser espiritual. Os vários meios de crescimento espiritual nos espiritualizam, e as boas obras estão envolvidas nessa espiritualização.

Sofós – Zetetés acertou sobre a important questão, e acredito que quando chegarmos ao último tópico de nossa discussão – "O modo da inquirição espiritual" –, retornaremos a ela.

Súnesis – É verdade, já que toda inquirição espiritual deve incluir a prática da lei do amor, não se podendo duvidar que isso esteja envolvido na melhoria da qualidade espiritual do indivíduo. O credo será inútil, se não for praticado. Ou seja, estará morto; nada fará, nem pelo próximo e nem pelo próprio indivíduo. Sem dúvida, a maior força incapacitante da Igreja atual é a "crença fácil", a "graça fácil", que nada requer senão uma "confissão" de um credo qualquer. Isso se tem transformado em um "rito" ou "cerimônia", tão legalista como se via no judaísmo, embora não seja reconhecido como tal. Ou até certo ponto pode ser um pouco de imitação da "magia" que haveria em certas atitudes e práticas das antigas religiões misteriosas e das primeiras seitas gnósticas.

Scepticós – Você terá que provar isso para mim. Essa é uma acusação séria.

Súnesis – Penso que, à medida que nossa discussão progredir, poderemos desenvolver essas ideias, e talvez eu ache alguma espécie de demonstração sobre o que quero dizer.

Epítropos – Penso que compreendo o que você quis dizer com sua radical declaração, Súnesis. Os gnósticos tinham a sua "gnosis" (conhecimento), mediado por certos ritos mágicos que supostamente os elevariam à posição de elite espiritual, isto é, à posição dos "pneumáticos", conforme chamavam os tais. E não é impossível que a confissão na igreja, que ignore a absoluta necessidade de santificação, e que focalize toda a fé cristã em um "ato", às vezes meramente "verbal", esteja perdendo inteiramente de vista a substância da espiritualidade. Outrossim, esse "ato", que tem reverberações "mágicas", quiçá seja apenas uma moderna "gnosis" gnóstica.

Scepticós – Agora estou entendendo melhor a afirmação de Súnesis. Se o que você diz é uma grande verdade, então não há que duvidar de que

NTI|Artigos introdutórios| 165

o evangelho precisa ser reconsiderado pelos cristãos que são sérios.

Sofós – Até agora nossa discussão tem antecipado diversos temas que serão desenvolvidos mais tarde. Mas penso que agora deveríamos iniciar nosso primeiro tópico. Súnesis o anunciará, e começaremos a desenvolver o tema.

Súnesis – O primeiro tópico é:

1. A PALAVRA "EVANGELION". SEU SENTIDO E USOS.

Já que, até nos reunirmos esta manhã, vocês não sabiam quais os tópicos sobre os quais discutiremos, talvez não tivessem tido oportunidade de fazer investigações específicas sobre este primeiro tópico. Entretanto, creio que podemos manuseá-lo com facilidade, com a contribuição de cada um. Além disso, temos dicionários gregos, que preencherão quaisquer hiatos. Portanto, o que significa "evangelion", e como era usado esse vocábulo na literatura grega, incluindo o Novo Testamento?

Zetetés – Lembro-me de haver encontrado a palavra em Homero, ou seja, na mais antiga literatura grega de que dispomos. Ali significa "recompensa por ter trazido boas novas".

Matetés – Consultando o dicionário grego, vejo que isso é correto. Esse uso aparece em Hom. Od. 14,152s, 166s.

Epítropos – Penso que no grego ático se descobrirá que o termo quase sempre era usado no plural, e com o sentido de "sacrifícios ou ofertas de ação de graça", oferecidos por causa das boas novas recebidas. Aristófanes, porém, já bem dentro do período ático, em Eq. 656, usou a palavra em seu sentido posterior de "as próprias boas novas", em antecipação ao uso mais tardio; ou então talvez esse sempre tenha sido um significado possível, e não apenas um desenvolvimento posterior, embora não tenhamos muitos exemplos disso antes da época helenista.

Matetés – Plutarco, conforme diz o dicionário à minha frente, usou a palavra, pelo menos uma vez, no sentido um tanto incomum de "notícias de vitória". *Demeter 17.11, 896c. E Plutarco (50 d.C., no período helenistas) também a empregou com o sentido simples de **boas novas** (*Sertor 11,8; 26,6; *Ploc. 16,8; 23,6). *Appian, *Bell, *Civ. 3,93, § 384 também traz esse significado, e o dicionário ilustra esse uso com outros escritores helenistas "não-sagrados".

Zetetés – Isso inclui Josefo, o historiador judeu?

Matetés – Sim, pois sua obra, *Bell. 2,420; 4,618:656 também encerra esse uso do vocábulo. Era também empregado em relação ao "culto ao imperador", indicando "boas novas", posto que em sentidos especiais.

Zetetés – O que é "culto ao imperador"? Era uma obrigação religiosa mediante a qual os imperadores romanos eram adorados como se fossem deuses. E, se me lembro bem, não fazer isso equivalia a traição.

Scepticós – É isso mesmo. E quais eram os sentidos especiais que envolviam essa palavra, nesse culto?

Matetés – Bem, as primeiras "**boas novas**" eram sobre o "nascimento" do imperador. O povo celebrava isso como "boas novas". Além disso, sua ascensão ao trono era outro exemplo de "boas novas"; e qualquer de suas "declarações" supostamente anunciavam "boas novas" ao povo. O imperador era o "salvador" na adoração desse culto, pelo que tinha um "euangelion" a anunciar ao povo.

Zetetés – Você pensa que o uso que os cristãos fizeram dessa palavra era uma imitação ao culto ao imperador? Em outras palavras, teriam usado propositalmente o termo "euangelion" para mostrar que Cristo é o verdadeiro Rei, que anunciou as verdadeiras "boas novas"?

Súnesis – Alguns têm especulado desse modo, mas é algo impossível de ser provado. Seja como for, o fato é que a Septuaginta usa a palavra como se fosse um empréstimo baseado em certos conceitos do Antigo Testamento, e não de qualquer origem pagã.

Matetés – Sim, vejo que a palavra se acha no AT por seis vezes, e algumas das ocorrências trazem o sentido de "boas novas". As referências são 2Samuel 18.20,25,27; 2Reis 7.9. E em 2Samuel 4.10 e 18.22 é usada no sentido de "recompensa pelas boas novas".

Scepticós – Penso que falar de "empréstimos" é perder o ponto principal. Pela informação dada, já vimos que a palavra "euangelion" era comumente usada no grego helenista com o sentido de "boas novas". Os primeiros cristãos simplesmente usaram o termo, aplicando-o ao "evangelho" anunciado por Cristo.

Sofós – Penso que você acertou em cheio na verdade dessa questão. Havia o termo hebraico **BSR** (o hebraico não usava vogais em sua forma original), em Isaías 40.9 e 52.7, aludindo à volta iminente do povo depois do exílio, e isso foi um "ato salvador" de Yahweh. Mas muito provavelmente o "euangelion" cristão não tinha por detrás dele qualquer termo hebraico (nas mentes dos homens) que influenciasse sua escolha e uso, como um veículo, para aludir ao ato salvador de Cristo.

Súnesis – Naturalmente, as "boas novas" que Jesus trouxe desde há muito eram expectação dos autores do AT, pelo menos em certas particularidades. Sua citação, em Mateus 11.5, derivou-se de Isaías 35.4ss (em espírito, mesmo que não quanto ao fraseado exato), e ele considera isso

como um ato de pregação do evangelho, já que ali é empregada a forma verbal grega de "euangelion".

Sofós – Os profetas, os poetas, os ensinadores e, de fato, o próprio testemunho do AT, antecipam o **ato salvador** de Cristo, pelo que aquele documento pode ser visto por detrás do conceito do evangelho; mas o próprio termo que falava desse propósito remidor, sem dúvida, foi tomado por empréstimo da linguagem contemporânea.

Súnesis – Pode-se ver que dentro do próprio NT há diversos sentidos ligados ao termo "euangelion". Todos eles, naturalmente, têm alguma relação com o ato salvador de Cristo e de como ele trouxe essas "boas novas" aos homens. Antes de sumariarmos esses usos, penso que seria boa ideia verificar quantas vezes e onde o termo e seus cognatos são usados no NT. Matetés, você que tem o dicionário, por favor, leia para nós as referências onde as palavras se encontram.

Matetés – A forma nominal, "euangelion", aparece 77 vezes no NT, em várias conexões, ou como parte de diversos títulos. Passarei a sumariá-los:

a. Simplesmente "evangelho", em Mt 26.13; Mc 115; 8.35; 10.29; 13.10; 14.9; 16.15; At 15.7; Rm 2.16; 10.16; 11.28; 16.25; 1Co 4.15; 9.14 (duas vezes); 18.23; 15.1; 2Co 4.3; 8.18; 11.4; Gl 1.6,11; 2.2,5,7,14; Ef 3.6; 6.19; Fp 1.5,7,12,17,27; 2.22; 4.3,15; Cl 1.5,23; 1Ts 1.5; 2.4; 2Ts 2.14; 2Tm 1.8,10; 2.8; Fm 13.

b. Evangelho de Cristo, em Rm 1.16; 15.19,29; 1Co 9.12,18; 2Co 2.12; 9.13; 10.14; Gl 1.7; Fp 1.27a; 1Ts 3.2.

c. Evangelho de Deus, em Mc 1.14; Rm 1.1; 15.16; 2Co 11.7; 1Ts 2.2,8,9; 1Pe 4.17.

d. Evangelho do reino, em Mt 4.23; 9.25; 24.14.

e. Evangelho de Jesus Cristo, em Mc 1.1.

g. Evangelho da graça de Deus, em At 20.24.

h. Evangelho de seu Filho, em Rm 1.9.

i. Evangelho da glória de Cristo, 2Co 4.4.

j. Evangelho da vossa salvação, Ef 1.13.

k. Evangelho da paz, em Ef 6.15.

l. Evangelho de nosso Senhor Jesus, em 2Ts 1.8.

m. Evangelho glorioso do Deus bendito, 1Tm 1.11.

n. Evangelho eterno, em Ap 14.6.

Em sua forma verbal, o termo se acha 55 vezes no NT, traduzido como **pregar o evangelho**, "anunciar boas novas", ou, simplesmente, "pregar". As referências são estas: Mateus 11.5; Lucas 1.19; 2.10; 3.18; 4.18,43; 7.22; 8.1; 9.6; 16.16; 20.1; Atos 5.42; 8.4,12,25,35,40; 10.36; 11.20; 13.32; 14.7,15,21; 15.35; 16.10; 17.18; Romanos 1.15; 10.15 (duas vezes); 15.20; 1Coríntios 1.17; 9.16 (duas vezes); 9.18; 15.1,2; 2Co 10.16; 11.7; Gálatas 1.8 (duas vezes), 9,11,16,23; 4.14; Efésios 2.17; 3.8; 1Timóteo 3.6; Hebreus 4.2,6; 1Pedro 1.12,25; 4.6; Apocalipse 10.7 e 14.6.

Além disso, encontramos a palavra **euangelion** em Atos 21.8; Efésios 4.11 e 2Timóteo 4.5.

Súnesis – Que usos específicos do conceito de evangelho podemos achar no NT?

Zetetés – No tocante ao próprio Jesus, você já nos forneceu uma indicação. Seu "evangelho" é associado ao ato salvador de Deus, prefigurado no AT, e realizado durante a sua missão terrena — Mateus 11.5.

Matetés – O evangelho original, Marcos, emprega a palavra por seis vezes, sem qualificação. É interessante, porém, o fato de ele intitular sua obra de "evangelho": "O evangelho de Jesus Cristo". Esse genitivo, **de Jesus Cristo**, conforme dizem os gramáticos, poderia ser "objetivo" ou "subjetivo". Se for "objetivo", o sentido é "o evangelho que proclama Jesus Cristo"; se for "subjetivo", o sentido é "o evangelho que Jesus proclamava". Penso que ambas as coisas são enfocadas. No primeiro caso (objetivo), o termo quase se torna título do livro de Marcos, ou seja, é um "evangelho".

Scepticós – Contudo, esse uso não foi claramente usado senão já no século II d.C. Os pais apostólicos usavam o termo "evangelho" em alusão aos quatro evangelhos (ver Didache 8.2; 2Cle 8.5; Justino, *Apol 1.66). Isso indica um "gênero literário".

Matetés – Penso que isso é correto. A referência em Marcos 1.1 não indica isso claramente. Seja como for, é quase certo que Marcos empregou o termo devido a seu respeito pela missão evangelística da Igreja, que já estava em operação. E utilizou o termo contemporâneo, "euangelion", com seu sentido então comum de "boas novas", a fim de expressar o que significava para eles a vida, a morte e a ressurreição de Cristo. Se Marcos, de fato, criou um novo gênero literário, por outro lado parece que ele não chamou sua inovação de "evangelho"; somente dizia que a mensagem de seu livro era "boas novas", tanto ao ser proclamada pelo próprio Cristo, como igualmente por ser "acerca dele".

Marcos 1.14 diz "evangelho de Deus", pelo que Marcos reconhece que, por trás da missão de Cristo, havia o propósito remidor de Deus. O versículo seguinte mostra que Marcos pensava que havia certas coisas envolvidas do

Artigos introdutórios | NTI

reino de Deus nesse ato, a saber, o estabelecimento do reino messiânico sobre a terra. Esse era o propósito, ou melhor, um dos propósitos do evangelho. Marcos escreveu numa época em que o reino não se concretizou. Em sua mente, pois, ele deve ter espiritualizado a mensagem, concebendo um reino "no íntimo", ou então na forma da criação e desenvolvimento da Igreja; ou então, segundo dizem alguns cristãos modernos, ele conservou o conceito como um reino milenar ainda esperado.

Finalmente, não devemos perder de vista o fato de que o evangelho de Marcos desdobra-se em vários "atos salvadores" do Messias, os eventos básicos da vida de Cristo, a sua missão (8.35ss), sua morte e ressurreição (caps. 15 e 16). Sem esses acontecimentos, não teria havido boas novas. Seu "evangelho" não foi criado no vácuo. Tem conexões históricas. Afirmo isso porque alguns eruditos modernos têm duvidado do "interesse histórico" dos evangelhos, supondo que a história apresentada pouco tem a ver "com o que realmente sucedeu". A historicidade dos evangelhos depende desse **interesse histórico**. Os evangelistas não basearam suas narrações em mitos piegas, meramente com a pretensão de terem base histórica. O próprio "evangelho" está muito envolvido com o que realmente aconteceu na vida, morte e ressurreição de Jesus.

Scepticós – A verdade religiosa pode ser comunicada independentemente da história, não pode? Faço alusão a uma alegoria, por exemplo, a qual pode transmitir uma profunda verdade espiritual, mas sem qualquer base histórica.

Matetés – Isso é verdade. Consideremos as parábolas narradas por Jesus, a maior parte das quais, segundo as definições modernas, são um tipo de alegoria. Quanto aos ensinos ali expostos, a sua veracidade não depende de sua ocorrência real, pois foram usadas como narrativas ilustrativas. Evitemos, porém, o equívoco a esse respeito — a porção histórica do evangelho jamais teve o intuito de ser entendida como um mero "preenchimento".

Zetetés – Por que você supõe, Scepticós, que tantos eruditos modernos duvidem da **historicidade** essencial dos evangelhos? Será porque podem achar várias discrepâncias nas narrativas, ausência de harmonia, deslocamentos de tempo nas sequências de eventos, em um dos evangelhos em confronto com os outros?

Scepticós – Sinto que esses "problemas" que você mencionou são quase incidentais à negação da historicidade. Não me perturba, por exemplo, achar a "unção em Betânia" narrada em diversas sequências nos diferentes evangelhos, em comparação com outros eventos. Em Mateus, vem depois da entrada triunfal; em Marcos, também; em João, vem antes da entrada triunfal; e talvez, em Lucas (segundo pensam alguns), em um tempo totalmente diverso da vida de Jesus, ou seja, bem antes (ver Lc 7.37ss). Papias diz que Marcos não registrou os eventos necessariamente na ordem em que sucederam, pelo que são possíveis todas as formas de variação. Afinal, a historicidade não depende desses fatores. Antes, Jesus fez o que os evangelhos dizem que ele fez? Ele foi o tipo de pessoa que disseram que ele foi? Mateus, ao compilar um evangelho por "tópicos", com cinco grandes blocos de ensino, em torno dos quais foram arrumados os eventos históricos, com frequência se afasta da ordem de acontecimentos exposta por Marcos, ao passo que Lucas com frequência a preserva. Se compararmos a série de eventos entre Mt 8.1-33 e Mc 1.29-31,40-45; 4.35,41; 5.1-20, e então com Lc 4.38,39; 5.12-15; 7.1-10; 8.22-25,26-29; 9.57-62, ficará claro que os evangelistas não estavam preocupados com a harmonia, como se esta fosse "sequência de eventos" ou "detalhes da narrativa", conforme erroneamente fazem muitos harmonizadores modernos.

Zetetés – Basicamente, pois, o que pensam muitos eruditos modernos, quando reduzem as narrações dos evangelhos a "mitos" e "relatos de exagerado entusiasmo" etc.?

Scepticós – Penso que o verdadeiro problema é que simplesmente não conseguem "engolir" a realidade do que consideram narrativas "fantásticas", repletas de milagres.

Zetetés – Mas não têm eles consciência de que milagres fantásticos fazem parte da vida moderna, e não só da época de Jesus, e que a maioria das obras de Cristo tem sido duplicada em nossos dias?

Scepticós – Duplicados, você quer dizer, no sentido de que tem havido milagres de curas. A própria ciência tem fotografado a energia curadora (a fotografia Kirliana, uma espécie de radiografia). Além disso, algumas pessoas têm voltado à vida após a morte clínica. Naturalmente, nem realiza as maravilhas de Jesus, no nível, no poder e na quantidade dele. Seja como for, é verdade que eventos extraordinários não sucederam somente na antiguidade. Os céticos que duvidam de eventos poderosos usualmente são aqueles que não os têm procurado até achá-los, os quais "a priori", supõem haver algo de patológico com as pessoas que neles acreditam. Penso que vários estudos no campo da parapsicologia

tendem por solapar a posição dos céticos no tocante à historicidade dos evangelhos.

Zetetés – Por que você diz isso?

Scepticós – Porque esses estudos mostram que a personalidade humana possui poderes fantásticos. Quanto mais quando a mão divina toca no ser humano, tal como o fez na vida de Jesus, o Cristo.

Zetetés – Percebo. Um homem, simplesmente por causa do que é, se for treinado com exercícios, poderá realizar prodígios. Nesse caso, um profeta, por exemplo — para nada dizermos sobre o Messias — uma vez tocado pelo poder divino, pode fazer maravilhas como Jesus as fez.

Scepticós – As gerações futuras não se admirarão da ousadia de nossa inquirição por conhecimento. Não pensarão que a mesma é exagerada; antes, se maravilharão da timidez de nosso ponto de vista, da lentidão com que percebemos o grande poder do princípio vital que reside no homem.

Zetetés – Você crê que os céticos, portanto, longe de serem pioneiros do conhecimento, usualmente são almas tímidas?

Scepticós – Os céticos, do tipo que descrevi, sim.

Súnesis – Voltando à questão dos milagres, penso que nos devemos lembrar de uma coisa: em comparação com a pessoa de Jesus, os milagres que ele realizou foram insignificantes.

Scepticós – Diga isso de outra maneira.

Súnesis – Quero dizer que a verdadeira maravilha do século primeiro foi a pessoa de Jesus, e não o fato de ele ter realizado prodígios.

Scepticós – Compreendo. Poderíamos esperar obras imensas de uma pessoa imensa.

Súnesis – Quero dizer que também podemos perder a perspectiva certa se nos preocuparmos só com a historicidade dos evangelhos. Muitos têm realizado milagres, mas quem pode comparar-se com a pessoa de Jesus Cristo? Não há dúvida de que, quanto ao poder, todos ficavam a seus pés. Mas, quanto ao caráter moral e espiritual, não se pode fazer confronto com nenhuma figura humana.

Sofós – Isso é bem verdade, e muito tem a ver com a historicidade. O que está em jogo, essencialmente, é se uma pessoa como Jesus, o Cristo, poderia ter existido entre os seres humanos. Os eruditos céticos têm suas dúvidas, pelo que essencialmente negam o que os evangelhos dizem acerca de Jesus. Recordemo-nos, porém, do que Agostinho dizia sobre esse tipo de ceticismo. Nessa "esfera" (atitude mental) o indivíduo está em trevas, não podendo ser iluminado. Portanto, disse: "Creio; por isso, compreendo". O ceticismo pode ser uma doença espiritual; a fé cura essa enfermidade.

Zetetés – O que ele quis dizer com "Creio; por isso compreendo"?

Sofós – Ele quis dizer que a mente aberta para a fé também se abre para a iluminação. Fica livre da atmosfera embotadora do ceticismo; fica livre do fruto amargo da dúvida no íntimo. Aquele que habitualmente é um cético, no sentido negativo, é pessoa que vive metafisicamente nas trevas. Nenhuma luz chegará até ele enquanto não abrir as janelas de sua alma. Há um meio ambiente no qual medra o ceticismo. Esse meio ambiente é uma região de trevas. O ceticismo cresce nas trevas como se fora uma erva daninha; mas a luz não demora a matar a excrescência cancerosa. Portanto, **crerei** para poder escapar do poder das trevas; assim fazendo, receberei iluminação, do que resulta o entendimento. A fé, naturalmente, sempre consiste em mais do que a simples aceitação de um credo. E sempre é melhor acreditar a mais do que acreditar a menos.

Súnesis – Voltemos à nossa discussão do emprego do termo "evangelho", no NT. Já vimos o que Marcos quis dizer com ele. E Mateus?

Zetetés – Certamente Mateus preferiu usar o termo com alguns qualificativos, conforme vimos quando Matetés leu o dicionário. O seu evangelho quase sempre tem algo a ver com o "reino dos céus" (ver Mt 4.23; 9.25; 24.14). Desse modo, ele destaca a missão messiânica de Jesus, ligando-a ao conceito do reino dos céus. Havia um reino que ele queria lançar; havia um povo preparado para habitar nesse reino. Esse é o tipo de "boas novas" que Mateus concebia. Em 4.23, ele prefacia o Sermão do Monte com o título "evangelho do reino". Em 9.35, ele prefacia a "incumbência missionária" com igual título. Entende-se, pois, em 28.19, que a missão evangelizadora da Igreja está associada ao evangelho, mas ali ele usa a expressão "fazer discípulos", ao invés de "pregar o evangelho", conforme diz Marcos, na Grande Comissão. Mateus não chama sua obra de "evangelho", como o fizera Marcos, mas chama-a de "livro" (biblos), pois nele temos uma nova "Torah", o paralelo cristão da bíblia judaica, ou Torah. De maneira geral, o evangelho é mais formalizado em Mateus, embora, em sua maior parte, seja paralelo ao evangelho marcano. Ambos os evangelistas proclamam as "boas novas" anunciadas pelo Senhor Jesus, e associam isso com certos eventos históricos críticos, segundo acabamos de demonstrar e de discutir. E ambos exibem, no cerne dessas "boas obras", o ato salvador de Deus, em sua operação por intermédio de Cristo.

Epítropos – No evangelho de Lucas, não aparece a forma nominal do termo, mas a forma verbal figura por 26 vezes em Lucas e Atos. Em Atos, a forma nominal aparece por duas vezes. Em 15.7, refere-se ao fato de que os gentios receberam conhecimento do evangelho por parte de Deus, e isso por escolha de Deus. Em 20.24, é chamado "evangelho da graça de Deus", pelo que o evangelho é aqui claramente ligado ao princípio da graça, tal como se vê em Paulo. No tocante ao "reino", em suas relações ao evangelho, Lucas exibe um ponto de vista mais espiritualizado. Ali o reino não é mera expectação de um reino terreno; é algo "íntimo", isto é, a espiritualização do ser. (Ver Lc 17.21.) Isso se aproxima do conceito joanino, onde o reino é o "mundo eterno", no qual se entra por meio do novo nascimento, já que não pertence a "este mundo" (Jo 3.3,5; 18.36). Em Atos, o "reino" é o tema da "pregação evangelizadora" (At 20.25) e consideramos que isso indica "a mensagem do evangelho", o "ato salvador" de Cristo, o que traz aos homens vida nova e superior, a qual terá fruição no mundo eterno. E o processo inteiro, com sua conclusão, é visto como o trazer o "governo (ou reino) de Deus" às almas dos homens, trazendo-o ao meio ambiente no qual vivia a alma humana. E isso primeiramente, aqui, e então "ali", do outro lado da porta que conduz à eternidade. Essa ideia, naturalmente, equivale ao ensinamento de Paulo mediante o evangelho, de que o senhorio de Cristo é primeiramente implantado em indivíduos, e depois em comunidades, e então entre todos os seres inteligentes. (Rm 10.9; Ef 1.10,19ss;.Fp 2.9-11). O evangelho não terá nenhum fruto enquanto não houver essa implantação, pois ninguém tem a Jesus como Salvador, se também não o tem como Senhor.

Scepticós – Não há conversão que não tenha fruto na santificação. E sem santificação, não há salvação (2Ts 2.13). E o que você vem dizendo concorda com esses princípios. Notemos o uso, em Marcos 8.35. O evangelho requer **renúncia** absoluta para ter seu efeito tencionado sobre a alma humana. Temo que nestes dias de "graça fácil", quase todos tenham perdido de vista essa mensagem. Os homens dotados de visão superficial do que significa a cruz, pensam tratar-se de simples passagem para os céus, sem nenhuma exigência de transformação interna segundo a imagem de Cristo. Dizem: "Cristo morreu por mim. Sei que não estou vivendo uma vida boa; mas, afinal, não estou dependendo de meus méritos para ser salvo". Esses perdem totalmente de vista a mensagem da cruz e do que ela significa na vida.

Epítropos – Desse modo, os homens se utilizam da **cruz** como desculpa para não "carregarem a cruz".

Scepticós – Isso expressa com exatidão a ideia. Não é a cruz do Gólgota que salva. É a cruz no coração que nos cura. Cristo ainda não ressuscitou dentre os mortos, no que tange a alguém, se esse alguém continua escravizado ao pecado.

Epítropos – Sem dúvida nisso há grande verdade. O evangelho não consiste apenas do que aconteceu na história, embora, naturalmente, repouse sobre certos acontecimentos históricos. O evangelho não é só o "drama externo"; deve também ser o "drama íntimo da alma", o "drama sagrado". No que concerne aos indivíduos, o "drama histórico" é inútil enquanto não houver o drama sagrado correspondente, na alma.

Scepticós – É por isso que dizemos que toda a fé religiosa é mística. Pode ter alicerces históricos, mas depois de tudo haver sido dito e feito, nada poderá ser realizado a menos que o Espírito se encontre conosco e produza em nós a imagem de Cristo. Ele pode ser admirado como o Salvador histórico; mas, antes de tudo, Cristo deve tornar-se conhecido meu, e, finalmente, deve tornar-se minha razão de viver. Doutro modo, no meu caso, seu evangelho terá sido em vão.

Súnesis – Continuemos com nossas descrições dos usos da palavra "evangelho" (ou conceitos sem o termo) no NT. Matetés, como é esse vocábulo usado no evangelho de João?

Matetés – Em João, não se encontram as formas nominal ou verbal. É característico de João que Jesus não "proclama" a mensagem do reino de Deus, antes, faz "revelações cristológicas". Segundo vimos, o reino é agora o mundo eterno, no qual se entra mediante o novo nascimento. Nas revelações cristológicas, Cristo não é apenas quem proclama certas verdades, como um profeta, por exemplo; antes, ele é a Verdade personificada (Jo 14.6). Suas boas novas vêm que quando sua pessoa e sua natureza são apropriadas, o indivíduo fica apto a "nascer" no reino do alto. Outrossim, há o Paracleto (14.26; 16.15), o qual mostra-nos como obter esse reino. Ele é o "alter ego" de Cristo, enviado para terminar sua missão salvadora. Há um conceito no evangelho de João que é pouco pregado, talvez por ser pouco entendido. Aparece em João 5.25,26 e 6.57. Teologicamente, chama-se "vida necessária e independente de Deus". Noutras palavras, Deus tem vida "que não pode deixar de existir": ela é **necessária**. Além disso, sua vida é **independente**, ou seja, não depende de nenhum outro em sua origem e continuação. A grande mensagem dessas passagens é que Cristo, na realidade de "Filho" (na manifestação humana), recebe

esse tipo de vida. Ele se tornou o primeiro homem a possuir a vida necessária e independente. Como Deus, naturalmente, ele sempre a teve; mas agora falamos do que ocorreu a ele como cabeça federal, com vistas ao que ele pode e quer fazer em favor de outros homens. Uma vez que possui essa vida necessária e independente, ele pode transmiti-la a todos quantos nele ponham confiança. E isso significa que os "outros filhos" virão a possuir o tipo divino de vida, sendo elevados à posição de fantástica estatura e natureza, muito superiores aos anjos, certamente. No que tange a mim, é disso que consiste o evangelho. É até aí que nos conduz o "novo nascimento". A conversão é apenas o começo do "novo nascimento". Sua fruição se dará quando realmente emergirmos, como novos tipos de seres, dentro do mundo eterno, participantes da vida e da natureza de Cristo.

Scepticós – O processo que conduz a isso por certo transcende a tudo quanto o homem pode fazer, pois isso está fora do alcance humano, exceto no que lhe compete cooperar, com a sua vontade, com o Espírito, que realiza sua operação.

Epítropos – É por isso que falamos de graça. Está longe de ser um "programa de doações divinas". De fato, é uma operação dinâmica do Espírito, o que alça os homens acima e além de tudo quanto os homens poderiam imaginar ser o "destino humano". Por essa razão é que o evangelho não pode ser mera aceitação de um credo ou "declaração judicial" de Deus, de que agora estamos reconciliados com ele. Antes, deve ser uma dinâmica transformação de nosso ser inteiro segundo a imagem de Cristo, pois ele é nosso destino: seremos o que ele é, compartilharemos do que ele possui.

Scepticós – Conforme entendo as coisas, o Espírito, o alter ego de Cristo, é a força ativa desse processo. Por conseguinte, exaltá-lo é exaltar a Cristo; acolher sua obra, cooperando com ela, buscando comunhão com ele, é, ao mesmo tempo, buscar e aceitar a Cristo e ao seu ato salvador em nossa vida. O que precisamos, pois, é saber "como" buscá-lo; como aplicar a sua operação.

Súnesis – Trataremos desses princípios ao discutir sobre o último item que escolhi, "O modo da inquirição espiritual". Agora, porém, finalmente chegamos ao último ponto de nossa discussão sobre a palavra "euangelion" e seus usos no NT, nas epístolas paulinas?

Matetés – Posso sumariar o uso do termo. Em todas as cartas atribuídas a Paulo, o termo "euangelion" aparece 61 vezes. Ele usa certa variedade de combinações, como "evangelho", em sentido absoluto, "evangelho de Cristo", "evangelho de Deus", "evangelho de seu Filho", "glorioso evangelho de Cristo", "evangelho da nossa salvação", "evangelho da paz", "evangelho de nosso Senhor Jesus Cristo", "glorioso evangelho do Deus bendito" e "meu evangelho". Essa variedade, por si mesma, é reveladora quanto aos aspectos do pensamento de Paulo. As "boas novas" vêm de "Deus", por meio de "Cristo", o qual é "Senhor" e "Salvador". O evangelho traz "salvação" e "paz". E é "glorioso", e sua glória nos leva a bendizer o nome de Deus. Era o "seu evangelho".

Zetetés – O que você pensa que Paulo quis dizer com a expressão "meu Evangelho"?

Matetés – Há uma boa variedade de respostas para a pergunta. Uma das possibilidades é de que ele quis distingui-lo do suposto "evangelho" pregado por seus oponentes. Outra possibilidade é de que ele apenas o tenha personalizado, pois para ele não era algo frio, distante. Talvez quisesse dar a entender que o "seu evangelho" continha elementos diversos e elevados, que ele recebera por revelação, e que faltavam em outros autores. Pelo menos isso é uma verdade, sem importar se é o que ele quis dar a entender. Alguns pensam que isso alude ao evangelho de Lucas, como se este tivesse sido o evangelho que Paulo usava e do qual tomava emprestado, já que Lucas era seu companheiro de viagem. Isso, no entanto, é interpretação fantástica. Talvez ele quisesse frisar seu ofício apostólico com esse **meu**. Seu evangelho também pertencia a outros, mas tornou-se "dele" quando, por revelação, recebeu o mesmo e foi comissionado, como apóstolo a pregá-lo.

Súnesis – Que dizer dos conceitos paulinos sobre o significado do evangelho?

Epítropos – Penso que aquilo que Matetés nos disse sobre o conceito joanino também se ajustaria bem no caso de Paulo, exceto que expressa a ideia de modo diferente. Por exemplo, em Colossenses 2.9,10 quase certamente significa que chegamos a participar do mesmo "tipo de vida" que Cristo tem, ou seja, compartilhamos de sua natureza divina. Isso significaria, naturalmente, que nossa parte é "finita" e "secundária", ao passo que ele participa disso em sentido infinito e primário. Isso não significaria, sem dúvida, que não está em foco o "mesmo" tipo de vida. A "extensão" da participação é que difere, mas não em seu **tipo**. Em outras palavras, os remidos haverão de, finalmente, participar da mais elevada "forma de vida" que há, por meio de Cristo, já que participarão de sua natureza. E isso equivale a dizer que terão a "vida necessária e independente", ensinada por João. Participarão de "toda a plenitude

168 |Artigos introdutórios| NTI

de Deus" (Ef 3.19). Naturalmente, esses são elevadíssimos conceitos, que precisam ser mais bem definidos; e estou certo de que nossas discussões continuarão a esclarecê-los. Tais conceitos ultrapassam totalmente o nosso entendimento, e por isso qualquer definição será tentativa e incompleta.

Súnesis – O tópico, "o modo da glória", que será um dos nossos tópicos, nos proverá a oportunidade de explorar o sentido do que Epítropos disse de modo abreviado. Penso que é nesse ponto que se mostra tão fraco o ensino da igreja comum. Certamente o evangelho anuncia maiores "boas novas" do que as que dizem que algum dia ficaremos livres do pecado e viveremos em algum belíssimo lugar celeste. A mensagem de salvação aborda muito mais aquilo "em que nos tornaremos", do que onde nossas almas habitarão por fim.

Scepticós – Você crê, então, que o "hino" que diz "Tenho uma mansão sobre o alto da colina" é superficial?

Súnesis – Vergonhosamente superficial! O que sucede ao nosso raciocínio quando tolamente falamos de mansões sobre colinas, harpas e coroas? Não faz muito tempo, ouvi um sermão no qual o pregador, admitindo não poder dizer muito sobre os "céus", propôs que, pelo menos, estariam envolvidas "belas residências".

Scepticós – A bela residência da alma, o templo do Espírito Santo, deveria ser algo que nos interessasse e não alguma coisa a quarteirão ou dois de distância de onde Jesus vive.

Súnesis – Exatamente. Penso que os professores, para nada dizer dos estudantes, com frequência se têm olvidado de que a salvação consiste em nos apropriarmos de Cristo na vida, literalmente, e não de ir para onde ele vive. Um anjo pode viver onde ele vive, talvez com muitas ordens de seres e às quais poderíamos dar o designativo de "anjo", mas isso não significaria que a salvação humana consiste apenas de estar onde estão os anjos, ou então que consiste em sermos elevados à estatura angelical. A salvação envolve a apropriação de um tipo de vida. Conforme entendo certas partes da Escritura, essa "forma de vida", no caso dos remidos humanos, será muito mais elevada que a forma de vida dos anjos.

Scepticós – Eu chegaria mesmo a dizer que não há limite para a estatura da forma de vida em que seremos transformados, já que o nosso alvo é infinito, aquele infinito que há em Jesus Cristo. Nenhum homem poderá tornar-se infinito, mas os remidos poderão ir progredindo cada vez mais em sua direção.

Súnesis – O que você acaba de expressar é um imenso conceito, e quando abordarmos "O modo da glória", poderemos desenvolvê-lo mais ainda. Haveria algo mais que se deveria dizer a respeito do evangelho, conforme é visto nas cartas de Paulo?

Matetés – Penso que deveríamos notar que naquilo que alguns chamam de "epístolas deutero-paulinas" há uma espécie de formalização do evangelho.

Zetetés – O que você entende por "deutero-Paulo"?

Matetés – Isso designa certas epístolas, como a de Efésios e as pastorais, que alguns consideram mais tardias que outras. Vários estudiosos supõem que foram escritas não pelo próprio Paulo, mas por alguns discípulos, depois de sua morte, como um reflexo do período post-paulino. Quer tenham sido escritas pelo próprio Paulo, em um período posterior de sua vida, ou por discípulos seus, pelo menos é verdade que houve alguma formalização da doutrina cristã. O "credo" cristão torna-se ali mais evidente.

Scepticós – Penso que assim é, sobretudo nas epístolas pastorais. A declaração viva do evangelho continua patente (Ef 1.13 e Cl 1.5), mas agora o evangelho começa a assumir uma forma credal concreta. A mensagem viva começava a tornar-se um depósito que a Igreja, um tanto mais tarde, consideraria estar conservado nos escritos sagrados, para lançar raízes o processo de formação do "cânon". 1Timóteo 2.2,8 fala desse depósito sagrado; 1Timóteo 5.20 e 2Timóteo 1.14 mostram que esse depósito deve ser defendido dos avanços da heresia, que começava a surgir. Nesse caso, estão quase certamente em foco as perversões do gnosticismo. Esse processo de formalização tornou-se ainda mais patente no segundo século, segundo se vê em Didache 15.3,4.

Súnesis – Penso que agora já completamos adequadamente o nosso primeiro tópico. Muitas "sementes" foram plantadas para serem cultivadas nas semanas vindouras. Na próxima semana teremos outra discussão "preliminar" sobre o "Modo de conhecer". Como podemos saber das coisas e por que meios obtemos conhecimento? Scepticós mostrou grande interesse pela epistemologia, pelo que esperamos que ele nos guie nessa discussão. Aquilo que cremos sobre o evangelho necessariamente está envolvido nos modos de conhecer as coisas. Por isso, pensei que deveríamos ventilar essas questões, antes de chegarmos àquilo que diz respeito ao conteúdo do próprio evangelho.

Na Biblioteca na semana seguinte

Zetetés – Vejam só o Scepticós! Que monte de livros!

Matetés – Assim tem sido todos os dias, desde que eu lhe relembrei que Súnesis esperava que ele guiasse a discussão de hoje sobre os modos como adquirimos conhecimento.

Zetetés – Pessoalmente, penso que ele está apenas querendo causar boa impressão. É como se ele dissesse: **Vejam** quantos livros trouxe comigo! Ele está procurando assustar-nos com seu conhecimento.

Matetés – Se não soubesse que suas observações (geralmente sarcásticas) são ditas em bom humor, eu lhe pregaria um sermão sobre a gentileza fraternal, sobretudo acerca de Scepticós, que com frequência é alvo de suas ousadias. Lembra-se o que Tiago diz sobre o uso da língua?

Zetetés – Ai! Naturalmente, não quero ferir ninguém, mas Scepticós faz a vida difícil para todos nós. Sou apenas um inquiridor, mas ele é um examinador, um perscrutador, e isso nos deixa um tanto desassossegados.

Matetés – Nada de desculpas. Você sabe ler, não sabe? Para conhecer a verdade é mister muita pesquisa, a menos, naturalmente, que nos contentemos com as "poses fixas" que nossas denominações nos apresentam. Ralph Waldo Emerson disse algo significativo, quando formulou a declaração:

"Deus oferece a cada mente a escolha entre a verdade e o repouso. Escolhe o que quiseres, porque nunca poderás ter ambas as coisas."

Súnesis – Excelente citação.

Zetetés – Ah! Então você estava escutando nossa conversa, hein?

Súnesis – Apenas procurando aprender algo de vocês dois.

* * *

Súnesis – Eis que chega Sofós, pelo que podemos dar início à nossa segunda discussão, que é:

2. Os meios do saber (epistemologia)

Súnesis – Como vocês devem lembrar, pedi a Scepticós para guiar a discussão de hoje, por ter ele um interesse especial pela epistemologia. Espero que vocês não deixem tudo ao encargo dele. Nossa ideia é que cada participante se prepare semanalmente para a discussão.

Scepticós – A epistemologia é um tema lato, e sei que tenho aqui mais material do que se pode considerar em uma manhã. Limitarei nossa discussão aos principais sistemas de conhecimento e a certo número de conceitos sobre como se pode conhecer a verdade, naquilo que se chama "teorias da verdade".

Lembremo-nos do que Agostinho disse sobre o conhecimento. Alguém indagou dele: "Que queres saber?" Agostinho replicou: "A Deus e à minha alma". "Só isso?", foi a espantosa reação. "Quero saber de Deus e da alma", reassegurou Agostinho. Para as pessoas de mentalidade espiritual, essas afirmações não podem deixar de provocar uma corda sensível. Para os que não têm ideais religiosos, certamente parecem produto da superstição e da ignorância.

Zetetés – Agostinho não estava interessado pela ciência e por outras formas de conhecimento, fora do campo religioso?

Scepticós – Certamente que sim. Sobre isso, porém, podemos afirmar duas coisas: A primeira é que ele defendia a ideia da "unidade da verdade". Cremos que toda verdade, em qualquer disciplina em que ela possa ser achada, básica e inerentemente é conhecimento de Deus.

Matetés – Explique o que você quer dizer. Admito que não vejo sentido em sua declaração.

Scepticós – Ele quis dizer que achamos Deus em qualquer tipo de busca de conhecimento. Na natureza, por exemplo, achamos desígnio. Isso nos faz lembrar que deve haver um grande Planejador. As ciências naturais meramente estudam a complexidade da razão e plano divinos. Na matemática achamos ordem e beleza. Isso também nos revela algo sobe a mente de Deus. Sem importar para onde nos voltamos em nossos estudos, ali, de alguma forma, descobrimos Deus. Há uma só verdade; todas as assim chamadas verdades são apenas aspectos da Verdade Infinita. Portanto, Agostinho estava interessado nas ciências, porque, afinal, são apenas aspectos da Verdade Divina. Os temas abordados pela ciência, por assim dizer, são exemplares da escrita de Deus, nas quais podemos discernir algo de seu caráter.

E há uma segunda razão pela qual Agostinho estava interessado na ciência e em outras formas de conhecimento, uma razão prática. Formas inferiores de conhecimento, como aquelas que nos chegam pela percepção dos sentidos, dão-nos medicamentos e máquinas, conforto e prazeres. Apesar de não serem esses os interesses mais imprescindíveis da vida, todos nós precisamos deles; e o conhecimento, mesmo quando não é divino (exceto conforme já explicamos), portanto, tem certa utilidade bastante necessária.

Naturalmente, Agostinho (e, com ele, muitos pensadores religiosos desde então) supunha que a razão pura, a intuição e as experiências místicas podem transmitir conhecimento válido, de modo totalmente independente da percepção dos sentidos. Mencionaremos mais especificamente esses supostos meios de adquirir conhecimento conforme formos avançando. No entanto, agora, discutamos o primeiro sistema de conhecimento: o "empirismo". Alguém pode apresentar-nos uma breve definição de empirismo?

a. Empirismo

Matetés – Creio que a própria palavra signifique "experiência", isto é, a palavra grega de onde se deriva o termo.

Scepticós – Está certo. De acordo com esse sistema, portanto, como se podem saber as coisas?

Matetés – Por meio de experiência, é óbvio.

Scepticós – Sim, mas que tipo de "experiência"?

Matetés – **Experiência obtida** pela "percepção dos sentidos", os informes dados pelos cinco sentidos. O vocábulo grego "empeiria" significa "experiência". Deriva-se de duas outras palavras, **en** (em) e **peira** (teste). Assim, segundo esse sistema, chegamos a conhecer as coisas mediante experiências diárias de tentativa e erro, mediante os cinco sentidos.

Zetetés – Naturalmente, devemos adicionar a isso os "experimentos científicos", mediante os quais o conhecimento nos é dado por informes de tentativas e erros propositais, com o auxílio de aparelhos.

Matetés – É verdade, mas a base desse tipo de conhecimento continua sendo a experiência mediada pelos sentidos, ainda que certos inventos sirvam ao propósito de aguçar os sentidos.

Scepticós – Esses são os significados básicos. Como sistema, o empirismo nega certas coisas e afirma outras. Que coisas serão essas?

Matetés – Bem, um empirista estrito não aceitaria a doutrina das "ideias inatas".

Zetetés – O que se entende por "ideias inatas"?

Matetés – Entende-se a noção de que o homem já "nasce" armado de certo conhecimento, de certas ideias, que possui mesmo sem investigação baseada na percepção dos sentidos.

Zetetés – Sem dúvida, você está falando sobre o discernimento "intuitivo".

Matetés – Exatamente. E o homem tem esses discernimentos intuitivos, conforme explica a maioria dos que creem nas "ideias inatas", no "nível da alma", ou mesmo devido a uma dádiva de Deus ou poder superior; ou então, por intercomunicação com a mente universal.

Scepticós – Vejo, Matetés, que você andou pesquisando sobre o assunto. O que você acaba de dizer está certo. As "ideias inatas", porém, usualmente se referem à propriedade da mente humana propriamente dita, sem apelar para o divino ou para a mente universal. Platão dizia que as ideias inatas podem ser despertadas pela percepção dos sentidos, mas que a "mente" já possui tal informação. Por exemplo, podemos saber o que é certo ou errado sem aprender a respeito pela experiência pessoal, e nem pela experiência alheia. Temos ideias inatas acerca da natureza da ética, isto é, a conduta ideal. O empirismo nega a própria existência das ideias inatas. Para o empirista, o conhecimento humano nada é senão informações acumuladas no cérebro. Dizem eles que não há **mentes**, mas somente "cérebros". E não há nenhum conhecimento no cérebro, a não ser que ali tenha entrado pela experiência diária da vida física.

Zetetés – Antes de você prosseguir, explique o que significa "mente universal", por favor.

Scepticós – É mais fácil explicar como ela opera, ou dar provas de sua existência, do que dizer de modo significativo o que ela é. Se a explicarmos de modo "pessoal", poderíamos postular uma espécie de "depósito do conhecimento", conservado e comum pelas mentes humanas. Em outras palavras, poderíamos supor que há intercomunicação entre todas as mentes humanas, uma espécie de depósito geral, portanto. Também poderíamos supor que o contacto com outras mentes envolve seres superiores ao homem. Um homem, pois, poderia tomar por empréstimo conhecimento desse "fundo de inteligência"; ou esse fundo pode transmitir à mente individual certas "ideias inatas", isto é, levar uma mente particular a possuir certos itens do conhecimento, totalmente além da experiência do indivíduo. Naturalmente, isso nos envolve bastante na metafísica, mas, segundo veremos, todas as teorias do conhecimento têm um pano de fundo metafísico declarado ou oculto. E se explicarmos a "mente universal" de modo **impessoal**, poderemos dizer que alguma "forma de energia" contém e retém todo o conhecimento humano (ou, talvez, todas as formas de conhecimento), e que o indivíduo, em certas circunstâncias, pode valer-se do fundo contido na forma de energia.

Zetetés – Algo como colocar a agulha da vitrola no sulco do disco?

Scepticós – Como analogia, isso serve para explicar uma "mente universal impessoal". Mas, voltando às coisas negadas pelo empirismo, temos de incluir a "intuição". Isso quer dizer que os empiristas negam que exista tal coisa como conhecimento que raia qual "súbita luz" diante de nós, por algum impulso intuitivo. Os discernimentos súbitos são explicados com base nas operações do cérebro como um computador, no nível

do subconsciente. O conhecimento só seria súbito na aparência, pois seria sempre produto de uma série de percepções, e nunca antes das mesmas. E que mais nega o empirismo?

Matetés – Se nega a intuição, nega também o racionalismo e o misticismo. Em outras palavras, deve negar que um homem possa "raciocinar até chegar à verdade", à parte dos informes da experiência. A própria razão estaria alicerçada sobre os cinco sentidos, em última análise, não podendo transcender deles. Outrossim, um empirista estrito dificilmente admitirá que se pode obter conhecimento por meio de "visões", ou "sonhos" ou "profecias" etc.

Scepticós – É isso mesmo. E também frisa haver certo tipo de atitude mental que pressupõe as proposições metafísicas. Qual é a "metafísica" que há por detrás do empirismo?

Zetetés – Suponho que a maioria dos empiristas se compõe de materialistas, pois, se aquilo que sabemos vem por intermédio do "cérebro", de que vale postularmos "mentes"?

Matetés – Tais pessoas, quando são empiristas estritos, provavelmente duvidam da existência de Deus (agnosticismo), ou negam-no totalmente (ateísmo), ou creem que a "ideia divina" é completamente fechada à investigação (positivismo lógico e ceticismo).

Scepticós – O que você quer dizer com "materialismo"?

Zetetés – Os materialistas acreditam que só existe a matéria; e que tudo quanto acontece é apenas movimento. Tudo seria "atômico". Não haveria energia de natureza "não-física", "não-atômica". O dualismo (dois tipos diferentes de energia, como corpo-alma) seria uma farsa, como também o pluralismo (existência de muitas formas de energia, como alma, espírito, mente etc., incluindo diversos tipos de seres). Tudo isso o materialismo reputa absurdo.

Scepticós – Até onde diz respeito à obtenção de conhecimento, o homem estaria limitado ao que pode recolher pelos sentidos, pois nenhum Deus, nem anjo, nem espírito e nem manifestação de mente lhe dará conhecimento além de sua experiência pessoal, ou mesmo "aprendido" pelas experiências alheias. Essa é a ideia básica do empirismo. Os empiristas negam todo conhecimento "a priori", reconhecendo somente o que vem "a posteriori". Naturalmente, aceitam noções "a priori", como as proposições analíticas da matemática, mas os empiristas só vão até aí.

Matetés – Explique para nós esses dois termos.

Scepticós – **A priori** quer dizer conhecimento obtido "antes" ou "sem experiência". **A posteriori** é o contrário, indicando conhecimento obtido "por meio" dos sentidos, ou seja, "após" a experiência. E quais são as utilidades e pontos fortes do conhecimento empírico?

Matetés – Até onde vejo, prefiro ficar aqui com Agostinho. O conhecimento pelos sentidos não é contrário nem a Deus e nem à alma, contanto que não se abuse disso, como se dá com os empiristas. É óbvio que precisamos do que a ciência pode prover para nós, mediante seu "conhecimento linear".

Zetetés – E que quer dizer "conhecimento linear"?

Matetés – Isso indica informes sobre informes, formando como que uma linha que nos conduz a uma conclusão. O conhecimento linear nos dá máquinas e medicamentos, confortos físicos, indústrias, empregos e até templos. Seria impossível a sobrevivência física sem o conhecimento empírico. A agricultura depende disso.

Zetetés – Muito bem, todos deve reconhecer isso. Mas buscamos verdades mais elevadas, mesmo estando presos em um corpo físico que exige atenção. Um homem certamente é mais que um animal, mais que algo terreno ou físico. Percebo que estou fazendo algumas pressuposições metafísicas, que pressupõem outros modos de obter conhecimento, além do método empírico.

Scepticós – **E está mesmo**, essas suposições fazem com que você seja mais que um empirista.

Sofós – Alguém se lembra de como Platão atacou o empirismo?

Matetés – Sim. Ele procurou mostrar a fraqueza do empirismo ressaltando pelo menos duas coisas: (1) Mostrou que a "percepção dos sentidos" por si mesma é "fraca e inexata". Se a percepção é a base do conhecimento, todos seríamos igualmente sábios, porque todos possuem sentidos. (2) Por que suporíamos que a "percepção dos sentidos" de um homem é a base do seu conhecimento? Por que o macaco ou a coruja ou um verme não poderiam ser o "padrão" do conhecimento? Todas essas criaturas possuem percepção de sentidos.

Sofós – A ciência moderna, incluindo a psicologia, tem demonstrado a natureza relativa da percepção dos sentidos. Os nossos sentidos nos impõem um ponto de vista do mundo que não condiz com a realidade da natureza. Vemos apenas certas faixas de luz; ouvimos somente até certo alcance de vibrações acústicas. De fato, a maior parte da realidade é para nós invisível, não podendo ser ouvida nem tocada, ou seja, não é percebida pelos sentidos. E nós buscamos saber o que é "real". No entanto, a percepção dos sentidos falha miseravelmente nessa inquirição, apesar das coisas boas que provê para nós.

Scepticós – Platão, por causa dessas observações, chegou à conclusão de que "o empirismo natural e inevitavelmente conduz ao ceticismo", o qual postula que "o conhecimento é impossível para o homem".

Matetés – Essa foi a segunda "fraqueza" que Platão salientou, no tocante ao "empirismo", e eu estava quase destacando esse fato.

b. Ceticismo

Scepticós – Agora vamos definir esse termo, por ser ele o segundo sistema epistemológico sobre o qual discutiremos. Que é o ceticismo?

Zetetés – Cético é aquele que duvida de tudo.

Matetés – Filosoficamente falando, porém, o ceticismo é a afirmação de que "não existe" tal coisa como "conhecimento", se com esse termo indicamos um conhecimento infalível, certo e eterno. O conhecimento é algo "impossível" de ser atingido pelo homem, se é que ao menos existe. Aquilo que chamamos de conhecimento é algo bem relativo em sua certeza ou em sua "taxa de probabilidade".

Sofós – A ciência nos leva a isso, não é verdade? Ninguém pode explicar o átomo. Todas as teorias são parciais. Portanto, nem sabemos o que seja a matéria, embora possamos vê-la e nela tocar. Não haverá meio de ultrapassarmos esse dilema? Estaria o homem condenado a especulações, sem nenhum meio de chegar à verdade, que vai além do que se pode ver ou ouvir?

Scepticós – Falando de ciência e do seu dilema, consideremos o "positivismo lógico".

c. Positivismo lógico

Na realidade, isso é uma forma de ceticismo, ou seja, ceticismo engastado em método totalmente científico. O positivismo lógico é o coração da filosofia da ciência. Equipara todo conhecimento com a pesquisa científica, e nega a validade mesma da inquirição metafísica. Todas as proposições metafísicas são "sem sentido" por não se basearem sobre o único meio reconhecido de conhecer as coisas, isto é, a "percepção dos sentidos" ou "verificação empírica". Isso significa que tanto o **ateu** quanto o **teísta** estariam igualmente errados, porque ambos asseveram ter certo conhecimento. O ateu diz: "Deus não existe, porque temos evidências negativas para essa declaração". O teísta diz: "Deus existe, porque temos evidência positivas para essa declaração". O positivista diz: "Não há evidências, nem negativas e nem positivas. A proposição: Deus existe, não tem significado, por ser um princípio incapaz de ser empiricamente verificado. Poderíamos suspeitar que Deus não existe, por causa do problema do mal, ou seja, a miséria que há no mundo; ou poderíamos suspeitar que ele existe devido ao admirável planejamento das coisas; mas isso são meras suspeitas, e não evidências empíricas. Até aquilo que se pode receber como "conhecimento" não é algo imutável, perfeito ou eterno. Toda reivindicação de conhecimento é apenas uma taxa de probabilidade".

Matetés – Como podemos criticar o positivismo lógico e o ceticismo em geral?

Scepticós – Não se pode discutir com o positivismo em seus termos. Enquanto admitirmos somente proposições empíricas, teremos sérias dificuldades em provar qualquer coisa. Temos de procurar mostrar que o conhecimento ultrapassa nossos cinco sentidos. Se pudermos mostrar, por exemplo, que a "intuição" realmente ocorre, ou que existem experiências místicas válidas, que transmitem informações prováveis e que elas transcendem à nossa experiência, então teremos vibrado um golpe mortal contra o positivismo. Em última análise, ao ter sido dito e feito tudo, a fé religiosa repousa sobre o misticismo, isto é, sobre algum contacto com o divino, sobre algum poder superior, mediante o qual o homem se eleva acima do que é apenas mundano. Para partir a couraça do positivismo, é mister demonstrar a validade das experiências místicas.

Sofós – É verdade. Mas as "provas" que lhes apresentarmos, não convencerão os céticos. Mesmo que Deus falasse de maneira audível, do céu, diriam haver sofrido uma alucinação em massa. Só se Deus os tirar do "reino das trevas", conforme disse Agostinho, é que lhes será possível qualquer iluminação. O ceticismo pode ser uma enfermidade da alma, e não apenas uma atitude mental.

Scepticós – É verdade, há muita coisa que se pode dizer em prol do misticismo, e devemos estar prontos a entrar na batalha, se isso for necessário.

Sofós – O próprio fato de nos reunirmos para discutir sobre o evangelho mostra que há coisas que nos satisfazem e que dão validade à fé religiosa. Contudo, nossas discussões não têm a finalidade de convencer os céticos, mas visam somente a trazer-nos iluminação.

Scepticós – Assim é, mas nossa iluminação também pode servir para capacitar-nos a iluminar os céticos.

Súnesis – Tiremos o proveito que pudermos, primeiro para nós mesmos, e então que esse proveito seja dado também a outros. Não teremos tempo de investigar as reivindicações do misticismo. Todos aceitam que a verdade é transmitida por visões ou por algum outro tipo de contacto entre Deus e o homem; mediante o sentimento intuitivo sutil, mediante

o testemunho da alma? Mediante a íntima e tranquila voz. Acreditamos que Deus entra em contacto com o homem; e isto, de muitas maneiras. O misticismo significa apenas que Deus tem esse contacto com os homens, do modo como ele quiser. Às vezes dizemos: "O Senhor me levou a fazer isto ou aquilo". Ou então: "O Senhor pôs isto na minha mente". Nesses casos, estamos fazendo reivindicações místicas, conforme a definição básica de misticismo.

Scepticós – Já que entramos no assunto, tendo mesmo apresentado certa definição, consideremos o

d. Misticismo

Para começar, notemos sua definição básica, já apresentada por Súnesis. Muitas pessoas entendem mal a tese básica do misticismo, dando atenção somente à sua forma mais dramática, como grandiosas visões e revelações. Reduzido ao seu significado mais simples, o misticismo diz apenas que é possível um genuíno contacto com um "poder superior", de tal forma que o indivíduo pode ir "fora de si" e obter informações de uma inteligência ou poder superior a ele. Segundo essa definição, a fé cristã é "altamente mística", pois ensina que o homem pode entrar em contacto com um anjo, um espírito, o Espírito Santo, Cristo ou Deus Pai. Mais que isso, doutrinas como conversão e santificação pressupõem esse contacto, para que sejam reais. O cristianismo, naturalmente, encerra formas dramáticas de misticismo, como visões e revelações. O próprio Cristo foi o maior dos místicos, e os profetas e apóstolos do AT e do NT eram místicos.

Súnesis – Toda fé religiosa tem um âmago místico, embora seus adeptos talvez não usem o termo conforme essa definição.

Matetés – O misticismo oriental é diferente do nosso, ocidental, não é mesmo?

Scepticós – Sim, e eu ia chegar lá. Ambos buscam um "poder superior", mas o misticismo oriental tende por ser "subjetivo", buscando esse poder no íntimo, na própria alma, na porção mais elevada da pessoa. Algumas doutrinas falam do "eu superior", que é o ser real de alguém, ao passo que o complexo físico é quase apenas um títere desse ser. É quase como o conceito cristão do "anjo da guarda", embora se trate do próprio eu, que seria muito mais elevado e distinto da pessoa física. Esse "eu superior" usa as experiências diárias, humanas, como também a vida física, para ajudá-lo em seu desenvolvimento espiritual. Mediante a meditação, o indivíduo busca entrar na esfera de sua existência superior.

Zetetés – Essa doutrina se assemelha bastante à doutrina platônica das "ideias" ou "formas", na qual o ser terreno ou particular é apenas uma espécie de imitação do ser central, no mundo dos "universais", os céus platônicos.

Scepticós – Creio que há algumas diferenças, mas as similaridades são mais que superficiais. Entender a ideia, do ponto de vista cristão, não é algo difícil, se nos lembrarmos do ensinamento sobre o "anjo guardião". Esses seres guiam e protegem os seres para quem são destacados. E o misticismo cristão chega a propor a possibilidade de contacto com esses seres. Eles estão envolvidos no desenvolvimento espiritual daqueles a quem guiam e protegem. A ideia de que os "dons espirituais" podem ser mediados por meio deles, fazendo dos crentes membros valiosos da comunidade cristã, faz sentido, embora não possamos eliminar a direta orientação divina. Por exemplo, aquele que recebeu o genuíno dom de curas pode fazê-lo mediante o poder exercido pelo seu anjo guardião. De acordo com certo pensamento oriental, esse guardião seria apenas o próprio "eu superior" do indivíduo, e não uma entidade distinta. De acordo com essa doutrina, um homem é "muito mais" que um "homem", segundo nos inclinamos por defini-lo. Na verdade, é um ser imenso, e o que sabemos dele, em sua tenda terrena, o corpo, é apenas uma fração de seu verdadeiro eu.

Zetetés – No cristianismo, a redenção nos torna muito superiores a qualquer anjo. As Escrituras, porém, não dizem que Deus fez o homem "pouco menor" que os anjos? Um homem é bem inferior aos anjos meramente por haver decaído, e não por ser naturalmente inferior. Orígenes não fazia distinção entre a natureza humana e a angelical, quanto ao **tipo** real ou quanto à "glória ou poder inerente". Penso que ele estava com a razão. O homem é um espírito poderoso. A queda o enfraqueceu. Entretanto, mesmo no corpo, como ser decaído, ele é capaz de fantásticas manifestações espirituais, na forma de atos poderosos ou de desenvolvimento espiritual, ou mesmo de bondade inerente e estatura espiritual. Todos já temos lido as estórias de gigantes espirituais sobre cujos ombros subimos, a fim de obter um vislumbre da glória mais além.

O misticismo oriental primeiramente busca conhecimento, e depois experiência, e então absorção no mundo do "eu", com a consequente perda de identidade pessoal. Busca obliterar as manifestações próprias, os pensamentos, os desejos, as volições. No caminho da absorção dentro da Unidade, o Um, segundo afirmam alguns, pode-se obter uma paz inefável. A absorção pelo Eu vem por meio da eliminação do próprio eu.

Zetetés – Mas essa doutrina da obliteração final do "eu" é um tanto insensata, não é mesmo?

Scepticós – Para quem é treinado no cristianismo, onde o indivíduo é importante, de fato é estranha. Todavia, envolve profundo discernimento.

Zetetés – Que discernimento pode ser esse?

Scepticós – De acordo com essa ideia, em termos finais, Deus se tornou "tudo em todos", e não apenas a "causa primária" ou "causa final", mas o princípio causativo inteiro. Essa doutrina ensina que, no fim, só existirá Deus.

Zetetés – Isso é o que Colossenses 1.16 ensina acerca de Cristo; e Romanos 11.36, acerca do Pai, embora sem a perda da identidade individual dos remidos.

Scepticós – Verdade. E só a eternidade poderá ensinar-nos plenamente o que está envolvido nisso. O misticismo oriental tende naturalmente para o panteísmo, pelo menos em última análise, embora talvez não na sua aplicação presente, a este mundo.

Naturalmente, alguns negam o aniquilamento do "eu", pelo menos dentro dos ensinos budistas. Se pudermos dar crédito a alguns intérpretes, o "nirvana", a Paz Final, não é o aniquilamento do "eu", mas de suas condições empíricas, as sensações, as imagens, os pensamentos, enfim, o que é "finito". O indivíduo deixará de ser um indivíduo finito. Nem todos os budistas, porém, acreditam nisso.

Já que a unidade absoluta é o alvo da inquirição espiritual, então, ao longo do caminho, os místicos orientais, se alcançarem esse propósito, entrarão em estados mentais nos quais sentirão essa unidade, vendo tudo em Deus e Deus em tudo. Já que suas experiências buscam paz inefável, quanto mais subirem nesse alvo, mais inefável se tornará sua experiência, conforme a linguagem humana.

Zetetés – Alegro-me por você dizer isso; pois, conforme entendo os escritos dos místicos, eles afirmam que a natureza fundamental da realidade é inefável, isto é, não pode ser exprimida, nem pode ser conhecida pelo intelecto e suas categorias. Quando chegam ao estado de êxtase, adquirem uma espécie de "conhecimento" que transcende toda outra forma de atividade sensível, emocional, intuitiva, volicional ou racional. Nesse êxtase, todo senso de "separação", ou seja, autoconsciência, é obliterado. No misticismo oriental, o indivíduo é treinado a unir-se ao **Real**. No misticismo ocidental, o indivíduo é ensinado que está "envolvido com o Um", em uma espécie de prelibação da visão beatífica de Deus, conforme ele realmente é.

Matetés – Aquilo de que estamos falando será, realmente, uma forma de auto-hipnose?

Scepticós – Não, o transe extático dos místicos nada tem a ver com o tipo de transe obtido na prática do hipnotismo. O estado hipnótico assemelha-se apenas superficialmente ao transe dos místicos. Naturalmente, formas de hipnotismo às vezes são tomadas erroneamente como se fossem misticismo, mas trata-se, então, de um "misticismo barato", o qual deve ser evitado a todo custo.

Súnesis – Muito bem, Scepticós. É admirável que você tenha tocado em um ponto ao qual teremos de voltar quando do último tópico de nossa discussão: "O modo da inquirição espiritual". O fato é que muito daquilo que é tido como manifestação mística, hoje em dia, na Igreja, em certos casos são apenas efeitos que se seguem à prática da auto-hipnose. Chamar isso de "misticismo barato" é dar-lhe designação muito apropriada. Esse tipo de misticismo não é apenas barato, é perigoso.

Matetés – Essa história de transe me perturba. Penso que há algo de anti-espiritual e até de imoral na entrada de estados alterados de consciência, como no chamado "transe".

Scepticós – "[...] subiu Pedro ao eirado para orar [...] sobreveio-lhe um êxtase, e via o céu aberto..." (At 10.9-11). "Estava eu (Pedro) orando na cidade de Jope, e em êxtase tive uma visão..." (At 11.5). Paulo relata: "Tendo eu voltado para Jerusalém, enquanto orava no templo, achei-me em êxtase, e vi aquele que me dizia..." (At 22.17). O sumo sacerdote, conforme somos informados, induzia um estado extático contemplando as pedras preciosas que faziam parte do peitoral. Nesse estado é que fazia suas declarações autoritárias, pelo menos conforme relatam alguns. Naturalmente, como tudo mais na experiência humana, alguns têm abusado dessa prática.

Súnesis – Quando debatermos sobre "O modo da inquirição espiritual", voltaremos a esse tema, envolvendo os abusos cometidos na prática dessa experiência.

Scepticós – Continuemos descrevendo o misticismo ocidental. Em sua maior parte, os místicos ocidentais estão ligados à fé cristã. Nesse caso, os místicos são "objetivos", isto é, seus objetivos são "externos" ao indivíduo. No ocidente, os místicos, em suas meditações, fartamente regadas por orações, governadas por elas, guiadas por elas, buscam a consciência inefável da presença de Deus. Assim o **eu** torna-se em nada, e se sente a "unidade" de tudo. O misticismo ocidental também envolve objetos inferiores da busca mística, como os anjos, a natureza superior do próprio "eu", que é a alma, e também os "santos" (em alguns segmentos cristãos).

O místico busca a união com Deus, uma espécie de prelibação da visão beatífica, que é mais do que 'ver Deus como ele é'. É também ter transformado o próprio eu a ponto de participar da natureza divina, conforme ela se acha em Cristo (Cl 2.9,10 e Ef 3.19). Consiste da "iluminação" (Ef 1.18ss). Em outras palavras, essa visão envolve espiritualização, até alturas fantásticas. Já no misticismo ocidental, o eu é absorvido em Deus, e Deus torna-se tudo em todos. Esse "eu", agora mui exaltado, compartilha da natureza divina sem perder sua identidade pessoal. No misticismo oriental, porém, o "eu" finito é perdido e o indivíduo é unido a Deus, tornando-se Deus tudo em todos. De acordo com termos cristãos e neotestamentários, o "tudo" retorna a Cristo, pois ele é tanto a causa final como a primeira causa. Todas as coisas foram feitas "por ele", mas também existem "para ele" (Cl 1.16). Paulo emprega ali a ideia de "emanação". Cristo se "irradiaria" na criação. Finalmente, porém, haveria de "recolher" a si mesmo, pois a criação também é "para ele". De modo geral, os autores cristãos têm evitado a metáfora da **emanação**, porque cede um ponto em favor do panteísmo. Os místicos, no entanto, sem importar com seus "fundamentos teológicos", tendem por usar tipos panteístas de expressão. Os místicos cristãos também empregam essas expressões, sem com isso quererem ensinar o panteísmo. E explicam (quando se importam em fazê-lo) que a linguagem humana quase não pode descrever o que experimentam, pois os "vocábulos" são instrumentos frios que só servem para acabrunhar as chamas da alma. Portanto, dizem: "Não me venham exigir definições. Deus não pode ser contido na linguagem humana. Deixai que minha alma alce voo até ele".

Zetetés – Pelo que você acaba de dizer, vejo que eventualmente todos os remidos se tornarão místicos absolutos. Em outras palavras, eles experimentarão o que os místicos procuram descrever, em termos débeis, aquilo que experimentam agora nos seus primeiros estágios. Na verdade, pois, o misticismo se encontra no âmago da espiritualidade, neste e no outro mundo.

Scepticós – E como poderia ser de outro modo? O misticismo simplesmente afirma que podemos entrar em contacto com Deus, e que ele entra em contacto conosco; e ainda que Deus, nesse contacto ou comunhão, nos transforma e espiritualiza, até que finalmente cheguemos a habitar em sua glória, ou melhor, cheguemos a SER a sua glória.

Zetetés – Parece-me que a própria encarnação foi o principal meio de tornar possível a inquirição mística. Foi assim que Deus nos estendeu as suas mãos. Em resultado, poetas e escritores de hinos, como John Donne, Andrew Marcell, George Herbert e Henry Vaugahn têm expressado a experiência cristã em termos místicos.

Scepticós – Sim, poetas de natureza espiritual têm falado dessa maneira. São João da Cruz era não só um elevado místico, mas também foi o maior poeta espanhol do século XVI.

Consideremos o conceito de unidade, inerente nestas linhas de George Herbert, sobre o tema **homem**:

O homem é todo simetria,
Bem proporcionado, um membro como outro,
Tudo com tudo, deixando de lado o mundo.
Cada parte pode chamar irmão à mais distante,
Pois cabeça e pés têm amizade privada,
E ambos com a lua e as marés.

E já que, meu Deus, edificaste
Tão corajoso palácio, ó vem habitar nele,
Para que ele habite contigo, afinal!

Ou as linhas imortais de Wordsworth:

Nosso nascimento é só um sono e um esquecer:
A Alma que se ergue conosco, a Estrela da vida,
Teve suas origens algures,
E vem de longe:

Não em inteiro esquecimento,
E nem em total nudez,
Mas trilhando nuvens de glória chegamos
da parte de Deus, que é nosso lar.

Ou escutemos o clamor de Henry Vaughan:

Ó Pai de vida eterna, e todas
as glórias criadas sob ti!
Recolhe teu espírito deste mundo de servidão
para a verdadeira liberdade!

Zetetés – Antes de tudo, afirmam que existem meios válidos, não-sensórios de acesso às informações sobre a realidade. Creem que a razão pode atingir coisas fora da percepção dos sentidos, que a intuição é ainda mais poderosa; que podemos obter conhecimento por meio da revelação. Em segundo lugar, juntamente com alguns físicos, creem que o "tempo linear" (um evento após outro-passado, presente e futuro), e que é percebido por nós pelos aparelhos do corpo, é ilusório. Eles se alçam à mente de Deus, liberta do tempo. Em terceiro lugar, tendem por ver unidade em tudo e dizem que a separação espacial é **ilusória**. Creem que um homem é mais que um homem no nível subconsciente e que as mentes são apenas parte do grande tesouro da Mente. Em quarto lugar, muitos creem ou dão a entender pelo que dizem, que o mal é uma ilusão. Os místicos veem a vida como um tapete complicado e de ricas cores. Aquilo que parece ser descolorido ou fora de lugar, como os negros e cinzas, fazem parte do magnífico padrão de contrastes. Poderíamos examinar uma cor negra, marrom-escura ou cinza, isoladamente, supondo que está fora de lugar. Isso talvez até nos ofenda. Contemplando o todo, entretanto, podemos ver por que deve estar ali e qual a sua participação no desígnio total. Deus não pode equivocar-se. Só as errôneas interpretações lhe atribuem erros, defeitos de criação, ou erros nos seus labores, métodos e alvos.

O místico vê a existência inteira como formas variegadas de Luz, em galáxias azuladas, violetas, amarelas, com fagulhas douradas a brilharem sobre o pano de fundo escuro, cuja beleza não seria destacada a menos que houvesse o fundo sombrio. Raios de luz piscam e se irradiam, brilham com constância ou lampejam, explodem e ziguezagueiam, aumentam e diminuem. Alguns raios não têm movimentos, outros são frenéticos, e outros se locomovem por labirintos iluminados. Há galáxias fantásticas de luz fantasmagórica, lampejos multicoloridos e nuvens de luz baixa. Considerando-se o conjunto, a Luz que promana de Deus é magnificente além de toda comparação. Somente a miopia e a cegueira fazem as pessoas verem **defeitos**. Seja com for, não é nosso propósito examinar cada padrão de crença dos místicos, mas apenas mostrar que, de algum modo, sendo eles profundos na fé religiosa, muito têm para dizer-nos e revelar-nos. Os místicos mostram-se tão impacientes com "definições", que preferem deixá-las ao encargo dos teólogos. Tendem por dizer "sinto", ao invés de "penso". Convivem bem com os paradoxos, já que repelem ideias que exteriorizam e separam. Podem ver os dois lados de uma questão e não sentem necessidade de reconciliá-los. Sentem a verdade que há em um lado; mas também a verdade que há no outro. E olham confiantemente para Deus, para que ele unifique toda a verdade para além do campo das definições. Têm a tendência de aceitar a famosa declaração de Tertuliano: **Eu creio, porque é absurdo!**

Matetés – Espere um pouco! Isso já é ir longe demais. O que ele pode ter querido dizer com isso?

Sceptícós – Simplesmente que a verdade é 'tão vasta', que as grandes verdades são tão profundas, que parecem absurdas para os homens; e isso, não porque sejam inverdades. O fato de que Deus e o homem podem habitar em uma única pessoa, como no Cristo encarnado, Jesus, conforme era chamado no lado humano, certamente é um absurdo para a mente humana. Portanto, é um absurdo! Por essa exata razão, creio. Tomás de Aquino pensava que todas as proposições devem ser razoáveis, não contrárias à razão, embora sejam além da capacidade da razão. Tertuliano nem se importava em dar tanto poder à razão.

Matetés – Eu pensava que você, Sceptícós, exigisse investigação e desse grande valor às provas empíricas.

Sceptícós – No entanto, há muita prova empírica inerente nas experiências místicas. Poderosas experiências têm elevado os homens muito acima e além de qualquer ideia que pudesse ser apenas física, terrena. Outrossim, as experiências elevam o indivíduo acima de outro que tenha só argumentos. E muitos têm experiências espirituais. As dúvidas sobre a sublimidade do destino humano se reduzem ao esquecimento quando a luz de Deus resplandece sobre a alma. Conheço uma pessoa que...

Matetés – O que tenho a dizer vale a pena ser ouvido! Não se incomode tanto com o tempo linear, pois, conforme já vimos, há outras maneiras de considerar o tempo como algo **linear**. Serei breve. Seja como for, conforme eu vinha dizendo, havia um missionário evangélico, diante da oposição ao médico-feiticeiro. O feiticeiro, mediante anos de treinamento ou outra coisa qualquer, dotado de algum poder, anda sem sapatos por sobre brasas e vidro quebrados, sem nenhum dano pessoal. Sendo desafiado o missionário, e sem qualquer preparação, mas armado somente com a fé e com uma rápida oração, duplicou o feito, quebrou o vidro em pedacinhos com os pés nus e apagou as brasas. Uma coisa notável. Eu hesitaria em repetir o feito. No dia seguinte, as pessoas, muito impressionadas com o que acontecera, queriam certificar-se de que seus olhos não os haviam enganado. Visitaram o missionário. "Queremos ver seus pés", pediram eles. "Vejam os meus pés", ele disse. Não havia cortes nem queimaduras. "Oh! eles exclamam. **Deus tem poder**". Sim, Deus tem poder, e opera entre os homens. Isso pode ser visto, pode ser sentido e funciona, transformando a mim e a vocês. Sei que isso pode suceder, pois o homem é um parente próximo que eu tenho.

Súnesis – Vejo que não será fácil passarmos para outro assunto; portanto, deixem-me contar-lhes uma experiência de um amigo meu, que foi absolutamente verídica, tal como a história que Matetés acaba de contar. Vínhamos passando algumas horas em agradável conversa sobre a fé religiosa, sobre a poesia e outros problemas filosóficos. Era quase meia-noite quando finalmente interrompi, relutante, a conversa. Meses mais tarde, durante outra conversa, ele relatou esta estranha experiência: Que noite agradável tive com você, Súnesis! Separei-me de você muito a contra gosto. Mas, que diria minha esposa por eu demorar-me fora de casa até tão tarde? Nem me importei em avisá-la pelo telefone, tão absorvido estava em nossa conversa. Com um sorriso interno, eu sabia que ela compreenderia. Esse Súnesis é um sujeito muito compreensivo, e quando a gente se põe a conversar com ele, não é fácil ir embora. Pus-me a caminhar na noite fresca. A fragrância das flores enchia o ar de estranho encanto. Mil belezas sem nome da natureza inspiraram minha alma com um transporte secreto. Minha mente, sob a influência profunda das ideias, imagens e emoções provocadas por nossa conversa, gozava como que de profunda calma. Subitamente, sem nenhum aviso, vi-me envolvido por uma nuvem colorida de fogo. Por **um momento** pensei em chamas, em imenso incêndio nas proximidades. Foi então que notei que o fogo estava dentro de mim, ao redor de mim, explodindo em línguas e chamas em torno de minha cabeça. Então fui invadido por dominante senso de exultação, de uma alegria imensa que eu sentia que jamais poderia terminar. E juntamente com a alegria houve prodigiosa "iluminação" intelectual. Minha mente foi transportada para além de busca e raciocínio, foi tomada por um conhecimento completo. Vim não só a crer, mas também a saber com indescritível confiança que o universo na realidade não é composto de matéria morta, mas, pelo contrário, de uma presença viva e permanente. Tive consciência, além de todo o senso da necessidade de razão, que em mim mesmo habita a vida eterna. Não era a consciência de que algum dia eu entraria no estado eterno, antes de que não existe vida senão a eterna. Vi, reconheci, fiquei imerso no conhecimento absoluto de que **todos os homens** são imortais. Eu sabia — estava convencido acima de toda possibilidade de dúvida de que a tessitura da obra de Deus se compõe de um planejamento incomensurável, que todas as coisas contribuem verdadeiramente para o bem, para o bem de cada um e "de todos" — que é impossível que qualquer coisa esteja fora do poder de Cristo, e que aonde chegar esse poder fluirá um imenso rio de graça, misericórdia e amor. Vi, de modo que se me tornou impossível esquecer, que o princípio fundamental do mundo, de todos os mundos, é aquilo que chamamos amor; que o amor é eterno e jamais sofrerá derrota; que o amor terá sua aperfeiçoada e que nada existe que não venha a ser tocado pelo amor. A visão perdurou somente por alguns segundos, e então sumiu tão misteriosamente quanto aparecera. Todavia, a memória da mesma jamais me abandonou, a despeito da passagem do tempo e de momentos de derrota e desencorajamento. Compreendi que aquilo que a visão me mostrara é verdade, tem que ser verdade. Essa consciência, ou melhor, essa convicção profunda, nunca me poderá deixar, sem importar quão adversas possam ser as minhas circunstâncias.

Matetés – Há algumas declarações que entram em conflito com minhas crenças, nessa estória que você contou, Súnesis.

Súnesis – Os místicos não quererão discutir com você. Leve suas discussões a um teólogo.

Matetés – Teremos de crer em tudo quanto nos dizem os místicos?

Súnesis – Naturalmente não se pode fazer isso. Nem os próprios místicos concordam uns com os outros sobre alguns pontos, já que as experiências deles tendem por adaptar-se a padrões dogmáticos de pensamentos, nos quais foram criados. Ao mesmo tempo, precisamos das grandes verdades afirmadas por quase todas as tradições do misticismo.

Sceptícós – Seja como for, meu intuito ao examinar o misticismo e suas reivindicações certamente não foi o de interessar alguém em desenvolver um conjunto de crenças baseadas nas declarações de qualquer místico ou grupo de místicos. Antes, foi simplesmente o mostrar que a fé religiosa, acima de tudo, alicerça sua estrutura sobre a experiência mística, em última análise. Trocando em miúdos, a base de todas as religiões repousa sobre a mensagem do profeta e de outros videntes. Suas mensagens subsequentemente se tornam Escritura, doutrina, dogma. Espero ter podido mostrar que há meios de saber que transcendem ao que é apenas sensório, racional, e mesmo intuitivo. Deus pode dar conhecimento como um dom, e o misticismo consiste exatamente disso. O evangelho baseia-se sobre o misticismo.

Matetés – Haverá regras que possamos aplicar à validade das experiências místicas? Como podemos distinguir o falso do verdadeiro?

Scepticós – Tomás de Aquino lançou algumas regras úteis, posto que não absolutas:

1) De acordo com sua filosofia altamente racionalista, ele pensava que ainda que uma visão ou revelação vá além da razão e da lógica, "não pode contradizer" a lógica. Em minha opinião, essa é uma regra deficiente quando aplicada ao misticismo. Penso que Tertuliano estava mais perto da verdade mística, quando afirmou, conforme já se mencionou antes: "Creio, porque é absurdo". Pois a verdade elevada não se atém necessariamente à lógica, conforme os homens definem o termo. Existe uma "lógica divina" que transcende ao alcance das categorias da intelecção. Se transcende a tais categorias, certamente pode também contradizê-las.

2) Há também a "regra moral". Essa é uma regra invencível. Declara que nenhuma visão levará alguém a praticar um ato imoral. É falso o misticismo que conduz a isso, não tendo fundamento na verdade espiritual. As verdadeiras experiências místicas, outrossim, transformam e purificam moralmente ao indivíduo.

3) Finalmente, há a regra da "autoridade". As verdadeiras revelações ou visões não contradizem a autoridade das Escrituras, dos profetas e das autoridades reconhecidas da Igreja. No contexto da antiga Igreja Católica, isso incluiria os ministros então vivos. Essa regra, apesar de sujeita a algumas objeções, certamente tem valor se for aplicada com sabedoria, e não inflexivelmente.

Súnesis – Deixem-me melhorar um pouco as regras de Aquino. Colossenses 2 indica que o misticismo falso não exalta a Cristo. Algumas formas de misticismo são pouco mais que a exibição do orgulho humano. Nem todas as visões são espirituais. Podem ser alucinações, forma de hipnose, algo totalmente patológico, para nada dizermos de demoníaco. Os antigos gnósticos tinham um misticismo falso e degradavam a pessoa de Cristo. Vários livros do NT foram escritos contra variedades do gnosticismo. Paulo ataca o sistema deles na Epístola aos Colossenses. Os gnósticos diziam: **"Eu vi! Eu vi!"** Paulo como que retrucava: "E daí? O que aprenderam de Cristo?" Os gnósticos, além disso, tinham um misticismo eivado de imoralidade, pelo que quebravam a segunda regra de Tomás de Aquino.

Outra regra que pode ser adicionada à de Aquino: é a da "praticidade espiritual". O misticismo autêntico transforma a pessoa que o experimenta. Se o misticismo tem por escopo comunicar-nos Cristo, conforme supomos, então toda experiência que tivermos fará justamente isso. Em outras palavras, o verdadeiro místico será uma pessoa sem egoísmo. Aquele que é egoísta — pelo que pouco pratica a lei do amor — dificilmente pode ser alguém que recebe o "toque de Deus". O misticismo deve levar à bondade, no íntimo, e às boas obras práticas.

Scepticós – Excelente observação, a qual frisa importante questão que não podemos esquecer. O misticismo, conforme o temos definido, ou seja, o contacto genuíno com Deus, com seu Espírito ou com um de seus mensageiros celestes, de maneira dramática ou sutil, não é somente a base original de nosso credo, de nossa doutrina, de nosso dogma, mas também deve ser a base de nosso presente caminhar espiritual.

Súnesis – Chegaremos lá quando estivermos discutindo sobre nosso tópico final, "O modo da inquirição espiritual".

Zetetés – Esclareça, de maneira breve, o que você quis dizer com sua declaração, Scepticós.

Scepticós – Quis dizer apenas que um dos meios do desenvolvimento espiritual é aquele inerente no contacto genuíno com o Espírito, a maneira pela qual normalmente entramos em comunicação com o próprio Cristo. Cremos que é possível essa comunicação, e que isso não é mero mito ou sentimento religioso. Nesse contacto, sem importar os meios para a sua realização, nosso espírito vai sendo mais e mais transformado à imagem dele, para que conheçamos mais e mais de sua pureza e de seu poder, mais de sua operação íntima, que resulta em manifestações exteriores, mediante atos de nossa vida. Qualquer contacto genuíno com o Espírito, de acordo com as nossas definições, é uma forma de misticismo. Pode ser algo sutil, e não dramático.

Zetetés – Você abordou "as regras de Aquino" para fazer um juízo da validade das experiências místicas. Isso me faz lembrar de certa experiência dele, três meses antes de seu falecimento, aos 49 anos de idade. Certo dia, cedo, quando entrou no templo, subitamente recebeu intensa iluminação. E daquele dia em diante se recusou a escrever outra linha. Seus pupilos se queixaram sobre isso e lhe perguntaram por que cessou sua atividade de escrever. "O que eu aprendi", retrucou, "faz todos os meus escritos parecerem mera palha".

Matetés – Lembro-me de haver lido isso. Preciso admitir que nunca apreciei

muito a filosofia de Aquino. Entretanto, ao ouvir essas coisas sobre ele, passei a formar melhor conceito a seu respeito.

Súnesis – Cuidado para não fechar-se dentro de sentimentos sectaristas. Aquele a quem a gente repele pode ser maior homem de Deus do que nós. Que pergunta fez Jesus a seus discípulos quando eles, com falso orgulho humano, rejeitaram certo homem porque ele não os seguiu? (Imaginem, não ser seguidor de um apóstolo!) É como se Jesus tivesse dito: "Ele fala bem de mim?" **Sim**, tiveram de admitir. "Pois ele pertence a mim", disse Jesus, com efeito. É estranho que vários grupos, denominações e seitas tenham vindo à existência com a finalidade declarada de defender algum ponto teológico. Ao mesmo tempo que pensam estar defendendo a verdade, caem no erro do sectarismo e desenvolvem o orgulho que diz "eu" e "meu", desprezando "tu" e o que é "teu". Imaginam tolamente que são os únicos depositários da verdade divina, enquanto muitos crentes melhores que eles vivem do outro lado de suas muralhas dogmáticas.

Scepticós – Sem dúvida o sectarismo é um pecado tão ruim quanto muitas seitas e denominações que o sectarismo visa a combater.

Matetés – Você já havia mencionado antes os tipos mais sutis de misticismo. Nem todo misticismo consiste em visões, de revelações. Existe aquele conhecimento íntimo e sutil. Walt Whitman escreveu um poema que é muito revelador a esse respeito:

Creio em ti, Alma minha...
Diverte-te comigo sobre a relva, solta
a amarra de tua garganta...
Gosto só da quietude, do sussurro
de tua voz de veludo.
Lembro-me de como antes estávamos, em tão
transparente manhã de verão.
Súbito levantou-se e espalhou-se sobre mim
a paz e o entendimento que passam
acima dos argumentos da terra,
E sei que a mão de Deus é
a minha própria promessa,
E sei que o Espírito de Deus é
o meu próprio irmão,
E que todos os homens jamais nascidos são
também meus irmãos, e as mulheres
irmãs e amantes,
E que a quilha da criação é amor.

Zetetés – Há alguns belos sentimentos nesse poema. Quando você o recitava, lembrei-me de um artigo que li recentemente sobre o misticismo. O autor desse artigo admitia que, apesar do misticismo nos ter conferido prosa, e, especialmente, poesia inspiradora, o caminho cristão não seria místico. Em outras palavras, ele não recomendava o misticismo.

Scepticós – Conheço o autor a quem você se refere. Também li esse artigo. Há dois problemas: "Primeiro", esse autor não escrevia com base na mesma definição que estamos usando como alicerce de nossa discussão. "Segundo", de modo geral, ele tem um ponto de vista bastante inadequado e míope sobre o que é o misticismo.

Zetetés – Explique melhor sua primeira afirmativa.

Scepticós – Para esse autor, misticismo é só o de caráter dramático, as visões e revelações dos que meditam e têm transes. Não estamos advogando esse caminho para o desenvolvimento espiritual. Muitas pessoas são incapazes disso, e muitas outras seriam queimadas pelo misticismo falso. De fato, isso vem acontecendo agora mesmo na igreja. Pessoas mal preparadas enveredam pelo caminho místico, somente para se desviarem para a auto-hipnose e para as próprias alucinações. Aquele que estiver preparado, ou que estiver mais perto do Espírito de Deus, que esse tenha a forma dramática de misticismo. Grande número de pessoas tem usado as experiências místicas como **atalho** para a espiritualidade. Chegam carregadas de pecados, eivadas de toda forma de defeito espiritual, e põem-se a buscar a vereda mística. Ficam queimadas. A santificação deve ser o pré-requisito absoluto de toda séria inquirição mística. Meditemos sobre o caso de Aquino. Sua iluminação veio como uma espécie de coroamento de uma vida toda. Não enveredou pelo atalho de algum misticismo barato para chegar ao desenvolvimento espiritual. Sua iluminação foi uma espécie de recompensa por uma vida devotada, e não o meio de evitar passar por meandros espirituais. As experiências místicas jamais poderão manter-se de pé sozinhas. Para garantia de sua validade, deve haver, conjuntamente com elas, o treinamento do intelecto, isto é, a disciplina intelectual nas Escrituras e nas veredas da espiritualidade; deve haver uma vida de piedade prática; deve haver uma vida de santidade. Sem essas salvaguardas, o resultado será um misticismo imitado.

Seja como for, o misticismo conforme o temos definido, não consiste somente das manifestações dramáticas, mas também do contacto sutil com o Espírito de Deus. A conversão, por exemplo, é uma experiência mística, porquanto não pode haver real mudança no estado espiritual de uma pessoa a menos que o Espírito adeje perto e faça a obra. Temos de esperar uma verdadeira modificação nas energias espirituais do indivíduo, e isso resulta da operação divina, efetuada pelo toque de Deus. Outro tanto pode ser dito a respeito da santificação, e, de fato, acerca de cada aspecto do desenvolvimento espiritual. Essa **salvação** se dá mediante um ato divino, e somente o Espírito em nós pode efetuá-la. Esse "efetuar" já é uma forma de misticismo. Mas o autor que você mencionou perdeu inteiramente de vista esse aspecto do misticismo.

Naquilo que eu disse, já ventilei meu segundo ponto. Esse mesmo autor é míope quanto à total necessidade e importância do contacto diário com o Espírito. Essa é a real substância da nossa espiritualidade, a força ativa que nos vai tornando semelhantes a Cristo.

O verdadeiro misticismo evita a **subjetivação** de que fala esse autor, pois é governado pela regra da 'autoridade' e se sujeita à tradição das Escrituras. Dificilmente pode ser uma preocupação final com o próprio eu. Antes, se for verdadeiro, é uma total preocupação com Cristo: é um meio de absorção viva em sua pessoa. O verdadeiro misticismo busca entrar em união direta com Deus, no nível da alma, não sem Cristo, mas antes, por meio de Cristo. Nenhum dogma, sistema ou credo pode substituir essa vereda da experiência pessoal, e a tentativa de se ter um credo, um sistema, sem esse caráter imediato, tem amortecido a fé cristã. A letra mata, mas o espírito dá vida. O verdadeiro misticismo reconhece amplamente "o que Cristo fez"; mas, exatamente por causa disso, crê que "agora mesmo, o que ele fez está sendo efetuado em mim pelo Espírito". A fé cristã repousa sobre a história, mas é, igualmente, o drama sagrado da alma, no qual o Cristo histórico vai sendo feito o Cristo vivo de hoje. E o Cristo vivo de hoje não é apenas a pedra fundamental de meu credo, mas é também a sede de minha alma, o alvo de meu viver, a chama de minha espiritualidade. Ora, tudo isso se tornaria absurdo, a menos que realmente possa entrar em contacto com ele. E entrar em contacto com ele também é absurdo, a menos que exista um caminho. E se existe um caminho pelo qual se pode entrar em contacto pessoal genuíno com ele, então já estou falando sobre a "experiência mística", pois é disso que ela consiste, exatamente.

Zetetés – Por isso diz o pregador: "Deus levou-me a dizer que" e "O Espírito pôs esse pensamento em minha mente". E se ele está dizendo a verdade, então está descrevendo uma forma sutil de misticismo.

Scepticós – E se ele estava proferindo palavras piedosas, então seria melhor ele dizer outras coisas.

Súnesis – É tão fácil dizer: "O Senhor fez isto, o Senhor fez aquilo", quando estamos apenas atribuindo palavras pias às nossas vontades e quereres, aos nossos "sim" e "não". Nossas palavras, porém, cabem no contexto místico. Estamos supondo, o tempo todo, que o Senhor poderia fazer isto ou aquilo em nossa vida, que ele está operando ali, que ele pode entrar em contacto conosco, e que podemos entrar em contacto com ele.

Scepticós – É triste quando atribuímos alguma razão pia ao que queremos e fazemos, quando nossa vida, sobrecarregada com muitas cargas de orgulho e carnalidade, está longe do lugar onde o Senhor tem qualquer coisa a ver com o que desejamos e fazemos.

Súnesis – Mais triste ainda é quando pessoas com tais vidas, desejando tomar atalhos espirituais, se sujeitam a um falso misticismo, o qual, eventualmente, as despedaça. Penso que o misticismo falso tem destruído algumas pessoas.

Scepticós – De fato, e é por isso que o irmão tradicional se assusta quando alguém menciona algo que vai além do credo. Ele pensa que estudar a Bíblia e orar é tudo quanto está envolvido na vida espiritual. Há muito mais do que isso, por mais dignos e necessários que sejam aqueles elementos.

Agora, porém, devemos unificar nossa discussão. Poderemos retornar depois a esses tópicos.

Matetés – Antes de prosseguirmos, eu gostaria de resumir, segundo entendo, o que já foi dito sobre o misticismo. Adotamos uma lata definição do mesmo, que aceita como misticismo qualquer "experiência genuinamente inspirada pelo Espírito Santo", visto que qualquer contacto com o divino, ainda que sutil, é um aspecto das experiências que recebem esse nome. Há uma forma dramática de misticismo que envolve sonhos, revelações e visões divinas. As Escrituras repousam sobre as mensagens de videntes, como os profetas e apóstolos. Portanto, o evangelho mesmo está alicerçado sobre experiências místicas. Além disso, experiências cristãs dos nossos dias devem envolver alguma forma de misticismo, já que a conversão, a santificação e, na verdade, toda **experiência** cristã, quando genuína, envolve alguma forma de "contacto" com o Espírito, o qual vive e habita em nós. Afirmamos que a fé cristã deve envolver mais do que é credo e sacramento, mais do que é aprender e fazer. Deve haver um aspecto imediato, embora centralizado forçosamente em Cristo, para que seja Cristocêntrico, e não autocentralizado. O aspecto imediato é a fonte viva do desenvolvimento espiritual. Sua ausência tem feito as Escrituras parecerem mortas para muitos. Tem também esvaziado igrejas. As pessoas sentem que a fé religiosa deve ser mais do que mero credo. Não estamos defendendo a adoção dos padrões doutrinários dos místicos, distantes da era da inspiração das Escrituras, mas defendemos saber algo da espiritualidade flamejante de alguns místicos. Não estamos advogando o misticismo dramático como "o caminho" do desenvolvimento espiritual, mas procuramos demonstrar que o caminho do desenvolvimento espiritual será bastante poeirento, a menos que haja alguma experiência da presença imediata de Deus, por mais sutil que esse senso imediato seja para nós. Afirmamos que o "Espírito dá vida, ao passo que a letra, reduzida a mero credo, pode matar". Supomos a existência de um mais elevado Ser Espiritual, e supomos que o contacto com ele é possível. Especulamos que os dons espirituais e os poderes espirituais **podem** ser mediados por seres superiores a nós mesmos (aos quais chamamos de anjos), os quais são enviados como nossos guardiões e guias, estando eles envolvidos não apenas em nossas "obras", mas também em nosso desenvolvimento espiritual, por semelhante modo, ou seja, naquilo que está sendo "efetuado em nós".

Scepticós – Teu sumário tocou nos aspectos 'vitais' da nossa discussão. "Enchei-vos do Espírito" aconselham as Escrituras. Se tomarmos isso o mais literalmente possível, então já estaremos falando em linguagem mística, e também já advogamos alguma forma do aspecto imediato. Encher-se do Espírito de modo nenhum pode significar: "Aprendei conceitos mais intelectuais; estudai mais teologia; lede mais as vossas Bíblias". Todas essas coisas são boas e estão envolvidas no desenvolvimento espiritual, mas estarão despidas a menos que sejam revestidas do Espírito. O conhecimento, de fato, tende por "inchar". O enchimento do Espírito jamais faz isso. Contudo, é um absurdo censurar o conhecimento e os sábios, pois o treinamento do intelecto na mensagem divina é uma das formas, um dos meios, do desenvolvimento espiritual. Todavia, sempre precisaremos de mais do que livros, lições e estudos. Se dependermos somente dessas coisas, ficaremos amargamente desapontados; tanto com nós mesmos como com os outros, até onde diz respeito o progresso na inquirição espiritual.

Zetetés – Creio que uma das funções do intelecto é ser um guardião. Precisaremos cuidar somente em observar aqueles cuja busca espiritual se baseia somente no místico, na experiência, mas que não se importam em estudar, em desenvolver o lado intelectual da fé. Esses são tão instáveis como as ondas do mar, e muitos absurdos lançam raízes entre eles.

Scepticós – Lembremos as regras de Aquino. Ele exige autoridade para governar o misticismo, e isso cobre o que você acaba de dizer. Ninguém cresce só. Precisam todos sujeitar-se ao que outros já experimentaram e o que sabem. No entanto, antes de tudo, está sujeito ao Livro Sagrado. Isso não significa que ele esteja sujeito a "uma linha só de interpretação" daquele Livro. Mas deve buscar ser honesto e manter o equilíbrio. E o intelecto é uma força poderosa na manutenção do equilíbrio.

Se não há outras observações, passemos às reivindicações do

e. Racionalismo

Os racionalistas fazem reivindicações de conhecimento, e essas se baseiam na razão. Para eles, a razão é muito mais que uma função cerebral. Os racionalistas creem na "mente" e não apenas em "cérebro". Creem que a personalidade humana envolve mais que a parte física, pelo que ultrapassa o cérebro. A **mente**, a real inteligência, pode atuar de modo extracerebral, e o cérebro pode até impedir sua operação. A mente humana, sendo manifestação ou "exemplo" da mente divina (segundo a suposição de alguns que representam esse sistema), por sua natureza inerente, tem algo da inteligência divina. Um homem pode saber o que é certo sem fazer investigações pessoais, por já ter tal noção em sua natureza "racional". A razão pode insistir corretamente sobre a existência e a sobrevivência da alma, sobre o destino humano além-túmulo, e sobre a realidade de Deus, sem nenhuma experiência pessoal alicerçada sobre a percepção dos sentidos. O racionalismo crê que são possíveis proposições "a priori" e que essas vão muito além da matemática teórica, que obviamente é uma ciência racionalista. Há uma **matemática divina** que dirige o universo, e também um Grande Matemático que dá o seu conhecimento, ao nível da mente, a todos os homens, que são matemáticos secundários. Assim como um matemático pode "deduzir" respostas a problemas numéricos, os "matemáticos secundários" podem "deduzir" todos os tipos de verdades vitais à existência humana. A mente humana, por ser exemplo da Mente Divina, tem "afinidade" com ela, estando sujeita à sua maneira de raciocinar e às suas conclusões. Existem "ideias inatas". Noutras palavras, o homem nasce com um conhecimento importante, que visa a governar sua conduta e seu destino.

Sua mente é uma guardiã do conhecimento, inteiramente à parte do cérebro, que depende da percepção dos sentidos quanto às suas proposições. O racionalismo busca a "verdade última", pelo que não se interessa muito pelo conhecimento "científico e empírico", excetuando, naturalmente, aquilo que dizem respeito às "coisas práticas". O conhecimento, contudo, tem como seu objeto mais do que aquilo que é prático. O racionalismo busca conhecimento certo acerca de verdades mais altas, e não mero conhecimento provável sobre coisas práticas. A experiência dos sentidos pode "provocar" a função da razão, pelo que pode ser útil; mas a experiência, baseada na percepção dos sentidos, nunca poderá ser a verdadeira fonte do conhecimento.

Zetetés – Penso que há muitos elementos no racionalismo que se fundamentam sobre suposições metafísicas similares às da fé cristã.

Scepticós – Naturalmente, isso é uma verdade. O "ponto de vista mundial" de muitos racionalistas é religioso, embora não seja ortodoxamente cristão. A maioria dos racionalistas supõe que Deus existe e entra em contacto com os homens, e que os homens são responsáveis diante de Deus, sendo almas eternas, não sendo apenas corpos físicos, feitos de átomos em revolução.

Matetés – Se um homem é mais que seu corpo, então é razoável que possa obter conhecimentos de modos que transcendem às funções corpóreas. Estudos que estão sendo feitos em universidades e outros centros de erudição, certamente subentendem, se é que não provam, que o racionalismo, ou algum outro modo não-sensório de conhecer, pode ser válido.

Scepticós – Exatamente. Portanto, algum dia a própria ciência poderá provar que os sentidos não são a única estrada para o conhecimento. E já que o cristianismo diz que "o homem é mais que seu corpo", os cristãos que especulam sobre os "meios do conhecimento" quase certamente incluem alguns "elementos racionalistas". A maioria dos filósofos cristãos, pois, incorpora ideias racionalistas em seus sistemas, embora não se limitam aos mesmos, pois também existe um "misticismo" que ultrapassa a razão. O próprio homem é um "intelecto", um exemplo de "inteligência", uma pura "substância-alma", que é um "ser conhecedor". Necessariamente, portanto, sabe mais do que aquilo que é mediado por seus sentidos físicos. Os racionalistas creem que a "mente", que é um intelecto não-material, pode conhecer diretamente a "essência" das coisas, ultrapassando assim a percepção dos sentidos. O cérebro pode mediar a função da mente, mas nunca será idêntico à mesma.

Quanto aos meios de conhecimento, já consideramos o empirismo, o ceticismo, o positivismo lógico, o misticismo, e, agora, o racionalismo. Isso deixa apenas outro "sistema", a saber, a "intuição". Antes, porém, de entrarmos nesse tema, talvez seja melhor relembrarmos um assunto que começamos a abordar quando consideramos inicialmente o "empirismo". Trata-se da "mente universal". Isso é importante para o racionalismo, bem como para a intuição. Especulamos a existência de uma espécie de "depósito impessoal" de inteligência, ou formas de pensamento, por assim dizer, que permanece como uma energia "no ar", da qual se podem valer as mentes individuais, mais ou menos do mesmo modo como se põe a agulha de uma vitrola nos sulcos de um disco. A mente, no seu correto estado emocional, pode valer-se desse campo de conhecimento. Já especulamos também que talvez haja comunicação entre todas as mentes. Isso pode envolver mentes de seres superiores ao homem, como os anjos e os demônios. Suponhamos que as "ideias inatas" fossem, pelo menos ocasionalmente, "ideias emprestadas", embora julgadas como pensamentos individuais. Estudos em laboratório têm demonstrado que a telepatia envolve alguma forma real de energia. Por exemplo, quando uma ideia está sendo recebida de fora, a pressão sanguínea (medida pelo pletismógrafo) torna-se baixa nas mãos. O "processo de pensamento" requer sangue adicional, pelo que, se alguém se põe a estudar, em qualquer sentido, a pressão sanguínea torna-se baixa nas mãos. Essa diminuição da pressão sanguínea, no ato de receber um pensamento vindo de fora, mostra que alguma energia real está envolvida nisso, embora não saibamos qual seja a natureza dessa energia. Pode compor-se de partículas **subatômicas** ainda não descobertas, e, portanto, ainda sem descrição pela ciência. O processo não cessa quando alguém é encerrado numa gaiola de Faraday, que elimina as ondas de rádio e de eletricidade, pelo menos até onde sabemos. Outra experiência tem mostrado que, quando alguém se acha na onda cerebral "alfa", capaz de receber pensamentos externos, essas ondas cessam subitamente, quando o pensamento é recebido, sendo entendida a mensagem telepática em poucos segundos. Noutras palavras, há um modus operandi natural e definido na telepatia, ainda que as experiências que demonstram isso estejam, só agora, a dar resultados concretos.

Zetetés – Você está sugerindo, suponho, que as capacidades psíquicas, como a telepatia, são realmente "naturais", embora a ciência, por enquanto, não tenha nenhuma informação sólida sobre a energia envolvida. A energia que vem de fora, ao entrar no cérebro, torna baixa a pressão

sanguínea nas mãos. Essa energia é o modus operandi de "pensamentos". E também modifica as ondas cerebrais do "receptor", pelo que o número de ciclos por segundo sofre modificação.

Scepticós – É isso. A fotografia Kirliana, um tipo de radiografia, mostra a transferência de um campo de energia de uma pessoa para outra, isto é, da "aura" de uma para a de outra, quando há uma troca de pensamento. A "aura" é um campo de energia que circunda toda matéria, animada ou inanimada; mas na matéria animada esse "campo de força" se altera com as emoções, com a atitude e com as condições físicas. A fotografia mencionada, também mostra a transferência de energia quando alguém cura por imposição de mãos; e o curador (nesse processo) perde certo peso do corpo. Quando as pessoas se antipatizam, essa fotografia mostra que suas auras se encolhem uma diante da outra; mas, quando simpatizam, suas auras parecem mesclar-se.

Matetés – Esse "campo de energia" (**aura**) que circunda as coisas vivas já foi percebido por instrumentos que detectam campos eletromagnéticos, não é assim?

Scepticós – É verdade. Um ímã o atrai, ao passo que um vendaval que sopre sobre ele não o altera. Portanto, trata-se de uma energia real, que sem dúvida a ciência, algum dia, descreverá. Na realidade, esse campo de energia foi descoberto por medidores de "volts", antes de ser fotografado; e foi fotografado pela primeira vez nos fins da década de 1930. Até agora, os instrumentos têm percebido suas extremidades até três metros de distância. É uma irradiação poderosa, dando ao ser humano uma "forma ovalada". Bem definidamente, esse "campo" tem sido vinculado ao modus operandi de atos psíquicos, especialmente a telepatia, a cura e o poder de mover objetos pela força do pensamento. As mãos o irradiam intensamente. Essa energia é invisível para o olho humano "normal", mas não para certos tipos de radiografia. Assim, o curador perde peso ao transmitir essa energia, e é evidente que a própria energia pesa algo. Ainda não sabemos qual seja sua composição, mas é algo bem real.

Matetés – Algumas pessoas não dizem ser capazes de ver essa aura?

Scepticós – Sim, e têm sido descobertos meios para que a maioria das pessoas a possam ver. Os olhos normais são sensíveis à luz que jaz entre o alcance de 380 a 760 milímicrons, o que faz com que a maior parte da "natureza" seja invisível para o homem. Contudo, é fato comprovado que aqui e ali se acham pessoas dotadas de alcances "anormais" de visão, audição, gosto etc. Em outras palavras, seus sentidos são supernormais, embora absolutamente naturais. Uma pessoa dotada de visão supernormal pode ver a aura, que evidentemente jaz fora do alcance da visão normal. A aura pode ser vista com êxito por muitas pessoas, sob as corretas circunstâncias. Diminua a iluminação de uma sala; feche os olhos parcialmente; volte a cabeça de modo que a luz fira o canto dos olhos. Assim fazendo, e com alguma prática, sem qualquer outro exercício, pode-se ver a aura. Já foram feitos óculos especiais que permitem, a quase todas as pessoas, verem a aura. Têm lentes ocas cheias de um corante de alcatrão, dicianina ou pinácea, dissolvido em trietanolamina. Esse corante evidentemente filtra os raios de luz predominantemente **normais**, permitindo que as pessoas vejam os raios mais sutis do campo luminoso. As ondas de luz da aura são, evidentemente, pertencentes à extremidade infravermelha do espectro, estando além da capacidade das células em forma de bastonetes, mais sensíveis às intensidades menores de luz. O exercício na sala obscura, mencionado acima, tem como resultado que as ondas luminosas, que normalmente estão fora do alcance de nossa visão, tornem-se visíveis.

Matetés – Tudo isso é muito interessante, e mostra que aquilo que podemos considerar "oculto" ou "místico" pode ser perfeitamente natural. Imaginemos um indivíduo da era da pedra lascada em um elevador. Certamente pensaria tratar-se de um passe de "mágica". Os antigos pensavam que o relâmpago e o trovão fossem eventos sobrenaturais. Essa aura, pois, não é a alma, é?

Scepticós – Alguns pensam assim, supondo, pois, que a alma foi fotografada. As evidências, porém, não apontam nessa direção. Antes, isso envolve a **irradiação** de algum tipo de energia, talvez de partículas subatômicas. Portanto, é algo atômico, embora pertença a muitos ainda mistérios do átomo, não tendo sido descrito até agora. Desde a mais remota antiguidade tem havido pessoas que dizem poder ver essa aura, e mesmo antes da era cristã, houve desenhos que mostram que certas pessoas tinham campos luminosos ao seu redor. Além disso, na arte cristã, é comum o desenho de uma aura em redor de santos e profetas. As pessoas simplesmente registraram o que viram. Já foi demonstrado que pessoas particularmente "santas", ou dotadas de elevada energia mental, possuem auras maiores, juntamente com a capacidade de manipular seus poderes. Portanto, era apenas natural que esse fenômeno fosse aceito em uma atmosfera "mística" ou mesmo "oculta"?

Não, não é provável que estejamos tratando aqui com a alma. Antes, segundo tem sido amplamente demonstrado na fotografia Kirliana, todas as

|Artigos introdutórios| NTI

coisas vivas possuem uma espécie de "contracorpo", que alguns chamam de "corpo bioplasmático". Outros usam a expressão "campo de vida" ou "campo de força". Esse "campo de vida", nas entidades físicas bem desenvolvidas, tem a forma do corpo físico. Irradia uma energia, e essa energia é a "aura". Tem sido definidamente mostrado que o "campo de vida" governa o desenvolvimento físico, e as experiências subentendem, se é que não provam, que ele é "anterior" à porção física. No caso de animais inferiores, isso tem sido demonstrado em laboratório. O corpo bioplasmático duplica o corpo físico em outra dimensão de energia. O campo de vida é um campo organizador. Em outras palavras, é o poder que está por detrás do desenvolvimento do físico, e, talvez, seja o **meio** pelo qual a inteligência do ser (a alma) forma seu veículo físico, que denominamos corpo. O homem, pois, pelo menos até o ponto aonde chega nosso conhecimento, é uma "tricotomia", ou seja, possui três formas distintas de energia em um só complexo. O corpo é um complexo de energias, de um tipo entendido pela ciência, pelo menos em parte. O corpo bioplasmático é um complexo de energias que produz fenômenos que podem ser detectados, ainda que o tipo de energia envolvida não tenha sido descrito pela ciência. E a alma (ou espírito), naturalmente, com certeza é uma forma de energia, de tipo não-material, conforme as atuais descrições feitas pela física, embora não tenha sido ainda descrita. Essa "tricotomia" não concorda, de maneira exata, como que diz a teologia, que postula corpo-mente-alma, ou corpo-alma-espírito, embora o contracorpo, com suas capacidades mentais, possa estar relacionado de modo lasso com a mente. Para explicar até os fenômenos conhecidos, temos de postular uma tricotomia no que tange ao complexo de energias existente no homem. A ciência deixou para trás a "dicotomia"; e a fé religiosa, eventualmente, se descartará da teoria dicotômica.

Falando sobre **campos de vida** ou campos de força, devemos nos lembrar de que existem muitos tipos e certamente, muitas "formas de energia". Assim, a alma em si é um campo de vida, provavelmente de um tipo de energia diferente do que aquela envolvida no "contracorpo", apesar de o contracorpo estar sujeito ao poder, direção e inteligência da alma. Outras espécies de seres, aos quais chamamos "espíritos", têm, provavelmente, formas diferenciadas de energias de vida. Falamos de imensos mistérios e, naturalmente, nossas explicações são parciais e inexatas. Vários filósofos têm especulado que na realidade existe apenas uma energia de vida básica, e que esta energia toma diversas formas em sua manifestação. Pode ser verdade, mas as "diversas formas" que esta única energia de vida assume, tornam em si mesmas, "distintos campos de vida".

Matetés – O que você quis dizer quando declarou que o "campo de força" ou "campo de vida" controla o desenvolvimento da porção física dos animais inferiores e, presumivelmente, portanto, do homem?

Scepticós – No caso da **rã**, por exemplo, o ovo é envolvido por uma aura com cerca de 10 cm de diâmetro. Nesse campo de luz já temos uma "rã adulta" em potencial, pois o campo de vida tem vários desenhos e cores que são complexos de energia que correspondem às suas contrapartes físicas, que serão desenvolvidas. Instrumentos descobrem diferenças nas energias emanadas de cada cor e desenho. Cada espécie de animal, ou planta, na realidade, tem um campo específico de luz, ------ e, dentro desse campo, complexos de energia específicos que governam porções físicas específicas em desenvolvimento.

Matetés – Se estou entendendo bem, as cores e os desenhos diferentes emitem diferentes formas de energia que podem ser individualmente detectadas pelos instrumentos.

Scepticós – Exatamente. Voltemos à ilustração da rã. No "campo de vida" há cores e desenhos que indicam onde, e sob que orientação, se desenvolverão as várias porções do corpo da rã. Assim, uma cor e desenho será a força por trás do desenvolvimento do sistema nervoso, outros, do desenvolvimento das pernas etc. Noutras palavras, no campo de vida, ou aura, já se acha a rã adulta. Coisas admiráveis têm surgido no tocante a isso. Enquanto o núcleo do ovo não for injuriado, podemos mudar o **material** de uma posição para outra, que as porções físicas se desenvolverão em seus respectivos lugares. Por exemplo, a porção que ordinariamente se desenvolverá nas pernas, pode ser trocada por aquela que se desenvolverá na cabeça. Apesar dessa troca de posição da matéria, a cabeça continuará se desenvolvendo no lugar costumeiro, e o outro tanto no tocante às pernas.

Matetés – Suponho que isso signifique que o "campo de vida" determina "onde" se desenvolverão as porções físicas, não sendo isso determinado pelo "código" da matéria física.

Scepticós – É verdade. E também subentende isso que as "células" não são especializadas. É provável que cada célula contenha o "código genético" inteiro do ser, podendo desenvolver-se em uma parte ou outra do corpo. É a força do "campo de vida" das células que as obriga a tornar-se no que se tornam. O "campo de vida", pois, é "anterior" ao corpo, e por meio dele atua a inteligência que guia o desenvolvimento das células do corpo. Apesar de não ser a própria alma, o campo de vida é, sem dúvida, aliado a ela, se não como "tipo de energia", pelo menos, quanto à função. O campo de vida é um dos meios de operação da alma.

Matetés – Posso entender agora como alguns vermes, cortados pelo meio, desenvolvem uma nova cauda ou cabeça. Noutras palavras, a porção que agora tem só a cauda cria uma nova cabeça, e a porção que tem só a cabeça cria uma nova cauda. O "campo de vida" certamente governa isso, e, no processo, cria dois vermes, onde antes só havia um.

Scepticós – Penso que você disse a verdade. No caso da rã, estando em desenvolvimento, o girino pode ter uma perna amputada, mas desenvolve outra perna. O campo de vida permanece intacto, e provavelmente é a força por detrás do novo desenvolvimento. Chega, porém, o tempo quando isso não se opera mais. Todavia, no caso de alguns vermes, esse tempo nunca chega. Por que há diferença entre um tipo animal e outro, permanece ainda um mistério. É verdade, porém, que rãs inteiras têm sido vistas desenvolver-se de simples células intestinais, não-reprodutivas, mostrando, uma vez mais, que as células não são especializadas, e que qualquer grupo de células poderia ser forçado, pelo campo de vida, a desenvolver-se na espécie que aquelas células representam. Uma vez que a ciência descubra o modus operandi de tudo isso, será possível, segundo creio, ao homem que tenha perdido uma perna, desenvolver uma nova. Os instrumentos, antes mencionados, que detectam o campo de vida, mostram, no caso da amputação de mãos, dedos, pernas etc., que a forma de vida continua intacta, de tal modo que um homem que tenha apenas quatro dedos, na realidade tem cinco, no seu corpo bioplasmático. Se pudéssemos aprender como provocar sua ação, então o dedo perdido poderia ser substituído.

Zetetés – O que você disse parece fazer sentido com um artigo que li recentemente sobre um fenômeno que tem lugar no caso das esponjas, embora eu tenha pensado, ao lê-lo, que tudo não passava de algaraviada e ficção científica. A esponja é um animal, pelo que, não é meramente composta de animais unicelulares, que se reúnem em grandes grupos sociais. As esponjas são classificadas como organismos simples. Suas células se agrupam em órgãos dotados de diferentes funções. Existem células que assumem a função do esqueleto apoiador, e algumas delas são de forma geodésica tão extraordinária, que serviram de inspiração aos desenhistas de aviões. Outras células se organizam em porções sexuais e alimentares do animal. As esponjas podem crescer a alguns palmos de diâmetro, mas, se as cortarmos e as espremermos, de forma a separar cada célula de sua vizinha, a massa não demora a reunir-se em organismos com o resultado de que a esponja completa reaparece como uma fênix que se eleva dentre as suas ruínas. A esponja ressuscitada volta às suas atividades, exatamente como se nada houvesse acontecido. O que provoca essa "reorganização"? Suponho que a poderíamos atribuir ao "campo de vida".

Scepticós – Bem, provavelmente é uma verdade. Mas ainda não estamos prontos para dizer que até as esponjas têm alma; mas não é impossível que, conforme Platão especulou, toda vida seja psíquica, e não apenas física, ou que toda vida física tenha um correspondente "contraparte" não-material. Os estudos feitos acerca dos "campos de vida" certamente subentendem essa crença, que muitos têm aceitado como mera curiosidade filosófica. Já se demonstrou em ratos, por exemplo, que se um músculo, cirurgicamente removido e depois cortado em pequenos pedaços, for novamente posto na posição que antes ocupava, isto é, de volta no ferimento, tal músculo se regenerará completamente, retornando a seu estado original. Supomos, uma vez mais, que o campo de vida reorganiza as células do músculo cortado, transformando-as em um novo músculo funcional.

Zetetés – Portanto, existe a maravilha do "campo de vida". Mas o que isso tem a ver com a teoria do conhecimento?

Scepticós – Em primeiro lugar, podemos supor que esse campo de vida pode agir como veículo da inteligência. Talvez a própria inteligência seja mais básica, pertencente à própria alma, que é um intelecto puro. Nesse caso, o campo de vida seria outro veículo, de substância não-material, segundo nosso atual conhecimento da física, ou seja, uma espécie de elo entre a alma e o corpo. Seja o que for, o certo é que a inteligência é algo extracerebral, que só se torna cerebral sob determinadas condições, isto é, nas funções normais do homem "mortal", dando a entender um complexo humano no qual há uma relação alma-corpo. A forma de vida, embora não seja a própria alma, mostra que a inteligência pode ser extracerebral. Ela faz a teoria da "mente", como algo distinto do "cérebro" plausível. Nosso dogma, naturalmente, ensina que, na realidade, um homem é um espírito que opera por meio do veículo do corpo. Por que, então, ele não teria manifestações espirituais, e uma forma de inteligência que nem se origina no corpo e não depende necessariamente dele?

Matetés – Falando de espíritos, você não pensa que os "demônios" poderiam influenciar os homens do mesmo modo que uma pessoa influencia a outra, por intermédio do campo de vida?

Scepticós – Creio que há muitos "tipos" ou "níveis" de "seres espirituais", alguns bons e outros maus, e que muitos buscam luz e verdade espirituais, tal como nós. Creio que as dimensões espirituais são populadas por muitas espécies, de não menos número que as espécies físicas que habitam nossa terra. O que chamamos de "demônios" facilmente poderia representar vários "tipos de vida", e não meramente um tipo. A maioria dos teólogos da igreja de hoje liga os demônios aos anjos decaídos. Embora a Bíblia nada nos diga sobre a origem dos demônios, é possível que uma das espécies de demônios seja de anjos decaídos. O judaísmo do período helenista e o cristianismo do primeiro século comumente pensavam nos demônios como almas humanas más e desencarnadas. Isso, naturalmente, envolvia a aceitação do "juízo" que existe agora, como julgamento "intermediário", e que não elimina necessariamente o contacto entre espíritos humanos baixos com espíritos humanos que ainda estão no corpo. Se isso é verdade, então "outras espécies" de demônios poderiam pertencer a esse tipo. E ainda poderia haver outros tipos, talvez até muitos. Seja como for, sendo eles "intelectos", isto é, espíritos puros, poderiam influenciar "espíritos" no corpo (espíritos humanos), isto é, "homens mortais". Os homens, nesta terra, poderiam estar sujeitos aos ataques de espíritos malignos de muitas ordens. O texto de Efésios 6.12 certamente subentende exatamente isso.

Zetetés – Se há muitas ordens de seres malignos, ou essencialmente negativos, então também deve haver muitas ordens de "seres bons", isto é, aqueles que nunca participaram da queda, ou que se recuperaram da mesma. Certamente as Escrituras ensinam a existência de muitas ordens de anjos, e poderia haver seres de um diferente "tipo de vida", pelo que não queremos chamá-los anjos (o que subentende certo nível elevado de inteligência e poder), e que não são maus. Efésios 3.15 fala de "famílias" que têm todos o mesmo Pai celestial, e isso poderia indicar uma criação que envolve tipos de seres espirituais, que muito ultrapassam às nossas especulações normais.

Scepticós – Tudo isso é possível, embora tenhamos de classificar tudo como especulação. Seja como for, é razoável supor que "mente" é algo vasto e tem muitas ramificações. Sendo o homem um "intelecto" ou "mente", e não apenas um cérebro, pode fazer contraste com outras mentes, ou comunidades de mentes. Nesse caso, seu conhecimento, sobre certas coisas, pode vir mediante "contacto racional", ao invés de vir pelos sentidos.

Matetés – Nossa doutrina, contida nos escritos cristãos, que declara a realidade tanto da possessão (e influência) demoníaca como do ministério dos anjos, apoia a verdade do "racionalismo", da mente universal ou da "mente cósmica" (mente ou mentes distintas da mera mente individual do indivíduo). Esses são conceitos plausíveis, tanto quando examinados por certos estudos científicos, como quando contemplados através da luz das Escrituras.

Scepticós – Desviamo-nos pela tangente acerca dos "campos de vida" porque começamos a tentar definir o que significa "mente universal". Essa viagem lateral foi frutífera, penso eu, pois nos deu uma espécie de "física do racionalismo", pois vimos como a "mente" pode transcender ao "cérebro", tornando-se o veículo de uma espécie não-cerebral de conhecimento. Especulamos que aquela "mente universal" poderia ser uma expressão que fala de um tipo de depósito impessoal de inteligência, isto é, formas de pensamento que se tornam depósitos de conhecimento. Esse tipo de "mente universal", segundo dizem alguns, poderia tornar-se tão importante à física como à filosofia ou à religião, porquanto algum dia, sua própria natureza, quanto à sua "energia", poderia ser explicada pelos cientistas como avanços no conhecimento. Já especulamos que a comunicação entre mentes humanas é possível, bem à parte das funções do cérebro; vimos que certas provas de laboratório acerca disso já existem; especulamos, além disso, que a mente humana pode entrar em contacto com mentes sub-humanas ou super-humanas. Isso poderia envolver-nos em uma "mente universal pessoal", pois entidades vivas estariam envolvidas nesse tipo de depósito de conhecimento. Tudo quanto estamos dizendo é que a mente humana é capaz de comunicar-se com "comunidades de mentes", ao que chamamos de "mente universal".

Zetetés – Que dizer sobre a mente divina? Alguns supõem que a "mente universal", poderia estar relacionada ao divino?

Scepticós – Sim, alguns têm pensado desse modo. A mente universal, pois, seria uma espécie de emanação da mente divina, na qual as mentes humanas podem participar, e assim obter ideias. Nossa mente universal seria apenas outro nome para a emanação da inteligência divina na criação. Os termos que estou usando conduzem ao panteísmo, e esse tipo de panteísmo poderia tornar-se um "tipo racional", no qual deus seria a "razão em ação". Segundo esse "panteísmo", tudo seria função intelectual, ou uma parte da mente universal. Naturalmente, assim sendo, o homem, como exemplo da mente universal, por "infinitude" poderia entender seus aspectos mais elevados, e assim obter conhecimento.

O conceito da mente universal faz sentido, sem nos imiscuirmos com o panteísmo.

Matetés – Quando se aceita a possibilidade de comunicação com a mente universal, ou mesmo com uma "mente superior" de qualquer espécie, por parte da mente humana, não estamos assim caindo no misticismo, segundo a definição mais lata que demos ao termo, mais cedo nesta discussão?

Scepticós – Essa é uma observação muito aguda. Nossa definição básica do misticismo tem suposto que "qualquer contacto" com um ser ou seres mais elevados que nós mesmos, realmente é algo místico. Portanto, se a mente humana pode entrar em contacto com qualquer forma de mente mais elevada, então já entramos no misticismo. Hegel foi um filósofo intensamente racionalista, e muitos têm comentado sobre o caráter "místico" de sua filosofia. Um racionalismo mais alto certamente é quase uma forma de misticismo, embora não necessariamente do tipo dramático.

Zetetés – O que você entende por isso?

Scepticós – Quero dizer que a comunicação entre as mentes poderia ser sutil e tranquila, e não tem de envolver necessariamente visões e revelações, ou as formas mais dramáticas de experiência mística.

Diga-me, Matetés, de que modo você pensa que nossa discussão sobre o racionalismo pode ser aplicada à fé religiosa?

Matetés – As Escrituras ensinam que a comunicação com os anjos é possível. Há um ministério angelical que necessariamente envolve a "intercomunicação de mentes", a angélical com a humana. Talvez alguns dos mais poderosos homens espirituais sejam aqueles que estão mais próximos dos anjos, recebendo a ajuda deles, consciente ou inconscientemente. O conhecimento, angelicamente mediado, transforma-se em poder, no caso deles. As Escrituras também ensinam a possibilidade dos "demônios" influenciarem ou mesmo possuírem os homens. Assim, a mente humana é passível dos ataques de outras mentes. Isso seria um "racionalismo" negativo em ação. As Escrituras ensinam a mente do homem pode ser sujeitada à influência da mente divina, como no caso do ministério do Espírito Santo. Portanto, pode-se dizer que "temos a mente de Cristo", e isso pode ser uma realidade viva, e não apenas uma figura literária conveniente, usada para expressar um sentimento piedoso. Em todos esses casos, teríamos de admitir que o conhecimento de um homem não está limitado à sua mente, e, menos ainda, ao seu cérebro. O "racionalismo", por conseguinte, quer considerado filosófica ou cientificamente (tal como nas descobertas referentes aos "campos de vida"), ou mesmo religiosamente, contém grande dose de verdade.

Scepticós – Isso declara a questão de modo abreviado, e apesar de deixar de abordar muitos corolários, teoricamente a nossa tese parece segura: Um homem pode obter conhecimento inteiramente à parte da percepção dos sentidos. Pode obtê-lo "racionalmente", e não apenas empiricamente, isto é, mediante os sentidos do corpo.

Passemos agora para a "intuição". Então, teremos de considerar "teorias da verdade".

Zetetés – Scepticós, você se dá contas da hora? Já chegou a hora de almoçar, e não confio que você seja breve.

Scepticós – Você é o moderador. O que você diz, Súnesis?

Súnesis – Estou surpreso com você, Zetetés. Preocupa-se com o almoço, bem no meio da discussão sobre "como se obtém conhecimento"!

Zetetés – É exatamente esse o problema. Temo que estejamos apenas no "meio" do mesmo.

Scepticós – Na realidade, já passamos da metade, mesmo que eu use todas as notas que restam. Quando terminaremos depende muito de sairmos ou não pela tangente.

Zetetés – Sim, e uma dessas tangentes me custaria o almoço, pois onde estou vivendo temos uma cozinheira mal-humorada.

Sofós – Penso que deveria ter avisado vocês todos. Preparei tudo para termos almoço aqui. Eu sabia que Zetetés não aguentaria até o meio-dia.

Zetetés – Sofós, você é realmente um sábio. O que teremos para almoçar? Se você me disse isso, saberei se vale a pena esperar ou não pelo almoço.

Súnesis – Zetetés, você está ficando cada vez mais sem-vergonha. Vamos continuar com a discussão, Scepticós.

Scepticós – O alimento para a alma, para a mente, nem sempre é bom competidor com o alimento para o corpo. Contudo, Súnesis está com a razão. Vamos deixar que Zetetés sofra um pouquinho. Além disso, na próxima semana será sua oportunidade.

Zetetés – O que você quer dizer com isso?

Súnesis – Ele quer dizer que o nomeou líder da discussão sobre "O modo da transformação" (conversão). Eu não havia mencionado isso antes, embora Scepticós soubesse de tudo, porquanto me perguntou quem seria nomeado.

Zetetés – Espere um minuto! Não posso fazer isso. Trata-se de um tema muito importante. Por que não dar essa tarefa ao Epítropos?

Súnesis – Estude, Zetetés. Estude desde agora até a próxima semana.

Zetetés – Mas...

Scepticós – Vejo que Zetetés já perdeu o apetite. Portanto, podemos prosseguir com a nossa discussão.

f. Intuição

Scepticós –Quem pode dar-me uma definição básica de "intuição"?

Matetés – É quando se sabe repentinamente de algo, sem ter feito nenhuma pesquisa a respeito.

Scepticós – Isso expressa uma parte. Há, porém, mais coisa envolvida do que isso.

Zetetés – Só porque estou com fome, não significa que eu não saiba coisa nenhuma. A intuição é o conhecimento "sem o auxílio de meios", que ocorre imediatamente. Ou seja, o conhecimento imediato, sem meios aparentes.

Scepticós – Você me surpreende, Zetetés. É isso mesmo. Agora diga-me, o que você quer dizer "sem o auxílio de meios"?

Zetetés – Sem a percepção dos sentidos (isto é, extraempiricamente) e sem o concurso da razão (isto é, extrarracionalmente), e também que as ideias surgem sem esforço. Contudo, não significa "sem preparação", pois pessoas dotadas de 'intuição' podem ter obtido seus poderes mediante grande esforço. No entanto, a própria intuição pode ser, por assim dizer, "vinda do ar". Assim, um inventor tem um "súbito estalo de discernimento", e pensa em algo que pode inventar. Ainda não sabe como fazê-lo. Precisa conclamar engenheiros e matemáticos, para "provar sua ideia", para que mostrem que ela opera, embora não para "imaginarem a ideia".

Matetés – Mas isso é apenas o cérebro agindo como um computador. O cérebro adiciona todos os informes disponíveis, subconscientemente, e então, bang! Eureca! O que parece ser uma intuição, na realidade é o resultado final de muito trabalho subconsciente do cérebro.

Zetetés – Muito bem, digamos que isso sucede. Isso, porém, não quer dizer que a intuição não seja verdadeira também.

Matetés – Você terá de provar-me.

Zetetés – Acabamos de discutir sobre o racionalismo, mostrando que o conhecimento extracerebral é possível. Se a razão pode transcender aos sentidos, dando-nos conhecimento verdadeiro, por que não haverá outro meio, ou meios, para se chegar lá? O misticismo é outro meio, não é verdade?

Matetés – Está certo, podemos conhecer algo misticamente que ultrapassa o processo dos sentidos, e podemos saber algo "através da função da razão", isto é, racionalmente, que é um processo que pode ultrapassar ao cérebro como veículo da comunicação do conhecimento obtido. Entretanto, esse "conhecimento tirado do ar" é que me perturba. De onde "vem" tal conhecimento?

Zetetés – O problema da "origem". Alguns que creem na real função da intuição simplesmente admitem que não sabem. A intuição funciona. Ideias completamente não pesquisadas chegam até nós, imediatamente, sem o uso de meios. Mas, de onde elas vêm, não sabemos dizer. A prova da tese é que assim acontece, mesmo que a razão diga que não pode acontecer.

Matetés – Alguns, porém, não postulam uma "origem"?

Zetetés – Sim. Atrapalham-se com o conceito da "mente universal", que já discutimos ao considerar o racionalismo. Alguns até supõem que a ideia venha de simples telepatia. Noutras palavras, é tomada por empréstimo de outrem, no nível da mente. Aqui a "intuição" é, realmente, uma função do "racionalismo". Contudo, outros postulam que as ideias intuitivas vêm de Deus. Então a intuição torna-se uma forma de misticismo ou de racionalismo místico.

Matetés – Agora entendo por que você diz que, segundo algumas definições, o racionalismo, a intuição e o misticismo chegam a unificar-se.

Zetetés – Podem unificar-se, mas não necessariamente, já que cada termo tem significados que não infringem os limites dos outros.

Matetés – Quem são as pessoas que possuem "intuição"?

Zetetés – A maior parte dos artistas crê na função intuitiva, e muitos supõem que algumas de suas melhores produções resultam dela. Nisso, a intuição se mistura com a "função criadora". Ao contemplar com tristeza a morte, o poeta pode ser subitamente inspirado com ideias intuitivas sobre a "imortalidade", ou sobre a conquista sobre a morte. Pode escrever um poema inspirador, que dá luz sobre a miséria humana, sem "passar para o outro lado", a fim de obter suas ideias.

Matetés – Ou talvez ele passe para o outro lado, mediante a "função racional", ou mesmo mediante alguma forma de contacto místico, chamando isso de intuição.

Zetetés – Se assim acontece, então a intuição novamente emerge com o racionalismo ou com o misticismo. A maior parte dos religiosos admite a possibilidade da intuição quanto à verdade, ainda que não digam receber conhecimento pessoal dessa maneira. No caso deles, podemos

quase certamente adentrar uma forma de misticismo sutil, no qual a "ideia" dada pela "intuição" é julgada vinda de Deus, ou de algum ser superior, como um anjo, ou um ser espiritual de qualquer tipo. Naturalmente, a função do raciocínio, especialmente aquele mediado pelo cérebro, pode ser antiintuicional.

Matetés – Como pode ser isso?

Zetetés – O próprio processo do raciocínio, a consideração, que passa de uma proposição para outra, pode arruinar a espontaneidade do "discernimento intuitivo", que percebe uma verdade sem nenhuma mediação. E esse pensamento nos envolve, novamente, em origens possíveis. O próprio indivíduo, em sua natureza, pode ser intuitivo, não precisando de qualquer meio exterior, nem de Deus e nem de espíritos. Alguns pensam que o homem, inteiramente por si mesmo, é capaz de discernimentos intuitivos, simplesmente por causa da imensidade de sua natureza. Por conseguinte, o homem seria a própria fonte de origem de discernimentos imediatos quanto às coisas. Tal como o próprio Deus, pode saber a essência das coisas "sem o auxílio de meios".

Matetés – Para a maioria dos religiosos, porém, em última análise, Deus é considerado a "causa" de tais discernimentos, pois ele é que criou o homem e o investiu de tão grande estatura metafísica que é capaz de "intuição".

Zetetés – Certamente é isso que a maioria dos religiosos sentiria sobre essa questão, se um pouquinho treinada filosoficamente. As pessoas que sentem fortemente o poder da intuição objetam às "categorias da intelecção", como algo que impede o real conhecimento, ou conhecimento do real; e, além de tudo, sentem-se impacientes com figuras e experimentos, baseados na percepção dos sentidos. Creem que o "real" pode ser atingido por discernimento imediato, e que o real conhecido desse modo é mais bem conhecido do que qualquer outra maneira. As pessoas que possuem intuição normalmente se preocupam com as "grandes verdades", como problemas éticos, o destino, Deus, a alma etc. Deixam as máquinas e os medicamentos para a invenção dos empiristas. Seguem a "verdade" superior mediante o caráter imediato do discernimento.

Matetés – Relacione isso tudo à fé religiosa.

Zetetés – Em primeiro lugar, os profetas, de quem, em última análise, temos recebido nosso conhecimento religioso, são considerados pessoas de intuição. Textos bíblicos podem ter surgido desse modo, mediante o "processo criador" ou "intuitivo" guiado por Deus, e não por meio de algum misticismo dramático. Naturalmente, se o processo intuitivo é controlado imediatamente pela intervenção divina, então a intuição é uma forma sutil de misticismo. Os sábios, os líderes espirituais, seriam considerados indivíduos dotados de intuição, que podem "ver a verdade" ou o "erro" de algo, sem apelarem para a investigação pessoal ou coletiva a respeito. O **dom espiritual** do "discernimento de espíritos" poderia ser tido como função intuitiva, dada por Deus, mas que não precisa, continuamente, da assistência divina. Qualquer pessoa que siga a espiritualidade pode ser considerada capaz de algum discernimento intuitivo quanto à verdade. Provavelmente, essa habilidade deve ser encarada como um dos muitos subprodutos da própria regeneração, ou por causa da presença do Espírito, que transforma os homens em seres que possuem "discernimento espiritual". A intuição, portanto, do ponto de vista religioso, pode ser vista como uma realização espiritual, e não algo necessariamente inerente ao homem. Um ponto de vista mais lato a tornaria inerente, embora fraca, até que a fé religiosa venha a vivificá-la e fortalecê-la.

Scepticós – Você soube expor muito bem a questão, Zetetés.

Zetetés – E de modo **breve**, conforme você deve ter notado.

Scepticós – Ignorarei a observação e prosseguirei agora para falar sobre as "teorias da verdade". Manteremos a discussão confinada ao tema principal.

g. Teorias da verdade

Como seria de supor, cada "sistema" de epistemologia tem suas teorias favoritas sobre os critérios e as fontes da "verdade".

Matetés – Suponho que, com isso, você queira dizer que cada "sistema", pelo próprio ponto de vista de como se obtém o conhecimento, se restringirá a certas supostas "fontes" da verdade.

Scepticós – É verdade. Tomemos o empirismo, por exemplo. Como vocês supõem que os empiristas buscam a verdade?

Zetetés – Naturalmente, farão a verdade relacionar-se à percepção dos sentidos.

Scepticós – Isso é necessariamente verdadeiro. Nessa área da investigação filosófica (isto é, no tocante às teorias da verdade), os empiristas são uma forma ou outra de "realistas". Esse termo é usado de vários modos na filosofia; mas, quanto aos nossos propósitos, precisamos examinar apenas um tipo de "realismo". O "realismo" é a noção de que a verdade vem, de algum modo, por meio da percepção dos sentidos físicos em contacto com o mundo exterior. Esse mundo exterior é considerado "real", inteiramente à parte de ser sentido ou não, ou à parte de como é sentido. O "idealismo", como vocês sabem, não acredita nisso forçosamente, pois nesse sistema (do tipo "subjetivo", de qualquer maneira) "o mundo é a minha ideia" e se realmente existe ou não algo "exterior" é questão debatida. Os "realistas", porém, aceitam a realidade objetiva do mundo. Como, pois, podemos conhecer a verdade sobre o mundo? Por meio dos nossos sentidos, responde a maioria deles.

Matetés – Isso concorda plenamente com o empirismo. No atinente à "verdade terrena", como podemos negligenciar os sentidos? Que dizer, entretanto, sobre os "objetos elevados" do conhecimento e da verdade, como os céus, Deus, a alma, o ser espiritual etc.? Não são sujeitos à percepção dos sentidos.

Scepticós – Você chegou bem depressa à fraqueza do "realismo". Deixe-me continuar para descrever um pouco mais. Nem todos os realistas dão à percepção dos sentidos o mesmo valor, pelo que seus pontos de vista sobre a verdade, de que modo ela pode ser obtida, e se pode ser obtida, variam. Portanto, temos três tipos essenciais do realismo:

1) Realismo ingênuo – Esse sistema supõe que o mundo seja exatamente o que "parece" ser; exatamente o que nossos sentimentos nos dizem. Assim, uma mesa se compõe de certas configurações geométricas, tem certo peso, cor etc. Presumivelmente, a mesa é o que parece ser.

Zetetés – E não é? Certamente o bom senso assim nos diz.

Scepticós – Sim, essa é a teoria do homem da rua, guiado pelo "bom senso" superficial.

Zetetés – O que você quer dizer com "superficial"?

Scepticós – Bem, essa teoria nada nos diz sobre a "estrutura atômica" da mesa. Nada sabe sobre os átomos, os eléctrons etc. E todas essas coisas estão muito envolvidas na "verdade real" acerca da mesa.

Zetetés – Vejo o que você quer dizer. O realismo ingênuo, quando muito, chega a certa forma de verdade prática, mas não à teórica. Um jovem, apaixonado por uma jovem, dificilmente se interessará pela estrutura atômica da substância material dela. O realismo ingênuo lhe basta. Ela é, pensa ele, o que ela parece ser.

Scepticós – Se nos cansarmos das complexidades de pensamento que a ciência e a filosofia lançam sobre nós, poderemos buscar refúgio no "realismo ingênuo". Contudo, ao fazê-lo, sacrificamos qualquer verdade profunda, exceto aquela que qualquer animal tem com a percepção de seus sentidos. O próprio fato de que essa forma de realismo tem tanta confiança nos sentidos é suficiente para mostrar que não irá muito longe na busca pela verdade.

Sofós – Desde o começo percebemos que não buscaremos nem a Deus e nem à alma, se dependermos só dos sentidos, e certamente não do modo que o realismo ingênuo nos sugere. Certos "tipos" de verdade, porém, de natureza prática, naturalmente dependem desse sistema.

Scepticós – Existem aqueles que afirmam que o mundo exterior é real, e que tudo o que podemos conhecer a respeito dele vem pela percepção dos sentidos, embora tenham em pouca conta aquilo a que a percepção dos sentidos nos pode revelar. Esse sistema, por eles removido, se chama:

2) Realismo crítico – Os realistas negam o "idealismo", tal como fazem os ingênuos. Creem que o "real" é exterior e independente de nossas ideias a respeito dele; bem como o que possamos saber a respeito dele depende de nossos sentidos. Todavia, emprestam aos sentidos uma fraca percepção, pelo que supõem que o "real conhecimento", mesmo do tipo científico, obtido por meio de instrumentos sensíveis, é apenas uma "representação" da verdade, e não a própria verdade. Nossas percepções nos enganam, pois, tal como no caso da mesa, vemos um objeto redondo ou quadrado, de certas dimensões; mas, que vemos acerca dos átomos que a compõem? Além disso, o que sabemos, realmente, sobre o átomo, o qual nunca vimos, mas que postulamos devido a inferências matemáticas? Alguns supõem que os átomos contam com eléctrons em "órbita"; outros supõem que os eléctrons emanam dos núcleos, ou estão em movimento de ondas, e não em órbita. Existe toda uma ciência para o estudo das partículas do átomo, e novas partículas estão sendo descobertas o tempo todo. Portanto, não sabemos, realmente, o que é a matéria, quanto menos onde Deus habita, e o que ele é (a essência dele).

Zetetés – O que você está descrevendo certamente é uma forma de ceticismo.

Scepticós – É verdade. Nunca poderá haver uma "reivindicação" verdadeiramente válida de conhecimento. Contudo, nossas taxas de probabilidade e de suposições baseiam-se nos sentidos e nos instrumentos científicos que os aprimoram. Aceitamos as coisas com "fé animal", pelo que podemos atuar neste mundo. Contudo, que sabe o peixe sobre a água na qual nada, que sabe realmente um homem sobre a "verdade", se nos referimos a algo absoluto e eterno? Sabemos apenas de algumas débeis representações da verdade, sem importar qual seja ela. O objeto

reconhecido pelos sentidos não é o objeto real, embora o represente de algum modo. O objeto da consciência é um tipo de estado mental ou ideia, e o objeto real no mundo material é inferido como sua causa, pelo que é sempre conhecido como representado por ela, mas nunca diretamente.

Matetés – Nisso temos, portanto, uma espécie de "dualismo", onde o que é conhecido na realidade nunca é o objeto realmente conhecido.

Scepticós – Essa é uma boa observação, pois o realismo ingênuo é um "monismo". Nenhuma distinção é feita entre o objeto do conhecimento e o que é conhecido, já que o objeto, presumivelmente é conhecido verdadeira e diretamente, e não como que por uma sua representação mental.

Zetetés – Há alguma posição intermediária entre essas duas formas de realismo?

Scepticós – Sim, e se chama,

3) Neorrealismo — Esse sistema retém o monismo do realismo ingênuo, mas rejeita sua "total simplicidade". O "objeto conhecido" é o objeto real, e não uma "representação mental" dele. Mas as descrições que se fazem dele são parciais. Isso se deve à fraqueza de nossa ciência, no presente. Presumivelmente, poderíamos conhecer a verdade real das coisas se inventássemos instrumentos sensíveis bastante para que ela nos fosse transmitida. Em outras palavras, a ciência atômica, apesar de parcial, eventualmente poderá ser totalmente descritiva. Seja como for, nossas presentes "descrições parciais" nos dão um conhecimento real, até onde vão, e não meramente de tipo representativo. Muitos neorealistas, devemos afirmá-lo, não se limitam à "percepção dos sentidos" apenas, mas misturam em sua busca pelo conhecimento os meios da intuição, do racionalismo, do pragmatismo e do misticismo. E a esses vários "meios" de conhecimento são atribuídos diferentes "ramos" do conhecimento. O misticismo, por exemplo, é apropriado ao domínio dos valores últimos não-instrumentais; o racionalismo é próprio da análise das relações abstratas; o pragmatismo pertence ao domínio da conduta individual e social; e o próprio ceticismo tem um papel, que consiste de lembrar-nos que os homens não podem saber com absoluta certeza, coisa alguma, por enquanto, pelo menos.

Contudo, o **neo-realismo** crê que os objetos do conhecimento nos são "representados", como o realismo crítico o afirma. O objeto conhecido, dizem eles, é o objeto real. Portanto, temos um "monismo" na epistemologia, e não o dualismo do realismo crítico. O "dualismo" do realismo crítico assevera que aquilo que "sabemos" na realidade é apenas uma espécie de "cópia" do real, embora o real exista e seja a causa dessa cópia.

Zetetés – A maioria dos realistas, penso eu, tendem para o materialismo.

Scepticós – Parece que muitos realistas críticos o fazem, mas o materialismo não faz parte necessária do realismo de qualquer tipo. Muitos neorealistas têm forte tendência platônica, e isso fica a quilômetros do materialismo. Entre os realistas, as principais divergências dizem respeito às crenças metafísicas. Entre os realistas, porém, frisa-se a importância da percepção dos sentidos, o que, naturalmente, leva ao materialismo. Os realistas críticos, portanto, embora representem diversas crenças metafísicas, tendem por favorecer o naturalismo ou o materialismo.

Matetés – Como se pode relacionar a crença religiosa com o problema de sua verdade?

Scepticós – Essa é uma grande pergunta, e muitíssimo material poderia ser examinado antes de obtermos uma resposta realmente adequada. Podemos criticar a tendência geral dos realistas ingênuos e críticos para com o materialismo. Podemos criticar os óbvios limites do realismo ingênuo sobre como sabemos as coisas. Temos procurado mostrar em nosso estudo sobre os "meios do conhecimento", que há muitos caminhos, até mesmo em uma hierarquia de caminhos. O realismo ingênuo dá excessiva importância à percepção dos sentidos, e suas verdades são banais. O realismo crítico está na trilha certa quando nega o valor do conhecimento que vem pelos sentidos, mas exagera ao terminar no ceticismo. Os neorealistas, para dizer a verdade, são um tanto ingênuos quando aceitam os objetos conhecidos como sempre "apresentados", e não "representados". Entretanto, estão sem dúvida na trilha certa quando supõem que os vários "meios de conhecimento" têm validade. E seu melhor discernimento está na compreensão de que os diferentes "meios de conhecimento" podem ser especificamente aplicados a "domínios separados" de conhecimento e de ser. Certamente o misticismo pode atingir um terreno de conhecimento e de ser que não está franqueado aos sentidos físicos; certamente a intuição nos pode ensinar o que o pragmatismo perde de vista. Grande parte da vida, conforme a conhecemos nesta plana terrestre, não está sujeita a genuínos juízos morais, e pode ser dirigida pelos que são meramente pragmáticos, com base nas experiências que obtemos por meio de nossos cinco sentidos. Devo adicionar aqui, acerca dos neorealistas, que nem todos eles supõem que todo conhecimento vem pela "apresentação". Meramente insistem que alguns particulares (os objetos terrenos) e seus arquétipos (os universais) podem ser apreendidos diretamente, e não indiretamente, por representações ou cópias.

Seja como for, se quisermos seguir a verdade com toda nossa mente e alma, quase certamente faremos algumas pressuposições que ultrapassarão aquelas comuns à maioria dos realistas, embora nos sintamos filosoficamente à vontade com algumas pressuposições dos neorrealistas. O "acordo" entre os exponentes dos vários tipos de realismo, mencionados acima, se dá essencialmente no campo da "epistemologia", e não no terreno da metafísica. Alguns neorrealistas, conforme vimos, têm uma base ampla quanto aos **meios de conhecimento**, estando passíveis de menores críticas, por parte da mente religiosa, em relação àqueles que insistem que os sentidos físicos são a única maneira de chegarmos a conhecer as coisas. Alguns realistas críticos são materialistas sem pejo, mas cremos que a própria ciência já os deixou para trás. Certas coisas de valor, contudo, podem ser obtidas como estudo da epistemologia deles. A contenção deles de que o conhecimento é "representativo", por exemplo, tem valor. Certamente a maioria das visões confere-nos esse tipo de conhecimento, pois, nessa atividade, os "símbolos" não nos transmitem objetos diretos, que são percebidos imediata ou diretamente. Portanto, a verdade real pode vir pelas "representações", ao invés de "apresentações"; e talvez possamos dizer isso até sobre as verdades realmente elevadas. Entretanto, contra o realismo de qualquer espécie, podemos supor que muita verdade vem por meio de representações que não são causadas por objetos reais, e muito menos por algum "real objeto ou entidade física". Noutras palavras, a verdade pode ser totalmente representativa, e não baseada sobre a realidade de qualquer objeto percebido. No misticismo, por exemplo, com frequência não é necessário supor que uma visão ou sonho, estando nós despertos ou dormindo, é qualquer coisa além de um "símbolo".

Zetetés – Torne as coisas um pouquinho mais claras.

Scepticós – Uma visão pode ser apenas uma "parábola", composta de imagens mentais. Se vir um anjo em uma visão, posso estar vendo ou não uma entidade real. A imagem que vejo poderá ser uma projeção mental da própria mente, ou um "quadro" que sou levado a ver, que existe apenas como um símbolo representativo, e não como uma "pessoa" que pode ser percebida pelos sentidos. Apesar disso, entretanto, a "mensagem" comunicada pelo "anjo" pode ser realmente verdadeira, aplicável à minha vida e à minha situação.

Zetetés – Você está falando sobre um tipo de "parábola experimentada". Na parábola ou alegoria, uma verdade pode ser comunicada, ao passo que seu meio de comunicação pode ser a imaginação do contador de histórias. Assim, em uma "parábola experimental", uma pessoa pode talvez parecer ver e sentir objetos reais, mas esses são apenas os "mecanismos" da comunicação, apenas imagens mentais. Uma visão pode ser um sonho "vivido", noutras palavras.

Scepticós – É verdade, pode ser apenas isso, mas também pode ser mais do que isso, pois cremos que "reais entidades espirituais" algumas vezes estão envolvidas nas experiências místicas. Passemos agora para outra "teoria da verdade", aliada ao empirismo, a saber:

4) A teoria da correspondência da verdade – A correspondência, como teoria da verdade, pode ser definida como a crença de que, quando uma ideia **concorda** (isto é, corresponde) com o seu objeto, isso é prova de sua veracidade; ou, dizendo a mesma coisa de outro modo, se uma ideia e um objeto concordam entre si, então diz-se que essa ideia é veraz. Por exemplo, se tenho a ideia de que o presidente dos Estados Unidos vive na Casa Branca, localizada na Avenida Pennsylvania, em Washington, D.C., então tudo quanto terei de fazer é verificar essa suposta "verdade", fazendo uma viagem àquele local, para ver se a "ideia" "corresponde" ou não aos "fatos". Nesse caso, então terei uma verdade. A percepção dos sentidos, normalmente, de acordo com essa teoria, é a base da investigação, ou seja, o "seu meio". Alguns fazem objeção a essa "teoria da verdade", dizendo que ela é válida como "definição da verdade", embora não como seu "critério". Dificilmente isso parece certo, pois minha "investigação" torna-se critério para se crer na ideia, e essa teoria necessariamente exige investigação para sua verificação. A fraqueza dessa teoria, até onde pessoas religiosas estão envolvidas, jaz antes em "como" a verificação é feita, e que "tipos de coisas" devem ser verificados. É óbvio que, se nos pusermos a provar que "Deus existe", não poderei ir aonde ele habita, para fazer minhas observações, como eu poderia fazer no caso do presidente norte-americano. Portanto, essa teoria limita o escopo do que podemos investigar, e isso ocorre por sua limitação quanto aos "tipos de meios" que podemos usar em nossa investigação. O misticismo pode encontrar evidências que "correspondam" à "ideia" de que Deus existe; mas aqueles que

ensinam a teoria da correspondência dificilmente aceitarão esses "meios" de verificação. Se os aceitassem, então essa teoria poderia assumir novas dimensões de validade. Diria apenas: "Obtenha os fatos!" e isso nos disporia a tentar. Por certo, o dogma, isoladamente, não deve ser nosso único meio de obter a verdade. Deve haver certo aspecto imediato na experiência religiosa, e não meramente uma objetividade e dependência aos outros quanto àquilo em que se crê. Não podemos também meramente procurar "textos de prova", a fim de estabelecer o que pensamos ser a verdade, sobretudo porque tais "textos de prova" significam coisas diferentes para diferentes pessoas.

Outra fraqueza da teoria de correspondência da verdade é a suposição de que a "verdade" pode ser reduzida ao que nos parece **corresponder** às nossas investigações. Grandes verdades, segundo as conhecemos agora, quase sempre se reduzem a paradoxos, pelo que desafiam correspondências de qualquer espécie, sensórias, intuitivas ou mesmo místicas. Mas isso não significa que não devamos seguir a verdade, pois "é", embora nossos meios de obtê-la sejam apenas parciais, e nossos meios de compreensão fracos. Quando Tertuliano disse: "Creio, porque é absurdo", ele reconheceu a natureza paradoxal de grandes verdades. É óbvio que o 'absurdo' de Tertuliano não resistiria bem sob a pressão da necessidade de "correspondência". Para ilustrar uma verdade "paradoxal", temos apenas de mencionar o milenar problema da liberdade e do determinismo. A ciência, a filosofia e a teologia nunca chegaram a um "acordo" entre si, e nem em comparação uma com a outra, acerca de se o mundo é livre ou não, ou se é determinado ou não. Os cientistas discordam entre si acerca da questão; os filósofos se opõem aos filósofos, e os teólogos têm debatido acerca do tema, separando-se em denominações, e amizades têm sido arruinadas sobre essa questão. As próprias Escrituras apresentam ambos os lados dessa moeda, e alguns gostam de um lado, e outros do outro lado. Em verdade, pode-se afirmar que "ambos os lados são verdadeiros"; para então criar a situação paradoxal que confessa que "não sabemos como". Assim, uma verdade parece ser "autocontraditória" ou "paradoxal". Porém, embora o seja para nós, não o é em si mesma. De fato, é útil crer em "ambos" os lados das verdades paradoxais, obtendo instrução, ora de um lado ora do outro. Consideremos a questão da divindade e da humanidade de Cristo. Ambas as coisas são verdadeiras; ambas são instrutivas; ambas são doutrinas importantes.

A mente não pode reconciliar esses elementos aparentemente contraditórios em uma entidade. Até onde me diz respeito, a doutrina do julgamento cabe dentro dessa mesma categoria. Existem aquelas revelações que ensinam sua severidade. O fogo persegue os pecadores até o fim, e os castiga incansavelmente e sem misericórdia. Além disso, há aquelas revelações que mostram que o próprio julgamento é um dedo na mão do amor e que é restaurador, e não meramente retributivo. Tendo dito isso, a presumivelmente feia cabeça do paradoxo se eleva e ameaça nossa tranquilidade mental, e os homens tomam a defesa de questões laterais e os dardos venenosos das amargas disputas teológicas começam a voar. Então, alguém sempre sai ferido, e alguém sempre odeia, e alguém sempre se entristece.

Matetés – Eu gostaria que você desenvolvesse o que está implicado nesse último paradoxo mencionado.

Scepticós – Quando chegarmos ao sexto item de nossa discussão, "O caminho da unidade", tomaremos de novo esse tema, e assim vamos deixá-lo de lado por enquanto.

Zetetés – Continuemos a discussão, irmãos. O tempo está passando!

Súnesis – Sei o que está acontecendo com você.

Zetetés – O quê?

Súnesis – Seu olfato. Seu nariz está "correspondendo" ao almoço que acaba de ser trazido.

Scepticós – Receio que me esteja enfraquecendo. O espírito está bem disposto, mas a carne é fraca.

Zetetés – Não você, Scepticós! Como poderia suceder tal coisa!?

Sofós – Sempre é mais sábio comer um almoço enquanto ainda está quentinho, e não quando esfria. Todos os nossos "sentidos" nos dizem isso, e para saber disso não precisamos de visão ou intuição. Seria algo pragmático parar e voltar à discussão depois do almoço.

Scepticós – Penso que todos devem concordar que a sabedoria de Sofós é irresistível. Estou inteiramente ao lado de Zetetés.

O almoço é servido e Zetetés queixa-se sobre a "semana vindoura", quando teria de liderar a discussão sobre "O caminho da transformação". Scepticós desfrutava do seu desconforto. Súnesis, embora normalmente pessoa compreensiva, não o dispensava da tarefa. Sofós firma a sabedoria de tudo isso, pois a vida deve incluir seus lugares difíceis, suas agonias e seus testes. Além disso, Zetetés é um pouquinho preguiçoso, e precisava de disciplina. Ele é representante de uma classe, não é mesmo? O almoço termina, e Súnesis reinicia a discussão.

Súnesis – É fato comprovado que a mente opera melhor quando o estômago está vazio; mas penso que, apesar de nossas capacidades diminuídas, poderemos terminar agora nossa discussão sobre os "Caminhos do conhecimento", e, especificamente, sobre as "Teorias da verdade".

Scepticós – Pelo menos haverá menos estática da parte de Zetetés. Agora consideremos outra teoria da verdade que atraía os empíricos, a saber,

5) A Teoria pragmática da verdade — Os pragmáticos, em sua maior parte, são tipos de empiristas que desistiram de fixar qualquer verdade última ou fixa. Em outras palavras, são céticos. Em lugar de uma "verdade certa", puseram o que lhes parece **prático**. Essa prática ou "utilidade" pode ser "comunal", isto é, o que é bom para a comunidade ou para o indivíduo. Portanto, podemos ter uma "verdade prática", que é um tanto estável, que deve ser aplicada ao grupo inteiro; ou podemos ter verdades altamente individualistas, a "minha verdade", a "tua verdade" ou a "verdade dele". A minha verdade pode ser a tua mentira, e a tua mentira pode ser a minha verdade. A minha verdade é aquilo que "opera bem no meu caso", e a tua verdade é aquilo que "opera bem no teu caso". Minha verdade pode ser diferente amanhã, pois as condições de vida se transmutam. É verdade meramente porque opera para mim hoje. Uma ideia não é julgada por seu suposto valor teórico e final, mas meramente se funciona ou não.

Súnesis – Se uma ideia funciona, então é verdadeira. De acordo com isso, quando uma ideia opera torna-se válida; em outras palavras, as consequências que se seguem de uma ideia ou de uma ação servem para averiguar seu "conteúdo de verdade". É assim que podemos definir o pragmatismo.

Matetés – E as ideias sem sentido são aquelas que não têm resultados consequentes em nossas vidas. As ideias devem ter "valor de venda"; devem ter alguma força em nossas vidas, ou não terão significado. Muitas disputas transformam-se em ruínas no instante em que aplicamos esse critério; pelo que não são dignas de nossa atenção.

Zetetés – É óbvio que o pragmatismo tem grande papel na nossa vida. Nas áreas que não envolvem questões morais, todos nós somos pragmáticos. Vamos admiti-lo. O preço da maioria das pessoas não é muito alto. Venderão um princípio, moral ou espiritual, por uma vantagem temporária, por um pouco mais de dinheiro, de prazer, de conforto. Quando o pragmatismo sacrifica nossos valores "revelados" morais e espirituais, por uma vantagem a curto prazo, é então que se torna uma teoria errada, e não uma teoria verdadeira.

Sofós – Quão sábias são essas palavras!

Scepticós – A força do pragmatismo se acha nas situações diárias, que não envolvem moralidade ou espiritualidade. Como uma teoria da verdade, pode ser de valor imenso se o declararmos negativamente, como: "Se uma ideia não funciona, então não é verdadeira". Então diríamos: "A verdade real sempre funciona direito". Mas os bons resultados (conforme os julgamos) nem sempre vêm da verdade. Ter um corpo saudável, por exemplo, é um **bem**, conforme os homens consideram o que é bom, mas seria errado e perigoso obter cura da parte de um poder demoníaco. Seríamos quase necessariamente forçados a "vender" algum valor moral ou espiritual para obter tal coisa. Má seria a nossa barganha, se fizéssemos isso! Outra crítica ao pragmatismo é a sua insistência normal de que a experiência dos sentidos é o critério pelo qual se julga o bem ou o mal das consequências de nossos atos. Alguns indivíduos pragmáticos, naturalmente, são pessoas altamente religiosas, julgando suas experiências religiosas por seus resultados, e não por um sistema dogmático. Essas pessoas podem até mesmo crer em "experiências" que vêm por meio de visões etc., que transcendem à percepção dos sentidos físicos; mas a maior parte dos pragmáticos também é de empíricos. Outra crítica ao pragmatismo usual é que, juntamente com todas as filosofias empiricamente baseadas, são buscadas apenas as verdades terrenas, banais. Precisamos, porém, mais do que do pragmatismo para podermos buscar a Deus, à eternidade e à alma. Finalmente, podemos ter dificuldade em definir as premissas eminentemente básicas do pragmatismo: O que é **viável**, ou quais são as "consequências"? Certamente o sistema de "valores" de um homem pode ser defeituoso. Nesse caso, dificilmente estará em posição de avaliar corretamente o bem e o mal. O pragmatismo tende demais para o subjetivismo; e isso, afinal, pode ter pouquíssimo a ver com a verdade. É difícil crer que um único homem, ou a comunidade dos homens, possa ser a "medida de todas as coisas". Parece-me que até nossa ciência, quanto mais a nossa experiência religiosa, mostra-nos que há "maior comunidade de seres", que não se limita aos homens mortais. E como um mortal pode ser a medida de todas as coisas? É uma atividade muito dúbia buscar pelo "imortal", ao mesmo tempo que insistimos em afirmar que o mortal é a medida de todas as coisas. A maioria dos indivíduos pragmáticos acredita que não existe o imortal para procurar, ou que isso está tão longe de nós que a inquirição é indigna de nossa atenção. Noutras palavras, raciocinam eles: "Se existe um Deus imortal ou uma alma imortal, não temos meios presentes de saber isso, quanto menos de fazer tais considerações de qualquer importância em nossa vida. A única coisa de que realmente podemos ter certeza é o que é **prático aqui e agora**".

Creio que a maioria dos pragmáticos compartilha da atitude do positivismo lógico no tocante à metafísica. Proposições metafísicas são "sem sentido", conforme esse sistema. Portanto, o "não-prático aqui e agora" pode ser deixado para outros, que queiram desperdiçar o seu tempo. Uma proposição que é "sem significado" é aquela que não pode ser demonstrada na prática, mediante as provas comumente conferidas pela percepção dos sentidos, de acordo com o positivismo lógico. Penso que a maioria dos pragmáticos concordaria com essa avaliação.

Depois de havermos discutido os "meios de conhecimento" como o misticismo, o racionalismo e a intuição, penso que podemos ver que qualquer teoria da verdade baseada somente nos cinco sentidos do corpo certamente está condenada ao fracasso, quando nos interessamos por buscar valores espirituais. Prosseguindo, consideramos:

6) A conformidade, como teoria da verdade — Em primeiro lugar, temos a conformidade **frouxa**, a mera conformidade. Chegamos a uma verdade, presumivelmente quando há, tão-somente, "ausência de qualquer contradição", em uma proposição. Podemos dizer, por exemplo, "João gosta de milho", "o Brasil produz muito café". Perguntamos a João se ele gosta de milho. Ele nos responde que "sim". Portanto, essa é uma verdade, porque nenhuma contradição se acha na nossa "validação" dessa proposição. Examinamos uma enciclopédia, e eis que lemos que muito café é produzido no Brasil. Assim, até haver alguma mudança gigantesca, essa proposição permanecerá válida, pelo que nenhuma contradição se faz evidente por enquanto. No entanto, essas proposições são meros "truísmos" e pouco têm a ver com a busca séria pela verdade.

Outros, seguindo o tipo de raciocínio acima, criam uma conformidade **rigorosa**. Nessa variação, as declarações ou proposições devem seguir-se necessariamente umas às outras. É essencialmente esse tipo de "base" que achamos na lógica formal ou simbólica. Assim, Aristóteles nos deu um silogismo clássico ao dizer: "Todos os homens são mortais; Sócrates é um homem; portanto, Sócrates é mortal".

Zetetés – Assim, o que é errado com esse tipo de raciocínio, como meio de buscar a verdade? A mortalidade de Sócrates segue-se necessariamente ao valor da verdade das declarações acima de que todos os homens são mortais, e que Sócrates é um homem.

Scepticós – Essa "verdade" mantém-se de pé meramente porque temos duas proposições anteriores que são verdades bem universalmente aceitas. O sistema rui como um critério ou fonte de verdade, porém, uma vez que nossas proposições, sobre as quais baseamos nossas conclusões, são menos do que universalmente reconhecidas, ou quando são postas em dúvida. Para consubstanciar qualquer conclusão que venha desse modo, devemos aceitar, sem perguntas, a verdade das proposições e, em muitos casos, isso será impossível de se fazer.

Matetés – O que tem essa "teoria da verdade" a ver com a inquirição espiritual?

Scepticós – Na realidade, tem muito a ver, porquanto muitas religiões dogmáticas dependem pesadamente dela como um método. Com seu uso, transformam seus sistemas religiosos em becos sem saída. Noutras palavras, criam "sistemas fechados".

Súnesis – Dê-nos uma melhor compreensão do que você quer dizer.

Scepticós – As religiões dogmáticas têm certas "crenças" consideradas totalmente válidas. Com frequência essas "verdades" se baseiam em "textos de prova" extraídos de um ou outro "livro sagrado". É estranho que outros sistemas dogmáticos usem os mesmos textos de prova para ensinar outra coisa. No cristianismo temos, por exemplo, muitas seitas e denominações, todas, presumivelmente, usam os mesmos "livros sagrados" para consubstanciar suas verdades, e todas igualmente convictas de que entenderam o intuito dos autores sagrados.

O que é mais comum nas disputas teológicas do que os participantes tentarem provar seus pontos de vista com mero revirar da página até algum "texto de prova"? Isso nada resolve na disputa, pois os partidos em choque não veem a mesma coisa ensinada no texto exibido.

Zetetés – Contudo, se existe tal coisa, como revelação, e se a revelação se tornou concreta nos livros sagrados, então podem existir "textos de prova", tal como em uma discussão científica, em que os participantes naturalmente aludirão a alguma "lei" como algo estabelecido por certo nome famoso.

Scepticós – O que você diz é verdade, necessariamente. Essa observação, porém, não elimina a óbvia ambiguidade de muitas proposições teológicas, já que, presumivelmente, homens honestos tomam pontos de vista diferentes no tocante a eles. Sem dúvida, é um tanto ingênuo quanto a demonstração de orgulho humano supor que, porque a "minha denominação" diz que isto ou aquilo é verdade, embora se trate de uma falsidade, que assim o é.

Súnesis – Isso nos leva de volta a uma de nossas discussões anteriores. Uma denominação faz cessar a verdade no ponto de certo desenvolvimento histórico. A verdade prossegue, mas a denominação permanece na mesma estação. E aquele que prossegue com a verdade é declarado como quem está na trilha errada. Eu sabia que nossa discussão necessariamente nos conduziria de volta a esta consideração.

Zetetés – Muito bem, é verdade. Que se deve fazer, então, com os textos de prova?

Súnesis – Penso que o que Scepticós disse subentende que a "coerência rigorosa" da verdade, empregada pelas religiões dogmáticas, apesar de útil em certas circunstâncias, por dar crédito às afirmativas dos profetas, não pode ser usada sozinha. O propósito inteiro de nossa exploração dos "meios de conhecimento" mostra que podemos tentar atingir a verdade de mais modos do que simplesmente apelar para algum "texto de prova". Se empregarmos somente esse método, quase necessariamente havemos de debilitar nossa busca pela verdade, caindo em grande orgulho humano, sentindo-nos obrigados a defender algum sistema particular de teologia. Certo texto de prova é adaptado a um "sistema"; e se não parece adaptar-se, a julgar pelo seu fraseado exato, então se torna mister que o "adaptemos", ou, o admitamos francamente, "torcemo-lo", para que se adapte. Portanto, alguns fazem de Jesus Cristo somente um homem, para evitar o ensino de sua divindade; e outros o reputam exclusivamente divino, para evitar o problema de explicar como o divino e o humano podem existir na mesma pessoa. Então, alguns veem o juízo apenas de um rigoroso ponto de vista, negligenciando "textos de prova" ou pervertendo-os, para modificar esse ponto de vista. A mesma coisa pode ser dita acerca do problema das obras e da fé no que diz respeito à salvação, à liberdade e ao determinismo. Todos os paradoxos da teologia dogmática podem ser resolvidos em sistemas perfeitamente coerentes, se, de certo modo, torcermos textos de provas.

Matetés – Isso nos leva de volta ao título mesmo de nossa discussão, "Reavaliando o evangelho". Supomos que é digno de nota fazer outro exame das verdades que circundam o evangelho, não estando dispostos a dizer: "Deem-me a religião antiga, pois ela é suficientemente boa para mim", como se, por um passe de mágica, isso dissesse tudo em sumário. Nesta discussão supomos que podemos avançar em nossa compreensão. Supomos que as "verdades antigas" possam ser mais plenas mesmo diferentemente entendidas, e que não há limite para novas verdades, porquanto a verdade é infinita, tal como Deus — a origem de toda verdade — o é.

Scepticós – O que Matetés tem dito essencialmente é que não queremos ficar estagnados em nossa inquirição espiritual. Queremos manter abertas as portas e janelas; queremos considerar as ideias de outros. Queremos reexaminar as próprias ideias.

A teoria de conformidade faz-me lembrar de outra teoria, a qual é bastante parecida, a saber,

7) Autoridade — Lembremo-nos de que Tomás de Aquino fez da **autoridade** um teste de misticismo. Se Deus revela algo que tem de ser feito, isso concorda com as autoridades eclesiásticas, ou estaremos saindo por uma tangente toda nossa. Para Aquino, havia muitas "autoridades" do que para os protestantes médios. Existiriam as Escrituras, as tradições da igreja, os ministros eclesiásticos e, em muitas áreas significativas, o Cabeça terreno da igreja, o qual, presumivelmente gozaria de uma inspiração direta da parte do próprio Cristo, pois ocupa, visivelmente, o lugar que Cristo ocupa invisivelmente.

Zetetés – Torna-se evidente, de imediato, que a teoria de "autoridade" sofre dos mesmos tipos de dificuldades que ocorrem no caso dos "textos de prova".

Scepticós – Se eu o estou compreendendo bem, penso que você tocou em uma questão vital. Prossiga com sua explicação.

Zetetés – O problema é: com base em que autoridade você diz isto ou aquilo? O problema da "autoridade" é antigo. Até a "autoridade" de Jesus foi posta em dúvida, e Paulo não foi aceito, até em alguns segmentos da igreja primitiva, quanto mais na comunidade religiosa "externa". Parece-me que fazemos encalhar o navio, se dependermos dessa autoridade.

Scepticós – Pelo menos, não podemos depender disso "somente". A maioria dos cristãos aceita a autoridade das Escrituras.

Zetetés – Mas até aqui, tal como no caso dos textos de prova, essa autoridade é variegadamente interpretada. O liberal, por exemplo, que depende de seu grau de liberalismo, pode dar muita ou pouca autoridade às Escrituras. Se o NT é apenas um tipo de "reader's digest do cristão primitivo", e não é especial e verbalmente inspirado, que "autoridade" resta nas Escrituras? Então, no caso dos conservadores, a autoridade das Escrituras se torna menos que autoridade como "textos de prova", sendo manipuladas a fim de serem adaptadas às teologias já estabelecidas. Assim, o conservador critica o liberal por eliminar certa dose de autoridade das Escrituras, mas faz a mesma coisa, tornando-se culpado da mesma falha, não em sua "teoria da inspiração", mas na sua "manipulação dos textos de prova".

Scepticós – Muito bem, você estabeleceu um ponto que dificilmente pode ser contradito. Essa é a realidade da situação religiosa que enfrentamos. No entanto, quanto ao nosso propósito, que podemos dizer acerca da validade da "autoridade" como teoria da verdade?

Zetetés – Naturalmente, haveremos de aceitar a "autoridade das Escrituras". Devemos cuidar, porém, em não lançar dúvida sobre as próprias Escrituras, até onde isso envolve pessoas de compreensão, aderindo a um dogma, no tocante à inspiração, e ignorando os fatos.

Scepticós – Penso que você está chegando a um tema muito delicado, até onde a maioria está envolvida. O que você pensa sobre a inspiração, por exemplo?

Zetetés – Meu ponto de vista pessoal é que alguma forma de inspiração verbal deve ser verdadeira. Honestamente, porém, não posso ver como a "teoria do ditado" pode ser verdadeira.

Matetés – O que você entende por "teoria do ditado"?

Zetetés – Alguns supõem que cada palavra, em separado, tenha sido inspirada, não deixando espaço nenhum para o elemento humano. Se nos agarrarmos a essa teoria, cairemos em alguns problemas graves. Tomemos, por exemplo, o fato conhecido de todos os estudantes do NT, de que todos os autores desse documento, em seus respectivos livros, cometeram erros de gramática. Estaríamos dispostos a dizer que o Espírito Santo "foi um mau gramático"?

Scepticós – Seguindo esse ponto, todos os estudantes do NT grego sabem que o grego do evangelho de Marcos e do livro de Apocalipse é bem ruim. No caso de Marcos, temos o "grego fluente, das ruas", com aquele tipo de erro gramatical que as pessoas não bem-educadas cometem. Nossas traduções obscurecem o fato, ignorando os erros e traduzindo segundo a gramática correta das línguas modernas. No caso do Apocalipse, temos um autor cujo idioma nativo era o aramaico, e não o grego, e para quem o grego era uma língua "adquirida". Muito estudo se tem feito para demonstrar isso, em muitos lugares; e melhor entendimento do texto pode ser conseguido se "reconstituirmos" o "pensamento" **aramaico** por detrás do escrito grego. O autor do Apocalipse, em muitos lugares, ignora completamente as regras gramaticais do grego, como o acordo do verbo com o sujeito, do antecedente com o pronome etc. Poderíamos dizer que o Espírito Santo era um mau gramático? A "teoria do ditado" nos forçaria a dizer isso, sem dúvida.

Súnesis – Esses dois exemplos de qualidade do grego, no NT, sugerem uma discussão toda que poderia ser feita nesse particular. É verdade que temos muitos níveis de grego. 2Pedro, por exemplo, é "grego aprendido", bastante artificial em suas expressões. Poderíamos dizer ser "grego de livros", o tipo que um homem aprenderia por meio de literatura, e não diretamente, das pessoas. Assim também, temos o grego quase clássico na epístola aos Hebreus, e um bom grego "koiné", nos escritos de Paulo. Sem importar do que consiste a inspiração, ela não significa que o Espírito Santo tenha passado por cima das expressões e limitações humanas. A qualidade "literária" do NT deixa isso perfeitamente claro. O elemento humano das Escrituras pode ser visto, igualmente, de outros modos.

Matetés – Que outros modos poderão ser esses?

Súnesis – Nos evangelhos, por exemplo, os autores sinópticos (Mateus, Marcos e Lucas) usam o mesmo esboço histórico (provido, sem dúvida, por Marcos, além de quaisquer outras fontes utilizadas). Cada autor, entretanto, emprega essa fonte em consonância com seu propósito, ou com o desígnio de seu livro. Lucas normalmente preserva a ordem cronológica encontrada nas narrativas de Marcos; mas Mateus com frequência se afasta dessa ordem.

Matetés – Por que ele fez isso?

Súnesis – Provavelmente porque o seu é um "evangelho tópico". Ele traz cinco grandes blocos de ensino, em redor dos quais ele põe a narrativa histórica. Ao fazê-lo, com frequência ele refaz a ordem de acontecimentos de Marcos. Em nossa discussão sobre os sentidos e usos da palavra "evangelho", demos referências para demonstrar isso. O que isso significa, portanto, é que ou Marcos estava "historicamente" correto na sua ordem dos acontecimentos, ou Mateus é quem tinha razão. Papias nos diz que Marcos não registrou os eventos necessariamente na ordem em que sucederam; assim, desde o início, a questão cronológica inteira cai em dificuldades. Conforme as coisas são, os vários autores (algumas vezes João é que cria problema, quando conta histórias encontradas nos evangelhos sinópticos) fizeram o que bem entenderam, no tocante à "ordem dos acontecimentos", ainda que nos sinópticos, na maioria dos casos, os três autores envolvidos tenham preservado uma ordem comum. Há, todavia, muitas exceções a essa maioria. Somos totalmente desonestos, ou ignorantes (talvez de propósito) se ignoramos coisas assim. Isso tudo ilustra que o Espírito Santo, ao inspirar as Escrituras, não deixou de lado o elemento humano. Isso é ilustrado de modo absoluto nas próprias Escrituras. Os harmonizadores dogmáticos, e não a Bíblia, é que tentam aperfeiçoar tudo, não reconhecendo o elemento humano. Não honramos nem a Deus nem às Escrituras, ao ensinar e apoiar dogmas humanos, em troca de conforto mental, contrários à Bíblia. A "teoria do ditado" é um dogma humano, e não um ensino escriturístico. Como a desonestidade poderia honrar a Deus? Talvez a inspiração tenha ditado algumas passagens, mas não todas, certamente.

Zetetés – Muito bem. Há erros gramaticais no NT. Lembro-me de que alguns manuscritos alexandrinos, dos séculos IV e V, têm correções gramaticais. Os eruditos dali se preocuparam com alguns erros, e, consequentemente, os corrigiram. Além disso, há "diferentes ordens cronológicas dos acontecimentos". Lembro-me de que o cenáculo, em **Betânia**, é situado em lugares diferentes nos evangelhos, em relação à entrada triunfal. Isso é um exemplo do que julgamos antes, em nossa discussão; e Súnesis mencionou outros. Essas coisas mostram que o Espírito se manifesta por meio de instrumentos humanos, sem deixá-los de lado. Naturalmente, isso significa que "algumas vezes" ele assim o fez. Nenhum de nós, por certo, negaria que algumas vezes a mente de um autor sagrado transcende a questões de tempo e espaço, com suas limitações inerentes. Quando discutíamos sobre o racionalismo e a intuição, vimos que podem existir níveis diferentes de inspiração, ao mesmo tempo que todos eles são "meios" de comunicação divina. Por que suporíamos que Deus só pode inspirar homens de uma única forma? O homem pode estar em transe, quando sua mente é totalmente controlada e dirigida. Nesses casos, a "teoria do ditado" é verdadeira. Noutros casos, o autor sagrado manipulada criteriosamente o seu material, de acordo com seu desígnio, e então seu propósito transcendia às coisas tais como a ordem cronológica de suas fontes. Assim, Mateus subordinou a cronologia marcana aos seus propósitos literários. Sem dúvida, temos "atos racionais" nessa atividade. A "racionalidade" de Mateus estabeleceu essa subordinação, mostrando que sua faculdade da razão estava bem envolvida na escrita. Deus não punha de lado essa faculdade. Além disso, o autor pode ter sido sutilmente inspirado, em livros como o de Tiago, que consiste de compilações de declarações e ensinos já bem conhecidos, mas dotados de um arranjo encantador e de poder inerente, guiados pela inspiração intuitiva, assumindo uma forma sutil. Pois em Tiago não há discursos arrebatadores, nem arroubos de linguagem florida, conforme se vê em algumas passagens paulinas. A linguagem é prosaica, mas a lógica é "irresistível". A mensagem nos atinge qual martelada. Não agrada ao intelecto e nem encanta à alma, de maneira poética, segundo se sente em alguns textos paulinos. Tiago não eleva nossa alma às dimensões transcendentais da visão. Antes, com sua lógica e arranjo de declarações já comuns, que havia no judaísmo, no Talmude etc., é que ele o faz, golpeando-nos o cérebro e mostrando-nos, de maneira irresistível, a falácia da "crença fácil". O Espírito usava Tiago como ele era, com seu conhecimento, treinamento e personalidade. No caso de Tiago, temos também uma diferente expressão teológica, em relação com a de Paulo. Ele usa os modos de explicação comuns ao judaísmo e ao legalismo do cristianismo primitivo. Paulo jamais teria dito certas coisas ditas por Tiago, sobretudo no tocante à fé e às obras, na relação entre as duas coisas. Multidões de interpretações e carradas de literatura têm sido escritas, **adaptando** o modo como Tiago se expressou sobre algumas questões. Ele nos transmitiu algumas verdades extremamente necessárias hoje em dia. Tiago foi aceito tarde no cânon (século IV d.C.), provavelmente devido à sua maneira de expressar o problema da fé e das obras. Tudo isso ilustra, de maneira simples, que a inspiração não deixa de lado o elemento humano, operando de diferentes modos com os diferentes autores. Nada existe na própria Bíblia que exija que creiamos que Deus inspira de um único modo. Se insistirmos em algo assim, estaremos impondo meramente um dogma humano.

Matetés – Voltemos ao "problema cronológico" por um momento. Vejo que Mateus, ao colocar as declarações de Jesus em cinco blocos, necessariamente teve de desfazer a ordem de acontecimentos dada em Marcos. Outrossim, em face disso, ele situa as "declarações" de Jesus dentro de diferentes eventos. Tendo à sua frente o livro de Marcos, poderia ter evitado isso, se o tivesse querido; mas, por suas razões, principalmente pelo desígnio de seu livro, ele se sentiu livre para refazer as declarações de Jesus, removendo-as dos lugares que lhes haviam sido atribuídos por Marcos, pondo-as dentro de diferentes ocorrências. Se compararmos Mateus com Lucas, vemos a mesma coisa acontecendo. Tomemos o Sermão do Monte, por exemplo. Mateus apresenta aqui muitas declarações em um grande bloco, como se tudo houvesse sido dito em uma única ocasião e lugar. As porções desse sermão são espalhadas por Lucas em oito capítulos diferentes. Essas declarações, uma vez assim dispersas, naturalmente se relacionam a muitos períodos da vida de Jesus, e não a um só, como se vê em Mateus. Exatamente a mesma coisa ocorre cada vez que Mateus cria um novo compêndio de declarações. Marcos e Lucas não têm esses sumários, espalhando as declarações

atribuindo-as a vários acontecimentos históricos, e não a um só, segundo se vê em Mateus. Tudo isso sucedeu porque Mateus subordinou o fluxo natural dos eventos às declarações que estavam de acordo com seu plano, com seu desígnio literário. Se cremos na inspiração e queremos enfrentar honestamente as evidências, devemos supor que foi mais importante que o Espírito nos desse um livro como o de Mateus, com sua ênfase sobre ensinos, do que se houvesse duplicado, com exatidão a ordem histórica de acontecimentos (completos com suas "declarações"), conforme se vê em Marcos. Noutras palavras, o propósito da inspiração pode transcender a considerações de "harmonia".

Súnesis – Pode-se dizer isso de outra maneira: Há coisas mais importantes do que a "harmonia", e a inspiração anseia por transmitir-nos essas coisas. Uma delas é um livro que exponha os ensinos de Cristo de modo mais forte, "agrupando-os", ao invés de deixá-los espalhados, ligados a um fio de eventos que cubra muitos meses, ou um ano ou dois.

Scepticós – Você quer dizer que tentar forçar a harmonia sobre os evangelhos atua contra o próprio desígnio da inspiração?

Sofós – Isso está absolutamente "correto". Em primeiro lugar, leva-nos a ser desonestos, buscando a harmonia a qualquer preço, o que fecha nossa mente à iluminação das próprias verdades que são expostas. Em segundo lugar, leva-nos a perder de vista as vantagens dos desígnios dos autores, que ultrapassam quaisquer supostas vantagens que a harmonia perfeita nos ofereceria. Estamos falando aqui sobre a harmonia "absoluta". É bem sabido que, "de modo geral", os evangelhos sinópticos podem ser harmonizados. Há muitas exceções à regra, e esse é o problema que agora enfrentamos. Os céticos conhecem todos esses problemas, embora muitos crentes não os conheçam, porque seus ministros os ocultam, ou por ignorância, devido a pouco estudo, ou propositalmente, temendo que tais problemas possam prejudicar as pessoas e enchê-las de ansiedade acerca da inspiração das Escrituras.

Epítropos – Tenho ficado aqui sentado, ouvindo e apreciando o que vocês dizem. E já que entraram no terreno dos "problemas", localizei uma série de eventos, na vida de Jesus, que é diferentemente manuseada, cronologicamente falando, pelos diversos evangelistas. A harmonia dos evangelhos que tenho à minha frente poderia ser usada para mostrar outros casos de igual natureza.

O problema é como segue:

Mateus	Marcos	Lucas
1. O leproso: 8.1-4	1. A sogra de Pedro: 1.29-31	1. A sogra de Pedro: 4.38,39
2. O servo do centurião: 8.5-13	2. O leproso: 1.40-45	2. O leproso: 5.12-15
3. Cura da sogra de Pedro: 8.14,15	3. Tempestade acalmada: 4.35-41	3. O servo do centurião: 7.1-10
4. Desculpas de dois discípulos: 8.18-22	4. O endemoninhado gadareno (singular): 5.1-20	4. Tempestade acalmada 8.22-25
5. Tempestade acalmada: 8.23-27		5. O endemoninhado gadareno: 8.26-39
6. Os endemoninhados gadarenos: 8.28-33		6. Desculpas de dois discípulos: 9.57-62

Essas diferenças, naturalmente, dificilmente podem ser explicadas com base em um arranjo proposital, como o de satisfazer a um "desígnio literário", como é o caso de Mateus e o seu "compêndio". Essa observação com frequência é válida, mas não aqui, certamente.

Súnesis – Um cético pode frisar tais coisas, dizendo que "esse problemas mostram a falácia da inspiração". Como você responderia a isso?

Scepticós – Pessoalmente, eu simplesmente diria que as sutilezas da **harmonia** não são vitais à inspiração. A falta de harmonia mostra o elemento humano nos escritos, e isso podemos admitir tranquilamente. Entretanto, a ordem diferente de eventos e declarações dificilmente detrata o seu poder e propósito. A harmonia não foi importante para os evangelistas, da maneira em que o é para alguns harmonizadores e céticos. A questão real é: "Jesus fez, realmente, o que os evangelistas afirmam que ele fez?" "Jesus disse o que eles afirmam que ele asseverou?" "Deus estava com Jesus, operando por meio dele?" "O que tudo isso significa para mim?"

Sofós – Já pudemos observar (penso que foi Scepticós quem o expressou) que o problema real dos céticos é que eles simplesmente "não podem engolir" o elemento miraculoso dos evangelhos. Acham impossível crer que tenha existido um homem que realizou o que os evangelhos contam. Para eles, a narrativa é por demais "fantástica", pelo que a chamam de mito, de imaginações de entusiastas. Assim fazendo, não se mostram sérios ante a imensidade da pessoa de Jesus. Hoje temos obtido um

pouco mais de conhecimento sobre ele. Seu poder chegou até nós.
Há glória em seu seio,
Que transfigura a ti e a mim.

Súnesis observou com razão que, em comparação com a pessoa prodigiosa de Jesus, seus milagres são insignificantes.

Súnesis – Ao dizer isso, eu não queria lançar uma sombra sobre a realidade e a historicidade dos milagres. Penso que as pessoas que acompanham a situação "religiosa contemporânea" têm consciência de que os milagres não são coisas do passado. Estão perfeitamente entre nós. O próprio homem, sob certas circunstâncias, é perfeitamente capaz de realizar um "milagre" de cura. Como ser espiritual que é, pode fazer isso. A ciência tem mostrado que uma energia real está envolvida nisso; assim, ao curar, o homem está realizando um evento "natural", embora seja **incomum**, podendo, por isso, ser chamado de milagre. O homem, simplesmente por ser homem, pode fazer outras coisas admiráveis, que ofuscam a mente. Temos subestimado o que o homem é em si mesmo, pois foi criado à imagem de Deus e é pouco menor que os anjos. Se assim é realmente, é o tipo de ser que possui poderes miraculosos. Então, há boas evidências da existência de seres de poder maior que o do homem, entidades espirituais que, em certas oportunidades, podem entrar na cena humana, fazendo coisas fantásticas. Esses seres podem ser bons ou maus. Alguns deles, provavelmente, são inquiridores, tal como nós o somos. Seja como for, um "milagre" pode entrar no curso da história humana, e com frequência o faz.

Somos teístas: Em outras palavras, cremos que Deus pode intervir e intervém na vida humana. Se essa tese é verdadeira, então "para Deus tudo é possível". Numa ocasião notável ele entrou na história humana, em Jesus, o Cristo. Como é, pois, que milagres não seriam feitos por meio dele? Parece-me que os céticos são "deístas" no coração, e não teístas.

Matetés – Sua distinção entre "deístas" e "teístas" me deixou confuso. Pensei que os termos fossem sinônimos.

Súnesis – No uso popular, talvez. Filósofos e teólogos, no entanto, fazem distinção entre eles. Deísta é quem acredita em uma pessoa divina, num ser ou num poder cósmico (talvez impessoal, não pessoal), mas que acredita que ele abandonou sua criação e deixou que a lei natural governasse em seu lugar. Portanto, segundo essa noção, Deus não intervém na história. Ele é "transcendente" mas não imanente no universo. De acordo com a noção do "deísmo", Deus se divorciou. Se Deus não está presente conosco, então não precisamos esperar milagres. Se ele se faz presente, então qualquer coisa pode suceder. O próprio fato de forças negativas poderem operar milagres mostra-nos que os milagres, por si mesmos, não podem ser qualquer imensa consideração em nossa inquirição religiosa. O que é de imensa consideração é a Pessoa de Jesus, o Cristo. Ele é muito maior que seus milagres, e é sua pessoa manifestada em mim que é o padrão mesmo e a origem da experiência da salvação. Veremos isso claramente quando estivermos discutindo sobre "O caminho da glória".

Zetetés – Estamos discutindo sobre problemas do NT e sobre a natureza da inspiração. Nossa consideração de "autoridade" como teoria de verdade levou-nos a isso, e penso que deveríamos continuar até o fim. Penso que é útil o que dissemos até aqui. Vimos que há certos problemas que temos de enfrentar honestamente, porque, sem honestidade, coisa alguma se firma de pé. No que tange aos "problemas" ventilados, porém, até aqui não temos razão em negar a realidade viva da inspiração. Já disse que alguma forma de "inspiração verbal" deve ser verdade. Rejeitamos a ideia de que o NT era apenas um primitivo "reader's digest" dos cristãos. Sua história de poder, e sua força contínua, mesmo em nosso mundo moderno, mostram-nos que deve haver algo mais envolvido do que isso. Enquanto os outros falavam, eu pensava sobre o problema dos erros gramaticais no texto do NT. Foi mencionado o Apocalipse como um livro que presumivelmente contém bom número de tais erros. Portanto, escolhi esta gramática grega descritiva. Contém bom número de versículos específicos que, de algum modo, são abordados. Ao tratar do Apocalipse, vejo que há uma lista de "versículos gregos deficientes", nos quais alguma regra da gramática grega é quebrada ou ignorada. Darei a lista, e qualquer um que saiba um pouco de grego, pode examiná-los pessoalmente. Os versículos são: 1.4,5,10,15; 2.20; 3.13; 4.1,7,8; 5.6,11,12,13; 7.4; 9.5,12,13,14; 11.4,15; 12.5; 13.14; 14.3; 15.12; 17.11,16; 19.14,20; 20.2; 21.9. Essa lista, conforme diz o autor, de forma nenhuma é exaustiva.

Scepticós – É uma informação padrão das introduções "sérias" do Apocalipse de que o vidente João falava o aramaico com seu idioma nativo, e que, quase com certeza, para ele o grego era um idioma "adquirido". O grego quase sempre o atrapalhava, poderíamos dizer. Mesmo nessa língua, porém, suas expressões são impressionantes, e até eloquentes. De fato, da parte dele temos recebido alguma da mais elevada literatura

grega. Isso, entretanto, não significa que a sintaxe grega tenha sido sempre observada.

Matetés – O que você entende por introduções "sérias"?

Scepticós – Entendo escritos que são mais que "devocionais" em sua natureza, que não são apenas propaganda que promove determinadas teologias. Essas obras abordam questões históricas, culturais e considerações linguísticas. Esses tipos de obras não deixam de lado os problemas, sem serem considerados.

Zetetés – Dwight Moody foi um evangelista inspirado por Deus. No entanto, temos informação de que ele usava bem mal a gramática. Deus falava por meio dele, mas não desprezou seu depósito de conhecimento, obtido naturalmente nas experiências da vida. Ele não "adaptou" sua gramática: Outro tanto sucedeu ao vidente João. A inspiração pode funcionar sem sutilezas gramaticais.

Matetés – Isso é evidente, pelo menos para mim. Contudo, que dizer sobre a inspiração "verbal"? Os erros gramaticais não a eliminam?

Zetetés – Eu já havia dito que elimina certa forma de inspiração verbal, a saber, a "teoria do ditado". Essa é a noção de que o Espírito "ditou" cada palavra. Se ele tivesse feito isso, é óbvio que não haveria erros gramaticais. Nossa discussão até aqui, porém, tem mostrado que, algumas vezes, a inspiração pode ter sido verbal ao ponto do ditado puro. Sem dúvida, algumas profecias a longo alcance foram dadas assim, como também belíssimas passagens como o Hino do Amor, em 1Co 13. Poderíamos supor que algumas vezes a "teoria do ditado" é correta, mas a inspiração se deu de várias maneiras, não eliminando necessariamente o elemento humano. Ilustramos o elemento humano das Escrituras ao discutir sobre os problemas do NT.

Matetés – Relacione isso aos "erros gramaticais". Como é que a inspiração pode ser verbal, incluindo, ao mesmo tempo, erros gramaticais?

Zetetés – Apesar de o pensamento algumas vezes vir de maneiras "não-verbais", penso que a filosofia analítica tem mostrado que o pensamento quase sempre (e alguns filósofos dizem "sempre") é expresso por meio de palavras. As palavras, entretanto, são "plásticas", e vários agrupamentos e combinações de palavras podem expressar o mesmo pensamento. Outrossim, um pensamento pode ser expresso de modo mais ou menos exato, ou desajeitadamente, ou de modo belo, em todos os graus intermediários. Assim, Tiago pode expressar certa "verdade" de maneira diferente da que Paulo usou. Podemos preferir o feitio de Tiago, ou o de Paulo, dependendo de nossa teologia; mas um pouco de reflexão nos mostraria que há concordância real entre eles, embora talvez não na expressão verbal. Assim, um pensamento, por ter sido inspirado em um autor sagrado, pode ter sido expresso em qualquer uma das muitas formas verbais possíveis. Será expresso verbalmente, mas esse "verbalmente" pode ser diferente entre um autor e outro. E esse **"verbalmente"**, quase sempre, dependerá das habilidades verbais de cada autor. É exatamente nesse ponto que surgem os erros gramaticais. Todavia, isso não labora, de forma nenhuma, contra a inspiração verbal. Meramente afirma que o elemento humano está presente, e que será usado como veículo na inspiração.

Súnesis – Penso que você soube defender como a inspiração verbal pode ser verdadeira, apesar de certas fraquezas do veículo humano. Mas consideremos este mistério! Deus se manifestou em carne, com fraldas e tudo — e o dizemos com respeito. A encarnação, a habitação da palavra eterna na carne humana, não deixou de lado a sorte humana, a agonia e a condição humanas. Antes, a encarnação veio ao encontro dos homens onde eles estão no mundo, na carne, na fraqueza, no sofrimento. Se a Palavra viva não deixou de lado a situação humana, nem o fez a Palavra escrita. A Palavra viva, encarnada em Jesus, "aprendeu a obediência" pelas coisas que sofreu. Ele não tinha natureza corrompida, como os outros homens, mas foi homem genuíno, que experimentou os testes dos homens, sentindo as fraquezas e tristezas dos homens. Os gnósticos, vocês devem estar lembrados, negavam a humanidade real de Cristo em sua doutrina docética. Com frequência, nas igrejas atuais, ouve-se falar em um Jesus docético, não humano. Antes, ele vem ao nosso encontro onde estamos. A humanidade se achava em intensa agonia, pelo que aí, no estado de penosa depressão moral, o caminho de volta a Deus teve de começar. A Palavra escrita é a aliada da Palavra viva. Veio por meio de instrumentos humanos, homens imperfeitos na vida e no conhecimento. Elevou os homens e dirigiu seus pensamentos de volta às coisas celestiais. Não deixou de lado, porém, a condição e a expressão deles. Seus pensamentos inspirados, fluíram em palavras; mas esse fluxo necessariamente continha os elementos naturais a eles, de acordo com a educação deles e sua experiência de vida. Assim, Marcos exibe o "grego das ruas"; 2Pedro tem um "grego artificial"; Hebreus traz um "grego quase clássico"; Paulo mostra um "grego koiné" excelente e literário. A inspiração, no entanto, não poderia ter fluído, a menos que as mentes dos autores sagrados a tivessem contido, e que eles fossem capazes de se expressar verbalmente.

Matetés – Não teria sido possível ao Espírito levar os autores a "selecionar" as palavras mais próprias e expressivas, nessa expressão verbal?

Súnesis – Isso é bem verdade, mas, dependendo do autor, temos expressões mais ou menos eloquentes. Contudo, tomemos o caso de Marcos e seu grego de rua. Seu livro não dependeu do seu grego somente, mas de certa força que o permeia. Ele escreveu de modo conciso e com poucos adjetivos. Escreveu em grego quase infantil, mas sua mensagem é urgente. Ao lermos sua mensagem, sentimos a pressão da multidão, o ódio dos fariseus, a corrida para a cruz, o hálito quente de forças malignas, e, finalmente, a imensa esperança de imortalidade que ali transparece, que ultrapassa meras palavras e acha lugar permanente em nossa alma. A coisa toda se movimenta com força inigualável, precipitando-se para a sua horrenda conclusão, e então alteando-se a uma vitória inesperada. Foram inspiradas não só as suas palavras: sua força espantosa, sua beleza imorredoura, suas expressões singelas e infantis também se devem à inspiração. Além disso, desse evangelho surgiu um novo gênero literário, o "evangelho", que fala sobre o evangelho doador de vida, as "boas novas" do que sucedeu em Jesus e por meio dele. Depomo-lo, e admirados, dizemos: "Foi obra inspirada por Deus". Não tem as marcas do gênio literário "verbal" que aparece em algumas passagens paulinas, mas o Espírito Santo voa por sobre a escrita com suas asas rebrilhantes.

Scepticós – E por que sua mensagem cavalga sobre essas asas, também somos inspirados, sendo transformados por essa Palavra.

Súnesis – É verdade. Muitos tradutores têm testificado acerca disso. É impossível traduzir o NT como mera tarefa ou ventura intelectual. Um homem pode começar desse modo mas, à medida que avançar, sua mente se tornará arrebatada por sua graça sutil, por sua força de impacto, pela beleza encantadora de suas passagens. Ela emana inspiração, por ser inspirada. Mostrai-me um homem que tem dado valor ao NT em sua vida, e eu mostrarei nele um homem diferente. Penso que isso se dá com o mais liberal dos eruditos, pois duvida da veracidade de muitos textos. Quanto mais isso é verdade daqueles que escaparam dos laços do ceticismo.

Zetetés – Voltando ao elemento humano nessa Palavra, o aparecimento desses erros se originaram de "meros equívocos da pena" ou da "memória" (como nas citações)?

Scepticós – Penso que isso pode ser demonstrado. Nos melhores manuscritos, em Mateus 27.9 há uma suposta citação de "Jeremias"; mas, quando examinamos a citação, descobrimos que ela é, realmente, de Zacarias. Provavelmente, a citação foi feita de memória, e o autor trocou acidentalmente o nome do autor original. Naturalmente, aqueles que se recusam a crer que isso possa ter sucedido, distorcem muita coisa para adaptar a passagem à sua posição. Tais distorções fazem a Palavra sofrer mais com o fogo de seus defensores do que com o ataque de seus adversários, porque lhe força algo com desonestidade. Como podemos pensar em honrar a Deus com uma exegese desonesta, procurando livrar o NT desses problemas triviais? A inspiração, digo-o, transcende a esses tipos de problemas triviais, e sua função em nada sofre com isso. Existe alguma coisa como a "bibliolatria", o que, quer a apreciemos ou não, ela presta um desserviço à Palavra. (Ver problemas similares em Mc 2.26 e At 7.4,16.)

Agora, passando a vista pela gramática descritiva que Zetetés usava, vejo uma lista de erros gramaticais que certamente se deverão ao descuido, porque, noutros lugares, são usadas expressões similares, posto que corretas, pelos mesmos autores. Isto é, noutras palavras, o autor sagrado evita os tipos de erros contidos nessa lista; e deve-se supor que, se ele houvesse feito revisão completa de sua obra, teria podido retirar tais erros. A lista é como segue: Apolipse 1.11 ("legouses", em lugar do correto "legousan"); 1.15 ("pepuromenes", em lugar do correto "pepuromeno"); 1.20 ("tas epta luchnias", em lugar do correto "ton epta luchnion"); 6.14 ("elissomenon", em lugar do correto "elissomenos"). As outras referências da lista são Ap 2.27; 4.4; 6.1; 7.9; 11.1,4; 13.3; 14.6,7,14,19; 19.20; 21.9,14 e 22.2.

Vejamos, agora, que mais poderíamos mencionar? Sim, Hebreus 9.4 situa o altar do incenso no Santo dos Santos, onde nunca esteve localizado, naturalmente. Se o autor houvesse sido interrogado a respeito, sem dúvida nos daria a resposta correta. Hebreus 9.19 tem algo similar. O livro não era aspergido no rito mencionado. A mente do autor foi momentaneamente influenciada pela informação de 9.13, que ele já dera, que envolvia situação diferente. Essa "influência" levou-o a falar na aspersão do livro.

Súnesis – Scepticós usou a palavra correta ao dizer que esses erros são "triviais". A inspiração não deixou de lado esses "deslizes", e nem tornou os autores sagrados incapazes dos mesmos. A Palavra é a regra da fé e da prática dos crentes; mas estamos longe de viver à altura da mesma. Ele nos sopra a verdade, e essa é uma verdade sem erro. Conduz-nos inequivocamente na inquirição espiritual. Ela é inigualável porque nela vive uma pessoa sem igual.

Scepticós – Essa declaração é importante para a "autoridade". A Palavra escrita tem sua autoridade no fato que revela a Palavra viva. Inspira-nos porque o alter ego daquela pessoa viva, o Espírito Santo, acompanha àqueles que examinam as suas páginas.

Matetés – O que você quer dizer com isso, exatamente?

Scepticós – Quero dizer que o Espírito, que tudo sabe e sempre se faz presente, sabe a quem deve abençoar. Ele percebe quando uma pessoa é séria ou não em sua busca espiritual. Ao ver uma pessoa que segue com seriedade a retidão, acompanha-a em suas orações, meditações e estudos. Assim, observa-a a estudar a Palavra escrita. Portanto, o Espírito lança sua influência sobre essa pessoa. As palavras já não são símbolos brancos e pretos de sons correspondentes. Não são apenas meios de entendimento intelectual; não são mais história; não são apenas teologia. Saltam de vida. Elevam-se da página; penetram na alma; inspiram, repreendem, exortam, confortam. Tornam-se veículos vivos da pessoa sobre quem falam. Desse modo, a questão adquire natureza "direta". Quando foi feita a promessa de benção aos que lerem publicamente a profecia, deve ter sido antecipado algo assim (ver Ap 1.5). Desse modo, a Palavra inspirada também é inspiradora, indo muito além de sutilezas literárias e poderes verbais. Vamos dizê-lo doutra maneira: Surpreende-nos... quanto ela faz por nós. Dizemos: "Como pode ser isso?" Perguntamos: "Por que sou diferente?" Está envolvida a presença direta do Espírito. Naturalmente, do ponto de vista intelectual, a Palavra é convincente, e nossa alma assente naturalmente à sua lógica. Na busca espiritual, porém, há algo mais envolvido do que a lógica de declarações intelectuais, mesmo que essas declarações sejam espirituais. "Por que sou diferente, agora que me pus a ler a palavra?", indagamos. A primeira resposta a isso é a presença direta. A lógica e a beleza das Escrituras também entram nessa "transformação".

Matetés – Percebo. Você crê que a Palavra inspirada não pode ser deixada sem a presença habitadora. Essa Presença é que empresta poder ao Livro.

Scepticós – Necessariamente.

Matetés – A inspiração, pois, é um tipo de espada de dois gumes. Acha-se na página e no leitor da página.

Súnesis – Isso explica como os homens são transformados à imagem de Cristo, por meio do **estudo**. Quando chegarmos ao nosso último item, discutiremos mais plenamente os "meios" da inquirição espiritual.

Zetetés – Sua discussão me faz lembrar o hino que diz

> Além da página sagrada, busco a ti, Senhor;
> Meu espírito anela por ti, ó Palavra viva.
>
> Abençoa a verdade, caro Senhor, a mim, a mim,
> Tal como abençoaste o pão, na Galileia;
> Então cessará toda escravidão,
> Com todas as suas algemas;
> E acharei a minha paz, meu tudo, em tudo.
>
> Envia o teu Espírito, Senhor, agora, para mim;
> Para que ele toque em meus olhos e me faça ver;
> Mostra-me a verdade oculta em tua Palavra,
> E em teu livro revelado, vejo o Senhor.

Scepticós – Temos discutido sobre a "autoridade" como teoria da verdade. Isso nos fez entrar no tema da "autoridade das Escrituras". Daí passamos para a autoridade final de nossa fé, da verdade que buscamos. É o Senhor. De que adianta falar sobre autoridade, se ele não é nosso Senhor, e se ele não tem contato conosco, para nos transfigurar com sua beleza? Nele temos a nossa autoridade. Isso sucederá conosco se aprendermos que sua presença é imediata. Essencialmente, a inquirição espiritual consiste de aprendermos algo sobre a Presença. É essa presença que nos leva a compartilhar da natureza e da imagem de Cristo, e é isso que estamos buscando.

Zetetés – Se segui corretamente seu raciocínio, com o dos outros contribuintes, de que a autoridade das Escrituras é ao mesmo tempo "objetiva" e "subjetiva", então por "objetiva" quero dizer que as Escrituras são inspiradas à parte dos sentimentos subjetivos e são nossa regra de fé e prática, conduzindo-nos sem erro em nossa inquirição espiritual. Suas palavras são inspiradas, não deixando de lado o elemento humano; mas seu arranjo, sua lógica, seu encanto e sua forma literária estão contidos no propósito divino. As Escrituras têm uma autoridade "subjetiva" correspondente, pois a Palavra viva, por meio do seu Espírito, usa a Palavra escrita para convencer-nos, instruir-nos e inspirar-nos.

Essa palavra é inspirada, bem à parte de meus "sentimentos" a respeito, mas essa inspiração é fortalecida, de maneira prática, quando meus sentimentos a respeito são entregues a Cristo, mediante a influência de seu Espírito. Não se torna a Palavra de Deus só quando me inspira. Já está ali. Mas torna-se a Palavra de Deus na prática para mim, quando me inspira. Essa inspiração vem quando há a presença "direta", a comunhão espiritual com o Espírito, que é o delegado de Cristo, enviado para aperfeiçoar a obra que existe em germe.

Scepticós – Penso que você tocou nos pontos principais que foram enfatizados. Consideremos as palavras do poeta:

A sabedoria não é, finalmente testada nas escolas;
A sabedoria não pode passar de quem a tem, para quem não a tem;
A sabedoria é da alma, não é passível de prova, é a própria prova.
(Walt Whitman, "Song of the Open Road")

A sabedoria da Palavra está contida em palavras e fortalecida com poder de expressão literária, mas é confirmada e concretizada no indivíduo, pela presença direta. Para todos os efeitos práticos, a autoridade das Escrituras não é estabelecida pelas provas externas e intelectuais, e nem por sutilezas acadêmicas. Ninguém perde seu tempo por examinar essas provas intelectuais; somente quando Cristo não é o Senhor. Ninguém desperdiça seus esforços por defender as Escrituras como a Palavra de Deus; somente se continua escravo de algum vício. Pois se alguém é escravo de um vício, que autoridade terá a Bíblia para o tal? A sabedoria das Escrituras é comprovada para cada homem, pois sua busca purifica, inspira e transforma a cada um segundo a **Palavra viva**. De outro modo, a inspiração se perderia como causa, até onde tal indivíduo está envolvido. A autoridade das Escrituras torna-se uma realidade para mim quando eu abandono meus vícios, quando deixo de dizer palavras amargas contra algum oponente, irmão ou inimigo; as Escrituras têm autoridade para mim quando honestamente deixo de lado a hipocrisia, quando, numa única palavra, a Palavra viva é infundida em minha alma. De que adianta toda a conversa sobre a "autoridade" se Cristo não é ainda meu Senhor?

Quando eu tiver de enfrentar seu trono de juízo, ele não me perguntará: "Você leu as Escrituras?" "Você as analisou?" "Você creu nelas?" "Você as defendeu?" Nem perguntará: "Quão conservadoras foram suas proposições a respeito delas?" Ou: "Quão ousadas foram suas hipóteses sobre elas?" Mas ele me perguntará: "Você as pôs em prática?" Com base nisso, exatamente, é que ele me julgará.

A fim de colocar em prática a Palavra, temos de gozar de alguma forma de presença imediata. A luta humana é por demais longa e difícil para sermos vencedores, se alimentarmos só o intelecto. Mas, ai! a maior parte das pessoas nem isso faz!

Habita comigo, da manhã à noite
Pois sem ti, não sei viver.
Habita comigo aproximando-se a noite,
Pois sem ti, não ouso morrer.
(Keble)

Súnesis – Não exaurimos, de modo algum, o que poderíamos dizer sobre a "autoridade" como teoria da verdade. Poderíamos denunciar o que certos segmentos do cristianismo consideram como autoritário, como papas, padres, tradições, sacramentos etc. Sinto que, ao frisar a autoridade da Palavra escrita, a Palavra viva, e seu mediador, o Espírito, valemo-nos de autoridade suficiente. Na prática, naturalmente, há a autoridade da igreja, sempre que esta cumpre os desejos do Cabeça. Acho que já falamos bastante sobre isso, pelo que passemos para outra teoria da verdade.

Scepticós – Chegamos agora ao ponto em que precisamos mencionar somente três outros, com algum detalhe. As restantes, poderemos mencionar de passagem, sem nenhum exame especial. As três restantes e importantes teorias são a "intuição", a "revelação" e a "coerência". Já abordamos bastante a "intuição" e a "revelação" como meios de conhecimento, pelo que podemos cobri-las bem rapidamente.

8) Intuição, como meio e critério da verdade — Já que o termo "intuição" tem diferentes sentidos para diferentes pessoas, nenhuma definição pode satisfazer a todos. Algumas pessoas a equiparam a mero "sentimento", mas certamente "intuição" é mais que isso. Alguns filósofos pensam ser uma espécie de "pensamento dinâmico", que pode penetrar mais fundo que a lógica. Por isso, alguém disse: "A vida é mais profunda que a lógica". Sem dúvida, isso é verdade. A intuição pode pensar "no nível inconsciente". Em forma totalmente humana, pode ser a intercomunicação telepática entre mentes humanas, ou "discernimentos emprestados", por assim dizer. Alguns creem que ela existe e nos dá "conhecimento imediato", mas não tentam encontrar sua origem. Outros lhe dão origem em Deus ou algum outro ser superior, como um anjo. Nesse caso, seria uma forma sutil de misticismo. Ainda outros supõem que o homem, como um ser espiritual que é, tal como o próprio Deus, pode ter discernimentos intuitivos da verdade, sendo, por delegação da natureza da criação, sua própria fonte de conhecimento imediato. O conhecimento imediato significa, conforme vocês devem

estar lembrados, conhecimento sem os meios dos sentidos ou da razão. Ao discutir antes sobre a intuição, já dissemos que ela tem validade, tanto com base na "origem divina" como em base puramente humana. Alguma inspiração é dada intuitivamente, e não de formas dramáticas; e é possível que certos textos bíblicos tenham vindo por esse método, e não por visões dramáticas e poderes exteriores compelidores, que elevaram o profeta acima de si mesmo. Supomos que a intuição do profeta está acima da intuição meramente humana; mas qualquer intuição humana, se for cultivada como uma graça espiritual, pode ser ativa, entendendo as realidades espirituais e os grandes mistérios da espiritualidade, tornando-os vitais para nós. O perigo na intuição, antes de tudo, consiste de sua "subjetividade"; em segundo lugar, vem seu "abuso".

Matetés – Parece-me que temos de aplicar a regra da "autoridade" à intuição, para governá-la, tal como o faríamos no caso de qualquer experiência mística.

Scepticós – E necessariamente. O que dissemos antes, em combinação com essas observações adicionais, deveria bastar a fim de informar-nos acerca do que é dito e crido sobre esse poder. Tal como tudo o mais, é vital somente quando opera em nós a vontade divina. Doutro modo, torna-se apenas outra curiosidade intelectual, uma proposição fria, um postulado morto.

9) Revelação como teoria de verdade — Já discutimos sobre o "misticismo" de modo pleno, pelo que nossas observações sobre a revelação podem ser breves. A revelação é um aspecto do misticismo, pois envolve o contacto de Deus com o homem, que é como definimos o misticismo. A reivindicação da revelação é que Deus deseja revelar-nos sua verdade, e, portanto, a ele mesmo; e assim dá uma mensagem a um profeta ou santo, na forma de visão, sonho, intuição etc. Tais mensagens são preservadas nos escritos sagrados; e esses escritos, uma vez "canonizados", tornam-se a base dos sistemas teológicos ou das religiões. Quase todas as religiões se baseiam, em última análise, sobre a revelação. A revelação é uma "verdade que vem da parte de Deus"; ou então, nos credos politeístas, "dos deuses". A revelação é verdade dada como um "dom de Deus". A maioria dos religiosos crê que a revelação é a maneira mais poderosa e direta da verdade ser desvendada. Assim. Se outros meios de descobrir a verdade podem ser considerados válidos, a revelação é central em quase todas as religiões.

Matetés – Suponho que os mesmos "testes" de validade que se aplicam ao misticismo, também se devem aplicar à revelação.

Scepticós – É verdade. Alguém pode se lembrar desses "testes"?

Zetetés – Aquino propôs que a revelação pode ser testada: a) pela lógica; b) pela moralidade; e c) pela autoridade. Decidimos, em nossa discussão anterior, que a primeira regra, apesar de ter valor, é a mais fraca das três. A revelação pode transcender de tal modo a lógica humana, no que ela tem a dizer, que pode estar mais de acordo com a verdade dizer: "Acredito, porque é absurdo", conforme propôs Tertuliano. A verdade pode parecer-nos absurda, quando a ouvimos pela primeira vez. Mostramos como as doutrinas realmente grandes terminam em paradoxos, pois sempre contêm elementos aparentemente contraditórios. A regra da "moralidade" provavelmente é a melhor regra isolada. Ensina que nenhuma revelação pode ser imoral em si mesma, e que o conhecimento dado por meio da revelação deve contribuir para a conduta moral, para a purificação e para o aprimoramento moral. A "autoridade" governa a revelação. As nossas autoridades, tal como os santos profetas, o Cristo, os apóstolos, têm uma mensagem com a qual qualquer revelação pode ser comparada. Súnesis adicionou as regras de Aquino, mostrando que, do ponto de vista cristão, que é o ponto de vista que nos interessa, a revelação deve exaltar a Cristo, ou de algum modo pode estar envolvida na promoção de sua causa. Outro aprimoramento da regra de Aquino, que Súnesis sugeriu, foi que o misticismo autêntico (portanto, a revelação) deve promover a piedade prática, incluindo, sem dúvida, as boas obras. "Por seus frutos os conhecereis"; e pelo fruto produzido, pela revelação nas vidas humanas, pode-se saber o caráter da revelação que guia as pessoas envolvidas.

Matetés – Que dizer sobre as revelações em nossos dias?

Scepticós – Isso depende da espécie de revelação sobre a qual falamos.

Matetés – Comecemos pelas formas de revelação que produzem "novas escrituras". Supostamente, alguns grupos têm recebido tais revelações adicionais, e, no cristianismo, de forma alguma o AT e o NT são os únicos livros com autoridade, até estão envolvidos certos grupos e denominações.

Scepticós – Penso que é útil frisar, para começar, que é impossível levar à conversão as pessoas que pertencem a esses grupos da falácia de suas revelações, que resultaram em novos livros sagrados. Poderíamos, contudo, sugerir algumas poucas coisas que podem ser convincentes para nós. Se aplicarmos as regras do "teste", da lógica, da moralidade, da autoridade, da exaltação de Cristo, da piedade prática, provavelmente não chegaremos muito longe, pois, se falamos daqueles que se afirmam cristãos, afirmam eles a validade de seus novos livros sagrados, em todos esses pontos. E nos acusarão de arrastar nossos pés espirituais, não mantendo as passadas junto com o espírito de revelação, que se revela continuamente pelo Espírito de Cristo e de sua igreja, que eles supõem manifestar-se somente entre eles, ou, pelo menos, se melhor representado por eles.

Zetetés – Sim, sem dúvida, nos envolveremos em manifestações de orgulho humano, como "meu grupo é melhor que o teu", "minha doutrina é mais avançada que a tua" etc. O resultado será apenas um conflito. Entretanto, se nossos testes não conseguem convencê-los, que mais se pode dizer?

Scepticós – Poderíamos aplicar outra regra, a da **contradição**. Uma coisa é clara nos "novos livros sagrados", a saber, que, em alguns aspectos importantes, contradizem a primeira e a segunda revelações (AT e NT). Claramente são mais que suplementares. Penso que a regra da "contradição" é a melhor que se pode usar no exame de novos livros sagrados. Naturalmente, tudo quanto dissermos receberá resposta correspondente da parte de nossos oponentes. Se conseguirmos mostrar com sucesso o caráter contraditório básico da "nova" revelação, em contraste com a primeira e a segunda, um opositor habilidoso mostrará que essa contradição básica (conforme a entendemos) existe entre o AT e o NT; então, por que não entre uma segunda e uma terceira revelações? Ele salientará que um "paradoxo" é possível na fé cristã, e que novas verdades parecem contradizer antigas, simplesmente porque são mais avançadas.

Zetetés – Sim, posso ver como a regra da contradição não conseguirá impressionar muito ao exponente de uma nova revelação, pelo menos se essa nova revelação presumivelmente "vem de Cristo" e visa ao bem de sua igreja. Não haverá nenhum outro meio de argumento, mais convincente do que a regra da contradição?

Súnesis – Penso que há. Que dizer sobre a regra da "universalidade", a própria regra que esteve envolvida na "canonização" do AT e do NT?

Zetetés – Por universalidade, suponho que você envolve a "igreja inteira", como quem veio a reconhecer a autoridade da coletânea. O fato de uma seita ou denominação ter a própria "coleção particular", que outros cristãos nunca aceitaram, e que tais grupos, numericamente falando, são fragmentos minúsculos da igreja, tudo isso faz tais "coletâneas" serem suspeitas.

Súnesis – É exato. Pode-se perguntar com razão por que Deus deu uma revelação a grupo tão pequeno; e, subsequentemente, por que esse grupo não conseguiu convencer o resto da igreja.

Scepticós – Serão apresentadas algumas respostas que satisfarão aos exponentes de novas revelações, ao passo que elas não nos satisfarão. Quem conhece o tema do **cânon** simplesmente salientará que foram precisos quase quatro séculos para o cânon do NT ser completamente formalizado, e que mesmo então oito livros continuaram sendo disputados em várias porções da igreja. À "nova revelação", pois, deve-se permitir tempo igualmente longo para que toda a igreja seja impressionada por ela.

Súnesis – Sem dúvida esse argumento tem força para os defensores de novas revelações. Pode-se frisar, porém, que os principais livros do NT, os evangelhos e a maior parte dos escritos de Paulo, obtiveram aceitação quase imediata, de maneira universal; ao passo que no caso de "novas revelações" a "aceitação", sob qualquer forma, permanece estritamente nos limites do "novo grupo". Não foram precisos quatro séculos para a Igreja aceitar o NT central, embora fosse preciso todo esse tempo para os cristãos aceitarem certos livros por toda parte. Esperaríamos qualquer nova revelação, se fosse dada para o benefício da Igreja, sendo prontamente aceita, de modo universal, de maneira razoavelmente breve. Qualquer revelação que fracassa nisso, é suspeita.

Scepticós – Naturalmente, os exponentes dos novos livros sagrados podem afirmar que seu grupo é agora a verdadeira Igreja, pelo que a nova revelação já tem uma aceitação universal, no que concerne à verdadeira Igreja. E o que geralmente se chama de "Igreja" seria apenas uma apostasia; e os apóstatas não têm voz ativa alguma no processo de canonização.

Súnesis – Quando um homem reverte a tal sectarismo, então é certo que nenhum de nossos argumentos terá influência sobre sua maneira de pensar. Até onde estamos envolvidos, temos de testar para nós mesmos a validade de nossas regras, incluindo as regras ultimamente propostas da "contradição" e da "universalidade". Pessoalmente, estou satisfeito com elas. Cada indivíduo terá de conviver com as próprias convicções e decisões, e será considerado responsável por elas.

Zetetés – Mas, que dizer sobre a "possibilidade teórica" de uma genuína "terceira revelação"?

Scepticós – Não podemos erguer uma cerca em torno de Deus e dizer que ele não pode fazer novas revelações. Podemos estar certos de que qualquer terceira revelação será Cristocêntrica, como foram as duas primeiras, e também em linha com os propósitos delas. Também podemos ter a certeza de que nenhuma terceira revelação será aprisionada por nenhuma seita ou denominação. Será universalmente aceita, dotada de evidente força universal para a Igreja; e, por meio desta, para o mundo, tal como se deu no caso das duas primeiras. Não é impossível que "a segunda vinda de Cristo", tal como o primeiro advento, venha a ser ocasião histórica que provoque uma terceira revelação. Dizemos tudo isso, porém, no espírito da especulação acompanhada por algum imenso movimento histórico, mudança ou avanço, quando Deus, novamente, vier alterar de modo significativo, o curso da vida humana. A segunda vinda fará exatamente isso, pelo que poderá produzir outra revelação. Para mim, no entanto, isso não é um dogma, conforme eu já esclareci. Essa especulação sugere outro "teste" possível de supostas novas revelações. Trata-se do teste **histórico**. A nova revelação foi acompanhada por alguma alteração histórica realmente significativa? Eu consideraria que o surgimento e crescimento de uma nova denominação ou seita, que atingisse um milhão de membros, no período de cem anos, como evidência adequada de que houve, realmente, alguma nova revelação.

Zetetés – Naturalmente, a nova denominação terá um senso exagerado de sua própria importância, e pode mesmo pensar que sua relativa insignificância, conforme os de fora veem a questão, na verdade favorece seu caráter "seletivo". E, se porventura, essa nova seita vier a ser perseguida, então podemos ter certeza de que terá vida longa.

Matetés – Que dizer, pois, sobre certas revelações destituídas de "livros sagrados"? Ou seja, revelações que não visam a servir de base para novos livros sagrados?

Scepticós – Você quer dizer revelações para "orientação", para "instrução moral" e para "encorajamento", que visam a tornar mais profunda a vida espiritual? Com base no NT, deixando-se de lado os dogmas, não podemos negar que Deus pode fazer revelações a pessoas, visando ao bem espiritual (e físico) dessas pessoas. Isso fica claro em Efésios 1.18ss, bem como em todos os capítulos que tratam dos dons espirituais. Já notamos que nosso problema, nessa área, não está na "teoria", mas na "prática". Certamente que, em toda a história, a Igreja nunca precisa mais de dons espirituais do que a Igreja do presente; mas é igualmente certo que a Igreja nunca foi tão invadida quanto hoje pelo misticismo falso e barato. Já havíamos ventilado o tema, ao discutir sobre o misticismo; e voltaremos mais amplamente à questão quando discutirmos sobre o "caminho da inquirição espiritual", o último tópico mencionado em nossas conversações. A teoria **teísta** mesma exige a aceitação, pelo menos teoricamente, daquele tipo de inspiração e revelação que tende por guiar e desenvolver as qualidades espirituais do ser. Se Deus realmente está "presente conosco", conforme o teísmo supõe, então isso certamente sucede, e para muita gente boa. Isso está envolvido no caráter "imediato" que supomos acompanhar o nosso desenvolvimento espiritual.

Prossigamos, agora, para nossa última teoria da verdade, que merece atenção especial. Trata-se da:

10) Coerência — Essa teoria da verdade é companheira dos **racionalistas**. Já discutimos sobre o racionalismo, e sabemos que esse sistema ensina o primado da razão. O homem é um tipo de ser que, mediante a razão disciplinada, pode chegar na verdade inteiramente à parte das evidências da percepção dos sentidos. Sua razão pode transcender à própria mente, obtendo conhecimentos da "mente universal", ou da mente divina, com a qual a mente humana tem afinidade natural. O homem nasce com "ideias inerentes", isto é, uma espécie de armazém (espiritual) de ideias, que não dependem das experiências diárias. O conhecimento começa com tais ideias, governadas pela regra da coerência. A coerência é uma explicação sistemática, consistente, de todos os fatos da experiência, e julgados pelo princípio racional. A coerência requer que os fatos sejam mais do que consistentes. Devem também contribuir para um todo integrado. Um juízo é verdadeiro se for autocoerente e se for coerentemente ligado ao nosso sistema de juízos como um todo. Descartes partiu da proposta autoevidente da autoexistência. A consideração do próprio "eu", levou-o a Deus; e o fato de que Deus dificilmente poderia ser concebido como quem nos engana, ao nos dar a ideia de que o mundo externo existe, mostra que esse mundo também deve existir. Deus subentende a necessidade de ação e de retidão morais. Deus e o "eu", quando devidamente correlacionados, subentendem a imortalidade. E assim poderíamos prosseguir, em que uma proposição segue-se a outra, "coerentemente". Nenhuma investigação por meio dos cinco sentidos será mister para chegarmos a uma "verdade elevada". Os sentidos nos darão as verdades práticas e mundanas da vida diária, da vida física. Acima disso, precisamos de uma razão disciplinada, bem como do método da coerência. A dificuldade pela qual passamos, na coerência, é a do valor da verdade de proposições "já aceitas", com as quais fazemos outras, subsequentes, concordarem. Isso pode ser imensa dificuldade; mas certamente há muita verdade nessa ideia. A grosso modo, porém, as pessoas religiosas têm maior respeito pelo conhecimento que vem por meio da revelação, escudada na "autoridade".

Finalmente, há algumas poucas teorias secundárias de verdade que merecem atenção só passageira. **O tempo** — Se algo permanece, deve representar alguma verdade. O tempo é um bom teste da praticidade de algo; mas há certas coisas evidentemente falsas, como também movimentos e ideias, que perduram por longo tempo, havendo aquelas que continuam de pé até agora, apesar de sua inegável falsidade.

Maioria, pluralidade — Aquilo sobre o que a maioria dos homens concorda, deve ser verdade. Essa teoria também se reveste de alguma utilidade prática, sobretudo no campo da política e da sociologia. Valores sociais práticos podem ser decididos pela "maioria de votos". Contudo, dificilmente poderemos decidir acerca de valores espirituais desse modo.

Costumes e tradições — A moral, as vestes, a política, a religião etc., que herdamos, e que são bases de nossa sociedade e cultura, devem ser verdadeiras. Uma vez mais, porém, os costumes e as tradições podem ter valor no tocante a coisas práticas ou para o governo ordeiro da sociedade. Ficam, entretanto, aquém da marca, como meios de avaliar a verdade espiritual. Culturas diferentes têm costumes e tradições tremendamente diversos. Precisamos de muito mais do que conhecimento antropológico para encontrar a Deus.

Instinto — Os homens têm certos instintos, como a sede, a fome, a atração pelo sexo oposto. Cada um deles corresponde a uma verdade. Isso é verdade, mas a biologia não é bastante para conduzir-nos a Deus. Devemos admitir que há um forte instinto no homem para abraçar a fé religiosa, para reconhecer que ele é um ser decaído, e para desejar restauração. Portanto, não podemos ignorar o valor do instinto. Os instintos diferem, em grau menor ou maior, especialmente no tocante às questões espirituais, de acordo com as pessoas. A noção do instinto, por si mesma, é vaga e mal definida. Há grande gama de discrepância no número e tipo dos instintos, quando comparamos as pessoas entre si, exceto quanto às funções biológicas mais básicas. A ciência, para nada dizermos sobre a teologia, transcende aos meros instintos, quanto à verdade.

Neste ponto, termino minha tarefa. Já consideramos os "meios do conhecimento" e as várias "teorias da verdade". Zetetés, na próxima semana você conduzirá nossa discussão acerca dos meios de transformação, isto é, a conversão. Espero que todos lhe deem tanta ajuda quanto você me deu; e, assim sendo, derivaremos grande proveito.

No dia anterior ao da realização da terceira discussão.

Na biblioteca.

Zetetés – Veja ali o Scepticós! Veja o sorriso em seu rosto. E veja como ele gesticula para a escrivaninha à sua frente. Com um movimento da mão ele mostra que a escrivaninha está vazia de livros e papeis. Ele está me gozando!

Matetés – Sim, e olhe para você mesmo! Que pilha de livros! Quando entrei na biblioteca e vi você aqui, pensei que se tratava de Scepticós, e não de você. Vejo como tudo está diferente hoje. Nunca pensei que você estaria trabalhando e que Scepticós ficasse se divertindo.

Zetetés – A culpa é toda de Súnesis, por me ter dado a incumbência de ser o moderador de nossa discussão sobre "o meio de transformação", ou seja, da "conversão". Tenho trabalhado muito. Espero que os outros fiquem satisfeitos amanhã com meus esforços, durante nossa discussão.

Matetés – Se você foi sábio no uso desses livros, certamente será assim. Bem, deixo você de volta ao seu trabalho. Vou preparar-me também um pouco, para que eu não pareça totalmente embotado no caso de você fazer-me uma pergunta.

No dia da terceira discussão

Na biblioteca

Súnesis – Hoje temos importante tema para discutir. Mais do que nunca

precisamos deixar de lado os preconceitos, que nos possam impedir de aprender algo novo sobre a conversão. Como vocês sabem, entreguei a tarefa dessa semana a Zetetés, para falarmos sobre o "meio da transformação". Ele a aceitou um tanto a contragosto. Na noite passada ele veio consultar-me sobre o tema, e trouxe consigo as suas notas. Fiquei satisfeito quando as examinei; mas quero avisar que, em alguns pontos, ele foi além do que tradicionalmente estaríamos preparados a dizer sobre a conversão. Tudo, porém, está de acordo com o título de nossa discussão **"Reconsiderando o evangelho"**. Temos imaginado que o evangelho só pode ir além de reconsideração se todos os cristãos, pelo menos, chegarem a um acordo sobre o significado de suas doutrinas. Enquanto não houver essa condição, não ousaremos confiar somente no que ouvimos em nossas denominações. Verdades antigas podem ser reexaminadas com proveito. E novas verdades esperam ser descobertas e aplicadas à nossa vida. Portanto, agora Zetetés apresentará o tema.

Zetetés:

3. O meio da transformação (conversão)

Em primeiro lugar, quero dizer que muito aprendi da discussão de Scepticós sobre "os meios do saber". Imitarei seu método de apresentação em uma coisa. Compilei um esboço a ser seguido por nós. Pessoalmente, muito aproveitei de minha pesquisa, e vocês poderão achar algo de interesse no que preparei. Meu esboço é o seguinte:

O MEIO DA TRANSFORMAÇÃO

a. **Termos e definições da conversão**
b. **Conversão biológica**
c. **Conversão confessional**
d. **Conversão credal**
e. **Conversão solução de conflito e nascimento de um "eu" superior**
f. **Conversão como revolução copérnica**
g. **Contraconversão, ou converter-se de novo**
h. **Conversão como três vezes nascido**
i. **Conversão para a outra existência**
j. **Conversão como mudança ética e metafísica**
k. **Conversão como parte do novo nascimento, ou regeneração**

Scepticós – Vejo que você se preparou realmente, e estou ansioso por entrar na questão. Quero ver o que você entende por vários itens do esboço. Devo admitir que sua "conversão biológica" me deixou confuso. Além disso, o que você quererá dizer por "três vezes nascido"? Os outros itens parecem-me claros. Pelo menos posso antecipar o que você dirá acerca deles.

Súnesis – Cale-se, Scepticós! Deixe que Zetetés dirija a própria discussão. Ele chegará às suas indagações, à medida que formos avançando tópico após tópico.

Zetetés – Obrigado, Súnesis. Não podemos permitir que Scepticós levante voo por enquanto. Quando ele começa, ninguém pode fazê-lo parar. Discutamos o primeiro tópico:

a. **Termos e definições da conversão** — Queremos ver que veículos verbais existem para expressar a conversão. Além disso, queremos dar uma ou duas definições preliminares. Isso armará o palco para nosso desenvolvimento.

A palavra **conversão** vem da raiz latina que quer dizer "fazer meia volta", "voltar-se para o lado oposto", "mudar de direção", "voltar a atenção para", "mudar as inclinações", "voltar a mente para um novo assunto", "devotar-se a". Todos esses sentidos contêm algo da conversão bíblica.

O ato da conversão é representado no verbo hebraico "sub" e no verbo grego "epistrepho", ambos os quais significam "volta" ou "retorno", quer físico quer espiritual. Biblicamente, essa "volta" indica "mudança de direção", de "vida", de "intenções", de "motivos" de "desejos básicos". Teologicamente, há o envolvimento de uma verdadeira "mudança de **substância** de alma", de "essência". Chegaremos lá no ponto décimo primeiro de meu esboço.

ILUSTRAÇÕES DA CONVERSÃO NO AT — Consiste de abandonar o mal (Jr 18.8); de voltar-se para o Senhor, deixando todas as vaidades humanas (Ml 3.7); é uma mudança que pode ser resistida, devido à natureza perversa do homem (Os 5.4 e 2Cr 36.13); Deus é sua força impulsionadora primária (Jr 31.18); mas o homem é seu cooperador necessário (Jr 24.7); envolve **indivíduos** (2Rs 23.25); pode envolver nações (Jn 3.10); profetas são usados para exortar os homens à mesma (Ne 9.26 e Zc 1.4); os que resistem a ela são castigados (Am 4.5-12); os convertidos são perdoados (Is 55.7); segue-se um serviço frutífero (Sl 51.13 e Os 14.4-8); é acompanhada pela vida (Ez 33.14ss). A conversão de vastas multidões acompanhará o advento do Messias (Dt 4.30; Os 3.5; Mq 5.3 e Ml 4.5ss).

ILUSTRAÇÕES DA CONVERSÃO NO NT — Muitas ideias do AT são duplicadas ali, de uma forma ou de outra: A pregação dos apóstolos insistia sobre sua necessidade (At 26.20); consiste de voltar-se do mal para Deus (At 14.15; 1Ts 1.9). É o meio de transportar o indivíduo do reino de Satanás para o reino de Deus (At 26.28); envolve a fé e o arrependimento, e resulta no perdão dos pecados (At 3.19; 26.18); estão sujeitos a ela os israelitas (Lc 1.16ss e 2Co 3.16); os gentios (At 15.19) e os cristãos (Lc 22.32 e Tg 5.19ss); os apóstolos foram usados como instrumentos para torná-la uma realidade entre multidões (At 9.35; 11.21). A conversão consiste do exercício do arrependimento e da fé; liga-se à perseverança e, subsequentemente, à santificação. A conversão nada significa sem a santificação (Mc 1.15; At 20.31; 2Ts 2.13).

Algumas conversões são súbitas; outras, porém, são produzidas por muitos fatores, durante certo período de tempo. A conversão pode seguir uma vereda gradual, não sendo dramática.

DEFINIÇÃO — Basicamente, consiste de "fé" e "arrependimento". A fé consiste em mais do que "aceitar a Deus em sua palavra", e certamente é mais do que aceitar certo credo ou sistema teológico, por mais sincero que seja. No NT, a fé é sempre vinculada à pessoa de Cristo e às nossas relações de alma com essa pessoa. Assim, o **arrependimento** é para com Deus, e a "fé" é em Jesus Cristo. A fé consiste da alma ver a natureza de Cristo (moral e metafisicamente), em que a alma afirma para si mesma, a ponto de obcecar o próprio ser: "Quero ser como ele". Ou então poderíamos dizer que a fé é uma "outorga da alma" aos cuidados de Cristo, para que seja formada segundo a sua imagem moral e metafisicamente. É o total abandono do mundo e do **eu**, e a total dedicação a Cristo como Salvador e Senhor. Digo e repito: Senhor, e não só Salvador. Pois ninguém se converte se Jesus não é seu Senhor. A verdadeira fé, por si mesma, é um ato inicial da conversão, o que faz o homem ser, espiritualmente falando, aquilo que não era. De fato, fá-lo-á voltar o rosto para o mundo eterno, levando-o a compartilhar plenamente da própria natureza e essência do ser de Cristo, moral e metafisicamente. (Ver Cl 2.9,10; Ef 3.19 e 2Pe 1.4.) A fé é uma "transação da alma", e não uma atitude mental. Devemos distinguir cuidadosamente entre "confiança" e "fé". Posso confiar em Cristo de que ele possui o poder que as Escrituras dizem que ele tem. Posso ter "confiança" como uma crença ou atitude. Se não entrego a minha alma a ele, porém, não terei "fé". Nessa entrega, a influência do Espírito começa literalmente a transfigurar a energia vital do meu ser, a espiritualizar-me, usando o próprio Cristo como modelo ou arquétipo a ser reproduzido. Essa "transformação" real é que é a fé, sendo algo muito mais profundo que a confiança.

ARREPENDIMENTO — O NT usa o termo grego **metanoia** por 60 vezes. Essa palavra significa "mudança de mente". Tal como no caso da fé, com base no NT deve significar uma mudança espiritual e essencial do ser, e não mera mudança de intelecto ou de emoções, no tocante ao pecado. O termo "arrependimento" está associado a "mudança de mente" acerca do pecado, do "eu", de Deus e do destino. A remissão de pecados o acompanha como um resultado. Outra palavra usada para arrependimento é "metamelomai", que significa "entristecer-se depois"; e esse vocábulo é usado por cinco vezes no NT (ver Mt 21.29,39; 27.3; 2Co 7.8 e Hb 7.21.) Pode denotar remorso real ou inútil, meramente humano, ou divinamente inspirado. Esse vocábulo frisa o elemento da "tristeza" que o arrependimento deve impor. Ficamos "tristes" ante o erro praticado; tristes pelo egoísmo, pela visão errada da vida e seus propósitos. Essa tristeza opera mudança, quando é genuína.

Matetés – Os psicólogos falam em **conversão**. Certamente eles contemplam algo natural — mas isso não satisfaz às exigências neotestamentárias acerca da conversão, não é assim?

Zetetés – A conversão necessariamente deve envolver o elemento humano. Para ser genuína, entretanto, deve envolver também o elemento divino. Com isso quero dizer que o homem é um ser decaído, e de tal modo que, só, sem a ajuda divina, jamais ele poderia arrepender-se ou ter fé, não podendo converter-se, por conseguinte. O Espírito opera a conversão. Cremos que ele nos influencia de modo literal, a fim de modificar não meramente a nossa mente, mas até a nossa alma. Isso significa, literalmente, que ele começa a nos transformar segundo a imagem e a natureza do próprio Cristo. Essa obra, como é óbvio, está além de qualquer poder humano. Por isso a salvação deve ocorrer independentemente dos méritos humanos, com base num ato divino. Na conversão, o homem deve "cooperar" com o impulso divino que o leva a Cristo. Ele não pode tornar esse ato nem poderoso e nem eficaz, mas pode rejeitar ou aceitar sua operação. É desse modo que nos vemos envolvidos no problema do livre-arbítrio e do determinismo, que não pode ser solucionado a contento, nem pela filosofia e nem pela teologia. Deus usa o livre-arbítrio do homem sem destruí-lo; mas não sabemos dizer como isso é feito.

Scepticós – Pelo que você diz, vejo que na conversão já nos vemos envolvidos em certas disputas teológicas. Alguns salientam em demasia a parte humana, e a conversão transforma-se em algo natural e humano; outros exageram a parte da predestinação e ignoram, necessariamente, aquelas passagens que tratam do livre-arbítrio e da responsabilidade do indivíduo.

Zetetés – É verdade. A revelação entre a conversão e a predestinação, a conversão futura de Israel e a relação entre a conversão e a livre-agência humana, constituem algumas das questões mais debatidas da teologia. Se, porém, usarmos nossa chave do "paradoxo", provavelmente chegaremos mais perto da verdade do que algum dos outros.

Matetés – O que você quer dizer com "chave do paradoxo"?

Zetetés – Quero dizer que todas as grandes verdades, quando pressionadas, quando exigimos delas explicações e descrições, produzem paradoxos inerentes. Assim, na conversão, há interação entre o livre-arbítrio e a vontade divina determinadora. Isso pode parecer uma "autocontradição". Essa contradição, no entanto, ocorre somente em nossa compreensão. Se tivéssemos um tipo diferente de mente, sabedoria mais profunda, discernimento mais arguto, provavelmente poderíamos retirar o elemento paradoxal dessas doutrinas. Mas, conforme as coisas são, devemos deixar certos paradoxos em nossa fé. Por isso dizemos, a "conversão é algo divino", algo além da vontade e do poder humanos. Dizemos também que a conversão é "algo humano", dependendo da operação, da vontade humana, tanto no seu ato inicial, quando a conversão começa, quanto como um ato contínuo, no qual a conversão se mescla com a santificação, e sem a qual aquela não é nada, em absoluto. Pomo-nos em posição ridícula quando expomos nossas convicções de um lado ou de outro, ignorando o lado contrário e criticando aqueles que o aceitam.

Súnesis – Prossigamos com as sugestivas definições e conversão. Zetetés nos apresentou uma sondagem bíblica sobre o tema, além de um pouco de teologia. Já vimos qual a definição bíblica básica da conversão. Vamos expô-la de outras maneiras.

Scepticós – O arrependimento, que faz parte da conversão, como é óbvio, não é "boa-vontade com a intenção de guardar pecados confessados".

Matetés – O que você pode querer dizer com isso?

Scepticós – Quero dizer que algumas pessoa supõem que podem viver viciadas, mas que enquanto continuarem confessando tal vício, estarão perdoadas, e a todo tempo estão "salvas em seu pecado", e não "salvas do pecado".

Sofós – Efésios 3.3-5 deixa claro que nenhum **viciado** pode ser salvo. Ou a conversão liberta o indivíduo de seus vícios, dando-lhe a vitória, ou terá sido uma pseudoconversão.

Súnesis – Essas palavras são fortes, mas "sábias". Mas o que você diz não envolve a perfeição impecável?

Sofós – Certamente que não. A perfeição impecável é um belo ideal, que finalmente se concretizará, conforme o demonstram tanto as Escrituras como a experiência humana; mas, no tocante a este estado mortal, não passa de ficção. O suposto indivíduo impecável apenas rebaixou a definição de pecado, não se elevando à altura da mesma.

Epítropos – Contudo, não nos enganemos a respeito. A conversão nos eleva acima dos vícios, dando-nos a vitória sobre eles, apesar de deslizes no erro. De outro modo, ninguém se terá realmente convertido.

Sofós – A conversão, pois, é uma "mudança radical de alma". É uma mudança que corta a raiz do que é o ser humano, mudando o homem na própria raiz. A conversão é o "meio da transformação", ou não será verdadeira. O meio de transformação deve começar no abismo, onde se encontra o homem. No entanto, essa transformação não deixa que o homem permaneça ali, pois, de outro modo, ela não será autêntica.

Súnesis – A conversão é divina e seu produto é divino. A mera conversão psicológica, ou uma "confissão", pode deixar um homem essencialmente onde ele estava. Contudo, não é assim com a conversão divina.

Scepticós – Penso que podemos fazer distinção entre a "iluminação" (em alguns níveis) e a "conversão". Por onde quer que vá o evangelho de Cristo, segue-se certa dose de iluminação. Assim, no mundo, nas ruas, no governo, na escola, as coisas estão melhores (porque Cristo esteve entre nós) do que teriam sido de outra maneira. De certo modo, ele iluminou a tudo e a todos, mas em graus bem diferentes. Na igreja, mais particularmente, há vários graus de iluminação, que ficam longe na própria conversão. Tomemos o caso de certo homem. Ele ajudava a fazer funcionar um clube noturno e explorava a prostituição. Entrou em contacto com uma igreja e "deu uma profissão de fé". Foi melhorado, não se duvida. Recebeu certo grau de iluminação. O tempo, porém, deixou claro que ele não se convertera, realmente. Em primeiro, houve um vício ou dois, sem falarmos da prostituição, que ele não pôs de lado. É verdade que por algum tempo deixou o clube noturno. Sendo, entretanto, um pouco preguiçoso por natureza, recusava-se a trabalhar devidamente, ficando em um emprego apenas por algumas semanas. Sua família passava necessidades, e outros tinham de pagar suas contas. Ele ficou embaraçado com isso, pelo que "temporariamente" (segundo explicava) voltou ao clube noturno, a fim de ganhar dinheiro para saldar suas contas. Nesse ínterim, foi batizado e aceito como membro da igreja, e

|Artigos introdutórios| NTI

começou a ensinar uma classe de Escola Dominical. Não se fez a ele nenhuma exigência moral, pois ele era capaz de ensinar na igreja e fazer funcionar seu clube noturno ao mesmo tempo. Esse homem não exibia nenhuma amargura contra as Escrituras e contra a fé, e foi aprimorado por elas, mas não o bastante. Fora iluminado, e continuava a sê-lo, enquanto lia as Escrituras. Nunca, porém, se **converteu**, na realidade. Jamais tivera nenhuma tristeza real por seu pecado, o que faz parte do "arrependimento", e nem jamais sentira profundamente o problema do pecado. Para ele, o evangelho tinha muito pouco "imperativo moral", e a igreja lhe permitia viver dessa maneira, pois talvez administrasse um evangelho de vida fácil, que não requer muito dos homens. Certamente que não lhe foi exigida nenhuma "renúncia".

Súnesis – Já que você ventilou um incidente realmente sucedido, que ilustra como a iluminação fica aquém da conversão, eu apresentarei outra ilustração, desta vez envolvendo um pregador do evangelho. Esse homem, em um sermão, exaltava as virtudes e bênção do perdão de pecados. Assim, dizia: "Cometo este pecado, e então vou ao Senhor confessá-lo. O Senhor me perdoa. Então cometo outra vez o mesmo pecado, e digo ao Senhor: 'Oh, Senhor, eis-me novamente com o mesmo pecado'. E o Senhor me perdoa. E então, tudo acontece de novo, por muitas e muitas vezes. O Senhor sempre me perdoa. Que bênção é o perdão de pecados!"

Scepticós – Dessa maneira, a cruz torna-se uma desculpa para não carregarmos a cruz, e o vício se torna uma virtude, porque me faz permanecer orando e pedindo perdão.

Súnesis – Pelo contrário, o arrependimento é uma obra divina que limpa e espiritualiza a alma. O caso que você descreveu consiste apenas de protestar palavras piedosas. Nada tem a ver com a conversão. A conversão é o meio da transformação. Nesse tipo de conduta, que mudança há?

Matetés – Se compreendo a corrente de seus argumentos, percebo que não há muitas pessoas "convertidas", embora haja grande número de pessoas iluminadas, em maior ou menor grau.

Zetetés – Jesus disse algo que mostra essa realidade. O caminho é estreito; a porta é estreita. Poucos são os que seguem por esse caminho; poucos são os que passam pela porta. Como pensaríamos em ganhar tão grande prêmio, se agora nos negamos a lutar?

Já que demos exemplos, que dizer sobre a prática tão popular hoje em dia, de grupos de jovens irem em igreja a tocar música própria de clubes noturnos, em meio a palavras do evangelho, com frequência ditas de modo frívolo, a fim de preparar a "cena" para convencer os homens a "receberem a Cristo como Salvador"? Consideremos essas pessoas agora, na imaginação. Algumas jovens de boa aparência, saias curtas e blusas apertadas, balançando as cadeiras ao som da música de clubes noturnos, e jovens a tocarem violões elétricos. Quero confessar que, certa noite, numa igreja, não faz muito tempo, tivemos realmente uma apresentação de música de "jazz". Fiquei tomado pela música e percebi que surgia o espírito animal. Em tudo aquilo, porém, não houve nada de espiritual. Bem pelo contrário. Pela metade da apresentação, um deles se adiantou para dar um **testemunho**. E no fim disse que todo o "espetáculo" tivera lugar para fazer as pessoas receberem a Jesus como Salvador, que presumivelmente seria o seu "senhor". "Senhor?", pergunto. Quando voltei para casa, naquela noite, me senti envergonhado por ter ido à igreja.

Scepticós – Posso ver isso com facilidade. Os filósofos afirmam que a música tem o poder de provocar estados metafísicos da mente e da alma. Pode inspirar a atitude de sensualidade, ou a atitude de adoração, e também de orgulho, de melancolia ou de alegria. Pode uma música sensual convencer realmente a mente de um homem para que se sintonize com Deus? Duvido. Certamente não acontece assim comigo. Não é de admirar, pois, que haja tantas "pseudoconversões". O evangelho é degradado e desgraçado em uma mensagem de "crença fácil", que produz "conversões fáceis", que não requerem renúncia.

Súnesis – Estamos dando alguma informação sobre o "meio de transformação" ou "conversão". Essa transformação muito tem a ver com a fé em Jesus e com a expiação. Que se pode dizer sobre esses temas? Epítropos, diga-nos o que você pensa acerca da expiação pelo sangue. O que os antigos pensavam a respeito disso? Qual é o ensino do NT nesse sentido, e em que isso está vinculado à conversão?

Epítropos – Suas várias perguntas exigiriam muito tempo para serem respondidas, se tivéssemos de dar respostas detalhadas. Procurarei apresentar um breve sumário:

Informações colhidas da literatura antiga de diversas culturas revelam a prática do sacrifício de animais, pelo que tinham certo conceito de "expiação pelo sangue"; muitas delas, incluindo os hebreus, em parte da história de Israel, tomavam a posição de o sangue que fluía das veias da vítima, ao entrar em contato com o "altar" do deus ao qual a vítima era oferecida, ser "carregado de poder mágico", conferido diretamente pelo deus. Esse poder mágico

era a virtude que aquele deus outorgava ao seu altar. O sangue, pois, uma vez que tocasse tal altar, conteria, de modo literal, a virtude do deus que era dono do altar. Qualquer mortal humano que fosse aspergido com o sangue, naturalmente vinha a participar do poder do sangue do deus. A virtude desse sangue era boa para purificação e para dar poder. Na verdade, esse conceito não difere muito do da moderna igreja sacramentalista, onde, supostamente, os sacramentos envolvem certa virtude de graça, que ajuda aos que são "batizados", aos que "comungam" etc.

Zetetés – Você está sugerindo que essa ideia "crua" de expiação pelo sangue, conforme diziam alguns antigos, incluindo os pagãos, na realidade era uma forma de sacramentalismo?

Epítropos – É sacramentalismo cru, embora sacramentalismo. Esse é nosso primeiro conceito de expiação pelo sangue. O segundo é que o sangue torna-se mero "símbolo" de alguma outra coisa. Essa interpretação, tal como na cristandade, existe como revolta contra o primeiro conceito que descrevemos. Não se pode duvidar, entretanto, que o intuito de alguns dos autores do NT tenha sido simplesmente o de mostrar a ideia "simbólica" da expiação pelo sangue.

Zetetés – Se o sangue algumas vezes é o símbolo de algo, do que consiste esse algo?

Epítropos – No caso da expiação feita por Cristo, como é óbvio, isso é símbolo das realizações da vida e da morte de Jesus Cristo; ou, poderíamos dizer, simboliza aquela vida que se encaminhava para a morte de Cristo, a qual foi, essencialmente, expiação pelo pecado. O cordeiro tinha de ser sem defeito. O cordeiro devia ser preparado para o ato salvador. O cordeiro, pois, teve de mostrar-se autêntico em sua vida. Tinha de ser sem mancha e sem dolo, pois não seria um sacrifício comum. Antes, em si mesmo, seria tudo quanto está envolvido em sacrifício, pondo fim a todos os demais sacrifícios. Sua vida preparou-o para ser exatamente isso. Então, no derramamento do sangue, o princípio inteiro de sacrifício foi concentrado em epítome. Nisso temos o perdão dos pecados, bem como acesso ao Pai, e uma santificação contínua. A criação inteira foi afetada, e não somente os homens (ver Cl 1 e Ef 1). O cordeiro agora é o Rei, porquanto fez algo que ninguém mais poderia fazer. Ele venceu a inimigos ferozes e satânicos (Cl 2), e abriu os mais elevados céus às aspirações dos homens. Há muitas outras coisas que a "cruz" realizou. Estamos apenas tocando nos pontos principais, a fim de responder, de modo breve, às perguntas de Súnesis. Agora, o "sangue" da expiação pode ser, em certas ocasiões e para alguns autores, "símbolo" de tudo o que a cruz realizou.

Zetetés – Assim, você mencionou duas coisas. Há o cru ponto-de-vista sacramental da expiação pelo sangue, mantido pelos pagãos, mas que rejeitamos, e do qual o termo "sangue" pode servir de símbolo. Que outra descrição ou explicação se pode dar, a fim de nos ajudar a entender esse assunto?

Epítropos – Consideremos o aspecto "místico" da expiação pelo sangue. Quando Cristo ofereceu seu sacrifício, sendo o Cabeça federal da raça, a própria raça passou a se beneficiar de quaisquer benefícios; algumas poucas dessas coisas foram enumeradas acima. Mas a expiação está longe de ser uma "ficção", e é muito mais que um "símbolo". Devemos atribuir-lhe poder real, e deve haver algum meio real de transmitir esse poder. Em primeiro lugar, esse poder chega até nós pela "declaração forense" de Deus. Quando, pela fé, recebemos a Cristo, dedicando a ele a nossa alma, por causa da "identificação" que é assim estabelecida com o Cabeça federal da nova raça, Deus nos "declara perdoados", sujeitos a todos os benefícios derivados da expiação. Essa posição que é dada em Cristo, essa "identificação", entretanto, não é algo que possa "permanecer sozinho de pé". Para que seja válido, aquilo que o sangue de Cristo supostamente faz por nós, ao transmitir poder real, deve ser realmente feito. Como é que isso pode ser feito? Vamos dizê-lo de outra maneira: Como seremos perdoados, e não apenas perdoados, mas também vitoriosos sobre o pecado, libertos dos vícios? Isso pode vir mediante um poder real, e não pelas proposições frias de "declaração forense". Mais do que isso deve estar envolvido no sangue da expiação. O Espírito é o agente daquele "mais". O Espírito agora vem a nós como o "alter ego" de Cristo. E seu poder é real, e sua presença é poderosa. Assim, em virtude do sangue de Cristo, o Espírito está conosco, e ele está conosco a fim de transformar-nos segundo a imagem de Cristo. Isso ele faz, em primeiro lugar, pondo-nos em correta relação com Deus. Tornamo-nos filhos, e tem início o caminho para a glória. Então ele nos limpa; em seguida ele nos santifica continuamente; e não só santifica, removendo pecados e dando-nos vitória, mas também levando-nos a participar das virtudes positivas de Deus. O alvo é a perfeição, embora isso seja alto demais para o homem mortal atingir enquanto ainda está no corpo. Não obstante, na proporção em que saem os pecados, entram as virtudes. Estamos nos tornando seres semelhantes a Cristo, compartilhando de suas virtudes e de seus poderes positivos e não meramente sendo libertados do pecado, embora essa já seja uma verdade magnífica. Portanto, é dito que o sangue "limpa" os crentes, à proporção que confessamos diariamente nossos erros. Isso é feito por meio do ministério direto do Espírito, o alter ego de Cristo. Para nós, o sangue visa a que tenhamos tudo que se pode ter na "salvação", o que inclui o conceito da glorificação eterna e contínua. Pois, já que há uma infinitude com que seremos cheios, também deve haver um preenchimento eterno. E já que o ministério direto do Espírito está envolvido nessa realização, a expiação pelo sangue deve incluir a função "mística", e não meramente uma função "simbólica". Portanto, rejeitamos o ponto de vista sacramental da expiação, mas apegamo-nos à interpretação mística porque, à parte do ministério do Espírito Santo, não haveria poder no sangue.

Zetetés – O que você entende por "virtudes positivas" de Deus, que nos são infundidas?

Epítropos – De modo geral, falamos sobre os "frutos do Espírito". Isto é, o amor, a longanimidade, a fé, a bondade, a gentileza, a santidade e seus acompanhantes, a espiritualidade e suas propriedades. Tudo quanto Deus é em suas "perfeições" é que, idealmente, pode ser compartilhado pelos homens. Já que Deus tem perfeições infinitas, a "infusão" das virtudes positivas deve ser um processo perene, pois nenhum ser criado pode "jamais chegar" completamente à perfeição de Deus. Esse é o "alvo eterno" da vida humana inteira, e os homens estão infinitamente comprometidos com isso, uma vez que se identifiquem com o Filho de Deus. Os filhos devem possuir as características do Pai e do Filho, incluindo o mesmo tipo de natureza (ver 2Pe 1.4). Esse é um conceito imenso, e o "sangue aplicado" aponta para o mesmo, e o fato que é "aplicado" vem por meio de uma ação real do Espírito, e não por algum conceito abstrato ou dogma. O Espírito transforma literalmente nossa energia vital em uma "forma mais elevada de vida", segundo a imagem de Cristo.

Portanto, é óbvia a relação entre a expiação pelo sangue e a conversão. A conversão deve ser uma transformação real. Essa mudança vem pelo arrependimento e pela fé. No arrependimento, mudamos nossa mente sobre nós mesmos, reconhecendo a nossa pecaminosidade e indignidade. Mudamos de mente sobre Deus e suas exigências feitas a nós. Mudamos de mente sobre o sentido do destino humano, isto é, acerca de nós mesmos. Ficamos **tristes** pela confusão que somos, pela rebeldia que nos caracteriza, pelos pecados cometidos. Na realidade, o arrependimento, teológica e experimentalmente, é uma mudança da alma, e não apenas uma mudança de mente, embora, verbalmente falando, a definição básica seja uma "mudança de mente". O sangue nos dá a base para a "mudança", como também o poder, porque medeia o Espírito para nós, pondo-nos no lugar onde o Espírito pode tratar conosco. A conversão também é fé. Trata-se da entrega de alma a Cristo. A expiação de Cristo põe-nos em uma posição onde podemos fazer essa entrega, dando-nos poder de permanecer firmes, da maneira em que ele prescreveu para nós. Essa fé é "em Cristo" para sermos transformados, isto é, com o intuito de que a transformação seja uma realidade. Em nada disso a alma fica sozinha ou destituída de ajuda. Jamais a alma confiante é deixada com uma trivialidade ou com um dogma morto. Entretanto, o Espírito paira próximo daqueles que chegam a confiar no que Cristo fez por eles, em sua vida, em sua morte e em sua ressurreição. Ele não paira próximo sem nenhum propósito. Ele sabe por que razão paira, e assim o faz.

Zetetés – Prossigamos com alguns comentários sobre a "expiação". Tenho aqui algumas notas, pois sabia que qualquer discussão sobre a conversão necessariamente deve incluir isso. O que, pois, devemos entender por expiação? Já vimos, de modo geral, do que consiste a expiação pelo sangue. Pelo menos vimos três ideias básicas a respeito do que isso significa. Rejeitamos o ponto de vista sacramental. Não cremos que os pagãos estivessem com a razão quando supunham que o líquido real do sangue estivesse **carregado** de algum poder mágico. Nem cremos que o crente que supõe haver algum poder literal, residente na eucaristia, esteja com a razão. Esse poder supostamente estaria na presença real do sangue de Cristo. Já admitimos a possibilidade de que algumas vezes o "sangue", como expressão verbal, poder ser um símbolo do que Cristo realizou na cruz. Mas também aceitamos que deve haver poder real no sangue, e não meramente um símbolo verbal. É razoável pensar que o poder real reside na operação do Espírito, o alter ego de Cristo. Desse modo, a expiação pelo sangue torna-se algo místico, real e poderoso. Há várias teorias sobre o que está envolvido na cruz, na área da expiação. Daremos algumas delas.

Primeiramente, nas declarações do próprio Jesus, há indicações claras de que ele entendia que sua morte era expiatória. Pessoalmente, não nos podemos aliar àqueles que creem que a igreja inventou tudo. As narrativas da última ceia, nos evangelhos, indicam com clareza que Cristo se tornaria

uma oferta propiciatória. 1Co 5.7 chama-o de **nossa páscoa**. Após a ressurreição, os seguidores de Cristo estavam convencidos de que sua morte não foi somente um triunfo sobre o princípio do pecado, mas também sobre os poderes satânicos. Portanto, as sementes das teorias de expiação foram semeadas pelo próprio Jesus, e não foram meros desenvolvimentos teológicos posteriores da Igreja. O próprio Jesus estava bem familiarizado com toda a teoria da expiação, e sua associação com a mesma foi natural, bem como verdadeira. Não há indícios de que Jesus tenha visto a sua morte (que ele via aproximar-se) senão como o clímax de uma vida dedicada, ou como uma espécie de dedicação suprema. Foi isso, mas certamente foi mais do que isso. Consideraremos agora algumas ideias definidas sobre a questão.

1) A teoria do martírio — Alguns negam peremptoriamente qualquer valor na morte de Cristo, exceto que, nela, ele sofreu por uma causa boa, tornando-se mártir dessa causa. Em sua expiação, nenhum pecado teria sido tirado, nenhuma satisfação teria sido efetuada, nenhum resgate teria sido pago. Nada mais teria sido oferecido além de um comovente exemplo de dedicação. Sua morte nos oferece esse exemplo, e não deveríamos desprezar isso, mas é suicídio teológico parar nesse ponto.

2) A teoria da influência moral — Fausto Socínio (1539-1604) e sua escola teológica, apegavam-se a essa ideia. De acordo com essa posição, a expiação não é algo dirigido para com Deus, mas antes, para com o homem. Não remove o pecado, mas cumpre um propósito no homem, pois o exemplo de Cristo, em sua morte, bem como na vida que foi um preparo para a morte, tornou-se uma poderosa força de influência moral para os homens. A vida toda de Cristo, os grandes fatos da encarnação, da vida, da morte e da ressurreição, tudo é posto na mesma classificação teológica: influência moral. Isso, todavia, deixa o problema do pecado essencialmente sem solução, e a natureza básica do homem continua negra. Até onde vai, diz uma verdade. 2Co 5.15 certamente assevera a ideia de "influência moral", na expiação, mas não é aí que pára o NT. A ideia da expiação, em Rm 4-5, certamente ultrapassa em muito a essa teoria.

3) A teoria da identificação — Cristo identificou-se de tal modo com os homens, que então são aceitos plenamente por Deus, na pessoa dele. Essa teoria, nas mãos da maioria dos teólogos, ignora a necessidade da expiação pelo pecado, embora possa ser dita de modo tal, que isso seja evitado. A teoria da identificação pode ser exagerada no lugar que a "identificação" inclui a "guarda vicária da lei", o "sofrimento vicário pelo pecado" e a "recepção vicária por parte de Deus". E tudo poderia ocorrer sem nenhuma "transformação real" efetuada no homem. Entretanto, a expiação, conforme cremos, é mais que identificação. Em sua forma extrema, a teoria nada requer do homem; no entanto, o evangelho de Cristo certamente é exigente. "Toma a tua cruz", e desse modo te identificarás com Cristo. De fato, não há outro modo de alguém identificar-se com ele. Sem isso, toda identificação é mera ficção teológica. Romanos 6 nos dá a verdadeira versão da "identificação". No batismo espiritual, tudo quanto está envolvido na morte e na ressurreição de Cristo é conferido ao crente, de tal modo que, pelo espírito, ele realmente morre para o mundo, ele realmente triunfa sobre o vício e sobre o princípio do pecado, ele realmente participa na forma de vida de Cristo, em sua essência. Um poder transformador está envolvido em tudo isso.

Há outro aspecto da verdadeira identificação, a saber, que quando Cristo morreu, quando houve possibilidade de Deus abandoná-lo, ao invés disso, reconhecendo-lhe o valor infinito, e tendo proposto de antemão, na encarnação, que Cristo se identificaria com todos os homens, Deus aceitou todos os homens em Cristo. Mas essa aceitação não é mera expressão pia. Torna-se real na ação do Espírito. Cristo não era do tipo de pessoa que pudesse ser abandonada; e assim, todos os homens são aceitos nele, pois ele é a Cabeça federal da nova raça. Tudo isso, naturalmente, é condicionado à fé. Esse conceito é tão poderoso, que podemos enfatizá-lo, dando-lhe uma classificação toda especial, tachando-a de teoria de "valor infinito".

4) A teoria governamental — A morte de Cristo, nessa teoria, é um sofrimento vicário, mas sem relação com o "castigo". Os defensores dessa ideia rejeitam a ideia do "Pai castigando o Filho, a fim de punir os pecados dos filhos em potencial". Igualmente rejeitam a retidão imputada. Creem que a teoria da "satisfação" falha, simplesmente porque nenhuma satisfação real é feita, mas somente uma satisfação potencial, da qual poucos homens realmente participam. Antes, afirmam, o pecado do homem faz Deus sofrer, e esse sofrimento cai sobre Cristo, como representante de Deus. Assim, Pai e Filho gozam de completa harmonia na hora do sofrimento. Esses sofrimentos manifestam a "compaixão divina" com o homem, em seu estado pecaminoso, e não um juízo penal. Deus não precisa de nenhuma "propiciação" pelo pecado. Seu ser não requer isso. O problema real está em como Deus pode "governar" diante da dura realidade do pecado, que ele não pode admitir, finalmente, como parte de seu universo. Ele revela seu "ódio" ao pecado pelos "sofrimentos", que se tornam necessários em face da hediondez do pecado. Por esses sofrimentos, o perdão é oferecido ao pecador. O pecador alcança isso quando se corrige em profunda tristeza, devido a todo o sofrimento que lhe é causado pelo pecado, mas também causado a Deus Pai e a Deus Filho. Vendo o sofrimento do pecador (que deseja corrigir-se), Deus perdoa o seu pecado. Dessa maneira, Deus é capaz de "governar" o seu mundo, apesar da presença do pecado. O processo inteiro de perdão é efetuado pelo amor e pela compaixão, e não pela ira e pela retribuição. Naturalmente, essa teoria tem algum mérito, algum discernimento, mas não dá importância devida às passagens bíblicas que falam da ira contra o pecado, da propiciação, da substituição e da satisfação. (Ver Is 53.4-6,10; Rm 3.25; 1Jo 2.2; 1Co 5.19; Mt 20.28; Mc 10.45; 1Tm 2.6, quanto a versículos que vão além dos conceitos emitidos por essa teoria.) A nota chave dessa teoria, no tocante ao homem, é a sua "penitência", por causa dos sofrimentos causados pelos seus pecados. É óbvio, porém, que a penitência não basta.

5) A expiação como satisfação — Cristo, em sua morte, ofereceu "satisfação" absoluta a Deus, no tocante ao pecado, por haver sofrido seu castigo necessário. Naquilo em que Cristo "sofreu por nós", ou "morreu pelos ímpios", poderíamos denominar de teoria "substitucionária", por igual modo. Ele tomou nosso pecado; nós tomamos a sua retidão. (Ver 1Pe 2.24; Is 53.4-11 e 2Co 5.21.) O universalismo é uma aplicação extrema da "satisfação", vendo todos os homens como necessariamente partícipes do ato salvador, como se a fé fosse inevitavelmente pertencente a todos. Textos como Romanos 5 e 1Pedro 3,4 certamente mostram que a expiação de Cristo, de algum modo, se aplica a todos os homens e os faz melhorar, isto é, modifica o que teria sido o julgamento de outra maneira. Efésios 1 também demonstra isso com certeza. Mas o universalismo, ao imaginar que todos os homens são eleitos, torna-se extremista. Portanto, uma satisfação "moderada", e não radical, parece corresponder à verdade dos fatos, e a maioria dos cristãos, antigos e modernos, se tem agarrado a alguma forma dessa teoria.

6) Expiação como resgate — Vários pais da Igreja frisaram esse ponto de vista, não necessariamente com a expulsão de outros quaisquer. Assim pensavam Irineu, Orígenes, Atanásio e Agostinho. Em sua forma crua, a expiação como "resgate" supõe que o diabo fez uma barganha com Deus, concordando em trocar a alma única de Cristo por todas as almas humanas. Então Cristo morreu; mas, para consternação de Satanás, a alma de Cristo não podia ser "aprisionada". Assim, o diabo saiu totalmente derrotado. Outros fazem Deus Pai ser o recebedor do resgate. Cristo pagou o preço terrível do sofrimento pelo pecado a Deus Pai. Outros acreditam que a palavra "resgate" deveria ser usada de maneira frouxa e poética, não se devendo pressionar a sua analogia. Jesus "comprou os homens de volta", da servidão do pecado, mediante a sua morte; mas não precisamos pressionar a analogia além desse ponto. Mateus 20.28; Marcos 10.45 e 1Timóteo 2.6 são versículos usados como textos de prova em favor dessa teoria. Sem dúvida ela se reveste de valor, contanto que não procuremos desenvolver a analogia de modo exagerado. Historicamente, esse ponto de vista dominou a teologia durante cerca de dez séculos na Igreja.

Depois apareceu Anselmo e a teoria **substitucionária**, sobre a qual já discutimos. "Satisfação" é a palavra-chave dessa teoria. Cristo fez reparação quanto à questão do pecado, que abusara infinitamente da honra de Deus. A "satisfação", porém, também é infinita, pelo que tudo ficou em equilíbrio. É razoável supormos que alguma forma dessa teoria sempre foi mantida pela Igreja, pois tem certas bases escriturísticas. Nenhuma das teorias, isoladamente, diz-nos tudo quanto se pode dizer sobre a expiação.

7) A teoria de Abelardo — Segundo esse ponto de vista, a contemplação da cruz comove de tal modo o crente, que ele reconhece nela o poder transformador de Deus e seu amor sacrificial, sendo assim levado a arrepender-se de seus pecados, devotando-se, daí por diante, a uma vida de amor sacrificial. Dessa ideia de Abelardo é que se desenvolveram as teorias do martírio, da influência moral, e alguns aspectos da teoria governamental. Os humanistas, os socínios, os unitários e vários liberais têm sido atraídos a esse conceito básico. É óbvio que tem algum valor, mas trata-se de um bom lugar por onde começar a explicar a expiação, e não para pôr-lhe ponto final.

Relacione essas teorias da expiação à conversão, Epítropos.

Epítropos – Quando um homem tem fé em Cristo, o que é válido nessas teorias torna-se uma realidade viva na vida. O Espírito, que atua diretamente, garante isso. E todos esses "aspectos válidos" dessas teorias, têm parte na transformação à qual damos o nome de "conversão". A conversão deve ser inerentemente entretecida com a justificação e a expiação, com o perdão dos pecados e com o ato salvador em geral. Usamos muitos termos para falar da "salvação", como conversão, justificação, santificação e glorificação. Esses termos descrevem alguns aspectos da salvação, alguns cronológicos — pois ocorrem em sequência — e outros sincrônicos.

Scepticós – Como pode ser isso? Não haverá progressão na experiência da salvação, que descrevemos usando termos diferentes? O que você quis dizer com "outros sincrônicos?"

Epítropos – Normalmente dizemos que a "conversão" vem primeiro, depois a "santificação", e depois a "glorificação". Entretanto, a santificação é a continuação da conversão, e a glorificação é a continuação da conversão e da santificação. Todos esses vocábulos simplesmente descrevem, de diferentes maneiras, a "salvação". Dizem-nos "como" a imagem e a natureza de Cristo vão sendo formadas em nós. A santificação é uma espécie de glorificação presente, pois significa que aquilo que "eventualmente" deve realizar-se em nós, é cumprido em nós, desde agora, em forma de semente. Contudo, a glorificação é algo essencialmente futuro, ainda que tenha raízes na conversão, na santificação e no desenvolvimento diário do crente.

Scepticós – Ouvi um pregador dizer, não faz muito tempo, que a "salvação" dos crentes necessariamente tem de ser um processo eterno. O que você pensa disso?

Epítropos – Se você não chama a salvação de processo eterno, então é provável que você não esteja usando a palavra da mesma forma que o fez aquele pregador. Estou supondo que ele quis incluir a ideia de "glorificação", dentro de sua lata definição de "salvação". Muitas pessoas das igrejas usam o termo "salvação" como se fora equivalente à "conversão". Naturalmente, esse é um uso possível, o que pode ser demonstrado pelo próprio NT. Quando falamos acerca da "salvação futura", porém, naturalmente temos de envolver o conceito de "glorificação". Ora, a glorificação não é um ato isolado num ápice de tempo. Antes, Cristo sempre será o alvo da existência, e o seu ser será "tudo para todos" (Ef 1.23). A criação é "para" Cristo, e não apenas por meio dele. Assim, a criação sempre irá se movendo na direção dele. Toda a "plenitude divina" será infundida na alma (Ef 3.19) e, à proporção que isso for sucedendo, estaremos alcançando um após outro os graus da glória (2Co 3.18), à medida que a imagem de Cristo for sendo formada em nós. Visto que a natureza e a imagem de Cristo são infinitas, isto é, que ele possui a infinitude da plenitude divina, à medida que formos avançando, haverá a necessidade ainda de um infinito enchimento. Nunca chegará o tempo quando um ser criado poderá vir a possuir toda a plenitude divina; nunca chegará a ocasião em que os remidos não venham a participar ainda mais da redenção. Portanto, a glorificação é um processo eterno, é algo infinito; e por isso, reveste-se de participação infinita. Trata-se de um processo eterno, porquanto nunca se poderá chegar ao fim dessa caminhada, embora seja grandemente admirada a espiritualização da alma humana ao longo desse caminho. Admirada e, no entanto, totalmente inefável agora. Podemos meramente entrever o que deve significar "participar da natureza divina" (2Pe 1.4). Outrossim, precisamos aceitar literalmente essa declaração, pois haveremos de participar da "mesma natureza", ainda que de modo finito e secundário. Voltaremos a esse tema quando estivermos falando acerca do "meio da glória".

Zetetés – Passemos agora ao segundo tópico:

b. Conversão biológica

Matetés – O que poderá significar isso? Eu pensava que tivéssemos vindo aqui para falar sobre teologia.

Zetetés – Como vocês sabem, a conversão é um fenômeno que não se limita à igreja, e nem mesmo à religião organizada. Há conversões reais e radicais que envolvem ideias políticas, ocupações, causas humanitárias etc. Pode também haver pseudoconversões religiosas, em que nenhuma obra divina é feita. Quase todos os psicólogos nada veem de divino nas conversões religiosas, apesar de admitirem a realidade de tal experiência, a qual, com frequência, tende para algum bem. É justamente nesse ponto que entra a conversão biológica. Pode ser uma pseudoconversão dentro da igreja, sobretudo no tocante aos jovens, quando estão prestes a se tornar adultos.

Matetés – Você quer dizer que a conversão pode ser uma coisa, para uma pessoa jovem, e outra coisa, para uma pessoa de idade? Certamente isso é engraçado para mim.

Zetetés – Penso que a experiência mostra que isso pode ocorrer. Vocês já notaram como, se um homem tiver de ser religioso em toda a sua vida, quase certamente o será nos seus últimos anos de adolescência? Depois, disso, talvez nunca mais dê grande atenção à igreja. Quantos jovens adolescentes tornam-se membros ativos de igrejas, pegam "fogo", por assim dizer, mas, depois de casados, reduzem-se a inutilidades espirituais!

Scepticós – Certamente esse é um acontecimento comum. Já me perguntei por muitas vezes por que isso acontece. Mas, o que tem a ver com isso a sua chamada "conversão biológica"?

Zetetés – Ora, Scepticós, pensei que você soubesse tudo! Desculpe-me, não há ofensa intencional no que digo. É assunto comum, nos livros de psicologia, ao tocarem nesse tema, supor que a "conversão" de jovens que se aproximam da idade adulta se deve ao florescimento ou fruição dos impulsos e anelos básicos biológicos e psicológicos. Nesse "irrompimento de vida", o indivíduo parte em busca de novidades, de mudança, de excitação. É verdade, porém, que os "impulsos superiores", apesar da tendência da juventude em semear uma colheita futura má, também se manifestam quando as forças íntimas e vitais exercem poder irresistível. A juventude amadurece em sonhos e, então, em anelos. O botão se abre. A visão de aclara, e, subitamente, o indivíduo jovem é assoberbado por profundo interesse pela fé religiosa. Estudos estatísticos demonstram grande coincidência de idade no tocante às conversões. Alguns psicólogos estão convencidos de que o que sucede, pelo menos em muitos casos, é apenas a "sublimação" do impulso sexual. Esse impulso é inicialmente subjugado (sobretudo no caso de jovens que são membros de famílias religiosas), e então, subsequentemente, é refinado na forma de sentimentos religiosos. E é aí que se tem a denominação "conversão biológica".

Scepticós – Com frequência, tenho notado isso, mas nunca atribuí tal coisa à "causa" que você sugeriu. No entanto, faz sentido, ainda que seja perturbador. Naturalmente, você não está falando de todas as conversões, mas desse fenômeno de um maior número de conversões nessa faixa de idade próxima da idade adulta.

Súnesis – Não sou psicólogo, mas creio que o que Zetetés sugeriu tem certa dose de verdade. Todavia, não penso que isso seja a única coisa que acontece. O que você pensa, Sofós?

Sofós – Já tinha lido sobre essa questão das "conversões biológicas". Concordo que, quase certamente, há nisso alguma verdade. Contudo, mais que isso está envolvido, mesmo à parte da influência do Espírito. Penso nos jovens como botões que começam a desabrochar, que há sublimação quanto à consciência própria (como na busca da salvação pessoal); que há sublimação quanto ao temor (como no interesse do juízo, ou naquilo que se chama de "destruição final"); há sublimação quanto à natureza gregária do homem (a igreja, como organização social, torna-se popular; é lugar de se encontrar namorado ou namorada); também há o aparecimento da autoexpressão (sublimada no zelo missionário: "Serei um missionário", diz o jovem; mas três anos depois ele detesta a ideia). Os jovens repentinamente aprendem a apreciar a beleza (e a adoração e a santidade se fazem vitais, talvez apenas por um tempo). Quase certamente são despertados mais uns seis outros "instintos" ou propensões, e isso, de algum modo, produz mudanças radicais no indivíduo, com nuances religiosas, que se fazem passar por conversão, mas que podem ter caráter totalmente humano. Dessas maneiras sugeridas, a conversão pode ser um real "desabrochar na vida adulta", embora algo natural, totalmente natural.

Súnesis – Mas será que tais fatores não seriam aliados da conversão real?

Sofós – Sem dúvida. A pessoa floresce, e talvez, em alguns casos, o Espírito se aproxima, pronto a fazer sua obra. Ele apanha a pessoa jovem em momento oportuno, e faz verdadeira operação na alma. Nesses casos, os instintos nobres são dedicados a Cristo e ao seu reino, e o impulso biológico torna-se igualmente um impulso espiritual. Sinto que os jovens são mais facilmente atingidos pelo evangelho porque, no estágio vizinho da idade adulta, estão mais próximos das realidades biológicas. Esses jovens, assim que o fogo se abranda, o que é ajudado pelo casamento, revertem a uma atitude mais "indiferente" acerca da fé religiosa. Não devemos permitir, porém, que isso enevoe o fato de que a juventude tende por ser mais idealista que as pessoas de mais idade, e que muitas dessas últimas se aquietam numa espécie de pessimismo requeimado, conforme as experiências da vida as vão machucando. Nesse "estágio idealista", tornam-se mais receptivos para com a influência do Espírito, pelo que devemos usar da arma da verdade, com um desafio, nesse momento oportuno. Deus criou a biologia, e até isso pode ser um meio de ajudar o homem a aproximar-se dele.

Zetetés – Prossigamos agora para a:

c. Conversão confessional

De **todos** os tópicos que escolhi, este é o que reputo mais urgente. Tenho ficado bastante perturbado com o que tenho visto nas igrejas, por causa do modo como se usa a "confissão pública". Notemos como quase todos os sermões, em alguns segmentos do cristianismo de hoje, concentram-se em longos apelos que virtualmente forçam as pessoas a **levantar a mão** ou a "vir à frente". Certamente que em grande parte disso, se alguma coisa ocorre, é algo puramente psicológico, nada tendo de espiritual. Chega-se a obter a ideia de que a substância da fé cristã é a confissão. Certamente, isso é um absurdo. As pessoas adquirem a falsa ideia da "magia" de tal ato, e perdem de vista totalmente toda influência real do Espírito. Além disso, o indivíduo desenvolve um falso senso de segurança, pensando que fez uma barganha irreversível com Deus. No entanto, sai dali e continua a viver no vício; e assim má foi a

sua barganha! Todos já vimos reuniões de reavivamento nas igrejas. O pregador, do lado de fora, com uma esposa bonita e que toca bem o piano, apresenta-se com suas melhores mensagens. A igreja faz uma grande campanha, e o lugar se replena. Todos os sermões visam a "provocar a confissão". Assim, todo mundo faz confissão e "repete uma oração" após o pregador. Em seguida, lhes é dito que se "converteram", ou antes, que foram "salvos", e que estão a caminho do céu. Tivemos recentemente uma cena como essa. Pelo menos 20 pessoas fizeram tais "decisões". Mas, somente uma senhora e sua menina pequena se mantiveram firmes por dois ou três dias, até que a igreja se reuniu novamente. A senhora ainda resistiu por mais dois ou três domingos. Então, tudo voltou à normalidade. Nenhuma única pessoa das que "fizeram a confissão" estava na igreja. É óbvio que não houve conversões em tudo aquilo. Houve apenas "conversões confessionais".

Scepticós – Supomos que a real conversão é um ato de Deus sobre a alma, é o começo de uma autêntica transformação. Conforme já observamos em nossa discussão, é algo místico, em que Deus realmente entra em contacto com os homens. Se nos enganarmos a nós mesmos, pensando que fazer profissão pública de certo credo, ou repetir certa oração, pode substituir um ato real de Deus sobre a alma, então é que facilmente nos deixamos enganar.

Matetés – Mas Jesus não ordenou aos homens que "o confessassem diante dos homens"?

Zetetés – Naturalmente, mas isso não aponta para uma única ocorrência; antes, está envolvida a determinação perene de que a vida será transformada por Cristo, e que subsequentemente será usada por ele. Eu não abandonaria a confissão, antes, a cercaria com ensinamentos, e esses ensinamentos diriam, em alto e bom sim: "Vossa vida deve ser vossa confissão". Nenhum homem é convertido ou salvo por uma confissão menor do que essa.

Sofós – Nunca podemos apelar para nossa confissão, e nem ser salvos sobre a simples base de que o fizemos. A igreja é separada do mundo, não com base de que "nesta data, nesta igreja ou reunião de reavivamento, recebi a Jesus como meu Salvador." Antes, por ter "obedecido ao evangelho", conforme esclarece 1Pedro 4.17. Aquele que confessa, mas não obedece ao evangelho, nunca se converteu. O juízo, e não a salvação, vem sobre aqueles que não obedecem ao evangelho, segundo afirma o texto referido. Isso não envolve obras meritórias humanas para a salvação, mas indica que não haverá evangelho real sem o 'imperativo moral' e a transformação da alma. As pessoas que "vão confessar" deveriam ser claramente informadas sobre isso, porque de outra maneira a igreja local estará enganando o público e terá de prestar contas por isso, sem nenhuma dúvida.

Súnesis – A questão realmente vital, pois, não é "Você fez a confissão?" Pelo contrário, é: "Você está obedecendo às exigências do evangelho no tocante ao discipulado e à santificação?" Uma pessoa não santificada será salva só porque fez a confissão?

Sofós – Nunca, de acordo com 2Tessalonicenses 2.13. A igreja da "crença fácil" anseia pela glória, mas sem a cruz. Nem Jesus pode escapar assim.

Scepticós – Sim, não há valor em uma confissão sem o toque transformador do Espírito, que não resulte subsequentemente em "renúncia". Todo aquele que não renunciou a si mesmo, ao mundo, às obras do diabo, jamais pode ver o reino de Deus. Terá de emergir como criatura inteiramente nova, ou não poderá habitar naquele mundo. Nada leva a ele, exceto a renúncia. É disso que consiste o discipulado.

Zetetés – A pergunta final e urgente, cuja urgência me impressiona a mente, não é: "Você fez a confissão?" E nem: "Você passou pelo rito de receber a Jesus como Salvador?" Mas é: "A sua vida é a sua confissão?" O praticante da palavra é justificado, e não o mero ouvinte, não o que meramente confessou um credo, que passou por um rito. De que adianta o assentimento, indicado pelo "levantar da mão" ou pelo "vir à frente", se isso não é seguido pelo fato de Jesus tornar-se o Senhor daquela vida? Meus amigos, a que coisa barata muitos têm reduzido o glorioso evangelho de Cristo!

Sofós – Um homem pode justificar a si mesmo, fazendo a confissão; mas só o indivíduo que prossegue, obtendo vitória sobre os seus vícios, cuja alma está sendo moral e metafisicamente transformada segundo a imagem de Jesus, o Cristo, pode ser justificado diante de Deus. Quando um homem "fala", como sucede numa confissão, meramente assevera sua justiça própria, mas quando obedece ao evangelho, Deus está falando por meio de sua vida. Um homem pode dizer: "Senhor, Senhor, eu fiz a confissão". No entanto, Jesus bem pode lhe responder: "Tua vida não serve para mim como confissão. Afasta-te de mim, praticante da iniquidade!"

Zetetés – Quanta verdade! E como é fácil nos enganarmos a nós mesmos! E não é muito mais difícil enganar a outros. As trevas penetram no coração quando os valores materiais e mundanos cativam os desejos de um homem. Então ele começa a pensar que tem algo a ganhar neste mundo, além do favor de Deus. Esse homem tem um tipo de olhar que só vê no escuro. Seus olhos deixam entrar somente as trevas em sua alma. Se o olho é tenebroso, quão grandes serão as trevas que lhe permeiam todo o corpo (ser)! Jesus sabia do que falava quando descreveu como os espinhos medram e sufocam todo desenvolvimento espiritual. Esses espinhos, famintos e cobiçosos, decepadores e mutiladores, esmagam e fazem sangrar a alma, a qual é deixada inerte, sem nenhum préstimo. Este mundo jamais foi amigo de Deus, e jamais ajudou uma alma a ir a Deus? Meus amigos, não é fácil alguém ser um discípulo real de Jesus Cristo. A nota-chave para o discipulado é a "renúncia". Quão frequentemente as "confissões", nas igrejas, são feitas para tomar o lugar daquilo que realmente é vital!

Súnesis – Você deve estar lembrado que antes eu havia sugerido que a "confissão", em algumas igrejas, e no caso de algumas pessoas, tornou-se um rito mágico. Lembremo-nos de que os gnósticos tinham seus ritos mágicos, mediante os quais os iniciados supostamente obtinham algum favor especial diante de Deus. Por igual modo, uma igreja de crença fácil usa a confissão, confiando em sua magia sem nenhuma ênfase sobre a necessidade de carregar a cruz. Uma doutrina banal tem quase destruído o imperativo moral do evangelho. Pressões psicológicas são impostas às pessoas para levá-las a essa confissão. Métodos idênticos são usados pelos vendedores que tentam mercadejar seus produtos. As pessoas são levadas ao engano de pensar que por terem dito "Recebo a Jesus como Salvador", isso é uma poção mágica que soluciona problemas espirituais eternos. Com frequência, emerge a verdade real: "Tua vida é a tua confissão?" Pois um homem pode fazer essa confissão doze vezes por dia, mas se o Espírito não pairar por sobre ele e o transformar, radicalmente, dando-lhe vitória sobre os vícios, obcecando-o por Cristo, então não terá havido salvação, mas apenas a concha vazia do fingimento. Não há confissão genuína de Cristo sem a renúncia paralela. "Toma a tua cruz", disse Jesus; e a cruz é o símbolo da renúncia mais agonizante. Não poderá haver glória sem a cruz. É "glória por meio da cruz". Não há outra glória.

Zetetés – Deixem-me contar uma parábola das carcaças da graça barata. Quero expor um admirável argumento no qual bons membros de igreja agem como urubus que se reúnem em torno de carcaças de repastos desprezíveis. O batismo e outros "sacramentos" podem ser reduzidos a esses repastos. Há aqueles que creem que a graça opera mediante essas coisas, e que distribuí-las é trazer graça às pessoas. A fim de tornar a graça disponível para todos, até para nações inteiras, onde as igrejas oficiais estão em poder, a graça é reduzida a um preço incrivelmente baixo. A palavra e os sacramentos são vendidos em mercado grosso, sacerdotes e ministros batizam, confirmam e absolvem comunidades inteiras, nações inteiras, sem impor nenhuma condição, sem preço, sem nenhum indício da necessidade de renunciar ao mundo, algo inerente ao próprio evangelho, pois não existe evangelho sem a cruz. Os homens são levados a isso por uma espécie de sentimento humanitário santificado, e o evangelho é vendido a compradores igualmente culpados, pelo preço mais baixo possível. Quando os homens oferecem uma graça assim barata, poucos seguem realmente a Jesus pelo caminho estreito. Esse evangelho, longe de arrear os homens de suas iniquidades, fará com que eles se sintam confortáveis diante das mesmas. Essa cristianização em massa do mundo deixa somente carcaças espirituais. A igreja faz um "oferecimento barato", isto é, apresenta um evangelho sem exigência moral, facílimo, que nem se pode chamar de evangelho. Além disso, outras igrejas a substituem pela mágica da confissão, pelos "sacramentos". Sua graça barata é diferente, mas igualmente barata. E assim, literalmente, as massas recebem lavagem cerebral com apelos longos e lamurientos, com música suave como pano de fundo. Há homens que oferecem seu evangelho como os pescadores atraem os peixes. As multidões vêm à frente, e a mágica da confissão supostamente as leva à conversão. Não se trata mais da mágica do ato do batismo, ou de outro sacramento qualquer, mas de "dizer esta oração após mim", ou do "assentir à verdade deste versículo da Bíblia". E assim nas igrejas se reúnem as carcaças – da graça barata, como um bando de urubus. O mundo, sem estar convencido de que tudo isso pode ser espiritualmente válido, olha desgostoso a cena. Quão grande o terror, horror em meramente narrá-lo: nós, cristãos, de uma forma ou de outra, nos temos juntado quais urubus em torno de carcaças de graça barata, bebendo um veneno que tem matado a vida que há de seguir (não meramente em confessar verbalmente) a Jesus Cristo.

Scepticós – Nosso tráfico fácil com a mensagem da graça fácil simplesmente entedia e desgosta o mundo. Penso que toda pessoa racional pode ver diferença entre as "exigências espirituais" de Jesus e o que com frequência ocorre na maneira trivial em que a confissão é usada. "Aceitem um credo, sussurrem uma oração", dizem eles. **Não**, diz Jesus. "Sigam-me [...] sigam-me [...] **sigam-me**". Há imensa diferença. Cremos

que em muitos lugares há uma imensa diferença. Só aquele que deixou tudo para seguir a Cristo pode dizer que sua confissão foi válida, que foi justificado. O resto é loucura, que até o mais frívolo dos homens algumas vezes reconhecerá, em momentos de reflexão. Concordo com Zetetés que deveríamos reter a confissão, tal como retemos o batismo e outras demonstrações "públicas" de fé. Mas deveríamos rodear tais coisas com ensinamentos sólidos sobre o que é o discipulado. Concordo que muitas igrejas têm falhado justamente nesse ponto, e, quando isso sucede, espiritualmente falando, a confissão pode ser mais maléfica do que benéfica. Seja como for, a conversão real é o "caminho da transformação". Não pode ser contida em uma mera discussão.

Zetetés – Temos discutido acerca de pseudoconversões que se manifestam pela mera confissão que nem requer transformação e nem a cumpre. Isso nos leva à:

d. Conversão real

Portanto, é importante aquilo no que cremos, e sempre é melhor crer a mais do que a menos. Há servidão espiritual no ceticismo. Penso, porém, que é evidente que a ênfase sobre a **opinião correta** é tal, em alguns lugares, e para algumas pessoas, que uma "alma correta" mais parece uma curiosidade do que uma necessidade. Aquilo que é realmente necessário, se pudermos crer naquilo que algumas vezes ouvimos, consiste em "crer corretamente nesta ou naquela doutrina". Tudo isso é levado a extremismos quando as "crenças" que são impostas se multiplicam de modo que pertencer a certa denominação, que conserva estas opiniões torna-se o requisito para a própria salvação. E assim, certas denominações chegam mesmo a asseverar que representam a igreja real. Outros (alguns sectaristas o admitem) podem ser chamados "amigos" do espírito partidário da igreja. A maioria dessas denominações exclusivistas, porém, não são tão assim generosas. Nisso surge a máscara horrenda do orgulho humano, e o "credo" torna-se um passaporte, e esse passaporte é dado somente por certas denominações que julgam ser donas da verdade, conforme elas pensam.

Scepticós – Mui definidamente pode ser verdade aquilo que certo homem disse: "Precisamos de mais fé e de menos crenças". Penso que o que ele quis frisar com isso é o fato de as crenças, mantidas por qualquer pessoa, incluírem "alguma verdade" e "alguma falsidade". Seja como for, o conjunto inteiro das crenças pode ser mantido sem nenhuma verdadeira "fé". Certos conjuntos de crenças são empecilhos definidos à fé.

Súnesis – Isso é verdade. Posso ter muitas "opiniões corretas", mas nenhuma "outorga de alma" a Cristo, que é a maneira em que definimos a "fé". A fé é uma "transação de alma" com Cristo, na qual a pessoa "renuncia" ao mundo para segui-lo. O seguir a Cristo nos transforma de modo a virmos a participar de sua natureza moral e metafísica. Pode-se crer em todos os tipos de coisas "corretas" acerca dele, mostrando-se habilidoso na defesa de tais crenças, sem saber do que consiste a outorga de alma. Outrossim, pode-se substituir "o que nos estamos tornando com a influência de Cristo", pelo "que cremos". Penso que muitas pessoas da igreja têm uma "fé credal" que em nada toca no homem interior. Somente diverte seu intelecto.

Zetetés – E a "conversão credal" com frequência é aliada à "conversão confessional". Não requer mudança na alma, substituindo-a meramente por um "credo correto". Para converter-se, supostamente alguém deve "confessar um credo", e assim tornar-se um membro fiel de uma denominação que prega certa doutrina.

Sofós – Não estamos desprezando crenças e credos. É bom contar com guias espirituais. A crença de uma pessoa religiosa, mesmo quando errônea, sempre vale mais que as zombarias dos céticos. Vemos real perigo em substituir uma aceitação e defesa de qualquer credo em lugar do próprio do credo, a saber, o Senhor Jesus. E dizemos "Senhor", por que ninguém tem a Jesus como Salvador se também não o tem como Senhor. Vemos também o perigo, nos credos manipulados por algumas denominações, que, orgulhosamente, supõem que suas crenças são corretas; mas as de outras denominações, quando contraditórias, são tachadas de "heréticas". Usualmente esse tipo de orgulho humano é nutrido sem o acompanhamento de nenhum estudo e conhecimento da história da doutrina, conforme esta tem progredido por toda a Igreja cristã histórica. Uma denominação faz estagnar a verdade em certo ponto de realização histórica. Então, essa "estagnação" é tida como ponto culminante da verdade, e não como uma instância de seu desenvolvimento. O que quero dizer com isso é que esse "desenvolvimento" representa certo estágio da "obtenção da verdade" por parte do homem. A própria verdade é fixa, mas nosso conhecimento a seu respeito, ou seja, o que chamamos de "verdade", representa um estágio de nosso entendimento a respeito dela. Sempre corremos perigo espiritual quando confundimos certa estagnação histórica da verdade com seu ponto culminante.

Scepticós – Todas as denominações são "misturas" do desenvolvimento histórico da verdade. Todas afirmam estar mais "próximas" que as outras do

NT, se não em perfeito acordo com o mesmo. Todas ignoram ou distorcem certos versículos, a fim de fazer o NT inteiro concordar com o credo que possuem. Torna-se absurdo, pois, quando o credo de uma denominação é tão finalmente importante que se torna a regra da aceitação ou não de uma pessoa, o padrão de sua salvação. Em defesa da "letra", conforme ela é entendida, o "espírito" pode ser completamente abafado. Os homens são aceitos ou rejeitados no seio da denominação, não com base em quanto sabem da pessoa de Cristo, e o que têm realizado em sua vida, mas, meramente, "qual porcentagem" das "crenças" da denominação que aceitam sem dúvidas. E não nos equivoquemos a respeito, tal "porcentagem" tem de ser alta para que seja aceita. Novamente a feia máscara do orgulho humano faz uma careta (muitos pensam que é um sorriso) na direção da igreja. E o mal que Zetetés está frisando aqui torna-se uma realidade. A conversão é equiparada a um credo, não a uma experiência viva, administrada pelo Espírito de Deus. E então os membros da denominação, que aceitam suas crenças, são atraídos ao olvido da falsa confiança no que toca à sua conversão, pois substituíram a "correta relação" com Deus pela "correta relação" para com a denominação. Essas duas coisas nunca serão uma só coisa, embora se obtenha muito consolo mental com esse tipo de pensamento.

Sofós – Aquele que tem apenas uma conversão credal, se for pressionado, dirá que a conversão é mais do que a aceitação de um credo; porém, a crer no que se ouve em muitos sermões acerca das atitudes básicas de algumas pessoas, o "credo" ainda é o elemento mais importante para muitos, e não a experiência da transformação, o meio da transformação vital. Um credo nada é, prática ou espiritualmente, se não for acompanhado por essa transformação. A transformação de que falamos também não é efetuada só porque se crê em certas crenças. Um homem sábio disse: "Tu crês? Fazes bem. Até os demônios podem crer corretamente". Notemos seu sarcasmo sobre o mero "crer corretamente". Um poder maligno pode crer corretamente, mas não tem a Jesus como Senhor. Ora, nem é um opositor de Cristo, e nem é um poder maligno. Mas teu credo e tua aceitação do mesmo não são melhores do que os de um demônio, a menos que haja real transformação em tua vida, em tuas atitudes e motivos, como obsessão de teu ser. No domingo insisto, com olhar chamejante, sobre a correção de certa crença. Na segunda-feira, perco a calma e firo ao próximo com minhas palavras. Na terça-feira, cometo adultério. De que adiantou que, no domingo, eu tivesse feito uma defesa da "verdade"? Como é fácil a um homem credal que, por ter fogo no olhar no domingo, enquanto defende uma verdade, pensar que fez uma sólida barganha com Deus, o qual, finalmente, o conduzirá ao mundo celestial! Entretanto, de fato, não pode haver barganha com Deus quando um homem não está sendo transformado segundo a imagem e a natureza de Cristo. Nenhum jogo de crenças, por mais que sejam sentidas com sinceridade, o ajudará no dia do julgamento.

Epítropos – Naturalmente, há certa relação vital entre o "crer certo" e a obra da conversão na alma. Jesus veio a fim de nos ajudar a saber no que devemos crer acerca dele, acerca de nós mesmos, acerca do destino humano no plano divino. Esse próprio "crer certo", entretanto, é apenas um meio de chegar à nossa alma com a transformação espiritual necessária para a conversão. Estar convencido sobre certas crenças ainda não é conversão. Ajuda-nos a buscar a conversão. Até que um homem tenha a "opinião correta" sobre sua pecaminosidade e necessidade de uma mudança radical, não poderá buscar entrar no caminho da transformação. Enquanto um homem não souber que é por meio de Cristo que essa alteração é possível, pode experimentar pseudomeios de transformação. Há um oceano de diferença entre essas corretas opiniões e o ato salvador do Espírito sobre as almas humanas. O perigo é que uma ênfase exagerada sobre opiniões corretas pode fazer com que isso seja entronizado em lugar da outorga de alma a Cristo, outorga essa que transforma o crente segundo a imagem de Cristo, uma atitude que definimos como "fé". Portanto, a fé pode estar a quilômetros de distância da mera opinião correta. A fé jamais será algo meramente intelectual. É um ato, não uma mera crença. Uma correta opinião pode ser mera crença, e jamais um ato. No entanto, a alma precisa de um ato salvador. Opiniões corretas, quando isoladas, fracassam. Jamais realizam a espiritualidade. A salvação, porém, consiste em chegarmos à espiritualidade. É desse modo que a entidade passa do mortal para o imortal, do humano para o divino. A mera crença é um foguete que falha quando tenta alçar voo. Esse salto é prodigioso, e só pode ser realizado quando alguém se apega às asas rebrilhantes do Espírito de Deus.

Zetetés – As propensões do homem são para o mal. A mera crença não pode corrigir isso. É tempo de uma radical operação. A faca da mudança deve penetrar no ser, cortando ao redor e por sob o câncer da natureza antiga. As opiniões corretas, isoladas, são uma lâmina partida. Pode ser isso glorificado e exibido; pode ser popular e pertinente, mas ainda assim será uma faca cuja lâmina quebrou bem no cabo. É incapaz de realizar a operação de que se precisa para nos livrarmos de nossa malignidade. A incisão curadora só pode ser feita mediante a outorga da alma a Cristo, mediante a renúncia de outra coisa qualquer.

Sofós – Mesmo a crença autêntica, sozinha, assim substituindo a conversão, é uma erva daninha, e não uma flor. Não se espere que ela floresça, que produza semente, e então fruto. A falsa crença, outrossim, é um excrescência, produto da mente inapta. Se a crença verdadeira, quando isolada, é inútil para a conversão, quanto mais a crença falsa, embora sincera.

Superficiais meio crentes, de nossos credos casuais,
Que nunca sentiram profundamente, nem quiseram com clareza,
Cujo discernimento nunca produziu fruto em ações,
Cujas vagas resoluções nunca foram cumpridas;
Para quem, a cada ano que passa,
Há novos começos, novos desapontamentos;
Os quais hesitam e deixam escapar a vida,
E perdem amanhã o terreno conquistado hoje.

(Matthew Arnold)

Zetetés – Prossigamos agora para falar sobre certo aspecto da conversão:

e. Conversão como solução de conflito e nascimento de um "eu" superior

Para muitas pessoas, a conversão não é apenas uma experiência. Embora possa ocorrer gradualmente, e não dramaticamente, tende por centralizar-se no nascimento de um "eu" novo e superior, tornando-se um drama autêntico da alma. Conforme os poderes do bem e do mal se guerreiam dentro de um homem, aquela parte dele que pode ser e é inspirada por Deus, agoniza. Tal como o corpo, como que por um milagre, cura seus ferimentos, assimila dificuldades e aceita mil tipos de desafios, assim o espírito, embora ferido, salta para o Criador e deseja o "milagre da transformação". A personalidade humana torna-se o campo de provas de como a espiritualidade pode ser formada, sendo assim vencido o que é mundano, sensual e diabólico. Esse é um drama tão intenso quanto qualquer outro retratado em um teatro ou em uma tela de cinema. Aquilo por que anelamos é aquele momento transcendental com Deus no comando, de modo a podermos vencer o mal inerente de nossos seres. Aquele momento transcendental é a conversão. Ou a conversão pode seguir-se a uma longa trajetória na direção de seu Sol, compondo-se de muitas e diversas experiências, as quais, finalmente, fazem, de Cristo, o Senhor do indivíduo. Seja como for, a conversão é um nascimento, a "vinda à existência" de um "eu" superior, e não a mera reforma do "eu" antigo.

Matetés – Que dizer sobre os "desvios" os subsequentes "fracassos"? Por que nem todas as "conversões" são permanentes?

Zetetés – Estudos estatísticos mostram que, dentre aqueles que se dizem realmente convertidos, de modo a abandonarem hábitos degradantes e passarem por outras transformações mentais e de hábitos significativos, cerca de um **terço** finalmente falha e reverte ao caminho antigo. Não sei dizer o quanto autorizada é essa cifra, mas vamos permiti-la impor-se, para a conveniência de nossa discussão. Então podemos fazer a pergunta: "O que sucedeu com esses?" A teologia tem formulado várias respostas e todas elas tomam a sério que estamos tratando como espírito de um homem no terreno da conversão, e não meramente com um "cérebro condicionado". A psicologia, por outro lado, tem muitos representantes convencidos de que, nessas "reversões", tudo que ocorreu foi que antigos padrões cerebrais, que controlam as ações, simplesmente não haviam sido modificados ou anulados o bastante, para produzir mudança genuína e duradoura na conduta e na maneira de pensar. Novos padrões de conduta devem ser continuamente reforçados. Caso contrário, serão débeis demais para serem permanentes. Os caminhos antigos estão profundamente arraigados, pelo que o menor laivo de preguiça tende por apagar os novos padrões. Assim, para certos, a conversão não passa do abandono de velhos hábitos e da criação de novos, como um pouco de drama como condimento.

Matetés – Como é que a tecnologia encara o problema?

Zetetés – Os calvinistas "sérios" afirmam que nenhuma conversão genuína terá tido lugar se alguém abandona o caminho, pois a mesma graça que opera a conversão se faz necessariamente presente, por propósito divino, garantindo a continuação. Certamente isso soa bem, mas a experiência humana parece contradizer essa opinião. Não somente pessoas realmente convertidas revertem em seus hábitos, mas algumas até perdem a fé totalmente. E ocultar a verdade, até onde vejo, negar esse fenômeno nas igrejas, mesmo entre seus melhores membros. A experiência e a observação humanas, em oposição ao mero dogma, favorecem a realidade da reversão. Os calvinistas ignoram o "lado humano"

|Artigos introdutórios| NTI

de certas questões teológicas a fim de evitar paradoxos teológicos. Não podem ver como a eleição pode ser uma verdade paralelamente à reversão. Portanto, sua lógica simples e dogmática exige que ou a eleição ou a reversão sejam verdadeiras. Para eles, a escolha é simples. Não há tal coisa como reversão, mas somente "reversões aparentes", de pseudoconversões. Os problemas difíceis, porém, nunca são tão simples de resolver como isso, e buscamos soluções simples para obter conforto mental. Contudo, a verdade é mais importante do que sistemas teológicos sutilmente formulados; a verdade é mais importante do que o conforto mental. Certamente os calvinistas estão com a razão quando falam do propósito divino na eleição, que não pode falhar; da missão de Cristo, que não pode falhar. Contudo, ao dizer-nos **como** essas coisas não falharão finalmente, os calvinistas têm poucas opções. Sua teologia unilateral deixa-o preso numa camisa de força. Por necessidade, precisa apelar para interpretações duvidosas e mesmo distorcidas daquelas passagens bíblicas que falam da real possibilidade da reversão, como há diversas na epístola aos Hebreus. O autor dessa epístola sem dúvida não tomou posição calvinista sobre a questão. (Calvinista nenhum falaria como ele falou.). No entanto, há textos bíblicos que tomam essa posição, razão pela qual ficamos com um "paradoxo". A reversão é possível, mas, de alguma forma, não pode ser final, pois sua promessa às ovelhas certamente permanecerá de pé. Nenhuma dessas ovelhas se perderá, finalmente. A missão de Cristo não pode fracassar. Como pode ser, pois, que tenhamos, mas não tenhamos reversões, afinal? Antes de apresentar uma resposta especulativa a essa indagação, examinemos o outro lado da moeda:

Os arminianos estão convencidos da reversão, pois a própria natureza de sua teologia é enfatizar o lado humano do processo salvatício, diminuindo o vulto do lado divino. Eles não temem admitir que a missão de Cristo pode falhar, até onde está envolvido o indivíduo. Os mais radicais entre eles acreditam que a reversão é fatal, pois não pode ser corrigida. Quase todos eles, porém, creem na possibilidade de retorno à genuína conversão. Os arminianos têm alguns textos de prova em apoio à sua posição. Eles "qualificam" os textos bíblicos que parecem defender a posição calvinista, mas, ao qualificá-los, perde de vista o seu significado.

Matetés – Portanto, parecem erradas ambas essas posições extremadas. Todavia, realmente é difícil perceber como ambas essas posições podem ser verdadeiras, ou parcialmente verdadeiras. Uma delas parece excluir a outra. Como pode um homem cair da graça, e continuar na graça? Ou como pode um homem, naquilo que é declarado ser graça permanente, reduzir a graça a algo que não é permanente? Como pode um homem eleito, vir a ser não eleito? E como pode a promessa de Jesus, de que nenhuma de suas ovelhas se perderá, ser veraz, se algumas dessas ovelhas vierem a perder-se?

Zetetés – Há pelo menos dois modos de responder a essas perguntas. Dois modos, digo, se decidirmos que, de alguma forma, os calvinistas e arminianos estão certos em suas respectivas posições, ou, pelo menos, que há importantes discernimentos nessas posições, embora desajeitadamente expressas, à custa uma da outra, pois ambas contêm discernimentos igualmente válidos.

Alguns simplesmente chamam essa situação de **paradoxo**. De algum modo, um homem, já que foi eleito, sempre será eleito, não podendo cair de seu lugar na estima de Deus, pelo que deverá, finalmente, ser salvo. Ao mesmo tempo, conforme o demonstra a experiência humana, um homem pode cair da graça, negando e revertendo sua conversão. Entender como ambas as coisas podem ser verdadeiras ultrapassa nosso senso de lógica e é passível de explanações.

Matetés – E o que você pensa de raciocínios assim?

Zetetés – Temos de admitir que tudo isso nos deixa desajeitados, pois gostamos de "juntar pontos que fazem nexo". Em seu favor, há o fato de interpretar honestamente todos os textos bíblicos que falam sobre esse tema no NT, sem distorcer alguns em detrimento de outros.

Matetés – Diria você, pois, que o paradoxo da segurança e da queda se acha no âmago mesmo do NT, e não foi apenas um desenvolvimento teológico posterior?

Zetetés – Penso que todo aquele que lê o NT sem preconceitos chega, necessariamente, a essa conclusão. Se cristãos posteriores tomaram um ou outro desses lados da controvérsia, por que é tão difícil crer que primitivos cristãos assim também o fizeram, incluindo os autores do NT? Esse problema já existia certamente no judaísmo. Poderíamos dizer que um antigo problema foi simplesmente transferido para o NT. O "lado" que uma pessoa toma na controvérsia depende de suas preferências psicológicas, de sua criação, da influência doméstica e da influência da igreja ou da escola, e não necessariamente do que é claro nas próprias Escrituras. Um homem, cuja mente já esteja formada, busca "textos de prova" para sua posição. Não busca novas luzes e novo entendimento. Outra coisa em favor da ideia de um "paradoxo" é a observação de que

quase todos os ensinos realmente profundos do NT têm elementos paradoxais em redor. Temos a transcendência e a imanência de Deus; a humanidade e a divindade de Cristo e o tema geral do livre-arbítrio e o determinismo, do que o problema que ora ventilamos pode ser tido como subcategoria.

Matetés – Você mencionou outro modo "especulativo" pelo qual podemos buscar solução para esse problema. Dessa maneira pode-se evitar o "paradoxo"?

Zetetés – Minha especulação parece evitar o paradoxo. Não posso garantir que a verdade o faz. Com "verdade" indico o que podemos agora entender como verdade ou como podemos "melhor entender" o problema, devido às nossas limitadas faculdades, como homens mortais, ou melhor, como seres espirituais de pequeno desenvolvimento intelectual. Observo que a "queda" pode ser **relativa** (embora real), ao passo que a "segurança" é absoluta, isto é, finalmente caracterizará qualquer que se tenha deveras convertido. Segundo essa ideia, quem verdadeiramente se converteu pode cair ou reverter a seu estado anterior. Pode mesmo entrar no estado de "morte", e ir "perdido" para o "mundo intermediário". Isso, porém, não seria o fim do drama, pois Jesus, seu Pastor, fez certa promessa às ovelhas. Deve ganhar a todas. Portanto, antes de sua morte física e pessoal, ou depois dela, será trazido de volta e restaurado a seu estado anterior.

Matetés – O que você entende por mundo intermediário?

Zetetés – Quero dizer que há um mundo espiritual onde não são fixadas as fronteiras eternas. Vários textos bíblicos indicam que essas fronteiras são fixadas não quando da morte física de cada indivíduo, mas quando da segunda vinda de Cristo. Um homem é "julgado" "depois" que morre, mas as próprias Escrituras definem esse "depois" situando-o na segunda vinda. Portanto, até aquele tempo, as situações espirituais se tornam fluídas, e aquele que se perdeu, no tocante à conversão pessoal, está sujeito a ganho. Desse modo, damos força à queda; trata-se de algo real. Trata-se, entretanto, de algo relativo, e potencialmente não permanente. Damos força plena à segurança, por ser aquilo que Jesus prometeu que, finalmente, se cumpriria. As duas ideias, pois, não se contradizem necessariamente. O homem que maltrata a graça, revertendo sua conversão, será restaurado. Devemos crer nisso, embora também aceitemos que venha a fazê-lo entre agonias, pois terá de aprender lições difíceis que lhe ensinem o imenso valor da graça. Agonizará, mas aprenderá. Terá de aprender, pois de outra maneira se poderia dizer que a missão de Cristo foi um fracasso. E isso não pode ser, sendo esse o discernimento superior do calvinismo.

Matetés – Você diria que esse "mundo intermediário" também se aplica aos destinos daqueles que nunca se converteram na experiência terrena?

Zetetés – Penso que a narrativa da descida de Cristo ao hades (1Pe 3.18ss e 4.6) ensina exatamente isso. Cristo desceu ao cárcere do hades a fim de pregar as boas novas aos prisioneiros (4.6), para que sua situação de juízo fosse revertida e pudessem obter vida espiritual. Isso pode significar uma restauração inferior à dos eleitos, ou oportunidade plena de salvação. A maioria dos pais da Igreja, bem como de eruditos modernos, tem tomado uma ou outra dessas posições.

Matetés – Essa descida não poderia ser uma ocorrência isolada, que beneficiou somente os perdidos antes da cruz? Por que consideraríamos o que ele fez um "precedente"?

Zetetés – O próprio texto não exige que o consideremos um precedente. Contudo, tudo quanto Jesus fez foi um precedente. Seu ministério terreno, sua expiação, trouxeram perdão dos pecados para todos os homens, antes e depois da cruz, contanto que os homens nele confiem. Sua ressurreição serve para administrar vida todo o tempo. Seus resultados prosseguem, seu poder nunca cessou. O ministério de Cristo no céu continuará até que todos os seus inimigos sejam subjugados, até que todas as coisas uma vez mais estejam centralizadas em Cristo, e que nele se torne tudo para todos (ver Ef 1.10,21). Portanto, acima de tudo, seu ministério é um precedente. Por que, pois, seu ministério no hades não deveria ser tido um precedente? Seria estranho se alguma porção de seu ministério não tivesse resultados contínuos. (Ver Ef 4.10.)

Matetés – Percebo a força de seu argumento, mas não fui ensinado assim.

Zetetés – Infelizmente, várias denominações modernas perderam de vista o ministério de Jesus no hades, negando-o inteiramente. Isso nega os ensinamentos dos pais da Igreja, bem como a lógica do próprio texto.

Matetés – Voltaremos a esse tema quando discutirmos sobre o "Meio da unidade"; e talvez, antes daquela ocasião, possamos estudar sobre os materiais e tradições que possuímos acerca da história da descida, para ver qual é sua importância.

Sofós – Zetetés apresentou algumas especulações e repisou certos ensinamentos dos pais da Igreja, os quais, em alguns segmentos da igreja moderna, caíram no esquecimento. É bom que não os rejeitemos, somente porque não nos agradam. Naquelas áreas em que ideias têm provocado, histórica e presentemente, opiniões contrárias na igreja, fazemos bem em exercer um espírito de tolerância. Uma ideia não é correta meramente porque a aprovamos. Desde tempos mais remotos, os homens têm disputado sobre o problema do livre-arbítrio e do determinismo. Desde o século V, na igreja, os homens têm debatido sobre o sentido da "descida" de Cristo ao hades. Deveríamos ter mentes bastante abertas para permitir avanço e aprimoramento de nosso entendimento da missão salvadora de Cristo e das implicações do seu evangelho. Certamente que nenhum de nós diria ser guardião exclusivo da verdade de Deus. É bem possível que possamos aprender das opiniões alheias, e, pelo bom senso, estamos obrigados a respeitar as tradições dos pais da Igreja.

Zetetés – Passemos para o próximo tópico acerca da conversão, que é:

f. Conversão como revolução copérnica:

Vocês devem estar lembrados de que Copérnico, astrônomo polonês (1543), declarou que os planetas giram em torno do sol, e que a terra gira em torno de seu eixo. Eram ideias revolucionárias, e Copérnico, naturalmente, foi perseguido por isso. **Todas as novas ideias**, ao serem expostas pela primeira vez, têm uma auréola de estranheza. Usualmente, a geração durante a qual elas são proferidas, nunca vem a aceitá-las plenamente. É só quando uma nova geração substitui a antiga, que a nova ideia se firma. A terra, que antes se julgava ser o centro de tudo, subitamente perdeu sua posição querida. Muita gente não gostou desse sacrifício astronômico. Diziam que era degradante para o homem, bem como contrário à teologia da época, que apontava para a terra como centro de tudo, a fim de afirmar que o homem ocupa o lugar central dos planos divinos. A conversão é uma espécie de reversão do "egocentrismo terreno", acompanhada pela reação a uma nova compreensão sobre o "universo espiritual". Um novo "centro" vem à tona. O novo centro tem recebido muitos nomes, como "o Pai", "a cidade de Deus", "a superalma", ou "a beleza que a tudo permeia". Para os cristãos autênticos, esse novo centro é Cristo, conforme o exige Efésios 1.10. O que sucede é que um homem sai de sua forma egoísta de vida para uma forma "altruísta", porquanto, em sua conversão, ele reverteu totalmente todas as sinalizações de sua vida. Subiu do que é terrestre para o que pertence ao sol, de atos e desejos terrestres para a espiritualidade, onde o "outro mundo" é o poder orientador da vida.

Matetés – Noutras palavras, esse homem, em sua "transformação", agora começa a viver segundo a dimensão eterna.

Zetetés – Assim se dá com a conversão real. É completa mudança de valores e das bases de valores da vida. Isso só pode ocorrer pela força do "toque divino". Ninguém, por si mesmo, pode provocá-lo. Mas todos podem submeter-se aos "meios espirituais" que o causam. O Espírito reconhece, inevitavelmente, a sinceridade ou falsidade de suas intenções, agindo de acordo com isso. Sem dúvida, um homem pode imitar a conversão, o que resulta em pseudoconversão. Nessas falsas conversões, os vícios permanecem e dominam a vida, embora o homem pareça melhor em alguns sentidos. Na conversão real, entretanto, surge um novo poder central, que enche todo o campo de visão. Esse novo centro é um poderoso **imã**. Assim como o sol arrasta vários mundos (planetas), que são aprisionados em suas órbitas, Jesus, o Sol central, tendo sido levantado, atrai irreversivelmente os homens. Com igual facilidade poderíamos fazer da terra o centro do sistema solar, assim furtando ao sol a sua glória, tal como poderíamos afastar os homens de Jesus Cristo, uma vez que ele os atrai.

Scepticós – Você quer dizer, permanentemente afastados. Um homem pode desviar-se por algum tempo, como já vimos. No entanto, o magnetismo de Cristo o trará de volta eventualmente. Você está falando sobre as "almas duplamente nascidas", acerca do que lemos em certo livro famoso, acerca das "Variedades de experiências religiosas". Algo de radical sucede aos convertidos. Eles são transformados desde a raiz. Não é apenas que certos "frutos" (ou ações) foram modificados.

Zetetés – Alguns dos tópicos que escolhi na realidade são apenas "descrições" da natureza da conversão, não exigindo nenhum longo tratamento. Isso é verdade quanto ao último item, que acabamos de discutir, e também acerca dos próximos quatro. Consideremos agora:

g. Contraconversão, ou converter-se de novo

Matetés – Para mim, esse item é tão estranho quanto sua "conversão biológica". O que você entende por tal expressão?

Zetetés – Tal como no caso da "conversão biológica", essa "contraconversão" é uma experiência comum entre pessoas sérias em sua religiosidade. Talvez alguns de nós tenhamos passado por isso, sem lhe dar um nome específico. Pode resultar de uma dentre diversas situações. Quase sempre essas situações têm lugar na vida de pessoas mais idosas, tal como a conversão biológica está normalmente associada aos jovens.

Matetés – Você quer dizer que a conversão pode aplicar-se diferentemente a

pessoas mais idosas, tal como vimos que pode ter aplicação diferente no caso de jovens?

Zetetés – Algo parecido com isso. Podemos ilustrar o tema considerando alguns casos concretos. Eis um homem, criado em lar e igreja cristãos, e que talvez tenha estudado em escola evangélica. Ele é o produto de certa "atmosfera religiosa". Quando era jovem, fez a confissão e a seguir, sem resistência, mediante certo credo e por sempre ater-se a certa denominação. Tudo isso é bom para a juventude. Mas, na realidade, ele nunca teve de tomar suas decisões religiosas. As pressões psicológicas externas é que fizeram dele o que ele é. Talvez ele até negue isso, se for indagado diretamente, e talvez até propague a sua fé entre seus jovens amigos. No entanto, quando ele tiver mais idade, quando adquirir experiências na vida, começará a transformar-se. Talvez desafie abertamente a algumas de suas crenças anteriores. Talvez até se desvie para o ceticismo ou para o ateísmo, por algum tempo. Com ou sem essa manifestação radical, ele passa definidamente por um período de agonia mental. Considera rasas as suas anteriores expressões religiosas, e sua alma anela por algo mais vital, que tenha poder, e que não consista de mero dogma. Pode passar pela noite negra da alma. Então ele começa a emergir na idade madura. Sua agonia flui na forma de novo tipo de satisfação. Ele integra o que ele era, preservando seus melhores pontos, como aquilo em que se vai tornando. Sua fé religiosa adquire força nova. Pode associar-se a novas pessoas, a uma nova denominação, a uma nova associação religiosa. De fato, tornou-se uma pessoa nova. Experimentou uma contraconversão. Os teólogos podem debater acerca da validade da "primeira", ou mesmo da segunda. O que disserem provavelmente se baseará apenas em "dogmas humanos", "antes e depois". Isso, porém, não é padrão suficiente. Seja como for, sua experiência é real, e no seu caso pode terminar em experiência muito satisfatória e abençoada. Se for interrogado acerca da validade da conversão de sua juventude, ele dirá que foi apenas forma, sem substância, ou então poderá considerar sua "contraconversão" um simples "crescimento" na experiência religiosa e na fé. Talvez tenha sido algo como isso que Jesus exigiu de Pedro, ao dizer: "[...] quando te converteres, fortalece aos teus irmãos" (Lc 22.32). Quantos de nós ocupamos o lugar de Pedro? Estamos convertidos (?), mas precisamos daquela experiência mais profunda, que nos tornará úteis para outros, especialmente aqueles que esperam de nós ensino, exemplo ou qualquer sorte de ajuda.

Matetés – Penso que o que você acaba de dizer deve advertir-nos contra certas práticas com crianças, que envolvem "conversões confessionais". O que você tem a dizer sobre isso?

Zetetés – Você tocou em um ponto vital. Consideremos como isso é feito. O professor de Escola Dominical se lança a converter todos os seus alunos infantis — uma nobre ambição, sem dúvida. Assim ele faz todos eles "levantarem as mãos, para aceitarem a Jesus como Salvador". É preciso pouquíssima pressão para fazer as crianças passarem por esse ato. Mas como miseravelmente pequeno é o valor dessas "conversões"! Aqueles que assim fazem geralmente são crianças que desfrutam de muitas vantagens, como pais e amigos crentes, fortes laços de igreja etc. As crianças que vão a reuniões especiais, vindas de fora, e se convertem desse modo, não gozam de transformação interna permanente. Um pouco de observação confirmará isso. Não queremos dizer com isso que a conversão de crianças seja impossível, que ela nunca ocorre. Mas queremos desmascarar aquilo que passa por conversão de crianças, pois tudo não passa de mero "rito confessional", sendo apenas outro exemplo da forma barata em que a graça pode ser oferecida. Não queremos dizer, também, que não se deva evangelizar as crianças. Isso seria absurdo. Deve haver, entretanto, algo mais sério do que tentar arrancar "confissões" fáceis, como se isso fosse conversão. Não queremos dizer, também, que a confissão deve ser interrompida como uma prática. Antes, nossos esforços por levar crianças aos pés de Cristo devem ultrapassar imensamente a isso, para que haja conversões genuínas entre as crianças.

Matetés – Que dizer sobre os casos em que a pessoa experimenta a "agonia", que deveria ser o princípio de sua nova conversão, mas que nunca volta? Um homem pode tornar-se um cético verdadeiro, embora, na juventude, supostamente tivesse sido uma "pessoa convertida".

Zetetés – Certamente há grande número desses casos. Basta que se siga a história da vida dos jovens de uma igreja para que sejam descobertos muitos casos em que pessoas supostamente convertidas se reduziram a nulidades espirituais. Aqui, até onde me toca, estamos abordando casos já discutidos. Existem "pseudoconversões" que, finalmente, deixam cair toda a máscara de vitalidade espiritual. Ou então há conversões genuínas que entram em reversão. Ambas são possibilidades, conforme entendo as coisas. Já mostramos que a promessa de Jesus não permitirá que uma reversão seja final. Ele trará de volta tal indivíduo, aqui ou no

198 |Artigos introdutórios| NTI

além. Seja como for, há situações em que a agonia, que deveria levar ao nascimento de uma contraconversão, conduz apenas a um pessimismo amargo.

Muitas contraconversões são provocadas, de algum modo, por supostas "ideias modernas", que tendem por lançar no descrédito antigas crenças e tradições. Apesar dessas influências, muitas delas dão fruto, como não ocorrera na conversão durante a juventude.

Tão moderno quanto é possível

Esta busca, este anelo, esta sede de saber,
Tão moderno quanto é possível,
Apenas me levou de volta a ti.

Fortes inclinações, águas revoltas a correr,
Veredas distorcidas do pensar, descendo por muitas vertentes,
Apenas me fizeram esperar de novo em ti.

De noite, de dia, em esperança, desespero, vagueando
Por ásperas ravinas montanhosas, em cumes altíssimos e gélidos,
Em veredas estranhas, ainda ali te achei perto.

Sorvos intoxicaram meu cérebro quando
Desejando e aprendendo, provei da fonte Pierina;
Mas, bebendo mais, isso me devolveu a sobriedade.

(Russell Champlin)

Matetés – A contraconversão, então, de fato, pode ser uma espécie de renovação de um antigo compromisso; a alma com frequência anela por ter fé mais profunda, e, nesse processo, quiçá sacrifique algumas ideias antigas, a fim de obter visão melhor do mundo. A alma pode agonizar a fim de ser capaz de melhor definir seu problema, emergindo com respostas mais adequadas. Certamente chegará o tempo quando um homem deve ter a própria fé. Não pode para sempre pedir por empréstimo a fé de seus pais, amigos e igreja. Em algum ponto, a fé deve tornar-se sua, sem influências externas, tornando-se algo vital; porque, de outro modo, terminará ele por abandoná-la. Ao chegar esse momento, o indivíduo pode passar pela experiência da contraconversão.

Zetetés – Semelhante à "contraconversão" temos, a

h. Conversão como três vezes nascido

Vejo, pela expressão do rosto de Matetés, que este item também o perturbou, embora ele não queira admiti-lo. Portanto, não esperarei pela pergunta dele. Na verdade, o que quero dizer aqui é o que já dissera acerca da "contraconversão", embora o frise de modo diferente. Poderíamos fazer uma distinção possível, ou seja, que a "contraconversão" pode levar a uma associação religiosa inteiramente nova, ao passo que a questão do "tríplice nascimento" pode reconduzir a pessoa à sua antiga situação, embora uma pessoa mais vital dentro daquela situação. Um jovem, com o seu discernimento crescente, elimina aquelas coisas que, como seu "nascimento natural (primeiro)", o haviam interessado. Ele **ultrapassa** os interesses da infância, os meros deleites e prazeres dos sentidos. Avança para uma conversão que pode ser meramente "biológica", ou que pode transcender a essa. Esse é o "segundo nascimento". Em sua maturidade, ele assume responsabilidades na igreja e na comunidade. Mas suas experiências religiosas, em parte devido à negligência e em parte devido a fraquezas inerentes, começam a cristalizar-se. Nessa situação, uma pessoa facilmente pode rebelar-se no íntimo e buscar nova visão quanto à fé religiosa, uma nova experiência "do espírito", em contraste com o que é apenas credal ou dogmático. Na sua idade madura média, os poderes físicos e mentais já ultrapassaram o cume de sua eficiência. Apesar disso, a pessoa pensa que pode haver uma experiência religiosa ainda mais vital, e não menos vital, embora suas energias físicas e naturais se estejam diluindo. É então que a pessoa pode ter ou uma "contraconversão", que a leve a uma comunhão religiosa mais satisfatória (como mudança de denominação, por exemplo), ou a um "terceiro nascimento", por assim dizer, o segundo dos nascimentos espirituais. Essa terceira conversão ou terceiro nascimento (ou contraconversão, como seja o caso) pode ser tão poderoso, que "o inferno foi destruído em mim, e me converti", conforme o disse certa pessoa. Esse homem não foi meramente "reformado", antes, renasceu, foi transfigurado.

Temos considerado descrições de tipos de conversão. Nossos próximos dois tópicos cabem dentro dessa categoria. Ou, poderíamos dizer, temos seguido "descrições" do que sucede na conversão.

i. Conversão para a outra existência

Em suas formas extremas, esse tipo de conversão tem lugar quando um homem, por concentrar-se em demasia sobre sua experiência de conversão, excluindo as tendências naturais de associar-se a outras pessoas, interna-se em um mosteiro a fim de desenvolver a sua espiritualidade. Ele se dedica totalmente ao princípio do **outro mundo**. Esse homem renuncia à sociedade, e não apenas aos seus pecados, usualmente com o pensamento que não poderá renunciar ao pecado sem renunciar, igualmente, a uma sociedade pecaminosa. Esse homem segue uma vereda de solidão e autonegação. Tornou-se um asceta, um místico em reclusão.

No entanto, existem outras formas de conversão para com o outro mundo, que não seguem o caminho da reclusão. Por trás da ideia da "conversão para com o outro mundo" há o conceito metafísico de que o homem, como uma categoria de ser, realmente não pertence a este mundo, que é uma esfera baixa demais para as suas potencialidades de desenvolvimento espiritual. Ele pensa que os homens se acham aqui como se debaixo de punição, em resultado da queda, e não que este seja seu verdadeiro lar. Encontra-se em uma peregrinação espiritual, sendo um estranho neste mundo. Sua cidadania está no mundo distante, para onde se volta toda a sua alma. A conversão é uma afirmação desse ponto de vista metafísico das potencialidades espirituais do homem. Nela, um homem subitamente começa a ser e a agir como um ser **não mundano**. Se não o fizer, e dizemos isso com sinceridade, na realidade não se terá convertido. O mundo vive em meio ao ódio e o escarmento; o indivíduo vive pelo amor. O amor é o desejar aos outros o que queremos para nós mesmos. É solidariedade genuína com a raça humana. O amor é a prova da nossa espiritualidade; e sem ela não haverá espiritualidade, a despeito de nossas confissões e de nossos "credos". O mundo vive pelo "egoísmo construtivo". Noutras palavras, "o alvo da minha vida é obter vantagens para mim mesmo; e essas vantagens serão construtivas quando não infringirem as buscas semelhantemente egoístas de outros". O convertido, porém, vive segundo um altruísmo inspirado, o que é outro nome para o caminho trilhado pelo amor. Vejamos o homem que se diz convertido. Ele é egoísta. Ele é crítico. Suas observações cortam e queimam a outras pessoas. Mas ele é piedoso. Ele vai à igreja, quando suas portas se abrem, e sabe o credo e o defende. Consideremos esse homem, repito. Ele jamais se converteu. Ele é um homem piedoso, mas não convertido. O que ele sabe sobre a "transformação da alma", que revolucionaria seus motivos e suas ações? A prova da espiritualidade é a prática da lei do amor. Deus é amor. Todo homem convertido obteve essa qualidade em algum grau patente.

O amor concede, em um momento,
O que a labuta dificilmente obteria em uma era.
(Goethe, Torquato Tasso)

Comum como a luz é o amor,
E sua voz familiar não cansa jamais,
Tal como os amplos céus, o ar que a tudo sustenta,
Torna o réptil igual ao deus.

(Percy B. Shelley)

O amor genuíno é um fruto do Espírito. É mais do que uma característica humana. É uma característica divina, que pode ser infundida no homem. A conversão começa quando há essa infusão. O amor governa a tudo no mundo superior. Quando os homens adquirem o caráter do outro mundo, o amor os vai guiando crescentemente. Consideremos as batalhas e lutas no âmago da igreja. Esses contendores serão homens convertidos? Podemos aplicar a eles a definição neotestamentária? O que existe neles, que seja característico do outro mundo?

Os homens do outro mundo entraram na vereda da renúncia. Não se tornaram inúteis no mundo. De fato, são os melhores indivíduos, os mais gentis e altruístas. Não nos equivoquemos a respeito! Houve neles uma revolução radical. Renunciaram ao mundo e aos seus valores ordinários. Não fogem deste mundo para entrar em um mosteiro, embora tenham fugido do mundo.

Matetés – São estranhos e peregrinos neste mundo. Isso diz, em poucas palavras, o que você acaba de descrever.

Zetetés – Provai-me, neste momento, onde estão guardados os vossos tesouros. Dizei-me o que vos preocupa. Dizei-me como gastais vosso dinheiro. Agora vejo claramente que estais ajuntando bens terrenos. Mas, um dia desses, o pobre pedinte na rua, foi ignorado por vós; passastes por ele como se não o tivésseis visto. E pagais às vossas empregadas um salário de escravos, porque está em vosso poder escravizá-las. Ela é destituída de tudo. Ela precisa das migalhas que vos caem da mesa. Portanto, eu vos pergunto: Possuís mente própria do "outro mundo"? Que impressão tem feito sobre vós a lei do amor? Oh, credes no credo; fizestes a confissão. Mas, sois deveras convertido?

Nosso próximo tópico se relaciona à discussão acerca do "meio da glória", que é o quinto item de nossa "reconsideração", de nosso "repasse" do evangelho. Portanto, poderemos ser breves ao examinar o conceito da

j. Conversão como mudança ética e metafísica

A esta altura, abandonamos de vez as coisas secundárias como a "conversão biológica", negando peremptoriamente e com ousadia que a conversão real seja mera questão psicológica. Cremos em Deus e cremos na alma. Cremos que a conversão traz vitalmente ambas essas coisas. A conversão é o **começo** de nossa transformação moral e metafísica segundo a imagem de Cristo, a fim de podermos participar de sua "forma de vida" (Ef 3.19; Cl 2.10 e 2Co 3.18). A maneira mais direta pela qual podemos dizer isso é dizer que a conversão nos coloca na estrada que leva à participação na natureza divina (2Pe 1.4); e isso tomamos literalmente, e não de modo a ser uma expressão verbal pia, como se significasse algo extraordinário. Esse algo é tão extraordinário, que se torna próprio do outro mundo. Não é algo humano, embora transforme o ser humano. É algo divino e eleva o humano até o divino. É a infusão da infinitude no que é finito. Não há palavras que possam expressar o que isso significa, pois assim como um homem está infinitamente acima de um verme, assim também o homem salvo está infinitamente acima do homem mortal quanto "ao tipo de natureza", e não apenas acerca do "lugar onde ele vive". A conversão é o primeiro passo no caminho para que o homem seja, literalmente, o que Cristo é, participante de sua natureza metafísica.

Matetés – Voltemos a esse pensamento da "transformação ética". O que você entende por isso?

Zetetés – A conversão aborda primeiramente a natureza moral do ser humano. O arrependimento leva o homem a ajoelhar-se espiritualmente. Talvez pela primeira vez, ele tem uma genuína "convicção do pecado". Agora ele sabe que esse estado horrendo é muito pior do que aquele em que ele simplesmente se equivoca (chamemos esses equívocos de pecados, se quisermos) e se mostra imperfeito. Na convicção de pecado há um súbito discernimento quanto a vastos abismos que dividem o homem da santidade de Deus. Essa realização se manifesta na forma de profundo remorso, e esse é um aspecto do arrependimento, conforme já vimos antes. Em muitos, esse remorso leva ao desespero. No desespero, o homem chega à esperança, mediante o arrependimento; e essa esperança é em Cristo. Esse homem abandona seus antigos caminhos. Ele entra na vida da renúncia. Abomina o pecado. Foge do pecado. Assim, fica livre dos vícios. Transforma-se; converte-se. Sem isso, a conversão é algo muito duvidoso.

Matetés – A transformação ética, porém, também deve ser algo positivo, não é mesmo?

Zetetés – É óbvio. Porque a transformação moral sempre deve ser mais do que livrar-se do que é negativo. É também obter o que é positivo. Esse elemento "positivo" é a santidade de Deus. Em primeiro lugar, sua "retidão", na justificação, é reputada nossa, e isso por "declaração forense". Não basta, porém, que isso seja uma declaração forense no plano divino. Isso é muito frio. Sozinho, é morto. O que foi "declarado", agora nos é "infundido". Assim, ao nos tornarmos "santos" vamos obtendo a santidade de Deus, e não apenas refazendo nossos mais novos impulsos. Essa santidade está envolvida em uma participação positiva nas virtudes morais de Deus como amor, gentileza, justiça, bondade (os vários aspectos do fruto do Espírito; ver Gl 5.22,23). É totalmente impossível chegar lá mediante esforços humanos. Essa santidade é obra do Espírito sobre a alma. E uma santidade infinita, visto que a santidade de Deus é infinita. Nunca chegará o tempo, em toda a eternidade futura, em que o Espírito não esteja infundido, mais, mais e ainda mais das santas virtudes de Deus em nós. Ser libertado do pecado é apenas o começo desse processo. Consideremos como é notável o prodígio de transformar-se alguém em um filho de Deus, conduzido à glória. Tão grande prodígio ofusca a mente. A conversão, pois, é aquele primeiro passo do Espírito, que é a semente da glória futura. É o princípio daquela glória; mas inefável é a glória que se seguirá.

Matetés – E como você relaciona a transformação moral à metafísica?

Zetetés – A transformação moral provoca a metafísica. Na proporção em que somos livrados das cadeias do pecado e do vício, em que o Espírito infunde em nossa alma a própria santidade e as virtudes espirituais de Deus, nossa "forma de energia" da alma passa por real transformação. Vamos sendo transfigurados em novos tipos de seres, de modo literal.

Matetés – Para onde vai isso, e onde cessa?

Zetetés – Vai diretamente a Cristo, e duplica seu "tipo de vida", sua "forma de vida" em nós. Nunca cessa! Pois a sua natureza é infinita, e deve haver uma transformação infinita. Portanto, "a conversão é o começo da mudança radical da alma". Encaminha-se para a própria natureza moral e metafísica de Jesus Cristo. A conversão não só requer real "mudança de alma", mas, por si mesma, é o começo dela. Todo o "espetáculo exterior" por que passamos na igreja, procurando persuadir as pessoas a "confessar", cai por terra, inerte, inútil e morto, a menos que o próprio Espírito se movimente em nosso meio, tocando em nós e transformando-nos.

Esse tópico geral deixamos por enquanto, pois mais adiante, ao discutirmos sobre "o caminho da glória" (o quinto item do esboço de Súnesis), certamente retornaremos ao mesmo e o desenvolveremos mais completamente. Agora, entretanto, passemos para o último tópico, dentre os que escolhi para nossa discussão acerca da conversão.

k. Conversão como parte do novo nascimento, ou regeneração

Emprego a expressão "novo nascimento" de maneira diversa daquela que usualmente se ouve em sermões. Se entendo o que costuma ser dito, na igreja de hoje, novo nascimento equivale à conversão. Assim é dito **"Nasci de novo"**. Mas o que isso significa é "Converti-me". Para mim, entretanto, "nascer de novo" é algo muito mais lato do que converter-se. O verdadeiro novo nascimento consiste de alguém tornar-se uma nova criatura, nascendo "no mundo celestial". Portanto, em sua fruição, o novo nascimento é nossa entrada no estado imortal. De maneira limitada, podemos chamar de conversão ao novo nascimento, porque a conversão é seu começo. Não posso, porém, deixar de sentir que o novo nascimento que Jesus descreveu para Nicodemos é mais amplo do que a conversão. Nascemos pela "primeira vez", como mortais, no plano terreno. Nascemos pela "segunda vez", como imortais, no plano celestial. A conversão é o começo do "processo de nascimento". Seu ponto final é a "glorificação". O novo nascimento é tudo quanto contribui para tornar-nos "novas criaturas" em Cristo, incluindo o que sucede conosco em nossa transformação segundo ele, no mundo eterno. Poderíamos também chamar esse processo de "regeneração". Novamente entramos em dificuldade na aplicação de termos, já que certas pessoas usam o termo "regeneração" para indicar "conversão". Não importa a maneira em que usamos as palavras, enquanto soubermos o que estamos procurando expressar por meio delas. Nosso primeiro nascimento nos dá a natureza e as características de homens físicos, mortais. Nosso segundo nascimento nos dá a natureza e as características do Homem Ideal, Imortal, a saber, Jesus Cristo. Portanto, deve tratar-se de alguma coisa bem maior do que a conversão. O termo "conversão" é usado por nós para indicar o "início" do novo nascimento, e não sua inteireza. A "regeneração" é um termo que usamos como sinônimo de "novo nascimento". Faço esse destaque simplesmente para esclarecer o uso de termos que fiz, relacionando a conversão ao novo nascimento.

Scepticós – Vejo que você usa a expressão "novo nascimento" do modo em que eu usaria o termo "salvação", incluindo a conversão, seguindo-se depois a santificação, e até à glorificação.

Zetetés – É essencialmente assim, mas quando entramos no mundo celestial como novos tipos de seres, sendo Cristo nosso irmão mais velho, e seu Pai, nosso Pai, é então que realmente "nascemos de novo", pois então entramos em um novo mundo, mediante um processo de nascimento. Até esse ponto, tudo faz parte do processo de nascer de novo. Daí por diante, vamos "crescendo". E esse crescimento "a tudo que Cristo é", chamamos, devidamente, de "glorificação". Eu não chamaria esse "crescimento" de "nascer de novo". Seja como for, todos esses termos — conversão, justificação, santificação, novo nascimento e glorificação — são simples meios pelos quais descrevemos a plena experiência de salvação. Portanto, talvez eles se justaponham, porque as palavras são veículos imperfeitos para expressar a imensidade da experiência espiritual.

Sofós – Em toda a nossa discussão, devemos lembrar que as nossas palavras representam coisas e experiências reais. Não façamos da teologia mera questão verbal, algo interessante para debater. Se não experimentamos a nossa teologia, de que adiantam palavras pias? Assim, a imensidade do "novo nascimento" inspirou o poema:

Ó imensidade a que chamo de "eu"

Ó imensidade, a que chamo de "eu",
Minha alma, engrandecida por Deus és tu.
A pequenez do mundo, sua mesquinhez e pecado
Por muito tempo ocultaram essa visão.
Mas agora vejo, a transformação em sua imagem
É o que o Livro Sacro entende por nascer de novo.

Essa grande verdade está oculta daqueles que
Aspiram apenas habitar em algum lugar celestial,
Quando o verdadeiro destino da Alma é ter sua riqueza,
Ser o que ele é, pela graça.

Ser o que ele é, Divindade compartilhada
Verdade gigantesca, fato admirável,
O caminho por ele preparado.

(Russell Champlin)

Zetetés – Penso que nada podemos fazer de melhor do que pôr ponto final à nossa discussão sobre a conversão, abordando esse aspecto.

Súnesis – Muito agradecido, Zetetés, pelo trabalho que você teve para preparar-se para liderar as discussões de hoje. Na próxima semana será a vez de Matetés. Seu tópico será "o caminho da renúncia" ou santificação, que é o quarto item dos temas que escolhi, mediante os quais estamos procurando "reconsiderar" o evangelho.

No dia anterior à discussão

Matetés – Alô, Zetetés, o que você está fazendo vagueando pelas salas?

Zetetés – Estou procurando por um amigo que me pediu emprestado um livro de que preciso, para a discussão de amanhã. Por que você não está na biblioteca juntando dados? Já se esqueceu de que amanhã é sua vez de liderar as discussões?

Matetés – Não, eu não me esqueci. É que desde ontem terminei meus preparativos. Eu não queria deixar as coisas para o último minuto, sobretudo porque os outros estarão bem preparados, e porque serei o líder da discussão. Pense no que isso significaria quando temos de tratar com as pessoas como Súnesis e Scepticós!

Zetetés – Essa é uma das razões por que eu relutava em liderar a discussão sobre a conversão.

Matetés – Penso que você se saiu muito bem. Aprendi algumas coisas boas, afinal. Penso que é mais difícil abordar a questão da conversão do que a da santificação, pelo que me alegro em que esse último tema tenha cabido a mim. Naturalmente, em meus estudos, descobri que nem todos os cristãos concordam acerca da natureza exata da santificação, e há menor acordo ainda acerca de seu método.

Zetetés – Sim, é admirável quanta divergência se pode ver entre os cristãos, até mesmo acerca das doutrinas mais fundamentais. Por essa razão estamos tendo estas discussões sobre a "reavaliação do evangelho". Aprendemos algo que enriquece a nossa maneira de pensar quando ouvimos as ideias alheias, mesmo que não concordemos com tudo quanto ouvimos.

Matetés – É verdade, e o modo como temos orientado essas discussões, atribuindo a cada qual a tarefa de liderar ou moderar os debates sobre um único tema particular, tem feito cada qual aproveitar mais do que se fosse de outro modo. Até amanhã.

Na biblioteca, dia seguinte

Matetés – Como vocês devem estar lembrados, hoje é a oportunidade de Matetés liderar nossa discussão. Eu lhe dei o tema:

4. O meio de renúnciar (santificação)

Matetés – Penso que Scepticós e Zetetés fizeram bom trabalho de preparação, além de deixarem um bom exemplo de como se trata do assunto. Portanto, preparei um esboço com sete pontos, seguindo o modelo usado por eles. Meus tópicos são:

a. **Santificação – termos hebraicos e definições preliminares**

b. **Santificação no AT**

c. **Santificação no NT**

d. **Santificação na doutrina da igreja**

e. **Lados divino e humano da santificação**

f. **Abusos e erros**

g. **Sua total necessidade**

a. Santificação – termos hebraicos e definições preliminares

Se a origem etimológica da raiz hebraica – "gadas" – está rodeada por obscuridade, sua força fundamental parece bem clara. Significa "separar para uso sagrado". Alguns dizem que o seu sentido original era negativo, isto é, "proibir", e que a palavra original tinha a ideia de "separar para uso sagrado" e era cananeia. Seja como for, o próprio AT tem o uso positivo da palavra em pauta. Talvez a raiz básica signifique "dividir", a qual era usada de modo específico com o sentido de "fazer divisão" entre o sagrado e o profano. E aquilo que é para "uso sagrado", naturalmente, deve ser santo e "puro", motivo por que a santificação veio a indicar isso, sendo, algumas vezes, inteiramente perdida a ideia de "separação". O nome sagrado **Yahweh** contrasta com tudo que é próprio da criatura ou terreno, e aquilo que é separado para ele deve assumir um aspecto divino. Em outras palavras, deve estar acima do que é "profano", em sua natureza e uso. Outro importante aspecto que entra na questão, no AT, é o da aliança. De modo especial, o povo de Deus entrou em relação de aliança com Deus. Foram separados para ele, pelo que se espera que sejam "peculiarmente santos". Essa gente deve separar-se de cultos e práticas pagãs, pois de outro modo ficará destruído seu caráter único, e, juntamente com isso, a sua santidade, perdendo assim qualquer relação de aliança com Deus.

Já podemos ver, desde o início de nossa discussão, que a santificação inclui necessariamente a ideia de "renúncia". Desejas manter o pacto com Deus? Queres rejeitar qualquer contacto com o que é profano e que resulte em enfermidade? Então tens de renunciar a tudo, exceto àquilo que ajuda teu avanço para Deus. Se te aliares aos pagãos em sua maneira de viver, que reivindicação poderás ter acerca do pacto de Deus?

Alguns eruditos ligam o termo hebraico original ao sentido de "brilho". Isso também é sugestivo. Deus é a luz de toda a criação. Aquilo que é "separado para ele" vem a saber algo de iluminação. Jesus veio iluminar os homens. Nessa iluminação, temos uma transformação íntima de tal forma que a natureza de Cristo é infundida no crente. O Espírito vem habitar no templo. O homem é esse templo quando fica bastante iluminado, de maneira que o Espírito ache lugar próprio de habitação.

Temos visto que a **separação** envolve a santificação, segundo se vê no AT, e isso de modo negativo e positivo. É separação "da" contaminação e de associações inferiores; e é "para" a pureza e associações superiores. Ambos os lados se devem fazer presentes. O lado negativo de nada vale sem o positivo. Mas não nos equivoquemos a respeito: o lado positivo é impossível sem o negativo.

b. Santificação no AT

1) Acima de tudo, o próprio Deus (seu nome) é santificado, e, por sua vez, **é santificado** no reconhecimento dos homens, que o honram. (Ver Êx 3.5; Is 6.3ss.) Assim, os homens são chamados a honrar à grandiosidade e ao estado separado de Deus (ver Is 8.13). O próprio Deus se santifica e é santificado em seu povo, isto é, suas reivindicações soberanas são reconhecidas; sua sublimidade e caráter ímpar, abrigados em santidade absoluta, são declarados por ele mesmo e, subsequentemente, reconhecidos e louvados pelos homens e por outros seres inteligentes. (Ver também Ez 36.23; 38.23 e Nm 20.26).

2) Objetos santos: Tudo o que é separado para **uso divino**, e que deve ser "santo" e "puro", torna-se um objeto "santificado". Assim, seus anjos são chamados santos; seu povo é chamado santo; seu templo é chamado santo; seus sacerdotes são denominados santos; seus vasos, igualmente. (Ver o altar – Gn 2.3; o tabernáculo – Êx 29.44; as vestes – Lv 8.30; o jejum – Jl 1.14; a casa – Lv 27.14; o povo – Êx 19.14; a congregação – Jl 2.16; os sacerdotes – Êx 28.41). A lei santa, pois se combinava perfeitamente com o que é pessoal (seres morais) e o que é ritual (os atos que realizam e as coisas que empregam). Qualquer pessoa em Israel, que supostamente pertenceria à aliança, degradaria a Deus e tudo quanto ele representa, como também sua congregação e seu templo, se vivesse sem santidade. A "responsabilidade comunitária" torna ainda mais importante a questão da santidade. Nunca somos "pecadores" isolados. Degradamos Deus, o seu culto e o seu povo quando insistimos sobre nosso direito de viver vidas profanas. É algo muito sério ignorar a "renúncia". De fato, como poderia haver salvação sem isso?

3) O elemento humano – O homem é **convocado** a santificar-se. O ato divino vem em primeiro lugar, e o Espírito divino se movimenta tomando iniciativa. O homem, porém, deve corresponder a isso. (Ver Lv 11.44; Js 7.13; Êx 19.22; 1Cr 15.12ss; 2Cr 29.15ss e 30.3). O homem pode anular a atuação do Espírito sobre ele, recusando-se a renunciar ao mundo e a seus deleites. Este mundo jamais foi amigo da graça para nos ajudar a nos aproximarmos de Deus?

O sentido básico da "autossantificação" está contido na afirmação: "Serme-eis santos; pois eu, o Senhor, sou santo, e vos separei dentre os povos, para que sejais meus". Santificar-se para a adoração e o serviço de Deus, pois, representa a responsabilidade do homem dentro dos limites do pacto da graça, 2Co 6.14-18 diz a mesma coisa.

O elemento humano é trazido à lume por nossos esforços resolutos por progredir espiritualmente, empregando os meios de que dispomos para isso. Nisso deve haver atitude séria contra todo pecado e vício, além de um esforço vigoroso, espiritual e social, para nos livrarmos do mundanismo, em motivo e ação. É disso que consiste a renúncia.

c. Santificação no NT

1) A raiz indicava qualquer objeto que causava "admiração". Isso incluía a ideia de "aversão". Assim, em temor, "retrocedemos" (no grego, "adzo") do mal, e ficamos "admirados" pelo que é bom e santo. Na antiga literatura grega, a palavra "agios" – "santo" – está intimamente ligada à adoração aos deuses, ao santuário e a objetos santos. Assim, se o próprio termo raiz não significa "separar", em seu uso real, essa ideia necessariamente aparece. Por certo o "ensino" do NT é paralelo ao do AT – não se pode chegar à santidade sem se separar do mal e sem se separar para Deus, ainda que o próprio vocábulo não inclua esse significado.

2) Os santos eram chamados **santos** porque, dentre todos os seres e coisas, seriam os mais temíveis, as mais assustadoras entidades. Assim, no judaísmo e no cristianismo, o único santo, em sentido absoluto, é Deus, o único ser "santo", aquele que impõe respeito. (Ver Ap 4.8, o "trisagion".) Vemos aqui a visão de Isaías no NT, preenchida com elementos da chamada de Ezequiel, capítulo primeiro. Assim, as "criaturas celestiais", que estão na presença de Deus, são também chamadas "santas", embora em sentido secundário. (Ver Ap 14.10.)

3) O Deus Santo e altíssimo nos ensinos de Jesus, é agora o "Pai". (Ver Jo 17.11.) Embora sendo o maior objeto de respeito, ele se faz accessível aos homens. A oração do Pai Nosso requer que se santifique o nome de Deus (ver Mt 6.9 e Lc 11.12).

4) Jesus, o Cristo, como "representante de Deus", mas também em si mesmo, é santo. (Ver Mc 1.24; Lc 1.35; 4.34; Jo 6.69; 1Jo 2.20; Ap 3.7; At 3.14; 4.27,30.) Ele é o instrumento da própria santificação do homem (1Co 1.30).

5) Se a vida dos que confiam em Cristo está genuinamente envolvida na inquirição espiritual, eles são **santos**, o que é uma das mais comuns designações dos crentes no NT. Eles formam o "novo Israel", a nova comunidade dos eleitos de Deus, dotados de grande responsabilidade por causa do seu novo pacto, para que seja mais pleno de honra e glória do que o primeiro. (Ver Mt 27.52; At 9.13,32,41; 26.10; Rm 1.7; 8.27; 12.13; 15.25; 1Co 1.2; 2Co 1.1; 8.4; 9.1; Ef 1.1,15; Fp 1.1; 4.22; Cl 1.2,4,12,26; 1Ts 3.13; 2Ts 1.10; 1Tm 5.10; Tt 1.5,7; Hb 6.10; 13.24; Jd 1,14; Ap 5.8; 11.18; 13.7,10; 14.12; 15.3; 16.6; 17.6; 18.24; 19.8; 20.9.) Esse próprio nome lhes confere a ideia de renúncia do mundo, ou nada significará. Entretanto, também significa a participação nas virtudes positivas de Deus, de seu amor, bondade, santidade, retidão e não a mera "ausência negativa de pecado". (Ver Mt 5.48 e Gl 5.22,23).

6) Níveis de ensino — Tal como no AT, a santificação está envolvida no ritual. (Ver Mt 23.17,19.) Isso se aplica à obra de Cristo, o qual toma o lugar do templo do AT e o seu ritual, incluindo os sacrifícios. Assim também se vê em Hebreus 13.12, por exemplo. A santificação tem também o sentido lato de "transformação moral e espiritual". Essa transformação necessariamente deve vir mediante a obra de Cristo. (Ver Hb 2.17; 9.13ss). É tanto um fato realizado como um processo, um fato que se vai cumprindo diariamente. (Ver Hb 10.10,14 e 12.14). A santidade é o pré-requisito absoluto da vida eterna. É a base da transformação metafísica do ser humano, para que venha ele a participar da forma de vida de Cristo. (Ver Mt 5.48 e 2Co 3.18).

O termo justificação, em seu uso real, algumas vezes inclui a ideia de santificação, e mesmo de glorificação. Portanto, a justificação não é mero pronunciamento forense, mas "torna real na vida" aquilo que foi declarado, e tem em vista "a vida" (ver Rm 5.18). A epístola aos Hebreus certamente não estabelece clara distinção entre a justificação e a santificação. Estes são termos que descrevem o mesmo santo processo de salvação, em um ou outro de seus aspectos.

Nos escritos de Paulo, a santificação envolve a transformação moral e espiritual do crente justificado, que recebeu vida nova em Cristo. Essa nova vida floresce na santidade, a qual, por sua vez, provoca a transformação metafísica da essência do indivíduo na "forma e vida" do próprio Cristo. (Ver Rm 8.28ss.) Pois ninguém pode participar da imagem de Cristo se não participar, de maneira real, da sua santidade (ver Rm 3.21). Tudo isso transcende em muito e eternamente qualquer mera **declaração forense** da posição que temos em Jesus Cristo. Existe essa posição em Cristo, a posição de identificação com ele; mas ela deve tornar-se uma realidade mediante notável transformação que, finalmente, duplica a sua imagem em seus discípulos. Dizemos categoricamente que tudo isso é impossível sem a infusão da própria santidade de Deus em nós. A vontade de Deus é a nossa santificação, santificação do vício e das inferioridades do mundo (ver 1Ts 4.3). A santificação é liberação progressiva de tudo quanto é mundano e carnal, para tudo quanto é celestial e glorioso; e nisso se mescla a glorificação, conforme ela se cumpre no mundo atual (ver 2Co 3.17,18). Isso é ajudado por nossa associação com outros crentes, bem como dos crentes com Cristo (ver Ef 5.26,27). Tal como a justificação subentende a libertação de toda a pena do pecado, assim a santificação implica no livramento das poluições, privações e potência do pecado. É obra divina, mas deve contar com a reação humana favorável, a cada passo. (ver 1Ts 5.23,24).

7) Ênfase no NT — A palavra aparece sob uma forma ou outra por cerca de 300 vezes. Isso, por si mesmo, muito diz sobre como o NT frisa sua importância. Não haverá salvação sem ela (ver 2Ts 2.14). Este mesmo versículo mostra que o Espírito Santo é seu instrumento. Ninguém pode tornar santo a si mesmo. Isso vem mediante o poder transformador do Espírito, o qual duplica Cristo em nós, pois ele é a nossa santificação (ver 1Co 1.30).

Sceptícós – A grande ênfase do NT sobre a santificação também fica demonstrada pelo fato de oito livros do NT — Colossenses, as epístolas pastorais, as três epístolas de João — tenham sido escritos contra um "evangelho" destituído de imperativo moral, o evangelho dos gnósticos. Esse sistema se exibia como se fora cristão, mas faltavam-lhe as exigências morais do verdadeiro cristianismo. Nenhum viciado será salvo jamais, conforme se vê em Efésios 3.3-5, com o que concorda Gálatas 5.19-21.

d. A santificação na doutrina da igreja

Aqueles grupos que usam, como fonte de informação principal, o NT, ensinam vários aspectos da santificação, conforme já se enumerou. Ao que já foi dito, poderíamos juntar estes comentários:

1) A santificação é **posicional**, ou seja, tal como a justificação, é dada aos crentes como uma declaração forense. Aqueles que confiam são santificados (ver Hb 10.14,15). O sacrifício único de Cristo nos aperfeiçoa para sempre; Jesus Cristo foi feito nossa santificação (ver 1Co 1.30). Desde o princípio fomos separados para a salvação (ver 2Ts 2.13). A eleição se cumpre mediante a santificação, a qual, portanto, deve participar do propósito de eleger (ver 1Pe 1.2).

2) A santificação, entretanto, também deve ser **uma realidade** na vida, pelo que será progressiva e dinâmica, pois do contrário seu aspecto posicional seria nulo e vazio. Assim dizem 2Ts 2.13 e 1Pe 1.2, de um ponto de vista diferente. (Ver também 1Ts 4.34; Jo 17.17; Ef 5.25ss.) Isso nos leva a ser conformados à imagem de Cristo (ver Rm 8.29; 1Jo 3.1-3). O Espírito Santo é seu agente (ver 2Co 3.18).

3) A santificação tem um **alvo final**, a plena participação na própria santidade de Deus (ver Rm 3.21; Hb 12.14 e Ef 1.4).

4) A santificação está envolvida na **garantia** dada pela selagem do Espírito, pois não poderá haver tal selagem no caso de profanos. (Ver 2Co 1.22; 5.5 e Ef 1.13,14).

5) Sua maior realização é que nos dá a **natureza divina** (ver 2Pe 1.4), que devemos aceitar literalmente. Esse tema será ventilado plenamente, quando discutirmos sobre o "Meio da glória", o quinto item de nosso estudo geral.

Zetetés – Isso mostra a importância imensa do tema.

Matetés – Esse aspecto da santificação por certo é o mais negligenciado. Os homens têm a ideia de que o que deve ser obtido na salvação é apenas a vitória sobre o pecado, a remoção final da presença do pecado em um maravilhoso lugar celestial. No entanto, a salvação inteira trata mais daquilo em que nos estamos tornando e daquilo que seremos do que de "onde" estamos, embora sem dúvida venhamos a estar em lugar muito melhor do que agora. E o "que seremos" está ligado de modo absoluto à maneira em que estamos, agora, sendo feito santos. O estar sendo santificado provoca nossa transformação segundo a imagem de Cristo, quanto à nossa natureza. Desse modo, compartilhamos da natureza divina, que aparece no Deus-homem. Tudo isso é totalmente impossível sem que a santidade se faça realidade em nós, até chegarmos à perfeição (ver Mt 5.48). Toda essa questão levanta muitas perguntas, que responderemos ao discutir sobre o "Meio da glória".

Zetetés – Já discutimos, de modo breve, o aspecto bíblico da santificação, sem grandes elaborações teológicas. O que você pode dizer, Matetés, acerca dos pontos de vista sobre a santificação na igreja?

Matetés – Penso que a maioria dos teólogos, quando se asseveram cristãos, reconhecem que a santificação, de alguma forma, é aquele meio pelo qual vamos sendo feitos santos. Mas nem todos concordam sobre como isso é feito, nem até que grau se realiza, neste mundo ou no outro. O pensamento católico-romano descreve, em linhas gerais, a santificação, como algo que tem lugar pela infusão da graça sacramental justificadora. A respeito disso há o ponto de vista sacramental. A graça divina operaria por meio dos sacramentos. Os sacramentalistas sofisticados imaginam uma real influência do Espírito nos sacramentos — creem que essa influência opera principalmente por meio dos sacramentos. Esse ponto de vista é muito difícil de ser entendido. Parece-me que limita a graça divina a alguns poucos incidentes, a pouquíssimas opções, exagerando o valor e a função dos sacramentos. Os sacramentalistas não sofisticados pensam que a comunicação da graça, sem importar seu propósito, é uma espécie de "rito mágico", e isso por certo é um erro. Sem dúvida, no caso da santificação, o ponto de vista "místico" é o certo, é o Espírito, em todas as experiências, que nos faz participar da santidade de Cristo, que é nossa, por declaração forense, mas que está sendo feita realmente nossa. 2Coríntios 3.18 mostra-nos isso claramente.

A doutrina da santificação tornou-se de particular importância no protestantismo, quando a igreja reexaminou suas bases, suas crenças, seus alicerces: quando os homens anelaram por nova compreensão e vida, quando os antigos dogmas não eram mais satisfatórios. Alguns reformadores distinguiram claramente entre a justificação e a santificação. Eles reduziram a justificação a uma declaração forense, e fizeram da santificação o processo pelo qual se cumpre o que foi declarado. De certo modo, isso foi uma interpretação errônea da Bíblia, embora útil como definição. Já vimos que Paulo não as divide definitivamente. Em Paulo, a justificação algumas vezes é uma declaração forense, posicional; mas, noutros lugares, abarca aquilo que chamaríamos de santificação, e até de glorificação. Seja como for, o homem nunca é deixado em situação apenas posicional, e jamais aparece dependente de um rito mágico, que supostamente tome o lugar de uma real santidade. A Reforma, a despeito de suas faltas, declarou isso aberta e corajosamente. O próprio Lutero ensinou que o indivíduo, sob o Espírito Santo, vai continuamente se tornando um cristão, e a santificação sem dúvida se encaixa nesse ponto de vista. De certo ponto, podemos chamar um homem de "cristão". Mas, de outro, todo discípulo sério de Cristo sempre estará se tornando um cristão melhor. Alguns grupos protestantes posteriores, frisando em demasia o lado **forense** da doutrina, isto é, apresentando um ensino exagerado da justificação forense, ao mesmo tempo que negligenciavam o lado progressivo da santificação, como a sua continuação necessária, provocaram os pietistas à revolta. Fizeram objeção a esse ponto de vista unilateral das coisas. Enfatizaram de tal modo a santificação progressiva, que negaram a justificação como sua origem e fundamento. Os racionalistas, incapazes de concordar com os protestantes posteriores ou com os pietistas, acabaram por rejeitar tanto a justificação quanto a santificação bíblicas.

Zetetés – Quem foram os pietistas?

Matetés – O movimento começou com Filipe Jacó Spener, na Alemanha (em 1705), um teólogo luterano e homem de grande erudição, o principal fundador da Universidade de Halle, o qual buscava retornar ao cristianismo evangélico vital, em contraposição ao intelectualismo e ao formalismo da ortodoxia protestante do século XVII. A corrente principal do luteranismo fora canalizado em formas doutrinárias e sacramentais rígidas, e o calvinismo se firmou no legalismo dogmático. Spener e outros queriam retornar ao impulso original do tipo de evangelicalismo da reforma. Esse movimento engendrou a renovação dos estudos bíblicos e o "interesse humanitário". Calor e zelo emocionais foram enfatizados, em lugar da correta doutrina, conforme os homens a entendiam. Houve abusos, e o movimento criou várias formas de fanatismo e ascetismo. Finalmente, o termo veio a ser usado em tom pejorativo, para indicar aquele zelo que gera mais calor do que luz, mas também designa qualquer forma de religião pessoal, devocional e mística, em contraste com o que é intelectual e formal. O movimento por certo teve algo para contribuir. Talvez todo crente devesse ter algo do espírito pietista, contanto que pudesse evitar seus erros e excessos. Pelo menos, quem pode negar a necessidade de um novo exame da santificação, enquanto somos esbofeteados neste mundo de vício e miséria, quando os homens não mais são grandes, mas meramente sobrevivem como cristãos, enquanto o diabo os atrai com êxito para este ou aquele vício?

Zetetés – Que dizer sobre o termo "racionalista"? É bastante amplo, não é verdade?

Matetés – Sim, já o consideramos quando falávamos sobre os "meios do conhecimento", discussão liderada por Scepticós. Teologicamente, porém, o termo pode significar algo diferente, e, de fato, muitas coisas diferentes. Em geral, indica a ênfase sobre a faculdade da razão na obtenção do conhecimento. No campo da teologia indica, basicamente, que toda revelação deve ser julgada pela razão. Em suas formas mais radicais, pode indicar total rejeição da revelação bem como de um alicerce da fé religiosa, tirando-lhe toda base sobrenatural, mas exibindo tendências para o humanismo, para o livre-pensamento, para o liberalismo e até para o gnosticismo.

Tendo apresentado uma noção geral da natureza da santificação, passemos agora para várias "sementes de pensamento" relativas à santificação:

a) **É uma obra de Deus** – 1Ts 5.23. Sempre será um erro ignorar nossa dependência de Deus. Esse é o erro de várias filosofias e de vários "ismos". É um erro fatal um homem pensar que não precisa de Salvador. Também é erro grave um crente imaginar que está justificado por Cristo, mas que é santificado pelos próprios esforços por guardar a lei. Naturalmente há a reação humana, a qual é necessária. Devem ser empregados todos os meios espirituais de crescimento. Se alguém, porém, tiver de ser realmente santo, participante da própria santidade de Deus, precisa fazê-lo por meio do poder do Espírito. Sozinho, pode adquirir uma santidade toda pessoal, mas não o tipo de santificação de que estamos falando.

b) **É contínua agora**, neste plano terreno — O fermento não permeia de imediato e completamente toda a massa. Isso ele faz gradualmente, até que toda a massa esteja fermentada. A influência de Cristo sobre nossa vida também é gradual, até que, finalmente, nada fique sem ter sido transformado (ver Fp 1.6; 3.15 e Cl 3.9,10). Uma abóbora pode desenvolver-se em seis meses ou menos. Mas um carvalho pode precisar de cem anos para tomar altura apreciável. Os homens podem tomar atalhos para a santificação, mas isso não pode produzir a imagem de Cristo em nós. Na experiência humana, continuamos descobrindo pedaços inesperados de massa, aonde o fermento ainda não chegou. Continuamos descobrindo abóboras, ao invés de carvalhos. O Espírito faz o fermento permear a tudo; o Espírito produz carvalho, ao invés de abóboras.

c) A conversão nos dá a **disposição santa** inicial — A santificação torna-a forte e universal, até que nada tenha ficado fora de seu alcance, nada fica sem transformação. (Ver Ef 4.15; 1Ts 3.12; 1Pe 1.23; 2Pe 3.18; 1Jo 3.9). A santidade é uma semente cuja natureza é crescer. A vontade humana perversa, porém, pode abafar esse crescimento.

d) Ela é **essencial** à salvação — (Ver 2Ts 2.13 e 1Pe 1.2). Por isso é que alguém disse com sabedoria: "Todo aquele que se julga cristão, e que aceitou a Cristo para sua justificação, se, ao mesmo tempo, não o aceitou para a santificação, está miseravelmente iludido com essa experiência".

e) Sendo **parcial** até que venha experiência da glória nos lugares celestiais (isto é durante a experiência da vida sobre a terra), dá origem a amargo conflito entre os princípio bom e o princípio mau em nós. (Ver Rm 7; Gl 5.17ss e 1Tm 6.12). O Espírito conduz os bons nesse conflito, e promete a vitória aos sinceros. (Ver Rm 8.13,14). Os "dois homens" (o velho e o novo) se opõem um ao outro figadalmente. Aquele que alimentarmos, obterá a vitória. Alimentamos o velho homem caindo nos pecados e no vício. Alimentamos o novo homem exercendo os meios espirituais da graça. (Ver Jo 14.17,18; 15.3-5; 2Tm 1.14; At 15.9; Rm 1.17).

f) **Cristo é o objeto** de nossas experiências espirituais, incluindo a santificação. Devemos compartilhar de sua natureza santa, de suas perfeições. (Ver2 Co 3.18 e 1Jo 3.3).

g) A força da fé dá à santificação **a sua força**. (Ver Rm 12.2; Mt 9.29; 1Tm 4.7 e Cl 1.10). Um comentador da Bíblia, de bastante renome, disse: "Tenho apenas uma paixão, a saber, Cristo" (cf Fp 3.8,10 e Gl 2.20).

h) A **persistência** é algo absolutamente necessário para o sucesso da santidade. Aquele que não é persistente na inquirição espiritual, logo cai vítima dos poderes e encantamentos do mundo. A imagem de Deus é a pegada daquele homem. (Ver Fp 3.12). Se uma enfermidade toma conta do corpo, os homens se valem de qualquer meio para "expulsá-la". Muitos homens, porém, vivem com almas enfermas. Vê-se isso todos os dias. Só a persistência pode expulsar as enfermidades da alma. (Ver Fp 3.12 e 1Jo 1.8). A falta de exercício prejudica o corpo. A falta de exercício espiritual anula a santificação e a operação do Espírito na vida.

i) A santificação **não está completa** quando da morte, embora então sejamos removidos da "presença" do pecado. A vinda do Senhor está envolvida nesse término, conforme se vê em Hebreus 9.28; 1Tessalonicenses 3.13; 5.23.

j) Em certo sentido, a santificação é um **processo eterno**. Esse é o seu lado "positivo", no qual a santidade e as virtudes de Deus nos são infundidas. Sua santidade é infinita, pelo que a participação da mesma, por parte de um ser criado, precisará ser infinita, ou seja, será um processo interminável. (Ver Mt 5.48). Por isso, disse certo teólogo: "A santificação não termina nem mesmo na morte. [...] O alvo jaz além do livramento do pecado. [...] Não há tal coisa como levar a vida divina a um termo tal que não mais seja possível o progresso. [...] De fato, um progresso livre e sem empecilhos dificilmente poderá começar até que o pecado seja deixado para trás". E outro afirmou: "Ó neves tão puras, ó picos tão altos! Não vos atingirei enquanto não morrer". Isso, contudo, expressa apenas uma verdade parcial, conforme vimos. Nem a morte pode levar-nos ao cume da santidade e da bondade. A eternidade aponta sua face para picos infinitos das perfeições de Deus. (Ver Hb 14.23). Assevera um provérbio alemão: "Tudo que é bom requer tempo". Assim, "uma realidade infinita exige tempo infinito".Penso que agora podemos passar para nosso próximo tópico:

e. Lados divino e humano da santificação

Na realidade, já cobrimos bem esse tema com o exame que fizemos do assunto, até este ponto. Podemos repetir, pois, alguns poucos pensamentos centrais, para efeito de ênfase, além de adicionarmos mais alguma coisa.

Zetetés – Ao discutir sobre outros temas, já vimos que, na salvação, do princípio ao fim, há "interação" entre o lado divino e o lado humano. É natural, pois, que isso também ocorra no caso da santificação, que faz parte da salvação. De que maneiras pode-se dizer que a santificação é "divina"?

Matetés – 1) No fato de Deus ser a base de toda a santificação. Seu nome deve ser santificado pelos homens, honrado e estimado; e sua pessoa, em sua santidade, deve ser imitada e até duplicada, na medida possível às criaturas, por meio da operação do Espírito. Os homens honram a santidade de Deus no ato da adoração. Desse modo, seu senhorio sem-par é reconhecido e aplicado. (Ver Nm 26.12; 27.14; Dt 35.51). No NT, os crentes são exortados a santificar a Cristo como Senhor, em seu coração (ver 1Pe 3.15). As virtudes de Cristo são formadas em nós (ver Gl 5.22,23).

2) Deus santifica **ativamente** sua Igreja; e é dito que se trata de uma obra do Pai, mas também realizada pelo Espírito. Este é o agente ativo da santificação, bem como seu arquétipo ou padrão. (Ver Rm 3.21; Mt 5.48; Êx 31.13; Jo 17.17,19; At 20.32; 1Co 1.2). Os "eleitos" de Deus participam desse benefício, conforme nos mostram pelo menos duas referências bíblicas. O Espírito, conforme é especificamente declarado, tanto santifica quanto causa o progresso na santidade e na perfeição (ver 2Co 3.18 e Rm 15.16).

3) **O mérito** por detrás do ato da santificação é o ato salvador de Cristo, a expiação, o sangue da aliança, a cruz, conforme se vê em Efésios 5.26; Hebreus 9.13; 10.10; 14.29 e 13.12. Assim sendo, a santificação faz parte integral do ato salvatício de Cristo, sendo algo totalmente indispensável, tal como a justificação, porquanto é fruto da justificação.

QUANTO AO LADO HUMANO DA SANTIFICAÇÃO, LEMBREMOS ESTES SETE FATOS:

1) Por toda parte os homens são chamados a se santificarem. Não pode haver santificação sem a reação humana favorável. Deus requer isso dos homens. Estes não podem realizar a obra, pois ela é divina, encabeçando-se ao infinito. Eles, porém, podem entravar essa obra ou fazê-la atuar prontamente

na sua vida. (Ver Lv 11.44; Js 7.13; 1Cr 15.12ss; 2Co 6.14-18.) "Sede santos", diz o Senhor, "pois eu sou santo" (Lv 20.26). Se uma pessoa é chamada a "corresponder", deve ter a capacidade de corresponder. Essa capacidade é dada na graça, na justificação e na conversão.

2) Já notamos a **necessidade** absoluta de "persistência", enquanto discutimos sobre as "sementes de pensamento" da santificação, na teologia. Reveja-se o que dissemos sobre isso. Precisamos de persistência no emprego de meios espirituais, no estudo das Santas Escrituras e de bons livros de natureza espiritual; precisamos da oração; precisamos associar-nos com outros de igual qualidade, que buscam o que buscamos nas realidades espirituais (ver Fp 3.12).

3) A santificação opera por meio da **medida da fé que** houvermos conseguido, e a fé pode ser fortalecida pelo exercício. Já notamos isso sob "sementes de pensamento".

4) Devemos lutar honestamente no conflito produzido pelo "processo de santificação". Isso também já foi notado por nós. "Combatei o bom combate da fé" (1Tm 6.12). "Renovai as vossas mentes" (Rm 12.2). "Não vos conformeis com este mundo" (mesma referência). Todas essas formas de exortação supõem que o uso da "vontade" pode nos conferir a vitória; mas devemos ter uma vontade espiritual resoluta, pois de outro modo nunca a maré do mal poderá ser vencida em nós (ver Tg 4.7).

5) Os vícios são inimigos da alma e anulam a "espiritualização" do ser. (1Pe 2.11).

* * *

Se tu pudesses esvaziar tudo de ti mesmo,
Como uma concha desabitada,
Então te poderíamos achar na praia do oceano,
E dizer: "Este não está morto",
E encher-te com ele mesmo, em lugar disso.
Mas estás repleto de ti mesmo,
E tens uma atividade tão astuta
Que, quando ele vem, diz: "Isso basta
Para ti; melhor deixar como está;
É tão pequeno e cheio, que não há lugar para mim".

(T. E. Brown, "Indwelling")

6) Ocorre pela **transformação mental**, e então pela resultante "transformação espiritual". Um homem quer saborear e deliciar-se com as coisas do Espírito. Pensa nelas e se deixa consumir por elas. Fica obcecado por elas. (Ver Fp 4.8 e Rm 12.1,2.)

7) Um homem percebe que *andar* é encorajador do bem e desencorajador do mal (ver Rm 8.1-4). O Espírito lhe dá poder para tanto, mas é preciso buscar diligentemente o Espírito para que tudo se torne real em sua vida. Nessa "busca", pois, ele emprega os meios espirituais do estudo, da oração, da meditação, a prática da santidade, a prática das boas obras. Em suma, ele preenche a sua vida com aquilo que é santo, e não faz trégua secreta com aquilo que é mau. Pressiona a batalha até o fim; e nunca baixa os braços até que seu último hálito o conduza a Deus. (Ver Gl 5.5,25; Rm 12.11; 15.13). Ele busca os dons espirituais, mediante os quais há um fortalecimento geral de sua vida (ver 1Co 12.31). Ele vive a lei do amor, pois o amor cobre uma multidão de pecados e aperfeiçoa ao espírito. O amor é a rota mais curta para Deus (ver 1Co 13).

Zetetés – Naturalmente, a santificação tem sido sujeitada a muitos abusos e erros. Notei que esse foi um de seus tópicos, a saber, o seguinte. Dê os nomes de alguns desses tópicos para nós.

Matetés – Nosso sexto tópico é,

f. Abusos e erros

Escolhi sete erros óbvios alusivos à teologia da santificação, bem como abusos referentes à sua prática, ou sua prática tencionada. Esses tópicos são como se segue:

1) A CRENÇA FÁCIL; A GRAÇA BARATA. A RECUSA DE PERMITIR A "RENÚNCIA" COMO CARACTERÍSTICA DA VIDA.

2) O ANTINOMIANISMO.

3) O PERFECCIONISMO.

4) A SANTIFICAÇÃO COMO UMA ESPÉCIE DE "SEGUNDA CONVERSÃO" OU "SEGUNDA BÊNÇÃO".

5) ESTÁ LIMITADA À CAPACIDADE; À DIMINUIÇÃO DA RESPONSABILIDADE.

6) O ABANDONO DA LUTA; FAZENDO UM ACORDO SECRETO COM O MAL, COM O INIMIGO; VIVENDO COM ILUSÕES.

7) UMA VISÃO TERRENA A RESPEITO

Scepticós – Vejo, por meio desses tópicos bem escolhidos, que agora estamos prontos para iniciar nossa participação. Não poderemos ficar calados. Até agora tem havido apenas um monólogo, praticamente. Vejo que seu primeiro item é:

1) A CRENÇA FÁCIL; A GRAÇA BARATA. A RECUSA DE PERMITIR A "RENÚNCIA" COMO CARACTERÍSTICA DA VIDA.

Matetés – Esse é o primeiro item de nossa discussão sobre os abusos e que já havíamos considerado sob conversão. Isso é tão importante no contexto da Igreja moderna, que nos faria bem examiná-lo de novo, à luz da necessidade de santificação.

Zetetés – Concordo. Por muito tempo as táticas têm sido de induzir tantos quantos for possível, até que todos tenham abraçado o cristianismo. Realmente, não devemos ter curiosidade demais por saber que pessoas são convidadas a aderir ao cristianismo. Com a ajuda de Deus, minhas táticas serão usadas para tornar claro o que o cristianismo realmente requer, mesmo que ninguém adentre suas fileiras.

Scepticós – Certamente essa é a atitude correta. Não pode haver cristianismo sem a renúncia do **eu**, da carne e de seus vícios. A crença fácil tenta nos enganar para pensar de outro modo. Já o dissemos antes, mas vale a pena repetir. Não pode haver glória sem a cruz, que é o símbolo da renúncia. Nem o próprio Jesus atingiu a sua glória deixando de lado a cruz. Bem pelo contrário, ele chegou à glória mediante a cruz.

Matetés – É a graça barata que oferece a glória sem a cruz, ou salvação sem a renúncia própria da santificação.

Matetés – Já falamos sobre essa "graça barata". Que a igreja de nosso tempo promove exatamente isso é comprovado por certa tolerância até de pecados sérios, sem nenhuma providência apropriada, mediante ensino ou disciplina. Ansiamos por preservar e defender uma doutrina, um princípio, um sistema. Esquecemo-nos, porém, da vereda da renúncia, que o evangelho requer, e sem a qual nossas doutrinas não passam de palavras pias, e não de realidades. A graça barata, conforme a entendo e segundo temos usado a expressão, é uma doutrina sem a prática correspondente. A graça barata é uma doutrina que não exige renúncia.

Matetés – O que você pode apresentar-nos sobre esse assunto, Epítropos? Você é o guardião da fé. O que a fé requer de nós?

Epítropos – A graça barata promove um evangelho que não exige santificação, mas apenas a sugere, como se fosse algo opcional. A graça dispendiosa conhece somente a necessidade absoluta de santificação para a salvação, que concorda com as declarações da Bíblia. (Ver 2Ts 2.13 e Hb 12.14). O evangelho de Cristo é um evangelho da graça; mas é uma graça dispendiosa. Ele nos custará tudo, ou não tentemos dar coisa alguma. A graça de Deus requer, requer e requer novamente, não requer apenas uma parte, mas o coração todo, e nada promete a menos que as condições sejam satisfeitas.

Sofós – A graça barata quer salvar um pecador sem separá-lo de seu pecado. Pretende salvá-lo em seu pecado, e não do seu pecado; mas, ao mesmo tempo, quer deixá-lo em conforto, assegurando-lhe que tudo vai bem com a sua alma. Nada, porém, estará indo bem com sua alma se ele for apanhado por algum vício, ou se sua vida é a negação de sua doutrina. As pessoas dizem: "Oh, o sangue de Cristo cobre tudo". O evangelho da graça dispendiosa responde: "O sangue só cobre aquilo de que nos arrependemos". Conforme vimos, o arrependimento é a completa mudança de mente, uma nova mente e uma nova alma. O arrependimento consiste em mais do que admitir que erramos. É renunciar àquele erro. Aí, sim, o sangue se aplica, mas nunca antes disso. A Palavra diz "Arrependei-vos e crede", e não apenas "crede". Outrossim, não haverá fé real em Cristo sem o acompanhamento do arrependimento; e onde não houver real fé, não haverá perdão de pecados.

Scepticós – A graça barata indica uma casual justificação **posicional** do pecado, mas sem justificação real do pecador. É um mito piedoso que faz os pecados de um homem serem perdoados, e declara-o justificado, sem que haja o acompanhamento necessário da santificação. Graça barata, pois, é justificação sem santificação. A graça dispendiosa é a justificação que redunda na santificação. Em algumas igrejas achamos a graça barata, onde se oferece "cobertura para o pecado", mas onde nenhuma contrição é requerida. A confissão de um credo supostamente faria tudo isso. Nenhuma contrição é requerida, e, menos ainda, há qualquer desejo verdadeiro, na "crença fácil", de se ver livre do pecado.

Matetés – Essa "graça barata" é algo muito sério, porque nega o propósito mesmo da encarnação, que consiste em elevar os homens da servidão do pecado e deste sistema mundano satanicamente controlado até ao reino da Luz, com sua santidade acompanhando. Um homem apanhado em um vício está sendo uma negação viva do propósito e da operação da encarnação. Antes, está sujeito ao reino dos vícios. Como, portanto, poderia conhecer ao grande rei?

Epítropos – A graça barata consiste de pregar perdão de pecados sem exigir o "arrependimento"; é graça sem nenhuma exigência moral, sem renúncia. É uma graça que apresenta desculpas sobre a graça e sobre a necessidade de levar a cruz. A graça dispendiosa é pérola de grande preço, pela qual um homem sacrifica tudo e qualquer coisa. É o tesouro no campo, em troca do qual nenhum sacrifício é considerado demasiado. É o governo real de Cristo, como Senhor da vida, com a transformação acompanhando o ser moral e metafísico do discípulo cristão.

Matetés – A verdadeira graça é cara porque exige que sigamos a Cristo, e não apenas que o confessemos. Exige que sejamos santificados, e não

204 |Artigos introdutórios| NTI

meramente que afirmemos estar justificados com base na crença em certo credo ortodoxo. É dispendiosa porque custa ao indivíduo nada menos que a própria vida.

Epítropos – Na proporção em que o cristianismo se espalhou, foi-se tornando mais e mais secularizado e mundano, e o significado original do discipulado se perdeu. O fim das perseguições atraiu a igreja ao conforto carnal. Foi então que o movimento monástico surgiu como uma espécie de protesto, com nova busca, novo zelo. Manteve-se, entretanto, nas fímbrias exteriores da igreja. Contudo, entre alguns poucos, conservou-se a visão do que Cristo deve significar na vida. Essa busca espiritual, apesar de sincera, era dirigida a uma área externa do cristianismo, tendendo por remover bons discípulos tanto das fileiras principais da igreja, para nada dizermos do mundo. A igreja carnal, principal e sabiamente tolerava essa faixa exterior, continuando a seguir desimpedida por seus caminhos mundanos. Assim sendo, o discipulado sério foi tachado como algo próprio de uns poucos, disponível aos discípulos como "realização individual", e não como coisa a ser emulada pela igreja toda. Seguir a Cristo, pois, tornou-se um envolvimento de especialistas, e não de todos os seguidores professos de Cristo. E esses próprios "especialistas" foram forçados a seguir a Cristo de modo desnatural, tendo de retirar-se virtualmente não só do mundo, mas da própria igreja, para serem bem-sucedidos. E assim o fermento foi retirado da igreja. Os "especialistas" foram, pois, "marginalizados". Não foi por acidente que Lutero passou por um mosteiro, e foi um ato de Deus que isso não conseguiu marginalizar o seu discipulado. Penso que há verdade na declaração que diz: "Só pode crer quem é obediente". Isso indica que uma fé real acompanha a obediência e dela resulta. Não se trata de algo que pode ser separado dela. Lutero retornou do mosteiro ao mundo, e esse foi o pior golpe que o mundo e a igreja secular sofreram por muito tempo na história eclesiástica. A única maneira real de seguir a Jesus é bem no meio do mundo. Foi ali que ele cumpriu seu discipulado, e é também onde devemos cumprir o nosso. Um homem, no entanto, deve levar no coração a lição do santuário do mosteiro. A obediência aprendida no mosteiro deve ser levada ao mundo, para que os homens tenham outra ideia do discipulado cristão.

Sofós – É verdade. E o único que tem direito de dizer que foi justificado e perdoado é aquele que deixou tudo para seguir a Cristo. Muitos têm aceitado, por assim dizer, literalmente a declaração de Lutero: "Peca ousadamente, mas crê e regozija-te em Cristo, ainda mais ousadamente". Essa afirmativa, considerada de maneira isolada, é, naturalmente, a essência mesma do evangelho da graça barata. Que homem, que realmente confie em Cristo e a tudo renuncie por causa dele, poderia "pecar ousadamente" só porque lhe resta ainda o recurso de "crer ousadamente"? Muitos têm feito contorções para explicar o que Lutero quis dizer com isso. Pessoalmente, mencionei essa declaração de Lutero apenas para mostrar uma atitude que realmente existe entre os cristãos. Eu não tentaria "justificá-la", conforme alguns a fazem. Trata-se de uma declaração desastrosa, e não merece nossas tentativas de encontrar uma justificativa para ela.

Matetés – Essa foi a pior coisa que Lutero jamais disse, e é a pior maneira em que um homem pode viver. É a essência mesma da filosofia da graça barata, sendo contra o teor geral da vida e dos ensinamentos de Lutero. Ele nunca deveria ter afirmado algo assim. É uma tragédia existir crentes que vivem assim, com essa filosofia.

Matetés – Desejo falar sobre a linha divisória. Os verdadeiros discípulos, antes de tudo, estão separados do mundo por uma linha clara que os situa em campo completamente diferente. Fisicamente, vivem no mundo, vizinhos, por assim dizer, de pessoas sem fome espiritual e que se dedicam totalmente aos prazeres mundanos. Os verdadeiros discípulos são separados desses por uma linha traçada em alto relevo. Trata-se de corajosa linha, não nos equivoquemos a respeito disso. Na igreja, há muitos que são "atraídos por Cristo", que receberam algum grau de iluminação espiritual, mas que, na realidade, não se converteram. Sim, foram "aprimorados" por terem sido atraídos por Jesus Cristo, e professam lealdade a ele. Simpatizam com o evangelho. Chegam a defendê-lo. Sustentam um credo que exibe crença intelectual. No entanto, não deixaram tudo para seguir a Cristo. E se acham na igreja, embora continuem amigos do mundo. Ainda se deixam levar pelos motivos carnais e mundanos que há em seu coração, embora agora esses motivos estejam um tanto mais abafados. Essa gente tem simpatia pelo evangelho, mas, na realidade, não obedece ao evangelho. Aprovam o que diz o NT, mas não estão fazendo nenhum grande esforço para se conformar a seus ensinamentos, desde a alma. Respeitam, admiram e até elogiam a pessoa de Jesus; mas não têm o Cristo vivo como seu Senhor. Há uma linha demarcatória que separa esses supostos "discípulos" dos verdadeiros discípulos, dentro da própria igreja. Só Deus sabe com certeza onde cai a linha, quais os que estão incluídos e quais os que estão excluídos da grei divina. E o teste, no tocante ao ponto em que passa essa linha, é a realidade ou a ausência de santificação na vida.

Sofós – De acordo com a doutrina da graça, renunciamos voluntariamente a toda tentativa de estabelecer nossa retidão, pois reconhecemos que a salvação é algo elevado demais para ser obtida pelo mérito humano. Estamos sujeitos à operação do Espírito, que aperfeiçoa em nós a própria santidade de Deus; e sem essa santidade ninguém jamais verá a Deus (ver Hb 12.14). Pergunto agora: de que adianta concordar que não podemos ser justificados por nossa retidão, ao mesmo tempo que recusamos nos sujeitar à **infusão** da santidade de Deus? Uma opinião correta poderia salvar-nos? Agimos como se pudéssemos prosseguir sem nenhuma retidão séria de qualquer espécie, contanto que creiamos em determinado credo. A referência na epístola aos Hebreus, que mencionávamos há pouco, exorta-nos a nos "esforçarmos" pela santidade. **Razão:** sem santidade, nunca teremos a salvação. 2Ts 2.13 diz a mesma coisa. E não existe santidade na alma a menos que ela se encontre realmente ali. Uma "santidade posicional" é apenas uma ficção piedosa, salvo nos houver transformação segundo a imagem moral de Cristo. Dizer "estou justificado" e, portanto, supostamente, "tenho a santidade de Cristo", nada significa de fato se isso não estiver na vida. Sem a transformação segundo a imagem santa de Cristo, a justificação será apenas uma "ficção teológica", e não uma realidade espiritual. Ficções teológicas de nada nos adiantarão no dia do juízo. Na "morte de Cristo", atingimos a sua retidão. Mas a "morte" requer, e não apenas subentende, o "fim da vida antiga". Onde não terminou a vida antiga, não haverá participação na nova vida. Romanos 6 deixa isso bem claro. Participar na "morte" de Cristo (parte do batismo espiritual) significa ter o ministério do Espírito a movimentar-se em nova alma, para obter a mesma vitória sobre o pecado que Jesus obteve em sua morte. Estamos identificados com ele, em sua morte. Mas isso não é uma ficção. É uma realidade mística. O Espírito torna eficaz em minha vida tudo que a morte de Cristo significa. Não se trata de uma doutrina a ser mantida, mas de uma experiência de que devemos participar. Se essa justiça infundida não for realidade na minha vida, então ficará em mim apenas uma ficção teológica. O batismo espiritual (do que o batismo em água é um símbolo, e não sua realidade) também significa a participação em uma nova "forma de vida", metafísica e moralmente falando. É o Espírito, uma vez mais, que faz disso uma realidade (ver 2Co 3.18), e assim estaremos avançando de glória em glória, quando sua natureza vai sendo duplicada em nós. Há um real ministério do Espírito, com resultados diários e crescentes na vida. Somente assim é que um homem realmente se converte, realmente é santificado, realmente é salvo.

Zetetés – Por essa razão foi dito: "Cristo é nossa justiça, santificação e redenção". Essas coisas se concretizam em nós por estarmos identificados com ele. E o poder dessa concretização vem mediante o contacto pessoal com seu ego, o Espírito Santo. Não há concretização sem essa operação espiritual, e nenhum acúmulo de "crença" e de "credo" que torne real o que é apenas uma fórmula verbal.

Matetés – Creio que aquilo que dissemos cobre adequadamente nosso primeiro tópico. Prossigamos agora para falar sobre o:

2) ANTINOMIANISMO — Esse é o segundo **abuso** contra a santificação que nos convém examinar. É óbvio que está muito ligado ao que foi dito sobre a graça barata e a crença fácil. Afirmamos: "Os crentes não estão mais sob a lei", e poderemos estar dizendo realmente, conforme fica comprovado por nossa vida: "Os crentes são pessoas desregradas". Esquecemo-nos de que o evangelho "nos vincula à lei" de Cristo, que é uma lei superior agora escrita em nosso coração, o que traz as exigências morais de Deus ainda mais do que o faziam as leis do AT. Exige mais porque é espiritual. Antes, o homicídio real era condenado; agora é condenada até uma atitude mais dura da mente, a qual, se tivesse livre espaço de ação, resultaria em homicídio. Por igual modo, antes era proibido o adultério; agora, até um olhar adúltero é condenado.

Scepticós – Quais são as perversões doutrinárias e bíblicas que há por detrás do antinomianismo?

Matetés – Alguns afirmam que, visto que a obediência e os sofrimentos de Cristo satisfizeram às exigências da lei, o crente está livre da obrigação de observá-la. Isso envolve certa dose de "observância vicária da lei", o que por certo é uma noção falsa. A noção antinomiana repousa sobre uma falsa interpretação de Romanos 6.14: "Não estais debaixo da lei, mas debaixo da graça". Considerando isso, sem explanação ou comparação com outros textos bíblicos, podemos desenvolver a ideia de liberdade para pecar, e não liberdade de não pecar, que é a verdadeira liberdade. A outra coisa é apenas a antiga servidão, sob bandeira diferente. Em suas formas mais extremas, o antinomianismo afirma que as "boas obras" são **injuriosas** à busca sobre a salvação. Nesse caso não há o esforço para distinguir o "mérito humano" da "obra interior, que expressa externamente os seus frutos". Assim, disse-o realmente, certo teólogo: "As boas obras são prejudiciais para a salvação". Outros, como Rasputin, recomendam a prática dos vícios e de todos os tipos de pecado, a fim de se saber do que nos estamos arrependendo. Ainda que outros tenham assumido um ponto de vista gnóstico da questão, asseverando que o espírito do homem é justificado e não é prejudicado pelas corrupções do corpo, pelo que essas corrupções não precisam ser evitadas. A santificação, segundo esse ponto de vista, deve ser reduzida a algum suposto pronunciamento de Deus, e não ao que realmente sucede na vida. Isso, porém, é uma falsa santificação. A real "santificação" é a operação santificadora do Espírito, e não alguma palavra divina que declare santidade. Como poderia haver declaração divina nesse sentido, se não houvesse tal realidade na vida?

Sofós – Biblicamente, como você responderia ao antinomianismo?

Matetés – Eu diria:

a) Visto que a lei é a transcrição da santidade divina, suas exigências, como regra moral, são **imutáveis**. Com isso concorda Mateus 5.17-19. Jesus não veio destruir a lei, mas firmá-la. Isso não significa que a lei, contida no AT, seja a "regra de vida", conforme alguns têm ensinado. Agora a lei está nas mãos de Cristo, sendo espiritualizada na "lei do Espírito". Romanos 8 deixa isso bem claro. Temos uma nova lei, sendo essa a lei que agora nos dirige. Ela opera diretamente pela influência do Espírito, e não mediante um mandamento morto. Mas incorpora toda a moralidade da antiga lei, não nos equivoquemos a respeito disso.

b) A nova lei requer **mais** de nós, não menos. Requer que imitemos a santificação, mas que tenhamos, em nós implantada, a própria santidade de Deus. (Ver Rm 3.23 e Hb 12.14.)

c) A nova lei não é **menos moral**. É tão moral quanto a antiga lei; e agora é poderosa para efetuar a moralidade. Alcança o próprio íntimo do ser, operando no nível da alma. (Ver 1Co 3.21; 2Co 3.3,38 e Rm 7.7; 8.4).

d) O fim da servidão à lei não é o "começo da liberdade de depravar-se moralmente". Isso é contra todo o espírito do NT. A lei de Deus aponta para a moralidade. O Espírito faz o mesmo. A lei condena se a moralidade não é cumprida na vida; o Espírito cumpre a moralidade em nossa vida não mediante uma letra morta, que paire sobre nós qual ameaça, mas mediante uma **operação viva** no íntimo, a transformação de nosso ser, de modo que chegamos a participar de uma nova "forma de vida", que vive na santidade e foge do mundo e seus vícios.

e) Todas as instruções de Jesus mostram que ele ligou a vida à fé religiosa. O antinomianismo pede-nos para divorciar as duas, ou diz-nos que a fé religiosa não visa a tornar-nos santos. Ora, isso é um **absurdo**. Sem a santidade, ninguém jamais verá a Deus. (Ver os ensinos morais de Jesus, em Mt 5-7. Se qualquer coisa é clara aqui, é que Jesus estava muito distante do antinomianismo.)

f) Consideremos as várias listas de vícios que há no NT. (Por exemplo, Gl 5.19ss e Ef 5.5ss.) Notemos como esses vários textos bíblicos afirmam que **nenhum viciado** verá o reino de Deus, ou seja, não herdará a sua salvação. Os vícios proibidos são os mesmos que a lei também atacava. Acima de todos estão os vícios da concupiscência, os pecados do sexo, isto é o ponto mais fraco do homem. Os próprios pagãos condenavam os vícios constantes nessas listas. Não é por acidente que as listas de vícios, dadas por Paulo (que refletem, outrossim, até o entendimento pagão entre os melhores filósofos morais), chamam de idolatria os pecados sensuais, aparecendo estes associados à cobiça. Na cobiça pela satisfação sexual, o indivíduo faz do seu impulso animal um deus, e um deus extremamente exigente. O mundo inteiro atualmente se prostra de admiração perante esse deus. De fato, alguns escritores populares fizeram do sexo uma religião. O antinomianismo sanciona isso. Entretanto, se por um lado dizem: "Não estamos sob a lei", e subentendem que podemos fazer o que quisermos, por outro lado, as Escrituras, nas listas de vícios, não hesitam em destacar a lei como quem nos condena em nossos vícios.

g) 1João 3.9 declara enfaticamente que o que é "nascido de Deus" não pode praticar o pecado, isto é, ele não está preso em nenhum vício. 1João 1.6 diz que, se andamos na escuridão, todo o tempo, apenas dizendo termos **"comunhão"** com Deus, estamos mentindo e não estamos vivendo de acordo com a verdade.

Scepticós – Lembremo-nos que Pedro disse que as concupiscências e paixões mundanas **guerreiam** contra a alma. Como poderia ser isso, se pudéssemos viver nos vícios? E como poderia estar limpo e livre o nosso espírito? (Ver 1Pe 2.11). Pedro também mostrou claramente como a real salvação, que ele define como participação na "natureza divina" (2Pe 1.4), ocorre somente quando somos livres da corrupção que há no mundo pela concupiscência. Nenhuma doutrina de justificação pela fé, por mais firmemente mantida e defendida que seja, poderá isentar-nos dessas exigências. Não existe tal coisa como um "evangelho", sem as exigências morais da lei, incorporadas em nosso presente padrão, a lei do Espírito. A justificação nada é sem a confirmação e continuação na santificação. Ambas as coisas são meros termos que descrevem como a santidade e a natureza de Cristo estão sendo infundidas em nós.

Matetés – É verdade, e devemos buscar essa infusão, aplicando todos os meios espirituais de desenvolvimento, como o estudo, a meditação, a oração, a prática das boas obras e a vida de santificação. Essa infusão é garantida pela vida do discipulado, que ocorre no meio ambiente da renúncia. Ora, é exatamente isso que o antinomianismo nos diz para não fazermos. Mas é exatamente o que devemos fazer. Cristo veio para que renunciássemos ao mundo com êxito, juntamente com suas concupiscências. Aquele que segue direito esse princípio exibirá notável sinceridade em sua inquirição espiritual. O Espírito de Deus vê essa sinceridade. Dirá: "Este é o homem que deve ser ajudado". E ajudará a esse homem. O resultado será o sucesso na vida cristã. Esse homem **realizará** seu alvo santo. Portanto, o divino e o humano cooperam nessa obra.

Passemos agora ao tópico seguinte:

3) Perfeccionismo — Apesar de sua falsidade, alguns bons nomes da história cristã têm estado vinculados ao perfeccionismo. Basicamente, a teoria diz que um homem pode vencer de tal modo na vida, que atinja o estado de **impecabilidade**. Presumivelmente, ele poderia manter esse estado. Ou então, admitem, pode recair em seu estado anterior. Em primeiro lugar, mesmo que um estado de "impecabilidade" pudesse ser atingido, dificilmente poderíamos chamar isso de "perfeição", pois esta tem de incluir, igualmente, as santas virtudes de Deus, em nós implantadas. De fato, estar "livre de pecado", conforme já observamos, é apenas um bom começo na busca pela perfeição, longe de ser seu final. Penso que a maioria das pessoas, se indagada sobre isso, mesmo que admita a possibilidade da "impecabilidade", admitiria que tal estado dificilmente poderia ser chamado de "perfeição". Portanto, o "título teológico" adquirido pela doutrina é bastante infeliz. Adquiriu, contudo, um título infeliz porque, por si mesma, é uma ideia infeliz. Como um ideal, é belo, e sem dúvida deve ser buscado. Como uma realidade supostamente possível, porém, neste mundo de pecado e miséria, é apenas uma ficção teológica.

Scepticós – Alguns têm encarado a perfeição como possível por meio de uma espécie de experiência mística, na qual há uma "transformação instantânea da inteira pecaminosidade para a total santidade". Outros contemplam a concretização disso por um longo e árduo processo de melhoria gradual. A maioria faz da "perfeição" algo relativo que deve ser buscado, pois se relaciona à "luz recebida" ou ao "pecado conhecido". A maioria dos homens também reduz a definição bíblica do pecado, quer o admitam ou não, ao invés da busca pela impecabilidade à altura da santidade requerida nas Escrituras. Se eu indagar de um perfeccionista se ele ama a Deus de todo o coração, alma e força, necessariamente ele responderá de maneira afirmativa. Entretanto, ao examinar esse homem e sua resposta, descobrirei o que ele entende por esse amar: algo menor que aquilo que me satisfaz, ou satisfaz às Escrituras. Talvez ele qualifique a pergunta afirmando que esse "amar" depende das restrições de luz e oportunidade de saber o que realmente significa amar a Deus. Portanto, o pecado é medido por uma regra de cálculo, não por qualquer padrão absoluto que se aplique a todos igualmente. Se um perfeccionista vier a perder a paciência ocasionalmente, essa explosão ocasional de mau humor será chamada de "autodefesa", passando a ser reputada como legítima. O que sucedeu é que um antigo pecado apenas teve seu nome mudado, não sendo mais reconhecido como um pecado. Essa é outra maneira em que pode ser reduzida a definição do pecado, para tornar um indivíduo impecável.

Zetetés – Que textos bíblicos são usados pelos perfeccionistas?

Matetés – O favorito é 1João 3.6,9. Eles aceitam de modo absoluto a declaração de que o indivíduo regenerado não peca. Isso, no entanto, deve aplicar-se a todas as pessoas convertidas, embora os perfeccionistas apliquem a declaração só àqueles que atingiram certa altura de experiência, após a conversão. Além disso, ignoram o texto de 1João 1.8, que mostra que é mera "autoilusão" e mentira, dizer "Eu não peco".

Zetetés – Como você pode interpretar o texto de 1João 3.6,9?

Matetés – Dois modos são possíveis, de modo a não contradizer 1João 1.8. Não é provável que o autor quisesse contradizer a si mesmo sobre o particular, ou que o tenha feito por descuido. Portanto, cumpre-nos buscar uma interpretação reconciliadora. 1. Podemos dizer que a **prática** do pecado está em foco na segunda passagem. Aquele que "pratica o pecado" não é de Deus. O tempo presente do verbo (ação contínua) poderia ser alegado em favor dessa ideia. 2. Ou poderíamos aplicá-lo ao "princípio do não-pecado" à "nova natureza" do crente. Ele não peca; mas nós somos seres "duplos" e, por causa da antiga natureza, continuamos pecando. Contudo, não "praticaremos" o pecado, ou não teremos nascido de Deus sob hipótese nenhuma.

Outro abuso contra a Bíblia ocorre em Romanos 6. Estamos "mortos para o pecado", e suas exigências não são mais motivos em nossa vida; mas sua feia cabeça ainda se ergue contra nós. Aquela passagem também se aplica a todos os crentes, não aos que chegam à impecabilidade; mas isso os advogados do perfeccionismo ignoram convenientemente. Todos os verdadeiros crentes estão mortos para o pecado, e não mais saltam quando este diz "salta". No entanto, não são "impecáveis". Não há mais servidão ao pecado, mas ainda pecam, embora não possam ser vencidos pelo vício, ou, obviamente, o pecado continua sendo seu senhor, e, nesse caso, não serão pessoas convertidas.

Sofós – Que argumentos, bíblicos ou não, podem ser aduzidos contra o perfeccionismo?

Matetés – Já comentamos alguns deles. Vamos alistá-los para efeito de clareza:

a) O perfeccionismo repousa sobre uma falsa aplicação de algumas poucas passagens bíblicas, ignorando outras.

b) Repousa sobre a necessidade de reduzir a verdadeira definição de pecado.

c) Aplica uma régua de cálculo aos pecadores, tornando-os impecáveis na dependência da luz e da oportunidade, ao passo que a lei de Deus deve aplicar-se a todos igualmente e sem parcialidade, pois só há um padrão no caso do pecado.

d) Se a **lei de Deus** aponta para uma impecabilidade absoluta, o perfeccionismo se contenta com formas inferiores (as quais, em nenhum sentido, representam a impecabilidade). O perfeccionismo ignora o caráter intensamente exigente da lei. Entende mal a severidade da lei. Faz ideia embaçada da santidade de Deus e cria uma santidade inferior, em busca da qual se esforça. Está eivado de orgulho humano e superestima o que o homem mortal pode fazer nesta esfera. Transforma um mero "ideal" em uma realidade impossível, até onde esta esfera terrena está envolvida.

e) Ignora a natureza geral do NT, que, em parte nenhuma, apresenta mesmo os melhores santos neotestamentários como quem obteve o que os perfeccionistas dizem que pode ser obtido. Consideremos o que o próprio Paulo diz sobre sua pessoa, em Filipenses 3.10ss. Paulo nunca afirmou ter chegado a uma **vitória final**, mas sempre se sentiu em uma "luta presente". Ele alcançou vitória nessa luta. Não era um homem viciado. Mas também não era perfeito. Um homem poderia ser chamado "perfeito" não tendo falta óbvia que impressione a vista (conforme o caso de Noé, em Gn 6.9). Pode ser chamado "perfeito" porque é **maduro** ou porque busca a perfeição e sua inquirição espiritual é séria. Nenhum homem mortal, porém, é perfeito, agora ou no futuro, porquanto a perfeição é qualidade exclusiva do Deus altíssimo. Transcende imensamente à mera impecabilidade, sendo uma "busca eterna", e não apenas mortal e terrena. Sempre nos estaremos aperfeiçoando. Faz parte de uma glorificação contínua.

f) As Escrituras **negam** claramente o perfeccionismo, e até mesmo a impecabilidade dos mortais nesta esfera terrena. (Ver 1Jo 1.8; 1Rs 8.46 e Tg 3.2).

g) Diz-se de um crente que ele foi "santificado" ou é um "santo"; mas nenhum desses termos requer a ideia de "impecabilidade". 1Coríntios 6.11 situa a santificação no passado, mas essa é apenas a separação inicial e o começo da purificação, e não seu estágio final. Como poderia isso ser dito acerca de todos os crentes, afinal, se significasse "impecabilidade"; e, mais ainda, como poderia isso ter sido dito acerca dos coríntios? O erro do perfeccionismo é que confunde a santificação posicional, que está "sendo aplicada", com a "santificação final". Aquilo que é "imputado" se tornará em qualidade inerente, e esse processo está sendo concretizado. Entretanto, é uma suposição imensa pensar que isso se cumpre no caso de homens mortais.

h) O perfeccionismo é **contrário** à experiência humana. Simplesmente não há exemplos vivos da tese. Contudo, todos deveriam ser exemplos vivos da teoria como um "ideal", um "alvo" a ser alcançado. De fato, eventualmente o alvo será atingido, e mais ainda, por todos os crentes. Eles serão impecáveis, e daí partirão para a "perfeição", e prosseguirão nessa direção para sempre; pois nem a morte e nem a eternidade farão um homem chegar finalmente ao alvo, pois só Deus pode ser perfeito no sentido absoluto. Os homens que se apresentam como exemplos vivos da teoria, no aplicável a esta vida mortal, só o são para si mesmos. Assim, disse certo homem sábio: "Esforça-te sempre em busca da perfeição; e nunca creias que a atingiste". Um famoso pregador perguntou de uma mulher supostamente "perfeita": "A senhora não se orgulha dessa realização?" Ela replicou: "De fato, me orgulho!" E o pastor disse, com perspicácia: "Ninguém pode atingir essa forma de 'vida superior' e escapar de cometer o erro!" João Wesley, que advogava a "impecabilidade" confessou que nem em trinta casos um retinha a **bênção**. Ele mostrou-se muito generoso em seu cálculo, por mais decepcionante que seja. Nem mesmo ele reteve essa "bênção" da impecabilidade.

Consideramos agora:

4). A santificação como uma espécie de **segunda conversão** ou "segunda bênção" — Já tratamos do assunto ao discutir sobre o tema anterior, uma vez que alguns pensam que a "impecabilidade" se obtém não mediante longa luta, mas por uma experiência súbita, parecida com a da conversão. Já vimos, ao examinar a conversão, que uma "segunda" e mesmo uma "terceira" conversão pode ser experiência real. Mas isso pouco ou nada tem a ver com o tema que ora consideramos. Estaríamos desperdiçando tempo supondo que na experiência religiosa não se possa dar uma "segunda" grande ocorrência, enquanto os homens buscam uma experiência de fé mais profunda. Pode

haver, porém, até uma terceira e uma "quarta" dessas experiências. As objeções contra essa ideia podem ser formuladas mais ou menos com os mesmos termos, como se deu no caso do item anterior. A questão não é se uma poderosa experiência espiritual pode ser vivida de maneira a afetar profundamente a vida. Algumas pessoas recebem iluminações definidas. Já discutimos sobre isso quando considerávamos as experiências místicas. Mostramos que **nem todas** as experiências místicas são válidas, mas podem ser realizações de atletas mentais. Contudo, admitindo e afirmando que algumas o são, naturalmente admitimos a possibilidade de genuínas e poderosas experiências espirituais, após a conversão, que para sempre muda a vida para melhor. Negamos categoricamente, entretanto, que tais experiências tornem "impecáveis" homens mortais. Certamente elas podem melhorar imensamente a espiritualidade da vida desses homens, levando-os a receber daí por diante forças e poderes espirituais até então desconhecidos. Até onde vão as Escrituras, não podemos ver, também, nenhuma limitação específica dessas experiências ao número de "duas", ou a qualquer outro número, isto é, como se a conversão fosse uma e a inteira santificação fosse uma "segunda" experiência. Porquanto isso categorizaria de tal maneira as experiências espirituais, que não teriam sentido com bases em considerações neotestamentárias.

A ideia inteira de alguma espécie de santificação "instantânea" mal entende lamentavelmente a profundidade do problema do pecado. A fim de obter essa santificação instantânea, sob qualquer de suas formas, temos que apelar para "truques" como aqueles descritos na discussão anterior sobre o "perfeccionismo"; e os mesmos argumentos e textos bíblicos ali usados aplicam-se aqui. O crente não deve embalar ilusões acerca da intensidade da luta contra o pecado, conforme o demonstram os textos de Romanos 7,8 e Gálatas 5. A consumação da santificação, no que se aplica à "impecabilidade", ocorrerá quando da segunda vinda de Cristo, quando, assumindo a sua "forma de vida", nos tornamos seres de sua categoria, e, portanto, impecáveis (ver 1Jo 3.3). Daí por diante, por toda a eternidade, e sempre nos aproximando dela, avançaremos para a "perfeição".

Scepticós – Muitos bons cristãos têm afirmado haver recebido uma espécie de segunda "bênção", ou uma segunda conversão, a qual, presumivelmente, os "aperfeiçoou", ou tornou-os impecáveis. Essas experiências são fraudulentas?

Matetés – Em nosso estudo sobre o misticismo, já vimos que existem muitos tipos, desde feitos de atletas mentais, sem nenhum valor espiritual, embora muitos lhes deem valor, até experiências genuínas, que transformam a alma ou dão nova direção à vida diária. Nessa "experiência em busca da santificação", sem dúvida há alguma variedade. Dificilmente uma pergunta difícil tem uma única resposta.

Scepticós – Muito bem. Mas que dizer sobre as genuínas experiências místicas, que alguns pensam tornar impecáveis os homens?

Matetés – Penso que essas experiências podem ser válidas, fazendo algum bem para o caminhar espiritual da pessoa. Mas as pessoas estão certamente equivocadas sobre "o que é operado nelas" por essas experiências. Deve haver um avanço; mas, mesmo nesse caso, não se pode extrair sentido de uma simples "segunda" dessas experiências. Se Deus assim o quiser, poderá haver muitas delas. Ou então, se ele assim o quiser, nosso crescimento será gradual, não envolvendo nenhuma súbita experiência drástica. Um homem pode pensar que a "impecabilidade" é alcançada mediante uma experiência assim. Ele é espiritualmente aprimorado, e se o dogma que aceita o ensina que tal experiência o torna impecável, então crerá que assim ocorrerá. Não se iludirá, e nem iludirá a outros, admitindo que isso realmente não aconteceu. Então começará a baixar o seu "conceito" de pecado; e embora não faça assim, diminuirá o conceito do pecado que figura nas "Escrituras", a fim de tornar válida a sua experiência.

Scepticós – Você está querendo dizer que o "orgulho humano" distorce a mente do indivíduo acerca do que sua experiência fez por ele?

Matetés – Exatamente. Penso que já demos motivos suficientes para mostrar que a "perfeição impecável", até onde vai a experiência humana, é apenas um mito de piedade. Contudo, trata-se de um alvo nobre a que todos estamos na obrigação de buscar. Nunca, porém, nos devemos tornar tão orgulhosos, que venhamos a pensar que atingimos o alvo, enquanto ainda estamos no estado mortal.

Tudo isso nos conduz especificamente ao tópico seguinte,

5) Está limitando à capacidade; diminuição da responsabilidade — Já ventilamos por várias vezes esse ponto, mas esse abuso é importante o bastante para fazer dele um item separado. Penso que é muito natural que os teólogos que aceitam o estado "impecável" como possível na experiência terrena, sintam a necessidade de criar novas ideias sobre o conceito mesmo do pecado. Isso sentem intimamente, forçados a tal, a fim de se fazerem impecáveis quando, de fato, não o são. Têm o desejo intenso de ser impecáveis (e isso é bom); mas, quando descobrem que não o são na realidade, a despeito de seus esforços prodigiosos, rebaixam os padrões do pecado; e racionalizam a questão inteira,

a fim de chegar a um pseudoestado impecável. Indagamos o quanto bem iludem a si mesmos e a outros; mas só eles mesmos nos poderiam falar a respeito disso, embora seja inútil esperar deles uma confissão cândida. Essa gente chegou a um plano espiritual que julgam ser muito mais elevado que o do resto dos crentes, e não haveriam de destruir essa ilusão mediante uma confissão franca.

Um teólogo bem conhecido escreveu sobre o assunto como segue, ao definir a impecabilidade: "A própria linguagem da lei é tal que nivela suas reivindicações à capacidade do sujeito, sem importar o quanto grande ou pequeno seja esse sujeito. "Amarás o Senhor teu Deus de todo o teu coração, de toda a tua alma, de toda a tua mente e de toda a sua força". Aqui, portanto, fica claro que tudo quanto a lei requer é o exercício da medida de forças de que dispomos, no serviço de Deus. Ora, já que a inteira santificação consiste da perfeita obediência à lei de Deus, e visto que a lei nada requer senão o uso correto de qualquer força que o estado de inteira santificação pode ser obtido nesta vida, com base na capacidade natural".

Scepticós – Essa declaração envolve lamentável falta de entendimento sobre a força de Deuteronômio 6.5, e de fato, de tudo quanto a lei exige.

Sofós – Sim, é uma teologia "pútrida" apesar de alguns nomes bons estarem vinculados a ela. Por ela, o próprio homem torna-se o padrão do que é certo ou errado. E não só isso, mas cada indivíduo é esse padrão. Minha "perfeição" pode ser diferente da tua, dependendo de nossas diferentes capacidades e iluminações. A Bíblia desconhece esse tipo de padrão dogmático e relativo do pecado. O homem jamais é padrão de tudo, apesar do que têm dito os filósofos. Deus é a medida do que é ser impecável. Deus é o único padrão. Só existe uma lei. Não pode haver muitas leis, dependentes de como a lei se aplica a cada indivíduo.

Epítropos – Não devemos ter ilusões sobre a intensidade da luta contra o pecado. Devemos evitar os truques místicos para chegar lá, uma posição que, na realidade, é inatingível. E isso não nos isenta de nos lançarmos à luta. Nossa luta é em prol da santidade, e rejeitamos de todo a graça barata e a crença fácil, que isentam os homens da luta e os intitula de "salvos", a despeito do fato de não terem passado por conversão real.

Sofós – Como pensaríamos em obter tão grande prêmio, se evitamos a luta?

Matetés – Outro abuso contra a santificação é o

6) ABANDONO DA LUTA – fazendo tréguas secretas com o mal, com o inimigo; vivendo em meio a ilusões.

Scepticós – Talvez dentre todos esses abusos, esse seja o mais comum. Quando alguém é atacado pelas tentações, a fim de encontrar descanso, pode aceitar certos pecados em sua vida, alguns deles secretos, tornando-se seus problemas exclusivos, estabelecendo tréguas secretas com eles. Serão sujeitados a certa forma de controle, mas serão constantes, debilitando sempre as forças espirituais da pessoa. Sim, sempre será verdade que quaisquer tréguas com o pecado, ao invés de se fazer guerra encarniçada contra ele, quem enfraquece sempre é a pessoa que assim faz.

Sofós – Alguns acham mais fácil e, portanto, preferível, abandonar a luta do que esforçar-se por obter progresso, embora pequeno. Ocultar alguns pecados, ou sofrerão, se necessário, a desaprovação de outros, dentro ou fora da igreja, devido a pecados "conhecidos". Para eles, é mais fácil sofrer essa desaprovação do que continuar a luta. Todos esses, porém, estão vivendo realmente em ilusão espiritual; pois, finalmente, o pecado se mostra muito pior senhor do que a retidão. Jesus declarou que seu jugo é fácil. Bem, seu jugo, de fato, é difícil; mas, comparativamente, é fácil, se contrastado com a servidão ao pecado.

Scepticós – Essas "tréguas secretas" com o pecado são criadas pela **"crença fácil"**, que faz da cruz uma desculpa para se não levar a cruz. Um homem diz para si mesmo: "O sangue encobre tudo", e prossegue alegremente em seu vício. Mas para ele, visto que não se arrependeu verdadeiramente, o sangue nada cobriu. Esse homem confessou verbalmente a Cristo como Salvador; mas não foi salvo de seus pecados, e é impossível alguém ser salvo em seus pecados. Esse homem pode ter "confessado" a Jesus como Senhor, mas seu verdadeiro Senhor é um vício. Ele sabe que tal vício é seu inimigo, mas supõe tolamente que se trata de uma espécie de adversário que pode ser pacificado, mediante uma situação de dar e receber. O pecado lhe dá prazer, e ele sacrifica espiritualidade em troca disso. Na realidade, porém, não é uma situação de dar e receber, pois quando um homem perde sua espiritualidade, já perdeu tudo. Jaz vencido no campo, e ilude-se pensando que encontrou uma "situação viável", que para ele é uma espécie de vitória.

Zetetés – Você diria que um homem que faz essas tréguas secretas pode ser um homem realmente convertido?

Sofós – Eu poderia responder afirmativamente; mas certamente as Escrituras dizem que não. (Ver Gl 5.21 e Ef 5.6.)

Scepticós – De fato, as Escrituras são muito mais severas e exigentes nesse ponto do que a vasta maioria das pessoas religiosas.

Zetetés – Não estamos falando sobre perfeição impecável. Todos pecam, inclusive os melhores homens. Qual, pois, é a exigência concernente ao pecado?

Matetés – A exigência é que se obtenha vitória sobre o pecado e que haja ausência de vícios dominadores. Ninguém estará convertido enquanto não obtiver essa vitória. Ninguém pode ter dois senhores — um celestial e outro um vício qualquer. Um homem viciado "pratica" o pecado. Não nasceu de Deus, conforme João nos diz. O convertido pratica a retidão, caindo em pecados que detesta, e dos quais continuamente procura se afastar.

Sofós – A exigência também envolve o desenvolvimento de virtudes positivas como o amor, a bondade, a justiça, a longanimidade, a fé, a misericórdia e os vários aspectos do fruto do Espírito. A santidade jamais poderá ser mera ausência de pecado. Deve envolver inclinações positivas. Deve participar moralmente daquilo que Cristo é.

Matetés – Chegamos agora ao último dos abusos, isto é,

7) UMA VISÃO TERRENA — Com isso, quero dizer que se pode ter a noção de que a santificação e a santidade resultante se limitam só à cena terrena. A inquirição pela santidade, porém, é eterna, porquanto o alvo é infinito. **Deus** é o alvo. Em nós está sendo duplicada a santidade mesma de Deus. Não estamos manuseando nenhuma imitação dessa santidade. Nossa busca, conforme acabamos de mencionar, não consiste apenas de ficarmos livres do pecado ou da presença do pecado, por dentro e por fora; mas consiste em nos tornarmos tudo quanto Deus é em seu ser moral. Devemos amar como ele ama, ser bons como ele é bom, ser retos como ele é reto. "Todas as virtudes" divinas positivas deverão ser nossas, conforme vamos sendo transformados na imagem de Cristo, que é o arquétipo de nosso desenvolvimento espiritual. Já pudemos notar que essa transformação moral provoca a transformação metafísica, na qual chegamos a participar da própria natureza divina. (Ver 2Pe 1.4 e seu contexto.) Escapar das corrupções do mundo significa participar da natureza divina no mundo eterno. É subestimar por demais o que é a santidade, quando limitamos à ideia de estarmos livres do pecado, internamente, e de sua presença, externamente. Precisamos de uma "visão celestial" da santidade, em que a vejamos como um processo eterno, pois o alvo é infinitamente elevado. Essa visão celestial também nos resguardará de "estimativas inferiores" daquilo que está envolvido na luta pela santidade. Não faremos tréguas secretas com o pecado, e não nos vangloriaremos de nossa "impecabilidade". O que buscamos é uma qualidade divina, divinamente insuflada, e não uma qualidade pragmática e relativa, baseada sobre as habilidades humanas. Essas ideias já foram adequadamente ventiladas, quando falávamos sobre a doutrina bíblica da santificação. Ficar aquém disso é abusar da santidade.

Chegamos agora ao tópico final relativo à santificação:

g. Sua total necessidade

Ao longo do caminho, vínhamos frisando esse conceito, e agora estabelecemos um item separado para enfatizá-lo. O item merece que lhe prestemos essa ênfase.

Scepticós – Uma forma de demonstrar o que você está dizendo é nos lembrarmos de que a própria "salvação", em um sentido, é santificação, não podendo existir sem ela. Os vários termos que usamos, como conversão, fé, arrependimento, justificação, santificação e glorificação são simples meios verbais mediante os quais descrevemos aspectos diversos da salvação. A salvação é um processo que inclui os "acontecimentos" implicados por todos aqueles termos. Já que a glorificação é um eterno processo, pois o alvo é infinito, sempre estaremos sendo salvos. Ser "salvo" é ter o infinito insuflado em nós. E visto que é impossível que o infinito (ou divino) possa ser totalmente insuflado no finito (a criatura), nunca chegará o momento em que cesse a infusão da santidade. E visto que a santificação (a obtenção da santidade), em seu aspecto superior, faz parte da glorificação, então também é um processo eterno, e também parte de uma contínua e eterna salvação. É óbvio, assim sendo, que se trata de algo absolutamente indispensável. Outrossim, agora mesmo, visto que a santificação é resultado da justificação, é tão indispensável à salvação como o é a justificação.

Matetés – Outro modo de demonstrar a total necessidade da santificação é por meio de textos bíblicos de prova. 2Tessalonicenses 2.13 mostra que a própria salvação é operada mediante a santificação. Não se pode deixar de lado a santificação no caminho da salvação. Não existe tal coisa como justificação válida que não tenha seu fruto em santificação. O crente precisa ser santo. Trata-se de mais do que a "santidade posicional". A santidade apenas começa na "declaração forense". Pelo poder do Espírito, o que é declarado sobre um homem se torna um fato. Está sendo moralmente moldado como seu Senhor, pois, doutro modo, o Senhor Jesus Cristo não lhe será Senhor. O homem é identificado com Cristo em sua santidade, não a fim de permanecer como é em seu caráter moral, mas para ser completamente revolucionalizado. Não haverá identificação com a santidade de Cristo se o ser divino não for insuflado em nós.

Scepticós – Continuando com textos bíblicos de prova, temos as listas de vícios que mostram que nenhum viciado poderá herdar o reino de Deus. Bem recentemente fizemos alusão a essas listas, mas também cabem dentro deste tópico. O evangelho requer que sejamos **livres** dos vícios, e não que tenhamos salvação a despeito de vícios. Só homens livres são verdadeiramente redimidos. E essa liberdade não é apenas "posicional", como a que diz que "somos livres do pecado, em Cristo, porque participamos de sua santidade, a nós imputada". As listas de vícios mostram que a santidade de Cristo deve tornar-se tão eficaz em nossas vidas que, de fato, e não apenas em teoria, somos livres das manobras do pecado. Todo aquele que "realmente" não foi liberto do pecado, não tem direito à retidão de Cristo imputada a quem crê. Para o tal, não terá havido tal atribuição. Sua imputação será mera declaração verbal piedosa, sem estar escudada em nenhum fato espiritual. Paulo deixa evidente que nenhum viciado tem herança no reino de Deus (ver Ef 5.5); e ele nos adverte a não nos iludirmos quanto a isso (ver Ef 5.6).

Embora Cristo por mil vezes
Tivesse nascido em Belém,
Se ele não nasceu em ti,
Tua alma ainda está destituída.

A cruz sobre o Gólgota
Jamais salvará a tua alma,
Só a cruz em teu coração
Poderá tornar-se são.

Cristo não ressuscitou dentre os mortos,
Cristo continua no sepulcro
Se tu, por quem ele morreu,
Ainda és escravo do pecado.

(Johann Scheffler)

Sofós – Penso que Matetés fez completo trabalho sobre a santificação. O que falta ser feito é aplicar o que foi dito. Não permitamos que nossas discussões e raciocínios representem apenas aquilo em que cremos, nossa teologia, nossos conceitos e nossa lógica. Antes, devem representar o que está acontecendo conosco, com nossa busca espiritual, com as realidades espirituais que estão sendo experimentadas em nossa vida. Coitado do homem cuja teologia é apenas um estudo ou uma curiosidade intelectual. Estamos envolvidos em uma "luta pela vida". Que Deus nos ajude a levar nossa alma a fugir para ele, sacrificando tudo nessa fuga. Aprender a "renúncia" é o propósito mesmo de nosso discipulado. A santificação é a vereda da renúncia.

Matetés – Na próxima semana teremos importantíssimo item a discutir. Confiei a direção dessa discussão a Sofós. O tópico será "O meio da glória" (transformação).
Na biblioteca na semana seguinte

Súnesis – Conforme vocês devem estar lembrados, a discussão desta semana, que tentará definir a essência mesma da salvação, deverá ser dirigida por Sofós. Precisamos de toda sabedoria para elevar o bastante nossa mente, a fim de atingir vislumbres do que está envolvido na salvação. Ao longo do caminho, até este ponto, ventilamos alguns aspectos desse assunto. Agora vamos enfocá-lo com clareza. Por favor, apresente o seu esboço, Sofós.

Sofós – Quase tudo quanto podemos dizer sobre a salvação de algum modo se centraliza sobre o tema de hoje, pois este fala do "alvo" da salvação; e tudo quanto contribui para esse alvo naturalmente tem algo a ver com aquele alvo. Portanto, pela natureza mesma do assunto, o que terei de apresentar terá de ser incompleto. Podemos apenas esperar implantar algumas sementes de pensamento, que eventualmente darão fruto na nossa alma. Meu esboço é o seguinte:

5. O meio da glória (transformação)

a. O voo para o infinito: salvação final

b. Preparação para o voo: a salvação como ela é agora

c. A transformação moral

d. O que é a transformação metafísica?

1) Participação na vida necessária e independente do próprio Deus
2) Participação na imagem e natureza de Cristo
3) Participação na plenitude divina
4) Participação em toda a plenitude de Deus
5) O milagre incomensurável: o meio da glória

Para começar, devo expressar meu desgosto diante do **tipo** de evangelho que se ouve tão frequentemente em muitas igrejas de hoje em dia. Contento-me em ser acusado de contender por um evangelho superior, com um "espírito messiânico". É possível cultivar discernimentos mais profundos no sentido do evangelho; de fato, devemos nos esforçar nessa direção. Embora alguns me acusem de pensar em ter "descoberto" algo de "novo", de fazer campanha com isso com certa dose de espírito messiânico, dizendo-o com um sorriso no rosto deles, disponho-me até a sofrer essas críticas divertidas (ou de consternação, se essa for a reação deles), a fim de mostrar uma ideia mais profunda do que indica a redenção que há em Cristo.

Zetetés – Do que consiste exatamente esse evangelho que provoca o seu desgosto?

Sofós – É aquele evangelho que fere uma tecla essencialmente negativa, que não vê com clareza a imensidade envolvida na salvação. Tendo um colorido negativo, a "grande conflagração" (o castigo futuro) é usada como "medida para assustar", para forçar as pessoas a fazerem a **confissão**. Pessoalmente, duvido que a espiritualidade genuína ou mesmo o despertamento espiritual possam ser produzidos desse modo. Por certo, pessoas emocionalmente perturbadas por cenas de horror, que as fazem estremecer de horror, reagirão fazendo confissão de Jesus como Salvador; mas, até onde eu posso ver, é muito duvidoso que sejam produzidas conversões reais dessa maneira. Por outro lado, o "aspecto positivo" também está eivado por ideias limitadas e inferiores.

Matetés – E o que poderia ser isso?

Sofós – Para começar, a salvação é com frequência descrita só em termos de perdão dos pecados e de futura mudança de endereço para os céus. Se os pregadores desse tipo de evangelho forem interrogados, na tentativa de se ver se há mais do que isso, tornam-se então muito vagos e adicionarão que possuiremos "grandes mansões", juntamente com muito conforto e alegria. Tais coisas, porém, dificilmente descrevem o que é a salvação.

Scepticós – Concordo. Ter recebido o perdão de pecados é apenas um começo terreno na estrada que conduz à pátria celeste. E a entrada na pátria celeste é apenas o começo da estrada que conduz à glorificação infinita. Infinita, porque não haverá fim, já que nunca poderemos chegar a um ponto final e pleno.

Sofós – Vejo que você está pensando como eu acerca dessa questão. Nosso propósito, nesta parte da discussão, é tentar descrever, embora debilmente, o que estaria envolvido na glorificação infinita que você mencionou. Deixem-me esclarecer que nada tenho contra o pregar o juízo como parte da mensagem evangelística, em enfatizar a necessidade de arrependimento e de perdão de pecados. É bom também esperarmos uma pátria celeste que, eventualmente, será nosso lugar de habitação. Essas coisas, entretanto, são apenas começo do que é a mensagem evangelística. Ter escapado do juízo e até mesmo tornar-se totalmente impecável, livre da presença do pecado, são elementos do "começo" do voo para o infinito, que é aquilo que realmente está envolvido na salvação, não sendo uma real descrição da mesma.

Zetetés – Esse voo para o infinito é o primeiro item do nosso esboço. O que você entende com isso?

Sofós –

a. O voo para o infinito: a salvação final
Escolhi esta expressão somente para **despertar a atenção**, a fim de introduzir o tema do "meio da glória". O meio da glória, se for descrito de modo bem breve, consiste de "tudo que está envolvido na participação da natureza e glória de Cristo". Quando nossos pecados são perdoados, e mesmo quando achamos lugar nos mundos celestiais, teremos apenas começado esse "caminho". Esse caminho é a estrada para o infinito.
Falando sobre o "voo para o infinito", tomei da astronomia uma ideia por empréstimo. Todos vocês, sem dúvida, já ouviram falar da teoria da grande explosão, mediante a qual se supõe que a criação tenha tido início (sua formação, conforme a conhecemos agora) por gigantesca explosão que fez a matéria espalhar-se pelo espaço a uma fantástica velocidade; e por meio desse movimento as várias galáxias assumiram suas posições relativas. Alguns têm feito a suposição de que, eventualmente, esse ímpeto para fora atingirá seu ponto máximo, e então toda a matéria, dispersa a tão vastas distâncias, se "voltará para si mesma". Nesse caso, o ímpeto se voltará para dentro, e não mais para fora. Eventualmente, presume-se que a densidade imensa, provocada pela concentração da matéria, provocará outra grande explosão, e tudo começará de novo.

Scepticós – Os estoicos tinham uma metafísica não muito diferente disso, sem as armadilhas modernas do conhecimento científico. Eles viam Deus como quem "emanava" sua energia, com a necessidade futura de "recolher sua energia", de tal modo que tudo, uma vez mais, será absorvido por Deus. Isso seria o fim de todas as coisas chamadas "finitas", pois tudo seria reduzido, uma vez mais, ao logos divino, ou divina energia cósmica. (Naturalmente, tudo isso era uma forma de panteísmo). E então, se assim desejasse a Razão Infinita (o Logos), ele emanaria novamente de si, dando início a um novo ciclo, ad infinitum.

Sofós – O conceito é similar, naturalmente, mesmo que as suas descrições estejam muito distanciadas. Seja como for, alguns cientistas afirmam ter evidências de que o "impulso para fora" nunca terminará. A criação nunca "se voltará sobre si mesma". Em outras palavras, a criação envolveria um voo para o infinito.

Scepticós – E você supõe que o destino humano seguirá o mesmo padrão? Mediante que raciocínio você pode aplicar o que sucederá à matéria ao que sucederá ao espírito?

Sofós – Penso que tal aplicação pode ser séria e não apenas uma analogia frouxa. Concordo com os filósofos e teólogos que procuram mostrar a "plausibilidade" da imortalidade ao apontarem para o fato de que, na natureza, as coisas, percorrem ciclos de "morte para vida", e de "vida para morte" etc. Tal como se verifica nas estações do ano, por exemplo. Durante o ano vamos da "vida da primavera" para o "vigor do verão", para o "ocaso do outono" e para a "morte do inverno". A natureza, no entanto, não cessa aí. Logo a "morte do inverno" resulta na vida da primavera. Se a natureza foi traçada por Deus, e se ela funciona desse modo, é razoável supormos que a "natureza superior" age de modo similar no campo do espírito. Os padrões da matéria devem ser seguidos pelos padrões do espírito. Assim, se a própria criação é uma corrida para o infinito, é razoável supor-se que a natureza espiritual também envolve essa expansão infinita. Escolhi esse item, conforme disse, para captar melhor a atenção; mas o escolhi como uma analogia séria, baseada sobre a operação divina na criação. Pelo menos é certo que estamos tratando com uma verdade, embora alguns considerem débil a analogia selecionada.

Súnesis – Você quer sugerir que a glorificação será "infinita", nunca vindo a conhecer limites ou fim?

Sofós – Exatamente. E Efésios 3.19 certamente nos ensina isso. Chegaremos àquela referência bíblica mais adiante.

Súnesis – Diga a mesma coisa de maneira diferente.

Sofós – Vamos entrar no assunto o mais diretamente possível. Mais tarde, poderemos desenvolver o assunto e apresentar nosso raciocínio e os ensinamentos bíblicos. O homem remido será elevado acima de todos os seres. Será superior aos arcanjos em inteligência, poder e glória, com base em uma natureza muito superior à que possuem os seres angelicais. Isso será assim porque compartilharemos da própria divindade, conforme o declara 2Pedro 1.4. Ver a mesma coisa ensinada em Colossenses 2.9,10. Esses versículos serão considerados mais tarde.

Matetés – Você não está apropriando demais para você mesmo?

Sofós – Antes, por muito tempo me tenho apropriado de pouco demais. Ninguém honra a Deus reduzindo o escopo do destino humano que é revelado nas Escrituras. Antes, desonrarei a Deus fazendo a redenção humana em Cristo ser menor do que realmente ela é.

Matetés – Sem dúvida; posso oferecer-lhe a lua, mas isso não significa que eu possa consegui-la para você. Simplesmente não me ocorrem os ensinamentos bíblicos de que você acaba de falar.

Súnesis – Neste ponto, cumpre-se reconsiderar o evangelho. Sofós conseguirá apresentar ou não uma boa defesa de sua tese. Vejamos o que ele poderá fazer.

Scepticós – Até agora estou do lado de Sofós. O que ele está dizendo, se o entendo corretamente, apenas reitera o que ensinaram alguns dos primeiros pais da Igreja. Assim o fizeram Irineu e Crisóstomo; sendo que este, mais tarde. As Escrituras ensinam a participação dos crentes na natureza divina. O que significa isso? Já que essa natureza é infinita, e que todas as criaturas são finitas, essa participação deve ser algo "secundário". Secundário, porém, apenas em "extensão", e não quanto à qualidade. O Filho, por exemplo, participa de modo infinito na natureza do Pai; mas os filhos de Deus fazem-no apenas finitamente, embora de maneira crescente. Contudo, está envolvido o mesmo "tipo de natureza".

Sofós – Não sei se usaria os mesmos termos que você está usando, mas penso que você quer dizer as mesmas coisas que eu, embora eu empregasse outros vocábulos para exprimir esse conceito. É um poderoso conceito, sem importar como seja expresso. A maioria dos crentes pensa que seu alvo é muito elevado quando pensam em chegar ao nível dos anjos. Duvido que a maioria pense que pode ser tão elevado quanto um arcanjo. O destino humano visa a tornar os remidos muito superiores aos anjos. É o voo para o infinito, por ser o voo para a perfeição absoluta, na qual se participa da natureza divina.

Matetés – O quê? Poderei ser superior a Miguel? Quase nem posso acreditar nisso!

Sofós – Você já considerou o que significa participar na natureza de Cristo? Em comparação com Cristo, os anjos são apenas fumaça. O crente está destinado a ser como Cristo, e não como um anjo de menor ou maior categoria. Por certo a Bíblia, segundo se vê em Romanos 8.29, ensina essa participação. Veremos que as Escrituras ensinam assim, realmente.

Matetés – Mas como poderemos participar dessa natureza, exceto em algum sentido "metafórico", sem infringir a doutrina da Trindade?

Sofós – O que significa, então, "filhos de Deus", participantes da imagem e da glória do Filho? Você toma o uso do vocábulo "filho" em sentido metafórico também?

Matetés – E de que outro modo poderia fazê-lo?

Sofós – Se não o aceitarmos de alguma forma literal, terminaremos exatamente onde muitos terminaram: reduzindo a salvação a simples perdão de pecados e a mudança futura de endereço para os céus, belas mansões e confortos supercelestiais.

Scepticós – Isso é realmente verdadeiro! E as coisas que você enumerou não são a própria salvação, mas apenas certas **condições** existentes na experiência da salvação. A doutrina da real participação na natureza de Cristo não infringe sobre a essência da Trindade, porque essa participação é finita. Só pode haver uma infinitude, a de Deus. Nenhuma criatura pode engolfar a infinitude, a menos que o panteísmo seja correto e tudo seja finalmente absorvido por ele. Apesar de a criatura realmente poder vir a participar da divindade, tal como o faz o Deus-homem, sempre haverá de aproximar-se da infinitude, o alvo perfeito. Nunca atingirá a perfeição divina, mas sempre irá avançando nessa direção. Isso é que Sofós quer dizer quando fala do voo para o infinito. Na proporção em que o universo se for expandindo para fora, para o espaço infinito, assim também os remidos sempre se irão aproximando de Deus, conforme ele é visto em Cristo, em um processo infindável. Nesse caso, o que sucederá aos remidos é que "igual atrairá igual". Os filhos sempre se irão aproximando da glória superior do Filho. Entretanto, isso só poderá operar quando duas naturezas forem da mesma essência. Os filhos têm a essência da natureza do Filho. É disso que consiste a salvação. Aonde iremos e o que teremos serão apenas aspectos "incidentais" da salvação. "O que somos e no que nos tornaremos", na participação da natureza e glória de Cristo, essa é que é a substância da salvação.

Sofós – Irineu declarou: "Tornamo-nos divinos por causa de Cristo, porque, por nossa causa, ele também se tornou humano". Portanto, a encarnação opera em duas direções, e o resultado é a redenção humana. O cristianismo é aquele poder que livra da morte e leva os homens a participarem da vida e da essência divina, primeiramente mediante a adoção, e então, através de total transformação, de tal modo que nossos seres são espiritualizados, tornando-se seres totalmente diversos, padronizados segundo a natureza metafísica de Cristo. Cristo, na qualidade de Deus-homem, assumiu a natureza humana em suas mãos e a "uniu" consigo mesmo. Desse modo, os homens podem tornar-se membros da família divina, filhos de Deus que estão sendo conduzidos à mais exaltada glória.

Matetés – Desejo ouvir a explicação que você dá aos vários versículos que citou. Já estão entre nós há séculos, mas a maioria dos crentes não fala como você fala. Será possível que perderam de vista o significado desses versículos?

Sofós – Um dos problemas é que o que se ensina acerca do evangelho se extrai principalmente de alguns poucos e favoritos textos de prova, versículos dos escritos de João, e alguns poucos sobre a justificação, dos escritos de Paulo. Muitos outros versículos, que realmente descrevem cumes mais elevados da salvação, são quase inteiramente negligenciados em grandes segmentos da igreja atual. Esse é um dos motivos pelos quais resolvemos ter a presente discussão sobre o tema "Reconsiderando o evangelho". Cremos que podemos tirar bom proveito desse novo exame, o qual nos força a olhar para várias passagens que normalmente não são empregadas em qualquer discussão sobre o significado da salvação.

Scepticós – O jovem Paulo, em controvérsia com judeus e legalistas, deixou-nos a maioria das passagens sobre a "justificação pela fé". Em profunda reflexão mística, talvez em maior maturidade, conseguida em momentos calmos de discernimento espiritual, ele também nos deixou os ensinos acerca de como somos transformados segundo Cristo e participamos de sua natureza e imagem. Seus ensinos sobre a justificação não se tornam obsoletos pelos ensinos sobre a transformação. De fato, os versículos acerca de transformação são suplementos naturais. Infelizmente, grande parte da igreja tem dado atenção ao Paulo mais maduro, o Paulo que possuía notável visão espiritual sobre o destino humano. Por 164 vezes em seus escritos, Paulo usa a expressão "em Cristo". Ele contemplava uma união mística entre cabeça e corpo, na qual o corpo participa da natureza

|Artigos introdutórios| NTI

essencial da cabeça. A justificação resulta nessa união. Não é algo contrário à mesma. A questão do pecado pode ser solucionada. Isso, porém, é apenas o começo daquilo que Cristo faz por nós. É começo necessário, mas apenas um começo. Um ser angelical, por exemplo, pode ser impecável, podendo até habitar em lugar impecável, mas isso não quer dizer que ele participa da natureza de Cristo. Ser um ser impecável e estar em meio ambiente impecável já é realização imensa, que nos foi dada em Cristo e sua expiação, e por meio da obra de santificação que ocorre em seguida. Mas, apesar de toda a sua imensidade, a impecabilidade é apenas o começo do voo para o infinito. Além disso, a própria santificação é muito mais do que sermos "livres do pecado". Envolve também uma "insuflação das perfeições morais divinas"; portanto, tem aspectos negativos e positivos. Estamos sendo "santificados", e não apenas "libertos do pecado".

Sofós – Enquanto prosseguirmos, desenvolveremos esses conceitos com detalhes. Por enquanto, basta notarmos que nosso voo para o infinito transcende imensamente a qualquer tipo de salvação que seja meramente a libertação do pecado interno ou externo, e também a mudança para algum excelente lugar. A salvação consiste, essencialmente, daquilo que sucede ao próprio ser daquele que foi remido, e não das possessões de natureza celeste que ele poderá adquirir.

Súnesis – O voo para o **infinito**, pois, é algo eternamente ativo, que desconhece limites. A glorificação é progressiva, e algo prodigioso em sua operação, pois o próprio Deus é o alvo, e sempre o será. A glorificação não se pode comparar a um gafanhoto a flutuar sobre uma folha em um rio, que descansa tranquilo. O céu é um lugar para onde os homens não apenas são transportados, mas onde são eternamente impulsionados para o alto. Apesar de que ali não haverá pecado, haverá desenvolvimento incompleto espiritual e de caráter; ou, poderíamos dizer, haverá vários níveis de "imperfeição".

Matetés – Como pode estar no céu qualquer coisa imperfeita?

Súnesis – Só Deus é perfeito. Portanto, todos os demais seres inteligentes, embora glorificados e exaltados, são imperfeitos. Digo isso não no sentido de terem eles faltas ou pecados, mas no sentido de que lhes faltam as perfeições positivas morais e metafísicas de Deus. No caso dos espíritos humanos, pelo menos, a perfeição estará sempre sendo buscada. Os remidos serão chamados "perfeitos" só em sentido secundário, como espiritualmente "maduros"; mas só Deus pode ser chamado de perfeito no sentido absoluto.

Zetetés – Por que você diz "no caso dos espíritos humanos"? Você supõe que outros seres, como as ordens angelicais e, talvez, muitos milhares de outros tipos de seres inteligentes, também estarão envolvidos em um progresso eterno?

Sofós – Penso que ele conjectura que outros seres inteligentes, sem importar quem sejam, também serão arrebatados no voo para o infinito, talvez em uma categoria ou esfera diferente dos espíritos humanos. Isso está certo, Súnesis?

Súnesis – Está certo, mas isso é uma conjectura e não um dogma. Não podemos obter essa informação na revelação bíblica, conforme obtemos acerca dos espíritos humanos. Pessoalmente, entretanto, não posso imaginar um céu estagnado, quer nas realizações quer no desenvolvimento espiritual. Mesmo no caso de Deus, embora seja ele perfeitíssimo em seu ser, suas obras jamais terminam.

Zetetés – O que você entende por "categoria diferente"?

Sofós – Quero dizer que não sabemos, no caso dos anjos, qual seja o alvo final. Não supomos que, no caso deles, o alvo seja a participação na natureza de Cristo. Pelo menos as Escrituras nada nos informam a respeito. Talvez haja um contínuo progresso para eles, sem que o alvo seja a participação na forma de vida ou na essência de Cristo.

Súnesis – O primeiro capítulo da epístola aos Efésios é bastante claro ao afirmar que Cristo é o centro de todo desenvolvimento espiritual, a própria razão da existência. Isso, porém, não significa que os seres inteligentes estejam destinados a compartilhar de sua espécie de forma de vida.

Sofós – Quando falamos sobre "mundos futuros" pouco podemos dizer, porque temos tão pouco conhecimento a respeito. Se estivéssemos mais bem informados, com nossas limitações atuais ou não, talvez fôssemos mais capazes de entender ou de expressar o que nos fosse dito. Temos um esboço muito primitivo da eternidade futura. Contudo, algumas coisas de que sabemos são de tremenda importância. O que sabemos é "diminuto", mas mesmo isso tem implicações imensas. No caso do homem, dizer, por exemplo, que seu destino é participar da própria forma de vida da Cristo é dizer algo além de qualquer descrição possível. "Minha alma, engrandecida por Deus és tu! Participar de sua natureza é o que os santos escritos indicam por nascer de novo"!

Matetés – Estou ficando entusiasmado com suas explanações, mas primeiro quero ver provas bíblicas. Ainda estou em dúvida sobre a questão inteira.

Sofós – As provas bíblicas são mais fortes do que você talvez suspeite.

Zetetés – Sua descrição do destino humano é muito impressionante. Soa mais ou menos como disse Protágoras: "O homem é a medida de todas as coisas, das coisas que são o que são, e das coisas que não são o que não são". Jamais compreendi essa declaração. Talvez Scepticós possa iluminar-nos a respeito.

Scepticós – No que tange aos ensinamentos sobre deuses e céus, Protágoras tomou o ponto de vista agnóstico. Dizia que não podia ter certeza se as coisas são ou não, pois o tema é muito obscuro. Além disso, relembra-nos ele, que a vida é muito curta, e não temos tempo de investigar assuntos como esse em qualquer grau de eficácia. Visto que, na prática, o divino não pode ser a medida das coisas, o padrão ou fonte de juízo, então, o próprio homem deve sê-lo. E cada indivíduo será o juiz de sua verdade. Outrossim, a verdade vem pelos sentidos, isto é, pela informação recolhida pelos cinco sentidos. O que **parece** ser falso ou verdadeiro a um homem, é exatamente isso. O que lhe parece ser real ou irreal, para ele é exatamente isso. Sua verdade, porém, é somente isso: "sua". Outra pessoa pode ter uma verdade diferente, pelo que toda a verdade é relativa. Platão, naturalmente, atacou essa posição. Se a percepção dos sentidos é a única ou a melhor fonte do conhecimento e da verdade, então por que um macaco não é a medida de todas as coisas, e sim o homem? Pois um macaco tem os mesmos sentidos que os homens. Então, ele apelou para outras fontes de verdade, como a intuição, a razão e o misticismo, pois estava insatisfeito com o tipo de verdade que nos vem pelos cinco sentidos. Portanto, vocês podem ver que a famosa citação de Protágoras realmente não estava dizendo o que temos dito aqui acerca do homem. Naturalmente, é ótima e breve declaração; e, se for aplicada de outro modo, pode conter um discernimento extremamente importante.

Sofós – Percebo o que você quer dizer. Se eu disse, por exemplo: "O Deus-homem é a medida de tudo", por certo temos uma verdade significativa. Então, quando consideramos como, na encarnação, sua natureza foi fusão do divino e do humano, e que, na ressurreição e ascensão sua humanidade foi transformada em humanidade celestial, e que ele se tornou o arquétipo do destino humano em tudo isso, então a declaração de Protágoras torna-se um instrumento útil para definir a salvação. No homem se aquilatam os mais altos níveis da salvação de Deus, porque foi o homem, e não os anjos, que recebeu a capacidade de participar da filiação. E essa "filiação" é a real participação do tipo de vida que o Deus-homem possui. Posso dizer, portanto, que **eu**, como homem, sou a medida de todas as coisas. E isso não por causa do que sou, mas por causa daquilo em que me estou tornando em Cristo. Deus está duplicando o Filho nos filhos. Sem importar como você vier a definir essa doutrina, estará descrevendo uma verdade ilimitada. Por certo isso é um milagre incomensurável.

Súnesis – Penso que enquanto ainda estamos no primeiro item, que visa a descrever o "meio da glória", deveríamos examinar de passagem o tema dos galardões. Como você reconcilia o seu "voo ao infinito", que é uma glorificação interminável, com o conceito dos galardões?

Sofós – As Escrituras deixam claro que há diferentes graus de galardão, com base na fidelidade nesta vida, mas também com base na pura graça de Deus, que não opera arbitrariamente, embora assim nos possa parecer. Assim, na parábola de Jesus, os trabalhadores (ver Mt 20.1-16) receberam, cada qual, o mesmo pagamento, a despeito das diferentes medidas de tempo (e, presumivelmente, graus de realização). Podemos ser tentados a explicar isso dizendo que cada alma receberá tanto bem quanto a sua "capacidade" venha a permitir. Pode haver alguma verdade nisso; mas quase certamente, o texto ensina o princípio da pura graça, operante nos galardões. Poderíamos dizer que nada existe aqui de arbitrário, a despeito das aparências. A nota geral, que soa por todo o NT sobre os galardões, é que essa fidelidade determina o tipo e a quantidade dos galardões. Façamos algumas observações:

1) Quando da morte do indivíduo, não é prometida nenhuma "imensa" transformação. Isto é, o crente entra na alegria do seu Senhor; mas o galardão, em sua significação maior, vem mais tarde.

2) 1João 3 definitivamente situa a transformação maior para quando da **volta** de Cristo. E essa será compartilhada por todos os crentes.

3) Contudo, os galardões devem operar ali também. Pensamos, pois, que isso significa os galardões de um homem (simbolicamente referidos como "coroas" recebidas, ou como a edificação de uma estrutura com ouro, prata e pedras preciosas) são apenas um modo de aludir à própria salvação e suas realizações. Meus galardões consistem em me tornar mais e mais parecido com o Arquétipo de meu destino. Pela fidelidade, terei ganhado maior ou menor participação da natureza de Cristo. Quando de sua volta, todos os verdadeiros crentes assumirão sua "forma de vida"; mas por certo haverá diferenças quanto à possessão de suas qualidades e atributos celestiais, com base na participação de sua essência. Terei uma "coroa da vida", isto é, abundância da forma de

vida do próprio Cristo. Ou poderei ter menor participação em sua vida, menor "extensão" de expressão, embora participe do mesmo "tipo". Alguns dos primeiros pais da Igreja chegaram a pensar em diferentes corpos ressurretos, de qualidades melhores ou piores, no tocante ao poder e à glória de cada pessoa; e isso, segundo pensavam, dependeria dos "galardões" de cada um. Isso, naturalmente, é uma especulação, embora possível, em minha opinião. Em outras palavras, embora na mesma categoria de "ser", diferentes pessoas remidas terão diferentes expressões íntimas dentro daquela categoria. Essa situação já existe. Todos nós somos "homens por natureza", mas certamente não somos dotados da mesma inteligência, além das desigualdades físicas e mentais, bem como espirituais. Inteligência, virtude e habilidades diferem imensamente de uma pessoa para outra. As mesmas condições prevalecerão no estado eterno.

4) Mas de modo nenhum isso significa que qualquer remido ficará estagnado em sua "posição inicial".

Súnesis – Você quer dizer que, conforme a eternidade for passando, um de partida lenta (aplicando uma metáfora da linguagem esportiva) poderá ultrapassar outro de "partida rápida"?

Sofós – Penso que essa condição deve existir. E direi por quê. É porque as promessas de Cristo a todos nós são ilimitadas. Quando consideramos o destino humano, ficamos assoberbados com seu potencial. Esse potencial avassalador só é tal se a alma remida não tiver de sofrer estagnação. Não se defrontando com nenhuma estagnação na eternidade, ela não poderá ser tolhida por quaisquer obstáculos que não possam ser vencidos. Portanto, nenhum remido, eventualmente, terá de ser atrapalhado por sua "realização inadequada" sobre a terra. Não existe nenhum erro, condição ou circunstância que os céus não possam curar.

Súnesis – As "diferenças nos galardões", pois, se reduzem essencialmente a "como as coisas começarão" na eternidade, mas não oferecerão nenhuma restrição a alma alguma. É isso o que você quer dizer?

Sofós – Digamos que as restrições são, potencialmente, apenas empecilhos temporários. Uma alma, dedicada a Cristo, pode vencê-los, elevando-se a novas alturas, as quais podem elevá-lo na sua determinação espiritual. Até onde pode ser elevado? Poderá ser alçado em um voo para o infinito. Os remidos são como a semente celestial que exibe certo tipo de "perfeição" em cada um de seus estágios de desenvolvimento. Um homem transformado segundo a imagem de Cristo, de modo que venha a participar de sua natureza, quando da "parousia", será um ser perfeito, i.e., relativamente ao estágio até onde houver progredido. Conforme a eternidade for avançando, a semente se abre e lança um rebento. O rebento é mais do que um arcanjo. Então, o rebento se transformará em um pequeno arbusto. Aqui temos também uma perfeição relativa. A árvore cresce e se eleva para os firmamentos celestes. Então floresce. Quão belas são essas florescências, outra perfeição relativa; finalmente, surgem os frutos. A analogia, porém, é limitada, pois só se pode falar um tanto da vida vegetal e seus ciclos de crescimento. Tudo quanto queremos frisar com essa analogia é que a eternidade, bem como a vida na terra, têm o seu desenvolvimento, embora de tipo prodigiosamente diverso daquele que conhecemos agora.

Súnesis – Ouvindo o que você diz, lembro-me de notável afirmação de certo teólogo: "Pode chegar o tempo, na eternidade, em que seremos iguais ao que agora concebemos de Deus". Ele dá como referência o texto de 1Coríntios 2.9: "As coisas que olhos não viram, nem ouvidos ouviram, nem penetraram o coração do homem, são as que Deus preparou para os que o amam".

Scepticós – Muito bem, a declaração é notável para algumas pessoas. Pessoalmente, porém, penso que é uma declaração tímida. Penso que a maioria dos homens, mesmo na igreja, tem um conceito relativamente inferior ao da divindade. Mesmo o melhor dos homens tende a fazer de Deus um "papa perfeito", um "bispo final", um "supremo pastor". Certamente, o homem cria um Deus à sua imagem, uma "imagem ideal" para dizer a verdade (usualmente falando), mas tão só uma imagem humana. Além disso, existem conceitos inferiores de Deus, que fazem dele algo menor do que realmente ele é, até menor que um homem ideal, um ser de violência e ódio, por exemplo. Talvez não seja preciso progredir até muito longe em seu voo rumo ao infinito, para ultrapassar o que a maioria dos homens pensa acerca de Deus.

Súnesis – Penso que você tem uma verdade aqui. O vidente João, conforme está escrito no Apocalipse, parece ter confundido um anjo com o próprio Senhor e até caiu de joelhos para adorá-lo. Um homem menor poderia ter pensado ser o Senhor um ser ainda inferior.

Sofós – Dias atrás, achei uma interessante citação que ilustra a ideia inferior que os homens têm dos céus: "No universo de Dante, a única razão para qualquer um querer chegar aos céus é escapar do outro lugar. Nada há nos céus para ele fazer, nada humano em que ele se possa ocupar [...] um bom diácono, em estado deprimido, pensou que iria para o inferno; mas, ao ser-lhe indagado o que faria ali, replicou que tentaria iniciar uma reunião de oração".

Súnesis – Sim, é fácil termos ideias engraçadas sobre a pós-vida. Conheci um homem que sofria de muitas doenças. Para ele, os céus consistiam em "sentir-se bem e descansar em um lugar diferente". Sem dúvida, a morte dará início à melhoria em relação a este mundo, mas os céus são apenas o começo de tais condições, e a salvação não pode ser descrita nesses termos.

Sofós – Os céus são "lugares de seres elevados", de grande desenvolvimento, e de um serviço resultantemente elevado. Acima de seu portão central, podemos imaginar a inscrição: "Não se admite ninguém, exceto para agir", pois está escrito em Apocalipse 22.3: "[...] e os seus servos o servirão".

Scepticós – É uma grande verdade! Notemos que em Efésios 1.23 a igreja figura como "eterno instrumento de expressão" do Senhor, por ser ela o "corpo", e ele o "Cabeça". Portanto, por toda a eternidade, a igreja expressará os desejos do Senhor, e isso deverá envolver o cumprimento de suas obras divinas. Onde? Na vasta expansão das suas criações celestiais, esferas e esferas. Quem pode imaginar um fim? Quem pode imaginar um limite? Em tudo isso estaremos envolvidos em um voo para o infinito. O Cabeça "preenche todas as coisas", ou então, conforme alguém parafraseou: "Ele será tudo para todos". O "corpo" fará isso tornar-se verdade, pois é o instrumento de expressão do Cabeça. Assim sendo, nos mundos eternos, nós o tornaremos conhecido em todas as esferas — sua pessoa, suas obras e seus propósitos. O corpo é "sua plenitude", isto é, o potencial que ele tem de "ser tudo para todos". O corpo é a força ativa pela qual ele se torna tudo para todos. Isso não significa, porém, que é o único instrumento.

Sofós – No alpinismo, pode-se ficar de longe e ver a beleza dos picos dos montes. No entanto, é somente quando se sobe que se pode realmente fazer boa ideia da beleza das montanhas. Na subida, passa-se através de lindos vales, de magníficos jardins floridos, entre picos encimados de neve, a brilhar majestosos. Na subida é que um homem vê a beleza real, da qual, à distância, ele pode ver apenas uma minúscula parte. E, sem dúvida, a eternidade é como isso. Só na subida é que o indivíduo pode entender o milagre incomensurável que é a vida eterna. E essa subida não está limitada nem pelo tempo, pois é ilimitada e livre.

Súnesis – Os céus são um lugar de **amor supremo**, pois Deus é amor. Onde opera o amor, há estupendos bens resultantes. Assim é que agora dizemos: "Para a morte partimos". Então, passamos através de miríades de experiências, algumas boas e outras más, e algumas poucas muito más. Dizemos: "Para melhor ou para pior", e com frequência é para pior. Permanecem, entretanto, os laços do amor, pois o laço do amor é indissolúvel. A passagem das horas e dos dias esmaga nossas esperanças e nos encurva as costas. Apesar disso, continuamos unidos, mesmo que o voo do tempo sempre nos conduza à desintegração. O prateado da vida se mancha, as flores se ressecam, o aço se enferruja. A morte vem e despedaça nossas veredas; ao mesmo tempo, porém eventualmente, cura todas as feridas. Então entramos no amor eterno. E aí, em Deus, tornamo-nos um para sempre. A matéria se dissolve em espírito puro, pois até o corpo ressurreto é uma substância espiritual, e não material, sendo o veículo da alma, do homem espiritual. E, conforme a matéria se dissolve no espírito, suas trevas vão sendo obliteradas pela luz; o que é pesado desaparece na leveza, a inércia cede lugar a uma energia insopitável, a obscuridade recua ante a clareza e a radiância, a vaidade emerge na esperança, e a morte de mil tipos se esboroa perante uma vida de muitos esplendores. E então a nossa alma clama distintamente: "Que fique bem sabido, o Senhor vive!"

Sofós – Depois desse sumário de Súnesis, passemos agora para o segundo item de meu esboço:

b. Preparação para o voo: a salvação como ela é agora

Quero manusear este tópico de modo breve, porque reservamos para a discussão de uma semana inteira um estudo sobre os "meios espirituais de desenvolvimento", sob o título: "O meio da inquirição espiritual". Tudo quanto agora é feito pelo homem espiritual, e tudo aquilo em que ele se está tornando, está envolvido na salvação conforme a conhecemos agora. Sempre seremos aquilo em que nos tivermos tornado. Se nosso alvo é participar da imagem e da natureza de Cristo, então agora mesmo deveríamos fazer tudo que é possível para que isso se torne realidade, assim participando, preliminar e parcialmente, de sua natureza e de seus atributos. Para tanto, nos foram dados vários meios de crescimento espiritual. Além disso, tudo quanto nos sucedeu no arrependimento, na fé, no perdão de pecados, na justificação, na santificação e no desenvolvimento espiritual de todas as sortes, nos foi dado a fim de duplicar Cristo em nós. Somos Cristo, ou seja, "Cristo em formação". Nas semanas anteriores, já discutimos sobre a fé e o arrependimento, sobre a conversão e sobre a santificação. São meras maneiras diferentes de falar da salvação presente. E todos esses aspectos formam uma cadeia de ouro, elo após elo; finalmente, essa cadeia se prolongará até

|Artigos introdutórios| NTI

os próprios céus. Não poderá haver, porém, prolongamento se a cadeia não estiver sendo completada, e cada elo, em sua ordem, preso ao outro. Um elo quebrado nessa cadeia tem o mesmo resultado de um elo quebrado em qualquer outra cadeia.

Zetetés – O que você quer dizer com essa última declaração?

Sofós – Por exemplo, o que é a conversão sem a santificação? Em 2Tessalonicenses 2.13, Paulo mostra claramente que não se pode olvidar a santificação, ao mesmo tempo que se dependa de uma conversão que, afinal, não exija real transformação em nós. A santificação é a fruição da conversão, e não há salvação sem santificação, conforme se aprende em Hebreus 12.14.

Súnesis – Salvação sem santificação, ou seja, a real participação na santidade de Cristo, que se torne evidente na vida diária, é apenas um mito piedoso.

Scepticós – Antes, é um **mito** ímpio.

Sofós – Correto. Porque não pode haver transformação metafísica, mediante a qual participamos da forma de vida de Jesus Cristo, sem a transformação moral, que é o fator central que provoca a transformação metafísica. Isso já discutimos de modo longo quando estudávamos sobre o "meio da renúncia" (santificação), mas agora estamos vendo novamente como é que a salvação, por si mesma, em sua forma presente, é uma santificação real e vital (obra do Espírito Santo) e não meramente um "decreto divino" de que alguém é santo na sua vida. Esse decreto é real, mas também deve tornar-se uma realidade na vida, conforme nos formos tornando mais e mais parecidos com Cristo em nossa alma, conforme nossas disposições tornam a seguir a santidade, e não os vícios. Os reformadores e os teólogos protestantes desde então têm encarado a justificação de um modo um tanto frio, e talvez destituído de vida, apesar de tudo quanto se tem dito e dos inúmeros livros escritos para descrevê-la. A justificação tem sido reduzida a pouco mais que o perdão de pecados, sob a condição de um decreto divino judicial de que **estamos em Cristo**. Esse é um fato grandioso; mas a própria justificação contempla a aplicação real desse decreto na vida do crente. O crente não está "em Cristo" meramente por uma declaração celeste, mas, na realidade, assim se encontra mediante a comunhão mística com o Espírito Santo. Vários escritores falam sobre o "misticismo de Cristo", aludido por Paulo, e, sem dúvida, ventilaram um tema central dos escritos daquele apóstolo. Por 164 vezes ele emprega essa expressão "em Cristo". O que ele entende com a declaração de que "por decreto somos reconhecidos como quem está unido a ele", e, portanto, perdoados e em **correta posição** (ou seja, justificados)? Ele certamente quis dizer isso, mas também quis dizer que, mediante a operação do Espírito, nosso ser experimenta comunhão mística com Cristo, pelo que está começando a compartilhar de sua vida agora mesmo. Isso envolve a santificação, e até o começo da glorificação. Nosso ser está sendo espiritualizado, e é disso que consiste, "agora mesmo", a salvação. O padrão dessa espiritualização é a forma de vida do próprio Cristo. Portanto, levo comigo meu antigo corpo físico; mas, desde minha conversão, e por causa de minha santificação, meu espírito está começando, literalmente, a assumir uma nova forma de vida, a mais elevada forma de vida que existe. Se acompanharmos todas as declarações de Paulo sobre a justificação, descobriremos que ele não a via como um decreto nu de que estamos na correta posição. Antes, a justificação é um "princípio vivo", que leva consigo as realidades espirituais da santificação, e até da glorificação. Assim, é dito que essa justificação é "da vida" (ver Rm 5.18), ou seja, dela resulta a "vida eterna". Ela perdoa, e em seguida conquista o pecado. Conquista, digo, e não apenas perdoa. Trata-se de um princípio vivo, e não de um decreto frio. É mediado pelo Espírito, em todas as suas formas. Nada existe na fé cristã que tenha valor, a menos que seja mediado pelo Espírito, na experiência viva, se for apenas um dogma intelectual.

Súnesis – Os termos que usamos, por conseguinte, como fé, conversão, santificação e glorificação são apenas descrições diversas do mesmo processo de "salvação".

Sofós – Correto. Minha salvação começa quando tenho fé em Cristo, quando a minha alma lhe é entregue; isso resulta em real abandono dos caminhos antigos, e o começo da caminhada por um caminho elevado. A isso chamamos de arrependimento. Assim é que a salvação se vai cumprindo em nós na vitória da alma sobre o pecado e a degradação. Na fé e no arrependimento, temos a conversão, e a conversão é o "caminho da transformação". Disso resulta o "meio da renúncia", que consiste de tomarmos a cruz e seguirmos a Cristo, no abandono real do mundo. Isso foi exigido por Jesus da parte de seus discípulos, não havendo real discipulado sem tal coisa. Nessa experiência de progresso na vida cristã, nossa alma está sendo espiritualizada para que se molde à sua imagem e natureza; e disso consiste o começo da "glorificação".

Os alcances mais elevados da salvação consistem da glória dos mundos futuros, o que já podemos ver como algo ao mesmo tempo imenso e sem nenhum fim.

Scepticós – Ou poderíamos dizer que a justificação, a fé, o arrependimento, a conversão, a santificação e a glorificação são apenas termos que usamos para dizer como o Espírito nos está transformando segundo Cristo e duplicando sua natureza em nós. Não é de grande importância, pois, estabelecer uma espécie de "cronologia", dizendo que primeiro vem a fé, depois o arrependimento, então a conversão, e em seguida a santificação etc. Já que esses termos, de fato, descrevem a mesma experiência viva, em certo sentido, ocorrem todos simultaneamente. Portanto, quando estou sendo santificado, estou me convertendo, e uma parte da conversão é a santificação. A glorificação futura, naturalmente, assume um definido aspecto "cronológico", pois não há como descrever como muito acima e além disso seremos elevados, além de qualquer coisa que tenhamos experimentado nesta vida terrena.

Sofós – Você está interessado, portanto, na glória futura? Então dê atenção, agora mesmo, à glória presente, ao processo presente de espiritualização, pois o futuro flui do passado, e um homem vive sempre a encontrar-se. Ele é o que era. Naturalmente, Deus intervém, como quando da vinda de Cristo, ocasiões essas em que há "grande salto" para a frente. Ele, porém, só intervém em favor daqueles que, por sua própria vontade ativa, estão preparados para isso.

Súnesis – Você pensa que disso consiste o voo para o infinito? Então agora mesmo o infinito já deve estar sendo insuflado em nós. Você quer participar da coroa da vida, dada aos mártires? Então, agora mesmo, viva a vida dos mártires; duplique sua "transformação", sua "renúncia", sua "espiritualidade".

Sofós – Notemos que a vitória, a "vida eterna", com tudo quanto isso significa, é prometida somente ao "vencedor". Não há crentes verdadeiros que também não sejam vencedores. Esse fato se faz bem evidente quando lemos textos como as sete epístolas do Apocalipse. O que é prometido ali senão ao "vencedor"?

Agora, porém, passemos para nosso tópico seguinte:

c. A transformação moral

Com razão, posso ser agora acusado de repetição. Repito a mim mesmo sobre a "santificação", para efeito de "ênfase". Já discutimos amplamente sobre esse tema, sob o título de "O meio de renúncia". Naquela discussão, ventilamos o que deveria ter sido dito. Agora quero lembrar que, sem a "renúncia", não pode haver o "caminho da glória". A transformação moral "provoca" a transformação metafísica. A própria salvação, por certo, em todos os seus aspectos, depende de uma real santidade, imputada e concretizada na pessoa. O texto de 2Tessalonicenses 2.13 mostra-nos que a salvação vem "através" da santificação. O de Hebreus 12.14 mostra-nos que somente os homens "santos" poderão ver a Deus. Não podemos deixar de lado a santificação no caminho da glória. Essa é a própria vereda que tomamos para ir à glória. Devemos compartilhar de sua santidade, segundo se aprende em Romanos 3.21,22,26. Quando nos tornamos identificados com Cristo, de modo a estar "nele", então o propósito celestial é fazer-nos santos, pois a própria fé consiste da entrega da alma a Cristo, para que a alma seja moldada segundo a sua imagem. Jesus exigiu de seus discípulos que eles fossem **perfeitos** como o Pai celeste é perfeito. Isso significa muito mais do que "maduros". Os intérpretes que têm tomado esse último ponto de vista têm reduzido o significado tencionado dessa declaração de Cristo. Essa "perfeição", antes de tudo, consiste em vencermos os pecados e seus maus efeitos sobre a vida. Afasta o pecador de seu pecado, purificando a sua natureza e suas disposições resultantes. Dá também ao homem remido as "virtudes e atributos positivos" de Deus. A transformação moral, pois, é uma estrada com duas pistas. Nunca é bastante simplesmente estar "livre do pecado". Precisamos também ser moralmente transformados, de modo a compartilhar da própria e elevada natureza de Cristo, no tocante aos atributos espirituais. É disso que consiste o ensino do "fruto espiritual". Ver Gálatas 5.22,23 quanto a uma descrição dos atributos divinos, de que devemos compartilhar, finalmente, no estado de "perfeição".

Scepticós – A perfeição nesse caso, naturalmente, sempre será algo relativo, posto que só exista uma "perfeição" absoluta, a qual é Deus.

Sofós – Já pudemos determinar isso. Mas a perfeição absoluta sempre será o alvo. Ninguém está desenvolvendo por si mesmo sua transformação moral e seus atributos espirituais. Pelo contrário, está vindo a participar da natureza moral de Cristo conforme o Espírito o vai transfigurando em tudo quanto ele é, pensa e faz. Esse "aperfeiçoamento moral" do ser provoca, a cada passo do caminho, uma correspondente transformação "metafísica".

Súnesis – E sem a "transformação moral" jamais poderá haver a transformação metafísica, mediante a qual a alma remida compartilha da "forma de vida" de Cristo.

Sofós – Isso de modo absoluto. Voltando agora à ideia do "lado positivo" da transformação moral, meditemos, por um momento, acerca dos elevadíssimos atributos espirituais de Deus. Ele tem amor vastíssimo, tão enorme que é chamado por ele mesmo, de "amor". Esse é o seu único atributo que pode substituir seu nome divino, mantendo-se de pé por si mesmo. Esse altruísmo absoluto se encontra somente em seu ser. Quando Jesus "saiu a fazer o bem por toda parte", mostrou-nos um exemplo vivo de como esse atributo opera em favor dos homens. Ele se mostrou totalmente isento de egoísmo, absolutamente altruísta. Até Paulo e os outros, de forma antiga, exibiram mau temperamento e egoísmo. Paulo procurou vingar-se e disse palavras ásperas. Até Paulo e Barnabé, ou Paulo e Pedro tiveram um "desvio" por causa de questões pessoais. O amor de Deus não estava aperfeiçoado neles ainda, embora se elevassem muito acima dos outros cristãos em sua maturidade espiritual. Porventura Deus me elevará acima de Paulo e de Pedro, nas qualidades espirituais?

Scepticós – Sim, ele o fará, e muito acima deles. O amor é um atributo moral positivo de Deus. Todos os crentes se encaminham para o infinito, e isso envolve a participação infinita no espírito de amor. Como é fácil para nós é ser egoístas! Uma teoria ética da filosofia supõe que uma espécie de "egoísmo mútuo e controlado" é o mais elevado meio de ação ética a que pode chegar um homem. Mas estamos falando de um homem não-remido, em quem se move o espírito deste mundo. A alma remida sabe muito melhor que isso. Sabe que um indivíduo é capaz de agir "em benefício de outrem", sem nenhum motivo egoísta. O homem espiritual pode ter os "interesses alheios" por detrás de cada ação sua, e eventualmente assim o fará. É possível alguém ser totalmente altruísta. Jesus, como homem, mostrou-nos isso. Seus próprios familiares duvidaram de sua sanidade mental, quando ele se pôs a servir incessantemente a outros, esquecendo-se até de voltar para casa a fim de alimentar-se. Era assim que ele era, quando saía a fazer o bem (ver At 10.38).

Sofós – O que dissemos acerca do "amor", também é verdade acerca da "bondade". Não basta ser bom; é preciso fazer o bem. No entanto, tudo começa com o ser intrinsecamente bom. O padrão é a própria bondade de Deus. O plano divino não permite qualquer substituição ou imitação. Conforme toda a maldade for sendo retirada de minha alma, e a sua bondade me for preenchendo, em breve não mais serei o que eu era. A qualidade espiritual do meu ser estará sendo aprimorada. Estará em pleno voo para o **bem infinito**. O mesmo se dá com a gentileza, a longanimidade, a retidão etc. Todas essas coisas acham sua expressão final em Deus, e é para ele que devemos fugir. Não podemos ter alvo menor. Quero participar da perfeição divina, de suas qualidades espirituais, conforme elas são exibidas em Cristo, meu irmão mais velho. Tudo isso está envolvido na transformação moral, em seu lado positivo. Disso flui agora, gota após gota, e então em catadupas eternas, a transformação metafísica de meu ser, até que eu seja absorvido na própria essência de Cristo. Então amarei como ele ama, serei bom como ele o é, serei justo e agirei com justiça como ele é e faz, porquanto terá sido duplicado em mim. Duplicado, digo, de modo relativo, pois, embora sempre me esteja aproximando dele, precipitando-me para ele, perseguindo-o com cada grama de energia que tenho, ele sempre estará adiante de mim, sempre será melhor do que eu, mais amoroso, mais justo mais elevado do que eu. Oh, estarei sem pecado na glória futura, dotado de gigantescas forças espirituais; porém, quem poderá comparar-se a ele? Contudo, é a participação real de sua essência que me faz ser aquilo que sou, que me distingue de outros seres celestiais, embora menores. Muito bem! Em comparação com ele, na medida em que forem rolando os ciclos da eternidade, serei minúsculo; mas a minha pequenez será elefantina ao lado do minúsculo ser de um anjo, por exemplo. Portanto, ao longo do caminho, o que antes era irrisório, será então elefantino; porém, essa grandiosidade ainda será minúscula em confronto com ele. Esses pensamentos me ofuscam a mente, pois são tomados por empréstimo da mente divina. São ecos da eternidade. Minha alma salta para esses pensamentos; minha alma os aprova e anela por eles. Criam em mim uma saudade pulsante. A luz dos céus agora mesmo se propaga em ondas agradáveis e rebrilha neste lugar tenebroso, dando-me a entender algo da glória vindoura.

Conduza, luz gentil

Conduza, luz gentil, dentre a negra escuridão

Conduza-me à frente.

A noite está escura, e longe de casa estou;

Conduza-me à frente.

Mantenha os meus pés; não peço para ver...

A distante cena;

Um passo apenas, o bastante para mim.

Scepticós – Sim, aquela luz gentil. Que faríamos sem ela? Ela nos segue na tristeza, na dúvida, no desespero, na esperança e no triunfo, no viver inteiro.

Zetetés – E se essa luz assim nos segue agora, o que não fará quando

estivermos morando com ela, sem trevas que nos ocultem a glória divina?

Sofós – Nosso irmão mais velho nos conduz desde agora. Andamos e tropeçamos. Ele nos abençoará? Santos, profetas, mártires, heróis, respondem: "Sim!" Andamos e tropeçamos e dificilmente corremos. Mas, livres do corpo, elevados ao lar da alma, correremos, e imensas serão as nossas forças! Então, verdadeiramente, como o homem forte, nos regozijaremos em correr a carreira eterna.

Chegamos agora ao tópico final de nossa discussão sobre o "meio da glória". Apresento-o como uma pergunta:

d. O que é a transformação metafísica?

Respondo a essa pergunta com cinco considerações: compartilhar da **vida necessária** e independente do próprio Deus; compartilhar da imagem e natureza de Cristo; compartilhar da plenitude divina; compartilhar de toda a plenitude de Deus; o milagre incomensurável: o meio da glória.

Já dissemos muita coisa sobre esse tema, em vários lugares, durante nossa discussão. Nosso alvo, agora, é frisar o ensino, com apoio de referências bíblicas. Esperamos que Matetés possa ver essa doutrina nas próprias Escrituras. Queremos mostrar que a estranha ausência desse ensinamento, na maioria das igrejas de hoje se deve, não a que ele não figure na Bíblia, mas a que está ausente da mente dos crentes, que não compreenderam adequadamente o impacto de certas passagens.

1) Participação na vida necessária e independente do próprio Deus.

Aqueles que foram filosoficamente treinados se lembrarão de que alguns filósofos como Tomás de Aquino, viram claramente a verdade que só Deus possui certo "tipo de vida" que é, ao mesmo tempo, "necessária" e "independente". A partir dos dias de Aquino, esses termos se tornaram comuns na teologia.

Zetetés – Vamos fazer uma pausa aqui para definir esses termos. Tenho uma vaga noção do que poderiam significar, mas preciso de sua ajuda a fim de realmente entendê-los.

Sofós – Os próprios termos são simples, mas os sentidos por trás dos mesmos são estupendos, quando considerados à luz de todas as aplicações possíveis. Por "vida necessária", queremos dar a entender vida que "não pode deixar de existir". Essa é a vida que não teve começo, porquanto é verdadeiramente "eterna", pois é um tipo de vida que transcende a qualquer consideração de tempo. E, de modo absoluto, não poderá ter fim. E é necessária porque é a origem de toda outra vida. Ela é necessária porque sua existência é indispensável à existência de tudo. É necessária porque é impossível que as coisas existam sem ela. É o tipo de vida ímpar em si mesma, que não admite nenhuma possibilidade de não-existência.

Zetetés – Naturalmente, só Deus possui essa forma de vida, ou, conforme poderíamos dizer também, ele é esse "tipo de ser".

Sofós – Isso é verdade absoluta. Na redenção por intermédio de Cristo, essa "vida necessária" é transmitida às almas remidas. Certamente esse é um extraordinário conceito.

Matetés – Talvez espantoso demais para ser verdade. Que dizem as Escrituras? Onde você acha nelas essas doutrinas?

Sofós – Chegaremos lá. Mas primeiro quero definir a "vida independente", antes de responder à sua pergunta. A "vida independente" é aquele tipo de vida que não depende de outra a fim de existir. Tudo quanto vemos, como é óbvio, teve uma causa, ou então é resultado de uma série de causas. Essas causas são "cronológicas", ou seja, correm por certo período de tempo, em estágios sucessivos. Essas causas também são "hierárquicas", ou seja, agora mesmo dependem de causas contribuidoras, favoráveis.

Zetetés – "Causa cronológica" eu entendo. Mas que são "causas hierárquicas"?

Sofós – Com isso se entende, por exemplo, que minha existência, agora, depende de circunstâncias favoráveis, que atuam como causas. Assim, meu coração está pulsando, e isso impele o sangue pelo corpo, suprindo-o de oxigênio. Todavia, meu coração não poderia estar batendo sem causas favoráveis sobre a terra, como a atmosfera, temperaturas suportáveis e milhares de outros fatores, sem dúvida. Mesmo algo tão comum como um coração que pulsa é um "efeito" para o que deve haver causas presentes, contribuidoras.

Zetetés – A "vida independente", pois, é livre de quaisquer "causas", sendo a própria causa. É isso?

Sofós – Exatamente. A vida independente incorpora em si mesma o próprio princípio de causa. É óbvio que, para existir, Deus não depende de outrem ou de nenhuma espécie de circunstância. Outras coisas e circunstâncias resultam dele como causa e princípio de causa.

Scepticós – Naturalmente, há uma alternativa para o conceito de primeira causa, que é o "retrocesso infinito". Segundo essa teoria, há um retrocesso infinito como primeira causa, mas, em seu lugar, há um retrocesso infinito de causas. Teríamos, assim, uma "série infinita" de causas, que nunca chegam a uma isolada primeira causa. Ignorando tanto uma primeira causa como um retrocesso infinito, alguns meramente dizem que não há resposta para o dilema de causa e efeito, admitindo isso, ao invés de criarem alguma teoria inadequada e fantástica. A mente religiosa, entretanto, não tem dificuldades em compreender que a ideia de primeira causa é, por muito, a melhor das três ideias.

Sofós – Se formos forçados a dar "provas" de uma primeira causa, declararemos, junto com os melhores filósofos, que nossas "crenças básicas", que nossos "conceitos básicos", não estão sujeitos a prova; e isso é verdade, sem importar quais sejam essas crenças. Cada qual é forçado a aceitar algumas ideias fundamentais, sem recorrer a provas. Só as ideias secundárias estão sujeitas à inspeção. Aceitamos a "ideia básica", portanto, dependendo de como ela se adapta à razão ou mesmo aos "sentimentos". No caso da "primeira causa", temos uma "revelação" que lhe dá apoio. Quanto a uma "série infinita" de causas contamos apenas com a especulação, e que a mente religiosa repele prontamente. Prefiro aqui uma revelação a uma especulação pura, que me fere como contrária à razão iluminada.

Scepticós – Então você quer dizer que, na redenção, o homem se mescla, quanto à sua essência, com o próprio princípio de "causa". Dessa maneira, ele adquire uma forma de "vida independente", participando da vida divina. Está certo?

Sofós – Está. Naturalmente, conforme já pudemos observar, sua participação nessa forma de vida, embora real, é secundária, pois se apega a ela de modo finito, e não de modo infinito, segundo aquilo que Deus faz. Contudo, não poderá haver fim na quantidade e qualidade crescentes dessa participação. Não nos enganemos a esse respeito, pois se trata da "mesma forma de vida" que a de Deus, aquela que ele possui. Portanto, diz-se que o remido possui a vida necessária e independente do próprio Deus. Ele não pode deixar de existir; e a ele é dada uma vida independente de causas. Compartilha, pois, da essência divina. Isso vem por meio da união com Cristo, sendo mediada pelo poder da ressurreição, quando a alma, embora agora se tenha tornado imortal for revestida de um novo tipo de imortalidade, isto é, da própria forma de imortalidade de Deus.

Matetés – O que você diz está acima dos poderes do bom senso e da razão. O que você diz sobre as provas? Você mencionou a "revelação". Isso pode servir para confirmar essa doutrina?

Sofós – João 5.25,26 e 6.57 certamente ensinam isso. Posso mostrar outras passagens. Aquele que crê, que entrega sua alma a Cristo, tem a vida eterna (v. 24). Na teologia e na filosofia, entretanto, essa palavra com frequência visa a indicar uma "forma de vida", e não apenas "existência interminável". O NT não fala do tipo de vida dado na redenção como meramente "interminável", dando-nos tempo bastante para acumular e desfrutar bens espirituais. Antes, é uma "forma de vida" de tipo especificado. Os versículos 25 e 26 definem o "tipo" envolvido. É o mesmo tipo que o Pai tem "em si mesmo". Por isso, diz a Bíblia: "Assim como o Pai tem 'vida em si mesmo', assim concedeu ao Filho ter vida 'em si mesmo' ". Como membro da Trindade, o Filho eterno, a Palavra, já possuía, eternamente, essa "forma de vida" atribuída ao Pai. Na deidade, ela é sua causa e não tem começo. É a própria fonte de toda vida e viver, não tendo causa. O Filho, porém, em sua encarnação, ao assumir a natureza humana, e essa fundida com a divina, de modo que se tornou o Deus-homem, recebeu essa forma de vida, mediante a ressurreição, após haver terminado com sucesso a sua missão. Isso não nega sua divindade essencial, antes daquele evento, mas a confirma, mostrando que na ressurreição ele assumiu uma nova expressão de sua divindade, e esta, mesclada com a sua humanidade, que ele recebera quando da encarnação. Ao receber a forma de vida divina desse novo modo, o Filho tornou-se o Cabeça federal da raça de almas remidas. Ele recebeu a forma de vida como Cabeça federal a fim de transmiti-la, e não meramente para ser admirado por sua grandiosidade. Tornou-se o primeiro **homem real**, que atingiu o que a criação tinha em mente para o homem, quando este foi criado. A "nova raça" é criada mediante a participação em sua ressurreição, e, consequentemente, sua ascensão e tudo quanto nisso está implícito. Cristo, poderíamos afirmar, tornou possível que a Palavra se tornasse participante da natureza divina sob nova forma e de um modo que pode ser compartilhado pelas almas remidas. O contexto de João 5 deixa claro que a ressurreição é o portão dessa participação. O texto de João 6.57 declara ousadamente: "Assim como o Pai, que vive me enviou, e 'eu vivo pelo Pai', assim, quem de mim se alimenta, também viverá por mim". Trata-se da comunicação mística da vida eterna, e não apenas de vida sem fim, e sim, de uma nova forma de vida, a participação na própria forma de vida de Deus, por parte da almas remidas. Essa participação é finita, mas é real e sempre crescente. É real e ilimitada, sem medidas e livre. Dessa maneira, o Filho comunica a realização de sua missão aos filhos, a saber, dando-lhes parte em sua natureza, e não apenas levando-os a participar das possessões celestiais. A alma já imortal, dessa maneira, vem a compartilhar da mais elevada forma de imortalidade. O Espírito é o agente de tudo isso, e sua operação é referida na expressão mística "de mim se alimenta". A alienação termina na assimilação. Estando "em Cristo", assimilamos a sua natureza. É disso que consiste a salvação, e o resto é apenas descrição. Concernente à operação do Espírito, somos informados: "[...] todos nós, com rostos sem véu, contemplando a glória do Senhor, estamos sendo transformados segundo sua imagem, de um grau de glória a outro; pois isso vem do Senhor, que é o Espírito" (2Co 3.18). Jamais poderá haver fim nos "graus de glória", mediante os quais passamos, pois sua natureza é infinita, e todos os graus de glória se baseiam na participação, subindo nessa natureza em graus cada vez maiores. Estamos envolvidos em um crescimento interminável, que nos leva à espiritualidade; e a espiritualidade consiste de sermos o que "ele é", de vir a participar da "natureza divina", conforme o afirma 2Pedro 1.4. Estamos discutindo sobre como isso pode ser, e o que isso significa.

Scepticós – A vida eterna não deve ser assemelhada a uma águia que se eleva bem alto a plainar preguiçosamente no firmamento tranquilo. Antes, é como a subida rápida e poderosa de uma águia que se dirige a um pico distante. O voo dessa águia é intenso, rápido e sempre para cima, pois ela pertence aos céus, havendo poder em suas asas. Os céus são um lugar onde as almas remidas para sempre serão impulsionadas para a frente e para cima. Não pode haver estagnação ali, nem nas obras e nem na espiritualização do ser.

Matetés – Se o que você diz é verdade, então a salvação é realmente, algo **infinito**, que deverá ser buscado de modo infinito.

Sofós – Agora sim, você falou. Outros textos bíblicos que eu lhe darei elucidarão ainda melhor o conceito do que falamos. Começamos dizendo que os termos que usamos acerca da vida necessária e independente são de fácil definição verbal, pelo menos. Mas como brilha imensamente esse conceito, depois que vemos que a missão de Cristo nos transmite sua essência de ser, e que ele não nos dá apenas uma "mansão nas ruas" de algum local celeste.

Zetetés – Nossa propensão é subestimar o poder da missão de Cristo. Duvido que possamos entender ou apreciar o que Sofós nos disse até agora, se não recebermos iluminação divina. O primeiro capítulo de Efésios nos encoraja a buscar essa iluminação.

Sofós – Sim, e quando isso figura no quadro, então os conceitos dali derivados se tornam princípios vivos, e os princípios vivos frutificam na forma de vidas transformadas. As vidas transformadas estão baseadas sobre a transformação gradual da alma, segundo a imagem de Cristo. Cuidaremos de explicar outros aspectos dessa doutrina; se não a podemos entender, talvez possamos "sentir" algo de seu impacto.

Scepticós – Eu gostaria de elucidar a doutrina da transformação segundo a imagem de Cristo com uma ilustração que me é favorita. Talvez, em nossas discussões, já a tenha usado, ou talvez outro, que me tenha ouvido narrá-la em outra ocasião, a tenha usado. Nesse caso, um pouco de repetição não prejudicará ninguém.

A hierarquia da vida – Consideremos quantas formas de vida diferentes existem. O alcance delas, mesmo na esfera física, onde podemos observá-las e classificá-las, é surpreendente e impressionante. Suponho que poderíamos chamar de forma básica de vida a uma célula de "proteína" que se pode duplicar. No reino animal inferior, algumas vezes simples grupos de células se juntam em uma espécie de comunidade, com função ou funções comuns. Então, as células se agrupam e formam um organismo real. Subindo na escala, descobrimos criaturas inferiores que espantam os cientistas astutos com suas funções e seu desígnio elaborador. Vemos peixes minúsculos no mar e insetos na floresta. Então, chegamos a animais superiores, os quais, certamente, têm razão e emoções, e, conforme alguns dizem, talvez tenham "alma", podendo sobreviver à morte física. No entanto, são inferiores ao homem, sem importar se a sobrevivência deles é autêntica ou não. No homem, seja como for, temos uma forma física altamente complexa, vinculada a uma natureza espiritual. Indo além do homem, achamos seres poderosos e inteligentes, embora não tenham nenhuma forma física. Vivem como espíritos puros. A Bíblia indica que há muitos níveis e tipos de seres angelicais. Não são idênticos em inteligência e poder. Talvez nem sejam do mesmo "tipo de ser", embora não tenhamos nenhuma informação certa sobre o assunto. É razoável supormos que há tantas formas espirituais puras de vida quanto há formas físicas. Por que pensaríamos de outro modo? Solucionar esse enigma, porém, não é importante para a minha tese. Tudo o que quero mostrar é que há um número espantoso de "formas de vida". E nem todos participam da mesma "essência de ser". No pináculo de todas as formas de vida está a "primeira forma de vida", a fonte de toda a vida, a saber, o próprio Deus. Sua "essência" é diferente da de todos os demais seres. O evangelho, entretanto, ensina que de forma finita, embora real, o Pai transmite sua "forma de vida" aos filhos, pelo Filho, que se tornou o nosso irmão mais velho. Em contraste com isso, um anjo, embora da mais elevada ordem, embora sendo um ser notável, não possui essa forma de vida mais elevada. A "filiação", em outras palavras, expressa o sentido da salvação em uma palavra, se compreendemos do que se trata. Envolve por certo a "participação da natureza". Isso com certeza. Se rejeitarmos esse conceito, então reduziremos a salvação a simples perdão de pecados e mudança de endereço para os céus, "algum dia". No entanto, é aí que começa a salvação, e não onde ela termina.

Zetetés – A salvação, pois, é como a "grandiosidade" de uma sinfonia. Não se constitui de uma única escala. É uma composição primorosa de tons, movimento e beleza. Aqueles que a reduzem ao perdão de pecados e ao "ir para os céus", têm-na reduzido a uma escala simples. Talvez a igreja esteja sempre lutando por atrair as pessoas, e não com muito sucesso, porque a única coisa que ela toca, quando as pessoas nos vêm visitar, é aquela escala. A sinfonia, contudo, talvez atraísse melhor o povo. Em nossa ansiedade de "atrair números", temos esticado cada vez mais as cordas presas aos lados do tabernáculo. Mas não temos fincado profundamente as estacas no chão. O tabernáculo pende ora para um lado ora para outro. O mundo olha apreensivo, pensando que a armação inteira pode desabar. O mundo olha e fica onde está, nas casas de prazeres e deleites carnais.

Sofós – Muito agradecido por essas ilustrações. Elas nos ajudam a enfocar o conceito que estamos procurando explicar. Nada, devido às nossas atuais limitações, pode levar-nos a sondar suas profundezas, tal como não podemos descrever amplamente outros mistérios incomensuráveis. Desviamo-nos por um pouco a fim de melhorar nossos pensamentos e nossa maneira de pensar. Não esperamos iluminar princípios elevados até o lugar onde podemos subir além de nosso nível, após um debate de algumas semanas e dizer: "Agora eu sei". Todavia, podemos subir um pouco mais e dizer: "Sei mais do que sabia quando nos reunimos pela primeira vez poucas semanas atrás, e por certo quero saber mais". Se podemos dizer isso, então podemos buscar a "iluminação" que Zetetés acaba de mencionar.

Scepticós – Sempre será verdade, sem importar o que suceda, que a espiritualidade é medida pelo impacto de nossa doutrina sobre nossa alma, e, em consequência, sobre a nossa vida. Se nossa doutrina é mais impressionante, e mais próxima da verdade, isso poderia nos ajudar (com uma visão mais alta das coisas), para buscarmos maior espiritualidade. Mas conhecimento sem a transformação do espírito da lei do amor se torna em nada, exceto a algo que incha; mas isso nada é, realmente. Todos nós sabemos disso, mas nem sempre agimos conforme sabemos. 1João nos ensina que o amor é a prova da espiritualidade.

Sofós – É bom lembrarmos disso. Doutro modo, seremos apenas grande sonido (conforme diz Paulo, em 1Co 13), quando possuímos quaisquer chamadas qualidades "espirituais" ou "dons", mas não pomos em prática a lei do amor, isto é, ação altruísta em favor do próximo.

Scepticós – Quanta estupidez é a nossa, pois, quando brigamos, odiamos e nos dividimos por causa de nossa "teologia"!

Oh, Deus, que carne e sangue fossem tão baratos,
Que os homens odiassem e matassem,
Que os homens silvassem e cortassem a outros,
Com línguas de vileza [...] por causa de...
"teologia".

(Russel Champlin)

Que diz sua teologia sobre isso? É um padrão que lhe eleva acima de outros e o separa dos seus irmãos que seguem o mesmo Senhor a quem você presta lealdade; sua teologia inspira-o à ação altruísta, ou a contendas sanguinárias? O que você responde a essa pergunta pode ser um bom termômetro de seu verdadeiro estado espiritual, sem importar seu lastro de conhecimentos. O amor é unificador e curador. Deus é amor. O que faz em favor de outros o seu "estado de Deus"? A divisão em denominações, igrejas e amizades, provocada pelas minúcias teológicas é inteiramente sem sentido espiritual. Aqueles que se ocupam dessa atividade pagarão elevado preço, em algum ponto.

Súnesis – Tudo isso é verdade, e esse é um tema importante. Mas estou encantado pelo modo como nossa discussão sobre o "meio da glória" se desenvolve. Prossigamos, a fim de dar outra explicação sobre esta tese.

Sofós – Sim, isso será proveitoso. Meu próximo tema é:

2) Participação na imagem e natureza de Cristo

Já debatemos sobre isso por várias vezes, sob uma forma ou outra. Agora é meu propósito expor certas referências bíblicas que aludem diretamente ao assunto.

Consideremos o texto bíblico que diz: "[...] a quem conheceu de antemão também predestinou para serem conformados à imagem do seu Filho, para que ele fosse o primogênito entre muitos irmãos. Outrossim, a quem predestinou, também chamou; e a quem chamou, também justificou; e a quem

justificou, também glorificou" (Rm 8.29,30). É bom notarmos aqui que a transformação segundo a imagem de Cristo, que faz do indivíduo um filho da mesma família com o Filho, realmente é a doutrina controladora da teologia paulina. Essa distinção usualmente é dada à justificação, mas a leitura do texto nos convencerá de que a justificação é apenas parte do tema maior da "filiação"; e a filiação é definida no texto como participação na própria natureza de Cristo, o ser moldado à sua imagem.

Scepticós – É verdade, e notemos também que a predestinação está por detrás desse propósito, e isso é algo tão poderoso, que o versículo imediato à citação que você deu mostra que, quando Deus está por nós, ninguém ou coisa nenhuma pode ser contra nós. O Pai não poupou ao seu próprio Filho qualquer dor própria do esforço. Foi entregue por todos nós a fim de que, por meio dele, viéssemos a possuir toda a espiritualidade.

Sofós – O versículo subentende que a vida necessária e independente de Deus é transmitida aos filhos, e não apenas ao Filho. Todos aqueles que são "transformados segundo a imagem do Filho", tornando-se assim parte da família divina, devem participar da "forma de vida" dessa família. É errôneo reduzir essa filiação à simples "adoção", ao mesmo tempo que de Cristo se pode dizer: ele é filho por natureza. A adoção é uma doutrina verdadeira, mas a filiação dos crentes é muito mais que ela. É a transmissão da própria natureza de Cristo. O texto de 2Pedro 1.4 deixa isso claro, mesmo que esse ensino não se ache na presente passagem. Assim, em João 1.12, a palavra "tekna" é usada acerca de nossa filiação. Ora, essa palavra normalmente significa "por natureza", embora haja exceções. Assim como Cristo participou de sua divindade, e isso de modo "real", embora em menor extensão. Essa extensão, conforme frisamos antes, vai sempre aumentando. A própria eternidade é o meio desse aumento sem fim.

Súnesis – O desígnio da missão de Cristo é que ele, o Filho, não fique sozinho na glória isolada de sua preexistência, mas que seja circundado por uma numerosa fraternidade, moldada segundo sua semelhança e natureza, tal como Cristo é a imagem de Deus.

Sofós – Há outro tipo de vida que a ciência até agora pouco reconheceu. Obedece a uma lei superior; e edifica a outra segundo sua forma. É a vida de Cristo. Assim como a vida de ave se desenvolve como ave, também a vida de Cristo se desenvolve em Cristo, a imagem de si mesmo, na natureza espiritual de um homem. Isso segue a grande lei de conformidade ao tipo. Assim sendo, o texto diz que estamos sendo "moldados segundo sua imagem". É o grande artista quem molda essa forma de vida, sendo sua obra-prima, o milagre incomensurável da redenção humana. Por meio de nossa vida como crentes, a começar pela conversão, esse processo maravilhoso, místico, glorioso, mas perfeitamente definido, prossegue até que, finalmente, naquele dia, Cristo esteja formado em nós.

Scepticós – Os intérpretes que veem somente a participação da "corporeidade" de Cristo, veem pouco demais. Participamos de um corpo ressurreto como o dele, mas isso é apenas veículo da alma imortal, que estará infinitamente transformada de modo que seja como sua espiritualidade.

Sofós – Notemos de novo que essa grande passagem de Romanos 8 repousa sobre a "glorificação" e sobre a "transformação segundo a imagem de Cristo", o que é apenas outro modo de expressar a mesma coisa. A justificação e todas as demais bênçãos mencionadas, tal como a "chamada", são apenas partes da glorificação. O grande e todo compreensivo tema do evangelho, portanto, é a "participação na natureza de Cristo", e deveríamos ouvir mais a respeito da igreja.

Súnesis – Vamos delinear certos aspectos da transformação. O que você pode dizer sobre esse assunto, Epítropos?

Epítropos – Tenho ficado aqui sentado, desfrutando da discussão, permitindo que minha mente ascenda a uma contemplação quase mística. Estou pensando: "Como são fracas as palavras para descrever tudo isso!" Contudo, é bom frisar coisas novas e antigas, como fieis escribas e mestres. Agora, Súnesis me indaga sobre estágios de transformação. Naturalmente, antes da discussão, como todos vocês, li um pouco sobre o assunto, e muito meditei. Não posso dizer que preparei qualquer coisa de específico sobre a questão, mas tentarei fazer uma espécie de descrição.

Suponho que estejamos falando sobre a "transformação final", pois já cobrimos a questão da transformação diária sob o tópico "Preparando-se para o voo".

Em primeiro lugar, isso significa, sem dúvida, o **livramento** da natureza pecaminosa, bem como sua presença. Isso ocorre no fim da peregrinação terrena. Representa grande avanço, no qual o crente é libertado de seu conflito com a natureza pecaminosa e todos os seus frutos. Nesse ponto, cessa seu conflito externo e interno, embora não necessariamente com o que o pecado fez no universo. Quando o crente receber a coroa da justiça, assim participando da própria natureza santa de Cristo e todas as suas propensões para o bem (ver 2Tm 4.6-8), então será atingido um grande avanço, embora ainda não seja a perfeição absoluta, e nem a salvação final, mas somente um salto imenso e significativo no voo para o infinito. Sem a natureza pecaminosa, o progresso será muito mais rápido.

Em segundo lugar, sendo um novo tipo de ser santo, no qual nem Deus vê nenhum pecado, embora ainda "imperfeito" em seu desenvolvimento espiritual positivo, pois só Deus é finalmente "perfeito", o crente estará **capacitado** para assumir sua posição na pátria celeste. Será um novo tipo de ser, parte de uma raça nova e exaltada, devendo ocupar lugar apropriado para tais seres. Mas, por que digo "lugar"? Antes, deveria dizer "lugares", os "lugares celestiais", conforme escreveu Paulo, sobretudo em Efésios (ver Ef 1.3). Nenhuma imaginação pode retratar, e nem a linguagem pode descrever, a estupenda transformação que tudo isso representa, quando o véu cair, quando o que é terreno e temporal se dissolver, quando o eterno permear tudo. Os novos "cidadãos" terão um novo lar, indescritível em sua beleza, inefável em sua exaltação.

Em terceiro lugar, o crente terá uma **nova** "forma de corpo", não de natureza "atômica", mas de substância espiritual, veículo apropriado da alma. Como especulavam os pais da Igreja, é provável que vários lugares celestiais requererão diferentes tipos de corpos espirituais, produzidos por diferentes graus de galardão, mas para a qual olho com favor. E é claro que os galardões estão envolvidos nisso. Isso, naturalmente, não será final, pois nenhum crente poderá estagnar em seu crescimento em toda a espiritualidade do próprio Cristo. Lembremo-nos de que sua espiritualidade (que envolve toda a plenitude de Deus, ver Ef 3.19) é o alvo, e que nenhum crente será impedido de atingir esse alvo, ou antes, sempre avançará na direção do mesmo, pois o alvo é infinito, tendo sido atingido pelo próprio Deus. Toda "espiritualidade" aquém da espiritualidade de Deus é potencialmente temporária, embora existente nos mundos eternos.

O corpo ressurreto ajudará o crente a ser e agir como Cristo. Ajudará o crente a ser ilimitado em poder, glória e permanência eterna. Esse corpo estará sujeito a maior espiritualização, provavelmente envolvendo real transformação de energia e formação espiritual, emergindo em formas de vida cada vez mais altas, pois o próprio ser de Cristo será sempre o alvo, um alvo que nunca será atingido completamente, mas sempre estará sendo perseguido.

Em quarto lugar, não podemos limitar o processo de transformação ao "corpo espiritual" somente. É a **alma**, acima de tudo, que está envolvida em tudo isso. Conforme se salientou por repetidas vezes, desde que Sofós iniciou a discussão desta semana, o alvo das almas remidas é participar da própria "forma de vida" de Cristo, a sua "divindade". Os textos de Efésios 3.19 e Colossenses 29.9,10 definem algo do que isso significa. As palavras falham totalmente quando usadas na tentativa de descrever tudo isso.

Em quinto lugar, seres prodigiosos devem ocupar-se em **labores** prodigiosos. O céu é um lugar onde as almas remidas são impulsionadas, com o propósito de fazer Cristo ser tudo para todos (ver Ef 1.23). O corpo sempre manifesta os desejos do Cabeça. Agora isso se tornará espiritualmente verdadeiro. A igreja (o corpo) continua a missão do Cabeça (Cristo). Isso é verdadeiro agora, e será eternamente verdadeiro. Especulemos acerca de alguns detalhes. Assim como há missionários agora, haverá supermissionários no estado eterno. Novas questões estarão em foco, não mais a remoção do pecado, ou sua derrota, como agora, mas questões além da distinção de bem e mal, tendo algo a ver com a questão do sublime, mais sublime, o mais sublime. Tal como há mestres agora, haverá então supermestres, e Cristo continuará sendo o tema de seu ensinamento, mas de maneiras que transcenderão aos tipos de temas que agora abordamos. Como existem profetas agora, haverá superprofetas no estado eterno, fomentando a glória de Cristo e seu significado para toda vida e viver. Usamos esses termos e expressões, não a fim de fazer nenhuma asserção dogmática quanto à natureza da pós-vida e suas obras, mas somente como um meio de sondar em redor do enigma das obras eternas, acerca das quais, pela revelação sabemos surpreendentemente pouco quanto aos seus detalhes.

Sofós – Penso que aquilo que Epítropos disse ajuda-nos a definir mais exatamente em alguns aspectos, o que está envolvido na "transformação segundo a imagem e natureza de Cristo". Tenho outras referências bíblicas a examinar que aclararão melhor a questão.

"[...] todos nós, de rosto descoberto, contemplando como em espelho, a glória do Senhor, somos transformados na mesma imagem, de glória em glória, pelo Espírito do Senhor". (2Co 3.18). Este é o rico versículo para nosso propósito.

O espelho espiritual: olho para o espelho espiritual. Ali vejo o Senhor da glória, e não minha imagem, por ser um espelho espiritual, e não físico. Quando olho para o espelho, vejo o **"homem ideal"**, e não a pobre representação dele em meu ser. Quando o contemplo, meu ser vai sendo transfigurado, pois ninguém pode olhar para ele e continuar o mesmo. Assim, continuo a contemplar, agora e amanhã, e nos anos vindouros, e para sempre, aqui e ali, agora e por toda a eternidade. Essa contemplação me espiritualiza na proporção em que me ilumina. Finalmente, quando contemplo a mim mesmo no espelho espiritual, vejo a imagem de Cristo, completamente formada em mim. A visão celestial do espelho espiritual realizou sua operação. Vim a participar de sua imagem e natureza. Ao fazer assim, vou de um estágio de glória para outro, e isso nunca cessa, pois nunca deixarei de contemplar a sua imagem no espelho. O Espírito é o agente em tudo isso, conforme diz o versículo, e é ele quem transforma minha "forma de vida" para que eu compartilhe, em graus cada vez maiores, da forma de vida de Cristo.

Scepticós – Notemos que a glória do Senhor é o que contemplamos e nos transforma. Não há limite para isso, por certo. É sua glória moral e metafísica, que se irradia das perfeições de sua pessoa. Na beleza de seu ser, ele emana a bondade, justiça, gentileza, amor, santidade do Pai. Um homem transfigurado por haver contemplado o espelho espiritual, assume essas qualidades divinas, enquanto seu ser vai sendo moldado no tipo de ser que pode expressá-las. Sua glória, portanto, não é algo apenas para ser contemplado, mas é um agente ativo para espiritualização de todas as coisas que estejam ao alcance de suas irradiações. Sua luz brilha sobre nós até nos unificarmos com essa luz. Ficamos iluminados e completamente transfigurados, tornando-nos tanto possuidores de sua glória como, subsequentemente, fontes da mesma. Assim como ele é aquele que preenche a tudo em todos, assim seremos a sua plenitude.

Na beleza dos lírios,
Cristo nasceu além-mar,
Com uma glória em seu seio
Que transfigura a ti e a mim.

Como isso foi verdade em sua encarnação, assim será sempre verdade em sua glorificação.

Súnesis – Observemos aqui a palavra usada para "transformar". É a mesma palavra usada acerca da transfiguração de Cristo no monte (ver Mt 17.2). Cristo, por algum tempo, embora ainda estivesse no seu corpo mortal, foi "transfigurado". Isso significa mudança de "forma de vida", e não meramente de aparência. Por alguns instantes, ele foi imortal, fora do alcance de tempo e espaço, além do que é carnal e mortal. E notemos como, em nosso caso, isso vai "de glória em glória". Isso significa, certamente, de um estágio de glória a outro. Participamos da glória de sua transfiguração; mais ainda, porém, de sua glorificação.

Scepticós – Colossenses 1.15 mostra-nos que Cristo tem a "imagem" do Deus invisível. Ele possui aquela imagem para transmiti-la, e não meramente para ser admirado. "Igualdade de natureza" está necessariamente envolvida nisso tudo. Colossenses 2.9,10 apoia essa ideia. Assim também 1Coríntios 15.49. Trazer a "própria imagem", pois, é trazer a própria natureza. Quê? Podemos descrever a Cristo? Pode alguém dizer-me onde começa ou termina a sua glória, ou que ela consiste disto ou daquilo? Em termos pobres, tão-somente. Além disso, pode alguém descrever o homem transfigurado na imagem de Cristo? Somente em termos pobres. Pensamento e linguagem ruem sob o peso de todo esse conceito extraordinário.

Sofós – É óbvio que tudo isso é obra de Deus, e de Deus exclusivamente. É por isso que o propósito predestinador está por detrás de tudo. A vontade humana, entretanto, deve cooperar, renunciando a tudo, a fim de que essa graça seja cumprida na vida. Nosso último tópico, o "meio da inquirição espiritual", entrará em detalhes sobre como fazer tudo isso tornar-se real na nossa vida. Posso dizer agora que exige que renunciemos a tudo mais, que nos sacrifiquemos (tomemos a cruz) a fim de seguir a Cristo. Pois jamais poderemos ter essa glória a troco de bananas. E o Espírito quem opera isso em nós. O Credo Niceno alude ao "Espírito do Senhor" como "o Espírito, o Senhor, que vivifica"; e sem dúvida há nisso alusão ao versículo que ora consideramos. Literalmente, a expressão aqui é "Senhor Espírito", o que se tem prestado a diversas interpretações: 1. O Senhor do Espírito; 2. O Espírito do Senhor; 3. O Espírito, que é o Senhor; 4. O Senhor, o Espírito. Talvez esta última forma seja a preferível. O próprio Espírito é identificado com o Senhor. Ele é o alter ego de Cristo, mas isso não está aqui em vista, primariamente. Ele é Senhor da vida, o doador de toda a vida, aquele que nos dá a forma de vida de Cristo. Nessa operação, contemplamos uma transformação literal de "energia vital", de tal modo que novo tipo de vida vai sendo cultivado em nós.

Mas nós, enquanto espiamos em um espelho
A glória de sua fisionomia,
Não em um redemoinho fugaz,
Nem em dois lances de olhos presunçosos,
Mas com suave irradiação a cada hora,
Do rosto de nosso querido Salvador,
Pairando sobre nós com poder transformador,
Até, que nós, também, brilhamos levemente.

(Keble)

Scepticós – O poeta tocou em grande verdade. Nós o contemplamos até que, "nós também", brilhamos levemente, pois o nosso ser é de tal modo iluminado que reflete a sua luz. Mas esse leve brilho irá aumentar, e os mundos eternos se tornam ofuscantemente rebrilhantes.

Súnesis – Para que isso suceda, deve haver um autêntico processo espiritual, de natureza mística, pois o Espírito trata direta e realmente com nossa alma. A busca espiritual, portanto, não se pode basear só sobre ensinamentos, ritos e preceitos. Deve haver real operação do Espírito, ou podemos realmente ganhar terreno em nossa inquirição que visa a moldar-nos segundo sua imagem?

Sofós – Pouco terreno, suporíamos. É triste que, por causa de abusos, os homens se tenham esquecido da necessidade do "toque espiritual e místico" na vida, confinando a fé religiosa ao túmulo da letra, de palavras, de ensinamentos intelectuais, de mistura com alguns poucos ritos que nos distraem a atenção. Se permitirmos que a fé espiritual fique de fora desse túmulo apinhado, sua luz brilhará ao redor.

Consideremos mais um texto bíblico que ilustra o tópico em foco:

"Amados, agora **somos filhos** de Deus, mas ainda não se revelou o que seremos. Sabemos que quando isso se desvendar, seremos semelhantes a ele, porque o veremos como ele é". Esse versículo admite nossa profunda ignorância do que será a glória eterna. Contudo, nos fornece alguns fatos significativos. Em primeiro lugar, nosso "grande salto à frente" está vinculado à "parousia", a segunda vinda de Cristo. O Espírito já nos está transformando em sua imagem, conforme vimos. Devido ao nosso estado mortal e à nossa natureza pecaminosa, porém, a extensão dessa transfiguração é limitada, e mais do que podemos imaginar ou formular no pensamento. Contudo, em sua vinda as limitações serão subitamente removidas. Na visão beatífica, um homem é completamente arrebatado no poder e glória de Cristo. Tal como o espelho espiritual nos espiritualizava, assim também, agora, repentinamente, receberemos imensa espiritualização. Nisso assumimos, literalmente, ainda que em forma finita, sua "forma de vida".

Matetés – Tenho ouvido esse versículo como se aludisse a uma espécie de passo "final" em nossa salvação. Em muitas igrejas certamente ele é usado assim. Antes de nossa discussão de hoje, eu poderia estar pronto a defender essa posição. Mas estou vendo agora, mais claramente, que não é assim. Quem foi que disse: "Já que há uma infinitude com que deveremos ser cheios, deve haver um preenchimento infinito?" Não me posso lembrar, mas penso que isso não importa muito, afinal.

Sofós – A "parousia" nos dará a natureza de Cristo, removendo de nós os empecilhos da mortalidade e da natureza pecaminosa. Então nos elevamos com poder em direção ao alvo, tal como a águia em seu voo ascendente para seu ninho, no pico da montanha. Porém, nossa ascensão jamais terá fim, pois o alvo é totalmente infinito, residente no próprio Deus, em sua natureza e em seus atributos espirituais. Na "parousia" chegamos a um "estado de comparativa perfeição", se compararmos a imensidade do que sucede ao crente então, com o que ele foi na carne. No entanto, essa subida para "encontrar a Cristo e ser como ele" é apenas o começo da glorificação eterna, ao compararmos isso com o que jaz à frente, nos mundos celestiais. Olhando de volta ao mundo, parecerá que "chegamos" à perfeição espiritual. Voltando, porém, os olhos para as intermináveis expansões da espiritualidade a serem atingidas, saberemos, então, quão grande é Deus! Saberemos quão grande deve ser nossa participação em sua natureza e em seus atributos! Aguardando agora a "parousia", poderíamos dizer: "Ali chegarei à minha maior glória", porquanto isso promete-nos algo que desafia toda descrição. Porém, ao chegarmos ali, veremos claramente que aquele acontecimento apenas nos equipará à natureza de alma necessária para o "voo para o infinito". Certamente esse "equipamento" será prodigioso; mas o voo não pode ser descrito por nenhum termo.

Scepticós – A encarnação nos deu a posição de filhos. A "parousia", entretanto, nos dará essa própria natureza. A encarnação, que deu a Cristo sua manifestação humana, teve, em forma de semente, o propósito de conceder-nos sua natureza divina. Esse propósito será cumprido na segunda vinda. Agora aguardamos aquela visão celestial e tudo quanto por ela é produzido:

Ah! o Mestre é tão belo,
Seu sorriso tão doce a homens banidos,
Que aqueles que o contemplam de súbito
Jamais poderão descansar de novo sobre a terra!

Sofós – O sentido, é claro, então. A visão de Deus necessariamente implica em "semelhança" para ele. É ao definir essa semelhança que os comentadores discordam entre si. Se tivéssemos somente este versículo, então não poderíamos ter certeza de como interpretar a questão. Há outros textos bíblicos que já examinamos, e alguns poucos outros que

precisam ser ainda examinados, que defendem bem definidamente a "igualdade" de natureza, uma participação real, embora essa deva ser "finita em sua extensão", posto que não de tipo diferente.

Súnesis – Aqui e agora os filhos terão chegado a algo estupendo. São chamados filhos por serem filhos. Notemos o termo "tekna", a palavra usada para "filhos por natureza", em contraste com "filhos por adoção". A presente dignidade dos filhos é como nada, em confronto com a glória futura e sua dignidade. A condição exata, João não pode descrever. Paulo tem maior êxito sobre o mesmo tema, sem dúvida. Mas o que ele vê claramente é que é questão de conhecimento comum — quanto mais Cristo se revelar, mais as almas remidas serão "semelhantes" a ele. O que já viram de Cristo, em sua encarnação e em seu ministério terreno, elevou-os imensamente em comparação com os que estão cativos no paganismo e seus vícios. Quando ele se manifestar plenamente, em toda a sua glória, sem o empecilho da mortalidade, aqueles que o veem como ele é em sua glorificação, serão consumados na semelhança divina que o propósito divino determinou que atingissem. O homem foi criado à "semelhança divina" (ver Gn 1.26). Na "parousia", de modo bem real, porém, ele participará do mesmo tipo de vida que o próprio Deus possui. É disso que o evangelho consiste.

Scepticós – O diabo caiu porque aspirava ao "poder" de Deus; o homem caiu por aspirar ao seu "conhecimento". O remido, entretanto, se eleva por aspirar à sua "bondade". E todos os seus atributos de bondade, justiça e amor estão incorporados na participação em sua forma de vida.

Sofós – Há outros modos de expressar esse conceito, pelo que agora passamos a outro tópico:

3) Participando na plenitude divina

Estamos deixando Matetés feliz ao dar à nossa discussão uma forte ênfase bíblica. Estamos demonstrando nossa doutrina com base nas Escrituras Sagradas. Consideremos Colossenses 2.9,10 como luz projetada sobre nosso presente assunto:

"[...] pois **nele** habita toda a plenitude da divindade, corporalmente. E nele estais cheios, sendo ele o Cabeça de todo principado e poder".

Rejeitamos aqui a tradução que diz que nele estamos "completos". Isso fica bem aquém do sentido real. O que está em foco é a "plenitude de Deus", que Cristo possui. Disso nós também, em união com ele, estamos "cheios". Portanto, alguém traduziu corretamente esse texto, conforme penso:

"[...] pois é nele que toda a plenitude de Deus continua a viver incorporada, e mediante união com ele também estais cheios dela".

Colossenses 2.9 com justiça é um texto favorito acerca da deidade de Cristo. Colossenses 2.10 deveria ser texto de prova em prol da participação na natureza divina por parte dos filhos, pois isso certamente está ali, tal como o outro conceito é ensinado no primeiro. Creio que, se considerarmos a metafísica antiga, essas palavras ficarão mais claras.

Zetetés – Antes de prosseguirmos com a explicação deste versículo, diga-nos por que você rejeitou a tradução que diz "completos", preferindo "cheios", (concordando com outros tradutores)?

Sofós – É que a palavra plenitude (no v. 9), que fala de como Cristo está "cheio da divindade", tem a mesma raiz que "cheios" (no v. 10), que fala de como participamos da natureza divina. A "dependência" do v. 10 ao v. 9, e a transferência de ideia, do v. 9 para o v. 10 são, sem nenhuma dúvida, coisas tencionadas pelo autor sagrado. Isso é obscurecido quando se traduz "pepleromenoi", (raiz verbal, "pleroo", "encher"), como "ser completo". Naturalmente, "completo" é uma tradução possível da palavra, em alguns contextos, mas deve ser rejeitada neste caso por causa da dependência óbvia do v. 10 ao v. 9.

Zetetés – Isso nos afasta da explicação direta do v. 10, que é a intenção de Sofós agora; mas a declaração do v. 9, de que Cristo está "corporalmente" cheio da divindade, sempre me deixou perplexo. Será essa uma alusão a como Cristo, em sua encarnação, reteve a sua natureza divina?

Sofós – Se alguém examinar o contexto, descobrirá que esse versículo fala do Cristo assunto aos céus e exaltado, e não de Cristo em sua encarnação. Nele, agora mesmo, "habita a plenitude". Não há alusão ao estado encarnado. Portanto, sem importar o que signifique "corporalmente", trata-se de uma alusão ao Cristo assunto aos céus. Penso que a melhor explicação é: "nele, como em uma única pessoa, habita essa plenitude".

Zetetés – Como você pode traduzir **somatikos**, que literalmente significa "corporalmente", pela expressão "como em uma única pessoa"?

Sofós – Porque o contexto mostra-nos o que está sendo ensinado é que Cristo, "como uma única pessoa", tem a 'plenitude' da divindade, em contraste com a ideia gnóstica de que as muitas emanações de "aeons" ou seres angelicais, cada qual individualmente, tem uma "partícula" dessa plenitude, e todos "considerados juntamente", constituem a "plenitude" de Deus, conforme ela pode ser conhecida em esferas finitas. Paulo ensinava que, "em uma única pessoa", como se estivesse localizada "em um corpo, em um organismo" apenas, habita essa plenitude. Outro modo de dizer isso, é aludir à própria plenitude como se esta

Artigos introdutórios | NTI

existisse em um corpo, isto é, a plenitude é um "todo orgânico completo", sendo achada em uma só pessoa, e não dispersa em partículas, entre as "emanações". Por conseguinte, a plenitude existe em Cristo como um corpo, ou seja, como uma "unidade orgânica completa". Desse modo, "corporalmente", é vocábulo que alude à plenitude, e não à pessoa de Jesus Cristo. Seja como for, ao aludir ao próprio Cristo, ou à sua plenitude, terminamos tendo o mesmo ensinamento.

Scepticós – Penso que Sofós está **correto** nessa interpretação. Alguns estudiosos, incluindo vários dos pais da Igreja, notando estar em foco o Cristo exaltado, e não o Cristo encarnado, faziam esse termo — "corporalmente" — referir-se ao corpo ressurreto; mas isso, até onde posso ver as coisas, apesar de possível, é muito menos provável do que aquilo que Sofós disse. Se entendermos aqui "corporalmente" como se "em um único corpo, ou pessoa", então não podemos estar muito longe do significado real. Só não pode haver referência ao Cristo "corpóreo", como se ele houvesse retido alguma forma de corpo atômico ou físico nos mundos celestiais. O corpo ressurreto certamente não é físico em qualquer sentido, porque, "carne e sangue não podem herdar o reino de Deus", pois estas últimas palavras apontam para "corpos materiais", conforme os conhecemos neste mundo.

Sofós – Alguns têm traduzido essencialmente, ou "realmente", em contraste com o que é "parcial" ou "simbólico", a maneira pela qual, supostamente, os "aeons" possuiriam a "plenitude" de Deus. apesar de a própria palavra não poder ser assim traduzida, não se podendo duvidar de que o ensino inclui essas ideias.

Zetetés – Que a alusão é à divindade de Cristo, em seu estado exaltado, nada é contra o ensino de sua divindade na encarnação.

Sofós – Naturalmente que não. Basta-nos examinar os demais versículos que ensinam como Cristo combinou o elemento divino com o humano, em sua encarnação. O primeiro capítulo do evangelho de João é claro quanto a esse ensino.

Voltemos agora ao ensino, conforme era ilustrado pela metafísica antiga por detrás dele. A epístola aos Colossenses, segundo todos sabemos, foi escrita contra uma forma primitiva do gnosticismo, que era, essencialmente, um misticismo oriental, de mescla com elementos da mitologia grega, das religiões misteriosas, da filosofia, do judaísmo e, finalmente, do cristianismo. Tal como no caso de todos os homens, foi mister explanar a magnitude da vida de Cristo sobre a terra. É óbvio a todos que ele foi mais do que um ser humano. Mas, de que maneira? A resposta gnóstica era que ele foi um ser dentre as muitas ordens de seres angelicais. Essas ordens, dentro da doutrina gnóstica, eram "emanações" de Deus nas esferas finitas. O próprio Deus, para eles, era um ser totalmente transcendental, que não poderia entrar em contacto com os mundos inferiores, especialmente quando físicas, pois a própria matéria seria o princípio do pecado. O contacto com mundos inferiores contaminaria a Deus. Aqueles que receberam treino filosófico reconhecerão esse conceito como "deísta". O deísmo ensina que Deus se **divorciou** de sua criação, deixando-a sob o governo de leis naturais. Não teria contacto com seu mundo. Não interviria, negativa ou positivamente, no mesmo. Supunha que ele não se importava com sua criação. Seria inabordável. O teísmo, em contraste, ensina que Deus se faz presente em sua criação, intervindo e tendo interesse pessoal, recompensando e punindo. O gnosticismo promovia uma "deidade deísta". Mas, para explicar como ele criou e como trata, de maneira indireta sua criação, eles inventaram a doutrina das "emanações". Eu não deveria ter dito "inventaram", pois essa ideia já existia desde muito antes de surgir o gnosticismo na filosofia grega, em qualquer forma, tanto no estoicismo como no platonismo. Seja como for, diziam que Deus se "emanara" em partículas, por assim dizer. Essas emanações a princípio são fortes, motivo por que teríamos inicialmente os mais poderosos seres angelicais (angelicais porque as emanações vieram a ser identificadas com as "ordens angelicais" das religiões antigas, incluindo o judaísmo). As emanações, entretanto, vão enfraquecendo conforme se afastam de Deus, de modo que, ao chegarem à terra, os raios luminosos emanados se transformaram em trevas totais, e essas trevas seriam a matéria crassa, irrecuperável no esforço remidor. Procurando explicar a natureza de Cristo, os gnósticos pensavam nele como uma dentre muitas emanações, que assim participavam da divindade como uma "partícula". Alguns lhe davam um lugar elevado, como um poderoso "aeon"; mas outros lhe conferiam lugar mais humilde, tornando-o um "aeon" inferior, isto é, o "deus deste mundo", o que não é posição muito importante, considerando-se a vasta expansão dos mundos superiores, sobre os quais haveria outros "deuses" governantes. Todas as "emanações" ou "aeons", considerados juntamente, formariam a "plenitude" de Deus, a "pleroma" do texto presente (Cl 2.9). Paulo recusava vigorosamente essa baixa posição atribuída a Jesus Cristo, declarando que a verdade da questão é que ele contém "em uma pessoa única", "toda a plenitude de Deus", ou então, conforme diz o versículo, "da essência divina" (ou divindade). O termo grego "theotes", forma abstrata de "theos", indica a "essência da divindade". Paulo dizia, pois: "Quando estivermos pensando sobre a essência divina, esqueçamo-nos da ideia de participações parciais e minuciosas na mesma, por essa interminável linha de seres angelicais. Antes, Cristo, em sua pessoa única, contém toda essa plenitude, pelo que é o único que merece nossa adoração. Os gnósticos, devemos nos lembrar, adoravam os "aeons", e assim furtavam Cristo de sua legítima posição e importância.

Súnesis – A pleroma ou plenitude alude aos "atributos divinos, com base na natureza divina". Isso está certo?

Sofós – Está. Os gnósticos criam que os "**aeons**" participavam, "realmente", da "essência divina", embora em partículas minúsculas. Por possuírem algo do divino, os "aeons", naturalmente, teriam alguns atributos divinos. Em contraste, o ensino paulino é que a Palavra eterna possui todos os atributos, por ser participante plena e exclusiva da essência divina, possuidora da plenitude dessa essência. Cristo, pois, é o guardião de toda a natureza divina e seus atributos; ele não participa meramente de um fragmento da mesma, conforme dizia a ideia gnóstica dos "aeons", entre os quais classificavam a Cristo.

Zetetés – Até esse ponto as coisas estão claras. Mas, como você liga o v. 9 ao v. 10?

Sofós – O v. 10 traz a declaração ousadíssima de que a "plenitude" habita em Cristo, pelo que também deve "habitar em nós", pois somos "cheios" em Cristo. Cheios do quê?, poderíamos indagar. E a resposta faz os intérpretes se dividirem. Entretanto, não há aqui nenhum problema real, exceto nas "limitações" que alguém tenha herdado em sua teologia, o que não lhe permitirá ver certos fatos do evangelho com clareza. A plenitude que habita em nós é a mesma que habita em Cristo, pois somos filhos, tal como ele é o Filho. Em nossa transformação à imagem de Cristo, mediante união com ele na natureza divina, a "plenitude" também habita em nós, que estamos "cheios" de sua natureza, tanto na sua essência quanto nos seus atributos. Crisóstomo admitia o sentido pleno do versículo, interpretando-o como a dizer "cheios da plenitude da divindade". Assim o fazia também Teofilacto, sendo ambos seguidos por muitos intérpretes modernos. O bispo Wordsworth exclamou, extasiado: "Maravilhoso mistério! Vós também fostes cheios da divindade, não, entretanto, por vós mesmos, mas nele: noutras palavras, através de sua encarnação, isto é, por sua encarnação. Pois desde que nossa natureza foi unida a Deus em Cristo, tornamo-nos participantes da natureza divina".

Scepticós – Este texto diz a mesma coisa que Efésios 3.19: "[...] para conhecer o amor de Cristo que ultrapassa o conhecimento, para que sejais cheios de toda a plenitude de Deus".

Sofós – Sim, e logo chegaremos àquele versículo. Temos enfatizado desde o princípio de nossa discussão que essa "participação na divindade" é "finita", embora vá crescendo sempre por toda a eternidade. A plenitude é infinita; portanto, o enchimento com a mesma também deverá ser infinito. A singularidade de Deus é preservada, pois ele possui essa plenitude sem quaisquer limites, infinitamente. Ele será sempre o alvo de todo o nosso viver, agora ou depois; e compartilhar de sua plenitude é o destino das almas remidas, porque estão unidas ao Filho, que possui toda a plenitude de Deus. Esse é o mais importante ensinamento do evangelho, juntamente com outros temas por ele incorporados. É também a doutrina mais elevada de Paulo, posição não ocupada pela justificação, que faz parte integrante da mesma, ou, por assim dizer, um degrau em sua direção.

Edifica para ti mansões mais dignas, ó minha alma,
Enquanto rolam as estações ligeiras!
Deixa de lado teu passado de cúpula baixa!
Cada novo templo seja mais nobre que o anterior,
Fecha-te do céu com uma cúpula mais vasta,
Até que, finalmente, estejas livre,
Deixando tua concha já pequena para trás,
Ao lado do mar irrequieto da vida!

(Oliver Wendell Holmes)

Súnesis – Poderíamos ficar assustados ante tais palavras, exceto que são perfeitamente claras, quando unimos o v. 10 ao v. 9. O texto de Efésios 3.19 mostra-nos que não se trata de um ensinamento isolado. Que tolice é que seres de tão magnífico destino se preocupem com o que é terreno e carnal! Essa é a mensagem moral a ser extraída desse ensino.

Scepticós – É muito natural pensar (de fato, como muitos têm feito) que o apóstolo exauriu aqui a estimativa sóbria das coisas! Notemos, porém, que em Efésios a grande declaração é seguida pela certeza de que Deus pode fazer muito mais do que podemos pedir, ou mesmo pensar. Meditemos no que Deus obteve para nós! Somos como vasos mergulhados em um oceano. Suas dimensões "poderão ir-se expandindo" para conter mais e mais do oceano, e nesse processo de expansão o vaso vai adquirindo a natureza e os atributos do próprio oceano.

Sofós – Chegamos agora à nossa exposição de Efésios 3.19, intitulando-a de

4) Participação em toda a plenitude de Deus:

"[...] para conhecer o amor de Cristo, que ultrapassa o conhecimento, para que sejais cheios de toda a plenitude de Deus".

Deus amou o mundo de tal maneira que deu seu Filho unigênito. Assim tem começo o drama sagrado da alma. O amor incomensurável de Deus é a força ativa por detrás do plano de redenção, e o "amor de Cristo" é o amor de Deus em ação. Podemos "conhecer" esse amor "experimentalmente", e não "intelectualmente", conforme é demonstrado em nosso texto. Esse amor "ultrapassa" todo conhecimento. Aprendemos misticamente algo que "ultrapassa" todo conhecimento. Aprendemos misticamente algo daquilo que, intelectualmente, não podemos sondar. Podemos conhecer esse amor, em parte "intelectualmente", e em parte "intuitivamente", mas, sobretudo, **experimentalmente**. E isso indica a experiência da alma em contacto com o Espírito, pelo que se trata essencialmente de algo da alma, e não da intelecção. No estado eterno, nossa capacidade aumentará imensamente, e então conheceremos melhor o amor de Cristo, em tudo que ele pode ser conhecido. Tal como ultrapassa o entendimento, também ultrapassa o que faz em nosso favor. O que faz em nosso favor? Dá-nos "toda a plenitude de Deus". É significativo que o amor de Deus esteja ligado à grande missão de Cristo, em João 3.16; e então o amor de Cristo é vinculado ao que foi realizado por sua missão, em Efésios 3.19. O amor de Deus busca o bem-estar eterno do homem. É ilimitado, conferindo ao homem um lucro ilimitado. Esse amor é tão imenso que ultrapassa a capacidade humana de pensar e intuir. Sobe acima da mais distante estrela, e atinge o mais profundo inferno, buscando, pesquisando, salvando, até mesmo além-túmulo. É tão imenso que não pode ser definido, categorizado ou descrito, e o que faz tem o mesmo caráter inefável. Os gregos inchavam-se com seu "conhecimento". Mas nenhum conhecimento humano pode sequer aproximar-se desse amor. O cristianismo enfatiza o amor acima de tudo, porquanto dentre as grandes virtudes — a fé, a esperança e o amor — o amor é a maior. É melhor amar do que conhecer. O amor é a "sabedoria divina", pois consegue em um instante o que a labuta dificilmente pode conseguir em uma era. Esse amor é sem limites, pois, está por detrás do incalculável milagre da salvação humana.

O que isso faz? Dá-nos a plenitude de Deus. A plenitude de Deus tem a Deus como sua **fonte**; portanto, é "de Deus". Ela tem o Espírito como seu agente ativo de comunicação. Acima de tudo, porém, as palavras "de Deus", aqui usadas, indicam que essa "plenitude" "pertence a Deus". Segundo notamos nas explicações sobre Colossenses 2.9,10, a "plenitude" ou "pleroma" indica a "essência divina em suas manifestações na forma de atributos". Isso, explica-nos o versículo à nossa frente, torna-se a "possessão" da alma humana. Mas, que digo? Antes, a própria alma humana torna-se isso. Por isso é dito que somos a "plenitude" de Cristo, e que ele "preenche tudo em todos". A divina "plenitude" dificilmente pode ser os "dons do Espírito", conforme alguns imaginam, pois no próprio Deus não sucede assim. Como, pois, poderia significar tal coisa no caso dos filhos? Reduziríamos o sentido do texto em demasia com essa interpretação. Cristo possui essa plenitude e a outorga aos crentes, no estado eterno. (Ver Cl 2.9,10.) O texto de Efésios 3.19 enfatiza que o destino do homem remido é participar de "toda" essa plenitude. Isso indica "potencialmente", conforme notamos, pois o finito jamais poderá atingir, finalmente, o infinito, embora possa prosseguir para sempre no processo.

Scepticós – Quero ilustrar o pensamento. Temos no corpo muitos membros. Todos eles compostos do que se conhece como natureza humana mortal, ou, pelo menos, como veículo para a alma manifestar-se nesta esfera terrestre. No corpo há uma "cabeça", o membro mais impressionante. E também há os "dedos", membros que compartilham da mesma natureza que a cabeça, pois fazem parte do mesmo ser. Há grande diferença entre uma cabeça e um dedo na "extensão" de importância, poder etc., mas ambos participam do mesmo tipo de ser. Assim, Cristo é o Cabeça, e nós somos os dedos, ou outros membros do corpo. Mas os filhos, sendo parte do corpo, participam a mesma "forma de vida" que o Cabeça. A eternidade fará os dedos se aproximarem continuamente do Cabeça na "extensão" da participação na natureza divina. Portanto, a diferença entre Cristo e a alma remida se mede em "extensão", mas não na sua "qualidade".

Súnesis – Essa mesma grande mensagem figura em 2Pedro 1.4, sem a metáfora da "pleroma":

"[...] pelas quais nos têm sido doadas as suas preciosas e mui grandes promessas para que por elas vos torneis coparticipantes da natureza divina, livrando-vos da corrupção das paixões que há no mundo...".

O plano remidor, como é óbvio, opera por meio da santificação. Ninguém chegará a participar da natureza divina se não houver realmente escapado das corrupções que há no mundo devido a desejos desordenados. Já frisamos reiteradamente esse pensamento, e dedicamos a ele as discussões de uma semana toda. Seu "poder divino" opera por nós um ganho incomensurável. Dá-nos todas as coisas relativas à espiritualidade e à vida. Chama-nos à glória e à virtude. Intitulamos a discussão desta semana de "meio da glória". O versículo à nossa frente diz-nos o que está envolvido exatamente nisso. O

meio da glória envolve promessas admiráveis e grandes, dispersas ao longo do caminho. Esse caminho leva-nos à participação na natureza divina.

Matetés – O versículo citado usa a palavra "natureza". O que diz o dicionário sobre esse vocábulo?

Sofós – A palavra é **phusis**. Sua forma verbal é "phuo", que significa "produzir", "gerar". Em razão disso, "phusis", indica uma "qualidade inata natural", ou a "essência" de algo, sua espécie específica de "natureza", devido ao seu nascimento e suas condições naturais. Secundariamente, a palavra pode significar "características" ou mesmo "disposições naturais", devido à natureza inerente da pessoa. Esse uso, no entanto, é secundário. Não há razão para supormos que nosso versículo não traga o vocábulo em seu uso primário. Gálatas 4.8 é versículo instrutivo. Tem a palavra do versículo em consideração: "[...] sereis que, por natureza, não são deuses..." A alusão parece ser aos supostos "deuses" que os gálatas adoravam quando ainda estavam no ateísmo. A "natureza" deles não é "divina", diz ele. O que é claro aqui é que "phusis" significa "natureza essencial". Não há razão para entendê-la em sentido inferior, em 2Pedro 1.4. Portanto, os remidos participam da "real natureza divina", embora de maneira "secundária", isto é, "finita", e não de modo infinito. As muitas ordens angelicais, até os mais elevados entre eles, os arcanjos, não participam da "natureza divina". Bastaria essa consideração para mostrar-nos para onde nos conduz nossa redenção. O texto de Efésios 3.19 deve ser relacionado ao de 2Pedro 1.4, como de sentido paralelo. A possessão de "toda a plenitude de Deus" só pode ocorrer mediante real participação na natureza divina. Outras passagens bíblicas que já consideramos, mostram-nos que isso é mediado pela participação na natureza do Filho, através da transformação segundo a sua imagem.

Scepticós – Seguindo as referências que contêm a palavra "phusis", vejo que ela aparece por 14 vezes no NT: Rm 1.26; 2.14,27; 11.21; 24abc; 1Co 11.14; Gl 2.15; 4.8; Ef 2.3; Tg 3.7ab; 2Pe 1.4. Se lermos estes versículos, veremos que a palavra indica "natureza essencial e inata" de algo. "Nós somos judeus por natureza." (Gl 2.15); "[...] oliveira que é brava por natureza..." (Rm 11.24) são textos que podem servir como exemplos.

Sofós – Muito agradecido por sua ajuda, Scepticós. O significado da palavra é claro, e daí podemos retirar alguma boa compreensão.

O que mais se deve notar nesse versículo? O que significa aqui, "pelas quais" nos têm sido doadas as suas preciosas e mui grandes promessas?

Zetetés – Penso que deve ser "por sua glória e virtude", que haviam sido mencionadas imediatamente antes. Primeiramente somos chamados "à glória e à virtude", e então, participando disso, nos são dadas as grandes promessas que valem mais do que tudo. Sua "virtude" indica a "santificação", e, sem dúvida, a participação em suas virtudes espirituais positivas. Se um homem estiver sendo transformado desse modo, então seu Espírito se estará tornando mais parecido com Cristo. Então ele é circundado pelas poderosas promessas do evangelho; e, em consequência, tudo é possível quanto à natureza de sua espiritualidade.

Matetés – Tudo?

Sofós – Sim, tudo, pois essas promessas o conduzem à participação na "natureza divina", conforme o declara o texto.

Matetés – Quais são essas promessas, que operam tão notável maravilha?

Sofós – Elas pertencem ao evangelho. O versículo é polêmico em parte. Os gnósticos negavam vários aspectos do poder do evangelho, conforme era pregado pela igreja. Negavam a expiação, e adicionavam muitos elementos não cristãos, incluindo artes mágicas, ritos, elementos das religiões pagãs misteriosas. Faziam do "conhecimento" (do tipo que eles concebiam) o poder por detrás do propósito remidor. O autor sagrado frisa que todo o bem espiritual vem por meio do nosso evangelho e seu Cristo. Tudo é possível pela missão de Cristo, mesmo a inefável participação na divindade. O evangelho promete a regeneração, a liberdade de todo pecado, a participação nas virtudes divinas, a esperança da vida eterna e, finalmente, a participação na própria natureza de Deus. Essas são as preciosas promessas que há em Cristo.

Scepticós – O termo "preciosas" é traduzido do vocábulo grego **timios**, de **time**, "valor". O que nos é prometido se reveste de raro valor; algo de valor inestimável. A mesma palavra é usada acerca da "fé", em 1Pedro 1.7, acerca do sangue de Cristo, em 1Pedro 1.19, e agora, acerca das promessas do evangelho. Lembram-se do homem que adquiriu um campo, depois que soube que algo de grande valor fora oculto ali? Aquele homem não estava procurando o tesouro. Acidentalmente tropeçou no mesmo. Imediatamente, porém, reconheceu tratar-se de algo que merecia seus esforços e toda a sua riqueza. Sacrificou tudo em troca do tesouro. Essa era a única maneira de ele obter o campo, e, portanto, o tesouro. Houve outro homem, exímio conhecedor de pérolas. Sabia pelo que procurar. Não foi por acidente que encontrou a pérola que o ofuscou, embora tanto conhecesse pérolas. Era grande conhecedor do assunto, mas nunca vira nada igual àquilo. Aquela pérola era "tão perfeita", tão bela, tão rara, que ele não hesitou em vender tudo quanto tinha a fim de obtê-la. Assim é que as Escrituras ilustram o prodigioso valor do que o evangelho nos promete. Mas exige uma renúncia igualmente prodigiosa. Ninguém será finalmente salvo, se não tiver sido um vencedor. Não há tal coisa como um crente que não obtém a vitória, ou que seja levado aos céus em um canteiro de negligência fácil. Lembremo-nos do tesouro no campo; lembremo-nos da pérola inigualável. Só havia um preço que podia ser pago por essas coisas: Tudo, tudo, sem a retenção de coisa nenhuma. E isso é o caminho da glória que conduz ao prêmio eterno.

Súnesis – Consideremos a palavra "grandes", vinculada às "promessas". No grego, é usado um superlativo para emprestar ênfase e intensificação especiais. Pode-se calcular o valor de todos os tesouros do Egito, mas o amor de Cristo é incalculável, seu amor não pode ser medido. Essas promessas, pois, aludem a algum lucro espiritual incalculável. O lucro é ilimitado e requer a renúncia ilimitada de tudo mais. Essa é uma lição difícil de ser aprendida, mas todos os verdadeiros crentes precisam aprendê-la em algum ponto de sua carreira, e de alguma forma.

Sofós – "Nascer de novo", pois, é muito mais do que a simples conversão; é muito mais que o perdão dos pecados; é muito mais do que ir para os céus algum dia. É tornar-se um novo tipo de ser, dotado da "forma de vida" de Deus; é ser transformado segundo a natureza de Cristo; é ser alguém que receberá toda a plenitude de Deus. A conversão é apenas um degrau nessa direção; ir para os céus é apenas um salto nessa direção. Mas por si mesmo, o novo nascimento é o voo para o infinito.

Scepticós – Creio que estou certo ao dizer que os gnósticos (contra quem foi escrito 2Pedro) falavam em participar da "natureza divina". Sim, isso é certo com base em nossa consideração da mensagem de Colossenses 2.9,10. Um anjo, por exemplo, teria uma "partícula" dessa natureza em si mesmo. Um remido seria **reabsorvido** na divindade, perdendo sua individualidade. Nosso autor afirma a correção da teoria básica da "participação na natureza divina". Isso, contudo, ocorre de modo diferente e é algo diverso do que os gnósticos supunham. Em primeiro lugar, trata-se de algo maior, muito maior, pois é uma participação plena. Em segundo lugar, não indica a perda da individualidade, mas a obtenção de uma elevadíssima filiação.

Sofós – Alegro-me por você me ter lembrado o fato de que os gnósticos tinham em pouca conta essa participação, e, portanto, a redenção. Todas as ordens angelicais, consideradas em seu conjunto (conforme pensavam), constituiriam a plenitude do "pleroma" de Deus. Notemos aqui o pensamento profundíssimo. Um só remido é maior que a soma total de todas as ordens angelicais! Essa deve ser a verdade, pois dizemos que: "Cristo é maior que todos eles considerados juntamente". Ora, se ele o é, então, potencialmente, eu também o sou. Pois estou destinado a possuir e a ser a própria plenitude de Cristo, a fim de que, por meu intermédio, bem como por intermédio de outros iguais a mim, ele seja "tudo para todos".

Matetés – Um remido é maior do que a soma total das ordens angelicais?

Scepticós – Um remido é maior que o conceito que a maioria das pessoas tem de Deus. E em resposta à sua pergunta: Sim!

Matetés – Esse "evangelho" é um tanto diferente daquele que estou acostumado a ouvir. Você me convenceu de que deve significar muito mais que o perdão dos pecados e a partida para os céus algum dia. Algumas de suas declarações, no entanto, me parecem fantásticas!

Sofós – Não há nada de tão totalmente fantástico como aquilo que Cristo fez em favor dos homens.

Matetés – Por que não podemos tomar a expressão "natureza divina", aqui usada, metaforicamente? Você mostrou que ela não pode ser assim interpretada, com toda a probabilidade. Digamos, todavia, que pode ter aqui o sentido de "disposição", e não de natureza real. Há alguma razão pela qual isso não possa ser assim?

Sofós – Sim, e boa razão. Lembre-se de que 2Pedro (e sete outros livros do NT) combatiam o gnosticismo. Os gnósticos aferravam-se ao conceito de que o propósito remidor nos leva à "natureza divina", isto é, para sermos absorvidos por ela. Além disso, os "remidos", em grau menor, teriam uma vida similar à dos anjos, por exemplo. É impossível, pois, que nosso autor, ao usar o termo, aplicasse ao mesmo um sentido de menor amplitude que aquele dado pelos gnósticos. Se o autor sagrado discordava desse conceito, certamente ele o teria negado totalmente. Ao invés disso, porém, concorda em que o alvo da redenção é a participação na "natureza divina";entretanto, ao invés de rebaixar o significado que deve acompanhar isso, ele o elevou. Se o autor sagrado não contemplava uma real participação na natureza divina, certamente ele não teria sancionado essa doutrina com o uso de uma expressão que a sugere, a menos que tivesse mostrado cuidadosamente que a devemos compreender metafórica, e não literalmente.

Scepticós – É verdade. O resto, para mim, é suicídio hermenêutico. Os homens se dispõem a cometer tal suicídio quando têm noções pré-fixadas sobre o que é o evangelho, ao invés de examinarem as Escrituras acerca do que ele realmente é. De fato, os homens são participantes da natureza divina, diz o autor sagrado. Até aí os gnósticos tinham razão. Mas desviavam-se quanto à maneira com que descreviam isso, e também porque o Cristo não era o foco central de tal realização. Cristo é o arquétipo de toda redenção humana.

Súnesis – Certo escritor luterano, em seu comentário, declara a questão toda em poucas palavras:

"Tal como sua natureza humana participava da divina, assim os crentes serão participantes da **natureza divina**. A referência, portanto, não é apenas à semelhança moral, a uma comunhão ideal, mas a uma comunhão de ser, que começa aqui mesmo, na regeneração (ver 1Jo 1.3), mas que será consumada no outro lado da existência. (Comparar com Rm 8.29 e Jo 17.21.)

Súnesis – Eu incluiria essa declaração em meu credo!

Sofós – Outro expositor diz: "Isso não significa que os participantes da natureza divina serão exatamente semelhantes, isto é, iguais a Deus. Deus reserva para si mesmo a sua pessoa, embora compartilhe conosco de sua natureza. Assim como o sol reflete sua imagem em um lago de águas claras ou em uma gota de orvalho, assim também Deus permanece como era e como é, embora faça os homens participarem de sua natureza".

Súnesis – Isso diz a mesma coisa que foi enfatizada repetidamente hoje. Essa participação é **real**. O termo não é metafórico. O sentido dessa "participação real" vai além das especulações da mais ousada imaginação em sua grandiosidade. Entretanto, é "secundária" em sua "extensão", pois será possuída de modo "finito", apesar de a própria eternidade estar envolvida, expandindo-lhe sempre a extensão.

Sofós – Ilustremos tudo isso mediante uma palavra acerca da "perfeição". Dias atrás, Epítropos, você nos deu um esboço das ideias concernentes à transformação segundo a imagem de Cristo. O que você pode nos dizer acerca da "perfeição"?

Epítropos – Em primeiro lugar, é óbvio que estamos longe dela. Suponha que você quer que eu diga mais do que lembrar esse fato óbvio, embora corriqueiro. Da outra vez que você me convidou, eu estava mais ou menos preparado, pela simples natureza do assunto, que era o mesmo, a "transformação" segundo a imagem e Cristo. Desta vez, não estou especificamente preparado. Farei o melhor que puder.

A "perfeição", como conceito teológico, se relaciona tanto com a presente vida espiritual quanto com sua futura concretização nos lugares celestiais. No entanto, eu disse "conceito"? Antes, a realidade espiritual em que vivemos está assim relacionada. Vamos deixar de lado o termo frio "doutrina", ou mesmo "conceito", percebendo que estamos envolvidos nesse propósito remidor como seres, e não apenas mentalmente, como teólogos assentados em torno de uma mesa de biblioteca, a discutir suas obsessões. Agora mesmo, em nossa experiência, um impulso na direção da perfeição, inspirado pelo Espírito, nos está livrando de nossos vícios, fazendo-nos ter asco deles. Além disso, essa mesma inspiração está implantando em nós as perfeições positivas de Deus. Em seres finitos, aqui ou na eternidade, essa perfeição é relativa e nunca igual à perfeição absoluta. Contudo, quando na alma remida se torna finalmente impecável, o progresso na participação nas virtudes positivas de Deus se tornará rapidíssimo, e assim entraremos em um autêntico voo para o infinito, usando a terminologia de Sofós. No AT, o termo "perfeição" normalmente tem o sentido de "espiritualmente reto", "sincero", "maduro". Assim, Noé, a despeito de alguns erros sérios, foi declarado "perfeito" (ver Gn 6.9), como o foi Jó (1.1,8). A própria noção de Israel foi ordenada "perfeita", por ser distinta, de modo significativo, das nações pagãs que a rodeavam (ver Dt 18.13). É óbvio que estamos sobre terreno "relativo" aqui. Nada mais além de "maduro", "sincero" ou "reto" pode estar em foco. O NT, porém, tem uma visão bem mais alta. Que tipos de "perfeição" podemos observar nos escritos sagrados?

Antes de tudo, há a "perfeição posicional", em Cristo, a qual é absoluta (ver Hb 10.14 e Rm 3.21,22). Com alicerce no NT, porém, não se pode pregar que só isso existe ali. De fato, a perfeição posicional é apenas o **padrão** a ser seguido, tornando o crente realmente perfeito em seu ser, conforme ele vai assumindo a própria natureza de Cristo, em sua espiritualização. Outrossim, isso garante que "mais se seguirá", e que "deverá seguir-se".

Em segundo lugar, tal como o AT, o NT usa o termo "perfeito" em alusão à **maturidade** espiritual. (Ver 1Co 2.6; 2Co 13.11; Fp 3.15.) Novamente, porém, não é só até aí que somos conduzidos pela redenção, mas somente como as coisas são ao longo do caminho. Agora estaremos progredindo em direção à perfeição (ver Gl 3.3). E estaremos sempre progredindo, porque o alvo é infinitamente elevado, envolvendo uma busca infinita. Só Deus, sempre e perenemente, será absolutamente "perfeito". A mera impecabilidade não é perfeição, o que é provado pela existência de anjos impecáveis. A perfeição tem seu lado positivo em atributos espirituais, poderes e glória. Neste plano terrestre, conforme discutimos por várias semanas, quando debatíamos sobre a "santificação", ninguém chega à impecabilidade, quanto menos a qualquer participação admirável nas virtudes positivas de Deus, como a bondade, a justiça, o amor, a gentileza e a longanimidade.

Em terceiro lugar, a perfeição no ser (ver Mt 5.48), no serviço (ver Hb 13.21), na paciência (ver Tg 1.4) são aspectos necessários. Naturalmente, demos uma lista apenas representativa, e, portanto, parcial.

Em quarto lugar, há a perfeição final, a qual, sem dúvida, ocorre por estágios. Os justos são aperfeiçoados (ver Hb 12.23), mas em sentido real, estarão constantemente sendo aperfeiçoados. Os indivíduos participarão da perfeição pessoal, em sua pessoa e obras (ver Cl 1.28; Fp 3.12; 1Ts 3.13; 1Pe 5.10 e Ap 2.17). Nisso, cada homem torna-se uma pessoa singular, um instrumento sem igual nas mãos do Senhor. Vê-se essa doutrina especificamente em Apocalipse 2.17. Um homem assim pode ser declarado **perfeito**, podendo ter passado por muitos estágios de perfeição relativa, cada qual importante naquele tempo e lugar, ou naquele serviço. Mas nunca, de modo absoluto, ele será poderá ser chamado de perfeito. Em comparação com Deus ele será sempre incompleto, posto que impecável. Será "incompleto" por lhe faltar a espiritualidade de Deus, o padrão de toda espiritualidade. Um anjo impecável pode ser acusado de "insensatez", não por causa de seus pecados, mas porque fica aquém das virtudes positivas, faltando-lhe plena sabedoria em seus atos. O mesmo será verdade dos homens em seu voo para o infinito.

Em quinto lugar, existe uma perfeição final na coletividade dos crentes, nos céus, segundo é ilustrado em Ef 4.13; 5.27; Jo 17.23; Jd 24 e Ap 14.5. A glorificação do próprio Cristo está vinculada a isso, pois o Cabeça só chegará à sua plena estatura quando o seu corpo tornar-se a sua plenitude. Tal como seu corpo torna-se sua plenitude, por suas perfeições, assim ele se tornará a plenitude de tudo, isto é, "preencherá a tudo em todos", ou será "**tudo para todos**" (ver Ef 1.23). O corpo continuará fazendo o Cabeça ser "tudo" em pensamento, motivação e feitos. Então todas as coisas terão a Cristo como "centro" e "Cabeça" (ver Ef 1.10). Esse é o "mistério da vontade de Deus", daquilo que Deus está fazendo em sua criação.

Sofós – Você quer dizer que espera uma missão eterna da igreja, tornando Cristo tudo para todos?

Epítropos – Exatamente. Chegaremos lá, e com maiores detalhes, quando discutirmos sobre nosso tópico seguinte, "o meio da unidade".

Matetés – Você pretende dizer-me que disse tudo isso extemporaneamente, Epítropos?

Zetetés – Pode-se fazer coisas assim quando se tem algo no cérebro que aguarda a ocasião de manifestar-se. Chegaremos lá algum dia, Matetés.

Sofós – Passemos agora para o último item de nossa discussão sobre "o meio da glória".

5) O milagre incomensurável: o meio da glória

Temos tentado, mediante o uso de muitas palavras, de muitas descrições, e de não poucas ilustrações, chegar a algum entendimento do fato de que nossa redenção é um milagre incomensurável. É o caminho para uma glória interminável e espantosa, aquela glória que emana da pessoa de Deus e de seu próprio ser. Obteremos a sua presença — pensamento imenso! Mas também obteremos sua natureza, pensamento acima de todo cálculo, o milagre que não pode ser medido.

Luz eterna! Luz eterna!
Quão pura deve ser a alma,
Quando posta sob tua luz sondadora,
Ela não recua, mas com calmo deleite,
Pode viver, e olhar para ti!

Oh! como eu, cuja esfera nativa
É negra, cuja mente é embotada,
E em meu espírito nu suportarei
Perante o inefável comparecerei.
Aquele raio não-criado?

(Thomas Binney)

Scepticós – Sem dúvida trata-se de um "belo sentimento". Se eu, entretanto, fosse poeta, tentaria outro verso e procuraria demonstrar que nossa glória não consistirá apenas de contemplar a glória de Deus sem temor, e em meio a deleites e alegrias eternas. Isso é algo admirável, considerando-se, como o fez o poeta, como tal se esteve antes à vontade na esfera das trevas. Um ser tenebroso, mas agora na presença de Deus, e sem retroceder, sem temer levar seu "espírito nu", por assim dizer, àquele raio não-criado! Se a redenção consistisse apenas disso, quão imensa já seria! Contudo, ainda envolve mais que isso; sim, muito, muito mais, além de qualquer descrição que a mente humana possa suportar!

Matetés – Vamos, Scepticós, tente um terceiro poema.

Scepticós – Desculpe-me, não sou poeta. Mas vou dizer-lhe uma coisa: o sentimento poderia empregar um terceiro poema.

Súnesis – Dê a Scepticós um minuto para pensar. Talvez ele possa apresentar um poema que expresse sua ideia.

Scepticós – Tentarei. Prossigam com a discussão, enquanto penso.

Sofós – Portanto, os filhos das trevas, mediante a iluminação eterna, não são apenas iluminados, mas transformados em seres luminosos, moldados segundo a luz do mundo, que os ilumina mediante o seu Espírito (ver 2Co 3.18).

Súnesis – O crente é apresentado nos lugares celestiais como um ser "sem defeito", no tocante a defeitos pecaminosos. Então sua progressão, na direção da "perfeição", em sentido absoluto, será apressada. Assim, porém, como o universo se expande externamente em tremenda velocidade, e isso perenemente, expandindo-se em seu voo pelo espaço infinito, assim também sucederá aos crentes, no caso de quem a plena natureza de Jesus Cristo e a sua pessoa são o alvo.

Sofós – O NT desdobra a história com detalhes magnificentes, embora o número desses detalhes seja pequeno. As mudanças que ocorrerão nos são incompreensíveis. Mas serão tão imensas, que apagarão todos os vestígios do que é imperfeito, mortal, terreno. Haverá uma cidadania celestial, uma nova fraternidade, uma posição perfeita, seres perfeitos; perfeição por fora, e perfeição por dentro.

Scepticós –

Oh! Como poderei eu, cujo arcabouço nativo,
Antes se deleitava na vergonha das trevas,
Então, vida do inefável compartilhada,
Suportar a forma sem limites, o milagre sem medida?

Sofós – Um sentimento digno. Não se olvide dele. A vida eterna é mais do que "ver" e "estar ali". Consiste **de ser** o que ele é. Compartilhar de sua forma sem limites. Esse é o milagre incomensurável. Se a glória futura do crente não fosse tão claramente definida no NT, pensaríamos por certo que Paulo e outros autores sagrados perderam o bom senso e ultrapassaram os limites verdadeiros das coisas. Antes, o próprio Paulo fica desamparado perante conceitos como a nossa transformação segundo a imagem de Cristo. "E assim como trouxemos a imagem do terreno, traremos também a imagem do celestial" (1Co 15.49). "[...] seremos semelhantes a ele, pois o veremos como ele é" (1Jo 3.2). Participamos da "natureza divina" (2Pe 1.4). Somos "transformados de glória em glória como pelo Senhor, o Espírito" (2Co 3.18). Estamos predestinados a ser "conformados à sua imagem" (Rm 8.29). Somos "filhos de Deus, conduzidos à glória" (Hb 5.9). Tais declarações, mesmo quando pouco compreendidas, ressaltam ousadamente em contraste com o modo em que alguns apresentam o evangelho de hoje em dia. Trata-se do evangelho do amor infinito de Deus, o qual realiza um milagre incomensurável. O evangelho faz o impossível. Não pode haver nisso medida finita da graça, porque a graça, tal como Deus, está além de qualquer medida. Essa é a graça por detrás do milagre incomensurável, pois ninguém poderia chegar jamais a tal destino por si mesmo.

Scepticós – Mas também é verdade que ninguém jamais atingirá esse milagre exceto pela agonia de escolha e ação. As Escrituras são bastante explícitas sobre a **nossa** responsabilidade. É uma mina de ouro que requer a reação humana favorável para que haja extração. É o campo interminável de solo inigualável que precisa que seja plantada uma semente incomparável, a fim de que haja colheita preciosa. Todo aquele que viu o Rei, jamais poderá ser o mesmo de novo. Precisamos, porém, ser-lhe obedientes, se quisermos pertencer ao círculo seleto dos eleitos. Ele fará coisas surpreendentes por todos, em sua missão. Nosso tópico seguinte deixará isso claro. Contudo, há aquele destino dos eleitos, notável para a imaginação. Ninguém chegará lá sem a santidade, sem a transformação segundo a imagem de Cristo. E essas coisas requerem nossa renúncia total daquilo que é carnal e terreno, secundário e inferior. E há uma infinitude com que seremos cheios, pelo que haverá preenchimento infinito. Entretanto, também deve haver a renúncia absoluta de tudo que é terreno, para que sejamos cheios do que é celestial. Penso que uma das fraquezas da igreja moderna é que ela não tem informado suficientemente os homens sobre o tipo de vereda que precisamos cruzar a fim de chegar à corte do Rei. Isso não significa que cada qual, com as próprias forças, caminhe por essa vereda. Isso seria impossível. A graça nos ensina isso. Mas deverá haver real conversão, e seu fruto, que é a santificação e o desenvolvimento das virtudes positivas de Deus, em nossa transformação segundo a imagem de Cristo. A igreja se tem preocupado muito em encher seus assentos, preocupando-se pouquíssimo em encher a alma dos homens com santidade e um desenvolvimento espiritual positivo.

Sofós – Jesus ocupava-se na oração como poucos, ou talvez como ninguém, tenha feito. Uma de suas preocupações era a de que os homens viessem a saber algo de sua glória, que os homens viessem a participar de sua glória (Jo 17.22). Nessa mesma oração, todavia, ele via

|Artigos introdutórios| NTI

claramente que todo aquele que está preso ao mundo **jamais** entrará em sua possessão. O oceano espera para encher o vaso. O vaso é pequeno, mas se expandirá, e isso interminavelmente. O oceano ficará preenchendo interminavelmente, expandindo-se infinitamente. O templo da alma está sendo preenchido. O habitante do templo expandirá os limites de sua habitação. Os lados serão removidos, abarcando maior terreno, e o teto irá subindo. As cordas serão expandidas, e as estacas serão fincadas mais profundamente. Os limites do templo se expandirão, para nunca mais encolher, porque estarão no voo para o infinito. Esse é o evangelho; essa é a sua salvação.

Súnesis – Tornar qualquer ser semelhante a Cristo é a realização mais prodigiosa e consequente do universo, e só Deus pode realizar esse feito. Ele **requer** nossa reação favorável, segundo Scepticós acaba de frisar. Essa transformação representa a extensão do amor sem limites de Deus. O poder envolvido nos eleva de profundezas abismais do estado de perdição, onde somos encontrados pela graça de Deus. O "caminho" tem de começar no abismo, pois é ali que somos achados. O poder que começa a operar no abismo, entretanto, eleva-nos à glória, à conformidade com a natureza de Cristo, nos lugares celestiais. É impossível que a missão de Cristo venha a falhar, pelo que é impossível que esse propósito não seja realizado. Seja reconhecido, pois, que o Senhor vive! Seja reconhecido que vivemos nele!

A grandeza extraordinária de tudo isso,
A graça irresistível que o torna real,
Ó Senhor, permite-me abrir o coração agora,
Se não para compreender, para sentir!

O Verbo eterno, oculto em humildes vestes humanas,
Operando em favor do homem esse lucro interminável,
Homens transformados deverão ter sua imagem,
Sua natureza imensa terão de obter.

O milagre incomensurável que é isso tudo,
A graça irresistível que o torna real,
Ó Senhor, permite-me abrir o coração agora,
Se não para compreender, para sentir.

(Russell Champlin)

Quinta semana na biblioteca

Súnesis – Devo admitir que fiquei muito impressionado, na semana passada, com o modo em que nossa discussão foi dirigida por Sofós. Quão débeis são nossas ideias, quão pequeno é nosso entendimento! Quão fracas as nossas expressões, quão insignificantes as nossas descrições de verdade sem limites! Contudo, apesar das limitações presentes fiquei animado, sim, e até mesmo admirado por pensamentos sobre o que significa a redenção que há em Cristo. Tudo, isso, até onde vai o alcance humano.

Sofós – De certa feita ouvi contar que um homem, bastante leviano, foi a um concerto musical. O programa era de música sacra séria, e não de música frívola, que só visasse a divertir. Contudo, o homem esperava apenas passar algumas horas agradáveis, desfrutando da habilidade dos músicos. Não esperava nenhuma vantagem espiritual. Algumas vezes é difícil explicar como certas coisas acontecem. Conforme sucedeu, o concerto foi admirável. O homem afirmou ter ouvido instrumentos e vozes que não eram das pessoas presentes, e sua alma foi arrebatada pelo poder da apresentação, pela beleza e graça da música. Quiçá, em sua imaginação estivesse vendo coisas, ou talvez tenha passado, realmente, por alguma espécie de experiência mística, provocada pela qualidade assombrosa da apresentação. Seja como for, ficou tão impressionado, que acabou cancelando sua viagem de avião para o dia seguinte, e passou duas semanas inteiras em meditação e oração.

Scepticós – Interessante, de fato. Sinto certa inveja. A presença imediata do Espírito é algo notável. Procuramos substituí-la por muitas coisas, quase sempre atividades, com um pouco de entretenimento intelectual salpicado aqui e ali. Mas ai de nós infeliz com todas essas substituições. Frequentamos a igreja, ou melhor, procuramos ter certa vida espiritual, a fim de solucionar os desejos e anelos que nos roem a alma. Com grande frequência recebemos uma frívola apresentação naquilo que se chama de templo de Deus. O anúncio e a parafernália tomam mais tempo do que a lição da Escola Dominical. A música especial e ocorrências laterais ocupam mais tempo do que o sermão. Onde se acha o Espírito em tudo isso? Quem cancelaria uma viagem de avião em troca do que sucede nas igrejas de hoje? Por outro lado, crentes intensos buscam uma vereda mais espiritual, mas sobrecarregada de pecados e defeitos, mediante atalhos místicos; e assim, ao invés de

invocarem o Espírito, conjuram "espíritos", alguns deles em estado espiritual muito pior do que as pessoas negativas.

Sofós – Basta disso. A verdade das coisas que você diz, é inegável. Vamos voltar à discussão de hoje. A quem você nomeou para ser o líder de hoje, Súnesis?

Súnesis – Eu estava chegando lá. Conforme dizia, fiquei tão impressionado com as considerações da semana passada, que me olvidei totalmente de nomear alguém para liderar este estudo, embora pense que cada qual estudou o tópico. Dois dias atrás, subitamente me lembrei de que me esquecera disso, e resolvi liderar pessoalmente a discussão, não querendo forçar a responsabilidade sobre outro, no último minuto. O tema é,

6. O meio da unidade (universalidade da missão de Cristo)

Zetetés – Ah! Esse tema é quente!

Súnesis – Sim, porque nem todas as pessoas veem o mesmo valor na missão de Cristo.

Scepticós – Sua missão foi proveitosa só para os eleitos, para os "finalmente salvos", ou tem algum valor à parte desse fator?

Súnesis – Essa é a pergunta que atiça os ânimos.

Scepticós – É verdade. E quando assim sucede, a espiritualidade é prejudicada. 1João ensina que "o amor é a prova da espiritualidade". Um mau temperamento faz naufragar nossa espiritualidade, e a teologia torna-se o pretexto para ferir ao próximo, ao invés de ser o motivo para edificar.

Súnesis – Há certa facilidade em torno da "contenda", porquanto ela flui de nossa corrupção íntima. A prática da lei do amor é outra coisa. Ela pode ser imitada. Quando real, porém, deve originar-se na espiritualidade da alma. A prática da lei do amor é a prova da espiritualidade, conforme 1João nos ensina especificamente.

Portanto, começamos a debater este tema, esperando maior entendimento, mais completa compreensão do que está envolvido na missão de Cristo. E, nessa busca, queremos uma discussão vívida, mas nada de contendas. A igreja histórica ainda não atingiu uma opinião unânime acerca do intento ou intentos da missão de Cristo. Por certo ele veio salvar. A teologia central de Paulo é a missão remidora de Cristo, e o que isso significa para nós. Os teólogos de várias correntes não veem o escopo dessa missão por um só prisma. Pessoalmente, penso que quanto mais lato escopo se dá à missão de Cristo, mais perto se chega à verdade da questão. Não defendo o universalismo, que declara que todos são eleitos, afinal de contas; mas acredito que a missão de Cristo fez muito mais do que aquilo que os cristãos hoje em dia aceitam.

Scepticós – Sim, sua missão por certo realizou muito mais do que alguns de nós creríamos. Se ele veio "salvar" somente os eleitos **e se os** "eleitos" **são somente** aqueles que, aqui e agora, ouvem e acolhem o evangelho de maneira certa, então a sua missão realizou bem pouco, realmente.

Zetetés – Essa forma de declaração por certo nos fará apelar para os cinco pontos característicos do calvinismo.

Scepticós – É fato. Mas muitos não-calvinistas, que creem em uma plena salvação para todos, em potencial ou possível, não veem claramente, até onde posso determinar, a universalidade da missão de Cristo. Pois a verdade é que, apesar de nem todos serem do grupo dos "eleitos" ou "salvos", conforme esses termos são empregados evangelicamente, contudo, a missão de Cristo aprimora a todos, em qualquer estado em que se encontrem.

Súnesis – Sem dúvida você tem em mente a "narrativa da descida de Cristo ao hades", não é?

Scepticós – Sim, pois há uma preciosa tradição, uma tradição baseada na graça de Deus, oportunidade oferecida até mesmo no submundo, por parte de Cristo, que é o Senhor de todos os homens.

Súnesis – Você está correndo mais que eu. Examinaremos essa tradição, que algumas denominações evangélicas esqueceram totalmente, ou mesmo rejeitam ativamente. Penso que ela encerra uma mensagem para nós, muito necessária hoje em dia. É importante que consideremos o pleno sentido da missão de Jesus Cristo. Intitulamos nossas discussões de sete semanas de "Reconsiderando o evangelho". Tomamos a posição de que precisamos fazer isso, porque há coisas a aprender e a reaprender, e porque todos possuem possibilidades de melhoria. Um lugar onde há espaço amplo para melhorar se relaciona à nossa compreensão sobre a imensidade da missão de Cristo. Poderia ser que sua missão tenha sido tão débil e ineficaz, que seu desejo foi totalmente frustrado? Nesse caso, Satanás foi o verdadeiro vitorioso na guerra dos séculos, e não Cristo; mas isso é inconcebível. O calvinismo tem profundo discernimento, posto que mal aplicado, ou então aplicado inadequadamente. Diz: "A missão de Cristo não pode falhar". Ora, isso é verdade e precisamos ver de que modo é verdade. Essa "missão infalível", conforme creio, não fará com que todos os homens sejam eleitos. Mas certamente realizará mais, muito mais, do que alguns estão acostumados a pensar.

Sofós – Qual é seu esboço, Súnesis, para a discussão desta semana?

Súnesis – Em comparação com o das semanas passadas, este esboço é muito simples. Tem apenas dois pontos principais, embora contenha algumas poucas subcategorias. Depois de termos considerado os dois principais pontos, darei estas. Os dois pontos principais são:

a. O mistério da vontade de Deus

b. A descida de Cristo ao hades

O que faremos, essencialmente, é examinar a epístola aos Efésios, primeiro capítulo, acerca do primeiro ponto; e 1Pedro 3.18-20 e 4.6, acerca do segundo ponto.

A essência de nossa discussão desta semana é: "Que tencionava realizar a missão de Cristo?" E igualmente importante é: "O que a missão de Cristo realmente realiza"? Ao responder a essas perguntas, a igreja tem estado discorde. Algumas denominações atribuem mais realizações, bem como "amplidão de propósitos", à missão de Cristo, do que outras. Por um lado — um lado extremo —, por certo, temos os calvinistas radicais, que fazem dos eleitos os únicos beneficiários da missão de Cristo, mas que, se suas palavras significam algo, pouco se importam com os restantes, que estariam destinados às agonias do inferno, e de chamas literais, imaginem só. Por outro lado, e também ocupando posição extremada, temos os universalistas, os quais creem que todos os homens, finalmente, serão eleitos, pelo que participarão da mesma glória, e que está envolvida apenas uma questão de **tempo** quando todos serão beneficiados. Nesse caso, os indivíduos difeririam um do outro somente como "ponto de tempo" — quando serão trazidos de volta. O resto da igreja cristã se fundamenta sobre uma ou outra posição entre esses dois extremos. A verdade, normalmente, jaz em algum ponto entre esses extremos.

Scepticós – Em qualquer discussão sobre esse tema, o "mistério da vontade de Deus", conforme se vê em Efésios 1, deve participar do quadro. Que tal você nos oferecer uma breve exposição de Efésios 1.9,10. O v. 23 desse capítulo também deveria ser considerado.

Súnesis – O v. 9, especificamente, menciona esse "**mistério**": "[...] desvendando-nos o mistério da sua vontade, segundo o seu beneplácito que propusera em Cristo..." O que é um "mistério" no NT? Todos deveríamos saber do que se trata.

Zetetés – Não é: 1) Uma verdade misteriosa na qual poucos podem ser "iniciados", conforme se usava o termo nas antigas religiões misteriosas. 2) Pelo contrário, é uma verdade antes oculta, mas agora revelada. 3) É uma verdade profunda, com elementos sobrenaturais, pelo que somente a "revelação" e a "iluminação" podem trazer mistérios à luz. Esses mistérios não podem ser descobertos mediante a pesquisa e a percepção dos sentidos. E nem a razão humana pode chegar à plena compreensão de um mistério. Isso significa que o conhecimento de um mistério deve vir mediante um ato divino, sendo dado aos homens como um dom. Portanto, são os documentos sagrados, baseados sobre a revelação, que nos dão algum conhecimento dos mistérios. 4) O mistério é um "segredo desvendado", e não fechado. Dotado, porém, de elementos sobrenaturais, um mistério será entendido apenas em parte. De fato, é revelado aos homens só em parte, em seu estado atual de desenvolvimento espiritual, que não pode entender os mistérios divinos. Contudo, o que nos foi revelado é muito significativo. 5) A compreensão de um mistério, pois, é em parte intuitiva, e não racional. Sentimos quão grande é uma verdade que nos foi revelada, apesar de a entendermos só em parte. Se formos espiritualmente ativos, buscaremos "maior discernimento", mas poucos são os que fazem tais buscas! 6) Paulo sem dúvida usou o termo "mistério" de maneira polêmica. Os gnósticos, e outros que se opunham à igreja, tinham os seus mistérios, nos quais alguns poucos podiam ser iniciados. Paulo mostrou que realmente existem profundos "segredos" (a própria palavra grega é "musterion", que significa "segredo"); mas na teologia verdadeira, esses segredos foram "desvendados", não estando mais ocultos, como diziam as religiões misteriosas. O NT contém sete ou oito desses "segredos desvendados", dependendo de como os contamos. Alguns deles se justapõem, podendo ser classificados juntos. (Ver Rm 11.25, quanto a um estudo mais completo desse assunto.)

Súnesis – Penso que isso nos dá uma explanação adequada. O mistério de Efésios 1.9,10 é bastante amplo. Diz-nos "o que Deus tencionou fazer em sua criação". Qual será o **resultado final** da criação? O mau triunfará, ou o bem? E de que maneira? O v. 9 deixa claro que a questão inteira depende da vontade de Deus. Essa vontade é que prevalecerá, finalmente. A vitória do mal é apenas temporária. Nessa passagem, o mistério é tão amplo, que incorpora quase todos os demais mistérios do NT de uma ou de outra maneira. Os efeitos desse mistério são absolutamente universais. Nada existe que não seja afetado por ele. O futuro de todos nós está envolvido em seu escopo.

Scepticós – O v. 9 também deixa claro que o "futuro de tudo" está vinculado a Cristo, o Filho. Essa é uma revelação distintamente cristã, um avanço acima de todas as outras revelações. O texto de Colossenses 1.16 diz a mesma coisa de modo enfático; e Efésios 1.10 declara-nos "como tudo está enfeixado em Cristo". Todas as coisas foram criadas "nele", isto é,

"na esfera das considerações sobre sua pessoa". Todas as coisas foram criadas "por ele", ou seja, pela agência de seu poder, e pelas chamas de sua inteligência. Todas as coisas foram criadas "para ele", ou seja, têm a ele como seu alvo, visando a seu benefício, para a exaltação de seu ser. Ele é o "Alfa" (a criação foi "nele" e "por" ele). Mas ele também é o "Ômega" (porquanto a criação foi "para ele"). Efésios 1.10 explica mais particularmente o que significa esse "para ele" (que figura em Cl 1.16). Todas as coisas se encaminham para a "unidade em torno de Cristo". Eventualmente, ele será "tudo para todos", conforme alguns têm traduzido a passagem de Efésios 1.23.

Súnesis – Exatamente. E por esse motivo é que temos o título "O meio da unidade", para a discussão desta semana.

Matetés – Estou começando a perceber que você terá dificuldades comigo. Você sugere que o "mistério da vontade de Deus" produzirá alguma espécie de unidade de todas as coisas em Cristo, finalmente? Nesse caso, parece-me que você está ignorando muitos versículos sobre o julgamento final.

Súnesis – Vou mostrar como o próprio julgamento é um fator contribuinte e necessário para essa unidade. Essa unidade não deixa de lado e nem anula o juízo. Antes, opera por meio dele. Naturalmente, a unidade conta com muitos fatores contribuintes, muito mais do que se dá com o julgamento. Mas, visto que o julgamento dos não-eleitos envolve tanta gente, naturalmente, deve estar ligado à unidade, pois todos, sem exceção, farão parte dessa unidade. É disso que consiste o mistério da vontade de Deus.

Passemos para as ideias em Efésios 1.10: "[...] de fazer convergir nele, dispensação da plenitude dos tempos, todas as coisas, tanto as do céu como as da terra..." (ARA).

Matetés – Explique-me o que é uma "dispensação".

Súnesis – A própria palavra (sua forma grega), originalmente significa "a gerência de uma casa", o "ofício de um mordomo". Metaforicamente, significa "mordomia". Veio a indicar a "gerência" de qualquer exército ou estado, ou um "governo", ou "economia política". Certo governo pode ocupar determinada posição no contexto histórico, pelo que a palavra pode indicar um "período específico" ou "era". Ciclos sucessivos podem ser chamados "dispensações", por causa dessa associação. Mas a ideia principal é que está em foco uma "ordem social". De acordo com nosso versículo, haverá uma espécie notável de ordem social, ou governo, em resultado da "plenitude dos tempos". A "ordem social" final será o "estado eterno", com suas características. Será o "reino de Deus" em seu sentido final e absoluto.

Matetés – Até aqui tudo bem. Mas o que significa a "plenitude dos tempos"?

Súnesis – Literalmente, é assim mesmo, "a plenitude dos tempos". Essa expressão não é a mesma coisa que "plenitude de tempo", que figura em Colossenses 4.4, que significa "tempo certo e apropriado". Antes, alude aos "períodos distintos em que Deus trata de certas coisas", em toda a criação e com os homens. Não aponta para as "sete dispensações", como "consciência", "sacrifício", "governo humano", "promessa". "lei", "graça", "eternidade". Refere-se aos tempos distintivos durante os quais Deus trata com sua criação, bem como à maneira particular com que ele age em cada um desses ciclos. A criação do homem certamente é um desses ciclos, como também a doação da lei, a primeira vinda de Cristo, a doação do Espírito, a segunda vinda de Cristo; tudo isso deve estar entre esses "tempos" ou ciclos ou períodos das intervenções de Deus, nas quais ele trata de maneiras específicas com os homens. Não pretendemos poder identificar aqui, com exatidão, quais sejam esses "tempos".Entretanto, penso serem válidas as sugestões feitas.

Scepticós – Esses **tempos**, ou períodos específicos e modos de tratar por parte de Deus culminarão em uma nova "dispensação", ou "ordem social" ou "governo", que recebe o nome de "reino eterno".

Súnesis – É verdade. E cada "tempo" contribuirá para aquilo que será tão imensa realização.

Scepticós – Você quer dizer que o processo histórico, orientado pela mão divina, e que contém intervenções divinas diretas, produzirá o "estado eterno", e seu tipo particular de ordem social e governo? E que tudo quanto tiver sucedido antes terá contribuído para essa realização de uma ou de outra maneira?

Súnesis – É isso que o versículo ensina, até onde vejo. A dispensação por vir será a "grande conclusão" dos "tempos". Talvez os "tempos" sejam equivalentes às "estações" que figuram em Atos 1.7, que o Pai contém em suas mãos, isto é, sob o seu controle, que ele manipula à vontade, embora com bondade e justiça, podemos estar certos, pois a essência de seu ser é o amor.

Scepticós – Esse é um grande pensamento. Vemos tantos males no mundo. Admiramo-nos de como pode haver tanta miséria, se há um Deus bom e amoroso. A Bíblia assegura-nos do triunfo **final** e **completo** do bem. É interessante também observar que cada ciclo, apesar dos muitos

224 |Artigos introdutórios| NTI

horrores que possa conter (horrores esses que os homens infringem contra si mesmos com avidez, adicionados ao caos produzido pela natureza conturbada), contribuirá para o bem final. E assim, em última análise, resultará o bem para todos. Talvez então se possa cumprir alguma verdade no poema de Tennyson:

> Oh, podemos ainda confiar que de algum modo o bem
> Será o alvo final do mal,
> Das dores da natureza, dos pecados da vontade,
> Dos defeitos da dúvida, e das manchas de sangue;

> Que nada caminha sem alvo;
> Que nem uma única vida será destruída,
> Ou lançada como refugo no vazio,
> Quando Deus completar a pilha.

> Que nem um verme é ferido em vão;
> Que nem uma mariposa com vão desejo
> É lançada em uma chama infrutífera,
> Senão para servir ao ganho de outra.

> Eis que de coisa alguma sabemos;
> Posso tão-somente confiar que o bem sobrevirá
> E que todo inverno se tornará em primavera.

> Assim se descortina o meu sonho: porém, que sou eu?
> Um infante a clamar à noite;
> Um infante à clamar pedindo luz;
> E sem linguagem, mas apenas com um clamor.

> (Alfred Lord Tennyson)

Matetés – Penso que esse poema vai longe demais. Não passa de boa vontade sentimental. Que dizer sobre o inferno e os seus tormentos e terrores? Certamente isso não será qualquer "bem", de alguma forma, não é mesmo?

Súnesis – Penso que esse inferno de que você fala participará na produção do "bem" de que o poeta fala, e Efésios 1 sem dúvida ensina isso. Tormentos e terrores podem resultar em bem.

Scepticós – A "unidade de todas as coisas", que finalmente ocorrerá, como resultado das operações dos "tempos", deverá assegurar-nos esse **bem**. Como poderão todas as coisas ter unidade em Cristo, a menos que o bem se estenda a todos, finalmente?

Matetés – Mas essa "unidade" é dos "eleitos" ou "salvos", e não de todas as coisas.

Scepticós – Isso contradiz frontalmente as palavras do texto, com sua grande amplitude. É o **tudo** (ta panta) que será traduzido para essa unidade, e não "todos os eleitos". Está em foco "a criação inteira". Não se pode obter unidade com exclusão de algo. Colossenses 1.16 assegura-nos isso. O mesmo "todo" que foi criado "por ele", é, igualmente, o "todo" que será "para ele", finalmente. Ele é o Ômega, tanto quanto o Alfa.

Matetés – Admitamos que isso seja verdade. Então, digo que a agonia deles, no inferno, redundará na glória de Deus, e que as misérias deles fazem parte do bem final — pelo que participarão dessa unidade de modo negativo, como demonstração da justiça e do juízo de Deus, que são elementos necessários no mundo de Deus.

Scepticós – Naturalmente, muitos têm entendido a questão dessa maneira, mas devo dizer que o testemunho da igreja antiga é contrário a essa interpretação.

O que significa a unidade — O próprio termo força sobre nós a ideia de que Cristo redundará em bem para todos, finalmente. Esse ermo implica em "harmonia", "união", "bem-estar", porque há um benfeitor que ajuda aqueles que se reúnem em redor dele como centro. A unidade fala de "paz". O Príncipe da Paz fará as coisas correrem a seu modo, eventualmente. "Unidade" fala de "propósito comum", de "alvos comuns", de "ação unificada".

Visto que se trata de sua unidade, tudo quanto nisso estiver envolvido terá uma existência digna. A igreja histórica tem ensinado isso, apesar de algumas denominações evangélicas modernas se terem esquecido do fato. Outrossim, a Bíblia mesma define o que seja o "bem da unidade"; e, nesse caso, a agonia não aparece como um bem.

Matetés – Mostre-me especificamente, pelas próprias Escrituras, o que você quer dizer.

Scepticós – Efésios 1.23 nos dá alguma informação sobre o que está envolvido em Efésios 1.9,10, o mistério da vontade de Deus. Cristo haverá de "preencher tudo em todos". Ao assim fazer, ele será o "centro da unidade". Em sua pessoa e obra, Cristo será o poder e a presença permeadores que farão possível e digna a existência na dispensação

final. Visto que a igreja é a sua "plenitude", isso quer dizer que a igreja está envolvida em fazer Cristo ser a plenitude do universo. A igreja é o seu corpo, o meio pelo qual ele opera, agora ou na eternidade. E isso subentende a **vastíssima** obra em que se ocupará a igreja no estado eterno. Alguns têm traduzido Efésios 1.23 "(a igreja) é seu corpo, a plenitude daquele que é tudo para todos". O pulsar da vida em tudo estará em todos, porque Cristo é tudo para todos. Ele é o ser espiritual ideal, bem como o homem ideal e arquétipo de toda existência humana. Como tal na eternidade, ele não só proverá vida, mas uma vida digna de ser vivida, quando os homens vierem a perceber que tudo se centraliza nele, de modo absoluto, conforme a igreja sempre disse e continua dizendo. Cristo se tornará o alvo de toda existência, humana ou não. Esse é o mistério da vontade de Deus. Ele "reunirá tudo em uma unidade em volta de Cristo", e nisso, Cristo se tornará "tudo para todos". Ele será o centro e a razão da existência deles, bem como o alvo de suas realizações. Visto que ele é mesmo o bem humano final, essa existência e realizações serão "boas" e "dignas".

Matetés – O que você faz, nesse caso, com os versículos que falam do juízo? Certamente pintam um quadro bem negro, e eterno, ainda por cima.

Súnesis – Vindo em socorro de Scepticós, eu apenas citaria 1Pedro 4.6 (embora nos apressemos assim um pouco, pois esse texto, que fala sobre a descida de Cristo ao hades, deverá ser considerado mais adiante). Por que os homens serão "julgados segundo a carne"? Assim será para que "vivam no espírito, conforme Deus o faz". Essa é a resposta dada pelas Escrituras. Devemos ler o que disseram os primeiros pais da Igreja sobre a questão. Descobriremos que a maioria deles via uma obra final de benevolência, não deixando de lado o julgamento, e não benevolência estendida somente aos eleitos, mas antes, que operará pelo julgamento, dando aos não-eleitos uma vida digna de ser vivida. Notemos como, em Filipenses 2.9-11: "todo joelho" se dobrará e toda língua confessará a centralidade e o senhorio de Cristo, por ser ele o arquétipo do homem, o alvo da espiritualidade e da existência do homem.

Matetés – Por certo, todos se prostrarão, todos confessarão. Mas não evangelicamente, obtendo a salvação.

Súnesis – Sim, não evangelicamente, de modo a virem a obter a salvação, a qual leva os homens a participarem da "natureza divina" (ver 2Pe 1.4), o tema sobre o qual discutimos na semana passada; mas de uma forma em que o "Senhor" também será "Jesus, o qual, pelo próprio significado de seu nome, é o "Salvador".

Matetés – Você quer dizer, então, que essa confissão, forçada ou não, traz aos homens um benefício, quer sejam eles eleitos ou não? Não posso acompanhar essa ideia.

Súnesis – Paulo e Pedro a acompanharam. Cristo se tornará "tudo para eles" quando, finalmente, o reconhecerem no que ele é e faz; e nisso, embora sejam não-eleitos, e nem jamais venham a participar da natureza divina, terão vidas dignas, pois Cristo será o centro da existência. Pedro afirmou que a vida espiritual pode vir, e realmente vem, pelo julgamento. O próprio julgamento é um dedo da mão amorosa de Deus. A unidade final a ser formada em torno de Cristo, "o todo" da criação, será de natureza tal que a vida será digna de ser vivida, e isso redundará na glória de Deus Pai, que é o autor do "mistério da unidade em torno de Cristo". Cristo "preenche a tudo", isto é, "torna tudo completo". É a sua graça que dá tal "realização" à vida inteira. Ele não os enche de terror e nem os esmaga, finalmente. Antes, ele preenche a todos com o que está em si mesmo, ou seja, bondade, elevados propósitos, realização, bem-estar; em suma, ele torna sua vida digna de ser vivida, tornando-os uma glória positiva para ele mesmo.

Scepticós – E como poderia ser de outro modo, sendo ele o centro e a razão da existência de tudo. Quero enumerar aqui alguns pontos, sobre o que significa Cristo preencher tudo:

1) Todo o sentido da existência reside nele.

2) O propósito da vida e seu destino movem os homens na direção dele, como centro de seus desejos e de sua ação.

3) Há um bem-estar espiritual, uma obra de Cristo, obra de Deus. Seu papel consiste de produzir o bem-estar total de todas as coisas.

4) Cristo é o doador (criador) da vida, seu preservador, restaurador, governador e benfeitor.

Trata-se de altíssima revelação, e requer que versículos sobre o juízo sejam incorporados na mesma. Não pode permitir que alguns versículos sobre o julgamento a anulem. O "mistério da vontade de Deus" é a revelação do que Deus, finalmente, faz no mundo. O juízo faz parte disso, contribuindo para o mesmo, segundo as condições de 1Pedro 4.6. O juízo resultará em vida digna de ser vivida. Isso não indica a participação na vida dos eleitos, na **divindade**, mas significa "potencialidade" para todos; e devemos crer que realmente o será para "todos", conforme for progredindo a obra da eternidade (doutro modo, como poderia haver, finalmente, a unidade que esse mistério exige), "uma vida digna de ser vivida", de glória positiva para Deus e uma real realização para os não-eleitos. Pertencem a Cristo, não nos equivoquemos a respeito. Não serão lançados em alguma lata de lixo celestial ou infernal. Finalmente, serão forças positivas em prol do bem, por causa da glória de Cristo. A igreja terá a tarefa de conduzi-los a esse ponto, pois ela é o instrumento de Cristo, aqui e no mundo vindouro.

Súnesis – A revelação, como é **óbvio**, até para os autores sagrados, foi algo progressivo, mais pleno para alguns do que para outros, e mais avançado para alguns do que para outros. Por exemplo, todos admitem (exceto alguns judeus) que o NT é mais avançado como revelação do que o AT. Tem muitos conceitos que estão acima do que foi dado no AT. No próprio NT, porém, achamos a mesma coisa. Vários autores afirmam o terror do juízo vindouro, devido a seus terrores. Alguns afirmam sua eternidade, porque é eterno. Outros, no entanto, nos levam um pouco mais adiante, mostrando como o próprio juízo conduzirá homens a Cristo (depois que tiverem sido estabelecidos os limites eternos para a participação na natureza divina) em uma vida digna de ser vivida. O juízo é eterno e real; é retributivo, mas também "restaurador", conforme 1Pedro 4.6 nos mostra, e isso é apoiado pela narrativa da descida de Cristo ao hades (ver 1Pe 2.18-20 e Ef 4.9,10). Efésios 4.10 mostra-nos, especificamente, que sua "descida" ao hades (porções inferiores da terra), unida à sua "ascensão", visou a fazer Cristo tornar-se tudo para todos, isto é, levaram-no a "preencher todas as coisas". O julgamento faz parte do drama sagrado de benevolência e benefício por meio de Cristo. Em suas operações, entretanto, não elevará os não-eleitos à mesma posição dos eleitos, embora os eleve a uma unidade que circunda a pessoa de Cristo, e na qual ele lhe será fonte de tudo para todos. Permanecerá um julgamento eterno, embora redunde em bem, porquanto "não compartilhar da vida de Deus" (que é o privilégio dos eleitos) é uma perda eterna, e infinita, a despeito do que mais Deus venha a fazer pelos homens. Que ele, porém, lhes fará o bem é a verdade grandiosa do "mistério da vontade de Deus".

Scepticós – Não precisamos pensar que vários autores do NT viram isso claramente, ou mesmo que o viram. O que viram com **clareza** foi a verdade menor do juízo e sua eternidade. Isso proclamavam com vigor, e fizeram bem ao assim fazer. O julgamento será retribuição, e aos homens não se deve permitir olvidar isso. É mais do que retribuição. É um instrumento poderoso nas mãos de Deus, e faz parte de sua operação que visa a tornar Cristo tudo para todos. Pelo menos Pedro e Paulo viram esse outro aspecto do juízo. Pedro fala-nos acerca da "história da descida". Cristo desceu ao hades e pregou o evangelho aos perdidos dali. Ele elevou seu estado, e fez do juízo uma medida restauradora, e não mera medida retribuidora. Paulo alude ao mesmo tema na referência dada em Efésios. E foi ele, igualmente, que levantou a cortina da eternidade a fim de nos deixar claro que a missão de Cristo não falhará, embora o seu êxito seja em vários níveis. Ele se torna o centro de toda vida e existência, e não meramente dos eleitos; e em redor dele se forma essa grande **unidade**. Portanto, sua missão terá êxito, final e completamente, embora em diferentes modos, isto é, em sua aplicação a diferentes tipos de seres. Seu propósito opera até no inferno, e até mesmo do submundo virá louvor e realizações positivas. A igreja está envolvida na obra eterna que fará isso tornar-se uma realidade.

Súnesis – Naturalmente, estamos tratando de **mistérios** profundos, e demos aqui só o esboço de tudo. Já notamos que mistério é algo sobrenatural, vindo pela revelação, sendo atualmente "entendido", mas pela "intuição" e pelos sentimentos, do que pelo "intelecto". "Sentimos" o que um Cristo imensamente bom, em sua missão, traz para todos. "Intuímos" (e expressamo-lo com algumas poucas proposições intelectuais) como, quando ele é o centro de tudo, tudo deve achar a vida digna de ser vivida por causa dele. Sabemos, por sentimentos internos, que a missão de Cristo não pode ser um insucesso, conforme algumas pessoas, até mesmo nas igrejas, fazem dela, ao afirmarem que ela conquista a uns pouquinhos, mas que o resto dos homens se perde entre chamas e misérias eternas. Nossa intuição e nossos sentimentos são apoiados por declarações bíblicas positivas. Não nos importa que alguns poucos autores sagrados tenham percebido esse outro lado do juízo, pois a experiência com os documentos sagrados nos tem mostrado que toda a verdade chega a nós por esse método, que até os profetas e demais autores sagrados tinham diferentes níveis de conhecimento espiritual. Uma coisa, entretanto, nos recusamos a fazer, isto é, negar uma revelação maior e preciosa, a fim de rebaixar nosso entendimento espiritual ao nível onde vemos só retribuição e miséria no juízo divino. O julgamento é mais do que isso; o propósito divino para os não-eleitos é mais elevado do que isso. É aí que começamos a falar sobre o juízo, mas não é aí que ele termina. Ele termina com o mistério da vontade de Deus e com a unidade que ajuda a realizar isso. Não terminamos como universalistas. Nem todos virão a compartilhar da natureza divina; é provável que a maioria fique aquém da marca; mas não que tenham sido abandonados

pelo propósito prodigioso do mistério da vontade de Deus.

Scepticós – Os homens, em sua compreensão inferior e miserável apreciação sobre o poder da missão universal de Cristo, traçam pequenos círculos e incluem, em seu âmbito das realizações de sua santa missão apenas uns poucos selecionados e assim, mediante uma exclusão, tentam formar uma unidade. Deus, no entanto, ao cumprir o mistério de sua vontade, traça um "círculo infinito", incluindo todos os homens, todos os seres, todas as coisas, dentro do escopo da missão de Cristo, embora tal missão se aplique diferentemente a alguns, em relação a outros. É impossível que a missão de Cristo viesse a fracassar!

Súnesis – Além disso, sua missão contou com campos amplos para neles operar. Foi terrena; Jesus veio, o Verbo encarnou-se; a maior de todas as vidas humanas foi vivida; uma cruz foi experimentada entre sofrimentos; uma ressurreição triunfou; ele os elevou, deu-lhes oportunidade de viver; Cristo desceu, Cristo ascendeu acima de todas as coisas e de todos os homens. Exaltou sua missão até os céus. Recebeu plena aprovação do Pai. É **impossível** que sua missão pudesse ter falhado. Se tivéssemos de crer em tudo que ouvimos em algumas igrejas de hoje, ficaríamos convencidos de que a missão de Cristo falhara totalmente. O que é que ele fez, se é verdade, conforme dizemos, e conforme afirma a Bíblia, que Deus deseja que todos sejam salvos, o que buscou fazer, enviando a Cristo, para benefício de todos? Se Deus teve esse desejo, e então enviou Cristo para atendê-lo, o que sucedeu ao longo do caminho que mais não foi feito? De fato, quão pouco teria sido realizado! Poucos ouvem o evangelho, e menos ainda, da maneira certa, conforme algumas igrejas requerem. Então a **vasta maioria** dos homens (afirmam eles) passa para a eternidade, sem jamais tê-lo ouvido, e assim ficam perdidos para sempre. Porventura o propósito de Deus foi tão fraco assim? Não posso crer nisso! Seu propósito é mais elevado, maior, e mais eficaz do que essas ideias nos levam a compreender. Seu propósito traz à frente os eleitos; seu propósito eleva os não-eleitos; seu propósito cria a unidade eterna na qual ele será tudo para todos. É impossível que sua missão tivesse fracassado. Ele a trouxe para a terra; ele desceu com ela até o hades; e elevou esta mesma missão aos céus. Ele fez e continua fazendo mais do que podemos saber, ou de que temos os meios para entender. Por minha parte, recuso-me a acreditar que sua missão caiu por terra. A missão de Cristo, segundo é descrita por muitos hoje em dia, parece ter caído miseravelmente por terra.

Scepticós – Quanto a mim, já abandonei esse ponto de vista. Penso que quanto mais poderosa virmos a missão de Cristo, no tocante às suas operações e resultados, **mais próximos** chegaremos à verdade da questão.

Súnesis – É uma tragédia os intérpretes não se terem apercebido da aplicação do mistério da vontade de Deus, conforme a descrição do primeiro capítulo de Efésios. É lamentável ler interpretações que fazem o "tudo" que aparece nesse capítulo apontar somente para os "remidos". Em primeiro lugar, "todos os seres e todas as coisas" estão sendo descritos, e não somente os "seres humanos" de qualquer qualidade espiritual. A parte final desse capítulo deixa isso perfeitamente claro. Cristo Jesus terá um nome acima de todos os nomes; a posição final é dele; a glória final é sua. Isso só poderá ocorrer quando todas as coisas e todos os seres, de todas as partes, tornarem-se parte dessa unidade e tudo for entregue a ele. Ele estará acima de todo principado e poder, acima, além e em posição superior a todo poder e domínio, e de "todo nome que se nomeia" (v. 21). Dificilmente isso pode aludir somente aos eleitos e seres redimidos (humanos e angelicais), ao mesmo tempo que são excluídos os que não possuem e nunca atingirão a natureza divina. O que aprendemos aqui é algo de absolutamente universal, é aquilo que terá a Cristo como centro de todo ser e sua expressão de existência. Ao verem nele o centro de tudo, os homens descobrirão que a vida é digna de ser vivida, mesmo que eles não sejam possuidores da vida divina dos eleitos.

Scepticós – Na discussão da semana passada, descrevemos o que Cristo fará pelos eleitos; não repetiremos o ponto já apresentado. Contudo, como poderei descrever mais completamente o que ele fará pelos não-eleitos? Os conceitos que examinamos são extraordinariamente elevados. Nem mesmo a imaginação inspirada pode nos levar a entender o que significa participar da própria natureza de Cristo e sua gloriosa herança. Nem podemos imaginar a extensão das realizações de sua missão, no caso dos não-eleitos. Só podemos fazer o que já fizemos: adicionar uma descrição após outra, na esperança de ficar impressionados o bastante para tomarmos consciência do que devemos. Deixem-me tentar: Ele será **o centro** de toda existência. Os homens reconhecerão seu valor infinito e anelarão por tornar árdua a tarefa de fazer com que isso seja visível em sua vida. A vida que viverem deve ser digna, produtiva e plena de graça e glória. Sim, isso me ajuda a ver o quadro um tanto mais claramente. O que serão e farão, já que estão centralizados e são

226 |Artigos introdutórios| NTI

inspirados em Cristo, deverão ser cheios de sua glória, cheios de sua graça, tudo impulsionado pelo inigualável poder divino. Não participarão da sua natureza de Cristo, tal como fazem os eleitos; pelo que, terão sofrido "perda infinita". Não obstante, noutro sentido, pertencem a ele. Sua missão comprou-os, e trouxe-os a si mesmo como o centro da existência. Penso que o submundo — conforme ele existe agora — e o mundo sob o juízo, na eternidade vindoura, é "uma sociedade", ou antes, um complexo de sociedades. Provavelmente, será um complexo de habitações celestiais, reinos, esferas, tal como o "mundo da glória" sem dúvida se compõe de muitas esferas celestes. Pouquíssimo se sabe de tudo isso, pelo que, por enquanto, especulamos e nos esquecemos de todos os dogmas. Suponhamos, pois, que o mundo sob juízo, na eternidade, seja um complexo de esferas e sociedades. As sociedades se compõem dos seres que, recusando-se a tal, não participam da glória da redenção evangélica, ou "salvação", que se expressa na forma de "filiação". Não participam da "natureza divina" como filhos de Deus, mas são de uma **espécie** muito inferior. No entanto, por causa da universalidade da missão de Cristo, e porque, finalmente, ele deve ser o centro de todas as esferas, de todas as coisas e de todos os seres, ele deve ser a razão e o alvo da existência. Sendo assim, os não-eleitos deverão ser inspirados e dirigidos pela graça e pela glória divinas. À sua maneira, depois que o juízo houver retirado a escória de seus seres, deverão estar tomados por sua glória e imersos em sua graça, e suas obras serão de igual natureza. Se isso não vier a ser verdade, eu vos pergunto: como é que sua vida estará centralizada em Cristo? O mistério da vontade de Deus visa a "reunir todas as coisas em Cristo". Nisso, ele se tornará tudo para todos. A menos que as palavras nada signifiquem, **creio** em tudo quanto disse aqui, embora tenha dito tudo como especulação, e não como dogma; mas mesmo assim sinto-me justificado.

Matetés – Isso nos dá um ponto de vista sobre o juízo, totalmente diferente do que já ouvi. Qualquer dos pais da Igreja ensinou essas coisas?

Súnesis – Assim ensinou a maioria deles. Isso está oculto daqueles que estão imersos só na teologia estreita de alguma denominação moderna, os quais supõem ser eles e sua denominação os guardiães da verdade divina. Você já ouviu algum sermão sobre a descida de Cristo ao hades, Matetés?

Matetés – Nunca.

Súnesis – Olhe sua resposta. Embora nenhum pai da Igreja tivesse crido noutra coisa, antes do século V, d.C., e que a maioria deles tenha visto algum bem para os perdidos, conforme foi prometido no ministério de Cristo naquele lugar, certas denominações modernas têm ignorado ou negado totalmente a **descida ao hades**. Contudo, trata-se de importante aspecto da missão de Cristo, e uma parte do seu ministério, tal como seu ministério terreno ou o celestial.

Zetetés – Por que alguns vieram a rejeitar essa tradição bíblica? Certamente todos gostaríamos de crer que o ministério de Cristo redundou em algum bem até para os perdidos.

Súnesis – Há vários motivos para essa rejeição. Quero pôr o dedo sobre alguns:

1. Se um homem tem disposição severa, e quer assustar os pecadores e levá-los ao arrependimento, poderá fazê-lo melhor se pregar um juízo severo, e em qualquer alívio. Passará correndo pela história da descida ao hades, ignorando-a e mesmo rejeitando-a totalmente, porque quer manter o "fio aguçado" de sua espada, e teme que esse ensino venha a embotá-la. Historicamente e pelas razões aludidas, pessoas e denominações têm seguido a vereda da pressa, ignorando e rejeitando a tradição sobre esse fato bíblico.

2. Outros, devido à ignorância, pensam nesse "relato" como um ensino isolado, que não pode ser equiparado ao "ensino mais claro" sobre o juízo, em todas as suas formas de horror. Essa análise da narrativa da "descida" é um caso "isolado", leva os intérpretes a dar-lhe pouca importância, deixando-os suspeitosos, como se estivesse fora de lugar. Contudo, **não se trata** de um ensinamento isolado, pois conta com muitos paralelos literários na literatura antiga judaica e cristã, e também nas crenças declaradas da igreja antiga. Além disso, figura em vários textos do NT. Mais tarde, em nossa discussão a respeito disso, provaremos todas essas declarações. Por certo, ela não está fora de lugar assim como outro relato sobre a maneira em que a graça de Deus alcança os homens em Cristo. É apenas outra porção da mesma admirável história.

3. O sentimento de que esse relato contradiz outras certas declarações bíblicas naturalmente tem levado alguns a "apressar-se" em achar interpretações **alternativas** para o ele. Assim, tornam-no em pregação "condenatória" ou rejeitam-no totalmente. Alguns sentem a necessidade de "reconciliar" tudo. Entretanto, ao invés de reconciliarem Escrituras com Escrituras, acabam por negar alguns preciosos ensinamentos bíblicos.

4. Notando que muitos mitos antigos de várias culturas — até mesmo da cultura grega, da hebraica e da romana — incluem "narrativas de descida" de deuses, heróis e homens — até o hades, o submundo, que se julgava estar no

centro da terra física —, uns poucos intérpretes vieram a suspeitar de que a mesma narrativa no NT — muito similar à história em 1Enoque, uma obra judaica pseudopigráfica — não passa de um **mito religioso**. Podem declarar, ou apenas pensar, isso abertamente, se tiverem coragem para tanto. Se apenas pensam, então, ao ensinarem, provavelmente apenas ignoram o fato.

5. Por certo alguns pensam que o relato é prejudicial à pregação evangélica. Posso ilustrar isso por uma experiência pessoal. Uma missionária evangélica, ouvindo, de uma amiga, o relato da descida ao hades, e tendo sabido que muitos pais da Igreja interpretavam o fato como um oferecimento da salvação aos perdidos, além do sepulcro, até que Cristo venha a traçar limites eternos, quando de sua segunda vinda, observou: "Mesmo que eu cresse nisso, não o ensinaria" Por que ela declarou isso? Porque, mesmo que seja verdade que Cristo pode fazer algo pelos perdidos, além do sepulcro, ela pensava que seria melhor não passar essa informação para as pessoas. Temia que elas deixassem de aproveitar a oportunidade presente de salvação. Pessoalmente, creio que isso se baseia na falsa suposição de que podemos assustar as pessoas e levá-las à conversão. Não creio que alguém possa ser levado ao arrependimento desse modo, senão com raríssimas exceções. Podemos produzir conversões "psicológicas" com base no temor; mas não creio que, usualmente, conversões reais ocorram dessa forma. A conversão ocorre quando Cristo mesmo é "exaltado". Sua beleza e graça atraem os homens, e não os terrores do inferno. A exaltação do inferno é pobre desculpa e pobre substituto para a exaltação de Cristo. Naturalmente, não estou dizendo que se deve ignorar a pregação sobre o julgamento e a retribuição. Isso deve ocupar posição secundária, e não primária. Nada pode tomar o lugar de Cristo, na prédica evangélica.

Scepticós – Concordo. Contudo, levemos mais adiante a questão. Se o NT ensina a narrativa da descida ao hades, com todas as suas implicações acerca de uma diferente compreensão sobre o estado futuro e o próprio julgamento, estaremos sendo mordomos desonestos, ou mal informados, se deixarmos de ensinar essa narrativa. A descida ao hades é outra porção da "admirável história". Penso que, por qualquer razão psicológica, é perigoso deixar de lado parte dessa história. Antes, somos forçados e privilegiados em narrar a maravilhosa história por inteiro. Que direito temos de escolher, cortar e censurar, ensinando só aquilo que se adapta às nossas disposições? Se Cristo fez algo em favor dos perdidos, no inferno, ampliando a era da graça até a segunda vinda, ou se, de algum modo, melhorou a condição dos perdidos, então devo **levantar-me e aplaudir!** Este é o Salvador, vede o que ele fez! Vede o que ele fez sobre a terra! Vede o que ele fez no hades!

Súnesis – Estou ao seu lado, **aplaudindo**. É muito sério subestimar a missão de Cristo, e torná-la menor do que ela é. É ainda mais sério pregar uma mensagem subestimada. Sua graça, seu poder e beleza levarão as pessoas à conversão, contanto que o exaltemos. Que direito temos de substituir isso pelo evangelho de terror, como se estivéssemos honrando a Cristo, deixando de lado parte da história de seu ministério?

Zetetés – Há outros motivos envolvidos nisso. Digamos que eu tenha sido criado em uma denominação evangélica que ignore ou rejeite a história da descida ao hades. Então, pelo estudo pessoal, ou por contacto com outros, eu percebo que isso realmente faz parte da narrativa do evangelho. Subitamente, vejo que Cristo fez muito mais em sua missão, e, por causa de seu ministério contínuo, prossegue fazendo muito mais do que antes eu imaginava ter sido feito por ele. Na noite seguinte, terei de pregar numa igreja. Incendiado com meu "novo conhecimento", apresento uma nova espécie de sermão. Terminado o sermão, ninguém me vem saudar, exceto, talvez, algum anglicano ou luterano presente, já que nessas denominações se ensina sobre a descida de Cristo ao hades. Passo a ser mal acolhido pelas pessoas, que me olham de soslaio, com suspeita. Começo a receber uma aura de **heresia**. Meu prestígio começa a ruir, e talvez seja pedido o meu afastamento, se, porventura, sou ministro pago daquela denominação em particular, que não aceita o relato bíblico sobre a descida de Cristo ao hades. Perco tanto o prestígio quanto a colocação. Pior ainda, deixo de ser bem-vindo entre os meus amigos e colegas de ministério. Vale a pena tudo isso para defender e disseminar a narrativa da descida de Cristo ao hades?

Scepticós – Vale a pena, se for veraz!

Sofós – Tenho ficado aqui sentado, escutando. Tudo isso é muito interessante. A história tem sido frequentemente mencionada. Gostaria de saber se alguém preparou alguma coisa sobre isso. Queremos ver fatos e provas. Não basta dizer que o acontecimento significa isto ou aquilo. Precisamos saber as bases que temos para crer que o NT realmente narra o fato. Que dizer sobe isso, Súnesis?

Súnesis – Tenho nomeado a mim mesmo moderador desta semana, e estou preparado para uma discussão completa. Além disso, solicitei a Scepticós que estudasse certos aspectos dessa tradição e que viesse pronto para ajudar-me a apresentar esse ensino e sua história na igreja. Penso que é boa ideia entrar nessa discussão sem tardança. Abaixo está o esboço que preparei:

a. **Intérpretes, antigos e modernos, que admitem estar em foco uma descida real ao hades, em 1Pedro 3.18ss., 4.6, e outras referências do NT**

b. **Os que creem que a descida ao hades visou a melhorar as condições das almas perdidas ali**

c. **Os que creem que a descida ao hades visou a agravar a condição dos perdidos, ou, pelo menos, apenas a ajudar aos justos, deixando de lado os injustos**

d. **Paralelos em outros escritos e credos antigos, judaicos e cristãos, como também em credos que dão apoio à narrativa da descida ao hades**

e. **Os que negam totalmente a descida ao hades**

f. **Quem são os espíritos a ser melhorados?**

g. **Qual é a extensão ou potencial de seu aprimoramento?**

h. **Não é isso o purgatório**

i. **Sumário do ensino desta passagem**

j. **A descida ao hades em comentários modernos**

k. **A descida ao hades na história cristã**

l. **A descida ao hades no NT**

Alguns desses tópicos podem ser manuseados quase de passagem. Outros precisam de algum tempo para ser analisados. Que dizer sobre o primeiro tópico, Scepticós?

Scepticós –

a. Intérpretes, antigos e modernos, que admitem estar em foco uma descida real ao hades

Até Agostinho, no século V d.C., nenhum pai da Igreja, credo ou tradição eclesiástica havia negado a realidade da descida de Cristo ao hades. No século VIII d.C., em sua obra "Fonte do Conhecimento", João Damasceno sumaria a doutrina cristã e os ensinamentos dos pais da Igreja. Informa-nos ele que a realidade desse fato bíblico era universalmente aceita em sua época, mostrando que a opinião geral era tratar-se de oferecimento da salvação aos perdidos, além do túmulo, ou que, de alguma forma, o fato ofereceu melhora às condições dos perdidos. Na Idade Média, isso era tema popular em peças teatrais, na arte e na literatura. Durante a **Reforma,** o ensino foi incluído, de modo geral, nas confissões e nos credos. Apesar de continuar sendo aceito pela vasta maioria dos cristãos, algumas modernas denominações evangélicas têm negado completamente o ensino desse fato.

Súnesis – A igreja histórica, pois, tem defendido a veracidade desse ensinamento. Só em tempos relativamente modernos ele foi retirado dos credos, provavelmente pelas razões há pouco sugeridas. Que dizer sobre o segundo ponto, Scepticós?

Scepticós –

b. Os que creem que a descida ao hades visou a melhorar as condições das almas perdidas ali

Quanto à natureza exata dessa melhoria, há desacordo; é aceito, porém, quase pela mesma maioria descrita no primeiro ponto, que o texto de 1Pedro 3 e 4 tenciona ensinar que, de alguma forma, foram melhoradas as condições dos perdidos. Esse ponto necessariamente inclui a ideia de que o próprio juízo não é "apenas" retributivo, mas também é "restaurador", isto é, a própria retribuição é medida restauradora. Com frequência, esse ensino inclui a ideia de que o hades representa um juízo intermediário, e não o juízo final, que terá lugar quando da volta de Cristo. Ou então ensina a eliminação do hades depois do milênio, o que assinalaria o fim do tipo intermediário de julgamento, bem como o começo do estado final. Apenas pequena minoria dos intérpretes tem visto nisso uma justificação do "universalismo". Mesmo que a "descida" seja um precedente do que poderá ocorrer no juízo intermediário, isso significaria apenas que a capacidade salvadora de Cristo se estende a todas as almas, em toda parte, até a instituição do estado final e não que as almas são forçadas a se submeterem ao senhorio de Cristo; mas para muitas, e talvez sejam elas a minoria, isso ocorrerá tarde demais para que obtenham a "salvação" descrita no NT. Não obstante, a "descida", como é explicada pela maioria dos pais da Igreja, se estende até a segunda vinda de Cristo, oferecendo oportunidade de completa salvação, sempre por meio de Cristo, pois ele é o Caminho, aqui, ou, em qualquer outro lugar.

Nomes específicos dados à ideia da "melhoria", o que, para a maioria indica oportunidade de total salvação:

A maioria dos pais da Igreja, gregos e latinos, incluindo Justino Mártir, Pantaeno, Clemente de Alexandria, Orígenes e seus sucessores. João Damasceno, ao traçar o desenvolvimento da teologia na igreja antiga, sumariou a doutrina em questão como segue:

"Sua alma glorificada desceu ao hades a fim de que, tal como o sol da justiça se eleva aos homens na terra, por igual modo ele pudesse brilhar sobre aqueles, sob a terra, assentados nas trevas e nas sombras da morte; a fim de que, assim como ele publicou a paz aos homens da terra, deu liberdade aos cativos e vista aos cegos, tornando-se a causa de eterna salvação para os crentes, ao mesmo tempo que condenou os desobedientes incrédulos, **por igual modo,** pudesse tratar com os habitantes do hades, para que todo joelho se dobrasse ante ele, daqueles que estão nos céus, na terra e debaixo da terra, e afim de que **soltas** as cadeias daqueles há tanto tempo aprisionados, ele retornasse dentre os mortos e preparasse para nós o caminho da ressurreição."

Clemente de Alexandria expressou a crença da maioria dos pais da Igreja gregos, quando disse:

"Portanto, para levá-los ao arrependimento, o Senhor também pregou aos que estavam no hades. Pois que, as Escrituras não declaram que o Senhor pregou aos que tinham perecido no dilúvio, e não só a esses, mas a todos os que estavam em cadeias, que são guardados na prisão do hades?" Sua citação prossegue, dizendo que nessa missão ao mundo inferior, Cristo "deixou exemplo", pelo que os apóstolos seguiram seu exemplo, e também ministraram naquele lugar. Isso significa que, para esse autor, a descida do Senhor ao hades abriu aquele lugar como um "campo missionário", e que a missão evangelística que ele instituiu sobre a terra expandiu-se ao hades. Isso, naturalmente, é conjectura; mas o primeiro capítulo de Efésios (sobretudo o v. 23) pode ser juntado ao ensino. Orígenes (comentando sobre 1Rs, sec. 28, Hom. 2) expressou a crença de que os profetas do AT já tinham aberto o hades a missões de misericórdia, de modo que a própria missão de Cristo ali foi uma confirmação e continuação dessas missões. Nesse sermão particular, Orígenes pensava que a pregação beneficiava àqueles que tinham sido preparados para o ministério (injetando algumas ideias de predestinação no hades); e essa ideia tornou-se popular na igreja oriental. O texto (em 1Pe 3 e 4), porém, **não sugere** a limitação. O comentário de Orígenes nesse lugar, provavelmente foi influenciado pelo fato de vários escritores judeus helenistas falarem de supostas missões de misericórdia da parte de vários profetas do AT, no mundo inferior.

Sob o primeiro ponto, vimos que a crença na descida ao hades prosseguiu na maioria das esferas do cristianismo moderno, embora, em certas denominações, ela tenha sido ignorada ou rejeitada. Em seu comentário (citado no Comprehensive Bible Commentary), Bloomfield afirma a universalidade da crença na "descida" na igreja cristã.

"Nenhuma interpretação, de modo **natural**, parece ou levar o selo da verdade, senão a "comum", a saber, que Cristo foi e pregou (proclamou o reino) aos antediluvianos no hades, interpretação essa apoiada pela autoridade conjunta dos antigos e pelos mais sãos de nossos comentadores modernos. Essas palavras certamente não envolvem dificuldades; e o sentido natural e claro não deve ser repelido só porque contém elementos que nos admiram, o que, com nossas presentes faculdades, não é motivo de espanto".

"Essa é a opinião dos pais mais antigos da Igreja grega e latina, como também da maioria dos teólogos posteriores e modernos". E o "ponto de vista" que ela destaca é que a descida de Cristo ao hades foi uma realidade, tendo resultado na melhora da condição dos perdidos. A própria posição é que a **plena** salvação foi oferecida a todos, de modo que, para aqueles que a aceitam, a melhoria envolvera até a plena salvação.

Súnesis – Tudo isso deve "soar estranhamente" aos ouvidos de alguns que nunca ouviram ser pregada essa tradição, sobretudo o fato do quase universalismo anunciado pela igreja antiga. Sem dúvida, devemos respeitar o que os pais da Igreja criam, principalmente quando os vemos concordando quase tão unanimemente acerca de algo.

Apresentarei a seguir alguns comentários sobre o terceiro ponto do esboço:

c. Os que creem que a descida ao hades visou a agravar a condição dos perdidos, ou, pelo menos, apenas a ajudar aos justos, deixando de lado os injustos

1) A pregação foi feita só aos justos, e (segundo alguns) elevou-os do hades aos céus. Assim ensinavam Márciom, Tertuliano e Zwínglio. O texto de 1Pedro 3 mostra especificamente que foi aos "desobedientes", e não aos justos no AT que a pregação foi feita.

2) A pregação foi feita aos injustos, mas para confirmar sua condenação. Assim ensinavam Flácio, Calov, Wolf, Buddeus e Arécio. A posição é errônea porque a) é contra o contexto que trata especificamente da forma em que os sofrimentos de Cristo foram "benéficos"; b) dá um sentido estranho ao verbo traduzido por "pregar", o qual, no NT — 61 vezes) — é usado para descrever a pregação do evangelho, embora o vocábulo não tenha necessariamente esse significado. Contudo, essa é a maneira com que é empregado no NT, de modo coerente. (cf. Mt 3.4; 4.17; Gl 2.2; 1Pedro 4.6 mostram que o **evangelho** foi pregado aos mortos, não podendo haver dúvidas de que o parágrafo de 1Pedro alude de volta à narrativa da "descida", nos capítulos três e quatro. É repugnante para as sensibilidades cristãs a interpretação de que o Cristo, que tão recentemente rogara ao Pai que perdoasse seus mais figadais inimigos, acabando de completar seu ato remidor na cruz, tenha descido imediatamente ao hades para proclamar condenação, agravando a sorte dos perdidos.

3) A pregação foi feita a arrependidos de último minuto, os quais, temendo o avanço da água, subitamente creram na prédica de Noé, pelo que

228 |Artigos introdutórios| NTI

mereceram algum benefício da parte de Cristo, quando ele desceu ao hades. Essa interpretação é óbvia fabricação.

4). A pregação foi **dupla** — de conforto e progresso para os justos do AT, e de condenação para os perdidos. Essa ideia está aberta às objeções alistadas sob os subpontos "a" e "b", que declaram os dois lados da dupla pregação, sendo, porém, independentes. Atanásio, Ambrósio, Erasmo e Calvino defendiam a ideia de uma dupla pregação.

"Essa pregação condenatória, além de ser totalmente supérflua no caso dos espíritos que já estavam preservados para a condenação (conforme Alford comenta) é 'desmerecedora' para o caráter do redentor; a consciência cristã revolta-se diante do pensamento de que o santo Jesus, cujas palavras finais foram palavras de perdão e amor, tenha visitado as regiões dos mortos, exultando-se sobre a miséria dos condenados, publicando seus triunfos, intensificando seus tormentos e tornando o inferno pior ainda para eles". (Lange, em seu comentário, in loc. Lange era o principal intérprete luterano de sua época.)

O que você pode dizer, Scepticós, acerca dos paralelos antigos da narrativa da "descida", no NT?

Scepticós - Há mais comentários a fazer do que se poderia imaginar. Sob o décimo primeiro ponto, mencionaremos algo acerca das narrativas da "descida" em culturas não-judaicas e não-cristãs. Aqui damos breve sumário disso nos contextos judaicos e cristãos, antes e depois da época de Cristo.

d. *Paralelos* em outros escritos e credos antigos, judaicos e cristãos, como também em credos que dão apoio à narrativa da descida ao hades

Na literatura judaica, temos os livros de Enoque. Os textos de 1Enoque 60.5,25 e 69.26 são tão parecidos com 1Pedro, que alguns intérpretes têm pensado haver um empréstimo direto. O talmude tem alguns textos que falam da descida de profetas do AT ao hades, em missões de misericórdia. Os doze patriarcas, em Levi 4, têm algo similar. Os livros apócrifos do NT, o evangelho de Nicodemos, o testamento de Abraão e o evangelho de Pedro contêm narrativas e comentários sobre a "descida" que demonstram que a igreja primitiva não alimentava dúvidas acerca da questão. Os primeiros pais da Igreja aludiram com frequência a essa narrativa. (Ver Iren. iii.20.4; iv.33,12; v.31,1; Márciom, em Irineu, I.27.2; Tert. **de Anima**, 55; Orígenes, Celso, ii.43; *Hom.* iv. Inácio, *Magn.* ix.3; Justino Mártir, *Trifo*, 72.) O **clima literário** da época, portanto, tanto antes quanto após a composição do NT, favorecia a narrativa da "descida". De fato, até ao século V, d.C., não havia outra interpretação acerca de 1Pedro 3 e 4. Os credos apostólico e atanasiano incluíram a narrativa da "descida", refletindo a crença cristã que já se prolongava por séculos.

Súnesis - Aqueles que negam a tradição da descida de Cristo ao hades naturalmente apresentam explicações alternativas, já que, por mais honesta que seja a sua declaração, como pessoas religiosas que aceitam o NT como documento inspirado, não podem dizer: "É certo que a "descida" é ensinada no NT, mas não creio nela". Ao invés de falarem assim, devem procurar retirar do NT os elementos que julgam prejudiciais, oferecendo "outras explicações" das passagens que aludem ao fato. Scepticós preparou uma declaração sobre isso, e irá apresentá-la sem interrupções.

Scepticós -

e. Os que negam totalmente a descida ao hades

Esses intérpretes fazem Cristo pregar "por meio do Noé", nos dias deste, ou "por meio dos apóstolos", na missão evangelizadora da igreja primitiva.

1) Medianeiramente, por meio de Noé: Essa interpretação teve início com Agostinho, no século V, d.C., tendo-se popularizado em algumas denominações evangélicas atuais. Além de Agostinho, Bede, Aquino, Lyra, Beza, Leighton (que mais tarde mudou de opinião), Hofman e outros a defenderam.

Objeções a esse ponto de vista:

a) Essa interpretação é **arbitrária**, apesar de alguns bons nomes a ela associados. Arbitrária, porque a Bíblia nada diz aqui da pregação de Noé. Nada há de medianeiro na descrição.

b) Essa interpretação não é **gramatical**:

(1) O sujeito não é Noé e nem o Logos divino em alguma atividade pré-encarnada, e, sim, o Cristo, Jesus, que bem recentemente morrera e agora tinha uma missão no hades.

(2) Os ouvintes da pregação, os "espíritos", foram espíritos desencarnados, e não homens mortais na carne, ao receberem a mensagem.

(3) Na estrutura da sentença, não há indício da declaração de que os espíritos a quem se pregou viviam na carne quando receberam a mensagem, mas estavam "em prisão", isto é, no hades. A simples leitura dos versículos mostra-nos que eles estavam na prisão quando ouviram a pregação.

(4) As palavras **apeithésasin poté** (que algum tempo foram desobedientes) no vs. 20, obviamente muda o tempo da desobediência para um tempo remoto à época da pregação. Noutras palavras, a "desobediência" ocorreu em passado remoto (antes do dilúvio), ao passo que a pregação foi feita em passado recente (por Cristo, imediatamente após sua descida ao hades, depois de sua morte e antes de sua ressurreição).

(5) A expressão "foi e pregou", no v. 19, dá claramente o sentido de "ir para outro lugar", a fim de pregar. Dificilmente isso poderia ser dito acerca de Noé, pois "para onde foi ele a fim de pregar"? No texto, Cristo é o sujeito. Quando de sua morte, "ele foi ao hades", a fim de pregar ali. Não faz muito sentido dizer: "O Logos divino "foi" do céu, descendo à terra para pregar por intermédio de Noé". Isso é ler demais no texto sagrado, meramente para evitar uma doutrina que parece modificar necessariamente certas ideias sobre o juízo.

(6) A pregação mediatorial por meio de Noé ignora totalmente a tencionada antítese entre **sarki** (na carne, na qual Cristo sofreu a morte) e **pneumati** (no estado "espiritual", desencarnado, no qual ele foi ao hades). Além disso, requer a tradução dúbia de "pelo Espírito", a fim de fazer a pregação ter-se realizado nos dias de Noé. Isso leva a ignorar a força normal da palavra **en** ("em", e não "por"), que faz o termo "anartro" — espírito — significar "Espírito". Se o Espírito Santo estivesse em pauta, é 99% certo que o artigo definido precederia o vocábulo "pneumati". No entanto, Jesus, "em espírito", é o sentido certo, e foi nessa "forma desencorporada" ("no qual", v. 19) que ele teve sua missão no mundo inferior.

c) Essa interpretação é **anti-histórica** — Ignora o meio em que se originou a "descida", pois então "narrativas sobre a descida" eram comuns, permeando a atmosfera de pensamento e teologia na qual 1Pedro foi escrita. Pede-nos para crer que, se era teologia comum crer na descida de profetas e herois ao hades, para terem missões de misericórdia, por outro lado, Pedro teria usado expressões quase idênticas (em comparação às do livro de Enoque, por exemplo), mas de sentido totalmente diferente do significado dessas expressões.

d) Essa interpretação é **anti-hermenêutica** — Tenta levar-nos a crer que o que foi universalmente aceito na igreja durante quatro séculos, de fato, não é verdade, e que Agostinho, no século V, d.C, foi o primeiro a interpretar corretamente a passagem.

e) Essa interpretação é **hermeneuticamente fraca** — Dá-nos um ponto de vista míope e pessimista da missão de Cristo, atribuindo-lhe parco valor, se é mesmo verdade que Deus deseja que todos sejam salvos. Requer que a mensagem e a missão de Cristo tenham fracassado redondamente, pois tudo dependeria do que a igreja pode fazer, aqui e agora, e não do que Cristo, com e sem a igreja, pode fazer, onde quer que se achem as almas dos homens, nesta e na outra vida. Ignora as elevadas revelações do primeiro capítulo de Efésios, onde se aprende que Deus, "na dispensação da plenitude dos tempos", "reunirá todas as coisas em Cristo" (v. 10), de modo que Cristo se torne tudo para todos, por intermédio da igreja, que é "sua plenitude" (cf. v. 23). Exige que essa "unidade" seja obtida mediante uma "exclusão", o que Colossenses1.16 mostra ser impossível (v. notas in loc.).

O contexto ensina: "Vede quanto bem pode provir de sofrimentos, porque Cristo, em seus sofrimentos, desceu ao hades e fez bem às almas".

Essa interpretação é hermeneuticamente **fraca** porque supõe que se pode dividir a pessoa de Deus, taxando-a ora de amoroso e ora de severo e inclinado ao juízo, por causa de sua justiça. Entretanto, a verdade é que Deus não pode ser assim dividido, de modo que podemos dizer que ele é sempre amoroso e sempre justo, sempre severo, e todos esses fatores são simultâneos. E assim, o amor requer juízo, e com frequência, em suas manifestações, é juízo; mas esse juízo nunca é mera severidade. Antes, essa severidade sempre é "manifestação de amor", cheio de propósito; e esse propósito será finalmente atingido. Ou expressando esse conceito de modo simples, "o julgamento é um dedo na mão amorosa de Deus".

Essa interpretação é hermeneuticamente **fraca** porque ousa dividir o Logos eterno em seu propósito, limitando sua obra no tocante às almas humanas, de modo que, estando no corpo, a alma — conforme somos levados a crer — só pode ser salva enquanto estiver neste lado da existência pelo ato salvatício do Logos. Por outro lado, conforme alguém já disse, a verdade é que "essa tradição ensina que Jesus pode atingir as almas humanas em qualquer lugar".

Essa interpretação é hermeneuticamente **fraca** porque ignora o fato de a própria Bíblia situar o tempo de "estabelecimento das fronteiras eternas" e do julgamento, em sua forma final, quando da volta de Cristo, e não quando da morte do indivíduo. (Ver At 17.31; 2Tm 1.12; 4.8; 1Jo 4.17). "Mas em nossa passagem (1Pe 4.6), tal como em 3.19,20, por iluminação divina, Pedro afirma claramente que os meios da salvação divina não terminam quando do fim da vida terrestre, e que o evangelho é pregado além do sepulcro, para aqueles que partiram desta vida, sem conhecimento do mesmo". (Lange, in loc.). Assim, se é verdade que "aos homens está ordenado morrerem uma só vez, vindo depois disso o juízo" (Hb 9.27), é também verdade que "o depois disso", será o tempo da **parousia**, o dia do aparecimento de Cristo. Portanto, até então, tal como no juízo do hades, os homens são passíveis do poder da missão salvatícia de Cristo.

f) Essa interpretação baseia-se em um **preconceito a priori** sobre como deverá ser o juízo e sobre o que e quanto a missão de Cristo pode realizar. Esse preconceito acolhe só os "versículos severos" que se aplicam ao juízo, ignorando tudo o mais. Noutras palavras, defende "um lado" do ensinamento bíblico a respeito, ignorando que há outro lado, no qual, finalmente, vê-se o triunfo da missão de Cristo, embora isso não faça todos os homens se tornarem eleitos. Por causa desse preconceito, "a priori", à missão de Cristo permite-se que ela caia por terra, aceitando a ideia absurda de que seu poder realiza pouquíssimo, se é verdade que Deus amou o mundo inteiro e quer que todos sejam salvos.

g) Essa interpretação tem uma **visão míope** do que é a missão de Cristo, e o que ela visa a realizar, e assim deve perverter as revelações de 1Pedro 3.18ss e 4.5, bem como as de Efésios 1 e Colossenses 1.16. O texto de 1Pedro 4.6 declara francamente que o "evangelho também foi pregado aos mortos, para que fossem julgados segundo homens na carne, mas vivessem segundo Deus, no espírito", palavras essas que mostram que o juízo é um "meio restaurador", e não apenas uma medida retributiva. Se aplicarmos isso ao juízo final, não significa, necessariamente, que todos os homens, por fim, tornar-se-ão eleitos, mas que deverá haver uma restauração em níveis tais que produzirá a unidade de todas as coisas em torno de Cristo, tornando-se o próprio Cristo o alvo e o propósito da existência de cada indivíduo. Isso não significaria que todos os homens chegam a compartilhar da "natureza divina" (ver 2Pe 1.4), mas significa muitíssimo mais do que se poderia supor, se conhecermos apenas um dos lados do tema do julgamento.

h) Essa interpretação é anticronológica — O texto de 1Pedro 3.18ss situa a pregação de Cristo aos perdidos após a morte e antes de sua ressurreição. Essa interpretação, de que Noé fora o pregador, inspirado pelo "Espírito", situa a pregação antes da morte de Cristo, o que é distintamente contrário à cronologia da passagem.

i) Essa interpretação é uma deslocação — Faz os homens terem recebido a mensagem quando ainda se encontravam na terra, ao passo que agora, desde que morreram, estão "em prisão". O texto de 1Pe 3.18ss e 4.6 faz, porém, a mensagem ter sido pregada a eles "em prisão" e em "estado desencorporado".

j) Essa interpretação é **antilógica** — Aquilo que ignora o que a igreja disse sobre a descida de Cristo, durante quatro séculos, e o que a maior parte da igreja continua dizendo, e aceita uma interpretação que data somente a partir do século V d.C., sendo defendido por pequena minoria, é antilógico. A interpretação que se baseia sobre falácias gramaticais e é anti-histórica e anti-hermenêutica, como também é hermeneuticamente fraca, é também ilógica. Aquilo que representa uma "visão míope" do que a missão de Cristo pode realizar e realmente realizou, transformando a fé cristã em um ponto de vista pessimista do mundo, é antilógico.

Finalmente, aquilo que adere a certos textos bíblicos acerca da natureza do juízo, e o faz por um "preconceito a priori", de modo que ignora outras passagens bíblicas sobre esse mesmo tema, é ilógico.

k) Essa interpretação é **antibíblica** — Visto que nega a realidade da descida de Cristo ao hades, também deve negar cada ponto de 1Pedro, também deve negar cada ocorrência da mesma no NT. Deve ignorar a narrativa de Atos 2.27,31 (Pedro também falava); e Efésios 4.8-10. Deve também ignorar a antecipação profética acerca da mesma, em Salmos 16.10.

2) Medianeiramente, pelos **apóstolos** — Chegamos de volta, agora, à segunda maneira mais comum de negar totalmente a realidade da descida de Cristo ao hades. Alguns supõem que a pregação não foi feita pessoalmente por Cristo, descendo em pessoa ao hades, e, sim, por meio dele, "por meio do Espírito", que teria inspirado os apóstolos, em sua missão evangelística após a ressurreição. Essa interpretação tem atraído algumas poucas pessoas de renome, como Socino, Grotius, Schottgen, Shelechting e Hensler. Em graus variados, está sujeita a todas as objeções levantadas contra a interpretação que acabamos de criticar.

a) É "arbitrária" porque o tema é Cristo, e não os apóstolos. Coisa alguma é dita acerca da missão da igreja, e isso nem fica subentendido.

b) "Não é gramatical" porque o tema é Cristo em seu estado desencorporado, e os objetos da prédica também são espíritos desencorporados, e não homens mortais da Judeia, da Ásia Menor ou da Grécia, objetos da missão da igreja primitiva. Os outros pontos gramaticais, alistados como "d", "e" e "f", podem também ser aplicados a essa interpretação.

c) É "anti-histórica" porque também ignora o meio ambiente literário no qual se originou a narrativa do fato.

d) É "anti-hermenêutica" porque ignora o que tem ensinado a igreja universal.

e) É "hermeneuticamente fraca" porque nos dá a mesma visão míope da missão de Cristo tal como faz a interpretação que acabamos de descrever.

f) Baseia-se sobre um "preconceito a priori", recebendo e rejeitando versículos sobre o juízo, conforme as opiniões formadas sem a devida atenção ao corpo inteiro das Escrituras sobre o assunto.

g) É "míope" porque limita desnecessariamente o poder e a missão de Cristo, conforme já foi descrito.

h) É também "anticronológica" pois, apesar de admitir que o texto requer uma pregação efetuada "após a morte de Cristo", contudo situa essa pregação após a ressurreição, e não entre a morte e a ressurreição de Cristo.

i) É uma "deslocação", pois localiza a cena da pregação na terra e não "em prisão", isto é, no mundo inferior.

j) É "antilógica" por causa de todas as observações anteriores.

k) É "antibíblica" porque ignora outros textos bíblicos que descrevem a "descida"; pois de que adiantaria usar a narrativa com base em outros "textos de prova", mas negá-la neste ponto?

Em adição a essas objeções, outras podem ser levantadas.

l) Essa interpretação deve dizer que os "mortos" de 1Pedro 4.6 são os "vivos na carne", mas "mortos em delitos e pecados", a fim de separar aquele versículo da narrativa da descida de Cristo ao hades. No entanto, **não há nenhum indício** no contexto de que devemos entender metaforicamente a palavra "mortos". Não faz nenhum sentido dizer que aqueles que "agora estão mortos", já que isso é injetar no texto algo que não aparece no grego.

m) Essa interpretação tem de considerar também a "prisão" como uma expressão **metafórica**, como "a prisão do corpo", a "prisão do pecado", o que dificilmente pode resistir a exame.

Concordamos com Huther, que observou com razão: "[...] essa interpretação amontoa capricho sobre capricho..."

Falando sobre essas espécies de interpretação, Alford (in loc.) observa: "Cada palavra de cada cláusula protesta contra (elas)".

Súnesis – Scepticós nos ofereceu completo estudo sobre as ideias daqueles que negam totalmente a narrativa da descida ao hades, juntamente com algumas poucas citações úteis, extraídas de escritores cristãos. Existem duas interpretações dessa passagem rejeitadas peremptoriamente. A primeira é a que nega a sua realidade. A segunda é a que a torna uma pregação condenatória. As demais interpretações são dignas de investigação. Passemos agora ao ponto seguinte.

f. Quem são os espíritos a ser melhorados?

1) **Alguns dizem:** "Aqueles que agora estão desencorporados, mas que eram homens mortais quando ouviram a pregação". Portanto, esses deveriam ler 1Pedro 4.6: "[...] pois, para este fim foi o evangelho pregado também a mortos, para que, mesmo julgados na carne segundo os homens, vivam no espírito segundo Deus" (ARA), como se isso quisesse dizer: "[...] pois, para este fim foi o evangelho pregado também aos que agora estão mortos..." Isso, porém, é ler demais, devido a certo ponto de vista sobre o juízo, que diz que "o evangelho não pode ser pregado a mortos", algo justamente o contrário do que diz Pedro. Ignora também o claro ensino da descida de Cristo ao hades, que ocupa 1Pedro 3.18ss.

Mason (in loc.), refutando a ideia, diz: "Ninguém cuja mente não está comprometida pode duvidar, ao considerar esta cláusula por si mesma, de que as pessoas para quem foi feita a pregação estavam mortas quando a ouviram".

Hart (in loc.) declara: "No tocante a mortos, Cristo desceu ao hades, a fim de ali pregar, e foi nisso seguido pelos seus apóstolos. E o seu objetivo foi que, embora os mortos fossem julgados como são os homens, no tocante à carne, pudessem viver como Deus vive, no tocante ao espírito".

Alford (in loc.) afirma: "Se as palavras 'e o evangelho foi pregado aos mortos' pode significar 'o evangelho foi pregado a alguns durante sua vida terrena, mas que agora estão mortos', então, a exegese não conta mais com nenhuma regra fixa, e as Escrituras podem provar qualquer coisa".

2) Outros aludem a esses "espíritos" como anjos decaídos, os quais são seres espirituais. O termo grego **pneuma** pode significar qualquer tipo de "espírito", como a alma humana, a porção não-material do homem, os espíritos angelicais, os espíritos dos demônios, ou o Espírito Santo. Portanto, nada se pode provar mediante a consideração da palavra, à parte do contexto. Aqueles que identificam os "espíritos" aqui aludidos como anjos decaídos, provavelmente o fazem por causa da observação que alguns relatos da "descida", na literatura judaica helenista, têm em vista a "restauração de anjos decaídos"; e, presumivelmente, a história de Pedro poderia estar descrevendo a mesma coisa. Em nenhuma parte o texto indica a redenção de anjos, e introduzir essa ideia aqui é fora de lugar, mesmo que se pudesse mostrar que esse foi um dos resultados dos sofrimentos de Cristo. O texto procura provar que os sofrimentos de Cristo tiveram resultados tão positivos, a fim de convencer os crentes de que o bem pode provir até do sofrimento. O conceito de que foi proveitosa a descida de Cristo ao hades, aliviando de algum modo os sofrimentos humanos, seria um argumento mais poderoso que o dizer que fez bem aos anjos maus, pelo que é mais provável haver sido essa a alusão de Pedro. Outrossim, houve muito precedente para isso nos escritos e na teologia judaica, pelo que Pedro **não criava** uma doutrina no vácuo. Se ligarmos 1Pedro 3.18ss com 4.6, teremos um argumento fatal para a ideia de que os "anjos decaídos" seriam os espíritos indicados. Cristo pregou aos "mortos", isto é, "espíritos humanos desencorporados", que são chamados mortos porque se tinham livrado de seu corpo mortal. O termo "mortos" jamais seria aplicado a anjos decaídos. Virtualmente, todos os intérpretes que creem na descida de Cristo ao hades, vinculam 4.6 à descrição da "descida", em 3.18ss.

3) Outros creem que os **mortos** são os "mortos em delitos e pecados", fazendo os espíritos serem os de homens mortais, mas ainda no corpo, ao

ouvirem a pregação. Conforme já vimos, aqueles que acreditam que os após-tolos é que pregaram a esses "mortos" em delitos e pecados, por inspiração do Espírito de Cristo, negam totalmente a descida ao hades, mas demons-tram também que essa interpretação não é válida, e isso em face de muitos argumentos. Portanto, não se pode ver nenhum sentido na ideia de que a palavra "mortos" é para ser entendida metaforicamente. Nem a expressão "em prisão" pode indicar "prisão do corpo", ou "prisão do pecado".

4) Os "espíritos" são "espíritos humanos **desencorporados**", e, especifi-camente, aqueles que foram desobedientes nos dias de Noé. Por que, então, o fato descrito em 1Pedro 3.18ss se limitaria a esses? Poderia ser que só os antediluvianos tivessem recebido benefício em razão da descida de Cristo? Em resposta a essas perguntas, dizemos:

a) Essa limitação surgiu pelo fato de o contexto abordar a história do dilúvio. Pedro, entretanto, usou a história do dilúvio como ilustração, tanto do juízo vindouro como da salvação em meio ao julgamento. Foi apenas natural, portanto, que ele tivesse falado só dos "espíritos que" estiveram associados àquele acontecimento, pois isso concordaria com o contexto de sua ilustração.

b) Esses "espíritos" representam **os mais rebeldes** e corruptos entre os espíritos; no entanto, a graça divina os alcançou. Quanto mais, pois, poderão ser alcançados todos os espíritos — fica implícito —, visto que esses "exem-plos" de malignidade não estavam além da missão salvatícia de Cristo?

O ensinamento é claro, pois: Os sofrimentos de Cristo são de valor imenso, mais do que pode dizê-lo a linguagem humana, chegando aos céus mais altos, mas também ao inferno mais baixo. Se somos perseguidos, se sofrermos, lembremo-nos disto: pode vir o bem do sofrimento.

c) 1Pedro 4.6, seguindo-se imediatamente após a narrativa da descida ao hades, e tencionando servir de comentário adicional, fala dos "mortos" em geral, como os que receberam a visita da descida de Cristo, pelo que é des-continuada a limitação constante em 3.18ss. Se a descida de Cristo ao hades trouxe esperança até para os "mais rebeldes", é certo que trouxe esperança a todas as esperanças perdidas.

5) Ainda outros, apesar de admitirem a plena força da "descida", pois é claro que Cristo pregou e ajudou almas perdidas no hades, limitam isso a "**uma só** ocorrência", recusando-se a ver um precedente na ocorrência. Noutras palavras, acreditam que Cristo beneficiou ou ofereceu plena salvação às almas perdidas que tinham descido ao hades antes de sua missão terrena; mas não creem que esse "ministério continua no hades". Noutras palavras, desde a cruz, nenhum outro benefício pode ser esperado no hades, com base na ante-rior descida de Cristo ali. Dentre os dezessete comentários examinados sobre esse particular, somente um assume essa "posição limitada", embora treze deles concordem sobre a realidade da "descida". A maioria dos intérpretes, antigos e modernos, veem um **precedente** no que sucedeu no hades. Essa tradição, pois, ensina que Jesus pode alcançar homens em qualquer lugar, até que ele ache por bem traçar fronteiras eternas, quando de sua segunda vinda, ou, como pode ser o caso, após o milênio, conforme Apocalipse 20 poderia indicar. Assim, diz Hunter (in loc.): "Se indagarmos qual o valor dessa tradição para nós, hoje em dia, a resposta é que onde quer que se achem os homens, Cristo tem o poder de salvá-los". A lógica concorda com isso, pois é óbvio que o evangelho alcança pouquíssimos homens, pequena porcentagem deles, enquanto vivem no corpo mortal, mas o Cristo amoroso não permitirá que pereçam por causa da ignorância. Somente se o rejeitarem é que perderão a salvação que ele oferece.

Que dizer sobre a justiça? Romanos 1 deixa claro que Deus seria "justo" em condenar os homens ao inferno, sem se importar com o fato de eles terem ouvido ou não o evangelho. No entanto, não há **justiça crua** que exista à parte do amor e da misericórdia. Uma justiça temperada, na qual os atributos de Deus não estejam divididos e nem opostos uns aos outros, estará de confor-midade com a suposição razoável de que nenhum ser humano pode perder-se finalmente, se não tiver tido oportunidade de enfrentar a verdade, conforme ela está em Cristo. O Logos eterno ultrapassa ao espaço e ao tempo, garan-tindo esse encontro. Todavia, o que as almas fizerem com isso, dependerá delas. Assim é que Bigg (in loc.) defende a ideia de que a graça de Deus, por intermédio de Cristo, trará, finalmente, todos os homens ao "conhecimento" do evangelho. Cristo foi levantado. Todos os homens terão de saber disso, para então se voltarem para ele ou para o rejeitarem. Negar isso é perder de vista as dimensões imensas da missão de Cristo, subentendidas na história da "descida", bem como em outras passagens, como Efésios 1 e Colossenses 1.16.

"[...] o evangelho **foi pregado** aos mortos com a finalidade de moldar suas condições, de modo que, por um lado, fossem julgados segundo a carne (o estado dos mortos visto como um juízo contínuo de acordo com a carne), e, por outro lado, para que pudessem, "através do julgamento" (aoristo), alcançar à maneira de Deus, a vida imortal do espírito". (Wiesinger sobre 1Pe 4.6).

Deus nos considera responsáveis! Não são negados outros versículos sobre o juízo? Antes, procuramos juntar todos os versículos sobre o tema, formando um **todo harmonioso**, não negligenciando aqueles textos que ofere-cem esperança, quer para salvação de almas que tenham descido ao hades,

quer para melhoramento das condições dos perdidos, uma vez estabelecidas fronteiras eternas. Deus nos considerará responsáveis, se diminuirmos o que foi revelado, quanto à extensão e ao poder da missão de Cristo. Certamente é coisa séria degradar ou subestimar sua missão. A igreja universal tem reconhecido isso, pelo menos em parte, visto que a vasta maioria dos intér-pretes, antigos e modernos, tem dado à narrativa da descida ao hades papel importante em sua teologia. É provável, porém, que, de algum modo e em algum nível, todos os homens tenham subestimado o que Cristo pode fazer e fará, quando seu poder permear todas as esferas, todos os mundos, todos os seres. É impossível que qualquer coisa possa ir além do alcance de seu poder.

Prosseguindo, chegamos ao sétimo ponto:

g. Qual é a extensão ou potencial de seu aprimoramento?

O que foi dito até este ponto traz muitos indícios sobre o que agora pro-curamos expressar, e alguma duplicação de declarações é inevitável. Entre aqueles que acreditam que Cristo, em sua descida ao hades, fez bem às almas perdidas, naturalmente há diferentes pontos de vista.

1) **Conforme foi mencionado** acima, alguns creem que a "descida" foi um incidente isolado, e que a melhoria que isso trouxe ao estado dos perdidos visou só ao benefício dos antediluvianos. Esse **bem** pode ser visto como oferecimento de salvação plena, ou como simples aprimoramento do estado dos perdidos, que foram confinados à "prisão" antes do advento da cruz. Se o "bem" é um oferecimento de plena salvação, então alguns, ou poucos ou muitos — não estamos informados —, provavelmente, aproveitaram-se desse ato especial da graça; mas, de acordo com essa interpretação, a mesma coisa não seria possível aos perdidos depois da cruz. Desse modo, a graça foi esten-dida a alguns poucos, depois da morte deles; e essa graça deve ser vista como aliada da revelação de Atos 17.30: "[...] os tempos dessa ignorância Deus não levou em conta; agora porém, notifica aos homens que todos em toda parte se arrependam". Apesar de o Senhor estar amplamente justificado por condenar a todos (ver Rm 1), seu amor fez a missão de Cristo ser benéfica aos perdidos antes da cruz. Presumivelmente, agora que a igreja está levando avante a missão evangelizadora, essa interpretação nos levaria a crer que Cristo esta-beleceu que não mais se deve esperar essa graça especial no hades.

Se, entretanto, a descida ao hades e a prédica do evangelho aos mortos (1Pe 4.6) não visavam a oferecer a salvação, mas apenas a melhorar o estado dos perdidos, dando-lhes, talvez, motivos e propósitos de vida centralizada em Cristo, embora não a salvação, isto é, a participação em **sua natureza**, então poderíamos supor que essa condição de aprimoramento tornou-se regra no hades, isto é, o reino dos mortos foi elevado, de modo a tornar-se parte da unidade que eventualmente se tornará realidade em torno da pessoa do Cristo eterno (ver Ef 1.10). Portanto, de acordo com essa ideia, a "melhoria que ocor-reu uma vez", tem resultados contínuos, ainda que não tenha de se repetir.

Elliott supõe que essa **melhoria** será mediada por meio de diferentes níveis de ressurreição, estando os perdidos excluídos do benefício do corpo ressurreto, experimentado pelos salvos, pelo que perderão o tipo de vida de que o corpo ressurreto é veículo. No entanto, com base em 1Pedro 4.6, este autor supõe que terão uma expressão espiritual agradável a Deus, por ter sido dada diretamente por ele; e isso não deixará de lado o juízo, mas será o "próprio resultado" dele. De acordo com esse ponto de vista, o juízo não será apenas retributivo, mas também restaurador; e a retribuição se tornaria um tipo de restauração para os perdidos, o que não é a salvação descrita no NT. O que Ellicott supõe certamente tem valor no que tange ao estado final. Apocalipse 20 deixa claro que haverá um juízo além do hades, após o milênio. O testemunho da literatura judaica e cristã sempre foi que o hades representa um "julgamento intermediário"; e muitos autores têm pensado ser "modificá-vel". Assim, no livro Testamento de Abraão, a oração intercessória prevale-cente do patriarca serviu para Deus liberar as almas perdidas do hades; e no evangelho de Nicodemos, a descida de Cristo ao hades esvazia aquele lugar de todos os seus cativos; e, na narrativa inspirada de Pedro, que é base de nossa atual discussão, a descida de Cristo, até certa medida, oferece melho-ria aos perdidos, ou, talvez, no mundo intermediário, lhes ofereça salvação, pois Cristo é o Salvador de Pedro (escrito em cerca de 130 d.C.) fala em favor do benefício aos mortos, que vem mediante a descida de Cristo ao hades, o que teria feito por antecipação, **estando ainda na cruz**. A Jesus teria sido a pergunta: "pregaste àqueles que dormiram?" A resposta do Salvador sofredor e o misericordioso seria "**sim**". Naturalmente, o autor, não Pedro, antecipou assim a narrativa da "descida", que trouxe o benefício dado pelo Salvador sofredor até as almas do hades. Mencionamos essas obras não-canônicas somente a fim de ilustrar as atitudes cristãs dos primeiros séculos de nossa era. A observação, conforme é aqui descrita, no apócrifo evangelho de Pedro, sem dúvida baseou-se na obra canônica de 1Pedro, na narrativa da descida de Cristo ao hades, sendo uma de suas interpretações. Portanto, apesar de essas obras não terem autoridade própria como documentos inspirados, refle-tem a interpretação cristã comum de uma obra canônica do apóstolo Pedro.

2) Fazendo pender o pêndulo da interpretação para o extremo oposto do pensamento teológico, os universalistas veem evidências na narrativa da "descida" que, em algum lugar, de algum modo e em algum tempo, a

graça de Deus, por meio de Cristo, atrairá todos os homens para os lugares celestiais como pessoas remidas. Os universalistas fazem a predestinação ser equivalente ao propósito remidor total, fazendo todos os homens serem eleitos. A diferença entre os homens seria apenas o ponto **no tempo** em que serão atingidos, e não se serão alcançados ou não pelo poder de Cristo. Os universalistas não estão interessados em "tentar equilibrar" textos bíblicos sobre o juízo e nem em contrastar versículos sobre o julgamento com aqueles que versam sobre a eleição. A ideia deles é que uma revelação mais alta **abafa** as revelações inferiores, pelo que a salvação final (uma revelação superior) substituiria os temíveis versículos sobre a condenação eterna. É conveniente, pois, aceitar a palavra "eterna" em seu sentido possível de **qualidade**, e não em seu significado de "quantidade". Noutras palavras, o juízo "pertence ao estado eterno", pelo que é "eterno", mas o julgamento não seria "interminável". Teólogos e filósofos têm plena consciência do fato de o termo "eterno" poder falar de "qualidade" e não de quantidade. Portanto, Deus é intitulado eterno a fim de distingui-lo do que é "temporal". E a "vida eterna" é uma "forma de vida", isto é, pertence aos mundos celestiais, não-físicos; assim sendo, o termo "eterno" pode indicar "tipo", e não necessariamente "extensão". "Vida eterna", pois, é a vida que pertence ao mundo superior; e "julgamento eterno" é o tipo de juízo que pertence ao outro mundo, embora sem ser necessariamente "interminável". As referências achadas no grego clássico apoiam esse uso qualitativo do termo "eterno". Se, porém, pressionarmos os universalistas de que o sentido **usual** da palavra "eterno" inclui, quase sempre, a ideia de "extensão", igualmente, e se a apresentação de muitas referências bíblicas os avassalarem, então eles simplesmente retornarão ao seu argumento anterior de que uma revelação maior suplanta revelações inferiores. A narrativa da "descida" é frisada como uma instância de revelação superior, a qual oferece esperança a todos, eventualmente, por ser prova positiva de que o propósito de Cristo visa à salvação de todas as almas, para além dos limites da morte física. Se contradizemos esse raciocínio, dizendo que é ilógico supor que uma revelação superior possa suplantar (e contradizer) a outra inferior, eles simplesmente nos farão lembrar que foi exatamente isso que sucedeu no tocante ao AT e ao NT e suas respectivas mensagens. E nos mostrarão referências do AT que falam de aplicações "eternas" da lei, dos seus sacrifícios etc. E então, enquanto estivermos um tanto na defensiva, organizando as ideias, eles nos mostrarão que os rabinos do Talmude assim interpretavam a sua revelação, defendendo a "qualidade eterna" das leis, cerimônias, sacrifícios etc. do AT. E um judeu olhará de soslaio para nossas "inovações cristãs", indagando como temos contradito a **revelação**, abandonando os mandamentos do AT, já que este documento afirma que eles são de aplicação eterna. Se salientarmos certos textos do NT, que falam da punição eterna, os universalistas frisarão outros, incluindo a narrativa da descida de Cristo ao hades, que pode ser interpretada como a fala de uma salvação para todos os homens. E assim, tal como se dá com a maioria dos argumentos, ambos saem pela mesma porta pela qual entraram.

Nessa discussão sobre a descida ao hades, como se fez por todo este comentário, procuramos equilíbrio na interpretação. Cremos, pois, que por mais nobre que seja a ideia dos universalistas, ela não preserva o equilíbrio obtido na comparação de Escrituras com Escrituras. Portanto, a ideia é suspeita.

3) **Outrossim**, ansiosos por preservar esse equilíbrio, recusamo-nos a ver, nas Escrituras, somente os temíveis versículos da retribuição eterna. Além desses versículos, e modificando-os, vemos outras revelações de graça gentil, as quais lançam luz e esperança no sombrio hades. A sombra lançada pela cruz **se eleva** acima de toda a vergonha humana, cascateando sobre ela as águas potáveis da bondade até o reino macambúzio dos desobedientes antediluvianos. Por isso é que foi dito: "Ele foi e pregou aos espíritos em prisão, que antes foram desobedientes [...] o evangelho foi pregado aos mortos". Desistirei dessas palavras de graça e benevolência eternas somente porque, noutro lugar, a ira relampejante de Deus é vista a perseguir o pecado e o pecador com terror incansável? **Não eu.** Sim, não eu, principalmente porque não ouso diminuir do que afirmam as Escrituras o poder da missão de Cristo, ainda que outros homens, por ignorar o que elas dizem, ou por terem pontos de vista diferentes a respeito, diminuam a importância da sua missão.

O Cristo, Salvador de todos os mundos
Cristo, Salvador de todos os mundos, em todos os mundos,
até a beira mesma da condenação;
Amando, pesquisando, buscando, salvando para além do sepulcro ou túmulo.
Decretos divinos, dogmas humanos, séculos presentes ou futuros,
pobres mentes, embotadas pelos sentidos e pelo tempo
— nada pode limitar o poder imutável, esperança fixa e sublime.
Ó Cristo imutável, redentor eterno,
na transição dos séculos sempre o mesmo,

constante é o poder recuperador do teu nome.
Ponto do tempo chamado terra, e tu Jesus,
não são tudo, não podem ser tudo;
Esferas além, mundos vindouros, o Logos divino deve dominar.
Ponto de tempo findo pela morte, significa para alguns o fim da **própria** vida,
para outros, o fim de esperança, ambas as visões míopes, **sem dúvida**,
Pois tu, ó Cristo eterno, no tempo e fora dele sustentas **seguramente**.
Amando, pesquisando, buscando, salvando para além do sepulcro ou túmulo.
Tu és o Cristo, Salvador de todos os mundos, em todos os mundos,
até a beira mesma da condenação,
a beira da condenação; na condenação? na condenação!

(Russell Champlin)

Quão temível é o caso, quão temível é a ideia, aqueles que **perderam** seres amados,
Os quais, até a beira, seguiram os que amam,
E se puseram no limitar insuperável,
Com nomes queridos reprovam a calma muda,
E estendem por sobre o abismo sua mão vazia.

(Tennyson)

"Ele foi e pregou aos espíritos em prisão, que antes foram **desobedientes** [...] o evangelho foi pregado aos mortos."

O abismo é por demais profundo,
Suas mãos pequenas demais,
Contudo, Jesus ao lado deles,
Pode recuperar almas perdidas.

Vede esses homens soerguidos por Cristo,
O resto ainda não foi revelado.
Ele não nos diz, ou algo fechou
Os lábios de Pedro, o evangelista.

(Russell Champlin)

Vejamos o que ensina aqui o texto; nada mais e nada menos que **isso**. Cristo pregou o evangelho aos mortos desobedientes, provavelmente **para** ampliar-lhes sua **missão salvadora**, que tão recentemente ele realizara. O resto, Pedro não nos conta. Seus lábios ficaram fechados. Quantos creram? Quantos zombaram? Quantos rejeitaram? Esse ato foi um precedente? **Foi um** acontecimento isolado?

Quero responder a essas perguntas: Especulo e espero, e por meio **disso**, exalto o Cristo Salvador. Dogmaticamente, porém, não posso ir além do que diz o texto, embora imensas sejam as implicações do texto sagrado.

O caso em favor do precedente — Um pouco de reflexão nos **assegura** que o que Cristo fez no hades foi um **precedente**, isto é, estabeleceu um padrão para missões futuras similares; e, de fato, foi a abertura do hades como campo missionário. Além disso, sua missão ali alterou para sempre o caráter do hades. A razão e o conhecimento bíblico nos levam a isso, embora não o diga especificamente o texto de 1Pedro 3. **Tudo** quanto Cristo fez foi um precedente. Toda a sua vida e missão tiveram o desígnio específico de ser precedente de vários tipos. Sua vida tornou-se para nós, para todos os séculos, um precedente de como a inquirição espiritual deve ser efetuada. Sua **morte** tornou-se a base da expiação por todos os homens, em todos os lugares, **a** qualquer tempo. Sua ressurreição tornou-se a base do dom da vida eterna, e nenhuma limitação de tempo pode impedir que esse dom seja outorgado. Em sua ascensão, também somos elevados aos lugares celestiais. Seria muito estranho se sua descida ao hades, em contraste com tudo o mais que ele fez, não tivesse aplicação além daquilo que ele, naquele momento, realizara ali.

Textos bíblicos em favor do precedente — O texto principal, naturalmente, é Efésios 4.9,10: "Ora, que quer dizer subiu, senão que também havia **descido** até às regiões inferiores da terra? Aquele que desceu é também o mesmo que subiu acima de todos os céus, para encher todas as cousas" (ARA). **Esses** versículos ensinam claramente que sua "**descida**" envolveu o mesmo objetivo de sua ascensão, ou seja, os dois episódios contribuíram para que ele "preenchesse todas as coisas", ou fosse tudo para todos. Já discutimos **sobre o** sentido dessa expressão, e deixamos que vocês usem da memória a respeito. Portanto, o quadro é claro: Ele veio à terra em missão salvadora; desceu **às** porções inferiores da terra (hades), ampliando sua missão; então, subiu aos céus para levar avante o seu propósito. Missão terrena, infernal e celestial, missão salvadora do Salvador universal! Obtém-se a mesma ideia fazendo a relação de Efésios 1 com Colossenses 1.16, o que já fizemos antes de iniciar a discussão sobre a descida de Cristo ao hades. Apesar de a "descida" ter aplicação direta à natureza do mundo intermediário, conforme frisamos, **ela** se aplica também às condições das coisas na eternidade, uma vez que **sejam** fixadas as fronteiras eternas. Isso acontece porque aquilo que Cristo fez no hades tem resultados permanentes, não menores do que aquilo que ele fez na terra, e, subsequentemente, nos céus. A descida ao hades foi parte de sua missão remidora. As coisas são assim simples.

O que fica implícito na **"descida"**, no tocante ao estado final dos perdidos.

A narrativa de Pedro não descreve diretamente o estado final, antes, o julgamento intermediário do hades. Todavia, sua atitude frente à graça admirável concorda com outras revelações que elevam a cortina eterna para além da narrativa da "descida". Apesar de não podermos defender o ensino dos universalistas, pelas razões que já expressamos, contudo, textos bíblicos como Efésios 1 e Colossenses 1.16 por certo **vão além** do que ensinam alguns homens acerca do estado final dos perdidos. Essas passagens requerem um "tipo de restauração", no estado eterno, em Cristo, para todos. Esse é o mistério da vontade de Deus (ver Ef 1.10), e todos os ciclos sucessivos (ou dispensações) das operações de Deus eventualmente farão todas as coisas e todos os seres terem a Cristo como seu centro e razão de existência. Isso, porém, não faz todos os homens se tornarem eleitos, mas significa imensamente mais do que alguns querem atribuir a essas declarações bíblicas.

A tragédia de rejeitar a Cristo além daquele tempo quando ele oferece às almas sua vida e natureza (salvação) não consiste de meros "sofrimentos" da parte dos homens, embora esses sofrimentos sejam bem reais. Antes, a tragédia consiste do fato de **terem perdido** seu direito de primogenitura como homens, direito que lhes cabia pelo simples fato de serem homens, podendo assim ter compartilhado potencialmente da vida e da natureza do "homem ideal", o que lhes dava o direito de participar da divindade (ver 2Pe 1.4). Tendo perdido seu direito de primogenitura, sofreram assim perda infinita, pois aquilo que poderiam ganhado era de valor infinito. Os perdidos, pois, se perdem de modo infinito, pois deixam de ser infinitamente salvos. Se fizermos com que a salvação inclua só o perdão dos pecados e a futura mudança de endereço para os céus, então teremos deixado de entender o que significa a eleição para a glória eterna. Além disso, desse modo teremos perdido de vista o contraste entre o que significa ser "salvo" e ser "perdido".

A missão de Cristo, **eventualmente**, envolverá até os perdidos, mas a restauração destes não importará em salvação, por mais magnificente que seja essa restauração. Essa magnificência será perda infinita, em contraste com o lucro infinito dos eleitos. A mão amorosa de Deus opera até na condenação, e um dos dedos dessa mão é a retribuição, ou seja, a operação da lei da colheita segundo a semeadura, de modo que nenhum pecado de comissão ou de omissão venha a ser negligenciado. No entanto, serão "julgados como homens na carne, para que, finalmente, vivam como Deus, no espírito" (1Pe 4.6). Não honramos a Deus ao rejeitar esse ensino, pois desse modo apenas reduzimos o ensino bíblico sobre o que é e o que realiza a missão de Cristo.

O texto de Colossenses 1.16 mostra que o mesmo **tudo** que Deus criou, o que foi criado por causa de seu ser (a criação foi realizada "nele" e "por ele"), também será "para ele", ou seja, "retornarão a ele". Encontramos aqui a "metáfora da emanação" da filosofia e da teologia antigas. O sol, "fogo central", despede seus raios, emana seus raios, e então, o sol recolhe seus raios, que são reabsorvidos. Os autores do NT e os primeiros cristãos normalmente evitavam qualquer metáfora de emanação, porque abria caminho para o panteísmo; mas aqui e acolá essa metáfora foi utilizada com cautela, sem nenhum intuito de ensinar o panteísmo. Assim, a criação procede de Cristo. "Tudo" veio dele, por causa dele e por meio de seu poder. Então, com igual certeza, deverá retornar a ele, sendo reabsorvido por ele, o que explica a **unidade** aludida em Efésios 1.10. O mesmo "tudo" que se iniciou nele, deverá retornar a ele, já que nada pode escapar ao magnetismo de seu poder. Nesse retorno, Cristo se tornará em "tudo para todos" (ver Ef 1.23). Ele é a razão da existência de tudo, o alvo da vida de tudo. Sim, isso é verdade em menor sentido do que no caso dos eleitos; mas é uma verdade admirável, não obstante. Portanto, permanece de pé a veracidade daquela declaração de Cristo: "E eu, quando for levantado da terra, todos atrairei a mim" (Jo 12.32). Isso não significa, porém, que todos os homens venham a ter aquela "verdadeira vida" que foi planejada para eles, isto é, a participação na vida necessária e independente do próprio Deus (ver Jo 5.25,26 e 6.57). Não quer dizer também que todos compartilharão da "natureza divina" (ver 2Pe 1.4). Contudo, significa que, de modo nenhum, pode fracassar, finalmente, a missão de Cristo, conforme os homens pensam em derrota. Quando tudo for recolhido numa unidade em torno de Cristo, sua missão terá obtido êxito em graus variados, e com resultados diversos; mas não terá falhado. É impossível que sua missão pudesse vir a falhar, conforme os homens pensam no que seja o fracasso.

Vício das teologias sistemáticas e das denominações sectaristas:

É bom ter-se um sistema de crenças; é bom nos identificarmos com certo grupo, a fim de podermos exercer um esforço conjunto em prol do evangelho. As teologias sistemáticas e as denominações, porém, participam do vício de **excluir** ou de "distorcer" o que não se adapta à sua linha de pensamento. Assim é que alguns negam a divindade de Cristo porque não podem compreender como uma entidade poderia ser, ao mesmo tempo, divina e humana. E outros homens, pelo mesmo motivo, negam a humanidade de Cristo. Ambos

os lados não percebem que as doutrinas verdadeiramente importantes da fé cristã, em algum ponto do seu desdobramento se tornam paradoxos; e não porque realmente sejam tais, mas porque nos parecem tais, devido à nossa atual limitada compreensão. A "teologia" é o "estudo do divino", que busca reduzi-lo com êxito a termos humanos. Alguns rejeitam a doutrina do "livre-arbítrio" porque as Escrituras ensinam a "predestinação"; e, por igual modo, alguns rejeitam a doutrina da predestinação, porque as Escrituras ensinam o "livre-arbítrio". Denominações são formadas a fim de defender um lado ou outro do paradoxo. As denominações fazem a verdade como que estacar na estação. A denominação freia, mas a verdade prossegue, e aquele que acompanha a verdade é declarado como quem está na trilha errada.

É nesse mesmo campo dos **paradoxos** que situamos os ensinamentos bíblicos sobre o juízo. Há aqueles versículos severos, inflexíveis, aterrorizantes, temíveis. Precisamos deles, porque nos advertem contra a perda infinita que podemos sofrer. No entanto, há também os versículos cheios de esperança, penetrantes, rebrilhantes, que suspendem a melancolia terrível. Por certo não sabemos como harmonizar todos os textos bíblicos para formar um "grande quadro"; e nem sabemos expor a questão mediante argumentos convincentes, para a direita ou para a esquerda, conforme as perguntas vão surgindo nas mentes de muitos. Erramos, porém, ao fazer um texto bíblico entrar em aparente conflito com outro, negando assim a grandiosidade da revelação de Cristo, a qual, eventualmente, deverá ser "tudo para todos".

Ouçamos o cântico da redenção que desce dos céus, em dons divinos, o magnífico cântico dos eleitos, que só pode ser entoado por eles. Ouçamos, entretanto, igualmente o cântico de restauração que ascenderá dos reinos do juízo eterno. Esse cântico será menos belo e imponente, mas **terá o mesmo tema**, o único tema que finalmente será explorado: Cristo. Ouçamos o tema do cântico de qualquer homem: Cristo. É isso que as Escrituras tencionam dizer quando afirmam que ele é o Alfa e o Ômega. Alfa, porque a criação foi nele e "por meio dele". Ômega, porque a criação também foi "para ele". Ômega, digo, e não apenas Alfa. Vede, o Cristo de pé!

Foi grande trazer o mundo do nada,
Foi maior redimir.
Foi grande revelar Deus a seres angelicais,
Foi maior estimar o homem humilde.

Foi grande habitar no exaltado favor divino,
Foi maior ser Salvador no homem quebrantado.

(Russell Champlin)

Já que comecei a dominar o campo, chegando mesmo a tirar Scepticós da discussão; peço permissão para terminar o resto do esboço sem interrupções.

h. Não é isso o purgatório

O texto à nossa frente tem sofrido várias perversões. Naturalmente, tem sido usado como **texto de prova** em prol do purgatório, mas sem razão. O purgatório envolve a noção de que os crentes que morrerem com pecados não perdoados, ou com imperfeições, devem atravessar um período de sofrimento e juízo para serem purificados e aprimorados. Esse texto, entretanto, alude a almas perdidas, e não a almas de justos. Para aquelas é que a misericórdia foi estendida; para elas é que o evangelho foi anunciado.

i. Sumário dos ensinamentos desta passagem

Após realizar a expiação, Cristo, **em seu espírito desencorporado**, desceu ao hades, mundo dos espíritos humanos daqui emigrados. Ali ele anunciou o evangelho aos desobedientes e ofereceu-lhes a salvação, sob a condição de arrependimento e fé, preservando a mesma condição de sua missão salvatícia nesta plana terrena, onde, por igual modo, ele é o único Salvador. Porque é a igreja o seu corpo, a sua plenitude, tem a tarefa de fazer Cristo tornar-se tudo para todos, porquanto o corpo é a expressão do Cabeça em todas as dimensões. Assim ensina Efésios 1.23, e esse versículo contempla a eternidade, conforme nos demonstra o contexto. Outros textos bíblicos ensinam que as fronteiras eternas serão estabelecidas por ocasião do retorno de Cristo, e não por ocasião da morte dos indivíduos. As notas in 1Pe 4.6 demonstram o fato. O texto demonstra que Cristo é o Salvador cósmico, e não meramente um Salvador terreno. Ele teve seu ministério nesta terra; seus apóstolos e sua igreja deram prosseguimento a essa missão; em seguida, ele iniciou sua missão no mundo inferior, para ter continuação do mesmo modo que sua missão terrena. Finalmente, ele tem uma missão nos lugares celestiais; e, combinando todas as suas missões, que são uma só missão cósmica, eventualmente ele se tornará tudo para todos.

Alguns bons intérpretes preferem ensinar com esta tradição, que Cristo "melhorou" o estado dos perdidos na sua "descida", não ofereceu a plena salvação. Esta opinião devemos respeitar, mas a outra parece mais provável.

10. A descida ao hades nos comentários modernos

Segundo tem sido frisado aqui e acolá no estudo anterior, essa interpretação é **comum** durante a história eclesiástica, embora para alguns possa parecer nova e mesmo antipática, já que têm contemplado a verdade somente por intermédio dos olhos de alguma denominação particular. Estas notas e ideias foram compiladas com o auxílio de dezessete comentários diversos; foram também consultadas outras obras, como dicionários, léxicos e enciclopédias. Dentre os 17 comentários consultados, 12 trazem uma interpretação essencialmente semelhante à deste compêndio. Esses 12 são: Bloomfield, no "Comprehensive Commentary"; Vincent, em "Word Studies in the New Testament"; Mason, no "Ellicot's Commentary"; R. Rawson Lumby, no "The Expositor's Bible"; Lange, no "Lange's Commentary"; Bigg, no "The International Critical Commentary"; Hunter e Homrighausen, em "The Interpreter's Bible"; Meyer, no "Meyer's Commentary on the New Testament"; Wordsworth, em "Wordsworth's Greek New Testament"; Alford, no "The Greek New Testament"; H. H. A. Hart, no "The Expositor's Greek Testament". Pode-se notar que esses homens representam a herança da literatura cristã no idioma inglês. Os autores eram luteranos, anglicanos, batistas e presbiterianos. Precisamos admitir que, no tocante a grupos evangélicos modernos, a maior parte dos batistas e presbiterianos não tem seguido essa norma. Dentre os cinco comentários restantes que foram consultados, John Gill, Adam Clarke e Fausset negam completamente a narrativa da descida ao hades. Calvino admite a realidade desse fato, mas não vê nisso nenhum benefício para os perdidos. Robertson apresenta ambos os lados da questão, embora não ofereça sua opinião pessoal. Dentre os dezessete comentários examinados sobre o assunto, só três negam completamente a descida ao hades, e só quatro dão uma interpretação diversa das linhas expostas neste sumário. Com esta última afirmação queremos dizer que esses não percebem bem nenhum nem aprimoramento para os perdidos por ocasião da "descida"; mas "todos os demais" autores, de diferentes maneiras, veem ter havido aprimoramento ou mesmo a oferta de plena salvação no mundo intermediário de juízo. Esse mesmo apoio esmagador tem sido dado à narrativa da "descida" por toda a história eclesiástica (conforme temos visto no primeiro ponto da discussão).

j. A "descida ao hades" na história cristã

Em primeiro lugar, deve-se notar que **descidas** ao mundo inferior dos espíritos, por parte de deuses e herois, e por várias razões, como curiosidade, para obter algum dom pessoal, ou para prestar algum serviço misericordioso, são bastante comuns nos escritos dos babilônios, egípcios, gregos e romanos. Nas tradições babilônias, temos a descida de **Istar**, na tradição mandeana, a descida de **Hibil-Ziwa**; nos escritos gregos, a descida de **Hércules** na obra "Alcestis", de Eurípedes. E essas alusões a descidas também são comuns nas religiões misteriosas. Na teologia judaica helenista, o conceito era acolhido, favoravelmente, e profetas do AT são retratados como quem cumpriu missões no hades. (Ver o quarto ponto da discussão, quanto às provas a respeito.) Na literatura não-canônica da igreja antiga, a descida ao hades figura como doutrina importante. A narrativa aparece no evangelho de Pedro, no evangelho de Nicodemos e no Testamento de Abraão. A "descida" foi aludida em termos positivos por todos os pais da Igreja cujos escritos aludem ao tema, até que Agostinho, já no século V d.C., deu uma interpretação que negou totalmente a realidade do episódio. A descida foi incluída nos credos apostólico e atanasiano. Após o tempo de Agostinho, poucos a negaram, embora alguns nomes respeitáveis estejam vinculados à sua negação.

"A crença, de uma forma ou de outra, tornou-se crescentemente comum nos primeiros séculos, e, finalmente, veio a ser aceita de maneira geral pela Igreja, participando dos credos apostólico e atanasiano. Na Idade Média, tornou-se tema popular em peças miraculosas, na arte e na literatura. Durante a Reforma, foi incluída de modo geral nas confissões e outras declarações de fé. Em períodos mais recentes, a 'descida' se tem tornado motivo de controvérsias. Entretanto, continua sendo aceita, apesar de suas várias interpretações, pela maior parte do cristianismo, tanto católico quanto protestante, apesar de que um número crescente de denominações evangélicas a venham repelindo". (Encyclopedia of Religion, New Students Outline Series, p. 224).

k. A descida ao hades no NT

Quanto a outras passagens, além daquelas a que já nos referimos, que contêm a descida de Cristo ao hades, ver Atos 2.27,31 (Pedro também falava); Efésios 4.8-10 e Romanos 10.6-8. Notas adicionais sobre o tema aparecem nessas referências. Por conseguinte, a "descida" não é um tema isolado, isto é, achado somente na passagem de 1Pedro. Foi profeticamente antecipado em Salmos 16.10.

Conclusão

Ao que já foi dito, precisamos adicionar duas coisas:

1) É errôneo usar este texto, ou permitir-lhe influenciar nossa maneira de pensar, de modo a **diminuir a importância** da missão evangelística da Igreja de nossos dias. Quão absurdo pensar que é menos importante levar homens a Cristo agora, meramente por ser possível conduzi-los a ele além do sepulcro. A mesma rebeldia que leva os homens a rejeitá-lo agora, facilmente pode conduzir indivíduos ao estado eterno despidos de salvação. Entretanto, por outro lado, nenhum zelo evangelístico no atual estado mortal deve apagar de nossa consciência o poder prodigioso da missão de Cristo, aqui, ali ou em qualquer outro lugar.

2) A discussão sobre a "descida", como também qualquer outro ponto teológico, "não se deve tornar pretexto" para cortarmos e ferirmos a outros, para apontarmos dedos acusadores, para usarmos sem cautela a palavra "herético".

Ó Deus [...] que carne e sangue fossem tão baratos!
Que os homens viessem a odiar e matar,
Que os homens viessem a silvar e decepar a outros
Com línguas de vileza
                    [...] por causa de [...]
"Teologia".
                                        (Russell Champlin)
Da covardia que teme novas verdades,
Da preguiça que aceita meias verdades,
Da arrogância que pensa saber toda a verdade,
Ó Senhor, livra-nos!

Zetetés – Vejo que nosso diálogo, por algum tempo, tem se transformado num monólogo. Devo admitir que Súnesis estava preparado. Pela feição do rosto de Matetés, vejo que ele não está certo de que deve aceitar o que foi dito. Eu suspeito que ele deseje que as coisas sejam mais duras para os perdidos do que as que foram descritas.

Matetés – Certamente, eu as admito, e as tenho frequentemente pregado.

Scepticós – O que poderia ser mais duro do que perder um ganho infinito?

Matetés – Não creio que o que foi dito interprete adequadamente versículos como Apocalipse 14.11. Conversa sobre a fumaça de seu tormento ascendendo para sempre não parece reconciliar-se com a conversa sobre uma grande restauração. Certamente o autor do Apocalipse não antecipou nenhum tipo de restauração, mas punição de forma horrível desgastante e sem trégua. Os perdidos trazidos a uma unidade em torno de Cristo, e para o seu "bem". Imagine! Além disso, esta explicação que contrasta uma "redenção" dos eleitos, com uma "restauração" dos não-eleitos não me satisfaz.

Súnesis – Não creio que o que foi dito tenha sido dito com a intenção de diminuir a seriedade do julgamento. Ao contrário. Em primeiro lugar, temos dito que os sofrimentos serão muito reais, mas que não são **sem propósito** e possuem um elemento de restauração dentro deles, para que, **pelo** julgamento, e não pelo desvio dele, a unidade em torno de Cristo possa ser alcançada.

Matetés – Você é um homem inteligente, Súnesis, mas acho que desta vez a sua sabedoria o tornou louco! O julgamento que você implica é primeiramente caracterizado pela severidade, mas a seguir torna-se uma medida para trazer essa unidade e restauração.

Súnesis – Não é exatamente assim. Um pai pode ser severo, mas se ele é um bom pai, a sua severidade é usada com a intenção de trazer o bem. Há um Pai celestial, sabe?

Matetés – Há também um Juiz celestial, sabe?

Súnesis – O Juiz celestial sabe o que está fazendo quando provoca o terror no coração dos homens. Cristo é o Cabeça de toda a raça, e ela deve voltar a ele, tal qual foi transmitida dele, apesar de que a totalidade não voltará da mesma forma, e na mesma extensão, no que diz respeito a seus vários constituintes. O terror é uma medida necessária para o funcionamento do plano. Os homens tradicionalmente aprendem pelo caminho mais duro.

Matetés – Isso é verdade. Nesse ponto, concordo com você. Os homens aprendem pelo caminho mais difícil, e muitos nunca aprendem. É contra esse tipo de coisa que os fogos do inferno serão dirigidos, e os perdidos serão queimados para sempre, e o seu estado de pós-ressurreição lhes dará a forma de vida que fará com que sintam ainda mais as dores da queimadura. E talvez, como alguns intérpretes têm dito, eles serão transferidos de lugares de extremo calor, para lugares de extremo fio. Assim, sofrerão agonias, tanto continuamente como para sempre, que nem mesmo as palavras divinas podem descrever.

Súnesis – Calma lá, Matetés, você está apenas querendo me enojar!

Scepticós – É Deus que faz isso, ou algum monstro infernal?

Matetés – Cuidado com a sua língua Scepticós, ou você será culpado de blasfêmia!

Scepticós – Talvez blasfêmia contra um deus do tipo que você descreve seja adequada.

Epítropos – Esperem, vocês dois, as coisas estão se descontrolando um pouco. "Teologia" não deve ser a desculpa para cortar e queimar em ofensas.

Súnesis – Isso é verdade, e devemos nos lembrar disso. Quando começamos a nossa discussão sobre o "repensamento do Evangelho", sabíamos que entraríamos em desentendimento. De fato, as duas posições que Matetés e Scepticós estão agora defendendo têm sido mantidas por variadas pessoas na igreja histórica, e agora na igreja moderna. O que você acredita sobre a natureza do julgamento revelará essencialmente em "que denominação você cresceu". Isso pode ser modificado, naturalmente, por estudo e investigação pessoal ou pela consideração das ideias dos outros.

Zetetés – Vamos voltar às objeções de Matetés. O que se diz a respeito dos versículos severos?

Súnesis – Creio que temos sugestionado uma forma, aliás, formas de solucionar esse problema. Considere:

1. É errado presumir que todos os autores do NT estavam no **mesmo nível** de sabedoria, ou que suas revelações penetraram a verdade no mesmo grau. A maioria dos intérpretes supõe que Paulo trouxe muita "verdade de igreja" que outros não trouxeram, isto é, informações sobre a natureza, chamada e destino da igreja. Sendo assim, não podemos dizer "Veja! Já que Pedro não ensinou este ou aquele item (que Paulo parece ensinar), tal coisa não pode ser verdadeira". É lógica e espiritualmente possível, portanto, que um autor possa ter mais informação sobre o julgamento do que outro.

2. Segue-se que Paulo poderia dizer mais do que Pedro sobre a natureza, chamada, e destino da igreja; que Pedro poderia dizer mais do que Paulo sobre a natureza do julgamento. Portanto, obtemos a melhor descrição do significado da descida de Cristo ao hades em Pedro. No entanto, as descrições de Paulo sobre o estado eterno são mais iluminadas do que as de Pedro e assim obtemos passagens como Efésios 1 e Romanos 8. Em Efésios 4.9,10, Paulo relata desde a descida até o plano eterno de redenção e restauração. E é assim que as diversas revelações são suplementares, não contraditórias, mas não foi dado a todos os escritores do NT revelar as mesmas verdades.

3. Além disso, já vimos que grandes verdades possuem muitas facetas, ou aspectos. Quando vistas de lados diferentes, as meias-verdades parecem ser paradoxos. Talvez pareça um paradoxo que o julgamento poderia ser, de um lado, **retributivo**, mas do outro lado, **restaurativo**. Um autor do NT pode falar do lado retributivo, outro, do lado restaurativo. Isso é exatamente o que obtemos quando comparamos Apocalipse 14.11 com 1Pe 4.6.

4. Não precisamos presumir que **todos** os autores do NT anteciparam um lado restaurativo para o julgamento. Não é provável que o autor de Apocalipse antecipasse uma restauração. Parece certo o bastante que Pedro e Paulo anteciparam, julgando pelas Escrituras que temos examinado.

Zetetés – Imensa verdade, então! Pense nisso! Podemos até considerar bem-vindo o terror do julgamento!

Matetés – O quê? Considerar bem-vindo o terror do julgamento?!

Zetetés – Deixe a tristeza fazer o seu trabalho. O julgamento em si é necessário para ajudar a provocar a unidade. Portanto, traga o julgamento e deixe que ele faça o seu trabalho!

Matetés – Como você pode dizer que o julgamento é eterno?

Zetetés – Uma vez que se estabeleçam as barreiras eternas, e partindo do princípio de que os perdidos são na realidade uma **espécie** de ser diferente dos remidos, não poderá existir mais chances para que venham a compartilhar da imagem da natureza de Cristo, que é o significado da salvação. Eles perderam a sua primogenitura, tendo-a barganhado por algo infinitamente inferior. Apesar disso, por meio do julgamento, e outros atos de misericórdia e graça, Deus trará esses seres para a sua unidade e fará com que Cristo seja tudo para eles. Todas as suas motivações, desejos e ações serão dirigidos para o bem e a glória de Cristo, e isso necessariamente deverá resultar, para o próprio bem deles. Isto é o que o mistério da vontade de Deus requer. Há o propósito predestinante de Deus atrás do mistério e não pode falhar. Cristo deverá ser finalmente tudo para todos os homens. É impossível que a missão de Cristo deixe um homem sequer sem ser tocado, finalmente. O seu toque é o toque do poder; é a chama do amor; é o trabalho da graça.

Scepticós – Deixe-me ser corajoso sobre tudo isso. Parece que os perdidos, em sua restauração, obterão uma glória maior do que a maioria dos cristãos modernos espera que seja a glória dos remidos! A glória dos remidos é uma coisa imensa. Sendo assim, faz de qualquer coisa menor um verdadeiro julgamento.

Matetés – Acho que a sua coragem excedeu os limites de toda a razão.

Scepticós – O que Cristo fez para os homens ficou além de toda a razão humana.

Súnesis – Vejo que vocês dois se preparam para a batalha novamente. Nós, no entanto, temos de encerrar a discussão desta semana, e portanto digo para vocês, já que continuam com as suas opiniões anteriores, que deixem que o Espírito lhes dirija para toda a verdade, e deixem que a eternidade tenha a natureza que o próprio Deus determinar.

Zetetés – Antes de encerrar, gostaria de acrescentar algumas observações.

Súnesis – Não hesite.

Zetetés – Considere o inferno como separação autodesejada. Pergunta-se frequentemente, como poderia um Deus bom, permitir que homens sofram em algum inferno? A resposta é que Deus nos deixou livres; livres para centralizar nossa vida nele ou em nós mesmos. Cada um, finalmente, deve fazer esta escolha, e não haverá desculpas. Cada um é livre para dedicar tudo a si mesmo, ou a Deus. Fazer o primeiro é inferno;

fazer o segundo é céu. Usamos figuras impressionantes para descrever o inferno como fogo queimante e vermes que mordem eternamente. Essas figuras possuem força no fato de que nos alertam para a nossa possibilidade de perda infinita. Nossas más escolhas nos separam do destino que nós, como homens, podemos alcançar.

Agora, deixem-me indagar: essa separação de Deus poderia ser final? Em princípio, sim. Mediante o abuso, um homem pode perder sua liberdade de corresponder a Deus. E isso **pode suceder** no plano terreno, e, mais tarde, no inferno, no mundo intermediário. Uma alma resolvida a ter o próprio eu como seu bem, pode cortar-se da possibilidade de uma reação livre a Deus. Só por intervenção divina, nesse caso, pode ser melhorado o seu estado. Penso que Deus pode transcender ao livre-arbítrio humano em qualquer esfera. Seja como for, ele fará sua vontade impor-se, o "mistério de sua vontade", quando se resolver produzir a unidade sobre a qual temos falado. Agora, porém, um homem B racionalizar todas as suas faltas. Pode ocultar-se de qualquer juízo em sua vida. Sócrates dizia que a vida sem disciplina é indigna de ser vivida. As pessoas vivem vidas indignas. Poderão fazer isso para sempre, a não ser que venha a intervenção divina do juízo. Portanto, para o bem de algumas pessoas, que venha esse juízo, a intervenção que elas necessitam! Um homem pode ignorar a visão de qualquer coisa mais elevada do que o mundo que ele imagina em seu egoísmo. Poderá fazer isso por tanto tempo, que virtualmente não mais ouve a voz que o chama de dentro ou de fora. Negar o inferno, em princípio, seria negar a liberdade do homem; confiná-la a qualquer coisa menor que a eternidade seria limitar essa liberdade.

No entanto, quando consideramos como as coisas operarão, de fato, devemos levar em conta nossa experiência com Deus nesta vida, sobretudo naquilo em que sabemos que ele opera segundo o propósito remidor em Jesus Cristo. Naquela experiência, vemos que Deus jamais desiste de tratar com a alma individual. De qualquer modo que ele pode chegar ao homem, ou pela voz insistente da consciência, ou pela influência de outros, ou pelo golpe da tragédia, ou pelos grandes momentos de alegria, o fato é que Deus busca continuamente chegar ao lado de dentro dos lugares sagrados da vida do homem e levá-lo a mudar seu centro de vida, para que saia de si mesmo e passe a servir ao **Altíssimo**. Portanto, temos base para a convicção de que Deus não altera sua atividade salvadora em prol daqueles que morreram, antes, diretamente ou pela comunhão com aqueles que o servem (a igreja do outro lado da existência), ele "continua" a buscar aqueles que fecharam a sua vida para ele. A narrativa da "descida" certamente ensina o fato. Parece, pois, que a porta do inferno está fechada somente **pelo lado de dentro**, embora Deus tenha uma chave para a porta que pode libertar os homens, a saber, seus poderes de persuasão que realizam sua obra tencionada.

Até que ponto, e por quanto tempo, além do sepulcro, o engenho de seu amor e a persuasão dos santos poderão ser aplicados, deixamos ao encargo da vontade de Deus. A Bíblia parece indicar que a segunda vinda de Cristo traçará fronteiras eternas, não sendo elas postas quando da morte física do indivíduo. E o quanto será profunda a obra redentora do outro lado da existência? Não sabemos dizê-lo, mas será bem maior do que qualquer homem agora admite. Outrossim, há aquela unidade que fará tudo ser centralizado em torno de Cristo. As Escrituras dizem, de maneira clara, quão absolutamente isso será efetuado. Isso significa que nenhum homem poderá escapar da escolha final em prol ou contra Cristo; e a cada pessoa serão dados meios a fim de fazer essa escolha inteligente. Cada indivíduo saberá plenamente quem é Cristo e o que ele pode fazer. O fato de parte da igreja negar isso não torna inverídica a afirmação. Por certo, a epístola aos Romanos, em seu primeiro capítulo, ensina que por "justiça pura" Deus não precisa salvar a quem quer que seja — judeu ou gentio —, aqui ou no outro lado da vida. Não há, porém, tal coisa como "justiça crua" da parte de Deus. É exatamente isso que prova para nós a missão salvatícia de Cristo. Asseveramos, juntamente com a Bíblia, e com a "igreja histórica", que o evangelho tem sido, e também está sendo, pregado aos mortos, aos rebeldes. Os grandes teólogos da igreja têm entendido e pensado que essa oportunidade de reação a Deus, em Cristo, é exigida por nossa crença na justiça de Deus, para não mencionar nossa fé em sua misericórdia e amor. Os mesmos teólogos têm afirmado a vastidão de seu propósito na formação da unidade que já descrevemos.

Súnesis – Muito agradecido, Zetetés, por esses comentários adicionais, que penso terem sido próprios para encerrar a nossa sexta discussão — "O meio da unidade", isto é, a universalidade da missão de Cristo.

Na biblioteca na última semana

Súnesis – Sofós dirigirá nossa discussão final. O tópico é

7. O meio da inquirição espiritual (para mim o viver é Cristo)

Já vimos como o evangelho nos envolve em **tudo** quanto somos ou fazemos.

Requer uma "mudança" (conversão); exige "a renúncia" (santificação e participação nas virtudes positivas de Deus); conduz-nos no caminho da glória (transformação segundo a imagem e natureza de Cristo); e leva todos os homens e todas as coisas a uma perfeita unidade em torno de sua pessoa. Por enquanto, porém, ainda não chegamos lá. Continuamos lutando nesse plano terrestre. Temos saudades do lar celestial e da nova natureza. Queremos fazer parte da "nova **raça**". Todavia, por enquanto, ficamos a contender contra o mal, interno e externo, usando os "meios de desenvolvimento espiritual" que nos foram providos. Estamos sendo testados — não nos enganemos a respeito —, severamente testados, e as questões da vida e da morte nos confrontam. Por essa razão é que quando escolhi os sete tópicos para nossa discussão, pensei que não deveríamos deixar de lado "O meio da inquirição espiritual". Nosso propósito é passar em revista os meios pelos quais podemos buscar o desenvolvimento espiritual, que nos levarão à glória e à unidade. Agora estou dando a Sofós a oportunidade de apresentar seu esboço.

Sofós – Pensei que seria bom simplesmente discutir sobre os meios pelos quais buscamos o desenvolvimento espiritual, as coisas comuns, coisas que já conhecemos. Talvez entremos em terreno um pouco controvertido sobre alguns pontos; mas, em sua maior parte, repetiremos coisas que quase todos já ouvimos durante muitos anos. Contudo, um pouco de revisão sempre será necessário, para que nunca olvidemos os grandes privilégios que temos na vida, pois **para nós** "o viver é Cristo". Agora consideraremos,

   a. **O meio da transformação (conversão)**

   b. **O meio da renúncia (santificação)**

   c. **O meio da petição e do exercício (oração)**

   d. **O meio do silêncio (meditação)**

   e. **O meio do intelecto (estudo)**

   f. **O meio dos dons espirituais**
      1) Uso e significado dos dons
      2) Dois extremos
      3) Dois sinais de ignorância
      4) Quatro alternativas
         a) Forças psíquicas
         b) Ludíbrio
         c) Manifestações demoníacas e de ordem inferior
         d) O Espírito e os anjos
      (5) Duas alternativas para os dons como manifestos no primeiro século
         a) A meditação
         b) Avanço, não restauração

   g. **O meio real (amor e boas obras)**

a. O meio da transformação (conversão)

As vicissitudes da vida, antes da conversão, podem servir de auxílio aos homens, levando-os à inquirição espiritual. Tudo que sucede antes da conversão por certo não é um desperdício. Deus trás a mão sobre os homens, antes de se converterem, conduzindo-os amorosamente a se dedicarem de alma a Cristo. E não duvido das respostas às orações dos homens, favorecendo-os de outros modos, embora eles ainda não tenham a Cristo como seu Senhor. **A espiritualidade** não emerge necessariamente de um vácuo, e nem começa repentinamente. Falando evangelicamente, porém, a inquirição espiritual começa no arrependimento e na fé, que são nomes ou aspectos da conversão. Essa transformação deve ser real, tocando na alma e transformando-a. Os homens podem receber certa dose de "iluminação", reconhecendo o poder das virtudes espirituais, antes de realmente se converterem. O homem celestial, entretanto, membro da "nova raça", destinado como está a participar da própria natureza de Cristo deve, de modo absoluto, passar pela conversão genuína. Isso pode ocorrer como um relâmpago, embora o relâmpago surja de situações e padrões de vida que nos revelem claramente por que o relâmpago faiscou finalmente. Ou a conversão poderá ocorrer de modo gradual. O indivíduo se arrasta aos centímetros para perto de Cristo, por assim dizer, até que, finalmente, sua alma **se entrega** a ele, mediante a fé, e ele chega a um verdadeiro arrependimento. A conversão pode compor-se de atos menores de outorga pessoal, até que, por fim, se chega à entrega total.

É provável que a própria igreja não seja, essencialmente, uma comunidade de convertidos, e, sim, um lugar onde os homens "se estão convertendo", onde os homens recebem alguma iluminação, chegam a algum arrependimento e fé, embora não se tenham ainda convertido realmente. Contudo, estão a caminho da conversão. Aqui e ali, entre eles, lado a lado com eles, estão os verdadeiramente convertidos. Aqueles que se arrependeram de seus pecados de uma vez por todas, que mudaram seu caminho, e que se entregaram de alma, genuína e finalmente a Cristo (fé). A conversão é uma mudança tão radical, que somos levados a crer que uma porcentagem não muito grande de pessoas, mesmo na igreja, a tenham experimentado. Nós a temos feito fácil demais, com nosso evangelho da crença fácil e da graça barata. Nossa **confissão** é exaltada ao lugar em que a real conversão se perde em meio à atividade de "levantar de mãos" de "vir à frente" e de "repetir uma oração após o pregador". As pessoas se inclinam por substituir a transformação real por algum 'sinal', "rito" ou "cerimônia". Alguns põem ali o batismo, outros o ato da confissão de fé. Certamente a conversão ocorre quando os homens confessam realmente a Cristo; mas essa confissão deve ser primeiro da alma, e então da vida, para que seja válida. Ninguém força Deus a levá-lo à plena salvação, meramente porque confessou publicamente a Cristo. E que dizer "privadamente", em sua vida e em sua alma? É até aí que deve chegar à confissão. Nossa vida deve ser nossa confissão. Já observamos tudo isso, e agora estamos apenas nos lembrando dessas coisas, por estarmos começando a falar acerca do meio da inquirição espiritual. Embora esse meio possa ter vários aspectos preliminares (coisas que antecedem a conversão), a inquirição intensa começa quando os homens se convertem a Cristo com toda a alma. Já discutimos sobre como isso sucede. Na nossa terceira discussão tratamos da conversão e seus vários aspectos. Queremos ter uma inquirição espiritual válida? Estamos deveras interessados em seguir a Cristo? Queremos ser membros da "**nova raça**"? Tudo isso começa na conversão real. Resolvamos nos entregar de alma a ele, para que nos transforme segundo a sua imagem. Isso significa, igualmente, a resolução absoluta de abandonarmos o caminho antigo, de renunciar. Não há pessoas convertidas que tenham deixado de renunciar ao mundo e aos seus caminhos, o caminho do pecado e da degradação. Não há promessas senão aos "vencedores". Leiamos as sete cartas do Apocalipse. O que é prometido aos não-vencedores? Nem uma coisa, sequer. A conversão requer que estejamos "do lado vitorioso" em nossa luta contra o que é vil e pecaminoso. Isso haverá de dar-nos, eventualmente, a perfeição, embora não neste lado da existência. Não obstante, nos dará a vitória agora. As promessas são feitas somente aos "vencedores". Quem possui a vida de Cristo se não houver tomado a sua cruz? Essa é a essência mesma do discipulado. Quem se converteu, mas não é um discípulo? Resolvamos, pois, entregar-nos de alma, a ale, e de uma vez por todas. Digamos a ele o que estamos fazendo. Renunciemos aos antigos caminhos; aferremo-nos ao novo caminho. Confessemos a Cristo como Salvador e Senhor; e Senhor, realmente, e não apenas Salvador. Ninguém tem a Cristo como Salvador se, simultaneamente, não o tiver como seu Senhor. Aquilo que não concorda com isso é apenas um mito piedoso.

Scepticós – Um mito impiedoso!

Sofós – Muito bem, mito impiedoso! Resolvamos, pois, nos entregar de alma a ele, renunciando aos antigos caminhos. Digamos a ele que estamos fazendo isso. Então seu Espírito virá a nós e fará uma obra real. A conversão tem um lado divino e outro humano. É divina em suas operações e resultados; mas é humana em sua aceitação. Devemos reagir favoravelmente a Deus quando ele nos apresenta Cristo. Ele diz: "Eis o meu filho". Ele é nosso arquétipo. Nosso destino é participar de sua imagem e natureza. **Custa-nos tudo** chegar lá. Portanto, renunciemos ao mundo e à própria natureza inferior. Confessemo-lo como Salvador, Senhor e transformador. Quando aceitamos esse desafio, então ele nos envia o Espírito, o poder de Deus, em nosso socorro, e opera em nós o que desejamos. Então, seu Espírito está conosco para cuidar em que levemos avante a nossa resolução. Sendo isso uma verdade, movemo-nos de glória em glória, ao assumirmos paulatinamente a imagem e a natureza de Jesus Cristo (ver 2Co 3.18).

Súnesis – Lembremo-nos do homem que comprou o campo onde estava o **grande tesouro**. Ele tropeçou no mesmo por acidente. Não o estava procurando. Reconhecia, porém, um tesouro quando o via. Excitado, "apressou-se" a inquirir como poderia comprar tal campo. Não disse: "Ofereço tal ou qual quantia". Não tentou fazer uma barganha. Não procurou diminuir-lhe o preço. Ele indagou: "Quanto custa esse campo?" Foi informado que o preço era altíssimo. Contou suas posses, e entregou todo o seu dinheiro, depois de ter vendido tudo, pois só assim conseguiu o dinheiro necessário para a compra. Vendeu tudo, **deu tudo**, e não barganhou, procurando pagar menos. Por quê? Porque o tesouro valia tudo quanto ele possuía, tudo quanto ele era. Com alegria entregou o dinheiro, bem como os documentos de sua propriedade. Com júbilo reduziu a zero seu saldo bancário. Então, tomado de alegria imensa, com o título seguro na mão, correu para comprar seu tesouro. Este era de valor imenso. Que transação fez ele!

Sofós – Consideremos o homem tolo que procura barganhar tal campo. Oferece uma propriedade, mas retém três ou quatro outras propriedades para si mesmo. Oferece 30% de seu dinheiro depositado em banco. Ninguém, porém, pode barganhar com esse campo. **Não basta! Não basta! Não basta!** diz o Senhor. Quero tudo quanto tens, tudo quanto és. Não quero ter meramente o primeiro lugar em toda vida. Terei tua vida toda ou não terei nada! A conversão é assim. É "algo radical". Custa-nos tudo, ou nada nos custa. Não se pode barganhar o tesouro do evangelho, a vida eterna que se acha em Cristo, a participação de sua natureza e de sua glória. É uma proposição de tudo ou nada. Muitas pessoas, mesmo no seio da igreja, procuram barganhar a salvação pelo menor preço possível. Agarram-se a pedacinhos do mundanismo. E chegam a pensar que podem reter um vício, e ainda assim possam adquirir o campo. Algumas vezes, sermões feitos nas igrejas até chegam a dizer-lhes que podem agir desse modo, e ainda assim poderão comprar o campo, sob a ilusão de que "o sangue de Cristo encobre tudo". O sangue de Cristo, entretanto, só cobre aquilo de que nos arrependermos, e não os pecados que ainda reinam sobre nossa vida. A Bíblia é clara sobre isso. Ele nos salva "dos" nossos pecados, e não "em" nossos pecados. Como poderia ser de outro modo? E o "arrependimento" importa em "mudança" verdadeira, e não apenas em ficarmos tristes ante o que fizemos, para nos apressarmos a repetir interminavelmente a ação, reiterando os mesmos erros. Não existe conversão sem vitória sobre o pecado, nem sem a genuína participação nas virtudes positivas de Deus. Se isso não está ocorrendo realmente, então de que vale a suposta presença do Espírito, a qual ocorre quando da conversão? Ele **habita** em mim, dizemos tolamente. No entanto, com que provas dizemos isso? Ele transformou, porventura, a minha vida? Ele me tem dado vitória sobre os vícios? Ele opera em nós a lei do amor? Estamos edificando ou estamos derrubando?

Scepticós – Não ousemos chegar à presença do "vendedor" do campo com pensamentos de dúvida. Não ousemos dizer a nós mesmos: "Farei essa compra depois de barganhar". Se fizermos assim, adquiriremos um **pseudotesouro**. Não ganharemos o documento de posse do terreno onde está o tesouro. O "vendedor" sabe o que temos no coração. É Satanás quem oferece barganhas e "negócios". Satanás pode falar até por meio de um ministro de fé religiosa para oferecer-nos uma barganha. Não nos deixemos enganar. Só há um preço que se pode pagar por esse campo: Tudo.

Sofós – Tudo! Tudo! Tudo! Isso é o que a sabedoria nos diz. A insensatez pode falar de uma história diferente.

Matetés – O que você quer dizer com "tudo"?

Sofós – O fim dos vícios; o fim do interesse próprio. Aprendamos a "lei do amor". O fim da ambição egoísta. Entreguemos ao Senhor nossa vida e possessões, desejos e anelos. O que pensarmos e fizermos centralizemos em Cristo, pois ele é nossa vida e destino, o tesouro pelo qual devemos sacrificar tudo. Associemo-nos a pessoas e aprendamos daquelas que têm os mesmos motivos na vida. Evitemos (cedendo a situações sociais) os que nos querem arrastar para a vida antiga ou que não têm interesse no novo caminho. Associemo-nos a eles só na capacidade de ajudadores que nos podem conduzir à nova vida. Trabalhemos com eles, naturalmente, mas sejamos um fermento para o bem entre eles. Com nossa vida santa, denunciemos os vícios deles. Com nossa busca elevada, denunciemos seus motivos egoístas. Sejamos o Cristo entre eles, pois, na verdade, somos Cristo em formação; porquanto estamos destinados a participar de sua elevada natureza.

Penso que temos feito uma revisão adequada da conversão, especificamente aplicando-a à natureza básica da inquirição espiritual. Passemos agora para

b. O meio da renúncia (santificação)

Consideremos aqui a santificação só no que tange ao problema do pecado. Antes, ao discutirmos sobre esse tema, incluímos o lado positivo da participação nas santas virtudes de Deus. Esse aspecto da busca espiritual deixamos para o ponto final de nossa presente discussão — "**O meio real**, amor e boas obras". "O meio da renúncia" foi a discussão da quarta semana. Concluímos que o evangelho requer a vitória sobre o pecado. Salientamos vários textos bíblicos que demonstram que nenhum "viciado" pode ter esperança de herdar o reino. Procuramos impressionar nossa mente com o fato de as Escrituras serem bastante mais severas sobre esse tema do que o sermão mediano que se ouve nas igrejas de hoje em dia. A santificação, mediante a renúncia absoluta do caminho antigo, não é algo que possamos escolher se quisermos, e ignorar, se assim nos parecer bem. Não pode haver conversão bem-sucedida sem que ela resulte na santificação. A glorificação, outrossim, vem "por meio da santificação", que seja possível evitá-la. Não se pode deixar de lado a santificação no caminho para a glória. Isso fica claro em 2Tessalonicenses 2.13. E a santificação, já averiguamos, não indica apenas a declaração forense e divina de que somos santos com a santidade de Cristo. É algo muito maior que isso. De fato, é aí que a santificação **começa**, e não onde ela termina. O alvo do evangelho é insuflar em nós a própria natureza santa de Deus, de tal modo que aquilo que foi decretado seja realmente operante em nós. Essa é a "transformação moral" que opera a "transformação metafísica". Ela revoluciona moralmente o nosso ser, para que nos possa tornar literalmente capazes de compartilhar da mesma forma de vida que Cristo possui. Como chegamos à real santificação? Por meio do "renúncia".

Scepticós – Antes, quando discutíamos sobre essas coisas, atacamos com vigor, e até amargamente, a **crença fácil** e a "graça barata". Para dizer a verdade, fiquei surpreso encontrando essa declaração em um autor

que, obviamente, já contempla o Rei. Esse homem é um ministro evangélico que tem passado por experiências e vitórias cristãs significativas. Como é triste ver que sua teologia (expressa na forma de sermões e livros) propaga a mentira da crença fácil, que desconhece o "imperativo moral"!

Matetés – Você me deixou curioso. Qual foi essa horrenda declaração do tal autor?

Scepticós – Ei-la: "Enquanto você ainda está na estrada, voltado na direção certa, mesmo que sinta que está deslizando para trás, isso (não desistir) é o que realmente importa. Desistir é ser derrotado, tentar e falhar não é. Pode-se morrer com pecados totalmente sem conquista; mas, e então? Estamos remidos pelo amor de Deus, e não por nossas virtudes pessoais, e se estamos realmente procurando nos abrir àquele amor, essa é a única coisa que importa".

Sofós – Errado! Errado! Estupidamente **errado**! O evangelho requer vitória real sobre o pecado, dando-nos o Espírito para garantir tal resultado. Não é nossa "virtude" que está sendo desenvolvida, ou tudo se perderia desde o começo. A "virtude dele" está sendo implantada, infundida, em nós. E se isso não está ocorrendo conosco, o que terá feito por nós o evangelho? Como poderíamos ser assim vencedores, de modo a receber as promessas? Importa criticamente que tentemos e não falhemos. Tentar e falhar continuamente, sem nenhuma vitória, equivale a fracassar. Onde estará qualquer arrependimento se o pecado continua reinando sobre a nossa vida? Não basta nos erguermos e gritarmos para o dragão: "Não gosto de ti, **besta**!" Isso é o que estará fazendo um homem, se continuamente tenta, mas falha. Qualquer pessoa não-convertida pode atribuir nomes feios ao dragão. A pessoa realmente convertida, cuja conversão acha fruto na santificação, ergue-se com a espada do Espírito na mão e **mata o dragão**!

Súnesis – Foi o grande Agostinho, quando ainda não era tão grande, que orou: "Oh, Deus, torna-me bom, mas não por enquanto!"

Matetés – O que ele quis dizer com isso?

Súnesis – Ele quis dizer: "Gosto desta vida de prazeres pecaminosos que tenho. Sim, algum dia farei um esforço real a fim de ser vencedor. Contudo, não agora, pois quero viver ainda um pouco mais. Portanto, Deus, mantém-te quieto, enquanto me divirto um pouco. **Algum dia** clamarei a ti por 'libertação' ".

Scepticós – Sem dúvida uma blasfêmia!

Súnesis – Por certo uma blasfêmia, mas de um tipo de que a maioria de nós se ocupa por todo o tempo.

Sofós – Nossa experiência é verdadeiramente lastimável.

Scepticós – Certo. E tão lastimável, que nos podemos sentir desesperados imaginando que o evangelho nada tenha feito por nós. Pela graça de Deus, entretanto, paralelamente à santa determinação em nossa própria alma, gradualmente obtemos a vitória. Nem todas as vitórias ocorrem imediatamente; mas o Espírito nos põe no lado vitorioso; pois, de outro modo, que terá feito em nosso favor o evangelho? Se, realmente, ele fez pouco ou nada por nós, de que adianta encorajarmos a outros para o aceitarem? Se uma filosofia, como o platonismo ou o estoicismo, podia modificar os discípulos de um filósofo (conforme lemos que sucedeu na Grécia ou na Roma antigas), quanto mais pode transformar-nos radical, fundamental, completa e fanaticamente o evangelho de Cristo?

Sofós – Lembremo-nos do que disse o autor cujas palavras acabamos de citar: "Pode-se morrer com pecados totalmente sem conquista; mas, e então? Estamos remidos pelo amor de Deus, e não por nossas virtudes pessoais". Comparemos isso com os escritos sagrados: "Mas a impudicícia e toda sorte de impurezas ou cobiça nem sequer se nomeie entre vós, como convém a santos; nem conversação torpe, nem palavras vãs ou chocarrices, cousas essas inconvenientes; antes, pelo contrário, ações de graça [...] nenhum incontinente, ou impuro, ou avarento, que é idólatra, tem herança no reino de Cristo e de Deus. Ninguém vos engane com palavras vãs; porque, por essas cousas, vem a ira e Deus sobre os filhos da desobediência (Ef 5.3-6, ARA). Entretanto, diz o autor citado: "Pode-se morrer com pecados totalmente sem conquista; mas, e então?" As Escrituras replicam: "Ninguém vos engane: nenhum viciado herdará o reino de Deus".

Súnesis – É interessante como as listas de vícios do NT — provavelmente um costume tomado por empréstimo dos filósofos éticos, que usavam essas listas, tal como os dez mandamentos eram usados na sociedade judaica —, sempre começam com os vícios sexuais dos pagãos. Além disso, a ganância (a cobiça) nunca é olvidada. O decálogo alista o adultério entre o homicídio e o furto (ver Êx 20.13-15). Trata-se de uma posição apropriada, pois participa um tanto de ambos esses outros atos pecaminosos. **Pequena** porcentagem dos homens evita envolver-se nesse pecado, embora alguns consigam escapar de suas manoplas, depois de tê-lo experimentado. É verdade, Jesus veio para salvar os pecadores; não fosse isso, todos estaríamos sem esperança. O ponto que estamos frisando nesta discussão, porém, é que ele realmente pode salvar e salva "do" pecado, e não "no" pecado. Temos, porém, de buscar isso na pessoa dele, a cada dia de nossa vida, permitindo que o poder do Espírito opere verdadeira transformação em nós. Em caso contrário, o mundo em breve nos arrastaria de volta à depravação.

Scepticós – Que fazemos quando isso sucede? Dizemos: "É difícil demais viver uma vida de santidade". O que sucede a seguir é que nossa consciência começa a nos permitir **toda** espécie de atos, que antes nos faziam sofrer, quando simplesmente pensávamos neles. Finalmente, entramos em "tréguas secretas" com o pecado, abrigando e ocultando vícios; e alguns de nós chegam a praticá-los abertamente, sem nenhuma vergonha. Seriam esses vencedores? Que promessa é feita aos não-vencedores? Essas pessoas não são pessoas convertidas. Não existe conversão que não resulte em santificação. Não há salvação que deixe de lado a santificação. A santificação vem mediante a renúncia absoluta. Temos de sentir a grandiosidade do evangelho e do que ele nos oferece, antes de termos a coragem de renunciar a todas as coisas inferiores.

Sofós – Estamos afirmando todas essas coisas para impressionar nossa mente com esse fato inalterável: Em nossa busca espiritual, não se chega a lugar nenhum sem a renúncia inerente à santificação. A busca espiritual tem como seu alvo a participação na natureza metafísica de Cristo. E isso é realizado por meio da participação em sua santidade, e isso não apenas em sentido forense. A santificação (e o desenvolvimento de virtudes positivas) constitui o caminho mesmo para o alvo que buscamos em nossa inquirição espiritual. Portanto, é impossível deixar de lado a santificação a caminho da glória, já que não há outro caminho.

Súnesis – A santificação é a condição divinamente insuflada que opera poderosamente em nós, a fim de aprimorar nossas condições espirituais. Ao recebermos suas santas inclinações, vai sendo continuamente elevada a qualidade espiritual de nosso ser. Isso aceitamos de modo bem literal. Nós nos estamos tornando novos tipos de seres, participantes da natureza divina: "[...] para que por elas vos torneis coparticipantes da natureza divina, livrando-vos da corrupção das paixões que há no mundo" (2Pe 1.4, ARA). Não poderá haver "participação" sem o **escape**. Qualquer ideia contrária a isso é apenas ilusão; e não menor ilusão porque muitas pessoas falham quanto a essa verdade.

Sofós – O que dissemos aqui foi em poucas palavras; mas proferimos verdade pura. A parte difícil é viver essas palavras. Começaremos a viver essa verdade quando virmos que nenhuma outra coisa é digna de ser vivida. Passemos sem tardança para o ponto seguinte.

c. O meio da petição e do exercício (oração)

Como é fácil sermos "espiritualmente preguiçosos"! O pouco interesse pelo desenvolvimento espiritual nos vence, e tanto mais quando nos tornamos descuidados com a santidade, preguiçosos na oração, negligentes na meditação, egoístas, ao invés de termos atitudes altruístas em nossa vida diária. Esquecemo-nos da intensidade da vida e do ministério de Jesus.

Em horror e sangue,
Sobre uma rude cruz
Ele sofreu a perda
Para fazer estacar o dilúvio do pecado.

Pode a vitória vir livre agora,
Sem nervos testados,
Sem o ego negado,
Com a alma estranha para a agonia?

(Russell Champlin)

Devo resolver fazer da oração parte muito importante de minha vida. Quanto a isso, verei a **preguiça** como sinal de imaturidade e indulgência espiritual próprias da carnalidade. Procurarei elevar minha espiritualidade ao ponto em que a oração se torne tão natural quanto a respiração, e tão necessária ao meu bem-estar espiritual como a respiração é natural para a vida física. A minha alma buscará "anelantemente" por seu Senhor? Como poderia isso suceder sem a oração genuína? A oração genuína, autêntica, natural, pura, sincera, sem mescla. Procurarei manter unidade e harmonia em meu lar, e não só em minha vida individual, para que minhas orações não sejam impedidas. Oxalá minhas orações fossem "sem egoísmo". Oxalá fossem fervorosas, e que eu fosse reto, de modo que elas fossem eficazes! Quanto os outros precisam de mim e de orações eficazes! Estou mais perto de alguns seres humanos do que outros podem estar e estão. O que tenho feito em favor deles? Estou deixando de ajudá-los porque sou preguiçoso acerca da oração e minha vida está repleta de pecados e interesses pessoais, de tal maneira que minhas orações caem por terra? Nesse caso, que desperdício de vida! Que prodigalidade de oportunidade!

Examinemos de modo breve a natureza da oração. Todo o que desejar, pode nos oferecer seus pensamentos.

Súnesis – Quero começar. A oração é uma forma de submissão, o livramento do próprio "eu" para Deus. O soldado cristão acha-se em luta pela própria vida. Nada há de insignificante acerca da vida que ele leva. Os perigos são grandes; os inimigos são avassaladores. Seu comandante aguarda para poder ajudá-lo. A oração é um meio pelo qual o soldado cristão se submete ao seu comandante. Expressamos nossos desejos, tribulações, triunfos e perdas. O comandante diz "sim", mas ele também diz "não", quando expede as suas ordens. A oração é uma linha de vida, uma linha de comunicação com o comandante. É um exercício que nos ensina a nos submeter a ele. Nessa submissão, crescemos espiritualmente, pois a oração é um dos meios do desenvolvimento espiritual.

Epítropos – A oração é um ato de adoração. É um "pedir e receber", mas é também um ato pelo qual entramos em adoração, particular ou pública. Como parte da adoração pública, assume formas litúrgicas. Pública ou privada, é um meio de desenvolver uma atitude de reverência e adoração. Na adoração, nossa alma é espiritualizada. A oração deve falar a linguagem da adoração e do louvor.

Matetés – A oração é um ato criador que repousa sobre o poder do Criador. Esse poder é capaz de fazer qualquer coisa, pelo que a oração não tem limites, exceto aqueles impostos pelo próprio Criador. A oração "pode mudar o humano"; pode mudar as circunstâncias e as pessoas que formam as circunstâncias. A oração primeiramente muda o homem que ora. Muitas respostas à oração começam exatamente nesse ponto. Quando um homem ora, o Espírito paira próximo e o transforma. Portanto, a oração é um ato criador, interna e externamente falando.

Orar é **mais** do que pedir e receber. É um exercício espiritual mediante o qual obtemos estatura espiritual, em que a nossa alma é transformada segundo a natureza e a imagem de Cristo. Podemos precisar de alguma coisa; assim, podemos orar fervorosamente. Não acontece nada "externamente". Não recebemos o que queremos. Ao longo do caminho, porém, nossa vida de oração, porquanto convoca o Espírito, é um meio de melhorar nossa qualidade espiritual. Desse modo, obtemos melhor resposta para nossas orações do que aquela que buscávamos. Buscávamos um pouco de dinheiro, melhor emprego, a atenção de alguém a quem amamos. Talvez deixemos de obter o que "buscávamos", mas, nesse ínterim, a oração nos busca e nos transforma, pois, por si mesma, ela é um "exercício espiritual"; e aquele que se exercita espiritualmente desenvolve os músculos e as forças espirituais. Talvez eu não "ganhe" o que queria, mas a oração "ganha" a mim e me torna mais parecido com Cristo.

Como ato criador, a oração consiste em pedir e receber. E porque pode criar e realmente cria, a oração não depende de taxas de probabilidade, ou de "como as coisas podem ocorrer". Ela cria os acontecimentos. **Vale-se** do poder de Deus, o qual torna possíveis as coisas. É o homem santo que ora fervorosamente que obtém resultados. Deus nos força a orar fervorosamente porque, conforme temos salientado, a oração primeiramente tenciona levar-nos a nos exercitar espiritualmente, visando ao nosso próprio bem.

Zetetés – Considerando indícios do AT sobre a oração, expandimos nosso conhecimento sobre sua natureza e uso. A oração reconhece a personalidade e o poder de Deus, como também seu interesse pelos homens (teísmo). O deísmo, que é a ideia de que Deus criou, mas depois abandonou sua criação (deixando-a ao encargo de leis naturais), pelo que não interviria nos negócios dos homens, faz da oração um ato inútil. Deus, porém, se faz presente e intervém na história humana. Portanto, oremos! O NT, naturalmente, repete o tema do teísmo de maneira interminável. A oração é um meio de comunhão com o ser divino; é intercessão pelo próprio indivíduo e pelos outros. Moisés intercedeu em favor de Israel (ver Êx 3.10-12); Jó intercedeu por seus amigos (ver Jó 42.8-10). A oração faz parte da liturgia, conforme nos mostram os Salmos Halel. É também um ato de devoção particular (ver Ed 7.27; 8.22ss; Ne 2.4).

Scepticós – No NT aprendemos como a oração, acerca de sua eficácia, depende da paternidade de Deus. Oramos para um **Pai** (ver Mt 7.7-11). A oração ensina-nos, pois, o grande valor da alma individual. O NT ensina a necessidade de perseverança (ver Lc 18.1-18 e Mt 7.7-11). Deve repousar sobre a santidade e a fé (ver Tg 5.16). A oração não pode ser interesseira (ver Tg 4.3). A oração é exigente. Consiste de trabalho árduo (ver Rm 15.30 e Cl 4.12). Tem por alvo o desenvolvimento de outros crentes (ver Ef 1.18), o sucesso do evangelho e a salvação dos perdidos (ver 1Tm 2.4). É um exercício espiritual, pelo que deve ser efetuado mediante o poder do Espírito (ver Ef 6.18). Grandes homens de oração receberam o **dom** da oração, e são gigantes espirituais entre nós (ver 1Co 14.14-16).

Súnesis – A igreja nasceu dentro da atmosfera da oração, segundo se vê em Atos 1.4, e é fomentada dentro dela (ver At 20.28,36; 21.5). A oração torna-se possível pelo grande sumo sacerdote, que torna válidas as nossas orações, por ser o seu mediador (ver Hb 4.14-16). Jesus estabeleceu o **exemplo** de como se deve orar (ver Hb 5.7-10). A oração penetra até além do véu, penetrando no Santo dos Santos e assim chegando à presença de Deus (ver Hb 6.19). Dá-nos a sabedoria espiritual de que tanto precisamos nestes dias confusos (ver Tg 1.5-8). A oração sempre deve ser sujeitada à vontade de Deus, sendo limitada por ela (ver 1João 5.14-16).

Sofós – Portanto, oremos! Cada dia deveria incorporar um período de oração, num período específico. Como esse período poderia ser menor do que quinze minutos? Por que razão não seria de pelo menos meia hora? Como poderíamos pensar em obter tão grande recompensa, se agora evitamos a luta?

A oração é o desejo sincero da alma,
Não proferida e nem expressa,
O movimento de um fogo escondido,
Que tremula no seio.
......

A oração é a respiração vital do crente,
É o ar nativo do cristão,
Seu lema diante dos portões da morte,
Ele entra nos céus pela oração.

A oração é a voz do pecador contrito,
Que abandona os seus caminhos,
Enquanto os anjos se alegram em seus cânticos,
E dizem: Eis que ele ora!

....

Nenhuma oração começa na terra apenas:
O Espírito Santo pleiteia;
E Jesus, sobre o trono eterno,
Intercede pelos pecadores.

Ó tu, por quem chegamos a Deus;
A Vida, a Verdade, o Caminho,
A vereda da oração tu mesmo a palmilhaste;
Senhor, ensina-nos a orar!

(Montgomery)

A companhia da oração é

d. O meio do silêncio (meditação)

É muito maior o número de crentes que oram do que o número dos que meditam. De fato, em alguns lugares, nem existe a prática da meditação. Pior ainda, alguns até falam contra essa prática, como se fosse má e conduzisse ao que é mau.

Matetés – Por que as coisas são assim?

Sofós – Penso que é verdade por causa de **abusos** e de práticas prejudiciais por parte de alguns que não têm a Cristo como Senhor, e que, mediante técnicas de meditação, são queimados com fogo estranho.

Matetés – O que você entende por técnicas de meditação?

Sofós – Uma pessoa, mediante o relaxamento e a atitude de meditação é capaz de alterar seu "estado de consciência". Isso não significa que ela entre num estado de hipnose, porquanto, na alteração provocada pela meditação, ela está em sua consciência plena, embora em diferente "onda cerebral", e numa diferente qualidade de consciência em relação àquela associada ao raciocínio e às experiências diárias. Em nossa discussão sobre o "Meio do conhecimento" (na segunda semana) observamos como o cérebro é capaz de várias "faixas" de ondas e como, na onda "alfa", por exemplo, o indivíduo mostra-se intuitivo e criativo. Einstein emanava ondas alfa (oito a doze ciclos por segundo) quando fazia cálculos matemáticos. A pessoa normal estaria na onda "beta", de treze a vinte e dois ciclos por segundo. A onda alfa está associada à criatividade. Sem dúvida, muitos excelentes artistas entram na onda alfa sem o saber, sem terem consciência disso; mas sabem que em certos estados mentais recebem sua inspiração. Ora, é inteiramente possível que a manipulação das ondas cerebrais torne algumas pessoas "espiritualmente mais sensíveis". As ondas alfa e teta (quatro a sete ciclos por segundo) têm ambas sido associadas às experiências espirituais. Assim, e pela meditação, a pessoa provoca um estado de consciência que facilita as experiências espirituais, e se essa pessoa não é alguém consagrado a Cristo, mas se deixa abrir para influências estranhas, então pode ser queimado. Ou pode passar por meras alucinações, que nada têm a ver com a espiritualidade, nem negativa e nem positiva. Existe uma associação entre o veículo do corpo e a alma, que se utiliza daquele veículo a fim de expressar-se. Se modificarmos um desses fatores, poderemos modificar a função do outro. Ora, a meditação pode modificar as funções, para o bem ou para o mal. **Os abusos**, por

conseguinte, têm levado alguns autores evangélicos a desencorajarem a prática da meditação.

[...] experiências corriqueiras. Em nossa discussão sobre "Os caminhos da sabedoria" (da segunda semana), notamos como o cérebro é capaz de várias "faixas" e como, na faixa "alpha", por exemplo, a pessoa é intuitiva e criativa. Einstein emanava ondas "alpha" (de 8 a 12 ciclos por segundo) enquanto fazia cálculos matemáticos. A pessoa normal estaria dentro do limite "beta", de 13 a 22 ciclos por segundo. "Alpha" é associado com criatividade. Sem dúvida, muitos artistas entram em "alpha" sem o saberem, mas sabem que em certos estados mentais eles recebem inspiração. Então, é inteiramente possível que a manipulação das ondas cerebrais torne essas pessoas mais sensíveis espiritualmente. "Alpha" e "theta" (de 4 a 7 ciclos por segundo) têm sido ambos associados com as experiências espirituais. Portanto, se pela meditação for provocado um estado de consciência condutivo a experiências espirituais, e a pessoa não for dedicada a Cristo, mas abrir-se para influências alienígenas, então poderá se queimar. Ou poderá ter alucinações simples, que nada têm a ver com espiritualidade, negativa ou positivamente. Há uma associação tênue e sutil entre o veículo do corpo e da alma, que usa esse veículo para sua expressão. Se modificarmos um, poderemos modificar o outro. A meditação pode modificar funções para o bem ou para o mal. Os abusos, portanto, têm feito com que alguns autores cristãos desencorajem a prática da meditação.

Scepticós – Isso é certamente errado, pois a história da igreja nos mostra claramente que alguns gigantes espirituais eram assim porque, junto da oração, eles praticavam a meditação, a irmã da oração. Nas próprias Escrituras, podemos ver que um estado de consciência alterado, se produzido espiritualmente, não é um mal. Pedro e Paulo experimentaram o estado de transe, e nesse estado tiveram as suas visões, ou algumas delas, pelo menos (At 10.10; 22.17). E podemos ter certeza de que, nesse estado alterado, os seus padrões de ondas cerebrais eram diferentes, entrando em uma das faixas que acabamos de descrever. Se rejeitássemos tudo, para o uso espiritual que tem sofrido algum abuso, praticamente não poderíamos fazer coisa alguma para desenvolver nossas buscas espirituais.

Sofós – Quanto tempo devo dedicar à meditação? Eu a usarei com a oração. De preferência, eu providenciarei em minha casa uma sala para meditação e oração. Algumas pessoas possuem salas para recreação e outros propósitos; porque não devo ter uma sala para meditação e oração? Eu me sacrifico para outras coisas, porque, então, não me devo sacrificar para aplicar-me a essa prática? Dedicarei 15 a 30 minutos à meditação — ouvir Deus — da mesma forma que dedico de 15 a 30 minutos à oração. Os dois devem permanecer juntos. Na oração, eu falo com Deus; na sua irmã, a meditação, eu o escuto. Na meditação, entramos no silêncio, e é aí que podemos ouvir a quieta e pequenina voz. Tenho assuntos para a minha meditação: a grandeza de Cristo; a sua missão redentora; o amor de Deus; a perfeição da santidade; o presente que é a vida; amor para o meu próximo. Na oração, eu faço os meus pedidos. Na meditação, eu aquieto o meu espírito para esperar que o seu Espírito me instrua, a fim de me dar visão espiritual e intuitiva, para fazer com que eu sinta a sua bondade e poder, mesmo que eu não possa formulá-los intelectualmente. Como a oração, a meditação é um ato de louvor e um meio de nos comunicarmos com Deus. É também um exercício espiritual, e ambas — oração e meditação — nos ajudam a nos transformar na imagem de Cristo. Pois quem é o objeto do nosso momento de silêncio? É Cristo, o Senhor.

Epítropos – A menção que você fez a que a pessoa de Cristo deve ser o objeto da nossa meditação me faz lembrar o fato de essa meditação ter sido usada de maneira inconveniente, como mencionamos antes, e isto é algo que merece a nossa atenção e comentários.

Zetetés – Esse não é um dos meus assuntos preferidos. Quais são as formas inconvenientes de que você fala?

Epítropos – O assunto "estados de consciência" pode-se tornar um tema inconveniente, levando a vários perigos. Se uma pessoa propositalmente desenvolve técnicas de meditação, que alteram os padrões de ondas cerebrais que provoquem um estado de consciência alterada, ela poderá atrair uma entidade espiritual negativa, e, desse modo, tornar-se sujeita à possessão ou à influência. Se a sua meditação não é centralizada em Cristo, e se a sua vida não é uma vida pura, essa prática pode-se tornar perigosa para ela. Além disso, muitas pessoas — eu suponho —, quando meditam, nada mais praticam do que a auto-hipnose. A hipnose não é caracterizada por nenhuma onda cerebral diferente das ondas do estado normal, e não é o tipo de estado alterado que seja provocado pela meditação. É um estado de consciência alterado, mas não precisa mais do que o limite "beta" (onda de consciência normal) para a sua manifestação. Os pesquisadores estão confundidos com o fenômeno. De qualquer modo, a hipnose deve ser deixada com os profissionais, para propósitos médicos e psiquiátricos. Nada tem a ver com a espiritualidade; pelo menos, podemos afirmar que nada influi na busca espiritual cristã. As pessoas que enganam a si mesmas ao ponto de pensar que possuem algum tipo de prática mística, que as diferencia espiritualmente das outras pessoas, podem não estar fazendo mais do que praticando a auto-hipnose. Estou certo de que, no movimento carismático de hoje, muito do que é rotulado como místico, nada mais é do que uma forma de psiquismo, induzido, em muitos casos, pela auto-hipnose e pela hipnose em massa.

Sofós – Você antecipou algo sobre que falaremos em nossa discussão a respeito dos dons espirituais. No momento, diga-nos por que a hipnose é perigosa.

Epítropos – Por razões não bem compreendidas, a hipnose pode prejudicar as pessoas que dela fazem uso, produzindo nelas um ou dois, ou ambos dos seguintes problemas: Primeiro, aqueles que praticam hipnose tendem a perder o controle sobre sua vontade, e tornam-se vítimas fáceis da vontade dos outros. O segundo e mais sério problema é a paranoia, uma forma de insanidade, que pode resultar da hipnose.

Zetetés – Certo. O que dizer a respeito dos perigos da meditação, em contraste com o transe hipnótico autoinduzido?

Epítropos – Já mencionei o fato de a meditação não centralizada em Cristo ou usada como um atalho para a espiritualidade, por pessoas cuja vida não está espiritualmente em ordem, poder levar a um estado mental, um estado de consciência alterado, que faz com que se torne mais fácil uma entidade espiritual maléfica ou negativa estabelecer-se sobre a pessoa. É bom tornar-se mais sensitivo e aberto espiritualmente, se isso for feito em direção ao Espírito Santo. A mesma sensitividade, porém, torna-se prejudicial quando oferece oportunidade para que um espírito baixo exerça influência sobre a pessoa. Não pode haver dúvida de que, quando Pedro ou Paulo caíam em transe, como as Escrituras afirmam que eles caíam, as suas ondas cerebrais mudavam-se para um estado alterado, "theta" (4 a 7 oscilações por segundo), para "alpha" (8 a 12) ou para algum outro estado não compreendido ou descrito. A onda normal é "beta" (13 a 22 oscilações). O que era bom para esses apóstolos — uma experiência psicológica normal que acompanhava uma experiência espiritual (tal estado físico-cerebral, provavelmente sendo necessário para a experiência mística) — pode ser desastroso para outra pessoa que esteja tentando construir a própria espiritualidade.

Scepticós – Penso que nos devemos lembrar agora da naturalidade das ondas cerebrais e as suas oscilações. Há tempos atrás, em 1875, foi descoberto que o cérebro emite uma pequena voltagem de eletricidade. Apenas em 1928, entretanto, foi descoberto que essa voltagem altera-se, dependendo do estado mental da pessoa. Por muitos estudos subsequentes, a "linha flutuante" tem sido dividida em cálculos numéricos variáveis e a eles se deu nomes gregos (letras do alfabeto), e cálculos têm sido identificados com estados de consciência variáveis (ou estados de inconsciência variáveis). Qualquer enciclopédia dará informações básicas sobre tudo isso. Em qualquer dia determinado, a maioria das pessoas experimentará todas as ondas cerebrais, com a exceção possível da onda "theta". Deixe-me ilustrar:

Estou na rodoviária, esperando a minha partida. Começo a olhar alguns livros numa prateleira qualquer. O meu cérebro está emitindo as ondas normais "beta" (13 a 22 oscilações). Que surpresa! Na prateleira encontro um livro **decente!** É intitulado "Encontrando a luz". Ótimo! Tenho algo que posso ler no caminho de volta para casa.

Já está na hora de embarcar. Que multidão! Se você quer ver uma multidão, espere até o feriado que está chegando. Não vai dar nem para ficar na calçada. O ônibus chegou no horário, e lá vamos nós. O meu cérebro ainda está emitindo a familiar "beta". Encontro a minha poltrona e me sento. Quantos fumantes! Isso me perturbará até chegar em casa. Agora vejamos este livro que comprei. O título parece interessante. Não conheço o autor, mas verei o que ele tem a dizer. Começo a ler. Muitos bons pensamentos estão neste livro. Nada de realmente original, mas, não há dúvida, ele tem visto o Rei! O que é isto? Algum comentário **horrível** sobre os requerimentos da santificação! Pensei que soubesse mais do que isso! Entretanto, mesmo assim, não é um livro ruim. O meu cérebro continua a emitir "beta". Este capítulo tem bons pensamentos. Começo a fechar meus olhos, e entro num estado contemplativo. As minhas ondas cerebrais diminuem de velocidade e, gradualmente, entram em "alpha" (8-12). Se eu for espiritualmente sensível, o Espírito me poderá dar alguma visão mais profunda do assunto ou assuntos sobre que eu acabava de ler, ou a minha alma, posta na frequência de coisas espirituais, poderá me instruir em algum ponto em que preciso de iluminação. Neste limite, a minha alma está mais livre para se expressar, tendo o mundo exterior deixado de existir no momento. Não preciso meditar para chegar a este lugar de sensibilidade, mas uma meditação formal, talvez habitualmente me colocasse lá. Agora, o movimento do ônibus gentilmente me ajuda a adormecer e as minhas ondas cerebrais vão para a faixa "delta", que é muito lenta (de 1 a 3 ciclos). Se eu estivesse na cama, dormindo,

o meu cérebro agiria da mesma forma. Algumas pessoas com problemas mentais sérios emitem "delta" quando estão completamente acordadas. Isto não quer dizer, no entanto, que estou louco quando durmo. Algumas pessoas altamente inteligentes emitem "alpha" quando acordadas, mesmo quando fazendo cálculos mentais ou matemáticos. Isto não significa que quando entro em "alpha" torno-me um gênio. Agora, de repente o ônibus para. A parada repentina do ônibus para a descida de passageiros perturbou o meu sono, e fez com que o meu cérebro voltasse para "beta". Assim continua, dependendo do meu estado de consciência ou inconsciência, o meu cérebro emite oscilações variáveis de corrente elétrica. Essas ondas acompanham, **não produzem**, me arrisco a dizer, os tipos de estado, e são evidências deles e não causas. Sem importar qual seja a verdade sobre isto, ondas cerebrais variáveis são tão naturais quanto uma batida de coração é variável, dependendo do exercício ou do descanso.

Epítropos – Tudo isso está logicamente certo. Nada há fora do natural no que diz respeito a ondas cerebrais variáveis. Um homem que dê pouco valor a Cristo e que tenha a si mesmo como deus talvez encontre problemas, por aprender a "provocar 'alpha' " e habitualmente tornar-se mais sensível às forças espirituais que o cercam.

Sofós – É por isso que alguns líderes cristãos fazem objeção a respeito da prática da meditação. Não que ela seja um mal, mas porque é usada de maneira inadequada. Por outro lado, não pode haver dúvidas de que alguns cristãos muito iluminados assim se têm tornado, porque têm usado, entre outros meios de desenvolvimento espiritual, a prática de uma meditação centralizada em Cristo.

Scepticós – Eu darei tudo a Cristo. Eu lhe darei o que sou quando meu cérebro emitir "beta". As horas que passo acordado serão dele. Usarei o meu intelecto para aprender mais dos seus ensinamentos, e eu os transmitirei a outros. Permitindo que minha mente descanse, e pensando em sua grandeza e graça, eu lhe darei o que sou quando minha mente emitir "alpha". Ele é o feitor de tudo o que sou, dos processos biológicos e espirituais. Estes são dele e eu sou dele por meio deles.

Epítropos – Isto não significa que todo cristão lucraria com a meditação.

Scepticós – Certamente não aqueles que tentam qualquer novidade que aparece para, com ela, descobrir um atalho para a espiritualidade. Eles poderiam acabar por usar devida ou indevidamente a prática.

Súnesis – Os cristãos, em todas as épocas, têm meditado, sem dúvida com ondas cerebrais flutuantes, mas sem conhecer o lado psicológico do assunto.

Scepticós – Verdade. E toda esta conversa sobre ondas cerebrais é meramente uma curiosidade. O que estamos procurando é a **iluminação** do Espírito, a que Efésios 1.17,18 nos aconselha. Para mim, é impossível crer que a "revelação" e a "iluminação" de que esses versículos falam são apenas para profetas e apóstolos. Paulo pedia aos membros das igrejas na Ásia Menor que procurassem algo mais do que o estudo e o aumento da sabedoria de proposições teológicas. Ele queria que eles soubessem algo da real iluminação do Espírito. Ele não falava que o Espírito enviaria novas Escrituras. Ele falava de uma sabedoria mais profunda, de comunhão com o Espírito como uma pessoa, do mesmo modo com que podemos ter contato com qualquer outra pessoa. Um meio de promover essa comunhão é o hábito da fisiologia. Nós devemos nos preocupar com a presença do Espírito. A natureza me tem oferecido um caminho para me tornar mais sensível a essa presença. Na meditação, isolo-me do mundo, e a minha alma procura profundamente a Deus. A pessoa de Cristo é o meu objetivo, a sua bondade, amor e graça, a minha preocupação.

Consideremos agora o guardião da inquirição espiritual

e. O meio do intelecto (estudo)

Deus nos deu o intelecto. Devemos desenvolvê-lo para a glória de Cristo e para nosso bem espiritual.

Devo resolver-me a "saturar" minha mente com estudos divinos. Devo treinar meu intelecto no estudo das Escrituras e das questões espirituais. Não devo permitir à minha mente fixar-se somente nas coisas temporais. Darei exemplo e procurarei impor esse conceito a outros sobre quem eu exerça influência. Comprarei, pedirei e darei em empréstimo bons livros, usando-os eu mesmo e encorajando outros a usá-los. Nunca desprezarei o aprendizado e o estudo. Não dependerei disso somente. Há outros meios de desenvolvimento espiritual, como já temos visto. O intelecto treinado, porém, pode agir como **guardião** no caminho do desenvolvimento espiritual. Podemos observar facilmente que aqueles que se desviam por tangentes prejudiciais envolvem-se em um misticismo falso e, noutros sentidos, prejudicam-se a si mesmos, sendo também, com frequência, pouca utilidade para o estudo. Buscam loucamente experiências, e não têm a coragem de estudar os livros sagrados, a fim de dominá-los. Suspeitam de outros que estudam, e não criam oportunidade para usar os livros que foram escritos para instruir.

Algumas pessoas dizem: "O Espírito me inspirou a dizer isto ou aquilo". Então, desprezam um bom livro que diga a mesma coisa ou contenha algo ainda melhor. Têm grande respeito pelo que pensam que o Espírito lhes revelou, mas têm pouco respeito pelo que o Espírito tem revelado a outros, mas que tem sido preservado em forma escrita.

A escrita é nosso melhor meio de comunicação. Aquilo que um homem tem tomado tempo para reduzir à forma escrita pode ser bem superior a algo que seja expresso verbalmente sobre o mesmo assunto. Um sermão escrito pode ser base de um poderoso sermão proferido. Uma exposição escrita pode dar substância vital a uma exposição falada.

Consideremos que as próprias Escrituras Sagradas estão contidas em um livro. O Espírito, pois, deve sentir-se satisfeito com essa forma de comunicação.

Scepticós – Tive um professor que era homem transformado e, quase inteiramente, segundo penso, com base em sua erudição fanática e profunda de livros espirituais.

Sofós – Pouca dúvida pode haver acerca do poder do intelecto de transformar. Certamente buscamos mais que isso, mas seremos mais pobres se o negligenciarmos. Acima de tudo, o intelecto treinado age como um freio das tendências desabridas e dos desvios pela tangente, que alguns permitem que controle a sua espiritualidade. Os meios espirituais, por certo, não estão em competição entre si. Encha sua biblioteca com bons livros. Se for preciso, aprenda um ou dois idiomas além do seu, para que se possa avantajar em sua sabedoria. Entregue-se totalmente a esses estudos, para que seu proveito se torne patente para todos. Não tenhamos receio de ler livros espirituais que contenham informes com os quais não concordamos. Não somos os **únicos** guardiões do conhecimento espiritual. Podem-se achar gemas de valor incalculável em lugares os mais inesperados. Vale a pena pesquisar o lixo, se pudermos encontrar uma pérola isolada de "grande valor". Nosso intelecto treinado e nosso senso espiritual nos guiarão e protegerão. Não fiquemos surpresos se nos tornarmos menos sectários do que antes. Não nos surpreendamos, mas nos aproveitemos de nossos novos discernimentos. Há muitos mestres, mortos e vivos, que falam por intermédio de bons livros. Pode-se aprender muito aos pés deles. Alguns são tão grandes, que nunca se poderá encontrar coisa igual durante a vida inteira. Alguns desses mestres não pertencem à nossa denominação. Não obstante, são mestres. Ficaremos surpresos e satisfeitos com o que nos podem ensinar. Pertencem a Cristo, e, por causa disso, têm boas coisas para nos transmitir. Aprender deles é aprender de Cristo, e isso é essencial para nossa inquirição espiritual. Não sejamos mentalmente preguiçosos, O estudo é "trabalho árduo". É por essa razão que poucos estudam. Apesar de o treinamento do intelecto não ser bastante, também não basta o da experiência. Uma experiência sem disciplina pode ser um desastre.

Temos orgulho do que sabemos? Ansiamos por comunicar, verbalmente, aquilo que sabemos? Lembremo-nos de que muitas verdades já foram descritas em livros, e que podemos usar muitíssimo tempo até aprendê-las pela experiência direta. Se ensinarmos somente o que sabemos pela experiência pessoal e pela observação, o que ensinarmos não terá profundidade, mui tristemente. **O estudo** de livros espirituais pode aumentar a profundeza de nosso conhecimento e espiritualidade. Muitas boas pessoas têm descoberto essa verdade, e aplicam esse conhecimento à sua vida diária. Por que se pensaria ser vergonhoso aprender o que outra pessoa escreveu, ou transmitir a outros a sua erudição? Talvez essa erudição seja mais profunda do que a nossa; talvez a espiritualidade transmitida por meio de seu livro seja superior à nossa.

Estudemos para considerar, e **não para condenar**. Ninguém é padrão de juízo. Não desprezemos nenhuma verdade que exalte a Cristo, embora, a princípio, possa parecer incomum e estranha para nós. Lembremo-nos de que todas as denominações representam algum tipo particular de figura estática da verdade. O rio da verdade é mais largo e mais profundo do que qualquer quadro estático do mesmo. Estejamos dispostos, pois, a aprender de outros, por meio de livros ou de outros recursos. Há um rio que flui do trono de Deus. Permaneçamos em suas águas. Trata-se do rio da vida.

Prosseguindo agora, encontramos um tema controvertido:

f. O meio dos dons espirituais

Para nossa discussão, temos o esboço seguinte:

1) Uso e o significado dos dons
2) Dois extremos
3) Dois sinais de ignorância
4) Quatro alternativas
   a) Forças psíquicas
   b) Ludíbrio
   c) Manifestações demoníacas e de natureza inferior
   d) O Espírito e os anjos
5) Duas alternativas para os dons como manifestos no primeiro século
   a) A meditação
   b) Avanço, não restauração

Talvez não exista questão mais crítica na igreja moderna do que a dos dons espirituais. O movimento carismático está atualmente influenciando quase todas as denominações da igreja cristã, como até os católicos romanos e os grupos mais formais e tradicionais dentre o protestantismo, como os anglicanos. É quase certo, porém, que várias forças, psíquicas e espirituais, boas e más, estão "por detrás" desse fenômeno, e não apenas uma, que presumivelmente seria o Espírito de Deus. Isso podemos ajuizar pelo que sucede e pelos resultados subsequentes da prática dos **"dons"**. Uma coisa é certa (em meio à confusão), é que não existe uma só e simples resposta para esse problema. Tal como se dá em todas as controvérsias, há exércitos contrários em conflito, e posições extremadas são assumidas.

1) Uso e significado dos dons

Por que, posso perguntar, alguns evangélicos de hoje rejeitam **categoricamente** toda associação com o movimento carismático? Por que rejeitam o que sucede como validamente pertencente ao Espírito? O que você pensa, Súnesis?

Súnesis – Há mais de uma resposta para essa pergunta: 1. Alguns rejeitam dogmaticamente o uso dos dons espirituais, sobretudo a variedade miraculosa, para nossa época. Eles se baseiam em uma suposição **a priori** de que os dons estavam destinados a desaparecer, passada a era apostólica, não se podendo supor que retornassem em nenhum período da história eclesiástica. 2. Supõem eles que o "cânon" do NT, uma vez completo, eliminou a necessidade dos dons espirituais. 3. Supõem que os dons tinham o intuito de confirmar a mensagem profética; uma vez que a igreja estivesse bem firmada, desapareceria a necessidade dos dons espirituais. 4. Muitos negam completamente que qualquer coisa **real** esteja sucedendo, supondo que os "fenômenos" de cura, de línguas etc. sejam totalmente fraudulentos. Outros, que admitem "alguns fenômenos válidos", atribuem-nos às forças malignas, que imitam os poderes do Espírito. A associação com o movimento carismático, portanto, é algo dúbio, porque, por nossa aprovação (o que fica implícito) com tal associação, podemos estar fortalecendo uma força sinistra na igreja.

Scepticós – Consideremos de perto as razões para que se negue dogmaticamente a validade do movimento carismático. 1. Parece-me impossível, mediante mero juízo **a priori**, dizer o que Deus pode ou não pode fazer. Por certo, mais do que em qualquer outra era, a igreja de nossos dias tem precisado de um legítimo toque místico, baseado na fé. A questão não é se Deus pode ou não, e nem se está disposto a conceder-nos comunhão mais íntima com ele, até por meios miraculosos; antes, é: "Essa comunhão mais íntima, por meio dos dons miraculosos, tão generalizados na igreja atual, realmente é aquilo que aparenta ser? E qual é a origem desses fenômenos?" É fácil mostrar, na história da igreja, que todos os dons espirituais, exceto o de cura, que reaparecem em todas as eras, de fato desapareceram. E, se alguém o desejar, pode caçar citações dos pais da Igreja que afirmam exatamente isso e, presumivelmente, se quiser aplicá-las de acordo com seu capricho, poderá subentender que "isso era o que se esperava que acontecesse". Entretanto, não se pode solucionar um problema difícil assim com um apelo à história. Pode-se provar **qualquer coisa** mediante a história. Periodicamente, os "dons miraculosos" têm reaparecido. Isso também é um fato na história da igreja. Só em nossos dias, porém, esses fenômenos têm retornado com uma força tal, que levantou problemas pela igreja inteira, acerca do que está sucedendo. O que você pode dizer sobre seu segundo ponto, Súnesis?

Súnesis – Quanto a isso, alguns afirmam que temos um "texto de prova" que mostra que os dons supostamente desapareceriam, uma vez terminado o "cânon" do NT. Apontam para 1Coríntios 13.10, que diz: "[...] mas, quando vier o que é perfeito, então o que é em parte será aniquilado". Essas pessoas afirmam que o que é "imperfeito" seria o ministério por meio dos dons, e o "perfeito" (que agora é chegado) seriam os ensinamentos mediante o NT completo. Imediatamente antes do versículo 10, nos é dito que línguas, profecias e conhecimento desapareceriam. Entretanto, lendo o contexto, torna-se óbvio que a alusão é à **parousia**, a segunda vinda de Cristo, o que trará tão grande avanço na espiritualidade, que os dons, pelo menos conforme os conhecemos agora, hão de se tornar obsoletos. Isso fica com que eu conheça segundo seu versículo (v. 12). Para mim, pelo menos, não há dúvida de que Paulo aguardava a volta breve de Cristo, o que ele esperava ocorresse durante sua vida terrena, quando então o conheceria face a face, e não mediante a reflexão de um espelho embaçado (o estado presente de nossa revelação espiritual, em comparação com o avanço da glória futura). No texto, não há absolutamente nenhum indício de que se faça alusão ao "término do cânon do NT". Não há nenhum indício de que esse documento, uma vez terminado, deixaria sem ser exercidos os dons espirituais.

Sofós – Passemos ao terceiro ponto. Os dons tinham o intuito apenas de confirmar a mensagem profética? Sem dúvida tinham esse propósito.

No entanto, era esse o seu **único** propósito?

Scepticós – O próprio NT nos dá a resposta a essas perguntas. Se examinarmos o sentido e o uso dos dons naquele documento (Rm 12; 1Co 12 e 14 e Ef 4), descobriremos que os dons foram dados para 1. ajudar **espiritualmente** aos indivíduos e à comunidade cristã; 2. ajudar o **crescimento** da igreja, enquanto ela se esforça por assumir a estatura de seu Senhor. Portanto, os dons tinham uma finalidade bem mais extensa do que aquela que alguns lhe atribuem. Esses dons operam na edificação do corpo de Cristo, até que todos cheguemos à unidade da fé e do pleno conhecimento do Filho de Deus, à perfeita varonilidade, à medida da estatura da plenitude de Cristo (Ef 4.12,13). Em 1Coríntios 10, soa a mesma nota mestra, enfaticamente e com muitos detalhes. Para que existem esses dons? Para ensino, erudição, solução de problemas, exaltação da pessoa de Cristo, desenvolvimento de seu corpo místico, dando a cada membro desse corpo alguma operação ou função específica e valiosa. Tudo isso transcende infinitamente à tese de que essas coisas eram apenas sinais e poderes que assegurariam aos homens o valor e a validade da "mensagem" da igreja primitiva.

Se ao menos ficarmos com o NT, ignorando envolvimentos emocionais e observações históricas, nunca poderemos supor que os dons espirituais não visavam a todas as épocas da história da igreja. Enquanto a igreja precisar crescer, enquanto os membros do corpo necessitarem ter funções para o bem de todos, enquanto Cristo precisar ser exaltado, **por esse mesmo período** precisaremos dos dons espirituais e dos poderes espirituais. Basta ler o NT para que o crente dificilmente tenha outra ideia. A pergunta, pois, não deve ser: "precisamos dos dons?" E nem: "são eles bons para nossa época?" A pergunta é: "o movimento carismático que vemos hoje em dia realmente é uma 'restauração' dos dons espirituais?" A resposta a esta pergunta envolve-nos em interminável controvérsia e confusão.

Epítropos – Hoje em dia, a necessidade do poder espiritual é óbvia. Isto não significaria, no entanto, que os dons espirituais de Deus precisam se manifestar **do mesmo modo** com que se manifestaram no primeiro século.

Súnesis – Uma observação interessante. Desenvolva-a.

Epítropos – Com a sua permissão, eu deixarei o desenvolvimento para mais tarde, quando tiver a chance de anotar alguns pensamentos.

Súnesis – Em minha opinião, até este ponto, estou com Scepticós. A falta dos dons tem criado vários problemas. Em primeiro lugar, surgiu a necessidade de um **clero profissional**. Quando a igreja perdeu seu poder original, e quando vários e mesmo muitos dos membros de uma igreja, não tinham mais nada com que contribuir, mediante o exercício de algum dom, foi então que a igreja precisou de um ministério profissional. Isso terminou em uma profusa hierarquia, em que alguns assumiam poderes ditatoriais e até ridículos. Com frequência, membros desse clero eram muito mais poderosos como políticos do que como homens de Deus. De fato, em muitos lugares e em muitas instâncias, a política substituiu o crescimento espiritual.

Em segundo lugar, em vista do fato de a igreja haver perdido seu poder original, tornou-se mister promover **programas**, ao invés de poderosos apelos espirituais. Assim, hoje em dia, temos "entretenimentos" e diversões nas igrejas, música própria de clube noturno, e até teatro. É visto que os "artistas" são amadores, e a igreja geralmente apresenta um teatro deficiente. Homens têm procurado manter a juventude dentro da igreja, condescendendo com os jovens em seus desejos pelo que é frívolo, em "programas" e "diversões". A ideia inteira da "presença do Espírito" é que os homens tenham uma base mística para sua fé, e não uma base meramente pedagógica. Quando, porém, aquela base se perde, o ensino se torna fraco, e várias "substituições" (conforme mesmo sugerido) tornam-se moda corrente.

A natureza humana tem a necessidade básica de algum **toque místico,** o que foi definido em nossas discussões anteriores como misticismo ou algum "contato genuíno" com um poder mais elevado que nós mesmos. A presença do Espírito é algo místico. Pode operar de forma sutil ou franca. Nossa doutrina, entretanto, supõe que ela é real, e que deve ser cultivada. Os dons espirituais são uma forma desse cultivo. A questão que permanece de pé, portanto, não é se precisamos ou não dos dons, e nem se eles se destinam a nós, e, sim, se aquilo que é apresentado como tal, em nossa época, realmente é a restauração dos dons espirituais.

Até onde posso ver, na igreja atual, há muitas forças em operação que produzem fenômenos místicos; e algumas delas são más, e não boas. O movimento carismático, ao que parece, foi dado a uma igreja carnal e mundana, à qual faltava o discernimento necessário para distinguir o mal do bem. O primeiro dom que deveria ter sido restaurado foi o dom do **discernimento**. Sem isso, a igreja decaiu a uma confusão tremenda. Infelizmente, os homens têm tentado usar os dons como **atalho** para a espiritualidade. Namorar os dons espirituais, sem a santificação, pode terminar em "total desastre", e assim realmente sucede.

Sofós – Ainda temos quatro pontos a considerar: Que dizer sobre a "realidade" ou "validade" dos fenômenos? E, se são válidas, originam-se em forças sinistras?

Súnesis – Para a primeira pergunta a resposta é fácil. Sim, há uma cura genuína que opera hoje em dia; sim, há pessoas que falam em línguas conhecidas, que nunca estudaram, e em línguas desconhecidas, presumivelmente; sim, há pessoas que são usadas em profecias significativas, que correspondem à realidade, e que, algumas vezes, predizem corretamente acontecimentos futuros, bem como advertências sobre condições presentes que nos são prejudiciais. O fato de haver muita fraude, mesmo no seio da igreja, não elimina o que é real. A ciência tem podido fotografar a energia curadora (a fotografia kirliana, um tipo de radiografia). Isso tem certo peso. Trata-se de uma energia real.

A resposta à segunda pergunta não pode ser simples. Não se pode chamar de maus, categoricamente, a todos esses fenômenos. Isso presumiria conhecimento **muito mais** elevado do que aquele que qualquer homem possui. Julgamos os fenômenos por seus resultados. Se o poder de cura flui de mim para outro, isso constitui profunda experiência. Isso, porém, me aprimora espiritualmente? "Aprofunda" minha entrega a Cristo? E que dizer sobre os resultados a longo prazo? Fazendo um retrospecto de alguns anos na prática de algum dom espiritual, o que isso fez por mim, afinal? E o que fez em favor de outros? Meu ser é possuído por um poder bom ou por uma possessão sinistra? O que está ao meu lado é o Espírito, um ser angelical ou um demônio?

Scepticós – Devo adicionar aqui, enquanto declaro que concordo com Súnesis, de modo geral, que até mesmo entre os que **fazem o bem** com seus "dons", há uma **mescla** do desejável com o indesejável. Algumas vezes uma profecia é válida; outras vezes ela pode ser falsa. Tenho grande dificuldade em pensar que o Espírito pode insuflar uma profecia falsa (que não corresponda à realidade de determinada situação, ou que transmita uma mensagem falsa ou dúbia), como que para "provar-nos". Mas posso ver como um "espírito" (sem importar sua identificação ou tipo) pode estar certo algumas vezes, ou errado de outras vezes, porque qualquer espírito, inferior ao Espírito Santo, seria um ser imperfeito, sujeito a equívocos. Lemos que Deus aos próprios anjos acusa de loucura. Além disso, se o "Espírito" realmente não passa da mente subconsciente do indivíduo, que assume certo tipo de **identidade**, ou é uma espécie de "alter ego" da pessoa, então facilmente esse "espírito" pode estar certo algumas vezes, e, de outras vezes, errado, porque só uma parte de nosso ser estaria funcionando. Ora, se essa operação fosse dirigida e ajudada pelo dom de Deus, ainda seria um dom espiritual, mesmo que não fosse diretamente mediado pelo Espírito.

Matetés – Espere um minuto, Scepticós. Nas Escrituras não vejo base para supormos que um espírito inferior, ou o espírito de um indivíduo (em uma operação mística) pudesse estar por trás de um verdadeiro dom espiritual.

Scepticós – Todos sabem que existe o "ministério dos anjos". Por que um anjo não poderia estar por trás de um dom espiritual, se isso lhe fosse "delegado" por Deus?

Sofós – Poderemos voltar a esse tema. Estamos avançando antes do tempo. Pelo menos temos examinado, embora inadequadamente, as quatro proposições de Súnesis sobre por que muitas pessoas, hoje em dia, rejeitam categoricamente o movimento carismático. Não vemos nenhuma razão dogmática ou **a priori**, e nem razões bíblicas, para nada dizermos de razões práticas, para negar que precisamos dos dons, ou que, teoricamente, estes não deveriam ser possuídos por nós. Quanto à natureza real do movimento carismático atual, estamos quase certos de que há determinada "desigualdade" a respeito, pois, não querendo negar a "validade" de algumas de suas manifestações, estamos quase certos de que o mal está por trás de alguns desses fenômenos, mesmo na igreja. E somos perturbados pelo fato de um homem, algumas vezes, poder fazer algo genuíno, mas de o mesmo indivíduo, noutra ocasião, não ter o mesmo poder, ou proferir uma profecia falsa etc. E indagamos: "pode ser isso do Espírito Santo?" Nossa discussão nos leva a outra inquirição.

Dois extremos — Perguntas difíceis sempre provocam respostas extremamente diferentes. Quanto ao problema carismático, certamente isso é verdade. Se tivéssemos de crer em tudo quanto lemos, realmente ficaríamos com a mente **dividida** sobre esse assunto.

2) Dois extremos

Perguntas difíceis sempre provocam respostas extremamente radicais nos costumes e crenças religiosas, e que temem o que poderia suceder à paz e à calma em suas denominações, se o movimento carismático "as envolvesse"; acham outro argumento para negar a validade dos fenômenos místicos na igreja. Quando não é isso, acham razões teológicas pelas quais eles devem ser barrados da igreja, mesmo que sejam válidos. Alguns afirmam categoricamente: "Não pode acontecer isso, pelo que o que dizem que sucedeu não passa de fraude". Há aqueles que dizem: O que está sucedendo está certo; mas não deveria suceder, por ser diabólico. Seja como for, absoluta e finalmente, rejeitam até a possibilidade de que a igreja moderna tenha o caráter carismático da igreja primitiva. Essa resistência à alteração, de fato, é resistência à melhoria. Ou se poderia pensar que não é desejável à moderna igreja possuir os poderes da igreja primitiva?

Epítropos – Talvez eu seja acusado (injustamente) de ser um tradicionalista que concorda com esse extremo de que você fala. Acho que podemos defender a tese de que precisamos do poder e dos dons espirituais que podem, no entanto, ser manifestados sem os empecilhos do primeiro século. Mais tarde, desenvolverei o meu argumento.

Scepticós – Uma das **tragédias** dessa posição extremada é que nada é oferecido em lugar do despertamento genuíno trazido pela restauração real dos dons espirituais. Simplesmente nos dizem: "Isso não é bom!" Mas não nos é dito o que é oferecido em lugar dos mesmos, se é que oferecem algo, que nos possa trazer um bem que é muito necessário. Outro perigo dessa posição extremada é que quase certamente ela é vinculada a uma atitude antimística, que reduz a fé religiosa a meros preceitos e ritos. Qualquer movimento genuíno do Espírito sobre as almas dos homens é uma forma de misticismo. De quanto precisamos da presença imediata do Espírito!

Sofós – O outro extremo: este é tão mau quanto aquele, e muito mais perigoso. Uma igreja infantil e **carnal** subitamente é apanhada de roldão pelo movimento carismático. As pessoas dessa igreja, sem qualquer proteção, carregadas de pecados e imperfeições, passam a "buscar" experiências místicas como um atalho para a espiritualidade. Não há discernimento. Não há estudo. Há pouca ou nenhuma disciplina. Os cultos de adoração tornam-se em competições de gritos em público. Reina o caos. Qualquer experiência é aceita sem indagações. Pois é dito: "Buscamos no nome de Jesus, em uma igreja cristã. Portanto, o que recebemos deve ser do Espírito". A experiência mostra, entretanto, que se trata de uma **falsa** suposição. Há casos indubitáveis de possessão demoníaca, além de outras perturbações mentais. Há evidências de que aquilo que é aceito como "transe místico", de fato, não passa de uma hipnose autoinduzida. No caso da maioria das pessoas, a hipnose não provoca danos. Quando o faz, porém, a paranoia geralmente é o triste resultado. A paranoia é a condição em que a psique é empurrada para sentimentos de grandiosidade ou de perseguição, e com frequência essas duas coisas subsistem lado a lado na mesma pessoa. Assim é que um indivíduo passa a pensar que é Elias ou algum grande profeta. Não somente está autoiludido, mas também está mentalmente enfermo. Os profissionais que constantemente usam a hipnose advertem contra seu uso por parte de amadores. E mesmo os peritos conhecem bem pouco a respeito do assunto. A hipnose não produz ondas cerebrais alteradas, como se dá no estado de transe, sem importar se ela é superficial ou profunda. Sob hipnose, a pessoa pode falar em línguas ou curar. Isso tem sido comprovado. Todos os poderes psíquicos do indivíduo são altamente intensificados. O estado hipnótico pode imitar a espiritualidade, se a pessoa auto-hipnotizada busca experiências místicas. O estado hipnótico, contudo, só se assemelha superficialmente ao transe místico; e não é a estrada real para a espiritualidade, embora possa ser interpretada como tal.

3) Duas ignorâncias

Os dois **extremos** acima são, ao mesmo tempo, dois sinais de ignorância. É um tipo de treva espiritual alguém cercar a Deus com uma sebe e dizer: "Antigamente ele nos dirigia por meio de poderes espirituais, mas agora não faz mais isso". É ignorância desprezar a realidade dos poderes espirituais, ou tachá-los de fraudulentos. É ignorância negar a possibilidade da presença imediata do Espírito, e é crassa ignorância negar que isso é desejável. Invadida por essa ignorância, pelo menos a pessoa está a salvo de seres espirituais estranhos, de ilusões e da paranoia, mesmo que fique estagnado em seu desenvolvimento espiritual.

O outro sinal de ignorância é a busca cega e a aceitação de experiências místicas, sem a proteção da **santificação** e a disciplina do intelecto treinado. Apesar de talvez dar a aparência de chamas súbitas de espiritualidade, essas experiências podem, de fato, ser uma oferta queimada sobre o altar da maldade. Três meses antes de sua morte, com a idade de meros 49 anos, Tomás de Aquino, que sempre foi um intelectual firmado no que é racional, não obstante ser homem de Deus, mesmo sem levar em consideração as faltas que encontramos nele, viveu uma experiência mística avassaladora que aprofundou imensamente sua vida e seu entendimento espiritual. Isso veio quando ele nada buscava. Veio como **recompensa** de uma vida intensamente vivida na busca de princípios espirituais. Veio como galardão de uma vida de santidade, e não como atalho para ela.

4) Quatro alternativas

Temos tomado a incumbência de oferecer explicações possíveis sobre o que realmente está sucedendo no movimento carismático atual. Se, pelo menos, alguns dos fenômenos são reais, qual é a sua origem ou origens? E se não são reais, de onde procedem eles?

a) **Feitos psíquicos** — Pode haver pequena faixa de separação entre o que é humano e psíquico, e o que é sobre-humano e espiritual. Já mencionamos a questão da hipnose. Nesse estado, a pessoa pode fazer coisas admiráveis, incluindo falar em línguas e curar, proferir uma profecia ribombante, realizar um feito telepático etc. Se, na "busca", isso prosseguir, o indivíduo poderá hipnotizar a si mesmo e, facilmente, à sua vontade, pode duplicar a aparência de possuir dons espirituais. Se a auto-hipnose tomar o lugar de contacto genuíno com algum poder exterior e mais alto, então se obterá exatamente o que se vê muito no movimento carismático, ou seja, desigualdades nas manifestações — uma profecia certa, e outra errada; informações certas e informações erradas. Então, conforme já se frisou, podem ser produzidos uns poucos casos de paranoia, a má companhia constante da hipnose usada ignorantemente. A hipnose, medicamente usada, nas mãos de profissionais, tem seu devido lugar na experiência humana. Não há lugar, porém, para ela na igreja cristã, pois a hipnose não substitui as experiências espirituais. As curas feitas sob a influência da hipnose revertem notoriamente às condições anteriores. As curas, não poucas, que ocorrem no movimento carismático, revertem. Isso não significa, necessariamente, que sejam efetuadas de maneira maldosa, ou que o diabo caprichosamente arrebate o bem realizado. Significa apenas que essas curas são de natureza **psíquica**, e não de real natureza espiritual. O hipnotismo na igreja nos dá um "misticismo barato". Estamos em uma luta por nossa vida, e não temos lugar para essas substituições inferiores.

Os estudos efetuados no campo da parapsicologia têm demonstrado que um homem, simplesmente por ser homem, é capaz de coisas admiráveis. A telepatia tem sido comprovada em laboratório como função da mente humana, que envolve ondas cerebrais específicas. Curas podem ser efetuadas por qualquer espírito humano. Isso não requer necessariamente a intervenção divina (embora possa envolvê-la), e nem a operação de nenhum poder sobre-humano. "Há uma energia curativa", uma parte de nosso ser vital e espiritual, que pode ser transferida, e que cura enfermidades. As curas podem ser algo inteiramente humano, pois o homem é um espírito, em sua essência, embora se utilize do corpo físico como veículo. O homem, simplesmente por ser homem, pode manifestar grande conhecimento e até predizer o futuro. O cérebro, ao funcionar no tipo de onda "alfa", torna o indivíduo sujeito a experiências "intuitivas e criativas". Uma pessoa psiquicamente dotada pode passar por um místico; mas, no que ele faz, pode não estar em operação nada de sobre-humano. Existem maravilhas e mistérios na personalidade humana, e ocorrências estranhas podem não ser divinas e nem diabólicas, mas apenas manifestações humanas incomuns. Muitas pessoas, membros de igrejas de hoje em dia, negam a existência de poderes elevados na personalidade humana; mas quase todos os cientistas, devido à abundância de provas, não mais negam os mesmos. O estudo dos sonhos mostra que todas as pessoas têm o poder do conhecimento prévio. Máquinas têm sido inventadas para mostrar, acima de qualquer dúvida, que o homem é telepata e clarividente, e que ondas cerebrais específicas ajudam na manipulação de tais poderes. É bem provável que, dentro de uma década, manuais sobre a física apresentem teorias sobre a natureza atômica de tais coisas; ou então, energias acima do que é atômico, ou por trás do que é atômico, estejam sendo postuladas para explicar certas características admiráveis dos seres humanos. Os pioneiros da física já chegaram a esse ponto. A comunidade científica em geral seguirá tal liderança. Por fim, seguir-se-á a igreja em geral, uma vez que descubra um modo de incorporar o novo no antigo, assim preservando dogmas essenciais.

Matetés – Penso que Scepticós **especulou** que um "dom espiritual" poderia ser originado nos poderes superiores do indivíduo, sendo, por assim dizer, uma "qualidade da alma", e não uma intervenção ou ajuda de um ser superior, quer do Espírito Santo ou de um anjo. O que você pensa?

Sofós – Trata-se de uma especulação, mas que pode ser válida em alguns casos. Entregamos a Cristo tudo quanto temos, nossas qualidades físicas e espirituais, e nossos poderes normais e psíquicos. Não é impossível que, em alguns casos de declarados poderes **normais**, por delegação divina, para todos os efeitos práticos se esteja exercendo um dom "espiritual". Seria "espiritual" por ser uma "manifestação da alma" da pessoa envolvida. Mas, de modo algum, os dons espirituais podem limitar-se a isso. Há provas evidentes de que o poder vem "externamente".

Súnesis – Dizemos aqui que feitos psíquicos, sobretudo aqueles que resultam da auto-hipnose, podem explicar muitas supostas manifestações "divinas" no seio das igrejas. No entanto, apressamo-nos em adicionar que essa explicação não pode justificar muitos fenômenos do movimento carismático de nossos dias.

Scepticós – Em conexão com o tema que ora ventilamos — como os feitos psíquicos algumas vezes são confundidos com as experiências espirituais —, penso que vale a pena nos lembrar de certos estudos psicológicos que têm envolvido testes sobre os estados **hipodespertos** (que acalmam demais), provocados por elementos calmantes e exercícios, bem como por agentes químicos, bem como pelos estados **hiperdespertos**, provocados pelo "estímulo dos sentidos", mediante exercícios ou agentes químicos. Quanto ao lado "hipodesperto", temos, como exercício, a meditação. E, ao mesmo lado, os agentes químicos calmantes, como os tranquilizantes. Esses exercícios e esses agentes químicos produzem diferentes padrões de ondas cerebrais. Além disso, "rápidos movimentos laterais" dos olhos, em diferentes velocidades, acompanham diferentes estados mentais, ou pelo hipodespertar ou pelo hiperdespertar. Os cientistas têm demonstrado que podemos averiguar "movimentos característicos" dos olhos, dependendo do tipo de experiência psíquica que for atingido. Os movimentos dos olhos, a fim de levar uma pessoa a "ver" objetos continuamente, ou a "fixá-los" em uma visão, no estado normal, ocorrem na taxa de cerca de um movimento por segundo. No hiperdespertar, isso pode aumentar até cinco vezes a taxa normal. As drogas podem aumentar mais ainda essa taxa, do que resultam alucinações. Nos esquizofrênicos crônicos, esses movimentos rápidos dos olhos com frequência se verificam sem o concurso de drogas. Já no lado do hipodespertar, o movimento decresce, e o resultado (um deles) é que a pessoa não pode "fixar" a vista sobre nenhum objeto. As ondas cerebrais também diminuem, e a pessoa pode passar para o padrão de ondas cerebrais "alfa". Passando para a linha do hipodespertar, a pessoa pode ter alucinações mesmo quando desperta. Os estados mentais normais pelo qual uma pessoa passa, quando da linha do hipodespertar, incluem sentimentos de tranquilidade e relaxamento. Isso talvez inclua um calmo arrebatamento místico, um total desprendimento da realidade, que normalmente experimentamos, e um profundo senso de pacífico bem-estar. Estados mentais normais da linha hiperdesperta podem ser sentimentos de sensibilidade, criatividade e ansiedade. Nas pessoas anormais, isso pode tornar-se uma aguda "reação de alarma"; e nos campos místico ou psíquico, pode haver alucinações ou êxtases.

Os estudos mostram que, nesses estados, do hipodespertar ou do hiperdespertar, a percepção dos sentidos do corpo se modifica. O paladar se torna diferente, a audição se aguça, é modificada ou é eliminada, o tempo e o espaço se distorcem, apressando-se ou diminuindo de ritmo. É **curioso** que os relatórios dados por místicos, acerca de suas experiências, mostram claramente ter havido modificações nas percepções dos sentidos. No entanto, essas coisas podem ser duplicadas pelo hipo ou pelo hiperdespertar, por exercícios mentais ou por drogas.

Matetés – Você está sugerindo que "estimulantes" e "tranquilizantes", "drogas" e a "meditação" podem produzir vários tipos de estados místicos que podem ser medidos em termos de ondas cerebrais, movimentos de olhos, gráficos das ondas cerebrais e modificações na percepção dos sentidos?

Scepticós – Exatamente.

Matetés – Isso não destrói o misticismo como uma realidade, situando-o dentro da categoria de simples "ginástica mental"?

Scepticós – Quanto a algumas experiências místicas, **certamente**. Quanto a outros casos, podemos apenas observar o que sucede ao corpo físico e seus sentidos, uma vez que o espírito esteja livre para expressar-se.

Matetés – A alucinação poderia ser uma **visão** válida? Ou certas visões podem não passar de "alucinações"?

Scepticós – Bem definidamente, muitas visões não passam de alucinações; e podem ser puramente psíquicas e nada ter a ver com o que é espiritual, embora uma pessoa religiosa interprete as alucinações como se fossem experiências espirituais.

Súnesis – Portanto, aqui está: Um homem medita e, finalmente, produz um tipo de alucinação. Confunde-a com uma experiência espiritual. Ou, nessa reunião há todos os elementos necessários para o hiperdespertar, música gritante, tipo jazz, palmas, gritos, em suma, aquelas coisas que despertam as funções cerebrais até o frenesi, levando os olhos a passarem para movimentos frenéticos. Então, subitamente, um homem tem uma visão ou entra em êxtase místico. Pensa que experimentou grande bênção espiritual, mas apenas **coçou** seu cérebro, por assim dizer.

Matetés – E isso não destrói a suposta validade do misticismo? O misticismo, após tudo ter sido dito e feito, não será apenas ginástica mental?

Sofós – O que, pois, pode-se dizer em defesa do misticismo genuíno?

Scepticós – Já discutimos sobre isso: deve haver a transformação moral, e deve ter conteúdo moral; deve impulsionar-nos para o bem; deve transformar-nos e tornar-nos mais profundamente espirituais, bem como maiores praticantes da lei do amor, no tocante a outros. Deve concordar com os documentos sagrados e com a experiência cristã. Deve submeter-se à disciplina dos profetas e de homens santos.

Matetés – Não pode suceder que quem pensa que experimentou algo de realmente espiritual, e não algo apenas psíquico, venha a "iludir" a si mesmo, tornando-se mais religioso, levando isso a possuir algumas das qualidades que você mencionou e que devem "provar" a validade das experiências místicas?

Scepticós – Isso é bem possível. Contudo, duvido que a espiritualidade de uma pessoa possa ser permanentemente melhorada pela mera ginástica mental.

Sofós – Uma alucinação pode ser uma visão válida. Quero dizer que um homem, por exemplo, pode receber uma visão de instrução, que contenha um anjo ou algum ser elevado, ou que pinte alguma cena. E essas coisas podem não existir de forma nenhuma, embora a própria visão seja uma espécie de "sonho desperto", para dar-lhe instrução.

Scepticós – Naturalmente, isso é verdade. Se um sonho pode ser um instrumento divino, e não supomos que esse sonho seja algo mais do que mental ou imagem simbólica, então a mesma coisa pode dar-se a um "sonho desperto", que chamamos de alucinação. Muitas coisas assim podem nada ter a ver com qualquer coisa espiritual, embora aquele que recebeu a alucinação pense tratar-se de algo significativo. A experiência mística, porém, vai muito além de tudo isso, e agora mesmo deveríamos observar essa realidade. Um anjo real poderá estar envolvido. O indivíduo poderá sentir a imensidade de sua emanação e energia espirituais. "Foi algo exterior", dirá ele. E estará com a razão, pois nenhum mero "estado mental interior" que ele tiver pode estar envolvido. Dessa maneira, a visão poderá transcender a quaisquer exercícios ou ginásticas mentais.

Sofós – Em relação ao assunto em foco, Scepticós destacou o mesmo para mostrar que meros "feitos psíquicos", bem no seio da igreja, podem passar por algo de espiritual, como se fosse algum dom espiritual. É para suspeitar que o movimento carismático, conforme ele se expressa em vários lugares, depende do **hiperdespertar**, em cultos frenéticos que buscam esse resultado. E o que parece ser uma "competição de gritos", para quem está do lado de fora do templo, que não pode deixar de ouvir o que ocorre lá dentro, pode não passar de um método artificial de "hiperdespertar", que vise a provocar experiências místicas. É algo por demais suspeito esse fator do hiperdespertar, e acreditamos, com base nisso, que muito do que ocorre no movimento carismático não passa de truques psicológicos e psíquicos, nada tendo de espiritual. Se o Espírito Santo tiver de manifestar-se, ninguém precisa da reunião do tipo hiperdespertado, que pode resultar, para a pessoa anormal, em frenesi e estado de alarma; a pessoa normal e religiosa pode terminar tendo uma espécie de visão alucinatória, falar línguas em estado de transe, ou dar alguma profecia frenética. Nada de espiritual estará envolvido em nada disso.

Súnesis – O que você diz assemelha-se ao que ocorria em Corinto. Você supõe que se tratava da mesma coisa?

Scepticós – Não duvido. Se Paulo soubesse algo da psicologia moderna, provavelmente teria denunciado muitos dos cultos da igreja de Corinto, mais ou menos do mesmo modo pelo qual agora atacamos o que sucede de embora parte do movimento carismático.

Sofós – O que Scepticós acaba de descrever, quanto a possíveis efeitos alucinatórios do hipo e do hiperdespertar, deve ser cuidadosamente observado. O misticismo pode ser apenas ilusão individual ou comunitária, com base em "ginástica mental". Esse jogo pode parecer muito real para aqueles que o elaboram, tal como um esquizofrênico não tem dúvida acerca da realidade objetiva de suas alucinações. Apesar de uma alucinação — um sonho acordado simbólico, por assim dizer — poder até ser usada por Deus para transmitir uma mensagem, é de suspeitar-se que grande parte do movimento carismático de hoje em dia depende dos cultos do tipo de hiperdespertar para obter seus resultados.

Naturalmente, sem dúvida, há mais do que aquilo que está envolvido nesse movimento. As perguntas difíceis nunca têm uma resposta simples. Prossigamos para

b) **Ludíbrio** — Isso explica **alguns** fenômenos. Poderia ser que algumas "pessoas religiosas", e mesmo "ministros", no âmago do movimento carismático, propositalmente iludissem a outros, "fingindo" a experiência de línguas, proferindo profecias falsas, ou criando casos de curas fajutas?

Scepticós – As evidências exigem um firme **sim** a essa pergunta. Um curador bem conhecido, cujo nome vocês reconheceriam se eu o proferisse, foi apanhado com um aparelhinho elétrico na mão, com o qual dava choques elétricos nas pessoas que buscavam cura, para impressioná-las com o suposto poder espiritual que possuía nas mãos.

Súnesis – Sim, conheço o caso a que você se refere. Contudo, pouca dúvida pode haver de que algumas vezes esse curador efetuou milagres admiráveis, curas notáveis. Por que julgou ele ser mister apelar para truques?

Scepticós – Provavelmente porque seus poderes diminuíram, ou algumas vezes se faziam presentes, e, de outras vezes, se ausentavam. É típico que os curadores percam seu poder à medida que envelhecem. Esse homem, sem dúvida, queria conservar sua reputação. Ele contava com grande organização religiosa que dependia, em parte, de suas contínuas realizações.

Matetés – Onde se encontra o Espírito Santo em tudo isso? Porventura ele liga e desliga o poder? E pode um homem piedoso apelar para a fraude, a fim de manter em funcionamento a sua organização?

Scepticós – Perguntas sérias, e que vale a pena meditarmos sobre elas!

Provavelmente, esses casos envolvem a cura vinculada a poderes inferiores (espíritos de uma dimensão ou de outra), bem como vinculada a poderes psíquicos, os quais, conforme dissemos, não vêm da parte do Espírito Santo. E ainda haveria, "ocasionalmente", ou mesmo com frequência, algum grande milagre; mas algumas vezes poderíamos ficar sem poder nenhum. Em um momento de fraqueza, um homem poderia perder inteiramente o seu poder. Poderia realizar algumas poucas curas psicossomáticas, mesmo sob tais circunstâncias. É fácil imaginarmos que um poder curador, psíquico e não diretamente dado pelo Espírito, como que por intervenção divina, "diminuiria com a idade", dependendo até da saúde e da vitalidade físicas para ser eficaz. Sabemos que as curas ocorrem mediante uma energia rela que, atualmente, pode ser fotografada, e até, como se sabe agora, tem certo peso. Se um homem estiver manipulando uma energia natural, algo que ele pode fazer, enquanto outros não podem fazê-lo, ou têm de aprender a fazê-lo, então essa energia pode ir desmaiando com a idade, juntamente com outras energias vitais. Temos especulado que a manipulação divinamente dirigida de uma capacidade humana, natural, para o bem do próximo, pode ser corretamente intitulada de dom espiritual. Não se duvide, entretanto, de que esses dons transcendem a essas realizações humanas.

Zetetés – Estamos falando sobre o **ludíbrio** no uso presumível dos dons. Tenho uma história que ilustra isso. Tive um amigo, estudante para o ministério, de raça judia. Resolveu submeter a teste um grupo de crentes carismáticos. Conforme se sabe, Paulo determinou que as línguas não devem ser faladas sem a presença de um intérprete. Assim, aquele estudante de seminário, que falava o hebraico, foi a uma reunião onde habitualmente havia o fenômeno de línguas. No momento oportuno, ele se levantou e falou em "hebraico moderno", simplesmente citando de memória o Salmo 23. Imediatamente, um suposto intérprete se levantou e, presumivelmente, repetiu o que meu amigo dissera. Como seria de esperar, o que o intérprete disse nada tinha a ver com o salmo 23. Porventura aquele intérprete poderia estar iludido de tal modo, que chegou a pensar ter realmente interpretado o que fora dito?

Scepticós – Penso ser possível ter sido esse o caso. A única alternativa, naturalmente, é que ele tenha perpetrado uma fraude deliberada. Seja como for, isso nos faz indagar acerca da natureza real do que está ocorrendo entre esses crentes "carismáticos".

Súnesis – Já estamos nos desviando um pouco do tema, mas posto estarmos discutindo sobre as curas espirituais, é interessante notar que a boa proporção de 20% de todas as curas, obtidas pela imposição de mãos ou por outros meios que transferem o poder curador, **reverte** ao estado anterior. Alguns casos revertem, paulatinamente, num período de semanas ou meses, e outros revertem imediatamente. Muitos curadores ensinam às pessoas como devem "reter suas curas", e livros têm sido escritos sobre o assunto, bem como sobre o tema geral de curas. Ora, tudo isso me faz pensar que muitos curadores estão fazendo tudo por meio de "forças naturais", talvez permitidas por Deus, porquanto todas as pessoas são dotadas de certas habilidades e capacidades a fim de poderem cumprir suas missões determinadas. As forças naturais, sem importar de que tipo sejam, naturalmente são imperfeitas, algumas vezes mostrando-se eficazes, e, outras vezes, não.

Scepticós – Naturalmente, é comum que alguns membros de igreja, ao observarem essas "reversões", digam: "Eu bem que disse! Isso vinha do diabo! Se não fosse assim, seria permanente".

Súnesis – Fico imaginando por que o poder do diabo é tão **débil**, que ele é incapaz de fazer menos que um médico qualquer com seus remédios, o qual consegue realizar curas permanentes. Parece que, se o diabo tivesse a metade do poder que dizemos que ele tem, poderia realizar curas permanentes todas as vezes que fosse procurado para isso. Uma senhora que fora notavelmente curada, por causa da influência de amigos, começou a duvidar da "origem divina" da cura que recebera. Assim, orou: "Senhor, devolve-me minha doença, se a cura não veio de ti". E aconteceu; a doença voltou! Que devemos pensar diante disso? Alguns diriam: "É óbvio que essa cura veio do diabo". Não necessariamente. Muitas curas precisam de tempo, embora sejam espirituais ou psíquicas, conforme seja o caso. Uma só aplicação da energia curadora pode não ser suficiente em alguns casos. Se o médico nos manda tomar algum antibiótico, uma pílula a cada seis horas, durante duas semanas, não nos poderemos queixar se não estivermos curados ainda, após a administração de uma semana do remédio. Igualmente, talvez sejam necessárias várias sessões de aplicação da energia curadora antes que ocorra a cura permanente. E as reversões nas curas espirituais poderiam não estar envolvendo coisa alguma de satânico do que se dá naquelas aplicações medicinais.

Scepticós – Estamos introtando com coisas, algumas delas sem dúvida naturais, sobre as quais pouquíssimo sabemos; e declarações **dogmáticas** a respeito delas têm pouco valor. É tão fácil supor que chegamos a

certo conhecimento espiritual, para então dizer: "Isto é diabólico, mas aquilo é divino!", e então, supormos que estamos corretos a cada juízo. Há um vasto hiato entre o que é diabólico e o que é divino, que deixa espaço suficiente para "coisas estranhas, mas naturais". O próprio homem possui grandes e estranhos poderes, de acordo com a maneira com que usamos atualmente essas palavras, que se derivam da nossa ignorância comparativa.

Matetés – Você quer dizer que dizemos serem coisas estranhas, mas que usamos esse termo meramente porque nos faltam explicações compreensíveis. Alguns dizem que as coisas são "diabólicas", quando deveriam taxá-las de "estranhas", ou "divinas", quando "estranhas" seria vocábulo melhor.

Scepticós – É verdade.

Sofós – Vejo que já nos desviamos pela tangente, mas me alegro com isso, porque tocamos em algo que precisávamos notar. Já falamos sobre como, atualmente, os "dons espirituais" são imitados algumas vezes. Isso explica parte dos fenômenos, mas não todos, por certo. Aqueles que supõem que tudo quanto há no movimento carismático não passa de ludíbrio estão enganados.

Matetés – Que dizer sobre as reivindicações de alguns de que poderes satânicos ou demoníacos operam no movimento carismático? Estarão completamente equivocadas essas pessoas?

Sofós – Não é provável. Algumas coisas sucedem ali que quase certamente indicam que poderes malignos algumas vezes imitam os dons espirituais. E isso nos conduz ao nosso próximo ponto:

c) Manifestações demoníacas e de ordem inferior

Matetés – Com esse título, você quer dar a entender que o que algumas vezes é taxado de demoníaco, na realidade, pelo menos em alguns casos, não passa do "velho homem", manifestando-se mediante o nível subconsciente, projetando-se "psiquicamente"?

Sofós – Sim, penso que isso sucede vez por outra. Por exemplo, consideremos uma profecia. Ataque à vida pessoal de um membro da igreja feito por outro. Este presta informações falsas, e as informações falsas causam dificuldades. Naturalmente, o Espírito nos submeteria a tal "teste". Sim, esse teste poderia vir do diabo. As pessoas dizem: "E o diabo me levou a agir assim", quando, na realidade, trata-se somente de uma operação do **egoísmo**. Por que razão, por exemplo, uma profecia traria informações falsas? Talvez a pessoa atacada viva, de algum modo, em competição com a que fez a profecia. Talvez exista inveja. Não seria "bom" se uma suposta pessoa espiritual atacasse a outra abertamente, devido a motivos obviamente vis, embora isso aconteça no seio das igrejas com alarmante frequência. A fim de um ataque se tornar aceitável, um indivíduo, por supostos meios místicos, apresenta uma profecia proveniente de seu subconsciente corrupto. Essa profecia teria o propósito claro de prejudicar, por causa de uma manifestação da natureza inferior, disfarçada com espiritualidade falsa.

Scepticós – Sim, quem pode entender a corrupção da natureza humana, que chega a perverter até funções espirituais?!

Sofós – O triste **fato** é que, quando nos aproximamos desse movimento, ouvimos muitas histórias assim! Profecias falsas que causam dificuldades. Algumas dessas profecias podem até ser autênticas. O sr. X cometeu adultério em algum tempo no passado! Isso poderia ser telepaticamente captado, e aquele que profere essa profecia ou que fala em línguas, devido à inveja ou ódio secreto do sr. X, vem a revelar isso em uma reunião. O Espírito Santo não estaria em ação, em um caso assim; mas a natureza humana inferior, ostentando-se como juiz puro, é tudo quanto está envolvido.

Zetetés – Conheço um missionário que tem uma história sobre "línguas" que talvez caiba na categoria das manifestações da "natureza humana inferior". Tendo voltado do campo missionário, visitou uma igreja onde os "dons" presumivelmente eram usados. Subitamente, uma mulher, que nunca vira antes, levantou-se e entregou uma mensagem em línguas. Ele entendeu o que ela dizia, porque se tratava de um dialeto chinês que ele conhecia bem, embora não fosse a única língua estrangeira que ele soubesse. Depois, ele se levantou e foi falar com a mulher: "Você sabe em que língua falou?", indagou ele. "Não", retrucou ela. "E sabe o que disse?", insistiu ele. Naturalmente, ela não sabia. "O que você disse foram blasfêmias e obscenidades", informou ele. É possível que a mulher tenha apanhado telepaticamente o uso daquele dialeto, na mente do missionário, que conhecia bem aquele idioma; então, com base nos próprios impulsos humanos e inferiores, entregou a mensagem.

Scepticós – Não duvido que isso possa ter acontecido.

Matetés – Talvez o que ela disse tenha sido telepaticamente pescado das profundezas da própria natureza inferior do missionário!

Scepticós – Ai! É terrível, mas é possível!

Súnesis – Lembremo-nos, além disso, de que podem ser faladas línguas sob hipnose, quando poderes psíquicos são liberados. Além disso, há casos nos quais pessoas com febres têm falado em línguas. É quase certo que tudo quanto acontece nesses casos são funções psíquicas; não se trata de algo divino, e nem de demoníaco, mas apenas de manifestações humanas estranhas. Isso não quer dizer, porém, que se trata somente disso. Tudo pode ser feito por influência demoníaca.

Scepticós – Por enquanto, por motivo de **ênfase**, apeguemo-nos à variedade telepática das línguas. Há alguns anos, nos Estados Unidos da América, apareceu na televisão um homem capaz de fala "simultânea".

Matetés – Fala simultânea? O que será isso? Nosso diálogo tomou ares estranhos.

Scepticós – Esse fenômeno é bastante comum. Tem havido um bom número de casos similares. Esse homem era capaz de repetir, palavra após palavra, em qualquer idioma, o que outra pessoa, a uma distância segura (isto é, fora do alcance da audição) estivesse dizendo. Alguém lia um artigo em linguagem erudita, em qualquer idioma, e esse homem, "no mesmo instante", repetia palavra por palavra do que estava sendo dito, embora não o compreendesse, e nem entendesse o tema. O que ele fazia era simples demonstração de telepatia. De fato, aquele homem descobriu sua capacidade de modo bastante acidental. Quando estava no exército, um amigo seu ficou zangado com ele e começou a gritar com ele. Ele pôs-se a imitar o amigo. Então, para sua diversão, começou a proferir as palavras simultaneamente com seu amigo. Daí veio a expressão "fala simultânea". Talvez se trate de uma forma de línguas. Por que um indivíduo não poderia fazer isso, falando em línguas ao mesmo tempo que tomasse por empréstimo os pensamentos, que, subsequentemente, são expressos na forma de palavras? Se uma dessas coisas pode ser feita, a outra por certo deverá ser feita com igual facilidade. Que aquele fenômeno teve lugar é algo registrado publicamente. Não é preciso nenhum salto de fé para acreditarmos que as línguas, pelo menos em alguns casos, sejam apenas telepatia em operação.

Súnesis – Sei de outro caso semelhante. De fato, isso sucedeu a uma amiga bem conhecida. Ela visitou um campo missionário onde se falava o português. Não sabia falar português e nem tinha nenhum interesse em aprender o idioma. Foi a uma reunião; quando os cânticos começaram, para sua grande surpresa, pôde juntar sua voz às dos outros, em português, embora não fizesse ideia do que cantava. Nada existe de espiritual ou de diabólico nisso. Trata-se de simples caso de telepatia, que se torna uma espécie de fala simultânea.

Scepticós – Sendo esse o caso, a "natureza inferior" de um homem pode usar alguma habilidade psíquica para expressar-se em uma reunião. Conheço dois casos assim. Certo homem, por muito tempo, buscara a experiência do falar em línguas. Finalmente, ele a conseguiu. Ficou desapontado e até **chocado** com o que sucedeu. Tinha consciência de haver dito coisas imundas e blasfemas; sentia-se espiritualmente contaminado e foi invadido por profundo senso de vergonha. Não sabia o que dissera; mas estava certo de que o era de sua natureza inferior. É possível que ele tenha escavado em seu subconsciente tudo quanto era de vil em seu ser, tendo-o expressado em línguas.

Matetés – Naturalmente, conforme alguns supõem, ele pode ter sido influenciado por algum poder demoníaco.

Scepticós – Isso está fora de dúvida. Se houver um poder demoníaco, quase certamente haverá dificuldades. Se aquele homem foi usado como veículo para dizer blasfêmias e imundícias, o poder demoníaco tentará novamente. Isso, algumas vezes, chega a uma "real possessão". A vida pessoal de um homem começa a envolver todo tipo de problema grave. O poder que o levou a falar em línguas ou a realizar algo supostamente espiritual, cuidará para que ele pague caro por lhe ter aberto sua psique para forças estranhas. Talvez isso leve anos, mas as forças negativas são bastante pacientes. É bem possível que não tenham nenhum "senso de tempo". Dez anos pode ser curto prazo para elas, e podem ocupar esse tempo, ou mais ainda, para destruir um homem e seus familiares.

Zetetés – Voltando às línguas. Não é verdade que têm uma história inteiramente não-religiosa?

Scepticós – É verdade. E também em "alguns casos", têm um presente totalmente não-religioso. Havia certa mulher que limpava os escritórios de professores universitários. Certo professor de grego e latim, do departamento de idiomas, estava acostumado a andar para lá e para cá em seu escritório, repetindo grego e latim em prosa e poesia. A mulher da limpeza não dava atenção consciente ao que ele dizia. No entanto, quando foi atacada de febre alta, certa feita, entrou em delírio e prorrompeu em grego e latim, repetindo obviamente o que lhe ficara gravado no subconsciente.

Súnesis – Isso ilustra o fato de as línguas serem de muitas variedades e de uma experiência com línguas não precisar representar nada de

altamente espiritual. Infelizmente, algumas vezes, as línguas tornam-se um veículo para o mal. As pessoas que buscam essa experiência como atalho para a espiritualidade, e que não têm conquistado os vícios em sua vida, além de pouquíssimo se dedicarem a Cristo, correm o perigo de fazer uma "viagem má com línguas", tal como os toxicômanos fazem más viagens com LSD.

Scepticós – As línguas também são de muitas variedades. Alguns registros têm provado que há pessoas que dizem palavras isoladas ou pequenas frases de muitos idiomas, e, aparentemente, de não-idiomas. Aqui há um pequeno trecho em inglês; ali, em espanhol; acolá, uma frase em hebraico etc. Esse tipo de línguas quase certamente nada é além de uma função **psíquica**. Nada tem a ver com um dom espiritual. Esses registros, porém, têm sido feitos entre crentes carismáticos, que supostamente estariam praticando dons espirituais.

Matetés – Que confusão! Será Deus autor dessas coisas?

Súnesis – Conheci um missionário evangélico que falava em línguas Dessa maneira. Ele reconhecia um trechinho de grego ou hebraico (idiomas que estudara no seminário), além de breves tiradas em outras línguas que ele reconhecia. Apesar desse aparente absurdo, estava erradamente "convicto" de que tinha experiência válida com as línguas, e muito se excitava ante o acontecimento.

Scepticós – É relato comum que tais experiências muito alegrem aos que delas participam. A alegra, entretanto, pode ser psíquica, e não espiritual.

Sofós – Voltemos às "línguas demoníacas". Duvido que seja por acidente que os carismáticos sejam os que mais dificuldade têm com as forças estranhas e com possessões claras. Em suas reuniões, abrem sua psique para seres estranhos e negativos. Vivem experiências místicas, mas a mui elevado preço. Esses seres invisíveis gostam de demorar-se para agir mais e mais vezes. Além disso, gostam de ferir e destruir. É comum nas igrejas carismáticas haver sessões regulares de "expulsão de espíritos malignos". Outras igrejas, entretanto, não acham ser isso necessário. Assim, numa reunião, essas igrejas convidam os maus espíritos, e, na próxima, os expulsam. Todas as maçãs do diabo têm vermes.

Scepticós – Não estamos querendo dizer que todas as igrejas carismáticas sejam desse tipo. Estamos apenas afirmando que esse é um fenômeno comum em tais movimentos.

Súnesis – É provável que os próprios espíritos (nós os chamamos demônios) sejam de muitas variedades de seres. Seres malignos e muito poderosos podem ser da ordem dos "anjos decaídos". Grande parte do que sucede, entretanto, não indica níveis muito elevados de inteligência. Quando algumas das profecias são pronunciadas, ou as línguas são interpretadas, geralmente se fica impressionado com a baixa inteligência que transparece nas mensagens; e, às vezes, é dito apenas o que é comum. Poderia o Espírito Santo apresentar mensagens desse tipo? Alguns desses "espíritos" que dão mensagens e levam as pessoas a falar em línguas etc., provavelmente são espíritos humanos de pouca inteligência. É evidente que existem espíritos chamados "elementares", quase equivalentes aos "animais do mundo dos espíritos". Com frequência, o espiritismo se vê de mistura com esses espíritos. Alguns deles são aparentemente inofensivos. São apenas macacos espirituais, que gostam de divertir-se.

Scepticós – Alegro-me que você tenha mencionado o espiritismo. Devemos notar que, com frequência, os espíritas produzem os mesmos fenômenos. E algumas vezes há manifestações de elevada ordem, não digo que aquelas que surgem nas igrejas carismáticas. As línguas são comuns no espiritismo. Os que estão nessas igrejas dirão que tais manifestações espíritas são de Satanás, embora se trate de coisas idênticas às que ocorrem nas igrejas carismáticas, onde elas são taxadas de boas. A experiência tem mostrado a falácia desse raciocínio. Estou impressionado com o fato de muitas igrejas evangélicas, na realidade, serem centros espíritas, que funcionam sob a bandeira cristã. Os espíritas, como um grupo, mostram-se bem mais sábios do que esses crentes carismáticos, pois, desde o começo, reconhecem que existem espíritos bons e maus, de inteligência superior e inferior, e fazem o quanto podem para proteger-se dos mesmos; mas, no movimento carismático, parece que as pessoas supõem universalmente que, só porque se chamam cristãos, todas as manifestações ali havidas provêm de Deus. Além disso, muitas daquelas congregações entram em luta umas contra as outras. Muitos desses crentes carismáticos são pessoas viciadas, que levam vida moralmente corrupta, ao mesmo tempo que, segundo afirmam, continuam exercendo "dons espirituais". O próprio movimento, como um todo, não me tem impressionado como um movimento de Deus. Nem por isso condeno a todos os homens e mulheres que dele participam, e nem por isso digo categoricamente que suas experiências são falsas e malignas.

Súnesis – Assim, no mundo espiritual, há grande variedade de seres espirituais. Alguns, provavelmente, conforme tem ensinado a igreja histórica,

246 |Artigos introdutórios| NTI

são espíritos humanos pouco desenvolvidos, que procuram viver em mortais encarnados. No mundo intermediário, antes que Cristo estabeleça os limites eternos, assim **pode suceder** com facilidade. Muitos pais da Igreja tinham essa ideia, tal como se dava com o judaísmo antigo. Estamos apenas dizendo que muitos tipos de espíritas podem estar envolvidos nessas manifestações. Com raridade, ouve-se falar de um fenômeno que seja tão poderosamente maligno que nos incline a atribuí-lo um poder angelical maligno, a um anjo decaído. Os anjos decaídos compõem apenas parte — e, talvez, pequena parte — da ordem de seres espirituais que podem misturar-se com os mortais hoje em dia, dentro e fora das igrejas evangélicas. Seja como for, basta-nos observar a existência dessa variedade de "origens" (devido à variedade dos tipos de seres espirituais envolvidos), o que facilmente explica a "desigualdade" de manifestações. Algumas mensagens em línguas são superficiais, expressando o que é de lugar comum. Outras são elevadas e nobres, exibindo grande inteligência. Outras, já o notamos, são vis e obscenas, afundando até à blasfêmia.

Scepticós – No mundo visível, há fechaduras nas portas. À noite, trancamos as portas. Dentre cem pessoas que passam numa rua, à noite, talvez apenas uma tenha algum desejo de nos fazer o mal. Não faríamos objeção se as outras noventa e nove entrassem em nosso jardim, ou até mesmo dentro de nossa casa. No entanto, por causa daquela outra que pretende nos prejudicar, temos fechaduras nas portas. Na igreja, porém, não há tais fechaduras. Os homens abrem sua psique de um modo como não fariam com sua casa, à noite. Vejamos o quadro agora: uma alucinada reunião carismática se está desenrolando. Os participantes estão abrindo propositalmente sua psique a qualquer influência espiritual que porventura passe. Assim, os espíritos começam a passar. Alguns deles são apenas macacos perturbadores. Não pretendem fazer mal nenhum. Entram e entregam suas mensagens frívolas, em meio a risotas e trejeitos inaudíveis e invisíveis. Outros espíritos, mais ou menos do mesmo naipe que nós, entram e entregam mensagens que refletem suas qualidades boas ou más. Procuram viver por meio de homens vivos. Talvez até estejam em busca de uma vereda superior, tal como o estão fazendo aqueles crentes. Talvez estejam querendo nos ajudar; mas, em um mau instante, terminam por prejudicar-nos, tal como o faria outra pessoa qualquer. De modo nenhum, entretanto, são alvo digno de nossa adoração, nem pode ser um meio de nossa inquirição espiritual. Agora, **abram caminho!** Eis que chega um espírito realmente **maligno**. Ele é maldoso e sem misericórdia. Coitado do homem que for por ele laçado! No entanto, sua capacidade de escolha é ampla, pois há muitas almas abertas à sua disposição. A reunião caracterizada pelo hiperdespertar realizou sua obra nefanda. Alguns entram e saem da auto-hipnose; outros estão mergulhados noutra forma de transe. O espírito maligno seleciona a sua vítima. Essa vítima sofrerá; e não nos enganemos a esse respeito.

Matetés – Onde está o Espírito Santo em tudo isso?

Scepticós – Talvez em algum lugar, com alguns daqueles crentes. Só Deus pode fazer um julgamento válido em meio a toda essa confusão.

Sofós – Contudo, temos afirmado que os dons espirituais são desejáveis e são para nossa época, contando que realmente sejam dados pelo Espírito, e que tenhamos os meios e a inteligência necessários para buscá-los apropriadamente.

Matetés – Se tivéssemos o dom do discernimento seria assim; mas parece que esse não tem sido restaurado à igreja.

Sofós – Passemos agora para o quarto ponto:

d) **O espírito e os anjos** — Admitimos aqui que Deus pode agir, e realmente o faz hoje em dia, mediante experiências místicas e obras miraculosas, incluindo os dons descritos no NT. Estamos infelizes com o movimento carismático geral, conforme ele existe, mas isso não significa que rejeitamos dogmática e teologicamente a possibilidade de uma real restauração desses dons. Isso já pode estar sucedendo na vida de alguns. Ouvem-se relatos positivos e negativos. Alguns se têm tornado melhores crentes por causa de suas experiências místicas, manifestadas pelos dons espirituais do NT. O quadro não é todo negro e melancólico. Duvidamos, entretanto, que a igreja em geral esteja pronta para uma restauração real. Uma falsa restauração tem envolvido alguns elementos carnais, conferindo-lhes um falso senso de avanço espiritual, juntamente com larga dose de orgulho carnal em uma suposta superior espiritualidade.

Matetés – O título desse ponto sugere, suponho, que você pensa que os "dons espirituais" podem ser mediados pelos anjos.

Sofós – Está certo. Existe tal coisa como o ministério dos anjos. Trata-se de uma doutrina comum e honrada. Cremos em guias e guardiões angelicais. Não é impossível que tais seres, nomeados como nossos guias, tornem-se agentes mediante os quais tenhamos experiências místicas que nos aproximem de Cristo e nos deem mais poder em nossa missão. Por outro lado, o Espírito Santo, pessoal e diretamente, pode intervir em nossa vida, dotando-nos de poder. Seja como for, é Deus quem nos dá os dons e os leva a fazer diferença em nossa vida. Notemos como cada uma das sete igrejas das cartas do Apocalipse tinha um **anjo** a quem elas foram endereçadas. Se examinarmos a teologia que circunda isso, historicamente falando, descobriremos que seres angelicais reais estão em foco, e não pastores humanos, embora os pastores possam ser os principais meios pelos quais operam esses "guias angelicais". A teologia judaica, refletida em livros como o de Daniel, e então em livros escritos entre o AT e o NT, aludia a guardiões e guias angelicais como quem dirigia nações, comunidades, sinagogas, e, finalmente, indivíduos. Naturalmente, pouco sabemos de coisas tão maravilhosas como essas, mas o NT parece mostrar-se simpático com esse modo de pensar. Não estamos sós, afinal, pois poderes espirituais elevados estão próximos de nós e nos ajudam no que fazem. Creio, pessoalmente, que alguns de nossos melhores homens, os mais poderosos, são aqueles que têm íntima relação com seus guardiões angelicais; e esses guardiões são os mediadores entre eles e Cristo ou seu Espírito, pois essa é sua tarefa, razão pela qual foram nomeados. Alguns supõem que o guia angelical é realmente o eu mais alto do indivíduo, o ser real da pessoa, um ser mais elevado que a própria alma humana, um ser do qual a alma humana é apenas uma das manifestações. Essa é uma doutrina acerca da qual não temos meios de investigação, pelo menos por enquanto. Não precisamos, contudo, investigar isso para provar nossa tese de que poderes espirituais se mantêm próximos de nós, a fim de ajudar-nos, dar-nos poder e tornar-nos santos.

Assim dizendo, nada falamos contra as operações diretas do Espírito. No entanto, a obra do Espírito sem dúvida inclui nossa associação com seres angelicais, os quais, embora invisíveis, são bastante reais. Portanto, abre-se diante de nós a bela vereda do desenvolvimento místico, algo de que muito precisamos. Oh, Senhor! Como podemos buscar-te misticamente em meio à confusão reinante? Oh, Senhor! Como podemos aprender da proximidade do Espírito, de que precisamos tão desesperadamente, em meio a essa confusão?

Scepticós – Oh, Senhor! Torna-nos santos! Oh, Senhor, dá-nos o dom do discernimento espiritual! Tendo-nos equipado e protegido assim, leva nossa alma a fugir para ti para obter a graça da proximidade.

5) Duas alternativas para os dons como manifestos no primeiro século

a) Meditação

Iluminação — Chegamos agora ao **ponto final** de nossa discussão acerca dos dons espirituais. Supomos que entre outros meios de inquirição espiritual, os dons podem estar envolvidos. Declaramos que devem ser usados por aqueles que encontraram uma vereda segura para eles. Advertimos, porém, que nem tudo que é apresentado como dom espiritual é necessariamente isso. Muitos crentes têm sido prejudicados, e não ajudados, no chamado movimento carismático. Na introdução à nossa discussão sobre os dons, descrevemos o papel que os dons espirituais deveriam desempenhar em nossa inquirição e desenvolvimento espirituais.

Dias atrás, Scepticós veio ver-me. Nossa discussão, finalmente, veio a descansar sobre toda a questão do uso dos dons em nossa busca espiritual. Ele propôs um modo **alternativo** pelo qual, supõe ele, alguns homens poderiam incorporar melhor o toque místico em sua vida, de maneira superior mesmo do que se buscassem os dons espirituais que muitos homens buscam hoje em dia. Explique-nos o que você quis dizer, Scepticós.

Scepticós – O que digo aqui é como especulação e não dogmaticamente. Vocês devem estar lembrados de como Moisés subiu ao monte e recebeu a lei. Desceu e achou o povo em tremendo estado idólatra. Moisés partiu as tábuas da lei, em acesso de ira. Mais tarde, elas foram "restauradas". A "doação" original, entretanto, foi impedida pelas condições morais do povo. Olhando para a confusão que existe em meio ao movimento carismático, inclinamo-nos a crer que o propósito de Deus tem sido corrompido de tal maneira, que é impossível salvar qualquer coisa dentre esse movimento. Nesse caso, onde nos situamos? Devemos gozar de proximidade em nossa fé cristã; pois, do contrário, cairemos em contemplações iníquas, ritos e cerimônias, sendo inundadas por uma multidão de dogmas sem inspiração e de ensinamentos melancólicos. Precisamos sentir **a presença** do Rei. Não basta ouvir acerca dele, sobretudo quando aquilo que nos é dito com tanta frequência é fraco e destituído de impulso inspirador. O NT ordena-nos a seguir a vereda da proximidade com Deus. "Enchei-vos do Espírito". Isso deve incorporar a proximidade dele. E certamente vai além do que é mero preceito e ensino, do que é apenas rito e cerimônia.

Consideremos, pois, a iluminação mediante a meditação.

Súnesis – Essa é a vereda tomada por muitos místicos cristãos, desde os tempos mais antigos até os nossos dias.

Scepticós – **Isso é verdade**, naturalmente. Já falamos sobre a meditação. Quando entramos nesse "silêncio", apenas buscamos um andar mais profundo com Cristo, por meio de seu Espírito. Buscamos entender, intuitiva e espiritualmente, a sua grandeza e proximidade, bem como a imensidade que devemos atingir no processo da transformação de sua imagem. Buscamos e não nos equivoquemos a respeito — a proximidade com seu Espírito. Estudamos, oramos e tentamos pôr em prática a lei do amor; mas em nossa busca espiritual também aspiramos por uma iluminação espiritual que nos dê a presença imediata do Espírito. Nisso há poder, poder de ministrar, poder de sermos santos. E esses são meios de desenvolvimento, de busca espiritual. Pessoalmente, devido à confusão reinante no movimento carismático e ao caráter dúbio da origem dos **dons** que supostamente estariam sendo restaurados, penso que esse é um caminho mais seguro e mais hígido, e não um caminho que finalmente é menos eficaz, pois pode tornar-nos mais santos e mais poderosos no cumprimento de nossa missão. "Essa vereda tem sido testada" e provada, e parece isenta das armadilhas próprias da outra vereda. Estamos entre aqueles que se dispõem ao sacrifício para achar a ele? Busquemo-lo anelantemente, portanto. Busquemo-lo em oração; busquemo-lo em nossos estudos; busquemo-lo em atividades em prol de outros; busquemo-lo no silêncio, por meio da meditação. Essa é minha sugestão. Talvez o processo histórico nos faça ultrapassar o que é falso e perigoso, dando-nos um autêntico movimento carismático. Até lá, talvez essa outra vereda seja a melhor para uma igreja franzina e adoentada.

Sofós – Muito agradecido pela sugestão. Penso que valeu a pena ventilá-la. Ela deve chamar nossa atenção. Há valor nessa vereda, usemo-la ou não para substituir a participação no uso dos dons. Intitulamos nossas discussões de "Reavaliando o evangelho". Nosso propósito tem sido o de nos estimularmos a reconsiderar várias questões. Não evitamos as especulações. Não evitamos experimentar nossas veredas. Talvez possamos tirar proveito disso tudo. Sem dúvida, muito temos que aprender. Nossa discussão é uma confissão desse fato.

b) Avanço, não restauração

Diversas vezes Epítropos indicou que ele ia sugestionar como os dons espirituais poderiam estar ativos, sem seguir os padrões de expressão do primeiro século. Scepticós sugestionou uma alternativa para os dons que nos trariam a presença do Espírito, e, portanto, o seu poder, sem os empecilhos característicos do movimento carismático. Epítropos, então, talvez tenha algo a acrescentar neste assunto.

Epítropos – Scepticós antecipou o espírito do que eu tinha em mente, se não antecipou a substância. Certamente Efésios 1 nos dá razão de supor que a meditação deve ser um dos nossos meios de crescimento espiritual. Temos notado, porém, que mesmo isso poderia ser prejudicial a algumas pessoas, que, consciente ou inconscientemente, entram em estado de consciência alterada. Essas pessoas, espiritualmente não preparadas, ou carregando vícios não conquistados, poderiam se queimar da mesma forma que aqueles que procuram a experiência das línguas com manifestações supostamente sobrenaturais. Estou presumindo que, em qualquer procura da presença do Espírito, a pessoa poderia se envolver num contato com algum espírito de baixa natureza e se machucar.

Scepticós – Já foram tornados claros estes pontos. Sinto, no entanto, que, no que diz respeito à minha busca espiritual, se eu me preocupar com o que possa acontecer aos outros, se eles procurarem a presença do Espírito sem a preocupação apropriada, eu poderia ser impedido eternamente de alcançar o que o Espírito espera de mim. **O Espírito** pede que eu venha para ele. Deus fez minha mente, meu cérebro, meu espírito. Ele pede que eu entregue tudo a ele. Então, abra caminho! Eu aplicarei todos os meios de crescimento espiritual que conhecer e puder, desde que sejam meios racionalmente e escrituralmente corretos.

Sofós – Esta é a atitude correta, até onde eu possa enxergar.

Epítropos – Correta para Scepticós e outros de sua disposição, mas não se deve falar de coisas assim sem os avisos apropriados.

Sofós – Isto não admite argumento. O que diz sobre a sua "alternativa"?

Epítropos – Eu lhes direi francamente que estou decepcionado com o movimento carismático; e não apenas isso, mas eu tenho um pressentimento que está passando a ser uma convicção, de que, pelo menos certos aspectos dos dons espirituais, como descritos no NT, **sempre** foram fracos, e, não com pouca frequência, prejudiciais. Paulo mesmo falou com certo desprezo a respeito do dom de línguas. Ele exaltou as profecias, isto é, ensinamento feito supostamente pela presença do Espírito, mas ele foi forçado a denunciar todo o assunto sobre os dons de línguas, de profecias, de interpretações etc., como eram praticados em Corinto. Não tenho dúvidas de que os **coríntios** estavam usando esse fator de hiperexcitação que Scepticós descreveu. Paulo teve de denunciar suas reuniões desordenadas, confusas e frenéticas, que eram apenas meios de exaltação carnal. Tudo isso parece muito **familiar**. Estou, então, suportando a tese de que, desde o início, esse tipo de expressão espiritual era primeiramente fraco e, em segundo lugar, sujeito a muito abuso,

com o resultado que o movimento carismático original **não** era **muito melhor** do que o que vemos hoje em dia. Em outras palavras, muito do movimento no primeiro século era espiritualmente vazio bem como prejudicial.

Scepticós – Se estou seguindo corretamente seu argumento, até este ponto, você parece sugestionar que foi uma **boa coisa** os dons espirituais terem morrido! Alguns lamentam essa morte e querem uma ressurreição. Você parece aplaudir a morte!

Epítropos – Exatamente. Mas não sem alguma qualificação.

Scepticós – E o que poderia ser isto?

Epítropos – Que da morte, surja a vida. Agora mesmo, eu tomarei a posição de que o NT não é, em todos os seus aspectos, um livro de finalidades, mas um livro de **inícios**. Muitas pessoas sentem-se obrigadas a seguir cada preceito, mesmo aqueles baseados em costumes antigos, como a lavagem dos pés, o beijo sagrado, saindo em duplas para evangelismo, o véu na igreja para as mulheres etc., porque devo supor que todas essas coisas eram pretendidas como **finalidades**? Aplique este mesmo raciocínio ao assunto dos dons. Eles tinham o seu propósito. Eles falharam, tiveram um semissucesso, semifalha. Eu não vou chorar no funeral!

Matetés – A sua posição me parece um pouco radical, e eu quero mais provas pelas Escrituras, e não apenas algumas ideias malucas que começam em seus sentimentos e passam para convicções.

Epítropos – Primeiramente, veja o assunto da lei. Os judeus sempre se prenderam à sua "finalidade", tanto no meio de justificação quanto no modo de santificação. Certos versículos do VT suportavam essa tese, ou queremos ser cegos e não enxergar isso? Cristo foi o fim da lei tanto para a justificação quanto para a santificação. Os judeus se enraiveceram quando ouviram os cristãos antigos dizer isto. A raiva, porém, não pode enterrar a verdade. Em alguns lugares o experimento funcionou; em outras áreas, falhou. Eu defendo a tese de que os processos espirituais e históricos na igreja têm **contornado** esse tipo de expressão espiritual.

Scepticós – Antes você disse que os "dons espirituais" poderiam permanecer sem o modus operandi que tinham no primeiro século. Explique o que você quis dizer com isso.

Epítropos – Creio que fomos certos em supor que precisamos de dons espirituais, e dons espirituais certamente nos envolvem no ministério do Espírito. Esse ministério, porém, não quer dizer que devemos ter o dom de línguas, de profecias etc. Por que devemos pensar que o movimento do Espírito deve ser limitado àqueles tipos de meios? A história e a experiência de hoje em dia nos demonstram que, até onde eu posso entender, ficaremos melhor se não tentarmos ressuscitar um meio de espiritualidade que, desde o início, não era muito bom. A presença e o poder do Espírito podem ser muito reais em nossa vida sem o dom línguas e outras manifestações que sempre têm sido sujeitas a abusos. Não nos esqueçamos de que línguas e profecias eram comuns nas culturas pagãs antigas, como a da Grécia. Portanto, digo novamente, eu creio que o processo histórico-espiritual tem contornado esse modo de expressão espiritual.

Scepticós – Você acha que o NT possui alguma passagem ou versículo, que dogmaticamente nos diz que isso poderia ou deveria ter acontecido?

Epítropos – Não. Eu concordo com nossa discussão prévia, de que 1Coríntios 13.10 não faz esse tipo de previsão. Estou observando, ao contrário, que não devemos ser escravos da carta. Eu acho que Deus possui algo melhor e menos aberto a abusos, do que o modo de operação espiritual como conhecido na igreja primitiva.

Scepticós – E o que poderia ser isso?

Epítropos – Eu sugestiono que poderia incorporar uma variedade de coisas. Em primeiro lugar, o Espírito faz operar em nós uma santificação maior, à base de toda a espiritualidade. Em segundo lugar, ele nos dá poder em palavras e ações. Ele nos dá palavras convincentes para falar, uma visão maior e a força necessária para alcançar as nossas missões. Ele nos diz o que fazer, e nos fortalece enquanto o fazemos. Ele está conosco e somos diferentes, e isto pode ser feito sem que procuremos o dom de línguas etc.

Scepticós – É um ponto, logicamente. Muitos dos homens de Deus foram poderosos em palavras e ações, mas não tiveram nenhuma experiência mística "**verdadeira**" em sua vida. Eram obviamente instrumentos divinos, de qualquer modo.

Epítropos – Tomemos um exemplo moderno para ilustrar esse assunto. Conheço um missionário evangélico que possui um ministério quase apostólico. Quando surgia a necessidade de ele expulsar um demônio, ele o fazia espontaneamente e com facilidade. As evidências mostram que os espíritos malignos literalmente correm da sua presença. Ele não fala em "profecias", mas as suas palavras são fortes, não em eloquência humana, mas em poder. Esse homem não é eloquente; ele é intelectual, mas não altamente treinado intelectualmente. Ele não possui nada da pompa em volta dele que acompanha os "procuradores de dons espirituais", mas sua presença e palavras fazem um trabalho de natureza gigantesca. Ele possui, eu lhes digo, dons espirituais poderosos, sem a manifestação do tipo do primeiro século.

Scepticós – Neste trabalho, milagres (como nós os consideramos) às vezes acontecem?

Epítropos – Estou feliz por você ter mencionado isso. Sim, curas, por exemplo, têm acontecido, junto com outros acontecimentos surpreendentes, incluindo uma volta aparente da morte clínica. Entretanto, quero deixar claro, no que diz respeito a tais acontecimentos, que eles aconteceram quando realmente necessários e não foram o resultado de uma possessão contínua, da parte desse missionário, de dons miraculosos.

Scepticós – Em outras palavras, o poder estava lá quando necessário, mas não era algo que o missionário gostasse de mostrar a todo mundo.

Epítropos – Exatamente. Esse é um exemplo, pois, de como a **presença do Espírito** pode ser muito real e operativa sem a pessoa ter de se prender ao movimento de línguas e profecias.

Matetés – A sua "alternativa" será contradita por aqueles que promovem o movimento de línguas, pela declaração de que, se o seu missionário tivesse tido o batismo do Espírito, ele teria sido um instrumento muito maior do poder de Deus. Em outras palavras, ele estava indo bem sem o batismo; com o batismo ele iria muito melhor.

Epítropos – Eu creio que esse argumento morre sobre o seu próprio peso. Temos aqui um homem que excede, em poder e feitos a maioria dos missionários "batizados" que por acaso você encontrar, e, no entanto, quer que acreditemos que fez isso sem o maravilhoso poder encontrado supostamente nos outros. Se ele tivesse o maravilhoso poder deles, supostamente ele teria que ser outro Paulo! O senso comum e a observação nos dizem que esse homem era o que era pelo poder do Espírito de Deus livremente colocado sobre ele sem os empecilhos do movimento carismático, e sem os enfeites do primeiro século. Sendo desse modo liberado, ele escapou dos abusos possíveis mas nada lhe faltava em poder espiritual. Tem dons espirituais, mas não utilizados segundo o modus operandi do primeiro século.

Matetés – Foi você que disse que o NT era um livro de "inícios" e não de "finalidades"?

Epítropos – Não me refiro aqui a doutrinas éticas ou espirituais, mas, ao invés disso, aos métodos das operações do Espírito, bem como às práticas que refletem costumes sociais. Algumas pessoas, aderindo firmemente à carta, supõem que cada dito do NT é prendedor. Portanto, rigorosamente, põem em prática o beijo sagrado, as mulheres usam véus, lavam os pés (um costume social oriental) etc. O Novo Testamento, em si, no entanto, não se faz prendedor em tais assuntos. É o dogma de alguns homens que o torna assim. Eu não sou prisioneiro desse dogma. Meramente porque o primeiro século trazia certo tipo de expressão espiritual (como o falar em línguas etc.), não significa que o meu século não possa contornar e achar uma operação espiritual melhor. Deixo estas sugestões com você para sua consideração.

Sofós – Obrigado por suas explicações. Acho que são dignas de consideração. Devemos admitir que nos falta poder espiritual. Portanto, procuremos o Espírito e deixemos que ele opere ao seu modo. Não digamos que ele deve operar do mesmo modo com todos. Certamente, em alguns casos, ele usará homens da mesma forma em que os usou no primeiro século. Em outros casos, usará métodos diferentes, talvez até melhores. **Muitos** são os caminhos do Espírito. Deixemos que ele tenha um caminho para nós.

Finalmente, chegamos agora a nosso último ponto: A inquirição espiritual deveria ser

g. O meio real (amor e boas obras)

Paulo mesmo disse: "E eu passo a mostrar-vos ainda um caminho sobremodo excelente". Ele acabara de dizer: "[...] procurai, com zelo, os melhores dons". Em seguida, passou a mostrar o caminho **mais excelente**: o caminho do amor (ver 1Co 13).

Todos esses dons devem ser baseados e inspirados nesse amor, ou nada serão; pois, acima deles, o amor mostra-se supremo. É melhor mostrar atitude gentil do que falar em línguas, mesmo que esse ato venha genuinamente do Espírito. E que proveito teria o uso das línguas, mesmo quando genuínas, se nossa motivação interna não estiver profundamente arraigada no desejo de ajudar a outrem? Minha fé pode ser tão grande que remova montanhas impossíveis. Meu conhecimento pode deixar admirados até os anjos que consideram mistérios profundos. Mas, **sem amor**, que serei? — pergunta Paulo. Sua resposta nos choca: **Nada!** Poderíamos olhar para alguém que opera milagres e dizer: "Eis um gigante espiritual!" No entanto, Deus, que conhece o coração, e que sabe que esse homem não tem amor pelos outros, antes, está repleto de desejos de autoexaltação, faz outro juízo: Eis um homem que nada é!

Scepticós – Percebo o que você quer dizer. Pense só nisso! Uma verdade tão comum; uma verdade tão largamente propagada; uma verdade com a qual concorda nosso coração e que a nossa mente aprova. O amor, em

última análise, é a maior de todas as virtudes cristãs, o mais poderoso agente de nosso desenvolvimento espiritual. Todas as fés religiosas proclamam essa verdade, embora tanto se diferenciem entre si quanto a outros particulares.

Matetés – Percebo como o amor é o mais poderoso agente, pois impele-nos a beneficiar o próximo. Com razão é uma virtude muito recomendada. Como, entretanto, pode ela nos fazer melhorar e ajudar em nossa busca espiritual?

Sofós – Cada vez que fazemos algo "em favor de outrem", devido a real motivo de interesse e amor (como demonstração de altruísmo genuíno), eleva-se nosso próprio ser espiritual. A nossa energia espiritual vai sendo transformada para que se assemelhe à de Cristo. Ele é o nosso alvo. Na medida em que caminharmos pela vereda do amor, nosso ser vai sendo naturalmente transformado conforme o ser de Cristo.

Scepticós – É verdade. Lembremo-nos, porém, de que o amor é um dos aspectos do fruto do Espírito. É seu fruto principal, o solo onde medram todas as virtudes espirituais. O amor tem a sua semente na justiça; o amor floresce na bondade; opera na misericórdia; e é abundante na longanimidade.

Matetés – Posso ver isso com clareza. Nossa transformação moral em Cristo deve ser fundamentada no amor; e essa transformação leva à transformação metafísica, na qual chegamos a participar da própria natureza e imagem de Cristo.

Sofós – A epístola de 1João ensina-nos que "a prova da espiritualidade é o amor". Como poderei demonstrar que conheço a Cristo? Como poderei demonstrar que sou homem espiritual, e não homem carnal? A resposta é tão simples que a perdi de vista: Faze para os outros o que gostarias que fizessem para ti. Vive a lei do amor; serve a outros, pois quem é aquele que é realmente grande? Será o rei em seu trono, o qual é servido, e diante do qual todos se prostram em temor ou reverência? Não, será o Rei que se prostrou para lavar os pés de seus discípulos. É o Rei que "saiu a fazer o bem". É o Rei que deu sua vida pelos seus amigos e inimigos. É aquele que veio para servir, e não para ser servido. E não todos aqueles que imitam esse mesmo Rei. Trata-se de um tema importante, e pensei que seria aconselhável compilar um breve esboço, para que possamos manuseá-lo mais completamente:

O que é o amor?

É:

1) Sofrimento
2) Sacrifício
3) Serviço
4) Relacionamento
5) A cruz
6) Renúncia
7) União com Deus

1) Se tivermos de servir a outros, deve haver alguma forma de negação do próprio **eu**. Ao servirem intensamente a si mesmas, a maioria das pessoas tanto sofrem como se sacrificam. Por meio disso, entretanto, esperam "gigantescos dividendos" ou recompensas, usualmente algo que possa ser medido em termos de fama ou dinheiro. O amor não se assemelha a isso. Sofre em favor de outrem e não espera por nenhuma recompensa. No entanto, obtém certa recompensa, a saber, o desenvolvimento espiritual, o maior galardão possível, para nada dizermos da "recompensa no além", que o evangelho promete. O amor não é um sentimento fácil e sentimental acerca do que o mundo escreve em suas canções. O amor sofre. Desnuda-nos de confortos e alegrias pessoais. Não é o amor dos novelistas românticos. Consiste de lutar com outros problemas, de ter compaixão (sofrer juntamente com outros) em suas perdas. Consiste de ajudar a um bebê que chora por semanas a fio, e então, tragicamente, torna-se uma criança infeliz e mentalmente retardada. Todos já vimos casos assim, e temos observado o sacrifício e os sofrimentos das mães dessas crianças.

Súnesis – Frivolamente, fazemos cruzes de ouro e prata, e delas obtemos certo senso de beleza e dignidade. O amor, no entanto, é o sacrifício da cruz na vida do indivíduo. Lembremo-nos de como Jesus se dedicou a essa tarefa. Ele se unia às multidões, levando suas ansiedades e cuidados, tristezas e enfermidades. Lembremo-nos dos sofrimentos com que Paulo completou a sua missão. O sofrimento, entre outras coisas, foi sua companhia a vida inteira. "Eu lhe mostrarei", disse o Senhor, "quão grandes sofrimentos ele terá de passar por minha causa".

Scepticós – Se não estivesse disposto a pagar o preço, Paulo nunca poderia ter erguido a igreja gentílica. O texto de 2Coríntios 11 nos dá longa lista de seus sofrimentos, sem os quais sua missão teria caído por terra. Ele suportou "inúmeros espancamentos", com frequência esteve "perto da morte", foi açoitado, espancado com varas e apedrejado. Passou por perigos de temporais, naufrágios e assaltantes. Sofreu diversas perseguições, dos judeus, e dos romanos. Passou por noites indormidas e sofreu fome, sede e exposição ao frio. Acima de tudo isso, tinha de preocupar-se diariamente com as igrejas. Em verdade, ele foi o apóstolo dos gentios, e levantou, **quase que sozinho**, a igreja cristã no mundo gentílico. Teria feito bem pouco, porém, se não tivesse amado o trabalho e as almas dos homens o bastante para sofrer. O livro de Atos nos dá parcas informações sobre o que ele passou para realizar a sua missão. Aqui e ali, entretanto, em suas epístolas, vemos quão imenso foi o preço que ele pagou.

Súnesis – Quando um homem ama a outros e à sua missão, o sofrimento se torna um meio de expressão. A cruz é símbolo de discipulado. Ao mesmo tempo, é o mais vívido símbolo de sofrimento. Não é por acidente que ela é o símbolo de ambas as coisas. Os piedosos, somos informados, sofrerão perseguições. Amarão seu Senhor o bastante para passar voluntariamente por tudo. Estarão prontos a perder tudo (conforme Paulo diz em Fp 3), a fim de conquistar o **prêmio** desejado. A perda de prestígio e dos alvos pessoais; a perda de alvos autoescolhidos, que proveem confortos e vantagens terrenas; a perda dos amigos que relutam em seguir a verdade; a perda de dinheiro que, de outra maneira poderia ser ganho; a perda do dinheiro ganho; o investimento de tudo na própria tarefa, porque essa tarefa é amada.

Scepticós – Estamos sugerindo, segundo a tese de nosso diálogo, que o **amor** é um meio de melhorar a qualidade da alma do indivíduo. De cada vez que alguém faz algo por motivo de puro amor, sua alma é mais transformada segundo a imagem de Cristo. Assim, se alguém sofre por amor a outrem, ou devido a amor por seu projeto ou missão que visa a ajudar ao próximo, então estará crescendo espiritualmente, ao mesmo tempo. O amor, pois, é um dos meios de desenvolvimento espiritual, e o sofrimento faz parte do mesmo, quando damos ou quando obtemos. A lei da colheita segundo a semeadura nos assegura disso. O sofrimento é uma forma especial de doação, se for baseado em motivos puros. Portanto, supomos, provoca um tipo especial de recebimento.

Sofós – Essas são declarações verdadeiras. Se não sentirmos sua força, é possível que estejamos ocupados demais em servir ao próprio **eu**. O sacrifício está muito correlato aos sofrimentos, para que prossigamos em nosso tópico.

2) Sacrifício — Começarei com uma ilustração. Numa família que conheço, o pai era um alcoólatra. O único sacrifício conhecido por ele era aquele que ele fazia sua família passar, enquanto ele alimentava seu vício. Felizmente, talvez para todos, a enfermidade retirou aquele homem da cena, levando-o à morte. Foi uma vida desperdiçada para o "eu" e para o vício. A morte daquele homem lançou toda a carga financeira sobre os ombros da mulher. Ela tinha várias crianças para criar. Não estava satisfeita com a mera sobrevivência. Resolveu que educaria na universidade cada um de seus filhos. Isso envolveu sacrifício e esforço imensos. Ela despendeu "esforços extraordinários". Sabia bem música, pelo que dava lições de piano para suplementar suas rendas. Um por um, conforme planejara, seus filhos foram seguindo carreiras universitárias. Hoje, um é engenheiro e diretor de um colégio. Outro é médico. A mulher viveu para ver seus filhos em posições respeitosas. Faleceu recentemente. Quando morreu, vivia em abundância, e era muito amada por todos. Tudo isso se tornou possível mediante um **sacrifício** que operava com base em larga visão das coisas.

Súnesis – É preciso coragem para alguém fazer coisas assim. O sacrifício, naturalmente, envolve coragem. Em primeiro lugar, deve haver a coragem de negar o próprio "eu", dando a outros posição privilegiada, tornando-os objetos de nossos desejos e de nossa vida. Isso é **amor**, e traz o nome de "sacrifício" em algumas de suas manifestações.

Scepticós – Isso de dar a outros lugar à nossa frente não é nada fácil. Admitamos que, por natureza, somos egoístas. O amor próprio surge mui naturalmente, misturando-se com o impulso natural do instinto de autopreservação. Quando nos sacrificamos por outros, digamo-lo pelo momento, na questão de dinheiro, dizemos para nós mesmos: "Eu poderia prejudicar-me se desse demais. Tenho muitas obrigações a atender". A "autopreservação" torna egoístas quase todas as pessoas. Então, se tivermos pendores para sacrificar tempo e esforços, diremos para nós mesmos: "Seria melhor que eu fizesse o que quero, aquilo que é interessante e benéfico para mim". O resultado é que nos "medimos" em pequenas quantidades no tocante ao próximo, e só haverá sacrifício a nosso próprio respeito. O egoísmo impregna todo este mundo. Nada é mais óbvio do que isso. Alguns filósofos chegaram mesmo a pensar que um egoísmo mútuo é o alvo da ética. O problema ético pergunta: "como podemos todos nós, egoístas que somos, viver em harmonia?" A resposta a essa indagação é: "Por um egoísmo mutuamente benéfico". Assim, pois, eu dou algo para ti. E em recompensa, que me dás? "Só dou para ti, porque já deste para mim". O "egoísmo mútuo" é algo muito humano. O amor, que se expressa por meio de sacrifício, é divino. O amor

é um dos aspectos do fruto do Espírito, e só existe onde os homens são sérios na inquirição espiritual. O que a maioria dos homens não pode ver, e nem se dispõe a experimentar, é que o "amor" traz maior colheita pessoal do que pode fazê-lo qualquer outra coisa. Traz benefícios espirituais e promete o bem-estar no mundo vindouro.

Súnesis – Falamos em "tomar a cruz" e em seguir a Cristo. Todavia, praticamos bem pouco dessa regra. Penduramos cruzinhas de ouro e de prata no pescoço. As pessoas as admiram. No entanto, temos o cuidado de não trazer nenhuma cruz em nossa vida diária.

Scepticós – Certo autor pensou que a **comadre** seria bom símbolo para representar o cristianismo.

Matetés – A comadre?! Ora, vamos, Scepticós, que coisa estúpida é essa?!

Scepticós – Deixe-me explicar. Não é símbolo tão ruim assim. A comadre representa "serviço manual", como o lava-pés. As enfermeiras sabem bem disso. E suponho que nos hospitais as comadres tenham de ser despejadas por enfermeiras não registradas. Nunca trabalhei em um hospital, mas estou pronto a admitir que as mulheres de prestígio e posição inferiores são aquelas forçadas a cuidar das comadres e urinóis. Além de simbolizar o que é humilde e manual, trata-se de algo malcheiroso e, portanto, desagradável. Sem dúvida não é um serviço dramático. O cientista que inventa um antibiótico obtém fama. A enfermeira que esvazia comadres não recebe aclamação nenhuma. O cristianismo requer o serviço manual. Pensemos na pobre mãe de família que tem de fazer todo o trabalho sujo por seus familiares. Além disso, quando a refeição termina, quem tem de recolher os pratos para lavá-los, enquanto os outros membros da família vão para a sala para ver televisão, ou fazer qualquer outra cosia igualmente inútil? É a mãe, naturalmente; ou então uma das filhas. Se tivermos de servir, queremos que nosso serviço seja mais dramático, mais agradável. Quando o bebê chora à noite, quem tem de levantar-se para cuidar dele? Naturalmente, é a pobre esposa e mãe de família. Ela foi transformada em uma escrava serviçal. Justamente por esse motivo, porém, é que ela se regozija, porquanto grande será a recompensa pelo serviço manual que ela prestar, contanto que o faça bem, e com motivos puros. O tipo egoísta de mulher se interessa mais por carreiras e glórias oferecidas pelo mundo externo. Que se contratem empregadas para cuidar das crianças! O tipo egoísta se ressente até com a existência das crianças. Seja como for, a comadre ilustra certa faceta de sacrifícios, no serviço do crente.

Matetés – Vejo agora com clareza o que você quer dizer. Que ilustração crua!

Scepticós – Que seja crua. Mas é realista e cheia de significado.

Súnesis – Consideremos outra ilustração doméstica acerca dessa questão de sacrifício. Na nossa imaginação, vemos um homem casado com uma mulher bastante embotada, uma Maria insossa, conforme lhe chamam. Esse homem, quando se casou com ela, era jovem. Desde então, ele progrediu em educação e cultura. A mulher, porém, continua sendo o que era aos 18 anos de idade. Em seu trabalho, ele conhece mulheres interessantes, vivazes, educadas e cultas, mais agradáveis. À noite, porém, ele volta para a Maria insossa. O que fará ele? Se ele for como a média e o universal, arranjará uma amante, ou, pelo menos, terá os seus casos regulares de adultério, embora seja homem religioso. E "por que não?", indagará de si mesmo. Que esposa sem graça tenho em casa! Chega a congratular-se de não se ter ainda divorciado da pobre mulher. Chega a sentir-se no direito de ter contactos extraconjugais, devido a seu "sacrifício" de manter de pé o casamento. Diz que sua esposa não o entende, e talvez esteja dizendo a verdade.

Como é que o "sacrifício" baseado no amor, ou, digamos, como é que o sacrifício que é amor agirá em tais circunstâncias? A situação daquele homem é apagada. Ele e sua esposa sofrem de puro tédio, pois todo dia é igual e trivial. Agora está em posição de fazer grande sacrifício. Pode ser fiel à sua esposa, rejeitando o adultério como meio de escapar de sua situação. Sem dúvida isso seria uma forma de sacrifício, outro nome para amor. Pode tentar melhorá-la, assim elevando-a para a situação dele, pelo menos em parte. Isso envolverá ainda mais sacrifício, e, portanto, mais amor. Mesmo que não dê certo, ele pode sacrificar-se por ela e sofrer o tédio.

Sofós – Temos discutido sobre os tipos **diários** de sacrifício que um homem pode fazer, com base no amor. Consideremos agora a missão espiritual de um homem. Por ela, ele deve dispor-se a sacrificar tudo e qualquer coisa. Nossa missão é a de ensinar? O que estamos sacrificando, em termos de tempo e dinheiro, para ajudar certas pessoas quanto às questões espirituais? Nossa missão consiste da evangelização? Que estamos sacrificando por isso? Investimos mais em casas e possessões, bem como em conforto pessoal, do que em sair a campo para atingir os perdidos? Proclamamos que o evangelho nos traz grande tesouro, mas agimos como se nosso real tesouro consistisse da acumulação de bens nesta vida, e só para esta vida? Assim agem aqueles que nunca ouviram nem aceitaram o evangelho. Em que nos mostramos superiores a eles? Estamos justificando a confiança de nossa gente, que contribui com dinheiro para que nossa missão prossiga?

Scepticós – O NT ilustra com clareza, em várias vidas, quão grande sacrifício deve estar envolvido no cumprimento da missão do indivíduo. Jesus é nosso exemplo supremo. Ele nada poupava. Seu serviço foi tão intenso, que até seus familiares diretos julgaram que ele estivesse mentalmente desequilibrado. Os líderes religiosos de seu tempo assim pensaram. Seu serviço intenso foi interpretado como algo subumano, ao passo que, na realidade, ele era um "super-homem". Mentes não iluminadas confundem as duas situações, sobretudo no caso dos gigantes espirituais.

Matetés – Posso ilustrar essa situação. Há uma história que envolve dois professores universitários. **Um** deles, observando o tipo particular de labor espiritual em que o **outro** estava ocupado, percebendo que este sacrificava muito dinheiro e muitas horas de duro labor, perguntou-lhe um dia: "Para que todo esse sacrifício? De que adianta, se não terá recompensas à altura? Considere que os valores religiosos são sempre relativos, afinal de contas. Quem pode dizer o que está certo ou errado, em que devemos crer ou deixar de crer? No entanto, você sacrifica tanta coisa por algo incerto". O professor criticado defendeu-se, mas não de todo o coração. Certas mentes jamais se deixarão convencer acerca do valor do que é espiritual. Em seguida, a conversação desviou-se para o trabalho do professor crítico. Este fazia mais ou menos a mesma coisa que aquele, isto é, fazia sacrifícios imensos em prol de certo projeto — levantar uma fábrica de computadores. Todos os recursos financeiros de que dispunha eram canalizados para aquela fábrica. Por quê? Porque, com um pouco de sorte, ele terminaria sendo um **homem rico!** Estaria ele certo no que fazia, ao passo que o outro professor estaria equivocado? Ou estavam ambos certos? Que Deus seja o juiz.

Súnesis – A missão de um homem pode consistir de fabricar computadores, contanto que sirva a outros com o lucro obtido. Se fizer visando a si mesmo, eventualmente, quando do juízo, ou mesmo antes, tudo isso se tornará em nada. Os valores reais, em última análise, são os "valores humanos". Posso estar fazendo este ou aquele tipo de trabalho. O que importa é como estou ajudando às pessoas, por todo o caminho. A missão de um homem pode envolvê-lo em uma espécie ou outra de trabalho, especificamente num campo ou noutro, para que entre em contacto com determinado grupo de pessoas, que se tornarão objeto de seu amor e serviço espirituais. O homem espiritual, em qualquer "situação de trabalho" em que se ache, usará isso como um meio de servir ao próximo. Pode obter recursos extras que aliviem o sofrimento humano. Se não puder dar, ou não puder dar muito, em termos de dinheiro, poderá dedicar-se pessoalmente a seu semelhante. Melhor ainda, poderá anunciar a mensagem do propósito redentor de Cristo ao próximo. Isso é a coisa mais importante que lhes pode dar. Caso o faça corretamente, sem dúvida estará tanto se sacrificando pessoalmente como estará contribuindo com seus recursos financeiros.

Os sacrifícios importam em luta, pois nesses casos um homem toma sobre si a tarefa de ajudar a outros, quando já é suficientemente grande a tarefa da autopreservação e da preservação de seus familiares imediatos. Contudo, "como poderemos esperar obter grande recompensa, se estivermos fugindo da luta?"

Sofós – Passando para o item seguinte, temos:

3) Serviço

Já o admitimos. Somos egoístas. Por demais egoístas para sofrer, para nos sacrificar ou para servir, a menos que algum poder espiritual nos mude. Que posso fazer, pois, para obrigar-me a servir, por saber que devo fazê-lo? Em primeiro lugar, farei o que puder. Começarei com algum serviço. Darei de mim mesmo e de meus recursos. Ajudarei a uma família necessitada; farei algo para ajudar a outro em algum problema. Fazendo isso, esperarei que o Espírito me aviste, vindo em minha ajuda. E se ele vier em minha ajuda, ele me dará prazer no serviço, como também desejo e determinação crescentes. Então reconhecerei que a própria realização de minha missão deve ser o serviço mais significativo pelo próximo. Terei uma vida útil para meu próximo. Qual a melhor maneira de fazê-lo? Em primeiro lugar, desenvolverei ao máximo, minha capacidade intelectual e todos os outros aspectos de meu ser. Ao mesmo tempo, não negligenciarei os outros meios de desenvolvimento espiritual sobre os quais temos discutido: a oração, a meditação e a santificação. Na automelhoria (que, na realidade, é papel meu no desenvolvimento espiritual), dependerei do Espírito para tornar-me uma pessoa transformada, para que Cristo viva em mim, para que não seja mais eu, mas Cristo, quem viva em mim. Na medida em que eu atingir esses alvos, servirei ao próximo com base em motivos aceitáveis.

Scepticós – Algumas pessoas vivem onze meses do ano, para que, por um **mês**, "gozem a vida" nas férias. Durante onze meses suportam o tédio da rotina diária e do trabalho. Somente nos "feriados" elas julgam estar vivendo seu verdadeiro "eu". Quando se encontram no seu verdadeiro "eu", que fazem? Passam de um tipo de prazer para outro. Os filósofos sondam questões profundas e dão sugestões sobre como deveria ser a vida. Entretanto, há problemas que não solucionam, alguns desses de profunda importância espiritual. Os psicólogos acham que quanto mais sabem sobre a natureza humana, menos a entendem. O homem comum busca sentido no "tempo livre" de sua rotina anual; mas os ricos, que têm todo o tempo à sua disposição, com frequência são notoriamente infelizes. A fé religiosa nos ensina grande lei. É a lei do amor; do serviço aos outros; da dádiva do próprio eu. Quanto mais damos de nós mesmos, menos tempo temos para pensar em nossos problemas, e menores parecem nossos problemas em comparação com os problemas alheios. É algo significativo, mas perdemos sua significação quando nos absorvemos com nós mesmos, quando usamos de "egoísmo", conforme já dissemos. O serviço prestado ao próximo é uma saída dessa armadilha; e isso é uma armadilha. Quando servimos ao próximo, aumenta nossa estatura espiritual. Vamo-nos tornando outros tipos de seres. A própria natureza de Cristo vai sendo infundida em nós. Vamos sendo transformados moral e metafisicamente.

Zetetés – Nossos anelos se originam em Deus. Sabemos que existe um plano mais alto de desenvolvimento espiritual que nos espera. Há uma espécie de divina insatisfação com nós mesmos e com nossa vida. Parece-me que o primeiro passo para fora dessa insatisfação é nos ocuparmos em ajudar ao próximo. Isso pode ser feito mediante um ato de gentileza, e precisa ser feito continuamente mediante o cumprimento de nossas missões.

Súnesis – Há certo preço elevado a ser pago, em que devemos envidar em esforço máximo. Podem estar envolvidos longos anos de treinamento. Algumas tarefas podem ser feitas somente por peritos, quer se trate de um serviço espiritual, quer se trate do que chamamos de "secular". Essas não são boas definições, como é óbvio, pois nada deveria haver de "secular" na nossa vida. Podemos fazer o que as pessoas chamam de trabalho secular; mas isso deveria ser um meio de sermos "úteis ao próximo", e não apenas um meio de ganhar dinheiro. Além disso, se nosso trabalho consistir de ajudar a outros, mesmo que não de maneira diretamente espiritual (como o ensino de verdades espirituais etc), se tudo for feito para ajudar a outros, já se tratará de um serviço espiritual. Há uma profunda verdade naquela pequena estória da criada que, quando se inclinava para esfregar o soalho, dizia "em nome do Senhor". Compete-nos trabalhar, e o bastante para que tenhamos algo que nos reste e que possamos dá-lo a outros, ao passo que antes vivíamos para recolher benefícios de outros (ver Ef 4.28). É isso que exige de nós a lei do amor; e tudo quanto fazemos, de alguma forma, deveria tornar-se um serviço ao próximo. Conforme eu dizia, há um alto preço a ser pago quando servimos ao próximo. Há, no entanto, outro preço a ser pago, quando realmente fazemos esse serviço. Aristóteles julgava um homem por sua "virtude", e essa virtude consiste de **função**. Cada indivíduo tem uma função a cumprir na sociedade; e essa é a sua "virtude". Quanto melhor alguém cumprir sua função, mais virtuoso será. Certamente há uma verdade nessa afirmativa. Tomemos a ilustração de uma faca de podar, um instrumento manufaturado especificamente para um serviço. Posso podar uma rosa com um canivete, e posso até quebrar com meus dedos as porções indesejáveis. No entanto, alguém inventou um instrumento cortante especial para o serviço da poda. O ato de podar é a "virtude" desse instrumento. Ele obtém "êxito" em sua função, devido às suas "propriedades especiais" para a mesma. Um homem e sua missão se assemelham a isso. O indivíduo deve assumir certa **singularidade** enquanto é moldado para sua tarefa, pelo Espírito. Não deveria buscar atalhos, antes, deveria obter todo o treinamento possível. Deveria ansiar por aplicar todos os meios de desenvolvimento espiritual. E o seu próprio ato de servir, em cumprimento de sua missão, lhe servirá de meio de desenvolvimento espiritual.

Zetetés – Sua alusão a Aristóteles me fez lembrar de uma declaração dele acerca de Sócrates, o que ilustra a questão em consideração. Qual é a essência, a "substância" de Sócrates? Isso começa em sua "humanidade". Ele é uma pessoa humana. Desenvolve-se, porém, no plano que existe para sua vida. Então, deve haver aqueles que ajudam no desenvolvimento desse plano. Sócrates foi à escola. Teve também pais que lhe moldaram a vida no começo. Esteve no exército por algum tempo. Viajou um pouco. Interessou-se pela música e pela filosofia. Tentou algo de escultura. Todas as coisas, consideradas juntamente, lhe deram uma natureza distintiva. "Quem é Sócrates?", perguntamos. "Ele é o grande filósofo de Atenas". Entretanto, ele não chegou ali com facilidade e nem por acidente. Um homem tem uma vereda natural e outra espiritual para seguir, para que seja singular. Em sua singularidade está sua **virtude funcional**. Homens bons, que têm reconhecido essas verdades, pagam preço elevado para atingir sua singularidade. Esse preço é pago em termos de dinheiro, tempo e esforços. Isso se aplica tanto ao mundo material quanto ao espiritual. O caráter não se desenvolve no vácuo, e o que será da missão de um homem sem o desenvolvimento do seu caráter?

Sofós – Você quer servir a outros? Quer ser útil? Então faça de você mesmo **alguma coisa**. Tendo feito isso, dê de si mesmo ao máximo. E, nessa doação, certifique-se de estar ajudando a outros de algum modo, espiritual e materialmente. Disponha-se a pagar tal preço, a fim de fazer algo de singular à sua volta. O texto de Apocalipse 2.17 mostra que todo crente deve, eventualmente, ser singular como instrumento nas mãos do Senhor. Busque isso agora, e busque-o diligentemente. Dedique-se a essas coisas, para que seu aproveitamento seja evidente para todos.

Scepticós – Em tudo quanto fazemos, a tendência é fazer só o necessário. Muitos de nós são preguiçosos: preguiçosos física, mental e espiritualmente. Buscamos o caminho de menor resistência e encontramos uma multidão de desculpas por não estarmos "buscando o ideal", as "coisas mais excelentes". Nisso tornamos anões a nós mesmos e à nossa missão. Perdemos os benefícios do que é excelente, e roubamos aqueles que poderíamos servir melhor, se quiséssemos trabalhar e nos sacrificar. Cantamos "Sob a cruz de Jesus, anelo por tomar luar". Na realidade, porém, preferiríamos tomar lugar em qualquer outro ponto. A cruz simboliza um sacrifício, uma dedicação e uma renúncia finais. Agora mesmo falamos sobre desenvolvimento espiritual. Temos mostrado que é preciso uma conversão genuína, uma transformação real, e então a renúncia do que é vil e inferior, para nada dizermos do que é pecaminoso. Subsequentemente, é mister um esforço real para fazer de nós mesmos o máximo. Isso é uma obrigação e um privilégio. Pois ninguém pode viver a lei do amor sem trabalho árduo e sem sacrifício.

Súnesis – Tomemos como lição o caso de um pastor meu amigo. Ele tinha certas ambições, ambições da vida, diríamos. No decurso de sua vida, ele resolveu atingir vários "nobres alvos". Um deles era o de decorar todo o NT. Outro era o de distribuir, com as próprias mãos, pelo menos um milhão de folhetos sobre salvação, em lugares públicos. Ambos os alvos ele atingiu comparativamente cedo na vida, e em muito os ultrapassou. Podemos estar certos de que ele conseguiu isso mediante trabalho duro, com profundo desejo de servir. Portanto, ele amava a outros. Tinha também outros alvos, mas esses que foram mencionados nos dão ideia do método que ele usava para cumpri-los.

Sofós – Sigamos esse exemplo. Estabeleçamos alvos elevados e sigamos aos mesmos com toda a energia. Estejamos certos de que nossos alvos servem aos outros. Não desperdicemos a vida inteira servindo a nós mesmos. O que é feito pelo próximo perdura. Nossas boas obras nos seguirão além do sepulcro e falarão bem de nós no juízo. As coisas feitas egoisticamente também nos seguem para além-túmulo, mas nos condenarão no juízo. A escolha será sempre nossa.

Súnesis – Estamos frisando aqui que o caminho do serviço é um entre muitos caminhos que melhoram nossa qualidade espiritual. Quanto mais servirmos ao próximo, maior será nossa força espiritual, e mais nosso próprio ser se amoldará à imagem de Cristo. Ele "saiu fazendo o bem" (At 10.38). Gostaríamos de ser semelhantes ao Mestre? Então façamos de nós mesmos o máximo. E quando formos capazes de ajudar significativamente ao próximo, em alguma missão específica, façamo-lo com todas as forças que temos.

Sofós – A lei toda se cumpre numa palavra: **amor**. Portanto, quão grande é esse princípio! Incorpora em si mesmo todo outro serviço, toda bondade, toda a justiça, toda a misericórdia. É o caminho real que nos conduz de volta a Deus, sendo, igualmente, o caminho mais curto para ele, pois Deus é amor. Além do que já foi mencionado, amor é também:

4) Relacionamento — O amor nos leva a uma situação de dar-e-receber **mútuos** com nossos semelhantes. É também a base de todo o nosso relacionamento com Deus. Ventilaremos esse tema no ponto final de nossa discussão, "União com Deus". Agora, consideramos apenas os relacionamentos humanos. Depois de tudo haver sido dito e feito, os valores reais são os "valores humanos", e não os materiais, na forma de possessões. De que nos adiantariam as possessões, a menos que nos ajudassem a ajudar ao próximo, a menos que melhorassem nossa relação pessoal com outros? De que adianta uma longa vida física, se isso não me permite mais tempo para servir? Quando Deus expressou seu amor, ele o fez por meio de seu Filho. E seu Filho se identificou com a humanidade, para que o amor de Deus se manifestasse por seu intermédio. Por isso, ele disse: "Não vim para ser servido, mas para servir". Todos conhecem a narrativa de seu sacrifício, de sua diligência, de sua compaixão. Mas como nos mostramos lentos em seguir seu exemplo! Amealhamos nossas poupanças, protegemos nossos direitos. Olhamos para a esquerda e para a direita, para ver o que nos ameaça. Ao preservarmos a nós mesmos e às possessões materiais, amamos a nós mesmos, e, talvez, às pessoas que nos são mais chegadas.

Scepticós – O amor consiste tanto em **receber** como em dar. Admitimos que dependemos de outros. Somos beneficiadores, mas também somos beneficiados. Não somos tão orgulhosos a ponto de negar que, algumas vezes, compete-nos receber. Permitimos que outros nos ajudem, e somos gratos por essa ajuda. Nisso sentimos o relacionamento do amor. Se somente "dermos", mas jamais recebermos, poderemos assumir uma superioridade intolerável, a ilusão do rei, para quem os outros dependem dele quanto às migalhas que caem de sua mesa. Desse modo, o amor terminaria em soberba. Logo, em nosso orgulho e "falsa bondade", começaríamos a nos congratular todas as vezes que "condescendêssemos" para com algum necessitado. Dar não é algo mediante o que meramente nos "sentimos bem", depois de ter feito algo. Não é um meio de promoção do orgulho carnal. É um meio de desenvolvimento espiritual.

Tudo isso envolve amor, mas apenas "amor-próprio". Algumas vezes devemos ser os recebedores, pois isso também é obra de amor. O amor nos ensina a dependência. Só Deus é independente; mas, por escolha própria, por desejar ter certo relacionamento conosco, ele se rebaixa à dependência e pede que o amemos e sirvamos. **Grande mistério!**

Sofós – O verdadeiro amante não é apenas doador. É também "devedor". Ele deve a outros, porque outros lhe dão algo. No receber e não apenas no dar, ele sente o poder e a força transformadora do amor. Certamente significa algo ser amado. Não basta amar.

Qual é a maior coisa que podemos aprender, indaga-nos o canto popular antigo? "Amar e ser amado" é a resposta exata e perfeita. Quando o amor flui de nós e para nós, melhora a nós e aos que vivem ao nosso redor. Quando entra o **ódio**, o processo espiritual cessa, e até retrocede. A sociedade humana conhece mais acerca do ódio do que acerca do amor. Violência e guerras, privações e sofrimentos desnecessários confirmam o ponto frisado. E mesmo quando encontramos o amor, ele é imperfeito, ilusório e corrompido por motivos vis.

Scepticós – Se estivermos realmente dando de nós mesmos, veremos que não podemos deixar de pensar nos outros; e, por alguma alquimia misteriosa do amor, sempre recebemos mais do que damos. É tal como diz o evangelho: "Boa medida, sacudida, pressionada e transbordante". Jesus foi quem disse isso, e é uma verdade. Quem ama de verdade nunca se sentirá satisfeito e nem se tornará soberbo por causa de sua bondade extraordinária, pois sempre se sentirá "em débito".

Sofós – No mundo, e com demasiada frequência na igreja, o Reino de Deus (ou o estado ideal ou comunidade, conforme os profanos o chamam), está sendo buscado por meio da tecnologia, da economia, da lógica, da produção, do controle populacional e da educação. Precisamos dessas coisas hoje em dia, mas a inquirição espiritual não pode **repousar** sobre essas coisas, e, apesar de todos os valores de seus atributos, jamais poderão resolver os maiores problemas que temos, os problemas da alma. Não conseguiram resolver nem os problemas de nosso corpo, porquanto os homens os aplicam na ambição e na busca pelos "próprios interesses". Assim o disse um profeta, e é uma verdade. Por trás de todas as coisas materiais, e dos melhores esforços dos homens, jaz grande cultivo do mal; sim, admitamo-lo, um poder satânico negro que nos arrasta para baixo e nos degrada a cada um e a toda a sociedade. Temor, inveja e orgulho sufocam toda a espiritualidade de quase todos nós. O homem é um ser decaído. A teologia o declara e a experiência humana o comprova. A mutualidade do amor se perde na corrente lamacenta e poluída da civilização humana. "Nossa luta não é contra a carne e sangue, mas contra principados e poderes, contra os governadores das trevas deste mundo, contra a maldade espiritual nos lugares celestiais". E contra grandes temores básicos e contra o interesse próprio, contra os ódios entre as raças, contra a exploração dos que "têm", pelos que "não têm". Oh, o egoísmo de intermináveis gerações!

Qual é a solução para o horror que enfrentamos? A **mutualidade** do amor, o "relacionamento" baseado no amor. Se isso existisse, imensos problemas políticos e militares se dissolveriam da noite para o dia. As fricções entre indivíduos cessariam. Casamentos ameaçados seriam salvos instantaneamente.

Súnesis – Quanta verdade! Qual é a base de quase todos os problemas de casamento? Uma só palavra conta a história inteira: **egoísmo**. É razoável suspeitarmos de que essa mesma resposta nos conte o que está errado no mundo moderno.

Sofós – É bem mais fácil frisar a dificuldade do que oferecer soluções. E mesmo sabendo a solução, o homem não resolve o problema, porque ele se recusa a aplicá-la. Na igreja e fora ela, os homens se envolvem no ódio e na luta, deixando-se arrastar pela inveja. Por um pouco nos desviamos para discutir sobre a busca espiritual, e isso como parte do tópico geral, "Reconsiderado o evangelho". Talvez tenhamos dito algo de novo. E sem dúvida dissemos algumas poucas coisas a que outros se oporão e contra as quais objetarão. Agora mesmo repetimos a antiga verdade, conhecida por todas as religiões e por quase todas as filosofias: "O amor cobre multidão de pecados". Conhecemos essa verdade, mas é difícil segui-la. É mais fácil criticar e odiar, do que viver no espírito **altruísta**. Você está enfrentando problemas pessoais difíceis? Outros o ofendem e degradam? Então aprenda a viver altruisticamente em prol de outros. Se você fizer isso, não terá tempo para mergulhar na autocompaixão. Se eu servir a outros, ganharei o respeito de pessoas boas. Que importa se outros me odeiam e perseguem? Já possuo o que busco, o "sucesso" em minha vida, pois me tenho ocupado no amor mútuo. Como poderei esperar que todas as pessoas pratiquem esse elevado princípio? A maioria dos homens é por demais atrasada para praticá-lo. Minha atitude e minhas palavras deveriam refletir a vileza dos homens? Não, pelo contrário, viverei para os mais elevados e deixarei que os homens vis sofram as consequências de sua escolha. Até os homens vis são atraídos pelo encanto do amor real. Contudo, jamais poderei atrair um homem de baixo desenvolvimento e melhorar suas condições espirituais, se eu retornar mal por mal. E se eu retornar o bem pelo mal, se isso não funcionar, então o que deverei fazer? Você já fez o seu papel. Regozije-se nisso. Não permita que algum homem vil lhe arraste para seu lugar aviltado.

Súnesis – Alguém já disse esta verdade: "Se você retornar mal por mal, tornar-se-á o próprio mal". O retorno do mal por mal é a prática da lei do ódio. Isso é contra tudo quanto temos aprendido de espiritual. É fácil fazer isso. Retornar mal por mal flui natural e facilmente de nossa natureza carnal. Não precisamos ser "ensinados" para fazer isso. Temos de ser ensinados a amar, e esse ensino vem da parte do Espírito. O amor real é elevado demais para a mera realização humana, embora a vontade humana tenha de buscar e de cooperar com o impulso divino.

Matetés – Muito bem. O que você diz é uma verdade. Sabemos dessas coisas. Nossa alma as aceita. Mas como podemos aprender a pô-las em prática? Quais são os meios pelos quais nos apropriamos do espírito de amor?

Sofós – Como um dos aspectos do fruto do Espírito, o amor deve ser espiritualmente gerado. Não podemos forçar isso, exceto se demonstrarmos nossa boa vontade de ter esse fruto cultivado em nós. Um fruto é algo que cresce, pelo que está envolvido no princípio da vida. Você quer ter a virtude do amor? Então **desenvolva-se** espiritualmente. Tudo vem junto com o desenvolvimento espiritual. Na proporção em que nos tornamos mais parecidos com Cristo, vamos recebendo mais e mais de sua disposição para amar. Aplicamos, pois, todos os meios do desenvolvimento espiritual. Esses são meios sobre os quais temos discutido. Buscamos a Deus quanto à verdadeira conversão, quanto à genuína renúncia do pecado e de princípios vis. Estamos nos tornando mais e mais parecidos com Cristo. Seu amor fluirá em nós e por nosso intermédio, se isso for verdade. Usamos da oração e da meditação como meios. Então nos ocupamos ativamente de boas obras, "praticando a lei do amor". A coisa inteira cresce e se desenvolve junta. Nossas raízes estão na conversão e na santificação. Os ramos florescem devido a raízes saudáveis. Os frutos do estudo, da oração, da meditação tornam-se patentes. Então somos inspirados a amar. Vemos que nos vamos tornando menos egoístas. Quando o egoísmo de outros nos choca, então já temos feito algum progresso. Dizemos: "Antes eu era assim?" Nosso espírito protesta contra o egoísmo. Então Deus envia em nosso caminho aqueles a quem podemos ajudar. Aprendemos a nos sacrificar, a dar e a usar nossos talentos em favor do próximo.

Prossigamos agora para

5) A cruz – A cruz é o **símbolo** do "preço do amor". Se um homem serve a outros, isso muito lhe custará. Mas também receberá. A lei da colheita segundo a semeadura o requer. Antes, entretanto, ele deve dar, porque essa é a natureza básica do amor. Isso certamente consiste em "desistir" da vida antiga e de buscar pela nova. O primeiro ato de amor é quando "tomamos a cruz" e passamos a seguir a Jesus. Isso torna-se a essência do nosso amor, pois simboliza o que faremos dali por diante. Entramos em uma nova vereda, ao desistirmos da antiga. Resolvemos imitar a vida daquele que levou a cruz. Oh, o pendão do amor de Cristo! Há um hino que o canta.

Súnesis – Sim, o que diz aquele hino?

Scepticós –

Oh, o pendão do amor!
Oh, o pendão do amor!
Custar-te-á dores segurá-la!
Mas drapejará em triunfo nos campos lá em cima,
Embora o sangue de teu coração lhe manche as dobras.

Pode-se calcular o custo, pode-se calcular o custo
De todos os tesouros do Egito!
Mas as riquezas de Cristo não se podem contar;
Seu amor não pode ser medido!

Sofós – Custou a Deus o seu Filho para promover sua causa de amor. Custou ao Filho a sua vida para a promoção de sua causa. Poderíamos agora

viver **isentos**, sendo seus discípulos, não pagando o preço? Custou ao Filho a sua vida. A vida de amor também custará para nós aquela que poderia ser a nossa vida; mas nos dará uma vida muito mais elevada e melhor. Isso, porém, não poderá ocorrer sem a perda da vida anterior. É isso que o evangelho afirma. Para ganhar a vida real, o indivíduo precisa perder a sua vida.

Scepticós – Antes mesmo de Jesus sofrer na cruz, usou-a como ilustração da total dedicação de que precisamos a fim de ser seus discípulos. "Toma a tua cruz, e segue-me", ordenou ele. A cruz fala de sofrimento, de sacrifício final, de agonia da intensidade da dedicação.

Sofós – Gostaríamos de ser cristãos sem a cruz. No entanto, dançamos ao redor da cruz, procurando escapar do discipulado radical. Dizemos: "Os discípulos radicais são fanáticos". Procuramos escapar desse tipo de discipulado, e não tomamos "decisão custosa". Todos encaramos a dor, o sofrimento e as demandas à nossa paciência ou ao nosso tempo como coisas que devem ser evitadas, se pudermos evitá-las. Damos tão pouco de nós mesmos quanto nos é possível, e mesmo assim esperamos reter algum grau de reconhecimento dentro da comunidade cristã. Hesitamos em eliminar aqueles obstáculos que impedem o amor, a moralidade, a retidão, o saber, nossas ambições, concupiscências, orgulho e temores. "Há tanta coisa" em nós que expulsa o amor! Essa é a prova de todas as coisas, mas praticá-la custa-nos muitíssimo. Ordenamo-la para outros, mas tememo-la para nossa experiência.

Súnesis – Então, conforme Tomás de Aquino observou, pendemos por dirigir mal nosso amor. Noutras palavras, aprendemos a amar, até mesmo ardentemente, coisas secundárias, e até mesmo vícios pecaminosos. Oh, o tempo e a energia que despendemos com as coisas que satisfazem **apenas** o corpo! Pagamos elevado preço pelo que é inferior. Quantos mistérios de fé, da alma, esperam por uma pesquisa corajosa. Retrocedemos, contudo, substituindo a renúncia real por algumas poucas palavras piedosas e pelo pensamento de que "algum dia pagarei o preço de um autêntico discipulado". Com essa atitude, muitos fazem tréguas secretas com o pecado, e continuam a amar o que é inferior e vil.

Matetés – Por que agimos dessa maneira?

Súnesis – Porque somos seres decaídos. Decaímos para longe de Deus, que é amor. E a distância entre nós e Deus tornou-se grande. Tão grande, que foi mister a missão de Cristo para reconduzir-nos ao caminho certo. E serão necessárias intervenções futuras de seu ministério para que essa jornada seja completada por nós.

Scepticós – O caminho que conduz à destruição é largo. É fácil deixar-se arrastar por ali. E não nos iludamos, servimos ao próprio eu por todo o caminho. A cruz e o amor, porém, chamam-nos para longe de tudo isso. Estreito é o caminho que conduz à vida. E poucos são os que o acham. Não nos equivoquemos! Aqueles que são apanhados nesse caminho vivem a lei do amor.

Súnesis – Alguns afirmam que os pecados de **omissão** são os mais perigosos entre todos os pecados. Talvez seja uma verdade. Jesus disse: "Sempre que não o fizestes a um destes menores irmãos meus, não o fizestes a mim". Na "parábola dos talentos", somos ensinados que temos de sacrificar nossa preguiça e realizar as coisas que precisam ser feitas, se realmente queremos crescer em amor, porque o contrário do amor nada tem a ver necessariamente com o ódio. Noutras palavras, o ódio pode ser o oposto do amor, mas não é o seu único oposto. Há aquele fracasso em fazer o bem, em praticar a lei do amor. Isso é oposto tão evidente do amor como o é o ódio. De fato, quando começamos a meditar a respeito, vemos que já se trata de "uma forma de ódio", porquanto "qualquer bem que poderias ter, qualquer benefício que poderias ter recebido, isso eu te neguei, porque não pratico a lei do amor, visto que prefiro o caminho fácil, sem cruz. Os sofrimentos por que passas, e que eu poderia aliviar, não alivio, porquanto não sou suficientemente corajoso para praticar a difícil lei do amor".

Scepticós – Pensemos nisso por uns instantes! Com nossas ações dizemos essas coisas até para os que nos são mais próximos. Um filho, uma filha, esposa, mãe, quanto perdem enquanto nos divertimos e caminhamos pela trilha do egoísmo? Sem amar, sem nos importar com os outros, tendo o próprio **eu** como centro que quadro triste! O contrário do amor não é necessariamente o ódio, conforme os homens usam geralmente afirmar. Pode consistir da "falta de interesse", de não prestar ajuda, de não amar. Então, como objetos potenciais de nosso amor existem nossos vizinhos, nossos compatriotas ou os homens de outras nações, em lugares onde nunca estivemos, e nosso interesse por esses ainda é muito débil. Lemos nos jornais: "Neste ano a fome matará a tantos milhões de pessoas". Entretanto, que nos importam eles? E em algum livro sagrado lemos a respeito de uma segunda morte para os perdidos. Que fazemos quanto a isso, porém? Quão fraco é o nosso amor! Os que nos estão próximos quase não tiram proveito de nós, quanto menos aqueles que estão distantes. Jesus, em contraste com isso, tinha compaixão das multidões, pois Deus amou de tal maneira o mundo. A "unidade" que descrevemos levará esse amor até mesmo aos perdidos, e todos os homens acharão razão para sua existência na pessoa de Cristo. Deus usará a igreja para ajudar a realizar esse alvo. Terá, no entanto, de ser uma igreja imensamente **aprimorada** acima daquela que atualmente observamos. Jesus se comovia de compaixão. Ele sofria com os sofrimentos dos homens e sentia suas dores. Foi o homem ideal, e continua a sê-lo, isso em sentido até superior, porquanto ele é agora o homem celestial, em cuja imagem estamos sendo transformados. Quanto mais soubermos a respeito dele, mais conheceremos de sua cruz. Quanto mais soubermos de sua cruz, mais saberemos do amor. E quanto mais soubermos de seu amor, mais interessados estaremos pelo próximo.

Sofós – Há outro aspecto relativo à **cruz**, no tocante ao amor, que penso que é digno de ser mencionado. Na medida em que avançamos na fé religiosa, descobrimos ser mister mudar algumas ideias, modificar outras e frisar algumas outras. Devido a "laços denominacionais" e pessoais, hesitamos em mudar de qualquer maneira radical. Se o fizermos, conforme tememos, nossa **aceitação** cairá por terra, e ficaremos isolados. Talvez seja mister buscar novas associações. Noutras palavras, devido ao temor, podemos ser paralisados em nosso crescimento espiritual. É duro deixar uma vereda conhecida por outra, desconhecida. O resultado é que nos acovardamos, a fim de preservar nossa aceitação por parte de algum grupo ou de algumas pessoas. Assim, nossas missões são entravadas. Negociamos sentimentos de segurança em troca de desenvolvimento espiritual. Gostamos de nos apegar a hábitos e costumes (religiosos ou não) aos quais estamos afeitos. Agarrados cegamente ao que sempre cremos e conhecemos, nosso crescimento espiritual é entravado. Nenhuma denominação por si mesma possui toda a verdade, embora algumas delas façam essa fabulosa reivindicação. É necessário mudar para avançar. O temor de mudar é adicionado à preguiça, a fim de impedir-nos de buscar o melhor e mais elevado. Jesus conclamou certas pessoas religiosas a abandonarem o caminho antigo. Ele lhes ofereceu uma cruz. Os judeus e os pagãos, porém, passaram a abandonar essas pessoas, quando aceitaram o desafio de Jesus. Pergunto o quanto somos desafiados hoje pelas mudanças desafiadoras do crescimento, de um crescimento que nos leve além do que é tradicional e já conhecido.

Scepticós – O temor das mudanças, segundo você descreveu, é apenas outra forma de egoísmo. Dizemos: Que perderei, se eu ensinar essa doutrina, se eu praticar esse conceito? Silenciamos quando deveríamos falar, e mostramo-nos "covardes", quando deveríamos avançar para terreno mais alto.

Scepticós – Um amigo meu dizia: "Cristo veio para abalar as coisas". Sem dúvida isso é certo. Ele foi o herege e o radical de seus dias, o pária doutrinário, o homem sob suspeita e, finalmente, o homem indesejável, o homem excomungado. A mesma coisa sucedeu a Paulo. "Mas", dizem alguns agora, "a vereda foi fixada". Nada mais temos para aprender. Obedeçamos ao que já sabemos, e isso é o que importa.

Scepticós – Quando seguimos a Cristo, somos levados além desse ponto. Precisamos da cruz na vida; a cruz em nossas doutrinas; a cruz em nossa mentalidade. Todas as promessas de Jesus visam àqueles que se dispõem a não parar diante de coisa nenhuma, a fim de seguir a Cristo por todo o caminho; em outras palavras, foram feitas àqueles que se dispõem a tomar a cruz. O tomar dessa cruz nos leva até a ser isolados da comunidade religiosa de que antes éramos membros. Se isso vier a suceder, entretanto, certifiquemo-nos de que estamos avançando, e não de que estamos sofrendo alguma perda espiritual.

Súnesis – Naturalmente, nem **toda** mudança é boa. Isso é óbvio. Ao mesmo tempo, precisamos evitar a estagnação que sempre se baseia na presunção de que nada temos a aprender. É um erro fatal, o qual entrava o crescimento espiritual de muitos.

Sofós – Nosso tópico seguinte está bem relacionado a várias coisas sobre as quais temos falado:

6) Renúncia – Digamo-lo em poucas palavras. O amor exige a renúncia daquilo que impede a **inquirição** espiritual que nos leva a subir para o que é melhor e mais alto. Se amarmos o melhor e mais alto, e assim desejarmos de fato o ideal e excelente, abandonaremos — renunciaremos — ao que é inferior e pecaminoso. O que quero frisar aqui é que, se nosso amor for suficientemente forte, necessariamente deve nos levar à renúncia. Aquele que não ama, ou tem amor fraco, certamente andará praticando aquelas coisas que os padrões cristãos condenam.

a) A primeira coisa que abordamos é o problema do pecado. Aquele que ama buscará a santificação que elimina todos os empecilhos e compromissos. Rejeitamos categoricamente os sentidos de que podemos morrer com nossos pecados não-conquistados, esperando que a graça livre de Deus nos leve aos lugares celestiais. A graça **requer** transformação. A graça não é um caminho fácil que rodeia a cruz e a evita. Ela opera por meio da cruz. Não pode

ser transformada em desculpa para não levarmos a cruz. Nenhum pecado não-renunciado será perdoado. O perdão opera por meio do arrependimento. A conversão consiste de arrependimento e fé (ver At 20.21). Em nossa discussão sobre "renúncia" — santificação — frisamos longamente essas verdades. O amor está envolvido nessa questão da renúncia, e essa é a verdade que agora frisamos. Há alguns pecados "mortíferos", os quais nos furtam o verdadeiro amor à verdade e ao avanço espiritual, porquanto nos aprisionam em coisas vis.

Matetés – Dê-nos uma lista desses pecados **mortíferos** acerca dos quais você está falando.

Sofós – Eu lhes darei quatro deles, embora tratem de categorias que podem incluir muitos tipos diferentes de atos e expressões:

(1) Há a preguiça ou inatividade, do que já falamos. A inquirição espiritual é árdua. Requer toda a atenção, trabalho, labuta dura por muitos anos, tanto física quanto mental, além do esforço espiritual. A preguiça termina nesses pecados de omissão, mais do que em qualquer outro fator.

(2) Há também a indisposição por mudar e progredir, que acabamos de descrever. Apegamo-nos aos antigos caminhos, em nossa vida "secular" e "espiritual", a fim de preservarmos nossa **aceitação** dentro do grupo. Preferimos a estagnação ao progresso, porque aquela é mais "confortável". Amamos o conforto de gozar de bom conceito entre os membros de algum grupo. Podemos sacrificar muita verdade em troca daquele conforto, porque nenhum grupo isolado é depositário exclusivo da verdade.

(3) Há aquele espírito que se mostra dividido em seus alvos, pretendendo servir a Deus e ao deus do dinheiro e das vantagens materiais (**Mammon**). Amamos e servimos às possessões materiais. O profeta aludiu a como todo o labor de um homem era em prol de suas costas. Isso foi dito em uma época em que a mera sobrevivência e a obtenção dos essenciais da vida consumiam todo o fruto do trabalho de um homem. Agora, porém, um homem trabalha em prol de suas costas, de seu estômago, de sua casa mobiliada, de seu carro novo, de seu prestígio no mundo, de sua imagem rebrilhante diante de outras pessoas. Em suma, ele labuta para o deus do "eu". Mammon é seu verdadeiro deus. Ele anseia pelo dia de hoje, e trabalha hoje entre ansiedades. O homem que recebe ordens de Mammon pouco conhece do amor de Deus, do amor do evangelho, do amor à busca espiritual. Fica encantado e atraído pelo que é material. Tem um coração singelo, que busca segurança, riquezas e conforto material. Ou tem um coração dividido. Busca essas coisas, embora saiba que não deveria fazê-lo, pelo que continua a sentir-se culpado pelo que faz. Não furta, nem violenta mulheres e nem se torna assassino, mas está roubando a si mesmo, violando os seus princípios e matando sua inquirição espiritual. Esse homem ama ao mundo e às coisas que há nele: o orgulho da vida, a concupiscência da carne e a concupiscência dos olhos. O autor sagrado declara que esse homem não possui o "amor do Pai" (1Jo 2.15). Tudo isso passará. Aquele, porém, que faz a vontade de Deus permanecerá para sempre.

> Oh, se traçarmos um círculo prematuro,
> Sem nos importarmos com ganhos a longo prazo,
> Sedentos de proveito imediato, por certo
> Má terá sido nossa barganha!
>
> (Robert Browning)

(4) O quarto pecado mortífero, sobre o qual fizemos menção: **prazeres carnais**, ou a concupiscência da carne. Esse é um dos pontos mais fracos dos homens, embora, ao que parece, as mulheres sejam assediadas mais por outros pecados. Nada é tão destrutivo à busca espiritual como o olho adúltero, o que, naturalmente, na maioria dos homens, se mescla com atos reais de impureza sexual. Gostamos de dizer: "Há coisa naturais. Não são vícios, como o furto, o alcoolismo e o jogo". Apomos esse título de natural aos nossos vícios carnais e pensamos, com isso, em transformá-los em atos sem consequência. É facílimo nos enganarmos e assumirmos uma forma errônea de pensar. Espiritualmente falando, existem aquelas pessoas que andam de cabeça para baixo, no teto, ao invés de fazê-lo de cabeça para cima, no chão. Chamam ao bom de mau, e ao mau de bom; chamam à maldade de justiça, e à justiça de maldade. Dizem nada haver de errado com a homossexualidade, e o adultério só seria ruim quando a esposa de um homem descobre tudo e causa dificuldades, ou quando o resultado são filhos indesejáveis. O homem sexualmente impuro amaria a Deus? Quando muito, tal homem é uma pessoa dividida. Talvez tenha ideais espirituais, mas o amor às coisas da carne é mais intensamente cultivado do que o amor às coisas do espírito. Por certo que a palavra **renúncia** não caracteriza esse homem. E nada, em absoluto, em toda a realidade espiritual, é prometido ao homem que não renuncia ao mundo, toma a sua cruz e segue ao Mestre. Que dizem as Escrituras? Elas afirmam que nenhum homem preso a vícios sexuais herdará o Reino de Deus. (Ver Gl 5.19-21.)

Scepticós – O texto de Efésios 5.6 nos ensina que não nos devemos iludir sobre essa questão.

Sofós – Passemos para outro pensamento referente à renúncia.

b) A segunda coisa envolvida (após a questão do pecado) é a questão dos ideais e motivos. O homem espiritual se ocupa com muito mais que a ausência de pecados francos. Antes, tem um ideal elevado a seguir, os motivos inspirados pelo Espírito. Ele se preocupará acerca do que é mais alto e melhor e renunciará a coisas secundárias, que só servem de empecilho. Antes mesmo de sua conversão, Agostinho ensinava a seus alunos que abandonassem o circo. Que mal pode haver, perguntaríamos, em um pouco de entretenimento? Nenhum mal, se não estiver corrompido de algum modo. Quantas pessoas existem, porém, que, inteiramente ou em parte, exageram nesse ponto e fazem dos prazeres o motivo orientador de sua vida? Pouco ou nada sabem do que é "fixar os olhos nas estrelas" dos motivos espirituais elevados. Medem sua felicidade em termos de "quanto prazer" estão obtendo. De todas essas coisas devemos fugir, e a elas convém que renunciemos, tanto quanto o fazemos a vícios pecaminosos.

Scepticós – De certa feita, ouvi um pregador que numa mensagem dizia ser contra o mandamento que diz: "Dá a Deus o **primeiro** lugar em tua vida". Sua tese era que o espiritual deve ser tudo, primeiro, segundo, terceiro etc., na vida. Se tomarmos a sério esse pensamento, então teríamos muito menos tempo para os prazeres "inocentes e inúteis" do mundo. Tomemos a televisão como exemplo. Precisamos admitir que há muita coisa ruim, sobretudo sensual, que é promovida por esse meio de comunicação. Muitos programas, contudo, são totalmente isentos de más apresentações (sexo, violência, valores morais confusos etc.). Ao mesmo tempo, entretanto, são um "horrendo desperdício" de tempo. Muitas coisas cabem igualmente dentro dessa categoria. Apesar de não serem más por si mesmas, são inúteis para o homem espiritual sério.

Súnesis – Dentro desse mesmo contexto, deveríamos pôr as atividades "extra jornada de trabalho". Algumas vezes, certamente, poderíamos ocupar-nos em atividades de simples relaxamento, como um esporte, um passeio a pé, ou apenas nada fazendo. Ninguém será tão "fanático" a ponto de negar isso. Contudo, nossas "horas extras" também nos foram dadas como um depósito sagrado. Deveríamos achar meios significativos para empregá-las. Quantos pregadores, por exemplo, em suas horas extras poderiam melhorar seu conhecimento do grego, da história eclesiástica, da teologia, da psicologia, da filosofia e de muitas outras coisas que podem ser elementos de aprimoramento em nossa vida. Desperdiçam inúmeras horas buscando o que é trivial e profano, embora não necessariamente "pecaminoso", mas apenas espiritualmente inútil. Parece-me que a "renúncia" sólida desse tipo de desperdício de tempo faz parte da inquirição espiritual. Se "amamos" ao que é mais elevado e melhor, tal renúncia não nos deve ser difícil. "Não amemos o mundo, nem as coisas que há no mundo", escreveu um dos autores sagrados. Podemos amar coisas que nos sejam prejudiciais, embora elas não sejam necessariamente más. Que o homem profano busque o que é trivial. No entanto, nossa missão cristã requer de nós mais que isso.

Sofós – Dentro da mesma categoria, há a escolha de trabalho ou profissão. Já determinamos que o tipo de trabalho que um homem faz não é, necessariamente, um fator determinante de sua espiritualidade. As Escrituras deixam claro que o trabalho honesto é considerado com bons olhos por Deus, e que os crentes devem ocupar-se de todos os tipos de labor legítimo. Nem tudo pode estar diretamente vinculado ao ministério, e muitos crentes podem sair da vontade de Deus ao buscarem uma atividade assim. No entanto, dificilmente se pode duvidar de que muitos crentes têm escolhido uma ou outra profissão por causa de considerações como "segurança", "facilidade" ou "prestígio".

Súnesis – Noutras palavras, escolhem o que é comum para seguir, como certo trabalho na vida, as mesmas veredas percorridas pelos homens profanos. Não existe nenhum elevado motivo espiritual por trás de tudo. Ao invés de "fixarem os olhos nas estrelas", e de seguirem decididamente algum elevado ideal, desviam-se para alguma posição fácil, moldando-se a uma busca inferior em relação ao que poderiam buscar.

Scepticós – Assim, um jovem que poderia ser um médico, útil para aliviar o sofrimento humano, volta-se para outro tipo de trabalho, que envolve menor preparação, menos estudo, menos despesas, menos trabalho árduo. Obtém seu tipo mundano de segurança, enquanto que as estrelas que deveria ter seguido desaparecem atrás do horizonte. Se esse jovem amasse o que é mais elevado e melhor, deveria renunciar ao caminho mais baixo e mais fácil. Seu amor-próprio, porém, aleijou-lhe a missão.

Súnesis – Essa forma de renúncia nos afasta de agradar ao próprio "eu", dirigindo-nos para o serviço "em benefício do próximo". É disso que consiste a vida espiritual. O amor é a própria substância da espiritualidade, o solo onde medram todas as demais graças espirituais. Isso cobrará de nós um preço elevado, se quisermos obedecer à sua lei. Nada teremos provado de espiritual enquanto não tivermos aprendido a viver pelos outros.

Sofós – Chegamos agora ao último ponto referente ao amor, e à nossa consideração final dentre nossas discussões semanais. O amor, em última análise, consiste de:

7) União com Deus — Todas as demais formas sobre o que vínhamos discutindo até aqui, incorporam algo disso. Noutras palavras, conduzem a essa "união" da alma com seu Criador. Conforme vamos aprendendo a sofrer, a sacrificar-nos, a servir, mantemos relações úteis com outros, levamos a cruz do discipulado, renunciamos ao que é pecaminoso e secundário, então ganhamos a forma de relacionamento espiritual com Deus. A maioria dos homens é incapaz de **ascensão** em sua alma, de modo a poder amar diretamente a Deus; mas, nessas outras coisas, quando servem ao próximo, eles servem a Deus e o amam. A alma espiritualizada, entretanto, é capaz de amar a Deus diretamente. Isso começa pelo amor a Deus, em tudo quanto ele representa. O Filho está mais próximo de nós porque foi ele quem se encarnou, a fim de participar da sorte humana, para que, finalmente, os homens viessem a compartilhar de sua natureza e de sua glória celestiais. A memória de sua encarnação continua bem vívida entre nós, e muitos homens espirituais são capazes de amar diretamente ao Filho de Deus. Para muitas outras pessoas, no entanto, o conceito "Deus" não passa disso, um "conceito", e jamais o objeto do amor humano. Penso que o amor direto a Deus é mais uma experiência do que algo que possa ser intelectualmente examinado.

No diálogo de Platão, intitulado **Simpósio**, emerge uma profunda verdade. E essa verdade é que nosso amor às pessoas e às coisas realmente é um tipo de amor mal colocado e mal dirigido, um distorcido amor a Deus, pois Deus é o princípio mesmo da beleza; e à beleza é que amaríamos. A beleza que acho noutra pessoa é apenas partícula ou emanação da pessoa de Deus naquele indivíduo. Portanto, se eu amo a outra pessoa, realmente estou buscando amar a Deus, e, até certa medida, estarei cumprindo esse desejo. Toda beleza que desejamos contemplar e possuir é "manifestação do ser de Deus". Quando amamos a beleza, em qualquer de suas formas, estamos amando a Deus indiretamente. Todavia, a alma deseja proximidade, e essa proximidade vem mediante a união com o Criador. O desenvolvimento espiritual nos conduz ao caminho mais elevado da contemplação mística. Comecemos por esse ponto.

a) **A contemplação mística** — Nessa contemplação ou contacto místico, chegamos a reconhecer a **singularidade** de nossa pessoa. De maneira singular e especial, cada pessoa é amada por Deus. A percepção espiritual de nossa singularidade, em nós mesmos e devido ao nosso relacionamento com Deus, talvez seja "a primeira coisa que aprendemos", quando a alma começa a contemplar diretamente a Pessoa de Deus, começa a amá-lo. O amor tende à harmonia, e a harmonia frutifica na forma de união. E assim esse amor, em última análise, consiste de união; e o "amor último", é a união com Deus.

Zetetés – Como nos tornamos cônscios dessa "singularidade"?

Súnesis – Penso que, dentre tantas outras coisas que há na inquirição espiritual, esse é um subproduto, por assim dizer (embora, ao mesmo tempo, seja uma "essência"), do desenvolvimento espiritual. Quando progredimos na direção de Deus, tornamo-nos conscientes de muitas coisas: elas se tornam parte de nossa natureza devido ao processo de transformação que então experimentamos. Talvez não possamos forçar isso, e nem qualquer outra forma de amor a Deus. Tudo nos vem espiritualmente, como fruto do Espírito, que nos vai transformando segundo a imagem de Cristo. Ao longo do caminho, começamos a entender a grandiosidade de ser um "filho de Deus", para sermos feitos semelhantes ao "Filho". Além disso, temos esse senso especial de singularidade, e começamos a perceber nossa potencialidade espiritual. Os limites de nossa habitação são ampliados. A alma vai sendo liberada do que é vil e inútil, e sobe para a unidade com Deus, o amor final. Tudo quanto é "final" é essencialmente **inefável**. Não pode ser intelectualmente descrito, mas pode ser sentido e entendido espiritualmente, ao nível da alma.

Zetetés – Essa "singularidade" de cada pessoa é um pensamento que nos assusta. Só a mente divina poderia tornar isso uma realidade. Contudo, quando eu viajava pelos Estados Unidos da América, perto de Washington, vi um vasto edifício onde, segundo me foi dito, existe um sistema de computação, chamado "**Monstro Martinville**", que guarda os registros de cada indivíduo nos Estados Unidos. Se os homens podem inventar uma máquina como essa, por que duvidaríamos da "consciência pessoal" que Deus tem de cada indivíduo? Se Deus está pessoalmente consciente de cada indivíduo, então aquela entidade pode ocupar algum lugar singular no plano divino, sendo objeto singular das suas atenções. O antigo catecismo declara que fomos criados para a própria pessoa de Deus. Fomos feitos "para ele". Sendo isso uma verdade, o catecismo passa a declarar que nosso destino também deve incluir o "aprazimento de Deus", para sempre, de nossa parte. O amor opera em ambas as áreas, pois a harmonia envolvida baseia-se sobre o amor.

Súnesis – Feitos para Deus; feitos para desfrutar de Deus. Nosso amor, entretanto, desvia-se para objetos inferiores e, nesse caso, o amor falha e se torna apenas um vocábulo. Amar o que é inferior é uma forma de suicídio, espiritualmente falando, porquanto nos afasta do amor real, fragmentando nossa vida, destruindo a unidade espiritual. Assim é que os homens chegam a odiar e a disputar, a prejudicar e a matar, porque nada conhecem do amor de Deus.

Scepticós – A ciência já mostrou que, de alma forma, a maioria de nossas enfermidades tem bases psíquicas. Até as doenças provocadas por bactérias ou por vírus têm poder sobre nós devido à nossa psique enfraquecida, por causa de baixa maré emocional, por causa dos defeitos ou pecados espirituais. As enfermidades espirituais (o contrário do amor), acima de tudo, têm como base alguma atenção dividida, alguma busca pessoal, alguma degradação do próximo, alguma escolha do que é inferior e vil, alguma fuga da unidade divina. Transformando-nos em pequenos deuses, apegamo-nos a ambições inferiores e pecaminosas, e essa é a estrada real para a morte. Pois a verdadeira vida consiste da "re-união" com Deus, a beleza última. Quanto amamos a ele, de modo a desejarmos essa união, ao ponto de sacrificarmos tudo mais?

Sofós – Felizmente, os autores sagrados não tentam fazer-nos "entender" Deus. Antes, dizem-nos que o amemos, de todo o coração, de toda a mente e de toda a alma, que é o primeiro e maior de todos os mandamentos. O amor ao próximo como a nós mesmos é o segundo mandamento, sendo, na realidade, uma subcategoria do primeiro, pois amar ao próximo é amar a Deus. A **totalidade** da lei e da espiritualidade repousa sobre esses dois mandamentos.

b) União mística com Deus — O amor leva-nos além da mera "contemplação". O amor em operação é a espiritualidade. Para onde nos conduz a "espiritualidade"? À união com Deus. Não àquela união com Deus onde, conforme certos filósofos têm pensado, nossa identidade é absorvida no ser divino. Antes, trata-se daquela união na qual o que é terreno e secundário é totalmente obliterado. Deus se torna **tudo para todos** e em nós. Os teólogos têm procurado exprimir esse pensamento usando a expressão "visão beatífica". Essa visão, no entanto, (da qual até homens terrenos podem ter vislumbres fugazes, vez por outra), consiste em mais do que a contemplação da beleza e bondade finais, ultrapassando, prodigiosamente, até a contemplação celestial dessas características. Trata-se de uma real união com Deus.

Scepticós – Forneça-nos algumas particularidades a respeito disso.

Sofós – Trata-se daquilo sobre o que já temos discutido longamente: **"O meio da glória"**. Trata-se de transformação, e não de mera contemplação. Há transformação segundo a imagem e a natureza de Cristo, para que participemos real e literalmente, e não somente metaforicamente, da própria natureza divina.

Scepticós – Sim, consiste disso. Passamos a ser reais filhos de Deus, irmãos do Filho de Deus, dotados de real participação da natureza divina. Nossa participação será sempre finita, embora para sempre estejamos nos aproximando do infinito. A visão beatífica jamais terá fim. Passará de um estágio de glória para o próximo. Estamos sendo cheios do infinito. Deverá haver, portanto, um preenchimento infinito. Nesse preenchimento infinito há um viver próprio do outro mundo, como também um servir e um crescer próprios dali. Parte disso (segundo declara o texto de Ef 1.23) consiste de tornar Cristo "tudo para todos", um alvo nobre e eterno. Ele é o arquétipo de toda existência humana, terrena ou celestial, efêmera ou eterna. O amor nos faz avançar na união com o divino.

Sofós – A visão beatífica, a visão do próprio Deus. Isso deve consistir de muito mais do que "ver a Deus" em algum arrebatamento místico. Trata-se da visão final de amor em que nos tornamos verdadeiros filhos de Deus, participantes da natureza de Deus Pai. O Senhor ensinou: "Bem-aventurados os puros de coração, pois verão a Deus". O caminho da renúncia (outra denominação dada ao amor) nos conduz para ali. A santidade dele deve estar realmente operando em nós, porquanto somente os que não tiverem falta poderão aproximar-se de Deus.

Zetetés – A visão beatífica, a recompensa suprema dos justos, consiste de uma visão desimpedida de Deus, nos céus; mas também consiste de muito mais que isso. Trata-se da participação desimpedida em sua natureza e em seus atributos, na qual participamos de sua plenitude, conforme discutimos tão amplamente em nosso tópico, "O meio da glória". No período helenista de sua história, os antigos judeus tinham algumas noções a esse respeito (ver 2Ed 7.98). O cristianismo, entretanto, elevou imensamente esse pensamento. (Ver 2Pe 1.4; 2Co 3.18; Cl 2.10; Ef 3.19).

Sofós – O galardão supremo, a visão desimpedida, a união do amor. A alma tornar-se-á então unida a seu Criador, de quem, por tanto tempo, esteve afastada. A harmonia será restaurada, o bem-estar não conhecerá limites. **Não haverá** nenhuma estagnação; não haverá limites, porquanto Deus e tudo quanto ele é, contínua e crescentemente, serão a porção escolhida da alma.

Agora a história eu já contei

Agora, a história eu já contei,
O evangelho se derrama sobre eles, antes malditos,
Louvor ao perdão, à glória da perfeição, de fato,
A todos os tesouros do céu, antes bem dispersos.

Antes bem dispersos estavam esses tesouros,
Possuídos por este e aquele ser,
Dispersos por esferas sôbre esferas,
Mas agora somente no homem concentrados.

Agora a história eu já contei,
Do olho arguto do conhecimento e do nervo intuitivo,
A vista da razão, o voo místico,
Merecem mais crença do que os meros sentidos.

Por certo merecem mais crença do que os meros sentidos,
Pois os sentidos tocam e sentem apenas o crasso e vil,
Mas a razão, a vívida intuição e o discernimento místico
Dão conhecimento de mundos acima, de eras vindouras.

Agora a história eu já contei,
Da graça transformadora, do selo da salvação,
Não algum poder inerte de nenhum tribunal superior,
Mas poder santo, que produz transformação real.

Transformação real, um ser transformado no íntimo,
Transformação profunda e elevada, que mais bastaria?
Transformação real, larga e profunda,
Transformação que prova que Cristo está na vida.

Transformação que prova que Cristo está na vida,
Nada mais pode constituir verdadeira conversão,
Embora se exibam falsidades e fraudes abundantes,
Nada mais é autêntico para ti.

Agora a história eu já contei,
De uma lei que insiste: "Colherás o que semeares",
O caminho da renúncia completa,
É o único pelo qual podes seguir.

A renúncia é o único caminho que podes seguir,
A santificação é sua chave mestra,
Ninguém, senão o santo, ninguém, senão o justo,
Poderá ver jamais o Reino de Deus.

Agora a história eu já contei,
Como, no dia primevo, Deus proferiu seu grande plano,
E disse: "Ele será segundo minha própria imagem",
Então em Cristo esse desígnio foi traçado para o homem.

Cumprido, cabalmente esse plano, por fim,
O Espírito, compartilha da natureza notável de Cristo,
A Palavra divina declara inefável glória vindoura,
E o voo da alma para o infinito ela prepara.

O voo da alma para o infinito ela prepara,
Tesouros antes possuídos por este e aquele ser,
Dispersos por esferas sobre esferas,
Agora somente no homem são concentrados.

Isso é justo, pois só no homem acham lar perfeito,
Pois quem mais — foi dito — poderia participar de sua plenitude no alto?
Sua imagem, seu selo, sua vida, seu propósito, sua fraternidade,
Planejados, providos, perfeitos em seu amor perene.

Agora a história eu já contei,
Da unidade longamente planejada por Deus,
Desceu o Cristo aos lugares infernais
Para abraçar todos os homens em bendita harmonia.

Todos os homens, para abraçá-los em bendita harmonia,
Por isso veio à terra, depois abaixo, e depois acima,
Todos os homens, vis e nobres, onde quer que estivessem,
Para abraçá-los em seu amor perene.

Para abraçá-los, digo, em um amor perene.
Que desconhece limites de tempo, lugar ou espaço,
Para reuni-los a essa Unidade, a essa bendita harmonia,
E assim apagasse todos os sinais da antiga degradação.

Agora a história eu já contei,
De uma vereda íngreme, áspera e repleta de durezas,
Mas desde há muito mapeada na vida do pioneiro,
Para que a terminássemos com coragem decidida.

Agora a história eu já contei,
De um ganho ilimitado lá no alto,
Prosperidade incomensurável de uma graça inigualável,
Planejada, provida pelo perfeito amor.

Agora a História eu já contei,
Porém, não deixá-lo descansar é a injunção divina,
Se ele for rico, só em canseira poderá sê-lo,
Que ele trabalhe e labute, colhendo incansavelmente,
Se não a bondade, então a canseira haverá de devolvê-lo a mim.

(Russell Champlin)

EVANGELHO DE MATEUS

ESBOÇO

I. AUTORIA E CONFIRMAÇÃO ANTIGA
II. DATA
III. PROVENIÊNCIA
IV. DESTINO
V. PROPÓSITOS
VI. LINGUAGEM
VII. MANUSCRITOS ANTIGOS
VIII. FONTES DE INFORMAÇÃO
IX. CONTEÚDO
1. Os cinco grandes discursos
2. Materiais peculiares a Mateus
3. Esboço
X. BIBLIOGRAFIA

Ernesto Renan chamava o evangelho de Mateus de "o mais importante livro que jamais foi escrito" (citado em The New Testament as Literature, Buckner B. Trawick, p. 37). E. F. Scott disse: "O evangelho de Mateus tem sido aceito, em todos os tempos, como narrativa autoritária da vida de Cristo, o documento fundamental da religião cristã" (The Literature of the New Testament, p. 65). Pelos meados do século II d.C., era o mais usado dos evangelhos, evidenciado pelo fato de escritores cristãos do segundo século citarem-no mais que qualquer outro evangelho. Irineu Contra Heresias, nos livros III e IV, cita mais de Mateus do que dos demais evangelhos combinados. Esse evangelho nunca perdeu sua popularidade, e, apesar de alguém dizer que gosta deste ou daquele evangelho, é provável que quanto ao uso real, seja Mateus o mais constantemente empregado. "Grupos tão radicalmente diferentes um do outro como os católicos romanos e os cientistas cristãos, apelam para Mateus como apoio para suas doutrinas particulares — os primeiros, por causa da honra feita ao apóstolo Pedro; e os últimos, porque esse evangelho apresenta os milagres em uma forma que tende mais por inspirar a confiança". (Introdução a Mateus, Sherman E. Johnson, Interpreter's Bible p. 231). Mateus parece ter sido o primeiro evangelho universalmente aceito pela igreja como autoritário, e, em pé de igualdade com o AT. Provavelmente, sua aceitação começou em Antioquia, um dos primeiros centros principais da igreja antiga. Embora Marcos se baseasse na autoridade da igreja de Roma, Mateus ultrapassou até mesmo esse evangelho, a despeito de o livro de Marcos ter sido escrito considerável tempo antes. E isso porque o evangelho de Mateus é muito mais completo como apresentação, tanto das obras quanto das palavras de Cristo.

Por diversas razões, parece que o evangelho de Mateus teve ascendência sobre os demais no princípio, a saber:

1. O arranjo de seu material, por tópicos, e não necessariamente de modo cronológico, tornou-se um manual apropriado para instrução.

2. Considerando todos os fatores, ele contém a mais completa narrativa, tanto das obras como dos ensinamentos de Jesus.

3. Reflete o ponto de vista mais universal.

4. É o mais eclesiástico entre os evangelhos, procurando enfrentar e solucionar problemas da igreja, e não meramente narrar a história da vida e dos ensinamentos de Cristo.

I. AUTORIA E CONFIRMAÇÃO ANTIGA

Quanto à canonicidade, o evangelho de Mateus é igual a qualquer outro livro do NT, já que o cânon não foi formado senão a partir do século II d.C. E por essa altura, não menos que qualquer outro livro, já havia obtido larga aceitação no seio da igreja. Portanto, os primeiros pronunciamentos canônicos já o incluem. Na introdução a este comentário, há um artigo que aborda especificamente o problema do "cânon", e o leitor deve consultar o mesmo quanto a informações gerais sobre o tema. Nos primeiros cânones, os livros neotestamentários, a saber, os quatro evangelhos e dez das epístolas paulinas, diferem na confirmação do período pré-canônico, o que, para Mateus, seria um período de mais de cinquenta anos. A popularidade do evangelho de Mateus, pelos meados do século II d.C., mostra-nos que era conhecido e usado, provavelmente, logo depois de sua composição, embora não existam citações indiscutíveis do mesmo senão já dentro do período canônico. Sua autoria e autoridade apostólicas, conforme se supõe, contam com as seguintes confirmações antigas:

1. **Papias**, conforme é citado ou referido por Eusébio, História Eclesiástica III.39. Papias viveu em cerca de 130 d.C. e foi discípulo ou do apóstolo João ou do presbítero João, da Ásia Menor. Evidentemente, Eusébio alude ao primeiro. Embora o próprio Eusébio se tenha queixado de como Papias misturava fatos com rumores, outros parecem ter tido mais confiança nele, e devemos levar a sério o que ele declara, embora não seja sem qualquer investigação. De acordo com algumas interpretações, Papias identificou esse evangelho como de Mateus, apóstolo do Senhor; mas a declaração dele de que foi escrito em hebraico, no caso de alguns, indica que sua alusão não era ao próprio evangelho, e, sim, às suas fontes, informativas ou "oráculos", que talvez possam ser identificados com "Q". (Ver, na introdução ao comentário, o artigo "O problema sinóptico", quanto a uma completa discussão sobre essa a outras fontes informativas desses evangelhos, isto é, Mateus, Marcos e Lucas).

2. **Irineu**, III.I.1 (130 d.C.), conforme é citado por Eusébio, em História Eclesiástica v. 8.2. Ele também fala sobre o fato de esse evangelho ter sido escrito originalmente em hebraico, pelo que as mesmas observações feitas sobre Papias, no tocante à "identificação" do evangelho, aplicam-se aqui. Poucos eruditos modernos pensam que Mateus teve um original hebraico, como se o mesmo fosse apenas uma "tradução" para o grego. Por essa razão, a maioria deles pensa que aqueles antigos personagens se referem a alguma outra obra, talvez incorporada no evangelho de Mateus, mas não ao próprio evangelho de Mateus, conforme o conhecemos hoje em dia.

3. **Orígenes**, conforme é citado por Eusébio, em História Eclesiástica VI 25. Ele diz que esse evangelho é de autoria do apóstolo Mateus, conferindo-lhe natureza autoritária.

4. **Eusébio**, em história eclesiástica III.24.6 e v. 10,3 aceita o testemunho antigo, conforme se mostra acima, e põe seu selo de aprovação sobre o evangelho de Mateus, como composição do apóstolo desse nome. Naturalmente, por esse tempo, era assim que se manuseava universalmente esse evangelho: mas sua época (340 d.C.) foi muito tardia para permitir-nos considerar seu testemunho como dotado de qualquer valor independente.

Por conseguinte, desde o começo, e universalmente, tem-se julgado que esse evangelho foi escrito por Mateus, o publicano que era chamado Levi, conforme se vê no evangelho de Marcos, tendo aquele vindo a tornar-se um dos apóstolos de Jesus. O testemunho, conforme é descrito acima, após o tempo de Eusébio, passou a ser universalmente aceito. Assim é que Jerônimo, o mais sábio das autoridades eclesiásticas, (400 d.C.) ensinou tal coisa, aliando-se a Agostinho (400 d.C.), o mais notável dos primeiros teólogos cristãos.

A maioria dos eruditos modernos, porém, considera o próprio livro, em sua linguagem, manuseio histórico etc., como contra o testemunho acima. A maioria supõe que Papias realmente aludiu a outra obra — "oráculos do senhor" —, escrita por Mateus em hebraico (isto é, aramaico, o idioma da Palestina na época, pois o hebraico clássico não era mais usado popularmente). É possível, porém, que uma fonte principal do evangelho de Mateus tenham sido esses oráculos. Alguns eruditos identificam esses oráculos (pelo menos parcialmente) com Q, o que representa os ensinamentos de Cristo. Se essas ideias expressam a verdade, então podemos continuar a chamar este evangelho, de Mateus, porquanto, de modo real, repousa sobre a autoridade apostólica de Mateus.

Evidências em prol da autoria de Mateus

1. A tradição antiga, que acabamos de descrever.

2. Alguns acham que, em Mateus 10.13, a referência ao "publicano" é um sinal do autor do livro. Presumivelmente o autor, Mateus, o cobrador de impostos, chamou-se tal por humildade, já que sua profissão era mui desprezada naqueles dias, porquanto inevitavelmente estava misturada à fraude, à ganância e à violência.

3. Neste evangelho, a alusão ao começo do discipulado de Mateus é, presumivelmente, outro sinal de sua humildade, conforme foi ela fraseada. Mateus 9.9 meramente menciona o simples fato de que, ao ser chamado

por Jesus, ele se levantou e passou a segui-lo. O texto de Lucas 5.28 adorna isso, dizendo que ele "deixou tudo", ao fazê-lo. Esse argumento, entretanto, é anulado pela observação de que a narrativa de Marcos é como a de Mateus, e quê, provavelmente, foi apenas copiada deste evangelho, conforme se achava em suas fontes. (Ver Mc 2.14.)

4. Nas listas dos apóstolos, supõe-se que Mateus, propositalmente, punha o seu nome após o de Tomé (10.3), ao passo que, em outras listas, o seu nome figura antes do de Tomé, presumivelmente outro sinal da humildade do autor sagrado. (Ver Mc 3.18 e Lc 6.15).

Segundo se observa, os argumentos expostos, particularmente os internos, quase não convencem. O fato é que esse evangelho é anônimo, pois seu autor não é identificado. Sem importar o que creiamos sobre sua autoria, isso deve repousar sobre a tradição ou opinião pessoal, e não sobre o próprio evangelho. Isso significa que a questão de sua autoria dificilmente pode servir de prova de ortodoxia, sem importar se alguém é liberal ou conservador. Corremos o perigo de confundir a tradição com a doutrina revelada pelo Espírito Santo.

Argumentos contrários à autoria de Mateus

1. A antiga tradição, em prol da autoria de Mateus, sem valer-se da importância que pareça ter, é provável que esteja aludindo aos "Oráculos do Senhor" (que talvez seja o documento Q), e não ao que agora conhecemos como evangelho de Mateus. O próprio Jerônimo, que apoia a tradição antiga, supostamente cita Mateus (seu "evangelho aos Hebreus"), mas na realidade suas citações não são extraídas desse livro. Sem dúvida, pois, surgiu alguma forma de confusão com outros documentos.

2. Os supostos apoios internos, em favor da tradição acerca de Mateus, ao serem examinados, tornam-se fraquíssimos.

3. Era comum, nos primeiros séculos, que a apostolicidade fosse vinculada a algum escrito pela mera vinculação do nome de algum apóstolo ao mesmo. Temos cerca de cem dessas obras, isto é, escritos que trazem os nomes dos apóstolos, mas que, na realidade, não foram escritos por eles, seguindo as classificações normais de evangelhos, atos, epístolas e apocalipses. (Ver o artigo existente na introdução ao comentário, sobre os livros apócrifos do NT, em outra literatura cristã primitiva, onde são discutidos tais livros.) É possível, portanto, que esse costume esteja vinculado ao evangelho de Mateus, sem importar que seu verdadeiro amor tenha sido outrem.

4. Concorda-se universalmente que Marcos foi usado como esboço histórico do evangelho de Mateus. Cerca de 90% de Marcos foi incorporado em Mateus. Marcos, no entanto, conforme sabemos, certamente não era testemunha ocular. É difícil imaginar que Mateus, uma testemunha ocular, tenha dependido do esboço histórico de Marcos, que não foi testemunha ocular, sobretudo quando, de acordo com o testemunho de Papias, Marcos não registrou os acontecimentos necessariamente na ordem em que eles tiveram lugar. Uma testemunha ocular quase certamente teria composto o seu esboço histórico. (Quanto às evidências que mostram que Marcos foi usado como esboço histórico, ver o artigo sobre "O problema sinóptico", na introdução ao comentário, e também a secção VIII da presente introdução — "Fontes informativas".)

5. Pouquíssimos eruditos reputam o evangelho de Mateus como tradução de um original hebraico (aramaico). Quase certamente foi ele originalmente escrito em grego, pelo que não pode ser, pelo menos em sua inteireza, o livro referido por Papias, sobre cujo testemunho outros autores cristãos primitivos basearam suas opiniões. Este evangelho sempre cita a LXX (tradução grega do AT hebraico), e certamente isso indica que foi originalmente escrito em grego, por um autor para quem essa língua era nativa, ou, pelo menos, que era um verdadeiro bilíngue, provavelmente desde o nascimento. Isso dificilmente poderia aplicar-se a Mateus, o publicano da Galileia.

6. O evangelho de Mateus não foi o único a ser atribuído a Mateus no século II. A seita dos nazarenos possuía um evangelho que tinha esse nome, conhecido por Evangelho segundo aos Hebreus. Evidentemente é a essa obra que Jerônimo fez referências (de Vir. ilus. 3; Contra Pelag. III.2, comentário sobre Is 2.2); e diversos outros dos primeiros pais da Igreja, como Irineu, Hegesipo, Eusébio, fazem alusões à mesma. Sem dúvida houve algum material paralelo ao evangelho de Mateus, pelo que Jerônimo, equivocadamente, julgou, de maneira original, que as duas obras eram uma só. Teve um original "hebraico", e esse fato, bem como o de os "Oráculos" (talvez genuinamente pertencentes a Mateus) terem também um original hebraico, pode ter provocado a ideia de que a linguagem e a autoria do evangelho de Mateus fossem referidas como "hebraica" e "de Mateus", devido à confusão com essas outras obras.

Conclusão

1. O evangelho de Mateus tem tão forte confirmação antiga e aceitação canônica quanto qualquer outro livro do NT. Apesar do que se possa pensar sobre sua autoria, nenhuma dúvida é lançada sobre sua inspiração e autoridade (apostólica).

2. O evangelho de Mateus tem uma base histórica apostólica genuína, já que incorpora o esboço geral de Marcos. O leitor deve consultar, na introdução àquele livro, as seções que tratam de data e autoria, onde são dados argumentos razoáveis em prol da autoridade apostólica daquele escrito.

3. Embora haja dúvidas de que um apóstolo e testemunha ocular, como foi Mateus, tivesse usado o esboço histórico de uma não-testemunha, como foi Marcos, não é impossível que isso tenha sucedido. Se supusermos que Mateus escreveu principalmente para nos dar as "declarações" de Jesus, não será irracional supormos que, tendo examinado o esboço de Marcos, ele tenha ficado satisfeito com o mesmo, não hesitando em usá-lo. Esse esboço histórico, podemos ainda conjecturar, foi então construído ao redor dos cinco grandes blocos de ensinos, com poucas alterações nas descrições e ordem dos eventos, para que tal esboço fosse adaptado aos blocos de ensino. A adaptação requereu certas emendas editoriais.

4. Quanto aos blocos de ensino, é razoável aceitar a opinião de vários eruditos, de que devem ser identificados (pelo menos parcialmente) com os "Oráculos do Senhor", de Mateus, e que esses oráculos são uma fonte por trás do documento "Q" explicando também grande parte do documento "M", isto é, material que se acha somente em Mateus, enquanto "Q" é aquela "fonte didática" compartilhada por Mateus e Lucas. Embora não haja evidências absolutas para afirmá-lo, é possível que o evangelho agora chamado "Mateus" tenha recebido esse nome porque os antigos, no período pré-canônico, tivessem consciência do fato de os ensinamentos de Jesus, reduzidos à forma escrita por Mateus, se tenham tornado a parte principal dos ensinamentos do documento agora chamado evangelho de Mateus.

5. O próprio evangelho não tem nenhuma indicação de sua autoria, pelo que, de fato, é anônimo. Portanto, sem importar o que dissermos sobre a sua autoria, isso repousa sobre evidências vindas dos pais da Igreja e da tradição eclesiástica, ou rejeição da mesma. Já que o próprio evangelho não identifica seu autor, chamá-lo "de Mateus" ou negar isso dificilmente pode ser prova de ortodoxia ou de fé cristã.

6. O problema real — Prezados amigos, o real problema que enfrentamos, no caso do evangelho de Mateus, não é quem foi seu autor humano, mas antes, o que fizemos com as palavras desse livro, cuja fonte, afinal, é divina. Nosso problema não é se o lemos, ou analisamos, e nem mesmo se "cremos" nele, intelectualmente falando. Nosso problema é se praticamos ou não os seus preceitos. Quanto do Cristo, ali descrito, tem sido infundido em meu ser? Quanto dessa natureza se tem tornado minha? Quanto seu ensino é vital para mim? O evangelho de Mateus apresenta um retrato imortal de Cristo. Quanto esse retrato tem penetrado profundamente em minha alma, para transformá-la segundo a imagem de Cristo?

II. DATA

Se aceitarmos a ideia de que Mateus foi o autor, então torna-se provável uma data antes da destruição de Jerusalém (70 d.C.). O esboço histórico foi tomado por empréstimo de Marcos, pelo que o livro foi escrito após aquele evangelho ter sido composto. Marcos pode ter sido escrito tão cedo quanto 50 d.C., conforme asseveram algumas tradições, pelo que Mateus pode ter sido escrito entre 50 e 70 d.C., se Mateus foi seu autor. Há possíveis razões, entretanto, para atribuirmos a esse evangelho uma data entre 80 e 85 d.C.

1. Alguns eruditos, duvidando que o próprio Mateus tenha sido o escritor, acham possível que o autor fosse um editor que incorporou várias fontes informativas. Além de outros materiais, sem dúvida, usou Marcos como esboço histórico, e ensinos de Jesus, escritos por Mateus. Pela combinação de fontes usada por ele, nota-se que o autor pode ter estado afastado por algum tempo do período apostólico, ou, possivelmente, fosse um discípulo de Mateus ou de um dos outros apóstolos.

2. O texto de Mateus 18.15-17 parece refletir uma situação posterior, quando a igreja já estava organizada e buscava resolver seus problemas. De fato, do décimo sexto capítulo em diante, começamos a ver a influência de problemas eclesiásticos no livro. Isso indicaria uma data consideravelmente posterior à do evangelho de Marcos, onde tais elementos são totalmente ausentes. Agora a igreja estava independente do judaísmo, algo que não teve lugar senão após a destruição de Jerusalém, no ano 70 d.C.

3. Os textos de 22.7 e 24.1ss talvez reflitam o conhecimento de que Jerusalém já fora destruída, o que envolveu uma espécie de reescrita da "profecia" de Jesus sobre esse acontecimento. No evangelho de Marcos, a destruição de Jerusalém é uma predição; mas no evangelho de Mateus, é história.

4. A ausência total de conhecimento ou de uso das epístolas paulinas, que entraram em maior circulação em cerca de 90 d.C., talvez indique uma data anterior a esse tempo.

5. A elevação de Pedro à alta posição de liderança (cap. 16) pode refletir a necessidade que teve a igreja de estabelecer autoridade, já que aquela de Jerusalém, o Sinédrio etc., fora destruída. Isso situaria este evangelho após 70 d.C.

6. Algumas passagens, como 24.15ss podem refletir a perseguição, durante o reinado de Domiciano; e os cristãos aguardavam para breve a chegada

258 |Mateus| NTI

do anticristo, que muitos crentes julgavam que seria Nero redivivo, o qual se "reencarnaria" e voltaria para outro reinado de terror. Isso faria com que Mateus tenha sido escrito em algum ponto entre 81 e 96 d.C. (época do governo de Domiciano), mais ou menos na mesma época do livro de Apocalipse. (Ver uma discussão sobre a data daquele livro, em sua introdução; e quanto à tradição sobre Nero redivivo, ver Ap 17.10,11).

7. Este livro parece refletir uma espécie de declínio pós-apostólico na igreja, em passagens como Mt 24.10-12.

Temos exposto os fatores essenciais, em forma de esboço, que estão ligados à data possível do livro. Esses itens formam uma especulação sobre o tema, mas que provavelmente é tão verdadeira quanto qualquer outra que tenha sido aventada. A data do livro deve continuar em dúvida, até que algo mais convincente possa ser formulado.

III. PROVENIÊNCIA

Tal como no caso da data, nada de certo se pode afirmar sobre onde foi escrito este livro. Já que este evangelho envolve muito material judaico, alguns supõem que tenha sido escrito em algum lugar da Palestina; mas isso não é inferência necessária, com base no conteúdo do próprio livro. A ideia mais comum é que o livro foi composto em Antioquia, um antigo centro cristão. E há alguma evidência acerca disso. Inácio, bispo de Antioquia, usava o evangelho de Mateus, acima de todos os outros; e nesse lugar, igualmente, Pedro (tal como no próprio evangelho) desfrutava de proeminência acima dos demais apóstolos. Em Antioquia e Damasco, o estáter equivalia a duas didrácmas (ver Mt 17.24-27). A Síria era lugar bastante próximo da Palestina, possibilitando todo o colorido judaico, mesmo que tivesse sido escrito naquele país. Naquela área era comum a adoração às estrelas, o que pode ter encorajado a narrativa sobre os magos vindos do oriente (cap. 2), a fim de mostrar que qualquer sabedoria que os antigos tivessem das ciências, incluindo a astronomia, tinha de inclinar-se ante o berço de Cristo. Naturalmente, o evangelho pode ter sido escrito em qualquer outra cidade síria, como Edessa ou Apamea, conforme alguns eruditos sugerem. Nada de certo pode ser dito acerca da proveniência do livro; mas preferimos pensar em Antioquia.

IV. DESTINO

O testemunho antigo é de que o evangelho de Mateus visava sobretudo aos judeus recém-convertidos, como uma espécie de manual de instrução na fé. Assim dão a entender Irineu e outros. Entretanto, outros supõem que seu propósito se assemelha ao do Apocalipse, isto é, consolar e fortalecer os mártires em potencial, assegurando-lhes o caráter genuíno de Jesus como Messias. Nesse caso, deve estar em pauta uma audiência bem mais lata. Se o evangelho de Mateus foi escrito em algum lugar da Síria, os cristãos daquele país podem ter sido os destinatários originais dos livros. Há, porém, quem observe que esse é o mais universal dos evangelhos, pelo que a nenhuma localidade particular foi ele endereçado. O evangelho de Mateus tem sido chamado de "manual da vida de Cristo e da teologia bíblica" (citado por Morton S. Enslin, Literature of the Christian Movement, p. 389) e isso aponta para uma larga audiência. Se tivermos de supor alguma audiência específica, então nada mais convincente pode ser dito além de que esse livro visava aos cristãos, judeus e gentios da Ásia Menor e da Síria.

V. PROPÓSITOS

1. Suas muitas citações extraídas do AT devem ser tanto literárias quanto polêmicas. O autor indica que o cristianismo é uma graduação acima do judaísmo, mas não contradição com o mesmo. Isso significa que o autor sagrado aceitava a tese de que a antiga e a nova dispensação se combinavam em Cristo e sua igreja, e que a igreja contém o "melhor do judaísmo", elevado a um nível superior.

2. Jesus é o novo Moisés; e seus ensinamentos são a nova lei, conforme se torna evidente na seção dos caps. 5-7. Assim como Moisés exigia o respeito do povo, por ter trazido uma revelação inédita, da mesma forma sucedeu no caso de Cristo. A revelação trazida por Cristo, porém, é superior à de Moisés; pelo que sua autoridade é maior. Jesus Cristo é o Messias (primeiro capítulo), é o Filho de Davi e é o Salvador. Por conseguinte, ele também é o Rei legítimo.

3. O evangelho foi escrito para consolar os crentes perseguidos, talvez da época do imperador Domiciano, conforme vimos na seção que aborda a questão da "data".

4. O evangelho de Mateus foi escrito para erguer uma nova autoridade, já que Jerusalém (e, portanto, o judaísmo), fora recentemente destruída. Essa nova autoridade está centralizada em Pedro (décimo sexto capítulo), e o evangelho de João encontra no corpo conjunto dos apóstolos (Jo 20.19ss).

5. Feliz acerca do esboço histórico de Marcos, que incorporara em seu próprio livro, o autor sagrado percebeu que havia falta de um bom esboço quanto aos ensinamentos de Jesus, e resolveu dar ao mundo cristão uma espécie de compêndio desses ensinamentos.

6. O conteúdo do próprio evangelho de Mateus mostra o intuito de fazer um apelo a judeus e gentios igualmente, assegurando a ambos os grupos que Jesus é o Messias e Salvador. A genealogia e a referência frequentemente repetida nas leis e costumes judaicos, serviam de apelo aos judeus. A referência ao ministério de Jesus fora dos territórios judaicos (4.15,25), com a indicação de que os judeus haviam repelido a ele mesmo e à sua doutrina — o que quer dizer que sua mensagem voltou-se para os gentios (8.11,12 e 21.43) —, além da Grande Comissão (28.19,20), enfatizam a universalidade do novo evangelho, apelando aos gentios.

7. O evangelho de Mateus interessa-se pelas questões escatológicas, refletindo a crença dos cristãos primitivos de que o segundo advento de Cristo (a "parousia") estava próximo, e que grande tribulação se desencadearia com o aparecimento do anticristo, o que seria uma realidade bem breve (ver Mt 24).

8. O livro tenciona mostrar com o que se parece o "ideal reino dos céus", e como Cristo deve ser o rei daquele reino (caps. 1; 2; 5—7; 13 e 25). Essas seções também nos mostram o que se espera dos súditos desse reino celestial.

9. O evangelho de Mateus foi escrito para satisfazer às necessidades da igreja em crescimento, pois aborda "problemas eclesiásticos" e propõe soluções (caps. 16ss). Erramos quando supomos que esse evangelho, em qualquer sentido, visava aos "judeus", e não à igreja, ainda que grande parte do mesmo reflita o período de "transição" do antigo para o novo. O discipulado cristão ideal, nos caps. 5—7, por exemplo, ensina não simplesmente as regras do reino, pois na ideia do autor sagrado, a igreja representa uma concretização preliminar do próprio reino. Um evangelho que foi escrito quando o cristianismo já existia há cerca de cinquenta anos, dificilmente pode ser tido como um documento judaico. "A principal consequência da vida e da morte de Jesus frisada no evangelho de Mateus é a vinda à existência da igreja universal de Deus, o novo Israel, onde encontram abrigo todos os povos. O evangelho começa com a predição de que Jesus é o Emanuel "Deus conosco" (Mt 1.23) e termina com a promessa de que esse mesmo Jesus, agora Cristo ressurreto, estará com seus discípulos, retirados dentre todas as nações, até o fim dos tempos. A nota de universalidade, que soou no começo da narrativa da manifestação de Jesus aos magos, vai reverberando na ordem com que termina o evangelho, de que os crentes fossem pelo mundo inteiro, fazendo discípulos dentre todas as nações [...] Visto que o caráter messiânico de Jesus se tornara pedra de tropeço para os judeus, o reino lhes seria tirado e dado a uma nação que "produziria seus frutos" (21.42,43). Os patriarcas do novo Israel, os apóstolos, compartilhariam da vitória final do Messias, agindo como seus coassessores no julgamento, segundo Jesus deixa claro nas palavras registradas em Mateus 19.28, e conforme o evangelista enfatiza ao introduzir a palavra "convosco", na declaração derivada de Marcos, inserida em Mateus 26.29". (The New Bible Dictionary, Eerdman's, 1962, p. 796).

10. O evangelho de Mateus, bem como aquele escrito por Marcos, mostra-nos Jesus como poderosíssimo operador de milagres. Proporcionalmente, esse aspecto ocupa mais espaço do que aquele conferido a qualquer outro aspecto de sua vida. Os escritos rabínicos mostram que o Messias esperado seria poderoso operador de milagres. O evangelho de Mateus exibe Jesus de Nazaré como quem está qualificado para ser esse Messias, porque quem exerceu tanto poder em sua vida, quanto ele? Em quem o Espírito Santo operou tão poderosamente quanto o fez em Jesus Cristo?

VI. LINGUAGEM

As palavras de Papias acerca dos "oráculos do Senhor", declarando que estes foram escritos em hebraico (aramaico) (apud Eusébio, História Eclesiástica, III. 39), sem dúvida formaram a base da antiga tradição de que este evangelho foi escrito naquela língua. Vários outros, conforme se diz sob "Autoria e confirmação antiga", reiteraram essa tradição, a qual se tornou a posição padrão da igreja antiga, e dali, da medieval e da moderna. Evidentemente, Jerônimo confundiu o evangelho aos Hebreus com o nosso evangelho de Mateus; e ele e outros supuseram, erroneamente, que Mateus fosse tradução grega daquele. Epifânio (403 d.C.) declarou especificamente que o Mateus em grego era tradução do evangelho aos Hebreus; mas atualmente sabemos que havia pouquíssimo material paralelo entre essas obras, e que uma não dependia da outra. Eusébio ensina-nos que Pantaeno, 200 d.C., em uma viagem pela Índia, encontrou o original do evangelho de Mateus, trazendo-o consigo em sua volta. Presumivelmente, esse evangelho fora escrito em hebraico, e, mui provavelmente, temos nisso apenas outra alusão ao evangelho aos Hebreus, obra inteiramente diferente, e certamente inferior.

Assim sendo, se a princípio os testemunhos em favor da ideia de ter sido originalmente escrito esse evangelho em hebraico (aramaico) são impressionantes, pequena investigação e raciocínio revertem a ideia. As citações de Jerônimo do suposto original, o Mateus em hebraico, incluem materiais que não se acham no evangelho de Mateus, donde se deduz que houve confusão acerca da tradição.

Alguns eruditos pensam que a declaração de Papias foi feita, de fato, acerca do evangelho de Mateus, e não acerca dos Oráculos, ou então acerca de matéria de Q, que veio a ser incorporada ao evangelho citado. Outros supõem, entretanto, que esses "oráculos" nada foram senão "textos de prova" retrabalhados com comentários, que cristãos primitivos haviam combinado com base no AT. E mesmo que Papias houvesse afirmado que o evangelho de Mateus foi originalmente escrito em hebraico, o exame sobre o próprio documento mostra-nos que certamente ele estava equivocado. Por exemplo, Mateus exibe bem marcante dependência verbal, ao evangelho de Marcos, em grego. É quase impossível que isso houvesse sucedido, se Mateus tivesse sido escrito originalmente em aramaico, para em seguida ser traduzido para o grego. Outrossim, do princípio ao fim, as citações existentes no mesmo são extraídas da LXX, e não do AT hebraico. Naturalmente que há expressões e coloridos tipicamente semitas, tal como na maioria do NT, até mesmo no caso daqueles livros que, é evidente, foram escritos originalmente em grego, sobre o que não se admite disputa. É natural que quando o autor sagrado abordava questões judaicas, sendo que ele mesmo conhecia o aramaico, tanto quanto o grego, tivesse, ocasionalmente, empregado expressões idiomáticas do aramaico, transferindo-as quase literalmente para o grego.

Em contraste com os antigos, a maioria dos eruditos atuais considera que esse evangelho teve um original grego. Mateus dependeu de um original grego de Marcos, o que também sucedeu com Lucas. Alguns têm tentado confundir o fato, supondo um "original duplo", uma cópia em aramaico e outra em grego, como se isso houvesse circulado desde o princípio. Entretanto, isso é forçar a questão. Talvez o mais forte argumento contra um original aramaico seja o mero fato de que nem uma só cópia de tal documento chegou até nós, ao passo que contamos com nada menos de 1.400 cópias gregas de Mateus. Por razões como essa é que Erasmo, Beza, Calvino, Lightfoot, Weststein, Lardner, Hug, Fritzche, Credener, de Wete, Stuart, Da Gosta, Fairbairn, Roberts, Brown, e, na realidade, a vasta maioria dos eruditos do século XX, têm afirmado crença no original grego do evangelho de Mateus.

No tocante à qualidade do grego do livro de Mateus, podemos dizer o seguinte: Representa o grego "koiné" do período, com algumas expressões idiomáticas muito dispersas do aramaico, além de certa influência do "grego bíblico" da LXX. Gramaticalmente falando, é muito superior ao grego do evangelho de Marcos, maculado de menos maneirismos que Marcos ou Lucas. Seu grego é mais suave que o de Marcos, mas menos variado e colorido do que o de Lucas. Mateus tem 95 vocábulos característicos (muito repetidos), em contraste com 151, no caso de Lucas, e 41, no caso de Marcos. O autor gostava de reparar os barbarismos de Marcos, e, algumas vezes, deixava de lado as expressões coloquiais do mesmo. (Ver Mt 9.2 em comparação a Mc — "kline", em lugar do vernáculo, krabatos; 12.14 — tomar conselho, ao invés de dar conselho, em Mc 3.6).

Concernente ao seu estilo, o autor sagrado mostra o hábito dos rabinos judeus contemporâneos, sobre os arranjos aritméticos. Assim é que ele tem grupos de três, como na genealogia (1.1-17); três tentações (4.1-11); três ilustrações da retidão (6.1-18); três mandamentos (7.7); três milagres de cura (8.1-15); três milagres de poder (8.23—9.9); tríplice resposta à pergunta acerca do jejum (9.14-17); um tríplice "não temas" (10.25,28,31); uma tríplice repetição de "não é digno de mim" (10.37,38); três parábolas da semeadura (13.1-32); três assertivas sobre os pequeninos (18.10,14); três parábolas que advertem (21.28—22.14); três perguntas difíceis feitas por adversários (22.15-40); três orações no Getsêmani (26.39-44); três negações de Pedro (26.69-75). Além disso, há vários grupos de sete coisas: as sete cláusulas da oração do Pai Nosso (6.9-13); sete demônios (12.45); sete parábolas (cap. 13); o perdão dado não "sete vezes", mas setenta vezes sete (18.22); os sete irmãos (22.25); e os sete "ais" (cap. 23).

O grego koiné desse autor não é polido como o de Lucas, mas não é bárbaro como o de Marcos.

VII. OS MANUSCRITOS ANTIGOS

A maioria dos manuscritos que trazia um dos evangelhos, trazia todos, porque as coletâneas normalmente continham seções do NT, e não todos os livros. Assim, alguns mss. continham somente os evangelhos; outros tinham Atos-Epístolas Universais: e ainda outros tinham Paulo-Hebreus, ou então o Apocalipse. Os manuscritos que traziam apenas os evangelhos eram mais numerosos que os que continham outras seções. Portanto, temos mais de 1.400 manuscritos gregos dos evangelhos, o que significa que o de Mateus está entre os documentos antigos mais bem confirmados, e em muito. Alguns antigos escritos clássicos gregos e latinos dependem de alguns poucos manuscritos, e usualmente posteriores.

Papiros. No que diz respeito ao evangelho de Mateus, temos os seguintes: Papiro 1 (Mt 1.1-9,12,14-20,23); 19 (10.32—11.5); 21 (12.24-26,31-33); 25 (18.32-34; 19.1-3,5-7,9,10); 35 (25.12-15,20-23); 37 (16.19-52); 44 (17.1-3,6,7; 18.15-17,19; 25.8-10); 45 (20.24-32; 21.13-19; 25.41-46; 26.1-39); 53 (26.29-40); 62 (11.25-30); 64 (16.7,10,14,15,22,23,31-33); 67 (3.9-15; 5.20-22,25-28); 70 (11.26,27; 12.4,5); 71 (19.10,11,17,18); 73 (25.43; 26.2,3). Esses papiros datam principalmente dos séculos III e IV.

(Quanto a uma descrição completa dos papiros — e também dos manuscritos em geral do NT —, ver o artigo sobre esse tema, na introdução ao comentário.)

Unciais. No caso do evangelho de Mateus, temos Aleph e B, do século IV. Temos também ACD 0181 do século V; NPZ Sigma Phi, do século VI. E depois desse século há mais de duzentos outros manuscritos unciais.

Minúsculos. Após o séc. IX, foram sendo grandemente multiplicados os manuscritos gregos em letras minúsculas, e o resto dos mais de 1.400 manuscritos, que não foram mencionados acima, pertencem a essa forma de escrita, que equivale praticamente às nossas letras minúsculas, o que lhe justifica o nome.

Emprego dos manuscritos na crítica textual. No artigo sobre os manuscritos, na introdução a este comentário, o leitor, além de ter informações gerais sobre os antigos manuscritos do NT, torna-se também conhecedor dos princípios pelos quais o texto sagrado vem sendo restaurado. Portanto, não se reitera aqui esse material.

Variantes abordadas dentro da exposição deste evangelho. Há grande número de variantes que são assim ventiladas. Abaixo damos uma lista quase completa: 1:7,8 10 11 16 18 22 25 2:5 11 18; 3:7 12 15 16 16; 4:10 17 23; 5:4 5 11 13 22 25 32 37 44 47; 6:4 4 5 8 8 12 13 18 15 33; 7:13 14 14 18 21 22 24 29; 8:8 9 10 11 12 13 18 21 25 25 28; 9:4 8 13 14 18 26 34 36; 10:3 4 8 23 37 42; 11:2 9 15 19; 11:17 19 23 23; 12:4 15 25 30 31 35 31-47; 13:9 13 35 40 43 45 55; 14:1 3 3 9 12 12 22 22 24 27 29 30; 15:4 6 6 14 15 26 31 36 38 39; 16:2 3 5 8 12 13 13 21; 17:10 15 20 21 22 26; 18:7 11 14 15 21 26 29 34 35; 19:3 3 4 7 9 9 10 11 16 17 19 22 24 25 29 29; 20:15 16 17 17 17 22 23 26 28 30 31; 21:4 12 29-31 32 39 44; 22:10 23 30 32 35; 23:4 7 9 13 14 19 26 37 38 24:6 7 31 36 25:1 13 15 16 17 41 41 46; 26:14 15 20 27 28 39 60 61 63 71; 27:2 4 5 9 10 16 17 23 24 28 29 35 38 40 42 43 45 46 49; 28:6 7 9 17 20.

VIII. FONTES DE INFORMAÇÃO

Na introdução a este comentário, há um artigo sobre o problema sinóptico, e o leitor encontrará ali descrições mais pormenorizadas sobre as fontes informativas dos evangelhos sinópticos — Mateus, Marcos e Lucas.

É possível que várias das narrativas ou declarações do evangelho de Mateus dependam de um único relato, ou do relato de algumas poucas pessoas; e nesse caso, naturalmente, nos é impossível saber qualquer coisa definida sobre as fontes. No caso dos grandes blocos de material, porém, pode-se dizer algo significativo. Nenhuma reivindicação se faz de que a discussão a seguir — mero exemplar do que se acha no artigo "O problema sinóptico", na introdução a este comentário — representa, de modo perfeito, as fontes informativas do evangelho de Mateus. Admitimos também que nem todos os estudiosos concordam quanto a esses princípios. Não obstante, supomos que o que é dito a seguir é "significativo" e útil, mesmo que não seja totalmente exato.

Apegamo-nos à teoria de que houve uma fonte M, outra, Q, e que Marcos serviu de base histórica. Isso se aproxima da verdade dos fatos, embora imperfeitamente.

Evangelho de Mateus cerca de 85 d.C.

Fonte "Q" 45-50 d.C.	Mateus e Lucas têm algum material em comum, ausente em Marcos, principalmente "ensinos" de Jesus. Supomos, pois, que houve uma fonte usada por ambos. Estão envolvidos 250 versículos.
Evangelho de Marcos 50-55 d.C.	Marcos contribui com cerca de 600 versículos para Mateus, naquilo que é essencialmente o seu esboço histórico.
Fonte "M"	Tradição da igreja de Antioquia da Síria, que talvez tenha incorporado algum material da igreja da Judeia. Essa fonte encerra cerca de 300 versículos.

Cada uma dessas propostas fontes informativas principais é explanada com detalhes no artigo sobre "O problema sinóptico". Ali também se oferece uma discussão sobre as fontes informativas do evangelho de Marcos, as quais são, essencialmente: 1. as narrativas de Pedro, testemunha ocular, formando suas memórias; 2. as tradições orais e escritas da igreja de Roma; 3. várias outras tradições orais e escritas, algumas das quais de outros apóstolos e testemunhas oculares, que não estavam diretamente vinculadas à igreja de Roma.

IX. CONTEÚDO

O evangelho de Mateus é tópico, e não cronológico. Isso significa que o interesse do autor era expor seu material arranjado por assuntos, e não segundo a ordem cronológica dos acontecimentos. Essa é uma das razões por que se torna difícil a sua harmonia com Marcos e Lucas, porquanto Lucas segue de perto a ordem cronológica de Marcos, com poucas exceções, mas Mateus dá nova disposição aos eventos. As notas de introdução ao décimo capítulo de Lucas podem ser vistas como evidência a esse respeito.

260 | Mateus | NTI

O material didático de Mateus está essencialmente disposto em cinco grandes blocos, e os acontecimentos históricos estão arranjados em torno dessas seções. Esse evangelho reuniu tipos específicos de material em blocos. Assim, o que aparece junto em Mateus, até mesmo quando tem paralelos em Lucas, é espalhado neste último por muitos capítulos, pois são ocorrências sob circunstâncias diferentes, historicamente falando. Quanto a evidências a esse respeito, ver o manuseio diferente sobre o material tradicionalmente intitulado "Sermão da Montanha", comentado nas notas introdutórias ao quinto capítulo de Mateus. No que concerne a esse sermão, Lucas conta com apenas 30 de seus 107 versículos, conforme é exposto no quadro a seguir, que mostra como eles estão ali dispersos:

Mateus	Lucas
5.13	14.34
5.18	16.17
5.25,26	12.58
5.32	16.18
6.9-13	11.2-4
6,22,23	11.34-36
6.24	16.13
6.25	12.22,23
6.26,34	12.24-31
7.7-11	11.9-13
7.13	13.24
7.22,23	13.25-27

Isso foi salientado aqui para mostrar que a cronologia não é elemento muito importante para o autor sagrado. Ele reuniu declarações feitas em muitas ocasiões diferentes e as agrupou segundo os tipos, ignorando em muitos lugares o que pode ter sido seu pano de fundo cronológico e histórico.

1. Os cinco grandes discursos

a. Sermão da Montanha — Conforme é dito acima, não pensamos que tudo isso tenha sido em um único sermão. Antes, trata-se de um compêndio de ensinamentos. Figura em Mateus 5—7. Seu propósito é dar a interpretação de Cristo sobre a lei. Aqui temos o novo Sinai (o monte), a nova lei e o novo Moisés (Jesus Cristo). Essa é a lei do novo Israel, prefiguração do verdadeiro reino que, finalmente, prevalecerá. Esse grande discurso não é para a nação de Israel, e nem meramente para o "reino vindouro". É para a nossa época; é o código de conduta do novo Israel, a igreja.

b. A obra e a conduta dos discípulos especiais é o tema do segundo grande discurso, que ocupa o texto de Mateus 9.35—11.1. Aqui Jesus envia os seus missionários com instruções para seu modo de vida e para a conduta em sua missão.

c. O reino dos céus (alternativa para "reino de Deus", conforme dizem os demais evangelhos) é o tema do capítulo 13, o terceiro grande discurso. Jesus apresenta certo número de parábolas a fim de ilustrar o conceito cristão de reino, corrigindo muitas noções falsas que tinham sido acrescidas em redor dessa doutrina. As parábolas ilustram aspectos diversos do reino, sua natureza, seu grande valor e a necessidade de buscá-lo, fazendo do "outro mundo" o objeto de nossa fé. (Ver Hb 11.1 quanto à exposição desse conceito).

d. O quarto grande discurso ocupa Mateus 18.1—19.2. Esse é o texto infantil, que aplica os ensinamentos às "crianças espirituais", usando o que é literal como lições objetivas. São os "pequenos" do reino dos céus, os novos convertidos, a igreja cristã que milita em meio ao mundo hostil. A seção, naturalmente, inclui a abordagem aos "problemas eclesiásticos", mostrando quais devem ser as nossas atitudes básicas acerca de nossos irmãos na comunidade cristã.

e. O quinto grande discurso diz respeito à escatologia, ou ensinamentos sobre os "últimos dias". Está localizado em Mateus 24.1—26.2. O capítulo 24 tem sido apodado de "pequeno apocalipse", porquanto contém a maior parte das predições proféticas de Jesus, as quais, por sua vez, são ilustradas por parábolas eloquentes que procuram mostrar que sua segunda vinda ou "parousia" haverá de ter lugar em breve, e que nos devemos preparar para ela. Nessa seção, Jesus revela a sua mente universal, que transcende aos limites do tempo e do espaço, e assim fica ilustrado como ele será o Filho do homem que virá em nuvens de glória, a fim de governar sobre todos.

O evangelho de Mateus é constituído em torno desses cinco grande discursos. Além dessas seções, naturalmente, há muitos outros ensinamentos e acontecimentos que, de modo nenhum, dizem respeito a esses blocos de material. Mateus, pois, é supremamente o evangelho das logia ou palavras de Cristo. Seu autor usou o evangelho de Marcos como esboço histórico, nele baseando-se e incluindo as "palavras" de Cristo, usando material "M" e "Q".

2. Material peculiar a Mateus

Há muitos comentários editoriais e leves modificações do material de Marcos, mediante abreviação ou adorno, o que confere a este evangelho alguns de seus versículos distintivos. Além disso, há blocos maiores de ensinamentos ou acontecimentos, que não figuram nem em Marcos e nem em Lucas. É com esses blocos que agora nos ocupamos, e não com uma análise de versículo por versículo. Assim faremos, a fim de encontrar cada pequena particularidade de Mateus:

a. Parábolas contidas apenas em Mateus — Há 41 parábolas nos evangelhos sinópticos e nenhuma no evangelho de João. Dessas 41, 23 estão em Mateus. Dessas últimas, há dez que não aparecem nos demais evangelhos sinópticos. São as seguintes:

1. Parábola do joio (13.36-46)
2. Parábola do tesouro escondido (13.34)
3. Parábola da pérola de grande preço (13.45,46)
4. Parábola da rede de pesca (13.47-50)
5. Parábola do servo sem misericórdia (18.23-35)
6. Parábola dos trabalhadores na vinha (20.1-16)
7. Parábola dos dois filhos (21.28-32)
8. Parábola das bodas (22.1-14)
9. Parábola das dez virgens (25.1-13)
10. Parábola das ovelhas e dos bodes (25.31-46).

Supomos que a maior parte desse material pertence à fonte informativa "M".

b. Ensinamentos peculiares a Mateus, além das parábolas. — A maior parte do Sermão da Montanha (caps. 5—7); os discursos de denúncia contra os líderes religiosos (cap. 23). Várias declarações isoladas e breves comentários cabem também neste grupo, os quais, quando contados, mostram ser bastante numerosos.

c. Milagres registrados somente por Mateus — Presumivelmente, esses também derivam-se da fonte informativa "M": cura dos dois cegos (9.27); libertação do endemoninhado surdo-mudo (9.32); a moeda na boca do peixe (17.24).

d. Outros acontecimentos, não-miraculosos, também derivados da fonte informativa "M":

1) Visita dos magos do oriente (2.1)
2) Fuga para o Egito (2.13,14)
3) Matança dos inocentes (2.16)
4) A volta para Nazaré (2.19-23)
5) Visita dos fariseus e outros a João Batista (3.7)
6) As trinta moedas de prata (26.15)
7) Devolução das moedas de prata (27.3-10)
8) O sonho da esposa de Pilatos (27.19)
9) Os santos que ressuscitaram (27.52)
10) A guarda postada ante o túmulo (27.64-66)
11) Suborno pago aos soldados (28.12,13)
12) O grande terremoto (28.2)

3. Esboço do conteúdo

I. Os primórdios (1.1—4.25)

1. Genealogia de Jesus (1.1-17)
2. Nascimento de Jesus (1.18-25)
3. A visita dos magos (2.1-12)
4. Fuga para o Egito (2.13-15)
5. A matança dos inocentes (2.16-18)
6. A mudança para Nazaré (2.19-23)
7. Ministério de João Batista (3.1-12)
8. Começa o ministério de Jesus (3.13—4.25)
9. Batismo de Jesus (3.13-17)
10. Tentação de Jesus (4.1-11)
11. Começa o ministério na Galileia – seu ambiente profético (4.12-16)
12. A mensagem de Jesus (4.17)
13. Chamada dos primeiros discípulos (4.18-22)
14. Sumário de atividades (4.23-25)

II. Primeiro grande discurso (5.1—7.29)

1. Introdução (5.1,2)
2. As bem-aventuranças (5.3-12)
3. Os discípulos e o mundo (5.13-16)
4. A nova lei (5.17-20)
5. Contraste entre a antiga e a nova lei (5.21-48)
   (a) Homicídio e ódio (5.21-26)
   (b) Adultério e concupiscência (5.27-30)
   (c) Divórcio (5.31,32)
   (d) Juramentos (5.33-37)
   (e) Vigança (5.38-42)
   (f) Ódio e o amor (5.43-47)
   (g) Sumário (5.48)
6. Contrastes entre os antigos e os novos padrões de conduta (6.1-18)
   (a) Contra a ostentação (6.1)
   (b) Esmolas (6.2-4)
   (c) Natureza da oração (6.5-15)

NTI | Mateus | 261

(d) Jejum (6.16-18)

(e) Correto uso das propriedades (6.19-24)

(f) Ansiedade e confiança (6.25-34)

(g) Espírito de censura (7.1-5)

(h) Pérolas lançadas aos porcos (7.6)

(i) Confiança na oração (7.7-11)

(j) Uma regra geral de conduta (7.12)

7. Advertências contra o abuso dos ensinamentos de Jesus (7.13-23)

(a) O caminho dos poucos (7.13,14)

(b) Os falsos profetas (7.15-20)

(c) Os falsos discípulos (7.21-23)

(d) Parábola ilustrativa (7.24-27)

8. Sumário geral (7.28,29)

III. Ministério de obras poderosas de Jesus, o Messias (8.1—9.34)

1. Cura dos leprosos (8.1-4)

2. Cura do servo do centurião (8.5-13)

3. Cura da sogra de Pedro (8.14-17)

4. Ensinamentos sobre o discipulado (8.18-22)

5. Poder sobre as forças naturais (8.23-27)

6. Poder sobre os demônios (8.28-32)

7. Poder de perdoar (9.1-8)

8. A chamada de Mateus (9.9)

9. Jesus e os pecadores (9.10-13)

10. Por que os discípulos não jejuavam (9.14,15)

11. O antigo e novo pacto são incompatíveis entre si (9.16,17)

12. Poder de curar enfermidades crônicas e levantar os mortos (9.18-26)

13. Poder sobre a cegueira (9.27-31)

14. Poder sobre a mudez (9.32-34)

IV. Segundo grande discurso: Obra e conduta de seus discípulos especiais (9.35—11.1)

1. Ensinamento e curas (9.35)

2. Os discípulos especiais são necessários (9.36-38)

3. Autoridade especial dos doze (10.1)

4. Lista dos doze (10.2-4)

5. Discurso — A missão para Israel (10.5,6)

(a) Como o trabalho deve ser efetuado (10.7,8)

(b) Conduta durante a viagem (10.9-15)

(c) Como enfrentar a oposição (10.16-39)

(d) Os galardões de quem ajuda os discípulos especiais (10.40-42)

(e) Sumário (11.1)

V. Declínio da popularidade de Jesus e sua rejeição (11.2—12.50)

1. João Batista e a nova ordem (11.2-19)

2. Contraste entre os acolhedores e os rejeitadores (11.20-30)

3. Exemplos de oposição e rejeição (12.1-50)

(a) Controvérsia sobre a colheita de cereal no sábado (12.1-8)

(b) Controvérsia sobre a cura no sábado (12.9-14)

(c) Por que motivo Israel não entendeu a revelação em Cristo (12.15-21)

(d) Controvérsia sobre a cura do homem cego e surdo (12.22-32)

(e) Homens bons e maus (12.33-37)

(f) O pedido de sinais (12.38-42)

(g) As possessões demoníacas (12.43-45)

(h) A família espiritual (12.46-50)

VI. Terceiro grande discurso: Dirigido às multidões - (13.1-58) - O reino dos céus e seus mistérios

1. Introdução (13.1-3a)

2. Parábola do semeador (13.3-9)

3. Entendimento dado somente aos discípulos (13.10-17)

4. Interpretação da parábola do semeador (13.18-23)

5. Parábola do joio (13.24-30)

6. A semente de mostarda e o fermento (13.31-33)

7. Segunda explicação da razão por que é ocultada a significação da revelação (13.34,35)

8. Interpretação da parábola do joio (13.36-43)

9. A parábola do tesouro escondido (13.44)

10. Parábola da pérola de grande preço (13.45,46)

11. Parábola da rede de pesca (13.47-50)

12. O escriba instruído no reino (13.51,52)

13. Descritas as obras admiráveis de Jesus (13.53-58)

VII. Controvérsias e obras (14.1—17.27)

(fundação da igreja, derivada da controvérsia)

1. A ameaça de Herodes (14.1-12)

2. Multiplicação dos pães para os cinco mil (14.13-21)

3. Milagre do andar por sobre a água (14.22-27)

4. Pedro ensinado a crer (14.28-33)

5. Várias curas (14.34-36)

6. Controvérsia sobre a pureza ritual (15.1-20)

(rejeição do farisaísmo)

VIII. Rejeição do separatismo judaico: ministério entre os gentios (15:21-39)

1. Cura da jovem cananeia (15.21-28)

2. Várias curas (15.29-31)

3. Multiplicação dos pães para os quatro mil (15.32-39)

4. Rejeição dos fariseus e saduceus (16.1-12)

IX. Autorrevelação de Jesus e elevação de Pedro à autoridade (16.13—17.13)

1. Confissão de Pedro (16.13-20)

2. Predição de Jesus sobre seus sofrimentos e glória decorrente (16.21-28)

3. Transfiguração — predição da glória futura (17.1-8)

4. Segunda declaração da relação entre Jesus e João Batista (17.9-13)

5. Jesus ilustra seu poder (17.14-20)

6. Segunda predição dos sofrimentos vindouros (17.22,23)

7. Liberdade cristã e o imposto do templo (17.24-27)

X. Quarto grande discurso: aos discípulos, sobre problemas da comunidade cristã (18.1-19.2)

1. Importância dos pequeninos (18.1-14)

(a) Importância do espírito infantil (18.1-4)

(b) Responsabilidade pelas crianças (18.5,6)

(c) Pecados contra os pequeninos (18.7-9)

(d) Deus cuida dos pequeninos (18.10)

(e) Parábola da ovelha perdida (18.11-14)

(f) Restauração dos pequeninos que pecarem (18.15-35)

i. Disciplina na igreja (18.15-17)

ii. Poder espiritual na igreja (18.18-20)

iii. Exercício do poder na igreja (18.21-35)

iv. O princípio do perdão (18.21,22)

v. Parábola que ilustra o perdão (18.23-35)

vi. Sumário (19.1,2)

XI. Jesus sobe para Jerusalém (19-23.39)

1. Suas exigências e galardões para os discípulos (19.3—20.28)

(a) Sobre o matrimônio e o divórcio (19.3-12)

(b) Crianças são abençoadas (19.13-15)

(c) O jovem rico (19.16-26)

(d) Galardões para os discípulos (19.27—20.28)

i. Promessa de Cristo (19.27-30)

ii. Igualdade nos galardões: parábola dos vinhateiros (20.1-16)

iii. Interlúdio: terceira predição dos sofrimentos de Jesus (20.17-19)

iv. Grandeza baseada no serviço (20.20-28)

2. Cura dos dois cegos (20.29-34)

3. Acontecimentos em Jerusalém (21.1—23.39)

(a) Entrada triunfal (21.1-11)

(b) Purificação do templo (21.12-17)

(c) A figueira amaldiçoada (21.18-22)

(d) Discussões e controvérsias em Jerusalém (21.23—22.46)

i. Controvérsia sobre a autoridade de Jesus (21.23-27)

ii. Parábola dos dois filhos (21.28-32)

iii. Parábola dos lavradores maus (21..33-44)

iv. Conluio contra Jesus (21.45,46)

v. Parábola do convite rejeitado (22.1-14)

vi. Controvérsia sobre o imposto (22.15-22)

vii. Controvérsia sobre a ressurreição (22.23-33)

viii. O maior dos mandamentos (22.34-40)

ix. Controvérsia sobre o Filho de Davi (22.41-46)

x. Denúncia contra os falsos líderes religiosos (23.1-39)

a. Princípios bons, mas conduta má (23.1-3)

b. sua falta de misericórdia (23.4)

c. Sua ostentação (23.5-12)

d. Primeiro ai: eles fecham o reino (23.13)

e. Segundo ai: caráter de seus convertidos (23.15)

f. Terceiro ai: juramentos (23.16-22)

g. Quarto ai: regras banais (23.23,24)

h. Quinto ai: regras sobre purificação (23.25,26)

i. Sexto ai: sua justiça é exterior (23.27,28)

j. Sétimo ai: sua hipocrisia (23.29-33)

k. Ameaça e lamento (23.34-39)

XII. Quinto grande discurso: Tempo do fim ou pequeno apocalipse (24.1-26.2)

1. A indagação dos discípulos (24.1-3)

2. Sinais preliminares do fim (24.4-8)

3. Perseguição e apostasia (24.9-14)
4. Eventos esperados na Judeia (24.15-22)
5. Contra uma "falsa parousia" (24.23-28)
6. Sinais da verdadeira parousia (24.29-31)
7. O exemplo da figueira (24.32,33)
8. O tempo exato da parousia é imprevisível (24.34-36)
9. Preparando-se para a parousia (24.37—25.13)
   (a) A maioria será apanhada de surpresa (24.34-41)
   (b) Os discípulos devem estar preparados (24.42-44)
   (c) Escravos bons e maus (24.45-51)
   (d) Parábola das dez virgens: ilustração da preparação (25.1-13)
   (e) Parábola do senhor em viagem (25.14-30)
   (f) Julgamento das ovelhas e dos bodes (25.31-46)
   (g) Sumário e predição de detenção (26.1,2)

XIII. Morte de Jesus, o Messias (26.3—27.66)
1. Eventos preliminares (26.3—27.26)
   (a) Conluio (26.3-5)
   (b). Unção de Jesus (26.6-13)
   (c) Judas planeja trair (26.14-16)
   (d) A última ceia (26.17-30)
   (e) Predição da negação de Pedro (26.31-35)
   (f) O Getsêmani (26.36-46)
   (g) A detenção (26.47-56)
   (h) Audiência diante de Caifás (26.57-68)
   (i) Negação de Pedro (26.69-75)
   (j). Audiência diante a Pilatos (27.1-26)
      i. Perante a Pilatos (27.1,2)
      ii. Suicídio de Judas (27.3-10)
      iii. Audiência e condenação (27.11-26)
2. A crucificação (27.27-56)
   (a) Jesus maltratado pelos soldados (27.27-31)
   (b) Jornada até a cruz (27.32)
   (c) Jesus na cruz (27.33-44)
   (d) Morte de Jesus (27.45-56)

3. Sepultamento de Jesus (27.57-66)
   (a) O sepultamento (27.57-61)
   (b) Vigília ante o túmulo (27.62-66)

XIV. A ressurreição (28.1-20)
1. O anjo e as mulheres (28.1-8)
2. Jesus aparece às mulheres (28.9,10)
3. Falso testemunho dos guardas (28.11-15)
4. Aparecimento final aos onze (28.16-20)

(Quanto a este esboço, em seus pontos essenciais, devo reconhecimento a Sherman E. Johnson, Interpreter's Bible, introdução ao evangelho de Mateus.)

X. BIBLIOGRAFIA

N. B.: Quanto à exposição geral de Mateus, foram usados 13 comentários em séries. Quanto à identificação desses comentários, ver a lista de abreviações usadas por todo o comentário, na introdução. Além desses, recomendamos como obras de consulta as seguintes:

ALLEN, W. C. A Critical and Exegetical Commentary on the Gospel According to Matthew, The International Critical Commentary. New York: Charles Scribner's Sons, 1965.

BACON, B. W. Studies in Matthew. New York: Henry Holt and Co., 1930.

ENSLIN, Morton Scott. The Literature of the Christian Movement (parte III). New York: Harper and Brothers, 1956.

GREEN, F. W. The Gospel According to St. Matthew (de "The Claredon Bible"), Oxford: Claredon Press, 1945.

McNEILE, A. H. The Gospel According to St. Matthew. London: Macmillan Co., 1915.

ROBINSON, T. H. The Gospel of Matthew (de "The Moffatt New Testament Commentary"). New York: Doubleday, Doran and Co., 1928.

TRAWICK, Buckner B. The New Testament as Literature (Gospels and Acts), New York: Barnes and Noble, 1964.

O Interpreter's Bible foi utilizado neste comentário pela gentil permissão da Abingdon-Cokesbury Press, Nashville. Da obra, são citados, em Mateus, os autores Sherman E. Johnson e George A. Buttrick.

Códex W, primeira página do evangelho de Mateus

Capítulo 1

I. OS PRIMÓRDIOS (1.1—4.25)

1. Genealogia de Jesus (1.1-17)

O evangelho de *Mateus* é nosso evangelho mais universal. Tem por intuito satisfazer as necessidades de todos os homens — judeus e gentios —, conduzindo-os a Jesus, o Messias, o Salvador do mundo. Parte de seu conteúdo atrai aos judeus, tal como é o caso desta genealogia, que tenciona provar a legítima reivindicação de Jesus ao trono de Davi. Outra parte de seu conteúdo é especialmente atrativa para os gentios, sobretudo as seções que mostram que Jesus não limitou sua missão entre os judeus, e também a *Grande Comissão*, que mostra que o evangelho terá de ser pregado ao mundo inteiro. (Ver Mt 4.15,25; 8.11,12; 21.43; 28.19,20).

Segundo o ensinamento rabínico, o Messias teria direitos legais ao trono de Davi; e ser descendente seu fazia parte desse direito. Muitas famílias judaicas possuíam genealogias extensas, exatas e que cobriam longos períodos de tempo. A genealogia que se segue, porém, arranjada como está em grupos de catorze nomes, mostra que o seu intuito era o de ser representativa e não completa. Já a genealogia de Lucas (Lc 3.23-38) parece mais preocupada em ser completa, pois contém 42 nomes, ao invés dos 27 nomes contidos em Mateus. Lucas traça a descendência de Jesus, não através de reis (como é o caso de Mateus), mas através de outro filho de Davi, Natã (2Sm 5.14) e inclui muitas pessoas obscuras. A lista de Mateus, até Zorobabel, provavelmente baseia-se sobre o texto de 1Crônicas 1—3 (na LXX). Todavia, não sabemos que fonte ou fontes informativas ele pode ter usado para sua compilação inteira. Seja como for, seu ponto ficou demonstrado: Jesus era descendente tanto de Davi quanto de Abraão, ficando assim consubstanciada sua reivindicação à posição messiânica, pelo menos no que tange à existência de ser ele filho de Davi.

1.1 Livro da genealogia de Jesus Cristo, filho de Davi, filho de Abraão.

1.1 Βίβλος γενέσεως Ἰησοῦ Χριστοῦ υἱοῦ Δαυὶδ υἱοῦ Ἀβραάμ.

---

1 βίβλος γενέσεως Gn 5.1 υἱοῦ Δαυὶδ 1Cr 17.11 υἱοῦ Ἀβραάμ Gn 22.18

Evangelho. Usos da palavra:

1. No grego mais antigo, em Homero, significa *recompensa por trazer boas novas* (Hom. *Od.* xiv. 152.).

2. No Antigo Testamento, há dois usos: *novas*, propriamente ditas, e o sentido de nº1 do grego antigo.

3. Termo técnico para "boas novas de vitória" (Plut. *Demetr.* 17, 1.896c).

4. No culto imperial, era usada para designar as proclamações do imperador-divino, proclamações de boas novas que davam *vida* ou *salvação* ao povo.

5. No grego mais antigo e, posteriormente, significava "sacrifício oferecido por causa das boas novas" (Aristoph. *eq.* 658).

6. Na Septuaginta e em outras obras de um grego mais recente, significava as próprias "boas novas" (2Rs 18.20,22,25).

7. No Novo Testamento, as *boas novas* falam do reino de Deus, da mensagem de Deus aos homens, do perdão de pecados, da *esperança*. Nos escritos de Paulo o termo significa boas novas, especialmente em relação *às igrejas*; o plano de Deus para a igreja, o destino e grande privilégio da mesma, incluindo os meios de salvação, o perdão de pecados, a justificação etc., como elementos que são incorporados nas boas novas.

De modo geral, pode-se afirmar que a palavra tem atravessado três épocas no decorrer da história:

1. Nos antigos autores gregos: recompensa por trazer boas novas.

2. Na Septuaginta e outras obras: as próprias boas novas.

3. No Novo Testamento: as boas novas *de Cristo*, ou então os livros que apresentam as boas novas sobre Jesus. A palavra "evangelho", como título do livro de Mateus, não foi usada pelo seu autor com esse sentido específico, referindo-se ao livro em si, mas muitos autores posteriores têm usado a palavra dessa forma. (Ver Rm 1.16, para uma nota mais detalhada.)

"Segundo Mateus". (Ver a explicação sobre a autoria desse evangelho, na introdução do livro). Ver o artigo sobre o "cânon", quanto à explicação da autoridade do evangelho de Mateus. Ver explicações sobre a linguagem do NT e mais detalhes em relação a Mateus, na própria introdução do livro.

"Livro da genealogia de Jesus Cristo..." Há quatro ideias principais sobre a expressão "livro da genealogia": 1. Referência ao livro inteiro: o nascimento de Jesus, ou seja, a encarnação de Deus, é o fato inicial e fundamental, que sustenta todos os outros fatos da vida e do ministério de Jesus. Essas palavras, pois, introduzem o livro inteiro (assim o entenderam Eutímio e outros antigos; Ebrard, Keil, e outros entre os modernos). 2. A palavra *genealogia* refere-se aos dois primeiros capítulos, que tratam da genealogia e do nascimento de Jesus. 3. Refere-se ao primeiro capítulo inteiro. Poucos, entre os antigos, e quase nenhum, entre os modernos aceitam estas interpretações, principalmente porque elas provocam divisões no livro, as quais não são naturais. 4. A referência diz respeito somente ao texto de 1.1-17, à própria genealogia, à introdução ao livro, sem incluir o livro todo. Assim consideraram Beza, Calvino, Grotius e outros modernos. Confirmando o sentido nº 1, nota-se que Gênesis 6.9; 11.27 e outros textos, quando apresentam genealogias, introduzem a história do personagem mencionado, e não apenas uma lista da linha ascendente do mesmo. Provavelmente, o autor do evangelho de Mateus teve o mesmo propósito, ao apresentar a genealogia de Jesus Cristo.

"De Jesus Cristo". "Jesus" vem do hebraico *Jehoshua* que, após o cativeiro, passou a ser escrito "Jeshua", que significa "Jeová, o Salvador". Por esses nomes, "Jesus" e "Cristo", o Senhor, foi definitivamente identificado às esperanças e profecias dos judeus relacionados ao Messias prometido. Os escritos do AT assim o apontaram, e toda a sua vida foi uma demonstração da validade desse testemunho. Aqueles que são tentados a diminuir a importância da vida terrena de Jesus devem observar esse fato. As duas pessoas do AT que têm o nome "Jesus" são ambas tipos de Cristo. Josué, filho de Num, é tipo de Cristo em sua função de capitão e libertador de seu povo. O sumo sacerdote Josué (Zc 3), prefigura a Cristo como nosso sumo sacerdote (ver nota sobre a humanidade de Cristo em Fp 2.7).

"Cristo". Sendo adjetivo, tornou-se nome próprio devido ao seu uso no evangelho. Assim foi usado até mesmo pelo Senhor (Mt 23.8,10). É tradução do vocábulo "Messias", que no hebraico significa "ungido". Os reis, os sacerdotes e os profetas são pessoas que têm o direito de ser ungidas, símbolo da confirmação de seu cargo. Jesus, o maior de todos os reis, sacerdotes e profetas, é chamado de "o Cristo", superior a todos os outros, porque sua unção foi especial: veio do Espírito de Deus, e não de origem terrena. A unção era aplicada aos enfermos, aos cegos e até mesmo aos mortos (Tg 5.14; Jo 9.5,11; Mc 14.8). Como ungido, Jesus exerceu de tal forma suas forças espirituais sobre aqueles males, que nós o reputamos simplesmente como um ungido; mas ele é mais que isso, é "o Cristo", e não empregamos esse termo acerca de nenhuma outra pessoa.

"Filho de Davi". O Messias deveria ser *Ben-Davi*. Esse foi o título do Messias e representa, de forma especial, a esperança do reino de Israel e a esperança do poder e da salvação que o novo *"Davi"* traria. A genealogia prova o direito que Jesus tinha de ser chamado "o Messias". Jesus possuía as qualificações do Messias, tanto no plano espiritual como na descendência física. Os judeus nunca aceitariam um Messias que não fosse descendente de Davi. Jesus tinha não só a descendência física de Davi, mas também seu espírito e os direitos que lhe foram outorgados por Deus. Muitos houve, dentre a descendência de Davi, que não tiveram as demais

264 |Mateus| NTI

qualificações, além dessa. Pela literatura dos judeus (Josefo), sabemos que essas genealogias eram guardadas nos arquivos públicos, e, provavelmente, tenham sido a fonte de informações do autor de Mateus; isso indicaria que ele não fez deduções pessoais, e que as genealogias do AT foram fontes secundárias.

"Filho de Abraão". Abraão, pai da raça judaica, foi progenitor de Jesus. A genealogia não vai além de Abraão porque o evangelho foi escrito especialmente para os judeus. A primeira profecia que afirmou com precisão de que raça ou família descenderia o Messias refere-se a Abraão como pai da raça que daria o Messias ao mundo (Gn 22.18). A última promessa dessa natureza inclui Davi.

Observações gerais sobre a genealogia de Jesus:
1. As genealogias em Mateus e em Lucas, que diferem entre si, são uma só; e não se originam de duas linguagens, uma de José e outra de Maria. Essa foi ideia universal da igreja primitiva, até o século XV, quando Annius de Viterbo, que morreu em 1502, achou uma diferença entre a linhagem de José (em Mateus) e a linhagem de Maria (em Lucas). A ideia partiu da igreja romana, mas os protestantes também a acolheram.
2. É mais ou menos recente a ideia de que a genealogia de Mateus apresenta a linhagem de *José*, e que a de Lucas dá a linhagem de *Maria*; é possível que isso expresse a verdade, mas não o podemos afirmar com certeza, nem podemos explicar com segurança as suas diferenças.
3. O autor teve acesso aos registros das genealogias, e provavelmente a matéria por ele exposta teve como fonte principal tais registros; também é possível que as genealogias do AT tivessem servido de fontes secundárias.
4. As genealogias não são unicamente descendências pessoais, mas têm também o propósito de demonstrar o direito que Jesus tinha de subir ao trono de Davi e de ser chamado o Messias. Assim sendo, vários nomes são omitidos de maneira proposital. A genealogia de Mateus trata especialmente da descendência real, referindo-se principalmente ao tempo dos reis — à linhagem real na época desses reis. Vemos, pois, que a matéria foi manuseada de forma especial, com propósitos específicos, e não com a ideia de fornecer uma lista completa dos ascendentes de Jesus.
5. Aqueles que são de opinião de que as genealogias de Mateus e Lucas seguem a linhagem de José explicam a de Lucas mostrando a descendência pessoal de Jesus, pelo que apresenta muitos nomes, não de reis ou da linhagem real, que Mateus *não* tinha razão para mencionar. Assim sendo, a genealogia de Lucas mostraria a descendência *humana* de Jesus, da parte de Davi; e a de Mateus apresentaria a descendência real de Jesus, da parte de Davi.
6. Se as genealogias apresentam ou não a descendência por parte de ambos — de José e de Maria —, o certo é que Maria *também* era descendente de Davi (Lc 1.27,32; 2.4,5). O testemunho dos pais da Igreja confirma essa ideia (Hegesipo, Jerônimo e Eusébio, 3.32).
7. Provavelmente a maior parte dos antepassados de ambos foram os mesmos, pois eram da mesma casa e família de Davi. Não é impossível que fossem parentes, talvez até primos.
8. Assim sendo, temos certas ideias sobre as diferenças entre as genealogias, mas não temos conhecimento exato do problema, nem respostas perfeitas; porém, podemos afirmar, sem hesitação, que as diferenças e as lacunas nessas genealogias, foram *propositalmente* feitas pelos autores.
9. Além do fato de tais listas de nomes terem pouco interesse ou importância para os modernos, especialmente para os gentios, o evangelho de Mateus foi escrito visando aos leitores *judeus*; e assim, desde o princípio, tais leitores deveriam estar satisfeitos, porque os judeus sempre deram muita importância a esse tipo de registro e muito eles descobriram num registro que mostra a identidade e a autoridade do Messias.

Quanto às diferenças na genealogia de Lucas, ver Lc 3.24s.

Informação geral sobre a genealogia de Mateus:
Mateus apresenta Jesus como *herdeiro* legal do trono de Davi. A genealogia de Lucas expõe sua descendência sanguínea. A genealogia de Mateus é resumida, e alguns nomes foram omitidos de propósito. Abrange 42 gerações, num período de dois mil anos. Está dividida em três partes de catorze gerações cada, o que provavelmente foi feito com a ajuda da memória. O primeiro grupo — de Abraão ao rei Davi — abrange mil anos. O segundo grupo — do rei Davi ao exílio babilônico — abrange quatrocentos anos. O terceiro grupo — do exílio a Cristo — tem 13 gerações, sendo que a 14ª obviamente inclui Maria, abrangendo 600 anos. O final de cada série de catorze gerações está ligado a alguma época crítica da história de Israel, as quais são: a monarquia, o cativeiro e o Messias. Disso pode-se deduzir que o autor não fez nenhuma tentativa para apresentar uma cifra exata no número de ascendentes de Jesus, pois o uso de um número *fictício* era comum entre os judeus. Em Esdras 6, por exemplo (onde se vê uma genealogia com o mesmo número de lacunas), nada menos de seis gerações de sacerdotes são omitidas, como transparece pela comparação com 1Cr 6.3-15.

1.2: A Abraão nasceu Isaque; a Isaque nasceu Jacó; a Jacó nasceram Judá e seus irmãos;

1.2 Ἀβραὰμ ἐγέννησεν τὸν Ἰσαάκ, Ἰσαάκ δὲ ἐγέννησεν τὸν Ἰακώβ, Ἰακώβ δὲ ἐγέννησεν τὸν Ἰούδαν καὶ τοὺς ἀδελφοὺς αὐτοῦ,

2 Gn 21.3,12 25.26 29.35 1Cr 1.34

1.3: a Judá nasceram, de Tamar, Farés e Zará; a Farés nasceu Esrom; a Esrom nasceu Arão;

1.3 Ἰούδας δὲ ἐγέννησεν τὸν Φάρες καὶ τὸν Ζάρα ἐκ τῆς Θαμάρ, Φάρες δὲ ἐγέννησεν τὸν Ἐσρώμ, Ἐσρὼμ δὲ ἐγέννησεν τὸν Ἀράμ,

3 Gn 38.29,30 1Cr 2.4,5,9 Rt 4.12,18,19

3 Ζάρα] Ζαρε p¹ B

1.4: a Arão nasceu Aminadabe; a Aminadabe nasceu Nasom; a Nasom nasceu Salmom;

1.4 Ἀρὰμ δὲ ἐγέννησεν τὸν Ἀμιναδάβ δὲ ἐγέννησεν τὸν Ναασσών, Ναασσών δὲ ἐγέννησεν τὸν Σαλμών,

4-5 Rt 4.13,17-22; 1Cr 2.10-12

1.5: a Salmom nasceu, de Raabe, Booz; a Booz nasceu de Rute, Obede; a Obede nasceu Jessé;

1.5 Σαλμὼν δὲ ἐγέννησεν τὸν Βόες ἐκ τῆς Ραχάβ, Βόες δὲ ἐγέννησεν τὸν Ἰωβὴδ ἐκ τῆς Ρούθ, Ἰωβὴδ δὲ ἐγέννησεν τὸν Ἰεσσαί

5 Βόες p1ℵB k co eth.] Βοοζ (Βοος pc) rell ς; R

1.6: e a Jessé nasceu o rei Davi. A Davi nasceu Salomão da que fora mulher de Urias;

1.6 Ἰεσσαί δὲ ἐγέννησεν τὸν Δαυὶδ τὸν βασιλέα. Δαυὶδ δὲ ἐγέννησεν τὸν Σολομῶνα ἐκ τῆς τοῦ Οὐρίου,

6 Ἰεσσαί...βασιλέα Rt 4.17,22 1Cr 2.13-15 Δαυίδ...Οὐρίου 2Sm 12.24

O fato mais notável desse texto é que ele contém os nomes de *quatro mulheres*, o que não era comum nas genealogias dos judeus; dessas, três eram pecadoras, e a outra era estrangeira em Israel. Peres e Zerá eram gêmeos, filhos de Tamar por Judá, seu sogro. O relato se encontra em Gênesis 38.13-26. Talvez o autor tenha introduzido esses detalhes para mostrar a graça de Deus, que opera seus milagres a despeito das circunstâncias criadas pelo homem. O maior milagre que o autor passa a demonstrar é o nascimento virginal de Jesus. Raabe (v. 5) era prostituta e *gentia*, antes de entrar em contacto com Israel. É apresentada na lista como tetravó de Davi, mas três séculos se passaram entre eles; e assim sabemos que houve muitas pessoas que viveram no período que se localiza entre eles, e que não foram mencionadas. Sabemos que era necessária a menção dessa mulher. Disso se deduz que, além do fato de desejar mostrar a graça ou o poder de Deus, cumprindo os seus propósitos e operando os seus milagres apesar das circunstâncias criadas pelo homem, o autor também queria mostrar algo da *graça* de Deus aos homens, de modo geral. Provavelmente, ele apresenta essa graça, na genealogia, como pequena amostra da graça que encontramos na história da vida de Jesus. Graça na genealogia, graça na vida de Jesus, graça que Deus tem outorgado aos homens. Rute (v. 5) era *estrangeira*. Jesus trouxe graça aos gentios. Ele tomou a igreja como noiva, e esta, em sua maioria, se compõe de gentios. Não é impossível que os v. 11 e 12 de Mateus 4 constituam-se uma profecia sobre o Messias, isto é, o fato de Rute ter sido engrandecida como o foi Raquel. Encontramos também ali uma referência favorável à casa de Peres. É possível que o autor tenha incluído essas mulheres, na genealogia, por causa dessa referência. Rute 4.18-22 apresenta matéria que talvez tenha sido a fonte de parte da genealogia que achamos em Mateus. Pode ser que a outra parte da genealogia tenha usado como fonte de informações o texto de 1Crônicas 2.5-15. O autor teve também acesso a fontes que não existem no AT, porque somente aqui ficamos sabendo que Raabe foi mãe de Boaz. A identificação de Raabe com a personagem do AT é bastante certa, considerando-se duas coisas: 1. O artigo acompanha o nome, ou seja, "a Raabe", e uma das principais funções do artigo, no grego, é fazer a identificação. Essa mulher era "a" Raabe, tão conhecida dos leitores do AT. 2. É provável que, se não fosse aquela Raabe haveria outra explicação. O autor também menciona Tamar, o que prova que não procurava evitar elementos estranhos na genealogia de Jesus.

1.7: a Salomão nasceu Roboão; a Roboão nasceu Abias; a Abias nasceu Asafe;

1.7 Σολομὼν δὲ ἐγέννησεν τὸν Ῥοβοάμ, Ῥοβοὰμ δὲ ἐγέννησεν τὸν Ἀβιά δὲ ἐγέννησεν τὸν Ἀσάφ,

7-10 1.Cr 3.10-14

[1] 7-8 {B} Ἀσάφ, Ἀσάφ p¹ ᶠᵏ,ᵇ ℵ B X (Dᴸᵘᶜᵃˢ) f¹ f1³ 700 1071 1185m pt itᵃᵘʳ,ᶜ,ᵈᶠ,ᵘᶜᵃˢ,ᵍ¹,ᵏ,ᵠ syrʰ·ᵐᵍ copˢᵃ,ᵇᵒ arm eth geo (Epiphanius) // Ἀσά, Ἀσά K L W Δ II 28 33 565 892 1009 1010 1079 1195 1216 1230 1241 1242 1365 1546 (2148, Ἀσσά) Byz Lectᵐ l¹⁸⁵ᵐ ᵖᵗ itᵃ,ᶠ,ᶠᶠ¹ vg syrᶜ,ˢ,ᵖ,ʰ,ᵖᵃˡ *Epiphanius Augustine*

É claro que o nome "Asafe" é a mais primitiva forma de texto preservada nos manuscritos, pois o acordo de testemunhos alexandrinos (AB) e cesareanos (f¹ f¹³ 700 1071) com versões orientais (cop ara etí geó) e representantes do texto ocidental (mss do latim antigo e D; em Lucas, D, falta essa parte em Mateus) forma uma fortíssima combinação. Outrossim, a tendência dos escribas, observando que o nome do salmista Asafe (cf. os títulos de Sl 50 e 73 a 83) se confundia com o de Asa, rei de Judá (1Reis 15.9ss), seria a de corrigir o erro, assim explicando a prevalência da forma Ἀσά em textos eclesiásticos posteriores e sua inclusão no *Textus Receptus*.[1]

Embora a maioria dos eruditos se impressione pelo peso esmagador da evidência textual em apoio a Ἀσάφ, Lagrange lamenta e, em seu comentário, imprime Ἀσά, como se fora o texto de Mateus. Declara ele (p. 5) que "a crítica literária não é capaz de admitir que o autor, que não poderia ter traçado essa lista sem consultar o AT, substituiu pelo nome de um salmista o nome de um rei de Judá. É mister, pois, supor que Ἀσάφ é um erro escribal antiquíssimo". Já que o evangelista pode ter derivado material para a genealogia, não diretamente do AT, mas das subsequentes listas genealógicas, onde ocorria soletrarem erradamente, a comissão não viu motivo para adotar o que parece ser uma emenda escribal.

---

1. Na genealogia de 1Cr 3.10, a maioria dos mss gregos dizem Ἀσά, embora o ms 60 diga Ἀσάβ. Em *Antiq.* viii. xi. 3-xxi.6, Josefo usa Ἀσανος, embora apareça a forma *Asaph* na tradução latina.

1.8: a Asafe nasceu Josafá; a Josafá nasceu Jorão; a Jorão nasceu Ozias;

1.8 Ἀσάφ δὲ ἐγέννησεν τὸν Ἰωσαφάτ, Ἰωσαφὰτ δὲ ἐγέννησεν τὸν Ἰωράμ, Ἰωράμ δὲ ἐγέννησεν τὸν Ὀζίαν,

8 τον Ὀζειαν] praem τον Οχοζιαν, Οχοζιας δε εγεννησεν τον Ιωας, Ιωας δε εγεννησεη τον Αμαζιαν, Αμαζιαν δε εγεννησεη syᶜ eth (**D** d in Lc.)

1.9: a Ozias nasceu Joatão; a Joatão nasceu Acaz; a Acaz nasceu Ezequias;

1.9 Ὀζίας δὲ ἐγέννησεν τὸν Ἰωαθάμ, Ἰωαθάμ δὲ ἐγέννησεν τὸν Ἀχάζ, Ἀχάζ δὲ ἐγέννησεν τὸν Ἑζεκίαν,

1.10: a Ezequias nasceu Manassés; a Manassés nasceu Amom; a Amom nasceu Josias;

1.10 Ἑζεκίας δὲ ἐγέννησεν τὸν Μανασσῆ, Μανασσῆς δὲ ἐγέννησεν τὸν Ἀμώς, Ἀμώς² δὲ ἐγέννησεν τὸν Ἰωσίαν,

[2]10 {B} Ἀμώς, Ἀμώς ℵ B C D ᴸᵘᵏᵉ Δ Θ II* f¹ 33 1071 1079 1546 l¹⁶²⁷ᵐ it ᶜ,ᵈ,ᴸᵘᵏᵉ,ᶠᶠ,ᵍ,ᵏ,ᵠ copˢˢ,ᵇᵒ,ᶠᵃʸ arm eth Athanasius Epiphanius // Ἀμών, Ἀμών K L W II² f¹³ 28 565 (700 892 1195 Ἀμμων, Ἀμμών) 1009 1010 1216 1230 1241 1242 1365 1646 2148 Byz Lectᵐ (l²¹¹ itᵃᵘʳ,ᶠ Ἀμμών, Ἀμμών) itᵃ vg syrᶜ,ˢ,ᵖ,ʰ,ᵖᵃˡ geo

---

A evidência textual em favor da forma "Amós", um erro em lugar de "Amom", o nome de um rei de Judá, é quase a mesma que no caso de Ἀσάφ nos v. 7 e 8.

Em 1Cr 3.14 a maioria dos manuscritos apresenta a forma correta, Ἀμών, (ou seu quase equivalente, Ἀμμών), mas Ἀμώς aparece em A B (B* e um ms minúsculo dizem Ἀμνών). Na narrativa sobre o rei Amom, em 2Reis 21.18,19,23-25; 2Cr 33.20-25, diversos testemunhos gregos dizem erroneamente Ἀμώς.

Apesar da preferência de Lagrange por Ἀμών (ver seu argumento, citado anteriormente, nos v. 7 e 8), a comissão ficou impressionada com o peso da evidência externa em apoio a Ἀμώς.

O trecho de 1Cr 2.5-15 é uma das *fontes* desta seção. A característica mais notável dessa seção é a omissão de três reis: Acazias, Joás e Amasias. Essa omissão se encontra entre João e Ozias (v. 8). Diversas razões (nos comentários) são apresentadas para explicar o fato do autor não ter incluído tais reis: 1. Por *erro* inadvertido; 2. por causa dos *pecados* desses reis, o que mostraria que não tinham o direito de reinar em Israel; 3. por erro *proposital*, com a finalidade de criar divisões exatas de catorze gerações cada. Não podemos aceitar a primeira ideia, simplesmente porque não é provável que o autor não tivesse conhecimento das listas do AT e que fosse incapaz de copiar a lista sem eliminar alguém. A segunda razão também não é aceitável, ao considerarmos que o autor inclui outras pessoas famosas, como as três mulheres mencionadas anteriormente, e também reis como Acaz e Manassés, que dificilmente podem ser reputados exemplos de virtude. Provavelmente o autor omitiu esses nomes só para conservar seu plano de arranjar três grupos de catorze gerações cada um. Lembremo-nos que não era raro, entre os judeus, confeccionar listas abreviadas com o mesmo propósito do autor. (Comparar Ed 6 com 1Cr 13-15). Vários intérpretes insistem em desqualificar esses homens, sob vários aspectos, para explicar a sua omissão; nisso, porém, mostram-se mais hábeis do que o autor que, provavelmente, não tinha outro propósito além de conservar três grupos de catorze nomes cada um.

1.11: e a Josias nasceram Jeconias e seus irmãos, no tempo da deportação para Babilônia.

1.11 Ἰωσίας δὲ ἐγέννησεν τὸν Ἰεχονίαν καὶ τούς ἀδελφοὺς αὐτοῦ ἐπὶ τῆς μετοικεσίας Βαβυλῶνος.

11 Ἰωσίας...αὐτοῦ 1Cr 3.15,16 1Ed 1.32 LXX μετοικεσίας Βαβυλῶνος 2Rs 24.12-16 2Cr 36.10; Jr 27.20

266 | Mateus | NTI

³11 {B} ἐγέννησεν ℵ B C K L W, Δ, Π, f¹³ 28 565 700 892 1009 1010 1071 1079 1195 1241 1242 1365 1546 1646 2148 *Byz Lect* l⁷⁰ᵐ,¹⁸⁵ᵐ,³³³ᵐ,⁸⁸³ᵐ itᵃ,ᵃᵘʳ,ᶜ,f,ff¹,l,q vg syrᶜ,ᵖ copⁱᵃ,ᵇᵒ,ᶠᵃʸ arm eth. Eusebius Jerome // ἐγέννησεν τὸν Ἰωακείμ, Ἰωακείμ δὲ ἐγέννησεν (Dᴸᵘᵏᵉ itᴸᵘᵏᵉ Ἐλιακείμ, Ἰωακείμ,) Θ f¹ 33 1216 1230 f⁵⁴ syrᵇ with *,ᵖᵃˡ geo Diatessaron Irenaeusˡᵃᵗ Africanus Eusebius Aphraates Epiphanius

> A fim de harmonizar o texto de Mateus com a genealogia de 1Cr 3.15,16, diversos mss unciais posteriores (M U Θ Σ), bem como certa variedade de outros testemunhos (incluindo f 33 209 258 478 661 954 1354 1604 syrʰ ᵂⁱᵗʰ *,ᵖᵃˡ geo), adotaram a forma τὸν Ἰωακείμ, Ἰωακείμ δὲ ἐγέννησεν. Embora se possa argumentar que a cláusula fora acidentalmente olvidada na transcrição, a evidência externa em seu favor não pesa muito como aquela que apoia o texto mais breve — (ℵ B C E K L S V W Γ Δ Π a maioria dos minúsc. it vg syrᶜ,ᵖ copˢᵃ,ᵇᵒ ara etⁱ). Deve-se notar também que quando a cláusula se acha ali há quinze gerações na segunda terceira década (cf. v. 17).

Eliaquim é *omitido*. Intérpretes como Jerônimo, que identificam Eliaquim como Jeconias, do v. 11, e Jeconias do v. 12 com o filho dele, apresentam interpretações *engenhosas*, mas certamente sem base, ao considerarmos que tal interpretação incluiria quinze nomes nesse grupo, ao passo que é óbvio que o autor formava grupos de catorze nomes cada. Ver o v. 17. *Porfírio* e outros antigos inimigos da igreja notaram essa suposta omissão de Eliaquim; mas essa omissão pode ser explicada, como já vimos. O autor omitiu o nome para conservar seu plano na apresentação da genealogia. É possível que ele tenha incluído o filho de Eliaquim, Jeconias, porque este, e não o seu pai, esteve entre os da "deportação para a Babilônia" (2Rs 24.15). Assim, o plano do autor foi conservado na numeração, ficando omitido Eliaquim e incluído o seu filho, Jeconias. É interssante notar que, neste passo, o autor emprega a palavra "deportação", ao invés de "cativeiro". Lemos na história dos judeus que esse era o ponto sensível deles, e que sempre lançaram mão de algum eufemismo ao se referirem ao cativeiro. O autor, portanto, respeitou a sensibilidade nacional.

1.12: Depois da deportação para Babilônia nasceu a Jeconias, Salatiel; a Salatiel nasceu Zorobabel;

1.12 Μετὰ δὲ τὴν μετοικεσίαν Βαβυλῶνος Ἰεχονίας ἐγέννησεν τὸν Σαλαθιήλ, Σαλαθιήλ δέ ἐγέννησεν τὸν Ζοροβαβέλ,

12 Ἰεχονίας... Ζοροβαβέλ 1 Cr 3.17, 19 Ed 3.2

Jeremias 22.30 indica que *Jeconias* não teve filhos. Assim, pois, encontramos dificuldade em explicar "Jeconias gerou a Salatiel". Alguns explicam que, provavelmente, não tendo filhos, houvesse adotado filhos, entre eles, Salatiel. Outros acham que a referência de não ter tido filhos se aplica somente pela possibilidade de um filho seu reinar em Israel. Portanto, teria sido registrado como alguém *sem filhos*, em relação à monarquia de Israel. Não pode haver certeza sobre essa particularidade, mas provavelmente é mais razoável a segunda explicação. "Salatiel gerou a Zorobabel". Esdras 3.2; Neemias 12.1; Ageu 1.1 também dizem isso. Entretanto, 1Crônicas 3.19 mostra que Zorobabel foi neto de Salatiel, filho de Pedaías. Pedaías foi omitido, então, pelas mesmas razões das demais omissões. É notável que, começando com os nomes mencionados no v. 12, não há mais referências no AT. É provável que os registros tivessem continuado e fossem preservados, mas não há provas disso no AT. O autor teria tido acesso a tais registros.

1.13: a Zorobabel nasceu Abiúde; a Abiúde nasceu Eliaquim; a Eliaquim nasceu Azor;

1.13 Ζοροβαβέλ δέ ἐγέννησεν τὸν Ἀβιούδ, Ἀβιοὺδ δὲ ἐγέννησεν τὸν Ἐλιακίμ, Ἐλιακίμ δὲ ἐγέννησεν τὸν Ἀζώρ,

1.14: a Azor nasceu Sadoque; a Sadoque nasceu Aquim; a Aquim nasceu Eliúde;

1.14 Ἀζὼρ δὲ ἐγέννησεν τὸν Σαδώκ, Σαδὼκ δὲ ἐγέννησεν τὸν Ἀχίμ, Ἀχὶμ δέ ἐγέννησεν τὸν Ἐλιούδ,

1.15: a Eliúde nasceu Eleazar; a Eleazar nasceu Matã: a Matã nasceu Jacó;

1.15 Ἐλιοὺδ δὲ ἐγέννησεν τὸν Ἐλεάζαρ, Ἐλεάζαρ δὲ ἐγέννησεν τὸν Ματθάν, Ματθὰν δὲ ἐγέννησεν τὸν Ἰακώβ,

1Crônicas 3.19 não menciona *Abiúde* como filho de Zorobabel. Alguns identificam Abiúde com *Hodovias*, de 1Crônicas 3.24, e também com *Judá*, de Lucas 3.26, considerando que aqui também há certas omissões nas listas. Assim sendo, Abiúde não seria filho de Zorobabel, mas seu descendente distante. Não há prova nenhuma dessa conjectura, mas também não há informações suficientes para mostrar por que Abiúde não foi mencionado como filho de Zorobabel se, realmente, era seu filho e não descendente distante.

Matã, talvez o indivíduo chamado Matã em Lucas 3.24. Se essa for a verdade, então as linhagens dadas em Lucas e Mateus apresentam o registro desse homem. As linhagens fazem separação entre os filhos de Zorobabel, Abiúde (em Mateus) e Resá (em Lucas). O diagrama abaixo ilustra as duas linhagens:

Davi	
Mateus: Salomão Jeconias (sem filho que reinasse)	*Lucas:* Natã Neri Salatiel (Mateus e Lucas) Zorobabel (Mateus e Lucas)
Mateus: Abiúde Eleazar	*Lucas:* Resá Levi Matã (Matá), (Mateus e Lucas)
Mateus: Jacó	*Lucas:* Heli José

1.16: e a Jacó nasceu José, marido de Maria, da qual nasceu JESUS, que se chama Cristo.

1.16 Ἰακὼβ δὲ ἐγέννησεν τὸν Ἰωσὴφ τὸν ἄνδρα Μαρίας, ἐξ ἧς ἐγεννήθη Ἰησοῦς ὁ λεγόμενος Χριστός⁴.

16 Ἰησοῦς... Χριστός Mt 27.17,22

⁴ 16 {B} τὸν ἄνδρα Μαρίας, ἐξ ἧς ἐγεννήθη Ἰησοῦς ὁ λεγόμενος Χριστός ρ1 ℵ B C K L P W (Δ omit τόν) Π (f¹ omit Ἰησοῦς) 28 33 565 700 892 1009 1010 1071 1079 1195 1216 1230 1241 1242 1365 1546 1646 2148 2174 Byz Lectᵐ l76,211 itᵃᵘʳ,f,ff¹ vg syrᵖ,ʰ,ᵖᵃˡ copˢᵃ ethᵐˢ (ethᵗ°,ᵖᵖ the bridegroom of Mary), geo Tertullian Augustine // ᾧ μνηστευθεῖσα παρθένος Μαριὰμ ἐγέννησεν Ἰησοῦν τὸν λεγόμενον Χριστόν Θ f¹³ l547ᵐ itᵃ,(ᵇ),ᶜ,ᵈ,ᵍ¹,(ᵏ),q Ambrosiaster // *Joseph to whom was betrothed Mary the virgin, begot Jesus who is called the Christ syr* (Barsalibi). // *to whom was betrothed Mary the virgin, she who bare Jesus the Christ syr* // *the husband of Mary, who bare Jesus who is called Christ cop* // *the husband of Mary, to whom was betrothed Mary the virgin, from whom was born Jesus who was called Christ arm*

> Há três principais variantes: 1. "e Jacó gerou a José, *marido de Maria, de quem Jesus nasceu, o qual é chamado Cristo*", que é apoiada por larga representação de famílias textuais e primeiros testemunhos gregos e versionais, incluindo ρ¹ ℵ B C W vg syrᵖ,ʰ,ᵖᵃˡ copˢᵃ,(ᵇᵒ) geo.
>
> 2. "e Jacó gerou a José, *de quem, estando noiva a virgem Maria, teve a Jesus, que é chamado o Cristo*", apoiado pelo testemunho cesareano e vários mss do Latim Antigo (Θ f¹³ itᵃ,(ᵇ),ᶜ,ᵈ,(ᵏ),q).
>
> Similares são as formas do ms siríaco curetoniano — "Jacó gerou a José, *aquele de quem Maria, a virgem, era noiva, aquela que deu à luz a Jesus, o Cristo*", e da versão armênia — "Jacó gerou a José, *o marido de Maria, a virgem, de quem nasceu Jesus, que*

era chamado Cristo". Na mais completa forma do *Liber generationis*, incorporado por Hipólito em sua Crônica (completado cerca de 234 d.C.), a genealogia de Adão a Cristo termina com estas palavras: Ioseph, cui disponsata fuit uirgo Maria, quae genuit Iesum Christum ex spiritu sancto (ed. Por Rudolf Helm, 1955, p. 126; "José, de quem estava noiva a virgem Maria, a qual deu a luz a Jesus Cristo, do Espírito Santo").

3. "Jacó gerou a José; *José, de quem estava noiva Maria, a virgem, gerou a Jesus, que é chamado o Cristo"*, é forma confirmada pelo ms siríaco sinaítico.

Outros testemunhos supostamente apoiariam a forma (3). Assim, no Diálogo de Timóteo e Áquila, um tratado anônimo (talvez do século V)[2], que apresenta um debate entre um cristão e um judeu, o trecho de Mt 1:16 é aludido por três vezes. A terceira alusão é uma citação frouxa do texto comumente recebido, Ἰακὼβ δὲ ἐγέννησεν τὸν Ἰωσὴφ τὸν μνηστευσάμενον Μαριάμ, ἐξ ἧς ἐγεννήθη ὁ Χριστὸς ὁ υἱὸς τοῦ Θεοῦ — ("E Jacó gerou a José, que estava noivo de Maria, de quem nasceu o Cristo, o Filho de Deus")[3]. A segunda citação, que há no fim de uma rápida recapitulação da genealogia, declara: Ἰακὼβ δέ τόν Ἰωσήφ, ᾧ μνηστενΘεῖσα Μαρία ἐξ ἧς ἐγεννήθη Ἰησοῦς ὁ λεγόμενος Χρ ("E Jacó gerou a José, de quem estava noiva Maria, de quem nasceu Jesus, que é chamado Cristo")[4]. Na primeira vez em que o texto de Mateus 1.16 ocorre no diálogo, o judeu o cita exatamente na forma (1), mencionada anteriormente, e então sua inferência, a saber καὶ Ἰωσὴφ ἐγέννησεν τὸν Ἰησοῦν τὸν λεγόμενον Χριστὸν, περὶ οὗ νῦν ὁ λόγος, φησίν, ἐγέννησεν ἐκ τῆς Μαρίας ("E assim José gerou a Jesus, que é chamado Cristo, sobre quem estamos falando, diz, ele o gerou de Maria")[5]. Apesar dos protestos de Conybeare em contrário,[6] parece claro que essas palavras não são uma segunda citação adicionada à primeira, mas são uma interpretação judaica do texto comumente recebido de Mateus 1.16.[7]

Outro testemunho que às vezes é aceito como apoio do texto do siríaco sinaítico é um escritor sírio jacobita do século XII, Dionísio Barsalibi, bispo de Amida. Hermann von Soden, por exemplo, cita em seu aparato sobre Mateus 1.16 o nome de Barsalibi como confirmação patrística bem paralela ao testemunho do sir[s]. A evidência, porém, está longe de ser indubitável, conforme se vê pelos pontos seguintes.

Em seu comentário sobre os evangelhos, Barsalibi discute a diferença de sintaxe entre as formas em que o grego e o siríaco expressam "de quem", em Mateus 1.16; porém, declara ele, tanto o grego como o siríaco afirmam explicitamente que Jesus nasceu de Maria, e não de José.[8] O ponto crítico diz respeito ao comentário de Barsalibi sobre Mateus 1.18, que diz: "Aqui o evangelista ensina o modo de seu (Jesus) nascimento corporal. Portanto, quando se ouve a palavra 'marido', i.e., no v. 19 não se pense que ele nasceu segundo a lei da natureza — aquele que constituíra a lei da natureza. E ao chegar a José سرسور ,e assim, depois diz: 'Ora, o nascimento de Jesus, o Messias, foi assim', isto é, não nasceu como o resto dos homens, mas foi uma coisa nova o seu nascimento, superior à natureza dos que nascem".[9] As palavras citadas no siríaco podem ser traduzidas ou como (a) "diz: 'O qual gerou o Messias' ", ou como (b) "diz que ele gerou o Messias". Segundo a tradução (a), Barsalibi parece estar citando algum manuscrito ou autor, que não é identificado nem aqui e nenhures, cujo texto de Mateus 1.16 seria paralelo ao siríaco sinaítico. Por outro lado, segundo a tradução (b), Barsalibi fazia o próprio sumário da exposição da narrativa de Mateus sobre a relação entre José e o Messias. Em ambos os casos, porém, é óbvio que Barsalibi tencionava que sua citação (se é uma citação) ou sua exposição sumariada estivessem em perfeito acordo com a sua discussão anterior do v. 16 e sua declaração imediatamente seguinte de que o nascimento de Jesus foi ímpar. Em outras palavras, parece que Barsalibi aceitava plenamente o texto Peshitta do v. 16 (i.e., o texto como anteriormente designado (1)).

Um terceiro testemunho que se tem pensado apoiar o texto do siríaco sinaítico é um manuscrito do Diatessarom árabe. Embora

Teodoreto afirme explicitamente que Taciano não usou as genealogias de Mateus e Lucas em seu Diatessarom, o Diatessarom árabe medieval as contém (ms A inclui a genealogia de Mateus, após 1.81, e a genealogia lucana, após 4.29; mas os mss B e E apresentam-se como um apêndice, após o fim do Diatessarom). Em Mateus 1.16, o ms A, que data do século XII, diz رجل مويم الذي منها ولد لسوع المسح بعقرب ولد يوسف, "Jacó gerou a José, o marido de Maria, o qual dela gerou a Jesus, o Messias."[10] (Os dois outros manuscritos usam a forma feminina correta, التي) O Fato de o ms A, em seu texto especial, de alguma forma refletir o texto de um manuscrito grego de Mateus 1.16 é, conforme diz Burkitt[11], extremamente improvável. Ao contrário, é totalmente possível que o uso do masculino, "o qual", tenha sido um erro de um copista descuidado ou um uso dialetal em que o masculino relativo é usado em lugar do feminino.[12] Portanto, se o relativo está correto, as palavras "o qual dela" se tornarão "de quem" (fem), e a segunda instância do verbo ولد deve ser tido como um passivo (foi nascido), o que concorda com o texto da versão Peshitta.

Portanto, parece não haver nenhuma evidência substancial em apoio ao texto singular do siríaco sinaítico anterior (3).

Ora, quais são os méritos relativos dessas três formas principais?

A evidência externa em apoio a (1) é extremamente boa: aparece em todos os manuscritos gregos unciais conhecidos, exceto em Θ, como em todos os demais manuscritos e versões, excetuando-se o número limitado que apoia (2) e (3). As probabilidades de transcrição sugerem que a forma (2) surgiu (talvez em Cesareia) porque a expressão "o marido de Maria" foi tida como fora de lugar em um contexto genealógico. Para que o leitor apressado não supusesse que Jesus era filho físico de Maria e o marido dela, José, o texto foi alterado de acordo com o v. 18, onde o verbo μνηστεύεσ é usado para descrever a relação entre Maria e José. Por outro lado, se a forma (2) for tida como a original, será muito difícil imaginar por que razão algum escriba teria substituído a forma (1) por tão clara e não ambígua declaração da virgindade de Maria.

Não há provas de que a forma (3) tenha existido em algum manuscrito grego do primeiro evangelho. A comissão julgou que surgiu ou como uma paráfrase da forma (2) — ponto de vista de Burkitt — ou como pura imitação mecânica do padrão anterior, na genealogia. Já que cada nome da genealogia, até José, é escrito por duas vezes em sucessão, pode ser que o escriba do siríaco sinaítico (ou do ancestral de tal manuscrito) tenha seguido descuidadamente o padrão estereotipado, e, no v. 16, tendo feito o erro inicial de repetir a palavra "José", passou a produzir a forma (3).

---

[2] Quanto ao texto ver F. C. Conybeare, *"The Dialogues of Athanasius and Zachaeus and of Timothy and Aquila"* (Oxford, 1898), p. 65-104, e E. J. Goodspeed, *Journal of Biblical Literature*, xxv (1905), p. 58-78. A. Lukyn Williams (*Adversus Judaeos*, Cambridge, 1935, p. 67-78) pensa que a principal secção do tratado data de cerca de 200 d.C.

[3] *Op. cit.*, p. 88.

[4] *Op. cit.*, p. 76.

[5] *Ibid.*

[6] F. C. Conybeare, *"Three Early Doctrinal Modifications of the Text of the Gospels"*, Hibbert Journal, I (1902-03), p. 96-102.

[7] Ver também F. Crawford Burkitt, *Evangelion da-Mepharreshe*, II (Cambridge, 1904), p. 265, e Theodor Zahn, *Introduction to the New Testament*, II (Edimburgo, 1909), p. 565, que concordam em aceitar essas palavras como interpretação judaica, e não como um testemunho grego em apoio ao siríaco sinaítico

[8] Dionísio Bar Salibi, commentarii in Evangelia, ed. por Sedlacek e Chabot em Corpus Scriptorum Christianorum Orientalium, série 2ª, tomo xcviii (Paris, 1906), p. 46, linhas 23 ss (do texto siríaco), e p. 35ss (da tradução latina). No tocante a uma discussão sobre a passagem, ver Wm. P. Armstrong, "Critical Note (Mt 1.16)", *Princeton Theological Review*, xiii (1915), p. 461-468.

[9] *Ibid*, p. 70ss (do texto siríaco) e p. 53 (da tradução latina).

[10] A. S. Marmardji, *Diatessaron de Tatien* (Beirut, 1935), p. 532.

[11] *Op. cit.*, II p. 265.

[12] Assim diz Marmardji, *Op. cit.*, p. 533, nota.

Mateus apresenta *Jacó* como "pai" de José. Lucas apresenta *Heli*. Diversas interpretações procuram explicar a diferença: 1. Para os que pensam que a genealogia de Lucas dá a linhagem de Maria, e a de Mateus dá a de José, Jacó seria pai de José, e Heli seria sogro de José. O uso da palavra "pai", no hebraico e no grego, permitiria que ela fosse usada no lugar da palavra "sogro", apesar de "sogro" não ser o parentesco verdadeiro. 2. Para os que pensam

268 |Mateus| NTI

que ambas as genealogias dão a linhagem de José, Jacó e Heli seriam irmãos; segundo o costume, quando Heli morreu, Jacó teria tomado sua viúva como esposa, e José seria filho de Jacó, no sentido *literal*, e de Heli, no sentido *legal*. Segundo as leis dos judeus, o irmão deveria continuar a descendência de um irmão morto, casando-se com a viúva. É possível que José tenha sido filho de Jacó por nascimento, mas filho de Heli por adoção, ou o inverso. Não temos conhecimento perfeito dessa questão das genealogias. Qualquer dessas três interpretações é possível. Mais detalhes sobre as diferenças nas genealogias podem ser encontrados nas notas sobre Lucas 3.23-38.

"José, marido de Maria, da qual nasceu Jesus". O autor evitou aqui a frase que esperaríamos: "José gerou a Jesus". A mudança de expressão é clara e o propósito da mudança também. O autor passa a apresentar o nascimento *virginal*. Os v. 18-25 apresentam o nascimento virginal, como faz Lucas 1.26-38. O fato de esses dois evangelhos serem os únicos a transmitir essa doutrina (e Paulo não a menciona) tem originado muitas questões e discussões. Quanto à análise do problema, ver a nota mais detalhada em Lucas 1.27.

1.17: De sorte que todas as gerações, desde Abraão até Davi, são catorze gerações; e desde Davi até a deportação para Babilônia, catorze gerações; e desde a deportação para Babilônia até o Cristo, catorze gerações.

1.17 Πᾶσαι οὖν γενεαὶ ἀπὸ ᾿Αβραάμ ἕως Δάνιδ γενεαὶ δεκατέσσαρες, καὶ ἀπὸ Δάνιδ ἕως τῆς μετοικεσίας Βαβυλῶνος γενεαὶ δεκατέσσαρες, καὶ ἀπὸ τῆς λετοικεσίας Βαβυλῶνος ἕως τοῦ Χριστοῦ γενεαὶ δεκατέσσαρες.

Marca o fim *da genealogia* — *Hilário* diz que há quatro genealogias de Jesus: 1. em Mateus, de Abraão; 2. em Lucas, de Adão; 3. em João, desde a eternidade; 4. em Marcos, de Deus-Espírito Santo. Ver a exposição do v. 1 até o fim, para informar-se das divisões mencionadas nesse versículo.

I. OS PRIMÓRDIOS (1.1—4.25)
2. Nascimento de Jesus (1.18-25)

Os evangelhos contêm *pouquíssimo* material informativo sobre a infância de Jesus, infelizmente; mas fornecem narrativas completas sobre seu nascimento miraculoso. Mateus e Lucas ensinam enfaticamente o nascimento virginal; mas Marcos omite a história do nascimento. E nenhum outro documento do NT faz alusão ao nascimento virginal, embora, do ensino sobre sua preexistência e senhorio celeste, se subentenda que seria natural esperar-se um nascimento dessa natureza da parte dele. Na literatura pagã, naturalmente, há muitas estórias sobre nascimentos virginais, além de mitos de como deuses geraram filhos de mulheres terrenas, ou de deusas que tiveram filhos de varões terrenos. Os *heróis* dos escritos clássicos gregos e romanos eram tais *semideuses*. A narrativa que temos à frente, porém, nada tem a ver com mitos pagãos, pois ergue-se da fé no poder ilimitado de Deus. Mateus e Lucas obviamente extraíram suas informações de fontes independentes, pelo que essa história, de modo geral, deve ter sido bem conhecida na igreja primitiva, apesar do fato de os demais autores do NT não a registrarem. Apresentamos a nota geral sobre o "nascimento virginal" em Lucas 1.27, notas essas que suplementam o que encontramos aqui.

1.18: Ora, o nascimento de Jesus Cristo foi assim: Estando Maria, sua mãe, desposada com José, antes de se ajuntarem, ela se achou ter concebido do Espírito Santo.

1.18 Τοῦ δὲ ᾿Ιησοῦ Χριστοῦ⁵ ἡ γένεσις⁶ οὕτως ἦν. μνηστευθείσης τῆς μητρὸς αὐτοῦ Μαρίας τῷ ᾿Ιωσηφ, πρὶν ἢ συνελθεῖν αὐτοὺς εὑρεθη ἐν γαστρὶ ἔχουσα ἐκ πνεύματος ἁγίου.

18 μνηστευθείσης... αὐτούς Lc 1.27   ἐν... ἁγίου Lc 1.35

⁵ 18 {C} ᾿Ιησοῦ Χριστου p¹ ℵ C K L P Δ Θ Π f¹ f¹³ 33 565 700 892 1009 1010 1071 1079 1195   1216 1230 1241 1242 1365 1546 1646 2148 2174 *Byz Lect l*185ᵐ·333ᵗʰ·883ᵐ syrᵖ·ʰ·ᵖᵃˡ copˢᵃ·ᵇᵒ arm   eth geo Diatessaron Iranaeus Origen Eusebius Didimus Epiphanius // Χριστου ᾿Ιησοῦ Origenᵍʳ·ˡᵃᵗ Jerome // Ιησοῦ W Maximus-Confessor // Χριστου itᵃ·ᵃᵘʳ·ᵇ·ᶜ·ᵈ·ᶠ·ᶠᶠ·ᵍ¹·ᵏ·q vg syrᶜ Theophilus Irenaeusˡᵃᵗ   Theodore Augustine Ps - Athanasius

⁶ 18 {B} ℵ B C P W Δ Θ Γ f¹ syrᶜʰ·ᵖᵃˡ copᵇᵒ arm eth? geo (Eusebius) Ps-Athanasius Maximus-Confessor //   γένεσις K L Π f¹³ 33 565 700 892 1009 1010 1071 1079 1195 1216 1230 1241 1242 1365 1546   1646 2148 2174 Byz Lect lᵒᵐ·₁₈₅ᵐ·333ᵐ·883ᵐ itᵃ·ᵃᵘʳ·ᵇ·ᶜ·ᵈ·ᶠ·ᶠᶠ·ᵍ¹·ᵏ·q vg syrᶜ·ˢ·ᵖ copˢᵃ Diatessaron (Irenaeus) Origen Didymus (Epiphanius) (Augustine)

⁵ É dificílimo decidir qual é a forma original. Por um lado, a tendência prevalente dos escribas era expandir ou ᾿Ιησοῦς ou Χριστός — mediante a adição da outra palavra. O texto ocidental **Χριστοῦ**, no latim antigo e siríaco antigo parece ser apropriado até certo ponto, mas pode ter sido assimilação de ἔ.τ.Χρ da sentença anterior. Pode-se argumentar que na narrativa de seu nascimento se esperaria achar o nome pessoal, *Jesus*; contudo, o nome em W pode ser uma conformação com a ordem dada em seguida pelo anjo (v. 21).

Por outro lado, embora a evidência externa em apoio a ᾿Ιησοῦ Χριστοῦ pareça ser esmagadora, essa forma é intrinsecamente improvável, pois, no NT, o artigo definido mui raramente é prefixado à expressão — ᾿Ιησοῦς Χριστός (somente em manuscritos inferiores, em At 8.37; 1Jo 4.3 e Ap 12.17).

Ante tão conflitantes considerações, a comissão julgou que o curso menos insatisfatório seria adotar a forma corrente em muitas porções da igreja primitiva.

⁶ Tanto γένεσις quanto γέννησις significam "nascimento", mas o primeiro também significa "criação", "geração" e "genealogia" (cf 1.1), ao passo que o último indica, mais estritamente, "procriar", pelo que tornou-se o termo geralmente usado na literatura patrística para aludir à natividade. Ao mesmo tempo, entende-se que os escribas com frequência ficavam confusos ante esses dois vocábulos, que são tão parecidos ortográfica e foneticamente.

Nesta passagem, não apenas os primeiros representantes de diversos tipos de texto apoiam γένεσις, mas a tendência dos copistas seria a de substituir uma palavra de sentido mais específico em lugar de outra que fora usada em sentido diferente no v. 1, particularmente em face do fato de que γέννησις corresponde mais de perto ao verbo γεννᾶν, usado tão frequentemente na genealogia anterior.

O autor inicia o "gênesis", não da terra e dos céus, mas daquele que fez a terra e os céus. Sobre a questão do nascimento virginal e os problemas e discussões dessa doutrina, ver a nota em Lucas 1.27.

Segundo a lei *judaica*, o noivado *equivalia* a casamento. José poderia romper suas relações com Maria, pública (Dt 22.23,24) ou particularmente, dando-lhe carta de divórcio (Dt 24.1), o que requeria duas ou três testemunhas; mas não havia necessidade de ser assinada. A afeição que ele tinha por ela, possivelmente vencendo os sentimentos de indignação, levou-o a pronunciar-se mais tarde.

"Antes de se ajuntarem". Provavelmente significa que não moravam juntos, mas a maior parte dos pais entende que, segundo o costume, moraram juntos antes da celebração final do casamento, mas *sine concubitu*. Não pode haver certeza acerca dessas circunstâncias, mas o autor deixa claro que não houve relações sexuais entre eles, e que o pai de Jesus é o Espírito Santo. É o que diz o versículo. O versículo apresenta a personalidade do Espírito Santo e implica na divindade dessa pessoa. Em Atos 5.3,4 encontramos a mesma questão. Nota-se também que ele é distinto do Pai e do Filho. (Ver Mt 28.19 e 2Co 13.14.)

O AT descreve diversos nascimentos que ocorreram por algum *meio miraculoso*, ou seja, pela intervenção divina. (Ver Gn 18.11-14; 25.21; 1Sm 1.4-10). Esta narrativa difere, porém, no fato de Jesus não ter tido pai humano. Tanto o relato de Lucas como este relato subentendem um nascimento virginal do começo ao fim. A mitologia pagã conta com muitas lendas de filhos nascidos do contacto entre um deus e uma mulher ou uma deusa e um homem; de fato, a maioria dos *heróis*, segundo se cria, nascera dessa maneira. A história de Jesus, porém, é de natureza muito diferente. Mateus e Lucas são os únicos que mencionam a história especificamente no NT, mas outros escritores, como Marcos, João e Paulo, ensinam uma elevada cristologia, que certamente não entra em contradição com essa narrativa. (Ver nota em Lc 1.27 quanto a uma discussão mais minuciosa sobre o nascimento virginal e quanto aos debates que têm girado em torno do mesmo.) A história de Jesus não se originou no paganismo ou nas especulações pias, mas na fé firmada no poder ilimitado de Deus, nas primeiras histórias que circularam em torno do nascimento de Jesus e no senso de admiração ante a grandeza da vida e da obra de Jesus Cristo.

1.19: E como José, seu esposo, era justo, e não a queria infamar, intentou deixá-la secretamente.
1.19 Ἰωσὴφ δὲ ὁ ἀνὴρ αὐτῆς, δίκαιος ὢν καὶ μὴ θέλων αὐτὴν δειγματίσαι, ἐβουλήθη λάθρᾳ ἀπολῦσαι αὐτήν.

Notar a expressão **"seu marido"**. Sabemos que, pela lei judaica, o noivado era tido como casamento. (Ver referência na nota sobre o v. 18.) "Justo", falando de José, pode dar a ideia de que a gravidez de Maria por certo não foi culpa dele; mas também pode referir-se ao fato de que, segundo as leis judaicas, nesse caso o homem tinha a responsabilidade de cuidar da mulher que cometera o erro. (Dt 22.23,24; 24.1). Consultar as notas do v. 18 quanto às probabilidades de José resolver o problema. "Não a queria infamar" não alude à morte por apedrejamento, como alguns interpretam, apesar do fato de isso ser possível nesse caso. José nunca considerou essa possibilidade, mas apenas quis achar um meio de livrar-se de Maria, ao mesmo tempo que obedecia à lei. Como então o divórcio era fácil entre os judeus, não seria mister que ele desse a razão, se quisesse tomar tal atitude, pois tinha esse fator em seu favor. Preferiu, entretanto, o modo mais fácil, provavelmente por amor a Maria. "... *não queria*..." (vem de *thelo*, no grego) "... intentou..." (de "bulomai", no grego). "Thelo", palavra que aparece no NT com o sentido de "propósito", "determinação", "decreto" (Mt 12.7; Rm 9.16,18; At 18.21; Lc 9.54). "Bulomai", com o sentido de "inclinação", "disposição", e, às vezes, "propósito" (At 18.27; 19.30; 25.22; 2Co 1.15; 1Tm 6.9). Por muitas vezes, as palavras são usadas como sinônimas, mas, quando juntas, como aqui, subentendem a diferença mostrada anteriormente.

1.20: E, projetando ele isso, eis que em sonho lhe apareceu um anjo do Senhor, dizendo: José, filho de Davi, não temas receber a Maria, tua mulher, pois o que nela se gerou é do Espírito Santo;
1.20 ταῦτα δὲ αὐτοῦ ἐνθυμηθέντος ἰδοὺ ἄγγελος κυρίου κατ' ὄναρ ἐφάνη αὐτῷ λέγων, Ἰωσὴφ υἱὸς Δαυίδ, μὴ φοβηθῇς παραλαβεῖν Μαριὰν τὴν γυναῖκά σου, τὸ γὰρ ἐν αὐτῇ γεννηθὲν ἐκ πνεύματός ἐστιν ἁγίου·

20 Μαριαν *p¹*B *fr pc*] Μαριαμ אDWΘ *fr3 28 pl* ς̀ **R**

"Projetando ele isto". Não sabemos por quantos dias e noites José pensou no inesperado problema, o quanto sofreu, por quanto tempo vacilou antes de tomar uma decisão, ou quanto

conhecimento tinha do sofrimento que resultaria da decisão que tomasse. Tudo isso, provavelmente, apesar dos protestos de Maria, pois quem pode afirmar que ela não tenha negado tudo? A *agradável resposta* veio em um sonho, sem dúvida a mesma resposta que já fora dada por Maria, mas que não fora aceita por José. José inclinou-se mais a ouvir a voz do anjo do que a voz da sua esposa. Não era raro Deus comunicar-se por meio de sonhos, e, sendo judeu, José não teria dúvidas de que essa era uma forma legítima de comunicação; por isso, não duvidou da fidelidade da mensagem. (Ver Jl 2.28.)

"Anjo do Senhor". A crença nos anjos e no mundo dos espíritos, comum nos dias de José, faria com que ele recebesse a personalidade celeste e sua mensagem *sem hesitação*; ainda assim, deve ter sido um ato real de fé, uma amostra do caráter de José, porque o nascimento virginal era desconhecido, apesar de certos mitos. Não é provável que a mente de José estivesse preparada pelo estudo ou por outra coisa para receber essa mensagem. Sua fé, porém, foi imediata e vigorosa. O termo "anjo" significa *mensageiro*, e é aplicado mais amplamente a seres espirituais (ver Ap 2.1,8,12,18; 3.1,7,14, onde o termo "anjo" é usado com referência aos pastores das igrejas.) Também no AT o termo é usado para indicar homens (2Sm 14.20; Sl 103.20; 104.4). O uso comum é aplicado a seres espirituais, criados por Deus, mensageiros e servos de Deus; mas também refere-se a homens, especialmente da igreja (Hb 1.14). Os anjos são seres de grande poder e inteligência (2Rs 19.35; Ef 1.21). Na literatura judaica vimos que anjos exercem controle sobre as nações; mais tarde, a ideia inclui pessoas. Estudos psíquicos e experiências modernas indicam que existem seres espirituais dotados de grande poder, fato esse notado especialmente em curas milagrosas dentro ou fora das religiões. (Ver nota mais completa sobre "anjos", em Mt 4.11.)

"José, filho de Davi". É a confirmação do direito que José tinha de receber o privilégio de criar e ser "pai" do Messias. Não temos informações sobre como a tristeza de José se transformou em alegria, nem sobre como as dúvidas cederam lugar à confiança, nem qual o êxtase que José sentiu nessa experiência mística, ou como acorreu a Maria, desculpando-se, ou qual teria sido a felicidade de ambos naquele momento; mas de algum modo podemos imaginar tudo.

"gerado... do Espírito Santo". O v. 18 traz as mesmas palavras, e o v. 23 traz o termo "virgem", donde se nota a ênfase do autor sobre o nascimento virginal.

1.21: ela dará à luz um filho, a quem chamarás JESUS; porque ele salvará o seu povo dos seus pecados.
1.21 τέξεται δὲ υἱὸν καὶ καλέσεις τὸ ὄνομα αὐτοῦ Ἰησοῦν, αὐτὸς γὰρ σώσει τὸν λαὸν αὐτοῦ ἀπὸ τῶν ἁμαρτιῶν αὐτῶν.

21 τέξεται... Ἰησοῦν Mt 1.25; Lc 1.31; 2.21 αὐτὸς... αὐτῶν At 4.12

"... chamarás...". Assim José recebeu o direito de ser "pai" de Jesus. Maria recebera mensagem similar, isto é, que o nome do filho era Jesus (Lc 1.31). No v. 1 deste capítulo, há notas sobre o sentido dos nomes *Jesus* e *Cristo*. É enfático o termo "ele", conforme o mostra a gramática grega. A ASV, em inglês, por meio da tradução, dá a ideia de que "ele é que... salvará". "Salvará" indica a missão do Messias, do Cristo, naquele tempo, mas não omite a ideia completa da missão, parte da qual diz respeito ao futuro de Israel e do mundo em geral. "Pecados", atos que os homens cometem e que os separam de Deus e de sua completa salvação. O perdão dos pecados não é ainda a salvação completa, porque parte dessa salvação consiste da glorificação e transformação; mas o perdão dos pecados é um passo inicial e necessário. "Seu povo", Israel. A missão completa do Cristo, isto é, sua missão para o mundo inteiro, não aparece aqui. Os rabinos registram seis nomes, dados antes do nascimento do filho: Isaque, Ismael, Moisés, Salomão, Josias e Messias, o próprio Jesus, de quem disseram: "Traze, ó Deus; abençoado seja o teu nome em nossos dias".

270 |Mateus| NTI

"Pecados". Vem da palavra grega que significa *errar o alvo*. No contexto do NT, é o alvo de Deus para a vida. E o erro pode ser positivo ou negativo, pecado de comissão ou de omissão. Assim terminou a mensagem do sonho. No NT, não são comuns os sonhos usados como comunicação com Deus. Além do sonho de José, há o sonho dos magos (Mt 2.12), o da esposa de Pilatos (Mt 27.19), e outro sonho de José (Mt 2.13,19,22).

1.22: Ora, tudo isso aconteceu para que se cumprisse o que fora dito da parte do Senhor pelo profeta:
1.22 Τοῦτο δὲ ὅλον γέγονεν ἵνα πληρωθῇ τὸ ῥηθὲν ὑπὸ κυρίου διὰ τοῦ προφήτου λέγοντος,

22 δια] *add* Ησαιου D pc it sy[sc]

Antes de τοῦ προφήτου certa variedade de testemunhos (incluindo D 267 954 1582[*vid] it[a?b,c,d] vg[mss] syr[c,s,h,pal] arm Diatessarom (e ara,1, p) Irineu1/2) insere a palavra Ησαίου Esse nome, é claro, é uma explicação escribal, pois, se originalmente estivesse presente, não haveria razão para explicar sua ausência da massa dos testemunhos gregos.

1.23: Eis que a virgem conceberá e dará à luz um filho, o qual será chamado EMANUEL, que traduzido é: Deus conosco.
1.23 Ἰδοὺ ἡ παρθένος ἐν γαστρὶ ἕξει τέξεται υἱόν, καὶ καλέσουσιν τὸ ὄνομα αὐτοῦ Ἐμμανουὴλ, ὅ ἐστιν μεθερμηνευόμενον Μεθ᾽ ἡμῶν ὁ θεός.

23 Ἰδοὺ... Ἐμμανουὴλ Is 7.14 Μεθ᾽...θεός Is 8.8,10 LXX

23 καλεσουσιν] (Is 7.14 B) καλεσεις @ D pc dc (d* vocabit)

A profecia de *Isaías* 14.7. A despeito do sentido da palavra hebraica, nota-se que a interpretação da profecia, pelo autor do evangelho, é o nascimento virginal (v. 20: "gerado... do Espírito Santo"; também no v. 18; e aqui, "virgem"). Não é mister dizer que a ideia do nascimento virginal veio da cultura e da filosofia dos hebreus, e menor é ainda a dúvida de que tenha vindo dos mitos dos gregos, que não tinham relação com a cultura na qual o autor se achava. A história do nascimento virginal foi parte natural da vida de grandeza que foi a vida terrena de Jesus, o Cristo, podemos ficar firmes, sem necessidade de insistir na opinião de que os intérpretes judeus compreenderam a referência desse modo. O acontecimento não é mais notável do que muitos outros da vida de Jesus, e faz parte de sua maravilhosa história. Ver a seção sobre a historicidade dos evangelhos, que faz parte da introdução a este comentário. Ver a nota mais detalhada sobre a questão do nascimento virginal, em Lc 1.27. Nota-se que a LXX (Is 7.14) usa o grego *parthenos* como tradução da palavra hebraica. É possível, pois, que a palavra hebraica signifique "virgem", ainda que nem sempre. "Emanuel" quer dizer "Deus conosco". É verdade que essa palavra não indica encarnação, apesar de poder ser usada acerca de um homem pelo qual Deus realiza a sua vontade; mas, considerando-se o contexto da mensagem do cristianismo, especialmente quanto ao Verbo de João ("e o Verbo se fez carne"), temos de aceitar a ideia de que "Emanuel", como nome dado ao Messias (ou Jesus), implica em encarnação da personalidade de Deus. Observa-se que as palavras "que traduzido é" podem indicar (e isso serve de prova) que o evangelho de Mateus foi escrito em grego. Essas palavras seriam desnecessárias se o original tivesse sido escrito em hebraico (aramaico). Ver detalhes sobre a língua no original, na introdução ao evangelho de Mateus.

A palavra grega *parthenos* (aqui tirada da LXX, em Is 7.14) normalmente quer dizer *virgem*, embora pareça certo que o termo hebraico usualmente signifique *mulher jovem*. Todavia, tal como a palavra portuguesa "moça", que realmente só significa "jovem", sem qualquer referência às experiências sexuais, algumas vezes é empregada com o sentido de "virgem", assim também acontece com a palavra hebraica. A citação de Mateus, pois, interpreta o sentido da palavra hebraica, referindo-se à mãe de Jesus e ensinando o nascimento virginal. Ocasionalmente, a LXX usou o termo grego "parthenos" para indicar uma jovem que não era mais virgem, como em Gn 34.3. Vemos, portanto, que as palavras podem ser mais flexíveis do que certos intérpretes querem admitir. Não ensinamos o nascimento virginal, baseado no sentido de uma palavra isolada, antes, baseado nos textos, tanto de Mateus como de Lucas, que ensinam de modo definido essa doutrina, apesar do sentido da palavra grega "parthenos".

Virgem: Gr. *parthenos*, como substantivo, "donzela", "virgem". Como adjetivo, "puro", "casto". Esta palavra nem sempre significa "virgem", mas este é o uso mais comum, e, sem dúvida, o uso aqui. Veja também 1Co 7.25,28,34; a palavra é usada sobre homens sem contato com mulheres, Ap 14.4. O uso na literatura grega com o simples significado de "virgem" é comum: 7 (Pol. 5.3; Hv 4,2,1,; 9,12; CIG IV 8784b)

1.24 E José, tendo despertado do sono, fez como o anjo do Senhor lhe ordenara, e recebeu sua mulher;
1.24 ἐγερθεὶς δὲ ὁ Ἰωσὴφ ἀπὸ τοῦ ὕπνου ἐποίησεν ὡς προσέταξεν αὐτῷ ὁ ἄγγελος κυρίου καὶ παρέλαβεν τὴν γυναῖκα αὐτοῦ.

Nota-se que a mensagem que realmente vem de Deus não deixa dúvidas por parte de quem a recebe. É possível que muitos não estejam preparados para receber uma mensagem de Deus. O conhecimento é natural para quem tem contato com Deus. José deixou de lado as dúvidas, teve conhecimento perfeito; por isso que apressou-se a fazer a vontade de Deus. Tal experiência devemos procurar. Devemos testar se o contato com Deus é verdadeiro e possível. aquele que tem comunhão com Deus não precisa de argumentos que lhe sustentem a fé. Essa é uma lição que não podemos ensinar — só podemos experimentá-la.

"Recebeu sua mulher", indica que José não só conversou com Maria sobre o assunto, mas também corrigiu as dificuldades e provavelmente completou o contrato de casamento, realizou a festa e tudo mais que fazia parte de um matrimônio naqueles tempos, incluindo a cerimônia.

1.25: e não a conheceu enquanto ela não deu à luz um filho; e pôs-lhe o nome de JESUS.
1.25 καὶ οὐκ ἐγίνωσκεν αὐτὴν ἕως οὗ ἔτεκεν υἱόν[7]. καὶ ἐκάλεσεν τὸ ὄνομα αὐτοῦ Ἰησοῦν.

7 25 {A} υἱόν 071 f[1] f[13] 33 it[b,c,g,i,k] syr[(c),palmss] (cop[sa,bo]) geo Ambrose // αὐτῷ υἱόν syr // τὸν υἱὸν αὐτῆς τὸν πρωτότοκον (see Lc 2:7) C D* (D[c] L omit αὐτῆς) K W Δ Π 28 565 700 892 1009 1010 1071 1079 1195 1216 1230 1241 1242 1365 (1546 υἱόν αὐτοῖς) 1646 2148 2174 *Byz Lect l* 7[om,185m,333m,883m] it[aur,f,ff] (it[d,q] omit αὐτῆς) vg syr[p,h,palms] arm eth nub Diatessaron Athanasius Epiphanius Augustine Jerome Ps-Athanasius

O Textus Receptus, seguindo C D* K W Δ Π e a maioria dos minúsculos al, insere τόν antes de υἱόν, e adiciona αὐτῆς τὸν πρωτότοκον ("o primogênito dela"), com base em Lc 2.7.

A forma do siríaco sinaítico (*"ela deu a ele* — a José — *um filho"*) está de acordo com a forma singular desse manuscrito, no v. 16 (ver a discussãoanterior) e a sua forma (compartilhada com o syr[c]) no v. 21 (*"dar-te-á um filho"*).

"Não a conheceu até". Aqui temos a "quaestio vexata" da teologia, porque, desde os tempos antigos, grande debate tem havido sobre a "perpétua virgindade" de Maria. Muitos argumentos poderosos têm sido criados para explicar a implicação da palavra "até" neste versículo, e as referências aos "irmãos" de Jesus (como se vê em Mc 6.3 e Mt 12.46,47; 13.55). A maior parte dos pais da Igreja e dos intérpretes da igreja romana negam que Maria tenha tido relações sexuais ou que tenha tido outros filhos. Apresentam exemplos do uso do termo "até" (como em Gn 8.7) para provar que não significa seriamente que depois tenha tido contacto com José, após o nascimento de Jesus. Os "irmãos", segundo explanam eles, seriam outros parentes, e não irmãos literais de Jesus; isto é, não seriam filhos de Maria e José. Em Mateus 12.46,47, há notas sobre quem seriam os irmãos de Jesus. Apesar de *até* não dever significar mudança de relação entre o casal, a simples expressão do versículo parece indicar que a relação entre eles se modificou depois do nascimento de Jesus, e por certo há exemplos sem limite do uso da palavra com essa ideia. É verdade que *primogênito* não indica que haveria outros filhos, mas as Escrituras, em Marcos 6.3; Mateus 12.46,57; 13.55 parecem mostrar que Maria teve mais filhos. É verdade também que nenhum autor do NT ensina a "perpétua virgindade" de Maria, e se essa doutrina fosse essencial para o evangelho, certamente teria sido incluída pelos evangelistas. Sem dúvida teríamos alguma explicação sobre o assunto se tivesse foros de verdade, e se fosse imprescindível crer na doutrina. Parece que as ideias, as preferências, as emoções e os preconceitos humanos é que criaram essa doutrina, que não é ensinada por nenhum autor do NT.

"**Primogênito**" aparece em CDEKLMSUV, Gama, Delta, Fam Pi (nas traduções KJ AC F M). A palavra é *omitida* em Aleph, B, Z,1, 33a (vid), b, c, g, sah, cop, si e o pai Amb. Os melhores e mais antigos mss, juntamente com algumas traduções egípcias, latinas e siríacas, omitem "primogênito" aqui. A palavra foi tomada por empréstimo de Lucas 2.7 (onde é autêntica), por alguns escribas. Todas as traduções usadas para comparação, neste comentário, em número de catorze (nove em inglês e cinco em português), omitem-na em Mateus, Ex., KJ AC F M (ver abreviações dessas traduções).

Capítulo 2

I. OS PRIMÓRDIOS (1.1—4.25)
3. Visita dos sábios (2.1-12)
Essa narrativa não tem *paralelo* nos outros evangelhos; deriva-se de "M", embora não saibamos por meio de quem e como ela foi preservada. É uma história encantadora, que tem inspirado as mentes dos homens; e todos quantos a ouvem, contada no período natalino, reconhecem seu valor e sua beleza intrínsecos. Os homens vêm de longe em busca de Cristo, devido à sua beleza, atraídos pela estrela. De fato, é inevitável que ela atraia a todos os homens, de um modo ou de outro (Jo 12.32 e Ef 1). A história emite o perfume dos sentimentos de respeito e admiração ante o milagre de Deus em Cristo. A própria natureza lhe serve de testemunho. Nada pode ficar impassível em sua presença.

2.1: Tendo, pois, nascido Jesus em Belém da Judeia, no tempo do rei Herodes, eis que vieram do oriente a Jerusalém uns magos que perguntavam:

2.1 Τοῦ δὲ Ἰησοῦ γεννηθέντος ἐν Βηθλέεμ τῆς Ἰουδαίας ἐν ἡμέραις Ἡρῴδου τοῦ Βασιλέως, ἰδοὺ μάγοι ἀπὸ ἀνατολῶν παρεγένοντο εἰς Ἱεροσόλυμα

Γ Ἰησοῦ...Ἰουδαίας Lc 2.4-7 ἡμέραις...βασιλέως Lc 1.5; 3.1

A visita dos magos: Este relato *não tem* paralelo em nenhum outro documento cristão conhecido por nós. É impossível dizer onde Mateus, autor deste evangelho, colheu esse material, mas talvez devêssemos atribuí-lo a "*M*". (Ver informação sobre as fontes dos evangelhos na introdução ao evangelho de Marcos). É possível que a igreja em Antioquia ou na Judeia tenha preservado a narrativa. O relato expressa a verdade do fato de homens serem trazidos de longe, e, por meio de muitas vicissitudes da vida, encontrarem e adorarem a Cristo. O autor mostra-nos que assim deve ser, mesmo quando a própria natureza tenha de intervir para possibilitar tais visitas. Os primeiros pais da Igreja interpretavam a história como indicação de que todas as formas de paganismo, incluindo a magia, terão de dobrar-se ante a sabedoria do menino Cristo, tal como

os antigos magos se prostraram ante o berço de Jesus. Deus pôs um sinal nos céus para guiar aqueles homens. A astrologia apenas ilustra a necessidade e o anelo dos homens de olharem para fora deste mundo, na direção do céu, onde podem descobrir os segredos de Deus. Aqueles *astrólogos*, que vieram do oriente para adorar a Cristo, haviam descoberto "o sinal" de Deus no céu. O sinal levou-os a começar uma longa viagem, e isso é típico em toda inquirição espiritual. Quando contemplamos o valor de Cristo, lançamo-nos em uma longa jornada de volta a Deus. As estrelas vistas daqui de baixo parecem frias e distantes, mas formam um céu pontilhado de joias. Deus nos permite ver as suas estrelas, isto é, sua vereda no firmamento. Ele nos concede informações pelas quais nos preparamos e efetuamos a viagem de volta para ele. Às vezes, sua informação pode parecer difícil e distante, mas, por meio dela, e, mais particularmente, por meio de seu Cristo, somos capacitados a jornadear com êxito, tal como os magos finalmente chegaram ao seu destino. Ao chegarem, encontraram o que procuravam, a saber, Jesus, e se rejubilaram. O sucesso espera todos aqueles que buscam honestamente e que não se cansam no caminho.

Belém. O nome significa *casa de pão*, o que indica a fertilidade da região. A cidade ficava localizada a poucos quilômetros ao sul de Jerusalém. Em Gênesis 35.16,19 e 48.7 é chamada de *Efrata*. Era chamada de Belém Judá ou Belém Efrata para não ser confundida com outra cidade de Belém, localizada no território de Zebulom (Js 19.15), que ficava a onze quilômetros de Nazaré, a noroeste. Os antepassados de Davi viviam em Belém Judá, e o túmulo de Raquel, ficava nas proximidades. Os romanos a destruíram no século II d.C., durante o reinado de Adriano. Algum tempo depois perdeu-se o local da natividade de Jesus. A igreja da Natividade, erigida por Helena, durante o período de Constantino, no início do século IV, assinala o local, mas há quem duvide de sua autenticidade. Fora da cidade, o local do túmulo de Raquel pode ser visto até hoje. O propósito central do autor, neste capítulo, que é matéria encontrada somente em Mateus, não é fornecer especialmente os detalhes biográficos do nascimento de Jesus, e, sim, mostrar claramente que, desde o princípio, o Cristo de Deus não foi aceito pelo mundo, e que, apesar disso, alguns, como os magoi, ou "magos", o acolheram como tal. Vemos, pois, que os resultados da pregação do evangelho, em qualquer tempo, são observáveis. "Em dias", expressão vaga de tempo em contraste com Mateus, que geralmente dá detalhes relativos ao tempo. *Herodes*, o Grande, reinou sobre os judeus de 40 a 4 a.C. Quanto a memórias arqueológicas sobre ele, ver o artigo na introdução a este comentário, intitulado *O período intertestamentário*. Augusto disse sobre Herodes: "Eu preferiria ser um porco de Herodes a ser seu filho", já que esse homem violentíssimo ordenara a morte dos próprios filhos, com o fito de proteger a sua hegemonia. Muitos outros atos de violência e ódio assinalaram sua carreira, incluindo o assassinato de sua esposa favorita, Mariamne. Seu mais notável memorial foi a bárbara matança dos inocentes de Belém. Pouco depois dessa ocorrência, Herodes morria, em Jericó, na primavera de 4 a.C., de hidropsia, gangrena, e uma enfermidade aviltante, aos 70 anos de idade. Poucos dias antes, tentara o suicídio, e apenas cinco dias antes de sua morte ordenara a execução de seu filho, Antípatre. Temos a informação de que foi sepultado em um esquife de ouro, incrustado de pedras preciosas, sob um longo pálio de púrpura. Levava um diadema de ouro. No cortejo fúnebre, estavam seus familiares imediatos, vários regimentos de soldados e quinhentos escravos que levavam especiarias e perfumes; foi sepultado no herodium, seu castelo-fortaleza, uma magnífica estrutura, cujas ruínas existem até hoje, a dez quilômetros a sudeste de Belém. Mais notas sobre este Herodes e os outros há em Lucas 9.7. A coroa não ficou nas mãos dos judeus. O pai de Herodes, o Grande, foi Antípatre, edomita, e sua mãe era árabe. Casou com Mariamne, neta do sumo sacerdote Hyrcanus II, e assim entrou para a família dos hasmoneanos (macabeus), que reinaram por longo tempo em

Israel, antes da intervenção do poder romano. Assassinou essa sua esposa em 29 a.C. Lemos que edificou o templo em Jerusalém, principalmente para obter o favor dos líderes judeus, com os quais teve muitas dificuldades, por causa de suas injustiças e violências.

Magos (do grego *"magoi"*) significa *astrólogos* ou *mágicos*. Algumas vezes, a palavra se refere àqueles que se ocupavam das ciências, geralmente acompanhadas de magia e fraude. A tradução "homens sábios" não é bem entendida. A antiga interpretação da história, o seu sentido espiritual que vem dos pais Inácio, Justino, Tertuliano, *Orígenes* e *Hilário* e que a "astrologia" e a "magia" se curvavam, reconhecendo e confessando que seus dias estavam contados, em face do saber que vem do alto. Essa interpretação parece concordar com o objetivo do autor. Essas pessoas teriam observado algo de diferente no céu, algum fenômeno comum dos planetas, ou algum sinal especial de Deus. Nada mais de definido se sabe sobre eles, como seus nomes, número e posição na vida; e as tradições criadas em torno deles são forçadas.

"Do oriente". Pode significar Arábia, Pérsia, Caldeia, Pártia ou outros lugares próximos. As ofertas mencionadas poderiam ser de diversos lugares, pelo que não há certeza quanto ao país de origem desses homens.

"Jerusalém" (ver a nota arqueológica sobre Jerusalém, em Lc 2.41). Nota-se que o autor usa a palavra na forma grega, o que serve para comprovar que o evangelho de Mateus foi escrito em grego.

Quem foram os magos?
(Artigo reproduzido, graças à gentileza de *Fate Magazine*, dez., 1972)

A cada Natal, há gravuras que retratam três magos, chegando com presentes para o Cristo infante.

(Por Margueritte Harmon Bro)

A cada Natal, figuras nababescamente vestidas, conhecidas como os *magos*, percorrem os corredores de incontáveis templos, levando presentes faz-de-conta de ouro, de incenso e de mirra. Há sempre três delas, e, por tradição, uma delas é da raça negra. Na vida real, porém, que foram elas?

Em termos modernos, os magos, cuja fama foi maior entre 500 a.C. e 200 d.C., eram eruditos que se distinguiam no campo da matemática, da astronomia, da astrologia, da alquimia e da religião. Com frequência eram conselheiros de cortes reais, e um de seus deveres era estudar as estrelas a fim de antecipar o nascimento de qualquer novo governante que, eventualmente, ameaçasse os poderes correntes. O *recém-nascido* surgiria como um comandante de exércitos, como um mestre, como um sábio ou como um legislador? Seria ele dominado pela sabedoria beneficente de Júpiter ou pela tutela guerreira de Saturno? O estabelecimento desse horóscopo não era tarefa para um dia só.

O registro da Bíblia não diz *quantos* magos vieram ver o bebê em Belém. As igrejas primitivas argumentavam sobre esse ponto. Os cristãos orientais têm uma tradição de doze sábios, cada um dos quais representaria uma das doze tribos. Alguns antigos mosaicos mostram apenas dois magos, ao passo que outros exibem sete ou mesmo onze. Os que apoiam a ideia de que os magos eram em número de onze dizem que esse é um número espiritual, podendo também predizer o número dos fiéis discípulos de Cristo. Entretanto, desde o século VI d.C., a igreja ocidental estabeleceu três como o número de magos, que representariam ou as três raças principais ou a Trindade.

No século IV d.C., a imperatriz *Helena*, mãe do imperador romano Constantino, o Grande, interessou-se pelo debate acerca da identidade dos magos. Ela deve ter sido uma das mais atarefadas mulheres que a história registra, a julgar por seus descobrimentos de relíquias e lugares santos. Fez uma viagem à Terra Santa, acompanhada por sacerdotes e eruditos, incluindo um astrólogo. Uma vez chegados ali, ela e seu séquito muito conseguiram fazer!

Concordaram sobre o local exato do nascimento de Cristo, ordenaram a construção de uma ornamentada igreja naquele lugar, em substituição à modesta capela que se localizava exatamente onde tinham sido fincadas as três cruzes, e consagraram um sepulcro que teria sido dado por José de Arimateia para o sepultamento de Jesus. Além disso, descobriram três esqueletos e apoiaram a ideia de que seriam os três magos, que teriam sido assassinados no caminho de volta para sua terra, depois da visita a Herodes, segundo disseram os seus conselheiros.

A narrativa *bíblica* acerca da visita dos magos é contada em uma dúzia de versículos no segundo capítulo do evangelho de Mateus, com as palavras: "Tendo, pois, nascido Jesus em Belém da Judeia, no tempo do rei Herodes, eis que vieram do oriente a Jerusalém uns magos que perguntavam: Onde está aquele que é nascido rei dos judeus? pois do oriente vimos a sua estrela e viemos adorá-lo".

Que estrela brilhante teria dirigido os seus passos, na jornada? Os dois tipos reconhecidos de súbitas explosões de luz no firmamento da noite, fora das estrelas cadentes, são os cometas e as novas estrelas. Durante milhares de anos, os cometas têm sido tomados como pressagiadores de acontecimentos especiais. As lendas que envolvem essa ideia chegam até nós da antiga China, do Egito, da Babilônia e da Grécia. O assassinato de César e o suicídio de Nero foram prenunciados por cometas.

O nascimento de Jesus poderia ter sido indicado pelo cometa Halley? A primeira descrição conhecida sobre esse cometa foi registrada em uma enciclopédia chinesa, no ano 12 a.C., com datas relativas ao reinado do imperador Yuen-Yen. Esse registro declara que o cometa passou pela constelação de Gêmeos, procedeu da região norte, de Castor a Pólux, até a cabeça de Leão e daí à sua cauda, e no seu 56º dia desapareceu, no Dragão Azul (Escorpião). A última vez que os norte-americanos viram esse cometa foi em 1909-1911. Sempre aparece perto do sol, com intervalos de 76 anos, devendo surgir novamente por volta de 1986.

Dificilmente, porém, essa poderia ter sido a *estrela* que guiou os magos até onde estava Jesus, a menos que este tenha nascido doze anos antes do início do calendário de nossa era moderna.

As novas estrelas são as que, repentinamente, aumentam tremendamente em fulgor. Tão transcendental brilho encheu os céus em 134 a.C., e, novamente em 173 d.C., mas nenhum dos registros antigos menciona que tenha havido qualquer fulgor extraordinário em redor do ano zero de nossa era.

Entretanto, temos um indício do que poderia ter sido a estrela de Belém. A 17 de dezembro de 1603, o notável astrônomo Johannes Kepler voltou seu modesto telescópio na direção da *conjunção* de Júpiter e Saturno, na constelação de Peixes. Ele relembrava alguns comentários feitos pelo escritor rabínico Abarnabel, no sentido de que o Messias apareceria quando houvesse uma conjunção de Júpiter e Saturno, na constelação de Peixes. Kepler pôs-se a calcular seus informes, e fixou como a data do nascimento de Jesus o ano 6 a.C.

Embora ele tivesse sido um cientista de *bom nome*, tendo descoberto as leis astronômicas que trazem o seu nome, algumas vezes ele se mostrava precipitado. Portanto, após o furor inicial causado por seu pronunciamento quanto à data do nascimento de Jesus, suas conclusões foram mais ou menos esquecidas até o ano de 1925, quando o erudito alemão P. Schnabel decifrou alguns registros cuneiformes do império neobabilônico, descobertos em Sipar, na Babilônia.

Visto que os eruditos modernos, em seus planetários, podem retardar ou avançar, à vontade, o relógio cósmico, contemplando os céus como devem ter parecido em qualquer noite e ano, calcularam eles os informes de Schnabel. Júpiter e Saturno se encontraram por três vezes em Peixes, no ano 7 a.C., no fim de maio, no princípio de outubro, e a 4 de dezembro. No fim de janeiro do ano 6 a.C., Júpiter moveu-se para fora de Peixes e entrou em Áries. Outrossim, no texto grego, a frase, "... vimos a sua estrela no Oriente...", reveste-se de sentido todo particular, visto que o vocábulo grego "anatole" (no singular) aplica-se a uma estrela que surge cedo pela manhã. Uma tradução mais autêntica para o português, portanto, seria: "vimos sua estrela aos primeiros raios da manhã".

Outro *erudito* alemão, *Werner Keller*, inquiriu sobre a razão por que os astrólogos se interessaram em descobrir o menino na Palestina, quando a mesma estrela peculiar poderia ser vista sobre a Babilônia. Uma resposta possível jaz no fato de que Peixes é um sinal de Israel, e, particularmente, o sinal do Messias. Além disso, derivado dos caldeus, o sinal do ocidente, ou seja, da área do mar Mediterrâneo. Poderia isso significar o começo de uma nova era — talvez o reino do Messias?

Isso nos levaria a outra interessante *especulação*: Naquela época, deveria haver vintenas de judeus que estudavam na escola de astrologia de Sipar, na Babilônia. Desde os tempos de Nabucodonosor, milhares de judeus viviam na Babilônia e um número desproporcionalmente grande compunha-se de sábios. Consideravam eles que Júpiter era uma estrela real, tal como o faziam todos os povos antigos, ao passo que Saturno seria o protetor de Israel. De fato, *Tácito* (século I d.C.) faz de Saturno o sinal do deus dos judeus. A segunda conjunção de Júpiter e Saturno ocorreu a 3 de outubro, um fato que eles conheciam bem de antemão, e esse era o dia da expiação entre os judeus. Teria sido esse o dia em que os magos iniciaram sua viagem?

E se eles eram judeus, ou se alguns deles eram judeus, que poderia haver de mais natural do que terem ido livremente até ao rei Herodes, perguntando: "Onde está aquele que é nascido rei dos judeus? pois do oriente vimos a sua estrela e viemos adorá-lo".

O tirano *Herodes*, porém, não se agradou ante o ardor dos visitantes. Reuniu os principais sacerdotes e eruditos e lhes indagou quanto à significação de um símbolo sobre o Messias, surgido nos céus. Eles disseram a Herodes que cerca de setecentos anos antes, o profeta Miqueias profetizara que de Belém é que sairia o governante de Israel (ver Mq 5.2). Por mais ínfima que tivesse sido essa informação, Herodes orientou os magos na direção de Belém. A *terceira* conjunção de Saturno e Júpiter, em Peixes, ocorreu a 4 de dezembro. Enquanto aqueles magos percorriam pelo antiquíssimo caminho palmilhado por Abraão, a estrela parecia ir por sobre eles, brilhante, transcendental. Quem não se sentiria inclinado a adorar?

Os historiadores têm reunido muitas evidências relevantes, mas inconclusivas, acerca da data *exata* do nascimento de Jesus. As modificações nos métodos de cálculo do calendário têm aumentado suas dificuldades. Com base na narrativa do evangelho de Mateus, sabemos que Jesus nasceu durante o reinado de Herodes, o Grande; e sabemos que Herodes morreu em 4 a.C. Entretanto, não há nenhuma razão especial para concluirmos que 25 de dezembro é a data do nascimento de Jesus. Em Roma, desde há muito, havia celebrações em torno do solstício do inverno, e o dia 25, que era o último dia da saturnália, ou festividades dedicadas a Saturno, havia festas irrestritas. Sempre foi conhecida essa data como Dies Natalis Invicti, nascimento do inconquistável. Posto que o povo costumasse fazer celebrações nessa data, talvez alguém tenha sugerido que bem poderia ser declarada como o dia do nascimento do Salvador. Foi, porém, somente no ano de 354 d.C. que *Justiniano* decretou oficialmente que a data de 25 de dezembro celebrava o nascimento de Jesus. Contudo, alguns estudiosos modernos pensam que uma data, durante a primavera, seria mais provável.

Seja como for, o fato é que, depois da rainha *Helena* ter encontrado os esqueletos, declarando-os como pertencentes aos três magos, ordenou que fossem exumados e removidos para Constantinopla. A permanência desses esqueletos naquela cidade, porém, foi breve. Pouco depois eram removidos para Milão. Então, quando Barbarroxa se tornou imperador, já no século XII, foram removidos para Colônia. E foi, então, que receberam os nomes de Gaspar, Melchior e Baltazar.

Há um registro atribuído a *Bede*, o *Venerável*, com data de 735 d.C., no qual ele faz alusão à antiga lenda que descreve os três "reis magos": Melchior seria homem idoso, de cabelos brancos e longas barbas, que ofereceu ouro a Cristo, a fim de simbolizar que todo o valor do mundo lhe pertenceria; Gaspar seria jovem, sem barba e de compleição vermelha, e ofereceu incenso, homenagem devida a uma divindade; Baltazar, de pele negra e barba cerrada, ofereceu mirra, prefigurando os sofrimentos e a morte que aguardavam Jesus.

Na Idade Média, os estudiosos das artes ocultas afirmavam que Baltazar era o principal astrólogo de sua época. Até ele, eram enviados mensageiros de cortes tão distantes como a Índia, trazendo rolos de pergaminho, detalhando algum nascimento santo e desejando averiguação por parte daquele sábio. O segundo mago, Melchior, era renomado por seu discernimento clarividente. Os antigos o chamavam de *sol viajante*, porque, por onde fosse, extraía significação dos eventos, tal como extrai a umidade da terra. Sua sabedoria, como a chuva, era distribuída por onde se fizesse necessária. Gaspar, o terceiro dos magos, era o espírito brilhante que obtinha a cooperação de oficiais ao longo do caminho, prestando deferências, ao mesmo tempo que, de tal modo mantinha segredos, que os três não eram forçosamente retidos em outras cortes.

Sem importar se esses retratos falados dos magos são autênticos ou não, o fato é que eram aceitos como personagens históricas pela igreja antiga.

A primeira igreja *da Natividade*, edificada em Belém, por Constantino, em honra de sua mãe, Helena, exibia um enorme mural com os *três magos* por detrás do altar. Mais de dois séculos mais tarde, quando os persas invadiram a Palestina, decididos a destruir todos os lugares de adoração cristã, alguns de seus oficiais, montados a cavalo, abriram os grandes portões de bronze da igreja, somente para dar de frente com esse mural, que retratava homens como eles, vestidos em seus costumes nacionais. Diante isso, desmontaram e prostraram-se perante as pinturas, fugindo prontamente em seguida, deixando os portões de bronze firmemente cerrados por trás deles. Desse modo, aquele templo foi deixado intacto.

Em honra aos magos, a igreja antiga decretou uma celebração especial, intitulada "*epifania*", que significa "o manifesto", porque os magos foram os primeiros gentios a se aproximar de Jesus.

Teriam também os magos lido nas estrelas que, após cerca de dois mil anos, seriam retratados como personagens importantes no *drama religioso*? E que a criança que um dia honraram seria a *personagem central* na única representação que anualmente ocupa o palco do mundo inteiro?

Epifania

Hoje, o dia da epifania,
Que alegria, que esperança,
Que mensagem nova ela traz?

Coros celestes, em alegre cântico,
Montes, vales ressoam, ecoando,
Os humildes habitantes da terra cantam alegres.

6 de janeiro, o dia certo? só por grande acaso;
Para mim, saber o dia, não aumentaria sua glória.

Sábios orientais trouxeram-lhe ricos presentes,
E para eles, por sua vez, foi mostrado o Grande Rei.
Alguns os julgam "reis", e outros dizem que eram "três",
Detalhes como esses não me são importantes.

Sua importância, a aura que agora desce sobre meu cérebro,
É o sentido histórico, retratado na escolta no deserto:

Epifania,
Cristo, por muitos séculos cansativos oculto,

Sua glória decifrada por sábios, nas estrelas,
Agora aos gentios humildes é revelado.

(Russell Champlin, ao meditar, a 6 de janeiro de 1973, sobre o sentido da *"manifestação"*, isto é, da "epifania")

2.2: Onde está aquele que é nascido rei dos judeus? pois do oriente vimos a sua estrela e viemos adorá-lo.

2.2 λέγοντες, ῍Ποῦ ἐστιν ὁ τεχθεὶς βασιλεὺς τῶν ᾿Ιουδαίων; εἴδομεν γὰρ αὐτοῦ τὸν ἀστέρα ἐν τῇ ἀνατολῇ καὶ ἤλθομεν προσκυνῆσαι αὐτῷ.

2 τὸν ἀστέρα... ἀνατολῇ Nm 24.17; Mt 2.9

aa 1-2 *a número 2, a no número:* TRᵉᵈ WH? Bov Nes BF² V RV NEB TT Zür Jer Segᵉᵈ // *a no número, a número 2:* TRᵉᵈ WH? ASV RSV Luth Segᵉᵈ

"Sua estrela". Há muitas interpretações e argumentos sobre a natureza dessa estrela. Seguem as tendências dos comentaristas, que pretendem exaltar o milagroso, eliminar o milagroso, reduzir o milagroso, magnificar o científico etc. Todavia, é provável que alguns simplesmente desejem achar a verdade histórica, despida de preconceitos. As interpretações são as seguintes:

1. A estrela seria uma *personalidade*, como um anjo, que teria guiado os magos a Jerusalém. Considerando-se que o texto não tem nenhuma indicação sobre isso, e que os magos eram astrólogos, afeitos ao estudo das estrelas, dificilmente se pode aceitar essa ideia.
2. Tanto a estrela como a narrativa seriam *um mito*, uma criação do autor para engrandecer Jesus e a história de seu nascimento. É ideia que agrada aos modernistas, mas não passa de conjectura.
3. A estrela teria sido um *fenômeno divino* dado só aos magos, pois ninguém, além deles, podia vê-la. É a explicação para a falta de provas, nos documentos antigos, de que algo de notável teria sido visível no céu naquela época. No texto, porém, não há nenhuma evidência disso.
4. Seria um tipo de *astro especialmente* preparado por Deus, para guiar os magos. Talvez seja esta a ideia mais comum, especialmente nos tempos mais modernos.
5. Seria um *cometa*.
6. Teria sido uma *conjunção de planetas*; assim opinou o astrônomo Kepler, e também Munter, Ideles e diversos intérpretes e comentaristas, incluindo Alford, que explica a ideia detalhadamente. Pode-se ver a mesma coisa no livro "E a Bíblia tinha razão", de Werner Keller, p. 291-298. No ano 7 a.C., houve uma conjunção de Júpiter e Saturno, no dia 20 de maio, na constelação de Peixes, grau 20, próximo à ponta de Áries, que, segundo a astrologia, é a parte do céu que apresenta os maiores e mais notáveis acontecimentos. No dia 27 de outubro do mesmo ano, os mesmos planetas se conjugaram no grau 15 da constelação de Peixes. No dia 12 de novembro, a mesma coisa ocorreu no grau 16. Alguns dão as datas de 29 de maio, 29 de setembro e 4 de dezembro. *Os magos*, pois, viram a primeira conjunção no oriente que, no dia 29 de maio, teria sido visível três horas e meia antes do sol nascer. Se viajaram, gastando nisso cinco meses ou mais (Ed 7.9), então precisaram de quatro meses para ir de Babilônia a Jerusalém. Nesse caso, teriam visto a conjunção que ocorreu em dezembro, na direção de Belém, quando se acercavam da cidade.

Levando em conta que os magos eram *astrólogos*, essa explicação é razoável. Não é fato desconhecido, na história de grandes homens, que algum fato raro ocorresse no tempo de seu nascimento, ou seja, uma conjunção de planetas no céu. Se tais coisas são coincidências ou não, cabe ao leitor decidir. O NT encerra muitas ocorrências milagrosas, e pode ser que essa seja apenas mais uma; mas a evidência de que a estrela de Belém foi aquela rara conjunção de planetas é bastante convincente.

Consideremos também que, no *plano* de Deus, seria milagre maior fazer com que Cristo nascesse no momento exato do *raro fenômeno* do que criar um corpo celeste especial. Parece-nos que a glória de Deus é mais exaltada com esse acontecimento do que com a criação de um novo astro, porque mostraria o sublime controle de Deus sobre toda a criação. Não negamos coisas que não compreendemos ou com as quais temos pouco contacto e acontecimento. As maravilhas de Deus incluem mais coisas do que quaisquer de nossas filosofias.

2.3: O rei Herodes, ouvindo isso, perturbou-se, e com ele toda a Jerusalém;

2.3 ἀκούσας δὲ ὁ βασιλεὺς ῾Ηρῴδης ἐταράχθη καὶ πᾶσα ῾Ιεροσόλυμα μετ᾿ αὐτοῦ,

As profecias dos fariseus indicavam que Deus *julgaria Herodes* e que haveria uma revolução. Herodes matou a muitos líderes judeus, incluindo os principais sacerdotes, e até mesmo a própria esposa, com receio dessas profecias. (Ver nota anterior sobre essa questão, originada em Josefo.) Segundo alguns historiadores, como Suetônio e Tácito (nota anterior), naquela época havia uma atmosfera de expectação, como se algum acontecimento importante estivesse prestes a ocorrer. Também as profecias de Números 24.17 e Daniel 9.24 davam aos judeus a ideia de que o tempo da chegada do Messias estava *próximo*. Alguns dentre eles estavam mesmo esperando seu aparecimento. Herodes tinha intenso contacto com os judeus, pois até membros de sua família pertenciam à raça judaica; por isso, sem dúvida conhecia as profecias e sentia o mesmo espírito de expectativa. Essas condições criaram entre o povo e no coração de Herodes um grande medo. Herodes tinha receio de perder o trono. O povo tinha medo de sofrer mais violências às mãos de Herodes, violências que ele praticaria contra o povo, movido pelo seu temor. Acreditava-se também que o tempo do Messias não chegaria sem tribulações e sofrimentos sem precedentes.

2.4: e, reunindo todos os principais sacerdotes e os escribas do povo, perguntava-lhes onde havia de nascer o Cristo.

2.4 καὶ συναγαγὼν πάντας τοὺς ἀρχιερεῖς καὶ γραμματεῖς τοῦ λαοῦ ἐπυνθάνετο παρ᾿ αὐτῶν ποῦ ὁ Χριστὸς γεννᾶται.

"Principais sacerdotes e escribas". Provavelmente a expressão se refere ao grupo de autoridades judaicas que compunham o "sinédrio" (o termo vem do grego *sunedrion*, que foi tomado de empréstimo pelos judeus; significa "sentar-se juntos", "conselho"). Esse grupo era formado por 70 membros dos fariseus, dos escribas e dos saduceus mais poderosos. Há indícios de que havia dois sinédrios: um para resolver os problemas religiosos e outro para resolver os problemas legais e do governo. É possível também que a referência seja aos "sumos sacerdotes". Usualmente, um sumo sacerdote tinha autoridade durante toda a vida, e só era substituído ocorrendo seu falecimento. Nos tempos do domínio romano, porém, lemos que, devido à pressão desse mesmo governo, havia mudanças frequentes nesse cargo. Assim, pois, é provável que houvesse vários *sumos sacerdotes* presentes às reuniões do sinédrio. Há notas detalhadas sobre os "escribas", em Marcos 3.22, e sobre o "sinédrio", em Mateus 22.23. Além desses, provavelmente estavam presentes os principais líderes de cada um dos 24 grupos de sacerdotes. Sobre esses grupos, há notas em Lucas 1.5. Herodes queria obter resposta sobre uma questão teológica, pelo que reuniu a mais alta comissão.

2.5: Responderam-lhe eles: Em Belém da Judeia; pois assim está escrito pelo profeta:

2.5 οἱ δὲ εἶπαν αὐτῷ, ᾿Εν βηθλέεμ τῆς ᾿Ιουδαίας οὕτως γὰρ γέγραπται διὰ τοῦ προφήτου·

5 Βηθλέεμ Jo 7.42

> Não satisfeitos em simplesmente mencionar τοῦ προφήτου, vários testemunhos (4 sir (hmg cop (bo,mss) adicionam Μιχαίου, e o lt(a) diz per Esiam prophetam dicentem ("por meio de Isaías, o profeta, dizendo").

A resposta se baseia em Miqueias 5.2, e é interessante observar que esse versículo foi *corretamente* interpretado por aqueles homens, no tocante ao Messias. Apesar disso, parece que Herodes confiou mais no valor da profecia do que nos sacerdotes do povo. Procurou destruir o Cristo, ao passo que os sacerdotes, a despeito de seus conhecimentos, não reconheceram a Cristo. É estranho que esse homem violento, tenha sido, de certo modo, mais sensível à mensagem espiritual do que aqueles religiosos. Além disso, Agostinho: "Codicem portat Judaeus unde credat Christianus". Isso quer dizer: *O judeu somente leva o livro* (das Escrituras), de cuja fonte (as Escrituras), o cristão, em contraste, *deriva sua crença*". Wordsworth disse: "Assim também agora os judeus levam as Escrituras, mas não creem". Justino encontrou nessas circunstâncias fortes argumentos em prol da veracidade do cristianismo, deixando claro que não foram os cristãos que criaram as Escrituras que contêm as profecias, e, sim, os autores judeus. Os judeus não aceitam o Messias das próprias Escrituras; os cristãos aceitam o Messias, *o Cristo*.

2.6: E tu, Belém, terra de Judá, de modo nenhum és a menor entre as principais cidades de Judá; porque de ti sairá o Guia que há de apascentar o meu povo de Israel.

2.6 Καὶ σύ, Βηθλέεμ γῆ ᾿Ιούδα, οὐδαμῶς ἐλαχίστη εἶ ἐν τοῖς ἡγεμόσιν ᾿Ιούδα ἐκ σοῦ γὰρ ἐξελεύσεται ἡγούμενος, ὅστις ποιμανεῖ τὸν μου τὸν ᾿Ισραήλ.

6 Mq 5.2 ποιμανεῖ...᾿Ισραήλ 2Sm 5.2; 1Cr 11.2

6 γη Ιουδα της Ιουδαιας D it

A citação de Miqueias 5.2 não vem do hebraico, mas da LXX, a versão grega, e é *paráfrase livre*. Provavelmente o autor do evangelho citou o versículo de memória, e esse é o resultado natural. Usou a designação "Belém da Judeia", que era o nome mais recente, ao passo que o hebraico usa "Efrata". Naquele tempo, Efrata era palavra obsoleta. No tempo de Miqueias, Belém era muito pequena e, embora fosse a cidade natal de Davi, seu nome — cidade de Davi — foi transferido para Jerusalém, a capital. Nota-se que Miqueias chamou a cidade de *pequena*, mas Mateus muda as palavras para "és de modo algum a menor entre as principais de Judá". Isso mostra a maneira livre, usada pelo autor, para expressar o versículo, e também o valor que ele dava à importância da cidade, a despeito de ser menor em tamanho e em número, em confronto com Jerusalém, a capital. Ao invés de "Senhor", o autor usa "Guia". Algumas traduções trazem "governador" no lugar de "Senhor". O autor não cita as notáveis palavras que se seguem: "cujas saídas são desde os tempos antigos, desde os dias da eternidade", citação essa que é comumente usada para ensinar a doutrina da geração eterna do Cristo, ou para mostrar que sua origem não foi apenas preexistente, mas eterna. Comparar com Hebreus 7.3.

"Principais" alude às *chiladas* ou divisões dos grupos de mil pessoas das tribos. As "chiladas", ou pessoas dessas divisões, eram registradas em suas respectivas cidades. Sobre cada "chilias" havia um governador. Os governadores de lugares pequenos como Belém não eram reputados como importantes, mas dali sairia o grande governador, o Guia de todo o povo de Israel, o Messias, o que assim mudaria consideravelmente o valor de Belém. Hoje, Belém é motivo de grande atração turística para os peregrinos por causa do *Guia* que ali nasceu. Finalmente, a palavra "governar" (o povo), usada por algumas traduções, é a melhor. Outras traduções, como AA, AC e IB, além de outras, usam "apascentar", porquanto os governadores de Israel eram considerados pastores.

2.7: Então Herodes chamou secretamente os magos, e deles inquiriu com precisão acerca do tempo em que a estrela aparecera;

2.7 Τότε ᾿Ηρῴδης λάθρα καλέσας τοὺς μάγους ἠκρίβωσεν παρ᾽ αὐτῶν τὸν χρόνον τοῦ φαινομένου ἀστέρος,

Provavelmente, Herodes fez a indagação para determinar a *idade* da criança. Se é razoável a teoria da conjunção de planetas, a resposta a essa pergunta seria: seis meses. Herodes fingiu desejo de adorar, somente para informar-se sobre as condições do menino, e assim poder executar o plano, que já tinha em mente, de matá-lo. Provavelmente também aceitava as crenças da astrologia, pelo que teria feito a pergunta sem se sentir embaraçado.

2.8: e, enviando-os a Belém, disse-lhes: Ide, e perguntai diligentemente pelo menino; e, quando o achardes, participai-mo, para que também eu vá e o adore.

2.8 καὶ πέμψας αὐτοὺς εἰς Βηθλέεμ εἶπεν, Πορευθέντες ἐξετάσατε ἀκριβῶς περὶ τοῦ παιδίου ἐπάν δὲ εὕρητε ἀπαγγείλατέ μοι, ὅπως ἐλθὼν προσκυνήσω αὐτῷ.

Sabendo da *idade* aproximada do menino, quis usar os inocentes para completar o plano homicida. Herodes sempre teve êxito nos assassinatos; matou grande parte dos líderes dos judeus para garantir sua continuação no poder (ver nota no v. 1); mas, neste caso, houve *proteção* especial de Deus quanto a Jesus. (Ver nota sobre a gramática do versículo que consideramos.)

2.9: Tendo eles, pois, ouvido o rei, partiram; e eis que a estrela que tinham visto quando no oriente ia adiante deles, até que, chegando, se deteve sobre o lugar onde estava o menino.

2.9 οἱ δὲ ἀκούσαντες τοῦ βασιλέως ἐπορεύθησαν, καὶ ἰδοὺ ὁ ἀστὴρ ὃν εἶδον ἐν τῇ ἀνατολῇ προῆγεν αὐτοὺς ἕως ἐλθὼν ἐστάθη ἐπάνω οὗ ἦν τὸ παιδίον.

9.ὁ ἀστὴρ ἀνατολῇ Μt 2.2

9 επανω] om syˢ Or | ου ην το παιδ.] του παιδιου D it

2.10: Ao verem eles a estrela, regozijaram-se com grande alegria.

2.10 ἰδόντες δὲ τὸν ἀστέρα ἐχάρησαν χαρὰν μεγάλην σφόδρα.

(Ver nota no v. 2 sobre essa estrela.). Se a estrela foi uma conjunção rara de planetas, essa teria sido sua *terceira* conjunção (a 4 de dezembro), e teria sido na direção da cidade. Alguns acham que as palavras indicam que teria havido um intervalo de tempo entre as aparições da estrela (sem importar se era uma conjunção de planetas, uma estrela, ou um corpo luminoso especialmente criado por Deus). Outros pensam que, à base da gramática, teria havido um processo contínuo, durante o qual a estrela foi visível. O fato do v. 10 mencionar a alegria intensa dos magos ao ver a estrela, porém, indica que ela não era visível todo o tempo; mas que naquele momento apareceu novamente, quando se avizinhavam de Belém. A nova aparição da estrela causou grande alegria. A viagem de Jerusalém a Belém era somente de dez quilômetros. Provavelmente notaram o novo aparecimento da estrela no princípio dessa viagem.

Estrela maravilhosa, estrela de luz,
Estrela de belo resplendor real.
Para oeste guias, leva-nos a Jesus,
Senhor e Mestre, como não há igual.

Jesus, ó Cristo, nascido entre os homens, ó luz de Deus,
ilumina os homens. Jesus, recém-chegado da presença de
Deus, que é luz, faze dos homens também luzes de Deus.
Vieste do resplendor celeste, tão recentemente puseste de

276 |Mateus| NTI

lado a tua glória, as tuas prerrogativas de Deus; mas há instantes em que ainda vemos algo de tua divina natureza preservada. És o verdadeiro homem, modelo e agente da criação, e agora és o alvo. Aprendeste a obedecer como homem, sofreste, cresceste e chegaste à maturidade, tiveste comunhão com o Pai e foste imerso no Espírito; homem autêntico, amadurecido como deve ser o homem, mostras o caminho, sendo tu mesmo o caminho. Vemos a luz de Deus que brilha cada vez mais em tua face, e, contemplando-a, somos iluminados e transformados de um grau de esplendor a outro, até atingirmos finalmente a tua perfeita imagem. Oh, Jesus, enches a tudo, mas nós seremos a tua própria plenitude. Isto será além do destino dos anjos. Somos teus irmãos, filhos de Deus que vão na direção da glória, e nosso destino e estatura são maiores que os dos anjos; embora agora desconhecidos, perten-ce-nos uma glória insondável, que nossa alma apreende instintivamente; mas de novo perdemos de vista a passageira compreensão. Embora nossa estatura passe despercebida, insondada, assim seremos. Jesus, esse é teu evangelho. Perdão dos pecados, mas ainda mais; ilumina-ção, sim, mas ainda mais; "transformação", filhos de Deus conduzidos à glória. Ó estrela maravilhosa, estrela de luz, estrela de belo resplendor real, guia-nos à perfeita luz. (Meditação baseada nos textos bíblicos de Jo 1.1,4,9,12,14; Hb 5.8; 1.11,18,20-23; 2Co 3.18; Rm 8.18,19,29,30; Cl 2.10; 2Pe 1.4.)

2.11: E, entrando na casa, viram o menino com Maria sua mãe e, prostrando-se, o adoraram; e abrindo os seus tesouros, ofertaram-lhe dádivas: ouro, incenso e mirra.

2.11 καὶ ἐλθόντες εἰς τὴν οἰκίαν εἶδον τὸ παιδίον μετὰ Μαρίας τῆς μητρὸς αὐτοῦ, καὶ πεσόντες προσεκύνησαν αὐτῷ, καὶ ἀνοίξαντες τοὺς θησαυροὺς αὐτῶ προσήνεγκαν αὐτῷ δῶρα, χρυσὸν καὶ λίβανον καὶ σμύρναν.

11 ἐλθόντες...αὐτοῦ Lc 2.16

11 τους θησαυρους] τας πηρας Epiph (Protev Iac)

2.12: Ora, sendo por divina revelação avisados em so-nhos para não voltarem a Herodes, regressaram à sua terra por outro caminho.

2.12 καὶ χρηματισθέντες κατ' ὄναρ μὴ ἀνακάμψαι πρὸς Ἡρῴδην, δι' ἄλλης ὁδοῦ ἀνεχώρησαν εἰς τὴν χώραν αὐτῶν.

11,12 12 χρηματισθέντες κατ' ὄναρ Mt 2.22

As visitas *aos soberanos* usualmente eram acompanhadas da oferta de *dádivas*. No caso, as dádivas ofertadas a Jesus têm sido interpretadas de várias maneiras: o "ouro", para indicar a realeza; o "incenso", para indicar a divindade de Cristo ou sua posição de sumo sacerdote; e a "mirra", para indicar seus sofrimentos e sua morte. Assim, aparecem nessas dádivas o símbolo da vida humana, o símbolo da natureza divina e o símbolo do caráter do ministério de Cristo. Os pais da Igreja sentiam um prazer especial em criar essas interpretações (ver citações anteriores). Outros sentidos semelhantes são atribuídos às dádivas, mas é lamentável a aceitação de qualquer interpretação, como a de que os presentes eram caríssimos, demons-trando grande afeto por Cristo, estima essa que avaliamos e julgamos, dando-lhes valores naturais que estão ao nosso alcance humano. (Ver nota, no v. 16, sobre o significado de terem encontrado a criança numa "casa", e não na manjedoura, com indicações sobre o tempo em que a encontraram.)

A ideia de que os visitantes eram *três* provavelmente se tenha originado do fato de haver três presentes, mas tudo não passa de su-posição, sem base verdadeira no texto ou na história. A lenda dos *três*

reis não tem origem mais recente que os dias de Orígenes. Mais tarde, foram criados os seus nomes; o que deu ouro seria Anoson; o que deu incenso, Alitar; e o que deu mirra, Quissade. Há lendas até sobre o lugar onde foram sepultados, mas nenhum desses detalhes tem base histórica, pois foram criados para satisfazer o espírito de exatidão que permeia as lendas. A ideia de que eram reis provavelmente se desen-volveu das profecias de Salmos 72.10 e Isaías 60.3, que se referem à adoração de Cristo por parte de reis. Evidentemente, essa lenda foi transmitida por Tertuliano, o que mostra que apareceu bem cedo na história da igreja. (Ver nota sobre os v. 1 e 2, quanto às citações.)

"Incenso". Substância de exsudação resinosa de certas árvores como a boswellia, carterri, boswellia apyrifera, boswellia thurifera, árvores essas que cresciam em grande número na Arábia, na Abissínia e na Índia. Essa substância era acre, mas muito odorífera, e era fonte de riqueza para os negociantes do passado. Às vezes, era mencionada como símbolo de fervor religioso (ver Ml 1.11).

"Mirra". Substância de exsudação resinosa de certos arbustos, como a commiphora myrrha, e a *commiphora kataf*, encontradas na Arábia, em partes da África, e noutros lugares. Era usada como perfu-me, para untar (Ez 30.32,33), bem como unguento usado nos sepulta-mentos. O fato de José não ser mencionado não tem importância. Não se achava presente no momento e simplesmente não foi mencionado, ou então o autor não teve intenção nenhuma de mencioná-lo ou de deixar de fazê-lo. Quanto a "tesouro" (traduções KJ PH IB e outras), "porta-joias" (BR), "caixas de tesouro" (WY), "cofres" (F), ou "tesou-ro" (AC AA M), a palavra ou palavras são todas traduções do termo grego. Epifânio (402 d.C.), pai da Igreja, diz "carteiras" ou "sacolas de couro", mas todos os mss e traduções estão certos ao conservarem o texto usual.

Uma história *moderna* sobre a visita dos magos é a seguinte: Os camelos carregavam soberbos a carga preciosa de ouro, incenso e mirra, pois eram presentes para *um rei*. O mais jovem dos três magos fez o cortejo parar, pois acabara de pensar em um presente que seria especialmente próprio, e não queria continuar sem ele. Nervosamente os outros magos ficaram esperando, pois tinham pressa. Até mesmo os guias, sentindo a importância da missão, desejavam continuar. Ficaram esperando por longo tempo pelo mais jovem mago, que não aparecia. A estrela que os guiava ainda brilhava lá no alto, e, enquanto as horas da noite se passavam, todos iam per-dendo a paciência. Finalmente, quando já estavam a ponto de perder o controle, apareceu o mais jovem dos magos. O que quer que fosse o que trazia teria de ser pequeno, pois ele o trazia facilmente na palma de uma das mãos. Talvez fosse uma gema *raríssima* e preciosa, e, se assim fosse, teria valido a pena esperar tanto. O jovem mago ordenou que o guia fizesse o camelo ajoelhar-se para que pudesse colocar o pequeno objeto na sacola que havia nas costas do animal. Os dois magos mais idosos, e até mesmo os guias olhavam com atenção, para ver qual seria o maravilhoso presente que provocara tanto adiamento na viagem para Belém. Lentamente, o mago mais jovem abriu a mão, e ali, para grande surpresa e consternação dos magos de mais idade, apareceu apenas um *pequeno cão*, com pintas pretas. Era um brin-quedo antigo, porque aqui e ali faltavam pedacinhos da pintura. O jovem colocou o brinquedo no chão, o qual deu um salto no ar e caiu novamente sobre os pés. Os magos mais velhos, muito *indignados*, não puderam mais conter-se e proferiram palavras iradas; mas o mago mais jovem apenas sorriu, colocou novamente o brinquedo no chão e viu-o dar a sua cambalhota. Uma criança pequena que estava por perto riu-se gostosamente, quando o cãozinho de brinquedo foi posto no chão, deu um salto no ar e caiu novamente sobre os quatro pés. O mais idoso dos magos perguntou: "Foi esse brinquedo sem valor que o fez adiar a marcha deste cortejo de camelos, que leva presentes para o Rei dos reis?" O mais jovem dos magos retrucou solenemente: "Nossos camelos estão carregados de presentes apro-priados para o rei — muito ouro, incenso e mirra. Estou levando este cãozinho de brinquedo para o *menininho* de Belém". (Extraído de uma história norte-americana de Natal.)

Lições do décimo segundo versículo:

1. O conhecimento pode transcender à percepção dos cinco sentidos, sendo dado pela razão, pela intuição, ou misticamente, como no caso dos magos.
2. O sonho, às vezes, pode ser o veículo de inspiração, revelação ou direção. A ciência moderna tem provado a importância e utilidade de sonhos como um mecanismo de resolver problemas. (Ver notas sobre Mt 1.20).
3. O homem, agindo na vontade de Deus, é invencível. Os dias do homem justo são contados segundo o plano divino e não podem ser encurtados pela perversidade dos homens.

Herodes: Ver notas completas sobre os Herodes, em Lucas 9.7.

Sua terra: **"Do oriente"** (v. 1), segundo os eruditos pode significar Arábia, Pérsia, Caldeia, Pártia ou outros lugares próximos.

I. OS PRIMÓRDIOS (1.1—4.25)
4. Fuga para o Egito (2:13-15)

A história está contida somente em Mateus, e deriva-se de M. (Ver as notas sobre as fontes informativas de Mateus, na introdução, na seção VIII, e, mais completamente ainda, no artigo introdutório a este comentário, intitulado *O problema sinóptico*. O Egito incluía a península do Sinai, pelo que sua porção mais próxima não ficava longe de Belém. Por conseguinte, não se precisa pensar que essa fuga foi alguma grande viagem. No começo do século II d.C. já corriam histórias de como Jesus fugira para o Egito (e a Índia), onde aprendera as artes místicas e mágicas. E assim é que alguns judeus explicavam o seu poder. Essas estórias, porém, mais provavelmente se baseavam na seção seguinte (conforme já foi mencionado), como adorno ou perversão da mesma, e destituídas de qualquer valor independente. Jesus teve o seu "êxodo", e isso fazia parte do plano remidor. (Ver 1Co 10.1-5 e Jo 6.49-51, no tocante às aplicações espirituais dadas ao conceito do "êxodo" no seio do cristianismo). O êxodo do AT foi espiritualizado nos escritos rabínicos, a fim de que aludisse à "redenção"; e os intérpretes cristãos seguem a mesma linha de pensamento.

2.13: E, havendo eles se retirado, eis que um anjo do Senhor apareceu a José em sonho, dizendo: Levanta-te, toma o menino e sua mãe, foge para o Egito, e ali fica até que eu te fale; porque Herodes há de procurar o menino para o matar.

2.13 Ἀναχωρησάντων δὲ αὐτῶν ἰδοὺ ἄγγελος κυρίου φαίνεται κατ' ὄναρ τῷ Ἰωσὴφ λέγων, Ἐγερθείς, παράλαβε τὸ παιδίον καὶ τὴν μητέρα αὐτοῦ καὶ φεῦγε εἰς Αἴγυπτον, καὶ ἴσθι ἐκεῖ ἕως ἂν εἴπω σοι· μέλλει γὰρ Ἡρῴδης ζητεῖν τὸ παιδίον τοῦ ἀπολέσαι αὐτό.

13 φαίνεται κατ' ὄναρ Mt 1.20; 2.19

A fuga para o Egito. O Egito incluía a península do Sinai e sua porção mais próxima não era distante de Belém. Há tradições antigas que falam que Jesus passou tempo considerável no Egito e na Índia. Alguns (como os rabinos) afirmam que Jesus aprendeu as artes mágicas egípcias ali. Essas tradições, porém, provavelmente se baseiam nesse relato, sendo versões acrescidas de lendas imaginárias.

A fuga para o Egito aparece somente em Mateus. José recebeu a segunda advertência por meio de um sonho, a terceira comunicação que ele recebeu de Deus, segundo o NT. (Ver nota sobre isso no v. 12.)

Egito. Era bom lugar para onde fugir, porque, sendo perto, a viagem não seria estafante. Estariam *fora do poder* de Herodes, e, naquela época, muitos judeus moravam no Egito. Outras vezes, o povo de Israel encontrou refúgio ali (1Rs 11.40, no tempo de Jeroboão, e Jr 43.7, no tempo de Joanã). Alexandria e outras cidades tinham colônias judaicas numerosas.

2.14: Levantou-se, pois, tomou de noite o menino e sua mãe, e partiu para o Egito,

2.14 ὁ δὲ ἐγερθεὶς παρέλαβεν τὸ παιδίον καὶ τὴν μητέρα αὐτοῦ νυκτὸς καὶ ἀνεχώρησεν εἰς Αἴγυπτον,

"De noite". A ideia é que a família fugiu na mesma noite em que José teve o sonho, sem perda de tempo. Nos evangelhos apócrifos, há muitas adições aos detalhes simples aqui encontrados. Por exemplo, nos evangelhos apócrifos há a história de uma fonte que surgiu no caminho por onde viajava a família, para que tivessem água. Essa fonte não teria existido antes. Outra lenda é que foram atacados por salteadores, mas foram poupados por um dentre eles, de nome Dimas, que seria o mesmo ladrão penitente crucificado com Jesus. A narrativa de Mateus é verídica; mas esses outros detalhes soam a mitos.

2.15: e lá ficou até a morte de Herodes, para que se cumprisse o que fora dito da parte do Senhor pelo profeta: Do Egito chamei o meu Filho.

2.15 καὶ ἦν ἐκεῖ ἕως τῆς τελευτῆς Ἡρῴδου ἵνα πληρωθῇ τὸ ῥηθὲν ὑπὸ κυρίου διὰ τοῦ προφήτου λέγοντος, Ἐξ Αἰγύπτου ἐκάλεσα τὸν υἱόν μου.

15 Ἐξ...μου Os 11.1

"Até". Provavelmente, refere-se ao tempo de apenas *alguns meses*. Assim sendo, quem teve tanta cautela para proteger seu trono, assassinou os inocentes de Belém, mas só sobreviveu mais alguns meses. É "exemplo claro" da insensatez do homem que alicerça sua vida em coisas passageiras e mundanas, tendo por objetivo apenas o que é deste mundo.

"A morte de Herodes". Não temos conhecimento exato da data. Alguns dizem que ocorreu dias antes da Páscoa, em 4 a.C. Josefo dá detalhes sobre a história (Antiq. 17.6,1,5,7,8). Herodes morreu de hidropsia, gangrena e uma enfermidade aviltante, *em Jericó*, com a idade de 70 anos. Poucos dias antes, tentara o suicídio, e apenas cinco dias antes de sua morte ordenara a execução de Antípatre, seu filho. Ver outros detalhes sobre o esplendor dos ritos de seu funeral, na nota sobre 2.1, na seção sobre Herodes.

"Do Egito chamei o meu filho". Citação de Oseias 11.1. O autor cita o hebraico, e não a LXX, pois esta versão diz "suas crianças", ao invés de *filho*. A referência em Oseias fala em "Israel" como "filho", mas, neste caso, está em vista a pessoa de Cristo, que também foi chamado de modo notável do Egito. Essa interpretação do AT não é rara no NT, e isso indica que certos textos (incluindo profecias) podem ter um sentido mais profundo e variável, que não transparece se não houver interpretação subsequente.

I. OS PRIMÓRDIOS (1.1—4.25)
5. A matança dos inocentes (2.16-18)

Essa narrativa também só é dada por Mateus. Portanto, talvez seja outra porção da fonte "M". Ver a informação detalhada sobre as fontes dos evangelhos na introdução a este comentário, na seção intitulada *"O problema sinóptico"* e na introdução ao evangelho de Marcos. Provavelmente, os diferentes incidentes deste capítulo (visita dos magos, fuga para o Egito, matança dos inocentes e mudança do Egito para Nazaré), todos têm origem na fonte "M", posto que somente Mateus os registre. Embora Josefo não registre esse acontecimento, e ele seja nossa principal fonte informativa sobre a vida de Herodes, é possível que tal insignificante matança não tenha chamado sua atenção, em face de tantas e tão grandes atrocidades cometidas por Herodes. (Ver o comentário adicional no parágrafo seguinte. Histórias similares são narradas sobre a infância de Heracles, Sargão I, Ciro, Rômulo e Remo, e, especialmente, Cipsalo, filho de Aécio — ver Heródoto, *História*, V. 92.) Aqui é exposto o problema da dor em sua crua realidade. "Ramah" é a nossa palavra. A tristeza, por si mesma e sem a redenção, não serve de

278 |Mateus| NTI

purificação, e, sim, de morte. Não havia lógica capaz de explicar as atrocidades de Herodes, e geralmente não há lógica para explicar as coisas terríveis que sucedem nesta vida. A única solução jaz no fato de que Deus existe e que a sua permanência é verdade mais firme que a da dor. Agarramo-nos ao grito: *"Quem nos separará do amor de Cristo?"* (Rm 8.31-39). O evangelho de Mateus dá indícios de uma resposta: Cristo não foi morto, embora muitos o tentassem. Nenhum Herodes pôde destruí-lo. A vontade de Deus terá de dominar, e, finalmente, o quadro ficará completo. Ver a nota detalhada sobre o "problema do mal", em Romanos 3.3-8.

2.16: Então Herodes, vendo que fora iludido pelos magos, irou-se grandemente e mandou matar todos os meninos de dois anos para baixo que havia em Belém, e em todos os seus arredores, segundo o tempo que com precisão inquirira dos magos.

2.16 τότε Ἡρῴδης ἰδὼν ὅτι ἐνεπαίχθη ὑπὸ τῶν μάγων ἐθυμώθη λίαν, καὶ ἀποστείλας ἀνεῖλεν πάντας τοὺς παῖδας τοὺς ἐν Βηθλέεμ καὶ ἐν πᾶσι τοῖς ὁρίοις αὐτῆς ἀπὸ διετοῦς καὶ κατωτέρω, κατὰ τὸν χρόνον ὃν ἠκρίβωσεν παρὰ τῶν μάγων.

16 διετ. κ. κατωτερω] διετιας κ. κατω D (ex latt ?)

Herodes, que facilmente assassinou sua esposa e seus filhos, achou fácil matar alguns *infantes* desconhecidos. As criancinhas mortas eram não só de Belém, mas também das aldeias vizinhas, pois Herodes quis ter a certeza de que o filho de Maria não escaparia. O número de crianças mortas provavelmente não foi grande, pois Belém era uma aldeia pequena (A. T. Robertson calcula que houve mais ou menos quinze a vinte crianças mortas). Devido a tão exíguo número, *Josefo* e outros historiadores não registraram o incidente. Em comparação às atrocidades cometidas por Herodes, isso não o notabilizou. No entanto, por estar ligada à vida de Jesus, é a ocorrência mais bem conhecida da vida de Herodes, o Grande. Realmente, trata-se de seu "monumento comemorativo" mais bem merecido. Alguns supõem que, em vista de as crianças "de dois anos para baixo" terem sido mortas, Jesus teria menos de dois anos na época da visita dos magos. Isso, porém, elimina o fato de a criança que está no início de seu segundo ano de vida poder ser considerada com dois anos, segundo o costume judaico, ainda que essa criança não tenha passado de "um ano de idade", conforme nossa maneira de dizer. O fato de se terem mudado de um estábulo para uma "casa" dificilmente indicaria um período de mais do que alguns dias, na época em que o congestionamento na cidade era causado pelo afluxo de estranhos que tinham vindo para pagar impostos. Provavelmente, José e Maria ficaram em Belém para cumprir os dias da purificação, de acordo com a lei mosaica (Lc 2.22), o que teria sido um período de mais ou menos quarenta dias (Lv 12.2-4). É impossível que tivessem ficado fora de Nazaré por dois anos (Lc 2.4).

2.17: Cumpriu-se então o que fora dito pelo profeta Jeremias:

2.17 τότε ἐπληρώθη τὸ ῥηθὲν διὰ Ἰερεμίου τοῦ προφήτου λέγοντος,

17 ρηθεν] add υπο Κυριου D pc

2.18: Em Ramá se ouviu uma voz, lamentação e grande pranto: Raquel chorando os seus filhos, e não querendo ser consolada, porque eles já não existem.

2.18 φωνὴ ἐν Ῥαμὰ ἠκούσθη, κλαυθμὸς[1] καὶ ὀδυρμὸς πολύς· Ῥαχὴλ κλαίουσα τὰ τέκνα αὐτῆς, καὶ οὐκ ἤθελεν παρακληθῆναι, ὅτι οὐκ εἰσίν.

18 Jr 31.15

[1] 18 {C} κλαυθμός ℵ B 0250 f¹ it(a),aur,b,c,f,ff¹,g¹,k,l,q vg syrp,pal copsa,bo eth Justin

Diatessarona,i,n Hilary Jerome Augustine // θρῆνος καὶ κλαυθμός (ver Jr 38.15 LXX; 31.15 MT) C D K LK W Δ Π f 28 33 565 700 892 1009 1010 1071 1079 1195 1216 1230 1241 1242 1253 1365 1546 1646 2148 2174 *Byz Lect* l70m, 150m, 185m, 883m (itd) syrc,h,h arm geo Origen

> A mais longa forma — θρῆνος καὶ κλαυθμός —, parece ser uma assimilação escribal do texto da LXX de Jeremias 31.15(na LXX, Jr 38.15). Entrou no *Textus Receptus* e jaz por trás da tradução da AV, "lamentação e choro, e grande pranto".

Vejamos quantas vezes este evangelho cita o AT para afirmar que o Cristo e sua vida eram assuntos do AT, e deve ser identificado com a esperança que os judeus tinham acerca do Messias. Provavelmente, Mateus enfatizou o fato para mostrar a universalidade da mensagem cristã, tanto para os judeus como para os gentios. A citação é de Jeremias, obviamente da LXX, com variação verbal, mas não em substância. Em Jeremias, a referência não é sobre as crianças de Belém, mas sobre o cativeiro babilônico. Raquel era a esposa *favorita* de Jacó, como também para os comentaristas judeus, na história de Israel. Sua posição é de mãe de Israel, como o caso de Sara. Assim, ela lamenta o cativeiro de Israel e o massacre dos infantes de Israel. Ramá localizava-se cerca de oito quilômetros de Jerusalém, onde o povo fora reunido para ser deportado para a Babilônia. O sepulcro de Raquel ficava próximo desse lugar, que também não era distante de Belém. Ramá provavelmente pode ser identificada com Er-Ram dos tempos modernos.

Temos, pois, uma figura poética — *Raquel* — como que levantada dos mortos, e, à volta de seu túmulo, acha-se a congregação de Israel, pronta para ser deportada para a Babilônia; ou, no caso de Mateus, ao ver o massacre dos inocentes de Belém, ela começava a chorar e a lamentar as tragédias de seu povo, de seus filhos. Raquel estava inconsolável porque as tragédias eram tão grandes que causavam o desaparecimento total de "seus filhos". O texto diz "porque não mais existem".

I. OS PRIMÓRDIOS (1.1—4.25)
6. A mudança para Nazaré (2.19-23)

O *êxodo* (viagem para o Egito) foi seguido por uma restauração, e Jesus chegou para o lugar onde foi determinado que se desenvolveria como criança. Somente Mateus exibe esse material, pelo que o mesmo se deriva de "M". (Ver informações sobre as fontes informativas de Mateus na seção VIII da introdução). Jesus estava agora de volta ao território judaico, e sua vida como Messias estava em formação. O êxodo é um tipo de *redenção*; mas também o é a remoção do Egito, a reversão de sua permanência no Egito.

2.19: Mas tendo morrido Herodes, eis que um anjo do Senhor apareceu em sonho a José no Egito,

2.19 Τελευτήσαντος δὲ τοῦ Ἡρῴδου ἰδοὺ ἄγγελος κυρίου φαίνεται κατ' ὄναρ τῷ Ἰωσὴφ ἐν Αἰγύπτῳ

19 φαίνεται κατ' όναρ Mt 1.20; 2.12

Ver notas sobre *Herodes* e sua morte, nos v. 1 e 15. A informação é dada por Josefo, *Bell.* 1.33; 1-5; *Antiq.* xvii.6,5; Euséb. *H.E.* 1.6,8. A notícia do falecimento de Herodes sem dúvida se propagou célere, e todos souberam da ocorrência sem demora. Provavelmente, durante aqueles dias, José pensou em qual seria a melhor maneira de agir, sem saber se ainda haveria perigo, porque o filho de Herodes reinaria em lugar de seu pai. Os pensamentos do dia se refletiram no sonho que teve à noite; e, por isso, uma vez mais, a "resposta" chegou a José em um sonho. Alguns acham que um só anjo fazia essas visitas a José, ligando essas histórias com as de Lucas 1.19,26, supondo que seria o anjo Gabriel. (Ver nota sobre "anjos", em Mt 4.11.)

2.20: dizendo: Levanta-te, toma o menino e sua mãe e vai para a terra de Israel; porque já morreram os que procuravam a morte do menino.

2.20 λέγων, Ἐγερθεὶς παράλαβε τὸ παιδίον καὶ τὴν μητέρα αὐτοῦ καὶ πορεύου εἰς γῆν Ἰσραήλ, τεθνήκασιν γὰρ οἱ ζητοῦντες τὴν ψυχὴν τοῦ παιδίου.

20 τεθνήκασιν... ψυχήν Êx 4.19

2.21: Então ele se levantou, tomou o menino e sua mãe e foi para a terra de Israel.

2.21 ὁ δὲ ἐγερθεὶς παρέλαβεν τὸ παιδίον καὶ τὴν μητέρα αὐτοῦ καὶ εἰσῆλθεν εἰς γῆν Ἰσραήλ.

"**Toma o menino e sua mãe**". A mesma mensagem foi dada antes (v. 13), mas desta vez era para voltar; e no lugar de "foge", agora encontramos *vai*. Alguns comentaristas acham estranhas essas palavras, porque pensam que o certo seria "sua esposa e a criança", julgando que José seria o pai natural de Jesus. Entretanto, as palavras mostram José no papel de guardador da criança; mas talvez isso seja ver demais em simples palavras.

"**Já morreram os que**", evitando assim o nome de Herodes, e talvez indicando que havia mais de uma pessoa interessada na morte de Jesus. Talvez seja reflexo das palavras de Êxodo 4.19, onde Moisés recebeu mensagem quase idêntica a essa. Pode ser também que, apesar da expressão estar no plural, indique o singular; e isso parece comum em muitos idiomas, inclusive no grego, que frequentemente admite a expressão, especialmente nas escrituras de Paulo. O v. 21 mostra que José começou a voltar para Belém, ou melhor, teve a intenção de voltar para lá (ver o v. 22, *Judeia*), mas que mudou de pensamento quando soube que Arquelau estava no trono, pois a má reputação deste já era bem conhecida, como a de seu pai. Nisso tudo se pode ver a orientação divina, pois era mister que Jesus fosse nazareno (v. 23) e que o seu ministério começasse pela Galileia, e não pela Judeia. As circunstâncias estavam fora do controle de José, mas não fora da mão de Deus; por isso se cumpriu a vontade de Deus na vida do menino Jesus.

2.22: Ouvindo, porém, que Arquelau reinava na Judeia em lugar de seu pai Herodes, temeu ir para lá; mas avisado em sonho por divina revelação, retirou-se para as regiões da Galileia,

2.22 ἀκούσας δὲ ὅτι Ἀρχέλαος βασιλεύει τῆς Ἰουδαίας ἀντὶ τοῦ πατρὸς αὐτοῦ Ἡρῴδου ἐφοβήθη ἐκεῖ ἀπελθεῖν· χρηματισθεὶς δὲ κατ' ὄναρ ἀνεχώρησεν εἰς τὰ μέρη τῆς Γαλιλαίας,

22 χρηματισθεὶς... ὄναρ Mt 2.12

22-23 τὰ μέρη...Ναζαρέτ Mc 1.9; Lc 1.26; 2.39; Jo 1.45,46

A morte de Herodes, o Grande, resultou na divisão de seu reino em quatro partes: duas ficaram para Arquelau, incluindo as terras da Judeia, Samaria e Iduméia (Edom). Antipas recebeu a Galileia e a Pereia. Filipe recebeu Betaneia, Traconites e Auranites. Esses eram chamados "tetrarcas", que significa "governadores de uma quarta parte". (Ver Josefo, *Antiq.* 17,11,4.) Arquelau tinha a promessa de Augusto de que receberia o título de "rei", como Herodes, o Grande, se fizesse por merecê-lo. No entanto, ao invés disso, dez anos mais tarde, foi deposto por Augusto e banido para a Gália. Ver nota detalhada sobre os Herodes do NT, em Lucas 9.7.

"**Arquelau**". O quarto e último testamento de Herodes, o Grande, nomeava Arquelau, seu filho, como rei da Judeia. Arquelau aguardou sabiamente a aprovação de Augusto a essa nomeação. Ao ser aprovada a mesma, reiniciou o governo brutal de seu pai. De acordo com Josefo, Arquelau foi *barbaramente* cruel, tanto para com os judeus como para com os samaritanos. Depois de reinar por dez anos, foi deposto e banido para a Gália.

"**Sonho**". Ver as notas de 1.21 e 2.12,19. Houve, portanto, quatro visitas angelicais a José.

"**Galileia**". Não sabemos quais os limites exatos dessa região nos tempos do AT, mas, como província romana, seus limites são conhecidos. A região tinha o formato geral de um retângulo, com cerca de 65 quilômetros, de norte a sul, e 40 quilômetros, de leste a oeste. Limitava-se com o rio Jordão e o mar da Galileia, a leste. O território fenício lhe ficava ao sul e, a oeste, entre o mar Mediterrâneo e a Galileia. Ao sul e a oeste, ficava Samaria. A maior parte desse território conhecido por Jesus desapareceu sem deixar vestígios. (Ver nota mais detalhada em Lc 1.26.)

2.23: e foi habitar numa cidade chamada Nazaré; para que se cumprisse o que fora dito pelos profetas: Ele será chamado nazareno.

2.23 καὶ ἐλθὼν κατῴκησεν εἰς πόλιν λεγομένην Ναζαρέτ, ὅπως πληρωθῇ τὸ ῥηθὲν διὰ τῶν προφητῶν ὅτι Ναζωραῖος κληθήσεται.

23 Ναζωραῖος κληθήσεται Jz 13.5,7 Is 11.1; 53.2

"**Nazaré**". Essa vila não é mencionada no AT e Josefo, historiador judeu, ao enumerar *quarenta e cinco* cidades da Galileia, não fez menção a Nazaré. A vida de Jesus tornou essa cidade, antes tão obscura, em localidade importante, conhecida por milhões de pessoas daquela época. Provavelmente, muitas *ilustrações* usadas por Jesus, como a do semeador, a do vinho e dos odres etc. baseavam-se em suas memórias da infância, passada na pequena aldeia agrícola. Muitas são as descobertas arqueológicas na região. Ver nota mais detalhada sobre Nazaré, em Lucas 4.16. Parece que o autor do evangelho de Mateus não sabia do fato de a família de José ter base original em Nazaré. Sabe-se disso em Lucas 2.39. Isso também mostra que os evangelistas escreveram seus livros independentemente uns dos outros, apesar de suas fontes de informação em comum.

"**Ele será chamado Nazareno**". Não é citação direta do AT, mas vem de textos como Isaías 11.1, que tem a palavra *ramo* (da qual vem o termo "Nazaré"), referindo-se ao Messias; e esses textos provavelmente estavam na mente do autor ao fazer a "citação". Outras profecias sem a palavra exata, mas que expressam a mesma ideia, provavelmente formaram a base dessa "citação". (Ver Jr 23.5; 33.15; Zc 3.8 e 6.12.) Assim, pois, o Messias seria o "ramo" ou "renovo" da família de Davi.

"**Nazareno**". Ainda que para nós seja título famoso, por causa de Cristo, naquele tempo geralmente era usado como termo de menoscabo (Jo 1.46; 7.52). No plano terreno, Jesus não era uma árvore grandiosa, como filho reconhecido da casa real de Davi, mas tão-somente um renovo de Jessé. Todavia, sua grande estatura finalmente propagou a sua fama pela terra inteira. Alguns comentaristas relacionam a palavra "nazareno", em sua conexão com Cristo, aos indivíduos conhecidos por "nazireus" (Nm 6.2,13,18,19,20), os quais faziam certos votos difíceis de serem cumpridos, pois se consagravam a Deus. Esses comentaristas aplicam a ideia a Cristo, pensando que, na qualidade de nazareno, teria ele o mesmo propósito dos *nazireus*. Assim interpretaram Tertuliano, Jerônimo, Erasmo, Calvino, e alguns comentaristas modernos. A despeito de essa interpretação concernente à dedicação especial de Jesus ser razoável, o autor do evangelho de Mateus não parece querer destacá-la aqui. Acrescenta-se a isso o fato de, no hebraico e no grego, essas duas palavras terem grafia diferente. Há também alguma razão na interpretação que diz que Jesus seria desprezado como habitante de Nazaré, mas parece que não é isso que o autor ensina aqui. Antes, quer mostrar principalmente que Jesus pertencia à família de Jessé, que era o *"Renovo"* de Davi, e que o lugar onde morou em criança e onde deu início ao seu ministério fora escolhido por Deus, apesar das diversas circunstâncias que poderiam ter servido de obstáculo.

280 |Mateus| NTI

Capítulo 3

I. OS PRIMÓRDIOS (1.1—4.25)
7. Ministério de João Batista (3.1-12)

Apesar de esta seção ter paralelo tanto em Marcos como em Lucas, provavelmente sua fonte é o *protomarcos*. Ver informação sobre as fontes dos evangelhos na seção intitulada "O Problema Sinóptico", na introdução a este comentário e na introdução ao evangelho de Marcos. Marcos chama João de "aquele que batiza" (1.4) e Mateus lhe dá o título forma: o Batista. Neste caso, o deserto é a região montanhosa a oeste do Mar Morto, e provavelmente inclui o vale do Jordão. João anunciava o reino, a justiça e a condenação. O dia da expiação incluía confissão e arrependimento gerais. João mostrou que isso não bastava. O arrependimento tem de ser pessoal, visando à entrada no "reino do céu (ou de Deus)", do qual Cristo é o rei. Evitamos o arrependimento autêntico lançando a culpa de nossos pecados sobre as instituições, sobre o *governo, o matrimônio, a igreja* etc., e consolamo-nos dizendo que os males existentes nas instituições livram-nos de culpa. Frisamos ou exageramos os pecados de outros e diminuímos a gravidade dos nossos. Talvez os nossos pecados nos ceguem de tal modo que não nos podemos arrepender, a não ser por interferência especial de Deus (e isso parece ser ensinado em trechos como At 5.31; 11.18; Rm 2.4; 2Tm 2.25). Não obstante, João requeria que os homens se arrependessem, exigência essa repetida por Jesus. Deus se apresentou, na cruz de Cristo, provendo arrependimento verdadeiro.

A seção 31—4.11 forma a introdução à história do ministério de Jesus. Ver também Marcos 1.1-8; Lucas 3.1-18. Conforme é comum neste evangelho, não há nenhuma indicação exata sobre o tempo, mas uma expressão indefinida, *naqueles dias*. Em contraste, Lucas 3.1,2 dá os detalhes exatos do tempo, fazendo confrontos históricos (ver as notas em Lucas). Além da escassa informação sobre a juventude de Jesus (dada em Lc 2.40-52), nada mais sabemos de sua vida até o início de seu ministério, a menos que aceitemos as histórias fabulosas sobre o jovem Jesus, expostas nos evangelhos apócrifos. O mais provável é que pouquíssimo desse material seja fidedigno. Gostaríamos de saber como Jesus cresceu e se desenvolveu, como atingiu o elevado nível que possuía. Segundo certas indicações dos relatos dos evangelhos, parece provável que ele tenha tido muito contacto com os líderes religiosos dos judeus, tendo deles recebido instrução religiosa e tendo sido instruído por professores especiais, cujos nomes e influências jamais saberemos. O que se aprende dos evangelhos é que Jesus, como João Batista, rejeitou a religião corrente e não concordou com o modo com que os líderes praticavam a religião revelada. Desenvolveu certo espírito antifarisaico, e logo foi afastado da comunidade religiosa regular. Identificou-se, então, com outro rebelde, João Batista. E assim identificou-se com aqueles que esperavam o "reino de Deus", o advento do Messias. Não podemos deixar de pensar que na atitude de Jesus havia o espírito de reforma, talvez até de revolução. Se fizermos o cálculo baseados nos evangelhos sinópticos — Mateus, Marcos e Lucas —, então seu ministério teria durado apenas um ano. Se nesse cálculo incluirmos o evangelho de João, então seu ministério teria durado três anos. Tanto em um como em outro caso, pode-se compreender que era impossível a indivíduos como Jesus ou João Batista continuar por longo tempo naquele tipo de sociedade, cuja religião era tão severa, mas sem o *Espírito de Deus*. Assim sendo, as palavras de Jesus, nas parábolas e nos discursos, não eram tão extemporâneas como os homens usualmente pensam: eram fruto de anos de meditação séria, reunindo coisas velhas, da verdadeira religião antiga dos judeus, com as coisas novas de seu direito como Messias. Ver nota sobre o ministério de Jesus, que contém certas ideias da vida dele, antes de seu ministério, em Lucas 1.4. Essa nota dá o esboço de seu ministério.

3.1: Naqueles dias apareceu João, o Batista, pregando no deserto da Judeia,

3.1 Ἐν δὲ ταῖς ἡμέραις ἐκείναις παραγίνεται Ἰωάννης ὁ Βαπτιστὴς κηρύσσων ἐν τῇ ἐρήμῳ τῆς Ἰουδαίας

<hr>

1 δε ℵBW fr fr3 565 pm lat ς; R] om D 28 700 al it syʳ

Há indícios de que João Batista pertencia ao grupo chamado *essênios*, informação essa que nos vem dos *papiros* do Mar Morto. A comunidade de *Qumram* — nome de uma antiga ruína, a noroeste do Mar Morto — não pode ser identificada como Gomorra, e o sentido de seu nome é incerto. Foram feitas escavações em Khibert qumram (ruínas de Qumram), de 1951 a 1955. Acredita-se que o local tenha sido habitado por vários povos, no decorrer dos séculos, mas as fases mais interessantes são aquelas relacionadas ao povo dos papiros do Mar Morto e à seita religiosa judaica dos essênios. Era um grupo de ascetas judeus que existiu de II a.C. a II d.C. Nossas fontes de informação sobre a seita são Josefo, Filo, de Alexandria, Plínio, o Velho, e Hipólito. Era seita purista e separatista, rejeitava a escravidão, praticava o celibato e intenso ascetismo, muito do que por obediência a regras prescritas. Provavelmente, são corretas as opiniões que dizem que surgiu, inicialmente, como grupo separado, em protesto contra a corrente principal do judaísmo, em face da decadência moral da mesma. Os de fora eram reputados "filhos das trevas" e exigiam o rito batismal, uma espécie de purificação, para todos os convertidos. O descobrimento dos papiros do Mar Morto é *importantíssimo* para o estudo do AT, visto que muitos manuscritos são livros inteiros dessa porção da Bíblia. Ao todo, cerca de 330 mss foram encontrados, e cerca de um pouco menos de um terço desse total pertence ao AT. Os mais completos são os de Isaías, Deuteronômio, Salmos e Profetas Menores. Cada livro do AT é representado por algum fragmento, menos o livro de Ester. Quanto ao estudo do NT, os mss mais importantes estão relacionados aos essênios, como o *Manual de Disciplina* e outros documentos, que fornecem detalhes sobre a vida, práticas e ideias dos essênios. Esses são especialmente importantes, porquanto é crença geral que João Batista foi membro dessa seita, tendo sido educado entre eles. Assim sendo, fica esclarecido o fato do seu batismo e suas práticas ascéticas. Ainda que os essênios esperassem pelo Messias, a interpretação por eles dadas às Escrituras sobre a questão indicava o ministério de três personagens separadas, mas que os cristãos, de modo geral, enfeixam exclusivamente em Jesus. Alguns sugerem que talvez João tivesse rompido relações com a seita, ou pelo menos se tivesse separado dela devido à esperança messiânica, crendo que os essênios não estavam preparando a nação para a vinda do Messias, como era de seu dever. Testes de carbono 14 têm determinado o que muitos eruditos supunham: que os manuscritos devem ser datados entre 175 a.C. e 225 d.C.

João Batista era filho do sacerdote Zacarias e Isabel (Lc 1.15-25). Era aparentado de Jesus, talvez primo (ver Lc 1.36). A palavra usada não indica qual a relação definida de parentesco.

"Deserto da Judeia". Refere-se às terras de pastagem entre as colinas centrais, o rio Jordão e o Mar Morto. Nem todas essas terras ficavam na Judeia, mas todas tinham o mesmo tipo e aparência. Situavam-se ao norte de Jerusalém.

3.2: dizendo: Arrependei-vos, porque é chegado o reino dos céus.

3.2 [καὶ] λέγων, Μετανοεῖτε, ἤγγικεν γὰρ ἡ βασιλεία τῶν οὐρανῶν.

<hr>

2 Μετανοεῖτε... οὐρανῶν Mt 4.17; 10.7; Mc 1.15

"Arrependei-vos" significa algo como "pensai de modo diferente"; mas essa ideia literal tem sido modificada pelos escritores do NT, incluindo ideias de mágoa, pesar, regeneração, sentimento de tristeza etc. Uma boa lição para os professores de NT é assim indicada, a saber, os conceitos são determinados em relação aos seus sentidos, pelo uso e ensino do texto, e dificilmente por simples definições de palavras. Ver notas detalhadas sobre o arrependimento, em Marcos 1.15 e Mateus 21.29.

"**Reino dos céus**" é expressão peculiar a Mateus (cerca de trinta vezes nesse evangelho). É mais usada do que "reino de Deus". Obviamente, João a usa aqui referindo-se a uma ordem especial de Deus a ser estabelecida na terra; mas, em outra parte, parece aludir ao testemunho cristão, dirigido por Deus, independentemente de qualquer reino no sentido literal da palavra. É reino dos céus porque sua origem, seus propósitos e seu rei são de origem e orientação divinas. Daniel 2.34-45 indica que, em seu aspecto futurista, esse reino será literalmente dirigido por Deus, na terra. A ideia básica desse reino é a sujeição de todas as coisas a Deus, no presente ou no futuro. É provável que o "reino de Deus" seja sinônimo de "reino dos céus", mas em alguns casos pode ter sentido mais restrito, como em João 33,5-7, onde se vê que ninguém pode entrar o "reino de Deus" sem o novo nascimento. Nesse caso, seja ele chamado "reino de Deus" ou "reino dos céus", refere-se àquele reino do alto, onde Deus está, o qual é um aspecto do reino que pode ser chamado "dos céus" ou "de Deus". O fato de Marcos e Lucas dizerem "reino de Deus", quando Mateus diz "reino dos céus", indica que essas expressões são sinônimas. Há muitos aspectos diversos desse reino. Assim, podemos dizer que ele está "entre nós" ou *em nós*, ainda que seja um reino superior, no qual só se entra por meio do novo nascimento. Mais adiante, pode ser considerado "não deste mundo", mas igualmente "deste mundo", quando o termo pode ser aplicado novamente ao reino ou região do testemunho cristão no mundo, ou ainda pode referir-se a uma lei divina futura. Os autores dos evangelhos não pretendem separar os diferentes aspectos da ideia pelo simples fato de usarem as expressões "reino de Deus" ou "reino dos céus", para exprimir coisas diversas, pois, de fato, Marcos, Lucas e João nunca usam a expressão "reino dos céus". As diferenças devem ser captadas pelo uso do contexto, mais do que por uma forma ligeiramente diferente da usual. O uso principal refere-se ao reino literal do Messias, neste mundo, e foi isso que João anunciou principalmente. Antes da chegada de Jesus ao mundo, os judeus começaram a pensar em Deus em termos transcendentais, o Deus dos céus, o Deus que está nos céus. Assim sendo, a palavra "céus" ou "céu" tornou-se sinônimo de "Deus". Portanto, "reino de Deus" e "reino dos céus" são sinônimos. O céu é um eufemismo para Deus. Os judeus mostravam-se relutantes em pronunciar o nome divino, portanto a substituição de Deus por "céus" seria natural.

"Está próximo". Expressão usada no grego para ambas as ideias: espaciais e temporais. Indica, em ambos os casos, aproximação literal da coisa mencionada. É usada para denotar cumprimento escatológico; aqui, em particular, indica a vinda do reino de Deus sobre a terra, no seu dia.

3.3: Porque este é o anunciado pelo profeta Isaías, que diz: Voz do que clama no deserto: Preparai o caminho do Senhor, endireitai as suas veredas.

3.3 οὗτος γάρ ἐστιν ὁ ῥηθεὶς διὰ Ἡσαΐου τοῦ προφήτου λέγοντος,
φωνὴ βοῶντος ἐν τῇ ἐρήμῳ, Ἑτοιμάσατε τὴν ὁδὸν χυρίου, εὐθείας ποιεῖτε τὰς τπίβους αὐτοῦ.

3 φωνὴ...αὐτοῦ Is 40.3

3 αυτου] (Is 40.3) του Θεου ημων b syrᶜ Ir

"**Preparai o caminho do Senhor**". Mateus cita Isaías 40.3 apenas; Marcos, porém, também alude a Malaquias 3.1. Todos os quatro evangelhos citam as palavras de Isaías 40.3. A citação apresenta João como preceptor que habilmente reúne a velha e a nova dispensações. Nem todos os obstáculos foram removidos do caminho do Senhor; sua glória foi parcialmente ofuscada. Outros preceptores vieram e virão e, finalmente, seu conhecimentos será universal, quando ele tomar posse da soberania do governo universal. Esse versículo faz alusão à *prática* dos reis orientais. Muitas

vezes, arautos eram enviados a preparar as estradas para a chegada do rei. Os arautos "melhoravam" as estradas velhas e construíam estradas novas. Às vezes, era mister remover pedras que os agricultores jogavam nos caminhos, depois de arrancá-las da terra. Todos os arautos tinham a tarefa de elevar certas porções das estradas e rebaixar outras, isto é, aplainavam o terreno. Ver nota em Lucas 3.5 quanto a outros detalhes. Lucas cita algo mais no seu versículo paralelo (3.5): "Todo vale será aterrado, e nivelados todos os montes e outeiros; os caminhos tortuosos serão retificados, e os escabrosos, aplainados". O resultado será: "... e toda a carne verá a salvação de Deus" (3.6). A citação feita por Mateus vem da Septuaginta.

3.4: Ora, João usava uma veste de pelos de camelo e um cinto de couro em torno de seus lombos; e alimentava-se de gafanhotos e mel silvestre.

3.4 Αὐτὸς δὲ ὁ Ἰωάννης εἶχεν τὸ ἔνδυμα αὐτοῦ ἀπὸ τριχῶν καμήλου καὶ ζώνην δερματίνην περὶ τὴν ὀσφὺν αὐτοῦ, ἡ δὲ τροφὴ ἦν αὐτοῦ ἀκρίδες καὶ μέλι ἄριον.

4 τὸ ἔνδυμα...ὀσφὺν αὐτοῦ 2Rs 1.8

João Batista *é o Elias do NT*: (comparar com 2Rs 1.8), usando até mesmo seu estilo de roupa. Evidentemente, o manto de pelos (tecido), não era a pele do camelo. Era um tecido muito rústico, do qual também se faziam tendas.

"**Gafanhotos**". Diversos escritores antigos concordam em que o povo pobre comia gafanhotos, e assim não se pode aceitar a interpretação de que eram gafanhotos simbólicos, como dizem alguns, alegando que a referência é a um tipo de planta ou a outra coisa com nome semelhante. (Ver Lv 11.22; Plínio ii.29; vi.30.)

A referência em Levítico mostra que diversos tipos, talvez três ou quatro, eram usados como alimento. Lemos, também, que os gafanhotos eram vendidos nos mercados de países como a Arábia.

"**Mel**": de abelhas ou de árvores, porque ambos os tipos se encontravam na região onde João habitava. Diversos tipos de árvores produzem certo mel, como a figueira e algumas palmeiras. O mel de abelhas era considerado uma delícia, pelo que achamos que João usou outro tipo de mel como alimento, que estaria mais de acordo com a sua personalidade.

3.5: Então iam ter com ele os de Jerusalém, de toda a Judeia, e de toda a circunvizinhança do Jordão,

3.5 τότε ἐξεπορεύετο πρὸς αὐτὸν Ἱεροσόλυμα καὶ πᾶσα ἡ Ἰουδαία καὶ πᾶσα ἡ περίχωρος τοῦ Ἰορδάνου,

É grande a *implicação* destas palavras. Elas não se referem apenas a indivíduos dos lugares vizinhos, mas de diversos distritos, e de todas as cidades desses distritos. Lucas diz *multidões* (Lc 3.7). Naqueles tempos, um profeta era um fenômeno raro, e naturalmente motivava intensa atração. Marcos diz "todos os habitantes de Jerusalém", o que mostra que até a capital foi atingida, embora fosse difícil de ser atingida com tais movimentos.

3.6: e eram por ele batizados no rio Jordão, confessando os seus pecados.

3.6 καὶ ἐβαπτίζοντο ἐν τῷ Ἰορδάνῃ ποταμῷ ὑπ' αὐτοῦ ἐξομολογούμενοι τὰς ἁμαρτίας αὐτῶν.

6 ποταμω] om D fl3 28 700 al lat ς

Provavelmente, o batismo foi por *imersão*, segundo o costume judaico. A imersão era símbolo da purificação do corpo inteiro. Os convertidos ao judaísmo passavam pelo rito. O fato da necessidade de João escolher um local onde houvesse um *rio* indica também o modo de batismo. Sobre a seita dos *essênios*, lemos que passar pelo rito era necessário ao convertido, sendo reputado símbolo da purificação do pecado. O batismo de João não era nem o batismo cristão e nem, diretamente, um batismo judaico, mas foi um batismo dos essênios, segundo a tradição deles, que no princípio

282 |Mateus| NTI

tomaram de empréstimo o rito dos judeus. João fez a aplicação do rito a si mesmo, para indicar o arrependimento, como preparação para o recebimento do Messias e o estabelecimento do reino de Deus na terra. Considerando esses fatos, podemos ver que era uma novidade, pois apesar de ter base na seita dos essênios, também tinha raízes na religião revelada do AT. O batismo de João diferia do batismo cristão no fato de este ter mais profundas implicações da realidade espiritual do que o de João. Os judeus costumavam batizar os gentios que abraçavam o judaísmo. João tratava os judeus como gentios, exigindo que se arrependessem, para então receber o sinal do batismo, sem se importar se eram descendentes de Abraão e se tinham os privilégios religiosos da nacionalidade. O *simbolismo* do seu batismo era a purificação dos pecados. A principal ideia simbólica do batismo cristão é a identificação com Cristo, nas realidades espirituais de sua morte e ressurreição. Não podemos reputar o termo "batismo", ou nenhum outro termo, com o mesmo sentido, em todos os casos. Há diversos "batismos" (ver explicação nas notas em Rm 6.3). A confissão pessoal de pecado era uma novidade em Israel, a despeito do costume da confissão como nação, realizada em dias especiais, como o dia da expiação (ver Nm 5.7). Mais tarde, a confissão pessoal passou a fazer parte do rito cristão, e assim o rito de João participou da formação do caráter do rito cristão.

3.7: Mas, vendo ele muitos dos fariseus e dos saduceus que vinham ao seu batismo, disse-lhes: Raça de víboras, quem vos ensinou a fugir da ira vindoura?

3.7 Ἰδὼν δὲ πολλοὺς τῶν Φαρισαίων καὶ Σαδδουκαίων ἐρχομέους ἐπὶ τὸ βάπτισμα αὐτοῦ εἶπεν αὐτοῖς, Γεννήματα ἐχιδνῶν, τίς ὑπέεειξεν ὑμῖν φυγεῖν ἀπὸ τῆς μελλούσης ὀργῆς;

7 Γεννήματα ἐχιδνῶν Mt 12.34; 23.33; Lc 3.7

τίς...ὀργῆς Mt 23.33; Lc 21.23; Rm 1.18; 2.5; 5.9; Ef 5.6; Cl 3.6; 1Tm 1.10; Ap 6.16,17

> Apesar da confirmação externa bastante rala (א* B cop^{sa} Orígenes Hilário), a comissão preferiu a forma ἐπὶ τὸ βάπτισμα, sem nenhuma adição, considerando a presença de αὐτου após βάπτισμα, nos outros testemunhos (ou Ἰωάννου em 346), como uma expansão natural introduzida por escribas. Se o possessivo estivesse originalmente presente, não parece haver boa razão para ter sido apagado.

"Fariseus". Ver nota *detalhada*, em Marcos 3.6. O nome significa "separados". Alguns a consideram palavra de sentido incerto. Os fariseus surgiram como grupo distinto em cerca de 140 a.C. Geralmente eram pessoas comuns, do povo, em contraste com os saduceus. No princípio, o movimento tinha por intuito defender e purificar a fé ortodoxa. Eram eles os porta-vozes da opinião das massas. Após algum tempo, o desenvolvimento de pesado legalismo ritualista obscureceu os seus propósitos originais. Os fariseus, tal como os saduceus, constituíam o "concílio", ou *sinédrio*, que era o principal tribunal judaico. (Ver nota em Mt 22.23.) No tempo de Jesus, havia mais de 6.000 fariseus, e exerciam grande autoridade em Israel.

"Saduceus". Ver nota detalhada em Mateus 22.23. Usualmente, o sentido da palavra é considerado como originado de Zadoque, sumo sacerdote do tempo do rei Davi. Assim sendo, os saduceus seriam os sacerdotes, descendentes ou adeptos de Zadoque. Compunha-se a seita de elementos de maior vulto, os mais ricos e poderosos da população, ao contrário dos fariseus, que usualmente vinham da massa do povo. Recebiam o Pentateuco como base religiosa, mas nem sempre usavam apenas o Pentateuco, como alguns creem. Rejeitavam a tradição como autoridade. A negação da existência além-túmulo (imortalidade e ressurreição) parece ter sido desenvolvimento de suas doutrinas, mas não elemento inicial. Em geral negavam a autoridade dos profetas, como também as doutrinas que reputavam recentemente desenvolvidas, como as doutrinas dos anjos e espíritos. Esses grupos aproximaram-se de João Batista levados especialmente pelo ciúme, pelo ódio e pela curiosidade, desejando assistir ao espetáculo de um profeta moderno. Quanto tempo foi mister para que manifestassem sua oposição a João, não sabemos dizer, mas o testemunho dos evangelhos é que, como grupo, nunca aceitaram João como profeta. A expressão "ao batismo" não implica, necessariamente, no sentido "contra o batismo", conforme alguns interpretam, nem "para serem batizados". Provavelmente, vieram como espectadores.

"Raça de víboras". Talvez aluda ao diabo como serpente; mas também pode ser só símbolo de serpente, pessoa venenosa, enganadora, maliciosa. Ver Salmos 58.5 e Isaías 14.29. Os campos eram habitados por serpentes de vários tipos bem conhecidos pelo povo. O sentido da alusão foi claro.

"Fugir da ira". A referência provável foi ao costume que havia de se queimar toda a erva daninha, como preparação para o plantio. Naturalmente que quando o fogo começava, serpentes de muitos tipos eram postas em fuga. A visão das serpentes fugindo do fogo ilustrava bem a conduta dos fariseus e dos saduceus. A pregação de João Batista versava sobre a ira de Deus, não só em relação ao juízo comum, mas especialmente em relação à vinda do *Messias*. A chegada do Messias sempre foi ligada à grande ira de Deus e essa doutrina era pregada pelos próprios fariseus. Era crença comum que os tempos do Messias não chegariam sem tribulações, grandes sofrimentos sem precedentes e sinais da ira de Deus. (Ver nota em 2-3). Provavelmente, João pensou que aqueles homens pudessem sentir o arrependimento, ainda que em pequeno grau, mas não creu que essa pudesse ser experiência profunda e de grande valor.

3.8: Produzi, pois, frutos dignos de arrependimento,

3.8 ποιήσατε οὖν καρπὸν ἄξιον τῆς μετανοίας

Ver nota detalhada sobre o *arrependimento* em Mateus 3.2; 21.29 e Marcos 1.15. João falava da *intenção aparente*, e exigia provas. O versículo ensina que João não reputava a confissão de pecados e o batismo como suficientes para efetivação da salvação. A fé e o arrependimento autênticos são acompanhados pela mudança de vida; e sem isso, a confissão e o batismo não têm valor. Lucas 3.11-14 acrescenta detalhes à história e ilustra os "frutos" do arrependimento com generosidade (oferecimento da roupa e da comida necessárias) a pessoas mais necessitadas; honestidade no manuseio do dinheiro; tratamento misericordioso para com outros; respeito às autoridades e satisfação nas coisas materiais. Assim como o "fruto" é o produto característico da árvore, também a palavra aplicada aos homens indica o resultado característico da natureza. O arrependimento, pois, deve incluir a mudança da natureza, apesar do fato de a palavra, em si mesma, não significar isso. Qualquer indivíduo pode realizar coisas boas; mas somente o homem convertido produz frutos por sua natureza.

3.9: e não queirais dizer dentro de vós mesmos: Temos por pai a Abraão; porque eu vos digo que nem mesmo destas pedras Deus pode suscitar filhos a Abraão.

3.9 καὶ μὴ δόξητε λέγειν ἐν ἑαυτοῖς, Πατέρα ἔχομεν τὸν Ἀβραάμ, λέγω γὰρ ὑμῖν ὅτι δύναται ὁ θεὸς ἐκ τῶν λίθων τούτων ἐγεῖραι τέκνα τῷ Ἀβραάμ.

9 Πατέρα...Ἀβραάμ Jo 8.33,37,39; Rm 4.12

Os v. 7-12 apresentam um *esboço da pregação* de João Batista, tal como os capítulos 5 a 7 apresentam as principais palavras e ensinos de Jesus. Não há que duvidar de que João tenha proferido essas palavras em mais de uma ocasião. Representam sua mensagem principal.

"Pai a Abraão". Nessa expressão estão incluídos o pensamento secreto de todo judeu, o espírito nacional, o *orgulho religioso* ensinado às crianças, que formam o elemento fundamental e indicam o estado e a posição privilegiados da nação de Israel. O que pensavam é que isso bastava para que recebessem qualquer bênção de Deus, inclusive a salvação. A repetição das profecias sobre o destino de Israel confirmaria essa atitude perante a maior parte do povo. A ideia é que seria impossível que Deus rejeitasse seu povo. Essa esperança parece ter certa razão, mas tanto João como Jesus rejeitaram a ideia de que isso dava garantia ao indivíduo. Em Romanos 9, Paulo reconhece o valor dos privilégios do povo de Israel, mas também não concorda que, sem a aceitação por parte do indivíduo, ele obtenha daí qualquer bênção; pelo contrário, isso resulta apenas em julgamento mais severo. Em contraste, os escritos dos rabinos declaram abertamente a ideia da salvação só pelo fato de alguém ser filho de Abraão. Alguns entre os pais da Igreja e entre os intérpretes modernos veem nessas palavras uma profecia da administração do evangelho aos gentios. Irineu observou que "cada dia" Deus faz filhos a Abraão — das pedras — do "deserto dos gentios". Dessas pedras é que tem sido edificada a igreja (Ef 2).

3.10: E já está posto o machado à raiz das árvores; toda árvore, pois, que não produz bom fruto, é cortada e lançada no fogo.

3.10 ἤδη δὲ ἡ ἀξίνη πρὸς τὴν ῥίζαν τῶν δένδρων κεῖται πᾶν οὖν δένδρον μὴ ποιοῦν καρπὸν καλὸν ἐκκόπτεται καὶ εἰς πῦρ βάλλεται.

_{10 πᾶν ...βάλλεται Mt 7.19; Lc 13.7,9; Jo 15.6}

"Machado à raiz das árvores". Sem dúvida, essas palavras foram usadas muitas vezes, por João, para indicar que, apesar do fato de o Messias vir da nação de Israel, cada árvore, cada indivíduo, deve apresentar as evidências (e a natureza transformada por trás dessas evidências) de uma relação verdadeira com Deus. O v. 9 mostra que o julgamento de Israel era possível. O v. 10 mostra que esse juízo não apenas era possível, mas que estava próximo. A linguagem é *pessoal*, e não fala definidamente de juízo nacional, mas de indivíduos. Qualquer pessoa do povo entenderia que seria mister eliminar as árvores que produzissem maus frutos ou que não produzissem fruto de espécie nenhuma. Provavelmente, muitos deles já haviam cortado e queimado "árvores inúteis". Eles se lembrariam também de palavras semelhantes, do AT, como em Isaías 5.1-7; Jeremias 2.21; 11.16. João fala de um juízo completo, porquanto o machado está "à raiz" das árvores, o que não implica em limpeza ou podadura, mas em julgamento total.

3.11: Eu, na verdade, vos batizo em água, na base do arrependimento; mas aquele que vem após mim é mais poderoso do que eu, que nem sou digno de levar-lhe as alparcas; ele vos batizará no Espírito Santo, e em fogo.

3.11 ἐγὼ μὲν ὑμᾶς βαπτίζω ἐν ὕδατι εἰς μετάνοιαν ὁ δὲ ὀπίσω μου ἐρχόμενος ἰσχυρότερός μού ἐστιν, οὗ οὐκ εἰμὶ ἱκανὸς τὰ ὑποδήματα βαστάσαι αὐτὸς ὑμᾶς βαπτίσει ἐν πνεύματι ἁγίῳ καὶ πυρί

_{11 ἐγὼ... ὕδατι Jo 1.26,31,33; At 1.5; 11.16 βαπτίζω...μετάνοιαν At 13.24; 19.4}

_{ὁ δὲ...ἐρχόμενος Mt 11.3; Jo 1.15 οὗ...βαστάσαι At 13.25 αὐτὸς...ἁγίῳ Jo 1.33; At 1.5; 11.16}

Essas palavras se encontram entre as de João por *duas* razões. 1. Como explicação da grandeza do Messias, muito maior que a de João; 2. Para esclarecer e certificar que João não era o Messias. Provavelmente, quando sua fama aumentou, certas pessoas o teriam identificado com o Messias profetizado. Não é impossível que essa ideia fosse comum e tivesse grande circulação. Não podemos sentir o grande poder de João porque o NT não destaca a sua pessoa. Entretanto, o próprio Jesus disse que João era o maior dos profetas (Mt 11.7-11); e João 11.19-23 mostra que os líderes dos judeus pensavam que João era o Cristo, ou pelo menos que se apresentava como tal. A história mostra que alguns dos discípulos de João continuaram como seita separada do cristianismo, seita essa que perdurou por muitos anos, mesmo após a ressurreição de Jesus. Atos 19.1-7 mostra exatamente isso. Sabendo desses fatos, podemos perceber com mais clareza por que o próprio João teve o cuidado de exaltar a Cristo, e não a si mesmo.

"Cujas sandálias não sou digno de levar". Entre os deveres dos escravos havia o de carregar e cuidar das sandálias de seus senhores. Lucas fala ainda mais claramente: "... do qual não sou digno de desatar-lhe as correias das sandálias..." (Lc 3.16). João dizia, com essas palavras, que ele mesmo não era digno de cumprir os deveres de escravo de Jesus. Lemos que esses deveres eram dados aos escravos de classe mais vil, e que esse costume era conhecido e praticado entre os gregos, os romanos e os judeus. Portanto, João queria dizer que não ocupava nem a posição do mais *vil escravo*, em comparação com a glória da posição de Jesus.

"Batizo com água". O ministério de João era o de salvar, e assim notamos que o batismo não tem mérito por si mesmo. Esse batismo era *símbolo* do arrependimento, e não o próprio arrependimento. Era algo que servia para atrair a atenção do povo, preparando-o e orientando-o para receber o batismo real, o batismo de Jesus Cristo, o ministério espiritual do Messias. Nesse ministério, reside o poder real, a verdadeira vida, que o batismo com água (ou seja, o ministério pessoal de João) jamais poderia produzir.

"Batizará com o Espírito Santo e com fogo". Há várias interpretações dessas palavras: 1. Alguns acham que aqui temos dois batismos, um do Espírito e outro de fogo, e que este último fala de juízo, provavelmente até do inferno. Assim interpretaram Orígenes e outros pais da Igreja — Neander, Meyer, de Wette, Lange, e outros modernos; 2. outros acham que o *fogo*, neste caso, significa o fogo que destruirá o mundo no último dia; 3. outros relacionam esse fogo com o purgatório. Essas interpretações falham ao considerar que o "fogo" do v. 11 e o fogo do v. 12 não falam do mesmo ministério de Cristo. O ministério do Espírito seria com "fogo", assim como o ministério de João foi com "água". É verdade também que Cristo julgará (v. 12), e que o fogo é símbolo de juízo. O Cristo tem por ministério limpar, purgar, e isso será para aqueles que aceitarem o ministério do Espírito Santo; 4. A interpretação mais aceita é de que o fogo do v. 11 indica o caráter do *batismo do Espírito*. Talvez o modo em que ele veio (no Pentecoste) tenha sido como vento, dotado de poder, força, como se fora um fogo impelido pelo vento; e quanto aos seus feitos seria isso a purificação do povo de Deus (na qualidade de fogo produziria a purificação) e a transmissão de poder (usando a força do fogo). Temos, pois, uma dupla referência aos efeitos do fogo: o primeiro, de limpar, de purgar o bem; o outro, de destruir o mal. Marcos 4.9 contém uma referência semelhante, e pode ser usado como ilustração. O símbolo do batismo do Espírito (fogo) e o caráter e os resultados desse batismo mostram a superioridade do ministério de Jesus, em contraste com o de João.

Os manuscritos descobertos entre os *Papiros do Mar Morto* ilustram fartamente que os essênios (com quem João evidentemente se associou) eram uma seita que praticava o batismo, requerendo batismo de arrependimento para os convertidos, além de praticarem outras abluções entre eles. Os hinos de Qumran falam de batismo de fogo, tais como um rio em chamas que engolfaria os "lançados fora"; e alguns bons intérpretes reputam esse batismo de fogo como algo que se refere ao juízo. Parece bem certo, porém, a despeito do conhecimento de João sobre tais ideias, que ele usa da ideia como algo benéfico, que visava ao remanescente arrependido, e não aos incrédulos.

3.12: A sua pá ele tem na mão, e limpará bem a sua eira; recolherá o seu trigo ao celeiro, mas queimará a palha em fogo inextinguível.

3.12 οὗ τὸ πτύον ἐν τῇ χειρὶ αὐτοῦ, καὶ διακαθαριεῖ τὴν ἅλωνα αὐτοῦ, καὶ συνάξει τὸν σῖτον αὐτοῦ εἰς

284 |Mateus| NTI

τὴν ἀποθήκην [αὐτοῦ]¹, τὸ δὲ ἄχυρον κατακαύσει πυρὶ ἀσβέτῳ.

12 συνάξει... ἀποθήκην Mt 13.30

1 12 {C} αὐτου εἰς τὴν ἀποθήκην αὐτου B W 1071 1216 eth ᵗᵒ ᵖᵖ (eth^{ms?} εἰς τὰς ἀποθήκας) geo^B // εἰς τὴν ἀποθήκην αὐτου (ver Lc 3.17) L 892 1195 1253 1546 1646 it^{b, ff¹, g¹} syr^{c, s, p, h} arm Irenaeus Ambrose Cyril // αὐτου εἰς τὴν ἀποθήκην ℵ C D^{supp} K Δ f¹ 28 33 565 700 1009 1010 1079 1230 1241 2148 2174 Byz it^{aur, c, d, f, l} vg cop^{sa, bo} Hilary Augustine // εἰς τὴν ἀποθήκην f¹³ 1242 it^{a, q} geo^{1, A} Justin Clement Irenaeus

Se αὐτοῦ após tanto χειρί, quanto ἅλωνα não variar em nenhum manuscrito, (a) alguns testemunhos dizem αὐτοῦ — após σῖτον —, (b) alguns após ἀποθήκην, (c) alguns após tanto σῖτον quanto ἀποθήκην, e (d) alguns poucos não trazem essa palavra em ambos os lugares. A maioria da comissão preferiu a forma (a), com base na evidência externa (ℵ C K Δ f¹ 28 33 565 700 it^{c,d,1} vg cop^{sa,bo}, *al*), e a probabilidade de a forma (b) ter surgido devido à harmonização escribal com o paralelo em Lucas 3.17 (onde o texto é virtualmente firme). A forma (c) parece resultar de expansão escribal (frisando que o Messias possui não só a pá mas também a eira, e também o trigo e o celeiro), ao passo que a forma (d) parece ter surgido em defesa da pureza literária.

"A pá ele tem na mão". A pá era um instrumento de madeira, usado para separar o trigo da palha. A ideia apresentada aqui é a de *urgência*. A vinda de Cristo já chegara, pois ele já estava no meio do povo; já tinha a pá na mão; o tempo da salvação e do juízo já haviam chegado. Naquele instante, o Cristo estava peneirando o trigo, para separá-lo da palha. O fogo já estava esperando a palha, para queimá-la; o celeiro já estava preparado para receber o trigo. Qualquer pessoa, ouvindo isso, poderia sentir a força da ilustração. A maior parte daquele povo já fizera exatamente isso por muitas vezes na vida diária. A pá é o símbolo do *ministério* de Jesus; foram o seu ministério e mensagem que efetuaram a separação, trazendo salvação ou juízo.

"Eira" é um lugar plano, firme, onde se malhavam e trilhavam os cereais e legumes. Para limpar a eira, depois de separado o trigo da palha, era usado o fogo, como modo mais eficaz e completo de limpeza. Alguns acham que o autor, neste passo, não fala de juízo (julgamento dos incrédulos), mas o v. 12 dá continuação à ideia de purificação pelo fogo, que já se encontra no v. 11 (assim Alford e outros). É verdade que o fogo do v. 11 traz essa ideia, e que não fala do juízo de Israel ou do mundo, e nem mesmo dos indivíduos da igreja verdadeira; mas a expressão "fogo inextinguível" certamente indica julgamento, e não purificação. Não podemos pensar em outra coisa, em face dessa referência. Realmente ela fala do inferno ou de doutrina similar. A observação do caráter do fogo produzido pela palha aumenta a força da ilustração: a palha queima com fogo violento, sem controle, ficando inteiramente destruída.

I. OS PRIMÓRDIOS (1.1-4.25)

8. Começa o ministério de Jesus (313—425)

Marcos, o evangelho mais *antigo*, dá a entender que a visão (e talvez igualmente a voz) veio exclusivamente para Jesus, e não para a multidão; e Mateus reproduz isso exatamente. Supomos que a história depende da própria narrativa feita por Jesus, sobre o incidente, talvez transmitida por Pedro, e daí para Marcos. Diferentemente de Marcos, Mateus nos diz especificamente que Jesus deixou a Galileia para receber a experiência do batismo. Foi nessa altura que Jesus recebeu a unção e o poder necessários para o ministério à sua frente. Especulamos sobre o que sucedeu em sua infância, mas inutilmente. Os evangelhos apócrifos tentam preencher esse vácuo, mas criam muitos incidentes dúbios sobre a infância de Jesus, muitos deles contrários ao que se esperaria do "Cristo menino". É provável que a omissão de detalhes concernentes à infância de Jesus sirva apenas de prova de que nada de

especialmente admirável sucedeu durante os primeiros trinta anos da vida de Jesus. Contudo, após o seu batismo, as coisas tornaram-se diferentes, muito diferentes. Subitamente, vindo de um lugar inesperado, da minúscula Nazaré, surgiu um grande profeta em Israel; sim, e muito mais que um profeta.

9. Batismo de Jesus (3.13-17)

Os *gnósticos* ensinavam que um "aeon", um "poder angelical", vindo de alguma dimensão celestial, e não necessariamente o mais elevado deles, veio possuir a Jesus em seu batismo, para então abandoná-lo por ocasião de sua morte. Eles não admitiam nenhuma fusão das naturezas divina e humana em Jesus, não admitiam nenhuma encarnação. (Ver notas completas sobre os "gnósticos", em Cl 2.18; e ver sobre o seu caráter "docético", em 1Jo 4.3). O docetismo é a doutrina que diz que Jesus não tinha um corpo físico real, mas somente "parecia" tê-lo (no grego, "dokeo"; de onde se deriva o termo). Alguns gnósticos eram docéticos, mas outros se aferravam à teoria da "possessão". Em ambos os casos, roubavam de Cristo a sua glória. Por outro lado, o evangelho representa Cristo como preexistente, participante da divindade e encarnado em Jesus (Jo 1.1), pelo que temos uma fusão de ser ou entidade. O batismo, pois, não foi a "feitura" de Jesus, o Cristo. Essa feitura foi a encarnação. Não obstante, seu batismo foi um grande salto à frente, em seu desenvolvimento espiritual como homem; porquanto foi então que ele recebeu o Espírito, para ser o poder de sua vida. E isso também nos está franqueado, conforme certamente é indicado em João 14.12. Portanto, Jesus foi *pela água* (pelo poder de seu batismo), mas também veio "pelo sangue" e por sua encarnação (em sua expiação).

3.13: Então veio Jesus da Galileia ter com João, junto do Jordão, para ser batizado por ele.

3.13 Τότε παραγίνεται ὁ Ἰησοῦς ἀπὸ τῆς Γαλιλαίας ἐπὶ τὸν Ἰορδάνην πρὸς τὸν Ἰωάννην τοῦ βαπτισθῆναι ὑπ' αὐτοῦ.

Início do ministério *de Jesus*. Os paralelos são Marcos 1.15 e Lucas 3.21-33; 4.1-30. A fonte é o protomarcos. Ver informação sobre as fontes dos evangelhos no artigo da introdução a este comentário intitulado "O problema sinóptico" e na introdução ao evangelho de Marcos. Os evangelhos sinópticos indicam que o ministério de Jesus teve um início *formal*. Jesus pregava o arrependimento anunciado por João, porém, mais especificamente, referia-se às boas novas do reino do céu, porquanto veio a fim de estabelecer um reino terreno. Algumas pessoas acham difícil encontrar nas palavras de Jesus declarações específicas quanto à natureza de sua pessoa e missão. Parece que, desde este ponto, nos evangelhos, já há tais declarações. Jesus veio para cumprir toda a justiça e, neste incidente, certamente conhecia e reivindicou sua autoridade messiânica. Termos tais como "Messias", "Filho de Deus", "Filho do Homem", "Profeta", indicam o caráter geral do ofício de Jesus.

A fama de João chegou a Jesus — Esse foi o *sinal* (ou pelo menos um dos sinais) pelo qual Jesus soube que chegara o tempo de seu ministério. Jesus veio da Galileia, onde vivia, provavelmente trabalhando como carpinteiro (talvez o único da localidade) em Nazaré. É provável que José tenha morrido cedo, e que Jesus o tenha substituído na profissão, naquela comunidade. Ver a nota que introduz o capítulo terceiro (3.1), onde há outras observações sobre a vida anterior de Jesus, e sobre a qual não temos informações diretas no NT. Ver a nota sobre o ministério de Jesus (esboço do ministério), em Lucas 1.4. Em contraste com os líderes judaicos, Jesus veio com o propósito de ser batizado por João. Há muitas interpretações sobre as *razões* do batismo de Jesus:

1. Ele foi feito pecado por nós, e assim teria de tomar a posição de pecador necessitado do *batismo de arrependimento*. Passou por essa cerimônia porque tomou a posição de pecador sob a lei. Assim também observou certos dias e costumes dos

judeus, como qualquer pessoa da sua nação. Há muitas razões para rejeitarmos essa interpretação, e somente a aceitamos como argumento teológico. Não é provável que um motivo tão complexo fosse a ideia de Jesus, ao chegar-se a João a fim de ser batizado. 2. Jesus fez isso para justificar e *valorizar* a mensagem de João. Talvez faça parte da razão, mas não é toda a razão. 3. Outras interpretações sem base alguma são como aquela que diz que ele veio "santificar a água para servir de limpeza mística do pecado" (Inácio). Agostinho dizia que Cristo "veio para batizar a água, ao ser batizado nela". *Dificilmente* alguém poderia ver uma razão nessas interpretações. 4. Para *instituir* o batismo como rito da sua igreja; mostrou Cristo, antecipadamente, que isso seria necessário como rito da igreja. 5. Para dar *exemplo* da necessidade do batismo ao povo. 6. Podem-se juntar vários elementos viáveis para formar uma ideia possível: O batismo de Jesus, ainda que ministrado por João, não tem paralelo com o batismo normal de João, exceto que Jesus *tomou seu lugar* junto à minoria crente e mostrou que reconhecia a autoridade e a missão do Batista. Esse batismo marca a unção e a aprovação de Jesus da parte do Pai, tal como no caso dos sacerdotes do AT, e foi ele igualmente aprovado no seu ministério, à semelhança deles (ver Êx 29.4-7). No rito do batismo há uma parte que depende do batizando, e que indica que ele está abandonando a vida velha e entrando em uma nova vida. Jesus estava fazendo exatamente isso, e talvez quisesse mostrar esse fato. A despeito do fato de não ter uma vida de pecado para abandonar, na realidade começava uma vida nova e diferente, sob o poder e orientação do Espírito Santo.

3.14: Mas João o impedia, dizendo: Eu é que preciso ser batizado por ti, e tu vens a mim?
3.14 ὁ δὲ ᾽Ιωάννης διεκώλυεν αὐτὸν λέγων, ᾽Εγὼ χρείαν ἔχω ὑπὸ σοῦ βαπτισθῆναι, καὶ σὺ ἔρχῃ πρός με;

"Dissuadia". Ver nota anterior sobre o poder dessa palavra. Há muitas indagações sobre a razão pela qual João *não queria* batizar Jesus. Talvez João já conhecesse a Jesus, e já soubesse algo sobre sua pessoa, apesar de não termos confirmação disso; ou então, sendo ao extremo sensível espiritualmente, por intuição João compreendeu a grandeza e a missão de Jesus como Messias.

3.15: Jesus, porém, lhe respondeu: Consente agora; porque assim nos convém cumprir toda a justiça. Então ele consentiu.
3.15 ἀποκριθεὶς δὲ ὁ ᾽Ιησοῦς εἶπεν πρὸς αὐτόν, ῎Αφες ἄρτι, οὕτως γὰρ πρέπον ἐστὶν ἡμῖν πληρῶσαι πᾶσαν δικαιοσύνην. τότε ἀφίησιν αὐτόν.

15*fin.*] add et cum baptizeretur, lumen ingens circumfulsit de aqua, ita ut timerent omnes qui advenerant *a*(g¹)

Entre os v. 15 e 16, dois manuscritos latinos (itª vgᵐˢ) descrevem o batismo de Jesus como segue: *Et cum baptizaretur Jesus (omitido Jesus em itª), lumen magnum fulgebat (lumen ingens cricumfulsit, em itª) de aqua, ita ut timerant omnes qui congregati erant (advenerant, em itª)* ["E quando Jesus estava sendo imerso, uma grande luz resplandeceu (uma tremenda luz rebrilhou ao redor) da água, de tal modo que todos quantos estavam ali reunidos temeram".] De acordo com o Isho 'dad de Merv (século IX d.C.) e Dionísio Barsalibi (século XII d.C.), o Diatessarom de Taciano também continha certa alusão à luz. A passagem do *Comentário sobre os evangelhos*, de Isho'dad, é como segue:

"E imediatamente, como testifica o Diatessarom, uma grande luz apareceu, e o Jordão foi rodeado por nuvens brancas, e muitas tropas de seres espirituais foram vistas a entoar louvores no ar;

e o Jordão ficou quieto em seu curso, não sendo perturbadas as suas águas, e dali subiu a fragrância de perfumes; pois os céus se abriram". (M. D. Gibson, tradutor, p. 27).

Quanto desse extrato deve ser reputado como de autoria de Taciano, e quanto pode ter sido extraído de outras fontes (talvez um hino antigo), não se sabe; mas pensa-se que, em vista da observação de Efraem acerca do "brilho da luz sobre as águas" (*Com.* IV.5), pelo menos a alusão à luz no Jordão havia no Diatessarom.

Diversos outros escritores aludem à tradição sobre a luz, incluindo Justino Mártir, o qual diz que, após Jesus ter saído da água, "acendeu-se um fogo no Jordão", (πῦρ ἀνήφθη ἐν τῷ ᾽Ιορδάνῃ, *Dial. c. Tryph*, 88), e também Epifânio, que cita o evangelho dos ebionitas, o qual diria que, após ter vindo a voz do céu, "imediatamente uma grande luz brilhou ao redor do lugar (εὐθὺς περιέλαμψε τὸν τόπον φῶς μέγα, *Panarion haer.* XXX, xiii, 7).

"**Por enquanto**". A implicação dessas palavras é que a posição de inferioridade que Jesus *pareceu assumir*, ao ser batizado no Jordão, foi apenas um ato para cumprir o propósito do momento, ficando bem claro que Jesus, o Messias, na verdade não teria posição inferior à de João. Jesus tinha um "protesto fixo" para cumprir em seu batismo, e ficou satisfeito por correr o risco de ser mal compreendido pelo povo, até que seu ministério provasse o contrário. Alguns acham que assim se cumpriu a profecia de Salmos 40.7,8, mas essa explicação parece subentender mais do que está incluso no acontecimento aqui registrado.

"**Convém cumprir toda a justiça**". Sem maiores explicações que as dadas no próprio texto, temos aqui outro problema. Que significam essas palavras? Há diversas interpretações:

1. Alguns traduzem, "para cumprir todas as ordenanças". Se a palavra pode ter esse sentido, e o autor está falando de simples ordenanças, o problema desaparece de imediato. Minha inclinação é pensar que um sentido mais profundo está oculto aqui. 2. Outros ligam o batismo com a circuncisão, mostrando assim que foi preciso que Jesus recebesse a marca do batismo, no mesmo sentido que era necessário que os judeus recebessem a marca da circuncisão. O batismo seria, então, a circuncisão cristã. Parece que um forte *preconceito* tem criado essa explicação. Dificilmente podemos aceitar que Jesus pretendeu substituir a circuncisão pelo batismo, e que esse tenha sido o seu propósito ao vir para ser batizado. 3. Que Jesus cumprira toda a lei de Moisés em sua vida anterior, faltando apenas o batismo, como símbolo de arrependimento do pecador com o qual ele se identificou. Na história dos judeus, aprendemos que o batismo era reservado aos gentios convertidos ao judaísmo, e não aos judeus. Jesus era judeu, e assim é difícil ver como continuaria a cumprir a lei dos judeus, de Moisés, aceitando o batismo. 4. Para mostrar à igreja *um exemplo* da importância do batismo. 5. Provavelmente, as explicações mais razoáveis são as seguintes: Jesus reconheceu o princípio do arrependimento, "honrou o ministério" de João como seu predecessor e companheiro no ministério da palavra de Deus. Jesus identificou-se com a minoria crente, e assim honrou os seus passos no caminho da justiça. Jesus precisava da consagração dada por Deus no princípio de seu ministério, como os sacerdotes do AT. Todas essas coisas fariam parte da justiça de Deus, em relação à vida e ao ministério de Cristo. Incluindo tudo isso em seu batismo, Jesus "*cumpriu toda a justiça*".

3.16: Batizado que foi Jesus, saiu logo da água; e eis que se lhe abriram os céus, e viu o Espírito de Deus descendo como pomba e vindo sobre ele;
3.16 βαπτισθεὶς δὲ ὁ ᾽Ιησοῦς εὐθὺς ἀνέβη ἀπὸ τοῦ ὕδατος· καὶ ἰδοὺ ἠνεῴχθησαν [αὐτῷ]2 οἱ οὐρανοί, καὶ εἶδεν [τὸ] πνεῦμα [τοῦ] θεοῦ καταβαῖνον ὡσεὶ περιστερὰν [καὶ] ἐρχόμενον3 ἐπ᾽ αὐτόν·

286 |Mateus| NTI

16 εἶδεν...αὐτόν Jo 1.32

² 16 {C} αὐτῷ א¹ C Dˢᵘᵖᵖ K L P W Δ ƒ¹ ƒ¹³ 28 33 565 700 892 1009 1010 1071 1079 1195 1216 1230 1241 1242 1253 1365 1546 1646 2148 2174 Byz Lectᵐ l⁷⁶,¹⁵⁷⁹ itᵃ,ᵃᵘʳ,ᵇ,ᶜ,ᵈ,f,ff²,g¹,ʰ,ʲ vg syrᵖ,ʰ copᵇᵒ arm ethᵖᵖ (ethʳᵒ,ᵐˢ) geoᴵ,ᴬ Irenaeusˡᵃᵗ Hippolytus Eusebius Chrysostom Augustine // omit א* B l²¹¹ᵐ,¹⁰⁴³ᵐ,¹⁶²⁷ᵐ syrᶜ,ˢ copˢᵃ geoᴮ Irenaeus Hilary Vigilius

³ 16 {C} καὶ ἐρχόμενον א^c C D K L P W Δ ƒ¹ ƒ¹³ 28 33 565 700 892 1009 1010 1071 1079 (1195 ξ ξ οὐρανοῦ καὶ ἐρχόμενον) 1216 1230 1241 1242 1253 1365 1546 1646 2148 2174 Byz Lectᵐ l⁷⁶,²¹¹ itᵈ,f,¹ vgᶜˡ syrᶜ,ˢ,ᵖ,ʰ,(ᵖᵃˡ) arm eth geoᴵ,ᴬ Irenaeusᵛⁱᵈ (Hippolytus) (Eusebius) Papyrusᵒˣʸ ⁴⁰⁵ / ἐρχόμενον א* B itᵃ,ᵃᵘʳ,ᵇ,ᶜ,ᵈ,g¹,ʰ vg? copᵇᵒ Irenaeus Hilary Augustine // omit copˢᵃ geoᴮ

²A junção de — א* B, do siríaco antigo e de Irineu, em apoio à mais breve forma, é fortíssima combinação, o que pode ser reputado como texto original. Por outro lado, é possível que copistas, não entendendo a força de αὐτῷ, tenham omitido esse termo como desnecessário. A fim de mostrar o equilíbrio das possibilidades, a comissão incluiu αὐτῷ dentro de colchetes.

³Parece que aqui não houve considerações de cópia ou dogmáticas, e os paralelos não nos ajudam a decidir entre as formas com ou sem καί. Com base na diversidade dos grupos textuais que apoiam καὶ ἐρχόμενον, a comissão reteve as palavras no texto; mas, a fim de refletir a possibilidade de que καί, estando ausente dos primeiros representantes dos tipos de texto alexandrino e ocidental (א* B itᵃ,ᵇ,ᶜ,ʰ), pode não ter feito parte do texto, originalmente, incluiu essa palavra dentro de colchetes.

"Como pomba". Há discussões sobre a forma da pomba. Era mesmo uma pomba, no sentido literal ou, com estas palavras, devemos compreender as qualidades da natureza da pomba, e, portanto, as qualidades do Espírito de Deus? Se Jesus viu uma pomba literal ou não, não importa. A lição que temos é que a experiência foi *literal, real, verdadeira*. Naquele momento, Jesus recebeu o Espírito de Deus. A experiência foi seguida de certas manifestações visíveis, mas, na experiência mística, a forma exata dessas manifestações não faz parte importante da experiência. Os pais da Igreja insistiam na interpretação que destaca as qualidades da pomba, como a paciência, a delicadeza, a filantropia, a constância sob o sofrimento, a pureza etc. Provavelmente, a base dessas ideias acha-se em Gênesis 8.9,10. Os que têm essa ideia contrastam o espírito de Jesus (a pomba) com o espírito de João (o fogo) e procuram mostrar a natureza diferente de Jesus com essas explicações. É verdade que há outras indicações da natureza mansa de Jesus, que podem ser equiparadas às qualidades da pomba; mas provavelmente o versículo ensina, pelo menos como lição principal, que a experiência foi autêntica, acompanhada por várias manifestações visíveis. Alguns antigos mss latinos (a,g), o *Diat.* e o pai da Igreja Justino adicionam a esse versículo *"e grande luz brilhou ao redor"*. A adição não é autêntica, e nenhuma tradução a inclui. Ver nota anterior sobre a citação de outras adições apócrifas a essa narrativa.

3.17: e eis que uma voz dos céus dizia: Este é o meu Filho amado, em quem me comprazo.

3.17 καὶ ἰδοὺ φωνὴ ἐκ τῶν οὐρανῶν λέγουσα, Οὗτός ἐστιν ὁ υἱός μουᵃ ὁ ἀγαπητός, ἐν ᾧ εὐδόκησα.

ᵃ 17 a none: TR WH Bov Nes BF² AV RV ASV RSV NEBᵐᵍ TT Zür Luth Jer Seg // a minor:] 17 Οὗτός... εὐδόκησα Gn 22.2; Sl 2.7; Is 42.1; Mt 12.18; 17.5; Mc 9.7; Lc 9.35; 2Pe 1.17

17 λέγουσα] add προς αυτον D it syᶜ Ουτος εστιν] p) Συ ει D a d syᶜ Ir WHᵐᵍ RVᵐᵍ ASVᵐᵍ RSV NEB

"Em quem me comprazo". Expressão usada para significar satisfação habitual, contínua (aoristo, no grego). A alusão é a Isaías 42.1, profecia messiânica. Provavelmente João também ouviu essas palavras, pois visavam também ao seu benefício, confirmando o testemunho que tinha dado a Cristo e fortalecendo-o para o sofrimento futuro. A doutrina dos gnósticos diz que Jesus tornou-se nesse momento Filho de Deus por adoção. Isso, porém, não goza do apoio das Escrituras. *A encarnação* do Verbo deu-se

no nascimento, e não no batismo. Isso não significa que Jesus não precisasse do batismo do Espírito Santo, pois nos lembramos de que o Cristo "a si mesmo se esvaziou", que é alusão aos atributos e direitos de Deus, e não da natureza. Jesus precisou crescer como homem, desenvolveu-se como homem, e, portanto, precisou do Espírito Santo, como qualquer outro homem, para fazer a vontade do Pai. (Ver nota em Fp 2.7, quanto aos detalhes dessa doutrina.)

"Filho amado", não significa *o mais amado* (superlativo), nem *"o único amado"*, mas amado em sentido especial, particular. As implicações do texto, além das já mencionadas, são: 1. Jesus entrava agora no seu ministério como Messias, e era grande a sua compreensão dessa missão. 2. O desenvolvimento dos trinta anos de silêncio completa-se; assim Jesus *aprendeu* a ter comunhão com Deus (Hb 5.8). 3. Recebeu a visita especial do Espírito, para aumentar o poder por ele já desenvolvido. 4. A principal característica de seu ministério, evidentemente, era o espírito de amor, de mansidão. 5. Jesus reconheceu e participou da comunhão com Deus Pai na qualidade de Filho de Deus: uma das experiências e doutrinas centrais do cristianismo. 6. Reconhecendo essa relação, ele estava pronto para comunicá-la aos homens.

Além do batismo com água, Jesus recebeu uma unção especial, a do Espírito Santo. Tal foi a sua experiência espiritual, que não há palavras para descrevê-la. Agora ele avançava, não apenas com grande arrojo e eficácia sem-par, mas também dotado de grandes forças espirituais, que assumiam muitas e variadas formas. Provavelmente, a grande e maior lição aqui aprendida é que, apesar de ser Deus, Cristo agiu como homem ungido pelo Espírito Santo; e, como homem cheio do Espírito, teve contacto com a vida de Deus. Ele mesmo afirmou que sua força e desenvolvimento espirituais são possíveis a todos os cristãos. Como é pequeno o número de pessoas entre nós, que, como homens, sabem daquilo que ele soube como homem! Precisamos notar também que o desenvolvimento por ele alcançado fez parte de sua personalidade como homem, e não foi algo que ele tivesse usado como instrumento, separado de sua natureza. Assim sendo, nosso progresso espiritual pode ser permanente, fazendo parte de nossa natureza, porquanto é da vontade de Deus que sejamos transformados na imagem do "Filho amado", e isso no sentido mais literal. Assim, pois, o nosso progresso e transformação de natureza fazem parte integrante, não separada, da nossa pessoa.

Aqui é expressa, pela primeira vez no NT, a descrição de Deus como *três* pessoas. Naturalmente esse exemplo não é mais do que uma prefiguração, embora nada de dogmático ou de descritivo seja revelado, nem mesmo superficialmente.

Capítulo 4

I. OS PRIMÓRDIOS (11—4.25)
10. Tentação de Jesus (4.1-11)

A tentação. Acredita-se que essa narrativa represente uma *dupla tradição*, posto que tanto Lucas como Mateus a expõem (com detalhes), ao passo que Marcos não a inclui, fazendo apenas uma declaração geral sobre a tentação. Alguns creem que Mateus relatou a história baseado em uma tradição, e que Lucas contou com fonte diferente. Embora ambos narrem o fato, alguns o têm atribuído a "Q"; outros, no entanto, são de opinião de que, em vista de Marcos ter mencionado a ocorrência, sem oferecer detalhes, os outros evangelistas recolheram a narrativa de outras fontes, independentemente uns dos outros, e de que alguns detalhes variantes indicam a existência de duas fontes. Em casos semelhantes, é impossível saber com certeza que fontes foram essas. (Ver notas sobre as fontes, na introdução ao comentário, no artigo intitulado *O problema sinóptico*, e na introdução ao evangelho de Marcos.)

O incidente introduz a *luta* entre a luz e as trevas, entre Deus e Satanás. As tentações, em número de três — operar milagres para satisfazer uma necessidade imediata, dar sinais convincentes e exercer poder político —, devem ter-se repetido por muitas vezes na vida de Cristo. A tentação oferece tanto a oportunidade de elevar-se como o perigo de cair. "Quando a luta começa dentro de si mesmo, o homem vale alguma coisa" (Browning, *Bishop Blougram's Apology*). Jesus não se deixou vencer por essas tentações devido ao caráter puro que vinha formando há muitos anos, pois foi tentado na qualidade de homem, e não teria sido tentação se não pudesse ter caído. Quando Dwight L. Moody foi repreendido por não haver participado de uma reunião de oração, em meio a um naufrágio de ameaça, ele replicou: "Já estou escudado na oração". Com isso, queria dizer que não precisava de nenhuma sessão especial de oração para aumentar a sua fé na providência de Deus, pois essa fé há muito que vinha sendo preparada.

4.1: Então foi conduzido Jesus pelo Espírito ao deserto, para ser tentado pelo Diabo.

4.1 Τότε ὁ Ἰησοῦς ἀνήχθη εἰς τὴν ἔρημον ὑπὸ τοῦ πνεύματος, πειρασθῆναι ὑπὸ τοῦ διαβόλου.

4.1 πειρασθῆναι...διαβόλου Hb 2.18; 4.15

Aqui temos a exposição do assunto, incluindo as diferenças nos textos paralelos de Marcos 1.12,13 e de Lucas 4.1-13. Segundo nosso conhecimento sobre a experiência particularmente elevada, *virá a tentação*, a prova. Provavelmente, a tentação que se seguiu ao batismo de Jesus, com a unção especial do Espírito Santo, representa a verdadeira ordem de acontecimentos na vida de Cristo. Não é *raro* que essa ordem seja observada na vida comum, porque é tanto espiritual como cronológica. Jesus deixara sua casa e seus amigos, e logo entraria em seu ministério público. O caráter que desenvolvera deveria passar por uma prova peculiar, antes que ele estivesse pronto para enfrentar as dificuldades naturais de seu ministério. O agente dessa tentação teria de ser o rei dos tentadores — o próprio *Satanás*. A experiência de Jesus foi interior, e não se apresentou somente nas suas circunstâncias externas. Naquele momento, Jesus entrou em luta com o inimigo verdadeiro, as forças negras de seres espirituais; e isso porque o sucesso de seu ministério não dependeria apenas de sua capacidade de viver pobremente e de sua resistência física. Podemos também notar que o êxito de seu ministério não dependeria da capacidade que ele demonstrou de sofrer a perda dos amigos e a oposição dos líderes religiosos dos judeus. Sua maior luta foi contra as forças espirituais que, como Paulo mostra, é realmente a luta de cada cristão (Ef 6). Essa luta era necessária para o sucesso de sua missão, e também para provar aos discípulos, de então e de agora, que um ser dotado de livre-arbítrio pode escolher e manter-se ao lado do bem, apesar das forças do mundo ou das forças espirituais.

Não sabemos ao certo com que fontes os evangelistas contaram para narrar o acontecimento. Os mitos de diversas religiões, que apresentam fontes de narrativas semelhantes, não são dignos de confiança. É erro também imaginar que Mateus e Lucas tenham feito seu relato baseados em incidentes e sugestões do AT. Provavelmente, a história era conhecida pelos discípulos de Jesus, apesar de não termos essa afirmativa da parte dos evangelistas. De modo geral, os detalhes observados na narrativa são os seguintes: 1. a tentação de Jesus ocorreu após a sua unção; 2. a tentação envolveu os *três aspectos* da fraqueza humana: desejo da carne, desejo dos olhos e orgulho da vida (1Jo 2.16); 3. a tentação de Jesus foi de "natureza humana", e por isso serve de lição para nós. As duas primeiras tentações (v. 3 e 6) tinham o propósito de obrigar Jesus a provar, de maneira vã, que era realmente o Filho de Deus em sentido peculiar, especial. Alguns sugerem que a palavra grega traduzida por *se*, usada por Satanás, não significa que ele duvidava da relação especial de Jesus com Deus; mas isso, além de não concordar com as formas gramaticais do grego, não é o que se entende pelo texto. É bem provável que Satanás cresse que Jesus podia cair

em tentação, e que talvez sua relação com Deus não fosse especial. A terceira tentação (v. 8) apela para o orgulho e o desejo de poder. Jesus saiu-se *vitorioso* por motivo da firme consciência que tinha de sua missão divina, que não poderia ser abolida pelas momentâneas vantagens terrenas. Essa firmeza de compreensão de sua missão devia-se ao seu desenvolvimento espiritual, adquirido no decurso de alguns anos, o qual fora ainda mais intensificado por sua recente unção com o Espírito. A velha questão (*quaestio vexata*) sempre aparece: "Poderia Jesus cair em tentação? Poderia ele pecar?" Há bons comentaristas e cristãos que replicam tanto negativa quanto positivamente. É preciso nos lembrar de que a tentação *foi real*, e não apenas um ato para mostrar que Deus não peca. Já sabemos disso, mas precisamos lembrar que Jesus também foi homem. Suas tentações e vitórias foram verdadeiras. Assim, pelo seu lado divino, ele não poderia pecar. Pelo seu lado humano, porém, seria natural que caísse em tentação. Isto se nos apresenta como um paradoxo. Pelo menos, por sua natureza espiritual, não lhe seria permitida a queda. Dessa maneira, Jesus demonstrou que o ser que realmente possui "livre-arbítrio" pode escolher o bem em lugar do mal; e essa lição visava aos discípulos. Na qualidade de homens, a vitória diante da tentação lhes era possível. Não posso ver muita razão na tentação e na inclusão da narrativa nos evangelhos, se ela não tivesse sido real o tempo todo. Como Jesus, poderíamos resistir às tentações a que ele foi sujeitado, se possuíssemos a sua dedicação e desenvolvimento. Infelizmente, às vezes, somos vencidos pela preguiça espiritual. A verdade, entretanto, é que, finalmente, para o nosso progresso espiritual, precisaremos tanto da natureza de Jesus como da vitória que vem dessa natureza. A última tentação revela que o propósito de Satanás não foi apenas fazer Jesus cair movido pelo orgulho, pelo desejo ou por qualquer outra *fraqueza humana*, mas as três tentações, juntamente, tinham por finalidade possibilitar para Jesus o cumprimento de sua missão messiânica, de forma imediata, mas sob condições ditadas por ele, Satanás. Assim sendo, pode-se ver que a ocasião foi mais séria do que a simples solicitação para cometer o erro.

"Levado" — Alguns veem, nesse termo, um milagre de *transporte*: Não há dúvidas de que isso seria possível à natureza de Jesus; mas no grego a palavra não admitem essa interpretação. A expressão "foi guiado" vem do grego também. "Impeliu", em Marcos 1.12, é termo mais forte, que mostra a necessidade da tentação e o propósito definido do Espírito Santo. Lucas diz: "[...] foi guiado [...] pelo mesmo Espírito...", e o Espírito é o mesmo que há pouco enchera a Jesus. (Ver as implicações dessas palavras no início das notas sobre o capítulo 4.) É consolador para nós notar que o mesmo Espírito pode ser o agente, tanto das nossas experiências difíceis como das experiências jubilosas. Calvino e outros, como Olshausen, imaginam "deserção" do Espírito, como na cruz; mas o texto não apoia essa ideia. É melhor concordarmos com aqueles que dizem que o Espírito nunca está tão perto de nós como nas nossas experiências difíceis. O testemunho da natureza da experiência religiosa comprova esse fato. "A noite escura da alma" é parte do método do Espírito para desenvolver a alma do crente.

"Ao deserto" — Significa que a experiência não foi em forma de visão, e, sim, literal. O local tradicional é o *deserto de Jericó*, onde as descrições de "deserto" e "monte" concordam com as condições apresentadas. Outros acham que tudo ocorreu no deserto próximo do monte Sinai. Não pode haver certeza quanto a isso.

"Tentado" — Essa é a primeira vez, no NT, em que esse vocábulo grego tem o sentido de *"solicitar praticar o mal"*. No grego mais antigo, não há nenhum elemento moral em seu sentido; apenas a ideia de experimentar, de testar.

"Pelo Diabo" — Um dos nomes de Satanás, o deus deste mundo, sempre apresentado como personalidade literal, espiritual e muito poderosa. A palavra "Diabo" é de origem grega, e significa *"caluniador"*. Às vezes, é aplicada a homens como Judas (Jo 6.70). Paralelamente, em Marcos 1.13, a palavra Satanás é usada,

288 |Mateus| NTI

e significa "adversário". Os diversos termos descrevem o caráter pernicioso desse ser iníquo mas muito poderoso. Ver nota detalhada sobre Satanás, em Lucas 10.18. Essa nota é bastante detalhada, e informa acerca da pessoa, da obra, do plano e do destino desse ser.

4.2: E, tendo jejuado quarenta dias e quarenta noites, depois teve fome.

4.2 καὶ νηστεύσας ἡμέρας τεσσαράκοντα καὶ νύκτας τεσσαράκοντα ὕστερον ἐπείνασεν.

2 και τεσσ. νυκτα (κ. ν. τ. pl ς; R) ℵD]om fr pc syᶜ Ir

2 νηστεύσας...νύκτας τεσσαράκοντα Êx 34.28

O texto tem *paralelos* no AT. Ver Êx 34.28, que fala de Moisés ao receber a lei de Deus. Elias também passou pela prova de quarenta dias (1Rs 19.8). Israel foi provado quarenta anos no deserto. Quando em criança, aos 40 dias de idade, Jesus foi apresentado no templo. Após sua ressurreição, ficou na terra por quarenta dias, antes de entrar na presença de Deus. Provavelmente, as Escrituras apresentam, com o número quarenta, a ideia de prova, preparação ou provação. A questão de Jesus ter passado esse período inteiramente sem comer, ou ter sido esse um tempo em que ele pouco comeu, fazendo um jejum parcial, pode ser esclarecida em Lucas, que diz: "[...] naqueles dias não comeu coisa alguma..." (Lc 4.2). Os jejuns são conhecidos em tempos modernos. O jejum feito por Jesus não teve motivo ascético, mas foi espontâneo, mesclado com preocupação mental e espiritual, o que é outra prova de seu enorme desenvolvimento espiritual como homem. "A visita dos anjos" (v. 11) ilustra a mesma coisa. Jesus não era asceta, como João Batista. Não jejuava a fim de produzir experiências espirituais ou para ter motivos para ufanar-se. Sua espiritualidade era de ordem tão elevada que, às vezes, simplesmente perdia o interesse pela comida. Assim, pois, o jejum resultava do seu desenvolvimento espiritual, e não servia de meio para obter o mesmo. Aqueles que praticam o jejum testificam do fato de a alma brilhar mais durante esses períodos. Portanto, quando visa a isso, então, sim, a prática do jejum tem valor.

Marcos acrescenta que Jesus "estava entre as feras", condição do jejum e da tentação que os demais evangelistas não mencionam. Aprendemos na história daquela época que essas feras podiam incluir leões, ursos, lobos e panteras. Essa condição teria aumentado a solidão e o perigo da experiência de Jesus. Deus o protegeu física e espiritualmente. Conforme a narrativa em Lucas, a tentação está definitivamente ligada ao espaço de quarenta dias. A tentação foi prolongada, e a vitória foi mais notável do que pensaríamos se lêssemos somente Mateus ou Marcos, pois esses evangelhos não mostram tais detalhes.

4.3: Chegando, então, o tentador, disse-lhe: Se tu és Filho de Deus manda que estas pedras se tornem em pães.

4.3 Καὶ προσελθὼν ὁ πειράζων εἶπεν αὐτῷ, Εἰ υἱὸς εἶ τοῦ θεοῦ, εἰπὲ ἵνα οἱ λίθοι οὗτοι ἄρτοι γένωνται.

3 Εἰ...θεοῦ Mt 4.6; 27.40

"Filho de Deus" — Ver nota detalhada sobre esse título, em Marcos 1.1. A implicação do título, do modo como foi usado por Satanás, é que Jesus mantém uma relação especial com Deus, podendo ser divino, a despeito da ideia que Satanás realmente teve das palavras. A gramática grega (condição) não indica se Satanás tinha dúvidas ou não sobre a filiação de Jesus. Temos de deduzir isso do texto, e não da gramática (ver nota acima). O texto mostra que Satanás pelo menos *entendeu* haver Jesus declarado ter (ou outros haverem dito que ele tinha) essa relação, e que esse fato não lhe era desconhecido. Provavelmente, não teria tentado Jesus como o fez, se pensasse que essa relação era idêntica àquela que os homens comuns têm para com Deus.

"Pedras" — Possivelmente, certos cristais chamados *melões de Elias*, ou outros tipos de pedras da localidade, que se parecem com pãezinhos, e que ajudaram Satanás em sua tentativa de provocar Jesus para fazer um milagre inútil, apenas por orgulho ou para satisfazer a grande fome que então sentia. A base da tentação seria o egoísmo, pois, por meio dele, mostraria seu poder de satisfazer a própria fome. Em princípio, a tentação de Adão e Eva foi a mesma: ter conhecimento como Deus. Lucas apresenta o singular, "pedra"; mas isso não muda o sentido ou lição do versículo. As ideias sobre a natureza da tentação são as seguintes: 1. um acontecimento *literal*, exterior; 2. uma visão sobrenatural, como ocorrência anterior; 3. uma experiência *psicológica* com conteúdo moral; 4. uma *parábola*, e não um acontecimento real; 5. um *mito*. De conformidade com o texto, é claro que a primeira ideia é a mais razoável. Não sabemos de que forma Satanás apareceu a Jesus, mas os detalhes da narrativa mostram que o autor quis relatar literalmente o que ocorrera. Pode ser que tenha havido parte de visão em particular, quando Satanás mostrou todos os reinos do mundo, algo impossível sem a ajuda de alguma espécie de visão.

4.4: Mas Jesus lhe respondeu: Está escrito: Nem só de pão viverá o homem, mas de toda palavra que sai da boca de Deus.

4.4 ὁ δὲ ἀποκριθεὶς εἶπεν, Γέραπται, Οὐκ ἐπ' ἄρτῳ μόνῳ ζήσεται ὁ ἄνθρωπος, ἀλλ' ἐπὶ παντὶ ῥήματι ἐκπορευομένῳ διὰ στόματος θεοῦ.

4 εκπορ.δια στομ.] *om* D a b d gⁱ Cl Tert Aug

4 Οὐκ...θεοῦ Dt 8.3

"Está escrito" — A expressão é encontrada em Deuteronômio 8.3, quase exatamente como está na LXX, como o são as outras citações contidas na história da tentação de Jesus. Jesus usou propositalmente o termo "homem", mostrando que, apesar de sua posição sem-par de Filho de Deus, tinha assumido a posição de homem comum, sujeito às condições desse tipo de vida (ver nota em Fp 2.7). A citação baseia-se nas condições de Israel no deserto, onde o povo padeceu fome e onde foi necessário que Deus fornecesse certo tipo de pão (o maná) por meios milagrosos. Por essa causa, alguns intérpretes acham que Jesus transmite a ideia de que Deus, de maneira semelhante, lhe enviaria o pão. O texto, porém, não parece indicar isso. Outrossim, nota-se que a ênfase recai não no fornecimento de pão de qualquer tipo, e, sim, nos valores não físicos — a palavra, a orientação, a vida de Deus da qual participamos — o verdadeiro pão espiritual, e esse pão vem de Deus, é uma dádiva para os homens. O homem "*viverá*" desse pão, participará da vida verdadeira, a vida eterna. Adão decaiu quando foi tentado com um elemento físico: o alimento. Israel, de modo geral, murmurou no deserto e caiu na tentação por causa de elementos físicos: alimentos. O segundo Adão, Jesus, não caiu ao enfrentar o mesmo tipo de tentação.

"Toda palavra" — Significa o arranjo de Deus com os homens, pelo que ele lhes dá a vida; ou significa a provisão de *vida eterna*, feita por Deus para os homens; ou ainda o propósito divino em doar essa vida (com meios para cumpri-lo). Esta é a vida real; o pão físico (símbolo do mantimento da vida física); é somente um pequeno detalhe na existência do homem. É óbvio que Jesus conhecia bem as Escrituras do AT, as quais ele teria aprendido quando ainda criança. O livro de Deuteronômio parece ter sido o seu favorito. O NT, especialmente os capítulos 5 a 7 de Mateus, mostra que essas Escrituras constituíam parte importante da vida de Jesus; ele tinha também bom conhecimento dos costumes e comentários dos judeus. Jesus tinha esses conhecimentos, mas não os aceitava nem os usava como homem comum; sempre pôde notar os elementos espirituais dos ensinos, destacando os elementos mais importantes. Às vezes, disse coisas novas, mas sua mensagem principal foi a do AT, ainda que sua ênfase recaísse sobre os elementos mais importantes e espirituais.

4.5: Então o Diabo o levou à cidade santa, colocou-o sobre o pináculo do templo,

4.5 Τότε παραλαμβάνει αὐτὸν ὁ διάβολος εἰς τὴν ἁγίαν πόλιν, καὶ ἵστησιν αὐτὸν ἐπὶ τὸ πτερύγιον τοῦ ἱεροῦ,

₅ τὴν...πόλιν Ne 11.1; Is 52.1; Mt 27.53; Ap 11.2; 21.2,10; 22.19

Segunda tentação. Em Lucas 4.9-12, essa é a terceira tentação. Não sabemos por que Lucas modificou a ordem das tentações. Isso mostra, pelo menos, que os evangelhos de Mateus e Lucas não foram escritos um na dependência do outro, mas que tiveram certa base comum. (Ler sobre o *problema sinóptico* na introdução a este comentário.) A maior parte dos comentaristas afirma que a ordem de Mateus é a correta. O v. 11 de Mateus indica a sucessão imediata de um acontecimento após outro, enquanto as expressões de Lucas deixam espaço de modo a dar a ideia de que ele não apresentou a narrativa com todos os detalhes, na ordem certa dos acontecimentos. Nota-se também, no v. 10 de Mateus, que a ordem de retirada, decretada por Jesus a Satanás está ligada à última tentação (na ordem apresentada por Mateus), a tentação do monte. Na história de Lucas, falta essa vinculação definida, pelo que pode ser que Lucas não estivesse insistindo sobre a ordem das tentações.

"Cidade santa" — Expressão usada só por Mateus para designar Jerusalém e, obviamente, foi usada por ele para frisar a sua intenção de ligar a velha e a nova dispensações como desenvolvimento do mesmo plano divino.

"Pináculo do templo" — Ainda que possa ser entendido como o topo de uma torre (como a própria palavra permitiria), a referência aqui diz respeito a uma das alas do templo de Herodes. O templo tinha "duas alas": uma ao norte e outra ao sul. A do sul era a mais alta, e dava para um profundo vale, o vale de Cedrom. Provavelmente, aqui a alusão é a essa ala. É fato curioso que Tiago, o Justo, tenha sofrido a morte às mãos dos judeus, tendo sido jogado de um dos pináculos do templo abaixo. Provavelmente, todavia, esse pináculo foi o da ala do norte. (Eus. *h.e.* II.23).

4.6: e disse-lhe: Se tu és Filho de Deus, lança-te daqui abaixo; porque está escrito: Aos seus anjos dará ordens a teu respeito; e: eles te susterão nas mãos, para que nunca tropeces em alguma pedra.

4.6 καὶ λέγει αὐτῷ, Εἰ υἱὸς εἶ τοῦ θεοῦ, βάλε σεαυτὸν κάτω· γέγραπται γὰρ ὅτι Τοῖς ἀγγέλοις αὐτοῦ ἐντελεῖται περὶ σοῦ καὶ ἐπὶ χειρῶν ἀροῦσίν σε, μήποτε προσκόψῃς πρὸς λίθον τὸν πόδα σου.

₆ Εἰ...θεοῦ Mt 4.3; 27.40

₆ Τοῖς...πόδα σ ου Sl 91.11,12

"Se tu és Filho de Deus" — Ver a nota em 4.3 sobre a implicação inclusa nessa condição. Essa tentação não é muito diferente da primeira, quanto à sua natureza. Satanás tenta de novo Jesus a usar seu poder especial para provar sua relação com Deus. Sem dúvida a tentação também foi formulada para fazer Jesus provar, de maneira vã, a sua fé na proteção de Deus, até pelo poder dos anjos. As palavras da citação (Sl 91.11,12), quase exatamente como na LXX, foram ditas com respeito a qualquer homem que confia em Deus, e certamente se aplicavam a Cristo, o Filho de Deus, contanto que ele tivesse a coragem de comprová-las. Diversos comentaristas notam que Satanás não citou todas as palavras, excluindo, por exemplo, "em todos os teus caminhos". A indicação parece ser que Satanás quis provar que há "caminhos" nos quais Deus não pode conservar os homens, e assim quis fazer Jesus provar se era possível que Deus salvasse e guardasse em qualquer situação. O fato de Jesus não ter feito observação nenhuma no tocante a essa omissão, porém, mostra que essa interpretação é provavelmente refinada demais, e diz mais do que o autor queria dizer. A principal implicação de Satanás parece ser que, de fato, não havia prova de filiação a Deus, a menos que o Filho demonstrasse que Deus poderia livrá-lo de *situações impossíveis.*

4.7: Replicou-lhe Jesus: Também está escrito: Não tentarás o Senhor teu Deus.

4.7 ἔφη αὐτῷ ὁ Ἰησοῦς, Πάλιν γέγραπται, Οὐκ ἐκπειράσεις κύριον τὸν θεόν σου.

₇ Οὐκ...σου Dt 6.16 (1Co 10.9)

Jesus respondeu, citando Deuteronômio 6.16, sem negar o que fora dito por Satanás (citando a Palavra de Deus), mas *qualificando o uso* de tais palavras, limitando as situações nas quais teriam aplicação.

"Não tentarás o Senhor teu Deus" — Com essas palavras, Jesus não ensina a sua divindade. Ele não estava dizendo: "Sou Deus; não me tente", como alguns interpretam. Mostrava apenas que existem atos humanos que testam a paciência ou a bondade de Deus. Nota-se que a citação baseia-se na história de Israel, quando o povo murmurava contra Deus por causa das dificuldades no deserto, e queria alguma prova sobrenatural de que a presença de Deus era um fato. Pediam prova dos cuidados de Deus em sua vida, apesar das provas já recebidas. O texto de Êxodo 17.1-7 registra a história. A principal necessidade era de água. Jesus mostra que as grandes dificuldades causadas por nós constituem circunstâncias nas quais não devemos esperar a ajuda de Deus, especialmente se forem totalmente contrárias à vontade divina. Nenhum homem de bom senso se jogaria do pináculo do templo, esperando que Deus o livrasse das consequências. Se nenhum homem faria isso, muito menos o Filho de Deus.

4.8: Novamente o Diabo o levou a um monte muito alto; e mostrou-lhe todos os reinos do mundo, e a glória deles;

4.8 Πάλιν παραλαμβάνει αὐτὸν ὁ διάβολος εἰς ὄρος ὑψηλὸν λίαν, καὶ δείκνυσιν αὐτῷ πάσας τὰς βασιλείας τοῦ κόσμου καὶ τὴν δόξαν αὐτῶν,

Terceira tentação. Lucas 4.5-8 menciona-a como segunda tentação.

"Monte [...] alto" — Há debates sobre a identificação desse monte, mas esses debates são inúteis. Em primeiro lugar, porque não há identificação nenhuma sobre a localidade, nem mesmo se seria, literalmente, um monte. Em segundo lugar, provavelmente essa parte assumiu a forma de visão. Não há no mundo nenhum monte tão alto que possibilite a contemplação de *todos os reinos do mundo.* Por causa dessas palavras, alguns tentam provar que a tentação inteira foi em forma de visão, o que é subjetivo e não objetivo. Entretanto, os detalhes da história parecem indicar a existência de ambas as condições; circunstâncias literais mescladas com visões. A realidade da experiência não diminui de valor porque o contato com as maiores realidades é, às vezes, feito por meio de visões. Lucas acrescenta aqui "num momento", expressão gráfica usada no NT somente por Lucas. A palavra grega "stigma", traduzida por "momento", é derivada de um verbo que significa "picar", "perfurar", ou seja, "um ponto". O sentido da palavra é algo como nosso "segundo", a menor unidade de tempo geralmente usada. Satanás é capaz de produzir um quadro visionário de toda a glória dos reinos do mundo em "um segundo". Jesus compreendeu a ideia, mas não se deixou influenciar por ela. Infelizmente, *visões* menores sobre as vantagens mundanas têm o poder de afetar a muitos cristãos. A tentação de Jesus foi muito mais intensa do que a experimentada por qualquer cristão comum.

"Todos os reinos do mundo" — Há várias interpretações para essa expressão: 1. Poderia significar somente a Palestina. 2. Poderia envolver o *mundo romano* além da Palestina (não incluindo a Palestina). Essas duas interpretações não passam de subterfúgios. 3. A despeito do conhecimento que o autor tinha da geografia, a referência é, obviamente, a todos os reinos do mundo. Alguns preferem a segunda interpretação porque os judeus pensavam que Satanás exercia domínio sobre o mundo inteiro, exceto

290 | Mateus | NTI

sobre a Palestina, e que por isso tinha o direito de dar o mundo inteiro a quem bem entendesse, ficando excluída a Palestina. Não é provável que o autor tivesse simpatia por essa concepção. Notam-se as palavras de João nesse particular: "[...] o mundo inteiro jaz no Maligno" (1Jo 5.19). E esse maligno é Satanás.

4.9: e disse-lhe: Tudo isto te darei, se, prostrado, me adorares.

4.9 καὶ εἶπεν αὐτῷ, Ταῦτά σοι πάντα δώσω ἐὰν πεσὼν προσκυνήσῃς μοι.

9 πεσὼν προσκυνήσῃς Dn 3.5,10,15; Mt 2.11; 18.26; 1Co 14.25; Ap 4.10; 5.14; 7.11; 11.16; 19.4,10; 22.8

"Tudo isto te darei" — Satanás apresentou-se como *dono* do mundo inteiro. Jesus não negou esse direito e, em outros lugares, Jesus mesmo faz essa declaração (ver João 12.31; 14.30; 16.11). Paulo revela que a nossa luta não é contra o sangue e a carne, e, sim, contra os "principados e potestades, contra os dominadores deste mundo tenebroso, contra as forças espirituais do mal, nas regiões celestes". A passagem de Efésios 6.12 apresenta nota detalhada sobre a questão. O testemunho das Escrituras é que o mundo dos espíritos é bem real, e embora seja uma doutrina ridicularizada hoje em dia, a evidência moderna dos estudos psíquicos e da experiência humana confirmam a verdade do mundo dos espíritos. Ver nota detalhada sobre os demônios em Marcos 6.2. Parece, pois, que a oferta feita por Satanás era séria e verdadeira.

"Se, prostrado, me adorares" — A tentação visava ao estabelecimento de *um acordo*, com concessões principalmente de justiça, a fim de adquirir poder e prestígio. Parece não haver tentação mais moderna do que essa. Certos comentaristas notam que é experiência comum aos homens fingir (talvez sem o saber) prestar adoração e serviço a Deus, quando, realmente, a adoração e o serviço são prestados a Satanás. Mais do que isso, Satanás recebe mais homenagem dessa forma do que por qualquer outro meio. Seria bom que os reinos do mundo inteiro estivessem sob o controle de Cristo, mas sem tais concessões. Essa terceira tentação ensina que o fim *não justifica* os meios. Aceitando essa oferta, sem dúvida Jesus receberia a cooperação dos fariseus e de outros líderes, e realmente seria o maior dentre eles. É certo que Jesus haverá de conquistar os reinos do mundo, mas não por esse método.

Essa tentação teria de ser a última porque, por meio dela, Satanás revelou a si mesmo, em sua verdadeira natureza o deus deste mundo. Não haveria chance de sucesso em nenhuma outra tentação contra Jesus depois dessa revelação. Esse fato é outra razão para acreditarmos que a ordem em que Mateus apresenta as tentações é a ordem verdadeira. Essa tentação revela que o propósito de Satanás não foi apenas fazer Jesus cair movido "pelo orgulho", pela concupiscência ou por qualquer outra fraqueza humana. As três tentações, juntamente, tiveram o propósito de tornar possível o cumprimento imediato da missão messiânica de Jesus, sob condições firmadas por Satanás. Assim, pois, vemos que a tentação envolveu muito mais que a simples solicitação para a prática do mal.

4.10: Então ordenou-lhe Jesus: Vai-te, Satanás; porque está escrito: Ao Senhor teu Deus adorarás, e só a ele servirás.

4.10 Τότε λέγει αὐτῷ ὁ Ἰησοῦς, Ὕπαγε[1], Σατανᾶ· γέγραπται γάρ, Κύριον τὸν θεόν σου προσκυνήσεις καὶ αὐτῷ μόνῳ λατρεύσεις.

10 Κύριον... λατρεύσεις Dt 6.13

[1]10 {B} ὕπαγε ℵ B C[vid] K P W *f*[1] *f*[13] 565 700 892* 1079 1546 it[f,k] vg syr[p,h,pal] cop[sa ms,bo] geo[I,A] Ignatius Diatessaron Irenaeus[lat] Tertullian Origen Peter Alexandria Hilary Ps-Ignatius Jerome // ὕπαγε ὀπίσω μου (ver Mt 16.23) C² D L 28 33 892[vid] 1009 1010 1071 1195 1216 1230 1241 1242 1253 1365 1646 2148 2174 *Byz Lect*[m] *l*[75] it[b,d,h,l] syr[c,d,h,with*] (syr[s] σου) cop[sa] arm eth geo[B] Justin Liber Graduum Athanasius Ephraem Ambrose Augustine // *vade, retro* it[a,aur,c,ff,g1]

> Se as palavras ὀπίσω μου faziam parte original do texto, não se acha qualquer razão satisfatória para sua omissão. Por outro lado, se no original estavam ausentes, os copistas que registraram as palavras de Jesus a Pedro, (Mt 16.23, onde não há variação de forma) provavelmente lhes dão apoio aqui.

Provavelmente, Jesus não reconheceu a natureza real do tentador até esse ponto. Agora, porém, reconhecendo-o, ordena que Satanás se retire. Não podemos imaginar que Satanás voltasse depois dessa repreensão. O fato mostra novamente que a ordem em que Mateus expõe as tentações deve ser a correta. A citação se alicerça em Deuteronômio 6.13, com modificações, principalmente *adorarás* no lugar de *temerás*, modificação essa criada pela condição da petição de Satanás para receber a adoração de Jesus. Temos também a palavra "só", que é adição ao texto do AT e que foi acrescentada para enfatizar que a adoração deve ser prestada exclusivamente a Deus. A citação apresenta um princípio ético que todos aceitam, mas é um princípio muito difícil de ser cumprido e seguido, porque há mais coisas, além de Satanás, que podem ser objetos de adoração em lugar de Deus, e quase não existe uma pessoa que não caia nessa tentação vez por outra.

"Retira-se" — Os mss Aleph BC(2)KLPSV, Fam Pi têm estas palavras. Os mss C(1)DELMUZ acrescentam *para trás de mim*, que representa um texto posterior e inferior. Estas palavras foram tomadas de empréstimo de Mateus 16.23, onde são autênticas.

No final das tentações, Lucas acrescenta: "Passadas que foram as tentações de toda sorte, apartou-se dele o diabo, até momento oportuno" (Lc 4.13, ARA). Essa declaração dá ideia de que as palavras que há nos textos dos evangelistas formam um *esboço* dos acontecimentos (sem todos os detalhes) que duraram o período de quarenta dias (indicação de Lc 4.2). É importante observar que Jesus deve ter sofrido muito, e esse sofrimento foi necessário como preparação para uma tentação maior, aquela criada pelo seu ministério, no qual estava prestes a entrar. A última semana de seu ministério foi o clímax de toda a tentação. Vemos, pois, a verdade de Hebreus 4.15: "Porque não temos sumo sacerdote que não possa compadecer-se das nossas fraquezas; antes, foi ele tentado em todas as coisas, à nossa semelhança, mas sem pecado" (ARA). Provavelmente, tanto Lucas quanto o autor de Hebreus se referem às tentações que induziam a cometer o pecado, mas também se referem às tentações destituídas de elemento ético, que são as dificuldades da vida.

4.11: Então o Diabo o deixou; e eis que vieram anjos e o serviam.

4.11 Τότε ἀφίησιν αὐτὸν ὁ διάβολος, καὶ ἰδοὺ ἄγγελοι προσῆλθον καὶ διηκόνουν αὐτῷ.

1Rs 19.5 ss. 26.58; Jo 1.51

Mateus e Marcos mencionam o ministério dos anjos; mas Lucas, não. Alguns acham que esse ministério consistiria apenas em fornecer alimentos, como sucedeu a Elias (1Rs 19.5-8), e é verdade que a palavra aqui usada — "serviam" — tem, às vezes, esse sentido (Mc 1.31; Lc 8.3), mas também pode ser que o ministério dos anjos seja mais extenso do que isso. O texto de Hebreus 1.14 ensina o ministério dos anjos para com os filhos de Deus. A partir desse tempo, Jesus passou a ter contacto com o mundo dos espíritos, bons ou maus.

"Anjos" — O termo "anjo" quer dizer "mensageiro", e sua aplicação envolve mais do que apenas os seres espirituais. (Em Ap 2.1,8,12,18; 3.1,7,14, o termo é usado acerca de homens, pastores de igrejas.) No AT, o termo é usado também para homens (ver 2Sm 13.20; Sl 103.20 e 104.4). Alguns acham que o termo foi empregado com referência a Cristo, em Apocalipse 8.3-5. O uso comum, todavia, serve para indicar aqueles espíritos, seres criados por Deus, que exercem seu ministério tanto nos lugares celestiais como na terra (1Rs 19.5; Sl 34.7; Dn 6.22; Hb 1.14; Ap 5.11; 7.11). Anjos são seres de *grande poder* (2Rs 19.35; Ef 1.21). Textos como Mateus 26.53; Hebreus 12,22; Apocalipse 5.11 e Salmos 68.17 indicam que os anjos devem ser numerosíssimos. Outras passagens indicam que às vezes eles podem observar as atividades dos homens. A tradição judaica traz a ideia de que alguns anjos exercem influência sobre as nações. Essa ideia foi gradativamente expandida, até tomar a forma da crença de que cada indivíduo tem um anjo guardador. Certos textos parecem ensinar que essas ideias são válidas. (Ver Hb 1.14; Mt 18.10 e Sl 91.1.) O que parece perfeitamente claro é que determinados anjos são dados a indivíduos, como guardadores ou não; pelo menos seu ministério está vinculado aos eleitos. O caso do ministério dos anjos, em relação a Jesus, ilustra essa ideia. Os anjos que não decaíram com Satanás são seres dotados de *santidade*, mas também possuem livre-arbítrio. Alguns defendem a ideia de que tais anjos são livres de tentação e da possibilidade de caírem em pecado, mas as Escrituras não oferecem apoio nenhum para essa ideia. É melhor dizer que, como seres dotados de livre-arbítrio, escolheram o bem, e assim provaram que isso é possível a seres dotados de livre-arbítrio. O processo da santificação dos crentes é planejado para provar a mesma coisa. Existem "anjos decaídos", aqueles que acolheram os argumentos de Satanás e o seguiram. (Ver Jó 4.18; Mt 25.41; 2Pe 2.4; Jd 6.1; Ap 12.9.) Alguns acham que esses anjos devem ser identificados com os "demônios". Não podemos demonstrar ou negar essa ideia pelas Escrituras. Nelas, somente dois anjos são chamados por seus nomes: Miguel, um dos primeiros príncipes, é mencionado em Daniel 10.13; 12.1; Judas 9; Apocalipse 12.7; e Gabriel, mencionado em Daniel 8.16; 9.21; Lucas 1.19,26 (ver nota em Lc 1.19). O evangelho inclui a ideia de que, na *transformação* do crente segundo à imagem de Cristo, o ser humano é elevado a uma posição superior à dos anjos (Ef 1.20-23; Rm 8.28-32; 18.25). Assim, formado à imagem de Cristo, o crente, embora continuando a ser um ser humano, terá inteligência, poder e domínio maiores que os anjos. Ver as notas em Romanos 8.29. Lendas, mitos, histórias sem-fim têm sido criadas sobre os anjos, dando-lhes até nomes; mas podemos ignorar tudo isso.

I. OS PRIMÓRDIOS (1.1—4.25)
11. Começa o ministério na Galileia — seu pano de fundo profético (4.12-16)

A narrativa do encarceramento de João é contada em Mateus 14.3-12; mas, cronologicamente, pertence a esta seção. Por razões todas suas, Lucas menciona isso antes do batismo de Jesus (3.19,20). No evangelho de João, um extensivo ministério de Jesus é mencionado antes da detenção de João 3.22-30. (Cf. esta passagem com Mc 1.14ss.) A fonte é protomarcos, conforme se dá com quase toda a narrativa histórica, que Mateus incorporou quase inteiramente. Noventa por cento do material de Marcos acha-se em Mateus. (Ver as notas sobre as "fontes informativas", na seção VII da introdução a este evangelho, e, mais particularmente, no artigo da introdução ao comentário sobre o *problema sinóptico*).

4.12: Ora, tendo ouvido Jesus que João fora entregue, retirou-se para a Galileia;
4.12 Ἀκούσας δὲ ὅτι Ἰωάννης παρεδόθη ἀνεχώρησεν εἰς τὴν Γαλιλαίαν.

12 ᾽Ιωάννης παραδόθη Mt 14.2; Mc 6.17; Lc 3.20; Jo 3.24

Princípio do *ministério* de Jesus: Entre os v. 11 e 12, há grande hiato de tempo, cujos acontecimentos são dados apenas no evangelho de João: 1) A volta de João Batista e a chamada de seis discípulos (Jo 1.29-51). 2) O casamento em Caná e a visita a Cafarnaum (Jo 2.1-12). 3) A primeira páscoa, a primeira purificação do templo (Jo 2.13-25). 4) A visita de Nicodemos (Jo 3.1-21). 5) O último testemunho de João Batista (Jo 3.22-30). 6) O ministério em Samaria (Jo

4.1-18). Assim temos, entre outras coisas, um ministério na Judeia, o qual não é mencionado nos evangelhos sinópticos (ver, porém, a nota textual sobre Lc 4.44, que indica um ministério na Judeia antes dos ministérios na Galileia). 7) Volta a Caná e cura do filho de um oficial do rei (Joo 4.46-54). 8) Outra viagem a Jerusalém para assistir a uma festa não identificada, mas com base em muitas ideias (Jo 5.1), onde houve muitas curas. Ver nota na referência anterior.

Algumas autoridades modernas preferem crer que as ocorrências historiadas por João, que não foram incluídas pelos demais evangelistas, realmente sucederam *mais tarde*, pertencentes a um período posterior ao ministério de Jesus, e que os evangelhos sinópticos têm razão ao não mencionar o ministério na Judeia, como se fora o princípio do ministério de Jesus. Assim, pois, podemos limitar o tempo do ministério de Jesus a *um ano*, usando somente os sinópticos como regra para identificação do tempo.Se, entretanto, usarmos também o evangelho de João e aceitarmos a ideia de que os acontecimentos ali mencionados ocorreram no princípio do ministério de Jesus, então teremos de admitir que seu ministério durou *três anos*. Ver nota sobre o ministério de Jesus e seu esboço, em Lucas 1.4.

"João fora preso" — Seu cárcere era no castelo de *Maquero*, na margem oriental do Mar Morto. É óbvio que a prisão podia ser avistada do magnífico palácio de Herodes. Duas masmorras existem até hoje na cidadela, com pequenas perfurações na alvenaria, onde linguetas de madeira e ferro estavam antigamente afixadas para retenção dos prisioneiros, perfurações essas ainda visíveis. Os lados das masmorras estão quase intactos. O local pode ser visitado até hoje. Nessas circunstâncias, o profeta, antes livre, que andava ao ar livre do deserto, ficou ali encerrado durante quase um ano, antes de sofrer morte horrenda. O encarceramento de João ilustra o fato real de que ninguém deve supor que a vida espiritual, ainda quando vivida em alto nível e sob "o favor de Deus", sempre é acompanhada de prosperidade, paz e ausência de problemas. João morreria vergonhosamente. As razões da existência dos males de origem moral e natural são tão difíceis para a filosofia e para teologia como para o crente individualmente. Ver nota sobre o problema do mal, em Romanos 3.3-8. A fé que espera em Deus, mais do que o conhecimento presente, pode sentir a resposta (ver Lc 10.18-20).

4.13: e, deixando Nazaré, foi habitar em Cafarnaum, cidade marítima, nos confins de Zebulom e Naftali;
4.13 καὶ καταλιπὼν τὴν Ναζαρὰ ἐλθὼν κατῴκησεν εἰς Καφαρναοὺμ τὴν παραθαλασσίαν ἐν ὁρίοις Ζαβουλὼν καὶ Νεφθαλίμ

13 κατῴκησεν εἰς Καφαρναοὺμ Jo 2.12

13 Ναζαρα B* 33 *k*] –ρεθ *DWO 28 *pm* lat: - ρετ Bᶜ 22 209 565 700 *al* ς; R

Ver nota detalhada sobre *Nazaré*, em Lucas 4.16, e sobre a Galileia, em Lucas 1.26.

A Luz de Cafarnaum

Ele nasceu em Belém; viveu a maior parte da sua vida em Nazaré. Deixou Nazaré e foi habitar em Cafarnaum, à beira-mar. Ali e nas circunvizinhanças viveu a maior de todas as vidas. Ele foi a Luz de Cafarnaum.

Terra de Zebulom, terra de Naftali,
caminho do mar, além do Jordão,
Galileia dos gentios!
O povo que jazia em trevas
viu grande luz,
e aos que viviam na região e sombra da morte
resplandeceu-lhes a luz (Is 9.1,2; Mt 4.15,16, ARA).

As autoridades religiosas e os judeus de raça pura desprezavam os habitantes de Zebulom e Naftali, tribos da Galileia, pois ali as fronteiras de Israel eram contíguas às fronteiras das terras gentílicas. Não é verdade que, durante os dias de Salomão, vinte cidades dessa região foram anexadas ao reino de Tiro? Sim, e além disso lembramo-nos de que, durante o primeiro cativeiro, os assírios removeram quase toda a população para servirem de escravos seus. E depois, quando alguns retornaram, nunca foram racial ou religiosamente puros, como povo, pois suas terras permaneceram para sempre sendo a *Galileia dos gentios*. Portanto, aquele se tornou um povo independente e alienado, distante do favor e das vantagens desfrutadas pelo povo de Deus em Jerusalém. Seria possível examinar a situação para ter certeza: nada de bom poderia originar-se na Galileia. Porventura algum profeta já saíra de lá?

No entanto, *eis* que, à vista do profeta, surge uma *visão*, resplandece "uma grande luz"! Uma grande luz irrompe em Cafarnaum, uma pequena cidade nas fronteiras de Zebulom e Naftali, na Galileia. Então, muitos séculos mais tarde, a Luz, em realidade e não em visão, surgia à beira-mar. Seus magnificentes raios se elevavam, refletindo-se por toda parte com tanto brilho por sobre as ondas do mar, porquanto Cafarnaum ficava à beira--mar. Aquela gente, nas terras de Zebulom e Naftali, que vivia em áreas de sombra e de morte, essa gente é que contempla a grande Luz que brilha à beira-mar.

Jesus Cristo, Rei de eterna glória,
Nasceste para seres Príncipe-Salvador,
Se os anjos louvam tua vitória,
Alegramo-nos em nosso Redentor,
Cantamos de tua graça e história,
Louvamos-te com mui intenso ardor.
Ó Jesus, Luz de Cafarnaum,
Brilha sobre nós, um por um!

"Cafarnaum" — Jesus fizera dessa cidade (a moderna Tell Hum) o seu quartel-general, após ter sido *rejeitado* em Nazaré, segundo relato de Lucas 4.16;31. Acredita-se que foram descobertas as ruínas da própria sinagoga na qual ele pregou, cujas pedras se conservam em notável estado de preservação. Jesus tanto ensinou como pregou nessa sinagoga. O culto usualmente consistia de oração, louvor, leitura das Escrituras e exposição feita por algum rabino ou outra pessoa competente. A vida de Jesus, incluindo milagres notáveis, ofereceu-lhe capacidade para pregar, apesar de não ter recebido instrução formal que tal posição geralmente requeria. A cidade ficava a noroeste da costa. Não é mencionada no AT, mas nos dias de Jesus era cidade importante. Era conhecida como "sua cidade" (a cidade de Jesus), porque ali ele passou a habitar (ver Mt 9.1). O fato de a cidade contar com um centurião provavelmente significa que o local era um posto militar dos romanos. "Cafarnaum" significa "vila de Naum"; mas não sabemos se essa designação derivava-se do profeta do AT, que tem esse nome. Provavelmente, o nome moderno — Hum — é lembrança de seu nome original. "Tel" significa "cômoro".

"Zebulom" — Referência ao local onde a tribo desse nome tinha seu território. Essa região fazia parte da Galileia, não se estendendo totalmente até o mar; constituía a parte sul da Galileia, entre o mar do mesmo nome e o monte Carmelo. Nazaré era cidade dessa região.

"Naftali" — Refere-se à região desse nome, proveniente do *quinto filho* de Jacó (ver Gn 30.7). Essa região também fazia parte da Galileia, e ficava a oeste do mar do mesmo nome, no curso superior do rio Jordão. A terra de Naftali tinha muitos montes pastoris e vales aráveis. Muitas vilas e cidades existiam no território de Naftali e Zebulom, no tempo de Jesus.

"Mar da Galileia" — Massa de água potável a 213 metros abaixo do nível do mar Mediterrâneo. A área tem um clima semitropical. Esse mar, que realmente é um lago, tinha outros nomes, como mar de *Quinerete* (Nm 34.11); "mar de Quinerote" (Js 12.3); lago de Genezaré (Lc 5.1); "mar de Tiberíades" (Jo 21.1). Ver notas nessas referências, onde há explanação sobre as mudanças de nomes. Seu nome moderno é Yam Hinneret. O lago tem cerca de 20 quilômetros de comprimento por 11 de largura. No tempo de Jesus, a indústria da pesca era muito importante naquela região, e muitas

vilas e cidades estavam localizadas às margens do lago. Ver notas mais detalhada em Lucas 5.1.

4.14: para que se cumprisse o que fora dito pelo profeta Isaías:

4.14 ἵνα πληρωθῇ τὸ ῥηθὲν διὰ Ἠσαΐου τοῦ προφήτου λέγοντος,

4.15: A terra de Zebulom e a terra de Naftali, o caminho do mar, além do Jordão, a Galileia dos gentios,

4.15 Γῆ Ζαβουλὼν καὶ γῆ Νεφθαλίμ, ὁδὸν θαλάσσης, πέραν τοῦ Ἰορδάνου, Γαλιλαία τῶν ἐθνῶν,a

15-16 Is 9.1,2 αὐτοῦ Jo 1.40,41

ᵃ 15 *a minor*: TR WH Bos Nes BF² RV ASV TT Zür Luth Seg // *a major*: AV (NEB) // a dash: RSV // a exclamation: Jer

A citação vem de Isaías 8.22 e 9.1, evidentemente do *hebraico*, mas com influência da LXX, talvez feita de memória. Jesus escolheu Cafarnaum como lugar apropriado para seu ministério. A cidade era centro comercial e industrial, e assim atraía diversos povos e raças. Ficava perto de outras cidades, localizadas à beira do lago da Galileia.

"Caminho do mar" — Indica o caminho do tráfego do comércio dos povos, incluindo as raças gentílicas.

"Além do Jordão" — Usualmente, essa frase é usada para indicar a região a leste do rio Jordão, mas aqui indica a região oeste. A expressão quer dizer o *outro lado*, e assim pode ser usada para significar qualquer lado, contanto que seja o lado oposto. A frase é comumente aplicada à região da Pereia, mas aqui, provavelmente, significa os territórios já mencionados, Zebulom e Naftali.

"Galileia dos gentios" — A Galileia era a fronteira entre Israel e o mundo exterior. Efraim e Judá eram separados do mundo exterior pelo vale do Jordão, de um lado, e pelos filisteus hostis, do outro. A Galileia, porém, ficava exatamente no caminho da invasão dos inimigos do norte. No tempo de Salomão, vinte cidades dessa região foram anexadas ao reino de Tiro. A região dessas cidades e parte do território de Tiro formavam a fronteira entre Tiro e Israel e a população naturalmente se mesclou. Durante o primeiro grande cativeiro, a maior parte da população do território da Galileia foi levada para a Assíria. Depois, a população dessa região ficou ainda mais misturada com diversas raças. Essas condições afetaram todos os elementos da vida na Galileia. O idioma adquiriu um sotaque bastante diferente do da Judeia. (Ver Mt 26.73.) As ideias religiosas foram modificadas. O povo dotou-se de um espírito de independência e talvez até de alienação. A distância entre essa região e a capital impedia a participação política e religiosa com os outros judeus. Assim, a Galileia foi considerada parte inferior do país. João 7.41: "[...] Porventura o *Cristo* virá da Galileia?"; João 7.52: "[...] Examina e verás que da Galileia não se levanta profeta"; João 1.46: "[...] De Nazaré pode sair alguma coisa boa?..." (ARA).

4.16: o povo que estava sentado em trevas viu uma grande luz; sim, aos que estavam sentados na região da sombra da morte, a estes a luz raiou.

4.16 ὁ λαὸς ὁ καθήμενος ἐν σκότει φῶς εἶδεν μέγα, καὶ τοῖς καθημένοις ἐν χώρᾳ καὶ σκιᾷ θανάτου φῶς ἀνέτειλεν αὐτοῖς.

16 Lc 1.79

Historicamente, essas palavras aludem à *libertação* do norte da Galileia da opressão assíria, mas a referência é dupla, como muitas profecias, tendo aplicações imediatas e remotas. A maior libertação é a das trevas espirituais. Essa profecia é uma das mais belas acerca do Messias, e ainda é mais notável quando consideramos que as palavras famosíssimas (Is 9.6) que logo se seguem não foram escritas pelo autor: "Porque um menino nos nasceu, um filho se nos deu; e o principado está sobre os seus ombros; e o seu nome será: Maravilhoso Conselheiro, Deus Forte, Pai da Eternidade, Príncipe da Paz" (ARC). Provavelmente, o autor só queria indicar o "caráter principal" do ministério de Cristo. Assim, mencionou apenas o fato de o principal palco do seu ministério ficar no território detestado: a região das trevas e da morte espiritual. A figura é bela. Uma grande luz, muito brilhante, se levanta em Cafarnaum: os raios dessa grande luz brilham sobre as ondas do mar da Galileia; e os outros povos do interior (Zebulom e Naftali) veem a luz. Esse foi o caráter do ministério de Jesus, a Luz de Cafarnaum.

"O povo que jazia" ou "morava"; literalmente "o povo, o qual sentava" — A expressão indica algo característico ou habitual. A morte é personificada como companheira constante daqueles que habitam nas trevas. A vida sem iluminação espiritual é uma vida triste segundo o padrão do NT, apesar do intenso interesse do homem natural e de sua fanática participação em sua provável retribuição.

I. OS PRIMÓRDIOS (1.1—4.25)

12. A mensagem de Jesus (4.17)

A mensagem de Jesus, tal como a de João, dizia respeito ao reino, e o arrependimento aparece como porta de admissão a esse reino. (A nota de sumário sobre o "reino" aparece em Mt 3.2; e aquela sobre o *arrependimento*, em At 2.38). Cremos que Jesus espiritualizou a mensagem de João. Certamente João Batista esperava que Jesus estabelecesse um reino político. Não há certeza de que fosse essa a intenção do próprio Jesus. Se era esse o seu propósito, sua mensagem foi tão sublimemente espiritual que o aspecto político de seu reino teve de ser relegado a segundo plano. Foi precisamente isso que os líderes religiosos e as multidões não apreciaram em Jesus; e foi exatamente isso que, eventualmente, o derrubou, pois o povo judeu, finalmente, deixou de ver nele a sua esperança de livramento do poder romano.

O reino de Jesus é *Deus a vos controlar*, e não um Messias assentado em um trono, em Jerusalém. Os dois conceitos não são necessariamente contraditórios, mas não há dúvida de que Jesus ensinava que não haveria Messias, entronizado em Jerusalém, enquanto Deus não reinasse no coração de seus súditos. O rabino Aha (320 d.C.) ensinava que, se Israel se arrependesse, o Messias viria imediatamente. Esse era o espírito da proclamação de Jesus.

O reino *viria* a Israel, mas

1. O homem deve primeiramente *arrepender-se* e satisfazer as condições espirituais, pois o reino é dom de Deus, e não o resultado de campanhas militares ou políticas bem-sucedidas (Lc 12.32).

2. O reino é a súmula de todos os dons de Deus, o que é ilustrado em Mateus 13.44-46. Por ser de imenso valor, exige o *sacrifício* de tudo o mais, para ser concretizado no coração, e, subsequentemente, na sociedade.

3. O reino começou a manifestar-se no início do ministério de *Jesus*. A igreja cristã, quando não se concretizou o reino literal e quando Jerusalém foi destruída, passou a conceber o reino como algo futuro, no fim de nossa era, no meio ambiente milenar.

4. Não pode haver reino sem *santificação*, ou da alma ou da sociedade. Mateus 6.10 equipara o reino com a prática da vontade de Deus na terra, tal como ela é feita nos céus.

5. Em certo sentido, os homens podem *agora* entrar no reino (Mt 5.20,52; 16.18,19). As bem-aventuranças descrevem seu caráter, seus cidadãos e suas bênçons (5.3-11).

6. O reino, segundo certo ângulo, torna-se *os discípulos*, ou seja, a "igreja" (13.47,52; 16.18,19).

7. Jesus é o *arauto supremo* do reino, conforme o versículo (Mt 4.17) o demonstra, e não pode haver reino sem que ele viva no coração, sem que o indivíduo vá sendo transformado em sua imagem (2Co 3.18). Em Mateus 3.2, damos a nota de sumário

sobre o "reino", onde se procura apresentar uma visão completa do que o reino é no NT. Há muitos e diversos conceitos vinculados ao termo, mas uma coisa domina a tudo: esse é o reino de Deus, onde Deus governa, quer na alma do indivíduo, na comunidade, na nação ou no mundo inteiro.

4.17: Desde então começou Jesus a pregar, e a dizer: Arrependei-vos, porque é chegado o reino dos céus.

4.17 Ἀπὸ τότε ἤρξατο ὁ Ἰησοῦς κηρύσσειν καὶ λέγειν, Μετανοεῖτε, ἤγγικεν γὰρ2 ἡ βασιλεία τῶν οὐρανῶν.

17 Μετανοεῖτε... οὐρανῶν Mt 3.1; 10.7

2 17 {B} Μετανοεῖτε, ἤγγικεν γὰρ ℵ B C D K L P W Δ *f* *f*13 28 33 565 700 892 1009 1010 1071 1079 1195 1216 1230 1241 1242 1253 1365 1546 1646 2148 2174 *Byz Lect*m 76,211 its,aur,b,c,d,f,ff,gh,h,l vg syrp,h,pal,ms copsa,bo arm eth geo // μετάνοειτε, ἤγγικεν syrpal ms copbo ms // itk syrc,s Justin Clement Origen (Eusebius) Victor-Antioch

Embora seja difícil explicar a ausência de μετάνοειτε e de γάρ no siríaco antigo e em um manuscrito do latim antigo, bem como nas citações de diversos dos primeiros pais da Igreja, e embora se possa argumentar que as palavras são uma assimilação posterior do texto com 3.2, a unanimidade da evidência grega, bem como o testemunho esmagador do resto dos testemunhos patrísticos e das versões, pareceu à comissão que essas palavras devem ser retidas no texto.

Jesus deixa seu lar e amigos, sem dúvida, sob a direção do Espírito Santo, e assim inicia o *cumprimento* das belas e encorajadoras profecias de Isaías 9.1,2. Inicia o ministério de um ano (ou talvez três, segundo notas em Mt 4.12 e Lc 1.4). Esse ano ou anos revestiram-se de capital importância, como deveriam notar os que pensam que a vida terrena de Jesus foi de pouca importância. É evidente que Jesus percorreu a Galileia por "três vezes". Desta vez, apenas com os quatro pescadores; mais tarde, com os onze apóstolos. Segundo a profecia, viveu quase todo esse tempo na Galileia, humildemente, não na grande Jerusalém. Até hoje, no mundo, sente-se o impacto desses anos da vida mais significativa já vivida.

"Arrependei-vos" — Mensagem pregada por João Batista. Ver notas sobre o sentido da palavra, em Mateus 3.2 e 21.29.

"Reino dos céus" — Ver a nota detalhada sobre o assunto em Mateus 3.1,2. Jesus esperava o estabelecimento do reino *messiânico* de forma literal, mas parece que jamais teve o desejo de ser um rei político, e nunca aceitou essa posição da maneira com que o povo instou com ele que a aceitasse. Como Jesus teria firmado um reino no sentido literal, sem mudar a situação política, não é abordado no NT. O interesse de Jesus parece ter sido somente religioso. O oferecimento do reino dos céus ao povo, por parte de Jesus, o Messias, foi "legítimo e sincero". As profecias sobre o reino dos céus, o reino do Messias, implicam na mudança e até na eliminação dos sistemas políticos. Ver Daniel 7.13,14,27; 2.34,35. Os judeus entenderam bem as implicações dessa profecia. Sabemos agora que sua aplicação principal será no futuro, no milênio, na ordem da eternidade, quando da segunda vinda de Cristo. O que não entendemos totalmente é como Jesus poderia oferecer de forma legítima o "reino dos céus" sem ficar implicado na vida política. É perfeitamente claro, contudo, que ele tenha feito esse oferecimento. Dificilmente se poderia crer que Jesus tivesse oferecido apenas um avivamento religioso e de reforma na igreja judaica. Lembramo-nos de que há muitas evidências que indicam que Jesus foi oficialmente acusado de fazer política, como "rei dos judeus", denotando traição a Roma; e a sua morte foi oficialmente executada pelo governo romano.

"Às portas" — No grego, essa é uma expressão usada tanto para as ideias especiais como para as temporais. Em ambos os casos é a *aproximação* literal do objeto mencionado. Como aqui, ela é

294 |Mateus| NTI

usada para denotar cumprimento escatológico, particularmente no ponto em que a história assumiria um rumo diferente, isto é, a vinda do reino de Deus (ver Mt 3.2). Ainda que esse termo pudesse indicar a realidade presente do governo de Deus e sua influência no mundo, especialmente no coração dos homens, neste ponto Jesus anuncia o estabelecimento do reino de Deus sobre a terra, literalmente falando. Provavelmente, Jesus reputou o *reino literalmente próximo*, isto é, considerou que o tempo para o estabelecimento do reino estava "às portas", ou seja, chegaria brevemente. Ele usou a mesma expressão ao referir-se à brevidade da chegada de sua morte (Mt 26.18). Verdadeiramente, ele ofereceu o reino de Deus para ser aceito ou rejeitado.

I. OS PRIMÓRDIOS (1.1—4.25)
13. Chamada dos primeiros discípulos (4.18-22)

A chamada dos primeiros discípulos é *diferentemente* apresentada nos vários evangelhos. Conforme a narrativa de João, isso teve lugar na região da Judeia; mas os evangelhos sinópticos situam o fato na Galileia. (Ver Jo 1.37ss e as apresentadas. Cf. o que temos aqui com Mc 1.16-20 e Lc 5.2-11.) Já que a narrativa aparece nos três evangelhos sinópticos, sua fonte informativa é o protomarcos; mas o evangelho de João tem uma fonte independente. Alguns intérpretes manuseiam a aparente discrepância, supondo que houve uma chamada preliminar dos primeiros discípulos na Judeia, o que teria sido posteriormente confirmado na Galileia, e expandido mais ainda em outros lugares.

4.18: E Jesus, andando ao longo do mar da Galileia, viu dois irmãos — Simão, chamado Pedro, e seu irmão André, os quais lançavam a rede ao mar porque eram pescadores.

4.18 Περιπατῶν δὲ παρὰ τὴν θάλασσαν τῆς Γαλιλαίας εἶδεν δύο ἀδελφούς, Σίμωνα τὸν λεγόμενον Πέτρον καὶ ᾽Ανδρέαν τὸν ἀδελφὸν αὐτοῦ, βάλλοντας ἀμφίβληστρον εἰς τὴν θάλασσαν· ἦσαν γὰρ ἁλιεῖς.

_{18 ἐγώ...αὐτῆς Gn 18.11}

"**Mar da Galileia**" — Ver a nota em Mateus 4.13. Ver a nota sobre o ofício divino do apostolado, em Mateus 10.1. Ver nota da lista dos apóstolos e detalhes sobre eles em Lucas 6.12. A chamada dos quatro primeiros discípulos: João dá detalhes anteriores a essa ocorrência em 1.35-42 de seu evangelho. André e Pedro são apresentados como discípulos do Batista, tendo seguido a Jesus depois do testemunho dado por aquele: "Eis o Cordeiro de Deus!" Foram com Jesus à sua casa, e com ele ficaram parte daquele dia. Segundo João, André foi o primeiro discípulo; mais tarde, convenceu Pedro a investigar as declarações que lhe fazia, e ambos visitaram o Senhor Jesus. João 1.44 relata que (no mesmo dia?) Jesus chamou dois outros irmãos, Tiago e João, filhos de Zebedeu. João não menciona o fato, mas parece que Jesus fez de Filipe e Natanael o terceiro e o quarto discípulos (João 1.43-51), e isso ocorreu no dia *imediato*. Há a dificuldade do local da chamada. Em João, parece se ter situado na Judeia, porque ocorreu onde João Batista pregava. Em Mateus, o local é a Galileia. Para resolver essa dificuldade, os comentaristas geralmente falam de duas chamadas: a primeira, na Judeia, e esta na Galileia, no princípio do ministério galileu; Lucas 5.1-11 parece ensinar que todos os quatro foram chamados ao mesmo tempo, na Galileia, mas sob circunstâncias diferentes das de Mateus. A solução comumente dada, para explicar essas circunstâncias, é que essa chamada também é diferente da de Mateus, pois teria ocorrido mais tarde. Alguns comentaristas acham incompatíveis as "chamadas" (Mt 4.18-25; Lc 5.1-11; Jo 1.35-51). Outros explicam que foram passos sucessivos da chamada feita por Jesus, cada passo sob alguma circunstância e

local diferentes: 1) recebimento como discípulos sem maiores compromissos (chamada de João, cap. 1); 2) seleção para um serviço especial. (Mt 4.3); nomeação para o "apostolado", com poder de operar milagres, o divino ofício do apostolado (Mt 10).

"**Simão, chamado Pedro**" — Há quatro listas dos apóstolos: Mateus 10.2-4; Marcos 3.16-19; Lucas 6.14-16; Atos 13,16,26. Pedro é o primeiro a ser mencionado em todas elas. Fica claro, pelos detalhes de Atos 2 e 3, que ele gozava de primazia. Morava em Betsaida, mas parece que também tinha casa em Cafarnaum (Mc 1.21,29). "Pedro" (recordação histórico): esse foi o nome que Jesus lhe deu (Mt 16.18), em face de seu serviço especial na igreja. Ver notas em Mateus 16, quanto à "questão exata", de Pedro como alicerce da igreja.

"**André**" — Era irmão de Simão e foi o primeiro discípulo de Jesus. Ver detalhes no comentário de Lucas, no vol., 2 desta obra.

"**Lançavam a rede**" — Indica que provavelmente o dia estava começando; apesar disso, os dois irmãos seguiram a Jesus imediatamente.

"**Pescadores**" — Trabalhavam no negócio mais comum da região.

4.19: Disse-lhes: Vinde após mim, e eu vos farei pescadores de homens.

4.19 καὶ λέγει αὐτοῖς, Δεῦτε ὀπίσω μου, καὶ ποιήσω ὑμᾶς ἁλιεῖς ἀνθρώπων.

4.20: Eles, pois, deixando imediatamente as redes, o seguiram.

4.20 οἱ δὲ εὐθέως ἀφέντες τὰ δίκτυα ἠκολούθησαν αὐτῷ.

"Vinde após mim" significa "sede meus discípulos". O discipulado rabínico requeria um contacto diário e íntimo com o mestre, para que o futuro rabino pudesse aprender por observação, e não meramente por preceito. (Ver Aboth 6.5). Na literatura dos judeus, e também na grega, a expressão "apanhar homens" tem mau sentido, como se pode ver em Jeremias 16.16. Jesus deu-lhe o sentido oposto. Os discípulos de Jesus, em um bom sentido, deveriam reunir homens a fim de que se tornassem discípulos do reino dos céus. Provavelmente, Jesus já conhecia aqueles homens, e também lemos que não seria excepcional, no Oriente Próximo, que os homens o seguissem imediatamente após essa convocação. Agostinho disse sobre Pedro: "O pescador Pedro não deixou de lado a sua rede; apenas trocou-a por outra". Aqueles homens não se consideravam gênios, não eram treinados nas escolas dos rabinos, mas anelavam por mares mais extensos e por uma vida mais significativa. Eram como nós mesmos, "saudosos do lar na própria casa e estranhos debaixo do sol" (G. K. Chesterton, *The House of Christmas*). Jesus ardia de paixão pelas almas dos homens. Uma gigantesca colheita jazia aos seus olhos, mas ele precisava de trabalhadores para sua seara. A sinagoga não era suficiente. Em sentido bem real, a sinagoga o decepcionara, como também decepcionara o povo. Era mister que homens saíssem à procura das almas humanas, e assim fosse edificado o reino de Deus.

"**Vinde após mim**" — Segundo a ocorrência narrada em Mateus, a impressão é de que a chamada e o atendimento pelos discípulos não teve nenhuma preparação; isso tornaria notável o fato de eles terem seguido a Cristo sem nenhuma pergunta imediata. No entanto, os detalhes dados por João (1.35-42) mostram que, provavelmente, já houvera preparação, pois os dois já conheciam a Jesus, e essa chamada teria sido confirmatória, como extensão de uma chamada anterior. Agora Jesus lhes daria uma incumbência especial, isto é, a de:

"**Pescadores de homens**" — Vem-nos à memória o caso de Davi. Tinha o encargo de fornecer pasto às ovelhas. Mais tarde, recebeu a tarefa de alimentar a nação de Israel, como seu pastor (Sl 78.70-72). Assim também, esses homens foram guindados à posição de pescadores de outro tipo de peixes. Essas palavras sugerem a base de uma parábola. Mais tarde, Jesus apresentou uma parábola baseada na pesca (Mt 13.47). O mais antigo hino que existe (pelo menos em nosso conhecimento), proveniente da igreja antiga, tem base nesse acontecimento. Foi escrito por Clemente de Alexandria, em 200 d.C., e diz:

Pescador de homens, ó abençoado,
Chamando-nos fora do mundo agitado,
Fora do mar perturbado, mar de pecado,
Tomando-nos, ó Senhor, para ti.

Fora das ondas da contenda,
Com isca da vida bem-aventurada,
Puxando suas redes à praia,
Com peixes especiais, tesouro bom.

4.21: E, passando mais adiante, viu outros dois irmãos — Tiago, filho de Zebedeu, e seu irmão João, no barco com seu pai Zebedeu, consertando as redes; e os chamou.

4.21 Καὶ προβὰς ἐκεῖθεν εἶδεν ἄλλους δύο ἀδελφούς, Ἰάκωβον τὸν Ζεβεδαίου καὶ Ἰωάννην τὸν ἀδελφὸν αὐτοῦ, ἐν τῷ πλοίῳ μετὰ Ζεβεδαίου τοῦ πατρὸς αὐτῶν καταρτίζοντας τὰ δίκτυα αὐτῶν· καὶ ἐκάλεσεν αὐτούς.

Dois outros irmãos são chamados: *Tiago*, um que estaria entre os três mais íntimos de Jesus. Esse foi o Tiago que Herodes mandou executar (At 12.2). Pelas referências de Marcos 16.1 e Mateus 27.56, parece que Salomé era mãe dos apóstolos Tiago e João. É comumente aceita a ideia de que Salomé era irmã de Maria, mãe de Jesus; assim sendo, os irmãos Tiago e João seriam primos de Jesus. Salomé contribuía para o sustento de Jesus (Lc 8.3; Mc 15.40). As palavras de Marcos 1.20, sobre os "empregados de Zebedeu", indicam que a família tinha recursos, provavelmente em contraste com a família de Pedro e André. João também era um dos três mais íntimos de Jesus. Foram apelidados de *filhos do trovão*, devido à sua natureza explosiva, talvez natureza característica dos homens daquela profissão: pescadores. Pedro, Tiago e João foram os únicos que viram a ressurreição da filha de Jairo (Mt 9.23-26) e a transfiguração de Jesus (Mc 9.2), e que estiveram com Jesus no Getsêmani (Mc 14.33). Ver nota em Lucas 6.12 quanto aos detalhes.

"Consertando as redes" — Provavelmente preparando-se para iniciar a ocupação diária. Depois de uma noite de pesca bem-sucedida, usualmente era mister consertar e lavar as redes.

4.22: Estes, deixando imediatamente o barco e seu pai, seguiram-no.

4.22 οἱ δὲ εὐθέως ἀφέντες τὸ πλοῖον καὶ τὸν πατέρα αὐτῶν ἠκολούθησαν αὐτῷ.

Não sabemos se houve preparação para terem deixado o barco no mesmo instante, como parece ter sucedido com André e Pedro. É possível que a reputação de Jesus já se tivesse propagado devido ao testemunho de João. Talvez a personalidade atraente de Jesus bastasse para causar essa reação. Não há que duvidar de que seguiram a Jesus com a permissão de Zebedeu, como é óbvio; pois, se Salomé ajudou a sustentar a Jesus nos meses seguintes, foi o dinheiro de Zebedeu que foi usado nesse serviço (v. 21,22).

I. OS PRIMÓRDIOS (1.1—4.25)
14. Sumário de atividades (4.23-25)

O autor deste evangelho inclui aqui um sumário *das primeiras atividades*. Omite o material que há em Marcos 1.21,23-28,35-38, e deixa para depois o material que Marcos usou, representado em

1.22 e 1.29-34. A base do *sumário* fica em Marcos 1.39; 3.7,8,10. Por todo o evangelho de Mateus percebe-se que Marcos foi usado como material informativo quanto à narrativa histórica. Ver notas na introdução ao evangelho de Marcos quanto às provas da ideia de que Marcos foi usado por Mateus e Lucas como fonte informativa primária.

Nessa viagem, Jesus foi acompanhado pelos quatro pescadores. Jesus fez outra viagem completa pela Galileia, mais tarde, seguido pelos doze. Na terceira vez, enviou-os adiante, aos pares, tendo-os seguido depois.

4.23: E percorria Jesus toda a Galileia, ensinando nas sinagogas, pregando o evangelho do reino, e curando todas as doenças e enfermidades entre o povo.

4.23 Καὶ περιῆγεν ἐν ὅλῃ τῇ Γαλιλαίᾳ3, διδάσκων ἐν ταῖς συναγωγαῖς αὐτῶν καὶ κηρύσσων τὸ εὐαγγέλιον τῆς βασιλείας καὶ θεραπεύων πᾶσαν νόσον καὶ πᾶσαν μαλακίαν ἐν τῷ λαῷ.

3 23 {C} ἐν ὅλῃ τῇ Γαλιλαίᾳ B *l*20 (it*k*) syr*c* cop*sa* // ἐν ὅλῃ τῇ Γαλιλαίᾳ ὁ Ἰησοῦς C3 // ὁ Ἰησοῦς ὅλην τὴν Γαλιλαίαν (ℵ *omit* ὅλην) C* syr*s,p,h,pal* cop*bo* arm eth // ὁ Ἰησοῦς ὅλην τὴν Γαλιλαίαν ℵ*b* D *f*1 33 892 2148 *Lect* *l*883pt,950pt (*l*1642 *omit* ὅλην) it*a,aur,b,c,d,f,ff*2,g1,h,l* vg geo? Eusebius // ὅλην τὴν Γαλιλαίαν ὁ Ἰησοῦς K W Δ Π *f*13 28 565 700 1098 1010 1071 1079 1195 1216 1230 1241 1242 1253 1365 1546 1646 2174 *Byz* *l*85,211,333,547,883pt,956pt

23 Mt 9.35; Mc 1.39

A fim de identificar o tema do verbo περιῆγεν, vários manuscritos inserem as palavras ὁ Ἰησοῦς em diferentes posições (no sistema lecionário grego, o v. 23 começa com uma nova perícope). O acusativo, ὅλην τὴν Γαλιλαίαν, em D e em muitos dos manuscritos posteriores, é uma adaptação à construção mais usual, após περιάγειν.

"Ensinando nas sinagogas" — O culto das sinagogas usualmente consistia de oração, louvor, leitura das Escrituras e exposição feita por algum rabino ou outra pessoa competente. A vida de Jesus, sua reputação como autor de milagres e notável mestre bíblico, qualificaram-no a pregar nas sinagogas, apesar de provavelmente não ter recebido a instrução formal que se exigia para tal posição.

Sinagogas. Palavra grega que significa "trazer com", ou seja, *assembleia*, que era o lugar onde a assembleia se congregava. O termo aparece 57 vezes no NT. Usualmente, o edifício tinha forma retangular, talvez medindo 21 por 15 metros, com colunas em três lados e um balcão para mulheres (essa é a descrição de uma sinagoga escavada em Cafarnaum). Provavelmente, as dimensões variavam, dependendo do número de pessoas que assistiriam às reuniões. A destruição das sinagogas pelos romanos, em cerca de 70 d.C. (até mesmo na Galileia), foi tão completa que não há certeza de que qualquer das sinagogas escavadas date de antes do século II d.C. Ver nota arqueológica sobre as sinagogas, em Lucas 4.33. Provavelmente as sinagogas tiveram origem no primeiro cativeiro, em substituição ao templo, quando o povo não tinha acesso a esse lugar de adoração. A sinagoga, então, tornou-se parte da vida religiosa dos judeus. No tempo de Jesus, havia sinagogas em qualquer vila, e em Jerusalém seu número era de cerca de quatrocentas e cinquenta. Além dos cultos regulares, aos sábados, e em dias especiais, os judeus se congregavam no segundo e no quinto dias da semana, para orar e ler as Escrituras.

Os oficiais *das sinagogas eram*: 1) Os chefes (Lc 8.49; 13.14; At 18.8,17). Eram os responsáveis pelo arranjo dos cultos e pela execução da autoridade na comunidade. 2) Os presbíteros (Lc 7.3; Mc 5.22; At 13.15), que evidentemente formavam um concílio sob a autoridade dos "chefes". 3) O *legatus* ou *angelus ecclesiae*, que operavam como leitores das orações e como mensageiros. 4) O

296 | Mateus | NTI

assistente (Lc 4.20), que preparava e cuidava dos livros, limpava a sinagoga, fechava e abria suas portas etc. A sinagoga era usada como escola religiosa para as crianças, bem como para reuniões especiais.

Em qualquer lugarejo onde houvesse pelo menos *dez* homens adultos, havia uma sinagoga. A sinagoga servia de escola comunitária, lugar de concílios locais religiosos e políticos, e como "igreja" ou centro de adoração. Os seus líderes eram os "anciãos". O líder principal era o *chefe*, que dirigia a adoração. Em seguida, na ordem da importância, havia o "mestre", que era encarregado do edifício e que dirigia semanalmente a escola. Executava também as decisões tomadas pelos outros anciãos, tanto sobre questões políticas como religiosas. Algumas vezes, as sinagogas contavam com um intérprete, que traduzia o hebraico antigo para o aramaico coloquial, que era o idioma do povo comum. Jesus tanto podia pregar em uma sinagoga como ser expulso da mesma, de acordo com a disposição do chefe, que nomeava os pregadores. Em seu ministério de ensino, Jesus utilizou-se sobremaneira das sinagogas, e evidentemente era ele aceito de maneira ampla como mestre nas regiões da Galileia. Como instituição, porém, a sinagoga decepcionou-o em sua missão, e finalmente lhe fez oposição. Talvez o seu ensino fosse por demais revolucionário, e sua exigência de justiça fosse por demais difícil. Os judeus não eram capazes de apoiar suas palavras ou de acolher os seus ensinos. Que lição temos aqui para as igrejas modernas!

"Pregando" — O termo indica o "cumprimento do dever" de um arauto ou mensageiro. Significa também "clamar, proclamar". Tornou-se expressão comum no NT para indicar a proclamação do evangelho. Jesus, porém, ensinou também que ela indica a contínua instrução que serve de conteúdo e de implicações da simples proclamação. É uma boa lição para ser observada por todos os ministros do evangelho.

"Curando toda sorte de doenças e enfermidades" — Jesus curava. Em um mundo onde há casos autênticos de curas psíquicas e mesmo de cirurgia por meios psíquicos, numa variedade de grupos religiosos e também nos grupos fora de qualquer organização religiosa, por que se duvidaria que o Cristo, poderosamente desenvolvido, pudesse fazer tais milagres? Jesus mesmo disse que aqueles que *tiverem fé* convenientemente desenvolvida poderão fazer tais milagres, e maiores ainda. Pode ser que, algumas vezes, Jesus tenha usado a sua natureza divina para realizar algum milagre, mas o seu testemunho parece indicar que, na maioria das vezes, ele operou como homem de atributos divinos altamente desenvolvidos, fortalecido que era pelo Espírito Santo. Esse desenvolvimento espiritual está aberto a todos os crentes, o que pode ser manifestado de diversos modos, no exercício dos vários dons. Embora fosse de natureza divina, o desígnio da encarnação de Jesus é que ele ficasse *essencialmente* limitado ao poder espiritual outorgado a todos os homens, e aprendesse a obediência. Em suma, desenvolver-se como nós nos temos de desenvolver. Sempre manteve desimpedido o canal de comunicação com o Pai e com o Espírito Santo, e assim desenvolveu extraordinários poderes como homem, mostrando assim o caminho do desenvolvimento para todos os homens. Ver outras notas sobre as curas feitas por Jesus e o seu sentido, em Mateus 3.13; 7.21-23; 8.3,13,15,16,26,32; 9.2; 14.15,22,23. Ver a nota que explica a natureza e a importância da encarnação de Jesus, em Fp 2.7.

4.24: Assim a sua fama correu por toda a Síria; e trouxeram-lhe todos os que padeciam, acometidos de várias doenças e tormentos, os endemoninhados, os lunáticos, e os paralíticos; e ele os curou.

4.24 καὶ ἀπῆλθεν ἡ ἀκοὴ αὐτοῦ εἰς ὅλην τὴν Συρίαν· καὶ προσήνεγκαν αὐτῷ πάντας τοὺς κακῶς ἔχοντας ποικίλαις νόσοις καὶ βασάνοις συνεχομένους [καὶ] δαιμονιζομένους καὶ σεληνιαζομένους καὶ παραλυτικούς, καὶ ἐθεράπευσεν αὐτούς.

<u>24 καὶ εθερ. αυτους] κ. παντας εθερ. D it syˢᵉ om k</u>
5.4, 5 trsp 5, 4 D 33 565 700 al lat syᶜ Cl; Rm
<u>24 Mc 6.55,56</u>

"Síria" — Os limites dessa província eram os montes Taurus, ao norte, o rio Eufrates, o deserto da Arábia e o mar Morto, a leste, o mar Mediterrâneo, a oeste, e o istmo do Sinai, ao sul. Provavelmente, a fama de Jesus se propagou entre os negociantes que viajavam pela Palestina, vindos de diversos lugares. A parte da Síria que se limitava com a Galileia era a região siro-fenícia (Mc 7.24-30), e, sem dúvida, a fama de Jesus começou por esse local da Síria, e daí se espalhou.

"Endemoninhado" — Ver nota detalhada sobre os "demônios", em Marcos 5.2. Essa nota inclui informações sobre a possessão demoníaca.

"Lunáticos" — Termo que significa "atacados pela lua" e vem da ideia de que certos tipos de loucura são causados pelas fases da lua. A ideia é antiga, e tem sido ridicularizada pelos modernos. A despeito disso, a evidência dos estudos recentes mostra que as fases da lua exercem influência sobre a mente humana, especialmente no caso de insanos. Qual o grau de influência da lua e por que razão isso se dá, não sabemos ainda. Alguns intérpretes acham que a doença aqui aludida é a epilepsia.

"Paralíticos" — Alguns antigos pensavam que as condições atmosféricas causavam esse estado físico. Por isso, ensinavam que essas doenças eram causadas por três influências: o mundo dos espíritos, os corpos siderais (como as fases da lua) e as condições ou variações atmosféricas. A despeito da validade ou não da ideia antiga, o ensino bíblico é claro: Jesus curou todos os tipos de enfermidades.

4.25: De sorte que o seguiam grandes multidões da Galileia, de Decápolis, de Jerusalém, da Judeia, e dalém do Jordão.

4.25 καὶ ἠκολούθησαν αὐτῷ ὄχλοι πολλοὶ ἀπὸ τῆς Γαλιλαίας καὶ Δεκαπόλεως καὶ Ἱεροσολύμων καὶ Ἰουδαίας καὶ πέραν τοῦ Ἰορδάνου.

<u>25 Mc 3.7,8</u>

"Galileia" — Ver nota em Lucas 1.26.

"Decápolis" — Federação com cerca de dez cidades, localizada na Palestina oriental. A área contava com grande população gentílica, o que é indicado pela presença de muitos suínos. Ao fazer um desvio não planejado, em uma viagem de Sidom até as praias orientais do mar da Galileia, Cristo visitou novamente essa área (Mc 7.31). *Pereia* provavelmente era o nome da parte norte dessa província.

"Jerusalém" — A fama de Jesus chegou até a *capital*. Ver nota sobre Jerusalém, em Lucas 2.41.

"Judeia" — Adjetivo com o sentido de "judaico". Depois da conquista pelos romanos, em 63 a.C., a palavra passou a ser usada para indicar toda a Palestina, incluindo a Samaria e a Galileia. Às vezes, naquele tempo, era usada para indicar a Palestina inteira, com exceção da Samaria e da Galileia. O reino de Herodes, o Grande, incluía toda a Palestina e certas regiões a leste do rio Jordão, e se chamava "Judeia" (37-4 a.C.). O tetrarca Arquelau (4 a.C.-6 d.C.) reinava sobre uma região mais estreita, isto é, a oeste de Jordão, ao sul e a oeste do mar Morto, e ao sul de Samaria, que também foi chamada "Judeia", mas que não incluía Samaria. O distrito da Judeia e esses limites também constituíam a província romana da Judeia (6-41 d.C.). Após 44 d.C., o nome passou a incluir também a Galileia.

"Dalém do Jordão" — Neste caso, provavelmente é uma referência direta à Pereia, parte norte da província de Decápolis. O autor do livro quis dar ideia da vasta influência exercida por Jesus e, assim, mostrou que não foi alcançada apenas a Galileia, mas todo o Israel, e igualmente as regiões gentílicas para além dos limites de Israel.

Capítulo 5

II. PRIMEIRO GRANDE DISCURSO (5.1—7.29)

1. Introdução (5.1,2)

Jesus subiu ao monte, pois o que tinha a dizer transcende à vida comum do vale inferior, onde os homens estavam acostumados a reunir-se. (Cf. sua subida ao monte da transfiguração, em Mt 17.1, bem como a outorga de seu mandamento final, em Mt 28.16.) Por igual modo, Moisés recebeu a lei em um monte (ver Êx 19). Cristo apresenta aos homens o caminho da vida.

O evangelho de Mateus é o evangelho dos logoi ou ensinos de Jesus. O autor apresenta esses ensinos em cinco grandes discursos de Jesus, como se tivessem sido ministrados em cinco ocasiões distintas, como discursos formais dirigidos às massas ou aos seus discípulos. Os sermões se compõem de aforismos, máximas e instruções de tão elevada qualidade, que têm sido lembrados, e entesourados através dos séculos. É impossível crer que Jesus tivesse feito apenas cinco discursos principais, ou que essas cinco seções necessariamente representem apenas cinco acontecimentos históricos separados. Antes, segundo o seu plano geral de apresentação, o autor agrupa os ensinos em blocos distintos, firmado talvez em palavras proferidas e repetidas por muitas vezes; e em volta desses blocos de ensinos edificou o seu evangelho e a sua cronologia de acontecimentos históricos. O confronto com Marcos e Lucas revela que Mateus nem sempre segue a mesma ordem cronológica desses evangelistas, e isso ele faz propositalmente, na maioria dos casos, devido ao seu propósito principal, não de preservar a ordem dos eventos, mas de apresentar, da melhor maneira possível, os ensinos de Cristo. O Sermão do Monte, em Mateus, é o Sermão da Planície, em Lucas; além disso, nota-se que cada um expõe o material do discurso em diferentes circunstâncias históricas. Em Lucas, o material desse sermão é apresentado mais tarde no ministério de Jesus, após certo número de milagres e depois de haver selecionado todos os doze apóstolos. Em Mateus, o sermão aparece antes dos milagres, e após haver escolhido apenas quatro dentre os doze discípulos. Tais considerações, porém, não afetam a autenticidade dessas palavras ou ensinos, mas apenas indicam que detalhes dessa natureza não são importantes para o autor, e que este usou o material de que dispunha do modo mais vantajoso para o plano de apresentação que tinha em mente. As cinco grandes seções desse evangelho são as seguintes: 1) Caps. 5-7 — o Sermão do Monte; a nova lei; os conceitos do reino; instruções aos herdeiros do reino. 2) 9.35—11.1 — ensinos que indicam a necessidade de caráter formado no trabalho e na conduta dos discípulos especiais. 3) 13.1-58. — mistério do reino dos céus; dirigidos às multidões. 4) 18.1—19.2 — grande texto sobre as crianças; problemas comunitários; relações na igreja; discurso dirigido aos discípulos. 5) 24.1—26.2. — descrição das condições no fim da dispensação; o "Pequeno Apocalipse" ou profecias de Jesus. Esse discurso foi também dirigido aos discípulos. Em volta desses blocos capitais de ensinos é que o evangelho de Mateus foi erigido. O livro contém outros ensinos não incluídos nessas seções, mas essas representam a essência dos logoi de Jesus.

A seção que ora se inicia é uma das mais famosas e notáveis no evangelho inteiro. O reino de Jesus requeria uma *nova lei*, bem como um *novo legislador*, e em Jesus e suas palavras encontramos ambas as coisas. Sua mensagem dirige-se ao *Novo Israel* (a igreja) e não ao antigo Israel. Isto é o que transparece nos escritos de nosso evangelista. Portanto, rejeitamos aqui o ensinamento hiperdispensacional, que atribui esse primeiro discurso a "Israel" ou adia sua aplicação até o milênio. Antes, visa à conduta cristã ideal, porquanto a igreja cristã é o *Novo Israel*. Sem dúvida, esse é o intuito do autor, ao expor o seu material. Naturalmente, Jesus proferiu essas palavras aos ouvidos dos israelitas, mas, conforme elas são usadas pelo evangelista, certamente se aplicam ao Novo Israel. O evangelho de Mateus é um documento cristão.

"Até este ponto da narrativa, Jesus chamara apenas quatro discípulos especiais, e aparentemente o discurso lhes foi dirigido; mas Mateus na realidade tinha em mira as multidões, e o sermão tem por escopo aplicar-se a todos os cristãos". (Sherman Johnson, *in loc.*)

Muitos nomes têm sido empregados para expressar a natureza geral do evangelho de Mateus, tais como *"eclesiástico", "legalista"* ou *"judaico"*; mas logo a primeira seção de ensinos revela-nos que o maior interesse do autor centralizava-se na vida espiritual e moral da comunidade cristã. Essa vida espiritual deve ser de nível mais elevado do que a vida evidenciada por alguns representantes do judaísmo, isto é, a justiça cristã deve ultrapassar a dos "escribas e fariseus" (5.20). A justiça descrita pelo autor é mais profética do que rabínica. (Ver *"Studies in Matthew"*, B. W. Bacon.) Quanto à bibliografia sobre o evangelho de Mateus, ver a introdução a Mateus. É digno de nota que o último discurso termina com essa mesma nota de justiça transcendental. Por conseguinte, em realidade, no Sermão do Monte temos uma nova espécie de *Torah* (ver nota detalhada em Mt 15.2), e não apenas um novo "halakah" ou compêndio de leis.

Fontes do material de Mateus — É evidente que a fonte "M" foi usada como base de pelo menos parte do material encontrado nesse discurso. Partes do discurso contêm um tipo de interesses rabínicos invertidos, ou seja, o autor deseja expressar o seu descontentamento ante alguns aspectos do farisaísmo, especialmente sua interpretação sobre alguns conceitos da lei. Deseja mostrar que a interpretação de Jesus, sobre a mesma lei, reflete um ideal muito mais elevado e um alicerce moral muito mais seguro, para os adeptos do reino dos céus. A fonte "Q", porém, serviu igualmente de base, embora se possa ver que parte do Sermão da Planície, dado por Lucas, oferece material paralelo (ver Lc 6.20-49). Lucas também apresenta porções do Sermão do Monte. Entretanto, em outros textos; e essas porções são apresentadas sob circunstâncias históricas diferentes. (Por exemplo, Mt 5.13; Lc 14.34; Mt 5.18; Lc 16.17; Mt 5.25,26; Lc 15.58; Mt 5.32; Lc 16.18. Ver a lista mais completa, na discussão seguinte, acerca da *harmonia* dessa seção.) O Sermão da Planície, de Lucas, contém algum material da fonte "L", o que se evidencia pelo fato de ele relatar quatro "ais" não contidos em Mateus (Lc 6.24-26), além de palavras introdutórias que não acham paralelo em Mateus (Lc 6.39,45). Quanto a uma ampla discussão sobre as fontes dos evangelhos e à explicação dos termos aqui usados, ver a introdução ao comentário, na seção intitulada "O problema sinóptico". Tanto o autor deste evangelho quanto Lucas introduzem seus sermões após uma súmula de curas notáveis, e é provável que a fonte "Q" o fizesse de forma similar. As evidências sobre a fonte "Q", isto é, material em comum, em Mateus e Lucas, e que Marcos não inclui, podem ser vistas na seguinte tabela comparativa:

MATEUS	LUCAS	MATEUS	LUCAS
5.1-3,6,11,12	6.20-23	7.21,24-27	6.46-49
5.46-48	6.32,33,36	8.5-10	7.1-9
7.1-5	6.37,38,41,42	8.13	7.10
7.16-18	6.43,44		

Os ensinos *anteriores* são apresentados na mesma ordem por Mateus e Lucas. Em outros lugares, porém, a ordem é levemente modificada, mas é muito provável que a fonte *"Q"* continue sendo a fonte originária. Embora seja impossível ter certeza, o mais provável é que Lucas tenha preservado a ordem original:

MATEUS	LUCAS
5.39-41	6.29,30
5.44	6.27,28
5.45	6.35

Harmonia desta seção — Tem havido muita discussão e controvérsia em torno da harmonia desta seção: o Sermão do Monte, com Lucas 6.20-49, o Sermão da Planície. É óbvio que, pelo menos em parte, ambos os autores expõem um sermão que teria sido feito na mesma ocasião. Há, porém, algumas notáveis diferenças cronológicas e de conteúdo. Já notamos que Lucas usa partes do sermão de Mateus em outros lugares que não têm conexão com as ocorrências apresentadas como parte integrante daquela ocasião. A discussão abaixo apresenta as principais ideias dos intérpretes em relação à harmonia entre Mateus e Lucas nesse ponto:

1. Os sermões são *idênticos*, e o de Lucas é uma condensação do de Mateus. Ou é possível que o sermão de Mateus seja uma expansão do de Lucas. É difícil aceitar essa ideia ao observarmos que Lucas alude a uma "planície" como localidade geográfica do sermão, ao passo que Mateus situa o fato sobre um "monte". Dizer que Lucas se refere a um "lugar plano", em uma das vertentes do monte, é esperar demais da credulidade do leitor; a interpretação reflete uma mentalidade que pede *harmonia-a-qualquer-custo*. É claro também que as circunstâncias e a ocasião dos sermões são diferentes. Em Lucas, o fato é apresentado numa época do ministério de Jesus posterior àquela em que Mateus situa o acontecimento. Em Mateus, antes da ocorrência do fato, Jesus teria escolhido apenas quatro dos doze discípulos; em Lucas, todos os doze já haviam sido selecionados. Lucas menciona milagres e acontecimentos que teriam ocorrido antes do Sermão da Planície; estes são citados em número maior do que os que são citados por Mateus como tendo ocorrido antes do Sermão do Monte. A principal dificuldade dessa interpretação é que ela insiste sobre "uma só ocasião", tanto para Mateus como para Lucas. Essa ideia e a de que seria impossível os dois autores apresentarem seus sermões como se tivessem ocorrido em diferentes períodos do ministério de Jesus, e de que, de alguma forma, as *ocasiões* precisam ser reconciliadas, criam obstáculos intransponíveis para a interpretação e a harmonia; os principais obstáculos são os que estão aqui mencionados.

2. Outros interpretam os dois textos como *duas partes* do mesmo sermão: uma proferida no "monte", e outra, na "planície". É outra interpretação forçada, e as objeções contra a primeira interpretação também se aplicam a esta. Essa ideia só serve para explicar as diferenças entre o "monte" e a "planície", bem como as diferenças no material, mas em nada contribui para esclarecer por que os dois autores apresentam os sermões em ocasiões totalmente diversas e sob circunstâncias tão díspares. Por exemplo, suponho que seria necessário dizer (a fim de apoiar uma harmonia exata) que, entre as duas partes do sermão, Jesus escolheu os outros oito discípulos, ideia manifestamente absurda.

3. Alguns interpretam que os sermões, de fato, são *dois discursos* diferentes, proferidos em duas ocasiões distintas. Isso solucionaria os problemas de harmonia, pois ela já não seria necessária, já que os incidentes não seriam os mesmos. Então, esperaríamos, naturalmente, que algo do conteúdo fosse diferente e que as ocasiões fossem distintas. A dificuldade em torno dessa ideia é que parece óbvio, pelos textos, que os autores de fato procuram apresentar o mesmo "sermão" ou ensinos que se encontram na fonte "Q". É difícil crer que Jesus houvesse feito dois sermões quase idênticos, seguindo a mesma ordem de declarações (ver a súmula do parágrafo anterior, que demonstra a existência da fonte "Q"). Ainda é mais difícil crer que esses dois sermões continuaram existindo lado a lado, como tradição oral, tendo sido copiados e preservados na tradição escrita, e que Mateus tenha registrado um deles e Lucas, o outro. As possibilidades contrárias a essa série de eventos são por demais remotas.

4. A verdade em torno dessa dificuldade parece ser a seguinte: Mateus expôs um *compêndio* dos ensinos de Jesus; usando a mesma fonte ("Q"), Lucas introduziu um compêndio *similar*, mas então preferiu apresentar apenas uma porção do material de que dispunha. Noutros lugares, porém, apresentou outros

assuntos comuns à mesma fonte. Não podemos saber com certeza se "Q" inteiro, em uma das seções, tinha a quantidade de material que Mateus apresenta nos capítulos 5 a 7, ou se o autor preferiu fazer uma seleção dentre várias seções, usando materiais diversos, para então reuni-los numa só seção de seu evangelho. Além do material da fonte "Q", o autor do evangelho de Mateus também adicionou material da fonte "M". Lucas agiu de modo similar. Usou essencialmente a mesma fonte "Q" que se encontra em Mateus, utilizando-se, porém, da menor parcela da mesma nessa seção, usando novamente da mesma fonte noutros textos para apresentar os ensinos de Jesus, ainda que sob circunstâncias históricas diferentes. A fonte "L" também foi usada por Lucas, que apresenta assim um material misto. As objeções a essa ideia são, essencialmente, as tentativas para provar que estamos abordando apenas uma ocasião e um único sermão. Esse é o erro cometido pelos *harmonistas*, pois essa tese carece de provas.

Não só nesta seção, mas também no caso dos outros *quatro* principais discursos deste evangelho, o autor tem o propósito de apresentar um compêndio dos ensinos de Jesus, e em torno desses sermões ele reuniu os elementos históricos de sua exposição. É difícil crer que Jesus tenha feito apenas cinco discursos principais, e isso em cinco localidades e ocasiões distintas. Parece óbvio que esses sermões realmente representam muitos sermões, feitos em muitas ocasiões e circunstâncias variadas. O tratamento dado por Lucas a Jesus e trechos do Sermão do Monte, que ele dispersa no contexto de seu livro, sob várias oportunidades históricas, demonstra certamente isso. (Ver o *sumário* após essa seção, em Lucas). É possível — e quem poderia negá-lo? — que Jesus tenha feito um sermão ou sermões que contivessem muitos dos elementos dos capítulos 5 a 7 de Mateus, em um "monte" ou em uma "planície". Pode-se falar legitimamente do Sermão do Monte, o que, nem em Mateus nem em Lucas, faz com que seja cometida nenhuma violência contra a credulidade de seus leitores, com a apresentação dos seus sermões (embora, essencialmente sejam compêndios), como se tivessem sido proferidos em ocasiões específicas, presos a ocasiões distintas; de fato, houve muitos sermões que incluíram essas declarações e instruções, proferidos em "montes" ou "planícies". Entretanto, segundo o que alguns harmonistas nos querem fazer crer, os autores desses evangelhos não se preocuparam meticulosamente com detalhes de tempo e de geografia. Ao dizermos isso, de forma nenhuma atacamos a autenticidade dos *logoi* apresentados dessa maneira. Reputamos autênticos os *logoi*, ou seja, Jesus de fato proferiu essas palavras. Quem dentre os seus discípulos teria a energia mental necessária para pôr essas palavras nos lábios de Jesus? As palavras conferem o que sabemos sobre a personalidade e a grandeza de Jesus. Quanto à questão geral da "harmonia", temos de concordar com Alford, que disse: "Muito labor inútil teria sido evitado se as mentes dos homens tivessem sido encaminhadas para a inquirição diligente sobre as dificuldades reais dos evangelhos, ao invés de gastar-se tanto tempo a coser teias de aranha" (comentário sobre Mt 8.25). (Ver as notas sobre esse versículo e a citação latina de Agostinho, acerca do mesmo problema. Quanto a uma discussão detalhada sobre a dificuldade da harmonia dos evangelhos, ver o artigo da introdução intitulado *A Historicidade dos Evangelhos*.)

Comparação *das duas narrativas*: 1) Dos 107 versículos contidos em Mateus, Lucas apresenta apenas 30. 2) Das oito *bem-aventuranças* de Mateus, Lucas apresenta apenas quatro; mas Lucas acrescenta quatro *ais* não contidos em Mateus (ver Lc 6.24-26). 3) Lucas traz algumas poucas palavras introdutórias que não se acham em Mateus (Lc 6.39,45). 4) Certo número de versículos de Mateus, sobre o Sermão do Monte, é usado em diferentes lugares por Lucas, sem nenhuma vinculação a um sermão proferido em um monte ou em uma planície:

MATEUS	LUCAS
1. 5.13	14.34
2. 5.18	16.17
3. 5.25,26	12.58
4. 5.32	16.18
5. 6.9-13	11.2-4
6. 6.19.21	12.33,34
7. 6.22,33	11.34-36
8. 6.24	16.13
9. 6.25	12.22,23
10. 6.26-34	12.24-31
11. 7.7-11	11.9-13
12. 7.13	13.13
13. 7.22,23	13.25-27

Observa-se, de modo geral, que os *logoi* desse sermão não apresentam conceitos inteiramente novos. Jesus empregou as ideias do AT, e de vez em quando se utilizou de citações rabínicas. A habilidade especial de Jesus consistia em reconhecer e selecionar material de valor especial da tradição judaica, deixando de lado os pontos fracos, inúteis e absurdos. Jesus imortalizou o que havia de melhor nos ensinos do judaísmo. Essa seção, *O Sermão do Monte*, tem sido chamado por alguns de *O mais nobre e elevado código moral jamais compilado* (paráfrase de *The New Testamento as Literature, The Gospel Acordding to Matthew*, por Buckner B. Trawick, p. 44). Temos aqui, portanto a "Nova Lei", a Nova Torah, o *Sinai* do Novo Testamento.

5.1: Jesus, pois, vendo as multidões, subiu ao monte; e, tendo ele se assentado, aproximaram-se os seus discípulos,

5.1 Ἰδὼν δὲ τοὺς ὄχλους ἀνέβη εἰς τὸ ὄρος· καὶ καθίσαντος αὐτοῦ προσῆλθαν αὐτῷ οἱ μαθηταὶ αὐτοῦ·

"Subiu ao monte" — Provavelmente o autor tinha em mente alguma região em particular, alguma localidade montanhosa ou monte, um lugar frequentado por Jesus, onde, provavelmente, muitas vezes ele ensinara ao povo. Há muitas ideias quanto à identificação desse monte, e é verdade que o grego diz aqui "o monte" (traduzido em RV ASV IB AA; ver explicação das traduções usadas com o propósito de confronto, no comentário, nove, em inglês, e cinco, em português, na introdução da lista de abreviações). É bem possível que o autor visasse a algum lugar realmente existente. Hoje, porém, é impossível *identificar* o local. Talvez fosse alguma colina ou área montanhosa próxima a Cafarnaum, talvez perto da atual Saphet, visto que essa área caberia facilmente dentro da descrição. Alguns intérpretes creem que nada de mais específico está em vista a não ser alguma zona de colinas, em contraste com as planícies que caracterizavam a região. Não obstante, esse é o *Sinai do Novo Testamento*, e esse "monte" figura com proeminência entre outras importantes experiências em "montes", nas Escrituras, tais como o monte Sinai, no AT, onde foi entregue a tábua da lei (Êx 19), ou o monte da transfiguração de Jesus (Mt 17), ou ainda o monte de onde ele subiu para o céu (Mt 28.16). Daquele monte, pois, é que saíram os ensinos da nova ordem, o reino dos céus.

"Como se assentasse" — Era a postura apropriada dos mestres judaicos, e embora os ensinos a ser ministrados fossem importantes e básicos para os discípulos do reino, era apropriado que Jesus tomasse a posição conveniente a um discurso formal.

"Discípulos" — A palavra pode significar "aprendiz", "estudante", "adepto" ou "seguidor". Um substantivo cognato (matheteia) significa "lição", "instrução". O verbo (matheteuo) pode significar "fazer discípulos" ou "ensinar". Nossa moderna palavra "matemática" vem dessa raiz, e a antiga palavra *mathematikos* significa "pertencente às ciências". Às vezes, o termo podia referir-se à prática de alguma "ciência" particular, como a astrologia. Aqui o autor usa a palavra a fim de indicar aquelas pessoas que haviam começado a seguir a Jesus e a aprender dele, em contraste com a multidão em geral. Os discípulos de Jesus, pois, são aqueles que aceitam a sua "ciência", o seu conhecimento, que aderem ao seu reino e são estudantes de sua nova lei.

5.2: e ele se pôs a ensiná-los, dizendo:
5.2 καὶ ἀνοίξας τὸ στόμα αὐτοῦ ἐδίδασκεν αὐτοὺς λέγων,

"E ele passou a ensiná-los, dizendo..." — Expressão oriental usada para introduzir algum discurso formal. Algumas vezes, serve para indicar uma comunicação solene e confidencial. As ideias apresentadas nas declarações de Jesus baseiam-se principalmente no AT. (Ver Is 57.15; 61.1-3; Sl 34.11-19; 37.11; 73.1; 1Sm 2.5; Ed 7.4).

Embora seja verdade que os ensinos *éticos* de Jesus pareçam ser a chave dos ensinos morais do "reino de Deus" que ele veio anunciar, também é certo que essas eram as convicções reais de Jesus sobre o que constitui a ação moral e um caráter piedoso, sem importar o período histórico em foco. Deve-se notar principalmente que, para Jesus, a ação moral depende tanto dos motivos como dos atos exteriorizados. É errôneo esperar encontrar nessas declarações distinções e explicações expandidas sobre doutrinas profundas como a "justificação" e o "perdão dos pecados", as quais são abordadas de forma mais dogmática em livros posteriores do NT, especialmente nos escritos de Paulo. Assim sendo, as tentativas para harmonizar os ensinos de Jesus e de Paulo, em seções como estas, são estéreis e desnecessárias.

II. PRIMEIRO GRANDE DISCURSO (5.1-7.29)
2. As bem-aventuranças (5.3-12)

As bem-aventuranças são *promessas* feitas aos discípulos *fieis* do reino dos céus. Apesar de Jesus ter proferido essas palavras originalmente a Israel, não há que duvidar de que ele quisesse que se aplicassem plenamente ao Novo Israel, a igreja. O evangelho de Mateus foi escrito quando a era cristã já tinha cinquenta anos, e não faz sentido supor que não tencionava ser um documento inteiramente "cristão". Os discípulos de Cristo devem aprender a apegar-se a ele, a confiar nele e em suas palavras explicitamente. Não pode haver reservas na dedicação a ele e às suas palavras. As bem-aventuranças mostram como seremos abençoados se fizermos disso a regra de nossa vida. Os crentes seriam oprimidos pelo mundo (talvez um reflexo da perseguição de Domiciano, que a igreja sofria quando este evangelho foi escrito; ver a secção II da introdução, sobre a *Data* do livro). Os oprimidos, porém, haverão de obter eventualmente a vitória, embora nunca sem uma clara lealdade ao seu Senhor. "[...] as bem-aventuranças mostram que, para Jesus, a retidão é mais do que a súmula de seus mandamentos; é uma total atitude da mente, uma forma particular de caráter. Aqueles que são louvados no evangelho são homens e mulheres humildes, amorosos, confiantes, fieis e corajosos. Ainda não são perfeitos, mas são convertidos. Seus interesses e desejos se voltam na direção do reino de Deus. Mateus aparentemente enumera nove bem-aventuranças, embora a oitava e a nona possam se constituir numa só; e se for removido o v. 5, teremos apenas sete. Lucas 6.20-23 contém quatro bem-aventuranças, todas as quais têm paralelos aqui. Provavelmente, 'Q' tinha as mesmas, na terceira pessoa, e não na segunda, conforme se vê em Lucas. Mateus, entretanto, adicionou termos tais como 'em espírito' (v. 3) e 'justiça' (v. 6). Também haveria bem-aventuranças em 'L' e 'M'? Nesse caso, os quatro *ais* de Lucas (Lc 6.24-26) podem provir de 'L', e, pelo menos algumas das bem-aventuranças de Mateus, derivam-se de 'M' " (Sherman Johnson, in loc.). (Ver informações completas sobre as fontes informativas dos evangelhos, referidas aqui pelas abreviações "Q", "L" e "M", no artigo da introdução ao comentário intitulado "O Problema Sinóptico").

5.3: Bem-aventurados os humildes de espírito, porque deles é o reino dos céus.

5.3 Μακάριοι οἱ πτωχοὶ τῷ πνεύματι, ὅτι αὐτῶν ἐστιν ἡ βασιλεία τῶν οὐρανῶν.

"Bem-aventurados" — O termo e seus cognatos são usados cerca de cinquenta vezes no NT, sendo um dos muitos termos que o uso do NT expandiu e dignificou quanto ao seu sentido. A raiz original, no grego clássico, parece significar "grande", e desde cedo foi usada como sinônimo de *rico*, mas quase sempre aludindo à prosperidade externa (não à espiritual). Na literatura grega primitiva, era palavra aplicada aos deuses e à sua condição de "felicidade", em contraste com a situação medíocre do homem. Os filósofos gregos usavam-na dotada de certo elemento moral, e algumas vezes indicavam, por meio dela, que a felicidade resulta da excelência do caráter. Alguns intérpretes acreditam que o uso que Jesus fez da palavra aqui reflete as ideias e expressões hebraicas que se encontram, por exemplo, em Salmos 1.1; 32.1 e 112.1, onde a palavra hebraica *"ashrê"*, ou "quão feliz", indica a condição de felicidade em vista. As "bem-aventuranças", portanto, declaram quem são os felizes, aos olhos de Deus. O uso neotestamentário tem soerguido a ideia inteira de felicidade até as regiões espirituais. A verdadeira felicidade inclui aquele bem-estar ou estado de "bem-aventurança" associado à correta relação do homem para com Deus. Esse mesmo vocábulo é aplicado aos mortos que morrem no Senhor (Ap 14.13), e esse uso, por sua vez, é extremamente instrutivo. Poderíamos dizer, com igual verdade: "Bem-aventurados os que vivem no Senhor", e é essencialmente isso que Jesus dizia, ao pronunciar as "bem-aventuranças".

Os eruditos não concordam quanto ao *número* exato das bem-aventuranças. A expressão "bem-aventurados" ou "felizes" aparece nove vezes, pelo que alguns intérpretes preferem esse número. Outros creem que sete é o número tencionado, e explicam que os v. 10 e 11 realmente formam uma única bem-aventurança, embora a palavra apareça por duas vezes, enquanto que o v. 5 é rejeitado por alguns, como se não fora autêntico. Aqueles que preferem o número sete evidentemente fazem-no a fim de que transpareça o simbolismo que indica algo completo, divino e santo. Outros pretendem aumentar seu número para dez, para fazer o autor expor um novo decálogo. É provável que o autor não tivesse nenhuma dessas ideias, apesar de ser justa a observação de que, de fato, temos aqui um novo decálogo, princípios éticos perfeitos e a oitava das músicas do reino.

Antes de observarmos cada bem-aventurança de per si, notemos as principais ideias expostas: 1) *Humildes de espírito* — Parece significar aquela humildade espiritual que percebe sua aguda necessidade de desenvolvimento. É o oposto do orgulho espiritual. 2) *Choram [...] serão consolados* — Embora tenhamos aqui a mesma palavra usada para indicar a lamentação feita pelos mortos, o intuito de Jesus, uma vez mais, é salientar um aspecto do exercício espiritual que se baseia na tristeza por causa do pecado; e, provavelmente, essa segunda bem-aventurança está vinculada à primeira, porque esse choro é aquela resposta das emoções à percepção da carência espiritual dos que são "humildes de espírito". Essas pessoas, porém, receberão aquele fortalecimento infalível e o consolo que estão subentendidos na palavra "consolados". 3) *Mansos* — Os antigos não reputavam essa virtude como virtude (certa serenidade suave, às vezes, negativa, outras vezes, positiva). O seu sentido primário é a serenidade gentil. Essa qualidade cristã tem origem na percepção que o crente tem de sua pequenez em face da grandeza de Deus. 4) *Fome e sede de justiça* — A frase explica-se por si mesma, pois todos conhecem o instinto jamais satisfeito que pede alimentos e água, necessários para a sobrevivência física. Em sentido espiritual, também deveríamos possuir um instinto difícil de ser satisfeito, necessário para a sobrevivência espiritual verdadeira e própria. Poucos sabem o que significa ficar "cheio", expressão usada aqui, empregada na literatura grega para a ceva do gado. Muitos estão satisfeitos, com estômagos espirituais vazios. Jesus queria que os seus discípulos estivessem cheios, pois somente esses são realmente "bem-aventurados". Assim como o estômago físico pode encolher, não sendo mais capaz de conter a nutrição apropriada, também com a faculdade espiritual isso pode acontecer. Muitos não sabem que estão em estado de inanição espiritual, incapazes de se nutrir espiritualmente como convém. Os verdadeiramente felizes entre os discípulos de Jesus são aqueles que têm grande fome e sede, e subsequentemente são satisfeitos até na sociedade. 5) *Misericordiosos* — Indica a capacidade de sentir a miséria humana, ligada ao impulso de aliviar essa miséria. Essa combinação resulta em um ministério prestado aos outros. 6) *Limpos de coração* — Não é sinônimo de castidade (embora possa incluir essa ideia); antes, indica singeleza de mente, um propósito espiritual, incorrupto, inatingido pelo mundo. A essa bem-aventurança está vinculada a maior das promessas: a visão beatífica. 7) *Pacificadores* — Não são meramente os dotados de natureza pacífica, mas aqueles que promovem ativamente a paz e a harmonia entre os homens. 8) *Perseguidos* — Não são aqueles que desfrutam de uma modalidade suave de martírio, sensíveis a qualquer menosprezo por parte de outros, e, sim, o sofrimento produzido pela vida piedosa e de serviço cristão, que provoca a oposição do mundo hostil. 9) *[...] vos injuriarem [...] disserem todo mal contra vós* — Refere-se à forma verbal de "perseguição", que ocasionalmente é mais virulenta ao indivíduo do que a violência física, e que, desafortunadamente, às vezes é sofrida pelos benfeitores da parte daqueles para quem ministram.

As bem-aventuranças constituem promessas dos *benefícios* inerentes ao reino do céu, pois os que a ele pertencerem saberão o que significa ser consolado, herdar a terra, ser satisfeito, alcançar misericórdia, ver a Deus e ser chamado filho de Deus. As bem-aventuranças. As bem-aventuranças ilustram de imediato que a nova lei de Jesus consiste em mais do que a simples observância de determinado número de preceitos. Jesus alude aqui às atitudes da mente e do coração, e não apenas aos atos que podem ser vistos pelos homens. Os seus discípulos são homens e mulheres dotados de humildade, amor, confiança, fidelidade e coragem.

Notemos cada bem-aventurança em separado. Bem-aventurados são os:

1. **"Os humildes de espírito"** — Mateus não ensina a pobreza física *literal*, embora se possa obter essa ideia pelo paralelo de Lucas 6.20. Alguns creem que a fonte "Q", neste caso, e a declaração original de Jesus, não continham as palavras "de espírito", mas que se trata de uma adição do autor do evangelho de Mateus como interpretação do sentido da declaração. Isso não é de todo impossível; essa "interpretação" sem dúvida é a correta. Todavia, se todos os *pobres* fossem "bem-aventurados", especialmente na Palestina dos dias de Jesus, a vasta maioria do povo estaria entre os bem-aventurados, e ainda que Jesus sempre tivesse demonstrado simpatia incomum pelos pobres e por outros elementos desafortunados da sociedade, não é provável que tenha incluído tão vasto número de pessoas nessa bem-aventurança. É verdade que Jesus se dirigiu aos pobres, que a maioria dos que lhe deram ouvidos pertence a essa classe; porém, do ponto de vista judaico, jamais poderíamos afirmar que a simples pobreza física é sinal de bem-aventurança. Sabemos, pelo AT, que o oposto é a verdade. (Ver as notas seguintes, sobre o texto em Lucas.)

Notamos também, pela história *eclesiástica*, que essa bem-aventurança tem sido interpretada literalmente em alguns círculos, e que a *pobreza física* tem sido necessária para que alguém seja membro de certas ordens religiosas. Tais ordens alicerçam sua regra de pobreza voluntária em passagens como esta, mas parece que isso não passa de exagero, se não mesmo de uma perversão do texto.

Outros pensam que essa pobreza refere-se à *privação mental*, como se somente os que são mentalmente símplices pudessem ouvir, receber e aplicar os ensinos de Jesus. Não passa essa ideia também de uma perversão do sentido tencionado no texto.

Ainda que Jesus deva ter proferido essas palavras a pessoas reais e literalmente pobres, espezinhadas sob a autoridade de Roma e desprezadas pelos próprios líderes religiosos, àquela classe da sociedade verdadeiramente "pobre" em vários aspectos, e apesar de que ele possa ter derivado a lição espiritual da observação dessa pobreza "física", literal, contudo, a sua lição é de natureza *essencialmente* espiritual. Nenhuma outra interpretação seria coerente com o que sabemos da natureza intensamente espiritual de Jesus e sua doutrina. Jesus fala de certa qualidade espiritual, e a adição da expressão "de espírito" é justa. Trata-se de uma atitude do coração, o reconhecimento da grandeza de Deus e a necessidade de desenvolvimento espiritual, tendo a sua perfeição como modelo (ver Mt 5.48). Essa atitude é o contrário do orgulho espiritual, e todos temos podido observar esse elemento negativo, tanto em nós mesmos como em outros. Jesus jamais usou de ostentação e nunca manifestou atitudes e ações soberbas. Ele quer que seus discípulos o imitem. Requer deles simplicidade, humildade, mansidão e bondade. O orgulho é uma das raízes principais do pecado; a humildade de espírito é uma das raízes da virtude cristã.

Talvez uma das mais notáveis ilustrações derivadas e uma fonte não-bíblica sobre o que está aqui incluso encontre-se na *Divina Comédia*, de Dante. Dante se teria encontrado com o anjo da humildade. O anjo tocou na testa de Dante com suas asas, apagando o sinal do orgulho. Enquanto um coro angelical entoava "*Beati pauperes spiritu*", Dante afastava-se com passos leves, porque, uma vez apagada a marca da soberba, todos os outros pecados se tornam fardos mais leves.

Pelo texto, e também pelas implicações dessa ilustração, podemos dizer com verdade que essa *bem-aventurança* é uma espécie de alicerce para as demais, qual pedra fundamental. O código ético de Jesus não poderia perdurar sem ela, e o valor de todos os outros preceitos teriam de ser grandemente diminuídos se essa virtude não se fizesse presente. É verdade que Jesus bem poderia estar pensando na futura dispensação, quando o reino haverá de se manifestar sobre a terra, e estivesse expressando assim as exigências éticas daquele reino; mas é igualmente verdadeiro que ele deve ter esperado encontrar essas qualidades em seus discípulos, e desejado que esses seus padrões de ética se fizessem presentes em sua vida, a despeito do período da história em que eles vivessem.

"Porque deles é o reino dos céus" — Jesus falou não só sobre o "reino no íntimo" ou sobre o "reino vindouro", isto é, o céu, mas particularmente sobre o reino que ele esperava firmar sobre a terra, o reino que continuamente anunciara a partir de seu batismo, o mesmo reino que João Batista anunciara estar *próximo*. Os judeus anelavam intensamente pela esperança de livramento da opressão romana. Certamente que Jesus esperava essa libertação, e aguardava um novo governo, um "reino sobre a terra". Não obstante, a promessa continua sendo essencialmente espiritual, pois Jesus sempre manifestou intenso interesse pelas questões espirituais, e certamente pouco pensava sobre funções políticas, pelo menos no que era envolvida a sua pessoa. Jesus não contemplava um reino de ostentação e de glória terrena para si mesmo e para os seus seguidores (embora isso pudesse ser uma espécie de resultado natural do reino), mas pensava no estabelecimento de princípios religiosos justos e na obediência de seus "discípulos" a esses princípios. Tinha em mente o caráter real e principesco do desenvolvimento espiritual, a "ostentação" legítima e aceitável diante de Deus.

Neste mundo, os "pobres", quer os que o são literalmente, quer os *humildes de espírito*, nada podem esperar da glória de qualquer reino. Jesus mostrou que essa não será a condição predominante em seu reino. O que tem valor ali não é a riqueza nem o poder,

mas as qualidades orais e o desenvolvimento espiritual. Apesar de Jesus poder ter esperado um reino literal que ainda será estabelecido, para incorporar os seus ensinos em cada nível da sociedade, ansiava que seus discípulos manifestassem essas virtudes aceitáveis em seu reino, e que a posse e a exibição dessas virtudes tivessem início imediatamente. Contrastem-se esses elevados ideais sobre a herança de um reino espiritual com um paralelo rabínico: "Torna-te mais e mais humilde de espírito, posto que o que o homem pode esperar é tornar-se comida de vermes" (no livro de J. R. Dummelow, *A Commentary on the Holy Bible*, N. Y., The Macmillan Co., 1946, p. 639).

Aqueles que dão ouvidos a esses preceitos estão fazendo apenas o que o próprio Jesus fez: [...] *assumindo a forma de servo* [...] *a si mesmo se humilhou...* (Fp 2.7,8). *Tende em vós o mesmo sentimento que houve também em Cristo Jesus* (Fp 2.5).

Na igreja, é grande a quantidade de interpretações presentes e futurísticas sobre esse versículo. Um grande segmento da igreja ainda espera um reino literal sobre a terra, onde serão praticados esses princípios. Outros, sem esperar tal reino, em qualquer sentido literal ou político, exortam que esses princípios sejam praticados, pois para nós *o reino está no íntimo*.

5.4: Bem-aventurados os que choram, porque eles serão consolados.

5.4 μακάριοι οἱ πενθοῦντες, ὅτι αὐτοὶ παρακληθήσονται.

> 4 οἱ πενθοῦντες... παρακληθήσονται Is 61.2,3
>
> ᵃ ᵃ 4-5, *a* number 4, *a* number 5: TR WH Nes Bf² AV RN ASV RSV NEM TT Zür Luth Seg // *a* number 5, *a* number 4: Bov Jer
>
> ¹ 4-5 {B} *4, 5* μακάριοι... παρακληθήσονται. μακάριοι...τὴν γῆν. ℵ B C K W Δ θ Π 0196 *f* *f*³ 28 565 700 892 1009 1010 1071 1079 1195 1216 1230 1241 1242 1253 1365 1546 1646 2148 2174 *Byz Lect* l⁸⁸³ᵐ itᵇ,ᶠ,ᑫ syrˢ,ᵖ,ʰ,ᵖᵃˡ copˢᵃ,ᵇᵒ arm eth geo Tertullian Chrysostom Ps-Chrysostom // *5, 4* μακάριοι...τὴν γῆν. μακάριοι... παρακληθήσονται. D 33 itᵃ,ᵃᵘʳ,ᶜ,ᵈ,ᶠᶠ¹,ᵍ¹,ʰ,ᵏ,ˡ vg syrᶜ Diatessaronᵉ ᵃʳᵐ,ⁱ,ⁿ Clement Origen Eusebius Aphraates Hilary Ephraem Basil Gregory-Nyssa Jerome Ammonius

> Se os v. 3 e 5 originalmente estavam juntos, com a antítese retórica dos céus e da terra, é improvável que qualquer escriba tivesse inserido entre eles o v. 4. Por outro lado, desde o século II d.C., os copistas vinham revertendo a ordem das duas bem-aventuranças, de modo a produzir essa antítese, pondo em maior conexão entre si os termos πτωχοί e παεῖς.

Os códices D 33 565 700 Sy e Clemente Alexandrino (212 d.C.), um dos pais da Igreja, invertem a ordem dos v. 4 e 5. Algumas autoridades sobre questões textuais aceitam essa inversão como original, mas a maioria prefere a ordem familiar. Todas as traduções, usadas para comparação, neste comentário, retêm a ordem usual, exceto F, que evidentemente segue autoridades "ocidentais". A coerência lógica das sentenças parece igualmente boa de um modo ou de outro. A maioria das evidências dadas pelos mss. indica que a ordem familiar era a original. Alguns acreditam que o v. 5 tenha sido uma glosa antiga, baseada em Salmos 37.11, que provocou a variação na ordem de versículos; mas não há nenhuma prova objetiva em favor disso.

2. **"Os que choram** — Jesus falava novamente de um exercício espiritual, e não da expressão de tristeza pessoal devido a alguma perda sofrida. Aludia à tristeza pelo pecado, à necessidade de arrependimento, ou, talvez, se referisse a alguém que sofria tristeza não merecida, por motivo de perseguição por causa da justiça. Essa bem-aventurança pode ser vinculada à primeira. O *lamento* é uma expressão que toma conta da verdadeira humildade de espírito. A chegada do Messias, que é denominada "consolo de Israel" (Is 61.2; Lc 2.25), indica que "Israel" tinha razões para aguardar esse consolo. Dessa forma, Israel poderia livrar-se de adversários opressivos, nacionais ou individuais. Esse lamento não tem causa apenas no pecado, mas também

|Mateus| NTI

nos resultados do pecado no seio da sociedade. Provavelmente, Jesus inclui ambas as possibilidades. Paulo menciona a opressão exercida pelo mundo, bem como nossa ansiedade de libertação (Rm 8.18,19; 2Co 4.17; ver também Jo 143). Aqueles que aprendem a permitir que a opressão, pessoal ou impessoal, sirva de instrumento de instrução, que os conduza ao arrependimento e à dependência a Deus, poderão encontrar, no fim, um bom resultado de seu "choro" e assim ser verdadeiramente "bem-aventurados". Essa bem-aventurança é proveniente do *consolo divino*, consolo no perdão e na restauração, bem como na participação na "manifestação dos filhos de Deus", conforme o ensino de Paulo. Aprendemos, pois, que o dardo do sofrimento pode ser armado com a vida, e não com o veneno da morte. Podemos chorar de muitos modos: pelos nossos pecados; pelos pecados de nossa nação; pelos amigos e conhecidos; pelos males humanos; pelos sofrimentos alheios. Aqueles que choram não se contentam com uma vida não-examinada, a qual, segundo disse Sócrates, nem é digna de ser vivida.

5.5: Bem-aventurados os mansos, porque eles herdarão a terra.

5.5 ^a λμακάριοι οἱ πραεῖς, ὅτι αὐτοὶ κληρονομήσουσιν τὴν γῆν.¹

<hr>
5 οἱ πραεῖς...γῆν Sl 37.11

Ver notas completas sobre o milênio, em Apocalipse 20.6.

3. **"Os mansos"** — Serenidade, às vezes negativa e às vezes positivamente boa. Essa bem-aventurança se alicerça em Salmos 37.11. Os homens que padecem sob o mal, sem se deixar contaminar pelo espírito de amargura, mas com paciência, possuem qualidades aprovadas por Deus. Esses homens, como Natanael, são *israelitas em quem não há dolo* (Jo 1.47). Na história da Inglaterra, houve pessoas que, ao serem perseguidas pelo governo e pela sociedade (e até pela igreja local), herdaram o continente americano. O Messias mostra que a nova ordem do reino de Deus promete a terra a essas pessoas. A mansidão é uma das características dos regenerados. Talvez haja alguma alusão a profecias como à de Daniel 7.27, que fala da esperança da vinda do Messias, no reino de Deus sobre a terra e de uma nova ordem social. Na citação de Salmos 37.11, temos ideia de que Deus removerá da terra os inimigos de Israel, e assim a terra santa será entregue ao povo de Deus. Isso seria símbolo do grande dom que é a promessa contida neste versículo.

5.6: Bem-aventurados os que têm fome e sede de justiça, porque eles serão fartos.

5.6 μακάριοι οἱ πεινῶντες καὶ διψῶντες τὴν δικαιοσύνην, ὅτι αὐτοὶ χορτασθήσονται.

4. **"Os que têm fome e sede de justiça"** — A fome e a sede deveriam ser experiências comuns para aqueles com quem Jesus falava. Lembramo-nos de certa vez em que a multidão ficou com ele *alguns dias*, quando, por meio de um notável milagre, foi preciso satisfazer a fome daquelas pessoas. Provavelmente, muitos dentre eles nem tinham o que comer. Jesus usa esses instintos como ilustração, mostrando que devemos sentir essa necessidade espiritual. Ele também padeceu fome (Mt 4.2) e podia ilustrá-la com sua experiência pessoal. O desejo é tão intenso, que se transforma em dor. Jesus mostra que precisamos desse desejo em relação às coisas espirituais, relativas à justiça. O desejo físico pelo alimento impele o indivíduo a buscar comida, quase sem considerar o preço da mesma ou as dificuldades de sua obtenção. Precisamos de atitude similar quanto à justiça de Deus. Qualquer um concorda em que o mais forte e insistente dos instintos naturais, como também o mais necessário, é o da alimentação. O alimento sustenta a vida física. A alma também tem fome e sede.

A fonte da espiritualidade

I. O velho caminho	O novo caminho
A velha Lei	A nova lei
Moisés	O novo Moisés: Jesus
A Lei foi dada por intermédio de Moisés — João 1.17	A graça e a verdade vieram por meio de Jesus Cristo — João 1.17
Moisés deu a lei, mas ninguém a observa — João 7.19	Quem crer em mim, como diz a Escritura, do seu interior, fluirão rios da água viva — João 7.38
A lei hipoteticamente dá vida àqueles que obedecem — Deuteronômio 30.16ss	Eu vim para que tenham vida e a tenham em abundância — João 10.10

II. A deficiência da Lei	A suficiência da graça em Cristo
Porque se fosse promulgada uma lei que pudesse dar vida, a justiça, na verdade, seria procedente de lei — Gálatas 3.21	Mas a Escritura encerrou tudo sob o pecado para que mediante a fé em Jesus Cristo, fosse a promessa concedida aos que creem — Gálatas 3.22
Ninguém será justificado diante dele por obras da lei, em razão de que pela lei vem o pleno conhecimento do pecado — Romanos 3.20	Mas agora, sem lei, se manifestou a justiça de Deus mediante a fé em Jesus Cristo para todos os que creem — Romanos 3.21

III. A Lei, como ensinada nos tempos antigos, condenou ações, não os motivos	Cristo ensinou uma lei que examina os motivos
Ouvistes que foi dito aos antigos: não matarás — Mateus 5.21	Eu, porém, vos digo que todo aquele que se irar contra seu irmão estará sujeito a julgamento — Mateus 5.22

Senhor, disse eu,
Jamais eu poderia matar um meu semelhante;
Crime de tal grandeza cabe a um selvagem somente,
É o crescimento venenoso da mente maligna,
Ato alienado do mais indigno.

Senhor, disse eu,
Jamais eu poderia matar um meu semelhante;
Um ato horrível de raiva sem misericórdia,
Apunhalada irreversível de inclinações perversas,
Ato não imaginável de plano ímpio.

Disse o Senhor a mim,
Uma palavra sem afeto lançada contra vítima que odeias
É um dardo abrindo feridas de dores cruéis.
Bisbilhotice corta o homem pelas costas,
Um ato covarde que não podes retirar.
Ódio no teu coração, ou inveja levantando sua horrível cabeça,
É um desejo secreto de ver alguém morto.
(Russell Champlin)

Ouviste que foi dito: Não adulterarás — Mateus 5.27
Eu, porém, vos digo: Qualquer que olhar para uma mulher com intenção impura, no coração, já adulterou com ela — Mateus 5.28

IV. O propósito da lei foi mal compreendido	A vida sobeja em Cristo
Sobreveio a lei para que avultasse a ofensa — Romanos 5.20	Onde abundou o pecado, superabundou a graça — Romanos 5.20
O pecado reinou pela morte — Romanos 5.21	A graça reina pela justiça para a vida eterna — Romanos 5.21

V. A lei revela o pecado mas não dá vida	A graça em Cristo vivifica
A letra mata — 2Coríntios 3.6	O Espírito vivifica — 2Coríntios 3.6

VI. A promessa da vida eterna antecedeu a lei de Moisés	A promessa é eterna em Cristo
Uma aliança anteriormente confirmada — Gálatas 3.15ss	Mediante a fé em Cristo Jesus a promessa foi concedida aos que creem — Gálatas 3.22

VII. A Realização do Plano Divino

Cristo é nossa sabedoria, justiça, santificação e redenção (1Co 1.30).

Mateus 5.3: *Humildade.*

No AT	No NT
Característica dos santos — Salmos 34.2	Os humildes são abençoados — Mateus 5.3
Respeitada por Deus — Salmos 138.6	Cristo é o exemplo — Mateus 11.29
Os humildes recebem o favor de Deus — Isaías 57.15	Recebem o favor de Deus — Tiago 4.6
Honrados — Provérbios 18.12	Virtude dos santos — Colossenses 3.12
Aflições produzem — Deuteronômio 8.3	Característica da conduta dos santos — Efésios 4.1,2
Virtude excelente — Provérbios 16.19	Exaltação resulta Mateus 5.3; Filipenses 2.9

Mateus 5.4: *Consolação*

No AT	No NT
Os necessitados serão consolados — Jó 6.14	Os aflitos são consolados — Hebreus 13.3
Os castigados recebem — Isaías 22.4; Jeremias 9.1	Os fracos recebem 2Coríntios 11.29
Aqueles que mostram recebem — Provérbios 19.17	Aqueles que mostram recebem — Mateus 10.42
Motivos: O amor de Deus — 1João 3.17;	Parte da missão messiânica de Cristo: Hebreus 5.2,7; Lucas 19.41; João 3.16

Mateus 5.5: Mansidão

No AT	No NT
Terrestre — Levítico 20.24; Deuteronômio 1.38	Para os santificados — Atos 20.32
Para aqueles que temem a Deus — Salmos 61.5	A fonte é Deus e a possessão se realiza no Filho — Colossenses 3.24
O testemunho de Deus é uma herança — Salmos 119.11	É a promessa do evangelho — Romanos 8.17
Os sacerdotes têm — Números 18.20	É abundante — Romanos 8.18

É o objetivo do desejo universal — Romanos 810ss
Realiza participação na natureza de Cristo — Romanos 8.19

Mateus 5.6: *Justiça*

No AT	No NT
Mostra-se na obediência à lei — Salmo 1.2	Não é das obras da lei — Romanos 3.20
Deus ama — Salmos 11.7	É da natureza de Deus — Romanos 3.21
Deus espera justiça dos homens — Isaías 5.7	Os santos têm em Cristo — 1Coríntios 1.30
É uma proteção — Isaías 59.17	É imputada — Romanos 4.11
O julgamento é segundo — Salmos 72.21	O julgamento é segundo — Romanos 2.2
Não parte da natureza decaída — Jó 15.14	Não parte da natureza decaída Romanos 3.10ss
Os santos devem perseguir — Isaías 51.1	Os santos devem perseguir — Mateus 5.6
	Produto do novo nascimento 1João 2.29

Mateus 5.7: *Misericórdia*

No AT	No NT
Os santos devem perseguir — 2Reis 6.21-23	Os santos devem perseguir — Lucas 6.36
Característica dos santos — Salmos 37.36	Exigida — Colossenses 3.12
Vem do coração — Provérbios 3.3	Os que dão receberão — Mateus 5.7
Deve ser mostrada para com os irmãos — Zacarias 7.9; para com os pobres — Provérbios 14.31	Deve ser mostrada para com os desviados — 2Coríntios 2.6-8
Traz uma bênção — Provérbios 11.17	Traz a salvação — Tito 3.6
Os que não têm são denunciados — Oseias 4.1,3	Os que não têm são denunciados — Mateus 18.23ss; Tiago 2.13
	Manifestada em Cristo — Lucas 1.78
	A fonte é Deus — 2Coríntios 1.3

304 |Mateus| NTI

Mateus 5.8: *Pureza*

No AT	No NT
Exigida de Israel — Êxodo 14.32	Os limpos de coração verão a Deus — Mateus 5.8
Exigida dos sacerdotes — Êxodo 29.4	A finalidade da lei — Tito 1.5
Exigida dos indivíduos — Levítico 15.2-13	Necessidade dos líderes — 1Timóteo 5.22
Deve-se ter para nos aproximar de Deus — Salmos 24.3,4	Fonte do verdadeiro amor — 1Pedro 1.22
Exigida para a adoração — Salmos 26.6	Característica da igreja — Efésios 5.27
Característica da excelência — Cantares 4.7	Característica da verdadeira religião — Tiago 1.27

Mateus 5.9: *Paz e pacificadores*

No AT	No NT
A fonte é Deus — Isaías 45.7	A fonte é Deus — 1Coríntios 14.33
Do governo de Deus — Isaías 2.4	É fruto do Espírito — Gálatas 5.22
Deve ser cultivada — Jeremias 29.7	É dom de Cristo — João 14.27
Os santos devem amar — Zacarias 8.19	Os santos devem perseguir — Mateus 5.9; 1Pedro 3.11

O evangelho traz — Romanos 10.15

Mateus 5.10,11,12: *Perseguição*

No AT	No NT
Os santos sofrem — Jeremias 15.15	Os santos sofrem — Gálatas 5.11
Homens maus promovem — Salmos 10.2	Os piedosos devem esperar — 2Timóteo 3.12
Homens maus se alegram em — Salmos 13.4	Homens maus se alegram em — Apocalipse 11.10
Julgamento resulta — Salmos 7.13	Julgamento resulta — 2Tessalonicenses 1.6
Vem do orgulho — Salmos 10.2	Traz bênção — Mateus 5.10,11,12
	Pode ser merecida — 1Pedro 2.20

Cristo nos mostra como vencer — 1Pedro 2.21ss

5.7: Bem-aventurados os misericordiosos, porque alcançarão misericórdia.
5.7 μακάριοι οἱ ἐλεήμονες, ὅτι αὐτοὶ ἐλεηθήσονται.

<small>7 οἱ ἐλεήμονες... ἐλεηθήσονται Mt 18.33; Jo 2.13</small>

5. **"Os misericordiosos"** — Evidentemente, as palavras vêm de Salmos 18.25. Colossenses 3.13 e Efésios 4.32 mostram que o crente é alvo de misericórdia, precisa da misericórdia divina, e tem a obrigação de exercer essa qualidade. Deus mostra sua misericórdia, sem merecimento da parte de quem a recebe. O povo de Deus deve imitá-lo, lembrando-se especialmente de que ainda precisa de algo. Mateus 8.23-35, na parábola do credor incompassivo, ensina que aqueles que recebem misericórdia estão na obrigação de demonstrá-la, e que, se assim não fizerem, receberão o mais severo julgamento. (Ver Lc 6.37 e Tg 5.9.) Bengel tem belos pensamentos sobre o reino de Deus, dado aos "humildes", como o *benigna talio*, que significa "absolvição graciosa". Aqueles que são assim absolvidos dificilmente deixam de apresentar a mesma atitude para com seus semelhantes. Os que mostram essa misericórdia para com a humanidade estão sujeitos, *ipso facto*, à mesma graça.

5.8: Bem-aventurados os limpos de coração, porque eles verão a Deus.
5.8 μακάριοι οἱ καθαροὶ τῇ καρδίᾳ, ὅτι αὐτοὶ τὸν θεὸν ὄψονται.

<small>8 Sl 24.3-4</small>

6. **"Os limpos de coração"** — Pode incluir a ideia de *castidade*, mas indica principalmente a *singeleza* de mente, o propósito sincero e puro. Salmos 24.3,4 evidentemente é o trecho básico dessa bem-aventurança. Os líderes judeus falavam com insistência sobre a pureza cerimonial, a pureza da forma, a pureza da lei. Jesus, porém, mostra, aqui e noutros textos, que Deus interessa-se pelo coração, isto é, pelo homem interior, quanto ao seu caráter, na própria condição de ser. A justiça deve ser o princípio que guia a vida e cria, no homem interior, uma condição que resulta do contacto com Deus e da transformação à imagem de Cristo. Nessas palavras, sentimos que isso é impossível sem a ajuda do poder e do contacto do Espírito de Deus. Indicam elas o resultado da regeneração. A personalidade humana não tem essa inclinação por si mesma. Essas palavras provavelmente indicam, igualmente, o processo de santificação que prepara o crente, qualificando-o para receber a visão beatífica. O propósito da vida cristã é possibilitar essa experiência.

"Porque eles verão a Deus" — Palavras que têm duas aplicações: a primeira é *imediata*, referindo-se aos que recebem compreensão e visão interiores da natureza e da pessoa de Deus (como vemos em Ef 1.18). A outra é que essa visão interior tem também *aperfeiçoamento* no futuro, que é a visão beatífica, e experiência mística mais elevada. Os indivíduos podem receber vários níveis dessa visão. Os textos de 1João 3.2, Apocalipse 22.3,4 e Romanos 8.29 apresentam o cumprimento total dessa visão. Ela inclui a ideia de transformação do ser de acordo com a imagem de Cristo, na forma de mudança de natureza, em que a mortalidade humana é transformada na imortalidade, dotada da natureza e da glória de Cristo, o que torna o homem um ser mais elevado que os anjos, capacitando-o para tornar-se um elemento especial de Deus na realização das obras divinas na eternidade futura. Aqueles que receberam essa visão completa serão perfeitos como ele é perfeito. Esse é o plano do evangelho, a consideração mais elevada nele contida. "[...] seremos semelhantes a ele, porque haveremos de vê-lo como ele é" (1Jo 3.2, ARA). Significa participação na natureza divina — 2Pedro 1.4.

Buttrick (in loc.) diz: "O que significa ver a Deus. A visão beatífica tem sido um alvo milenar, tanto do filósofo como do santo; mas essa bem-aventurança promete mais do que mera visão. Se pudéssemos analisar nossos desejos, talvez o nosso mais profundo anelo consistisse em ver a Deus. Tennyson deixou a instrução de que, no final de suas obras publicadas, a sempre deveria constar a expressão "Atravessando a Barra". Assim terminam suas obras:

Espero ver meu Piloto face a face

Quando eu tiver atravessado a barra.

No império medo-persa, havia sete conselheiros e amigos íntimos que "[...] se avistavam pessoalmente com o rei..." (Et 1.14). Talvez esse costume estivesse na mente de Cristo quando fez a promessa expressa em Mateus 5.8. Galaade viu o Santo Graal, embora outros tivessem falhado nisso, porque o seu coração era puro. O poeta Shelley insistia em que essa bem-aventurança é apenas uma "repetição metafórica" de nossa convicção comumente expressa de que "a virtude é sua própria recompensa" (*Shelley Memorials*, ed. Lady Shelley; London, Smith Elder And Co., 1859, p. 258-260). Para Cristo, porém, Deus não era uma virtude abstrata. Deus era fato e *Vida*.

5.9: Bem-aventurados os pacificadores, porque eles serão chamados filhos de Deus.

5.9 μακάριοι οἱ εἰρηνοποιοί, ὅτι αὐτοὶ υἱοὶ θεοῦ κληθήσονται.

9 εἰρηνοποιοί Hb 12.14; Jo 3.18

7. **"Os pacificadores"** — Não somente os dotados de natureza pacífica (Tg 3.15), nem os que aceitam a paz sem protesto ou que preferem a paz ao desacordo, nem os que têm paz na alma, com Deus, como explicou *Agostinho*, e nem os que amam a paz (Grotius, Wetstein), mas aqueles que promovem ativamente a paz e procuram estabelecer a harmonia entre inimigos. O sentimento aqui referido é mais nobre que o de Romanos 12.18, que diz: "Se possível, quanto depender de vós, tende paz com todos os homens".

"Serão chamados filhos de Deus" — Significa mais do que reconhecimento. Está em foco a realidade de ser alguém filho de Deus. (Ver Rm 8.17,28-32; 1Jo 3.2. Ver também nota detalhada, em Rm 8.29, que explica essa doutrina.) O versículo implica em participação na herança dos santos (Ef 1.13,14), e, assim sendo, trata-se de filhos adultos, como Cristo, revestidos da plenitude e divindade de Cristo (Ef 1.23; 2Co 3.18; 2Pe 1.4).

Os rabinos também davam grande valor aos pacificadores. *Hilel*, famoso rabino contemporâneo de Jesus, escreveu: *"Sê dos discípulos de Aarão, amando a paz e seguindo a paz"* (Aboth 1.2). Tais seriam os filhos de Deus. O AT emprega a expressão "filhos de Deus", referindo-se aos anjos ou aos seres divinos (Jó 38.7), e algumas vezes também a pessoas piedosas, seres humanos que são objetos do amor especial de Deus (Dt 32.6). Aqueles que buscam a paz amando os seus inimigos agem segundo o próprio Deus, e por isso são filhos de Deus no sentido verdadeiro. (Ver os v. 44,45 deste capítulo.). A paz é uma das virtudes cardeais da ética cristã. O exclusivismo dos judeus era e é bem conhecido, e já se tornara proverbial antes dos dias de Jesus. O discípulo autêntico do reino não é aquele que odeia, mas aquele que ama os seus inimigos. Isso faz do exclusivismo uma impossibilidade na ética cristã. Jesus deu a sua vida a fim de trazer a paz universal, no sentido mais lato possível, tanto na terra como nos lugares celestiais. (Ver Ef 2.14-16 e Cl 1.20.) Agostinho louvou altamente à própria genitora, Mônica, quando escreveu: "Ela mostrou ser tal pacificadora, que, de ambos os lados, ouvindo as coisas mais amargas [...] nunca deixou transparecer algo, para um ou para outro, senão aquilo que contribuísse para sua *reconciliação* (*Confissões* ix.21). Haveria aplicação para algumas Mônicas, hoje em dia na igreja. Suas adversárias formam multidões. Lê-se acerca de Richard Dobden que, ao ser-lhe mencionado que talvez adquirisse tanta fama a ponto de ser sepultado na abadia de Westminster, replicou que esperava que isso nunca lhe acontecesse, porque "Meu espírito não descansaria em paz entre aqueles homens de guerra". É uma tragédia que até mesmo muitos líderes cristãos sejam respeitados por serem homens *contenciosos*, e que os grandes guerreiros do mundo são feitos seus herois.

5.10: Bem-aventurados os que são perseguidos por causa da justiça, porque deles é o reino dos céus.

5.10 μακάριοι οἱ δεδιωγμένοι ἕνεκεν δικαιοσύνης, ὅτι αὐτῶν ἐστιν ἡ βασιλεία τῶν οὐρανῶν.

10 μακάριοι... δικαιοσύνης 1Pe 3.14

8. **"Os perseguidos"** — Segundo a maioria das autoridades, esta é a última bem-aventurança, porque o v. 11 é continuação da mesma ideia, e se destaca por ter a mesma promessa que a primeira: o reino de Deus. Provavelmente, Jesus, o Messias, o Rei do reino de Deus, estava antecipando a mudança que será necessária para que o reino seja estabelecido. João Batista já estava na prisão, prestes a morrer. É possível que muitos outros tivessem o mesmo destino. Considerando a intensa força do mal, a força das autoridades religiosas que se oporiam ao reino e ao Rei, a luta não seria fácil e sem problemas. As velhas formas da religião e da ordem política não se renderiam sem luta. Naturalmente que essas palavras têm uma aplicação ainda mais ampla; pode ser que em algum tempo a perseguição venha a ser por causa da "justiça". Jesus também indicou isso (ver Jo 16.1-4 e 17.14). Quanto ao "reino dos céus", ver nota no v. 3 e em 3.2.

5.11: Bem-aventurados sois vós, quando vos injuriarem e perseguirem e, mentindo, disserem todo mal contra vós por minha causa.

5.11 μακάριοί ἐστε ὅταν ὀνειδίσωσιν ὑμᾶς καὶ διώξωσιν καὶ εἴπωσιν πᾶν πονηρὸν καθ' ὑμῖν [ψευδόμενοι]² ἕνεκεν ἐμοῦ·

11 Mt 10.22; 1Pe 4.14

‖ πονηρον ℵ BD lat sy⁽ˢ⁾ᶜ; R] *add* ρημα Wθ *fl fl3* e *pl* 𝔰

² 11 {D} ψευδόμενοι ℵ B C K W Δ θ Π 0196 f¹ f¹³ 28 33 565 700 892 1009 1010 1071 1079 1195 1216 1230 1241 1242 1253 1365 1546 1646 (2148 ψευδόμενοι) 2174 *Byz Lec* l⁸⁸³ᵐ it^{a,aur,f,ff³,l,q} vg syr^{c,p,h,pal} cop^{sa,bo} arm eth Diatessaron Apostolic Constitutions Chrysostom Augustine Cyril Ps-Chrysostom // *omit* D it^{b,c,d,g¹,h,k} syrˢ geo Diatessaron^v Tertullian Origen Eusebius Hilary Lucifer Augustine

> Não se tem certeza se ψευδόμενοι deve ser incluída ou omitida do texto. Por outro lado, a ausência da palavra na tradição ocidental (D it^{b,c,d,h,k} syrsˢ) pode ser explicada como resultante de uma acomodação escribal da passagem à forma lucana da bem-aventurança (Lc 6.22). Por outro lado, mais de um escriba teria sido tentado a inserir essa palavra, a fim de limitar a ampla generalização dos ensinamentos de Jesus, expressando especificamente o que se sentia estar implícito na própria natureza do caso (cf.1Pe 4.15s). A fim de representar o equilíbrio de probabilidades de transcrição, a comissão resolveu incluir a palavra no texto, mas dentro de colchetes.

"Por minha causa" — Os que querem receber o reino estão sujeitos à perseguição por causa do Rei. Os discípulos já tinham sofrido a ira dos fariseus (Mc 2.3). Entre as autoridades religiosas dos judeus, era doutrina que o reino do Messias não chegaria sem perseguição e um período de grande tribulação. É óbvio que Jesus concordou com o princípio geral dessas predições. As profecias sobre o segundo advento de Cristo e sobre o estabelecimento do reino também incluem essas ideias. Não sabemos como Jesus planejou trazer o reino, mas pelo menos há a indicação de que ele esperava muitas dificuldades e sofrimentos nessa tentativa. Outrossim, essas palavras têm aplicação mais ampla, incluindo não somente os que iriam receber o reino, mas também qualquer um que viesse a sofrer por causa de Cristo. Ver Atos 14.22 e 2Timóteo 3.12.

"Mentindo, disserem todo o mal" — Tem a forma verbal do v. 10, maledicência essa algumas vezes mais destruidora do que a violência física. É certo que Jesus não fala da ação oficial do governo ou dos tribunais de justiça, como alguns interpretam; mas provavelmente essas palavras incluem também essa ideia. O texto de Mateus 24.9 ensina exatamente isso.

"Mentindo" — Essa palavra é omitida pelo ms D, pela maior parte das versões latinas, pelo Si(s) e por Tertuliano, um dos pais da Igreja. Algumas autoridades omitem-na, provavelmente pensando que o texto mais curto é o original. No entanto, a evidência dos mss mais antigos favorece a conservação da palavra, e as traduções, de modo geral, não a retiram.

5.12: Alegrai-vos e exultai, porque é grande o vosso galardão nos céus; porque assim perseguiram aos profetas que foram antes de vós.

306 |Mateus| NTI

5.12 χαίρετε καὶ ἀγαλλιᾶσθε, ὅτι ὁ μισθὸς ὑμῶν πολὺς ἐν τοῖς οὐρανοῖς· οὕτως γὰρ ἐδίωξαν τοὺς προφήτας τοὺς πρὸ ὑμῶν.

<small>12 οὕτως... προφήτας 2Cr 36.16; Mt 23.30,37; At 7.52; Hb 11.32-38; Tg 5.10</small>

"Regozijai-vos e exultai" — Saltai e continuai saltando, porque essa perseguição prova que vossa religião é verdadeira, que estais realmente prestes a participar do reino. Não temos alegria por causa da perseguição em si, mas porque é sinal dos tempos (isto é, sinal de que o reino chegou), e também sinal pessoal (isto é, vossa religião não é falsa, mas autêntica). Isso nos serve de motivo de alegria. Paulo traz a mesma ideia: "[...] se é certo que com *ele* padecemos, para que também com *ele* sejamos glorificados" (Rm 8.17, ARC). Em 1Pedro 4.13 lemos: "[...] pelo contrário, alegrai-vos na medida em que sois coparticipantes dos sofrimentos de Cristo, para que também, na revelação de sua glória, vos alegreis exultando". (ARA) É interessante que Pedro usa a palavra *exultando*, e que temos aqui, "exultai". Provavelmente, a passagem de Pedro é eco das palavras de Jesus. Pedro deve ter aprendido bem essa lição.

"Assim perseguiram os profetas" — Qualquer judeu sabia das histórias de perseguição movida contra os profetas, e qualquer um deles tomaria o partido dos profetas, e não das autoridades religiosas que moveram a perseguição. Jesus mostra aqui que ninguém deve esperar tratamento diferente das autoridades civis e eclesiásticas. Outrossim, Jesus situou seus discípulos em boa e aceitável companhia, a despeito das dificuldades de conservação de tal companhia. Mais do que isso, ao tomarem a posição dos profetas, os discípulos também receberão o galardão a eles entregue: o céu. Lemos na história eclesiástica que essas palavras e pensamentos eram importantes para a mentalidade geral da igreja, porque a perseguição foi muito real e perdurou cerca de duzentos anos. Quase não houve família que não tivesse algum mártir, e quase todos foram atingidos. Em nossos dias, é difícil avaliar o impacto dessas palavras.

"Galardão" — Ver nota detalhada em 1Coríntios 3.14. A ideia da possibilidade de ganhar uma recompensa espiritual e eterna, a despeito de sua forma particular, mudaria e enriqueceria muitas vidas. Esse galardão é dado gratuitamente, e não é obrigação de Deus, conforme vemos na parábola do cap. 20.1. A palavra "galardão" foi tomada como empréstimo da vida comercial, e é aplicada à vida espiritual para mostrar que aquilo que fazemos em relação ao nosso futuro faz grande diferença para a vida que viveremos depois deste mundo; esse galardão não é menor que o lucro do negociante, resultado do esforço e da diligência que ele aplica em sua empresa.

"Nos céus" — Não "no céu". Provavelmente, Jesus se refere à ideia judaica da existência de três ou mesmo de sete céus. Ver nota sobre o assunto em 2Coríntios 12.2. Talvez indique a grande incerteza do caráter definido *"dos céus"*, como as "muitas moradas" de João 14.2. De fato, não sabemos muito sobre os "céus", mas sabemos que nossos galardões serão de tal envergadura, que vale a pena o esforço ou o sofrimento diante da perseguição. Os verdadeiros discípulos já são considerados cidadãos "dos céus", e apenas guardam a manifestação da glória. (Ver Fp 3.20). Deve-se evitar a ideia materialista sobre os céus. A principal ideia é a de mudança de natureza, de *transformação* segundo a imagem de Cristo, de elevação acima do ser, acima do nível dos anjos, e não a simples possessão de grandes riquezas e bens.

As bem-aventuranças apresentam uma decadência aparente do indivíduo, acompanhada de um autêntico soerguimento na sua condição espiritual:

Descida (aparente)	Elevação (verdadeira)
1. humildade de espírito	posse do reino, no coração ou em sentimento real
2. choro	consolo
3. mansidão sob injustiça	terra como herança
4. fome e sede de justiça	fartura de virtudes divinas
5. misericórdia para com os outros, levando a carga alheia	misericórdia de Deus, e participação de bênçãos dadas pela misericórdia divina
6. pureza de coração, com rejeição dos benefícios do mundo	benefícios celestiais, visão de Deus agora e futura visão beatífica
7. promoção de paz entre os homens	glória, beleza e paz conferidas pela posição de filhos de Deus
8. sofrimento pelo Rei e pela justiça de seu reino	posse do reino dos céus no homem interior, do novo mundo, da herança eterna e dos galardões

II. PRIMEIRO GRANDE DISCURSO (5.1—7.29)
3. Os discípulos e o mundo (5.13-16)

(Cf. Lc 14.34,35 e Mc 9.49,50). A fonte é o *protomarcos*, embora as afirmativas apareçam em lugares bem diversos nos evangelhos sinópticos. O contexto, em Lucas, aborda o discipulado, tal como aqui. Os verdadeiros discípulos do reino, o novo Israel (a Igreja) são agora o sal da terra. A epístola a Diogneto 5-6, do século II d.C., expõe a tese de que, se não fora o "sal" dos cristãos, o mundo logo seria destruído; e a metáfora é de uso frequente em muitos autores antigos, incluindo o AT e o *Talmude*. O sal era grandemente valorizado na Palestina, nos tempos de Jesus, e era indispensável como preservativo de alimentos. Muitos símbolos eram vinculados ao termo; mas é evidente que os cristãos são indivíduos de grande valor, e a ideia de que são preservadores da ordem na sociedade, bem como da própria existência, deve ser incluída. Os ensinamentos de Jesus subentendem que os que nele confiam devem possuir a *realidade* do que professam; isso é demonstrado na vida diária. Devem transmitir o valor de Cristo ao mundo. O cloreto de sódio (sal), em estado puro, não deteriora; mas, se for misturado com outros elementos, pode perder seu caráter distintivo e tornar-se inútil para qualquer coisa. Por isso é que Jesus advertiu tanto contra o mundanismo quanto contra a busca de alvos inferiores, mediante o que aquilo que é distintivamente cristão em nós pode ser debilitado ou mesmo destruído.

5.13: Vós sois o sal da terra; mas se o sal se tornar insípido, com que se há de restaurar-lhe o sabor? para nada mais presta, senão para ser lançado fora, e ser pisado pelos homens.

5.13 Ὑμεῖς ἐστε τὸ ἅλας τῆς γῆς· ἐὰν δὲ τὸ ἅλας μωρανθῇ, ἐν τίνι ἁλισθήσεται; εἰς οὐδὲν ἰσχύει ἔτι εἰ μὴ βληθὲν ἔξω3 καταπατεῖσθαι ὑπὸ τῶν ἀνθρώπων.

<small>³ 13 {C} βληθὲν ἔξω ℵ B C f¹ 33 892 eth^mss Origen // βληθῆναι ἔξω καί D K W Δ θ Π f¹³ 28 565 700 1009 1010 1079 1195 1216 1230 1241 1242 1253 1365 1546 1646 2148 2174 *Byz Lect* l^883m it^a,aur,b,c,d,f,g¹,h,k,l,q vg syr^(c,a),p,h,pal arm eth^ro,pp geo Diatessaron // βληθὲν ἔξω καί 1071</small>

Apesar de alguns membros da comissão preferirem a construção paratáctica e mais semítica (dois infinitivos ligados por καί), a maioria se deixou impressionar pelo peso do apoio dos testemunhos à construção hipotáctica (ℵ B C f¹ 33 892 Origen).

É possível que Jesus tenha usado aqui um provérbio conhecido em seus dias, possivelmente um ditado romano. O *sal* é considerado como dotado de uma propriedade *distinta* e importante, ou seja, a de conservar ou condimentar. A ideia aqui não indica especialmente uma função definida, como a de conservar ou condimentar, ou ainda, como a dos muitos usos do sal, mas a ideia geral é que o crente santificado deve demonstrar ter a realidade daquilo que professa, da mesma forma que o sal apresenta a propriedade que esperamos dele. Essa realidade é expressa de muitas e variadas formas. Aqueles que conhecem a questão dizem-nos que o sal puro não perde seu caráter distinto, mas que, uma vez misturado com elementos impuros e estranhos, pode perder a sua propriedade. Na Palestina, o sal vinha principalmente de Jabel-Usdum, das costas do Mar Morto, e era conhecido como sal-sodoma. Vários viajantes, passando pelo local, confirmam que esse sal, sob certas condições, pode perder o seu sabor. Assim, vemos que o sal pode conservar a aparência de sal, mas não o seu caráter. Realmente, pode transformar-se em outra substância.

"Como lhe restaurar o sabor? [...] para nada mais presta" — Alguns acham que, nestas palavras, está em vista a *apostasia* (ver Hb 6.1-6). Depois de perder o seu sabor, o sal nunca mais readquire seu verdadeiro caráter. Assim sucede àquele que acolhe os ensinos e as bênçãos de Deus e depois os abandona. Ver a nota em Hebreus 6.1-6, onde há uma análise dessa interpretação sobre as palavras de Jesus. Alford obviamente não encontra conexão direta com uma passagem como o sexto capítulo de Hebreus, e esclarece: "O propósito dessas palavras, como precisamos considerar, não é esmagar os que caem, para avivar o senso de dever e impelir os discípulos a andarem de acordo com sua chamada". Provavelmente, a ideia básica é que, se o cristianismo (os discípulos de Cristo) não funcionar como deve, como é que o mundo, de modo geral, poderia receber qualquer coisa boa da graça de Deus? A resposta é que isso seria impossível: "para nada mais presta...".

"Senão para, lançado fora, ser pisado pelos homens" — O Talmude mostra que o sal que não era puro e útil para ser usado nos ritos dos sacrifícios (esses eram oferecidos com sal) era *lançado* nos degraus e declives ao redor do templo para impedir que o terreno se tornasse escorregadio, e assim era pisado pelos homens. Houve também instâncias em que, na pavimentação de estradas, era usado o sal. Assim também, a religião sem autenticidade dificilmente tem real valor para os discípulos de Jesus ou para o mundo em geral.

A *Epístola a Diogneto* (nos caps. 5 e 6), pertencente ao século II de nossa era, desenvolve com eloquência o tema que mostra que o mundo seria destruído se os crentes não estivessem presentes. O AT e outros escritos antigos empregaram a metáfora do sal para referir-se ao que é mais útil. O sal que perde sua virtude e sabor, suas qualidades distintivas, não tem *mais razão* para existir. O cloreto de sódio puro (sal) não se deteriora, mas pode ser adulterado; e então perde as suas propriedades e se torna inútil, pois então deixa realmente de ser sal.

5.14: Vós sois a luz do mundo. Não se pode esconder uma cidade situada sobre um monte;

5.14 Ὑμεῖς ἐστε τὸ φῶς τοῦ κόσμου. οὐ δύναται πόλις κρυβῆναι ἐπάνω ὄρους κειμένη·

<u>14 τὸ φῶς τοῦ κόσμου Jo 8.12; 9.5; Fp 2.15</u>

Na *terminologia* dos rabinos, vemos que a "*luz*" se refere a Deus, a Israel, à *Torah* e a outros elementos importantes de sua religião. Davi foi chamado de "luz de Israel" (2Sm 21.17). E os seus descendentes são designados luzes em 1Reis 1136; Salmos 132.17; Lucas 2.32. A passagem de Levi 14.3 tem uma interessante citação que não difere do uso que Jesus deu aqui à luz. "Sede luzes de Israel, mais puros que todos os gentios [...]. Que farão todos os gentios, se fordes obscurecidos por transgressões?" A luz, à semelhança do sal, deve ser útil. A luz deve brilhar livremente, sem qualquer empecilho. Leão Tolstoi queixou-se de que os cristãos, na Rússia de seus dias, deixavam-no sem convicção e inabalável. Disse que somente suas "ações", e não suas palavras, poderiam modificar os temores da pobreza, da enfermidade e da morte que o perseguiam. Orígenes relata uma história diferente sobre os crentes de seus dias, pois sua vida, e não suas palavras, eram o seu testemunho invencível.

"Luz do mundo" — Jesus, o Cristo, é a "*verdadeira luz*" que "ilumina todo homem" (Jo 1.9). Os crentes são luzes secundárias. Paulo diz que são "luzeiros" (Fp 2.15). A comparação com o vs. 15:15 indica que os crentes são reputados luzes porque participam da luz que vem da fonte luminosa, que é Cristo.

"Mundo" — Muitas vezes, nas Escrituras, o mundo é associado à trevas, à ignorância, à esfera da escuridão. Jesus foi luz entre os homens: "[...] a luz resplandece nas trevas, e as trevas não prevaleceram contra ela" (Jo 1.5). "O julgamento é este: que a luz *veio* ao mundo, e os homens amaram *mais* as trevas do que a luz, porque as suas obras eram más" (Jo 3.19, ARA). Os crentes também são luzes que iluminam as trevas. Segundo os ensinos de Jesus, sem essa iluminação o mundo seria um lugar tenebroso. Seus discípulos, pois, devem ser como "uma cidade edificada sobre um monte". Talvez perto do lugar onde Jesus pregava houvesse uma cidade à qual se referiu ao proferir essas palavras. Alguns acreditam que a localidade talvez tivesse uma antiga fortaleza, e que mais tarde o lugarejo se tenha chamado Safed, e que isso tenha tornado gráfica a ilustração usada por Cristo. Pode ser que Jesus tenha feito alusão à fortaleza de Tabor, que seria visível do monte onde ele se achava. À noite, a despeito das luzes serem fracas e apesar de estar situada em um monte, a cidade era visível de longe. Assim também deve ser o crente, se tiver de ser uma luz brilhando no meio das trevas. Provavelmente, a luz está ligada à ideia de justiça, de retidão. O v. 16 mostra que parte de seu sentido deve ser "boas obras", que glorificam a Deus Pai. A presença de Deus e o próprio Deus também são luzes. "[...] Deus é luz, e nele não há trevas nenhumas" (1Jo 15). É claro, pois, que a base dessa ilustração, que faz uso da luz, é a personalidade de Deus. "Luz do mundo", quer em Cristo, quer nos crentes, é a expressão da pessoa de Deus. Fica subentendido que a personalidade divina faz parte da personalidade dos discípulos.

5.15: nem os que acendem uma candeia a colocam debaixo do alqueire, mas no velador, e assim ilumina a todos os que estão na casa.

5.15 οὐδὲ καίουσιν λύχνον καὶ τιθέασιν αὐτὸν ὑπὸ τὸν μόδιον ἀλλ' ἐπὶ τὴν λυχνίαν, καὶ λάμπει πᾶσαν τοῖς ἐν τῇ οἰκίᾳ.

<u>15 Mc 4.21; Lc 8.16; 11.33</u>

Todos os elementos da ilustração são objetos *familiares* em qualquer casa. Em uma cabana de um único aposento, uma só fonte luminosa seria suficiente para iluminá-la toda, mas não se colocada sob uma vasilha qualquer, como uma medida de alqueire, feita de barro, e que servia para medir cereais; nem se colocada sob a cama, que era uma espécie de catre. Mateus dá a entender que o sentido da ilustração é a manifestação de nossas boas obras diante dos homens (v. 16). Marcos usa essa ilustração (4.22) provavelmente indicando a eventual revelação de todas as misteriosas verdades do reino de Deus por meio dos apóstolos, e, posteriormente, por meio de outros. Podemos ver, portanto, que provavelmente Jesus repetiu certas palavras e até mesmo certas histórias, que poderiam ser suas favoritas. E isso algumas vezes com um sentido e algumas vezes com outro, como fazem os professores. Sabemos que as candeias eram feitas de madeira. Não é impossível que o próprio Jesus tivesse fabricado algumas candeias. A candeia era posta no velador. Provavelmente, na maior parte das casas, era colocada sobre uma pedra que se projetava da parede, bastante alta para evitar que as crianças a derrubassem, ou talvez para impedir que alguma serpente a derrubasse no meio da noite, incendiando a casa. Lemos que as pessoas costumavam cobrir a luz com o alqueire somente quando queriam apagar o brilho da candeia por alguns momentos. Alguns dizem que a luz nunca era apagada.

5.16: Assim resplandeça a vossa luz diante dos homens, para que vejam as vossas boas obras, e glorifiquem a vosso Pai, que está nos céus.

308 |Mateus| NTI

5.16 οὗτως λαμψάτω τὸ φῶς ὑμῖν ἔμπροσθεν τῶν ἀνθρώπων, ὅτως ἴδωσιν ὑμῶν τὰ καλὰ ἔργα καὶ δοξάσωσιν τὸν πατέρα ὑμῶν τὸν ἐν τοῖς οὐρανοῖς.

16 Ef 5.8,9; 1Pe 2.12

"Assim brilhe também a vossa luz" — Esse versículo considera os crentes em geral como luzes. A luz do cristão deve ser constante como a luz da candeia, porque, sem esse tipo de luz não haveria luz no mundo, e nem mesmo na casa de Deus, ou no escabelo de Deus, que é a terra (Mt 5.35 e Is 66.1). A luz do crente são suas boas obras (ver o v.14 sobre os outros usos do termo). Essas boas obras redundam em glória a Deus. Remover a luz e, portanto, a glória de Deus, é algo seríssimo.

"Vosso Pai" — Esta é a primeira vez que, nas palavras de Jesus, vemos o ensino de que *Deus é Pai*. Essa ideia era bem comum entre os judeus. Assim, Jesus não estava introduzindo nenhuma doutrina nova, mas utilizava-se da compreensão que o povo já tinha para dar ênfase à necessidade de deixar a luz de Deus brilhar em sua personalidade. Deus Pai tem prazer nas boas obras de seus filhos, porque essas obras provam que os discípulos são filhos de Deus, e também revelam algo sobre a natureza de Deus. Jesus foi o exemplo mais desenvolvido e elevado da natureza de Deus que já houve sobre a terra. Os rabinos usavam com frequência a frase: "Nosso e vosso Pai, que está nos céus".

"Nos céus" — Ver nota sobre "os céus", no v.12.

Nos escritos judaicos (Bammidbar Rabba, s. 15), lemos estas palavras: "Os israelitas disseram ao santo e bendito Deus: 'Tu mandas que acendamos lâmpadas para ti; mas tu és a Luz do mundo e contigo mora a luz'. O Santo Deus replicou: 'Não ordeno isso porque precise de luz, mas para que vós reflitais luz sobre mim, como eu vos tenho iluminado. Assim o povo poderá dizer: 'Eis como os israelitas o ilustram, isto é, aquele que os ilumina à vista de toda a terra' ".

II. PRIMEIRO GRANDE DISCURSO (5.1-7.29)
4. A nova lei (5.17-20)

O *evangelista* mostra que muito da *antiga fé* deve ser aceito. Ele não queria causar nenhuma cisma entre a antiga e a nova lei, quanto a conceitos básicos. Portanto, neste ponto, ele apresenta Cristo como quem continuava a antiga tradição, e não como quem a destruía. Todavia, em outros textos, o antigo e o novo são incisivamente contrastados. (Ver Mt 11.12,13 — igual a Lc 16.16; 15.11 — igual a Mc 7.15; Lc 13.10-17 e Mc 3.16). Ver neste capítulo, os v. 33-37, onde Jesus põe de lado todos os juramentos, o que era muito popular e muito praticado no judaísmo. A *nova lei*, apesar de depender da antiga, é exatamente isso: uma nova doutrina. Jesus não somente aceitou a lei antiga, mas também modificou alguns dos seus aspectos e reinterpretou outros. A princípio, isso parece contradizer a declaração do v. 17; e, sem dúvida, essa era a mentalidade judaica. Para os crentes, entretanto, nada de estranho há nisso, pois Jesus não foi mero reformador, antes, foi um novo Moisés. Não é de surpreender, pois, e nem foi por acidente, ele ter podido adicionar e alterar a antiga lei, produzindo assim uma nova lei. Esta seção provavelmente se deriva de "M", embora tenha reflexos de outras fontes; em outras palavras, aparecem os mesmos ensinamentos gerais, ainda que não expressos com as mesmas palavras. A seção, tal como todo o sermão do monte, visa ao novo Israel, estabelecendo a crença e a conduta dos discípulos cristãos. Mateus foi escrito quando o cristianismo já tinha cinquenta anos, e é um documento cristão.

5.17: Não penseis que vim destruir a lei ou os profetas; não vim destruir, mas cumprir.

5.17 Μὴ νομίσητε ὅτι ἦλθον καταλῦσαι τὸν νόμον ἢ τοὺς προφήτας· οὐκ ἦλθον καταλῦσαι ἀλλὰ πληρῶσαι.

17 Mt 3.15; Rm 3.31

Aqui começa a segunda parte do Sermão do Monte: Jesus explica a sua *relação* com a lei de Moisés, na qualidade de Messias, especialmente conforme ela era interpretada em seu tempo.

"Vim" — Indica uma missão especial a ser cumprida. Ele veio à terra e assumiu os direitos próprios do Messias, a fim de cumprir certos propósitos de conformidade com a lei, e não contrários a ela. Provavelmente, o modo diferente usado por Jesus para transmitir a sua mensagem, a autoridade que emanava de sua pessoa, a sua superioridade em relação aos escribas e rabinos, tanto em conhecimento como na apresentação desse conhecimento, levaram muitos a pensar que ele provocaria uma revolução capaz de eliminar a ordem e a base religiosa dos judeus. Aqui, porém, Jesus esclarece que sua vinda não tinha essa finalidade.

"Revogar" — Pôr de lado, abolir, ab-rogar. Só o pensar nisso já seria uma profanação e blasfêmia para o judeu comum. Como é que o maior dos judeus, o Cristo, poderia fazer tal coisa? O Cristo deveria ser maior do que os profetas, maior do que Moisés, mas não contrário a estes, porque eles é que exaltaram e glorificaram o Messias durante séculos. Lembremo-nos, igualmente, de que Cristo era o autor da lei e dos profetas (Hb 3.3).

"A lei [...] os profetas" — Em Lucas 24.44, lemos "[...] escrito na Lei de Moisés, nos Profetas e nos Salmos". Evidentemente, é essa uma expressão geral que indica o AT, o conjunto completo das Escrituras judaicas. Jesus usou novamente essa expressão (Mt 7.2 e 22.40; ver também Lc 16.16 e At 13.15). Não há razão para interpretarmos outra coisa que não as Escrituras judaicas de modo geral, ou seja, o AT. Notar que a frase diz "[...] a lei ou os profetas...", e não "a lei e os profetas". Os judeus eram culpados de revogar um ou outro. Os saduceus não aceitavam os escritos dos profetas; por motivo de sua interpretação errônea, os fariseus revogavam parte da lei. Provavelmente, se a nossa fonte informativa é correta, os essênios revogavam partes de ambos. O Messias, Jesus de Nazaré, não revogou nem a um nem a outro.

"Cumprir" — Há diversas ideias sobre o sentido destas palavras: 1) Cumprir no sentido de *obedecer* completamente, ser o que a lei manda e cumprir as profecias e os preceitos dos profetas. 2) Completar, aumentar e *aperfeiçoar* a mensagem do AT, mostrando sentidos e experiências espirituais de maior elevação, aumentando as doutrinas e mudando a posição do povo de Deus. 3) Provavelmente, a combinação *dos dois* pontos anteriores é a mais correta. Jesus obedeceu a todos os mandamentos, cumpriu as profecias nele próprio, obedeceu aos preceitos dos profetas; mas também, sendo superior a Moisés, aumentou e aperfeiçoou o sistema, as doutrinas e a experiência espiritual. Escreveu a lei no coração, mas também expôs novas ideias e ensinos. Trouxe-nos o princípio da graça, da justificação em sua pessoa, da regeneração, coisas essas que a lei prefigurava, mas a que não podia dar cumprimento.

Alguns têm pensado que essa seção (v. 17-20) foi acrescentada ao evangelho original por alguns elementos da igreja primitiva sob a influência do judaísmo; e que, provavelmente, Jesus tenha tomado posição contrária à lei, ou pelo menos que não se tenha mostrado nem contra nem a favor dela. *Marciano*, o pai herético da Igreja (150 d.C.) disse que, no original, o versículo dizia: "Que pensais, que vim para cumprir a lei e os profetas? Vim para *revogar* e não para cumprir". Entretanto, sabendo que Marciano rejeitou o AT inteiro, não podemos aceitar seu testemunho. Pelas palavras de Jesus é óbvio que ele jamais faria declarações desse jaez. O ensino do Messias, no AT, é contrário a essa ideia. A verdade é que Cristo veio para cumprir, e não para revogar a lei ou os profetas.

5.18: Porque em verdade vos digo que, até que o céu e a terra passem, de modo nenhum passará da lei um só i ou um só til, até que tudo seja cumprido.

5.18 ἀμὴν γὰρ λέγω ὑμῖν, ἕως ἂν παρέλθῃ ὁ οὐρανοὺς καὶ ἡ γῆ, ἰῶτα ἓν ἢ μία κεραία οὐ μὴ παρέλθῃ ἀπὸ τοῦ νόμου ἕως ἂν πάντα γένηται.

18 νομου] *add* και των προφητων Θ *fr3* al Ir^lat
18 ἕως… νόμου Lc 16.17; 21.33

"Até que o céu e a terra passem" — Subentende que a lei e os profetas jamais seriam revogados, porque, segundo a doutrina judaica, o céu e a terra são eternos (*Baruch* 3.32; Lc 16.17). "Até que tudo se cumpra" não alude a um tempo quando, finalmente, a lei e os profetas serão revogados, mas é o modo enfático de dizer "nunca". A expressão "até que o céu e a terra passem" provavelmente é uma fórmula comum para mostrar a invariabilidade da palavra divina. Posteriormente, Jesus empregou quase as mesmas palavras para indicar que suas palavras são invariáveis e eternas: "Passará o céu e a terra, porém as minhas palavras não passarão" (Mt 24.35, ARA; ver também Mc 13.31 e Lc 21.33). Jesus não estava ensinando, nesse versículo (Mt 5.18), se o céu e a terra passarão ou não, mas simplesmente dava a ideia comum (que não passarão) a fim de ilustrar a importância e a imutabilidade da palavra e das ordens emanadas de Deus.

"Nem um i ou um til" — O "i" (*iota*, no grego) é a letra "*yod*" no hebraico, a menor letra do alfabeto. Na Bíblia hebraica, há mais de 66 mil dessas letras. O "til" é uma pequena marca que distingue certas letras hebraicas de outras. Nos escritos dos rabinos, nota-se que às vezes advertiram os escribas para que tivessem o cuidado de não escrever uma letra parecida com outra, o que poderia modificar o sentido das Escrituras.

É mister que notemos aqui a importância dada por Jesus às Escrituras do AT, o que contrasta violentamente com alguns modernos que rejeitam essas Escrituras ou lhes dão pouco valor. É verdade que o modernismo começa nesse ponto (rejeitam o AT), como na cultura grega ou romana.

5.19: Qualquer, pois, que violar um destes mandamentos, por menor que seja, e assim ensinar aos homens, será chamado o menor no reino dos céus; aquele, porém, que os cumprir e ensinar será chamado grande no reino dos céus.

5.19 ὃς ἐὰν οὖν λύσῃ μίαν τῶν ἐντολῶν τούτων τῶν ἐλαχίστων καὶ διδάξῃ οὕτως τοὺς ἀνθρώπους, ἐλάχιστος κληθήσεται ἐν τῇ βασιλείᾳ τῶν οὐρανῶν· ὃς δ' ἂν ποιήσῃ καὶ διδάξῃ, οὗτος μέγας κληθήσεται ἐν τῇ βασιλείᾳ τῶν οὐρανῶν.

19 ος δ' αν… ουρανων] *om* ℵ*D*W *pc* d
19 ὃς… ἐλαχίστων] Tg 2.10

"Aquele, pois, que violar um…" — É natural que, ao perdurar por muito tempo um sistema religioso ou outro, comece o seu declínio; aparecem indivíduos, talvez até mestres e líderes religiosos, que alteram o caráter original da religião e da doutrina. Nos tempos modernos, notamos que é raro que um sistema conserve os seus propósitos e ensinos originais por mais de cem anos. Geralmente, antes desse tempo, já é bem avançado o processo de deterioração.

Alguns pensam que, com essas palavras, Jesus se tenha referido a alguém como João Batista, que não observava dias e festividades especiais e que dava pouca importância aos cultos e reuniões no templo. Essa pessoa seria o *mínimo* no reino dos céus ou no reino que Cristo estabeleceria no mundo. Poderia ser pessoa sincera, religiosa etc., mas simplesmente teria perdido algo muito necessário à adoração a Deus. Dificilmente, porém, pode-se aceitar essa ideia.

Em primeiro lugar, o texto mostra que Jesus não falava da lei cerimonial e do formalismo que emprestaram ao judaísmo seu caráter singular. O próprio Jesus guardava essas leis. Aludia a algo mais sério e fundamental do que o formalismo. Falava da lei moral, porque essa não sofre modificações. Não podemos imaginar que Jesus desse tal importância à lei cerimonial que chegasse a dizer que nem um "i" e nem um "til" jamais seriam modificados. É difícil crer que ele não tenha antecipado até mesmo a eliminação da lei cerimonial. Assim sendo, quando ele falou em *"violar um destes mandamentos"*, referia-se a leis morais. O resto do capítulo e do sermão (caps. 7 e 8) demonstram o fato. Referia-se às leis morais, ao juramento, à vingança, ao amor, à justiça etc. Estavam em foco os fariseus e outros líderes oficiais dos judeus, particularmente os mestres, rabinos e escribas do povo, que tinham por responsabilidade ensinar a lei ao povo. Mais tarde, Jesus mostrou que esses mestres do povo não interpretavam corretamente a lei. Por exemplo, no v. 38, sobre a expressão "olho por olho" (que era parte do ensino dos rabinos), disse Jesus: "Eu, porém, vos digo: não resistais ao perverso…"; e no v. 43, o mandamento "Amarás o teu próximo, e odiarás o teu inimigo" (que era ensino dos rabinos e escribas), mereceram de Jesus uma correção que começa com "Eu, porém, vos digo".

"Mínimo no reino" — Os mestres que interpretam erroneamente e transmitem sua interpretação, levam outros a errar por seus ensinos; esses homens serão os menores no reino. É provável que Jesus fizesse alusão especial ao reino do Messias, por ele oferecido. Nesse reino, tais mestres teriam pouca importância, em contraste com a posição antes ocupada. Talvez a interpretação seja mais ampla do que essa, segundo fazem alguns comentaristas, que aplicam as palavras até mesmo ao "céu" ou ao "inferno". O apóstolo Paulo parece ensinar algo semelhante em 1Coríntios 3.13-15: "[…] manifesta se tornará a obra de cada um […] Se permanecer a obra de alguém […] receberá galardão […] se queimar, sofrerá ele dano […] será salvo, todavia, como que através do fogo" (ARA). No entanto, a interpretação principal é aquela dada anteriormente.

"Grande" — Não o "maior". Só Deus poderia fazer essa declaração. O serviço bem feito, segundo as regras de Deus, merece o galardão dado por ele. Provavelmente, Jesus pensou nos santos do AT, nos profetas e em Moisés. Foram exemplos de "grandes" indivíduos. Pregaram, mas também obedeceram aos mandamentos de Deus.

5.20: Pois eu vos digo que, se a vossa justiça não exceder a dos escribas e fariseus, de modo nenhum entrareis no reino dos céus.

5.20 λέγω γὰρ ὑμῖν ὅτι ἐὰν μὴ περισσεύσῃ ὑμῶν ἡ δικαιοσύνη πλεῖον τῶν γραμματέων καὶ Φαρισαίων, οὐ μὴ εἰσέλθητε εἰς τὴν βασιλείαν τῶν οὐρανῶν.

20 ος. *om* D* *d* vg(l)

Ver nota detalhada sobre os *escribas*, em Marcos 3.22. Eram mestres da lei, copiavam as Escrituras, os contratos legais e os registros civis. Eram diplomatas e emissários do governo (2Rs 18.18; 19.2). Eram considerados autoridades religiosas.

"Fariseus" — Ver nota detalhada em Marcos 3.6. Geralmente, vinham do povo comum, eram zelosos da fé ortodoxa, mas gradualmente foram passando da fé para uma religião constituída de formalidades e cerimônias, pois davam exagerada importância às leis que não se encontram no AT — 613 mandamentos, ao todo: 365 *negativos* e 248 *positivos*. Alguns ensinavam que a lavagem das mãos e de outros objetos pequenos era a medida mais importante. Outros ensinavam que a omissão dessa lavagem era um pecado tão grave como o homicídio (ver nota em Mt 15.2; também em Mt 22.36; 23.35; 24.27). Ver nota sobre o "concílio" ou "sinédrio", o principal tribunal dos judeus, constituído de escribas, fariseus e saduceus (Mt 22.23). A explicação sobre os *saduceus* aparece na mesma nota. Ao tempo de Jesus, os fariseus eram numerosos. Segundo informação dada por Josefo, haveria mais de seis mil deles nos dias de Jesus. Exerciam grande poder sobre o povo.

Eram *meticulosos* observadores das formas externas da lei, mas não compreendiam nem observavam os princípios *morais*. Talvez o melhor comentário sobre esse versículo se encontre em Mateus 23.13-36, onde há os sete "ais" contra esses líderes

310 |Mateus| NTI

religiosos. Ali vemos acusações como: "hipócritas", "devorais as casas das viúvas", "tornais prosélitos piores que vós mesmos", "filhos do inferno", "guias cegos", "insensatos", "limpais o exterior do copo e do prato, mas estes por dentro estão cheios de rapina e intemperança", "sois semelhantes aos sepulcros caiados [...] cheios de toda imundícia", "serpentes, raça de víboras", "matadores dos profetas" e outras acusações semelhantes. Nisso, se vê o conceito de Jesus sobre a "obediência" desses homens à lei. A verdadeira justiça, pois, tem de exceder a desses homens. Não quanto ao formalismo ou quanto a particularidades secundárias, mas quanto ao espírito da lei. A parte seguinte do sermão mostra que Jesus ordena a pureza de motivos e de intenção do coração, e não apenas a observância exterior (v. 27-48).

"Escribas e fariseus" — Combinação que destaca as principais autoridades judaicas, e que aparece por treze vezes nos evangelhos sinópticos (Mateus, Marcos e Lucas).

"Jamais entrareis no reino dos céus" — Talvez Jesus fizesse alusão ao reino no sentido literal, que estabeleceria sobre a terra; porém, mais provavelmente se referia ao *estado futuro* — salvação da vida eterna, como em João 3.3,5: "[...] se alguém não nascer de novo, não pode ver o reino de Deus [...] não pode entrar no reino..." Precisamos nos lembrar de que a expressão "reino de Deus" ou "reino dos céus" pode assumir vários significados, usualmente definidos no uso do texto. Ver nota em Mateus 3.2, onde há uma explicação sobre essa complexa designação.

Nos v. 19 e 20, temos as classificações dos homens ante o reino dos céus: aqueles que violam os mandamentos são os "mínimos"; aqueles que os observam e ensinam são os "grandes". As falsas autoridades (v. 20) nem ao menos poderiam entrar no reino. Essas autoridades são justamente aqueles que deixavam de lado os mandamentos importantes e frisavam os secundários; punham de lado o elemento moral e requeriam o ritual; eliminavam o divino e salientavam a tradição humana. Dessa maneira, punham de lado os princípios do reino de Deus, ao mesmo tempo que perdiam o direito de participar desse reino.

Buttrick (in loc.) diz em citação parcial: "Sua justiça não era suficientemente extensa. Para eles, quem não observasse as questões externas era um pária: não comprariam alimentos para o tal. Não queriam ter contacto com os *estrangeiros*. Apertavam em torno de si as suas vestes, para evitar a contaminação por contacto [...]. Sua justiça não era bastante ampla. Muito frequentemente, a religião deles se estreitava a meras *proibições*. Durante a Primeira Guerra Mundial, um questionário feito entre as tropas, respondido por soldados britânicos, deixou claro que eles criam que o ensino da igreja era quase exclusivamente: 'Não fumarás. Não usarás de juramentos. Não cobiçarás'. É óbvio que a disciplina tem seu legítimo lugar em qualquer religião verdadeira. Devemos ser separados de hábitos indignos, mas somente porque primeiro fomos 'separados para Cristo' [...]. A justiça deles não era bastante profunda. Julgavam os homens em tons censuradores. Julgavam por hereditariedade. Qual seria, nesse caso, a posição de Lincoln ou de Keats? [...] não eram dotados de olhos perscrutadores de amor, e não entendiam a graça do sofrimento vicário. A justiça deles não era suficientemente elevada. Estavam satisfeitos com eles mesmos. Não havia 'além' para onde ir, não havia riscos, não havia aspirações, não havia abandono de alma em sua adoração. Era uma justiça formal e de teto reduzido. Não ansiavam pela visão de um mundo mais digno e não podiam perceber em Cristo nenhuma graça oculta. O ensino de Cristo ultrapassa todas as muralhas, expande-se para além de meras proibições, aprofunda-se no sacrifício motivado pelo *amor* e alteia-se na direção da própria intenção de Deus".

No texto de 5.21-48, Jesus ilustra a *verdadeira* compreensão da lei. O espírito de santidade deve permear inteiramente a personalidade humana, por dentro e por fora; somente assim haverá santidade autêntica e semelhança de Deus na vida humana. As relações se referem à humanidade em geral, sem destacar amigos

ou inimigos (v. 21-23), aos inimigos (v. 25), ao sexo oposto (v. 27), aos esposos (v. 31). Cristo oferece *seis* ilustrações para esclarecer a compreensão espiritual da lei, em contraste com a interpretação errônea das autoridades judaicas: 1) O sexto mandamento: "Não matarás" (v. 21 a 26). 2) O sétimo mandamento: "Não adulterarás" (v. 27 a 30). 3) A lei do divórcio (v. 31,32). 4) Os juramentos (v. 33 a 37). 5) A vingança (v. 38 a 42). 6) A lei do amor (v. 43 a 48).

II. PRIMEIRO GRANDE DISCURSO (5.1—7.29)
5. Contraste entre a antiga lei e a nova lei (5.21-48)

A seção diante de nós apresenta vários contrastes sobre os conceitos da antiga lei, interpretados segundo os escritos rabínicos comuns, e o tratamento acerca deles por Jesus, em sua *nova lei*. Nesta seção, Jesus eleva a "conduta cristã" como um "ideal" muito acima do que normalmente se pregava nas sinagogas. Não se pode duvidar de que as palavras pertencem genuinamente a Jesus, e que, originalmente, foram ditas a ouvidos judeus. Contudo, nas mãos do autor sagrado, elas se tornam a nova lei, para o novo Israel, a Igreja; pois este evangelho é distintamente um "documento cristão", escrito quando o cristianismo já tinha cinquenta anos.

Há o contraste entre o antigo conceito do homicídio e da ira, com aquilo que os cristãos devem pensar sobre esses males (v. 21-26); o adultério e concupiscência (v. 27-30); a reconsideração sobre o divórcio (v. 21-32); a proibição de juramentos (v. 33-37); a proibição acerca da vingança (v. 38-42); o amor e o ódio (v. 43-47). Em todos esses casos, a *nova lei* é mais pura, mais lata em sua aplicação e mais exigente que a antiga. Jesus esperava mais dos homens do que o fazia Moisés. Cristo é o novo Legislador.

(a) Homicídio e ira (5.21-26)

5.21: Ouvistes que foi dito aos antigos: Não matarás; e, Quem matar será réu de juízo.

5.21 Ἠκούσατε ὅτι ἐρρέθη τοῖς ἀρχαίοις, Οὐ φονεύσεις· ὃς δ' ἂν φονεύσῃ, ἔνοχος ἔσται τῇ κρίσει.

21 Οὐ φονεύσεις Êx 20.13; Dt 5.17 (Mt 19.18; Mc 10.19; Lc 18.20; Rm 13.9; Js 2.11); (Êx 21.12; Lv 24.17)

"Ouvistes" — A maior parte do povo não sabia ler; e ainda que o soubesse, isso de pouco adiantaria porque as *Bíblias* (Escrituras) não eram numerosas nem acessíveis ao povo comum. Portanto, o povo conhecia as Escrituras de ouvido, devido à leitura feita nas sinagogas e à exposição feita pelos escribas. Alguns pensam que o texto refere-se ao costume dos escribas de expor a "Shema", ou ainda, à tradição dos escribas, que incluía as Escrituras e sua exposição, em seus comentários.

"Aos antigos" — É a tradução encontrada em várias versões, como AC AA IB e outras; mas algumas traduções dizem *pelos antigos*. O grego, neste caso, é ambíguo, e pode ser traduzido de uma ou de outra forma. O uso comum da LXX e do NT traz "aos" e, provavelmente, esse é o sentido que o autor queria transmitir aqui, embora alguns bons intérpretes prefiram "pelos". "Pelos" significaria "por Moisés e pelos mestres, escribas e rabinos dos tempos antigos, que interpretavam as Escrituras". A expressão "foi dito" usualmente é acompanhada pela ideia "aos" (segundo diz Alford), e é verdade que essa interpretação era comum entre os pais gregos. "Aos antigos" significaria o povo para quem Moisés (e outros após ele) falou. Outros afirmam que significaria o povo para quem falaram diversos falsos mestres (escribas etc.). Jesus teria vinculado esses falsos mestres aos mestres falsos de seus dias. (Ver Rm 9.12,26; Gl 3.16; Ap 6.11 e 9.4, onde há explicação da tradução do termo "aos"). A expressão também pode significar "em tempos antigos", mas é claro que esse não é o sentido aqui.

"Não matarás" — Sexto mandamento – Êxodo 20.13. É também um mandamento dado antes da lei: Gênesis 9.5,6.

"Quem matar estará sujeito a julgamento" — Essas palavras não se acham no AT, mas foram acrescentadas pelas autoridades judaicas. A adição reduziu o crime ao ato de assassinar, tornando-o passível somente das penas da lei civil. Em cada cidade havia tribunais (Dt 16.18). Segundo Josefo, cada corte ou tribunal era constituída por *sete* homens (outros dizem 23 homens), que tinham poder de vida e morte. É óbvio que a morte por apedrejamento só podia ser infligida pelo sinédrio (nota detalhada em Mt 22.23), e era o sinédrio que tratava de questões que envolvessem heresia ou blasfêmia.

5.22: Eu, porém, vos digo que todo aquele que se encolerizar contra seu irmão, será réu de juízo; e quem disser a seu irmão: Raca, será réu diante do sinédrio; e quem lhe disser: Tolo, será réu do fogo do inferno.

5.22 ἐγὼ δὲ λέγω ὑμῖν ὅτι πᾶς ὁ ὀργιζόμενος τῷ ἀδελφῷ αὐτοῦ4 ἔνοχος ἔσται τῇ κρίσει· ὃς δ' ἂν εἴπῃ τῷ ἀδελφῷ αὐτοῦ, Ῥακά, ἔνοχος ἔσται τῷ συνεδρίῳ· ὃς δ' ἂν εἴπῃ, Μωρέ, ἔνοχος ἔσται εἰς τὴν γέενναν τοῦ πυρός.

22 πᾶς... ἀδελφῷ αἰτοῦ 1 Jo 3.15

4 22 {C} αὐτοῦ p⁶⁷ᵛⁱᵈ ℵ* B 2174ᵛⁱᵈ vg eth Gospel of the Nazarenes Ptolemy Justin Irenaeusˡᵃᵗ¹/³ Tertullianᵛⁱᵈ Origen Eusebius Basil mssᵃᶜᶜ ᵗᵒ ᴶᵉʳᵒᵐᵉ Augustine Greek mssᵃᶜᶜ ᵗᵒ ᴬᵘᵍᵘˢᵗⁱⁿᵉ Cassian Ps-Athanasius // αὐτοῦ εἰκῇ ℵᶜ D K L W Δ Θ Π f¹ f¹³ 28 33 565 700 892 1010 1071 1079 1195 1216 1230 1241 1242 1365 1546 1646 2148 *Byz Lect* itᵃ,ᵃᵘʳ,ᵇ,ᶜ,ᵈ,f,ff¹,g¹,h,k,l,q syr ᶜ,ˢ,ᵖ,ʰ,ᵖᵃˡ copˢᵃ,ᵇᵒ goth arm geo Diatessaron Irenaeusᵍʳ.ˡᵃᵗ ²/³ Origen Cyprian Eusebius Lucifer Ps-Justin Chrysostom Cyril

Paka[Ραχα ℵ* DW lat

> Embora a forma com εἰκῇ seja generalizada desde o século II d.C. em diante, é bem mais provável que essa palavra fosse adicionada por copistas, a fim de suavizar o rigor do preceito, ao invés de omiti-la como desnecessária.
>
> Em Mateus 5.22, o termo " *'raca'* com frequência é identificado com o termo rabínico 'reqa', 'imprestável' ou 'miserável', que teria o mesmo sentido que 'insensato'. Mas um insulto grego, 'rachas', do qual 'raca' provavelmente é um vocativo, foi descoberto em um papiro (ver E. J. Goodspeed, *Problems of NT Translation*, Chicago: University of Chicago Press, 1945, p.20-23). Seu significado exato é desconhecido. Quatro vocábulos gregos que indicam 'moros' ('insensato') são conhecidos na literatura rabínica, como palavras emprestadas, e há um termo hebraico — 'moreh' — que significa 'teimoso', 'insubordinado' ". (Sherman Johnson, in loc)

"Eu, porém" — Jesus assume a posição de *outro* Moisés, em parte criando *novas* leis, mas usualmente mostrando a correta interpretação das leis já existentes, expondo o conteúdo espiritual dessas leis, em lugar do sentido superficial e legalista (ver nota no v. 38). No grego, o eu é enfático — "[...] as multidões se maravilhavam da sua doutrina; porque as ensinava como tendo autoridade, e não como os escribas" (Mt 7.28,29).

"Sem motivo" — Aparece nos mss DEKLMSUV Gamma Delta Fam Pi e nas traduções KJ BR AC. Omitem-nas Aleph BD vg Ju Or e as traduções ASV RSV PH WM NE GD AA IB. Os melhores e mais antigos mss (gregos) omitem a expressão. Justino, no século II, não a cita em sua referência à passagem. Obviamente a variante foi adicionada por algum escriba a fim de evitar a aparente crueza da declaração que, se aceita conforme diz, não permite exceção.

"Irar [...] estará sujeito a julgamento" — Entre os judeus, havia *três níveis* de culpa, tratados pelos tribunais próprios e com julgamento próprio. A condenação mais severa era a que determinava o lançamento do corpo no vale de Hinom ou Geena, porque mostrava a grande desgraça da pessoa, ilustrando assim a gravidade do crime. Os níveis de culpa e julgamento também diferem no reino do Messias. Jesus mostra que todos os homens são "irmãos" (como na história do bom samaritano, Lc 10.25-37).

Assim ele elevou a dignidade da raça humana, bem como cada indivíduo dessa raça. Atribuindo esse valor a cada homem da raça, dificilmente um assassinaria a outro. Para Jesus, a atitude de "ira" contra um homem é *crime* sério; tão sério, que merece o mesmo castigo imposto ao assassínio (ver notas sobre o v. 21). Jesus não advoga que a ira seja punida com a morte, mas ilustra, com essas palavras, o quanto para ele era sério esse pecado. A presença da ira indica a falta de amor. O amor ao próximo foi classificado como segundo mandamento na ordem de importância (ver Lc 10.27). Portanto, dentro do espírito da lei, aquele que se ira contra outrem quebra o espírito de um dos mais importantes mandamentos.

"Um insulto" — Tradução livre do hebraico "raça". A palavra não consta em algumas traduções como KJ AC IB. O sentido da palavra não é claro. As opiniões são as seguintes: 1) Palavra sem sentido, interjeição, som que indica ódio, mas sem definição própria; 2) Equivalente (mas sem o mesmo significado) ao grego "su", que tem o sentido de "você", mas às vezes com ódio, manifesto no tom da voz; 3) "Cuspir", termo usado para os heréticos; 4) "Vão", provavelmente com o sentido de "tolo" (Tg 2.20 — "homem insensato" talvez seja o equivalente, no grego). Essa é a ideia mais comum, e tem ilustração no AT, em Juízes 9.4; 11.3; Pv 2.11.

"Estará sujeito a julgamento do tribunal" — Significa julgamento do *sinédrio* (nota detalhada em Mt 22.23), o conselho supremo judaico, que tinha poder de vida e morte e podia infligir a pena de apedrejamento (morte vergonhosa), pois tratava dos casos de heresia e blasfêmia.

"Tolo" — Há várias ideias sobre o sentido dessa palavra: 1) Por acaso, as letras dessa palavra, no grego, concordam com as letras de certo termo hebraico que significa "rebelde". Alguns acham que esse é o sentido que o autor quis dar aqui, como se tivesse usado outra palavra hebraica, como já usara "raca". Moisés e seu irmão não puderam entrar na terra prometida, nem em parte dela, porque usaram esse termo quando repreenderam o povo de Israel (ver Nm 20.10). 2) Provavelmente, a palavra é grega, e significa "tolo". O termo era forte. Jesus mesmo usou essas palavras contra os escribas e fariseus, em Mateus 23.17,19.

"Estará sujeito ao fogo do inferno" — De fato, *ao fogo* da *"geena"*, o vale de Hinom, um vale estreito e escuro, ao sul de Jerusalém, onde o fogo queimava continuamente. Antes, os judeus idólatras haviam usado o vale para sacrificar os próprios filhos. Mais tarde, o lugar foi usado como monturo da cidade. Além do lixo, eram jogados ali os corpos dos animais e dos criminosos. O fogo que queimava o lixo subia continuamente do vale, e por isso o lugar se tornou símbolo do inferno. (Ver nota sobre o *"inferno"*, em Ap 14.11.)

Havia três classificações para os pecados, cada qual com a própria pena. Todas as três envolviam assassinato: 1) Ira contra um ser humano — condenação, morte infligida por um tribunal inferior. 2) Ódio contra *outrem* condenação, morte infligida por um tribunal superior: morte por apedrejamento (morte de herético). 3) Ódio intenso *contra alguém* condenação, morte vergonhosa, pública, símbolo do juízo da alma. Assim Jesus ilustrou o sexto mandamento. Mostrou que a intenção que provoca o ato físico é passível da mesma condenação que o ato em si.

5.23: Portanto, se estiveres apresentando a tua oferta no altar, e aí te lembrares de que teu irmão tem alguma coisa contra ti,

5.23 ἐὰν οὖν προσφέρῃς τὸ δῶρόν σου ἐπὶ τὸ θυσιαστήριον κἀκεῖ μνησθῇς ὅτι ὁ ἀδελφός σου ἔχει τι κατὰ σοῦ,

Jesus ensina que o culto religioso perde o valor se as atitudes de quem cultua são erradas com relação aos seus semelhantes. A base dessa ideia é: "Se alguém disser: Amo a Deus, e odiar a seu irmão, é mentiroso; pois aquele que não ama a seu irmão, a quem vê, não pode amar a Deus, a quem não vê" (1Jo 4.20, ARA). "Todo aquele que odeia a seu irmão é assassino..." (1Jo 3.15). "Com ela [a

312 |Mateus| NTI

língua[, bendizemos ao Senhor e Pai; também, com ela, amaldiçoamos os homens, feitos à semelhança de Deus" (Tg 3.9). "[...] não é conveniente que estas coisas sejam assim" (Tg 3.10). O homem que *verdadeiramente* adora a Deus, não pode, ao mesmo tempo, *detestar* outro homem. Para que tenhamos paz com Deus, precisamos de paz com os homens.

"Oferta" — A palavra tem sentido geral, e alude a qualquer tipo (dentre os muitos tipos de ofertas) que os judeus costumavam trazer ao templo como parte do culto. Quem trazia a oferta esperava que o sacerdote viesse recebê-la de suas mãos. O sacerdote, tendo-a recebido, oferecia-a sobre o altar. A oferta indicava o desejo do ofertante de receber o perdão de Deus e adorar ao Deus da bondade, que perdoa o pecado.

"Te lembrares [...] alguma coisa contra ti". Se por acaso o ofertante se lembrasse de qualquer desentendimento entre ele e outra pessoa, enquanto esperava que o sacerdote viesse receber a oferta, deveria primeiramente ir corrigir seu relacionamento com o próximo. Dificilmente Deus aceitaria o culto do indivíduo que guardasse ódio no coração, ódio contra uma criatura feita por Deus.

5.24: deixa ali diante do altar a tua oferta, e vai reconciliar-te primeiro com teu irmão, e depois vem apresentar a tua oferta.

5.24 ἄφες ἐκεῖ τὸ δῶρόν σου ἔμπροσθεν τοῦ θυσιαστηρίου,[b] καὶ ὕπαγε[b] πρῶτον διαλλάγηθι τῷ ἀδελφῷ σου, καὶ τότε ἐλθὼν πρόσφερε τὸ δῶρόν σου.

> [bb] 24 b *minor*, b *none*: WH Bov Nes BF² (NEB) TT Jer Seg // b none, b major: (AV) RSV // b minor, b minor: TR RV ASV // b none, b none: Zür Luth

"Deixa [...] a tua oferta" — A reconciliação com o irmão é mais *urgente* do que o rito e o culto no templo, pois, sem essa reconciliação, o culto seria uma hipocrisia. A reconciliação humana deve preceder a reconciliação divina. Diz Mateus 6.15: "[...] se, porém, não perdoardes aos homens, tampouco vosso Pai vos perdoará as vossas ofensas". Na igreja primitiva era costume corrigir as discórdias entre os membros antes do ritual da santa ceia.

Portanto, os princípios a serem observados são: *reconciliação*, antes do sacrifício ou culto formal; *misericórdia*, antes do rito; *moralidade*, antes da religiosidade; *afeição filial*, antes do dever; *perdão pessoal*, antes do perdão divino; *corretas relações humanas*, antes de corretas relações com Deus; *honestidade* e *bondade* para com os homens, antes do recebimento da bondade de Deus.

5.25: Concilia-te depressa com o teu adversário, enquanto estás no caminho com ele; para que não aconteça que o adversário te entregue ao juiz, e o juiz te entregue ao guarda, e sejas lançado na prisão.

5.25 ἴσθι εὐνοῶν τῷ ἀντιδίκῳ σου ταχὺ ἕως ὅτου εἰ μετ' αὐτοῦ ἐν τῇ ὁδῷ, μήποτέ σε παραδῷ ὁ ἀντίδικος τῷ κριτῇ, καὶ ὁ κριτὴς[5] τῷ ὑπηρέτῃ, καὶ εἰς φυλακὴν βληθήσῃ·

> 25-26 ὁ κριτὴς...κοδράντην Mt 18.34,35; Lc 12.58,59

> [5] 25 {B} ὁ κριτὴς 𝔓⁶⁴ᵛⁱᵈ B f¹ f¹³ 892 1216 1230 it syr arm eth geoᴮ Carpocrates Irenaeuslat Clement Hilary Chrysostom Augustine Arnobius // ὁ κριτὴς σε παραδῷ (*ver* LC 12.58) (D δώσει) K L W Δ Θ Π 28 33 565 (700 *omit* σε) 1009 1010 1071 1079 1195 1241 1242 1365 1546 1646 2148 2174 *Byz Lect* itˢ·ᵃᵘʳ·ᵇ·ᶜ·ᵈ·ᶠ·ᶠᶠ¹·ᵍ¹·ʰ·ˡ vg syrᶜ·ᵃ·ᵖ·ʰ copᵐ·ᵇᵒ goth geoˡ·ᴬ Jerome

> Se apenas o texto alexandrino omitisse σε παραδῷ, seria possível explicar a ausência das palavras devido a refinamento literário. Visto, porém, que representantes do tipo de texto pré-cesareano (f¹ e f¹³), bem como itᵏ Ireneu (lat) e outros testemunhos diversificados apoiam o texto mais breve, é mais provável que a forma mais longa seja uma adição natural introduzida por copistas (cf. Lc 12.58).

Aqui Jesus trata da atitude em relação aos inimigos, mesmo quando em potencial.

"Adversário" — Não se refere ao Diabo, como Clemente interpretou, e nem a Deus, conforme interpretação de Agostinho, e nem à consciência, como Euth. Zig., e nem em especial à pessoa mencionada nos v.23 e 24, mas a um novo elemento — a lei civil (cf. Lc 12.58, ARA: "Quando fores com o teu adversário ao magistrado"; provavelmente, temos aqui um paralelo às palavras de Mateus, e trata de uma questão entre um devedor e um credor). A referência é à lei romana. O acusador pode "*in jusrapere*", e o acusado pode "concordare" antes de o caso ser levado às autoridades. Após isso, seria tarde demais para acordos particulares, e a lei deveria ter o seu curso legal.

"Enquanto estás no caminho com ele" — Lucas usa aqui uma expressão forte, "te arraste", que no grego pode dar a ideia de maltrato, de puxar à força. O quadro, pois, é o de um homem que força outro a comparecer perante o juiz. O devedor poderia concordar com ele no caminho, mas não depois de comparecer ante o juiz. Seria bom agir assim, mas Cristo não apresenta moral conveniente, mas moral de ação e justiça. A ideia da moral em si mesma é boa, isto é, concordar com os inimigos até mesmo em particular é válido, para não ficar sujeito à lei civil. Paulo, censurou o litígio entre os irmãos da igreja (1Co 6.1-4). Jesus censurou a mesma coisa com um inimigo, se isso puder ser evitado.

"Juiz" — Era o oficial do tribunal que decidia o caso. "Oficial de justiça", autoridade que tinha a responsabilidade de executar a sentença.

"Prisão" — Não é referência simbólica ao *purgatório*, como alguns interpretam, mas implica somente na complementação da sentença.

5.26: Em verdade te digo que de maneira nenhuma sairás dali enquanto não pagares o último ceitil.

5.26 ἀμὴν λέγω σοι, οὐ μὴ ἐξέλθῃς ἐκεῖθεν ἕως ἂν ἀποδῷς τὸν ἔσχατον κοδράντην.

"Centavo" — Pequena moeda. A moeda *quadrans* dos romanos tinha pouquíssimo valor, porquanto era sua menor moeda; portanto, "centavo" é boa tradução. Na passagem paralela, Lucas 12.59, é usada uma palavra para a moeda (lepton) que tinha metade do valor do "quadrans". A ideia, portanto, é a do cumprimento total do dever, sem nenhuma interferência da bondade ou da misericórdia.

São estas as *diferenças* entre Mateus e Lucas: 1) Mateus indica desejo de reconciliação por parte do credor, e assim o devedor é exortado a concordar com ele no caminho. Lucas mostra que seria mister que o devedor convencesse o credor, que exige com espírito inflexível. 2) Mateus diz "entregar" ao juiz; Lucas usa uma palavra dura: "arrastar". 3) Quanto a "oficial de justiça", Mateus usa termo diferente do de Lucas, mas é óbvio que as palavras são sinônimas. O termo é usado aqui por Lucas, em todo o NT (12.58). 4) A moeda aludida por Mateus é o "quadrans", a menor moeda dos romanos. A moeda de Lucas é o "lepton", (a menor moeda em uso entre os judeus) que tinha a metade do valor do "quadrans".

(b) Adultério e concupiscência (5.27-30)

5.27: Ouvistes que foi dito: Não adulterarás.

5.27 Ἠκούσατε ὅτι ἐρρέθη, Οὐ μοιχεύσεις.

> 27 ερρεθη] *add* τοις αρχαιοις Θ fr3 *33 pm* lat syᶜ ˢ

> 27 Οὐ μοιχεύσεις Êx 20.14; Dt 5.18 (Mt 19.18; Mc 10.19; Lc 18.20; Rm 13.9; Tg 2.11)

"Ouvistes" — Ver nota sobre o v. 21, onde há explicação sobre essa palavra.

"Foi dito" — ([...] aos antigos... — nota no v. 21).

"Aos antigos" — (tradução AC; na KJ, "pelos antigos"). Não são palavras autênticas aqui, mas foram tomadas de empréstimo do v. 21, para tornar mais semelhantes os versículos. Os mss Aleph, BDEKSUV Gamma Fam Pi e a maior parte das versões as omitem. Registram-nas LM Delta Theta Fam 13,33, e certas versões latinas e o Si, mas é claro que foram adicionadas por algum escriba recente. A maior parte das traduções omitem-nas.

"Não adulterarás" — Sétimo mandamento (Êx 20.14). Trata-se de relações sexuais ilegítimas, entre pessoas casadas. A palavra também é empregada para indicar a idolatria, que é adultério espiritual (ver Ap 2.22; Jr 3.9).

A lei judaica restringia o termo "adultério" às relações sexuais com a esposa ou noiva de um judeu. O uso de Jesus é *mais lato*, e provavelmente inclui as relações sexuais ilícitas de qualquer sorte, e certamente Paulo fala sobre isso com linguagem clara (1Ts 4.3). No v. 28, vemos que o adultério pode ser mental, e há paralelos disso nos escritos do filósofo estoico Epicteto (Discursos II.18.15) e também em vários escritos rabínicos, embora isso talvez não represente a maioria da opinião do judaísmo. Cobiçar a mulher do próximo é explicitamente proibido pelo décimo mandamento (Êx 20.17 e Dt 5.21). Geralmente, os rabinos criam que as boas intenções de um homem lhe eram lançadas na conta como se as tivesse realizado, mas que suas más intenções só seriam lançadas em seu débito se ele chegasse a cumpri-las.

5.28: Eu, porém, vos digo que todo aquele que olhar para uma mulher para a cobiçar, já em seu coração cometeu adultério com ela.

5.28 ἐγὼ δὲ λέγω ὑμῖν ὅτι πᾶς ὁ βλέπων γυναῖκα πρὸς τὸ ἐπιθυμῆσαι αὐτὴν ἤδη ἐμοίχευσεν αὐτὴν ἐν τῇ καρδίᾳ αὐτοῦ.

"Eu, porém, vos digo" — Ver nota sobre o v. 22, onde há explicação sobre essas palavras.

"Olhar [...] com intenção impura" — Quem olha é casado. A mulher a quem olha é casada, mas não com ele, ou é solteira. O olhar não é casual, mas persistente, motivado por desejo ilegítimo (assim diz a maior parte dos intérpretes). Lutero, porém, insiste em dizer que o impulso momentâneo do desejo (mesmo que não seja persistente), também é adultério no coração. Os que preferem a interpretação mais suave mostram que o trecho de 6.1 traz a mesma expressão — "para serdes vistos" (equivalente a "com intenção" — a expressão tem a mesma forma no grego, apesar de a tradução não indicar isso). O que a expressão indica é o intento da vontade, e não o desejo involuntário, passageiro. Se esse fosse o caso, ainda assim não ficaria provado que o desejo passageiro também não é pecado. Naturalmente, desejaríamos saber a opinião de Jesus. Conhecendo sua moral estrita, quase podemos dizer que ele concordaria com a interpretação mais severa, como Lutero, que fazia distinção entre a culpa inerente no olhar com desejo persistente e o desejo involuntário. Provavelmente, Jesus também faria essa diferença.

"Já adulterou" — O sétimo mandamento indica mais o que o ato manifesto; mostra a intenção do coração — se houver intenção de cometer adultério, é adultério. Alguns rabinos, é claro, ensinavam a mesma coisa, percebendo o espírito da lei, mas a maior parte das autoridades religiosas dos judeus não percebeu o sentido mais profundo deste e de outros mandamentos. Quando a lei fala em não matar, subentende mais do que o homicídio literal; assim, também, adulterar é mais do que praticar o ato. Ambos assumem a forma de meras atitudes, de condições do coração. Esse é o espírito da lei.

Alguns intérpretes indicam que o sétimo mandamento inclui qualquer tipo de fornicação, entre solteiros ou casados, porque o sexo ilegítimo, por sua natureza, é adultério ante a lei de Deus. Provavelmente, Jesus concordaria com essa opinião, apesar do fato de o texto falar principalmente, ou mesmo exclusivamente, da relação que um homem casado possa ter com uma mulher que não seja sua esposa. Paulo escreveu: "[...] esta é a vontade de Deus: a vossa santificação, que vos abstenhais da prostituição" (1Ts 4.3). Nesta citação, as Escrituras se referem a qualquer pecado de ordem sexual, entre casados ou solteiros.

5.29: Se o teu olho direito te faz tropeçar, arranca-o e lança-o de ti; pois te é melhor que se perca um dos teus membros do que seja todo o teu corpo lançado no inferno.

5.29 εἰ δὲ ὁ ὀφθαλμός σου ὁ δεξιὸς σκανδαλίζει σε, ἔξελε αὐτὸν καὶ βάλε ἀπὸ σοῦ· συμφέρει γάρ σοι ἵνα ἀπόληται ἓν τῶν μελῶν σου καὶ μὴ ὅλον τὸ σῶμά σου βληθῇ εἰς γέενναν.

29-30 Mt 18.8,9; Mc 9.43-47

Nos v. 29 e 30, Jesus mostra que nos é vantajoso sacrificar algo, mesmo aquilo que tivermos de mais precioso (como o olho direito ou a mão direita), para atingir o objetivo que é a obediência à vontade de Deus. Ele mostra que essa vantagem não inclui apenas as considerações desta vida terrena, mas também da vida além, quando trocarmos de mundos.

"Se o teu olho direito te faz tropeçar, arranca-o" — O olho é mencionado não apenas como algo precioso, mas também como agente potencial da tentação ao pecado. É com o olho que o homem começa a cometer o adultério. Talvez seja mister perder uma coisa preciosa para ganhar outra mais preciosa, que é a aprovação e a bênção de Deus, e um estado feliz no outro mundo. Jesus fala do "olho direito" porque geralmente é o melhor e mais útil entre os dois olhos. Isso pode não ser fato científico (em muitas pessoas o olho esquerdo é o melhor), mas, apesar disso, a lição é clara. Na ideia popular antiga, o olho direito era o melhor.

Como se pode compreender esse ensino? 1) Literalmente, arrancando-o e lançando-o fora? Se assim fora, não haveria no mundo homem com o olho direito. Dificilmente podemos aceitar essa interpretação, que incluiria cegueira universal. 2) Simbolicamente, no sentido de abnegação quanto a desejos ilegítimos? Isso é somente parte de uma ideia que, provavelmente, inclui o que dissemos anteriormente. 3) Renúncia absoluta e dolorosa. É a ideia mais completa e certa.

"Lançado no inferno" — Ver notas no v. 22 sobre essa expressão. Ver nota detalhada sobre inferno, em Apocalipse 14.11. Provavelmente, a palavra "corpo", neste caso, serve apenas de símbolo da vida e não ensina que o corpo físico será lançado no inferno. Jesus continuava usando o símbolo da geena, como temos no v. 22, e não tentava dar uma explicação completa e perfeita das condições do inferno.

Não nos devemos esquecer também de que Jesus não procurava ensinar o método da justificação, nem dava detalhes sobre a relação entre a lei e as doutrinas da igreja, como a justificação pela fé, a salvação pela graça etc. Essas doutrinas são expostas nos escritos de Paulo, perfeitamente em harmonia com as ideias do AT e as ideias do NT. Pode-se dizer que Jesus concordaria com a ideia de que ninguém pode observar o espírito da lei sem primeiro ser regenerado. O segundo capítulo de Romanos não diverge das palavras de Jesus, mas Paulo não encontrou dificuldades para harmonizar (nos caps. 3-6) os ensinos do Velho e do Novo Testamentos, isto é, entre os ensinos da lei e os ensinos da graça.

5.30: E, se a tua mão direita te faz tropeçar, corta-a e lança-a de ti; pois te é melhor que se perca um dos teus membros do que vá todo o teu corpo para o inferno.

5.30 καὶ εἰ ἡ δεξιά σου χείρ σκανδαλίζει σε, ἔκκοψον αὐτὴν καὶ βάλε ἀπὸ σοῦ· συμφέρει γάρ σοι ἵνα ἀπόληται ἓν τῶν μελῶν σου καὶ μὴ ὅλον τὸ σῶμά σου εἰς γέενναν ἀπέλθῃ.

30 vs. om D pc d s yˢ

"Mão direita" — Geralmente a mão mais forte, útil e necessária.

"Te convém" — Palavras que também aparecem no v. 29. Se é mister pensar em ganho (conforme a tendência de todos, que visam à sua vantagem), então precisamos considerar que o duro da renúncia é realmente o que dá mais vantagens. A renúncia a certos desejos e privilégios físicos nesta vida traz, como resultado, o benefício da alma na outra vida. O que parece abnegação é ganho.

314 |Mateus| NTI

Há uma citação dos rabinos que diz: "É melhor experimentar a dor de um pequeno fogo, nesta terra, do que ser queimado pelo fogo consumidor no mundo vindouro". Ver notas sobre o v. 29, quanto às demais implicações deste versículo.

A vista ou a mão podem induzir o indivíduo ao pecado. Há paralelos a essa ideia em Jó 21.1, nos escritos dos rabinos, e até mesmo em alguns escritores pagãos (Propércio II.15.12, "oculi sunt in amore duces"). Existem pedras de tropeço morais. A vida moral é comparada a um andar ou viajar, o que transparece no termo hebraico "halakah" (livro da lei), que realmente significa "maneira de andar", bem como na palavra "transgressão", que nos dá a ideia de seguir por um caminho proibido. É preciso retirar os obstáculos de nosso caminho, ou certamente tropeçaremos.

(c) Divórcio (5.31,32)

5.31: Também foi dito: Quem repudiar sua mulher, dê--lhe carta de divórcio.
5.31 Ἐρρέθη δέ, Ὃς ἂν ἀπολύσῃ τὴν γυναῖκα αὐτοῦ, δότω αὐτῇ ἀποστάσιον.

<small>31 Ὃς...ἀποστάσιον Dt 24.1 (Mt 19.7; Mc 10.4)</small>

Continuando a exemplificar a aplicação *espiritual* da lei, Jesus fala sobre o divórcio. Desde Moisés que a lei dos judeus permitia o divórcio, e as leis, atendendo a essa permissão, foram-se tornando mais liberais, favorecendo aos homens. A interpretação que os judeus davam às suas leis (e à matéria de comentário sobre as Escrituras), e também os costumes da sociedade judaica, geralmente permitiam um duplo padrão, tolerante para com os homens e severo para com as mulheres. Era comum que um homem se divorciasse de sua esposa quase que por qualquer motivo. O texto de Deuteronômio 24.1 diz: "Se um homem tomar uma mulher e se casar com ela, e se ela não for agradável aos seus olhos, por ter ele achado cousa indecente nela, e se ele lhe lavrar um termo de divórcio, e lho der na mão, e a despedir de casa..." (ARA) Esse versículo foi interpretado de modo excessivamente liberal, por parte de algumas autoridades religiosas judaicas; e quase qualquer motivo era suficiente para o divórcio. Era também muito fácil a um homem tomar uma concubina.

Entre os judeus, as opiniões se dividiam, tendo-se formado dois grupos de rabinos em torno da questão do divórcio. Alguns judeus seguiam os pensamentos do rabino *Shammai* (daí o nome da escola Shammai), enquanto outros seguiam as ideias do rabino *Hilel* (daí o nome da escola Hilel). A escola de Shammai permitia o divórcio somente por motivo de infidelidade conjugal. A escola de Hilel permitia-o quase por qualquer razão ou capricho do marido. Moisés criou a "carta de divórcio" a fim de limitar o número de divórcios, pois era um documento legal que exigia certo trabalho para sua obtenção. As autoridades judaicas, porém, afirmavam que Moisés "ordenara" essa situação, e por isso exageravam a utilidade da permissão. (Ver Mt 19.7.)

"Carta de divórcio" — Em Marcos 10.4, *"livrinho de divórcio"*. Aqui, entretanto, significa, literalmente, apenas o certificado de abandono. A mesma palavra foi usada para significar o abandono de propriedades. Esse documento usualmente era feito sob a orientação de um sacerdote levítico, e apresentava as razões do divórcio (mas isso não era requerido), além de outras informações pertinentes aos nomes dos divorciados, de seus pais etc. A carta de divórcio dava à mulher permissão legal para casar-se novamente com outro homem. O homem podia divorciar-se de sua mulher, mas a mulher não podia divorciar-se de seu marido, conforme era possível fazer legalmente na sociedade romana. Embora a mulher não pudesse divorciar-se de seu marido, de conformidade com as leis judaicas, era-lhe possível ir a um tribunal e forçá-lo a divorciar-se dela, sob determinadas condições. Por exemplo, se ele sofresse de certas enfermidades, se se ocupasse de certos trabalhos inconvenientes, se fizesse juramentos em detrimento dela ou a forçasse a fazer tais juramentos.

5.32: Eu, porém, vos digo que todo aquele que repudia sua mulher, a não ser por causa de infidelidade, a faz adúltera; e quem casar com a repudiada, comete adultério.
5.32 ἐγὼ δὲ λέγω ὑμῖν ὅτι πᾶς ὁ ἀπολύων τὴν γυναῖκα αὐτοῦ παρεκτὸς λόγου πορνείας ποιεῖ αὐτὴν μοιχευθῆναι, καὶ ὃς ἐὰν ἀπολελυμένην γαμήσῃ μοιχᾶται[6].

<small>32 1Co 7.10-11</small>

<small>[6] 32 {C} καὶ ὃς ἐὰν ἀπολελυμένην γαμήσῃ μοιχᾶται ℵ K (L γαμήσει) W Δ Θ Π 0250 *f* *f*[13] 700 1009 1071 1230 1242 *av* 28 33 565 892 1010 1079 1195 (1216 *omit* ὅς) 1241 1365 (1546 *omit* ἐὰν *and* γαμήσῃ) 1646 (2148 *av and* γαμήσει) 2174 *Byz Lect* (*l*[883,950] ἄν) it[h] syr[h] cop[sa,bo] goth arm eth[ro,pp,(ms?)] // καὶ ὁ ἀπολελυμένην γαμήσας μοιχᾶται B (*l*[184] καὶ ὅς) *l*[185,1579] geo // καὶ ὃς ἐὰν ἀπολελυμένην γαμήσῃ μοιχᾶται *or* καὶ ὁ ἀπολελυμένην γαμήσας μοιχᾶται it[aur,c,f,ff1,g1,l] vg syr[c,s,p,pal] // *omit* D[a,b,d,k] it Greek and Latin mss[ace to Augustine]</small>

> A forma de B (ὁ...γαμήσας) parece ter sido substituída pela forma dos outros manuscritos unciais (ὃς ἐὰν... γαμήσῃ), a fim de fazer a construção tornar-se paralela à cláusula participial anterior (ὁ ἀπολύων). A omissão das palavras καὶ...μοι mss (seg. Agostinho, gregos e latinos)* pode ter resultado de escribas pedante que as consideraram supérfluas, raciocinando que se "todo quanto se divorcia de sua esposa, exceto por motivo de adultério, a torna uma adúltera ao casar-se ela novamente", então ficaria subentendido que "quem se casar com uma mulher divorciada também comete adultério". * (D it[a,b,d,k])

Quanto à *quaestio vexata* do divórcio, ver nota detalhada em Romanos 7.1-3 e as notas em Mateus 19.3-9.

"Eu, porém vos digo" — Ver nota sobre o sentido dessas palavras, em 5.22. Jesus levantava de novo o clamor de Malaquias 2.16: "[...] o SENHOR Deus de Israel diz que odeia o repúdio..." (ARA)

"Exceto em caso de adultério" — Há muitas opiniões sobre o sentido dessa frase e do versículo em geral, como as seguintes: 1) Alguns insistem na opinião de que as palavras não fazem parte da declaração de Jesus, porque os textos paralelos de Marcos 10.11 e Lucas 16.18 não contêm tais palavras; e também porque seria mais coerente com as palavras e ensinos de Jesus não ser aberta essa exceção. (A exceção aparece de novo em Mt 19.9). Tais pessoas dizem que o autor introduziu essas palavras a fim de tornar mais aceitáveis os ensinos de Jesus sobre o assunto. Todos os mss gregos registram essa exceção, e se não foram palavras autênticas de Jesus, pelo menos foram adição feita pelo autor do evangelho de Mateus. A maior parte dos intérpretes aceita as palavras como autênticas, saídas dos lábios de Jesus, porque isso é necessário se tivermos de aceitar o fato da inspiração do evangelho. É difícil explicar por que Marcos e Lucas não registram essas palavras, se foram realmente proferidas por Jesus. Pode-se afirmar que é um problema sem solução. Se Jesus não fez essa exceção, seu ensino sobre o divórcio era ainda mais severo que o da escola de Shammai. 2) Alguns insistem em que adultério, neste caso, não significa o pecado depois do casamento, mas antes dele. Assim sendo, o divórcio seria a separação após o noivado, mas antes do casamento. (Ver nota em Mt 1.18.). Ou ainda que pode ser um tipo de separação ou divórcio depois de realizado o casamento, se o pecado fosse descoberto pelo marido. Que o texto não transmite essa ideia é perfeitamente claro. Ela é simples subterfúgio. 3) Outros acham que a exceção é legítima, mas que elimina qualquer outra exceção. Alguns permitiriam outro matrimônio: a) para a pessoa inocente; b) para ambas as pessoas. Muitos, porém, não permitem um segundo casamento nem para uma nem para outra pessoa. 4) Outros, especialmente católicos, ensinam que o divórcio permitido por Jesus é realmente um tipo de separação legítima, mas não o fim real do casamento. Assim sendo, seria a separação *a toro et mensa*. Nesse caso, o "divórcio" não permitiria segundo casamento para nenhum dos cônjuges. Essa ideia é outra forma de legalismo, fabricação humana. Para os judeus, o "divórcio" era o fim real do matrimônio. Não teriam compreendido de forma nenhuma as palavras de Jesus se lhes tivesse falado de outro tipo de divórcio. 5) Outros acham que a exceção é legítima, mas que não elimina nenhuma outra exceção. Poderiam surgir outras exceções. O texto, porém, não parece ensinar isso, apesar do fato de alguns sociólogos insistirem que o adultério não é a principal razão do divórcio, por existirem problemas mais profundos que podem pôr ponto final no matrimônio. 6) Há aqueles que continuam ensinando um duplo padrão o homem pode casar-se de novo, mas não a mulher porque o versículo não proíbe diretamente um segundo casamento do homem. Esses versículos, por omissão, entretanto, não ensinam que o homem tem privilégios negados à mulher. O texto de Lucas 16.18 diz: "Quem repudiar sua mulher e casar com outra comete adultério; e aquele que casa com a mulher repudiada pelo marido também comete adultério". (ARA) Este versículo prova que não pode haver duplo padrão. 7) Outros, finalmente, acham que o crente divorciado de uma pessoa incrédula pode casar de novo, de acordo com as determinações de 1Coríntios 7.12-15. Ver nota em Romanos 7.1-3, que trata dessas considerações e faz tentativas de respostas ao problema do divórcio segundo os ensinos bíblicos.

"A expõe a tornar-se adúltera" — Entre os judeus, o divórcio era o fim oficial do casamento, e permitia à mulher casar--se de novo. Mesmo assim, se ela fosse a culpada do adultério, se viesse a casar-se de novo seria adúltera. A opinião de outros é que, se o casamento terminasse por causa do adultério, a mulher poderia contrair novas núpcias sem cometer adultério, porquanto o primeiro casamento fora total e finalmente terminado. O texto bíblico, porém, não parece ensinar isso.

"Aquele que casar com a repudiada, comete adultério" — Sobre essa declaração há também diversas opiniões. A maior parte dos intérpretes faz disso um caso absoluto. Se qualquer mulher divorciada contraísse novas núpcias, seria adúltera, e o homem que se casasse com ela também seria adúltero. Outros ensinam que, se o primeiro casamento houver terminado por motivo de adultério, fica terminado para sempre. Assim sendo, ambos, a mulher e o homem, poderiam casar-se de novo sem cometer adultério. Se o primeiro matrimônio, porém, tivesse terminado por quaisquer outros motivos que não o adultério, então, se a mulher se casasse de novo, cometeria adultério, e o homem que com ela se casasse também seria adúltero, pois o primeiro casamento não terminara, posto que só o adultério seria razão para pôr fim ao casamento; outros tipos de divórcio não seriam legítimos.

"Adultério" — A palavra aqui usada, como em muitos outros lugares, tem raiz diferente do verbo do fim de versículo traduzido como "comete adultério". A palavra tem sentido geral, e inclui todos os pecados sexuais, incluindo o adultério (cometido por pessoas casadas).

"[...] e aquele [...] adultério" — Essa frase é omitida pelo códex D e por muitas versões latinas. Algumas autoridades duvidam que ela seja autêntica. Todavia, todos os outros mss têm a mesma frase, e todas as demais traduções retêm as palavras, provavelmente com razão.

Finalmente, observa-se que Jesus não ordena nem encoraja o divórcio por nenhuma razão: ele permite o divórcio por uma *única* razão.

(d) Juramentos (5.33-37)

5.33: Outrossim, ouvistes que foi dito aos antigos: Não jurarás falso, mas cumprirás para com o Senhor os teus juramentos.

5.33 Πάλιν ἠκούσατε ὅτι ἐρρέθη τοῖς ἀρχαίοις, Οὐκ ἐπιορκήσεις, ἀποδώσεις δὲ τῷ κυρίῳ τοὺς ὅρκους υ.

---

33 Οὐκ...σου Lv 19.12; Nm 30.2; Dt 23.21

"Ouvistes" — Ver nota em 5.21 quanto à explicação da expressão "aos antigos". Ver nota em 5.21. Jesus prossegue com as ilustrações sobre a espiritualidade da lei, em contraste com a interpretação estrita das autoridades judaicas. Ele já ilustrara a mesma questão com três outras coisas: 1) o sexto mandamento: Não matarás; 2) o sétimo mandamento: Não adulterarás; 3) a lei do divórcio. Agora usaria a quarta ilustração (v. 33-37): os juramentos.

"Não jurarás falso" — (Lv 19.12 e Êx 20.7) "[...] não tardarás em cumpri-lo..." (Dt 23.22; ver Nm 30.1-16). O costume de jurar era mais antigo que a lei. Foi adotado pela lei civil como algo necessário (Êx 22.11). O que Jesus condena não é a simples ideia da lei, e, sim, como nos casos do sexto e do sétimo mandamentos, os abusos ao princípio. Os judeus classificavam os juramentos, e alguns eram reputados mais importantes, de acordo com o *objeto* sobre o qual o juramento era feito. Juravam pelo céu, pela terra, por cidades como Jerusalém, por partes do corpo humano, como a cabeça, pela sinagoga, pelo templo, e, muitas vezes, pelo nome de Deus (ou por respeito ao nome de Deus), modificando-o quanto ao som, às vezes fazendo o nome de Deus significar outra coisa, pelo modo de sua pronúncia. Às vezes, usavam os nomes dos deuses dos gentios em seus juramentos. Até hoje, em questão de profanação e juramentos, não há povo como os orientais. As formas de juramento e profanação são infinitas. Os judeus consideravam que só o juramento feito em nome de Deus era importante e exigia cumprimento. Maimonides disse: "*Se quis jurat per coelum, per terra, per solem, non est juramentum*" (Se alguém jura pelo céu, pela terra, pelo sol, não é juramento). Filo também mostra a atitude dos judeus quando afirma que os juramentos pela terra, pelo céu, e outros tantos juramentos, não eram obrigatórios. O desenvolvimento do costume de juramentos debilitou a moral da honestidade e da sinceridade entre o povo. A multiplicação de juramentos criou um espírito superficial, inclinado à mentira. Foi principalmente isso que Jesus censurou.

5.34: Eu, porém, vos digo que de maneira nenhuma jureis; nem pelo céu, porque é o trono de Deus;

5.34 ἐγὼ δὲ λέγω ὑμῖν μὴ ὀμόσαι ὅλως· μήτε ἐν τῷ οὐρανῷ, ὅτι θρόνος ἐστὶν τοῦ θεοῦ·

34-35 μήτε... γῇ Tg 5.12

34 οὐρανῷ...θεοῦ Is 66.1; Mt 23.22; At 7.49

"Eu, porém, vos digo" — Ver nota no v. 22.

"De modo algum jureis" — É provável que Tiago 5.12 tenha sido diretamente copiado desse texto. Quatro são as interpretações dessa expressão. 1) Não jurar, se o juramento não estiver de acordo com a reverência devida a Deus. 2) Não jurar de maneira superficial, como os judeus. 3) Não jurar de maneira superficial, como os judeus, ficando excluídos, entretanto, os juramentos civis, neste ensino. 4) Trata-se de uma proibição absoluta para qualquer tipo de juramento, sob qualquer circunstância.

Como ideal mais elevado, provavelmente seria melhor não jurar, especialmente na comunidade cristã. O homem honesto, aprovado por Deus e que vive no espírito da lei, jamais teria necessidade de jurar, bastando o simples "sim" ou "não". Jesus interpreta o espírito da lei, o ideal da humanidade. Lembrando-nos disso, pode-se afirmar que a simples interpretação das palavras de Jesus, seria exatamente esta: "De modo nenhum jureis, nem pelo céu...".Contudo, infelizmente a sociedade não-regenerada não pode atingir esse ideal perfeito, porque há grande número de indivíduos indignos de confiança, e não seriam suficientes as simples palavras "sim" ou "não" para inspirar e garantir confiança nos tribunais de justiça. Assim, posto que a sociedade humana é imperfeita, tornam-se necessários os juramentos. Jesus não insistiria, por exemplo, que o indivíduo irado contra outrem fosse morto (v. 22); nem que o homem que cobiçasse outra mulher, que não a sua, arrancasse (literalmente) o seu olho direito. Assim

316 |Mateus| NTI

sendo, Jesus também não proibiria juramentos exigidos pela lei, que fazem parte do costume legal em muitos lugares. Cristo proíbe o espírito *imprudente* e *orgulhoso* com que faziam grandiosas mas falsas declarações em nome de Deus, em nome do lugar onde Deus habita (os céus), ou em nome de algum lugar associado ao seu nome, como o templo de Jerusalém. Deus não é obrigado a apoiar esses juramentos imprudentes, e o homem santo não pode esperar que Deus o faça. Nessas condições, o emprego do nome de Deus não passa de uma forma de profanação. Como ideal perfeito, a proibição absoluta contra qualquer forma de juramento deve ser a interpretação correta; mas esse ideal não impediria o fato de ser esse o costume dos tribunais, que trata com homens imperfeitos e desonestos. Provavelmente, Cristo expunha o ideal para o indivíduo, não incluindo os costumes próprios dos tribunais, isto é, não estava legislando.

Alguns comentaristas mostram que o próprio Jesus respondeu sob juramento (ver Mt 26.63,64). E os apóstolos usaram juramentos nas Escrituras (Gl 1.20; 2Co 1.23; Rm 1.9; Fp 1.8; 1Co 15.31). O Anjo do Senhor também jurou (Ap 10.6). Essas referências mostram que a lei dos juramentos não é norma absoluta para todas as circunstâncias.

"Nem pelo céu" — Não podemos jurar pelo céu, porque está associado ao nome e à pessoa de Deus. O juramento pelo céu, portanto, é uma forma de profanação. Deus não está obrigado a cumprir os desejos só porque usam o seu nome, especialmente quando profanam o seu nome.

5.35: nem pela terra, porque é o escabelo de seus pés; nem por Jerusalém, porque é a cidade do grande Rei;

5.35 μήτε ἐν τῇ γῇ, ὅτι ὑποπόδιόν ἐστιν τῶν ποδῶν αὐτοῦ· μήτε εἰς Ἱεροσόλυμα, ὅτι πόλις ἐστὶν τοῦμεγάλου βασιλέως·

35 γῇ...αὐτοῦ Is 66.1; At 7.49; Tg 5.12 βασιλέως Sl 48.2

"Nem pela terra" — Porque a terra também está diretamente ligada a Deus, por ser o "estrado de seus pés". (Ver Is 66.1.) A cidade de Jerusalém é a cidade do grande Rei, isto é, Deus. (Ver Sl 48.2.) Jurar por Jerusalém, pois, é uma forma indireta de jurar pelo nome de Deus. Jesus diria que o cumprimento de todos esses juramentos seriam obrigatórios porque estão vinculados ao nome de Deus; mas também diria que, especificamente, o homem não tem o direito de usar o nome de Deus para garantir a validade de nenhum juramento. Outrossim, o homem honesto não tem necessidade de confirmar o juramento com nenhum outro nome além do seu.

5.36: nem jures pela tua cabeça, porque não podes tornar um só cabelo branco ou preto.

5.36 μήτε ἐν τῇ κεφαλῇ σου ὀμόσῃς, ὅτι οὐ δύνασαι μίαν τρίχα λευκὴν ποιῆσαι ἢ μέλαιναν.

"Nem jures pela tua cabeça" — Esse juramento provavelmente não era reputado como vinculado a Deus; por isso, era usado como meio de jurar sem cometer profanação. Mesmo assim, alguns opinam que ele inclui profanação do nome de Deus, por ser o homem uma criatura feita por Deus à sua imagem. Essa é uma verdade, mas o restante do versículo mostra que não foi por essa razão que Jesus destacou esse juramento como exemplo. Cristo ilustra que o juramento feito pela própria cabeça constitui uma forma de *profanação*, apesar de não usar o nome de Deus, pois em realidade ninguém exerce controle sobre a própria vida e não pode mudar, por sua vontade, nem mesmo a cor de seus cabelos. Se o homem não pode nem ao menos mudar a cor de seus cabelos, como seria possível a ele confirmar ou garantir qualquer juramento feito por sua cabeça? Portanto, isso é uma tolice. Não podemos tratar de coisas sérias, como os juramentos, de maneira superficial (e a despeito do fato de alguém poder pensar não tratar-se de questão séria). Além disso, a simples palavra do

homem honesto deve ser suficiente. A cor de seus cabelos está fora do controle do homem, e por isso não pode servir de base para juramento algum.

5.37: Seja, porém, o vosso falar: Sim, sim; não, não; pois o que passa daí, vem do Maligno.

5.37 ἔστω⁷ δὲ ὁ λόγος ὑμῶν ναὶ ναί, οὒ οὔ· τὸ δὲ περισσὸν τούτων ἐκ τοῦ πονηροῦ ἐστιν.

37 Tg 5.12 ναὶ ναί, οὒ οὔ 2Co 1.17

⁷37 {B} ἔστω ℵ D K L W Δ Θ Π 0250 *f*¹ *f*¹³ 28 33 565 892 1009 1010 1071 1079 1195 1216 1230 1241 1242 1365 1646 2148 2174 *Byz Lect* it^(a,aur,b,c,d,f,g,g¹,k,l) vg cop^(sa,bo) goth eth geo Justin Irenaeus^lat Clement^(1/2) Tertullian Cyprian // ἔσται B 700 1546 syr^(c,s,p,h,pal) Diatessaron Clement^(1/2) Eusebius

> Na opinião da comissão, tanto a diversidade como a preponderância da confirmação externa dão apoio a ἔστω.

"Sim, sim; não, não" — Ver Tiago 6.12; 2Coríntios 1.17,18. A repetição da palavra é a confirmação ou não da verdade. A garantia da honestidade do indivíduo deve ser a confiança na sua *simples palavra*. Provavelmente, Jesus insistiria que tal honestidade deve ser inspirada pela consciência da presença de Deus e a relação do homem para com o Senhor. O homem cônscio da presença de Deus e que sente responsabilidade para com ele, não mente. Tal honestidade não requer a confirmação de nenhum juramento. E o juramento feito pelo homem desonesto não tem valor. A desonestidade de nossa natureza se expressa não apenas na tendência em nos desviarmos da verdade pura, mas também na esperança de que nossos semelhantes façam a mesma coisa. A prática dos juramentos apenas agrava essa situação, porque o próprio juramento é usado para enganar, confirmando de maneira séria uma desonestidade.

"Vem do maligno". Alguns interpretam *"do Diabo"*, que é o ser maligno (Eut., Zig., Cris., Teof., Beza, Zwínglio, Fritzche, Meyer e outros). Ninguém negaria que, segundo as ideias básicas do NT, todo mal tem origem na pessoa do Diabo, direta ou indiretamente; mas a referência aqui é à perversidade dos homens que empregam o juramento com o fito de enganar e cumprir propósitos desonestos, profanando o nome de Deus nesse processo. Dificilmente esses homens usam de juramentos sem algum tipo de maldade. O próprio juramento tende a provocar a maldade. Não jures. Aquele que jura mente. Aquele que mente rouba. Que mais não faria o homem?

(e) Vingança (5.38-42)

5.38: Ouvistes que foi dito: Olho por olho, e dente por dente.

5.38 Ἠκούσατε ὅτι ἐρρέθη, Ὀφθαλμὸν ἀντὶ ὀφθαλμοῦ καὶ ὀδόντα ἀντὶ ὀδόντος.

38 Ὀφθαλμὸν...ὀδόντος Êx 21.24; Lv 24.20; Dt 19.21

(Lc 6.27-30). Os v. 38-42 expõem a *lei da vingança*, segundo Cristo. Essas palavras constituem a quinta ilustração, dada por Jesus, com respeito ao espírito da lei em contraste com o entendimento que dela tinham as autoridades judaicas. Ver o v. 21, onde há a lista das ilustrações.

"Ouvistes". Ver a nota no v. 21.

"Olho por olho, dente por dente" — Baseado em Êxodo 21.24. O texto de Levítico 23.17-21 dá detalhes sobre a lei da vingança: quem matar seja morto; quem matar um animal substitua-o por outro; quem desfigurar o próximo seja desfigurado. Leis dessa ordem existiram entre os gregos e os romanos, e lemos que, em Atenas (em determinados períodos), essa modalidade de vingança era feita com exatidão. Todavia, em Atenas, houve ocasiões em que quando um homem causava a perda do olho de outrem, pagava com ambos os olhos, sofrendo assim maior castigo que o sofrimento por ele provocado. Às vezes, isso também ocorria em Israel. Provavelmente, Jesus quis censurar a vingança dos indivíduos, vingança particular (fora de lei), que as pessoas praticavam pelas próprias mãos. Além disso, Cristo desejou aplicar o espírito de misericórdia às leis civis, segundo os princípios da nova lei do reino de Deus. Não se pode deixar de admitir aqui a ideia de que Jesus nem sempre falou de conformidade com a mensagem do AT. Certamente que a nova ordem, o reino do Messias, deveria possuir elementos diferentes e superiores aos da velha ordem. Pode ser que incorramos em erro na tentativa de encontrar todos os elementos desse sermão no AT. O que dizemos aqui também pode ser aplicado à lei dos juramentos, porque as leis do AT permitiam juramentos. Não há dúvida alguma de que o crente está na responsabilidade de observar o espírito de longanimidade e misericórdia, apesar de vir a ter a oportunidade de vingar-se, particular ou civilmente. Não é provável que Cristo deixasse de apresentar algo novo e mais elevado, em seus ensinos, do que aquilo que encontramos no AT. Jesus elevou a posição da mulher, esclareceu a questão dos juramentos e injetou o elemento da misericórdia nas severas leis judaicas. Logo, trouxe uma nova ordem, embora continuasse empregando elementos da ordem antiga.

5.39: Eu, porém, vos digo que não resistais ao homem mau; mas, a qualquer que te bater na face direita, oferece-lhe também a outra;

5.39 ἐγὼ δὲ λέγω ὑμῖν μὴ ἀντιστῆναι τῷ πονηρῷ· ἀλλ᾿ ὅστις σε ῥαπίζει εἰς τὴν δεξιὰν σιαγόνα [σου], στρέψον αὐτῷ καὶ τὴν ἄλλην·

39 δεξιαν] *om p* **D** *d k* sy^sc

39 ῥαπίζει...σου Jo 18.22

"Eu, porém, vos digo" — Ver nota no v. 22.

"Não resistais ao perverso" — Há várias ideias sobre o sentido da palavra "perverso": 1) O *Diabo*, como aquele que instituiu e criou a maldade, usando homens como seus instrumentos. Assim interpretaram Cris. e Teof. 2) O mal, *em geral*, sem especificar as pessoas que são usadas em sua prática, como instrumentos. Assim interpretaram Agostinho e Calvino. 3) A maldade vinculada às *questões morais*, e não só as ligadas às condições difíceis. Assim interpretou Tholuck. 4) O indivíduo mau, na interpretação de Wette, Meyer, Clark e outros. A expressão "a qualquer" obviamente se refere ao indivíduo que pratica o mal, mas as referências que se seguem, onde encontramos o mal, são impessoais. Provavelmente, portanto, Jesus fala de ambas as coisas, ou seja, da pessoa má e das circunstâncias por ela criadas.

A principal ideia é que o crente não deve resistir aos males *seguintes*: 1) Homens que manifestam espírito violento. Não se trata do fato de o crente não dever defender-se desses homens, e sim, que não se deve vingar deles. 2) Casos litigiosos. 3) Pessoas que provocam circunstâncias difíceis, solicitando favores pessoais, especialmente emissários de governos ou autoridades civis. 4) Pessoas que querem tomar dinheiro emprestado, ou mesmo outras coisas de valor; e também mendigos. O crente deve estar preparado para sofrer e usar de paciência e misericórdia, abafando todo espírito de vingança, muito mais do que o homem do mundo ou o judeu que só conhecia o AT. O próprio Jesus ilustrou essa atitude (Jo 18.22,23). Ver também Isaías 1.6. Os apóstolos experimentaram isso também (ver 1Co 4.9-13).

"Volta-lhe também a outra" — A tendência natural do homem, após sofrer o mal causado por outrem, é procurar a vingança imediata, se possível, infligindo um sofrimento ainda mais duro do que o que sofreu. Os discípulos de Jesus, sujeitos ao reino de Deus, porém, devem ter outra atitude. Sofrendo um mal, ao invés de procurar vingar-se, devem estar preparados para sofrer outro mal com paciência. Talvez essa atitude ilustre a bem-aventurança dos mansos (v. 5). Tal atitude é o oposto do princípio que decreta "olho por olho, dente por dente". Jesus não se referia aos deveres

da lei (Rm 13.13), porque tais deveres são necessários (incluindo a vingança) para a boa ordem da sociedade, mas referia-se às atitudes pessoais de seus discípulos.

5.40: e ao que quiser pleitear contigo, e tirar-te a túnica, larga-lhe também a capa;

5.40 καὶ τῷ θέλοντί σοι κριθῆναι καὶ τὸν χιτῶνά σου λαβεῖν, ἄφες αὐτῷ καὶ τὸ ἱμάτιον·

40 1Co 6.7

Este versículo fala do processo da lei. Provavelmente, Jesus tinha em mente a passagem de Êxodo 22.26. O credor podia tomar a túnica (roupa interior) do devedor, como fiança. Se a roupa externa (a capa), entretanto, lhe fosse tomada, teria de ser devolvida antes do pôr-do-sol, porque era natural que o devedor precisasse dela como proteção contra o frio da noite. Um homem pobre talvez pudesse ter mais de uma túnica (roupa interior), mas provavelmente não poderia ter mais do que uma capa, que era a roupa exterior e usualmente de muito maior valor do que a outra. A capa era usada como cobertor, à noite. O ensino de Jesus é que, se alguém quisesse processar a outrem, era melhor que este último não somente desse aquilo a que o primeiro tinha direito, mas até algo de maior valor, contanto que, assim fazendo, pudesse evitar o desenvolvimento de um espírito maldoso e egoísta. É melhor também que o cristão faça assim do que venha a criar um estado de más relações com a outra pessoa, mostrando o mesmo espírito maldoso que ela. É melhor para o crente perder as coisas materiais do que sua boa consciência e integridade. Paulo deu o mesmo conselho: "O só existir entre vós demandas já é completa derrota para vós outros. Por que não sofreis, antes, a injustiça? Por que não sofreis, antes, o dano?" (1Co 6.7, ARA).

5.41: e, se qualquer te obrigar a caminhar mil passos, vai com ele dois mil.

5.41 καὶ ὅστις σε ἀγγαρεύσει μίλιον ἕν, ὕπαγε μετ᾿ αὐτοῦ δύο.

41 δυο] *praem* ετι αλλα **D** vg^s,c sy^s(c) Ir

"Se alguém te obrigar a andar uma milha" — Provavelmente, carregando a sua bagagem, segundo a palavra foi usada. (Ver léxico.) Essa expressão refere-se ao costume romano (e de certas nações orientais) que quando enviavam emissários de um lugar para outro, desconhecido dos emissários, requeria-se que um representante ou mais da localidade viessem recebê-los, acompanhá-los e transportar as suas bagagens até o destino designado. Às vezes, os habitantes do local também eram obrigados a fornecer cavalos e carruagens. Podemos imaginar que, vez por outra, esse serviço era difícil e árduo, tanto em tempo como em dinheiro. Provavelmente, Jesus quis fazer uma aplicação geral dessas palavras, ensinando que, sendo nós discípulos seus, devemos estar prontos a servir aos outros, quer o serviço seja razoável, quer seja árduo e difícil. Outrossim, precisamos servir com a intenção de fazer mais do que as pessoas mandam ou esperam de nós.

"Milha" — A milha romana media mil passos, cerca de 1.478 metros.

5.42: Dá a quem te pedir, e não voltes as costas ao que quiser que lhe emprestes.

5.42 τῷ αἰτοῦντί σε δός, καὶ τὸν θέλοντα ἀπὸ σοῦ δανίσασθαι μὴ ἀποστραφῇς.

Jesus parece falar aqui de um princípio geral; mas talvez a ideia dos pedidos dos mendigos estivesse em sua mente. Provavelmente, ensinava que precisamos dar, mesmo quando isso não seja razoável ou fácil, porquanto ilustrava o princípio que determina "Não resistais aos perversos" (v. 39. ARA).

"Emprestes" — A lei judaica não permitia que um judeu cobrasse juros de outro. (Ver Êx 22.25; Lv 25.37; Dt 23.19,20). Há provas, entretanto, de que isso não era obedecido. É quase certo que alguns não emprestavam sem cobrar juros. Provavelmente,

318 | Mateus | NTI

a maior parte não fazia empréstimos sem a garantia de que o dinheiro seria devolvido. Jesus ensina que precisamos ajudar aos outros em suas necessidades, a despeito da possibilidade de não recebermos de volta o que lhe demos de empréstimo. Sua vida foi o maior exemplo dessa verdade: ele deu a própria vida.

"[...] o Filho do homem não veio para ser servido, mas para servir, e para dar a sua vida em resgate de muitos" (Mt 20.28). O próprio Deus outorga bênçãos àqueles que nada merecem. "Toda boa dádiva e todo dom perfeito são lá do alto, descendo do Pai das luzes, em quem não pode existir variação ou sombra de mudança" (Tg 1.17, ARA). "[...] porque ele faz nascer o seu sol sobre maus e bons, e faz chover sobre justos e injustos" (Mt 5.45). A "lei judaica" não permitia a cobrança de juros em empréstimos efetuados entre judeus. A lei de Cristo trata a todos os homens como irmãos. Muitas vezes, o empréstimo é mais benéfico do que uma dádiva gratuita. Lisonjeia menos a vaidade daquele que dá; suaviza o constrangimento de quem recebe; não encoraja a preguiça, como é o caso da doação; e ainda assim supre para a necessidade do momento.

A literatura judaica está repleta de conselhos sobre a generosidade. Aqui, Jesus não aborda a questão se é sábio dar esmolas de forma indiscriminada. (Esse é o tema abordado no antigo documento cristão, o *Didache*, em 1.5.6). Também nada é dito aqui sobre como as esmolas devem relacionar-se à responsabilidade do indivíduo perante a sua família. A lição das palavras de Jesus é que o verdadeiro discípulo do reino deve ser indivíduo dotado de impulsos generosos, que aja de acordo com esses impulsos.

f) ódio e amor (5.43-47)

5.43: Ouvistes que foi dito: Amarás ao teu próximo, e odiarás ao teu inimigo.

5.43 Ἠκούσατε ὅτι ἐρρέθη, Ἀγαπήσεις τὸν πλησίον σου καὶ μισήσεις τὸν ἐχθρόν σου.

43 Ἀγαπήσεις...σου Lv 19.18 (Mt 19.19; 22.39; Mc 12.31; Lc 10.27; Rm 13.9; Gl 5.14; Tg 2.8)

"Ouvistes" — Ver 5.21 e Lucas 6.32-36.

"Amarás [...] odiarás..." — Aqui Jesus apresenta a sexta e última ilustração sobre o verdadeiro sentido espiritual da lei, em contraste com a interpretação errônea dos intérpretes judeus: a lei do amor. O mandamento que diz "Amarás o teu próximo" vem de Levítico 19.18; e, porque ali há alusão específica aos "filho do teu povo" (Israel), as autoridades religiosas haviam acrescentado a outra metade: "odiarás o teu inimigo". A lei, de modo geral, proibia aos judeus que se odiassem uns aos outros, sendo provável que o "inimigo" fosse sinônimo de gentio. Maimonides mostra a atitude da população em geral, com as seguintes palavras: "Se um judeu vir um gentio cair no mar, não deve ajudá-lo de modo nenhum; porque está escrito: 'Não te levantarás contra o sangue do teu próximo, mas esse (gentio) não é teu próximo' ". Há muitas citações horríveis, desse tipo, na literatura dos judeus. No AT, vemos muitas vezes esse princípio na atitude dos judeus em relação às outras nações, e assim foi que certos romanos acusaram os judeus de detestar a raça humana (*odium generis mundi*). Provavelmente, Jesus fez aplicação geral com essas suas palavras, porquanto quem pode garantir que um judeu jamais odiou a outro? Assim sendo, a aplicação das palavras do texto atinge os gentios (pessoas de outras raças), os inimigos pessoais e os inimigos religiosos.

5.44: Eu, porém, vos digo: Amai aos vossos inimigos, e orai pelos que vos perseguem;

5.44 ἐγὼ δὲ λέγω ὑμῖν, ἀγαπᾶτε τοὺς ἐχθροὺς ὑμῶν[8] καὶ προσεύχεσθε ὑπὲρ τῶν διωκόντων ὑμᾶς[9],

44 ἀγαπᾶτε...ὑμῶν Éx 23.4,5; Pv 25.21; Rm 12.20 προσεύχεσθε...ὑμᾶς Lc 23.34; At 7.60; Rm 12.14; 1Co 4.12

[8] 44 {A} ὑμῶν (*ver nota* 9) ℵ B f¹ it^k syr^{c,s} cop^{sa,bo} Theophilus Irenaeus^{lat} Origen Cyprian Adamantius mss^{acc, to Peter-Laodicea} // ὑμῶν, εὐλογεῖτε τοὺς καταρωμένους ὑμᾶς 1071 l⁸⁷¹ it^{a,aur,b,ff1,g1,l} vg cop^{bo} mss geo¹ (Athenagoras

omit ὑμᾶς) Clement Cassiodorus // ὑμῶν, καλῶς ποιεῖτε τοῖς μισοῦσιν ὑμᾶς 1230 1242* // ὑμῶνμ εὐλογεῖτε τοὺς καταρωμένους ὑμᾶς, καλῶς ποιεῖτε τοῖς μισοῦσιν ὑμᾶς (*ver* Lc 6.27,28) D* (D* ὑμῖν *for first* ὑμᾶς) K L W Δ Θ Π f³ 28 33 565 700 892 1009 1010 1079 1195 1216 1241 1242^c 1365 1546 1646 2148 2174 *Byz Lect* (l^{h564} *omit second* ὑμᾶς) it^{c,d,f,h} syr^{p,h} (syr^p τὸν καταρώμενον) goth arm geo^A (geo^B *omit* τοῖς μισοῦσιν ὑμᾶς) Aphraates Apostolic Constitutions Chrysostom // ὑμῶν, καὶ εὐλογεῖτε τοὺς καταρωμένους ὑμᾶς καὶ καλῶς ποιεῖτε τοῖς ἐπηρεάζουσιν ὑμᾶς eth^{ms}

⁹ 44 {A} καὶ προσεύχεσθε ὑπὲρ τῶν διωκόντων ὑμᾶς (*ver nota* 8) ℵ B f¹ it^k syr^{c,s} cop^{sa,bo} eth Theophilus (Athenagoras *omit* καί) Irenaeus^{lat} Origen Cyprian Adamantius mss^{acc, to Peter-Laodicea} // καὶ προσεύχεσθε ὑπὲρ τῶν ἐπηρεαζόντων ὑμᾶς (1216 *omit* καί) 1230 1241 l¹⁸⁵ goth (geo¹ Clement ὑηῖν *for* ὑμᾶς) // καὶ προσεύχεσθε ὑπὲρ τῶν ἐπηρεαζόντων ὑμᾶς καὶ διωκόντων ὑμᾶς (*ver* Lc 6.27,28) D^c (D* *omit first* ὑμᾶς) K L (W 28 1009 *omit first* καί) Δ (Θ ἡμᾶς *for second* ὑμᾶς) Π f³ (33 *omit second* ὑμᾶς) 565 700 892 1010 1071 1079 1195 1242 1365 1546 1646 2148 2174 *Byz Lect* (l⁷⁶ προσέχετε *for* προσεύχεσθε, l²¹¹ εὔχεσθε *for* προσεύχεσθε) it^{c,d,f,h} syr^{p,h,pal} arm geo Aphraates Apostolic Constitutions Chrysostom // *et orate pro persequentibus et calumniantibus vos* it^{(a) aur,(b),ff1,(g1),l} vg Cassiodorus

Testemunhos posteriores enriquecem o texto incorporando cláusulas extraídas da narrativa paralela de Lucas 6.27,28. Se as cláusulas faziam parte original da narrativa de Mateus sobre o Sermão da Montanha, sua omissão nos primeiros representantes de testemunhos alexandrinos (ℵ B), pré-cesareanos (f¹), ocidentais (it^k) Irineu (lat) Cipriano, orientais (syr^{c,s}) e egípcios (cop^{sa,bo}) seria inteiramente inexplicável. A divergência de formas entre as cláusulas adicionais, por igual modo, serve de prova contra sua originalidade.

"Eu, porém, vos digo" — Ver nota em 5.22.

Originalmente, a palavra traduzida aqui como "amai" significava "acolher, entreter, agradar, contentar", e é na LXX que vemos seu variegado uso. No NT, porém, com frequência o termo denota o amor de Deus ao homem e o amor do homem a Deus (ver 1Jo 3-5), bem como a *benevolência* que busca o bem-estar material e espiritual do próximo (ver 1Co 13). Vê-se claramente, portanto, que o conceito de amor foi altamente elevado no uso do NT. O amor é o verdadeiro teste do caráter de um homem. Uma das principais lições que devemos aprender, na jornada desta vida, é como amar os outros. Pode-se ver o que significa o amor, se considerarmos a atitude que cada qual tem para consigo mesmo. Quase todos fazem tudo quanto está ao seu alcance, procurando seu próprio benefício. Temos o cuidado de prover todas as nossas necessidades físicas, nossa educação e os cuidados médicos quando adoecemos etc. Amar um amigo ou um inimigo, por conseguinte, equivale a transferir para eles o cuidado que cada qual tem por si mesmo. Amar nossos semelhantes como amamos a nós mesmos seria a perfeita transferência desses cuidados que exercemos por nós. É muito raro que alguém faça assim, mesmo de vez em quando, mas essa é a grande lição que nos compete aprender, aquela que é exigida pela ética cristã. Quando, finalmente, estivermos transformados segundo a imagem de Cristo, então amaremos desse modo, porque foi assim que ele nos amou.

"Amai os vossos inimigos" — Poderíamos compreender melhor estas palavras se elas fossem ditas desta maneira: "Não detestai os vossos inimigos". A ideia de amarmos os nossos inimigos, entretanto, é por demais elevada. Jesus não permite o ódio a quem quer que seja. O ódio, em si, não é humano. "Esse é o mais sublime conceito moral jamais dado à humanidade" (Adam Clarke). Ninguém, exceto Jesus, poderia ter proferido essas palavras com convicção. A base desse mandamento é que Deus ama ao mundo inteiro, de modo geral, sem acepção de pessoas (Jo 3.16), e que Cristo agiu do mesmo modo (Rm 5.6-10). Paulo escreveu: "Não te deixes vencer do mal, mas vence o mal com o bem" (Rm 12.21). Jesus mostra, neste passo, que a lei do amor é a lei mais importante (Lc 10.27), e que o amor a Deus implica em amor aos homens. Mais do que isso, significa que essa extensão do amor a Deus (extensão essa que abrange todos os homens) ocupa o segundo lugar, na ordem de importância, entre todos os mandamentos. Nesta passagem, Jesus mostra que esse amor, quando compreendido corretamente, aplica-se até aos inimigos porque, de conformidade com a atitude de Deus, eles também são próximos, sim, e mais do que isso, são irmãos.

"Orai pelos que vos perseguem" — Provavelmente, a ideia central é a de perseguição religiosa. O ódio mais persistente e profundo é aquele citado pelas diferenças religiosas. Até os que perseguem por causa da diferença da religião devem ser objeto de nosso amor e de nossas orações. Provavelmente, essas são as pessoas mais difíceis de ser amadas. Parece que poucos, além de Jesus, têm sido capazes de cumprir esse conceito moral. Certos comentaristas declaram que esse conceito — "Amai *os vossos inimigos*" — não se encontra em nenhum outro livro de nenhum outro povo, considerado "inspirado" por Deus ou pelos deuses. Talvez a ideia mais aproximada dessa atitude, entre os antigos, tenha sido a atitude manifestada por Sócrates, conforme foi registrado por Platão.

"Abençoai os que vos amaldiçoam, fazei o bem aos que vos odeiam" — Essas palavras se acham nas traduções KJ AC F M e nos mss DEKLMSU Delta Fam Pi. Não são encontradas nos mss Aleph B Fam 1 S(i) Sah e nem nas traduções ASV RSV PH WM WY NE BR GD AA IB. A adição é posterior e parece ser complementação do que o versículo ensina antes; porém, provavelmente foi tomada de empréstimo da passagem paralela de Lucas 6.27,28, inserida por algum escriba no texto de Mateus.

5.45: para que vos torneis filhos do vosso Pai que está nos céus; porque ele faz nascer o seu sol sobre maus e bons, e faz chover sobre justos e injustos.

5.45 ὅπως γένησθε υἱοὶ τοῦ πατρὸς ὑμῶν τοῦ ἐν οὐρανοῖς, ὅτι τὸν ἥλιον αὐτοῦ ἀνατέλλωι ἐπὶ πονηρους καὶ ἀγαθοὺς καὶ βρέχει ἐπὶ δικαίους καὶ ἀδίκους.

–––––––––––––––
45 ὅπως...οὐρανοῖς Ef 5.1

"Vos torneis" — A alusão não visa à *salvação* completa, ao estado futuro ou à regeneração, mas à necessidade de mostrar e provar a relação filial para com Deus. Neste sermão, Jesus refere-se a Deus como Pai por dezesseis vezes. Aqui, ele mostra a natureza que os filhos de Deus devem desenvolver. A característica mais dominante dos filhos é a imitação e a duplicação da atitude do Deus de amor, que alcança tanto os amigos como os inimigos. Ver notas e citações acima e no v. 42. As autoridades religiosas dos judeus faziam do ódio aos inimigos parte de sua religião. Os que seguem a religião de Cristo, porém, devem eliminar esse conceito de seu sistema doutrinário. Deus é universal e tem amor universal. Seus filhos precisam aprender essa lição. Até hoje a igreja pouco sabe sobre isso. O amor universal, dentro do seio da igreja, entre os seus membros, ainda não foi alcançado, quanto menos o amor verdadeiramente universal. Nada há de mais elevado que o crente possa fazer, para imitar a Deus, do que *amar os inimigos*. Se Deus não tivesse agido assim para com os seus inimigos, jamais teríamos sido feitos seus filhos, porquanto também fomos seus inimigos.

5.46: Pois, se amardes aos que vos amam, que recompensa tereis? não fazem os publicanos também o mesmo?

5.46 ἐὰν γὰρ ἀγαπήσητε τοὺς ἀγαπῶντας ὑμᾶς, τίνα μισθὸν ἔχετε; οὐχὶ καὶ οἱ τελῶναι τὸ αὐτὸ ποιοῦσιν;

Aquele que só ama os seus amigos não faz nada demais para Deus, porquanto essa é uma característica comum a todos os homens.

"Recompensa" — Nas Escrituras, há muita matéria sobre a recompensa divina. A palavra em si é associada à vida comercial. O negociante trabalha esperando a recompensa, segundo o esforço de seu trabalho. O negociante preguiçoso não tem o direito de esperar nenhum lucro. Assim também, o homem que não cumpre

os desejos de Deus não tem o direito de esperar nenhum galardão. O maior desejo de Deus diz respeito à lei do amor. As autoridades judaicas punham muita ênfase em questões da vida religiosa, mas erravam totalmente naquilo que se revestia de maior importância. Podem tais pessoas esperar alguma recompensa? Aqueles homens certamente teriam compreendido as palavras referentes aos galardões, mas essa lição é dura e universal. E que tem feito a igreja com essas palavras?

"Publicanos" — O termo significa "coletor de impostos", embora às vezes seja usada em sentido mais lato, dando a entender qualquer funcionário público. Bom número de coletores de impostos agia com desonestidade, tanto em relação ao público como em relação ao governo, cobrando impostos ilegais e apresentando relatórios falsificados, com a intenção de enriquecer rapidamente. Não era raro que alguns publicanos ameaçassem e até matassem alguns para atingir os seus propósitos. Havia duas classes de publicanos: uma superior, formada pelos romanos da ordem "*equitator*", que em geral eram os dirigentes do trabalho, responsáveis perante o governo romano; e outra inferior, formada por judeus, que trabalhavam nas vilas e cidades dos judeus. Mateus era um deles. (Ver Mt 9.9). Quando Teócrito indagou: "Entre as feras bravas, quais são as mais cruéis?", ele mesmo replicou: "Os ursos, os leões das montanhas, os publicanos e os caluniadores das cidades". O *Talmude* (ver nota em Mt 7.3) classifica os publicanos como salteadores e assassinos e declara que, para tais homens não há chance de arrependimento. Ocupavam a posição de gentios, apesar de serem judeus de raça.

Jesus usou os publicanos, tão detestados pelos judeus, como ilustração, afirmando que até esses homens eram amigos entre si. Pelo menos, não ensinavam o ódio aos inimigos, como o faziam as autoridades religiosas dos judeus. Jesus classificou como publicanos a todos quantos não amam e não se mostram amigos. No reino de Deus a ordem das coisas terá de ser diferente.

5.47: E, se saudardes somente os vossos irmãos, que fazeis demais? não fazem os gentios também o mesmo?

5.47 καὶ ἐὰν ἀσπάσησθε τοὺς ἀδελφοὺς ὑμῶν μόνον, τί περισσὸν ποιεῖτε; οὐχὶ καὶ οἱ ἐθνικοὶ10 τὸ αὐτὸ ποιοῦσι.

–––––––––––––––
[10] 47 {B} ἐθνικοί ℵ B D f¹ 33 892 1071 1216 1230 1241 1365 itᵃ·ᵃᵘʳ·ᵇ·ᶜ·(ᵈ·ᶠ) ff¹·(ᵍ¹)·ˡ vg syrᶜ·(ˢ·ʰ)·ᵖᵃˡ copˢᵃ·ᵇᵒ·ᶠᵃʸ eth geo¹ Cyprian (Lucifer) Basil // τελῶναι (ver 5.46) K L W Δ Θ Π f¹³ 28 565 700 1009 1010 1079 1195 1242 1546 1646 2148 2174 *Byz Lect* itʰ syrᵖ goth geo² Diatessaron // τελῶναι καὶ οἱ ἁμαρτωλοί arm

–––––––––––––––
47 vs. om k syˢ ἀδελφους] φιλους WΘ 28 pm

Nos testemunhos posteriores, seguidos pelo *Textus Receptus*, a forma τελῶναι parece ter sido substituída por ἐθνικοί, a fim de levar a declaração a um maior paralelismo com a sentença anterior. A versão armênia junta o texto com a forma lucana da declaração (Lc 6.32-34).

A saudação usual entre os judeus era "*Paz (shalom) seja contigo*". Em Mateus 10.12,13, os discípulos usaram de saudação similar. O termo *shalom* inclui não somente paz, mas também prosperidade; e essa prosperidade abrange toda forma de bem-estar, material e espiritual. A saudação, portanto, era em realidade uma forma de oração pelo benefício alheio.

"Se saudardes somente os vossos irmãos" — A saudação ocupava e ainda ocupa importante lugar nos costumes dos povos orientais. Depois de dizer "Paz seja contigo", a pessoa ainda proferia muitos e diversos cumprimentos e congratulações. Os judeus não saudavam os gentios, nos tempos de Jesus, e lemos que até hoje os islamitas não saúdam os cristãos. A saudação era uma declaração de fraternidade e amizade. Os judeus não tinham esse

320 |Mateus| NTI

espírito para com os gentios. No entanto, Deus mostra-se amigo, e Cristo usa de espírito de fraternidade para com todas as raças e indivíduos da raça humana.

"Publicanos" — Encontra-se nas traduções KJ e AC e aparece nos mss EKLMSUW Delta Theta Fam Pi, mas a palavra original do texto, neste evangelho, é "gentios", que se encontra nos mss Aleph B DZ, e outros. A maior parte das traduções dá "gentios", seguindo os melhores e mais antigos mss.

(g) Sumário (5.48)

5.48: Sede vós, pois, perfeitos, como é perfeito o vosso Pai celestial.

5. 48 Ἔσεσθε οὖν ὑμεῖς ὡς ὁ πατὴρ ὑμῶν ὁ οὐράνιος τέλειός ἐστιν.

48 Lv 19.2; Dt 18.13

"Sede vós perfeitos [...] como o vosso Pai celeste" — Ainda que o vocábulo "perfeito" seja usado para indicar perfeição relativa ou qualidades de maturidade, provavelmente, neste caso, Jesus quis indicar a completa perfeição de Deus como alvo a ser alcançado pelos discípulos, a despeito das especulações sobre a possibilidade do homem atingir essa perfeição. Pela doutrina da transformação do crente, à imagem de Cristo, sabemos que essa perfeição não somente é possível, mas também resulta do processo da "salvação", uma vez terminado. A perfeição deve incluir os princípios da mensagem de Jesus neste sermão, isto é, santidade (Lv 11.44) e amor. O versículo não diz se a perfeição pode ou deve ser alcançada nesta vida, mas é claro que esse alvo deve ser visado por todo discípulo de Jesus. Pelas Escrituras, sabemos que ninguém alcança totalmente esse alvo na existência terrena, como não o alcançaram o grande apóstolo Paulo (Fp 3.12), nem João e outros crentes do passado (1João 1.8); mas também é erro não reconhecer que o plano do evangelho é exatamente esse — a perfeição do ser humano, segundo a imagem de Cristo, portanto, participação na Divindade (2Pe 1.4; 2Co 3.18; Cl 2.10).

"Vós" — É enfático no grego, e forma uma antítese com os gentios e publicanos, mencionados nos versículos anteriores. É importante notar que o clímax da experiência humana, na imitação de Deus, é o amor. Jesus mesmo ensinou isso: "O meu mandamento é este: Que vos ameis uns aos outros, assim como eu vos amei" (Jo 15.12). Paulo expressa a ideia destes versículos da seguinte maneira: "*O amor* não pratica o mal contra o próximo; de sorte que o *cumprimento* da lei é o amor" (Rm 13.10, ARA). O amor, portanto, é o caminho mais rápido para Deus.

Na literatura grega, com frequência encontra-se a palavra *perfeito* usada para descrever os "deuses" em contraste com a situação humana. Esse vocábulo pode incluir as ideias de "plenamente desenvolvido" (como em Ef 4.13), "reto" ou "retilíneo", isto é, honesto e não de dupla personalidade (como em Gn 6.9; Jó 1.1; Tg 1.4 e Dt 18.13), e, portanto, correto, sincero, íntegro. Todas essas virtudes são inerentes a Deus, mas também devem ser nossas no sentido absoluto, quando somos transformados à imagem de Deus, paulatinamente, pelo que, desde agora, compete-nos servir de padrão da conduta moral.

Capítulo 6

II. PRIMEIRO GRANDE DISCURSO - (5.1-7.29)
6. Contrastes entre os antigos e os novos padrões de conduta (6.1-18)

(Ver a introdução a 5.17, onde o que é dito se aplica também a este caso.) A nova lei, dada por Cristo, que é o "novo Legislador", naturalmente inclui interpretações diferentes das dos rabinos, que escreveram e comentaram sobre a antiga lei. Há também genuínos novos discernimentos quanto à "conduta ideal", com base em novas e diferentes crenças. Não podemos reduzir Jesus a mero reformador do judaísmo. Nem podemos fazer o evangelho de Mateus ser aviltado à posição de "documento judaico". Pois esse evangelho foi escrito quando o cristianismo já tinha cinquenta anos, e visava a ser um manual de instrução cristã, para enfrentar as necessidades diárias e estabelecer um novo jogo de padrões de conduta, mais elevados. Portanto, na seção que temos à frente, Jesus aborda a questão da conduta e eleva o cristianismo acima da prática dos líderes religiosos de seus dias. Apesar de haver pouco na seção diante de nós que seja realmente estranho ao que havia de melhor no judaísmo, o gênio de Jesus consistiu em penetrar no coração da espiritualidade, deixando de lado a massa de dogmas que os rabinos haviam acumulado por cima dos ensinamentos espirituais. Cristo queria que os homens compartilhassem de sua preocupação pela consciência de um Deus vivo que operava neles. Talvez ele quisesse reformar as instituições judaicas e salvá-las das ostentações farisaicas. Seja como for, sua igreja deveria ser liberta dessas coisas, ao aceitar a sua nova lei.

(a) Contra a ostentação (6.1)

Os que creem em Cristo devem evitar a conduta tola do farisaísmo, que se interessava na autoglorificação, e não na espiritualidade genuína.

6.1: Guardai-vos de fazer as vossas boas obras diante dos homens, para serdes vistos por eles; de outra sorte não tereis recompensa junto de vosso Pai, que está nos céus.

6.1 Προσέχετε [δὲ] τὴν δικαιοσύνην ὑμῶν μὴ ποιεῖν ἔμπροσθεν τῶν ἀνθρώπων πρὸς τὸ θεαθῆναι αὐτοῖς· εἰ δὲ μήγε, μισθὸν οὐκ ἔχετε παρὰ τῷ πατρὶ ὑμῶν τῷ ἐν τοῖς οὐρανοῖς.

6. 1 δε 1° ℵΘ *f1* al] om BDW *f1 3 28 565 700 pm* lat sy^mc ς; R] δικαιοσυνην ℵ*BD *f1 pm* lat sy^s; R] δοσιν ℵ^c sy^c co ελεημοσυνην WΘ *f13 28 al f k* ς

1 μὴ...αὐτοῖς Mt 23.5

"Esmola" — Aparece nas traduções AC e KJ, e vem dos mss mais recentes, como EKLMSUZ Delta Fam Pi; mas *"justiça"* é o termo original, proveniente dos mss mais antigos, como Aleph BD, a maior parte das versões latinas e Si(s). Quase todas as traduções modernas seguem estes últimos mss.

Aqui tem início a terceira divisão do sermão, que pode ser assim dividido: 1) As bem-aventuranças e suas aplicações: 5.1-17. 2) Relações de Jesus para com a lei e a aplicação e sentido espiritual da lei: seis ilustrações, 5.17-48. 3) Abusos religiosos na prática diária: na prática das esmolas, 6.4; nas orações, 6.5-15; e no jejum, 6.16-18. 4) Dedicação a Deus na verdadeira religião: 6.19-34. 5) Conduta prática à vista dos outros: 7.1-12. 6) Conclusão: 7.13-27 — os dois caminhos, os falsos profetas e os dois fundamentos. Estes últimos versículos contêm a aplicação do sermão inteiro.

"Justiça" — A palavra *siríaca* (idioma falado por Jesus) aqui traduzida por "justiça", era também empregada de maneira mais estrita com o sentido de "esmola", e é possível que essa mesma palavra tenha sido usada nestes ensinos (v. 1 e 2), mas o grego tem "justiça" e "esmola" como palavras diferentes. Jesus refere-se aqui à justiça prática, legítima, de que se abusava, entretanto. Antes, ele expõe os ensinamentos ou doutrinas errôneas do sistema judaico; agora, mostra as suas práticas errôneas. A "justiça" prática e externa da religião ensinada pelas autoridades judaicas apresentava-se principalmente de três modos: por meio de esmolas, orações e jejuns. Jesus fala contra a ostentação em seus ensinos sobre a santidade diária. As autoridades judaicas queriam ser vistas pelos homens e atrair sua atenção para si mesmas, mas não se interessavam realmente pelo caráter espiritual da religião revelada. Infelizmente, todas essas exibições de ostentação daqueles homens continuam vivas na igreja atual.

"Com o fim de serdes vistos por eles" — Para eles, a religião não era motivo para glorificar a Deus, e não tinha por objetivo dar bom exemplo aos outros; porém, destacava-se por profundo egoísmo. Uma vez alcançado esse alvo, o indivíduo já teria conseguido seu objetivo, a recompensa que buscava — a glorificação por parte dos homens. Esse indivíduo, porém, não pode esperar o galardão de Deus. Jesus apresenta o espírito de ostentação como principal caráter do farisaísmo. Mostra que o reino de Deus, que desejava estabelecer, não favorece esse tipo de religião. A religião teatral não tem lugar "no reino do Messias". Esse reino confere o galardão do Pai celeste, em contraste com o galardão que aqueles homens buscavam. Julgavam-se grandes à vista de Deus porque pareciam grandes à vista dos homens. Jesus mostra o erro dessa atitude. O ato religioso não tem valor quando praticado com objetivo errado.

Jesus se dirigia contra os hipócritas — No grego clássico, o sentido da palavra "hipócrita" era "ator". O vocábulo aramaico correspondente significa "profano". Um rabino do século II d.C. fez o seguinte ácido comentário: "Existem dez porções de hipocrisia no mundo, e nove delas estão em Jerusalém".

(b) Esmolas (6.2-4)

Esse costume antigo e honrado deve ser salvo dos abusos humanos. Tobias 12.8,9 mostra a imensa importância das esmolas aos olhos dos judeus. Atos 6.1-7 exibe o mesmo conceito, transportado para o cristianismo. Os modernos cristãos estão em perigo de perder de vista a necessidade e o valor da piedade prática, salientando somente os aspectos doutrinários da fé, o que conduz a uma exagerada atitude "do outro mundo", que não condiz com o cristianismo autêntico. (Ver a definição de Tiago sobre a *religião pura*, em Tg 1.27.) Isso envolve a santificação pessoal, mas também feitos de caridade.

6.2: Quando, pois, deres esmola, não faças tocar trombeta diante de ti, como fazem os hipócritas nas sinagogas e nas ruas, para serem glorificados pelos homens. Em verdade vos digo que já receberam a sua recompensa.

6.2 Ὅταν οὖν ποιῇς ἐλεημοσύνην, μὴ σαλπίσῃς ἔμπροσθέν σου, ὥσπερ οἱ ὑποκριταὶ ποιοῦσιν ἐν ταῖς συναγωγαῖς καὶ ἐν ταῖς ῥύμαις, ὅπως δοξασθῶσιν ὑπὸ τῶν ἀνθρώπων· ἀμὴν λέγω ὑμῖν, ἀπέχουσιν τὸν μισθὸν αὐτῶν.

"Quando deres esmola, não toques trombeta diante de ti" — Há diversas interpretações para "trombeta": 1) Pode ser uma referência à prática farisaica de tocar trombetas quando davam esmolas, para atrair os pobres; segundo esta interpretação, pois, essas palavras assumem sentido literal. Essa é a opinião de Colovius, Wolf, Paulus, e outros, e talvez também de Robertson. 2) Refere-se ao costume dos mendigos que tocavam trombetas para chamar a atenção dos transeuntes para si. 3) Pode fazer alusão ao dinheiro que tinia ao cair no cofre de esmolas das sinagogas. Lemos que esse cofre tinha a forma de uma trombeta. 4) Palavras simbólicas, que não se referem literalmente a nenhum costume, mas a certo provérbio que falava do espírito de ostentação. Embora não possamos negar que os fariseus realmente tocavam trombetas ao dar esmolas, para atrair a atenção do povo, a falta de alusão a esse costume entre os antigos parece indicar que a *quarta* interpretação é a de maior acerto. Essa é a interpretação da maior parte dos estudiosos da Bíblia.

Podia-se dar esmolas no templo, nas sinagogas e nas ruas. Era grande a oportunidade de exercer essa "justiça", e as circunstâncias favoreciam a ostentação, o que era aproveitado pelas autoridades religiosas. Em Tobias 4.11,12, as esmolas são apresentadas como *justiça* diante de Deus, servindo de meio para obtenção do perdão de pecados. Nota-se também, na história da igreja, que as esmolas foram reputadas como meio para que o transgressor obtivesse as indulgências, a despeito das palavras de Jesus.

Provavelmente, os que assim faziam concordavam com a ideia exposta no livro de Tobias, esperando alcançar o favor divino em troca das esmolas que davam. Jesus, no entanto, mostrou que a religião ostensiva só merece uma recompensa, que de resto é o grande alvo colimado: o favor dos homens.

"Hipócritas" — Vem do verbo grego que significava "replicar". O substantivo era usado para indicar "aquele que replica", e, no uso e desenvolvimento dessa palavra, veio a assumir o significado de "ator", partindo da ideia de que os atores replicam uns para os outros. Finalmente, o termo passou a significar "ator" em coisas sérias, até adquirir o sentido moderno: "hipócrita". Essa palavra é usada vinte vezes no NT (todas as vezes nos evangelhos sinópticos), e sempre com mau sentido. Lucas usou a forma verbal por uma vez (Lc 20.20), com o sentido de "fingir". As autoridades profanavam a prática religiosa, transformando-a em peça de teatro, chegando ao cúmulo de atrair as multidões, que aplaudiam o espetáculo. A sua recompensa era o aplauso da audiência.

"Sinagogas" — Ver nota em Mateus 4.23 e Lucas 4.33.

"Ruas" — A palavra grega significa aqui ruas estreitas, em contraste com as avenidas, que são designadas por outro vocábulo.

"Recompensa" — Ver notas em 6.4 e 16.

6.3: Mas, quando tu deres esmola, não saiba a tua mão esquerda o que faz a direita;

6.3 σοῦ δὲ ποιοῦντος ἐλεημοσύνην μὴ γνώτω ἡ ἀριστερά σου τί ποιεῖ ἡ δεξιά σου,

"Tu, porém" — Expressão enfática como o "*Eu, porém*", do cap. 5. Contrasta com "hipócritas". O "eu, porém", do quinto capítulo salienta o *verdadeiro mestre* da lei e da religião, em contraste com os falsos mestres. E o "tu, porém", do sexto capítulo, enfatiza os verdadeiros discípulos do reino, em contraste com os hipócritas, que jamais farão parte desse reino. Nota-se que Jesus não desaprova a prática das esmolas, mas tão-somente regula o método de sua distribuição e ensina que intenção ocupa o primeiro lugar na ordem de importância, e não a aprovação dos homens.

"Ignore a tua esquerda" — O sentido dessas palavras nada tem a ver com: 1). A ação do indivíduo que dá ao mesmo tempo que conta cuidadosamente o dinheiro, passando-o de uma mão para outra, o que é certa forma de ostentação. 2) A ideia que o indivíduo que dá com uma mão, logo procura reaver o dinheiro dado com a outra. 3) Nem a ideia que a mão direita é superior e simboliza a ação piedosa, ao passo que dar com a mão esquerda simboliza uma forma errada de dar, o que explicaria a expressão, "ignore a tua esquerda" etc. Contrariamente a essas três ideias, provavelmente Jesus repetiu um provérbio hiperbólico que ilustra a maneira mais secreta de fazer alguma coisa. O ensino é que a pessoa não deve hesitar sobre a ação de dar, porque isso aumenta o espírito de orgulho. Aquele que dá não deve orgulhar-se disso, e, sem dúvida, não deve procurar a aprovação alheia em face de sua atitude. O ensino é que se deve agir de maneira exatamente oposta àquela em que se dá ao som da "trombeta" (v. 2).

6.4: para que a tua esmola fique em secreto; e teu Pai, que vê em secreto te recompensará.

6.4 ὅπως ᾖ σου ἡ ἐλεημοσύνη ἐν τῷ κρυπτῷ· καὶ ὁ πατήρ σου ὁ βλέπων ἐν τῷ κρυπτῷ ἀποδώσει σοι[1].

[1] 4 {B} σοι ℵ B D *f* *f*13 33 it^{aur,d,ff₂,k} vg syr^c cop^{sa,bo,fay} (Origen) Cyprian Chromatius Jerome Augustine Greek mss^{acc,to Augustine} // σοι ἐν τῷ φανερῷ K L W Δ Θ Π 0250 28 565 (700 σσι αὐτὸς ἐν φανερῷ) 892 1009 1010 1071 1079 1195 1216 1230 1241 1242 1365 1546 1646 2148 2174 Byz Lect it^{a,b,c,f,g₁,h,l,q} syr^{s,p,h,pal} goth arm eth geo Diatessaron Apostolic Constitutios Chrysostom Latin mss^{see,to Augustine} Ps-Chrysostom

O *Textus Receptus*, seguindo D E M S W X^{vid} ΔΠ *al*, 28 565 1241 al, introduz αὐτός antes de ἀποδώσει, e outros testemunhos

(700 1223) adicionam a palavra após σοι. Essas formas são expansões óbvias designadas a aumentar o caráter impressionante da declaração; o texto mais curto, apoiado por todos os outros testemunhos conhecidos, é claramente preferível.

A frase ἐν τῷ φανερῷ, que se faz ausente nos primeiros testemunhos dos tipos de texto alexandrino, ocidental e pré-cesareano, parece ter sido adicionada por copistas a fim de tornar mais explícito e antitético o paralelismo com a frase anterior, ἐν τῷ κρυπτῷ. O ponto da seção inteira, porém, não é tanto a fraqueza da recompensa dada pelo Pai, mas sua superioridade à mera aprovação humana (cf. os v. 6 e 18).

"Teu Pai, que vê em secreto, te recompensará" — A obscuridade não limita a visão de Deus. Se a esmola for dada a um desconhecido, em lugar afastado das estradas de intenso trânsito, longe da vista de qualquer pessoa, à noite, ainda assim os olhos de Deus veriam tudo. O ato de caridade pode escapar à atenção dos homens, mas o Pai de misericórdias toma conhecimento de tudo. Esse Pai misericordioso galardoa com amor. É interessante notar que alguns mss (não os melhores) gregos fazem recair a ênfase sobre a expressão "ele mesmo te recompensará". Essa expressão enfática, como as outras que já observamos, contrasta com a multidão que galardoa os hipócritas, com os seus aplausos. De quem preferimos receber galardões? A *escolha* é fácil para quem tem bom senso. O galardão é recebido já no presente, ainda que parcialmente. Quando alguém faz aquilo que Deus aprova, ele outorga ao homem saúde espiritual, que aumenta o ânimo natural, tal como a saúde física anima o corpo. Pode-se sentir tanto a falta de saúde espiritual como a ausência de saúde física. Vale a pena considerarmos essa saúde. Ver nota sobre "galardão", em 1Coríntios 3.14.

"Em secreto" — Para evitar o aplauso dos homens, porque esse aplauso agrada à carne, mas maltrata o espírito. O modo de dar deve ser o contrário do método usado pelos hipócritas. Talvez tenhamos nestas palavras (a segunda vez em que aparece a expressão "em secreto") uma alusão à crença de que Deus manifestava sua presença em lugares secretos, como o lugar mais santo do templo. Segundo essa crença, ali o homem se encontraria com Deus.

"Publicamente" — Aparece nas traduções AC e KJ, e não faz parte do texto original do evangelho de Mateus. A palavra é esforço de algum escriba para melhorar os ensinamentos de Jesus, com a promessa do apoio público da parte de Deus, que é apenas outra forma de ostentação. Também aparece nos mss EKLMSUX e Delta, mas é omitida em Aleph BZ Fam 1 e pela maioria das versões latinas, Si(*c*) e as versões cópticas. Todas as traduções, excetuando AC e KJ, omitem a palavra. Jesus não promete galardão público por causa da santidade oculta. A mesma variante aparece nos v. 6 e 18, com quase as mesmas evidências.

Há ideias similares nos escritos do filósofo estoico *Epicteto* (*Discursos i.* 14.14) e em alguns escritos dos rabinos. O Mishnah ensina que aquele que profana secretamente o nome de Deus será publicamente punido; mas que aquele que estuda secretamente a Torah será proclamado entre o povo (Aboth 4.4).

(c) Natureza da oração (6.5-15)

(Quanto à nota geral sobre a *oração*, ver Ef 6.18.) Dificilmente poderemos exagerar a importância da oração; no entanto, vemo-nos tão preguiçosos em sua prática. Jesus advertiu contra o abuso da oração, pois os fariseus e outros líderes religiosos, que deveriam saber melhor, usavam-na como meio de se glorificarem diante dos homens. Jesus não condenou a adoração pública e nem as orações em público, mas tão-somente procurou sujeitar tudo ao espírito de humildade. Ele queria libertar as orações das atitudes *teatrais*, tornando-as parte do santuário. Frequentemente, a igreja se transforma em um teatro, ao invés de ser um santuário!

6.5: E, quando orardes, não sejais como os hipócritas; pois gostam de orar em pé nas sinagogas, e às esquinas das ruas, para serem vistos pelos homens. Em verdade vos digo que já receberam a sua recompensa.

6.5 Καὶ ὅταν προσεύχησθε, οὐκ ἔσεσθε ὡς οἱ ὑποκριταί· ὅτι φιλοῦσιν ἐν ταῖς συναγωγαῖς καὶ ἐν ταῖς γωνίαις τῶν πλατειῶν ἑστῶτες προσεύχεσθαι, ὅπως φανῶσιν τοῖς ἀνθρώποις· ἀμὴν λέγω ὑμῖν, ἀπέχουσιν τὸν μισθὸν αὐτῶν.

5 ὅπως...ἀνθρώποις Mt 6.16; 23.5

Segunda ilustração sobre a "*oração*". Ver nota sobre a palavra "hipócritas", no v. 2 deste capítulo.

"Em pé" — Era a posição usual da oração, e isso não era ostentação da parte dos que oravam. Naquele tempo, ajoelhar-se é que seria considerado ato de ostentação. Os judeus se punham de pé para orar, voltados de frente para o templo ou para o lugar mais santo (quando estavam no templo). (Ver 1Sm 1.26; 1Rs 8.22; Mc 11.25 e Lc 18.11.) Eram também empregadas outras posições, como ajoelhar-se e prostrar-se. A prática da oração em pé continuou na igreja primitiva.

"Sinagogas" — Ver notas em Mateus 4.23 e Lucas 4.33. As sinagogas, como os nossos templos, eram usadas para os cultos de oração pública ou para a oração particular.

"Praças" — Tradução que aparece em AA (também em Ap 21.21) e que, provavelmente, não tem base no grego. Essa palavra indica ruas ou estradas largas, em contraste com as estreitas. Eram as principais ruas em uma cidade. O v. 2 apresenta a outra palavra, que indica as ruas estreitas. Aqueles homens selecionavam os lugares mais públicos para orar. Lemos que, naqueles dias, muitos judeus observavam horas determinadas para suas orações, que nunca deixavam passar. Eram *atores* que saíam às ruas propositalmente, especialmente nas ruas principais, para que, chegada a hora certa, estivessem em algum lugar bem visível. Chegada a hora da oração, oravam onde se encontravam, sem nenhum constrangimento por sua hipocrisia, mas até com orgulho. Provavelmente, o costume de orar em horas certas começou bem cedo na história dos judeus. O trecho de Daniel 6.10,11 parece ser uma alusão a esse costume. Jesus não condena a prática de orações em horas definidas, e, sim, censura o costume de orar em lugar público, somente para atrair a atenção alheia.

6.6: Mas tu, quando orares, entra no teu quarto e, fechando a porta, ora a teu Pai que está em secreto; e teu Pai, que vê em secreto, te recompensará.

6.6 σὺ δὲ ὅταν προσεύχῃ, εἴσελθε εἰς τὸ ταμεῖόν σου καὶ κλείσας τὴν θύραν σου πρόσευξαι τῷ πατρί σου τῷ ἐν τῷ κρυπτῷ· καὶ ὁ πατήρ σου ὁ βλέπων ἐν τῷ κρυπτῷ ἀποδώσει σοι[2].

6 τω 2°] *om* D *f1 f13 al* latt σοι] *add* εν τω φανερω WΘ *f13 28 al* it ς

6 εἴσελθε...θύραν σου Is 26.20 εἴσελθε...πρόσευξαι 2Rs 4.33

[2] 6 {B} σοι ℵ B D f^1 it$^{aur,d,ff^1,k}$ vg syr$^{c,s,pal\ ms}$ cop^{sa,bo} Origen Ps-Clement Eusebius Hilary Ambrose // σοι ἐν τῷ φανερῷ K L W X Δ Θ Π f^{13} 28 33 565 700 892 1009 1010 1071 1079 1195 1216 1230 1241 1242 1365 1546 1646 2148 2174 *Byz Lect* it$^{a,b,c,f,g^1,h,l,q}$ syr$^{p,h,pal\ mss}$ goth arm eth geo Diatessaron

Ver os comentários sobre o v. 4.

Há paralelos das ideias apresentadas aqui em *Test. Joseph* 3.3 e em Epicteto, o estoico romano (I.14.14). Jesus não condena a adoração pública, mas a atitude de espetáculo, teatral, envolvida nessas orações em público etc. Essa atitude apenas arruína o espírito de adoração necessário para que haja contacto genuíno com Deus. Se a oração não estabelece contacto com Deus, torna-se inútil e é um desperdício de tempo. Um número demasiadamente grande de "homens de oração", nos dias de Jesus, não passava de um grupo de atores. Eram profissionalmente piedosos.

"Tu, porém" — Ver nota, no v. 3, onde há explicação sobre essa expressão.

"Quarto" — No grego mais antigo, o termo significava o depósito ou a *despensa* do administrador da casa. Lugar onde ninguém suspeitaria encontrar alguém orando. Só o administrador da casa tinha acesso àquele lugar, pelo que era um lugar privativo dele. Mais tarde, a palavra passou a ser usada para indicar qualquer sala privada no interior da residência. Essa palavra é usada em Mateus 24.26: "[...] se vos disserem: Eis que ele está no deserto!, não saiais. Ou: Ei-lo *no interior* da casa!, não acrediteis" (ARA). Este versículo ilustra muito bem o amplo sentido da palavra. A expressão alude, portanto, ao lugar que uma pessoa reserva só para si, a que outras não têm acesso. "Nesse lugar" é que se deve orar, onde ninguém nos vê. Com esse ensino, Jesus faz contraste com os lugares públicos, onde era costumeiro ver orando as autoridades do povo, quer nas sinagogas, quer nas ruas principais.

"Fechada a porta" — Para frisar mais ainda a lição. Não deveria ser apenas um lugar onde nenhum outro pudesse entrar, mas também não se deveria deixar a porta aberta para que outros o vissem. Jesus não censura a oração pública, nem estabelece regras acerca da oração, mas enfatiza a necessidade do espírito humilde nas orações. Em espírito, o crente não deve orar na sinagoga (v. 5), ou "junto do rio" (At 16.3), ou no eirado, lugar onde os judeus costumavam orar (At 10.9), mas em lugar privado.

"Em secreto" — Provavelmente, há alusão à crença que Deus habitava no lugar mais remoto e secreto do templo, o lugar mais santo (Hb 9.3), onde só o sumo sacerdote podia entrar, uma vez por ano. A ideia é que nos encontramos com Deus em um lugar assim, onde a verdadeira oração pode ser oferecida; ali é o lugar secreto de Deus, ali nos encontramos com Deus.

"Te recompensará" — Ver nota sobre isso, nos v. 4 e 16.

6.7: E, orando, não useis de vãs repetições, como os gentios; porque pensam que pelo seu muito falar serão ouvidos.

6.7 Προσευχόμενοι δὲ μὴ βατταλογήσητε ὥσπερ οἱ ἐθνικοί, δοκοῦσιν γὰρ ὅτι ἐν τῇ πολυλογίᾳ αὐτῶν εἰσακουσθήσονται.

7 ἐθνικοι] υποκριται B sy[c]

"Repetições" — Palavra usada para indicar a gagueira, que tem o sentido de balbuciar. Ver explicações sobre esta palavra num léxico. Neste trecho, o termo fala de *vãs repetições*. Os adoradores de Baal, no Carmelo, e os adoradores de Diana, em Éfeso, são exemplos antigos. Os pagãos, antigos ou modernos, são exemplos disso, pois pensam que cansando seus deuses com repetições conseguirão o que lhe pedem; mas o "paternostros" e "Ave-Marias", não parecem muito diferentes. Orações assim são paganismo redivivo. Lembremo-nos de que, na Galileia, as regiões gentílicas não ficavam distantes, e que entre os próprios judeus habitavam muitos gentios. A forma de oração praticada pelas populações gentílicas era bem conhecida dos ouvintes de Jesus. Lemos na história dos judeus que alguns deles imitavam o estilo das orações pagãs. Ver, no fim do v. 8, amostras de orações com vãs repetições.

"Pelo seu muito falar" — A oração era errada desde a base: primeiro, porque pensavam que Deus considera o número das orações proferidas para aquilatar o valor da oração, e não o espírito e o mérito de quem orava; segundo, porque pensavam que o acúmulo de orações repetidas tinha o efeito de cansar os ouvidos de Deus, obrigando-o a responder. Essas ideias são características dos pagãos. Os discípulos de Cristo, participantes do reino de Deus, devem saber que Deus é Pai, e que não acolhe as orações daqueles que têm tais atitudes.

No *Heautontimorumenos*, de Terence v. 880, há boa ilustração da repetição nas orações, sem sentido algum: "Cessa, ó esposa, de ensurdecer os deuses com graças porque teu filho não está mais em perigo, exceto se pensas que eles não podem compreender alguma coisa (julgando tu pelo caráter de tua pessoa) se não ouvirem por mil vezes".

6.8: Não vos assemelheis, pois, a eles; porque vosso Pai sabe o que vos é necessário, antes de vós olho pedirdes.

6.8 μὴ ὁμοιωθῆτε αὐτοῖς, οἶδεν γὰρ ὁ πατὴρ ὑμῶν3 ὧν χρείαν ἔχετε πρὸ τοῦ ὑμᾶς αἰτῆσαι αὐτόν.

8 οἶδεν...ἔχετε Mt 6.32; Lc 12.30

[3] 8 {A} ὁ πατὴρ ὑμῶν ℵ* D K L W Δ Θ Π 0170[vid] *f*[13] 565 700 892[txt] 1009 1010 1071 1079 1230 1241 1242 1365 1646 2174 *Byz Lect* it[s,aur,b,c,f,ff1,g1,h,k,l,q] vg syr[c,s,p,pal] cop[bo,fay] goth arm geo[1.A]. // ὁ πατὴρ ἡμῶν *f*[1] 1253 1546 *l*[76,184,1663] // ὁ θεὸς ὁ πατὴρ ὑμῶν ℵ[a] B cop[sa] Origen // ὁ πατὴρ ὑμῶν ὁ οὐράνιος (*ver* 6.9) 28 892[mg] 1195 1216 (2148 ἡμῶν ὁ ἐν τοῖς οὐρανοῖς) syr[h] eth geo[B] (Origen *omit* ὑμῶν)

A forma expandida, ὁ θεὸς ὁ πατὴρ ὑμῶν (ℵ[a] B cop[sa] (Orígenes) não ocorre em nenhum outro texto de Mateus, sendo uma intrusão escribal que reflete uma colocação tipicamente paulina de θεὸς e πατήρ (Rm 1.7; 1Co 1.3; 2Co 1.2; Gl 1.3; Ef 1.2; 6.23; Fp 1.2; 2.11; Cl 3.17; 1Ts 1.1; 2Ts 1.1,2; 2.16; 1Tm 1.2; 2Tm 1.2; Tt 1.4 e Fm 3). A forma ὁ πατὴρ ὑμῶν ὁ οὐράνιος achada em diversos testemunhos posteriores, obviamente se conforma ao texto do v. 9. A ocorrência de ἡμῶν, ao invés de ὑμῶν, em diversos testemunhos, se deve à falta de atenção escribal, já que no grego posterior se pronunciavam do mesmo modo as letras η e υ.

Ao invés da forma costumeira: "Vosso Pai sabe o de que precisais, *antes que lho peçais*", dois testemunhos ocidentais — D[gr] it[h] [it[d] *hiat*] — trazem o substituto vigoroso e quase coloquial, "[...] antes de abrirdes a boca"(πρὸ τοῦ ἀνοῖξαι τὸ στόμα).

A imitação das orações dos pagãos é *errada* porque: 1) É uma forma *pagã*, destituída da iluminação divina. 2) É *absurda*. 3) Deus é Pai que cuida de seus filhos, e não precisa ser *pressionado* para responder às suas orações. 4) Deus conhece as necessidades de seus filhos *antes* que eles orem ou repitam suas petições. Deus não tem necessidade de saber, por meio de repetições, quais as necessidades e desejos de seus filhos. Oramos a um ser bem-informado, pronto a acudir àqueles que se valem dele.

Surge, pois, a pergunta: "Qual a necessidade da oração?" Talvez o fato de a oração servir de benefício principalmente para nós mesmos e o desenvolvimento dessa ideia nos deem a resposta: 1) A oração leva-nos a perceber mais claramente os nossos desejos e necessidades espirituais. 2) A verdadeira oração nos desenvolve no espírito, nas forças espirituais, porque nos encontramos em lugar secreto. 3) A oração nos dá o *exercício espiritual* de que precisamos, especialmente no tocante à nossa dependência de Deus. 4) A oração faz nascer ou desenvolve a fé. Quando chegam as respostas e bênçãos de Deus, quando temos evidências do cuidado de Deus em nossa vida, aumenta a nossa fé. 5) A oração também pode servir de *escola* da alma para ensinar a vontade de Deus na vida. Deus nada aprende de nós quando oramos, mas muito podemos aprender de Deus nesse exercício.

Adam Clarke reproduz amostras das repetições nas orações tipo Sahib, feitas pelos islamitas:

"O Deus, ó Deus, ó Deus, ó Deus! Ó Senhor, ó Senhor, ó Senhor, ó Senhor!

Ó Vivente, ó Imortal, ó Vivente, ó Imortal! O Criador dos céus e da terra!

Ó Tu, dotado de majestade e autoridade! Ó Maravilhoso..." etc.

O *ensino* de Jesus sobre a oração se resume em: 1) Evitar a hipocrisia. 2) Evitar a ostentação. 3) Evitar a forma ridícula usada pelos pagãos.

6.9: Portanto, orai vós deste modo: Pai nosso que estás nos céus, santificado seja o teu nome;

6.9 Οὕτως οὖν προσεύχεσθε ὑμεῖς· Πάτερ ἡμῶν ὁ ἐν τοῖς οὐρανοῖς, ἁγιασθήτω τὸ ὄνομά σου,

9 ἁγιασθήτω...σου Ez 36.23

9 τοις ουρανοις] τω -νω Did

324 |Mateus| NTI

(Lc 11.1-4) — A oração do Senhor.

Um artista, ao tentar retratar com o pincel as cataratas de Niágara, que há na fronteira do Estado de Nova Iorque, Estados Unidos, com o Canadá, e que se assemelha um tanto às cataratas do Iguaçu, ainda que um pouco menores do que estas, segundo se conta, *jogou* fora o seu pincel, na mais total frustração. Quem pode retratar algo tão grande, com algumas poucas pinceladas em uma tela? Assim são todas as tentativas para se tecer comentário sobre essa grande oração de Jesus. "Há trovões e poderes e uma neblina espectral nessa oração: ela desafia nossa inteligência, e, no entanto, é nossa salvação. *É breve*. As dezoito petições, feitas três vezes ao dia nas orações dos judeus piedosos, eram dez vezes mais longas. Esta oração, devido à sua franqueza, penetra na mente e é facilmente memorizada. É infantil em sua simplicidade: estadistas e homens de rua, filósofos e homens rústicos, bispos e os mais jovens catecúmenos se reúnem em volta dela" (Buttrick *in loc.*).

Comparação de Mateus com Lucas

Mateus	Lucas
Pai nosso que estás nos céus	*Pai*
Santificado seja o teu nome	*Santificado seja o teu nome*
Venha o teu reino	*Venha o teu reino*
Faça-se a tua vontade assim na terra como no céu	*(Omitido por Lucas)*
O pão nosso de cada dia dá-nos hoje	*O pão nosso cotidiano dá-nos de dia em dia*
E perdoa-nos nossas dívidas	*Perdoa-nos os nossos pecados*
Assim como nós temos perdoado aos nossos devedores	*Pois também nós perdoamos a todos os que nos devem*
E não nos deixes cair em tentação; mas livra-nos do mal	*E não nos deixes cair em tentação.*

(Porque teu é o reino, e o poder e a glória para sempre). Essa frase não é parte da oração original — ver a nota textual no v. 13. *(Omitido em todos os manuscritos de Lucas)*.

Com respeito ao problema da *harmonia* entre Mateus e Lucas, nota-se, primeiramente, que a oração é apresentada em Lucas em ocasião diferente. Em Lucas, a ocasião é posterior (após o regresso dos setenta, ou seja, depois da segunda viagem pela Galileia), ao passo que em Mateus a ocasião é antes da chamada dos doze. A chamada dos doze ocorreu antes da nomeação dos setenta, pelo menos com a diferença de alguns meses. Outrossim, é claro que a oração, em Lucas, é abreviada e contém algumas diferenças nas palavras e frases. Esses fatos ilustram diversas coisas: 1) Provavelmente, Lucas não usou Mateus como base, mas os dois contavam com algum material em comum, que não se acha em Marcos. Essa fonte (da oração e de alguns outros assuntos) se chama "Q". 2) Assim sendo, Mateus não é uma versão mais longa de Lucas, e nem Lucas é uma versão mais abreviada de Mateus. Ambos dão versões individuais de "Q". 3) Se persistir a pergunta: *Qual das duas é a oração original de Jesus?*, pode-se dizer que é impossível ter certeza quanto a esse problema, mas provavelmente a mais curta (oração de Lucas) é a mais próxima, porque usualmente é comum ao escriba aumentar e embelezar, e não abreviar. As pequenas diferenças de palavras e frases talvez indiquem que ambos os autores modificaram a fonte "Q" em alguns detalhes. 4) *Finalmente*, essa seção ilustra o fato de que os autores dos evangelhos não tiveram grande cuidado sobre minúcias geográficas e cronológicas e quanto ao emprego de certas palavras (em lugar do possível uso de outras palavras), como algumas autoridades religiosas ensinam hoje em dia. É óbvio que essas autoridades têm mais cuidado e dão maior importância a essas coisas que os autores dos evangelhos. Essa seção exemplifica como os autores

manusearam suas fontes; e outras seções também contribuem para isso. Ver também as notas em Mateus 8.1,2, que ilustram o mesmo fenômeno.

A ideia de que Jesus se aproveitou de porções das orações dos judeus, e que ele não foi seu originador, jamais foi provada. Não há paralelo a essa oração na literatura judaica ou de outros povos. Não foi dada por Jesus para ser usada como liturgia, mas para ilustrar o *simples caminho* pelo qual nos devemos aproximar de Deus, em contraste com as vãs repetições pagãs. As petições (*sete*) refletem as necessidades básicas dos homens, quer as necessidades espirituais, quer as necessidades ou físicas: 1) Santificado seja o teu nome — a alma se eleva à presença de Deus, reconhece que Deus é santo, e isso é o alicerce da oração e de nossas relações com Deus. 2) Venha o teu reino — desejo de aplicação universal dos atributos e poderes de Deus. 3) Assim na terra — aplicação direta da influência divina sobre a terra, aplicação essa pessoal, aqui onde habitamos. 4) Dá-nos pão — o discípulo do reino tem necessidades físicas. Deus se interessa por essas coisas também. O ensino contrasta o teísmo com o deísmo. Ver notas sobre as diversas ideias sobre Deus, em Atos 17.27. 5) Perdoa os nossos pecados — neste mundo, encontramos obstáculos, especialmente com a nossa própria natureza. Para que obtenhamos a condição de espiritualidade e sintamos a presença de Deus em nossa vida, precisamos remover os obstáculos. 6) Não nos deixes cair — a vitória sobre o mundo é algo necessário para aquele que anda no caminho de Deus. 7) Livra-nos do mal — concede-nos, finalmente, a vitória completa nesta esfera.

Nota-se que essa oração de Jesus segue a forma geral do decálogo. Há duas divisões principais: 1) As *três primeiras* petições se relacionam diretamente com Deus. 2) As *outras quatro* se relacionam com os nossos semelhantes.

"Pai nosso" — Ver nota em 5.16 sobre *Deus Pai*. Essa ideia forma a base da oração. O Deus verdadeiro é contrastado com os *caprichosos* deuses falsos dos pagãos que precisam ficar cansados com as petições de seus seguidores antes de responder. No grego, o termo "vos" é enfático, e contrasta os discípulos com os pagãos, cujos deuses não eram seus pais. Jesus abordou uma nota universal também, porque quem pode dizer que ele se referiu a Deus somente como Pai dos judeus? Ele é o Deus dos céus e da terra. Paulo disse outro tanto [...] *de quem toma o nome toda a família, tanto no céu como sobre a terra* (Ef 3.15).

"Teu nome" — O nome de Deus equivale à pessoa de Deus, segundo ele se tem revelado. A ideia é que sabemos algo de Deus, algo de sua natureza, algo de seu interesse pela humanidade. Quando proferimos o nome de *Deus Pai*, lembramos essas coisas.

"Santificado" — quer dizer *Seja venerado* ou *honrado*. Está em foco a honra de Deus entre os homens. Que sejam reconhecidas a sua bondade e santidade entre os homens. A primeira petição é que o caráter santo e bondoso de Deus seja reconhecido e respeitado entre os homens, conforme já sucede nos céus, onde Deus apresenta suas principais manifestações. Tudo quanto sabemos sobre Deus deve ser venerado. A primeira petição não alude às necessidades da vida física do homem, mas à principal necessidade, que é o reconhecimento do caráter de Deus por parte dos homens e das suas relações, como Pai, para com a humanidade.

"Estás nos céus" — Parece que essa expressão tem os seguintes significados: 1) A onipresença de Deus, na vasta amplidão dos lugares celestiais, os céus (1Rs 8.27). 2) O poder e a majestade de Deus, na forma de domínio sobre toda a criação (2Cr 20.6). 3) A onipotência de Deus, o seu poder manifestado nos céus dos céus, os lugares mais elevados (2Cr 20.6; Sl 115.3). 4) A onisciência de Deus, porque daquele lugar tão elevado ele vê tudo quanto ocorre em todas as partes da criação (Sl 11.4). 5) A santidade e a pureza de Deus, porque ele habita na mais santa montanha (Dt 26.15; Is 57.15).

A oração demonstra grande *reverência* pelo nome de Deus. Jesus só se satisfazia quando o nome de Deus era santificado na conduta diária dos homens, e não por motivo de meras palavras e orações. Os islamitas, em suas cinco orações diárias, dizem: "*Deus é grande"*. Não temos esse costume, embora fosse sábio que pontuássemos nossa vida diária com períodos de oração. Entretanto, Jesus ainda se interessaria mais na demonstração, mediante nossas ações, do respeito que votamos ao santo nome de Deus.

6.10 venha o teu reino, seja feita a tua vontade, assim na terra como no céus;
6.10 ἐλθέτω ἡ βασιλεία σου, γενηθήτω τὸ θέλημά σου, ὡς ἐν οὐρανῷ καὶ ἐὶ γῆς.

10 γενηθήτω...σου Mt 26.42; Lc 22.42

"Venha o teu reino" — A *segunda* petição fala do reino dos céus ou de Deus. (Ver nota sobre esse reino em Mateus 3.2.) Jesus queria estabelecer seu reino literal sobre a terra, o que seria a manifestação de Deus no mundo. Essa petição alude principalmente ao estabelecimento desse reino. Na literatura judaica, há muitas repetições dessa petição. Por exemplo: "O homem que não menciona o reino de Deus em suas orações, nem ao menos ora". Jesus, mais do que qualquer judeu comum, desejou que chegasse esse reino. (Ver. Dn 7.14-27; Is 9.7; 11.1-6). Jesus deu início ao seu ministério com o fito de trazer esse reino: ele mesmo seria seu rei.

Há outras interpretações sobre o *reino*, como 1) A expansão da influência dos ensinos de Jesus. 2) O desenvolvimento da *igreja* cristã. 3) A expansão da influência e do *poder* da igreja. 4) O esforço da igreja em *atrair* o reino à terra, quer total ou parcialmente. Nenhuma dessas ideias, porém, tem justificação neste texto. Por expansão, a expressão "reino de Deus" pode incluir essas ideias, e é verdade que alguns usam a expressão com esse sentido, mas Cristo não se referiu a essas questões nesse ponto. Até hoje, alguns oram pela chegada literal do reino de Cristo, o que só sucederá no milênio. (Ver notas em Ap 20.1-6.)

"Faça-se a tua vontade" — Essa *terceira* petição, obviamente, refere-se à obediência dos anjos a Deus, o que fazem com perfeição. (Ver Sl 103.) Jesus queria que a vontade de Deus fosse totalmente cumprida nesta terra, a fim de que assim fosse elevada a vida terrena, e os homens fossem transformados. Alguns interpretam as palavras "assim na terra como no céu", como se elas tivessem aplicação a todas as três petições: Santificado seja o teu nome, conforme já o é nos céus, assim também aconteça na terra. Faça-se a tua vontade, conforme já o é nos céus, assim também suceda sobre a terra. "No céu" significa a perfeição ou ideal mais elevado daquilo que deve ser feito. No céu é que está o exemplo perfeito, o padrão perfeito daquilo que precisa ser feito.

6.11 o pão nosso de cada dia nos dá hoje
6.11 Τὸν ἄρτον ἡμῶν τὸν ἐπιούσιον δὸς ἡμῖν σήμερον·

Pv 30,8. J 6,32. 14 s.

"De cada dia" — *Quarta* petição: Tem sido *variegadamente* interpretada, porque a expressão é rara e há dúvidas quanto ao seu sentido. A expressão tem sido também encontrada fora do NT. Estas são as interpretações: 1) "Necessário à existência"; 2) "para este dia"; 3) "para o dia seguinte"; 4) "para o futuro". Provavelmente, "para este dia" é a interpretação correta. Dificilmente Cristo ensinaria que se deve orar pela alimentação de um dia futuro, ao mesmo tempo que advertia às multidões que não se preocupassem com essas coisas. (Ver 6.25-34.)

"Pão" — Jesus ora aqui pelo pão *literal* (alimentos) ou pelo pão *espiritual*? Os pais da Igreja gostavam de interpretar essa palavra no sentido espiritual, e essa interpretação originou, na Vulgata, o uso do termo "*supersubstantialem*", ao invés do simples "*quotidiannum*", que aparecia nas versões latinas antigas. Alguns até o aplicam à eucaristia, mas é claro que Jesus não se referiu a isso. É verdade que noutras oportunidades ele falou sobre o pão espiritual, sendo ele mesmo o pão da vida (Jo 6.22-40), mas aqui parece que ele fala de pão no sentido literal, como símbolo das necessidades físicas. Muitos, nas multidões que o seguiam, tinham razão em fazer essa petição.

Um manuscrito *irlandês* do século XI diz: "Panem verbum Dei celestem da nobis hodie" ("Dá-nos hoje, como pão, a Palavra divina do céu"). Isso reflete o sentido simbólico do suprimento de pão, que fala da bondade de Deus, ao dar-nos aquilo de que carecemos. Esse pão deve ser suprido diariamente, pois o maná que vinha do céu se estragava a menos que recolhido diariamente. Disse Emerson: "O homem não vive só de pão, mas pela fé, pela admiração e pela simpatia". Poderia ter acrescentado: "[...] e por toda a palavra que procede da boca de Deus". Quem está emocionalmente perturbado pode empurrar seu prato para um lado e exclamar: "Não tenho fome!" Seu estômago pode estar vazio, mas não sente fome porque o seu espírito está aflito. A própria vida seria uma aflição se não tivéssemos contacto com o pão espiritual de Deus. "Senhor, dá-nos sempre desse pão" (Jo 6.34).

6.12 e perdoa-nos as nossas dívidas, assim como nós também temos perdoado aos nossos devedores;
6.12 καὶ ἄφες ἡμῶν τὰ ὀφειλήματα ἡμῶν, ὡς καὶ ἡμεῖς ἀφήκαμεν τοῖς ὀφειλέταις ἡμῶν·

12 τα οφειλ.] την οφειλην Did. | αφηκαμεν ℵ*B 1 al;
R] αφιομεν DWΘ pc lat (αφιεμεν f1³ 28 700 pm Did ς)
12 Sir 28.2; Mt 18.32,33

O segundo verbo da quinta petição é "como nós perdoamos" (AV) ou "como nós temos perdoado" (RSV e ERA) ? A última traduz a forma aorista do verbo (ἀφήκαμεν), que figura em ℵ* B Z 1 22 124(mg) 1365 e 1582, cinco manuscritos da Vulgata latina, o sir (ph, h com) cop (fay). Por outro lado, o tempo presente (ἀφίεμεν ou ἀφίομεν) é apoiado por todos os outros testemunhos gregos, como também pelas mais antigas versões, a saber, o latim antigo e a maioria dos manuscritos da Vulgata, tanto as formas saídica como boárica do copta, o siríaco curetoniano (sir hiat), o gótico, o armênio, o mais antigo manuscrito do geórgico e o etíope. Excetuando o Peshitta siríaco, o paralelo em Lucas (11.4) traz o tempo presente (ἀφίομεν ou ἀφίεμεν).

"Perdoa-nos as nossas dívidas" — Em Lucas, a palavra *pecados* aparece no lugar de *dívidas* (Lc 11.4). Os pecados podem ser reputados dívidas para com Deus. Esta quinta petição trata de nosso dever moral para com Deus. A palavra, no grego clássico, visava às dívidas no sentido literal, e a mesma palavra é aqui usada para indicar as dívidas morais e a necessidade que temos do perdão de Deus e da dependência à sua misericórdia. O homem nada tem para pagar a Deus, em troca do perdão, e, assim sendo, deve depender do perdão gratuito de Deus. Que significa essa dependência? Significa a necessidade de nos desenvolvermos, sempre participando do Espírito de Deus, mediante quem somos transformados à imagem de Cristo. O resultado final será a liberdade perfeita, a posição de filhos adultos de Deus, santos, não menos santo do que Deus. Os que chegarem a esse ponto terão vida em si mesmos, como têm o Pai e o Filho. (Ver Jo 5.25-28.)

"Como nós temos perdoado" — O sentido não é: 1) Que Deus não nos perdoará se nós também não perdoarmos (embora os v. 14 e 15 ensinem isso); 2) A medida ou extensão do perdão. O verdadeiro sentido é a maneira do perdão. Os homens devem perdoar gratuitamente, sem esperar coisa nenhuma em recompensa. O perdão deve ser unilateral. Notar o tempo do verbo: *temos perdoado*. No grego, está em vista uma ação terminada antes do perdão recebido da parte de Deus. Outrossim, esse uso, por si só, não significa que temos de perdoar antes de receber o perdão, mas é focalizada a atitude dos discípulos de Cristo, que sempre têm perdoado as dívidas alheias, e, assim sendo, sempre poderão esperar pela misericórdia de Deus. Era máxima bem comum entre os judeus que ninguém deveria deitar-se, à noite, sem primeiro perdoar a todos que lhe tivessem causado sofrimento. Aqui a palavra "nós" é enfática, mostrando o caráter dos discípulos de Jesus, pessoas

326 |Mateus| NTI

inclinadas a conceder o perdão, ficando assim na condição em que Deus pode perdoar os seus pecados.

"Temos perdoado" — É tradução do aoristo, no grego, segundo os mss Aleph BZ 1 e alguns outros, no que são seguidos pelas traduções mais modernas, como AA,IB, e outras.

"Perdoamos" — Aparece nas traduções KJ, AC e outras mais antigas. Vem dos mss Aleph DEGKLMSU Delta e Fam Pi. "Temos perdoado" representa o original. Provavelmente, algum escriba efetuou a modificação, pensando em melhorar o estilo, mas assim também mudou um pouco o sentido da declaração. Ver nota no parágrafo anterior.

George Bernard Shaw faz Cusins, no livro *Major Bárbara*, dizer: "O perdão é o refúgio do esmoler [...]. Devemos pagar as nossas dívidas". Ele, no entanto, não nos diz como; e *como* é a grande dificuldade. Um homem pode ser honesto hoje, mas como pode cancelar a desonestidade de ontem? "Quem pode limpar a história? Quem pode purificar a memória? Ninguém pode nem ao menos regressar ao passado, quanto menos redimi-lo" (Buttrick, in loc.). No entanto, a *cruz de Cristo* é a garantia do perdão de Deus e a purificação do passado, das memórias das desonras de ontem. Precisamos perdoar tal como somos perdoados, e isso também faz parte da grande ética cristã. O general Oglethorpe disse a João Wesley: "Eu nunca perdoo". Ao que Wesley retrucou: "Então, senhor, espero que nunca peque". Em uma das lendas que cercam a vida de Vinci, lemos que, de certa feita, ele pintou o rosto de um inimigo pessoal no corpo de um homem que representava Judas Iscariotes, em uma de suas pinturas. Depois, ao tentar pintar o rosto de Cristo, sua mente não conseguia realizar esse desejo. Então, da Vinci perdoou seu inimigo e apagou o rosto do homem do corpo de Iscariotes. Naquela mesma noite, em um sonho, viu o rosto de Cristo, que veio a ser a imagem por ele pintada para representar a Jesus.

6.13: e não nos deixes entrar em tentação; mas livra-nos do mal. [Porque teu é o reino e o poder, e a glória, para sempre. Amém.]

6.13 καὶ μὴ εἰσενέγκῃς ἡμᾶς εἰς πειρασμόν, ἀλλὰ ῥῦσαι ἡμᾶς ἀπὸ τοῦ πονηροῦ.[4]

13 μὴ...πειρασμόν Sir 23.1; 33.1; Mt 26.41; Lc 22.40   ῥῦσαι... πονηροῦ Jo 17.15; 2Ts 3.3; 2 Tm 4.18

[4] 13 {A} πονηροῦ. ℵ B D 0170 *f*[1] *l*[547] it[a,aur,b,c,ff2,h,l] vg[ww] cop[bo] Tertullian Origen Cyprian Hilary Caesarius-Nazianzus Gregory-Nyssa Chromatius Augustine mss[acc. to Peter-Laodicea] Maximus-Confessor // πονηροῦ, ἀμήν. 17 vg[d] Cyril-Jerusalem // πονηροῦ, ὅτι σοῦ ἐστιν ἡ βασιλεία καὶ ἡ δύναμις καὶ ἡ δόξα εἰς τοὺς αἰῶνας. ἀμήν.

(ver 1 Cr 29.11-13) K L W Δ Θ Π *f*[13]

A atribuição, no fim do Pai Nosso, ocorre de diversas maneiras. Em K L W Δ Θ Π *f*[13] *al* é a tríplice e familiar forma de estrofe, ao passo que o saídico e o faiúmico, tal como a forma citada no Didache, não têm as palavras ἡ βασιλεία καί, ao siríaco curetoniano faltam as palavras ἡ δύναμις καί, e no latim antigo *k* temos apenas *"pois teu é o poder, para sempre e sempre"*. Alguns manuscritos gregos expandem a forma "para sempre", em "para sempre e sempre", e quase todos adicionam o vocábulo "amém". Vários manuscritos posteriores (157 225 418) adicionam uma atribuição trinitária, "pois teu é o reino, e o poder e a glória do Pai e do Filho e do Espírito Santo para sempre. Amém". A mesma expansão ocorre também no término do Pai Nosso na liturgia tradicionalmente atribuída a João Crisóstomo.

A ausência de qualquer atribuição nos primeiros e mais importantes representantes dos tipos de texto alexandrino (ℵ B), ocidental (D e a maioria dos latinos antigos) e pré-cesareanos (*f*[1]), bem como nos primeiros comentários patrísticos sobre o Pai Nosso (os de Tertuliano, Orígenes e Cipriano), sugere que uma atribuição, usualmente em forma tríplice, foi composta (talvez com base em 1Cr 29.11-13), a fim de adaptar essa oração para uso litúrgico na igreja primitiva.

"Tentação" — Sexta petição: Há várias interpretações sobre essa ideia: 1) A tentação seria o apelo para cometer pecado. Em Tiago 1,13, ficamos sabendo que Deus não tenta ninguém ao pecado. Portanto, Jesus certamente queria dizer: "Não nos dirijas de tal modo que nos vejamos em situações nas quais sejamos tentados". Assim sendo, a própria tentação não viria de Deus, mas as circunstâncias que conduzem à tentação poderiam vir da parte dele. Alguns ilustram essa tentação com a tentação de Adão e Eva. Deus teria criado as circunstâncias da tentação, ao mesmo tempo que advertira sobre a tentação. Essa tentação, por conseguinte, seria uma espécie de prova. 2) Aqui, a tentação tem o sentido de *"teste"*, e não de solicitação ao pecado. Esta interpretação concorda com as palavras de Paulo: "Não vos sobreveio tentação que não fosse humana; mas Deus é fiel e não permitirá que sejais tentados além das vossas forças; pelo contrário, juntamente com a tentação, vos proverá livramento, de sorte que a possais suportar" (1Co 10.13, ARA). O texto fala das tentações de Israel no deserto, e o versículo alude, principalmente, às tentações destituídas de elemento moral (ainda que possam incluir esse elemento). 3) Há outra interpretação vinculada à ideia anterior — o senso de culpa, devido às *dívidas*. A petição, portanto, seria: "Não nos deixes cair em tentações intensas (ou seja, no sentimento de culpa), causadas pelos pecados que temos cometido". Essa interpretação evita os problemas, mas dificilmente indica o que Jesus ensina aqui. Embora as interpretações 1 e 2 tenham bons advogados, a primeira parece ter mais razão. Foi exatamente essa petição que Pedro deveria ter feito, antes de negar a Cristo; porém, entrou nas circunstâncias sem orar, o que provocou a sua queda. Mais tarde, Cristo aconselhou seus discípulos a orar, nos seguintes termos: "Vigiai e orai, para que não entreis em tentação..." (Mt 26.41). Naquela ocasião, a tentação deveria ter sido a de abandonar a Cristo no momento em que ele mais carecia de companhia, e esse abandono seria considerado um pecado.

"Livra-nos do mal" — Alguns consideram essa expressão como extensão da anterior (ver nota acima); e, para esses, existiriam somente seis petições. Embora a gramática grega possa sustentar essa ideia, aqui a expressão pode ser reputada como outra petição, embora como extensão da antecedente. Contudo, isso não se reveste de muita importância.

"Do mal" — Pode ser masculino ou neutro, no grego, e por isso pode significar o mal de modo geral (tentações de diversos tipos, más condições de vida, sofrimentos vários etc.), ou pode ser o ser mau, isto é, Satanás. Tais referências são comuns na literatura oriental, e é possível que os judeus compreendessem assim esta petição. Apesar disso, podemos considerar que seu sentido é geral, porque a crença na doutrina de Satanás insistiria em que ele seria o agente dos maus. O texto de 2Timóteo 4.18 parece ser memória dessa petição: "O Senhor me livrará também de toda obra maligna e me levará salvo para o seu reino celestial..." (ARA) Provavelmente, pois, essa petição resulta do desejo do discípulo de obter a redenção final, a redenção que será outorgada aos filhos de Deus, como vemos em Romanos 8.23. Pode-se ver que essa petição constitui a conclusão lógica apropriada da oração, tendo culminado na esperança de ver o reino de Deus no mundo, de entrar nesse reino, ou de deixar esta vida terrena para entrar no reino dos céus. Quando trocarmos de mundos, experimentaremos a realidade dessa petição: "livra-nos do mal".

"Pois teu é o reino, o poder e glória para sempre. Amém" — Essas palavras aparecem nos mss LW Fam Pi Fam 13 e nas versões latinas g k e na maior parte dos mss de datas mais recentes. As traduções KJ AC AA (tidas como duvidosas) têm essa doxologia. As palavras são omitidas em Aleph BDZ Fam 1, em diversas versões latinas e na maioria dos pais gregos e latinos da Igreja, como também nas traduções ASV RSV PH WM WY BR GD e IB. Essa bela doxologia não é autêntica (é omitida pelos melhores e mais antigos mss e por quase todos os pais da Igreja), mas parece ser antiga inserção litúrgica, sendo, talvez, uma espécie de paráfrase de 1Crônicas 2911-13. A versão paralela, em Lucas 11, também a omite. Embora não faça parte da oração original de Jesus, expressa uma verdade, e assim podemos continuar a usá-la em nossas orações e em nossos hinos.

6.14: Porque, se perdoardes aos homens as suas ofensas, também vosso Pai celestial vos perdoará a vós;

6.14 Ἐὰν γὰρ ἀφῆτε τοῖς ἀνθρώποις τὰ παραπτώματα αὐτῶν, ἀφήσει καὶ ὑμῶν ὁ πατὴρ ὑμῶν ὁ οὐράνιος·

14 Mc 11.25; Ef 4.32; Cl 3.13

14 γαρ] om D*L pc

6.15 se, porém, não perdoardes aos homens, tampouco vosso Pai perdoará vossas ofensas.

6.15 ἐὰν δὲ μὴ ἀφῆτε τοῖς ἀνθρώποις⁵, οὐδὲ ὁ πατὴρ ὑμῶν ἀφήσει τὰ παραπτώματα ὑμῶν.

15 Mt 18.35

⁵15 {D} τὰ παραπτώματα αὐτῶν B K L W Δ Θ Π f¹³ 28 33 565 700 892ᵐᵍ 1009 1010 1071 1079 1195 1216 1230 1241 1242 1253 1365 1546 1646 2148 2174 Byz Lect (itᵇ omit αὐτῶν) itᶠ·ᵍ syrᶜ·ʰ·ᵖᵃˡ copˢᵃ·ᵇᵒ ᵐˢˢ goth arm eth geo Ps-Chrysostom // omit א D f¹ 892ᵗˣᵗ itˢ·ᵃᵘʳ·ᶜ·ff¹·ᵍ¹·ʰ·ᵏ·ˡ vg syrᵖ copᵇᵒ·ᵐˢˢ·ᶠᵃʸ Diatessaron Eusebius Augustine

> É problemático se uma forma original, τὰ παραπτώματα αὐτῶν, foi omitida por copistas como desnecessária, em face da presença das mesmas palavras no v. 14 e de τὰ παραπτώματα ὑμῶν, mais adiante, no v. 15, ou se essas palavras foram acrescentadas no interesse de produzir um estilo litúrgico bem equilibrado. A comissão julgou que, em face da ausência dessas palavras na declaração paralela, acrescentada em alguns testemunhos, após Marcos 11.25, deveriam elas ser reputadas como uma intrusão no texto de Mateus, sobretudo em face do fato de que perturbam a estrutura quiástica dos v. 14 e 15.

Estes difíceis versículos têm merecido interpretações *diversas*: 1) Alguns negam que tenham vinculação verdadeira com a bela oração que Jesus acabara de fazer. Esses supõem que tenham sido transpostos de outras circunstâncias, onde tinham melhor aplicação, e que foram postos aqui de modo infeliz. Na opinião dos mesmos, isso teria sido feito pelo autor do evangelho ou por algum escriba antigo, não muito tempo depois de o evangelho ter sido escrito. Nenhum ms, porém, omite aqui esses versículos, pelo que devemos crer que o próprio autor aqui os pôs. Entretanto, os que têm opinião contrária, sugerem que os versículos foram transpostos de uma conexão como a que temos em Mateus 18.23-35, onde Jesus apresenta a parábola do credor incompassivo. Esse indivíduo não pode esperar o perdão de Deus. O v. 35 diz: "Assim também meu Pai celeste vos fará, se do íntimo não perdoardes cada um a seu irmão". (ARA) A expressão "o Pai fará" indica a ação de entregar *aos verdugos* (v. 34). Não se deve duvidar de que essas palavras sejam autênticas, e, assim, com essa interpretação (a qual pode ser correta quanto ao lugar que lhe é próprio) não fica resolvido o problema maior, ou seja, a interpretação em relação ao resto do NT, especialmente a doutrina de Paulo sobre o perdão de pecados, que nada tem a ver com o perdão que conferimos a outros. 2) Outros preferem a simples explicação de que Jesus falava antes da instituição da igreja e da doutrina da graça. Falava como quem estava *debaixo da lei*. Depois de posteriores revelações, dadas por meio de Paulo, essa ideia teve de ser modificada. No sistema da graça, perdoamos porque já fomos perdoados, e não para merecermos o perdão. Essa interpretação é simples e facilita a solução do problema; mas ainda persiste uma dificuldade: essas palavras representam a moral de Jesus, ou não? a sua crença, ou não? essa moral poderia ter sido modificada mais tarde? 3) Outros tomam

as palavra no sentido mais literal, dizendo até que o perdão e a salvação nos serão *impossíveis* se não perdoarmos aos outros. 4). Talvez a melhor ideia seja aquela que diz que o homem verdadeiramente regenerado deve possuir, como parte de sua nova natureza, o temperamento de perdoar aos outros. Ninguém que, dentre os que receberam o perdão de Deus, se converteu, tornando-se nova criatura, pode deixar de perdoar aos outros, porque a atitude perdoadora *faz parte* da experiência da regeneração. O temperamento não inclinado a perdoar é incompatível, "ipso facto", com a regeneração. O indivíduo que não perdoa mostra com essa atitude, que ainda não experimentou o perdão de Deus. Essa explicação é melhor que a segunda.

Jesus enfatiza esse ensino, proferindo-o de modo positivo (v. 14) e negativo (v. 15). Não podemos evitar a convicção de que esse ensino brilhou entre os principais ensinos de Jesus acerca do caráter que era necessário aos verdadeiros discípulos.

> **(d) Jejum (6.16-18)**
>
> Os místicos confirmam o *valor* do jejum na promoção do progresso e do sentimento espirituais. O que era tão comum no judaísmo e no cristianismo primitivo tem desaparecido quase totalmente da igreja, certamente em seu detrimento. O jejum, porém, nas mãos de indivíduos carnais, torna-se apenas outro meio de ostentação, algo que promove a carnalidade oculta, e não a piedade autêntica. Facilmente reduzimos a igreja a um teatro! E nisso há muitas ramificações. Consideremos a música mundana, que se presta mais para os clubes noturnos do que para uma igreja. Jesus nos chama para longe de todas essas coisas, a fim de aprendermos a verdade conforme ela deve ser conhecida.
>
> Veja-se Mateus 9.14,15 (igual a Mc 2.18-20) e 11.18,19 (igual a Lc 7.33,34), onde se nota que Jesus e seus discípulos não deram tanta importância ao jejum quanto aos seus contemporâneos religiosos; mas não devemos *exagerar* nisso e perder de vista o fato de que Jesus recomendou o costume, contanto que fosse praticado sem perversões.

6.16 Quando jejuardes, não vos mostreis contristados como os hipócritas; porque eles desfiguram os seus rostos, para que os homens vejam que estão jejuando. Em verdade vos digo que já receberam a sua recompensa.

6.16 Ὅταν δὲ νηστεύητε, μὴ γίνεσθε ὡς οἱ ὑποκριταὶ σκυθρωποί, ἀφανίζουσιν γὰρ τὰ πρόσωπα αὐτῶν ὅπως φανῶσιν τοῖς ἀνθρώποις νηστεύοντες· ἀμὴν λέγω ὑμῖν, ἀπέχουσιν τὸν μισθὸν αὐτῶν.

16 Ὅταν...αὐτῶν Is 58.5 ὅπως...ἀνθρώποις Mt 6.5; 23.5

Terceiro exemplo da prática da verdadeira religião: o jejum. Os três exemplos são: *as esmolas, a oração e o jejum*.

"Mostreis contristados" — Expressão existente só aqui e em Lucas 24.17. A tradução GD diz "aparentar um olhar melancólico". Tal pretensão de piedade era estranha e não podia ser compreendida por Jesus, que também jejuou algumas vezes, mas espontaneamente, por motivo de preocupação mental e espiritual. Ver nota em Mateus 4.2. É possível que a referência inclua a ideia de que os atores tinham por hábito ficar sujos e barbudos, a fim de, por esse ou por outros meios, darem a impressão de estar em jejum, desfigurando a fisionomia; mas, na realidade, viviam sempre em festas, longe da vista do público. Embora estejamos quase totalmente livres dessa pretensão, a própria pretensão permanece conosco.

O jejum, como a oração, foi reduzido, entre os judeus, a um sistema formal, sem conteúdo verdadeiramente religioso. Na prática comum dos judeus, era observado às segundas e quintas-feiras, em memória da subida e da descida de Moisés ao monte Sinai (ver Lc 18.12). Lemos que algumas autoridades religiosas

328 | Mateus | NTI

jejuavam até quatro vezes por semana, e sempre compareciam às sinagogas com aparência melancólica, mal vestidos, sujos e barbados, para deixar claro para o povo que eram "religiosos". Era comum também vestirem-se de luto, como se algum parente tivesse falecido.

"Desfiguram" — Com pó e cinzas (Is 61.3) ou com várias máscaras e outros disfarces (2Sm 15.30 e Et 6.12).

"Hipócritas" — Ver nota detalhada sobre essa palavra em Mateus 6.2.

"Recompensa" — Ver nota em Mateus 6.2 e 4. O uso mais comum da palavra tem o sentido de "salário" pago por algum trabalho realizado (Lc 10.7; 2Tm 5.18), mas também há o sentido de recompensa moral, como nos versículos deste capítulo. Deus também paga salário.

6.17 Tu, porém, quando jejuares, unge a tua cabeça, e lava o teu rosto,

6.17 σὺ δὲ νηστεύων ἄλειψαί σου τὴν κεφαλὴν καὶ τὸ πρόσωπόν σου νίψαι,

"Unge [...] lava" — Quem se lamentava ou fingia tristeza não fazia isso (Dn 10.3). Também se lê que, na história dos judeus, nos dias de jejum (oficial, como o dia da expiação e outros, Lv 16.29), os atos de ungir-se e lavar-se eram proibidos, para que houvesse demonstração de tristeza pelo pecado. A unção e a lavagem eram símbolos de alegria (Ec 9.8). No oriente, era costume ungir a cabeça como preparação para alguma festa. Evidentemente, isso era praticado todos os dias pelos judeus, exceto em dias de jejum. O verdadeiro discípulo do reino do Messias pode jejuar, pode ter tristeza no coração por causa do pecado, pode jejuar até mais vezes que nos dias indicados, mas não deve ostentar o que faz com seus lamentos, exibindo o lado negativo da religião. Pelo contrário, deve dar a impressão de que vai para uma festa, evitando assim o olhar aprovador de outros, os quais, de outra maneira, saberiam que está jejuando.

6.18 para não mostrar aos homens que estás jejuando, mas a teu Pai, que está em secreto; e teu Pai, que vê em secreto, te recompensará.

6.18 ὅπως μὴ φανῇς τοῖς ἀνθρώποις νηστεύων ἀλλὰ τῷ πατρί σου τῷ ἐν τῷ κρυφαίῳ· καὶ ὁ πατήρ σου ὁ βλέπων ἐν τῷ κρυφαίῳ ἀποδώσει σοι[6].

[6] 18 {A}σοι ℵ B D K L W Θ Π 0250 f¹ f¹³ 28 33 565 700 892 1010 1079 1242 1365 1646 2148 Byzᵖᵗ Lect itᵃᵘʳ,f,ff¹,l,q vg syrᶜ,ᵖ,ʰ,ᵖᵃˡ msˢ copˢᵃ,ᵇᵃ goth arm Theophilus Ambrose Augustine Euthalius // σοι ἐν τῷ φανερῷ Δ 1009 1071 1195 1216 1230 1241 1253 1546 2174 Byzᵖᵗ]⁵⁴⁷,⁹⁵⁰,¹⁶⁶³ itᵃ,ᵇ,ᶜ,ᵍ¹,ʰ,ᵏ syrᵖᵃˡ msˢ ethᵐᵖᵖ (ethᵐˢ ὑμῖν ἐν) geo Ephraem

Ver os comentários sobre o v. 4.

"Publicamente" — Vem de algumas traduções antigas, como a KJ, mas não goza do apoio dos melhores e mais antigos mss. Quase todas as traduções rejeitam essa palavra, tanto aqui como nos v. 4 e 6. Ver a evidência dos mss no v. 4. Jesus não promete galardão público pela santidade oculta.

"Em secreto [...] te recompensará" — Ver nota sobre essas ideias em Mateus 6.4.

Buttrick (in loc.) diz: "[...] ele se opunha às práticas religiosas de seus tempos. O jejum deve ser ocasional, secreto e jubiloso — como no caso das esmolas. Deve fugir de toda inclinação ao orgulho espiritual. O explorador é disciplinado para o deleite da aventura, e o violinista para o arrebatamento da música. Assim também o cristão é disciplinado em jubilosa fidelidade a Cristo e no amor acendrado para com Deus. A poda tem por propósito produzir "muito fruto" na vida do crente. Assim sendo, a disciplina cristã é positiva e radiante em seu alvo, humilde em seu espírito, e dotada de alegria instintiva".

(e) Correto uso das propriedades (6.19-24)

(Cf. Lc 12.33, onde a venda de propriedades é recomendada com o propósito de permitir ao crente dar esmolas). Os trechos de Atos 2.48 e 4.34-37 mostram que esse preceito era tomado a sério pela igreja primitiva. Notemos em Lucas que o versículo imediatamente anterior faz ao crente a promessa de que o Pai lhe *dará o reino*. Não podemos dar mais que Deus, e nem podemos frisar por demais nossa lealdade ao mundo eterno. Se tivermos essas atitudes, não teremos nenhum problema em manter a atitude apropriada para com as riquezas, incluindo a busca desenfreada pelas propriedades terrenas e outros bens materiais.

6.19: Não ajunteis para vós tesouros na terra, onde a traça e a ferrugem os consomem, e onde os ladrões minam e roubam;

6.19 Μὴ θησαυρίζετε ὑμῖν θησαυροὺς ἐπὶ τῆς γῆς, ὅπου σὴς καὶ βρῶσις ἀφανίζει, καὶ ὅπου κλέπται διορύσσουσιν καὶ κλέπτουσιν·

19 Μὴ...ἀφανίζει Tg 5.2-3

Aqui começa a quarta seção do Sermão da Montanha — a dedicação a Deus em religião autêntica (v. 19-34). Esta seção aborda especialmente o materialismo, em contraste com a espiritualidade. Constitui o "Manifesto contra o materialismo" dos ensinos de Jesus. Estes versículos, que abrangem mais da metade do capítulo, nos ensinam a verdade dos cuidados de Deus por nós, e, em consequência, a provisão para nossas necessidades materiais. Esse ensino tem passado despercebido, tanto que, por muitas vezes, aqueles que não têm riquezas não as têm somente porque não tiveram oportunidade ou habilidade para adquiri-las, e não porque lhes faltasse a vontade de possuí-las. O deus *mamom* os atrai mais fortemente que o Cristo da Galileia. É possível que até mesmo pessoas que não são ricas tenham como deus a "mamon" (ver nota sobre essa palavra em Mt 6.24. O resumo deste ensino é: "Buscai primeiro o reino de Deus e a sua justiça, e todas estas coisas vos serão acrescentadas".

Jesus não alude aqui aos tesouros, mas à acumulação das riquezas propriamente ditas (a palavra aqui usada pode significar uma ou outra coisa).

"Traça" — É mencionada porque os tesouros orientais incluíam roupas de grande valor (Jó 27.16; Is 50.9; 51.8).

"Ferrugem" — Vem de uma palavra genérica que indica diversos agentes que desgastam as coisas de valor, e não só os objetos de metal (ver nota anterior).

"Escavam" — Os gregos chamavam os ladrões de "os que escavam a lama", porque geralmente escavavam as paredes feitas de barro (lama secada ao sol), a fim de penetrar em alguma casa. Era mais fácil fazer buracos nas paredes do que arrombar portas trancadas. Nota-se que os tipos de tesouro, os lugares onde estes eram acumulados e a maneira de adquiri-los, são todos terrenos, mundanos.

6.20 mas ajuntai para vós tesouros no céu, onde nem a traça nem a ferrugem os consome, e onde os ladrões não minam nem roubam.

6.20 θησαυρίζετε δὲ ὑμῖν θησαυροὺς ἐν οὐρανῷ, ὅπου οὔτε βρῶσις ἀφανίζει, καὶ ὅπου κλέπται οὐ διορύσσουσιν οὐδὲ κλέπτουσιν·

20 θησαυρίζετε...οὐρανῷ Sir 29.11; Mt 19.21; Mc 10.21; Lc 18.22; Cl 3.1,2

Ver nota sobre os galardões, em 1Coríntios 3.14. Ver notas sobre a "recompensa", em Mateus 6.2 e 4.

"Tesouros nos céus" — Em contraste com os tesouros da terra, os próprios tesouros celestes, o lugar onde são acumulados e a maneira de ser adquiridos, tudo é do outro mundo. Além desses contrastes com os tesouros terrenos, os tesouros nos céus são eternos e não estão sujeitos aos assaltos dos ladrões.

Nota-se que, em contraste com outras promessas existentes neste sermão, Jesus não promete galardão ou tesouro nenhum nesta terra, e nem mesmo no reino que ele queria estabelecer. Esses tesouros estão reservados "nos céus". A maior parte da multidão para a qual falou provavelmente já compreendera a verdade desse ensino. Os maiores tesouros nos esperam no outro mundo.

Os discípulos de Jesus devem ser ricos em *boas obras* (1Tm 6.18), ricos na "fé" (Tg 2.5), e são herdeiros das "insondáveis riquezas de Cristo" (Ef 3.8).

Encontramos paralelos do pensamento aqui exposto em *Tobias* 4.9 e em *Salmos de Salomão* 9.9 — "Aquele que pratica a justiça entesoura diante do Senhor a vida para si mesmo". O Testamento de Levítico 13.5 diz: "Meus filhos, praticai a justiça na terra, para que tenhais um tesouro no céu". Essa verdade também é ilustrada pela história de Henry van Dyke, *The Mansion*, que narra que um homem riquíssimo, dono de vasta mansão na terra, ao chegar ao céu encontrou uma minúscula cabana a esperá-lo. Essa cabana representava todos o material que ele enviara à sua frente, para serem utilizados na edificação de sua morada celeste. Um médico pobre, porém, que enquanto na terra costumava tratar aquele homem rico, ao chegar ao céu, encontrou uma mansão real, e foi-lhe dito que a mesma fora construída com o material que ele enviara à sua frente para ser usado naquela construção. De maneira muito real, ainda que não materialista, como nessa ilustração, construímos nossa "mansão" no outro lado da existência. Provavelmente, compreendemos pouquíssimo do que está subentendido nessas palavras. O NT não ensina a igualdade na outra vida, entre os "salvos", como também não ensina o nivelamento do "castigo" para os que estão perdidos. Jesus recebeu a sua herança porque ele cumpriu a sua missão, sofreu e obedeceu — pelo que também Deus o exaltou sobremaneira (ver Fp 2.1-10). Podemos esperar que suceda de modo diferente conosco?

6.21 Porque onde estiver o teu tesouro, aí estará também o teu coração.
6.21 ὅπου γὰρ ἐστιν ὁ θησαυρός σου, ἐκεῖ ἔσται καὶ ἡ καρδία σου.

Estas palavras indicam a verdade, dita mais adiante, de que é *impossível* a alguém servir a dois senhores: a mamon, que personifica as riquezas, sendo o deus das riquezas; ou ao Pai celeste, Deus (v. 24). Finalmente, temos de declarar nossa preferência e escolha. Lutero disse que o deus de um homem é aquilo que ele ama. Não é pecado amealhar dinheiro, como vemos em 2Coríntios 12.14, quando se visa à segurança do futuro ou ao emprego em algo importante; mas desgastar os pensamentos e as próprias forças para fazer isso, é pecado. Quando não amamos muito as coisas mundanas, não temos grande cuidado em aumentá-las, mas importa-nos apenas obter o necessário para a existência. O que consideramos tesouro é aquilo que atrai a nossa atenção e que nos desgasta as forças. Paulo escreveu: "[...] buscai as coisas lá do alto, onde Cristo vive, assentado à direita de Deus" (Cl 3.1, ARA).

A bela, porém lendária, história do apóstolo Tomé e do rei das Índias, Gondoforo, ilustra o objetivo deste texto: Tomé teria recebido grande tesouro em ouro, para com ele edificar para o rei um magnífico palácio, que seria maior que o palácio do imperador de Roma, o que seria motivo de grande orgulho para Gondoforo. O rei partiu para um país distante, e Tomé, ao invés de erigir o palácio, distribuiu todo o tesouro entre os pobres e enfermos. Quando o rei voltou, ficou muito indignado com o que Tomé fizera e o lançou na prisão. Por esse tempo, morreu o irmão do rei. Depois de quatro dias, entretanto, ressuscitou repentinamente, e, levantando-se, declarou que estivera no paraíso, onde os anjos lhe haviam mostrado um magnífico palácio, acerca do qual recebeu a seguinte explicação: "Este é o palácio que Tomé, o arquiteto, edificou para teu irmão, o rei Gondoforo". Ao ouvir isso, o rei ficou muito perturbado, foi à prisão e libertou a Tomé. Tomé retrucou: "Não sabes que

os que querem possuir grandes riquezas nos céus pouco cuidam das coisas deste mundo?" (*Arte Sagrada e Lendária*, Jameson). A história é lendária; mas a verdade por ele ilustrada é eterna ao mostrar a preocupação da humanidade com relação aos bens e despreocupação com outras coisas que tem mais valor eterno.

6.22 A candeia do corpo são os olhos; de sorte que, se os teus forem bons, todo o teu corpo terá luz;
6.22 Ὁ λύχνος τοῦ σώματός ἐστιν ὁ ὀφθαλμός. ἐὰν οὖν ᾖ ὁ ὀφθαλμός σου ἁπλοῦς, ὅλον τὸ σῶμά σου φωτεινὸν ἔσται·

<hr style="width:30%">

22 οὖν] ℵ *om pc lat* sy^c

(Lc 11.33-36). Os v. 22 e 23 formam uma pequena parábola cuja conexão, dentro do texto, não é inteiramente clara. Provavelmente, essas palavras não significam: 1) O olho como símbolo da *luz* ou da inteligência interior de que precisamos para cumprir bem os nossos deveres (assim interpretou Crisóstomo). 2) Ou que precisamos preservar a habilidade de receber luz moral e espiritual, assim como o olho recebe e usa a luz natural para guiar o corpo, a vida física. Provavelmente, isso faz parte do sentido total. 3) Talvez não esteja em vista somente a ideia comum entre os judeus, que achavam que o olho mau era símbolo da *avareza*. 4) O sentido principal fala da *simplicidade*, em contraste com a duplicidade. Provavelmente, os fariseus e outras autoridades religiosas deram ensejo a essa ilustração. Esses homens transformavam a religião em um grande drama mundano, motivados somente pelos interesses pessoais. Não se pode dizer que nunca tiveram algum impulso espiritual, mas este sempre surgia mesclado com considerações individuais. Jesus acabara de dizer a verdade sobre os tesouros na terra e nos céus. Alguns desejam possuir ambas as coisas, e assim pretendem servir aos dois senhores, ao Deus dos céus e a 'mamon', na terra. Tais indivíduos praticam a duplicidade, e não possuem olhos simples.

"Bons" — A tradução mais certa é "simples", ou *não múltiplos*. No grego clássico, o vocábulo era usado para significar simplicidade de propósitos ou de intenção. Ver Provérbios 4.25-27. O olho saudável vê uma imagem só, e não duas, como sucede no caso de certas doenças dos olhos. Assim também, a alma banhada de luz espiritual vê somente uma imagem, é orientada por um só propósito, serve a um só Deus, busca as riquezas celestes e não também as terrenas, e serve a um só código de moral. O olho natural é o órgão que capta a luz e que guia todos os membros do corpo em suas ações. A alma, a mente simples, recebe luz espiritual para guiar a vida toda no caminho de Deus. Jerônimo explica: "Simplex oculus et purus simplicia intuetur et pura".

6.23 se, porém, os teus olhos forem maus, o teu corpo será tenebroso. Se, portanto, a luz que em ti há são trevas, quão grandes são tais trevas!
6.23 ἐὰν δὲ ὁ ὀφθαλμός σου πονηρὸς ᾖ, ὅλον τὸ σῶμά σου σκοτεινὸν ἔσται. εἰ οὖν τὸ φῶς τὸ ἐν σοὶ σκότος ἐστίν, τὸ σκότος πόσον.

<hr style="width:30%">

23 ἐὰν...ᾖ] Mt 20.15; Mc 7.22

"Olhos [...] maus" — Significa olhos enfermos, que *não funcionam* corretamente, especialmente (conservando a ideia do verso anterior) os olhos que não podem captar uma única imagem, mas sempre enxergam duas imagens distintas. Jesus fala da faculdade espiritual, utilizando-se do símbolo da visão. Se essa faculdade não for normal, mas enfermiça e fraca, dificilmente o indivíduo poderá praticar bom senso espiritual para evitar servir a dois senhores. Os fariseus sofriam dessa duplicidade espiritual, e o tipo de religião por eles praticado demonstrava que resultado se pode esperar desse tipo doentio de "visão".

Paulo também lançou mão do termo "olho" como símbolo da faculdade espiritual. [...] *iluminados os olhos do vosso coração...*, disse ele, referindo-se à iluminação da alma pela ação do Espírito, cujo resultado é dado em seguida: "[...] para saberdes qual é a

330 |Mateus| NTI

esperança do seu chamamento, qual a riqueza da glória da sua herança nos santos e qual a suprema grandeza do seu poder para com os que cremos..." (Ef 1:18,19, ARA). Mediante a faculdade espiritual do homem, o Espírito ilumina, mostrando o que é mais importante para o homem — as riquezas espirituais, o destino do homem no plano de Deus, e a sua herança em Cristo. Se essa faculdade for fraca, treinada incorretamente, cheia de sombras, o homem terá uma ideia distorcida sobre os propósitos e desígnios da vida.

"A luz seja trevas" — Há diversas ideias sobre o sentido dessas palavras: 1) Ideia moderna: expressão forte para indicar a grandeza das trevas espirituais. 2) A luz seria a mente humana, a faculdade de receber a luz de Deus. 3) O resto da natureza divina (aquela porção que o homem ainda não perdeu totalmente) que ainda perdura no homem. (Ver Jo 8.47; 18.37.) 4) A faculdade de raciocinar, que permite receber a luz de Deus e interpretar corretamente. Provavelmente, isso é o que Jesus queria indicar, se juntarmos essa ideia ao testemunho do AT e a outros meios utilizados por Deus para nos iluminar (por exemplo, a luz). Se esses meios de iluminação forem transformados em trevas, por meio da natureza pervertida do homem, as trevas resultantes serão maiores do que as trevas que usualmente acompanham a natureza humana que de maneira nenhuma é iluminada. Da mesma forma que a lei induz ao pecado (ver Rm 5.20), assim também a luz pervertida produz trevas ainda mais densas.

Saul Kane, *"The Everlasting Mercy"*, escreveu:

Ó glória da mente iluminada,
Quão morto tenho sido, quão surdo, quão cego!
O pequeno riacho, para meus novos olhos,
Borbotava do próprio Paraíso.

A visão celestial não pode ser cristalina enquanto os nossos olhos não forem límpidos. O mundo não pode ser novo enquanto não for renovada a nossa visão interior. A impressão que recebemos de todo o mundo visível depende da qualidade de nossa visão material. Outro tanto diz respeito à visão íntima de Deus. Possuímos olhos espirituais com os quais podemos contemplar essa glória.

6.24: Ninguém pode servir a dois senhores; porque ou há de odiar a um e amar o outro, ou há de dedicar-se a um e desprezar o outro. Não podeis servir a Deus e às riquezas.

6.24 Οὐδεὶς δύναται δυσὶ κυρίοις δουλεύειν· ἢ γὰρ τὸν ἕνα μισήσει καὶ τὸν ἕτερον ἀγαπήσει, ἢ ἑνὸς ἀνθέξεται καὶ τοῦ ἑτέρου καταφρονήσει· οὐ δύνασθε θεῷ δουλεύειν καὶ μαμωνᾷ.

<hr>

24 μαμωνᾷ Lc 16.9

Ver Lucas 16.13. Este versículo é a conclusão ou aplicação das palavras de Jesus sobre os tesouros, a luz e as trevas. O homem que cuida das coisas espirituais procura apenas um tesouro, isto é, o tesouro dos céus. Busca também conservar "visão boa", visão que não enxergue duas imagens. Esforça-se por receber e usar a "luz" de Deus, que recebe acolhedoramente da parte de Deus, a fim de não permitir que essa luz se torne trevas.

"Ninguém pode servir a dois senhores" — Jesus demonstra que não somente é difícil a alguém ter visão singela (embora isso alcance o alvo espiritual do ser humano), mas também que é totalmente impossível alguém obter esse alvo, se tiver visão dupla. Finalmente, o homem será fiel a um ou outro senhor. Essa fidelidade inclui a expressão de amor ou de ódio, da parte do homem. O senhor que finalmente obtiver a fidelidade do homem terá, ao mesmo tempo, o amor desse homem.

"Servir" — No grego, significa servir como *escravo*, indicando fidelidade total, sem reservas, porquanto o escravo não tinha vida própria, mas tudo fazia segundo a vontade do seu "senhor". É claro, portanto, que tal serviço não pode ser prestado a dois senhores. A natureza física e psicológica do homem não suporta a dureza de servir a dois senhores, se o serviço prestado for próprio de um escravo. O homem que servisse a dois senhores, como escravo, finalmente começaria a detestar um deles, em revolta contra o seu serviço tão árduo. Ao mesmo tempo, começaria a ter simpatia pelo outro, esperando ser libertado da dura vida de servir a dois senhores. Assim também ocorre na vida espiritual. A natureza humana não é capaz de servir totalmente, com todas s forças, ao mesmo tempo, ao que é espiritual e ao que é carnal. O homem terá de escolher finalmente que senhor prefere. O verdadeiro serviço ao senhor implica em amor a este, porque, segundo as ideias bíblicas, o verdadeiro serviço não pode ser prestado sem o concurso do amor. A falta de amor subentende, por si mesma, a existência de "dois senhores". (Ver 1Co 13.1-3.)

"Riquezas" — Em outra tradução, aparece como transliteração "mamon" (por exemplo). Não há certeza sobre a derivação original dessa palavra, mas parece significar "aquele em que alguém confia", como objeto de fé e confiança. O uso da palavra é claro. Provavelmente, em sua origem, era termo caldeu (mas também é empregado pelo siríaco e pelo púnico), com o sentido de "riquezas". Alguns intérpretes opinam que, originalmente, a palavra proveio da mitologia, como nome de um deus qualquer (o deus das riquezas), e que entrou para esses idiomas como sinônimo de riquezas. Depois, perdeu-se a conexão com a mitologia. Assim sendo, "Mamon" equivaleria a "Plutão", o deus das riquezas, segundo a mitologia grega. A evidência em favor dessa ideia é fraca, e, assim sendo, a maior parte dos intérpretes acha que, no original, a palavra significava "riquezas", para assim entrar na mitologia como ideia personificada. Jesus usou a palavra personificada a fim de indicar o deus das riquezas carnais em contraste com o Deus dos céus, que possui as verdadeiras riquezas e que quer conferi-las a homens que vivam de conformidade com as suas regras. É impossível a alguém servir (como escravo) a ambos esses deuses.

Existem outros provérbios orientais que trazem o mesmo sentido. *"Ninguém pode carregar dois melões em u'a mão só"*. Platão e Filo ambos expressaram ideias semelhantes. *Aboth* 2.12 diz: "Que as propriedades de teu companheiro te sejam tão caras como as tuas próprias". Precisamos respeitar os direitos de propriedade de Deus, e, para fazer isso, é mister que percebamos que é impossível servir também a Satanás. A "Divina Comédia" descreve uma região especializada do inferno, reservada para aqueles cuja lealdade não é fria nem quente. (Dante, *Inferno*, canto III)

> **(f) Ansiedade e confiança (6.25-34)**
> "O homem que quiser ter um tesouro nos céus (v. 20), que quiser que a linha orientadora de sua vida seja reta (v. 22), e que quiser servir a Deus e não às propriedades (v. 24), deve desvencilhar-se das preocupações" (Sherman Johnson, in loc.). Ao mesmo tempo, deve desenvolver a confiança apropriada no Pai celeste. Isso Jesus exige da parte do novo Israel, que acolheu a sua nova lei. Essas instruções são distintamente cristãs, ainda que originalmente tenham sido dadas aos judeus. O evangelho de Mateus é um documento cristão, ainda que reflita a transição da antiga para a nova dispensação.

6.25 Por isso vos digo: Não estejais ansiosos quanto à vossa vida, pelo que haveis de comer, ou pelo que haveis de beber; nem, quanto ao vosso corpo, pelo que haveis de vestir. Não é a vida mais do que o alimento, e o corpo mais do que o vestuário?

6.25 Διὰ τοῦτο λέγω ὑμῖν, μὴ μεριμνᾶτε τῇ ψυχῇ ὑμῶν τί φάγητε [ἢ τί πίητε]⁷, μηδὲ τῷ σώματι ὑμῶν τί ἐνδύσησθε· οὐχὶ ἡ ψυχὴ πλεῖόν ἐστιν τῆς τροφῆς καὶ τὸ σῶμα τοῦ ἐνδύματος;

$\overline{25\ \mu\grave{\eta}\ \mu\epsilon\rho\iota\mu\nu\hat{\alpha}\tau\epsilon}$ Fp 4.6

$\overline{^725}$ {C}$\mathring{\eta}$ τί πίητε B W f^{13} 33 1230 it$^{\text{aur,c,f,g}^1\text{,h,q}}$ cop$^{\text{sa mss,bo}}$ arm eth$^{\text{ms?}}$ geo^1 (geo^B *omit* τί) Origen (Eusebius) Athanasius mss$^{\text{acc. to}}$ Jerome Marcus Maximus-Confessor // καὶ τί πίητε K L Δ Θ Π (28 1071 πίεται) 565 700 1009 1010 1079 1195 1216 1241 1242 1253 1365 1546 1646 (2148 πίεται [= τίετε]) 2174 *Byz Lect* l^{76mg} syr$^{\text{p,h}}$ goth eth$^{\text{ms?}}$ geo^A Basil // *omit* ℵ f^1 892 it$^{\text{a,b,ff}^2\text{,k}^1}$ vg syr$^{\text{c,pal}}$ cop$^{\text{sa mss}}$ eth$^{\text{ro,pp}}$ Justin Clement Origen Adamantius Methodius Hilary Athanasius Basil Epiphanius Chrysostom Augustine (Cyryl)

> Em favor da forma mais curta, à qual faltam as palavras ἤ τί πίητε, há a possibilidade de o texto ter sido assimilado ao v. 31. A variação entre καὶ e ἤ também pode ser tomada como indicação da natureza secundária da adição. Por outro lado, a similaridade da terminação de φάγητε e πίητε pode ter ocasionado um equívoco de transcrição por parte de um ou mais copistas. Para representar o equilíbrio de probabilidades, a comissão reteve as palavras, mas dentro de colchetes.

Jesus apresenta *oito* razões pelas quais devemos evitar a ansiedade quanto à vida física. Ver a lista no fim do v. 34. Aqui, Jesus aplica diretamente as palavras do v. 24, mostrando que não é somente o rico que pode ter "mamon" como seu deus, mas até mesmo o pobre, que nem sabe de onde virá a próxima refeição. Mais do que isso, mostra que a ansiedade é uma forma de adoração a "mamon", porque demonstra a falta de confiança em Deus. Aquele que se deixa vencer pelas ansiedades mostra que está servindo a dois mestres, e essa ideia mostra não só o poder do deus do dinheiro, mas também a sua adoração quase universal, chegando ao cúmulo de roubar o Deus verdadeiro dos discípulos do Senhor. Parece que esse deus é um agente especial de Satanás, sendo o segundo em poder no mundo das más influências.

"Não andeis ansiosos" — "Ansiosos" vem de um termo grego que significa distrair. Fica subentendida a ideia de duplicidade. A ideia básica é que a mente procura seguir em duas direções ao mesmo tempo, resultando em confusão e certa dose de sofrimentos. A mente começa a admitir o pensamento inferior de que a vida consiste apenas em "comer", "beber" e "vestir-se". Quem toma essa atitude torna-se discípulo de "mamon". E não pode também ser discípulo do reino, porquanto já perdeu a confiança no Rei e no Deus do Rei. Provavelmente, Jesus também queria dizer que a ansiedade é a raiz da avareza. O indivíduo principia pela ansiedade, desenvolve a avareza, e logo gasta a vida inteira em favor do deus *mamon*. Esse indivíduo mostra possuir uma ideia primitiva e vil sobre os propósitos e alvos da vida humana, rebaixando-a a pouco mais do que a vida dos animais irracionais. Provavelmente, Jesus também indica que o espírito de ansiedade, por si mesmo, é prova da influência de "mamon" sobre o coração, o que indica um desenvolvimento inadequado da alma. A ansiedade, por conseguinte, seria a evidência, e não a causa, de um desenvolvimento espiritual insuficiente.

"Vida" — No grego, é o vocábulo "psyche", do qual vem nossa palavra moderna, "psique". Essa palavra tem diversos significados: 1) A alma, princípio da vida, elemento espiritual do homem (Gn 9.4; Ap 8.9; Lc 12.20). 2) A vida na terra, vida física (Mt 2.20; Rm 11.3). 3) A alma como centro da vida interior (Lc 12.19; Pv 25.25). 4) As emoções e os sentidos (Lc 1.46; 2.35; Rm 2.9). 5) A alma como verdadeira vida, em contraste com o "corpo" (Hb 6.19; 1Pe 2.14). 6) Uma criatura viva (Gn 1.24; 1Co 15.45; Mc 3.4). Pode estar subentendido o elemento espiritual, mas às vezes essa referência inclui só a posse da vida física, sem afirmar ou negar o elemento espiritual. Ver Romanos 13.1, onde "homem" é tradução da palavra grega *psyche*.

Provavelmente, Jesus falou, neste ponto, da vida do homem em seu sentido total, a vida física, mas também incluiu a ideia de que o homem é mais do que um corpo. A expressão desse ser (*físico--espiritual*) nesta vida deve incluir desejos e interesses que não abranjam apenas as coisas físicas. Esta "vida" deve ser orientada pelos princípios espirituais do reino de Deus, e deve levar em conta o verdadeiro destino e utilização da vida humana. A personalidade humana merece mais consideração do que a simples satisfação dos desejos físicos. O homem é mais do que um mero animal (Mt 12.12). Os animais, até mesmo os inferiores, como as aves, não são vencidos pela ansiedade. A criatura, muito maior que elas — o homem —, tem a obrigação de aprender a confiar em Deus, que o criou, como também criou os animais inferiores.

6.26 Olhai para as aves do céu, que não semeiam, nem ceifam, nem ajuntam em celeiros; e vosso Pai celestial as alimenta. Não valeis vós muito mais do que elas?

6.26 ἐμβλέψατε εἰς τὰ πετεινὰ τοῦ οὐρανοῦ ὅτι οὐ σπείρουσιν οὐδὲ θερίζουσιν οὐδὲ συνάγουσιν εἰς ἀποθήκας, καὶ ὁ πατὴρ ὑμῶν ὁ οὐράνιος τρέφει αὐτά· οὐχ ὑμεῖς μᾶλλον διαφέρετε αὐτῶν;

$\overline{26\ \dot{\epsilon}\mu\beta\lambda\dot{\epsilon}\psi\alpha\tau\epsilon...\alpha\dot{\upsilon}\tau\acute{\alpha}}$ Sl 5.1-11, LXX

Aqui está a *segunda* das oito razões pelas quais não devemos ser vencidos pela ansiedade (ver a lista no fim do v. 34). Jesus apresenta aqui dois exemplos dos cuidados do Pai pela sua criação: as aves do céu e os lírios dos campos. As aves ilustram os cuidados do Pai a respeito de nossa alimentação. Os lírios ilustram a provisão de nosso vestuário. Jesus ensina o teísmo, em contraste com o deísmo. Ver as notas sobre as ideias acerca da natureza de Deus, em Atos 17.27.

As aves não produzem seu alimento nem cuidam da terra, que dá tal provisão. Gratuitamente obtêm o alimento de que necessitam. Jesus não quis dizer, com isso, que podemos ou devemos eliminar o trabalho que nos traz o alimento. (Paulo proíbe essa atitude, em 2Ts 3.10). Jesus não encorajava a preguiça nem falava contra o esforço do trabalho. Tão-somente mostrou que a obtenção da alimentação não deve ser acompanhada pela ansiedade, porquanto a providência divina funciona neste mundo até mesmo entre os animais inferiores, como as aves. O discípulo é reputado filho do Deus dos céus. As aves, sendo criaturas de pouco valor, eram vendidas no mercado como alimentação dos pobres, mas ainda assim Deus cuidava delas; porventura esse Deus não cuidaria dos próprios filhos? Se o discípulo negar ou duvidar dessa provisão, então agirá como o pagão, que nunca considerou Deus seu Pai. E essa atitude também mostra que o discípulo ainda está seguindo o deus "mamon". Até os animais inferiores têm mais bom senso do que esse. Nunca tivemos conhecimento de um pai humano que tenha tido cuidado das aves e que, ao mesmo tempo, não tivesse cuidado de seus filhos. Poderíamos pensar que o Pai celeste falharia nisso?

6.27 Ora, qual de vós, por mais ansioso que esteja, pode acrescentar um côvado à sua estatura?

6.27 τίς δὲ ἐξ ὑμῶν μεριμνῶν δύναται προσθεῖναι ἐπὶ τὴν ἡλικίαν αὐτοῦ πῆχυν ἕνα;

$\overline{27\ \mu\epsilon\rho\iota\mu\nu\hat{\omega}\nu]}$ om 1293 it syr^c

Terceira razão para não andarmos ansiosos: O *côvado* era usado como medida linear, mas também como medida de tempo. Quando tinha o sentido de espaço, indicava uma medida de cerca de 46 centímetros. Quando tinha o sentido de tempo, indicava um período breve. Provavelmente, o uso do termo, neste caso, envolve tempo, e não extensão, porquanto o crescimento de 46 centímetros, causado pela ansiedade, seria um grande milagre, mas Jesus mostrava que a ansiedade para nada vale, não tem efeito nenhum. As traduções AA GD (NE, em rodapé) RSV BR ASV e M dão como tradução a ideia de tempo, como a seguinte: "[...] pode alguém acrescentar um côvado ao curso de sua vida?" Entretanto, a tradução também pode tomar esta forma: "[...] pode adicionar ao menos um passo à sua vida?" A ansiedade não pode aumentar a

332 |Mateus| NTI

vida nem um dia sequer. E ainda que o sentido envolva a estatura física (como é apresentado pelas traduções KJ AC e IB), o ensino ainda fica claro. A *ansiedade* não pode efetuar o desenvolvimento físico, nem acrescentar nada de importante à vida humana. Ver nota acima. A ideia de que a raça humana, de modo geral, anseia por aumentar a duração da vida, enquanto que a estatura física é motivo de ansiedade para poucos, também indica que Jesus se referiu ao elemento tempo, e não à estatura física.

6.28 E pelo que haveis de vestir, por que andais ansiosos? Olhai para os lírios do campo, como crescem; não trabalham nem fiam;

6.28 καὶ περὶ ἐνδύματος τί μεριμνᾶτε καταμάθετε τὰ κρίνα τοῦ ἀγροῦ πῶς αὐξάνουσιν οὐ κοπιῶσιν οὐδὲ νήθουσιν[8].

[8]28 {B} αὐξάνουσιν οὐ κοπιῶσιν οὐδὲ νήθουσιν ℵ* (B κοπιοῦσιν) f[1] (33 κοπιῶσιν and νήθουσιν) (1071 αὐξάνει) it[s,aur,b,c,f,ff¹,g¹,h,(k),l] vg syr[p,h,pal] cop[sa,bo] eth geo Hilary Athanasius Chrysostom Augustine // οὐ ξένουσιν [= ξαίνουσιν] οὐδὲ νήθουσιν οὐδὲ κοπιῶσιν ℵ*vid // αὐξάνει οὐ κοπιᾷ οὐδὲ νήθει (ver Lc 12.27) K L W A Π f[13] 28 565 700 892 1010 1079 1195 1216 1230 1241 1242 1253 1365 1546 2148 2174 Byz Lect (l[85] νήθη) goth arm Basil // αὐξάνουσιν οὐ νίθουσιν [sic] οὐδὲ κοπιῶσιν Θ syr[c] // αὐξάνει καὶ οὐδὲ νήθει 1646 // αὔξανεν 1009

A forma de K L W D f[13] 28 565 700 892 al, que tem os verbos no singular, parece ter sido uma correção escribal, introduzida por causa do sujeito plural no gênero neutro (cf. também Lc 12.27).

A forma original do códex sinaítico, que foi descoberta quando o manuscrito foi examinado sob uma lâmpada ultravioleta, é οὐ ξένουσιν (= ξαίνουσιν) οὐδὲ νήθουσιν οὐδὲ κοπιῶσιν, "eles não cardam, nem fiam e nem labutam". Essa forma, embora considerada a original por alguns eruditos, sem dúvida surgiu de uma idiossincrasia escribal, corrigida quase imediatamente. O códex Koridethi, apoiado pelo siríaco curetoniano, reverte a ordem dos verbos, pondo a palavra específica (fiam) antes da palavra geral (labutam).

Jesus apresenta aqui a *quarta* razão para não andarmos ansiosos: a ansiedade é *inútil* para providenciar o vestuário. Produzir vestes dá trabalho. O indivíduo precisa fiar; mas os lírios do campo vestem-se com muito mais beleza do que os homens, porquanto são vestidos pela mão de Deus. Os lírios não podem raciocinar, e nem tampouco as aves, e mesmo assim suas vestes são superiores às vestes humanas. Essa é a provisão dada por Deus. Se o Deus criador tem esse interesse por uma simples flor, que para pouco vale, porventura não cuidaria de seus filhos, providenciando-lhes as roupas necessárias?

"Considerai" — É palavra de sentido forte: "observai bem", "aprendei bem". É a mesma palavra usada para indicar a atenção com que Rebeca foi examinada pelo homem que chegou à sua terra para buscar esposa para Isaque (ver Gn 24.21).

As flores, que cresciam sem precisar de cuidados humanos, eram consideradas de pouco valor. Se o campo fosse preparado para ser plantado, a hera era cortada ou queimada, e todas as flores também teriam o mesmo destino. A despeito do reduzido valor das flores, *Deus* cuida delas, providenciando-lhes belíssimas vestes. Ora, se Deus assim age no tocante à criação física, por acaso não cuidaria, nesse particular, de seus filhos? Precisamos lembrar que os povos antigos reputavam as vestes como parte integrante de suas posses, e que as classes privilegiadas gastavam grandes somas e muito tempo para adquirir roupas de alta qualidade. Nota-se, igualmente, que os tesouros orientais incluíam vestes de alto preço (ver nota sobre isso no v. 19). Assim sendo, lembrando-nos desses fatos, podemos compreender melhor a advertência de Jesus em relação ao assunto.

6.29: contudo vos digo que nem mesmo Salomão em toda a sua glória se vestiu como um deles.

6.29 λέγω δὲ ὑμῖν ὅτι οὐδὲ Σολομὼν ἐν πάσῃ τῇ δόξῃ αὐτοῦ περιεβάλετο ὡς ἓν τούτων.

29 Σολομών...αὐτοῦ 1Rs 10; 2Cr 9

"Salomão [...] em sua glória" — Em contraste com Davi, Salomão reinou em *paz*; e nisso se distinguiu também de outros deuses de Israel. Utilizou-se das riquezas do país a fim de construir o templo, e muito material foi importado para aumentar a glória deste. Adquiriu tesouros e outras riquezas mais do que qualquer outro monarca de Israel, e sua reputação tornou-se universal entre as nações, como soberano muito rico. Ver 2Crônicas 9, onde há uma descrição minuciosa das riquezas e da fama de Salomão. Qualquer judeu poderia compreender o significado das palavras de Jesus. Nenhum judeu, por mais ambicioso que fosse, teria a ideia de duplicar as glórias de Salomão. A providência divina, no tocante ao vestuário, porém, ultrapassa a glória de Salomão. Deus, portanto, não teria problema nenhum em providenciar vestes para os seus filhos. Alguns comentaristas encontram aqui lições espirituais e acham que a provisão do vestuário inclui as vestes do caráter, do espírito dos indivíduos, e não somente a roupa material, para o corpo. Aquele que se preocupar mais com as vestes do espírito não sentirá a necessidade de outras vestes. Lê-se, na tradição judaica, que até os assistentes de Salomão vestiam-se de púrpura e derramavam ouro em pó nos cabelos. No entanto, a glória do simples lírio envergonharia ao próprio Salomão.

6.30 Pois, se Deus assim veste a erva do campo, que hoje existe e amanhã é lançada no forno, quanto mais a vós, homens de pouca fé?

6.30 εἰ δὲ τὸν χόρτον τοῦ ἀγροῦ σήμερον ὄντα καὶ αὔριον εἰς κλίβανον βαλλόμενον ὁ θεὸς οὕτως ἀμφιέννυσιν, οὐ πολλῷ μᾶλλον ὑμᾶς, ὀλιγόπιστοι;

As flores não eram mais altamente consideradas que a erva dos campos. Lemos que a erva era empregada como combustível (devido à falta de madeira abundante na Palestina) nos fornos. Neste caso, *forno* indica um pote redondo, feito de barro, que era usado para assar o pão. O pote era oco e a hera era posta em seu interior para ser queimada. Quando o fogo já aquecera suficientemente o forno, a massa era posta nos lados, por fora, e assim era assada.

Jesus, portanto, mostrou que as flores, apesar de sua beleza, eram de *pouco valor* e só serviam de combustível, o qual, por sua vez, era utilizado no fabrico do pão para os homens. Entretanto, é Deus quem veste as flores com sua beleza. Esse mesmo Deus, por conseguinte, deve ter muito mais cuidado pelos homens, já que essas flores servem somente para ajudar a fornecer pão para os homens. Jesus não nos promete dar trajes mais belos que as vestes das flores, e, sim, o fornecimento do que nos é necessário, fornecimento esse não menos garantido que o das flores. Portanto, a certeza do fornecimento é a lição principal do texto.

"De pequena fé" — Essa expressão que, no grego, é realmente uma única palavra, não se acha na literatura grega clássica; mas nos evangelhos é encontrada cinco vezes: Mateus 6.30; 8.26; 14.31; 16.8 e Lucas 12.28. O vocábulo não pode ser encontrado noutros textos do NT. Jesus não indicou, com essas palavras, que os discípulos fossem pessoas sem fé, mas que a fé que tinham era muito fraca ainda, fraca demais para acolher realmente seu ensinamento sobre a ansiedade a ser evitada.

6.31 Portanto, não vos inquieteis, dizendo: Que havemos de comer? ou: Que havemos de beber? ou: Com que nos havemos de vestir?

6.31 μὴ οὖν μεριμνήσητε λέγοντες, Τί φάγωμεν; ἤ, Τί πίωμεν; ἤ, Τί περιβαλώμεθα;

Jesus repete aqui os mandamentos dos v.25 e 28, como *resumo*: Quais os principais desejos dos gentios, que não são dignos de se tornarem discípulos do reino? A comida, a bebida e as roupas. O próprio Salomão proferiu palavras como estas: "Todo o trabalho do homem é para a sua boca, e, contudo, nunca se satisfaz a sua cobiça" (Ec 6.7, ARC). Esses desejos, por si mesmos, não são errados; mas o indivíduo que passa a vida inteira satisfazendo apenas os desejos da carne certamente não é um discípulo do reino. Não se pode pensar que Jesus incluiria somente essas coisas simples (necessidade de comida, de bebida e de vestes) em sua aplicação destas palavras. Ele fazia alusão aos desejos terrestres em contraste com os desejos espirituais.

6.32 (Pois a todas estas coisas os gentios procuram.) Porque vosso Pai celestial sabe que precisais de tudo isso.

6.32 πάντα γὰρ ταῦτα τὰ ἔθνη ἐπιζητοῦσιν· οἶδεν γὰρ ὁ πατὴρ ὑμῶν ὁ οὐράνοις ὅτι χρῄζετε τούτων ἁπάντων.

Quinta razão para que seja evitada toda ansiedade: o caráter dos *gentios*.

"Os gentios [...] procuram todas estas coisas" — Deve haver alguma "diferença" entre os discípulos do reino e os gentios, os quais não têm esclarecimento nenhum. É somente quando sua luz se obscurece que os discípulos agem como os gentios. Na Galileia, as atitudes dos gentios podiam ser facilmente observadas. Os judeus certamente não gostariam de ser comparados com eles. Provavelmente, estas palavras contêm uma referência indireta ao orgulho racial dos judeus. Esse orgulho dificilmente se justificaria se as ações dos judeus fossem semelhantes às dos gentios. A ausência desses desejos realmente espirituais (devido à pouca iluminação) entre os gentios é que provocara a sua apostasia, levando-os, finalmente, à adoração aos ídolos. Se os discípulos vivessem do mesmo modo que os gentios, exercendo o caráter e os desejos dos gentios, em breve seriam eliminadas as diferenças entre eles e os gentios, e isso certamente impediria o crescimento da fé dos primeiros nas promessas do Pai celeste.

"Vosso Pai celeste sabe" — *Sexta* razão pela qual não podemos ser ansiosos pelas coisas visadas pelos desejos carnais: O Pai tem conhecimento perfeito das necessidades físicas do homem e de toda a sua vida. Pode-se imaginar um pai natural, terreno, que, apesar de ter conhecimento das necessidades de seus filhos, não os sustentasse; mas não se pode imaginar que essa possa ser a atitude do Pai celeste. Toda a Escritura ensina a bondade do Pai celestial. A Bíblia inteira ensina seu conhecimento e sabedoria perfeitos. Assim sendo, podemos esperar confiantemente o suprimento de todas as necessidades que temos, da parte do Pai. Os pagãos não tinham seus deuses como seus pais, pelo que tinham razão em não esperar muito da parte deles. O discípulo do reino, que é filho do Pai celeste, porém, tem razão em esperar o fornecimento de tudo.

Há uma citação de *Cícero* que diz: "Não oramos a Júpiter para fazer-nos bons, e, sim, para dar-nos benefícios materiais. Devemos orar a deus pedindo os dons da fortuna, mas a sabedoria, precisamos adquirir por nós mesmos". Muitos teólogos helenistas consideravam que as ações de graças são a única forma apropriada de oração que se deve oferecer a Deus. Jesus, porém, mostrou que são legítimos muitos pedidos, incluindo o do pão diário.

6.33 Mas buscai primeiro o seu reino e a sua justiça, e todas estas coisas vos serão acrescentadas.

6.33 ζητεῖτε δὲ πρῶτον τὴν βασιλείαν καὶ τὴν δικαιοσύνην αὐτοῦ⁹, καὶ ταῦτα πάντα προστεθήσεται ὑμῖν.

---

33 Sl 37.4

⁹33 {C} τὴν βασιλείαν καὶ τὴν δικαιοσύνην αὐτοῦ ℵ (B τὴν δικαιοσύνην καὶ τὴν βασιλείαν αὐτοῦ) (1646 βασιλείαν αὐτοῦ) (itᵏ Cyprian δικαιοσύνην τοῦ θεοῦ) it¹ (copˢᵃ,ᵇᵒ ethʳᵒ/ᵖᵖ⁷ Aphraates βασιλείαν αὐτοῦ) Tertullian Eusebius // τὴν βασιλείαν τοῦ θεοῦ καὶ τὴν δικαιοσύνην αὐτοῦ K L W Δ Θ Π fˡ fˡ³ 28 33 565 700 892 1009 1010 1071 1079 1195

1216 1230 1241 1242 1253 1365 1546 2148 2174 *Byz Lect* itᵃᵃ,ᵃᵘʳ,ᵇ,ᶜ,ᶠ,ᶠᶠ¹,ᵍ¹,ʰ vg syrᶜ,ᵖ,ʰ,ᵖᵃˡ arm ethᵐˢ geoᴸ,ᴬ Clementˡ/³ Augustine Cyril // τὴν βασιλείαν τῶν οὐρανῶν καὶ τὴν δικαιοσύνην αὐτοῦ 301 (Clement²/³ *omit* αὐτοῦ) Chrysostom // τὴν βασιλείαν τοῦ θεοῦ 119 245 482 *l*¹⁸⁴,¹⁸⁷ geoᴮ // τὴν βασιλείαν τῶν οὐρανῶν Justin

---

> Os informes textuais são susceptíveis de avaliações bastante diversas. Por um lado, segundo a opinião da minoria da comissão, a forma que melhor explica o surgimento das outras formas é a apoiada por ℵ (B) it¹ *al*, pois a adição de τοῦ θεοῦ, (ou τῶν οὐρανῶν -), após βασιλείαν, parece ser um suplemento bem natural, o qual, se ordinariamente estivesse presente, não teria sido apagado. (A transposição das palavras δικαιοσύνην e βασιλείαν, em B, talvez resulte do desejo de sugerir que a retidão é pré-requisito à participação no reino; cf. 5.20).
>
> Por outro lado, a maioria da comissão ficou impressionada pelo uso prevalente de Mateus, que quase nunca emprega βασιλεία sem um modificador (os exemplos em 8.12; 13.38 e 24.7,14 foram considerados exceções especiais), e explicou a ausência de um modificador, em diversos testemunhos, como devido à omissão escribal acidental. Em face dessas interpretações conflitantes, achou-se melhor incluir as palavras no texto, mas deixá-las entre colchetes.

Sétima razão pela qual a ansiedade não deve fazer parte da vida dos discípulos do reino: a promessa de que a busca pelas coisas espirituais, só por si, *garante* o fornecimento para as necessidades físicas. Esse versículo atinge o ponto mais alto do "Manifesto contra o Materialismo" — Mateus 6.13-34 —, e ao mesmo tempo nos apresenta a principal instrução do ensino de Jesus acerca da atitude que cabe ao discípulo, no tocante às coisas físicas.

"Em primeiro lugar" — Todos os manuscritos de Mateus trazem essas palavras, mas não assim a passagem paralela, em Lucas 12.31. Devido a esse fato, alguns supõem que, provavelmente, Jesus só permite uma busca, uma ansiedade, uma forte expressão de desejo, um exercício da alma — aquilo que diz respeito ao reino de Deus e à sua justiça. A busca do reino é a busca do "summum bonum", e nenhuma outra busca merece a atenção do ser humano, que foi feito à imagem de Deus. Só essa busca é permitida aos filhos do Pai celeste. Assim agindo — procurando somente as coisas pertinentes ao reino de Deus —, os discípulos não teriam problema nenhum com a provisão das necessidades físicas. Assim, se poderia imaginar que o Deus que providencia as coisas mais importantes, que visa ao benefício da alma, não providenciaria também as coisas menos importantes, atinentes às necessidades físicas?

Outras palavras de Jesus, segundo a tradição, mas que não se acham no NT, são as seguintes: "Desejai as coisas grandes (as mais importantes), e as coisas pequenas vos serão acrescentadas; e desejai as coisas celestiais, e as coisas terrestres vos serão acrescentadas" (*Fabric. Cod. Aprocif.* 1.329). Deve-se notar que Orígenes e Clemente de Alexandria também citaram essas palavras atribuídas a Jesus.

"O reino" — (Ver nota detalhada em Mt 3,2.) É o tema principal do sermão. Jesus ofereceu o reino de Deus, literalmente, sobre a face da terra. O discípulo desse reino deve buscar o mesmo reino, e não como os gentios ou como as autoridades religiosas dos judeus, que em realidade não desejavam fazer parte do reino, mas se contentavam em ser atores no que diz respeito à substância da religião revelada. Paulo expressou a mesma ideia de Jesus, ao escrever: "[...] não atentando nós nas coisas que se veem, mas nas que se não veem; porque as que se veem são temporais, e as que se não veem são eternas" (2Co 4.18, ARC).

"De Deus" — Nos mss EGKLMSUVN Delta Fam Pi 13 e nas traduções KJ NE AC F e M. Essas palavras são omitidas nos mss Aleph B lat (g(1) k m), a maioria dos mss cópticos, Tertuliano e as traduções ASV RSV PH WM WY BR GD e IB. O reino de Deus fica subentendido no contexto, e a maioria das traduções diz "seu reino".

334 | Mateus | NTI

6.34: Não vos inquieteis, pois, pelo dia de amanhã; porque o dia de amanhã cuidará de si mesmo. Basta a cada dia o seu mal.

6.34 μὴ οὖν μεριμνήσητε εἰς τὴν αὔριον, ἡ γὰρ αὔριον μεριμνήσει ἑαυτῆς· ἀρκετὸν τῇ ἡμέρᾳ ἡ κακία αὐτῆς.

34 μὴ...αὐτῆς Êx 16.4

Oitava razão para não termos o espírito de ansiedade: esta é inútil *por si mesma*, e só acrescenta mais sofrimento e dor ao "mal" já existente na vida humana. Limitar os cuidados e preocupações ao dia atual produz, finalmente, a eliminação total da preocupação, porque é a incerteza sobre o futuro que provoca a ansiedade e a preocupação mental. Essa ansiedade quanto ao futuro sempre modifica o caráter do presente, manifestando-se principalmente no esforço humano em amealhar riquezas terrenas, como uma preparação para enfrentar o fantasma do futuro.

"Não vos inquieteis" — Não significa descuido pelas necessidades da família ou do próprio indivíduo, e nem a utilização insensata do dinheiro. Antes, fala da excessiva solicitude pelas coisas materiais, e essa mesma expressão é usada por Cristo ao repreender Marta, em Lucas 10.41. O fantasma do amanhã persegue demais as pessoas, e leva-as a desgastarem as suas energias em direções erradas, adquirindo coisas impróprias para quem cultiva a vida espiritual.

"Mal" — Provavelmente, não há alusão aqui ao mal moral, e sim, aos sofrimentos, às provas, às dificuldades da vida. Se vivermos para a eternidade, teremos de resolver o problema da ansiedade sobre o amanhã.

Sumariando, as *oito razões* pelas quais os discípulos do reino de Deus devem evitar a ansiedade na vida física, são: 1) A vida humana é mais do que a parte física, e por isso merece mais consideração do que os desejos por aquilo que as coisas físicas podem oferecer (v. 25). 2) Deus cuida dos animais inferiores, como as aves, que não fazem provisão nenhuma para si mesmas. Assim também certamente cuidará dos próprios filhos (v. 26). 3) A ansiedade não altera as condições da vida e nem aumenta a sua duração (v. 27). 4) Deus outorga belíssimas vestes às flores, que nem sabem raciocinar. Certamente que suprirá as necessidades de seus filhos, sem que estes precisem preocupar-se (v. 28). 5) A ansiedade pelas coisas físicas faz parte da conduta dos gentios. Os discípulos do reino devem ter uma atitude diferente da dos gentios, porquanto contam com seu Pai celeste (v. 32). 6) O conhecimento perfeito que o Pai tem de nossas necessidades físicas garante o suprimento das mesmas (v. 32). 7) A busca do reino de Deus e de sua justiça garante, por si mesma, o recebimento das coisas menos importantes, ou seja, daquilo de que precisamos para nossas necessidades físicas (v. 33). 8) A ansiedade, por sua própria natureza, é inútil e só acrescenta maior dose de sofrimento à vida diária, que já é amaldiçoada por muitos males. É *loucura* sofrer o mal futuro, que nem ao menos existe ainda, juntamente com o sofrimento presente, o qual é perfeitamente real (v. 34).

Emerson disse: "*Se alguém possui terras, a terra o possui*" (extraído de *Essay on Wealth*). Certamente que isso expressa uma verdade, e certamente todos já pudemos experimentar a realidade desse princípio. Jesus procurou mostrar aos seus discípulos que a providência de Deus nos basta. Quando temos abundância de bens, é fácil dizer isso e crer na providência divina. Quando, porém, há escassez, como nossa fé torna-se débil! Ainda temos muito que aprender dos "*logoi*" de Jesus.

Capítulo 7

II. PRIMEIRO GRANDE DISCURSO - (5.1-7.29)

(g) Espírito e censura (7.1-5)

Quão fácil é para as pessoas promoverem o ódio, quando zombam de tudo quanto com elas não concordam! De fato, alguns líderes religiosos são pouco mais que profetas do ódio e da discórdia, e fazem isso passar por "defesa da fé". Que Deus nos ensine o amor! Que ele nos ensine a ser cheios de consideração, a compartilhar e a ajudar; a edificar, e não a destruir.

Só poderemos nos colocar na posição de julgamento quando compreendermos as cargas alheias; e, mesmo assim, o costume não pode ser corrigido.

7.1: Não julgueis, para que não sejais julgados.

7.1 Μὴ κρίνετε, ἵνα μὴ κριθῆτε·

7 Μὴ κρίνετε Rm 2.1; 14.4,10; 1Co 5.12; Tg 4.11

O princípio aqui expresso tem seus paralelos na *Mishnah*: "Não julgues ao teu semelhante enquanto não estiveres na posição dele" (*Aboth* 2.5). "Quando julgares a alguém, inclina a balança em seu favor" (*Aboth* 1:6). Na carta de IClemente 13.2, as palavras deste versículo são cominadas com os mandamentos que nos ordenam que sejamos misericordiosos e generosos. Em geral, esse "logos" é uma advertência acerca da severidade da justiça própria, e não um conselho para que tomemos posição neutra quanto às questões morais. Burns dizia: "O que foi feito podemos computar em parte, mas não podemos saber o que se resiste" (*Discurso dirigido a Unco Guid*). E também há alguma verdade na obra de Masefield, "*The Widow in the Bye Street*": "Ó Deus, sabes que sou tão cego quanto ele" (Parte VI, st. VII).

Há paralelos do texto de Lucas 6.37,38,41,42. Aqui prossegue o sermão. Os v. 1 a 12 deste capítulo constituem a quinta divisão do sermão. Quanto ao esboço total, ver nota em 6.1. Conduta prática — conduta para com os semelhantes. Aqui, nos v. 1 a 5, temos o exemplo das atitudes farisaicas e a censura contra elas.

"Não julgueis" — Ver a nota no fim do v. 5, quanto à definição da palavra. Essas palavras não aludem a toda modalidade de julgamento (ver o v. 20; 1Co 5.12), mas ao julgamento censurador, injusto, que não pode ser justificado. A maioria dos pais da Igreja assim nos informa. Provavelmente, Jesus refere-se aí às atitudes e ações dos fariseus, que censuravam aos outros em tudo, sem jamais reconhecer a presença de nenhum defeito neles. "Quanto a esta plebe que nada sabe da lei, é maldita" (João 7.49, ARA). Essa era a atitude típica dos fariseus. Paulo ilustra esse ensino no segundo capítulo de Romanos: "Portanto, és indesculpável, ó homem, quando julgas, quem quer que sejas; porque, no que julgas a outro, a ti mesmo te condenas" (21, ARA). Os v. 17-29 aludem diretamente ao "judeu", como indivíduo que julga o gentio mas que, em realidade, fazia as mesmas coisas que este. Entre os judeus, os fariseus eram o exemplo mais destacado desse pecado. "Quanta leviandade, precipitação, preconceito, malevolência, ignorância, vaidade e egoísmo existem na maior parte dos julgamentos pronunciados neste mundo!" (Luttheroth)

Esse julgamento é: 1) a atitude de *censura*, particularmente; 2) a disposição do homem em esperar e enfatizar sempre qualquer *defeito* alheio. Jesus se referia a um espírito egoístico, duro, destituído de amor, cheio de malícia, que sempre espera o mal e não o bem na humanidade e nos indivíduos. O julgamento dessa natureza é contrário à lei do amor, que Jesus ilustrara pouco antes (Mt 5.38-46). Jesus falava de julgamentos que não são originados nem pelo amor nem pelo dever. A base psicológica desse tipo de julgamento é o egoísmo puro. O indivíduo que profere julgamento tenciona eliminar a possibilidade de outros reconhecerem alguma coisa boa na pessoa criticada, o que resulta (pelo menos assim espera o crítico) no aumento das qualidades de sua pessoa no conceito alheio.

"Que não sejais julgados" — Provavelmente, fala do julgamento pelos homens, ainda que não exclusivamente esse tipo de julgamento. Deus tem de julgar a ação que quebra a lei do amor. Os outros logo notam e censuram o homem que assim julga. E este só pode receber aquilo que insiste em dar. Quem não mostra amor não recebe amor. Quem mostra ódio atrai ódio. Quem não pode ver coisa boa em outros não é visto como pessoa boa. Quem espalha veneno mostra que está carregado de veneno. Quem não se mostra misericordioso não recebe misericórdia dos outros. No entanto, Deus também julga: "E bem sabemos que o juízo de Deus é segundo a verdade, contra os que tais coisas praticam" (Rm 2.2). "Digo-vos que de toda palavra frívola que proferirem os homens, dela *darão conta* no dia do juízo". (Mt 12.36, ARA). Se as palavras levianas serão levadas a juízo, certamente que as palavras destrutivas sobre os outros não escaparão ao julgamento.

7.2: Porque com o juízo com que julgais, sereis julgados; e com a medida com que medis vos medirão a vós.

7.2 ἐν ᾧ γὰρ κρίματι κρίνετε κριθήσεσθε, καὶ ἐν ᾧ μέτρῳ μετρεῖτε μετρηθήσεται ὑμῖν.

2 ἐν ᾧ μέτρῳ...ὑμῖν Mc 4.24

"Com o critério [...] com a medida" — Essas palavras acham-se no Talmude (*Sota*, cap. 1). Assim sendo, Jesus usou aqui, como em outras oportunidades, palavras e ensinos que já eram conhecidos entre os judeus. Jesus tinha a habilidade especial de tomar e usar o que havia de melhor nos ensinos, ignorando as muitas superfluidades que enchiam os comentários das autoridades religiosas dos judeus. De outras vezes, Jesus empregou estas palavras com diferentes conexões. Como todo mestre, ele repetiu certos ensinos, nem sempre com o mesmo sentido exato. Marcos 4.24 diz: "[...] Atentai no que ouvis. Com a medida com que tiverdes medido vos medirão também, e ainda se vos acrescentará" (ARA). Aqui Jesus se refere ao emprego correto de suas palavras, ao esforço para aprender e usar bem os seus ensinamentos. Na referência paralela, Lucas fala positivamente (*sobre as obras*), mostrando que aquele que faz o bem para outras pessoas também receberá coisas boas de outros: "[...] dai e dar-se-vos-á; boa medida, recalcada, sacudida, transbordante, generosamente vos darão; porque com a medida com que tiverdes medido vos medirão também" (Lc 6.38, ARA). Essas palavras ilustram bem o princípio ensinado por Jesus. Paulo ilustra esse mesmo princípio, dizendo: "Não vos enganeis: de Deus não se zomba; pois aquilo que o homem semear, isso também ceifará" (Gl 6.7, ARA). Esse princípio se aplica tanto às nossas relações com os homens como às nossas relações com Deus. Bondade atrai bondade; censura atrai censura; generosidade atrai generosidade; mesquinhez atrai mesquinhez; malícia atrai malícia; misericórdia atrai misericórdia; boas obras atraem o favor de Deus; e o pecado atrai o julgamento. Na defesa de si mesmo é que o indivíduo censura os que o censuram.

7.3: E por que vês o argueiro no olho do teu irmão, e não reparas na trave que está no teu olho?

7.3 τί δὲ βλέπεις τὸ κάρφος τὸ ἐν τῷ ὀφθαλμῷ τοῦ ἀδελφοῦ σου, τὴν δὲ ἐν τῷ σῷ ὀφθαλμῷ δοκὸν οὐ κατανοεῖς;

"Argueiro" — O vocábulo grego assim traduzido sugere *poeira*, mas provavelmente está em foco uma *lasca* (WY), uma *pinta* (GD), um fragmento qualquer. A ideia é de algo que pode causar irritação, ainda que pequeno. "Trave", nos papiros, é palavra que significa as traves sobre as quais uma casa era edificada. O uso do exagero entre os orientais se evidencia aqui. O argueiro é usado para indicar um pecado ou falha pequena da parte de um "irmão". A trave simboliza um pecado ou falha grave da parte do censurador. Aquele que pecou mais gravemente não tinha o direito de censurar a outrem, ainda que tal julgamento fosse legítimo. O julgamento assim, porém, não é legítimo, porquanto quem julga é pior do que quem está sendo julgado. Na literatura judaica (*Talmude*) encontramos ensinos que não diferem muito disso. A observação de que um indivíduo que tivesse uma "trave" no olho não poderia ter visão boa para ver o "argueiro" no olho de outrem, provavelmente tem aplicação nesse ensino. Às vezes, o pecado que os homens mais censuram são os próprios pecados que mais causam problemas aos críticos. Essa atitude é tão comum, que até se pode afirmar que ela faz parte da natureza humana. Jesus mostrou que não temos o direito de agir dessa maneira. Deus é o juiz e a ele cabe o julgamento. O amor a si mesmo causa cegueira quanto aos próprios pecados. O ódio aos outros, ou a simples ausência de amor, leva o homem a censurar as faltas alheias. E assim, uma vez mais, vemos que a atitude de crítica quebra a lei do amor.

7.4: Ou como dirás a teu irmão: Deixa-me tirar o argueiro do teu olho, quando tens a trave no teu?

7.4 ἢ πῶς ἐρεῖς τῷ ἀδελφῷ σου, Ἄφες ἐκβάλω τὸ κάρφος ἐκ τοῦ ὀφθαλμοῦ σου, καὶ ἰδοὺ ἡ δοκὸς ἐν τῷ ὀφθαλμῷ σοῦ;

A hipocrisia consiste em duas coisas: 1. O hipócrita não reconhece o *seu próprio pecado*, que é maior que o pecado alheio; 2. o hipócrita *finge* justiça ou interesse espiritual, ordenando que os outros endireitem suas vidas. Fingir interesse espiritual era a característica mais notável dos fariseus (ver notas sobre os v. 2,5, e 16 do cap. 6). Ver nota sobre a palavra *hipócrita*, em Mt 6:2. A hipocrisia impossibilita que o hipócrita julgue corretamente. Aquele que tem pecado dificilmente sabe como remover os pecados alheios, especialmente se os seus próprios são mais graves que os dos outros.

7.5: Hipócrita! tira primeiro a trave do teu olho; e então verás bem para tirar o argueiro do olho do teu irmão.

7.5 ὑποκριτά, ἔκβαλε πρῶτον ἐκ τοῦ ὀφθαλμοῦ σοῦ τὴν δοκόν, καὶ τότε διαβλέψεις ἐκβαλεῖν τὸ κάρφος ἐκ τοῦ ὀφθαλμοῦ τοῦ ἀδελφοῦ σου.

Um indivíduo assim é hipócrita, não só no conceito de Deus, mas também subjetivamente, pois não reconhece em si mesmo a presença do pecado, ou que está agindo erroneamente. Essa é a maior característica dos hipócritas. Aqueles que reconhecem os seus pecados podem ser grandes pecadores, mas, usualmente, não são hipócritas. O hipócrita sofre de uma doença qualquer nos olhos da alma. Jesus já aludira a essa enfermidade. Ver notas em 6.22,23. O homem precisa de boa visão espiritual para ter condição de criticar os outros; mas Jesus ensinou mais do que isso: que essa crítica não é direito nem daqueles dotados de boa visão, quanto menos dos que são os maiores pecadores (que têm visão espiritual mais distorcida), e ainda menor é o direito dos hipócritas, que nem ao menos reconhecem os próprios pecados. Ninguém pode ver longe (*espiritualmente falando*) se não é capaz de ver perto.

"Verás claramente" — Tradução de uma única palavra no grego, que tem a forma intensiva do verbo. Assim sendo, está em foco não apenas a capacidade de ver, mas de ver claramente. Aquele que realmente vê com clareza, nem critica nem censura.

Jesus interessava-se pela elevação espiritual dos seus discípulos e preveniu-os a não buscarem essa superioridade pelo método fácil de desacreditar de outros para estabelecerem o contraste entre aqueles e eles próprios. Esse método desprezível sempre foi utilizado pelos fariseus.

"Julgar" — Nossa palavra *"criticar"* deriva-se do termo grego. Literalmente, significa separar, distinguir, discriminar; mas aqui (v. 1) significa crítica injusta, censura prejudicial. Essa ação é própria dos hipócritas, a quem falta boa visão espiritual.

(h) Pérolas lançadas aos porcos (7.6)

"Da mesma forma que os atos religiosos não devem ser praticados para efeito de propaganda, o ensinamento religioso só é apropriado na presença daqueles que estão preparados para apreciá-lo". (Sherman Johnson, in loc.). No comentário do Talmude sobre o livro Cantares de Salomão 1.2, a Torah é comparada a um

336 |Mateus| NTI

tesouro, o qual é revelado e só pode ser apreciado pelos piedosos. Certamente a revelação do NT é muito mais profunda como tesouro do que a Torah. Contudo, isso não significa que o evangelho não deva ser anunciado aos pagãos, aos rústicos, aos perdidos, aos pecadores grosseiros. O NT inteiro se volta contra essa suposição. Jesus não criou nenhuma sociedade religiosa exclusivista. No começo dos esforços missionários da igreja moderna (Inglaterra e Alemanha), esse versículo foi erroneamente usado para desencorajar o evangelismo. Jesus parece restringir a prédica do evangelho nos casos onde se faz oposição aberta e destrutiva ao mesmo, mas não à grande massa dos pecadores, sem importar sua vileza.

7.6: Não deis aos cães o que é santo, nem lanceis aos porcos as vossas pérolas, para não acontecer que as calquem aos pés e, voltando-se, vos despedacem.

7.6 Μὴ δῶτε τὸ ἅγιον τοῖς κυσίν, μηδὲ βάλητε τοὺς μαργαρίτας ὑμῶν ἔμπροσθεν τῶν χοίρων, μήποτε καταπατήσουσιν αὐτοὺς ἐν τοῖς ποσὶν αὐτῶν καὶ στραφέντες ῥήξωσιν ὑμᾶς.

"Coisas santas" — Provavelmente, alude à carne oferecida em sacrifício; assim, temos o quadro de um sacerdote que jogava pedaços de carne, tirados do altar, aos cães que infestavam as cidades do oriente. As pérolas pequenas, denominadas *pérolas-sementes*, tinham a aparência de ervilha ou milho, que era comida de porcos. Portanto, temos aqui o quadro de um homem rico que jogava mãos cheias dessas pequenas pérolas aos porcos. A advertência não visa a missões religiosas, porque isso seria uma contradição a muitas outras passagens bíblicas, mas é um aviso para que não degrademos nem nossa fé preciosa nem nós mesmos, por meio de uma atitude imprópria (ainda que por condescendência), dirigindo nosso ensino àqueles que o degradam desdenhosamente.

"Coisas santas" e **"pérolas"** — Têm recebido várias interpretações simbólicas, como: 1) A fé cristã. 2) As verdades do reino e de Deus. 3) A comunhão e os privilégios da comunidade cristã (esta ideia incluiria diversas outras ideias, já aludidas); e, embora Jesus fale em termos gerais, parece que ser essa a interpretação mais razoável.

"Porcos [...] cães" — Eram animais *imundos*, segundo a lei dos judeus (1Rs 21.19; 22.38; 2Sm 3.8; 9.8; Mt 25.26; Ap 22.15). Esses animais são símbolos de certos tipos de homens. Há várias ideias sobre isso: 1) Os hereges (cães); os inimigos (especialmente no sentido religioso); os indivíduos hostis (os porcos). 2) De acordo com Agostinho, os perseguidores hostis (*cães*); os indivíduos imundos, sem nenhum sentimento de santidade (porcos). Paulo se referiu a homens assim: "[...] para que sejamos livres dos homens perversos e maus; porque a fé não é de todos" (2Ts 3.2). Os escritos judaicos falam de alguns homens como se fossem animais imundos e desavergonhados. Provavelmente, Jesus pensou nessas referências ao proferir essas palavras. A experiência humana confirma o fato de que alguns indivíduos se encontram em nível mais baixo que aquele ocupado pelos animais, devido às suas ações violentas e amorais.

"Voltando-se, vos dilacerem" — Alguns acham que Jesus fala somente dos porcos, com essas palavras; mas os cães do oriente às vezes também eram violentos. Os cães do oriente são mais bravos e gregários do que os do ocidente; comem carne putrefata, lixo ou qualquer coisa que encontrarem. Esses cães, com frequência, exibem violência. Esses animais eram símbolo usado por Jesus para ilustrar a natureza de alguns homens. Precisamos usar de cautela com essas pessoas, não evitando ajudá-las quando isso for possível, mas sem fazer de nossa religião verdadeiro motivo de zombaria da parte delas.

A Midrash, sobre Cantares 1.2, compara as palavras da Torah a um tesouro que só é revelado aos piedosos. Platão, *Timaesu*

28C, diz algo similar: "Encontrar o criador e pai deste universo é tarefa difícil; e quando o tiveres encontrado, não poderás falar dele diante de todos". Jesus, entretanto, não queria que os preceitos da verdadeira religião permanecessem ocultos, mas mostrou que esses ensinos não devem ser impostos a pessoas de má vontade ou que odeiam abertamente a causa cristã. O *Didache* 9.5 aplica essa afirmação à eucaristia, mas isso foi uma espécie de "*modernização*", de seu uso.

> ### (i) Confiança em oração (7.7-11)
> (Ver os comentários na introdução a Mt 6.5 e as referências ali dadas, onde há notas sobre a "oração".)
>
> A verdadeira oração requer confiança no Pai celestial, em seu poder e em seu interesse. Lucas 11.9-13 expõe essas afirmativas em contexto diferente, e talvez mais apropriado. Lembremo-nos de que o evangelista, neste ponto, está "compilando" as declarações de Jesus em um "grande bloco". A comparação com Lucas mostra-nos, conclusivamente, que o sermão do monte não foi um sermão dado em determinada ocasião; antes, é ele um compêndio de ensinamentos feitos em diversas ocasiões. Mateus mostra cinco blocos de declarações, que ele deve ter recolhido dentre muitas circunstâncias históricas diferentes. (Ver, na introdução ao evangelho, seção IX.I, a discussão sobre esses cinco blocos de declarações.) Já que Lucas também traz essas declarações, supõe-se que a fonte informativa seja "Q". O artigo "O problema sinóptico", existente na introdução a este comentário, explica o que se pensa acerca das várias "fontes informativas" dos evangelhos sinópticos: Mateus, Marcos e Lucas.

7.7: Pedi, e dar-se-vos-á; buscai, e achareis; batei, e abrir-se-vos-á.

7.7 Αἰτεῖτε, καὶ δοθήσεται ὑμῖν· ζητεῖτε, καὶ εὑρήσετε· κρούετε, καὶ ἀνοιγήσεται ὑμῖν.

7 Αἰτεῖτε, καὶ δοθήσεται ὑμῖν Mc 11.24; Jo 14.13,14; 15.7; 16.23,24; Tg 1.5; 1Jo 3.22; 5.14,15

(Lc 11.9-13). Os v. 7-11 voltam a ensinar mais lições sobre a oração. Ver os outros princípios já observados (6.2-15). Esses ensinos sobre a oração pressupõem a resposta divina tardia à oração, à dúvida quanto à utilidade da oração, e o resultado disso, que é a descontinuidade na prática da oração.

Nota-se a intensificação de esforço nos vocábulos "pedi" (esforço talvez pequeno), "buscai" (esforço mais diligente), "batei" (o ápice do esforço). Lange explica: "Pedir indica o desejo do objeto [...] buscar, que o objeto está perdido; bater, que o objeto está trancado". Lutero esclarece que essas palavras ilustram o desenvolvimento da oração. O desejo e as ações, na oração, intensificam-se e tornam-se mais eficazes. Não basta pedir; é mister buscar o que pedimos. Não basta buscar; é preciso bater à porta trancada. Aquele que mostra essa diligência receberá aquilo que deseja. Jesus ilustra a necessidade de diligência, de desejo intenso e de perseverança na oração. Provavelmente, ensinava que essa oração é a única que expressa a vida e o caráter espiritual do indivíduo. Aquele que não é intenso nas coisas espirituais dificilmente ora dessa maneira. Nesse tipo de oração, o desenvolvimento realiza-se à proporção que se desenvolve a vida espiritual. Não oramos a fim de informar a Deus ou convencê-lo das coisas de que necessitamos; nossas orações têm o objetivo de desenvolver o espírito, exercitar as faculdades da alma, criar fé e aprender, de maneira geral, o que Deus espera de nós. Portanto, a oração faz parte, necessariamente, de nossa vida espiritual, e não serve somente de meio para alcançarmos as coisas de que precisamos.

7.8: Pois todo o que pede, recebe; e quem busca, acha; e ao que bate, abrir-se-lhe-á.

7.8 πᾶς γὰρ ὁ αἰτῶν λαμβάνει καὶ ὁ ζητῶν εὑρίσκει καὶ τῷ κρούοντι ἀνοιγήσεται.

Este versículo suplementa o anterior, mostrando a promessa sobre os resultados do tipo de oração descrito no v. 7. Aqui é exposta uma regra *invariável*. Aquilo que, nesta vida, atrai a nossa atenção, o nosso desejo, a nossa busca e a nossa perseverança, é aquilo que finalmente alcançamos. Essa regra se aplica, de maneira especial, às coisas do reino de Deus, às coisas referentes à alma, porquanto é o próprio Deus que coopera nessa busca. Pedir é receber; buscar é encontrar; bater é entrar. A única limitação da oração diz: "[...] pedis e não recebeis, porque pedis mal, para esbanjardes em vossos prazeres" (Tg 4.3, ARA). Observando essa limitação, pode-se afirmar aquilo que já notamos: o desenvolvimento da verdadeira oração acompanha o desenvolvimento da vida espiritual. Aquele cuja vida espiritual já é bem desenvolvida evita "pedir mal".

"Abrir-se-lhe-á" — O ensino é que não há porta trancada que a diligência na oração não possa abrir: a resposta é certa se a oração e a vida forem certas.

7.9: Ou qual dentre vós é o homem que, se seu filho lhe pedir pão, lhe dará uma pedra?

7.9 ἢ τίς ἐστιν ἐξ ὑμῶν ἄνθρωπος, ὃν αἰτήσει ὁ υἱὸς αὐτοῦ ἄρτον - μὴ λίθον ἐπιδώσει αὐτῷ;

7.10: Ou, se lhe pedir peixe, lhe dará uma serpente?

7.10 ἢ καὶ ἰχθὺν αἰτήσει - μὴ ὄφιν ἐπιδώσει αὐτῷ;

Jesus *encoraja* dessa forma à oração por causa da objeção daqueles que supõem que Deus não responde de maneira nenhuma ou, ainda que responda, não nos dá aquilo que lhe pedimos.

"Pedra" — Pedras, com aparência de pequenos pães ou bolos, deram origem a essa ilustração.

"Serpente" — Talvez tenha gosto similar ao de peixe (conforme dizem os que têm comido serpentes), mas dificilmente agrada ao paladar da maioria. Alguns pensam que Jesus se referiu a algum tipo de peixe sem escamas, parecido com uma serpente, que os pescadores sempre separavam dos outros e lançavam novamente ao mar. Esses peixes eram proibidos aos judeus como alimento, e eram considerados sem valor. (Ver Lv 11.12). Lemos que esses peixes, que mediam cerca de um metro de comprimento, eram numerosos no mar da Galileia.

Jesus ensina aqui que Deus não dá algo semelhante àquilo que lhe é pedido, mas dá a *bênção autêntica*. O pai humano pode recusar algo a seus filhos, mas não escarnece deles. O Pai celeste também não zomba de seus filhos, os discípulos do reino.

7.11: Se vós, pois, sendo maus, sabeis dar boas dádivas a vossos filhos, quanto mais vosso Pai, que está nos céus, dará boas coisas aos que lhas pedirem?

7.11 εἰ οὖν ὑμεῖς πονηροὶ ὄντες οἴδατε δόματα ἀγαθὰ διδόναι τοῖς τέκνοις ὑμῶν, πόσῳ μᾶλλον ὁ πατὴρ ὑμῶν ὁ ἐν τοῖς οὐρανοῖς δώσει ἀγαθὰ τοῖς αἰτοῦσιν αὐτόν.ᵃ

11 ὁ πατὴρ...αὐτόν Tg 1.17

ᵃ 11 a major: WH Bov Nes BF² Luth Seg // a question: TR AV RV ASV RSVᵉᵈ / a exclamation: RSVᵉᵈ NEB TT Zür Jer

7. II (αυτον.] ; ς R)

"Maus" — Provavelmente, é uma referência aos piores pais humanos. Não se pode ver nesse vocábulo o que alguns intérpretes veem, como: 1) A doutrina da depravação total do homem. Essas palavras simples não incluem a ideia. 2) A tentativa de caluniar a natureza humana. 3) O contraste com Deus, embora seja patente que o homem é mau, mesmo sem ser comparado a Deus. Jesus dirigia-se às próprias pessoas a quem ensinara que chamassem Deus de "Pai" (palavra essa que aparece por diversas vezes neste sermão).

Jesus jamais negaria que a natureza humana é pecaminosa e, provavelmente, essa ideia esteja indicada aqui; mas o que importa é que Jesus usa os piores, entre a multidão, como exemplos de pessoas que dão coisas boas e fazem coisas boas para os próprios filhos. Até os piores homens fazem algo de bom para seus filhos.

"Sabeis dar" — A declaração não visa ao simples fato de os pais darem boas dádivas aos seus filhos, mas ao fato de haver certa inclinação paterna para dar gratuitamente, aos filhos, aquilo que eles lhes pedem. Essa inclinação faz parte da natureza dos pais humanos. Quando não existe a tendência de dar boas coisas ao filho, esse pai pode ser considerado perverso, desnaturado. Talvez existam muitos pais egoístas, não generosos; mas mesmo esses pais sabem dar aos seus filhos, porque sua natureza os leva a agir assim.

"Boas dádivas" — Não somente quanto à qualidade (como pão e peixe, que são bons como alimentos), mas também quanto à quantidade. Apesar de existirem pais maus, não devemos imaginar que seus filhos precisem implorar-lhes o que lhes falta para as necessidades da vida.

"Quanto mais" — Expressão que pode indicar a qualidade e a quantidade, e que provavelmente indica ambas as coisas, mas que indica especialmente a certeza daquilo que é dito. Se considerarmos razoavelmente certo que os pais humanos dão coisas boas aos seus filhos, muito mais razão teremos em crer que o nosso Pai celeste não deixará de atender aos seus filhos. Em contraste com os homens, o Pai celeste é completamente bom, generoso e misericordioso, e exerce grande cuidado pelos seus filhos, muito mais do que se pode esperar dos melhores progenitores humanos.

"Boas coisas" — Refere-se às coisas físicas, como pão, peixe, roupas etc.; mas o versículo alude especialmente às riquezas celestiais, de onde vêm os dons. Essa interpretação concorda com o texto em geral, especialmente com as ideias encontradas em 6.19-21. O texto paralelo de Lucas diz: "[...] quanto mais o Pai celestial dará o Espírito Santo àqueles que lho pedirem?" (Lc 11.13, ARA). O dom de maior valor, entre os dons espirituais, é o dom do Espírito Santo, porque dele é que vêm todos os demais dons (1Co 12.1,7), bem como todas as boas qualidades dos discípulos do reino (Gl 5.22,23). Novamente Jesus ensina o teísmo em contraste com o deísmo. Ver notas sobre ideias acerca da natureza de Deus, em Atos 17.27, e sobre o Espírito Santo, em Romanos 8.1.

Um epitáfio, citado por George MacDonald, em sua novela *David Elginbrod* diz:

Aqui jaz Martin Elginbrodde.
Tem misericórdia de minha alma, Senhor Deus;
Como eu faria, se fosse o Senhor Deus,
E tu Martin Elginbrodde.

À primeira vista, isso pode parecer uma irreverência e uma blasfêmia; mas em realidade reflete uma fé excelente. Deus é um Pai amoroso. Certamente que, se os homens maus sabem dar boas dádivas aos seus filhos, o Pai celeste de todos nós saberá mostrar sua misericórdia e graça para conosco.

(j) Regra geral de conduta (7.12)

A forma negativa da "Regra Áurea" é largamente confirmada no judaísmo. Uma de suas fórmulas, atribuídas a Hilel, o maior de todos os rabinos do século I, diz: "O que te for odioso, não faças ao próximo; essa é a Torah inteira, e tudo o mais é interpretação". O Didache 1.2 (um antigo documento cristão) combina a Regra Áurea com o sumário da lei (22.37-40), e é ele um lugar apropriado para isso, pois esse é o grande princípio da "nova lei", nas mãos do novo "Legislador", Cristo. Outras formas daquela declaração (que intitulamos "Regra Áurea") podem ser achadas em Tobias 4.15; Testamento de Naftali (texto hebraico); Filo, nos escritos de Eusébio. "Preparação para o evangelho", VIII.7.6.

7.12: Portanto, tudo o que vós quereis que os homens vos façam, fazei-lho também vós a eles; porque esta é a lei e os profetas.

338 |Mateus| NTI

7.12 Πάντα οὖν ὅσα ἐὰν θέλητε ἵνα ποιῶσιν ὑμῖν οἱ ἄνθρωποι, οὕτως καὶ ὑμεῖς ποιεῖτε αὐτοῖς· οὗτος γάρ ἐστιν ὁ νόμος καὶ οἱ προφῆται.

12 ουν] *om* ℵ* *pc* syᵖ

12 ουτος...προφηται Mt 22.40; Rm 13.8-10

A "regra áurea" não foi criação original de Jesus, pois pode ser encontrada sob diversas outras formas, como no sentido negativo, em *Tobite* 4.15, onde se lê: "Não façais aquilo que não faríeis...", e também nos escritos de Hilel, Filo, Isócrates, Aristóteles e Confúcio. Jesus apresentou-a de forma positiva. Agostinho escreveu contra os que mostram esse fato, em mau sentido, a fim de desacreditarem os ensinos de Jesus. Precisamos lembrar que toda verdade se originou daquele que é "a verdade".

"Pois" — Refere-se aos ensinos dos primeiros onze versículos, especialmente os ensinos referentes ao julgamento do próximo. A atitude de Deus, ao dar aos seus filhos aquilo de que necessitam, ilustra a atitude que devemos assumir em relação aos nossos semelhantes (v. 7-11). A atitude comum aos homens é fazer contra os outros as mesmas coisas que os outros lhe fazem, e essa atitude domina a vida da maior parte dos homens. Trata-se de uma atitude que vai de encontro à natureza e à expressão do Pai em relação aos seus filhos. Os discípulos do reino devem imitar a natureza de Deus, e não a dos homens. A reciprocidade não transparece nos pensamentos de Jesus. A base deste ensino é o espírito de amor e misericórdia. O maior exemplo desse espírito foi dado por Deus. Os homens que se interessam pelos ensinos de Deus devem imitar a Deus nesse particular.

"Porque esta é a lei e os profetas" — O cumprimento da lei e dos profetas se dá mediante a lei do amor, ilustrada pouco antes por Jesus (5.38-48). Ver Mateus 22.39. Paulo escreveu: "Pois isto: Não adulterarás, não matarás, não furtarás, não cobiçarás, e, se há qualquer outro mandamento, tudo nesta palavra se resume: Amarás o teu próximo como a ti mesmo" (Rm 13.9, ARA). É evidente que, se o homem agir assim, não pagará mal por mal. Uma narrativa sobre Hilel ilustra o ensino: Um gentio, interessado na religião judaica, solicitou ao grande sacerdote Shamai que lhe ensinasse a substância da lei enquanto se equilibrava de pé numa perna só. O sacerdote Shamai lhe virou as costas, indignado. Então o gentio fez o mesmo pedido ao sacerdote Hilel. Este, equilibrando-se também numa perna só, replicou citando Tobite 4.15: "O que odeias, não faças a ninguém".

Hilel também acrescentou: "O que te for odioso, não faças ao teu próximo. Isso resume a Torah inteira. Tudo o mais é interpretação". A carta de Aristeias (207) diz algo similar: "Pois Deus atrai todos os homens em sua condescendência". É digno de nota que a declaração em Lucas 6.31 serve de introdução à declaração que ordenam aos discípulos que amem aos seus inimigos (Lc 6.32-36), e alguns têm pensado que esse é o uso geral da declaração, em "Q", a fonte da qual Mateus e Lucas tomaram de empréstimo material para suas narrativas. Ver explicações acerca das fontes dos evangelhos na introdução ao comentário, na seção intitulada "O problema sinóptico", bem como na introdução ao evangelho de Marcos.

II. PRIMEIRO GRANDE DISCURSO (5.1–7.29
7. Advertências contra o abuso acerca dos ensinamentos de Jesus (7.13-23)

Poucos haverão de seguir a "regra áurea", dada em Mateus 7.12. Poucos reconhecerão as exigências do Novo Legislador. Alguns farão isso fingindo lealdade ao antigo legislador, Moisés. Outros apresentarão outras desculpas. Jesus ilustra tudo isso na seção a seguir. Isso tem alguns paralelos em Lucas, pelo que parte desse material deve ter provindo de "Q". (Ver as explicações sobre as "fontes informativas dos evangelhos", no artigo existente na introdução a este comentário, intitulado, "O problema sinóptico". Parte desse material, porém, é peculiar ao evangelho de Mateus, pelo que se origina de "M".

(a) O caminho dos poucos (7.13,14; cf. Lc 13.24)

A fonte é "Q".

7.13: Entrai pela porta estreita; porque larga é a porta, e espaçoso o caminho que conduz à perdição, e muitos são os que entram por ela;

7.13 Εἰσέλθατε διὰ τῆς στενῆς πύλης· ὅτι πλατεῖα ἡ πύλη1 καὶ εὐρύχωρος ἡ ὁδὸς ἡ ἀπάγουσα εἰς τὴν ἀπώλειαν, καὶ πολλοί εἰσιν οἱ εἰσερχόμενοι δι' αὐτῆς·

13 οτι] τι it: και τι 118* η πυλη] *om* ℵ* it Cl Or; Rᵐ

¹ 13 {C} ἡ πύλη ℵᵇ B C K L W X Δ Θ Π ƒ¹ ƒ¹³ 28 33 565 700 892 1009 1010 1071 1079 1195 1216 1230 1241 1242 1253 1365 1546 2148 2174 *Byz Lect* ⁽³³³⁸,ᵐ,⁸⁸³ᵐ⁾ itᵃᵘʳ,f,ff²,g¹,l,q vg syrᶜ,ᵖ,ʰ,ᵖᵃˡ copˢᵃ,ᵇᵒ goth arm geo¹,⁽²⁾ Origenᵍʳ.ˡᵃᵗ¹/² Basil Chrysostom Augustine Fulgentius // *omit* ℵ* 1646 itᵃ,ᵇ,ᶜ,ʰ,ᵏ Naassenes Diatessaron Clement Hippolytus Origenᵍʳ.ˡᵃᵗ¹/² Cyprian Eusebius Lucifer Augustine

As palavras ἡ πύλη fazem-se ausentes (no v. 13) de ℵ* 1646 itᵃ,ᵇ,ᶜ,ʰ,ᵏ e em muitas citações patrísticas dessa declaração, e no v. 14, de 113 182 482 54 itᵃ,ʰ,ᵏ e em muitas citações patrísticas. Embora alguns tenham argumentado que essa palavra estava originalmente presente no v. 14 e que foi introduzida no v. 13, na maioria dos testemunhos, a comissão considerou isso uma explicação inadequada para justificar sua ausência no v. 14. Quanto ao todo, pareceu melhor seguir a forma do peso esmagador da evidência externa, explicando a ausência da palavra em um ou em ambos os versículos como uma excisão deliberada, feita por copistas que não entenderam que o quadro é o de um caminho que conduz a um portão.

7.14: e porque estreita é a porta, e apertado o caminho que conduz à vida, e poucos são os que a encontram.

7.14 τί² στενὴ ἡ πύλη³ καὶ τεθλιμμένη ἡ ὁδὸς ἡ ἀπάγουσα εἰς τὴν ζωήν, καὶ ὀλίγοι εἰσὶν οἱ εὑρίσκοντες αὐτήν.

14 τεθλιμμέν...ζωήν At 14.22

² 14 {B} τί ℵᶜ (B³ τί δέ) C K L W X^vid ƒ¹ ƒ¹³ 28 565 700* 892 1009 1079 1195 1216 1230 1241 1242 1253 1365 1546 2174 *Byz Lect* ⁽ˡ²ᵐ,⁷⁰ᵐ,³ ³³ᵐ,ᵐ,⁸⁸³ᵐ,¹²³¹ᵐ,¹⁵⁹⁹ᵐ⁾ itᵃ,ᵃᵘʳ,ᵇ,ᶜ,f,ff²,g¹,(k),l,q vg syrᶜ,ᵖ,ʰ,ᵖᵃˡ goth eth Cyprian Lucifer Ephraem Faustus // ὅτι ℵ* (B* ὅτι δέ) Xᶜ 700ᶜ 1010 1071 1546^vid ˡ¹⁰,³²,⁷⁶,¹⁰⁴³,¹⁶²⁷,¹⁶⁴² copˢᵃ,ᵇᵒ arm geo Naassenes Origen Gaudentius // καὶ 209 Chrysostom // *omit* 2148

³ 14 {B} ἡ πύλη ℵ B C K (L *omit* ἡ) W X Δ Θ Π ƒ¹ ƒ¹³ 28 565 700 892 1009 1010 1071 1079 1195 1216 1230 1241 1242 1253 1365 1546 1646 (2148 στενη δε πυλη) 2174 *Byz Lect* ⁽ˡ⁷⁰¹,³³³ˢ,ᵐ,⁸⁸³ᵐ⁾ itᵃᵘʳ,ᵇ,ᶜ,f,ff²,g¹,l,q vg syrᶜ,ᵖ,ʰ,ᵖᵃˡ copˢᵃ,ᵇᵒ goth arm eth geo Origen (Chrysostom) Augustine Ps-Athanasius // *omit* 113 182* 482 544 itᵃ,ʰ,ᵏ Naassenes Diatessaronᵉ syr Clement Tertullian Hippolytus (Origen) Cyprian Ps-Clement Eusebius Aphraates Macarius Ps-Athanasius

²Além de contar com largo apoio, a forma τί também conta com fortes probabilidades internas em seu favor. Não há razão por que o familiar ὅτι, se era original, teria sido alterado para τί, aqui usado para representar a exclamação semita, מַה ("como!" cf Sl 139.17). Por outro lado, os copistas que não perceberam o semitismo subjacente teriam sido tentados a assimilar τί ao anterior ὅτι do v. 13.

Cf. Black, *Aramaic Approach*, p. 89; 3ª edição, p. 123. Quanto a um paralelo no grego moderno, ver Blass-Debrunner-Funk, § 299 (4).

²Ver os comentários sobre o v. 13.

(Lc 13.24). A partir deste ponto, temos a última seção do Sermão da Montanha, isto é, a conclusão, o epílogo, que faz a aplicação do sermão inteiro (7.12-29).

"Estreita" — A figura dos dois caminhos é comum na literatura primitiva, tanto judaica como cristã (Didache 1.6; Barnabé 18.20). Muito antes, o "pinax" (tábus) de Cebes, contemporâneo de Sócrates (400 a.C.) dava uma amostra semelhante.

"Porta" — A palavra grega indica a entrada de um edifício ou a porta do muro de uma cidade. Seria, portanto, a entrada da cidade. Em relação a todo o espaço ao redor do edifício ou da cidade, a porta era estreita. Todos eram forçados a entrar e sair, do edifício ou da cidade, pela porta. É interessante observar aqui que, no trecho paralelo, em Lucas 13.24, a palavra usada para porta é outra, pois é a palavra comum que indica a porta de uma casa, isto é, uma porta ainda mais estreita do que aquela.

"Entrai pela porta..." — Implica na decisão de seguir certa maneira de viver, o que o indivíduo começaria a fazer ao entrar num edifício ou cidade; seria a decisão de entrar para cumprir certos propósitos.

"O caminho" — Quer apertado, quer espaçoso, implica numa forma de viver, isto é, o caráter geral da vida. Quando entramos num caminho, começamos a caminhar para chegar a certo destino. Depois de tomar a "decisão de iniciar" (ou entrar) em determinado tipo de vida, ou seja, depois de entrar pela porta, o indivíduo é obrigado a fazer a viagem da vida pelo caminho escolhido.

"Caminho espaçoso" — Essas palavras ensinam que o caminho do mundo, dos incrédulos, dos que não são discípulos do reino, é fácil de ser percorrido, pois tem amplo espaço para receber muitos tipos de pessoas, com inúmeras ideias diferentes sobre os alvos e valores da vida. As multidões podem palmilhar facilmente por esse caminho. Talvez parecesse que os fariseus caminhavam por uma estrada estreitíssima, mas esta apenas fazia parte do caminho espaçoso. Esse caminho é tão largo que diversos indivíduos podem viajar por ele sem atrapalhar uns aos outros, e mesmo sem notar os outros viajantes.

"Perdição" — É o destino final desse caminho. A palavra inclui a ideia de desperdício, de perda, e não de aniquilamento (ver Mt 26.18 e Mc 14.4). A "perda" é o destino apontado para o ser humano incrédulo, e essa perda é a da não conformação à imagem do Filho de Deus, Jesus Cristo. O plano de Deus é duplicar a pessoa do Filho, criar seres mais elevados do que os anjos, em inteligência e poder, dando oportunidade de serviço aos homens crentes, que serão transformados de tal maneira, que nem podemos imaginar como será participar na divindade, 2Pedro 1.4. Ver notas em Romanos 8.29, onde há expansões sobre essa ideia. O homem que entra pelo caminho espaçoso perde esse destino. Jesus fala aqui do julgamento da eternidade. Ver nota sobre "inferno", em Apocalipse 14.11.

"Apertado o caminho" — "Apertado" é boa tradução da palavra grega, muito melhor do que "estreito", conforme aparece em algumas traduções. O caminho que guia a "vida" passa por lugares difíceis, entre as rochas, como um caminho no desfiladeiro, nas montanhas. Entretanto, por mais apertado que seja, esse caminho não impede a caminhada dos que viajam por ele, porquanto poucas são as pessoas que andam por ele, e por isso há bastante espaço. É apertado porque somente aqueles que ouvem e praticam os ensinamentos de Jesus podem entrar nele, e pode-se entender por que esse caminho conta com tão poucos viajantes quando consideramos certas coisas ditas por Jesus, como, por exemplo: "amai os vossos inimigos", "não resistais ao perverso", "sede vós perfeitos como perfeito é o vosso Pai celeste", "não sereis como os hipócritas", "não acumuleis para vós tesouros sobre a terra [...] mas ajuntai para vós tesouros no céu", "não andeis ansiosos pela vossa vida", "buscai em primeiro lugar o seu reino e a sua justiça" e "não julgueis".

"Poucos" — As Escrituras não ensinam o universalismo. Quanta misericórdia Deus usará com os incrédulos, não sabemos dizê-lo. Pode-se afirmar algo sobre isso quando se lê passagens como 1Pedro 3.19 e 4.6, porque esses textos parecem falar do melhoramento da habitação dos incrédulos, ou de uma oferta de salvação nos mundos espirituais até a segunda vinda de Cristo, que determinará os destinos finais das almas. Certamente, Cristo tinha uma missão na sua descida ao hades. Efésios 4.10 mostra que a "descida" deve produzir bons efeitos. Isso não quer dizer que todos estarão, afinal, entre os eleitos, mas, sim, que a missão de Cristo é mais ampla do que é normalmente pensada em certas partes da igreja hoje. Ver Efésios 1.23, 1Pedro 3.18 e 4.5 para notas que desenvolvem estas ideias.

"Vida" — O NT nega que a mera existência seja vida. Paulo escreveu: "[...] para nós há um só Deus, o Pai, de quem são todas as cousas e para quem existimos; e um só Senhor, Jesus Cristo, pelo qual são todas as cousas, e nós também por ele" (1Co 8.6, ARA). A vida, portanto, não consiste apenas na existência física, mas em determinado "tipo de vida" espiritual de que todos participam, por causa da alma eterna de cada um. A vida começa em Deus, continua em Deus e tem como alvo a Deus e a Cristo, que é o Senhor da vida. A vida só é autêntica quando vivida em Cristo, quando sofre transformações à imagem de Cristo, participando da vida do além, outorgada por ele, a nova criação que atingirá seu clímax quando os seres humanos se tornarem superiores aos anjos, investidos de maior poder, domínio, inteligência e capacidade, a fim de ser motivo de maior glória ao nome de Deus, como os mais elevados instrumentos de Deus, para alcançar esses alvos. Essa é a razão mesma da criação, a razão do ministério de Cristo, a razão do milênio e a razão da eternidade: a transformação do ser humano, preparando-o para ser semelhante a Cristo e para realizar as obras de Cristo na eternidade. Isso é "vida". Poucos encontrarão esse destino e essa vida. Ver notas em Romanos 8.2, que falam sobre os alvos e o destino da personalidade humana.

7.15: Guardai-vos dos falsos profetas, que vêm a vós disfarçados em ovelhas, mas interiormente são lobos devoradores.

7.15 Προσέχετε ἀπὸ τῶν ψευδοπροφητῶν, οἵτινες ἔρχονται πρὸς ὑμᾶς ἐν ἐνδύμασιν προβάτων, ἔσωθεν δέ εἰσιν λύκοι ἅρπαγες.

15 Προσέχετε...ψευδοπροφητῶν Mt 24.11,24; Lc 6.26; 2Pe 2.1; 1Jo 4.1; Ap 16.13. λύκοι Ez 22.27; Mt 10.15; Jo 10.12; At 20.29

"Acautelai-vos dos falsos profetas" — Para evitar entrar pela porta larga, que corresponde à religião errada, o homem deve escolher determinado tipo de vida, caracterizado pela fé; e também deve evitar entrar no "caminho espaçoso", que é o curso de vida que inclui os anelos da existência terrena. Precisamos tomar cuidado com aqueles que advogam a vida errada, ensinando doutrinas pervertidas, os quais encorajam os homens a entrar pela porta larga, podendo assim caminhar pelo caminho espaçoso. As interpretações em torno dos "falsos profetas" são: 1) As autoridades religiosas dos judeus, como os fariseus. 2) Os impostores, como Judas, da Galileia (ver Atos 5.37; Josefo, de Bell Jd. 2.13; 47). 3) Os falsos profetas da época cristã (Mt 24.11,24; ver também os v. 21-23 deste capítulo). 4) O ensino de Deus é geral, e por isso inclui todas essas ideias — qualquer indivíduo que mostre e ensine coisas que façam outros entrarem no caminho espaçoso. Provavelmente, essa é a ideia de Jesus, neste caso. Ver também Atos 20.29,30 e 2Pe 2.1,2.

"Disfarçados em ovelhas" — Vestidos como ovelhas. Aqui é feita alusão à veste dos profetas, descrita em 3.4 e também em Hebreus 11.37. Todavia, Jesus não fala literalmente de roupas, mas usa essa expressão a fim de indicar a natureza da ovelha, isto é, que ela é gentil e mansa. Apresentando-se como ovelha, o lobo consegue intrometer-se entre elas; mas come a carne das ovelhas. O profeta *falso* pode até viver literalmente das ovelhas (dinheiro), comendo assim a sua carne e vestindo-se com a sua lã. O "Didache" (ensino dos apóstolos) refere-se a certas pessoas, intitulando-as comerciantes de Cristo, pois da religião de Cristo fazem um meio de vida, um meio de ganhar dinheiro, como se fora qualquer outro negócio. De outra vez, o Senhor Jesus falou desse tipo de espertalhão: "Todos quantos vieram antes de mim são ladrões e salteadores..." (Jo 10.8). E, mais adiante, no mesmo capítulo, fala acerca do "mercenário", que não é pastor verdadeiro e, por isso mesmo, não cuida das ovelhas.

"Lobos roubadores" — Indivíduos que não cuidam das ovelhas; pelo contrário, eles as destroem e não as salvam. Para conseguir os seus objetivos, vinculados ao dinheiro ou ao

340 |Mateus| NTI

sentimento de grandeza, estão prontos a sacrificar as ovelhas. (Ver 2Co 11.2,3,13,15, onde Paulo fala dessas pessoas.)

Os lobos são mais perigosos do que os cães e os porcos selvagens (v. 6). Os cães e os porcos se apresentam como inimigos hostis aos discípulos do reino. Os lobos, sendo animais selvagens mais perigosos, bravos e fortes, aparecem como profetas e se apresentam no meio das ovelhas. Na história da Igreja, lemos que apareceram no tempo oportuno, como judaizantes (ver 2Co 11.13), e em vários lugares apareciam no mundo dos gentios, onde fora estabelecida alguma igreja cristã, na forma de gnósticos (ver 1Jo 4.1; 2Timóteo 4.1). Esses lobos sempre encontram as suas vítimas.

7.16: Pelos seus frutos os conhecereis. Colhem-se, porventura, uvas dos espinheiros, ou figos dos abrolhos?

7.16 ἀπὸ τῶν καρπῶν αὐτῶν ἐπιγνώσεσθε αὐτούς μήτι συλλέγουσιν ἀπὸ ἀκανθῶν σταφυλὰς ἢ ἀπὸ τριβόλων σῦκα

16-17 Mt 12.33,35

16 ἀπὸ...αὐτούς Sir 27.6 μήτι...σῦκα Tg 3.12

"Pelos seus frutos" — Jesus ilustra a natureza dos frutos. A verdadeira natureza de qualquer coisa, seja uma árvore, seja um homem, finalmente fica clara.

"Frutos" — Tem recebido três interpretações principais, a saber: Os ensinos dos falsos profetas, as obras dos falsos profetas, e a combinação dos ensinos e obras dos falsos profetas. Outros intérpretes, porém, opinam que Cristo classificou as instituições dos falsos profetas, como suas escolas e igrejas. Segundo a opinião desses intérpretes, essas instituições mostrariam, finalmente, o caráter essencial dos indivíduos que as estabeleceram. Entretanto, não é muito provável que Jesus tenha aludido a isso, nesta passagem, ainda que, sem dúvida, concordaria em que essas coisas fazem parte dos "frutos" produzidos por tais indivíduos. Temos como exemplo disso os ebionitas, em seu fanatismo e ascetismo, e também os gnósticos, em seu antinomianismo. Os fariseus foram exemplos vivos nos dias de Jesus.

"Espinheiros" — O termo grego indica o nome geral de diversos tipos de plantas que produziam espinhos. "Abrolhos" significa, usualmente, o produto de um tipo de erva daninha. Esse tipo de planta apresenta grande variedade de formas, pois algumas variedades dão flores não muito diferentes das flores da figueira. A despeito da semelhança das flores de ambas as plantas, os homens não procuram figos nas plantas baixas (arbustos, e não árvores), e que produzem abrolhos. Tais plantas eram numerosas na Palestina. Talvez Jesus quisesse indicar, com as palavras "espinheiros" e "abrolhos", o caráter desagradável dos "falsos profetas", além do fato de que os frutos produzidos por eles não têm utilidade.

7.17: Assim, toda árvore boa produz bons frutos; porém a árvore má produz frutos maus.

7.17 οὕτως πᾶν δένδρον ἀγαθὸν καρποὺς καλοὺς ποιεῖ, τὸ δὲ σαπρὸν δένδρον καρποὺς πονηροὺς ποιεῖ·

"Boa" — Significa árvore *saudável* e bem tratada, em contraste com as árvores maltratadas, bravas, sem cultura nenhuma.

"Árvore má" — A palavra "má" traduz um vocábulo grego que pode significar "podre", "putrefato", "estragado", e assim é indicado por algumas interpretações, como se Jesus houvesse falado de árvores em péssimas condições, incapazes de produzir fruto bom. O termo, porém, pode também significar simplesmente "má" ou "*inútil*", e foi aplicado a peixes inúteis (ver Mt 13.48), sem nenhuma referência à putrefação. A palavra também era aplicada ao vinho quando se azedava demais. Provavelmente, pois, Jesus se tenha referido às árvores bravas, sem tratamento, árvores que produzem frutos inferiores, muito ácidos. A regra da natureza é que todas as coisas produzem segundo a própria natureza, seja árvore ou falso profeta.

7.18: Uma árvore boa não pode dar maus frutos; nem uma árvore má dar frutos bons.

7.18 οὐ δύναται δένδρον ἀγαθὸν καρποὺς πονηροὺς ποιεῖν⁴, οὐδὲ δένδρον σαπρὸν καρποὺς καλοὺς ποιεῖν⁴.

⁴ 18 {B} ποιεῖν...ποιεῖν ℵᶜ C K L W X Δ Θ Π ƒ¹ ƒ¹³ 33 565 700 892 1009 1010 1071 1079 1195 1216 1230 1241 1242 1253 1365 1546 1646 (2148 ποιεῖ...ποιεῖ) 2174 *Byz Lect* l^rom,333,s,m itᵃ,aur,b,c,ff¹,g¹,h,k,l,q vg syrᶜ,ᵖ,ʰ copˢᵃ,ᵇᵒ goth arm geo // ἐνεγκεῖν...ποιεῖν B syrᵖᵃˡ // ἐνεγκεῖν...ἐνεγκεῖν (l¹⁰⁴³...ἐνεγκεῖν) Tertullian Origen // ποιεῖν...ἐνεγκεῖν ℵ* syrᵖᵃˡ Tertullian Origen

> A substituição de ἐνεγκεῖν por uma ou ambas as ocorrências de ποιεῖν, no v. 18, parece ser uma melhoria estilística, introduzida a fim de aliviar a monótona repetição do mesmo verbo, que também ocorre por duas vezes no versículo anterior.

Jesus continua insistindo em afirmar que tudo produz segundo a *própria natureza*, e que coisa nenhuma pode produzir, alternadamente, uma coisa e depois outra. A ideia, então, de que os atos bons e as boas obras podem receber galardão ou o favor de Deus, mesmo quando não houve intenção boa, é contrária aos ensinos de Jesus. É possível que Deus mude, pelo seu poder, a natureza de alguma coisa — e, de fato, é justamente esse o objetivo do evangelho —, mas enquanto a árvore for má, todos os seus frutos serão maus, a despeito da aparência boa que porventura tenha. Provavelmente, Jesus ensinaria, aqui, a necessidade da conversão. A mensagem do reino de Deus, que ele veio anunciar, diz exatamente isso.

7.19: Toda árvore que não produz bom fruto é cortada e lançada no fogo.

7.19 πᾶν δένδρον μὴ ποιοῦν καρπὸν καλὸν ἐκκόπτεται καὶ εἰς πῦρ βάλλεται.

Mt 3.10; Lc 3.9; 13.6-9; Jo 15.6

Jesus antecipa aqui o ensino do v. 23. Por isso, devemos interpretar que, com essas palavras, Cristo apresentou um quadro sobre o juízo. Qualquer pessoa da multidão reconheceria a necessidade de remover as árvores más, pois já deveria ter observado a destruição de árvores ou plantas inúteis. Talvez muitos dos ouvintes já tivessem feito alguma vez a limpeza de um terreno. Jesus usa a expressão empregada por João Batista e, sem dúvida, o povo reconheceu a semelhança entre as suas mensagens. Ver Mateus 3.10 e suas notas.

7.20: Portanto, pelos seus frutos os conhecereis.

7.20 ἄρα γε ἀπὸ τῶν καρπῶν αὐτῶν ἐπιγνώσεσθε αὐτούς.

Mt 7.16; 12.33

É interessante notar que a palavra traduzida neste versículo e no v. 16 como "conhecereis", é uma forma intensiva do verbo, com prefixo preposicional, que tem o efeito de salientar, e significa "conhecer bem". Trata-se do mesmo uso encontrado no v. 5 deste capítulo, onde temos a tradução "verás claramente". Neste último caso, a palavra "claramente" é uma adição dos tradutores para indicar que o verbo está na forma intensiva. A palavra "assim" vem de uma partícula do grego que tem a função de enfatizar, demonstrar, chamar a atenção. Essas expressões, portanto, implicam em que Jesus falou com grande segurança e certeza. No fim, os frutos exporão a verdadeira natureza dos falsos profetas.

A novela *Embezzled Heaven*, de Franz Werfel, procura ilustrar uma verdade que precisamos observar aqui, isto é, até um tipo inferior de vida cristã é mais frutífero e desejável do que a vida mundana, por mais civilizada, inteligente e honrosa que seja. Muito mais frutífero ainda é o cristianismo vital, que pode produzir uma vida caracterizada pelo vigor, pelo conforto, pela amabilidade e pelo bem-estar.

(b) Os falsos profetas (7.15-20)

É material peculiar a Mateus, pelo que a fonte informativa é "M".

Os falsos profetas podem ser os fariseus e saduceus, mas a menção à "profecia" sem dúvida é um colorido feito pela igreja, e os primeiros hereges cristãos estão em foco, talvez até exclusivamente. Este versículo reflete à época do próprio Mateus, segundo também se vê em Mateus 24.5,11,24 (cf. Didache 11-12, sobre os impostores na igreja primitiva). Mateus alude a alguma heresia no seio da igreja, porquanto eram ovelhas falsas que estavam em foco. Talvez o gnosticismo (nota em Cl 2.18) esteja aqui em foco, mesmo que parcialmente. Essa era a mais ativa entre as primeiras heresias, e nada menos de oito livros do NT foram escritos contra elas (Cl, 1 e 2Tm, Tito, as três epístolas Joaninas e Judas). Os gnósticos se vangloriavam de seu misticismo, mas este não os transformava moralmente, coisa que só o verdadeiro misticismo é capaz de realizar.

7.21: Nem todo o que me diz: Senhor, Senhor! entrará no reino dos céus, mas aquele que faz a vontade de meu Pai, que está nos céus.

7.21 Οὐ πᾶς ὁ λέγων μοι, Κύριε κύριε, εἰσελεύσεται εἰς τὴν βασιλείαν τῶν οὐρανῶν, ἀλλ᾽ ὁ ποιῶν τὸ θέλημα τοῦ πατρός μου τοῦ ἐν τοῖς οὐρανοῖς.

21 πᾶς...κύριε Lc 6.46 ποιῶν...πατρός Mt 21.31; Rm 2.13; Tg 1.22,25; 1Jo 2.17

21 ουρανοις] *add* αυτος εισελευσεται εις την βασιλειαν των ουρανων WΘ *(33) pc* lat sy^c

---

(c) Os falsos discípulos (7.21-23)

Um exemplo de típica glosa suplementar, introduzida a fim de preencher uma declaração, acha-se no fim da passagem familiar — "Nem todo o que me diz: Senhor, Senhor, entrará no reino dos céus, mas só aquele que faz a vontade de meu Pai, que está nos céus". Escribas pedantes, não contentes com as claras implicações dessas palavras, acrescentaram as palavras dadas na nota textual acima.

Os v. 21-23 são tão instrutivos quanto problemáticos: Jesus não nega que grandes obras foram feitas ou possam ser feitas, e nós também não precisamos negar esse fato. As pesquisas sobre os fenômenos psíquicos demonstram a capacidade de certas pessoas em prever o futuro, curar, falar línguas estrangeiras sem nenhum estudo, expulsar maus espíritos e exercer outros poderes espantosos, mesmo fora de qualquer seita religiosa, ou como demonstração de muitas e diferentes religiões. Esses poderes parecem fazer parte da expressão da personalidade humana (em seu aspecto espiritual), pois o homem, acima de tudo, é um ser *espiritual*, dotado de poderes espirituais. Esses atos podem ser realizados pelo poder dos demônios, que também são seres espirituais, em geral dotados de mais poder do que os homens. A grande lição é que o poder e o sucesso que o mundo vê não serve de "critério legítimo" sobre o conhecimento que alguém tem de Cristo, e nem mesmo da relação que mantém com ele. Pesquisas feitas sobre essa questão mostram que esses poderes sempre foram comuns a todas as civilizações, mesmo as separadas de qualquer fé cristã. Portanto, cabe aqui uma palavra de cautela, dirigida a todos: a própria existência dos fenômenos de natureza verdadeiramente sobrenatural não é prova de cristianismo autêntico, pois esses fenômenos têm várias fontes, ou seja, a própria personalidade humana, em sua porção espiritual, o poder dos demônios e o poder do Espírito de Deus.

"Reino dos céus" — Provavelmente, Jesus fala do aspecto futuro desse reino, e talvez com o mesmo sentido empregado por João: "[...] Quem não nascer da água e do Espírito não pode entrar no reino de Deus" (João 3.5, ARA —ver suas notas). Ver também Mateus 3.2 quanto ao reino dos céus e o reino de Deus.

"Faz a vontade" — É possível que alguém realize milagres e curas, preveja o futuro, expulse demônios, mas, no entanto, não esteja fazendo a vontade de Deus. Os falsos profetas fizeram (e fazem) tais milagres. Talvez os "frutos" dos falsos profetas e de seus discípulos incluam milagres. Geralmente, entre os homens, o ato milagroso automaticamente serve de prova da presença da mão de Deus, mas Jesus mostra que tais coisas podem estar fora da "vontade" de Deus.

"Senhor, Senhor" — Notemos que os que assim falam são "cristãos", isto é, chamam a Cristo de "Senhor". Falam como cristãos, agem como cristãos, reconhecem que Cristo é o Senhor, mas, na realidade, ele não é Senhor deles. Se não fora esse elemento, este versículo teria interpretação mais fácil. Será possível que alguém chame a Cristo de Senhor, ao mesmo tempo que trabalha pelo poder dos demônios? Obviamente, sim. A cautela que precisamos exercer, pois, é enorme. Devemos ter cuidado em distinguir entre homens e grupos que usam o nome de Cristo, aparentemente adoram esse nome, mas, ao mesmo tempo, não são cristãos verdadeiros.

Alguns mss, como W Theta e algumas versões siríacas (S(c)) ajuntam a este versículo: "[...] esse é o que entrará no reino dos céus". Essa adição, porém, é uma anotação que procura salientar ou estender o que já se encontra no texto. Entre as traduções, somente F traz essa adição.

7.22: Muitos me dirão naquele dia: Senhor, Senhor, não profetizamos nós em teu nome? e em teu nome não expulsamos demônios? e em teu nome não fizemos muitos milagres?

7.22 πολλοὶ ἐροῦσίν μοι ἐν ἐκείνῃ τῇ ἡμέρᾳ, Κύριε κύριε, οὐ τῷ σῷ ὀνόματι ἐπροφητεύσαμεν, καὶ τῷ σῷ ὀνόματι δαιμόνια ἐξεβάλομεν, καὶ τῷ σῷ ὀνόματι δυνάμεις πολλὰς ἐποιήσαμεν;

22 τῷ σῷ ὀνόματι ἐπροφητεύσαμεν Jr 14.14; 27.15 τῷ σῷ ὀνόματι... ἐξεβάλομεν Mc 9.38; Lc 9.49

"Muitos" — A incidência dos falsos profetas e de seus discípulos, realizando todos os tipos de milagres em nome de Cristo não será um fenômeno isolado.

"Naquele dia" — (Ver 11.24 e Lc 10.12 — o "dia do juízo"). Provavelmente, essa expressão significa "o dia do Senhor", "o grande dia", expressão usada pelos profetas do AT (que também aparece no NT) para indicar o grande juízo divino. (Ver Isaías 2.20 e 25.9). Entre os judeus era costumeiro designar esse dia somente como "aquele dia". Tinham pavor desse dia. Malaquias 4.5 diz: "[...] o grande e terrível dia do Senhor". Em Malaquias 32,3 lê-se: "Mas quem suportará o dia da sua vinda? E quem subsistirá, quando ele aparecer? Porque ele será como o fogo do ourives e como o sabão dos lavandeiros. E assentar-se-á, afinando e purificando a prata..." (ARC). A passagem de Joel 1.15 diz: "Ah! Aquele dia! Porque o dia do Senhor está perto e virá como uma assolação do Todo-poderoso" (ARC). O texto de 1Tessalonicenses 5.2,3 demonstra que essa ideia sobre o caráter espantoso do dia do Senhor entrou no NT sem sofrer grande modificação. Ver a nota detalhada sobre o "dia do Senhor", que inclui os acontecimentos e os sinais que o antecederão, em Apocalipse 19.19.

"Profecia" — Inclui a previsão sobre o futuro, mas também indica o ensino público, inspirado pelo Espírito, o ensinar com autoridade especial, exercendo o dom profético. (Ver 1Co 12.28 e Ef 4.11). A indicação é que essas pessoas eram mestres na igreja, autoridades religiosas. O dom da profecia é classificado em segundo lugar, depois do apostolado. (Ver 1Co 12.28.)

"Expelimos demônios" — Como o próprio Cristo fez, é um caso de poder especial. Ver nota em Marcos 5.2 sobre a questão dos demônios. Essa nota tem detalhes sobre a própria palavra e a personalidade e obra dos demônios. O mundo dos espíritos é perfeitamente real, e quando nosso conhecimento tiver crescido bastante, a própria ciência haverá de demonstrar o fato de que não estamos sozinhos neste mundo. Os sentidos humanos podem captar pequena fração da realidade da criação. É fato conhecido que pouquíssimo se sabe sobre a natureza real da criação, pois nem sabemos o que seja a matéria, algo que podemos ver e tocar. Como poderíamos negar a existência de seres e poderes mais altos do que o homem? Pouco se sabe ainda de nossa própria natureza física, quanto menos de nossa natureza espiritual. Haveremos, porém, de aprender mais sobre esses fatos.

"Muitos milagres" — São palavras que mostram que o argumento dessas pessoas baseia-se em três pontos principais: 1) O exercício das profecias; 2) a expulsão dos demônios; 3) outros tipos inúmeros de milagres. Todos os três pontos demonstram que haverá imitação dos poderes de Cristo e de seus verdadeiros discípulos. Todos eles juntos, porém, não provam a presença e a aprovação de Deus. Tudo pode ser mera imitação.

Alguns pais da Igreja (Ju Or) e o ms (Si(c)), acrescentam: "Senhor, Senhor, não temos comido e bebido em teu nome?" A adição não pertence ao original. Talvez se refira a tomar e beber a eucaristia. Nesse caso, pode-se ver que, na opinião desses pais da Igreja, os falsos discípulos poderiam até participar do ágape, sentando-se à mesa do Senhor, embora sem conhecê-lo.

7.23: Então lhes direi claramente: Nunca vos conheci, apartai-vos de mim, vós que praticais a iniquidade.

7.23 καὶ τότε ὁμολογήσω αὐτοῖς ὅτι Οὐδέποτε ἔγνων ὑμᾶς· ἀποχωρεῖτε ἀπ' ἐμοῦ οἱ ἐργαζόμενοι τὴν ἀνομίαν.

23 τότε...ὑμᾶς Mt 10.33; 2Tm 2.12 ἀποχωρεῖτε...ἀνομίαν Sl 6.8; Mt 13.41,42; 25.41

"[...] conheço as minhas ovelhas, e elas me conhecem a mim" (Jo 10.14, ARA).

"Direi explicitamente" — Palavras que fazem contraste com as palavras proferidas pelos falsos discípulos, que tanto falam de seus trabalhos, de seus milagres. As palavras de Jesus, baseadas na compreensão verdadeira da situação, mostram a verdadeira condição de tais indivíduos. Jesus não negou a realidade das obras, mas demonstrou que a fonte não é Deus. As palavras podem ter o sentido de "proclamar abertamente", ou seja, revelar totalmente. O texto de Mateus 10.32 diz: "Portanto, todo aquele que me confessar diante dos homens, também eu o confessarei diante de meu Pai que está nos céus". Essas palavras pressupõem que a confissão, feita pelos discípulos de Cristo, é sincera e autêntica. Essa confissão garante a maior confissão, feita por Cristo, em favor de seus discípulos verdadeiros.

"Nunca vos conheci" — A ideia não é a de ter havido um contacto com Deus, sendo depois interrompido, ou que esse contacto tenha sido fraco. O sentido é de que, apesar das palavras e obras desses indivíduos, esse contacto jamais houve. A palavra "conhecer" pode conter a ideia de um conhecimento especial de Deus, de aprovação divina, de seu amor pelas pessoas conhecidas, e não indica mera familiaridade. O uso da palavra pode ser visto em Romanos 8.29. As pessoas que são conhecidas por Deus dessa maneira (não como simples consciência da existência, da vida ou das decisões delas) são aquelas que Deus predestinou para serem moldadas à imagem de seu Filho. Amós 3.2 expressa a mesma ideia: "De todas as famílias da terra a vós somente conheci..." (ARC). É óbvio que Deus conhece, de modo geral, todas as "famílias" ou nações do mundo, mas só Israel foi conhecido e amado de forma especial. Esses falsos discípulos nunca tiveram contacto nenhum com Cristo. Cristo nunca os conheceu como amigos, como discípulos verdadeiros. Afirmavam fazer tudo em nome de Cristo, mas em realidade praticavam a "iniquidade", o que explica as palavras "[...] os que praticais a iniquidade".

Adam Clarke diz neste ponto: "[...] quantos pregadores há que parecem profetas em seus púlpitos; quantos escritores e obreiros evangélicos, cujas obras nos admiram, mas que nada são, e que são piores do que nada diante de Deus, porque não fazem a 'sua vontade' a sua própria vontade! Que horrível é a situação de um homem iminente, cujos dons sobressaem, cujos talentos são fonte de utilidade pública, e que só podem servir de indicadores do caminho que leva à felicidade eterna, mostrando esse caminho ao povo, quando eles mesmos não podem andar por esse caminho!"

"Apartai-vos de mim" — Resultado final desse tipo de vida — renúncia (não confissão) por parte do próprio Cristo. Ver Salmos 6.8 e Mateus 25.41. Jesus indica o julgamento, nessas palavras. Ver nota detalhada, em Apocalipse 14.11.

(d) Uma parábola ilustrativa (7.24-27)

Qual pode ser a utilidade do fervor religioso, se o indivíduo não se encontra com Cristo por seu intermédio? "Nenhuma", responde o evangelista. Isso ele ilustra com a parábola dos dois alicerces. A religião, por si mesma, se é símplice, não pode servir de alicerce sólido. A nossa conduta moral, o nosso misticismo, as nossas orações, os nossos estudos, a nossa meditação, o uso que fizermos dos dons espirituais, tudo deve conduzir-nos a Cristo, pois, do contrário, nada serão.

7.24: Todo aquele, pois, que ouve estas minhas palavras e as põe em prática, será comparado a um homem prudente, que edificou a sua casa sobre a rocha.

7.24 Πᾶς οὖν ὅστις ἀκούει μου τοὺς λόγους τούτους καὶ ποιεῖ αὐτοὺς ὁμοιωθήσεται5 ἀνδρὶ φρονίμῳ, ὅστις ᾠκοδόμησεν αὐτοῦ τὴν οἰκίαν ἐπὶ τὴν πέτραν.

24 τούτους] om B* pc a g¹ k m   24 Πᾶς...αὐτούς Jas 1.22

⁵ 24 {C} ὁμοιωθήσεται ℵ B f¹ f¹³ 33 700 892 1071 1241 1365 itᵃ,ᵃᵘʳ,ᵇ,ᶜ,ff¹,g¹,l vg syrᵖ,ʰᵐᵍ,ᵖᵃˡ ᵐˢˢ copˢˢ arm eth? geo Diatessaronⁱ Origen Basil Ambrose Chrysostom Cyril mssᵃᶜᶜ, ᵗᵒ ᴱᵘᵗʰʸᵐⁱᵘˢ // ὁμοιώσω αὐτόν C K L W X Δ Π 565 1009 1010 1079 1195 1216 1230 1242 1253 1546 1646 2148 2174 *Byz Lect* (l²¹¹) itf,h,k,q syrᶜ,ʰ,ᵖᵃˡ ᵐˢ copᵇᵒ goth Cyprian Hilary Lucifer Augustine

Em face da qualidade e diversidade da confirmação externa, a comissão preferiu ὁμοιωθήσεται. Por igual modo, a forma passiva do verbo "será comparado" teria sido mais provavelmente alterada para a forma ativa "eu o compararei", e não vice-versa, se o copista se estivesse lembrando da forma lucana da declaração ("eu vos mostrarei a quem é semelhante", Lc 6.47).

(Lc 6.46-49). Alguns dos antigos códigos legais (Lv 26.3-45; Dt 28.3-6,16-19) terminavam com bênçãos e maldições. Ideias similares são apresentadas em Aboth R. Nathan: "O homem que tem obras e que aprendeu muito da Torah, com o que pode ser comparado? Ao homem que edifica embaixo com pedras, e em cima com tijolos; e quando muita água cerca o edifício, as pedras não se abalam nem são tiradas de seu lugar. Porém, o homem que não tem boas obras e nem aprendeu a Torah, com quem pode ser comparado? Ao homem que constrói primeiramente com tijolos, e em cima com pedras, e quando chega até mesmo uma correnteza pequenas, as pedras imediatamente "caem".

Jesus usa aqui uma ilustração que também pode ser encontrada nos escritos dos judeus. Essa ilustração poderia ter sido muito instrutiva para uma audiência oriental, afeita às tempestades características da região: violentas, repentinas, que às vezes provocavam grande destruição. Chuva no telhado, um rio nos alicerces, vento nas janelas, exigiam uma construção firme, com bons alicerces.

"Ouve estas minhas palavras" — Jesus faz aqui "a aplicação" do sermão. Esta seção (v. 24-27) é o epílogo do Sermão do Monte. Provavelmente, Jesus usou essas palavras em outras circunstâncias, noutros sermões, para mostrar a necessidade que o povo tinha de receber o Cristo do reino. Diversos indícios mostram que ele não se referiu só ao reino literal, sobre a terra, o reino político, mas também aludiu ao reino dos céus, à salvação, ao destino dos seres humanos. Para que alguém alcance esse destino e o reino dos céus, os lugares celestiais, é mister que ouça e pratique as palavras do Rei.

"**Ouve [...] pratica**" — Esses dois aspectos sempre andam juntos (ver Tg 1.22-25). Nesse ponto é que falhavam os falsos profetas. É o que os falsos discípulos apenas fingiam fazer. E é isso que os discípulos autênticos devem fazer.

"**Homem prudente**" — O homem sem bom senso se deixaria impressionar pelo terreno nivelado, sem rochas, que não precisasse de preparo, como se já estivesse pronto para receber a construção. A areia, no entanto, é traiçoeira. Em contraste, o prudente pensaria no futuro, nos ventos, nas inundações. Escolheria terreno pedregoso, apesar de esse terreno requerer muito preparo e trabalho para que a casa pudesse começar a ser edificada. Esse homem prudente simboliza os que ouvem e praticam os ensinos de Jesus. Não faltariam a ele as tempestades e os períodos de dificuldade, mas no fim o resultado justificaria sua decisão na escolha do terreno. Esse é o homem que considera bem o ensino, aprende-o e torna-o regra de vida.

"**Sua casa**" — Não visava à ostentação, mas tinha por finalidade ficar firme, em meio às tempestades. No texto, a casa é o símbolo da vida. A vida deve ser edificada com bom senso, considerando o futuro, e não apenas o presente, de acordo com os princípios ditados por aquele que dá a vida e a sustenta. A vida física deve ser usada para se obter e desenvolver a vida eterna. Ver as notas no v. 14, onde há descrição dessa vida.

"**Rocha**" — Provavelmente, Jesus refere-se a si mesmo e aos seus discípulos verdadeiros. A alusão é à terra rochosa, pedregosa, que serve de bom alicerce para as edificações. Na aplicação simbólica dessas palavras, porém, não há que duvidar de que Jesus falava de si mesmo. Jesus é quem tem as palavras da vida eterna, porquanto ele é o pioneiro e o consumador da fé, o caminho e a vida (Jo 14.6). Portanto, ele é a rocha (1Co 10.4; 2Sm 22.2; Sl 23.3; 28.1; 30.3; Is 26.4; 1Co 3.11). O ensino é que a vida deve estar inteiramente vinculada, edificada e envolta em Cristo.

7.25: E desceu a chuva, correram as torrentes, sopraram os ventos, e bateram com ímpeto contra aquela casa; contudo não caiu, porque estava fundada sobre a rocha.

7.25 καὶ κατέβη ἡ βροχὴ καὶ ἦλθον οἱ ποταμοὶ καὶ ἔπνευσαν οἱ ἄνεμοι καὶ προσέπεσαν τῇ οἰκίᾳ ἐκείνῃ, καὶ οὐκ ἔπεσεν, τεθεμελίωτο γὰρ ἐπὶ τὴν πέτραν.

"**Ventos**", "**chuva**", "rios", isto é, "turbulência" por cima, ao redor e por baixo dos alicerces. Diversos intérpretes fazem desses símbolos de turbulência, comparações com as tentações, com os "dolores Messiae", com as perseguições, com as heresias na igreja etc. Outros ensinam que estão subentendidas três provas diversas, como: 1) Chuva: as aflições temporais; 2) rio: as provas que resultam do maltrato por parte de outros homens; 3) vento: as tentações e as provas que se originam em Satanás ou nos demônios. Provavelmente, Jesus falou em termos gerais, que incluem essas ideias, mas sem fazer referência exata ou intencional a essas coisas.

"**Não caiu**" — Os pais da Igreja aplicavam essas palavras à própria igreja, como edifício de Cristo, e nisso encontravam o cumprimento de suas palavras: "[...] edificarei a minha igreja, e as portas do inferno não prevalecerão contra ela" (Mt 16.18, ARA). Isso é verdade, sendo possível que esteja subentendido nas palavras de Jesus; mas a principal interpretação é a da vida individual. As pessoas que realmente têm a Cristo como fundamento e edificam uma vida de discipulado autêntico sobre ele, alcançarão o destino desta vida. (Ver nota em 7.13).

7.26: Mas todo aquele que ouve estas minhas palavras, e não as põe em prática, será comparado a um homem insensato, que edificou a sua casa sobre a areia.

7.26 καὶ πᾶς ὁ ἀκούων μου τοὺς λόγους τούτους καὶ μὴ ποιῶν αὐτοὺς ὁμοιωθήσεται ἀνδρὶ μωρῷ, ὅστις ᾠκοδόμησεν αὐτοῦ τὴν οἰκίαν ἐπὶ τὴν ἄμμον.

26 πᾶς...αὐτούς Tg 1.23

"**Ouve [...] não pratica [...] casa sobre a areia**" — Nota-se que realmente a ideia principal não é a de dois fundamentos, porque a areia não é fundamento. Aquele que edifica sobre a areia não tem alicerce algum; ignora essa necessidade. A experiência humana mostra que muitos se alicerçam em coisas sem a aprovação de Deus, e muitos outros não têm base de nenhuma espécie. Ambos os tipos ignoram a maior necessidade: o alicerce na rocha. Os cães e os porcos do v. 6 exemplificam aqueles que não têm alicerce. Os fariseus (os hipócritas de 6.5 e de outros versículos), os falsos profetas (dos v. 15-20), os discípulos e autoridades falsas (dos v. 21-23) são exemplos de pessoas com alicerces falsos. Todos esses são "insensatos". Essa palavra é dura, pois é palavra que Jesus proibiu de ser aplicada aos outros (Mt 5.22). O seu sentido principal é embotado, pesado, estúpido. Era termo empregado para dar a entender uma comida sem sabor. Todos esses sentidos podem ser aplicados à alma e à mente do homem que ouve mas não pratica os ensinos de Jesus.

7.27: E desceu a chuva, correram as torrentes, sopraram os ventos, e bateram com ímpeto contra aquela casa, e ela caiu; e grande foi a sua queda.

7.27 καὶ κατέβη ἡ βροχὴ καὶ ἦλθον οἱ ποταμοὶ καὶ ἔπνευσαν οἱ ἄνεμοι καὶ προσέκοψαν τῇ οἰκίᾳ ἐκείνῃ, καὶ ἔπεσεν, καὶ ἦν ἡ πτῶσις αὐτῆς μεγάλη.

27 μεγαλη] add σφοδρα Θ 1 3 33 al

27 Ez 13.10-12

Notemos que este pode passar pelas primeiras provas do primeiro homem, mas com resultado diferente.

"**Sendo grande a sua ruína**" — Jesus deixa novamente subentendido o juízo, a perda do destino da vida, a razão mesma da existência. Ver as notas detalhadas sobre essa questão em Romanos 8.29 e Apocalipse 14.11, e também no v. 14 deste capítulo.

Lemos que, ocasionalmente, durante a seca do ano, os pescadores erigiam cabanas sobre a areia que secara com a falta de água. Quando, repentinamente, voltaram as chuvas, causando inundações inesperadas, essas cabanas eram destruídas totalmente, num só momento. Assim ocorre àquele que ignora o alicerce na rocha. Entre os escritos judaicos, encontramos as seguintes palavras do rabino Eleazar, as quais ilustram bem a mensagem sobre os dois fundamentos: "O homem cujo conhecimento excede às suas obras é como a árvore de muitos galhos mas poucas raízes; ao soprar o tufão, tal árvore é arrancada da terra e destruída. Mas aquele que tem mais obras do que conhecimento, com que podemos compará-lo? Ele é como a árvore que tem poucos ramos e muitas raízes; assim sendo, todo vento dos céus não pode tirá-la do lugar". Outros rabinos empregaram parábolas mais semelhantes às que encontramos neste evangelho de Mateus.

II. PRIMEIRO GRANDE DISCURSO (5.1-7.29)
8. Sumário geral (7.28,29)
Sua fonte informativa é o protomarcos, com algum manuseio editorial. (Ver Mc 1.22).

7.28: Ao concluir Jesus este discurso, as multidões se maravilhavam da sua doutrina;

7.28 Καὶ ἐγένετο ὅτε ἐτέλεσεν ὁ Ἰησοῦς τοὺς λόγους τούτους ἐξεπλήσσοντο οἱ ὄχλοι ἐπὶ τῇ διδαχῇ αὐτοῦ·

28-29 ἐξεπλήσσοντο...ἔχων Mc 1.22; Lc 4.32

28 ἐγένετο...τούτους Mt 11.1; 13.53; 19.1; 26.1; Lc 7.1

7.29: porque as ensinava como tendo autoridade, e não como os escribas.

7.29 ἦν γὰρ διδάσκων αὐτοὺς ὡς ἐξουσίαν ἔχων καὶ οὐχ ὡς οἱ γραμματεῖς αὐτῶν.

29 αυτων] add και οι Φαρισαιοι C*W 33 pc lat sy

344 |Mateus| NTI

Mateus, quando seguia o esboço do evangelho de Marcos, ao chegar a 4.22 do seu livro, afastou-se de Marcos 1.20. Então, Mateus escreveu o material do Sermão do Monte. Nesta altura, que é o sumário (7.28,29), Mateus volta ao esboço de Marcos e tece habilidosamente o texto de Marcos 1.22 no primeiro de seus cinco cólofons sumariadores.

Aqui Jesus conclui o seu discurso "Quando Jesus acabou de proferir estas palavras..." expressão essa que nem sempre é encontrada após os principais discursos de Jesus, no evangelho de Mateus. Essas palavras assinalam a conclusão de cada um dos cinco textos principais dos discursos (ensinos) de Jesus, em Mateus. Essa expressão acha-se também em 11.1; 13.53; 19.1 e 26.1. Essas cinco principais seções formam a base sobre a qual foi escrito o evangelho. Essas seções são: 1) Caps. 3 a 7; 2). caps. 8 a 10; 3) caps. 11 a 13; 4) caps. 14 a 18; 5) caps. 19 a 25. Os capítulos 26 a 28 formam a conclusão, sem discursos de ensinos.

"Maravilhadas", **"espantadas"** — Literalmente, são expressões fortes como "fora de si" ou "atônitas". As amostras dos discursos dos rabinos, na Mishna, na Gemara e no Talmude, usualmente eram secas, insípidas, desconjuntadas, que continham declarações desconexas sobre todos os problemas humanos. Pareciam ter receio de falar, a não ser com o apoio de algum antecessor. Têm, todavia, grandes trechos no Talmude. Jesus falava por si mesmo, escudado em sua autoridade, pelo Espírito de Deus, na hora certa; mas até hoje há casas (vidas) edificadas sobre a areia, e por isso caem. Ver nota sobre o Talmude, em Marcos 7.3.

Alguns mss, como C(1) 33, e certo número de versões latinas e siríacas, adicionam, no fim destes versículos, "[...] e os fariseus". Não é acréscimo autêntico. Talvez tenha resultado de uma extensão natural do texto. Entre as traduções, somente F contém o acréscimo. Ver nota detalhada sobre os "escribas", em Marcos 3.22; sobre os "fariseus", em Marcos 3.6; e sobre os "saduceus", em Mateus 22.23; e também sobre o "sinédrio", em Mateus 22.23.

Principais diferenças entre Cristo e as autoridades religiosas dos judeus: 1) Jesus falou sobre coisas de grave importância, e não sobre ritos, lavagens etc. 2) Jesus praticava o que ensinava. 3) Jesus ensinava com energia e clareza notáveis. 4) Jesus confirmava os seus ensinos por meio de milagres, comprovando assim que era aprovado por Deus. 5) Jesus ensinava como quem tem o direito de acrescentar ensinos à lei, qual novo Moisés, e não como as autoridades religiosas dos judeus, que sempre citavam outros, por lhes faltar autoridade pessoal. 6) Jesus sempre falou para aumentar a glória do Pai, ao passo que muitos falavam só para aumentar a glória e a reputação de si mesmos entre os homens. 7) Jesus tinha o poder de outorgar compreensão aos seus ouvintes (graça divina). 8) A doutrina de Jesus era perfeita e espiritual, com os conceitos humanos acrescidos à lei pelas autoridades religiosas. 9) Jesus falava como o Messias, Rei do reino dos céus, posição essa que os mestres da lei não tinham o direito de imitar. 10) Jesus falava como um ser desenvolvido, mesmo sendo homem, algo que os outros não conseguiram.

Capítulo 8

III. MINISTÉRIO DAS OBRAS PODEROSAS DE JESUS, O MESSIAS (8.1—9.34)

1. Cura dos leprosos (8.1-4)

Jesus tinha o poder de curar qualquer pessoa. Desse modo, o autor demonstra que ele é verdadeiramente o Messias. A literatura rabínica mostra que os líderes religiosos do judaísmo julgavam imperativo que o Messias fosse dotado de poderes miraculosos. Jesus satisfez supremamente essa exigência. (Ver a introdução ao evangelho, seção V, onde são discutidos os vários "propósitos" do evangelho de Mateus, entre os quais está o de mostrar que Jesus era o Messias, o que é comprovado por meio de suas obras poderosas. Mais espaço é conferido a esse propósito do que a qualquer outro neste evangelho.

8.1: Quando Jesus desceu do monte, grandes multidões o seguiram.

8.1 Καταβάντος δὲ αὐτοῦ ἀπὸ τοῦ ὄρους ἠκολούθησαν αὐτῷ ὄχλοι πολλοί.

Tendo encerrado o primeiro dos cinco grandes discursos de Jesus, o autor reinicia a narrativa. O trecho de Mateus 8.1–9.34 consiste de três grupos de milagres, separados por seções breves de *logoi*, que demonstram a necessidade de lealdade absoluta a Cristo e estabelecem uma diferença definida entre a antiga e a nova dispensações. Nessas seções históricas, Jesus demonstra o seu poder e autoridade por meio de obras inegáveis. J. D. Jones fala do segredo de certo pregador cujos sermões não eram especialmente excelentes, mas que, apesar disso, traziam peso considerável entre o seu povo: "Há vinte anos de vida santa por detrás de cada sermão". (*The Gospel of Grace*. Londres: James Clarke * Co., 1907, p. 63). No caso de Jesus, tanto as palavras como as obras eram poderosas. Talvez seja significativo que o número dos milagres apresentados nesta seção seja dez. Isso corresponde à tradição de *Mishnah*: "Dez maravilhas foram operadas em favor de nossos pais no Egito, e dez no mar [...]. Dez maravilhas foram operadas em favor de nossos pais no templo" (*Aboth* 5.4,5). O clímax desta seção é atingido em 9.26, e ali o autor adiciona dois milagres, talvez para completar o número tradicional. Como fontes dessa seção, o autor usou a fonte "Q", quanto a dois dos milagres (8.5-13 e 9.32,22), enquanto o restante se baseou em Marcos; assim sendo, o protomarcos é a fonte ali.

Os poderes de cura do Senhor Jesus têm sido confirmados por numerosas tradições, tanto nos escritos cristãos como nos não-cristãos, e até os seus inimigos admitiam a existência desse poder, embora o atribuíssem às artes mágicas (Mt 12.23). Uma tradição do Talmude diz que Jesus foi enforcado na véspera da páscoa porque praticava a bruxaria e desviava o povo de Israel. Há outras histórias bem comprovadas sobre curas, entre os judeus e os não-judeus, como nas sociedades helênicas. O imperador Vespasiano, segundo se diz, teria curado um cego mediante o uso da saliva. (Tácito, *Histórias*, IV.81). Os evangelhos não fazem distinção quanto à espécie dos milagres, quer envolvam transformações psicológicas, físicas ou espirituais. Sabemos atualmente que, com frequência, é difícil distinguir exatamente a causa das enfermidades, e que geralmente há outras causas presentes que não são físicas. Não obstante, muitos tipos de curas foram feitas por Jesus cujas condições só podiam ser consideradas puramente físicas, muitas delas reputadas totalmente incuráveis. Pode ser, entretanto, que o curador mais habilidoso seja aquele que pode curar os males psicológicos e espirituais dos homens, e não aquele que pode curar meramente as enfermidades físicas. Tudo isso, todavia, faz parte do ministério de Jesus.

Este oitavo capítulo historia diversos tipos de milagres que servem de exemplo de todos os tipos possíveis. O poder de Jesus não se limitava a um tipo só. Assim, pois, ele curou doenças de diversas modalidades: lepra, paralisia, febre etc., isto é, doenças físicas não causadas por espíritos. Expulsou também demônios e curou doenças causadas pelos espíritos. Mostrou ter autoridade sobre a natureza, acalmando o mar e o vento. Curou "todos os que estavam doentes" (v. 16). É óbvio que o autor quis ilustrar o vasto poder de Jesus, poder eficaz sob qualquer circunstância. Nos capítulos 8 e 9, temos nove milagres especiais. Jesus curou males psíquicos, mas é claro que a lepra, por exemplo, não é uma enfermidade psíquica, como também não o são a paralisia ou a febre. As explicações dadas por alguns intérpretes modernos, que pretendem eliminar o elemento milagroso desses casos, não passam de subterfúgios. Não há razões para duvidarmos da literal realização desses milagres, embora hoje em dia haja homens que, por meios psíquicos, podem curar, predizer o futuro, e, às vezes, exibir forças assustadoras. (Ver notas em 4.23,24 e 7.21,23). No entanto, é possível que Jesus tivesse realizado os seus milagres por meio do próprio desenvolvimento espiritual, como homem, fortalecido pelo Espírito Santo (meio eficaz e possível para todos os crentes). O seu poder de acalmar as ondas, entretanto, parece ser uma das instâncias em que ele, usando suas prerrogativas divinas, revelou-se mais do que mero homem. Todavia, Jesus demonstrou, de modo geral, o que o homem pode vir a ser por meio do desenvolvimento do espírito, que é a faculdade espiritual do homem. Esse desenvolvimento faz parte da personalidade humana, e não é algo separado, usado como se fora um instrumento. Esse desenvolvimento da personalidade humana prosseguirá até que o ser humano seja transformado à imagem do poderoso Cristo. (Ver Rm 8.29).

Os acontecimentos narrados neste capítulo são também relatados em Marcos e em Lucas; mas nota-se que não são expostos na mesma ordem, e, às vezes, também não sob as mesmas circunstâncias. Por exemplo, Marcos parece fazer relação entre a cura do leproso e a primeira missão de Jesus à Galileia (Mc 1.40), e a cura do paralítico aparece após a volta da primeira viagem à Galileia (Mc 2.1). Desses fatos, precisamos aprender (e outro tanto sucede com frequência nos evangelhos) que os autores dos evangelhos não tiveram tanto cuidado quanto aos detalhes das circunstâncias e do tempo, como muitos religiosos pretendem dizer hoje em dia. As ocorrências foram autênticas, e isso é o que importa.

No diagrama abaixo são ilustradas as diferenças nessas ocorrências:

Mateus	Marcos	Lucas
1. Cura do leproso – 8.1-4	1. Cura da sogra de Pedro – 1.29-31	1. Cura da sogra de Pedro – 4.38,39
2. Cura do servo do centurião – 8.5-13	2. Cura do leproso – 1.40-45	2. Cura do leproso – 5.12-15
3. Cura da sogra de Pedro – 8.14,15	3. Ordem às ondas – 4.35-41	3. Cura do servo do centurião – 7.1-10
4. Desculpa dos convidados – 8.18-22	4. O endemoninhado de Gadara – 5.1-20	4. Ordem às ondas – 8.22-25
5. Ordem às ondas – 8.23-27		5. O endemoninhado de Gadara – 8.26-29
6. Dois endemoninhados de Gadara – 8.28-33		6. Desculpa dos convidados – 9.57-62

8.2: E eis que veio um leproso e o adorava, dizendo: Senhor, se quiseres, podes tornar-me limpo.

8.2 καὶ ἰδοὺ λεπρὸς προσελθὼν προσεκύνει αὐτῷ λέγων, Κύριε, ἐὰν θέλῃς δύνασαί με καθαρίσαι.

Mc 1.40-45 e Lc 5.12-16

"Leproso" — Primeira cura relatada sobre um indivíduo, que não faz parte de uma história geral.

"Senhor" — Essa palavra, que às vezes alude à divindade de Cristo, pode significar também "mestre" apenas, e é usada em todo o mundo para indicar simples relações humanas. (Ver Mt 6.24; 15.27; Ef 6.9). Provavelmente, o leproso nem sabia nem quis indicar coisa nenhuma sobre a divindade de Cristo, mas usou o termo somente como tratamento especial. Em outros textos, nota-se que a palavra é usada como um título que indica a sua divindade, o que equivale à palavra *Adonai*, no hebraico (Mt 22.43,45). Algumas vezes, foi usada para indicar Jesus, identificando-o como o "Senhor" do AT. (Mt 3.3). Sem dúvida, em João 20.28, Tomé empregou o termo pensando em Jesus como seu Deus. Seu uso frequente no NT, em relação a Jesus, no entanto, tem o sentido simples de "senhor", ou "mestre", o que também aparece neste versículo. O leproso nada sabia sobre a divindade de Cristo, e dificilmente teria feito qualquer pronunciamento

relativamente a isso, apesar de seu grande respeito pelo poder de cura de Jesus.

"Se quiseres" — O leproso não duvidava do poder de Jesus, mas não sabia qual seria a vontade dele sobre a realização do milagre. "Os homens creem com mais facilidade no poder milagroso do que no amor milagroso" (A. B. Bruce). Jesus veio a fim de demonstrar ambas as coisas.

"Purificar" — Não curar, porque a lepra era reputada uma imundícia, que tornava o indivíduo cerimoniosamente imundo, isto é, limitava suas atitudes de adoração na religião judaica. A lepra tipificava o pecado, e por muitas vezes vemos, na literatura dos judeus, a ideia de que essa doença surgia como julgamento contra o pecado, talvez devido à influência da história de Miriã (Nm 12.10). Lucas diz: "homem coberto de lepra...", isto é, a sua condição era horrível, e requeria um verdadeiro milagre. Nesse caso, era inútil a cura psíquica. Lucas também mostra a humildade e a insistência do homem: "[...] prostrou-se com o rosto em terra e suplicou-lhe..." (Lc 5.12). O homem cria no poder de Jesus, mas não tinha certeza de que Jesus usaria de misericórdia.

Além dos evangelhos, há outras confirmações de que Jesus curava a lepra. Um fragmento de evangelho, recém-descoberto, que é parte de um "evangelho" desconhecido, descreve a cura da lepra por Jesus. Diz: "Mestre Jesus, viajando com leprosos e comendo com eles na estalagem, também adquiriu a lepra" (H. I. Bell e T. C. Skeat, *Fragments of an Unknown Gospel and other Early Christian Papyri*. Londres: British Museum, 1935).

8.3: Jesus, pois, estendendo a mão, tocou-o, dizendo: Quero; sê limpo. No mesmo instante ficou purificado da sua lepra.

8.3 καὶ ἐκτείνας τὴν χεῖρα ἥψατο αὐτοῦ λέγων, Θέλω, καθαρίσθητι· καὶ εὐθέως ἐκαθαρίσθη αὐτοῦ ἡ λέπρα.

"Estendendo a mão, tocou-lhe..." — Era contrário à lei mosaica tocar em um leproso (Lv 5.3). É errôneo deduzir demais esse fato. Alguns (como Chys) dizem que Jesus mostrou assim que não era responsável pela lei de Moisés. Não é provável que, com essa simples atitude, ele pensasse ou demonstrasse isso. O mais provável é que Jesus agiu assim a fim de transferir o poder que podia curar o leproso. Isso não é raro nas curas. Não sabemos muito sobre a razão por que o toque tem esse efeito, mas essa é a verdade. Na história da igreja primitiva, nota-se que os que efetuavam curas por muitas vezes se utilizaram desse método.

"Imediatamente ficou limpo" — A maior parte das curas efetuadas por Jesus era de curas instantâneas. Nem sempre, porém, isso acontecia, como se vê em Marcos 8.22-26 e João 9.6,7. Não sabemos por que nem sempre Jesus curou instantaneamente. Entretanto, não há registro de qualquer instância em que Jesus tivesse tentado curar e houvesse falhado. Há casos, porém, em que ele não iniciou a cura, por falta de fé da parte dos homens. Hoje em dia, o poder curador funciona instantaneamente, e de outras vezes é um "processo demorado"; e, às vezes, nada ocorre. A questão merece muito estudo, para que se descubram as razões dessas coisas. Que tal poder perdura até hoje não se pode duvidar. Nem todas as curas, contudo, vêm de Deus, e isso Jesus mostrou com clareza. Ver notas sobre Mateus 7.21-23.

"Lepra" — Ver nota mais detalhada, em Lucas 5.12. Trata-se de uma doença da pele, de natureza duvidosa. É provável que muitos males fossem conhecidos por esse nome, mas parece certo que esse era um caso de lepra autêntica. Os tipos de lepra mencionados na Bíblia são raros hoje em dia, e assim, os tipos modernos têm características diferentes das que são mencionadas. A lepra era símbolo do pecado, por ser: 1) Repugnante; 2) contagiosa; 3) incurável.

Alguns intérpretes negam que a lepra fosse contagiosa, porque parece que os leprosos podiam assistir ao culto nas sinagogas e

346 | Mateus | NTI

também eram admitidos na igreja cristã. Por isso, interpretam que todas as leis relacionadas a essa doença abordavam apenas o símbolo do pecado, e nada tinham a ver com a higiene. Sabemos, contudo, que a lepra é doença contagiosa, ainda que não em alto grau. Ainda não se sabe com certeza como a lepra passa de uma pessoa para outra. Os judeus pensavam que a doença era julgamento contra o pecado, mandado diretamente por Deus, e a chamavam de "dedo de Deus". Ensinavam que, sem arrependimento, a lepra não poderia jamais ser curada. Essas ideias sobre a lepra ilustram bem o estado de pecado que amaldiçoa a raça humana inteira. Não é possível que o autor deste evangelho tenha incluído a narrativa sobre essa cura não só para demonstrar o poder que Jesus tinha de curar as enfermidades físicas, mas também a fim de provar o seu poder de curar o pecado na alma.

8.4: Disse-lhe então Jesus: Olha, não contes isto a ninguém; mas vai, mostra-te ao sacerdote, e apresenta a oferta que Moisés determinou, para lhes servir de testemunho.

8.4 καὶ λέγει αὐτῷ ὁ ᾿Ιησοῦς, ῞Ορα μηδενὶ εἴπῃς, ἀλλὰ ὕπαγε σεαυτὸν δεῖξον τῷ ἱερεῖ, καὶ προσένεγκον τὸ δῶρον ὃ προσέταξεν Μωϋσῆς,ᵃ εἰς μαρτύριον αὐτοῖς.

8 4 ῞Ορα...εἴπῃς Mt 9.30; 12.16; Mc 7.36 σεαυτὸν...ἱερεῖ Lv 14.2; Lc 17.14 προσένεγκον... Μωϋσῆς Lv 14.4-32

ᵃ 4 a minor: TR Bov Nes BF² AVᵉᵈ RV ASV RSV NEB TT Zür? Luth? Seg // a none: WH AVᵉᵈ Jer

"Não o digas a ninguém" — O fato de Jesus não desejar que os seus milagres fossem dados a público tem sido um dos problemas de interpretação. Quanto a isso, existem as seguintes ideias: 1) Jesus teria dito essas palavras àquele homem para benefício espiritual dele, isto é, para evitar o espírito soberbo, que poderia demonstrar após ter sido curado. 2) A proibição seria apenas para aquele momento; depois de haver-se mostrado ao sacerdote e ficar "limpo" à vista das autoridades, teria liberdade para narrar a sua história. 3) Para esconder o segredo messiânico. Jesus não estava pronto para se revelar (ou segundo alguns), não tinha certeza ainda da sua missão como Messias. 4) Jesus não queria ser conhecido apenas como realizador de milagres, mas como o Messias, o mestre da lei e da verdadeira religião (Mt 12.15-21). 5) Mais provavelmente — e esta última razão parece escapar aos comentaristas em geral —, Jesus simplesmente não se interessava pelo aplauso popular, porquanto sabia ser vã e sem valor a glória entre os homens. Ele só se interessava pela aprovação divina. Nisto mostrou a verdadeira atitude de ministro de Deus. Não são muitos os que têm seguido esse exemplo.

Marcos mostra que o homem não obedeceu a essa ordem: "Mas, tendo ele saído, entrou a propalar muitas coisas e a divulgar a notícia, o ponto de não mais poder Jesus entrar publicamente em qualquer cidade..." (Mc 1.45, ARA).

"Vai mostrar-te ao sacerdote..." — (Ver Lv 14.10,21). O uso dessas palavras a fim de provar a necessidade e a legitimidade de uma hierarquia no seio da igreja, como se fosse imitação do sistema judaico, é erro crasso, que não é apoiado e nem ensinado em nenhuma porção do NT.

"Oferta" — O homem deveria oferecer duas aves limpas e vivas, pau de cedro, carmesim e hissopo. Isso ele ofertaria quando da cerimônia de sua purificação. Ver detalhes sobre o modo de ser realizada a cerimônia, em Levítico 14.5-8. Após a purificação, traria duas ovelhas, uma ovelha sem mancha, de um ano, e um cordeiro de um ano, sem mancha, três décimas partes de farinha pura amassada com azeite, e um sextário de azeite (ver Lv 14.10). Se fosse pobre, traria somente um cordeiro, uma décima parte de farinha pura e um sextário de azeite (v. 21). Jesus teve o cuidado de ver cumprida toda a lei, especialmente para provar ao sacerdote que tudo fora feito de modo apropriado. Provaria também que a cura era verídica, tanto para o sacerdote, como para o homem curado, como para o povo em geral.

> **III. MINISTÉRIO DAS OBRAS PODEROSAS DE JESUS, O MESSIAS (8.1-9.34)**
> **2. Cura do servo do Centurião (8.5-13)**
>
> Ver as observações introdutórias em 8.1, que também têm aplicação aqui. O Messias continua a comprovar seu ofício, mediante suas obras poderosas. (Ver o paralelo a essa história em Lc 7.1-10). A fonte informativa parece ser "Q" porque Marcos não traz a narrativa. (Ver, na introdução a este comentário, o artigo intitulado "O problema sinóptico", quanto a informações completas sobre as "fontes informativas" dos evangelhos de Mateus, Marcos e Lucas.)
>
> Neste ponto é frisado como os próprios gentios vieram a crer em Jesus devido ao poder e à espiritualidade evidentes em sua vida. Na seção V da introdução, demonstramos a universalidade da mensagem cristã, o que também é um dos propósitos do presente evangelho; e esta seção ilustra essa finalidade.

8.5: Tendo Jesus entrado em Cafarnaum, chegou-se a ele um centurião que lhe rogava, dizendo:

8.5 Εἰσελθόντος δὲ αὐτοῦ εἰς Καφαρναοὺμ προσῆλθεν αὐτῷ ἑκατόνταρχος παρακαλῶν αὐτὸν

5 Εἰσελθ. δὲ α. εἰς Κ.] Μετα δε ταυτα κ (syᵉ) : Μετα δε τ. εἰς Κ. it (syᶜ) | εκατονταρχος] χιλιαρχης syˢ·ʰᵐᵍ Clʰᵒᵐ Eusᴾᵗ

5-7 Jn 4.46-47

(Lc 7.1-10). **"Cafarnaum"** — Ver notas sobre essa cidade em Marcos 1.21 e Mateus 4.13. Jesus fez dessa cidade o seu lar, centro de suas atividades, durante o ministério na Galileia. Atualmente, chama-se Tell Hum.

"Centurião" — Era o comandante militar de uma centúria (companhia de cem homens), mas esse número podia ser maior. A presença de um centurião em Cafarnaum indica que aquela cidade era um posto militar importante do governo romano. Lucas refere-se a esse homem, fazendo-o solicitar a Jesus, por meio de intermediários, que viesse curar o seu servo, o que destaca mais ainda a sua fé. Estava tão certo do poder de Jesus, que enviou mensageiros para receberem dele ainda que fosse uma só palavra; tinha experiência com "ordens" para os soldados, que obedeciam à voz de uma única palavra sua.

Segundo declara Lucas, os mensageiros eram anciãos judeus (provavelmente autoridades civis da cidade), pois Lucas usa um termo diferente para designar as autoridades das sinagogas. É possível que esses homens fossem autoridades em ambos os sentidos, e isso indica que o centurião havia estabelecido boas relações com os judeus, apesar de ser romano; e talvez houvesse aceitado, pelo menos em parte, a religião judaica, tendo assim simpatia pela pessoa de Jesus. Por esse mesmo motivo aceitava o fato de que Deus pode curar enfermidades. Provavelmente, servia como oficial das tropas de Herodes Antipas.

8.6: Senhor, o meu criado jaz em casa paralítico, e horrivelmente atormentado.

8.6 καὶ λέγων, Κύριε, ὁ παῖς μου βέβληται ἐν τῇ οἰκίᾳ παραλυτικός, δεινῶς βασανιζόμενος.

"Criado" — No grego, pode significar "filho" ou "escravo", no uso popular. Lucas usa a palavra "escravo". Talvez o centurião tivesse afeição pessoal pelo criado, como às vezes sucedia. Lemos que em muitos casos os escravos não pertenciam às classes mais baixas, e que por muitas vezes eram médicos ou professores. Não era raro que um escravo fosse mais instruído e culto que seu senhor. Alguns têm sugerido que o desvelo especial do centurião pelo escravo se devia, talvez, ao fato de não ter outro escravo. Sem dúvida um homem de sua posição não teria dificuldade em ter outro escravo. Por isso achamos que sua afeição pelo seu criado era sincera.

NTI | Mateus | 347

"Paralítico" — Refere-se a alguma enfermidade dos nervos, não sujeita à cura psicológica. Pelo fato de a paralisia comum geralmente não ser acompanhada de sofrimento intenso, como o caso do criado do centurião, alguns sugerem que a doença talvez fosse tétano, febre reumática, epilepsia ou outra enfermidade grave.

Lemos que César, de certa feita, desculpou-se por sentir piedade de um escravo. Entretanto, o centurião, que buscou a ajuda do Senhor, não compartilhava dessa atitude desumana. O centurião sabia da existência dos preconceitos judaicos, e não poderia saber com certeza se Jesus não o rejeitaria por ser gentio; arriscou-se a isso porque a necessidade era grande. Descobriu, porém, que Jesus era tal e qual ouvira — um homem gentil —, que compartilhava de sentimentos de simpatia até pelos escravos. Disso se pode tirar uma lição espiritual. O grande Deus dos céus condescendeu em mostrar-nos misericórdia, ainda que, certamente, somos mais vis, em contraste com ele, do que aquele escravo em comparação com o seu senhor.

8.7: Respondeu-lhe Jesus: Eu irei, e o curarei.

8.7 καὶ λέγει αὐτῷ, Ἐγὼ ἐλθὼν θεραπεύσω αὐτόν.[b]

[b] 7 b statement: TR WH Bov Nes BF² AV RV ASV RSV NEB TT Zür Luth Jer Seg // [b] question: NEB^mg

8.8: O centurião, porém, replicou-lhe: Senhor, não sou digno de que entres debaixo do meu telhado; mas somente dize uma palavra, e o meu criado há de sarar.

8.8 καὶ ἀποκριθεὶς ὁ ἑκατόνταρχος ἔφη, Κύριε, οὐκ εἰμὶ ἱκανὸς ἵνα μου ὑπὸ τὴν στέγην εἰσέλθῃς· ἀλλὰ μόνον εἰπὲ λόγῳ, καὶ ἰαθήσεται ὁ παῖς μου.[1]

8 ἑκατονταρχος] χιλιαρχης sy^s C]^hom Eus^pt

[1] 8 {C} ὁ παῖς μου (ver Lc 7.7) ℵ B C K L W X Δ Θ Π ƒ¹³ 3 565 700 892 1009 1010 1071 1079 1195 1216 1230 1241 1242 1253 1365 1546 1646 2148 2174 Byz Lect it^aur,c,f,ff²,h,l,q (it^a,b omit μου) vg syr^c,s,p,h,pal cop^bo goth arm eth geo¹ // my servant geo² // omit ƒ¹ it^k cop^sa,bo mss · Origen

> A evidência externa apoia esmagadoramente a inclusão de ὁ παῖς μου. Sua omissão, em vários testemunhos ƒ¹ it^k cop^sa,bo,mss Orígenes, pode ter sido ocasionada quando os olhos do copista saltaram de ἰαθήσεται para καί, seguinte, omitindo as palavras intermediárias.

Jesus mostrou boa vontade em curar o escravo, e evidentemente preparava-se para ir à casa do centurião. O texto de Lucas 7.6 mostra que Jesus acompanhou os mensageiros, e que já estava próximo quando outros amigos do centurião vieram-lhe ao encontro, trazendo a notícia de que o centurião não queria incomodar ao Mestre, mas queria apenas uma palavra da parte dele, porquanto julgava que isso era suficiente para que a cura se efetuasse.

"Não sou digno" — O centurião usou a mesma palavra empregada por João Batista. (Ver nota em Mt 3.11). Talvez por ser gentio, o centurião se tivesse humilhado por saber da atitude de Jesus para com os gentios; mas também é possível a ideia de que realmente era um homem humilde, por ser religioso. A passagem de Lucas 7.5 diz que o centurião era "[...] amigo do nosso povo, e ele mesmo nos edificou a sinagoga" (ARA). Isso mostra que a sinceridade do homem era tão grande, que até os judeus lhe reconheciam o bom caráter; e, se considerarmos a atitude comum dos judeus para com os gentios, veremos que isso indica muito de seu caráter. Ver nota arqueológica sobre uma sinagoga que foi descoberta em Cafarnaum, e que talvez seja a mesma que foi edificada pelo centurião (Lc 4.33).

"Uma palavra" — O centurião tinha notável confiança em Jesus. Talvez tivesse ouvido Jesus falar na sinagoga. Certamente conhecia sua reputação. O fato de que os judeus intercederam por ele mostra que, pelo menos até aquele momento, a oposição a Jesus ainda não se agravara, pois até as autoridades da cidade o tinham em alto conceito. Sabendo dos milagres e dos grandes ensinamentos de Jesus, o homem, com toda a sinceridade, não se sentia digno da presença do mestre. Talvez essa humildade tivesse sido o fator que o impediu de fazer pessoalmente o pedido a Jesus. A despeito disso, teve confiança de que Jesus poderia curar de longe, bastando-lhe proferir uma palavra.

8.9: Pois também eu sou homem sujeito à autoridade, e tenho soldados às minhas ordens; e digo a este : Vai, e ele vai; e a outro: Vem, e ele vem; e ao meu servo: Faze isto, e ele o faz.

8.9 καὶ γὰρ ἐγὼ ἄνθρωπός εἰμι ὑπὸ ἐξουσίαν²,
ἔχων ὑπ' ἐμαυτὸν στρατιώτας, καὶ λέγω τούτῳ, Πορεύθητι,
καὶ πορεύεται, καὶ ἄλλῳ, Ἔρχου, καὶ ἔρχεται, καὶ τῷ δούλῳ μου, Ποίησον τοῦτο, καὶ ποιεῖ.

² {B} ὑπὸ ἐξουσίαν C K L W X Δ Θ Π ƒ ƒ¹³ 33 565 700 892 1009 1010 1071 1079 1195 1216 1230 1242 1253 1365 1546 1646 2148 2174 Byz Lect l^211c it^ff²,l vg^ww syr^c,(s),p,h cop^sa arm (eth) geo Chrysostom // ὑπὸ ἐξουσίαν τασσόμενος (ver Lc 7.8) ℵ B l^211* it^a,aur,b,c,g¹,h,k,q vg^cl syr^pal cop^bo? Diatessaron Hilary Chrysostom Augustine // omit 1241

> A palavra τασσόμενος é claramente mais uma interpolação derivada da narrativa paralela de Lucas 7.8, pois, se a palavra é genuína na narrativa de Marcos, não se pode sugerir nenhuma boa razão para sua omissão em quase todos os testemunhos.

O centurião ilustra aqui a razão de sua fé de que bastaria uma palavra dita por Jesus para que seu criado fosse curado, prescindindo da presença do mestre.

"Homem sujeito à autoridade" — A tradução AC diz "sob autoridade", que é mais literal; a tradução "sujeito", de AA, é interpretação do sentido. A IB também diz "sujeito". As opiniões das autoridades bíblicas diferem quanto à explicação do sentido: 1) "Sob" autoridade não significa que estivesse "sujeito" à autoridade alheia, e, sim, é expressão que significa que estava investido de autoridade, para fazer cumprir o que desejasse. 2) Homem "sob" ou "sujeito" à autoridade de outros, isto é, sob o "tribunus legionis" e o "imperador". Havia superiores sobre ele mesmo, a quem tinha de obedecer. Provavelmente, a segunda opinião é a mais correta. Apesar de haver autoridades superiores a ele, às quais tinha de obedecer, ele mesmo tinha poderes para dar ordens, porquanto era comandante de cem ou mais soldados; podia dizer: "Vai, vem, faz", e os soldados faziam exatamente o que ele dizia. Portanto, a despeito de estar sujeito a outros, exercia grande poder e autoridade ao cumprir o seu serviço e dever. Bastava uma só palavra para que fosse cumprida a ordem que dava. Portanto, alguém como Jesus, que não era sujeito senão exclusivamente a Deus, poderia realizar a cura, mesmo sem estar pessoalmente presente. Achava que, para Jesus, as doenças tinham a mesma relação que os soldados que estavam vinculados a ele, centurião. Uma única palavra de Jesus bastaria para que se cumprisse a sua vontade, não menos que a simples palavra do centurião poderia cumprir sua vontade, em relação às coisas a ele sujeitas.

8.10: Jesus, ouvindo isso, admirou-se, e disse aos que o seguiam: Em verdade vos digo que a ninguém encontrei em Israel com tamanha fé.

8.10 ἀκούσας δὲ ὁ Ἰησοῦς ἐθαύμασεν καὶ εἶπεν τοῖς ἀκολουθοῦσιν, Ἀμὴν λέγω ὑμῖν, παρ' οὐδενὶ τοσαύτην πίστιν ἐν τῷ Ἰσραὴλ εὗρον³.

10 παρ'...εὗρον Mt 15.28

³10 {B} παρ' οὐδενὶ τοσαύτην πίστιν ἐν τῷ Ἰσραὴλ εὗρον B W it^a,k,q syr^c,h mg,pal cop^sa,bo eth^ro,ms? Diatessaron Augustine // παρ' οὐδενὶ τοσαύτην πίστιν εὗρον ἐν τῷ Ἰσραὴλ 892 // οὐδὲ ἐν τῷ Ἰσραὴλ τοσαύτην πίστιν εὗρον (ver Lc 7.9) ℵ C K L X Δ Θ Π 0250 ƒ¹³ 33 565 700 1009 1010 1071 1079 1195 1216 1230 (1241 1242 1365 ὅτι οὐδέ) 1253 1646 2148 2174 Byz Lect it^aur,b,c,f,ff²,g¹,h,l vg syr^p,h goth arm eth^pp geo Hilary Augustine // παρ' οὐδενὶ τοσαύτην πίστιν εὗρον ƒ¹

348 |Mateus| NTI

A forma οὐδὲ ἐν τῷ Ἰσραὴλ τοσαύτην πίστιν εὗρον, além de ser mais clara e mais fácil do que o texto, sem dúvida é uma assimilação ao paralelo de Lucas 7.9. As outras duas formas provavelmente surgiram mediante inadvertência de copistas.

"Admirou-se Jesus" — Ao próprio Jesus nunca faltou fé, e é óbvio que, às vezes, ele se surpreendia ante a ausência da mesma fé simples e profunda que ele tinha. Aprendeu, no entanto, que o homem comum não tem fé, e que, no homem, a fé só pode ser bem fraca. Percebeu que as próprias autoridades religiosas dos judeus não eram pessoas de fé, mas que, com frequência, duvidavam do interesse de Deus pelos homens. Após ter aprendido esses fatos sobre a natureza humana, os exemplos contrários eram-lhe motivos de grande admiração, especialmente se esse exemplo provinha de entre os gentios. (Ver Mc 7.24-30 e Mt 15.21-28, onde há outro exemplo). Tanto para Jesus como para Paulo, a fé era assunto primordial, porque indica o caráter religioso do indivíduo e sua opinião a respeito de Deus e dos poderes do alto. O pouco contacto com Deus, ou a *opinião fraca* sobre os poderes de Deus, ou ainda a ideia de que Deus não se interessa por usar o seu poder em benefício do homem, provoca debilidade de fé. A fé intensa procede do contacto com Deus, da confiança no seu poder, da confiança de que Deus emprega o seu poder em benefício do homem. Assim sendo, Jesus dava grande valor aos homens dotados de grande fé.

"Nem mesmo em Israel", onde a lei de Deus era conhecida, e onde, durante séculos, os ensinamentos de Deus eram divulgados entre o povo, onde Deus já demonstrara as suas obras, na história da nação, e onde o Messias já anunciara o reino de Deus — nem mesmo entre esse povo Jesus encontrou fé como a daquele gentio. No grego, a expressão é vigorosa, e indica "nenhum" caso ou exemplo.

8.11: Também vos digo que muitos virão do oriente e do ocidente, e reclinar-se-ão à mesa com Abraão, Isaque e Jacó, no reino dos céus;

8.11 λέγω δὲ ὑμῖν ὅτι πολλοὶ ἀπὸ ἀνατολῶν καὶ δυσμῶν ἥξουσιν καὶ ἀνακλιθήσονται μετὰ Ἀβραὰμ καὶ Ἰσαὰκ καὶ Ἰακὼβ ἐν τῇ βασιλείᾳ τῶν οὐρανῶν·

<hr>

11 ἀπὸ...ἥξουσιν Sl 107.3

11-12 ἀπὸ...ἐξώτερον Lc 13.28,29

11 μετα[(Lc 16.23) ἐν τοις κολποις (του) Cl^hom (Epiph)

Essas palavras aparecem em Lucas 13.28,29 sob circunstâncias diferentes. Servem de conclusão das palavras já estudadas em Mateus 7.13-23, mas de forma bastante abreviada e variada. Indicam que existem falsos discípulos (que se intrometem até entre o povo escolhido por Deus), e que a aparência dos discípulos não serve de garantia sobre a validade da profissão deles. As palavras aqui usadas por Jesus ilustram quase a mesma coisa: a fé verdadeira pode ser encontrada fora da nação de Israel e pode estar ausente de entre o povo de Deus, onde se espera encontrá-la. São seriíssimos os resultados da falta de fé.

"Virão do oriente e do ocidente" — Jesus se expressa aqui nos termos dos ensinos, das ideias e da literatura dos judeus. Os judeus acalentavam a ideia de que o reino seria caracterizado como grandiosa e alegre festa, e que esta incluiria o privilégio de banquetear-se com os grandes patriarcas da história do povo de Israel, ou seja, Abraão, Isaque e Jacó, e outros que não são mencionados aqui especificamente. Os judeus também imaginavam que os gentios não teriam parte nessa festa e regozijo, mas que ficariam do lado de fora, nas trevas, padecendo vários sofrimentos. No entanto, Jesus mostra aqui que aqueles que participarão desse banquete, isto é, das bênçãos do reino de Deus, dos privilégios da eternidade, não serão principalmente os "filhos do reino", os quais de acordo com os ensinamentos judaicos, seriam os "judeus", e, sim, indivíduos provenientes de *todas as regiões* do mundo, de entre as nações, até mesmo distantes, ou seja, "do oriente e do

ocidente". Ver Isaías 45.6; 11.9,10 e 2.2-4, onde é ensinada a mesma verdade. Aqui a referência é ao reino de Cristo, o milênio. Todavia, aprende-se em Apocalipse 21.24 que essa condição perdurará sobre a nova terra e também no estado eterno.

Cl (*Hom.*) (séculos II ou IV) diz "no seio de Abraão", ao invés do simples "com Abraão". Isso talvez se deva à influência de Lucas 16.23 (onde há referência ao "seio de Abraão" com o sentido de "paraíso"). Nenhum mss ou tradução, porém, diz isso.

8.12: mas os filhos do reino serão lançados nas trevas exteriores; ali haverá choro e ranger de dentes.

8.12 οἱ δὲ υἱοὶ τῆς βασιλείας ἐκβληθήσονται⁴ εἰς τὸ σκότος τὸ ἐξώτερον· ἐκεῖ ἔσται ὁ κλαυθμὸς καὶ ὁ βρυγμὸς τῶν ὀδόντων.

<hr>

12 ἐκεῖ...ὀδόντων Mt 13.42,50; 22.13; 24.51; 25.30; Lc 13.28

4 12 {C} ἐκβληθήσονται אᵃ B C K L W X Δ Θ Π *f* *f*³ 33 565 700 892 1009 1010 1071 1079 1195 1216 1230 (1241 2148 ἐμβληθήσονται) 1242 1253 1365 1546 1646 2174 *Byz Lect* it^aur,f,ff²,l vg syr^h cop^sa,bo goth eth geo² Cyprian^1/2 Chrysostom Cosmos // ἐξελεύσονται א* 0250 it^k syr^c,s,p,pal arm Diatessaron^a Heracleon^acc. to Origen Irenaeus^gr,lat Cyprian^1/2 Eusebius Augustine // *ibunt* it^a,b,c,g¹,h,q // *omit* geo¹

A forma ἐξελεύσονται (א* 0250 it^k syr^c,s,p,pal ara e diversos antigos testemunhos patrísticos) parece ter sido substituída por ἐκβληθήσονται, ou a fim de evitar o uso de um verbo na voz passiva, quando o agente não é expresso, ou a fim de prover um contrapeso mais apropriado para o verbo ἥξουσιν no versículo anterior ("virão [...] serão expulsos").

"Filhos lançados para fora" — Os que ficarem de fora, nas trevas, que não terão parte no banquete. Os "filhos", neste caso, são os "judeus", que eram filhos de Deus e do reino na qualidade de nação escolhida. A lição que daqui se depreende é que, para participar do banquete com os patriarcas, ou seja, para que alguém goze do reino que será estabelecido, é mister ter a fé dos patriarcas, tal como o centurião a teve. "Os filhos" que não têm essa fé no sentido espiritual não são "filhos do reino", apesar de serem filhos no sentido literal, por serem descendentes dos patriarcas. Ver nota em 3.9, que ensina a mesma coisa. Essa era uma lição que a maioria dos judeus precisava aprender, porquanto, nos ensinos judaicos, não havia ideia mais comum do que aquela que dizia que a nação judaica, "ipso facto", por ser a nação de "Israel", desfrutaria das bênçãos eternas de Deus, ficando nisso incluídos os indivíduos participantes dessa nação. Mas a verdade é que ter a mesma fé dos patriarcas é, *ipso facto*, ter as mesmas bênçãos desfrutadas por eles. Assim sendo, é bem possível que no fim haverá mais gentios do que judeus com essa fé.

"Trevas", "choro", "ranger de dentes" — Essas três expressões são provenientes dos ensinos e da literatura dos judeus, para descrever o caráter do juízo imposto aos que ficarem de fora do reino. Fora do palácio do rei (que estaria feericamente iluminado, com grande número de lâmpadas e outras fontes luminosas) só haveria espessas trevas. Estando nessas trevas, os homens sofreriam muitas dores, por terem sido excluídos da mesa real. Ver Mateus 13.42,50; 24.51; 25.30 e Lucas 13.28. Os que ficarem do lado de fora sofrerão de frio e de fome, e por isso haverá "ranger de dentes" entre eles. Esses são os símbolos do julgamento. Ver notas em Apocalipse 14.11.

8.13: Então disse Jesus ao centurião: Vai-te, e te seja feito assim como creste. E naquela mesma hora o seu criado sarou.

8.13 καὶ εἶπεν ὁ Ἰησοῦς τῷ ἑκατοντάρχῃ, Ὕπαγε, ὡς ἐπίστευσας γενηθήτω σοι. καὶ ἰάθη ὁ παῖς [αὐτοῦ] ἐν τῇ ὥρᾳ ἐκείνῃ⁵.

<hr>

13 ἑκατονταρχη] χιλιαρχη sy^e Cl^hom Eus^pt

13 ὡς...ἐκείνη Mt 9.29; 15.28; Jo 4.50,51

5 13 {B} ἐν τῇ ὥρα ἐκείνῃ ℵ B K X ƒ¹ ƒ¹³ 565 (892 *omit* ἐν) 1009 1071 1079 1195 1216 1230 1241 1242 1253 1365 1546 1646 2148 2174 *Byz Lect* (*l²¹¹*) it^{aur,f,ff²,k,l} vg syr^{c,s,p,h} cop^{sa mss,bo} goth eth // ἐν τῇ ἡμέρᾳ ἐκείνῃ W 700 arm geo // ἀπὸ τῆς ὥρας ἐκείνης C Δ Θ 0250 33 1010 *l⁹⁵⁰,¹⁶²⁷* it^{a,b,c,g¹,h,q} syr^{pal} cop^{sa,bo mss} Eusebius Basil Chrysostom Augustine

ἐκείνῃ BW ƒ13 565 700 *al* lat sy co ς; R] *add p*) και υπρστρεψας ο εκατονταρχος εις τον οικον αυτου εν αυτη τη ωρα ευρεν τον παιδα υγιαινοντα ℵΘ *fi pm*

> Já que Mateus usa tanto ἀπὸ τῆς ὥρας ἐκείνης (9.22; 15.28 e 17.18) e *(10.19 e 18.1), bem como ἐν τῇ ὥρα ἐκείνῃ (7.22; 13.1 e 22.23), a decisão, aqui, parece depender principalmente da avaliação da evidência externa, que a comissão julgar apoiar claramente a forma adotada no texto. ἐν ἐκείνῃ τῇ ὥρα

"Seja feito conforme a tua fé [...] servo curado" — Após mostrar que as bênçãos eternas se baseiam na fé, Jesus garante ao centurião que a simples petição sobre qualquer coisa terrestre (como a cura de um escravo) também deve estar alicerçada na fé. E a resposta não somente é obtida, mas também, como neste caso, é obtida imediatamente: "[...] naquela mesma hora o seu criado sarou".

Há um milagre quase idêntico a esse em João 4.46-53, com detalhes similares. Todavia, ali a pessoa é um *filho*, enquanto aqui é um "escravo". Ali o homem insistiu para que Jesus viesse à sua casa; aqui o centurião não se julgou digno de receber Cristo em sua casa. O milagre não foi menos notável, mas, a despeito de ter sido grande a fé daquele pai, no relato em João, não se comparava à fé do centurião.

III. MINISTÉRIO DAS OBRAS PODEROSAS DE JESUS, O MESSIAS (8.1-9.34)
3. Cura da sogra de Pedro (8.14-17)

(Cf. Mc 1.29ss e Lc 4.38ss). A fonte informativa é o *protomarcos*, como também a maior parte das porções históricas dos evangelhos sinópticos. Mateus copia cerca de 90% de Marcos em seu texto, o que constitui o esboço histórico. Supomos que a fonte informativa mais importante de Marcos tenham sido as memórias de Pedro, e a presente narrativa certamente figurava naquele material, pois esses acontecimentos parecem ter sucedido na casa do próprio Simão. Isso significa que larga porção dos evangelhos pode-se ter derivado de narrativas feitas por testemunhas oculares, entre as quais estava Pedro. (Ver a introdução ao evangelho de Marcos, quanto a uma discussão sobre suas "fontes informativas").

(Ver a menção à esposa de Pedro, em 1Co 9.5.)

8.14: Ora, tendo Jesus entrado na casa de Pedro, viu a sogra deste de cama, e com febre.

8.14 Καὶ ἐλθὼν ὁ Ἰησοῦς εἰς τὴν οἰκίαν Πέτρου εἶδεν τὴν πενθερὰν αὐτοῦ βεβλημένην καὶ πυρέσσουσαν·

14 εἰς...αὐτοῦ 1Co 9.5

(Mc 1.29-31 e Lc 4.38,39). Cura da sogra de Pedro — Segundo Marcos e Lucas, o acontecimento deu-se em um sábado. Quatro discípulos estavam presentes: Tiago e João (filhos de Zebedeu), André e Pedro. André e Pedro nasceram na aldeia de Betsaida (Jo 1.44), mas mudaram-se para Cafarnaum, talvez logo após o casamento de Pedro, quiçá por razões econômicas, por ser Cafarnaum a cidade maior e mais próxima (a poucos quilômetros de distância). Provavelmente, Pedro e sua esposa tinham-se casado há pouco, e parece que estavam morando na casa da sogra de Pedro. Supõe-se, pois, que Cafarnaum fosse a cidade natal da esposa de Pedro.

Muito se tem falado sobre o fato de Pedro ser casado, o que contraria os ensinos da igreja romana, que exige o celibato de seus "sacerdotes". Portanto, se é verdade que Pedro foi o primeiro papa (do que não se tem prova nenhuma), então o primeiro papa era casado.

Paulo confirma que Pedro era casado: "[...] e também o de fazer-nos acompanhar de esposa crente, como fazem os demais apóstolos, e os irmãos do Senhor e de Cefas (Pedro)?" (1Co 9.5). Nota-se que os outros apóstolos também eram casados, e isso teria sido um exemplo negativo para os sacerdotes romanistas. O argumento romanista contra os protestantes é tríplice: 1) Pedro, já sendo casado, deveria permanecer casado para cumprir seu dever. É argumento duvidoso, quando consideramos que Pedro e sua esposa poderiam ter desfeito o casamento para servirem a um alvo mais elevado, se a vontade de Deus fosse que seus servidores não tivessem obrigação de família. 2) Depois Paulo teria mostrado que o celibato é melhor para os que querem servir a Deus com todas as suas forças (1Co 7.1,7,8,28,32,33,38). Entretanto, Paulo não menciona sacerdotes, como se fossem uma classe, e nem estabelece regra nenhuma, mas refere-se aqui aos cristãos em geral. A regra estabelecida especialmente para os *sacerdotes* foi invenção humana, destituída de qualquer precedente nas Escrituras. Se os cristãos individualmente tiverem a disposição e a capacidade (segundo o dom de Deus, ver nota em 1Co 7.7), e também o dom de Deus para ficarem solteiros, e se a razão for a de servirem melhor a Deus, então a responsabilidade de tais pessoas é permanecer *solteiras*, para cumprir seus deveres para com Cristo. Ver notas em 1Coríntios 7.3. Talvez a experiência da igreja, por meio dos pais da Igreja e do ensino posterior do Espírito Santo (segundo creem as autoridades romanistas), tenha demonstrado que o celibato é melhor para os "sacerdotes". Neste ponto, entra-se na esfera da tradição católico-romana, e é natural que aí existam indicações que parecem mostrar que o celibato é melhor para os seus sacerdotes. No entanto, é sólida a base da dúvida de que tais regras tenham sido originadas pelo Espírito Santo. Ora, se não foram originadas por ele, então todas as demais porções do tríplice argumento não têm validade para a vida cristã. Não existe nenhuma razão convincente de que o Espírito Santo esteja envolvido nessa doutrina. Nota-se, pela história eclesiástica, que essa doutrina foi estabelecida algum tempo antes de Agostinho (ano 400 d.C.).

8.15: E tocou-lhe a mão, e a febre a deixou; então ela se levantou, e o servia.

8.15 καὶ ἥψατο τῆς χειρὸς αὐτῆς, καὶ ἀφῆκεν αὐτὴν ὁ πυρετός· καὶ ἠγέρθη καὶ διηκόνει αὐτῷ.

15 αυτω ℵ*,vid BWθ *700 al k* sa; R] *p*) αυτοις ℵ^c fi ƒi3 *33 565 pm* lat sy^{sc} ς

"Tomou-a pela mão" — Marcos diz: "[...] a levantou...", nas traduções IB e AC, mas a tradução AA tem razão em haver omitido essa frase, porque ela vem principalmente dos mss D e W, das traduções latinas e dos mss mais recentes; os melhores e mais antigos mss omitem essas palavras. Portanto, tanto Marcos como Mateus mencionam somente o toque da mão de Jesus. Ver nota em 8.3, sobre o toque curador.

"Passou a servi-lo" — A cura foi imediata e total. O autor menciona esse "serviço" a fim de mostrar quão completa foi a cura, e não, conforme Jerônimo diz, a fim de indicar que a esposa de Pedro morrera, e que foi necessário que a sogra o servisse. Essa interpretação de Jerônimo demonstra ignorância do preconceito e imaginação fértil. Outros têm feito aplicações espirituais: o serviço seria a melhor prova de que Cristo modifica a vida da pessoa, curando o pecado. Aqueles que têm sido curados servem aos seus semelhantes, como a sogra de Pedro serviu a Jesus.

8.16: Caída a tarde, trouxeram-lhe muitos endemoninhados; e ele com a sua palavra expulsou os espíritos, e curou todos os enfermos;

8.16 Ὀψίας δὲ γενομένης προσήνεγκαν αὐτῷ δαιμονιζομένους πολλούς· καὶ ἐξέβαλεν τὰ πνεύματα λόγῳ, καὶ πάντας τοὺς κακῶς ἔχοντας ἐθεράπευσεν·

(Outras curas aparecem em Mc 1.32-34 e Lc 4.40,41).

"Chegada a tarde" — Lucas diz: "ao pôr-do-sol", referindo-se ao fim do mesmo dia em que Jesus curou o criado do centurião e a

350 | Mateus | NTI

sogra de Pedro, que era um dia de sábado. É notável que as autoridades não tenham ido contra a cura do criado no sábado. Essas curas de muitos enfermos e endemoninhados tiveram lugar na casa de Pedro. Sabe-se que o evangelho de Marcos foi compilado à base do testemunho e das memórias de Pedro, embora esses milagres tenham aparecido nas Escrituras (evangelho de Mateus, Marcos e Lucas), como relatos de Pedro, que foi testemunha ocular de tudo.

"**Endemoninhados**" — Ver notas sobre os "demônios", em Marcos 5.2; sobre "Satanás", em Lucas 10.18; e sobre a possessão demoníaca, em 8.28 de Mateus.

Lê-se que foram duas *tardes*, segundo o cômputo judaico. Uma foi "ao pôr-do-sol", cerca de 18 horas, que marcava o fim de um dia e o princípio de outro. As horas seguintes, quando há havia trevas, eram também chamadas de "a tarde". Essas horas seriam no começo de um novo dia, isto é, domingo. Provavelmente, o movimento do povo na cidade, na casa de Pedro, não teria começado senão no fim do sábado; mas nota-se que esse movimento começou assim que o sábado terminou. Talvez o povo visse alguma impropriedade em buscar curas enquanto perdurasse o sábado, para evitar profaná-lo. Marcos diz: "Toda a cidade estava reunida à porta", o que, naturalmente, é um exagero, para indicar que o movimento era grande. Pedro testemunhou muitos milagres em sua casa, e essa ficou famosa, porque Jesus era famoso. Apesar de que a maioria dos milagres foi operada após as 18 horas, o que já dava início ao domingo, Jesus curou a muitos enfermos no próprio sábado, como o criado do centurião, o endemoninhado na sinagoga (ver Lc 4.35,36), e a sogra de Pedro. É difícil dizer quantos milagres fez Jesus naquelas vinte e quatro horas. Só se sabe com certeza que foram muitos.

8.17: para que se cumprisse o que fora dito pelo profeta Isaías: Ele tomou sobre si as nossas enfermidades, e levou as nossas doenças.

8.17 οὕπως πληρωθῇ τὸ ῥηθὲν διὰ Ἡσαΐου τοῦ προφήτου λέγοντες,

Αὐτὸς τὰς ἀσθενείας ἡμῶν ἔλάεν καὶ τὰς νόσους ἐβάστασεν.

_____
17 Αὐτὸς...ἐβάστασεν Is 53.4

"**Ele mesmo tomou as nossas enfermidades e carregou com as nossas doenças**" — Profecia messiânica, que se acha em Is 53.4. A citação foi tirada do hebraico, porque a LXX interpreta essa profecia como referência ao pecado. No grego a expressão é enfática. O Messias, Cristo Jesus, veio com a finalidade de aliviar o sofrimento humano. Esse versículo tem recebido diversas interpretações: 1) Refere-se ao ministério espiritual do Messias, ao levar o pecado do mundo. O texto de Isaías aborda exatamente isso, e a LXX reflete isso na tradução. 2) Segundo o uso de Mateus, indica apenas as doenças físicas. A profecia, pois, expõe outro aspecto do ministério de Cristo, sem mencionar aqui a expiação pelo pecado. 3) Refere-se a ambas as coisas — o pecado e as enfermidades —, provavelmente considerando as doenças como resultantes do pecado, ou então com ligação direta ao pecado; o Messias veio para tratar da enfermidade espiritual e física da natureza humana. Provavelmente, o autor do evangelho concordaria com esta interpretação. Essa doutrina tem recebido várias interpretações exageradas, como: 1) A cura física está incorporada na expiação pelo pecado; assim sendo, nunca é da vontade de Deus que seu povo adoeça. É verdade que, no fim, a expiação terá o efeito de *eliminar* as enfermidades físicas, mas isso só ocorrerá quando da transformação operada na ressurreição. Não é menos ridículo dizer que a morte física é agora eliminada pela expiação, isto é, a morte no presente. A morte física, mais do que as doenças, demonstra que estamos enfermos, e geralmente resulta das doenças. A expiação também eliminará a morte na raça humana, mas isso só será total depois do milênio (1Co 15.24-26). A expiação eliminará finalmente as doenças, mas dizer que isso ocorre no presente é exagerar a doutrina. O próprio Paulo sofreu fisicamente. (Ver 2Co 12.7). Paulo nunca atingiu a perfeição nesta vida (Fp 3.12). João declarou enfaticamente a permanência

do pecado (1Jo 1.8), e somente o equívoco pode levar as pessoas a pensar de outro modo. Enquanto permanecer o pecado, permanecerão as enfermidades. 2) Outros abusam desse versículo, dizendo que Jesus sofreu de esgotamento espiritual por haver carregado os nossos pecados e doenças em oportunidades como esta. Não há que duvidar de que algumas vezes ele sofreu de esgotamento físico e mental. Ver Marcos 5.30, quando dele saiu poder, ao curar; ver também Lucas 22.44 e Marcos 15.21.

Finalmente, seria um erro não notar que este versículo (além de ensinar certas doutrinas) mostra principalmente a simpatia e o espírito de misericórdia de Jesus para com a raça humana. Jesus não operou milagres para mostrar sua divindade, ilustrar as doutrinas etc., mas para aliviar o sofrimento humano, porquanto, como homem, participou desses sofrimentos e simpatizou com os homens. O versículo demonstra, mais do que qualquer outra coisa, a compaixão de Jesus.

III. MINISTÉRIO DAS OBRAS PODEROSAS DE JESUS, O MESSIAS (8.1-9.34)

4. Ensinamentos sobre o discipulado (8.18-22)

Esta seção é paralela à de Lucas 9.57-60. Vários comentadores gostam mais da conexão apresentada por Lucas do que as circunstâncias históricas dadas em Mateus. (Ver as notas abaixo sobre as "circunstâncias históricas". A fonte informativa evidentemente é "Q". (Ver, na introdução a este comentário, o artigo intitulado "O problema sinóptico", quanto a informações sobre as "fontes informativas" dos evangelhos de Mateus, Marcos e Lucas). A história ilustra o rigor do autêntico discipulado cristão, e, como este, exige uma dedicação que não é comum na maioria dos líderes religiosos, quanto menos da humanidade em geral. A seção ilustra que o discipulado pode resultar de um impulso apenas, e não de verdadeira espiritualidade. O indivíduo já era profundamente religioso, mas ainda não se encontrara com Cristo. Ele percebeu a beleza da pessoa de Cristo, conforme a maioria das pessoas religiosas, mas, segundo tudo indica, não estava disposto a entregar sua vida e sua alma a ele.

"As declarações de Jesus sobre o discipulado com frequência são difíceis. Nobremente peneiram os homens como trigo, separando a palha do grão (Cf. Lc 22.31). Jesus ofereceu ferimentos e morte, e só as almas valentes aceitam o desafio. Talvez a igreja tenha de aprender novamente essa estratégia e essa verdade. Temos feito o discipulado tornar-se tão fácil, que não vale a pena as perseguições, porquanto não tem um fio cortante. O discipulado autêntico, porém, só pode ser realizado ao preço de disciplinas e dificuldades" (Buttrick, in loc.).

8.18: Vendo Jesus uma multidão ao redor de si, deu ordem de partir para o outro lado do mar.

8.18 Ἰδὼν δὲ ὁ Ἰησοῦς ὄχλον⁶ περὶ αὐτὸν ἐκέλευσεν ἀπελθεῖν εἰς τὸ πέραν.

_____
18 ἐκέλευσεν...πέραν Mc 4.35; Lc 8.22

⁶ 18 {D} ὄχλον B copˢᵃ // ὄχλον πολύν W itᶜ·ᵍ¹ syrᶜ·ˢ copˢᵃ ᵐˢˢ ethᵐˢ geo² // πολλὺν ὄχλον 1216 geo¹ // ὄχλον ℵ* f¹ (1365 lⁱ⁸⁴ copᵇᵒ τοὺς ὄχλον) // πολλοὺς (1071) 1546* // πολλοὺς ὄχλους ℵ C K L W X Δ Θ Π f¹³ 33 565 700 892 1009 1010 1079 1195 1230 1242 1253 1546ᶜ 1646 2148 2174 Byz Lect syrᵖᵃˡ goth ethʳᵒ Diatessaron // ὄχλους πολλούς 108 itᵃ·ᵃᵘʳ·ᵇ·ff²·ʰ·ᵏ·ˡ·q vg syrᵖ·ʰ arm ethᵖᵖ Hilary Augustine

Após reiteradas discussões, a comissão, em sua maioria, finalmente resolveu que, apesar de sua escassa confirmação, a forma de B e do copˢᵃ é a preferível, e que as outras formas devem ser explicadas como ampliações feitas, a fim de frisar a dimensão da multidão em redor de Jesus.

Lucas tem essa seção (Mt 18.18-22), em um contexto diferente (ver Lc 9.57-60), ao término do ministério galileu, quando Jesus se preparava para ir a Jerusalém. Geralmente, Jesus não tinha onde morar, em suas viagens e, apesar de o verdadeiro discipulado — segundo ensinavam os rabinos, e certamente Jesus também — requerer que o discípulo estivesse em permanente e íntimo contacto com o mestre, a fim de aprender suas lições tanto por preceito como pela observação do exemplo dado pro ele, os discípulos de Jesus não teriam onde hospedar-se, acompanhando-o por onde ele ia. Lucas 9.57 diz que o homem era um escriba, o que é confirmado por Mateus 8.19, e certamente ele teria compreendido esse tipo de discipulado, devido ao seu treinamento judaico. O homem era um homem-chave, membro de um grupo que não se deixava impressionar facilmente. O próprio fato de que ele veio ter com Jesus mostra o poder da influência de Jesus.

"Ordenou passar para a outra margem" — Isto é, a costa ocidental do mar da Galileia. (Ver nota em Jo 6.1 e Mt 4.13). Provavelmente, Jesus assim ordenou para evitar maior contacto com o povo, pois precisava descansar do esgotamento físico. Essa referência também tem o propósito de fazer ligação entre as ocorrências anteriores e as que são registradas em seguida, a saber, a tempestade acalmada e a cura dos endemoninhados gadarenos.

8.19: E, aproximando-se um escriba, disse-lhe: Mestre, seguir-te-ei para onde quer que fores.

8.19 καὶ προσελθὼν εἷς γραμματεὺς εἶπεν αὐτῷ, Διδάσκαλε, ἀκολουθήσω σοι ὅπου ἐὰν ἀπέρχῃ.

"Escriba" — Ver nota sobre essa profissão, em Marcos 3.22; sobre "fariseus", em Marcos 3.6; sobre "saduceus", em Mateus 22.23; sobre os "herodianos", em Marcos 3.6; sobre o "sinédrio", em Mateus 22.23; e sobre os "essênios", em Lucas 1.80 e em Mateus 31.

"E outro dos discípulos" — Evidentemente, mostra que esse escriba era discípulo de Jesus. Pode-se enunciar a expressão de modo diferente: "e outro, um dos discípulos", o que eliminaria a ideia de que esse escriba era discípulo de Jesus. Em qualquer dos casos, o escriba ficara muito impressionado com o ministério de Jesus, e, sendo homem de disposição religiosa, decidiu segui-lo a fim de expressar os seus ideais religiosos. Por isso, disse: "Seguir-te-ei para onde quer que fores". Isso parece mostrar uma boa atitude, sem reservas. Alguns intérpretes acham que o homem era Judas Iscariotes, mas essa ideia prescinde de provas. Era costume que alguns mestres da lei ou da filosofia tivessem discípulos que os seguissem, os quais não largavam seus mestres, aprendendo sempre de duas maneiras, a saber, pela vida e pelas palavras do mestre.

8.20: Respondeu-lhe Jesus: As raposas têm covis, e as aves do céu têm ninhos; mas o Filho do homem não tem onde reclinar a cabeça.

8.20 καὶ λέγει αὐτῷ ὁ Ἰησοῦς, Αἱ ἀλώπεκες φωλεοὺς ἔχουσιν καὶ τὰ πετεινὰ τοῦ οὐρανοῦ κατασκηνώσεις, ὁ δὲ υἱὸς τοῦ ἀνθρώπου οὐκ ἔχει ποῦ τὴν κεφαλὴν κλίνῃ.

_____
20 ὁ δὲ...κλίνῃ. 2Co 8.9

Há diversas interpretações deste versículo: 1) Os homens sem iluminação do Espírito pensam que podem fazer qualquer coisa, pois não fazem a menor ideia de como é severo o discipulado. 2) Jesus não confiava na classe das autoridades religiosas dos judeus, incluindo os escribas; por isso, preferiu dissuadir esse homem. 3) A resposta de Jesus mostra que o homem *não tinha* propósito firme, e que sua atitude fora teatral. 4) A atitude do escriba resultou de mera emoção passageira. 5) Jesus sentiu a fraqueza do homem, pois sabia que o discipulado seria por demais rigoroso para ele.

Jesus comparou as dificuldades que enfrentava na vida diária com a condição dos animais e dos passarinhos, que realmente gozam de pouca proteção contra os elementos da natureza. Sabe-se que certas mulheres, incluindo Salomé, esposa de Zebedeu, contribuíam com dinheiro para o sustento de Jesus e seus discípulos, mas a quantia devia ser pequena. Jesus, falando literalmente, não

tinha lar, e assim viveu durante a maior parte de seu ministério. No entanto, até as raposas têm lugar certo para abrigar-se.

"Ninhos" — Neste caso, o vocábulo grego significa "abrigo", isto é, lugar onde pousam os passarinhos. Os ninhos só são usados durante o período de procriação.

"Filho do homem" — Expressão hebraica que significa, principalmente, uma posição humilde, depravação, ou ausência de privilégios especiais. Por cerca de 80 vezes, essa expressão é usada para indicar Jesus, e não é usada com referência a nenhum profeta por vir, como alguns supõem. Mateus 16.13-15 mostra que, embora Jesus tivesse falado na terceira pessoa, o termo refere-se a ele mesmo. Essa expressão pode conter dois sentidos principais: 1) Apresentação de Jesus como ser humano típico, isto é, representante da raça humana. Esse é o significado comum dos termos que contêm a expressão "filho de". 2) Identificação que Jesus fez de si mesmo com a personagem profética de Daniel 7.13,14. Isso fica claro em 1Cr 16.13-17. Tudo indica que Jesus usou esse termo com ambos os sentidos. Sua missão usualmente é implícita, incluindo até a sua missão futura, ambas em um segundo advento (Mt 10.23), e como juiz universal (Jo 5.22-27). Neste versículo, a ênfase recai sobre a ideia de sua posição humilde, como homem, ideia de aviltamento.

Problema da harmonia dos evangelhos — Este acontecimento aparece em Lucas 9.5-62, muito posterior ao ministério galileu, sob circunstâncias diferentes. Em Lucas, nota-se que isso ocorreu durante a preparação para a subida a Jerusalém pela última vez, ou seja, depois das três excursões missionárias pela Galileia. Aqui aparece quase no princípio de seu ministério. Não seria solução dizermos que há quatro exemplos de discipulado em potencial, formando dois pares iguais. Não é razoável essa explicação. Já observamos que os autores dos evangelhos nem sempre relatam pela ordem os acontecimentos da vida de Jesus e suas palavras, e nem mesmo sob as mesmas circunstâncias. Referindo-se ao evangelho de Marcos, Papias disse claramente que esse evangelista nem sempre narrou os acontecimentos na ordem de sua ocorrência. Cada um dos quatro evangelistas usou a matéria de que dispunha do modo que melhor lhe pareceu, de conformidade com os propósitos, a fim de transmitir sua mensagem da maneira mais eficaz possível. Ver notas em Mateus 6.9-15 e 8.1,2,20,25, quanto a outras observações sobre a questão da harmonia dos evangelhos. Ver também, na introdução a este comentário, o artigo "Historicidade dos evangelhos".

8.21: E outro de seus discípulos lhe disse: Senhor, permite-me ir primeiro sepultar meu pai.

8.21 ἕτερος δὲ τῶν μαθητῶν [αὐτοῦ]⁷ εἶπεν αὐτῷ, Κύριε ἐπίτρεψόν μοι πρῶτον ἀπελθεῖν καὶ θάψαι τὸν πατέρα μου.

_____
21 ἐπίτρεψον...μου 1Rs 19.20

⁷ 21 {C} τῶν μαθητῶν αὐτοῦ C K L W X Δ Θ Π 0250 *f*¹ *f*¹³ 565 700 892 1009 1010 1071 1079 1195 1216 1242 (1365 *omit* μαθητῶν) 1546 1646 2174 *Byz Lect* (*l*⁸⁴⁵ ἑαυτοῦ) it^(aur,ff¹,g¹,(k),l) vg syr^(c,s,p,h,pal) cop^bo goth arm eth geo // τῶν μαθητῶν ℵ B 33 2148 *l*⁸⁸³ it^(7a,(b,c,h,q)) cop^sa // τις 1230 1253

Embora o apoio de ℵ B 33 it^a cop^sa em favor da omissão de αὐτοῦ usualmente fosse considerado como evidência excepcionalmente forte, neste caso, a maioria da comissão ficou impressionada pela possibilidade de que αὐτου fora apagada a fim de impedir que o leitor entendesse que o γραμματεύς de v. 19 era um dos discípulos de Jesus. Por outro lado, pode-se argumentar que é por causa da palavra ἕτερος, e não αὐτοῦ, que um leitor poderia inferir tal coisa. Na realidade, a ausência de αὐτοῦ não melhora o sentido, mas torna o texto mais ambíguo. A fim de representar esses argumentos contrários, a comissão resolveu imprimir αὐτοῦ dentro de colchetes.

352 |Mateus| NTI

"Outro discípulo" — Pode ser traduzido como "outro, um dos discípulos", o que faria que o primeiro não fosse um dos discípulos. Este "outro", entretanto, talvez por contraste, já era discípulo, tendo seguido a Jesus por algum tempo, talvez não com a decisão firme de continuar. Nesse instante, porém, resolveu ser discípulo dedicado de Jesus.

"Permite-me ir primeiro sepultar meu pai" — Há diversas interpretações sobre essa frase: 1) O pai desse discípulo tinha morrido e, naquele clima, o sepultamento tinha de ser realizado no mesmo dia do falecimento ou, pelo menos, no espaço de vinte e quatro horas; mas talvez houvesse outras providências a tomar, além do sepultamento, como o arranjo dos negócios da família, a questão da herança etc., coisas essas que exigiam tempo considerável. 2) Jesus, sendo inflexível e insistente, não permitiria uma demora nem de vinte e quatro horas. 3) Talvez o pai ainda não tivesse falecido, sendo, porém, muito idoso; e o filho sentiu que deveria ficar em casa até a morte de seu pai. Essa interpretação é apresentada pela maioria dos intérpretes. Na literatura judaica, nota-se que a responsabilidade para com os parentes idosos perdurava até o seu falecimento, especialmente se houvesse indicação sobre a proximidade da morte, o que isentaria o filho de qualquer outra responsabilidade. Se este era o caso, pode ser esta a interpretação; mas os melhores intérpretes insistem em que a posição mais certa é a primeira. O sepultamento dos mortos era costume judaico desde a antiguidade (Gn 25.9; 35.29; Tobite 4.3). Os gregos e outros povos antigos geralmente cremavam o corpo dos mortos.

Entre os judeus havia o *dever* de sepultar o próprio pai. Isso era reputado um dever tão sagrado, que isentava qualquer um de recitar o Shema (*Berakoth* 3.1. *Tobite* 4.3 e 6.14 também descrevem a importância desse ato). Até os sacerdotes, que ordinariamente tinham de evitar a contaminação do contacto com os cadáveres, tinham permissão de sepultar seus pais (Lv 21.2,3). O autor deste evangelho, mediante esse relato, mostra quão profunda é a lealdade do discipulado a Cristo, quão fiel e singelo em seu propósito deve ser o crente em seu serviço cristão, como o crente deve dar valor a Cristo, acima de qualquer outra pessoa ou coisa, e como Cristo deve ser tudo para o crente. Alguns têm argumentado (por exemplo, Ernest Renan) que Jesus ultrapassou os limites neste caso, pisoteando o amor e os sentimentos humanos (ver *Life of Jesus*, p. 310,311). Tais objetores, porém, apresentam argumentos de pouquíssimo valor. Talvez outros discípulos em potencial já se tivessem perdido por causa da ênfase exagerada que davam aos laços de família. Cristo é soberano e, se o escriba desta narrativa o tivesse tratado como tal, não haveria problema referente aos seus laços de família.

8.22: Jesus, porém, respondeu-lhe: Segue-me, e deixa os mortos sepultar os seus próprios mortos.

8.22 ὁ δὲ Ἰησοῦς λέγει αὐτῷ, Ἀκολούθει μοι, καὶ ἄφες τοὺς νεκροὺς θάψαι τοὺς ἑαυτῶν νεκρούς.

22 Ἰησοῦς] om ℵ *pc* it (sy^s)

22 Ἰησοῦς...μοι Mt 9.9; Jo 1.43; 21.19

"Deixa aos mortos o sepultar os seus próprios mortos" — Há diversas interpretações sobre estas palavras: 1) "Mortos" espiritualmente, destituídos da vida exposta na pregação do reino, podem sepultar os que morrem fisicamente. 2) Em ambos os casos, os "mortos" talvez digam respeito aos mortos em sentido literal. Neste caso, Jesus teria dito que se devia deixar que os mortos sepultassem uns aos outros. Esta interpretação é paradoxal, e outros preferem classificá-la como "absurda", com o que concordo. 3) Os "mortos" seriam aqueles que transportavam o cadáver até o lugar do sepultamento. Portanto, o filho dessa história poderia deixar esse serviço para os homens que eram os carregadores do caixão. A primeira interpretação sem dúvida é a que tem maior dose de razão. Jesus disse algo parecido com isso em João 11.25,26. Essa ideia também aparece em Hebreus 6.1. E em Efésios 2.1,5 há outra ilustração sobre essa ideia.

Nesses versículos (19-22), portanto, há dois tipos de discípulos: o primeiro é transbordante, ansioso, entusiasta, mas ainda mal preparado para ter êxito como discípulo permanente; e o segundo é exatamente o oposto, pois é cauteloso demais. O dever filial antecipado, pois talvez a morte de seu pai ainda fosse remota, impediu que esse homem desse início imediato à sua carreira no discipulado. As circunstâncias variam, mas há muitos exemplos de ambos os tipos de discípulos na igreja dos dias que correm.

III. MINISTÉRIO DAS OBRAS PODEROSAS DE JESUS, O MESSIAS (8.1-9.34)
5. Poder sobre as forças naturais (8.23-27)

Esta seção tem paralelos em Marcos 4.36-41 e Lucas 8.22-25. A fonte informativa é o protomarcos, conforme se dá na maior parte das porções históricas dos evangelhos sinópticos. O intuito do autor é ilustrar o tremendo poder de Jesus, mostrando aos leitores a validade das reivindicações messiânicas de Jesus, porque nada era difícil demais para ele. Portanto, podemos confiar nele como Salvador e Senhor. Aquele que é o Senhor de toda a natureza e aplaca o conflito dos universos, não seria também meu Senhor, porque busco só a meus interesses?

O Testamento de Naftali (cap. 6) traz uma narrativa similar à deste texto, na qual Jacó e seus filhos naufragaram e foram espalhados; mas o navio foi então miraculosamente restaurado e chegou ao porto (tal como em Jo 6.21 e Sl 107.28-30). Isso foi alcançado mediante a oração. Este texto tenciona ensinar o poder da fé, pois até mesmo nas circunstâncias mais adversas, a fé é adequada para conferir-nos o poder de Deus e trazer o sucesso dentre a miséria. Jesus é capaz de livrar seu povo de qualquer tempestade. (Cf. Sl 65.7; 69.1,2; 18.16,17 e 42.7).

8.23: E, entrando ele no barco, seus discípulos o seguiram.

8.23 Καὶ ἐμβάντι αὐτῷ εἰς [τὸ] πλοῖον^8 ἠκολούθησαν αὐτῷ οἱ μαθηταὶ αὐτοῦ.

^{8} 23 {C} τὸ πλοῖον ℵ*,c* K L W X (Δ *τόν*) Θ Π 700 1009 1010 1071 1079 1195 1216 1242 1365 1546 2148 2174 *Byz l*^{185pt,211,333pt,883pt,950pt} cop^{sa,bo} arm Diatessaron Chrysostom // πλοῖον (*ver* Lc 8.22) ℵ^b B C *f*^{1} *f*^{13} 33 565 892 1230 1253 1646 *Lect l*^{32m,185pt,333pt,547m,883pt,950pt} goth

Por um lado, a combinação de ℵ^b B C *f*^{1} *f*^{13} 33 565 al em apoio da forma sem o artigo, normalmente convenceria que representa o original. Por outro lado, porém, (a) o uso predominante de πλοῖον —, em Mateus, é com o artigo; e (b) a ausência do artigo parece ser um refinamento linguístico, introduzido pelos escribas, talvez por assimilação ao texto prevalente do paralelo de Lucas 8.22.

8.24: E eis que se levantou no mar tão grande tempestade que o barco era coberto pelas ondas; ele, porém, estava dormindo.

8.24 καὶ ἰδοὺ σεισμὸς μέγας ἐγένετο ἐν τῇ θαλάσσῃ ὥστε τὸ πλοῖον καλύπτεσθαι ὑπὸ τῶν κυμάτων· αὐτὸς δὲ ἐκάθευδεν.

(Marcos 4.35-41; Lucas 8.22-25). O mar da Galileia fica a 213 metros abaixo do nível do mar Mediterrâneo. O local goza de clima semitropical, e o ar quente ali produzido, ao chocar-se com o ar frio, proveniente dos montes próximos, com frequência provoca tempestades violentas, o que é comprovado nos evangelhos. Ver notas sobre esse lago em João 6.1 e Mateus 4.13. O caso é apresentado por Marcos e Lucas, após as parábolas do semeador e outras, que achamos no texto paralelo do cap. 13 de Mateus. Marcos diz: "Naquele dia...". (Mc 4.35). Ver notas sobre a harmonia dos evangelhos e a atitude que devemos ter sobre a questão, no artigo "Historicidade dos evangelhos", na introdução a este comentário.

"Tempestade" — Alguns intérpretes opinam pela palavra "terremoto", mas provavelmente é alusão à agitação do mar devido às mudanças atmosféricas, comuns no mar da Galileia. O v. 27 mostra que "ventos" faziam parte da agitação.

"Jesus dormia" — O grego foi vazado na forma enfática — "o próprio Jesus dormia" a fim de destacar o fato de que, em meio a tão grande tufão, Jesus ficou tão calmo que nem acordou.

O quadro pintado por Rembrandt, representando essa cena, faz com que toda a linha converja para Jesus. Há um raio de luz que atravessava as nuvens, e que, obviamente, indica que se fazia presente a ajuda divina. Tudo mais é tumulto e sombras. Isso é típico não só da cena aqui descrita, mas da vida em geral. A luz desce do céu e brilha sobre o rosto de Jesus. Isso basta para emprestar sentido à vida e para assegura-nos o livramento em todas as situações difíceis.

8.25: Os discípulos, pois, aproximando-se, o despertaram, dizendo: Salva-nos, Senhor, que estamos perecendo.

8.25 καὶ προσελθόντες⁹ ἤγειραν αὐτὸν λέγοντες, Κύριε, σῶσον¹⁰ ἀπολλύμεθα.

25 σωσον ℵB ᵘᵘ3 pc; R] add ημας WΘ pl latt sys

⁹ 25 {C} προσελθόντες ℵ B 33ᵛⁱᵈ it^(a,aur,c,ff3,k,l) vg^ww cop^(sa,bo) Jerome // προσελθόντες οἱ μαθηταί C² K L Δ Π ƒ¹³ 565 700 1009 1010 1071 1079 1216 1230 1242 1253 1365 1546 2148 2174 Byz ^(l76,l50,l85,l299,l547 m,l950,l1231 m,l579,l599 m,l627 m,l663 m,l761 s,m) itᵇ arm Eusebius // προσελθόντες οἱ μαθηταὶ αὐτοῦ W X Θ ƒ¹ 1195 1646 Lect it^(b,g¹,q) syr^(s,p,h,pal) goth eth Diatessaron // προσελθόντες αὐτῷ οἱ μαθηταὶ αὐτοῦ C^vid vgᵈ geo^(L·A) (geo^B omit αὐτοῦ)

¹⁰ 25 {B} σῶσον ℵ B Cƒ¹ƒ¹³ 33 892 ^l547m syr^pal geo² // σῶσον ἡμᾶς K L W X Δ Θ Π 0242ᵛⁱᵈ 565 700 1009 1010 1071 1079 1195 1216 1230 1242 1253 1365 1546 1646 2148 2174 Byz Lect ^l883m it^(a,aur,b,c,ff3,g¹,h,k,l,q) vg syr^(s,p,h) cop^(sa?bo?) goth arm eth geo¹ Diatessaron Eusebius Cyril-Jerusalem Chrysostom

⁹ Embora se possa argumentar que a forma mais breve ℵ B 892 resulte da poda alexandrina do texto, tirando-lhe detalhes supérfluos (os discípulos de Jesus, mencionados no v. 23), (o acordo com o testemunho ocidental (it^(a,c,k,l) vg Jerônimo) torna provável que a forma mais breve seja a original, e que as diversas formas variantes representem estágios de um texto em desenvolvimento.

¹⁰ Já que, no NT, σώζειν raramente aparece sem objeto, a adição de um suplemento ἡμᾶς foi feita no princípio, por grande variedade de testemunhos. Parece improvável que tenha sido apagada, se se fazia presente no texto original.

"Senhor, salvai-nos! Perecemos!" — Marcos diz: "Mestre, não se te dá que pereçamos?" E Lucas escreve: "Mestre, Mestre, estamos perecendo!"

Deve-se observar que a palavra usada por Lucas, traduzida por "Mestre", não foi a mesma empregada por Marcos. A palavra de Marcos significa "professor", aquele que ensina. O outro vocábulo é usado seis vezes por Lucas como título de Jesus, pode ser um simples sinônimo da palavra empregada por Mateus e Marcos, e pode ser traduzida por "mestre". O verbo proveniente da mesma raiz, no grego, significa "informar", "instruir" ou "escrever". Vemos, pois, que os três autores usaram versões diferentes da palavra. Por esse e por outros casos semelhantes dos evangelhos, deve-se aprender que seus autores nem sempre tiveram o cuidado de observar a cronologia das ocorrências e as circunstâncias das mesmas; e às vezes, nem mesmo cuidavam de usar as palavras em seu sentido exato. Muitos estudiosos modernos cuidam mais dessas minúcias do que os próprios autores dos evangelhos. Se insistirmos sobre a *exatidão* desses detalhes, criaremos problemas intermináveis para a harmonia dos evangelhos. Qualquer pessoa bastante honesta não pode reconciliar as diferenças entre os evangelhos, mas estas não se revestem de importância. O que importa é que houve a tempestade, e que os discípulos tiveram grande medo e proferiram palavras pedindo a ajuda de Jesus. Talvez tivessem dito mais palavras do que as que estão registradas. Jesus, porém, atendeu aos discípulos, realizando o grande milagre de acalmar a tempestade,

e assim demonstrou o seu grande poder. Que mais precisamos aprender desse texto?

8.26: Ele lhes respondeu: Por que temeis, homens de pouca fé? Então, levantando-se repreendeu os ventos e o mar, e seguiu-se grande bonança.

8.26 καὶ λέγει αὐτοῖς, Τί δειλοί ἐστε, ὀλιγόπιστοι; τότε ἐγερθεὶς ἐπετίμησεν τοῖς ἀνέμοις καὶ τῇ θαλάσσῃ, καὶ ἐγένετο γαλήνη μεγάλη.

"Por que sois tímidos...?" — É notável que Jesus primeiro tenha censurado os discípulos, e só depois o mar. "Tímidos", da tradução AA, é vocábulo fraco demais para expressar a palavra grega. A tradução de IB e AC é melhor — "Por que temeis...?" Provavelmente, os discípulos se apavoraram. O termo grego pode significar "tímido", mas certamente não neste texto. Também tem o sentido de "covarde", e neste texto talvez não fosse tradução forte demais.

"Homens de pequena fé?" — Expressão certamente usada muitas vezes por Jesus, ao notar a falta de fé em outros, sob diversas circunstâncias. Mateus usa essa expressão por quatro vezes, e Lucas a usa por uma vez, no texto paralelo a Mateus 6.30, e não no paralelo a este versículo. O mais certo é que Jesus se surpreendeu ante aqueles homens que não demonstraram a mesma fé em Deus que ele tinha, e mediante a qual vivia. Ver nota em Mateus 6.30.

"Repreendeu os ventos e o mar [...] fez-se grande bonança". Marcos alude a outros barquinhos (Mc 4.36), e isso mostra que houve muitas testemunhas oculares desse milagre. Há diversas interpretações do mesmo: 1) O milagre foi apenas um "fenômeno psicológico". Os discípulos se apavoraram com a tempestade; depois que Jesus despertou, a tempestade se acalmou sozinha, e era natural que os discípulos tivessem pensado que ele causara a calmaria. 2) A história seria uma invenção para confirmar os poderes sobrenaturais de Jesus. 3) Jesus fez um milagre admirável, com o qual demonstrou "seu poder" sobre os elementos da natureza. Rejeitamos a primeira e a segunda interpretações, pelas seguintes razões: 1) Todos os três evangelistas apresentam a história, o que prova que foi ocorrência importante na vida de Jesus, e que houve muitas testemunhas oculares. Somente 11 milagres realizados por Jesus foram registrados pelos três evangelhos sinópticos. (Ver a lista dos mesmos no artigo intitulado "O problema sinóptico", na introdução a este comentário). Esses 11 milagres foram os mais bem atestados. Este milagre é um deles. 2) Jesus fez muitos outros milagres bem comprovados. Assim sendo, por que negaríamos justamente este? 3) A vida de Jesus originou livros, evangelhos, epístolas etc., além dos livros do NT. Esse estímulo ao registro escrito prova que a vida de Jesus foi algo de extraordinário, que ele não foi um homem comum. As evidências indicam, portanto, que ele realmente realizou aquilo que os evangelistas declararam que ele fez.

8.27: E aqueles homens se maravilharam, dizendo: Que homem é este, que até os ventos e o mar lhe obedecem?

8.27 οἱ δὲ ἄνθρωποι ἐθαύμασαν λέγοντες, Ποταπός ἐστιν οὗτος ὅτι καὶ οἱ ἄνεμοι καὶ ἡ θάλασσα αὐτῷ ὑπακούουσιν;

Era natural que os discípulos se admirassem, pois nessa oportunidade Jesus evidentemente exerceu seu poder divino, em contraste com seu método usual de realizar milagres ou maravilhas baseado em sua natureza espiritual de homem altamente desenvolvido. Que ele geralmente realizava milagres como homem altamente desenvolvido é óbvio, pois afirmou que seus seguidores poderiam fazer milagres tão grandes e até maiores, se tivessem a fé necessária para tanto. Seus milagres sobre a natureza, porém, como este ou como a multiplicação dos pães (Mc 6.32-44; 8.1-9) ultrapassaram o que se poderia esperar de um mero espírito humano, por mais

354 |Mateus| NTI

desenvolvido que este fosse, a menos que estejamos subestimando seus poderes. As pesquisas modernas vão revelando, pouco a pouco, como é poderosa a natureza espiritual do homem, chegando a possuir capacidades como a predição, a telepatia, a clarividência e o poder de curar. Não dizemos isso a fim de desprezar o fato de o poder do Espírito Santo ter sido posto à disposição dos crentes, e de a Jesus o Espírito Santo ter sido dado sem medida; mas dizemos isso para salientar que há um terreno real de desenvolvimento espiritual, que restaura o dano causado pela queda no pecado. Precisamos também lembrar que esse desenvolvimento só pode ser obtido mediante o poder do Espírito Santo, mas que esse poder passa a fazer parte permanente da personalidade do crente, não sendo algo separado dele, como se fora um instrumento para ser usado nos momentos de necessidade. Precisamos também reconhecer que o desenvolvimento do ser humano, segundo a imagem de Cristo, é o ensino mais exaltado do evangelho. No fim do processo — se é que o mesmo terá fim! —, o ser humano se tornará superior aos anjos em poder e glória e participará na divindade (2Pe 1.4). Ver nota em Romanos 8.29, quanto aos detalhes sobre essa questão. Todavia, parece que aqui Cristo mostrou sua divindade ao realizar esse milagre. Ver nota em Mateus 14.25,22, e também a nota detalhada sobre a divindade de Cristo, em Hebreus 1.3.

III. MINISTÉRIO DAS OBRAS PODEROSAS DE JESUS, O MESSIAS (8.1-9.34)

6. Poder sobre os demônios (8.28-34)

Os paralelos são Marcos 5.1-21 e Lucas 8.26-40. A fonte informativa é o protomarcos. (Ver as informações sobre as "fontes informativas" dos evangelhos sinópticos no artigo que tem esse título, na introdução a este comentário.) Jesus possuía poder sobre as forças malignas. O NT exibe a realidade da possessão demoníaca, e a experiência humana o comprova. (Ver Mc 5.2 quanto à nota sobre os demônios. Ver as notas no v. 28 deste capítulo, sobre a possessão demoníaca). O Messias tinha de ter esse poder, e a literatura rabínica antecipou isso. O autor sagrado mostra que as reivindicações messiânicas de Jesus eram válidas, porquanto aquilo que se esperava da parte do Messias se concretizava em Jesus. Um dos temas de Marcos é que os demônios, que são seres espirituais, reconheciam em Jesus o Filho de Deus; e isso agora é transportado sem hesitação para o evangelho de Mateus. Mateus, entretanto, omite uma das porções mais edificantes da narrativa, em que o homem aparece já vestido e de mente equilibrada.

8.28: Tendo ele chegado ao outro lado, à terra dos gadarenos, saíram-lhe ao encontro dois endemoninhados, vindos dos sepulcros; tão ferozes eram que ninguém podia passar por aquele caminho.

8.28 Καὶ ἐλθόντος αὐτοῦ εἰστὸ πέραν εἰς τὴν χώραν τῶν Γαδαρηνῶν[11] ὑπήντησαν αὐτῷ δύο δαιμονιζόμενοι ἐκ τῶν μνημείων ἐξερχόμενοι, χαλεποὶ λίαν, ὥστε μὴ ἰσχύειν τινὰ παρελθεῖν διὰ τῆς ὁδοῦ ἐκείνης.

[11] 28 {C} Γαδαρηνῶν (ver Mc 5.1; Lc 8.26) (ℵ* Γαζαρηνῶν) B Cᵗˣᵗ (Δ) Θ 1010 syrᵖ,ʰ geo¹ Diatessaron Origen Epiphanius // Γεργεσηνῶν ℵᶜ (Cᵐᵍ *at beginning of section*) K L W X II *f*¹ *f*¹³ 565 700 892 1009 1071 1079 1195 1216 1230 1242 1253 1365 1546 1646 2148 2174 *Byz Lect* (*l*⁷⁶,⁵⁴⁷ Γεργεσηνῶν, *l*¹⁶⁶³ Γερσινῶν) syrʰ,ᵐᵍ,ᵖᵃˡ copᵇᵒ goth arm eth geo² Diatessaron Origen // Γερασηνῶν itᵃ,ᵃᵘʳ,ᵇ,ᶜ,ᵈ,ᶠ,ᶠᶠ¹,ᵍ¹,ʰ,ᵏ,ˡ,ᵠ vg syrʰᵐᵍ² copˢᵃ Origen mssᵃᶜᵉ·ᵗᵒ ᴼʳⁱᵍᵉⁿ Hilary

A cura dos endemoninhados é contada em todos os três evangelhos sinópticos, e em cada relato há três principais variantes, alusivas ao local onde o milagre teve lugar: Γαδρηνῶν, Γερασηνῶν e Γεργεσηνῶν. A evidência dos três principais testemunhos, em favor das três narrativas, é como segue:

	Γαδαρηνῶν	Γερασηνῶν	Γεργεσηνῶν
Mt 8.28	(ℵ*) B Cᵗˣᵗ (Δ) Θ syrˢ,ᵖ,ʰ	it vg copˢᵃ syrʰᵐᵍ 2	ℵᶜ Cᵐᵍ K L W *f*¹ *f*¹³ copᵇᵒ
Mc 5.1	A C K *f*¹³ syrᵖ,ʰ	ℵ* B D it vg copˢᵃ	ℵᶜ L D Θ *f*¹ syrˢ,ʰᵐᵍ copᵇᵒ
Lc 8.26	A K W Δᵍʳ Ψ *f*¹³ syrᶜ,ˢ,ᵖ,ʰ	*p*⁷⁵ B D it vg copˢᵃ	ℵ L X Θ *f*¹ copᵇᵒ

Gerasa era uma cidade de Decápolis (moderna Jeras, na Transjordânia), localizada a mais de 50 quilômetros a sudeste do mar da Galileia e que, conforme Orígenes percebeu (*Comentário sobre João* V, 41 24), esse é o menos provável dos três lugares. Outra área decapolitana era Gadara, a cerca de 8 quilômetros a sudeste do mar da Galileia (moderna Um Queis). Embora Orígenes também fizesse objeção a Gadara (o que, segundo ele afirmou, aparece em alguns poucos manuscritos) porque ali não havia nem lago e nem precipício, Josefo (*vida* IX.42) refere-se a Gadara como cidade que tinha um território "que jazia nas fronteiras de Tiberias" (= o mar da Galileia). Que esse território chegava até o mar pode-se inferir do fato de que antigas moedas que trazem o nome de Gadara com frequência retratam um barco. Orígenes preferia Gergesa, não porque ocorre nos manuscritos — ele faz silêncio sobre isso — mas por causa da base dúbia da tradição local (é o lugar "de onde, conforme se frisa, os porcos foram lançados precipício abaixo pelos demônios") e por causa da base ainda mais duvidosa da etimologia ("o significado de Gergesa é "habitação dos que foram expulsos"; desse modo, o nome "contém uma alusão profética à conduta mostrada pelos habitantes daqueles lugares ao Salvador, os quais "rogaram-lhe que se afastasse do território deles").

Dentre as diversas variantes, a comissão preferiu Γαδαρηνῶν, com base em (a) aquilo que foi considerado uma superior confirmação externa ((ℵ*) B Cᵗˣᵗ (Δ) Θ syrˢ,ᵖ,ʰ geo¹ mss conhecidos de Orígenes al); e (b) a probabilidade de que a palavra Γεργεσηνῶν seja uma correção, talvez originalmente proposta por Orígenes, (1) e que Γερασηνῶν (que é apoiada somente pela evidência das versões) é uma assimilação escribal ao texto prevalente de Marcos (5.1) e/ou de Lucas (8.26,37).

1. Quanto ao possível papel de Orígenes na disseminação da forma Γεραγεσηνῶν, ver Tj. Baarda, "Gadarenes, Gerasenes, Gergesenes and the Diatessaron Traditions", em *Neotestamentica et Semitica, Studies in Honour of Matthew Black*, ed. por. E. Earle Ellis e Max Wilcox (Edimburgo, 1969), p. 181-197, especialmente 185ss.

(Marcos 5.1-20 e Lucas 8.36-39). "Terra dos gadarenos" — Os mss Aleph C(3) EKLSUVX Fam Pi e as traduções KJ e AC dizem "gergesenos". Os mss Aleph B C M Delta e todas as traduções, menos KJ e AC, dizem "gadarenos". No relato paralelo de Marcos 5.1, no melhor texto, a palavra é "gergesenos" (e também na tradução F de Mateus). O verdadeiro texto, em Mateus, sem dúvida é "gadarenos". Há a sugestão de que Mateus tenha definido a localidade como Gadara, aldeia bem conhecida, ao invés de fazer menção de Gerasa, um lugarejo obscuro. O nome "gergesenos", embora não seja o que aparece no texto, talvez possa ser explicado pelo fato de que, em tempos anteriores, esse território era ocupado pelos girgasitas, uma das raças cananeias. O nome provavelmente é introduzido aqui por equívoco de algum escriba. Orígenes foi o primeiro a sugeri-lo em um comentário, e talvez alguns mss apresentem esse nome independentemente do testemunho de Orígenes. Em relação a esse problema, há muitas opiniões que, geralmente discordam entre si, e parece que é impossível ter conhecimento exato sobre o local onde ocorreu esse milagre.

"[...] dois endemoninhados..." — Marcos e Lucas mencionam apenas um indivíduo. As explicações sobre esse fato são as seguintes: 1) A referência é à pluralidade de demônios, e não ao número de homens. 2) Mateus reúne duas histórias de Marcos, em 1.23 e 5.1, pelo que Marcos teria razão em falar de um único personagem. 3) A ideia mais comum é a de que um dos dois homens era o mais violento, e que o outro dependia dele, pelo que também Marcos e Lucas mencionaram somente o que mais se destacava. Alguns intérpretes nem procuram resolver o problema. Se há alguma solução, a terceira interpretação parece ser a mais razoável.

Possessão demoníaca — Essa questão tem atraído a zombaria e o ridículo da parte de alguns estudiosos modernos. Aqueles que pregam doutrinas modernistas na igreja dizem que a ideia antiga é de que os demônios provocavam enfermidades e loucura, mas que, atualmente, sabe-se que tais espíritos não existem, pelo que, esses casos seriam tipos de enfermidades psíquicas. Os que assim dizem apresentam, como parte das provas que oferecem, a observação de que hoje em dia não ocorrem mais esses casos.

Contra tais ideias aduzimos as seguintes observações:

1. O NT ensina inequivocamente que os espíritos imundos são reais, e não imaginários. Pelo NT, jamais compreenderíamos por que tais espíritos não haveriam de existir. Além dos muitos textos nos evangelhos que ensinam sua existência, há o texto de Efésios 6.12, que diz: "[...] porque a nossa luta não é contra o sangue e a carne e sim contra os principados e potestades, contra os dominadores deste mundo tenebroso, contra as forças espirituais do mal, nas regiões celestes" (ARA). Ver nota em Efésios 6.12, e também sobre a questão dos "demônios", em Marcos 5.2.

2. O NT, contudo, não ensina que *todas* as doenças e casos de loucura resultem da influência ou possessão por parte dos demônios. O texto de Mateus 8.2,6,16 indica diversas fontes das enfermidades, uma das quais é a influência exercida pelos demônios.

3. Não é verdade que o fenômeno não ocorra atualmente. Em diversos lugares do mundo, os missionários narram casos que não diferem dos que são encontrados no NT. Provavelmente, em muitos países onde a fé cristã não é generalizada, ainda ocorrem casos que são chamados por diversos nomes psíquicos. A mudança de designação, porém, não altera a origem da enfermidade e, sim, apenas oculta a sua causa. Aqui, uma vez mais, afirmamos que nem todos os casos de insanidade mental têm origem na possessão demoníaca, mas também não há razão para negar-se o fato de que, às vezes, a possessão demoníaca causa alguns tipos de loucura.

4. Talvez o fenômeno se multiplicasse e evidenciasse mais nos dias em que Jesus esteve entre os homens, simplesmente por causa da oposição à sua presença. Então foi muito intensificada a luta entre as forças do bem e do mal.

5. É insensatez dizer que não se pode crer em nada que não se possa ver, isto é, os anjos, os demônios, Deus etc., porquanto qualquer estudante sabe que os sentidos humanos são débeis e inexatos, sendo muito provável que não tenhamos percepção sensorial da maior parte das realidades do universo. A princípio, os cientistas negaram o fenômeno dos meteoritos, porque, diziam eles, sabemos que não existem pedras no ar. Os cientistas também negaram o fato de os gérmens poderem causar enfermidades por meio do ar ou das vestes; mas hoje em dia todos sabem que eles estavam equivocados. Até mesmo coisas das mais simples e corriqueiras hoje em dia, já foram negadas pela ciência humana. Precisamos lembrar que os cientistas do século XXI provavelmente dirão que a nossa ciência, a do século XX, sofria de uma espécie de provincianismo. Talvez se obtenham, no futuro, provas da existência dos espíritos, tanto bons como maus. No futuro, talvez se achem provas sobre a imortalidade da alma, como também da natureza espiritual do homem.

6. As pesquisas psíquicas recentes parecem confirmar, desde agora, a existência do mundo dos espíritos, tanto bons como maus. Nota-se, com interesse, que muitas pessoas não religiosas, mas envolvidas nos estudos psíquicos, acreditam na existência dos espíritos, porque essa hipótese, por si só, explica várias formas de fenômenos. Hoje ainda se considera uma crença religiosa a crença na existência dos espíritos; mas amanhã talvez a ciência confirme essa crença, e isso apenas fará parte do conhecimento que se vai adquirindo em ritmo cada vez mais veloz sobre a natureza do grande universo no qual nos encontramos.

Por que se considera científica a ideia de que estamos sós no universo? Não estamos sós. No entanto, visto não haver, no NT, informação precisa sobre a origem dos demônios, é impossível afirmar-se a natureza exata da possessão demoníaca. Josefo (de Belo Jhd. VII. 6,3) pensava que os demônios eram os espíritos dos homens maus que, depois da morte, voltariam a este mundo; e essa ideia era comum entre os antigos, incluindo os gregos. Também foi ideia de alguns dos pais da Igreja, como Justino (cerca de 150 d.C.) e Atenágoras. Tertuliano foi o primeiro a mudar de ideia na igreja, aceitando que os demônios são anjos decaídos, e não espíritos humanos. Finalmente, Crisóstomo (407 d.C.) rejeitou a ideia de que os demônios são espíritos humanos, e a igreja aceitou que os demônios são outros espíritos, talvez pertencentes à ordem dos anjos. Até hoje, entretanto, existem estudiosos que acreditam que pelo menos *alguns* demônios possam ser espíritos humanos. Lange, por exemplo, acreditava que talvez os demônios sejam espíritos de pessoas que já morreram, e que agora fazem parte da ordem dos anjos decaídos.

"Os sepulcros" — Esses homens moravam nesses lugares, provavelmente nas colinas de formação calcária. Talvez preferissem esses locais melancólicos e mórbidos por influência dos demônios. Epifânio menciona lugares como as colinas de Gadara. O suicídio cometido nos cemitérios é um fenômeno comum, provavelmente ocasionado pela mesma atitude mórbida que levava aqueles homens a habitarem entre as sepulturas.

"Furiosos...ninguém podia passar por aquele caminho" — Realmente eram loucos, monstros, homicidas, que viviam aos cochichos, maníacos, quais animais bravos, bestas perigosas.

8.29: E eis que gritaram, dizendo: Que temos nós contigo, Filho de Deus? Vieste aqui atormentar-nos antes do tempo?

8.29 καὶ ἰδοὺ ἔκραξαν λέγοντες, Τί ἡμῖν καὶ σοί, υἱὲ τοῦ θεοῦ; ἦλθες ὧδε πρὸ καιροῦ βασανίσαι ἡμᾶς;

29 σοι אB *fi pm* it vg* sy*; R] *add* Ιησου WΘ *fi3 al* it vg*s*; | βασαν.] απολεσαι א*(W)   29 Τί...θεοῦ 1Rs 17..18; Mc 1.24; Lc 4.34

"Que temos nós contigo, ó Filho de Deus?" — Marcos diz: "[...] Jesus, Filho do Deus Altíssimo?...". Foi um grito sincero, apesar de mórbido e desesperado; grito que teria provocado o terror mais completo em um homem de menor estatura espiritual que Jesus. Os demônios demonstraram medo e raiva ao mesmo tempo, pois, conhecendo pessoalmente a identidade de Jesus, sabiam que ele não se afastaria sem ordenar sua expulsão. Não tendo conhecimento completo sobre os propósitos de Deus, na pessoa de Jesus, especialmente no tocante ao elemento tempo, supuseram que talvez houvesse chegado o tempo do juízo formal, o julgamento dos espíritos malignos. Ver Apocalipse 20.10; Lucas 10.18; Judas 6 e as notas nessas mesmas referências. Os demônios usaram a voz do homem e o homem, tão identificado com a poderosa presença interior que lhe enchia o ser, falou por si mesmo e pelos demônios que o dominavam, incapaz de distinguir entre a própria personalidade e a personalidade e influência dos demônios. Talvez há muito tempo tivesse perdido sua identidade pessoal. O mais notável, nesse relato, é que as pessoas insanas, possuídas por demônios, quase destituídas das faculdades mentais humanas, ainda assim sentiam o poder da presença de Jesus. As ações daquele homem foram contraditórias. Atraído pela presença bondosa de Jesus, aproximou-se. Ao aproximar-se, porém, sentiu medo e ódio. O

356 |Mateus| NTI

possesso é este: não há controle pessoal do bem e do mal, mas ele é cheio de contradições.

"Atormentar-vos" — Primeiramente, pelo fato de Jesus estar prestes a expulsá-los de suas duas vítimas humanas, assim piorando o seu estado; e, em segundo lugar, porque levava a juízo aqueles seres espirituais malignos. Em Marcos, há uma observação interessante. Foi quando Jesus perguntou ao homem qual o seu nome, e ele replicou: *Legião* [...] porque somos muitos". Para todos os efeitos práticos, o homem perdera sua identidade pessoal, mas talvez ainda preservasse certa compreensão sobre os dias anteriores, quando ainda era um indivíduo normal. Aqui temos um caso de possessão múltipla. Os que tratam desses assuntos hoje em dia dizem que esses casos são difíceis, e que, usualmente, é preciso expulsar, de maneira individual, demônio por demônio. O poderoso Senhor Jesus, no entanto, expulsou a todos de uma vez só.

8.30: Ora, a alguma distância deles, andava pastando uma grande manada de porcos.

8.30 ἦν δὲ μακρὰν ἀπ' αὐτῶν ἀγέλη χοίρων πολλῶν βοσκομένη.

30 μακραν] οὐ μ. lat

8.31: E os demônios rogavam-lhe, dizendo: Se nos expulsas, manda-nos entrar naquela manada de porcos.

8.31 οἱ δὲ δαίμονες παρεκάλουν αὐτὸν λέγοντες, Εἰ ἐκβάλλεις ἡμᾶς, ἀπόστειλον ἡμᾶς εἰς τὴν ἀγέλην τῶν χοίρων.

31 αποστειλον ημας אΒΘ *fi al* lat; R] επιτρεψον ημιν απελθειν W f13 565 700 pm ς

"Não longe" — A tradução da AA está errada. O grego indica um lugar distante. A tradução AC diz "distante", e a IB diz "alguma distância".

"Porcos" — Indica um lugar habitado por gentios, porque os judeus não criavam porcos. Os gentios habitavam ao redor da Pereia, onde, provavelmente, essa localidade estava estabelecida.

"Demônios lhe rogavam" — Por que motivo preferiam entrar nos porcos a ser totalmente livres da possessão carnal, é algo que não sabemos. O que se sabe é que teriam preferido qualquer coisa ao "julgamento" que aguardavam. Talvez a petição tenha sido motivada por um impulso momentâneo, uma atitude que procurava coisa melhor do que ficar nas mãos de Jesus. Há observações de certos comentaristas que chegam a ser cômicas, e não sabemos se falavam seriamente ou não. Por exemplo, Lange diz sobre o pedido dos demônios para entrarem nos porcos: "Esses demônios eram antinomianos, e não farisaicos; por isso é que preferiram os porcos". Isso dá ideia de que nenhum fariseu escolheria os porcos, porque eram animais imundos para os judeus.

8.32: Disse-lhes: Ide. Então saíram, e entraram nos porcos; e eis que toda a manada se precipitou pelo despenhadeiro no mar, perecendo nas águas.

8.32 καὶ εἶπεν αὐτοῖς, Ὑπάγετε. οἱ δὲ ἐξελθόντες ἀπῆλθον εἰς τοὺς χοίρους· καὶ ἰδοὺ ὥρμησεν πᾶσα ἡ ἀγέλη κατὰ τοῦ κρημνοῦ εἰς τὴν θάλασσαν, καὶ ἀπέθανον ἐν τοῖς ὕδασιν.

"Ordenou-lhes Jesus" — Alguns intérpretes pretendem desculpar Jesus da responsabilidade de haver destruído os porcos, que eram de propriedade alheia. Em primeiro lugar, esses intérpretes insistem em que Jesus não disse aos demônios: "Vai, entra nos porcos", mas simplesmente "Vai". A ideia de entrar nos porcos partiu dos próprios demônios, os quais, uma vez saindo do homem, tinham o poder de cumprir seu desejo. Outros intérpretes, porém, têm as seguintes opiniões: 1) Jesus, como Deus, Criador etc., tinha o direito de destruir propriedades alheias para servir a uma boa finalidade. 2) No sistema de sacrifícios dos judeus,

muitos animais eram abatidos diariamente. 3) Jesus não provocou a perda dos porcos, e toda a culpa cabe aos demônios, os quais não têm escrúpulos. 4) Era a única forma de Jesus mostrar que a possessão demoníaca cessara. Depois de tanto tempo, os homens precisavam ver alguma manifestação, como, por exemplo, a carreira dos porcos e sua precipitação despenhadeiro abaixo. 5) Foi um julgamento ou punição contra os porqueiros, especialmente se eram judeus, posto que era contra a lei judaica criar porcos. 6) Jesus ensinou alguma lição moral, isto é, quando os homens têm uma natureza imunda como a dos porcos, só poderão esperar o juízo, como sucedeu aos porcos possuídos pelos demônios. Ou então, quando os homens apresentam a natureza imunda dos porcos, só podem esperar influências más, como a invasão demoníaca. 7) Talvez a interpretação mais engenhosa, mas certamente também a mais ridícula, seja a que assevera que realmente não houve a perda dos porcos, pois os porqueiros poderiam tomar os corpos dos porcos, cortá-los, defumá-los e vendê-los aos gentios, assim nada se perdendo. Alguns comentaristas têm dito tolices. É mais provável que o autor deste evangelho não tivesse querido ensinar nenhuma dessas interpretações, nem observar coisa nenhuma sobre a questão. Se quisermos alguma resposta, basta-nos notar que dois homens têm muito mais valor do que milhares de porcos, tanto à vista de Deus como aos olhos de Jesus.

8.33: Os pastores fugiram e, chegando à cidade, divulgaram todas estas coisas, e o que acontecera aos endemoninhados.

8.33 οἱ δὲ βόσκοντες ἔφυγον, καὶ ἀπελθόντες εἰς τὴν πόλιν ἀπήγγειλαν πάντα καὶ τὰ τῶν δαιμονιζομένων.

"Fugiram os porqueiros" — Fugiram correndo como nunca tinham feito antes, sem parar, até chegar à "cidade". Provavelmente, o serviço deles sempre tinha sido enfadonho, mas não naquele dia. Talvez esperassem outro espetáculo ainda mais horrível do que aquele que já tinham visto, por causa da presença de Jesus.

"Contaram todas estas coisas" — Talvez ainda tenham acrescentado algo aos acontecimentos reais. Suponho que, anos depois, ainda se faziam acréscimos à história, e que espectadores curiosos costumavam visitar o local. Penso, entretanto, que o detalhe mais notável é aquele dado por Marcos: "[...] viram o endemoninhado, o que tivera a legião, assentado, vestido, em perfeito juízo; e temeram" (Mc 5.15, ARA).

8.34: E eis que toda a cidade saiu ao encontro de Jesus; e vendo-o, rogaram-lhe que se retirasse dos seus termos.

8.34 καὶ ἰδοὺ πᾶσα¹ πόλις ἐξῆλθεν εἰς ὑπάντησιν τῷ Ἰησοῦ, καὶ ἰδόντες αὐτὸν παρεκάλεσαν ὅπως μεταβῇ ἀπὸ τῶν ὁρίων αὐτῶν.

"A cidade toda" — É exagero natural, mas deve ter havido grande movimentação popular. Segundo Marcos, o povo temeu (Mc 5.15). Não estavam acostumados a ver acontecimentos como aquele; temeram o poder que contemplaram com os próprios olhos; receavam os possíveis acontecimentos futuros; receara aquele estranho e poderoso homem: Jesus. Não queriam perder mais do que já haviam perdido — os porcos —, e por isso "rogaram que se retirasse da terra deles". O fato de os evangelistas dedicarem tanto espaço à história (Marcos destina ao fato 20 versículos) mostra que foi uma história bem conhecida, relatada com frequência. Quem sabe quantas versões dessa história circulavam entre o povo?

Temos de evitar as diversas interpretações racionalísticas, que procuram eliminar o elemento milagroso dessa narrativa, como sempre sucede quando Jesus faz algo mais do que falar. As palavras de Adam Clarke cabem bem aqui: "Os credos de alguns não permitem que Deus ou o Diabo funcionem".

Ver notas adicionais no texto de Lucas 8.26-34, sobre detalhes destes acontecimentos que não são expostos no texto de Mateus.

NTI|Mateus| 357

Capítulo 9

III. MINISTÉRIO DE OBRAS PODEROSAS DE JESUS, O MESSÍAS (8.1-9.34)

7. Poder para perdoar (9.1-8)

Os textos paralelos são Marcos 2.3-12 e Lucas 5.18-26, pelo que a fonte informativa é o protomarcos. Os poderes de Jesus, como Messias, incluíam o de perdoar, o que é declarado na literatura rabínica como algo que lhe cabe, inteiramente à parte de qualquer especulação acerca de sua divindade. Sem dúvida, esse é o aspecto que se quer ensinar aqui: Jesus perdoa. Por conseguinte, ele é o Messias.

Mateus usa essa história como exemplo dos novos poderes dos crentes. No evangelho de Marcos, sua função é levemente diversa: é a primeira dentre uma série de narrativas de controvérsias, das quais Mateus inclui duas nos v. 10-15. A maior parte dos críticos supõe que o âmago original é uma narrativa simples de como Jesus viu a fé do homem, e disse: "Levanta-te, toma teu leito..." Segundo essa teoria, foi adicionada à narrativa a tradição da controvérsia sobre o perdão de pecados, talvez antes de Marcos haver recebido a narrativa. Contudo, pode-se argumentar, juntamente com Fenner (Krankheit im NT, p. 55-57), que a controvérsia faz parte do original da história, e que o homem fora curado de uma paralisia funcional." (Sherman Johnson, in loc).

9.1: E entrando Jesus num barco, passou para o outro lado, e chegou à sua própria cidade.

9.1 Καὶ ἐμβὰς εἰς πλοῖον διεπέρασεν καὶ ἦλθεν εἰς τὴν ἰδίαν πόλιν.

Jesus volta a seu lar, em Cafarnaum, depois que os gadarenos o repeliram dali. Quanto a Cafarnaum, ver notas adicionais em Marcos 1.21 e Mateus 4.13.

"Sua cidade" — Seu lar adotivo, após ter sido rejeitado em Nazaré. Cafarnaum é chamada, modernamente, Tell Hum. Nos dias de Jesus, era uma grande cidade, centro comercial e de grande importância política na Galileia. Era feira de pesca muito frequentada pelos gentios. A presença na cidade, tanto de um centurião (Mt 8.5) como de um cobrador de impostos (9.9), provavelmente indica que era um posto importante do exército romano. Como em outras porções, as ocorrências variam quanto à ordem cronológica, e são postas sob condições diferentes:

	Mateus	Marcos	Lucas
1. *o paralítico*	9.1-8	2.1-12	5.18-26
2. *a chamada de Mateus*	9.9-16	2.13-22	5.27-39
3. *a filha de Jairo e a enferma*	9.18-26	5.21-46	8.41-56
4. *os dois cegos*	9.27-31	--	--
5. *o mudo*	9.32-34	--	11.14

As explicações que já foram dadas quanto à harmonia dos evangelhos têm aplicação aqui. Ver, na introdução a este comentário, o artigo "Historicidade dos Evangelhos", e Mateus 6.9-15; 8.1,2; 8.20 e 8.25.

Deve-se notar nesta seção: 1) Todos os três evangelistas aproximam o tempo da cura do paralítico à chamada de Mateus. 2) Todos os três aproximam o tempo da ressurreição da filha de Jairo à cura da mulher enferma. 3) Parece que o autor do evangelho de Mateus queria reunir vários milagres, sem observar os prazos entre um milagre e outro. Os outros evangelistas parecem dar mais importância à ordem cronológica das viagens e ensinos de Jesus. Mateus, porém, enfatiza os ensinos de Jesus, reunindo-os em blocos, sem usar de grande cuidado sobre os detalhes cronológicos e a sequência dos acontecimentos.

A fonte desta seção é o protomarcos. Ver informação quanto às fontes dos evangelhos na introdução a este comentário, na seção intitulada "O problema sinóptico", e na introdução ao evangelho de Marcos. Os evangelistas continuam a ilustrar os grandes poderes de Jesus, destacando, especialmente neste ponto, os seus poderes na qualidade de Messias; pois até os pecados podem ser perdoados por ele. É errôneo supor que a sua autoridade de perdoar se baseava somente no fato de que ele agia como representante de Deus, e que assim proferia as palavras de Deus. Nenhum rabino podia proferir uma "declaração de absolvição", mas certamente o Messias podia fazer isso. Segundo o uso estrito da palavra "blasfêmia", no conceito dos rabinos, essa ação equivalia a amaldiçoar a Deus em nome de Deus. Aqui, no entanto, o termo é empregado no sentido mais lato.

9.2: E eis que lhe trouxeram um paralítico deitado num leito. Jesus, pois, vendo-lhes a fé, disse ao paralítico: Tem ânimo, filho; perdoados são os teus pecados.

9.2 καὶ ἰδοὺ προσέφερον αὐτῷ παραλυτικὸν ἐπὶ κλίνης βεβλημένον. καὶ ἰδὼν ὁ Ἰησοῦς τὴν πίστιν αὐτῶν εἶπεν τῷ παραλυτικῷ, θάρσει, τέκνον· ἀφίενταί σου αἱ ἁμαρτίαι.

2 ἀφίενται אB(D) *13 pc* lat; R] ἀφεωνται WΘ Γ *pl* ς

2 παραλυτικὸν...βεβλημένον Mt 8.6; Lc 9.33 ἀφίενται...ἁμαρτίαι Lc 7.48

"Cama" — A palavra grega significa "catre", tipo de cama facilmente transportável. Jesus curava conscientemente; percebeu qual a maior necessidade daquele homem, compreendendo que tinha má consciência, e que, provavelmente, sua vida passada e sua consciência sobre a mesma haviam provocado ou pelo menos agravado a sua enfermidade. O texto também parece implicar em que a fé exercida não era a do próprio enfermo, e, sim, a daqueles que o transportavam. O enfermo mesmo estava desanimado por causa do pecado e de sua condição física. Jesus cuidou primeiro da pior condição. Mostrou sua autoridade (a palavra usada pode significar "autoridade" ou "poder") para perdoar pecados, e esse é outro exemplo de que suas capacidades ultrapassavam em muito a de um simples homem. Jesus agiu como se fora mais do que simples intérprete da vontade de Deus, pois demonstrou a misericórdia e o perdão de Deus. Sendo o Messias, Jesus tinha o direito de perdoar pecados, e assim não é preciso ver, nesse acontecimento, que ele assumia a posição de Deus Pai. O v. 6 indica a missão especial de Jesus entre os homens, embora fosse homem como os demais, mas com uma missão especial que lhe fora dada pelo Pai, a qual inclui a autoridade para perdoar pecados. O milagre da cura foi realizado para demonstrar essa autoridade terrena do Messias.

"Vendo-lhes a fé" — Usualmente, estas palavras são interpretadas como que para mostrar que o paralítico também exerceu fé; mas não é bem esse o sentido. O enfermo ainda estava com a consciência carregada de pecados, mas aqui fica provada a disposição de Jesus em perdoar o pecado.

"Estão perdoados os teus pecados" — Ver nota no princípio do versículo, onde Jesus aplica a regra geral da atuação do Messias a cura da alma ligada à cura do corpo como em Salmos 103.3: "Ele é quem perdoa todas as tuas iniquidades; que sara todas as tuas enfermidades..." (ARA). Ver notas sobre as curas, os meios utilizados e os motivos em Mateus 3.13; 7.21-23; 8.3,13,17; 9.34; 14.22; Marcos 1.29; 3.1-5; Lucas 18.22-25.

9.3: E alguns dos escribas disseram consigo: Este homem blasfema.

9.3 καὶ ἰδού τινες τῶν γραμματέων εἶπαν ἐν ἑαυτοῖς, Οὗτος βλασφημεῖ.

358 |Mateus| NTI

Ver nota detalhada sobre os "escribas", em Marcos 3.22; sobre os "fariseus", em Mateus 22.23; sobre os "herodianos", em Marcos 3.6; sobre o "Sinédrio", em Mateus 22.23; e sobre os "essênios", em Lucas 1.80 e Mateus 3.1.

"Blasfema" — No grego, esse vocábulo significa "conversa ou palavra abusiva", seja contra os homens (Ap 2.9), contra o Diabo (Jd 9) ou contra Deus (Ez 32.12; Mt 26.65; Mc 2.7; 14.64; Lc 5.21; Ap 13.5). Pode também referir-se àquilo que pertence a Deus. Às vezes, significa "difamação, calúnia". Os escribas pensaram que Jesus desrespeitara o nome, a posição e os direitos de Deus, o único que pode perdoar pecados (Lc 5.21). Segundo a opinião dos judeus, com essas palavras e com essa ação, Jesus tomou a posição e os direitos de Deus.

O texto não ensina a divindade de Cristo diretamente, mas enfatiza os seus poderes e direitos messiânicos: 1) Jesus curava qualquer tipo de doença. 2) Ele perdoou pecados. 3) Ele tinha poderes de conhecimento especial. Conclusão: Jesus era o Messias. Os poderes especiais de Cristo implicam em sua divindade. Ver as notas sobre a divindade de Cristo, em Hebreus 1.3.

9.4: Mas Jesus, conhecendo-lhes os pensamentos, disse: Por que pensais o mal em vossos corações?

9.4 καὶ ἰδὼν[1] ὁ Ἰησοῦς τὰς ἐνθυμήσεις αὐτῶν εἶπεν, Ἱνατί ἐνθυμεῖσθε πονηρὰ ἐν ταῖς καρδίαις ὑμῶν;

4 εἰδὼς...εἶπεν Mt 12.25

[1] 4 {C} καὶ εἰδὼς B Π[txt] ƒ[1] 565 700 1079 1195 1546 l[84,313,883,1627] (l[76] καὶ εἰδός, l[547] ἰδὼς,) syr[h] goth arm? eth[pp,ms] geo[1] // ἰδὼν δέ (syr[p]) cop[sa] arm? geo[2] // καὶ ἰδὼν ℵ C D K L W X Δ Π[mg] ƒ[13] 33 892 1009 1010 1071 1216 1230 1242 1253 1365 1646 2148 Byz Lect it[aur,b,c,d,ff1,g1,k,l,q] vg cop[bo] eth[ro] // ἰδὼν δέ N Σ 240 244 it[a,h] syr[pal mss]

> A maior parte da comissão preferiu a forma ἰδὼν a εἰδὼς, porque (a) esta última parece ser uma correção da primeira ("ver" os pensamentos de outrem parece ser uma expressão menos própria do que "conhecê-los"), e (b) ἰδὼν, que corresponde à declaração do v. 2, mais provavelmente foi alterado para εἰδὼς, lembrando-se de ἐπιγνούς nas narrativas paralelas (Mc 2.8 e Lc 5.22), e não vice-versa. O peso do testemunho combinado em apoio a καιν predomina muito sobre o que apoia a δέ.

"Conhecendo-lhes os pensamentos" — A ideia comum é que só Deus pode conhecer os pensamentos que não são expressos em palavras; mas, pelos estudos psíquicos atuais, sabe-se que essa capacidade de telepatia pertencia à personalidade humana, como também a clarividência (conhecimento de objetos sem a ajuda dos sentidos, não envolvendo a mente), a predição e o poder de curar. Algumas autoridades bíblicas creem que, antes da queda do homem, essas habilidades eram muito mais desenvolvidas, sendo comuns à natureza humana. Devemos lembrar que o homem é essencialmente um ser espiritual, possuidor de características próprias de seres espirituais. A transformação segundo a imagem de Cristo devolverá ao homem essas capacidades, que nunca foram mais desenvolvidas do que quando ainda não ocorrera a queda; porém, atingido novamente esse desenvolvimento, os poderes da natureza humana excederão aos poderes possuídos pelos anjos. Ver nota em Romanos 8.29. Não nos surpreende, pois, que um homem poderoso como Jesus praticasse a telepatia. Como homem extraordinariamente desenvolvido que era, naturalmente ainda tinha mais poderes do que isso. Seu desenvolvimento foi conferido pelo Espírito Santo, como terá de suceder também a nós. Esse desenvolvimento, contudo, passa a fazer parte integrante da personalidade, e não é mero instrumento separado. Jesus, como homem, mostrou-nos o padrão de desenvolvimento espiritual. Isso não significa, porém, que ele jamais tenha lançado mão de suas prerrogativas divinas. Ver as notas detalhadas sobre essa questão e sobre "a humanidade" de Cristo, em Filipenses 2.7 e Mateus 8.27.

O Conhecimento Especial do Messias:

1. Os povos da antiguidade tinham a tendência de acreditar que poderes de conhecimento espiritual, como a pré-cognição e a telepatia pertenciam somente aos deuses, ou aos profetas dos deuses.

2. Os estudos modernos sobre estes assuntos têm demonstrado, além de qualquer dúvida, que esses poderes, e muitos outros, pertencem à personalidade humana, e podem ser desenvolvidos com exercícios e a prática.

3. Em relação a Jesus, segundo o ponto de vista dos evangelistas, esses poderes eram sinais de autoridade messiânica. Os eruditos judaicos esperavam um messias dotado de grandes poderes, inclusive o do conhecimento especial. Os evangelistas demonstram que Jesus respondeu a essa esperança e cumpriu essa condição.

4. Jesus, cheio do poder do Espírito Santo, naturalmente tinha esses poderes num grau muito mais alto do que pode ser esperado de qualquer homem comum. Tais poderes podem (mas não necessariamente), ilustrar a divindade do Logos encarnado.

"Cogitais o mal" — Os escribas é que blasfemaram, porque falaram (ou pensaram) palavras abusivas e caluniosas contra o Messias e, portanto, contra Deus, que dera poder e autoridade a Cristo quanto às duas coisas: curar e perdoar pecados. Não reconheceram a Cristo ou sua missão por causa da maldade que traziam no coração, além de suas relações para com Deus não serem corretas. Jesus curou o paralítico a fim de mostrar sua autoridade em perdoar pecados e salvar a alma. Os escribas, porém, rejeitaram a comprovação.

9.5: Pois qual é mais fácil? dizer: Perdoados são os teus pecados, ou dizer: Levanta-te e anda?

9.5 τί γάρ ἐστιν εὐκοπώτερον, εἰπεῖν, Ἀφίενταί σου αἱ ἁμαρτίαι, ἢ εἰπεῖν, Ἔγειρε καὶ περιπάτει;

5 ἀφίενται B(ℵ*D); R] p) ἀφέωνται WΘ ƒ pl ς

"Qual é mais fácil, dizer..." — Talvez uma coisa não fosse mais fácil do que a outra, mas parece que Jesus indicou, com essas palavras, que estava prestes a realizar o que dizia. Nesse caso, como é natural, seria mais fácil falar em perdão de pecados do que em cura do corpo, porque ninguém poderia dizer que o pecado não fora perdoado, mas se não houvesse cura, isso ficaria bem patente para todos. Dizer "Levanta-te e anda", a um paralítico, seria difícil, se este estivesse esperando o cumprimento da ação. Jesus usou essa expressão para mostrar a sua autoridade, tanto sobre a alma como sobre o corpo. Sua autoridade mostrou-se eficaz em ambos os níveis.

Segundo a interpretação de alguns, visto crer-se que o pecado era a causa da enfermidade, a cura do homem demonstrou que Deus o perdoara, e que Jesus apenas declarou que o perdão fora outorgado por Deus. Isso, porém, é perder de vista a lição principal da história: Jesus, na qualidade de Messias, tem autoridade não só sobre o mundo físico, a ponto de curar as enfermidades, mas também sobre o mundo moral e espiritual, a ponto de perdoar os pecados, a enfermidade da alma.

9.6: Ora, para que saibais que o Filho do homem tem sobre a terra autoridade para perdoar pecados (disse então ao paralítico): Levanta-te, toma o teu leito, e vai para tua casa.

9.6 ἵνα δὲ εἰδῆτε ὅτι ἐξουσίαν ἔχει ὁ υἱὸς τοῦ ἀνθρώπου ἐπὶ τῆς γῆς ἀφιέναι ἁμαρτίας - τότε λέγει τῷ παραλυτικῷ, Ἐγερθεὶς ἀρόν σου τὴν κλίνην καὶ ὕπαγε εἰς τὸν οἶκόν σου.

6-8 λέγει...ἀθρώποις At 9.33-35

"Filho do homem" — Ver nota detalhada sobre esta expressão e título de Jesus em Mateus 8.20 e Marcos 2.10. (Ver nota abaixo.) A expressão era compreendida pelos judeus como uma alusão ao Messias (Mt 26.63).

"Para que saibais [...] autoridade para perdoar pecados" — Jesus sabia que os escribas não aceitariam seu testemunho sobre sua autoridade na esfera da alma, e nem notariam nenhuma evidência que ele apresentasse; mas pelo menos uma cura notável mostraria o seu poder na esfera do corpo, servindo de ilustração ao fato de que não estavam tratando com um homem comum. Se compreendessem isso, talvez também aceitassem a sua autoridade na esfera da alma. A ilustração seria válida, quer fosse aceita, quer não. A doutrina dos escribas dizia: "O perdão dos pecados é um direito pertencente somente ao Deus dos céus". A doutrina de Cristo diz: "O perdão dos pecados é direito do Messias sobre a terra". Jesus quis demonstrar que não havia necessidade de mudarem o sistema de suas doutrinas; era bastante que incluíssem nesse sistema algumas ideias mais avançadas. Essa aceitação os levaria a aceitarem o próprio Messias e a sua missão. Todos sabem, entretanto, que jamais ocorreu essa aceitação e modificação doutrinária. Jesus disse: "Levanta-te [...] toma [...] vai..." — três ordens impossíveis para o paralítico cumprir sem a ajuda direta do poderoso Jesus e do milagre notável que realizara. Dessa forma, Jesus demonstrou que, mediante a sua palavra, a alma também podia ser salva da paralisia do pecado.

9.7: E este, levantando-se, foi para sua casa.

9.7 καὶ ἐγερθεὶς ἀπῆλθεν εἰς τὸν οἶκον αὐτοῦ.

O paralítico obedeceu a todas as três ordens de Jesus. Marcos acrescenta "imediatamente"; e Lucas diz "glorificando a Deus", que é a observação mais importante, porquanto mostra que o fardo do pecado lhe fora tirado da alma. Não sabemos qual o sistema doutrinário daquele homem antes do milagre, se teria concordado ou não com os escribas; mas podemos estar certos de que, quando se foi, andando na presença dos escribas, já havia aceitado a autoridade de Jesus em ambas as esferas, tanto na esfera do corpo como na da alma. Pode-se imaginar que a cena também conquistou alguns discípulos para Jesus, naquele momento.

9.8: E as multidões, vendo isso, temeram, e glorificaram a Deus, que dera tal autoridade aos homens.

9.8 ἰδόντες δὲ οἱ ὄχλοι ἐφοβήθησαν[2] καὶ ἐδόξασαν τὸν θεὸν τὸν δόντα ἐξουσίαν τοιαύτην τοῖς ἀνθρώποις.

[2] **8** {B}ἐφοβήθησαν א B D W f^1 33 892 it$^{a,aur,b,c,d,ff^1,g^1,h,k,l,q}$ vg syr^{s,p,pal} cop^{sa,bo} Hilary Augustine // ἐθαύμασαν C K L Δ Θ Π f^{13} 565 700 1009 1010 1071 1079 1195 1216 1230 1242 1253 1365 1546 1646 2148 *Byz Lect* syr^h arm eth^{pp} geo // ἐθοβήθησαν καὶ ἐθαύμασαν (it^f goth) Diatessaron // *they were afraid and they glorified* eth^{ms} // *they marvelled and they glorified* eth // *omit* X Irenaeus^{lat}

Os leitores e copistas superficiais, não vendo o profundo sentido de "temiam" (i.e., as pessoas sentiam grande respeito e alarma, na presença de alguém que tinha o direito de perdoar pecados), substituíram ἐθοβήθησαν pelo que lhes parecia palavra mais apropriada, ἐθαύμασαν ("maravilhavam-se", ou "espantavam-se"). A evidência externa em apoio à forma mais difícil, não apenas é antiga, mas também inclui representantes de vários tipos de texto (alexandrino, ocidental e cesareano).

"As multidões, possuídas de temor, glorificaram a Deus" — Talvez as multidões não houvessem pensado nos problemas teológicos referentes ao perdão dos pecados, como o fizeram os escribas; mas, se havia alguma dúvida quanto à autoridade de Jesus, a impressão que temos é que essa dúvida dissipou-se naquele instante.

"Temor" — Lucas diz "possuídos de temor". Alguns mss têm o termo "maravilharam-se", e certas traduções seguem esses mss, como KJ e AC. O termo, porém, não figura no original. A ideia de "temor" acha-se nos mss Aleph B D W Fam 1 e a maior parte das versões latinas e siríacas, que são os mss mais antigos e de maior autoridade.

"Tal autoridade aos homens" — Não a um homem ou para benefício dos homens, e, sim, para o gênero humano. Como Filho do homem, Jesus exerceu essa autoridade e foi motivo de temor, porque tal poder estava entre os homens. Marcos diz: "Jamais vimos coisa assim". E Lucas diz: "Hoje vimos prodígios". Provavelmente, muitas exclamações semelhantes foram ditas pelo povo, ao presenciar esse milagre. Assim, "glorificando a Deus", no que contrastavam com os escribas, as multidões aceitaram a Jesus como alguém dotado da autoridade divina; aceitaram o acontecido como milagre de Deus; não duvidaram da autoridade de Jesus em perdoar pecados. Era um povo simples, ingênuo, impressionável e correto.

III. MINISTÉRIO DE OBRAS PODEROSAS DE JESUS, O MESSÍAS (8.1-9.34)

8. A chamada de Mateus (9.9)

Os paralelos são Marcos 2.14 e Lucas 5.27,29, a fonte informativa do protomarcos. Lucas e Marcos chamam Mateus de Levi. Alguns creem que esse "Mateus" tenha sido o autor deste evangelho. (Ver a seção I da introdução ao *problema de autoria*). O próprio evangelho, porém, é anônimo, não identificando seu autor. O que cremos acerca disso depende de nossa aceitação ou rejeição dessa tradição.

"Precisamos de um *redentor*, a fim de que nossos pecados não nos mutilem devido ao caos interno e ao conflito externo. Precisamos de um Guia, pois o caminho é difícil e oculto. Precisamos de um Capitão, pois nossa natureza clama devido à inquirição perigosa e pelo pão da coragem. Precisamos de alguém a quem adorar, pois só achamos vida em uma homenagem fina. Segue-me!" (Buttrick, in loc.).

9.9: Partindo Jesus dali, viu sentado na coletoria um homem chamado Mateus, e disse-lhe: Segue-me. E ele, levantando-se, o seguiu.

9.9 Καὶ παράγων ὁ Ἰησοῦς ἐκεῖθεν εἶδεν ἄνθρωπον καθήμενον ἐπὶ τὸ τελώνιον, Μαθθαῖον λεγόμενον, καὶ λέγει αὐτῷ, Ἀκολούθει μοι. καὶ ἀναστὰς ἠκολούθησεν αὐτῷ.

9 ηκολουθησεν] *p* -θει אD fı *pc d*

9 λέγει...μοι Mt 8.22; Jo 1.43; 21.19

Chamada de *Mateus*, que em Marcos 2.14 é chamado "Levi". (Mc 2.13,14; Lc 5.27,28). Mateus era "publicano", isto é, funcionário público; mais exatamente, um cobrador de impostos. Os publicanos não eram bem-vistos pelo povo em face de sua desonestidade e da violência que empregavam para extorquir dinheiro, roubando, por meios legais, viúvas e outras pessoas destituídas de bens. Alguns deles lesavam o próprio governo com relatórios falsos, aceitando suborno. Ver notas mais detalhadas em Mateus 5.46 e Lucas 5.27. Esses homens eram classificados entre as prostitutas e os pecadores da classe mais vil. O trecho de Mateus 9.10 reflete o fato.

Provavelmente, o propósito de Jesus era ter um apóstolo vindo dessa classe, a fim de demonstrar mais claramente a graça de Deus, e também para que ele fosse um instrumento especial para alcançar essa classe vil de homens. Os fariseus consideravam os publicanos homens sem esperança, *sem direito* ao arrependimento. Jesus mostrou que não há quem não possa arrepender-se, e que, do meio dos homens mais vis, Deus pode tirar quem quiser, para ser especialmente usado por ele.

Tem havido muita controvérsia sobre a identificação de Levi com Mateus. Alguns pais da Igreja nunca aceitaram essa identificação, como Clemente de Alexandria. A identificação se faz por observar que não há dúvida de que a história narrada em Mateus, Marcos e Lucas, sobre o publicano (Levi ou Mateus) e a festa com os publicanos e pecadores é a mesma. Provavelmente, Levi era o nome original de Mateus, ou talvez Mateus tivesse sido o novo nome que Jesus lhe deu, como, a Simão, dera o nome de Pedro. Alguns afirmam que a palavra "chamado", que aparece neste evangelho, indica que Mateus tinha outro nome, que o autor preferiu não revelar. Os argumentos contrários à identificação de Levi com Mateus são: 1) O silêncio sobre a mudança de nome ou sobre o fato de ele ter dois nomes. Entretanto, o argumento baseado no silêncio sempre é insuficiente, quer se tenha razão ou não. 2) Entre os antigos pais da Igreja, havia quem não fizesse essa identificação. Contra esse argumento pode-se notar que maior era o número de pais da Igreja que aceitavam a identificação do que o daqueles que não a aceitavam. 3) Entre os antigos, alguns identificavam Levi com "Lebbaios", palavra que aparece em alguns mss, como D, e em certas traduções latinas de Marcos 3.18. Em Mateus 10.3, o nome aparece como "Labeu", que é identificado com Tadeu, palavra esta que, na maioria dos mss, ocupa o lugar de Labbaios. Portanto, parece que Levi deveria ser identificado com Tadeu, e não com Mateus. Essa ideia, porém, não passa de especulação, sem nenhuma prova. Em todos os três evangelhos sinópticos, a história da chamada parece ser a de um apóstolo, e não a de alguém que tivesse cargo menor. Assim, é mister fazer a identificação de Levi com Mateus, o apóstolo. Apesar das dificuldades, a identificação de Levi com Mateus tem sido aceita quase que universalmente. Ver nota mais detalhada sobre Mateus, em Lucas 6.12.

"Segue-me [...] e seguiu" — Mateus conhecia a vida de Jesus, pois, provavelmente, manteve contato anterior com ele, já que morava na mesma cidade. Certamente, estava a par dos milagres, e talvez tivesse ouvido Jesus pregar na sinagoga. Talvez já tivesse pensado muito sobre a autoridade de Jesus e desejasse ser seu discípulo. Portanto, o terreno já estaria preparado, e bastou o convite de Jesus para completar o princípio do discipulado. Nota-se igualmente que, antes da chamada oficial de Pedro e André, já fora feito esse preparo. Ver notas em Mateus 4.18-22.

Essa expressão — *"Segue-me"* — tem sido usada, com muita razão e por muitas vezes, como o sumário do discipulado cristão. Whittier escreveu (no poema "Nosso Mestre"):

Nosso Amigo, nosso Irmão, nosso Senhor,
Qual será o serviço prestado a ti?
Não um nome, nem uma norma, nem um ritual,
Mas simplesmente seguir-te.

III. MINISTÉRIO DE OBRAS PODEROSAS DE JESUS, O MESSÍAS (8.1-9.34)

9. Jesus e os pecadores (9.10-13)

Os paralelos são Marcos 2.15-20 e Lucas 5.29-35. A fonte informativa é o *protomarcos*. (Quanto a dados sobre as "fontes informativas", ver, na introdução a este comentário, o artigo intitulado "O problema sinóptico"). Trata-se da narrativa de uma "controvérsia" que, provavelmente, surgiu de uma antiga polêmica que tinha algo a ver com a conduta de Jesus. Os líderes religiosos da época não gostaram das associações pessoais de Jesus, bem como do fato de ele não pertencer à classe e à sociedade deles. Sem dúvida, isso provocou dificuldade, e talvez muitas calúnias foram levantadas contra Jesus, a fim de lançá-lo no descrédito. Mateus responde a essas acusações, mostrando que as associações de Jesus visavam a produzir o máximo bem para os homens. E que outros dissessem o que bem entendessem.

9.10: Ora, estando ele à mesa em casa, eis que chegaram muitos publicanos e pecadores, e se reclinaram à mesa juntamente com Jesus e seus discípulos.

9.10 Καὶ ἐγένετο αὐτοῦ ἀνακειμένου ἐν τῇ οἰκίᾳ, καὶ ἰδοὺ πολλοὶ τελῶναι καὶ ἁμαρτωλοὶ ἐλθόντες συνανέκειντο τῷ Ἰησοῦ καὶ τοῖς μαθηταῖς αὐτοῦ.

10-11 Mt 11.19; Lc 7.34; 15.1,2; 19.7

"Em casa" — Tem-se discutido sobre o local da festa. Alguns insistem em que foi na casa de Jesus. Provavelmente, Jesus morava com Pedro, estando eles em *Cafarnaum*. Se a festa ocorreu na casa de Jesus, então foi na casa de Pedro, que talvez fosse a casa de sua sogra. Concordo com os que acreditam que Jesus, provavelmente, nunca deu festas; e nota-se que muitas pessoas vieram a essa festa. Não é provável que Jesus ou Pedro, sendo pobres, tivessem uma casa bastante espaçosa para acolher uma multidão de publicanos e pecadores. (Marcos diz: "[...] muitos publicanos e pecadores; pois eram em grande número e o seguiam"). Jesus tinha muitos discípulos vindos das classes humildes. Para dar essa festa seria mister muito dinheiro, mas sabemos que nem Jesus nem Pedro eram abastados.

Fica claro, pois, que a casa era a de Mateus, como diz Marcos 2.15. Mateus também poderia ter usado outra casa, pois, sendo oficial público, teria acesso a algum lugar próprio para festas; e a maior parte dos intérpretes aceita essa ideia. É provável também que Mateus, sendo publicano, tivesse o dinheiro para organizar uma festa dessas. Talvez esse tipo de festa fosse comum para Mateus e seus amigos publicanos e pecadores, o que seria boa forma de diversão. Talvez essa festa tivesse sido organizada especialmente para Jesus e seus discípulos, embora Mateus, recentemente, também tivesse sido chamado para o discipulado. Mateus, portanto, comemorava a sua chamada, ao mesmo tempo que se despedia de seus amigos para seguir a sua nova vida.

"À mesa" — No grego, "reclinaram-se". Os antigos tinham o costume de reclinar-se sobre uma espécie de divã, durante as refeições, usualmente apoiando-se sobre o braço esquerdo. Não se reuniam ao redor de mesas, como se faz modernamente.

"Pecadores" — Eram os que não frequentavam as sinagogas, que davam pouco valor à religião, e que talvez tivessem sido expulsos das sinagogas. Era o vulgacho, cada qual com seu *vício*. Em Cafarnaum, tal ocasião contaria também com a participação dos gentios. Certamente, não era uma multidão com a qual os membros de uma igreja devessem reunir-se. Havia uma bizarra mistura de gente: Jesus, os quatro pescadores, Natanael, Filipe, Mateus e seus antigos amigos, os fariseus e seus discípulos, alguns seguidores de João Batista, certamente em período de jejum, irritados e prontos para criticar aos que participavam da festa. Os fariseus se sentiam escandalizados porque Jesus festejava em companhia de pecadores. Contudo, por ter fama de curar os enfermos do corpo e da alma, cabia-lhe estar na companhia daqueles que necessitavam de cura.

9.11: E os fariseus, vendo isso, perguntavam aos discípulos: Por que come o vosso Mestre com os publicanos e pecadores?

9.11 καὶ ἰδόντες οἱ Φαρισαῖοι ἔλεγον τοῖς μαθηταῖς αὐτοῦ, Διὰ τί μετὰ τῶν τελωνῶν καὶ ἁμαρτωλῶν ἐσθίει ὁ διδάσκαλος ὑμῶν;

11 εσθιει ο Διδ.υμ.] εσθιετε και πινετε sy^c:

"Os fariseus" — Ver nota detalhada em Marcos 3.6. Marcos diz aqui: "os escribas dos fariseus"; enquanto Lucas escreve: "os fariseus e seus escribas" (5.30). Provavelmente, eram os mesmos que tinham presenciado o milagre da cura do paralítico, tendo sido rotundamente derrotados ante as vistas do povo, e que agora esperavam oportunidade de acusar Jesus de algum erro. Não se pode imaginar que tivessem sido convidados oficialmente, mas provavelmente ficaram de fora, descontentes, de mau humor. Receosos de enfrentar novamente Jesus, dirigiram uma pergunta aos discípulos: "Por que come o vosso Mestre com os publicanos e pecadores?" Talvez os fariseus e seus escribas quisessem dissuadir os discípulos, mostrando-lhes quão escandalosa era a conduta de

Jesus. Lê-se, na literatura judaica, que as autoridades religiosas achavam que estar na companhia de tais pessoas equivalia a cometer os mesmos pecados delas.

A Mishnah ensinava a hospitalidade (*Aboth* 1.5): "Que tua casa esteja escancarada, e que os pobres sejam membros de tua família". Entretanto, não encorajava essa atitude para com os que eram chamados de "pecadores". Diz *Aboth* 1.7: "Conserva-te distante de um mau vizinho, e não te associes com os ímpios". Até mesmo muito tempo depois Pedro continuava aderindo a esse conceito farisaico do exclusivismo, tendo-se separado dos irmãos gentios (ver Gl 2.11,12). De outra feita, foi alvo de críticas por ter comido com eles. (Ver Atos 11.3).

9.12: Jesus, porém, ouvindo isso, respondeu: Não necessitam de médico os sãos, mas sim os enfermos.

9.12 ὁ δὲ ἀκούσας εἶπεν, Οὐ χρείαν ἔχουσιν οἱ ἰσχύοντες ἰατροῦ ἀλλ᾽ οἱ κακῶς ἔχοντες.

"Os sãos não precisam de médico" — Jesus usou um provérbio bem conhecido, de que ninguém deixaria de entender o sentido. Os sãos seriam as pessoas justas. Ou, no dizer de alguns intérpretes, os que se consideram justos, como os fariseus. Esses indivíduos precisam de médico para a alma, embora não reconheçam o fato. Pelo menos o médico não trataria dessas pessoas.

"Os doentes" — Pessoas como os publicanos e pecadores de diversos tipos, que, na definição bíblica, abrangem a raça humana inteira. A ideia é de que o médico vai onde seus serviços são necessários, onde é acolhido por aqueles que necessitam de seus préstimos. Jesus mostra que convinha que o seu serviço fosse realizado entre os párias. Aqui ele ensina as seguintes lições: 1) Ele é o médico da alma. 2) Todos os membros da raça humana precisam de seu poder de curar. 3) Os homens devem reconhecer que precisam da cura da alma. 4) A pior doença é a daquele que se imagina são, quando na realidade está enfermo.

Diógenes, o famoso filósofo *cínico*, disse: "Nem o médico, que é capaz de devolver a saúde, pratica a sua profissão entre os sãos" (Stobaeus *Florilegium*, III.462.14). Jesus não somente acolhia os pecadores — talvez os rabinos também fizessem isso —, mas procurava-os, e isso era uma novidade. Dessa maneira, Jesus demonstrou um princípio cristão particular, consoante com suas palavras: "Ide por todo o mundo, e pregai o evangelho a toda criatura" (Mc 16.15).

9.13: Ide, pois, e aprendei o que significa: Misericórdia quero, e não sacrifícios. Porque eu não vim chamar justos, mas pecadores.

9.13 πορευθέντες δὲ μάθετε τί ἐστιν, Ἔλεος θέλω καὶ οὐ θυσίαν· οὐ γὰρ ἦλθον καλέσαι δικαίους ἀλλὰ ἁμαρτωλούς.

---
13 ἁμαρτωλούς ℵBDW f1 565 pm lat; R] add p) εἰς μετανοιαν Θ f13 700 al c g1 sys sa ς

13 Ἔλεος...θυσίαν Os 6.6 (Mt 12.7)

"Ide, porém, e aprendei o que significa" — Na literatura judaica essa frase era comum, sempre usada pelos rabinos quando queriam frisar algum preceito seu. Jesus empregou uma frase bem conhecida, a fim de encorajar seus ouvintes a aprenderem algo de seu livro e fonte informativa. Sugeriu que aqueles homens, que se reputavam mestres na fé e autoridades religiosas aprendessem o significado da passagem de Oseias 6.6, e a interpretassem para si mesmos, ao invés de se porem tão facilmente a criticar os outros. Mais adiante, Jesus empregou a mesma citação com respeito à lei do sábado (Mt 12.7). Mostrou que a lei ética é mais importante que a lei cerimonial. Os fariseus se satisfaziam em retirar-se da presença daqueles que consideravam *pecadores*, pensando que até a poeira dos gentios e pecadores provocava a impureza cerimonial, levando os contaminados a perderem as condições apropriadas para adorarem e servirem a Deus. A lei ética, no entanto, reveste-se de muito maior importância. Fica claro que a salvação dos pecadores é impossível se eles não se encontrarem com o Salvador dos pecadores.

"Holocaustos" — Refere-se aos sacrifícios dos judeus em vista do pecado. Contudo, do que adiantavam os sacrifícios (culto cerimonial) sem a misericórdia (símbolo da graça de Deus e seu poder de salvar)? Jesus, portanto, ensinou as seguintes lições: 1) O próprio Deus prefere os atos de misericórdia, o serviço ao próximo (incluindo a ajuda aos pecadores), a qualquer ato religioso meramente cerimonial. Ambas as coisas são boas, mas a primeira é muito mais necessária. 2) O sistema de sacrifícios tinha por finalidade mostrar e ilustrar o aspecto mais importante, ou seja, a misericórdia, o serviço prestado ao próximo; mas as cerimônias ilustrativas da misericórdia de Deus não tinham valor por si mesmas. 3) Não se deve confiar nas cerimônias religiosas, nem se deve frisá-las, pois, sem os atos misericordiosos, elas não têm valor. Esses princípios merecem maior aplicação no seio da igreja, que às vezes dá excessiva importância às cerimônias.

"Ao arrependimento" — Palavras contidas nos mss CEGKLMSUV(mg) X Gamma Pi, mas que não são originais em Mateus. Foram tomadas de empréstimo de Lucas 5.32. Só as traduções KJ e AC as contêm. São omitidas pelos mss Aleph BDV(1) Gamma e Delta. Naturalmente que o arrependimento está incluído na chamada dos pecadores, e talvez tenha sido feita uma extensão do texto, mesmo sem procurar harmonia com Lucas 5.32. Ver notas detalhadas sobre o arrependimento em Mateus 3.2; 21.29; Mc 1.15.

III. MINISTÉRIO DE OBRAS PODEROSAS DE JESUS, O MESSÍAS (8.1-9.34)
10. Por que os discípulos de Jesus não jejuavam (9.14,15)

Os paralelos são Marcos 2.18-22 e Lucas 5.33-39. A fonte informativa é o protomarcos. Esta seção ilustra, não o fato de que o jejum é obsoleto, o que seria, sem dúvida, uma compreensão errônea sobre o modo de vida de Jesus Cristo, mas que a vida e a fé cristãs são tão jubilosas, que não se podem tornar enclausuradas a qualquer mera forma externa. Os líderes religiosos dos judeus faziam do jejum um meio de ostentação. (Ver as notas introdutórias a Mt 6.16). Os discípulos da nova fé nada podiam ter com esse tipo de hipocrisia.

9.14: Então vieram ter com ele os discípulos de João, perguntando: Por que é que nós e os fariseus jejuamos, mas os teus discípulos não jejuam?

9.14 Τότε προσέρχονται αὐτῷ οἱ μαθηταὶ Ἰωάννου λέγοντες, Διὰ τί ἡμεῖς καὶ οἱ Φαρισαῖοι νηστεύομεν [πολλά]³, οἱ δὲ μαθηταί σου οὐ νηστεύουσιν;

---
14 μαθηταὶ...νηστεύομεν Mt 11.18; Lc 18.12

³ **14** {C} νηστεύομεν πολλά ℵb C D K L W X Δ Θ Π f1 f13 33 565 700 892 1009 1010 1071 1079 1195 1216 1230 1242 1253 1365 1546 1646 2148 2174 Byz Lect itd,k syrp,h,pal copsa,bo goth arm eth geo1,A // νηστεύομεν πυκνά ℵa ita,aur,b,c,d,ff1,g1,h,l,q vg syrs Hilary // νηστεύομεν ℵ* B copsa,ms geoB

A forma de ℵ é obviamente uma assimilação escribal ao paralelo de Lucas 5.33, onde — πυκνά aparece sem nenhuma variação. É mais difícil decidir se πολλά, que não aparece na narrativa de Marcos 2.18, foi originalmente adicionado por Mateus ou por copistas subsequentes. A comissão resolveu que, em face do equilíbrio, deveria ser preferida a forma não-paralela; contudo, em face da ausência da palavra em vários testemunhos importantes (ℵ* B al), a maioria julgou melhor incluir o vocábulo pollav entre colchetes.

O jejum só era obrigatório no dia da Expiação (*Yom Kippur*) e nos dias de jejum publicamente proclamados. Portanto, a alusão aqui é ao jejum particular e voluntário, que, evidentemente, não caracterizava os discípulos de Jesus, como ocorria entre os discípulos dos fariseus e de João Batista. A linguagem que cabe ao cristianismo é a do louvor e a da alegria. Nem ao menos se pensa em que os males deste mundo obscureçam a experiência cristã. Estas linhas foram escritas por William Blake, em *"Auguries of Innocence"*:

O homem foi feito para a alegria e o lamento,
E quando isso é bem de nosso conhecimento,
Seguimos bem seguros, a cada momento.

Não demorou muito para que os discípulos tivessem oportunidade de experimentar o *lamento*, quando Jesus fosse crucificado, e então retornasse aos lugares celestiais. Então é que os discípulos deveriam jejuar.

Acredita-se largamente que João Batista foi membro da seita judaica dos essênios, que eram ascetas restritos. Ver nota em Lucas 1.80. Entre as descobertas dos Papiros do Mar Morto, o *Manual de Disciplina*, que dava as regras da comunidade de Qumran (que muitos creem serem os essênios dos tempos de Jesus), instrui sobre muitas práticas ascéticas, como os jejuns. Os discípulos de João haviam aprendido bem a austeridade de seu líder.

O trecho tem paralelos em Marcos 2.18-22 e Lucas 5.33-39. É estranho que alguns seguidores de João Batista, aliando-se aos fariseus, tivessem criticado tanto os discípulos de Jesus, especialmente na questão do jejum. É que aprenderam a seguir de perto o ascetismo de João. Devemos lembrar que *nem todos* os seguidores de João Batista seguiram a Jesus, e que até mesmo depois da ressurreição a seita formada pelos seguidores de João Batista continuava separada da igreja cristã. (At 19.3 indica essa verdade.)

Na literatura dos judeus, somos informados que os fariseus sempre jejuavam duas vezes por semana (segundas e quintas-feiras), e que alguns jejuavam até quatro vezes por semana. Então costumavam mostrar-se melancólicos, sujos e barbudos, para mostrar aos homens que jejuavam. Não sabemos qual o método seguido pelos discípulos de João, mas para estes o jejum também era prática importante. Ver notas sobre o jejum em Mateus 4.2 e 6.15. A expressão "muitas vezes" não se acha nos mss mais antigos, como Aleph B e alguns outros, incluindo uma versão siríaca e, provavelmente, não pertencem ao texto original; mas a adição expressa certa verdade sobre as ações desses homens.

O texto em Lucas mostra que a indagação manifestou a continuação da oposição encontrada por Jesus na festa dada por Mateus. Provavelmente, a verdadeira intenção da pergunta não era obter informação de Jesus, mas só queriam saber por que Jesus e seus discípulos não conservavam as formas consagradas da religião, e não há dúvidas de que nessa questão está subentendida a desaprovação deles pelo tipo de religião praticada pelos discípulos de Jesus.

9.15: Respondeu-lhes Jesus: Podem porventura ficar tristes os convidados às núpcias, enquanto o noivo está com eles? Dias virão, porém, em que lhes será tirado o noivo, e então hão de jejuar.

9.15 καὶ εἶπεν αὐτοῖς ὁ ᾿Ιησοῦς, Μὴ δύνανται οἱ υἱοὶ τοῦ νυμφῶνος πενθεῖν ἐφ᾽ ὅσον μετ᾽ αὐτῶν ἐστιν ὁ νυμφίος; ἐλεύσονται δὲ ἡμέραι ὅταν ἀπαρθῇ ἀπ᾽ αὐτῶν ὁ νυμφίος, καὶ τότε νηστεύσουσιν.

15 νυμφῶνος] -φιου D latt

15 Μὴ...ἐστιν ὁ νυμφίος Jo 3.29

"Convidados para o casamento" — Essa tradução de AA e IB é uma interpretação. Literalmente o original diz "filhos das bodas", como AC apresenta. É uma expressão hebraica que significa "os convidados ao casamento". A resposta dada por Jesus encerra três símbolos parabólicos: o casamento, o pano novo em vestido velho e o vinho novo em odres velhos.

Os convidados para o casamento são os paraninfos do noivo, amigos especiais dos noivos, que sentiam a mesma alegria do noivo ao contemplar o rosto da noiva. Na literatura antiga, lê-se que, às vezes, os paraninfos eram encarregados de trazer a noiva ao noivo, antes do matrimônio, acompanhando-os até a casa, terminada a cerimônia. Assim sendo, eram pessoas que se rejubilavam, expressando a grande alegria do momento. Traziam a noiva ao noivo com alegria, e, ao contemplarem o deleite do noivo ao receber a noiva, regozijavam-se com ele. Seria muito difícil que, nessas circunstâncias, mostrassem interesse pelo jejum. Antes, toda a sua inclinação

era para a alegria. Entre os judeus, essas festas duravam sete dias, e a mulher ainda era considerada uma noiva por mais trinta dias, segundo o costume dos judeus.

Não se pode deixar de observar aqui que Jesus aludiu às profecias que falam acerca do noivo na igreja (ideia que aparece no segundo capítulo de Oseias), mas estavam especialmente em foco passagens como Isaías 54.5-10. (Ver a mesma ideia no NT, em Ap 19.7-9).

"Dias virão [...] será tirado o noivo [...] nesses dias hão de jejuar" — Jesus refere-se ao fim trágico e abrupto do contacto dele com os discípulos. Tão grande tristeza certamente deixaria o espírito dos discípulos mais predispostos ao jejum. "Quão sublime e calmo foi esse anúncio prévio de nosso Senhor sobre a amarga experiência que estava prestes a enfrentar!" (Alford).

"Estar tristes" — Jesus indica que o espírito triste acompanha o ato do jejum. O jejum expressa um exercício de alma por causa do pecado ou de um estado tristonho, ou com a finalidade de cumprir algum propósito espiritual; não pode ser mera formalidade religiosa. Jesus também jejuou, ocasionalmente, mas de maneira espontânea, por motivo de preocupação mental e espiritual, e não para exaltar uma forma religiosa externa.

III. MINISTÉRIO DE OBRAS PODEROSAS DE JESUS, O MESSÍAS (8.1-9.34)

11. O antigo e o novo pacto são incompatíveis entre si (9.16,17)

Os paralelos são Marcos 2.21,22 e Lucas 5.36-39. A fonte informativa é o protomarcos. Já pudemos observar, no quinto versículo, como os evangelistas insistem em que possuímos uma nova lei e um novo Legislador. Cristo adicionou e modificou conceitos, conforme eram entendidos na antiga dispensação. A seção diante de nós não ensina os *perigos do novo*, conforme poderia ser seu sentido, se a mesma fosse isolada da mensagem prevalente deste evangelho. Antes, há uma incompatibilidade inerente entre o antigo e novo, o antigo representado por Moisés, e o novo representado por Cristo. O texto de Mateus 5.27ss concorda em espírito com esta seção, embora Mateus 5.18 pareça contradizer a ideia inteira: "Não penseis que vim revogar a lei dos profetas: não vim para revogar, vim para cumprir". A contradição, porém, é apenas aparente, pois o cumprimento do intuito básico e espiritual da lei, realizado por Cristo, exigia alguma adaptação, alguma modificação, e até mesmo alguma rejeição de princípios, conforme eles vinham sendo entendidos, desde os tempos mais antigos. O autor sagrado não hesita em substituir Moisés por Cristo, embora reconhecesse a validade do alicerce lançado por Moisés. Tudo isso contribui para mostrar quão profundamente "cristão" é o evangelho de Mateus. Foi escrito como manual de instrução para a igreja.

Jesus não precisa ser totalmente *reconciliado* ao antigo judaísmo conservador. Sua vinda trouxe a aurora de um novo dia, que parte as algemas do antigo caminho. (Ver Mateus 11.12,13 e Lucas 16.16, quanto a esse ponto.) Esta seção subentende quase necessariamente uma data após 70 d.C., pois a igreja é aqui vista como verdadeiramente independente do judaísmo. Isso não sucedeu enquanto Jerusalém não foi destruída, o que sucedeu naquele ano. E isso fez a igreja tornar-se independente de sua "mãe". (Ver a seção III da introdução, quanto a uma discussão sobre a "data".)

9.16: Ninguém põe remendo de pano novo em vestido velho; porque semelhante remendo tira parte do vestido, e faz-se maior a rotura.

9.16 οὐδεὶς δὲ ἐπιβάλλει ἐπίβλημα ῥάκους ἀγνάφου ἐπὶ ἱματίῳ παλαιῷ· αἴρει γὰρ τὸ πλήρωμα αὐτοῦ ἀπὸ τοῦ ἱματίου, καὶ χεῖρον σχίσμα γίνεται.

9.17: Nem se deita vinho novo em odres velhos; do contrário os odres se rebentam, derrama-se o vinho, e os odres se perdem; mas deita-se vinho novo em odres novos, e assim ambos se conservam.

9.17 οὐδὲ βάλλουσιν οἶνον νέον εἰς ἀσκοὺς παλαιούς· εἰ δὲ μήγε, ῥήγνυνται οἱ ἀσκοί, καὶ ὁ οἶνος ἐκχεῖται καὶ οἱ ἀσκοὶ ἀπόλλυνται· ἀλλὰ βάλλουσιν οἶνον νέον εἰς ἀσκοὺς καινούς, καὶ ἀμφότεροι συντηροῦνται.

17 γε] om B | ρηγν...απολλ.] p) ρησσει ο οι. ο νεος τους ασκους και ο οι. απολλυται και οι ασκοι D (d k)

É óbvio que esses dois símbolos parabólicos querem ensinar a mesma coisa; não podemos *misturar* o velho sistema religioso (praticado no AT) com o novo sistema (religião caracterizada pela alegria, livre de formalidades, ensinada por Cristo).

"Pano novo" — Que ainda não foi lavado, cru, sujeito a encolhimento, que, ao ser lavado, poderia rasgar-se ou ser desfiado.

"Odres" — Refere-se a recipientes de couro, geralmente de pele de cabra, em que a parte grosseira ficava para o lado de dentro. Se os odres fossem velhos, o vinho novo, ao fermentar, poderia rasgar o couro por causa da força da expansão dos gases. As duas ilustrações ensinam a mesma verdade. O antigo sistema religioso se caracterizava pela tristeza e pela humildade (e o jejum era uma justa lembrança ou símbolo dessa espécie de religião); e essa forma não deve ser confundida com a livre expressão da nova forma, para que não lhe sirva de obstáculo. A nova forma deve estar isenta de ritualismo e de outros elementos tendentes à depressão, e não à liberdade. Alguns pensam que Jesus simplesmente quis ensinar que os dois aspectos, o antigo e o novo, não devem ser confundidos. Tanto neste caso como em outros, porém, podemos afirmar que Jesus mostrou pouca paciência com as formalidades religiosas, não se podendo negar que sua religião não inclui essas formalidades como elemento importante. Jesus não era asceta, como os fariseus ou os seguidores de João Batista, e não misturaria o ascetismo com a liberdade espiritual da revelação que trouxe.

O vinho novo é *ativo*, dotado de características fortes, expansivas; assim sendo, um odre velho, depois de usado e ressecado, por ser *frágil*, e quebradiço, não poderia mais ser usado para guardar vinho novo, pois arrebentaria. Esses são símbolos instrutivos, que expressam as diferenças entre a nova religião de Jesus, e a antiga religião do AT. A nova é viva, expansiva, livre de cerimônias; a antiga era sobrecarregada de tradições e formalidades, sendo-lhe impossível expandir-se para conter a nova.

Veja a expansão destas notas em Lucas 5.36-39.

III. MINISTÉRIO DE OBRAS PODEROSAS DE JESUS, O MESSIAS (8.1-9.34)
12. Poder para curar enfermidades crônicas e levantar os mortos (9.18-26)

Os paralelos são Marcos 5.22-43 e Lucas 8.41-56. A fonte informativa é o protomarcos. (Ver informações sobre as "fontes informativas", na introdução a este comentário, no artigo intitulado "O problema sinóptico".) O autor volta a insistir com o conceito de que as obras poderosas, efetuadas por Jesus, demonstram a validade de suas reivindicações messiânicas. Não há força e nem obstáculo que lhe possa resistir. Ele é o Senhor de tudo e de todos, e assim deve ser para conosco também. Nem a própria morte pode resistir ao seu poder doador de vida. A ressurreição é a ilustração do poder final, quando a graça e a força de Deus chegam até as nossas vidas humanas. Esse poder é brandido por Deus por meio de Cristo, e ele toca nos homens. Cf. as histórias do AT sobre Elias (1Reis 17.17-24) e Eliseu (2Reis 417-37). (Ver também a história acerca de Pedro, em At 9.36-42).

9.18: Enquanto ainda lhes dizia essas coisas, eis que chegou um chefe da sinagoga e o adorou, dizendo: Minha filha acaba de falecer; mas vem, impõe-lhe a tua mão, e ela viverá.

9.18 Ταῦτα αὐτοῦ λαλοῦντος αὐτοῖς ἰδοὺ ἄρχων εἷς ἐλθὼν προσεκύνει αὐτῷ λέγων ὅτι Ἡ θυγάτηρ μου ἄρτι ἐτελεύτησεν· ἀλλὰ ἐλθὼν ἐπίθες τὴν χεῖρά σου ἐπ' αὐτήν, καὶ ζήσεται

18 εἰς προσελθών B lat] προσελθ. א* pc: τις προσελθ. f13 g¹ (b k): εισελθ. Θ f1 700: εἰς ελθ. D 565 (d); R: ελθ. q ς

18 ἐπίθες...αὐτήν Mt 8.3; Mc 6.5; 7.32; 8.23,25; Lc 13.13

A comissão considerou a forma εἰς προσελθών, de א^b B it^{a,b,c} vg como uma hábil modificação escribal, feita a interesse de aclarar para o leitor a correta interpretação de εισελθών — que se pode ler como εἰς ἐλθών ou como εἰσελθών.

(Mc 5.21-24; Lc 8.42-48). "Chegou" — Aparece nas traduções AC e IB, baseadas nos mss SV Gamma Delta Fam Pi; "entrou", aparece nos mss Aleph(4) CDE MX; "aproximando-se", aparece na tradução AA, baseada nos mss Aleph(1) BC(3) FGLU e, sem dúvida, é a palavra original do evangelho.

"Chefe" — Oficial da sinagoga: (Marcos diz: "um dos *principais* da sinagoga, chamado Jairo" — Mc 5.22). Provavelmente, foi um dos homens que solicitaram a ajuda de Jesus para que curasse o criado do centurião (ver notas em Mt 8.5-13). Sem dúvida Jairo ficou bem impressionado com o milagre que vira naquele caso. Agora, estando em situação desesperadora (a filha já morrera ou estava moribunda; segundo Marcos, "está à morte"; segundo Lucas "estava à morte"). Provavelmente, o autor assim escreveu por conhecer bem o caso, e sabia que, quando Jesus chegou à casa de Jairo, a filha deste já tinha falecido. Por isso escreveu: "faleceu agora mesmo". Estava ela "*in extremis*" ou "in articulo mortis".

"Viverá" — Não pode significar "continuará viva", e, sim, que o chefe antecipava a ressurreição de sua filha, a volta de sua vida perdida.

"Impõe a tua mão" — Ver nota sobre o toque de cura, em Mateus 8.3.

Nota-se que o autor deste evangelho omite a mensagem enviada pelo chefe, de sua casa, anunciando a morte da jovem (Mc 5.35 e Lc 9.49, e isso, naturalmente, porque já declarara a filha morta. Parece que o autor apresenta um resumo do incidente, omitindo alguns detalhes.

Lucas fornece detalhes como a idade da jovem (doze anos), bem como o fato de ser filha única (Lc 9.42). Sem dúvida, ficou sabendo os detalhes ao fazer investigações próprias sobre as ocorrências da vida de Jesus, a fim de escrever um evangelho convincente. É possível que tenha recebido essa informação dos próprios pais da jovem. Ver notas sobre Lucas 1.1-4, as quais são importantes para comprovar a historicidade dos evangelhos. Ver também a seção sobre a historicidade, que faz parte da introdução a este comentário.

O termo grego *archon*, aqui traduzido como "chefe", podia ser aplicado a diversos tipos de oficiais. Provavelmente, neste caso, refere-se ao dirigente da sinagoga, o que explica a seleção da tradução "chefe". Essa palavra podia indicar simplesmente o dirigente de uma comunidade local, que também podia ser um dos anciãos, se essa comunidade fosse judaica.

9.19: Levantou-se, pois, Jesus, e o foi seguindo, ele e os seus discípulos.

9.19 καὶ ἐγερθεὶς ὁ Ἰησοῦς ἠκολούθησεν αὐτῷ καὶ οἱ μαθηταὶ αὐτοῦ.

9.20: E eis que certa mulher, que havia doze anos padecia de uma hemorragia, chegou por detrás dele e tocou-lhe a orla do manto;

9.20 Καὶ ἰδοὺ γυνὴ αἱμορροοῦσα δώδεκα ἔτη προσελθοῦσα ὄπισθεν ἥψατο τοῦ κασπέδου τοῦ ἱματίου αὐτοῦ·

20 γυνὴ...ἔτη Lc 15.25   ἥψατο...αὐτοῦ Mt 14.36; Mc 6.56

364 |Mateus| NTI

Jesus tinha o poder de curar *à distância*, o que fez por algumas vezes (Mt 8.13). Geralmente, porém, acompanhava os que o convidavam até o local da cena ou dificuldade, mostrando compaixão e interesse especiais pelos problemas alheios, dando assim exemplo àqueles que têm a responsabilidade de servir a Deus como autoridades religiosas.

"Levantando-se" — Obviamente, alude aos detalhes de como Jesus retirou-se da casa de Mateus. Todos esses acontecimentos tiveram lugar em sequência próxima — "festejando, jejuando, morrendo; assim é a vida" (Alexander Bruce).

Os v. 20-22 narram outro milagre feito por Jesus, no intervalo da caminhada até a casa de Jairo.

"Mulher [...] hemorragia [...] doze anos" — O trecho de Levítico 15.25-27 apresenta a lei judaica acerca desses casos: "Também a mulher, quando manar o fluxo do seu sangue, por muitos dias fora do tempo da sua separação, todos os dias do fluxo da sua imundícia será imunda, como nos dias da sua separação. Toda a cama, sobre que se deitar todos os dias do seu fluxo, ser-lhe-á como a cama da sua separação; e toda cousa, sobre que se assentar, será imunda, conforme à imundícia da sua separação. E qualquer que as tocar será imundo; portanto, lavará os seus vestidos, e se banhará com água e será imundo até à tarde".

Essa mulher padecia por causa da *frustração* (a doença já se prolongava por doze anos), da vergonha e da perpétua separação dos outros, devido à lei judaica. Lemos que tais pessoas deviam ficar separadas dos cultos dos judeus, nas sinagogas, e que essa doença era motivo de divórcio. Se fosse casada antes da doença, não há dúvida de que teria sido divorciada do marido. Eusébio, historiador da igreja primitiva, diz-nos que essa mulher era nativa da cidade de Cesareia de Filipe, e que ali (após o milagre), ela erigiu uma estátua em honra a Jesus, representando ela mesma aos pés de Jesus, suplicando-lhe a cura.

A adição de Lucas — "e que gastara com os (médicos) todos os seus haveres" (9.43) — encontra-se nos mss Aleph AW Theta Fam 1 Fam 13 e a maior parte das traduções latinas, mas as melhores autoridades omitem essas palavras. A adição é muito antiga e, provavelmente, relata a verdade sobre o caso, a despeito de não serem palavras originais em Lucas.

"Veio por trás dele" — Devido à vergonha e ao medo, pois sabia que uma mulher, nessas condições, se tocasse em um homem, seria considerada criminosa pelos judeus, porquanto lhe transmitiria sua imundícia, obrigando-o a lavar-se totalmente, como também suas roupas e a ficar apartado do povo até o fim do dia. Naturalmente que o propósito dela era tocar em Jesus sem que ele o percebesse.

"orla da veste" — Os judeus também tinham regras sobre o estilo das vestes: era mister que a roupa masculina tivesse *quatro* orlas com quatro *franjas* (Nm 15.38). Essa lei também requeria uma fita nas franjas. Jesus obedecia a essa lei cerimonial, mas não como motivo de ostentação, como o faziam os fariseus e outros. Mateus 23.5 diz: "[...] e alongam as suas franjas...", descrevendo o costume que alguns tinham de atrair a atenção para esse aparato, mostrando que obedeciam à lei em todas as minúcias. As autoridades criaram muitas leis em acréscimo à lei original sobre as orlas, designando até o número de fios que deveriam ser usados no fabrico das orlas, isto é, 613 fios, como símbolo do número dos preceitos da lei. Ver nota em Mateus 23.5, que dá detalhes sobre essa ostentação das autoridades judaicas. O texto de Números 15.39 mostra que, no princípio, o mandamento visava somente a lembrar os mandamentos de Deus: "[...] para que o vejais, e vos lembreis de todos os mandamentos do Senhor e os façais..."

9.21: porque dizia consigo: Se eu tão-somente tocar-lhe o manto, ficarei sã.

9.21 ἔλεγεν γὰρ ἐν ἑαυτῇ, Ἐὰν μόνον ἅψωμαι τοῦ ἱματίου αὐτοῦ σωθήσομαι.

Essas palavras ilustram duas coisas: primeiro, a grande fé demonstrada por essa mulher; e segundo, a grande reputação de Jesus. A mulher teve tanta fé, que achou possível a cura, mesmo que Jesus não tivesse conhecimento do caso. O centurião (Mt 8.5-13) pensava que a presença de Jesus não era necessária para a feitura de milagres, mas a fé desta mulher nem requeria que Jesus soubesse de sua enfermidade. Grande foi sua fé no poder curador de Jesus, apesar de ter tido receio da possível reação que ele pudesse ter. Ela não sabia se ele ficaria ofendido ou não pela atitude de uma mulher "imunda", e isso a impediu de apresentar-se abertamente a Jesus para pedir-lhe a cura. Já aprendera algumas lições de Jesus, mas ainda não aprendera quão bondoso ele é. Provavelmente, ela teria ficado surpreendida se soubesse que ele não a consideraria imunda.

9.22: Mas Jesus, voltando-se e vendo-a, disse: Tem ânimo, filha, a tua fé te salvou. E desde aquela hora a mulher ficou sã.

9.22 ὁ δὲ Ἰησοῦς στραφεὶς καὶ ἰδὼν αὐτὴν εἶπεν, Θάρσει, θύγατερ· ἡ πίστις σου σέσωκέν σε. καὶ ἐσώθη ἡ γυνὴ ἀπὸ τῆς ὥρας ἐκείνης.

22 Ιησους] *om* ℵ*D it sy^s
22 ἡ πίστις...σε Mc 10.52; Lc 7.50; 17.19; At 3.16

(Marcos 5.30). "Jesus, reconhecendo imediatamente que dele saíra *poder*", detalhe que não aparece em Mateus, mas que explica que ele "voltou-se" viu a mulher. Não sabemos muito sobre a natureza desse poder que Jesus transmitiu através do toque (e aqui vemos que o poder emanou dele sem que tivesse essa intenção). Pelos casos do dom de curar e pela prática atual do mesmo dom, sabe-se que esse poder, que pode ser sentido, sai daquele que cura. Às vezes, tal poder é sentido como vibração, como calor, ou, talvez, como choque elétrico. Provavelmente, aprenderemos algo sobre a natureza desse poder quando aprendermos mais sobre a natureza da personalidade humana e da natureza espiritual do universo do qual participa o homem. Mateus também não outros detalhes apresentados por Marcos, como: "Quem me tocou nas vestes? Responderam-lhe seus discípulos: Vês que a multidão te aperta, e dizes: Quem me tocou? Ele, porém, olhava ao redor para ver aquela que fizera isto. Então a mulher, atemorizada e tremendo, cônscia do que nela se operara, veio, prostrou-se diante dele e declarou-lhe toda a verdade". Esses detalhes humanos e emocionantes dão vivacidade à história. A mulher, sabendo que seu plano de passar às ocultas fora descoberto, naturalmente teve grande medo, por causa das leis severas e insensatas dos judeus. E podemos imaginar a cena, em que a mulher tremia sem poder controlar os músculos, como se fosse um caso grave da doença de Parkinson. E, se ela se prostrou ante Jesus, é que reconheceu a necessidade de confiar na sua misericórdia e bondade, e não só no seu poder. A narrativa, tal como a encontramos em Marcos, também indica que a demonstração do poder de Jesus também teve efeito poderoso no corpo dela, e que isso a assustou (cônscia do que nela se operara). Ouvir falar do poder de Jesus e experimentar esse poder são coisas totalmente diversas.

"Tem bom ânimo, filha" — Jesus proferiu palavras ternas, agradáveis. Em Mateus 9.2, Jesus dirigiu-se a um adulto, chamando-o de "filho" e à mulher, que provavelmente era mais idosa do que ele, chamou de "filha". Não podemos perder aqui o sentido da misericórdia e da humanidade de Jesus. Ele sofreu pelos outros. O seu poder não era maior que a simpatia e a bondade que manifestava. Jesus não quis apenas remover a enfermidade física da mulher; quis também eliminar o medo que a sociedade lhe impusera. Jesus, pois, disse-lhe: "Vai-te em paz", e provavelmente aquele foi o primeiro dia de paz que ela experimentara em doze anos. Jesus, o poderoso médico do corpo, o incomparável médico da alma.

Nos relatos lendários, essa mulher é chamada de santa *Verônica* (Eus. vii. 18; *evangelho de Nicodemos* 5.26).

Nessa altura da história, Marcos e Lucas dizem que chegaram os mensageiros com a informação do falecimento da menina (Mc

5.35; Lc 8.49). Lucas também acrescenta (depois o pai também recebeu a informação, e perdeu toda a esperança, atitude que certamente se refletia em sua fisionomia): "Jesus [...] lhe disse: Não temas, crê somente, e ela será salva". Essas palavras mostram novamente a simpatia e a misericórdia de Jesus. Foi-lhe difícil contemplar a emoção crua da tristeza desesperada. Assim, Jesus notou imediatamente quando as nuvens escuras abateram-se sobre aquele homem, e, apesar de o Senhor saber que a jovem reviveria, aguardou algum tempo para aliviar a profunda tristeza que a notícia do falecimento dela deve ter provocado no íntimo do pai.

9.23: Quando Jesus chegou à casa daquele chefe, e viu os tocadores de flauta e a multidão em alvoroço,

9.23 Καὶ ἐλθὼν ὁ Ἰησοῦς εἰς τὴν οἰκίαν τοῦ ἄρχοντος καὶ ἰδὼν τοὺς αὐλητὰς καὶ τὸν ὄχλον θορυβούμενον

_{a a 23-24 a number 24, a no number: TR^{ed} WH? Bov Nes BF² AV RV ASV RSV NEB? TT Luth Seg// a no number, a number 24: TR^{ed} WH? NEB? Zür Jer}

"Tendo Jesus chegado à casa [...] vendo os tocadores de flauta..." — A ostentação dos lamentos já começara. Talvez o grupo incluísse cantores voluntários e assalariados. É possível que as carpideiras comuns, que às vezes também eram pagas, e cujo dever era chorar pela pessoa morta, estivessem presentes, entre os vizinhos curiosos.

Entre os gregos, os que lamentavam a morte de alguém usavam instrumentos de bronze, que faziam grande ruído. Os romanos prorrompiam em alto vozerio, chamado *conclamatio*, talvez dirigido à alma que fugia do corpo, ou para acordar uma pessoa que estivesse entrando no estado da morte. Isso se fazia durante oito dias, sempre clamando o nome do moribundo. Se nada mudava e a pessoa falecesse, então o povo dizia: "Conclamatum est", ou seja, "Tudo está acabado; não há mais esperança". Literalmente, "Está clamado", referindo-se ao período de lamentações.

Como no caso de muitas outras coisas, a lamentação pelos mortos se havia sistematizado entre os judeus. Até no caso dos mais pobres era necessário haver pelo menos dois tocadores de flauta e uma mulher a lamentar. Essas cerimônias eram cercadas de certos abusos, como a ingestão de grande quantidade de vinho. O problema ficou tão sério que, finalmente, foi necessário que o Sinédrio limitasse a quantidade de bebidas para cada pessoa ao máximo de dez copos por dia, porquanto muitos se embriagavam. Ver Jeremias 9.17-21 e Amós 5.16.

Provavelmente, os lamentadores profissionais já estavam em ação, antes da volta do dono da casa, esperando que ele lhes pagasse o trabalho, e talvez competissem entre si para atrair a atenção dele.

9.24: disse: Retirai-vos; porque a menina não está morta, mas dorme. E riam-se dele.

9.24ª ἔλεγεν, ª Ἀναχωρεῖτε, οὐ γὰρ ἀπέθανεν τὸ κοράσιον ἀλλὰ καθεύδει. καὶ κατεγέλων αὐτοῦ.

_{24 αυτου] add p) ειδοτες οτι απεθανεν ℵ* sa(3)}

_{24 οὐ...καθεύδει Jo 11.11}

"Retirai-vos" — Jesus sempre simpatizou com as fraquezas humanas, mas nunca mostrou paciência em face da ostentação. Por isso é que ordenou que aqueles profissionais se retirassem. Lemos, em Marcos, que Pedro, Tiago e João, e os pais da jovem, foram os únicos que viram o milagre da ressurreição dela.

"Não está morta a menina, mas dorme" — Alguns intérpretes, até mesmo entre os melhores, tomam literalmente essas palavras, como se a jovem estivesse em estado de coma; mas essa ideia é contrária ao espírito e mensagem do texto. Jesus também disse que Lázaro *adormeceu*, mas o contexto deixa claro que ele se referia à morte. Jesus não só usou de *eufemismo*, mas também quis mostrar que o estado da morte não é "irrevogável" para ele, e

que a morte não é algo tão horrível como o povo pensava, o que ficava patente pelos hábitos por eles praticados. Talvez Jesus tivesse usado a expressão "mas dorme" para indicar que, naquele caso, a morte não tinha maiores consequências que o sono, pois a jovem logo despertaria para a vida.

"Riam-se" — No grego, o verbo está em forma intensiva, para mostrar o desprezo e o espírito de escárnio e zombaria que aquelas pessoas demonstravam. Eram lamentadores profissionais, tinham visto muitos casos de morte, e conheciam todos os indícios da morte. A jovem apresentava todos esses sinais, e eles não tinham dúvida nenhuma de que ela havia falecido.

9.25: Tendo-se feito sair o povo, entrou Jesus, tomou a menina pela mão, e ela se levantou.

9.25 ὅτε δὲ ἐξεβλήθη ὁ ὄχλος, εἰσελθὼν ἐκράτησεν τῆς χειρὸς αὐτῆς, καὶ ἠγέρθη τὸ κοράσιον.

_{25 ἐκράτησεν...ἠγέρθη Mc 1.31; 9.27}

Por causa de seu ceticismo, o povo não pôde testemunhar o milagre realizado por Jesus.

"Tomou a menina pela mão, e ela se levantou" — Marcos adiciona as palavras proferidas por Jesus — *Talita cumi* —, que significa: "Menina, eu te mando, levanta-te". Mediante o toque de sua mão, Jesus transmitiu a vida, do mesmo modo que curou as doenças. Os milagres de ressurreição, feitos pelo poder de Jesus, foram os seguintes: 1) O filho da viúva (Lc 7.11), caso em que o cadáver já estava sendo levado para ser sepultado. 2) Lázaro, que estava sepultado há quatro dias (Jo 11). 3) O fato de Jesus ter ressuscitado a si mesmo. Portanto, vemos a demonstração do poder de Jesus sobre a morte, em qualquer estágio.

No caso da filha de Jairo, é provável que ela tivesse entrado nos primeiros estágios da morte. Há provas que mostram que, às vezes, alguém volta de um tipo de morte superficial, com assistência alheia ou mesmo sem assistência. Às vezes, os que passam por essa experiência podem relatar coisas que viram e ouviram, estando nesse estado, e essas histórias nos encorajam a pensar que a morte não é tão desagradável como geralmente se pensa, antes, essas experiências infundem-nos esperança e alegria. Não há razão, pois, para recear essa experiência que realmente nos livra da prisão da alma. Alguém disse: "Esta existência é a penitenciária da alma". Na realidade, a morte é a outra porta de Deus, que abre para nós uma existência muito superior àquela que conhecemos. Parece que Jesus não teve dificuldades em fazer voltar pessoas que ainda estavam nos primeiros estágios da morte; mas, no caso de Lázaro, ele mostrou poder total sobre a morte. Provavelmente, dentro de mais alguns anos, a ciência mostrará que o homem não é um ser meramente físico, fato esse que já tem sido demonstrado em algumas universidades, por meio de estudos psíquicos. Os risos de escárnio devem ter desaparecido, quando a jovem surgiu viva na presença dos lamentadores. De fato, o v. 26 mostra que o escárnio transmutou-se em admiração. Marcos diz: "[...] ficaram todos sobremaneira admirados" (5.42). O povo já vira a morte por muitas e muitas vezes; jamais, porém, com aquele resultado. Para completar as ideias e a mensagem desse texto, ver as notas detalhadas sobre *ressurreição*, em Lucas 24.6; sobre a "imortalidade", em 1Coríntios 5.8; sobre os milagres de Jesus, bem como os motivos e os meios por ele empregados, em Mateus 8.27; 3.13; 7.21-23; 8.3,13; Mc 1.29 e Lc 18.22.25.

9.26: E espalhou-se a notícia disso por toda aquela terra.

9.26 κκαὶ ἐξῆλθεν ἡ φήμη αὕτη⁴ εἰς ὅλην τὴν γῆν ἐκείνην

_{⁴ 26 {B} αὕτη B K L W Δ Π f³ 28 565 700 892 1009 1010 1071 1079 1195ᶜ 1216 1230 1242 1253 1365 1546 1646 2148 2174 Byz Lect it^{a,aur,b,c,f,ff¹,g¹,h,k,l,q} vg syr^{s,p,h} goth arm geo^B Diatessaron Augustine // αὕτης ℵ C Θ f¹ 33 1195* it^{d7} syr^{pal} cop^{bo} eth^{ms} // αὐτοῦ D it^{d7} cop^{sa,bo,ms} eth^{ro,pp} geo^A // αὕτη αὐτοῦ geo¹}

366 |Mateus| NTI

A expressão mais difícil, ἡ φήμη αὕτη, parece ter sido aliviada por escribas para ler αὐτῆς ("as notícias a respeito dela") ou substituindo-a por αὐτοῦ ("a fama dele").

"Fama [...] correu por toda aquela terra" — Marcos mostra que Jesus, como de outras vezes, não quis notoriedade. "Mas Jesus ordenou-lhes expressamente que ninguém o soubesse" (Mc 5.43). Há várias interpretações sobre o fato de Jesus nunca querer notoriedade: 1) Alguns opinam erroneamente, dizendo que Jesus baixava essas ordens sabendo, de antemão, que a natureza humana naturalmente faria exatamente o que era proibido. Assim, teria usado de um estratagema psicológico para propagar sua fama. A verdade, porém, é que Jesus desejava exatamente o contrário. 2) Jesus não quis ser conhecido somente como operador de milagres, mas como o Messias, o mestre da lei. Quis evitar a reputação de mero operador de milagres. 3) Pode haver modificação dessa ideia na aplicação desse texto — Jesus não queria ser conhecido como alguém que ressuscitava os mortos, não desejando que esse elemento, certamente difícil, fosse conhecido como parte de seu ministério. 4) Provavelmente, a verdadeira razão, que não é percebida pelos comentaristas, é que Jesus simplesmente não dava valor nenhum à aprovação humana. Sabia que a aclamação das multidões é algo vão e passageiro. Interessava-se exclusivamente pela aprovação de Deus Pai. Sabendo que já desfrutava dessa aprovação, não precisava nem almejava nenhuma outra. 5) Outros acham que ele estava escondendo *o segredo messiânico*: isto é, não quis revelar seu messiado ainda, ou, segundo alguns, não tinha certeza ainda da sua missão especial.

III. MINISTÉRIO DE OBRAS PODEROSAS DE JESUS, O MESSÍAS (8.1-9.34)
13. Poder sobre a cegueira (9.27-31)
Essa história é *peculiar* ao evangelho de Mateus, pelo que se deriva da fonte "M". (Ver a seção VIII da introdução ao livro, quanto a explicações sobre as "fontes informativas".) O evangelista continua a provar a validade das reivindicações messiânicas de Jesus. A cegueira dificilmente tem cedido ao poder dos médicos comuns, mas o poder de Jesus de forma nenhuma era um poder comum. Ele era o Messias de Deus. Ele era também um grande humanitário, e cuidou de grande parte do sofrimento humano. Não nos devemos olvidar dessa lição, em meio às controvérsias acerca de seu caráter messiânico.

9.27: Partindo Jesus dali, seguiram-no dois cegos, que clamavam, dizendo: Tem compaixão de nós, Filho de Davi.

9.27 Καὶ παράγοντι ἐκεῖθεν τῷ Ἰησοῦ ἠκολούθησαν [αὐτῷ] δύο τυφλοὶ κράζοντες καὶ λέγοντες, Ἐλέησον ἡμᾶς, υἱὲ Δαυίδ.

27 Mt 20.29-31

"Dois cegos" — A cegueira era e continua sendo muito comum naquele lugar, especialmente por causa de diversas doenças infecciosas dos olhos, que estavam disseminadas entre o povo, em parte por ignorância e em parte por falta de higiene. Evidentemente, a poeira de pedra calcária, conhecida na região, também contribuía para agravar a situação.

"Filho de Davi" — Título dado a Jesus (que aqui aparece pela primeira vez) e que indicava sua aceitação como o Messias de Israel. Foi aceito como homem da descendência de Davi (Mt 12.23; 1.20). Era ideia generalizada entre os judeus que o Messias seria descendente de Davi (Mt 22.42,43,45; Jo 7.42). O NT menciona, por cerca de quinze vezes, o fato de Jesus ser "Filho de Davi", e a maioria dessas ocorrências expressa a voz do povo. Ver Mt 1.1; 9.27; 12.23; 15.22; 20.30,31; 21.9,15; Mc 10.47,48; Lc 18.38,39; Rm 1.13; 2Tm 2.8; Ap 5.5 e 22.16.

9.28: E, tendo ele entrado em casa, os cegos se aproximaram dele; e Jesus perguntou-lhes: Credes que eu posso fazer isto? Responderam-lhe eles: Sim, Senhor.

9.28 ἐλθόντι δὲ εἰς τὴν οἰκίαν προσῆλθον αὐτῷ οἱ τυφλοί, καὶ λέγει αὐτοῖς ὁ Ἰησοῦς, Πιστεύετε ὅτι δύναμαι τοῦτο ποιῆσαι; λέγουσιν αὐτῷ, Ναί, κύριε.

"Casa" — Casa de Pedro, onde Jesus ficava quando se demorava em Cafarnaum. Evidentemente, os cegos vinham seguindo a Jesus desde boa distância, certamente com dificuldade, por causa da cegueira. Outros lhe teriam dito onde Jesus morava. Indagando pelo caminho, chegaram à rua onde Pedro morava, sabendo que ali encontrariam Jesus. A expectativa deles era enorme ao chegarem, finalmente, à presença de Jesus. Naturalmente que recebiam a Jesus como o Messias, e já conheciam sua reputação como médico de todos os tipos de doenças. Alguns comentaristas acham que Jesus não deu atenção aos homens enquanto não entrou em casa, por não querer ainda aceitar o título de Messias (*Filho de Davi*), não estando ainda preparado para ser conhecido como Messias, até esse ponto de seu ministério.

"Credes que eu posso...?" — Nem sempre Jesus exigiu fé para efetivar a cura. Às vezes, era mesmo impossível esperar fé, como no caso dos mortos ressuscitados; mas geralmente ele esperava "alguma manifestação" de fé. É provável que duas fossem as razões para isso: primeiro, ensinar uma lição espiritual, ao mesmo tempo da cura, pois Jesus nunca desejou ser conhecido apenas como operador de milagres, mas anelava principalmente por ensinar lições sobre os valores espirituais. O exercício da fé é lição importantíssima. Jesus se utilizou das curas para ensinar essa lição. Em segundo lugar, a fé, em alguns casos, tinha de ser o elemento necessário para a cura propriamente dita. Sabe-se, hoje em dia, que às vezes a cura é impossível sem esse elemento. Não se sabe o bastante para explicar por que às vezes uma cura pode ocorrer e outras, não; mas a atitude psicológica, em muitos casos, é o elemento requerido. Não podemos dizer ao certo se, às vezes, Jesus falhou no ato de cura devido à falta de fé do doente, mas sabemos que, ocasionalmente, ele nem mesmo tentou a cura, por causa da falta de fé por parte dos enfermos. O texto de Mateus 13.58 diz: "E não fez ali muitos milagres por causa da incredulidade deles". É interessante notar que isso ocorreu em Nazaré, cidade onde Jesus fora criado. Sabe-se atualmente, entretanto, que há provas que mostram que muitas curas podem ser feitas sem o concurso da fé, pois existem operadores de curas, dotados de tanto poder, que a fé é dispensável. Somente após mais estudos e observações é que aprenderemos as razões que existem por detrás desses fenômenos. Poderíamos supor que Jesus não precisava desse elemento da fé para efetuar curas, mas o fato é que ele exigiu fé, em determinados casos, certamente para ensinar lições espirituais. É possível que muitas curas ele tenha efetuado por mera compaixão, sem nenhuma outra consideração, e a despeito da ausência da fé.

9.29: Então lhes tocou os olhos, dizendo: Seja-vos feito segundo a vossa fé.

9.29 τότε ἥψατο τῶν ὀφθαλμῶν αὐτῶν λέγων, Κατὰ τὴν πίστιν ὑμῶν γενηθήτω ὑμῖν.

29 Κατὰ...ὑμῖν Mt 8.13; 15.28
29-30 ἥψατο...ὀφθαλμοί Mt 20.34

"Tocou os olhos" — Ver nota em Mateus 8.3 sobre o toque que cura.

"Faça-se-vos conforme a vossa fé" — Ilustra o que já notamos no v. 28; uma lição é ensinada aqui. Aqueles cegos jamais se olvidariam do poder da fé, aplicando esse poder em todas as esferas da vida, talvez aquelas áreas mais importantes que a vida física. A fé serve de elo de ligação entre o poder e a vida de Deus e a vida do homem. Deus não se interessa somente pelo estado físico, pois, de que adianta um corpo saudável, se abriga uma alma doente? Deus almeja curar a alma e trazê-la novamente à sua presença (ver nota sobre a alma, em 2Co 5.8). A fé serve de canal para que a alma receba as bênçãos de Deus e reconheça a necessidade da manifestação de Deus na vida, e especialmente para que o indivíduo reconheça o destino de sua alma. (Ver nota em Rm 8.29). Alguns comentaristas observam, nesta narrativa, que Jesus exigiu gradualmente a prova da fé, ao passo que antes curou sem essa evidência. Então começou a salientar o elemento espiritual, para mostrar que a parte espiritual exerce efeito sobre o físico, ao mesmo tempo que é mais importante que a vida física.

9.30: E os olhos se lhes abriram. Jesus ordenou-lhes terminantemente, dizendo: Vede que ninguém o saiba.

9.30 καὶ ἠνεῴχθησαν αὐτῶν οἱ ὀφθαλμοί. καὶ ἐνεβριμήθη αὐτοῖς ὁ Ἰησοῦς λέγων, Ὁρᾶτε μηδεὶς γινωσκέτω.

30-31 Ὁρᾶτε...ἐκείνη Mc 7.36

"Abriram-se-lhes" — Expressão hebraica (2Rs 6.17; Is 35.3). Olhos cegos são olhos fechados. Olhos dotados de visão são olhos abertos. Jesus usou essa mesma expressão para a vista ou a cegueira espiritual (Mt 15.4). Há trevas totais na alma de quem os olhos estão fechados para a luz de Deus. Esse milagre é tanto mais notável quando notamos que esse foi o primeiro milagre feito em pessoas que conheciam Jesus como Messias. O Messias viera para abrir as portas do reino de Deus sobre a terra. Aqueles cegos foram curados, foram-lhes abertas então as portas do reino dos céus, e expressaram uma fé quase cristã, pois reconheceram Jesus como o Messias. A cura seguinte foi a de um endemoninhado; portanto, operada como que às portas do inferno.

"Porém, os advertiu severamente" — Tradução de AA. A IB diz: "ordenou-lhes terminantemente". Na tradução AC lê-se: ameaçou-os. É uma expressão dura, usada para indicar o resfolegar dos cavalos (Ésquilo Thev, 461) ou a ira dos homens (Dn 11.30). Jesus, definitivamente, não queria que se referissem ao milagre. Muitas razões têm sido aventadas para explicar por que Jesus não queria a aprovação popular aos seus milagres. Ver as notas sobre o assunto em Mateus 8.4 e 9.26. Provavelmente, neste caso, uma parte da verdade é que Jesus não queria que fosse propalada a fama do milagre, por parte dos cegos, por terem eles reconhecido ser ele o Messias, e Jesus não estava preparado para ser abertamente reconhecido como o Messias, para evitar implicações políticas desse reconhecimento.

Adam Clarke sugere lições espirituais sobre como se deve ter êxito em nossas petições a Deus: 1) O indivíduo deve buscar a presença de Deus. 2) Deve ser humilde na presença de Deus — "tem compaixão de nós". 3) Deve buscar com diligência — seguiram Jesus até sua casa. 4) Deve ter fé e confiança para que possa receber — fé no poder e na bondade de Deus em dar.

9.31: Eles, porém, saíram, e divulgaram a sua fama por toda aquela terra.

9.31 οἱ δὲ ἐξελθόντες διεφήμισαν αὐτὸν ἐν ὅλῃ τῇ γῇ ἐκείνῃ.

"Divulgaram-lhe a fama" — Fizeram exatamente o que Jesus não queria. É errado, conforme dizem alguns comentaristas, dizer que os cegos agiram acertadamente, pois lemos em 1Samuel 15.22: "Eis que o obedecer é melhor do que o sacrificar". Os cegos curados acharam que eram mais sábios do que Jesus, e não puderam conter o próprio zelo. Por isso, erraram. Daqui se aprende três lições: 1) Aquilo que os homens às vezes chamam de "serviço" a Deus pode ser feito erradamente, tornando-se inaceitável para Deus. 2) O serviço prestado a Deus deve ser feito segundo as determinações de Deus. 3) O serviço feito de modo contrário às determinações de Deus, não é aprovado por Deus.

III. MINISTÉRIO DE OBRAS PODEROSAS DE JESUS, O MESSÍAS (8.1-9.34)
14. Poder sobre a mudez (9.32-34)

Temos um paralelo disso em Mateus 12.22, mas esta seção corresponde mais de perto ao texto de Lucas 11.44. Supomos que a fonte informativa, portanto, seja "Q". Cf. também Marcos 7.32. Embora a surdez e a mudez possam ter causas psicológicas (usualmente a histeria) é ridículo supor que o grande Jesus não pudesse curar esses defeitos quando tivessem origem puramente física. De fato, muitos podem curar hoje em dia; e Jesus, sendo um *autêntico profeta* de Deus, e sendo o próprio Messias, dificilmente poderia ser menos poderoso que os curadores ordinários. O autor sagrado deseja demonstrar que Jesus era o Messias, pelo que podia realizar os milagres que a tradição judaica esperava dele.

9.32: Enquanto esses se retiravam, eis que lhe trouxeram um homem mudo e endemoninhado.

9.32 Αὐτῶν δὲ ἐξερχομένων ἰδοὺ προσήνεγκαν αὐτῷ ἄνθρωπον κωφὸν δαιμονιζόμενον·

32-33 προσήνεγκαν...κωφός Mt 12.22; Mc 7.32,35; 9.17,25; Lc 11.14

"Mudo" — O termo significa *estúpido* ou *embotado*, e é usado pelos autores gregos para indicar a pessoa que tem falta de compreensão, e também dificuldade no falar, no ver e no ouvir. No NT, porém, é usado somente no sentido de mudez e surdez. O contexto mostra a que se referia a palavra. Este milagre foi notável porque é óbvio que Jesus sabia qual a causa do problema, apesar de o homem não poder falar, sendo-lhe impossível dar qualquer indicação sobre seu problema.

"Endemoninhado" — Ver nota detalhada sobre os "demônios", em Marcos 5.2; e sobre a possessão demoníaca, em Mateus 8.28.

9.33: E, expulso o demônio, falou o mudo e as multidões se admiraram, dizendo: Nunca tal se viu em Israel.

9.33 καὶ ἐκβληθέντος τοῦ δαιμονίου ἐλάλησεν ὁ κωφός. καὶ ἐθαύμασαν οἱ ὄχλοι λέγοντες, Οὐδέποτε ἐφάνη οὕτως ἐν τῷ Ἰσραήλ.

33 ἐθαύμασαν...οὕτως Mc 2.12

"As multidões se admiravam" — Não há que duvidar de que, no seio das "multidões", havia pessoas que já conheciam aquele homem, sabendo que era mudo. E eis que, de súbito, ele começa a falar, sem nenhum treinamento. A cura fora total.

"Jamais se viu..." — Os intérpretes têm visto diversos sentidos aqui: 1) A expressão refere-se ao ato da expulsão dos demônios, e este milagre destaca-se entre os milagres desse tipo. 2) A expressão alude a Jesus, isto é, nunca antes ele mostrara seu poder daquela maneira. 3) A aplicação é ao aparecimento do Messias, e nunca houve tantas provas desse aparecimento em Israel. 4) A expressão tem aplicação geral. Em Israel, nunca foram realizados tantos milagres, nem mesmo pelos profetas antigos, que usualmente eram excessivamente valorizados. Entretanto, nem mesmo eles realizaram tais prodígios em Israel. Provavelmente, esse é o sentido certo.

Aquelas pessoas não se referiam apenas ao último milagre, mas exprimiam sua admiração pelos muitos milagres operados por Deus, embora considerassem o último (a cura do mudo) como o maior. Provavelmente, muitas pessoas, entre as multidões, já aceitavam a Jesus como o Messias, mas não é provável que essa expressão indique isso. Simplesmente expressaram admiração pela multiplicidade dos milagres operados por Jesus, reconhecendo que nunca outro homem exibira tantos poderes quanto ele.

9.34: Os fariseus, porém, diziam: É pelo príncipe dos demônios que ele expulsa os demônios.

368 |Mateus| NTI

9.34 οἱ δὲ Φαρισαῖοι ἔλεγον, Ἐν τῷ ἄρχοντι τῶν δαιμονίων ἐκβάλλει τὰ δαιμόνια.[5]

34 Mt 12.24; Mc 3.22; Lc 11.15

[5]34 {C} include verse 34 ℵ B C K L W X Δ Θ Π *f*[1] *f*[13] 28 33 565 700 892 1009 1010 1071 1079 1195 1216 1230 1242 1253 1344 1365 1546 1646 2148 2174 *Byz Lect* it[aur,b,c,ff¹,g¹,h,l,q] vg syr[p,h,pal] cop[sa,bo] goth arm eth geo // *omit verse 34* D it[a,d,k] syr[s] Diatessaron Juvencus Hilary

É difícil decidir se este versículo deve ser incluído no texto ou posto no aparato crítico. Segundo vários comentadores (e.g. Allen, Klostermann, Zahn), essas palavras são uma intrusão, neste ponto, proveniente de 12.24 ou de Lucas 11.15. Por outro lado, a evidência em favor da forma mais breve é exclusivamente ocidental e relativamente escassa. Outrossim, a passagem parece necessária para preparar o leitor para 10.25. A maioria da comissão ficou impressionada pelo peso preponderante do testemunho que inclui o versículo.

Os milagres de Jesus tornaram-se tão numerosos e conhecidos, que os líderes religiosos não puderam deixar de dar uma resposta precipitada. Jesus foi chamado de "braço direito de Satanás", e, consequentemente, pessoa dotada de grande poder. Essa acusação, por si só, indica a elevada posição a que Jesus já chegara. Nota-se aqui que até esse testemunho pervertido reveste-se de valor, porque é óbvio que eles não negavam que Jesus fazia os milagres; mas blasfemaram, ao indicar uma fonte errada do poder de Jesus. Essa acusação deve se ter tornado comum, porquanto, mais tarde, ela se repete, em Mateus 12.24. Os acusadores eram motivados pela inveja. O povo reputava Jesus maior que os outros profetas, até mesmo os maiores. Nessa altura de seu ministério, era grande a popularidade de Cristo. Provavelmente, o seu nome era proferido por todo o Israel — no templo, nas sinagogas, pelas ruas, nos mercados, na boca de todos. A popularidade que os fariseus procuravam para si mesmos, lançando mão de todos os meios, como jejuns, orações, sermões etc., empregando nisso toda a diligência, era desfrutada por Jesus. Por isso é que os fariseus e outros religiosos o detestavam. Para eles, não interessava se Jesus gozava ou não da aprovação de Deus. Sua presença sempre lhes servia de motivo de vergonha e ódio. Finalmente, procuravam eliminá-lo, mostrando assim o seu verdadeiro caráter pervertido. Ver nota detalhada sobre Satanás, em Lucas 10.18.

IV. SEGUNDO GRANDE DISCURSO: OBRA E CONDUTA DE SEUS DISCÍPULOS ESPECIAIS (9.35—11.1)

Os discípulos especiais estão particularmente em foco, mas Mateus 10.23 mostra que a igreja inteira deve ser instruída pela seção à nossa frente. A volta do Senhor será para breve (ver Mt 10.23), de tal modo que a missão entre os gentios talvez nunca termine, e nem mesmo aquela entre os judeus. Essa parece ser a significação implícita da passagem, conforme foi usada pelo autor sagrado, inteiramente à parte do arcabouço original que ela tinha, na vida de Jesus. Parece que o autor combina várias tradições antigas e nos apresenta uma aplicação atualizada.

Outro aspecto atualizado da seção diante de nós é que os apóstolos foram elevados a posições supremas no seio da igreja, e a força deles toma o lugar da autoridade do antigo Sinédrio. Após 70 d.C., a igreja precisou definir novamente a autoridade, porquanto a antiga autoridade, juntamente com Jerusalém, fora destruída. O capítulo 16 deste livro eleva Pedro acima dos demais; mas aqui há uma devida honra aos doze e ao ofício deles.

1. Ensinos e curas (9.35)

Temos aqui outro sumário das atividades. (Cf. 4.23ss e 7.28,29). As atividades de Jesus eram muitas e poderosas. Portanto, ficaram comprovadas as suas declarações messiânicas e sua preocupação pela humanidade sofredora. O que Jesus fez, ensinou a seus discípulos especiais que fizessem (101ss), bem como a nós (Jo 12.14). O texto de Marcos 10.5,6 pode ser o pano de fundo literário.

9.35: E percorria Jesus todas as cidades e aldeias, ensinando nas suas sinagogas, pregando o evangelho do reino, e curando toda sorte de doenças e enfermidades.

9.35 Καὶ περιῆγεν ὁ Ἰησοῦς τὰς πόλεις πάσας καὶ τὰς κώμας, διδάσκων ἐν ταῖς συναγωγαῖς αὐτῶν καὶ κηρύσσων τὸ εὐαγγέλιον τῆς βασιλείας καὶ θεραπεύων πᾶσαν νόσον καὶ πᾶσαν μαλακίαν.

35 Mt 4.23; Mc 1.39 θεραπεύων...μαλακίαν Mt 10.1; Mc 1.34; Lc 7.21

35 μαλακίαν ℵ[b]BDW *f*[1] 565 *al* lat sy; R] *add* εν τω λαω Θ 28 *al* ς: *add* εν τ. λ. και πολλοι (*om* π. ℵ*) ηκολουθησαν αυτω (ℵ*) *f*[13] *al* it

A secção 8.1—11.1 constitui a divisão que inclui o *segundo grande discurso de Jesus,* em torno dos quais foi erigido o evangelho de Mateus. Os cinco discursos são os capítulos 5—7; 10; 13; 18.1—19.2; 24.1—262. É com base nesses discursos que foram construídas todas as narrativas. As seções gerais, portanto, são os capítulos 3—7; 8—11; 11—13; 14—18 e 19—26. As seções históricas foram permeadas com algum material didático, mas os cinco grandes blocos de ensinos formam o esboço básico desse evangelho, que, mais que os demais evangelhos, expõem os *logoi* ou ensinamentos de Jesus. Esta seção, que apresenta as instruções de Jesus aos apóstolos, para o ministério deles na Galileia, também serve de modelo para a igreja primitiva, após o período apostólico e a afirmação em Mateus 10.23 parece ser dirigida à comunidade cristã primitiva em sua inteireza, que de fato esperava o retorno do Senhor em seu termo — antes que pudesse terminar completamente seu ministério evangelístico e de ensino por todas as cidades da Palestina. Os v. 21,22 sugerem as perseguições a que foram sujeitos os cristãos entre os anos 40 a 70 d.C. Por essa altura de sua história, a igreja tinha consciência de sua missão de evangelização mundial, e é apenas natural que alguns dos relatos dos evangelhos reflitam essa consciência. (Ver Mt 28.19.) Nesta seção, evidenciam-se três fontes informativas. Basicamente, nas narrativas e instruções dadas aos apóstolos, temos Marcos 3.14-19. O texto de Marcos 6.6b supre a introdução. Portanto, a fonte informativa é o protomarcos. Alguns acreditam que a passagem de Lucas 10.1-16, na realidade, é paralela a essa seção, refletindo a mesma fonte que serviu de base para grande parte de Mateus 10. Trata-se da fonte "Q". A instrução para que os discípulos não saíssem da Palestina (Mt 10.5,6,23), provavelmente alicerça-se na fonte "M". As declarações sobre a perseguição e o discipulado foram extraídas de Marcos 9.41; 13.9-13, e também da fonte "Q".

"E percorria Jesus todas as cidades e povoados" — A começar por aqui, temos a narração da segunda viagem de Jesus (desta vez, em companhia dos doze) através da Galileia. As descrições sobre Jesus, em sua primeira viagem, apresentam-no como objeto de admiração geral. No entanto, agora ele era alvo de dúvidas, de ódio, de crítica e de hostilidade. Esta seção inclui as histórias que se acham em Mateus 9.35—14.12.

Os detalhes encontrados em Mateus 9.35-38 foram dados exclusivamente por Mateus. Esses versículos *resumem* o primeiro ministério de Jesus na Galileia e introduzem o segundo ministério. O autor usa esta seção como introdução à segunda viagem de Jesus, como usara palavras quase idênticas para introduzir a primeira (Mt 4.23-25). Depois da ressurreição, Pedro falou do ministério de Jesus usando expressões semelhantes: "[...] como Deus ungiu a Jesus de Nazaré com o Espírito Santo e poder, o qual andou por toda a parte, fazendo o bem e curando a todos os oprimidos do diabo, porque Deus era com ele; e nós somos testemunhas de tudo o que ele fez na terra dos judeus e em Jerusalém" (Atos 10.38,39).

"Reino" — Ver nota detalhada em Mateus 3.2.

"Curando" — Ver notas detalhadas sobre os meios e motivos das curas efetuadas por Jesus, em Mateus 3.13; 7.21-23; 8.3,13,17; 9.34; 14.22; Marcos 1.29; 3.1-5; Lucas 18.22-25.

IV. SEGUNDO GRANDE DISCURSO: OBRA E CONDUTA DE SEUS DISCÍPULOS ESPECIAIS (9.35-11.1)

2. Os discípulos especiais são necessários (9.36-38)

"O trabalho do ministério é como *reunir* um rebanho espalhado ou como colher o cereal. Os perdidos são trazidos de volta, e novos convertidos são adicionados. Declarações de diferentes contextos podem ter sido reunidas, pois os v. 27-38 não cabem perfeitamente nem aqui e nem em Lucas 10.2". (Sherman Johnson, in loc.). Seja como for, a fonte informativa parece ser "Q".

"Jesus nos dá aqui um *segundo* quadro da humanidade. O *primeiro* é entristecedor: as multidões são como rebanhos devastados. Este quadro (da colheita), no entanto, é jubiloso: as multidões são como um campo de colheita, que aguarda o segador... Assim é que Jesus viu os homens, prontos a corresponderem ao evangelho. Se houver segadores suficientes, isto é, homens de fala e de coração cristãos, muitos dentre as multidões serão ganhos para Deus, conforme devem ser, pois os homens são o campo de Deus, feitos para ter vida com ele, já que ele é o "Senhor da colheita". Sem segadores, entretanto, a colheita poderá perder-se. Por isso é que Jesus ansiava por um número maior de homens que viessem ajudá-lo. Sabia que tinha de delegar o trabalho. Nestes versículos, vemos os começos de um ministério consagrado, bem como de um ministério não-ordenado. Que tipo de ministério? Homens que vejam a vida como campo de Deus; homens que trabalhem cheios de esperança, porquanto a colheita é 'verdadeiramente abundante'; homens que vivam somente para seus semelhantes e para Deus, em amor que se olvida de si mesmo, homens que trabalhem para recolher outros homens para o 'Senhor da colheita'; homens que realmente trabalhem, já que colher é um trabalho difícil e árduo" (Buttrick, in loc.).

9.36: Vendo ele as multidões, compadeceu-se delas, porque andavam desgarradas e errantes, como ovelhas que não têm pastor.

9.36 Ἰδὼν δὲ τοὺς ὄχλος ἐσπλαγχνίσθη περὶ αὐτῶν ὅτι ἦσαν ἐσκυλμένοι καὶ ἐρριμμένοι ὡσεὶ πρόβατα μὴ ἔχοντα ποιμένα.

36 Ἰδὼν...αὐτῶν Mt 14.14; 15.32; Mc 6.34 ὡσεὶ...ποιμένα Nm 27.17; 1Rs 22.17; 2Cr 18.16; Ez 34.5; Zc 10.2; Jdth 11.19; Mc 6.34

36 ἐσκυλμένοι] ἐκλελυμένοι L al ς

"Compadeceu-se" — O vocábulo grego é verbo formado do substantivo que significa *intestinos*, embora os antigos pensassem que os intestinos são a sede das emoções. Como substantivo, essa palavra, usada simbolicamente, pode indicar compaixão, amor, simpatia, afeição e misericórdia. Provavelmente, esse emprego da palavra se desenvolveu pela observação geral de que as emoções determinam o estado físico e geral dos intestinos. Talvez a principal característica da vida terrena de Jesus tivesse sido a participação nos sofrimentos comuns da humanidade. Ele sentia o problema do mal (ver nota em Rm 3.3-8) aliviou os problemas alheios sem o propósito de aumentar sua popularidade. É errado procurarmos sempre razões doutrinárias por trás dos milagres. Jesus curou principalmente movido por sua misericórdia, e lançou mão dessas curas para acentuar lições espirituais. Os seus milagres não eram feitos por querer ostentar-se.

"Desgarrados e errantes" — "Desmaiadas", que aparece em algumas traduções como KJ, não figura nos melhores mss do NT. Entre os mss importantes, somente L contém essa palavra. Os mss Aleph BCDEFGKMSUX Fam Pi e a maior parte dos outros trazem uma palavra que significa "exaustas". Todas as traduções, exceto KJ, trazem alguma variação dessa palavra, como "acossadas" (NE e RSV), *angustiadas* (WY), *desorientadas* (GD). Nos papiros, o vocábulo é usado com o sentido de "espoliação", "vexame", "dispersão", ou, mais propriamente, "abatido", "prostrado". Ocasionalmente, a palavra é usada com o sentido de embriaguez, ou então com o

sentido de ferimento mortal. Não se trata da separação entre uma e outra ovelha, e, sim, do desespero no íntimo. A intenção do versículo é principalmente a de descrever a condição espiritual das multidões, conforme é indicado pelas palavras "sem pastor". Na religião mais severa da face da terra, estavam famintas, espoliadas, desanimadas. Tinham líderes e autoridades sem número, mas não havia nenhum "pastor". Havia igrejas (sinagogas) quase sem número (só em Jerusalém, havia mais de quatrocentas sinagogas), mas não se podia encontrar a Palavra de Deus, a salvação de Deus. O que seus líderes conseguiam era evitar que entrassem no reino de Deus, ao invés de ajudá-las a entrar no reino. Eis uma lição muito séria para todos os mestres e líderes religiosos!

9.37: Então disse a seus discípulos: Na verdade, a seara é grande, mas os trabalhadores são poucos.

9.37 τότε λέγει τοῖς μαθηταῖς αὐτοῦ, Ὁ μὲν θερισμὸς πολύς, οἱ δὲ ἐργάται ὀλίγοι·

37 Ὁ μὲν...πολύς Jo 4.35

37-38 Lc 10.2

"A seara" — Referia-se à nação de Israel. Mais tarde, porém, Jesus incluiu o mundo inteiro — então, a seara se tornou muito maior! (Ver Mt 28.19,20). A utilização da palavra *seara* subentende que os esforços dos "trabalhadores" darão resultados, pois, de fato, a existência da seara requer a ação de ceifar. A compaixão de Jesus exige a ação de ceifar na seara espiritual. Os homens que deixam a seara (no sentido material) sem ceifá-la, devem ser considerados insensatos, pervertidos, ou, pelo menos, negligentes. A mensagem de Jesus o evangelho — requer ação. A figura aqui dada por Jesus sobre a seara é expandida mais tarde, por ele mesmo, nas parábolas encontradas em Mateus 13: do semeador, v. 1-23; do joio, v. 24-30. Esse simbolismo também se acha em Apocalipse 14.14-19. Ao contemplar a necessidade espiritual dos samaritanos, Jesus proferiu palavras quase idênticas, em João 4.31-39.

Na literatura judaica, há referências comuns aos rabinos e líderes religiosos como se fossem ceifeiros, e, provavelmente, Jesus usou uma ilustração que já era bem conhecida pelos discípulos. A palavra "seara" implica em suscetibilidade espiritual ao trabalho dos ceifeiros.

"Trabalhadores são poucos" — Não havia falta de autoridades religiosas. Grande porcentagem do povo de Israel ocupava-se das questões religiosas, no templo, nas sinagogas, nas casas e nas ruas. A despeito disso, na avaliação de Jesus, os trabalhadores eram poucos na seara. Desse exemplo, aprende-se que a organização religiosa e a aparência religiosa do povo não garantem a existência de trabalhadores autênticos do evangelho, ou que haja ceifa. Parece que Jesus distinguia entre a aparência e o número das atividades religiosas e os resultados verdadeiros no empreendimento evangélico.

9.38: Rogai, pois, ao Senhor da seara que mande trabalhadores para a sua seara.

9.38 δεήθητε οὖν τοῦ κυρίου τοῦ θερισμοῦ ὅπως ἐκβάλῃ ἐργάτας εἰς τὸν θερισμὸν αὐτοῦ.

"Mandar"! — É melhor do que "enviar" ou "guiar", a palavra original aqui, — tem o sentido de urgência. A compaixão e a oração formam uma união poderosa, que leva o Senhor a aumentar o número de trabalhadores na seara espiritual. Todo o refinamento da igreja moderna jamais poderá substituir esses fatores básicos. Raramente, entretanto, observam-se interesse e orações por um ministério crescente e atuante, e os fundos financeiros para os trabalhadores, tanto no âmbito nacional como para serem enviados ao estrangeiro, não são obtidos facilmente. O exemplo dado por Jesus e as suas palavras serviram, ao mesmo tempo, de censura e desafio. A primeira vez em que o desejo de Jesus transpareceu, foi descrita no ministério dos doze (Mt 10), os quais, apesar de serem servos imperfeitos, muito menos eficientes do que Jesus, não eram inúteis como os escribas e fariseus, porquanto haviam sido fortalecidos ao absorverem o espírito da mensagem de Jesus.

370 | Mateus | NTI

"Senhor da seara" — A alusão é ao Pai celeste, que se interesse especialmente pelo êxito da colheita da seara, porquanto o campo lhe pertence. Os trabalhadores são representados por aqueles que trabalham diariamente para ganhar certo salário. Não são senhores da seara e nem têm autoridade sobre os que trabalham, mas tão-somente são empregados do proprietário do campo. O dia pode ser longo e quente, mas no fim os trabalhadores recebem sem falta o salário que lhes fora prometido pelo dono da seara.

O simbolismo da seara implica em suscetibilidade espiritual (sucesso no trabalho), e a referência a Deus Pai, que é o Senhor da seara, indica que os trabalhadores receberão um salário justo. Ver nota detalhada sobre os galardões, em 1Coríntios 3.14.

Capítulo 10

IV. SEGUNDO GRANDE DISCURSO: OBRA E CONDUTA DE SEUS DISCIPULOS ESPECIAIS (9.35-11.1)

3. Autoridade especial dos doze (10.1)

(Ver a lista dos "apóstolos"; cada um deles é descrito de modo breve, em Lucas 6.12. Ver outras listas sobre eles em Marcos 3.16-19 e Atos 1.13). Os apóstolos tornaram-se a "nova autoridade" na igreja. A igreja agora estava independente do judaísmo (o texto deixa implícito que Jerusalém caíra; ver a "data" na seção II da introdução). O décimo sexto capítulo eleva Pedro acima dos demais. O que o Sinédrio era para o judaísmo, os doze se tornaram para a igreja, ou assim deveria ser, conforme nos diz o evangelista.

4. Lista dos doze (10.2-4)

Há *quatro* listas dos apóstolos, no NT: a que é aqui citada e as mencionadas em Lucas 6.12ss, Marcos 3.16-19 e Atos 1.13. No evangelho de João não há nenhuma lista dos apóstolos.

10.1: E, chamando a si os seus doze discípulos, deu-lhes autoridade sobre os espíritos imundos, para os expulsarem, e para curarem toda sorte de doenças e enfermidades.

10.1 Καὶ προσκαλεσάμενος τοὺς δώδεκα μαθητὰς αὐτοῦ ἔδωκεν αὐτοῖς ἐξουσίαν πνευμάτων ἀκαθάρτων ὥστε ἐκβάλλειν αὐτὰ καὶ θεραπεύειν πᾶσαν νόσον καὶ πᾶσαν μαλακίαν.

10 Mc 6.7; Lc 9.1 θεραπεύειν...μαλακίαν Mt 9.34; Mc 1.34; Lc 7.21

As obras poderosas de Jesus comprovaram seu messiado. Ver notas completas sobre as diversas provas do NT neste sentido, em João 20.31.

10.2: Ora, os nomes dos doze apóstolos são estes: primeiro, Simão, chamado Pedro, e André, seu irmão; Tiago, filho de Zebedeu, e João, seu irmão;

10.2 Τῶν δὲ δώδεκα ἀποστόλων τὰ ὀνόματά ἐστιν ταῦτα· πρῶτος Σίμων ὁ λεγόμενος Πέτρος καὶ Ἀνδρέας ὁ ἀδελφὸς αὐτοῦ, καὶ Ἰάκωβος ὁ τοῦ Ζεβεδαίου καὶ Ἰωάννης ὁ ἀδελφὸς αὐτοῦ,

10.2 δε] *om* D'Θ *pc*

2 Σίμων...' Ἀδρέας ὁ ἀδελφὸς αὐτοῦ Jo 1.40,41

10.3: Filipe e Bartolomeu; Tomé e Mateus, o publicano; Tiago, filho de Alfeu, e Tadeu;

10.3 Φίλιππος καὶ Βαρθολομαῖος, Θωμᾶς καὶ Μαθθαῖος ὁ τελώνης, Ἰάκωβος ὁ τοῦ Ἀλφαίου καὶ Θαδδαῖος[1],

3 Θίλιππος Jo 1.43

¹3 {B} Θαδδαῖος ℵ B f¹³ 892 l¹⁸⁵ it^aur,c,ff¹,l vg cop^sa,bo // Λεββαῖος D it^d(k) Origen^lat mss^acc.to Augustine Hesychius // Θαδδαῖος ὁ ἐπικληθεὶς Λεββαῖος 13 346 543 826 828 // Λεββαῖος ὁ ἐπικληθεὶς Θαδδαῖος (C^vid ὁ καὶ Θαδδαῖος) C² K L W X Δ Θ Π f¹ 28 33 565 700 1009 1010 1071 1079 1195 1216 1230 1242 1253 1344 1365 1546 1646 2148 2174 *Byz Lect*

---

l^{70m,185m,(211).333o.m} it^f syr^{p.h.pal} arm (eth Δεββεδαῖος?) geo // *Judas Zelotes* it^{a,b,g¹,h,q} // add *Judas the son of James after* Κανανίος *in verse 4* syr^s

Embora seja fácil explicar a origem das formas mistas, "Tadeu, que era chamado Labeu" e "Labeu, que era chamado Tadeu", é mais difícil decidir se Θαδδαῖος ou Λεββαῖος é a forma original. Entretanto, com base no acordo com antigos representantes alexandrinos, ocidentais, cesareanos e egípcios, a comissão julgou que Θαδδαῖος é a forma preferível. A forma, *Judas, filho de Tiago*, que aparece no sir. pode ter sido introduzida com base em Lucas 6.16 (= At 1.13). O nome *Judas Zelotes*, em vários manuscritos latinos antigos (cf. também o mesmo nome no mosaico do século V d.C., no grande batistério de Ravena Battistero degli Ortodossi) pode ser posterior assimilação ao nome prévio na lista de Lucas, "Simão, que era chamado Zelote".

"Labeu, cujo sobrenome era Tadeu" — Segundo os mss W Theta Fam 1 28, e alguns mss posteriores, bem como nas traduções KJ e AC. "Labeu" aparece somente no ms D e na versão k (latina), e é citado por Orígenes, aparecendo somente na tradução NE. "Tadeu", isolado, aparece em B e na maioria das versões latinas e cópticas. É o melhor texto, sendo seguido pelas traduções ASV RSV PH WM WY BR GD AA F M e IB. Tadeu era Judas, irmão ou filho de Tiago (Lc 6.16). Em João 14.22, ele aparece como "Judas, não o Iscariotes". Alguns o consideram autor da epístola de Judas. Ver as notas sobre o v. 4, que incluem os nomes dados aqui.

10.4: Simão Cananeu, e Judas Iscariotes, aquele que o traiu.

10.4 Σίμων ὁ Καναναῖος καὶ Ἰούδας ὁ Ἰσκαριώτης[2] ὁ καὶ παραδοὺς αὐτόν.

4 Καναναις **BD f**r al latt; R] Κανανιτης ℵWΘ f₁₃ 28 *pm* s

4' Ἰούδας...αὐτόν Mt 26.25; 27.3; Mc 14.44; Jo 6.63; 12.4; 13.11; 18.2,5

²4 {B} Ἰσκαριώτης ℵ B K L W X Δ Θ Π f f¹³ 28 33 565 700 892 1009 1010 1071 1079 1195 1216 1230 1242 1253 1344 1365 1546 1646 2148 2174 *Byz Lect* l^{185n,m338s,m} vg^d syr^h cop^{sa,bo} eth? Chrysostom // Σκαριώτης D it^{d,f,k,l} (it^{a,b,c,ff²,g¹,h} *Sacrioth*, it^s *Scariota*, it^aur *Carioth*) vg^ww syr^{s,p.(pal)} arm geo // 'Ισκαριώθ (*ver* Mc 3.19; Lc 6.16) C l^l⁵⁰ // Σίμωνος Ἰσκαριώτου Origen

Os problemas textuais do nome Iscariotes estão ligados a seu significado. Segundo a maioria dos eruditos, Ἰσκαριωτης (Ἰσκαριώθ) deriva-se do hebraico אִישׁ קְרִיּוֹת, "*homem de Queriote*". Em apoio a essa derivação, temos a forma variante ἀπὸ Καρυώτου (Jo 6.71 ℵ* Θ f¹³ syr^{hmg.gr}; 12.4 D; 13.2 D it ; 14.22 D). Outros eruditos, começando pela forma Σκαριώτης (que é a forma de D aqui; 26.14 e Mc 14.10) têm proposto grande variedade de derivações possíveis (e impossíveis), incluindo palavras que significam cinta de couro ou avental, um bandido ou assassino, um traidor ou mentiroso, um homem de compleição rude.* O problema complica-se ainda mais pelas variantes de João 6.71 e 13.26, onde vários bons testemunhos aplicam esse epíteto ao pai de Judas.

Nesta passagem, a comissão ficou impressionada pela antiguidade e diversidade do testamento dos tipos de textos gregos que apoiam uma forma do nome com um "iota" inicial, preferindo Ἰσκαριώτη, que é apoiada pelo peso preponderante da evidência textual.

* Quanto a informações sobre essas teorias ver, e.g., Roman B. Halas, *Judas Iscariot, a Scriptural and Theological Study of his Person, his Deeds ans his Eternal Lot* (Washington, 1946), p. 10-38, e Harald Ingholt, "The Surname of Judas Iscariot", em *Studia Orientalia*, Ioanni Pederson (Copenhagen, 1953), p. 152-162.

Ver as notas sobre *as divisões* deste evangelho, que se concentram em torno de cinco grandes discursos de Jesus, e também as fontes desta seção (9.35—11.1) em Mateus 9.35. Mateus já falara sobre os discípulos de Jesus, mas agora, pela primeira vez (em Mateus) ficamos sabendo que eram doze, ou pelo menos havia doze discípulos regulares; mas é provável que, nessa altura da história, outros discípulos também seguissem a Jesus. É surpreendente a pouca informação que temos sobre a vida desses homens, nos próprios evangelhos; o próprio livro de Atos descreve apenas um pouco sobre a maioria deles. Talvez eles também, em sua maior parte, fossem homens comuns, que só eram grandes devido à sua associação com Jesus.

Podemos dividir esta seção nas seguintes divisões: 1) A primeira missão dos apóstolos – Mateus 10.5,6. 2) Natureza do seu trabalho – Mateus 10.7,8. 3) Conduta durante a viagem – Mateus 10.9-15. 4) Preparação para a oposição – Mateus 10.16-39. 5) Como deveriam enfrentar as perseguições – Mateus 10.16-22. 6) Conselhos referentes à fuga – Mateus 10.23-26. 7) Preparação para a perseguição declarada – Mateus 10.24,25. 8) Pregação da palavra com ousadia, pois o galardão seria certo – Mateus 10.26-39.

O capítulo 10 de Mateus dá início ao segundo trecho de ensinos desse evangelho, o qual se compõe de cinco porções distintas, que são: 1ª) caps. 3—7; 2ª) caps. 8—10; 3ª) caps. 11—13; 4ª) caps. 14—18; 5ª) caps. 19—25. O capítulo contém os ensinos em torno dos quais foi elaborada a segunda seção do livro de Mateus. Esses ensinos fornecem as instruções baixadas aos doze, e incluem determinadas profecias referentes às condições que os discípulos haverão de enfrentar nos últimos dias.

Não temos aqui a chamada dos doze, *a confissão* e a missão dadas àqueles doze homens. Provavelmente, há três níveis de chamadas: 1) Para o discipulado; 2) para o trabalho como evangelista; e 3) para o apostolado. Nota-se, entretanto, que aqui Jesus somente começou a ensinar o que é o apostolado; os discípulos ainda teriam de aprender muita coisa, antes de começarem a desempenhar aquela missão de forma completa. Há quatro listas dos nomes dos apóstolos, e a comparação entre essas listas acha-se no quadro a seguir:

	Mateus 10.2-4	Marcos 3.16-19	Lucas 6.14-16	Atos 1.13
1.	Simão Pedro	Simão Pedro	Simão Pedro	Simão Pedro
2.	André	Tiago	André	Tiago
3.	Tiago	João	Tiago	João
4.	João	André	João	André
5.	Filipe	Filipe	Filipe	Filipe
6.	Bartolomeu	Bartolomeu	Bartolomeu	Tomé
7.	Tomé	Mateus	Mateus	Bartolomeu
8.	Mateus	Tomé	Tomé	Mateus
9.	Tiago, de Alfeu	Tiago, de Alfeu	Tiago, de Alfeu	Tiago, de Alfeu
10.	Tadeu	Tadeu	Simão, o Zelote	Simão, o Zelote
11.	Simão, o Zelote	Simão	Judas, de Tiago	Judas, de Tiago
12.	Judas Iscariotes	Judas Iscariotes	Judas Iscariotes	

Ver nota detalhada sobre todos os *apóstolos*, a qual inclui as distinções entre eles e os outros personagens do mesmo nome no NT, em Lucas 6.12. Neste capítulo, notam-se apenas alguns detalhes mais simples:

1) Mateus apresenta sua lista aos pares: Simão e André, Tiago e João, Filipe e Bartolomeu, Tomé e Mateus, Tiago e Tadeu, Simão e Judas. Sabe-se que Jesus enviou esses homens aos pares a fim de evangelizar. Provavelmente, a lista de Mateus mostra-nos os pares conforme foram enviados.

2) Entre os apóstolos, havia pares de irmãos: Simão e André, Tiago e João. Alguns intérpretes acham que Mateus e Tomé eram irmãos, como também Filipe e Bartolomeu. No entanto, talvez somente Simão e André, e Tiago e João fossem irmãos, porquanto o texto não menciona que os demais o eram, mas identifica claramente aqueles dois pares como compostos de irmãos carnais, com a expressão "seu irmão". Não é provável que o autor, tendo feito assim em dois casos, não acrescentasse também essas palavras no caso dos outros, se realmente fossem irmãos. Outrossim, não há na tradição nenhuma indicação de que houvesse outros pares de irmãos entre os doze apóstolos.

3) É provável que Salomé, mãe de Tiago e João (Mc 16.1; Mt 27.56) fosse irmã de Maria, mãe de Jesus. Assim, aqueles apóstolos eram primos de Jesus, como talvez João Batista também o fosse.

4) Nas listas há três classes, cada qual com quatro pessoas, cada classe com os mesmos nomes, ainda que em ordem diversa, ou seja: primeira classe: Pedro, André, Tiago e João; segunda classe: Filipe, Bartolomeu, Tomé e Mateus; terceira classe: Tiago, filho de Alfeu, Tadeu, Simão, o Zelote e Judas Iscariotes.

5) Em todas as listas, os nomes de Pedro, Filipe, Tiago (de Alfeu) e Judas Iscariotes ocupam o mesmo lugar na ordem de apresentação. Pedro sempre aparece em primeiro lugar, o que mostra que não só foi chamado antes dos outros, era discípulo há mais tempo, mas também gozava de primazia entre os doze. Isso não significa, porém, que fosse uma modalidade de papa. Ver notas sobre Mateus 16.16-19, que explicam a posição ocupada por Pedro. Em todas as listas, Judas Iscariotes é o último e não há que duvidar de que tal posição lhe foi dada propositalmente nas listas, para indicar sua posição inferior, por haver traído o Senhor Jesus.

6) O maior problema é o da *identificação* de certos nomes com os indivíduos, como, por exemplo, os nomes Labeu, Tadeu e Judas (irmão ou filho de Tiago), que parecem referir-se à mesma pessoa. Ver Mateus 10.3 na tradução AC, comparando com Lucas 6.16 e Atos 1.13. Levi e Mateus são a mesma pessoa. Bartolomeu pode ser identificado com o Natanael de João 1.45. Simão Cananita, de Marcos 3.18 deve ser identificado com Simão, o Zelote, em Lucas 6.15. Ambos os apelidos referiam-se ao partido político de Simão. Ver a nota em Lucas 6.12.

7) Judas Iscariotes, da cidade de Queriote, em Judá, filho de Simão (Jo 6.71), era o *único* que não era natural da Galileia. Todos os demais apóstolos eram galileus. Ver outros detalhes sobre os doze, em Lucas 6.12.

Os antigos, na igreja primitiva, consideravam os doze como tipos dos doze filhos de Israel, no AT; eram também comparados, simbolicamente, às doze fontes de Elim (Êx 15.27), às doze pedras do Urim e Tumim, no peitoral do sumo sacerdote, aos doze pães de Êxodo 25.30, aos doze espias enviados à terra prometida (Js 2.1,6,23), às doze pedras tiradas do rio Jordão, como lembrando do poder de Deus entre eles (Js 4.3-9). Outros acham que há referência aos doze apóstolos em Apocalipse 12.1, no NT, que fala das doze estrelas na cabeça da mulher vestida de sol. E certamente eles são representados pelos doze fundamentos das muralhas da nova Jerusalém (Ap 21.14).

O apostolado. Apóstolo — Palavra que significa "enviado", mas que também subentende aquele que faz serviço especial, em nome e pela autoridade de quem o enviou. É empregada aqui por Mateus, pela primeira vez (10.2), mas os textos paralelos (Mc 3.13-19 e Lc 6.12-16) mostram que foram escolhidos antes do Sermão do Monte, depois que Jesus passou a noite inteira em oração. O termo não é usado exclusivamente para fazer alusão aos doze, mas também refere-se a Jesus, em Hebreus 3.1. Mais tarde, alude a Paulo, em numerosas ocorrências; alude a Barnabé, em Atos 14.14; alude a Matias, escolhido para ocupar o lugar de Judas Iscariotes, em Atos 1.16-26. Em seu sentido mais restrito, aplica-se ao ofício especial do apostolado (ver Ef 4.11). Os sinais confirmatórios do apostolado

372 | Mateus | NTI

são: 1) Tinham de ser testemunhas oculares (At 1.21,22; 1Co 9.1) escolhidas pelo próprio Cristo. 2) Eram dotados de poderes miraculosos, como suas credenciais (Mt 10.1; At 5.15,16). 3) Eram preceptores especiais, tanto do reino como da igreja (Mt 10.5,6; Ef 2.20). 4) Um serviço definido esperava-os no futuro (Mt 19.28).

De modo geral, isto é, quanto aos que recebem postos elevados, há apóstolos na igreja até hoje e em todos os tempos. No sentido mais restrito, quanto ao ofício propriamente dito, não há provas de que o apostolado perdure na igreja até hoje, e os que tomam esse título não apresentam as qualificações ou credenciais do apostolado. A sucessão apostólica é pura imaginação e tradição, sem base nas Escrituras e na experiência humana, isto é, a experiência humana demonstra que àqueles que se fazem apóstolos faltam as qualificações apostólicas.

O v. 1 mostra que os apóstolos foram enviados por Jesus e que o acompanharam quando da segunda viagem pela Galileia, desempenhando o mesmo tipo de ministério ocupado por Cristo, quando de sua primeira viagem pela Galileia. Esse ministério consistia de autoridade sobre os espíritos imundos (ver notas sobre os "demônios", em Marcos 5.2; sobre as possessões demoníacas, em Mateus 8.28; sobre "Satanás", em Lucas 10.18). Nesse ministério, também estava incluída a cura de todos os tipos de doenças. Ver notas sobre curas e milagres, em Mateus 8.27; 8.3; 3.13; 7.21-23; Marcos 1.29; 3.1-5 e Lucas 18.22-25.

"Autoridade" — Ver nota em Marcos 11.17. A palavra pode significar poder ou direito. Provavelmente, Jesus deu ambas as coisas aos doze apóstolos.

IV. SEGUNDO GRANDE DISCURSO: OBRA E CONDUTA DE SEUS DISCIPULOS ESPECIAIS (9.35-11.1)

5. Discurso – A missão é para Israel (10.5,6)

O próprio Jesus trabalhou quase inteiramente em território judaico e não se pode duvidar de que suas instruções a seus discípulos especiais os restringiam a esse mesmo território. Naturalmente, Mateus tem como um de seus propósitos a tarefa de mostrar que o evangelho haveria de propalar-se universalmente. O próprio Jesus desempenhou uma missão entre os gentios, em várias ocasiões — talvez cinco. (Ver Mc 7.24-31; 8.27–9.1; Mt 4.12-16 e 4.25). A Grande Comissão removeu todas as restrições possíveis que haviam sido impostas sobre a igreja, e a missão gentílica floresceu. Entretanto, o sentimento que dizia *Israel somente* sem dúvida adiou o início da missão gentílica, e, em alguns casos, enfraqueceu o fato de sua realização, até mesmo depois da mesma haver sido posta em movimento. O décimo primeiro capítulo do livro de Atos mostra isso. Pedro foi obrigado a "vindicar" seu ministério entre os gentios. Há uma tradição (mencionada abaixo) do livro do século II — "A pregação de Pedro" — afirmando que Jesus dissera a seus discípulos que esperassem por doze anos, após sua ascensão, antes de se dirigirem aos gentios; mas a própria Grande Comissão contradiz essa noção. Todavia, o sentimento morreu com dificuldades, o que se evidencia nos primeiros labores de Paulo, e segundo é mencionado em Romanos 1.16.

10.5: A estes doze enviou Jesus, e ordenou-lhes, dizendo: Não ireis aos gentios, nem entrareis em cidade de samaritanos;

10.5 Τούτους τοὺς δώδεκα ἀπέστειλεν ὁ ᾽Ιησοῦς παραγγείλας αὐτοῖς λέγων, Εἰς ὁδὸν ἐθνῶν μὴ ἀπέλθητε, καὶ εἰς πόλιν Σαμαριτῶν μὴ εἰσέλθητε·

A proibição que diz "não ireis pelos caminhos dos gentios" refere-se a essa viagem e suas condições, bem como às várias restrições sobre o que tomar ou não tomar. Jesus ensina aos doze, em primeiro lugar, a "confiança total" nele mesmo e no poder que ele dá. Outrossim, ele teve o cuidado de mostrar que era o Messias de Israel, evitando assim a confusão que poderia ser criada se, a essa

altura, desse início de seu ministério entre os gentios. Os apóstolos tiveram necessidade de demonstrar o poder e a autoridade do Messias, nesta segunda viagem de Jesus pela Galileia. Mais tarde, Jesus enviou setenta homens, aos pares, para ministrar na Galileia, e ele mesmo partiu algum tempo depois. Aquela foi a terceira e última excursão pela Galileia. Ver nota sobre o esboço do ministério de Jesus, em Lucas 1.4. Ver nota detalhada sobre Samaria, em Atos 8.5, e sobre os "samaritanos", em Lucas 10.30. Jesus participou do ministério entre os gentios e samaritanos, mas a ordem para evangelizar os gentios e o mundo inteiro só foi baixada após a sua ressurreição. Deveria demonstrar que o Messias não negligenciara o seu povo de Israel. Depois da ressurreição, Jesus demonstrou que o Salvador do mundo se interessa por todas as nações.

Alguns intérpretes erram ao dizer e insistir em que a proibição dos discípulos pregarem entre os gentios e exercerem seu ministério entre eles não concorda com o ministério de Jesus, apresentado no quarto capítulo de João ou segundo se lê em Mateus 28.19. Jesus sabia que o início do ministério entre os gentios, naquela altura dos acontecimentos, como também entre os samaritanos, teria apenas fechado o coração dos judeus para o próprio ministério, pois naqueles dias nem mesmo os apóstolos estavam preparados para realizar um serviço tão importante quanto aquele.

Adam Clarke sugere algumas lições sobre as qualificações de um ministro de Jesus: 1) Deve ser homem de santidade; 2) deve ter sido chamado para um serviço particular; 3) deve ser instruído sobre a execução desse serviço; 4) deve ter sido investido da autoridade e do poder de Deus para cumprir seu serviço. E a esses dotes divinos devem ser adicionadas todas as qualificações humanas possíveis.

Este versículo dá início à segunda parte dos ensinos de Jesus no evangelho de Mateus. Esta segunda divisão consta de três porções: 1) V. 5-15 — Diversas instruções sobre o caráter do ministério, sobre o que podiam ou não tomar, e sobre os atos gerais do ministério. 2) V. 16-23 — O que aconteceria quando Jesus não mais estivesse presente com os discípulos, a expansão do ministério pelo mundo, e o que lhes sucederia, incluindo seus sofrimentos e as dificuldades inerentes ao discipulado, por causa de seu ministério. Portanto, nesta seção, além da explicação imediata à vida dos apóstolos, na segunda excursão pela Galileia, também há previsões proféticas. 3) V. 24-42 — Aplica-se a todos os ministros e discípulos de Cristo, e não somente aos apóstolos; também está ligado às circunstâncias do segundo ministério da Galileia. Jesus mostra que esse ministério é sério, que pode ser perigoso, mas que ele mesmo usa de poder e graça, e que o Pai exerce muito cuidado pelo seu povo, isto é, Jesus ensina o teísmo, em contraste com o deísmo. Ver notas detalhadas sobre as ideias da natureza de Deus, em Atos 17.27. Em último lugar, nesta seção, Jesus promete galardões.

Essa proibição feita por Jesus talvez tivesse sido usada por alguns elementos da igreja primitiva como pretexto para o adiamento da pregação entre os gentios, porque é possível que tais elementos ainda nutrissem preconceitos contra os gentios. Certa tradição do século II d.C., que se encontra na obra "A pregação de Pedro", diz que Jesus instruiu os discípulos para que esperassem doze anos, antes de começarem a evangelizar aos gentios. (James, *Apocryphal NT*, p. 17). O "caminho dos gentios" provavelmente alude a uma estrada que conduzia a certas cidades gentílicas, como as da região de Decápolis. Por ocasião de qualquer festividade pagã, os judeus estavam proibidos de se utilizar de estradas como essa. (Abodah Zarah 1.4). Era vedado aos judeus não só comerem com os samaritanos, mas, igualmente, casarem-se entre eles. A Mishnah diz: "Aquele que come o pão dos samaritanos é como aquele que come carne de porco" (*Shebiith* 8.10).

10.6: mas ide antes às ovelhas perdidas da casa de Israel;

10.6 πορεύεσθε δὲ μᾶλλον πρὸς τὰ πρόβατα τὰ ἀπολωλότα οἴκου ᾽Ισραήλ.

---

6 πρὸς...᾽Ισραήλ Jr 50:6; Mt 15.24

"Ovelhas perdidas da casa de Israel"

"Ovelhas perdidas da casa de Israel" —A expressão "casa de Israel" significa toda a nação de Israel, e é comum, na literatura judaica, a figura das "ovelhas" para indicar o "povo de Deus". Jesus também aplicou esse termo aos seus discípulos, como se vê no décimo capítulo de João. As ovelhas eram animais limpos, segundo a lei cerimonial dos judeus, e precisavam sempre dos cuidados de um pastor para que pudessem sobreviver. Lemos que, por sua natureza, a ovelha tem pouquíssima iniciativa, que chega às raias da fraqueza;assim, elas tendem a perder-se ou ser guiadas erradamente com grande facilidade. As ovelhas também quase não podem defender-se. Essas debilidades das ovelhas sugerem o quanto o povo de Deus deve depender de Deus, para que seja guiado pelo caminho, pois o homem é moralmente fraco. Ver outras figuras da ovelha, representando o povo de Deus, nas notas de João 10.1-6. Outras passagens que se utilizam do símbolo da ovelha, para ilustrar as relações entre Deus e o homem, são: Isaías 53.6; 13.14; Ezequiel 34.31; Salmos 23; 44.22; João 21.16; Atos 8.32 e Romanos 8.36.

"Perdidas" — Às vezes, essa palavra indica o estado de separação de Deus, no aguardo da perdição, por causa do pecado, isto é, a palavra indica o sentido moral. Textos bíblicos como Lucas 19.10 e João 17.12 provavelmente têm esse sentido, e certamente 2Coríntios 4.3 usa o termo desse modo: "Mas, se o nosso evangelho ainda está encoberto, é para os que se perdem que está encoberto". Nesse texto, entretanto, Jesus não usa o termo com um conteúdo essencialmente moral, nem a fim de censurar, e, sim, simplesmente para indicar que as ovelhas se perderam no caminho, ficaram sem pastor, na ignorância, como cego sem guia. O sentido é o mesmo que se lê em Mateus 9.36: "[...] aflitas e exaustas como ovelhas que não têm pastor". Foi justamente essa condição das ovelhas que provocou a compaixão de Jesus. A missão do Messias (que foi enviado à casa de Israel) consistia em achar e salvar tais ovelhas. Jesus não baixou ordem para que se procurassem as "outras ovelhas" antes de sua própria ressurreição. (Ver Jo 10.16.) E isso é uma referência clara aos gentios. O texto de Jeremias 50.6,17 expressa bem essa ideia: "Ovelhas perdidas foram o meu povo, os seus pastores as fizeram errar, para os montes as deixaram desviar; de monte em outeiro andaram, esqueceram-se do lugar do seu repouso [...] Cordeiro desgarrado é Israel: os leões o afugentaram..."

> **(a) Como o trabalho deve ser efetuado (10.7,8)**
> Cf. 1.15 e Lucas 9.2. Evidentemente, tanto o protomarcos quanto o "Q" continham essa ordem.

10.7: e indo, pregai, dizendo: É chegado o reino dos céus.

10.7 πορευόμενοι δὲ κηρύσσετε λέγοντες ὅτι[a] Ἤγγικεν ἡ βασιλεία τῶν οὐρανῶν.

7 Ἤγγικεν...οὐρανῶν Mt 3.2; 4.17; Lc 10.9,11

[a] 7 a direct: TR WT Bov Nes? BF² AV RV ASVRSV NEB TT Zür Luth // a indirect: Nes? Jer Seg

10.8: Curai os enfermos, ressuscitai os mortos, limpai os leprosos, expulsai os demônios; de graça recebestes, de graça dai.

10.8 ἀσθενοῦντας θεραπεύετε, νεκροὺς ἐγείρετε, λεπροὺς καθαρίζετε, δαιμόνια ἐκβάλλετε· δωρεὰν ἐλάβετε, δωρεὰν δότε.

8 νεκρ. εγειρ.] om Θ 28 al sa

> A cláusula νεκροὺς ἐγείρετε envolve cinco formas variantes: (1) As palavras estão ausentes em considerável número de testemunhos (a maioria posteriores), incluindo C³ L X Y Γ Θ Π, cerca de 150 manuscritos minúsculos, o syr^{p,pal} cop^{sa} arm eth² ^{mss} geo^{1.B} Eusébio Basílio. (2) Em outros testemunhos, a cláusula aparece depois de καθαρίζετε (16 348 372 1093 1579, seguidos pelo

> Textus Receptus), ou (3) após ἐκβάλλετε (P W Δ 566 1573 2145 syr^h), ou (4) antes de ἀσθενοῦντας (vg^{ms}). Finalmente, (5) a forma adotada como texto é apoiada por grande variedade de testemunhas, incluindo ℵ* B C* D N Σ Φ f¹ f¹³ 22 33 157 349 399 543 565 it^{a,b,c,h,k,l,q} vg syr^s cop^{bo} eth geo^A arab Cyril Hilary.

O caráter do ministério da segunda viagem pela Galileia deve ser idêntico ao da primeira viagem, isto é, possuir os mesmos elementos. Jesus queria mostrar que os doze podiam fazer as mesmas coisas feitas por ele, a saber, anunciar o reino de Deus de modo convincente e poderoso, e exercer poder sobre as enfermidades e espíritos maus.

"À medida que seguirdes, pregai" — Pode-se traduzir, "enquanto fordes, continuai pregando", porque o grego requer a expressão de uma ação contínua. A mensagem deve ser a mesma de João Batista e Jesus, que o reino dos céus (de Deus) estava próximo. Provavelmente, Jesus falou aqui como usava falar ao usar essa expressão, aludindo a um reino literal e teocrático, o que significa que Deus assumiria literalmente a direção política, por meio do Messias, e assim restauraria o trono de Davi em Israel, cumprindo desse modo as profecias e promessas feitas a Israel. A expressão "reino dos céus" pode significar várias coisas, as quais são explicadas na nota detalhada de Mateus 3.2. Nota-se, aqui, que ainda não era pregada a maior mensagem, relativa à igreja, à nova criação, ao evangelho dos céus, à transformação do crente segundo a imagem de Cristo. Devemos lembrar que a rejeição do Messias e do reino literal, por parte do povo, provocou o início de uma mensagem diferente, mensagem essa que também foi pregada pelos apóstolos. Ver nota detalhada sobre o "evangelho", em Romanos 1.16, bem como as notas sobre Romanos 8.29 e Colossenses 1.26-28, que explicam o caráter da mensagem mais ampla que os apóstolos depois apresentaram ao mundo.

"Curai os enfermos" — Ver notas detalhadas sobre as curas, suas fontes e seus propósitos, em Mateus 8.27; 8.2; 3.13; 7.21-23; Marcos 1.29; 3.1-5 e Lucas 18.22-25.

"Ressuscitai os mortos" — Essas palavras são omitidas por Aleph (3) C(3) EFGHKLMSUVX Gamma Theta Fam Pi. Das catorze traduções usadas para comparação, neste comentário, nenhuma as omite. Os mss que contêm essas palavras são Aleph(1) BC(1) DE(1) 13 33 108 157, e alguns outros. Muitos comentaristas opinam que o evangelho original de Mateus não continha essas palavras, apesar do fato de os mss mais antigos as apresentarem. Os que assim dizem argumentam que era cedo demais, no ministério dos apóstolos, para que se pudesse esperar isso da parte deles; mas o argumento não convence, quando nos lembramos de que Jesus já havia ressuscitado a mortos na presença de quatro dos apóstolos, em sua primeira viagem pela Galileia. Já curara também todos os tipos de enfermidades e expelira vários espíritos malignos. Não há motivos para que não se creia que Jesus tivesse dado aos apóstolos instruções para seguirem o modelo de seu primeiro ministério pela Galileia. Nota-se igualmente, em Mateus 11.15, que Jesus expôs seu ministério como ministério que incluía a ressurreição dos mortos. O único problema revolve em torno da explicação por que alguns escribas não incluíram essas palavras, se elas pertenciam originalmente a Mateus. Ouso dizer que a omissão, em alguns mss, se deve à incapacidade dos escribas em crer que os seguidores de Cristo pudessem cumprir essa ordem!

"Purificai leprosos" — Ver notas detalhadas sobre essa doença e sua cura, por Jesus, em Mateus 8.1-3. Jesus deu poder aos discípulos para curarem até as mais rebeldes enfermidades, a fim de mostrar sua autoridade como Messias. Não nos devemos esquecer de que a compaixão de Jesus pelos sofrimentos humanos constitui a razão dessas curas. Jesus não operou curas somente para demonstrar seu poder ou ensinar lições. Provavelmente, a maior razão era que ele sentia dó da humanidade. É verdade que, por muitas vezes, ele se utilizou das curas para ilustrar e ensinar

374 |Mateus| NTI

lições espirituais, especialmente a lição de que o homem deve ter confiança no poder de Deus, em sua bondade. Por semelhante modo, houve casos em que ele exigiu fé na autoridade do Messias.

"Expeli demônios" — Ver notas detalhadas sobre "demônios", em Marcos 5.2, e sobre possessão demoníaca, em Mateus 8.28.

"De graça recebestes, de graça dai" — De várias formas, aqueles discípulos haviam recebido bênçãos gratuitas: 1) Para começar, o contacto com Jesus era providência de Deus. Não se pode imaginar que tal contacto tivesse ocorrido sem propósito, acidentalmente. 2) As diversas chamadas, para serem discípulos, para acompanharem a Jesus, e, finalmente, para serem apóstolos, resultavam da graça de Deus. 3) Os ensinos que receberam de Jesus, os quais mudaram o rumo da sua vida, também foram recebidos pela graça de Deus. Aqueles homens não procuraram modificar a natureza da religião estabelecida antes de Jesus entrar em contacto com eles e ensinar-lhes os princípios do reino, mostrando-lhes claramente que o Messias já estava no mundo. 4) Finalmente, os poderes especiais que receberam para realizar curas, expelir demônios e ressuscitar os mortos, foram-lhes outorgados pela graça de Deus.

Pode-se ver, por essas observações, que espiritualmente falando não havia em Israel homens mais privilegiados do que aqueles doze. Paralelamente ao privilégio, porém, vem a responsabilidade, e é justo que a responsabilidade fosse desincumbida da mesma sorte que o privilégio fora recebido, isto é, de graça, sem esperar pagamento em dinheiro, fama, reconhecimento ou qualquer coisa desejável aos homens. "[...] de graça dai" alude ao ministério por palavras, que seriam os ensinos sobre o reino; mas também há uma alusão aos milagres físicos. Deviam dar livremente ambas as coisas. O ensino desta ocasião não contraria o princípio estabelecido mais tarde no ministério da igreja: "Devem ser considerados merecedores de dobrada honra os presbíteros que presidem bem, com especialidade os que se afadigam na palavra e no ensino; pois a Escritura declara: Não amordaces o boi, quando pisa o grão. E ainda: O trabalhador é digno do seu salário" (1Tm 5.17,18). A ordem é que os beneficiados pelo ministério devem contribuir liberalmente para o sustento do ministro. Nota-se que, no AT, esse sempre foi o costume. Os sacerdotes e outros, que trabalhavam no templo, eram sustentados pelo povo. Quando Jesus baixou essa ordem, já sabia que na viagem pela Galileia, não faltariam aos doze as coisas necessárias para a vida, mas teve o cuidado de ensinar aos ministros a não se preocuparem pela parte física do ministério, a fim de que fosse evitada a atitude comum dos homens e a fim de ensinar que o mesmo Senhor que envia os discípulos ao trabalho pode garantir-lhes as necessidades físicas da vida. Essa é uma lição difícil de ser aprendida, e até hoje há necessidades de procurarmos aprender bem essa lição que nos foi dada por Deus.

A expressão "de graça dai" provavelmente inclui a ideia do modo de dar, e não somente que o ministério deve ser realizado sem que o ministro espere pela recompensa monetária. Os discípulos de Jesus devem dar liberalmente de si mesmos, não negando serviço espiritual a ninguém. Devem aprender a simpatizar com a humanidade, segundo foi exemplificado por Jesus, servindo aos homens com o espírito de compaixão, o que sempre foi a característica mais notável do ministério de Jesus.

> **(b) Conduta durante a viagem (10.9-15)**
> (Ver Mc 6.7 e Lc 10.4ss.) O protomarcos e "Q" provêm o material sobre as instruções dadas por Jesus aos seus discípulos especiais.

10.9: Não vos provereis de ouro, nem de prata, nem de cobre, em vossos cintos;

10.9 Μὴ κτήσησθε χρυσὸν μηδὲ ἄργυρον μηδὲ χαλκὸν εἰς τὰς ζώνας ὑμῶν,

A Vulgata latina diz *nolite prossidere* no lugar de "não [...] provereis"; mas a proibição de Jesus não foi somente contra a posse de bens, mas também contra a busca de bens. Há várias interpretações sobre a intenção dessa proibição:

1) Jesus falou somente da conduta dos discípulos nessa excursão pela Galileia. A consideração que a aquisição de ouro, pelos apóstolos, em tão pouco tempo, antes da viagem, seria algo impossível, indica que a proibição envolve mais do que isso. Pode ser que Jesus tivesse baixado alguma regra concernente às atitudes dos discípulos em relação ao dinheiro.

2) Outros pensam que a proibição é contra a busca ou aceitação de dinheiro da parte dos que se achassem nos caminhos ou nas casas onde os discípulos ficariam durante a viagem. Evidentemente, Jerônimo assume essa posição, ao dizer "condemnatio avaritiae", como se fosse advertência. É verdade que, antes da viagem, Jesus não quis que os discípulos juntassem dinheiro como provisão para a viagem, ou adiassem o início da viagem até juntarem o suficiente para as necessidades que encontrariam; mas ele também proibiu a atitude avara da parte dos discípulos, ensinando com isso que os ministros do evangelho devem ter atitude diferente do homem comum, com respeito às coisas materiais.

3. Como aplicação desse princípio, pode-se dizer que não resta dúvida de que Jesus manteria essa regra geral para os ministros de qualquer época. Provavelmente, permitiria a provisão legal para a vida física dos ministros, especialmente no caso dos que têm família; mesmo assim, ficaria proibida a avareza. Daqui se extraem diversas lições espirituais: (a) O ensino contra a avareza, como característica dos que trabalham no evangelho; (b) a lição de que o Senhor que envia trabalhadores ao campo também é capaz de sustentá-los; (c) os que trabalham devem ter fé no Senhor, confiando em que ele fornecerá para suas necessidades físicas; (d) esse fornecimento serviria de demonstração dos cuidados de Deus pelos trabalhadores, encorajando-os a confiar em Deus, em todos os aspectos da vida, incluindo o sucesso no trabalho;(e) as promessas de Deus, quanto ao fornecimento para as necessidades físicas, não significam que os que são beneficiados pelo ministério dos pregadores não têm o dever de fornecer para as necessidades físicas deles. Em outras passagens bíblicas, aprendemos que Deus requer exatamente isso, e que, usualmente, ele se utiliza desse método para fornecer as coisas físicas. Assim, a proibição de Jesus contra a avareza dos obreiros indica, ao mesmo tempo, que aqueles que são beneficiados pelo ministério devem ser generosos. Jesus proíbe a avareza e encoraja a generosidade.

"[...] de ouro, nem de prata, nem de cobre..." — Lucas tem somente prata, e Marcos, somente cobre; mas Mateus menciona os três metais usados na confecção de moedas. Deve-se notar ainda que Jesus começou pelo metal mais precioso — o ouro — e que, em seguida, menciona a prata e o cobre, como moedas de valor gradativamente menor. Assim, a proibição foi total — os discípulos não podiam levar ou pedir dinheiro, ainda que pouco. É necessário notar que Jesus não ensinou aqui regras para serem observadas pelas chamadas ordens religiosas, nem deu instruções que regulem o voto de pobreza. Essas interpretações pervertem o texto. Essas ordens religiosas só vieram à existência séculos mais tarde. Jesus não quis criar outras formas de formalismo e ascetismo. No farisaísmo já havia muito dessas coisas.

"Nos vossos cintos" — Talvez se refira às dobras das vestimentas, nas quais carregavam moedas e outras coisas; ou pode indicar tipos de porta-níqueis que usavam, ocultos nas dobras das vestes. Outros intérpretes explicam que certos tipos de porta-níqueis ficavam pendurados nos cintos. Outros, ainda, dizem que esses cintos eram ocos, e que ali se punham as moedas. Sabe-se que esse tipo de cinto era usado pelos romanos.

10.10: nem de alforje para o caminho, nem de duas túnicas, nem de alparcas, nem de bordão; porque digno é o trabalhador do seu alimento.

10.10 μὴ πήραν εἰς ὁδὸν μηδὲ δύο χιτῶνας μηδὲ ὑποδήματα μηδὲ ῥάβδον· ἄξιος γὰρ ὁ ἐργάτης τῆς τροφῆς αὐτοῦ.

10 μὴ...ὑποδήματα Lc 10.4 ἄξιος...αὐτοῦ Nm 18.31; Lc 10.7; 1Co 9.14; 1Tm 5.18

"**Alforje**" ou "**porta-níqueis**", melhores do que "bolsas". Essa palavra tem sido encontrada nos papiros, indicando a sacola dos mendigos, usada para levar pão ou outras esmolas. O sustento dos discípulos deveria vir de donativos feitos pelos beneficiários das ministrações. Esse método de subsistência dos ministros foi confirmado pelas instruções de Paulo (ver 1Co 9.7-11), as quais se baseiam nas antigas e seculares instituições dadas ao antigo Israel. Na literatura cristã antiga, o *Didache* (ou ensino dos doze), do século II d.C., vê-se que o problema do sustento do ministério era muito sério; mas até hoje prossegue o problema em muitos lugares: as igrejas locais, em muitos casos, se recusam a assumir essa responsabilidade.

"**Nem [...] duas túnicas**" — A proibição, segundo Marcos, parece ser contra o vestir-se com duas túnicas ao mesmo tempo; segundo Mateus, parece ser contra ter outra túnica como muda. Às vezes, os antigos vestiam duas túnicas — uma como roupa interior, que abrigava do frio e que protegia a externa do suor. Outros levavam uma túnica extra para ser trocada. Obviamente, Jesus proibiu ambas as coisas, com certeza para ensinar a lição de que o ministério requer a atenção total do ministro, a ponto de não considerar importante nem mesmo o conforto das vestes.

"**Nem [...] sandálias**" — Parece certo que Jesus não ensinou que viajassem descalços, e, sim, como no caso das túnicas, que "não levassem dois pares" de sandálias. Alguns interpretam que Jesus falou de sapatos especiais, tipos mais apropriados para viagens, mais resistentes, que dariam maior proteção aos pés durante a viagem, especialmente no caso de viagens longas. É verdade que existia esse tipo de calçados, usados no lugar das sandálias comuns durante as viagens; mas a proibição, provavelmente, visa à troca de sandálias ou à posse de dois pares de sandálias. O texto grego, em Lucas 10.4 parece indicar exatamente isso.

"**Nem [...] bordão**" — Algumas traduções, como a KJ, têm o plural, seguindo os mss CEFGKLMPSUVX Gamma Delta Fam Pi. Os mss mais antigos, como Aleph B D e outros, têm o singular, e quase todas as traduções usadas como comparação, neste comentário (cinco em português e nove em inglês — cuja lista aparece na relação de abreviações do comentário) retêm o singular. Sem dúvida, o singular é a forma original do evangelho de Mateus, mas, conforme o texto paralelo (Mc 6.8), era permitido levar um bordão. Assim, para os harmonistas dos evangelhos, surge outro problema. Ver a nota que aborda a harmonia dos evangelhos e a atitude que devemos ter sobre esse problema, em Mateus 6.9-16; 8.1,2; 8.25, e na parte final da seção que trata da questão da historicidade dos evangelhos, na introdução a este comentário.

As explicações são as seguintes: 1) A proibição era total. Jesus não permitiu sequer um bordão, ou pelo menos assim as suas palavras foram interpretadas pelo autor deste evangelho. Não aceitamos essa explicação, pois provavelmente a proibição não era total, e as palavras de Marcos representam a instrução dada por Jesus. Não se deve insistir na exatidão do confronto dos evangelhos ou criar grandes problemas em torno de uma diferença tão pequena, que certamente não foi intencional. 2) Alguns dizem que a proibição visava a um *tipo especial* de bordão, com ponta de metal, que seria útil para a defesa; mas essa interpretação foi forjada por alguns como explicação da discrepância entre as palavras de Mateus e Marcos. 3) Provavelmente, a proibição foi igual a tantas outras feitas por Jesus — o que diz respeito a dois bordões seria idêntico no tocante às duas túnicas ou às duas sandálias.

"**Digno é o trabalhador do seu alimento**" — Jesus ensina aqui, claramente, que os ministros devem receber o sustento físico daqueles que são beneficiados por seu ministério. Paulo cita essa passagem em 1Co 9.14, sendo essa uma das suas poucas citações das palavras proferidas por Jesus. O texto de 1Timóteo 5.18 tem a mesma citação. Ver notas sobre o sustento do ministério, em 1Coríntios 9.7-14.

A passagem de Lucas 22.35,36 mostra que as provisões de que fala este texto eram temporais, e também revela a lição que Jesus queria ensinar por meio de suas proibições: "A seguir Jesus lhes perguntou: Quando vos mandei sem bolsa, nem alforje e sem sandálias, faltou-vos porventura algum coisa? Nada, disseram eles. Então lhes disse: Agora, porém, quem tem bolsa, tome-a, como também o alforje; e o que não tem espada, venda a sua casa e compre uma". Situações *diversas* requerem provisões *diferentes*, mas as lições dadas por Jesus permanecem. Por exemplo, a lição acerca da avareza não se modifica; a lição de que o ministro deve ter confiança na provisão de Deus também permanece; e também não se altera a lição de que os beneficiados pelos ministros estão na responsabilidade de fornecer o sustento físico para eles.

10.11: Em qualquer cidade ou aldeia em que entrardes, procurai saber quem nela é digno, e hospedai-vos aí até que vos retireis.

10.11 εἰς ἣν δ' ἂν πόλιν ἢ κώμην εἰσέλθητε, ἐξετάσατε τίς ἐν αὐτῇ ἄξιός ἐστιν· κἀκεῖ μείνατε ἕως ἂν ἐξέλθητε.

11 εις ην...εισελθ.] η πολις εις ην αν εισελθ. εις αυτην **D** *d*

"**Indagai quem neles é digno**" — As regras sociais no oriente, acerca da hospitalidade, abririam muitas casas aos discípulos; mas Jesus queria que estes procurassem certos indivíduos, que mostrassem simpatia pelo seu ministério e pelos seus propósitos. Alguns comentaristas explicam simplesmente que deveriam procurar pessoas capazes de arcar com as despesas da viagem e da visita; e parece que isso faz parte do sentido da instrução; mas também parece que Jesus indicou que só as pessoas que simpatizassem com o trabalho dos discípulos — provavelmente conhecidas como pessoas piedosas — seriam dignas de receber a visita dos enviados de Jesus. Com essas palavras, Jesus parece indicar que era grande privilégio para alguém receber a visita de seus discípulos. A companhia deles resultaria em benefício mútuo, e, sob essas circunstâncias, a dificuldade do trabalho seria menor. Talvez essas pessoas pudessem ajudar muito no trabalho, e assim seriam desejáveis como hospedeiras dos discípulos, que tinham sido encarregados de uma missão religiosa.

"**Aí ficai**" — Provavelmente, essa instrução teria diversos objetivos: 1) Garantir a estabilidade do trabalho. Mais tarde, a casa onde ficassem seria centro de ensino, e talvez até um tipo de congregação; os moradores da casa seriam mais bem instruídos, tornando-se aptos para dar continuação ao ministério e à influência de Jesus na localidade. 2) Jesus quis poupar os discípulos da atitude de descontentamento, causada pela mudança de casa em casa, e isso diminuiria a possibilidade dos homens pensarem que os discípulos só se interessavam por situações vantajosas. 3) Jesus não quis que perdessem tempo e energia, que deveriam ser concentrados na obra da evangelização de todos.

10.12: E, ao entrardes na casa, saudai-a;

10.12 εἰσερχόμενοι δὲ εἰς τὴν οἰκίαν ἀσπάσασθε αὐτήν·

12 αυτην **B** f*1* 3 28 565 700 *al* vg^w ς; R] *add p*) λεγοντες, Ειρηνη τω οικω τουτω ℵ**DWΘ** f*1 pm* it vg^{s.cl}

"**Na casa**" — Não está em foco a casa já comprovada como digna, mas casa que talvez se mostrasse digna de ser visitada. O cumprimento comum e preliminar deveria ser: "Paz seja convosco". No entanto, Jesus indica que os discípulos tinham de ser elementos agradáveis na casa, obedientes aos costumes dela, ao mesmo tempo que fossem motivo de bênçãos aos seus moradores. O texto de Lucas 10.5 tem as palavras desse cumprimento: "*Paz seja nesta casa!*" Alguns mss trazem essa adição neste versículo de Mateus, como Aleph D Theta e a maior parte das antigas traduções latinas. A adição, em Mateus, não faz parte do original, mas foi tomada de empréstimo do texto paralelo de Lucas. O referido cumprimento tinha o significado de "oferecimento de companhia espiritual à família para que gozasse de felicidade e prosperidade".

376 |Mateus| NTI

10.13: se a casa for digna, desça sobre ela a vossa paz; mas, se não for digna, torne para vós a vossa paz.

10.13 καὶ ἐὰν μὲν ᾖ ἡ οἰκία ἀξία, ἐλθάτω ἡ εἰρήνη ὑμῶν ἐπ’ αὐτήν· ἐὰν δὲ μὴ ᾖ ἀξία, ἡ εἰρήνη ὑμῶν πρὸς ὑμᾶς ἐπιστραφήτω.

"Se [...] a casa for digna, venha sobre ela a vossa paz" — A palavra "paz" refere-se ao cumprimento "Paz seja convosco!" ou "Paz seja nesta casa!", que era comum (e ainda é) entre os povos orientais. Jesus deixa subentendido que o cumprimento feito pelos apóstolos tinha grande valor, e que os cumprimentados desfrutariam da bênção de Deus em sua casa, por causa da presença dos discípulos. A influência da pregação do reino seria uma bênção espiritual e talvez até os milagres físicos que seriam manifestados naquela casa. Outrossim, como recompensa pela hospitalidade, Deus abençoaria aquelas casas de muitas maneiras.

"Torne para vós a vossa paz" — Essa tradução, da AC parece melhor que a da AA. A IB concorda aqui com a AC, e não com a AA. A ideia é de que, nesse caso, a paz retornaria aos apóstolos e seria uma bênção para eles, a despeito do fato de ter sido rejeitada pela família com quem estivessem hospedados. A casa seria empobrecida devido à falta de paz, mas os discípulos seriam enriquecidos por causa do esforço para abençoar outros. A frase também implica em que a situação seria como se o cumprimento nunca tivesse sido feito aos moradores da casa. Ver Isaías 4523. Do ensino deste versículo pode-se deduzir a regra geral que aqueles que procuram fazer o bem e abençoar a outros obtêm valor e utilidade na vida, a despeito das ações alheias, sem importar se tal bondade é aceita ou não.

10.14: E, se ninguém vos receber, nem ouvir as vossas palavras, saindo daquela casa ou daquela cidade, sacudi o pó dos vossos pés.

10.14 καὶ ὃς ἂν μὴ δέξηται ὑμᾶς μηδὲ ἀκούσῃ τοὺς λόγους ὑμῶν, ἐξερχόμενοι ἔξω τῆς οἰκίας ἢ τῆς πόλεως ἐκείνης ἐκτινάξατε τὸν κονιορτὸν τῶν ποδῶν ὑμῶν.

14-15 Lc 10.10-12
14 ἐκτινάξατε...ὑμῶν At 13.51

O termo "alguém" refere-se não só aos moradores das casas que poderiam rejeitar os discípulos, mas também aos moradores de cidades onde eles entrassem, o que é comprovado pelo fato de o versículo conter as expressões "daquela casa" e "daquela cidade". Jesus antecipou a oposição que haveria na segunda viagem à Galileia, o que diferiu da primeira viagem. Na segunda viagem, a sua popularidade já começava a diminuir, e a oposição armada pelas autoridades religiosas já ia se avultando. Provavelmente, as prédicas nas sinagogas já incluíam advertências contra Jesus e sua mensagem. Já circulava o rumor de que Jesus realizava milagres por ser o braço direito de Satanás. A autoridades religiosas afirmavam que a mensagem de Jesus era oposta à de Moisés. Em toda parte, por diversas razões, começou a diminuir o acolhimento dado a Jesus. Entretanto, Jesus ensina aqui que atitude deveria ser assumida pelos discípulos, e qual deveria ser a atuação deles.

Parece ficar subentendido que, em certos lugares, nenhuma casa aceitaria o ministério dos discípulos. Se isso viesse a acontecer, deveriam sair imediatamente daquela cidade, sacudindo o pó pegado aos seus pés, como sinal de que não tinham mais nenhum vínculo ou obrigação para com os seus habitantes, e que estes teriam de arcar com a própria condenação. Para Jesus, a rejeição da mensagem do reino dos céus e do Messias era motivo de severa condenação, de tal modo que cessaria toda ligação dos discípulos com os rejeitadores. Essas duras palavras mostram o alto valor que Jesus dava à sua mensagem.

"Sacudi o pó dos vossos pés" — Os judeus tinham forte preconceito contra a "poeira dos pagãos", tanto que, se os pagãos tocassem em algum sacrifício, este deveria ser imediatamente queimado. Essa poeira era considerada a putrefação da morte. Lê-se que era costume, entre as autoridades religiosas, ao deixarem algum lugar ocupado pelos gentios, sacudirem o pó dos pés, adquirido nas caminhadas de um lugar para outro. Assim também, Jesus reputou como pagãos os lugarejos ou cidades que rejeitassem os ministros e o ministério de Cristo, ainda que seus moradores fossem judeus. Todo sinal desse contacto dos discípulos com os rejeitadores deveria ser removido. Lucas e Marcos acrescentam: "em testemunho contra eles", isto é, como declaração final da condenação dos que rejeitassem à mensagem e a pessoa de Cristo.

10.15: Em verdade vos digo que, no dia do juízo, haverá menos rigor para a terra de Sodoma e Gomorra do que para aquela cidade.

10.15 ἀμὴν λέγω ὑμῖν, ἀνεκτότερον ἔσται γῇ Σοδόμων καὶ Γομόρρων ἐν ἡμέρᾳ κρίσεως ἢ τῇ πόλει ἐκείνῃ.

15 Mt 11.24; Lc 10.12 Σοδόμων καὶ Γομόρρων Gn 18.20—19.28; 2Pe 2.6; Jd 7

Para os judeus, "Sodoma e Gomorra" eram símbolos de cidades ou indivíduos especialmente pecaminosos, e, ao mesmo tempo, símbolos do juízo de Deus contra elas. Jesus mostrou que nem mesmo Sodoma e Gomorra — o ápice de tudo quanto é mal e amaldiçoado por Deus — mereciam julgamento tão severo como aqueles que rejeitam o Messias, o seu reino e os seus discípulos. E não somente isso, mas também o julgamento contra essas duas cidades seria considerado de pouca monta, em comparação com o juízo vindouro. Todavia, Jesus referiu-se principalmente ao julgamento futuro, porquanto falou do *dia do juízo* e do "dia do Senhor", que ainda jazem no futuro. Qualquer judeu teria entendido a referência. Ver notas detalhadas sobre o "dia do Senhor", em Apocalipse 19.19, e sobre os sete julgamentos, em Mateus 25.3, e também sobre o "inferno", em Apocalipse 14.11.

Neste ponto, o ensinamento de Jesus inclui as ideias de que a rejeição da luz, quanto mais brilhante for ela, trará julgamento mais severo, e que quanto maior for a luz recebida, maior será a responsabilidade do indivíduo. É óbvio também que ele ensina que haverá julgamentos maiores e menores. Sodoma contou apenas com o fraco testemunho de Ló. As cidades galileias, porém, gozaram do testemunho dado pelo próprio Messias, tendo ouvido a promessa do reino literal dos céus, que seria estabelecido entre seus habitantes. Provavelmente, os pecados dos habitantes de Sodoma e Gomorra eram mais graves e numerosos que os dos habitantes da Galileia. O julgamento dos habitantes da Galileia, entretanto, seria mais severo, em face de terem ouvido a mensagem mais ampla do mensageiro divino.

É possível que nesses ensinos Jesus tenha incluído a ideia de julgamentos terrestres, isto é, tipos de juízo como os que foram sofridos por Sodoma e Gomorra, e não somente um juízo vindouro. Alguns intérpretes acham só este último sentido no texto, mas a verdade é que Jesus indicou mais do que isso. É fato notável que, atualmente, a maior parte das antigas cidades não só desapareceu, mas também a arqueologia não tem podido encontrar traços de sua existência.

Sodoma era a cidade proverbialmente pervertida (ver 11.23,24; Ez 16.48-50 e Lc 17.29). Abusava dos que a visitassem (ver Gn 19.4-9), mas ordinariamente não era reputada tão má quanto Gomorra. Os rabinos debatiam entre si a respeito de serem os habitantes de Sodoma ressuscitados e julgados no dia do juízo, ou simplesmente ser deixados por Deus nos sepulcros. (*Sanhedrin* 10.3).

(c) Como enfrentar a oposição (10.16-39)

É quase certo que grande parte desse material foi atualizado, baseado nas declarações originais de Jesus, mas adaptado às necessidades da igreja que sofria perseguição, provavelmente durante o governo de Domiciano. (Ver as notas sobre a questão da "data" do livro, na seção II da introdução, onde o tema é abordado.)

"Jesus pode ter proferido esses dois provérbios poéticos em ocasião quando seus ensinamentos já haviam começado a despertar críticas. As símiles têm paralelos nos escritos judaicos e noutras fontes. Os versículos que se seguem são usados como um comentário sobre os provérbios, e são uma reprodução tão fiel de Marcos 13.9-13, que o evangelista não usa esse material novamente senão já no vigésimo quarto capítulo, quando reescreve o décimo capítulo de Marcos. (Sherman Johnson, in loc.).

Em Mateus 10.23, é quase *certo* que temos uma *alusão* ao fato histórico de que, quando os exércitos romanos invadiram Jerusalém, no ano 70 d.C., os cristãos, lembrados das palavras de Jesus, em Mateus 24.16 (isto é, da tradição oral por detrás delas) fugiram para Pela, na Transjordânia, e ali escaparam completamente do castigo imposto pelos romanos, o qual certamente os teria destruído, juntamente com os judeus. Se isso é verdade, então requer-se uma data após 70 d.C. para a escrita do evangelho de Mateus. (Ver a seção II da introdução quanto à "data".)

10.16: Eis que vos envio como ovelhas ao meio de lobos; portanto, sede prudentes como as serpentes e simples como as pombas.

10.16 Ἰδοὺ ἐγὼ ἀποστέλλω ὑμᾶς ὡς πρόβατα ἐν μέσῳ λύκων· γίνεσθε οὖν φρόνιμοι ὡς οἱ ὄφεις καὶ ἀκέραιοι ὡς αἱ περιστεραί.

16 Ἰδοὺ...λύκων Lc 10.3 πρόβατα...λύκων Jo 10.12; At 20.29 φρόνιμοι...περιστεραί Rm 16.19

16 οἱ ὄφεις] ὁ ὄφις ℵ* Epiph

Aqui começa a segunda parte deste discurso de Jesus (o segundo grande bloco de seus ensinos, em torno dos quais o evangelho de Mateus foi formado). Ver notas em Mateus 5.1 e 10.5.

Estes versículos parecem ter aplicação local, tanto quanto profética. O v. 23 é visto por alguns como alusão à grande tribulação, que precederá imediatamente à volta de Cristo, quando os fiéis propagarão sua mensagem. A expressão "até que venha o Filho do homem" parece referir-se ao futuro, ao segundo advento de Cristo, e não somente ao término do "segundo circuito" dos doze pela Galileia. Ver nota no v. 23, quanto às diversas explicações sobre essa expressão. Nota-se que certas porções dessa seção aparecem em diversas conexões, em Marcos e Lucas, fato esse que demonstra que as palavras devem ter aplicação mais ampla do que simplesmente a volta dos doze de sua excursão pela Galileia. Provavelmente, Jesus mostra aqui os tipos de oposição que seus discípulos enfrentariam, tanto naquele tempo como mais tarde, no período da igreja, e imediatamente antes de sua segunda vinda. Assim, as palavras dirigidas aos setenta (antes da terceira viagem à Galileia), em Lucas 10.1-12, incluem instruções e ensinos idênticos aos que encontramos no décimo capítulo de Mateus. Provavelmente, Jesus proferiu palavras semelhantes por diversas vezes, em circunstâncias diferentes. Outrossim, segundo o costume do autor deste evangelho, não é improvável que tenhamos, neste capítulo, palavras proferidas sob circunstâncias diferentes e em outras ocasiões, as quais são reunidas neste trecho, constituindo, assim, um dos grandes blocos de ensinos de Jesus. De modo geral, portanto, o autor mostraria que Jesus baixou essas instruções para os discípulos, antes de darem início à obra; mas também pode ser que nem todas essas palavras tivessem sido ditas no mesmo discurso e na mesma oportunidade. Ver notas sobre os problemas da harmonia dos evangelhos, em Mateus 6.9-15; 8.1,2;

8.20; 8.25, e na seção final sobre a historicidade dos evangelhos, que faz parte da introdução a este comentário.

"Ovelhas para o meio de lobos" — Jesus preparou os discípulos para que enfrentassem duras experiências, que incluiriam a perseguição. Primeiro, mostrou que não deveriam esperar riquezas ou valores, segundo são reputados pelo mundo. Em seguida, mostrou que alguns rejeitariam sua missão e sua mensagem. Finalmente, mostrou que a rejeição pode incluir a perseguição e até mesmo a morte.

Mais uma vez, em seus ensinos, Jesus lança mão do simbolismo das ovelhas. Ver nota sobre Mateus 10.6. Com esse simbolismo, Jesus indica diversas coisas: 1) As ovelhas são pessoas sob a direção de um pastor; 2) o pastor é o responsável pela defesa das ovelhas, porque é claro que essas pessoas não se sabem defender; 3) provavelmente, sugere também que os discípulos, em comparação aos homens dotados de má intenção, são inocentes, fracos, humildes, mansos, gentis, simples. Na literatura judaica, nota-se que, ocasionalmente, ao ser considerado no meio das nações gentílicas, o povo de Israel era descrito como ovelhas no meio de lobos.

"Lobos" — Termo usado no NT para indica os perseguidores e seu temperamento malicioso, por serem homens maus, injustos, destituídos de misericórdia, inclinados à destruição, à voracidade e à crueldade.

"Sede, portanto, prudentes como as serpentes e símplices como as pombas" — Na literatura judaica, Israel é apresentado como pombas (devido à sua simplicidade) entre os gentios, que aparecem como serpentes (devido à sua sagacidade em praticar o mal). É evidente que tais provérbios eram comuns nos dias de Jesus. Este aplicou ambas as ideias (no bom sentido) aos seus discípulos. Para sobreviver em tempos difíceis e para alcançar êxito no seu trabalho, os discípulos, quais ovelhas no meio de lobos, devem combinar as qualidades tanto das serpentes como das pombas; devem ter a sagacidade e a inteligência das serpentes, sem que isso signifique, porém, que devam ser maus como as serpentes. Jesus usa a serpente no sentido que achamos em Gênesis 3.1 e Salmos 58.5. O primeiro desses trechos diz: "Ora, a serpente era mais astuta que todas as alimárias do campo em que o Senhor Deus tinha feito". Não está em foco a questão da natureza da serpente; tal simbolismo seria facilmente compreendido pelos discípulos. Estes deveriam exercitar a sabedoria que vem do alto. E com essa sabedoria deveriam combinar a simplicidade das pombas.

Talvez a pomba seja o símbolo da pureza da alma que busca a Deus, sem almejar outra coisa além de conhecê-lo e conhecer os seus caminhos, sem nenhuma sombra de egoísmo e soberba. A pomba representa a alma simples, preservada das complicações e pecados do mundo. Quando Jesus viu a Natanael, disse: "Eis um verdadeiro israelita, em quem não há dolo!" (Jo 1.47). Esse é o espírito das pombas. É rara a combinação de sabedoria e simplicidade. Alguns têm sabedoria, mas não simplicidade; outros possuem simplicidade, mas falta-lhes a sabedoria. É notável que Paulo tenha descrito suas ações e atitudes, entre os crentes de Corinto, em termos como estes: "Porque a nossa glória é esta: o testemunho da nossa consciência, de que com santidade e sinceridade de Deus, não com sabedoria humana, mas na graça divina, temos vivido no mundo, e mais especialmente para convosco" (2Co 1.2). Não é provável que Paulo tenha pensado nas palavras de Jesus (estas, que aqui encontramos, e que tratam da sabedoria) ao escrever essas palavras; e isso destaca o fato de o espírito de sabedoria da serpente e o espírito de simplicidade da pomba estarem combinados na personalidade dos apóstolos, e que ele tivesse expressado sua atitude nesses termos. Observa-se que Paulo deu a razão desse êxito em sua vida espiritual — a graça divina.

10.17: Acautelai-vos dos homens; porque eles vos entregarão aos sinédrios, e vos açoitarão nas suas sinagogas;

10.17 προσέχετε δὲ ἀπὸ τῶν ἀνθρώπων· παραδώσουσιν γὰρ ὑμᾶς εἰς συνέδρια, καὶ ἐν ταῖς σιναγωγαῖς αὐτῶν μαστιγώσουσιν ὑμᾶς·

17 δε] *om* D *pc* it syᵃ

17-18 παραδώσουσιν...αὐτοῖς Mc 13.9; Lc 21.12,13 εἰς...ἔθνεσιν Mt 24.14

"Acautelai-vos dos homens" — Alguns acham que "homens", neste caso, se refere ao mundo em geral, a todos os homens, conforme o termo é comumente usado no evangelho de João, e que a advertência aparece de modo geral em João 17.14: "Eu lhes tenho dado a tua palavra, e o mundo os odiou, porque eles não são do mundo, como eu também não sou". Nesse caso, a advertência visa a todos os ministros do evangelho, em todos os tempos, e não somente aos apóstolos. Sabe-se, pela história eclesiástica, que todos os apóstolos viram cumprida essa predição, bem como a igreja em geral, especialmente até o tempo de Constantino (300 d.C.). Outros, porém, opinam que essas palavras advertem contra os homens chamados "lobos" no v. 16.

"Vos entregarão aos tribunais" — Neste caso, a palavra "tribunais" não se refere ao Sinédrio, o tribunal superior judaico, mas aos tribunais de sete juízes, estabelecidos de acordo com Deuteronômio 16.18. Toda cidade tinha um tribunal desse tipo e esses tribunais tinham autoridade de tratar dos casos civis e religiosos. Talvez o autor faça aqui referência, de modo geral, a qualquer tribunal, conforme é permitido pela palavra grega. A relação desses tribunais com as sinagogas mostra que Jesus se referia, principalmente, às perseguições religiosas, movidas pelas autoridades religiosas.

"Vos açoitarão nas sinagogas" — A sinagoga tinha autoridade para infligir diversas punições, tanto por crimes como por faltas religiosas. Três oficiais eram selecionados dentre os membros das sinagogas para ordenarem o castigo do açoite. Ver Atos 22.19; 2Coríntios 11.24 e Lucas 12.11. O castigo era aplicado na própria sinagoga; provavelmente, o castigo imposto a Paulo, registrado em 2Coríntios 1124, tenha sido dessa ordem.

As causas desse tipo de castigo eram numerosas: poderia ser roubo, diversos tipos de crimes civis, pecados morais, infrações das leis religiosas (de cerimônias morais) recusa de dar o dízimo etc. Epifânio, bispo de Chipre (400 d.C.), relata a história de um cristão que foi levado de sua casa à sinagoga, a fim de ser açoitado, por haver sido encontrado lendo o evangelho em sua casa.

Entre os judeus, geralmente havia três tipos de tribunais: 1) O Sinédrio, em Jerusalém, composto de 71 membros (outros dão cifras um tanto diferentes). Era o tribunal superior, o que condenou Jesus. Ver nota detalhada sobre esse tribunal, em Mateus 22.23. 2) Em qualquer localidade onde houvesse cento e vinte judeus ou mais, era estabelecido um tribunal de vinte e três juízes. Esse conselho deve ser identificado com o "conselho dos sete". Josefo falou desses conselhos como se fossem constituídos de sete membros. Outros mencionam o número de vinte e três membros. Provavelmente, o número variava de lugar para lugar e em épocas diferentes. 3) O conselho mais inferior contava apenas com *três* membros, homens escolhidos entre os mais importantes de cada sinagoga. Esses conselhos eram estabelecidos nas localidades onde havia menos de cento e vinte judeus.

No tempo dos romanos, também foi estabelecido um conselho, que podia ser consultado por um procurador romano, em relação a qualquer questão. Vários intérpretes afirmam que esse conselho não era constituído por judeus, e, sim, por romanos, os auxiliares especiais do procurador romano. Provavelmente, segundo outros interpretam, esse conselho era constituído dos cidadãos importantes da região, incluindo diversas raças. Todavia, o certo é que não se compunha de judeus. Ver nota em Mateus 5.22, quanto a detalhes sobre as funções dos tribunais judaicos.

10.18: e por minha causa sereis levados à presença dos governadores e dos reis, para lhes servir de testemunho, a eles e aos gentios.

10.18 καὶ ἐπὶ ἡγεμόνας δὲ καὶ βασιλεῖς ἀχθήσεσθε ἕνεκεν ἐμοῦ εἰς μαρτύριον αὐτοῖς καὶ τοῖς ἔθνεσιν.

"Governadores" — Alusão às autoridades romanas. Havia três tipos de autoridade entre os homens: 1) Proprietários — oficiais com menor poder do que o procônsul ou o procurador, e que exerciam vários cargos nas cidades, como a responsabilidade pelos jogos públicos, pelos assuntos militares, pela segurança pública etc. Em geral, funcionavam como prefeitos, mas talvez com menor responsabilidade que estes. 2) Procônsul — Geralmente governador de uma província, na maioria das vezes escolhido dentre os oficiais do exército. Fora de Roma, exercia responsabilidades quanto aos romanos e outros povos sujeitos ao império romano. Onde governava, era investido de grande autoridade, quase ilimitada, pelo que podia ser culpado de grande opressão. 3) Procurador — Exercia sua autoridade no setor financeiro, nas províncias; mas às vezes governava um território, cuidando de todos os aspectos do governo. Os procuradores governavam territórios romanos que não eram províncias. Pilatos era governador da Judeia.

Ao falar em governadores, Jesus indicou que a perseguição viria não somente dos judeus, mas de todos os níveis do governo romano. A veracidade dessa predição é encontrada na história de homens como Pilatos. Félix (At 23), Pórcio Festo (At 24 e 25) e Gálio (At 18).

"Reis" — Tais como os vários Herodes. Ver nota detalhada sobre esses "reis", em Lucas 9.7. Provavelmente, Jesus também quis incluir os imperadores romanos, os quais também perseguiram e mataram os cristãos, incluindo diversos apóstolos.

"Para lhes servir de testemunho" — Embora Jesus não quisesse que a mensagem do evangelho se limitasse aos territórios dos judeus. Este versículo mostra que as predições de Jesus não podem ser limitadas à segunda viagem pela Galileia. O melhor comentário sobre o cumprimento dessas predições é o livro de Atos dos Apóstolos. A história tem provado que o testemunho mais excelente e durável é aquele dado por homens que sofrem sob a perseguição e o martírio. Depois de mais de duzentos anos desse tipo de tratamento, dado pelo governo romano ao cristianismo, ainda que nominalmente, quase com absoluta certeza. Antes desse tempo, porém, a mensagem de Cristo já se propagara universalmente. As perseguições não tinham número. Quase não houve uma família cristã que não contasse pelo menos com um mártir entre seus membros. Nessas condições, porém, o testemunho cristão, longe de diminuir, apenas se intensificou.

10.19: Mas, quando vos entregarem, não cuideis de como, ou o que haveis de falar; porque naquela hora vos será dado o que haveis de dizer.

10.19 ὅταν δὲ παραδῶσιν ὑμᾶς, μὴ μεριμνήσητε πῶς ἢ τί λαλήσητε· δοθήσεται γὰρ ὑμῖν ἐν ἐκείνῃ τῇ ὥρᾳ τί λαλήσητε·

19 πως η] *om* a b *ff* k syˢ·ᵖᵃˡ, Epiph Cyp Aug

19-22 Mc 13.11-13; Lc 21.14-19

19-20 Lc 12.11,12

"Não cuideis em como, ou o que haveis de falar" — Essas palavras não foram dirigidas aos pregadores ou mestres da igreja, "em sua obra normal" de evangelização e ensino. Foram dadas para os mártires. Os membros das igrejas evangélicas já andam bastante necessitados de instrução religiosa, apesar da ajuda de pregadores leigos, que buscam textos para provar e justificar seu inadequado ministério de ensino.

"Não cuideis" — Significa "não tenhais preocupações", "não sejais apreensivos e solícitos". Jesus usou a mesma expressão ao falar sobre a ansiedade referente às necessidades próprias da vida física (Mt 6.25). As palavras de Jesus mostram simpatia para com os discípulos, homens sem instrução, humildes, simples, que enfrentam o pior que o mundo tem para oferecer. Esses discípulos necessitam de recursos de outra fonte, fora dos próprios recursos.

"**Como, ou o que**" — Os discípulos não precisavam preparar nem a matéria nem a maneira de entregar a mensagem ou as palavras que usariam. Tudo seria concedido no momento da necessidade. O v. 20 deixa claro que Jesus falou sobre o Espírito Santo, sobre o controle das palavras e sobre o modo de dar o testemunho e de defender-se. Aqui ensinava o teísmo em contraste com o deísmo, isto é, Deus cuida pessoalmente dos discípulos, não sendo um criador que abandona a sua criação. Ver as notas concernentes à natureza de Deus, em Atos 17.27.

No quarto capítulo do livro de Atos, Pedro e João falaram com tão profunda confiança e poder, "diante do Sinédrio", que essa história serve de exemplo do cumprimento dessa predição. A história eclesiástica ilustra o fato de alguns dos mais importantes e poderosos discursos cristãos terem sido feitos sob a pressão e as perseguições, os quais certamente estavam além dos recursos da inteligência daqueles que os proferiram.

"**Porque [...] de dizer**" — Frase omitida por alguns mss, como DL e as versões latinas g e K; mas certamente essa omissão originou-se na hora da cópia, provavelmente por causa de terminações semelhantes, isto é, a expressão "de falar" e "haveis de dizer", que traduzem a mesma palavra no grego, em ambas as formas. Nota-se, igualmente, que, em Marcos 13.11 (paralelo deste versículo) as palavras são incluídas sem variante de omissão nos mss gregos.

10.20: Porque não sois vós que falais mas o Espírito de vosso Pai é que fala em vós.

10.20 οὐ γὰρ ὑμεῖς ἐστε οἱ λαλοῦντες ἀλλὰ τὸ πνεῦμα τοῦ πατρὸς ὑμῶν τὸ λαλοῦν ἐν ὑμῖν.

O NT ensina não que o contato com Deus só pode ser conseguido por intermédio do Espírito Santo; mas ensina também a relativa facilidade com que esse contato pode ser feito. Se o Espírito Santo pode inspirar a defesa dos mártires, é razoável crer e ensinar que o mesmo Espírito se interessa por guiar a vida de outros crentes. Deve-se notar também que o mesmo Espírito que dá força aos mártires, é capaz de dirigir os apóstolos em seu esforço de ensinar a igreja por meio de cartas e livros, isto é, pelo material que chamamos de "Novo Testamento". Assim, temos neste texto uma indicação indireta da inspiração do NT pelo Espírito Santo. Disse Wordsworth: "Se ele (o Espírito) estava neles quando falavam a poucos, certamente não os abandonaria quando escreveram para o mundo inteiro".

Os capítulos 12-14 de 1Coríntios e o terceiro capítulo de Efésios parecem ensinar que, no princípio, o dom da profecia incluía a inspiração imediata do Espírito, e, do mesmo modo que foi outorgado aos apóstolos, continuou no ministério da igreja primitiva. Algumas pessoas, hoje em dia, abusam desse ensino, recusando-se a estudar com o fim de ensinar e pregar, alegando que possuem esse tipo de inspiração; mas geralmente, sua prédica e seu ensino não trazem os sinais de inspiração, antes, da negligência no dever de manejar bem a Palavra de Deus (segundo ordena 2Tm 2.15).

"**Espírito do vosso Pai**" — Essas palavras são um eco do ensino encontrado em Mateus 6.32. Jesus mostra novamente que nossa relação com Deus é a de filhos de um pai. Certamente, qualquer pai teria cuidado com seus filhos, estando estes em grande perigo ou tendo de enfrentar a morte. O mesmo Pai que cuida de nossas necessidades físicas diárias (conforme Jesus ensinou em Mt 6) não negaria sua ajuda na hora da crise.

Alguns intérpretes notam que Jesus nunca fala em "*nosso Pai*", exceto na oração do Pai Nosso (Mt 6.9-15), mas sempre diz "vosso Pai" ou "meu Pai", ou, como em João 20.17, "meu Pai e vosso Pai". Com essa observação, esses intérpretes querem ensinar que, dessa forma, Jesus expôs a diferença entre a sua filiação e a nossa filiação. O ensino do oitavo capítulo de Romanos, sobre a nossa filiação ao Pai e a nossa fraternidade em Cristo, parece negar essa ideia. Ver notas detalhadas sobre essa questão, em Romanos 8.29 e Efésios 1.23.

10.21: Um irmão entregará à morte a seu irmão, e um pai a seu filho; e filhos se levantarão contra os pais e os matarão.

10.21 παραδώσει δὲ ἀδελφὸς εἰς θάνατον καὶ πατὴρ τέκνον, καὶ ἐπαναστησονται τεκνα επι γονεῖς καὶ θανατώσουσιν αὐτοὺς.

_{21 ἐπαναστησονται...γονεῖς Mq 7.6}

Os detalhes nesses dois versículos sugerem a primeira grande *perseguição* dos crentes sob o poder de Nero, no ano 64 d.C. (Ver Tácito, *Anais* XV.44.) As perseguições posteriores foram levadas a efeito simplesmente porque os perseguidos proferiam o "nome", isto é, Jesus. (Ver Plínio, *Epístolas* 96,97.) A frase "aquele, porém, que perseverar até ao fim, esse será salvo", que aparece em Marcos 13.13, refere-se ao tempo da Grande Tribulação, ao fim desta dispensação e à constância que será necessária para atravessar esse período. Mateus usa-a primariamente para apresentar perseguições, mas não há necessidade de limitar sua referência a essa ideia, porquanto também poderá ser profética.

O v. 21 também serve para ilustrar que as predições de Jesus, neste texto, falam sobre as condições de um tempo posterior na história da igreja, e não apenas sobre as condições da segunda viagem pela Galileia. Cristo mostra aqui o efeito do evangelho na sociedade. A história eclesiástica e a experiência comum, até os dias de hoje, têm ilustrado a veracidade dessas previsões. Não há preconceito pior que o religioso. Não há ódio tão intenso como o que é criado pelas diferenças religiosas. Não há perseguição como a que vem por causa de diferenças religiosas.

"**Irmão entregará à morte outro irmão [...] filhos [...] contra os progenitores, e os matarão...**" — O fratricídio, o filicídio e o parricídio são as formas "mais repugnantes" para a sensibilidade humana e as afeições naturais; mas a história religiosa tem mostrado que isso sucede por inspiração das religiões deturpadas, apesar dos culpados agirem em nome de Deus ou da preservação da pureza das crenças. Entretanto, devemos também notar aqui que os crimes religiosos não se limitam ao ato de matar, porque, em nome de Deus ou da religião, os pais cometem muitos outros tipos de crimes contra os filhos, ou os filhos contra os pais, ou irmão contra irmão, tudo o que prova que não há pior preconceito que o religioso. Muitos dos que falam em tons mais veementes sobre a relação com Deus são os que menos possuem do espírito de Cristo.

"**Se levantarão contra**" — Alguns intérpretes veem a ação oficial nessas palavras, isto é, a entrega ao estado, por traição. Na história eclesiástica, há casos de traição como esses, até entre filhos, pais ou irmãos, uns contra os outros. Não nos esqueçamos que a religião cristã era considerada uma traição ao império romano, pois os romanos criam que certos deuses protegiam e guiavam os oficiais do governo. A adoração a deuses estranhos causava irritação aos deuses romanos — essa era a crença popular — e isso produzia acontecimentos desagradáveis. A fim de preservar o favor dos deuses, os oficiais lutaram contra a igreja cristã. Era comum também considerar o imperador como um deus; em face disso, adorar a outros deuses era uma traição contra o imperador. Por isso, os cristãos eram reputados traidores do Estado. Era dever dos cidadãos entregar os traidores. Não era incomum que pessoas denunciassem os próprios parentes às autoridades, para que fossem executados. A situação reinante na comunidade judaica não era muito diferente. Nas mãos dos judeus, os cristãos também morreram aos milhares. Judeus têm assassinado cristãos; católicos têm matado protestantes, e protestantes têm matado católicos; católicos e protestantes têm sido homicidas de judeus; católicos, protestantes e judeus têm matado hereges, e tudo isso se tem feito *em nome de Deus*.

As palavras de Jesus talvez sejam um eco da profecia de Miqueias 7.6: "Porque o filho despreza o pai, a filha se levanta

380 | Mateus | NTI

contra a mãe, a nora contra sua sogra, os inimigos do homem são os da sua própria casa". As palavras que vêm imediatamente antes são interessantes: "Não creiais no amigo, nem confieis no vosso guia; daquela que repousa no teu seio guarda as portas da tua boca". Tempos de perseguição e demonstração de fanatismo religioso mudam ou arruínam até mesmo as afeições naturais.

É notável que uma predição da *Mishnah* dos judeus contenha palavras quase idênticas a essas (talvez também como reflexo de Miqueias), e tanto mais porque eram dadas como profecia sobre o caráter da época em que o Messias viveria na terra. Essa profecia inclui as palavras: "o rosto daquela geração será como a do cão; e o filho não respeitará o pai". O restante da profecia contém palavras quase iguais às que temos neste versículo. (Mishnah *Sota*, c.9, Seção 15.) Ver notas sobre o Talmude, em Marcos 7.3 e Mateus 7.28.

10.22: E sereis odiados de todos por causa do meu nome, mas aquele que perseverar até o fim, esse será salvo.

10.22 καὶ ἔσεσθε μισούμενοι ὑπὸ πάντων διὰ τὸ ὄνομά μου· ὁ δὲ ὑπομείνας εἰς τέλος οὗτος σωθήσεται.

22 καὶ...μου Mt 24.9 ὁ δὲ...σωθήσεται Mt 24.13

No v. 22, lê-se: "[...] sereis odiados de todos por causa do meu nome". O ódio contra Cristo e seus discípulos teve início na segunda viagem pela Galileia. Começou primeiro entre as autoridades religiosas, que influenciaram o povo; o povo começou a duvidar da fonte do poder e até da realidade dos atos de Jesus. Jesus começou a notar a indiferença e a oposição. Antes do fim de seu ministério, tornou-se difícil conquistar discípulos verdadeiros. No fim de seu ministério, o povo em geral se levantou exigindo a morte dele. Seus discípulos, atemorizados, ocultaram-se, perdendo a esperança na realização das profecias e promessas de Jesus. Essa oposição à mensagem de Cristo propalou-se ao mundo inteiro, como uma doença infecciosa. Provavelmente, Jesus indicou que a mensagem cria a oposição, porque o mundo sem luz, que pratica o pecado nas trevas, nada quer com a luz. Ver João 3.29,20: "O julgamento é este: que a luz veio ao mundo, e os homens amaram mais as trevas do que a luz; porque as suas obras eram más. Pois todo aquele que pratica o mal, aborrece a luz e não se chega para a luz, a fim de não serem arguidas as suas obras". A começar pelos apóstolos, as perseguições que se prolongaram até os dias de Constantino (reinou em cerca de 300 d.C.) eram causadas pelo nome de Cristo, em face da vida e da mensagem que estavam por detrás desse nome. Tertuliano (150 d.C.) disse acerca dos sofrimentos que a igreja sofria em seus dias: "Somos torturados quando confessamos nossa culpa (isto é, de sermos cristãos), somos libertados, se a negamos, porque a batalha se trava em torno de *um Nome*". (*Apol.* c.2). Ver também 1Pedro 4.16.

"Aquele, porém, que perseverar até o fim, esse será salvo" — Essas palavras apresentam a *"questio vexata"* da interpretação teológica. Têm recebido diversas interpretações: 1) Jesus falava somente da vida física, quer no tocante àquele tempo, quer no tocante ao tempo da tribulação dos últimos dias. Jesus promete proteção física para aqueles que não negarem o testemunho cristão e o seu evangelho. 2) Segundo outros, falava principalmente da destruição de Jerusalém e das perseguições daquela época, embora falasse da salvação física. 3) Neste versículo, "salvação" é mais que a da vida física, pois está em vista a alma. A perseverança não é apresentada como condição da salvação, mas como resultado natural da regeneração dos verdadeiros discípulos. Estes perseverarão até o fim, sob qualquer teste. Essa é a explicação dada pelos calvinistas. 4) É possível a um cristão verdadeiro vir a perder a "salvação", e assim não perseverar até o fim. Essa é a explicação dos arminianistas. Fica subentendido, então, que tal pessoa não era "salva".

Pela história eclesiástica, sabe-se que desde o princípio tem surgido essa controvérsia, e homens capazes têm defendido ambos os lados. Até hoje, as explicações de diversos versículos, que às vezes parecem ensinar uma ideia (como Hb 6) e às vezes outra, oposta (como em João 10 e Rm 8), não são perfeitamente satisfatórias para esclarecer todas as questões que se levantam. Há o mesmo problema com relação à doutrina do determinismo e do livre-arbítrio, como também em torno das ideias sobre a natureza de Cristo, que é Deus-homem. A esse tipo de problema damos o nome de "paradoxo", ou seja, uma doutrina que parece voltar-se contra si mesma, por conter elementos opostos sem conciliar um com o outro. Alguns admitem esse tipo de problema no caso do determinismo e do livre-arbítrio, mas não o admitem no caso da segurança do crente. O fato de as Escrituras apresentarem esse problema e de haver várias ideias entre crentes igualmente sinceros e piedosos prova que, nesse caso, há também um paradoxo. Ver notas mais detalhadas sobre esses problemas, em Colossenses 1.23 e Romanos 8.39 (a segurança do crente); sobre predestinação, em Romanos 9.15,16, e a exposição de Hebreus 6.1-6.

A frase "aquele, porém, que perseverar até o fim, esse será salvo" acha-se também em outras referências, como Mateus 24.13, onde há conexão com a destruição de Jerusalém, mas que também é uma predição sobre a grande tribulação que haverá antes da segunda vinda de Cristo. A mesma ideia (ainda que não as palavras exatas) também surge em outros textos, como Hebreus 3.6,13; 6.4-6; 10.23; 10.26-29,38,39.

Os cristãos judeus de Jerusalém ali continuaram até que irrompeu a guerra judaica de 66 a 70 d.C. Eusébio (*História Eclesiástica*, III.5.3) diz que nessa ocasião, em obediência a uma revelação divina, mudaram-se para Pela, na Transjordânia.

10.23: Quando, porém, vos perseguirem numa cidade, fugi para outra; porque em verdade vos digo que não acabareis de percorrer as cidades de Israel antes que venha o Filho do homem.

10.23 ὅταν δὲ διώκωσιν ὑμᾶς ἐν τῇ πόλει ταύτῃ, φεύγετε εἰς τὴν ἑτέραν³· ἀμὴν γὰρ λέγω ὑμῖν, οὐ μὴ τελέσητε τὰς πόλεις τοῦ Ἰσραὴλ ἕως ἂν ἔλθῃ ὁ υἱὸς τοῦ ἀνθρώπου.

23 ἕως...ἀνθρώπου Mt 16.27,28; 24.27,30,37,39,44; 25.31; 26.64; Mc 13.26; 14.62; Lc 9.26; 17.30; 18.8; 21.27

3 23 {C} ἑτέραν ℵ B W 33 892 1253 eth? Origen Peter-Alexandria Athanasius Cyril // ἄλλην C K X Δ Π 28 700 1009 1010 1071 1079 1195 1216 1230 1242 1344 1365 1546 1646 2148 2174 *Byz Lect* l^rom,185m,333m Clement Origen Apostolic Constitutions // ἑτέραν or ἄλλην it^aur,c,f,l vg syr^p,h cop^sa,bo goth geo^A Jerome Augustine // ἑτέραν, κἂν ἐκ ταύτης διώκωσιν ὑμᾶς φεύγετε εἰς τὴν ἄλλην f¹ f¹³ Diatessaron^carm Origen // ἄλλην, κἂν ἐκ ταύτης διώκωσιν ὑμᾶς, φεύγετε εἰς τὴν ἑτέραν (I, ἐκδιώξουσιν) Θ (565 εἰς τὴν ἄλλην // ἄλλην, ἐὰν δὲ ἐν τῇ ἀλλῇ διώκουσιν ὑμᾶς, φεύγετε εἰς τὴν ἄλλην D it^d // ἑτέραν...ἄλλην or ἄλλην...ἑτέραν or ἄλλην...ἄλλην it^a,b,ff,ff²,(h),(k),q syr^s arm geo^1-B Hilary

> Embora seja possível que a cláusula adicional (talvez na forma preservada em D, ἄλλην, ἐὰν δὲ ἐν τῇ ἀλλῇ διώκουσιν ὑμᾶς, φεύγετε εἰς τὴν ἄλλην, que significa "[...] se na outra vos perseguirem, fugi para a próxima") possa ter sido descontinuada por acidente, devido à homoeoteleuton (ἄλλην...ἄλλην), a comissão preferiu considerar as palavras como uma continuação natural, inserida a fim de explicar a declaração seguinte, οὐ μὴ τελέσητε τὰς πόλεις τοῦ Ἰσραὴλ ἕως ἂν ἔλθῃ ὁ υἱὸς τοῦ ἀνθρώπ (a qual foi entendida como, "Não exaurireis as cidades de Israel como cidades de refúgio, até vir o Filho do homem"). Ao decidir entre as duas formas breves, ἑτέραν ∈ ἄλλην, a comissão preferiu a primeira delas, por causa da excelência geral do texto alexandrino.

"Quando [...] vos perseguirem numa cidade, fugi para outra" — Talvez o Senhor evidencie aqui que os apóstolos podem mostrar-se astutos como as serpentes. Talvez seja sábio prolongar o ministério e o trabalho, não permanecendo num lugar onde há o risco de perseguição que pode levar à morte. Talvez o soldado mais sábio seja o que foge a fim de sobreviver e continuar combatendo no dia seguinte. Essas palavras de Jesus têm provocado controvérsias, desde o princípio, no seio da igreja. Alguns pais da Igreja, como *Tertuliano*, insistiam em que essa permissão de Jesus era temporária, e que os cristãos têm o dever de ficar em meio à perseguição até a morte. Jerônimo e outros rejeitaram essa posição. Alguns acham que o ensino sobre o mercenário, que não é pastor, mas que ao vir o lobo abandona as ovelhas e foge, tem paralelo com este texto. (Ver João 10.12,13.) João 10.11 diz: "Eu sou o bom pastor. O bom pastor dá a vida pelas ovelhas". Assim, essas palavras aparentemente contradizem as que se encontram aqui, em Mateus. Lembremo-nos, porém, de que Jesus deu estas instruções a homens em viagem; eles atravessariam extenso território e visitariam diversas cidades. Jesus não se dirigiu a homens que exerciam a profissão de pastores em igrejas já estabelecidas. Ao invés de fugir para a segurança, conforme se nota na história da igreja primitiva, alguns cristãos, em face de uma perseguição tão severa que perdiam a esperança de escapar com vida, até provocavam a própria morte às mãos das autoridades religiosas ou civis; esses crentes formavam grupos que pareciam clubes para mártires, planejando o modo de se entregarem à morte. Era necessário, então, que os oficiais das igrejas cristãs se pronunciassem contra essa atitude. Há ilustrações opostas à atitude concernente ao martírio. Provavelmente, a fuga ou não, deve ser determinada segundo as condições de cada situação: fugir, se for vantajoso para preservar o trabalho e não prejudicar o testemunho cristão; fugir, se o testemunho de Cristo e a igreja estabelecida sofrerem com a atitude contrária. No livro de Atos, lê-se que os cristãos não hesitavam em fugir; mas finalmente todos foram mortos, talvez porque, afinal, não quisessem continuar fugindo, para não prejudicar o testemunho cristão.

"**Até que venha o Filho do homem**" — Essas palavras também têm sido interpretadas de muitos modos: 1) Significam que Jesus os seguiria e alcançaria antes de terminarem aquele circuito. Talvez essa seja a aplicação local, mas é certo que as palavras incluem mais que a aplicação à viagem dos doze pela Galileia. 2) Na opinião de outros, Jesus se referia ao futuro, como a chegada do reino; mas a história tem demonstrado que ele errou ao pensar assim. Sua chegada se referia à chegada oficial do Messias, a fim de reinar no trono de Davi ou restabelecer esse trono. Se Jesus não errou no julgamento, pelo menos deve ter retirado sua promessa, em face da oposição e rejeição dos judeus. 3) Outros interpretam que ele se referiu à sua transfiguração, símbolo de seu segundo advento, isto é, que os apóstolos veriam essa glória antes do fim do ministério galileu. No texto, não há evidência nenhuma de que ele tenha feito alusão a isso. 4) Outros pensam que as palavras aparecem aqui por erro do autor do evangelho, e que Jesus não teria dito essas palavras ao referir-se ao segundo circuito pela Galileia. Essa explicação resolve um problema (por que razão essas palavras estão aqui?) mas ignora o fato de haver muitas outras indicações, nas próprias palavras de Jesus neste texto, que também não podem aplicar-se ao segundo circuito pela Galileia. De fato, o texto anterior tem de ser aplicado a algo maior que a segunda excursão pela Galileia. 5) Fala da descida do Espírito Santo, e, portanto, do estabelecimento da igreja de Cristo e a forma de sua vinda ao mundo. Essa ideia analisa superficialmente o problema, mas dificilmente interpreta o texto que temos aqui. 6) Outros ensinam que Jesus aludiu à sua ressurreição, mostrando que brevemente chegaria como o Salvador glorificado, por motivo de sua vitória sobre a morte, pronto para estabelecer sua igreja no mundo, o que seria, então, um tipo de reino dos céus. 7) O mais certo é que essas palavras são principalmente proféticas (como todo o texto, de modo geral), e que ainda serão cumpridas, antes da segunda vinda de Cristo. Antes disso, os discípulos que pregam e ensinam o evangelho, e que aguardam a vinda de Cristo, não completarão seu ministério, até que ele venha. Provavelmente, o tempo está próximo,

ou ocorrerá durante a tribulação futura. Ver nota sobres esses acontecimentos, em Apocalipse 7.14.

Depois da palavra outra, alguns mss. como D Theta Fam 1 Fam 13 e a maioria das versões latinas e si(s), e também Orígenes, um dos pais da Igreja, adicionam "e, se daí (dessa cidade) vos perseguirem, fugi para outra". Nenhuma tradução contém essa adição, embora sigam os mss mais antigos. Essa expansão do texto é antiquíssima, segundo foi ilustrada por Orígenes.

10.24: Não é o discípulo mais do que o seu mestre, nem o servo mais do que o seu senhor.

10.24 Οὐκ ἔστιν μαθητὴς ὑπὲρ τὸν διδάσκαλον οὐδὲ δοῦλος ὑπὲρ τὸν κύριον αὐτοῦ.

_{24 Lc 6.40; Jo 13.16; 15.20}

Jesus usou estas palavras em mais de uma conexão. Ver Lucas 6.40; João 13.16 e 15.20. Em Lucas, a ideia é que o discípulo deve observar as palavras e ações de seu mestre, não julgando os outros, conforme o mestre vinha dizendo e mostrando; a ideia geral é de que o discípulo deve contentar-se em ser discípulo enquanto estiver aprendendo a caminhar, não procurando assumir a posição do mestre. O ensino em João 13.16 também tem essas indicações, e ali está vinculado ao lava-pés e à relutância de alguns em seguirem o exemplo do mestre nesse ato. Naturalmente que, ali, Jesus não alude só ao ato de lavar os pés uns dos outros, mas também ao serviço que os discípulos se deveriam prestar mutuamente, seguindo o exemplo do mestre em tudo. E a passagem de João 15.20 apresenta essas palavras em conexão com a perseguição e o tratamento mesquinho dado pelo mundo, que é a mesma conexão encontrada neste texto de Mateus.

Jesus mostra que as profecias sobre os sofrimentos que seriam experimentados pelos discípulos não deveriam ser acolhidas com surpresa, porquanto já tinham visto que alguns, especialmente as autoridades religiosas, perseguiam Jesus a ponto de reputá-lo aliado de Satanás. A verdade é que os discípulos, muito mais inferiores que o grande mestre, Jesus, não poderiam esperar maior respeito ou simpatia do que aquele outorgado a Jesus. Ele sempre procurava fazer o bem, curando os enfermos e até ressuscitando os mortos; mas mesmo assim foi perseguido. Jesus sabia que no fim seria morto, e provavelmente esse conhecimento influenciou suas palavras de advertência aos discípulos. Quis mostrar que os sofrimentos não deveriam ser acolhidos com surpresa, e que, assim como ele era vitorioso, também eles seriam vitoriosos. Jesus deixou claro que a perseguição não representaria o resultado final dos seus trabalhos, pois, no fim, obteriam a vitória sobre o mal; disso ficou subentendido que, a exemplo dele mesmo, os discípulos deveriam ter confiança na vitória final.

Nota-se, nos escritos dos rabinos, que essas palavras eram um provérbio entre os judeus, usado em diversas situações e com diferentes sentidos.

"**Servo**" — A segunda ilustração é mais conveniente do que a outra. Sabe-se que há diferenças entre o professor e os discípulos ou alunos; mas essas diferenças ainda são mais patentes no caso do senhor e seus servos, isto é, os escravos. Os escravos eram reputados mera propriedade, que sempre faziam somente a vontade do senhor, a despeito desse serviço ser às vezes desagradável. Se o senhor não aprovasse os serviços de um escravo, poderia vendê-lo ou até mesmo matá-lo, e isso não o complicaria perante a lei. Assim, a posição do senhor era muito superior à dos servos. Se o mestre ou senhor sofria maus-tratos da parte de outros, se outros tinham o poder de maltratar o senhor, certamente que os escravos não escapariam de idêntico ou pior tratamento. Provavelmente, Jesus quis transmitir, com essas palavras, a mesma ideia que foi exposta por Paulo: "[...] se com ele sofremos, para que também com ele sejamos glorificados" (Rm 8.17).

10.25: Basta ao discípulo ser como seu mestre, e ao servo como seu senhor. Se chamaram Belzebu ao dono da casa, quanto mais aos seus domésticos?

10.25 ἀρκετὸν τῷ μαθητῇ ἵνα γένηται ὡς ὁ διδάσκαλος αὐτοῦ, καὶ ὁ δοῦλος ὡς ὁ κύριος αὐτοῦ. εἰ τὸν οἰκοδεσπότην Βεελζεβοὺλ ἐπεκάλεσαν, ποσῳ μᾶλλον τοὺς οἰκιακοὺς αὐτοῦ.

<small>25 Βεελζεβουλ אB] Βεελζ- (D)WΘ ƒ¹ ƒ¹3 pl it ς; R: Beelzebub c (ƒ¹) vg sysᵖ | (fin. αυτου.]; ς R)</small>

Jesus repete as implicações já explicadas no v. anterior. A posição inferior do discípulo ou escravo subentende que esse indivíduo sofrerá o mesmo destino do mestre ou senhor. Os destinos do senhor e de seus escravos estavam vinculados devido à relação existente entre eles. Jesus mostra que o verdadeiro discípulo do reino dos céus não pode esperar outra sorte senão aquela que foi imposta pelos homens ao senhor do reino. Entretanto, conhecendo tanto o Senhor como a vitória final de seu reino, o discípulo autêntico estará não somente preparado, mas também ansioso por ter um destino comum com o destino de seu Senhor.

"Belzebu" — Há muita controvérsia, tanto sobre a forma exata desse vocábulo como sobre o seu sentido. A. B. Bruce diz: "Ela tem dado aos intérpretes mais problemas que o seu próprio valor". Os mss *c* (do latim antigo) e a maior parte dos mss da *Vulgata* e das versões siríacas dizem *Beelzebub*. A tradução KJ segue esses mss. O significado dessa palavra é "senhor das moscas", e era título de um deus de Ecrom. Obviamente, esse deus era representado por esse povo na forma de uma mosca metálica, em tamanho gigantesco. Talvez a ideia desse deus tenha tido origem no expurgo de uma peste de moscas havida naquele local. Ver 2Reis 1.2. Desejando prestar adoração ao poder que provinha desse saneamento, criou-se o conceito do deus-mosca. Nenhum dos mss gregos tem *Beelzebub* (forma grega de *Baalzebub*, palavra hebraica). Os mss CEFGKMSUV Gama Delta Fam Pi têm Beelzeboul. Os mss DLX têm Belzeboul. Aleph e B têm Beelzeboul, que é a palavra adotada pelas autoridades textuais como original do evangelho de Mateus. Essas palavras são formas diversas do termo que significa "senhor do esterco"; mas outros dizem que vem de uma palavra hebraica que quer dizer "senhor da casa" (provavelmente, este é o sentido mais certo; ver a nota abaixo).

É provável que os judeus tivessem começado a empregar esse termo — senhor do esterco — para indicar os diversos deuses dos gentios, querendo mostrar, com esse termo, o seu desprezo por esses deuses. Mais tarde, fizeram uma nova modificação na palavra, chegando ao sentido de "senhor da casa", isto é, "casa dos demônios", o que mostra que os judeus concebiam os deuses gentílicos como manifestações variegadas do poder de Satanás e dos demônios. Embora haja controvérsia sobre o sentido exato do termo, sabemos, por Mateus 12.24, que os judeus empregavam-no como sinônimo de Satanás. Disseram eles: "Este não expele demônios senão pelo poder de Belzebu, maioral dos demônios". Por essas palavras, nota-se que Jesus foi chamado de braço direito de Satanás; mas aqui, em Mateus 10.25, parece que chamaram a Jesus de o próprio Satanás, o que se depreende das palavras de Jesus: "Se chamaram Belzebu ao dono da casa..." Provavelmente, as autoridades dos judeus disseram ambas as coisas contra Jesus. Isso mostra a "grande estrutura" do poder de Jesus, porquanto Satanás tinha reputação de possuir grande poder. As obras de Jesus devem ter sido realmente grandes, pois de outro modo os seus inimigos não teriam empregado tais termos ao se referirem à sua pessoa. Ver nota detalhada sobre Satanás, em Lucas 10.18.

"Dono da casa" — Jesus era (e continua sendo) o dono — o chefe — de uma casa, embora não da casa dos demônios, como os judeus disseram. Essas palavras indicam que, provavelmente, o sentido do termo usado pelos judeus era "senhor da casa", e isso provocou a observação, feita por Jesus, de que ele é realmente senhor de uma casa, mas não da casa dos demônios. Jesus é o dono da casa

do Pai, sendo irmão mais velho dos discípulos do reino do Pai. Jesus é o sumo sacerdote, fiel em todas as coisas como o foi Moisés, com a diferença de que o Cristo é o Filho unigênito, aquele que construiu a casa e que é chefe dessa casa. Moisés, a maior das autoridades religiosas dos judeus, nunca deixou de ser um servo nessa casa. Assim ensina o texto de Hebreus 3.3,6: "Jesus, todavia, tem sido considerado digno de tanta maior glória do que Moisés, quanto maior honra do que a casa tem aquele que a estabeleceu [...] Cristo, porém, como Filho, sobre a sua casa; a qual casa somos nós". Esta casa se compõe de pedras vivas, no dizer de Pedro: "[...] também vós mesmos, como pedras que vivem, sois edificados casa espiritual para serdes sacerdócio santo, a fim de oferecerdes sacrifícios espirituais, agradáveis a Deus por intermédio de Jesus Cristo" (1Pe 2.5). A casa de Deus é criação espiritual para servir a alvos espirituais, para o benefício de Deus, mas também para o desenvolvimento e felicidade daqueles que fazem parte da casa de Deus. Essa casa é habitada pelo Espírito de Deus, o que alude à comunhão mística de Deus com os membros de sua casa. Ver notas em Efésios 2.20-22, onde há maiores detalhes sobre o assunto. A ilustração da casa, portanto, de modo geral, indica a obra de Deus ao construir ou criar algo de espiritual entre os homens (outros textos indicam que isso inclui todas as criaturas), que Deus tem alvos a ser cumpridos e que os homens participam desses planos divinos. Nessa casa, Jesus Cristo é o dono.

10.26: Portanto, não os temais; porque nada há de encoberto que não haja de ser descoberto, nem oculto que não haja de ser conhecido.

10.26 Μὴ οὖν φοβηθῆτε αὐτούς· οὐδὲν γὰρ ἐστιν κεκαλυμμένον ὃ οὐκ ἀποκαλυφθήσεται, καὶ κρυπτὸν ὃ οὐ γνωσθήσεται.

<small>26 οὐδὲν...γωνσθήσεται Mc 4.22; Lc 8.17</small>

Lema de Jesus que ele repetiu várias vezes sob circunstâncias diferentes, e a fim de ensinar diversas lições. Em Lucas 8.17, o lema acompanha a parábola do semeador, provavelmente indicando que os ensinos do reino dos céus (conforme essa parábola mostra parcialmente) não podem ficar ocultos, mas que, finalmente, se propagarão por todo o universo. Em Lucas 12.2, Jesus mostra, com essas palavras, que a hipocrisia é inútil, porque finalmente cada homem será desvendado tal e qual é, e todo fingimento terá sido vão. No que toca a este versículo, o lema tem recebido diversas interpretações:

1) Jesus mostrou que seria inútil ele enganar os apóstolos quanto à realidade de que o discipulado pode trazer sofrimentos (o que certamente aconteceria no caso deles), pois, no fim, esse sofrimento não mais lhes seria ocultado.

2) Outros ligam essas palavras com o v. 27 e explicam que Jesus falava da proclamação dos conceitos do evangelho do reino, e assim mostrou que, finalmente, a mensagem por ele proclamada seria espalhada por toda parte. Isso Jesus teria dito a fim de encorajar os apóstolos a continuar pregando, a despeito das perseguições, porque a vitória estava garantida, afinal.

3) Outros dizem que Jesus quis mostrar que os "seus sofrimentos" em favor do reino se tornariam patentes, e assim seriam aprovados por Deus e pelos homens, e que a revelação dessa fidelidade dos discípulos era inevitável e que receberia sua justa recompensa. Outros incluem nessa interpretação a ideia de que a revelação também incluiria as obras más e perversas dos perseguidores, e que cada qual receberia sua justa retribuição, boa ou má. Provavelmente, todas essas interpretações indicam parte do sentido dessas palavras.

"Não os temais" — O lema de Jesus ilustra a razão pela qual os discípulos não deveriam temer os perseguidores: sabendo a verdade acerca da vitória final em seu trabalho, pois Deus não olvidaria os seus esforços nem deixaria de notar os seus sofrimentos, e também sabendo que os perversos seriam revelados como tais, não podendo obter a vitória sobre os discípulos, estes não tinham razão para receios. Deus promete corrigir todos os males e assim não devemos ter medo de nossos semelhantes. A ideia de que Deus sabe de tudo, tem cuidado de nossas vidas e nos promete um final feliz, nos consola muito.

Este versículo parece deixar entendido que os ensinos de Jesus só se tornaram amplamente conhecidos após sua crucificação e ressurreição. Parece que essas palavras significam: "Agora, a mensagem parece atingir apenas alguns, mas Deus providenciará que ela produza grande efeito". Era costume dos rabinos, nas sinagogas, falarem em sussurros aos ouvidos de um intérprete, talvez usando o hebraico clássico, para que o intérprete, por sua vez, traduzisse a mensagem em voz clara e forte, usando o idioma coloquial que o povo compreendia facilmente. Assim também Jesus falava aos seus discípulos, que haveriam de tornar-se seus intérpretes.

10.27: O que vos digo às escuras, dizei-o às claras; e o que escutais ao ouvido, dos eirados pregai-o.

10.27 ὃ λέγω ὑμῖν ἐν τῇ σκοτίᾳ, εἴπατε ἐν τῷ φωτί· καὶ ὃ εἰς τὸ οὖς ἀκούετε, κηρύξατε ἐπὶ τῶν δωμάτων.

"O que vos digo às escuras, dizei-o à plena luz" — Por algumas vezes, Jesus falou por meio de parábolas, e certamente ministrou algumas instruções particulares aos discípulos, as quais nunca declarou publicamente. A razão dessa atitude não visava a ocultar a mensagem de Deus ao povo, para sempre, mas tinha por objetivo entregar tal mensagem do modo mais vantajoso e no tempo certo. Foi preciso preparar mensageiros especiais que espalhassem as boas-novas.

Segundo as palavras deste versículo, Jesus mostrou que os apóstolos precisavam ser honestos na proclamação da mensagem, nada ocultando e propalando-a por toda a parte. O ministério de Jesus foi um tanto oculto, porquanto ele nunca saiu da Palestina nem ensinou tudo durante sua vida terrena. No entanto, ele preparou mensageiros especiais para cumprir suas obras e propalar seus ensinos, tanto os que já haviam sido ministrados como aqueles que ainda seriam revelados por ele. Neste passo, a gramática grega indica que as coisas foram ocultadas com o fim de finalmente serem reveladas, e não a fim de ficarem ocultas para sempre. A expressão "ao ouvido" era uma expressão idiomática entre os gregos, que indicava comunicações confidenciais. Os ensinos sussurrados aos ouvidos dos apóstolos, finalmente deveriam ser proclamados dos "eirados". A palavra grega, aqui traduzida como "eirado", no grego mais antigo tinha o sentido de "casa". No tempo de Jesus, no *Koiné*, essa palavra indicava os telhados chatos e horizontais das casas; e, no oriente, mensagens públicas eram, geralmente, proclamadas desses telhados. Com isso, Jesus mostrou que a sua mensagem — o evangelho — deve ser publicamente proclamada. No grego moderno, essa palavra significa "terraço".

10.28: E não temais os que matam a corpo, e não podem matar a alma; temei antes aquele que pode fazer perecer no inferno tanto a alma como o corpo.

10.28 καὶ μὴ φοβεῖσθε ἀπὸ τῶν ἀποκτεννόντων τὸ σῶμα, τὴν δὲ ψυχὴν μὴ δυναμένων ἀποκτεῖναι· φοβεῖσθε δὲ μᾶλλον τὸν δυνάμενον καὶ ψυχὴν καὶ σῶμα ἀπολέσαι ἐν γεέννῃ.

28 τὸν δυνάμενον...ἀπολέσαι Tg 4.12

"Não temais os que matam o corpo" — Jesus sugere que as perseguições talvez atingissem o clímax na morte dos discípulos, e a história eclesiástica mostra que todos os apóstolos, inclusive Paulo, com exceção provável de João, morreram como mártires. É natural que o homem tema a morte física, especialmente o homem comum, que não tem absoluta certeza da sobrevivência da alma, porquanto todos consideram boa a vida, apesar das tribulações e problemas que a acompanham. Jesus quis mostrar que a morte do corpo não é muito importante para o crente, uma lição que até hoje precisamos aprender. Ver nota detalhada sobre a imortalidade, em 2Coríntios 5.18, e sobre a ressurreição, em 1Coríntios 15.20.

"Alma" — Ver nota detalhada sobre "alma", em 2Coríntios 5.8, e sobre *psique*, a palavra grega aqui empregada, em Mateus 6.25.

"Temei [...] aquele que pode fazer perecer no inferno tanto a alma como o corpo" — Alguns intérpretes, querendo negar o caráter de Deus como destruidor, dizem que a alusão é a Satanás, e não a Deus. Os argumentos em favor dessa interpretação são os seguintes: 1) É mais próprio ter-se tal receio de Satanás do que de Deus, o Pai celeste. 2) A ideia de destruição da personalidade do homem (corpo e alma, indicando o homem inteiro) é mais apropriadamente aplicada a Satanás que a Deus. 3) A palavra grega aqui usada para "destruir" fala, de modo geral, de uma destruição nociva, que é obra de Satanás. Essa interpretação, porém, baseia-se na influência psíquica do homem e na sua relutância em crer em tais coisas acerca de Deus, e não se apoia nos ensinos bíblicos.

Contra essa interpretação e em favor do que diz que Deus é aquele a quem devemos temer, alinham-se as seguintes considerações: 1) A ideia de que Deus deve ser objeto de temor é comum nas Escrituras: Gênesis 42.18: Deuteronômio 4.10; 6.2,13; Salmos 32.8; Eclesiastes 12.13; 1Pedro 2.17, e muitos outros textos, como se pode verificar em uma boa concordância. 2) As Escrituras também apresentam Deus como destruidor. Basta que se leia o AT. E diz Tiago 4.12: "Um só é o Legislador e Juiz, aquele que pode salvar e fazer perecer..." 3) A destruição efetuada por Deus pode ser nociva no inferno. O evangelista Lucas, em 12.4,5, fala de Deus, e nota-se que esse texto de Lucas é paralelo a Mateus 10, ficando provado que a alusão aqui é a Deus. Satanás e seus anjos serão precipitados no inferno; e daí se conclui que dificilmente Satanás terá autoridade para lançar homens ali. 4) Apesar do fato de as Escrituras às vezes indicarem que Satanás pode receber poder para matar o corpo (ver 1Co 5.5), nunca lhe é atribuída autoridade sobre a alma, quer para dar vida, quer para tirá-la. 5) Nas Escrituras, jamais vemos que devemos temer a Satanás, e, sim, que devemos resistir-lhe. Ver 6.11 e Tiago 5.7. 6) A despeito desses fatos, há misericórdia e restauração no julgamento, não meramente retribuição. 1Pedro 3.19 tem notas que ilustram este fato. Ver também 1Pedro 4.6, que fala diretamente sobre isso.

As Escrituras não transmitem a ideia da destruição da alma, no julgamento, no sentido de que a alma cessará de existir, e, sim, que ela será arruinada quanto ao propósito original de Deus para ela. Ver nota sobre o "inferno", em Apocalipse 14.11.

10.29: Não se vendem dois passarinhos por um asse? e nenhum deles cairá em terra sem a vontade de vosso Pai.

10.29 οὐχὶ δύο στρουθία ἀσσαρίου πωλεῖται; καὶ ἓν ἐξ αὐτῶν οὐ πεσεῖται ἐπὶ τὴν γῆν ἄνευ τοῦ πατρὸς ὑμῶν.

"Pardais" — A palavra está no diminutivo — pardaizinhos —, o que dá à história um toque de ternura. Talvez o texto faça referência ao uso de tais passarinhos nos sacrifícios, ou simplesmente por serem eles vendidos nas feiras como alimento dos pobres, mostrando que seu valor era ínfimo. Deus menciona a queda dessas criaturinhas quase sem valor como algo que atrai sua atenção e misericórdia. Assim também a vida do homem (especialmente no caso dos discípulos do reino) é muito mais valiosa para ele. Isso seria ainda mais verdadeiro no caso dos apóstolos, que sofreriam e morreriam por causa da pregação do evangelho do reino dos céus. O versículo ensina o teísmo, em contraste com o deísmo, no mais alto grau, e concede-nos grande consolo. Ver as notas sobre as várias ideias acerca da natureza de Deus e suas relações para com os homens, em Atos 17.27. Orígenes disse: "Nada de tudo quanto é útil aos homens começou sem Deus".

"Asse" — A menor moeda em uso entre os romanos, de pouquíssimo valor. Essa palavra era usada pelos hebreus, pelos gregos e pelos romanos para indicar qualquer coisa que tivesse pouco ou nenhum valor.

Nos escritos dos pais da Igreja, este versículo tem sido ligeiramente modificado. A palavra "terra" aparece como "laço", em Orígenes, Clemente, Crisóstomo e Juvêncio. O vocábulo grego foi um tanto alterado para fazer essa diferença, pelo que alguns pensam que "laço" era, realmente, a palavra original. Essa palavra não tem peso nos mss, e assim observamos que ela entrou na tradição patrística como interpretação da queda dos passarinhos, ou seja, o modo de morrerem. Alguns pais da Igreja, como Orígenes, Tertuliano, Irineu e outros, acrescentam a palavra "Pai" (no fim do versículo), "pela vontade do". Algumas versões trazem essa adição. Todavia, ela não tem apoio dos mss, e provavelmente constituem interpretação patrística sobre o sentido do versículo; não aparecem nos mss originais.

10.30: E até mesmo os cabelos da vossa cabeça estão todos contados.

10.30 ὑμῶν δὲ καὶ αἱ τρίχες τῆς κεφαλῆς πᾶσαι ἠριθμημέναι εἰσίν.

30 1Sm 14.45; At 27.34

"Vós", em AA.AC têm os cabelos da vossa cabeça. A palavra "vossa" é enfática no grego, mostrando que Deus tem cuidado especial pelos discípulos do reino, especialmente por aqueles que sofrem pelo testemunho do reino. "[...] os cabelos todos [...] contados..." o que mostra que nenhum cabelo cai sem o conhecimento de Deus — apesar de um cabelo não ter valor nem fazer nenhuma diferença na vida e na saúde de uma pessoa; mas mesmo assim é objeto dos cuidados de Deus. O tempo verbal no grego, que produziu a tradução "estão contados", indica uma ação completa, com resultados que prosseguem no presente. A ideia é que Deus tem cuidados completos pela nossa vida, incluindo todas as ações e condições. Os homens dão valor ao ouro, à prata, ao cobre, às propriedades, mas não notam quando um cabelo (entre tantos) cai da cabeça deles. No entanto, Deus observa até isso. Este versículo ensina o teísmo mais elevado, em contraste com o deísmo. O texto menciona que Deus não só criou as coisas, mas que também cuida de sua criação, orientando-a segundo os objetivos formados para ela. O deísmo, por outro lado, ensina que Deus criou os mundos mas abandonou-os, sem importar-se com o que sucede, quanto às suas causas, sem jamais interferir em coisa nenhuma. Segundo o deísmo, Deus nada tem a ver com este mundo. Jesus, entretanto, ensinou o teísmo, e em nenhuma outra porção das Escrituras há um ensino tão convincente sobre isso como este. Ver notas detalhadas sobre a natureza de Deus, em Atos 17.27. A declaração no v. 32 — "todo aquele" — que alude a todos os discípulos de modo geral, mostra que estes ensinos não devem ser limitados aos apóstolos ou aos que são perseguidos. Nota-se que este versículo contém um provérbio que era usado entre os judeus: "Eu é que enumero todos os cabelos de todas as criaturas" (Pesikta, fol. 18, 18.4, apud Drusium in loco). Os judeus também diziam: "O homem não fere o dedo aqui na terra sem que eles, acima, o proclamem" (*Kimchi* in Sl 104.4). Se Deus tem tanto desvelo pelas coisas mais insignificantes, é certo que cuidará daqueles que enfrentam perseguições e morte em favor do reino dos céus.

10.31: Não temais, pois; mais valeis vós do que muitos passarinhos.

10.31 μὴ οὖν φοβεῖσθε· πολλῶν στρουθίων διαφέρετε ὑμεῖς.

31 πολλῶν] πολλω 83 it   31 πολλῶν...ὑμεῖς Mt 6.26; 12.12

"Não temais, pois!" — Jesus indica que um cabelo da cabeça de um homem tem o valor de um passarinho. Os passarinhos eram usados em número quase infinito nos sacrifícios, e, com a moeda de menor valor, podiam-se comprar dois, ou cinco, com duas dessas moedas. (Ver Lc 12.6.) Isso lhe daria um passarinho grátis, porquanto tais passarinhos tinham tão pouco valor à vista dos homens. Ora, se Deus cuida até desses passarinhos, então o

crente realmente não tem motivos para ter receio do que lhe possa acontecer, porque ele se deve lembrar de que Deus observa tudo e promete ter desvelo por nossa vida em todos os sentidos. O homem vale muitos passarinhos, e por isso pode descansar e eliminar o medo, porque tem a garantia dos cuidados do Pai. Neste ponto, Jesus mostra claramente o seu ensino sobre o imenso valor da pessoa humana. Indiretamente, ele garante a sobrevivência da alma, porque seria difícil acreditar que um ser de tão grande valor diante de Deus possa deixar de existir em face da morte do corpo. O valor da pessoa humana reside no fato de que, finalmente, Deus transformará esse ser segundo a imagem de Cristo, que "a tudo enche em todas as cousas" (Ef 1.23), e que está "acima de todo principado, e potestade, e poder e domínio, e de todo nome que se possa referir, não só no presente século, mas também no vindouro" (Ef 1.21), o qual também é *cabeça* [...] *da igreja*. Ora, os homens é que serão o seu "corpo, a plenitude daquele que a tudo enche em todas as cousas" (Ef 1.23). Então, os seres humanos serão maiores que os anjos, os principais instrumentos nos propósitos de Deus na eternidade futura participando na própria divindade, 2Pedro 1.4. É claro, portanto, o motivo pelo qual Jesus deu tanto valor à pessoa humana. Ver as notas detalhadas sobre a questão, em Romanos 8.28 e Efésios 1.23.10.32,33

10.32: Portanto, todo aquele que me confessar diante dos homens, também eu o confessarei diante de meu Pai, que está nos céus.

10.32 Πᾶς οὖν ὅστις ὁμολογήσει ἐν ἐμοὶ ἔμπροσθεν τῶν ἀνθρώπων, ὁμολογήσω κἀγὼ ἐν αὐτῷ ἔμπροσθεν τοῦ πατρός μου τοῦ ἐν [τοῖς] οὐρανοῖς·

32 Ap 3.5

10.33: Mas qualquer que me negar diante dos homens, também eu o negarei diante de meu Pai, que está nos céus.

10.33 ὅστις δ' ἂν ἀρνήσηταί με ἔμπροσθεν τῶν ἀνθρώπων, ἀρνήσομαι κἀγὼ αὐτὸν ἔμπροσθεν τοῦ πατρός μου τοῦ ἐν [τοῖς] οὐρανοῖς.

33 Mc 8.38; Lc 9.26; 2Tm 2.12

"Me confessar" — Derivado de uma expressão idiomática aramaica, e que literalmente quer dizer "confessar em mim", o que transmite a ideia de confessar a Cristo fora do estado de união com ele. Trata-se de um termo forte, que indica identificação e união daquele que confessa com aquele que é reconhecido.

Os v. 32,33,34 e 36, como também a passagem toda, mostram uma forma de urgência na mensagem, a exclusividade no trabalho de Deus e os resultados finais dessa dedicação, eternos em sua duração e intenção, dogmáticos como a inigualável pessoa de Cristo, pelo que também o tipo de cristianismo ecumênico dos dias atuais é totalmente incongruente com ele. Se são verdadeiras as implicações desta passagem, então o remanescente dos crentes autênticos, hoje em dia, é realmente pequeno. Ver notas detalhadas sobre essas implicações, em Gálatas 1.8,9.

Essa confissão não se refere apenas ao ato de proferir palavras, e menos ainda ao fato de alguém se confessar cristão numa igreja, em alguma cerimônia após ser lançado um apelo etc., mas refere-se à confissão dada pela vida inteira. A própria vida do crente é a sua confissão, a sua apologia. Jesus não confessaria um Iscariotes que o confessou, nem negaria um Pedro que o negou. Em outras palavras, Jesus não confessaria o nome de alguém como Judas somente porque ele confessou a Cristo na terra, durante parte de sua vida, porquanto o caráter geral da vida de Judas mostrava que ele não era autêntico. Por outro lado, Jesus não negaria alguém como Pedro, que negou a Cristo uma vez, porque o caráter da vida de Pedro contrariava essa ação isolada.

Estes versículos subentendem certas doutrinas sobre a posição e a autoridade de Jesus: 1) Ele tem poder de ser juiz no juízo final. (A referência aqui é, certamente, ao juízo final.) João 5.21,22 diz: "Pois assim como o Pai ressuscita e vivifica os mortos, assim também o Filho vivifica aqueles a quem quer. E o Pai a ninguém julga, mas ao Filho confiou todo o julgamento". É notável que, neste capítulo décimo de Mateus, como também após o Sermão do Monte, em Mateus 7.21-23, depois de haver mencionado o Pai, Jesus descreveu a si mesmo como juiz e árbitro de vida e morte. 2) A mensagem de Cristo tem *implicações eternas*, e sua pessoa deve ser reputada a personagem mais importante da história humana. 3) O destino da humanidade está ligado ao destino de Cristo, e a autoridade e juízo que ele exercerá determinarão o estado eterno dos homens.

10.34: Não penseis que vim trazer paz à terra; não vim trazer paz, mas espada.

10.34 Μὴ νομίσητε ὅτι ἦλθον βαλεῖν εἰρήνην ἐπὶ τὴν γῆν· οὐκ ἦλθον βαλεῖν εἰρήνην ἀλλὰ μάχαιραν.

Em Lucas 12.51-53, como também aqui, essas palavras estão vinculadas aos sofrimentos de Cristo, pelo que os discípulos poderiam esperar que a mensagem do reino dos céus criasse oposição da parte do mundo hostil. Onde houver o poder do mal ou de Satanás, ali se pode esperar a espada, e não a paz, quando a mensagem do reino for ali anunciada. Essas palavras não contradizem o fato de Jesus ser o "príncipe da paz", porquanto o seu propósito é instaurar a paz; mas esta só poderá tornar-se realidade ao terminar a luta contra as forças que não desejam a paz ligada à mensagem de Cristo. Pode-se assegurar que essa paz é impossível enquanto os poderes do mal não forem vencidos. Jesus traz a espada para, finalmente, impor a paz. Em Efésios 2.14, ele aparece como a nossa paz; o texto de Romanos 5.1 ensina que ele é o medianeiro da "paz com Deus". Por fim, ele propagará a paz política no mundo inteiro, mas dificilmente isso será conseguido sem luta. Indiretamente, este versículo ensina que os poderes do mal são reais e poderosos. Nem a vinda do Messias, Filho de Deus, pode trazer a paz automaticamente ao mundo, que está sujeito ao poder do mal. Nota-se que a esperança do Messias agitou e provocou os poderes malignos, e que os discípulos do Messias devem sofrer as consequências dessa agitação.

Precisamos rejeitar a interpretação dos que dizem que Jesus falou da paz que Israel esperava, isto é, a prosperidade humana e política, bem como a derrota do império romano. A ideia, portanto, é que Jesus mostrou que não era esse tipo de Salvador, e que, de fato, os judeus deveriam esperar a espada romana como juízo de Deus contra os pecados da nação de Israel. A grande verdade é que a espada romana abateu-se sobre Israel, quando da destruição de Jerusalém, no ano 70 d.C. (ver nota em Lc 21.6), mas Jesus fala aqui da oposição oriunda da pregação do evangelho do reino, e não da oposição dos romanos contra Israel. Provavelmente, os discípulos tinham a mesma ideia dos judeus, que esperavam prosperidade política e material. Jesus teve de ensinar que os discípulos do reino não devem esperar por isso.

10.35: Porque eu vim pôr em dissensão o homem contra seu pai, a filha contra sua mãe, e a nora contra sua sogra;

10.35 ἦλθον γὰρ διχάσαι
ἄνθρωπον κατὰ τοῦπατρὸς αὐτοῦ
καὶ θυγατέρα κατὰ τῆς μητρὸς αὐτῆς
καὶ νύμφην κατὰ τῆς πενθερᾶς αὐτῆς,

35 ανθρωπον] υιον D *pc* it sy^{sc}
35-36 ανθρωπον...οικιακοι αὐτοῦ Mq 7.6

Estas palavras são um eco das profecias de Miqueias 7.6. A literatura judaica enfatiza por muitas vezes o fato de que a vinda do Messias criaria tumulto, não só na vida política, mas até entre os membros das famílias. Assim, Jesus nada anunciou de novo. Talvez a ênfase sobre a prosperidade e a paz que se esperava que o Messias trouxesse tenha enfraquecido a compreensão popular

sobre as profecias que indicavam o tumulto que seria provocado ante a vinda do Messias.

Este versículo mostra que Jesus não falou de guerra entre as nações, e nem do governo romano voltar-se contra Israel, e, sim, das divisões entre os indivíduos, em torno das questões religiosas. No lugar de espada (v. 34), Lucas tem "divisão" (12.51). A espada, neste caso, portanto, é símbolo ou instrumento de divisão, como também vemos em Hebreus 4.12. O tumulto provocado pela mensagem do Messias causaria divisões até no lar, entre pai e filho, entre mãe e filha, entre sogra e nora. Talvez já houvesse casos idênticos entre os discípulos. Entre eles estava Judas, que se fingia amigo. Os discípulos devem ser as pessoas mais chegadas entre si.

"**Nora**" também pode ser "noiva". A palavra indica uma e outra coisa, talvez aludindo à jovem esposa que acaba de entrar na vida doméstica. Não havia tempo ainda para perturbar as relações entre os parentes; mas eis que a fidelidade a Jesus precipitou rapidamente a situação, arruinando-a. É comum que os membros femininos de uma família, especialmente as jovens, sejam os primeiros a aceitar o evangelho, e então a divisão começa, mui naturalmente, a partir daí. Em qualquer acontecimento, a revolução sempre começa entre os jovens.

Os rabinos e escritores apocalípticos criam que os dias do Messias seriam inaugurados por guerras e contendas familiares. Esperava-se das noras judias que desobedecessem às suas sogras. Arnold J. Tonybee usa estes versículos para ilustrar que se cria uma tensão quase intolerável quando um gênio criador (como Jesus) entra em cena. Homens e mulheres comuns são obrigados a escolhê-lo ou rejeitá-lo, e neste último caso, para a própria perda. (Ver também *A Study of History*, resumo dos vols. I-IV, por D. C. Somervell, N.Y.: Oxford University Press, 1947, p. 213).

10.36: e assim os inimigos do homem serão os da sua própria casa.

10.36 καὶ εχθροὶ τοῦ ἀνθρώπου οἱ οἰκιακοὶ αὐτοῦ.

"**Os inimigos do homem serão os da sua própria casa**" — Jesus continua citando Miqueias 7.6. Na literatura judaica (*Sota*, fol. 49), há esta citação: "Pouco antes da vinda do Messias, o filho insultará o pai, a filha se resolverá contra a mãe, a nora contra a sogra; e cada homem terá como inimigo a sua própria casa". Também em *Sanhedrin*, fol. 97, temos predição idêntica: "Na época da vinda do Messias, os jovens ridicularizarão os velhos; os velhos se revoltarão contra os jovens, a filha contra a mãe, a nora contra a sogra; e os homens daquela geração serão muito desavergonhados; e o filho não respeitará a seu pai". Pela história narrada por Josefo, historiador dos judeus, sabe-se que essas coisas realmente sucederam, que houve intenso tumulto na vida das famílias e na sociedade em geral durante o tempo em que Cristo esteve no meio de Israel. Stier escreveu: "A melhor e mais preciosa paz na terra, que também é a base de toda paz, é a paz doméstica e a harmonia na família. No entanto, enquanto essa paz estiver em alicerce falso, terá de ser quebrada para que seja introduzida a paz de Cristo".

10.37: Quem ama o pai ou a mãe mais do que a mim não é digno de mim; e quem ama o filho ou a filha mais do que a mim não é digno de mim.

10.37 ʽΟ φιλῶν πατέρα ἢ μητέρα ὑπὲρ ἐμὲ οὐκ ἔστιν μου ἄξιος· καὶ ὁ φιλῶν υἱὸν ἢ θυγατέρα ὑπὲρ ἐμὲ οὐκ ἔστιν μου ἄξιος·⁴

⁴ 37 {B} καὶ ὁ φιλῶν υἱὸν ἢ θυγατέρα ὑπὲρ ἐμὲ οὐκ ἔστιν μου ἄξιος· א B^{mg} C K L W X D Q P f¹ f¹³ 28 33 565 700 892 (1010 *omit* ὑπὲρ ἐμέ) 1071 1079 1195 1216 1230 1242 1253 1344 1365 1546 1646 2148 2174 *Byz Lect* l^{rom,(333),883m} it^{s,aur,b,c,f,ff1,g¹,h,k,l,l} vg syr^{c,s,p,h,pal} cop^{sa,bo} goth arm (eth υἱὸν αὐτοῦ ἢ θυγατέρα αὐτοῦ) geo // *omit* B^{txt} D 1009 l⁸⁷¹ it^d

"**Quem ama seu pai ou sua mãe mais do que a mim...**" — Lucas apresenta, de modo ainda mais severo, as palavras de

386 |Mateus| NTI

Jesus: "Se alguém vem a mim, e não aborrece a seu pai, e mãe, e mulher, e filhos, e irmãos, e irmãs, e ainda sua própria vida, não pode ser meu discípulo" (Lc 14.26). Os termos do sentimentalismo são relativos, pois é certo que Jesus não fala de ódio, propriamente dito, mas que o amor natural que temos pelos nossos parentes, em comparação ao amor que temos por Cristo e sua mensagem, deve ser qual ódio. Esse amor a Cristo deve ser tão intenso, que o homem não tenha amor nem pela própria vida. Mateus usa, então, termos que estabelecem a comparação entre tipos ou intensidades de amor, ao invés de fazer o confronto entre o amor e o ódio, segundo Lucas diz; e bastaria isso para mostrar que Jesus falou sobre a intensidade do amor, em diversos graus, e não sobre o ódio, em seu sentido literal, em contraste com o amor.

A mensagem deste versículo é que aquele que não possui esse tipo de amor, isto é, amor maior do que aquele que devota à sua família, não é digno de Cristo e dificilmente pode ser discípulo do reino dos céus. Aquele que não tem esse tipo de amor não sofrerá oposição por parte da família ao querer tornar-se discípulo. Nesse caso, a influência paterna, ou filial, ou fraternal, ou dos demais membros da família, poria fim ao discipulado. Jesus não se volta contra o lar e suas relações familiares, mas mostra que há uma relação ainda mais elevada, a saber, a vinculação espiritual com Deus. Essa relação com Deus é estabelecida com os homens por meio de Cristo, e a atitude que o homem tem para com Cristo mostra claramente que tipo de relação ele mantém com Deus. Cristo é nosso irmão; Deus é nosso Pai; os outros discípulos do reino são nossos irmãos. Essa é a família cujos laços perdurarão para sempre, sendo mais importantes que as relações naturais das famílias. Se for preciso negar a um pai, é melhor negar ao pai terrestre do que ao Pai celeste. Se for preciso negar a um irmão, é melhor negar a um irmão terrestre do que a Cristo, o irmão celeste. Se for preciso escolher entre um noivo terrestre e o Noivo celeste (Cristo), é perfeitamente claro que o discípulo autêntico só pode preferir a Cristo. O discípulo que não toma esse tipo de decisão não é digno de ser discípulo do reino nem de suster sua relação fraternal com Cristo. Aqui, pois, Jesus afirma o seu direito de ser o alvo de nossa suprema afeição. Ele indica que só o discípulo que tem esse amor pode resistir ao mal do mundo e obter êxito no discipulado que abraçou.

"Mim" — Repetido por três vezes neste versículo, é enfático no grego, mostrando a urgência das palavras. Só Cristo pode exigir essa fidelidade da parte dos homens; qualquer outra pessoa que solicitasse isso seria considerada ridícula.

É mister notarmos que alguns intérpretes exageram tanto este como outros versículos, como Marcos 10.29,30, dizendo que os mesmos dão direito e até ordenam ao crente negligenciar os deveres domésticos. Alguns ministros e missionários abandonam seus filhos ou negligenciam os deveres para com seus pais, dizendo que assim realizam o trabalho de Deus. O crente deve assumir a responsabilidade de criar os próprios filhos e cuidar do bem-estar de seus pais, conforme ensinou Paulo: "Ora, se alguém não tem cuidado dos seus e especialmente dos de sua própria casa, tem negado a fé e é pior do que o descrente" (1Tm 5.8). Jesus também condenou os que negligenciam suas famílias, alegando que estão fazendo a obra do Senhor. Ver notas em Marcos 7.10-14. Jesus mostrou que essa atitude é contrária à lei de Deus e que faz parte das tradições pervertidas dos homens. É perfeitamente claro, portanto, que Jesus falou na "espada" e na divisão entre os familiares, em uma mesma casa, como resultado da pregação e influência do evangelho, que cria oposições entre os membros da família. Se essa oposição obrigar alguém a sair de casa, o discípulo está nesse direito de sair. Dificilmente, porém, podemos acreditar que estes versículos deem direito a alguém, e muito menos aos ministros da Palavra, de abandonar os seus filhos e de negligenciar os deveres para com os seus pais, ante a desculpa: "Vou servir a Deus". Era exatamente isso que os fariseus e outros farsantes religiosos faziam. Até em nossos dias há pessoas que dizem *Corbã* (ver Mc 7.11).

10.38: E quem não toma a sua cruz, e não segue após mim, não é digno de mim.

10.38 καὶ ὃς οὐ λαμβάνει τὸν σταυρὸν αὐτοῦ καὶ ἀκολουθεῖ ὀπίσω μου, οὐκ ἔστιν μου ἄξιος.

38 ἄξιος] ἀδελφος Cl: p)μαθητης c k Cypr
38 Mt 16.24; Mc 8.34; Lc 9.23

Alguns intérpretes acham que Jesus aludiu ocultamente à forma de sua morte, na cruz. Talvez estivesse mostrando que sua fidelidade ao Pai, como servo, como o Messias e como o mestre dos discípulos, teria esse fim. Sabemos, por João 3.14 e 12.32, que Jesus referiu-se a isso no princípio de seu ministério, e talvez aqui haja realmente uma alusão oculta ao fato. Todavia, ele usa especialmente o símbolo da cruz para ilustrar quão difícil é o discipulado. Essa expressão é tanto mais importante porque não era comum entre os judeus, isto é, não possuíam provérbio dessa natureza. Os romanos usavam a cruz para executar os piores criminosos, e isso a tornou símbolo de sofrimento horrível e vergonhoso. Ver também Marcos 8.34 e 10.21. O homem condenado a morrer na cruz tinha de transportar o próprio objeto de execução (a cruz) até o lugar onde seria morto. Os seguidores de Cristo levam o meio de destruição de si mesmos, em seus aspectos egoísticos e carnais, e talvez, do mesmo modo, a própria destruição, como se deu com muitos dos apóstolos e antigos seguidores de Cristo. Com essas palavras, Jesus mostra que o discípulo traz, em si mesmo, o meio de destruir a vida do discípulo, apesar de o autêntico discípulo de Cristo dever entregar totalmente a sua vida ao serviço de Deus. Além disso, também é claro que Jesus indicou que o discipulado seria *árduo* e traria ingentes sofrimentos, tão horríveis como a morte na cruz. Talvez os apóstolos tivessem visto, por várias vezes, o cortejo que acompanhava condenados que transportavam a própria cruz, acompanhados por soldados, sem meios para escapar, a fim de enfrentar uma morte verdadeiramente horrível. Essa lembrança teria servido de boa ilustração para os discípulos, sobre a seriedade do discipulado que tinham iniciado.

Ruskin disse que a igreja cristã transformou a cruz de um patíbulo em uma balsa. (*Great Texts of the Bible*, vol. sobre Mateus, p. 326). Isso significa que a cruz, cuja intenção era servir de instrumento de morte, e que certamente era símbolo de uma execução agonizante, transformou-se em um símbolo de vida, e da mais nobre forma de vida.

10.39: Quem achar a sua vida perdê-la-á, e quem perder a sua vida por amor de mim achá-la-á.

10.39 ὁ εὑρὼν τὴν ψυχὴν αὐτοῦ ἀπολέσει αὐτήν, καὶ ὁ ἀπολέσας τὴν ψυχὴν αὐτοῦ ἕνεκεν ἐμοῦ εὑρήσει αὐτήν.

39 Mt 16.25; Mc 8.35; Lc 9.24; 17.33; Jo 12.25

Este é um princípio de vida admirado por muitos, mesmo à parte de suas implicações religiosas. Outros antigos perceberam a sabedoria desse ensino, como a *Sabedoria de Siraque* 5.16, que diz que "perder a vida resulta no encontro da sabedoria". Platão usa de linguagem semelhante, em *Gorgias* 512: "Ó meu amigo! quero que saibas que o que é nobre e bom pode ser algo diferente de salvar e ser salvo, e aquele que realmente é homem não precisa preocupar-se em viver por um período determinado; sabe, como dizem as mulheres, que todos devem morrer; e assim não ama a vida, deixa tudo com Deus e considera como poderá aproveitar melhor o prazo". E Eurípedes disse: "quem sabe se a vida não é morte, ou se a morte não é vida?"

Vida — No grego, a palavra aqui traduzida por "vida" é a que geralmente significa "alma". Neste caso, porém, a alusão é à vida verdadeira e mais elevada do homem, que é mais do que a vida física. O ensino, pois, é que se pode perder a vida de menor valor, isto é, a vida física, a fim de se obter aquela vida real, que é o destino do ser humano a vida espiritual. Ver notas sobre Romanos 8.29 e Efésios 1.20,21. Ver nota sobre "psique", em Mateus 6.25, e sobre "alma", em 2Coríntios 5.8. É evidente que Jesus usou desse refrão por várias vezes, sob diferentes circunstâncias, o que mostra o quanto ele achou importante esse princípio. Há outros usos do mesmo em Mateus 16.25, Lucas 17.23 e João 12.25. Com esse ditado, ele ensinou que a verdadeira utilidade desta vida não é adquirir coisas ou obter certos objetivos atinentes apenas à vida terrestre. A utilidade desta vida consiste em ganhar o destino que Deus tem reservado para o ser humano que é a vida espiritual do mundo vindouro. Deus não encerra sua obra na vida humana durante o breve tempo de vida física do homem. Tem ainda muitos alvos a cumprir, alvos que redundarão em glória inefável e plena de novas oportunidades para avanço e desenvolvimento, até o homem chegar a uma posição mais alta que a dos anjos.

"Perder a vida por minha causa" — Garante o favor de Deus, a continuação de suas obras na vida, e a glória do mundo vindouro. Assim, os discípulos tinham razões para não desfalecer em face das predições sobre sofrimentos e por causa de ilustração, feita por Jesus, de que o discípulo se assemelha ao levar a própria cruz. Adam Clarke disse: "Qualquer coisa que o homem sacrifique a Deus jamais se poderá perder, porque o homem a achará novamente em Deus".

Em Juvenal, *Sat.* VIII 1.80, são encontradas estas palavras, que ilustram o espírito de ensino neste trecho de Mateus: "Ambiguae si quano citabere testis incertaeque rei, Phalaris licet imperet ut sis falsus, et admoto dictet perjuria tauro, summum crede nefas animam prearferre pudori et propeter vitam vivendi perdere causas", o que traduzido é: "Se em qualquer ocasião for mister dar testemunho em um caso duvidoso, embora o próprio Falaris (rei famoso devido à sua crueldade) exija de ti que te deites em seu touro ardente para seres torturado, recusa-te a negociar a tua vida, alegando inocência; porque a isso (à inocência) é que a vida deve o seu brilho e valor".

Buttrick diz, in loc.: "Essa é a verdade em qualquer nível. Se o dinheiro for desperdiçado, logo se acabará. Se a saúde for desperdiçada, tornar-se-á em hipocondria. Se nos apegarmos à vida, ela se nos escapará; mas, se for perdida nobremente, então será encontrada. Como exemplo dessa trágica perda, serve o caso de Peer Gynt: sua vida passada, em seu egoísmo, enquanto ele meditava sobre ela, foi sendo retirada qual as camadas de uma cebola, até que, ao chegar bem no centro, compunha-se *de nada*" (Henrik Ibsen, "*Peer Gynt*", ato V, cena 5).

> **(d) Os galardões de quem ajuda aos discípulos especiais (10.40-42)**
>
> Essa declaração (v. 40) certamente quase concluía o discurso na fonte "Q". (Ver Lc 10.16 e Mc 9.37). Neste ponto, Jesus falou de modo definido sobre sua missão e sobre os propósitos dela, além de haver falado de como precisava comissionar a outros, que o ajudassem, os quais seriam honrados tanto quanto ele mesmo. Berakoth diz: "O emissário de um homem é como o próprio homem" (5.5). (Ver também Jo 13.20 e Didache 11.1 e 12.1, quanto a ideias similares).
>
> Os v. 41 e 42 deste capítulo parecem distinguir três grupos importantes no seio do cristianismo primitivo: os profetas, os justos (comprovados por testes e experiências), que eram cristãos altamente honrados, e os "pequeninos", os novos convertidos ordinários. O profeta cristão desde o princípio foi uma figura importante. Ver Atos 11.27; 13.1-3; 1Coríntios 12.28; Didache 11.3-12; Apocalipse 10.7; 11.10,18; 16.6 e 18.20. Ver a introdução ao décimo segundo capítulo de 1Coríntios, onde há um descrição sobre o "dom de profecia", conforme se espera que o mesmo seja utilizado na igreja.

10.40: Quem vos recebe, a mim me recebe; e quem me recebe a mim, recebe aquele que me enviou.

10.40 ʽΟ δεχόμενος ὑμᾶς ἐμὲ δέχεται, καὶ ὁ ἐμὲ δεχόμενος δέχεται τὸν ἀποστείλαντά με.

40 Mc 9.37; Lc 10.16; Jo 13.20 ʽΟ δεχόμενος...δέχεται ὁ ἐμὲ...με Mt 18.5 ὁ ἐμὲ...με Jo 12.44; Gl 4.14

Jesus termina suas predições sobre sofrimento e perigo com outras predições e com promessas de galardão. "Quem vos recebe a mim me recebe" — Aqui ele mostra a relação íntima que há entre ele e seus discípulos. Deus Pai enviou o Cristo (ver Jo 20.21 e Hb 3.1) sabendo dos sofrimentos pelos quais o Filho passaria. Não se pode, porém, imaginar que no fim Jesus não obtivesse a vitória, cumprindo os objetivos de sua missão e recebendo sua recompensa, isto é, a herança dada pelas mãos do Pai. Tal como o Pai enviou a Cristo, assim também Cristo tem enviado os discípulos. Nesse processo, os discípulos chegaram em último lugar; mas com as mesmas promessas de recompensa. Nas palavras deste versículo, Jesus indica que, apesar da oposição, estava garantido certo êxito alguns acolheriam aos discípulos. Em si mesmo é uma recompensa, porque provaria o sucesso parcial do trabalho e seria um tipo de garantia de que Deus cuidava dos discípulos e, ao fim, tiraria proveito do trabalho deles. Com essas palavras Jesus mostra a elevada posição dos discípulos, o que não deixa de ser também uma recompensa e encorajamento para o presente. O discípulo verdadeiro ocupa a posição de Cristo entre os homens, ao mesmo tempo que sustém relações com Deus Pai. Jesus também ensina que a cruz que os discípulos levariam seria uma fonte de bênção nesta vida, sem falar na vida vindoura, onde a cruz, que parece indicar somente sofrimento, também trará os seus benefícios. É como se Jesus dissesse aos discípulos: "Minha missão me foi dada pelo Pai, e essa é também a vossa missão". Perceber esse fato, por si só, é algo que encoraja a qualquer discípulo de Jesus. Os judeus tinham um ditado que dizia: "O mensageiro é como aquele que o enviou", e Jesus concordou com esse provérbio judaico ao dizer "Quem vos recebe, a mim me recebe..." E essas palavras implicam em mais do que mera hospitalidade para com os apóstolos. Jesus quis dizer que aqueles que recebessem os discípulos e sua mensagem também estariam recebendo a Cristo. Ora, aqueles que recebessem a Cristo estariam recebendo a vida eterna. Portanto, aqui, Jesus encorajava os discípulos, mostrando-lhes que onde fossem recebidos, ali também entraria a salvação; e é óbvio que a salvação de uma alma teria o valor de todos os sofrimentos que enfrentariam. Por diversas vezes, Jesus mostrou que a salvação de uma única alma tem mais valor que o mundo inteiro. O mundo físico pode ser destruído, e Deus pode criar outros mundos com uma só palavra, mas a perda de uma alma é irrecuperável.

Finalmente, deve-se notar o princípio que permeia o NT, e que é a principal mensagem do cristianismo — receber a Cristo é receber, ao mesmo tempo, o Pai e a salvação que ele oferece. Nota-se que Jesus pregou esse princípio desde o começo de seu ministério. Este capítulo inteiro aborda a mesma questão.

10.41: Quem recebe um profeta na qualidade de profeta, receberá a recompensa de profeta; e quem recebe um justo na qualidade de justo, receberá a recompensa de justo.

10.41 ὁ δεχόμενος προφήτην εἰς ὄνομα προφήτου μισθὸν προφήτου λήμψεται, καὶ ὁ δεχόμενος δίκαιον εἰς ὄνομα δικαίου μισθὸν δικαίου λήμψεται.

41 ὁ δεχόμενος προφήτην...προφήτου λήμψεται 1Rs 17.9-24; 2Rs 4.8-37

"Quem recebe um profeta no caráter de profeta, receberá o galardão de profeta" — O profeta não é apenas aquele que tem a capacidade e a missão de predizer acontecimentos, apesar de muitas vezes fazerem exatamente isso. Devemos nos lembrar de que, até mesmo no AT, a principal missão dos profetas era a de transmitir a mensagem de Deus, pregando e ensinando essa mensagem e sendo um representante de Deus na sociedade. O profeta deve ser homem "de dois mundos", porque João Batista não operou milagre nenhum e suas profecias foram poucas, e, no entanto, Jesus o classificou como o maior dos profetas. Era profeta porque pregou a mensagem da vinda do Rei e do reino dos céus. No NT, o profeta tem o ministério mais elevado depois dos apóstolos.

388 | Mateus | NTI

Naturalmente que os apóstolos eram profetas mas, além deles, outros exerciam também o dom profético na igreja primitiva. Outrossim, esse dom pode incluir ou não a previsão de acontecimentos futuros. Profetas falavam com maior autoridade e com maior orientação, vindas diretamente do Espírito Santo, do que os "mestres", que usavam as Escrituras e as expunham. Os profetas eram instrumentos especiais de Deus para espalhar e anunciar a mensagem do evangelho. Ver notas sobre o dom da profecia, em 1Coríntios 14.1 e Efésios 4.11.

Jesus prometeu que aqueles que reconhecessem os profetas e sua missão, acolhendo-os, também receberiam o galardão de um profeta. Em primeiro lugar, sabemos, pelas Escrituras, que todos os homens podem receber a herança prometida por Jesus, participando assim do objetivo mesmo da criação, isto é, a transformação do ser humano à imagem de Cristo. Os profetas também têm esse destino. O homem que segue os conselhos e recebe a mensagem dos profetas acolhe assim aquele que envia os profetas. Alford diz sobre este versículo: "Aquele que, ao receber um profeta por ser este profeta, ou um homem piedoso por ser este piedoso, reconhece e entra naqueles estados (de profecia e de piedade), designados por si, recebe a felicidade inerente a esses estados e, finalmente, participará do galardão eterno deles".

Os escritos judaicos contêm pensamentos semelhantes ao que foi expresso por Jesus, e esses pensamentos são numerosos: "Aquele que recebe em sua casa um homem sábio ou presbítero é como se tivesse recebido o Shekinah (a presença de Deus)". E ainda: "Aquele que fala contra o pastor fiel é como se falasse contra o próprio Deus".

"Quem recebe um justo, no caráter de justo, receberá o galardão de justo" — Aqui Jesus mostra que as pessoas devem ter cuidado em receber não somente os ministros ou profetas, mas todas as pessoas de bem, sem importar o serviço ou profissão que exerçam na vida. Talvez Jesus se tivesse referido aqui a diferentes tipos de ministros, aqueles que não são profetas (embora também os tivesse incluído); mas provavelmente estendeu a ideia a fim de incluir qualquer servo ou discípulo do reino dos céus. As pessoas que recebem esses hóspedes, por serem "justos", participarão do galardão desses hóspedes. O galardão pode ser a bênção de Deus nesta vida, mas a principal implicação é a do galardão que será outorgado no mundo vindouro.

10.42: E aquele que der até mesmo um copo de água fresca a um destes pequeninos, na qualidade de discípulo, em verdade vos digo que de modo algum perderá a sua recompensa.

10.42 καὶ ὃς ἂν ποτίσῃ ἕνα τῶν μικρῶν τούτων ποτήριον ψυχροῦ μόνον5 εἰς ὄνομα μαθητοῦ, ἀμὴν λέγω ὑμῖν, οὐ μὴ ἀπολέσῃ τὸν μισθὸν αὐτοῦ.

42 απολ. τον μισθον] απολ ηται ο μισθος D it syˢᶜ

42 Mc 9.41

5 42 {C} ποτήριον ψυχροῦ μόνον p¹⁹ ℵ B C K L P W Δ Θ Π (X 33 1010 1071 1216 1242 1344 2148 ʃ¹⁸⁴·¹²³¹·¹⁶⁶³ ψυχροῦν) ʃ¹ ʃ¹³ 28 565 700 892 1009 1079 1195 1230 1253 1365 1546 1646 2174 Byz Lect ʃ⁷⁰ᵐ⁽²¹¹⁾·⁸⁸³ᵐ itᵏ syrᵖ·ʰ·ᵖᵃˡ·ᵐˢˢ goth? // ποτήριον ψυχροῦ Eˣ geoᴮ // ποτήριον ὕδατος ψυχροῦ D itᵈ syrᶜ·⁽ˢ⁾ ethʳᵒ (Clement) Cyprian Hilary Augustine // ποτήριον ὕδατος ψυχροῦ μόνον itᵃᵘʳ·ᵇ·ᶜ·ff¹·ᵍ¹·ʰ·ˡ·q vg syrᵖᵃˡ·ᵐˢ copˢᵃ⁷ᵇᵒ? goth? arm ethᵖᵖ·ᵐˢ geoˡ·ᴬ

A forma com μόνον parece ter sido influenciada ou pelo paralelo de Marcos (Mc 9.41, onde o texto é firme), ou pelo desejo de usar um termo mais específico. O termo μόνον, que não faz parte da narrativa de Marcos, parece representar um genuíno toque de Mateus (entre os evangelhos sinópticos, Mateus usa o advérbio μόνον por sete vezes; Marcos, por duas vezes; e Lucas, por uma vez).

Ver nota detalhada sobre os galardões, em 1Coríntios 3.14. Talvez este versículo possa ser considerado como um estilo, porquanto mostra que algum galardão, ainda que pequeno, não será

difícil de ser obtido. Certamente que todos os crentes, nem que seja uma única vez, já deram um copo de água fria a algum necessitado. Todavia, lê-se que nem sempre um copo de água era reputado coisa de somenos nos quentíssimos países do oriente médio. Dar um copo de água fria era considerado sinal de bom espírito de hospitalidade, muito apreciado pelos viajantes. Provavelmente, essa atitude hospitaleira era praticada por alguns judeus, e os apóstolos teriam entendido o sentido desse serviço e da bondade nele envolvida.

"Destes pequeninos" — Os alunos dos rabinos eram chamados "pequeninos", e Jesus tomou de empréstimo essa expressão, aplicando-a aos seus discípulos. Jesus reconhecia a fraqueza deles, as dificuldades inerentes à missão, a oposição que encontrariam etc., e, assim, pensou neles em termos simpáticos e misericordiosos, como se fossem crianças, seus alunos. Todo aquele que lhes mostrasse misericórdia, que lhes prestasse algum serviço, ainda que pequeno, ajudando-os no caminho e aliviando-os a sede, não deixaria de ser notado por Deus e ser abençoado física e espiritualmente. É notável que, mediante essas palavras, Jesus tenha afirmado a verdade da promessa com uma expressão enfática. "[...] de modo algum perderá o seu galardão".

Nota-se, igualmente, uma escala descendente nas posições mencionadas: 1) profeta; 2) homem justo; e 3) pequenino. Aqueles, pois, que servirem a qualquer dos discípulos do reino receberão o galardão que lhes cabe por direito em vista desse serviço.

Browning transcreveu,

Tudo quanto não pude ser,
Tudo quanto os homens ignoravam em mim,
Disso fui digno diante de Deus,
Cujas rodas amoldaram o vaso.
(Rabino Ben Ezra, st. xxv).

Capítulo 11

IV. SEGUNDO GRANDE DISCURSO: OBRA E CONDUTA DE SEUS DISCIPULOS ESPECIAIS (9.35-11.1)

(e) Sumário (11.1)

Isso pode ser comparado aos sumários anteriores (4.23ss; 5.48 e 7.28,29). Este versículo, tal como 7.28,29, assinala a conclusão de uma das grandes seções. Mateus, diferentemente de Lucas, não faz nenhuma menção ao ministério dos discípulos especiais. Parece que houve três grandes circuitos pela Galileia. No primeiro, Jesus foi só; no segundo, levou seus discípulos especiais; e no terceiro, mandou-os adiante, e seguiu-os para confirmar a atuação deles. Supõe-se que esse terceiro circuito é o que é antecipado aqui e no décimo capítulo.

11.1: Tendo acabado Jesus de dar instruções aos seus doze discípulos, partiu dali a ensinar e a pregar nas cidades da região.

11.1 Καὶ ἐγένετο ὅτε ἐτέλεσεν ὁ Ἰησοῦς διατάσσων τοῖς δώδεκα μαθηταῖς αὐτοῦ, μετέβη ἐκεῖθεν τοῦ διδάσκειν καὶ κηρύσσειν ἐν ταῖς πόλεσιν αὐτῶν.

11 Καὶ...αὐτοῦ Mt 7.28; 13.53; 19.1; 26.1

"Tendo acabado Jesus de dar essas instruções" — Estas palavras assinalam o fim do segundo grande trecho de ensinos de Jesus e são usadas para marcar o final de cada um dos cinco trechos de ensinos de Jesus, em torno dos quais foi escrito este evangelho. Essa expressão encontra-se, como término das seções em que se divide o evangelho de Mateus, em 7.28: 11.1; 13.53; 19.1 e 26.1. As cinco seções do evangelho de Mateus, cada qual constituída por ensinos e por narrativas, são os capítulos 3—7; 8—10; 11—13; 14—18; 19—25. Os capítulos 26—28 formam a conclusão do evangelho de Mateus.

"**Partiu dali a ensinar e a pregar nas cidades deles**" — Os apóstolos iniciaram o segundo roteiro pela Galileia e é evidente que Jesus os seguiu, visitando algumas cidades que eles já tinham percorrido. Tendo seguido de dois em dois, e uma vez terminado o circuito, os apóstolos voltaram a Cafarnaum, a fim de prestarem a Jesus o relatório do que ocorrera (ver Mc 6.30). Os setenta discípulos fizeram depois a terceira excursão pela Galileia.

V. DECLÍNIO DA POPULARIDADE DE JESUS E SUA REJEIÇÃO (11.2-12.50)

Para os discípulos imediatos de Jesus, deve ter sido motivo de grande consternação ver sua popularidade decrescer, e perceber as nuvens da tempestade que se aproximava, o que levaria Jesus à morte. Do ponto de vista das descrições de suas obras, conforme se vê até este ponto no evangelho, esperaríamos uma total acolhida, com sua entronização em todos os corações humanos, e então na própria sociedade. As coisas, porém, não ocorrem desse modo, mas bem pelo contrário. Os evangelistas narram a história como que em choque e horror. Israel rejeitará o próprio Messias; o Messias fora sacrificado. Que estranhos acontecimentos, que perda, que vergonha! Romanos 9—11 narra como Paulo lutou com o problema de Israel, em relação ao Messias, depois de os judeus o terem rejeitado. E conclui o apóstolo que o endurecimento e queda de Israel são temporários, pois Deus haverá de conduzi-los à conversão geral (Rm 11.26). Portanto, o protomarcos e "Q" também tentaram manusear o problema, e este capítulo dá início à explicação. Até o próprio João Batista e seus seguidores vieram a tolerar dúvidas sobre a missão messiânica de Jesus, provavelmente porque ele não se adaptava ao ideal que faziam do Messias político, o que quase certamente compartilhavam com o judaísmo.

1. João Batista e a nova ordem (11:2-19)

Os v. 2-19 são paralelos de Lucas 7.8-35, e apresentam uma fase da vida de Jesus que não aparece no evangelho de Marcos. Quase todas as autoridades sobre o NT acreditam que Marcos forma a base principal do material usado pelo autor deste evangelho e também por Lucas. Além da matéria exposta por Marcos, Mateus e Lucas lançaram mão de outras fontes de informação. Uma dessas fontes, usada pelos dois últimos, intitula-se "Q", primeira letra do vocábulo *Quelle*, termo alemão que significa "fonte". Essa fonte não foi utilizada por Marcos. Provavelmente, era uma fonte escrita, mas não é impossível que parte da mesma fosse oral, isto é, tivesse forma de tradição que passava de indivíduo para indivíduo. Outro exemplo dessa fonte é o Sermão do Monte (Mt 5—7 e Lc 6.17-49, e ainda outros versículos dispersos em vários lugares do evangelho de Lucas). O leitor pode ver outras seções de "Q" e a teoria das fontes informativas em geral, nas seções que formam a introdução a este comentário, principalmente "O problema sinóptico", bem como nas introduções aos evangelhos. Ver nota em Lucas 1.4 sobre o esboço do ministério de Jesus.

O evangelho de Mateus não explica, em detalhes claros, como a "antiga religião" estava relacionada à nova, nem como o trabalho de Jesus estava vinculado ao de João. A passagem de Mateus 11.13, entretanto, mostra uma identificação clara de divisão. João assinalou o ponto divisório entre o antigo e o novo. Jesus tornou-se o Grande Profeta do novo, e ele aparece declaradamente como o Messias. Juntamente com o Messias vem o reino. Os crentes, mesmo após os evangelhos terem sido escritos, continuavam a esperar e a anelar pela vinda do reino sobre a terra — a "parousia" ou segundo advento de Cristo. Não perceberam (e, provavelmente, não era intenção divina que percebessem) que haveria uma extensa "era da igreja". Outros judeus, que não eram cristãos, também aguardavam o reino e o Messias, o que significaria o fim do domínio romano. Ver os escritos de Josefo quanto às muitas revoltas que tiveram lugar mais ou menos nesse tempo, inspiradas por diversos rebeldes que não suportavam mais a espera

ma se impacientaram, anelando o cumprimento das profecias, e assim tomaram as rédeas nas próprias mãos. (*Antiq.* XVIII.1.6; XX.5;XX.8.5,7,10; *Guerras dos Jud.*, II.8.1; II,12.4; II.12.2-7. Não é provável, contudo, que esse tipo de revolta esteja em foco no v. 12, onde se lê: "[...] o reino dos céus é tomado por esforço, e os que se esforçam se apoderam dele".

João Batista pertencia à ordem antiga, e reteve várias características da mentalidade judaica. Sua mensagem não foi tão espiritual quanto a de Jesus. Foi um líder poderoso, conforme Josefo nos diz, embora tivesse pouca associação com Jesus (ver Antiq.xviii.5.2). A fonte informativa "Q" revela que João, no momento da prova, chegou a duvidar do caráter messiânico de Jesus. Ficamos sabendo, pelo décimo nono capítulo de Atos, e por outras fontes, que nem todos os seus seguidores tornaram-se seguidores de Jesus; pois até mesmo já dentro da era cristã, eles se mantiveram como uma seita separada, e muitos deles aceitaram João Batista como Messias, e não a Jesus. Talvez isso nos seja difícil de entender; mas assim sucedeu. Contemplemos, pois, as dificuldades com que Jesus se defrontava — até mesmo aqueles que deveriam tê-lo reconhecido com maior facilidade, falharam, ou então tropeçaram e duvidaram.

O evangelista nos deixa entrever tudo isso, porquanto descrevia o declínio da popularidade de Jesus. Isso significa que a missão de Jesus se movimentou rapidamente e longe demais, impedindo que muitos o acompanhassem. E nisso se vê que ele foi muito mais que um reformador. Ele foi o novo Legislador, o Messias, que trouxe uma mensagem completamente nova e "revolucionária" para o mundo. Não causa admiração, pois, que a igreja cristã tenha surgido, já que o antigo judaísmo não sabia conter a pessoa de Jesus Cristo.

11.2: Ora, quando João no cárcere ouviu falar das obras do Cristo, mandou pelos seus discípulos perguntar-lhe:

11.2 Ὁ δὲ Ἰωάννης ἀκούσας ἐν τῷ δεσμωτηρίῳ τὰ ἔργα τοῦ Χριστοῦ[1] πέμψας διὰ τῶν μαθητῶν αὐτοῦ

2 Ἰωάννης...δεσμωτηρίῳ Mt 14.3; Jo 3.24

[1] **2** {C} χριστοῦ p^{19vid} ℵ B C K L P W X Δ Θ Π f^1 f^{13} 28 33 565 700 892 1009 1010 1079 1195 1230 1242 1253 1344 1365 1546 1646 2148 2174 *Byz* $l^{10,69,76,150,184,211,299,855,950,1084,1642}$ $it^{a,aur,b,c,f,ff^1,g^1,h,k,l,q}$ vg syr^{p,h,pal} cop^{sa,bo} goth arm eth^{pp,ms} geo // Ἰησοῦ D 1071 1216 *Lect* it^d syr^c eth^{ro} Origen Chrysostom // κυρίου ἡμῶν syr^s

Aqui a palavra Χριστοῦ é usada com o sentido de Messias. O nome Ἰησοῦ parece haver sido substituído em alguns testemunhos a fim de estabelecer contraste mais claro com o v. 3 (onde João é apresentado como quem não tinha certeza de que, realmente, Jesus era o Messias, e, portanto, poderia parecer impróprio declarar francamente que os feitos de Jesus eram, de fato, "as obras do Messias"). É significativo também que o códex Bezae insere Ἰησοῦς, ou substitui essa palavra por κύριος ou αὐτός, por cinquenta e sete vezes.

"**João [...] no cárcere**". João Batista fora encerrado em Maquero, a maior fortaleza dos judeus, nas fronteiras da Pereia, no lado oriental do mar Morto, e que talvez seja a moderna Mkaur. O local era protegido por desfiladeiros de Jerusalém, no ano 70 d.C. Ver a nota arqueológica sobre esse lugar, em Mateus 4.12.

João enviou um recado a Jesus, por meio de discípulos seus, conforme diz a maior parte das traduções mais modernas, incluindo a AA e a IB. A tradução AC, como também algumas outras, como a KJ, dizem "dois" ao invés de "por". Esta variante provém de certos mss gregos, C(3) EFGKLMSUVX Gam. Fam Pi, que dizem "dois". Outros mss., como BC(1) DPZ Delta e algumas versões latinas, siríacas, armênias e góticas dizem "por". O mais certo é que a palavra original do evangelho era "por", e que a variante se deve a um pequeno equívoco quanto à forma das palavras (no grego, essas duas palavras são extremamente semelhantes); ou, possivelmente, a palavra "dois" tenha sido tomada por empréstimo de Lucas 7.18,19, onde se sabe que o número de discípulos enviados por João eram dois.

Há muitos detalhes acerca da razão pela qual João enviou esses discípulos a Jesus, com o objetivo de verificarem se realmente ele era o Messias. Esse problema tem sido levantado por aqueles que não podem admitir que um homem da estatura espiritual de João pudesse nutrir dúvidas. As principais interpretações são as seguintes:

1) João não indagou para obter informação, mas para benefício dos seus discípulos, que precisavam de uma prova. O texto, porém, não dá nenhum indício acerca disso, e essa interpretação foi criada para evitar a conclusão de que um homem como João Batista pudesse nutrir dúvidas com respeito a Jesus. Diversos pais da Igreja interpretavam assim, e também Eutímio, Teofilacto, e também Stier. Contudo, o texto mostra que o próprio João dirigiu a pergunta, por meio de seus discípulos, e que a resposta foi endereçada a João.

2) Outros, como De Wette, Olshausen, Neander etc. acham que a dúvida alude à forma de manifestação que Jesus empregava para revelar-se, e não à sua identidade como Messias; ou então que a dúvida surgiu porque João tinha ideias diferentes acerca de como o Messias deveria desincumbir-se de sua missão.

3) Alguns pensam que essa manifestação de dúvida, da parte de João Batista, foi provocada por sua impaciência, porque desejava ver o desenvolvimento do reino e ouvira a declaração franca de Jesus de que ele era o Messias. O texto, todavia, não indica nada disso, e essa interpretação, como as duas primeiras, não passa de uma tentativa para que se elimine a possibilidade de qualquer dúvida da parte de João.

4) Outros, como Lightfoot, ainda mais equivocamente, supõem que João tenha demonstrado uma atitude condenável, porque Jesus não fazia nenhum milagre para livrá-lo do cárcere.

5) Outros acham que a atitude de João foi apenas uma tentativa para forçar Jesus a declarar abertamente que ele era o Messias, provavelmente incluindo a criação de um movimento político qualquer. Essa interpretação indica que João tinha dúvidas acerca do fato de Jesus ser ou não o Messias, e que lhe faltou paciência para esperar a comprovação desse fato, da parte do próprio Jesus. Novamente, essa é uma interpretação alicerçada em especulações, e não no texto bíblico.

6) A única interpretação válida é a que admite as dúvidas de João, não tanto sobre a esperança messiânica como sobre a identidade de Jesus como Messias. Provavelmente, João estava surpreso com o modo de vida de Jesus, porquanto ele não assumia a posição de grande e temível juiz, como João esperava. Jesus usava de demasiada paciência, humildade e simpatia. Onde estava o "machado à raiz das árvores"? Onde estava a "pá na sua mão"? Onde estava o "fogo inextinguível"? Mais do que qualquer outra coisa, João estava descoroçoado por causa de seu aprisionamento e dos sofrimentos por que passava no cárcere. As circunstâncias adversas de sua vida lançaram dúvidas em seu espírito. Não vira ainda o cumprimento de suas profecias acerca do reino e, provavelmente, como todos os demais judeus, João esperava a derrota do império romano, o que era certamente uma medida política que Jesus não estava encorajando em seu ministério. Por que não poderíamos aceitar as dúvidas de João Batista, quando nos recordamos que muitos homens de Deus têm passado por idêntica experiência, como Jeremias (Jr 20.7) e o próprio Elias? Parece perfeitamente claro que essa é uma experiência comum aos crentes. Esse incidente é tocante e proveitoso.

João Batista assumira a atitude própria dos prisioneiros, e estava desanimado, cheio de dúvidas, e agora buscava alguma esperança e segurança. E seguiu na direção certa, porquanto Jesus lhe propiciou a segurança de que precisava. Sem dúvida, João havia orado em prol de sua libertação, mas nem o próprio Jesus fizera alguma coisa em favor dele. É que a vontade de Deus, ainda que amarga, deve ser cumprida. Jesus nada fez para aliviar a própria ansiedade, no momento crucial de seu julgamento. Dúvidas tão sérias como aquelas que assaltaram a João também nos podem assediar, quando nos encontramos em angústia mental ou física. E então, nessas oportunidades, deveremos ser tão sábios quanto João Batista, que buscou segurança em Jesus.

11.3: És tu aquele que havia de vir, ou havemos de esperar outro?

11.3 εἶπεν αὐτῷ, Σὺ εἶ ὁ ἐρχόμενος ἢ ἕτερον προσδοκῶμεν;

<hr>

3 ὁ ἐρχόμενος Ml 3.1; Mt 3.11; Jo 1.15,27; 6.14; At 19.4; Hb 10.37; Ap. 1.4,8

"Aquele que havia de vir" — É frase usada para indicar o próprio Messias ou algum outro preceptor do reino. Ambos os usos aparecem na literatura judaica e nos escritos dos essênios (de cujo grupo João provavelmente fizera parte). Os judeus esperavam que as profecias messiânicas tivessem cumprimento por meio das três personagens e não por uma só, as quais haveriam de estabelecer o reino. Ver a nota detalhada sobre os *essênios*, suas doutrinas e suas práticas, em Mateus 3.1. É possível, pois, que João estivesse um tanto confuso sobre essa particularidade, pensando que Jesus fosse apenas uma das três personagens, e que ainda apareceriam outras duas, a fim de que fossem cumpridas todas as profecias messiânicas. Os cristãos primitivos, entretanto, ensinavam que Jesus cumpriu totalmente a missão atribuída ao Messias, com exceção, naturalmente, daquelas que se referem a seu segundo advento, as quais serão cumpridas então. O texto mostra-nos que João Batista não perdera a confiança nas profecias messiânicas, e, sim, que fora assaltado por dúvidas quanto à exata identidade de Jesus. Ver as notas sobre o v. 2, onde aparecem as diversas explicações sobre as dúvidas de João.

"Aquele que estava para vir" — Talvez seja um termo técnico que indique o redentor esperado, conforme parece subentendido em Mateus 3.11; Daniel 7.13; Hebreus 10.37 e Apocalipse 1.4. Encontramos também essa expressão nas liturgias dos mandeanos, uma seita gnóstica que aceitava João Batista como o Messias.

11.4: Respondeu-lhes Jesus: Ide contar a João as coisas que ouvis e vedes:

11.4 καὶ ἀποκριθεὶς ὁ Ἰησοῦς εἶπεν αὐτοῖς, Πορευθέντες ἀπαγγείλατε Ἰωάννῃ ἃ ἀκούετε καὶ βλέπετε·

11.5: os cegos veem, e os coxos andam; os leprosos são purificados, e os surdos ouvem; os mortos são ressuscitados, e aos pobres é anunciado o evangelho.

11.5 τυφλοὶ ἀναβλέπουσιν καὶ χωλοὶ περιπατοῦσιν, λεπροὶ καθαρίζονται καὶ κωφοὶ ἀκούουσιν, καὶ νεκροὶ ἐγείρονται καὶ πτωχοὶ εὐαγγελίζονται·

<hr>

5 τυφλοὶ...ἀκούουσιν Is 35.5,6; 42.18   πτωχοὶ εὐαγγελίζονται Is 61.1

5 και (om 28 pc lat) χωλοι περιπ.] om D pc d Cl | κ. νεκρ.εγ.κ.πτ.ευ.] κ.πτ.ευ.κ.ν.εγ. Θ f13 syᶜ; om κ.πτ.ευ. k syˢ Cl

As profecias messiânicas ensinavam que o Messias operaria milagres. É possível que predições, como a de Isaías 35.5,6, estivessem na mente de Jesus quando replicou aos mensageiros de João. Esta passagem de Isaías diz: "Então os olhos dos cegos serão abertos, e os ouvidos dos surdos se abrirão. Então os coxos saltarão como cervos, e a língua do mudo cantará: porque águas arrebentarão no deserto e ribeiros no ermo". E também Isaías 61.1: "O Espírito do Senhor Jeová está sobre mim; porque o Senhor me ungiu, para pregar boas-novas aos mansos: enviou-me a restaurar os contritos de coração, a proclamar a liberdade aos cativos, e a abertura de prisão aos presos". Ver também Ezequiel 36 e 37. O propósito de Jesus, ao proferir essas palavras, não foi somente provar que era homem dotado de grande poder, mas, antes de tudo, para mostrar a João que ele (Jesus) estava cumprindo as profecias messiânicas; em segundo lugar, para demonstrar, provavelmente, que João precisava aprender, com mais clareza, qual o caráter do ministério do Messias, corrigindo assim certos preconceitos de João Batista; em terceiro lugar, conforme é sugerido por alguns intérpretes, João deveria aprender que as principais características do ministério do Messias seriam o "amor", a "compaixão", a "tolerância" e a "simpatia", e que Jesus estava cumprindo totalmente essas condições. Assim, ao ouvir essas coisas, João reconheceria que Jesus estava cumprindo sua missão à risca, conforme fora predito no AT, e não da maneira imperfeita como João estava pensando. No primeiro circuito e no começo do segundo, Jesus já fizera todas as maravilhas mencionadas, mas agora, na presença dos enviados de João, tornou a operar os sinais profetizados. Jesus já tinha curado os cegos (Mt 9.27); os coxos (Mt 9.6); já limpara os leprosos (Mt 8.2); e ressuscitara mortos (Mt 9.25). Outrossim, Jesus sempre pregava o evangelho do reino dos céus, especialmente aos pobres. Isso é o que certamente deve ter impressionado mais profundamente a João Batista, porque o próprio João fazia disso uma parte imprescindível de seu ministério. João não operou milagre nenhum, mas teve grande experiência na pregação do evangelho aos pobres. João mesmo era um deles, e é provável que tivesse reconhecido que a pregação aos pobres era questão profetizada no tocante ao caráter do ministério do Messias.

11.6: E bem-aventurado é aquele que não se escandalizar de mim.

11.6 καὶ μακάριός ἐστιν ὃς ἐὰν μὴ σκανδαλισθῇ ἐν ἐμοί.

6 μακαριος...ἐμοί Mt 13.57; 26.31

"Bem-aventurado" — Trata-se da mesma expressão que Jesus utilizou por diversas vezes no Sermão do Monte, e que indica um estado de felicidade. No grego mais antigo, a expressão era usada como sinônimo de "rico", mas sempre aludindo à prosperidade material. Era expressão empregada para indicar o estado em que viviam os deuses, em contraste com o estado aviltado dos homens. No NT, essa palavra foi elevada para que indicasse a felicidade ou bem-estar espiritual que procede da correta relação com Deus. "Bem-aventurados os mortos que desde agora morrem no Senhor..." (Ap 14.13). Essa bênção, portanto, decorre da saúde da alma, e é disso que consiste a felicidade (pelo menos, em seu sentido primordial), como principal característica do crente. João precisava lembrar-se desses fatos, reconhecendo sua elevada e abençoada posição, a despeito das dificuldades e sofrimentos do momento. "E bem-aventurado é aquele que não se escandaliza de mim [de Cristo, nem acha nele nenhum motivo de tropeço]. Este versículo, ainda que indiretamente, encerra uma reprimenda a João Batista, o que por si mesmo demonstra o fato de João ter dúvidas reais, e confirma a interpretação apresentada no v. 2. Apesar de Jesus haver elogiado grandemente João Batista (v. 11), aqui o Senhor mostrou-se um tanto severo. João hesitou, tropeçou, duvidou, escandalizou-se de Cristo e provou, dessa maneira, como todos os homens provam, em última análise, que não podia ser comparado a Jesus quanto à pureza de caráter. Neste particular, parecemo-nos mais com João Batista do que com Jesus, porquanto quem pode ser comparado a Jesus, em sua humanidade perfeita?

11.7: Ao partirem eles, começou Jesus a dizer às multidões a respeito de João: Que saístes a ver no deserto? um caniço agitado pelo vento?

11.7 Τούτων δὲ πορευομένων ἤρξατο ὁ Ἰησοῦς λέγειν τοῖς ὄχλοις περὶ Ἰωάννου, Τί ἐξήλθατε

εἰς τὴν ἔρημον[a] θεάσασθαι;[a] κάλαμον ὑπὸ ἀνέμου σαλευόμενον;

7 Τουτων δε πορ.] Και μετα ταυτα sy[s]

7 περὶ...θεάσασθαι Mt 3.5

[a][a]7 a none, a question: TR WH Bov Nes BF² AV RV ASV RSV NEB TT Luth Jer Seg // a question, a none: Zür

Provavelmente, Jesus ficou em posição difícil perante o povo, que deve ter ouvido a sua conversa com os mensageiros de João Batista. João mostrara dúvidas honestas, e não dúvidas pervertidas, como as autoridades judaicas sempre mostraram ter; mesmo assim, eram *dúvidas*. Jesus replicara com honestidade, ainda que duramente, defendendo a sua autoridade messiânica. Agora cumpria-lhe falar mais acerca de João. Era impossível não prestar "esclarecimentos", porquanto o povo poderia manter questionamentos, não só a respeito de Jesus, mas também com referência a João. Jesus dirigiu-se à multidão, na hipótese de que a maior parte dos presentes tivesse visto João no deserto e ouvido a sua pregação. Provavelmente, muitos deles haviam sido batizados por João. Jesus, portanto, chama a atenção do povo, mostrando que eles tinham ido ao deserto com o propósito de ver alguém que era reputado profeta, e isso não por acaso; não tinham ido ver "um caniço agitado pelo vento". Naturalmente que quem quisesse apenas ver um caniço, não teria necessidade de ir até onde João batizava. Alguns intérpretes opinam que Jesus se utilizou do caniço como símbolo, sem falar literalmente de caniços. O caniço era símbolo de um homem fraco, destituído de propósitos, irresoluto; mas, quando as multidões saíram de Jerusalém, para ouvir a pregação de João, certamente não foram ali para ver um homem fraco e hesitante. Jesus indica que o povo já dera provas de que reconhecia a João como grande personalidade, investido de uma grande missão, porque era o precursor do Messias. Quando as multidões ali chegaram, encontraram um homem autêntico que, de maneira nenhuma, poderia ser reputado como um caniço.

11.8: Mas que saístes a ver? um homem trajado de vestes luxuosas? Eis que aqueles que trajam vestes luxuosas estão nas casas dos reis.

11.8 ἀλλὰ τί ἐξήλθατε[b] ἰδεῖν;[b] ἄνθρωπον ἐν μαλακοῖς ἠμφιεσμένον; ἰδοὺ οἱ τὰ μαλακὰ φοροῦντες ἐν τοῖς οἴκοις τῶν βασιλέων εἰσίν.

[b][b]8 b none, b question: TR WH Bov Nes BF² AV RV ASV RSV^mg NEB TT Luth Jer Seg // b question, b none: RSV Zür

"Homem vestido de roupas finas" — Roupas confeccionadas de algodão, lã, seda etc. e não como as vestes de um profeta, que eram feitas de pano cru; talvez um homem vestido como algumas das autoridades religiosas, que estavam acostumadas a ser vistas nas sinagogas ou no templo. Lucas acrescenta neste ponto: "Os que se vestem bem e vivem no luxo assistem no palácio dos reis" (Lc 7.25).

Talvez certas autoridades judaicas gozassem desses privilégios, e, mesmo assim, continuassem sendo reputadas como homens de Deus; mas a grande verdade é que o povo, ao procurar ouvir um profeta verdadeiro, não ia aos palácios reais, e, sim, ao deserto, onde João se encontrava. Nos escritos dos historiadores judeus fica-se sabendo que, durante o tempo dos reis Herodes (ver nota detalhada em Lucas 9.7, sobre eles), muitos escribas procuravam o favor desses pervertidos monarcas; e, uma vez obtido o seu favor, passavam a ocupar posições no governo, deixando assim de lado as vestimentas mais sóbrias, próprias dos escribas comuns, e começavam a trajar-se esplendidamente, tendo acesso ao palácio dos Herodes. É provável que os indivíduos conhecidos pela alcunha de herodianos (ver nota detalhada em Mc 3.6) fizessem outro tanto. O próprio Jesus foi vestido por Herodes com uma veste dessas, por escárnio, durante o breve encontro que teve com ele. Lemos, em Lucas 23.11: "[...] escarnecendo dele, fê-lo vestir-se de um manto aparatoso". As palavras de Jesus parecem indicar que os judeus

P52

Vinde a mim

realmente não sentiam respeito por esses homens. O povo fora ao deserto para ver e ouvir um profeta verdadeiro, e não um homem como alguns daqueles escribas.

"**Palácios reais**" — Sem dúvida, é uma alusão aos palácios de Herodes, e, conforme já se esclareceu, esse era o lugar a que algumas das autoridades religiosas dos judeus tinham acesso.

11.9: Mas por que saístes? para ver um profeta? Sim, vos digo, e muito mais do que profeta.

11.9 ἀλλὰ τί ἐξήλθατε^c ἰδεῖν;^{c} προφήτην^2;^{c} ναί, λέγω ὑμῖν, καὶ περισσότερον προφήτου.

9 ἰδεῖν...προφήτου Mt 14.5; 21.26; Lc 1.76

$^{c\,c\,c}$ **9** c none, c question, c question: TR AV RV^{mg} ASV^{mg} RSV^{mg} // c question, c none, c question (WH Bov Nes BF²) RV ASV RSV NEB TT Zür Luth Jer Seg

^{2}**9** {C} ἰδεῖν; προφήτην (ver Lc 7.26) ℵ² B^{vid} C K L P X D Q P ƒ¹ ƒ³ 28 33 565 700 1009 1010 1071 1079 1195 1216 1230 1242 1253 1365 1546 1646 2148 2174 Byz Lect l^{85m} it$^{a,aur,b,c,d,(ff,g¹,h,k),q}$ vg syr$^{c,s,p,h,(pal)}$ cop^{sa} goth arm eth^{pp,ms} geo Diatessaron Origen$^{1/2}$ Ambrosiaster Hilary Chrysostom Cyril // προφήτην ἰδεῖν ℵ* B^c W cop^{bo} eth^{ro} Origen$^{1/2}$ Chrysostom

O problema textual é complicado pela possibilidade de tomar tiv como se significasse "quê"? ou "por quê?" O texto impresso dos v. 7 e 8 pode ser traduzido por: (a) "O que saístes para verdes no deserto? uma cana sacudida pelo vento? (8) Que saístes para verdes? um homem vestido em roupas suaves?" (A segunda interpretação figura no evangelho de Tomás, logion 78).

No v. 9, a comissão resolveu que a forma ἰδεῖν προφήτην, que envolve a ambiguidade acima mencionada, mais provavelmente expressa o original que a outra forma, ἰδεῖν προφήτην. No contexto, essa forma deve ser entendida apenas de um modo, a saber, "Por que, então, saístes? a ver um profeta?".

"**Profeta [...] sim, eu vos digo, e muito mais que profeta**" — Os judeus foram ao deserto para ver aquele homem que tinha fama de ser grande profeta, talvez impulsionados tão-somente pela curiosidade; porém, as maneiras e a mensagem poderosa de João talvez os tivesse convencido de que estavam diante de um profeta autêntico. Pelo menos muitos ficaram assim convictos. E João era mais do que um profeta qualquer, porquanto estava investido de uma missão toda especial e muito exaltada, isto é, ele era o precursor do Messias. Ele era como Elias dos tempos antigos. É natural que muitos pensem que as figuras do passado sejam maiores do que as do presente; mas Jesus mostrou que, diante deles, havia um homem que era um profeta maior do que qualquer outro dentre os profetas de Israel. Os judeus reconheciam que João era um profeta, mas não percebiam que grande personagem era ele. João era mais do que um simples profeta, e isso pelas seguintes razões: 1) Era o precursor do Messias; 2) viu e testificou pessoalmente do Messias, e não somente escreveu profecias a respeito dele; 3) ele mesmo é referido em diversas profecias, segundo nos mostra o v. 10; 4) ele era representante especial do reino dos céus, e veio anunciar o estabelecimento desse reino.

11.10: Este é aquele de quem está escrito: Eis aí envio eu ante a tua face o meu mensageiro, que há de preparar adiante de ti o teu caminho.

11.10 οὗτός ἐστιν περὶ οὗ γέγραπται, Ἰδοὺ ἐγὼ ἀποστέλλω τὸν ἄγγελόν μου πρὸ προσώπου σου, ὃς κατασκευάσει τὴν ὁδόν σου ἔμπροσθέν σου.

10 Ἰδοὺ...ἔμπροσθέν σου Êx 23.20; Ml 3.1 (Mc 1.2; Lc 1.76; 7.27); Jo 3.28

Esta profecia baseia-se em Malaquias 3.1, e não foi vertida do grego da LXX, e, sim, do hebraico, com leves modificações. No original, é Jeová quem fala sobre sua vinda. Lemos, em Malaquias 3.1: "Eis que eu envio o meu anjo, que preparará o caminho diante de mim" — era Jeová falando acerca do próprio mensageiro. Jesus muda a palavra "meu" para "tua", e faz Jeová dirigir-lhe a palavra,

e o mensageiro passa a ser o precursor do Messias; e esse mensageiro ele identifica como João Batista. Todos os três evangelhos sinópticos usam a citação dessa maneira. Os judeus antigos interpretavam esse versículo de várias formas:

1) Jarchi apresentava o mensageiro como o anjo da morte, que destruiria os ímpios. 2) Abem Ezra supôs que se tratasse do Messias, filho de José, cujo ministério, na concepção judaica, seria anterior ao do Messias, filho de Davi. Conforme dissemos em notas anteriores, muitos dos judeus esperavam mais do que um personagem para encarnar o Messias. Ver nota sobre o v. 3. 3) Kimchi achava que se tratava de um anjo qualquer. 4) Abarbinel ensinava que esse personagem seria o próprio Messias. 5) Outros, ainda, diziam que se tratava de Elias ou de outro grande profeta do passado.

Pode-se ver, por conseguinte, como era grande a confusão que reinava sobre o assunto. Jesus mostrou qual a interpretação correta, e bem podemos imaginar que poucos, entre os judeus, estariam dispostos a aceitar essa explicação, sobretudo suas autoridades. Precisamos também observar que Jesus não somente elevou bem alto a missão de João Batista, mas, ao mesmo tempo, mostrou claramente a sua própria missão messiânica, alegando que ele é quem cumpria as profecias messiânicas do AT.

11.11: Em verdade vos digo que, entre os nascidos de mulher, não surgiu outro maior do que João, o Batista; mas aquele que é o menor no reino dos céus é maior do que ele.

11.11 ἀμὴν λέγω ὑμῖν, οὐκ ἐγήγερται ἐν γεννητοῖς γυναικῶν μείζων Ἰωάννου τοῦ βαπτιστοῦ· ὁ δὲ μικρότερος ἐν τῇ βασιλείᾳ τῶν οὐρανῶν μείζων αὐτοῦ ἐστιν.

"**Ninguém maior do que João Batista**" — A grandeza de João é ilustrada neste texto, por meio das palavras de Jesus. Notam-se seis particularidades dessa grandeza: 1) V. 7 — o caráter de João não se assemelhava a um caniço; ele era homem de determinação, dotado de vontade firme e dedicado à sua missão. 2) V. 8 — Não era como certas autoridades dos judeus, que buscavam favores políticos e assim enfraqueciam sua independência religiosa. 3) V. 8 — Em contraste com outros homens religiosos, não frequentava os palácios dos reis, procurando o favor de indivíduos investidos de alta posição; mas satisfazia-se em ser um homem simples, cumprindo a sua missão em lugar obscuro. 4) V. 9 — Era profeta do nível mais elevado. 5) V. 10 — Era o mensageiro especial de Deus, o precursor do Messias. 6) V. 11 — Foi o maior dos profetas antigos, de toda a história de Israel. Alguns interpretam que Jesus não se referiu às qualidades morais nem à grandeza pessoal de seu caráter, e, sim, à posição de João Batista dentro da teocracia, posição essa que lhe fora dada por determinação divina, e não porque merecesse tal posição. Provavelmente, essa interpretação foi imaginada por alguns que não podiam admitir que João Batista fosse, realmente, maior do que Abraão, José, Isaías, Elias, Jeremias, e outros grandes vultos da história de Israel. O texto, entretanto, apresenta as palavras de Jesus de modo absoluto, não deixando margem para uma interpretação que as classifique como uma posição de João Batista dentro da teocracia.

As palavras altamente elogiosas para João Batista infelizmente não foram ouvidas pelos seus discípulos. Elas equivaliam a uma elegia, porquanto João estava à beira da execução. O mais importante é que Jesus conferiu a João o cumprimento das profecias de Isaías 40.3 e Malaquias 4.5, ainda que mais propriamente a profecia acerca de Elias terá cumprimento futuro e literal, antes do segundo advento de Cristo.

"**O menor no reino dos céus [...] maior do que ele**" — Essas palavras têm provocado muitas e diferentes interpretações:

1. Alguns, incluindo Crisóstomo e outros pais da Igreja, além de certos comentaristas modernos (ver citação anterior), têm

394 |Mateus| NTI

declarado que a palavra "menor" se refere ao próprio Jesus, não porque ele assim fosse realmente, porém, porque assim era considerado pelos judeus. Dificilmente, entretanto, essa ideia ajusta-se dentro da declaração de Jesus.

2. Alguns creem que o céu não está em foco, mas antes, o reino terrestre do Messias, que haveria de ser estabelecido, isto é, Jesus teria abordado a vinda da nova sociedade em geral, e não do mundo celestial. Nesse caso, um justo que estivesse vivo quando da chegada desse reino, estaria em posição de mais alto privilégio do que qualquer outro antes da chegada do reino, embora a posição deste último fosse muito privilegiada. Provavelmente, se essa é a interpretação correta e se está incluída a ideia da obra da santificação e da justificação do Messias na sociedade, haveria pessoas que receberiam um ministério que não fora totalmente atingido por João Batista.

3. Outros pensam que Jesus falou do tempo da administração da graça, a era da igreja, isto é, Jesus se teria referido aos privilégios que seriam trazidos pelo Cristo ressurreto e glorificado. Pode ser que essa ideia expresse a verdade, mas provavelmente a segunda interpretação é mais razoável do que esta.

4. É certo também que no reino celestial (nos céus), qualquer pessoa, uma vez glorificada segundo a imagem e o padrão do próprio Cristo, será maior do que foi João Batista, quando era homem na carne. Embora isso seja uma verdade, não parece, pelo texto, que Jesus tivesse falado da salvação completa, nos céus, da qual todos os crentes usufruirão. João nasceu de mulher, e, "entre os nascidos de mulher", ninguém apareceu maior do que ele; mas os discípulos do reino (quando este finalmente for estabelecido) terão outro tipo de nascimento, o nascimento que se origina nos céus, conforme lemos em João 1.12,13 e 3.6, e assim serão filhos mais privilegiados do que qualquer outra pessoa que viveu antes do estabelecimento do reino. Entre os judeus, corria um ditado que ilustra o ensino deste versículo: "Até a escrava, que atravessou o Mar Vermelho, viu o que nem Ezequiel viu, e nem qualquer dos outros profetas".

11.12: E desde os dias de João, o Batista, até agora, o reino dos céus é tomado a força, e os violentos o tomam de assalto.

11.12 ἀπὸ δὲ τῶν ἡμερῶν Ἰωάννου τοῦ βαπτιστοῦ ἕως ἄρτι ἡ βασιλεία τῶν οὐρανῶν βιάζεται, καὶ βιασταὶ ἁρπάζουσιν αὐτήν.

12 δὲ] om Dᵃ a syˢ
12-13 Lc 16.16

Interpretações diversas têm sido feitas também sobre esse versículo:

1. Alguns pensam que Jesus falou sobre uma má ação, como se os inimigos de Deus se apoderassem do poder na esfera religiosa — no templo, nas sinagogas e nas posições de autoridade religiosa em geral — usando de tal poder de maneira pervertida. Não aceitavam a verdade e a mensagem de Deus e nem permitiam que outros as aceitassem. As palavras de Mateus 23.13, nesse caso, seriam aplicadas a tais homens: "Ai de vós, escribas e fariseus, hipócritas! porque fechais o reino dos céus diante dos homens; pois vós não entrais, nem deixais entrar os que estão entrando". Entretanto, o nosso texto não transmite essa ideia, apesar de explicar que havia certa diferença entre os dias de João Batista e os dias do ministério terreno de Jesus. Após o início do ministério de João Batista, as multidões passaram a demonstrar grande desejo de garantir para si mesmas um lugar no reino. O ministério de Jesus produziu muito maior interesse e maior número de discípulos convictos do que o ministério de João. O movimento ia crescendo cada vez mais. Jesus ilustra, mediante as suas palavras, de que forma os homens se esforçavam por garantir, compreender e apossar-se das realidades espirituais do reino dos céus.

2. Há os que interpretam que certos indivíduos estavam usando de meios violentos a fim de estabelecerem um reino político, por intermédio de uma revolta contra Roma.

3. Outros compreendem corretamente essas palavras, aplicando-as em bom sentido, como uma ação vigorosa, intensa, mas boa; porém, equivocam-se quando as aplicam a João Batista e a Jesus. Essa interpretação, portanto, diria que João Batista e Jesus, em seu intenso zelo, procuravam estabelecer o reino. Isso, realmente, faz parte da verdade, mas dificilmente podemos aplicar as palavras do texto a João e a Jesus.

4. Provavelmente, Jesus fez alusão a certas pessoas, entre as quais talvez figurassem publicanos e prostitutas, que, tendo entrado em contacto com João Batista e com Jesus, e percebendo o profundo valor de sua mensagem, ao aceitá-los como mensageiros de Deus e do reino, procuravam entrar no reino ainda que a troco do sacrifício de tudo, achando que qualquer sacrifício ou esforço era pequeno para pagar pela entrada no reino. Essas pessoas iniciaram uma revolução nas sinagogas, no templo e na sociedade judaica; porém, para os outros, pareciam pessoas violentas e radicais, porquanto haviam abandonado e derrubado os velhos costumes e os costumes da religião antiga, revoltando-se contra a situação na qual se encontravam. Ao praticarem tais coisas, pensavam que obteriam acesso ao reino, isto é, mediante uma bela e violenta ação. Ambrósio comentou como segue acerca deste trecho: *O beata violentia!* Matthew Henry disse: "O reino dos céus nunca foi planejado (estabelecido) para satisfazer o prazer dos levianos, e, sim, para servir de descanso para os que trabalham". Ainda que se tivesse levantado tão grande oposição contra João Batista e contra Jesus Cristo, por parte de homens violentos, o verdadeiro significado deste versículo é que os discípulos do reino, de maneira muito real e resoluta, haverão de apoderar-se do reino dos céus e o tornarão propriedade sua.

A expressão significa "apanhar precipitadamente" e, no grego clássico, era usada com o sentido de "furtar". Aqui, porém, descreve o modo resoluto dos discípulos do reino, a despeito da oposição externa, movida pelos homens, e da oposição interna, motivada pela sua natureza, por serem homens fracos e inclinados ao pecado, porquanto almejavam para si mesmos um lugar no reino de Jesus. Provavelmente, essas palavras foram provocadas pela observação de como as multidões se amontoavam ao redor, tanto de João como de Jesus, a fim de ouvirem as suas prédicas, e, mais particularmente, no caso de Jesus, a fim de serem beneficiadas pelos seus inúmeros milagres.

11.13: Pois todos os profetas e a lei profetizaram até João.

11.13 πάντες γὰρ οἱ προφῆται καὶ ὁ νόμος ἕως Ἰωάννου ἐπροφήτευσαν·

11.14: E, se quereis dar crédito, é este o Elias que havia de vir.

11.14 καὶ εἰ θέλετε δέξασθαι, αὐτός ἐστιν Ἡλίας ὁ μέλλων ἔρχεσθαι.

14 Ἡλίας...ἔρχεσθαι Ml 4.5; Mt 17.10-13; Mc 9.11-13; Lc 1.17; Jo 1.12

Este versículo assinala a grande divisão entre antiga dispensação e a nova. As palavras *até agora* provavelmente aludem ao começo da era cristã. Alguns interpretam que a opressão contra esse "movimento cristão" é o que se deve entender pelas palavras que dizem que o reino dos céus sofre violência. Isso, porém, por certo é "modernizar" demasiadamente as palavras de Jesus, pois parecem aplicar-se aos seus dias, e não à criação subsequente do movimento cristão. Não obstante, João Batista avultava como "a grande divisão" da história da humanidade. O Antigo e o Novo Testamentos são como as vertentes opostas de uma grande cadeia de montanhas. Lá no cume, elevava-se João Batista, que apresentava o Messias e a era seguinte.

Com estas palavras, Jesus mostra que todos os profetas, até João Batista, só poderiam falar sobre a vinda do Messias, sempre fornecendo instruções relativas a ele, mostrando o que deveria suceder no futuro, explicando o caráter e o ministério de Cristo. João Batista, no entanto, era diferente. Podia apontar um dedo e, com essa simples ação, podia mostrar o Cristo para o povo inteiro. Qualquer profeta gostaria de ter feito isso, mas esse privilégio estava reservado para João Batista. Era ideia comum entre os judeus que o Messias não chegaria enquanto Elias não tivesse cumprido seu ministério, como precursor do Messias. Esse ministério seria a verdadeira indicação de que o Messias já estava entre o povo. Jesus quis mostrar que esse ministério já se cumprira, e, através de João Batista, o profeta que tinham visto e ouvido e era o maior de todos os profetas, segundo o testemunho de Jesus, poderiam saber que o Messias também já estava presente. O profeta Malaquias indicou três características que acompanhariam o ministério do precursor do Messias: 1) Seria contemporâneo do Messias; 2) chegaria antes da destruição do templo (o segundo); 3) seria grande pregador de arrependimento entre o povo. Ora, João cumpriu todas essas exigências. Os outros profetas apenas se referiram à vinda do reino, mas João Batista teve parte no seu estabelecimento.

As Escrituras evidentemente indicam um ministério futuro de Elias, porquanto lemos que seu ministério deverá cumprir-se antes do dia do Senhor. Dificilmente, João Batista teria cumprido essa exigência. Assim, até hoje na igreja, muitos crentes ainda esperam por esse ministério de Elias, em sentido literal. Outros também acham que tal ministério poderá ter cumprimento na vida de outro homem, que viverá no espírito de Elias, como João Batista também viveu. Lemos, em João 1.21, que João Batista nega que era o Elias, mas ali ele alude à identificação literal com a pessoa de Elias, isto é, não eram a mesma pessoa. Contudo, João Batista viveu segundo o espírito e poder de Elias, e assim cumpriu a profecia do precursor, que deveria ser cumprida antes da primeira vinda do Messias. Neste último sentido, ele era Elias.

Pelas palavras de Jesus, no entanto, não se pode entender que João cumpriu todas as exigências relativas ao ministério de Elias, ministério esse que precederia à segunda vinda de Cristo. As indicações dadas pela profecia de Malaquias não se cumpriram totalmente no ministério de João. Neste caso, conforme se dá frequentemente com as profecias, há um cumprimento parcial, e há um cumprimento mais completo, reservado para o futuro. João cumpriu parcialmente tais profecias; Elias, ou outra pessoa que surgirá no poder e caráter de Elias, ainda terá um ministério na terra, que preparará tudo para o segundo advento de Cristo, antes do grande e terrível "dia do Senhor". Ver nota detalhada sobre essa questão, em Apocalipse 19.19. O texto de Malaquias 4.5,6 diz: "Eis que eu vos envio o profeta Elias, antes que venha o grande e terrível dia do Senhor; e converterá o coração dos pais aos filhos, e o coração dos filhos a seus pais; para que eu não venha e fira a terra com maldição". A clara indicação, aqui, é de que o ministério desse "outro Elias" terá ainda maior sucesso, na conversão dos pecadores, do que ocorreu quando do ministério de João Batista. Sabemos, por meio de outras profecias, que dizem que a terra inteira verá a glória de Cristo, que a terra sofrerá de pesadíssimos julgamentos, mas que assim também será inaugurada uma época como o mundo jamais viu até hoje.

11.15: Quem tem ouvidos, ouça.

11.15 ὁ ἔχων ὦτα³ ἀκουέτω.

15 Mt 13.9,43; Mc 4.9,23; Lc 8.8; 14.35; Ap 2.7; 13.9

³ 15 {C}ὦτα B D 700 it^{d,k} syr^s // ὦτα ἀκούειν ℵ C K L W X Δ Θ Π f¹ f¹³ 28 33 565 892 1009 1010 1071 1079 1195 1216 1230 1242 1253 1365 1546 1646 2148 2174 Byz Lect l^{883m} it^{a,aur,b,c,f,ff¹,g¹,h,l,q} vg syr^{c,p,h,pal} cop^{sa,bo} goth^{vid} arm eth geo Docetists Justin Diatessaron Clement Origen^{gr,lat}

Em face da frequência, algures, da expressão mais completa, ὦτα ἀκούειν (Mc 4.9,23; 7.16; Lc 8.8; 14.35), seria de esperar que os copistas adicionariam aqui o infinitivo (e também em 13.9 e 43). Se a palavra estava presente no original, não há razão para ter sido apagada em tão importantes testemunhos como B D 700 al.

"Quem tem ouvidos, ouça" — A expressão "para ouvir" não é autêntica nesta passagem. Os mss mais antigos a omitem, isto é, B D algumas versões latinas como o k e o mais antigo ms das versões siríacas, o Sy(s). Em Mateus 13.9,43 aparece a mesma declaração, com a mesma omissão, mas neste texto até os manuscritos mais antigos omitem a expressão "para ouvir". Ver notas textuais ali. A declaração também aparece em Marcos 4.9, e ali é autêntica a frase inteira: "Quem tem ouvidos para ouvir, ouça". Pode-se ver facilmente que a falta da expressão "para ouvir" não afeta em coisa nenhuma o sentido da passagem, sendo bem provável que a declaração original nunca tivesse incluído essa expressão. Evidentemente, Jesus proferiu essa declaração por muitas vezes e sob diferentes condições, conforme o próprio leitor pode verificar nos textos das referências dadas.

Jesus utilizou-se dessa declaração para reforçar o ensino apresentado e para mostrar a necessidade de considerar e aceitar esse ensino. Usualmente, esses ensinos de Jesus eram novos, ou então, por outras razões quaisquer, eram difíceis de ser compreendidos e aceitos. Aqui Jesus derruba uma antiga ideia concernente ao ministério de Elias, no que toca à primeira vinda de Cristo, mostrando que esse acontecimento, matéria de profecias durante séculos, já se cumprira, e isso sem a presença pessoal de Elias. Essa ideia não poderia ser facilmente aceita pelo povo, pelo que Jesus frisou seu ensino, dizendo: "Quem tem ouvidos, ouça". Essa expressão também aparece em Apocalipse 2.7,11,17,29; 3.6,13,22. Nota-se, igualmente, a mesma declaração nos escritos dos judeus, que usualmente a apresentam da seguinte maneira: "Aquele que ouve, ouça, e aquele que compreende, compreenda" (Zohar em Num.fol.60:3). Portanto, é provável que os judeus, ao ouvirem essas palavras de Jesus, já compreendessem a ênfase que elas davam ao discurso.

11.16: Mas, a quem compararei esta geração? É semelhante aos meninos que, sentados nas praças, clamam aos seus companheiros:

11.16 Τίνι δὲ ὁμοιώσω τὴν γενεὰν ταύτην; ὁμοία ἐστὶν παιδίοις καθημένοις ἐν ταῖς ἀγοραῖς ἃ προσφωνοῦντα τοῖς ἑτέροις

16 ἑτέροις ℵBDWΘ f¹³ 28 pm it] εταιροις 565 700 al lat sy sa ς; R: add αυτων WΘ f¹³ pm sy sa ς

11.17: Tocamo-vos flauta, e não dançastes; cantamos lamentações, e não pranteastes.

11.17 λέγουσιν, Ηὐλήσαμεν ὑμῖν καὶ οὐκ ὡρχήσασθε· ἐθρηνήσαμεν⁴ καὶ οὐκ ἐκόψασθε.

⁴ 17 {C} ἐθρηνήσαμεν ℵ B D f¹ 892 l⁴⁸ it^{sur,c,d,f,ff²,g¹,k,l} vg cop^{sa,bo} goth geo² Clement Chrysostom Augustine // ἐθρηνήσαμεν ὑμῖν C K L W X Δ Θ Π f¹³ 28 33 565 700 1009 1010 1071 1079 1195 1216 1230 1242 1253 1365 1546 1646 2148 2174 Byz Lect it^{a,ff²,h,q} syr^{c,s,p,h} arm eth geo¹ Diatessaron Augustine

---

Após repetidas discussões, a comissão resolveu que os copistas mais provavelmente inteirariam ὑμῖν, por amor ao paralelismo com a estrofe anterior, do que haveriam de apagar essa palavra como desnecessária. Outrossim, o texto mais breve é apoiado por representantes de tipos de texto largamente diversificados.

Jesus expõe a perversidade do povo, descrevendo crianças a brincar. Primeiramente, algumas dramatizam a cena do acompanhamento de um casamento, como um cortejo em que os acompanhantes deveriam dançar e cantar alegremente. Outras, contudo, permanecem carrancudas. As crianças, em seguida, adaptam-se a isso, transformando o cortejo em um funeral, como se fora um sepultamento; mas novamente não conseguem adaptar-se à reação dos outros, acompanhando os lamentos e a tristeza, como era comum nos sepultamentos efetuados no oriente. Os outros simplesmente resolvem não cooperar e não pretendem agradar. Assim também, quer Jesus falasse, quer João, não havia reação positiva da parte dos judeus, mas apenas uma crítica negativa. Alguns intérpretes são de opinião de que ambos os grupos de crianças se referem aos judeus, e que a ilustração é a respeito da nação que, em geral, agiu como crianças em seus folguedos, um grupo desejando uma coisa e outro desejando outra, mas ambos os grupos insatisfeitos. Os judeus não aceitaram nem João, nem Jesus, nem o reino, e nem reconheceram o valor do que lhes era oferecido. Há diversas outras interpretações, que são modificações das duas aqui apresentadas; assim, pode haver dúvida quanto à forma exata da ilustração, mas a lição aqui ensinada por Jesus é perfeitamente clara, que era a perversidade, a estupidez e a infantilidade daquela "geração". Da religião faziam uma brincadeira, ainda que com ar de seriedade; representavam um ato, com sinceridade, mas detestavam os que realmente eram sinceros. Estavam igualmente insatisfeitos com João Batista e com Jesus, a despeito do fato de serem estes personagens diferentes.

Geração — A palavra pode significar o mundo inteiro, uma nação, a maior parte de um povo; ou também pode indicar certos elementos dentre o povo. É provável que Jesus tenha falado principalmente das autoridades religiosas. Não nos devemos esquecer, porém, de que a nação de Israel, de modo geral, rejeitou tanto João Batista como Jesus e, assim, as palavras também aplicam-se à nação inteira de Israel.

11.18: Portanto veio João, não comendo nem bebendo, e dizem: Tem demônio.

11.18 ἦλθεν γὰρ Ἰωάννης μήτε ἐσθίων μήτε πίνων, καὶ λέγουσιν, Δαιμόνιον ἔχει·

18 ἦλθεν...πίνων Mt 3.4; 9.14; Lc 18.12

"Não comia nem bebia" — Expressão hiperbólica, para indicar o espírito de ascetismo e abstinência demonstrado por João Batista. Por diversas outras passagens bíblicas, ficamos sabendo que a mensagem de João foi rejeitada de maneira geral (ver Mt 21.23-27 e Jo 5.35). No entanto, é somente neste versículo que nos inteiramos do fato de dizerem que João estava possuído por um espírito maligno ou demônio. Por várias vezes, houve indivíduos que também falaram desse modo contra Jesus (Jo 7.20 e 10.20). Ver nota detalhada sobre os "demônios", em Marcos 5.2, e sobre a possessão demoníaca, em Mateus 8.28.

"Tem demônio" — Um demônio que daria origem à melancolia, conforme dizem aqueles que sabem ser isso possível, isto é, que às vezes a possessão demoníaca exerce precisamente esse efeito. Os fariseus dramatizavam o espírito de melancolia a fim de impressionarem o povo, e ficavam sujos e barbudos. Entretanto, porque tudo não passava de uma encenação, essas coisas não eram aceitas nem por eles nem pelo povo em geral. Pelo contrário, João Batista sentia realmente tristeza, por causa do pecado e por causa do seu intenso desejo de que o povo se arrependesse; mas essa atitude, no caso de João Batista, não era fingida. Por isso é que as autoridades religiosas não podiam aceitá-lo. E a desculpa deles é que uma atitude como aquela de João só poderia ser obra de demônios. Contudo, o que para as autoridades religiosas não passava de encenação, para João era uma tristeza autêntica. Quando aqueles presenciaram a melancolia autêntica, temeram-na e apodaram-na de esquisita.

11.19: Veio o Filho do homem, comendo e bebendo, e dizem: Eis aí um comilão e bebedor de vinho, amigo de publicanos e pecadores. Entretanto a sabedoria é justificada pelas suas obras.

11.19 ἦλθεν ὁ υἱὸς τοῦ ἀνθρώπου ἐσθίων καὶ πίνων, καὶ λέγουσιν, Ἰδοὺ ἄνθρωπος φάγος καὶ οἰνοπότης, τελωνῶν φίλος καὶ ἁμαρτωλῶν. καὶ ἐδικαιώθη ἡ σοφία ἀπὸ τῶν ἔργων[5] αὐτῆς.

19 ἦλθεν...πίνων Mt 9.14 ἄνθρωπος...ἁμαρτωλῶν Mt 9.11; Lc 15.1,2; 19.7

19 {B} ἀπὸ τῶν ἔργων ℵ B* W syr[p.h] cop[sa,ms,bo] eth[ro] mss[acc. to Jerome] // ἀπὸ τῶν τέκνων (ver Lc 7.35) B² C D K L X Δ Θ Π f¹ 28 33 565 700 892 1009 1010 1071 1079 1195 1216 1230 1242 1253 1344 1365 1546 1646 2148 2174 Byz Lect it[aur,c,d,f,ff²,g¹,h,l,q] vg syr[c,s,hmg] cop[sa] goth arm eth[pp,ms] geo Diatessaron Irenaeus[lat] Origen Hilary Epiphanius Chrysostom Augustine // ἀπὸ πάντων τῶν τέκνων (ver Lc 7.35) it[k] // ἀπὸ πάντων τῶν ἔργων (ver Lc 7.35) f¹³

A comissão reputou a forma τέκων (largamente apoiada B² C D K L X D Q P e a maioria dos manuscritos minúsculos) como originária na harmonização escribal com o paralelo lucano (Lc 7.35). As formas com πάντων representam ainda maior assimilação à passagem de Lucas.

Alguns eruditos (eg. Lagarde, *Abhandlungen der Gesselschaft der Wissenschaften zu Gottingen*, Filo. Hist. K1, xxxv (1888), p. 128 Anm., Zahn, Klostermann) têm pensado que ἔργων de Mateus e τέκνων de Lucas surgiram da ambiguidade do aramaico não-acentuado, עבריה, que pode ser pronunciado *abadeh*, "as obras dela", ou *adbeh*, "servos dela". Outros (e.g. Eb. Nestle e Lagrange), porém, salientam que, mesmo assim, deve-se salientar que τέκνον (ao invés de παῖς) nunca é usado como equivalente do termo hebraico עברא.

"Veio o Filho do homem, que come e bebe" — Ver nota detalhada sobre "Filho do Homem", em Marcos 2.7 e Mateus 8.20. Jesus jejuou, mas não como mero costume. De modo geral, não demonstrou atitude ascética e abstinente, como João Batista. Jesus era afável, social, simpático, amavelmente humano, fraternal. Nunca hesitou em misturar-se com o povo, até com os elementos mais vis, porquanto o médico deve estar junto dos doentes. Jesus sempre serviu aos outros, operando curas e até ressuscitando aos mortos, e somente separou-se e procurou descansar quando isso tornava-se imperioso, para que mantivesse a saúde física e uma boa condição mental. Certamente, portanto, ninguém poderia criticar tal pessoa! A verdade, porém, é que criticaram a Jesus, dizendo a respeito dele: "Ele é glutão e bebedor de vinho". Pelas Escrituras, ficamos sabendo que disseram muitas outras coisas além dessas: tinha demônio, era um louco, falava contra Moisés, desobedecia à lei, não observava o sábado, proferia blasfêmia, traía ao governo etc. Disseram, igualmente, que Jesus era "amigo de publicanos e pecadores" e, com isso, queriam dizer que não somente se misturava com eles, mas também tinha o mesmo caráter pecaminoso deles. A expressão pode ter um significado muito ruim, indicando até uma perversão homossexual. Até hoje, um dos nomes geralmente dado a Cristo é o de "Amigo dos pecadores", mas agora revestido de bom sentido, pois indica simpatia e misericórdia para com a humanidade. E, de fato, Jesus Cristo é assim.

Neste texto, nota-se, de maneira clara, que a oposição a Jesus aumentou grandemente durante o segundo circuito pela Galileia, e que a popularidade de que antes ele gozava agora começava a diminuir. Não há que duvidar que seu nome começou a aparecer nos sermões das autoridades religiosas. Pelas Escrituras, somos informados de que, antes do término de seu ministério, os principais líderes dos judeus, em Jerusalém, enviaram espiões à Galileia, com o fito de observar Jesus. A situação ante o governo romano também começou a tornar-se crítica. A reputação de Jesus se foi espalhando por toda parte; o povo falava sobre o "reino" dos céus, e é provável que interpretassem esse termo como algo que envolvia a política; por isso, essa ideia representava uma ameaça velada contra o governo dominante. Por toda parte, a situação se agravou e a oposição se açodou. O povo começou a ter medo de falar em Jesus na presença dos líderes religiosos, e alguns elementos, dentre as multidões, tomaram o lado das autoridades nas controvérsias que passaram a surgir.

"Mas a sabedoria é justificada por suas obras" — No lugar da palavra "obras", os mss B(2) CDEFGKLMSUVX Gama Delta e Fam Pi dizem "filhos". As traduções KJ AC F M também dizem "filhos". As outras traduções dizem "obras" ou "resultados", "ações" etc. Jerônimo, um dos pais da Igreja, também cita o texto dessa maneira. Esta última variante (a palavra "obras") é original em Mateus. Assim, temos: "A sabedoria é justificada (vindicada, permanece ou cai) por suas ações, resultados". O termo "filhos" é tomado de empréstimo do trecho paralelo, em Lucas 7.35, onde o texto é correto.

Quer a palavra seja "obras", quer seja "filhos", o ensino é o mesmo, ou seja, os resultados finais das ações provam a validez das mesmas, ou a sua falsidade. Aqueles que praticam o bem em sua vida, finalmente provarão o que é bom e justo. No caso de João Batista e de Jesus, o ensino é que, finalmente, os seus ensinamentos e a sua vida serão comprovados como autênticos, aprovados por Deus, porquanto, finalmente os resultados de sua vida e ensinos provarão que tiveram origem em Deus, o que também sucederá na vida de seus discípulos, os quais também são "filhos" da sabedoria de Deus, e cujas obras são "resultados" da observância e da prática da sabedoria divina. Os frutos provam o caráter e a natureza da árvore, e essa é a ideia central. A sabedoria de Deus, embora condenada por certas pessoas, finalmente vindicaria a si mesma pelos resultados produzidos em seus filhos. A palavra "sabedoria" tem recebido diversas interpretações: 1) Sabedoria de Deus, em suas obras; 2) o evangelho, que mostra a sabedoria de Deus nos seus tratos com os homens; 3) o próprio Cristo, que é a sabedoria de Deus; 4) a declaração geral que diz que de uma fonte boa só pode fluir coisa boa, e que tal fluido provará o bom caráter da fonte. Provavelmente, Jesus falou assim, isto é, em termos gerais.

V. DECLÍNIO DA POPULARIDADE DE JESUS E SUA REJEIÇÃO (11.2-12.50)
2.Contraste entre os acolhedores e os rejeitadores (11.20-30)

Os bebês (v. 25), os menores elementos do reino (v. 11), são agora contrastados com os galileus que haviam rejeitado a Jesus. O v. 20 é um comentário editorial, feito pelo autor sagrado. Os versículos que vêm a seguir derivam-se de "M". (Ver explicações sobre as fontes informativas deste evangelho na seção VIII da introdução.) O texto de Isaías 14.13,15 é uma fonte parcial, quanto ao v. 23. Nos v. 25-30, encontramos três seções: a) v. 25,26. b) v. 27. Essas duas seções têm por paralelo Lucas 10.21,22, pelo que se derivam de "Q". c) v. 28-30, que figuram somente em Mateus, pertencem, pois, à fonte "M". Os v. 25ss são intitulados de "passagem joanina", por causa da similaridade de expressão com o evangelho de João. (Ver as notas que se seguem.) Estes versículos constituem uma notável "autorrevelação" acerca de Jesus.

11.20: Então começou ele a lançar em rosto às cidades onde se operara a maior parte dos seus milagres, o não se haverem arrependido, dizendo:

11.20 Τότε ἤρξατο ὀνειδίζειν τὰς πόλεις ἐν αἷς ἐγένοντο αἱ πλεῖσται δυνάμεις αὐτοῦ, ὅτι οὐ μετενόησαν·

Segundo a cronologia de Lucas, Jesus proferiu estas palavras mais tarde, quando os deixou, após terminar seu ministério naquela região. Pode ser que tenha dito essas palavras como reminiscência de sua obra nas cidades da Galileia, talvez depois do segundo circuito ali, quando a oposição já era intensa. Jesus apresentou discursos poderosos naquela cidade, bem como muitos

prodígios. Os doze o imitaram e realizaram as mesmas coisas, em nome de Jesus. Agora, todos já sabiam que ele era o Messias. A proclamação do reino também fora anunciada por toda a nação. O povo, porém, de modo geral, tinha uma atitude apática com relação ao que considerava bom; mas, com aquilo que reputava negativo, tinha uma atitude hostil.

"Pelo fato de não se terem arrependido" — Jesus não operou milagres para satisfazer a curiosidade alheia, nem discursou para divertir o povo ou mostrar que podia apresentar uma mensagem melhor do que as autoridades religiosas dos judeus. Ele trabalhou e falou a fim de preparar a inauguração do reino de Deus na terra, a fim de introduzir a nova era e o novo mundo na terra, a fim de aliviar a maldição imposta por causa do pecado e transformar a sociedade pecaminosa. Era necessário o arrependimento para que isso se realizasse. Deus não impõe seus objetivos à humanidade, mas usa de meios misericordiosos para convencê-la de que as condições celestiais não podem prevalecer na terra sem a santidade dos céus e a modificação da natureza humana. O povo ignorou a necessidade de arrependimento, e por isso não pôde entrar no reino. Ver notas detalhadas sobre o "arrependimento", em Mateus 3.2; 21.29; Marcos 1.15.

11.21: Ai de ti, Corazim! ai de ti, Betsaida! porque, se em Tiro e em Sidom se tivessem operado os milagres que em vós se operaram, há muito elas se teriam arrependido em cilício e em cinza.

11.21 Οὐαί σοι, Χοραζίν· οὐαί σοι, Βηθσαϊδά· ὅτι εἰ ἐν Τύρῳ καὶ Σιδῶνι ἐγένοντο αἱ δυνάμεις αἱ γενόμεναι ἐν ὑμῖν, πάλαι ἂν ἐν σάρκῳ καὶ σποδῷ μετενόησαν.

21-22 Τύρῳ καὶ Σιδῶνι Is 23.1-8; Ez 26—28; Jl 3.4-8; Am 1.9,10; Zc 9.2-4
21 σάκκῳ καὶ σποδῷ Et 4.1; Jn 3.6

"Corazim" — A antiga localidade foi descoberta em 1842, a cerca de três quilômetros da atual cidade de Tell Hum (local onde hoje seria Cafarnaum). Há duzentos anos que se descobriu a sinagoga ali. Era feita de mármore escuro e tinha uma "cadeira de Moisés", onde seus mestres mais famosos se assentavam enquanto ensinavam. As ruínas de Corazim são extensas.

"Betsaida" — Esse nome sugere "casa de pesca", isto é, de peixe. Era a cidade natal de Pedro, André e Filipe. Muitos nativos da cidade eram pescadores. Alguns arqueólogos identificam a cidade como local próximo de Cafarnaum, provavelmente a localidade mais importante, ou "Pescápolis", de Cafarnaum. Assim, fica esclarecido por que João diz que Pedro e André eram de Betsaida, enquanto que Marcos diz que eram de Cafarnaum; pois, de outro modo, eles se teriam mudado para esta última. Outros, porém, têm sugerido que havia duas Betsaidas, uma de cada lado do rio Jordão, mas com o mesmo nome.

Além desses fatos, quase nada se sabe sobre Corazim ou Betsaida, exceto que estavam entre as cidades que rejeitaram a Cristo, e que contribuíram para solapar a influência de Jesus. Nessa época, apesar de seus muitos milagres, Cristo vinha sendo realmente rejeitado, e a sua mensagem tomou a forma de aviso de julgamento. Jesus chegou a repreender Cafarnaum, sua cidade adotiva; e isso pode parecer inacreditável, mas seus habitantes também rejeitaram Jesus. Betsaida, Corazim e Cafarnaum estavam situadas a nordeste do mar da Galileia. Todas sofreram total destruição, mas a predição de Jesus versa mais sobre o julgamento do povo das cidades, o destino de cada indivíduo, e não sobre o julgamento da porção material das cidades.

"Tiro... Sidom" — Ver nota detalhada sobre essas cidades, em Atos 21.3. Elas constituíam o símbolo do juízo de Deus contra o pecado. Nota-se, no AT, que Ezequiel profetizou contra essas cidades (Ez 26,27,28). Jesus sugere que, se Ezequiel tivesse feito milagres em Tiro e Sidom, como já fizera nas cidades da Galileia, essas cidades se teriam arrependido em "pano de saco e cinza", o que indica um arrependimento profundo e verdadeiro.

398 | Mateus | NTI

É importante notarmos aqui que Jesus operou muitos milagres nessas cidades da Galileia, os quais não se encontram na narrativa dos evangelhos. Talvez tenhamos nos evangelhos apenas um esboço do ministério de Jesus, pois João disse a verdade, quando escreveu: "Na verdade fez Jesus diante dos discípulos muitos outros sinais que não estão escritos neste livro..." (Jo 20.30).

"**Com pano de saco e cinza**" — No oriente, era comum aqueles que se lamentavam por qualquer motivo vestirem-se de vestes de pano cru, de cor preta, que se assemelhava a sacos, com buracos para os braços. Nesses casos, era costume também colocarem cinza na cabeça ou sentarem-se sobre cinza, como Jó fez (Jó 2.8). Tudo isso simbolizava a tristeza, a lamentação e o arrependimento. Lucas diz aqui: "[...] assentados em pano de saco e cinza", porque usualmente os lamentadores assumiam essa posição quando se lamentavam.

11.22: Contudo, eu vos digo que para Tiro e Sidom haverá menos rigor, no dia do juízo, do que para vós.

11.22 πλὴν λέγω ὑμῖν, Τύρῳ καὶ Σιδῶνι ἀνεκτότερον ἔσται ἐν ἡμέρᾳ κρίσεως ἢ ὑμῖν.

Jesus indica aqui o que Paulo ensinou mais tarde (Rm 2) — que os homens serão julgados não somente de conformidade com seus atos, mas também segundo as suas oportunidades, e também segundo o esclarecimento e conhecimento que receberam. Portanto, haverá diferentes tipos de julgamento. Ver nota sobre os "sete julgamentos", em Mateus 25.3; sobre o "julgamento do crente", em 2Coríntios 5.10; e sobre o "inferno", em Apocalipse 14.11.

Para os judeus, somente Sodoma e Gomorra seriam piores do que Tiro e Sidom, conforme se depreende da literatura judaica; mas até mesmo os moradores destas últimas poderiam alcançar a misericórdia de Deus, em face de sua falta de oportunidade e esclarecimento. Nesse caso, haverá menos rigor para essas cidades. Jesus ensina aqui que nem todos os pecados são iguais. As cidades de Tiro e Sidom possuíam intenso comércio marítimo e por isso eram ricas, luxuosas, indulgentes, onde floresciam todos os vícios da humanidade. Por causa disso, constituíam um bom exemplo do tipo de lugar que deve ser julgado por Deus. Por isso é que os profetas as condenaram por diversas vezes, e que, por diversas vezes, foram destruídas; mas sempre retornaram ao seu anterior estado de riquezas abundantes. Nos dias de Jesus, desfrutavam de grande prosperidade. Os judeus continuavam a julgá-las conforme os profetas disseram, séculos antes, e, sem dúvida, eles se julgavam moralmente muito superiores a elas. Jesus, entretanto, mostrou que a opinião de Deus era diferente. Deus também leva em conta as oportunidades que os homens têm, e, assim, achou menos culpa e razão para julgamento, em Tiro e Sidom, do que em Israel.

11.23: E tu, Cafarnaum, porventura serás elevada até o céu? até o hades descerás; porque, se em Sodoma se tivessem operado os milagres que em ti se operaram, teria ela permanecido até hoje.

11.23 καὶ σύ, Καφαρναούμ, μὴ ἕως οὐρανοῦ ὑψωθήσῃ[6]; ἕως ᾅδου καταβήσῃ[7]. ὅτι εἰ ἐν Σοδόμοις ἐγενήθησαν αἱ δυνάμεις αἱ γενόμεναι ἐν σοί, ἔμεινεν ἂν μέχρι τῆς σήμερον.

[6] 23 {B} μὴ ἕως οὐρανοῦ ὑψωθήσῃ ℵ B* (B^c ἢ ἕως) D W Θ (C f¹ ἕως τοῦ) 1253 it^a.aur,b,c,d,ff¹,2,(k) vg (syr^c) cop^sa,bo arm eth geo Irenaeus^lat Jerome // ἢ ἕως τοῦ οὐρανοῦ ὑψωθεῖσα Κ (L ὑψωθήσει) Χ Π* (Δ 33 565 1230 omit τοῦ) 892 1009 1071 1079 1195 1216 1242 1546 1646 Byz Lect it^h goth^vid? Caesarius-Nazianzus Chrysostom // ἢ ἕως τοῦ οὐρανοῦ ὑψώθης Π^mg (f¹³ 28 omit τοῦ) 700 1010 1344 1365 (2148 omit ἢ and τοῦ) 2174 it^f,(a¹),q syr^s,p,h mss^ace,to Jerome Chrysostom Maximus-Confessor

[7] 23 {D} καταβήσῃ (ver Is 14.15) B D W it^a,aur,b,c,d,f,ff¹,2,g¹,h,k,l,q vg syr^c,s cop^sa goth arm eth geo Irenaeus^lat Caesarius-Nazianzus // κατα-βιβασθήσῃ (ver Lc 10.15) ℵ C K L X Δ Θ Π f¹,f¹³ 28 33 565 700 892 1009 1010 1071 1079 1195 1216 1230 1242 1253 1344 1365 1546 1646 2148 2174 Byz Lect syr^p,h cop^bo

23 μὴ...καταβήσῃ Is 14.13,15   23 εἰ...σήμερον Gn 19.24-28; 2Pe 2.6; Jd 7

[6] Paleograficamente falando, é fácil ver como a forma preservada nos testemunhos mais antigos, que representam todos os tipos de texto pré-bizantino, foi acidentalmente modificada. Após Καθαρνσόμ, a primeira letra de μή foi acidentalmente esquecida, com a consequente alteração do verbo para ὑψωθεῖσα ou ὑψώθης, dependendo de a letra Η ter sido considerada como o artigo, ἡ, ou como o relativo ἥ. A forte evidência externa em favor da presença de μή é confirmada também pelas probabilidades intrínsecas e de transcrição. A resultante inesperada — "*E tu, Cafarnaum, serás exaltada aos céus?*" — é uma aguda e abaladora interrogação, inteiramente em consonância com o uso de uma linguagem vívida por Jesus. Por outro lado, quase todos os copistas preferiam a declaração mais chã — "E tu, Cafarnaum, que és exaltada até aos céus...".

[7] Se o verbo deve ser entendido como "*serás derrubada*" ou "*serás arrastada para baixo*", é questão difícil de responder. Considerações de probabilidades de transcrição — como a exaltação do sentido e a substituição de um verbo raro por outro mais comum — não são conclusivas (ver também os comentários sobre Lc 10.15). Apesar da possibilidade de assimilação do texto a Isaías 14.15 (que diz καταβήσῃ), a maioria da comissão preferiu esse verbo, apoiado como é pelos mais antigos representantes tanto dos tipos de texto alexandrinos quanto orientais.

"**Cafarnaum, elevar-te-ás [...] até ao céu [...] descerás até ao inferno**" — Jesus havia feito dessa cidade (moderno Tell Hum) o seu quartel-general, após ter sido rejeitado em Nazaré (Lc 4.16-21). A cidade ficava na costa noroeste do mar da Galileia. Não é mencionada no AT, mas nos dias de Jesus era cidade importante, pois usufruía de grande comércio e era rica. O fato de contar com um centurião (Mt 8.5) e com uma "coletoria" de impostos (Mt 9.9) provavelmente significa que era um posto militar dos romanos. Seu nome significa "vila de Naum" e pode ser que esse nome se tenha derivado do profeta do mesmo nome, no AT. Talvez o moderno nome — "Hum" — seja uma reminiscência do nome original — "Tell" —, que significa "cômoro". Ver outras notas sobre essa cidade, em Mateus 4.13 e Marcos 1.21.

"**Elevar-te-ás [...] até ao céu...**" — Trata-se de uma expressão proverbial da literatura judaica, que usualmente significa um estado de "grandes riquezas" poder e fama. Outros intérpretes, porém, preferem a ideia de que essa exaltação fala do fato de Jesus ter ficado ali, sendo ele o Rei da glória, e ter ali operado muitos milagres. Ver João 4.46-54; Marcos 1.21-28; Mateus 9.1-8; 8.1-14; 8.18-26, textos esses que relatam diversos milagres feitos por Jesus naquela cidade.

Além dos milagres, Jesus ensinou nas sinagogas, o que certamente fez por muitas vezes, pelo que também era bem conhecido pela população. Dentre todas as cidades de Israel, nenhuma outra teve tantos privilégios quanto Cafarnaum. Os fariseus rejeitaram Jesus por causa da atitude e da religião falsa que seguiam, isto é, a atitude criada por esse tipo de religião. De modo geral, os habitantes de Cafarnaum rejeitaram Jesus principalmente como resultado do mundanismo produzido pelo luxo que se implantara na cidade.

"**Descerás até ao inferno**" — Outra expressão proverbial que significa redução a um estado muito vil, o mais baixo possível, e que, às vezes, refere-se literalmente ao inferno, mas que também pode referir-se a um julgamento temporal. Provavelmente, Jesus aludiu ao julgamento físico da cidade, conforme também advertiu a cidade de Jerusalém, predição essa que se cumpriu em 70 d.C. Talvez Jesus tivesse proferido essas palavras quando estava em um monte, situado acima da cidade de Cafarnaum, de onde podia contemplar todas as três cidades, ao mesmo tempo: Cafarnaum, Corazim e Betsaida. Não há que duvidar de que ele tinha conhecimento prévio dos fatos e, por isso, previu a destruição não só de Jerusalém, mas também de diversas outras cidades. A história mostra o cumprimento dessas profecias, e hoje os arqueólogos têm descoberto poucas provas da existência da maior parte das cidades da Galileia ao tempo de Jesus. Os romanos destruíram tão completamente as sinagogas, em Israel, que não há certeza de que qualquer das ruínas encontradas pertença a alguma delas. As ruínas de sinagogas que existem, e que são numerosas, datam do século II d.C., em diante, e não do tempo de Jesus.

"Se em Sodoma..." — Aqui Jesus fala da cidade que, tal e qual Gomorra, servia para os judeus de símbolo de lugar mais pecaminoso que qualquer outro; por isso, os judeus pensavam que Sodoma era mais digna do juízo divino que qualquer outro lugar. Sodoma era símbolo dos lugares que Deus julga por causa de pecados vergonhosos e numerosos; e, de fato, a história mostra que os vícios da humanidade, sem falta de um sequer, floresceram naquela cidade. Nenhum judeu de Israel poria em dúvida o acerto do julgamento de Deus contra esse lugar. As evidências arqueológicas mostram que, por volta do ano 2.000 a.C., uma catástrofe gigantesca destruiu todas aquelas cercanias. Os cientistas pensam que esse acontecimento provavelmente inclui um grande terremoto, que soltou depósitos de gases que, subsequentemente, explodiram. O AT, e também o NT, aludem a julgamentos de Deus por causa do pecado. Ver Deuteronômio 29.23; Isaías 1.9; Jeremias 49.18; Amós 4.11; Lucas 17.29 e 2Pedro 2.6. Sodoma também passou a ser símbolo do mais baixo pecado. (Is 3.9 e Jd 7). O julgamento que se abateu contra a cidade despopulou a localidade, que ficou sem habitantes por seiscentos anos. Entretanto, Jesus ensinou indiretamente que até mesmo um lugar assim, tão desprezado pelos judeus em geral, se teria arrependido, se porventura algum profeta tivesse feito, no meio deles, milagres como Jesus operou em Cafarnaum. É realmente notável que os locais das cidades de Sodoma e Gomorra evidentemente sejam conhecidos hoje em dia, ao passo que as ruínas das três cidades — Cafarnaum, Corazim e Betsaida — até hoje não tenham sido identificadas com certeza absoluta.

11.24: Contudo, eu vos digo que no dia do juízo haverá menos rigor para a terra de Sodoma do que para ti.

11.24 πλὴν λέγω ὑμῖν ὅτι γῇ Σοδόμων ἀνεκτότερον ἔσται ἐν ἡμέρᾳ κρίσεως ἢ σοί.

24 υμιν] om k sy^sc | σοι] υμιν **D** pc it Ir

24 Mt 10.15; Lc 10.12

"[...] menor rigor haverá no dia do juízo..."

Jesus repete o ditado que se encontra no v. 22: o julgamento não depende somente do número e da gravidade dos pecados, mas das oportunidades desfrutadas pelo pecador, de conhecer a verdade e ser esclarecido. Aquelas observações também se aplicam neste caso.

"Dia do juízo" — Aqui Jesus refere-se ao juízo "futuro", e não ao julgamento temporal, porquanto Sodoma já recebera o julgamento temporal. Ver nota detalhada sobre o "inferno", em Apocalipse 4.11. Deus julga a terra com diferentes intensidades, e isso também fará no futuro, ao determinar os destinos dos homens de acordo com um justo julgamento. Alford corretamente fala sobre os juízos de Deus como se ainda estivessem ocultos, no que respeita ao seu caráter exato. Não sabemos muito sobre essa questão, mas podemos confiar que Deus fará o que é justo. É interessante notar que até mesmo alguns judeus reconheceram que Israel merecia julgamento mais severo que o de Sodoma; isso é destacado em Lamentações 4.6, que diz: "Porque maior é a maldade da filha do meu povo do que o pecado de Sodoma, a qual se subverteu como num momento, sem que trabalhassem nela mãos algumas". A grande autoridade sobre os estudos hebraicos e a literatura dos hebreus, John Gill, menciona em seu comentário que diversos escritores judeus falaram nesses termos, reconhecendo que Israel merecia mais severo julgamento que o de Sodoma; isso mostra que esses escritores sabiam de fato que, quanto maiores são os privilégios, maiores são as responsabilidades, e quanto

mais esses privilégios são desrespeitados, tanto mais severo será o julgamento de Deus. Israel sempre contava com algum profeta em seu meio. Agora contava com o próprio Messias. Havia também os doze apóstolos. Seu julgamento, portanto, deve ser mais severo que o de Sodoma, que não contou com profetas, nem com o Messias, nem com os apóstolos.

Esta seção (Mt 11.25-30), tem sido chamada de passagem joanina por causa de suas afinidades com o tipo de material do evangelho de João, e fala da revelação que Jesus fez de si mesmo e de sua obra. Esta seção compõe-se de três partes: 1) v. 25,26; 2) v. 27; 3) v. 28-30. As duas primeiras partes têm paralelo em Lucas 10.21,22, e a terceira encontra-se somente aqui, em Mateus. A fonte principal é "Q". Jesus fala como profeta: A literatura cristã primitiva contém outras declarações semelhantes, supostamente feitas por Jesus. Ver *"homilia sobre a Paixão"*, por Melito de Sardes (século II d.C.), Ignatius Phila, 7.1, "Quando eu estava entre vós, clamei, falei com grande voz, a voz de Deus". Outras passagens bíblicas têm declarações similares, como 1Coríntios 14.26 e Apocalipse 1.10-20. Muitos eruditos liberais têm debatido a respeito do fato de Jesus realmente ter ou não proferido palavras, porquanto preferem crer que a igreja as adicionou para aumentar a estatura de Jesus. Esses intérpretes não acreditam que Jesus tivesse proclamado muito acerca de si mesmo ou de sua missão, e certamente não em termos tão definidos como esses. O v. 27, porém, lhes apresenta um nó górdio, porque ali Jesus assevera possuir um conhecimento exclusivo de Deus. Esses autores também encontram paralelos dessa espécie de discursos em Eclesiástico 51 e em determinados escritos gnósticos antigos, místicos e teosóficos. (Ver W. L. Knox, *Some Hellenistic Elements in Primitive Christianity*, p. 6,7. Ver também B. W. Bacon, *The Gospel of Mark*, New Haven: Yale University Press, 1925, p. 250,251). Martin Rist defendia a teoria de que o texto de Mateus 11.25-30 representa um primitivo hino de batismo. Ver *Journal of Religion* XV, 1925, 63-77. Essas ideias, naturalmente, não passam de especulações, as quais podem ser aplicadas sempre que alguém não concorde com as reivindicações feitas por Jesus. As parábolas dadas mais adiante (caps. 21, 22 e 23) certamente apresentam reivindicações similares, o que prova que esta não é a única passagem que as contém. Mateus 24, o "pequeno Apocalipse" identifica, de modo bem definido, Jesus com o Grande Profeta prometido, com o governante e com o juiz dos últimos dias. Mateus 28 promete o retorno de Cristo, e declara que ele possui toda a autoridade, nos céus e na terra. Pode-se ver, por conseguinte, que os evangelhos sinópticos não são tão diferentes em sua apresentação de Cristo em relação ao evangelho de João, como alguns dizem. Toda a mensagem cristã depende da reivindicação de que Jesus era o Messias, o Filho de Deus sem igual, o Rei e Salvador universal que fora prometido. É justamente para mostrar isso que foram escritos os evangelhos. Negar que Jesus fez tais reivindicações quanto a si mesmo é "modernizar" demais as suas palavras, e, ao mesmo tempo, enfraquecer as pedras do alicerce. Certamente os apóstolos sabiam o que ele declarara, e os evangelhos repousam sobre a autoridade apostólica. Pedro pode ser visto no evangelho de Marcos; Mateus, no evangelho de Mateus; Paulo e outros apóstolos, no evangelho de Lucas. E isso, mesmo que alguém não aceite de forma nenhuma as reivindicações apresentadas no evangelho de João. M. J. Lagrange denominou essa seção de *Pérola de Grande Preço de Mateus* (in loc.).

11.25: Naquele tempo falou Jesus, dizendo: Graças te dou, ó Pai, Senhor do céu e da terra, porque ocultaste estas coisas aos sábios e entendidos, e as revelaste aos pequeninos.

11.25 Ἐν ἐκείνῳ τῷ καιρῷ ἀποκριθεὶς ὁ Ἰησοῦς εἶπεν, Ἐξομολογοῦμαί σοι, πάτερ, κύριε τοῦ οὐρανοῦ

Mateus | NTI

καὶ τῆς γῆς, ὅτι ἔκρυψας ταῦτα ἀπὸ σοφῶν καὶ
συνετῶν καὶ ἀπεκάλυψας αὐτὰ νηπίοις·

25 καὶ συνετων] om syᶜ Hil (Aug?)

25 κύριε...γῆς Tob. 7.17 ἔκρυψας...νηπίοις 1Co 1.26-29

11.26: Sim, ó Pai, porque assim foi do teu agrado.

11.26 ναί, ὁ πατήρ, ὅτι οὕτως εὐδοκία ἐγένετο
ἔμπροσθέν σου.

**11.27: Todas as coisas me foram entregues por meu
Pai; e ninguém conhece plenamente o Filho, senão o
Pai; e ninguém conhece plenamente o Pai, senão o
Filho, e aquele a quem o Filho o quis revelar.**

11.27 Πάντα μοι παρεδόθη ὑπὸ τοῦ πατρός μου, καὶ
οὐδεὶς ἐπιγινώσκει τὸν υἱὸν εἰ μὴ ὁ πατήρ, οὐδὲ
τὸν πατέρα τις ἐπιγινώσκει εἰ μὴ ὁ υἱὸς καὶ ᾧ ἐὰν
βούληται ὁ υἱὸς ἀποκαλύψαι.

27 Πάντα...μου Mt 28.18; Jo 3.35; 13.3; 17.2; Fp 2.9 οὐδεὶς...υἱός Jo
1.18; 10.15

27 επιγιν. Iº 2º] εγνω Cl Or| τον Υιον... ο Πατηρ] τον Πατ. ει μη ο
Υι.ουδε τ.Υι. ει μη ο Πατ. NX ac Ju Ir (Eus Ephr)

"Por aquele tempo exclamou Jesus" — Essa expressão retumbante é, ao mesmo tempo, uma oração e grande louvor ao Pai,
caracteristicamente descritiva do espírito devotado e fervoroso de
Jesus. Sua apresentação em Mateus parece relacioná-la à acusação
contra as três cidades, mas Lucas (10.11-24) apresenta-a vinculada
à volta dos setenta e às suas importantes informações. As palavras
assemelham-se mais ao evangelho de João, quanto ao conteúdo
e ao espírito, do que ao uso geral dos evangelhos sinópticos, o
que talvez seja prova de que os quatro evangelhos não diferem
tanto entre si, quanto a esse aspecto, como alguns têm pensado.
Esses versículos têm causado muitas discussões. Primeiramente,
vejamos a extraordinária reivindicação do v. 27. Só Jesus possuía
total e completa percepção do conhecimento de Deus. Do mesmo
modo, só o Pai conhecia verdadeiramente a personalidade do
Filho. Ver notas detalhadas sobre o Filho do homem, em Marcos
2.7 e Mateus 8.20; sobre o Filho de Deus, em Marcos 1.1; sobre o
Cristo, em Mateus 1.16 e Marcos 1.1; e sobre a Trindade, em 1Jo
5.6. Assim, Jesus afirma-se igual ao Pai, pelo menos nesse aspecto
abordado. Com esse conhecimento, o Filho pode avaliar (entender)
apropriadamente o modo de o Pai tratar os homens. Quando ele
menciona os "sábios e entendidos", quando essas palavras são
corretamente interpretadas, refere-se àqueles que se ufanam das
qualidades especulativas ou filosóficas (sábios) e àqueles que se
julgam perspicazes em assuntos seculares (entendidos), e talvez
tivesse em mente os rabinos e escribas, os supostos guardiães da
verdade e da revelação de Deus.

Aqueles que realmente conhecem a Deus e sua revelação, em
comparação com Jesus, não são mais do que pequeninos; mas a
própria ignorância é que é sua salvação, porquanto, em sua simplicidade infantil e em sua fé, são por demais ignorantes para saber
como rejeitar a Jesus e sua poderosa mensagem, e não sabem como
negar a evidente ligação de Jesus com Deus, o que era demonstrado
pelas poderosas obras que fazia. Também a eles faltam respostas
sofisticadas para explicar como Jesus podia cumprir todas as profecias messiânicas do AT, ao mesmo tempo que não era o Messias.
Lembremo-nos de que os rabinos chamavam de pequeninos aos
próprios discípulos (conforme se lê na literatura judaica), sendo
provável que Jesus tivesse tomado esse termo de empréstimo,
aplicando-o aos seus discípulos, talvez com sentido carinhoso.

O grande problema que alguns veem neste texto é o tom calvinista ou determinista destes versículos. Ver também Marcos
4.11,12. Em outras porções das Escrituras, vê-se, em termos definidos, o que parece oposto ao que aqui está, que é o livre-arbítrio
do homem. Dizer que Deus simplesmente endurece aqueles que,
por escolha própria, já endureceram a si mesmos, é uma verdade

evidente; mas dificilmente explica a declaração que temos no v.
27, e muito menos passagens como o nono capítulo de Romanos.
É verdade, igualmente, que, segundo as leis fixas da natureza da
administração divina, os deveres que os homens voluntariamente
recusam-se a cumprir, por fim tornam-se moralmente impossíveis
para eles. Essa consideração também não esclarece totalmente as
expressões sobre a predestinação e o determinismo que se vem
em alguns textos bíblicos. As palavras de Jesus foram proferidas
quando a sua rejeição já era fato consumado por parte de muitos,
os quais lhe faziam oposição, de muitos modos, ou até procuravam
matá-lo; assim, pode-se dizer que a rejeição a Deus é o resultado
natural da rejeição a Cristo por parte dos homens. Isso é verdade,
mas não explica totalmente o problema do determinismo. Em outras porções bíblicas, há versículos que ensinam o livre-arbítrio do
homem, pelo que podemos afirmar que ambas as coisas a eleição
(ou predestinação, ou determinismo) e o livre-arbítrio — são ensinados nas Escrituras. A sabedoria ordena que as deixemos como
são, aceitemos a ambas, creiamos em ambas, e não fiquemos tão
preocupados com a difícil reconciliação entre elas, pois, como resultado dessa preocupação, só perderíamos de vista a verdade que
precisamos descobrir, oculta em todos os conceitos das Escrituras.
O problema do livre-arbítrio versus o determinismo é grandemente vasto, tanto na teologia como na ciência da natureza física do
mundo e na filosofia. Muitos admitem, nessas outras disciplinas
(como alguns teólogos admitem na teologia), que não há uma
coerência total e adequada entre os conceitos do livre-arbítrio e
os do determinismo. Outro tanto se verifica nos estudos físicos e
filosóficos, onde alguns ensinam o determinismo e negam o livre-
-arbítrio, enquanto que outros ensinam o livre-arbítrio e negam
o determinismo. Parece melhor admitir que temos nisso um
paradoxo, afirmando que as Escrituras parecem ensinar ambas as
doutrinas, sem fazer reconciliação total entre elas. Pode ser que, se
fosse apresentada uma conclusão, reconciliando ambos os ensinos,
a mente humana não a pudesse compreender. Não nos esqueçamos
de que o sistema cristão, em suas mais elevadas doutrinas, contém
outros paradoxos similares, como, por exemplo, a doutrina da
Trindade, uma única natureza paralelamente a uma pluralidade,
no seio de Deus. Não são muitos os que procuram solução para isso.
A natureza de Cristo, que é verdadeiro Deus e também verdadeiro
homem, apresenta o mesmo tipo de problema. Apesar de não acharmos respostas totalmente razoáveis para esses problemas, também
não acharemos resposta simples para o problema do livre-arbítrio
e do determinismo. De fato, esse é um dos maiores problemas da
teologia e da filosofia, como também não é menor nas ciências
físicas. Aqueles que apresentam soluções simplistas não entendem
totalmente todos os ramos do problema, nem quão vastas são as
suas implicações. Ver notas detalhadas sobre o pré-determinismo e
a "predestinação", em Romanos 9.15,16; sobre a "eleição", em Efésios
1.4,5; e sobre o "livre-arbítrio", em 1Timóteo 2.4.

**11.28: Vinde a mim, todos os que estais cansados e
oprimidos, e eu vos aliviarei.**

11.28 Δεῦτε πρός με πάντες οἱ κοπιῶντες καὶ
πεφορτισμένοι, κἀγὼ ἀναπαύσω ὑμᾶς.

28 Jr 31.25

"Vinde a mim" — Esse amável convite vem logo depois das
duras palavras do texto anterior e, mais adiante, ilustra a situação.
Ainda que somente os humildes possam reconhecer sua necessidade espiritual, o convite é lançado a qualquer pecador que perceba a
sua condição pecaminosa e a necessidade de progredir no caminho
que conduz de volta a Deus. Parece um contrassenso um convite
que não pode ser aceito por aqueles para quem ele é feito. O símbolo do jugo (ou canga) deve ter tocado profundamente o coração
dos judeus que ouviam a Jesus e que estavam acostumados com
essa ilustração, especialmente com referência à aceitação dos
deveres morais. As autoridades religiosas (conforme nos mostra a

literatura judaica) usavam dessa ilustração com relação aos deveres da lei e cerimônias dos judeus, e também com relação à tradição religiosa, que incluía tantas coisas difíceis de serem cumpridas e observadas. Pode-se mesmo afirmar que nenhum judeu conseguiu carregar com êxito tão grande fardo. Jesus, contrariamente a isso, ofereceu uma mensagem de simpatia, baseada na "graça" de Deus, que faz do homem mais do que mero instrumento para cumprir os deveres religiosos com datas marcadas, tradicionais. Aqui o convite oferece um descanso autêntico, um abandono do peso da responsabilidade que aflige a alma. Algumas pessoas veem nisso não um tipo da mensagem universal do reino de Deus, e, sim, um convite simplesmente pessoal, ficando subentendido que o reino fora totalmente rejeitado. É possível que, nessa altura de seu ministério, devido à dura oposição que encontrava, Jesus já tivesse começado a lançar convites pessoais, sabendo que o reino já fora rejeitado pelas massas.

"Vinde a mim" — Não existe peso maior do que a percepção de que a verdade procurada pela alma não é encontrada. Lembremo-nos do exemplo de Paulo, homem intensamente religioso, mas que, segundo o próprio testemunho, era um homem sem Deus. Essas pessoas não encontram o descanso que só pode ser apreendido com o encontro pessoal com a verdade. Jesus, a fonte da verdade, tinha autoridade para oferecer esse descanso. O convite, pois, visava a convencer os pecadores a buscarem, na fonte da verdade, o descanso para uma consciência ferida e para uma inútil diligência religiosa, que não levava a lugar nenhum.

"Eu" — No grego é enfático. Só Cristo pode mostrar à alma o descanso de que ela precisa, bem como dar-lhe confiança em Deus. Os rabinos falavam do "jugo" da lei. Jesus empregou a palavra usada por eles, mas deu-lhe um sentido diferente do que era usado por aqueles homens. Por este versículo, nota-se que o descanso de que ele fala não alude aos problemas e dificuldades da vida, porquanto Jesus jamais prometeu que ser discípulo seu seria fácil. O descanso é espiritual, ao passo que a vida eterna pode ser perturbada por muitas dificuldades. O verdadeiro descanso da alma outorga liberdade à vida.

Cansados e sobrecarregados — Expressão bastante ampla, para indicar qualquer peso da alma humana, quer seja pelo pecado, pela tristeza ou pelo sofrimento; quer seja a carga imposta pelas religiões falsas ou pela fraqueza mental ou espiritual. Jesus falou em termos gerais sobre as lamentáveis condições do homem em um mundo hostil; certamente ele próprio sentiu essa condição, porque também sofreu do "fardo de ser humano". Tendo tal conhecimento, Jesus mostrou que a situação não é desesperadora, pois há descanso, verdade a ser achada, um alvo para esta vida, um Deus solícito que está nos céus, um caminho de volta para Deus. "Eu vos aliviarei".

"Esse é o *Grande convite*, pois de que outra maneira poderíamos chamá-lo? Evidentemente, inspirou Thorvaldsen na nobre estátua que apresenta Cristo, posta na igreja de Notre Dame, em Copenhagen. Jesus fez soar aqui uma grande bênção, a qual serve de sino de uma catedral na peregrinação do homem. Nos dias de Cristo, os povos arfavam sob pesadíssima carga. O que os romanos deixavam dos bens dos pobres era levado pelos impostos decretados pelas autoridades religiosas. A verdadeira carga, porém, como sempre, não era a financeira ou material, e sim, a espiritual. Jesus lança seu apelo a almas cansadas, e não apenas a corpos cansados. Os homens andam, em sua maioria, atrelados a cangas insensatas, quase sempre relacionadas de alguma forma com o pecado. Jesus, contudo, lhes oferece um jugo da graça e da retidão. É um jugo da fé, e a fé ergue todas as cargas que os homens conhecem. O resultado disso é o refrigério. Dante ilustrou isso em suas ações, quando foi a um mosteiro em Lunigiana; quando o frade que o atendeu perguntou-lhe à porta o que desejava, ele respondeu com uma única palavra: "Paz". Jesus nos dá esse mosteiro tranquilo no íntimo, a paz interior, ao mesmo tempo que, externamente, levamos o seu

jugo. Mas *o peso do jugo de Cristo serve de asas para a alma*" (Buttrick, in loc.).

11.29: Tomai sobre vós o meu jugo, e aprendei de mim, que sou manso e humilde de coração; e achareis descanso para as vossas almas.

11.29 ἄρατε τὸν ζυγόν μου ἐφ᾽ ὑμᾶς καὶ μάθετε ἀπ᾽ ἐμοῦ, ὅτι πραΰς εἰμι καὶ ταπεινὸς τῇ καρδίᾳ, καὶ εὑρήσετε ἀνάπαυσιν ταῖς ψυχαῖς ὑμῶν·

<small>29 εὑρήσετε...ὑμῶν Jr 6.16</small>

"Jugo" — Contrasta com o "jugo da lei", da religião rigorosa. Jesus oferece um "jugo" que deriva de seu perfeito conhecimento do Pai, conforme vemos no v. 27. Jesus sabia o que o Pai realmente desejava dos homens, bem como o verdadeiro caminho para que o homem volte-se para Deus. Uma vez mais ele mostra que esse caminho é a pessoa do Messias. Ver notas em João 14.1-6, e as notas detalhadas sobre a distinção do cristianismo, em Gálatas 1.8,9; os dois caminhos, em Mateus 7.13,14; e os dois fundamentos, em Mateus 7.24-27.

Agostinho e outros pais da Igreja falaram do "jugo" como se fosse uma pena de ave. O jugo de Cristo não nos derruba no chão, mas nos torna capazes de alçar voo até os céus, pelo que também é muito diferente daquele jugo que as autoridades dos judeus ofereciam. Provavelmente, pode-se ver aqui algum paradoxo, pois homens que já estavam sobrecarregados são convidados a tomar ainda outro jugo; mas é claro que esse jugo de Cristo alivia a carga dos outros jugos.

Adam Clarke alista diversos empregos da palavra "jugo", nos escritos judaicos: 1) Reino dos céus, obediência à vontade de Deus. 2) Jugo da lei, incluindo a obediência a todos os ritos, cerimônias etc. 3) Jugo dos preceitos, ou o dever de cumprir qualquer voto ou obrigação que a pessoa assumisse. 4) Jugo do arrependimento, negar e deixar o pecado. 5) Jugo da fé, necessidade de crer no Messias que havia de vir. 6) Jugo divino, obrigação de viver uma vida espiritual, de gratidão a Deus. Sehmoth Rabba disse que, por não ter levado o jugo de Deus, é que a nação de Israel se foi para o cativeiro.

Manso e humilde de coração — Evidentemente, refere-se às ideias de Zacarias 9.9, que fala da humildade do Messias. Primeiramente, o Messias humilhou-se na encarnação — "[...] a si mesmo se esvaziou, assumindo a forma de servo, tornando-se em semelhança de homens" (Fp 2.7). No seu ministério, Jesus sempre apresentou provas de sua simpatia pelo estado e sofrimento da humanidade. Operou curas, não para provar seu poder e grandeza, mas porque anelava aliviar o sofrimento dos homens. Ressuscitou os mortos porque simpatizou com a tristeza dos que estavam em luto. Pregou o evangelho, especialmente aos pobres, porque sentiu a desesperadora condição produzida pelo pecado. Jesus não assumiu posição de autoridade e grandeza, como o faziam alguns líderes dos judeus, nem procurou nenhum privilégio pessoal ante o governo. Viveu como homem pobre, no meio dos pobres, como homem humilde, no meio dos humildes. Finalmente, submeteu-se à morte na cruz, uma morte vergonhosa e horrível, conforme se lê: [...] humilhou-se, tornando-se obediente até a morte, e morte de cruz (Fp 2.8). Ver nota detalhada sobre a humilhação de Cristo, em Fp 2.6-8.

"Achareis descanso para as vossas almas" — Jesus serviu à humanidade em todas as coisas físicas, mas esse serviço sempre teve como alvo a bênção espiritual. Ele nunca perdeu o senso de responsabilidade de salientar as necessidades da alma, e jamais operou uma cura só para aliviar o sofrimento físico, e, sim, para demonstrar que Deus cuida do homem porque o homem tem valor, visto ter uma alma eterna. Jesus lembra que a salvação é o que mais importa para a alma. Pode ser que o jugo de Jesus não mude as condições materiais da vida, nem o estado físico de seu corpo. Qualquer jugo que não altera para melhor as condições da alma, porém, não é o jugo de Cristo. Com essa expressão — "descanso para as vossas almas" —, provavelmente Jesus indica descanso

402 |Mateus| NTI

para o homem inteiro, em sua condição mental e espiritual, porque a salvação dada por Deus, proveniente da aceitação de Cristo, fatalmente melhora a vida inteira do indivíduo. O crente torna-se pessoa dotada de mais coragem para enfrentar este mundo hostil, para enfrentar a morte e para enfrentar o outro mundo; torna-se pessoa cheia de esperança, motivada por objetivos espirituais. Provavelmente, Jesus concordaria com a ideia de que o indivíduo que não é assim, dificilmente pode afirmar que aceitou o jugo de Cristo. Esse jugo, no dizer de Agostinho, nos deve elevar aos céus, e não nos derrubar por terra.

11.30: Porque o meu jugo é suave, e o meu fardo é leve.

11.30 ὁ γὰρ ζυγός μου χρηστὸς καὶ τὸ φορτίον μου ἐλαφρόν ἐστιν.

30 ζυγός...ἐστιν 1 Jo 5.3

"O meu jugo é suave" — Assim como a plumagem de uma ave é suave, também o são o jugo e o fardo de Jesus. A doutrina de Cristo e a vida que ele oferece genuinamente, visam a melhorar o estado do homem. Seus mandamentos podem ser difíceis, mas não são dolorosos, como os dos fariseus. A obra do Espírito Santo tem a finalidade de ajudar-nos a carregar com êxito o jugo de Cristo. Paulo escreveu: "Porque todas as cousas existem *por amor de vós*, para que a graça, multiplicando-se, torne abundantes as ações de graça, por meio de muitos, para a glória de Deus. Por isso, não desanimamos: pelo contrário, mesmo que o nosso homem exterior se corrompa, contudo o nosso homem interior se renova de dia em dia. Porque a nossa leve e momentânea tribulação produz para nós eterno peso de glória, acima de toda comparação" (2Co 4.15-17).

Alguns intérpretes têm duvidado da autenticidade dessas palavras, isto é, pensam que Jesus realmente não as proferiu, mas que o autor deste evangelho tomou de empréstimo as palavras de um livro chamado *Sabedoria de Jesus, Filho de Siraque*, ou *Eclesiástico*, que é um livro apócrifo do AT. Todavia, a maior parte dos intérpretes acha que isso é impossível, apesar de as palavras deste livro serem semelhantes. Diversas razões têm sido oferecidas para isso: 1) Siraque não foi profeta reconhecido por Israel em geral. 2) A citação, apesar de semelhante, é tão diferente na forma e na mensagem total que não é provável que Mateus a tenha copiado dessa obra. 3) Se o autor de Mateus tivesse usado essa citação, neste lugar, é provável que tivesse usado outros trechos daquele livro em outras porções; isso, porém, não acontece. 4) Provavelmente, no máximo, a forma de expressão que o autor de Mateus usou como citação de Jesus era um eco do livro de Eclesiástico. 5) O mais provável de tudo, porém, é que a semelhança das palavras de Jesus, conforme as lemos neste texto, seja mera coincidência com o texto daquele livro apócrifo. O que se segue é a tradução do referido texto de Eclesiástico 6.24,25,28,29; 51.23-27.

"Aproximai-vos de mim, vós que não tendes instrução, e hospedai-vos na casa da instrução. Dizei por que vos faltam essas coisas, e por que as vossas almas estão sedentas. Abri minha boca e falei. Buscai (a sabedoria) para vós outros, sem dinheiro. Ponde vosso pescoço sob o jugo e deixai vossa alma receber a instrução. Ela está prestes a ser achada. Vede com vossos próprios olhos como trabalhei pouco e achei muito descanso para mim."

Pode-se perceber como são mais elevadas as palavras de Jesus, embora semelhantes a estas.

Capítulo 12

V. DECLINIO DA POPULARIDADE DE JESUS E SUA REJEIÇÃO (11.2-12.50)

3. Exemplos de oposição e rejeição (12.1-50)

(a) Controvérsia sobre a colheita de cereal no sábado (12.1-8). Essa narrativa começa esta seção, que é plena de controvérsias. "[...] é um excelente exemplo de um tipo de narrativa evangélica que

recebeu o nome de 'paradigma'. Trata-se de breve relato de uma conversa que culmina com uma declaração expressiva de Jesus, e que se torna útil como paradigma ou exemplo, em um sermão. Pode também ser classificada como "narrativa de controvérsia", dos diversos tipos que podem ser encontrados nos Evangelhos. O tom e o meio ambiente são da Palestina, e a narrativa deve ter recebido forma fixa na tradição oral, em tempos bem remotos. Dali, obtemos excelente quadro sobre como Jesus pensava. Ele não fez declarações abstratas sobre questões éticas, nem estabeleceu princípios teóricos quanto à interpretação da lei. Como os rabinos, ele estabelecia regras com base em situações concretas, e devemos deduzir os princípios básicos de Jesus de narrativas como esta". (Sherman Johnson, in loc)

12.1: Naquele tempo passou Jesus pelas searas num dia de sábado; e os seus discípulos, sentindo fome, começaram a escolher espigas, e a comer.

12.1 Ἐν ἐκείνῳ τῷ καιρῷ ἐπορεύθη ὁ Ἰησοῦς τοῖς σάββασιν διὰ τῶν σπορίμων· οἱ δὲ μαθηταὶ αὐτοῦ ἐπείνασαν, καὶ ἤρξαντο τίλλειν στάχυας καὶ ἐσθίειν.

12.1 τίλλειν...ἐσθίειν Dt 23.24,25

12.2: Os fariseus, vendo isso, disseram-lhe: Eis que os teus discípulos estão fazendo o que não é lícito fazer no sábado.

12.2 οἱ δὲ Φαρισαῖοι ἰδόντες εἶπαν αὐτῷ, Ἰδοὺ οἱ μαθηταί σου ποιοῦσιν ὃ οὐκ ἔξεστιν ποιεῖν ἐν σαββάτῳ.

2 ποιοῦσιν...σαββάτῳ Êx 20.10; Dt 5.14

Quanto à questão do sábado e do dia do Senhor, ver nota detalhada em Romanos 14.5,6 (Paralelos em Mc 2.23-28 e Lc 6.1-5). Em Marcos e Lucas, o incidente é relatado após os discursos sobre o jejum, que se acham em Mateus 9.14. As descrições parecem situar essa ocorrência depois da Páscoa (talvez no primeiro sábado depois da Páscoa) e antes do Pentecostes. Marcos e Lucas colocam a narrativa em conexão com a chamada de Mateus; mas Mateus situa-a muito mais tarde. É impossível, portanto, dizer com certeza quando isso aconteceu, no que tange à segunda viagem de Jesus e seus apóstolos pela Galileia.

Reunindo os detalhes expostos pelos três evangelistas, nota-se que, pelo fato de os discípulos começarem a *colher espigas e comer* (Mt 12.1), evidentemente fizeram um atalho, atravessando as searas (provavelmente plantações de trigo ou cevada) e que eles "debulharam-nas (as espigas) com as mãos". As leis que dizem respeito ao direito sobre as propriedades permitiam essa ação (Dt 23.25), mas, segundo a interpretação dos fariseus, essa atitude não era permitida em um dia de sábado. "Colher espigas" era reputado um tipo de ceifa, e a ação de "debulhar" com as mãos era reputada um trabalho manual. Alguns acham que essa ação era permitida no sábado, segundo se lê em Deuteronômio 23.25, mas o *Talmude* proibia isso em um dia de sábado. Alguns pensam que Levítico 33.14 proibia qualquer tipo de ceifa ou debulha, mesmo depois da apresentação das primícias, em sacrifício a Deus, na cerimônia do templo; mas essa interpretação é duvidosa.

Quanto a isso, a lei continuava vigente nos dias de Jesus, mas havia sofrido certas influências humanas, o que Jesus preferiu ignorar. Os líderes religiosos atentavam para certas restrições ao sábado, tais como um prejuízo casual; mas uma necessidade tão simples e *crônica* como a de alimento, não deveria ser classificada dentro dessas proibições, o ato de colher cereais era proibido porque envolvia um tipo de colheita, atividade proibida em um dia de sábado.

"Espigas" — Algumas traduções adicionam "de milho"; mas o milho, tal como o conhecemos na América do Norte e na América do Sul, não é o que está em vista aqui, porque esse tipo de cereal era desconhecido no oriente. No entanto, de acordo com a época do ano indicada, parece que se tratava de *cevada*. Alguns bons intérpretes, e algumas traduções de alta qualidade dizem que significa *trigo*. No grego, porém, a palavra pode, por si mesma, indicar qualquer tipo de cereal, e não somente o trigo.

"Os fariseus, porém, vendo isso" — Marcos diz: "os escribas, que haviam descido de Jerusalém" (Mc 3.22), e talvez os homens que acusaram os discípulos fossem os mesmos indivíduos. Por este versículo aprendemos que, durante a segunda viagem pela Galileia, algumas autoridades judaicas, sediadas em Jerusalém, enviaram espiões à Galileia para observar as ações de Jesus. Sem dúvida, sua fama se espalhara até Jerusalém e Jesus passou a ser um problema para as autoridades, tanto religiosas quanto políticas. À vista dos líderes dos judeus, Jesus era uma ameaça à estrutura religiosa, bem como uma ameaça à estrutura política, à vista dos romanos.

"Não é lícito" — Ver notas anteriores. A tradição criara regras inflexíveis com relação ao sábado, e, segundo a interpretação de alguns, não era lícito tirar o animal que caíra em um buraco em um dia de sábado. A única exceção na proibição acerca da ceifa (de cereais de quaisquer tipos), em um dia de sábado, era a que permitia que se ceifasse durante o tempo de carestia.

Por essa altura do ministério de Jesus, os fariseus já haviam perdido toda simpatia por ele. Provavelmente, já haviam traçado o plano de matá-lo. Agora só o observavam a fim de reunir provas contra ele. Até este ponto, as suas acusações eram as seguintes: (1) Ele é um imoral, amigo dos imorais (Mt 11.19). (2) Um irreligioso, chegando até o cúmulo da blasfêmia (Mt 9.3). (3) É perigoso, porque está aliado a Satanás. (4) Ensina contra Moisés, pois nega o valor do sábado. Por isso, a sua influência sobre o povo é má.

12.3: Ele, porém, lhes disse: Acaso não lestes o que fez Davi, quando teve fome, ele e seus companheiros?

12.3 ὁ δὲ εἶπεν αὐτοῖς, Οὐκ ἀνέγνωτε τί ἐποίησεν Δαυὶδ[a] ὅτε ἐπείνασεν καὶ οἱ μετ' αὐτοῦ;[a]

3-4 τί...ἔφαγον 1Sm 21.1-6

[a a a] **3-4** *a* none, *a* question: WH Bov BF² TT Jer // *a* minor, *a* question: TR Nes Zür Luth // *a* minor, *a* major, *a* question: AV RV ASV RSV Seg // *a* none, *a* question, *a* major: NEB

12.4: Como entrou na casa de Deus, e como eles comeram os pães da proposição, que não lhe era lícito comer, nem a seus companheiros, mas somente aos sacerdotes?

12.4 πῶς εἰσῆλθεν εἰς τὸν οἶκον τοῦ θεοῦ καὶ τοὺς ἄρτους τῆς προθέσεως ἔφαγον[1], ὃ οὐκ ἐξὸν ἦν αὐτῷ φαγεῖν οὐδὲ τοῖς μετ' αὐτοῦ, εἰ μὴ τοῖς ἱερεῦσιν μόνοις;[a]

4 τοὺς...προθέσεως Lv 24.5-8 ὃ...μόνοις Lv 24.9

[1] 4 {C} ἔφαγον ℵ B // ἔφαγεν (ver Mc 2.26; Lc 6.4) p⁷⁰ C D K L W Δ Θ Π *ff* 28 33 565 700 892 1009 1010 1071 1079 1195 1216 1230 1242 1253 1344 1365 1646 2148 2174 *Byz Lect* it^(a,aur,b,c,d,f,(ff¹),g¹,h,k,l,q) vg syr^(c,s,p,h) cop^(sa,bo) arm eth geo Eusebius Chrysostom

> Embora ἔφαγον seja apoiado somente por ℵ B e 481, como forma não-paralela, é mais provável que esse termo tenha sido alterado para ἔφαγεν, e não vice-versa. O texto subentende que Davi, tendo entrado no santuário, trouxe para fora o pão da Presença, que foi comido por ele e pelos que estavam em sua companhia.

Jesus replicou, usando o argumento que os fariseus reputavam seu principal argumento contra ele: as *Escrituras* do AT. Jesus cita a história de Davi, em 1Samuel 21. Os sacerdotes do AT tinham regras elaboradas sobre o preparo dos pães da proposição, os pães *da face*, isto é, da presença de Deus. No início de cada sábado, esses pães eram substituídos por novos, enquanto os velhos eram postos sobre a mesa recoberta de ouro, no pórtico do santuário.

Sem dúvida, esses pães velhos eram consumidos pelos sacerdotes, e, nessa ocasião da história de Davi, foram comidos não apenas por Davi, mas também por seus homens, que o acompanhavam.

Jesus usou o exemplo de *Davi* porque qualquer judeu reconhecia a piedade do rei Davi. Certamente, o caso era bem conhecido entre os judeus do tempo de Jesus, e, provavelmente, nas sinagogas, os intérpretes da lei tinham explicado por muitas vezes que Davi teve culpa nessa ação. É impossível que essa ação de Davi não tivesse atraído a atenção das autoridades religiosas dos judeus. Adam Clarke apresenta citações para ilustrar exatamente isso. Assim, pois, Jesus aproveitou o próprio testemunho dessas autoridades, mostrando que há ações que podem parecer ilícitas, mas que, à vista de Deus, e segundo uma interpretação razoável da lei, não são passíveis de condenação. O v. 4 mostra que Davi cometeu aquilo que seria considerado dois erros, por parte dos que interpretam estreitamente a lei: em primeiro lugar, entrou em um lugar onde não lhe era permitido entrar, pois ele não era sacerdote; em segundo lugar, comeu de alimentos vedados a quem não fosse sacerdote. Provavelmente, Jesus incluiu um terceiro possível erro: tudo isso aconteceu em um dia sábado, ainda que disso não possamos ter certeza. Davi cometeu no mínimo duas infrações da lei, mas que todos reconheciam ser *permissíveis*. Jesus e seus discípulos só cometeram o suposto erro de terem comido espigas em um dia de sábado. Interpretando estritamente, os fariseus deveriam observar que Davi cometeu mais erros do que Jesus. Isso, porém, eles não ansiavam por reconhecer. O princípio ilustrado por Jesus é que as leis cerimoniais podem ser quebradas em certas circunstâncias, sem qualquer culpa à vista de Deus. A lição é importante: a lei cerimonial não tinha tanto valor como os líderes judaicos queriam fazer crer. Jesus, pois, mostrou que sua ação e a ação dos discípulos em realidade não envolviam nenhuma quebra do sábado, e o v. 8 acrescenta outro fator ainda mais importante, isto é, o Messias tem direitos sobre o sábado; o sábado não podia exercer autoridade sobre o Messias, se ele não estivesse disposto a acatar essa autoridade, dependendo apenas das circunstâncias em que se encontrava.

12.5: Ou não lestes na lei que, aos sábados, os sacerdotes no templo violam o sábado, e ficam sem culpa?

12.5 ἢ οὐκ ἀνέγνωτε ἐν τῷ νόμῳ ὅτι τοῖς σάββασιν οἱ ἱερεῖς ἐν τῷ ἱερῷ τὸ σάββατον βεβηλοῦσιν καὶ ἀναίτιοί εἰσιν;

5 τοῖς...εἰσιν Nm 28.9,10

"Ou não lestes na lei" — Novamente Jesus usa as próprias Escrituras judaicas para apresentar outro argumento. No primeiro argumento, ele se utilizou do exemplo de Davi, homem que era considerado piedoso e isento de culpa por haver comido dos pães reservados exclusivamente aos sacerdotes. Neste segundo argumento, Jesus mostra que os próprios sacerdotes, em suas tarefas no templo, trabalhavam em um dia de sábado. A preparação dos sacrifícios era trabalhosa. Era mister abater o animal, esfolá-lo em pedaços, além de muitos outros serviços relativos ao expediente no templo. Ver Êxodo 29.38 e Números 28.9. Também se permitia aos sacerdotes prepararem o pão em um dia de sábado. Os sacerdotes eram isentos das leis cerimoniais do sábado, porque o serviço deles era realizado no templo, e eles eram os homens nomeados *justamente* para tais serviços. Jesus mostra que o trabalho manual, no sábado, não é pecado por si mesmo, porquanto há pessoas livres dessa lei. De fato, nos dias do AT, as bênçãos recebidas na adoração levada a efeito no templo só se tornavam possíveis devido ao trabalho manual de alguns homens; e em parte esse trabalho era necessário para o bem-estar espiritual do povo. Precisamos lembrar que, provavelmente, os sacerdotes circuncidavam a muitos infantes em um dia de sábado, porquanto a lei requeria que a circuncisão tivesse lugar no oitavo dia de vida da criança. Sem dúvida, muitas crianças completavam seu oitavo dia de vida em

404 |Mateus| NTI

um sábado. Isso serve como outra prova de que o trabalho manual em um dia de sábado, por si mesmo, não é condenável e que há considerações mais importantes do que observar o dia de descanso em determinado dia da semana.

12.6: Digo-vos, porém, que aqui está o que é maior do que o templo.

12.6 λέγω δὲ ὑμῖν ὅτι τοῦ ἱεροῦ μεῖζόν ἐστιν ὧδε.

6 μεῖζον] μεῖζων LN 565 al lat sy sa ς II εσται] εστιν DΘ 33 al d f q: om C* 124 al it

6 Mt 12.41,42; Lc 11.31,32

Provavelmente, os fariseus replicaram que tais exceções, como no caso de Davi, e especialmente no caso dos sacerdotes, dificilmente poderiam ser aplicadas aos discípulos de Jesus, que *não eram sacerdotes* nem tinham autoridade de sacerdotes. Jesus responde a essa possível réplica neste versículo. Seus discípulos não eram sacerdotes, mas eram discípulos de alguém ainda maior e com mais autoridade que o templo. "Aqui está quem é maior que o templo" — há muito tempo Jesus apresentava-se como o *Messias*, que já estava em Israel. Jesus destacou o fato de os seus apóstolos terem mais direitos que os sacerdotes no templo. Pode-se aplicar essa ideia às condições atuais. Todos os crentes têm os mesmos direitos. Não há mais lei do sábado; de fato, para os crentes não há sábado e a observância do primeiro dia da semana é algo totalmente diferente, pelo que a igreja tem errado em fazer do domingo outro sábado. Ver nota detalhada sobre a questão, em Romanos 14.5,6. O trabalho no templo continuava, fosse sábado ou não. As atividades no templo, portanto, estavam imunes à lei do sábado; e quanto mais não estaria imune ao sábado o próprio Messias! Jesus insiste em mostrar que não estava sujeito à lei do sábado, conforme se vê no v. 8. O sábado foi instaurado por causa do homem, e as atividades feitas nesse dia não são más; porém, o descanso é proveitoso para o homem, para benefício de sua saúde física e mental. O Messias podia descansar ou não, conforme melhor lhe parecesse, posto que a lei não se aplicava a ele. Estes versículos, naturalmente, vão além da ideia de que o Messias tinha autoridade tão-somente sobre os "regulamentos farisaicos". A *isenção* dos crentes, nesta era da graça, quanto à lei do sábado, baseia-se, igualmente nesse princípio de sua identificação com Cristo. O v. 7 critica a dura e literal interpretação dos fariseus, e também os rodeios em volta da lei, o que levava os fariseus a ignorarem os princípios espirituais quanto a si mesmos.

Só Marcos inclui nesta história uma importante nota sobre a *natureza* do dia do descanso: "O sábado foi feito por causa do homem, e não o homem por causa do sábado" (Mc 2.27). Essas palavras ilustram o princípio mais importante o sábado foi instituído para benefício físico do homem e para indicar um período determinado para adoração a Deus, o que também é benéfico para o homem. Fisicamente, o homem precisa de descanso e relaxamento ocasionais. Trabalhar no dia de descanso não é algo inerentemente mau. Os rabinos, porém, haviam levado a tais extremos o ritual do sábado, que proibiam que se comesse um ovo posto naquele dia, afirmando que isso envolvia certo trabalho que tornava o ovo *ilegítimo*. Esse erro não é exclusividade judaica, pois, na Escócia, entre certos grupos religiosos, era proibido fazer a barba no domingo. Se os fariseus não estão fisicamente conosco, hoje em dia, suas atitudes permanecem.

12.7: Mas, se vós soubésseis o que significa: Misericórdia quero, e não sacrifícios, não condenaríeis os inocentes.

12.7 εἰ δὲ ἐγνώκειτε τί ἐστιν, Ἔλεος θέλω καὶ οὐ θυσίαν, οὐκ ἂν κατεδικάχσατε τοὺς ἀναιτίους.

7 εἰ...θυσίαν Mt 9.13 Ἔλεος...θυσίαν Os 6.6

"**Misericórdia quero, e não holocaustos**" — Jesus cita pela terceira vez essa Escritura, em apoio a seu argumento (citação

de *Os 6.6*). A mesma citação aparece em Mateus 9.13, onde se liga à repreensão contra Jesus e seus discípulos, porque comiam com *publicanos e pecadores*. Jesus mostra que há certos princípios importantes na vida religiosa. Na passagem do capítulo nono, ele falou sobre o princípio do trabalho em benefício alheio, sem ignorar os doentes, os pecadores, os publicanos etc., os quais, mais do que quaisquer outros, precisavam do ministério de Cristo. Deus quer misericórdia, e, em resultado, um serviço real, que demonstre a realidade da religião autêntica no coração. Neste texto, Jesus mostra os princípios importantes da lei — e precisamos praticar esses serviços —, embora existam outros princípios secundários, os quais não devem ser enfatizados em detrimento dos que realmente são primários. Outrossim, o homem pode criar regras sem valor nenhum, mas que são tão enfatizadas, que fazem sombra ao que realmente importa. Ora, os fariseus agiam exatamente assim, criando leis severas acerca do sábado, ao mesmo tempo que não entendiam a verdadeira utilidade do sábado. E assim agindo acusavam os "inocentes" de cometerem pecados que só eram proibidos por suas tradições. Jesus ensina que a observância das cerimônias (como os holocaustos) não é tão importante quanto a observância dos preceitos morais da lei, quanto a prática da santidade verdadeira e a observância da verdadeira adoração a Deus. Aqui Marcos acrescenta: "O sábado foi estabelecido por causa do homem, e não o homem por causa do sábado". A personalidade do homem, o serviço em benefício do homem, o bem-estar do homem, o ministério misericordioso em favor do homem, são coisas mais importantes que a observância do sábado (ou de leis semelhantes) por parte do homem.

É óbvio que essa citação era uma afirmação favorita de Jesus e ele encontrou muitas ocasiões para usá-la. Usou-a a fim de ilustrar e confirmar princípios espirituais de serviço e adoração, em contraste com o ritualismo e a exterioridade. A forma externa é vã e sem substância; outrossim, na nova forma de vida apresentada por Jesus, fomos libertados das formalidades externas.

Há diversas maneiras pelas quais as leis, especialmente as cerimoniosas, cessam de exigir obediência: (1) Quando confrontada com a lei natural da necessidade, como a necessidade de comer; (2) quando confrontada com uma lei superior, como a obrigação dos sacerdotes trabalharem no sábado; (3) quando confrontada com a lei da misericórdia e do amor; (4) quando são alteradas ou eliminadas por aquele que as criou. Este texto indica todas essas coisas.

12.8: Porque o Filho do homem até do sábado é Senhor.

12.8 κύριος γάρ ἐστιν τοῦ σαββάτου ὁ υἱὸς τοῦ ἀνθρώπου.

"**Porque o Filho do homem é senhor do sábado**" — As traduções KJ AC e outras dizem "até do sábado", acrescentando, assim, o termo "até", no que seguem manuscritos inferiores. O termo "até" foi acrescentado ao texto por alguns escribas, a fim de enfatizar o ensino do versículo; não é original ao evangelho de Mateus. Quase todos os mss omitem essa palavra, como Aleph BCDEGKLMSUV Gama Delta Fam Pi e a maior parte das versões. O paralelo de Marcos 2.28 contém essa palavra, mas Lucas 6.5 também a omite. Apesar disso, é claro que o ensino é idêntico, com ou sem o termo *até*. Foi uma declaração corajosa e audaz, porque, neste caso, Cristo não mais se refere às Escrituras, mas fala totalmente de si mesmo. Na qualidade de Messias, ele mostrou que no que tange às questões religiosas, a autoridade estava com ele, e que, no reino dos céus que ele veio anunciar, é o Messias quem dá ordens. Pode-se imaginar a reação odiosa que essa declaração provocou entre os fariseus, especialmente se eram espiões enviados de Jerusalém. Devido ao sotaque da Judeia, Jesus deveria saber com quem estava tratando, ao proferir essas palavras corajosas.

"**Filho do homem**" — Título de Jesus, que indica sua posição de Messias. Ver nota detalhada sobre esse complexo termo, em

Mateus 9.6. Há diversas interpretações a respeito desse termo e de sua aplicação à questão do sábado: (1) Deve-se incluir a ideia de que Jesus declarou novamente ser o Messias, e, como tal, tinha o direito de alterar leis ou eliminá-las, e, de modo geral, dirigir os princípios que governariam a sociedade do "reino dos céus" por ele anunciada. (2) Nesse ensino, é inerente a ideia de que, na qualidade de Cristo, Jesus, ao formar sua igreja, conservou esses mesmos direitos, e que essa lei do sábado seria modificada ou eliminada na igreja. O ensino de Paulo, no décimo quarto capítulo de Romanos, mostra que, de fato, essa lei foi eliminada: o domingo, ou dia do Senhor, não é o sábado cristão. Ver notas detalhadas em Romanos 14.5,6. (3). É inerente também nesse ensino a ideia de que, até entre os dez mandamentos, que incluíam a lei do sábado, a obrigação moral pode *variar*, para não falarmos das leis estritamente cerimoniais. (4). Provavelmente, é razoável o ensino de alguns intérpretes, os quais dizem que o termo *Filho do homem* inclui a ideia de que Jesus era o homem representativo da humanidade, especialmente dos crentes. Pode-se afirmar, portanto, que a lei do sábado foi promulgada tanto para o bem-estar de Jesus como para o bem-estar da humanidade em geral.

O que Jesus trouxe em seu ministério para o benefício da humanidade seria administrado em sua *missão de Messias*. Essa missão incluía alterações na ordem religiosa, não somente com a eliminação das tradições falsas que haviam sido acrescentadas, mas também com a mudança das provisões legítimas da lei do AT. Uma dessas mudanças referia-se à lei do sábado. Devido ao fato de tal mudança ter sido realizada por Jesus, e por ser ele o "Filho do homem", isto é, o homem que representa toda a humanidade, pode-se afirmar que a mudança da lei do sábado aplica-se igualmente a todos os homens, isto é, à humanidade em geral. Não nos devemos esquecer, também, de que Jesus não só eliminou certos elementos do AT, mas também inaugurou uma *nova* ordem religiosa, a qual seria administrada pelo poder do Espírito Santo e mediante a graça de Deus. De fato, esse é o caráter do cristianismo, e nesse texto vemos o princípio da inauguração do cristianismo. Vários intérpretes perdem de vista esse ensino, em sua totalidade, insistindo que Jesus tão-somente mudou o dia de sábado para domingo. Esse ensino é fabricação da imaginação e cria uma nova forma de legalismo, não muito diversa do legalismo farisaico. Isso não significa que é errôneo observar um dia ou mais da semana, para dirigir cultos e adorar o Senhor. Todavia, aquela imposição se origina na tradição e no uso costumeiro da igreja, e não em alguma nova lei, que tenha criado um novo sábado. É certo também que os dias de observância dessa adoração não incluem as restrições que eram comuns ao sábado antigo.

(b) Controvérsia sobre a *cura no sábado* (12.9-14)

Os paralelos são Marcos 3.1-6 e Lucas 6.6-11, pelo que a fonte informativa é o protomarcos. A narrativa de Mateus é uma versão abreviada da de Marcos, porquanto ele omite os v. 4b-5a. Juntamente, porém, com o empréstimo de Marcos, ele introduz um pouco da fonte "Q", a qual tem paralelo em Lucas 14.5.

"*O problema* se assemelha ao da narrativa anterior. Os rabinos permitiam a cura em um dia de sábado quando a vida de um homem corria *perigo*; mas essa cura, que poderia ser efetuada no dia seguinte, parecia-lhes um desafio desnecessário à vontade revelada de Deus" (Sherman Johnson, in loc). Para nós, modernos, é difícil imaginar o rigor que era aplicado à guarda do sábado. Somos ajudados a entender isso quando nos lembramos de que, até mesmo no AT, a lei ordenava a execução de seus violadores. Não é de admirar, pois, que os fariseus e outros tenham levado a lei do sábado a extremos, e tivessem ficado chocados ante o aparente desinteresse para com alguns de seus aspectos, demonstrado por Jesus e seus discípulos. Sem dúvida, estes foram tidos como os piores hereges, devido às suas ações, e muitos supuseram que

eles eram influenciados por forças malignas. O texto de Romanos 14.6 aborda o problema moderno do sábado. A controvérsia jamais terminou, embora os documentos cristãos tenham rejeitado completamente o rigor do judaísmo, tendo até mesmo abandonado de todo o sábado, em favor do dia do Senhor. Sob nenhum sentido, porém, o dia do Senhor foi transformado em um "sábado", embora seja referido como tal no vocabulário popular. (As notas mencionadas abordam a questão.)

12.9: Partindo dali, entrou Jesus na sinagoga deles.

12.9 Καὶ μεταβὰς ἐκεῖθεν ἦλθεν εἰς τὴν συναγωγὴν αὐτῶν·

12.10: Eis que estava ali um homem que tinha uma das mãos atrofiada; e eles, para poderem acusar a Jesus, o interrogaram, dizendo: É lícito curar nos sábados?

12.10 καὶ ἰδοὺ ἄνθρωπος χεῖρα ἔχων ξηράν. καὶ ἐπηρώτησαν αὐτὸν λέγοντες, Εἰ ἔξεστιν τοῖς σάββασιν θεραπεῦσαι; ἵνα κατηγορήσωσιν αὐτοῦ.

10 Εἰ...θεραπεῦσαι Lc 14.3

"**Entrou na sinagoga deles**" — Essas palavras indicam uma viagem (apesar de que, em Marcos 3.1-6 e em Lucas 6.6-11, não é indicada nenhuma mudança de local). Alguns sugerem que esse acontecimento se tenha dado depois que Jesus voltou de Jerusalém para a Galileia, após ter observado a Páscoa. Neste evangelho, observa-se que, quando aparecem essas palavras, a mudança de local também é indicada. Ver Mateus 11.1 e 15.29. Lucas mostra que isso ocorreu em outro sábado (Lc 6.6). As três narrativas, de Mateus, de Marcos e de Lucas, contêm algumas diferenças: (1) Lucas diz que era a mão direita do homem que estava ressequida; (2) Marcos mostra somente que Jesus olhou ao redor, "indignado e condoído com a dureza dos seus corações"; (3) Marcos menciona somente que o pacto formado contra Jesus também incluía os herodianos.

É importante observarmos que a narrativa que o autor acaba de relatar (v. 1-8) sugere um exemplo, tirado da vida de Jesus, em que ele mostra "misericórdia, e não holocaustos", e, particularmente, que ele realizou isso em um dia de sábado.

"**Mão ressequida**" — Literalmente, "seca", em condição impossível de ser usada. A falta de uso da mão, especialmente da mão direita, criaria problemas para o exercício de determinadas profissões. O evangelho aos Hebreus apresenta esse homem como pedreiro, o que é confirmado por Jerônimo; se isso era verdade, parece que a mão do homem estava naquelas condições por causa de um acidente, e não por defeito de nascimento, o que mostra como seria importante para aquele homem o uso de sua mão direita. Apesar disso, a cura poderia esperar para ser feita no dia seguinte, primeiro dia da semana, e assim Jesus poderia ter evitado a censura da parte das autoridades religiosas. Aqueles homens, porém, já sabiam como Jesus era misericordioso, e que, provavelmente, não esperaria nem mais um dia para realizar a cura; assim, sabendo disso, procuraram ocasião para condenar o ato que sem dúvida esperavam que ele realizasse.

"**É lícito curar no sábado?**" — Pela narrativa, parece que realmente tentaram Jesus a fazer o milagre, não para vê-lo operar com seu poder, nem para receber um sinal dos céus, como prova de que ele era o Messias, mas, ao contrário, a fim de aumentar as provas que estavam reunindo contra ele, especialmente para provar que agia contra Moisés, porquanto "trabalhava" no sábado.

"**Acusá-lo**" — Não fala de acusação pessoal, mas de uma acusação diante do tribunal da sinagoga ou da cidade. Ver nota detalhada sobre os tribunais dos judeus, em Mateus 10.17. Provavelmente, queriam que algum tipo de condenação fosse pronunciada contra Jesus, como açoitamento ou mesmo expulsão da sinagoga. Na literatura

406 | Mateus | NTI

judaica, fica-se sabendo que curas por meio de remédios etc., em um dia de sábado, só eram permitidas em casos que envolvessem vida ou morte. À vista dos judeus, aquele homem, que tinha apenas uma das mãos ressequida, não cabia dentro dessa classificação.

Este versículo ilustra novamente quantos extremismos foram criados pela tradição judaica. Lemos, em relação à invasão do território da Palestina, pelos soldados romanos, antes da queda de Jerusalém, em 70 d.C., que os judeus julgavam um crime combater em um dia de sábado. Por causa disso, a queda de Jerusalém foi abreviada. Ver Dio. Cass. *lib.* 36.

12.11: E ele lhes disse: Qual dentre vós será o homem que, tendo uma só ovelha, se num sábado ela cair numa cova, não há de lançar mão dela, e tirá-la?

12.11 ὁ δὲ εἶπεν αὐτοῖς, Τίς ἔσται ἐξ ὑμῶν ἄνθρωπος ὃς ἕξει πρόβατον ἕν, καὶ ἐὰν ἐμπέσῃ τοῦτο τοῖς σάββασιν εἰς βόθυνον, οὐχὶ κρατήσει αὐτὸ καὶ ἐγερεῖ;

11 Lc 14.5

"**Uma ovelha [...] cair numa cova**" — Entre os judeus, havia um ditado que dizia: "Devemos ter cuidado especial pelas possessões dum israelita". E também: "Se um animal cair numa cova ou poça de água, que o proprietário lhe traga comida naquele lugar, se puder; mas, se não puder, que traga cordas e liteira, e tire o animal..." Todavia, segundo o *Talmude* (o que reflete um tempo posterior), a regra consistia em deixar o animal na cova até o dia seguinte (se tivesse caído na cova em um dia de sábado), fornecendo-lhe comida só no dia seguinte. Alguns intérpretes acham que essa regra mais severa foi criada pelas autoridades, por *ódio* aos cristãos, invalidando assim a observação de Cristo, que dizia que os judeus tiravam da cova o animal que nela caísse em um dia de sábado. Outras citações tomam um ou outro lado dessa questão, e parece que havia muita controvérsia sobre o assunto, antes e durante o tempo de Cristo.

Em Lucas 14.5, achamos de novo esse ditado na ocasião de outra cura, a cura de um *hidrópico* (Lc 14.2), que também se verificou em um dia de sábado, e na casa de um dos "principais fariseus". Provavelmente, Jesus usou essa ilustração por diversas vezes, em seu ministério, enquanto suas maravilhas iam sendo operadas também aos sábados.

Nessa oportunidade, Jesus invocou a *simpatia comum* da humanidade. À religião farisaica faltava o elemento simpatia e misericórdia, pois ela só continha regras severas e negativas. Jesus, porém, mostrou que a verdadeira religião deve refletir amor, bondade e simpatia pelas pessoas, pois que é perfeitamente claro que os proprietários de animais demonstram essas qualidades até para com seus animais; e o homem religioso não deveria demonstrá-las para com seus semelhantes? Provérbios 12.10 diz: "O justo olha pela vida dos seus animais, mas as misericórdias dos ímpios são cruéis" (ARC). Novamente, Jesus mostrou a capacidade de discernir e de usar o que havia de melhor no judaísmo, o que geralmente ficava escondido na massa de tradições inúteis de seu tempo. Jesus esforçou-se principalmente por reformar a religião judaica, e não por destruí-la ou suprimi-la. Os v. 1-8, que falam sobre a questão do sábado, mostram que ele também trouxe novos elementos, e que certamente alguns textos dos Evangelhos incluem mudanças e estabelecimento de um novo sistema. Ver Mateus 16.13-26. Todavia, essa mudança caberia por tarefa principalmente ao apóstolo Paulo.

12.12: Ora, quanto mais vale um homem do que uma ovelha! Portanto, é lícito fazer bem nos sábados.

12.12 πόσῳ οὖν διαφέρει ἄνθρωπος προβάτου. ὥστε ἔξεστιν τοῖς σάββασιν καλῶς ποιεῖν.

12 πόσῳ...προβάτου Mt 6.26; 10.31; Lc 12.7,24 ἔξεστιν...ποιεῖν Lc 13.16; Jo 5.9; 7.23; 9.14

12 ουν] μαλλον *1424 pc*: ουν μαλλον Θ *f13 pc* sy^c | (προβατου.] ; ς R)

"**Quanto mais vale um homem que uma ovelha?**" — O homem que possuísse animais cuidaria daqueles que caíssem em uma cova, mesmo que isso sucedesse a apenas um deles. Deixaria as demais ovelhas para cuidar da que estivesse sofrendo. O valor de um animal é pequeno; mesmo assim, provocaria essa atitude por parte de seu proprietário. Comentando sobre essas palavras, *Jerônimo* disse: "Para preservardes vossas propriedades, embora se trate tão-só de uma ovelha, profanais o sábado, segundo compreendeis o termo, mas dizeis que eu o profano ao restaurar a saúde de um dos meus irmãos: mas isto eu faço com muito menos esforço que fazeis para tirar uma ovelha da cova". E Wordsworth disse: "Sois intérpretes pecaminosos da lei, pois ordenais que se deixe de fazer o bem em um dia de sábado. No sábado da eternidade descansaremos da maldade, mas esse sábado da eternidade será inaugurado mediante a realização do bem".

"**É lícito fazer bem aos sábados...?**" — Jesus queria ensinar que deixar de fazer o bem equivale a fazer o mal. Mais tarde, Tiago expressou a mesma ideia: "Portanto, aquele que 'sabe fazer' o bem e não o faz, nisso está pecando" (Tg 4.17). John Gill, em seu comentário, fornece algumas citações que ilustram que, entre a literatura judaica, havia diversas permissões para os judeus que tivessem de usar de misericórdia em dia de sábado, e cada uma delas vinha acompanhada das palavras: "Não há necessidade de pedir permissão ao sinédrio". Assim, entre os judeus, esse era um princípio já bastante conhecido. Marcos enfatiza o ensino com estas palavras: "[...] *salvar a vida ou tirá-la?*". Provavelmente, Jesus referia-se ao fato de nos corações daqueles fariseus já se ter aninhado o desejo de matar o Senhor Jesus, o próprio Messias. Como era vazia a religião que praticavam! Estavam irados porque Jesus mostrara misericórdia em um dia de sábado, ao passo que eles cuidavam mais dos animais que dos próprios semelhantes, ao mesmo tempo que abrigavam ideias assassinas no coração, pelo fato de outrem ter feito boas obras em um dia de sábado. Marcos também mostra que o argumento de Jesus foi enérgico: "Mas eles ficaram em silêncio" (Mc 3.4, ARA). O silêncio demonstrou falta de capacidade para responder à lógica de Jesus, e não qualquer modalidade de arrependimento, ou mesmo, de concordância com as palavras de Jesus.

Marcos adiciona apenas o olhar de dó e *indignação* de Jesus: "Olhando-os ao redor, indignado e condoído com a dureza dos seus corações". Há poucos textos que demonstram as emoções e pensamentos interiores de Jesus, e esse texto é um deles. A pureza do amor e do pensamento de Jesus os fez sentir profundamente a perversidade da natureza humana. A perversidade de alguns homens não tem limite e raramente tem cura. Esta passagem ilustra o fato de que, de acordo com as leis fixas da natureza da administração divina, os deveres que os homens se recusam voluntariamente a cumprir, mas não cumprem, finalmente tornam-se, para eles, moralmente impossíveis. É possível que aqueles homens já tivessem chegado a esse ponto devido à sua dura oposição contra o próprio Messias, a despeito dos inúmeros milagres que realizou e de seus convincentes discursos.

É possível também que a lição mais importante desta passagem seja o fato de que Jesus *deu grande valor* à pessoa humana. Já vimos esse fato no Sermão do Monte, enquanto que a própria vida terrena de Jesus mostrou que ele elevou o homem a um alto nível, em sua categoria de valores. Jesus sugere, dessa forma, a doutrina que mais tarde foi ensinada por Paulo, o grande destino que Deus tem para o homem, por meio do evangelho, pela transformação do ser humano à imagem de Cristo. Ver nota detalhada sobre o assunto, em Romanos 8.29. Há provas de que Jesus deu grande valor ao homem, mesmo em seu estado físico, e não somente por causa do destino que ele tem. Os atos de misericórdia de Jesus também demonstravam essa verdade.

12.13: Então disse àquele homem: Estende a tua mão. E ele a estendeu, e lhe foi restituída sã como a outra.

12.13 τότε λέγει τῷ ἀνθρώπῳ, Ἔκτεινόν σου τὴν χεῖρα. καὶ ἐξέτεινεν, καὶ ἀπεκατεστάθη ὑγιὴς ὡς ἡ ἄλλη.

Deve ter sido um momento excitante e de grande *tensão*. Palavras iradas tinham sido trocadas: o próprio Jesus se indignara, e os espiões de Jerusalém e outras autoridades religiosas, que estavam presentes, também requeimavam por dentro, quase sem poder reprimir seu gênio violento, e com pensamentos de homicídio no coração. Os demais presentes na sinagoga continuaram sentados, silenciosos, apreensivos, mas no íntimo favoráveis a Jesus. E o homem, ainda que com receio das autoridades, queria muito ser curado, e assim também deve ter tomado abertamente o lado de Jesus, porquanto só assim poderia obter a cura. Já sabia que aquelas autoridades religiosas, a despeito de suas pretensões religiosas, como se tivessem relações especiais com Deus, não eram capazes de aliviar sua condição em qualquer grau. Embora talvez se tivesse mostrado hesitante, grande foi a sua fé. Cria nas narrativas que já ouvira sobre Jesus e talvez até tivesse visto alguns de seus notáveis milagres. A excitação se intensificou quando Jesus baixou a ordem: *"Estende a tua mão"*. Silêncio total reinou na sala. Todos olhavam atentamente. A mão ressequida está estendida, e ao mesmo tempo muda totalmente de aparência. O homem move os dedos com um grito de louvor a Deus. Seu rosto se ilumina de alegria. Na sinagoga, muitos se regozijam no íntimo, ao passo que outros procuram ocultar suas emoções. O difamado Jesus fora extremamente bem-sucedido, sob circunstâncias as mais adversas. Olhares iracundos são lançados pelas autoridades religiosas, e, murmurando, precipitam-se para a entrada. Estão irados ao ponto da loucura, e tomam conselho, entre si, sobre como matariam a Jesus.

12.14: Os fariseus, porém, saindo dali, tomaram conselho contra ele, para o matarem.

12.14 ἐξελθόντες δὲ οἱ Φαρισαῖοι συμβούλιον ἔλαβον κατ' αὐτοῦ ὅπως αὐτὸν ἀπολέσωσιν.

14 Mt 27.1; Mc 11.18; Lc 19.47; Jo 5.16; 18

"Os fariseus conspiravam contra ele" — Marcos mostra que os *herodianos* também participaram da conspiração. Ver notas detalhadas sobre os "fariseus", em Marcos 3.6; sobre os "saduceus", em Mateus 22.23; sobre os "herodianos", em Marcos 3.6; sobre os "essênios", em Lucas 1.80 e Mateus 3.1; e sobre o "sinédrio", em Mateus 22.23. Provavelmente, os herodianos estavam ofendidos porque recentemente Jesus se recusara a ter um encontro com Herodes (Mt 9.9), e porque perceberam que Jesus era uma ameaça ao governo constituído. Parece que aquela reunião era formada, não só para discutir a heresia de Jesus e sua expulsão da sinagoga, mas para silenciar Jesus totalmente, mediante o assassínio. Os fariseus usualmente evitavam a presença dos herodianos, julgando-os traidores tanto do governo civil de Israel como da religião judaica. Agora, porém, viam-se frente a frente com um adversário tão poderoso que acolheram os herodianos, desde que isso fornecesse um meio para eliminar Jesus. A palavra *"furor"*, usada em Lucas 6.11 para descrever a condição mental daqueles homens, significa, literalmente, "falta de entendimento" ou de "poder mental", o que origina a *cólera insensata*, que raia pela loucura. Os fariseus retiraram-se indignados. Dessa forma, vê-se de maneira marcante as duas alternativas que restavam a Jesus: fazer o bem ou o mal em um dia de sábado (v. 12). As autoridades religiosas fizeram tal objeção a Jesus, por haver praticado o bem em um dia de sábado, que se dispuseram ao mal (o plano assassino) nesse dia de sábado.

Os propósitos da apresentação desta narrativa são: (1) Explicar mais claramente as relações de Jesus *com o sábado*. (2) Ilustrar como foram degenerando as relações de Jesus com as autoridades religiosas. (3). Expor as razões pelas quais a comunidade religiosa começou a planejar a morte de Jesus, considerando-o uma pessoa imoral, sempre na companhia de homens imorais, os pecadores e publicanos; como pessoa irreligiosa, que não observava o sábado;

como pessoa de má influência, pois ensinava aos outros a não observância do sábado; como pessoa diabólica, aliada a Satanás, porquanto solapava a tradição religiosa dos judeus, o que lhes parecia ser um ataque contra Moisés. A presença dos herodianos, no conselho contra Jesus, indica que ele foi considerado um elemento perigoso para o governo. E, finalmente, suas declarações de ser o "Filho de Deus" ou "Filho do homem", revelando-se assim o Messias, faziam Jesus parecer, aos olhos daqueles fanáticos, como um indivíduo profano no mais alto grau.

(c) Por que motivo Israel não entendeu a revelação em Cristo (12.15-21)

Este texto descreve uma espécie de *interlúdio*. Sua mensagem essencial é que a revelação teria de ficar oculta para Israel, que ainda não estava preparado para aceitar a Jesus e aos seus ensinos, rejeitando, dessa forma, na realidade, a mensagem e os conselhos de Deus. A passagem é um sumário abreviado de Marcos 3.7-12, e, assim, sua fonte principal é o *protomarcos*. (Ver informação sobre as fontes na introdução ao comentário, na seção intitulada "O problema sinóptico", e na introdução ao evangelho de Marcos.)

12.15: Jesus, percebendo isso, retirou-se dali. Acompanharam-no muitos; e ele curou a todos;

12.15 Ὁ δὲ Ἰησοῦς γνοὺς ἀνεχώρησεν ἐκεῖθεν. καὶ ἠκολούθησαν αὐτῷ πολλοί², καὶ ἐθεράπευσεν αὐτοὺς πάντας,

15, 16 παντας, και επετιμ.]. παντας δε ους εθεραπευσεν επεπληξεν DW (i) it

15 Mc 3.7-10; Lc 6.17-19

² 15 {C} πολλοί ℵ B it^{a.aur,b,c,ff¹,g¹,k,l} vg (syr^{c,s}) eth^{ro} Eusebius Augustine // ὄχλοι N cop^{sa,mss} // ὄχλοι πολλοί C D L W Δ Θ Π f¹ f¹³ 28 33 565 700 892 1009 1010 1071 1079 1195 1216 1230 1242 1253 1344 1365 1546 1646 2148 2174 *Byz Lect* l^{2m,21m,70m,150m,185m,883m,1627m,1642m,1663m} it^{d,f,h,(q)} syr^{p,h} cop^{sa,ms,bo,fayvid?} arm geo Diatessaron Origen Eusebius // πολλοί ὄχλοι X eth^{pp?} Hilary // πολλοὶ ἀπὸ τοῦ λαοῦ eth^{ms?}

Apesar de ser possível que mediante homoeoteleuton o termo ὄχλοι tenha sido acidentalmente eliminado, é levemente mais provável que escribas, influenciados pela frase familiar, "muitas multidões" ou "grande multidões" (e.g., 4.25; 8.1; 13.2; 15.30 e 19.2), tenham fortalecido ao simples πολλοί (forma essa apoiada por antigos testemunhos alexandrinos e ocidentais) adicionando ὄχλοι —, ou antes ou depois de πολλοί.

12.16: e advertiu-lhes que não o dessem a conhecer;

12.16 καὶ ἐπετίμησεν αὐτοῖς ἵνα μὴ φανερὸν αὐτὸν ποιήσωσιν·

16 Mt 8.4; 9.30; Mc 3.12; 5.43; 7.36

A *situação* tornara-se crítica, e Jesus bem o percebia. A despeito do declínio de sua popularidade, muitas pessoas ainda aproveitavam sua presença a fim de ser curadas. A oposição dos líderes religiosos não diminuiu o desejo que Jesus tinha de ajudar aos que precisavam de sua interferência.

Muitos têm explicação mais detalhada em Marcos 3.7, onde se lê: "[...] grande multidão [...] da Galileia, Judeia, Jerusalém, dalém do Jordão e dos arredores de Tiro e Sidom..." Ver notas detalhadas sobre esses lugares. Sobre Galileia, em Lucas 1.26; sobre Jerusalém, em Lucas 2.41; sobre Judeia, em Mateus 4.26; e sobre Tiro e Sidom, em Atos 21.3.

"Iduméia" — Esse nome era usado para indicar parte da região ocidental e sul da Palestina, e não somente o próprio Edom. A palavra *Edom* faz alusão a Esaú ou aos seus descendentes, os edomitas, e significa "vermelho", o que relembra o "guisado vermelho", pelo qual Esaú trocou a sua primogenitura (Gn 25.30-34). As

408 |Mateus| NTI

terras assim denominadas estendiam-se desde o vau de Zerede até o golfo de Azabá (160 quilômetros), e a ambos os lados do Arabá ou deserto de Edom, a grande depressão que começava no mar Morto e terminava no mar Vermelho. Ao norte, a Idumeia limitava-se com a Judeia. (Ver referências em Gn 14.6; Dt 2.1,12; Js 15.1; 1Rs 9.26). O local conta com montanhas íngremes, e em geral a terra é seca e estéril. A capital era Sela, em um planalto por detrás de Petra. Diversos povos gentílicos habitavam na região, e, muito tempo antes de Jesus, as raças já se haviam mesclado ali. Os Herodes eram descendentes dos edomitas. Edom era inimigo de Israel, e diversos profetas predisseram contra esse povo (Jr 4.7-22; Ez 25.12-14). A imigração dos antigos edomitas causou a expansão dos territórios por eles ocupados, e, finalmente, uma porção da Judeia ou mesmo toda a Judeia era chamada pelo nome de Idumeia. No NT, o nome Idumeia aparece somente em Marcos 3.8. Josefo menciona a Idumeia como uma divisão da Judeia. (B. J. 3.3-5).

"Dalém do Jordão" — Obviamente, a referência é à Pereia, mas o termo em foco incluía mais do que a Pereia. Ver nota em Mateus 4.15. Esse distrito correspondia aproximadamente ao Gileade do AT. O próprio nome Pereia não aparece no NT, mas é usado por Josefo em seus escritos. Há uma alusão a esses lugares, mas sem que o nome seja usado, em Mateus 19.1, e Jesus ministrou ali, no caminho para Jerusalém, pela última vez que lá esteve. Ver nota sobre o "ministério" de Jesus, em Lucas 1.4. Essa designação começou a ser usada logo depois do cativeiro, e designava o território que ficava do outro lado do Jordão, isto é, a norte e a leste desse rio. Tinha 16 quilômetros e se estendia desde o rio Arnom, ao sul, até algum lugar entre o Jaboque e o Iarmuque, ao norte. O lugar era bem regado por chuvas, e era fértil. No tempo de Jesus, era povoado principalmente por judeus, e Herodes Antipas ali governava. Usando a Pereia, os viajantes podiam passar da Galileia para a Judeia sem abandonar o território judeu, evitando assim Samaria.

Com essas descrições, Marcos dá ideia mais perfeita da poderosa influência do ministério de Jesus. Ele ficou quase todo o tempo na Galileia, mas multidões provenientes de várias regiões se dirigiam para ali, especialmente para serem curadas ou para verem os milagres que ele realizava. Ver notas detalhadas sobre os milagres, as curas, suas razões e propósitos, em Mateus 8.37; 3.13; 7.21-23; 14.22; Marcos 1.29; 3.1-5; Lucas 18.22-25.

"Advertindo-lhes, porém, que o não expusessem à publicidade" — Ver nota detalhada sobre as razões pelas quais Jesus evitava a fama, em Mateus 8.4 e 9.26. Provavelmente, nesse tempo, Jesus baixou tal ordem a fim de impedir sua localização por parte das autoridades religiosas. Pelo texto, parece que Jesus ocultou-se depois da grande controvérsia com os líderes judeus acerca da observância do sábado e acerca de outras coisas (v. 1-4 deste capítulo; ver notas nos v. 2 e 14, no tocante à lista de acusações). Se isso não alude à sua localização, provavelmente mostra que ele usou de tal cautela, ou para ocultar durante algum tempo a sua fama crescente ou para diminuir essa fama, a fim de não fomentar o ódio das autoridades religiosas contra ele; e tudo isso com o intuito de preservar seu ministério entre o povo, porquanto ainda lhe restava realizar certas obras, antes de chegar o tempo de sua morte.

12.17: para que se cumprisse o que foi dito pelo profeta Isaías:

12.17 ἵνα πληρωθῇ τὸ ῥηθὲν διὰ Ἠσαΐου τοῦ προφήτου λέγοντος,

12.18: Eis aqui o meu servo que escolhi, o meu amado em quem a minha alma se compraz; porei sobre ele o meu espírito, e ele anunciará aos gentios o juízo.

12.18 Ἰδοὺ ὁ παῖς μου ὃν ᾑρέτισα, ὁ ἀγαπητός μου εἰς ὃν εὐδόκησεν ἡ ψυχή μου· θήσω τὸ πνεῦμά μου ἐπ' αὐτόν, καὶ κρίσιν τοῖς ἔθνεσιν ἀπαγγελεῖ.

18-21 Is 42.1-4

Esta profecia fundamenta-se em Isaías 42.1-4 e é tradução livre do hebraico, e não da LXX. Outros sugerem que talvez o autor tenha usado uma preparação de Escrituras do AT (comentário judaico ou outro estudo qualquer) que não conhecemos hoje em dia; ou então que citou a profecia de memória. Pode ser, igualmente, que tenha lançado mão da paráfrase caldaica.

"Eis aqui o meu servo" — A LXX aplica essas palavras a Jacó e Israel, mas a verdade é que aqui está em foco a pessoa do Messias, isto é, um indivíduo, conforme já se entendia, antes do tempo de Isaías. E a paráfrase caldaica também aplicava essa profecia ao Messias, como também diversos escritores, entre os antigos intérpretes dos judeus, antes do tempo de Jesus, incluindo Kimchi. Esse título aparece em outras porções bíblicas como alusão ao Messias: Isaías 53.2; Salmos 40.7-9. Ver também João 17.4 e Filipenses 2.7.

"O meu amado..." — Palavras quase idênticas àquelas proferidas pelo Pai, na cena do batismo de Jesus (Mt 3.16,17). Pelos escritos dos judeus, aprendemos que esses termos geralmente eram compreendidos como referência ao Messias. O propósito do autor deste evangelho, nessas citações, era demonstrar claramente que as próprias Escrituras judaicas davam testemunho da *missão messiânica* de Jesus, porque a vida dele estava cumprindo claramente as exigências das profecias messiânicas. A vida inteira de Jesus era prova desse fato. Seus milagres multiplicaram-se grandemente, e de todas as partes de Israel chegavam pessoas para ver, com os próprios olhos, a clara evidência de sua missão messiânica. A vida de Jesus seguiu o padrão da profecia e esclareceu muitas passagens antes obscuras. Tomando sobre si mesmo a fragilidade humana e o espírito de brandura, Jesus tratou os outros tão gentilmente como se fossem uma haste ferida, pois uma pancada mais violenta poderia ser fatal à situação por si já miserável.

"Anunciará juízo aos gentios" — A palavra "juízo" pode ter diversos sentidos: (1) Julgamento do pecado; mas é claro que não há referência aqui, porque o ministério apresentado não envolvia julgamento, conforme o próprio texto demonstra. (2) Pode significar ministério de *ensino* e retidão real, como pastor de seu povo. Provavelmente, isso faz parte do sentido. (3) Estabelecimento da religião verdadeira entre o povo, como era evidente no "reino dos céus". Jesus veio para estabelecer esse reino, e não visava somente aos judeus. O autor dá a ideia de que a orientação religiosa suplantaria a desordem da vida dos gentios pecaminosos. Certamente que essa ideia faz parte da interpretação. Nota-se que essa palavra era empregada na literatura judaica para significar leis, preceitos e o sistema inteiro de ensinos e doutrinas. Esse uso confirma a interpretação dada aqui. (4) Outros acham que essas palavras referem-se especificamente ao evangelho. Sem dúvida, isso também é parte da interpretação, mas a referência geral, conforme no nº 3, parece ser a mais correta.

12.19: Não contenderá, nem clamará, nem se ouvirá pelas ruas a sua voz.

12.19 οὐκ ἐρίσει οὐδὲ κραυγάσει, οὐδὲ ἀκούσει τις ἐν ταῖς πλατείαις τὴν φωνὴν αὐτοῦ.

"Não contenderá [...]" — Estas palavras indicam o *espírito manso* de Jesus, o seu respeito pela fragilidade humana, a sua misericórdia e paciência para com a humanidade. Jesus não assumiu posição de juiz ou autoridade, mas misturou-se com o povo, como "amigo dos pecadores". Não gostava de controvérsias e não desejava mostrar suas habilidades polêmicas; não buscava a fama ou a glória humana, não fez nada a fim de ostentar-se, como era o caso de tantas autoridades religiosas. Seu espírito contrário à ostentação, e sua relutância em receber fama da parte dos outros (conforme já observamos por diversas vezes neste evangelho), eram, por si mesmo, cumprimento de profecias acerca do caráter do Messias. Seu espírito se caracterizava pela tranquilidade e pela não-violência, em contraste com os líderes religiosos de seu tempo.

12.20: Não esmagará a cana quebrada, e não apagará o morrão que fumega, até que faça triunfar o juízo;

12.20 κάλαμον συντετριμμένον οὐ κατεάξει καὶ λίνον τυφόμενον οὐ σβέσει, ἕως ἂν ἐκβάλῃ εἰς νῖκος τὴν κρίσιν.

"Não esmagará [...]" — Ele reconheceu a *fragilidade* da natureza humana, e sempre tratou os outros com toda a gentileza, como se já estivessem quebrados como uma haste partida, na qual um golpe mais forte seria fatal. Outrossim, até o mais leve sopro de ar, ou um movimento brusco, apagaria o pavio já vacilante e esfumaçado da lâmpada (torcida e pavio é a mesma coisa), e a pequena luz, símbolo da esperança, poderia desvanecer-se. Provavelmente, essas palavras dão ideia de um povo extremamente sobrecarregado de tradições, sob o peso de más autoridades e de um sistema insuportável — era povo de Deus, mas sob as cadeias do pecado e sem qualquer possibilidade de livrar-se de tais cadeias, porquanto os próprios líderes achavam-se em condições ainda piores. Essa profecia fala principalmente das condições espirituais do povo, e não das condições físicas, o que também merecia a atenção de Jesus, conforme se verifica pelas curas que ele realizou. Tudo quanto Jesus fazia tinha um propósito espiritual e as curas também foram usadas para demonstrar ao povo a misericórdia de Deus, com referência às condições humanas.

"Até que faça vencedor o juízo" — Aqui, uma vez mais, a profecia alude ao ministério do Messias, que estabeleceria o "juízo" entre o povo, ou seja, estabeleceria a nova ordem religiosa por meio da administração do evangelho, como estabeleceria o ministério geral de Cristo. Com seu ministério, o Messias suplantaria a desordem encontrada entre os judeus, mas também faria a mesma coisa no tocante aos gentios. O Messias traria o "reino dos céus", com todas as suas implicações. Essa parte da profecia indica a vitória final do ministério de Cristo, e isso inclui o futuro ministério, do segundo advento de Cristo, no milênio e no estado eterno. Temos a promessa de que, apesar do fato de o ministério de Cristo e de o próprio Cristo terem sido rejeitados de modo geral, durante a vida terrena de Jesus, finalmente Deus cumprirá o seu plano. O ministério de Cristo ainda não terminou. O trabalho da igreja no mundo é uma continuação desse ministério, mas, no fim, Cristo mesmo voltará a fim de terminar a sua obra.

12.21: e no seu nome os gentios esperarão.

12.21 καὶ τῷ ὀνόματι αὐτοῦ ἔθνη ἐλπιοῦσιν.

"E no seu nome esperarão os gentios" — Jesus agora volta a sua atenção para os gentios, pelo menos em intenção, ainda que não a focalizasse inteiramente durante seu ministério terreno. O ministério de Jesus *ultrapassou* os limites de Israel e atingiu outras nações. Esta profecia diz respeito mais ao cumprimento durante a era da graça, mediante a igreja, e no futuro, porque o ministério terreno de Jesus jamais cumpriu essa predição. O texto de Isaías 42.4 indica a renovação final da terra, e, sem dúvida, o autor deste evangelho também quis fazer essa aplicação dessas palavras. Uma vez mais temos, aqui, uma dupla aplicação profética, conforme se verifica usualmente com as profecias. Jesus estabeleceu os princípios que encontramos aqui, teve participação pessoal nessa obra, e continua operando por meio do ministério da igreja, até os dias que correm. Outrossim, ele completará pessoalmente as provisões dessa profecia. O "nome" do Messias envolve seu caráter, bem como seus ensinamentos e sua autoridade. Este texto, como muitos outros, ensina que Cristo é uma personagem cósmica, com uma história importante, ligada ao bem-estar do mundo inteiro, tanto no passado como no futuro. Meyer diz: "Os gentios confiarão no que está subentendido em seu nome de Messias". O nome "Messias" indica o estabelecimento do reino dos céus na terra, a salvação da humanidade, a mudança ou transformação do ser humano na própria imagem de Cristo; em suma, o fim do pecado e do

reino da maldade no mundo. Nesse "nome" os gentios haveriam de esperar. O hebraico diz "lei" no lugar de "nome". A LXX diz "nome", e o autor deste evangelho utiliza-se dessa palavra. O evangelista, porém, não cita as palavras anteriores, que também ilustram esse ensino: "Não desanimará nem se quebrará até que ponha na terra o direito; e as terras do mar aguardarão a sua doutrina".

(d) Controvérsia sobre a cura do homem cego e mudo (12.22-32)
(Ver Mc 3.22-29; Lc 11.14-23 e 12.10, quanto aos paralelos.)

12.22: Trouxeram-lhe então um endemoninhado cego e mudo; e ele o curou, de modo que o mudo falava e via.

12.22 Τότε προσηνέχθη αὐτῷ δαιμονιζόμενος τυφλὸς καὶ κωφός· καὶ ἐθεράπευσεν αὐτόν, ὥστε τὸν κωφὸν λαλεῖν καὶ βλέπειν.

<small>22-23 Τότε...ἔλεγον Mt 9.32,33</small>

A seção de Mateus 12.22-32 baseia-se parcialmente no protomarcos e, parcialmente, em "Q". O texto paralelo de Lucas fica em 11.14-23 e 12.10. Esta seção tem por finalidade descrever a controvérsia sobre o *exorcismo* no ministério de Jesus. O assunto provavelmente surgiu por muitas vezes enquanto Jesus entrava em conflito com os fariseus e com outras autoridades religiosas.

"Lhe trouxeram um endemoninhado, cego e mudo" — Ver notas detalhadas sobre os "demônios", em Marcos 5.2; sobre "Satanás", em Lucas 10.18; e sobre a possessão demoníaca, em Mateus 8.28.

"Mudo" — A palavra significa "estúpido" ou "embotado", e é usada pelos autores gregos profanos para indicar a falta de percepção mental e defeito na elocução, na visão e na audição. No NT, porém, é usada somente no sentido de mudez ou surdez. Em cada caso, o contexto indica a que se refere a palavra. Tal como o milagre que encontramos em Mateus 9.32, este também é importante porque mostra que Jesus conhecia a causa do problema, embora o homem nada tivesse dito. Provavelmente, o autor deste evangelho narra o incidente como introdução à história de mais um conflito entre Jesus e as autoridades religiosas, sobre a fonte de seu poder, que os fariseus continuavam afirmando proceder de *Belzebu*, e não de Deus. Os textos paralelos são Marcos 3.20-30 e Lucas 11.14-26. A ocorrência é relatada por Lucas como algo que sucedeu mais tarde no ministério de Jesus (após a multiplicação dos pães para os cinco mil), mas com menos detalhes e sem determinar nenhuma situação fixa. Marcos apresenta a história do conflito sem sequência fixa com o texto em que se encontra, mas situa o acontecido depois da segunda excursão pela Galileia, e mesmo assim sem mencionar nenhum milagre anterior ao conflito.

12.23: E toda a multidão, maravilhada, dizia: É este, porventura, o Filho de Davi?

12.23 καὶ ἐξίσταντο πάντες οἱ ὄχλοι καὶ ἔλεγον, Μήτι οὗτός ἐστιν ὁ υἱὸς Δαυίδ

"A multidão se admirava" — Nota-se, pela gramática grega, que a resposta que se esperava era negativa ou duvidosa. Provavelmente, a afirmação de que Jesus era o Messias já circulara por toda a parte. Os apóstolos, em sua missão, quando da segunda viagem pela Galileia, também teriam ensinado que operavam os seus milagres em nome de Cristo, o Messias, o qual chegara a fim de estabelecer o reino dos céus. E sem dúvida as próprias autoridades religiosas tinham falado sobre a missão de Jesus, nas sinagogas, embora negando que ele fosse o Messias. O povo começara a chamar Jesus de "Filho de Davi", um título muito comum para indicar o Messias. Entretanto, conforme é evidente pela forma gramatical dessa pergunta, a ideia não era aceita pelo povo de modo geral. Talvez duvidassem honestamente. A tendência humana é a

|Mateus| NTI

de não aceitar um contemporâneo como personagem que cumpre as profecias, especialmente as do AT, sobre a pessoa do Messias. Devemos lembrar, por semelhante modo, que as ideias dos judeus eram confusas acerca dessa questão. Alguns esperavam mais de uma pessoa para cumprir as profecias messiânicas. Alguns ensinavam que haveria um Messias, filho de José, outros ensinavam que haveria outro Messias, filho de Davi, e outros acreditavam no aparecimento de mais de um Messias. Igualmente, o povo esperava a vinda de Elias como precursor do Messias. Provavelmente, poucos aceitaram a explicação dada por Jesus de que João Batista era o Elias que havia de vir. Ora, lembrando-nos de todos esses fatos, podemos perceber a razão pela qual a tendência do povo era contrária à aceitação da missão messiânica de Jesus, ou, pelo menos, por que pairavam tantas dúvidas. Assim, ao indagarem: "É este, porventura, o Filho de Davi (Messias)?", apenas expressavam a sua dúvida; mas talvez, ao mesmo tempo, tivessem sido impulsionados pela honesta esperança de que ele bem poderia sê-lo.

"Filho de Davi" — Título obviamente usado comumente para Jesus, a despeito das dúvidas populares. Há razão para crermos que uma parte do povo tenha aceitado Jesus como Messias, sem qualquer dúvida. Há provas que mostram que Jesus era considerado descendente de Davi (Mt 12.23; 1.20). Era ideia comum, entre os judeus, que o Messias seria descendente de Davi (Mt 22.42,43,45; Jo 7.42). O NT alude, por cerca de quinze vezes, ao fato de Cristo ser o "Filho de Davi", e a maior parte dessas ocorrências aparece na boca do povo. Ver Mateus 1.1; 9.27; 12.23; 15.22; 20.30,31; 21.9,15; Marcos 10.47,48; Lucas 18.38,39; Romanos 1.3; 2Timóteo 2.8; Apocalipse 5.5 e 22.16.

12.24: Mas os fariseus, ouvindo isso, disseram: Este não expulsa os demônios senão por Belzebu, príncipe dos demônios.

12.24 οἱ δὲ Φαρισαῖοι ἀκούσαντες εἶπον, Οὗτος οὐκ ἐκβάλλει τὰ δαιμόνια εἰ μὴ ἐν τῷ Βεελζεβοὺλ ἄρχοντι τῶν δαιμονίων.

24 Βεελζεβοὺλ cf 10.25

24 Οὗτος...δαιμονίων Mt 9.34

"Mas os fariseus [...] murmuravam [...] poder de Belzebu" — A forma original dessa palavra era "Baalzebube", termo do deus de *Edrom*, com o sentido de "deus das moscas", e provavelmente era adorado pelo povo por seu suposto poder de ter livrado o povo de uma peste de moscas. (Ver 2Rs 1.3). Depois os judeus passaram a usar o termo "Baalzebel", que significa "senhor do esterco", termo esse usado para mostrar o ódio dos judeus pelos deuses dos gentios. Era empregado também o termo "Baalzebul", que tem o sentido de "senhor da casa", isto é, da casa dos demônios; e assim o nome passou a ser sinônimo de Satanás. Nos mss gregos, essa palavra aparece sob várias formas, como "Beelzebub", "Beelzebouls", "Belzebouls", "Beelzeboul". Pela própria palavra é impossível saber quais dos significados devemos considerar. Todavia, Mateus 10.25 mostra muito claramente que o uso do termo, ao tempo de Jesus (acerca de sua pessoa), era senhor da casa (dos demônios), identificando assim Jesus com Satanás, homem controlado por Satanás ou aliado de Satanás. Ver nota mais detalhada sobre esse termo, em Mateus 10.25, e sobre "Satanás", em Lucas 10.18.

Provavelmente, o autor deste evangelho intercala a história aqui encontrada, incluindo a acusação dos fariseus de que Jesus era aliado de Satanás, a fim de introduzir o seriíssimo ensino de Jesus sobre o *pecado imperdoável*. Naturalmente que acontecimentos como esse, em que as autoridades religiosas acusavam Jesus de operar os seus milagres impelido pelo poder de Satanás, repetiram-se frequentemente, e os autores dos Evangelhos escolheram algumas dessas ocorrências para mostrar como Jesus refutou essas acusações, bem como a importância que devemos dar a essa parte da oposição que se levantou contra o ministério de Jesus.

Jesus tornou-se poderoso *oponente* dos líderes religiosos dos judeus. Devido aos seus ensinamentos, à sua retórica, à sua lógica, aos seus milagres inegáveis, à sua crítica severa, e, mais insultantemente, devido ao fato de ler os seus pensamentos, sempre se saiu vencedor nos embates verbais. Apesar disso tudo, os líderes conseguiram reter a confiança do povo e a autoridade legal, mediante a qual, por fim, o mataram. Jesus prova a origem divina de suas obras simplesmente mostrando a incompatibilidade de suas obras com a perversa natureza de Satanás.

Esse fato ilustra pelo menos duas coisas: (1) *O reconhecimento* do grande poder de Jesus, a validade de seus milagres, se não mesmo a verdadeira fonte de sua autoridade; e (2) entre os judeus, havia a doutrina de um *reino do mal*, isto é, a crença em poderes maus, sob forma organizada, onde Satanás aparece com elevado poder, dotado de poder e controle sobre uma espécie de reino (que incluía os demônios). Parece que, neste texto, Jesus concorda com essa ideia, porque a sua resposta não nega a existência desse "reino", mas tão-somente sua vinculação com o mesmo. Paulo ensinou claramente a mesma coisa, no primeiro capítulo de Colossenses e no sexto capítulo de Efésios.

12.25: Jesus, porém, conhecendo-lhes os pensamentos, disse-lhes: Todo reino dividido contra si mesmo é devastado; e toda cidade, ou casa, dividida contra si mesma não subsistirá.

12.25 εἰδὼς δὲ[3] τὰς ἐνθυμήσεις αὐτῶν εἶπεν αὐτοῖς, Πᾶσα βασιλεία μερισθεῖσα καθ' ἑαυτῆς ἐρημοῦται, καὶ πᾶσα πόλις ἢ οἰκία μερισθεῖσα καθ' ἑαυτῆς οὐ σταθήσεται.

[3] **25** {C} εἰδὼς δέ ℵ*,c B copsa // ἰδὼν δέ ρ21 ℵb D 892' itd,k syrc,s copbo Chrysostom // εἰδὼς δὲ ὁ Ἰησοῦς C K L W X Δ Θ Π 0106 f¹ f¹³ 28 565 700 1009 1010 1071 1079 1195 1216 1230 1242 1253 1344 1365 1546 1646 2148 2174 Byz Lect itaur,b,c,f,ff²,g¹,h,l,q vg syrp,h arm eth geo // ἰδὼν δὲ ὁ Ἰησοῦς 33 892' (l70 εἰδών) itff copbo mss

> O sujeito, ὁ Ἰησοῦς, seria uma adição natural, introduzida por copistas que julgaram necessárias essas palavras para efeito de clareza. Se fossem parte do original, ninguém pensaria em omiti-las deliberadamente. A forma εἰδώς, com ou sem ὁ Ἰησοῦς, é apoiada pelo peso esmagador da evidência externa. (Ver também os comentários sobre 9.4.)

"Jesus, conhecendo-lhes os pensamentos" — Ver nota sobre a "telepatia", em Mateus 9.4.

"Todo reino dividido contra si..." — Jesus procurou mostrar quão absurda era a teoria dos fariseus. Talvez possa haver dissensões entre cidades ou nações, ou mesmo no seio de uma organização qualquer, como uma igreja, sem que isso provoque destruição. Todavia, a queda é fatal quando essa divisão se dá entre os líderes mais poderosos de uma nação, cidade ou igreja. Não há que duvidar que Jesus dava mais crédito à astúcia de Satanás do que aos homens que erigem nações, cidades e igrejas. Ora, já que Satanás é tão poderoso como os judeus ensinavam, e também tão astuto, não seria possível que ele tolerasse divisões dentro de seu reino, como por exemplo, a autoridade que Jesus tinha de expelir demônios, que são os principais instrumentos de Satanás no controle dos homens. A expulsão de Satanás por Satanás seria, ipso facto, o enfraquecimento do próprio Satanás e de seus objetivos quanto à terra. Um demônio talvez expelisse a outro demônio, mas Satanás dificilmente deixaria de controlar as rédeas de qualquer vida humana por sua ação. E acrescenta-se a isso que essa ideia não era uma novidade para os judeus, porque a própria literatura judaica contém citações e ideias semelhantes, isto é, que cidades e nações divididas contra si mesmas, serão fatalmente destruídas. Eles aplicavam esse princípio até mesmo a uma família, segundo se vê nesta citação: "Em cada casa onde houve divisão, finalmente haverá desolação" (Derech Eretz, cap. 5).

12.26: Ora, se Satanás expulsa a Satanás, está dividido contra si mesmo; como subsistirá, pois, o seu reino?

12.26 καὶ εἰ ὁ Σατανᾶς τὸν Σατανᾶν ἐκβάλλει, ἐφ᾽ ἑαυτὸν ἐμερίσθη· πῶς οὖν σταθήσεται ἡ βασιλεία αὐτοῦ;

"*Se Satanás expele Satanás*" — Alguns intérpretes tentam esclarecer, dizendo: "Se um satanás expele a outro satanás", mas o grego parece ser contrário a essa interpretação. O artigo aparece antes de cada ocorrência da palavra "Satanás": "Se o Satanás", o que indica a identificação de cada ocorrência da palavra com o mesmo personagem. Se Satanás possui tão grande poder como as Escrituras dizem, pode-se ver facilmente que esse poder, caso se voltasse contra si mesmo, em pouco criaria não somente a confusão e a desordem, mas também a própria destruição. Seria *inevitável* evitar a desolação de seu reino. Satanás pode ser iníquo, e de fato o é, mas não é tolo. Nações podem cometer loucuras, como também cidades, igrejas, famílias e indivíduos; mas dificilmente poderíamos imaginar que um ser de tão grande inteligência quanto Satanás viesse a cometer esse suicídio. Se Jesus fosse aliado de Satanás, teria o cuidado de fazer chegar, às mãos de Satanás, o máximo número possível de homens; no entanto, fez justamente o contrário. Jesus não somente se opôs a Satanás, por meio de seus milagres, com os quais libertava os homens do poder maligno que lhes causava aqueles males físicos, mas também, em seus ensinos, procurou livrar os homens do poder espiritual e moral de Satanás. A pregação de Jesus sempre glorificou a Deus Pai; e ele sempre ensinou as doutrinas expostas por inspiração profética e as outras doutrinas, por ele mesmo trazidas em sua posição de Messias que estabeleceria o reino dos céus. Sob todos os pontos de vista, o seu reino se opunha ao reino da maldade.

12.27: E, se eu expulso os demônios por Belzebu, por quem os expulsam os vossos filhos? Por isso, eles mesmos serão os vossos juízes.

12.27 καὶ εἰ ἐγὼ ἐν Βεελζεβοὺλ ἐκβάλλω τὰ δαιμόνια, οἱ υἱοὶ ὑμῶν ἐν τίνι ἐκβάλλουσιν; διὰ τοῦτο αὐτοὶ κριταὶ ἔσονται ὑμῶν.

27 Βεελζεβούλ *cf.* 10.25

"**Por quem os expulsam vossos filhos?**" — Esse ditado tem sido causa de muita controvérsia entre os intérpretes das Escrituras, provavelmente porque alguns não querem admitir que os fariseus ou os seus discípulos tivessem o poder de expelir demônios, isto é, o poder do exorcismo. Por isso é que alguns, incluindo quase todos os pais da Igreja, acham que o termo "vossos filhos" refere-se: (1) ou aos apóstolos de Jesus, porque eram descendentes de Israel; ou (2) aos judeus de modo geral, entre os quais alguns possuiriam tal poder.

A primeira dessas interpretações, porém, é inaceitável (por quase todos os intérpretes modernos) porque a verdade é que os fariseus não teriam maior simpatia pelos apóstolos ou discípulos de Jesus do que pelo próprio Jesus. O argumento simplesmente não teria valor nenhum, porque, nesse caso, a resposta dos fariseus seria: "Teus discípulos expelem os demônios exatamente como tu, isto é, pelo poder de Satanás". Esse argumento seria derrubado facilmente. É inaceitável também a segunda ideia (referência aos judeus em geral) porque a expressão "filho de" era usada para indicar "discípulos", segundo se vê no AT. Os "filhos" dos profetas eram os "discípulos" dos profetas. Assim também, os "filhos" dos fariseus eram seus "discípulos". Quase todos os intérpretes aceitam essa explicação. A literatura judaica também mostra, claramente, que os fariseus praticavam o *exorcismo*. De fato, na história de outras nações, nota-se que o exorcismo era praticado antes do tempo de Jesus; era algo não só ligado ao cristianismo, mas praticado de forma geral. Esta citação prova que o exorcismo era praticado

também pelos fariseus: "Nas escolas dos fariseus era ensinada uma suposta alta mágica, pela qual os demônios eram expulsos, extraídos dos narizes das pessoas possessas, por meio de certas raízes, por meio do exorcismo e por meio de fórmulas mágicas, que se supunham derivadas do rei Salomão" (*Leben Jesu*, II. p. 151). Há diversas referências nos escritos de Josefo, historiador judeu, que demonstram a mesma coisa. Eles usavam fórmulas faladas (encantamentos, rezas etc.), fórmulas de remédios e diversos ritos para conseguir a expulsão dos demônios. O texto de Atos 19.13 mostra que, mesmo depois do cristianismo ter sido inaugurado, os judeus continuavam adeptos dessas práticas exorcistas.

O comentário de John Gill (autoridade sobre a literatura hebraica como poucos que tem havido na igreja) demonstra que essas ações dos judeus, às vezes, obtinham resultados positivos, ocorrendo curas da possessão demoníaca. Provavelmente, Deus ouviu as orações de alguns deles, por motivo de sua misericórdia, e por não querer ver ninguém sob o poder de Satanás. É provável também que houvesse homens (fora da organização escolástica dos fariseus) que tinham fé em Deus, dotados de espírito zeloso na adoração e no serviço ao Senhor. Todavia, é muito provável que, de modo geral, as tentativas dos fariseus, nesse ramo do exorcismo, não surtissem efeito. *É notável* que os fariseus não usassem o nome de Deus em seu exorcismo, mas geralmente preferiam usar os nomes dos deuses gentílicos, ou mesmo o nome de Satanás, como vemos nesta citação: "Pela autoridade do glorioso e formidável nome de Asmodeus, rei dos demônios, eu te adjuro, e a todos os teus companheiros, a que não maltrates, nem causes medo, nem perdures a esta pessoa, filho de [...]; mas, pelo contrário, ajuda essa pessoa, sustenta-a, livra-a de todos os problemas angustiantes e de todo mal e de todas as doenças que possam entrar nos duzentos e quarenta e oito membros do corpo..." (*Raziel*, fol. 41.2). Nota-se que, às vezes, empregavam o nome de "Baalzebube" nesses encantamentos.

Diversos grupos praticavam o exorcismo no mundo antigo. Não há razão para negarmos que os demônios eram expelidos, em alguns casos; porque nos tempos modernos há muitos casos de exorcismo, praticados por *diversos* grupos que variam grandemente em suas doutrinas religiosas. Certas pessoas, desligadas de qualquer grupo religioso, também têm mostrado poder para expelir demônios. Qualquer pessoa que estuda a literatura psíquica conhece esses fatos. Alguns demônios são difíceis de expelir, mas outros não são tão difíceis. Às vezes, a personalidade humana, em momentos de intensa força mental, é capaz de praticar o exorcismo.

Jesus apresentou um *dilema* aos fariseus. Eles poderiam replicar que, contrariamente ao método de Jesus, usavam o poder de Deus; mas dificilmente poderiam provar a afirmação. Uma declaração assim seria apresentada sem provas, e isso em nada ajudaria seu argumento contra Jesus, porque ele também poderia apresentar um argumento sem provas. Outrossim, era óbvio que ele podia apoiar seus argumentos com provas inequívocas com muito maior facilidade que eles, posto que os milagres de Jesus eram notáveis e ele expulsava os demônios sem a menor sombra de dúvida, o que era clara demonstração de que seu poder era maior do que o dos fariseus. Naturalmente que os fariseus não disseram que eles mesmos expeliam os demônios pelo poder de Satanás; e, provavelmente, diriam a mesma coisa que Jesus disse, a saber, que Satanás simplesmente não permitiria que seus aliados tirassem um homem da posse de outros aliados. A pretensão que os judeus tinham, ao dizer que expeliam os demônios em nome de Deus, era, *ipso facto*, declaração de que somente essa razão podia explicar o que Jesus fazia, expulsando os demônios. Os fariseus deveriam declarar, primeiramente, que o exorcismo deles e o de Jesus vinham ambos de Deus; segundo, que, do contrário, ambos vinham de Satanás; e terceiro, teriam de explicar qual a diferença entre os supostos dois tipos de exorcismo — o deles e o de Jesus. Se dissessem que o exorcismo deles era de Deus e que o de Jesus era de Satanás, teria sido mister explicar por que razão o poder de

412 |Mateus| NTI

Jesus, nesse particular, era tão grande, ao passo que o poder deles era tão débil. Porventura Satanás teria mais poder do que Deus? É óbvio, por conseguinte, que o argumento de Jesus não precisava ser ofendido. Ver nota detalhada sobre os "demônios", em Marcos 5.2, e sobre a possessão demoníaca, em Mateus 8.28.

12.28: Mas, se é pelo Espírito de Deus que eu expulso os demônios, logo é chegado a vós o reino de Deus.

12.28 εἰ δὲ ἐν πνεύματι θεοῦ ἐγὼ ἐκβάλλω τὰ δαιμόνια, ἄρα ἔφθασεν ἐφ' ὑμᾶς ἡ βασιλεία τοῦ θεοῦ.

28 εἰ...δαιμόνια At 10.38

"[...] pelo Espírito de Deus..." — Jesus viu que seu argumento precisava de uma conclusão, a declaração de que só o Espírito Santo poderia ser fonte da autoridade de Jesus ao expelir demônios. As palavras de Jesus (de acordo com a gramática grega) parecem indicar que ele declarou que o *reino já chegara*. Neste passo, Jesus não fala sobre o reino futuro, à face da terra, e nem sobre o reino do outro mundo, que para ser visto exige que os homens nasçam de novo, mas fala sobre o princípio do reino terrestre, pois o Messias já chegara exercendo o poder do Espírito Santo, conforme lhe competia fazer. Havia diversas profecias que falavam da necessidade do Messias demonstrar o poder do Espírito Santo. "[...] mas a mão do Senhor era forte sobre mim" (Ez 3.15). Lucas, no texto paralelo (Lc 11.14-23) diz: "Se, porém, eu expulso os demônios pelo dedo (ao invés de "Espírito", conforme diz Mateus) de Deus, certamente é chegado o reino de Deus sobre vós. O sentido, porém, é idêntico; a atuação do Messias deve demonstrar o poder especial de Deus, sua presença entre os homens, a queda de Satanás na terra. Jesus quis mostrar que cumprira tais exigências proféticas em relação ao Messias. Isaías 42.1 diz: "Eis aqui o meu servo, a quem sustenho; o meu escolhido, em quem se compraz a minha alma; pus o meu espírito sobre ele..."

Jesus insiste em mostrar que a prova do valor da natureza de uma árvore são os *seus frutos*. Já ensinara isso antes, quando falou sobre os falsos profetas: "Assim, toda árvore boa produz bons frutos, porém a árvore má produz frutos maus. Não pode a árvore boa produzir frutos maus, nem a árvore má produzir frutos bons. [...] Assim, pois, pelos seus frutos os conhecereis" (Mt 7.17,18,20, ARA). Jesus desejava ser aquilatado pelo mesmo padrão que ele estabeleceu para os outros.

O argumento de Jesus mostra que era perfeitamente *claro* que suas obras eram sobre-humanas, pois estavam além da capacidade de qualquer indivíduo. Portanto, essas obras ou eram feitas pelo poder de Deus ou pelo poder de Satanás. Jesus, porém, demonstrou que era absurda a ideia de que eram feitas pelo poder de Satanás. Assim, resta-nos uma única alternativa: as obras realizadas por Jesus tinham origem em Deus, e ele mesmo teria de ser o Messias, o ministro de Deus, porquanto cumpria com exatidão as profecias bíblicas acerca do Messias. Jesus também provou que era rei do reino dos céus, e não pertencia ao reino do maligno; e também que esse reino dos céus já chegaram, sem que os homens tomassem conhecimento dele, embora já operasse no meio deles.

12.29: Ou, como pode alguém entrar na casa do valente, e roubar-lhe os bens, se primeiro não amarrar o valente? e então lhe saqueará a casa.

12.29 ἢ πῶς δύναταί τις εἰσελθεῖν εἰς τὴν οἰκίαν τοῦ ἰσχυροῦ καὶ τὰ σκεύη αὐτοῦ ἁρπάσαι, ἐὰν μὴ πρῶτον δήσῃ τὸν ἰσχυρόν;[b] καὶ τότε τὴν οἰκίαν αὐτοῦ διαρπάσει.[b]

29 διαρπασει] -ση ℵDW f13 28 565 700 all l vg

29 πῶς...ἰσχυρόν Is 49.24

[bb]**29** b question, b major: WH Bov Nes AV RV ASV RSV Zür Jer Seg // b minor, b question: TR BF² (NEB) TT (Luth)

"Como pode alguém [...] e então lhe saqueará a casa" — Jesus apresenta aqui outro argumento, muito audacioso. Afirmava-se mais poderoso do que Satanás, pois, por essa ilustração, compreende-se que o homem valente é usado como símbolo de Satanás, ao passo que aquele que entra na casa do valente e lhe saqueia os bens é Jesus, impulsionado pelo poder do Espírito Santo. O autor deste evangelho prepara-se, dessa maneira, para apresentar o ensino acerca do "pecado imperdoável", que consiste da blasfêmia contra o Espírito Santo, por meio de quem Jesus realizava as suas obras, o que demonstra claramente que Jesus realizou seus feitos pelo poder do Espírito Santo. Os fariseus já haviam identificado Jesus com o poder de Satanás ou como seu aliado, e a passagem do décimo capítulo de Mateus fala sobre a mesma questão abordada neste capítulo, o que parece mostrar que às vezes os judeus identificavam a Jesus com o próprio Satanás. Jesus mostra, ou pelo menos declara, nesse incidente, que realmente tem mais poder do que Satanás. Em outras palavras, o poder de Deus, que nele atuava pelo Espírito Santo, é maior que o poder de Satanás.

"Roubar-lhe os bens" — Significa os bens ou possessões de Satanás, o que alude aos homens, que ele possui e controla, bem como o poder que ele exerce no mundo, sobre os homens em geral. Jesus mostra que concorda com a doutrina que atribui não somente poder a Satanás, mas também autoridade sobre os homens. A Bíblia nos apresenta um Diabo literal e pessoal, personagem investida de grande poder, e que tem acesso ao mundo dos homens. Ver Efésios 6 e Colossenses 1 e 2, bem como a nota detalhada sobre "Satanás", em Lucas 10.18. Lucas emprega palavras ainda mais fortes para expressar o poder de Satanás: "Quando o valente, bem armado, guarda a sua própria casa, ficam em segurança todos os seus bens. Sobrevindo, porém, um mais valente do que ele, vence-o, tira-lhe a armadura em que confiava e lhe divide os despojos". Satanás não é somente como um homem valente, mas também dispõe de meios para atingir os seus propósitos; é como um homem *bem armado*. Tem também grande cuidado e ciúme de suas possessões. Encontramos aqui o quadro de um homem que não deixa seus bens ao encargo de outros, mas que fica em sua casa, preparado para defender os seus direitos e propriedades, e que, com os meios de que dispõe, se defende com unhas e dentes. Outro homem que ali entre para roubar-lhe as possessões terá de ser ainda mais forte e valente, mais bem preparado e com maior determinação de cumprir os seus propósitos. Com essas palavras, pois, Jesus se declara esse homem mais valente. Seus objetivos eram bons, pois queria aliviar a raça humana da maldade e da escravidão ao pecado. João Batista referiu-se a um homem "mais poderoso do que eu" (Mt 3.11), e aqui Jesus mostra que, mediante o poder do Espírito de Deus, ele também é mais poderoso do que o próprio Satanás. Pode-se imaginar como os fariseus acolheram essas palavras. Jesus agora usa termos tão poderosos como eles jamais imaginaram que sairiam de seus lábios. Talvez o ambiente criado pelos notáveis e numerosos milagres, bem como pela controvérsia com aquelas autoridades religiosas, tenha gerado em Jesus um espírito de grande *audácia*; então passou a falar sem reservas, em contraste com seu espírito cauteloso de antes e durante o seu primeiro circuito pela Galileia. Nessa altura dos acontecimentos, a divisão entre Jesus e as autoridades religiosas dos judeus se tornara tão marcante que seria impossível a reconciliação. Era o começo da batalha que finalmente destruiu Jesus fisicamente. Entretanto, logo após essa aparente derrota, veio a retumbante vitória da ressurreição, a vitória final de Jesus neste mundo que demonstrou o seu poder até mesmo sobre a morte.

Não podemos deixar de observar, neste ponto, o fato de que Jesus dá ideia sobre a sua vitória final sobre Satanás, o que garante que a luta entre o bem e o mal resultará na vitória do bem. Lembremo-nos que a queda de Satanás tem seguido diversas etapas: (1) No princípio, quando perdeu o *seu lugar* especial nos céus. (2) No julgamento da terra, *antes* da criação do homem. (3) No ministério de Jesus neste mundo (como se vê em Lc 10.18). (4) Na ressurreição de Jesus (Cl 2.14,15). (5). No futuro milênio (Ap 20.2), quando Satanás será totalmente eliminado da terra, durante mil anos. (6) Finalmente, a sua *queda total*, no estado eterno (Ap 20.10).

Será necessário muito tempo para que o "homem mais poderoso" consiga essa vitória final, mas ela fatalmente se tornará realidade. Essa vitória final está com a razão, e Deus precisa convencer os seres dotados de livre-arbítrio que o caminho de Deus é realmente melhor que o caminho de Satanás. E Deus tem de mostrar isso século após século, entre todos os seres dotados de livre-arbítrio, e sob todas as condições imagináveis. No fim, aqueles que tiverem escolhido o caminho de Deus, farão isso por vontade própria, e finalmente redundarão em glória especial para Deus, pois serão pessoas bem desenvolvidas espiritualmente, que reconhecem, amam e praticam o bem, posto que o bem é melhor do que todas as falsas vantagens oferecidas por Satanás. Pelas Escrituras e pela observação, aprende-se que essa lição ainda demorará muito a ser compreendida pelos homens; mas, resta-nos ainda algum tempo.

12.30: Quem não é comigo é contra mim; e quem comigo não ajunta, espalha.

12.30 ὁ μὴ ὢν μετ᾽ ἐμοῦ κατ᾽ ἐμοῦ ἐστιν, καὶ ὁ μὴ συνάγων μετ᾽ ἐμοῦ σκορπίζει⁴.

30 ὁ μὴ ὤν...ἐστιν Mc 9.40; Lc 9.50

⁴ **30** {A} σκορπίζει B C D K L W X Δ Θ Π ƒ ƒ¹³ 28 565 700 892 1009 1010 1071 1079 1195 1216 1230 1242 1253 1344 1365 1546 1646 2148 2174 *Byz Lect* itᵃ·ᵃᵘʳ·ᵇ·ᶜ·ᵈ·ᶠ·ᶠᶠ²·ᵍ¹·ʰ·ˡ·q vg syrᶜ·ˢ·ᵖ·ʰ·ᵖᵃˡ copˢᵃ arm geo Origen // σκορπίζει με ℵ 33 syrʰᵐᵍ copᵇᵒ eth Chrysostom // διαρπάστω *l*¹⁸⁵ // *omit* itᵏ

A fim de produzir uma expressão bem equilibrada, em acordo com o padrão da cláusula anterior, vários copistas, sentindo que σκορπίζει (que é verbo transitivo) precisava de um complemento, adicionaram με — embora com consequências desastrosas para o sentido!

"Quem não é por mim, é contra mim" — Jesus, porém, indica que as pessoas, como os fariseus que se opõem à obra de Deus e do Espírito Santo, são contrárias a Jesus, *o Messias*, e, por isso mesmo, são aliadas de Satanás. Nesta declaração, aprendemos que a acusação assacada pelos fariseus era de que Jesus era aliado de Satanás, mas que a verdade é que eles é que eram aliados do maligno. Se essas palavras de Jesus foram compreendidas, provavelmente foram as mais difíceis de serem aceitas. Já era muito difícil aceitar o que Jesus fazia como obras de Deus, reconhecendo que ele era mais poderoso do que Satanás e admitindo que ele era o Messias; mais difícil ainda, porém, era-lhes aceitar que fossem aliados de Satanás. É óbvio que os fariseus eram "contrários" a Jesus. Os fariseus ansiavam por admitir isso, mas essa admissão implicaria em amizade com Satanás. Na opinião de Jesus, aqueles homens não ajuntavam com ele, e, sim, espalhavam, o que quer dizer que não praticavam as obras de Deus, ajudando ao povo e contribuindo para estabelecer o reino dos céus sobre a terra, mas destruíam a ceifa de Deus, espalhando as ovelhas e contribuindo para adiar a vinda do reino, e, finalmente, ajudavam Satanás a "guardar os seus bens". Não eram autênticos pastores das ovelhas, mas apenas fingiam-se como tais. Realmente, faziam antes mal às ovelhas, do que bem.

Há diversas aplicações dessas palavras: (1) Que o ditado em geral diz que todo aquele que não trabalha positivamente no reino, visando ao bem, automaticamente opera negativamente. (2) Tais palavras visavam especialmente aos fariseus e a todos quantos estivessem operando em detrimento das ovelhas, assim funcionando como falsos pastores. (3) Provavelmente, além das explicações acima, que representam porções da ideia total, Jesus também quis mostrar que há uma divisão definida entre dois reinos, o que exclui

uma terceira posição. Cada qual deve tomar partido, de um lado ou do outro. Esses dois reinos são *incompatíveis*. Paulo ensinou a mesma coisa: "Porque o pendor da carne dá para a morte, mas o do Espírito, para a vida e paz. Por isso, o pendor da carne é inimizade contra Deus, pois não está sujeito à lei de Deus, nem mesmo pode estar" (Rm 8.6,7, ARA). Jesus ensinou que na grande luta da luz contra as trevas não pode haver neutralidade.

12.31: Portanto vos digo: Todo pecado e blasfêmia se perdoará aos homens; mas a blasfêmia contra o Espírito não será perdoada.

12.31 Διὰ τοῦτο λέγω ὑμῖν, πᾶσα ἁμαρτία καὶ βλασφημία ἀφεθήσεται τοῖς ἀνθρώποις⁵, ἡ δὲ τοῦ πνεύματος βλασφημία οὐκ ἀφεθήσεται.

31 τοῖς ανθρ.] *praem* υμιν B *I pc* sa; Rᵐ

31 πᾶσα...ἀνθρώποις 1Tm 1.13

⁵ 31 {B} τοῖς ἀνθρώποις ℵ C D K L W X (Δ *omit* τοῖς) Θ Π ƒ ƒ¹³ 28 33 565 700 892 1009 1010 1071 1079 1195 1216 1230 1242 1253 1344 1365 1546 1646 2148 2174 *Byz Lect* itᵃ·ᵃᵘʳ·ᵇ·ᶜ·ᵈ·ᶠᶠ²·ᵍ¹·ʰ·ᵏ·ˡ·q vg syrᶜ·ˢ·ᵖ·ʰ copᵇᵒ arm ethᵖᵖ·ᵐˢ geo // B syrᵖᵃˡ copˢᵃ (ethʳᵒ ὑμῖν ἀνθρώποις αὐτοῖς τοῖς) Origen Athanasius // *omit* syrᵖᵃ/ᵐˢ

A adição de ὑμῖν, em B e em alguns poucos outros testemunhos, parece dever-se à desatenção escribal (tal como B erroneamente adiciona οὐκ após ἀνθρώπου, no v 32).

12.32: Se alguém disser alguma palavra contra o Filho do homem, isso lhe será perdoado; mas se alguém falar contra o Espírito Santo, não lhe será perdoado, nem neste mundo, nem no vindouro.

12.32 καὶ ὃς ἐὰν εἴπῃ λόγον κατὰ τοῦ υἱοῦ τοῦ ἀνθρώπου, ἀφεθήσεται αὐτῷ· ὃς δ᾽ ἂν εἴπῃ κατὰ τοῦ πνεύματος τοῦ ἁγίου, οὐκ ἀφεθήσεται αὐτῷ οὔτε ἐν τούτῳ τῷ αἰῶνι οὔτε ἐν τῷ μέλλοντι.

Pecado. Ver nota detalhada sobre o "pecado", em 1João 3.4.

"Blasfêmia" — No grego, essa palavra significa dizer coisas abusivas, e é usada para indicar esse tipo de declaração contra os homens (Ap 2.9), contra o Diabo (Jd 9), contra Deus (Ez 32.12; Mt 26.65; Mc 2.7; 14.64; Lc 5.21 e Ap 13.5), e também pode ser usada contra aquilo que pertence a Deus. Às vezes, significa difamação ou calúnia. Algumas das autoridades judaicas acusaram Jesus de blasfêmia, ao afirmar ter autoridade de perdoar pecados (Mt 9.3). Provavelmente, os judeus blasfemaram do nome de Cristo sob muitas circunstâncias, como, por exemplo, aquelas que achamos neste texto sobre a questão do sábado e concernente à fonte do seu poder. O perigo maior não era a blasfêmia contra o nome de Cristo, pois esse pecado, embora sério, pode ser perdoado. Todavia, a blasfêmia contra o Espírito Santo é um pecado imperdoável. Naturalmente, tem havido muitas discussões e debates sobre essa questão. Eis aqui as diversas interpretações:

1. O ato de *não confiar* em Cristo, que termina em juízo inevitável. O próprio texto, porém, indica claramente que Jesus não aludiu a isso. É verdade que a rejeição contínua a Cristo produz um julgamento idêntico ao do pecado imperdoável; mas Jesus falava sobre atos hostis ao Espírito Santo. Alguns explicariam, desejando manter essa explicação, que o ato da rejeição a Cristo não seria apenas um ato, mas um processo que envolveria a pessoa do Espírito Santo, como atitude final de quem assim o fizesse. Isso também é verdade, mas dificilmente cabe dentro deste texto. É verdade que os mandamentos e deveres que os homens se recusam continuamente a cumprir, tornam-se moralmente impossíveis para eles, mas o texto aborda outra questão.

2. Outros, modificando a primeira ideia, explicam que Jesus falou do fato de não crerem em Cristo, apesar de ele *ter provado* que suas obras eram inspiradas pelo Espírito Santo; seria uma

espécie de descrença arrogante. Essa explicação se baseia mais no texto que a primeira, mas ainda não focaliza a ideia principal do texto, isto é, *um tipo* de blasfêmia que visa ao Espírito Santo. A descrença arrogante será julgada como tal, merecendo a condenação eterna; mas o próprio texto mostra que os crimes contra o Cristo, o Filho do homem, são perdoáveis, e o que fica entendido com as palavras "todo pecado e blasfêmia serão perdoados aos homens", é que tais pecados, mesmo que sejam excluídos os piores, são passíveis de perdão. É possível que, depois de algum tempo, a alma culpada de descrença arrogante não procurasse a salvação em Cristo e assim viesse a perecer. É possível também que, nesse caso, o Espírito Santo perdesse toda influência sobre essa pessoa, deixando-a perecer nessa condição, o que a levaria a ser fatalmente condenada; mas, ainda que tudo isso seja verdade, o texto ensina outra doutrina.

3. Uma leve modificação da segunda explicação, que aplica o texto mais ao Espírito Santo que a Jesus, é a que diz que Jesus deu a ideia de que o indivíduo que rejeitasse a *influência e a obra* do Espírito Santo, que é a de convencer os pecadores de sua necessidade de aceitar a salvação em Cristo, uma vez que a influência do Espírito se tenha dado por sinais e obras convincentes e inegáveis, teria rejeitado definitivamente essa influência do Espírito, e, naturalmente, pereceria por fim. Esta interpretação também apresenta uma verdade, e provavelmente isso ocorre, mas ainda não chega a alcançar o sentido pleno do texto, que fala diretamente de um pecado cometido contra o Espírito Santo, e não só da rejeição à influência do Espírito de Cristo.

4. O texto não alude a um pecado em particular, mas a um ato ou a atos definidos que determinam *um estado* pecaminoso que consiste da oposição determinada e voluntária contra a força e a obra patentes do Espírito Santo. Esta ideia incluiria o fato de que aquele que comete o pecado imperdoável atribui as obras do Espírito a Satanás, ou pelo menos não reconhece a atuação do Espírito Santo. Jesus continuava mostrando que a própria razão, bem como a instrução religiosa sobre a pessoa de Deus, demonstravam que o Espírito Santo é que operava por meio de Jesus. No entanto, em seu ódio contra Jesus, os fariseus optaram por não aceitar essa evidência dada por Deus. Preferiam dizer que Satanás expelia a Satanás do que admitir que Jesus operava pelo poder do Espírito. É perfeitamente claro que a aceitação ou rejeição da pessoa de Jesus contribuiu para determinar a atitude dos fariseus quanto às obras de Cristo e à origem das mesmas; mas a rejeição a Cristo, por si só, não constituía pecado imperdoável. Essa rejeição é que servia de base para alguém cometer o pecado imperdoável, o qual consiste em *atribuir a Satanás* as obras do Espírito Santo. O texto indica que aqueles homens religiosos, autoridades da religião judaica, deveriam ter reconhecido o fato de que as obras operadas por Jesus, eram realizadas mediante o Espírito Santo; mas, como já vimos, em seu ódio, consciente ou inconscientemente preferiram atribuí-las a Satanás. Parece certo que essa conduta resulte de um processo de rebeldia contra Deus. Não se pode imaginar que um homem pudesse agir assim sem conhecer os princípios religiosos que mostram se algo é feito por Deus ou por Satanás. O texto inclui também a ideia de que aqueles que cometem tal pecado só podem cometê-lo porque têm conhecimento de Deus, de Cristo e da natureza da influência e das obras do Espírito Santo. Somente tais pessoas são capazes de cometer o pecado imperdoável.

5. Pequena modificação da quarta posição, é aquela que contempla um aspecto temporário, que atribui intencionalmente a Satanás as obras feitas pelo Espírito Santo, apesar de terem sido realizadas *por Cristo*, quando *ainda* se achava na terra. Essa interpretação dá a ideia de que esse tipo de pecado só podia ser cometido *nos dias de Cristo* neste mundo, porquanto a natureza desse pecado exige a presença de Cristo, agindo em suas obras maravilhosas, as quais são atribuídas a Satanás. A passagem de Marcos 3.30 acrescenta: "Porque diziam: tem espírito imundo". Essa adição naturalmente faz avultar esta quinta interpretação, porque os líderes dos judeus realmente acusaram Jesus de estar possuído por algum demônio, acusação essa que dificilmente pode ser repetida em nossos dias, porquanto Cristo não está conosco em carne.

A rejeição a Cristo conduz ao julgamento eterno — Os homens o rejeitaram, então, como continuam a fazê-lo agora. Contudo, o pecado aqui em foco, ainda que tenha o mesmo resultado, é muito diferente desse. A quinta interpretação só admite a possibilidade desse pecado nos dias de Cristo, pois só naquele tempo havia possibilidade de atribuir as obras de Cristo, feitas pelo poder do Espírito Santo, a Satanás. *A ausência* de Jesus desta terra impossibilita que se cometa esse pecado hoje em dia, ainda que os homens rejeitem a Cristo. O julgamento sobrevirá fatalmente contra aqueles que, em sua incredulidade, não aceitarem a Jesus, os quais, por isso mesmo, também rejeitam as obras e a influência do Espírito; e o resultado será idêntico. A diferença é que consideramos impossível que alguém pudesse cometer esse ato atualmente. Assim, conclui-se também que os que rejeitam agora a Cristo não se tornam incapazes de aceitá-lo depois, embora isso talvez se torne impossível em decorrência do processo de endurecimento do coração, por motivo de incredulidade e da rejeição à influência do Espírito Santo. No juízo final, porém, o resultado será o mesmo; os meios para alguém chegar a ele é que são diferentes.

"Não lhe será isso perdoado, nem neste mundo nem no porvir" — Essa declaração tem sido alvo de diversas interpretações:

1. Fica subentendido que o perdão, impossibilitado nesta existência terrena, por causa da blasfêmia contra o Espírito Santo, poderá ocorrer na vida além-túmulo. Talvez as próprias palavras, se não levarmos em contra o sentido dado pela literatura judaica, possam ter esse sentido; mas os intérpretes em geral recusam reconhecer a possibilidade dessa interpretação. Não é provável que Jesus quisesse dizer isso, pois a intenção do ensino, como é óbvio, é provar justamente a impossibilidade do perdão.

2. *Muitos exemplos* dessa expressão, existentes na literatura judaica, demonstram que, com essas palavras, os judeus indicavam o presente (antes da vinda do Messias, para eles) e o porvir (depois da vinda do Messias). Portanto, essas palavras ensinariam que aquele que cometesse esse pecado não seria perdoado nem no período anterior à vinda de Cristo, nem no tempo do reino dos céus sobre a terra. Embora essa interpretação concorde com as palavras literais e com o uso que aparece na literatura judaica, nós nos devemos lembrar de que o próprio Jesus proferiu essas palavras, e, assim, dificilmente se poderia estabelecer essa distinção entre dois períodos de sua vinda.

3. Outros pensam que o perdão não podia ser conferido nem no tempo da lei judaica nem no período atual do cristianismo, que Jesus veio iniciar. Novamente, aqui está uma interpretação que parece aceitável se levarmos em consideração exclusivamente as palavras literais do texto; mas não é provável que seja assim.

4. A ideia de outros é que o julgamento aplica-se somente à vida física, à morte do corpo, e não à alma; e também que a alma pode ser perdoada, mesmo desse pecado. Essa ideia, entretanto, não goza do apoio do texto.

5. Acompanhando Alford, devemos concordar em que essa e outras expressões do NT indicam tanto esta vida como a vida depois da morte, no além-túmulo. Wordsworth, referindo-se ao Talmude, diz que essas palavras são uma expressão hebraica que tem o sentido de *para sempre*. Bruce diz: "Neque ante mortem, neque per mortem". A interpretação verdadeira, por conseguinte, é que o pecado imperdoável não pode ser perdoado durante a vida física, na terra, e nem na vida de além-túmulo.

NTI | Mateus | 415

Alguns, como Ellicott, in loc, desejando ainda encontrar alguma esperança de misericórdia e perdão de pecado na vida do outro mundo enfatizam o fato de que somente um pecado tenha merecido tão severa condenação, e daí concluem que outros pecados talvez possam ser perdoados no outro mundo. É certo que 1Pedro 3.18-20 e 4.5,6 ensinam algo semelhante. Dificilmente, porém, pode-se ver esse ensino *neste texto*.

"[...] no porvir..." — Isso implica em que o arrependimento, e, consequentemente, o perdão, será dado no estado que há depois da morte? Não sabemos dizê-lo, e fazemos aqui indagações que não podemos responder; mas pelo menos as palavras impedem uma inflexível resposta negativa. Se apenas um pecado não pode ser incluído no perdão no mundo do além, outros pecados não podem ser postos na mesma classe, e, assim, a escuridão, através do véu, é atravessada ao menos por um raio de esperança". (Ellicott, in loc).

O que Ellicott implica, 1Pedro 4.6 ensina. *Quão grande é a graça de Deus!*

(e) Homens bons e maus (12.33-37)

Os paralelos são Mateus 7.16-20 e Lucas 6.43,44. A fonte informativa é "Q". Esta seção atua como uma espécie de interlúdio, a fim de ilustrar que os homens são julgados por seus frutos, e isso inclui a avaliação de um exorcista (isso é ligado com a passagem que terminara de abordar esse tema).

"*Cristo* foi até a raiz — a radix. Isso o evangelho já deixara claro (7.16-20). Notemos também o vínculo com tudo quanto o antecede, no cap. 12. A dificuldade que surgiu entre Jesus e os fariseus não era superficial, mas foi a raiz do motivo. A símile varia. No v. 33, o fruto é extraído de uma árvore; no v. 34, deriva-se do coração; no v. 35, o dom vem de um tesouro; no v. 36, palavras são a demonstração do coração. Tudo isso, porém, são imagens sobre uma única verdade. Qual é o fruto? É a conduta de um homem — nas expressões de seu rosto, em todos os seus feitos. Cada qual será julgado não de acordo com a profissão com os lábios, e nem segundo as suas promessas, mas de acordo com uma reputação cuidadosamente cultivada (como no caso de alguns fariseus) e não por meros atos. Externamente, ele poderá ocultar-se por algum tempo, mas não para sempre; terá de tirar a máscara e revelar como ele mesmo é. *O homem mau [...] produz coisas más*. O que as pessoas finalmente veem em um homem é o fruto de um motivo invisível" (Buttrick, in loc).

12.33: Ou fazei a árvore boa, e o seu fruto bom; ou fazei a árvore má, e o seu fruto mau; porque pelo fruto se conhece a árvore.

12.33 Ἢ ποιήσατε τὸ δένδρον καλὸν καὶ τὸν καρπὸν αὐτοῦ καλόν, ἢ ποιήσατε τὸ δένδρον σαπρὸν καὶ τὸν καρπὸν αὐτοῦ σαπρόν· ἐκ γὰρ τοῦ καρποῦ τὸ δένδρον γινώσκεται.

_{33 Mt 7.16-20}

"Fazei a árvore boa..." — Essas palavras não sugerem especialmente uma parábola, comparação ou ilustração da árvore boa ou má com a vida dos homens; antes, formam um mandamento que proíbe a hipocrisia e o fingimento religioso. Provavelmente, constituíam um dito comum de Jesus, usado por diversas vezes e sob circunstâncias diferentes; por isso mesmo, tiveram várias aplicações: (1) De modo geral, a declaração pode ser um mandamento que *encoraja* a coerência na vida, seja ela boa ou má. Uma ordem para que se entenda que a vida fatalmente mostra obras boas ou más. As palavras de Jesus, à igreja em Laodiceia, contêm ideia idêntica: "Assim, porque és morno, e nem és quente nem frio, estou a ponto de vomitar-te da minha boca" (Ap 3.16). A árvore é coerente porque produz frutos segundo a sua natureza, quer boa, quer má. Isso está mais de acordo com os princípios gerais

da natureza. Alguns indivíduos, contudo, de modo contrário à natureza, fingem produzir frutos bons, quando, na realidade, produzem frutos maus. (2) Alguns intérpretes preferem compreender o vocábulo "fazei" como se tivesse sido usado em lugar de *pronunciai*, "declarai". A ideia, nesse caso, seria: "Declarai a árvore boa e seu fruto bom, ou a árvore má e o seu fruto mau. Ou então, fazendo a aplicação deste texto: "Reconhecei que eu, Jesus, sou árvore boa; e também reconhecei que sois árvores más". Seria um convite para que julgassem de modo correto, exato e bom, reconhecendo as obras de Deus e as obras de Satanás, segundo elas realmente são. (3) Provavelmente, Jesus usou aqui esse ditado para fazer com que os fariseus reconhecessem que ele agia por meio do Espírito Santo, ao mesmo tempo que encorajava esses homens a usarem de um juízo coerente e bom, reconhecendo que as obras realizadas por ele procediam de Deus, posto que não condiziam com o caráter de suas obras. É como se ele tivesse dito: "Reconhecei que vossas obras são más, porque falais contra o Filho do homem, o Messias. Jesus quis ser reconhecido tal e qual ele era, e apelou nesse sentido.

12.34: Raça de víboras! como podeis vós falar coisas boas, sendo maus? pois do que há em abundância no coração, disso fala a boca.

12.34 γεννήματα ἐχιδνῶν, πῶς δύνασθε ἀγαθὰ λαλεῖν πονηροὶ ὄντες; ἐκ γὰρ τοῦ περισσεύματος τῆς καρδίας τὸ στόμα λαλεῖ.

_{34 γεννήματα ἐχιδνῶν Mt 3.7; 23.33; Lc 3.7 ἐκ...λαλεῖ Mt 15.18; Mc 7.21}

"Raça de víboras..." — Aqueles homens já haviam mostrado qual o seu verdadeiro caráter — eram árvores más. João Batista empregou essa expressão — "raça de víboras" — contra as autoridades religiosas dos judeus, no começo do seu ministério (Mt 3.7), e agora, as ações daqueles homens mostravam que ainda eram passíveis da *mesma condenação*. Os judeus usavam o símbolo da serpente e das plantas venenosas como sinal da má condição que a queda do homem trouxe sobre a humanidade inteira. A serpente, portanto, seria representação da obra maligna de Satanás, da maldade espiritual, da invasão perniciosa por parte da natureza má, por parte das forças da maldade, entre os homens. Lembrando-nos de que Satanás foi exposto como uma serpente, na história da queda do homem, como um ser sutil, astuto e malicioso, entendemos por que a serpente foi usada como um símbolo apropriado para aqueles homens que, com palavras venenosas e perniciosas, falavam contra o próprio Messias. João mostrou-se surpreso com o esforço que fizeram para vir assistir ao seu batismo. Jesus, evidentemente, considerava que aqueles homens estavam à beira da impossibilidade de receber e de praticar o arrependimento.

"Porque a boca fala do que está cheio o coração" — Uma vez mais, temos uma declaração comum nos lábios de Jesus, usada sob circunstâncias diversas. No Sermão do Monte, Jesus, segundo Lucas, proferiu as mesmas palavras (Lc 6.45), e ali vemos que o sentido foi o mesmo, porquanto ele apresentava esse ditado em conexão com a ilustração ou parábola da árvore boa e da árvore má. Ali, entretanto, a aplicação é geral. Em qualquer ocasião é verdade que os homens dizem aquilo que tem mais importância para eles; por meio de suas palavras deixam transparecer o seu caráter. As palavras representam bem aquele que as profere, e não é difícil aquilatar o caráter de um homem depois de ouvir o que ele tem a dizer. Os fariseus demonstravam seu caráter pernicioso e cheio de malícia por meio das palavras que usaram contra Jesus.

12.35: O homem bom, do seu bom tesouro tira coisas boas, e o homem mau do mau tesouro tira coisas más.

12.35 ὁ ἀγαθὸς ἄνθρωπος ἐκ τοῦ ἀγαθοῦ θησαυροῦ ἐκβάλλει ἀγαθά, καὶ ὁ πονηρὸς ἄνθρωπος ἐκ τοῦ πονηροῦ θησαυροῦ ἐκβάλλει πονηρά.

"O homem bom tira do tesouro coisas boas" — A tradução KJ, além de outras mais antigas, dizem "tesouro do coração". As palavras "do coração" acham-se nos mss L 1 22 33 e alguns outros, em pouco número, de data posterior. Essas palavras são omitidas pelos mss Aleph BCDEFGKLMSVX Delta Gama Fam Pi e a maior parte das versões. Esse acréscimo, encontrado em alguns mss resulta da harmonia com Lucas 6.45, onde as palavras são autênticas.

"Tesouro" — Figura de linguagem que indica que aquilo que é importante para um homem é o que ele *busca e guarda* como coisa de valor. No que tange às coisas materiais, o princípio é o mesmo. Os homens buscam e ajuntam ouro, prata (dinheiro), pedras preciosas, terras, casas, obras de arte de diversos tipos, e sempre acham prazer na posse dessas coisas. O homem age de modo semelhante na vida espiritual, mental e moral. As coisas que para ele são importantes ele busca, estuda, desenvolve e expressa. Finalmente, em resultado dessa busca e acúmulo, seu caráter é formado, e, daí por diante, é extremamente difícil alterar esse caráter, especialmente a curto prazo, porque é preciso longo tempo para formar o "tesouro". Lucas (6.45), usando o mesmo ditado, diz: "tesouro do coração". Isso porque o coração é o símbolo do homem interior, do caráter moral e espiritual do homem. Talvez a ilustração do v. 34 encerre a ideia de uma fonte. A boca representa o olho d'água, pois é inegável que a água que mana de uma fonte tem o mesmo caráter dos recursos que formam essa fonte. Aqui Jesus emprega outra ilustração — a do tesouro de um homem. É próprio à natureza humana exibir um tesouro, seja a acumulação de obras de arte, seja um jardim, ou pedras preciosas, ou até mesmo coisas de menor valor, contanto que tenham valor para quem as exibe. Na vida espiritual, mental e moral também há exibições do *tesouro do coração*. Essa exibição vem pelas atitudes e palavras. Jesus ensina que é natural que esperemos que essa exibição esteja de acordo com a acumulação do tesouro. Dificilmente o homem que possui certo tipo de tesouro físico, quando o quer exibir, nesse momento mostre algo que não possui. Essa observação não é menos válida no caso da vida mental ou espiritual. Jesus usou esse ditado completo em Mateus 13.52, concernente ao ministério do ensino: "[...] Por isso todo escriba versado no reino dos céus é semelhante a um pai de família tira do seu depósito cousas novas e cousas velhas". Falamos do tesouro do coração, dos recursos mentais e espirituais que possuímos. Qualquer ação, ou mesmo conversa, tem como base a acumulação do tesouro que se tem feito no coração.

12.36: Digo-vos, pois, que de toda palavra fútil que os homens disserem, hão de dar conta no dia do juízo.

12.36 λέγω δὲ ὑμῖν ὅτι πᾶν ῥῆμα ἀργὸν ὃ λαλήσουσιν οἱ ἄνθρωποι ἀποδώσουσιν περὶ αὐτοῦ λόγον ἐν ἡμέρᾳ κρίσεως·

"Toda palavra frívola..." — A troca de ideias, por ser uma emissão do coração, isto é, do caráter essencial do indivíduo, é algo muito importante. A palavra aqui traduzida por *frívola* vem de um termo grego que significa "palavra inútil ou inativa". O termo "ociosa", da tradução AC, expressa bem o significado dessa palavra. Trata-se de palavra sem uso legítimo, moralmente desnecessária e sem proveito. Palavras como simples palavras são um bom indício da natureza e do coração de um homem, e provavelmente essa é a ideia básica do texto. Apesar disso, devemos lembrar que Jesus sempre demonstrou ação intensa, pensamentos intensos. Por si mesma, esta declaração indica o caráter de Jesus. Precisamos admitir que ele nunca usou de palavras superficiais, nunca brincou com as palavras, nunca falou por mera diversão, nunca disse nenhuma palavra sem propósito ou utilidade. Não tinha um espírito inclinado à tolice; era manso, misericordioso, inclinado à simpatia; mas jamais mostrou-se superficial. Assim, sabemos que ele nunca teve conversas banais. Esse ditado mostra que nosso padrão é muito elevado, e que temos muito que fazer para alcançar

o alvo que se nos apresenta na pessoa de Jesus. Talvez nunca tenhamos pensado que o alvo da vida que há em Jesus envolve tão grande responsabilidade, pois quem poderia imitar a Jesus nesse particular? Alguns intérpretes pensam que o significado do texto é que todas as palavras boas, más ou ociosas fazem parte da exibição total do caráter essencial do homem, o que haverá de determinar o julgamento que ele receberá.

Os fariseus proferiram muitas *palavras duras* contra Jesus, afirmando-o adversário de Satanás, irreligioso, imoral, traidor da tradição judaica, inimigo do povo, traidor do governo, possuído por demônios. É claro que serão julgados por causa de todas essas palavras; mas Jesus ensinou que também haverá julgamento no caso de todas as palavras ditas sem objetivo, até mesmo palavras proferidas sem nenhuma maldade. Alguns mss dos mais recentes, talvez em número de dez, alteram a palavra "ociosa" para o vocábulo "má"; tal mudança, entretanto, foi feita como interpretação do sentido do versículo, e não representa o original do evangelho de Mateus.

12.37: Porque pelas tuas palavras serás justificado, e pelas tuas palavras serás condenado.

12.37 ἐκ γὰρ τῶν λόγων σου δικαιωθήσῃ, καὶ ἐκ τῶν λόγων σου καταδικασθήσῃ.

<hr/>

37 καταδικασθήσῃ] κατακριθησῃ (28) 33 565 700 pc

"Pelas tuas palavras..." — Aqui Jesus fala do julgamento pelas palavras proferidas. Em Mateus 25.31-46, ele se refere ao julgamento segundo as ações, boas ou más; e nisso não vai nenhuma contradição. Ambas as coisas — palavras e ações — demonstram o caráter essencial do homem; e, segundo esse caráter, é que o homem será julgado. A palavra "justificado" tem diversos sentidos. Ver nota detalhada sobre a "justificação", em Romanos 3.24. Por si mesma, essa palavra pode significar coisas como *tornar justo*, "demonstrar justiça", "exonerar", "declarar a justiça ou piedade de alguém". É óbvio que aqui tem o sentido de "condenado", pelo que deve significar a salvação que Deus dará ao homem. O caráter geral do indivíduo é que determinará seu julgamento e a posição que receberá na eternidade; e as palavras são indício desse caráter do homem. Não entraremos aqui na discussão sobre a justificação, como temos nas notas no terceiro capítulo de Romanos e em outras passagens, que abordam a questão especificamente. É verdade que o caráter do homem, quando é bom, não pode estar separado da fé em Cristo, nem da regeneração mediante o poder do Espírito de Deus. No entanto, as palavras e as ações mostram a existência ou não dessa regeneração. Sendo assim, as palavras podem indicar o caráter do indivíduo. Além desses fatos, haverá vários níveis de glória e diversos graus de julgamento, tudo segundo as obras dos homens. As palavras de que fala o texto também indicam o desenvolvimento da alma, a influência ou falta da influência do Espírito Santo na vida, e, por isso, podem servir de indicação do nível da glória ou do julgamento que a pessoa merece. Ver notas detalhadas sobre os sete julgamentos, em Mateus 25.3; sobre o "inferno", em Apocalipse 14.11; e sobre o "julgamento do crente", em 2Coríntios 5.10.

Os judeus ensinavam coisas semelhantes em sua literatura, segundo se vê nas citações seguintes: *Quando o homem morre, vê duas pessoas que se aproximam dele, as quais escrevem, na sua presença, tudo quanto ele fez na terra, tudo quanto disse, e assim ele dará contas de tudo. Em seguida, todas as palavras (proferidas) desse homem lhe serão expostas, e nenhuma delas se perderá; e, na hora em que ele for para o sepulcro, elas (as palavras) serão postas à sua frente* (*Zohar* em Núm. Fol. 53.2).

(f) O pedido de sinais (12.38-42)

Esta seção (Mt 12.38-42) tem paralelo em Lucas 11.29-32, e sua fonte informativa é "Q". Ver informações sobre as fontes dos Evangelhos na introdução ao comentário, no artigo intitulado *O problema sinóptico* e na introdução ao evangelho de Marcos. Eles desejavam um sinal prodigioso, como um raio caído do céu, uma estrela cadente, ou talvez a divisão do rio Jordão, conforme o impostor Teudas prometeu fazer. (Ver Josefo, Antig. XX.5.2.) Alguns têm sugerido que esse é o mesmo Teudas mencionado em Atos 5:36.

O evangelista certamente nos queria dizer (considerando a seção anterior) que aquela gente já recebera o *sinal*. Isso fora dado repetidas vezes mediante a vida e as obras miraculosas de Jesus. Seu caráter messiânico foi inteiramente autenticado. Somente a incredulidade *mais crassa* não veria isso; e Jesus não haveria de querer satisfazer à curiosidade deles, e não atendeu às suas frívolas exigências. Aos que buscam o reino é revelado. Aquela gente, porém, tornara-se porcos diante de quem Cristo não lançaria suas pérolas. Os falsos líderes do judaísmo eram "adúlteros", isto é, "apóstatas", e já haviam chegado à situação em que nada podiam exigir de um homem espiritual.

12.38: Então alguns dos escribas e dos fariseus, tomando a palavra, disseram: Mestre, queremos ver da tua parte algum sinal.

12.38 Τότε ἀπεκρίθησαν αὐτῷ τινες τῶν γραμματέων καὶ Φαρισαίων λέγοντες, Διδάσκαλε, θέλομεν ἀπὸ σοῦ σημεῖον ἰδεῖν.

38 Mt 16.1; Mc 8.11;Lc 11.16; Jo 6.30; 1Co 1.22

Lucas também apresenta a petição de um sinal em conexão com as palavras de Jesus contra os fariseus, mas coloca a acusação dos fariseus a Jesus (a de que ele expelia os demônios pelo poder de *Belzebu*) em conjunto com essa petição, ao passo que o discurso de Jesus, contra os fariseus, aparece em seguida. Ver Lucas 11.15,16. O texto de Lucas 11.16 mostra que havia "outros" que já tinham feito a mesma petição, e que não tinham sido os mesmos que agora lançavam contra Jesus essa acusação. Mostra também que essa petição foi feita com espírito mau, porque, diz Lucas, que "outros, tentando-o, pediam dele um sinal do céu". Esses detalhes mostram a grande *audácia* daqueles homens, porquanto Jesus já fizera grande número de sinais, e inúmeros milagres. Eles queriam, porém, um "sinal do céu". Talvez esperassem mais do que um milagre físico, como a cura; talvez quisessem que Jesus fizesse parar o sol (como nos dias de Josué), algo como fogo caído do céu (como nos tempos de Elias), ou uma grande voz a falar dos céus (conforme alguns disseram que ocorreu quando do batismo de Jesus), ou um anjo de grande glória que descesse dos céus, ou outra coisa de natureza semelhante. Talvez aqueles homens considerassem as curas como meros sinais da terra, quando muito; e o texto mostra que eles pensavam que a ação de expelir um demônio era, de fato, um sinal do inferno. Agora exigiam um sinal do céu, para que assim provasse sua missão messiânica. Provavelmente, fizeram essa petição duvidando que Jesus fosse capaz de atendê-la; e então teriam um argumento contra ele, dizendo: "Ele faz sinais da terra e sinais do inferno, porque é aliado de Satanás, mas não pode apresentar um sinal do céu. Portanto, não pode ser o Messias, conforme ele diz". Lemos que no tempo do Messias (segundo as profecias do AT) os judeus esperariam que ele fizesse sinais do céu. O NT mostra que esses sinais serão parte da segunda vinda de Cristo, bem como a indicação da aproximação desse acontecimento. Ver Mateus 24.

12.39: Mas ele lhes respondeu: Uma geração má e adúltera pede um sinal; e nenhum sinal se lhe dará, senão o do profeta Jonas;

12.39 ὁ δὲ ἀποκριθεὶς εἶπεν αὐτοῖς, Γενεὰ πονηρὰ καὶ μοιχαλὶς σημεῖον ἐπιζητεῖ, καὶ σημεῖον οὐ δοθήσεται αὐτῇ εἰ μὴ τὸ σημεῖον Ἰωνᾶ τοῦ προφήτου.

39 Γενεά...Ἰωνᾶ Mt 16.4

"Uma geração má e adúltera..." — Foi assim chamada porque havia *partido os laços* que a prendiam a Deus. Ver Salmos 73.27 e Isaías 57.3. O texto de Jeremias 3.20 diz: "Deveras, como a mulher se aparta aleivosamente do seu marido, assim aleivosamente te houveste comigo, ó casa de Israel, diz o Senhor". Alguns intérpretes opinam que o texto fala de adultério físico, e não somente de adultério espiritual. Na história dos judeus, descobre-se que, ao tempo de Jesus, o rabino Jochanan ben Zacchai anulou a lei concernente à água amarga (ver Nm 5.14-31) que provava os casos de infidelidade suspeita da parte das mulheres casadas, por causa da multiplicação extraordinária desses casos. Esta citação predizia o caráter do povo durante os dias do Messias: "[...] quando vier o Messias, ou no século em que vier o Filho de Davi, aumentará a impudência, os cereais e o vinho encarecerão, o governo será composto de hereges e as sinagogas se tornarão casas de prostituição" (*Misn. Sota* c. 9, século XV).

"Nenhum sinal..." — No texto paralelo de Lucas 11, há somente dois versículos que tratam dessa questão; e o versículo que alude à experiência de Jonas, no ventre do grande peixe, e que simboliza a morte e a ressurreição de Jesus, não aparece. Se não fora essa explicação, haveríamos de pensar que Jesus apenas indicou o sinal que pediam apresentando a pregação de Jonas ao povo de *Nínive* (gentios), mostrando como aqueles se tinham arrependido, por haverem aceito a sua mensagem. Os habitantes de Nínive se levantarão contra o povo de Israel do tempo de Jesus, pois, em face de uma pregação que não era tão poderosa como a de Jesus, em que não houve milagres ou outras provas, os ninivitas se arrependeram. Os ninivitas seriam um testemunho contra a geração israelita dos dias de Jesus, porquanto esta desfrutava de todas as vantagens possíveis, embora no meio deles estivesse um profeta muito maior do que Jonas, que apresentava provas de ser o próprio Messias, a despeito do que, a maioria do povo rejeitara a sua missão messiânica. Conforme a narrativa de Mateus, porém, o principal sinal seria a ressurreição de Jesus, ficando também subentendida a pregação dessa ressurreição e suas implicações, por parte dos apóstolos e de outros cristãos primitivos. Nenhum povo jamais recebera sinal tão portentoso quanto esse, e mesmo assim rejeitaram o sinal.

Havia muitas profecias e sinais sobre o Cristo: (1) Seu *nascimento*, simbolizado pelos sinais de Isaque, de Samuel, e de outros. (2) Sua *morte*, simbolizada pelos sinais de Abel, Isaque, Zacarias, e os sacrifícios diários e anuais. (3) Sua *ressurreição*, simbolizada pelos sinais de Isaque, Daniel, os três jovens hebreus na fornalha, a venda de José e sua sobrevivência no Egito; mas, acima de tudo, a narrativa de Jonas e do peixe gigantesco que o tragara. Lembremo-nos de que o próprio Jonas falou do estômago do peixe como se estivesse no hades, o lugar dos mortos.

12.40: pois, como Jonas esteve três dias e três noites no ventre do grande peixe, assim estará o Filho do homem três dias e três noites no seio da terra.

12.40 ὥσπερ γὰρ ἦν Ἰωνᾶς ἐν τῇ κοιλίᾳ τοῦ κήτους τρεῖς ἡμέρας καὶ τρεῖς νύκτας, οὕπως ἔσται ὁ υἱὸς τοῦ ἀνθρώπου ἐν τῇ καρδίᾳ τῆς γῆς τρεῖς ἡμέρας καὶ τρεῖς νύκτας.

40 ἦν...νύκτας Jn 1.17

"Baleia" é tradução de AC e KJ; AA diz *"grande peixe"*. A palavra refere-se a um monstro marinho, um peixe enorme. Ocorrências modernas demonstram que há peixes capazes de engolir um homem inteiro.

Será possível ser engolido por uma baleia e continuar vivo para contar a história? A ciência responde "não", mas a resposta correta é "sim". Os registros oficiais do Almirantado Britânico provêm evidências documentadas sobre a espantosa aventura de James Bartley, um marinheiro britânico que foi engolido por uma baleia, e escapou com vida para contar a história! O Sr. Bartley

418 |Mateus| NTI

estava fazendo sua primeira viagem (que terminou também por ser a única), como marinheiro de um navio baleeiro, cujo nome era *Estrela do Oriente*, em fevereiro do ano de 1891. Estavam a algumas centenas de quilômetros a leste das ilhas Falkland, no Atlântico Sul.

Em certo momento, foi arpoada uma grande baleia, que então mergulhou às profundezas abissais. Quando ela subiu para respirar, ocorreu que seu corpanzil esmigalhou o bote, e muitos homens caíram no mar. Dois homens não puderam ser encontrados e um deles era o Sr. Bartley. Depois de muito serem procurados, foram dados finalmente por perdidos.

Pouco antes do pôr-do-sol, naquele mesmo dia, a baleia moribunda flutuou até a superfície. A tripulação rapidamente prendeu uma corda na baleia e a arrastou até o navio-mãe. Embora fosse verão, foi necessário despedaçar imediatamente o gigantesco animal. Em pedaços foi sendo cortada a baleia. Pouco depois das onze horas da noite, os exaustos tripulantes removeram o estômago e o enorme fígado da baleia. Esses pedaços foram levados para a coberta e notou-se que havia algum movimento no interior do estômago da baleia.

Fizeram uma grande incisão no estômago do mamífero marinho, e apareceu um pé humano. Era James Bartley, dobrado em dois, inconsciente, mas ainda vivo. Bartley soltava grunhidos incoerentes ao recuperar um pouco mais a consciência, e, durante cerca de duas semanas, pendeu entre a vida e a morte. Passou-se um mês inteiro antes que pudesse contar perfeitamente a história do que lhe acontecera.

Lembrava-se de que quando a baleia atingiu o bote, ele foi atirado no ar. Ao cair, foi engolfado pela gigantesca boca da baleia. Passou por fileiras de minúsculos e afiados dentes, e sentiu uma dor lancinante. Percebeu que estava escorregando por um tubo liso, e então desapareceu na escuridão. De nada mais se lembrava, senão depois de ter recuperado a consciência, uma vez libertado do estômago da baleia.

Muitos médicos de vários países vieram examiná-lo. Viveu mais *dezoito anos* depois dessa experiência. Sua pele ficara com uma desnatural coloração esbranquiçada, mas não sofreu outros maus efeitos além desse. Na lápide de seu túmulo foi escrito um breve relato de sua experiência, com o acréscimo: "James Bartley, 1870 a 1909, um moderno Jonas". (Extraído do livro *Stranger than Science*, por Frank Edwards, p. 11-13).

"Três dias e três noites" — Algumas pessoas, por desconhecerem a índole das línguas antigas, como o grego e o hebraico, gostam de insistir que essas palavras devem indicar três dias e três noites completos; porém, grande número de citações, extraídas do hebraico, do grego e do latim, prova que a expressão era usada, nos dias antigos, para significar parte de três dias e noite, em que uma parte era usada para expressar a totalidade. A seguinte citação de Jerônimo ilustra essa ideia: "Tenho abordado mais completamente o trecho, sobre o profeta Jonas (isto é, o livro do AT), em meu comentário. Direi agora somente que isto (esta passagem) deve ser explicado como modo de falar chamado *sinédoque*, quando uma porção representa a totalidade. Não significa que nosso Senhor esteve três dias e três noites inteiros no sepulcro, mas sim, parte de sexta-feira, parte do domingo e todo dia do sábado, o que é apresentado como três dias". Assim também esclareceram os pais da Igreja em geral. Na linguagem popular, "três dias e três noites" significa, figuradamente, não mais do que três dias, o que, na linguagem antiga, pode ser calculado incluindo-se o primeiro dia, aquele em que algo acontecia. Nesse caso, o dia da crucificação teria sido o primeiro dia, e o da ressurreição teria sido o terceiro. O segundo dia teria sido o sábado, ficando assim completados os três dias. Ver nota bem detalhada sobre esse problema, com todos os argumentos, em Mateus 27.1. O próprio Jesus declarou isso por diversas vezes, e a expressão foi repetida por Paulo, que disse que Jesus declarara que ressuscitaria ao terceiro dia. Ver as referências em Mateus 16.21; 17.23; 29.19; Marcos 9.31; 10.34; Lucas 9.22; 18.33; 24.7 e 1Co 15.4. Segundo o modo de computar dos antigos, o primeiro dia da semana teria sido o terceiro dia a contar da sexta-feira. Ora, se Jesus ressuscitou no primeiro dia da semana, ou domingo, então deve ter sido crucificado na sexta-feira. Nota-se que o AT também emprega alguns casos de "sinédoque", quando uma porção simboliza a totalidade. Ver as referências em Gênesis 40.13,20; 1Samuel 30.12,13; 2Crônicas 10.5,12 e Oseias 6.2.

Na discussão acerca do elemento tempo, não devemos perder de vista o ensino contido neste versículo, a saber, que Jesus daria um grande sinal àquela geração pecaminosa: de fato, seria um sinal maior do que qualquer sinal dos céus — a sua ressurreição. Isso realmente sucedeu, e houve muitas testemunhas comprobatórias da ressurreição de Jesus. A ressurreição possibilitou a pregação da vitória total sobre o pecado e a morte, como também a pregação da certeza da sobrevivência, conforme Paulo explica no décimo quinto capítulo de 1Coríntios. Mais do que isso, porém, a ressurreição fala da nova vida no outro mundo, onde a imortalidade é a regra, ainda que não conforme entendemos nesta terra. Após a ressurreição de Cristo é que teve início a grande pregação entre os gentios e que a esperança cristã se propagou por todo o mundo. De fato, aquela geração recebeu o maior sinal que poderia ter sido dado. No entanto, esse sinal foi também rejeitado por ela.

"Coração da terra" — Pode referir-se ao *hades*, o lugar dos espíritos dos mortos. Assim interpretaram alguns dos pais da Igreja, e também alguns modernos. O terceiro capítulo de 1Pedro mostra que Jesus teve um ministério nesse lugar, entre os espíritos dos mortos; mas a referência, aqui, provavelmente só quer mostrar o fato da morte de Cristo e a prova de que ele esteve no sepulcro, no estado da morte, por "três dias e três noites". De acordo com a crença popular, o hades achava-se no centro da terra, e a expressão *coração da terra* reflete essa ideia. Não se pode afirmar ou negar se o autor deste evangelho aceitava essa localização ou não; Mateus simplesmente empregou uma expressão comum, referindo-se ou não ao hades. Provavelmente, porém, não se referiu a isso, indicando tão-somente o fato de que Jesus estaria no sepulcro durante um período determinado, antes de sua ressurreição.

12.41: Os ninivitas se levantarão no juízo com esta geração, e a condenarão; porque se arrependeram com a pregação de Jonas. E eis aqui quem é maior do que Jonas.

12.41 ἄνδρες Νινευῖται ἀναστήσονται ἐν τῇ κρίσει μετὰ τῆς γενεᾶς ταύτης καὶ κατακρινοῦσιν αὐτήν· ὅτι μετενόησαν εἰς τὸ κήρυγμα Ἰωνᾶ, καὶ ἰδοὺ πλεῖον Ἰωνᾶ ὧδε.

41 μετενόησαν...' Ἰωνᾶ Jn 3.5,8 πλεῖον...ὧδε Mt 12.6

"Ninivitas se levantarão..." — Na sua pregação, evidentemente, por muitas vezes, Jesus usou os povos dos tempos antigos, para ilustrar os seus ensinos e declarações. Lembremo-nos de que ele se referiu a Tiro e Sidom (contra as quais Ezequiel profetizou), em Mateus 11.22, e a Sodoma (e Gomorra), em Mateus 10.15 e 11.24, mostrando que a geração de seus dias era pior do que qualquer geração daquelas cidades antigas. Aqui ele usa o exemplo dos habitantes de Nínive, mostrando que esse povo (os gentios) se arrependera em face da pregação de Jonas, não endurecendo o coração e nem rejeitando a repreensão de Deus; pelo contrário, para o seu próprio bem, aquela gente aceitou a mensagem de arrependimento.

De acordo com Gênesis 10.11, *Nínive* foi uma das cidades fundadas por *Ninrode*, quando saiu da Assíria. Durante séculos, aquela cidade foi aumentando em tamanho e em importância, até tornar-se uma das principais cidades do império assírio. Senaqueribe, rei da Assíria, tornou-a sua capital e a embelezou muito. Assurbanipal (669 a.C.) fixou ali sua residência principal enquanto reinou sobre o império assírio. No seu nível mais elevado de "prosperidade", a cidade tinha uma população de talvez mais de quinhentos mil habitantes, incluindo os subúrbios, porque o muro interior envolvia uma área que poderia conter cerca de 175 mil pessoas. O texto de Jonas 3.3 mostra que eram precisos três dias para que alguém viajasse de um extremo a outro da cidade. Nínive foi destruída em agosto de 612 a.C., em cumprimento das profecias de Naum e Sofonias. Finalmente, a cidade foi a principal e última capital do império assírio. Em 1845-1854, a cidade foi redescoberta pelos arqueólogos Layard e Rassem. Encontraram 25 mil placas da biblioteca do rei Assurbanipal. Outras descobertas de inscrições e relevos foram feitas, em grande número, e essas coisas têm contribuído mais para esclarecer a história do império assírio do que qualquer outra descoberta arqueológica isolada. A língua dos antigos assírios também foi decifrada por meio desses descobrimentos, a ponto da literatura assíria ser mais bem conhecida hoje em dia do que qualquer outra dos antigos povos semitas, com exceção exclusiva da literatura hebraica. As suas ruínas estão assinaladas hoje em dia pelos cômoros de Kuyunjik e Nabi Uynus, isto é, o profeta Jonas.

Jesus mostrou que esse grande centro de poderio gentílico que, por muitas vezes, fez oposição à nação de Israel, arrependeu-se ante a pregação de Jonas. Esse acontecimento torna-se ainda mais destacado quando nos lembramos de que Jonas ficou ali apenas por alguns dias e que não operou milagre nenhum. A despeito disso, o povo arrependeu-se e evitou, por algum tempo, o julgamento de Deus.

"E eis aqui está quem é maior do que Jonas" — Sem dúvida, as autoridades não gostaram dessas palavras de Jesus, mas é patente que ele falava a *verdade*. Jonas não fez milagre nenhum e, no princípio, nem mesmo quis profetizar àquela cidade, talvez porque se tratasse de uma cidade dos gentios e ele preferisse que o juízo de Deus se descarregasse contra ela. Em todos os sentidos, Jesus era maior do que Jonas, incluindo a grandiosidade da mensagem apresentada por Cristo. Jonas pregara uma mensagem simples, falando sobre o juízo de Deus e da necessidade de arrependimento, para que não fossem condenados nesse processo. Jesus, entretanto, veio anunciar a renovação dos séculos, o reino dos céus. Outrossim, Jesus era o próprio Messias e representava o cumprimento do símbolo do profeta Jonas. É verdade que este versículo apresenta também outro aspecto do "sinal do profeta Jonas", a saber, a sua pregação contra um povo pecaminoso, que resultou no arrependimento deste, em contraste com a pregação feita pelo próprio Messias, que não alcançou como resultado o arrependimento do povo de Israel. Portanto, o *sinal* incluía mais do que a ideia da ressurreição de Jesus. Nota-se também que, no caso de Jonas, ele pregou em Nínive após a sua "ressurreição" do ventre do grande peixe, tal como Cristo também fez em Israel, no que foi seguido pelos apóstolos e por outros cristãos primitivos. A ressurreição de Jesus Cristo tornou-se o principal elemento da pregação exposta a Israel. Por conseguinte, a pregação de Jesus, antes de sua morte, depois de sua ressurreição, e pelos apóstolos, depois de sua ressurreição, constituiu o sinal do profeta Jonas para aquela geração.

12.42: A rainha do sul se levantará no juízo com esta geração, e a condenará; porque veio dos confins da terra para ouvir a sabedoria de Salomão. E eis aqui quem é maior do que Salomão.

12.42 βασίλισσα νότου ἐγερθήσεται ἐν τῇ κρίσει μετὰ τῆς γενεᾶς ταύτης καὶ κατακρινεῖ αὐτήν· ὅτι ἦλθεν ἐκ τῶν περάτων τῆς γῆς ἀκοῦσαι τὴν σοφίαν Σολομῶνος, καὶ ἰδοὺ πλεῖον Σολομῶνος ὧδε.

42 Βασίλισσα...Σολομῶνος 1Rs 10.1-10; 2Cr 9.1-12   πλεῖον...ὧδε Mt 12.6

"A Rainha do Sul se levantará..." — Jesus continua ilustrando a perversidade daquela geração, usando exemplos opostos

do tempo dos antigos. Essa rainha era a rainha de Sabá, porção das terras árabes que se limitava com o mar Vermelho. Esse território ficava ao "sul" da Judeia. Jesus alude à narrativa que se acha em 1Reis 10.1-19. Essas rainhas usualmente recebiam o título de *Candace*, e a tradição diz que o nome dessa rainha era Maqueda. A tradição judaica ajunta que ela adotou a religião dos judeus, em vista de sua visita a Israel, depois de ter ouvido as grandes palavras de Salomão e de ter visto, por si mesma, a grandeza de seu reino.

"Veio dos confins da terra" — Expressão hebraica que significa grande distância.

"Ouvir a sabedoria de Salomão" — O povo de Nínive ouviu a pregação do profeta Jonas e a aceitou. Essa rainha, que também não pertencia à nação de Israel, ouviu e recebeu a "sabedoria" de Salomão. Entretanto, o povo de Israel rejeitava a pregação de um Profeta muito maior que Jonas e a sua sabedoria, que era muito maior que a sabedoria de Salomão. A rainha do Sul respeitou, acolheu e admirou a sabedoria de Salomão, mas os judeus blasfemavam da sabedoria de Jesus e de sua pessoa. A citação seguinte, extraída da literatura judaica, ilustra o fato de os judeus esperarem que o Messias fosse homem dotado de maior sabedoria do que a sabedoria de Salomão. Falando do rei Messias, o seu autor diz: "[...] será um grande mestre, maior em sabedoria e mais sábio do que Salomão" (Maimon. Hilchot. Testuba. c. 9, séc. 2). Paulo referiu-se a Jesus em termos semelhantes: "Mas vós sois dele, em Cristo Jesus, o qual se nos tornou da parte de Deus sabedoria, e justiça, e santificação e redenção..." (1Co 1.30, ARA). Jesus era a personificação da sabedoria de Deus, pelo que, mui naturalmente, era maior do que qualquer outro homem, incluindo Salomão, cujo nome, até hoje, é símbolo da sabedoria humana.

(g) As possessões demoníacas (12.43-45)

O paralelo é Lucas 11.24-36, a fonte informativa é "Q". (Ver informações sobre as "fontes informativas" dos Evangelhos sinópticos, em artigo desse título, na introdução ao comentário.) Essa seção é um tipo de interlúdio, que nos faz retroceder às duas seções anteriores. O poder que Jesus tinha de expulsar os demônios fora insultado, tendo sido atribuído às forças malignas. Jesus mostrara quão sério é o uso descuidado das palavras, sobretudo com propósitos de blasfêmia. A seção que temos aqui, na realidade, não dá prosseguimento aos parágrafos anteriores; porém, falando sobre o mesmo tópico, adapta-se bem aqui. Lucas tem a mesma conexão; portanto, é provável que "Q" apresente seu material dessa maneira. (Cf. esta seção com 8.28ss. No mesmo versículo, é apresentada a nota geral sobre a "possessão demoníaca". Ver acerca dos "demônios", em Marcos 5.2.)

12.43: Ora, havendo o espírito imundo saído do homem, anda por lugares áridos, buscando repouso, e não o encontra.

12.43 Ὅταν δὲ τὸ ἀκάθαρτον πνεῦμα ἐξέλθῃ ἀπὸ τοῦ ἀνθρώπου, διέρχεται δι' ἀνύδρων τόπων ζητοῦν ἀνάπαυσιν,ᶜ καὶ οὐχ εὑρίσκει.ᶜ

ᶜᶜ 43 c minor, c major: TR WH Bov Nes BF² AV RV ASV RSV (TT) (Zür) (Luth) Jer (Seg) // c major, c minor: NEB

"Quando o espírito imundo sai do homem" — Paralelo em Lucas 11.24-26. Os v. 43-45 constituem uma *breve parábola* que ilustra as condições da nação de Israel, referindo-se aos exorcismos e à blasfêmia dos fariseus e escribas, conforme se vira pouco antes. Essa parábola pode ter diversas aplicações: (1) À nação de Israel, o que significa que Israel era como um homem liberto de um demônio, mediante a pregação de Jesus e de seu ministério em geral, por algum tempo, liberto da má influência exercida pelas autoridades religiosas. Todavia, devido à sua rejeição a Jesus, as condições de Israel, por fim, se tornaram piores do que antes, e os falsos ensinamentos de seus líderes religiosos apossaram-se deles mais do que nunca, porque rejeitaram a luz que Jesus lhes trouxera. (2) Aplicação geral, indicando que a reforma pessoal, destituída do poder de Deus, cria finalmente um estado pior do que as condições prévias. (3) Aplicação às religiões falsas, outra interpretação em termos gerais, indicando que a renovação espiritual que se verifica apenas como efeito da religião não pode substituir a regeneração espiritual, a qual vem por meio das palavras espirituais de Cristo; realmente, "varrendo e adornando", operando modificações e melhoramentos, a religião falsa só pode ter o efeito de preparar o indivíduo para a queda a um estado pior que o primeiro, antes mesmo que essa reforma possa demonstrar seus efeitos. (4) A aplicação à nação de Israel é óbvia no texto. Provavelmente, a parábola ilustra a história de Israel. No mínimo, essa nação passou por diversas épocas de reforma religiosa, incluindo a reforma de parte da população, mediante a influência de Cristo. Contudo, essas reformas não tinham efeito duradouro, mas tão-somente preparam o caminho para o retorno a uma maldade maior ainda; e assim ia piorando cada vez mais o estado espiritual da nação de Israel. A rejeição ao Messias preparou o caminho para a destruição da nação de Israel, especialmente das localidades ao redor de Jerusalém.

"Lugares áridos" — Essa expressão é usada devido à crença de alguns antigos de que os demônios preferem os lugares desérticos e secos. Em um deserto, lugar desabitado, porém, eles não encontram homem para possuir, o que é seu maior prazer. Voltam, então, a sua casa, encontrando-a bem preparada para a penetração da religião falsa ou para a rejeição da verdade e dos privilégios espirituais, e então aproveitam a oportunidade para convidar uma hoste de outros espíritos malignos que compartilhem daquela habitação. A parábola é dirigida especialmente àquela geração que rejeitou a João e a Jesus (v. 45).

Talvez a referência aos "lugares áridos" indique, pelo menos em parte, a antiga crença na demonologia, de que há diversos tipos de demônios: (1) Os dos lugares celestiais, que não entram em contacto com esta terra. Paulo indica isso em Efésios 6.12, onde se lê: "[...] porque a nossa luta não é contra o sangue e a carne e sim contra os principados e potestades, contra os dominadores deste mundo tenebroso, contra as forças espirituais do mal, nas regiões celestes" (ARA). Esta citação, entretanto, mostra que esses poderes malignos entram em contacto com os homens, combatendo contra os crentes. (2) Os demônios das águas. (3) Os demônios terrestres. (4) Os demônios do ar. (5) Os demônios subterrâneos. Diversos filósofos e religiosos, entre os antigos, fizeram essas distinções, inclusive entre os judeus antigos.

"Procurando repouso" — A maldade não é própria de um espírito tranquilo. O espírito imundo não acha repouso, mas sente-se atraído pelo homem mau, e fica satisfeito em habitar nele. A expressão "espírito imundo" vem não somente da ideia de que esses espíritos eram pecaminosos, e assim maculavam a alma do homem, mas também de que o homem, sob a influência de um espírito maligno, não tinha o direito de entrar no culto de adoração a Deus; segundo a lei, esses homens eram cerimonialmente imundos.

12.44: Então diz: Voltarei para minha casa, donde saí. E, chegando, acha-a desocupada, varrida e adornada.

12.44 τότε λέγει, Εἰς τὸν οἶκόν μου ἐπιστρέψω ὅθεν ἐξῆλθον· καὶ ἐλθὸν εὑρίσκει σχολάζοντα σεσαρωμένον καὶ κεκοσμημένον.

"Encontra a casa vazia..." — Ao regressar, o espírito maligno acha grande diferença, em face da ação da reforma, operada pela própria pessoa, pela falsa religião ou mesmo por alguma influência boa, mas desacompanhada da verdadeira regeneração. O fato de a casa estar vazia, não ocupada por um espírito bom (o Espírito Santo), facilita a entrada do espírito maligno, que está de volta. Essa verdade aplica-se especialmente à nação de Israel, em suas reformas ou tentativas de reforma, as quais, na realidade, tão-somente preparavam o caminho para a entrada de uma perversão cada vez pior.

12.45: Então vai e leva consigo outros sete espíritos piores do que ele e, entrando, habitam ali; e o último estado desse homem vem a ser pior do que o primeiro. Assim há de acontecer também a esta geração perversa.

12.45 τότε πορεύεται καὶ παραλαμβάνει μεθ' ἑαυτοῦ ἑπτὰ ἕτερα πνεύματα πονηρότερα ἑαυτοῦ, καὶ εἰσελθόντα κατοικεῖ ἐκεῖ· καὶ γίνεται τὰ ἔσχατα τοῦ ἀνθρώπου ἐκείνου χείρονα τῶν πρώτων. οὕτως ἔσται καὶ τῇ γενεᾷ ταύτῃ τῇ πονηρᾷ.

45 γίνεται...πρώτων 2Pe 2.20

"Leva consigo outros..." — Provavelmente, o número sete fala de uma possessão demoníaca mais intensa, talvez sem fazer nenhuma alusão ao número exato deles, como encontramos no caso de Maria Madalena, em Marcos 16.9, que se apresentaria em um estado mais furioso, insano, e com menos esperança de restauração. Com essas palavras, Jesus indica que a nação aceitou e encorajou a influência perniciosa e maliciosa de Satanás, a isso propositalmente, mediante a rejeição ao Messias, permitindo que Satanás tomasse o controle e efetuasse a total destruição, física e espiritual, da nação. O primeiro espírito era mau, mas os outros sete eram piores ainda, sem falar no aumento de seu número. Se um único espírito maligno causa tanto malefício, o que fariam sete espíritos muito piores do que ele? Jesus quis mostrar que o estado da nação de Israel ia de mal a pior. Na história de Israel, nota-se que os maiores pecados eram a idolatria e a apostasia. Essa história demonstra os resultados dessas atitudes, especialmente nos sofrimentos que o povo de Israel passou nos cativeiros, nas invasões por exércitos estrangeiros, e, na época de Jesus, pelo domínio romano. No entanto, a rejeição ao Messias, as blasfêmias contra o Messias, deveriam resultar em uma condição ainda pior, porque esse fato foi o estágio final da apostasia.

"Assim também acontecerá a esta geração perversa" — Jesus não se referiu diretamente à destruição de Israel pelos romanos (em 70 d.C.), que ele previu noutra oportunidade, mas provavelmente tinha esse pensamento em mente quando proferiu estas palavras. Entretanto, devemo-nos lembrar de que essa destruição, tal como no caso dos cativeiros, era apenas uma evidência física do julgamento de Deus, e que o pior julgamento é aquele que se aplica à alma. O comentário de Ellicott diz: "Devemos voltar nossa atenção ao quadro esboçado pelo historiador judaico acerca dos crimes, furores e insanidades da luta final, que culminaram na destruição de Jerusalém, se quisermos reconhecer totalmente a medida do "último estado" daquela "geração perversa". Ver nota sobre a destruição de Jerusalém, em Lucas 21.6. Lemos, na história dos judeus, que tantos foram os indivíduos crucificados pelos romanos, naqueles dias, que tornou-se difícil encontrar madeira para crucificar mais pessoas. O templo foi totalmente destruído, conforme Jesus predissera, e não ficou pedra sobre pedra. Atualmente, temos conhecimento de apenas duas ou três pedras que, antes, fizeram parte das construções do templo.

Os textos deste capítulo, v. 14-23, 24-28, 29-32 e 39-45 são paralelos aos capítulos 6 e 11 de Lucas, e fazem parte da matéria não encontrada em Marcos. São exemplares da fonte denominada "Q", fonte essa que continha principalmente os ensinamentos de Jesus que Mateus e Lucas usaram em seus evangelhos, além da matéria encontrada em Marcos, que foi usada como esboço principal por Mateus e Lucas.

(h) A família espiritual (12.46-50)

12.46: Enquanto ele ainda falava às multidões, estavam do lado de fora sua mãe e seus irmãos, procurando falar-lhe.

12.46 Ἔτι αὐτοῦ λαλοῦντος τοῖς ὄχλοις ἰδοὺ ἡ μήτηρ καὶ οἱ ἀδελφοὶ αὐτοῦ εἱστήκεισαν ἔξω ζητοῦντες αὐτῷ λαλῆσαι.

46 ἡ μήτηρ...αὐτοῦ Mt 13.55; Mc 6.3; Jo 1.12; At 1.14

NTI | Mateus | 421

12.47: Disse-lhe alguém: Eis que estão ali fora tua mãe e teus irmãos; e procuram falar contigo.

12.47 εἶπεν δέ τις αὐτῷ, Ἰδοὺ ἡ μήτηρ σου καὶ οἱ ἀδελφοί σου ἔξω ἑστήκασιν ζητοῦντές σοι λαλῆσαι.][6]

[6] **47** {C} *include verse 47* ℵ[a] C D K W X Δ Θ Π *f* *f*[13] 28 33 565 700 892 1010 1071 1079 1195 1216 1230 1242 1253 1344 1365 1546 1646 2148 2174 *Byz Lect* (*l*[70] *omit* εἶπεν δέ τις αὐτῷ) (*l*[333]) it[a,aur,b,c,d,f,ff2,g1,h,l,q] vg syr[p,h] cop[bo] arm eth geo Diatessaron Origen[lat] Chrysostom // *omit verse* **47** ℵ* B L 1009 *l*[12] it[ff1,k] syr[c,s] cop[sa]

> A sentença que parece ser necessária para o sentido dos versículos seguintes, aparentemente foi omitida por acidente, devido a homoeoteleuton (λαλῆσαι...λαλῆσαι). Entretanto, em face da antiguidade e peso dos diversos tipos de texto que omitem essas palavras, a comissão incluiu os vocábulos dentro de colchetes, a fim de indicar certa dúvida acerca de seu direito de permanecer no texto.

Os mss que contêm o v. 47 são CDEFGKMSUV Gama Delta Fam Pi. As traduções KJ NE PH BR (duvidosa) WY ASV AC AA IB F e M. Os mss Aleph BL e as versões latinas *ff, k* e ambas as versões mais antigas do siríaco (Si[cs]) omitem esse versículo, como também as traduções RSV WM e GD. O texto original em Mateus omitia esse versículo, conforme o demonstram a maioria dos mss mais antigos. Foi adicionado à base de Marcos 3.32, por assimilação harmonística.

"Sua mãe e seus irmãos..." — Paralelos em Marcos 3.31-35 e Lucas 8.19-21. Devemos analisar essa visita da família de Jesus juntamente com as palavras que se encontram em Marcos 3.20,21: "Então, ele foi para casa. Não obstante, a multidão afluiu de novo, de tal modo que nem podiam comer. E, quando os parentes de Jesus ouviram isto, saíram para o prender; porque diziam: Está fora de si" (ARA). O ministério de Jesus aumentou de tal maneira, que ele nem tinha tempo para comer, e pode-se imaginar que, devido às múltiplas curas e à intensificação das controvérsias com as autoridades religiosas, a agitação chegou, algumas vezes, a um estado de furor. A família de Jesus, como é evidente, compreendeu algo da situação, e, ouvindo ainda mais acerca dos acontecimentos, supôs que ele fora mentalmente afetado. Não há que duvidar que tenham pensado estar praticando um ato de misericórdia, prendendo a Jesus e levando-o para casa. É certo que não foram até ali a fim de atrair a atenção do povo, dizendo: "Somos parentes deste grande e famoso homem". Pelo contrário, queriam livrar Jesus da própria insanidade, bem como das ameaças das autoridades. Sua intenção, apesar de muito errada, pelo menos era honesta. Esse incidente da vida de Jesus ilustra como a sua família o compreendia pouco, e como compreendia pouco a sua missão.

Marcos menciona por nome a *quatro* irmãos de Jesus (Mc 6.3), bem como um número *indeterminado* de irmãs. Muitos discutem a questão dos irmãos de Cristo aqui mencionados. Alguns, pretendendo preservar a doutrina da perpétua virgindade de Maria, inventada pelos homens, apresentam as seguintes explicações: (1) Esses "irmãos" de Jesus eram seus primos, e não irmãos no sentido literal, como podem indicar a palavra grega e a palavra hebraica para "irmãos". Alguns sugerem que eram filhos de Alfeu e de Maria, a irmã de Jesus. (2) Seriam filhos de José mediante um casamento anterior. (3) Seriam filhos de José mediante um casamento posterior; e José teria contraído essas núpcias a fim de criar os filhos de um irmão seu, já falecido. Todas essas ideias tiveram início bem cedo na história eclesiástica, e até hoje elas perduram.

Os argumentos enumerados a seguir favorecem a ideia de que os irmãos e as irmãs de Jesus eram filhas de José e Maria, e seu sentido literal.

1. João 7.5 parece *excluir* "seus irmãos" do número dos "doze", mesmo porque não eram realmente filhos de Alfeu, pai de Tiago, o apóstolo. Atos 1.14 também menciona-os em separado dos doze. Portanto, esses homens (os irmãos) não poderiam, realmente, ser primos de Jesus e estar incluídos nos doze apóstolos. Os nomes Tiago, Judas e Simão eram nomes muito comuns, e é provável que alguns dos primos de Jesus tivessem os mesmos nomes de seus irmãos literais. As Escrituras também indicam que seus irmãos não tiveram fé nele senão após a sua ressurreição (Jo 7.5).

2. Das quinze vezes em que esses irmãos são mencionados (dez nos Evangelhos, uma em Atos e algumas vezes nos escritos de Paulo) quase sempre são mencionados em companhia de Maria, mãe de Jesus. É estranho que os *primos* de Jesus andassem sempre em companhia de sua tia que, nesse caso, seria Maria, mãe de Jesus, ao invés de andarem em companhia da própria família.

3. Em *nenhuma porção* das Escrituras é indicado que eles fossem primos de Jesus ou filhos somente de José, e não de Maria. Essas suposições são especulações humanas para estabelecer e firmar uma "teologia humana".

4. A não ser por motivo de *preconceito teológico*, não há razão para não acolhermos essas palavras em seu sentido mais natural, isto é, eram filhos de José e Maria, em sentido literal. A elevação de Maria à estatura de deusa é uma tradição romanista, contrária ao próprio tratamento de Jesus à sua mãe (v. 49, onde ele não reconhece nenhuma relação especial, devido à ligação física) e contrária à ideia de ser Jesus o único de sua espécie entre os homens, posição essa que ele jamais dividiu com sua mãe. Finalmente, devemos notar que a doutrina da *perpétua virgindade* de Maria não é apoiada nas Escrituras. A preservação dessa doutrina forma a base dos argumentos que explicam erroneamente esses "irmãos", como se não fossem irmãos literais de Jesus; e também não goza de base nenhuma nas Escrituras. Parece razoável que uma doutrina dessa natureza, caso tivesse tanta importância como alguns afirmam, pelo menos fosse apoiada por uma *pequena afirmação* bíblica nesse sentido.

12.48: Ele, porém, respondeu ao que lhe falava: Quem é minha mãe? e quem são meus irmãos?

12.48 ὁ δὲ ἀποκριθεὶς εἶπεν τῷ λέγοντι αὐτῷ, Τίς ἐστιν ἡ μήτηρ μου, καὶ τίνες εἰσὶν οἱ ἀδελφοί μου;

12.49: E, estendendo a mão para os seus discípulos disse: Eis aqui minha mãe e meus irmãos.

12.49 καὶ ἐκτείνας τὴν χεῖρα αὐτοῦ ἐπὶ τοὺς μαθητὰς αὐτοῦ εἶπεν, Ἰδοὺ ἡ μήτηρ μου καὶ οἱ ἀδελφοί μου·

"Quem é minha mãe e quem são meus irmãos?" — Estas palavras subentendem, de maneira vigorosa e clara, e que todos nós admitimos, que, embora as relações naturais exijam o cumprimento de certos deveres, as relações espirituais exigem mais ainda, e estão acima daquelas primeiras. Diversos autores protestantes têm exagerado a explicação deste texto, a fim de protestarem contra a mariolatria, que consiste do culto e das orações prestados a Maria, além de outras particularidades. Esses protestos, no entanto, até certo ponto são exagerados, porque nas Escrituras não se encontra base nenhuma para essa doutrina, que é um desenvolvimento de séculos posteriores.

Poderíamos pensar que, devido ao seu espírito manso, Jesus não incluiria a própria mãe nessa reprimenda; e o fato de ele não a excluir mostra ainda mais claramente a autenticidade dessas palavras e a importância do que fica subentendido. As Escrituras jamais dividem com Maria a posição que cabe exclusivamente a Jesus.

12.50: Pois qualquer que fizer a vontade de meu Pai que está nos céus, esse é meu irmão, irmã e mãe.

422 |Mateus| NTI

12.50 ὅστις γὰρ ἂν ποιήσῃ τὸ θέλημα τοῦ πατρός μου τοῦ ἐν οὐρανοῖς αὐτός μου ἀδελφὸς καὶ ἀδελφὴ καὶ μήτηρ ἐστίν.

Não podemos perder de vista a *principal verdade* aqui ensinada, detendo-nos na controvérsia sobre a identidade dos "irmãos de Jesus" ou na controvérsia acerca da mariolatria. Aqui aparece uma nova espécie de parentesco, que é o de natureza espiritual. A sujeição filial à vontade do Pai celeste da família celeste, família essa que se compõe dos discípulos do reino dos céus, cria um laço indissolúvel na união de Cristo com o Pai. Jesus ensinou essa mesma lição a certa mulher que invejou Maria por ter dado à luz um tão ilustre filho (ver Lc 11.27,28). Essa mulher chamou Maria de *bem-aventurada*, mas, no dizer de Jesus, os verdadeiramente bem-aventurados são aqueles que ouvem a Palavra de Deus e a praticam. Crisóstomo falou: "Quantas mulheres têm abençoado aquela santa virgem e o seu ventre, e têm desejado ser mães como ela foi. Entretanto, o que as impede? Cristo abriu para nós um largo caminho para a felicidade e não apenas as mulheres, mas também os homens podem palmilhar esse caminho — a saber, o caminho da obediência, e não o caminho das dores de parto, que cria esse tipo de mãe". Wordsworth disse: "Só existe uma verdadeira nobreza: a obediência a Deus. Esta é maior do que aquela (nobreza) da relação entre a virgem Maria e Cristo". Matthew Henry declarou: "Todos os crentes obedientes *são parentes* chegados de Jesus Cristo. Eles levam o seu nome, possuem a sua natureza, pertencem à sua família. Ele os ama, conversa livremente com eles como parentes seus. Convida-os à sua mesa, cuida deles, provê suas necessidades e garante que nada lhes falte de tudo quanto se lhes torna necessário. Quando morreu, deixou-lhes uma grande herança; e agora, nos céus, continua em relação com eles, e, finalmente, fará com que sejam semelhantes a ele [...] Nunca se envergonhará de seus parentes pobres, mas antes, haverá de confessá-los diante dos homens, diante dos anjos e diante de seu Pai".

Capítulo 13

VI. TERCEIRO GRANDE DISCURSO: DIRIGIDO ÀS MULTIDÕES — O REINO DOS CÉUS E SEUS MISTÉRIOS

1. Introdução (13.1-3a)

Neste capítulo, encontramos o *terceiro* grande grupo de discursos deste evangelho. O evangelho de Mateus foi erigido em torno de cinco grandes discursos de Jesus: (1) Capítulos 5—7 — o Sermão da Montanha. (2) Capítulo 11 — trabalho e *conduta* dos discípulos especiais do Mestre. (3) Capítulo 13 — os *mistérios* do reino dos céus. (4) Capítulo 18 — o *texto infantil* e os problemas comunitários. (5) Capítulos 21.1—26.2, — o *fim* da atual dispensação. Em torno dessas seções de ensino é que esse evangelho foi construído. Não representam apenas cinco discursos de Jesus, feitos em apenas cinco ocasiões diferentes, antes, são passagens que sumariam em blocos os ensinos de Jesus sobre os diversos grandes assuntos, os quais, considerados em seu conjunto, constituem a porção principal dos "logoi" que temos de Jesus. Jesus apresentou muitas parábolas, abrangendo muitas questões diferentes. Algumas delas foram "verdadeiras parábolas", que consistem de uma narrativa breve que ilustra uma verdade central (por exemplo, Mt 20.1-16 e Lc 16.1-8). Outras foram histórias ilustrativas, como vemos em Lucas 10.29-37. E ainda outras foram declarações metafóricas ou símiles (Mt 7.16), e outras foram até mesmo tipos de alegorias, como em Marcos 12.1-12. As fontes das parábolas deste décimo terceiro capítulo de Mateus são diversas. Algumas se encontram em Marcos, pelo que a sua origem é o *protomarcos*. Outras figuram somente no evangelho de Mateus, e "M" talvez seja a sua fonte. O v. 33 tem um paralelo em Lucas, mas não em Marcos, e por isso "Q" é sua fonte mais provável. Ver informações sobre as fontes dos Evangelhos na introdução ao comentário, na seção intitulada "O problema sinóptico", bem como na introdução ao evangelho de Marcos.

"Este capítulo ilustra a tentativa de Mateus em *combinar* os métodos cronológicos e tópicos. Segue o arcabouço de *Marcos* até onde pode; mas Marcos e suas demais fontes não tinham sido arranjados segundo um plano coerente. Neste ponto, Marcos expõe importante coleção de parábolas, que Mateus adota e expande, usando-a como um discurso geral sobre o reino dos céus, sobre sua aceitação e rejeição. Os dois capítulos anteriores levam a isso. Apesar do caráter variegado do material, o resultado é admiravelmente apropriado. O evangelista concebe a maior parte deste discurso como se fosse dirigido às multidões, mas teria havido explicações laterais para os discípulos." (Sherman Johnson, in loc)

Tipos de parábolas: (1) *Histórias* baseadas na vida, real ou fictícia, a fim de ilustrar apenas um único ponto. Essa é a verdadeira parábola, conforme o vocábulo é usado hoje em dia. (Ver 20.1-16 e Lc 16.1). (2) Histórias *exemplificadoras* (Lc 10.29-37). (3) Declarações *metafóricas* ou simples símiles (Mt 7.16). (4) *Alegorias*, onde têm sentido muitos dos detalhes da história (Mc 12.1,2 e Mt 13.3ss).

Este décimo terceiro capítulo de Mateus contém *oito parábolas* que são denominadas, em seu conjunto, "os mistérios do reino dos céus". A palavra "parábola" indica, literalmente, "comparação", e é comumente usada para indicar uma história breve, um exemplo esclarecedor, que ilustra uma verdade qualquer. A parábola não é uma fábula, porque a fábula é uma forma de história ilustrativa fictícia e que ensina por meio da fantasia, mediante a apresentação de animais que falam ou de objetos animados. A parábola nem sempre lança mão de histórias verídicas, mas admite a probabilidade, ensinando mediante ocorrências imaginárias, mas que jamais fogem à realidade das coisas. A parábola também não é mito, pois este narra uma história como se fosse verdadeira, mas não adiciona nem a probabilidade nem a verdade. A parábola não tenta contar uma história que deve ser aceita como história real, e, sim, um tipo de narrativa que nem sempre sucedeu realmente. A parábola, entretanto, não é idêntica ao provérbio, a despeito do fato de que a mesma palavra grega é usada para indicar ambas as coisas. (Ver Lc 4.23; 5.36; Mt 15.14,15). No entanto, a parábola pode ser um provérbio ampliado, e o provérbio pode ser uma parábola condensada ou resumida. A parábola também não é a mesma coisa que a alegoria. A alegoria interpreta a si mesma, tão-somente substituindo as personagens reais por outras. Na alegoria, as personagens fictícias são dotadas das mesmas características das pessoas reais, sem nenhuma tentativa para ocultar ou para ilustrar por meio de símbolos. A parábola ilustra por meio de *símbolos*, como por exemplo, "o campo é o mundo", "o inimigo é o Diabo", "a boa semente são os filhos do reino" etc. A parábola é uma narrativa séria, colocada na esfera das probabilidades, isto é, a história narrada na parábola pode ter acontecido realmente, sendo ilustração das experiências comuns aos homens, e o conteúdo dessa história tem por fito ilustrar, ensinar ou enfatizar um ou mais princípios éticos, morais, doutrinários ou religiosos. Talvez a alegoria não seja muito diferente disso, excetuando-se o fato de poder indicar uma história criada, dotada de mais símbolos comparativos. As definições não estipulam as diferenças entre essas formas de comparação, ou seja, a parábola, a fábula, o mito, o provérbio e a alegoria, conforme fizemos aqui, e pode ser que outras definições sejam acrescentadas a estas.

Explicação geral das parábolas:

1. Sua apresentação nos *Evangelhos sinópticos* — Antes de iniciarmos a explicação versículo por versículo, notemos diversas características gerais dessas parábolas: em primeiro lugar, nota-se que alguns comentaristas exageram o suposto fato de que há sete parábolas neste capítulo, como se Jesus tivesse

proferido somente sete parábolas sobre os mistérios do reino dos céus, como se esse número tivesse alguma significação mística. Não podemos negar que, às vezes, as Escrituras empregam certos números como sentidos determinados; por exemplo, as sete igrejas do Apocalipse, onde esse número evidentemente indica a perfeição. Teríamos, então, uma ilustração do caráter geral da igreja, e talvez um pequeno esboço do caráter geral da história eclesiástica. Quem pode negar que o número 666, número do anticristo, tem grande significação? Dificilmente alguém mostrou a sua exata significação, até hoje, mas provavelmente a explicação se tornará patente quando surgir esse personagem. O próprio livro de *Apocalipse* parece ser um estudo sobre o sentido dos números, mas aqui notamos que, em realidade, o autor do evangelho de Mateus registrou oito parábolas, e não sete, a saber: a do semeador, a do joio, a do grão de mostarda, a do fermento, a do tesouro escondido, a da pérola de grande valor, a da rede de pescar e a do pai de família.

Usualmente, os intérpretes, pretendendo limitar o número dessas parábolas a sete, não consideram a história do pai de família como se fora uma parábola, mas isso não passa de um preconceito de número. Nota-se também que, nos textos paralelos, em Marcos e em Lucas, são apresentadas ainda outras parábolas: a da lâmpada (Mc 4.21 e Lc 8.16) e a da semente que cresce por si mesma (Mc 4.26-29), o que perfaz um total de dez parábolas conhecidas. Também não é impossível que a parábola de Lucas 13.6-9, que fala sobre a figueira estéril, faça parte dos ensinos de Jesus acerca do reino dos céus. Talvez tenha sido apresentada ao mesmo tempo que as parábolas que se encontram no décimo terceiro capítulo de Mateus. Assim, vê-se que o número de parábolas apresentadas por Jesus não é uma cifra exata, pelo que também é duvidoso formar qualquer teoria sobre exegese ou sobre dispensações à base do número das parábolas do reino.

Tanto Marcos como o autor do evangelho de Mateus indicam a existência de *outras parábolas* (Mc 4.33 e Mt 13.34). É erro também imaginar que Jesus proferiu todas essas parábolas em uma só ocasião; essa interpretação exagera as palavras exatas da história, olvidando que o principal intuito do autor do evangelho de Mateus foi o de reunir os ensinos de determinada qualidade em um lugar só, a fim de, ao redor deles, construir as histórias e incidentes do evangelho. A comparação com os outros Evangelhos sempre ilustra que, por causa disso, o autor deste evangelho não relata os fatos pela sua ordem cronológica. Por exemplo, nessa mesma seção, a parábola do semeador, no evangelho de Marcos, aparece depois da visita da mãe e dos irmãos de Jesus, tal como sucede em Mateus, mas em Lucas a ordem é justamente a oposta (Lc 8.4-15,19-21).

Alguns intérpretes opinam que é provável que todas, senão a maior parte destas parábolas, tenham sido proferidas *antes* do Sermão do Monte, o que pode ser verdade ou não, mas que ilustra o fato que alguns intérpretes estabelecem uma ordem artificial de acontecimentos, que nega muitos fatos já observados neste evangelho, confirmando que o autor não tem o propósito de relatar todos os ensinos conforme foram apresentados, em sua ordem cronológica, na vida de Jesus. Realmente, o propósito do autor do evangelho de Mateus foi o de reunir os ensinos para formar um núcleo em torno do qual se baseia cada seção de acontecimentos.

Neste terceiro grande trecho dos ensinos de Jesus, portanto, encontramos os principais ensinos acerca do reino dos céus, e dificilmente podemos aceitar a ideia de que Jesus, de um jato só, tenha proferido todas essas parábolas. Provavelmente, ele apresentou uma de cada vez, talvez com aplicações diferentes, fato que já foi observado outras vezes no que toca aos seus ensinos — a parábola do semeador e a do grão de mostarda —, enquanto Lucas apresenta apenas a parábola do semeador. No evangelho de Lucas, as outras parábolas aparecem em outros textos. Por exemplo, em Lucas, a

ordem de apresentação das parábolas é a seguinte: do semeador, Lucas 8.4-15; do fermento, Lucas 13.20,21. Em seu oitavo capítulo, porém, Lucas tem uma parábola não contida no evangelho de Mateus, a saber, a parábola da lâmpada (Lc 8.16), e talvez outra parábola, a da figueira estéril, em Lucas 13.8,9. Marcos apresenta a parábola do semeador em Marcos 4.1-20, e a do grão de mostarda, em Marcos 4.30-32. Tal como Lucas, Marcos acrescenta a parábola da lâmpada (Mc 4.21), e também uma parábola que não foi exposta nem por Mateus e nem por Lucas — a da semente que cresce por si mesma (Mc 4.26-29). A análise dessas informações prova que Jesus proferiu mais do que sete parábolas (seu número total talvez tenha sido onze) sobre o reino dos céus; e certamente não o fez de uma vez só, nem na mesma oportunidade. Bruce, do *Expositor's Greek Testament,* in loc, acha que, segundo a ordem da sequência e da semelhança de propósitos, é provável que as parábolas do semeador, do joio e da rede de pesca tivessem sido proferidas na mesma ocasião. Precisamos concordar com ele em que é impossível dizer quantas parábolas foram proferidas naquela ocasião em que Jesus saiu de casa e assentou-se à beira-mar (Mt 13.1). É impossível também dizer quantas parábolas, em sua totalidade, foram proferidas acerca dessa questão, ou qual o momento exato em que elas foram proferidas; mas certamente podemos confirmar e confiar que aquelas que temos nos Evangelhos representam fielmente os ensinos de Jesus sobre o reino dos céus.

2. Como representação da *história da igreja* — Não há certeza se essas parábolas foram proferidas por Jesus como um esboço do reino dos céus, ou seja, a influência de Deus, por meio do Espírito Santo, durante o período da igreja, a época da graça; mas, por respeito aos bons comentaristas que assim ensinam, apresentamos aqui, em poucas palavras, a seguinte ideia: Alford, admitindo que a parábola tem por escopo principal ensinar, e não predizer, expõe com cautela este esboço geral do elemento profético das parábolas: (a) O período áureo da semeadura da semente do reino, no tempo dos apóstolos — parábola do semeador. (b) Intromissão de diversas heresias na igreja primitiva — parábola do joio. (c) Apesar disso, o progresso do reino teve prosseguimento e o reino se desenvolveu — parábola do grão de mostarda. (d) durante tempos difíceis, como na Idade Média, o reino continuou se propagando, penetrando na sociedade inteira — parábola do fermento. (e) Nos dias que correm, surgiram as denominações evangélicas; apesar disso, o tesouro ainda pode ser encontrado — parábola do tesouro escondido. (f) Durante os períodos de desenvolvimento intelectual e da cultura secular em geral (Renascença), o homem ainda podia encontrar esse tesouro de excepcional valor — parábola da pérola de grande valor. (g) Finalmente, após o passar dos séculos, haverá o julgamento, com a separação entre o bom e o mau — parábola da rede de pesca.

Alguns intérpretes apresentam uma comparação dessas parábolas com as sete cartas do Apocalipse, pensando que esses textos apresentam um esboço da história eclesiástica. Inclusas nessa ideia, às vezes, encontramos as bem-aventuranças:

Bem-Aventuranças	Parábolas	Cartas do Apocalipse
1. Humildes de espírito, o reino dos céus	*O semeador, o bom campo e os frutos*	Éfeso: paciência no trabalho, obras de fé (Ap 2)
2. Os que choram	*O trigo e o joio*	Esmirna: sofrimento, saúde espiritual em meio à oposição de Satanás, especialmente a religião falsa

3. Os mansos, possessão da terra	*O grão de mostarda cresce grandemente*	Pérgamo: fidelidade em meio às heresias; a igreja casa-se com o mundo
4. Fome e sede de justiça	*O fermento, expansão do reino*	Tiatira: abundância de obras em meio à iniquidade tolerada, Jezabel
5. Os misericordiosos alcançam misericórdia	*O tesouro encontrado no campo*	Sardes: nome de quem vive, mas está morto; alguns fiéis, dignos de andarem com Jesus. Alguns acham o tesouro
6. Limpos de coração verão a Deus	*Pérola de grande preço, procurada e comprada por grande preço*	Filadélfia: porta aberta, oportunidade aproveitada, êxito em alto grau no serviço de Deus, grandes promessas dadas e cumpridas
7. Pacificadores, característica dos filhos de Deus	*A rede, separação entre os bons (verdadeiros) e os maus (falsos)*	Laodiceia: dificuldades em distinguir os filhos verdadeiros dos falsos. Dura repreensão, tempo de julgamento

Outras aplicações dessa matéria (incluindo as parábolas) ao caráter geral da igreja na atualidade, ou ao esboço da história eclesiástica, são quase sem número, e naturalmente há muitas interpretações exageradas ou mesmo falsas. Dificilmente acharíamos um texto que tenha sido mais usado em demasia com muitas aplicações às condições da igreja, além de muitas lições práticas, aplicadas à vida espiritual, quer da igreja, quer do indivíduo. Assim, muito podemos aprender desses ensinos. Devemos ter o cuidado de não procurar ensinar mais do que Jesus quis ensinar, e, especialmente, evitar as lições e os ensinos absurdos como aplicações dessas parábolas.

3. Interpretação geral das parábolas — Antes de iniciarmos a exposição versículo por versículo, notemos as interpretações gerais dessas parábolas. Os demais comentários servirão de adição às ideias e observações sobre as particularidades das parábolas. Em primeiro lugar, observamos que o texto constitui o terceiro grande bloco de ensinos de Jesus (dentre os cinco existentes em Mateus), ao redor dos quais este evangelho foi formado. As seções do livro, cada qual tendo como centro um bloco de ensinos, são as seguintes:

1. Caps. 3-7
2. Caps. 8-10
3. Caps. 11-13
4. Caps. 14-18
5. Caps. 19-25

A conclusão é formada pelos caps. 26-28. Os principais capítulos que apresentam os ensinos são:

1. Caps. 5-7
2. Cap. 10
3. Cap. 13
4. Cap. 18
5. Cap. 25

Após cada um desses ensinos, aparece o cumprimento deles em palavras do autor, como, por exemplo: "Quando Jesus acabou de proferir estas palavras..." (Mt 7.28); ou: "Tendo Jesus acabado de dar estas instruções..." (Mt 11.1). Ou ainda: "Tendo Jesus proferido estas parábolas..." (Mt 13.53). Ou então: "Concluindo Jesus estas parábolas" (Mt 19.1). Ou, finalmente: "Tendo Jesus acabado todos estes ensinamentos..." (Mt 26.1), que marcam o esboço do livro.

1. Parábola do semeador — Marcos 4.1-9 e Lucas 8.4-8

O próprio Jesus interpretou esta parábola (Mt 13.18-23). A semente é a palavra, isto é, a *pregação do reino*. O semeador é Jesus, mas também pode ser aplicado a qualquer discípulo que prega o reino. O *maligno* é Satanás (interpretação primária) ou qualquer agência satânica, como a atração exercida pelo mundo, a falta de fé, o fascínio das riquezas etc. Os diversos lugares onde pode cair a semente significam a personalidade ou características dos que recebem a semente, bem como o uso que fazem dela, ou então como a semente germina ou não na vida desses indivíduos. De modo geral, com essas palavras, Jesus ilustra o que se pode esperar da pregação da palavra, isto é, pequena porcentagem dos ouvintes acolherá a mensagem, mas, entre esses ouvintes, haverá o desenvolvimento de muitos frutos. Jesus implica aqui a rejeição geral ao reino. Provavelmente, segundo alguns intérpretes insistem, as parábolas aplicam-se tanto à igreja como aos indivíduos, e ilustram, de modo geral, a rejeição ao evangelho; mas também indicam o sucesso parcial do ministério da "palavra". Essas explicações dão ideia de que haverá um intervalo entre a primeira e a segunda vindas de Cristo, fato esse que os judeus jamais compreenderam claramente. Esse intervalo seria ocupado pela revelação dos *mistérios do reino*. As parábolas explicam, em termos gerais, o caráter desse tempo. Talvez o autor deste evangelho tivesse tido o propósito de revelar esses mistérios com estas parábolas, pois dificilmente poderíamos aceitar a ideia de que elas tivessem aplicação exclusiva aos tempos de Jesus. Não se pode, porém, aceitar também que essas parábolas não tivessem tido aplicação às condições reinantes nos dias de Jesus. Ele falou ao povo para benefício de todos, e não há que duvidar que seu objetivo tenha sido ilustrar a rejeição à parábola naquele tempo (ou sua aceitação, por parte de alguns), como também a rejeição ao reino dos céus, e, de maneira geral, a rejeição à pregação de Jesus e aos seus conceitos doutrinários e morais. É certo que Jesus indicou a expansão do ministério da Palavra de Deus no mundo, isto é, ele ensinou a universidade da aplicação de sua mensagem e o seu objetivo, porquanto a "vinha de Deus", que é a nação de Israel (Is 5.1-7) e a semeadura da semente no campo (o mundo), são coisas diferentes. Jesus, portanto, sugeriu aqui o desenvolvimento do movimento religioso que recebeu o nome de cristianismo, religião verdadeiramente universal.

2. Parábola do joio (v. 24-30, e explicação dada por Jesus nos v. 36-43)

Nota-se aqui *pequena variação* no emprego dos símbolos: a "boa semente" (a palavra; a pregação, segundo a parábola do semeador) agora indica aquilo que a palavra tem *produzido*, isto é, os filhos do reino. Satanás também semeia a sua semente, que são os "filhos do maligno". O local onde isso se verifica é o mundo (o campo); alguns insistem em fazer disso a igreja. Ver notas sobre o texto. O resultado é o fato de que, por muitas vezes, é impossível distinguir as obras de Deus das obras do Diabo, e os filhos de Deus dos filhos do Diabo. Devemos notar que o campo não é a igreja, porquanto essa condição mista jamais foi a intenção de Deus, a despeito do fato de, na realidade, persistir essa mistura. A igreja conta com mandamentos para observar, a fim de ser mantida a ordem e a disciplina, especialmente visando a preservar a pureza doutrinária e pessoal, e esta passagem não foi dada para eliminar essa necessidade, supondo que tal obra seja atuação dos anjos no final desta dispensação. Esta parábola também não indica simplesmente as condições do mundo em geral, e, sim, as condições irregulares daqueles que afirmam ser "filhos do reino", isto é, de Deus — os cristãos. Assim, esta parábola indica as condições da cristandade. O fato de ter sido feita uma mudança no simbolismo desta parábola, em comparação com o simbolismo da parábola do semeador, ilustra a verdade sobre os símbolos usados, que nem sempre significam a mesma coisa. Por exemplo, é comum o símbolo da serpente, nas Escrituras e na literatura judaica, representar algo maléfico; no entanto, de certa feita, Jesus utilizou-se desse símbolo em bom sentido (ver Mt 10.16). Não devemos ficar surpreendidos, portanto, ao acharmos que Jesus também usou o fermento como símbolo de alguma coisa que não é má (ver Mt 13.33).

3. Parábola do grão de mostarda, v. 31,32 (ver Mc 4.30-32 e Lc 13.18,19).

"A menor de todas as sementes" — Não se trata de uma verdade absoluta, e, sim, são palavras que representam um provérbio comumente usado com referência ao grão de mostarda. "Maior do que as hortaliças". Novamente não representa uma verdade absoluta, mas é uma comparação da minúscula semente que produz a hortaliça. Esta parábola ilustra o rápido desenvolvimento do reino, desde seu ínfimo começo, que era tão insignificante para as autoridades do mundo, tanto políticas como religiosas, até o grande e notável lugar que veio a ocupar no mundo. A figura das aves do céu, a habitarem nessa árvore, talvez seja tomada de empréstimo de Daniel 4.20-22, que dá a ideia da falta de segurança da árvore; mas muitos bons intérpretes indicam com isso que está em vista um lugar de refúgio, repouso e bênção, como resultado da existência do reino, e que essa é a intenção das palavras de Jesus.

4. Parábola do fermento, v. 33 (ver Lc 13.20,21).

Esta parábola ilustra o poder *de penetração* do reino dos céus. Embora seja verdade que as Escrituras apresentam o fermento como símbolo da corrupção, e que os rabinos tenham usado o termo nesse mesmo sentido, não há razão para crer que Jesus não tenha tido coragem suficiente para mudar o símbolo, neste caso, a fim de que passasse a simbolizar outra coisa. Segundo alguns intérpretes, a intenção desta parábola é ilustrar como o reino haveria de receber elementos pervertidos e assim se estragaria com o aparecimento de heresias etc. Parece que muitos não admitem as palavras simples (e sem a interpretação de Jesus) que ele proferiu. Os símbolos nem sempre são coerentes, como já observamos em diversos casos: (1) A semente, na parábola do semeador, significa a palavra. Porém, na parábola do joio, significa os resultados da palavra, que são os "filhos do reino dos céus". (2) Nas Escrituras e nos escritos rabínicos, a serpente sempre tem um sentido mau, usualmente indicando Satanás ou o mau caráter de sua pessoa; porém, em Mateus 10.16, descobrimos que Jesus empregou esse símbolo com bom sentido. O símbolo do leão é usado tanto para indicar Satanás (1Pe 5.8) como para indicar o próprio Cristo (Ap 5.5). Esta parábola ilustra a mesma coisa que a do grão de mostarda (desenvolvimento), mas a parábola da mostarda implica em crescimento observado de fora, ao passo que esta, do fermento, implica no desenvolvimento que, partindo de dentro para fora, finalmente se propaga por toda parte, isto é, a influência e o poder do mundo. Naturalmente que esta parábola não tem a intenção de ensinar que o mundo inteiro se converterá, conforme alguns têm dito ser o ensino deste texto, especialmente nos estudos feitos pelos pós-milenistas. Devemos procurar evitar o extremismo na interpretação, que busca o sentido de cada palavra, ainda que pequena, interpretação essa que transforma parábolas simples como a que temos aqui em questões complicadas e complexas de teologia.

5. Parábola do tesouro escondido, v. 44 (somente em Mateus).

No sentido estritamente teológico, o homem *nada tem* para dar em troca de Cristo e do reino, além do fato de Cristo não poder ser comprado e de a igreja, separada do mundo que é, não o comprar; mas a prática desse tipo de prestidigitação exegética obriga-nos a perder de vista o ensino desta parábola tão simples. A verdade ilustrada parece indicar que o homem é conduzido, pelas circunstâncias de sua vida, à verdade que se acha em Cristo e em sua mensagem, e então reconhece a maravilha dessa descoberta. Reconhecendo imediatamente que todos os demais "tesouros" de sua vida, quer riquezas, quer prazeres, quer fama etc., não se podem comparar a este tesouro imenso, então, por todos os meios possíveis, assegura para si esse grande tesouro. Essa foi exatamente a experiência dos apóstolos, os quais "deixaram tudo" para seguirem a Cristo. Essa experiência também tem sido a de milhares de outras pessoas, entre os discípulos do reino. O espírito dessa parábola não difere muito daquele que achamos em Mateus 11.12: "Desde os dias de João Batista até agora, o reino dos céus é tomado por esforço, e os que se esforçam se apoderam dele". Apesar da intensa oposição interna e externa, alguns, com atitude resoluta, asseguram seus respectivos lugares no reino de Cristo. Ver nota em Mateus 11.12.

6. Parábola da pérola de grande preço, v.45,46 (encontra-se somente em Mateus).

Alguns interpretam a pérola como se fosse a *igreja* ou Israel, e que Cristo é aquele que a compra. Todavia, parece mais certo interpretar esta parábola como se interpreta a parábola do tesouro. No tempo de Jesus, as pérolas tinham grande valor, muito mais do que agora, comparativamente, porquanto eram mais valiosas do que as esmeraldas, safiras e outras pedras preciosas. Eram usadas para enfeitar as vestes dos ricaços. Por causa da associação das pérolas com o mar, os pescadores e aqueles que moravam à beira-mar certamente devem ter sentido o impacto desta parábola. Aqui temos o quadro de um homem que sempre achava pérolas pequenas de valor relativamente pequeno, e que vivia à cata de uma pérola de grande valor, sem igual. Finalmente, a sua busca o guia até aquela raríssima pérola. Imediatamente, vende tudo quanto tem, todas as outras pérolas e seus outros bens, vendo nisso um sacrifício pequeno, contanto que assim possa adquirir aquela pérola extraordinária — essa pérola é Cristo e seu reino. À semelhança de Paulo, esse homem diria: "Sim, deveras considero tudo como perda, por causa da sublimidade do conhecimento de Cristo Jesus, meu Senhor, por amor do qual perdi todas as coisas e as considero como refugo, para ganhar a Cristo..." (Fp 3.8). Questões pesadas, como a que afirma "nenhum homem busca a Deus", considerando assim o homem aludido nesta parábola como alguém sem possibilidade de ser um pecador, são considerações impróprias que apenas obscurecem o sentido que Jesus quis dar a entender. Na *experiência humana*, o pecador sempre é comparado àquele que busca e, de fato, algumas passagens bíblicas indicam exatamente isso. O impulso do Espírito está presente em toda parte e leva os homens a procurar o caminho de Deus. Contudo, não são todos os que buscam a pérola de grande preço, porquanto nem todos estão dispostos a pagar o necessário para obter essa pérola.

7. Parábola da rede de pesca, v. 47-50 (encontra-se somente em Mateus).

Os v. 49 e 50 oferecem a explicação, que é dura. Esta parábola expressa a *intensa busca* do reino dos céus que deve acompanhar a vida humana, porquanto os resultados de negligência, nessa busca, são simplesmente horríveis. A palavra "rede", neste caso, segundo o grego, não era a rede pequena que um homem, sozinho, poderia manusear, e, sim, a rede grande, que só poderia ser manejada por muitos homens. Por causa de suas dimensões, essa rede de pesca apanhava muitos tipos de peixes, alguns apropriados ao consumo e outros impróprios para serem comidos. Assim se dá com aqueles que professam o cristianismo, neste mundo. Algumas pessoas possuem fé verdadeira, e sua religião cristã é autêntica; outras, não. Para os propósitos de Deus, algumas pessoas servem, e outras, não. Ver nota sobre o julgamento, em Apocalipse 14.11.

8. Parábola do pai de família, v. 52 (encontra-se somente em Mateus).

Alguns não incluem esta parábola juntamente com as outras, evidentemente porque acham que não se trata de uma parábola, o que não passa de um preconceito originado no desejo de preservar o número de *sete* parábolas. É perfeitamente óbvio, porém, que essas palavras formam outra parábola. Jesus usou a palavra "escriba", neste caso, para indicar os que ensinam a palavra de Deus, os intérpretes do reino, os apóstolos e outros, e não se refere aos escribas dos judeus. Jesus aludia aos seus discípulos que têm *a responsabilidade de ensinar*. Esses discípulos haveriam de ensinar o evangelho do reino e da graça de Deus, utilizando-se dos meios disponíveis. Alguns interpretam que as "coisas novas e velhas" são a lei (as Escrituras do AT, as coisas velhas) e o evangelho do reino (as coisas novas). Ou, segundo outros interpretam, significam as coisas antigas da velha dispensação, e as coisas novas do cristianismo; e que essas coisas novas são usadas para esclarecer e ilustrar as antigas. Provavelmente, a ideia também inclui a experiência pessoal do "escriba", não indicando apenas os livros usados por ele, mas também a expressão de sua pessoa, ao exercitar os dons do Espírito Santo.

13.1: No mesmo dia, tendo Jesus saído de casa, sentou-se à beira do mar;

13.1 Ἐν τῇ ἡμέρᾳ ἐκείνῃ ἐξελθὼν ὁ Ἰησοῦς τῆς οἰκίας ἐκάθητο παρὰ τὴν θάλασσαν·

I τῆς οικιας] om D it syˢ

13 1,2 Lc 5.1,3

13.2: e reuniram-se a ele grandes multidões, de modo que entrou num barco, e se sentou; e todo o povo estava em pé na praia.

13.2 καὶ συνήχθησαν πρὸς αὐτὸν ὄχλοι πολλοί, ὥστε αὐτὸν εἰς πλοῖον ἐμβάντα καθῆσθαι, καὶ πᾶς ὁ ὄχλος ἐπὶ τὸν αἰγιαλὸν εἱστήκει.

13.3: E falou-lhes muitas coisas por parábolas, dizendo: Eis que o semeador saiu a semear.

13.3 καὶ ἐλάλησεν αὐτοῖς πολλὰ ἐν παραβολαῖς λέγων, Ἰδοὺ ἐξῆλθεν ὁ σπείρων τοῦ σπείρειν.

"Naquele mesmo dia" — No grego, essas palavras podem indicar exatamente o mesmo dia, mas notamos também que, às vezes, é indicado um tempo indefinido (ver At 8.1). Em João 14.20 e 16.20,26, o termo é usado para denotar o tempo da profecia, indicando, assim, um tempo indefinido.

"beira-mar" — Tal como o Sermão do Monte, há também o "discurso à beira-mar". Alguns pensam que esses detalhes dão a ideia de que Jesus proferiu essas parábolas de uma vez só e na mesma ocasião, mas as notas da introdução demonstram que ele proferiu mais parábolas do que as oito que há neste capítulo, ao referir-se ao reino dos céus. Marcos tem duas parábolas que não são achadas aqui, e Lucas conta com mais uma ou mais duas (uma delas que também aparece em Marcos). Dessa forma, não sabemos quantas parábolas Jesus proferiu nessa ocasião, e é certo que o autor deste evangelho, como era seu costume, reuniu diversas parábolas, proferidas em diversas ocasiões e sob diferentes circunstâncias, para formar o terceiro bloco de ensinos de Jesus. Ver as notas da introdução a este capítulo, para examinar os detalhes dessa ideia.

"Se assentou" — Nos tempos antigos, os mestres se assentavam, ao passo que, usualmente, os ouvintes ficavam de pé. Desta feita, Jesus entrou em um barco para evitar a pressão da multidão e a fim de ter um lugar conveniente de onde pudesse proferir o seu discurso.

"Grandes multidões" — A despeito da oposição, grande número de pessoas continuava seguindo o Mestre em seu segundo circuito pela Galileia. Todavia, Jesus já sabia que aquela manifestação popular tinha pouco valor, conforme é ilustrado na parábola seguinte. Talvez somente uma quarta parte do povo o estivesse acompanhando por motivos verdadeiramente religiosos, ou pelo menos por motivos verdadeiramente espirituais e pelo desejo de seguir e praticar os ensinos do Mestre.

"Por parábolas" — Ver a definição detalhada de "parábola", nas notas da introdução a este capítulo. Pela literatura antiga de diversos povos fica-se sabendo que ensinar por meio de parábolas era comum. A literatura apócrifa do NT às vezes apresenta os apóstolos usando desse método, mas a evidência do próprio NT (o fato de jamais vermos os apóstolos agindo desse modo) demonstra que isso, provavelmente, não passa de uma invenção para tornar os apóstolos mais semelhantes a Jesus em sua metodologia. Nota-se que Jesus não só empregou as parábolas, mas, igualmente, o discurso comum, mais à forma de sermão, e que também ensinou por meio da conversa simples. É provável que os apóstolos tenham empregado os outros métodos. Não é improvável também que Jesus tivesse ensinado no estilo de alguns rabinos. Certo rabino famoso, R. Meir, estabilizou-se pelo uso de parábolas, conforme se pode ver nesta citação: "Quando R. Meir faleceu, deixaram de existir os peritos no uso das parábolas". Os comentaristas em relação a esse homem: "Ele pregava um terço de tradição, um terço por meio de discursos místicos e um terço por meio de parábolas" (*Misn. Sota.*, c. 9, séc. XV e *Jarchi* e *Bartenora* in ib. e Talmude). Jesus, como Mestre, alcançou posição muito elevada quanto à popularidade, e os seus ensinos até hoje formam a base de multidões de sermões, de discursos e de debates filosóficos.

"O semeador saiu a semear" — É a introdução à parábola do semeador. os v. 3-9 são explicados nos v. 18-23. Os paralelos aparecem em Marcos 4.9 e em Lucas 8.4-8. Ver explicação resumida, na introdução a este capítulo. Seguem-se os detalhes.

VI. TERCEIRO GRANDE DISCURSO: DIRIGIDO ÀS MULTIDÕES (13.1-58) - O REINO DOS CÉUS E SEUS MISTÉRIOS
2. Parábola do semeador (13.3-9)

Os paralelos são Marcos 4.1-20 e Lucas 8.4-15. A fonte informativa é Marcos e "Q". Essa parábola tem uma qualidade *alegórica*, pois cada um de seus detalhes visa a algo. Ao mesmo tempo, tem as qualidades de uma verdadeira parábola, pois um pensamento central domina-a inteiramente. O ponto é que embora haja muitos desencorajamentos à prédica do evangelho, o sucesso é seguro, pois Deus abençoará a sua Palavra. Muitas lições menores, mas, não obstante, também estão contidas nesta parábola. A ideia central tem por paralelo o texto de Hebreus 6.10. 2Esdras 8.41 usa a metáfora da semente semeada, mas demonstra uma lição diferente.

13.4: E quando semeava, uma parte da semente caiu à beira do caminho, e vieram as aves e a comeram.

13.4 καὶ ἐν τῷ σπείρειν αὐτοῦ ἃ μὲν ἔπεσεν παρὰ τὴν ὁδόν, καὶ ἐλθόντα τὰ πετεινὰ κατέφαγεν αὐτά.

4 ελθοντα τα πετ. ΒΘ f13 al] p) ηλθον τα πετ. και D 33 565 al: ηλθεν τ. π. κ. ℵW f1 al ς; R| πετεινα[add p) του ουρανου Θ f13 28 pm

"À beira do caminho" — As estradas, as ruas e atalhos, no oriente, comumente passavam às margens dos campos de trigo, de cevada e de outras plantações, e raramente esses campos tinham cercas ou muros; por isso, quando a semente era espalhada, naturalmente não caía somente na terra preparada para a semeadura, mas também podia cair na terra pisada pelas pessoas e pelos animais, isto é, na terra batida. Podemos imaginar que as aves se ajuntavam em bandos nesses lugares, quando a semente era lançada, a fim de comerem as que caíam na terra batida. A referência aqui (ao caminho) é principalmente aos atalhos que ficavam à beira dos campos ou que passavam pelo meio dos campos plantados.

13.5: E outra parte caiu em lugares pedregosos, onde não havia muita terra: e logo nasceu, porque não tinha terra profunda;

13.5 ἄλλα δὲ ἔπεσεν ἐπὶ τὰ πετρώδη ὅπου οὐκ εἶχεν γῆν πολλήν, καὶ εὐθέως ἐξανέτειλεν διὰ τὸ μὴ ἔχειν βάθος γῆς.

"Solo rochoso, onde a terra era pouca" — Não indica solo recoberto de pedras, mas solo que contém grande quantidade de pedregulhos. Geralmente, na Palestina, as encostas das colinas eram usadas para o cultivo de diversas espécies de cereais, sendo aradas na forma de terraços; usualmente, a terra arada terminava nos limites rochosos das colinas. Além disso, certas regiões continham alta porcentagem de terra coberta de pedregulhos. Alguns intérpretes dão preferência à ideia de que a superfície da terra era espalhada sobre a rocha sólida, porque esses lugares podem ser vistos frequentemente na Palestina. Portanto, a irradiação do calor das rochas fazia a semente brotar depressa, mas a mesma condição que propiciava o rápido desenvolvimento das sementes, era-lhes fatal, em última análise.

13.6: mas, saindo o sol, queimou-se e, por não ter raiz, secou-se.

13.6 ἡλίου δὲ ἀνατείλαντος ἐκαυματίσθη καὶ διὰ τὸ μὴ ἔχειν ῥίζαν ἐξηράνθη.

<small>6 ριζαν] βαθος ριζης Θ f13 pc</small>

"O sol a queimou; e, porque não tinha raiz, secou-se" — O calor que causava o rápido crescimento das sementes caídas em solo pedregoso ficava por demais intenso quando o sol, bem alto no começo da tarde, mostrava-se mais forte. Lucas diz aqui: "[...] por falta de umidade" (Lc 8.6). A pequena umidade, que havia nas horas frescas da manhã não durava muito com o calor da tarde. A ideia é que antes de chegarem as horas frescas da noite, as plantinhas dos lugares pedregosos já haviam morrido. As condições oferecidas a essas plantinhas, para sua sobrevivência e desenvolvimento, realmente não eram compatíveis com a vida.

13.7: E outra caiu entre os espinhos; e os espinhos cresceram e a sufocaram.

13.7 ἄλλα δὲ ἔπεσεν ἐπὶ τὰς ἀκάνθας, καὶ ἀνέβησαν αἱ ἄκανθαι καὶ ἔπνιξαν αὐτά.

"Outra caiu entre os espinhos, e os espinhos cresceram e a sufocaram" — Literalmente, "caiu sobre espinhos", isto é, em um lugar que não fora limpo pelos agricultores, que não fora preparado para a semeadura. Outros pensam que aqui o Senhor fez alusão à terra preparada, mas que já continha raízes de espinheiros. Pode ser que esta ideia seja correta, porque a ilustração é da terra que não fora preparada com bastante cuidado, terra que pode produzir cereal por breve período, mas que não pode sustentar o cereal por muito tempo. No caso da terra rochosa, o crescimento das plantas era rápido, mas sua morte também era rápida. Aqui, porém, o crescimento é normal, embora acompanhado de elementos não favoráveis, isto é, os espinhos. E os espinhos, sendo mais vigorosos, necessitando de menor quantidade de água, não eram afetados pelo calor do sol, e assim se desenvolviam muito mais depressa do que as plantinhas, e, por fim, cobriam a terra, naturalmente sufocando o cereal. Assim, pois, temos aqui uma vívida ilustração sobre os efeitos das condições que laboram contra a vida espiritual, como os "cuidados do mundo", as "riquezas" etc.

13.8: Mas outra caiu em boa terra, e dava fruto, um a cem, outro a sessenta e outro a trinta por um.

13.8 ἄλλα δὲ ἔπεσεν τὴν γῆν τὴν καλὴν καὶ ἐδίδου καρπόν, ὃ μὲν ἑκατόν, ὃ δὲ ἑξήκοντα, ὃ δὲ τριάκοντα.

"Outra [...] caiu em boa terra, e deu fruto" — O grego apresenta uma frase mais definida: "Na boa terra". Jerônimo aplicou essas palavras às ordens monásticas, mas Jesus falou de qualquer discípulo autêntico. A boa terra é a terra profunda, fértil, sem rochas e sem espinhos. "[...] cem, sessenta e trinta por um..." indica diferentes graus de fertilidade, ainda que todos os graus

sejam reputados bons. *Cem por um* seria uma multiplicação rara, ainda que não impossível, conforme se vê em Gênesis 26.12: "E semeou Isaque naquela mesma terra, e colheu naquele mesmo ano, cem medidas, porque o Senhor o abençoava". Provavelmente, a ideia dessa circunstância (multiplicação de cem por um) tornara-se símbolo comum, entre os judeus, de grande fertilidade. Nota-se que Plínio disse acerca de Bizâncio, território dos líbio-fenícios, que aquela terra comumente produzia cem por um. (Ver *Nat. Histo.* 1.5.c.4.)

Adam Clarke ilustra esse versículo com o seguinte exemplo: "Em 1816, semeei [...] um campo com cevada em Millbrok, Lancashire [...]. Um grão produziu três hastes com três espigas; a maior tinha 68 grãos, a segunda 26 e a terceira 25. O número total de grãos era de 119 e, juntos, pesavam 82 grãos (o grão era uma medida que pesava 0,0648 gramas). A raiz [...] pesava 13-1/2 grãos. As hastes e folhas sobreviventes [...], 630-1/2 grãos. O peso total de um grão, depois de produzido [...] era de 726 grãos. O grão original, que produziu tudo isso, pesava somente 3/4 de grão.

Josefo fala da fertilidade extraordinária da planície de Genezaré (*Guerras dos Judeus* III.10.8). Nos Estados Unidos da América do Norte, a produção média do trigo é de *quinze a vinte* alqueires por acre, o que representa de vinte a trinta vezes mais. Uma colheita extraordinariamente boa pode produzir até quarenta vezes mais. Uma produção mais alta pode ser esperada em um clima mais quente, onde o solo for excepcionalmente fértil. Seja como for, cem por um é uma produção realmente alta, e foi usada por Jesus a fim de dar ênfase ao seu ensino.

13.9: Quem tem ouvidos, ouça.

13.9 ὁ ἔχων ὦτα[1] ἀκουέτω.

<small>Mt 11.15; 13.43; Mc 4.23; Lc 14.35; Ap 2.7; 13.9</small>

<small>9 {C} ὦτα (ver 11.15; 13.43) ℵ* B L it^{a,e,ff1,k} syr^s Tertullian // ὦτα ἀκουέιν (ver Mc 4.9; Lc 8.8) ℵ^c C D K W X Δ Θ Π f f13 28 33 565 700 892 1009 1010 1071 1079 1195 1216 1230 1241 1242 1253 1344 1365 1546 1646 2148 2174 Byz Lect it^{aur,b,c,d,f,ff2,g1,h,l,π,q} vg syr^{c,p,h} cop^{sa,bo} arm eth geo Diatessaron Origen Eusebius Ephraem</small>

Ver os comentários sobre a mesma variante, em 11.15.

"Quem tem ouvidos (para ouvir) ouça" — As palavras "para ouvir" acham-se nos mss CDFGKMSUVXZ Gama Delta Fam Pi e na maior parte das traduções. Os mss Aleph BL e a maior parte das versões latinas, e a versão mais antiga, entre os mss. siríacos Sy(s), omitem essas palavras. Dentre as diversas vezes que encontramos essas palavras no NT, as passagens de Marcos 4.9,23 e de Lucas 8.8 e 14.35 contêm essas palavras. A tradução IB, em português, corretamente omite-as aqui. Com ou sem as palavras, o sentido do texto não se altera. Provavelmente, a declaração original incluía essas palavras. Era um ditado comum entre os judeus, empregado especialmente pelos rabinos, conforme é ilustrado pela literatura judaica. Jesus usou essa expressão por diversas vezes sob circunstâncias diferentes. Essa declaração aparece também em Mateus 11.15; 13.43; Marcos 4.9,23; Lucas 8.8; 14.35; Apocalipse 2.7,11,17,29; 3.6,13,22. O adágio era usado para chamar a atenção para a importância do ensino apresentado, o sentido oculto do ensino, e a total compreensão do que fica subentendido no ensino. Jesus quis dizer que os seus ensinos deveriam ser ouvidos com atenção e diligência, e que, por ausência disso, muitos não poderiam compreendê-los. Nos escritos dos judeus a forma usual desse adágio é: "Aquele que ouve, que ouça; e aquele que compreende, que compreenda" (*Sohar* em Núm. fol. 60.3.)

VI. TERCEIRO GRANDE DISCURSO: DIRIGIDO ÀS MULTIDÕES (13.1-58) - O REINO DOS CÉUS E SEUS MISTÉRIOS

3. Entendimento dado somente aos discípulos (13.10-17)

As fontes são aquelas mencionadas no começo do v. 10, já que os vários Evangelhos também trazem essa interpretação. Os v. 10

428 |Mateus| NTI

e 11, porém, apesar de provirem de Marcos, não se constituem no todo, pois os v. 16 e 17 vêm de "Q". A razão original das parábolas certamente é a necessidade de comunicação. No entanto, aqueles que recusam a verdade espiritual que lhes é comunicada recebem as parábolas como se fossem enigmas. Essa parece ser a significação da declaração desta seção. As parábolas podem tornar-se ensinamentos esotéricos, mas a fé cristã de forma nenhuma é uma religião misteriosa oriental, as quais se baseavam nesses ensinamentos, que se destinariam apenas a alguns poucos seletos. Entretanto, se for acolhido com ódio, o cristianismo se pode tornar um mistério para aqueles que o ouvem. Essa decisão é deixada ao encargo de cada indivíduo. E, embora essas palavras possam parecer prestar-se para a interpretação *hipercalvinista*, na realidade seu intuito não é esse. Lembremo-nos de que, desde Mateus 11.2, temos abordado a questão do declínio da popularidade de Jesus, bem como a questão das muitas controvérsias nas quais ele entrou. A verdade ficou oculta para aqueles que se opunham a ele, não porque estivessem predestinados para isso, mas porque os homens puseram-se à força nessa posição. Não podemos isolar esta seção do contexto e do intuito deste evangelho, o que começa no décimo primeiro capítulo. Qualquer indivíduo pode tornar-se discípulo do Senhor; mas aquele que repele isso perderá o sentido dos ensinamentos de Cristo, que visam à instrução de seus discípulos. E como poderia ser de outro modo?

13.10: E chegando-se a ele os discípulos, perguntaram-lhe: Por que lhes falar por parábolas?

13.10 Καὶ προσελθόντες οἱ μαθηταὶ εἶπαν αὐτῷ, Διὰ τί ἐν παραβολαῖς λαλεῖς αὐτοῖς;

13.11: Respondeu-lhes Jesus: Porque a vós é dado conhecer os mistérios do reino dos céus, mas a eles não lhes é dado;

13.11 ὁ δὲ ἀποκριθεὶς εἶπεν αὐτοῖς ὅτι ᵃ Ὑμῖν δέδοται γνῶναι τὰ μυστήρια τῆς βασιλείας τῶν οὐρανῶν, ἐκείνοις δὲ οὐ δέδοται.

Π τα μυστηρια[το -ιον it sy Cl Ir^lat

11 γνῶναι...οὐρανῶν 1Co 4.1; Ef 3.3,4; 6.19; Cl 2.2; 4.3

ᵃ 11 a direct: TR? WH Bov BF² RV ASV RSV NEB TT Luth Jer // a causal: TR? Nes AV Zür Seg

"Parábolas" — Ver a definição desse vocábulo nas notas de introdução a este capítulo. O texto indica que as explicações das parábolas (do semeador e do joio) foram dadas exclusivamente aos doze, enquanto os v. 13-17 exemplificam o fato. Talvez os rabinos tivessem tentado explicar as parábolas, porquanto eram afeitos a essa forma de ensino, mas para os apóstolos, homens *simples*, sem o treinamento escolástico, era necessário que Jesus oferecesse uma explicação. É possível, por semelhante modo, que até essa altura Jesus não tivesse usado parábolas de nível mais elevado, e então isso tenha criado problemas de entendimento. Marcos e Lucas parecem indicar com a indagação, que os apóstolos desejaram que Jesus lhes explicasse a parábola; mas Mateus dá a entender que eles só quiseram a explicação do motivo pelo qual ele empregava parábolas em seu ensino. Provavelmente, ambas as coisas faziam parte da intenção dos apóstolos. O texto de Marcos 4.10 indica que mais pessoas, além dos doze, desejaram ouvir e ouviram as explicações dadas por Jesus.

"A vós [...] é dado conhecer os mistérios do reino dos céus" — Tal como qualquer outra religião, o cristianismo tem seus mistérios e doutrinas profundas, que somente os discípulos têm o direito e a oportunidade de entender. A implicação, segundo demonstram os versículos que se seguem é que a atitude mental e o caráter da vida de determinadas pessoas muito naturalmente as excluem dessa compreensão. Evidentemente, Deus não emprega força de nenhum tipo para obrigar os homens a aceitar a verdade.

Essa aceitação vem pelo consentimento da vontade, e a vontade de algumas pessoas simplesmente não inclui esse consentimento, provavelmente porque o curso da vida que têm seguido já conseguiu eliminar, até certo ponto, a capacidade de exercerem livremente a própria vontade.

"Mistério" — Essa palavra é empregada por muitas vezes no NT, mas nos Evangelhos, somente aqui e nos paralelos de Marcos 4.11 e Lucas 8.10 é que ela aparece. Por si mesma, a palavra significa "fechado", "trancado", "oculto"; todavia, no seu uso corrente, pode tomar diversos sentidos, como, por exemplo, um propósito não declarado, ritos religiosos (quando assume a forma plural) ou segredos religiosos (uso bem comum desse termo, no vocabulário de outras religiões). Paulo define um "mistério" como alguma verdade divina trazida à luz mediante a revelação (não por meio da pesquisa humana ou da sabedoria do homem, conforme lemos em Ef 3.3-6). Pode-se considerar com justiça que tão elevados assuntos encerram elementos sobrenaturais que são difíceis de ser entendidos, e que não são completamente compreendidos pelos homens. O vocábulo, além desse uso pelo autor do evangelho de Mateus, e em Marcos 4.11 e Lucas 8.10, é usado por Paulo vinte e uma vezes, e no livro de Apocalipse, quatro vezes. No NT, um *mistério* não é algo impossível de ser compreendido, algo misterioso, ou que somente alguns privilegiados possam compreender. A ideia central do vocábulo é que os segredos da natureza do reino dos céus (ou da igreja, ou da natureza de Cristo etc.) não estão mais ocultos para aqueles que creem, os quais se iniciaram nas verdades de Deus. Ser discípulo de Cristo significa ter tido iniciação nas verdades ocultas de Deus. E os discípulos crescem no conhecimento de muitos pontos subentendidos.

A seguir, está uma lista de diversos mistérios que aparecem nas Escrituras:

1. Mistério *do reino* dos céus ou de Deus, conforme lemos em Marcos e Lucas — Mateus 13.3-50.
2. Mistério *da cegueira* de Israel durante a era da igreja — Romanos 11.25.
3. Mistério *do arrebatamento* da igreja — 1Coríntios 15.51,52 e 1Tessalonicenses 4.14-17.
4. Mistério *da igreja* composta de judeus e gentios crentes, a nova criação de Deus — Efésios 3.1-11; Romanos 16.25; Efésios 6.19 e Colossenses 4.3.
5. Mistério da igreja *como noiva* de Cristo — Efésios 5.28-32.
6. Mistério *de Cristo* em sua presença na igreja e nos indivíduos crentes, mediante o seu Espírito — Gálatas 2.20 e Colossenses 1.26,27.
7. Mistério de Deus, isto é, o Cristo, a natureza de Cristo *como Deus-homem*, no qual habita a plenitude da pessoa de Deus — Colossenses 2.2,9; 1Coríntios 2.7.
8. Mistério do processo pelo qual a justiça *é restaurada* aos homens — 1Timóteo 3.16.
9. Mistério *da iniquidade*, do reino e do poder de Satanás, especialmente no desenvolvimento da pessoa do anticristo — 2Tessalonicenses 2.7 e Mateus 13.33.
10. Mistério das *sete estrelas* (caráter, desenvolvimento da igreja sob a proteção de Cristo) — Apocalipse 1.10.
11. Mistério da *Babilônia* — Apocalipse 17.5,7.
12. O mistério *da vontade de Deus* — Efésios 1.10.

* * *

Ver as notas detalhadas sobre cada mistério, nas referências dadas.

"Reino dos céus" — Trata-se de um termo complexo, que nem sempre tem o mesmo sentido, em todos os lugares onde aparece. Mateus usa a expressão "reino dos céus", ao passo que os outros evangelho usam "reino de Deus". Não aceitamos a ideia de que os termos não se referem à mesma coisa, pois seria preciso dizer, nesse caso, que Marcos e Lucas nunca falam sobre o "reino dos céus", porquanto não empregam essa expressão, a despeito do fato de que, quando falam sobre o "reino de Deus", aludem à mesma coisa que Mateus diz quando fala em "reino dos céus", como, por exemplo, estas parábolas dos mistérios do reino. Quer a expressão seja vazada como "reino dos céus", quer seja vazada como "reino de Deus", pode indicar o reino literal que Cristo veio estabelecer, o reino que deveria ser estabelecido durante o seu tempo, caso ele tivesse sido aceito. Pode significar reino do futuro, isto é, o milênio. Pode, igualmente, referir-se à igreja e ao estabelecimento da influência de Deus durante estes séculos de história eclesiástica. Pode também referir-se à influência divina no próprio indivíduo, isto é, o reino estabelecido no íntimo dos homens, e não na sociedade em geral (ver Lc 17.21). Ou, finalmente, pode referir-se aos céus, onde Deus se encontra, o lugar de habitação futura, o lar eterno dos salvos. (Ver Jo 3.5.) Ver nota mais detalhada sobre esse assunto, em Mateus 3.2.

A maior *parte* dos intérpretes concorda em que o décimo terceiro capítulo de Mateus ensina, principalmente, que condições o cristianismo enfrentaria no mundo, o desenvolvimento do cristianismo, e, finalmente, a separação dos discípulos do reino dos demais homens (julgamento), isto é, o período de tempo que medeia entre os "sofrimentos" de Cristo e a sua "glória", no fim da era da graça ou dispensação da igreja. Precisamos também afirmar que Cristo deve ter aplicado estas palavras (as parábolas), de modo geral, àqueles que ouviram este discurso (ou discursos), porque é certo que Jesus não proferiu somente predições acerca do futuro.

13.12: pois ao que tem, dar-se-lhe-á, e terá em abundância; mas ao que não tem, até aquilo que tem lhe será tirado.

13.12 ὅστις γὰρ ἔχει, δοθήσεται αὐτῷ καὶ περισσευθήσεται· ὅστις δὲ οὐκ ἔχει, καὶ ὃ ἔχει ἀρθήσεται ἀπ' αὐτοῦ.

<hr>

12 Mt 25.29; Mc 4.25; Lc 8.18; 19.26

Provavelmente, *este adágio* tinha essa forma no original, e as palavras de Lucas — "[...] até aquilo que julga ter lhe será tirado..." — são uma interpretação do adágio original. Segundo os costumes de muitos países, são os ricos, os monarcas, as autoridades que recebem bens, presentes e a consideração dos outros. Em Lucas, o adágio aparece depois da parábola da candeia (que Mateus omite), mostrando que pode haver — e que provavelmente havia — diversas conexões, dentro dos ensinos de Jesus, como advertência de que só aquele que tem base real (uma vida espiritual autêntica) pode esperar o aumento das bênçãos e privilégios de que desfruta (a abundância da manifestação da graça de Deus), que vêm das mãos de Deus. Neste mundo, os pobres sempre estiveram à mercê dos ricos e poderosos, e raramente recebem qualquer coisa deles. Em contraste com isso, a posse de riquezas, por si só, atrai mais riquezas e privilégios. O mesmo princípio funciona na vida espiritual.

13.13: Por isso lhes falo por parábolas; porque eles, vendo, não veem; e ouvindo, não ouvem nem entendem.

13.13 διὰ τοῦτο ἐν παραβολαῖς αὐτοῖς λαλῶ, ὅτι βλέποντες οὐ βλέπουσιν καὶ ἀκούοντες οὐκ ἀκούουσιν οὐδὲ συνίουσιν².

<hr>

² 13 {B} ὅτι βλέποντες οὐ βλέπουσιν καὶ ἀκούοντες οὐκ ἀκούουσιν οὐδὲ συνίουσιν ℵ B* (Bᶜ συνίωσι) C K L W X Δ Π 565 700 892 1010 1071 1195 (1216 1253 *omit* οὐκ ἀκούουσιν *and read* οὐ *for* οὐδέ) 1230 (1241 ἀκούωσιν οὐδὲ συνίωσιν) 1242 1344 2174 (33 1646 2148 *l*²¹¹ συνίωσιν) (28 1009 1546 *l*⁷⁶ *omit* οὐδὲ συνίουσιν) *Byz l*¹⁸⁵,⁸⁸³ it*ᵃᵘʳ,f,l,r,q* vg syrᵖʰ copᵇᵒ arm eth geo // ὅτι βλέπουσι μὴ βλέπουσι καὶ ἀκούοντες μὴ ἀκούωσιν μηδὲ συνίωσιν 1365 // ἵνα βλέποντες μὴ βλέπωσιν καὶ ἀκούοντες μὴ ἀκούσιν καὶ μὴ συνῶσιν μήποτε ἐπιστρέψωσιν // (ver Mc 4.12) (D συνῶσι) Θ *f*¹ *f*¹³ *Lect* (*l*¹²,⁷⁰,⁸⁰,²⁹⁹,⁸⁵⁰,¹⁰⁸⁴συνῶσι) (*l*¹⁵⁰ οὐ δὴ *for* καὶ μή *and read* συνῶσι, *l*⁹⁵⁰ μηδὲ *for* καὶ μή) it⁽ᵇ⁾,c,d,e,(ff²),g(¹),(h),k syrᶜ,ˢ (Tertullian) (Eusebius *omit* καὶ μὴ συνιῶσιν) Cyril-Jerusalem // ἵνα βλέποντες μὴ βλέπωσιν καὶ ἀκούοντεςμὴ ἀκούσιν οὐδὲ συνίωσιν (*l*¹⁸⁴ οὐκ ἀκούσιν) (itᵃ *omit* οὐδὲ συνίωσιν) itᶠᶠ cop ˢᵃ,ᶠᵃʸ

<hr>

Vários representantes dos tipos de texto ocidental e cesareano influenciados pelas passagens paralelas de Marcos 4.12 e Lucas 8.10, alteram a construção para com o modo subjuntivo.

"Falo por parábolas..." — Tem havido muitos debates sobre o ensino deste versículo, baseado em citações de Isaías, as quais também parecem indicar que Jesus falou por meio de parábolas com o intuito mesmo *de ocultar* os seus ensinos, e não a fim de ilustrá-los ou esclarecê-los, preservando esse esclarecimento exclusivamente para os verdadeiros discípulos.

Em geral, os intérpretes interpretam segundo seus preconceitos religiosos. Os *calvinistas* aproveitam a oportunidade que o texto lhes oferece para ensinar a doutrina dos "decretos de Deus" que estabelecem a ordem e a realização de todos os acontecimentos. Por outro lado, os arminianos negam que o texto indique isso, e lançam mão de outros textos para provar que é impossível admitir que Deus aja assim, pois o homem é dotado de livre-arbítrio, segundo é ensinado em diversos textos das Escrituras. Alguns reconhecem que as Escrituras ensinam ambas as doutrinas sem explicar claramente como ambas as verdades se reconciliam. Ver notas sobre essa questão em Mateus 11.27, e, especialmente, em Romanos 9.15,16 e também em 1Timóteo 2.4. Entretanto, a fim de interpretar corretamente, parece ser preciso dizer que as doutrinas da predestinação, do determinismo e da eleição não são ensinadas aqui, porquanto dificilmente o texto sustenta a doutrina dos "decretos de Deus", conforme Calvino ensinou usando justamente este texto. Todavia, esses ensinos são apresentados em outros lugares, e o leitor, lendo as referidas notas, poderá julgar, por si mesmo, a validade ou não desses ensinos. Provavelmente, o princípio ou ensino que temos nestes versículos é de que, de conformidade com as leis fixas da natureza da administração divina, os deveres que os homens se recusam voluntariamente a cumprir, por fim tornam-se para eles moralmente impossíveis. Outro lado se dá no terreno da fé. As palavras de Jesus, neste caso, foram proferidas quando sua rejeição já atingira a muitos (pois até já procuravam matá-lo) e, assim, essas palavras refletem essa verdade. Lembremo-nos que a oposição a Jesus aumentara extraordinariamente durante seu segundo circuito pela Galileia, havendo indicações, antes deste texto bíblico, de que ele já quase perdera a esperança de que fosse aceito o reino dos céus (como reino literal de Deus na terra), em seus dias de vida terrena. Entre Jesus e os líderes religiosos dos judeus já havia uma cisão quase completa, e provavelmente a maioria do povo já preferia ficar ao lado de seus líderes, não ouvindo nem obedecendo à mensagem do Messias. Os capítulos décimo primeiro e décimo segundo deste evangelho dão detalhes sobre essa situação. Em Mateus 11.23, lemos que Jesus foi rejeitado por sua cidade adotiva, como também por outros lugares onde pregara frequentemente e onde fizera tantos milagres. As acusações contra ele já haviam amadurecido, e a chance de obter a confiança do povo e evitar a morte às mãos do povo era bem pequena. Ver notas sobre as acusações lançadas contra Jesus, em Mateus 12.2,14.

13.14: E neles se cumpre a profecia de Isaías, que diz: Ouvindo, ouvireis, e de maneira alguma entendereis; e, vendo, vereis, e de maneira alguma percebereis.

13.14 καὶ ἀναπληροῦται αὐτοῖς ἡ προφητεία Ἠσαΐου ἡ λέγουσα, Ἀκοῇ ἀκούσετε καὶ οὐ μὴ συνῆτε, καὶ βλέποντες βλέψετε καὶ οὐ μὴ ἴδητε.

<hr>

14-15 Ἀκοῇ...αὐτούς Is 6.9,10 (Jo 12.40; At 28.26,27)

<hr>

14 ἀναπλ.] τοτε πληρ- f/: τοτε πληρωθησεται D *pc* it | λεγουσα[*add* (Ed 6.9) Πορευθητι και ειπε τω λαω τουτω **D** it

"Ouvireis com os ouvidos..." — A citação baseia-se em Isaías 6.9,10, e foi extraída diretamente da LXX. Mateus apresenta a citação somente para ilustrar o efeito das parábolas de Jesus sobre o povo em geral. É fato notável que Jesus se tenha queixado da atitude e da dureza do povo de Israel, usando as mesmas palavras

430 |Mateus| NTI

que Isaías usara para descrever a dureza do mesmo povo setecentos anos antes. Deus outorgou os sentidos ao homem, para seu desenvolvimento, o que, naturalmente, requer certo conhecimento da verdade e obediência aos princípios expostos pela verdade. O homem, neste mundo, deve usar os seus sentidos como meios para receber os princípios da verdade, porquanto, se não houver revelação imediata ao espírito, o homem precisa aprender pelos sentidos. Por isso, é que aparecem aqui as palavras "ouvidos" e "olhos". Deus tem propiciado o conhecimento de sua vontade e da verdade por meio dos profetas que falaram. Precisamos, por isso mesmo, usar os "ouvidos" para receber esses ensinos. Deus tem feito também certas obras, especialmente na vida dos profetas, mas ele também se utiliza da própria natureza. Os homens devem usar seus "olhos" a fim de verem e compreenderem essas obras. O próprio Messias veio a Israel, anunciando a mensagem de Deus ainda com maior clareza do que Isaías, e também realizando milagres mais notáveis que os que foram feitos por qualquer outro profeta; contudo, o povo não deu ouvidos à sua mensagem, nem gastou tempo suficiente para considerar os seus milagres.

A palavra **"cumpre"**, neste ponto, reflete uma palavra que, no grego, tem forma intensiva que talvez possa ser traduzida por "cumpre totalmente" ou "certamente cumpre", ou "cumpre bem". As profecias foram cumpridas de modo perfeitamente definido na vida de Cristo, em Israel, mais do que em qualquer outro período da história dessa nação, apesar do fato de que, por diversas vezes, Israel não tenha "ouvido" a mensagem. A mesma citação é feita por Jesus em João 12.40, e por Paulo, em Atos 28.26 e Romanos 11.8, mas sempre aplicando-se à dureza da nação de Israel para com a mensagem de Cristo. Deus nunca antes falara como falou por intermédio de Jesus; e jamais, em toda a história da humanidade, demonstrou seus poderes conforme fez por meio de Jesus. Olhos cegos e ouvidos surdos, porém, não puderam transmitir essa mensagem à compreensão do povo. No hebraico, as palavras traduzidas como os futuros "ouvireis" e "entendereis", na realidade são imperativos, e nessa forma há ainda maior ênfase na ideia sugerida por esses versículos, a saber, a impaciência de Deus ante um povo de olhos cegos e de ouvidos surdos. A LXX conserva os tempos futuros. Seja como for, a mensagem é a mesma: a paciência de Deus não perdura para sempre, e a relutância do homem, não querendo ouvir, fatalmente o leva à surdez espiritual. O desejo que o homem tem de não ver, finalmente lhe causa a cegueira espiritual.

13.15: Porque o coração deste povo se endureceu, e com os ouvidos ouviram tardamente, e fecharam os olhos, para que não vejam com os olhos, nem ouçam com os ouvidos, nem entendam com o coração, nem se convertam, e eu os cure.

13.15 ἐπαχύνθη γὰρ ἡ καρδία τοῦ λαοῦ τούτου, καὶ τοῖς ὠσὶν βαρέως ἤκουσαν, καὶ τοὺς ὀφθαλμοὺς αὐτῶν ἐκάμμυσαν· μήποτε ἴδωσιν τοῖς ὀφθαλμοῖς καὶ τοῖς ὠσὶν ἀκούσωσιν καὶ τῇ καρδίᾳ συνῶσιν καὶ ἐπιστρέψωσιν, καὶ ἰάσομαι αὐτούς.

15 ιασομαι] -σωμαι fi 28 565 pl lat ς

"Porque o coração deste povo está endurecido" — O hebraico diz: "Engorda o coração deste povo", o que ilustra novamente a impaciência de Deus e indica o avanço da cegueira espiritual, motivada pela dureza do coração e da vontade do homem. Essas palavras expressam a amargura do profeta e de Deus, que enviara o profeta, e também de Jesus Cristo, porquanto os seus melhores e mais intensos esforços foram rejeitados, e especialmente tendo em vista que esses esforços foram enviados visando ao bem-estar e à felicidade do povo. Entretanto, a ingratidão, finalmente, haveria de eliminar todas as bênçãos e atrair o julgamento. A forma imperativa, "engorda", segundo o hebraico, implica na ideia de uma condição caracterizada pelo conforto, pelo luxo, pela satisfação

com as coisas deste mundo, tornando o indivíduo insensível às coisas do outro mundo, do reino dos céus. Isso resultou um povo insensato, desatento, sem capacidade de responder e de reagir às tentativas de Deus em ensiná-los e dirigir-lhes a vida.

"De mau grado ouviram..." — Neste caso, o hebraico também usa o imperativo, fazendo contraste com a LXX, da qual se deriva esta citação: "Tampa seus ouvidos, fecha os seus olhos", o que ilustra, novamente, a impaciência do profeta e de Jesus Cristo, bem como o sentimento de ultraje em face da ingratidão do povo. Os símbolos dos ouvidos e dos olhos referem-se aos sentidos do homem, que são capacitados para receber o conhecimento de Deus, isto é, a faculdade espiritual do homem. Deus outorgou ao homem meios para conhecer a personalidade divina, mas o uso desses meios não é obrigatório. Os indivíduos, pela vontade, podem "fechar" seus ouvidos e seus olhos. Essa atitude, porém, finalmente produz a incapacidade de ver e ouvir. O que fica implicado nesse texto (segundo o tempo gramatical dos verbos, no grego) é que essas atitudes de rejeição às tentativas de Deus em dirigir-lhes a vida era algo contínuo e proposital. Não estão desacompanhadas da intenção, ou pelo menos são atitudes intencionais as ações que produzem essa cegueira, judicialmente imposta por Deus, porque essas ações eram provocadas pelo livre-arbítrio do homem, que preferia não obedecer a Deus, a despeito das vantagens que lhe seriam dadas se ele pudesse ouvir e ver.

"Para não suceder..." — Esta porção do versículo declara abertamente o princípio já mencionado: a desobediência moral resulta em incapacidade moral. A condição cultivada pela pessoa afinal se cristaliza, e isso torna-a incapaz até mesmo de praticar algo diferente, que ultrapasse as capacidades de sua personalidade definhada. O que somos agora é resultado daquilo que temos cultivado. Alguns intérpretes ensinam aqui a doutrina da cegueira judicial, e provavelmente estão com a razão. Isso significa que Deus pronuncia seu juízo, em tais casos, removendo ainda para mais longe a possibilidade de arrependimento. Essa ação pode ser efetivada simplesmente pela remoção da influência do Espírito Santo, deixando que a pessoa continue a cumprir a própria vontade, que é pervertida, sem a oposição de qualquer influência boa.

"Se convertam..." — Marcos diz: "[...] e haja perdão para eles", aludindo diretamente aos "pecados" do povo, especialmente o pecado de rejeição à mensagem de Deus. Aqui Jesus não se refere às enfermidades do corpo, e, sim, à doença da alma. A alma de todo ser humano necessita de cura. Infelizmente sabemos, de imediato, quando nosso corpo está enfermo, mas a alma pode enfermar sem que o indivíduo o observe, e, consequentemente, sem que mostre nenhum desejo de procurar a cura. Aqueles que estão sujeitos ao juízo de Deus (que são judicialmente cegados, isto é, dos quais se retirou a influência benéfica do Espírito Santo) não sentem a doença da sua alma e, assim, muito dificilmente poderão ser curados (convertidos). A mesma verdade aplica-se com relação à dureza que se origina da insensibilidade permanente. A pessoa desconhece a condição de sua alma, e não busca melhorar sua condição espiritual. Os comentaristas judeus falavam sobre a condição da alma como se esta estivesse enferma, pelo que assim também as palavras que Jesus disse aqui têm sido compreendidas. Na literatura judaica, lemos a seguinte citação: "[...] e eles serão perdoados...", referindo-se à cura mencionada. Assim também a paráfrase caldaica deste texto; e o comentarista acrescenta: "[...] e esta (cura) é o perdão" (R. David Kimchi, in loc).

13.16: Mas bem-aventurados os vossos olhos, porque veem, e os vossos ouvidos, porque ouvem.

13.16 ὑμῶν δὲ μακάριοι οἱ ὀφθαλμοὶ ὅτι βλέπουσιν, καὶ τὰ ὦτα ὑμῶν ὅτι ἀκούουσιν,

16-17 Lc 10.23,24

"Bem-aventurados, porém..." — Ver a nota detalhada sobre a expressão "bem-aventurados", em Mateus 5.3. Essa expressão ocorre cerca de cinquenta e cinco vezes no NT, onde aparece em elevado sentido, parecendo indicar um estado de bem-estar espiritual que é acompanhado de uma felicidade verdadeira, em contraste com os diversos tipos de felicidade que são fomentados pelas vantagens terrenas. Israel viu vantagens em manter-se insensível às palavras de Deus. Seu coração cobriu-se de *gordura*, por haver preferido a vida luxuosa, os prazeres, o desfrute das riquezas e os confortos da vida terrestre, sem nenhuma consideração para com a vida além-túmulo e sem desejar aprender e seguir os princípios desse outro mundo.

As condições do povo eram tão más, que *nem mesmo* a presença do próprio Messias atraiu sua atenção. Ele passou os dias de seu ministério no meio deles, proferindo palavras do mais alto quilate, como o homem jamais ouvira, e fazendo prodígios verdadeiramente notáveis, como nunca antes se vira; no entanto, os seus ouvidos não ouviram a Palavra, e os seus olhos ficaram cerrados, quase sem haver indício, da parte deles, de que compreendiam que alguém fazia alguma coisa.

Entre eles, porém, havia alguns, ainda que poucos — pois as Escrituras dão ideia de não muito mais de quinhentas pessoas —, que finalmente tornaram-se verdadeiros discípulos de Cristo, em resultado de seu ministério; foram aqueles que ouviram com os ouvidos e abriram os olhos para ver e considerar o intuito dos prodígios. Essa pessoas, embora poucas, são os "bem-aventurados", que gozam da verdadeira felicidade. Essa felicidade é dada a tais pessoas por terem reconhecido que sua alma, sem Deus, estava definhada. Deus é a fonte da vida humana e ele tem determinado os objetivos e o destino dessa vida. Ele mesmo é o objetivo, e o propósito da vida humana é voltar para ele — não apenas faz sentir a sua presença, mas desenvolve no crente o novo homem, até que assuma a semelhança da imagem do próprio Deus, transformando-o à imagem de Cristo. Cristo é a pessoa na qual todos os homens devem ser transformados. No entanto, os que já iniciaram esse desenvolvimento são justamente esses *bem-aventurados*. Ver nota em Romanos 8.29 quanto aos detalhes da questão. É possível que os discípulos tenham visão e audição espirituais ainda débeis, mas qualquer que seja a função de seus ouvidos e olhos, esta será melhor do que a condição espiritual descrita nos v. 14 e 15, onde se nota a incapacidade de ouvir e ver. O desenvolvimento das faculdades espirituais, das quais os "ouvidos" e os "olhos" são símbolos, causa o crescimento da felicidade da alma. Por meio desse crescimento é que se cumprem os alvos da vida humana.

Nota-se que Jesus proferiu essas mesmas palavras (incluindo as do versículo seguinte) sob *outras* condições, como se vê em Lucas 10.23,24. Nesta última passagem, ele falou da felicidade e do privilégio dos setenta discípulos, ao voltarem de seu circuito pela Galileia, trazendo o maravilhoso relatório do êxito de seus esforços. Jesus indicou que essa felicidade e vitória são possíveis por causa da nova posição e da boa atitude do crente em relação a Deus. A passagem indica, por semelhante modo, que o Filho, por direito dado pelo Pai, revela assim a vida "real" e desenvolve esse tipo de vida nos discípulos do reino dos céus. Não é impossível que esse adágio de Jesus tivesse sido usado por ele por diversas vezes e sob diferentes condições.

13.17: Pois, em verdade vos digo que muitos profetas e justos desejaram ver o que vedes, e não o viram; e ouvir o que ouvis, e não o ouviram.

13.17 ἀμὴν γὰρ λέγω ὑμῖν ὅτι πολλοὶ προφῆται καὶ δίκαιοι ἐπεθύμησαν ἰδεῖν ἃ βλέπετε καὶ οὐκ εἶδαν, καὶ ἀκοῦσαι ἃ ἀκούετε καὶ οὐκ ἤκουσαν.

17 γαρ] om ℵ *al* it sa(I) bo^pl

"Em verdade..." — Davi, Isaías, Ezequiel, Jeremias, Daniel e muitos outros profetizaram claramente sobre a vinda de Cristo, e descreveram com clareza o seu ministério; mas nunca contemplaram as coisas que agora os discípulos testemunhavam. Os

discípulos viam o *cumprimento* das profecias, em meio a sinais e grandes prodígios. Nem mesmo em uma visão extraordinariamente clara seria possível, aos profetas do AT, perceber a grandeza do Messias. Muitos judeus não aceitaram a ideia de que uma só pessoa pudesse cumprir todas as profecias, e assim julgavam que haveria o Messias, filho de José, e o Messias, filho de Davi, ou ofereciam outras explicações que demonstram o fato de que esperavam mais de uma personagem para cumprir toda a extensão do ministério do Messias. Os essênios esperavam três personagens para que as profecias messiânicas se cumprissem. Jesus, entretanto, cumpriu tudo quanto se referia à sua primeira vinda e provou sua missão messiânica com sinais indisputáveis. Provavelmente, nenhum profeta teria pensado em um cumprimento tão notável. Disse posteriormente o apóstolo João: "O que era desde o princípio, o que temos ouvido, o que temos visto com os nossos próprios olhos, o que contemplamos e as nossas mãos apalparam com respeito ao Verbo da vida..." (1João 1.1). Na repetição do adágio, em Lucas 10.23,24, foi adicionado: "[...] e reis quiseram ver...", porque alguns dos homens piedosos do AT, que esperavam o Messias, foram monarcas. Nem mesmo os reis, os homens mais poderosos e privilegiados dos antigos, puderam ver ou apreender a glória do Messias; mas aqueles pescadores e outros homens igualmente humildes receberam o privilégio de contemplar essa glória. Diz um refrão dos judeus: "A escrava que atravessou o mar Vermelho viu o que nem Ezequiel viu, nem nenhum dos outros profetas". E as pessoas que viviam nos dias de Cristo viram ainda mais que a escrava que cruzou a pé enxuto o mar Vermelho.

VI. TERCEIRO GRANDE DISCURSO: DIRIGIDO ÀS MULTIDÕES (13.1-58) - O REINO DOS CÉUS E SEUS MISTÉRIOS

4. Interpretação da parábola do semeador (13.18-23)

Os paralelos são Marcos 4.13ss e Lucas 8.11ss, e a fonte informativa é o *protomarcos*. A interpretação é aqui *alegórica*, pois dá significado a muitos detalhes da narrativa, ao passo que uma "parábola", segundo é entendida pelo uso moderno do termo, visa a ilustrar uma única lição importante. A alegoria era um método didático favorito dos rabinos alexandrinos, incluindo Filo; e fora precedida como método na cultura grega. Os rabinos posteriores, e aqueles fora do círculo alexandrino, usavam-no escassamente, e raramente, ou mesmo nunca, interpretavam uma parábola. A palavra é, neste caso, a mensagem cristã, a nova lei, a mensagem do novo Legislador. Do princípio ao fim, Mateus é uma apologia cristã, embora represente uma transição entre o antigo e o novo. Contudo, foi escrito quando a era cristã já tinha cinquenta anos, e de forma alguma se pode pensar que foi escrito para a nação de Israel. Destinava-se ao novo Israel, a igreja.

13.18: Ouvi, pois, vós a parábola do semeador.

12.18 Ὑμεῖς οὖν ἀκούσατε τὴν παραβολὴν τοῦ σπείραντος.

13.19: A todo o que ouve a palavra do reino e não a entende, vem o Maligno e arrebata o que lhe foi semeado no coração; este é o que foi semeado à beira do caminho.

13.19 παντὸς ἀκούοντος τὸν λόγον τῆς βασιλείας καὶ μὴ συνιέντος, ἔρχεται ὁ πονηρὸς καὶ ἁρπάζει τὸ ἐσπαρμένον ἐν τῇ καρδίᾳ αὐτοῦ· οὗτός ἐστιν ὁ παρὰ τὴν ὁδὸν σπαρείς.

"Atendei vós, pois, à parábola do semeador" — Jesus fez uma introdução à sua explanação da parábola, a fim de ilustrar que não devemos considerar coisa banal o ouvir e entender a mensagem de Deus, por meio de Cristo. Devemos considerar isso um privilégio da mais alta categoria. Jesus falou aqui especialmente sobre os "mistérios" do reino dos céus, que dão a entender a intenção e a vontade de Deus relativamente à vida humana, sobretudo como deve ser a vida na igreja. Jesus indicou que essa questão deve ser considerada motivo do máximo interesse e importância pelos homens, porque, de fato, discorria sobre o destino mais elevado que o homem pode alcançar. Só o espírito de egoísmo já seria suficiente para exigir atenção para estas palavras. No grego, o vocábulo "vós" é enfático: os discípulos ouviam, mas aqueles que haviam cerrado os olhos continuavam com a visão fechada. Talvez nós, que conhecemos a interpretação da parábola há muito tempo, quase não possamos apreciar o impacto da revelação dos ensinos que temos aqui, dada aos discípulos primitivos. Devemos lembrar que eles nada sabiam acerca do reino dos céus, especialmente no que se refere ao seu aspecto profético. Certamente era algo importantíssimo para os discípulos contar com o Messias, entre eles, explicando seus objetivos, seu reino e o futuro de seu reino, e é justamente essa impressão que perdemos de vista, em face da familiaridade que temos com esses assuntos. Todavia, talvez nem mesmo nós tenhamos percebido toda a importância dessas palavras.

"A todos os que ouvem..." — Jesus alude às palavras do v. 4. A semente, portanto, representa a palavra do reino ou sua mensagem. Quando falamos da era da graça, isto é, o período da existência da igreja, devemos compreender o evangelho. A mensagem de Cristo, que transforma o coração; a beleza de Cristo, que modifica o ser humano, essa é a semente. As traduções refletem pequena falha gramatical do grego, neste ponto, que parece ensinar que o indivíduo que recebe a semente é, ele mesmo, a semente. Podemos fazer uma paráfrase como segue: "A situação descrita representa o homem que recebe a semente à beira do caminho". A terra batida, à beira do caminho, simboliza o caráter do indivíduo, sua dureza de coração, sua incapacidade de acolher a mensagem do reino. Com essas palavras, pois, Jesus ilustra o que já dissera, usando a citação de Isaías. Há pessoas que não têm sensibilidade nenhuma para as coisas do mundo espiritual; essas pessoas, como é óbvio, não recebem a mensagem da vinda do reino dos céus para este mundo. Esse tipo de indivíduo há muito que preferiu não dar ouvidos a Deus, porquanto engordou o coração e todo o seu prazer está nas coisas deste mundo; por isso, não dá valor às coisas de Deus, e, de modo geral, devido à sua negligência para com as coisas espirituais, e sua oposição às mesmas, finalmente sufocou qualquer sensibilidade para com essas coisas. E, assim como a semente, ao cair em solo duro e seco, não tem produção nenhuma, também as palavras de Jesus caem sobre essa pessoa sem que nela haja nenhuma consequência. E o resultado é a perda da semente, porque o maligno não demora a interferir.

O modo com que Jesus se referiu ao Diabo ou Satanás foi *compreensível* para os orientais. Usando de símbolos, os orientais falam da maldade sob forma personalizada. Assim, pois, o "maligno" é Satanás, o rei da maldade. O símbolo aqui usado para indicar Satanás é a ave, e a literatura judaica por muitas vezes utiliza-se dos pássaros para expressar a maldade; como nós também nos lembramos que, nos estudos dos clássicos, por muitas vezes as aves aparecem como símbolos de *mau agouro*. Esse fato reflete-se na própria palavra "agouro", que vem da ideia de "adivinhar" (função religiosa misteriosa) pelo comportamento das aves. O áugure era um sacerdote romano que fazia presságios baseados no canto e no voo das aves. Jesus ensinou, por conseguinte, que o coração pode tornar-se tão empedernido, que impossibilite a penetração da mensagem do reino (o evangelho), e também que Satanás ou outro ser maligno estão sempre prontos para arrebatar a semente, impedindo assim, com dupla segurança, que a semente chegue a germinar. Fica subentendido nesse ensino que o coração endurecido dificilmente pode acolher a mensagem de Deus, e que, facilmente, as más influências destroem os efeitos da mensagem de Deus, antes que ela possa produzir fruto. Essa ilustração é viva, pois pode-se usar da imaginação para saber

como as aves aproximam-se céleres, leve e quietamente, e em um instante arrebatam a semente caída no solo, talvez sem que o semeador o perceba. O resultado é a destruição total da semente, não podendo haver, nesse caso, nenhum fruto. A ilustração ainda se torna mais vívida quando consideramos o "caminho". O coração do homem pode ser comparado a uma via pública, onde transitam todas as ideias ou influências más. Esse tipo de coração, no final, vai se tornar endurecido para com os impulsos do Espírito — de fato, insensível a esses impulsos — porquanto o trânsito de outros impulsos abafa tudo o mais.

13.20: E o que foi semeado nos lugares pedregosos, este é o que ouve a palavra, e logo a recebe com alegria;

13.20 ὁ δὲ ἐπὶ τὰ πετρώδη σπαρείς, οὗτός ἐστιν ὁ τὸν λόγον ἀκούων καὶ εὐθὺς μετὰ χαρᾶς λαμβάνων αὐτόν· δὲ ἐπὶ τὰ πετρώδη σπαρείς, οὗτός ἐστιν ὁ τὸν λόγον ἀκούων καὶ εὐθὺς μετὰ χαρᾶς λαμβάνων αὐτόν

13.21: mas não tem raiz em si mesmo, antes é de pouca duração; e sobrevindo a angústia e a perseguição por causa da palavra, logo se escandaliza.

13.21 οὐκ ἔχει δὲ ῥίζαν ἐν ἑαυτῷ ἀλλὰ πρόσκαιρός ἐστιν, γενομένης δὲ θλίψεως ἢ διωγμοῦ διὰ τὸν λόγον εὐθὺς σκανδαλίζεται.

"solo rochoso" — Referência ao v. 5. Onde há pouca terra e o pedregulho fica perto da superfície, a semente desenvolve-se rapidamente, porque o calor do dia, preservado pelas pedras do subsolo, fornece a força necessária para um desenvolvimento rápido. Essa planta, entretanto, não pode lançar raízes profundas, devido ao solo raso. Ora, *sem raízes*, a plantinha não tarda a perecer, talvez antes mesmo do fim do dia, porque o sol da tarde resseca-a e mata, ela que é sustentada através das raízes. Esse tipo de solo simboliza o homem — o possível futuro discípulo — que sente atração imediata pela pregação da mensagem do reino dos céus, e com alegria a recebe, achando que ela é capaz de satisfazer todas as necessidades e esperanças da vida, e que sem dúvida é melhor que os princípios que o têm norteado até aquele ponto. Esse indivíduo, porém, tem visão superficial dos deveres da mensagem e da responsabilidade e sofrimentos que a adoção da mensagem do reino lhe pode impor. O primeiro homem, representado pelo solo endurecido, não sente atração nenhuma pela mensagem, e nem fica impressionado com ela. Este segundo homem, simbolizado pelo solo raso, é exatamente o oposto: sente atração imediata; porém, essa atração é superficial. É homem de disposição superficial, que facilmente pode ser estimulada e facilmente pode ser modificada. O falso calor da emoção cria de imediato uma expressão de intensa religiosidade, mas a falsidade dessa expressão não pode perdurar muito com entusiasmo. Logo aparecem os sinais de morte, logo a alegria desaparece, a intensidade do interesse diminui, e a vida em potencial fenece.

"A angústia..." — A palavra, ou mensagem do reino, despertou nele um interesse imediato, mas essa mesma palavra às vezes traz angústia e perseguição. Na literatura grega, é impossível notar geralmente a distinção entre as palavras "angústia" e "perseguição"; mas aqui provavelmente "angústia" refere-se aos problemas e sofrimentos *de modo geral, além* das maldades que outros possam causar ao indivíduo ("perseguição"). Jesus ensina aqui o que já ensinara aos doze antes de enviá-los na segunda viagem pela Galileia: que o discipulado importa em sofrimentos, e que ninguém deve esperar que a aceitação da mensagem evangélica resolva os problemas terrenos da vida humana. A mensagem outorga esperança em meio aos sofrimentos, mas a experiência comum demonstra que os crentes não sofrem menos do que os incrédulos, e que as tragédias, a destituição e a morte também sobrevêm aos crentes, até mesmo por meios incompreensíveis. É possível que este texto indique que o discípulo sem profundidade poderia até mesmo censurar sua aceitação da palavra como se isso tivesse sido a causa de seu sofrimento, ou, pelo menos, poderia dizer que a palavra não o livra dos padecimentos, pelo que tal mensagem não pode ser coisa de grande valor. Outrossim, começam as perseguições. A presciência de Jesus mostrou-lhe que a sua mensagem traria, para os discípulos, a perseguição e a oposição. Lembremo-nos de que Jesus advertiu aos discípulos exatamente acerca disso, mostrando mesmo que a morte poderia ser o resultado final das perseguições. O discípulo que não tem raiz verdadeira não espera ser perseguido por haver aceitado a palavra, e pensa que a perseguição demonstra que algo deve estar errado com relação à palavra. Por isso, devido à sua debilidade, logo ele procura outras coisas para satisfazer os seus desejos e para dirigir a sua vida. Esse discípulo é criatura governada pelas circunstâncias. E o resultado final é idêntico ao do homem que não aceita a palavra de modo nenhum; e então deixa de haver discipulado.

Naturalmente que, em face de tais textos, passa a ser motivo de debate a questão da segurança ou da *perseverança* do crente. À base deste texto, entretanto, dificilmente alguém pode provar que o crente é passível de perder a salvação depois de tê-la aceitado. Há outros textos, porém, que parecem ensinar essa doutrina. Por outro lado, outras passagens parecem ensinar que o crente, verdadeiramente, nunca pode perder a vida espiritual que recebeu. Ver notas detalhadas sobre essa questão e suas implicações, em Romanos 8.39; 1.João 10.28 e Hebreus 6.1-6.

13.22: E o que foi semeado entre os espinhos, este é o que ouve a palavra; mas os cuidados deste mundo e a sedução das riquezas sufocam a palavra, e ela fica infrutífera.

13.22 ὁ δὲ εἰς τὰς ἀκάνθας σπαρείς, οὗτός ἐστιν ὁ τὸν λόγον ἀκούων καὶ ἡ μέριμνα τοῦ αἰῶνος καὶ ἡ ἀπάτη τοῦ πλούτου συμπνίγει τὸν λόγον, καὶ ἄκαρπος γίνεται..

<small>22 ἡ ἀπάτη τοῦ πλούτου Lc 12.16-21; 1Tm 6.9-10,17</small>

Explicação da parábola do v. 7 — "*Os cuidados do mundo e a fascinação das riquezas sufocam a palavra*" — Aqui Jesus ilustra a terceira possibilidade de reação à mensagem do reino. A indicação é que a semente cresce e produz, mas que a planta não floresce por causa dos obstáculos do ambiente. Neste caso, o desenvolvimento não é rápido e descontrolado, como no segundo exemplo. Além disso, a planta lançou raízes em solo profundo. As ervas daninhas e os espinhos, entretanto, é que não permitem o aparecimento de fruto abundante.

"Os cuidados do mundo" — O substantivo, neste caso, vem da mesma raiz que Jesus usou quando disse: "Não andeis ansiosos..." (Mt 6.25). Esse tipo de discípulo recebe a palavra com sinceridade e boa intenção, mas sua disposição e orientação não lhe permitem que obedeça a este mandamento de Jesus. Preenche sua vida com diversos "cuidados" do mundo, com o conforto pessoal, com a fama, com o prestígio entre os homens e com sua posição social, ao ponto da verdadeira prática da vida espiritual tornar-se simplesmente impossível. Lucas diz, no texto paralelo, "[...] seus frutos não chegam a amadurecer..." (Lc 8.14), o que indica que Jesus aludia a um crente verdadeiro, mas dirigido por dois mestres. Pode ser que a vida desse discípulo apresente alguns sinais de frutificação; a planta cresce, as folhas se desenvolvem, as espigas se formam, mas, afinal de contas, poucos grãos aparecem, e o resultado positivo é pequeno.

"Fascinação das riquezas" — A consideração pelas coisas da vida terrena, especialmente as vantagens, o prestígio e os prazeres que as riquezas podem proporcionar, têm roubado a muitos prováveis discípulos as riquezas verdadeiras e permanentes que acompanham o discipulado cristão verdadeiro. Diz Eclesiastes

6.7: "Todo o trabalho do homem é para a sua boca, e contudo não se satisfaz o seu apetite". A experiência humana demonstra que o êxito na busca das riquezas não indica o fim dessa busca. O coração, repleto de interesses materiais, sempre encontra razões *para continuar* sua busca e intensificá-la. Dificilmente um discípulo verdadeiro pode manter a busca materialista e espiritual ao mesmo tempo, e obter êxito em ambas as coisas. Nesta explicação da parábola, Lucas adiciona a expressão "*deleites da vida*", provavelmente aludindo aos resultados naturais da possessão de riquezas materiais. Esse tipo de discípulo usa de suas riquezas para desfrutar de um tipo de vida característico das pessoas essencialmente mundanas, que possuem recursos para satisfazer seus desejos profanos. É como Ló, que morava entre os sodomitas, adotando a moral deles, ainda que intimamente se lembrasse da orientação de sua vida anterior. Esse discípulo, naturalmente, não produz frutos perfeitos. Jesus indica que esse tipo de vida trará, finalmente, a ruína do discipulado. Adam Clarke escreveu como segue: "Estupidez horrível a do homem, pois troca, dessa maneira, bens espirituais por bens temporais; a herança celeste por vantagens terrenas".

Nesses exemplos, pode-se notar um tríplice progresso: (1) Quanto ao tempo: o primeiro encontra obstáculos *imediatos* e não recebe a mensagem de forma nenhuma; o segundo encontra obstáculos logo após ter aceitado a palavra; o terceiro encontra obstáculos algum tempo mais tarde, pois que a palavra já exerceu poderosa influência em sua vida. (2) Quanto ao grau de aceitação: o primeiro não aceita jamais a palavra; o segundo, aceita-a *superficialmente*; o terceiro, em nível mais elevado, mas ainda com algumas imperfeições. Alford conclui daí que a condição desses três vai de melhor para pior, com exceção do primeiro, o qual, por não haver aceitado a palavra, pelo menos não piora em seguida, o que, em sua opinião, é melhor do que o que sucede aos outros. A aceitação da palavra é pequeno sinal de crescimento; de acordo com a sua opinião, o pior que pode acontecer é aceitar a mensagem, desenvolver-se para em seguida rejeitá-la, por causa dos "cuidados" do mundo etc. Esta outra observação também foi feita por Alford: (a) o primeiro caso exemplifica a atitude *infantil*, desatenta, negligente; (b) o segundo caso exemplifica a atitude *juvenil*, intensa, zelosa, mas de curta duração; (c) o terceiro caso ilustra a atitude *adulta*, egoística, que tenta adquirir os bens deste mundo, que quer participar dos deleites oferecidos pelo mundo, e que se caracteriza pela duplicidade. (3) Quanto ao grau de frutificação: o primeiro não pode produzir coisa nenhuma, pois nem mesmo começou a viver espiritualmente; o segundo só chega a brotar e, apesar de parecer muito promissor, não tarda em ressecar-se em face das dificuldades e perseguições; o terceiro é o que parecia mais próximo de produzir uma boa safra espiritual, mas, por fim; voltando a atenção para outras coisas, termina também por não produzir fruto perfeito, mas tão-só um simulacro de fruto espiritual.

13.23: Mas o que foi semeado em boa terra, este é o que ouve a palavra, e a entende; e dá fruto, e um produz cem, outro sessenta, e outro trinta.

13.23 ὁ δὲ ἐπὶ τὴν καλὴν γῆν σπαρείς, οὗτός ἐστιν ὁ τὸν λόγον ἀκούων καὶ συνιείς, ὃς δὴ καρποφορεῖ καὶ ποιεῖ ὃ μὲν ἑκατόν, ὃ δὲ ἑξήκοντα, ὃ δὲ τριάκοντα.

<small>23 ος δη] τοτε D it</small>

Explicação da parábola do v. 8 — "*Ouve a palavra e a compreende; este frutifica*" — Devemos observar que a semente é a mesma, em todos os quatro casos, mas que o tipo de solo e sua preparação prévia é que são diferentes. Neste último caso, o solo bom representa o homem que acolhe a mensagem do reino dos céus no próprio coração. É possível que não tenha recebido a palavra da primeira vez em que a ouviu; talvez a aceitação envolva um processo demorado, mas, afinal, aceitará plenamente a semente. Esse tipo de discípulo considera as consequências, sofre os padecimentos inevitáveis, que acompanham a aceitação

434 |Mateus| NTI

da semente, suporta todas as perseguições galhardamente, luta contra a tendência de misturar com as coisas espirituais as coisas mundanas, rejeita a busca das riquezas dos prazeres e de outros "cuidados" do mundo. Nesse tipo de solo, a semente só pode medrar. A comunhão com Deus, por meio do Espírito Santo, fornece a luz e o sol, a umidade e todos os elementos necessários ao seu desenvolvimento. A planta cresce, lança raízes profundas, forma folhas, produz espigas, e, afinal, dá grande produção de trigo. Deve-se notar que somente neste último caso é que o homem "compreende" a palavra. Seu espírito reconhece as implicações do discipulado; sabe que não deve esperar somente sofrimentos, mas também alguma coisa da glória que, finalmente, o verdadeiro discipulado haverá de propiciar-lhe. O reconhecimento desse fato fará com que ele aceite a mensagem com alegria e o capacitará para permanecer no discipulado, sempre produzindo frutos.

"Produz cem, sessenta e trinta por um" — (Ver ilustração da produção, no v. 8.) Há duas interpretações básicas sobre estas palavras: (1) Jesus quis mostrar que os crentes comprovam o discipulado mediante diversas qualidades, alguns produzindo mais fruto do que outros, dependendo da qualidade da aceitação da palavra e dos esforços envidados continuamente. (2) Jesus quis indicar somente a diferença na produção; e que alguns têm mais capacidade do que outros, e, naturalmente, produzem mais do que estes. Assim, a diferença na produção não indicaria nenhuma diferença quanto ao desenvolvimento ou quanto à fidelidade. Provavelmente, este último é o sentido exato da parábola, embora a primeira explicação também reflita uma verdade que tem sido demonstrada pela experiência humana.

Naturalmente que, em face de uma passagem dessa natureza, os teólogos ensinam doutrinas *complicadas e profundas*, como a predestinação ou decreto de Deus referente à condenação, a fim de explicar as razões que precedem a aceitação ou rejeição à palavra. Introduzem também a doutrina da graça irresistível, que alguns acham estar subentendida aqui; ou então, o oposto a essa ideia, para explicar as diferentes receptividades à semente. Dificilmente, porém, podemos acreditar que essas *simples* palavras de Deus tenham tido o propósito de ensinar essas coisas. Todavia, pelo texto, parece que Jesus indicou que a graça de Deus é concedida a todos, que todos têm oportunidade de aceitar ou de rejeitar a mensagem do reino, e que a diferença nos "solos" verifica-se de acordo com a vontade dos próprios indivíduos, porquanto o solo representa o caráter e a natureza do homem. O semeador é o mesmo em cada caso; a semente, também; mas os solos diferem uns dos outros. A explicação da rejeição da semente, por parte de Israel, que se encontra nos v. 14 e 15, demonstra que Jesus não atribuía a falta da aceitação da palavra à atuação de Deus, e, sim, ao coração empedernido do povo, o qual, propositalmente, prefere não ter contacto com aquilo que pertence a Deus, a despeito da grande misericórdia divina, que oferece muitas oportunidades aos homens, para que reconheçam e sigam os retos princípios que devem governar a vida dos discípulos autênticos.

VI. TERCEIRO GRANDE DISCURSO: DIRIGIDO ÀS MULTIDÕES (13.1-58) - O REINO DOS CÉUS E SEUS MISTÉRIOS

5. A parábola do joio (13.24-30)

A base possível desta parábola é Marcos 4.26-38. Nesse caso, a versão de Mateus é revisão feita com base na de Marcos. Muitos intérpretes, entretanto, creem que as duas parábolas são distintas entre si; e, nesse caso, a parábola de Marcos foi a única a não ser incorporada nos demais Evangelhos. Portanto, a fonte informativa poderia ser ou o *protomarcos* ou "M", dependendo do ponto de vista que assumirmos sobre o problema. (Ver outras especulações a seguir.)

13.24: Propôs-lhes outra parábola, dizendo: O reino dos céus é semelhante ao homem que semeou boa semente no seu campo;

13.24 Ἄλλην παραβολὴν παρέθηκεν αὐτοῖς λέγων, Ὡμοιώθη ἡ βασιλεία τῶν οὐρανῶν ἀνθρώπῳ σπείραντι καλὸν σπέρμα ἐν τῷ ἀγρῷ αὐτοῦ.

13.25: mas, enquanto os homens dormiam, veio o inimigo dele, semeou joio no meio do trigo, e retirou-se.

13.25 ἐν δὲ τῷ καθεύδειν τοὺς ἀνθρώπους ἦλθεν αὐτοῦ ὁ ἐχθρὸς καὶ ἐπέσπειρεν ζιζάνια ἀνὰ μέσον τοῦ σίτου καὶ ἀπῆλθεν.

A parábola do joio. (Ver a interpretação dessa parábola nos v. 36-43.) Somente Mateus registrou essa parábola. A explicação acha-se nos v. 36-43. Esta parábola, como também a do *tesouro escondido*, a da pérola de grande preço, a da rede de pesca e a do pai de família, vêm da fonte chamada "M", que indica o material que só Mateus preservou, dentre as palavras ou ocorrências da vida de Jesus. Evidentemente essa matéria originou-se na tradição oral ou escrita, provavelmente preservada pela igreja de Antioquia. Alguns identificam a fonte "M" com a tradição da igreja em Jerusalém. Essas pessoas identificam "Q" (matéria que Mateus e Lucas têm em comum, mas que Marcos não contém) com a igreja em Antioquia.

Algumas autoridades nos estudos neotestamentários têm identificado esta parábola com o texto de Marcos 4.26-29 (parábola do *crescimento inconsciente* da semente) e, entre tais estudiosos, grande é o debate sobre qual das apresentações das palavras de Jesus — a de Mateus ou a de Marcos — seria a forma original do adágio. Entretanto, as semelhanças são superficiais e a intenção da lição, em cada caso, é inteiramente diversa. Provavelmente, portanto, essas palavras representam adágios diferentes de Jesus, proferidos sob circunstâncias e em ocasiões diferentes. A parábola do joio é principalmente profética, estendendo-se até o julgamento final, ao passo que a parábola do crescimento inconsciente da semente é apenas outra parábola que ilustra o caráter geral do desenvolvimento do reino dos céus entre os homens, como é ilustrado pelas parábolas do fermento e do grão de mostarda. A parábola do grão de mostarda ilustra o crescimento observado do lado de fora; a parábola do fermento, observa pelo lado de dentro esse mesmo crescimento; e a parábola que se lê em Marcos 4.26-29, a do crescimento inconsciente, contempla esse crescimento de maneira que não pode ser visto pelos homens.

"Semeou boa semente" — Indica que o semeador usou semente de boa qualidade, sem mistura com sementes de qualidade inferior ou com sementes de ervas daninhas ou outra planta qualquer indesejável.

"Enquanto os homens dormiam" — Alguns intérpretes acham que a adição de "o inimigo" é superficial, e assim supõem que Jesus não proferiu essas palavras, mas que foram introduzidas na parábola pelo autor, desejando torná-la mais semelhante à interpretação que ele lhe dava. Essas suposições não têm base, a não ser nos preconceitos daqueles que as criaram. Esses intérpretes, evidentemente, não sabiam ou não aceitavam o fato de que tais coisas realmente sucediam no oriente, como ato de vingança ou ódio. Diz o comentário de Ellicott que tais ações eram comuníssimas no oriente. Muitas vezes, a terra representava não apenas as possíveis riquezas do indivíduo, mas também a base do fornecimento de suas necessidades da vida, e assim ofereciam tentação à maldade dos inimigos, porquanto essa atitude prejudicava o outro como poucas coisas conseguiriam fazê-lo. O expositor Alford menciona, em seu comentário, que foi exatamente isso que aconteceu: "alguém semeou joio no campo" em sua fazenda, na Inglaterra, mostrando que esse tipo de vingança não se limitava aos tempos antigos.

"Joio" — Essa palavra, como é evidente, não se acha entre os autores do grego clássico, mas originou-se no hebraico ou em outro idioma oriental. Os botânicos conhecem essa planta pelo nome de "lelium temulentum", que é o trigo bastardo. Essa planta não difere do trigo a não ser (quase no final de seu desenvolvimento) e antes disso é quase impossível a alguém distinguir uma planta da outra; e certamente é perigoso tentar remover ou separar do trigo o joio, antes da ceifa. Os que conhecem a forma da planta dizem que não é fácil distingui-la do trigo senão já nos estágios do desenvolvimento da espiga, porquanto esta tem forma diferente. Assim, é bem apropriado o símbolo do joio, porque, com esse símbolo, Jesus ilustrou o caráter essencial do homem, quer de um discípulo verdadeiro, quer de um discípulo falso. Somente pelos resultados do caráter do indivíduo é que podemos saber ao certo qual a sua natureza. Devemos também notar que o "fruto" do joio não é somente inútil para a alimentação, como também é nocivo ao homem.

13.26: Quando, porém, a erva cresceu e começou a espigar, então apareceu também o joio.

13.26 ὅτε δὲ ἐβλάστησεν ὁ χόρτος καὶ καρπὸν ἐποίησεν, τότε ἐφάνη καὶ τὰ ζιζάνια.

13.27: Chegaram, pois, os servos do proprietário, e disseram-lhe: Senhor, não semeaste no teu campo boa semente? Donde, pois, vem o joio?

13.27 προσελθόντες δὲ οἱ δοῦλοι τοῦ οἰκοδεσπότου εἶπον αὐτῷ, Κύριε, οὐχὶ καλὸν σπέρμα ἔσπειρας ἐν τῷ σῷ ἀγρῷ; πόθεν οὖν ἔχει ζιζάνια;

27 ζιζανια[τα ζιζ. ℵ*Θ f13 al ς

"A erva cresceu e..." — Sendo boa terra, e recebendo a semente de cada planta vantagens idênticas do sol e umidade, ambas cresceram bastante tempo sem mostrar realmente dois tipos de plantas inteiramente diversas, que cresciam juntas. Somente o seu fruto, finalmente, mostrou que havia diferença. O fruto do trigo forneceu alimento e dinheiro ao dono do campo, mas o fruto do joio nada fornece de valor; de fato, ninguém tentaria consumir seus grãos venenosos.

"Vindo os servos do dono da casa" — Provavelmente, entre aqueles homens estavam os mesmos que ajudaram a plantar a semente, e, com certeza, sabiam que a semente plantada era boa e sem mistura. Perplexos, desejando uma explicação, falaram ao proprietário, pensando que talvez ele lhes pudesse dar os motivos de tão esdrúxula situação.

13.28: Respondeu-lhes: Algum inimigo é quem fez isso. E os servos lhe disseram: Queres, pois, que vamos arrancá-lo?

13.28 ὁ δὲ ἔφη αὐτοῖς, Ἐχθρὸς ἄνθρωπος τοῦτο ἐποίησεν. οἱ δὲ δοῦλοι λέγουσιν αὐτῷ, Θέλεις οὖν ἀπελθόντες συλλέξωμεν αὐτά;

28 δουλοι] om B pc co

"Um inimigo fez isso" — O proprietário sabia dar a resposta certa. O aparecimento do joio no meio do trigo não era surpreendente, por ser fenômeno conhecido na experiência humana. O surpreendente foi a *quantidade* de joio. Para cada pé de trigo apareceu um de joio, e, em alguns lugares, talvez mais joio do que trigo. É evidente que, pelo processo natural do campo adrede preparado, isso nunca acontece. Só poderia ser obra de um ser inteligente e malicioso. Lemos haver certos tipos de joio que continuam dando problema durante vários anos, não só no ano em que é plantado. Esse ato maldoso causa muito trabalho aos proprietários dos campos plantados, porquanto é difícil eliminar totalmente o joio, depois que já tomou posse do lugar.

"Queres que vamos e arranquemos o joio?" — No seu zelo, sem considerarem as consequências, os servos queriam resolver imediatamente o problema. O zelo causado pela impaciência, sendo errado, pode causar mais danos que a falta de zelo.

13.29: Ele, porém, disse: Não; para que, ao colher o joio, não arranques com ele também o trigo.

13.29 ὁ δέ φησιν, Οὔ, μήποτε συλλέγοντες τὰ ζιζάνια ἐκριζώσητε ἅμα αὐτοῖς τὸν σῖτον.

"Para que [...] não arranqueis" — Na época da produção de frutos, a dificuldade não consistiria tanto em distinguir entre o trigo e o joio; mas as raízes dessas plantas, estando entrelaçadas entre si, dificultavam sua remoção — a remoção do joio sem danificar o trigo seria quase impossível. E talvez os servos, em seu zelo e impaciência, não tivessem o cuidado de distinguir entre uma e outra planta, e assim, acidentalmente, poderiam arrancar algum trigo, como se fosse joio.

13.30: Deixai crescer ambos juntos até a ceifa; e, por ocasião da ceifa, direi aos ceifeiros: Ajuntai primeiro o joio, e atai-o em molhos para o queimar; o trigo, porém, recolhei-o no meu celeiro.

13.30 ἄφετε συναυξάνεσθαι ἀμφότερα ἕως τοῦ θερισμοῦ· καὶ ἐν καιρῷ τοῦ θερισμοῦ ἐρῶ τοῖς θερισταῖς, Συλλέξατε πρῶτον τὰ ζιζάνια καὶ δήσατε αὐτὰ εἰς δέσμας πρὸς τὸ κατακαῦσαι αὐτά, τὸν δὲ σῖτον συναγάγετε εἰς τὴν ἀποθήκην μου.

30 εἰς Ι°} om DL I 33 700 al it vgʷ sy

30 τὸν...μου Mt 3.12

"Deixai-os crescer juntos até à colheita" — Na sua sabedoria e paciência, o proprietário preferiu tomar uma atitude mais sábia do que aquilo que os servos queriam fazer. Sabia que poderia vencer o inimigo, mas que isso lhe tomaria tempo. Era mister esperar o tempo da frutificação completa, quando os frutos não dependem mais da alimentação fornecida pelas raízes. Chegada a ceifa, seria fácil separar as duas espécies de plantas. Nessa ocasião, além disso, seria ainda mais fácil distinguir entre o joio e o trigo; e, ainda que as raízes fossem destruídas no processo, isso não faria diferença nenhuma, porque agora só haveria interesse em preservar os grãos de trigo. Ver a interpretação completa dessa parábola nos v. 36-43.

VI. TERCEIRO GRANDE DISCURSO: DIRIGIDO ÀS MULTIDÕES (13.1-58) - O REINO DOS CÉUS E SEUS MISTÉRIOS

6. A semente de mostarda e o fermento (13.31-33)

São parábolas *gêmeas*. Mateus parece tecer juntamente informações extraídas de "Q" e do protomarcos. Cf. a versão de Mateus com Marcos 4.30-32 e Lucas 13.18,19.

13.31: Propôs-lhes outra parábola, dizendo: O reino dos céus é semelhante a um grão de mostarda que um homem tomou, e semeou no seu campo;

13.31 Ἄλλην παραβολὴν παρέθηκεν αὐτοῖς λέγων, Ὁμοία ἐστὶν ἡ βασιλεία τῶν οὐρανῶν κόκκῳ σινάπεως, ὃν λαβὼν ἄνθρωπος ἔσπειρεν ἐν τῷ ἀγρῷ αὐτοῦ·

31 παρεθηκεν] ελαλησεν DΘ f13 I al it

31 κόκκῳ σινάπεως Mt 17.20; Lc 17.6

13.32: o qual é realmente a menor de todas as sementes; mas, depois de ter crescido, é a maior das hortaliças, e faz-se árvore, de sorte que vêm as aves dos céu, e se aninham nos seus ramos.

13.32 ὃ μικρότερον μέν ἐστιν πάντων τῶν σπερμάτων, ὅταν δὲ αὐξηθῇ μεῖζον τῶν λαχάνων ἐστὶν καὶ γίνεται δένδρον, ὥστε ἐλθεῖν τὰ πετεινὰ τοῦ οὐρανοῦ καὶ κατασκηνοῦν ἐν τοῖς κλάδοις αὐτοῦ.

32 τὰ πετεινὰ...αὐτοῦ Sl 104.12; Ez 17.23; 31.6; Dn 4.12,21

436 |Mateus| NTI

"Outra *parábola lhes propôs*" — Jesus continua ilustrando os mistérios do reino dos céus com outra parábola — a do grão de mostarda. Eis uma das parábolas que ilustram o desenvolvimento do reino dos céus, ou seja, como a influência de João Batista e de Jesus causavam a propagação da graça divina entre os homens. Aplicando-a ao tempo da igreja, essa parábola ensina como a influência da mensagem de Deus, por intermédio da igreja, vai se expandindo e aumentando no mundo. Para entender o sentido desta parábola, não é preciso entrar na discussão botânica em que ela tem sido envolvida. O que hoje se conhece como mostarda não medra nem no oriente nem em outra região do mundo na forma de uma árvore. Provavelmente, a alusão é a algum tipo de planta que tem o sabor picante da mostarda, e alguns sugerem a *salvadora persica* como a planta que cabe dentro da descrição que temos aqui. Alguns intérpretes insistem em dizer que Jesus referiu-se à planta que hoje se conhece pelo nome de mostarda, mas que, no oriente, essa "árvore" às vezes alcança uma altura de nove a catorze metros, em contraste com as plantas menores que medram na Europa e em outros continentes. É difícil afirmar exatamente com quem está a razão nessa controvérsia. As expressões "menor de todas as sementes" e "maior do que as hortaliças" não indicam uma verdade absoluta em comparação com o tamanho da semente ou com as dimensões da *árvore*. Diversos exemplos, na literatura judaica, demonstram que os judeus usavam a semente como símbolo de qualquer coisa de tamanho diminuto. A diferença entre os tamanhos é mais notável do que usualmente achamos no caso de outras sementes e a planta ou árvore que elas produzem. De modo geral, a parábola ilustra o desenvolvimento do reino (ou a influência ou propagação da igreja), que teve começo insignificante, segundo os padrões do mundo, sem contar com nenhuma autoridade religiosa ou política e com poucos discípulos verdadeiros, mas que, afinal, conseguiu alcançar notável posição no mundo, e exercer grande poder. O grão de mostarda ilustra o desenvolvimento que ultrapassa as expectativas, e é provável que os discípulos que ouviram essas palavras de Jesus, naquele dia, tivessem ficado surpreendidos se soubessem que a religião da qual Jesus Cristo é o Salvador viria, finalmente, a tornar-se uma das principais do mundo, com representantes em todas as regiões da terra.

Comparar reinos com árvores era muito comum entre os judeus, como se vê na própria Bíblia — Daniel 4.10-12, 20-22; Ezequiel 31.3-9; Salmos 80.8-10. E não é impossível que Jesus tivesse em mente a referência de Daniel quando proferiu essas palavras. Assim, Jesus indicou o tipo de reino, isto é, o reino dos céus, e como este operaria por meio de sua igreja. A figura das aves do céu, aninhadas nos galhos dessa "árvore", talvez tenha sido tomada por empréstimo de Daniel 4.20-22, que dá a ideia da falta de segurança na árvore (segurança falsa), porquanto logo a árvore seria cortada e destruída (símbolo do reinado de *Nabucodonosor*). Alguns intérpretes, seguindo essa ideia, tiram dessa parábola um ensinamento de "desenvolvimento extraordinário e rápido, mas sem substância". Esses intérpretes opinam também que as aves simbolizam influências malignas, como maus agouros; no entanto, o ensino do simples texto não parece indicar que Jesus tencionava que os seus discípulos compreendessem essas coisas com suas palavras. Outros exageram o sentido e a importância das aves, dizendo que representam anjos que ministram na igreja, ou então que significam os membros da igreja. Essas interpretações, embora interessantes, ultrapassam a significação simples da parábola. Provavelmente, Jesus aludiu à árvore e às aves simplesmente para dizer que essa árvore cresceria ao ponto de servir de moradia para as aves, por ser de tamanho considerável. Alguns bons intérpretes indicam, por esse símbolo, um lugar de refúgio, repouso e bênção, resultante da permanência da igreja no mundo.

13:33: Outra parábola lhes disse: O reino dos céus é semelhante ao fermento que uma mulher tomou e misturou com três medidas de farinha, até ficar tudo levedado.

13.33 Ἄλλην παραβολὴν ἐλάλησεν αὐτοῖς· Ὁμοία ἐστὶν ἡ βασιλεία τῶν οὐρανῶν ζύμῃ, ἣν λαβοῦσα γυνὴ ἐνέκρυψεν εἰς ἀλεύρου σάτα τρία ἕως οὗ ἐζυμώθη ὅλον.

---

33 ἐλάλησεν αυτοις] om **D** *d k* syᵉ
33 Lc 13.20,21 ζύμη...ὅλον 1Co 5.6; Gl 5.9

Parábola do fermento (paralelo em Lucas 13.20,21). Talvez nenhuma outra parábola tenha sido alvo de tantas interpretações radicalmente *divergentes* entre si como esta. Infelizmente, Jesus não deu sua interpretação, porquanto isso teria eliminado muito papel que se tem gasto no debate sobre o que está implicado nesta parábola. A maior dificuldade gira em torno do sentido do símbolo do fermento. As principais ideias apresentadas são as seguintes:

1. Fermento é símbolo de *maldade* — é a influência penetrante do pecado, quer do Diabo, da religião falsa, da política maliciosa ou dos homens em geral. Naturalmente que os escritos judaicos estão repletos desse símbolo, provavelmente por causa da conexão do fermento com a páscoa, porque nesse tempo era vedado até mesmo ter fermento em casa, e todos os pães eram feitos sem fermento, durante esse período anual. Por muitas vezes, os rabinos usaram o fermento para indicar um desejo pervertido. O próprio Jesus aludiu a coisas más, usando esse símbolo: "[...] acautelai-vos do fermento dos fariseus e saduceus". Então, entenderam que não lhes dissera que se acautelassem do fermento dos pães, mas da doutrina dos fariseus e saduceus (Mt 16.11,12). Em Marcos 8.15, Jesus usou do mesmo simbolismo ao referir-se a Herodes, e, nesse caso, não se referia a doutrinas e, sim, ao caráter maligno dessa personagem. Paulo também empregou o vocábulo em 1Coríntios 5.8, a fim de indicar a malícia de alguma grande maldade moral. As aplicações do símbolo com sentido mau são numerosas. Eis alguns exemplos: (a) O papado e a Igreja Católica romana (interpretação protestante). (b) Influência do protestantismo (interpretação católica). (c) Diversos elementos falsos, através da história da igreja. (d) O pecado original inerente à natureza humana. (e) A apostasia na igreja. (f) A corrupção geral da igreja, moral, e doutrinariamente. (g) A influência do Diabo sobre a igreja. Talvez haja muitas outras interpretações, quase sem número; mas pelo menos esses exemplos nos dão ideia do quanto tem sido diversificada a interpretação e aplicação desta parábola.

2. *Outros acham* que o fermento indica, ao mesmo tempo, o desenvolvimento da *maldade* na igreja, bem como o fato de esse desenvolvimento ser grande; ou ainda, a influência do pecado original na igreja, porém, lado a lado com a graça gratuita de Deus, é que tais influências formam o caráter geral da igreja. Pode ser que isso seja verdade, mas dificilmente podemos ver esse sentido nestas palavras de Jesus.

3. *Respeitando* os intérpretes que têm o fermento como símbolo do mal, devemos afirmar que, neste caso, não se deve entender isso. Provavelmente, Jesus usou de ousadia para *alterar* o sentido comum do símbolo do fermento, a fim de que significasse coisa boa, isto é, o notável desenvolvimento do reino dos céus. Apresentamos as seguintes razões em defesa dessa interpretação: (a) Nem sempre as Escrituras usam o fermento como símbolo de coisa má. Diz Levítico 23.17: "Das vossas habitações trareis dois pães de movimento: de duas dízimas de farinha serão, levedados se cozerão: primícias são ao Senhor". Dificilmente podemos entender que essa "primícias" de Deus são coisa má. (b) A análise do *adágio* mostra que o reino dos céus é comparado ao fermento; não está em foco apenas a influência exercida pelo reino. O fermento caracteriza o reino. Aqui, uma vez mais, seria difícil afirmar que o caráter principal do reino (o cristianismo no mundo) é mau. O fermento não é apresentado como elemento do reino, mas como o caráter mesmo do reino. Fica salientada somente a forma de desenvolvimento do reino ou da influência da igreja no mundo, em seu caráter

permeador e penetrante. (c) Por diversas vezes, outros símbolos são usados de maneiras diversas, como, por exemplo, o próprio fermento, conforme já notamos em Levítico 23.17. Nestas parábolas, a semente simboliza primeiramente a "palavra" (do semeador); mas, na parábola do joio, simboliza o produto da palavra, a saber, "os filhos do reino", o que indica que houve uma modificação no uso desse símbolo. O símbolo do leão é usado para designar Satanás, em 1Pedro 5.8, mas é empregado para indicar Jesus Cristo, em Apocalipse 5.5. As aves são usadas como símbolo mau, conforme se vê no v. 19 deste capítulo (Satanás), mas o próprio Jesus lançou mão desse símbolo para expressar o caráter manso e simples dos apóstolos (Mt 10.16). Portanto, não se deve entender que cada símbolo tenha sempre o mesmo sentido, porque a verdade é que não têm aplicação universal.

4. *Reputar o fermento* como símbolo mau, neste caso, seria ir de encontro à mensagem geral das parábolas que ilustram o desenvolvimento do reino, como a parábola da mostarda e a da semente que cresce inconscientemente (Marcos 4.26-29). Todas essas três parábolas ilustram certo aspecto do *desenvolvimento* do reino. A parábola do grão de mostarda ilustra esse crescimento observado do lado de fora; a do fermento, o crescimento visto pelo lado de dentro, como poder penetrante do reino. E a parábola que se encontra em Marcos 4.26-29 ilustra o crescimento inconsciente, que não é encorajado nem observado pelo homem. Por conseguinte, o caráter geral do texto sugere que, neste caso pelo menos, o fermento não simboliza algo mau.

5. *Finalmente*, não é provável que essa parábola tenha tido por escopo ilustrar a falha do reino no mundo, interpretação essa quase necessária se insistirmos que o símbolo do fermento sempre indica algo perverso, posto que o fermento espalha sua influência pela massa inteira. O próprio versículo diz: "[...] até ficar tudo levedado". *Não é provável* que Jesus tenha descrito a influência de sua igreja com esses termos. A explicação mais provável, portanto, é que o fermento, neste caso, simboliza o desenvolvimento da influência da igreja no mundo, uma penetração derivada do poder do caráter da igreja, a ponto de permear o mundo inteiro, capaz de mudar o caráter do mundo, tal como o fermento muda o caráter do pão. Naturalmente que a parábola não ensina que a igreja converterá o mundo todo, conforme ensinam os pós-milenistas, os quais evidentemente exageram o sentido do símbolo. Devemos evitar as interpretações que ensinam significados estranhos e exagerados, e que obviamente ultrapassam a simples intenção das palavras do texto. As misturas de questões complexas de teologia e de história eclesiástica ou de história universal não têm papel legítimo na interpretação destas parábolas.

"Uma mulher [...] três medidas". À semelhança do símbolo do fermento, essas palavras também têm recebido diversas interpretações exageradas, como as seguintes: (1) A mulher é a igreja romanista ou o papado. (2) É o Diabo, que introduz maus elementos na igreja. (3) É o símbolo da agência do mal. (4) É símbolo bom, Jesus Cristo ou a própria igreja, em sua influência benéfica no mundo. Provavelmente, porém, os detalhes fornecidos por Jesus servem apenas para formar uma história coerente e completa. Pelo menos nos é impossível dizer com exatidão o que significam esses detalhes, uma vez que não contamos com nenhum esclarecimento prestado sobre eles pelo Senhor Jesus.

"Três medidas" — De novo, há interpretações exageradas: (1) Os pais da Igreja julgavam tratar-se de uma alegoria, aludindo aos representantes da raça humana, dividida em três grupos, os judeus, os gentios e os samaritanos. (2) Outros intérpretes pensam tratar-se da santificação da personalidade completa do homem, que se divide em corpo, espírito e alma. (3) Outros, ainda com maior exagero que os primeiros, pensavam tratar-se da preservação ou santificação da igreja, do governo e do mundo físico.

Provavelmente, temos aqui, uma vez mais, detalhes da parábola que servem apenas de meios usados para dar coerência à história. Não é impossível que Jesus tivesse visto sua mãe fazer pão, usando três medidas de farinha, lembrança essa que fez o número três aparecer no texto. Pelo menos, se esse número significa algo mais sério do que isso, é impossível dizer qual seja esse sentido. A simples leitura da parábola, todavia, dá a entender, de modo geral, o que Jesus queria dizer. Alford afirma que uma citação de Josefo demonstra que *três medidas* parece ter sido uma medida comumente usada no preparo da massa do pão. Essa informação poderia indicar que não necessitamos procurar o sentido desse detalhe da parábola.

VI. TERCEIRO GRANDE DISCURSO: DIRIGIDO ÀS MULTIDÕES (13.1-58) – O REINO DOS CÉUS E SEUS MISTÉRIOS

7. Segunda explicação da razão por que é ocultada a significação da revelação (13.34,35)

(Ver as notas introdutórias sobre 13.10, que também podem ser aplicadas aqui.)

"Neste ponto, Marcos arredonda as parábolas com uma breve seção editorial. Mateus abrevia isso, e adiciona uma citação extraída de Salmos 78.2, a fim de mostrar que o método de ensino, usado por Jesus, desde há muito fora prefigurado e predito. Pode ter sido quase literalmente verdadeiro que 'ele nada lhes dizia sem uma parábola' ". (Sherman Johnson, in loc) Cf. Miqueias 4.33,34. A fonte informativa do comentário é um *comentário editorial* de Marcos, mas isso é expandido por Mateus, conforme é explanado acima.

13.34: Todas estas coisas falou Jesus às multidões por parábolas, e sem parábolas nada lhes falava;

13.34 Ταῦτα πάντα ἐλάλησεν ὁ Ἰησοῦς ἐν παραβολαῖς τοῖς ὄχλοις, καὶ χωρὶς παραβολῆς οὐδὲν ἐλάλει αὐτοῖς·

13.35: para que se cumprisse o que foi dito pelo profeta: Abrirei em parábolas a minha boca; publicarei coisas ocultas desde a fundação do mundo.

13.35 ὅπως πληρωθῇ τὸ ῥηθὲν διά[3] τοῦ προφήτου λέγοντος, Ἀνοίξω ἐν παραβολαῖς τὸ στόμα μου, ἐρύξομαι κεκρυμμένα ἀπὸ καταβολῆς [κόσμου][4].

[3] **35** {C} διά ℵ^b B C D K L W X Δ Π 0242 28 565 700 892 1009 1010 1071 1079 1195 1216 1230 1241 1242 1253 1344 1365 1546 1646 2148 2174 *Byz Lect* it^{a,aur,b,c,d,(e),f,ff1,2,g1,h,k,l,π,q} vg syr^{c,s,p,h} cop^{sa,bo} arm eth^{ro,pp} geo Eusebius mss^{acc. to Eusebius} Chrysostom Jerome // διὰ Ἡσαΐου ℵ* Θ *f f* 33 eth^{ms} Ps-Clement Porphyry^{acc. to Jerome} mss^{acc. to Eusebius} mss^{acc. to Jerome} // διὰ Ἀσάφ mss^{acc. to Jerome}

[4] **35** {C} ἀπὸ καταβολῆς κόσμου (*ver* Sl 78.2) ℵ^{*,c} C D K L W X Δ Θ Π *f*^{13} 28 33 565 700 892 1009 1010 1071 1079 1195 1216 1230 1241 1242 1253 1344 1365 1546 1646 2148 2174 *Byz Lect* it^{a,aur,b,c,d,f,ff1,2,g1,h,l,π,q} vg syr^{(p),h} cop^{sa,bo,fay} arm geo Ps-Clement Hilary Chrysostom // ἀπὸ καταβολῆς ℵ^b B *f*^l it^{e,k} syr^{c,s} eth Diatessaron[l] Origen

[3] Por um lado, a forma "por meio de Isaías, o profeta" é apoiada pelo códex Sinaítico (primeira mão), por vários importantes manuscritos minúsculos, por um manuscrito etíope e por cópias do evangelho conhecidas por Eusébio e Jerônimo. Este último também afirma que Porfírio a citou, como se isso mostrasse a ignorância de Mateus (*tam imperitus fuit*). As probabilidades de transcrição imediatamente favorecem isso como a forma mais difícil, pois é fácil supor que erro tão óbvio teria sido corrigido por copistas (cf. 27.9 e Mc 1.2).

Por outro lado, se nenhum profeta foi originalmente nomeado, mais de um escriba teria sido impelido a inserir o nome do mais bem conhecido profeta — algo que, de fato sucedeu mais de uma vez (ver os comentários sobre 1.22; 2.5; 21.4 e At 7.48). É possível também que algum leitor, observando a fonte real da citação (Sl 78.2), tenha inserido "Asafe", e, subseqüentemente — conforme sugeriu Jerônimo —, outros leitores, não tendo ouvido falar desse

438 |Mateus| NTI

> profeta (cf. 2Cr 29.30), modificaram o nome para o muito mais familiar "Isaías". Nenhum documento existente diz aqui ʼΑσάφ.
>
> Em face de tão confiantes probabilidades de transcrição, a comissão preferiu seguir a preponderância da evidência externa.
>
> Pode-se argumentar que a forma mais breve, confirmada por testemunhos representantes dos tipos de texto alexandrino, ocidental e oriental, é a original e que a palavra κόσμου foi adicionada por escribas, com base em 25.34, onde o texto é firme.
>
> Por outro lado, já que a preponderância da evidência externa dá apoio à inclusão de κόσμου, a maioria da comissão relutou em retirar a palavra inteiramente do texto, resolvendo incluí-la entre colchetes.

"Sem parábolas nada lhes dizia" — Material provavelmente baseado em Marcos 4.33,34, e que Marcos usou como conclusão da parábola do grão de mostarda, a última parábola apresentada por esse autor no texto em estudo, com referência ao reino dos céus. Essa expressão seria mais apropriada no texto que Marcos usa como conclusão, e, naturalmente, acha-se neste passo do evangelho de Mateus porque seu autor seguia a ordem do material de Marcos. Essa ideia é comumente aceita pelas autoridades do NT. Dentre os 661 versículos de Marcos (sem incluir o texto discutido, Marcos 16.9-20), 606 aparecem em Mateus, copiados diretamente ou com leve modificação. Em contraste com isso, Mateus conta com 300 versículos sem paralelo nos outros Evangelhos, e que vêm da fonte "M". O restante do evangelho de Mateus está alicerçado na fonte intitulada "Q", isto é, material que Mateus tem em comum com Lucas. Marcos apresenta somente 31 versículos que não se acham em Mateus ou em Lucas, e isso mostra claramente que Marcos foi usado como base dos outros Evangelhos sinópticos, que quase nada omitiram do que ele escreveu. Ver detalhes sobre essas questões, com mais provas e informações sobre as fontes dos Evangelhos sinópticos, no artigo da introdução a este comentário, intitulado "O problema sinóptico".

A expressão "sem parábola nada lhes dizia" limita-se às circunstâncias dessa ocasião, porque é perfeitamente óbvio que, de outras vezes, Jesus ensinou a seus discípulos sem se utilizar de parábolas. Pode ser que nesse tempo ele tivesse começado a empregar parábolas mais do que antes, ou que passasse a ensinar principalmente por meio de parábolas.

"Para que se cumprisse..." — Novamente temos uma demonstração do método que o autor deste evangelho usava para fazer citações (conforme se verifica nas citações que se acham em Mt 8.17 e 12.17). Em primeiro lugar, a citação vem do salmos 78.2, que não parece ser profecia messiânica; mas suas palavras são empregadas com essa aplicação, ilustrando um dos propósitos do autor deste evangelho, que era o de demonstrar que o cristianismo se alicerça no judaísmo bíblico, que Jesus era o Messias prometido, e que sua rejeição, por parte de Israel, foi a rejeição do próprio rei de Israel, que constituía sua grande esperança. A citação baseou-se na LXX, com pequena modificação, e o "profeta" deve ter sido Asafe, porquanto o salmo 78 é dele, e não de Davi. O texto de 2Crônicas 29.30 menciona-o como profeta, chamando-o de "Asafe, o vidente".

Há uma *variante* notável aqui, em alguns mss gregos antigos, que dizem "Isaías, o profeta". Os mss que têm essa adição são Aleph, Theta, os mss da Fam 13,1 e alguns outros. Portanto, trata-se de acréscimo antigo, e antes dos tempos de Jerônimo essa citação, que traz o nome de Isaías, era usada pelos inimigos do cristianismo contra esse evangelho, para mostrar a ignorância do autor, que atribui a citação a Isaías, ao passo que a citação vem do Salmo 78. A maior parte dos mss antigos, entretanto, não contém palavras nome *Isaías*, pelo que se pode afirmar que esse nome não faz parte do texto original do evangelho de Mateus. Algum escriba posterior é que fez a adição, provavelmente por causa da influência do fato de o autor do evangelho de Mateus citar Isaías por repetidas vezes.

Alguns mss adicionam *Asafe*, especialmente os que Jerônimo conheceu. No entanto, essa edição também não representa o texto original. Alguns acham que "Asafe" fazia parte do texto original e que Isaías entrou no texto por haver sido trocado pela palavra "Asafe", mudança essa feita por algum escriba ignorante. Os mss em geral não dão apoio a essa alteração.

A expressão "do mundo" também não fazia parte do texto original, mas deriva-se dos mss Aleph, DW, Theta, Fam 1, Fam 13, 28, a maior parte dos códices mais recentes, e algumas das versões latinas. As traduções KJ, AC e AA (que são duvidosas) e outras, contêm essa adição, mas as traduções mais modernas usualmente omitem essas palavras. A adição dessas palavras na citação vem por influência do texto da LXX.

> ## VI. TERCEIRO GRANDE DISCURSO: DIRIGIDO ÀS MULTIRÕES (13.1-58) - O REINO DOS CÉUS E SEUS MISTÉRIOS
> ### 8. Interpretação da parábola do joio (13.36-43)
> Essa seção não tem nenhum paralelo, pelo que sua fonte é "M", embora talvez tenhamos aqui um comentário editorial, feito pelo próprio evangelista, o qual procurou transmitir a mentalidade de Jesus sobre o tema. (Quanto a explicações sobre as *fontes de informação* dos Evangelhos sinópticos, ver o artigo desse título na introdução ao comentário.)

13.36: Então Jesus, deixando as multidões, entrou em casa. E chegaram-se a ele os seus discípulos, dizendo: Explica-nos a parábola do joio do campo.

13.36 Τότε ἀφεὶς τοὺς ὄχλους ἦλθεν εἰς τὴν οἰκίαν. καὶ προσῆλθον αὐτῷ οἱ μαθηταὶ αὐτοῦ λέγοντες, Διασάφησον ἡμῖν τὴν παραβολὴν τῶν ζιζανίων τοῦ ἀγροῦ.

36 Διασαφησον ℵΒΘ *pc* it; R] Φρασον DW f1 f13 565 700 *pl* lat ς
36 Διασάφησον...παραβολήν Mt 15.15; Mc 4.10; 7.17; Lc 8.9

O autor deste evangelho, como de costume, registra circunstâncias e acontecimentos principalmente a fim *de expor*, de maneira mais apropriada, os ensinamentos de Jesus. Por isso, aqui, descreve determinados atos de Jesus, como, "despedindo as multidões, foi Jesus para casa etc.", somente para introduzir a seção na qual relata a interpretação da parábola do joio. Alguns intérpretes acham provável que a "casa" fosse a casa de Pedro, mas é impossível determinar a verdade ou não dessa opinião.

13.37: E ele, respondendo, disse: O que semeia a boa semente é o Filho do homem;

13.37 ὁ δὲ ἀποκριθεὶς εἶπεν, Ὁ σπείρων τὸ καλὸν σπέρμα ἐστὶν ὁ υἱὸς τοῦ ἀνθρώπου·

Explicação *da parábola do joio*, v. 37-43: material que se acha apenas em Mateus, baseado na fonte "M". Ver notas em Mateus 13.34.

"O que semeia..." — Ver nota detalhada sobre *Filho do homem*, em Marcos 2.7 e Mateus 8.20. Uma vez mais, neste versículo, é posta ênfase sobre a importância do personagem de Jesus, o Cristo. O autor deste evangelho mostra que sua história não deve ser reputada importante somente para seus dias e para aquelas circunstâncias, mas deve ter aplicação não menos importante para a história do mundo, desde o princípio até o fim (julgamento). Por isso é que o autor deste evangelho ensina que o cristianismo é a religião universal, e não só um produto do judaísmo, e também que o fundador dessa fé é personagem universalmente importante para todos os tempos.

13.38: o campo é o mundo; a boa semente são os filhos do reino; o joio são os filhos do maligno;

13.38 ὁ δὲ ἀγρός ἐστιν ὁ κόσμος· τὸ δὲ καλὸν σπέρμα, οὗτοί εἰσιν οἱ υἱοὶ τῆς βασιλείας· τὰ· δὲ ζιζάνιά εἰσιν οἱ υἱοὶ τοῦ πονηροῦ,

<small>38 οἱ υἱοὶ τοῦ πονηροῦ Jo 8.44; 1Jo 3.10</small>

"O campo é o mundo" — Apesar de tão claras palavras, tem havido confusão entre os intérpretes acerca do símbolo "campo". A seguir, estão as ideias que têm sido desposadas: (1) A igreja universal, incluindo todas as denominações. (2) O mundo geográfico (físico) e todas as raças que habitam na terra. Seria esta uma interpretação secular, isto é, ela não reconhece totalmente que até o "joio" deve representar algo de caráter religioso, não podendo referir-se apenas a indivíduos irreligiosos. (3) A história inteira do mundo, desde a penetração inicial do pecado, até o julgamento final. Interpretação assim tão ampla deve ter elementos verdadeiros, mas provavelmente ela é ampla demais na sua aplicação. (4) Se nos lembrarmos de que Jesus ilustrou "o reino dos céus" e o caráter geral desse reino, a interpretação se tornará mais fácil de ser feita. A expressão "reino dos céus" é usada com diversos sentidos, como se vê na nota em Mateus 32, mas aqui a alusão é à influência da orientação de Deus no mundo, especialmente neste texto, à orientação de Deus pela mensagem de Cristo (o evangelho) por intermédio da igreja.

Assim, o *campo* é o mundo inteiro, mas, do ponto de vista que contempla o mundo como a esfera onde a igreja exerce sua influência; e essa esfera é tão vasta, que coincide com o mundo físico, o qual passa a ser considerado como tipo do "reino dos céus" ou igreja. Por conseguinte, esta parábola descreve principalmente o mundo que pretende ser o "reino dos céus". Sua aplicação, pois, estende-se para além da igreja organizada, que existe no mundo, e abrange também o mundo inteiro, como se ele já fosse a igreja. Contudo, é errôneo fazer a aplicação desta parábola ao mundo sem considerar que Jesus falou, principalmente, das pessoas que professam fazer parte do "reino". A parábola fala de "joio" e de "trigo". O "joio" é a *imitação* do trigo. Essa ideia requer interpretação, porquanto o "joio" não é somente qualquer pessoa irreligiosa ou incrédula, mas aqueles que fingem ser parte do "reino", postando-se entre os cristãos. Isso, porém, não significa que esses fingidos façam parte da igreja que prega o evangelho. Contudo, a experiência humana da igreja demonstra que, de fato, existem "joios" em qualquer denominação ou igreja.

É mister evitar a ideia de alguns, que ensinam, supostamente baseados nesta parábola, que a disciplina eclesiástica não tem base nas Escrituras, porque Jesus ilustrou que o joio deve ficar entre o trigo até o tempo do juízo. Este texto, porém, de forma nenhuma ensina isso, e essa interpretação nega outras passagens, pois não passa de um exagero. A igreja não tem autoridade, capacidade ou recursos para separar o joio do trigo no âmbito universal, onde a influência do "reino" tem alcançado; porém, dentro da própria igreja local deve ser aplicada a disciplina recomendada pela Bíblia. O texto também ensina que a igreja local deve compor-se de uma mistura de joio e de trigo, mas devemos evitar essa situação, se for possível evitá-la. Esta parábola ensina que, no mundo, por onde já se espalhou a influência do reino, sempre haverá mistura de joio e trigo. Novamente, a experiência humana da igreja local demonstra que, realmente, há joio no meio do trigo; mas as regras da igreja local devem ser calculadas para impedir essa situação em um nível mais alto.

Esta parábola descreve o período da história do mundo que teve início com o ministério de Cristo e que terminará com o julgamento, ou seja, que abrange a era da graça, em que a igreja estará em funcionamento. Jesus se refere a esse período como se fosse uma estação do ano própria para a semeadura e a colheita. A ceifa demonstra que só há dois tipos de homens: crentes verdadeiros e imitações de crentes. Sob essas considerações pode-se dizer que o mundo é a igreja infestada de joios. Deve-se acrescentar também que esta parábola não fala de uma "igreja secularizada", e nem do "estabelecimento de igrejas oficiais", mas do grande corpo do cristianismo nominal, que se convencionou chamar de cristandade.

"A boa semente..." — Nota-se aqui que o símbolo da "semente" foi um tanto modificado. Na parábola do semeador, a semente representava a "palavra" ou "mensagem" de Cristo, as boas-novas do reino. Aqui, porém, a semente representa o resultado ou fruto da semente, a saber, os filhos do reino. Essa mesma ideia reaparece em Tiago 1.18, que diz: "Pois, segundo o seu querer, ele nos gerou pela *palavra da verdade*, para que fôssemos como que primícias das suas criaturas". Jesus falou das pessoas que não só ouvem a Palavra de Deus, mas que também a recebem com compreensão, acolhendo-a no coração, segundo sua explicação do bom solo (v. 23).

"O joio..." — É verdade que usualmente tais palavras aplicam-se aos *religiosos*, embora destituídos de vida espiritual, conforme mostram as passagens de João 8.38-44 e Mateus 23.15; portanto, grande número de intérpretes opina que a expressão "filhos do maligno" fala dos hereges. A referência certamente inclui essas pessoas, pois fala principalmente de pessoas dotadas de religião falsa (imitadoras dos verdadeiros cristãos), mas o v. 41 mostra que a aplicação pode ser mais ampla, visto que o joio representa "todos os escândalos e os que praticam a iniquidade". Ao dizermos isso, não pretendemos perder de vista o ponto central da parábola: o "joio" representa os "falsos discípulos" do reino. O "maligno" é Satanás, conforme também se vê no v. 19.

13.39: o inimigo que o semeou é o Diabo; a ceifa é o fim do mundo; e os ceifeiros são anjos.

13.39 ὁ δὲ ἐχθρὸς ὁ σπείρας αὐτά ἐστιν ὁ διάβολος· ὁ δὲ θερισμὸς συντέλεια αἰῶνός ἐστιν, οἱ δὲ θερισταὶ ἄγγελοί εἰσιν.

13.40: Pois assim como o joio é colhido e queimado no fogo, assim será no fim do mundo.

13.40 ὥσπερ οὖν συλλέγεται τὰ ζιζάνια καὶ πυρὶ καίεται, οὕπως ἔσται ἐν τῇ συντελείᾳ τοῦ αἰῶνος⁵·

<small>40 συλλέγεται...καίεται Mt 3.10; 7.10; Jo 15.6</small>

<small>⁵ 40 {C} τοῦ αἰῶνος ℵ B D 892 it^{a,aur,b,c,d,e,ff1,2,g1,k,l} vg syr^{c,s} cop^{sa} arm eth Irenaeus^{lat} Origen^{lat} Hilary Lucifer Cyril // τοῦ αἰῶνος τούτου C K L P W X Δ Θ Π 0119 0242 0250 f¹ f¹³ 28 33 565 700 1009 1010 1071 1079 1195 1216 1230 1241 1242 1253 1344 1365 1546 1646 2148 2174 Byz Lect it^{f,h,q} syr^{p,h} cop^{sa ms,bo,fay} geo Diatessaron Chrysostom</small>

> A familiaridade da expressão "esta (presente) era" (12.32; Lucas 16.8; 20.34; Romanos 12.1; 1Coríntios 1.20; 2.6(*bis*),8; 3.18; 2Coríntios 4.4; Efésios 1.21; 1Timóteo 617; 2Timóteo 4.10 e Tito 2.12) explica a interação de τούτου —no texto posterior.

"O inimigo que o semeou é o Diabo" — É certo que as Escrituras reconhecem a existência de um Diabo *pessoal*, que é um ser real, e que não se utiliza dessa palavra como mero símbolo de maldade personificada. Ver nota detalhada sobre "Satanás", em Lucas 10.18. Esta parábola reconhece o grande e autêntico poder desse ser.

Notemos que a *explicação* da parábola, feita por Jesus, nada tem de complicado, dando somente as ideias principais, não mencionando, por exemplo, coisa nenhuma sobre os detalhes da parábola, com o sentido de "enquanto os homens dormiam", ou o sentido dos "servos". É perfeitamente possível que Jesus não tenha querido indicar nada de especial com essas palavras, mas tão-só apresentar uma história coerente, com detalhes suficientes para atrair o interesse dos ouvintes. Naturalmente que os intérpretes se têm esforçado por dar diversas interpretações a essas palavras, pensando que também são símbolos, e que Jesus deixou ao encargo de outros apresentar a interpretação completa. As explicações são as seguintes: (1) "Enquanto os homens dormiam" ilustra a atitude de descuido das autoridades e ministros da igreja, a falta de disciplina e o espírito mundano, a fraqueza moral e também, de modo geral, a negligência. O tempo de perigo

440 |Mateus| NTI

é o perigo de segurança aparente. Os erros surgem e, finalmente, se transformam em heresias, divisões e escândalos. Alguns intérpretes ensinam (provavelmente com razão) que a expressão equivale apenas a "noite". (2) Os servos devem ser, naturalmente, *símbolos* dos ministros do evangelho, ou talvez de qualquer pessoa que seja verdadeiro discípulo do reino dos céus; são aqueles que têm interesse pelo crescimento e desenvolvimento da semente no campo. Alguns expositores pensam que, provavelmente, Jesus quis indicar a negligência desses servos, porquanto estavam entre os que dormiam quando o inimigo semeou o joio. Todavia, essas interpretações exageram o que Jesus realmente quis ensinar por meio desta parábola, e esses detalhes só foram fornecidos para formar uma história interessante e completa.

"A ceifa é a consumação do século" — Nota-se, na literatura judaica, que essa consumação era esperada por muitos judeus no começo do ministério do Messias, e é bem possível que João Batista tivesse pensado exatamente isso. De fato, parece que ele ficou desapontado quando não viu acontecer esse evento em seus dias. No NT, porém, a frase "consumação do século" expressa a ideia do tempo em que o Filho do homem haverá de voltar para julgar o mundo, isto é, antes do milênio e do estabelecimento do reino literal entre os homens. Os intérpretes que não aceitam a doutrina do milênio interpretam que Jesus indicou o fim do sistema mundano, conforme o conhecemos, antes da entrada do sistema da eternidade, e que fala do juízo geral do mundo dos homens.

"Os ceifeiros são os anjos" — O NT dá muita importância ao ministério dos anjos, quer para benefício dos verdadeiros discípulos, quer para a classificação mencionada aqui, imediatamente antes do julgamento. Outras referências subentendem a presença dos anjos no julgamento dos homens (Mt 25.31). As profecias de Daniel mencionam o mesmo ministério angelical (Dn 7.9,10). É no livro de Daniel também que Miguel, o grande príncipe entre os anjos, estará presente na ressurreição dos homens, e certamente ele ocupará algum tipo de ministério quando desse acontecimento (Dn 12.1,2). O texto de 1Pedro 3.22 mostra que esses grandes poderes estão todos sujeitos a Cristo, o que, por si só, subentende que são instrumentos postos ao seu serviço. O primeiro capítulo de Efésios e os capítulos primeiro e segundo de Colossenses demonstram ainda mais claramente, e com maiores minúcias, o mesmo ensino. Não sabemos muito sobre essa questão, mas não há que duvidar que as Escrituras se referem aos anjos como seres reais, e não como meros símbolos. Ver nota detalhada sobre os "anjos", em Lucas 4.10.

"O joio é colhido..." — Fala sobre o juízo eterno. Ver nota detalhada em Apocalipse 14.11.

13.41: Mandará o Filho do homem os seus anjos, e eles ajuntarão do seu reino todos os que servem de tropeço, e os que praticam a iniquidade,

13.41 ἀποστελεῖ ὁ υἱὸς τοῦ ἀνθρώπου τοὺς ἀγγέλους αὐτοῦ, καὶ συλλέξουσιν ἐκ τῆς βασιλείας αὐτοῦ πάντα τὰ σκάνδαλα καὶ τοὺς ποιοῦντας τὴν ἀνομίαν,

---
41 ἀποστελεῖ...συλλέξουσιν Mt 24.31; Mc 13.27

συλλέξουσιν...ἀνομίαν Sf 1.3

13.42: e lançá-los-ão na fornalha de fogo; ali haverá choro e ranger de dentes.

13.42 καὶ βαλοῦσιν αὐτοὺς εἰς τὴν κάμινον τοῦ πυρός· ἐκεῖ ἔσται ὁ κλαυθμὸς καὶ ὁ βρυγμὸς τῶν ὀδόντων.

---
42 βαλοῦσιν...πυρός Dn 3.6; Mt 13.50   ἐκεῖ...ὀδόντων Mt 8.12; 13.50; 22.13; 24.51; 25.30; Lc 13.28

Estes versículos dão mais detalhes sobre o que ficou subentendido no v. 40, ilustrando o ministério dos anjos e afirmando que a separação entre os discípulos verdadeiros e os falsos discípulos será total e perfeita.

Todos os escândalos... — são palavras que demonstram que o "joio" deve ser considerado representante de uma classe mais ampla do que a dos hereges e dos falsos discípulos. Está em vista, aqui, a classe inteira dos incrédulos; mas esse fato não invalida a mensagem principal da parábola, isto é, que o "joio" representa o discípulo falso, aquele que finge ser crente.

"Todos os escândalos" — Literalmente, *"todos os obstáculos* ou empecilhos", isto é, tudo que é contrário ao êxito e ao caráter do reino dos céus; estão em foco aqueles que praticam a iniquidade, que negam a mensagem do reino, que impedem a outros de aceitarem e praticarem os princípios da doutrina de Cristo.

"Choro e ranger de dentes" — O texto de Mateus 8.12 registra as mesmas palavras, mas com outro vocábulo para expressar a ideia de julgamento, isto é, "trevas". Essas três expressões vêm dos ensinos e da literatura judaica, que as usavam para descrever o tipo de julgamento daqueles que estivessem fora do reino. Do lado de fora do palácio do rei, que por dentro seria bem iluminado, com grande número de lâmpadas e outras fontes luminosas, haveria trevas espessas. Nas trevas, os homens padeceriam dores por terem sido excluídos do reino. Ver v. 50 deste capítulo, e também Mateus 24.51; 25.30 e Lucas 13.28. Os que ficam de fora sofrem de frio e de fome, e por isso haverá "ranger de dentes". Usualmente, o "ranger de dentes" é associado ao frio, palavra essa ainda mais comum para expressar a ideia de julgamento. Provavelmente, a ideia, neste caso, não se refere ao hades, e, sim, à geena ou lago de fogo.

"Fornalha acesa" — Notamos, na história do mundo, que diversas nações têm usado a punição da fornalha. Os textos de Daniel 3.6 e Jeremias 29.22 mostram que a fornalha era usada pelos caldeus. Antíoco Epifânio usou essas fornalhas contra os judeus, ao tempo dos Macabeus (2Mac. 7). Em tempos mais recentes, notamos que na Pérsia também eram usadas essas fornalhas, e quem pode esquecer-se que, há poucos anos, na Alemanha de Hitler, utilizaram-se fornos para destruir literalmente a milhões de judeus? Essa prática desumana tornou-se *símbolo* do juízo final, e, entre os judeus, o termo era usado comumente dessa maneira. Não é abordada aqui a questão de graus de julgamento. Jesus apresenta este ensino tão-somente para ilustrar o julgamento, utilizando-se de termos conhecidos que podiam ser compreendidos por qualquer ouvinte.

13:43: Então os justos resplandecerão como o sol, no reino de seu Pai. Quem tem ouvidos, ouça.

13.43 Τότε οἱ δίκαιοι ἐκλάμψουσιν ὡς ὁ ἥλιος ἐν τῇ βασιλείᾳ τοῦ πατρὸς αὐτῶν. ὁ ἔχων ὦτα[6] ἀκουέτω.

---
43 οἱ...ἥλιος Dn 12.3   ὁ...ἀκουέτω Mt 11.15; 13.9; Mc 4.23; Lc 14.35; Ap 2.7; 13.9

[6] **43** {C} ὦτα (*ver* 11.15; 13.9) ℵ* B Θ 0242 700 it^{a,b,c,d} vg^{k,w} Hilary Augustine // ὦτα ἀκουειν (*ver* Mc 4.9; Lc 8.8) ℵ^c C D K L P W X Δ Π 0119 0250 *f*^1 *f*^13 28 33 565 892 1009 1010 1071 1079 1195 1216 1230 1241 1242 1253 1344 1365 1546 1646 2148 2174 *Byz Lect* it^{aur,e,ff,1,2,g1,h,l,q} vg^{ek} syr^{c,s,p,h,pal} cop^{sa,bo,fay} arm eth geo Diatessaron Origen Eusebius Hilary

---

Ver os comentários sobre a mesma forma variante em 11.15.

"Os justos resplandecerão..." — A passagem de Provérbios 4.18 diz: "Mas a vereda dos justos é como a luz da aurora, que vai brilhando mais e mais até ser dia perfeito". Daniel 12.3 diz: "Os entendidos, pois, resplandecerão como o resplendor do firmamento; e os que a muitos ensinam a justiça, refulgirão como as estrelas sempre e eternamente". Talvez a ideia aqui expressa, (na qual é usada a ideia do sol) vise ao raiar da aurora, depois da noite longa e escura. O sol, ao romper a aurora, vai brilhando cada vez mais intensamente, até ser dia perfeito. O caráter do dia será justiça perfeita, sem a mistura da maldade do joio, o qual traz iniquidade e discórdia. Outrossim, quando isso ocorrer, há de se cumprir a transformação dos verdadeiros discípulos segundo a imagem de Cristo, acerca do que Paulo escreveu: "A ardente expectativa da criação aguarda a revelação dos filhos de Deus" (Rm 8.19). E ainda: "[...] e não somente ele, mas também nós que temos as primícias do Espírito, igualmente gememos em nosso íntimo, aguardando a adoção de filhos, a redenção do nosso corpo [...]. Porquanto aos que de antemão conheceu, também os predestinou para serem conformes à imagem de seu Filho, a fim de que ele seja o primogênito entre muitos irmãos" (Rm 8.28,29). Não há tema mais elevado nas Escrituras do que esse que trata da glória dos discípulos verdadeiros no Reino. Há um antigo refrão judaico que diz: "Quando a alma sai do corpo, aquele que é deixado será como a *luz do sol* e como o resplendor do firmamento" (*Midrash hannealam* apud *Zohar* em Gn, fol. 69.17). Ver nota detalhada sobre a glória do mundo vindouro e da transformação do crente à imagem de Cristo, em Romanos 8.29; ver, "participação na divindade", 2Pe 1.4.

"Quem tem ouvidos, ouça" — As palavras "para ouvir" não são autênticas aqui, porque os mss mais antigos provam que o texto original do evangelho de Mateus não as incluía. Os mss Aleph, B, Theta e outros códices mais recentes, e também diversos mss das versões latinas também as omitem. Contudo, nota-se que, às vezes, esse ditado, registrado em outras passagens bíblicas, contém essas palavras, onde, muito provavelmente, fazem parte do original. Esse ditado é encontrado em diversos outros textos das Escrituras: Mateus 11.15; 13.9; 4.9,23; Lucas 8.8; 14.35; Apocalipse 2.7,11,17,29; 3.6,13,22. Esse adágio vem da literatura judaica, e era constantemente usado pelos rabinos. Jesus usou essa expressão para atrair a atenção de seus ouvintes para a importância do ensino apresentado, a fim de que entendessem seu sentido oculto, ou então para que compreendessem bem o sentido revelado; enfim, para que seus ouvintes compreendessem totalmente as implicações de seu ensino. Precisamos ser diligentes, buscando entender, aplicar e seguir as palavras de Jesus, porquanto ele abordou temas eternos.

Talvez nenhum outro texto do NT tenha merecido tanta atenção ou uso exagerado como a parábola do joio. Foi o texto mais debatido nas controvérsias havidas na igreja africana, nos séculos IV e V a.C. Os *donatistas* (discípulos de Donato, bispo de Casai Nigrae, século IV), que eram partidários de disciplina severa na igreja e insistiam sobre a necessidade de pureza estrita na igreja, diziam que, em vista do campo ser "o mundo", não podiam aceitar nenhuma indicação de mistura de crentes e incrédulos (o trigo e o joio) na igreja. Por isso, praticavam uma disciplina extremada. Agostinho, líder do outro lado da controvérsias, sendo também autoridade da igreja africana, voltou-se contra essa seita, dizendo que essa parábola, em verdade, adverte contra a disciplina radical na igreja, porquanto o "mundo" nessa parábola, representa o "mundo da igreja". Agostinho e seus partidários achavam que é inevitável a mistura do joio e do trigo no seio da igreja. Nessa controvérsia, como quase sempre que há controvérsia, a verdade era o *meio-termo*. É verdade que precisamos cuidar da parte disciplinar, para que os verdadeiros discípulos não sejam perseguidos. No entanto, é também verdade que esta parábola não ensina nem que a disciplina não deva ser praticada na igreja, e nem que a igreja não tem autoridade e responsabilidade de para manter a disciplina.

Nota-se também que, durante a *Idade Média*, os teólogos defendiam a aplicação da pena de morte aos hereges, ignorando o ensino desta parábola, que não se deve arrancar o joio, para não suceder que também seja arrancado o trigo. Interpretavam condicionalmente essa observação, admitindo que há casos em que o joio pode ser arrancado sem que o trigo corra perigo. Diversas ocorrências, na história eclesiástica, mostram que, realmente, o trigo tem sido arrancado pelo joio, isto é por discípulos falsos e violentos, os quais pensam estar prestando um serviço a Deus. Disse Jesus: "Vem a hora em que todo o que vos matar julgará com isso tributar um culto a Deus" (Jo 16.2). Por meio desta parábola, aprendemos que a violência contra os homens (*quer sejam joio, quer sejam trigo*), por motivos religiosos, não é permitida nos ensinos de Cristo. Ele nunca praticou violência contra quem quer que fosse, mas recebeu pacientemente os maus-tratos dos homens e até mesmo a morte às mãos deles. A perseguição religiosa, em todas as suas formas, é contrária à vontade de Deus. Só o Filho do homem tem autoridade para julgar nesses casos.

VI. TERCEIRO GRANDE DISCURSO: DIRIGIDO ÀS MULTIDÕES (13.1-58) - O REINO DOS CÉUS E SEUS MISTÉRIOS

9. A parábola do tesouro (13.44)

Esta parábola também não tem paralelos, pelo que sua origem é "M". "Tesouros ocultos em um campo sempre capturaram a imaginação; veja-se a popularidade de todas as histórias sobre o ouro ocultado por piratas. B. T. D. Smith (*Parables of the Synoptic Gospels*, p. 143-145) dá exemplos de narrativas similares. Os aldeões do oriente próximo ocasionalmente ainda acham montes de moedas. Talvez seja ética deficiente esconder o valor de tal campo, mas, tal como na parábola do mordomo injusto (Lc 16.1-8), o caráter do indivíduo nada tem a ver com o ponto central da parábola. O reino de Deus é tão desejável que, por motivo de pura alegria, um homem venderá todas as suas possessões materiais a fim de obtê-lo, julgando não haver feito nenhum sacrifício" (Sherman Johnson, in loc).

13.44: O reino dos céus é semelhante a um tesouro escondido no campo, que um homem, ao descobri-lo, esconde; então, movido de gozo, vai, vende tudo quanto tem, e compra aquele campo.

13.44 Ὁμοία ἐστὶν ἡ βασιλεία τῶν οὐρανῶν θησαυρῷ κεκρυμμένῳ ἐν τῷ ἀγρῷ, ὃν εὑρὼν ἄνθρωπος ἔκρυψεν, καὶ ἀπὸ τῆς χαρᾶς αὐτοῦ ὑπάγει καὶ πωλεῖ πάντα ὅσα ἔχει[7] καὶ ἀγοράζει τὸν ἀγρὸν ἐκεῖνον.

44 θησαυρῷ κεκρυμμένῳ Pv 2.4

[7] **44** {C} πωλεῖ πάντα ὅσα ἔχει ℵ D 0242 *f*¹ (892 ἔχει) 1009 1079 1546 it^(a,aur,b,c,d,e,f,ff¹,g¹,h,k,l) vg (syr^(c,s,p,pal)) cop^(sa,fay) arm eth^(pp,ms) geo Origen Chrysostom // πάντα ὅσα ἔχει πωλεῖ C K L P W X Δ Θ Π 0119 0250 *f*¹³ 33 565 700 1010 1074 1195 1230 12421 1242 1344 1365 1646 2148 2174 *Byz Lect l*^(185m,333m) (it^(f,q)) syr^h eth Origen // πωλεῖ ὅσα ἔχει B 1216 cop^(bo) Origen // ὅσα ἔχει πωλεῖ 28

A sequência, πάντα ὅσα ἔχει πωλεῖ parece ter sido influenciada pela narrativa de Lucas 18.22 (πάντα ὅσα ἔχεις πώλησον). Embora a forma mais breve de B e de alguns poucos outros testemunhos seja atrativa, a ausência de πάντα pode ter resultado da tendência alexandrina de podar palavras desnecessárias.

"O reino dos céus é semelhante a um tesouro oculto no campo" — Esta parábola acha-se somente em Mateus, e representa a fonte "M". Ver nota no v. 34. As parábolas do joio, da pérola de grande preço, da rede de pesca e das coisas novas e velhas (ou do pai de família) também pertencem a essa fonte informativa. A parábola do tesouro oculto ilustra a descoberta acidental do reino; e a da pérola, a descoberta do reino por esforço diligente.

É evidente que a prática de esconder tesouros no campo era *comum* no oriente, e as seguintes referências parecem refletir esse fato: Jeremias 41.8; Jó 3.21 e Provérbios 2.4. Segundo as leis dos judeus, quem comprou aquelas terras também tinha o direito de apossar-se do tesouro ali escondido. Meyer cita um incidente de Bava Mezia, no qual o rabino Emi adquiriu um terreno com o intuito de apossar-se de um tesouro que descobrira nesse terreno. Quem encontrasse um tesouro em um campo não podia apossar-se do tesouro sem comprar o terreno; porém, uma vez adquirido o terreno, o tesouro também seria seu. O costume de ocultar tesouros no campo, nos tempos antigos, originou-se da dificuldade em ocultar esses tesouros dos ladrões, da avareza dos vizinhos e de outros perigos que ameaçavam sua perda, por falta de recursos para preservação dos bens, recursos esses com que contamos nos tempos modernos. Todavia, esse costume continua sendo praticado por algumas pessoas, especialmente aquelas que desconfiam dos bancos.

"Tesouro" — Muitas são as opiniões sobre o sentido deste símbolo, tais como as seguintes: (1) A vida eterna. (2) Cristo. (3) O evangelho. (4) Os crentes ou a igreja. (5) As vantagens que o reino dos céus traz ao homem, em sua vida espiritual, de conformidade com uma interpretação mais lata, que considera que esta parábola alude ao caráter geral ou valor geral do *reino dos céus*.

Assim, esta parábola ilustra o *valor da verdade* que se acha em Cristo, e que inclui a própria pessoa de Cristo, a mensagem real do evangelho, o destino reservado aos homens, na vida eterna. Temos, porém, de rejeitar a interpretação que faz da igreja o tesouro, e de Cristo aquele que compra o terreno a fim de obter o tesouro. Em um sentido *estritamente* teológico, o homem nada tem para dar em troca de Cristo e do reino; outrossim, Cristo não pode ser comprado, e a igreja desassociada do mundo não o compra; mas a prática desse tipo de prestidigitação exegética tem levado muitos a perderem de vista o ensino desta parábola. Ela ilustra que é fato comum, em muitos casos, que, nas vicissitudes da vida, na busca da verdade aqui e ali, o indivíduo é finalmente levado a descobrir, talvez por acidente, que realmente existe um grande tesouro neste mundo, e que esse tesouro é Cristo, a sua mensagem e o reino no qual ele governa. Ao reconhecer essa maravilhosa descoberta, percebe que todos os outros tesouros da vida, sejam eles riquezas materiais, ou a intelectualidade, ou os prazeres, ou a fama etc., não se pode comparar com esse tesouro incalculável. Essa foi a experiência dos apóstolos, os quais "deixaram tudo" a fim de seguirem a Cristo. Essa foi também a experiência dos antigos discípulos, muitos dos quais morreram como mártires, porquanto a vida física, por si mesma, tem pouquíssimo valor em comparação com o tesouro do reino dos céus. Mateus 11.12 ilustra o espírito desta parábola: "Desde os dias de João Batista até agora, o reino dos céus é tomado por esforço, e os que se esforçam se apoderam dele". A despeito da oposição interna e externa, alguns, movidos por uma atitude resoluta, asseguram seus respectivos lugares no reino de Cristo. Quem obtém o reino tem tudo a ganhar, e não sofre nenhum prejuízo.

Adam Clarke ensina diversas lições espirituais por meio desta parábola:

1. A salvação outorgada por Deus deve ser considerada nosso *único* tesouro, e devemos valorizá-lo acima de tudo.
2. Nas Escrituras, devemos *procurar* toda informação possível acerca do tesouro, para que compreendamos o seu grande valor.
3. Devemos *ponderar* as considerações dessa salvação no coração.
4. Se preciso for, é mister *abandonar* tudo o mais a fim de reter esse tesouro.
5. Nesse tesouro é que deve estar a nossa *alegria*.
6. Devemos compreender, sempre, que essa salvação foi comprada *por Jesus*, mediante o sangue do testamento, derramado quando de sua paixão e morte.

VI. TERCEIRO GRANDE DISCURSO: DIRIGIDO ÀS MULTIDÕES (13.1-58) - O REINO DOS CÉUS E SEUS MISTÉRIOS

10. Parábola da pérola de grande preço (13.45,46)

(Ver Ap 17.14 quanto a notas sobre as "*pérolas*"). Os que comerciavam com esse produto viajavam até o golfo Pérsico ou mesmo até a Índia, para obter o mesmo. Geralmente eram homens de grande diligência, que queriam ter sucesso no seu empreendimento. Apocalipse 18.12 mostra que as pérolas eram um artigo popular de comércio na época. "Tesouro! o evangelho é um tesouro, e Cristo é sua alegria suprema. O seu segredo transforma a nossa vida. Naturalmente, o homem deu tudo quanto tinha para comprar aquele campo abençoado dos céus, e, como é óbvio, um homem deve dar 'tudo por tudo' quando encontra a Cristo [...] A parábola da pérola preciosa é narrativa gêmea com a do que achou um tesouro no campo. Há, contudo, diferenças significativas entre elas. O 'herói' da outra parábola presumivelmente era um homem pobre: o comerciante dessa história é presumivelmente rico, talvez um bom conhecedor de pérolas. Talvez tenha viajado até o golfo Pérsico, ou

mesmo à Índia, em busca de gemas. Já o lavrador não esperava encontrar coisa nenhuma, ao passo que o comerciante andava à cata de uma joia excelente. Contudo, a verdade focalizada na história é a mesma: o reino é o bem supremo" (Buttrick, in loc). Naturalmente, o *tesouro* é tudo quanto Jesus Cristo nos dá, nossa transformação em sua imagem, para compartilharmos de sua natureza, ou seja, virmos a compartilhar de sua divindade (ver 2Pe 1.4). (Ver Cl 2.10, quanto à nota de sumário sobre como chegamos a participar de toda a "plenitude de Deus", cf. Ef 3.19). Esse é o evangelho real, pois aquilo que Cristo nos dá excede infinitamente ao mero perdão de pecados e a futura mudança de endereço para os céus.

13.45: Outrossim, o reino dos céus é semelhante a um negociante que buscava boas pérolas;

13.45 Πάλιν ὁμοία ἐστὶν ἡ βασιλεία τῶν οὐρανῶν ἀνθρώπῳ ἐμπόρῳ ζητοῦντι καλοὺς μαργαρίτας·

45 ουρανων] add ανθρωπω CDΘ *pl* Or ς

13.46: e encontrando uma pérola de grande valor, foi, vendeu tudo quanto tinha, e a comprou.

13.46 εὑρὼν δὲ ἕνα πολύτιμον μαργαρίτην ἀπελθὼν πέπρακεν πάντα ὅσα εἶχεν καὶ ἠγόρασεν αὐτόν.

46 ενα[*om* D it syᶜ co   48 καλα[καλλιστα D *700* it (syᶜ)

Parábola *da pérola de grande preço*. — Encontra-se somente em Mateus baseada na fonte "M". Ver nota sobre as fontes dos Evangelhos, no v. 34. Esta parábola ilustra o indivíduo que encontra o reino dos céus, como algo de grande valor, como resultado de uma busca diligente, em contraste com a parábola do tesouro escondido, que alude à descoberta acidental do reino. O homem que é personagem desta parábola aparece como competente crítico de valores, perito conhecedor de pérolas. A busca desse homem era resoluta, decisiva, judiciosa, incessante, guiada por princípios diligentes e pela experiência. No tempo de Jesus, as pérolas tinham grande valor, comparativamente mais do que na atualidade, porquanto, no mercado de joias, tinha mais valor do que as esmeraldas, as safiras e outras pedras preciosas. As pérolas eram usadas para *decorar as vestes* dos ricaços. Lemos que uma das razões de o imperador Cláudio invadir a Inglaterra foi o desejo de fomentar ali um novo mercado de pérolas. O povo para quem Jesus falou certamente conhecia bem o fato que muitos negociantes buscavam pérolas de grande valor, e tanto mais porque a Palestina ficava à beira do mar Mediterrâneo. Devido à associação das pérolas com o mar, os pescadores e o povo que moravam à beira-mar devem ter sentido o impacto desta parábola. Aqui vemos o quadro de um homem que sempre encontrava pérolas de pequeno valor, mas que continuou na sua busca por uma pérola soberba, singular, de grande preço. Finalmente, a sua busca o guiou àquela pérola raríssima. Por conhecê-las bem, reconheceu imediatamente que aquela pérola era não somente grande, mas também dotada de formação perfeita, sem falhas. O seu desejo de possuí-la foi tão intenso, que vendeu tudo quanto tinha, todas as riquezas que havia amealhado durante toda a sua vida, a fim de comprar aquela pérola extraordinária. Essa pérola simboliza Cristo e seu reino. Contudo, há diversas interpretações sobre o símbolo da pérola, como: (1) A salvação eterna; uma interpretação tão ampla que deve contar elementos verdadeiros. (2) Jesus Cristo. (3) A comunhão com Deus. (4) A igreja, de acordo com a opinião de alguns, os quais dizem igualmente, que Cristo é aquele que busca a pérola e a adquire. A pérola é uma unidade formada não mecanicamente, mas sim, organicamente, mediante a secreção da ostra, como a igreja (ver At 2.41,47; 5.14; 11.24; Ef 2.21; Cl 2.19).

Segundo essa última interpretação, Cristo, a troco do altíssimo preço de seu sangue, adquiriu a pérola de grande preço. A despeito do fato de essa interpretação conter diversos elementos que podem ser ilustrados pelas condições da parábola, é melhor interpretar (como já fizemos no caso da parábola do tesouro escondido) que o homem é o pecador diligente, e que a pérola é o *reino de Deus*. A ideia do reino naturalmente inclui o valor da pessoa de Cristo, a sua mensagem, a salvação proporcionada por ele e a comunhão com o Pai. A ideia central, portanto, é de que todas as demais coisas, quando contrastadas com a posse do reino dos céus, têm pouquíssimo valor, e que há certas pessoas que buscam esse reino, e então, ao encontrá-lo, dão-lhe tão grande valor, que se dispõem a sacrificar tudo a fim de se apossarem dele. Paulo ilustra tipo de pessoa mediante o próprio testemunho: "Sim, deveras considero tudo como perda, por causa da sublimidade do conhecimento de Cristo Jesus, meu Senhor, por amor do qual perdi todas as coisas e as considero como refugo, para ganhar a Cristo..." (Fp 3.8). Tal como na parábola do tesouro escondido, questões como aquela que diz que "nenhum homem busca a Deus", e que tentam provar que o homem dessa parábola não pode ser um pecador, são considerações impróprias que apenas obscurecem o sentido indicado por Jesus. Na experiência humana, o pecador sempre acha o que busca, e, de fato, há passagens bíblicas que indicam justamente essa possibilidade e mesmo responsabilidade. O impulso do Espírito se faz presente em todos os lugares, e leva os homens a buscar o caminho de Deus. Todavia, não são todos que se importam em buscar a pérola de grande preço, e nem todos estão dispostos a pagar o alto preço necessário para a obtenção dessa pérola.

VI. TERCEIRO GRANDE DISCURSO: DIRIGIDO ÀS MULTIDÕES (13.1-58) - O REINO DOS CÉUS E SEUS MISTÉRIOS

11. Parábola da rede de pesca (13.47-50)

Somente Mateus tem essa parábola, pelo que é da fonte "M". A rede era aquela de *dimensões maiores*. Uma das extremidades era presa à praia, e a outra, a uma embarcação. Não se trata de mera "tarrafa", como em Mateus 4.18. Essa grande rede recolhia grande acúmulo de peixes, entre os quais, naturalmente, vinham bons e ruins, úteis e inúteis. A parábola ilustra o juízo que haverá no fim do mundo. Os homens, finalmente, mostrarão o que realmente são. A rede de Deus recolherá a todos, e cada qual será selecionado quanto à sua qualidade. O evangelho pode atrair muita gente à igreja, mas, por detrás dessa vinda, há muitos motivos, alguns dos quais não são puros e nem espirituais. A rede, no entanto, desvendará tudo isso.

13.47: Igualmente, o reino dos céus é semelhante a uma rede lançada ao mar, e que apanhou toda espécie de peixes.

13.47 Πάλιν ὁμοία ἐστὶν ἡ βασιλεία τῶν οὐρανῶν σαγήνῃ βληθείσῃ εἰς τὴν θάλασσαν καὶ ἐκ παντὸς γένους συναγαγούσῃ·

13.48: E, quando cheia, puxaram-na para a praia; e, sentando-se, puseram os bons em cestos; os ruins, porém, lançaram fora.

13.48 ἣν ὅτε ἐπληρώθη ἀναβιβάσαντες ἐπὶ τὸν αἰγιαλὸν καὶ καθίσαντες συνέλεξαν τὰ καλὰ εἰς ἄγγη, τὰ δὲ σαπρὰ ἔξω ἔβαλον.

Parábola *da rede de pesca* — Encontra-se somente em Mateus, derivada da fonte informativa "M". Ver nota, no v. 34, sobre as fontes dos Evangelhos. A maior parte dos intérpretes considera que esta parábola (a sétima) é a última, ficando assim preservado o número "sete", no qual veem diversos símbolos místicos; porém, segundo demonstramos nas notas de introdução a este capítulo, se reunirmos o material exposto por Mateus, Marcos e Lucas, notaremos que não há apenas sete parábolas acerca do reino dos céus, mas talvez até mesmo doze. Os v. 51 e 52 deste capítulo também

apresentam outra parábola — a do *pai de família*, ou, conforme alguns a chamam, a parábola "das coisas novas e velhas". Portanto, nesse décimo terceiro capítulo de Mateus temos oito, e não apenas sete parábolas sobre o reino dos céus.

A mensagem desta parábola não difere muito da do joio, porque o resultado final é o *julgamento*, a separação entre os bons e os maus. No grego, a palavra aqui traduzida como "rede" não é a rede pequena, que um homem sozinho podia usar, e, sim, a rede grande, manejada por diversos homens, e que podia recolher grande número de peixes de uma só vez. Por causa dessa capacidade, como é natural, muitas variedades de peixes eram colhidos por ela. Alguns peixes eram usados como alimento, para fornecer óleo ou outro produto de valor no mercado, enquanto que outros peixes eram inúteis, destituídos de qualquer valor. Era mister que os pescadores separassem os peixes bons dos peixes maus ou sem valor. Lembremo-nos que as leis judaicas referentes à alimentação não permitiam que certos peixes fossem consumidos, a despeito de seu valor aparente. Os pescadores judeus deviam devolver tais peixes ao mar.

A parábola ilustra os *efeitos* da pregação do evangelho no mundo. Alguns aceitam a mensagem e assim desenvolvem uma fé autêntica, tornando-se discípulos legítimos de Cristo. Outros parece que são somente "recolhidos" pela rede da mensagem de Cristo, mas finalmente mostram que são falsos discípulos. Alguns possuem verdadeiramente a vida espiritual, conferida em face da fé verdadeira, enquanto que outros só aparentemente têm a vida espiritual. Alguns, segundo os propósitos de Deus, estão prontos para cumprir os alvos divinos, ao passo que outros não são aptos para cumprir os alvos de Deus no tocante ao destino determinado para os seres humanos.

13.49: Assim será no fim do mundo: sairão os anjos, e separarão os maus dentre os justos,

13.49 οὕτως ἔσται ἐν τῇ συντελείᾳ τοῦ αἰῶνος· ἐξελεύσονται οἱ ἄγγελοι καὶ ἀφοριοῦσιν τοὺς πονηροὺς ἐκ μέσου τῶν δικαίων

13.50: e lançá-los-ão na fornalha de fogo; ali haverá choro e ranger de dentes.

13.50 καὶ βαλοῦσιν αὐτοὺς εἰς τὴν κάμινον τοῦ πυρός· ἐκεῖ ἔσται ὁ κλαυθμὸς καὶ ὁ βρυγμὸς τῶν ὀδόντων.

50 βαλοῦσιν...πυρός Dn 3.6; Mt 13.42   ἐκεῖ...ὀδόντων Mt 8.12; 13.42; 22.13; 24.51; 25.30; Lc 13.28

"Consumação do século..." — Esses versículos são quase idênticos aos v. 41 e 42, que explicam a parábola do joio. Ver notas nesses versículos. Esta parábola, à semelhança do joio, ilustra: (1) A mistura do mal e do bem no reino dos céus (no mundo do cristianismo nominal). (2) A separação final desses elementos, especialmente por meio do ministério dos anjos. (3) O julgamento horrível dos falsos discípulos. (4) Esta parábola mostra que a busca, a aceitação e a posse do reino (os benefícios que Cristo oferece através de sua mensagem) devem ser considerações sérias para os homens. Cristo ensina que o destino final do homem depende do impacto de sua mensagem no mundo, e que a rejeição ou aceitação dessa mensagem determina o tipo de julgamento que cada pessoa terá de enfrentar. (5) Esta parábola constitui uma conclusão séria das parábolas do reino, mostrando que os homens devem ouvir com atenção, devem considerar a pessoa do Messias como personagem dotada de grande autoridade, não somente agora, mas especialmente na eternidade, e que os homens devem decidir-se por seguir e obedecer aos ensinamentos do reino, preparando-se assim para o julgamento, no qual o Filho do homem será o juiz.

VI. TERCEIRO GRANDE DISCURSO: DIRIGIDO ÀS MULTIRÕES (13.1-58) - O REINO DOS CÉUS E SEUS MISTÉRIOS

12. O escriba instruído no reino (13.51,52)

444 |Mateus| NTI

O evangelista, com seu forte pano de fundo judaico, tem o *rabino justo* como seu ideal do discípulo cristão. Provavelmente, estava pintando um retrato inconsciente de si mesmo, ou, pelo menos, de seu "eu ideal". Ele era um técnico na erudição rabínica, e dedicara isso a Cristo. Em *Aboth* 2.8, temos comentários instrutivos sobre rabinos ideais: "O rabino Eliezar ben Hircano é uma cisterna forrada que não perde nenhuma gota. O rabino Eliezar ben Araque é um manancial".

13.51: Entendestes todas estas coisas? Disseram--lhes eles: Entendemos.

13.51 Συνήκατε ταῦτα πάντα; λέγουσιν αὐτῷ, Ναί.

13.52: E disse-lhes: Por isso, todo escriba que se fez discípulo do reino dos céus é semelhante a um homem, proprietário, que tira do seu tesouro coisas novas e velhas.

13.52 ὁ δὲ εἶπεν αὐτοῖς, Διὰ τουγτο πᾶς γραμματεὺς μαθητευθεὶς τῇ βασιλείᾳ τῶν οὐρανῶν ὅμοιός ἐστιν ἀνθρώπῳ οἰκοδεσπότῃ ὅστις ἐκβάλλει ἐκ τοῦ θησαυροῦ αὐτοῦ καινὰ καὶ παλαιά.

52 ο δε ειπεν] λεγει **D** *al* lat sy | εκβαλλει] προφετει *l al* **Or**

"Entendestes todas estas cousas?..." — Escriba versado no reino dos céus é semelhante a um pai de família". Esta parábola do pai de família é exclusiva do evangelho de Mateus, e vem da fonte "M". Ver nota sobre as fontes dos Evangelhos no v. 34. Esta é a oitava parábola deste capítulo, e, pelas suas palavras, notamos que é parábola sobre o reino dos céus. Conforme já dissemos, alguns intérpretes não consideram que este adágio dito por Jesus seja uma parábola, provavelmente por causa do preconceito que os leva a tentar preservar o número sete como número das parábolas sobre o reino dos céus. Ver nota, no v. 47, acerca dessa ideia, bem como as notas na introdução a esse capítulo. Não obstante, a verdade é que a sétima parábola — a da rede de pesca — é uma conclusão apropriada para as parábolas deste capítulo, isto é, da principal mensagem que Jesus quis ensinar com esse discurso; mas, esta oitava parábola também é uma espécie de conclusão, que ilustra o caráter geral do ministério de ensino de Jesus.

"Escriba" — Jesus usa aqui a palavra "escriba", a fim de indicar os mestres da Palavra de Deus, da mensagem do reino, tais como ele mesmo; ou então, a fim de indicar outros intérpretes do reino, como os apóstolos e outros. Não faz, entretanto, alusão aos escribas dos judeus. Assim, Jesus ensina que seus discípulos têm a responsabilidade de ensinar, e que esse ensino inclui "coisas velhas", como as Escrituras do AT — a lei, os profetas etc.— mas também as novas doutrinas apresentadas por ele. Os discípulos estão na obrigação de usar, em seu ministério, os meios disponíveis, tal como o pai de família tira, de seu depósito, diversas coisas que fornecem aquilo de que sua família precisa. Os discípulos que ensinam, portanto, são os "pais" do reino ou da igreja, os quais têm a responsabilidade de fornecer os subsídios para satisfazer às necessidades espirituais da família espiritual que habita na casa de Deus.

"Coisas novas e velhas" — Tem recebido diversas interpretações, como: (1) As velhas seriam a lei, as Escrituras do AT, os conceitos da velha dispensação. As novas seriam o evangelho do reino e as novas doutrinas esposadas pelo cristianismo. (2) A referência seria geral: a velha ordem religiosa em contraste com a nova, em Cristo. Neste caso, as velhas são usadas para ilustrar e esclarecer as novas. (3) Provavelmente, a ideia também inclui a experiência pessoal do *escriba*, não indicando apenas os livros que ele usa (ou seus conceitos religiosos), mas a própria expressão de sua pessoa, a prática dos dons do Espírito Santo, e várias ilustrações e aplicações. Assim como um pai de família tem o cuidado de providenciar as necessidades de sua família, não só movido pelo senso de responsabilidade, mas também impelido pelo amor, também os discípulos do reino que estão encarregados do ministério do ensino, devem sentir tanto a responsabilidade como um amor verdadeiro pelas pessoas a quem ministram.

VI. TERCEIRO GRANDE DISCURSO: DIRIGIDO ÀS MULTIDÕES (13.1-58) - O REINO DOS CÉUS E SEUS MISTÉRIOS

13. Descritas as obras admiráveis de Jesus (13.53-58)

Cf. Marcos 6.1-6 e Lucas 4.16-32. Essa seção é um *lamento* que simboliza o fato de Jesus não ter obtido nenhum grande e real sucesso em seus três circuitos pela Galileia. Explica algumas das razões por que Jesus foi rejeitado, o que é um dos principais temas dos caps. 11-13, e é paralela a 12.45-50, um incidente que encerra a seção narrativa. Uma história similar, porém bem mais elaborada, é dada em Lucas 4.16-30. A fonte informativa é o *protomarcos*. Os evangelistas escreveram consternados. Eles tinham compreensão espiritual sobre a grandeza de Jesus e seu caráter messiânico. Ficaram pasmados ante a ignorância de outros, o que resultou em uma escassa colheita no ministério de Jesus, terminando em sua franca rejeição e assassinato.

Lightfoot julgava que esta seção fosse um *paradigma* que tem por finalidade simbolizar a falta de sucesso de Jesus na Galileia e talvez, em todo o Israel. Esta seção ilustra o tema profético de como Jesus foi "desprezado e rejeitado pelos homens" (Is 53). A espiritualidade encontra eco e simpatia por parte dos homens sérios acerca da inquirição espiritual. Isso demonstra que não são muitos os que são verdadeiramente sérios nessa busca, pois veja-se como tratam as reivindicações de Cristo!

13.53: E Jesus, tendo concluído estas parábolas, se retirou dali.

13.53 Καὶ ἐγένετο ὅτε ἐτέλεσεν ὁ 'Ιησοῦς τὰς παραβολὰς ταύτας, μετῆρεν ἐκεῖθεν.

53 Καὶ...ταύτας Mt 7.28; 11.1; 19.1; 26.1; Lc 7.1

Jesus visita sua cidade adotiva, Nazaré. Essa vila não é mencionada nenhuma vez no AT; e, embora o historiador Josefo tenha mencionado quarenta e cinco cidades da Galileia, não fez nenhuma alusão a Nazaré. A vida de Jesus, porém, se fez conhecida de milhões naquela localidade tão obscura. É possível que muitas das ilustrações mencionadas por Jesus, tais como a do semeador e as demais parábolas, do viajante em longa jornada, do vinho e dos odres, da eira etc., se tenham baseado em suas memórias de infância, passada naquela pequena aldeia agrícola. O local da sinagoga onde Jesus falou foi assinalado pela Igreja dos Gregos Unidos, mas a Igreja Ortodoxa Grega identifica o local como o lugar onde ficava a Igreja dos Quarenta Mártires. Essas identificações são incertas, pois a sinagoga onde Jesus ministrou certamente foi destruída pelos romanos, em cerca de 70 d.C., e muitas estruturas de origem posterior escondem sua localização exata. Ver outra nota arqueológica acerca de Nazaré, em Mateus 28.13.

Provavelmente, este texto tem paralelos em Marcos 6.1-6 e Lucas 4.16-30. Segundo já fizemos noutras oportunidades, notamos que os evangelistas apresentam essa narrativa não exatamente sob as mesmas circunstâncias. Marcos relata o incidente como se houvera ocorrido após a ressurreição da filha de Jairo (o que já notamos em Mt 9.23-26), enquanto que Lucas narra a história como se tivesse acontecido bem no começo do ministério de Jesus. Alguns intérpretes opinam que a rejeição de Jesus, conforme foi registrada por Lucas, apresenta uma rejeição anterior em Nazaré, e que Mateus e Marcos falam de uma segunda rejeição na mesma localidade. Talvez essa mesma observação seja razoável, mas é muito comum, nos Evangelhos sinópticos, os fatos nem sempre serem apresentados na mesma posição em relação aos ensinos de Jesus. *Papias*, discípulo do apóstolo João, ou de João, o presbítero, informa-nos que Marcos *nem sempre* relatou suas narrativas pela ordem cronológica. Uma vez que Mateus e Lucas usaram o evangelho de Marcos como base principal de seu material, é natural, que nem sempre encontremos suas narrativas nessa ordem, em relação às seções doutrinárias. Essa consideração não implica em que os acontecimentos não tenham sido corretamente relatados;

tão-somente devemos ter o cuidado de não exagerar o aspecto cronológico das diversas seções dos Evangelhos. Alford pensa que talvez os acontecimentos que aparecem em Mateus 8.18 e 9.34 possam ser inseridos entre os v. 53 e 54 deste capítulo.

13.54: E, chegando à sua terra, ensinava o povo na sinagoga, de modo que este se maravilhava e dizia: Donde lhe vem esta sabedoria, e estes poderes milagrosos?

13.54 καὶ ἐλθὼν εἰς τὴν πατρίδα αὐτοῦ ἐδίδασκεν αὐτοὺς ἐν τῇ συναγωγῇ αὐτῶν, ὥστε ἐκπλήσσεσθαι αὐτοὺς καὶ λέγειν, Πόθεν τούτῳ ἡ σοφία αὕτη καὶ αἱ δυνάμεις;

54 η σοφια] praem πασα D al d syˢ
54 ὥστε...αὕτη Jo 7.15

"Se maravilhavam e diziam: Donde lhe vem esta sabedoria e poderes miraculosos?" — O v. 58 mostra que essas palavras não foram ditas com toda a sinceridade. Reconheceram que Jesus não era uma pessoa comum, mas hesitaram por demais em aceitar a sua autoridade, e certamente poucos o aceitaram como o Messias que cumpriu todas as profecias do AT. A ideia que um personagem tão importante pudesse sair de uma vila tão pequena jamais foi aceita pelos seus habitantes. Josefo não menciona Nazaré quando faz a lista de quarenta e cinco cidades da Galileia, e o Talmude não menciona o lugarejo, e seu nome também não figura nos livros apócrifos. Certamente sua população era diminuta, e certamente Nazaré não era reputada (nem mesmo pelos seus habitantes) como cidade onde o grande Messias pudesse morar. Por isso é que indagavam: "[...] donde lhe vem esta sabedoria e poderes miraculosos?" Jesus não recebera instrução nas escolas rabínicas, não nascera em uma família importante, não estava relacionado a personagens importantes entre as autoridades políticas ou religiosas, e nem exercia nenhuma outra influência que pudesse fazer dele um personagem de vulto.

13.55: Não é este o filho do carpinteiro? E não se chama sua mãe Maria, e seus irmãos, Tiago, José, Simão e Judas?

13.55 οὐχ οὗτός ἐστιν ὁ τοῦ τέκτονος υἱός; οὐχ ἡ μήτηρ αὐτοῦ λέγεται Μαριὰμ καὶ οἱ ἀδελφοὶ αὐτοῦ Ἰάκωβος καὶ Ἰωσὴφ⁸ καὶ Σίμων καὶ Ἰούδας;

55 οὐχ οὗτος...υἱός Lc 3.23; Jo 6.42   οὐχ ἡ...Ἰούδας Mt 12.46

8 **55** {B} Ἰωσὴφ אª B C Θ f 33 700ᶜ 892 l¹⁸⁴·⁹⁹⁷ itª·ᵃᵘʳ·ᵇ·ᶜ·f·ff¹·²·g¹·ʰ·l·q* vg syrᶜ·ˢ·ʰ mg,ᵖᵃˡ copᵇᵒ·ᵐˢˢ ethᵖᵖ·ᵐˢ geo Origen Eusebius Jerome // Ἰωσῆς K L W Δ Π 0119 f¹³ 565 1079 1195 1216 1230 1241 1242 1253 1365 1546 1646 2148 2174 Byz l¹²·⁶⁹·²¹¹·²⁰³·³³³ᵏ·ᵐ·⁸⁵⁰·⁸⁸³·¹⁰⁸⁴·¹⁵⁷⁹·¹⁶⁴² itˡ·ᵘᵃᶜ syrᵖ⁷ʰ² copᵇᵒ·ᵐˢˢ·fᵃʸ arm ethⁿᵒ² Diatessaron Basil // Ἰωσῆ 700* 1009 1010 1071 l⁷⁰ syrᵖ⁷ʰ² copᵇᵒ·ᵐˢˢ ethⁿᵒ² // Ἰωάννης אᵛⁱᵈ D X 28 Lectᵈ itᵈ Origem // Ἰωάννης καὶ Ἰωσῆς 1344

O nome Ἰωσῆς (ou Ἰωσῆ), que representa a pronúncia galileia (יוֹסֵי) – do hebraico correto(יוֹסֵי) — parece ser uma introdução com base em Marcos 6.3 no texto de Mateus. A substituição de Ἰωάννης resulta de desatenção escribal, originada da frequência de referências, algures, a Tiago e João, filhos de Zebedeu. A forma Ἰωάννης καὶ Ἰωσῆς é uma mescla manifesta, extremamente distante do original.

"Não é este o filho do carpinteiro?" — Marcos apresenta a seguinte pergunta: "Não é este *o carpinteiro*?" Provavelmente, Jesus fora ajudante de José, na oficina de carpintaria; e depois da morte de José — que deve ter ocorrido muito cedo, porquanto os Evangelhos não mencionam seu nome após narrarem a história de seu nascimento, ao passo que Maria é mencionada por diversas vezes —, Jesus deve ter-se tornado o carpinteiro de Nazaré. A pequena população do lugarejo certamente não precisava de mais do que um carpinteiro, e Jesus deveria ser o único que ali ocupava essa profissão. No grego, a palavra traduzida por "carpinteiro" é um vocábulo muito antigo, que pode significar uma pessoa que trabalha em madeira, metal ou pedras. Nem todos os intérpretes dizem que Jesus trabalhava com madeira, mas Justino

(150 d.C.) menciona que certos artigos de madeira haviam sido feitos por Jesus (pelo menos segundo o testemunho que chegou até nós), os quais eram bem conhecidos e muito valorizados em seu tempo. (Dial. com Tryph. c. 88). O evangelho apócrifo intitulado "Evangelho da Infância", apresenta José como trabalhador grosseiro que necessitava que Jesus corrigisse seus trabalhos, às vezes até mesmo milagrosamente.

O uso do termo "carpinteiro", aplicado a Jesus, não significa que ele fosse inferior aos seus críticos, e, sim, que dificilmente esperariam que esse homem fosse grande autoridade religiosa e operador de milagres, e, menos ainda, o próprio Messias. Ao referir-se a Jesus como "carpinteiro", o povo não pretendia dizer que Jesus lhes fosse inferior. Os judeus diziam que Maria era cabeleireira, e com essa designação desprezavam tanto a ela como a Jesus e toda a família.

"Sua mãe Maria, e seus irmãos..." — Evidentemente, Jesus tinha quatro irmãos, além de um número desconhecido de irmãs. A tentativa dos intérpretes católicos e de alguns protestantes, de resguardar a doutrina da perpétua virgindade de Maria, é fútil. Essa ideia só surgiu na teologia desenvolvida séculos depois de Jesus, e somente para exaltar a Maria, o que, finalmente, resultou na mariolatria. Usualmente, essas tentativas procuram identificar os quatro nomes desses irmãos de Jesus com outras pessoas, e especialmente com alguns dos apóstolos de Jesus, que são considerados seus primos, por esses intérpretes. Os irmãos de Jesus tinham nomes muito comuns em sua época, e essas tentativas de identificação com outras pessoas não podem ser comprovadas. É estranho que se dê tanta importância a essa questão, ao passo que os próprios evangelistas jamais disseram, mesmo em poucas palavras, como explicação resumida, que Maria não teve outros filhos após o nascimento de Jesus, e que se conservou virgem até a morte. Na Bíblia, não há nenhuma declaração dessa espécie, e por isso podemos afirmar que essa ideia era inteiramente desconhecida, ou, pelo menos, não tinha a menor importância nos dias de Jesus. Ver nota detalhada sobre essa *"quaestio vexata"*, acerca da identificação dos irmãos de Jesus, em Mateus 12.46.

"José" — Em outras traduções aparece como *Josés*. Provavelmente, este último nome era forma variada de José. Há notável variação quanto a esse apelativo. "Joses" aparece nos mss KL, Delta, Fam Pi e nas traduções KJ e Br. "João" aparece em Aleph, DEFGMSUVX e Gama, mas não é seguida por nenhuma tradução. "José" figura em Aleph², BC, a maioria das versões latinas, e os principais mss do siríaco, Si(sc). Os pais da Igreja Orígenes, Eusébio e Jerônimo assim o citaram. As traduções ASV, RSV, PH, WM, WY, NE, GD, AC, AA, F, M, IB concordam com isso. Parece tratar-se de "José Jr.", filho literal de José e Maria, que recebeu o mesmo nome de seu pai, porquanto o melhor texto, original deste evangelho, diz *José*.

13.56: E não estão entre nós todas as suas irmãs? Donde lhe vem, pois, tudo isto?

13.56 καὶ αἱ ἀδελφαὶ αὐτοῦ οὐχὶ πᾶσαι πρὸς ἡμᾶς εἰσιν; πόθεν οὖν τούτῳ ταῦτα πάντα;

"Todas as suas irmãs" — Jesus também tinha *irmãs*, e, tal como seus irmãos, não eram pessoas especiais, mas apenas cidadãs de Nazaré. Os irmãos de Jesus (duas vezes também há referência às suas "irmãs") são mencionados cerca de quinze vezes no NT, das quais doze vezes nos Evangelhos: Mateus 12.46,47; 13.55,56 (esta referência incluía as irmãs); Marcos 3.31,32; 6.3 (que também incluía as irmãs); Lucas 8.19,20; João 7.3,5,10. Uma vez em Atos 1.14. E Paulo se refere a eles em 1Coríntios 9.5 e Gálatas 1.19. Em todas essas passagens não há nenhuma indicação de que eles não fossem irmãos uterinos de Jesus. Adam Clarke pergunta neste ponto: "Por que seriam incluídos na censura os filhos de outra família, censura essa que foi claramente dirigida a José, o carpinteiro, a Maria, sua esposa, a Jesus, seu filho, e aos outros filhos da família?"

13.57: E escandalizavam-se dele. Jesus, porém, lhes disse: Um profeta não fica sem honra senão na sua terra e na sua própria casa.

446 |Mateus| NTI

13.57 καὶ ἐσκανδαλίζοντο ἐν αὐτῷ. ὁ δὲ Ἰησοῦς εἶ
πεν αὐτοῖς, Οὐκ ἔστιν προφήτης ἄτιμος εἰ μὴ ἐν τῇ
πατρίδι καὶ ἐν τῇ οἰκίᾳ αὐτοῦ.

57 καὶ...αὐτῷ Mt 11.6; 26.31 Οὐκ...πατρίδι Jo 4.44

"E escandalizavam-se nele" — Expressão vigorosa que,
literalmente, é "tropeçavam nele", segundo a tradução de *Moffatt*;
ou "repelidos por ele" ou "voltavam-se contra ele", segundo a tradução de Weymouth. O povo começou a criticar a Jesus em face de
suas ousadas reivindicações, porquanto declarava ser o Messias.
As autoridades religiosas e políticas começaram a ameaçar-lhe até
mesmo a vida. E a sua família, conforme se vê no décimo segundo
capítulo de Mateus, achou que o seu ardoroso e constante ministério afetara a sua mente. Essa irritação, da parte dos outros, serve
de prova suficiente de que Jesus não era um homem comum.

"Não há profeta sem honra senão..." — Esse adágio pode
ser encontrado não só na literatura judaica, mas também na de
diversos povos antigos, sendo assim um refrão universal. Píndaro,
poeta grego, falou do fato de a grandeza murchar diante da lareira
do lar (*Limp. Ode* 12.3), e diversos escritores entre os romanos
disseram algo semelhante.

Os judeus não davam atenção aos próprios líderes, pois a história dos judeus mostra que do povo é que provinham alguns de
seus homens mais poderosos, como o famoso rabino R. Sachariah,
que era filho de um açougueiro, ou R. Jochanan, que era filho de
um ferreiro (*Mish. Sota*. c.5, século 1; T. Bab. *Sanhedrin*, Fol. 96.1).
Disse R. Juda ben Bethira: "Cuida em não falar mal dos filhos do
povo comum, porque deles vem a lei" (Ib.).

Jesus proferiu esse adágio sob outras circunstâncias, para
além do território da Galileia, como vemos em João 4.44.

13.58: E não fez ali muitos milagres, por causa da in-credulidade deles.

13.58 καὶ οὐκ ἐποίησεν ἐκεῖ δυνάμεις πολλὰς διὰ τὴν
ἀπιστίαν αὐτῶν.

"Não fez ali muitos milagres" — Marcos diz no texto paralelo: "Não pôde fazer ali nenhum milagre, senão curar uns poucos
enfermos..." (Mc 6.5). E também mostra o que Mateus não menciona, que isso foi motivo de admiração para Jesus: "Admirou-se da
incredulidade deles" (Mc 6.6). Às vezes, Jesus operava milagres sem
a participação da fé da pessoa curada, pois era movido por pura
misericórdia, mas às vezes requeria a prova da fé, provavelmente
por causa de seu desejo de ensinar, com os milagres físicos, certas
lições espirituais, especialmente que se deve ter plena confiança em
Deus, ou, talvez, em certos casos, a fim de que as pessoas curadas
demonstrassem que o aceitavam como o Messias. Ver notas detalhadas sobre os milagres de Jesus, meios, razões, em Mateus 8.27; e
sobre as curas, em Mateus 3.13; 7.21-23; 14.22; Marcos 1.29; 3.1-5;
Lucas 18.22-25.

Matthew Henry declarou: "A incredulidade é o maior obstáculo ao favor de Cristo. Se em nós não são operadas obras maravilhosas, não é devido à falta de poder e graça da parte de Jesus, mas por
causa da falta de fé em nós".

Starke comentou: "De fato, Jesus é filho do carpinteiro, mas
daquele Carpinteiro que fez o céu e a terra. Preconceitos sem
fundamento, vezes sem conta, são empecilhos no caminho da fé".
Heubner disse: "Jesus não necessita da aceitação de seu amor e de
suas bênçãos. O orgulho traz consigo o próprio julgamento". Adam
Clarke escreveu: "A incredulidade e a censura expulsam Jesus do
coração, tal como aqueles que o expeliram da sua cidade adotiva.
[...] Falando de modo geral, um homem só pode ser reputado em
pouco pelos próprios parentes porque para eles é difícil contemplar, com os olhos da fé, uma pessoa que estão acostumados a ver
com os olhos da carne". Buttrick, in loc., diz: "Com frequência
pensamos que o ceticismo é direito nosso: podemos crer ou não,
segundo nossa preferência. Não nos apercebemos que o ceticismo
é uma *horrível ofensa* a nosso próximo e contra Cristo: o poder
do céu entra em curto-circuito. [...] Ocasionalmente, o ceticismo
baseia-se na honestidade, mas geralmente não passa de um preconceito embotado e calamitoso".

Capítulo 14

VII. CONTROVÉRSIAS E OBRAS (14.1—17.27)
Fundação da igreja, com base na controvérsia

Evidentemente, esta seção (14.1—17.27) tem a intenção de
mostrar o começo da *fundação* da Igreja Universal. O arcabouço
inteiro da passagem foi tirado de Marcos 6.14—9.32 e, embora
Mateus acrescente algum material de sua lavra e abrevie porções
de Marcos, ele nunca abandona o esboço traçado por Marcos. Há
alguns paralelos em Lucas (a morte de João Batista, Lc 9.7-9; a
confissão de Pedro, Lc 9.18-21; outra predição de Jesus sobre sua
morte e ressurreição, Lc 9.22; outra predição de Jesus acerca de
sua morte e ressurreição, Lc 9.43-45). A narrativa de Lucas, em
toda esta seção, geralmente é mais abreviada que a de Mateus,
mas o protomarcos continua a ser a fonte informativa comum a
ambos. Ver a informação sobre as fontes dos Evangelhos na introdução ao comentário no artigo intitulado "O Problema Sinóptico"
e na introdução ao evangelho de Marcos. Algumas adições,
feitas por Mateus às narrativas, mostram que esta seção talvez
se tenha baseado em "M", particularmente a extensão do relato
da confissão de Pedro, que tem sido intensamente disputada (Mt
16.16-20). Por toda esta seção, há indícios do estabelecimento
da Igreja. Em primeiro lugar, os discípulos de João, após a morte
deste, prestam lealdade a Jesus. Pedro apresenta uma notável
confissão, declarando que Jesus é o *Filho de Deus* em sentido
todo especial, e Cristo menciona, especificamente, a edificação de
sua igreja. Jesus se transfigura e é visto em companhia de Elias e
Moisés, e, no entanto, é maior do que ambos. Assim, Jesus tem
o direito de edificar a sua igreja, e também é visto em sua glória
como futuro cabeça de sua igreja. Jesus também procura livrar os
seus discípulos da interpretação farisaica da lei, e mostra um caminho mais elevado. A seção que se segue a esta (cap. 18) expõe
regras que devem ser observadas na nova comunidade religiosa.
A passagem de Mateus 11.13 assinala uma divisão definida entre
a antiga e a nova dispensações: *Porque todos os profetas e a lei
profetizaram até João*. Esta seção introduz a nova ordem, segundo Jesus a interpretava.

Jesus trouxe uma mensagem superior, que tinha o poder de
libertar discípulos fiéis das manoplas do farisaísmo legalista,
formando deles um corpo que buscaria o ideal superior. Essa "polêmica", que justifica o surgimento da igreja como corpo separado
do judaísmo, certamente é presente no manuseio do autor sobre
declarações genuínas de Jesus. Pelo evangelho de Mateus, parece
que a igreja teve seu começo real quando da grande confissão de
Pedro, em seu décimo sexto capítulo, ao passo que a história de
Lucas-Atos dá a entender que isso teve lugar no dia de Pentecostes;
e, no evangelho de João, aparentemente isso começou quando
da última ceia (Jo 13—17). A igreja teve seu começo real quando
Jesus foi reconhecido em toda a sua estatura, a qual não podia ser
contida no judaísmo. Tipicamente, de acordo com este evangelista,
isso foi visto primeiramente por Pedro; e dele se espalhou a outros
o reconhecimento do fato.

---

1. A ameaça de Herodes (14.1-12)

14.1: Naquele tempo Herodes, o tetrarca, ouviu a fama de Jesus,

14.1 Ἐν ἐκείνῳ τῷ καιρῷ ἤκουσεν Ἡρῴδης ὁ
τετραάρχης τὴν ἀκοὴν Ἰησοῦ, τετραάρχη

Ver os comentários sobre Atos 13.1.

"Tetrarca" — Título usado nos tempos do grego clássico para
indicar um rei ou autoridade política que governava *a quarta parte*
de uma região ou país. Os romanos usavam essa palavra em sentido
mais amplo, isto é, para designar qualquer governador de parte de

uma província oriental do império. Herodes, o Grande, era rei da Palestina, sob a autoridade do império romano. Ao falecer (4 a.C.), seus filhos disputaram o seu testamento, e a decisão de Augusto foi a de dividir o território da Palestina em três partes: Arquelau ficou com os territórios da Judeia, Samaria e Idumeia. Recebeu o título de "etnarca" (ethnarch), que significa "governador de um povo". Josefo usou esse título para designar qualquer governador subordinado. O tetrarca Herodes (mencionado neste versículo), recebeu a Galileia e a Pereia. Filipe, o tetrarca (Lc 3.1), recebeu a Bataneia, Traconites, Itureia, Gaulanites e Auranites, regiões a nordeste do mar da Galileia. No NT, a palavra "tetrarca" é aplicada a Herodes Antipas, a Filipe e a Lisânias. Ver Lucas 3.1.

O emprego da palavra "tetrarca", neste caso, reflete o uso romano, com seu sentido mais amplo, porquanto Herodes governou uma terça parte, sendo assim, realmente, um "triarca".

"O tetrarca Herodes" (paralelo em Lc 3.1,19; 9.7) — Chamava-se também Antipas, forma abreviada de Antípatre, nome comum entre os gregos e romanos da antiguidade. Era dos filhos mais jovens de Herodes, o Grande, cuja esposa era Maltace. Tal como seu pai, foi grande construtor; edificou a cidade de Tibério, na costa ocidental do mar da Galileia (cerca de 20 d.C.), em honra ao imperador romano Tibério. Esse Herodes fez dessa nova cidade a sua capital, a qual, devido à sua importância, emprestou ao mar da Galileia o nome de "mar de Tibério" ("Tiberíades", no NT — ver Jo 6.1 e 21.1). A cidade estava localizada sobre um cemitério, pelo que era reputada imunda pelos judeus. Por curiosidade histórica, após a destruição de Jerusalém, esse lugar tornou-se centro importante do judaísmo, e a Misnah e o Talmude foram compilados ali, nos séculos III e V de nossa era. Dentre todas as cidades de qualquer tamanho, das que havia ao redor do mar da Galileia, ao tempo de Jesus, somente Tiberíades perdura até hoje. Portanto, ela é o memorial de Herodes, o tetrarca, quando falamos de suas obras materiais; porém, ele é muito mais lembrado como assassino de João Batista, o que é memória apropriada dele. Jamais nos esqueceremos desse Herodes por haver aprisionado, encarcerado e decapitado João Batista, como também de seu breve encontro com Jesus, quando do julgamento do Senhor (Lc 23.7). Divorciou-se de sua esposa, filha de Aretas IV, rei dos nabateus, a fim de casar-se com Herodias, esposa de Filipe, seu irmão por parte de pai. Herodias era filha de Aristóbulo, outro meio-irmão, e, por isso mesmo, era sobrinha de Herodes, o tetrarca. O fato de haver se divorciado da filha de Aretas, finalmente, motivou sua queda, porquanto Aretas, usando isso como pretexto, fez guerra contra Herodes e o derrotou completamente, em 36 d.C. Nos livros de Josefo, lemos que muitos judeus reputavam isso um julgamento de Deus contra Herodes, por haver matado João Batista. Em 39 d.C., Gaio, imperador romano, denunciou esse Herodes como conspirador, e, o depôs. Herodes foi exilado na Espanha, e ali morreu. Herodias o acompanhou nesse exílio, preferindo estar com ele a gozar do conforto do ambiente de seu lar, e talvez possamos considerar essa atitude dela como algo que milita a seu favor. Foi esse Herodes que Jesus chamou de "essa raposa", e, se os fariseus disseram a verdade, ele já havia procurado matar Jesus (ver Lc 13.21-32). Ver nota detalhada sobre os diversos Herodes do NT, em Lucas 9.7.

14.2: e disse aos seus cortesãos: Este é João, o Batista; ele ressuscitou dentre os mortos, e por isso estes poderes milagrosos operam nele.

14.2 καὶ εἶπεν τοῖς παισὶν αὐτοῦ, Οὗτός ἐστιν Ἰωάννης ὁ βαπτιστής· αὐτὸς ἠγέρθη ἀπὸ τῶν νεκρῶν, καὶ διὰ τοῦτο αἱ δυνάμεις ἐνεργοῦσιν ἐν αὐτῷ.

14.2 Ουτος] Μητι ουτος **DΦ** *b d f h*

"Aos que o serviam" — Expressão oriental que indica os escravos do palácio, mas que aqui, provavelmente, alude aos cortesãos ou palacianos, aos oficiais que acompanhavam e serviam a Herodes, como conselheiros.

A fama de Jesus, antes do segundo roteiro pela Galileia, crescera tanto que, finalmente, nem o governador podia ignorar a sua presença. Talvez o seu convite (feito talvez mais tarde, em Lc 13) tivesse o propósito de prender e executar a Jesus. Muitas ideias circulavam sobre a identidade de Jesus, e Herodes também tinha a própria opinião a respeito disso. Sua consciência estava perturbada por haver decapitado João Batista, pensando que um homem tão poderoso como João, reputado como profeta, teria o poder de ressuscitar dentre os mortos. Enquanto vivo, João não operou milagre nenhum, mas Herodes supunha que, uma vez ressuscitado dos mortos, aqueles poderes operavam agora em João. É evidente que Herodes tinha certa orientação religiosa, talvez por influência da família sumo sacerdotal, que estava ligada a Herodes por laços matrimoniais. Assim, seu respeito pelos poderes ocultos e pelo mundo invisível, apesar de indefinido, era grande. Alguns acham que é possível que sua atitude refletisse sua crença na transmigração da alma. Nota-se que essa doutrina exercia alguma influência nas escolas dos fariseus, apesar de nunca ter tido aceitação geral entre os judeus. Alguns supõem que Herodes favorecia ao partido dos saduceus, mas essa ideia só se origina da conexão de seu nome com esse grupo, em algumas passagens dos Evangelhos sinópticos, não havendo nenhuma evidência comprobatória dessa ideia. Provavelmente, era vaga a sua orientação religiosa, mesmo assim era um fator bastante forte em sua vida, o que o levou a admitir que Jesus fosse João Batista "redivivo". Lemos, em Lucas 9.7-9, que diversas teorias circulavam a respeito da identidade de Jesus: "[...] alguns diziam, João ressuscitou dentre os mortos; outros: Elias apareceu; e outros: Ressurgiu um dos profetas antigos". É óbvio que Herodes ouviu essas ideias contraditórias e, devido à sua consciência perturbada por motivo do assassínio de João Batista, achou mais razoável a teoria de João ressurreto.

O códex Bezae (D), ms principal do fato, tem estas palavras: "*João Batista, a quem eu decapitei*", e com isso concordam algumas versões do latim antigo. Isso, no entanto, é acréscimo de um escriba, que quis dar mais detalhes da narrativa; não são palavras que fazem parte do original de Mateus neste lugar.

Josefo relata para nós a história da morte de João Batista (*Antig.* XVIII.5.1-2), mas com certo número de minúcias diferentes. Provavelmente, a notícia que aparece nos Evangelhos foi o relatório que circulava de aldeia em aldeia. Josefo nada diz sobre a denúncia de João Batista contra o novo casamento de Herodes, mas diz: "Herodes, temendo que sua grande influência sobre o povo provocasse alguma revolta (falando sobre a influência de João Batista) — pois pareciam estar dispostos a fazer qualquer coisa aconselhada por ele — pensou, a princípio, ser muito melhor executá-lo, antes de se fazer algum levante revolucionário, para que depois não se tornasse impossível tomar medidas que impedisse a deflagração da revolta". Essa atitude não nos deve surpreender, pois sabemos que a Galileia era palco de muitas revoltas. É interessante observar que a influência de João Batista era tão grande, que se temeu que ele fosse capaz de dirigir uma revolta contra o governo. Josefo também nos adianta que João Batista foi enviado a Maquero, fortaleza que ficava próxima do mar Morto, e que ali foi executado. Posteriormente, o exército de Herodes foi destruído por Aretas IV, seu antigo sogro, que se irou contra Herodes por haver-se divorciado de sua primeira esposa, filha de Aretas IV, a fim de casar-se com Herodias. A primeira esposa de Herodes fugiu para a companhia de seu pai quando percebeu os planos de Herodes de divorciar-se dela a fim de contrair novas núpcias, e Aretas IV enviou um exército para vingar-se de Herodes. Aretas IV foi rei dos nabateus, na Arábia, de 9 a.C. a 40 d.C. O povo comum considerou que a destruição do exército de Herodes foi um julgamento divino contra esse monarca, por haver matado João Batista.

14.3: Pois Herodes havia prendido a João, e, maniatando-o, o guardara no cárcere, por causa de Herodias, mulher de seu irmão Filipe;

14.3 Ὁ γὰρ Ἡρῴδης[1] κρατήσας τὸν Ἰωάννην ἔδησεν [αὐτὸν] καὶ ἐν φυλακῇ ἀπέθετο διὰ Ἡρῳδιάδα τὴν γυναῖκα Φιλίππου[2] τοῦ ἀδελφοῦ αὐτοῦ·

448 |Mateus| NTI

3 Lc 3.19,20 Ἡρῴδης...φυλακῇ Mt 11.2; Jo 3.24
3-4 Ἡρῳδιάδα...αὐτήν Lv 18.16; 20.21

¹3 {C} Ἡρῴδης ℵ C D K L W X Δ Π f¹ 28 33 565 892 1009 1071
1079 1195 1216 1230 1241 1242 1253 1344 1365 1546 1646 2148 2174
Byz Lect l⁸⁸³ⁿᵐ itᵃ,ᵃᵘʳ,ᵇ,ᶜ,ᵈ,f,ff²,g¹,ʰ,(k),l,q vg syrᶜ,ˢ,ᵖ,ˡʳ copˢᵃ,ᵇᵒ,ᶠᵃʸ arm eth geoᴬ
Diatessaron // Ἡρῴδης τότε B Θ f¹³ 700 1010 geoˡ·ᴮ

²3 {B} φιλίππου (ver Mc 6.17) ℵ B C K L W X Δ Θ Π f¹ f¹³ 28 33 565 70
892 1009 1010 1071 1079 1195 1216 1230 1241 1242 1253 1344 1365
1546 1646 2148 2174 Byz Lect l⁸⁸³ᵐ itᵃᵘʳ,(ᵇ),ᶜ,(ff²),ʰ,q syrᶜ,ˢ,ᵖ,ʰ,ᵖᵃˡᵛⁱᵈ copˢᵃ,ᵇᵒ,ᶠᵃʸ
arm eth geo Origen Chrysostom // omit (ver Lc 3.19) D itᵃ,ᶜ,ᵈ,ff²,g¹,k,l vg
Augustine

¹Embora τότε seja palavra favorita de Mateus (90 vezes; cf. 6, em Marcos, 14, em Lucas e 10, em João), o que nos poderia levar a pensar ser ela original aqui, a comissão foi de opinião de que a diversidade de tipos textuais que apoiam a forma mais breve é um tanto mais impressionante que a estreita base textual da forma Ἡρῴδης τότε. O advérbio parece ter sido inserido a fim de deixar claro que a situação refletida no v. 3 antecede a dos v. 1 e 2.

²Segundo diz Josefo (ver Antiq. XVIII.V.4), o primeiro marido de Herodias chamava-se Herodes (filho de Herodes, o Grande, e Mariamne, filha de Simão), ao passo que foi Herodes Filipe, o tetrarca (Lc 3.1) quem se casou com Salomé, filha de Herodias. Em Marcos 6.17, todos os manuscritos, exceto dois, dão Filipe como primeiro marido de Herodias (p⁴⁵ e ms. 47 omitem o nome Filipe). Parece, pois, que ou Josefo não deu o nome completo do primeiro marido de Herodias (Herodes Filipe), ou Marcos confundiu o marido e o genro de Herodias. Em Lucas 3.19, vários testemunhos (incluindo A C K W 33 565 syrᵖ copˢᵃᵖᵗ,ᵇᵒ) inserem φιλίππου antes de τοῦ ἀδελφοῦ αὐτοῦ, embora isso esteja ausente dos melhores testemunhos ℵ B D L Γ Δ Λ Ξ latim antigo vulgata e gótico).

Portanto, parece que em 14.3, Mateus seguiu o texto original de Marcos, dizendo φιλίππου, ao passo que vários testemunhos ocidentais foram assimilados à forma mais breve de Lucas 3.19, assim levando a narrativa de Mateus a estar em harmonia com a de Josefo.

14.4: porque João lhe dizia: Não te é lícito possuí-la.

14.4 ἔλεγεν γὰρ ὁ Ἰωάννης αὐτῷ, Οὐκ ἔξεστίν σοι ἔχειν αὐτήν.

O Cárcere de João Batista: Josefo (*Antig.* XVIII.5) diz que essa prisão era em Maquero, fortaleza de Herodes, na Pereia, na margem oriental do mar Morto. Evidentemente, a fortaleza podia ser avistada do magnífico palácio de Herodes. Duas masmorras existem até hoje na cidadela, com pequenas perfurações ainda visíveis na alvenaria. Os lados das masmorras estão quase intactos. Nessas circunstâncias, o antes livre profeta, que andava ao ar livre no deserto, ficou li encerrado durante quase um ano, antes de sofrer morte horrível.

"Por causa de Herodias" — Josefo (*Antig.* XVIII.5, §2, ver citação acima) revela apenas o motivo político: o receio que Herodes tinha de um levante popular, provocado pela pregação de João Batista, o qual anunciava outro reino, que logo seria estabelecido pelo Messias. Pela narrativa dos Evangelhos, ficamos sabendo que Herodes também teve razões pessoais contra João, por causa de sua situação marital. Esse caso envolvia um divórcio de mau gosto, escandaloso para os judeus. Herodias fora esposa de Filipe, filho de Herodes, o Grande, e Mariamne, filha de Simão, o sumo sacerdote. Não devemos confundir esse Filipe com o Filipe de Lucas 3.1, tetrarca de diversas regiões, como a Bataneia, Traconites, Itureia etc., regiões a nordeste do mar da Galileia, e que era filho de Herodes, o Grande, e de sua quinta esposa, Cleópatra, de Jerusalém (*Josefo* XVII.1.3). Depois Herodias divorciou-se de Filipe para casar-se com Herodes Antipas, meio-irmão de seu primeiro esposo, o que foi um casamento entre cunhados. Herodias era filha de Aristóbulo, outro meio-irmão de Herodes Antipas. Assim, quando ela se casou com Herodes, casava-se não só com seu cunhado, mas também com seu tio. O primeiro esposo de Herodias também era seu tio. Nesse processo, Herodes divorciou-se de sua primeira esposa, filha de Aretas IV (rei de alguma região da Arábia). Ora, Herodes e Herodias casaram-se quando os primeiros cônjuges de ambos ainda eram vivos. Entre os pais da Igreja, alguns chegaram a pensar na hipótese de desse casamento ter resultado o nascimento de Salomé, que, então, seria filha adulterina de Herodes e Herodias. O testemunho de Josefo, porém, parece confirmar que Salomé era, realmente, filha de Filipe e Herodias, pelo que seu nascimento nada teve a ver com os divórcios. Esses fatos mostram por que João Batista pregou contra esse casamento, como também por que, entre os judeus, o caso foi motivo de grande escândalo. O casamento não era legítimo, em face de diversas razões: (1) O esposo anterior de Herodias ainda vivia. (2) A esposa anterior de Herodes ainda estava viva. (3) A lei ética dos judeus proibia casamentos entre cunhados (Lv 18.16), que se aplicava pelo menos enquanto vivesse o cônjuge do cunhado ou da cunhada. (4) A lei ética dos judeus proibia casamentos entre tios e sobrinhas, ou entre sobrinhos e tias. Os judeus discordavam violentamente desses tipos de matrimônio, e a quebra dessas leis era causa de pena de morte entre eles.

"Dizia" — No grego, o tempo verbal indica que João Batista deve ter repetido por muitas vezes as suas acusações; pregava regularmente sobre isso. Robertson declara sabiamente: "A pregação custou-lhe a cabeça, mas é melhor ter a cabeça como a de João e perdê-la, do que ter uma cabeça do tipo comum e conservá-la".

Buttrick, in loc, diz: "Poderia haver contraste mais violento entre dois homens, do que havia entre Herodes e João? Herodes era sensual; João havia disciplinado os seus apetites e vivia uma vida asceta. Herodes era ambicioso; João renunciara ao mundo. Herodes era untuoso; João era reto e claro como a luz. Esses dois homens encarnam os dois extremos opostos da escolha moral".

14.5: E queria matá-lo, mas temia o povo; porque o tinham como profeta.

14.5 καὶ θέλων αὐτὸν ἀποκτεῖναι ἐφοβήθη τὸν ὄχλον, ὅτι ὡς προφήτην αὐτὸν εἶχον.

5 ὡς...εἶχον Mt 11.9; 21.26; Lc 1.76; 7.26

"Querendo matá-lo" — Fala do desejo que Herodes tinha de eliminar o problema de João Batista, por razões políticas e por causa de suas prédicas enervantes e perturbadoras. O texto de Marcos 6.19 acrescenta aqui: "E Herodias o odiava, querendo matá-lo, e não podia". Literalmente traduzidas, essas palavras diriam: "E Herodias tinha algo contra ele...", expressão idiomática tanto no grego "koiné" como no português. Em inglês, a moderna tradução de Williams (WM) procura preservar essa expressão idiomática em sua forma inglesa: "[...] had it in for him..."

"Temia o povo..." — Herodes não temia a Deus como temia o povo; mas é óbvio que tinha certo respeito e, mesmo medo de João Batista, conforme nos mostra Marcos (Mc 6.20): "Porque Herodes temia a João, sabendo que era homem justo e santo, e o tinha em segurança. E quando o ouvia, ficava perplexo, escutando-o de boa mente" (ARA). Por meio destas palavras, ficamos sabendo de alguns detalhes omitidos por Mateus, como o fato de que, durante o encarceramento de João, ocasionalmente Herodes ia ouvi-lo. Além de falar do reino dos céus, não há que duvidar de que João se aproveitava dessas oportunidades para atacar a moral geral de Herodes, e, em particular, o pecado de seu casamento com Herodias. João Batista não quis usar de diplomacia, e isso lhe custou a vida. E, mesmo sabendo que isso lhe custaria a vida, não é provável que tivesse mudado de atitude. O medo que Herodes tinha de uma revolução popular, pois o povo considerava João um profeta, e também o receio pessoal de Herodes por João Batista, por ser homem de Deus, por algum tempo retardou a sua execução. Tudo isso ocorria quando Jesus e seus discípulos faziam a segunda excursão evangelística pela Galileia. As diversas explicações dadas pelo historiador Josefo, mostram a opinião do povo acerca de João Batista e confirmam o fato de que Herodes tinha razão em temer as possíveis atitudes do povo por causa de João Batista; o fato de os judeus considerarem a derrota do exército de Herodes pelas tropas de Aretas IV (pai da primeira esposa de Herodes) como um castigo de Deus, por ter Herodes ordenado a decapitação de João Batista, demonstra o alto respeito que o povo tinha por João.

14.6: Festejando-se, porém, o dia natalício de Herodes, a filha de Herodias dançou no meio dos convivas, e agradou a Herodes,

14.6 γενεσίοις δὲ γενομένοις τοῦ Ἡρῴδου ὠρχήσατο ἡ θυγάτηρ τῆς Ἡρῳδιάδος ἐν τῷ μέσῳ καὶ ἤρεσεν τῷ Ἡρῴδῃ,

6 γενεσιοις δε γενομενοις ℵBD *pc*; R] γ. δε αγομενοις f: γενεσ. δε latt: γενεσιων δε γενομενων Θ *al*: γ-ιων δε αγομενων W f*13 al* ς | της (*om* WΘ) Ηρωδιαδος] αυτου Ηρωδιας **D**.

"**Tendo chegado o dia natalício**" — A palavra "natalício" representa um termo grego que, nos tempos clássicos, significava a celebração em memória dos mortos (em demonstração de respeito por eles) ou os aniversários (dia do nascimento) de pessoas já falecidas. Isso pode ser visto em Herod. IV.26. Alguns intérpretes insistem em que essa palavra não era usada para indicar a celebração dos aniversários (dia do nascimento), especialmente no caso de vivos. Contudo, no grego "koiné", a palavra em foco era usada para indicar a celebração dos aniversários (dia do nascimento) dos vivos, e diversos papiros (fora do material do NT) têm essa palavra com esse sentido. Alguns intérpretes acham que essa celebração era do aniversário do começo do reinado de Herodes, quando se completava mais um ano de seu governo. Provavelmente, porém, essa festa celebrava o seu "aniversário natalício"; e, pela história romana, ficamos sabendo que essas festas eram comuns, e que as que eram celebradas por Herodes ficaram famosas e eram motivo de referências proverbiais (ver Persius, Sat. v., 1:180). Neste texto, pois, temos detalhes de uma festa notável, dada por Herodes, e que atraiu a atenção de muitas pessoas entre as autoridades.

Somente Marcos menciona a identidade dos convidados a essa festa: "E, chegando um dia favorável, em que Herodes no seu aniversário natalício dera um banquete aos seus dignitários, aos oficiais militares e aos principais da Galileia..." (Mc 6,21, ARA). Ali havia três grupos de pessoas: (1) Os "dignitários", ou seja, os elementos de proa do governo civil. (2) Os "oficiais militares", cujo nome patenteia sua função, tribunos militares, comandantes de mil homens cada. (3) Os "principais" da Galileia, que eram os proprietários de terras naquele distrito.

"**A filha...**" — Josefo informa-nos que ela se chamava *Salomé* (*Antig.* XVIII.5.4) e que era filha de Herodias e seu primeiro esposo, Filipe, meio-irmão de Herodes Antipas. Depois, ela se casou com Filipe, o tetrarca, mencionado em Lucas 3.1. Este homem morreu sem ter filhos, e ela se casou com seu primo, Aristóbulo, filho de Herodes, rei de Chalsis. Deste segundo casamento, Herodias teve três filhos, que receberam os nomes de Herodes, Agripa e Aristóbulo, evidentemente nomes populares naquela família.

Salomé rebaixou-se, quando do aniversário de Herodes Antipas, à posição de dançarina comum. Essa atitude quase não tinha precedente entre mulheres de categoria e responsabilidade. Degradou-se com uma dança sensual, que muito deleitou os convidados, provavelmente estonteados pela bebida. Após essa apresentação, Herodes, parcialmente embriagado, não ousou negar o pedido de Herodias, que lhe solicitara a cabeça de João Batista. Lemos que, no oriente, mas também entre os romanos, eram comuns as danças de mulheres que cobriam somente parte do corpo. Assim é que Salomé dançou "diante de todos", ou, mais literalmente, "no meio de todos", estando eles reclinados em divãs. Essa atitude já teria sido considerada imprópria para qualquer moça de categoria; mas, considerando-se que ela era bisneta de um sumo sacerdote, o caso foi ainda mais ignominioso.

14.7: pelo que este prometeu com juramento dar-lhe tudo o que pedisse.

14.7 ὅθεν μεθ᾽ ὅρκου ὡμολόγησεν αὐτῇ δοῦναι ὃ ἐὰν αἰτήσηται.

"**Pelo que prometeu...**" — Marcos, novamente, fornece mais detalhes: "[...] se pedires, mesmo que seja a metade do meu reino, eu ta darei". Diversas histórias dos tempos antigos mostram que esse tipo de ação não era raro no oriente, e nem mesmo no império romano; e que, às vezes, recompensas fabulosas eram dadas às dançarinas, nas circunstâncias que encontramos aqui. Provavelmente, Herodes esperava um pedido de joias ou outras coisas que seriam cobiçadas por uma jovem; certamente jamais esperou que ela pedisse a metade do reino, e muito menos a cabeça de João Batista. Herodes quis mostrar sua liberalidade, imitando as atitudes dos monarcas persas. Ver Ester 5.3; Heródoto em "*Calíope*".

14.8: E, instigada por sua mãe, disse ela: Dá-me aqui num prato a cabeça de João, o Batista.

14.8 ἡ δὲ προβιβασθεῖσα ὑπὸ τῆς μητρὸς αὐτῆς, Δός μοι, φησίν, ὧδε ἐπὶ πίνακι τὴν κεφαλὴν Ἰωάννου τοῦ βαπτιστοῦ.

"**Então ela, instigada por sua mãe...**" — Fornecendo maiores detalhes, Marcos escreve: "Saindo ela, perguntou à sua mãe: Que pedirei? Esta respondeu: A cabeça de João Batista". A palavra grega aqui traduzida como *instigada*, literalmente traduzida seria "levada a esse ponto", o que mostra que provavelmente a mãe de Salomé, insistindo com muitos argumentos, finalmente forçou a jovem a fazer algo contrário à inclinação dos impulsos humanos, especialmente contra os impulsos femininos. Essa palavra encontra-se por diversas vezes com o sentido de "instruir", e algumas traduções refletem esse uso. Todavia, o seu significado completo não é que Herodias tenha planejado tudo, mas sim, que se aproveitou das circunstâncias da festa, da condição de embriaguez do esposo e dos outros, da oferta de Herodes e da fraqueza da própria filha. E assim, com palavras insistentes e fortes, obteve aquilo que há muito almejava: a eliminação de João Batista, o inimigo que a desgraçara com sua severa pregação. Alguns intérpretes observam, neste ponto, que a ausência de Herodias na festa mostra que era uma festa exclusiva para homens, e que Salomé teve uma atitude audaciosa e desavergonhada, aparecendo no meio deles com aquele tipo de dança licenciosa.

14.9: Entristeceu-se, então, o rei; mas, por causa do juramento, e dos que estavam à mesa com ele, ordenou que se lhe desse,

14.9 καὶ λυπηθεὶς ὁ βασιλεὺς διὰ³ τοὺς ὅρκους καὶ τοὺς συνανακειμένους ἐκέλευσεν δοθῆναι,

³ 9 {B} λυπηθεὶς ὁ βασιλεύς διὰ B D Θ f f³ 700 it*a,b,d,ff¹ ²,g¹,h* eth? // ἐλυπήθη ὁ βασιλεύς διὰ δὲ ℵ C K (L' *omit* δέ) L* W X Δ Π 0106 0136 28 33 565 892 1009 1010 1071 1079 1195 1216 1230 1241 1242 1253 1344 1365 1546 1646 2148 2174 *Byz Lect l*883m it*aur,c,f,k,l,q* vg syr*(c),p,h* cop*sa,bo,fay* arm geo

A forma apoiada pelos principais representantes dos tipos de texto alexandrino, ocidental e cesareano envolve certa ambiguidade (isto é, a frase com διά qualifica λυπηθείς ou ἐκέλευσεν?). A fim de resolver a ambiguidade, copistas inseriram δέ, assim alterando a construção hipotáctica. ("E, entristecendo-se, o rei, por causa de seus juramentos e por causa dos que com ele se assentavam, ordenou que isso fosse concedido") para a construção paratáctica e mais coloquial ("E o rei se entristeceu; mas, por causa de seus juramentos e por causa dos que com ele se assentavam, ordenou...").

14.10: e mandou degolar a João no cárcere;

14.10 καὶ πέμψας ἀπεκεφάλισεν [τὸν] Ἰωάννην ἐν τῇ φυλακῇ·

"Entristeceu-se o rei" — Essa declaração não contradiz a indicação do v. 5, onde se lê: "[...] e, querendo matá-lo..."; mas mostra a confusão que havia na mente de Herodes. Respeitava João Batista e, às vezes, até o ouvia de boa vontade. Sem dúvida, quando se lhe oferecia ocasião para ouvi-lo, não fora o receio que tinha da sua esposa, que detestava tão ardorosamente João Batista, Herodes lhe teria concedido a liberdade. Provavelmente também, nessas ocasiões, a orientação religiosa de que dispunha vinha à tona poderosamente, e, como outros reis da história, ele queria desenvolver as suas faculdades espirituais. Por outro lado, não podia olvidar-se dos problemas que João Batista provocara na Galileia com suas pregações, especialmente entre as classes mais humildes, que ameaçavam revoltar-se contra o governo. Não se pode também duvidar de que, quase diariamente, Herodias aborrecia a Herodes com a questão de João Batista, votando--lhe um ódio cada vez mais fremente e exigindo a sua morte. Agora, porém, Herodes *se entristeceu*. Teve um último impulso da consciência, e naquele instante desejou nunca ter feito aquele juramento; porém, espiando ao redor da mesa principal, onde se encontravam as mais altas autoridades da Galileia, reconheceu que era impossível negar o pedido de Salomé. Portanto, apesar de haver hesitado um pouco, recuperou novamente o domínio próprio que quase perdera ao ouvir o pedido de Salomé, e or-denou a execução de João Batista. Herodes, como homem fraco que era, tinha mais respeito pela opinião pública do que pela opinião de Deus ou da própria consciência. Nota-se que o texto fala em "juramentos", e não em "juramento", o que indica que Herodes fez diversos juramentos, provavelmente no estilo dos judeus (ou dos orientais em geral), pelos céus, pela terra, pela própria cabeça etc., tudo isso com o espírito de ostentação, a fim de impressionar bem os oficiais presentes, talvez impulsionado pelas bebidas alcoólicas. Lemos que os reis da Pérsia tinham por hábito não rejeitar nenhuma bebida oferecida durante as festas; e Herodes, embora não sendo rei da Pérsia, evidentemente quis imitá-los nesse costume. O palácio de Herodes Antipas era perto da fortaleza de Maquero, e é bem provável que essa celebração tivesse tido lugar nesta última, porque o texto dá a ideia de que, em pouco tempo, a moça já tinha a cabeça de João Batista.

14:11: e a cabeça foi trazida num prato, e dada à jovem, e ela a levou a sua mãe.

14.11 καὶ ἠνέχθη ἡ κεφαλὴ αὐτοῦ ἐπὶ πίνακι καὶ ἐδόθη τῷ κορασίῳ, καὶ ἤνεγκεν τῇ μητρὶ αὐτῆς.

"Foi trazida a cabeça" — Expressão que não requer que o ato tenha executado imediatamente; mas o texto parece indicar que isso foi levado a efeito de imediato. A jovem mostrou grande coragem; ou será que a natureza de sua mãe fazia parte de sua personalidade também? A audácia desse ato foi igual à audácia da dança por ela executada.

"À jovem" — A expressão está no diminutivo da palavra grega que significa "moça", e alguns acham, por isso, que Salomé, nesse tempo, deveria ser muito jovem; mas o uso da expressão na literatura grega mostra que podia referir-se a uma moça solteira, talvez até os vinte anos de idade. É termo ocasionalmente usado para indicar uma mulher recém-casada, como sinônimo da pa-lavra grega "nimphe", que, usualmente, tem esse significado. As circunstâncias da história, o deleite que a moça deu aos homens, indicam que ela ou já era adulta ou quase adulta.

Vários indícios mostram que, mesmo após a execução de João Batista, Herodias continuou nutrindo ódio contra ele, mutilando seu corpo. Jerônimo diz que ela cortou fora a língua de João e perfurou-a com uma agulha, mostrando grande satisfação pelo fato de aquela língua jamais voltar a falar contra ela.

A história, porém, também demonstra que esse ato de *barbari-dade* contra João Batista não escapou ao julgamento divino. Pouco depois disso, Aretas IV (sogro anterior de Herodes) declarou guerra ao tetrarca e o derrotou totalmente. Depois disso, os habitantes da Galileia começaram a se queixar fortemente de Herodes Antipas e de seu governo ante o imperador romano. Como resultado, quando Herodes procurou mais honrarias em Roma, especialmente o título de "rei" legítimo, título esse que nunca recebeu, a despeito do fato de o autor deste evangelho chamá-lo de "rei", o imperador o depôs, exilando-o para Lugdunum (moderna *Lyons*), na Gália. Dali foi para a Espanha, e lá morreu. (Josefo, *Antig.* XVIII 7.2). A tradição relata que Salomé também não escapou ao julgamento divino, porquanto teve morte violenta. Caiu sobre o gelo e, na que-da, a cabeça se separou do resto do corpo; contudo, não podemos afirmar com certeza a verdade dessa tradição.

14.12: Então vieram os seus discípulos, levaram o corpo e o sepultaram; e foram anunciá-lo a Jesus.

14.12 καὶ προσελθόντες οἱ μαθηταὶ αὐτοῦ ἦραν τὸ πτῶμα καὶ ἔθαψαν αὐτό[ν], καὶ ἐλθόντες ἀπήγγειλαν τῷ Ἰησοῦ.

> Embora se possa argumentar que copistas introduziram πτῶμα com base no paralelo de Marcos 6.29, é mais provável que os copistas tenham substituído essa palavra pelo termo σῶμα, mais frequentemente usado. Seja como for, do ponto de vista da evidên-cia externa, a primeira forma é muito mais fortemente confirmada que a última (πτῶμα ℵ B C D L Θ Σ f¹ f² 22 700 it syrᶜˑˢˑᵖˑ copᵇᵒ arm geo; σῶμα, W X Γ Δ Π Φ 28 565, a maioria dos manuscritos minúsculos, o latim antigo vg syrʰ copˢᵃ).
>
> Por um lado, a evidência externa predominante apoia αὐτό (ou seu equivalente fonético, αὐτῷ; apenas ℵ B 0106 ita syrc.s — confirmam αὐτόν. Por outro lado, porém, é muito mais provável que os copistas conformassem o pronome pessoal ao impessoal, por amor à concordância gramatical com πτῶμα (ou σῶμα) do que vice--versa. A fim de representar a oposição entre a evidência externa, e as probabilidades de transcrição, foi resolvido imprimir αὐτό.

"Então vieram os seus discípulos..." — Theophylact nos diz que a cabeça foi depositada em Emesa e que o corpo foi enter-rado em Baste, em Cesareia. Esses homens, como também José de Arimateia e Nicodemos com relação a Jesus, demonstraram sua fidelidade e respeito por João Batista, garantindo-lhe um sepulta-mento honroso. Sabe-se, pela história antiga, que era considerada uma desgraça ao homem a falta do sepultamento de seu cadáver, e que em diversos países a falta de sepultamento honroso mostrava grande desrespeito pelo indivíduo; usualmente, os criminosos e inimigos acirrados é que ficavam sem sepultamento. Entre os gregos, havia a crença de que a alma do indivíduo morto e não sepultado não podia entrar no descanso (lugar próprio para os es-píritos), senão cem anos depois da sua morte, quando, finalmente, era permitida a admissão dessa alma. Essas crenças persistem até hoje em algumas sociedades primitivas.

"Depois foram e anunciaram a Jesus" — Essa atitude dos discípulos de João indica que eles reconheceram a vincula-ção entre Jesus e João Batista, o que provavelmente mostra que aceitaram a mensagem pregada por João — de que Jesus era o Messias. É possível que depois disso a maior parte dos discípulos de João tivesse passado a seguir a Jesus; mas há indicações, em Atos 19.3 e 28.25, e também na história antiga, de que, de fato, esses discípulos formaram uma seita separada dos seguidores de Jesus. Sabemos que, como João Batista, alguns de seus discípulos eram mais inflexíveis do que Jesus. Pensavam no reino sempre como um reino terrestre e político, e se ofendiam ante o espí-rito manso e afastado da política que Jesus apresentava. Jesus simplesmente não era o tipo de Messias ardoroso e político que a crença deles exigia.

O encarceramento e a morte horrenda de João Batista ilustram o fato de que não se deve supor que a vida espiritual, ainda que vivida em alto nível e sob o favor de Deus, *sempre é acompanhada* pela prosperidade, pela paz e pela ausência de problemas. João Batista morreu vergonhosamente. A explicação das razões pelas quais ocorrem esses males de origem moral e natural é algo tão difícil para a filosofia como o é para a teologia e para o crente. Ver nota sobre o "problema do mal", em Romanos 3.3-8. A fé que espera em Deus além do entendimento presente deve sentir a resposta, ainda que não seja capaz de compreendê-la. Ver Lucas 10.18-20.

Buttrick, *in loc.*, diz: "Sua morte foi em vão? assim parece: 'a verdade está sempre na masmorra. O erro está sempre no trono'. No entanto, 'a *masmorra* modifica o futuro' ". (James Russell Lowell, *The Present Crisis*, estância 8).

VII. CONTROVÉRSIAS E OBRAS (14.4 - 17.27)
2. Multiplicação dos pães para os cinco mil (14.13-21)

Esta seção, que é um dos *milagres sobre a natureza* feitos por Jesus, é o único milagre relatado em todos os quatro Evangelhos. (Ver Mc 6.30-44; Lc 9.10-17; Jo 6.1-14). Sem dúvida, chegou até nós proveniente de várias fontes, conforme se demonstra no manuseio diferente do incidente nos quatro Evangelhos. Alguns estudiosos supõem, entretanto, que o que temos é apenas o manuseio diverso de uma única tradição. Isso é menos provável, entretanto. A menção dos "pães de centeio" (Jo 6.9) faz-nos lembrar do milagre de Eliseu, em 2Reis 4.42-44. (Ver também 1Rs 17.9-16.) No entanto, a despeito das similaridades, não há motivo para supor-se que temos aqui meramente uma narrativa inventada, mediante a qual o evangelista queria ensinar que, espiritualmente falando, Jesus é o pão da vida. Não tenhamos dúvidas de que Jesus possuía o poder de realizar o que lhe é atribuído aqui, rejeitando todas as interpretações céticas e racionalistas, que buscam roubar-lhe de sua glória e de seu altíssimo desenvolvimento espiritual, alcançado mediante a comunhão com o Espírito Santo. Isso também nos está franqueado, pelo que temos grande lição para a nossa vida. Assim, se quedamos admirados ante o que ele dizia e fazia, resta-nos lembrar que o intuito do evangelho é que tudo quanto havia em Cristo também se acha em nós (ver Jo 12.14; Cl 2.10; 2Co 3.18; Ef 3.19 e 2Pe 1.4). Esse é o aspecto da vida de Jesus que mais facilmente esquecemos. Sua vida, e não apenas sua morte, reveste-se de imensa importância. Ele é o caminho; mas é também o Pioneiro do caminho, o qual mostra aos homens como eles podem e devem retornar ao Pai. Nesse retorno, há comunhão de natureza dentro da família divina, conforme se aprende em Hebreus 2.10ss. Essas são doutrinas elevadíssimas, que excedem infinitamente a mensagem do mero perdão de pecados e de transferência de cidadania para os céus. O evangelho consiste muito mais do que se realiza em nós, e não do lugar onde habitaremos.

Comer e beber são *metáforas* familiares que apontam para a satisfação de nossas necessidades espirituais. (Ver Jesus como o *pão da vida*, em Jo 6.48.) A seção seguinte ilustra essa doutrina.

O milagre envolveu a multiplicação de matéria física, um ato de criação. Existem pessoas que, a despeito de aceitarem diversos outros milagres de Jesus, especialmente curas, negam este prodígio, achando que só pode ter tido origem psicológica ou psíquica. É evidente que, nessa ocasião, Jesus se utilizou de seus poderes divinos, ou, pelo menos, sobrenaturais, ao invés de expressar a sua personalidade humana que, no caso dele, era extraordinariamente desenvolvida por causa de busca e experiências espirituais. Usualmente, Jesus empregou esses poderes, disponíveis a qualquer indivíduo que use os meios que lhe são oferecidos por Deus para o seu desenvolvimento espiritual. É verdade que nos utilizamos do poder do Espírito Santo; porém, devemos nos lembrar de que esse poder é dado ao homem não apenas como instrumento para ser usado separado da personalidade humana, porquanto o poder do Espírito Santo é outorgado ao homem para que faça parte da sua personalidade.

O plano do evangelho é *transformar* o ser humano até que ele se torne um ente superior, mais poderoso e mais inteligente do que os anjos; portanto, o poder do Espírito Santo vem fazer parte da expressão humana. Ver nota em Romanos 8.29 sobre essa transformação do ser humano segundo a imagem de Cristo. Neste texto, porém, achamos um tipo de milagre que certamente está além da capacidade do homem, pois trata-se de um milagre que ilustra os poderes divinos de Jesus. Lembremo-nos de que ele operou outros milagres sobre a natureza, como quando a água foi transformada em vinho (Jo 2), quando andou sobre o mar (v. 22,23, deste capítulo), ou quando fez cessar a tempestade (Mt 8.23-27) etc. Jesus, portanto, mostrou-se capaz de operar milagres de criação.

14.13: Jesus, ouvindo isto, retirou-se dali num barco, para um lugar deserto, à parte; e quando as multidões o souberam, seguiram-no a pé desde as cidades.

14.13 Ἀκούσας δὲ ὁ Ἰησοῦς ἀνεχώρησεν ἐκεῖθεν ἐν πλοίῳ εἰς ἔρημον τόπον κατ' ἰδίαν· καὶ ἀκούσαντες οἱ ὄχλοι ἠκολούθησαν αὐτῷ πεζῇ ἀπὸ τῶν πόλεων.

A menção de pães *de cevada* (ver Jo 6.9) mencionados em conexão com este milagre é uma reminiscência do milagre feito por Eliseu, em 2Reis 4.42-44. Ver também 1Reis 17.9-16. Alguns eruditos mais liberais acreditam que as narrativas da multiplicação de pães para os quatro mil e para os cinco mil representam uma *única* tradição, e que talvez se tenham baseado em narrativas do AT, e não na sua ocorrência real. Não há, porém, razão para aceitarmos esse raciocínio. Certamente o Jesus que realizou os muitos milagres que lhe são atribuídos, tanto pelos autores cristãos como por seus inimigos, também poderia fazer o que aqui é descrito. Ver as notas seguintes sobre o comentário acerca da historicidade desse relato. O livro de Atos de João, uma obra apócrifa do século II de nossa era, tenta explicar o milagre dizendo que Jesus o realizou dando a cada pessoa pequeníssima porção (ver o cap. 93 do *Apocryphal NT*, de James, p. 252-253). Trata-se de uma demonstração antiga de ceticismo, que não tem maior valor que a variedade moderna. Os Evangelhos sinópticos frequentemente falam sobre comer e beber em conexão com a satisfação da necessidade espiritual, e algumas vezes retratam o reino de Deus como se fora um banquete. (Por exemplo, Mt 22.1-14; Lc 14.16-24.) Esse milagre sugere o banquete messiânico, aquela festa espiritual que a igreja de Jesus poderá usufruir pela ação poderosa de Cristo, o cabeça da igreja. A ceia do Senhor também fala sobre o suprimento das necessidades espirituais.

"Jesus, ouvindo isto, retirou-se dali num barco, para um lugar deserto" — O impacto da morte de João foi fortemente sentido por Jesus, porquanto João fora o seu precursor, seu colega de ministério e seu primo (provavelmente). Jesus sempre mostrou sensibilidade para com o sofrimento dos homens, a despeito de ser homem muito elevado; jamais assumiu nenhuma atitude severa contra as fraquezas humanas. É óbvio que, nessa ocasião, Jesus se fez acompanhar apenas por seus discípulos mais íntimos, desejando expressar o peso de seu espírito sem nenhum outro obstáculo. A ocorrência da morte de João Batista marcou o fim da *primeira viagem* através da Galileia, o que também demonstra o peso que Jesus sentiu, no que certamente foi acompanhado também pelos seus discípulos, porquanto alguns deles haviam sido discípulos de João antes de começarem a seguir a Jesus. Pode-se imaginar que o povo galileu, em geral, lamentou a morte de João Batista, porque era reputado um profeta, e talvez fosse aquele que poderia libertar Israel do poder dos romanos.

Marcos escreve: "E ele lhes disse: Vinde repousar um pouco, à parte, num lugar deserto; porque eles não tinham tempo nem

452 |Mateus| NTI

para comer, visto serem numerosos os que iam e vinham" (Mc 6.31, ARA). Lucas 9.10 mostra que viajaram para Betsaida. Não muito distante dessa cidade havia um lugar solitário, perigoso e sem cultivo, propício para quem quisesse ficar na solidão.

"Sabendo-o as multidões..." — A passagem de João 6.1 mostra que Jesus estava em um barco, tendo atravessado o mar da Galileia, ao passo que o povo foi "por terra", expressão que vem do grego que literalmente significa "a pé". A tradução AA interpreta corretamente dizendo "por terra", porque essa expressão, no grego, não exige a ideia de eles andarem em sentido literal. A tradução IB diz "a pé", como também a tradução AC; mas aquela primeira, embora não traduza literalmente, e, sim, interprete, está com a razão.

14.14: E ele, ao desembarcar, viu uma grande multidão; e, compadecendo-se dela, curou os seus enfermos.

14.14 καὶ ἐξελθὼν εἶδεν πολὺν ὄχλον, καὶ ἐσπλαγχνίσθη ἐπ᾽ αὐτοῖς καὶ ἐθεράπευσεν τοὺς ἀρρώστους αὐτῶν.

14 εἶδεν...αὐτοῖς Mt 9.36; 15.32

"Desembarcando, viu Jesus..." — Os detalhes desta narrativa mostram a grande popularidade de Jesus, a despeito da oposição travada pelas autoridades das sinagogas. É evidente que a multidão chegou antes de Jesus, e já o esperava. Assim, pois, não puderam repousar nem ele nem os discípulos. O v. 15 mostra que a multidão ficou a ouvir o Senhor o dia inteiro, circunstância essa que deu margem à realização de um dos milagres mais notáveis na vida de Jesus: a multiplicação dos pães.

"Compadeceu-se" — É notável que Jesus, com o coração dolorido em face da execução de João Batista, ainda pudesse sentir tão intensamente o peso da aflição alheia, que certamente era menor que a própria angústia de alma. Isso indica a grandeza da personalidade de Jesus, especialmente aqui, como a falta de egoísmo, como o espírito sempre pronto a simpatizar com os outros e ajudá-los. Neste caso, a palavra grega da qual vem a tradução "compadeceu-se" significa "intestinos", pois os antigos consideravam que os intestinos são a base das emoções, tal como algumas línguas modernas dizem que o coração é que é a sede das emoções. Como substantivo, essa palavra, quando usada como símbolo, pode indicar compaixão, amor, simpatia, afeição e misericórdia. Provavelmente, esse uso do termo desenvolveu-se pela observação de que as emoções afetam os sentidos físicos e o estado geral dos intestinos. Talvez a principal característica de Jesus fosse a sua participação simpática nos sofrimentos da humanidade. Ele sentia o problema do mal (ver nota em Romanos 3.3-8) e aliviava os sofrimentos alheios sem nenhum objetivo de fomentar sua popularidade. É errôneo procurar-se razões doutrinárias por detrás de cada milagre. Jesus curou impulsionado pela misericórdia, principalmente, e se utilizou dessas curas para enfatizar lições espirituais, especialmente a dependência que o homem deve ter de Deus, confiando no Senhor. Os milagres de Jesus nunca foram realizados por razões de ostentação. Ver notas sobre suas curas e milagres em Mateus 3.13; 7.23; 8.3,13,17; 9.34; Marcos 1.29; 3.1-5; Lucas 18.22-25.

14.15: Chegada a tarde, aproximaram-se dele os discípulos, dizendo: O lugar é deserto, e a hora é já passada; despede as multidões, para que vão às aldeias, e comprem o que comer.

14.15 ὀψίας δὲ γενομένης προσῆλθον αὐτῷ οἱ μαθηταὶ λέγοντες, Ἐρημός ἐστιν ὁ τόπος καὶ ἡ ὥρα ἤδη παρῆλθεν· ἀπόλυσον τοὺς ὄχλους, ἵνα ἀπελθόντες εἰς τὰς κώμας ἀγοράσωσιν ἑαυτοῖς βρώματα.

15 ἀπόλυσον...βρώματα Mt 15.42; Mc 8.3

15 ἤδη παρῆλθεν] trsp ℵ I pc ουν | ℵ I pc sa(2) om BDWΘ f13 pl latt ς; R

"Ao cair da tarde" — Expressão que pode significar "o pôr-do-sol" (como em Mt 8.16), mas que, neste caso, provavelmente indica o tempo entre as 15 e as 18 horas, o que indica um uso raro dessa palavra. Os judeus falavam em duas "tardes": a primeira, das 15 às 18 horas; e a segunda, ao pôr-do-sol. Provavelmente, o v. 23 indica a "segunda tarde", com as palavras "em caindo a tarde"; mas outros pensam que ali está em vista uma hora qualquer tarde da noite.

"O lugar é deserto" — Lugar solitário, sem comércio, sem possibilidade de comprar alimentos ali. Consequentemente, os discípulos queriam despedir as multidões. Jesus tinha razões importantes para não fazer isso — estava prestes a realizar um de seus mais notáveis milagres, e precisava dessas circunstâncias para a sua efetivação.

"Vai adiantada a hora" — Essa expressão tem recebido diversas interpretações: (1) A hora regular para comer já passara. (2) O período iluminado do dia já estava prestes a terminar. (3) O tempo para ensinar e curar já passara. (4) Era hora de despedir as multidões, a fim de que adquirissem alimentos. Vários intérpretes entendem uma ou outra dessas significações possíveis. Provavelmente, conforme o texto parece indicar, a referência era à hora adiantada do dia, pois já passara a hora própria do almoço.

14.16: Jesus, porém, lhes disse: Não precisam ir embora; dai-lhes vós mesmos de comer.

14.16 ὁ δὲ [Ἰησοῦς] εἶπεν αὐτοῖς, Οὐ χρείαν ἔχουσιν ἀπελθεῖν· δότε αὐτοῖς ὑμεῖς φαγεῖν.

16 Ιησους om ℵ¹D pc d k sy sa(3)

14.17: Então eles lhe disseram: Não temos aqui senão cinco pães e dois peixes.

14.17 οἱ δὲ λέγουσιν αὐτῷ, Οὐκ ἔχομεν ὧδε εἰ μὴ πέντε ἄρτους καὶ δύο ἰχθύας.

17 Mt 15.34; Mc 8.5

Segundo qualquer padrão humano, a desculpa era *razoável*. Eles concluíram que nada de bom (no sentido de fornecer alimentos) poderia ser feito em favor da multidão. É notável que Jesus tenha usado, com sucesso, exatamente aquilo que os discípulos julgaram ser insignificante. A interpretação que diz que o próprio povo levara pão bastante para uma refeição, e que a ação de Jesus limitou-se à influência moral que levou o povo a distribuir equitativamente a comida trazida (alguns teriam levado alimentos, e outros, não) nega os detalhes fornecidos por este evangelho, como também o propósito do autor ao incluir a história em seu texto. Temos de aceitar ou rejeitar totalmente essa história, sem procurar aceitar nenhuma *influência moral*, meramente, como se não tivesse havido milagre verdadeiro. É melhor dizer, nesse caso, que a narrativa foi uma invenção do autor, pois isso é preferível a torcer as palavras do texto, para que expressem o que o autor não quis dizer. Entretanto, por que duvidaríamos dos poderes de Jesus, se toda a sua vida foi miraculosa e se até hoje provoca grande admiração no mundo inteiro? Por que duvidar dos poderes de Jesus, se até hoje temos tantas provas de que ainda existem poderes miraculosos no mundo, e de que certas pessoas têm o poder de realizar milagres, curas e outras coisas notáveis? Por que duvidar de fenômenos miraculosos no mundo, se sabemos tão pouco acerca da natureza do mundo e da personalidade humana? Precisamos nos lembrar de que a ciência, e não somente a teologia, tem negado a possibilidade de muitas coisas que, hoje em dia, vemos com os olhos e compreendemos com a mente. Por exemplo, a ciência negou a possibilidade da redondeza da terra, de seus movimentos, além de outras coisas, como a possibilidade de caírem "pedras" do céu ou de existirem animais invisíveis no ar e em outros lugares, e que podem infectar as pessoas e torná-las doentes. Coisas que hoje consideramos "fatos científicos" já foram negadas e ridicularizadas pelos nossos antepassados. Aquele que vive em um mundo composto apenas de coisas que se podem entender vive em um mundo certamente minúsculo. A verdade, porém, é que esta criação tem mais coisas do que qualquer filósofo imagina.

14.18: E ele disse: Trazei-mos aqui.

14.18 ὁ δὲ εἶπεν, Φέρετέ μοι ὧδε αὐτούς.

18 ὧδε αυτους אB lat; R] αυτους DΘ 700 it: αυτ. ὧδε W f1 f13 565 pl ς

14.19: Tendo mandado às multidões que se reclinassem sobre a relva, tomou os cinco pães e os dois peixes e, erguendo os olhos ao céu, os abençoou; e partindo os pães, deu-os aos discípulos, e os discípulos às multidões.

14.19 καὶ κελεύσας τοὺς ὄχλους ἀνακλιθῆναι ἐπὶ τοῦ χόρτου, λαβὼν τοὺς πέντε ἄρτους καὶ τοὺς δύο ἰχθύας, ἀναβλέψας εἰς τὸν οὐρανὸν εὐλόγησεν καὶ κλάσας ἔδωκεν τοῖς μαθηταῖς τοὺς ἄρτους οἱ δὲ μαθηταὶ τοῖς ὄχλοις.

19-22 Mt 15.35-39; Mc 8.6-10

19 κελεύσας...λαβών] εκελευσεν...και λ. א pc | του χορτου אBWΘ f1 al] τον χορτου D pc: τους χορτου f13 pm ς ; R

Quando de sua encarnação, Jesus *esvaziou-se a si mesmo*, não pondo de lado a sua divindade, mas tão-somente os poderes e direitos que tinha como Filho de Deus. Ver nota detalhada em Filipenses 2.7. Jesus assumiu a forma humana com todas as suas fraquezas, limitando-se às possibilidades da personalidade humana; mas era um homem verdadeiro, conforme Deus planejara quando da criação do homem, um ser muito mais espiritual do que encontramos no homem que está no estado e sob a influência do pecado. Jesus, porém, sendo homem, sempre se desenvolvia, conforme os Evangelhos mostram, no que tange a seus poderes. Esses poderes faziam parte de sua personalidade, mediante a influência da presença do Espírito Santo. Essa influência não subsistia separada dele, mas formava mesmo a sua personalidade verdadeira. Jesus não tomou de empréstimo esses poderes; já os possuía quando deles se utilizou. Assim, ele mostrou o que Deus quer fazer com o homem, pois o Senhor almeja encontrar esse mesmo desenvolvimento em todos os crentes, para assim levar "muitos filhos" à sua presença gloriosa. Jesus se fez pouco inferior aos anjos, a fim de demonstrar como nós também nos precisamos desenvolver. Ele percorreu o caminho que nós precisamos percorrer. Realizou um desenvolvimento que terá de ser atingido por todos nós, antes de haver entrado na presença do Pai. A vida de Jesus *não foi algo separado* da experiência humana; de fato, foi uma amostra do que deve ser a experiência humana, contanto que o indivíduo cumpra o plano de Deus relativamente ao destino do homem. A transformação do crente à imagem de Cristo duplicará, nos homens, a grande estatura que Cristo demonstrou em sua vida, ressurreição e glorificação. Jesus demonstrou, em sua vida terrestre, como esse processo de transformação pode ter lugar no crente que ainda está na carne. Jesus é o nosso modelo em todas as coisas, e não somente nosso Salvador. Erramos quando reduzimos o evangelho a algo que aborda apenas o pecado, que tão-só elimina o pecado. O evangelho é a mensagem das boas-novas que inclui a grande glória da transformação do ser humano (participação na divindade, 2Pe 1.4) segundo a imagem de Cristo, a glória inefável do destino do homem, de acordo com o plano de Deus. O Espírito Santo não somente encheu Jesus de poder, mas também moldou-o e transformou-o. E a obra do Espírito Santo não é diferente em nosso caso. A transformação segundo a imagem de Cristo forma a personalidade permanente dos verdadeiros discípulos. E o homem, transformado à imagem de Cristo, manifestará os mesmos poderes, e, conforme Jesus mesmo ensinou, fará obras até mais poderosas do que as que ele realizou. Esses poderes não serão expressões separadas do caráter do crente; pelo contrário, serão elementos do desenvolvimento permanente do seu caráter.

A narrativa que se acha aqui é *uma das mais importantes* dos Evangelhos, e isso pelas seguintes considerações: (1) Mostra

e exemplifica o poder e o desenvolvimento de Cristo como nosso padrão, conforme é indicado na nota anterior. (2) Só o milagre da primeira multiplicação dos pães se encontra em todos os quatro Evangelhos, o que confirma sua importância como ocorrência histórica autêntica. Se pudermos aceitar a autenticidade desse milagre, também poderemos aceitar qualquer outro dos milagres de Jesus. (Ver notas nos v. 16,17.) (3) Esse milagre é uma amostra da supremacia do Filho do homem. (Ver nota detalhada sobre a questão, em Mc 2.7 e Mt 8.20.) Jesus usou de poder semelhante, quando da criação. A explicação racionalista de que ele usou meramente de uma influência moral, levando os circunstantes a dividirem equitativamente a comida de que dispunham, não mostrando, assim, nenhum espírito de egoísmo, é inaceitável. (4) Este milagre demonstra o poder divino ou sobrenatural entre os homens, e ensina o teísmo em contraste com o deísmo. (Ver notas detalhadas sobre as ideias da natureza de Deus, em Atos 17.27.) (5) Este milagre forma a base doutrinária de alguns dos ensinos mais importantes de Jesus acerca da natureza de sua pessoa, conforme achamos no sexto capítulo do evangelho de João. Esse foi o milagre de que Jesus se utilizou, em seu ensino aos discípulos, a fim de encorajá-los a compreenderem a pessoa do Messias e a desenvolverem a atitude de confiança nele, rejeitando as tendências que endurecem o coração. "[...] porque não haviam compreendido o milagre dos pães, antes o seu coração estava endurecido" (Mc 6.52 — ver o contexto, v. 45-52).

14.20: Todos comeram e se fartaram; e dos pedaços que sobejaram levantaram doze cestos cheios.

14.20 καὶ ἔφαγον πάντες καὶ ἐχορτάσθησαν, καὶ ἦραν τὸ περισσεῦον τῶν κλασμάτων δώδεκα κοφίνους πλήρεις.

20 2Rs 4.43,44

"recolherem..." — Todos os Evangelhos usam a mesma palavra empregada aqui (a despeito do fato de no grego poder-se usar mais de uma palavra), e isso indica que a fonte informativa foi a mesma para todos os quatro evangelistas, e também que todos os quatro aceitaram a história como um incidente autêntico do ministério de Jesus. A palavra traduzida como "cestos" fala de um cesto pequeno, feito de vime, que se podia levar numa das mãos. No milagre da multiplicação dos pães para os "quatro mil" (outro milagre, semelhante, que aparece em Mt 15.32-39 e Mc 8.1-10) a palavra "cesto", no original, indica um tipo bem maior de cesto, usado para guardar mantimentos.

Na história antiga lemos que os judeus costumavam carregar esses "cestos" em suas viagens, especialmente quando atravessavam territórios gentílicos, provavelmente para evitar a necessidade de comer com os gentios; assim também preveniam-se para ter suas provisões à mão. Juvenal (Sat. 3.14) diz que os judeus da Itália sempre levavam cestos com comida e palha. A palha servia de travesseiro. Os textos de Marcos 6.37 e João 13.29 parecem indicar que Jesus e seus discípulos tinham o costume de distribuir comida aos pobres; e provavelmente os fragmentos de comida, que encheram os doze cestos, foram guardados com esse propósito. Pode ser que o número "doze" implique em que os discípulos usaram os próprios cestos para recolher os fragmentos. Os autores dos Evangelhos evidentemente tiveram o cuidado de mencionar o fato de os discípulos colherem "doze cestos" de fragmentos, a fim de ilustrar o fato de que, depois de todos saciados, havia ainda muito mais comida do que Jesus tinha, a princípio, para começar a multiplicação, enfatizando, dessa maneira, a grandeza de seu milagre.

Várias *associações* históricas e citações dos escritores da antiguidade relacionam os judeus aos seus cestos, nos quais levavam pequena quantidade de comida e palha. Lembremo-nos que, quando escravos no Egito, costumavam transportar cestos cheios de barro e palha para fabricar tijolos. Alguns intérpretes acham que, depois desse cativeiro, os judeus carregavam cestos como lembrança do livramento do povo de Israel da escravidão egípcia,

454 |Mateus| NTI

por intervenção de Deus. O epigramatista (Nubere: nupisti, Gellia Cistifero, Martial Epigram. 1,5. epigram. 17) chama o judeu de "cistifer", ou seja, "aquele que carrega um cesto". As citações de Juvenal gracejam dos judeus, que na Itália costumavam carregar cestos. Por essas implicações, ficamos sabendo de diversas ilustrações e lições espirituais. O Messias cuida do seu povo, garantindo que seus cestos estejam sempre cheios, ficando assim garantida a provisão física e espiritual de Deus. O próprio Messias é o pão da vida, e nele encontramos nossa provisão total, tanto para esta vida como para a vida vindoura. O Messias pode fazer milagres e os faz para fornecer tudo de que seu povo necessita. Os discípulos verdadeiros, munidos de cestos repletos, demonstram o interesse de Deus pela sua vida, especialmente a liberdade outorgada por Deus, que os livra de toda a maldade. São numerosas as interpretações alegóricas dos pais da Igreja, sobre este milagre.

Jesus tomou a *pequena provisão humana*, e, mediante a sua graça, tornou-a suficiente para as necessidades de uma grande multidão. A história da igreja revela muitos casos de sacrifícios de indivíduos que tiveram oportunidade de servir apenas por breve período de tempo. John e Betty Stam foram martirizados na China depois de terem servido por brevíssimo período. Mary Andrus, esposa do Dr. Laffin, missionária evangélica na África Central, faleceu depois de pouco mais de um ano no campo. Em sua homenagem, há uma placa no templo da paróquia da Park Central Presbyterian Church, em Siracusa, Nova Iorque, Estados Unidos da América do Norte. Alguns dos missionários recentemente martirizados no Congo serviam ali por pouco tempo. Porventura essas vidas foram desperdiçadas? Devemo-nos lembrar de que Cristo pode usar a "pequena provisão humana", e que, realmente, não realizou este grande milagre sem usar essa provisão. A multiplicação é incumbência dele. O seu poder e vontade garantem o sucesso.

14.21: Ora, os que comeram foram cerca de cinco mil homens, além de mulheres e crianças.

14.21 οἱ δὲ ἐσθίοντες ἦσαν ἄνδρες ὡσεὶ πεντακισχίλιοι χωρὶς γυναικῶν καὶ παιδίων.

21 ωσει] *om* **W 0106** *pc* lat sy^{c}Or^{pt}

Marcos acrescenta: "Jesus lhes ordenou que todos se assentassem em grupos sobre a relva verde. E o fizeram, repartindo-se em grupos de cem em cem, e de cinquenta em cinquenta" (Mc 6.39,40). Por causa da divisão do povo em grupos assim, teria sido fácil calcular o seu número. Os judeus tinham por costume não incluir mulheres e crianças nesses cômputos; e provavelmente o número total de pessoas era bem maior, talvez atingindo o dobro dos cinco mil homens que foram contados.

É natural que um milagre dessa magnitude tenha provocado diversas interpretações entre os expositores do NT. As interpretações dadas a seguir representam, em seus pontos essenciais, as ideias que têm sido expostas a respeito desse conceito:

1. Como as pessoas que tinham levado alimentos repartiram-nos com os que nada tinham levado, quando Jesus distribuiu os dois peixinhos e cinco pães, e então todos fizeram o mesmo com o que cada qual possuía, fica *eliminado* o elemento miraculoso. Essa é a interpretação exegética, pela qual não houve milagre, mas apenas exemplo moral.

2. Não há base histórica para essa narrativa, mas Mateus lançou mão de exemplos do AT, como Êxodo 16; 1Reis 17.8-16 e 2Reis 4.1,42, onde há histórias de fornecimento de alimentos por meios milagrosos. Essa interpretação denomina-se *interpretação mitológica*.

3. Há a interpretação *simbólica*, que diz que diversas referências feitas a Jesus, como o pão da vida, ou a instituição da ceia etc., formaram a mentalidade da igreja sobre a necessidade de inventar (ou de admitir a existência de) um milagre dessa natureza. Essa interpretação nega que o milagre tenha qualquer base na realidade histórica.

4. Há a interpretação *parabólica*, que diz que a intenção do autor foi a de apresentar um tipo de parábola, e não a de narrar um acontecimento verídico. Todas essas quatro interpretações representam esforços da imaginação. O texto não dá nenhuma indicação de tais possibilidades. É óbvio que a intenção dos quatro autores dos Evangelhos foi mostrar que ocorreu um milagre notável na vida de Jesus.

5. A interpretação *verdadeira* é a que aceita a narrativa como um milagre notável e autêntico, feito por Jesus. Os intérpretes oferecem diversas ideias sobre a natureza do milagre e sobre o modo de agir de Jesus, como: (a) Milagre abstrato, feito pelo poder divino, sem nenhuma tentativa para explicar seja o que for acerca das influências morais ou mentais que provocaram o milagre ou o seu registro nos Evangelhos. Essa ocorrência, pois, simplesmente demonstrou o poder divino de Jesus, que ultrapassa qualquer possibilidade de explicação. (b) O milagre foi realizado a fim de ilustrar o poder miraculoso de Jesus e para ensinar lições espirituais e morais. Alguns intérpretes estendem essa ideia à eucaristia. O ato de Cristo serviu de exemplo ou símbolo da provisão de Deus para todas as necessidades do homem, em Cristo. Alguns expositores chegam a pensar que esse milagre foi símbolo do "milagre" da eucaristia, no qual o sangue e o corpo de Cristo são miraculosamente multiplicados, naquilo que se chama de doutrina da "transubstanciação". Aqueles que defendem essa interpretação também tentam explicar como o ato se verificou: (a) Pelo uso de matéria física já presente nos peixes e no pão, porém multiplicada. Assim Jesus não fez alguma coisa do nada, mas tão-só usou o seu poder para aumentar a quantidade de matéria já existente. Talvez seja possível esta explicação do milagre, mas dificilmente pode-se afirmar outro tanto no que tange ao milagre da transformação da água em vinho; (b) outros acham que o milagre deve ter incluído criação e não apenas multiplicação de matéria, o que o tornaria um milagre notabilíssimo, porque representou, em miniatura, uma nova criação. Por essa razão, sendo um milagre tão notável, é que os quatro evangelistas o teriam registrado. Todas essas explicações envolvem questões que dificilmente podem ser explicadas, porquanto nada se sabe sobre o poder de Deus quanto à criação de matéria. Pelo menos podemos confirmar que o texto ensina um milagre verdadeiro, e que com grande probabilidade os autores dos Evangelhos tiveram a intenção de ilustrar o notável poder de Jesus; outrossim, quiseram ensinar que Jesus era o pão da vida (conforme ele mesmo explica em Jo 6). A doutrina da transubstanciação, ensinada à base deste texto, não passa de um exagero de interpretação. Ver as notas nos v. 16 e 17, onde o evangelista defende, de maneira abreviada, a ideia de uma ocorrência autêntica na vida do Senhor Jesus.

A despeito do fato que este texto relata um importante milagre de Jesus, também devemos notar que fica ilustrado, ao mesmo tempo, o intenso ministério de Jesus no tocante ao ensino. Durante todo esse tempo, a principal atividade de Jesus foi a do ensino. Ver nota em Mt 15.32, que explica as implicações desse fato em sua aplicação a nós.

VII. CONTROVÉRSIAS E OBRAS (14.4 - 17.27)
3. Milagre do andar sobre a água (14.22-27)

(Ver os paralelos em Mc 6.45,46 e Jo 6.15-21.) Tal como no v. 14, parece ter havido mais de uma fonte informativa quanto a esta narrativa. Tanto em Marcos quanto em João, a história está vinculada na sequência com a multiplicação miraculosa; e disso nos vem a impressão de que o grande Cristo, que pode multiplicar pães, também pode vencer a força da gravidade, e andar por sobre a água. Não há motivo para duvidarmos disso, pois até hoje, entre os fenômenos mediúnicos, esse fenômeno não é de todo desconhecido. Por ser "altamente espiritualizado" devido às operações do Espírito Santo, na realidade prática, o homem Jesus nem pertence a este mundo, tão grande era o desenvolvimento que ele demonstrava ocasionalmente. Interpretações céticas também são apresentadas neste ponto, por aqueles que ignoram o que pode ser feito mediante o desenvolvimento espiritual, ou por aqueles que estão cegos para a significação desse desenvolvimento. Jesus teria andado "através" da água e não "sobre" a água; mas os discípulos se equivocaram sobre o que sucedeu. Essas ideias não merecem nossa consideração, e refletem a ignorância do ceticismo quanto às realidades espirituais. Agostinho dizia que somente na "fé" é que uma mente está em condição de acolher a verdade espiritual, pois o ceticismo resulta do fato de a verdade espiritual ser amortecida para os céticos. Por isso é que ele dizia: *Creio, para que possa entender*. Sem dúvida temos nisso grande verdade espiritual. A experiência humana demonstra tal coisa. Os místicos que podem ver a aura humana (a qual atualmente pode ser fotografada por um tipo de radiografia) dizem-nos que as auras dos céticos são manchadas com máculas negras e sem cor, ilustrando o fato de que suas faculdades espirituais foram prejudicadas. Quão certo estava Agostinho, mesmo sem qualquer prova científica!

14.22: Logo em seguida obrigou os seus discípulos a entrar no barco, e passar adiante dele para o outro lado, enquanto ele despedia as multidões.

14.22 Καὶ εὐθέως[4] ἠνάγκασεν τοὺς μαθητὰς[5] ἐμβῆναι εἰς τὸ πλοῖον καὶ προάγειν αὐτὸν εἰς τὸ πέραν, ἕως οὗ ἀπολύσῃ τοὺς ὄχλους.

---

[4] 22 {C} εὐθέως א^b B C D K L P W X Δ Θ Π 067 0106 *f*[1] *f*[13] 28 33 565 700 892^mg 1009 1010 1071 1079 1195 1216 1230 1241 1242 1253 1344 1365 1546 1646 2148 2174 *Byz Lect* (*l*[211] καὶ ἠνάγκασεν εὐθέως) it^a,aur,b,c,d,e,ff1,g1,h,l,q vg syr^p,h,pal cop^sa,bo,fay arm eth geo Origen // *omit* א^* C^* 892^txt it^ff1 syr^c Diatessaron^v Chrysostom

[5] 22 {B} μαθητὰς א C D L W Δ 067 0106 *f*[1] 28 33 700 1010 1071 1195 1216 1230 1241 1253 1646 *Byz*^pt *l*[32,150,184pt,185,299,313,847,1241,1663] it^d,e,f,l vg arm geo Origen Chrysostom // μαθητὰς αὐτοῦ (*ver* Mc 6.45) B K P X Θ Π *f*[13] 565 892 1009 1079 1242 1344 1365 1546 2148 2174 *Byz*^pt *Lect* *l*[84pt,185pt] it^a,aur,b,c,ff1,2,g1,h,q syr^c,p,h,pal cop^sa,bo,fay eth Diatessaron

---

[4] Embora alguns comentadores tenham pensado que εὐθέως seja uma acomodação escribal ao texto de Marcos 6.45, é mais provável que sua ausência de alguns poucos testemunhos deva-se à omissão acidental.

[5] A comissão julgou que o peso e a variedade da evidência externa favorece a forma mais breve, sobretudo porque os copistas podem ter introduzido αὐτοῦ com base na passagem paralela de Marcos 6.45.

"**Compeliu**" — Tradução fiel do vocábulo grego, sem explicação no próprio texto sobre os motivos que levaram Jesus *a insistir tanto*, nessa ocasião, para que tomassem um barco com urgência. O texto de João 6.14,15 é que esclarece a atitude de Jesus, a qual não poderia ser compreendida se contássemos apenas com os evangelhos de Mateus e Lucas. "Vendo, pois, os homens o sinal que Jesus fizera, disseram: Este é verdadeiramente o profeta que devia vir ao mundo. Sabendo, pois, Jesus, que estavam para vir com o intuito de arrebatá-lo para o proclamarem rei, retirou-se novamente, sozinho, para o monte". Jesus não queria saber das intenções políticas do povo. As massas simplesmente não compreendiam um Messias sem interesses políticos, e é evidente que João Batista e seus discípulos também não aceitaram a ideia de um Messias que não se imiscuía na política. Não há muita dúvida de que, se Jesus tivesse aceitado a tentativa do povo, Herodes providenciaria imediatamente a sua execução, conforme já eliminara João Batista, que apenas representara uma ameaça ao poder do governo estabelecido. Lembremo-nos de que Jesus realizou esses milagres logo após as notícias da morte de João Batista; Jesus ainda tinha muito trabalho a realizar; deveria fazer outra viagem à Galileia, ter ministério na Pereia, e dar seu testemunho final na Judeia e em Jerusalém. Por isso é que ele *compeliu* os discípulos a embarcarem e passarem adiante dele para o outro lado, enquanto ele mesmo despedia as multidões! É provável que os seus seguidores tivessem simpatia para com os ideais políticos da multidão, porque até o fim vemos que os discípulos também esperavam a inauguração de um reino político e desejavam ter posições elevadas dentro do mesmo. À base do texto, parece que Jesus mandou embora os discípulos, ficou só com a multidão, e, sem a presença de seus seguidores, procurou acalmar o povo, nas suas intenções. Provavelmente, a multidão estava indignada contra Herodes por haver assassinado João Batista, desejando dar início imediato à revolta política. Jesus, porém, não queria ter ligação nenhuma com tal revolta, que apenas teria significado o fim de seu ministério terreno.

14.23: Tendo-as despedido, subiu ao monte para orar à parte. Ao anoitecer, estava ali sozinho.

14.23 καὶ ἀπολύσας τοὺς ὄχλους ἀνέβη εἰς τὸ ὄρος κατ᾽ ἰδίαν προσεύξασθαι. ὀψίας δὲ γενομένης μόνος ἦν ἐκεῖ.

---

23 ἀνέβη...προσεύξασθαι Lc 6.12; 9.28

"**E, despedidas as multidões...**" — "Em caindo a tarde" significa "mais tarde", o que é indicado no v. 15, "ao cair da tarde". Alguns intérpretes acham que está em vista o pôr-do-sol; outros, que deveria ser tarde da noite. A passagem de João 6.22-23 mostra que, a despeito das tentativas de Jesus em despedir a multidão, muitas pessoas passaram a noite no mesmo lugar, esperando que Jesus voltasse no dia seguinte. Vendo, porém, que ele não voltava, finalmente se foram. "*No dia seguinte*, a multidão, que ficara do outro lado do mar, notou que ali não havia senão um pequeno barco, e que Jesus não embarcara nele com seus discípulos, tendo estes partido sós. Entretanto, outros barquinhos chegaram de Tiberíades, perto do lugar onde comeram o pão, tendo o Senhor dado graças. Quando, pois, viu a multidão que Jesus não estava ali, nem os seus discípulos, tomaram os barcos e partiram para Cafarnaum, à sua procura." A despeito da oposição de Jesus, queriam mesmo assim realizar os seus planos; mas João mostra que também anelavam por receber os benefícios físicos, como o alimento farto que Jesus podia fornecer, e que os motivos da multidão não eram realmente espirituais, apesar da grande demonstração de poder da parte de Jesus.

"**A fim de orar sozinho**" — Muitos dias repletos de atividades, a morte de João Batista, a evidente incompreensão acerca de sua missão, tanto por parte das multidões como por parte de seus discípulos, esgotaram Jesus no corpo e no espírito. Jesus sentiu a necessidade do descanso físico e da renovação da comunhão com Deus Pai, sozinho. Nesse momento, não quis nem mesmo que seus discípulos estivessem com ele. *Euthy. Zig* disse: "Apropriados para a oração eram o monte, a noite e a solidão, que ofereciam quietude, liberdade de qualquer distração, e calma". Jesus precisava do consolo do Pai, por causa da morte de João Batista, de poder espiritual para resistir às ideias erradas da multidão, e de coragem para continuar em seu ministério, sob circunstâncias tão difíceis. João mostra que logo depois disso a oposição por parte das autoridades, contra Jesus, ainda se intensificou mais; sua popularidade começou a cair radicalmente, em parte, provavelmente, porque ele demonstrou tanta relutância em cumprir as ideias revolucionárias do povo. É evidente que Jesus ficou sozinho, no monte, a orar, até mais ou menos de 3 a 6 horas da manhã, conforme nos mostra o v. 25.

Adam Clarke apresenta a lista de algumas lições espirituais dessas atitudes de Jesus: (1) Jesus retirou-se do burburinho do mundo para dedicar-se *à oração*. Podemos acrescentar, neste ponto, que ele fez isso a despeito do adiantado da hora, porquanto havia trabalhado muito, até tarde da noite; mas ainda assim achou tempo para orar. (2) O texto fala de elevação: ele subiu ao monte.

456 |Mateus| NTI

Jesus *elevou* a sua alma à presença do Pai. (3) O texto subentende o valor da *solidão* na oração, onde é possível ficar livre das distrações do mundo ou dos amigos. (4) Jesus orou na quietude e tranquilidade da noite. "Quando a alma se põe a conversar com Deus, toda outra companhia deve ser *excluída*".

14.24: Entrementes, o barco já estava a muitos estádios da terra, açoitado pelas ondas; porque o vento era contrário.

14.24 τὸ δὲ πλοῖον ἤδη σταδίους πολλοὺς ἀπὸ τῆς γῆς ἀπεῖχεν⁶, βασανιζόμενον ὑπὸ τῶν κυμάτων, ἦν γὰρ ἐναντίος ὁ ἄνεμος.

> ⁶ 24 {D} σταδίους πολλοὺς ἀπὸ γῆς ἀπεῖχεν B *f*¹³ cop^sa?(bo?) geo Diatessaron // σταδίους πολλοὺς ἀπεῖχεν 983 1689 // σταδίους τῆς γῆς ἀπεῖχεν ἱκανούς 700 // ἀπεῖχεν ἀπὸ τῆς γῆς σταδίους ἱκανούς Θ syr^c,p,pal arm // μέσον τῆς θαλάσσης ἦν (*ver* Mc 6.47) ℵ C K L P W X Δ Π 084 0106 *f*¹ 28 33 565 892 1009 1010 1071 1079 1195 1216 1230 1241 1242 1253 1344 1365 1646 2148 2174 *Byz Lect* (*l*¹⁶⁶³ *omit* ἦν) it^a,aur,b,c,f,ff²,g¹,h,l,q vg syr^h cop^fay? Eth^ro,pp (Origen) (Eusebius) Chrysostom // ἦν εἰς μέσον τῆς θαλάσσης (*ver* Mc 6.47) D it^d,e,ff¹ cop^fay? Eth^ms? (Eusebius ἐν μέσον) // ἐκινδύνευεν ἤδη μέσον τῆς θαλάσσης 1546

> A questão é se Mateus foi aqui assimilado pelos copistas a João (σταδίους εἴκοσι πέντε ἢ τριάκοντα, Jo 6.19) ou a Marcos (ἦν τὸ πλοῖον ἐν μέσῳ τῆς θαλάσσης, Mc 6.47). Já que o processo de harmonização tomava mais frequentemente lugar entre os Evangelhos sinópticos do que entre o quarto evangelho e um dos sinópticos, e já que o paralelo joanino é muito superficial (envolvendo entre os testemunhos gregos apenas a palavra σταδίους), parece que o texto de B *f*¹³ al é o que melhor explica o aparecimento das outras formas.
>
> A versão boárica foi parcialmente conformada à narrativa joanina; diz, "o barco estava distante da terra cerca de vinte e cinco estádios".

"O barco já estava longe..." — A viagem foi de *Betsaida* (que não deve ser confundida com Betsaida, cidade de Filipe, André e Pedro; mas era a Betsaida Júlias, que ficava perto do estuário do rio Jordão, do lado oriental) à outra Betsaida (Mc 6.45), provavelmente com destino final em Cafarnaum, que não ficava muito distante de Betsaida, como se vê em João 6.17. A distância dessa viagem era quase equivalente ao mar da Galileia inteiro, e, enquanto Jesus orava sozinho, os discípulos enfrentaram ventos fortes e contrários que, de fato, ameaçavam sua vida. "Estádios". Medida equivalente a quase duzentos metros.

14.25: À quarta vigília da noite, foi Jesus ter com eles, andando sobre o mar.

14.25 τετάρτῃ δὲ φυλακῇ τῆς νυκτὸς ἦλθεν πρὸς αὐτοὺς περιπατῶν ἐπὶ τὴν θάλασσαν.

"Na quarta vigília" — Significava o período entre as 3 e as 6 horas. Nos tempos do AT, os judeus dividiam a noite em três vigílias de quatro horas cada uma. O texto de Lamentações menciona a primeira vigília; Juízes 2.19, a segunda; e Êxodo 14.24, a terceira. No AT não há nenhuma referência à "quarta vigília". Nesse tempo, as três vigílias dos judeus eram: primeira vigília, do pôr-do-sol às 22 horas; segunda vigília, das 22 às 2 horas da madrugada; e terceira vigília, das 2 horas da madrugada ao raiar do sol. Os romanos, porém, dividiam a noite em quatro vigílias de três horas cada uma, costume esse que, evidentemente, foi adotado pelos judeus desde os tempos de Pompeu, e que se reflete nas Escrituras do NT. Essas vigílias começavam, respectivamente, às 18 horas, às 21 horas, às 24 horas e às 3 horas.

"Foi Jesus ter com eles, andando sobre o mar" — Os paralelos acham-se em Marcos 6.45-52 e João 6.15-21, sendo esse milagre um daqueles registrados por *três* dos quatro evangelistas. Nos Evangelhos, há onze milagres registrados por três evangelistas; somente um milagre registrado por todos os quatro evangelistas

(o da multiplicação de pães para cinco mil homens); seis milagres narrados por dois dos quatro evangelistas; e dezessete milagres registrados por apenas qualquer um dos quatro evangelistas, em cada caso. No total, há cerca de trinta e cinco milagres especificamente narrados pelos evangelistas, não incluindo muitos outros que são mencionados apenas por alguma declaração geral. Ver notas sobre o assunto, com a lista completa dos milagres e fontes supostas do material usado pelos evangelistas, na seção que faz parte da introdução a este comentário, intitulada "O problema sinóptico".

Este milagre, tal como o da multiplicação dos pães, tem atraído muita atenção, bem como grande número de interpretações. As principais são representadas pelas seguintes ideias:

1. Interpretação às vezes denominada *monofisita*, porque os monofisistas ensinavam que Cristo possuía apenas uma natureza, composta da divina e da humana. Parte da igreja cóptica manteve essa crença. Essa interpretação diz que o Filho de Deus exercia controle sobre os elementos da natureza por ser Deus e homem. Essa doutrina não dá muita importância à natureza humana de Jesus, e pode incluir a ideia de docetismo (palavra que vem do verbo grego que significa "perecer"), que indica que o corpo de Cristo, nessa aparição, era apenas uma miragem, e não um autêntico corpo humano. Entretanto, o texto indica, aqui, que Jesus não somente tinha poder sobre as forças da natureza, mas também sobre o próprio corpo. As Escrituras ensinam que Jesus foi homem verdadeiro, dotado de um corpo humano.

2. Alguns interpretam que Jesus realmente não andou sobre *a superfície* do mar, mas que somente dava aos discípulos a impressão de andar sobre o mar, quando, na realidade, andava sobre a terra, à beira-mar, ou então em água muito rasa. O próprio texto, n o entanto, impossibilita essa interpretação. O grego diz que ele andou "sobre" o mar, e seria impossível fazer isso significar "sobre" a terra ou em água de pouca profundidade. Por semelhante modo, o incidente da tentativa de Pedro em fazer a mesma coisa, e o fato de eles terem conversado, ilustra a impossibilidade de se crer que essa conversa, e a atitude de Pedro, tivessem lugar enquanto Jesus ficava em terra, ao passo que Pedro estava a "muitos estádios" da terra.

3. Outros pensam que a ocorrência foi modificada pelo autor do evangelho, e que representa um acontecimento comum, onde não houve nenhum milagre, mas que a tradição floreou o incidente. Parece que seria melhor dizer (pelo menos haveria mais razão nisso) que a ocorrência foi *invenção* do autor (ou dos três autores, ou pelo menos que isso foi aceito por três pessoas, Mateus, Marcos e João), pois é difícil entender como um acontecimento sem nenhum elemento fora do comum poderia provocar tantas modificações a ponto de transformar-se em um dos milagres notáveis de Jesus.

4. Um intérprete sugere que Jesus apenas *nadou!* Essa interpretação, porém, refuta-se a si mesma.

5. Outros oferecem a interpretação *mitológica*, uma história marinha, como muitas outras, com possíveis reflexos de 2Reis 2.14; 6.6 e Jó 9.8, além de certos mitos estrangeiros.

6. Alguns pensam que Cristo manifestou poderes especiais, inerentes à natureza superior de sua *corporalidade*. No entanto, as Escrituras nunca indicam que Jesus tivesse um corpo diferente do homem comum, e a sua morte parece deixar isso bem patente.

7. Alguns expositores interpretam a história como se fora uma *alegoria* que apenas anota certas lições espirituais, sem aceitar a narrativa como acontecimento histórico.

8. Sabemos, por incidentes modernos de pessoas chamadas "sonâmbulas", que andam ao redor estando em estado de sono ou transe, que andar sobre a água não é algo impossível para a natureza humana. Outros, mesmo não estando em estado de transe, têm demonstrado essa habilidade, e isso deve ser incluído nas manifestações psíquicas, sobre as quais até hoje não sabemos muito. Pelo menos parece que essa façanha não

é impossível à natureza humana, sob determinadas condições. Alguns expositores não aceitam essa ação como algo possível à natureza humana, mas pensam que essas pessoas devem contar com a ajuda de algum *poder externo*, como o dos demônios etc. Contudo, quando entramos nessas discussões, entramos na esfera das especulações, porque simplesmente não temos conhecimento suficiente sobre a questão para afirmar muitas coisas. É errôneo, porém, atribuir ao Diabo tudo quanto não entendemos. Lembremo-nos de que os antigos atribuíam o relâmpago e o trovão a deuses bons ou maus. Em geral, os estudos psíquicos ilustram o fato de a personalidade humana ser muito *mais poderosa* do que se tem pensado até hoje, e que suas possibilidades parecem quase não ter limite. Isso seria ainda mais evidente não fora o peso e os efeitos do pecado, dos quais Jesus estava isento. E quem pode negar que, na transformação à imagem de Cristo, o homem adquirirá muito maior poder do que a capacidade de caminhar sobre a água? Precisamos também lembrar que o Cristo estava em processo de transformação espiritual, sendo homem, e assim ia adquirindo maior poder, dia a dia. Não nos olvidemos, ainda, de que os poderes por ele adquiridos tornavam-se expressões *permanentes* de sua personalidade. (Ver Hb 5.8,9). Por outro lado, a verdade é que esse desenvolvimento era espiritual, mediante a participação no poder do Espírito Santo. Ver as notas no v. 19 deste capítulo. Por meio do conhecimento que temos até o presente, talvez possamos asseverar que o milagre aqui realizado por Jesus foi resultado direto da influência divina sobre ele (talvez o uso *direto* desses poderes da própria natureza como Deus), mas é verdade, igualmente, que a transformação do ser humano, pelo poder de Deus, enquanto o homem está no processo do retorno a Deus, fará com que o homem se torne, mais e mais, uma pessoa capaz de fazer tais maravilhas. Ler notas sobre Romanos 8.29. Ver comentários sobre a nossa participação na divindade, em 2Pedro 1.4.

Notamos também que dois dos Evangelhos sinópticos — Mateus e Marcos — têm a mesma história em conjunto com o evangelho de João. Dessa forma, a suposição de alguns intérpretes, que dizem ter sido apenas João a exagerar os elementos miraculosos na vida de Jesus, não tem base. Talvez a diferença entre os Evangelhos, nesse sentido, não seja tão grande como alguns têm imaginado.

14.26: Os discípulos, porém, ao vê-lo andando sobre o mar, assustaram-se e disseram: É um fantasma. E gritaram de medo.

14.26 οἱ δὲ μαθηταὶ ἰδόντες αὐτὸν ἐπὶ τῆς θαλάσσης περιπατοῦντα ἐταράχθησαν λέγοντες ὅτι Φάντασμά ἐστιν, καὶ ἀπὸ τοῦ φόβου ἔκραξαν.

26 ἐταράχθησαν...ἐστιν Lc 24.37

"Fantasma" — Tradução de AC, AA e IB, que é melhor do que "*espírito*", conforme dizem algumas traduções, pois o grego diz "fantasma", e não "pneuma". Esta última palavra é que se pode traduzir corretamente como "espírito". A palavra aparece somente aqui, e o paralelo, em Marcos 6.49, no NT. É vocábulo comum na literatura grega, e pode significar aparição sem substância real, visão ou aparição de um espírito humano ou sobre-humano. É interessante observar que os discípulos aceitavam a antiga ideia dessas aparições, até mesmo neste caso que envolveu a Jesus. A aparição de "fantasmas" usualmente era reputada como um mau agouro, especialmente entre os marinheiros. Pode ser que os discípulos tivessem pensado que o "fantasma" quisesse destruí-los, mediante a violência do mar ou contra as rochas da costa, e, naturalmente, ficaram aterrorizados.

O comentário de *Ellicott* diz: "Os discípulos, ainda presos às superstições de seus compatriotas, pensavam que fosse um fantasma". Bruce escreveu: "Um toque de superstição dos marinheiros". Em contraste com isso, Adam Clarke, o principal expositor do metodismo, opina: "Que os espíritos dos mortos *podem aparecer*, e, de fato, aparecem, tem sido doutrina aceita pelos homens mais santos; essa é uma doutrina que os caviladores, os livres-pensadores e outros, que não se dispõem a aceitar ideias diferentes de suas crenças, jamais foram capazes de refutar". John Gill acha que o terror dos discípulos foi causado pela crença comum entre os judeus de que os demônios geralmente andavam à noite, procurando fazer mal aos homens. Certa citação, extraída da literatura judaica, diz: "É proibido saudar um amigo à noite, porque pensamos que possa tratar-se de um demônio" (T. *Bab.Megella*, fol. 3.1. *Sanhedrin*, fol. 44.1). Outros referem-se a um demônio feminino que se chamava *Lilith*, que andava à noite com rosto humano, procurando especialmente crianças para roubar e matar. Em face dessas ideias sobre "fantasmas", podemos compreender o medo dos discípulos naquela ocasião.

É evidente que não somos tão sábios quanto pensamos e afirmamos e que, neste mundo, há muitas coisas sem explicação; de fato, *fantasmas* de algum tipo (ou tipos), de alguma origem (ou origens), podem existir, mas não podemos afirmar isto categoricamente. Portanto, é possível que a ideia de Adam Clarke, conforme citação acima, contenha uma parte da resposta. Pode ser que nossas ideias venham a sofrer grande revolução e que a nossa cosmologia venha a alterar-se extraordinariamente. Uma boa regra é não negarmos aquilo que não compreendermos, ou acerca do que pouco temos estudado.

A natureza humana: As pesquisas científicas no campo da antropologia metafísica demonstram que o homem é uma complexidade de pelo menos três formas distintas. (1) O corpo, parte física. (2) A *vitalidade*, parte semifísica. (3) A alma (espírito), parte espiritual, supostamente fora do campo atômico. Assim, o *fantasma* é a *vitalidade*, que anteriormente fez parte do complexo humano. Esta vitalidade pode ser capaz de certos atos que exigem uma baixa inteligência, e de natureza mecânica. Todavia, o texto aqui está falando da suposta manifestação de um *espírito* desencarnado.

14.27: Jesus, porém, imediatamente lhes falou, dizendo: Tende ânimo; sou eu; não temais.

14.27 εὐθὺς δὲ ἐλάλησεν [ὁ Ἰησοῦς] αὐτοῖς[7] λέγων, Θαρσεῖτε, ἐγώ εἰμι· μὴ φοβεῖσθε.

[7] 27 {D} ὁ Ἰησοῦς αὐτοῖς ℵ B 1365 (it^{a,aur,b,c,e,ff2,g1,h,l}) (vg) sy cop^{fay} // αὐτοῖς ὁ Ἰησοῦς C K L P W X Δ Θ Π 0106 f¹ f¹³ 28 33 565 700 1009 1071 1079 1216 1230 1241 1242 1253 1344 1546 1646 2148 2174 Byz Lect it^{f,q} syr^{h,(pal)} cop^{fay?} arm eth? geo // αὐτοῖς (ver Mc 6.50) ℵ* D 084^{vid} 892 1010 it^{d,ff1} syr cop^{sa,bo} Eusebius // ὁ Ἰησοῦς 1195 l⁴⁷

> Embora se reconheça que, com frequência, os escribas inseriam ὁ Ἰησοῦς a fim de identificar o sujeito de um verbo nos Evangelhos, a comissão julgou que, se a forma preservada em B é a original, a forma mais breve pode ser explicada como resultante da omissão acidental de ὁ Ἰησοῦς mediante homoeoteleuton (ΟΙϹΑΨΤΟΙϹ). Após haver sido descontinuado, ὁ Ἰησοῦς mais provavelmente seria inserido novamente após αὐτοῖς. A fim de refletir o equilíbrio das probabilidades, a maioria da comissão preferiu reter ὁ Ἰησοῦς, mas dentro de colchetes.

Realmente estavam contemplando um *prodígio*, mas de natureza diversa daquilo que pensavam. Jesus proferiu palavras de conforto, mas bastaria o som de sua voz para que eles se tranquilizassem. Todos os três evangelistas registram essas palavras. João não registra *Tende bom ânimo*. (Ver Mc 6.50 e Jo 6.20.) Assim, com grande exatidão, a tradição oral ou escrita preservou essas palavras que certamente eram lembradas com gratidão pelos discípulos. Talvez para eles mesmos, como também para a igreja nos séculos que se seguiram, e até os nossos dias, essas palavras tenham voltado à mente com certo sentido simbólico. Os pais da Igreja procuravam

458 |Mateus| NTI

explicar o incidente como uma alegoria, conforme é ilustrado pela citação de Agostinho, dada acima (acerca do v. 24). Após a morte e a ressurreição de Jesus, ele ascendeu aos céus, onde intercede por nós. Durante esse período, os discípulos (a igreja) estão sobre o mar das tribulações e tentações. Às vezes, esses acontecimentos ameaçam destruir a igreja e os cristãos em particular e, de outras vezes, parece haver grande razão para que tema a vida e suas ocorrências e se chega quase a perder a esperança. Eis, porém, que Jesus aparece na quarta vigília da noite, proferindo palavras encorajadoras. Alguns dos pais da Igreja aplicavam essa "vinda" ao segundo advento de Cristo; e assim aplicavam alegoricamente esse texto à história eclesiástica na terra. Notamos que o vocábulo "eu", no grego, é enfático. A presença de Jesus, em meio às tribulações ou quaisquer outros acontecimentos adversos, ou mesmo na vida em geral, certamente dá ao crente coragem de viver e vencer.

Mateus faz *algumas adições* ao relato de Marcos, cujo esboço o primeiro segue à risca, em toda esta seção. Ver nota em Mateus 14.1. A fonte informativa provavelmente foi "M". Provavelmente, o material foi suprido pela igreja da Síria, onde provavelmente o evangelho foi escrito, ou que pelo menos foi o centro que supriu parte do material deste evangelho. Esta seção e a de Mateus 16.16-19 têm o propósito de demonstrar o quanto Pedro é digno de confiança como testemunha ocular das obras de Cristo, e isso encorajaria a igreja para tradições posteriores, visto que seu testemunho substancia a historicidade dos Evangelhos. (Ver na introdução a este comentário o artigo intitulado "Historicidade dos Evangelhos".) O autor também deseja estabelecer a autoridade de Pedro na igreja, porquanto a igreja necessitava de autoridades para sua organização e funcionamento.

VII. CONTROVÉRSIAS E OBRAS (14.4 - 17.27)
4. Pedro é ensinado a crer (14.28-33)

Somente Mateus registra a tentativa que Pedro fez de *duplicar* o feito de andar por sobre a água, realizado por Jesus. Nessa história, há grande lição. O que Jesus fez também podemos fazer. João 14.12 declara-o enfaticamente. Isso nos encoraja a seguir a Jesus em seu desenvolvimento espiritual. Lembremo-nos, entretanto, de que as experiências místicas não devem ser buscadas por elas mesmas, mas devido ao fato de que elas nos elevam até Cristo, até a participação em sua imagem e natureza, contanto que estejam centralizadas em Cristo. Apesar das experiências místicas serem desejáveis para o crescimento espiritual, o misticismo falso pode ser perigoso. Todos os profetas eram místicos da mais alta ordem. Certamente isso é uma grande lição para nós. A definição básica do *misticismo* é simplesmente algum contacto com um poder superior a nós mesmos, o que, no contexto do cristianismo, aponta para Deus, para Cristo, para o Espírito Santo, para algum anjo etc., isto é, personalidades e poderes que nos são "objetivos". O misticismo oriental, todavia, usualmente é subjetivo, ou seja, o contacto do indivíduo com a própria alma, com o seu "eu" superior.

"A força de Gallade era 'como a força de dez', porque seu coração era puro" (Tennyson, Sir Galahad, estrofe i). Essa pureza de motivos, tanto quanto há em nós, é o começo do poder da fé. Sua continuação depende de olhos fixos em Cristo, 'olhando para Jesus' (Hb 12.2). Sua finalidade é o próprio Cristo, que nos vem em socorro, quando a fé falha no companheirismo remidor. Essa história é a epítome da carreira de Pedro: *'tu me negarás'* (26.34) e 'Quando te converteres, fortalece os teus irmãos' (Lc 22.32)". (Buttrick, in loc).

14.28: Respondeu-lhe Pedro: Senhor! Se és tu, manda-me ir contigo sobre as águas.

14.28 ἀποκριθεὶς δὲ αὐτῷ ὁ Πέτρος εἶπεν, Κύριε, εἰ σὺ εἶ, κέλευσόν με ἐλθεῖν πρὸς σὲ ἐπὶ τὰ ὕδατα·

Só o evangelho de Mateus registra a tentativa de Pedro de andar sobre o mar. Alguns sugerem que, em face do evangelho de Marcos representar as memórias de Pedro, isto é, as narrativas foram contadas por Pedro a Marcos, este não tenha incluído essa narrativa, em particular, porque certamente Pedro não tinha prazer em lembrar aquela ocorrência que demonstrou tão claramente a sua debilidade espiritual. Essa teoria supõe que a ausência da história, no evangelho de João, está justificada pelo fato de João ser muito amigo de Pedro, que a teria omitido por respeitar as sensibilidades de Pedro. E, continuando nessas suposições, Lucas teria *omitido* a história, porque, tendo chegado mais tarde no círculo apostólico, do qual não fazia parte, nunca ouviu a narrativa, porque os apóstolos jamais aludiam a ela; ou ainda que, mesmo que a soubesse, ele a teria omitido por respeito às susceptibilidades de Pedro. Assim, só Mateus, por não estar no grupo mais íntimo dos apóstolos, relatou o incidente. Todavia, essas ideias dificilmente podem ser apoiadas pelos fatos bíblicos. Quanto à informação sobre as ideias contrárias e a favor da autoria dos Evangelhos pelos homens que hoje são reputados seus autores, ver a introdução de cada livro. O certo é que essa teoria também exagera as sensibilidades de Pedro, dando mais importância à questão, do que Pedro mesmo lhe teria dado. É muito mais razoável explicar que esse incidente representa uma parte do material que veio da fonte "M", material esse de que apenas Mateus dispunha, tal como Lucas, em suas pesquisas, também dispôs de material que não chegou às mãos dos outros evangelistas. A teoria das fontes informativas dos Evangelhos é a que oferece a explicação mais provável.

Parece que todos os eruditos nos estudos neotestamentários aceitam esse incidente como autêntico, isto é, que realmente aconteceu, por tratar-se de um fato muito típico do caráter de Pedro. Esse apóstolo era muito zeloso, ainda que não muito constante. Corajoso, mas sempre se deixando levar pelo receio. Demonstrou aqui o mesmo espírito que mostrou mais tarde, quando negou a Cristo: no princípio parecia ter mais coragem do que os outros, mas depois, acovardou-se ante as acusações de uma moça. É evidente que sua culpa, nesta ocorrência, foi seu desejo de mostrar-se mais corajoso que os seus companheiros, o que ele repetiu naquele outro incidente, ao dizer: "Ainda que me seja necessário morrer contigo, de nenhum modo te negarei" (Mt 26.35). Os acontecimentos posteriores, porém, foram graves demais para que ele pudesse sustentar sua fidelidade. Uma coisa é ver o temporal de dentro da segurança do barco, e outra é entrar no meio das ondas, sem proteção nenhuma. No começo, Pedro ainda andou sobre o mar, mas logo começou a afundar. Na crise final da tentação de Jesus, Pedro caiu no mesmo erro. Mais tarde, conforme Paulo diz na epístola dos Gálatas, em Antioquia, Pedro repetiu essa ação, sendo provável que, até o fim de seus dias, Pedro tenha demonstrado um caráter alternadamente forte ou fraco. Pedro era uma estranha mescla de força e fraqueza, de coragem e covardia; andou sobre o mar, mas teve receio do vento. Assim é a natureza humana, pois por um lado pode realizar grandes coisas, enquanto que, por outro lado, pode tornar-se culpada de graves defeitos. O exemplo de Pedro encoraja o homem comum, porque o homem comum é semelhante a Pedro. De fato, mais nos parecemos com Pedro do que com Paulo.

14.29: Disse-lhe ele: Vem. Pedro, descendo do barco, e andando sobre as águas, foi ao encontro de Jesus.

14.29 ὁ δὲ εἶπεν, Ἐλθέ. καὶ καταβὰς ἀπὸ τοῦ πλοίου ὁ Πέτρος περιεπάτησεν ἐπὶ τὰ ὕδατα καὶ ἦλθεν[8] πρὸς τὸν Ἰησοῦν.

29 καταβὰς...Πέτρος Jo 21.7

[8] 29 {B} καὶ ἦλθεν B C*vid 700 1010 syr*c,s (cop*sa *omit* καί) arm geo Chrysostom // καὶ ἐλθεῖν eth*ro // ἐλθεῖν ℵ* C² D K L P W X Δ Θ Π 073*vid 0119 *f¹ f¹³* 28 33 565 892 1009 1071 1079 1195 1216 1230 1241 1242 1253 1344 1365 1546 1646 2148 2174 *Byz Lect* it*aa,aur,b,c,d,e,f,ff²,g¹,h,l,q* vg syr*p,h,pal* eth*pp,ms* cop*bo,fay* Diatessaron*a,i* // ἐλθεῖν ἦλθεν οὖν ℵ*

A forma καὶ ἦλθεν ("Pedro andou sobre a água *e veio* a Jesus") parecia dizer demais, pelo que foi alterada para ἐλθεῖν ("Pedro andou sobre a água *para vir* a Jesus"). Embora a forma de א tenha a aparência de mescla, pode tratar-se de mera expansão exegética introduzida por um escriba. A forma do eth[ro] é um erro de tradução.

"E ele disse: Vem! E Pedro..." — Embora sabendo de antemão que Pedro não teria êxito nessa tentativa, Jesus permitiu-lhe a demonstração de coragem que o apóstolo ansiava por exibir. E o fato de, por algum tempo, ele obter sucesso demonstra, uma vez mais, os poderes inerentes à personalidade humana, já descritos nas notas do v. 25, onde o leitor pode achar as implicações dessa atitude de Jesus (andar sobre o mar), e também de Pedro, embora este não tenha completado a demonstração prodigiosa. Realmente, esse incidente oferece outra prova da capacidade do ser humano, quando em contacto com os poderes mais altos do universo, embora essas capacidades venham fazer parte da própria personalidade do indivíduo. Alford disse que isso é "um exemplo notável do poder do estado espiritual mais elevado, que o alça acima das leis inferiores que governam a matéria, tantas vezes ilustrado por nosso Senhor". Pedro conseguiu só um pouco, e por pouco tempo, aquilo que Jesus praticou em toda a sua vida.

14.30: Mas, sentindo o vento, teve medo; e, começando a submergir, clamou: Senhor, salva-me.

14.30 βλέπων δὲ τὸν ἄνεμον[9] ἐφοβήθη, καὶ ἀρξάμενος καταποντίζεσθαι ἔκραξεν λέγων, Κύριε, σῶσόν με.

⁹ 30 {C} ἄνεμου א B* 073 33 cop^sa,bo,fay // ἄνεμον ἰσχυρόν B² C D K L P X Δ Θ Π 0119 *f¹ f¹³* 28 565 700 892 1009 1010 1071 1079 1195 1216 1230 1241 1242 1253 1344 1365 1546 1646 2148 2174 *Byz Lect* it^a,aur,b,c,d,e, f,ff¹,²,g¹,h,l,q vg syr^c,s,p,h,pal arm eth geo Origen // ἄνεμον ἰσχυρόν σφόδρα W

Do ponto de vista da evidência externa, embora a combinação de א B* 073 33 cop^sa,bo,fay seja uma impressionante confirmação, a maioria da comissão considerou ser algo egípcio demais para ser seguido aqui, onde o texto mais breve pode ter surgido por omissão acidental no ancestral do tipo de texto. Do ponto de vista da consideração interna, embora se possa argumentar que ijscuro;n foi adicionado por escribas, a fim de aumentar o efeito dramático (tal como σφόδρα foi adicionada em W), a maioria se inclinou por reputar sua presença como algo intrinsecamente exigido, a fim de explicar o temor crescente de Pedro. A fim de representar essas considerações conflitantes, a comissão resolveu reter ἰσχυρόν no texto, porém entre colchetes.

"Reparando, porém..." — A palavra *"força"*, que aparece na tradução AA, ou "forte", segundo a tradução AC, bem como outras palavras idênticas, em outras traduções, não têm base verdadeira no texto original deste evangelho, mas são uma adição ao texto original, feita por algum escriba (ou escribas), o qual quis acrescentar detalhes à narrativa. Esse vocábulo encontra-se no mss CDW, Theta e a maior parte dos mss mais recentes, mas é ausente nos mss mais antigos, como Aleph e B. A tradução IB, como também outras mais modernas, *omite* corretamente essa palavra.

No conflito entre a fé e a vista, esta última saiu vencedora, e o resultado foi o medo, conforme muitas vezes acontece também conosco. O poder sobrenatural se esvaiu, e, ante o forte temporal, a natação não o ajudou, apesar de Pedro ser muito experiente nessas questões, pescador como era. Naquele momento, entretanto, quando as ondas se avolumavam sobre ele, Pedro exclamou: *"Salva-me, Senhor"*, lançando mão, dessa maneira, do único poder que realmente lhe poderia prestar ajuda naquele dilema. A visão das circunstâncias pode obscurecer-nos a vista para o poder de Deus, e o resultado é o medo ou o fracasso. Foi mediante a fé que Pedro estava contrabalançando as leis naturais da gravidade; faltando-lhe a fé, essas leis fatalmente o teriam vencido.

14.31: Imediatamente estendeu Jesus a mão, segurou-o, e disse-lhe: Homem de pouca fé, por que duvidaste?

14.31 εὐθέως δὲ ὁ Ἰησοῦς ἐκτείνας τὴν χεῖρα ἐπελάβετο αὐτοῦ καὶ λέγει αὐτῷ, Ὀλιγόπιστε, εἰς τί ἐδίστασας;

31 Ὀλιγόπιστε...ἐδίστασας Mt 8.26

"Prontamente Jesus, estendendo a mão..." — Pedro teve uma extraordinária oportunidade para mostrar que a fé em Cristo poderia confirmar e demonstrar a natureza real da vida espiritual. Nessa tentativa, o êxito total teria sido uma alegria e uma confiança inabaláveis pelo resto da vida de Pedro; porém, a falta de fé arruinou a oportunidade. A despeito da sua falta de fé, Jesus respondeu imediatamente ao apelo de Pedro, porque a emergência exigia pronto atendimento. A lição é perfeitamente clara, e transforma-se em um fator de encorajamento para nós. Passagens como esta ensinam a doutrina do "teísmo", em contraste com o deísmo, isto é, Deus tem cuidado e interesse por nossa vida. O Senhor não só criou os mundos e o ser humano, mas até hoje continua conosco, cuidando de nós. Ver nota detalhada sobre as ideias da natureza de Deus, em Atos 17.27.

"Pequena fé" — No grego é apenas uma palavra que não se acha na literatura do grego clássico, mas que figura por cinco vezes nos Evangelhos (Mt 6.30; 8.26; 14.21; 16.8 e Lc 12.28). Esse termo não é encontrado em qualquer outra porção do NT. Jesus não indicou, com essas palavras, que os discípulos não tivessem fé nenhuma (ou, neste caso, que Pedro não confiasse nele), mas tão-somente que essa fé ainda era débil, fraca demais para realizar aquilo que foi almejado, a saber, o prodígio de andar por sobre as águas. Essa demonstração teria necessitado de maior desenvolvimento espiritual do que aquele que Pedro tinha até aquele momento.

"Por que duvidaste?" — O termo "duvidaste" é tradução de um vocábulo grego que significa ir em duas direções ao mesmo tempo, ou ter duas opiniões ao mesmo tempo, isto é, uma mente dividida entre duas ideias. A palavra portuguesa também tem base em *duo*, que é o termo latino que significa "dois"; por isso "duvidar" tem origem semelhante ao termo grego. Em todo o NT, essa palavra aparece somente aqui e em Mateus 28.17. Nesta última passagem, há alusão à dúvida que alguns tiveram quanto à ressurreição de Jesus: "E, quando o viram, o adoraram; mas alguns duvidaram". Ao que parece, Jesus nunca compreendeu a mentalidade comum dos homens que não aceitavam totalmente a influência do mundo espiritual, a qual sempre lhe conferiu poderes sobre as circunstâncias deste mundo e sempre permitiu que ele realizasse tremendos prodígios. Jesus achava que esse tipo de vida sobrenatural é o normal da vida humana, e não a exceção. Por isso é que, às vezes, quase perdeu a paciência ante as demonstrações de fraqueza espiritual, o que, para ele, deve ter sido prova de uma personalidade sub-humana. Por meio destas circunstâncias pode-se perceber, uma vez mais, o grande desenvolvimento a que Jesus chegara como homem.

14.32: E logo que subiram para o barco, o vento cessou.

14.32 καὶ ἀναβάντων αὐτῶν εἰς τὸ πλοῖον ἐκόπασεν ὁ ἄνεμος.

32 ἐκόπασεν ὁ ἄνεμος Mt 4.39

"Cessou o vento" — Vem de uma palavra que tem o sentido de "trabalho pesado". O vento ficou cansado e, finalmente, repousou, não por mera coincidência, mas por outro milagre de Jesus, tal como o da multiplicação dos pães ou o de ter andado sobre as águas do mar. Ver a implicação desses milagres nos v. 21 e 25 do presente capítulo. Os intérpretes que vivem à cata de alguma explicação natural ou racionalista, neste livro de acontecimentos sobrenaturais, naturalmente acham que foi por mera coincidência que naquele momento cessaram de soprar os fortes ventos. Em outra ocorrência quase idêntica, entretanto, o evangelista atribui a causa da quietude do mar ao poder de Jesus, escrevendo: "[...] e disse ao mar: Acalma-te, emudece! O vento se aquietou e fez-se grande bonança. [...] E eles, possuídos de grande temor, diziam uns aos outros: Quem é este que até o vento e o mar lhe obedecem?" (Mc 4.39,41, ARA). A declaração do v. 33, neste capítulo — *Verdadeiramente tu és Filho de Deus!* — demonstra que o autor não quis indicar que o vento cessou de soprar por si mesmo, mas que Jesus usou de um poder inexplicável, ou que nisso demonstrou a raridade de sua pessoa e a grandiosidade de suas obras. Marcos fornece outros detalhes sobre os últimos lances desse acontecimento: "[...] e o vento cessou. Ficaram entre si atônitos, porque não haviam compreendido o milagre dos pães, antes o seu coração estava endurecido". Obviamente, os prodígios de Jesus não estavam sendo plenamente compreendidos pelos discípulos, e o autor ilustra justamente isso com essas palavras sobre a multiplicação dos pães, ocorrida há tão poucas horas antes, e que foi um autêntico milagre de criação. É opinião de alguns que as palavras adicionadas por João, "[...] e logo o barco chegou ao seu destino", representam ainda outro notável milagre sobre as forças da natureza, isto é, o milagre do movimento instantâneo. Sem falar da ressurreição de Jesus, nestas oportunidades, isto é, logo após a execução de João Batista, terminado o segundo roteiro pela Galileia, o Senhor demonstrou seus poderes mais elevados. Certamente era uma experiência notável acompanhá-lo naqueles dias. No entanto, os poderes demonstrados por Jesus foram tão extraordinários, que nem mesmo os seus discípulos puderam aquilatar a sua grandeza, porquanto lhes faltava o preparo mental e espiritual para aceitarem e compreenderem tais prodígios.

14.33: Então os que estavam no barco, adoraram-no, dizendo: Verdadeiramente tu és Filho de Deus.

14.33 οἱ δὲ ἐν τῷ πλοίῳ προσεκύνησαν αὐτῷ λέγοντες, Ἀληθῶς θεοῦ υἱὸς εἶ.

<hr>

33 Ἀληθῶς...εἶ Mt 16.16; 26.63; 27.54; Mc 14.61; 15.39; Lc 22.70; Jo 1.49

"Verdadeiramente és Filho de Deus!" — Este versículo indica que essa confissão não foi feita apenas por Pedro, mas também por todos os apóstolos. Somente Mateus registra a confissão. Pedro, contudo, participou dessa *confissão*, e ela abre o caminho para uma confissão ainda mais profunda, que se acha em Mateus 16.16. Apesar do tempo bastante dilatado em que os apóstolos já estavam em companhia de Jesus, ainda não lhes fora revelada a verdadeira identidade de sua pessoa. No grego, não figura o artigo definido, "o", antes da palavra "Filho", pelo que a tradução poderia ser vertida: "Verdadeiramente és Filho de Deus!" ou ainda: "Verdadeiramente és um filho de Deus", porquanto o grego não tem artigo indefinido. Quando não aparece o artigo definido, sempre há a possibilidade de ser subentendido o artigo indefinido (um, uma, uns, umas), embora não seja necessário que a tradução o declare, ao passo que, em muitos casos, a melhor tradução é aquela que simplesmente omite qualquer artigo, conforme se vê, neste caso, na tradução AA, com o que concorda a tradução IB. Todavia, a tradução AC, que diz, "És verdadeiramente o Filho de Deus", e com a qual concordam outras traduções, como a KJ, não é errada. E isso porque, às vezes, no português, a força de expressão exige o uso do artigo. Em cada caso, o texto deve determinar a presença ou a ausência do artigo, na tradução, embora o caráter essencial do idioma grego seja diferente do das línguas modernas. Provavelmente, a confissão do centurião, em Mateus 27.54, que diz: "Verdadeiramente este era filho de Deus" (conforme diz a tradução AA), seria melhor se tivesse sido traduzida: "Verdadeiramente este era um filho de Deus", porque dificilmente se poderia esperar que um gentio, sem nenhuma orientação religiosa cristã, entendesse tanto sobre a divindade de Cristo. Se o centurião fizesse ideia da divindade de Cristo, certamente teria proferido uma exclamação mais forte do que uma simples admiração ante os extraordinários acontecimentos que se desenrolavam à sua frente, e que lhe devem ter parecido mais apropriados aos deuses, aos filhos dos deuses, do que a simples homens. Na confissão de Pedro, em Mateus 16.16, não temos problema nenhum de interpretação da expressão, porque ali figura o artigo, no original grego. Por isso é que a tradução está corretíssima: "Tu és o Cristo, o Filho de Deus". Entretanto, no texto à nossa frente, é melhor compreendermos a mesma coisa, a despeito da ausência do artigo no grego, especialmente considerando-se que, no grego *koiné* (no qual foi escrito o NT), o uso do artigo não era tão regular e rigoroso como no grego clássico. Essa falta de rigor nos dá mais liberdade na tradução do grego "koiné", do que seria possível na tradução do grego clássico. Dificilmente poderia alguém apresentar qualquer argumento sem exceções, quanto à presença ou ausência do artigo, no grego "koiné", a menos que pudesse provar que o escritor em questão usa o artigo, em seu livro, de forma sempre coerente e regular, e que, no estilo empregado nesse livro, esse uso tem grande significação.

As condições desta confissão exigem a interpretação que diz que a expressão "Filho de Deus" indica a crença dos discípulos na *divindade* de Cristo, ainda que essa crença não se baseasse em um profundo entendimento dessa verdade, pelo menos naquele tempo. Parece que essa é a interpretação verdadeira, apesar do fato de que esse título nem sempre tencione expressar divindade. Outras personagens receberam esse título, regularmente, no AT, na literatura judaica e em outras porções do NT, o qual pode ser aplicado aos anjos ou aos homens. Sabemos que esse era um dos títulos do Messias, e esse uso aparece com frequência na literatura judaica. Considerações, como aquela que indaga: "Como teria sido possível aos discípulos entenderem esse título como indicação da divindade de Cristo — o que parece subentender o politeísmo — se os judeus não admitiam essa ideia?" apenas obscurecem a intenção do autor deste evangelho e exageram as condições teológicas, especialmente quando ajuntam que aqueles homens eram meros pescadores, e não rabinos treinados nas escolas judaicas. Realmente, os rabinos rejeitaram as declarações de Jesus, sobre a própria divindade, por causa de certas considerações teológicas que defendiam; porém, esperar da parte dos discípulos esse racionalismo é perder de vista a mensagem que o autor tenciona transmitir. Os discípulos reconheceram que Jesus estava "revestido" de poder divino, mas, ao mesmo tempo, aceitaram que ele possuía poderes divinos. Essa foi a primeira vez que os homens chamaram Jesus de "Filho de Deus". Outrossim, além dos discípulos indicarem que aceitavam a divindade de Jesus, também aceitavam ou já haviam aceitado a sua missão messiânica, sem nenhum laivo de dúvida. Ver nota detalhada sobre o título "Filho de Deus", em Marcos 1.1.

Tanto *Marcos* como João situam este incidente como se estivesse ligado à multiplicação miraculosa dos pães. O acontecido sugere que o grande Jesus que pode multiplicar os pães, pelo poder de sua palavra, poderia também ultrapassar outros obstáculos da natureza. Rawlinson (*St. Mar*, p. 88), observa como esta narrativa deve ter servido de encorajamento para os cristãos perseguidos em Roma, em cerca de 60 a 70 d.C. Por esse tempo, Pedro já fora martirizado, e muitas famílias cristãs haviam perdido entes queridos por causa da crueldade das autoridades romanas. Certamente que, para esses cristãos, o barco era sacudido e ameaçado por muitos tufões. Não há que duvidar que histórias semelhantes a esta fossem usadas em muitos sermões, a fim de encorajar os crentes. Alguns intérpretes sugerem que esse incidente pertence mais propriamente às aparições de Jesus após a sua ressurreição, e que foi colocado aqui por ter sido deslocado de sua sequência cronológica. Sem importar a ocasião em que ocorreu, porém, o incidente mostra o poder de Cristo, bem como o seu cuidado, a sua proteção e o seu amor para com os seus discípulos.

NTI | Mateus | 461

VII. CONTROVÉRSIAS E OBRAS (14.4 - 17.27)
5. Várias curas (14.34-36)

Mateus provê uma breve seção para ilustrar novamente as *obras poderosas* de Jesus, as quais demonstram a validade de suas reivindicações messiânicas. Esse é o tema isolado mais frisado do evangelho. (Ver as notas introdutórias sobre Mateus 8.1.) Como é natural, a seção também ilustra também a atitude humanitária de Jesus. Ele curava a fim de satisfazer as necessidades humanas, e não meramente para demonstrar a sua autoridade messiânica. O amor é a lição, a maior lição moral possível. Isso foi supremamente demonstrado na vida de Jesus. (Ver Gl 5.22, quanto a notas acerca desse tema. Ver também o paralelo de Mc 6.53-56). A narrativa de Mateus é reformulação e abreviação da narrativa de Marcos. Mateus incorpora 90% do material de Marcos em seu livro, a maior parte do que aborda a história da vida de Jesus, e não apenas suas palavras, que não são muitas no evangelho de Marcos.

14.34: Ora, terminada a travessia, chegaram à terra em Genezaré.

14.34 Καὶ διαπεράσαντες ἦλθον ἐπὶ τὴν γῆν εἰς Γεννησαρέτ.

"**Genezaré**" — Distrito em forma de triângulo que se estendia paralelamente à costa ocidental do mar da Galileia, o qual, às vezes, também era chamado de mar ou lago de Genezaré. Josefo descreve a beleza do local (B.J.III.10.7). Alguns veem alguma semelhança da configuração geral do mar da Galileia com a harpa, e pensam que o nome "Genezaré" vem do termo hebraico *kinnor*, que significa harpa. A cidade de Cafarnaum ficava no extremo norte dessa planície e, provavelmente, esse era o destino de Jesus e seus discípulos, nessa ocasião. Genezaré é uma localidade mencionada somente três vezes nos Evangelhos, embora as referências no AT sejam numerosas: Deuteronômio 3.17; Josué 12.3; 13.27; 1Reis 15.20. O local era fértil, e, no tempo de Jesus, era coberto de jardins e pomares. O território tinha, segundo Josefo, seis quilômetros de comprimento e quatro de largura.

14.35: Quando os homens daquele lugar o reconheceram, mandaram por toda aquela circunvizinhança, e trouxeram-lhe todos os enfermos;

14.35 καὶ ἐπιγνόντες αὐτὸν οἱ ἄνδρες τοῦ τόπου ἐκείνου ἀπέστειλαν εἰς ὅλην τὴν περίχωρον ἐκείνην, καὶ προσήνεγκαν αὐτῷ πάντας τοὺς κακῶς ἔχοντας,

"**Reconhecendo-o os homens...**" — Tem paralelo em Marcos 6.53-56. *Marcos* acrescenta detalhes a esse incidente: "Onde quer que ele entrasse nas aldeias, cidades ou campos, punham os enfermos nas praças, rogando-lhe que os deixasse tocar ao menos na orla da sua veste..." As multidões vinham ter com Jesus com grande confiança em sua capacidade de curar; mas Jesus também ia visitando cidades e aldeias, estando a caminho de Cafarnaum. Uma vez mais nota-se a imensa energia de Jesus. Depois de ter se cansado tanto, após haver multiplicado os pães, e tendo passado a noite inteira em oração, sem dormir, após ter enfrentado o temporal, antes mesmo de chegar a Cafarnaum, que era seu destino, ainda realizou inúmeras curas pelo caminho. O seu ministério quase não tinha descanso, mas era incessante e verdadeiramente intenso. Ver a nota que fornece o esboço do ministério de Jesus, em Lucas 1.4.

14.36: e rogavam-lhe que apenas os deixasse tocar a orla do seu manto; e todos os que a tocaram ficaram curados.

14.36 καὶ παρεκάλουν αὐτὸν ἵνα μόνον ἄψωνται τοῦ κρασπέδου τοῦ ἱματίου αὐτοῦ· καὶ ὅσοι ἥψαντο διεσώθησαν.

 36 ἵνα...αὐτοῦ Mt 9.20,21; Mc 5.27,28; Lc 8.44

"**E lhe rogavam...**" — É possível que a fama do milagre efetuado por Jesus (Mt 9.20), da mulher que *tocou na orla* de sua veste e foi curada, tenha circulado naquelas redondezas, ou talvez se tivessem verificado outras curas similares, cujas narrativas não se encontram no NT.

"**Orla da sua veste**" — Em Mateus 9.20 e nesta referência, vemos que Jesus obedecia à lei cerimonial que tratava da questão das orlas da veste, lei essa dada em tempos antigos aos judeus (ver Nm 15.38). Os rabinos dos judeus haviam criado numerosas leis em torno da questão, exigindo que cada franja branca fosse feita de oito fios, cada qual trançado em volta dos outros. Outras leis determinavam, às vezes, que os fios deveriam ser amarrados, isto é, sete vezes com um nó duplo, depois oito vezes mais com outro nó duplo, depois onze vezes com nó duplo, e, finalmente, treze vezes mais. Tudo isso era feito segundo os valores numéricos dos caracteres hebraicos que formavam o nome de Deus, *Jeová*. O que começara como simples auxílio à memória dos judeus, acerca de grandes verdades espirituais, como os mandamentos de Deus, tornara-se uma questão de tolo orgulho do formalismo farisaico. Talvez o povo pensasse que a orla da veste de Jesus tivesse poder especial de realizar curas, ou que honraria o toque nessa orla por causa de sua significação. A despeito disso, o que possivelmente envolveria uma crença supersticiosa por parte do povo, Jesus honrou a fé em sua pessoa, onde quer que a tivesse encontrado. É possível que tenha realizado um número incalculável de milagres, cujos detalhes não temos registrados nos Evangelhos. Ver notas detalhadas sobre as *curas*, em Mateus 3.13; 7.21-23; 8.3; Marcos 1.29; 3.1-5; Lucas 18.22-25.

Capítulo 15

VII. CONTROVÉRSIAS E OBRAS (14.4 - 17.27)
6. Controvérsia sobre a pureza ritual (15.1-20)
Rejeição do farisaísmo

15.1,2 — Esta seção tem paralelo em Marcos 7.1-23, e sua fonte é o *protomarcos*. As informações sobre as fontes informativas dos Evangelhos são dadas na introdução a este comentário, no artigo intitulado "O problema sinóptico", bem como na introdução ao evangelho de Marcos. Este relato ilustra ainda mais o rompimento de Jesus com o judaísmo tradicional. Jesus agia com independência, e os primórdios de sua igreja se aproximavam. Nesta oportunidade, Jesus ensinou seus discípulos a rejeitarem a interpretação tradicional da lei, interpretação essa que geralmente era reputada válida entre as autoridades religiosas daquele tempo. Jesus, no entanto, procurou guiar seus discípulos a terrenos mais elevados. A controvérsia entre a tradição, representada pelo farisaísmo e pelo judaísmo típico dos dias de Jesus, e a "nova" interpretação, na igreja de Cristo, destacou-se com proeminência na história eclesiástica, na Palestina, especialmente nos séculos I e II de nossa era. Entretanto, certos cristãos legalistas levaram essa controvérsia aos centros gentílicos. Paulo escreveu a epístola aos *Gálatas* a fim de encorajar aqueles crentes a se oporem ao legalismo. O texto de Atos 15.1-5 menciona essa controvérsia. Há muito que Jesus rompera relações com o legalismo, e esta seção do evangelho de Mateus relata-nos uma das ocorrências de sua vida que provocaram a separação final. A despeito desta história e de outras passagens bíblicas, o legalismo permaneceu forte, e, de fato, continua vigoroso, ou mesmo até predominante, na moderna cristandade. De certo modo, o rompimento de Jesus com o legalismo foi o ponto *crucial* de sua carreira. Foi um ato determinativo e irrevogável.

15.1: Então chegaram a Jesus uns fariseus e escribas vindos de Jerusalém e lhe perguntaram:

15.1 Τότε προσέρχονται τῷ Ἰησοῦ ἀπὸ Ἱεροσολύμων Φαρισαῖοι καὶ γραμματεῖς λέγοντες,

 1 απο ℵBDΘ *i al*; R] οι απο W *pm* sy^{c.p} ς

462 |Mateus| NTI

"Vieram de Jerusalém..." — Isso se deu na sinagoga em *Cafarnaum*, onde Jesus já ensinara por muitas vezes e onde realizara alguns notáveis milagres. Cafarnaum passara a ser sua cidade adotiva, e ninguém ali o desconhecia. Esses fariseus e escribas eram os representantes oficiais do sinédrio dos judeus, os principais oficiais da nação de Israel. Em outras porções do NT ou em outras peças literárias, lemos que não era raro a formação de delegações como essa, e que as autoridades de Jerusalém utilizavam-se desse método a fim de controlar a situação religiosa em todo o país, quando havia grande necessidade de fiscalização. Sem dúvida, entre eles estavam os homens mais perigosos em questões religiosas dos judeus, os quais esperavam desacreditar Jesus à vista do povo ou conseguir fazer algo que pusesse ponto final em seu ministério, ainda que isso envolvesse sua morte.

Por diversas vezes já observamos *controvérsias* de Jesus com os oficiais dos judeus: sobre o poder de perdoar pecados (Mt 9.3); sobre a associação de Jesus com os pecadores (Mt 11.11); sobre a não observância do jejum (Mt 9.14); sobre o exorcismo e Belzebu (Mt 12.24); e sobre a questão do sábado (Mt 12.2-10). A controvérsia registrada neste texto diz respeito à questão cerimonial. Ver notas detalhadas sobre os "escribas", em Marcos 3.22; **sobre** os "fariseus", em Marcos 3.6; sobre os "saduceus", em Mateus 22.23; sobre os "herodianos", em Marcos 6.3; sobre os "essênios", em Lucas 1.80 e Mateus 3.11; e sobre o "sinédrio", em Mateus 22.23.

15.2: Por que transgridem os teus discípulos a tradição dos anciãos? pois não lavam as mãos, quando comem.

15.2 Διὰ τί οἱ μαθηταί σου παραβαίνουσιν τὴν παράδοσιν τῶν πρεσβυτέρων; οὐ γὰρ νίπτονται τὰς χεῖρας [αὐτῶν] ὅταν ἄρτον ἐσθίωσιν.

2 οὐ...ἐσθίωσιν Lc 11.38

"Tradição dos anciãos" — Referência à interpretação oral e escrita da lei de Moisés, mais tarde codificada na Misna (cerca de 219 d.C.), à qual foi acrescentada, posteriormente, a Gemara (século V d.C.), que é um volume de material de ensino, criado principalmente para interpretar e completar a Misna. Todo esse material constitui o Talmude, que é uma espécie de enciclopédia das tradições judaicas, que os judeus usam como suplemento da Bíblia.

No que tange à multidão de leis e regras estritas dessa literatura, Lightfoot escreveu: "*Lege, si vacat, et si per taidium et nauseam potes*" (Lê-las, se tiveres tempo, e se puderes suportar o tédio e a náusea). Muitas das autoridades religiosas davam e dão mais valor a essa literatura — a maior parte da qual ainda não fora codificada ao tempo de Jesus — do que às Escrituras do AT.

"Tradição" — Vem do vocábulo hebraico que significa *receber*. Por conseguinte, seriam os ensinos "recebidos" pela comunidade religiosa, que supostamente teriam sido recebidos das mãos de Deus. "Talmude" deriva-se de uma palavra hebraica que significa "doutrina", com raízes no verbo "ensinar". "*Misna*" quer dizer "repetir", e indica a ilustração oral, que posteriormente foi escrita, e que repetia, com exemplos ilustrativos, a lei de Moisés. "*Gemara*" significa "complemento", porque completava a Misna.

"Não lavam as mãos" — Havia muitas e diferentes regras que se aplicavam a qualquer situação da vida. Entre essas regras, havia aquelas que orientavam a lavagem das mãos. No princípio, exigia-se que as mãos fossem lavadas antes das refeições. Com a passagem do tempo, os mais zelosos também começaram a lavar as mãos no decurso das refeições. O rito envolvia uma forma especial de lavar, "levantando as mãos" e fazendo a água escorrer sobre os pulsos, e daí aos cotovelos. A lavagem antes das refeições exigia imersão total das mãos em água limpa, especialmente guardada para essa finalidade. Esses ritos nada tinham a ver com a higiene física, mas eram reputados um tipo de higiene espiritual para eliminar o perigo do contacto com os gentios ou outras coisas que causavam a *imundícia* cerimonial, perigo esse que se

multiplicou enormemente depois que os romanos dominaram a nação. O rito da lavagem das mãos supostamente livrava-os das imundícias do mundo, tornando-os dignos de adorar a Deus e de receber bênçãos divinas. A despeito do fato de essas coisas nos parecerem tolices, esses ritos tinham imenso prestígio entre as autoridades religiosas, e muitos, entre elas, situavam-nos entre os ritos de maior importância na tradição. Lemos que a desobediência ao rito da lavagem das mãos requeria que o indivíduo se justificasse ante o sinédrio, e era suficiente para excomungar alguém da sinagoga. Sabe-se também que o rabino Akiba, quando encarcerado, e tendo muito pouca quantidade de água para beber, que só servia para ele não morrer de sede, ainda assim, obedeceu a essa regra, e a água que lhe era dada era usada por ele na lavagem das mãos, o que lhe granjeou muitos aplausos dos fariseus.

Esta citação ilustra como era importante para os judeus a *tradição dos anciãos*: "Meu filho, atende às palavras dos escribas, mais do que às palavras da lei; porque as palavras da lei são afirmações e negações, mas as palavras dos escribas são todas pesadas, e qualquer que as transgride é digno da pena de morte" (T. Bab. Erubim, fol. 21.2. T. Bab Beracot, fol. 4.2). Eis outra citação que ilustra a importância da lavagem ritual das mãos, para os judeus religiosos: "Qualquer que come pão sem lavar as mãos tem a mesma culpa do que se tivesse deitado com uma prostituta; porque R. Eleazar diz: 'qualquer que despreza a lavagem das mãos será desarraigado do mundo' ". (T. Bab. Sota, fol. 4.2). Lemos também que foi criado o mito de um espírito mau, chamado "Shibta", que gostava especialmente de atormentar aqueles que não observassem o rito da lavagem das mãos. Eleazar Bewn Chanac foi excomungado por não ter observado esse rito, e, mais tarde, quando faleceu, os membros do sinédrio jogaram pedras sobre seu sepulcro, para mostrar o ódio que nutriam contra ele, por não haver observado suas prescrições tradicionais.

15.3: Ele, porém, respondendo, disse-lhes: E vós, por que transgredis o mandamento de Deus por causa da vossa tradição?

15.3 ὁ δὲ ἀποκριθεὶς εἶπεν αὐτοῖς, Διὰ τί καὶ ὑμεῖς παραβαίνετε τὴν ἐντολὴν τοῦ θεοῦ διὰ τὴν παράδοσιν ὑμῶν;

"Ele, porém, lhes respondeu..." — Jesus não negou que seus discípulos (e provavelmente ele mesmo) não observavam as *ridículas leis* tradicionais dos judeus, mas mostrou que estes realmente não honravam a Deus, embora preferissem observar as exigências de suas tradições, quebrando assim o quinto mandamento, que diz: "Honra a teu pai e tua mãe" (Lv 20.9). A resposta dada por Jesus foi indireta, e ilustrou que os ritos judaicos não tinham valor nenhum à vista de Deus, sendo mesmo opostos às leis legítimas que se acham na lei de Moisés e do AT. Portanto, Jesus mostrou que sua "transgressão", e, por conseguinte, a dos discípulos, era somente contra a "lei dos homens". E também ensinou que eles erravam ao atribuir seus ritos a Deus, porquanto, por motivo de certos ritos e tradições de sua invenção, tão-somente contradiziam as leis de Deus. O vocábulo "vós" é enfático aqui, e contrasta com "Deus". É como se Jesus houvesse dito: "Vós, por vossas leis, contradizeis a Deus".

15.4: Pois Deus ordenou: Honra a teu pai e a tua mãe; e, Quem maldisser a seu pai ou a sua mãe, certamente morrerá.

15.4 ὁ γὰρ θεὸς εἶπεν¹, Τίμα τὸν πατέρα καὶ τὴν μητέρα, καί, Ὁ κακολογῶν πατέρα ἢ μητέρα θανάτῳ τελευτάτω·

4 Τίμα...μητέρα Êx 20.12; Dt 5.16 (Mt 19.19; Mc 10.19; Lc 18.20; Ef 6.2) Ὁ...τελευτάτω Êx 21.17 (Lv 20.9)

¹ 4 {C} εἶπεν (*ver* Mc 7.10) א* B D Θ ƒ¹ ƒ¹³ 700 892 it^{a,aur,b,c,d,e,ff².ᵍ¹,l,q} vg

syr^{c,s,p} cop^{sa,fo,fay} arm eth geo Ptolemy Diatessaron^{a,c,nyr} Irenaeus^{lat} Jerome Cyril // ἐνετείλατο λέγων א^{*,b} C K L W X Δ Π 33 565 1009 1010 1071 1079 1195 1216 1230 1241 1242 1253 1344 1365 1546 1646 2148 2174 *Byz Lect* it^f syr^h

> A presença de τὴν ἐντολὴν τοῦ θεοῦ no v. 3 provavelmente impeliu copistas a mudarem a declaração "Pois Deus disse..." para "Pois Deus ordenou, dizendo...", ao passo que, se a forma ἐνετείλατο λέγων fosse a original, seria difícil explicar a substituição do mais descolorido εἶπεν (em Mc 7.10, onde o texto é firme, e onde o sujeito de εἶπεν é Μωϋσῆς).

"Honra a teu pai e a tua mãe..." — Citação de Êxodo 20.12 e 21.17. Diversas citações da literatura judaica mostram que os judeus *enfatizavam* muito essa lei. Entretanto, a lei subentende mais do que obedecer aos pais enquanto se é jovem, incluindo também o suprimento das necessidades da vida, caso venham a necessitar disso, sempre respeitando a posição que eles merecem. A literatura judaica afirma que o quinto mandamento é um dos mais importantes dos dez, dizendo: "Que significa honrar a teu pai e a tua mãe? Deves fornecer-lhes alimento, bebida e vestes; afivelar-lhes os sapatos e conduzi-los para fora e para dentro" (*T. Hieros. Kiddushin*, fol. 61.2). Os judeus também contavam com outra regra justa, que dizia: "Quando o pai de um homem tem dinheiro ou propriedades, e o filho não, este deve ser sustentado por aquele; mas, se o pai nada tem, ele, o filho, deve sustentá-lo de seu próprio bolso" (*Piske Toseph. ad. T. Bab. Kiddushin*, art. 61). Desobedecer a qualquer dos outros mandamentos não condenava à pena de morte, mas desobedecer a este quinto mandamento poderia produzir esse resultado, o que ilustra a importância desse mandamento. Na literatura judaica, a importância do quinto mandamento é reconhecida de modo geral. No entanto, era justamente esse o mandamento que negavam com sua tradição, conforme vemos na explicação dada nos versículos seguintes.

15.5: Mas vós dizeis: Qualquer que disser a seu pai ou a sua mãe: O que poderias aproveitar de mim é oferta ao Senhor; esse de modo algum terá de honrar a seu pai.

15.5 ὑμεῖς δὲ λέγετε, ῟Ος ἂν εἴπῃ τῷ πατρὶ ἢ τῇ μητρί, Δῶρον ὃ ἐὰν ἐξ ἐμοῦ ὠφεληθῇς,

$^{a\,a}$ **5-6** *a* number 6, *a* no number: TR^{ed} WH? Bov Nes BF^2 AV RV ASV NEB TT Zür Luth Jer // *a* no number, *a* number 6: TR^{ed} WH? RSV Seg

5 ὠφεληθῇς (non -ηθῇς)] add ουδεν εστιν א*

"Se alguém disser..." — Lemos que, para isentar-se da responsabilidade pecuniária para com seus pais, o filho tinha de dizer tão-somente "Corbã" (Mc 7.11) — palavra que significa "oblação" e se referia a qualquer oferta incruenta, dedicada ao uso sagrado —, pois, dizendo isso, prometia que seu dinheiro seria dedicado ao templo. Diversos intérpretes mostram que, agindo assim, não era necessário que o filho cumprisse esse voto, contanto que tivesse o cuidado de não mencionar nada definido na fórmula da declaração, porquanto assim não teria prometido coisa nenhuma, ou pelo menos não teria designado a data de entrega da oferta prometida. Parece evidente que alguns homens, sem entranhas filiais, pagavam certa importância às autoridades religiosas a fim de escapar à censura por causa dessa atitude, ou pelo menos contribuíam para as autoridades a fim de evitarem dar o que era justo aos seus pais. Também não é impossível que, entre os fariseus e escribas que atormentavam a Jesus, houvesse alguns envolvidos em tais ações. Em Mateus 27.6, vemos que a tesouraria do templo tinha o nome de "Corbã", e qualquer judeu poderia pronunciar essa palavra e, imediatamente, ainda que de maneira vaga, já prometera suas posses ao *corbã* do templo, assim evitando a necessidade de cumprir seus deveres filiais para com seus pais.

A história eclesiástica mostra que não foram os judeus os únicos a praticarem essa maldade. A igreja apossou-se de muitas riquezas ilicitamente, especialmente através de testamentos, e muitas famílias ficaram assim privadas de seus bens. Às vezes, era usada até mesmo a violência para que se fizessem esses testamentos. Na Inglaterra, a prática tornou-se tão comum que, finalmente, foi mister o governo legislar contra o abuso. As dádivas oferecidas à igreja, conforme diziam as autoridades eclesiásticas, tinham o condão de livrar as almas do juízo divino (especialmente os parentes dos que faziam tais testamentos ou dádivas) ou então obtinham o favor de Deus. Infelizmente não é só a Igreja Católica Romana que tem usado desse expediente baixo para roubar as famílias. Muitos exemplos se verificam até hoje, entre as próprias igrejas evangélicas, embora não pela violência, e, sim, pela persuasão psicológica, porém, com os mesmos objetivos. Nesse caso, em se tratando de pessoas idosas, a persuasão psicológica é uma forma de violência. E essa prática pode assumir também outras formas, talvez até mesmo entre missionários e ministros do evangelho, os quais dizem que tudo quanto as pessoas possuem pertence a Deus. É possível que muitos deles tenham abandonado seus pais, que sofriam necessidades, sob a alegação: "Vou servir a Deus. É oferta ao Senhor aquilo que poderíeis aproveitar de mim". Portanto, na igreja, até hoje há diversos tipos de "corbã".

15.6: E assim por causa da vossa tradição invalidastes a palavra de Deus.

15.6 οὐ μὴ τιμήσει τὸν πατέρα αὐτοῦ^2· ^{a}καὶ ἠκυρώσατε τὸν λόγον^3 τοῦ θεοῦ διὰ τὴν παράδοσιν ὑμῶν.

^{a}6 {D} τὸν πατέρα αὐτοῦ א B D it^{a,d,c} syr cop^{sa} geo^1 // τὸν πατέρα ἢ τὴν μητέρα αὐτοῦ Θ *f*^{1} *l*^{84} geo^B Origen // τὸν πατέρα ἢ τὴν μητέρα 084 *f*^{13} 33 700 892 1071 (1216 *omit* αὐτοῦ) (*l*^{883} καὶ τὴν) it^{ff2,g1,l} vg^{ww} Chrysostom Jerome Cyril // τὸν πατέρα αὐτοῦ ἢ τὴν μητέρα αὐτοῦ C K L W X Δ Π 1009 1010 1079 1195 1230 1242 1253 1344 1365 (1546 τῇ μητρί) 1646 2148 2174 *Byz Lect* it^{aur,f,ff1} vg^1 syr^{s,p,h} cop$^{bo?}$ arm eth Diatessaron^{c,nyr} Origen Cyril // τὸν πατέρα αὐτοῦ καὶ τὴν μητέρα αὐτοῦ it$^{(h),c,q}$ cop$^{bo?}$ geo^A

6 {B} τὸν νόμον (*ver* Mc 7.13) א^a B D Θ 700 892 1230 it$^{a,b,d,e,ff1,(ff2)}$ syr$^{c,s,p,h mg}$ cop^{sa,bo} arm eth geo^1 Diatessaron Irenaeus^{lat} Origen Eusebius Augustine // τὸν νόμον א^{*,b} C 084 *f*^{13} 1010 geo^2 Ptolemy Epiphanius // τὴν ἐντολήν (*ver* 15.3) K L W X Δ Π *f*^{1} 33 565 1009 1071 1079 1195 1216 1241 1242 1253 1344 1365 1546 1646 2148 2174 *Byz Lect* it^{aur,c,f,g1,l,q} vg syr^h Origen Cyril

> ^{2}Por um lado, pode-se argumentar que a adição da expressão "ou sua mãe" sem dúvida pareceu necessária aos escribas, ao observarem as alusões a pai e mãe nos versículos anteriores. Por outro lado, a ausência de ἢ (ou καὶ) τὴν μητέρα αὐτοῦ pode ser explicada ou como uma omissão acidental (devido à similaridade com as palavras anteriores, τὸν πατέρα αὐτοῦ) ou como uma deliberada supressão estilista de um elemento de uma frase frequentemente repetida. Em vista do equilíbrio de tais considerações de transcrição, a comissão fez sua decisão à base do que foi julgado ser uma superior confirmação externa.
>
> É claro que τὴν ἐντολήν foi introduzida para adaptar-se ao v. 3, mas se suplantou τὸν λόγον ou τὸν νόμον é algo mais difícil de decidir. Embora seja tentador reputar νόμον como original e λόγον — como resultado natural de harmonização com Marcos 7.13, a maioria da comissão ficou impressionada pelo peso da evidência externa em apoio de λόγον. Outrossim, já que é citado um mandamento específico, teria havido a tendência de substituir λόγον ou com ἐντολήν — ou com νόμον.

"[...] esse jamais honrará..." E assim *invalidastes* a palavra de Deus, por causa da vossa tradição. Alguns rabinos, como Eliezer, reconheciam que os deveres para com os progenitores são mais importantes que qualquer regra tradicional, e, de fato, mais importantes que todos os outros mandamentos; porém, a maior parte das autoridades achava que os *votos*, até mesmo aqueles que fossem incompatíveis com esse quinto mandamento, deveriam ser considerados acima de qualquer coisa a ser cumprida. A linguagem empregada por Marcos, neste ponto, ainda é mais severa:

"Jeitosamente rejeitais o preceito de Deus para guardares a vossa própria tradição. [...] invalidando a palavra de Deus pela vossa própria tradição, que vós mesmos transmitistes; e fazeis muitas outras coisas semelhantes" (Mc 7.9,13, ARA).

"**Vossa**" é termo enfático e contrasta com "palavra de Deus". A Palavra de Deus ensinava uma coisa; mas a tradição judaica ensinava justamente o contrário.

15.7: Hipócritas! bem profetizou Isaías a vosso respeito, dizendo:

15.7 ὑποκριταί, καλῶς ἐπροφήτευσεν περὶ ὑμῶν Ἡσαΐας λέγων,

"**Hipócritas**" — Deriva-se do verbo que, no grego, significa *replicar*. O substantivo era usado para indicar "aquele que replica", e daí passou a significar "ator", à base da ideia que os atores replicavam uns aos outros ao representar alguma peça. Finalmente, a palavra passou a significar "ator" na vida real, e isso deu o termo "hipócrita" em seu sentido moderno. Essa palavra é empregada vinte vezes no NT (sempre nos Evangelhos sinópticos), e sempre com mau sentido. Lucas usou uma vez a forma verbal dessa palavra (Lc 20.20), com sentido de "fingir". As autoridades profanavam a prática religiosa fazendo disso uma exibição teatral, porque a verdade é que não obedeciam às leis que formavam a base autêntica da fé revelada. Atraíam as multidões por sua espetaculosidade, e encorajavam os outros a praticar uma religião espetacular, como se todos fossem atores.

15.8: Este povo honra-me com os lábios; o seu coração, porém, está longe de mim.

15.8 Ὁ λαὸς οὗτος τοῖς χείλεσίν με τιμᾷ, ἡ δὲ καρδία αὐτῶν πόρρω ἀπέχει ἀπ᾽ ἐμοῦ·

8-9 Is 29.13, LXX

15.9: Mas em vão me adoram, ensinando doutrinas que são preceitos de homens.

15.9 μάτην δὲ σέβονταί με, διδάσκοντες διδασκαλίας ἐντάλματα ἀνθρώπων.

"**Aproximam-se de mim com a boca**" — Conforme registra a trad. AC, são palavras baseadas nos mss CEFGKMSUVX, Gamma, Delta, Theta, Fam Pi. As traduções KJ AC F M retêm essas palavras. No entanto, não figuram nos mss mais antigos, incluindo Aleph, BDLT, 33, 134 e todas as traduções usadas para comparação neste comentário, que são em número de catorze: nove, em inglês, e cinco, em português, com exceção daquelas mencionadas. No texto de Mateus, essas palavras foram acrescentadas baseadas em Isaías 29.13; ele mesmo não as citou originalmente. A citação foi feita alicerçada na LXX, mas não corretamente. Por diversas vezes, Jesus lançou mão das Escrituras do AT, como se fora um espelho que mostra o caráter falso da religião judaica, conforme era praticada em seus dias; e ainda que Isaías não tivesse proferido nenhuma profecia especial no tocante àqueles homens, o caráter demonstrado por suas palavras aplicava-se a eles. A religião que não envolve *o coração* ou o caráter íntimo do homem dificilmente pode ser aprovada por Deus. Realmente, a religião autêntica requer que o homem inteiro seja envolvido, porque não pode ser separada de sua vida, mas é a própria vida. Antes de tudo, o homem é um ser espiritual. A verdadeira religião fala sobre o destino e o alvo desse ser, e isso é o que realmente importa. A alma que não reconhece esse tipo de fé ou religião continua tateando nas trevas e não está caminhando pela estrada que conduz de volta a Deus. A religião daquelas autoridades religiosas, mencionadas neste texto, não incluía a base apropriada daquilo que meramente proferiam com os seus lábios.

"**Em vão me adoram...**" — A expressão "em vão" tem recebido diversas interpretações: (1) A adoração daqueles homens não produzia frutos, isto é, não havia nela resultado moral nem fundamento legítimo. (2) Sua adoração era vazia, pois, embora fosse aprovada pelos homens, não gozava da aprovação de Deus. Por isso é que jamais produziu fruto verdadeiro. Provavelmente, em parte, ambas essas ideias expressam a verdade. Em face de terem alçado as regras humanas ao mesmo nível dos mandamentos de Deus — dando, às vezes, a essas regras maior valor que aos mandamentos divinos, aqueles homens invalidavam a adoração a Deus, bem como qualquer graça que poderiam receber da parte do Senhor.

"**Doutrinas**" — Não há alusão aos artigos de fé, mas aos preceitos ensinados como obrigatórios, como, por exemplo, o rito da lavagem de mãos, conforme eles o ensinavam.

"**Mandamentos**" — Aqui estão em foco as regras especiais dos judeus, em contraste com os eternos mandamentos de Deus. Aqueles homens praticavam muitas coisas difíceis, como o jejum, as orações, o cuidado pelas sinagogas etc., e, de modo geral, mostravam um zelo extraordinário; mas tudo em vão, porque a essas atitudes faltava a aprovação de Deus. A seguinte citação, extraída da literatura judaica, ilustra a questão: "Seu temor por mim não se fundamenta em um coração perfeito, mas tem base nos mandamentos ensinados pelos homens" (*R. Sol. Jarchi*, sobre Isaías 29.13). Isso significa que a religião judaica tradicional foi criada pelos homens, e não reconhecia a autoridade de Deus.

15.10: E chamando a si a multidão, disse-lhes: Ouvi, e entendei:

15.10 Καὶ προσκαλεσάμενος τὸν ὄχλον εἶπεν αὐτοῖς, Ἀκούετε καὶ συνίετε·

"**E, tendo convocado a multidão...**" — Jesus sabia que era impossível esperar que as autoridades religiosas entendessem, ou, pelo menos, que aceitassem as suas ideias e declarações, especialmente no caso dos espiões enviados de Jerusalém, os quais vieram com a finalidade exclusiva de entrar em choque com ele, na tentativa de frear e eliminar sua influência junto ao povo. No entanto, Jesus entregou o seu caso e os seus argumentos ao povo. Nota-se que, em última análise, Jesus *nem respondeu* às perguntas daqueles homens, fato que lhes deve ter provocado grande ira. Jesus demonstrou coragem, pois estavam investidos de autoridade tão grande que poderiam até decretar a sua morte. Jesus, entretanto, não foi menos rigoroso com eles do que fora com as autoridades religiosas da Galileia. É possível que o Senhor tivesse agido assim por saber que seria inútil qualquer tentativa de reconciliação; de fato, nem haveria oportunidade para essa tentativa, porque aqueles homens não queriam ouvir argumentos. Assim, a tensão foi aumentando cada vez mais, e o tempo de que Jesus dispunha se foi abreviando cada vez mais. Sabendo que não havia esperança para aquelas autoridades, Jesus voltou sua atenção às multidões; e, ao fazer isso, ensinou o que realmente torna o homem "imundo".

"**Ouvi e entendei**" — Estas palavras representam o original do adágio de Jesus, neste caso, porquanto as palavras "Se alguém tem ouvidos para ouvir, ouça", que aparecem em diversas traduções, em Marcos 7.16 (paralelo desta passagem), não são autênticas. Os mss mais antigos, como Aleph, B, 28 e alguns outros, não as contêm. Em outras passagens, porém, essas palavras são autênticas. Ver nota detalhada sobre essa declaração de Jesus (que é usada por cerca de catorze vezes no NT), em Mateus 13.43.

15.11: Não é o que entra pela boca que contamina o homem; mas o que sai da boca, isso é que o contamina.

15.11 οὐ τὸ εἰσερχόμενον εἰς τὸ στόμα κοινοῖ τὸν ἄνθρωπον, ἀλλὰ τὸ ἐκπορευόμενον ἐκ τοῦ στόματος τοῦτο κοινοῖ τὸν ἄνθρωπον.

11 τὸ ἐκπορευόμενον...ἄνθρωπον Mt 12.34

"**Não é o que entra pela boca...**" — Jesus convocou a multidão a fim de ensinar-lhes o que realmente contamina o homem. Os líderes religiosos dos judeus muito se preocupavam com a *contaminação*, e usavam de muitos atos cerimoniais para se livrar daquilo que chamavam de "comum" ou "impuro". Possuíam regras inúmeras que tratavam das coisas que tornavam uma pessoa "imunda", isto é, que a incapacitava de adorar a Deus. Para aqueles cerimonialistas, a "contaminação" era algo muito sério. Jesus, entretanto, mostrou que o verdadeiro problema é a contaminação moral, conforme ilustram os v. 18-20, e que não têm importância as coisas exteriores. A narrativa de Atos 10.15 mostra que Pedro, ainda arraigado na tradição rabínica, como todo o povo, só mui vagarosamente aprendeu essa verdade, apesar de sua longa convivência com Jesus. Para Jesus, os princípios éticos que importam estão relacionados mais adiante. É-nos difícil calcular exatamente o impacto que essas palavras devem ter causado, tanto entre a multidão como entre os espiões enviados de Jerusalém, porquanto nós apenas ouvimos falar nesses fatos e até nos divertimos com as leis cerimoniais dos judeus. Para aquela gente, todavia, deve ter sido doloroso ouvir a mensagem sobre o verdadeiro caráter das leis cerimoniais, que negava que aqueles ritos tivessem algum valor. Sabemos que as autoridades religiosas não aceitaram as explicações de Jesus, no que certamente foram acompanhadas pelas multidões, com exceção provável apenas de alguns poucos. A doutrina ensinada por Jesus era verdadeiramente revolucionária e diretamente contrária à "doutrina" que o povo estava acostumado a ouvir nas sinagogas desde a infância, e que até ali haviam aceitado sem qualquer dúvida.

A palavra "contamina" pode ter dois significados: (1) Contaminação cerimonial, que tornava o indivíduo indigno de participar da adoração formal e pública dos judeus. (2) Contaminação propriamente dita, isto é, que torna a pessoa espiritualmente maculada, indigna de participar da adoração pública ou particular ao Senhor. É provável que a ampla declaração de Jesus tenha incluído ambas as ideias. Não podemos evitar de expressar aqui a convicção de que Jesus não recebeu os ensinos completos sobre as leis cerimoniais, como também não recebeu todas aquelas leis que, por si mesmas, não contradiziam os mandamentos de Deus. A mensagem geral do texto parece mostrar que Jesus simplesmente não dava valor demasiado às coisas superficiais, conforme evidentemente ele reputava as leis cerimoniais, abrangendo nessa classificação até mesmo aquelas que eram consideradas leis legítimas. Se essa conjectura reflete a verdade, pode-se compreender, ainda com maior clareza, por que razão as autoridades judaicas votavam ódio a Jesus. De fato, ele ameaçou o próprio fundamento da religião judaica de seu tempo, porque, nessa época, ela estava centralizada nas coisas ligadas às leis e às cerimônias.

Com estas palavras, Jesus replicou às perguntas feitas pelos *espiões* de Jerusalém, mostrando que não dava valor nenhum ao rito da lavagem das mãos, e que lavar ou deixar de lavar as mãos não fazia diferença nenhuma na adoração a Deus e nem era esse o elemento que podia "contaminar", cerimonial e moralmente, o homem. Essa resposta era contrária a todos os conceitos que o povo costumava ouvir, e Jesus nem ao menos teve a condescendência de dirigir sua resposta àqueles que lhe haviam feito as perguntas.

É provável que a declaração de Jesus tenha incluído a ideia de carnes e outros elementos proibidos, que, na opinião dos fariseus, eram coisas que contaminavam o homem. Diziam eles: "As carnes proibidas são, por si mesmas, imundas, e contaminam tanto o corpo como a alma" (*Tzeror Hammor*, fol. 142.1). Esta seção antecipa, em sua totalidade, o ensino do cristianismo tal como foi pregado pelo apóstolo Paulo: "[...] exigem abstinência de alimentos, que Deus criou para serem recebidos, com ação de graças, pelos fiéis e por quantos conhecem plenamente a verdade; pois tudo o que Deus criou é bom, e, recebido com ação de graças, nada é recusável, porque, pela palavra de Deus e pela oração, é santificado" (1Tm 43-5, ARA; ver nota nesse texto). Pode-se ver facilmente que esse ensino é contrário às doutrinas judaicas sobre as leis cerimoniais, e que jamais teria sido aceito por eles. Diversos textos do

NT, como Romanos 14.17 — "Porque o reino de Deus não é comida nem bebida, mas justiça, e paz, e alegria no Espírito Santo" (ARA) — e 1Coríntios 10.23 — "Todas as coisas são lícitas, [...] mas nem todas edificam" (ARA) — mostram que o problema dos alimentos proibidos (coisas reputadas imundas) teve prosseguimento até mesmo no seio da igreja primitiva, e, de fato, provavelmente nunca deixou de ser um problema em regiões de forte influência judaica. Devemos reconhecer que, neste ponto, Jesus não era um judeu comum, e este é um de seus ensinos que ultrapassou a cultura judaica, o que mostra que, em alguns pontos particulares, ele foi mais do que mero reformador do judaísmo.

15.12: Então os discípulos, aproximando-se dele, perguntaram-lhe: Sabes que os fariseus, ouvindo essas palavras, se escandalizaram?

15.12 Τότε προσελθόντες οἱ μαθηταὶ λέγουσιν αὐτῷ, Οἶδας ὅτι οἱ Φαρισαῖοι ἀκούσαντες τὸν λόγον ἐσκανδαλίσθησαν;

"**Aproximando-se dele...**" — Alguns intérpretes opinam, provavelmente com razão, que o problema não envolvia somente as autoridades dos judeus. O ensino de Jesus era uma novidade até para os discípulos deles, e é provável que eles também o tivessem estranhado, embora, naturalmente, não quisessem admitir sua estranheza; mesmo assim, porém, procuraram mais informações de Jesus. Lemos, no décimo capítulo de Atos que, depois de ter começado a igreja, muito tempo depois do Pentecostes, Pedro ainda demonstrou ufania por haver observado as leis referentes aos alimentos próprios e impróprios, segundo está escrito: "[...] contendo toda sorte de quadrúpedes, répteis da terra e aves do céu. E ouviu-se uma voz que se dirigia a ele: Levanta-te, Pedro! Mata e come. Mas Pedro replicou: De modo nenhum, Senhor! Porque jamais comi coisa alguma comum e imunda. Segunda vez, a voz lhe falou: Ao que Deus purificou não consideres comum" (At 10.12-15, ARA). É provável que Pedro nunca tenha compreendido ou aceitado as implicações do ensino de Jesus acerca dessas questões, e que só lhe tivesse despertado o entendimento quando desta visão, outorgada como símbolo sobre a aceitação dos gentios e a fim de provocar o esforço evangelizador entre eles, o que o próprio Pedro gostaria de se ter furtado de fazer, por causa de seus preconceitos religiosos.

"**Se escandalizaram**" — Expressão forte que significa, literalmente, *tropeçar*, e que pode ser traduzida por "foram repelidos (por ele)". O substantivo indica aquele ou aquilo que causa "repulsa", "ofensa", ou então "oposição", "ódio". O verbo pode significar "fazer ser apanhado" ou "fazer cair", e, por extensão, "fazer pecar". Esse escândalo baseava-se em duas circunstâncias: (1) Jesus mostrou-se audaz ao comunicar-se com a multidão, ignorando as autoridades, e ao fazer indagações sobre questões religiosas às pessoas do povo, que ignoravam pontos técnicos da religião judaica; assim agindo, Jesus indicou, ao mesmo tempo, que os ensinos das autoridades religiosas podiam ser ignorados. (2) Jesus introduziu uma nova e revolucionária doutrina, que entrava em choque com tudo o que os judeus tinham ouvido e ensinado desde seu nascimento. Alguns intérpretes mostram que dificilmente as autoridades poderiam replicar aos argumentos dos v. 3-9, que mostram como elas preferiam ignorar o quinto mandamento, por causa da própria tradição; mas o v. 11 introduz outra coisa, isto é, o ensino contra as leis cerimoniais em geral, e foi este último ensino, mais do que qualquer outro fator, que provocou a indignação das autoridades religiosas. Entretanto, não nos devemos esquecer de que o outro argumento de Jesus também deve ter ofendido as autoridades religiosas, especialmente por haver ele citado o profeta Isaías e aplicado a eles as suas palavras proféticas. Não há que duvidar que aqueles pensavam que sua "indignação" e "repulsa" eram santas e justas. Jesus foi considerado um herege por eles, de conformidade com os ensinos judaicos comuns.

466 |Mateus| NTI

15.13: Respondeu-lhes ele: Toda planta que meu Pai celestial não plantou será arrancada.

15.13 ὁ δὲ ἀποκριθεὶς εἶπεν, Πᾶσα φυτεία ἣν οὐκ ἐφύτευσεν ὁ πατήρ μου ὁ οὐράνιος ἐκριζωθήσεται.

13 Πᾶσα...ἐκριζωθήσεται Jo 15.2

"[...] respondeu: Toda planta..." — A planta representa *os ensinos* daqueles homens, doutrinas inteiramente humanas, de forma nenhuma inspiradas por Deus. Jesus referiu-se ao sistema religioso judaico, mas, provavelmente, por extensão, podemos compreender também que ele se referia aos indivíduos que ensinavam esse sistema. Segundo a parábola do joio, eles também seriam arrancados (Mt 13.37,38). A ideia geral do texto é que somente as "plantas" de origem divina poderão continuar a medrar e florescer para sempre. Finalmente, pelo julgamento de Deus, e pelos processos naturais da história, as plantas falsas seriam todas arrancadas. No fim Deus haverá de inferir novamente na história humana, para retificar o mundo e para estabelecer o seu reino de justiça. A ideia principal, neste caso, é que Deus é a origem da vida e da justiça, e que tudo quanto não tem raízes nele não pode perdurar muito. Deus é o criador e o destino do homem. Somente os indivíduos que estão no caminho de retorno a ele é que são plantas que jamais serão arrancadas, o que inclui seu sistema religioso e suas doutrinas. Os judeus ilustravam Deus como um plantador, conforme se vê nesta citação: "O santo e abençoado Deus, planta árvores neste mundo; se elas florescem, bem está! se não florescem, ele as arranca e as planta por muitas outras vezes" (Zohar, em Gn fol. 10.53.2). Não é impossível que Jesus, lembrando-se desses exemplos, também tenha explicado a situação religiosa pela ilustração das plantas.

Um discurso de Oliver Cromwell ilustra o sentido aqui (Thomas Carlyle, *Oliver Cromwell's Letters and Speeches*, Speech 4). "Se for de Deus, resistirá. Se for do homem, ruirá; como tudo que tem sido do homem, desde que o mundo começou. E que são as nossas histórias, e outras tradições e ações dos tempos antigos, senão manifestações do próprio Deus, e que ele tem falado, arruinado e pisado aos pés tudo quanto não plantou?"

Jesus deixou o seu caso aos cuidados do senhorio de Deus, crendo que o Pai poderia sustê-lo, embora as autoridades religiosas se opusessem a ele e lhe tivessem ódio. Sua confiança estava justificada, pois a igreja que Jesus fundou desenvolveu-se e tornou-se como uma grande árvore no mundo, provendo abrigo para muitas nações.

15.14: Deixai-os; são guias cegos; ora, se um cego guiar outro cego, ambos cairão no barranco.

15.14 ἄφετε αὐτούς· τυφλοί εἰσιν ὁδηγοὶ [τυφλῶν][4]· τυφλὸς δὲ τυφλὸν ἐὰν ὁδηγῇ, ἀμφότεροι εἰς βόθυνον πεσοῦνται.

14 τυφλοί...ὁδηγῇ Mt 23.16,24; Lc 6.39 Rm 2.19 τυφλὸς...πεσοῦνται Lc 6.39

[4] 14 τυφλοί ἐσιν ὁδηγοί B D 0237 it[d] // {C} τυφλοί εἰσιν ὁδηγοὶ τυφλῶν ℵ[a] L Θ ƒ[1] ƒ[13] 33 700 892 1216 1241 it[a.aur,c,e,f,(ff²),ff²,g*,l] vg[(cl),ww] syr[p,h] arm eth[ro,pp7] geo Origen[gr,lat] Cyprian Basil Augustine Cyril // ὁδηγοί εἰσιν τυφλοί ℵ[*,b] (l[12]) cop[sa,bo,fay,uid] // ὁδηγοί εἰσιν τυφλοὶ τυφλῶν C W X Δ Π 565 1009 1010 1071 1079 1195 1230 1242 1253 1344 1365 1546 1646 (2148 *omit* εἰσιν) 2174 *Byz Lect* it[q] cop[bo ms] // ὁδηγού εἰσιν τυφλῶν K syr[c,s] eth[ms]

Embora do ponto de vista da evidência externa a forma τυφλοί ἐσιν ὁδηγοί, apoiada por B e D, pareça preferível, a formas que mais adequadamente explicam o aparecimento das outras (como emendas do arranjo, ou como erros surgidos de similaridades paleográficas) são τυφλοί ἐσιν ὁδηγοί τυφλῶν e[c] ὁδηγοί ἐσιν τυφλοὶ τηφλῶν. Dentre elas, a comissão preferiu a primeira, com base em sua superior confirmação; ao mesmo tempo, porém, em deferência ao peso de B e D, julgou-se mais seguro incluir τυφλῶν dentro de colchetes.

"Deixai-os; são cegos, guias de cegos" — O texto de Romanos 2.19 que diz "[...] estás persuadido de que és guia de cegos, luz dos que se encontram em trevas..." mostra que as autoridades religiosas dos judeus gostavam de comparar-se com guias de cegos e como luzeiros que fornecem luz aos que estão às escuras; mas Jesus, neste passo, usando as próprias ideias deles, mostra que realmente eram cegos que se faziam de guias, porquanto não podiam orientar nem fornecer luz aos outros. Anteriormente, Jesus já mostrara que a cegueira deles fora escolhida por eles mesmos, não sendo fenômeno acidental (Mt 13.15), e que não tinham consciência de sua situação, em vez disso, jactavam-se de ter entendimento especial (Jo 9.41). Entre os judeus, corria a tradição de que, enquanto estivesse entre eles o tabernáculo de Deus, haveria mestres cegos (*Midrash Tillim Sal*, cvlvi. apud Grotium in loc.) e assim também dizia a profecia de Isaías 42.19 (que vide). Os mss BDLZ e alguns outros dizem: "Os cegos são os guias dos cegos", o que provavelmente é o texto original aqui. O ms Aleph contém a mesma coisa, embora com ordem diferente das palavras. Jesus quis que a multidão deixasse de seguir a tais homens. É óbvio que Jesus considerava que a condição espiritual das autoridades religiosas era sem esperança, sem nenhuma possibilidade de arrependimento. A cegueira que desconhece a própria natureza é condição que dificilmente se altera. E é um tipo de cegueira perigoso para os outros, porquanto não elimina a cegueira natural da natureza humana, antes, a torna ainda mais intensa e permanente, resultando no fato de que "se um cego guiar a outro cego, cairão ambos no barranco". A palavra aqui traduzida por "barranco" geralmente fala de um buraco ou poço, e às vezes era usada para indicar uma "cova", feita pelos caçadores, a fim de apanharem animais. Quando os cegos são guiados por outros cegos, desviam-se do caminho seguro e, de súbito, caem em algum poço ou armadilha. Jesus ilustrou a destruição eventual daquelas autoridades religiosas e de seus discípulos, porquanto andavam em caminho tenebroso e sem guias. Alguns intérpretes acham que essas palavras de Jesus incluem (e talvez como elemento principal) as profecias sobre a destruição de Jerusalém e da nação em geral pelos romanos, o que se deu no ano 70 d.C. Provavelmente, é melhor dizer que essa destruição ilustrou a própria condição espiritual e as consequências finais dessa condição, no caso daquelas autoridades religiosas e seus seguidores.

15.15: E Pedro, tomando a palavra, disse-lhe: Explica-nos essa parábola.

15.15 Ἀποκριθεὶς δὲ ὁ Πέτρος εἶπεν αὐτῷ, Φράσον ἡμῖν τὴν παραβολὴν [ταύτην][5].

15 Φράσον...παραβολήν Mt 13.36; Mc 4.10; 7.17; Lc 8.9

[5] 15 {C} τὴν παραβολήν ℵ B ƒ[1] 700 892 cop[sa] geo[B] Origen // τὴν παραβολὴν ταύτην C D K L W X (Δ αὐτήν) Θ Π 0119 33 565 1009 1010 1071 1079 1195 1216 1230 1241 1242 1253 1344 1365 1546 1646 2148 2174 *Byz Lect* it[a.aur,c,d,e,f,ff²,g¹,l,q] vg syr[c,s,p,h] cop[sa ms,bo7] arm eth geo[1-A] Chrysostom // ταύτην τὴν παραβολήν ƒ[13]

A maioria da comissão preferiu adotar a forma confirmada por grande variedade de testemunhos, explicando a ausência de ταύτην, em outros testemunhos, como resultante de excisão deliberada, por escribas que a julgaram inapropriada (a "parábola" não a precede de imediato). No entanto, em face do peso do testemunho que omite ταύτην (ℵ B ƒ[1] 700 892 cop[sa] geo[B] Orígenes), achou-se melhor incluir a palavra dentro de colchetes.

15.16: Respondeu Jesus: Estai vós também ainda sem entender?

15.16 ὁ δὲ εἶπεν, Ἀκμὴν καὶ ὑμεῖς ἀσύνετοί ἐστε;

"Então lhe disse Pedro..." — As palavras do v. 14 não constituem uma parábola, segundo se entende hoje o sentido desse termo, ou mesmo conforme é usado no capítulo treze deste evangelho e em muitas outras passagens. Provavelmente, Pedro se referia às palavras de Jesus no v. 11, conforme é explicado pela ilustração que se segue; mas estas palavras também não constituem uma "parábola", conforme as definições comuns do termo. Alguns sugerem que Pedro tenha compreendido as palavras de Jesus como se tivessem sido uma parábola, no que se equivocou. Entretanto, é mais acertado dizer que a palavra "parábola" nem sempre significava aquilo que se chama apropriadamente de parábola, mas que, neste caso, indica simplesmente uma "oratio obscura", ou "adágio obscuro". Esse vocábulo pode significar simplesmente "figura de linguagem", "comparação", "símbolo". E foi com esse sentido mais geral que Pedro usou aqui a palavra "parábola". O texto de Marcos 7.17 mostra que essas palavras não foram proferidas na presença dos espiões enviados de Jerusalém, nem diante da multidão, e, sim, "[...] quando entrou Jesus em casa, deixando a multidão...".

No grego, o vocábulo *vós* é enfático, indicando a irritação e a surpresa de Jesus face a palavras tão simples não terem sido compreendidas pelos próprios discípulos. Ele esperava essa falta de entendimento por parte das autoridades religiosas e do povo em geral, cegos como eram para as coisas espirituais; porém, depois de haver convivido por dois anos com seus discípulos, sempre ensinando-lhes doutrinas e treinando-os na verdade, achou justo esperar mais deles do que dos outros. Portanto, Jesus repreende aqui os discípulos por não terem compreendido algo que lhe parecia tão simples. Bruce diz, in loc.: "Nessas coisas, tudo depende da posse do necessário senso espiritual. É fácil ver quando alguém tem olhos".

15.17: Não compreendeis que tudo o que entra pela boca desce para o ventre, e é lançado fora?

15.17 οὐ νοεῖτε ὅτι πᾶν τὸ εἰσπορευόμενον εἰς τὸ στόμα εἰς τὴν κοιλίαν χωρεῖ καὶ εἰς ἀφεδρῶνα ἐκβάλλεται;

17 ου BDΘ al lat sy sa; R] ουπω אW fi fi3 700 pm ς | εισπορευ-] εισερχομ-BΘ *pc* Or

"Não compreendeis..." — Jesus mostra que os processos fisiológicos, comuns a todos os homens, não são imundos, e que nenhum alimento tem, *por si mesmo*, o poder de contaminar moralmente o indivíduo. A questão sobre as enfermidades físicas nada tem a ver com estas considerações, pois já notamos que as leis criadas pelas autoridades religiosas, como aquela da lavagem das mãos, nada tinha a ver com a higiene ou com a saúde física. As comidas proibidas, ou o comer com as mãos sujas, talvez causem problemas físicos; mas Jesus se referia à questão da imundícia cerimonial e moral. Comer sem lavar as mãos, que era estritamente proibido pelas leis farisaicas, nada tinham a ver com a condição espiritual do homem. Jesus mostra que isso é indiferente no contexto da religião verdadeira e da moralidade. Sua opinião era diretamente contrária à das autoridades. Ver as notas sobre o v. 2, que ilustram a importância que esse rito tinha para os líderes do povo judaico.

"Lugar escuso" — Tradução da AA. A tradução AC registra "lançado fora", e a IB também traduz assim. Evidentemente, os tradutores relutaram em traduzir essas *cruas palavras* de Jesus, e escolheram diversos eufemismos para dizer quase a mesma coisa, com o fito de não ofenderem os leitores do NT. A palavra "afedrona", no original, evidentemente não é grega, e, sim, macedônia, e significa latrina ou cloaca. Aquilo que entra pela boca finalmente chega à latrina, e nesse processo, comum a todos os homens, o alimento não faz nenhuma diferença na vida espiritual do indivíduo ou na aprovação divina, mesmo que a comida seja desacompanhada da lavagem das mãos. Bruce sugere (in loc.): "Talvez a própria grosseria das palavras nos tivesse feito pensar". O texto de Marcos 7.19 traz uma explicação um tanto diferente: "Porque não entra no seu coração, mas no ventre, e é lançado fora, ficando puras todas as comidas". Ao usar o termo "coração", Jesus indicou o *homem interior*, o homem moral e *espiritual*, a faculdade ou condição moral e espiritual do homem. Nenhuma comida pode afetar essa faculdade. Esse "coração" não faz parte do aparelho digestivo, pois é algo separado, que jamais pode ser afetado por aquilo que entra pela boca e passa através dos intestinos. A expressão "ficando puras todas as comidas" tem sido problemática para os intérpretes. Pela gramática grega, é difícil saber-se com certeza qual a natureza dessa referência. Evidentemente, o problema também era difícil para os escribas que copiaram os mss, pois aqui há diferenças quanto às formas gramaticais, que provavelmente foram tentativas para simplificar o problema. Alguns relacionam a expressão "ficando puras", ou melhor, "tornando puras", à "latrina"; mas sabemos que a latrina nada purifica. Apesar deste fato, a maior parte dos intérpretes dá essa interpretação. Outros fazem conexão com a expressão "ele disse", do v. 18, dizendo, assim, que o próprio adágio de Jesus, neste texto bíblico, é o instrumento que purifica todas as comidas, como se fora uma declaração capaz de purificar a imundícia dos alimentos ou a maneira de serem consumidos; dessa forma, concordam e antecipam a doutrina de Atos 15, mais tarde ensinada por Paulo. No entanto, a construção do versículo parece ser contrária a essa ideia, embora reflita uma verdade; pois a verdade é que, à base do texto em geral, Jesus parece ensinar exatamente isso. Ver notas sobre o v. 11. Talvez seja melhor admitirmos que o grego de Marcos, como muitas vezes acontece nesse evangelho, não é claro, e que não se podem fazer conexões seguras com nenhum texto em particular, quer deste verso quer do v. 18. Talvez seja melhor compreender o dito de maneira geral, como "pelo processo físico, incluindo o resultado que o refugo é lançado na latrina, todas as coisas são purificadas, isto é, a parte útil do alimento é aproveitada pelo corpo, e a parte inútil é lançada fora. Assim, não resta nenhuma imundícia no homem, a despeito de haver ele comido algum alimento cerimonialmente imundo ou de não ter ele seguido as regras cerimoniais, não lavando as mãos".

Em defesa da primeira interpretação, diz Alford (*in loc.*): "Não deve haver dificuldade nesta frase adicional; o que é dito é fisicamente verdadeiro. O "afedrona" (latrina) é aquilo que, por meio da remoção da porção (subsequente) que é lançada fora, purifica o alimento, isto é, a porção que permanece, que é útil para nutrir o corpo, pois em sua viagem pelo corpo é convertido em quilo, pelos sucos gástricos, e daí é absorvido pelo corpo.

15.18: Mas o que sai da boca procede do coração; e é isso o que contamina o homem.

15.18 τὰ δὲ ἐκπορευόμενα ἐκ τοῦ στόματος ἐκ τῆς καρδίας ἐξέρχεται, κἀκεῖνα κοινοῖ τὸν ἄνθρωπον.

18 τὰ...ἐξέρχεται Mt 12.34

15.19: Porque do coração procedem os maus pensamentos, homicídios, adultérios, prostituição, furtos, falsos testemunhos e blasfêmias.

15.19 ἐκ γὰρ τῆς καρδίας ἐξέρχονται διαλογισμοὶ πονηροί, φόνοι, μοιχεῖαι, πορνεῖαι, κλοπαί, ψευδομαρτυρίαι, βλασφημίαι.

19 Rm 1.29-31; 1Co 5.10,11; 6.9,10; Gl 5.19-21; Ef 5.3-5; Cl 3.5,8; 1Tm 1.9,10; 2Tm 3.2-4; 1Pe 4.3; Ap 21.8; 22.15

"Mas o que sai da boca..." — O coração é a fonte dos pensamentos (isto é, é usado como símbolo), das ações interiores do homem, da mente e do caráter espiritual. Do interior do homem é que procedem as coisas que realmente contaminam o homem à vista de Deus. É possível que Jesus tenha indicado aqui que as "ações" do coração são reveladas pelas palavras, isto é, que a boca profere palavras que indicam nossa natureza. Podemos compreender, pela conversa de uma pessoa, o estado geral de sua alma, qual o seu progresso ou retardamento na vida espiritual, e que condições pecaminosas prevalecem em sua vida. As palavras representam os pensamentos, os desejos e as ações dos homens. Adam Clarke diz sobre essa questão: "No coração do homem não regenerado escondem-se as sementes de todos os pecados. A iniquidade sempre é concebida no coração, *antes* da palavra ou da ação. Há alguma esperança de que o homem possa abster-se do ato real do pecado no próprio coração, essa fonte abominável de corrupção, enquanto não fique totalmente limpo? Penso que não".

Comparando-se a lista de pecados, aqui em Mateus, com aquela exposta por Marcos, nota-se que Marcos (7.21,22) apresenta uma lista mais completa. Mateus refere-se a "falsos testemunhos", que Marcos nem menciona; porém, Marcos declara os seguintes pecados: "[...] avareza, malícia, dolo, lascívia, inveja, soberba e loucura", os quais não foram registrados por Mateus. Portanto, teremos de acompanhar aqui palavra por palavra das que foram empregadas por Marcos, dando-lhes as explicações correspondentes:

1. *Maus desígnios* — Os pensamentos é que originam os atos pervertidos. Alguns relacionam esses "maus desígnios" aos pensamentos pervertidos dos homens que criaram as "tradições" religiosas que suplantaram as leis morais de Deus. Essa ideia talvez esteja incluída, mas a intenção foi de sentido geral, isto é, designa toda a esfera de pensamentos pervertidos que criaram, em última análise, os atos pecaminosos. John Gill (in loc.) diz: "Todas as imaginações iníquas, os raciocínios carnais, os desejos pecaminosos e as invenções maliciosas estão incluídos aqui".

2. *Prostituição* ou fornicação — Pecados sexuais dos solteiros. Essa palavra pode ser sinônimo de "adultério", e também pode significar pecados sexuais *em geral*; mas, pelo fato de também haver "adultério" na lista, provavelmente o autor sagrado falava do pecado dos solteiros ou da impureza de modo geral, sem nenhuma relação ao estado civil das pessoas em questão.

3. *Furtos* — Apropriação indébita de objetos alheios. Essa ação pode ser praticada de modo violento, por ludíbrio ou por desonestidade.

4. *Homicídios* — Arrebatamento intencional da vida humana, pela própria mão ou por mão alheia. Talvez Jesus quisesse incluir aqui os atos que não vão além da intenção, mas que têm a mesma natureza daqueles que são realizados, conforme se aprende em Mateus 5.21,22. (Ver nota ali.)

5. *Adultério* — Esta palavra sempre significa os pecados sexuais dos casados. Novamente é possível que Jesus quisesse incluir aqui a ideia não somente do ato em si, conforme vemos em Mateus 5.27,28. (Ver nota ali.)

6. *Avareza* — Amor ao dinheiro; desejo maior pelas coisas materiais do que pelas espirituais, o que resulta em uma vida dirigida por princípios materiais, ou pelo materialismo. Ver o manifesto de Jesus contra o materialismo, em Mateus 6.25-34.

7. *Malícias* — Ódio, atos violentos; maldade.

8. *Dolo* — Engano ou ludíbrio mediante artifícios; desonestidade por palavra ou ação. O caçador procura uma vítima por meio de uma *isca*.

9. *Lascívia* — Palavra de derivação incerta no original. Frequentemente, tinha o sentido que lhe damos hoje; mas, no grego clássico, indicava um tratamento violento para com os outros, falta de respeito. No NT é usada com a ideia de satisfação sexual sem restrições. A palavra pode incluir a ideia dos desvios sexuais.

10. *Inveja* — Literalmente, "mau-olhado", e, portanto, "inveja" (segundo as traduções AA, AC e IB) é a correta interpretação dessa palavra. Trata-se de uma atividade maliciosa, que procura causar malefício ao próximo, especialmente por motivo de inveja de suas riquezas e ou bens, e com a intenção de roubar-lhe os mesmos. O texto de Mateus 20.15 utiliza-se dessa palavra: "Porventura não me é lícito fazer o que quero do que é meu? Ou são maus os teus olhos porque eu sou bom?" Por conseguinte, o sentido da palavra "inveja", neste caso, é a sua forma mais virulenta.

11. *Blasfêmia* — Linguagem injuriosa, usada contra Deus ou contra os homens. Ver nota mais detalhada em Mateus 12.31.

12. *Orgulho próprio* — A ideia, inerente ao vocábulo grego, é a de alguém que ergue a cabeça acima da dos demais. Está em vista um coração altivo contra Deus e contra os homens. Essa é uma palavra rara no NT. O adjetivo cognato aparece em Romanos 1.30 e 2Timóteo 3.2.

13. *Loucura* — Literalmente, "falta de bom senso"; mas é usada com frequência com o sentido de insensatez. Prática de atos ilógicos, desarrazoados. Pode ser realizada por palavras ou por atos. Esse vocábulo também é raro no NT, porquanto figura somente em 2Coríntios 11.1,17,21 e neste texto do evangelho de Marcos. Em Provérbios 14.18 e 15.21, é interpretado como um tipo de loucura que se constitui da ausência de temor a Deus, a louca paixão da impiedade.

14. *Falsos testemunhos* — O evangelho de Mateus acrescenta este pecado à lista apresentada por Marcos. Consiste em dar falso testemunho aos outros ou a respeito de outros, em conversa pessoal ou em tribunal de justiça; mentiras particulares e públicas.

Treze *vícios* aparecem na lista de Marcos 7.21,22, ao passo que Mateus apresenta apenas *sete* pecados. A adição de "falsos testemunhos", pelo autor deste evangelho, foi tomada de empréstimo dos dez mandamentos. Outras listas de vícios e virtudes são dadas em Romanos 1.29-31 e Gálatas 5.19-23. Essas listas são mais características da filosofia popular greco-romana do que das ideias religiosas dos judeus.

15.20 ταῦτά ἐστιν τὰ κοινοῦντα τὸν ἄνθρωπον, τὸ δὲ ἀνίπτοις χερσὶν φαγεῖν οὐ κοινοῖ τὸν ἄνθρωποι.

15.20: São estas as coisas que contaminam o homem; mas o comer sem lavar as mãos, isso não o contamina.

"**São estas as coisas que contaminam o homem**" — Jesus repete o seu argumento de forma abreviada e enfática. O Senhor demonstrou diversas coisas que quebram os mandamentos de Deus, como: (1) Maus desígnios, que de algum modo quebram qualquer dos mandamentos. (2) Homicídios, que quebram o sexto mandamento. (3) Prostituição e adultério, que quebram o sétimo mandamento. (4) Furtos, que quebram o oitavo mandamento. (5) Falsos testemunhos, que quebram o nono mandamento. (6) Blasfêmias, que quebram o terceiro mandamento.

Todas essas coisas contaminam o indivíduo, tornando-o *indigno* de participar, pessoal ou publicamente, da adoração a Deus. E essa contaminação é autêntica, porquanto procede do "coração", que indica o homem real, interior, que é sede de seu caráter, mas que não tem nenhuma vinculação com as coisas externas, como a lavagem ou não das mãos. Jesus fez a antítese entre "mãos" e "coração". As coisas das "mãos" (que são físicas) não contaminam o homem; mas as coisas do "coração" (que são espirituais) é que, sendo moralmente erradas, certamente contaminam o homem. Esse tipo de moralidade é para nós um conceito comum, o qual aceitamos sem fazer nenhuma objeção. Entretanto, para os judeus daquele tempo, era uma ideia revolucionária, pois eles viviam sob a influência de indivíduos que enfatizavam, até o extremo da tolice, as exigências inerentes às leis cerimoniais.

VIII. REJEIÇÃO AO SEPARATISMO JUDAICO: UM MINISTÉRIO ENTRE OS GENTIOS (15.21-39)

O evangelho de Mateus quer mostrar que Cristo é o Salvador e Senhor *universal*, e que a nova fé não podia ser contida dentro do separatismo judaico. É possível que os inimigos de Jesus o tenham ameaçado de tal maneira, que lhe foi mister retirar-se por algum tempo para território gentílico. O autor sagrado aproveita o incidente a fim de promover seu tema da universalidade cristã. (Ver o paralelo em Marcos 7.24-30, o qual, porém, contém mais diferenças do que usualmente ocorre, em comparação com Mateus.)

O v. 24 vem da fonte "M", e alguns dos detalhes diferentes podem ser devidos à influência de outras fontes, além do "protomarcos".

1. Cura da jovem cananeia (15.21-28)

15.21 — Esta narrativa é dada aqui para mostrar claramente que aquilo que Jesus procurara outorgar a Israel — *seu ministério* e os benefícios do mesmo — eventualmente seriam dados aos gentios. Esta história, pois, representa um novo estágio no ministério de Jesus, e tem amplas implicações. Esta seção, Mateus 14.1—17.27, inicia a apresentação da Igreja universal, e esta narrativa particular é uma sugestão da universalidade final da mensagem de Jesus.

15.21: Ora, partindo Jesus dali, retirou-se para as regiões de Tiro e Sidom.

15.21 Καὶ ἐξελθὼν ἐκεῖθεν ὁ Ἰησοῦς ἀνεχώρησεν εἰς τὰ μέρη Τύρου καὶ Σιδῶνος.

A história da mulher cananeia tem paralelo em Marcos 7.24-30. "Partindo dali". Foi necessário que Jesus deixasse totalmente, por algum tempo, o território dos judeus; por isso, saiu da Galileia. As autoridades enviadas para espionar Jesus, vindas de Jerusalém, tinham entrado em conflito com ele, não somente acusando-o de transgredir a tradição dos anciãos, mas também declarando que ele e os seus discípulos eram imundos e profanos, porquanto não observavam as diversas regras tradicionais com respeito às leis cerimoniais, como por exemplo, a lavagem das mãos. As palavras de Jesus contra aqueles homens não foram menos severas, porquanto ele mostrou que, de fato, eles é que realmente estavam sob as más condições espirituais que atribuíam a Jesus e a seus discípulos. O Senhor mostrou que essa má condição era da alma, do homem interior, do *caráter essencial* do indivíduo, e não dependia de nenhuma superficialidade como a lavagem das mãos ou a falta da mesma, o que só quebrava uma lei cerimonial. A cisão entre Jesus e as autoridades religiosas dos judeus agravou-se a tal ponto, que não havia mais possibilidade de reconciliação, daí por diante. As autoridades religiosas só desejavam a morte de Jesus, e o Senhor sabia disso. Por esse motivo é que saiu da Galileia, como antes já deixara a Judeia,em face da oposição das autoridades religiosas. A oposição dos judeus forçou-o a refugiar-se em território gentílico. Marcos 7.24, no texto paralelo, parece indicar que Jesus quis ficar ali por algum tempo, provavelmente a fim de pensar e de preparar os seus passos futuros na Galileia, e para que se aclamasse a controvérsia. "Levantando-se, partiu dali, para as terras de Tiro (e Sidom). Tendo entrado numa casa, queria que ninguém o soubesse, no entanto, não pôde ocultar-se". O texto, aqui, indica que ele entrou apenas uma pequena distância nesse território, perto das fronteiras da Fenícia com a Galileia. O texto parece contrário à ideia de alguns intérpretes, que dizem que Jesus não entrou nesse território gentílico, mas tão-só viajou na direção do mesmo. Por enquanto, Jesus era como um despatriado; o mundo judaico fechara-se para ele; e, segundo os propósitos de sua missão, era impossível ter um ministério de qualquer proporção entre os gentios ou nos territórios ocupados pelos judeus. Viajou para o norte e, finalmente, chegou ao mar Mediterrâneo; ali se achavam as cidades de Tiro e Sidom.

"As terras de Tiro e Sidom" — Sidom tem uma história de intenso comércio e de grandes riquezas, além de ter sido um centro das artes e das ciências. Era o mais antigo mercado dos fenícios. A moderna Saida, na república do Líbano, assinala o local da antiga cidade, a 32 quilômetros ao sul da moderna cidade de Beirute. Tiro estava localizada a 40 quilômetros a oeste de Cesareia de Filipe e a 40 quilômetros ao sul de Sidom. Contava com dois portos, um eles era uma ilha próxima e outro, em território continental. Os arqueólogos acreditam que esse porto seja a "Ussu" das antigas inscrições assírias.

Fenícia — O território era situado na costa oriental do mar Mediterrâneo, e se estendia por cerca de 240 quilômetros entre os rios Litani e Arvarde (modernamente denominados Líbano e Latáquia). Dentre os territórios de Israel, a Galileia era a que lhe ficava mais próxima, ao norte e a oeste. Conforme o nome é usado no NT, era um lugar de refúgio para os cristãos primitivos perseguidos, segundo se vê na história da perseguição que houve após o martírio de Estêvão, em Atos 11.19. Através desse território, Paulo e Barnabé viajaram quando foram a Jerusalém (Atos 15.3). Mais tarde, Paulo embarcou perto de Tiro, quando viajava para Jerusalém pela última vez (Atos 21.2,3). No AT, os habitantes do lugar eram chamados *cananeus*, que, em hebraico, significa *comerciante*. Provavelmente, esse era o nome que o próprio povo do lugar aplicava a si mesmo (ver Gn 10.5). É obscura a origem dos fenícios, mas o testemunho de Heródoto (i.i, vii.89) é que eles chegaram àquele lugar vindos da Pérsia, através do mar Vermelho, e que fundaram Tiro. As evidências mais antigas, fornecidas pelas descobertas arqueológicas, indicam que o local vem sendo habitado desde 3000 a.C. Antes do ano 1800 a.C., já havia grande tráfico comercial naquele local, especialmente de madeira e objetos artísticos. Hirão, rei do lugar no tempo de Davi e Salomão, forneceu madeira, pedras e artesãos para ajudarem na construção do templo de Jerusalém (ver 1Rs 5.1-12 e 2Cr 2.3-16). O sucessor de Hirão, Etbaal, estabeleceu aliança com Israel mediante o matrimônio de sua filha, Jezabel, com Acabe, rei de Israel. Como todos sabem, Jezabel tornou-se símbolo da maldade feminina, e o seu nome tem esse significado até os dias de hoje. O autor do Apocalipse usa esse nome com esse sentido, em 2.20.

15.22: E eis que uma mulher cananeia, provinda daquelas cercanias, clamava, dizendo: Senhor, Filho de Davi, tem compaixão de mim, que minha filha está horrivelmente endemoninhada.

15.22 καὶ ἰδοὺ γυνὴ Χαναναία ἀπὸ τῶν ὁρίων ἐκείνων ἐξελθοῦσα ἔκραζεν λέγουσα, Ἐλέησόν με, κύριε, υἱὸς Δαυίδ· ἡ θυγάτηρ μου κακῶς δαιμονίζεται.

22 Ἐλέησον...Δαυίδ Mt 9.27; 20.30,31; Mc 10.47,48; Lc 18.38,39

"Uma mulher cananeia" — Marcos (7.26) acrescenta: "[...] grega, de origem siro-fenícia". Neste caso, a palavra "grega" indica sua religião, revelando que não era da religião judaica; e que, quanto à raça, era fenícia. Os fenícios descendiam dos cananeus, primitivos habitantes da Palestina, uma raça semita. Ela era da Fenícia siríaca, e não da Líbio-Fenícia, no norte da África.

"Clamava: Senhor, Filho de Davi..." — Título que indicava a missão messiânica de Jesus. Seu uso, por parte de certos judeus, e aqui, por parte de uma mulher pagã, indica que entre os homens havia quem aceitasse Jesus como o Messias. Ele era da descendência de Davi (Mt 12.23; 1.20). Em meio à confusão sobre o assunto, havia sempre a ideia de que o Messias seria descendente de Davi. (Ver Mt 22.42,43,45 e Jo 7.42). Há cerca de quinze referências, no NT, de que Jesus descendia de Davi. O uso do termo, pela mulher cananeia, pode indicar que ela era convertida à religião judaica, ou, mais provavelmente, que ela ouvira da fama de Jesus, como seria natural em um território tão contíguo à Galileia. Entretanto, a passagem de Lucas 6.17 mostra que algumas pessoas daquele território tinham ouvido pessoalmente as palavras de Deus, as quais, sem dúvida, espalharam a fama de Jesus em sua terra nativa, a Fenícia.

"filha [...] endemoninhada". Ver as notas detalhadas sobre *demônios*, em Marcos 5.2; sobre a possessão demoníaca, em Mateus 7.28; e sobre o "exorcismo", em Mateus 12.27.

15.23: Contudo ele não lhe respondeu palavra. Chegando-se, pois, a ele os seus discípulos, rogavam-lhe, dizendo: Despede-a, porque vem clamando atrás de nós.

15.23 ὁ δὲ οὐκ ἀπεκρίθη αὐτῇ λόγον. καὶ προσελθόντες οἱ μαθηταὶ αὐτοῦ ἠρώτουν αὐτὸν

470 | Mateus | NTI

λέγοντες, Ἀπόλυσον αὐτήν, ὅτι κράζει ὄπισθεν ἡμῶν.

"Ele, porém, não lhe respondeu palavra..." — A narrativa, tal como foi escrita por Mateus, não esclarece o fato do *silêncio* de Jesus, e nem por que os discípulos ansiavam tanto por livrar-se da mulher. O texto de Marcos 7.24 parece indicar que Jesus e seus discípulos não queriam ser reconhecidos pelo povo e que, naturalmente, tomaram essa medida a fim de evitar maiores problemas com as autoridades religiosas e o aprisionamento naquela ocasião. Jesus ainda tinha várias coisas a realizar, e dificilmente poderia cumpri-las na prisão ou depois de morto. Portanto, nem ele nem seus discípulos queriam ser reconhecidos pelas massas populares. A mulher, porém, por se ter posto a clamar em altos brados, *irritou* os discípulos e tornou impossível que Jesus cumprisse seu propósito de passar despercebido. Alguns intérpretes têm sugerido que Jesus não replicou à mulher porque ela não tinha o direito de usar o título "Filho de Davi". O mais provável, porém, é que Jesus não lhe tenha dado resposta porque desejava ocultar-se da atenção popular.

"Despede-a" — Alguns intérpretes são de opinião que estas palavras, assim traduzidas do grego, indicam que os discípulos rogaram a Jesus que atendesse à mulher (isto é, que curasse a sua filha); mas a tradução aqui — "despede-a" — é fiel ao original. Os discípulos só queriam livrar-se da presença dela, não mostrando nenhuma compaixão por ela. Todavia, a resposta de Jesus — "Não fui enviado senão às ovelhas perdidas da casa de Israel" — implica em que ele compreendeu o pedido dos discípulos, que incluía o desejo que ele atendesse à petição da mulher, porquanto essa réplica de Jesus mostra sua relutância em atender ao pedido da mulher. Alguns pensam que Jesus penetrou na intenção do coração dos discípulos, e que ali encontrou esse desejo de misericórdia; mas o texto não parece subentender isso.

15.24: Respondeu-lhes ele: Não fui enviado senão às ovelhas perdidas da casa de Israel.

15.24 ὁ δὲ ἀποκριθεὶς εἶπεν, Οὐκ ἀπεστάλην εἰ μὴ εἰς τὰ πρόβατα τὰ ἀπολωλότα οἴκου Ἰσραήλ.

24 πρόβατα[*add* ταυτα D *d* sy^sc
24 εἰς...' Ἰσραήλ Mt 10.6

"Não fui enviado..." — A missão messiânica, em si mesma, não implicava em ministério aos gentios, e não nos devemos olvidar de que o mandamento de evangelizarmos o mundo inteiro foi um desenvolvimento ou expansão do ministério de Jesus, responsabilidade essa que foi dada a seus discípulos, a começar pelos apóstolos. Jesus teve fases de seu ministério entre os gentios e os samaritanos, conforme se vê no quarto capítulo de João; mas a missão de Jesus exigia que tudo, ou quase tudo, fosse feito em favor dos judeus, a fim de que se cumprissem as profecias que diziam exatamente isso. Um *extenso ministério* entre os gentios ou samaritanos (os inimigos dos judeus) teria cerrado definitivamente qualquer possibilidade de que a missão messiânica de Jesus fosse aceita pelos judeus. Por isso é que Jesus teve o cuidado de evitar dar a impressão de estar cuidando dos gentios, ao invés de atender à sua missão entre os judeus. Devemos lembrar, igualmente, que os apóstolos não estavam ainda preparados para assumir as responsabilidades de um ministério entre os gentios, em substituição ao ministério entre os judeus. As lições necessárias a esse ministério gentílico ainda não haviam sido dadas a eles. Lembremo-nos da própria história eclesiástica, onde se vê que a aceitação da mensagem universal do cristianismo era uma lição difícil para os judeus. No caso de Pedro, foi mister uma visão especial (ver At 10.9-16) para que ele entendesse que os gentios também poderiam ser "filhos de Deus" e receber a mensagem do evangelho. Esse ensino era "revolucionário", e isso é difícil de ser compreendido por nós, porque vivemos em outra época e sob outras condições. No entanto, Jesus ainda não preparara o ambiente para instituir essa revolução e estender seus ensinos e seu reino para que tivessem aplicação universal. A despeito disso, pode-se observar aqui que o ministério de Jesus, nesse território, e que deve ter durado bastante tempo, era um sinal ou indicação da eventual transferência da mensagem do cristianismo dos judeus para os gentios. A mesma coisa ocorreu na vida dos apóstolos. No fim, tanto Jesus como seus discípulos tornaram-se exilados de sua terra natal, e, assim, a mensagem do evangelho se propagou. Bem cedo, na história eclesiástica, o centro do cristianismo se locomoveu de Jerusalém para Antioquia, para Cesareia, para Roma, e para outros centros da cultura gentílica.

"Ovelhas perdidas..." — Essa expressão — "casa de Israel" — significa a nação inteira de Israel, e o simbolismo das "ovelhas" indica o povo de Deus, símbolo muito comum na literatura judaica. Jesus aplicou esse termo aos próprios discípulos, conforme achamos no décimo capítulo de João. As ovelhas eram animais limpos, segundo a lei cerimonial dos judeus, sendo animais que, para viver, requerem os cuidados constantes de um pastor. Por sua natureza, a ovelha é de parca iniciativa, quase chegando às raias da fraqueza; pelo que também pode perder-se ou ser guiada erradamente com facilidade. A ovelha também quase não tem capacidade para defender-se. Esses fatos, sobre a *natureza das ovelhas*, sugerem a dependência a Deus que deve ser a grande característica de seu povo, a fim de que se deixe guiar pelo caminho certo, porquanto o homem é moralmente fraco. Ver outros símbolos sobre as ovelhas, como representantes do povo de Deus, nas notas em João 10.1-16. Outras passagens que se utilizam do simbolismo da ovelha, a fim de ilustrar as relações entre Deus e os crentes, são: Isaías 53.6; 13.14; Ezequiel 34.31; Salmos 23; 44.22; João 21.16; Atos 8.32 e Romanos 8.36.

"Perdidas" — Esta palavra poderia dar a ideia das ovelhas estarem separadas de Deus, separação esta causada pela corrupção moral (em resultado do pecado), segundo se aprende em textos como Lucas 19.10, João 17.12, e outros. Neste texto, Jesus usa o termo especialmente para referir-se a um povo que se perdera no caminho, que necessitava de um pastor, por ser um povo ignorante, cego, sem orientação, sem conteúdo moral, a despeito do fato de que certamente esse povo também estava perdido no significado moral. A passagem de Jeremias 50.6,17 expressa bem essa ideia: "Ovelhas perdidas foram o meu povo, os seus pastores as fizeram errar, para os montes as deixaram desviar; de monte em outeiro andaram, esqueceram-se do lugar de repouso. [...] Cordeiro desgarrado é Israel; os leões o afugentaram..."

15.25: Então veio ela e, adorando-o, disse: Senhor, socorre-me.

15.25 ἡ δὲ ἐλθοῦσα προσεκύνει αὐτῷ λέγουσα, Κύριε, βοήθει μοι.

"Ela, porém, veio e o adorou..." — A oposição dos discípulos e o silêncio de Jesus não desanimaram aquela mulher, porque sua necessidade era grande e seu sofrimento vinha se prolongando desde muito. A presença de Jesus em seu território era para ela uma oportunidade singular, que ela não esperara, mas que agora lhe dava esperança de que sua filha pudesse ser libertada daquela horrível possessão demoníaca. O vocábulo "adorou" implica em um ato de homenagem por meio de inclinação ante a pessoa. Ela fez mais do que duplicar os atos dos judeus que receberam a ajuda de Jesus, e talvez seu espírito de adoração fosse mais intenso do que Jesus teria comumente encontrado em território ocupado pelos judeus. Certamente que ela demonstrou uma fé notável, sem dúvida, reconhecendo a missão messiânica de Jesus, e, portanto, uma fé mais vigorosa do que a maior parte dos judeus demonstrara quando era curada.

Lembramo-nos de ocorrências em que, ocasionalmente, Jesus operou milagres de cura sem pedir provas de fé da parte das pessoas curadas. De outras vezes, entretanto, ele exigiu fé em Deus e usou a própria cura como lição sobre como é necessário que dependamos de Deus. Noutras oportunidades, ainda, ele exigiu a aceitação de sua tarefa messiânica para encorajar a cura. Parece que esta mulher cumpriu todas as condições impostas por Jesus.

15.26: Ele, porém, respondeu: Não é bom tomar o pão dos filhos e lançá-lo aos cachorrinhos.

15.26 ὁ δὲ ἀποκριθεὶς εἶπεν, Οὐκ ἔστιν καλὸν6 λαβεῖν τὸν ἄρτον τῶν τέκνων καὶ βαλεῖν τοῖς κυναρίοις.

> ⁶ 26 {C} ἔστιν καλόν (ver Mc 7.27) ℵ B C K L W X Δ Θ Π ƒ¹ ƒ¹³ 565 700 892 1009 1071 1079 1195 1216 1230 1241 1242 1253 1344 1546 1646 2148 2174 *Byz Lect* it^{aur,c,f,k,l,q} vg syr^{p,h} cop^{sa,bo} arm eth Origen Chrysostom // καλόν ἐστιν 1010 1365 *l*³⁰⁹ geo // ἔστιν 1293 Tertullian Eusebius // ἔξεστιν D it^{a,b,c,d,ffq,²,g¹,r¹} syr^{c,s} (Diatessaron¹) Origen Ps-Clement Ambrosiaster Hilary Basil Ambrose Jerome

> Embora se possa argumentar que um original ἔξεστιν foi substituído pelas palavras ἔστιν καλόν ou καλόν ἔστιν sobre a influência da narrativa paralela de Marcos 7.27 (onde os manuscritos flutuam entre ἔστιν καλὸν e καλὸν ἔστιν) seguindo certos raciocínios, a comissão considerou que é um tanto mais provável que ἔξεστιν tenha sido introduzida em alguns dos testemunhos ocidentais a fim de fortalecer a resposta de Jesus (intensificação daquilo que é apropriado para aquilo que é legítimo ou permitido).

15.27: Ao que ela disse: Sim, Senhor, mas até os cachorrinhos comem das migalhas que caem da mesa dos seus donos.

15.27 ἡ δὲ εἶπεν, Ναί, κύριε, καὶ γὰρ τὰ κυνάρια ἐσθίει ἀπὸ τῶν ψιχίων τῶν πιπτόντων ἀπὸ τῆς τραπέζης τῶν κυρίων αὐτῶν.

> 27 γαρ] *om* B e sy^{s,b} sa

> 27 ἐσθίει...τραπέζης Lc 16.21

"Não é bom tomar o pão dos filhos..." — Muitos intérpretes creem que Jesus não falou com seriedade, sentindo instintivamente quão profunda era a fé da mulher; isso também seria de se esperar de uma grande personalidade como a de Jesus, que talvez, percebendo quanto sacrifício ela fizera para encontrá-lo, não deixaria de considerar isso. Jesus referiu-se aos "cachorrinhos" *de estimação* das crianças que, propositalmente, lhes lançam migalhas debaixo da mesa. Outra palavra grega refere-se aos cães bravos, ou mesmo violentos, que infestavam as cidades antigas e que constituíam verdadeira ameaça às populações; a palavra que Jesus usou aqui, porém, alude aos cães domésticos, que habitavam com as pessoas. Ver as definições de qualquer léxico que mostre o uso do termo. A mulher reconheceu o tom brincalhão das palavras de Jesus, e aproveitou-se da situação. O incidente deve ter alegrado a Jesus, que há tanto tempo vinha lutando com a indiferença e a rejeição declaradas dos líderes judeus, sem falar na lentidão da fé dos próprios discípulos. A recompensa lhe foi dada segundo a fé que manifestou e expressou como seu desejo. Com júbilo, aquela mulher voltou para casa, onde encontrou sua filha curada. Uma palavra proferida à distância expulsou um demônio de uma vida, outra grande ilustração do incompreensível poder de Jesus.

Wordsworth menciona o fato de o termo "cachorrinho" ser usado pelos judeus para indicar os *gentios*, e que esse termo era zombeteiro. Não podemos imaginar que Jesus também tivesse usado a palavra com esse sentido, mas, certamente ele mostrara à mulher, de maneira clara, que qualquer coisa que ela porventura recebesse seria proveniente da graça e da bondade dele, especialmente considerando que a mulher era "grega" de religião, e que por isso nada tinha a ver com a missão do Messias de Israel. A despeito desse fato, a mulher não desanimou, porque a sua necessidade era grande, e a sua fé no homem que operava os milagres não era menor. Ela ficou satisfeita com sua posição de "cachorrinho", porque até esses pequenos animais participavam dos benefícios da abundância da casa. Se as crianças tivessem muito para comer, esse fato, por si só,

garantiria a plenitude de comida para os cachorrinhos. A mulher considerou que até os resíduos das bênçãos da casa de Deus eram suficientes para suprir a sua necessidade. Em contraste com isso, os judeus rejeitaram até mesmo a plenitude das bênçãos de Deus e o próprio Messias, o qual viera trazer-lhes essa plenitude. Aquela mulher siro-fenícia, porém, contentou-se em receber somente algumas "migalhas" que caíam da mesa.

15.28: Então respondeu Jesus, e disse-lhe: Ó mulher, grande é a tua fé! seja-te feito como queres. E desde aquela hora sua filha ficou sã.

15.28 τότε ἀποκριθεὶς ὁ Ἰησοῦς εἶπεν αὐτῇ, Ὦ γύναι, μεγάλη σου ἡ πίστις· γενηθήτω σοι ὡς θέλεις. καὶ ἰάθη ἡ θυγάτηρ αὐτῆς ἀπὸ τῆς ὥρας ἐκείνης.

> 28 μεγάλη...πίστις Mt 8.10 γενηθήτω...θέλεις Mt 8.13; 9.29

> 28 Ω *om* D vg(2)

"Ó mulher, grande é a tua fé" — Para ilustrar esse tipo de fé, escreveu Adam Clarke: "Os obstáculos postos no caminho daquela mulher só fizeram aumentar a sua fé. Sua fé assemelhava-se a um rio que aumenta, ao encontrar diques que se lhe opõem à correnteza, até que finalmente esta domina tudo, levando tudo de roldão à sua frente". Marcos oferece um detalhe adicional: "Voltando ela para casa, achou a menina atirada sobre a cama, pois o demônio a deixara". Mateus diz: "[...] desde aquele momento sua filha ficou sã". Lange sugere aqui algumas lições espirituais: (1) A mulher demonstrou humildade, reconhecendo sua posição de mulher gentia, mas não desanimou. (2) Ela teve perseverança; transformou sua aparente recusa em promessa subentendida de ajuda. (3) Ela demonstrou ter espiritualidade; a despeito da dura recusa inicial, ela reconheceu a bondade de Jesus, e evidentemente reconheceu que ele era o Messias, e a implicação de sua missão era tal, que sugeria que os próprios gentios seriam participantes da plenitude da graça de Deus e do reino dos céus. De fato, nessa ocasião, Jesus cumpriu as diversas profecias que diziam respeito ao ministério do Messias entre os gentios. (4) Ela mostrou confiança; reconheceu que a bondade e a graça do Senhor não conhecem limites.

Esta citação de *Crisóstomo*, sobre a história inteira, é digna de nota: "Na proporção que a petição da mulher se intensificou, a recusa do Senhor também se tornou mais forte. No princípio, Jesus se calou; depois chamou aos judeus de 'ovelhas' e disse que fora enviado somente para eles; em seguida, chamou aos judeus de seus filhos e aos gentios chamou de cachorrinhos. Foi à base dessa repreensão que a mulher formulou sua resposta — ela mostrou paciência e fé, embora parecesse que estava sendo tratada com escárnio. É como se ela tivesse replicado: 'Que os judeus sejam filhos, e que eu, como os gentios, seja um cachorrinho; mas mesmo assim não sou proibida de comer as migalhas que os filhos deixam cair'. Nosso Senhor já sabia que ela responderia dessa maneira, e, portanto, primeiramente recusou-se a atendê-la, depois repreendeu-a, para provocar a demonstração da fé e da humildade daquela mulher, a fim de que isso servisse de exemplo a todos os circunstantes. Seu silêncio e sua repreensão foram como o silêncio e a reprimenda de alguém que deseja revelar um tesouro oculto aos olhos dos demais".

Os judeus jactavam-se de ser *filhos de Abraão*, e desprezavam os gentios; mas aquela mulher admite ser cão, e os judeus, senhores — e foi assim que ela se tornou filha de Deus. "Ó mulher, grande é a tua fé!", exclamara Jesus. Ele se demorou em dar o que ela pedia, para que, de súbito, pudesse pronunciar essas palavras e pôr uma coroa de glória na cabeça daquela mulher. Note-se a recompensa abençoada da fé, da humildade e da perseverança na oração.

Aquela mulher demonstrou sabedoria e profunda fé, fazendo-nos lembrar das palavras de Homero (*A livro XIV*, 1.251):

> *"Fala persuasiva, e mais convincentes gemidos,*
> *Silêncio que falava, eloquência dos sentidos".*

472 | Mateus | NTI

VIII. REJEIÇÃO AO SEPARATISMO JUDAICO: UM MINISTÉRIO ENTRE GENTIOS (15.21-39)

2. Várias curas (15.29-31)

O paralelo é Marcos 7.31-37, e a fonte informativa é o *pro-tomarcos*. Cf. 8.1 e 14.34, onde as notas de introdução àquelas seções também se aplicam aqui. As obras grandiosas demonstram tanto a autoridade messiânica de Jesus como seus sentimentos humanitários. Ele pode suprir a necessidade de todos quantos se achegam a ele. Até mesmo os gentios foram por ele abençoados, atitude essa que é promovida na igreja cristã, em contraste com o antigo exclusivismo judaico.

15.29: Partindo Jesus dali, chegou ao pé do mar da Galileia; e, subindo ao monte, sentou-se ali.

15.29 Καὶ μεταβὰς ἐκεῖθεν ὁ Ἰησοῦς ἦλθεν παρὰ τὴν θάλασσαν τῆς Γαλιλαίας, καὶ ἀναβὰς εἰς τὸ ὄρος ἐκάθητο ἐκεῖ.

<small>29 Καὶ μεταβὰς...Γαλιλαίας Mc 7.31 ἀναβὰς...ἐκεῖ Mt 5.1</small>

O texto paralelo dos v. 29-31 é Marcos 7.31,37, onde há mais detalhes sobre a narrativa, incluindo o fato de Jesus ter passado por Decápolis, uma federação de dez cidades, localizada na Palestina oriental. A área contava com numerosa população gentílica, o que é indicado pela presença de muitos suínos (como na história da cura dos dois endemoninhados gadarenos, em Mt 5.1-20; Mc 5.1-20 e Lc 8.26-39). Cristo visitou essa localidade, fazendo um desvio incomum, tendo viajado desde Sidom até as praias orientais do mar da Galileia. O evangelho de Mateus não dá detalhes sobre a viagem e sobre a margem do mar por onde ele viajou. Aqui a história de Mateus é uma reprodução apagada da matéria que se acha em Marcos, matéria essa que o autor deste evangelho de Mateus usou como esboço de suas narrativas.

"Do mar da Galileia" — É evidente que isso foi na margem oriental (ver notas detalhadas sobre isso, em Mt 4.13 e Jo 6.1). Jesus penetrou novamente em território judaico, depois de uma considerável ausência; porém, não contamos com informações suficientes para podermos afirmar por quanto tempo ele esteve ausente.

"Subindo ao monte, assentou-se ali" — Mateus 14.23 mostra que Jesus fez a mesma coisa antes do milagre de andar sobre o mar e antes da grande controvérsia com os espiões enviados de Jerusalém; e assim fez para ter tempo de orar sozinho, descansar e renovar os seus poderes espirituais. Provavelmente, fez isso de novo, nesta ocasião, pelas mesmas necessidades; e neste ponto aprendemos algo com respeito à personalidade de Jesus. Aprendemos que as intensas atividades em sua vida não eliminaram os períodos de silêncio, antes, exigiram que ele tivesse esses períodos de repouso e oração. Notando o uso do artigo no grego, nesta passagem, alguns intérpretes insistem em que o monte era um monte que Jesus costumava frequentar — "o monte" onde Jesus geralmente ia repousar. Alguns sugerem que o monte Tabor era a referida elevação. Outros pensam que a expressão não deve indicar mais do que um lugar elevado qualquer, indefinido.

15.30: E vieram a ele grandes multidões, trazendo consigo coxos, aleijados, cegos, mudos, e outros muitos, e lhos puseram aos pés; e ele os curou;

15.30 καὶ προσῆλθον αὐτῷ ὄχλοι πολλοὶ ἔχοντες μεθ᾽ ἑαυτῶν χωλούς, τυφλούς, κυλλούς, κωφούς, καὶ ἑτέρους πολλούς, καὶ ἔρριψαν αὐτοὺς πατὰ τοὺς πόδας αὐτοῦ, καὶ ἐθεράπευσεν αὐτούς·

"Vieram a ele..." — Jesus não descansou por muito tempo, e o povo chegou a fim de ser curado, e não para receber instrução. "Coxos" de pés, pernas e braços. A palavra tem sido usada para indicar a perda de um pé ou de uma perna. "Aleijados", vocábulo usualmente utilizado para indicar uma pessoa "dobrada" pelo

meio, por causa de reumatismo. Em Mateus 18.8, a palavra parece ter o sentido de "mutilado", e alguns intérpretes acham que o milagre notável, nesse caso, foi a restauração de pernas, pés etc., que se haviam perdido totalmente — milagres como o da multiplicação dos pães, um tipo de criação; "cegos", que poderiam sê-lo de nascimento ou por motivo de algum acidente. "*Mudos*", que, no grego, significa "estúpido" ou "embotado", usado pelos autores gregos para indicar falta de percepção mental ou dificuldade no falar, no ver e no ouvir, mas que, no NT, era palavra usada somente para indicar surdez e mudez. O contexto indica a alusão. Provavelmente, neste caso, estava em vista a incapacidade de falar, talvez por causa de um defeito de audição.

"E muitos outros" — A intenção óbvia do autor é demonstrar que Jesus tinha capacidade para curar *todas* as enfermidades, até as mais difíceis, e que seu ministério tanto se concentrava amplamente no ensino como nas operações milagrosas. O texto indica que havia muitas pessoas que precisavam da intervenção imediata de Jesus, e isso não permitia o tratamento imediato de todos os casos. Esse fato também demonstra o grande poder espiritual de Jesus. Seu poder tinha de ser praticado rapidamente e com êxito. A fraude jamais pode passar por essas exigência.

"Largaram junto aos pés de Jesus" — Poderia ser traduzido por "lançaram" ou "jogaram", o que indica a pressa que tinham, bem como o grande número de pessoas que necessitavam de cura, como também, talvez, a grande confiança do povo nos poderes de Jesus. Entre essas curas, Marcos salienta especialmente uma — a de um surdo e gago (ver Mc 7.32-35).

15.31: de modo que a multidão se admirou, vendo mudos a falar; aleijados a ficar sãos, coxos a andar, e cegos a ver; e glorificaram ao Deus de Israel.

15.31 ὥστε τὸν ὄχλον θαυμάσαι βλέποντας κωφοὺς λαλοῦντας, κυλλοὺς ὑγιεῖς7, καὶ χωλοὺς περιπατοῦντας καὶ τυφλοὺς βλέποντας· καὶ ἐδόξασαν τὸν θεὸν Ἰσραήλ.

<small>31 ὥστε...τυφλοὺς βλέποντας Mt 7.37</small>

<small>7 31 {C} λαλοῦντας, κυλλοὺς ὑγιεῖς C K L P W X Δ Π 1009 1071 1079 1195 1242 1344 1365 1546 1646 2148 2174 *Byz* (ʰ¹⁸⁵ κυλλοὺς ὑγιῆς) lᵃᵃᵃ,¹²³¹ ᵐ itᶠᵈ,ˡᵗᵈᵗ // λαλοῦντας καὶ κυλλοὺς ὑγιεῖς D Θ f¹³ 33 565 1230 1253 l⁷⁶ syrᵖⁱ,ʰ // ἀκούοντας, κυλλοὺς ὑγιεῖς B (l²¹¹ κυλλοὺς ὑγιής) (syrʰᵐᵍ) // ἀκούοντας καὶ λαλοῦντας, κυλλοὺς ὑγιεῖς *Lect* // ἀκούοντας καὶ λαλαοῦντας κυλλοὺς ὑγιεῖς N Ο Σ // λαλαοῦντας א fⁱ 700 892 1010 lⁱ⁸⁴ itᵃᵘʳ,ᵇ,ᶜ,ᶠᶠ²,ᵍ¹,ᵏˡ vg syrᶜ,ˢ ethᵖᵖ geo Origen // ἀκούοντας itᵉ ethʳᵒ,ᵐˢ // *transpose*: λαλοῦντας περιπατοῦντας καὶ κωφοὺς λαλοῦντας τυφλοὺς βλέποντας καὶ κυλλοὺς ὑγιεῖς 1216 copˢᵃ, ᵐˢˢ // *transpose*: λαλόντας, χωλοὺς περιπατοῦντας, κυλλοὺς ὑγιεῖς τυφλοὺς βλέποντας arm // *transpose: the dumb speaking, the lame walking, the blind seeing, and the deaf hearing* copᵇᵒ (copˢᵃ, ᵐˢˢ *lame, maimed, dumb, blind*)</small>

Os manuscritos deste versículo refletem grande variedade de modificações, algumas acidentais e outras deliberadas. Embora se possa argumentar que as palavras κυλλοὺς ὑγιεῖς foram adicionadas a fim de fazer uma série de quatro itens corresponder ao número (embora não à sequência) no v. 30, é mais provável que tenham sido omitidas como supostamente supérfluas, pois dizem que os aleijados ficavam sãos e os coxos andavam. O duplo sentido de κωφός ("surdo" e "mudo") explica a variação entre a palavra λαλοῦντας, na maioria dos testemunhos, e ἀκούοντας em B e em alguns outros testemunhos (NO mesclam ambos os particípios). A forma da maioria dos lecionários gregos mostra a influência da narrativa paralela de Marcos 7.37 — (ἀλάλους λαλεῖν).

A forma adotada para o texto é apoiada por um largo espectro de confirmação, incluindo testemunhos ocidentais (D) e cesareanos (Θ f¹³); este último também insere καὶ.

"De modo que o povo se maravilhou..." — O povo aproximou-se, esperando ver os milagres notáveis que tinham ouvido ser feitos por Jesus; mas o espetáculo ultrapassou todas as suas expectativas.

"Então glorificaram ao Deus de Israel" — O título que davam a Deus era "Deus de Jacó", a fim de distingui-lo dos muitos deuses dos gentios. Alguns intérpretes acham que o uso dessa expressão, nesse ponto, indica que esses milagres tiveram lugar em território gentílico, e que Jesus ainda não saíra totalmente do território gentílico, em sua viagem de Sidom ao mar da Galileia. Provavelmente, porém, como outros interpretam, o autor só queria dar ênfase ao poder de Jesus, proveniente de Deus — do Deus de Israel —, e o que Jesus demonstrava por ser o Messias de Israel. Alguns sugerem, e isso também não é impossível, que aquela gente, habitando nas regiões montanhosas e mais obscuras de Israel, pouco sabia do caráter de Jesus como Messias, e talvez estivesse acostumada a comparar o Deus de Israel com outros deuses, dos povos gentílicos, com os quais aqueles habitantes tinham constante contacto. Já tinham visto muitas coisas realizadas em nome de diversos deuses, mediante a prática da magia. Já tinham ouvido muitas outras histórias sobre as maravilhas operadas pelos "deuses", incluindo o Deus de Israel. Naquele dia, porém, contemplaram o que nunca antes tinham visto. Aqueles milagres foram feitos em nome do Deus de Israel. Por isso é que glorificavam ao Deus de Israel.

VIII. REJEIÇÃO AO SEPARATISMO JUDAICO: UM MINISTÉRIO ENTRE GENTIOS (15.21-39)
3. Multiplicação de pães para os quatro mil (15.32-39)

O paralelo é Marcos 8.1-10, pelo que a fonte informativa é o *protomarcos*.

15.32 — O milagre da multiplicação dos pães para os quatro mil homens é um milagre à parte, baseado em uma fonte informativa diferente da multiplicação dos pães para os cinco mil. O milagre aqui descrito evidentemente teve lugar em território gentílico. O autor demonstra que o que Jesus fez pelos judeus também podia fazer em favor dos gentios. Assim é comprovada uma vez mais a universalidade da mensagem de Jesus. Ver nota em Mateus 14.1, onde se inicia a seção deste evangelho que tenciona descrever os primórdios da Igreja universal.

15.32: Jesus chamou os seus discípulos, e disse: Tenho compaixão da multidão, porque já faz três dias que eles estão comigo, e não têm o que comer; e não quero despedi-los em jejum, para que não desfaleçam no caminho.

15.32 Ὁ δὲ Ἰησοῦς προσκαλεσάμενος τοὺς μαθητὰς αὐτοῦ εἶπεν, Σπλαγχνίζομαι ἐπὶ τὸν ὄχλον, ὅτι ἤδη ἡμέραι τρεῖς προσμένουσίν μοι καὶ οὐκ ἔχουσιν τί φάγωσιν· καὶ ἀπολῦσαι αὐτοὺς νήστεις οὐ θέλω, μήποτε ἐκλυθῶσιν ἐν τῇ ὁδῷ.

32 ἡμέραι] -ρας ℵΘ f13 *pm* ς

32 Σπλαγχνίζομαι...ὄχλον Mt 9.36; 14.14; Mc 6.34

32-33 ἀπολῦσαι...ροσοῦτον Mt 14.15; Mc 6.36; Lc 9.12

A segunda multiplicação dos pães tem paralelo em Marcos 8.1-10. Foi um milagre semelhante ao da multiplicação dos pães para os cinco mil, o único prodígio registrado por todos os quatro evangelistas: Mateus 14.15-21; Marcos 6.30-44; Lucas 9.10-17 e João 6.1-14. Alguns intérpretes pensam que o registro de duas narrativas semelhantes representa *uma única história*, mas que, com a passagem dos anos, antes que as tradições fossem escritas, a ideia de mais de um milagre tenha entrado na tradição oral. O fato de haver diversos detalhes diferentes não mudaria essa ideia, porque, naturalmente, a invenção de outra história incluiria a mudança de alguns detalhes. A ideia que origina essa interpretação, porém, está escudada em certo *preconceito*, e não em um fato. Em primeiro lugar, seria impossível, a alguém afirmar, sem ter estado presente na ocasião, quantas vezes Jesus operou esse tipo de milagre. A ideia de que Jesus deve ter realizado apenas um milagre desse tipo baseia-se em um preconceito, que talvez considere que a ocorrência é por demais *prodigiosa* para ser repetida, ou então, que esse milagre realmente nunca aconteceu; ou também, nesse caso,

que os evangelistas Mateus e Marcos, desejando intensificar a aura milagrosa na vida de Jesus, quiseram adicionar outro incidente para enfatizar o notável poder dele. Qualquer um desses preconceitos poderia explicar a presença de outro milagre de multiplicação de pães, ou, talvez, poderia explicar até mesmo uma história dessa natureza. Libertados de preconceitos desse jaez, porém, temos de aceitar as narrativas históricas tais como foram registradas, porquanto é óbvio que os autores dos evangelhos de Mateus e Marcos quiseram apresentar outro milagre de multiplicação de pães, e não somente registrar o mesmo milagre por duas vezes. Pode-se perceber isso pelas diferenças nos seguintes detalhes: (1) No milagre da primeira multiplicação, havia *cinco* pães e dois peixes; neste, *sete* pães, sem nenhuma menção do número de peixes. (2) No primeiro milagre, havia *cinco* mil homens, além de mulheres e crianças; no segundo, *quatro* mil homens, além de mulheres e crianças. (3) No primeiro milagre, os apóstolos recolheram *doze* cestos de sobras; neste último, apenas *sete*. (4) No primeiro milagre, a palavra grega para indicar *cesto* é diferente da palavra usada nesta história, pois, no primeiro caso, o termo significa um cesto pequeno, feito de vime, que podia ser carregado em uma das mãos. Neste segundo milagre, entretanto, a palavra usada indica um cesto muito maior, do tipo que foi usado para descer Paulo pela muralha, como se vê em Atos 9.25: "Mas os seus discípulos tomaram-no de noite, e, colocando-o num cesto, desceram-no pela muralha". (5) Em Mateus 16.9,10, encontra-se o texto: "*Não compreendeis ainda, nem vos lembrais dos cinco pães para cinco mil homens, e de quantos cestos tomastes? Nem dos sete pães para os quatro mil, e de quantos cestos tomastes?*"

Sobre a questão da *historicidade* deste milagre e as objeções levantadas pelos céticos, ver as notas em Mateus 14.16-19, que se aplicam aqui também. Mateus 14.21 tem diversas outras discussões sobre a historicidade de milagres deste tipo, incluindo várias objeções feitas pelos céticos em relação à narrativa.

Wordsworth (in loc.) apresenta o seguinte argumento *em prol* da historicidade deste milagre da segunda multiplicação dos pães: "Diz-se que os apóstolos não podiam usar tal linguagem (como esta do v. 22: "Onde haverá neste deserto tantos pães para fartar tão grande multidão?") conforme a usam aqui, depois de terem visto e participado do milagre anterior (da multiplicação dos pães para os cinco mil homens). A resposta a esta objeção já fora dada, por antecipação, no AT. Ver Salmos 78.11; 20.32; 106.21, passagens que registram a incredulidade e a insensibilidade dos israelitas no deserto, depois das poderosas obras de Deus, libertando-os do Egito e fornecendo-lhes água e comida, e do que haviam sido testemunhas e participantes. Deus lhes deu água no deserto, miraculosamente, por duas vezes, e por duas vezes alimentou o povo no deserto, miraculosamente, com o maná e com as codornizes. E o paralelo ainda vai além disso, isto é, em cada caso é demonstrada não só a bondade de Deus, mas também a dureza do coração humano. Até mesmo depois do maná ter sido dado, o próprio Moisés duvidou da possibilidade do fornecimento da carne (ver Nm 11.21-23). Os apóstolos, no deserto da Galileia, também eram filhos de Israel, tais como seus antepassados no deserto da Arábia. Ainda depois da segunda multiplicação miraculosa de pães, à qual nosso Senhor alude (ver Mt 16.7-10), continuavam homens de "pouca fé", por cuja deficiência foram repreendidos por ele...

Devemos observar, igualmente, que, no segundo milagre de multiplicação, o número de pessoas servidas foi menor do que no primeiro caso; e essa é outra evidência da veracidade da história. Se o segundo milagre fosse apenas uma tradição inexata acerca do primeiro milagre, a tendência teria sido *aumentar* o número dos beneficiados, e não diminuí-los.

15.33: Disseram-lhe os discípulos: Donde nos viriam num deserto tantos pães, para fartar tamanha multidão?

15.33 καὶ λέγουσιν αὐτῷ οἱ μαθηταί, Πόθεν ἡμῖν ἐν ἐρημίᾳ ἄρτοι τοσοῦτοι ὥστε χορτάσαι ὄχλον τοσοῦτον;

33 Mc 6.37; Jo 6.5

474 |Mateus| NTI

15.34: Perguntou-lhes Jesus: Quantos pães tendes? E responderam: Sete, e alguns peixinhos.

15.34 καὶ λέγει αὐτοῖς ὁ Ἰησοῦς, Πόσους ἄρτους ἔχετε; οἱ δὲ εἶπαν, Ἑπτά, καὶ ὀλίγα ἰχθύδια.

"Onde haverá neste deserto..." — O v. 32 mostra que a multidão estivera com Jesus por três dias, e que era bem possível que, de modo geral, estivessem levando consigo o suficiente para se alimentarem durante algum tempo, mas dificilmente eles se teriam munido para três dias. Assim, no final, já não tinham o que comer, sendo possível que alguns tivessem jejuado durante os três dias. O texto de Marcos 8.3 mostra que algumas pessoas estavam longe de sua casa, segundo disse Jesus: "Se eu os despedir para suas casas em jejum, desfalecerão pelo caminho; e alguns deles vieram de longe".

A justificativa, segundo qualquer *padrão humano*, era razoável. Os discípulos tinham certeza de que nada de útil poderia ser feito para alimentar aquela multidão, em pleno deserto. É interessante que Jesus tenha usado com sucesso aquilo mesmo que os discípulos julgaram ser insignificante. Esse fato sugere diversas lições espirituais, especialmente quando aplicado à mordomia. Deus pode usar aquilo que para o homem parece insignificante, multiplicando-o até tornar-se útil em suas mãos. Outra lição que aprendemos aqui é que precisamos usar aquilo que está ao nosso alcance, entregando tudo nas mãos de Deus. Devemos ter fé em Deus para que sejam multiplicadas as nossas posses, pois, do contrário, elas jamais serão aumentadas tal como o pão teria ficado insuficiente nas mãos dos discípulos, impossibilitando a alimentação de tão grande número de pessoas. Finalmente, notamos que a multiplicação dos pães ajudou a outros, e que é assim que Deus usa as nossas posses, os nossos talentos e a nossa vida. Assim como Deus usou o pão material para alimentar a multidão, também usa nossa vida para alimentar espiritualmente nossos semelhantes.

15.35: E tendo ele ordenado ao povo que se sentasse no chão,

15.35 καὶ παραγγείλας τῷ ὄχλῳ ἀναπεσεῖν ἐπὶ τὴν γῆν

15.36: tomou os pães e os peixes, e havendo dado graças, partiu-os, e os entregava aos discípulos, e os discípulos à multidão.

15.36 ἔλάεν τοὺς ἑπτὰ ἄρτους καὶ τοὺς ἰχθύας καὶ εὐχαριστήσας ἔκλασεν καὶ ἐδίδου τοῖς μαθηταῖς[8], οἱ δὲ μαθηταὶ τοῖς ὄχλοις.

[8] 36 {B} μαθηταῖς ℵ B D Θ *f*¹ *f*¹³ 33 700 892ᵗˣᵗ 1241 *l*⁵⁴⁷ itᶜ,ᵈ,ff¹ syrᵖᵃˡ copˢᵃ,ᵐˢ,ᵇᵒ arm geo Chrysostom // μαθηταῖς αὐτοῦ (*ver* Mc 8.6) C K L P W X Δ Π 565 892ᵐᵍ 1009 1010 1071 1079 1195 1216 1230 1242 1253 1344 1365 1546 1646 2148 2174 *Byz Lect* itᵃ,ᵃᵘʳ,ᵇ,ᵉ,ff²,ᵍ¹,ˡ,q vg syrˢ,ᶜ,ᵖ,ʰ copˢᵃ,ᵇᵒ,ᵐˢ eth Diatessaron

> A adição de αὐτοῦ, em boa variedade de testemunhos, parece ter sido influenciada pela narrativa paralela de Marcos 8.6.

"Tendo mandado o povo assentar-se no chão" — Provavelmente, Jesus agiu do mesmo modo que fizera no caso da primeira multiplicação: "[...] repartindo-se em grupos de cem em cem, e de cinquenta em cinquenta" (Mc 6.40). Dessa forma, teria sido fácil computar o total de pessoas. O v. 38 indica que os homens ficaram separados das mulheres, as quais também formaram grupos. Os cálculos feitos pelos judeus geralmente não incluíam mulheres e crianças.

15.37: Assim todos comeram, e se fartaram; e do que sobejou dos pedaços levantaram sete alcofas cheias.

15.37 καὶ ἔφαγον πάντες καὶ ἐχορτάσθησαν, καὶ τὸ περισσεῦον τῶν κλασμάτων ἦραν, ἑπτὰ σπυρίδας πλήρεις.

"Recolheram sete cestos cheios" — Os cestos aqui em vista, conforme já se explicou, eram grandes, de dimensões suficientes para fazer descer um homem por um muro, como se deu com Paulo, em Atos 9.25. O outro tipo de cesto (e todos os quatro evangelistas usam a mesma palavra no registro do milagre para os cinco mil homens) era comparativamente pequeno, e podia ser carregado em uma das mãos. Não é provável que os apóstolos tivessem levado tão grandes cestos, e estes certamente foram levados por alguns, dentre a multidão, que haviam pensado em demorar-se algum tempo a ouvir a Jesus, conforme já devia ter ocorrido antes, nas ocasiões em que Jesus se dirigia às multidões. Imagine o leitor um sermão que se prolongou por três dias!

Diversas associações históricas e citações feitas por escritores da antiguidade relacionam os judeus a cestos. Ver nota detalhada sobre esse interessante fato em Mateus 14.20. Os pais da Igreja gostavam de fazer interpretações alegóricas acerca dessas questões. A nota, em Mateus 14.20, dá ideia da natureza dessas interpretações alegóricas.

15.38: Ora, os que tinham comido eram quatro mil homens, além de mulheres e crianças.

15.38 οἱ δὲ ἐσθίοντες ἦσαν τετρακισχίλιοι ἄνδρες χωρὶς γυναικῶν καὶ παιδίων[9].

38 τετρακ.] *praem* ως BΘ f*13 l al: praem* ℵ ωσει *al*

38 Mt 14.21; Mc 6.44

[9] 38 {D} γυναικῶν καὶ παιδίων B C K L P W X Δ Π *f*³ 33 565 700 892 1009 1010 1071 1079 1195 1216 1230 1241 1242 1253 1344 1365 1546 1646 2148 2174 *Byz Lect* itᶠ syrᶜ,ʰ,ᵖᵃˡ arm ethᵖᵖ,ᵐˢ Chrysostom // παιδίων καὶ γυναικῶν ℵ D Θ *f*¹ itᵃ,ᵃᵘʳ,ᵇ,ᵉ,ᵈ,ff¹,²,ᵍ¹,ˡ,q vg syrˢ copˢᵃ,ᵇᵒ ethʳᵒ geo

> As considerações que envolvem as evidências externas e as probabilidades internas estão bem equilibradas, de forma que é muito difícil escolher entre essas duas formas. Por outro lado, a forma γυναικῶν καὶ παιδίων é muito mais limitada, sendo de caráter predominantemente ocidental (conforme também se dá em Mt 14.21, onde D (Θ 1) 1582, Latim Antigo syrˢ copˢᵃ·ᵇᵒ geo dizem παιδίων καὶ γυναικῶν).
>
> Defrontada com considerações tão equilibradas, a maioria da comissão, embora simpatizando mais com γυναικῶν καὶ παιδίων, — julgou ser cauteloso adotar a forma γυναικῶν καὶ παιδίων.

"Quatro mil homens..." — Segundo já se explicou, provavelmente as pessoas se assentaram em grupos de cem e de cinquenta, tal como no primeiro milagre de multiplicação de pães, facilitando a contagem de seu número. Nesse cômputo, os judeus geralmente não incluíam as mulheres e as crianças, mas é provável que houvesse grande número delas.

Devemos também observar que, apesar do milagre receber a ênfase maior da narrativa, a intenção real de Jesus era a de *instruir* o povo, até mesmo no momento da realização do prodígio. O alimento espiritual é mais importante que o físico, tal como o desenvolvimento espiritual é mais importante do que os milagres físicos. É útil sabermos que Jesus ficou ensinando até o terceiro dia, porquanto isso é uma particularidade que se perdeu no ensino das igrejas, o que tem causado muitos males, sendo um dos principais fatores das lutas e cisões que há no seio das igrejas. Um povo espiritualmente faminto é um povo irritado. Se os membros das igrejas fossem mais bem nutridos espiritualmente, certamente seriam menos propensos a conflitos e divisões. O evangelismo é importante, mas, quando absorve a função total de uma congregação, dentro e fora dela, essa assembleia não pode prosseguir espiritualmente vigorosa por muito tempo. Devemos pensar em métodos e meios de expandir e melhorar o ministério de ensino nas igrejas, tanto nos templos como nos lares, e isso deve ser feito com diligência idêntica à que certas denominações empregam para melhorar o seu esforço evangelístico. Por sua vez, os ministros deveriam preocupar-se mais com o preparo intelectual

NTI | Mateus | 475

e espiritual. Que refrigério seria para a alma ver generalizado o ensino das epístolas paulinas, ao invés das mensagens por tópicos, preparadas apressadamente, mas que jamais fazem mais do que moralizar certos pontos! Todavia, o verdadeiro preparo espiritual e intelectual importa em esforço sério e árduo, e, infelizmente, grande número de pregadores se deixa dominar pela preguiça. Quanto às notas sobre o ministério de Cristo, ver Lucas 1.4.

O leitor deve informar-se, nas notas mais completas que há em Mateus 14.15-21, sobre as implicações inerentes a esse tipo de milagre, pois nessa passagem temos o prodígio da multiplicação dos pães para os cinco mil. Ver também as notas acerca dos milagres operados sobre a natureza, em Mateus 14.25; acerca das razões dos milagres de Jesus, em Mateus 8.27, que é a nota que também aborda os meios empregados para a realização dos milagres feitos por Jesus. Quanto às curas, ver notas em Marcos 1.29; Mateus 3.13; 4.23; 8.3,13,15,16; Marcos 3.1-5 e 6.30.

15.39: E havendo Jesus despedido a multidão, entrou no barco, e foi para os confins de Magadã.

15.39 Καὶ ἀπολύσας τοὺς ὄχλους ἐνέβη εἰς τὸ πλοῖον, καὶ ἦλθεν εἰς τὰ ὅρια Μαγαδάν[10].

> [10] 39 {C} Μαγαδάν ℵ* B D it^d (syr^c Magadon, syr^{pal} Magadin, syr^p Magdu) // Μαγεδάν ℵ^c it$^{aur,c,f,ff^1,g^1}$ (it$^{a,ff^2}$ Magedam) vg syr^s cop^{sa} eth^{ms} Eusebius Jerome Augustine // Magedan or Magedam it^{b,c,l} // Μαγεδάλ eth^{pp} // Μαγδαλάν C W 33 565 1079 1195 1546 l^{5,292} it^q cop^{bo} // Μαγδαλά K L X Δ^{gr} Θ Π f f^{13} 700 892 1009 1010 1071 1216 1230 1241 1242 1253 1344 1365 1646 2174 Byz Lect syr^h arm eth^{ro} geo Chrysostom

Há variantes do nome "Magadã". "Magdala" aparece nos mss EFGHKLSUVX, Gamma, Delta e nas traduções AC e KJ. "Magdala" aparece em CM e Fam Pi, mas em nenhuma tradução. "Magadã" aparece em Aleph, B, D, na maioria das versões latinas, siríacas e em todas as traduções, exceto KJ e AC. Esse é o texto original, encontrado nos mss mais antigos. "Magdala" (lugar conhecido) foi substituição feita por escribas, no lugar de "Magadã", local que, ao que parece, era totalmente desconhecido.

Marcos indica que o lugar era aquele para onde Jesus e seus discípulos viajaram, chamado "Dalmanuta", talvez o moderno Ainel Barideh (fonte fria), que distava menos de dois quilômetros de Magadã. "Magadã", por pequena alteração da palavra hebraica, significa "torre".[1]

1. Hebraico מִגְדָּל ; aramaico מִגְדְּלָא ; árabe مجدل.

"Magadã". Era a terra de Maria Madalena, ou Maria de Magadã. Os arqueólogos a têm identificado tentativamente com Aejdel, a cinco quilômetros a noroeste de Tiberíades, mencionada por Plínio, onde se estocava o peixe que era enviado para muitas regiões do mundo greco-romano (ver nota em Jo 6.1). Após a sua ressurreição, Jesus apareceu em primeiro lugar a Maria Madalena, assim chamada para ser distinguida das outras cinco Marias mencionadas no NT (Maria, esposa de Cléopas; Maria, mãe de Jesus; Maria de Betânia; Maria, mãe de Marcos; e Maria de Roma, em Rm 16.6). Ver notas sobre as Marias do NT, em João 11.1.

O fato de Jesus ter viajado através de um lugar desconhecido, provavelmente indica o interesse que ele tinha em ficar distante dos lugares onde certamente encontraria oposição por parte dos líderes do povo, a fim de que se acalmasse o ambiente de hostilidade e controvérsia.

Capítulo 16

VIII. REJEIÇÃO AO SEPARATISMO JUDAICO: UM MINISTÉRIO ENTRE GENTIOS (15.21-39)
4. Rejeição dos fariseus e saduceus (16.1-12)

16.1 — Os v. 1 e 4 foram tomados por empréstimo de Marcos 8.11-13. O v. 4 também contém uma declaração baseada na fonte "Q", e que também se encontra em Mateus 12.29 e Lucas 11.29. Portanto, as fontes são o protomarcos e "Q". Ver informações sobre as fontes informativas dos Evangelhos na introdução a este comentário, no artigo intitulado "O problema sinóptico", bem como na introdução ao evangelho de Marcos. Os v. 2 e 3 não são autênticos neste evangelho, embora talvez representem uma declaração autêntica, mas não-canônica, do Senhor Jesus. (Ver notas sobre esses versículos.) Alguns acreditam que os v. 2 e 3 são uma modificação de Lucas 12.54-56. Jesus rejeita os fariseus e os saduceus. Sua independência amplia-se, e a cisão entre o velho e o novo torna-se ainda mais evidente. Esses acontecimentos eram necessários para que tivesse começo a Igreja que é universal em seu caráter. Ver a nota em 14.1, onde esta seção sobre os primórdios da Igreja Universal tem início.

16.1: Então chegaram a ele os fariseus e os saduceus e, para o experimentarem, pediram-lhe que lhes mostrasse algum sinal do céu.

16.1 Καὶ προσελθόντες οἱ Φαρισαῖοι καὶ Σαδδουκαῖοι πειράζοντες ἐπηρώτησαν αὐτὸν σημεῖον ἐκ τοῦ οὐρανοῦ ἐπιδεῖξαι αὐτοῖς.

> 16.1 οι Φαρ.] Φαρ. l 33 565 pc
>
> 1 Καὶ...πειράζοντες Mt 19.3 ἐπηρώτησαν...αὐτοῖς Mt 12.38; Lc 11.16; Jo 6.30; 1Co 1.22

"Fariseus e saduceus..." — O texto paralelo, em Marcos 8.11-13, é bem semelhante ao texto de Mateus 12.38, que registra o fato de os escribas e fariseus pedirem um sinal a Jesus. Aqui encontramos os "saduceus" entre os que requeriam esse sinal. Não há razão em negar a possibilidade de este acontecimento se ter verificado por mais de uma vez, pois é patente que as autoridades religiosas dos judeus frequentemente procuravam lançar no descrédito as obras milagrosas de Jesus. Na literatura judaica, aprende-se que alguns judeus pensavam que os demônios eram capazes de realizar diversos tipos de milagres, mas não que incluíssem sinais do céu. Pensavam também que os deuses falsos dos pagãos podiam produzir certos sinais na terra, como, por exemplo, os feiticeiros de Faraó, no Egito, os quais entraram em luta contra Moisés. Entre os "sinais do céu" poderíamos incluir o maná, milagre feito por Moisés ou a pedido dele; a parada do sol, por Josué, em Josué 10.12; o trovão e a chuva, por Samuel, em 1Samuel 12.17 (ver também Jeremias 14.22); o fogo dos céus, como ocorreu nos dias de Elias, em 2Reis 1.3-16. Em João 6.30, vê-se a mesma petição feita pelos judeus, quando Jesus retrucou com a declaração de que ele mesmo era o pão dos céus, indicando que o maior sinal de todos já fora dado, mas que, infelizmente, esse vinha sendo rejeitado. É possível que Jesus tivesse enfrentado essa petição de diversas maneiras; porém sempre lançava mão do "sinal de Jonas". O uso desse sinal também estava sujeito a variações. A passagem de Mateus 12.38-40 demonstra que Jesus aludiu à "ressurreição" mediante o símbolo de Jonas "no ventre do grande peixe". Este texto, porém, também implica em que a pregação de Jonas serviu de sinal, porquanto, por intermédio de sua pregação, a cidade pagã de Nínive se arrependeu; e Jonas não operou milagre nenhum, tendo ficado ali somente por alguns dias. Em contraste com isso, Jesus operou inúmeros milagres, cumpriu as profecias do AT sobre a primeira vinda do Messias, e demonstrou claramente a sua missão messiânica, tendo pregado não só por alguns dias, mas por alguns anos; mas, a despeito de tudo isso, a sua mensagem e a sua pessoa foram rejeitadas pelos judeus, e não pelos pagãos. Por isso é que Jesus asseverou: "Ninivitas se levantarão no juízo, porque se arrependeram com a pregação de Jonas. E eis aqui está quem é maior do que Jonas". O sinal outorgado, portanto, foi o da pregação de Jonas, que atingiu seus objetivos quando os ninivitas se arrependeram, arrependimento esse que servia de condenação à atitude obstinada do povo de Israel. Assim, no julgamento, os ninivitas condenarão aos israelitas por terem estes rejeitado ao Messias. Ver notas mais completas em Mateus 12.38-41.

476 |Mateus| NTI

Os líderes judaicos estavam *estupefatos* ante o número e a amplitude dos milagres operados por Jesus. O relato de Mateus também menciona a presença dos saduceus. É óbvio que achavam que o grande Jesus, apesar de poder realizar tão notáveis milagres de cura, não seria capaz de exibir algum sinal celeste prodigioso, como um trovão, a parada do sol em seu curso, ou a queda de uma estrela; assim, ficariam certos de que ele não era tão poderoso como os rumores davam a entender. E essas autoridades também acreditavam que os milagres que já tinham sido operados por Jesus teriam alguma explicação natural. O próprio Jesus, porém, estava exasperado ante a incrível dureza e cegueira daqueles supostos líderes religiosos; por isso, ignorou tanto a eles como ao seu desafio, e, conforme vemos no evangelho de Mateus, só lhes apresentou o sinal de Jonas, uma indicação de sua morte e ressurreição, que seria o maior de todos os sinais para aquela geração e para todas as gerações seguintes. Não obstante, rejeitaram também esse sinal.

16.2: Mas ele respondeu, e disse-lhes: Ao cair da tarde, dizeis: Haverá bom tempo, porque o céu está rubro.

16.2 ὁ δὲ ἀποκριθεὶς εἶπεν αὐτοῖς, [Ὀψίας γενομένης λέγετε, Εὐδία, πυρράζει γὰρ ὁ οὐρανός·

> *a* 2b-3 *a* statement: WT RV ASV RSV Jer Seg // *a* question: TR Bov Nes BF² AV NEB^{ms} TT Zür Luth // omit passage: NEB TT^{mg}

16.3: E pela manhã: Hoje haverá tempestade, porque o céu está de um vermelho sombrio. Ora, sabeis discernir o aspecto do céu, e não podeis discernir os sinais dos tempos?

16.3 καὶ πρωΐ, Σήμερον χειμών, πυρράζει γὰρ στυγνάζων ὁ οὐρανός. τὸ μὲν πρόσωπον τοῦ οὐρανοῦ γινώσκετε διακρίνειν, τὰ δὲ σημεῖα τῶν καιρῶν οὐ δύνασθε.ᵃ][1]

> 2-3 {C} ὀψίας γενομένης...οὐ δύνασθε C D K L W Δ Θ Π ƒ¹ 33 565 700 892 1009 1010 1071 1079 1195 1230 1242 1242 1253 1344 1365 1546 1646 2148 2174 *Byz Lect* l^{50m} (l^{185,211,333,950} δύνασθε γνῶναι) it^{a,aur,b,c,d,e,f,ff²,q,l,q} vg syr^{p,h} cop^{bo, mss} eth geo Diatessaron Theophilus Apostolic Canons Juvencus Eusebius Hilary Chrysostom Euthalius // *include* ὀψίας...οὐρανός *with obeli* l^{184} // *omit* ℵ B X ƒ¹³ 1216 syr^{c,s} cop^{sa,bo, mss} arm Origen mss^{acc.to Jerome}

> A evidência externa em favor da ausência dessas palavras é impressionante, incluindo ℵ B ƒ¹³ 157 *al* syr^{c,s} cop^{sa,bo,mss} arm Orígenes e, segundo dizia Jerônimo, quase todos os manuscritos que ele conhecia (embora ele tenha incluído a passagem na Vulgata). A questão é como se deveria interpretar essa evidência. A maioria dos eruditos considera a passagem como uma inserção posterior, com base na fonte similar de Lucas 12.54-56, ou com base na própria passagem lucana, com um ajustamento concernente aos sinais particulares das intempéries. Por outro lado, pode-se argumentar (como fizeram Scrivener e Lagrange) que as palavras foram omitidas por copistas de climas (e.g., Egito) onde o céu vermelho pela manhã não prenuncia chuva.
>
> Em face do equilíbrio dessas considerações, julgou-se melhor reter a passagem entre colchetes.

Esta declaração pode ser enfileirada com os adágios de Jesus, mas é evidente que não faz parte do *evangelho original* de Mateus, como se vê pelos mss mais antigos. Trata-se de ditado muito antigo, parte do qual aparece na pedra de Roseta (200 a.C.). Alguns creem que Papias, discípulo do apóstolo João (100 a.C.), deve tê-lo acrescentado ao evangelho de Mateus, mas não há provas disso. Os versículos aparecem nos mss CDFGHRSUX, Fam Pi e nas traduções KJ, BR (assinaladas como duvidosas), RSV, PH, WY, ASV, AC, AA, F, M e IB. A começar pela palavra "chegada", omitem esses versículos os mss Aleph, B, Gama e Si(sc). O ms E marca esses versículos como duvidosos, enquanto o ms F omite uma porção do adágio. A

evidência textual e seu conteúdo favorecem a omissão desses versículos no evangelho original de Mateus, pois não vemos razão por que alguns mss não conteriam a declaração, se ela realmente fizesse parte do texto original. Entretanto, pode-se imaginar que o adágio foi adicionado ao texto por algum escriba que quis ampliar o significado do mesmo, ou porque quis ilustrar o texto. Essas palavras não se encontram no paralelo de Marcos 8.11,12, o que também indica que essa declaração não fazia parte do texto (ou da história) original. Talvez seja um tipo de paráfrase adicionada posteriormente, por algum escriba, à base de Lucas 12.54-56, ou à base de alguma declaração já conhecida e semelhante, conforme a literatura judaica mostra que já havia desde antes dos tempos de Jesus. É possível também que o adágio cite palavras autênticas de Jesus, não contidas no original de Mateus, mas inseridas, desde tempos remotos, nesse lugar onde aparecem, por aqueles que estavam familiarizados com elas. O fato de o primeiro pai da Igreja a citar essas palavras foi Eusébio (meados do século IV d.C.) pesa contra essa possibilidade, entretanto. A partir de Políbio e Plínio, as citações demonstram, contudo, *a antiguidade* dessa declaração.

"Sabeis, na verdade, discernir..." — As autoridades religiosas dos judeus tinham conhecimento suficiente sobre os fenômenos físicos para predizer, com certa probabilidade, quais seriam as condições atmosféricas. Quando o céu ficava *vermelho sombrio* ou "triste coelum" (céu triste), que é o sentido literal do grego, reconheciam que se avizinhava um temporal. Quando, contudo, ouviram as profecias de João Batista e de Jesus acerca da destruição de Jerusalém, acerca do julgamento de Israel e acerca da vinda do juiz, que é o Messias, não tiveram capacidade espiritual para interpretar esses sinais. Sabiam reconhecer alguns fenômenos do firmamento físico, como as nuvens e o aspecto geral do céu, mas, no que dizia respeito aos "céus" mais elevados, ao "reino dos céus", ao "precursor do reino dos céus" e ao próprio "Messias do reino dos céus", eram totalmente ignorantes. Só podiam reconhecer os sinais físicos. Apesar de serem autoridades religiosas reconhecidas pelo povo, não eram capazes de reconhecer nenhum sinal espiritual. O "triste coelum" físico não era problema para eles, quando apresentava sinal de tempestade. Todavia, o "triste coelum" espiritual, sobre as condições espirituais da nação de Israel, passou-lhes despercebido.

Há *diversas* interpretações sobre os "sinais dos tempos": (1) Milagres de Jesus, como demonstração da presença do Messias. (2) Esperança messiânica do povo, mas já associada a Jesus. (3) Pregação de João Batista e de Jesus. (4) Profecias de João Batista e de Jesus. (5) Vidas de João Batista e de Jesus, que cumpriram profecias do AT. Todas essas coisas faziam parte dos sinais dos céus. Naturalmente que Jesus incluiu o tempo da tribulação de Israel, resultante de sua rejeição ao Messias e seu reino. Lightfoot demonstra que os judeus dos dias de Jesus davam extraordinário valor à observação dos fenômenos físicos celestiais, como previsão de tempo. Faltou-lhes, no entanto, a capacidade espiritual de concentrar esse esforço nas coisas espirituais; e foi justamente por isso que o "triste coelum" chegou até eles sem que o percebessem. Por meio desta citação podemos observar que as autoridades não esperavam que a chegada do Messias fosse fácil de ser reconhecida: "O segredo do dia da morte, dizem eles, e o segredo do dia da chegada do Messias, quem, por sua sabedoria, pode descobrir?" (Targum in Ecl. VII.24).

Frederick William Robertson, escrevendo acerca do povo francês, às vésperas da revolução francesa, ilustra a ignorância em que um povo pode estar, ante os grandes e significativos momentos históricos. (*Life and Letters of Frederick W. Robertson*, ed. Stopford A. Brook, Londres; Kegan Paul, Trench & C., 1883, II, 143-144).

"Eles (os antigos judeus) conheciam bem os sinais atmosféricos, mas não puderam decifrar os 'sinais dos tempos' [...] As damas parisienses também ficaram perplexas quando, após terem gastado fortunas colossais em seus penteados e fitas, um dia descobriram que seus penteados seriam desfeitos pelo tesouro nacional, na guilhotina".

16.4: Uma geração má e adúltera pede um sinal, e nenhum sinal lhe será dado, senão o de Jonas. E, deixando-os, retirou-se.

16.4 Γενεὰ πονηρὰ καὶ μοιχαλὶς σημεῖον ἐπιζητεῖ, καὶ σημεῖον οὐ δοθήσεται αὐτῇ εἰ μὴ τὸ σημεῖον Ἰωνᾶ. καὶ καταλιπὼν αὐτοὺς ἀπῆλθεν.

4 και μοιχαλὶς] *om p*) D *it* | επιζητεῖ] *p*) ζητει DΘ: αιτει Bᵇ
4 Γενεὰ...Ἰωνᾶ Mt 12.39; Lc 11.29

"Geração má e adúltera" — Assim chamada por ter partido os laços que a vinculavam a Jeová, laços esses que simbolizavam entre os judeus as suas relações com Deus. (Ver Sl 73.27; Is 57.3.) Ver nota mais detalhada sobre as implicações desse adágio, em Mateus 12.39, onde encontramos as mesmas palavras.

"Sinal [...] de Jonas" — Ver as notas sobre o sentido desse sinal, em Mateus 16.1 e 12.39-41. Jesus referiu-se à própria ressurreição como o maior sinal que poderia ser dado àquela geração, bem como a qualquer outra. Falou da pregação de Jonas (que ameaçava o julgamento se não houvesse arrependimento da parte de seus ouvintes) como um símbolo de sua pregação. Essas coisas constituíam o sinal do profeta Jonas.

Crisóstomo disse (in loc): "Ele enrolará os céus como um rolo, eclipsará o sol, e a glória de sua presença será como o relâmpago. Mas o tempo desses sinais não é chegado".

16.5: Quando os discípulos passaram para o outro lado, esqueceram-se de levar pão.

16.5 Καὶ ἐλθόντες οἱ μαθηταὶ² εἰς τὸ πέραν ἐπελάθοντο ἄρτους λαβεῖν.

² 5 {A} οἱ μαθηταὶ ℵ B C Θ (D 700 *place after* ἐπελάθοντο) *f*¹³ 892 *l*⁸⁴ (it^{d,e}) cop^{sa ms} arm Hilary // οἱ μαθηταὶ αὐτοῦ K L W X Π *f*¹ 33 565 1009 1010 1071 1079 1195 1216 1230 1241 1242 1253 1344 1365 1546 1646 2148 2174 *Byz Lect* it^{(a)aur,(b,c),f,(ff².g),l,q} vg syr^{(c,s),p,h} cop^{sa,bo} eth geo Diatessaron (Origen) Hilary // omit Δ

A inserção de αὐτοῦ é uma adição natural, feita independentemente por copistas, em diversas formas posteriores do texto.

16.6: E Jesus lhes disse: Olhai, e acautelai-vos do fermento dos fariseus e dos saduceus.

16.6 ὁ δὲ Ἰησοῦς εἶπεν αὐτοῖς, Ὁρᾶτε καὶ προσέχετε ἀπὸ τῆς ζύμης τῶν Φαρισαίων καὶ Σαδδουκαίων.

Ὁρᾶτε...Φαρισαίων Lc 12.1

Os v. 5-12 apresentam um incidente que ilustra a *dificuldade* dos discípulos em aprender as verdades espirituais. Jesus lhes fez cinco perguntas, e eles se mostraram lerdos em respondê-las (v. 8-11). No paralelo de Marcos 8.14-21, as perguntas tomam forma um tanto diferente, e são em número de seis. Lembremo-nos de que os discípulos tiveram o privilégio de ser testemunhas oculares dos milagres. E isso mostra o embotamento intelectual, a dureza de coração, a surdez e a cegueira em que estavam. Essa passagem constitui uma reprimenda severa contra aqueles que tiveram tão grandes vantagens, mas que só se preocupavam com meras exterioridades.

"Outro lado" — Provavelmente Betsaida, segundo se vê em Marcos 8.22. Betsaida ficava nas praias do norte do mar da Galileia, perto do rio Jordão. Betsaida é palavra aramaica que significa "casa de pesca". O tetrarca Filipe a reedificou, dando-lhe o nome de *Júlias*, em honra a Júlia, filha de Augusto. Jerônimo e Plínio dizem que estava situada à margem oriental do rio Jordão. No entanto, esta narrativa bíblica diz que os discípulos foram enviados do lado oriental do Jordão (próximo a Cafarnaum) para Betsaida. Por essa

razão, tem-se pensado em uma segunda Betsaida. Cafarnaum não ficava longe. Betsaida era a cidade de Filipe, André e Pedro.

"Vede, e acautelai-vos..." — Marcos 8.15 declara: "Vede, guardai-vos do fermento dos fariseus e do fermento de Herodes". Jesus aliou Herodes aos fariseus, talvez por causa de seu recente crime de assassinar João Batista. O texto de Mateus 16.12 interpreta "fermento" como *ensino* dos fariseus e saduceus, ou seja, sua corrupção religiosa que penetrou em seus ensinos, em sua vida e em toda a nação de Israel. Um dos principais elementos influenciadores desse ensino era a hipocrisia; o desejo e a atitude daqueles homens em apresentarem-se como algo que realmente não eram. É possível que Jesus estivesse se referindo aos herodianos, em cujo caso o sentido de fermento seria exatamente o mesmo: corrupção religiosa. Parece mais provável, entretanto, que, neste caso, seja mais lato o uso do símbolo do fermento, indicando o poder penetrante do mal, que chega às profundezas do coração e macula toda a personalidade do indivíduo. Os fariseus, os saduceus e Herodes tinham isso em comum, apesar da diversidade de suas crenças religiosas e apesar da diferença do nível em que viviam na sociedade ou em seus atos perversos. Através das Escrituras, o fermento é usado como símbolo de maldade penetrante, com algumas exceções, como o uso que Jesus fez do fermento, em Mateus 13.33, e certamente também como o símbolo que se acha em Levítico 7.13. O uso do fermento era proibido durante a *Páscoa* (Êx 23.18; 34.25) a fim de relembrar, ao povo de Israel, a sua saída do Egito, tempo em que nem tiveram folga para preparar pão fermentado. A fermentação inclui desintegração e corrupção, e, para a mentalidade judaica, qualquer coisa que indicasse deterioração também sugeria imundícia. Neste texto, Jesus usa o fermento como símbolo de corrupção do estado interior, da hipocrisia (Lc 12.1), aquele elemento do caráter que corrompe a personalidade inteira. A interpretação dada ao v. 16 deste capítulo, como sendo o "fermento da doutrina" dos fariseus e saduceus, indica que o principal elemento desse ensino era a influência que corrompia tanto o próprio ensino como aqueles que o acolhiam. Quando Jesus usou a ilustração do fermento, em Lucas 12.2,3, declarou que o caráter hipócrita dos homens não pode ficar escondido para sempre, porquanto, afinal, será totalmente revelado. Ver notas detalhadas sobre os "escribas", em Marcos 3.22; sobre os "herodianos", em Marcos 3.6; sobre os "saduceus", em Mateus 22.23; sobre os "fariseus", em Marcos 3.6; sobre o "sinédrio", em Mateus 22.23; sobre os "essênios", em Lucas 1.80 e Mateus 3.1; e sobre Herodes, em Lucas 9.7.

16.7: Pelo que eles arrazoavam entre si, dizendo: É porque não trouxemos pão.

16.7 οἱ δὲ διελογίζοντο ἐν ἑαυτοῖς λέγοντες ὅτι^b Ἄρτους οὐκ ἐλάβομεν.

7 οι δε{ τοτε D it | (οτι Αρτους] Οτι αρτ.)

^b 7 b direct: TR? WT Bov Nes? BF² RV ASV RSV TT Luth? Jer? Seg // b causal: TR? Nes? AV RV^{mg} ASV^{mg} NEB Zür Luth? Jer? Seg^{mg}

16.8: E Jesus, percebendo isso, disse: Por que arrazoais entre vós por não terdes pão, homens de pouca fé?

16.8 γνοὺς δὲ ὁ Ἰησοῦς εἶπεν, Τί διαλογίζεσθε ἐν ἑαυτοῖς, ὀλιγόπιστοι, ὅτι ἄρτους οὐκ ἔχετε³;

³ 8 {C} ἔχετε (*ver* Mc 8.17) ℵ B D Θ *f*¹³ 700 892 1241 it^{a,aur,b,c,d,e,ff².g¹,l,q} vg cop^{bo} arm geo² Diatessaron^{a,i} Lucifer // ἐλάβετε C K L W X Δ Π *f*¹ 33 565 1009 1010 1071 1079 1195 1216 1230 1242 1253 1344 1546 1646 2148 2174 *Byz Lect* it^f syr^{c,s,p,h} cop^{sa} eth? Origen Eusebius Chrysostom // ἐλάβομεν 1365 *l*⁵⁷⁹ geo¹

Em adição à forte confirmação externa em apoio a ἔχετε, é provável que, em face da presença de ἐλάβομεν no versículo anterior, os escribas mais provavelmente teriam alterado ἔχετε para — ἐλάβετε, do que ἐλάβετε — para ἔχετε, a despeito do uso de ἔχετε, no paralelo de Marcos 8.17.

478 |Mateus| NTI

"É porque não trouxemos pão" — As palavras de Jesus provocaram um debate entre os discípulos, e, evidentemente, a ideia que tiveram das palavras dele sobre o "fermento" dos fariseus e saduceus, é que, em sua pressa, eles se tinham esquecido de trazer pão. A passagem de Marcos 8.14 diz que eles tinham só "um" pão, o que certamente não bastava para alimentar todo aquele grupo de homens. Jesus aproveitou a ocasião a fim de ensinar-lhes uma lição espiritual, como era de seu costume. O caráter simples da história e a ingenuidade dos discípulos implica na historicidade da narrativa. Jesus havia proibido aos discípulos comerem qualquer coisa (ensino) que saísse das mãos dos fariseus e saduceus, mas a mente dos discípulos não ia além do pão físico. Adam Clarke (in loc.): "Em que miserável estado de cegueira acha-se a mente humana! As necessidades do corpo são reconhecidas com a maior facilidade, e a provisão para elas se faz com diligência. Mas as necessidades da alma raramente são descobertas, embora mais urgentes que as do corpo, embora sua provisão seja de importância infinitamente maior".

"Por que discorreis..." — Jesus sabia que a conversa deles não demonstrava nenhuma percepção do sentido espiritual do símbolo do fermento. Os discípulos demonstravam falta da *fé* autêntica, cuja presença teria sido símbolo de um estado saudável da alma, com razoável percepção dos significados das coisas espirituais.

"De pequena fé" — Expressão que, no grego, é apenas uma palavra, não encontradiça na literatura grega clássica, mas que figura por cinco vezes nos Evangelhos: Mateus 6.30; 8.26; 14.31; 16.8; Lucas 12.28. Esse vocábulo não se encontra em nenhuma outra porção do NT. Jesus não disse que seus discípulos não tinham fé nenhuma, e, sim, que sua fé ainda era fraca, débil demais para acolher os seus ensinos e apreender totalmente as implicações de suas lições.

As perguntas feitas por Jesus foram as seguintes:

1. **"Por que discorreis entre vós sobre o não terdes pão?"** — Por que sua mente não percebeu o sentido da advertência *"Acautelai-vos* do fermento dos fariseus e saduceus", que nada tem a ver com o pão material? Por que sua mente não foi capaz de perceber uma lição espiritual, sobre a alimentação que deve ser evitada à alma, se eram tão prontos a perceberem suas necessidades físicas? A doutrina dos fariseus e saduceus não deveria fazer parte da sua alimentação espiritual, porquanto essa alimentação corrompia a personalidade inteira do homem. A alma que aceitasse essa alimentação fatalmente enfermava. Jesus não repreende aqui a falta de memória, embora isso pudesse irritá-lo, e, sim, a falta de fé que tinham, o que embotou sua percepção espiritual. No v. 9, ele demonstra que uma boa memória também ajudaria os apóstolos a desenvolverem a percepção espiritual. "Nem vos lembrais dos cinco pães?"

16.9: Não compreendeis ainda, nem vos lembrais dos cinco pães para os cinco mil, e de quantos cestos levantastes?

16.9 οὗτω νοεῖτε, οὐδὲ μνημονεύτε τοὺς πέντε ἄρτους τῶν πεντακισχιλίων καὶ πόσους κοφίνους ἐλάβετε;

_{9 τοὺς...ἐλάβετε Mt 14.13-21; Mc 6.34-44; Lc 9.11-17; Jo 6.1-13}

16.10: Nem dos sete pães para os quatro mil, e de quantas alcofas levantastes?

16.10 οὐδὲ τοὺς ἑπτὰ ἄρτους τῶν τετρακισχιλίων καὶ πόσας σπυρίδας ἐλάβετε;

_{10 τοὺς...ἐλάβετε Mt 15.32-38; Mc 8.1-9}

2. **"Não compreendeis ainda?"** — Essa pergunta envolve a compreensão *das obras* de Jesus como comprovações de sua doutrina e como demonstração das realidades espirituais, e, ainda, a compreensão e utilização desse conhecimento. Os discípulos viviam em meio a demonstrações das realidades espirituais; e, de fato, segundo nos mostra a narrativa evangélica, eles mesmos haviam realizado milagres de diversos tipos. Seu desenvolvimento espiritual, porém, ainda não fora suficiente para agradar a Jesus; ainda não haviam compreendido as implicações dos seus ensinos, ainda não haviam enveredado pelo caminho espiritual do modo que Jesus desejava. Jesus esperava que a convivência e a associação com ele tivessem desenvolvido os seus discípulos mais do que agora se verificava. Conforme disse Bengel: "Jesus maravilhava-se ante duas coisas: fé notável e incredulidade". Marcos acrescenta aqui: "Tendes o coração endurecido? tendo olhos, não vedes? e tendo ouvido, não ouvis?" (Mc 8.17,18). Essas palavras mostram quão severas foram as reprimendas de Jesus. Nota-se que ele empregou as mesmas palavras que já usara, ao descrever a incredulidade de Israel, segundo fora profetizado por Isaías. Lê-se em Mateus 13.14,15: "Ouvireis com os ouvidos, e de nenhum modo entendereis; vereis com os olhos, e de nenhum modo percebereis. Porque o coração deste povo está endurecido..." É interessante que o versículo seguinte diz: "Bem-aventurados, porém, os vossos olhos, porque veem, e os vossos ouvidos, porque ouvem". Portanto, Jesus não quis dizer que, aos discípulos, faltava a fé que traz a salvação, e nem pretendeu compará-los à nação de Israel em geral, ou às suas autoridades em particular, as quais haviam rejeitado totalmente a sua mensagem. Contudo, às vezes, espiritualmente falando, os próprios discípulos de Jesus mostravam estupidez semelhante à daqueles. Em tudo isso, todavia, havia uma diferença muito importante, isto é, os seus discípulos sofriam meramente de uma debilidade espiritual, ao passo que os demais, e especialmente os líderes religiosos, recusavam-se a compreender as realidades espirituais, pela própria vontade e por um espírito de maldade. Ver notas em Mateus 13.12-15.

3. **Nem vos lembrais dos cinco pães?"** — Tinham-se esquecido não somente do fato do milagre da multiplicação de pães, mas também *da lição* que Jesus quisera ensinar por meio desse milagre. Jesus teria desculpado a memória fraca em se tratando de coisas físicas, como a falta de pão para a viagem, mas o esquecimento em relação a um milagre tão notável como a multiplicação dos pães e em relação à lição aí baseada, Jesus não desculpou. Todos os quatro evangelistas registram esse milagre, fato esse que demonstra sua importância na vida terrena de Jesus. Esse milagre envolveu uma espécie de criação, e, mais do que a maior parte de seus milagres, demonstrou o formidável poder de Jesus. Esse tipo de milagre ele realizou não só uma, mas duas vezes, e ainda assim os discípulos não haviam percebido a intenção e a grandeza desse prodígio. As mentes que não haviam percebido a lição e as diversas implicações desses milagres, também não haveriam de compreender o simbolismo espiritual do fermento, mas veriam uma significação meramente física nessas palavras. É provável que, com essas palavras, Jesus deixe subentendido que a ausência de pão material não é de grande importância para ele, porquanto por duas vezes deu soluções para situações idênticas. Os discípulos, pois, erraram ao se preocupar com coisas materiais, como a falta de pão. Pelo contrário, deveriam preocupar-se com coisas que têm implicação espiritual, como o perigo de alimentar a alma com o fermento hipócrita dos fariseus e saduceus.

4. **"E quantos cestos tomastes?"** (v. 10): "Nem dos sete pães [...] e quantos cestos tomastes?" — Os cestos cheios de sobras de pão mostraram que, nesse milagre, não houve nem fraude nem mágica. Essa prova deveria ter sido suficiente para convencer a qualquer pessoa da validez dos milagres, e, ao mesmo tempo, seria um fator importantíssimo que jamais permitiria às testemunhas oculares se olvidarem do acontecido. Jesus maravilhou-se ao ver que tão grande demonstração de poder espiritual podia ser esquecida tão depressa e com tanta facilidade.

É importante notar aqui que os versículos conservam a *distinção* entre os tipos de cestos que foram usados nos dois milagres. A mesma diferença é observada nos detalhes dados pelos evangelistas sobre os lugares onde são relatadas as histórias dos milagres. Todos os quatro evangelistas empregam a palavra *kofinoi*, no primeiro milagre, enquanto Mateus e Marcos, que registram o segundo milagre, usaram a palavra *spurides*. No primeiro caso, trata-se de um cesto pequeno, feito de vime, que podia ser levado em uma das mãos. Todavia, diversas citações que contêm essa palavra mostram que esse vocábulo também era usado para indicar um recipiente impermeável, feito de barro ou metal, que podia transportar líquidos. A palavra usada no segundo milagre indica um cesto muito maior, provavelmente feito de vime ou folhas de palmeiras, capaz de carregar um homem, porquanto foi em um desses cestos que Paulo foi descido muralha abaixo, segundo se vê em Atos 9.25. O cuidado na referência aos dois tipos diferentes de cestos, neste versículo, demonstra a historicidade de ambos os milagres. Ver notas sobre esse problema em Mateus 14.20 e 15.37.

16.11: Como não compreendeis que não vos falei a respeito de pães? Mas guardai-vos do fermento dos fariseus e dos saduceus.

16.11 πῶς οὐ νοεῖτε ὅτι οὐ περὶ ἄρτων εἶπον ὑμῖν; προσέχετε δὲ ἀπὸ τῆς ζύμης τῶν Φαρισαίων καὶ Σαδδουκαίων.

5. **"Como não compreendeis..."** — Jesus negou ter feito qualquer alusão ao pão material. Sua intenção era tratar de *realidades espirituais*, as quais são infinitamente mais importantes do que qualquer consideração física. Com esta pergunta, Jesus conclui sua severa reprimenda, enfatizando de novo que as suas palavras diziam respeito a coisas mais importantes do que a provisão de pão para a travessia. Finalmente, sem mais explicações, pelo menos segundo os evangelistas registram, Jesus simplesmente repetiu o que já havia dito: "Acautelai-vos do fermento dos fariseus e saduceus". Jesus eliminou a possibilidade de interpretarem suas palavras como uma alusão a qualquer coisa material, o que permitia que agora só houvesse uma forma de interpretá-las: espiritual ou simbolicamente. Jesus reavivou a memória de seus discípulos; a memória originou percepção espiritual, e, finalmente, houve tal percepção espiritual, sem maiores explicações dadas por Jesus, acerca da significação do símbolo do fermento. Sendo judeus, afeitos aos simbolismos bíblicos, certamente teriam compreendido que o símbolo do fermento era o da maldade penetrante.

16.12: Então entenderam que não dissera que se guardassem do fermento dos pães, mas da doutrina dos fariseus e dos saduceus.

16.12 τότε συνῆκαν ὅτι οὐκ εἶπεν προσέχειν ἀπὸ τῆς ζύμης τῶν ἄρτων[4] ἀλλὰ ἀπὸ τῆς διδαχῆς τῶν Φαρισαίων καὶ Σαδδουκαίων.

[4] 12 {D} τῶν ἄρτων ℵ^c B L (*f*^{1} *omit* τῆς ζύμης) 892 1009 1241 *l*^{48,184,211} it$^{aur,(e),g^1,l}$ vg cop$^{sa,bo,\,mss}$ eth? // τοῦ ἄρτου C K W X Δ Π 28 700 1010 1071 1079 1195 1230 1242 1253 1344 1365 1546 1646 2148 2174 *Byz Lect* it^{c,f,q} syr^{p,h} cop$^{sa,bo,\,mss}$ eth? geo^A Diatessaron // τῶν Φαρισαίων καὶ Σαδδουκαίων ℵ* *l*^{85pt} it$^{ff^1}$ syr^s Diatessaron^v // τῶν Φαρισαίων 33 // *omit* D Θ *f*^{13} 565 it$^{a,b,d,ff^1}$ syr^s arm geo^{1,B} Lucifer

Em face do uso da expressão "o fermento dos fariseus e saduceus", nos v. 6 e 11, talvez tenha sido natural que alguns poucos testemunhos repetissem uma ou ambas essas palavras, "fariseus" ou "saduceus", após ζύμης, no v. 12. Embora a forma de D Θ *f*^{13} não tenha nenhum genitivo qualificativo — "Então eles compreenderam que não lhes dissera terem cuidado com o fermento, mas com o ensinamento dos fariseus e saduceus" — possa ser considerada original, ao passo que as outras formas seriam uma expansão;

também é possível que copistas considerassem a presença de τῶν ἄρτων ου τοῦ ἄρτου — como algo desnecessário ao sentido, tendo omitido tais palavras como supérfluas. Em face do equilíbrio de possibilidades de transcrição, a comissão resolveu adotar a forma adotada por ℵ^c B L 892 e diversas versões antigas.

A ortodoxia *combinada* com as *perversões morais* produz uma maldade assustadora. Desta maldade, vem uma corrupção e destruição da própria alma. Ver as notas sobre 1Pedro 2.11.

IX. AUTORREVELAÇÃO DE JESUS E ELEVAÇÃO DE PEDRO À AUTORIDADE (16.13—17.13)

1. Confissão de Pedro (16.13-20)

16.13 — Esta seção, Mateus 16.13—17.13, tem o propósito de descrever a segunda *autorrevelação* de Jesus e a "confissão de Pedro", que tem servido de motivo para muita controvérsia. A transfiguração foi uma instância especial da revelação de Jesus aos seus discípulos. A fonte informativa primária é Marcos 8.27-33 (assim, é o protomarcos), mas a fonte "M" também explica parte do material, especialmente as palavras que Cristo dirigiu particularmente a Pedro, v. 17-19. (Ver informações sobre as fontes dos Evangelhos na introdução a este comentário, no artigo intitulado "O problema sinóptico" e na introdução ao evangelho de Marcos.) A igreja da Síria supriu parte da informação para este evangelho ("M"), e isso incluiu a ênfase sobre a autoridade de Pedro. Como organização, a igreja precisava de uma autoridade centralizada, tanto para a disciplina como para o estabelecimento de normas, e também para assegurar que o registro evangélico fosse fiel à história. Pedro supria essa autoridade e historicidade. O autor descreve como essa autoridade deveria ser entendida. Alguns intérpretes acreditam que a igreja da Síria exagerou um pouco, e que essa autoridade petrina não era igualmente aceitável em todas as seções da igreja. Alguns desses intérpretes dizem achar uma contradição nas palavras do texto: "[...] tu és Pedro, e sobre esta pedra edificarei a minha igreja...", quando confrontadas com as de Paulo: "Porque ninguém pode lançar outro fundamento, além do que já está posto, o qual é Jesus Cristo" (1Co 3.11). Isso é um erro no que tange à correta compreensão da passagem, pois não há aqui qualquer contradição. Paulo também disse: "[...] edificados sobre o fundamento dos apóstolos e profetas, sendo o próprio Cristo Jesus a principal pedra da esquina" (Ef 2.20). Mateus e Paulo dizem, em essência, a mesma coisa, embora Mateus enfatize Pedro, ao passo que Paulo enfatiza os apóstolos e profetas. Certamente é verdade que houve controvérsias na igreja primitiva acerca do que era realmente um *apóstolo*, e assim alguns salientavam mais a Pedro do que a outros, ao passo que outros destacavam Paulo ou outros. (Ver 1Co 3.4,5.) E, se por um lado, esta seção reflete favoritismo para com Pedro, por parte da igreja, não há nenhuma contradição com outras passagens bíblicas. Esta seção supre a ênfase principal da seção geral, isto é, Mateus 14.1—17.27, cuja intenção é introduzir os primórdios da formação da Igreja Universal. Fala-nos especificamente da missão *messiânica* de Jesus e do conhecimento dessa missão por parte dos discípulos, especialmente por parte de Pedro. Isso assegura a historicidade da mensagem do evangelho através da autoridade de um dos principais discípulos de Jesus, que confessou sua missão messiânica. Fala-nos do começo da Igreja fundada por Jesus, conta-nos como Jesus se separou totalmente da antiga tradição e se tornou o chefe da nova dispensação.

16.13: Tendo Jesus chegado às regiões de Cesareia de Filipe, interrogou os seus discípulos, dizendo: Quem dizem os homens ser o Filho do homem?

480 | Mateus | NTI

16.13 Ἐλθὼν δὲ ὁ Ἰησοῦς εἰς τὰ μέρη Καισαρείας τῆς Φιλίππου ἠρώτα τοὺς μαθητὰς αὐτοῦ λέγων, Τίνα λέγουσιν οἱ ἄνθρωποι εἶναι[5] τὸν υἱὸν τοῦ ἀνθρώπου;

[5] 13 {B} τίνα λέγουσιν οἱ ἄνθρωποι εἶναι B *l*353 vg syr^h,pal cop^sa,bo eth^ro,pp Origen^lat Ambrose // τίνα λέγουσίν με οἱ ἄνθρωποι εἶναι C W syr^c,(s),p arm // τίνα με λέγουσιν οἱ ἄνθρωποι εἶναι (*ver* Mc 8.27; Lc 9.18) K L X Δ Θ Π *f*13 28 33 565 892 1009 1010 1071 1079 1195 1216 1230 1241 1242 1242 1253 1344 1365 1546 1646 2148 2174 *Byz Lect* l^rom,150m,883m it^aur,d,f,ff1,g1,l eth^ms? geo? Irenaeus^lat Tertullian Origen Adamantius Hilary (Ephraem) Epiphanius Cyril // τίνα με λέγουσιν οἱ ἄνθρωποι εἶναι *f*1 it^ff1 // τίνα με οἱ ἄνθρωποι λέγουσιν εἶναι D^gr it^a,b,c,q,r1 // τίνα οἱ ἄνθρωποι εἶναι λέγουσιν ℵ* (ℵ^c λέγουσιν εἶναι) (700 *omit* εἶναι)

> Tanto a variedade de posições de με-, nos testemunhos que a incluem, como o fato de que nas passagens paralelas a palavra é firme, indica que ela estava originalmente ausente da narrativa de Mateus.

"Cesaréia de Filipe" — Isso distingue esta cidade da Cesareia que havia na costa marítima da Palestina. Ambas foram assim denominadas em honra a Césares reinantes. Cesareia de Filipe estava localizada ao pé do monte Hermon, próxima à fonte principal do rio Jordão, que fica em uma caverna chamada Mughâret Râs en-neba, onde também se centralizava o culto pagão ao deus Pan. Filipe, o tetrarca, foi o construtor dessa cidade. Ver nota sobre os Herodes, em Lucas 2.1-4 e 9.7. Ali Herodes, o Grande, erigiu um magnífico templo. Este também edificou outras notáveis estruturas, que os arqueólogos ainda não descobriram. Ver notas sobre este e os diversos *Filipes* do NT, em Lucas 3.1.

"Filho do homem" — Ver nota detalhada em Marcos 2.7 e Mateus 8.20; sobre "Filho de Deus", em Marcos 1.1; e sobre a humanidade de Cristo, em Filipenses 2.7.

"Eu, o Filho do homem..." — Aparece nos mss CEDEFG HKLMSUVX, Gamma, Delta, Fam Pi e a tradução KJ. "Filho do homem", sem a referência pessoal, "eu", aparece nos mss Aleph, B e em todas as traduções, exceto KJ. O texto original não inclui o pronome pessoal. Alguns têm imaginado que Jesus, ao referir-se ao "Filho do homem", aludia a um futuro profeta, e não a si mesmo. Entretanto, o v. 16, neste mesmo texto, mostra que Pedro entendeu que a referência era ao próprio Jesus. As passagens paralelas, como Marcos 8.27 e Lucas 9.18, mostram a mesma verdade. A adição da palavra "eu", feita por algum escriba, talvez se tenha devido ao desejo de personalizar a afirmação.

Diversas razões têm sido ventiladas para explicar essa pergunta de Jesus: (1) Ele teria percebido que suas controvérsias com as autoridades religiosas haviam *diminuído* a sua popularidade, e que, talvez, tivesse realmente poucos discípulos verdadeiros além dos doze. E quis saber, com exatidão, quais eram as ideias que circulavam entre o povo, acerca de sua identidade. (2) Talvez Jesus quisesse saber, *exatamente*, o que os próprios discípulos pensavam a seu respeito, naquela altura de seu ministério, depois de terem visto tantas obras maravilhosas. (3) Jesus quis *revelar* algumas verdades profundas, como sejam, o estabelecimento da sua igreja, a aproximação da data de sua morte, e a sua ressurreição; mas, para tanto, quis primeiramente saber o que os seus discípulos pensavam sobre a sua identidade. As respostas dadas, com relação às ideias do povo sobre a sua pessoa, confirmaram as desconfianças de Jesus; de modo geral, as multidões não aceitavam ou não compreendiam a sua declaração de ser o Messias, apesar de o terem em elevado conceito.

16.14: Responderam eles: Uns dizem que é João, o Batista; outros, Elias; e outros, Jeremias, ou algum dos profetas.

16.14 οἱ δὲ εἶπαν, Οἱ μὲν Ἰωάννην τὸν βαπτιστήν, ἄλλοι δὲ Ἡλίαν, ἕτεροι δὲ Ἰερεμίαν ἢ ἕνα τῶν προφητῶν.

14 Mc 6.14,15; Lc 9.7,8

"Uns dizem: João Batista" — Mateus 14.1 demonstra que Herodes adotou essa teoria: "Este é João Batista; ele ressuscitou dos mortos". Provavelmente, então, alguns dos herodianos também pensavam assim. Essa ideia circulava entre o povo. Dificilmente podemos crer que muitos pensavam que João Batista ressuscitara dos mortos, porque a maioria sabia que Jesus e João foram contemporâneos. Essa teoria, portanto, reflete a doutrina da *transmigração* da alma. É óbvio que essa crença exercia influência nas escolas dos fariseus, e, ainda que nunca tivesse sido totalmente aceita por todo o povo, muitos indivíduos (provavelmente a maioria) aceitavam-na como verdadeira. Conforme essas ideias se tinham desenvolvido nas escolas dos fariseus, dizia-se que ainda viviam as almas dos grandes profetas, e que em tempo oportuno, em momentos de grande necessidade, como alguma crise nacional etc., essas almas poderiam tomar corpo novamente. No caso de João Batista, não podemos afirmar que essa crença refletisse a ideia da "reencarnação", mas deve ser interpretada como "transmigração" ou "possessão". Todavia, uma vez admitida a ideia de que Jesus era Elias, Jeremias, ou outro personagem do passado, pode-se afirmar que essa crença era idêntica à "reencarnação". O termo "transmigração" é usado muitas vezes como sinônimo de "reencarnação". A identificação de Jesus com João Batista, pelo menos, poderia preservar a identificação de Jesus com a esperança messiânica, porque era crença geral, entre o povo, que João era Elias reencarnado, e Elias seria o precursor do Messias. Pode-se afirmar, porém, à base dessa ideia, que essas pessoas não aceitavam que Jesus fosse o Messias.

"Outros, Elias" — A estatura espiritual de Jesus é demonstrada por esta comparação, pois Elias era reputado um dos maiores profetas, e sua volta ao estado de renovação, ao voltar numa nova missão, (porque a história bíblica declara que ele não morreu), seria o precursor do Messias. É possível que alguns, por temerem as autoridades, se recusassem a confessar que Jesus era o Messias; mas ainda assim não quiseram desfazer-se da esperança de que o Messias apareceria no tempo deles. Assim, provavelmente essa era uma explicação apresentada como recurso psicológico, para nutrir a esperança no cumprimento das profecias, ao mesmo tempo que era evitado qualquer problema com as autoridades religiosas. Talvez outros cressem nisso sinceramente; contudo, perderam de vista a verdade maior — a presença real do Messias, entre eles. O fato de alguns dos milagres operados por Jesus terem paralelo com os de Elias provavelmente reforçava essa ideia. Por outro lado, o fato de o ministério de Jesus não ter o caráter de fogo e violência que caracterizava o ministério de Elias não entrava nessas considerações, como também o fato de as profecias sobre o ministério de Elias, como precursor do Messias, declararem que esse ministério também seria um ministério de julgamento. Jesus não cumpriu as exigências proféticas, mas, a despeito disso, persistia essa ideia.

"Outros, Jeremias" — Diversas lendas circulavam acerca da personalidade de Jeremias, bem como acerca de seus ministérios na terra. Alguns judeus acreditavam que Zacarias era Jeremias *reencarnado*. Outros criam que as profecias de Deuteronômio 18.15,18 aludiam a Jeremias e seu ministério. 2Macabeus 2.1-12 prediz que Jeremias, em algum período indeterminado do futuro, devolveria à nação de Israel a arca original que ele escondera em uma caverna. Nesse mesmo livro acha-se a história de que Jeremias apareceu em uma visão a Judas Macabeu, como homem e "cabelos grisalhos e muito glorioso". A lenda disseminou-se, incluindo a ideia de que Jeremias teria o ministério de ser uma espécie de "anjo da guarda" da nação. Por motivo de suas profecias sobre o Messias, Jeremias, à semelhança de Isaías, estava identificado à esperança messiânica. Portanto, entre o povo judeu, alguns não se surpreenderiam ante a volta de Jeremias. Tal como Jesus, esse profeta foi "desprezado, e o mais indigno entre os homens; homem de dores e experimentado nos trabalhos". É possível que essa semelhança entre Jeremias e Jesus tivesse feito com que algumas pessoas pensassem que Jesus era Jeremias reencarnado. Pelas doutrinas dos judeus, sabemos que não era impossível que alguns pensassem em Jeremias ressuscitado, ou em outro dos profetas ressuscitados; mas, provavelmente, a ideia da reencarnação era mais comumente aceita como explicação.

"Ou algum dos profetas" — Lucas 4.8, diz: "[...] ressurgiu um dos antigos profetas". Alguns judeus estavam extremamente impressionados com os milagres operados por Jesus, porquanto sabiam que um homem comum não seria capaz de fazer o que ele realizara. Todavia, não havia ideia sobre sua identidade, nem alguma hipótese que fosse além da observação de que tal ministério deveria ser resultante da tradição profética. É mais provável que todos esses não fizessem nenhuma vinculação entre Jesus e a esperança messiânica, e, assim, não davam o valor devido à verdadeira identidade de Jesus. Essas diversas respostas indicam o seguinte: (1). Que Jesus gozava de alguma popularidade entre o povo; pois todos reconheciam sua elevada estatura espiritual. (2) Que a fé da maioria diminuíra ou fora desviada em face da influência das autoridades religiosas, resultando disso que poucos aceitavam que Jesus fosse o Messias. (3) Que a confusão em torno da identificação de Jesus com o Messias, de modo geral, só serviu para diminuir sua influência e popularidade. (4) Que, nesse ponto dos acontecimentos, a esperança de estabelecer o reino literal dos céus, na terra, tornara-se uma luz bruxuleante e desmaiada.

16.15: Mas vós, perguntou-lhes Jesus, quem dizeis que eu sou?

16.15 λέγει αὐτοῖς, Ὑμεῖς δὲ τίνα με λέγετε εἶναι;

16.16: Respondeu-lhe Simão Pedro: Tu és o Cristo, o Filho do Deus vivo.

16.16 ἀποκριθεὶς δὲ Σίμων Πέτρος εἶπεν, Σὺ εἶ ὁ Χριστὸς ὁ υἱὸς τοῦ θεοῦ τοῦ ζῶντος.

16 Σὺ...ζῶντος Mt 26.63; Mc 14.61

"Mas vós..." — Essa confissão é significativa. O grego usa o artigo definido antes de cada termo, o Cristo, "o Filho", "o Deus vivo". É provável que aqui, em contraste com o uso do grego "koiné", o artigo tenha a função de distinguir e demonstrar (como nossas palavras "este" ou "aquele"). Evidentemente, o propósito do autor é distinguir Jesus de qualquer outro que pudesse ser chamado "Cristo" ou "ungido", de qualquer outro que pudesse ser chamado de filho de Deus; e também, que "o Deus vivo", é o Deus de Israel, aquele que, por meio dos profetas, deu indicações sobre a vinda e as obras do Messias. Portanto, Jesus é o único Cristo verdadeiro, o Filho de Deus (mas não como outros podem ser filhos de Deus), e que foi enviado pelo Deus de Israel, o único Deus verdadeiro e vivo, em contraste com os deuses pagãos, que não têm vida nem inteligência. O contexto mostra que Pedro recebeu completamente e sem reservas a missão messiânica de Jesus, não concordando com as opiniões populares, que declaravam ser Jesus apenas um dos profetas "redivivo". Não é Jesus somente um dentre outros "cristos" ou "ungidos", mas é o Cristo, o Messias, profetizado no AT, a personagem longamente aguardada pela nação de Israel. Jesus é a própria esperança de Israel e, nesse sentido, o único Filho de Deus. Pedro, por causa de sua associação de Jesus, havia aprendido diversas lições que lhe indicaram a autêntica identidade de Jesus, especialmente o fato do cumprimento das profecias relativas ao caráter do Messias. Contudo, somente a revelação divina pode ensinar essa lição de maneira mais profunda, como se vê nas palavras de Jesus, no v. 17: "[...] porque não foi carne e sangue quem to revelou, mas meu Pai que está nos céus".

"Cristo" — Embora a palavra seja realmente um adjetivo com o sentido de ungido, tornou-se nome próprio designativo do "Messias" prometido. "Messias" é o equivalente hebraico do termo grego "christos". Unção com óleo era cerimônia usada para os reis, sacerdotes e profetas, pois simbolizava sua confirmação nos seus respectivos ofícios. Quando aplicada ao Messias prometido, a ideia básica é a do ofício real — o real Filho de Davi — embora as outras ideias não possam ser obliteradas quando falamos em "o Cristo".

A atitude geral da expectação messiânica desenvolveu-se de modo a esperar esse "Messias" no fim dos tempos, a saber, aquele período que precederia o governo e o reino messiânicos, quando seria devolvida a glória de Israel como nação. As profecias sobre o Servo Sofredor não foram compreendidas pelos judeus. A apresentação do Filho do homem como personagem profética era outro elemento do caráter do Messias, embora o Messias (rei), o Servo Sofredor e o Filho do homem nem sempre fossem contemplados pelos judeus como o mesmo personagem; de fato, alguns judeus esperavam a vinda de dois ou três indivíduos que cumpririam essa profecia. A evidência encontrada na literatura dos essênios é que eles aguardavam três personagens que cumpririam as profecias messiânicas. Jesus, todavia, enfeixou em sua pessoa todas as três ideias, tornando-se o cumprimento pessoal e completo das profecias relacionadas a todos esses títulos.

"Filho de Deus" — Embora essa designação, que fora dada a Israel, a reis e sacerdotes, como um título, seja uma designação mais lata do que "Cristo", e embora possa não ter nenhuma ideia de deidade ou de relação especial para com Deus, é óbvio, por causa do grande número de referências, que, uma vez aplicada a Jesus Cristo, tem em vista tanto uma relação especial com Deus como a própria deidade de Cristo. Ver as referências que ilustram esse fato em Mateus 11.27; Marcos 13.32; 14.36; Salmos 2.8; João 10.17,38; 14.10; 5.35; 3.16; Hebreus 1.2. As ideias contidas nesse título são: (1) Jesus é o personagem profetizado no AT. (2) Jesus mantém uma relação única com o Pai. O título não indica geração, conforme a entendemos geralmente, e, sim, uma relação sem-par. Ver notas detalhadas sobre essa ideia em Colossenses 1.15-19. (3) Cristo é de natureza divina, dotado da mesma natureza do Pai (ver Jo 5.19,30; 16.32; 8.49-58 e Hb 1.3,4; nesta última referência, encontra-se a nota detalhada sobre a divindade de Cristo; a nota sobre a humanidade de Jesus se acha em Fp 2.7.) Embora o termo fosse originalmente messiânico (sendo aplicado ao personagem profético), posteriormente assumiu uma natureza transcendental e tornou-se simplesmente um título de Cristo para indicar sua natureza exaltada ou divina.

Vemos, assim, que a ideia de Pedro e do NT sobre a missão messiânica de Jesus, transcendia à ideia, comum entre os judeus, de que o Messias seria um homem comum, nascido de homem, embora escolhido por Deus para cumprir um ofício especial. Os escritos de Justino (Mart. Dial. § 48, p. 144) mostram que essa era a ideia comum entre os judeus ao tempo de Jesus.

"Filho do Deus vivo" — Nota-se, nos paralelos, que a designação é levemente diferente. Marcos 8.29 diz simplesmente "Tu és o Cristo". Lucas 9.20 diz: "És o Cristo de Deus". Diversos expositores discutem sobre qual das três versões representa a declaração original. A designação Deus vivo era comum entre os judeus para indicar o seu Deus, em contraste com os deuses de pedra, metal ou madeira dos pagãos, que não tinham vida. Aqui, entretanto, é usado como outro termo para salientar o valor do "Messias"; termo de grandeza, não para designar somente a simples existência do Deus do Messias. Sabendo que os judeus usavam o termo "Deus vivo" comumente, não há razão para supormos que a confissão original de Pedro e dos apóstolos em geral não tivesse incluído essa designação. Diversas confissões foram feitas (segundo se vê em Mt 14.33), e, provavelmente foi usada grande profusão de termos. Pedro aumenta a estatura do Messias ao dizer que seu Deus é o Deus vivo, em contraste com os deuses sem vida dos pagãos, o Deus que possui a forma mais elevada de vida. Jesus era o Messias desse grande Deus, pelo que também sua estatura espiritual não poderia ser medida.

Este texto evidentemente identifica Jesus com o texto de Daniel 7.13 — "[...] filho do homem..." — e com o rei de Daniel 2.35,44. Portanto, Jesus é o "Filho do homem", identificado com o homem em sua humanidade, mas também identificado com o "Filho do homem", cujas relações são com o "Ancião de dias", uma relação única e não-transmissível com o Deus vivo, por ser o "Filho do Deus vivo". O texto mostra a singularidade de Jesus.

No grego, tanto o pronome *vós* como o pronome *tu* são enfáticos. O povo dizia que Jesus poderia ser "João Batista, Elias, Jeremias, um dos profetas" etc., mas a resposta dos apóstolos, subentendida no termo "vós", contrasta com as opiniões populares, pois os apóstolos disseram: "Tu és... — não o que o povo afirma, mas — ... o Cristo".

Neste ponto, deve-se observar que essa confissão forma a base da fé cristã: (1) A confissão do Cristo como o núcleo do sistema cristão, da nova religião que se apresenta como a revelação das verdades mais profundas da criação. (2) O ensino da humanidade de Cristo, ainda que humanidade exaltada, segundo se deve compreender pelo termo "Filho do homem", que aparece neste texto. (3) O ensino da divindade de Cristo, que se deve compreender à base do título "Filho do Deus vivo". (4) O ensino da missão messiânica de Jesus. (5) O ensino de que o Deus do AT é o único Deus verdadeiro e que este é o Deus do Cristo e da religião cristã. (6) Portanto, o Cristo é o homem verdadeiro, o que implica no ensino da encarnação. (7) A tarefa messiânica de Jesus implica em sua missão de Salvador. Ele é identificado com a esperança messiânica; mas é perfeitamente claro que este texto ensina mais do que essa simples identificação. A importância de Jesus é universal, estendendo-se à terra e aos céus, e dificilmente limita-se às esperanças de uma única nação.

16.17: Disse-lhe Jesus: Bem-aventurado és tu, Simão Barjonas, porque não foi carne e sangue quem to revelou, mas meu Pai, que está nos céus.

16.17 ἀποκριθεὶς δὲ ὁ ᾿Ιησοῦς εἶπεν αὐτῷ, Μακάριος εἶ, Σίμων Βαριωνᾶ, ὅτι σὰρξ καὶ αἷμα οὐκ ἀπεκάλυψέν σοι ἀλλ᾽ ὁ πατήρ μου ὁ ἐν τοῖς οὐρανοῖς;

17 σὰρξ...οὐρανοῖς Mt 17.5; Gl 1.15,16

"Simão Barjonas" — O nome de Pedro — *Barjonas* ou "filho de Jonas" — é a designação original dada por este evangelho, segundo se vê em todos os mss antigos. Entretanto, João 1.42 diz "Ioannou", que significa filho de "João". O evangelho dos Hebreus também dá essa designação, identificando o pai de Pedro como "João". No evangelho de João (1.42), diversos mss mais recentes também mostram "Jonas", mas os ms P(66) P(75) Aleph, B, L, W (os mais antigos) e diversas versões latinas, têm "João". Ver nota em João 1.42, onde há a análise mais completa das variantes dos textos gregos sobre esse nome. A evidência, pois, é que o evangelho de João chama Pedro de filho de *João*. O texto de João 21.15,17 também diz "filho de João" (segundo os mss mais antigos). Há diversas conjecturas sobre a origem da designação "de João" para indicar o pai de Pedro: (1) O autor do evangelho de João modificou um pouco a forma da palavra "Iona" para indicar "Iones", e daí desenvolveu-se a forma final, "*Ionnes*", a forma mais comum para indicar "João". Às vezes, achamos "Iones" (com um só "*n*") com o mesmo sentido de "João". (2) Alguns acham que "João", encontrado em João 1.42 e 21.15,17, reflete apenas um equívoco do autor. Se assim fosse, o erro seria justificado pela semelhança entre "Iona" e "Iones" ou "Ionnes". (3) Peter Schaff (in loc., no comentário de Lange) explica que "Iona", "Jonas", representa uma contração de "Ioanna" (caldaico), que significa "João". "Ionnes", portanto, seria a forma grega do mesmo nome. Por essa explicação, compreende-se que "Jonas" é somente uma forma diferente (por contração) do nome que hoje em dia é "João", entre nós.

Tradicionalmente, o significado do nome "Jonas" tem sido aceito como "pombo"; e dessa observação se têm originado diversas interpretações alegóricas, dadas a este texto: (1) Implicação da influência do Espírito Santo sobre Pedro, pois o pombo é símbolo do Espírito Santo. (2) O pombo faz seu ninho na rocha (figura usada para indicar a igreja), e a igreja, como o pombo, terá seu lugar "na rocha". (3) O símbolo do "pombo", usado para indicar a natureza humilde de Pedro, em contraste com a posição elevada que Jesus lhe daria para ocupar na igreja. Devemos concordar com Peter Schaff que diz que não é provável que Jesus tivesse a intenção de sugerir alguma lição em conexão com o "pombo", quer o nome signifique "pombo", quer não. O próprio texto, porém, parece indicar que Jesus quis, realmente, salientar o alto privilégio de Pedro, a posição que ele teria na igreja, ao referir-se à sua descendência humana — "filho de Jonas". Jesus mostrou que, por nascimento, Pedro era somente um homem entre os homens, no que não havia coisa nenhuma de especial. Era tão-somente o filho de um homem que tinha o nome de "Jonas", como muitos outros que tinham o mesmo nome. Pedro havia declarado claramente a alta identidade de Jesus, e, por isso, declarou o Senhor também, para efeito de contraste, que, apesar de Pedro ser um homem comum, alcançaria alta posição na igreja que Jesus haveria de edificar.

Pedro era um *bem-aventurado*, palavra essa usada por cinquenta e cinco vezes no NT, indicando uma felicidade devida à correta relação com Deus. Trata-se de bem-estar que resulta da retidão espiritual. Sua raiz parece significar "grande" e o termo foi usado, na literatura grega, para expressar a situação dos deuses, em contraste com as condições dos homens mortais. Na literatura grega antiga, essa palavra era usada como sinônimo de "rico". Pela revelação que recebeu de Deus sobre a identidade de Cristo, e por causa da elevada posição que receberia da parte de Cristo, em sua igreja, Pedro era espiritualmente "rico". No dizer de Jesus: "[...] porque não foi a carne nem o sangue quem to revelou, mas meu Pai que está nos céus".

"Carne e sangue" — Essa expressão tem sido interpretada de várias maneiras: (1) Referência à "natureza física" do homem, em contraste com a natureza espiritual. Assim, por esta interpretação, a revelação da identidade de Cristo não veio por meio dos poderes, pesquisas ou inteligência do homem. Calvino, Beza, Neander, de Wette, ensinaram essa interpretação. Alguns intérpretes rejeitam essa interpretação, porque dizem usualmente que a natureza física é indicada pela designação "carne" e não "carne e sangue". (2) Os rabinos usavam essa expressão para indicar a *fraqueza* da natureza humana, um tipo de paráfrase de "filho do homem", que era usada como termo amplo que indicava a posição humilde e débil do homem neste mundo. Entretanto, John Gill, em seu comentário, demonstra com citações diversas que a expressão "carne e sangue" era frequentemente usada pelos rabinos para indicar a natureza e posição do homem em contraste com "Deus". Diziam que o primeiro homem era "criação do Deus bendito, e não criação de carne e sangue" (*Zohar*, em Gn fol. 43.3). (3) Não há razões para não aceitarmos os elementos de ambas essas interpretações, talvez em conjunto com a outra ideia que diz que tal revelação é dada em resultado da nova criação do homem, a descendência espiritual. Essa nova criação permite ao homem receber de Deus revelações como essa de que falamos. Portanto, o ensino diz que o esforço, a inteligência e a natureza humana, em geral, não têm a possibilidade de alcançar o conhecimento das verdades mais elevadas, como a identidade verdadeira de Jesus Cristo. Esse tipo de conhecimento é dado diretamente e sem a ajuda dos sentidos humanos. Depende da vontade de Deus o comunicar certas coisas. Ele escolhe quando quer comunicar-se com os homens e, assim, revela as coisas que ele quer. Esse processo está além das limitações da inteligência humana. O apóstolo Paulo mostra, em Gálatas 1.16, que também recebeu seu conhecimento dessa maneira, e alguns intérpretes pensam que ele se refere a esta passagem que contém as palavras "carne e sangue". Da mesma forma que Pedro recebeu privilégios e altos conhecimentos, além das possibilidades da "carne e do sangue", também Paulo os recebeu. O texto de Efésios 6.12 usa a expressão "carne e sangue" para indica a diferença entre a natureza humana e a natureza do mundo dos espíritos. A passagem de 1Coríntios 15.50 usa essa expressão para indicar a natureza humana que pertence a esta terra (o homem natural), cuja natureza não pode herdar o reino de Deus. Mediante a transformação de sua natureza de "carne e sangue" é que o homem assume nova natureza, capaz de herdar o mundo vindouro.

"Mas meu Pai" — Os discípulos tinham recebido outras revelações, e, por meio de suas observações, antes desse tempo já haviam reconhecido a missão messiânica de Jesus. Todavia, pode-se dizer aqui que eles receberam um estado mais avançado de conhecimento sobre a identidade de Jesus por alguma modificação ou desenvolvimento espiritual em sua vida. Talvez, mediante essa revelação mais elevada e convincente, tenha aumentado a dedicação dos apóstolos ao Senhor. O conhecimento deles se intensificou, mas estavam incluídas implicações que ultrapassavam o mero conhecimento. Esse conhecimento mais intenso agora determinava novas atitudes e novos caracteres da parte dos apóstolos. Como que agora estavam mais "convertidos" do que antes. Uma nova vida se desenvolvia no coração daqueles homens. Estavam lançando fora as velhas ideias e os velhos preconceitos judaicos em relação ao Messias. De fato, a realidade e a expressão da religião cristã criaram novas raízes nos seu coração. Tornaram-se os primeiros cristãos. Esse desenvolvimento se devia ao fato de o Pai ter revelado o Filho àqueles homens, revelação essa que não lhes fora dada por "carne e sangue".

16.18: Pois também eu te digo que tu és Pedro, e sobre esta pedra edificarei a minha igreja, e as portas do hades não prevalecerão contra ela;

16.18 κἀγὼ δέ σοι λέγω ὅτι σὺ εἶ Πέτρος, καὶ ἐπὶ ταύτῃ τῇ πέτρᾳ οἰκοδομήσω μου τὴν ἐκκλησίαν, καὶ πύλαι ᾅδου οὐ κατισχύσουσιν αὐτῆς.

18 σὺ εἶ Πέτρος Jo 1.42   ἐπὶ...ἐκκλησίαν Ef 2.20   πύλαι ᾅδου Jó 38.17; Is 38.10; Sabedoria 16.13

"Eu te digo..." — O vocábulo "eu" é enfático aqui; Jesus enfatiza a declaração com a autoridade de sua pessoa. O Cristo tem autoridade para fazer essas declarações, e dificilmente outra pessoa a teria. E foi mediante a autoridade do Cristo, o Filho do homem e Filho do Deus vivo, que Pedro recebeu esses altos privilégios.

Depois da destruição de Jerusalém e o fim do sinédrio, o problema de autoridade religiosa tornou-se crítico. A igreja procurava estabelecer sua autoridade na ausência do velho poder eclesiástico. O evangelho de Mateus achou esse poder em Pedro e no voto da congregação (caps. 16 e 18). Outros (como o evangelho de João), acharam esse poder nos apóstolos (Jo 20.23).

Talvez não exista no NT, na religião cristã e na história eclesiástica, outra doutrina ou texto bíblico que tenha dado margem a *tanta discussão*, abuso e atenção como este versículo. É uma *quaestio vexata* da teologia, que ocupa um dos primeiros lugares entre essas questões.

Apresentaremos, de forma abreviada, as principais interpretações sobre a "rocha" na qual está edificada a igreja; há diversas outras interpretações, mas todas são meras variações destas: (1) A "pedra" sobre a qual a igreja está edificada é Pedro. (2) A "pedra" é Cristo. (3) A "pedra" é a confissão de Pedro sobre Cristo, aquela confissão que revelou a identidade de Cristo. (4) A "pedra" é a própria revelação. A igreja está edificada sobre essa revelação. (5) A "pedra" é a fé que procede da confissão; essa fé é a pedra sobre a qual a igreja foi fundada.

Os argumentos em favor da segunda interpretação (Cristo é a *pedra*) são os seguintes: No grego há um jogo de palavras — Pedro é "petros" ou pedrinha, fragmento de uma rocha. Cristo, entretanto, é a "pedra" maciça, sobre a qual está edificada a igreja. Essa palavra — "petra" — foi empregada por Homero ao aludir à rocha que Polífemo pôs à porta da sua caverna, rocha essa tão pesada, que vinte e dois carroções não puderam removê-la. Homero também se utilizou dessa palavra para indicar a rocha que Polífemo atirou contra os navios de Ulisses, quando estes se afastavam em sua fuga. Essa rocha, ao bater na água, criou uma onda tão grande, que

fez os navios retornarem à margem. Assim também, Jesus falou de si mesmo quando disse "esta pedra" — Jesus é a rocha maciça. Se no aramaico não houve esse jogo de palavras, e foi usada uma única palavra para significar "petros" e "petra", no dizer dos defensores dessa interpretação, Jesus teria feito a diferença por um movimento da mão. Quando falou sobre Pedro, ao usar a palavra "petros", deve ter feito um gesto na direção do apóstolo; e quando falou sobre a "petra", a rocha maciças que é ele mesmo, sobre quem a igreja deveria ser edificada, deve ter feito um gesto que apontava para si mesmo. Além disso, esses intérpretes afirmam que, ao dar este texto por inspiração, o Espírito Santo usou de duas palavras para evitar a ideia de que Pedro era a "pedra". Aqueles que assim interpretam referem-se à passagem de 1Coríntios 3.11, que diz: "Porque ninguém pode lançar outro fundamento além do que foi posto, o qual é Jesus Cristo". Alguns também se utilizam do texto de 1Pedro 2.4-9 para demonstrar a mesma coisa; mas esta última referência não parece conter essa ideia, e até mesmo parece ser contrária a ela, como o leitor pode verificar: "Chegando-vos para ele, a pedra que vive, rejeitada, sim, pelos homens, mas para Deus eleita e preciosa, também vós mesmos, como pedras que vivem, sois edificados casa espiritual para serdes sacerdócio santo..."

Os intérpretes que têm sustentado essa ideia, em qualquer de suas formas, são Jerônimo, Agostinho (em seus últimos anos), Anselmo, que às vezes também interpreta a "pedra" como se fosse uma alusão a Pedro, Chemnitz, Fabrício, Calóvio, Wordsworth, J. A. Alexander. Essa interpretação tem sido a favorita entre o protestantismo, isto é, entre os protestantes comuns, e não necessariamente entre os intérpretes protestantes.

Com relação à *terceira* interpretação — a "pedra" é a *confissão* de Pedro acerca de Cristo — vemos que dificilmente se adapta ao jogo de palavras que encontramos no grego. A interpretação natural do texto é contrária a essa ideia. Os fatos também lhe são contrários, posto que as Escrituras dizem que a igreja é edificada sobre os que fazem a confissão, e não sobre a própria confissão, segundo se vê em Efésios 2.20 e 1Pedro 2.4-8. Aqueles que têm defendido essa interpretação têm sido: a maior parte dos pais da Igreja, alguns papas, Lutero, Febrônio e outros. Nota-se, porém, que esses homens usualmente não eram coerentes em sua interpretação, porquanto às vezes referiam-se à "pedra" como se fora a confissão, e outras vezes como se fora a pessoa de Pedro, e, outras vezes, ainda, como se fora o próprio Jesus Cristo. Portanto, essa terceira interpretação não está escudada em autoridade sólida.

A quarta interpretação diz que a "pedra" é a *revelação*. A igreja sempre está edificada sobre as verdades reveladas, tanto no passado, como no presente, como no futuro. Os argumentos contrários à terceira interpretação aplicam-se a esta também; mas, além disso, nota-se que essa quarta interpretação não conta com a autoridade de qualquer intérprete notável.

A quinta interpretação afirma que a *fé* que procede da confissão, o tipo de fé praticada pelos homens, é que é o fundamento da igreja. Em certo sentido, há alguma verdade nessa interpretação. É a verdade que prova que a igreja não pode subsistir sem aquele tipo de fé demonstrada por Pedro, em Cristo Jesus, e é nesse sentido que a fé forma a base da igreja; mas a simples leitura do texto é suficiente para demonstrar que essa não era a ideia que Jesus tencionava apresentar. Os argumentos contra a terceira interpretação também podem ser aplicados a esta interpretação.

Voltemos, pois, à primeira interpretação, que diz que a "pedra" é Pedro. Há muitas variações dessa interpretação, das quais as seguintes são representativas:

1. De acordo com a doutrina da Igreja Católica Romana, o texto ensina que Pedro é a base ou fundamento da igreja, separado dos demais apóstolos; e assim aparece a *primazia* de Pedro, no que fica *subentendida* a doutrina do papado. Portanto, a maior parte dos intérpretes católicos romanos, como Launoi, Dupin, e também alguns protestantes, com alguma variação na

484 |Mateus| NTI

interpretação (Werenfels, Pfaff, Bengel e Crusius), apresentam essa interpretação. Esses intérpretes exageram o sentido do texto como qualquer leitor pode observar, se não for desviado por fortes preconceitos.

2. A "pedra" é Pedro, mas *não separado* dos outros apóstolos, e, provavelmente, também não separado dos membros da igreja em geral. Peter Schaff (in loc., em Lange) diz: "Pedro (representando os outros apóstolos), tendo confiado em Cristo e tendo-o confessado (devido a isso), é a *petra ecclesiae*. As outras ideias parecem ter sido criadas especialmente para evitar a interpretação mitológica da igreja romana, que tira do texto doutrinas que não se desenvolveram senão alguns séculos após ter sido feita a declaração simples deste texto. Entretanto, não é necessário que se criem interpretações errôneas para evitar outras errôneas. Ainda que esse texto cite Pedro como pedra fundamental da igreja, não ensina coisa nenhuma que não possa ser encontrada em outros textos bíblicos". De conformidade com a leitura simples do texto, é melhor aceitarmos a interpretação natural, entendendo aqui que Pedro é a "petra", mas no sentido dado a seguir. Dificilmente, o texto tem bom sentido se apresentarmos outra interpretação. Por que Jesus chamou Simão de *petros*, nesta oportunidade? Por que, no v. 19, são mencionados poderes extraordinários que seriam dados Pedro? Facilmente Jesus poderia ter ensinado que Pedro é a pedra fundamental da igreja, evitando chamá-lo de "petros"; a referência, como existe, perde todo o sentido se não se entender que Pedro seria a pedra fundamental da igreja. É verdade que, no sentido original grego, há um jogo de palavras com esses vocábulos, mas o sentido seria mais ou menos como esta paráfrase: "Tu és uma pedra, um pequeno e insignificante fragmento, mas eu mostrarei que grande coisa posso fazer de ti. Tu serás uma rocha maciça, rocha fundamental na minha igreja, que brevemente começarei a edificar". Os escritos dos rabinos usam expressões como essas, isto é, indicam homens como pedras fundamentais da congregação de Deus. Por exemplo, esses escritos asseveram que Deus não pode edificar o seu mundo sobre o fundamento da geração de Enos, mas que, em Abraão, o Senhor encontrou essa qualidade de fundamento. E neste texto encontramos a mesma ideia.

Em confirmação dessa interpretação, consideremos os seguintes argumentos:

1. O uso da literatura rabínica, conforme já vimos.
2. O fato de o jogo de palavras, no grego, realmente indicar essa interpretação, e não a eliminar.
3. No idioma falado por Jesus, o aramaico, a palavra que ele usou para dar nome a Pedro era a mesma palavra que significa "pedra" ou fundamento da igreja.
4. *As demais* interpretações existem principalmente para combater ideias consideradas falsas da Igreja Católica Romana; não se baseiam no próprio texto bíblico.
5. A mesma verdade é ensinada em Efésios 2.20: "Edificados sobre o fundamento *dos apóstolos e profetas*, sendo ele mesmo, Cristo Jesus, a pedra angular". O texto mostra que esse edifício é a igreja, a habitação de Deus no Espírito, a "família" de Deus (v. 19). E a passagem de Apocalipse 21.14 indica a mesma ideia.
6. O testemunho do próprio Pedro, em 1Pedro 2.4-6, também indica a mesma verdade: "Chegando-vos para ele, a pedra que vive [...] vós mesmos, como pedras que vivem, sois edificados casa espiritual [...] ponho em Sião uma principal pedra angular...". A pedra principal angular é o símbolo de Cristo. *Dificilmente* a pedra angular pode conter uma referência ao fundamento *inteiro*.
7. Em sentido exclusivo, *somente Cristo* pode ser o fundamento da igreja, e isso é o que se aprende em 1Coríntios 3.11, que diz: "Porque ninguém pode lançar outro fundamento, além do que foi posto, o qual é Jesus Cristo". O v. 10 do mesmo capítulo mostra que o tema é Cristo como alicerce da vida cristã: "[...]

segundo a graça de Deus que me foi dada, lancei o fundamento como prudente construtor; e outro edifica sobre ele; porém cada um veja como edifica. [...] Contudo, se o que alguém edifica sobre o fundamento é ouro, prata, pedras preciosas, madeira, feno, palha..." Essas coisas falam da *vida cristã como que edificada sobre Cristo*, em torno de sua pessoa, e, naturalmente, não pode haver outro fundamento *nesse sentido*. No entanto, nos textos de Mateus 16 e de Efésios 2 (juntamente com outros) não está em foco essa questão, porquanto falam do grande edifício da igreja. Esse edifício, habitação de Deus, tem algumas pedras fundamentais, a saber, os apóstolos, os profetas, — todos os quais são como que pedras vivas. Nesse edifício, Cristo é a pedra fundamental, angular.

8. Precisamos notar que aquilo que foi dito acerca de Pedro, no texto de Mateus 16, *foi estendido* aos demais apóstolos, em Efésios 2.20, pelo que o texto de Mateus 16 não subentende a primazia permanente de Pedro, como ensina a Igreja Católica Romana. Dificilmente, portanto, há possibilidade de apoio às doutrinas romanistas sobre o papado. Essa interpretação romanista exagera o texto sagrado. Pedro, como pedra fundamental da igreja, recebe certos poderes de ofício. Na administração de seu ofício, tinha o poder de "proibir e permitir", conforme mostra o v. 19. Mais tarde, esses poderes também foram dados aos outros apóstolos. Ver as notas em Mateus 18.18 e João 20.23, onde se aborda a questão do perdão de pecados. Os demais apóstolos, tendo esses poderes em comum, também eram pedras fundamentais da igreja (Ef 2.20).

9. Pedro, no que diz respeito à porção judaica da igreja, era fundamental no edifício da mesma, como se pode ver em Atos 1.15; 2.14,37; 3.12; 4.8; 5.15,29; 9.34,40; 10.25,26; Gl 1.18. Ele é a pedra fundamental no sentido bíblico, e não no sentido papista. Para transferir para Pedro ou para qualquer outro indivíduo as ideias de primazia e papado, precisamos usar de grande preconceito, imaginação e *ginástica lógica*. Os privilégios e poderes que Jesus deu aqui a Pedro, posteriormente foram conferidos também a todos os outros apóstolos, e até mesmo aos crentes comuns, como nos indica a referência em Mateus 18.17-19. Não há, nem nas Escrituras e nem na história eclesiástica, evidências que indiquem que, na igreja primitiva, houvesse papado, ofício esse transferível a outros que também exercessem a autoridade e a posição que Jesus conferiu a Pedro. Esses ensinos procedem da tradição, e não das Escrituras. Contra essa interpretação romanista alinham-se os seguintes argumentos:

a. A doutrina do papado ignora o caráter do símbolo do fundamento, isto é, um fundamento deve ser posto de *uma vez só*, deve ser permanente, não pode ser renovado nem mudado continuamente, como sucede na sucessão papal.
b. Essa interpretação confunde *primazia de tempo* com superioridade permanente de ofício.
c. Essa interpretação confunde o apostolado, que era um ofício *intransferível*, válido somente no tempo de Jesus, com o desenvolvimento do episcopado post-apostólico na igreja, que só surgiu depois do tempo dos apóstolos.
d. Essa interpretação envolve o *não-reconhecimento* do ofício dos outros apóstolos, os quais também receberam os poderes e privilégios que foram dados a Pedro naquela ocasião. Eles também foram fundamentos da igreja, isto é, formaram o alicerce da igreja. (ver Efésios 2.20).
e. Essa interpretação *contradiz* os próprios escritos de Pedro (1Pe 2.5,6), que são contrários à ideia de um tipo de papado e que jamais podem indicar a existência de tal coisa.
f. Finalmente, podemos afirmar que essas doutrinas, como a do papado, a da extrema primazia de Pedro, só apareceram no dogma *posterior* da história eclesiástica, e não se alicerçam nas próprias Escrituras nem em qualquer precedente da igreja primitiva. Não havia primazia do bispo de Roma sobre o bispo de Jerusalém, de

Cesareia ou de qualquer outra localidade. A primazia do bispo de Roma foi desenvolvimento muito posterior.

As seguintes citações procuram esclarecer melhor o texto. Olshausen (in loc.): "Pedro, no seu novo caráter espiritual, aparece como o sustentáculo da grande obra de Cristo; o próprio Jesus é o criador da coisa em sua totalidade, mas Pedro é a primeira pedra do edifício". Meyer (in loc.) escreve: "Sobre nenhuma outra pedra, isto é, que foi assim chamado por causa de sua fé firme e forte em Cristo". Alford (in loc.) diz: "Pedro foi a primeira daquelas pedras fundamentais (Ef 2.20 e Ap 21.14) sobre as quais foi edificado o templo vivo de Deus; esse mesmo edifício teve começo no dia de Pentecostes, pela colocação de três mil pedras vivas sobre esse alicerce". D. Brown (in loc.) disse: "Não sobre o homem Barjonas; mas sobre o confessor de tal fé inspirada pelos céus".

"Edificarei a minha igreja" — Ver nota detalhada sobre a igreja, em Efésios 3.10. Esse vocábulo se deriva do grego, onde significa "chamados para fora", e aplica-se a qualquer assembleia. Aqui encontramos a sua primeira ocorrência no NT, embora Israel tenha sido chamado de "igreja". A palavra grega "ekklesia" aparece 115 vezes no NT, mas somente por três vezes nos Evangelhos, e todas elas em Mateus (Mt 16.18; 18.17, duas vezes). Esse fato, por si mesmo, demonstra que a ideia só se desenvolveu bem após a ressurreição de Jesus. Pouco a pouco, a ênfase sobre o *reino dos céus* transferiu-se para o ensino sobre a *igreja*. O reino literal, na terra, havia sido rejeitado; e por isso a igreja foi edificada. O próprio nome "igreja" era antigo, como se vê nas referências em Deuteronômio 18.16; 23.2 e Salmos 22.26, mas a ideia de igreja, conforme se encontra no NT, era revolucionária e crescente. A nota em Efésios 3.6 esclarece esse ponto. A referência aqui não indica somente a comunidade dos crentes, mas também implica em uma organização definida, visível, e que, de alguma forma, cumpriria os objetivos e as ideias do "reino dos céus" na terra. A referência em Mateus 18.17 (e o texto seguinte) implicam mais claramente a ideia de uma organização, como a congregação judaica, embora separada do judaísmo.

"E as portas do inferno..." — A melhor tradução dessas palavras seria aquela registrada pela tradução IB: "[...] e as portas do hades não prevalecerão contra ela...", onde se lê "hades" ao invés de "inferno". Ver nota detalhada sobre "inferno", em Apocalipse 14.11. O "hades" era o nome que os antigos gregos davam ao deus que tinha autoridade sobre o mundo dos mortos. A LXX usa essa palavra ao traduzir o termo hebraico "sheol", termo esse que, usualmente, refere-se ao lugar dos mortos, que às vezes é usado em textos que implicam aquele lugar, mas que, de outras vezes, é usado sem nenhuma explicação; e de outras vezes o termo "sheol" também se refere ao sepulcro ou à morte em geral. No grego clássico, "hades" era um lugar que continha tanto os homens bons como os maus, embora fosse dividido em compartimentos para abrigar as diversas qualidades de homens. O "tártaro", no pensamento dos gregos antigos, era um lugar escuro (abismo) que ficava no seio da terra, e que servia de prisão a Cronos, deus destronado, e aos titãs derrotados. Depois, por desenvolvimento da ideia, o sentido da palavra modificou-se, passando a significar um lugar de julgamento dos ímpios, onde essas pessoas sofriam dores e tormentos sem-fim e sem esperança. Essa palavra aparece, no NT somente em 2Pedro 2.4.

Com relação à palavra *hades*, o NT adotou a tradução da LXX, porque é impossível provar que a palavra refere-se somente ao lugar de julgamento dos ímpios. Tanto o rico como Lázaro foram para o "hades" (ver Lucas 16). Cristo também esteve no "hades" (Atos 2.27,31). O Senhor Jesus usou o termo "geena" ao referir-se ao lugar de julgamento e sofrimento finais dos ímpios. Ver a nota em Mateus 5.22.

Com relação à palavra *hades*, o NT adotou a tradução da LXX, porque é impossível provar que a palavra refere-se somente ao lugar de julgamento dos ímpios. Tanto o rico como Lázaro foram para o "hades" (ver Lc 16). Cristo também esteve no "hades" (At 2.27,31). O

Senhor Jesus usou o termo "geena" ao referir-se ao lugar de julgamento e sofrimento finais dos ímpios. Ver a nota em Mateus 5.22.

"Portas do inferno", ou melhor, *portas do hades*, era uma expressão oriental para indicar a corte, o trono, o poder e a dignidade do reino do mundo inferior. Como neste texto, no AT, a expressão indica o poder da morte. A ideia principal é que a igreja nunca será destruída por nenhum poder, e nem mesmo pela morte ou pelo resultado da morte, e nem pelo reino do mal. A igreja é eterna; a morte, ou qualquer outro poder oculto e perverso, jamais poderão ser vitoriosos sobre ela. "Reino de Satanás" é interpretação rejeitada pelos intérpretes em geral, embora a promessa de Cristo, naturalmente, tenha incluído a ideia de que Satanás e seus agentes (seu reino) jamais poderão vencer a igreja edificada sobre a rocha. As portas do hades abrem-se para devorar a humanidade inteira, e fazem isso com êxito; mas Cristo e sua igreja vencerão esse poderoso inimigo. Esse reino da morte será abolido por Cristo (ver as seguintes passagens: Is 25.8; 1Co 15.15 e Ef 1.19,20). Esse texto implica, naturalmente, na luta contra o reino do mal, mas ensina principalmente a vitória sobre a morte, com todas as suas implicações. Há bons intérpretes, porém, como Erasmo, Calvino e outros, que interpretam o texto como a vitória final sobre Satanás. A vitória sobre a morte, realmente, deve incluir essa ideia, pelo menos por implicação. Essa expressão — "porta do hades" — é comum na literatura judaica (fora do AT), mas também encontra-se em Isaías 28.10 e em Sabedoria de Salomão 16.13. Na passagem de Apocalipse 6.8, o símbolo da morte é mais personificado, pois a "morte" é apresentada montada em um cavalo e seguida pelo "hades". Entretanto, finalmente, ambos são derrotados e lançados no lago do fogo (Ap 20.14). A história eclesiástica tem demonstrado a veracidade dessa predição de Jesus. A igreja permanece até o dia de hoje, e seus inimigos mais terríveis jamais foram capazes de derrotá-la.

Eis uma citação de Buttrick, in loc., que concorda com a exposição feita deste versículo neste comentário, e que serve para ilustrá-la: "Aceitemos como *literalmente* verdadeiros esses versículos, conforme a Igreja Católica Romana dogmaticamente reivindica. Essa rocha se refere a Pedro ou à fé de Pedro? É perfeitamente claro que se refere a Pedro. A tentativa de alguns eruditos em argumentos à base do gênero feminino da palavra grega 'petra' [...] certamente é mal avisada, porquanto Cefas, o nome aramaico que Jesus usou, era certamente o apelido de Pedro, e no aramaico não há distinção de gênero. Portanto, essa 'rocha' significa Pedro como homem de fé ou Pedro como escolhido como *o primeiro* de uma linhagem de bispos monárquicos? Certamente que como homem de fé. Ambrósio assim ensinava (citado por F. W. Green, *Gospel According to Saint Matthew*", The Clarendon Bible, p. 207). Até o próprio Cipriano (cerca de 246 d.C.) argumentou que Pedro foi escolhido somente para manifestar a *unidade* da igreja".

Os intérpretes têm lutado com a palavra *igreja*, que aqui aparece. Muitos acreditam que Jesus não teria falado em tal organização, em qualquer sentido "cristão", e que o pensamento aqui dado provavelmente tenha sido uma adição à declaração original de Cristo, feita pela igreja primitiva, provavelmente na Síria, que parece ter suprido algum material para este evangelho. Entretanto, essa ideia contradiz toda a intenção da passagem que começa em Mateus 14.1, que tem a finalidade específica de apresentar a *Igreja Universal*. Parece que, à base de certo número de "logoi" de Jesus, ele rompeu com o judaísmo e considerou os seus discípulos como núcleo de uma nova ordem, de uma religião mais pura, de uma igreja toda sua. É indubitável que ele pensava neles como um tipo de "Israel" novo ou reformado, e outras passagens bíblicas refletem essa ideia, fazendo alusão à igreja como o Israel espiritual. Não obstante, esse "novo Israel" é a igreja de Jesus, a despeito de suas minúsculas dimensões em seus primórdios e a despeito de seu caráter um tanto indefinido a princípio.

16.19: dar-te-ei as chaves do reino dos céus; o que ligares, pois, na terra será ligado nos céus, e o que desligares na terra será desligado nos céus.

16.19 δώσω σοι τὰς κλεῖδας τῆς βασιλείας τῶν οὐρανῶν, καὶ ὃ ἐὰν δήσῃς ἐπὶ τῆς γῆς ἔσται δεδεμένον ἐν τοῖς οὐρανοῖς, καὶ ὃ ἐὰν λύσῃς ἐπὶ τῆς γῆς ἔσται λελυμένον ἐν τοῖς οὐρανοῖς.

19 ὃ ἐὰν δήσῃς...λελυμένον ἐν τοῖς οὐρανοῖς Mt 18.18; Jo 20.23

"Dar-te-ei chaves..." — As "chaves" simbolizam o poder e a autoridade, o encargo especial e privilegiado. Talvez a menção de "portas" e a implicação do símbolo de um castelo tenham provocado o emprego desse outro símbolo: "chaves". Cristo tem um castelo, o castelo do reino dos céus e da igreja. Esse castelo também tem "portas", e para alguém nele entrar é mister que outra pessoa abra essas portas. Ora, para abri-las, é necessário usar as "chaves". "As 'chaves' são símbolos da capacidade de abrir e explicar as verdades do evangelho, e também uma missão e comissão, dadas por Cristo, para que alguém as use" (John Gill, in loc.). Pedro fez uso das chaves, pregando o evangelho *primeiramente* aos judeus (At 2), e *depois* aos gentios (At 10 e 15.7,14).

A passagem de Isaías 22.20-22 ilustra os pensamentos deste versículo: "E será naquele dia que chamarei a meu servo Eliaquim, filho de Hilquias, e revesti-lo-ei da tua túnica, e esforçá-lo-ei com o teu talabarte, e entregarei nas suas mãos o teu domínio, e será como o pai para os moradores de Jerusalém e para a casa de Judá. E porei a chave da casa de Davi sobre o seu ombro, e abrirá, e ninguém fechará, e fechará e ninguém abrirá". O palácio do grande rei subentende a existência de alguém, de um oficial subordinado ao rei, que tenha autoridade no palácio, especialmente no tocante ao tesouro, mas cujos serviços não estariam limitados a essa função. O texto de Apocalipse 3.7 usa o mesmo símbolo, relacionado à ampla pregação do evangelho, pregação essa que arrostará todos os obstáculos. A expressão *pedra* alude ao *núcleo* da igreja, como se deu no caso de Pedro; as *chaves* referem-se ao *exercício* do ofício apostólico na igreja.

Alford diz (in loc.): "Eis outra promessa pessoal feita a Pedro, cumprida de maneira notável na sua atitude pioneira de admitir tanto os judeus como os gentios na igreja; assim ele usou o poder das chaves para abrir as portas da salvação". Alguns intérpretes, como Wordsworth, aplicam essa promessa especialmente a Pedro, mas, por extensão da ideia, a todos quantos pregam o evangelho ou exercem outras funções na igreja, incluindo as funções relacionadas à disciplina.

"O que ligares na terra..." — Há diversas interpretações sobre essas palavras: (1) Significa ligar à igreja ou desligar dela, fazendo de alguém membro ou não da Igreja Universal, e, assim, participante ou não dos benefícios da igreja. Devemos, porém, rejeitar essa interpretação, embora contenha certa parcela de verdade, porque a pregação do evangelho tem esse efeito. A pregação do indivíduo tem essa autoridade, mas dificilmente o próprio indivíduo a possui. Olshausen diz que aqui é feita alusão ao antigo costume de amarrar as portas para fortalecê-las. Contudo, aqui Cristo falou de "chaves". Aceitando a ideia de portas, ainda assim não encontraríamos a ideia exata de seu sentido. Pois que poderia querer dizer "amarrar as portas" ou "desamarrar as portas"? A dificuldade permanece. (2) Na literatura dos rabinos, esses termos eram usados para significar *proibir* e *permitir*. John Gill explica que o emprego dessa forma, na literatura judaica, aparece quase sem limite de repetição, e a implicação é a do ato de proibir certas coisas, declarando se elas são permitidas pela lei, ou o ato de recomendar outras coisas, declarando sua necessidade. De modo geral, o uso indica o que convém ser feito e o que não convém; o que é lícito e o que não o é. Muitos intérpretes aceitam essa explicação a respeito do texto. Como ilustração dessa ideia, as autoridades dos judeus podiam pronunciar o que era reputado transgressão contra a lei do sábado e o que não era reputado como tal. Esses seriam os atos de "ligar" ou "desligar", de "permitir" ou "proibir". Algumas dessas autoridades permitiam o divórcio por qualquer motivo, "permitindo" ou "desligando" os homens das responsabilidades do matrimônio. Outros estabeleciam leis mais severas, "ligando" ou "proibindo" certas atitudes. Provavelmente, em termos gerais, sem definições particulares, essa é a ideia aqui. Outras interpretações, como aquela que relaciona essas palavras à ideia do "perdão" de pecados ou da "disciplina" na igreja, poderão fazer parte dessa ideia geral. O ofício apostólico possuía diversos poderes em relação à natureza das leis eclesiásticas e à pregação do evangelho, que admitia pessoas ao reino ou à igreja, ou ainda, que excluía as mesmas da igreja, por atos disciplinares.

A passagem de João 20.23 destaca um aspecto dessa ideia: "Se de alguns perdoardes os pecados, são-lhe perdoados; se lhos retiverdes, são retidos". Nota-se, neste passo bíblico, que essa promessa foi feita *a todos* os apóstolos, e é justamente aqui que precisamos observar que aquilo que Jesus concedeu a Pedro, no princípio, antes de sua crucificação, estendeu-se posteriormente a todos os apóstolos. O perdão de pecados não pertence ao indivíduo, em si mesmo, mas Cristo outorga essa autoridade àqueles que pregam a Palavra de Deus, porquanto a aceitação ou rejeição dessa mensagem é que determina o "perdão" ou ausência de perdão de pecados. O homem não perdoa nem se recusa a perdoar, mas a sua ação, uma vez *dirigida por Deus*, está revestida dessa autoridade.

A passagem de Mateus 18.16-18 apresenta outro aspecto do privilégio que foi proporcionado a Pedro, e que mais tarde se estendeu aos outros apóstolos: "Se, porém, não te ouvir, toma ainda contigo uma ou duas pessoas, para que, pelo depoimento de duas ou três testemunhas, toda palavra se estabeleça. E, se ele não os atender, dize-o à igreja; e, se recusar ouvir também a igreja, considera-o como gentio e publicano. Em verdade vos digo que tudo o que ligardes na terra, terá sido ligado no céu, e tudo o que desligardes na terra, terá sido desligado no céu". Aqui o texto fala da disciplina na igreja, e é de notar-se que aquilo que antes fora dado a Pedro, tornou-se depois função dos membros comuns da igreja, pelo menos nesse importante aspecto. O assentimento dos membros da igreja, sobre qualquer problema disciplinar (naturalmente considerando-se que o caso seja justo), tem a aprovação dos céus, porque dos céus é que vem a autoridade da igreja. O v. 18 indica que esse poder estende-se além da disciplina, e parece que, da mesma forma que a declaração de Mateus 16.19 é geral, esta declaração é de natureza geral. Portanto, pelo menos em termos gerais, parece que aquilo que foi conferido a Pedro mais tarde também foi dado à igreja em geral, para ser usado por consentimento mútuo.

Este versículo tem dado motivo a *controvérsias*, não menos que o v. 18. Novamente, neste caso, alguns exageram o seu ensinamento e procuram fazer de Pedro o primeiro papa, como se tivesse exercido poder e autoridade quase sem limites e uma autoridade inerrante. No entanto, a simples leitura do texto derruba por terra essa ideia, o que também se dá com os textos que já notamos, em João 20.23 e Mateus 18.16-18, a saber, esses poderes não foram dados exclusivamente a Pedro, mas também estenderam-se a todos os outros apóstolos e ao *consenso da igreja*. A tradição romanista é que tem criado diversos privilégios papais, supostamente originados dessas simples palavras. Ainda que aceitemos o fato de Pedro ter exercido esses poderes com exclusividade, ainda que ele tenha exercido o poder absoluto de perdoar pecados, *de onde* deriva-se a ideia de que alguma igreja ou indivíduo *também* os tenha? As Escrituras não indicam qualquer *sucessão* de ofício, e a declaração da posse de tal poder não cria a *continuidade* do ofício. Essas crenças não procedem dos ensinamentos bíblicos e não têm origem histórica, mas derivam-se de uma "ginástica lógica".

Alguns intérpretes e tradutores procuram eliminar toda a dificuldade desse versículo, *transferindo* toda a autoridade para os céus, com a tradução, "o que desligardes na terra, já deve ter sido desligado nos céus, e o que ligardes na terra, já deve ter sido ligado nos céus". Essa tradução vem da observação de que aqui temos o particípio perfeito no grego, o que implica em ação ou condição contínua no presente, em face de uma ação anterior, cujos efeitos se fazem sentir até o presente. É verdade que, no grego, o tempo verbal perfeito pode ter esse sentido; mas, no grego "koiné" (que inclui o NT), nota-se que esse uso não é regular, razão por que não podemos confiar em tais explicações. A despeito do uso gramatical, parece claro que as outras interpretações sejam preferíveis.

A explicação dada por alguns, de que a referência é ao "reino dos céus", e não à igreja, e que assim os privilégios especiais de Pedro aplicam ao reino e não às funções eclesiásticas, ignora o fato de que Jesus introduz aqui a sua igreja e que o texto fala de igreja, e não de reino. Outrossim, devemos observar que o reino literal já fora rejeitado, e que agora Jesus falava em termos que implicam em que o "reino dos céus" será estabelecido (pelo menos na presente dispensação) não como reino literal, com a autoridade de Deus sobre a terra, mas na organização da igreja. Dessa maneira, a igreja agora é o reino. Isso não nega a existência do reino literal no futuro (na segunda vinda de Cristo).

16.20: Então ordenou aos discípulos que a ninguém dissessem que ele era o Cristo.

16.20 τότε διεστείλατο τοῖς μαθηταῖς ἵνα μηδενὶ εἴπωσιν ὅτι αὐτός ἐστιν ὁ Χριστός.

20 ἐπετίμησεν B*D e e syᶜ arm.; R] διεστείλατο rell ς

20 Mt 17.9; Mc 9.9

"Advertiu os discípulos..." — *Advertiu*. Ver nota sobre advertência semelhante, em Mateus 8.4. Em Mateus 14.22 nota-se o grande interesse de Jesus em não receber o apoio popular, que pretendia fazer dele um rei político, ideia essa que sempre foi nutrida pelo povo. João 6.15 (paralelo de Mateus 14.22, que apresenta os acontecimentos posteriores à primeira multiplicação de pães) diz: "[...] estavam para vir com o intuito de arrebatá-lo para o proclamarem rei". Jesus nada queria com as intenções políticas do povo. Não quis ser simplesmente o instrumento que livraria o povo do domínio romano e do governo dos Herodes. Tinha como principal meta uma missão religiosa e espiritual. O povo, de modo geral, entretanto, rejeitou essa missão, desejando meramente a liberdade política. O conceito popular sobre o Messias degenerou a esse ponto; por isso é que Jesus não permitiu, naquele tempo, que seus discípulos proclamassem que ele era "o Cristo". Porquanto tal proclamação, naquela oportunidade, não teria sido compreendida como Jesus desejava, mas teria sido considerada como a declaração de que ele pretendia encabeçar uma revolução contra o governo estabelecido. Ele nada queria com essa revolução, entretanto. Por isso é que não quis ser reconhecido como "o Cristo" enquanto o povo não reconhecesse o que realmente estava subentendido nesse título. Para que o povo chegasse a compreender isso, ainda teria de receber muita instrução; mas a verdade é que o povo jamais aprendeu essa lição. Jesus tinha uma missão a cumprir, e os esforços populares em fazer dele um rei político teriam eliminado a oportunidade de completar a sua missão. Na hora de sua prova é que Jesus anunciou a sua missão messiânica (ver Mt 26.64).

O segredo messiânico — Segundo os evangelhos sinópticos, Jesus escondeu, por muito tempo, sua identidade como *Messias*, não porque não tinha certeza de sua missão divina (como alguns interpretam), mas porque ele esperava condições melhores para fazer esta revelação. Ele não quis ser considerado o messias político da opinião popular. Ele esperava uma compreensão mais espiritual do povo das exigências da missão messiânica.

IX. AUTORREVELAÇÃO DE JESUS E ELEVAÇÃO DE PEDRO À AUTORIDADE (16.13-17.13)

2. Predição de Jesus sobre seus sofrimentos e glória decorrente (16.21-28)

Os paralelos são Marcos 8.31-38 e Lucas 9.22-27, e a fonte é o protomarcos, o que se dá também com a maior parte histórica dos evangelhos sinópticos. Grande parte disso estava baseada nas memórias de Pedro. (Ver as fontes dos evangelhos sinópticos em artigo com esse título, na introdução a este comentário.) Não há motivo para supor-se que Jesus não tivesse predito a própria morte. Além disso, não nos devemos surpreender com o fato de seus discípulos imediatos não terem entendido dessa maneira. Esperavam que Jesus estivesse equivocado, e viveram em uma falsa euforia. Notemos que Mateus omite o título "Filho do homem", que é chamado de "Servo sofredor"), o que é incluído em Marcos 8.31. O documento "Q" normalmente aplica esse termo à glória futura de Jesus Cristo, mas o mesmo coaduna-se bem com seus sofrimentos, e é assim que Marcos o aplica. Em "Q", o "Filho do Homem", por assim dizer, é o "Homem vindo dos céus".

16.21: Desde então começou Jesus Cristo a mostrar aos seus discípulos que era necessário que ele fosse a Jerusalém, que padecesse muitas coisas dos anciãos, dos principais sacerdotes, e dos escribas, que fosse morto, e que ao terceiro dia ressuscitasse.

16.21 Ἀπὸ τότε ἤρξατο ὁ Ἰησοῦς⁶ δεικνύειν τοῖς μαθηταῖς αὐτοῦ ὅτι δεῖ αὐτὸν εἰς Ἱεροσόλυμα ἀπελθεῖν καὶ πολλὰ παθεῖν ἀπὸ τῶν πρεσβυτέρων καὶ ἀρχιερέων καὶ γραμματεχων καὶ ἀποκτανθῆναι καὶ τῇ τρίτῃ ἡμέρᾳ ἐγερθῆναι.

⁶21 {C} ὁ Ἰησοῦς ℵᵇ C (B³ D omit ὁ) K L W X Δ Θ Π f¹ f¹³ 28 565 700 1009 1010 1071 1079 1195 1216 1230 1241 1242 1253 1344 1365 1546 1646 2148 2174 Byz Lect itᵃ·ᵃᵘʳ·ᵇ·ᶜ·ᵈ·(ᵉ)·ᶠ·ff²·²·ᵍ¹·ˡ·q vg syrᶜ·ᵖ·ʰ copˢᵃ ᵐˢ·ᵇᵒ ᵐˢˢ arm eth geo¹ Origen Augustine // Ἰησοῦς Χριστός ℵ* B* copˢᵃ·ᵐˢˢ·ᵇᵒ // omit ℵᵃ 892 geo² Irenaeusˡᵃᵗ Origen Chrysostom

Foi o evangelista ou foram copistas subsequentes que, por causa da narrativa anterior da declaração de Pedro sobre o caráter messiânico de Jesus, escreveram Ἰησοῦς χριστός? Nos Evangelhos só ocorre mais cinco vezes: no começo de Mateus (1.1,18), de Marcos (1.1), em João 1.17 e 17.3 — e particularmente em face da sentença anterior, a comissão preferiu o costumeiro ὁ Ἰησοῦς. A omissão do nome, em diversos manuscritos parece dever-se à desatenção escribal (no caso do escriba de — ℵᵃ, ao apagar X̄C, — acidentalmente ele também apagou ĪC).

"Desde esse tempo..." — Nesta altura dos acontecimentos, estamos somente a *seis meses* da cruz, o que já estava perfeitamente patente para Jesus. O novo conhecimento e discernimento de Pedro, acerca da identidade de Jesus como Messias, criava a circunstância favorável para Jesus anunciar algumas das duras ocorrências que estavam para vir. Esses acontecimentos seriam provas difíceis para os apóstolos, e Jesus quis prepará-los.

"Anciãos" — Esses eram os leigos escolhidos para tomar parte no sinédrio. Ver nota detalhada sobre o "sinédrio", em Mateus 22.23.

"Principais sacerdotes" — Não estão em foco os sumos sacerdotes e os seus delegados, mas os principais dentre os sacerdotes, eleitos pelos demais para participarem do sinédrio. Ver notas detalhadas sobre os "escribas", em Marcos 3.22; sobre os "fariseus", em Marcos 3.6; sobre os "saduceus", em Mateus 22.23; sobre os "herodianos", em Marcos 3.6; e sobre os "essênios", em Lucas 1.80 e Mateus 3.1.

Antes dessa ocasião, Jesus já avisara seus discípulos acerca de sua morte, conforme se vê em Mateus 10.38 e João 2.19, mas nunca o fizera tão claramente como desta vez. Jesus também

488 | Mateus | NTI

aludiu à sua ressurreição, mas as passagens de João 20.2 e Lucas 24.12 mostram que os discípulos *não entenderam* esse aviso. A despeito da fraca compreensão dos discípulos, Jesus aproveitou aquele momento de grande fé e de compreensão de sua identidade a fim de predizer a dura realidade de sua morte próxima. Contudo, essa predição trazia, em si mesma, o arco-íris da esperança, pois incluía a sua ressurreição. Alguns têm sugerido que o anúncio original deve ter sido muito menos do que é apresentado nos evangelhos, pois é difícil entender a incompreensão dos discípulos, que evidentemente não estavam esperando a ressurreição de Jesus. Devemos, entretanto, nos lembrar de que por diversas vezes os evangelistas mostram que esses fatos não foram mesmo compreendidos, como não foram compreendidos também acontecimentos muito mais claros que essas predições, como o milagre da multiplicação dos pães. É fato comum, igualmente, que em momentos de grande sofrimento os homens perdem, repentinamente, as lembranças e sentimentos de esperança. Pode ser que Jesus tivesse falado claramente por mais de uma vez, não somente a respeito de sua morte, mas também sobre a sua ressurreição; e é fácil aceitarmos que tais declarações não tenham sido bem compreendidas. A ideia da ressurreição era muito conhecida entre os judeus, mas ter visto esse prodígio com os próprios olhos foi privilégio de bem poucos na história do mundo. Provavelmente, esperamos demais dos apóstolos, porquanto, se estivéssemos no lugar deles, certamente não nos teríamos mostrado melhores. Ver a nota detalhada sobre a ressurreição, em 1Coríntios 15.20, o fato da ressurreição; e o modo da ressurreição de Jesus, em Lucas 24.6.

"No terceiro dia" — Ver nota detalhada sobre os dias da crucificação e da ressurreição de Jesus, em Mateus 28.1.

16.22: E Pedro, tomando-o à parte, começou a repreendê-lo, dizendo: Tenha Deus compaixão de ti, Senhor; isso de modo nenhum te acontecerá.

16.22 καὶ προσλαβόμενος αὐτὸν ὁ Πέτρος ἤρξατο ἐπιτιμᾶν αὐτῷ λέγων, Ἵλεώς σοι, κύριε· οὐ μὴ ἔσται σοι τοῦτο.

"E Pedro, chamando-o à parte..." — Tendo falado há instantes sob influência celestial, agora falava (e com toda a sinceridade) sob a influência *do poder oposto*. A alta experiência por que passara há pouco, a inspiração e o discernimento que já possuía, não evitaram que agora falasse bruscamente baseado em sua natureza carnal, dizendo coisas que, em realidade, tendiam por colocar obstáculos no caminho da missão de Jesus. A profunda experiência com as realidades religiosas não evitam a expressão da natureza carnal. Pedro recebeu mandamentos e promessas elevadas. Seu espírito como que voou. Pensou mais por si mesmo do que convinha. Com palavras autoritárias, quase exigentes, quis mudar as circunstâncias da vida de Jesus, embora Jesus já soubesse que eram inevitáveis. Outrossim, Jesus tinha compreensão e discernimento suficientes para saber que aquilo que haveria de sofrer estaria de acordo com a vontade de Deus Pai. Nesta oportunidade, Pedro simplesmente não compreendeu diversos dos propósitos da missão de Jesus, pois ainda não fizera a ligação entre as profecias sobre o Servo Sofredor com o conceito da missão messiânica de Jesus.

"Isso de modo algum te acontecerá" — O espírito impulsivo e audacioso de Pedro levou-o a falar com imenso ânimo, demonstrando uma grande autoridade ou poder, o que, segundo deve ter pensado, poderia alterar o curso da vida de Jesus. Ao assim fazer, sem que disso tivesse consciência, não combatia contra o mal, como deve ter imaginado, mas contra a vontade de Deus. E foi isso que impeliu Jesus a replicar também com espírito agitado e severo.

16.23: Ele, porém, voltando-se, disse a Pedro: Para trás de mim, Satanás, que me serves de escândalo; porque não estás pensando nas coisas que são de Deus, mas sim nas que são dos homens.

16.23 ὁ δὲ στραφεὶς εἶπεν τῷ Πέτρῳ, Ὕπαγε ὀπίσω μου, Σατανᾶ· σκάνδαλον εἶ ἐμοῦ, ὅτι οὐ φρονεῖς τὰ τοῦ θεοῦ ἀλλὰ τὰ τῶν ἀνθρώπων.

23 Ὕπαγε...Σατανᾶ Mt 4.10

"Mas Jesus..." — Marcos mostra que essas palavras de Jesus não foram dirigidas somente a Pedro, mas também a todos os apóstolos: "Jesus, porém, voltou-se e, fitando os seus discípulos, repreendeu a Pedro..." (Mc 8.33).

Jesus falou com severidade porque Pedro repetiu a tentação de Satanás no deserto, segundo vemos em Mateus 4.10 e Lucas 4.8, cujo objetivo era destruir a intenção da missão do Messias. Por isso, Jesus usou aqui as mesmas palavras de repreensão que usara contra o próprio Satanás. Neste versículo, a palavra "Satanás", que aparentemente foi dirigida a Pedro, tem provocado diversas interpretações:

1. Aqui a palavra foi aplicada em seu uso geral, com o sentido de *adversário*, e não relaciona Pedro ao Diabo, de maneira nenhuma. Jesus simplesmente teria reconhecido, naquele momento, que Pedro era qual um adversário no cumprimento de sua missão e da vontade de Deus quanto à sua vida.

2. Na tentativa de desviar de Pedro tão dura reprimenda, a maior parte dos intérpretes da Igreja Católica Romana, diz que Jesus lhe dirigiu somente a palavra "Arreda!", e que o restante "[...] tu és para mim pedra de tropeço..." — o Senhor dirigiu *ao próprio Diabo*, que ali estava, a quem podia ver, e que era o verdadeiro tentador que, naquela ocasião, exercia influência sobre Pedro. Essa ideia, naturalmente, deve-se a simples preconceito, porquanto nem o texto nem a gramática grega possibilitam tal interpretação.

3. Ainda na tentativa de livrarem Pedro de tão incisiva repreensão, outros intérpretes dizem que Jesus proferiu essas palavras dirigindo-se *a todos* os apóstolos, embora representados por Pedro. É difícil entendermos como essa ideia — ainda que fosse apoiada pelo texto — poderia ajudar a Pedro. Há momentos em que esse apóstolo recebera grandes poderes; mesmo assim, cometia erros crassos e declarados.

4. Se não nos deixarmos basear em preconceitos, veremos que o texto fala por si mesmo. Tal como, mais tarde, Judas Iscariotes foi influenciado (e possuído) por Satanás, por algum tempo, assim também Pedro sofreu sob a mesma influência; e assim, Satanás, de certa maneira e em determinado grau, usou as faculdades e a inteligência de Pedro, levando-o a repetir novas tentativas de persuadir a Jesus a abandonar a sua missão, escapar da cruz, e, talvez, criar um reino político como era o desejo do povo em geral. Naquele momento, Pedro tornou-se o representante dos propósitos de Satanás.

"Tu és para mim pedra de tropeço" — O grego, literalmente traduzido, ainda é mais enfático: "Tu és minha pedra de tropeço". É de se notar que, instantes antes, Jesus se tenha referido a Pedro como a "pedra" fundamental da igreja. Não obstante, agora, essa mesma "pedra" transformava-se em um empecilho no caminho de Jesus. Esse obstáculo era tão grande, que Jesus disse "minha pedra" de tropeço, como se esse fosse o principal obstáculo no cumprimento de sua missão. De fato, a tentação de evitar a cruz deve ter sido a mais intensa das que assaltaram o Senhor Jesus. Notamos que, mais tarde, no jardim do Getsêmani, onde tanto sofreu, não lhe foi fácil enfrentar a perspectiva da cruz, o sofrimento físico, mental e espiritual que a cruz representava. Jesus obteve a vitória em meio às tentações, mas nem por isso as tentações foram menos verdadeiras. Jesus sentiu a força dessa tentação, mas o seu caráter, desenvolvido por anos de preparação, pela comunhão aproximada com Jesus, outorgou-lhe a vitória. Pedro, por conseguinte, tocou no ponto principal que se erguia no caminho de Jesus. O Senhor reconheceu esse fato. Pedro deve ter ficado surpreendido ante *tão severa* repreensão, pois, segundo sua consciência, nada fizera que não achasse servir aos melhores interesses de Jesus, tendo agido por afeição a ele.

"Porque não cogitas..." — De modo geral, os homens preferem escapar ao sofrimento físico, e desejam esse mesmo escape para qualquer pessoa a quem estejam ligados por laços de afeição, e, talvez, para qualquer ser humano. Pedro já vira Jesus sofrer bastante às mãos dos homens. Talvez estivesse possuído por um espírito de amargura, e não quisesse ver Jesus sofrer mais, especialmente às mãos das autoridades religiosas, as quais, provavelmente, eram detestadas por Pedro. Tal como quaisquer outros teriam feito, Pedro pensava em termo de *sucesso político*, de popularidade e, talvez, de "conforto", no qual as circunstâncias são favoráveis de modo geral. Esses pensamentos são comuns a todos os homens; de fato, fazem parte das características da natureza humana. A mente de Pedro não podia ligar morte e sofrimento ao conceito que tinha da missão do Messias. Permitiu que sua mente funcionasse segundo os ditames humanos, sem nenhuma consideração para com motivos mais elevados que os humanos. E Jesus demonstrou essa verdade para exemplificar que esse tipo de raciocínio dificilmente pode entender ou aceitar "as coisas de Deus". Somente a mente ligada às coisas espirituais pode compreender como seria possível que o Messias tivesse de morrer a fim de cumprir a sua missão. Pedro, simplesmente, nada sabia do plano da expiação divina.

16.24: Então disse Jesus aos seus discípulos: Se alguém quer vir após mim, negue-se a si mesmo, tome a sua cruz, e siga-me;

16.24 Τότε ὁ ᾿Ιησοῦς εἶπεν τοῖς μαθηταῖς αὐτοῦ, Εἴ τις θέλει ὀπίσω μου ἐλθεῖν, ἀπαρνησάσθω ἑαυτὸν καὶ ἀράτω τὸν σταυρὸν αὐτοῦ καὶ ἀκολουθείτω μοι.

24 Εἴ...μοι Mt 10.38; Lc 14.27

"Então disse Jesus a seus discípulos..." — No texto paralelo, Marcos diz: "Então, convocando a multidão e juntamente os seus discípulos..." (Mc 8.34). Lucas deixa subentendido a mesma coisa: "Dizia a todos..." (Lc 9.23). Achamos a mesma declaração em Mateus 10.38. É evidente que, nestas palavras, temos declarações feitas por Jesus em circunstâncias diversas e em ocasiões diferentes. A discussão com Pedro acerca da cruz — que motivo levaria Cristo a morrer na cruz, depois de sofrer tantas coisas às mãos das autoridades religiosas e políticas — é que provocou a explicação sobre o discipulado cristão. Em seu caminho para o Calvário, Jesus mostrou o bom exemplo do discipulado. O receio imposto pelo sofrimento não lhe pôde tolher os passos. Seus desejos humanos (porque Jesus também era homem) não o impediram de cumprir a sua missão. Tal como qualquer outro homem, poderia pensar em conforto, em poder político, em grandeza e em popularidade. Essas coisas, porém, podem ser obstáculos no caminho do discipulado cristão.

Parece mui provável que, nesse passo, Jesus tenha feito *alusão* indireta à maneira com que morreria na cruz. Certamente que ele já sabia disso, mesmo seis meses antes da crucificação, que era o tempo que lhe restava de vida terrena. Realmente, Jesus fez alusões anteriores à cruz, durante o seu ministério, conforme vemos em Mateus 10.38; João 3.14 e 12.32. Todavia, o uso que ele fez do símbolo da cruz, teve o intuito principal de ilustrar as dificuldades que os apóstolos deveriam esperar no discipulado cristão. Essa expressão é tanto mais notável porque não era comum entre os judeus, isto é, os judeus não tinham provérbio dessa natureza. A cruz era o instrumento que os romanos empregavam para executar os piores criminosos, e por isso tornou-se símbolo de sofrimento horrível e vergonhoso. O condenado à cruz tinha de carregar o próprio objeto de destruição até ao local da execução. E o seguidor de Cristo leva seu próprio meio de destruição, em seus aspectos egoísticos e carnais, e, possivelmente, por semelhante modo, carrega a própria destruição, como foi o caso de muitos dos apóstolos e seguidores de Cristo, na antiguidade, quase até o século IV de nossa era. Com essas palavras, Jesus mostrou que o seu discipulado traz consigo o meio para destruir o próprio discípulo, porquanto o verdadeiro discípulo deve entregar-se totalmente ao serviço do Senhor. Além disso, é perfeitamente claro que Jesus também indicou que o discipulado seria difícil e causaria enormes sofrimentos, assim como a morte na cruz é horrível. Naturalmente que, por diversas vezes, os apóstolos já tinham contemplado o cortejo que seguia os homens condenados à cruz, os quais, acompanhados por soldados, carregavam suas cruzes, sem meio de escapar, enfrentando uma modalidade de morte verdadeiramente horrenda. Essa lembrança deve ter mostrado, para os discípulos, a seriedade do discipulado que eles haviam iniciado. Assim como o condenado à execução na cruz não podia ocultá-la, pois era obrigado a transportá-la publicamente às costas, assim também o crente não teria maneira de ocultar sua lealdade a Cristo e nem os resultados dessa lealdade em sua vida. Há muitos crentes sem cruz. A verdadeira piedade resulta da dedicação completa do ser a Deus, acompanhada do discipulado. *Segue-me* é expressão que indica autonegação, a evidência externa do discipulado cristão. Ver nota sobre a "crucificação", em Mateus 27.35.

16.25: pois, quem quiser salvar a sua vida perdê-la-á; mas quem perder a sua vida por amor de mim, acha-la-á.

16.25 ὃς γὰρ ἐὰν θέλῃ τὴν ψυχὴν αὐτοῦ σῶσαι ἀπολέσει αὐτήν· ὃς δ᾿ ἂν ἀπολέσῃ τὴν ψυχὴν αὐτοῦ ἕκενεν ἐμοῦ εὑρήσει αὐτήν.

25 Mt 10:39; Lc 17.33; Jo 12.25

16.26: Pois que aproveitará ao homem se ganhar o mundo inteiro e perder a sua vida? ou que dará o homem em troca da sua vida?

16.26 τί γὰρ ὠφεληθήσεται ἄνθρωπος ἐὰν τὸν κόσμον ὅλον κερδήσῃ τὴν δὲ ψυχὴν αὐτοῦ ζημιωθῇ; ἢ τί δώσει ἄνθρωπος ἀντάλλαγμα τῆς ψυχῆς αὐτοῦ;

26 ἐὰν...κερδήσῃ Mt 4.8,9

"Porquanto, quem quiser salvar..." — Esse é um princípio de vida *admirado* por muitos, mesmo à parte de suas implicações religiosas. Alguns antigos perceberam a sabedoria desse ensinamento, como na Sabedoria de *Siraque* 51.6, que diz: "[...] perder a vida resulta em achar a sabedoria". Platão, em *Górgias* 512, emprega linguagem semelhante: "Ó meu amigo! quero que saibas que aquilo que é nobre e bom pode ser algo diferente de salvar e ser salvo. Aquele que realmente é homem não se preocupa em viver um tempo determinado; mas, como dizem as mulheres, sabe que todos devem morrer; e, por isso, não ama a vida, deixa tudo com Deus, e considera de que modo poderá aproveitar melhor o seu prazo". Eurípedes disse: "Quem sabe se a vida não é morte, e a morte vida?"

"Vida" — No original, a palavra é o vocábulo usualmente utilizado para indicar a *alma*. Neste caso, porém, refere-se à vida verdadeira do homem; à *vida superior*, que transcende à existência física. Assim, a lição é que podemos perder a vida inferior, isto é, a vida física, a fim de obter a vida real, a vida que é o destino do ser humano, a vida espiritual. Ver as notas sobre Romanos 8.29 e Efésios 1.20,21. Ver nota sobre *psique*, em Mateus 6.25, e sobre "alma", em 2Coríntios 5.8. É evidente que Jesus usou esse provérbio também sob outras circunstâncias. Ver Lucas 17.23 e João 12.25. Com essa declaração, Cristo ensinou que o verdadeiro objetivo desta vida não é a obtenção das coisas físicas ou a realização de certos alvos ligados exclusivamente à vida terrena. O objetivo desta existência consiste em atingir o alvo que Deus determinou para o ser humano, que é a vida espiritual, a vida do mundo vindouro. Deus não completa as suas obras na vida do homem durante o curto período de sua vida física. Há ainda muitos objetivos a cumprir, objetivos esses que trarão ao homem uma glória inefável e repleta de novas oportunidades para o avanço e o desenvolvimento, o que conduzirá o homem a uma posição mais elevada do que a dos anjos.

490 |Mateus| NTI

"Perder a vida por minha causa" — Isso garante a misericórdia de Deus e a continuação de suas obras na vida do indivíduo, como também a glória do mundo vindouro. Portanto, aqueles discípulos tinham razão em não se assustar ante as advertências e avisos acerca das dificuldades do discipulado cristão.

Adam Clarke opina, sobre Mateus 10.39: "Qualquer coisa que o indivíduo sacrifique a Deus *jamais* se poderá perder, porque ele a encontrará de novo em Deus". Em Juvenal, *Sat.* VIII.1.80, encontramos as seguintes palavras, que ilustram o espírito do ensinamento deste trecho do evangelho de Mateus: "Ambiguae si quando citabere testis incertaeque rei, Phalaris licet imperet us sis falsus, et admoto dictet perjuria tauro, summum crede nefas animal praeferre pudori et propter vitam vivendi perdere causas", que significa: "Se, em qualquer tempo, for preciso dar testemunho em um caso duvidoso, embora o próprio Falaris (rei notório por sua crueldade) exija que te deites na tortura de seu touro ardente, recusa-te a trocar a inocência pela vida; porque a esta (à inocência) a vida deve seu brilho e valor".

"Pois, que aproveitará o homem se ganhar o mundo inteiro e perder a sua alma?" — Essa pergunta ilustra, de modo geral, o princípio filosófico que diz "morrer para viver", princípio esse que também tem muitos exemplos na existência física. Sabemos que a busca das riquezas, que chega a ameaçar a saúde, dificilmente pode ser considerada boa, porquanto quase todos os homens dariam suas riquezas a fim de recuperar a saúde, e mais ainda a fim de preservar a vida física. Qual o indivíduo rico que não daria todos os seus bens se isso lhe conservasse a vida física, se soubesse que a morte se aproxima? Jesus, portanto, quis mostrar que esse mesmo princípio também se aplica à vida espiritual. Não existe tesouro suficientemente grande que o homem possa dar a fim de adquirir a vida eterna. O mundo inteiro não tem o valor de apenas uma alma eterna. Jesus ensinou que, neste mundo, não existe coisa nenhuma que possa recuperar a perda da vida sublime no outro mundo, do qual a alma humana pode participar. Este é um daqueles textos em que Jesus ensina o valor absoluto da alma, da personalidade humana. Sabemos, por experiência própria, que, tanto no caso da existência física como no caso da vida espiritual, a saber, a vida no outro mundo, nenhum acúmulo de meras coisas materiais pode readquirir essas vidas.

Ninguém pode deixar de observar aqui *a seriedade* da visão de Jesus acerca das realidades espirituais, especialmente no que se relaciona à aceitação ou rejeição de seu discipulado. Se as narrativas dos evangelhos são verdadeiras, podemos dizer que Jesus nunca foi, em sentido nenhum, a figura paternal e ecumênica que alguns ramos da cristandade moderna nos querem impingir. A alma humana é eterna, e seu valor é maior do que tudo. Na opinião de muitos, as pesquisas psíquicas têm confirmado a existência de uma porção não-material no homem. Um número cada vez maior de ateus vai chegando a crer que a personalidade humana *é mais* do que física, e que, provavelmente, sobrevive à sepultura. Com o conhecimento cada vez mais profundo sobre a personalidade humana, é provável que a porção não-material do homem venha a ser finalmente reconhecida por todos, como muitos outros fatos de menor importância estão sendo reconhecidos hoje em dia. Isso será reconhecido como verdade especialmente quando a ciência tiver chegado ao fim de sua atual ênfase materialista, que foi a principal característica da ciência do século XX. Finalmente, portanto, a ciência poderá ser verdadeiramente científica e objetiva, quando admitir e reconhecer que a existência inclui, na verdade, muito mais do que podemos meramente ver e tocar. A Bíblia sempre ilustra que a vida verdadeira é mais do que a simples sobrevivência física. Nesta passagem, Jesus ensina que há uma vida depois da existência material; uma vida de valor inefável. Seu discipulado é que empresta a essa existência o seu verdadeiro valor, e esse discipulado estabelece nela e no mundo vindouro o estado da alma. Essa vida eterna não tem preço em termo de dinheiro. A alma não

tem valor comercial. Nenhuma outra lição dada por Jesus foi mais fundamental para ele do que essa. Nós, porém, hoje em dia, continuamos procurando compreender essa lição. Ver nota detalhada sobre esta vida, em Romanos 8.29. Uma das lições constantes, ministrada por Jesus, é justamente essa — a vida terrena determina o estado eterno da alma, a qual nunca se acaba.

Sabe-se que o imperador Carlos Magno foi sepultado, não como se estivesse dormindo em um abrigo, mas em um *trono*, vestido em suas roupagens reais. Uma Bíblia aberta foi posta sobre seus joelhos, e um de seus dedos apontava para o texto que diz: "Pois, que aproveitará o homem se ganhar o mundo inteiro e perder a sua alma?" (Mt 16.26). Certamente que isso narra a história de toda vida e de toda morte, e não apenas a de Carlos Magno. Não obstante, esse *logos* de Jesus passa despercebido para a maioria dos homens, e até mesmo para a maioria dos cristãos, os quais vivem como se tais palavras nunca tivessem sido proferidas. Thoreau discorreu sobre esse texto. Disse com respeito ao Novo Testamento que mais pessoas o favorecem externamente, defendem-no com preconceitos, mas dificilmente o leem. Na obra *"A Week on the Concord and Merrimack Rivers — Diary for Sunday"*, lemos as seguintes palavras: "Existem, realmente, coisas severas nele (referindo-se ao NT) que nenhum homem deveria ler em voz alta mais de uma vez: 'Pois, que aproveitará o homem se ganhar o mundo inteiro e perder a sua alma?' Meditai nisso, ianques!... [...] Pensai em repetir essas coisas ante uma audiência de habitantes da Nova Inglaterra. Quem poderia lê-las em voz alta sem ser um hipócrita? E quem poderia ouvi-las sem mostrar-se um hipócrita? Essas palavras *jamais* são lidas. Jamais são ouvidas". E quantos de nós podem lê-las ou ouvi-las com toda a sinceridade? Quantos de nós já deixaram de lado todas as coisas, em troca da busca celestial, crendo que as únicas verdadeiras riquezas são aquelas lá do alto?

16.27: Porque o Filho do homem há de vir na glória de seu Pai, com os seus anjos; e então retribuirá a cada um segundo as suas obras.

16.27 μέλλει γὰρ ὁ υἱὸς τοῦ ἀνθρώπου ἔρχεσθαι ἐν τῇ δόξῃ τοῦ πατρὸς αὐτοῦ μετὰ τῶν ἀγγέλων αὐτοῦ, καὶ τότε ἀποδώσει ἑκάστῳ κατὰ τὴν πρᾶξιν αὐτοῦ.

27 μέλλει...ἀγγέλων Mt 25.31 ἀποδώσει...αὐτοῦ Sl 28.4; 62.12; Pv 24.12; Sir 35.19; Rm 2.6; 1Rs 22.12

"Porque o Filho do homem..." — Ver nota detalhada sobre "Filho do homem", em Marcos 2.7 e Mateus 8.20; sobre o "Filho de Deus", em Marcos 1.1; sobre a humanidade de Cristo, em Filipenses 2.7; sobre a divindade de Cristo, em Hebreus 1.3. Comparar esses versículos com Mateus 14.41; 24.30,31; 25.41 e Daniel 7.13. Ver nota detalhada sobre os sete julgamentos, em Mateus 25.31; sobre o "inferno", em Apocalipse 14.11; e sobre o julgamento do crente, em 2Coríntios 5.10.

Este versículo oferece outro detalhe que ilustra a doutrina do Filho do homem, outro aspecto de seu *caráter e ministério*, especialmente em relação aos homens. Cristo é o juiz dos homens. Na qualidade de juiz, ele participa da glória do Pai. Essa ideia implica no ensino sobre o Filho do homem em seu caráter de Filho de Deus. Deus Pai outorga a sua glória ao Filho, segundo vemos em João 17.22. O Filho de Deus, dotado da glória do Pai, também é o Filho do homem, e tem o direito e o poder de julgar. A passagem de João 5.21-23 diz: "Pois assim como o Pai ressuscita e vivifica os mortos, assim também o Filho vivifica aqueles a quem quer. E o Pai a ninguém julga, mas ao Filho confiou todo o julgamento, a fim de que todos honrem o Filho, do modo como honram o Pai. Quem não honra o Filho não honra o Pai, que o enviou". Nota-se, portanto, que o poder de julgar cabe ao Filho, porque:

1. A vida do Filho é *necessária*; não pode deixar de existir. Essa vida lhe foi conferida (como homem) pelo Pai. Jesus tornou-se, portanto, o primeiro homem verdadeiramente imortal. João

5.26,27 ensina isso: "Porque assim como o Pai tem vida em si mesmo, também concedeu ao Filho ter vida em si mesmo. E lhe deu autoridade para julgar, porque é Filho do homem". Este texto subentende que o Filho do homem, na qualidade de homem, tornou-se verdadeiramente imortal, participando da mesma vida de Deus, isto é, a vida que subsiste por si mesma, que não é derivada, mas é independente. Esse é o alvo da vida humana. O Filho do homem também pode outorgar esse tipo de vida aos homens. Por causa dessa identificação com os homens, com a natureza humana e com o destino da humanidade — a transformação à imagem de Cristo, em um sentido muito literal —, Jesus tem o direito de julgar os homens. Sendo homem, ele julga os homens.

2. O homem deve ser julgado por alguém que esteja totalmente *identificado* com ele; e somente o Filho do homem está identificado desse modo e é capaz de efetuar tal julgamento com propriedade.

3. Por ordem do Pai, o Filho do homem recebeu autoridade, por causa de suas relações *especiais* para com o Pai. Tendo recebido do Pai a vida necessária, o Filho do homem participa da vida essencial do Pai. E é em face dessa participação na vida de Deus que Jesus tem autoridade para julgar.

4. Ao exercer o ministério de julgamento, o Filho honra o Pai. Por esse motivo, o Filho do homem, como juiz, procede da glória do Pai e *participa* dessa glória, porquanto esta faz parte de sua natureza, tal como faz parte da natureza do Pai.

"Com os seus anjos" — O NT dá muita importância ao ministério dos anjos, seja para benefício dos discípulos autênticos, ou, como no caso mencionado aqui, para o julgamento. Outras referências existem que subentendem a presença dos anjos no julgamento dos homens (ver Mt 13.40; 25.31; Dn 7.9,10). No livro de Daniel, lemos também que Miguel, o grande príncipe entre os anjos, estará presente quando da ressurreição dos homens, e que evidentemente exercerá algum ministério nessa ocorrência (Dn 12.1,2). O texto de 1Pedro 3.22 mostra que esses grandes poderes angelicais estão sujeitos a Jesus Cristo, o que deixa entendido que os anjos são instrumentos a seu serviço. As passagens de Efésios 1 e Colossenses 1 e 2 mostram, ainda com maior clareza, com detalhes, o mesmo ensinamento. Não se sabe muito sobre essas questões, mas não há que duvidar de que as Escrituras referem-se aos anjos como seres reais, e não como símbolos de alguma outra coisa. Ver nota detalhada acerca dos "anjos", em Lucas 4.10.

"A cada um conforme as suas obras" — Diversas passagens afirmam o fato de que haverá níveis diversos de julgamento e galardão. O julgamento ou o galardão dependem do tipo de "obras", ou seja, o curso geral da vida do indivíduo. Cada qual se encontrará a si mesmo no julgamento. Ver nota detalhada sobre *galardão*, em 1Coríntios 3.14, e sobre o julgamento do crente, em 2Coríntios 5.10. De modo geral, achamos por bem afirmar que a igreja tem simplificado por demais as implicações dessas doutrinas. Precisamos reavaliar essa questão e entender a sua importância. A maior parte dos mss antigos, incluindo BCD e os principais unciais, registra "obra" no lugar de "obras". Isso indica a vida inteira como uma "obra" — o curso geral da vida. Todas as obras — as circunstâncias e ações da vida — determinam o caráter geral da vida, a "obra" da vida. O julgamento será efetuado atendendo a essa consideração.

Jesus mencionou o julgamento a fim de mostrar que o discipulado cristão é muito sério, e que esse discipulado deve ter Cristo como alvo, porquanto no fim, na vida além, é que surgirão as consequências. De modo geral, pois, vê-se que Jesus quis ilustrar aqui a seriedade de seu discipulado, o qual não se limita somente a esta vida nem tem consequências somente para a vida terrena, mas o próprio bem-estar eterno da alma também depende de nossas ações em relação aos outros, e sob a orientação e influência de Cristo. Pode ser que a vida do crente pareça, aos de fora, uma vida "perdida" para esta existência terrena; mas o julgamento mostrará claramente que essa vida, na verdade, foi "salva"; e só no outro mundo é que o crente achará realmente a sua vida.

16.28: Em verdade vos digo, alguns dos que aqui estão de modo nenhum provarão a morte até que vejam vir o Filho do homem no seu reino.

16.28 ἀμὴν λέγω ὑμῖν ὅτι εἰσίν τινες τῶν ὧδε ἑστώτων οἵτινες οὐ μὴ γεύσωνται θανάτου ἕως ἃ ν ἴδωσιν τὸν υἱὸν τοῦ ἀνθρώπου ἐρχόμενον ἐν τῇ βασιλείᾳ αὐτοῦ.

28 τὸν...αὐτοῦ Mt 10.23 ἐν...αὐτοῦ Mt 20.21

"Em verdade vos digo…" — Este versículo é claramente *profético*, mas há ideias diversas sobre o seu sentido exato. Cada uma dessas ideias conta com seus bons advogados, autoridades em interpretação. Essas ideias são as seguintes:

1. Alguns pensam que visa ao *Pentecostes*, ou seja, o princípio da igreja, como Grotius, Calvino e outros. É óbvio que a referência não pode ser à segunda vinda de Cristo, pois sabemos que todos os apóstolos já morreram, e assim, não viram a chegada daquele acontecimento. No entanto, Jesus falou de "seu reino", e basta o fato de os apóstolos não terem visto a chegada do reino literal sobre a terra antes de morrerem para que interpretemos que o sentido não pode ser o reino político sobre a terra. Ainda continuamos esperando esse reino, o que sucederá quando do segundo advento de Cristo. Alguns intérpretes mais liberais afirmam que Cristo aludiu a essa ocorrência (não à sua segunda vinda, mas ao reino literal), e que ele esperava esse reino, mas que se equivocou. Essa ideia, porém, é inaceitável. O mais provável é que Jesus tenha falado de outra ocorrência como símbolo do reino literal, de um acontecimento que incluísse os elementos essenciais desse reino, acontecimento esse que, de alguma forma, fosse um tipo do "reino". Por isso, alguns pensam que o texto fala do Pentecostes. Os capítulos anteriores mostram que é bem possível que Jesus já tivesse perdido a esperança de ver estabelecido o reino literal em seus dias de vida terrena. Em Mateus 16.18,19, parece que Jesus referiu-se à igreja como organização que realizaria o "reino" à face da terra, até que chegasse o tempo de sua segunda vinda, quando, então, seria instaurado o reino político. O Pentecostes foi o princípio da igreja. Portanto, de certa maneira, pode-se considerar o fato de que "alguns dos apóstolos não passarão pela morte até que vejam vir o Filho do homem no seu reino", como cumprimento dessa promessa. Todavia, estes versículos não parecem ensinar isso, a despeito do fato de esta interpretação ensinar uma verdade.

2. Outros pensam que Jesus falou do *reino literal* que se seguiria à *parousia* ou sua segunda vinda. Entre esses, os mais liberais afirmam que Jesus simplesmente se equivocou. Outros, mais conservadores, como Meyer, sugerem que esta deve ser a interpretação, e que Jesus não sabia a hora de sua chegada, conforme também diz Marcos 13.32, e que por isso ele falou sem conhecimento exato. Wordsworth indica a mesma interpretação que diz que a "morte" não é a do corpo, e, sim, a da alma. Entretanto, dificilmente podemos ver isso na simples declaração do versículo; e, além disso, seria difícil explicar por que motivo Jesus disse "alguns aqui [...] de maneira nenhuma passarão pela morte…", pois isso implicaria em que alguns dentre os apóstolos não escapariam à morte da alma — a segunda morte. E isso é absurdo.

3. Alguns intérpretes falam do *juízo*, comparando este versículo com o v. 27, o qual certamente aborda essa questão, pensando que este versículo simplesmente amplia a descrição daquela ocorrência. O juízo seria um dos resultados do segundo advento de Cristo, assim, todas as objeções contra a segunda interpretação também se aplicam aqui. Pois esta interpretação nos poria em dificuldades para explicar como Jesus poderia ter

492 |Mateus| NTI

dito "alguns (presentes) [...] de maneira nenhuma passarão pela morte..." antes daquele acontecimento. É mais provável que Jesus tenha aludido a algum tipo de acontecimento que ainda mostraria, de alguma forma, o "reino", o qual é definitivamente mencionado neste versículo.

4. A interpretação mais popular parece ser aquela que diz que Jesus fez alusão à *destruição de Jerusalém*, que ocorreu no ano 70 d.C.; e, de fato, alguns dos apóstolos viram isso; mas nem todos. Alford toma esta posição, e diz que a destruição de Jerusalém, por haver destruído o estado de Israel como entidade política, iniciou o estabelecimento da manifestação do reino de Cristo, e ao mesmo tempo foi o símbolo de sua segunda vinda, o que, de certa maneira, também é um tipo de julgamento. Com a destruição de Jerusalém, começou o julgamento de Deus na casa de Deus. A segunda vinda de Cristo seria uma extensão daquele julgamento.

5. Outros preferem apontar para a *ressurreição* de Jesus como o acontecimento que iniciou, à face da terra, a glória especial de Cristo e que provocou o começo da igreja.

6. Outros, ainda, como Hilário, Crisóstomo, Eutímio, Teófilo e alguns dos modernos, interpretam a referência como a *transfiguração* de Cristo, que se segue imediatamente em todos os três evangelhos sinópticos (Mateus, Marcos e Lucas). Daí se conclui que os autores dos evangelhos parecem ter pensado nesse acontecimento como símbolo e antegozo do reino dos céus, embora este continue sendo um tema profético. A passagem de 2Pedro 1.17,18 parece encerrar uma referência idêntica. De fato, a transfiguração contém símbolos de elementos do reino, especialmente a demonstração da elevada glória do Messias. Como interpretação individual, achamos que essa parece ser a mais razoável.

7. Alguns intérpretes pensam em algo mais generalizado, em combinação com alguns dos outros elementos. Por exemplo, alguns acham que a referência indica a ressurreição e outros acontecimentos, tais como o Pentecostes, o estabelecimento da igreja, o enfraquecimento da posição religiosa dos judeus, elemento que permitiu à igreja estabelecer-se poderosamente no mundo. Sendo uma interpretação tão ampla, deve conter elementos verdadeiros, e pode ser que, de fato, Cristo tenha indicado algo mais em sentido geral. Brown diz: "É fora de dúvida que a referência é ao estabelecimento firme e ao progresso vitorioso no tempo da vida de alguns dos presentes daquele novo Reino de Cristo, que estava destinado a realizar a maior de todas as transformações na terra, e ser a grande garantia de sua vinda final e gloriosa".

A tradução AA, que diz [...] *de maneira nenhuma passarão pela morte...*, é uma interpretação veraz, porque o grego fala, literalmente, do sentido do paladar. A tradução AC verte mais literalmente essas palavras, dizendo: "[...] não provarão a morte". Nos escritos rabínicos, essa expressão é muito comum, e, no grego clássico, a expressão é empregada para indicar a "experiência" de alguma coisa. Cristo "provou a morte" (Hb 2.9), o que mostra aos homens como eles devem morrer e como devem eliminar o medo da morte, mostrando que a morte não extingue; e que por isso podemos conservar a confiança e a esperança.

Capítulo 17

3. Transfiguração - predição da glória futura (17.1-9)

Esta seção tem paralelos em Marcos 9.2-36, pelo que a sua fonte foi o *protomarcos*. Ver informação sobre as fontes informativas dos Evangelhos, na introdução a este comentário, no artigo intitulado "O problema sinóptico" e na introdução ao evangelho de Marcos. Alguns intérpretes têm procurado lançar dúvidas sobre a *historicidade* deste acontecimento, por crerem que se deve à imaginação dos membros da igreja primitiva, especialmente criada para ilustrar a divindade de Cristo, ou que histórias similares do AT, especialmente sobre o resplendor do rosto de Moisés, ao receber a lei, foram reescritas e aplicadas a Jesus, como se ele fosse um novo Moisés. Não obstante, a verdade é que nada soa tão veraz, em face daquilo que sabemos de Jesus e de suas experiências místicas, e as descrições que aqui são dadas são típicas dessas experiências.

Uma aura de grande esplendor é frequentemente associada às experiências místicas, quer historiadas quer não nas Escrituras. O acontecimento aqui narrado, porém, ultrapassa a experiência comum, porquanto não envolveu somente Jesus, mas também Pedro, Tiago e João, os quais, diferentemente de Jesus, não estavam sujeitos a essas experiências. Foi uma experiência de origem divina, uma revelação dada aos apóstolos, sobre a glória do reino futuro que terá Jesus como seu rei. O Senhor Jesus foi visto em sua glória, o homem imortal exaltado, mas também participante na natureza divina (v. 2). Provavelmente, Moisés representou a autoridade judaica da lei. Elias certamente representou os profetas, e juntos foram vistos como representantes da autoridade básica da religião revelada aos judeus. Alguns intérpretes veem nesse acontecimento a existência de muitos símbolos, como o de Moisés, que representaria os que passaram pela experiência da morte, e o de Elias, como a figura dos redimidos que serão arrebatados sem ver a morte; os apóstolos são vistos como representantes de Israel no reino futuro. Devido ao fato de o NT não indicar tais lições, é *precário* exagerar os possíveis símbolos desse acontecimento. O v. 5 é muito significativo, porque apresenta outro incidente da aprovação direta e divina à pessoa de Jesus e à sua missão.

Outros significados que, apesar de acidentais, são também importantes, têm sido apresentados, como os seguintes:

(1) Jesus, vendo claramente que já se aproximava a morte, necessitou de um consolo especial do Pai, da demonstração da aprovação divina em sua vida e obra. (2) Jesus precisou da demonstração do êxito final de sua obra; precisou da prova de que o reino, apesar de rejeitado pelo povo, seria uma realidade futura, de acordo com o elemento de tempo que o Pai determinasse. (3) Os apóstolos também necessitavam desse consolo, não só naquele instante em que estavam ligados a Jesus, mas também mais tarde, após a sua morte, ressurreição e ascensão. O texto de 2Pedro 1.16-18 ilustra o fato de que esse acontecimento insuflou grande segurança e confiança, e, realmente, a lembrança da realidade desta experiência fortaleceu e conferiu maior autoridade à mensagem cristã. A experiência demonstrou, como poucas outras, a singularidade e a autoridade de Jesus, confirmando a sua identificação como o Messias prometido e afirmando a sua missão, não somente terrestre, mas também *cósmica*.

"Os investigadores recentes se têm preocupado mais com o significado, propósito e pano de fundo da narrativa do que com suas origens históricas, porquanto muito têm a dizer-nos acerca do primitivo pensamento cristão. Assim, Herald Riesenfeld traça todos os antigos motivos e alusões em sua obra *Jesus Transfigured* (Copenhagen: Ejnar Munksgaard, 1947), que contém uma bibliografia completa. Conforme Riesenfeld, a história é fundamentalmente 'histórica', relata uma visão da entronização de Jesus como Messias e Sumo Sacerdote, que Pedro e outros puderam contemplar. G. H. Boobyer, St. Mark and the Transfiguration Story, *Journal of Theological Studies*, XLI, 1940, p. 119-140, nega que isso tenha qualquer vínculo com a ressurreição. A transfiguração, ao invés disso, seria a prefiguração da "parousia", da segunda vinda gloriosa de Cristo, tal como se vê em 2Pedro 1.13-18 e no Apocalipse de Pedro". (Sherman Johnson, in loc.)

17.1: Seis dias depois, tomou Jesus consigo a Pedro, a Tiago e a João, irmão deste, e os conduziu à parte a um alto monte;

17.1 Καὶ μεθ' ἡμέρας ἓξ παραλαμβάνει ὁ Ἰησοῦς τὸν Πέτρον καὶ Ἰάκωβον καὶ Ἰωάννην τὸν ἀδελφὸν αὐτοῦ, καὶ ἀναφέρει αὐτοὺς εἰς ὄρος ὑψηλὸν κατ' ἰδίαν.

<hr>

1 κατ ιδιαν] λιαν D d Eus.

"Seis dias depois" — Em Lucas, lemos: "cerca de *oito dias* depois" (Lc 9.38). Essa indicação de tempo demonstra que estamos diante de um acontecimento histórico e não diante de uma alegoria ou mito. Essa expressão também ilustra o uso de expressões de tempo pelos antigos. "Seis dias" não é cálculo inclusivo. "Cerca de oito dias depois", no dizer de Lucas, é cálculo inclusivo, o que reflete a maneira comum dos antigos no cálculo da passagem do tempo. Nos tempos modernos, essa forma ainda é usada, como, por exemplo, nas línguas latinas. Por exemplo, ao nos referirmos à passagem de uma semana, dizemos que se passaram *oito dias*. Dizemos que as notas da escala musical são "oito", quando, realmente, são sete. Esse tipo de cálculo é inclusivo. Referindo-nos ao tempo que Jesus ficou no sepulcro, dizemos "três dias", ao passo que ele ficou ali somente parte de três dias (parte de sexta-feira, o sábado e parte de domingo); e dizer três dias para indicar porções de dois dias e mais um dia inteiro é costume da literatura hebraica, da literatura grega e da literatura latina. Ao terceiro dia seria depois de amanhã, segundo esse modo de computar, porque, quando fazemos a contagem, o primeiro dia é aquele em que estamos. Ver notas detalhadas sobre o cômputo de tempo com referência à crucificação e à ressurreição de Jesus, em Mateus 12.40; e sobre os dias da crucificação e ressurreição de Jesus, em Mateus 28.1. Cerca de uma semana depois da grande confissão de Pedro, os três apóstolos principais — Pedro, Tiago e João — tiveram essa notável experiência.

"Pedro [...] Tiago e João" — Eram os três principais apóstolos. Neste ponto do ministério de Jesus, Pedro, obviamente, era o *primo inter pares* dos doze. Ver notas sobre os "apóstolos", em Lucas 6.12, e sobre o "apostolado", em Mateus 10.1. Nota-se que esse três também foram selecionados como as únicas testemunhas da agonia de Jesus no jardim do Getsêmani (Marcos 14.33), e também antes, quando da ressurreição da filha de Jairo, em Marcos 5.37. O desejo de Jesus era o de confirmar a validade da experiência de sua transfiguração por intermédio dessas três testemunhas oculares, para que não se perdesse a utilidade que a experiência deve ter tido na história de seu ministério e no estabelecimento da autoridade de sua igreja.

"A um alto monte" — O local tradicional é o monte *Tabor*, situado a cerca de 16 quilômetros de Cafarnaum. Essa tradição foi originada por Cirilo, de Jerusalém, e por Jerônimo, no século IV d.C., mas a opinião moderna nega essa tradição. Alguns historiadores afirmam que esse monte, no tempo de Jesus, contava com uma fortaleza ocupada por tropas, e certamente Jesus não teria feito desse lugar um abrigo solitário e próprio para a oração. Alguns conjeturam que os "seis" dias entre a narração dos últimos acontecimentos a este, foram gastos em viagem, e, assim, era impossível que estivessem em qualquer lugar perto do monte Tabor. Todavia, ninguém pode provar que se achassem viajando nesses dias. Outras ideias têm sido expostas, mas a mais comum e aceitável é a de que o local da visão foi o monte Hermom. O monte Hermom era bem visível e proeminente nas vizinhanças de Cesareia de Filipe (Mt 16.13), onde Jesus e seus discípulos provavelmente ficaram (ou, pelo menos, onde devem ter ficado, próximo dessa localidade). Há poucos montes na Palestina que merecem essa denominação de "alto monte", e o Hermom é um deles.

Provavelmente, segundo Alford tenta demonstrar, a transfiguração ocorreu *à noite*. Lucas nos informa que Jesus foi ali a fim de orar (Lc 9.28), e era costume seu orar à noite, como indicam as seguintes passagens: Lucas 6.12; 22.39; Mateus 14.23,24. Os apóstolos dormiram, porque durante a experiência haviam ficado despertos (Lc 9.32). Só desceram do monte no dia seguinte (Lc

9.37). É possível que os detalhes reais da transfiguração tivessem sido vistos com mais clareza à noite.

17.2: e foi transfigurado diante deles; o seu rosto resplandeceu como o sol, e as suas vestes tornaram-se brancas como a luz.

17.2 καὶ μετεμορφώθη ἔμπροσθεν αὐτῶν, καὶ ἔλαμψεν τὸ πρόσωπον αὐτοῦ ὡς ὁ ἥλιος, τὰ δὲ ἱμάτια αὐτοῦ ἐγένετο λευκὰ ὡς τὸ φῶς.

<hr>

2 το φως] χιων **D** lat sy^c bo(2)   17 2 2Pe 1.16-18

"Foi transfigurado..." — Mateus e Marcos usam a expressão "foi transfigurado"; Lucas diz "a aparência do seu rosto se transfigurou". De conformidade com Lucas, essa transfiguração ocorreu quando Jesus orava. Mateus e Lucas mencionam especialmente a transformação ocorrida na fisionomia de Jesus. Ilustrando, Mateus diz "resplandecia como o sol". Todos os três evangelistas sinópticos mencionam a transformação que houve em suas vestes. Mateus diz "brancas como a luz"; Lucas, "resplandeceram de brancura"; mas Marcos fala com maior ênfase ainda: "sobremodo brancas, como nenhum lavandeiro na terra as poderia alvejar".

Evidentemente, a fonte de informação foi a mesma — Pedro — que deu a Marcos a matéria principal para o seu evangelho. As informações que temos indicam que a luz não brilhou sobre Jesus, como se viesse de uma fonte luminosa exterior, mas veio principalmente de dentro dele. A luz irradiou, era uma luz de branco ofuscante, luz de glória celestial, *luz de homem imortal* agora glorificado, luz de participação na natureza divina. Pelas histórias de experiências místicas, podemos saber que grande esplendor é frequentemente associado a esse tipo de experiência, e aqui temos, provavelmente, o exemplo mais notável desse fato na experiência humana. Essa luz indica um ser espiritual de elevada posição e poder, o que faz parte inerente de sua pessoa. Por breve período, Jesus demonstrou a glória da presença de Deus, que é luz. Jesus continuava entre os homens, mas transbordava a presença de Deus. E assim demonstrou a glória que o aguardava, a glória do rei no reino dos céus; e ao mesmo tempo deu garantias da realidade da glória que espera a todos os seus verdadeiros discípulos. Naquele momento, os apóstolos não precisaram de argumento nenhum para que recebessem a garantia das realidades espirituais e confiassem nisso. Experimentaram essas realidades. O v. 6 ilustra a reação dos discípulos: "[...] depois de ser testemunhas do acontecimento e ouvir a voz dos céus [...] caíram de bruços, tomados de grande medo". Desconhecemos a natureza dessa luz celestial, mas provavelmente trata-se de uma forma de energia que se irradia da presença de Deus. Jesus, porém, sendo participante da glória da presença e da própria natureza de Deus, irradiou pessoalmente essa luz. O plano do evangelho é fazer com que todos os seus discípulos, finalmente, irradiem essa luz, quando forem transformados à imagem de Cristo. De alguma forma, a mesma coisa sucedeu a Moisés quando ele recebeu as tábuas da lei, conforme lemos em Êxodo 34.29; mas o caso de Jesus é ainda mais extraordinário. Naquele instante, Jesus encheu-se verdadeiramente do Espírito, e a plenitude infinita do Espírito ocupou todo o seu ser. Esse estado glorioso antecipou a sua glória futura (ver Jo 12.16,23; 17.5,22-24; 2Co 3.18; Mt 13.43), mas, ao mesmo tempo, antecipou a glória que nos espera. Posteriormente, Estêvão experimentou a mesma coisa, pois "o seu rosto [...] ficou como se fosse de anjo". Por um momento, contemplando Jesus com os próprios olhos, Estêvão participou da glória da presença de Deus. Jesus mostrou, de relance, o alvo glorioso que aguarda a humanidade redimida; removeu o véu, trouxe os céus até a terra.

O vocábulo grego aqui traduzido por *transfiguração*, em português é realmente a palavra *metamorfose*, que significa "mudança de forma". "Morphe" é uma das palavras gregas que significam "forma". Paulo utilizou-se do mesmo termo, em Romanos 12.2, ao falar da transformação do homem interior, isto é, a vida interior

494 |Mateus| NTI

do crente. A palavra "morphe" também foi usada para indicar a "forma" do corpo de Jesus após a sua ressurreição (ver Mc 16.12). A passagem de 2Coríntios 3.18 usa a palavra ao aludir à história do rosto refulgente de Moisés, mas aplica essa transformação a todos os crentes. Em Filipenses 2.6, o termo grego *morphe* refere-se ao estado de Jesus antes da encarnação, e também depois, já feito "homem". É evidente que esse vocábulo fala usualmente da natureza essencial de alguma coisa ou pessoa. Aqui, a Bíblia diz "(Jesus) foi transfigurado". Pode ser que a transfiguração tenha envolvido realmente uma verdadeira alteração de natureza ou substância. De fato, ela fala da transformação do homem imortal, que tem vida em si mesmo, a vida não-derivada, igual à vida de Deus, que o Pai conferiu a Jesus (como homem), e que Cristo dará aos seus verdadeiros discípulos. Ver as notas que tratam das implicações destas declarações, em João 5.26 e Romanos 8.29. O termo "morphe" é usado em relação à essência da natureza, e às vezes em contraste com a palavra "skema", que geralmente significa a forma externa, sujeita a alterações bruscas. "Skema" fala de formas acidentais; "morphe" pode falar da natureza essencial, ou de forma externa.

17.3: E eis que lhe apareceram Moisés e Elias, falando com ele.

17.3 καὶ ἰδοὺ ὤφθη αὐτοῖς Μωϋσῆς καὶ Ἡλίας συλλαλοῦντες μετ' αὐτοῦ.

Lucas 9.31 apresenta a natureza da conversa: "Os quais apareceram em glória e falavam da sua partida, que ele estava para cumprir em Jerusalém. A expressão no grego, traduzida por "e eis" serve de elemento comum que introduz uma característica ou elemento principal do acontecimento narrado. Elemento notável foi a aparição de duas personagens famosas do AT. Alguns intérpretes não aceitam a aparição objetiva desses homens, mas acham que o acontecimento foi um tipo de visão que dispensava a presença literal deles. Entretanto, a maior parte dos intérpretes compreende corretamente que eles realmente apareceram, e não há razão nenhuma para que se negue a possibilidade de tal aparição. Isso não tem sido raro na história do homem, e as Escrituras afirmam a sobrevivência e a existência posterior daqueles que já morreram. No caso de Elias, que não passou pela morte, talvez tenhamos razão em pensar que ele passou pela transformação do corpo terrestre para o corpo celeste, o que sucederá aos corpos dos verdadeiros discípulos quando do arrebatamento da igreja. Ver nota detalhada sobre a questão, em 1Tessalonicenses 4.15. Não devemos negar que a experiência não tenha sido uma visão, pois é claro que assim foi, mas a palavra *visão* não equivale a "fantasia" e não implica em que esse acontecimento não tenha incluído a presença autêntica de Moisés e Elias. Tem havido muita discussão sobre como os discípulos reconheceram os personagens como Moisés e Elias. Naturalmente que a visão incluiu o *reconhecimento* desses personagens; e ideias estranhas, como as de *Eut. Zig.*, de que tinham lido descrições daqueles homens em antigos livros hebreus, claramente são suposições errôneas. A experiência mística, especialmente do tipo acompanhado por alguma visão, traz com ela a sua interpretação, o sentido e as razões da visão. Naquela oportunidade, os discípulos não compreendiam ainda tudo isso, mas esse entendimento veio mais tarde. Pelo menos compreenderam que a visão salientava a glória de Jesus como Messias; e provavelmente também entenderam que o acontecido foi motivo de consolo e revigoramento, tanto para Jesus — que breve haveria de enfrentar a cruz — como para eles mesmos, especialmente por que servia de fator de fortalecimento da fé em uma ocasião difícil. Mais tarde, a ocorrência serviu para fortalecer a vida cristã em todos os seus aspectos, por haver demonstrado tão claramente a glória, o poder e a elevada posição de Jesus, como o rei do reino eterno, depois da parousia.

Há diversas lições e observações justas sobre a aparição desses dois homens — Moisés e Elias:

1. Moisés representa, como nenhum outro, a *autoridade da lei*, e geralmente serve de símbolo do judaísmo em geral. Diversas tradições associavam Moisés à vinda do Messias. Em sua vida e ministério, Jesus era qual outro Moisés, posto que deu uma nova lei, organizou uma nova congregação e estabeleceu uma nova ordem de coisas. No pensamento judaico, Moisés estava associado à glória do reino de Deus. Jesus incorporou essa glória em si mesmo, conforme ficou demonstrado nesta visão. Ele mesmo disse: "Porque se de fato crêsseis em Moisés, também creríeis em mim; porquanto ele escreveu a meu respeito". Nesse acontecimento, porém, Jesus não dependeu de nenhum documento escrito, como o AT, mas do próprio testemunho pessoal de Moisés. Esse testemunho infundiu coragem em Jesus, em uma hora difícil, pois agora ele já sabia que o reino literal não seria estabelecido então à face da terra, e que ele mesmo, apesar de ser rei, seria crucificado. Os discípulos, que seriam as testemunhas principais do cristianismo, também precisavam, naquele momento, daquela mensagem de consolo e segurança.

2. Elias representa *os profetas*, por ter sido um dos maiores profetas. Jesus recebeu, portanto, o testemunho dos profetas, porque, realmente, todos eles profetizaram a seu respeito. Tal como no caso de Moisés, porém, Jesus recebeu o testemunho direto de Elias, o que serviu de confirmação da sua missão como o Messias de Israel. O profeta Elias também era associado à esperança messiânica, e muitos esperavam a sua visita pessoal antes da manifestação do Messias. O v. 10 deste mesmo capítulo ilustra essa ideia. Aqui, pois, Elias talvez tenha aparecido como cumprimento parcial da profecia, ou, pelo menos, como demonstração da ligação de sua pessoa com o Messias.

3. Juntos, Moisés e Elias mostraram a *aprovação* do Pai à pessoa e à missão de Jesus; e também demonstraram que Jesus era o Messias de Israel, que se baseava na religião e esperança messiânica dos judeus, não sendo ele o fundador de uma religião inteiramente separada da fé de Israel. O aparecimento de Moisés e Elias testificou que suas obras se completavam em Cristo.

4. Há diversas interpretações: Elias representa os redimidos *arrebatados* (da igreja), porquanto não passou pela morte. Moisés representa os redimidos que *experimentam a morte* física. É difícil afirmar o simbolismo dessas figuras, mas os fatos mencionados nas posições um e três (acima) parecem ser razoáveis, indicando as lições espirituais deste versos.

5. Certamente, a visão antecipa a *parousia* e a glória do reino eterno.

A passagem de Lucas 9.31, que apresenta a ideia geral da conversa havida, ilustra o fato indicando que a aparição daqueles personagens tinham o propósito de consolar e orientar a Jesus, porquanto prestes enfrentaria a morte, e o fracasso de sua tentativa de estabelecer o reino literal era, ao mesmo tempo, sua grande oportunidade de fazer expiação pelos pecados do mundo inteiro. Jesus enfrentava a hora crítica de seu ministério, e nessa hora a associação com Moisés e Elias ajudou-o a cumprir com êxito essa fase de sua missão.

A palavra aqui traduzida por *partida* (Lc 9.31) é, literalmente, "êxodo", e fala não só de sua morte, mas também de sua ascensão aos céus, e, realmente, de sua "partida" da terra, do fim de sua missão na terra. O mesmo vocábulo é usado com referência à morte de Pedro, em 2Pedro 1.15. Moisés foi o líder do grande "êxodo" do povo de Deus, quando da saída do Egito. Jesus, mediante o seu êxodo, estabeleceria o alicerce da esperança para todo o povo de Deus sair deste mundo a fim de habitar no mundo além. Ver Hebreus 3.18 e 4.8.

Alguns intérpretes sugerem a identificação de Moisés e Elias com as duas testemunhas do Apocalipse. Ver discussão sobre esse assunto, em Apocalipse 11.3-12.

17.4: Pedro, tomando a palavra, disse a Jesus: Senhor, bom é estarmos aqui; se queres, farei aqui três cabanas, uma para ti, outra para Moisés, e outra para Elias.

17.4 ἀποκριθεὶς δὲ ὁ Πέτρος εἶπεν τῷ Ἰησοῦ, Κύριε, καλόν ἐστιν ἡμᾶς ὧδε εἶναι· εἰ θέλεις, ποιήσω ὧδε τρεῖς σκηνάς, σοὶ μίαν καὶ Μωϋσεῖ μίαν καὶ Ἠλίᾳ μίαν.

<hr/>

5 Οὗτος...εὐδόκησα Sl 2.7; Mt 3.17; 12.18; Mc 1.11; Lc 3.22; 2Pe 1.17 ἀκούετε αὐτοῦ 17 Dt 18.15; At 3.22

"**Então disse Pedro a Jesus...**" — Marcos 9.6 acrescenta: "Pois não sabia o que dizer, por estarem eles aterrados". Os outros permaneceram calados, mas Pedro, de acordo com sua natureza impetuosa, sempre tinha alguma coisa para falar ou fazer, a despeito da falta de bom senso. Pedro julgou necessário dizer alguma coisa, em vista de tão grande acontecimento, ao passo que os outros, por motivo de medo e espanto, nem tiveram tempo de formular seus pensamentos. Pedro, porém, sabia falar sem pensar.

"**Bom é estarmos aqui**" — Pode significar "é bom" termos a oportunidade de servir, de sermos *úteis*; mas, provavelmente, pode ser que a frase tenha sido usada no sentido comum de "o local é agradável para estarmos aqui neste momento". Nessa observação, Pedro tinha razão, porquanto foi testemunha de um dos maiores acontecimentos da experiência humana, embora essa importância lhe tenha sido difícil de perceber.

"**Façamos aqui três tabernáculos**" — Essa é a tradução da AC, mas a AA e a IB (e outras traduções mais modernas) têm uma tradução mais razoável: "farei aqui três tendas". Novamente Pedro, devido à sua natureza impetuosa e à sua grande energia, estava pronto a edificar sozinho as tendas, ou, pelo menos, a dirigir pessoalmente o trabalho. *Façamos* vem dos mss C(3), DEFGHKLMSUV, Gamma, Delta e Fam Pi, mas os mss mais antigos têm o singular — *farei* — como Aleph BC(1), e essa forma também aparece em algumas das melhores versões latinas, como b e ff(1). O texto de Lucas 9.33 apresenta o motivo ou um dos motivos pelos quais Pedro proferiu essas palavras: "[...] ao se retirarem estes de Jesus, disse-lhe Pedro: Mestre, bom é estarmos aqui..." É evidente que ele quis atrasar a partida daquelas grandes personalidades, e pensou que, se lhes facilitasse um lugar onde pudessem ficar, construindo "tentas", teria sucesso em sua intenção. A palavra "tabernáculos", que aparece em AC e KJ, não dá ideia exata do que Pedro pretendia levantar, porquanto esse vocábulo dá a ideia de um grande edifício ou templo. Na realidade, ele pensou em usar os ramos das árvores e os arbustos que havia no local, a fim de erguer uma espécie de cabana.

Diversos comentaristas, como Crisóstomo, seguido por Adam Clarke, Wordsworth, Ellicott e outros modernos, sugerem que Pedro viu a ocasião como *oportunidade* de fazer algo para estabelecer o reino político, evitando assim o sofrimento e a morte de Jesus, segundo o próprio Jesus já predissera que lhe aconteceria. Se Pedro tivesse podido edificar abrigos para Moisés e Elias, ainda que fossem tendas do tipo que o povo costumava edificar durante o tempo da festa dos Tabernáculos, e convidar o povo para ver pessoalmente Moisés e Elias em companhia de Jesus, sem nenhuma dúvida teria ganhado a aprovação e o reconhecimento de Jesus. Pois, uma vez alcançada a fidelidade do povo, a inauguração do reino literal não se demoraria muito mais. As ideias de Pedro eram boas, mas simplesmente não estavam conformes às necessidades da missão de Jesus. O povo esperava a aparição de Moisés e Elias em companhia do Messias, conforme dizia a literatura judaica, que mostrava Deus a falar com Moisés: "Moisés, tal como deste tua vida a eles (Israel) neste mundo, assim também, no futuro (no tempo do Messias), quando eu enviar o profeta Elias, vireis os dois, juntos" (*Debarim Rabba*, sec. 3., fol. 239.2). Portanto, mostrar ao povo que estavam presentes com Jesus aqueles dois homens muito teria contribuído para estabelecer o tipo de reino que Pedro e a esmagadora maioria do povo esperavam.

17.5: Estando ele ainda a falar, eis que uma nuvem luminosa os cobriu; e dela saiu uma voz que dizia: Este é o meu Filho amado, em quem me comprazo; a ele ouvi.

17.5 ἔτι αὐτοῦ λαλοῦντος ἰδοὺ νεφέλη φωτεινὴ ἐπεσκίασεν αὐτούς, καὶ ἰδοὺ φωνὴ ἐκ τῆς νεφέλης λέγουσα, Οὗτός ἐστιν ὁ υἱός μου ὁ ἀγαπητός, ἐν ᾧ εὐδόκησα· ἀκούετε αὐτοῦ.

<hr/>

5 φωτεινη] φωτος f13 209 pc syᶜ

"**Falava ele ainda...**" — Se outro acontecimento não tivesse interrompido Pedro, certamente ele teria continuado a falar, como era seu costume. Esta visão tem quatro elementos principais: (1) A transfiguração da aparência e de toda a pessoa de Jesus (v. 2). (2) A aparição de Moisés e Elias (v. 3). (3) A aparição da nuvem, que provavelmente não era uma nuvem física ou comum, mas uma manifestação de luz extraordinária, pois o texto diz "nuvem luminosa". Essa nuvem os envolveu como se fora um nevoeiro. Provavelmente, o texto fala de um tipo de energia celestial. Sabemos que, nas experiências místicas, a presença dos fenômenos altera a atmosfera mental, e aqueles que não estão espiritualmente preparados para tais manifestações são assaltados pelo medo. Para os mortais, sob condições comuns, habitar na atmosfera divina é experiência temível. Não temos muito conhecimento sobre tais manifestações, mas sabemos que elas acompanham as experiências místicas e podem produzir profunda alegria, êxtase, ou resultados opostos, como medo profundo. (4) A voz vinda dos céus.

Essa nuvem luminosa e celestial era justamente o sinal dos céus que os fariseus e os saduceus quiseram ver, mas que lhes foi negado, ao passo que os discípulos, embora fracos e sem grande compreensão sobre a missão de Jesus e os seus propósitos, mas que eram honestos de coração e queriam receber o conhecimento da verdade, embora não tivessem solicitado tal sinal, receberam-no livremente da parte de Deus. Esse sinal, como também os demais acompanhamentos da visão, tinham o propósito de confirmar a missão messiânica de Jesus diante dos apóstolos, ensinando-lhes algo sobre a glória dele, e, posteriormente, teve o efeito de confirmar a mensagem de cristianismo perante eles.

Por diversas vezes, houve nuvens relacionadas ao ministério de Jesus: (1) No seu batismo (Mt 3.17). (2) Mais tarde, na ascensão (At 1.9). (3) Quando de seu segundo advento, também há a promessa de que haverá uma nuvem (Mt 24.30).

No AT, esse tipo de manifestação era sempre associado *à presença* de Deus. Os judeus intitulavam essa manifestação de *shechinah*, ou glória, que no Talmude significa *praesentia Dei*, a presença de Deus. A palavra se deriva da raiz que significa "habitar". Deus deu a Israel uma nuvem para dirigir o povo no deserto, símbolo da presença de Deus que guia (ver Êx 13.21). Lemos também que, às vezes, essa manifestação enchia a "casa do Senhor" (1Reis 8.10). Posteriormente, essa manifestação passou a ser geralmente reputada uma prova da presença de Deus, e a própria palavra *shechinah* passou a ser usada para indicar a presença de Deus. Em Isaías 4.5, temos a indicação de que a presença da glória de Deus separa o mal do bem. A glória da presença de Deus serviu de símbolo do resplendor da Nova Jerusalém (Ap 21.23). Por meio dessas observações, podemos ver a magnitude do "sinal" dos céus que foi concedido aos apóstolos, e, nessas circunstâncias, até ao próprio Jesus.

"**[...] uma voz que dizia...**" — Os discípulos não precisavam erguer "tabernáculos" terrestres para abrigar a presença de Moisés e Elias. Deus manifestou a sua presença sem precisar de nenhum edifício material, e demonstrou que a sua mensagem estava presente entre os homens, na pessoa de seu Filho. O reino literal ainda

496 |Mateus| NTI

se demoraria, mas todos os benefícios desse reino poderiam ser usufruídos pelo crente, imediatamente. A voz transmitiu a mesma mensagem já notada em Mateus 3.17, quando do batismo de Jesus.

"**Amado**" — Neste caso, não significa *o mais amado* (superlativo), nem "o único amado", mas "amado" em sentido especial, particular. Conforme sucedeu quando do batismo, aqui também temos a confirmação da aprovação divina à missão messiânica de Jesus e à sua pessoa, de maneira geral. Nessa altura de seu ministério, Jesus precisava dessa confirmação, porquanto enfrentava dura oposição da parte das autoridades religiosas, a possibilidade de morrer às suas mãos, e o fracasso no estabelecimento do reino literal à face da terra. Mas a aprovação divina veio demonstrar que, a despeito desses fatos que indicavam um aparente fracasso na missão "messiânica" de Jesus, a sua vida e sua verdadeira missão messiânica, segundo deveriam ser entendidas em conexão com seu primeiro advento, não tinham falhado em seus propósitos. Tudo estava correndo de acordo com o plano de Deus. O homem comum não teria percebido isso, nas circunstâncias do momento. Por isso os discípulos também precisavam dessa confirmação; e o valor da visão não se perdeu, porque mais tarde eles se lembraram desse acontecimento e das lições daí derivadas, e então puderam compreender o quadro inteiro. O cristianismo começou, portanto, com base em uma fé firme. De certa maneira, o cristianismo foi uma extensão do judaísmo; porém, dotado de mensagem própria, de escopo universal, em que Cristo ocupa o centro.

Em diversas outras passagens nota-se a "voz" dos céus para transmitir algum recado de Deus, como Lucas 2.14; Mateus 3.17; Marcos 1.11; Lucas 3.22; João 12.28; 2Pedro 1.17 e João 1.33.

Ver notas detalhadas sobre o "Filho do homem", em Marcos 2.7 e Mateus 8.20; sobre o "Filho de Deus", em Marcos 1.1; sobre a humanidade de Cristo, em Filipenses 2.7; e sobre a divindade de Cristo, em Hebreus 1.3.

"**[...] a ele ouvi**" — Esse imperativo subentende a singularidade do cristianismo. Por intermédio de Jesus, o Cristo, a mensagem de Deus veio à terra. Se quiserem aprender alguma coisa sobre a vontade de Deus para com os homens, estes são forçados a dar atenção à personalidade de Jesus. A aprovação de Deus habita nele. Sua pessoa constitui a mensagem distinta de Deus. Os discípulos alimentavam algumas ideias equivocadas sobre o caráter do ministério de Jesus. Pensavam que ainda obteriam altas posições no reino literal. Não tinham visão clara sobre a missão de Cristo. Era necessário, portanto, que prestassem mais atenção a ele. Observemos quão notáveis foram as circunstâncias dessa visão. Moisés e Elias retiraram-se, e Jesus ficou só. Essa visão ensina que a mensagem do AT e do judaísmo em geral já tinha tido cumprimento na pessoa de Jesus. A passagem de Hebreus 1.1,2 contém a mesma mensagem: "Havendo Deus, outrora, falado muitas vezes, e de muitas maneiras, aos pais, pelos profetas, nestes últimos dias nos falou pelo Filho, a quem constituiu herdeiro de todas as coisas, pelo qual também fez o universo". Ver notas nessa referência. Por conseguinte, o mundo inteiro, e não apenas aqueles três discípulos, devem dar grande atenção a Cristo. Ver notas detalhadas sobre a singularidade do cristianismo, em Gálatas 1.8,9.

Os discípulos, ou pelo menos Pedro, quiseram *deter* Moisés e Elias; mas a grande mensagem de Deus é "ouvi o Cristo". Temos aqui o cumprimento da profecia de Deuteronômio 18.15: "O Senhor teu Deus te despertará um profeta do meio de ti, de teus irmãos, semelhante a mim: a ele ouvirás".

Além dos demais benefícios da visão, que já foram mencionados, é claro que ela teve o efeito *de fortalecer* a fé dos discípulos na ressurreição, na transformação do povo de Deus, na sobrevivência da alma após a morte física, na realidade do mundo do espírito, e, de maneira geral, nas realidades da vida espiritual e do mundo vindouro.

A aprovação da missão messiânica e cósmica de Jesus: O Pai aprovou a missão de Jesus. A visão demonstrou isto e antecipou sua *parousia* e a glória eterna de Cristo como Rei e Sumo Sacerdote.

17.6: Os discípulos, ouvindo isso, caíram com o rosto em terra, e ficaram grandemente atemorizados.

17.6 καὶ ἀκούσαντες οἱ μαθηταὶ ἔπεσαν ἐπὶ πρόσωπον αὐτῶν καὶ ἐφοβήθησαν σφόδρα.

"**Ouvindo-a...**" — A começar neste ponto, o relato do evangelho de Mateus é mais completo. As palavras dos v. 6 e 7 só se acham em Mateus. Os discípulos não se prostraram em adoração, mas simplesmente porque os elementos da visão se ampliaram com tal intensidade que não puderam suportá-la. Naquele momento, embora surpreendidos pelos acontecimentos, não puderam avaliar a magnitude do acontecimento. De fato, Pedro pôde falar, planejar e insistir na permanência de Moisés e Elias. O aparecimento da nuvem luminosa, a mudança da atmosfera mental, a grande voz vinda dos céus, e, de modo geral, a intensificação da experiência mística, oprimiram os sentidos daqueles homens mortais. A curiosidade, a surpresa e o interesse estranho que devem ter sentido no começo da experiência, cedeu lugar a um medo puro e aterrorizante. Sabe-se que uma súbita onda de medo tem o poder de debilitar a força muscular. O efeito foi tão completo, naquela ocasião, que os discípulos perderam a capacidade de permanecerem de pé. Lemos, no AT, acerca de reações similares, causadas pela presença da glória de Deus (por exemplo, no caso de Moisés, quando o seu rosto brilhou, Êx 34.30). Lembramo-nos também do que sucedeu quando os sacerdotes não podiam suportar a glória divina que invadiu o templo (1Reis 8.11). Em Daniel 8.17, há outra ilustração, e, naturalmente, não podemos olvidar a experiência de Saulo de Tarso, em Atos 9.4.

17.7: Chegou-se, pois, Jesus e, tocando-os, disse: Levantai-vos, e não temais.

17.7 καὶ προσῆλθεν ὁ Ἰησοῦς καὶ ἁψάμενος αὐτῶν εἶπεν, Ἐγέρθητε καὶ μὴ φοβεῖσθε.

"**Aproximando-se deles...**" — Aquilo que começara como uma experiência que causou surpresa e curiosidade terminou como algo por demais intenso. Os discípulos caíram prostrados, em estado de semiconsciência, quase sem sentidos. Jesus tocou neles como prova de sua misericórdia e ternura. É possível que aquele *toque* também tenha tido o efeito de restaurar-lhes a consciência. O toque de Cristo combinava-se com a voz, a mesma voz que, semanas antes, quando o mar era agitado pelo tufão, ordenara a calmaria. Elias e Moisés não estavam mais presentes; a aparência de Jesus voltara ao normal, e os discípulos, pouco a pouco, iam retornando também à normalidade, embora nunca mais pudessem esquecer-se da visão. Jamais voltariam a ser os mesmos de antes. Uma notável transformação ocorrera. Não há ninguém que, tendo recebido um toque celeste, permaneça o mesmo de antes. Essa confirmação da autoridade de Jesus confirmou-os para sempre no discipulado. Comparar isso com as seguintes passagens: Isaías 6.5-7; Daniel 10.9,10 e Apocalipse 1.17.

17.8: E, erguendo eles os olhos, não viram a ninguém senão a Jesus somente.

17.8 ἐπάραντες δὲ τοὺς ὀφθαλμοὺς αὐτῶν οὐδένα εἶδον εἰ μὴ αὐτὸν Ἰησοῦν μόνον.

"**Então eles...**" — O ministério de Moisés e de Elias terminou naquele momento. Somente Jesus ficou a fim de continuar a ministrar. Neste caso, temos, novamente, a prova de que, no passado, Deus falou por intermédio dos profetas, de diversos modos e por vários meios, mas ultimamente Deus fala por meio de seu Filho (ver Hb 1.1,2). O clímax da mensagem do AT, como mensagem constituída de sombras e símbolos, encontra-se na pessoa de Cristo. Dessa forma é que nasceu o cristianismo. Ver as notas sobre o v. 5 deste capítulo, que ilustra essas implicações. Daqui por diante, Jesus deve ser visto como o Profeta dos profetas, o Rei dos reis, o último sumo sacerdote, o Salvador, o princípio e o fim, a encarnação da mensagem de Deus, o Alfa e o Ômega.

17.9: Enquanto desciam do monte, Jesus lhes ordenou: A ninguém conteis a visão, até que o Filho do homem seja levantado dentre os mortos.

17.9 Καὶ καταβαινόντων αὐτῶν ἐκ τοῦ ὄρους ἐνετείλατο αὐτοῖς ὁ Ἰησοῦς λέγων, Μηδενὶ εἴπητε τὸ ὅραμα ἕως οὗ ὁ υἱὸς τοῦ ἀνθρώπου ἐκ νεκρῶν ἐγερθῇ.

9 εγερθη **BD** *1604.*; R] αναστη *rell* ς
9 Μηδενὶ...ἐγερθῇ Mt 16.20

"E, descendo eles do monte..." — Os discípulos que, momentos antes, tinham tido contacto com grandes personagens da história, em seu estado glorificado, agora andavam com passos mais leves, com a mente repleta de pensamentos referentes à eternidade; eram pessoas transformadas, mais espirituais do que antes, e em sua mente levavam as sementes que mais tarde haveriam de transformá-los mais ainda.

A palavra aqui traduzida como "visão" não implica em algo que não seja real. As interpretações que procuram evitar o elemento miraculoso são criações de mentes incapazes de admitir mais do que os elementos físicos, e são cegas bastante e sem instrução para saberem que os elementos miraculosos continuam atuando em nosso meio. Pela descrição da ocorrência torna-se perfeitamente claro que isso se deu em uma localidade geográfica; mas essa descrição também inclui elementos que ultrapassam a percepção dos sentidos naturais dos homens. O aparecimento de Moisés e de Elias foi real, a despeito do fato de não podermos compreender nem afirmar coisa nenhuma sobre as condições que permitiram seu retorno à terra. Não sabemos muito também sobre sua natureza; mas provavelmente apareceram em uma substância semelhante àquela com que Jesus apareceu após a sua ressurreição. Os espíritos têm forma e substância, provavelmente formas de energia, como também o corpo físico é uma forma de energia. Existem muitas formas de energia que os sentidos humanos não podem captar. Até hoje não sabemos muito sobre a energia, nem do que se trata, mas é óbvio que existem muitas formas que a ciência ainda não reconheceu. Quanto mais estudamos mais aprendemos sobre essas questões e sobre outros aspectos deste imenso universo onde existimos. Portanto, ante uma visão, não tentamos negar que estamos diante de uma *realidade*. As visões produzem formas de energia ou apresentam formas de energia que desconhecemos em nossa esfera terrena, mas tais formas não são menos "reais" do que as formas que constituem a matéria, conforme ela se encontra neste mundo. Ao se referirem às coisas que não compreendem, a tendência dos seres humanos é tratá-las como se fossem coisas "irreais". Todavia, é perfeitamente provável que essas coisas, como aquelas que ocorrem nas visões, sejam até mais "reais" do que a matéria de que se compõe este mundo, pelo fato de serem aquelas mais duráveis do que esta, e pelo fato de representarem uma forma de vida mais elevada do que tudo quanto conhecemos neste mundo.

Devemos rejeitar, portanto, a interpretação chamada de transfiguração *mitológica*. Essa pretende fazer desses acontecimentos meras questões mitológicas que se teriam desenvolvido em torno da pessoa de Jesus. Tal interpretação nada tem em seu favor, exceto o "preconceito" daqueles que a fabricaram. Se alguém não admite a possibilidade do milagre natural que também não pode aceitar a narrativa dos evangelhos quando falam de "visões", "milagres" ou outras cosias que os homens comuns não

veem e talvez jamais vejam. Esse tipo de mentalidade sente a necessidade de dizer, pois, que esses relatos dos evangelhos são meros "mitos". E, na opinião dessas mesmas pessoas, esses mitos podem ter base no AT, que apresenta outros mitos sobre a vida de outras pessoas, como Moisés e Elias. Todavia, os "milagres" ocorrem até o dia de hoje, como visões, curas e coisas semelhantes. Aqueles que estudam a literatura psíquica sabem disso. Devemos rejeitar também a chamada interpretação *alegórica*, que afirma que as narrativas dos evangelhos não refletem ocorrências verídicas, mas apenas alegorias da vida de Jesus, histórias fabricadas a interesse do ensino de certas lições éticas ou doutrinárias. Essa interpretação também baseia-se no preconceito motivado na incredulidade: o preconceito contra a possibilidade do milagre. A vida inteira de Jesus, porém, foi uma demonstração de milagres, que prova que o mundo vindouro é perfeitamente real e que, ocasionalmente, pode ter contacto com este mundo. No NT, nada é mais claro do que o esforço, feito por seus diversos escritores, em demonstrar exatamente isso. Quando fazemos interpretações mitológicas ou alegóricas das obras, da vida e dos milagres de Jesus, caímos nos mesmos erros dos incrédulos, que ficam em um estado de embotamento e negam o mundo vindouro, o poder de Deus e a personalidade de Jesus Cristo. A linguagem de João 1.14; 2Pedro 2.13,15; 1João 1; Colossenses 1; Efésios 1 e muitos outros textos bíblicos afirmam a crença dos apóstolos no elemento miraculoso na vida de Jesus. É muito mais seguro confiar em tais testemunhos do que aceitar interpretações que se alicerçam no preconceito puro dos homens que pensam que só aquilo que experimentam pode ser realidade neste mundo. Essa atitude dificilmente pode ser descrita como científica. A verdade é que quanto mais estudamos, mais entendemos que realmente pouco sabemos sobre "este vastíssimo universo" em que habitamos. Quanto a uma análise que acrescenta mais detalhes ao argumento contra a incredulidade sobre o elemento miraculoso na vida de Jesus, ver as notas sobre Mateus 14.13-21 e 25-33.

"A ninguém conteis a visão" — Provavelmente, houve diversas razões pelas quais Jesus não quis que essa experiência fosse imediatamente desvendada: (1) Visões e experiências de nível elevado são dadas somente àqueles que estão preparados para recebê-las, ou para aqueles a quem Deus tem alguma razão especial para revelar algo. Essas coisas são sagradas, são as pérolas que não devemos jogar aos cães ou aos porcos, a fim de que não as pisem. As multidões, de modo geral, só saberiam blasfemar de tais experiências. Jesus, pois, quis evitar isso. (2) Talvez Jesus desejasse preservar a novidade daquela visão especial para uma ocasião futura, quando a experiência pudesse ser usada com o máximo benefício, não somente para a vida pessoal dos discípulos, mas também como prova especial do caráter da glória de Cristo. (3) Àquela autora dos acontecimentos, Jesus quis evitar as diversas perversões que poderiam surgir em torno da história, se ela fosse revelada. Quis conservar o acontecimento em sua forma original, para ser usado com a maior força possível, como instrumento que convenceria e afirmaria a sua missão messiânica. (4) Outros têm sugerido que o relato da história poderia ter criado falsas esperanças sobre a aparição e a permanência de Elias ou Moisés na terra, como parte do povo esperava. (5) O *segredo messiânico*: Jesus não quis se revelar como Messias. Ver notas sobre este assunto em Mateus 16.20.

É realmente notável que essa visão não tenha sido comunicada *nem mesmo* aos outros discípulos. Por si só, o fato enfatiza a primeira razão acima. É evidente que somente aqueles três discípulos estavam pelo menos parcialmente preparados para receber uma visão tão alta e importante. Dessa circunstância, tiramos a lição da necessidade de crescer no conhecimento de Deus. Quando estivermos prontos, ele revelará mais de sua pessoa. Com certo preparo, podemos esperar e receber experiências fora do comum.

498 |Mateus| NTI

IX. AUTORREVELAÇÃO DE JESUS E ELEVAÇÃO DE PEDRO À AUTORIDADE (16.13-17.13)

4. Segunda declaração sobre as relações entre Jesus e João Batista (17.10-13)

(Ver a nota introdutória em 11.1, acerca de "João Batista e a nova ordem".) O que é dito aqui também se aplica ali, pelo que não é a primeira vez que o tema é desenvolvido. Quanto a esta seção, o evangelista reescreveu Marcos 9.9-13, pelo que a fonte informativa é o *protomarcos*. Ele elimina o texto de Marcos 9.10, que fala sobre o fato de os discípulos não entenderem o que Jesus dizia acerca da ressurreição. Por conseguinte, a declaração sobre o Filho do homem (ver Mc 9.12b) é transferida para o fim de Mateus 17.12, sendo refraseada.

17.10: Perguntaram-lhe os discípulos: Por que dizem então os escribas que é necessário que Elias venha primeiro?

17.10 καὶ ἐπηρώτησαν αὐτὸν οἱ μαθηταὶ¹ λέγοντες, Τί οὖν οἱ γραμματεῖς λέγουσιν ὅτι Ἠλίαν δεῖ ἐλθεῖν πρῶτον;

10-11 Ἠλίαν...πάντα Ml 4.5,6

10 {C} μαθηταί ℵ L W Θ *f*¹ 33 700 892 itᵃ·ᵃᵘʳ·ᵇ·ᶜ·ᵈ·ᵉ·ff¹·g¹·ˡ vg syrᵖᵃˡ copˢᵃ·ᵇᵒ arm geo Origen Augustine // μαθηταὶ αὐτοῦ B C D K Δ Π *f*¹³ 28 565 1009 1010 1071 1079 1195 1216 1230 1241 1253 1344 1365 1546 1646 2148 2174 *Byz Lect* itf·ff²·q syrᶜ·ᵖ·ʰ copᵇᵒ ᵐˢˢ eth Diatessaron Chrysostom

Embora seja possível que αὐτοῦ tenha sido omitida por causa do anterior αὐτόν, a comissão julgou mais provável que copistas tivessem adicionado a palavra como companhia natural de οἱ μαθηταί.

17.11: Respondeu ele: Na verdade Elias havia de vir e restaurar todas as coisas;

17.11 ὁ δὲ ἀποκριθεὶς εἶπεν, Ἠλίας μὲν ἔρχεται καὶ ἀποκαταστήσει πάντα·

"Interrogaram" — Paralelo em Marcos 9.9-13. A questão da volta de Elias era complicada; e, de fato, para muitos até hoje permanece problemática. Alguns acreditam que o ministério de João Batista cumpriu todas as exigências proféticas (ver Ml 4.5). Diversos intérpretes acreditam que Jesus indicou isso, e eliminou totalmente qualquer *necessidade* de esperar a vinda futura de Elias. A análise da própria profecia, porém, cria problemas insuperáveis se não incluirmos a ideia de que Elias, ou outra personagem em seu espírito, não terá de cumprir ainda outro ministério, antes da segunda vinda de Cristo. O estudo da profecia ilustra o fato de que esse ministério deverá ocorrer antes do "grande e terrível dia do Senhor". Dificilmente podemos afirmar que João Batista tenha cumprido essa exigência. Além do fato de João não ter cumprido a questão do tempo da profecia, é evidente também que não foram "restauradas" todas as coisas, conforme requer a profecia. Se o reino tivesse sido aceito (e foi genuinamente oferecido), então o ministério e a pessoa de João Batista teriam sido suficientes para cumprir essa profecia, e os acontecimentos subsequentes teriam feito cumprir todos os detalhes da profecia. Entretanto, o fato de o reino não haver sido aceito indica que aparecerá ainda outro precursor, quando se completarão todas as minúcias da profecia. Alguns creem que Elias é uma das testemunhas de Apocalipse 11.3. A outra testemunha tem sido variegadamente aceita como Moisés, Enoque etc. Não é indiscutível que as Escrituras ensinam assim, mas é opinião geral de alguns intérpretes que Elias ainda terá um ministério a ser cumprido no futuro. Outros intérpretes, entretanto, não acham necessário que ele mesmo cumpra esse ministério antes da segunda vinda de Cristo, mas que pode ser algum outro

homem no espírito dele, como aconteceu a João Batista, que cumpriu seu ministério, nos dias de Jesus, como se fosse Elias.

Alguns intérpretes, como Alford, acham que essa profecia é de *dupla* aplicação, o que, aliás, é muito comum às profecias. A primeira aplicação seria à vida de João Batista, que foi profeta que veio no espírito de Elias, e a segunda aplicação refere-se ao próprio Elias (ou outro personagem em seu espírito). Ambas as ideias, pois, podem ser incluídas nessa profecia. Jesus mostrou sua primeira aplicação, e continuamos esperando outro cumprimento.

É provável que o aparecimento de Moisés e Elias tenha renovado a esperança do estabelecimento do reino literal e político, e que os discípulos quisessem receber uma explicação sobre os ensinos dos escribas, que diziam que tal reino só ocorreria quando da vinda de Elias. Não é que os discípulos não tivessem ficado impressionados com a transfiguração de Jesus, mas é que continuaram a pensar seriamente no reino e no livramento do domínio romano; e a visão provocou a necessidade de uma explicação acerca do ensino sobre Elias, que por muitas vezes tinham ouvido nas sinagogas. As principais passagens usadas nesse ensino dos escribas eram Malaquias 3.1-4 e 4.5.

As passagens bíblicas que indicam outra *restauração*, que ainda ocorrerá no futuro, são Atos 3.21, Romanos 8.21, Efésios 1.22,23, 1Coríntios 15.28, e muitas outras. Os judeus esperavam que Elias viesse solucionar as divergências entre as diferentes escolas teológicas, a restauração da vara de Arão e da arca que continha o maná. Além disso, o povo esperava uma santificação da nação em geral; por conseguinte, em linhas gerais, podemos asseverar que eles esperavam uma "restitutio in integrum".

As citações da literatura judaica que ilustram essa esperança são as seguintes: "No segundo ano de Acazias, Elias estava escondido; ele não aparecerá de novo até a vinda do Messias; naquele tempo ele aparecerá e ficará escondido pela segunda vez; e não aparecerá senão quando surgirem Gogue e Magogue" (*Seder Olam Rabla*, pars.45,46). Diversos outros autores afirmam a mesma coisa, como Maimonides: "[...] são homens sábios os que dizem que antes da vinda do Messias, deverá chegar Elias" (*Hilch. Melachim*, c. 12, sec. 2). Trifo, o judeu, por muitas vezes mencionado no Talmude, nos diálogos de Justino, homem que Justino faz de porta-voz dos judeus, expressando os seus pensamentos, afirma: "[...] o Messias não reconhecerá a si mesmo, nem terá nenhum poder, até que Elias não venha para ungi-lo e torná-lo conhecido por todo o povo" (*Diálogo com Trifo*, par. 226). Entre os judeus havia um provérbio, usado em relação a qualquer controvérsia, que dizia: "Que assim fique até que Elias venha", pensando-se que ele resolveria qualquer debate. (Ver *Misn. Bava Metzia*, c. 1. sec. 8, e outros).

17.12: digo-vos, porém, que Elias já veio, e não o reconheceram; mas fizeram-lhe tudo o que quiseram. Assim também o Filho do homem há de padecer às mãos deles.

17.12 λέγω δὲ ὑμῖν ὅτι Ἠλίας ἤδη ἦλθεν, καὶ οὐκ ἐπέγνωσαν αὐτὸν ἀλλὰ ἐποίησαν ἐν αὐτῷ ὅσα ἠθέλησαν· οὕτως καὶ ὁ υἱὸς τοῦ ἀνθρώπου μέλλει πάσχειν ὑπ' αὐτῶν.

12,13 οὕτως...αὐτοῖς] *trsp* τοτε...αυτοις ουτως...αυτων D it

12 Ἠλίας ἤδη ἦλθεν Mt 11:14

17.13: Então entenderam os discípulos que lhes falava a respeito de João, o Batista.

17.13 τότε συνῆκαν οἱ μαθηταὶ ὅτι περὶ Ἰωάννου τοῦ βαπτιστοῦ εἶπεν αὐτοῖς.

13 του Βαπτ.] *om* 1424 *ff*¹ syˢ Chr

13 περὶ...αὐτοῖς Lc 1.17

"[...] Elias já veio" — Alguns intérpretes acham que Jesus mostrou, aqui, uma forma de interpretação livre, ensinando que a vinda literal de Elias, ou de outro ministério futuro no espírito de Elias, não constava de suas doutrinas. Os escribas pregavam o aparecimento necessário de Elias, interpretando as Escrituras do AT, mas, de conformidade com a ideia defendida por esses intérpretes, Jesus simplesmente não aceitava essa opinião dos escribas; pelo contrário, cria que o ministério de João Batista havia satisfeito a todas as exigências proféticas, quer para aquele tempo quer para o futuro. Outros intérpretes acreditam que Jesus referiu-se a um único aspecto dessas profecias, a saber, aquelas que dizem respeito à sua primeira vinda, e que simplesmente não mencionou a necessidade de outro ministério futuro. Ver notas sobre os v. 10 e 11, que tratam desse problema e procuram conclusões para o ele.

"[...] e não o reconheceram" — Aqui o verbo grego implica em conhecimento total e exato, com forma intensiva, pelo que a tradução da AA e da IB — "reconheceram" — é melhor do que a da AC, que diz "conheceram". O povo, de modo geral, tinha opinião elevada sobre João Batista, no que contrastava com as autoridades, que logo se tornaram inimigas suas. No entanto, é claro que até mesmo os mais favoráveis a João Batista não pensavam nele como o precursor do Messias, embora ele dissesse que era exatamente isso. As autoridades reconheceram o poder da mensagem de João, mas não aceitaram nem a sua pessoa nem a sua mensagem. O povo reconheceu-o como profeta, mas não como o profeta "Elias", o precursor do Messias.

"[...] fizeram com ele..." — No princípio, muitos apoiaram o ministério de João. A sua mensagem, entretanto, era severa, exigindo arrependimento total e sincero, ao mesmo tempo que ele teve de lutar contra o sistema religioso estabelecido em Israel. Sem dúvida, em sua pregação demonstrou o desejo de criar uma revolução religiosa, deixando também entendida a revolução política. Contudo, as autoridades não quiseram arrepender-se; tinham receio da revolução religiosa ou política. E assim, aquilo que a princípio causou certa admiração pela pessoa de João Batista, transformou-se em medo. O medo degenerou em oposição. A oposição despertou o ódio. Pode-se dizer que, de modo geral, o povo não tinha o desenvolvimento espiritual necessário para aceitar João e a sua mensagem. Sua presença tornou-se um problema difícil de ser suportado. Qual o remédio? A eliminação da presença indesejável; e Herodes realizou esse serviço em favor das autoridades religiosas dos judeus. Ver notas detalhadas sobre essa história, em Mateus 14.1-12. Ver notas detalhadas sobre os "escribas", em Marcos 3.22; sobre os "fariseus", em Marcos 3.6; sobre os "saduceus", em Mateus 22.23; sobre o "sinédrio", em Mateus 22.23; sobre os "herodianos", em Marcos 3.6; e sobre os Herodes, em Lucas 9.7.

"Assim também o Filho do homem..." — Talvez a angústia dos discípulos, ante a morte de João Batista, já se tivesse aplacado, e essas palavras de Jesus não tenham sido bem acolhidas, especialmente porque Jesus estava repetindo a predição sobre a própria morte, fazendo comparação com a morte de João, o que mostrava que, assim como João Batista teve morte violenta às mãos das autoridades religiosas, também sucederia com ele. É possível que a visão de Elias tivesse criado nova esperança sobre o reino político no coração dos discípulos, e que Jesus quisesse avisá-los de que essa esperança era vã; realmente, e que deviam esperar só tragédia e sofrimento. Ver nota detalhada sobre o Filho do homem, em Marcos 2.7 e Mateus 8.20.

"Então os discípulos entenderam..." — Que desapontamento devem ter sofrido os discípulos! O grande Elias, que pouco antes tinham visto na visão, não haveria de chegar para estabelecer o reino literal. Seu ministério já fora cumprido, mas em comparação com as altas aspirações judaicas, se cumprira de maneira tão mesquinha. Então o grande *Elias* já morrera! Fora o decapitado! O pregador decapitado representou o ministério de Elias! Além disso, o Messias continuava vivo, mas não viveria por muito tempo. Estabelecimento do reino? Não! Outra morte, outra tragédia; mais sangue, mais violência. Provavelmente os discípulos ainda não haviam aceitado essa possibilidade; ainda esperavam algum milagre que modificasse a situação, e somente essas falsas esperanças os sustentavam naquela hora.

IX. AUTORREVELAÇÃO DE JESUS E ELEVAÇÃO DE PEDRO À AUTORIDADE (16.13-17.13)

5. Jesus ilustra o seu poder (17.14-20)

Os paralelos são Marcos 9.14-29 e Lucas 9.37-43. A fonte informativa é o protomarcos.

"O contexto desta narrativa é cuidadosamente *selecionado*. Tal como na cena anterior, os discípulos foram incapazes de compreender a revelação ou realizar as obras de fé a ela apropriadas. A confusão lamentável em que se achavam faz-nos recordar Êxodo 32.1-6, onde Moisés desce do monte somente para descobrir que Aarão e os israelitas haviam caído no pecado de idolatria. Indignado, Moisés castigou seu povo; mas o primeiro ato de Jesus, ao descer do monte, foi praticar um feito de misericórdia" (Sherman Johnson, in loc.).

17.14: Quando chegaram à multidão, aproximou-se de Jesus um homem que, ajoelhando-se diante dele, disse:

17.14 Καὶ ἐλθόντων πρὸς τὸν ὄχλον προσῆλθεν αὐτῷ ἄνθρωπος γονυπετῶν αὐτὸν

17.15: Senhor, tem compaixão de meu filho, porque é epiléptico e sofre muito; pois muitas vezes cai no fogo, e muitas vezes na água.

17.15 καὶ λέγων, Κύριε, ἐλέησόν μου τὸν υἱόν, ὅτι σεληνιάζεται καὶ κακῶς πάσχει²· πολλάκις γὰρ πίπτει εἰς τὸ πῦρ καὶ πολλάκις εἰς τὸ ὕδωρ.

²15 {B} πάσχει C D K W X Δ Π *f*¹ *f*¹³ 28 33 565 700 892 1009 1010 1071 1079 1195 1216 1230 1241 1242 1253 1344 1365 1546 1646 2148 2174 *Byz Lect* it^a,aur,(b),c,d,e,f,(ff¹),ff²,g¹,l,q,(r1) vg syr^c,(s,p),h,pal arm eth^ms? geo Chrysostom // ἔχει ℵ B L Θ cop^sa7bo? Origen Chrysostom

A forma κακῶς ἔχει parece ter substituído a forma κακῶς πάσχει, ou como uma expressão grega mais idiomática, ou porque se pensou que κακῶς πάσχει era um pleonasmo.

A cura de um jovem possesso, com paralelos em Marcos 9.14-29 e Lucas 9.37-43. Em Marcos, a história é mais detalhada. O autor deste evangelho faz um resumo dela, registrando apenas os acontecimentos principais. Reunamos aqui todas as minúcias da história. Em primeiro lugar, Lucas nos diz que ela ocorreu *"no dia seguinte"*, o dia depois da transfiguração. Tanto Marcos como Lucas mencionam o fato de que eles "desceram do monte", e de que a discussão sobre a vinda de Elias ocorreu depois de terem descido. Nota-se, igualmente, que os discípulos não compreenderam as implicações das palavras de Jesus sobre a sua *ressurreição*; naturalmente porque, naquela altura, era natural que não aceitassem a possibilidade de sua morte. Marcos 9.14 mostra que, logo após terem descido do monte, os discípulos de Jesus encontraram seus inimigos entre a multidão, isto é, os "escribas", e, sem tardar, começaram a "discutir" com eles. As controvérsias tiveram reinício imediatamente. Sem dúvida aqueles homens esperavam a vinda de Jesus, com o propósito de encontrar meios de discutir com ele, sempre tentando desacreditar a ele e ao seu ministério diante do povo. O texto de Marcos 9.15-17 mostra que Jesus chegou logo depois dos discípulos, e que o povo o reconheceu imediatamente, saudando-o com júbilo. Momentos depois, Jesus viu que seus discípulos discutiam com os escribas. O v. 17 mostra que a discussão versava, principalmente, sobre a falta de capacidade dos discípulos de Jesus de expulsar um demônio que se apossara de um jovem. Sem dúvida os escribas escarneciam deles, por não terem o poder do exorcismo. Ambos os grupos tinham dificuldade em aceitar a autoridade um do outro, porquanto se um ou outro contasse com a autoridade divina, a expulsão do demônio não teria sido um problema. Só se pode supor que outras acusações mútuas também foram feitas.

500 | Mateus | NTI

Foi então que Jesus apareceu para solucionar a questão. A multidão surpreendeu-se com a sua chegada, talvez porque seu rosto ainda refletisse parcialmente a glória da transfiguração, segundo sucedera a Moisés, depois de receber as leis (ver Êx 31.29,30). Alford mostra o contraste entre a atmosfera no monte da transfiguração, onde reinava a presença de Deus, e a atmosfera no vale, onde a incredulidade, o ódio e a miséria reinavam entre os homens. Nessa atmosfera, os discípulos perderam o poder, mas Jesus, trazendo ainda os efeitos da glória de Deus, não deixou de realizar mais um milagre notável.

Rafael pintou seu quadro com grande realismo quando retratou essa cena, fazendo-a incluir tanto a transfiguração como o vale tristonho e cheio de dores mais abaixo. *Ambos* os aspectos são verídicos na experiência humana, e o vale de dores pode seguir-se imediatamente à mais gloriosa das experiências espirituais ou mesmo místicas. Jesus não podia ficar para sempre desfrutando da glória da transfiguração. Ele desceu ao vale, lá em baixo, a fim de enfrentar o problema da vida diária, e até mesmo do ódio de homens iníquos. Ali haveria de defrontar-se com as enfermidades e com o sofrimento humano. Contudo, devemos observar também que essa sua experiência espiritual permitiu-lhe estabelecer uma distinção no sofrimento da humanidade. Jesus não era egoísta. Ele tanto desfrutava de elevadas experiências místicas como servia aos homens. Uma história escrita por Henry W. Longfellow — *Tales of a Wayside Inn* — ilustra esse princípio. Certo monge temia deixar de lado as suas rezas para atender ao chamado de outro, porquanto esperava atentamente a visitação da parte de Deus. No entanto, não lhe era possível deixar de atender ao chamado dos famintos. Assim, no momento certo, foi até a entrada para servir-lhe alimentos, interrompendo as suas orações. Segundo a história, quando retornou à sua cela, encontrou Cristo a esperá-lo, e ouviu-o dizer: "Se tivesses ficado, ser-me-ia necessário partir!" *Que lição* nos é ensinada nessa história! Ao servirmos aos nossos semelhantes, servimos a Cristo, e é então que nos tornamos mais parecidos com ele e mostramos o seu amor aos outros. Quanto sofrimento se deriva da "desumanidade do homem para com o homem!" (Robert Burns, *Man Was Made to Mourn*, st. VII). Cristo almeja que mostremos aos outros a sua misericórdia, porque então é que somos dignos discípulos de seu reino.

"Lunático" — Literalmente, *batido pela lua*. Alguns intérpretes e tradutores veem aqui somente a epilepsia. É verdade que essa enfermidade tem sintomas semelhantes àqueles que se acham neste texto, mas seria uma negação da declaração do v. 18 afirmar que a condição do jovem decorria de mera doença. Segundo esse versículo, o causador era um demônio. Neste caos, a palavra "lunático" vem da antiga ideia de que as pessoas sofriam influências das fases da lua, ideia essa que tem sido muito escarnecida pelos modernos; mas estudos recentes, sobre os vários tipos de loucura, demonstram que, de fato, as fases da lua exercem influência em diversos desses casos. Os estudos psíquicos e científicos provavelmente demonstrarão que algumas das ideias antigas sobre essa questão tinham bases na realidade, pelo menos mais do que muitos modernos querem admitir. Os estudiosos da demonologia afirmam que os demônios causam enfermidades físicas e mentais, semelhantes àquelas provocadas pelos fenômenos naturais; mas isso não é motivo para supormos que a possessão demoníaca não seja real. Aqueles que estão mais familiarizados com os poderes dos demônios sabem que os sintomas de epilepsia são semelhantes aos dos possessos. Aqueles que buscam eliminar a *dificuldade* da ideia "antiga" da possessão demoníaca, mediante explicações naturais sobre este milagre, simplesmente não estão bastante instruídos nos estudos psíquicos modernos, que provam a realidade da possessão demoníaca. Isso não quer dizer, contudo, que não existam sintomas semelhantes, originados por causas naturais; pois de fato sabemos que a epilepsia tem causas naturais. O fato de alguns dos antigos suporem que todas as doenças eram causadas por influência dos espíritos malignos — no que estavam equivocados — não prova que algumas das diversas doenças físicas e mentais, com que às vezes deparamos, não tenham origem na influência demoníaca.

"Sofre muito..." — Tratava-se, provavelmente, de um tipo de epilepsia, talvez complicado por sinais de insanidade, não de origem natural, mas mediante a influência de algum espírito "imundo". Essa enfermidade tem como consequências um olhar de profunda tristeza, quedas súbitas, convulsões, inflexibilidade tetânica, e, em seguida, uma melancolia prolongada. Marcos acrescenta alguns detalhes: "[...] ele espuma, rilha os dentes e vai definhando..." Em Lucas 9.38, vemos que ele era filho único daquele homem, e Marcos 9.38 mostra que a doença havia privado o menino da capacidade de falar. Essas circunstâncias aumentavam, no pai, o desejo de ver a cura completa de seu filho, pois, sendo pai compassivo, também havia sofrido intensamente com esses acontecimentos.

Os antigos tinham algumas ideias acerca do intenso sofrimento do pai. Em geral, criam que as doenças sempre eram provocadas por espíritos, pelo que chamavam de *doença divina* a uma situação como essa. Os romanos usavam a expressão *morbus comitialis* para indicar essa enfermidade, porque durante a "comitia" ou assembleia dos senadores da república, se alguém sofria de um ataque, a assembleia era despedida, pois o ataque era considerado um mau agouro.

17:16: Eu o trouxe aos teus discípulos, e não o puderam curar.

17.16 καὶ προσήνεγκα αὐτὸν τοῖς μαθηταῖς σου, καὶ οὐκ ἠδυνήθησαν αὐτὸν θεραπεῦσαι.

17:17: E Jesus, respondendo, disse: Ó geração incrédula e perversa! até quando estarei convosco? até quando vos sofrerei? Trazei-mo aqui.

17.17 ἀποκριθεὶς δὲ ὁ Ἰησοῦς εἶπεν, Ὦ γενεὰ ἄπιστος καὶ διεστραμμένη, ἕως πότε μεθ' ὑμῶν ἔσομαι; ἕως πότε ἀνέξομαι ὑμῶν; φέρετέ μοι αὐτὸν ὧδε.

17 γενεά...διεστραμμένη Dt 32.5,20

"[...] teus discípulos [...] não puderam curá-lo".

"Perversa": i.e., "totalmente torta".

Jesus sempre se perturbava quando os homens mostravam *falta de fé*, quer se tratasse de seus discípulos, quer não. A incredulidade deles é que provocara tão ridícula situação. Por toda parte Jesus parece dar a entender que a fé, em outras pessoas que não os discípulos, seria capaz de produzir maravilhas, contanto que aprendessem o segredo, obviamente tão simples para Jesus: a comunhão com Deus. Para Jesus, o mundo invisível não era invisível. A presença e a realidade do mundo do além, nas circunstâncias diárias de sua vida, preparavam o Senhor Jesus para realizar suas maravilhas. Ele só se perturbava e admirava quando se via ante a incredulidade dos homens. Jesus falou em "geração" incrédula. Com essas palavras não se referiu ao pai do menino possesso, nem aos discípulos ou aos escribas em particular, mas falou em termos gerais, a fim de descrever a condição da humanidade, segundo ele a contemplava. A incredulidade produz a perversão. A perversão atinge rapidamente o espírito e a atitude mental. E o espírito e a atitude mental afetam as ações. No fim, o incrédulo simplesmente não segue o padrão que Deus tem estabelecido para a raça humana. O homem se compõe de corpo e espírito. De fato, o homem é um ser espiritual e imortal, mas a incredulidade apaga até mesmo o conhecimento desse fato. No fim, o homem pensa que nada mais é do que uma espécie de animal e age como mero animal, negando e ignorando as influências do outro mundo, o mundo espiritual. Dessa maneira, desgasta as suas potencialidades, negando a glória de sua natureza. Era diante dessas condições que Jesus se perturbava e se surpreendia. Pouco antes, ele se associara a personagens humanas glorificadas — Moisés e Elias. À raça humana em geral faltavam as características apresentadas por aqueles homens, embora elas fossem possíveis para a raça humana inteira. Ver nota em Romanos 8.29.

"Até quando vos sofrerei?" — A vida inteira de Jesus foi um *sofrimento* por causa das fraquezas humanas, da incredulidade dos homens e de sua estupidez. Às vezes, Jesus deixava transparecer que ansiava por libertar-se dessa companhia, sabendo que além estava a glória que ele tivera com o Pai antes da criação do mundo. Sendo homem muito desenvolvido espiritualmente, ele palmilhou um caminho solitário, pois nem os próprios discípulos, selecionados especialmente, puderam reconhecer algumas vezes os valores e poderes espirituais.

Bruce diz (in loc.): "Jesus estava longe de todos em espírito, sozinho, cansado, desejando ardentemente que chegasse o fim, como vemos na sua pergunta: 'Até quando estarei convosco?' Essa foi declaração de uma natureza muito desenvolvida, exausta ante o embotamento, a estupidez e a falta de susceptibilidade espiritual, sem falar da perversidade moral que o cercava por todos os lados".

"Trazei-me aqui o menino" — Apesar de seu espírito cansado ante a perversão dos homens, mesmo assim Jesus usou de misericórdia para com os homens, ainda respondeu à voz de angústia que clamava, ainda deu valor ao apelo da fé, mesmo que débil.

Marcos adiciona aqui outros detalhes: "[...] quando ele viu a Jesus, o espírito imediatamente o agitou com violência, e, caindo ele por terra, revolvia-se espumando". O espírito imundo *percebeu* que chegara ao fim o seu domínio sobre o menino, e, por maldade, fez o pior possível. Seja o demônio um ser espiritual como os anjos caídos, seja ele um espírito humano desencarnado, é evidente que ele precisa de um corpo material para manifestar-se com facilidade nesta esfera. O demônio, por pertencer a outra criação ou a outro mundo, não se dá bem neste mundo. O corpo humano serve de instrumento para as suas manifestações perversas, porquanto, sem esse instrumento, a manifestação é difícil ou impossível.

Marcos narra a conversa havida entre Jesus e o pai do menino, em Marcos 9.21-24: "Perguntou Jesus ao pai do menino: Há quanto tempo isto lhe sucede? Desde a infância, respondeu; e muitas vezes o tem lançado no fogo e na água, para o matar; mas se tu podes alguma coisa, tem compaixão de nós, e ajuda-nos. Ao que lhe respondeu Jesus: Se podes! tudo é possível ao que crê. E imediatamente o pai do menino exclamou (*com lágrimas*): Eu creio, ajuda-me na minha falta de fé". Aqui estão alguns detalhes emocionantes que não foram dados pelo autor do evangelho de Mateus. As diferenças são tão grandes, que alguns estudiosos pensam que é possível que os diversos autores tivessem contado com diferentes fontes da história; mas também é possível que o autor do evangelho de Mateus tivesse exposto um simples esboço da história, e, que, por esse motivo, tenha omitido muitas coisas de interesse, especialmente minúcias de interesse humano, que Marcos descreveu com simplicidade, mas emotivamente.

"[...] desde a infância..." — O poder demoníaco já estava bem arraigado. Provavelmente, o autor quis mostrar a natureza obstinada da enfermidade. Não era algo de origem recente. O demônio exercia controle absoluto. Pelo estudo da demonologia, sabemos que o espírito, depois de certo tempo, ganha total controle sobre a psique da pessoa, a ponto de esta perder sua identidade anterior. O espírito do possesso perde o controle, e a identificação com o espírito imundo, finalmente, torna-se total. Quando isso ocorre, a expulsão é muito difícil. A possessão também pode ser parcial, e nessa condição há duas identidades: a da própria pessoa e a do espírito imundo. Nessa condição, o indivíduo expressa dupla personalidade. O caso em foco parece ter sido de possessão total.

A explicação dada por Marcos 9.22, que é o texto paralelo a Mateus 17.15, ilustra o fato de que, sem a ajuda divina, o caso seria incurável. Anos já se tinham passado. O menino sofria grandemente. O pai, por amor e compaixão, sentia tudo quanto o menino sofria, e, provavelmente já havia procurado a ajuda alheia, pois sabemos que os fariseus e outros, entre os antigos, praticavam o exorcismo.

O demônio, porém, provou que era mais forte do que todos, sempre adquirindo maior poder e aumentando os sofrimentos do menino.

É muito interessante o texto de Marcos 9.23. As traduções AC, KJ e outras mais antigas dizem "Se tu podes crer; tudo é possível ao que crê". A palavra "crer" não aparece nos mss mais antigos. "Crer" está nos mss AC(3) DEFGHKMNSUVX, Gamma, Fam Pi e nas traduções KJ, AC e F. Entretanto, os mss mais antigos, como P(45), Aleph, BC(1), Delta e todas as outras traduções (inclusive AC e IB) omitem a palavra "crer". Essa omissão, que reflete o texto original, faz uma grande diferença no sentido desse versículo. O que Jesus realmente disse, foi: "*Se podes!*", e não "Se tu podes crer". Jesus não aludiu à fé do homem, como se estivesse exigindo a fé como fator principal da parte dele, embora essa ideia também esteja incluída; mas Jesus ofendeu-se diante do fato de que a falta de fé do homem era patente. Por isso é que exclamou: "*Se podes!*" Naturalmente que Jesus podia curar aquele caso difícil! Jesus não tinha dúvida nenhuma sobre isso, mas ofendeu-se diante do fato de a débil fé do pai do menino levá-lo a duvidar de que ele pudesse realizar a cura, e isso perturbou o Senhor. O homem, então, notando a dureza da resposta de Jesus, disse: "Eu creio, ajuda-me na minha falta de fé". As palavras "com lágrimas" são uma adição posterior ao texto deste evangelho, pois não se encontram nos mss mais antigos, como P(45), Aleph, A(1) e Delta. Algum escriba ou escribas é que acrescentaram essa minúcia para aumentar o impacto emocional, mas o texto prescinde desse acréscimo. As traduções AA, IB, GD, WM, PH, BR, WY e outras, seguindo os mss mais antigos, omitem essas palavras. O homem, percebendo naquele instante a fragilidade de sua fé, mas desejando, acima de tudo, a cura de seu filho único, agarrou-se inteiramente na misericórdia de Jesus. Podemos afirmar com confiança que, naquele momento, ele aprendeu uma lição sobre a fé no poder de Deus, da qual nunca mais pôde esquecer-se.

A passagem de Marcos 9.25-27 também oferece detalhes que os outros evangelhos não exprimem: "E Jesus, vendo que a multidão concorria, repreendeu o espírito imundo, dizendo-lhe: Espírito mudo e surdo, eu te ordeno: sai deste jovem e nunca mais tornes a ele. E ele clamando, agitando-o muito, saiu, deixando-o como se estivesse morto, ao ponto de muitos dizerem: Morreu. Mas Jesus, tomando-o pela mão, o ergueu, e ele se levantou".

17.18: Então Jesus repreendeu ao demônio, o qual saiu do menino, que desde aquela hora ficou curado.

17.18 καὶ ἐπετίμησεν αὐτῷ ὁ ᾿Ιησοῦς, καὶ ἐξῆλθεν ἀπ᾿ αὐτοῦ τὸ δαιμόνιον· καὶ ἐθεραπεύθη ὁ παῖς ἀπὸ τῆς ὥρας ἐκείνης.

18 ἐθεραπεύθη...ἐκείνης Mt 8.13; 9.22; 15.28; Jo 4.52,53

A multidão aproximou-se, movida de grande curiosidade, para testemunhar o resultado de tudo. Não é todos os dias que se pode ver, tão clara e abertamente, a luta entre as forças do bem e as forças do mal, que são sobrenaturais. Lado a lado com essa luta, o pai do menino empenhava-se na própria luta, contra a sua incredulidade. O menino, totalmente possesso, não tinha forças para usar a sua fé pessoal. Tudo dependia do pai, e, naquele instante, o pai obteve uma vitória, e, naturalmente, nunca mais foi o mesmo homem. A realidade, porém, é que tudo dependeu de Jesus e de seu poder. Ele lutou contra um espírito fortíssimo, que há muito dominava o menino e que jamais fora derrotado por qualquer poder humano. Entretanto, em face do poder de Jesus, o mais que o espírito pôde fazer foi maltratar uma vez mais o menino. Não é impossível que o espírito tivesse procurado matar o menino nessa ocasião, conforme o pai já dissera que ele tentara antes. Jesus usou estas palavras extraordinariamente severas: "Sai [...] e nunca mais tornes a ele". Provavelmente, Jesus falou com intensa indignação. O espírito não aguentou aquelas palavras e nem pôde suportar o poder do espírito de Jesus; saiu, fazendo o pior que estava ao seu alcance. Alguns circunstantes chegaram mesmo a pensar que o menino morrera. A multidão *aproximou-se* mais ainda, impelida pela emoção, para ver o resultado final. E ao jazer o menino, inerme, alguns pensavam que Jesus falhara; mas ele ainda não terminara a sua obra. Faltava ainda o toque de ternura, e o mesmo Jesus que usou de força e indignação contra o espírito imundo, agora expulso, estende a mão ao menino e aplica seu toque de ternura. O menino respondeu, usando agora a própria inteligência e vontade; levantou-se, definitivamente curado. Realmente, o povo viu prodígios naquele dia.

Não há, no NT, narrativa mais emocionante e tocante do que esta, que tão destramente combina simplicidade com beleza. Escreveu Alford (in loc.): "Nada pode ser tão tocante e vívido como esta narrativa inteira, *magistral e admirável*".

Mais tarde, descrevendo a vida de Jesus, Pedro registrou: "[...] Deus ungiu a Jesus de Nazaré com o Espírito Santo e poder, o qual andou por toda parte, *fazendo o bem* e curando os oprimidos do diabo, porque Deus era com ele" (At 10.38). Pedro tinha conhecimento pessoal dessas coisas — viu o milagre com os próprios olhos. Ver as notas detalhadas sobre os "demônios", em Marcos 5.2, e sobre a possessão demoníaca, em Mateus 8.28.

17.19: Depois os discípulos, aproximando-se de Jesus em particular, perguntaram-lhe: Por que não podemos nós expulsá-lo?

17.19 Τότε προσελθόντες οἱ μαθηταὶ τῷ ᾽Ιησοῦ κατ᾽ ἰδίαν εἶπον, Διὰ τί ἡμεῖς οὐκ ἠδυνήθημεν ἐκβαλεῖν αὐτό;

17.20: Disse-lhes ele: Por causa da vossa pouca fé; pois em verdade vos digo que, se tiverdes fé como um grão de mostarda, direis a este monte: Passa daqui para acolá, e ele há de passar; e nada vos será impossível.

17.20 ὁ δὲ λέγει αὐτοῖς, Διὰ τὴν ὀλιγοπιστίαν[3] ὑμῶν· ἀμὴν γὰρ λέγω ὑμῖν, ἐὰν ἔχητε πίστιν ὡς κόκκον σινάπεως, ἐρεῖτε τῷ ὄρει τούτῳ, Μετάβα ἔνθεν ἐκεῖ, καὶ μεταβήσεται· καὶ οὐδὲν ἀδυνατήσει ὑμῖν.[4]

20 ἐὰν...μεταβήσεται Mc 11.23; Lc 17.6; 1Co 13.2

[3] **20** {B} ὀλιγοπιστίαν ℵ B Θ *f* *f*¹³ 33 700 892 syr^(c.pal) cop^(sa,bo) arm eth geo Diatessaron^(cyr.l) Origen Hilary Chrysostom John-Damascus // ἀπιστίαν C D K L W X Δ Π 28 565 1009 1010 1071 1079 11895 1216 1230 1241 1242 1253 1344 1365 1546 1646 2148 2174 *Byz Lect* it² vg syr^(p.h) Diatessaron Chrysostom

> É mais provável que o evangelista tenha usado ὀλιγοπιστίαν, palavra rara que não ocorre em nenhuma outra porção do NT (embora ὀλιγόπιστος seja usada por quatro vezes em Mateus), e que, em face de ἄπιστος, no v. 17, os copistas a tenham substituído pelo termo mais frequentemente usado, ἀπιστία (que ocorre por onze vezes no NT) e não o processo contrário.

"Por que motivo..." — Ele lhes respondeu: "Por causa da pequenez da vossa fé". Marcos 9.28 mostra que essa pergunta foi feita "em casa": "Quando entrou em casa, os seus discípulos lhe perguntaram...". A indagação dos discípulos mostra que eles tinham o poder do exorcismo e que, usualmente, não encontravam dificuldade na tentativa de expelir espíritos malignos. Este caso, entretanto, foi muito diferente para eles, pois era um tipo de possessão fora do comum. O propósito de Jesus, em seus ministérios na Galileia, foi o de instruir os apóstolos em seus métodos e poderes, desenvolvendo neles o poder espiritual e o desenvolvimento interior que ele mesmo possuía. Esse propósito cumpriu-se em grau bastante elevado; mas ocasionalmente eles ainda fracassavam.

"Pequenez da vossa fé" (tradução de AA) — A tradução de AC diz "*pouca fé*". A tradução M tem "falta de fé", e a tradução F registra "pouca fé". A tradução KJ concorda com a tradução M, usando "incredulidade". Entretanto, as traduções M e KJ seguem mss mais recentes, que não representam o original, a saber, os mss

CDEFGHKLMSUVX, Gamma, Delta e Fam Pi, que são os mss que têm a palavra grega traduzida por "incredulidade". Os mss mais antigos dizem "pequenez da vossa fé", ou "pouca fé", e a maior parte das traduções seguem esses mss (AA, AC, IB, F, WM, GD, PH, BR e outras). Os mss que dizem "pouca fé" são Aleph, B, Theta, Fam 12, 1, Si(c) e Cop. Jesus usou esse termo por diversas vezes para mostrar a debilidade humana em confiar, aceitar e aplicar a "fé de milagres". Essa expressão, que no grego é um vocábulo que aparece na forma de um adjetivo, não se acha no grego clássico e aparece somente por cinco vezes no NT — em Mateus 6.30, no texto que fala contra a ansiedade por causa das necessidades da vida, como alimentos, vestes etc.; em Mateus 8.26, no texto que fala do medo dos discípulos em meio à grande tempestade no mar; em Mateus 14, no texto em que Pedro falhou ao tentar andar sobre o mar; em Mateus 16.8, no texto em que os discípulos cuidaram muito da provisão de alimentos e não entenderam o ensinamento de Jesus acerca do fermento dos fariseus; em Lucas 12.28 (que é paralelo de Mateus 6.30, já explicado). Aqui, em Mateus 17.20, temos realmente outro uso da expressão, o que forma um total de seis ocorrências; mas aqui a forma da palavra é um substantivo, única ocorrência dessa espécie no NT. Jesus não quis dizer que os discípulos não tinham fé, e, sim, que a fé que eles tinham era ainda débil, realmente fraca demais para realizar um milagre daquela envergadura. Não exerceram a "fé de milagres", pelo menos nessa oportunidade.

"Fé como um grão de mostarda" — Ver as notas sobre essa expressão, em Mateus 13.31. O grão de mostarda não era, realmente, a menor de todas as sementes, no sentido botânico estrito, embora seja semente minúscula, em comparação ao tamanho da planta que a produz. Jesus ilustrou, portanto, o poder da fé, que pode produzir muito além do grau que seria de esperar. O grão de mostarda é insignificante, mas o seu resultado é notável. A semente de mostarda tem, em si mesma, o potencial de produzir uma grande planta. "Grão de mostarda" era uma expressão proverbial para indicar qualquer coisa minúscula ou quantidade muito exígua; mas o resultado desse grão não podia ser reputado pequeno ou insignificante. Sem dúvida Jesus subentendeu a qualidade da fé, isto é, indicou que a fé deve vir de Deus e ser posta em Deus, como produto da personalidade de Deus. O indivíduo que possui essa fé, ainda que em quantidade mínima, pode fazer grandes coisas e até mesmo remover montanhas.

"Direis a este monte..." — Nos tempos de Jesus, os judeus apelidavam qualquer rabino que se destacasse por sua grande inteligência, intuição ou caráter, de *removedor de montanhas*. Provavelmente, Jesus tinha essa ideia em mente, quando se referiu ao poder de remover montanhas. Aqueles que participam da verdadeira fé em Deus, que participam do desenvolvimento espiritual por ele exigido, e que estão no processo de ser transformados à imagem de Cristo, são os autênticos "removedores de montanhas". É provável que Jesus tenha apontado para o monte da transfiguração ao proferir essas palavras, pois ainda estavam naquele local. Jesus falou como se estivesse apresentando uma parábola, ao dizer "Nada vos será impossível". Geralmente as pessoas enfrentam "montanhas" todos os dias, na experiência humana. O princípio de vida que outorga a vitória é aquela fé que tem as características de uma semente de mostarda. Não podemos deixar de afirmar, aqui, que esse tipo de fé nos é dado pela participação na vida de Deus, mediante a transformação segundo a imagem de Cristo; pois não se trata simplesmente de uma fé ingênua. A crença ingênua ou complexa, fundada em conhecimento de diversos tipos, não remove montanhas. Determinado contacto com os poderes mais altos, o contacto do espírito humano com o mundo vindouro, é que produz o tipo de fé que pode remover qualquer obstáculo.

O texto de Mateus 21.21 usa novamente a expressão *remover montanhas*, sendo evidente que esse adágio foi usado por diversas vezes nos ensinamentos de Jesus. O apóstolo Paulo usa a mesma expressão, em 1Coríntios 13.2: "[...] ainda que eu tenha tamanha fé ao ponto de transportar montes, se não tiver amor, nada serei". É provável que essas palavras de Paulo sejam um eco dos ensinos de Jesus transmitidos oralmente, e não baseados neste evangelho, pois a epístola de 1Coríntios foi escrita antes do evangelho de Mateus. Essa expressão tem criado várias lendas que falam de indivíduos que literalmente removeram montanhas, como, por exemplo, Gregório Taumaturgo e Hilário.

17.21: [mas esta casta de demônios não se expulsa senão à força de oração e de jejum.]

{B}*omit verse 21* ℵ B Θ 33 892^txt it^e,ff1 syr^c,s,pal cop^sa,bo mss eth^ro,ms geo Eusebius // *add verse 21* τοῦτο δὲ τὸ γένος οὐκ ἐκπορεύεται εἰ μὴ ἐν προσευχῇ καὶ νηστείᾳ. (*ver* Mc 9.29) (ℵ^b οὐκ ἐκβάλλεται εἰ) C D K L W X Δ Π *f*^1 *f*^13 28 565 700 892^ms 1009 1010 1071 1079 (1195 *omit* δέ) 1216 1230 1241 1242 1253 1344 1365 1546 1646 2148 2174 *Byz Lect* it^(a),aur,(b),(c),d,f,ff1,g1,l,(n),q,r1 vg syr^p,(h) cop^bo mss arm eth^pp geo^Bmg Diatessaron Origen Hilary Basil Ambrose Chrysostom Augustine

> Já que não há boa razão para que a passagem fosse omitida — se esta estava originalmente presente em Mateus —, e já que os copistas com frequência inseriram material derivado de outro evangelho, parece que a maioria dos manuscritos foi assimilada ao paralelo de Marcos 9.29.

"Mas esta casta..." — Este versículo é conservado, com muitas variações, nos mss Aleph (3), CDEFGHKLMSUVX, Gamma, Delta, Fam Pi e as traduções KJ e BR (assinaladas como duvidosas), WY, AC, AA (assinalada como duvidosa, em algumas edições) e FM. Os mss que omitem o versículo são Aleph (1), B, 33, as versões latinas ff(1), Si (hr), Sah e o Cóp (cd); e, em suas citações sobre este texto, Eusébio não cita o versículo. Omitem-no as traduções ASV, RSV, PH, WM, NE e GD. Nota-se, portanto, que os mss mais antigos omitem esse versículo. Foi tomado de empréstimo de Marcos 9.29, onde, porém, a adição da expressão "e jejum", em algumas traduções e mss, não faz parte do texto original. "[...] e jejum" aparece nos mss Aleph (4), ACDEFGHKLMNSUVX, Gamma, Delta, Fam Pi e nas traduções KJ, AC e F. Omitem-na os mss Aleph, B e as versões latinas *k* e Clemente e todas as outras traduções não mencionadas. O texto mais antigo não trazia a expressão "e jejum", conforme se verifica nos mss mais antigos. Algum escriba ou escribas é que acrescentaram "e jejum", para enfatizar ainda mais quão difícil é expelir certos tipos de demônios.

Com essas palavras (que se acham também em Mateus 12.45 — "[...] e leva consigo outros sete espíritos, piores do que ele..."), Jesus indicou que existem diversas castas de demônios, mais ou menos maldosos. O tipo mais maldoso e poderoso é muito difícil de expelir. A experiência moderna tem demonstrado a mesma coisa, e há casos tão difíceis, que aparentemente resistem a todo e qualquer exorcismo.

IX. AUTORREVELAÇÃO DE JESUS E ELEVAÇÃO DE PEDRO À AUTORIDADE (16.13-17.13)

6. Segunda predição sobre sofrimentos vindouros (17.22-23)

(Ver Mt 16.21, cujas notas de introdução também se aplicam aqui, já que aquela cena é reiterada quanto à sua mensagem tencionada.) Mateus omite a observação feita por Marcos, de que os discípulos não compreenderam essa predição (ver Mc 9.32. Quanto aos paralelos, ver Mc 9.30-32 e Lc 9.43-45.) A fonte informativa é o protomarcos, o que se dá com a maior parte do material histórico dos evangelhos sinópticos. (Quanto às fontes informativas dos evangelhos de Mateus, Marcos e Lucas, ver o artigo existente na introdução a este comentário, intitulado "O problema sinóptico".)

17.22: Ora, achando-se eles na Galileia, disse-lhes Jesus: O Filho do homem está para ser entregue nas mãos dos homens;

17.22 Συστρεφομένων⁵ δὲ αὐτῶν ἐν τῇ Γαλιλαίᾳ εἶπεν αὐτοῖς ὁ ᾽Ιησοῦς, Μέλλει ὁ υἱὸς τοῦ ἀνθρώπου παραδίδοσθαι εἰς χεῖρας ἀνθρώπων,

⁵ **22** {C} συστρεφομένων ℵ B *f*¹ 892 it^a,aur,b,d,f,ff2,g1,l,h,q vg (syr^pal) cop^sa, mss Origen Hilary // ἀναστρεφομένων C (D αὐτῶν δέ ἀναστρεφομένων) K L W X Δ Θ Π *f*¹³ 28 33 565 700 109 1010 1071 1079 1195 1216 1230 1241 1242 1253 1344 1365 1546 1646 2148 2174 *Byz Lect* it^c,e,ff1 syr^c,s,p,h cop^sa,bo arm eth geo? Chrysostom

> É provável que a forma συστρεφομένων (que se pensa significar "estavam recolhendo juntos") tenha impressionado os copistas como estranha, pelo que teria sido modificada para o que lhes pareceu mais apropriado (ἀναστρεφομένων, "habitavam"). O verbo συστρέφειν, que ocorre apenas por duas vezes no NT, aparentemente significa aqui "quando se juntavam (ao redor de Jesus)".

Eis outra advertência sobre a morte e os sofrimentos de Jesus, com paralelos em Marcos 9.30-32 e Lucas 9.43-45. Neste evangelho de Mateus, Jesus fala da proximidade de sua morte por três vezes (Mt 16.21; 17.22 e 20.17-19). Ele fez soar o grande sino de um desastre iminente. Foi uma ocasião solene. Nesta ocasião, porém, não houve nenhuma promessa de ressurreição.

"Reunidos eles na Galileia" — Viajaram pela Galileia aparentemente disfarçados, embora como grupo unido. A passagem de Marcos 9.30 mostra que essa viagem não tinha o intuito de servir de ministério; Jesus, realmente, preferiu ficar incógnito. "E, tendo partido dali, passavam pela Galileia, e não queria que alguém o soubesse". O texto de Marcos 9.31 revela a razão pela qual não ministraram, mas preferiram ocultar-se do povo: "[...] porque ensinava os seus discípulos e lhes dizia: o Filho do homem será entregue nas mãos dos homens e o matarão..." Jesus aproveitou as circunstâncias da viagem e da reunião, a fim de explicar, com mais clareza, as coisas horríveis que tanto ele como os seus discípulos haveriam de enfrentar dentro em breve. Já terminara quase totalmente o seu ministério na Galileia. Alguns intérpretes são de opinião de que o ministério dos setenta discípulos ocorreu depois desta ocasião (Lc 10), mas daquela vez o ministério foi principalmente dos setenta discípulos, e o próprio Jesus não apareceu muito mais publicamente. O desígnio das autoridades religiosas em matá-lo já fora deliberado, e Jesus sabia que os seus dias estavam contados. Por conseguinte, aproveitou o tempo para instruir e preparar os seus discípulos, não somente para enfrentarem galhardamente os acontecimentos, mas também para sustentarem o seu trabalho e o seu "reino" (na igreja), após a sua ascensão,

A palavra "entregue" esclareceu mais do que ele já revelara e subentende a *traição*, mas mostra com clareza que as autoridades o prenderiam. Jesus ensinou, portanto, que as controvérsias com as autoridades religiosas teriam graves consequências, e, se não fosse a promessa de sua ressurreição, teriam consequências irrevogáveis.

17.23: e matá-lo-ão, e ao terceiro dia ressurgirá. E eles se entristeceram grandemente.

17.23 καὶ ἀποκτενοῦσιν αὐτόν, καὶ τῇ τρίτῃ ἡμέρᾳ ἐγερθήσεται. καὶ ἐλυπήθησαν σφόδρα.

23 τῇ τρ. ἡμέρᾳ] *p*) μετα τρεις -ρας **D** it sy^s bo | εγεραηςεται] αναστησ- **B** f13 *118 al*

23 ἀποκτενοῦσιν...ἐγερθήσεται Mt 16.21

"[...] e estes o matarão" — Jesus ensinou a doutrina da cruz. Os discípulos não compreendiam nem esperavam tal coisa, e dificilmente poderiam entender as razões pelas quais Jesus precisava passar por uma execução tão vergonhosa. As implicações eram imensas. Como seria possível que o Messias, o rei do reino político, a esperança de Israel para ser livre do domínio romano, viesse a morrer estupidamente, por meio de uma execução reservada para os piores criminosos? O texto de Lucas 24.6,7 revela que Jesus falou da morte pela crucificação, nessa mesma ocasião: "Lembrai-vos de como vos preveniu, estando ainda na Galileia, quando disse:

504 |Mateus| NTI

Importa que o Filho do homem seja entregue nas mãos de pecadores e seja crucificado e ressuscite no terceiro dia". No paralelo de Lucas 9.44, encontramos a ênfase aplicada por Jesus e essas palavras: "Fixai os vossos ouvidos às seguintes palavras..." (segue-se a explicação sobre sua morte e ressurreição). Evidentemente, Jesus usou de diligência no ensino dessas verdades, porque sabia que, para os discípulos, sua morte seria um grande choque.

"[...] mas ao terceiro dia ressuscitará" — Ver as notas sobre as implicações dessas palavras, especialmente no tocante ao dia da semana em que ocorreram a crucificação e a ressurreição, em Mateus 27.1 e 28.1. Ver nota detalhada sobre a expressão "três dias e três noites", em Mateus 12.40, com citações do uso dessa expressão na literatura judaica e nos escritos dos antigos pais da Igreja. Ver notas sobre a "crucificação", em Mateus 27.35; sobre a "cruz", em Mateus 10.38, Marcos 8.34 e 10.21; sobre a "ressurreição" (teorias sobre o modo em que ela se deu, em Lc 24.6), em 1Coríntios 15.20.

"Se entristeceram" — É óbvio que compreenderam parte das implicações, mas não claramente, pois Marcos 9.32 e Lucas 9.45 mostram que a compreensão dos discípulos não foi grande: "Eles, contudo, não compreendiam isto, e temiam interrogá-lo". Receavam aceitar a advertência, e ainda esperavam algum acontecimento que os livrasse de tão grande tragédia. Sua tristeza era profunda porque, a despeito de seus esforços para evitarem admitir o fato, a sombra negra da morte já se havia espalhado em suas consequências. É claro que a predição sobre a ressurreição de Jesus não foi compreendida de maneira nenhuma — nem então, nem mais tarde. Somente Maria Madalena, ao que tudo indica, compreendeu esse fato, tendo-o aceitado e esperado.

IX. AUTORREVELAÇÃO DE JESUS E ELEVAÇÃO DE PEDRO À AUTORIDADE (16.13-17.13)
7. Liberdade cristã e o imposto do templo (17.24-27)

Cf. Marcos 12.13. A história, conforme a vemos aqui, figura exclusivamente neste evangelho, pelo que sua fonte provavelmente é "M".

O imposto deve ter sido aquele (de meio ciclo) imposto em Êxodo 30.11-16 a cada israelita, para efeito *de sustento* da adoração no templo. De conformidade com a *Mishnah*, o aviso era feito no primeiro dia do mês de Adar, seis semanas antes da Páscoa. (Ver Shekalim 1.1.) No décimo quinto dia, as mesas dos cambistas eram postas nos distritos ao redor, e, no vigésimo quinto dia, no próprio templo (Shekalim 1.3). Todos os homens judeus, de vinte anos para cima, tinham a obrigação de pagar o imposto. Lemos que, após a queda de Jerusalém, os romanos continuaram a coletar o imposto para o sustento do templo de Júpiter, e alguns intérpretes acreditam que a inclusão da história, em Mateus, teve a finalidade de dar aos cristãos instruções concernentes à atitude que o povo deveria ter para com esse imposto. Apesar de outros textos também demonstrarem a responsabilidade de pagar impostos às autoridades civis, não sabemos se esta história aplicava-se ou não ao imposto requerido pelos romanos para sustento de seu templo pagão. A fonte informativa parece ter sido uma história relatada por Pedro. Essa história não tem paralelo, mas a passagem de Marcos 12.13-17 ensina o mesmo princípio. Somos responsáveis diante das autoridades civis. Esta seção, além de outras, tencionava ensinar aos primitivos cristãos alguns princípios da conduta e da ética cristã, a saber, que a liberdade em Cristo não equivale à anarquia, e que a responsabilidade dos crentes diante das autoridades civis certamente permanece inalterada. Pela história eclesiástica dos primeiros séculos, fica claro que alguns indivíduos haviam interpretado erroneamente os ensinamentos de Paulo acerca da graça de Deus (Gl 4.1-7,20,21 etc.), e assim, em resultado, alguns se recusavam a prestar obediência às autoridades e ao estado legalmente constituído. Seja como for, não devemos servir de pedra de tropeço para outros (ver 1Co 8.9—9.23), e certamente seremos, na realidade, pedras de tropeço, se nos recusarmos a obedecer a essas autoridades.

17.24: Tendo eles chegado a Cafarnaum, aproximaram-se de Pedro os que cobravam as didracmas, e lhe perguntaram: O vosso mestre não paga as didracmas?

17.24 Ἐλθόντων δὲ αὐτῶν εἰς Καφαρναοὺμ προσῆλθον οἱ τὰ δίδραχμα λαμβάνοντες τῷ Πέτρῳ καὶ εἶπαν, Ὁ διδάσκαλος ὑμῶν οὐ τελεῖ [τὰ] δίδραχμα;

24 τὰ δίδραχμα Ἐx 30.13; 38.26

"Tendo eles chegado a Cafarnaum" — Esta narrativa encontra-se só neste evangelho de Mateus, provavelmente baseada na fonte informativa chamada "M", a saber, matéria que somente o autor do evangelho de Mateus teve para formar seu evangelho.

Em companhia de seus discípulos, *Jesus regressou* ao seu lar, que, evidentemente, era a casa de Pedro. As autoridades que cobravam o imposto ouviram falar da chegada de Jesus. A data do pagamento dos impostos já havia passado há seis meses, e estavam muito atrasados no pagamento do imposto. Jesus, tendo descido do monte da transfiguração para Cafarnaum, deveria pagar um imposto para o qual não tinha dinheiro. Que descida foi aquela!

O texto indica que Jesus tinha o costume de *pagar impostos*. Aquele imposto era de duas *dracmas* (moeda grega usada pelos romanos). A lei judaica exigia que a moeda fosse trocada pelo dinheiro judaico; e, no processo do câmbio, as autoridades religiosas exigiam certa comissão. Com essa taxa de comissão, ganhavam muito dinheiro. A data do pagamento era o mês de *Adar* (março); e, assim, Jesus e Pedro estavam realmente atrasados em seis meses. Durante esse tempo, estiveram viajando pela Galileia. O imposto destinava-se ao templo de Jerusalém; era esperado, mas não exigido, de todos os homens judeus de mais de vinte anos de idade.

17.25: Disse ele: Sim. Ao entrar Pedro em casa, Jesus se lhe antecipou, perguntando: Que te parece, Simão? De quem cobram os reis da terra imposto ou tributo? dos seus filhos, ou dos alheios?

17.25 λέγει, Ναί. καὶ ἐλθόντα εἰς τὴν οἰκίαν προέφθασεν αὐτὸν ὁ Ἰησοῦς λέγων, Τί σοι δοκεῖ, Σίμων; οἱ βασιλεῖς τῆς γῆς ἀπὸ τίνων λαμβάνουσιν τέλη ἢ κῆνσον; ἀπὸ τῶν υἱῶν αὐτῶν ἢ ἀπὸ τῶν ἀλλοτρίων;

17.26: Quando ele respondeu: Dos alheios, disse-lhe Jesus: Logo, são isentos os filhos.

17.26 εἰπόντος δέ[6], Ἀπὸ τῶν ἀλλοτρίων, ἔφη αὐτῷ ὁ Ἰησοῦς, Ἄρα γε ἐλεύθεροί εἰσιν οἱ υἱοί.

[6] 26 {C} εἰπόντος δέ B Θ f¹ 700 892^txt syr^pal^vid cop^sa,bo mss arm eth^pp geo¹ Origen Chrysostom Cyril // εἰπόντος δὲ τοῦ Πέτρου 892^ms (geo^A,B John-Damascus omit τοῦ // λέγει αὐτῷ ὁ Πέτρος K W X Δ Π f¹³ 28 565 1009 1010 1071 1079 1195 1216 (1230 ἔφη αὐτῷ) 1242 1253 1344 1365 1546 1646 2148 2174 Byz Lect it^(f),q syr^(c,p),h eth^ms Diatessaron Basil // λέγει αὐτῷ D it^d cop^bo mss / et ille dixit it^a,aur,b,(c),(e),(ff²),ff²,g¹,l,n vg // ὁ δὲ ἔφη, Ἀπὸ τῶν ἀλλοτρίων, εἰπόντος δὲ ℵ cop^bo mss eth^ro // λέγει αὐτῷ ὁ Πέτρος, Ἀπὸ τῶν ἀλλοτρίων, εἰπόντος C (L omit αὐτοῦ) 1241 // omit sy^s

A forma εἰπόντος δέ, à qual falta um substantivo, foi reputada como a que melhor explica a origem das demais formas.

Depois de Ἄρα . . . υἱοί, que podem ser consideradas como uma pergunta, aparece uma expansão digna de nota em um manuscrito minúsculo, 713, que data do século XII: ἔφη Σίμων, Ναί. λέγει ὁ Ἰνσοῦς, Δὸς οὖν καὶ σύ, ὡς ἀλλότριος αὐτῶν ("Simão disse 'sim'. Jesus disse: Então dá tu também, como se fora um estrangeiro para eles"). A mesma expansão também ocorre no árabe, no Diatessarom 25.6. O núcleo ocorre no Comentário de Efraem sobre o Diatessarom de Taciano, onde o texto siríaco (14.7) diz: "Dá a eles, pois, como um estrangeiro". E a versão armênia diz: *"Vai; dá também como um dos estrangeiros"*.

"[...] **Jesus se antecipou, dizendo...**" — Jesus apresenta aqui uma pequena parábola a fim de ilustrar a situação, mediante a qual declarou-se isento do imposto. Na qualidade de Filho do Pai real, a quem pertencia o templo, não tinha obrigação nenhuma de pagar o imposto relativo ao templo. Quando, porém, Jesus aludiu a "estranhos", não indicou estrangeiros, como os gentios, mas o povo judaico em geral, que não fazia parte da família real governante. Os impostos dos reis não envolviam a família real, e, assim, o imposto do templo de seu Pai não podia ser cobrado de Jesus, o Filho do rei.

Alguns intérpretes pensam que Jesus realmente não fez questão acerca do pagamento do imposto, pois nem mostrou relutância em pagá-lo. Dessa forma, entretanto, preparou o caminho para falar aos discípulos acerca da humildade (ver Mt 18.1-5). É mais provável, porém, que realmente Jesus tenha mostrado certa relutância em pagar tal imposto, em primeiro lugar, porque *não possuía* o dinheiro, e, em segundo lugar, por não o considerar justo. Duas dracmas não representam muito dinheiro em nossos dias, mas lemos que, no ano de 300 a.C., a dracma comprava uma ovelha. Mesmo considerando a desvalorização da dracma antes do tempo de Jesus, nos seus dias, duas dessas moedas representavam para qualquer homem pobre uma boa quantia. Outrossim, entre os próprios judeus, que odiavam a cobrança de impostos, não havia sido ainda definitivamente resolvido se era legal exigir impostos do povo judaico. Para a mentalidade oriental, os impostos cheiravam a subjugação. A cobrança escorchante de impostos é que levara o povo a se rebelar nos dias de Roboão (ver 1Reis 12.4). Os judeus também sofreram intensamente, nos tempos dos Macabeus, por causa de impostos (ver 1Macabeus 10.29,30 e 11.35). Os judeus odiavam a Herodes por causa de seus impostos. (Ver Jos. *Ant.* XVII,8, §4.) Judas, o Galileu, liderou uma revolta contra os romanos, e uma das razões dessa revolta foram os impostos altíssimos que foram tornados obrigatórios pelo governo. (Ver At 5.37.) Os judeus continuavam discutindo a legalidade dos impostos cobrados pelo governo romano, como se vê em Mateus 22.17. Os fariseus diziam que isso não era legal; os herodianos afirmavam que era. Provavelmente, Jesus também tinha ideias semelhantes às do povo em relação aos impostos, mas é claro que ele não se recusava a pagá-los, e jamais procurou influenciar o povo a não dar a César o que é de César. Posteriormente, o apóstolo Paulo ensinou a necessidade de pagar impostos ao governo, como nos mostra Romanos 13. Todavia, o imposto de que estamos tratando era para o "templo". A breve parábola de Jesus indica que as autoridades religiosas faziam de *estrangeiros* ao povo de Israel, porquanto era costume que os governos exigissem impostos dos estrangeiros sobre os quais governavam. Muitos judeus não concordavam com a cobrança de tais impostos, achando-os injustos, porque isso os reduzia à posição de estrangeiros. Na história dos judeus, lê-se que, finalmente, o sinédrio pronunciou-se a favor destes impostos, tornando-os compulsórios. Ver nota sobre o "sinédrio", em Mateus 22.23.

17.27: Mas, para que não os escandalizem, vai ao mar, lança o anzol, tira o primeiro peixe que subir e, abrindo-lhe a boca, encontrarás um estáter; toma-o, e dá-lho por mim e por ti.

17.27 ἵνα δὲ μὴ σκανδαλίσωμεν αὐτούς, πορευθεὶς εἰς θάλασσαν βάλε ἄγκιστρον καὶ τὸν ἀναβάντα πρῶτον ἰχθὺν ἆρον, καὶ ἀνοίξας τὸ στόμα αὐτοῦ εὑρήσεις στατῆρα· ἐκεῖνον λαβὼν δὸς αὐτοῖς ἀντὶ ἐμοῦ καὶ σοῦ.

"**Mas, para que não os escandalizemos...**" — Jesus já havia escandalizado as autoridades religiosas por diversas vezes, embora sempre por motivos importantes. Apesar do fato de ter o *direito* de não pagar o imposto do templo, pagou-o, o que nos serve de lição moral. Simplesmente não achou que pequena quantia fosse motivo suficiente para criar dificuldades. Demonstrou aqui sua capacidade de conhecimento prévio. O peixe já trazia a moeda na boca. Casos semelhantes já se têm verificado, segundo o testemunho dos aficionados da pesca. Jesus usou seus poderes psíquicos, como homem dotado de grande desenvolvimento espiritual, e, às vezes, provavelmente, pelo poder do Espírito Santo. Ver notas sobre a "telepatia", em Mateus 9.4.

Anzol — No NT, esta é a única alusão à pesca a anzol. Diversos intérpretes têm procurado desviar o sentido deste versículo, que é muito claro, criando diversas interpretações naturais, como as seguintes: (1) Mudando a palavra "acharás" para *obterás*, alguns ensinam que a sugestão de Jesus era pescar, vender os peixes, e, com dinheiro obtido, pagar o imposto. No entanto, o texto fala de um peixe somente, o que não era suficiente para ser vendido por um "estáter", que tinha o valor de quatro dracmas. Outrossim, se quisesse pescar um número suficiente de peixes, para obter esse dinheiro, Pedro teria usado a rede, e não o anzol. (2) Outros sugerem que Jesus estava apenas brincando com Pedro; que não falou seriamente, mas teceu uma brincadeira relacionada às histórias que circulavam sobre peixes encontrados com dinheiro na boca; por isso, sugeria, em tom brincalhão, que o imposto fosse pago de uma forma rara. O texto não contém nenhum indício em favor dessa interpretação. O preconceito contra o elemento milagroso é que deu origem a essas ideias. (3) Outros, ainda, dão ideia de que a tradição oral não tenha registrado a narrativa conforme se acha no evangelho; e que só depois, mediante várias modificações, é que a história passou a ser relatada como um milagre. Seria difícil, entretanto, explicar a preservação da história pela tradição real, no caso de se tratasse apenas de uma história sobre o pagamento de um imposto. Jesus deve ter pagado tais impostos por muitas vezes. Nesse caso, porque se conservaria um registro tão banal? Não, a verdade é que a narrativa foi preservada por causa do seu elemento miraculoso.

"**Estáter**" — Moeda grega que valia quatro dracmas, o bastante para pagar o imposto de Jesus e de Pedro. Esta história comprova a profunda pobreza de Jesus e de seus discípulos. De onde procede, portanto, a ideia de que a vida piedosa deve produzir benefícios financeiros?

Capítulo 18

X. QUARTO GRANDE DISCURSO: AOS DISCÍPULOS, SOBRE PROBLEMAS DA COMUNIDADE CRISTÃ (18.1-19.2)

Cf. Marcos 9.33-37,42-48, sobre o que se baseia nosso evangelista. A isso, entretanto, ele adiciona os próprios comentários e observações. (Ver também Lc 9.46-50). De modo geral, são abordados "problemas comunitários". A igreja agora estava separada do judaísmo. Jerusalém já fora destruída. A igreja tinha crescido e experimentava certos problemas. Na seção à frente, a base da solução desses problemas é lançada. Mateus não estava satisfeito com o simples "decreto apostólico" (solução de Lucas-Atos; ver o décimo quinto capítulo do livro de Atos), e nem com a autoridade de Pedro, que era um fator de coesão (algo desenvolvido no décimo sexto capítulo deste livro). Ele percebia que a *comunidade cristã* precisava de uma administração democrática, e não separada e nem independente da autoridade apostólica, naturalmente.

1. Importância dos pequeninos (18.1-14)

(a) Importância do espírito *infantil* (18.1-4)

"Se nos fosse indagado sobre quais são as pessoas maiores de nossa cidade, para o que se voltaria nossa mente, juntamente com todos os homens e mulheres? Dinheiro, prestígio, erudição, conquistas militares — é nesses terrenos que os homens buscam ou reconhecem a *grandeza*. Dificilmente ousamos contemplar, e muito menos seguir, a declaração de Cristo de que a infância é a única grandeza... Uma criança é "dependente e confiante", pelo menos até que o desvalor dos adultos quebre essa confiança. Uma

506 |Mateus| NTI

criança mostra-se amigável, inconsciente de raça ou de posição social: o filho de um rei brincará com o filho de um maltrapilho, até que os preconceitos adultos estraguem essa amizade. Uma criança é cândida... Uma criança vive em admiração constante, de qualquer coisa faz um brinquedo, e para ela a vida é um elevado romance. Isso foi o que Francis Thompson disse, de modo belo e penetrante, em seu famoso ensaio sobre Shelley... 'Sabes o que significa ser uma criança?' Assim, pois, uma criança espera grandes coisas da vida, e as encontra. A fé que Jesus louvou é instintiva nas crianças. Mas Jesus também tinha em mente a inocência das crianças". (Buttrick, in loc.)

18.1: Naquela hora chegaram-se a Jesus os discípulos e perguntaram: Quem é o maior no reino dos céus?

18.1 Ἐν ἐκείνῃ τῇ ὥρᾳ προσῆλθον οἱ μαθηταὶ τῷ Ἰησοῦ λέγοντες, Τίς ἄρα μέζων ἐστὶν ἐν τῇ βασιλείᾳ τῶν οὐρανῶν;

18.1 ωρα] ημερα Θ *1 33 al* it sy⁰ Or

1 Lc 22.24

"Quem é, porventura, o maior no reino dos céus?"

Este décimo oitavo capítulo de Mateus constitui o *quarto* grande bloco de ensinos de Jesus (ou "logoi"), em torno dos quais este evangelho foi formado. Os cinco blocos ou seções de ensinos são os seguintes: (1) Caps. 5—7 — o Sermão da Montanha, a nova lei. (2) Caps. 10.1—11.1 — Trabalho e conduta ética dos céus. (3) Caps. 11.2 — 17.27. (4) Caps. 18.1—19.2 — Instruções aos discípulos sobre os problemas eclesiásticos e da comunidade cristã. (5) Caps. 24.1—26.2 — Ensinos sobre o caráter e os acontecimentos dos últimos dias.

As diversas ocorrências anteriores devem ter feito Pedro sentir alguma exaltação interior. Após a grande confissão, Jesus lhe conferiu poderes especiais (Mt 16.17-19). Ele e dois outros receberam a notável visão da transfiguração de Jesus (Mt 17.1-9). O incidente sobre o imposto, quando as autoridades religiosas indagaram a Pedro, também o distinguiu dos outros. Tudo isso como que lhe mostrava que ele tinha certa importância como indivíduo, em suas relações com o Mestre. A discussão entre os discípulos, sobre a esperança do destaque pessoal no reino dos céus, parece ter-se repetido por diversas vezes (Mt 20.20-28 e Lc 22.24). É claro, pois, que, apesar dos avisos de Jesus sobre sua própria morte, aqueles homens ainda esperavam o estabelecimento do reino literal na terra, no qual Jesus seria o rei e eles seriam altos dignitários. Não é provável que estivessem discutindo sobre a grandeza do reino dos *céus*, o mundo além da morte. Continuavam meditando sobre o reino político e as posições que ocupariam no mesmo. Tal como os demais judeus, esperavam ser libertados da opressão romana, e a interpretação sobre o "reino", que Jesus tinha em mente e que já lhes havia explicado por algumas vezes, não foi compreendida nem aceita.

Este capítulo tem por fim explicar o modo correto de abordar os problemas da sociedade cristã — a igreja. Esses problemas surgiam em face da igreja primitiva ser formada por grupos heterogêneos, isto é, havia os judeus que observavam a lei e os costumes judaicos, em um tipo de judaísmo muito estrito, e havia os judeus que tinham alterado parcialmente os seus hábitos, baseados nas instruções e ensinos da graça; e também havia um número crescente de gentios. O autor, então, tentou estabelecer bases de disciplina na igreja, de acordo com os ensinos de Jesus. De modo geral, Lucas e Atos nos apresentam um tipo de governo e regras baixadas pela autoridade apostólica. Paulo requeria independência da lei e procurava estabelecer uma comunidade cristã separada do judaísmo, mas também aconselhava paciência para com os irmãos mais fracos, referindo-se especialmente aos "irmãos judeus", que persistiam em praticar os ritos da lei. Nos evangelhos de Mateus e Marcos, nota-se um espírito democrático bem semelhante ao de Paulo. A autoridade apostólica ainda existia e exercia sua influência sobre a igreja; mas notamos que os grandes poderes dados primeiramente a Pedro se tornaram extensivos não só aos outros apóstolos, mas também aos discípulos comuns, mediante o "consensus gentium", isto é, o consenso geral da igreja. O autor deste evangelho inclui, portanto, instruções sobre os *pequenos*, no que alude não só às crianças em sentido literal, mas também aos irmãos mais fracos, simbolizados pelas crianças; e, de modo geral, ensinou a lição de *humildade*, que é tão básica na vida da igreja. As autoridades cristãs devem ser humildes, e não ambiciosas, orgulhosas e autoritárias.

Se algum irmão viesse a errar, a correção *deveria partir* das autoridades eclesiásticas, e não da parte de apenas alguns membros. Outrossim, devem ser feitas tentativas de reconciliação antes da punição, porquanto a reconciliação é mais importante e muito mais agradável do que a disciplina. Este capítulo ensina, portanto, a ética cristã referente às nossas atitudes uns para com os outros, na comunidade cristã: Humildade (v. 1-6); cuidado em não ofender e pôr tropeços diante dos "fracos"(v. 6-9); misericórdia, compaixão e simpatia em nossas atitudes na congregação e fora dela, para com a humanidade em geral (v. 10-14); atitudes para com o irmão em erro, que consistem de humildade e tentativa de reconciliação, e isso por parte da igreja inteira, e não somente por parte de alguns membros (v. 15-20); instruções sobre o perdão (não há limite para o princípio e a prática do perdão), o qual é exigência do reino dos céus, porquanto todos devem ao Pai celestial, o qual exerce paciência e compaixão para com todos; pelo que nossa conduta e atitudes devem ser semelhantes às do Pai (v. 21-35).

A conversão autêntica estabelece uma relação de *pai e filho* entre Deus e o crente, e essa relação lança as bases de nossas relações com os irmãos. O membro da comunidade cristã que compreende corretamente essa relação familiar, não se preocupa com posições pessoais, porque em um lar todos são iguais, e a grandeza desaparece "ao pé da lareira". Além disso, se a disciplina tornar-se necessária, deve ser aplicada como que aos nossos próprios filhos e irmãos. Jesus percebia o desenvolvimento do farisaísmo no meio de seus discípulos mais íntimos, e teve o cuidado de baixar instruções que deixassem bem claro que esses sentimentos não têm lugar na comunidade cristã.

"Naquela hora" — Provavelmente, o incidente teve lugar logo após o caso do imposto do templo (Mt 17.24-27), e assim, Jesus e os discípulos ainda estavam em casa de Pedro; as crianças (talvez de Pedro), estavam ali também, e forneceram os símbolos usados na instrução ministrada por Jesus.

Ao invés de "hora", alguns mss antigos dizem *dia*, principalmente Theta, 33 e diversos mss latinos e Si(sc). Orígenes notou a existência dessa variante já em seu tempo (250 .C.). As traduções conservam "hora", que goza do peso maior da evidência entre os mss mais antigos. O vocábulo "hora" é usado aqui talvez para indicar um tempo indeterminado, ainda que não muito depois dos acontecimentos descritos no capítulo décimo sétimo.

O paralelo em Marcos 9.33,34 mostra que o debate sobre quem seria o maior no reino dos céus (estando em vista o reino terrestre do Messias, esperado pelos discípulos naquele tempo) ocorreu quando ainda vinham pelo caminho para Cafarnaum, o que provavelmente continuou mesmo depois de terem entrado na casa (de Pedro?). Marcos deixa a impressão de que os discípulos ficaram envergonhados por estarem discutindo tal coisa (Mc 9.34), e não quiseram responder à pergunta de Jesus sobre a natureza da discussão. Mateus expõe o caso de modo um tanto diferente, isto é, como se fosse um dos discípulos que quisesse saber qual a opinião de Jesus sobre a questão da grandeza pessoal no reino (Mt 18.1). O resultado da discussão, porém, foi o mesmo — Jesus aproveitou a situação para ensinar uma importante lição acerca da humildade e acerca do que constitui a verdadeira grandeza pessoal. Por meio de outras **referências** nota-se que esse tipo de debate repetiu-se mais tarde entre os discípulos (Mt 20.20-28 e

Lc 22.24), não sendo impossível que esse tipo de discussão tivesse ocorrido frequentemente e por mais vezes do que é relatado nos evangelhos. Essa é uma atitude ainda bem comum nas igrejas locais, porque o prestígio pessoal, a honra humana, as posições, a glória e a as ambições pessoais, permanecem entre os crentes qual uma doença infecciosa. Portanto, as lições ministradas por Jesus nesse sentido se aplicam até aos nossos dias. A primeira epístola de Paulo aos Coríntios demonstra que o problema da ambição pessoal figurava entre os mais graves problemas, na igreja primitiva. Assim também, neste capítulo, o autor do evangelho de Mateus, ao tratar dos problemas da sociedade cristã, isto é, a igreja, aborda primeiramente o problema da ambição pessoal, do orgulho dos crentes individuais.

"Reino dos céus" — Ver nota detalhada sobre esse termo e seu uso, em Mateus 3.2.

Diversas ocorrências anteriores obviamente provocaram essas perguntas e debates: a exaltação de Pedro (Mt 16) e a intimidade maior de Jesus com Pedro, Tiago e João. É possível que entre os doze tenham surgido *facções*, cada qual com o seu líder, os quais talvez fossem os três discípulos mais chegados a Jesus. A esperança do reino literal permanecia vívida entre os doze; e assim, julgando-o próximo, mostravam grande interesse no caráter e na exaltação de suas respectivas posições nesse reino, posições que pensavam assumir brevemente. Alguns, sem dúvida, pretendiam posições mais elevadas que os outros, e não tinham dúvidas em mostrar o seu egoísmo. O farisaísmo já havia lançado seu fermento entre os discípulos.

18.2: Jesus, chamando uma criança, colocou-a no meio deles,

18.2 καὶ προσκαλεσάμενος παιδίον ἔστησεν αὐτὸ ἐν μέσῳ αὐτῶν

2-3 Mt 19.14; Mc 10.15; Lc 18.17

"Jesus, chamando uma criança" — Até mesmo o leitor casual do NT deve ficar impressionado ante a ternura de Jesus em relação às crianças. Ver também as passagens de Mateus 19.13-15; 25.31-46; Marcos 10.13-15; Lucas 18.15-17. Notamos, igualmente, esse tipo de sentimento nos escritos rabínicos; porém, entre os pagãos, geralmente dava-se o oposto. Por exemplo, um dos papiros escritos no princípio da era cristã, por um trabalhador egípcio (de nome *Hilário*), contém uma mensagem afetuosa dirigida à sua esposa (de nome *Alis*); nessa mesma carta, todavia, há instruções sobre o que se deveria fazer com a criança deles que estava prestes a nascer — se fosse menino, ela deveria criá-lo; mas, se fosse menina, deveria deixá-la morrer. A atitude de Cristo para com as crianças se tem tornado um elemento permanente da moral cristã. A criança, antes de ser atingida pelo orgulho, pela maldade, pela ostentação e pela ambição pessoal mundana, é dotada de um espírito humilde e de uma fé simples. Apesar de ser um ser fraco e indefeso, simboliza com propriedade o povo simples que usualmente recebe a mensagem do evangelho sem oferecer resistência, no que contrasta com os de nobre nascimento, instruídos e sábios aos próprios olhos, que geralmente buscam justificativas para não levar a sério as declarações e advertências de Jesus Cristo.

A tradição ensina que essa criança foi *Inácio*, o Mártir, mas isso não tem base histórica; antes, como sempre acontece com a tradição, há uma tentativa de ornar a história mediante a adição de detalhes, especialmente nomes de pessoas. Inácio menciona em sua carta à igreja de Esmirna, que ele foi uma das testemunhas oculares da ressurreição de Cristo, isto é, viu a Jesus vivo, após a sua morte, e essa referência demonstra claramente que era impossível ser ele aquela criança mencionada. Jesus morreu somente alguns meses depois desta ocorrência, e Inácio deve ter visto Cristo ressurreto quando adulto e não quando ainda era criança. Diversas outras lendas existem sobre a identidade dessa criança, mas nenhuma delas é digna de confiança. O mais provável é que se tratasse de uma das crianças de Pedro, ou filha de algum vizinho de Pedro, em Cafarnaum.

A passagem de Marcos 9.36 mostra que primeiramente Jesus pôs a criança entre os discípulos, e depois tomou-a nos braços, mostrando assim o espírito manso, submisso e confiante da criança. Essas qualidades da personalidade simples da criança certamente contrastavam com o espírito contencioso e ufano dos discípulos. Não foi necessário que Jesus ainda falasse sobre o assunto. "Quem é o maior no reino dos céus?" Os de espírito *orgulhoso*? os *ambiciosos*? Não; mas aqueles cujo espírito é semelhante ao daquela criança no meio deles; aqueles que têm fé simples e inabalável, que não planejam seu benefício próprio em detrimento alheio; aqueles que podem apresentar-se a Cristo sem medo nem ostentação.

18.3: e disse: Em verdade vos digo que se não vos converterdes e não voz fizerdes como crianças, de modo algum entrareis no reino dos céus.

18.3 καὶ εἶπεν, Ἀμὴν λέγω ὑμῖν, ἐὰν μὴ στραφῆτε καὶ γένησθε ὡς τὰ παιδία, οὐ μὴ εἰσέλθητε εἰς τὴν βασιλείαν τῶν οὐρανῶν.

"Em verdade vos digo" — "Converterdes" — Palavra que aparece em algumas traduções: na RV encontramos "turn" (voltar-se, desviar-se, virar-se, dar meia-volta), e essa é a ideia literal do vocábulo grego. Os discípulos estavam seguindo em uma direção errada, e esse caminho não os teria conduzido ao reino dos céus.

Notemos que Jesus não respondeu quem seria o maior no reino dos céus, mas preferiu mostrar que até mesmo entrar no reino dos céus seria impossível com a atitude que os discípulos mantinham. Diversos intérpretes têm observado a dureza da dupla negativa do grego, representada pela tradução "de modo algum entrareis no reino dos céus". Jesus falou com grande ênfase, conforme demonstram as suas palavras, "em verdade vos digo", expressão essa tomada de empréstimo do hebraico, que é uma partícula asseverativa que exige uma tradução como "em verdade" ou "verdadeiramente". O próprio Jesus tem o nome de "Amém", segundo se vê em Apocalipse 3.14, onde é frisado o fato de serem reais a sua autoridade e veracidade. Com essas palavras, ele ilustrou diante dos discípulos que a participação no reino de Deus, no poder de Deus e na vida de Deus exige uma mudança no ser humano. Essa mudança ocorre quando o homem reconhece que está seguindo na direção errada e que deve *voltar-se*, "desviar-se" ou "dar meia-volta" em seu caminho, voltando-se para Deus. Essa é a decisão que altera a vida humana, como primeiro passo da conversão.

No entanto, a salvação completa, de fato, consiste de uma conversão *contínua*. Cada vez mais a personalidade humana se vai transformando à imagem de Cristo. A conversão total é a transformação total à imagem de Cristo, a nova criação dos filhos de Deus. Esse é o tema do oitavo capítulo de Romanos. Ver as notas detalhadas sobre a transformação do crente à imagem de Cristo, que é o ensino mais elevado do evangelho, em Romanos 8.29. Ver as notas sobre o "arrependimento", em Mateus 3.2; 21.29 e Marcos 1.15. A conversão plena é uma "reviravolta" completa nos propósitos e no destino da personalidade humana, e isso implica naquilo que se chama de "novo nascimento", no terceiro capítulo de João. Suas evidências, neste mundo, incluem as características que as crianças possuem por natureza. O homem totalmente convertido não demonstra espírito orgulhoso e malicioso. Pelo contrário, mostra simplicidade e mansidão, que são as características da natureza infantil. Os discípulos ainda não haviam aprendido bem as lições sobre a conduta, que Jesus vinha apresentando continuamente no próprio comportamento. Pelo contrário, eles se comportavam mais como os fariseus, que eram indivíduos extremamente religiosos, mas que nunca se tinham convertido a Deus. Talvez essa severa repreensão tenha sido provocada pelo fato de Jesus ter reconhecido a entrada de tendências farisaicas no meio de seus discípulos. Disse Crisóstomo (*Hom.* 1. viii): "Nem ao menos somos capazes de

508 |Mateus| NTI

atingir os erros dos doze; nem perguntamos quem será o maior no reino dos céus, e, sim, quem é o maior no reino desta terra, ou seja, o mais rico e poderoso".

Adam Clarke ilustra esse ensino dissecando-o como segue: (1) O rei é celestial. (2) Seus servos têm uma mentalidade celestial. (3) A pátria dos servos é celestial, pelo que são peregrinos e forasteiros na terra. (4) O governo desse reino é totalmente espiritual e divino.

Disso se conclui que, em potencial, os habitantes daquela pátria que está nos céus devem converter-se ao princípio celestial, o que certamente inclui a rejeição aos padrões mundanos (orgulho, honra humana, posição elevada, fama etc.).

18.4: Portanto, quem se tornar humilde como esta criança, esse é o maior no reino dos céus.

18.4 ὅστις οὖν ταπεινώσει ἑαυτὸν ὡς τὸ παιδίον τοῦτο, οὗτός ἐστιν ὁ μείζων ἐν τῇ βασιλείᾳ τῶν οὐρανῶν.

_{4 ουν] γαρ} **w** g¹ sy^{sc}: *om* **G** *713* 4 Mt 20.26,27; Mc 10.43,44; Lc 22.26

"Aquele que se humilhar..." — A passagem de Marcos 10.15 mostra que só se pode entrar no reino dotado de um espírito humilde (o que é ilustrado pela natureza da criança), e este versículo ensina, de modo geral, a mesma lição que se nota em Mateus 18.3.

Aqui é enfatizada a humildade porque a mesma característica que permite ao homem entrar no reino é, igualmente, o principal elemento da *grandeza* naquele reino. Essa declaração deve ter sido surpreendente para os discípulos e para os crentes da igreja primitiva em geral, porquanto a virtude da mansidão e da humildade não era reputada desejável entre os antigos, e certamente não pensariam que isso fosse um elemento vital de "grandeza". Considerando as exigências de sucesso neste mundo, os homens acham razão suficiente para rejeitar a teoria de que a humildade é que leva à verdadeira grandeza. A ética deste mundo simplesmente jamais ilustraria que é a humildade que conduz à grandeza. Jesus, porém, falava sobre os requisitos de outro mundo, onde o seu rei não se deixa impressionar pelo orgulho humano ou por aquilo que, neste mundo, é reputado grandeza. Jesus mostrou que, no reino dos céus, é impossível ao homem desenvolver o seu orgulho nas suas relações com Deus, e que a aceitação das exigências do reino equivale à aceitação dos princípios éticos desse reino. Esses princípios éticos incluem a humildade.

A humildade é o oposto da soberba. A soberba cria o egoísmo; a humildade desenvolve o altruísmo. Jesus foi o maior exemplo de altruísmo. E Deus, o maior altruísta, é a fonte da vida humana, é aquele que sustenta essa vida e que tem planejado o grande destino da humanidade, que se cumprirá na transformação dos crentes à imagem de Cristo, formando uma nova criação que consistirá do desenvolvimento da personalidade e do ser humano. Ora, somente a *conversão* pode fazer os homens se tornarem altruístas, porquanto o homem comumente é egoísta. Todavia, na própria terra há um grande exemplo de humildade, que é o principal elemento do altruísmo: *a criança*. Pelo menos, a criança ainda não corrompida pelos padrões comuns do mundo. A humildade desenvolve a sinceridade, a singeleza de propósitos, a aceitação simples da autoridade de outros, tudo acompanhado de uma confiança sem hipocrisia. Todas essas qualidades resultam da conversão, e a humildade é o ponto central dessa conversão. No mundo vindouro, no reino onde Deus exerce a sua autoridade, os cidadãos possuem justamente essas características. Os "grandes" ali são aqueles que possuem essas virtudes no mais elevado grau. Lembremo-nos de que o próprio Jesus, em sua missão nesta terra, "[...] não julgou como usurpação o ser igual a Deus; antes a si mesmo se esvaziou, assumindo a forma de servo, tornando-se em semelhança de homens; e, reconhecido em figura humana, a si mesmo se humilhou, tornando-se obediente até à morte, e morte de cruz. Pelo que também Deus o exaltou sobremaneira..." (Fp 2.6-9). O v. 5 desse mesmo capítulo da epístola aos Filipenses, diz: "Tende em vós o mesmo

sentimento que houve também em Cristo Jesus". Cristo mostrou claramente, em sua vida, o caminho da humildade, e as suas obras grandiosas teriam sido impossíveis sem esse alicerce. Um Jesus orgulhoso feriria as nossas sensibilidades. O crente orgulhoso, por semelhante modo, fere as nossas sensibilidades. Parece razoável dizer, por conseguinte, que a humildade é um elemento necessário para o desenvolvimento do amor, e Paulo mostrou que, sem amor, as obras de qualquer envergadura e tipo, e até mesmo a posse e uso de dons miraculosos ou da fé que remove montanhas, não têm valor nenhum (ver 1Co 13). Precisamos aprender a amar como Jesus amou, e dificilmente poderemos conseguir isso sem a humildade que Jesus mostrou. O orgulho, que é o contrário da humildade, é o próprio coração do egoísmo.

Jesus empregou o tempo futuro — *se humilhar* — talvez para indicar que essa experiência ainda seria dada aos apóstolos, pois, de fato, era algo necessário a eles. Haveriam de aprender como deveriam converter-se profundamente. Bruce (in loc.) observa que a coisa mais difícil, tanto na experiência cristã como fora dela, é aprendermos a lição da humildade. A humildade pode manifestar-se na mente (Fp 2.3), nas palavras (Pv 15.1) e nos atos (Fp 2.3-6 e 1Pe 5.6). Bruce (in loc.) diz: "O homem verdadeiramente humilde é, no mundo moral, tão grande quanto raro". Outras passagens sobre essa questão, são: Provérbios 6.3; 16.19; 29.23; Isaías 57.5; Mateus 23.12; Tiago 4.6,10; 1Pedro 5.5,6; Filipenses 2.1-10.

(b) Responsabilidade pelas crianças (18.5,6)

"Essa declaração pode ter ensinado originalmente que é importante ajudarmos às criancinhas. Os rabinos, por igual modo, louvavam a gentileza para com os órfãos e desamparados. O mundo pagão, entretanto, não dava, necessariamente, o mesmo valor às crianças. Uma carta afetuosa, em papiro, proveniente de um operário egípcio de nome *Hilarion*, para sua esposa, Alis, escrita nos começos da era cristã, aconselha-a a que, ao nascer sua criança, ela a criasse, se fosse um menino; mas, se fosse uma menina, permitisse que a mesma morresse. O interesse de Jesus pelas crianças como pessoas e objetos do amor de Deus foi transferido para a igreja primitiva, fazendo uma diferença permanente na atitude dos cristãos. Aqui, tal como em Mateus 10.40-42 e 25.31-46, a declaração é aplicada também aos menores dentre os seguidores de Jesus. Ajudar as crianças é ajudar a Jesus. *'Em meu nome'* é frase que significa 'sob minha ordem' ou 'por minha causa' " (Sherman Johnson, in loc.)

18.5: E qualquer que recebe em meu nome uma criança tal como esta, a mim me recebe.

18.5 καὶ ὃς ἐὰν δέξηται ἓν παιδίον τοιοῦτο ἐπὶ τῷ ὀνόματί μου, ἐμὲ δέχεται.

_{5 Mt 10.40; Lc 10.16; Jo 13.20}

"Quem receber uma criança..." — Essa declaração tem dado origem a muitas controvérsias entre os intérpretes do NT. O problema consiste em saber se Jesus falou aqui de crianças, em sentido literal, ou se usou o termo como mero símbolo do crente, querendo indicar que o crente deve ter a humildade das crianças. Entre os intérpretes que insistem em dizer que Jesus falou das crianças propriamente ditas, temos Bengel, Paulus, Neander, de Wette e Lange. Os intérpretes que ensinam que ele usou as crianças como símbolo de seus discípulos, são Erasmo, Beza, Calvino, Grótius, Meyer, John Gill, Bruce, Robertson e Clarke. Os intérpretes expõem diversos argumentos em apoio às suas interpretações, como, por exemplo, o v. 25 deste capítulo de Mateus, que parece indicar a primeira interpretação, e também o paralelo do texto, Lucas 9.48, que diz: *esta criança*, que enfatiza a ideia da criança no sentido literal. Bruce afirma que as palavras da versão de Lucas, "em meu nome", indicam que Jesus elevou o caso à esfera ideal, isto é, apresentou o discípulo como uma criança humilde. Esses diversos argumentos são igualmente fortes e válidos, e a melhor interpretação seria aquela que faz Jesus incluir ambas as ideias. Com isso concordam Lange (ainda que frise mais a primeira interpretação). Ellicott, Alford e Buttrick.

Não parece razoável que, repentinamente, Jesus tenha deixado de mostrar seu cuidado pelas crianças, de forma total. De modo geral, o mundo antigo tinha *pouco respeito* pelas crianças, e, de fato, sentia pouca responsabilidade por elas, especialmente no caso de meninas. Na literatura dos rabinos, porém, por muitas vezes encontramos ideias diferentes, com base nas instruções do AT. Não se pode deixar de notar, pela leitura do AT, que a sociedade judaica enfatizava muito a responsabilidade dos pais pelos filhos, exceto quando os judeus imitavam a barbaridade dos pagãos, em períodos de apostasia. Jesus, entretanto, sempre demonstrou amor e cuidados excepcionais pelas crianças, e deu nova ênfase à responsabilidade da sociedade por suas crianças. Diversos artistas têm ilustrado essa compaixão de Jesus em suas pinturas, mostrando cenas em que Jesus abençoa as crianças. Essa nova conduta se tem tornado parte integrante da moral cristã. Jesus diz que devemos acolher as crianças em nome dele, como se fossem ele mesmo. Podemos aceitar esse ensino como se ele tratasse de crianças em sentido literal, mas também podemos aceitá-lo no sentido espiritual. Todas as crianças são criaturas de Deus e candidatas ao reino dos céus. O texto de Mateus 18.10 refere-se aos "anjos" dos "pequeninos", os quais têm acesso à presença de Deus. Evidentemente, Jesus confirmou aqui a doutrina judaica dos anjos da guarda (ver nota naquele versículo). Aqui, o ensino é de que o próprio Deus toma conta das crianças. Jesus, pois, expressou esse cuidado de maneira singular, e exige dos seus discípulos idêntico amor, idêntica compaixão e idênticos cuidados. Paulo também deu certa ênfase aos desvelos e ao tratamento que devemos dar às crianças, dizendo: "Se alguém não tem cuidado dos seus, e especialmente dos de sua própria casa, tem negado a fé, e é pior do que o descrente". Aqui, a ênfase recai sobre a responsabilidade que temos para com os nossos filhos. (Ver 1Timóteo 5.8.)

Pelo texto, porém, parece claro que Jesus ampliou a ilustração, incluindo as "crianças na fé" (v. 6-10), em alusão especial aos crentes fracos, novos e simples. Voltando a nossa atenção à matéria de introdução a este capítulo, lembremo-nos de que o capítulo inteiro foi editado pelo autor com o objetivo de abordar os problemas da sociedade cristã. No tempo dos apóstolos, essa sociedade abrangia elementos os mais diversos, formando um grupo heterogêneo. Alguns cristãos antigos ainda não haviam abandonado totalmente o judaísmo, e insistiam em que os cristãos deviam observar as diversas exigências da lei mosaica, o que criava problemas no seio da igreja. Paulo se referiu a essas pessoas tachando-as de "fracos na fé", mas advertiu aos crentes mais vigorosos, isto é, mais instruídos e experientes na doutrina da graça, que tivessem paciência com essas "crianças" na fé, e que não as destruíssem visando apenas a certa unidade no ensino da liberdade cristã. Alguns cristãos, que conservavam a atitude característica do farisaísmo, ameaçaram causar cisões na igreja, arruinando a vida espiritual das "crianças" na fé, as quais ainda não estavam bem firmadas na fé por serem recém-convertidos. Paulo escreveu às igrejas da Galácia, protestando contra a atitude de alguns em relação aos crentes novos. Portanto, lembrando-nos desses fatos, podemos compreender melhor as advertências que encontramos aqui contra os elementos que, na sociedade cristã, ameaçavam destruir os "pequeninos" na fé. Devemos receber esses novos convertidos como se fossem o próprio Jesus; são crianças que ele ama. O texto de Mateus 25.40 renova esse ensino, dando-lhe ainda maior ênfase: "O rei, respondendo, lhes dirá: Em verdade vos afirmo que sempre que o fizeste a um destes meus pequeninos irmãos, a mim o fizeste".

Vemos, portanto, que Jesus falava de crianças no *sentido literal*, que são candidatas ao reino dos céus e objetos especiais do amor de Deus, e também falava dos cristãos em geral, os seus *pequeninos irmãos*. Por algumas vezes, Jesus chamou seus doze discípulos de "crianças" (Jo 21.5). E, na passagem de João 13.33,

notamos que ele os chamou de "filhinhos". Eis aqui o amor e a compaixão de Jesus.

18.6: Mas qualquer que fizer tropeçar um destes pequeninos que creem em mim, melhor lhe fora que se lhe pendurasse ao pescoço uma pedra de moinho, e se submergisse na profundeza do mar.

18.6 Ὃς δ᾽ ἂν σκανδαλίσῃ ἕνα τῶν μικρῶν τούτων τῶν πιστευόντων εἰς ἐμέ, συμφέρει αὐτῷ ἵνα κρεμασθῇ μύλος ὀνικὸς περὶ τὸν τράχηλον αὐτοῦ καὶ καταποντισθῇ ἐν τῷ πελάγει τῆς θαλάσσης.

6 περι אB *28 al*; R] εις WΘ *f1 f13 al* e ϛ: επι **D** *565 ald*: εν (τω -λω) *700* lat sy

Jesus usa aqui de palavras ainda mais severas e pesadas para ilustrar os seus cuidados pelas *crianças*. Ainda não podemos deixar totalmente de lado a ideia de crianças no sentido literal, pois parece certo que ele ainda não concluíra a questão da importância do tratamento que se deve dar às crianças. Contudo, a expressão "que creem em mim" certamente eleva o caso à esfera espiritual. As crianças (tomando a palavra em seu sentido literal) que creem em Cristo, são mais especialmente objetos de seu amor, compaixão e atenção divinos. Entretanto, lembrando-nos novamente do propósito do autor, neste capítulo — advertir contra os elementos perturbadores na igreja, como os de tendências farisaicas, que destruíam a fé dos crentes recém-convertidos e infiltravam elementos do antigo e pervertido judaísmo das autoridades religiosas (ver notas mais detalhadas sobre essa ideia na introdução a este capítulo e no v. 5) — devemos reconhecer que a palavra "pequeninos" refere-se aos cristãos recém-convertidos; mas o texto também pode ser aplicado à criança "ideal", a saber, o crente que tem a fé e a humildade exigidas por Jesus de todos os seus discípulos, exatamente a atitude necessária para alguém entrar no reino dos céus. É perigosíssimo fazer tropeçar a criança literal, a criança na fé ou a criança ideal.

"Tropeçar" — Pode ser palavra usada em seu sentido literal de *fazer cair*, ou em seu sentido moral de "fazer cair no pecado" (ver Ml 2.8; Mt 5.29; Mc 9.24,42,47; Lc 17.2; 1Co 1.13). Pode também ser usada na voz passiva, como "ser levado ao pecado" ou "ser desviado para o pecado" (ver *Sir.* 23.8; Mt 13.21; 24.10; Mc 4.17; Hb 4.1,3). O vocábulo também pode significar "ofender" ou "provocar a ira" (ver Mt 17.2 e Jo 6.61), ou então, estando na voz passiva, "ser ofendido" (ver 2Co 11.29). O substantivo pode ter o sentido de "laço" para apanhar animais, "tentação" para fazer cair em pecado, *isca*, no sentido literal ou moral, ou então aquele que causa "ofensa" (ver I *Macabeus* 5.4; Lc 17.2; *Sir.* 7.6; 1Co 1.23). Assim, de acordo com o uso da palavra, o sentido que Jesus quis emprestar a este versículo pode incluir muitas coisas, isto é, os tropeços podem ser obstáculos no caminho das "crianças", na forma de "ofensas" ou maus-tratos, "tentação" ao pecado, tratamento cruel ou injusto, ou então, pode ser também tratamento impróprio, como no caso de tomar liberdades demasiadas na vida cristã, o que pode levar a caírem os crentes menos instruídos e experientes na doutrina da graça.

Disso tudo, conclui-se que os tropeços podem ser os seguintes: (1) Tratamento mau e *injusto* dirigido às crianças ou às crianças espirituais — crentes fracos, recém-convertidos. Pode-se afirmar mesmo que esse tratamento pode ser administrado pela própria autoridade da igreja local, em casos de disciplina severa demais ou por meio de atitudes outras que levem os "pequeninos" a tropeçarem. Essas atitudes também podem ser dirigidas contra o próprio pastor ou contra os membros entre si. (2) Relembrando o contexto deste capítulo, vemos que também pode significar a atitude de alguns crentes *mal informados*, que aplicam a doutrina contra os outros, e que usam de atos calculados para desviar os crentes do caminho reto. Como exemplo disso, temos as atitudes dos elementos farisaicos na igreja primitiva, como entre as igrejas da Galácia, acerca dos quais Paulo escreveu nas epístolas aos Gálatas e aos Coríntios. (3) O *abuso da liberdade* cristã pode fazer outros tropeçarem. Esse é o tema de Romanos 14 e 1Coríntios 8. A epístola de I Clemente 46.8 emprega essa palavra nesse sentido, enfatizando as divisões que tais atitudes provocam na igreja. (4) Pode assumir a forma de uma tentação *ao pecado*, que alguns põem no caminho de outros. Nota-se, na literatura rabínica, que eles consideravam Jeroboão o maior dos pecadores, porquanto não só pecava mas também ensinava os outros a pecarem. Fez pecar a nação de Israel (ver 1Reis 14.16). Jesus fez eco a essa atitude, quando declarou: "Aquele, pois, que violar um destes mandamentos, posto que dos menores, e assim ensinar aos homens, será considerado *mínimo* no reino dos céus..." (Mt 5.19).

"Grande pedra de moinho". Literalmente, *moinho- -jumento*, porquanto tratava-se de um moinho grande demais para um homem girar à mão. O povo usava animais, inclusive jumentos, para fazer girar esse tipo de moinho, cuja pedra era muito pesada. De conformidade com Jerônimo, os judeus da Galileia às vezes usavam essa modalidade de afogamento como pena capital; mas diversos intérpretes negam a veracidade dessa observação. Contudo, pelo que se pode observar da história antiga, é perfeitamente claro que os romanos e outros povos, incluindo os gregos, usavam esse método (Diod. Sic. xv. 1.35).

Entre os antigos, deixar de sepultar um morto era considerado um sinal de grande desgraça, e alguns criam que o espírito dessa pessoa não teria descanso enquanto não houvesse um sepultamento honroso. A pessoa morta por afogamento, com a "grande pedra de moinho" pendurada ao pescoço, como é natural, não tinha sepultamento honroso. Esse castigo era reservado para os criminosos notórios. Bengel diz (in loc.): "Que aquele que joga uma pedra no caminho de um irmão tenha uma pedra de moinho pendurada ao próprio pescoço", citação essa que reflete o espírito daquela declaração (*logos*) de Jesus.

Antes do tempo dos estudos dos papiros não-bíblicos, pertencentes aos primeiros séculos, os quais ilustram bem a língua do NT, que é o grego *koiné*, não contávamos com exemplos, fora das páginas do NT, da palavra "moinho-jumento", ou seja, o termo "jumento" aplicado à pedra de moinho; mas os papiros ilustram com suficiência o uso comum dessa palavra nos dias de Jesus e posteriormente a esses dias.

"Mar" — Aqui a palavra é *pélagos*, e não o termo usual "thalassan". O verbo, "plesso", significa "bater", e com o uso do substantivo "pélagos" (isto é, aquele que bate) temos uma referência às ondas permanentes do alto mar, distante das praias. Esse uso empresta uma expressão poética ao discurso de Jesus, ao mesmo tempo que serve de ênfase ao destino merecido por aquele que maltrata as "crianças" amadas de Jesus.

(c) Pecados contra os pequeninos (18.7-9)

18.7: Ai do mundo, por causa dos tropeços! pois é inevitável que venham; mas ai do homem por quem o tropeço vier!

18.7 οὐαὶ τῷ κόσμῳ ἀπὸ τῶν σκανδάλων· ἀνάγκη γὰρ ἐλθεῖν τὰ σκάνδαλα, πλὴν οὐαὶ τῷ ἀνθρώπῳ[1] δι' οὗ τὸ σκάνδαλον ἔρχεται.

[1]7 {C} οὐαὶ τῷ ἀνθρώπῳ ℵ D L *f*¹ 892 *l*¹⁸⁴ itaur,d,g¹ vgww syrc,s,p,h copsa ms,bo (Origen) // οὐαὶ τῷ ἀνθρώπῳ ἐκείνῳ B K X *f*¹³ 28 33 565 700 1009 1010 1071 1079 1195 1216 1230 1241 1242 1253 1344 1365 1546 1646 2148 *Byz Lect* ita,b,c,e,f,ff¹,²,l,n,q vgcl copsa arm eth geo Diatessaron Clement Cyprian Admantius Lucifer Hilary Basil Augustine Cyril John-Damascus // ἐκείνῳ οὐαὶ τῷ ἀνθρώπῳ W

> Excetuando-se a possibilidade de equívoco acidental, parece não haver razão por que um copista teria omitido ἐκείνῳ. Por outro lado, já que o contexto parece exigir esse demonstrativo, é inteiramente provável que o termo tenha sido adicionado por mais de um copista, ou antes de οὐαί; ou depois de ἀνθρώπῳ.

"Ai do mundo por causa dos escândalos" — (Este *logos* de Jesus pertence à fonte informativa "Q", material que Mateus e Lucas usaram em comum. Ver Lucas 17.1). Nesse versículo, a palavra "escândalos" é o substantivo do verbo "fazer tropeçar", que aparece no v. 6. (Ver Lucas 17 a explicação do significado dessa palavra). Há duas explicações sobre essa expressão de Jesus: "Ai do mundo por causa dos escândalos": (1) Jesus expressa simpatia e misericórdia pelo mundo, sabendo que este sofreria grandes tentações, sofrimentos e "escândalos" causados por diversos elementos pervertidos do mundo. Segundo essa interpretação, "mundo" significa a humanidade em geral, e não o mundo como sociedade má e destrutiva. Jesus teria demonstrado, portanto, a sua simpatia pela humanidade, em vista dos sofrimentos que esta teria de passar por causa das tentações ao pecado (e o seu resultado natural, que é o juízo), e também por causa dos sofrimentos provocados por outras formas de ofensas, violência de homens maus, tratamento injusto etc. Jesus reconhecia a inevitabilidade dessas condições, porque conhecia muito bem a natureza da existência humana. (2) Jesus falava do "mundo" como "mundo ímpio", como sociedade perversa, em contraste com a sociedade das "crianças" que são o seu povo, a igreja. Esse uso da palavra "mundo" também aparece em João 17.9: "É por eles (pelos apóstolos, representantes da igreja, povo de Deus) que eu rogo; não rogo pelo mundo..." E ainda no v. 16 do mesmo capítulo: "Eles não são do mundo como também eu não sou". Em João 15.18, encontramos o mesmo emprego desse vocábulo: "Se o mundo vos odeia, sabei que, primeiro do que a vós outros, me odiou a mim". Em 1João 3.13, a ideia aparece novamente: "Irmãos, não vos maravilheis se o mundo vos odeia..." Entre os escritos sagrados dos apóstolos aparece com frequência essa ideia de "mundo". Segundo esta segunda interpretação, a lição é de que Jesus expressava a sua indignação por causa do tratamento do mundo contra as suas "crianças", especialmente a tentação para conduzi-las ao pecado, o que, evidentemente, era o principal "escândalo" que Jesus tinha em mente. Alguns pensam que a expressão "ai", quando usada por Jesus, sempre subentende uma expressão de simpatia, até mesmo em favor de indivíduos pecaminosos que são motivo de sofrimento para seu povo. Jesus mostra aqui a necessidade de nos resguardarmos das "tentações" e dos "sofrimentos", pronunciando julgamento contra aqueles que os causam; mas mesmo assim sente amor e compaixão por esses, que sofrerão o castigo devido por suas ações. Ambas essas interpretações são válidas, e nos é impossível afirmar com exatidão qual delas Jesus tinha o propósito de expressar.

"É inevitável que venham escândalos" — Jesus era realista sobre a natureza deste mundo sem Deus, que não se interessa pelas questões espirituais, mas que só tem interesses ambiciosos, o que leva à violência e à injustiça contra a sociedade humana. Outrossim, Jesus sempre advertia ao seu povo, sabendo que, além dos pesados sofrimentos que a humanidade inteira geralmente sofre às mãos de homens perversos, os piedosos, que formam a sua igreja, devem sofrer perseguição e tratamento injusto da parte dos ímpios. Alguns intérpretes insistem em afirmar que Jesus não aludia à necessidade "metafísica", como se fosse uma determinação de Deus a existência de indivíduos pecaminosos, a fim de maltratarem o seu povo, e, sim, que se referia à necessidade "histórica", isto é, que o julgamento deve ser acompanhado pelos maus-tratos contra o seu povo. Esse julgamento é determinado pela vontade ativa de Deus, pelo que deve ser reputado inevitável. Apesar de ser verdade a existência de uma conexão necessária entre os atos perversos e violentos e o julgamento divino, e ser uma realidade o fato de tais ações provocarem um julgamento inevitável, não parece claro, pelo texto, que o Senhor referia-se a isso. É mais provável que ele simplesmente se mostrasse realista no tocante à inevitabilidade do mal neste mundo e no tocante às consequências do julgamento. Não começou aqui um discurso sobre o "problema do mal moral" como tema filosófico ou teológico. Simplesmente observou qual a condição moral deste mundo. Ver notas detalhadas sobre "O problema do mal" (um dos problemas mais intricados da filosofia e da teologia), em Romanos 3.3-8.

"Ai do homem..." — Se o mundo em geral (a sociedade dos homens) e o povo de Deus sofrem por causa das ofensas, das injustiças e das tentações ao pecado, quanto mais sofrerão os causadores desses males! Os homens pecaminosos e ímpios, que insistem em maltratar o próximo, não podem escapar sem um julgamento conforme as suas ações. Jesus nos oferece uma explicação definida e sofisticada sobre a justiça eterna, mas demonstra claramente que tal lei funciona realmente neste mundo. Cada qual terá de encarar e enfrentar a si mesmo no juízo. O juízo de cada um está sendo estabelecido por suas ações. E esse julgamento, quando adverso, nem sempre será necessariamente resultante de ações usualmente consideradas pecaminosas ou abertamente injustas. Pode ser que a falta de atitudes positivas em favor dos outros mereça um julgamento não menos severo do que certas ações positivamente injustas. Não cumprir os nossos propósitos, nesta vida é, de fato, um tipo de injustiça, porque furtamos dos outros o nosso potencial para a prática do bem.

18.8: Se, pois, a tua mão ou o teu pé te fizer tropeçar, corta-o, e lança-o de ti; melhor te é entrar na vida aleijado, ou coxo, do que, tendo duas mãos ou dois pés, ser lançado no fogo eterno.

18.8 Εἰ δὲ ἡ χείρ σου ἢ ὁ πούς σου σκανδαλίζει σε, ἔκκοψον αὐτὸν καὶ βάλε ἀπὸ σοῦ· καλόν σοί ἐστιν εἰσελθεῖν εἰς τὴν ζωὴν κυλλὸν ἢ χωλόν, ἢ δύο χεῖρας ἢ δύο πόδας ἔχοντα βληθῆναι εἰς τὸ πῦρ τὸ αἰώνιον.

8 αυτον] αυτα W 33 118 565 700 al ς | το πυρ το αιωνιον] την γεενναν του πυρος 11582 ff¹ syᶜ

8-9 Mt 5.29,30

18.9: E, se o teu olho te fizer tropeçar, arranca-o, e lança-o de ti; melhor te é entrar na vida com um só olho, do que, tendo dois olhos, ser lançado no inferno de fogo.

18.9 καὶ εἰ ὁ ὀφθαλμός σου σκανδαλίζει σε, ἔξελε αὐτὸν καὶ βάλε ἀπὸ σοῦ· καλόν σοί ἐστιν μονόφθαλμον εἰς τὴν ζωὴν εἰσελθεῖν, ἢ δύο ὀφθαλμοὺς ἔχοντα βληθῆναι εἰς τὴν γέενναν τοῦ πυρός.

"Portanto, se a tua mão..." — Jesus repete, nestes versículos, as declarações que já fizera no Sermão da Montanha. (Ver Mt 5.29,30.) Todos os mestres repetem declarações favoritas e pontos vitais de seus ensinos, em diversos contextos. E isso é o que Jesus também fez.

No texto de Mateus 5.29,30, notamos que a ordem da declaração é reversa, isto é, ali é mencionado primeiramente o "olho", e depois a "mão"; aqui temos primeiramente a "mão" e depois o "olho". Ali temos "mão direita" e "olho direito"; aqui temos simplesmente "olho" e "mão", sem a ênfase. Entretanto, a despeito dessas pequenas diferenças no registro das palavras de Jesus, o adágio é o mesmo, e tem a mesma aplicação. Jesus enfatiza que pecar contra outros, e especialmente levar outros ao pecado, é algo seriíssimo, que atrai o julgamento mais severo. Por isso ensinou que, às vezes, é mais vantajoso sacrificar algumas coisas, que podem ser representadas pelo olho ou pela mão, embora essas nos pareçam muito preciosas, como são certamente esses dois órgãos; pois somente assim poderemos alcançar uma situação melhor no mundo vindouro e somente assim fica afastada a ameaça de um severo julgamento. Na passagem de Mateus 5.29, onde Jesus fala em arrancar o olho direito e lançá-lo fora, ele também fala particularmente do adultério e da tendência do olho em provocar esse pecado. Por conseguinte, arrancar o olho e jogá-lo fora é um mandamento metafórico da necessidade de evitar, dura e

inteligentemente, os "escândalos", os "pecados", as "ofensas" e os "obstáculos" em nossa vida. É mister que examinemos as "causas", e não só os resultados, a fim de tratar daquelas. A atitude ou o objeto que causa a ofensa talvez seja algo de grande valor para o indivíduo, como seu olho ou sua mão. A inteligência, porém, exige a renúncia do uso indevido desses órgãos ou dessas coisas, para que o indivíduo não seja prejudicado, nesta vida e para que haja bem-estar da alma, no mundo além. Como, portanto, poderíamos compreender esse "logos" difícil de Jesus?

1. Literalmente, *arrancando* o olho fora? Se assim fosse, neste mundo não haveria homem ou mulher com olhos ou mãos. Dificilmente podemos aceitar essa interpretação, que implica em cegueira e mutilação universais.

2. Como um *símbolo*, que indica a abnegação de desejos ilegítimos? Sem dúvida, isso faz parte da ideia, mas provavelmente o ensino inclui algo ainda mais severo.

3. Renúncia *absoluta* e dolorosa, se necessário? Sim; arrancar um olho seria uma ação dolorosa e radical. Jesus requer que seja praticada essa ação para o benefício da alma e para o bem-estar espiritual do indivíduo, nesta vida, porquanto a existência terrena também é importante. Jesus fala de uma disciplina profunda e radical. A renúncia de certos desejos e ambições, neste mundo, resulta no benefício da alma, em seu estado no mundo vindouro. E assim, o que parece ser uma abnegação, de fato é um ganho. Há uma citação rabínica que diz: "É melhor experimentar a dor de uma pequena chama, neste mundo, do que ser queimado pelo fogo consumidor do mundo vindouro".

Por conseguinte, Jesus explica aqui que, aquele que ofende, que faz pecar, que faz tropeçar, trazendo assim sofrimentos ao próximo, por fim, é aquele que sofre mais. Sabendo disso, seremos sábios se evitarmos ser aqueles que fazem os outros tropeçarem, especialmente as "crianças", literais e espirituais.

"Inferno" — Neste caso, como também em Mateus 5.22 e Marcos 9.43, o "inferno" é a *geena*, e não o "hades", como achamos em outros textos bíblicos, palavra essa que, às vezes, também tem sido traduzida pelo português "inferno". Fora dos evangelhos, esse vocábulo é usado somente em Tiago 3.6. Esse termo indica o lugar de punição eterna, e não o "hades", que geralmente também tem sido traduzido por "inferno". Ver nota em Mateus 16.18 com relação ao "hades", sua história e sua significação. O termo "geena" fazia os judeus se lembrarem do vale de Hinon, um lugar ignominioso, onde os israelitas dos séculos antigos haviam sacrificado os próprios filhos, e onde era lançado o lixo e os cadáveres dos animais e dos criminosos executados, os quais eram comidos pelos vermes e queimados. A fumaça e o fogo subiam dali continuamente, e isso formava um quadro vívido sobre o juízo. Jesus usou esses símbolos para descrever a ruína da vida que não alcança o destino da existência humana, isto é, a transformação à imagem de Cristo. Ver nota detalhada sobre esse assunto, em Romanos 8.29; sobre o "inferno", em Apocalipse 14.1; sobre o julgamento do crente, em 2Coríntios 5.10; e sobre os sete julgamentos, em Mateus 25.3.

No texto paralelo de Marcos 9, há um tratamento mais *minucioso* sobre esse tema. Em Marcos 9.47, ao invés de "entrares na vida" lemos "entrares no reino de Deus". Provavelmente, Jesus utilizou-se aqui da expressão "reino de Deus" para indicar o mundo vindouro, os "céus", a vida depois desta, embora tenha falado também do "inferno", o qual deve ser interpretado como a condição dos perdidos no outro mundo, e não neste. Formando uma antítese com o "inferno", Jesus falou da "vida" ou do "reino de Deus". Marcos 9.48 é um "logos" de Jesus que amplia o texto, e que não se acha nos paralelos de Mateus e Lucas. "Onde não lhes morre o verme, nem o fogo se apaga". Diversos manuscritos antigos repetem esse *logos* mais duas vezes, no mesmo texto, formando os v. 44 e 46; mas os mss mais antigos não contêm essa repetição. Os mss que contêm os v. 44 e 46 de Marcos 9 são ADEFGHKMSUVX, Gama, Fam Pi e as traduções KJ, AC, AA

512 |Mateus| NTI

(assinaladas como duvidosas), F e M. Todas as demais traduções, incluindo a IB, não os contêm; e nisso seguem os mss mais antigos, Aleph, B, W, Fam 1, 28, 565, a versão latina *k* e o Si(s) e o Cóp. A afirmação é autêntica no v. 48, e foi acrescentada, por questão de ênfase, nesses outros lugares, por algum escriba. Em Marcos, este versículo é citação baseada em Isaías 66.24. A imagem da citação tem base nas descrições das "batalhas" do Senhor dos Exércitos contra seus adversários e a vitória final de suas forças. Os inimigos, homens pecaminosos que batalharem contra Israel e danificarem o povo de Deus, serão totalmente destruídos, e as aves dos céus virão para comer os seus cadáveres. Os restantes serão feitos comida para os vermes, e o fogo é que garantirá a vitória final e completa. Dificilmente, o NT fala desse acontecimento como se fosse uma vitória, mas a imagem tomada de empréstimo daquela descrição aviva a ideia de julgamento "eterno". Usualmente, os intérpretes afirmam que o símbolo "verme" fala da memória do passado, da percepção da vida "desperdiçada" e mal usada, que causa o remorso. O "fogo" fala da justiça e do juízo que procedem da santidade de Deus (ver Hb 12.29).

O uso da palavra "eterno", em Mateus 18.8, é a primeira ocorrência dessa palavra neste evangelho. Em Mateus 19.16,19 a palavra é usada para descrever a "vida". Em Mateus 25.11, está de novo em vista o "fogo", vinculado às ideias de "castigo" e "vida". Essa palavra pode ter uso qualitativo no lugar da ideia que se refere ao elemento do "tempo" do castigo. Isso significa que o "fogo" pode ser reputado aquele "fogo" (*julgamento*) que pertence ao outro mundo, o mundo vindouro, ou pode ser reputado o fogo que pertence aos "séculos", que é a forma literal da palavra grega; literalmente, o "fogo dos séculos". A vida eterna, igualmente, pode significar a "vida" que caracteriza o mundo vindouro, isto é, dos "séculos". O vocábulo "eterno", contudo, é empregado também para indicar o elemento tempo, sem fim. A passagem de Hebreus 13.8, referindo-se a Jesus como "Jesus Cristo ontem e hoje é o mesmo, e o será para sempre", usa a palavra no sentido temporal, com é claro. Ele não só pertence ao outro mundo (ideia qualitativa), mas também possui um caráter ou natureza que jamais muda. No evangelho de João, há algumas referências que usam a palavra "eterno" e que parecem indicar tipo ou qualidade de vida, e não duração de vida; porém, nem mesmo essas referências indicam nada sobre o "fim" desse tipo de vida. Algumas pessoas, aproveitando-se do uso qualitativo da palavra "eterno", têm ensinado o fim do julgamento, dizendo que o julgamento é "dos séculos", como se fosse apenas um tipo de julgamento, e não necessariamente "eterno", isto é, sem fim. Todavia, a simples compreensão deste texto derruba por terra essa ideia e favorece a interpretação de "eterno" no seu aspecto temporal. Quanto aos detalhes sobre o caráter do julgamento (inferno, hades) ver as notas em 1Pe 3.18-20; 4.6 e Ap 14.11.

(d) Deus cuida dos pequeninos (18.10)

18.10: Vede, não desprezeis a nenhum destes pequeninos; pois eu vos digo que os seus anjos nos céus sempre veem a face de meu Pai, que está nos céus.

18.10 Ὁρᾶτε μὴ καταφρονήσητε ἑνὸς τῶν μικρῶν τούτων· λέγω γὰρ ὑμῖν ὅτι οἱ ἄγγελοι αὐτῶν ἐν οὐρανοῖς δυὰ παντὸς βλέπουσι τὸ πρόσωπον τοῦ πατρός μου τοῦ ἐν οὐρανοῖς.[2]

10 οἱ...αὐτῶν At 12.15; Hb 1.14

"Vede, não desprezeis..." — Ao usar a palavra "pequeninos", naturalmente que Jesus não deixou de referir-se às crianças no sentido literal; porém, ao mesmo tempo, aludiu aos "pequeninos" na fé — crentes recém-convertidos, fracos na fé (ver notas sobre os v. 5 e 6). Outrossim, neste texto, a criança é símbolo da "criança ideal", isto é, o crente simples, dotado de fé e humildade, características próprias das crianças antes de elas serem afetadas pelas influências pecaminosas do mundo. Neste versículo, Jesus descreve o pecado que consiste de "desprezar" os outros. Antes já

mostrara que também são graves pecados "ofender", "maltratar", "fazer tropeçar" ou "levar outros a pecarem". Todavia, também é pecado falar ou agir com ódio da humanidade, quer a vítima seja uma criança, no sentido literal, quer seja um adulto. A vida humana é sagrada, e isso torna-se tanto mais evidente no caso de crianças ou crentes em Jesus, isto é, seus discípulos. Este versículo é um desdobramento do v. 5.

"Desprezar" — No sentido literal, a palavra que dá origem a esta tradução significa *subestimar*, o que inclui a ideia de que aquele que age dessa maneira mantém um espírito de orgulho ou superioridade. Jesus ensina que a personalidade humana, tanto da sociedade em geral como do indivíduo em particular, é algo precioso, por ter sido criação especial de Deus; e assim, como discípulos de Jesus que somos, não podemos desprezar a ninguém, porquanto, à vista de Deus, todos têm imenso valor. Se Deus a ninguém despreza, como ousaríamos desprezar a quem quer que seja? Uma atitude mental errônea também pode ser pecado. Os princípios éticos de Jesus procuram controlar os pensamentos e as atitudes, e não apenas as ações. Na realidade, porém, as ações são determinadas pelos pensamentos e atitudes. O apóstolo Paulo expressou a mesma ideia, ao dizer: "[...] em lugar de serdes orgulhosos, condescendei com o que é humilde; não sejais sábios aos vossos próprios olhos" (Rm 12.16). Todo aquele que ama o próximo como a si mesmo, não pode desprezar seus semelhantes. A lição que temos aqui é elevada e profunda; mas esse é o padrão de vida para o crente. O Senhor Jesus seguiu esse padrão, porquanto amou até os seus inimigos, fez o bem, e sempre teve paciência e usou de misericórdia para com todos. E ele exige a mesma coisa dos seus discípulos.

A fim de ilustrar e reforçar a sua doutrina sobre a importância dos *pequeninos*, Jesus afirmou a validade da doutrina judaica sobre os anjos da guarda: "[...] eu vos afirmo que os seus anjos veem incessantemente a face de meu pai celeste". Entre os judeus, era comum a crença de que cada nação tinha seu anjo da guarda. Essa crença era tão generalizada, que muitos aceitavam a ideia de que cada indivíduo também tem seu anjo da guarda. Este versículo parece indicar que as crianças (literalmente falando) são objeto especial dos cuidados e do amor de Deus. Nas cortes dos monarcas orientais, somente alguns privilegiados tinham o direito de ver a *face do rei*, privilégio esse negado até mesmo aos embaixadores de outros países e governos. Jesus indica, pois, que os servos (anjos) das crianças têm um alto privilégio no serviço de Deus. Esta lição ensina que a personalidade humana tem um valor imenso, e também ensina o "teísmo" em seu grau mais elevado, ao invés de "deísmo", isto é, Deus não somente criou os mundos e a vida humana, mas até hoje mantém interesse por esta sua criação, mantendo contacto com o mundo e dirigindo-o. Por outro lado, o *deísmo* estabelece que Deus, talvez um deus de natureza indeterminada, tenha criado este mundo, mas que há muito tempo deixou a sua criação e nada tem a ver com ela. Ver notas detalhadas sobre as ideias acerca da natureza de Deus, em Atos 17.27. As referências sobre a doutrina de *anjos da guarda*, são as seguintes: Daniel 10.13 (as nações têm seus anjos); Apocalipse 1.20; Jó 33.23 (Jó tinha um anjo). Hebreus 1.14 ensina o ministério dos anjos em favor dos verdadeiros discípulos de Cristo. Ver também Salmo 34.7 e 91.11. Estudando a questão na doutrina judaica, descobrimos a crença de que um anjo tinha a aparência ou forma da pessoa que era guardada por ele. Talvez Atos 12.15 reflita essa crença. Talvez a experiência humana da "projeção da psique" (a viagem da alma fora do corpo, que é possível à personalidade humana enquanto o indivíduo ainda vive) tenha provocado essa doutrina (ver notas sobre 2Co 12.2-4). Sabemos que, às vezes, pode ser visto aquilo que se tem chamado de "corpo astral", o qual, de fato, tem a aparência do indivíduo. Jesus falou usando os termos judaicos ligados a essa crença, mas isso não indica que a crença não seja válida. Há outras passagens que também indicam a validade do ensino. A literatura judaica usa a expressão "anjos da face", aludindo à crença de que os anjos tinham acesso à presença de Deus. *Miguel* tinha o nome de *príncipe da face*. *Suriel* (para os judeus, nome de outro anjo) era chamado "príncipe das faces", o que indicava que ele era um dos principais anjos que têm acesso à presença de Deus. No dizer de Lucas 1.19, Gabriel alegra-se sempre na visão beatífica, porque diz: "Eu sou Gabriel, que assisto diante de Deus..." Ver nota detalhada sobre os "anjos", em Lucas 4.10.

Jesus mencionou essa crença e usou-a para ilustrar o *grande valor* da personalidade humana. Deus tem tanto cuidado pelos homens, que envia os seus anjos para protegê-los e guiá-los. Se Deus tem tanto cuidado pelos "pequeninos", que nunca os despreza, então nenhum homem pode desprezar a outrem, especialmente se for uma criança, quer no sentido literal quer no sentido figurado, isto é, um discípulo de Jesus.

Concluímos, pois, que o ódio contra alguém, ou mesmo um pensamento malicioso acerca de outrem, é um *grave pecado*. Além disso, lembrando-nos do contexto, notamos que a doutrina de Jesus acrescenta a regra da verdadeira grandeza, o que, contrariamente às nações populares, não consiste dos aplausos do mundo. Esse princípio envolve três coisas: (1) Baseia-se em uma nova relação, a de pai para filho: o homem converte-se a Deus e torna-se seu filho. Mateus fornece-nos esse detalhe em 18.3,5,10 de seu evangelho. Essa conversão à nova relação com Deus outorga uma humildade infantil ao tratarmos com nossos semelhantes. Nessas condições, é impossível maltratar os outros, fazer os outros pecarem, ou desprezar a quem quer que seja. (2) Envolve serviços prestados a outros, e não o desejo de ser servido. (3) Não envolve infantilidades, e, sim, espírito semelhante ao de uma criança, isto é, livre de dolo ou soberba.

(e) Parábola da ovelha perdida (18.11-14)

(v. 12-14); tem paralelo em Lucas 15.3-7

Neste texto, está a exposição da parábola. Essa seção vem da fonte "Q", isto é, matéria que Mateus e Lucas tiveram *em comum* para usar em seus evangelhos, e onde as diferenças entre eles são mínimas, variando só na maneira do autor editar o material de que dispunha. Ver as notas sobre as fontes informativas dos evangelhos na introdução ao comentário, no artigo intitulado "O problema sinóptico". Nota-se que a conexão da parábola às circunstâncias históricas difere entre Mateus e Lucas. O autor de Mateus usa a parábola para ilustrar ainda mais fortemente o grande amor e cuidado de Deus para com os "pequeninos", ao passo que Lucas usa a parábola para ilustrar o direito que Jesus tinha de misturar-se com os pecadores, isto é, estar na companhia deles, porquanto "[...] murmuravam os fariseus e os escribas, dizendo: Este recebe pecadores e come com eles" (Lc 15.2). Contudo, não há aqui incompatibilidade nas conexões.

18.11: [Porque o Filho do homem veio salvar o que se havia perdido.]

{B} *omit verse 11* ℵ B L* Θ *f*¹ *f*¹³ 33 892^tᵛˡ it^e.ffˡ syr^s.pal cop^sa.bo geo^A Origen Apostolic Canons Juvencus Eusebius Hilary Jerome // *add verse 11* ἦλθεν γὰρ ὁ υἱὸς τοῦ ἀνθρώπου σῶσαι τὸ ἀπολωλός. (*ver* 9.13; Lc 19.10) D K X Δ Π 078 28 565 700 1071 1079 1230 1241 1242 1253 1344 1365 1546 1646 2148 2174 *Byz Lect* *l*¹⁸⁵ᵖᵗ it^a,aur,b,d,f,ffˡ,g,l,n,q,rˡ vg syr^c.p arm geo¹.B. Diatessaron Hilary Chrysostom Augustine // *11* ἦλθεν γὰρ ὁ υἱὸς τοῦ ἀνθρώπου ζητῆσαι καὶ σῶσαι τὸ ἀπολωλός (*ver* 9.13; Lc 19.10) (L^cmg *omit* καὶ) 892^mg 1009 1010 1195 1216 (*l*¹⁰,¹²,⁶⁹,⁷⁰,⁸⁰,¹⁸⁵ᵖᵗ,²¹,²⁹⁹,³⁰³,³⁷⁴,¹⁶⁴² καί *for* γάρ) *l*⁹⁵⁰ it^c syr^h cop^bo mss eth

Os *pequeninos*, quer se trate de crianças no sentido literal, quer sejam homens fracos e desprezados, são todos candidatos ao reino. As almas de todos precisam da salvação pertencente àquele reino, e Jesus é o Bom Pastor de toda a humanidade. Não é impossível que Jesus tivesse se utilizado dessa e de outras histórias semelhantes a fim de ilustrar a necessidade da salvação que ele veio trazer, bem como a necessidade de seu ministério entre os homens, sem importar se isso envolve os "pequeninos", os elementos vis da sociedade, ou outras pessoas, porque todos esses representam a humanidade necessitada de sua ajuda. Provavelmente, Jesus tenha proferido essas palavras a fim de encorajar aos proscritos da sociedade "respeitável", como os publicanos, os pecadores, as prostitutas, os gentios etc., isto é, para mostrar que todos esse também podem usufruir dos benefícios de seu ministério. De modo geral, o judaísmo enfatizava a salvação nacional mais do que a salvação do indivíduo; mas, entre os escritos rabínicos também notamos certo cuidado com o indivíduo. Jesus, porém, salientou o indivíduo, e até hoje os homens, em todas as regiões do mundo, ouvem falar de seu grande amor, tanto pela raça humana como pelos indivíduos dessa raça.

É notável que o autor deste evangelho tenha escolhido inserir aqui esta história, antes de apresentar as condições que forçam a excomunhão. Logo depois de haver explicado as condições para a excomunhão, Jesus fala da necessidade de perdão sem limite (v.21,22), usando o exemplo do credor incompassivo como tipo de homem que não deve ser imitado pelos discípulos. Com essas explicações e conexões, o autor deste evangelho exemplifica a necessidade de amor, compaixão e paciência em todos os casos de excomunhão. Ocasionalmente, a disciplina é necessária, mas precisa ser temperada com amor, inteligência e compaixão, porquanto aqueles que são disciplinados também são objeto do amor de Deus, como qualquer ovelha perdida, e necessitam de perdão multiplicado, como qualquer irmão que erra e causa ofensa.

Os mss que conservam este v. 11, neste texto de Mateus, são DEFGHIKMSUVX, Gamma, Delta, Fam Pi e as traduções KJ, BR (assinalada como duvidosa), AC, AA (assinalada como duvidosa), F e M. Os mss mais antigos omitem o versículo nesta passagem de Mateus, e são: Aleph, B, L, Fam 1, Fam 13, 33, Lat. *e*, Si(s) e Sah. A maior parte das traduções mais modernas, em inglês, omite o versículo, como WM, GD, PH, NE, RSV e ASV. Em português, a IB também o omite. O original de Mateus não tinha esse versículo, como se vê na grande abundância de evidências textuais. Foi adicionado pelos escribas à base de Lucas 19.10, onde é autêntico. Ver nota em Lucas 19, sobre o seu significado.

18.12: Que vos parece? Se alguém tiver cem ovelhas, e uma delas se extraviar, não deixará as noventa e nove nos montes para ir buscar a que se extraviou?

18.12 Τί ὑμῖν δοκεῖ; ἐὰν γένηταί τινι ἀνθρώπῳ ἑκατὸν πρόβατα καὶ πλανηθῇ ἓν ἐξ αὐτῶν, οὐχὶ ἀφήσει τὰ ἐνενήκοντα ἐννέα ἐπὶ τὰ ὄρη καὶ πορευθεὶς ζητεῖ τὸ πλανώμενον;

"Se um homem tiver cem ovelhas..." — Jesus forma uma base enfática, dizendo que noventa e nove das ovelhas estão seguras, e que somente uma se perdeu. O pastor não perde o interesse pelas noventa e nove, apenas porque uma se perdeu, mas o seu amor e cuidado por todas as ovelhas são tão grandes, que acha absolutamente necessário sair à procura da que se perdeu. O número das que estão seguras é grande; o número de ovelhas perdidas é exíguo. E é justamente aqui que se acha a ênfase de Jesus sobre o valor de uma única alma, um dos "pequeninos" ou um dos "pecadores", ou um dos "proscritos" da sociedade humana, ou uma das prostitutas. Outra base da ênfase de Jesus sobre o valor da alma humana é o fato de ele usar a ilustração do cuidado dos homens por seus animais. Este versículo indica que ele achava que qualquer homem, sendo pastor de ovelhas, teria bastante cuidado com cada uma delas e faria exatamente o que Jesus descreveu: "[...] deixará [...] as noventa e nove, indo procurar a que se extraviou..." O pastor, naturalmente, tem certa afeição pelas ovelhas, ou, pelo menos, reconhece que cada qual tem certo valor monetário, e, se preserva a vida de todas, é para sua própria vantagem, chegando ao ponto de enfrentar perigos para ir buscar alguma que porventura se tenha perdido. Por causa dessas considerações, ou misericórdia, ou afeição, ou simplesmente materialismo interesseiro, o pastor se esforça por achar a ovelha perdida. E muito mais se esforça Deus, que dá altíssimo valor à alma humana, especialmente em face do grande destino que o Senhor planejou para cada alma, e em face de seu amor genuíno por cada uma! É natural que os homens tenham afeto e amor pelos membros de suas respectivas famílias, por seus amigos e por suas propriedades. Esse sentimento natural provoca atitudes que servem como amostras de amor. Quanto mais Deus, que é o criador de todas as coisas, e tem capacidade muito maior de amar os que lhe pertencem do que os homens podem amar! A parábola fala da "casa de Israel", da "humanidade em geral", mas, particularmente, dos "proscritos" da sociedade (em Lucas) e dos "pequeninos" (em Mateus).

A parábola não oferece detalhes sobre a *razão* pela qual a ovelha se extraviou; pode ser que o motivo tenha sido a própria vontade perversa, como se dá com muitas "ovelhas humanas", ou talvez tenha sido a pressão da sociedade pervertida, ou ainda simplesmente a ignorância. A lista, em Lucas 15.1, que inclui "publicanos" e "pecadores", parece indicar que está inclusa a ideia de que a ovelha em foco estava perdida, pelo menos parcialmente, por sua vontade perversa. Contudo, mesmo que esse tenha sido o motivo de seu desvio, o Bom Pastor não deixou de sair à sua procura. A alma humana é a coisa mais preciosa que há sobre a terra. Nenhuma caminhada do Bom Pastor seria longa demais, perigosa demais, rigorosa demais, se, no fim, o resultado fosse a restauração da ovelha.

Há certa interpretação que diz que as noventa e nove ovelhas representam *os anjos dos céus*, e que a ovelha perdida representa a *humanidade*. Provavelmente Jesus não quis ensinar isso, embora a ideia tenha algum mérito. Porque a verdade é que Jesus deixou os bens celestiais, a sociedade celeste, a fim de procurar a ovelha perdida da raça humana. "Porque Deus amou o mundo de tal maneira que deu o seu Filho unigênito, para que todo o que nele crê não pereça, mas tenha a vida eterna" (Jo 3.16).

O autor descreve o quadro do *Bom Pastor* como nas pinturas japonesas, em que cada linha é eloquente e importante. O Pastor provê as necessidades das noventa e nove ovelhas, mas não se esquece da perdida. A sua caminhada é longa, difícil e repleta de sofrimentos. O fim dessa caminhada é o Calvário; mas o Bom Pastor não recua. É ali que ele acha a ovelha perdida, e é ali que ele dá a sua vida para oferecer-lhe a salvação. A consciência tranquila testifica do amor do Pastor; é preciso que a pessoa permaneça quieta por algum tempo para ouvir a mensagem. Não precisamos de uma voz que grite às multidões para que a mensagem seja compreendida. A voz suave e tranquila é suficiente, e nela encontramos a expressão do amor do Pastor. A passagem de Lucas 15.4 diz que o Pastor deixa as ovelhas *no deserto*, e Mateus diz que elas são deixadas *nos montes*. Tais diferenças na história não fazem nenhuma diferença na compreensão da parábola.

18.13: E, se acontecer achá-la, em verdade vos digo que maior prazer tem por esta do que pelas noventa e nove que não se extraviaram.

18.13 καὶ ἐὰν γένηται εὑρεῖν αὐτό, ἀμὴν λέγω ὑμῖν ὅτι χαίρει ἐπ' αὐτῷ μᾶλλον ἢ ἐπὶ τοῖς ἐνενήκοντα ἐννέα τοῖς μὴ πεπλανημένοις.

"E, se porventura a encontra" — Lucas acrescenta este detalhe: "Achando-a, põe-na sobre os ombros, cheio de júbilo" (Lc 15.5). Essa parábola tem sido tema de inúmeros sermões e de muitas pinturas, através dos séculos. A arqueologia tem descoberto diversas pinturas dessa cena em decorações de monumentos, em quadros, nas catacumbas, em pedras de túmulos e em lápides de sepulturas, e até mesmo em cálices; a cena mostra a alegria do Pastor ao encontrar a ovelha perdida. *Tertuliano* (150 d.C.), um dos pais da Igreja, diz-nos que no seu tempo era comum encontrar cálices com a figura do Bom Pastor carregando uma ovelha aos ombros. Essa mesma figura tem sido encontrada nos telhados e paredes dos sepulcros, bem como em diversos outros lugares, estampada sobre materiais diversos, como madeira, pedra e velino.

Este versículo destaca a alegria do Bom Pastor. O texto de Lucas 15.6 ilustra a alegria dos amigos do Pastor. Lucas 15.7 ilustra a alegria no "céu". E toda essa alegria só porque a ovelha perdida foi encontrada. A passagem de Lucas 15.10, onde termina a parábola da dracma perdida (parábola essa que se encontra somente em Lucas), ensina também algo sobre o valor do "pecador" à vista de Deus, dizendo: "Eu vos afirmo que, de igual modo, há júbilo diante dos anjos de Deus por um pecador que se arrepende". Essa lição contrasta com o espírito mundano, que só enxerga valor nos grandes, nos ricos, nas autoridades, nos bons, inteligentes e agradáveis como companhia. O céu nos observa, entristece-se quando erramos e não cumprimos os nossos deveres e destinos apropriados; mas também sabe quando somos encontrados, e, por essa razão, rejubila-se. Nesse momento, justifica-se o plano que Deus traçou em relação à humanidade, a razão da caminhada e da busca do Bom Pastor é reivindicada, e a dor da perda é esquecida. A ovelha perdida é recuperada. O evangelho não seria completo sem esta história ilustrativa e sem os princípios eternos que ela nos apresenta.

18.14: Assim também não é da vontade de vosso Pai que está nos céus, que venha a perecer um só destes pequeninos.

18.14 οὕτως οὐκ ἔστιν θέλημα ἔμπροσθεν τοῦ πατρὸς ὑμῶν[3] τοῦ ἐν οὐρανοῖς ἵνα ἀπόληται ἓν τῶν μικρῶν τούτων.

[3] **14** {C} ὑμῶν ℵ Dᶜ K L W X Δ Π *f*¹ 28 565 1009 1071 1079 1195 1242 1344 1365 1546 2174 *Byz Lect* it^(a,aur,b,c,d,e,f,ff¹,²,g¹,h,l,h,q) vg syr^(c,p,h mg) Augustine // ἡμῶν D^(g*) 1646 2148 Chrysostom // μου B Θ 078 *f*¹³ 33 700 892 1010 1216 1230 1241 1253 *l*^(184,185,855,997,1084,1627) syr^(s,h) cop^(sa,bo) arm eth geo Origen // *omit* syr^(pal) Diatessaron

> Entre as formas "vosso Pai" e "meu Pai" é difícil decidir. É provável que esta última, embora fortemente confirmada, reflita a influência de τοῦ πατρός μου, no v. 10 (cf. também o v. 35). A forma ἡμῶν (D* e alguns poucos outros testemunhos) provavelmente é um itacismo em lugar de ὑμῶν.

"...não é da vontade de vosso Pai" — A conclusão de Mateus enfatiza o sublime desejo do Pai em salvar todos os pequeninos, as crianças na fé; mas, por extensão, a ideia também inclui a *humanidade* e cada indivíduo que a forma, e não somente um número ou grupo seleto. A aplicação dada por Lucas é universal, embora a parábola seja apresentada pela razão de os fariseus desprezarem os "publicanos" e os "pecadores". Não devemos hesitar na afirmação de que a "ovelha perdida" simboliza a raça inteira dos homens.

É verdade também que as Escrituras falam sobre a *segurança* e a salvação final e total de todos os eleitos, mas a versão de Lucas dificilmente ensina que Deus não tenha desejo e "vontade" de salvar a todos os seres humanos. Apesar de Jesus não estar apresentando aí uma mensagem estritamente teológica, isto é, não estar discutindo sobre "predestinação", "livre-arbítrio", "decretos de condenação" e outras questões teológicas, é bastante claro, pelo texto, especialmente no tocante à parábola que Lucas apresenta, que o ensino é contra os imaginários decretos de condenação, ou seja, a ideia de que Deus, por decreto, condena alguém ao juízo eterno, a despeito de sua escolha e uso do livre-arbítrio. Ver notas detalhadas sobre a "predestinação", em Romanos 9.15,16; sobre o "livre-arbítrio", em 1Timóteo 2.4. Paulo disse a mesma coisa: "O qual (Deus) deseja que todos os homens sejam salvos e cheguem ao pleno conhecimento da verdade" (1Tm 2.4). A mensagem bíblica sobre essa particularidade é perfeitamente clara. A salvação que se acha em Cristo é genuinamente universal e legítima. A oferta implica na capacidade dos homens de aceitá-la. É mister que Deus tome a iniciativa, porque nenhum homem, por si mesmo, busca a Deus; de fato, nem pode buscá-lo, a não ser na cruz, Deus tomou a iniciativa. O evangelho é a história da iniciativa de Deus. Sabemos, pois, que a personalidade humana tem a capacidade inerente de aceitar essa iniciativa de Deus, a qual ele mostrou em Cristo, que é o Salvador. Tudo isso não significa, entretanto, que não exista a doutrina da "eleição" nas Escrituras, ou que essa doutrina não tenha aplicações além das possibilidades destas observações, cujo propósito é o de esclarecer e explicar o assunto. Ver nota detalhada sobre a "eleição", em Efésios 1.4,5. O problema do determinismo e do livre-arbítrio é difícil, tanto para a filosofia, como para as ciências naturais, como para a teologia. Não existem respostas simples capazes de esclarecer todas as perguntas e todas as questões resultantes do problema. Contudo, devemos afirmar a universalidade da salvação e da oferta dessa salvação. Outrossim, devemos afirmar a universalidade da possibilidade de aceitação dessa oferta. A conclusão apresentada por Lucas indica com maior ênfase como é importante, para Deus, a salvação universal dos homens, isto é, a vontade de Deus de que todos sejam salvos e se tornem participantes da vida eterna, nos lugares celestiais. Essa conclusão frisa ainda mais a alegria do Bom Pastor, dos amigos e dos vizinhos, ante a restauração de uma alma perdida. Ver Lucas 15.6,7: "[...] reúne os amigos e vizinhos, dizendo-lhes: Alegrai-vos comigo, porque já achei a minha ovelha perdida. Digo-vos que assim haverá maior júbilo no céu, por um pecador que se arrepende, do que por noventa e nove justos que não necessitam de arrependimento".

Pelas palavras acima, notamos, no contexto de Lucas, que Jesus repreendeu os escribas e os fariseus (v. 2), porque eles, sem nenhuma dúvida, consideravam-se ovelhas de Deus, ao passo que pensavam que os publicanos e pecadores jamais poderiam ser salvos. De fato, transparecem tais ideias na literatura rabínica, isto é, os publicanos eram classificados como indivíduos de nível tão baixo, que não havia possibilidade de serem salvos. A verdade, porém, é que a misericórdia divina é tão ampla, que a salvação de um "publicano" é motivo de alegria para o Bom Pastor, para os anjos (ver Lucas 15.10), e para o "céu". Aprendemos daqui, pois, que não há pecador tão vil que não possa ser alcançado pela salvação de Deus. Uma das ideias fundamentais do evangelho é justamente a necessidade de arrependimento por parte de todos os homens, ideia essa ensinada também em passagens como Romanos 3.23; Tiago 3.2 e 1João 1.8. Em um dos livros apócrifos do AT, há uma oração — a Oração de Manassés — que dá a ideia de que alguns, como Abraão, Isaque e Jacó, não precisam arrepender-se. Apesar da oração, de modo geral, ter bela apresentação, essa ideia é contrária ao ensino deste texto. Além dessas ideias, este texto também expõe uma das ideias básicas do evangelho, isto é, o arrependimento é possível a todos os homens, e o próprio Deus deseja que todos cheguem ao arrependimento.

(f) Restauração dos pequeninos que pecarem (18.15-35)

O texto inteiro, do v. 15 ao v. 35, é provavelmente uma expansão à base da fonte "Q", que usa as palavras na sua forma mais simples, em Lucas 17.3,4. Ver a explicação sobre as fontes informativas dos evangelhos, na introdução a este comentário, no artigo intitulado "O problema sinóptico". Alguns consideram que a maior parte desta seção provém da fonte "M", que é matéria contida somente no evangelho de Mateus; porém, a ideia de uma expansão do material provavelmente é mais correta que esta. No tempo em que este evangelho foi escrito, muitos e variegados problemas já haviam aparecido na igreja, especialmente porque esta era formada por elementos heterogêneos. Segundo se vê nos escritos de Lucas e Paulo, a autoridade apostólica ainda era vigorosa na igreja, e em muitas oportunidades foi a única base de solução para os problemas. O autor deste evangelho usou um "logos" de Jesus, provavelmente na forma em que o encontramos em Lucas 17.3,4, a fim de formar a base do método disciplinar e da solução dos problemas que surgissem entre os membros da sociedade cristã, especialmente quando tais problemas envolvessem *pecados*,

---

ofensas ou *tropeços* entre cristãos. O método disciplinar do evangelho é democrático, isto é, deve ser empregado pelos membros da igreja, e não somente por uma parte desses membros. Está envolvida também a ação pessoal, ou seja, a visita do ofendido ao ofensor. O interesse principal dessas instruções é a reconciliação. Ver, na introdução a este capítulo, os detalhes dos propósitos desta seção e do capítulo décimo oitavo em geral, e também dos problemas que originaram a necessidade dessas explicações e ensinos neste evangelho.

i. Disciplina na igreja (18.15-17)

A nova comunidade naturalmente precisava de regras *disciplinares*, porque, embora o evangelho fosse um grande avanço moral e espiritual, inevitavelmente haveria os que errariam, que não viveriam de acordo com o elevado ideal, que seriam os perturbadores. Deve haver na igreja os meios de manusear tais casos e situações similarmente difíceis. O evangelho de Mateus sugere uma solução democrática. É útil contar com a autoridade da igreja inteira por detrás de qualquer medida disciplinadora. Muitas denominações cristãs, infelizmente, não têm seguido a *sabedoria* das palavras que ora consideramos, que certamente foram ditas por Jesus, para então lhes ser dado um "contexto eclesiástico", por parte do autor sagrado.

18.15: Ora, se teu irmão pecar, vai, e repreende-o entre ti e ele só; se te ouvir, terás ganho teu irmão;

18.15 Ἐὰν δὲ ἁμαρτήσῃ [εἰς σὲ]⁴ ὁ ἀδελφός μου, ὕπαγε ἔλεγξον αὐτὸν μεταξὺ σοῦ καὶ αὐτοῦ μόνου. ἐάν σου ἀκούσῃ, ἐκέρδησας τὸν ἀδελφόν σου·

15 Lv 19.17; Lc 17.3

15 {C} ἁμαρτήσῃ εἰς σέ D K L X Δ Θ Π 078 *f*¹³ 28 565 700 892 1010 (1071 1195 1344 1546 1646 ἁμαρτήσει) 1079 1216 1230 1241 1242* 1253 1365 2174 *Byz* *l*³²,⁷⁶,¹⁵⁰,¹⁸⁴,²¹¹,⁹⁵⁰,¹²⁴¹,¹⁵⁶⁴,¹⁶⁴²,¹⁶⁶³ it^{a,aur,b,c,d,ff¹,²,g¹,h,l,n,q} vg syr^{c,s,p,h,pal} cop^{bo} arm? eth? geo Cyprian Hilary Lucifer Basil³ᐟ⁶ Chrysostom // ἁμάρτῃ εἰς σέ W 33 1009 1242ᶜ 2148 *Lect* arm? eth? Origen // ἁμαρτήσῃ ℵ B *f*¹ cop^{sa,bo mss} Origen Basil³ᐟ⁶ Cyril

É possível que as palavras εἰς σέ sejam uma antiga interpolação feita no texto original, derivada talvez por copistas, do uso de εἰς ἐμέ, no v. 21. Por outro lado, também é possível considerar sua omissão como ou deliberada (a fim de traduzir a passagem aplicável ao pecado em geral) ou acidental (pois no grego posterior a pronúncia de η, ῃ, e εἰ era similar). A fim de refletir esse equilíbrio de possibilidades, a comissão resolveu incluir a palavra entre colchetes.

"**Se teu irmão pecar contra ti...**" — As palavras *contra ti*, que aparecem em diversas traduções, vêm dos mss DEFGHIKLMSUVXW, Gamma, Delta, Theta e Fam Pi, mas os mss mais antigos não as contêm, isto é, Aleph, B e alguns outros de datas mais recentes, como 1, 22, 234 e Sah. Igualmente, os pais da Igreja Orígenes, Cirilo e Bas. não citam essas palavras em conexão com este texto. Tais palavras não são originais neste evangelho, mas foram adicionadas por algum escriba que quis esclarecer melhor o sentido do texto, porque, em realidade, ele fala do pecado de um irmão contra outro. A tradução IB, em português, também não contém essas palavras, porque segue os mss mais antigos. A última porção do versículo — "[...] se ele te ouvir, ganhaste a teu irmão" — mostra que o texto fala, principalmente, de pecados cometidos por um irmão contra outro; mas devemos observar que a intenção do autor deste evangelho foi a de constituir a base disciplinar, pelo que os "pecados" dos irmãos podem ser entendidos como ofensas em geral, erros de membros das igrejas, quer sejam cometidos contra outro membro, quer não. Não é provável que o autor estivesse falando somente de um tipo de pecado que seja motivo de exclusão. Qualquer pecado cometido pelos crentes é uma ofensa contra Deus e também contra a sociedade cristã, quer venha a provocar dificuldades entre irmãos, quer não provoque dificuldade nenhuma.

516 | Mateus | NTI

O alvo primário destas instruções é o encontro da *solução* para o problema sem a interferência da igreja ou de testemunhas. Quando possível, seria melhor que os irmãos resolvessem entre si os seus problemas, *sem* a intervenção da igreja. O ministério do pastor e de outras autoridades eclesiásticas pode ajudar, mas geralmente os problemas pessoais podem ser resolvidos sem a interferência de terceiros. É necessário, entretanto, que o ofendido tenha uma atitude razoável, inteligente, flexível, paciente, compassiva e altruísta. Ele não se deve esquecer de que foi ofendido por um "irmão", um dos "pequeninos" de Deus. Deve também lembrar-se de que ofende outros e peca contra Deus. Chegou sua vez de sofrer o que usualmente pratica contra Deus e contra os outros. Essa atitude, que inclui a compaixão e a paciência, faz parte do desenvolvimento espiritual e é resultante do crescimento na fé. Naturalmente que, se não há tal desenvolvimento, também não há tais resultados, isto é, paciência, compaixão, flexibilidade etc. Infelizmente, o que geralmente acontece é que o ofendido imediatamente corta relações com o ofensor. Isso, porém, não quer dizer que o ofendido não comente o problema com terceiros. Por muitas vezes, em pouco tempo, surgem dois lados em torno do problema, que ameaçam até mesmo cindir a igreja. O espírito soberbo entra em cena, e ambos os lados passam a insistir sobre sua inocência. E durante todo o tempo usam de uma atitude orgulhosa, tratando os "irmãos" como se fossem estranhos ou até mesmo inimigos.

Nota-se, pois, que a primeira responsabilidade cabe *ao ofendido*, seja este totalmente inocente ou não. O ofendido deve procurar a reconciliação, e essa atitude encontra base em seu desenvolvimento espiritual. Faz parte das responsabilidades de cada membro de igreja estar suficientemente desenvolvido para evitar casos entre irmãos e para resolvê-los imediatamente, sem que haja necessidade da intervenção da igreja. Robert Louis Stevenson escreveu acerca de nossas brigas uns com os outros, o que segue: "Com um pouco mais de paciência e com um pouco menos de rabugice, um método mais suave e sábio poderia ser encontrado em quase todos os casos" (*Across the Plains with Other Memories and Essays*, New York: Charles Scribner's Sons, 1892, p. 314). A prática cristã fundamenta-se na sabedoria e na paciência, temperada com amor. O irmão que se dirige a outro a fim de debater sobre um problema não deve ter o propósito de humilhá-lo ou desabafar a sua indignação, mostrando-se superior; pelo contrário, deve procurar honestamente uma solução para o problema. O membro ofendido só tem o direito de expor o problema à igreja quando suas tentativas repetidas uma ou mais vezes tenham falhado. Nem o pastor nem as demais autoridades da igreja têm o direito de falar contra qualquer membro, pública ou particularmente, sem primeiro tentar a reconciliação total entre as pessoas envolvidas.

"Ganhaste a teu irmão" — Não está em foco a obtenção da salvação pessoal, como se o arrependimento de um pecado tivesse esse resultado; e nem se trata da continuação da participação desse irmão na comunidade, e sim do estabelecimento de uma relação de amizade entre duas pessoas. Essa relação amável entre os dois, como é natural, só pode trazer benefícios à comunidade religiosa, especialmente na prevenção de divisões na igreja, pois a preservação da unidade é importantíssima no conceito do autor deste evangelho.

Neste capítulo, o autor deste evangelho fala de diversos tipos de ofensas e pecados. Nos v. 6-9, ele fala de ofensas como os *tropeços* postos no caminho de outros ("pequeninos"). Nos v. 10-14, ele fala de ofensas contra Deus. Nos v. 12-35, ele se refere a ofensas contra o próprio indivíduo e contra a igreja. O remédio para as ofensas contra outros membros consiste do cuidado e do respeito para com eles. O remédio para as ofensas contra Deus consiste do reconhecimento da necessidade de aceitação do ministério do Bom Pastor. O remédio para as ofensas recebidas é o amor fraternal, a paciência, a compaixão para com os outros; porém, se isso for rejeitado, o remédio será a ação democrática, por parte das autoridades da igreja.

"Vai argui-lo entre ti e ele só" — A palavra grega traduzida por "arguir" é vocábulo forte, que pode significar "discutir", "provar", "repreender". Talvez seja necessário apresentar um argumento forte para "provar" a culpa de outrem. O ofendido deve ter iniciativa suficiente para fazer isso, se tal for necessário, a fim de que seja evitada uma ação mais drástica, isto é, a ação das autoridades da igreja. O princípio básico desse ensino está alicerçado em Levítico 19.17,18, e é notável que aquele texto termina com o seguinte mandamento: "Não te vingarás nem guardarás ira contra os filhos do teu povo; mas amarás o teu próximo como a ti mesmo: Eu sou o Senhor" (Lv 19.18).

18.16: mas se não te ouvir, leva ainda contigo um ou dois, para que pela boca de duas ou três testemunhas toda palavra seja confirmada.

18.16 ἐὰν δὲ μὴ ἀκούσῃ, παράλαβε μετὰ σοῦ ἔτι ἕνα ἢ δύο, ἵνα ἐπὶ στόματος δύο μαρτύρων ἢ τριῶν σταθῇ πᾶν ῥῆμα·

16 ἐπὶ...ῥῆμα Dt 19.15; Jo 8.17; 2Co 13.1; 1Tm 5.19

16 μετα...δυο] trsp ετι ε. η δυο μ. σου **B** | δυο μ. η τρ.] trsp μ. δ. η τρ. **L** 124 pc: δ. η τρ. μ ℵΘ 1 700 pc: om μαρτ. **D** d

"Se, porém, não te ouvir..." — Essa regra vem de Deuteronômio 19.15 e era aplicada pelos rabinos de vários modos na sociedade religiosa. Um exemplo disso encontra-se na *Misnah* (parte do Talmude), *Sota* 1.1,2. Consultar a nota detalhada sobre o Talmude, em Marcos 7.3 e Mateus 15.2.

Essas testemunhas devem ser escolhidas entre as pessoas respeitáveis da congregação, mas que sejam, também, consideradas pelo ofensor. Talvez assim o ofensor se disponha a ouvir e participar de uma reconciliação, evitando a necessidade de uma ação geral por parte da igreja. O ofendido e os demais devem agir com o espírito de humildade de Cristo, lembrando que elas também são pessoas sujeitas a pecados e erros. A razão da ação conjunta dos irmãos visa a aumentar a *influência moral*, sem que seja aplicada nenhuma ação formal por parte da igreja. Visa também a esclarecer o caso sem deixar dúvidas, concluindo se o pecado é verdadeiro ou imaginário. Essa ação não estabelece julgamento formal, mas possibilita a apresentação inteligente do caso à igreja, caso isso venha a ser necessário. Uma boa ideia, pois, é que as testemunhas sejam escolhidas entre as autoridades da igreja, entre os presbíteros, diáconos etc. Com a opinião das testemunhas, o julgamento começa a formar-se pela igreja, e o ofensor deve perceber o fato para não tratar os representantes da igreja de forma superficial e desonesta. Os v. 18-20 mostram a seriedade dessa consideração, porque Deus reconhece as ações honestas das pessoas que, na igreja, procuram estabelecer a ordem e a união.

Embora estes versículos apresentem regras primitivas para o estabelecimento de boas relações entre os crentes individualmente, e que no princípio talvez não fossem aplicadas à disciplina geral da igreja, parece óbvio que o autor deste evangelho usa essas ideias como linhas mestras da disciplina na igreja. Assim, essas ideias ou conceitos servem para regulamentar as relações pessoais entre os crentes individualmente, mas também orientam qual deve ser a ação geral da igreja, quando for necessária a disciplina. Alguns intérpretes pensam que Paulo refere-se a essas palavras de Jesus, quando diz, em 2Coríntios 13.1: "Por boca de duas ou três testemunhas toda a questão será decidida". É possível, porém, que ele também se tenha baseado no AT, que é a fonte original da ideia (ver Dt 19.15).

Diversas citações da literatura judaica demonstram a aplicação desses princípios na comunidade religiosa e na sociedade judaica, e em algumas delas fica ressaltada a necessidade de tratar com amor ao próximo, nessas questões. Por exemplo, nota-se que era considerado erro grave repreender um "amigo" em lugar público ou embaraçá-lo publicamente, sem a tentativa prévia da reconciliação secreta. Em Mitzvot Tor, pr. neg. 6, temos esta citação: "Ninguém pode repreender com palavras duras que cheguem a fazer mudar a expressão do rosto de outrem, porque qualquer que faz o rosto de seu amigo empalidecer em lugar público, não tem herança no mundo vindouro..." Há outras citações que requerem diversas e até muitas repreensões secretas, antes que a questão se torne publicamente declarada. Lemos ainda que "a repreensão feita por amor é secreta para os filhos dos homens; quem repreende seu amigo com amor procura ocultar suas palavras dos filhos dos homens, isto é, do público, para não expô-lo e não vir, assim, a vexá-lo e repreendê-lo" (Zohar, em Lv fol. 19.3). Portanto, somente após uma ou mais tentativas honestas e sérias para levar "à reconciliação", é que o ofendido tem o direito de levar o caso ao conhecimento da igreja. O amor é o motivo que exige esse tratamento para com nossos irmãos na fé, e outro tipo de disciplina certamente não tem alicerce no amor. Precisamos observar também que o pastor e as autoridades da igreja não têm o direito de repreender publicamente a qualquer irmão sem primeiro procurar uma reconciliação particular. Tanto os membros como as próprias autoridades da igreja precisam observar essas regras; pois, pelo fato das autoridades terem o poder de ferir e afetar as vidas dos irmãos mais do que qualquer indivíduo comum da igreja, precisam ainda de mais cuidado nessas coisas do que os membros comuns.

18.17: Se recusar ouvi-los, dize-o à igreja; e, se também recusar ouvir a igreja, considera-o como gentio e publicano.

18.17 ἐὰν δὲ παρακούσῃ αὐτῶν, εἰπὲ τῇ ἐκκλησίᾳ· ἐὰν δὲ καὶ τῆς ἐκκλησίας παρακούσῃ, ἔστω σοι ὥσπερ ὁ ἐθνικὸς καὶ ὁ τελώνης.

"Se ele não os atender..." — A palavra grega que antecede a palavra "atender" (aqui na forma negativa, "não atender"), não fala simplesmente do ato de ignorar a tentativa das testemunhas e representantes da igreja que vieram visando à reconciliação, mas indica *obstinação*, dureza de consciência. Às vezes o mesmo verbo é usado para significar ato de desobediência. Se acontecer que o irmão faltoso não concorde com a reconciliação, talvez seja boa ideia prosseguir com a ação particular, para tentar demovê-lo de sua atitude, até que fique finalmente bem claro que o ofensor jamais se arrependerá, ou até que a ação secreta efetue a reconciliação. Se, como indica este versículo, o irmão demonstrar espírito obstinado e não tiver a intenção de arrepender-se, e se for claro às testemunhas que o erro é verdadeiro e que requer arrependimento, as testemunhas ficam na responsabilidade de levar o caso à igreja. Talvez essa outra pressão ajude no caso, criando uma atitude de reconciliação e arrependimento. Notamos, nesse processo, o aumento gradativo da pressão moral. Se o ofensor, porém, ignorar essa pressão moral, será necessária a ação formal.

Encontramos aqui o uso da palavra "igreja". Nos evangelhos, ela figura apenas por três vezes, e todas em Mateus (16.18 e 18.17, neste último, duas vezes). O fato do uso raro dessa palavra tem dado origem à dificuldade de explicar a natureza de seu emprego e suas implicações sobre a origem da igreja; e também há a questão da forma original da declaração. Alguns intérpretes duvidam que Jesus tenha proferido essas palavras, ou pelo menos que seu "logos" original fizesse alusão à "igreja". Alguns acham que ele usou instruções de aplicação meramente individual, e que o autor deste evangelho usou o "logos" como guia de disciplina geral na igreja. Portanto, segundo essa opinião, o autor teria expandido a ideia além dos limites originais das palavras de Jesus. Outros pensam que Jesus falou profeticamente e estabeleceu normas para a igreja que ainda nem existia. Outros opinam que os doze (e alguns outros discípulos) formaram uma igreja primitiva, a qual teria sido a igreja original. É impossível determinar com certeza a resposta a todas essas questões, mas não resta qualquer dúvida de que a aplicação desses princípios à disciplina da igreja é legítima, e que Jesus não teria hesitado em aplicar os seus ensinos sobre as ações individuais também à comunidade dos crentes.

Tais princípios já eram praticados na sociedade religiosa dos judeus, como nos mostram as citações da literatura judaica, nos v. 15 e 16. A história da congregação judaica também nos mostra que esses princípios eram utilizados na comunidade religiosa dos judeus. Pode-se observar, igualmente, que Paulo aplicava esses conceitos à disciplina das igrejas que ele visitava e sobre as quais exercia autoridade. Ver 1Coríntios 5.3-5; 9.13; 2Coríntios 13.1-3. Ver a nota sobre "igreja", Efésios 3.10.

"Se recusar ouvir..." — A palavra "recusar", nesta frase, vem da palavra grega que originou a tradução "não entender", no começo deste mesmo versículo. Se o ofensor se mostrasse obstinado ante as testemunhas e representantes da igreja, persistindo em sua atitude, e se mesmo na reunião da igreja mostrasse não desejar a reconciliação nem mostrasse arrependimento, não haveria outro recurso senão a exclusão, pois já teria sido aplicada a influência moral mais elevada. A disciplina, no entanto, deve ser aplicada pela opinião geral da igreja, por ação democrática, e não somente por parte de um grupo que tenha autoridade na igreja. Se a ação for democrática, feita por meio de votação, a influência moral será grande como sempre deve ocorrer nos casos de exclusão. A *excomunhão* exige autoridade das mais amplas possíveis, e somente a opinião geral da igreja é que tem essa autoridade. A autoridade de uma comissão, ainda que se componha de pessoas escolhidas pela igreja, não é suficiente para excluir seus membros. Pode ser que uma comissão tenha autoridade legítima e suficiente para cumprir diversas coisas relativas aos negócios da igreja, sem a votação ou aprovação geral da igreja, mas uma exclusão não tem a mesma classificação que esses negócios.

Considerar um membro da igreja como *"gentio e publicano"* (termos de escárnio e ódio que os judeus usavam para indicar homens moralmente inferiores ou de raça não judaica) não pode, no conceito cristão, envolver a ideia de ódio ou escárnio ou espírito perverso, porque tudo isso é totalmente contrário ao espírito de Cristo, aos propósitos e à expressão geral deste mesmo texto. A reconciliação seria ainda melhor que a disciplina ou a continuidade de sua aplicação. No que se refere a certo caso, difícil de disciplina, de que Paulo precisou tratar (ver 1Co 5), depois da aplicação da disciplina e do arrependimento subsequente, foi mister que ele recomendasse a "aceitação" novamente do membro excluído e que nisso se incluísse o "amor" e o "perdão" completos. Por isso é que lemos ali as seguintes palavras: "[...] basta-lhe a punição pela maioria. De modo que deveis, pelo contrário, perdoar-lhe e confortá-lo, para que não seja o mesmo consumido por excessiva tristeza. Pelo que vos rogo que confirmeis para com ele o vosso amor" (2Co 2.6-8). Até mesmo quando justificável e necessária, a disciplina pode ser excessiva e injusta. É até mesmo possível que a ação disciplinar não seja menos criminosa que o motivo que a causou. A igreja, o pastor, os membros, a autoridade da igreja podem tornar-se culpados de erros não menos graves do que aquele que exigiu a disciplina, se agirem sem o espírito de amor e sem o propósito de reconciliação. Assim é que Cristo jamais ensinou que a atitude da igreja pode ser igual à atitude dos judeus com relação aos "gentios" e "publicanos". Nada há nos ensinamentos de Jesus que permita à igreja "abominar" a raça humana, conforme os romanos fizeram com os judeus. União e reconciliação devem ser os alvos da disciplina. O indivíduo disciplinado continua sendo "irmão" e, talvez mais do que nunca, precise da ajuda verdadeira da igreja.

A história eclesiástica tem apresentado diversos abusos deste texto, o que também se aplica aos conceitos dos v. 18-20. Cortes eclesiásticas que têm excomungado igrejas, poderes políticos etc., têm sido formadas à suposta base da autoridade destes versículos. Todavia, nada está mais distante do espírito deste texto do que tais organizações. Talvez a maior perversão tenha sido a criação de poderes eclesiásticos que declaram ter autoridade sobre os poderes políticos deste mundo. É óbvio que nem Jesus nem o autor deste evangelho tinham qualquer ideia semelhante quando pronunciaram essas palavras. Neste texto não têm base nem mesmo as ideias de uma comissão externa, superior, formada por autoridades religiosas de qualquer denominação, que se arrogue o direito de ter poder sobre os atos e negócios disciplinares de igrejas locais. O texto limita-se às ações e relações pessoais de indivíduos crentes e das igrejas locais. Qualquer aplicação mais ampla do texto seria uma interpretação errônea, um abuso contra os ensinos de Jesus aqui encontrados. Esta passagem não oferece alicerce nenhum para a formação de hierarquias eclesiásticas, de denominações, de grupos superiores às igrejas locais. De fato, o espírito do texto não pode ser mais contrário a essas ideias.

---

ii. Poder espiritual na igreja (18.18-20)

O ensino geral das regras disciplinares é *reforçado* e enfatizado pelo uso de dois *logoi* de Jesus. O v. 18 é uma variante de Mateus 16.19, onde Pedro recebeu poderes semelhantes. Usando este "logos" (v. 18), o autor procura demonstrar que a ação democrática da igreja deve ser considerada séria e legítima, porque Deus tem dado à igreja reunida o poder de julgar e excluir. Essas ações são conferidas ao poder da ação coletiva da igreja. Os v. 19,20 dão também ênfase à autoridade da ação da igreja, mostrando que Deus considera a unidade da igreja, tem interesse por sua vida e ações, e que, por meio do poder místico de Cristo, o Senhor participa das reuniões da igreja. Provavelmente, este *logos* (v. 19,20) foi originalmente dado como encorajamento à oração, enfatizando o poder da oração coletiva. O "logos", conforme foi usado aqui, também enfatiza esse poder, mas, ao mesmo tempo, é usado para destacar a validade e a autoridade da ação coletiva da igreja. Essa ação garante a presença e a atitude de Cristo, porquanto, por meio de um processo místico que não compreendemos, ele permanece na igreja, aliado à igreja, cuidando das necessidades da igreja, e manifestando os seus interesses divinos pelos problemas da igreja.

18.18: Em verdade vos digo: Tudo quanto ligardes na terra será ligado no céu; e tudo quanto desligardes na terra será desligado no céu.

18.18 Ἀμὴν λέγω ὑμῖν, ὅσα ἐὰν δήσητε ἐπὶ τῆς γῆς ἔσται δεδεμένα ἐν οὐρανῷ καὶ ὅσα ἐὰν λύσητε ἐπὶ τῆς γῆς ἔσται λελυμένα ἐν οὐρανῷ.

18 Mt 16.19; Jo 20.23

Nota-se, pois, a grande ênfase do autor deste evangelho sobre a necessidade de unidade na igreja. A igreja unida tem o poder de cuidar de seus problemas disciplinares e das questões entre os membros da comunidade religiosa. A igreja desunida, porém, não tem esse poder. Unida, ela pode agir com a aprovação dos céus, com a certeza de que as suas decisões estão de acordo com os desejos e com as instruções de Deus. Por implicação, se ela não estiver unida, não poderá reconhecer a *mente de Cristo* e suas ações não podem estar em consonância com os princípios eternos de Deus. A igreja unida goza da presença mística de Jesus Cristo, o que garante a solução de seus problemas e a provisão para suas necessidades. Por outro lado, a igreja desunida não pode esperar essas bênçãos. Esses ensinos demonstram a necessidade de união por parte da igreja local, porque a sua vida não pode expressar-se devidamente se não houver essa união. O autor deste evangelho quis unir os diversos elementos da igreja primitiva — os judeus estritos e os mais liberais para com os gentios, alguns destes com base nos ensinos do judaísmo, outros baseados em outras religiões, e outros sem nenhuma instrução religiosa prévia. O autor quis mostrar que a igreja, a despeito de seus elementos heterogêneos, deve ser unida. A base dessa unidade é o amor a Cristo. Ainda que usualmente, nas igrejas modernas, não encontremos as mesmas diversidades de elementos formadores, persiste ainda o problema da união entre pessoas de temperamento,

instrução e fundo sociológico diferentes. A lição que este texto nos apresenta é que a união de espírito e de ação é algo necessário para o bem-estar da congregação local.

"Tudo o que ligardes..." — A tradução WM diz: "[...] deve já ter sido proibido no céu [...] deve já ter sido permitido no céu...", interpretando o futuro do indicativo (do grego) como imperativo. Essa tradução diminui a suposta dificuldade da *autoridade* na igreja, e a relação de tal autoridade para com a vontade imutável de Deus; porém, precisamos ter cautela com o uso gramatical do grego *koiné*, no qual foi escrito o NT. Parece ser opinião geral dos intérpretes e tradutores do NT que, a despeito da possibilidade do uso do tempo verbal futuro com sentido do imperativo (existem exemplos claros de tais empregos do tempo verbal futuro), é melhor traduzir aqui como futuro simples "será ligado" ou "será desligado". Essa tradução evita a possibilidade de dificuldade de interpretação sobre o limite ou extensão da autoridade da igreja, bem como sobre qual é a relação entre essa autoridade e a vontade "dos céus". A ideia de que se deve traduzir por "já" proibido ou "já" permitido vem do fato de que no grego temos o particípio passado perfeito, que pode indicar um estado contínuo, resultante de ações já efetuadas. Essas ações seriam as ações da vontade de Deus, como princípios eternos. As ações da igreja local seriam apenas confirmações dessas ações divinas. Essa interpretação enfatiza demais e exagera as possibilidades de interpretação, ao invés de esclarecer por meio de razões mais prováveis, e tal ação, no grego "koiné", é perigosa. É melhor, portanto, ficar com a tradução "será ligado" e "será desligado".

Em primeiro lugar, observamos que temos aqui uma variação dos *"logoi"* encontrados em Mateus 16.19, que falam dos poderes especiais de Pedro na administração do evangelho e na função da igreja. É de se notar, pois, que os altos privilégios que foram conferidos a Pedro pessoalmente, naquela ocasião, aqui se estendem à igreja inteira. Os v. 16 e 17 falam particularmente de disciplina, mas os v. 18-20 estendem-se claramente além dessa provisão simples e incluem todas as ações da igreja na esfera moral, envolvendo qualquer coisa que seja de interesse da igreja, isto é, necessidades, provisão de soluções para os problemas etc. Na passagem de João 20.23, temos um ensino semelhante com aplicação aos apóstolos, e não somente a Pedro: "Se de alguns perdoardes os pecados, são-lhes perdoados; se lhos retiverdes, são retidos". Ali, o "logos" refere-se claramente aos pecados, ao perdão ou à ausência de perdão. Em Mateus 16.19 e 18.18, essa implicação é apenas parcial, e certamente não expressa essa ideia com exclusividade. A explicação usualmente dada para João 20.23 é que os apóstolos tinham o poder de reter os pecados ou de perdoá-los, autoridade essa inerente ao seu cargo apostólico, na administração dos conceitos do evangelho. Isso quer dizer que, como pessoas, e até mesmo como apóstolos, em sua natureza humana, eles não tinham esse poder, porquanto é doutrina patente que nenhum homem tem o poder de reter ou de perdoar pecados. Entretanto, na qualidade de agentes ou representantes de Deus, em face de seu privilégio de pregar o evangelho, eles usavam esse poder. Mediante a pregação da mensagem, estendiam o perdão de pecados ou retinham esse perdão; contudo, essa função não era humana, pois não pertencia a eles como indivíduos, mas só podiam exercê-la por serem representantes da mensagem de Deus.

Segundo esse ponto de vista, todos os pregadores do evangelho usam da mesma autoridade. Paulo diz coisa semelhante em 2Coríntios 2.15,16: "Porque nós somos para com Deus o bom perfume de Cristo; tanto nos que são salvos, como nos que se perdem. Para com estes cheiro de morte; para com aqueles aroma de vida para vida. Quem, porém, é suficiente para estas coisas?" Paulo falava do ministério do evangelho e de seus efeitos. Todos os verdadeiros pregadores do evangelho exercem essa mesma autoridade.

Ainda que tivéssemos de admitir que somente os apóstolos tinham essa autoridade, seria impossível provar que "padres" ou "bispos" ou "papas" também a possuem. Seria impossível provar a chamada doutrina da *sucessão apostólica*. E, ainda que fosse possível provar a sucessão apostólica, seria impossível demonstrar a vinculação da Igreja Católica Romana ou de qualquer outra denominação com essa sucessão. Como a doutrina de sucessão apostólica, essa conexão exige a aceitação de uma montanha de preconceitos, a ignorância do processo histórico da igreja, a aceitação de um dogma que se vem desenvolvendo através dos séculos. O papado precisou de alguns séculos para desenvolver-se até ser o que é hoje. O clero, tal como hoje se encontra, em seus sistemas de hierarquia eclesiástica, também é desenvolvimento dos séculos. Como se poderia identificar qualquer coisa proferida aos apóstolos com esses "desenvolvimentos" eclesiásticos? A aceitação disso exige um grande *salto de fé* e uma "extenuante ginástica lógica". Porque, se ficarmos com o NT e suas doutrinas, dificilmente poderemos aceitar esses saltos no escuro. Ver a explicação sobre João 20.23, onde há mais detalhes sobre a questão.

Se reconhecermos, pois, que os textos de Mateus 16.19 e 18.18 não aludem primária e claramente ao "pecado", "perdão de pecados" etc., porquanto isso não é frisado nesses versículos, pelo menos temos de interpretar "ligardes" e "desligardes". Na literatura judaica, essas palavras são interpretadas por alguns como "permitir" e "proibir". Algumas traduções (WM, PH, GD e NE) traduzem-nas assim. O sentido principal, então, é que a igreja *tem a autoridade* de pronunciar-se sobre os problemas de conduta, de ética etc., sobre as interpretações, sobre as ações que representam uma ética aceitável ou não. Essa interpretação seria feita em consonância com princípios reconhecidos pelas Escrituras, de acordo com a validade dos conceitos bíblicos na experiência humana. Cada vez que se apresentava um caso não diretamente descrito por algum conceito bíblico, a igreja, mediante ação coletiva, tinha a autoridade de pronunciar-se sobre o que era coerente com os conceitos bíblicos, com os ensinos dos profetas, com os princípios da lei etc., e que ações deveriam ser reputadas justas ou boas. Devemos considerar que à comunidade cristã ainda faltava grande porção do NT, e que, quando foi escrito o evangelho de Mateus, o cânon das Escrituras do NT ainda estava em processo de formação. Portanto, com o hiato constituído pelos livros ainda não escritos do NT, e em face da necessidade de manter a "nova religião", que era o cristianismo, a igreja precisava contar com uma autoridade aceitável para a comunidade religiosa e cristã em geral. Essa autoridade passou a constituir uma "ação unida" da igreja. E até hoje, quando o NT já está completo, surgem ocasionalmente algumas dúvidas, especialmente em se tratando de casos disciplinares e de outras situações que não são claramente descritas no NT. Nesses casos, até hoje, a igreja tem o direito de pronunciar-se sobre a "ética" certa em cada situação.

Considerando-se a mensagem de João 20.23, pode-se dizer, por extensão e à base da possibilidade que as coisas *permitidas* ou *proibidas* podem incluir problemas que envolvem "pecado", que a igreja unida pode confiar que suas decisões estão de acordo com os princípios celestiais eternos e que Deus reputa válidas essas decisões, desde que sejam feitas pela igreja, coletivamente, que goza da presença mística de Jesus Cristo em seu meio. O que é impossível é esperar que Deus dê, para cada problema ou situação nova da igreja, uma visão ou outra manifestação especial para resolvê-los. O Senhor deixa responsabilidade com a autoridade da igreja, mediante uma atitude coletiva. A igreja tem autoridade para excluir um membro, pronunciando-se no tocante ao seu "pecado", isto é, estabelecendo um juízo sobre a natureza desse pecado. Essa atitude, todavia, não impossibilita o perdão de pecados, nem tem coisa nenhuma a ver com o perdão eventual ou a ausência desse perdão. Por semelhante modo, a ação da igreja não determina o de que consiste e o de que não consiste realmente o pecado, como se a natureza de um pecado pudesse ser modificada a talante das decisões da igreja. Tal interpretação é exagero em relação a estes

versículos. O texto ensina que a ação coletiva da igreja (com a ajuda da presença mística de Cristo) é ação aceitável, fidedigna para a comunidade religiosa, e deve ser reputada como ação dos "céus". Esse é o método de Deus, e não se deve esperar uma revelação especial para cada passo. Pouco a pouco, vão se estabelecendo, diversos precedentes da conduta cristã, sobre coisas que não foram descritas particularmente nas páginas das Escrituras Sagradas.

Lembrando-nos de que o texto está ligado ao problema disciplinar, devemos reconhecer que o problema do *pecado* está aqui incluído, mas não temos a declaração de que a exclusão torna o pecado *imperdoável*, antes, que a ação de exclusão é aceitável e aprovada pelos céus, pois essa ação faz parte da autoridade da igreja. Falando do problema do "pecado" e do seu perdão, devemos afirmar que nada pode ser "ligado" ou "desligado" para sempre para a eternidade, pela ação da igreja. Dizer que este texto inclui essa ideia é exagerar o propósito do mesmo. Nas ações da igreja, em sua situação atual, ela pode usar dos poderes necessários para preservar a sua existência como organização; mas as decisões finais, que tratam do destino final do homem, partem de Deus, e não do indivíduo ou da igreja. Em torno deste versículo (como no caso dos v. 16,17), tem-se desenvolvido uma quantidade fabulosa de dogmas eclesiásticos. A afirmação de que a igreja, por suas decisões, pode enviar uma pessoa para o inferno, requer o acréscimo de muitas outras opiniões e ensinos, que não estão implicados nem neste texto nem em nenhuma outra porção bíblica. A afirmação de que algo é permitido ou proibido nos céus, não equivale, de maneira nenhuma, à afirmação de que a pessoa envolvida está perdida ou salva. E afirmar que a pessoa que merece ser excluída também é desligada nos céus, não equivale a afirmar que essa pessoa está perdida. Este versículo, por si mesmo, não tem essas implicações; essas implicações foram adicionadas pelo processo mental dos homens. Talvez o maior erro que se tem desenvolvido na interpretação deste versículo é o fato de pensar-se que certa igreja ou determinada denominação, ou mesmo um grupo de igrejas, é que está investido da autoridade conferida por estes versículos, desconsiderando totalmente a autoridade de outras igrejas ou denominações. A identificação de qualquer organização eclesiástica com as implicações destes versículos, separadamente de outras organizações, requer a inclusão de diversos dogmas, tradições e ideias humanas, o que certamente nada tem a ver com a interpretação deste texto. Repetindo, dizer que certa denominação ou divisão do cristianismo tem o poder de perdoar "eternamente" qualquer pecado ou de enviar uma alma para o inferno ou para os céus, ou ainda, que ser membro dessa igreja garante a salvação da alma, é um desenvolvimento eclesiástico que não consta dos ensinos do NT. A aceitação desses ensinos exige outro "salto de fé" — um salto dogmático, uma "ginástica lógica". Ver as notas sobre problemas semelhantes, em Mateus 16.18,19.

18.19: Ainda vos digo mais: Se dois de vós na terra concordarem acerca de qualquer coisa que pedirem, isso lhes será feito por meu Pai, que está nos céus.

18.19 Πάλιν [ἀμὴν] λέγω ὑμῖν ὅτι ἐὰν δύο συμφωνήσωσιν ἐξ ὑμῶν ἐπὶ τῆς γῆς περὶ παντὸς πράγματος οὗ ἐὰν αἰτήσωνται, γενήσεται αὐτοῖς παρὰ τοῦ πατρός μου τοῦ ἐν οὐρανοῖς.

19 αμην] *om* ℵDW *al* lat bo ς; R

19 ἐὰν...οὐρανοῖς Mt 7.7; 21.22; Mc 11.24; Jo 15.7; 16.23; Tg 1.5; 1Jo 3.22; 5.14,15

"Se dois dentre vós..." — Provavelmente, o *logos* original que aqui encontramos aplicava-se ao poder da oração coletiva, ainda que envolvesse só dois crentes. Aqui, entretanto, a aplicação é mais geral. Em primeiro lugar, foi usado para enfatizar o valor das atitudes coletivas da igreja, quer em casos disciplinares, quer em casos de "proibições" ou "permissões". Em segundo lugar, esta declaração tem aplicação geral, ou seja, refere-se ao poder da oração coletiva, como no *logos* original, mas também serve para frisar o valor das ações coletivas da igreja. Essa ação coletiva deve ter imenso valor, porquanto garante a presença mística de Jesus Cristo (v. 20).

O v. 18 é introduzido pela expressão "em verdade" (no grego, "amém"), expressão usada para enfatizar e confirmar, ou então atrair atenção especial para aquilo que é expresso. Aqui, antes de apresentar outra promessa ou ideia notável, Jesus repete a expressão enfática. Assim ele ilustrou o grande poder da oração, especialmente quando feita coletivamente, e, mais especialmente, no caso de se tratar de uma ação unida da igreja (v. 20).

"Qualquer coisa" — Essa tradução expressa a ideia por si mesma, mas literalmente teríamos de traduzir por *tudo*. O grego aqui é um pouco inepto, e essa é a causa do problema. A despeito dessa declaração, o sentido é claro: Jesus promete um poder tal na oração, que nos infunde a esperança de receber respostas específicas para orações específicas. Outrossim, essa esperança consiste do fato de que Deus interessa-se por grande variedade de coisas (de fato, interessa-se por tudo), as quais fazem parte de nossa vida diária. Pelo contexto dessa promessa, precisamos observar que ele se interessa ainda de maneira mais especial (se é que isso é possível) pela vida da igreja, a congregação onde Cristo se manifesta. Tal como no *Sermão da Montanha* (caps. 5-7), temos novamente o ensino do "teísmo", em contraste com o "deísmo", isto é que Deus não somente criou os mundos, mas que ele mantém profundo interesse pela sua criação, e que nada escapa a esse interesse. O "deísmo" afirma que Deus criou e deixa sua criação continuar sozinha. Ver as notas detalhadas sobre as diversas ideias acerca da natureza de Deus, em Atos 17.27.

O texto subentende que os desejos dos crentes, unidos ao espírito de Cristo, são conformes *à vontade de Deus*. É óbvio que nenhuma oração pode alterar os propósitos de Deus; mas não é menos claro que a vontade de Deus sempre visa ao nosso bem, ou seja, o Senhor sabe o que é melhor para nós, e tem para nos dar muitas coisas de valor autêntico, que ultrapassam em muito à nossa imaginação. A participação na "mente" de Cristo nos oferece muito material para tema de nossas orações. As coisas verdadeiramente úteis e necessárias ao bem-estar do homem, são-nos esclarecidas mediante nossa participação na "mente" de Cristo. Este texto pressupõe, por conseguinte, alguma espiritualidade e desenvolvimento, mas com isso não devemos limitar a esfera da oração. A vida cristã têm o propósito de abrir e esclarecer a esfera das possibilidades da oração.

"Por meu Pai..." — A oração feita na terra produz uma resposta *dos céus*, contanto que seja aprovada pelos céus. Isso ocorre porque nosso Pai ali está, pois, na realidade, os "céus" são nosso verdadeiro lar, apesar de estarmos vivendo nesse mundo; mas esta existência terrena é temporária. No princípio deste capítulo notamos que o autor enfatiza uma relação familiar, que consiste de Deus Pai e dos irmãos em Cristo. Essa relação proíbe-nos a vã tentativa de sermos "maiores" do que nossos irmãos, na forma de pensamentos de glória, de posição e de fama (v. 1-5). Por causa dessa relação familiar, devemos usar de cuidado para não fazermos tropeçar os *pequeninos* (v. 6-9). Por causa dessa mesma relação é que não podemos desprezar os outros membros da "família" (v. 10-14). E é ainda por causa dessa relação familiar que, quando é preciso usar de disciplina, temos de disciplinar o crente ofensor como "irmão", isto é, com amor e ternura (v. 16-18). Por causa dessa relação entre nós, que se estende ao céus, porque ali se acha o Pai, temos certeza de que todas as nossas necessidades nos serão providenciadas. O texto de João 14.13,14 promete algo semelhante, enquanto a passagem de João 15.7 mostra que o poder da oração alicerça-se na unidade espiritual de que gozamos em torno de Cristo. Para que compreendamos as possibilidades do poder da oração, basta-nos lembrar as maravilhas que ele realizou por meio da oração. Se as doenças incuráveis, a morte, as ondas do mar e outras coisas semelhantes não enfraqueceram o poder de Jesus, pode-se supor que o crente que

desfruta de união espiritual com Cristo também está ao alcance do mesmo poder e sucesso. O desenvolvimento espiritual nos oferece, pois, a chave do poder da oração.

18.20: Pois onde se acham dois ou três reunidos em meu nome, aí estou eu no meio deles.

18.20 οὐ γάρ εἰσιν δύο ἢ τρεῖς συνηγμένοι εἰς τὸ ἐμὸν ὄνομα, ἐκεῖ εἰμι ἐν μέσῳ αὐτῶν.

20 οὐ γαρ εισ. *et* εκει] ουκ εισιν γαρ *et* παρ οις ουκ **D** (*d* g¹) syᶜ Cl

20 ἐκεῖ...αὐτῶν Mt 28.20; Jo 14.23

"Porque onde estiverem dois ou três..." — Poucos dos *logoi* de Jesus são tão conhecidos quanto este, o qual, realmente, nos outorga grande consolo. Jesus fala aqui da congregação cristã nos termos mais humildes. Fala da igreja em sua expressão mais simples, composta apenas por duas ou três pessoas, embora impelidas pelos mesmos objetivos — adorar a Deus Pai na pessoa de Jesus Cristo. O fato de Jesus referir-se a uma igreja que pode ser tão minúscula não indica que ele esperava que sua igreja fosse pequena, mas indica que ele quis mostrar que o valor da igreja não se constitui do número de seus membros, e, sim, da qualidade moral do grupo, especialmente devido à presença mística de sua pessoa. A presença de Cristo, axiomaticamente certa como é, eleva a posição da igreja, mesmo que o número de seus membros seja diminuto. Contudo, o pequeno número de membros não garante a presença de Cristo mais do que um número elevado. A garantia dessa presença é a experiência espiritual de cada indivíduo da congregação, na adoração e no serviço de Cristo. Entre os "logoi" não-canônicos de Jesus, podem ser citados os seguintes: "Onde houver dois, não estarão sem Deus; e onde houver um só, digo que estou com ele". E também: "Levanta a pedra, e ali me encontrarás; racha o cepo, e ali estarei eu" (*Oxyrhynchus* papiros, *Logoi* de nosso Senhor, livro apócrifo do NT). Na Mishnah (*Aboth* 3.2), a qual faz parte do Talmude (ver notas detalhadas em Mt 15.2 e Mc 7.3), encontramos assertivas semelhantes: "Se duas pessoas estão sentadas juntas, mas não há palavra da Torah (lei, referência aos escritos judaicos, incluindo os comentários como o Talmude, isto é, conversa sobre a lei, ensinos de Deus), isso será uma 'roda de escarnecedores', conforme está escrito: 'Nem se assenta na roda dos escarnecedores'; porém, se duas pessoas estão sentadas juntas e há palavras da Torah (trocadas) entre elas, então a *shekinah* (isto é, presença de Deus) estará entre elas, conforme está escrito: 'aqueles que temiam ao Senhor falavam uns com os outros' ". Na passagem de 1Coríntios 5.4, Paulo declara que ele desfrutava da presença do Senhor como seu orientador, ao excluir o pecador. Em Atos 15.28, a decisão do concílio de Jerusalém é atribuída à presença e à influência do Espírito Santo.

A expressão mais elevada da doutrina contida neste versículo encontra-se em Colossenses 1.25-27, onde temos o *mistério* que de certa feita esteve oculto, mas que agora foi revelado, isto é, o fato de que Cristo habita na vida de seus discípulos. Essa "habitação" oferece as riquezas do evangelho, e é justamente o elemento que empresta valor à existência neste mundo. Além disso, essa presença constitui uma promessa de glória maior no além — a herança que temos em Cristo. O NT ensina a possibilidade e a realidade da presença mística, mas verdadeira, de Jesus Cristo. A comunhão espiritual é a realização dessa presença, e nosso desenvolvimento espiritual outorga-nos a percepção e a comunicação com a presença de Cristo. Não podemos expor as explicações metafísicas de como isso pode suceder, mas a afirmação da realidade dessa experiência aparece não só nas declarações bíblicas, mas também na experiência humana daqueles que buscam [...] e obtêm essa "iluminação". Ver as notas em Colossenses 1.25-27, sobre os detalhes desta questão, que é uma das mais elevadas das páginas do NT. A experiência religiosa tem como alvo a percepção, a realização e a experiência contínua da presença de Cristo conosco.

iii. Exercício do poder na igreja (18.21-35)
iv. O princípio do perdão (18.21,22)

18.21: Então Pedro, aproximando-se dele, lhe perguntou: Senhor, até quantas vezes pecará meu irmão contra mim, e eu lhe hei de perdoar? Até sete?

18.21 Τότε προσελθὼν ὁ Πέτρος εἶπεν αὐτῷ⁵, Κύριε, ποσάκις ἁμαρτήσει εἰς ἐμὲ ὁ ἀδελφός μου καὶ ἀφήσω αὐτῷ; ἕως ἑπτάκις;

21-22 τοσάκις...ἑπτά Lc 17.3,4

⁵ 21 {C} ὁ Πέτρος εἶπεν αὐτῷ B (D *omit* ὁ) 892 *Lect* itᵈ (syrᶜ) (geoᴮ εἶπεν τῷ Ἰησοῦ) Origen // αὐτῷ ὁ Πέτρος εἶπεν ℵᶜ K L W X Δ Θ Π *f*¹ *f*¹³ 28 33 565 700 1009 1010 1071 1079 1195 1216 1230 1242 1242 1253 1344 1365 1546 1646 2148 2174 *Byz* *l*⁷⁶·³³³·⁸⁵⁰ itᵃᵘʳ·ᶜ·ˡ·ᵠ vg syrᵖ·ʰ arm geo¹·ᴬ Lucifer Chrysostom // αὐτῷ ὁ Πέτρος εἶπεν αὐτῷ itᵃ·ᵇ·ᶜ·ᶠᶠ¹·²·ᵍ¹·ʰ copˢᵃ·ᵇᵒ eth? // ὁ Πέτρος εἶπεν ℵ* syrˢ John-Damascus

Pode-se ver por que os copistas mais provavelmente teriam tirado αὐτῷ de depois de εἶπεν para uma posição onde pode ser compreendida com προσελθών como também εἶπεν, mas não há razão discernível para movê-la na direção contrária. A ausência de αὐτῷ, inteiramente, em alguns poucos testemunhos, provavelmente resulta do descuido de copistas.

18.22: Respondeu-lhe Jesus: Não te digo que até sete; mas até setenta vezes sete.

18.22 λέγει αὐτῷ ὁ Ἰησοῦς, Οὐ λέγω σοι ἕως ἑπτάκις ἀλλὰ ἕως ἑβδομηκοντάκις ἑπτά.

"Até quantas vezes [...] meu irmão pecará contra mim, que eu lhe perdoe?" — Alguns intérpretes acham que este texto, incluindo a parábola do credor incompassivo, é paralelo a Lucas 17.3,4, e que se deriva da fonte informativa "Q". Nesse caso, a forma original da fonte "Q" teria sido mais bem preservada por Lucas, ao passo que Mateus teria expandido o material, especialmente ao utilizar-se da parábola do credor incompasivo, que teria sido apropriada a fim de ilustrar o princípio do perdão entre irmãos. Conforme foi registrado no evangelho de Lucas, a apresentação desse mesmo princípio, embora ilustre a mesma verdade, é bastante diferente. Lucas 17.4 diz: "Se por sete vezes no dia pecar contra ti, e sete vezes viver contigo, dizendo: 'Estou arrependido', perdoa-lhe". Mateus diz "até setenta vezes sete", e todas as traduções usadas neste comentário, para fins de comparação, têm essa forma (excetuando-se a tradução GD), ainda que algumas autoridades e intérpretes pensem que o número possa ser "setenta e sete" vezes. Seja sete vezes por dia (no dizer de Lucas), seja setenta e sete vezes (como talvez seja o sentido em Mateus), ou seja setenta vezes sete (como a maioria das autoridades acha que Mateus escreveu), o sentido é idêntico: não há limite para o perdão. É óbvio que é impossível que alguém ofenda por tantas vezes a outrem, que precise arrepender-se sete vezes num dia só. É claramente impossível também que alguém precise ser perdoado por setenta e sete vezes, e, ainda mais impossível, se assim fosse o caso, que alguém precise ser perdoado por quatrocentas e noventa vezes ("setenta vezes sete"). A regra observada entre os judeus, segundo os ensinos da literatura judaica, era três vezes; e, quando Pedro falou em "sete vezes", como padrão possível, sem dúvida, pensou que sua regra foi extraordinariamente generosa. As citações a seguir ilustram a atitude dos judeus: "Se um homem pecar, a primeira vez, eles o perdoam; a segunda vez, eles o perdoam; a terceira vez, eles o perdoam; mas da quarta vez, não perdoam, de acordo com Amós 2.6 e Jó 33.29" (*T. Bab. Yoma*, fol. 86.2. *Mainon. Hilch. Teshuba*, c. 3. sect. 5.). E também: "Quem diz que cometeu pecado e se arrepende, eles o perdoam até três vezes, e não mais que isso" (*Aboth R. Nathan*, c. 40, fol. 8).

Com respeito à questão do número que se acha no v. 22, ver a nota acima, que explica se é preciso compreender setenta e sete

ou então setenta vezes sete. O fato de haver bons intérpretes como advogados de ambas as ideias, ilustra que esse problema não tem solução certa. Os antigos certamente não observavam sem variação as formas que representavam os seus números, e essa irregularidade tem criado o problema. A mesma irregularidade se vê em Gênesis 4.24, na LXX, e é provável que uma pesquisa revelasse numerosos incidentes desse uso irregular em expressões numéricas. A maioria das autoridades ensina *setenta vezes sete*, mas nomes importantes, como Meyer e Goodspeed, defendem "setenta e sete". Apesar dessas dúvidas sobre o número certo, o ensino é bem claro. "A vingança ilimitada do homem primitivo cede lugar ao perdão ilimitado dos cristãos" (McNeile, *in loc.*). Vicente expressa a mesma ideia de forma feliz e compreensível. "O perdão é qualitativo, e não quantitativo" (*in loc.*).

Embora a justiça seja tua petição, considera isto,
Que na corte marcial nenhum de nós
Veria a salvação: oramos por misericórdia;
E essa mesma oração nos ensina a todos
A usar de misericórdia.
(Shakespeare, *Mercador de Veneza*, Ato IV, cena 1)

É evidente que o princípio do perdão deve funcionar a despeito da ausência de arrependimento. Talvez seja fácil perdoar se o ofensor se mostrar arrependido. Lembremo-nos, entretanto, de que Cristo, já na cruz, perdoou aos seus próprios adversários e assassinos. Nota-se a mesma atitude em diversos incidentes da história eclesiástica, a começar por Estêvão. Essa atitude só pode ter sido resultado do desenvolvimento espiritual, porquanto é claro que esse espírito tão perdoador não é inerente à personalidade humana. Cristo "em vós" é que faz toda a diferença. Portanto, Cristo trouxe ao mundo uma nova lei, uma lei difícil que reflete um padrão muito elevado. E esse espírito, por si mesmo, pode ser uma grande influência que leve o ofensor ao arrependimento, contanto que tal atitude seja honesta. Enquanto Joana d'Arc lutou, o capelão inglês não se arrependeu; porém, quando ela perdoou e sofreu o martírio, ele se arrependeu. (George Bernard Shaw, *Saint Joan*, cena seis). O perdão exerce bom efeito sobre aquele que perdoa e sobre aquele que é perdoado. A lei do AT e as leis comuns dos homens, quer nações ou indivíduos, nada têm a ver com esse tipo de perdão. Essa lei é quase exclusivamente cristã.

Devemo-nos lembrar, neste ponto, de que essas instruções vêm logo após os ensinos referentes à disciplina na igreja. Ilustram novamente que até a disciplina justificada deve ser executada em atitude de misericórdia e perdão. É bem possível que esse perdão seja desprezado nos tribunais da sociedade humana; mas, na *comunidade cristã* e entre os crentes, ou mesmo entre o crente e o incrédulo, o discípulo verdadeiro de Cristo deve procurar empregar essas lições. Talvez a prova pragmática demonstre a validade do conceito, mas, infelizmente, poucos existem dotados da disposição de aplicar a prova pragmática.

Finalmente, observemos a reação dos discípulos, registrada exclusivamente por Lucas: "Então disseram os apóstolos ao Senhor: Aumenta-nos a fé". Nunca antes tinham ouvido um conselho de padrão tão elevado, e provavelmente esperavam uma resposta que refletisse as ideias comuns entre os judeus, ou então, no máximo, algo parecido com a ideia que Pedro apresentou ao referir-se ao número sete como elevado e liberal perdão. Os apóstolos tinham conhecimentos espirituais suficientes para perceber que o cumprimento de um padrão tão elevado exigiria desenvolvimento espiritual. Nem o homem comum nem o crente comum têm capacidade de demonstrar um perdão tão ilimitado assim. Os apóstolos tinham fé bastante para operar milagres, mas não o bastante para realizar esse milagre moral. Talvez isso sirva para mostrar que o milagre do desenvolvimento espiritual do crente, especialmente quando segue o modelo que é Cristo, é um "milagre" maior do que qualquer prodígio físico. A fé é o elemento fundamental para a prática das virtudes cristãs. Quando a fé é fraca, a demonstração das virtudes também é débil. Essa fé fala da comunicação espiritual entre o homem e Deus e aqui não está em vista somente a crença isenta de dúvidas. A fé é um tipo de expressão da natureza da alma. A alma que tem conhecimento de Deus e que comunga com o Espírito de Deus, deixa transparecer sua fé e confiança na vida diária. No entanto, quando a alma não desfruta dessa comunhão, não há o transparecimento dessa confiança, e o homem passa a agir segundo os princípios humanos e carnais. Pode-se dizer, por conseguinte, que a verdadeira fé consiste da prática ou da demonstração da comunhão espiritual da alma com Deus, isto é, consiste da expressão do desenvolvimento espiritual da alma crente.

> ### v. Parábola que ilustra o perdão (18.23-35)
> Os v. 23 a 35 apresentam a parábola do credor incompassivo, parábola que se acha somente em Mateus. A fonte aqui provavelmente é "M", isto é, matéria de que somente Mateus dispunha, talvez proveniente da tradição da igreja em Antioquia, onde, segundo algumas autoridades dos estudos neotestamentários, o seu evangelho foi escrito. Outros, entretanto, ensinam que a fonte "M" baseia-se na tradição das igrejas da Judeia, e que a fonte "Q" é a que deve ser atribuída a Antioquia. (Ver a análise mais completa sobre as fontes dos evangelhos, no artigo da introdução a este comentário intitulado "O problema sinóptico"). Provavelmente, o autor fez alguma modificação em sua fonte informativa, empregando o próprio estilo, como parece ficar indicado na expressão "Pai celeste", no v. 35. Aqui, a aplicação da parábola ilustra a difícil lei do perdão e serve para mostrar que a comunidade cristã deve praticar esse espírito em todas as atitudes que afetam a vida dos membros da comunidade. O autor continua a ilustrar o comportamento moral entre os crentes, como se esse comportamento tivesse base em relações familiares, que é a ideia fundamental de todo este capítulo. A parábola ilustra os princípios da "oração do Senhor", em Mateus 5.12,14,15, e enfatiza um dos mais elevados ensinos do sistema ético do cristianismo, isto é, o perdão completo. O perdão de Deus é gratuito, incluindo até mesmo os proscritos e os piores pecadores. Os homens têm o privilégio de imitar esse ato e, assim fazendo, tornam-se mais semelhantes a Deus e a Cristo, que é o padrão que Deus exige dos homens. Por suas palavras, Jesus mostrou que os homens têm ainda outro grande privilégio ao se fazerem discípulos seus, a saber, o papel de mediadores entre os irmãos, de pacificadores, o dever de espalhar o espírito de mansidão de Cristo no seio da sociedade cristã. Jesus ensina aqui que aquele que perdoa pode esperar a misericórdia de Deus, mas que aquele que se recusa a perdoar pode esperar um duro julgamento contra os próprios pecados.
> "Aquele que perdoa é tratado por Deus com base na misericórdia, mas aquele que não perdoa não tem o direito de esperar mais do que um estrito julgamento contra seus pecados" (Sherman Johnson, in loc.). Essa é a lição central da passagem em estudo, que não deve ser ignorada e nem retirada do quatro mediante a interpretação ultradispensacionalista.

18.23 Por isso o reino dos céus é comparado a um rei que quis tomar contas a seus servos;

18.23 Διὰ τοῦτο ὡμοιώθη ἡ βασιλεία τῶν οὐρανῶν ἀνθρώπῳ βασιλεῖ ὃς ἠθέλησεν συνᾶραι λόγον μετὰ τῶν δούλων αὐτοῦ.

"O reino dos céus é semelhante..." — A palavra "rei" é frequentemente usada como indicação do principal protagonista das parábolas, e usualmente simboliza "Deus". Os soberanos orientais, dotados de poderes e de riquezas quase sem limites, são símbolos apropriados de Deus, sempre que os autores sagrados

quiseram enfatizar a autoridade absoluta e os infinitos recursos de Deus. Nesta parábola, o credor incompassivo também era devedor, por haver tomado um empréstimo do rei, e o seu débito era tão grande, que só poderia mesmo ser devido a um "rei".

"Resolveu ajustar" — Vem de uma expressão grega que não aparece no grego clássico, mas foi descoberta em dois papiros do século II d.C. e em um ostraca de Núbia, da primeira metade do século III d.C. (Deissmann, *Light from the Ancient East*, p. 117). Robertson (*in loc.*) sugere que a expressão é latina, talvez equivalente a "rationes conferre". Significa "ajustar contas", e provavelmente fala de diversos grandes empréstimos que o rei fazia a oficiais do governo ou a sátrapas.

"Servos" — Literalmente, no grego, seria "escravos"; porém, na linguagem oriental, representava todos os cortesãos ou oficiais subordinados ao rei, até mesmo indivíduos investidos de grande autoridade, como os sátrapas, como se fossem eles "escravos" do rei. A dívida colossal ilustra o fato de que esse "servo" deveria ser homem de poder considerável. E a quantia do débito também ilustra que, para emprestar-lhe tanto dinheiro, o rei deveria ter muita confiança nele. Nesta parábola, os servos são símbolo da humanidade, em especial daqueles que recebem privilégios e oportunidades conferidos por Deus, que gozam das bênçãos do Senhor e da misericórdia do Rei dos céus, na forma de posse de muitas coisas boas, quer materiais, morais ou espirituais. O ato de "ajustar contas" fala do direito e da atitude de Deus na administração da justiça divina, eterna e universal.

18.24 e, tendo começado a tomá-las, foi-lhe apresentado um que lhe devia dez mil talentos;

18.24 ἀρξαμένου δὲ αὐτοῦ συναίρειν προσηνέχθη αὐτῷ εἷς ὀφειλέτης μυρίων ταλάντων.

24 μυρίων] πολλων ℵ* co Or: centum *c*.

"Trouxeram-lhe..." — Provavelmente esse dinheiro correspondia ao *empréstimo* que o rei fizera a um de seus ministros, talvez um dos sátrapas. A quantia era enorme. Um talento valia 6 mil denários (áticos), pelo que o débito era de 60 milhões de denarii. No mundo antigo, representava riquezas muito superiores ao que representam hoje em dia. Por exemplo, os impostos anuais imperiais pagos pela Judeia, pela Idumeia e pela Samaria chegavam a apenas 600 talentos, e os da Galileia e Pereia chegavam a apenas 200 talentos. (Josefo, *Ant.* XI.4). Contrastando com isso, este "servo" devia 10 mil talentos, o que torna óbvio que o autor quis dar a entender um débito impossível de ser pago, o que exigia um perdão liberal do rei. Pelas circunstâncias, pode-se afirmar que esse "servo" tivera o seu débito aumentado pelo processo de muitos anos. Gastara esse dinheiro no decurso de muito tempo. Ignorara as suas responsabilidades e abusara de sua posição e autoridade por longos anos. Esse servo representa o indivíduo que merece, sem qualquer sombra de dúvida, o juízo de Deus. Só a misericórdia divina poderia oferecer saída para um problema dessa magnitude. Assim, pois, temos a comparação do débito de cada indivíduo aos olhos de Deus. O débito que temos para com Deus é impossível de ser pago. É justamente o débito de homens que desprezam os "pequeninos" que põem tropeços no caminho alheio; daqueles que sabem muito bem disciplinar a outros "irmãos", mas não têm nenhuma disciplina na própria vida; que sabem fazer discursos eruditos mas não praticam os princípios enfeixados em suas palavras. Talvez se possam aplicar essas palavras de Jesus a tais homens, mas é patente que elas também podem ser aplicadas à humanidade em geral, pois todos os homens têm uma dívida diante de Deus que é simplesmente insolúvel.

18.25: mas não tendo ele com que pagar, ordenou seu senhor que fossem vendidos, ele, sua mulher, seus filhos, e tudo o que tinha, e que se pagasse a dívida.

18.25 μὴ ἔχοντος δὲ αὐτοῦ ἀποδοῦναι ἐκέκευσεν αὐτὸν ὁ κύριος πραθῆναι καὶ τὴν γυναῖκα καὶ τὰ τέκνα καὶ πάντα ὅσα ἔχει, καὶ ἀποδοθῆναι.

"**Não tendo ele...**" — O VT alude a essa prática da venda de pessoas como escravas, para pagamento das dívidas (ver Am 2.6; 8.6; Ne 5.4,5. Ver também Êx 22.3; Lv 25.39,42; 2Rs 41). A ilustração mais significativa e vívida, porém, seria a referência ao costume dos reis orientais de jamais usarem de compaixão, havendo muitíssimos casos de barbaridade, insanidade e desumanidade. Na lei de Moisés, há certas provisões para refrear essas práticas, especialmente no que diz respeito à libertação geral, nos anos do jubileu.Entretanto, até mesmo ali não podemos encontrar alterações nessas práticas em grau suficiente para diminuir as ações desumanas praticadas pelos antigos. Naturalmente que não podemos confrontar esses atos com a conduta de Deus no juízo, embora algumas pessoas, por causa de suas interpretações pessoais acerca do julgamento divino, tenham feito do Senhor o tirano mais monstruoso da história da criação. Sem usar de grande cuidado na aplicação dos símbolos, o autor enfatiza, aqui, o fato de esse homem, o servo incompassivo, merecer o juízo mais severo possível. Bruce disse uma grande verdade (*in loc.*): "As parábolas não se responsabilizam pelos conceitos morais". A despeito da ordem do rei, o débito não teria sido pago com a venda do homem e de sua família inteira como escravos, mas a ideia da parábola é que o "rei" exigiu o pagamento de acordo com as circunstâncias do indivíduo. Nesta passagem, o autor ensina que o débito da humanidade não pode ser pago, e que os nossos destinos dependem da misericórdia de Deus, dos seus benefícios, de sua salvação, do seu Messias, dos seus objetivos com relação à humanidade. Não podemos deixar passar em branco, aqui, a implicação do texto acerca da gravidade inaudita do pecado, que é capaz de destruir o homem e fazer dele um *escravo*; e a passagem também ensina que o pecado rouba do homem as suas posses verdadeiras e mais preciosas, o que, na mente de Jesus, certamente consiste de suas posses espirituais — a salvação completa que o Senhor Jesus pode e quer conferir.

18.26 Então aquele servo, prostrando-se, o reverenciava, dizendo: Senhor, tem paciência comigo, que tudo te pagarei.

18.26 πεσὼν οὖν ὁ δοῦλος προσεκύνει αὐτῷ λέγων[6], Μακροθύμησον ἐπ' ἐμοί, καὶ πάντα ἀποδώσω σοι.

> [6] 26 {B} λέγων B D Θ 700 *l*[47*,76,184] it[a,c,d,e,ff1,l] vg syr[c,s] arm geo Diatessaron[i,s] Origen Lucifer Chrysostom // λέγων, Κύριε ℵ K L W Δ Π 058 *f*[1] *f*[13] 28 33 565 892 1009 1010 1071 1079 1195 1216 1230 1241 1242 1253 1344 1365 1546 1646 2148 2174 *Byz Lect* it[aur,(b),f,ff1,g1,(h),q,(r1)] syr[p,h,pal] cop[sa,bo] eth[ro,pp,(mss)] John-Damascus

> Embora κύριε possa ter sido omitida a fim de conformar-se à passagem do v. 29, é mais provável que a palavra tenha sido inserida a fim de adaptar-se à expressão de uma interpretação espiritual. A combinação de B DQ —700 vg syr[c,s] ara geó *al* forma uma significativa constelação de testemunhos que dão apoio à forma mais breve.

"**Então o servo...**" — O sátrapa dessa história, mediante a sua atitude humilde, mostrou: (1) Que realmente devia. (2) Que o rei verdadeiramente tinha autoridade. O sátrapa apresentou seu caso supondo que tentaria saldar a dívida honestamente, ainda que, para tanto, necessitasse de tempo para adquirir os meios necessários. Reconheceu seus erros e prometeu corrigir a situação. Lutero explica o sentido espiritual dessa atitude, dizendo que aqui temos um homem dotado de *falsa retidão*, o qual, ao sentir a consciência a atormentá-lo, mostrando-lhe seu verdadeiro caráter e a possibilidade de ser julgado por isso, fica profundamente agitado e passa por grande onda de medo. Em resultado, corre para lá e para cá, procurando estabelecer uma justiça aceitável diante de Deus, sem fazer nenhuma ideia do fato de Deus ser misericordioso e poder perdoá-lo. Outros pensam que o caso apresenta um homem espiritualmente desonesto, que só faz grandes promessas sob a pressão do medo e da frustração, mas que realmente não tem intenção nenhuma de pagar a sua dívida, pelo menos, de maneira honesta. É o tipo do indivíduo que só busca a Deus quando está em período de crise, mas não se interessa verdadeiramente pelas coisas espirituais.

"**Sê paciente**" — Essa tradução vem de uma palavra do grego *Koiné* que algumas vezes é usada para indicar a ação de sopitar a ira (ver Pv 19.11, na LXX; Sl 86.15; 1Co 13.4 e 1Ts 5.14). Esse sentido é apropriado a este caso, mas a ideia principal é o pedido de prazo. Às vezes, o vocábulo também significa simplesmente uma paciência prolongada, longanimidade.

18.27 O senhor daquele servo, pois, movido de compaixão, soltou-o, e perdoou-lhe a dívida.

18.27 σπλαγχνισθεὶς δὲ ὁ κύριος τοῦ δούλου ἐκείνου ἀπέλυσεν αὐτόν, καὶ τὸ δάνειον ἀφῆκεν αὐτῷ.

"**O senhor, compadecendo-se...**" — O *rei* mostrou misericórdia para com o "servo". No grego, o verbo significa "usar de simpatia", "ter compaixão". A origem da palavra (o substantivo) indica os órgãos internos geralmente os "intestinos", considerados como sede das emoções, da mesma forma que os idiomas modernos usam a palavra "coração". Às vezes, esse substantivo é empregado para indicar a emoção do amor, da simpatia ou da misericórdia. Talvez esses empregos da palavra se tenham desenvolvido da observação, feita pelos antigos, de que as emoções profundas afetam esses órgãos ou as partes internas do corpo humano. O "rei", sem qualquer outro motivo além do próprio sentimento de misericórdia, perdoou a dívida referente ao empréstimo, o que é ilustrado pelo uso da palavra em diversos papiros. O empréstimo teria sido imensamente acrescido de juros, os quais eram enormes em muitas culturas do oriente. Os detalhes da parábola nos fornecem quadros eloquentes da condição pecaminosa do homem. Os anos aumentam cada vez mais o débito dos pecados, de uma vida que não vem sendo usada para benefício do próximo ou para a glória de Deus. Ainda assim, a misericórdia de Deus mostra-se suficiente, perdoando tudo, tanto o "empréstimo" como os "juros". Brown (*in loc.*, Comentário de *Jamieson, Faucett & Brown*) sugere que o próprio fato do empréstimo não poder ser pago foi o fator que levou o rei a usar de misericórdia e perdoar. Provavelmente, com isso, o autor sagrado ilustrou que Deus reconhece o estado de miserabilidade do pecador, e esse reconhecimento, por si mesmo, produz em Deus compaixão e amor, que se manifestam em atos de uma misericórdia desmerecida por parte do pecador. Notam-se, pois, diversos benefícios provenientes do perdão dado pelo rei: (1) O homem e sua família ficaram livres de ser vendidos como escravos. (2) O empréstimo foi totalmente esquecido e perdoado, o que o homem jamais teria esperado que acontecesse, pois apenas pediu um prazo para saldar a sua dívida. (3) Embora o texto nada diga, as circunstâncias deixam entendido que o homem continuaria em sua posição de sátrapa, o que, sem dúvida, também não era esperado pelo homem. Talvez o rei tivesse agido dessa maneira pensando que tão profunda demonstração de misericórdia garantiria a boa conduta do homem no futuro. Esta parábola fornece, portanto, um ótimo quadro ilustrativo da grande misericórdia de Deus por intermédio de Jesus Cristo, porquanto Deus perdoa totalmente, sem importar os merecimentos do indivíduo, mas sempre fazendo aplicação de determinados princípios que têm por finalidade transformar-lhe a personalidade; assim, finalmente, é atingida a retidão que Deus quer ver no homem. Apesar de oferecida gratuitamente, a misericórdia divina não é algo destituído de base (o seu alicerce fundamental é Cristo, isto é, a sua pessoa, as suas obras e o seu sacrifício expiatório); e também não é algo sem alvo ou sem propósito.

524 |Mateus| NTI

18.28 Saindo, porém, aquele servo, encontrou um dos seus conservos, que lhe devia cem denários; e, segurando-o, o sufocava, dizendo: Paga o que me deves.

18.28 ἐξελθὼν δὲ ὁ δοῦλος ἐκεῖνος εὗρεν ἕνα τῶν συνδούλων αὐτοῦ ὃς ὤφειλεν αὐτῷ ἑκατὸν δηνάρια, καὶ κρατήσας αὐτὸν ἔπνιγεν λέγων, ᾿Απόδος εἴ τι ὀφείλεις.

"Saindo, porém, aquele servo..." — *Em primeiro lugar*, no contraste aqui criado por Jesus, notamos que o servo foi perdoado, e isso por alguém que lhe era muito superior. O rei, que tinha poder total sobre ele, incluindo até a autoridade de tirar-lhe a vida, usou de misericórdia para com ele. No entanto, esse mesmo servo perdoado recusou-se a perdoar um seu igual. Ambos eram servos do rei. Talvez esse conservo fosse sátrapa ou oficial da corte do servo incompassivo. Pelo menos suas posições oficiais não teriam sido muito diversas. Mesmo assim, o servo tratou de seu conservo sem nenhuma humanidade, como se não fosse pessoa digna de consideração.

Em segundo lugar, nota-se a enorme diferença no valor dos empréstimos. O conservo devia apenas "cem denários", em contraste com os "dez mil talentos" devidos pelo primeiro. O denário equivalia a um dia de trabalho (Mt 20.1-16), o que equivale, mais ou menos, a 1 dólar. Seu débito total, portanto, era de mais ou menos 80 dólares, contrastando com isso a dívida do primeiro, que calculadamente orçava em 7 bilhões de dólares, o que reduzido à expressão decimal seria 0,000002. Além disso, considerando-se a posição do homem, calcula-se que *cem denários* tinham relativamente pouco valor para ele; era quantia que, de maneira nenhuma, teria afetado a sua situação financeira. Poderia ter perdoado aquele conservo sem nenhuma dificuldade, se tivesse usado de um mínimo de misericórdia e bom senso, se tivesse tido qualquer senso de misericórdia.

"Agarrando-o, o sufocava" — No grego, o tempo verbal é o imperfeito, provavelmente no uso chamado incoativo, que indica o princípio ou início de uma ação. Ou, quiçá, o imperfeito indique aqui uma ação contínua: o homem persistia em maltratar o outro miseravelmente. Na literatura romana, há evidências de que essa indignidade era permitida: Lívio refere-se ao *collum torsisset*, isto é, o ato de torcer pescoços (4.53). Ou então, conforme disse Cícero: "Traga-o ao tribunal do julgamento com o pescoço torcido (*collo abtorto*)". John Gill apresenta uma citação extraída da literatura judaica para mostrar que essa ação também era praticada entre os judeus (*Apud Castell. Lecic. Polyglott*, col. 1314).

"Paga-me o que me deves" — Quase todos os mss mais antigos do grego, incluindo Aleph, BCDEFGHKMSUVWX, Fam Pi, 1, Fam 13 etc., neste lugar apresentam as palavras: "[...] se me deves...". Por causa disso, alguns intérpretes entendem que o homem nem certeza tinha se o outro lhe devia realmente algo; mas essa interpretação não corresponde exatamente ao sentido da condição. Esse tipo de condição (particular simples) não indica a natureza do caso, se o homem devia ou não; mas por muitas vezes se encontra esse tipo de condição sem a intenção de expressar nenhuma dúvida. Meyer (in loc.) tem razão em dizer aqui que o credor incompassivo aplicou de uma *lógica sem misericórdia* ao utilizar-se dessa partícula condicional, o que corresponde mais ou menos a dizer: "Se me deves algo, e de fato o deves, paga-me". Talvez o homem não tivesse certeza da quantia da dívida, e a incerteza do caso talvez implique no fato de que a palavra "encontrou", neste versículo, dá a ideia de descobrir sem intenção, por acidente, sentido esse que, às vezes, essa palavra assume. Assim, o servo teria encontrado o outro por acaso, no caminho, tendo-o reconhecido como uma das pessoas que lhe devia algo. Não se lembrava da quantia exata; mas, motivado por um espírito amargo, irracional e cruel, exigiu pagamento imediato. Não foi capaz de lembrar-se de que, momentos antes, o rei lhe mostrara um espírito completamente diferente para com ele, e que, com muito menos razão para tanto, lhe perdoara a dívida.

Por meio desses detalhes, Jesus sugere que as ofensas que os homens cometem uns contra os outros são mínimas em comparação às ofensas que todos cometem contra Deus. As ofensas recebidas dos outros são quais pequenas quantias em contraste às ofensas que perpetramos contra Deus, que é o Juiz moral do universo. Cabe aqui uma pergunta justa: "Podemos continuar irreconciliáveis, se tentarmos calcular o nosso próprio débito?" Trench diz (*in loc.*): "Assim é o homem (ou sua natureza), endurecido e maldoso, quando ainda não reconheceu o perdão recebido de Deus; a ignorância ou o olvido da própria culpa o torna inflexível, rancoroso e cruel para com os outros; ou, no máximo, é impedido de tais ações somente pelas fracas defesas de seu caráter natural, o qual pode ser debilitado a qualquer instante".

18.29 Então o seu companheiro, caindo-lhe aos pés, rogava-lhe, dizendo: Tem paciência comigo, que te pagarei.

18.29 πεσὼν οὖν ὁ σύνδουλος αὐτοῦ παρεκάλει αὐτὸν λέγων, Μακροθύμησον ἐπ᾿ ἐμοί, καὶ ἀποδώσω σοι.

29 ἀποδώσω] παντα απ. WΘ f13 I pm lat co ς

> Embora seja possível que a frase εἰς τοὺς πόδας αὐτοῦ (C² E F H K M S U V G D P maioria dos minúsculos seguidos pelo Textus Receptus) tenha sido acidentalmente omitida na cópia, tendo passado o olho do copista de αὐτοῦ para αὐτοῦ, a comissão preferiu — o texto mais breve (א B C* D G L Q 1 71 124 700 892 1396 1424 1573 1582, maior parte do Latim Antigo, vg syrᶜ'ˢ'ᵖᵃˡ copˢᵃ'ᵇᵒ etí geó) tendo considerado a forma mais extensa como expansão natural introduzida por escribas, a fim de explicar πεσών.

"Aos pés" — É adição ao texto original e que aparece nos mss mais recentes, como C(2), EFGKMSUV, Gamma, Delta, Fam Pi, seguidos pelas traduções AA, AC, IB, KJ e diversas outras. Os mss mais antigos, como Aleph, BCDGL e outros, não têm essas palavras, e algumas traduções também as omitem, como WM, RSV, GD e ASV. São uma expansão natural do texto, feita por algum escriba, a fim de aumentar o impacto emocional da história. O texto grego diz "caindo-lhe", e essa é a expressão que atrai a outra ação: "aos pés".

"Sê paciente" — Tradução das mesmas palavras encontradas no v. 26, onde se lê a petição do sátrapa ao rei. A palavra "tudo", que figura nas traduções AC e KJ, não é original ao texto, neste caso; vem de mss mais recentes, como Aleph(4), C(2), L Gamma, Fam Pi, mas não se acha nos mss mais antigos, como Aleph, BCDEFGHMSUV, Delta, e, assim sendo, também não se encontra nas traduções mais modernas, como AA, IB, WM, GD, RSV, ASV e outras. Essa palavra representa uma expansão, como empréstimo feito das palavras exatas do v. 26.

A intenção do autor é a de mostrar que o conservo implorava ao sátrapa de forma não menos honesta e diligente do que o sátrapa implorava ao rei, momentos antes, porém com resultados bem diferentes. Esse conservo, que agora implorava, demonstrava a mesma atitude de humildade, usava as mesmas palavras, tinha a mesma necessidade de misericórdia, e certamente não tinha menor direito ao perdão; pelo contrário, merecia mais perdão do que o outro, porquanto sua dívida era muitíssimo menor, e ambos eram igualmente servos do rei.

O tempo imperfeito no grego, traduzido como *implorava*, indica uma ação contínua; o conservo continuava a implorar diligentemente, mas em vão. Notam-se também algumas outras diferenças nos dois casos: no primeiro, teria sido impossível ao sátrapa pagar o débito, e assim precisava mais de perdão do que o conservo; no segundo caso, o conservo poderia pagar a sua dívida, em face da quantia não ser avultada. As palavras deste último correspondiam muito mais à realidade do que no caso do sátrapa.

18.30 Ele, porém, não quis: antes foi encerrá-lo na prisão, até que pagasse a dívida.

18.30 ὁ δὲ οὐκ ἤθελεν, ἀλλὰ ἀπελθὼν ἔβαλεν αὐτὸν εἰς φυλακὴν ἕως ἀποδῷ τὸ ὀφειλόμενον.

"**Ele[...] não quis...**" — Esquecera-se totalmente do perdão recebido; ou então, movido por ignorância e maldade, não reconheceu que o espírito de perdão requer uma conduta melhor, gratidão, arrependimento e misericórdia para com os outros. Estava perfeitamente preparado para ser perdoado, mas era totalmente carnal em sua visão da vida, porquanto não mudara de atitude, o que sem dúvida é resultado da aceitação do perdão. Sem modificar sua natureza pelos benefícios que recebera da parte do rei, esse homem continuava agindo de conformidade com os instintos de sua natureza vil e gananciosa, segundo o hábito criado por anos de abusos contra seus semelhantes. Alcançara dessa forma a prosperidade, era pródigo no uso de seus recursos, mas totalmente sem misericórdia para com os outros em suas falhas, as quais eram bem menos graves do que as suas. Com essas palavras, Jesus ensinou que assim acontece ao indivíduo que deseja receber o perdão de Deus, e de fato o recebe, mas que não quer perdoar aqueles que lhe devem qualquer coisa.

"**Indo-se, o lançou na prisão...**" — O credor incompassivo exigiu o máximo castigo que o caso permitia. Apresentou o caso à corte marcial, com testemunhas e advogados, e provou, sem nenhuma dúvida, a "justiça" de seu caso. Aos olhos de Deus, o Juiz superior, porém, a ação não foi justa, como também não o foi aos olhos dos outros (v. 31). Temos aqui uma indicação de que a conduta ideal ou moral nem sempre é a ação permissível ou legal. A lei e a moral de Deus falam sempre do "espírito" das ações, dos "motivos" e "propósitos"; e, além disso, falam da misericórdia e da compaixão que devem fazer parte dessas ações. O ato legal, efetuado sem compaixão, não é justo quando prejudica o próximo. A moral de Deus tem mais implicações e fatores que controlam as ações do que as leis dos homens. Segundo as leis humanas, a prisão e detenção daquele conservo foi um ato justo; mas isso não se conformava com a moral mais elevada, a moral temperada com amor e compaixão. Outrossim, notamos que o homem que "provou" a justiça de seu caso, no tribunal, trazia consigo uma maldade muito maior do que a do homem que lhe devia pequena quantia em dinheiro. Adolf Deissmann (*Light from the Ancient East*, N.Y., Doubleday, p. 270-330) apresenta diversos exemplos, nos papiros, que ilustram o fato de que naquele tempo era comum os homens lançarem outros na prisão por motivo de dívidas; e por isso Jesus pôde ilustrar a sua história citando um costume verdadeiro.

"**Não quis**" — No grego, essas palavras estão vazadas no imperfeito, enfatizando a recusa *persistente*, a despeito dos pedidos do outro.

Aplicando o caso às *ofensas* na igreja atual, John Gill diz (*in loc.*): "Aqueles que expõem casos similares à igreja, e que não sossegam enquanto o ofensor não é excluído (por esse ato), causam a perda de membros úteis à igreja". E a esse pensamento podemos acrescentar que essa atitude usualmente é mais pecaminosa do que a "ofensa" feita pela pessoa excluída.

18.31 Vendo, pois, os seus conservos o que acontecera, contristaram-se grandemente, e foram revelar tudo isso ao seu senhor.

18.31 ἰδόντες οὖν οἱ σύνδουλοι αὐτοῦ τὰ γενόμενα ἐλυπήθησαν σφόδρα, καὶ ἐλθόντες διεσάφησαν τῷ κυρίῳ ἑαυτῶν πάντα τὰ γενόμενα.

"**Companheiros**" — Os demais servos do rei, talvez outros oficiais do reino, e não simplesmente os "escravos" da corte. Entre eles estavam incluídos os investidos de responsabilidade, que eram dignos da confiança do rei, e cujo testemunho ele respeitava. As parábolas, contrastando com as alegorias, nem sempre exigem

que cada detalhe tenha um significado ou simbolize algo, e nem sempre podemos dizer, sem receio de errar, que certos detalhes precisam de interpretação. Contudo, diversos intérpretes dizem, sobre este ponto, que tais pessoas representavam a sociedade religiosa do homem lançado na prisão, porquanto Jesus estava ilustrando princípios que teriam aplicação na igreja. Provavelmente, a intenção de Jesus foi mais ampla do que essa simples ideia. Ele falava do princípio do perdão no mundo inteiro — na sociedade dos homens, na igreja ou fora dela. Jesus ensinava aos seus discípulos que deviam respeitar os outros, as suas vidas, as suas aspirações e as sua personalidade. Ensinava a compaixão para com os outros, o amor ao próximo, a simpatia para com as falhas alheias, e o reconhecimento de nossa dívida para com Deus, dívida essa muito maior do que aquela que os homens nos devem. Jesus ensinou, portanto, a conduta ideal entre os homens, não somente no seio da igreja, mas na sociedade geral dos homens, o que, ao mesmo tempo, deve ser a conduta dos crentes na igreja. Por conseguinte, não erramos ao aplicar esses ensinos à sociedade religiosa.

"**Entristeceram-se**" — Não ficaram enraivecidos, porquanto somente o Juiz, o Rei, tem o direito de agir com *indignação* (v. 32-34). Entristeceram-se porque eram pessoas dotadas de sentimentos humanos, simpatizando pelo sofrimento alheio; e, tendo reconhecido a injustiça, como pessoas instruídas que eram numa moral mais elevada do que a do credor incompassivo, não gostaram de ver violada a moral divina. (Ver Sl 119.136: "Torrentes de água nascem dos meus olhos, porque os homens não guardam a tua lei").

"**Relatar**" — Essa palavra é tradução de uma forma intensiva do verbo grego, forma verbal com prefixo preposicional. A forma intensiva indica que eles narraram a história do princípio ao fim, explicando bem a questão. Robertson menciona (*in loc.*) que usualmente esse é o *resultado final* da ação injusta. Chega o momento em que as pessoas não aguentam mais a cena de atos injustos; e, por sua atitude, essas pessoas levam a juízo aquele que maltrata o seu semelhante. Aqueles que maltratam os outros, são finalmente maltratados também. Os que falam mal dos outros, por sua vez, tornam-se alvo da crítica alheia. De fato, tal como encontramos nos escritos de Paulo, aqui está subentendida a ideia de que "aquilo que o homem semear, isso também ceifará" (Gl 6.7). Portanto, aqui se encontra certa lei da vingança ou retribuição. Notamos que a vingança não partiu da parte do homem que foi lançado na prisão, mas de seus conhecidos, e, finalmente, da parte do próprio rei. Não há nenhuma certeza de a retribuição ocorrer ainda nesta vida, mas, finalmente, o Juiz superior corrigirá todas as maldades. Por conseguinte, Jesus ensinou que o perdão é o princípio do recebimento das bênçãos, não somente no caso do indivíduo perdoado, mas também no caso daquele que perdoa.

18.32 Então o seu senhor, chamando-o à sua presença, disse-lhe; Servo malvado, perdoei-te toda aquela dívida, porque me suplicaste;

18.32 τότε προσκαλεσάμενος αὐτὸν ὁ κύριος αὐτοῦ λέγει αὐτῷ, Δοῦλε πονηρέ, πᾶσαν τὴν ὀφειλὴν ἐκείνην ἀφῆκά σοι, ἐπεὶ παρεκάλεσάς με·

18.33 não devias tu também ter compaixão do teu companheiro, assim como eu tive compaixão de ti?

18.33 οὐκ ἔδει καὶ σὲ ἐλεῆσαι τὸν σύνδουλόν σου, ὡς κἀγὼ σὲ ἠλέησα;

"**Servo malvado**" — O rei pôde compreender e perdoar a ignorância, a desonestidade nas finanças, as fraquezas, os erros e as falhas humanas; mas não a injustiça, a desumanidade, a crueldade e a ingratidão; e sua condenação contra isso não teve apelação. Aquele homem, sendo indivíduo maldoso, egoísta e imoral, não pôde compreender o perdão, a misericórdia e a magnanimidade do rei. Faltando-lhe tal entendimento, não pôde agir

526 |Mateus| NTI

com a mesma moral demonstrada pelo rei. Fora-lhe perdoada uma dívida *tão grande*, que muitos atos de misericórdia de sua parte — não teriam sido suficientes — para expressar, de modo suficiente, a sua gratidão ao rei. No entanto, não praticou um único ato, mesmo pequeno, que demonstrasse compaixão para com outros; mas agiu de modo extremamente oposto, lançando seu conservo no cárcere. A bondade do rei fora tão grande, que ninguém teria sido capaz de compreender ou explicar a razão de seu ato. Por semelhante modo, a maldade do servo fora tão grande, que ninguém encontraria meios de explicar o motivo para a mesma. Assim, Jesus enfatizou a lição que desejava ensinar. Todos nós nos encontramos na situação daquele homem; todos temos recebido grande compaixão de Deus e o seu perdão, por meio do ministério de Cristo. Dar-se-ia o caso de a nossa maldade ser tão grande que nem reconheçamos a necessidade de perdoar os outros de suas ínfimas dívidas? O homem que se recusa a perdoar, a ter compaixão e a usar de simpatia para com seus semelhantes, mostra uma ingratidão enorme e o mesmo caráter do credor incompassivo. *Perdão requer perdão*; compaixão *exige* compaixão; amor *pede* amor; e a moral elevada atrai demonstração da mesma moral. Os verdadeiros discípulos de Cristo devem aprender a nova moral do reino, e essa nova moral requer um tipo de humanidade diferente e mais elevado, que raramente se vê neste mundo. Jesus mostrou que o homem maldoso recebeu muito mais do que pediu, mas que nada deu a quem quis alguma misericórdia da parte dele. A abundância da misericórdia é que deve formar a base da nova moral. Os judeus, treinados a pensar em justiça em termos de "olho por olho" e "dente por dente", teriam encontrado alguma dificuldade em adaptar os seus pensamentos a essas ideias novas e muito mais elevadas. Neste caso, portanto, Jesus ilustra a exigência que aparece na oração do Pai Nosso: "[...] perdoa-nos as nossas dívidas, assim como nós temos perdoado aos nossos devedores" (Mt 6.12). Como se apresentará ante o grande Rei aquele que não procura pôr em prática essas ideias? Naturalmente que ficará confuso ante o Senhor. E o que poderá alegar em sua defesa? Coisa nenhuma.

Não nos devemos esquecer de outro contraste que transparece nessa história, o qual já foi mencionado: sendo a autoridade maior do reino, o rei não tinha necessidade de perdoar a quem quer que fosse, e o seu perdão foi gratuito. O sátrapa, entretanto, que era um homem comum entre os outros homens, pelas circunstâncias de sua posição relativamente baixa, tinha necessidade de encontrar um modo de viver em paz com os outros, porquanto também estava sujeito à lei dos homens. A despeito disso, porém, agiu como se não tivesse responsabilidade para com quem quer que fosse. Esqueceu-se de suas responsabilidades para com o rei e para com os outros homens, conservos seus.

18.34 E, indignado, o seu senhor o entregou aos verdugos, até que pagasse tudo o que lhe devia.

18.34 καὶ ὀργισθεὶς ὁ κύριος αὐτοῦ παρέδωκεν αὐτὸν τοῖς βασανισταῖς ἕως οὗ ἀποδῷ πᾶν τὸ ὀφειλόμενον[7].

34 πᾶν] *om* **D** *pc d* sy[s]   34 παρέδωκεν...ὀφειλόμενον Mt 5.25,26; Lc 12.58,59

[7] 34 {C} τὸ ὀφειλόμενον א[*] B D K Θ *f*[13] 700 2148 *l*[806] it[a,aur,b,c,d,e,f,ff¹,²,g¹,h,l,q] vg syr[c,s] cop[sa,bo] arm Diatessaron[a,i,j] // τὸ ὀφειλόμενον αὐτῷ א[*,b] C L W Δ Π *f*¹ 28 33 565 892 1009 1010 1071 1079 1195 1216 1230 1241 1242 1253 1344 1365 1546 1646 *Byz Lect* syr[p,h,pal] eth John-Damascus

> Após τὸ ὀφειλόμενον, o Textus Receptus, seguindo testemunhos posteriores, adiciona αὐτῷ.
>
> A forma mais breve é adequadamente apoiada por testemunhos representativos dos tipos de texto alexandrino, ocidental e pré-cesareano.

"E, indignando-se" — O rei tinha o direito de desabafar a sua indignação, e um caso tão injusto como aquele provocou-lhe um furor inflexível e inexorável. Desta vez, o servo não tinha saída ou esperança de escape, e nem mesmo tentou escapar à indignação real. Da vez anterior, no entanto, chegou a provocar a compaixão do rei, e dele recebeu pleno perdão.

"Verdugos" — Essa tradução fiel de AA e de IB, e também a tradução de AC, "atormentadores", apresentam a ideia exata, porquanto, no grego, o termo não fala apenas daqueles que tinham a responsabilidade de vigiar os prisioneiros, os quais eram os carcereiros, mas fala daqueles que estavam encarregados de supliciar aos prisioneiros, por diversas modalidades de tortura. Na literatura antiga (latina e grega), lemos sobre as práticas *desumanas* que havia em tais lugares, fato esse que nos ajuda a compreender a indignação do grande rei no tocante aos atos injustos e cruéis praticados pelos homens. *Lívio* (2.23) menciona uma cena que ilustra essas práticas antigas, descrevendo um velho centurião a queixar-se do fato de seu credor lhe ter infligido o castigo da tortura na prisão; e, enquanto falava, o velho mostrou as costas ainda sangrentas e com feridas abertas.

Alguns intérpretes veem nos *verdugos* um símbolo dos anjos, porquanto estes são associados ao julgamento, não só na literatura apócrifa do NT, mas também no próprio NT. Consultar Mateus 13.49; 24.31; 25.31; Apocalipse 14.10,11. A parábola não necessita de contar com um símbolo para cada detalhe, pelo que nos é impossível saber se Jesus referiu-se ou não aos anjos, nessa história. Alguns intérpretes opinam que o propósito de descrever o juízo final não está dentro dos limites desta parábola. Ver Lange, em Mateus 18.35.

"Até que lhe pagasse" — Esta frase não expressa a possibilidade ou a impossibilidade do homem pagar a dívida ao rei, pelo que isso não faz parte da interpretação deste versículo. Alguns comentários, todavia, lutam com esse problema, discutindo a possibilidade ou a impossibilidade do recebimento do perdão, pelo sofrimento do juízo. Não é provável que Jesus quisesse indicar algo pertencente a essa natureza (mas ver 1Pe 4.6). Tão-somente ilustrava que a recompensa da injustiça é certa e plena, porque a lei moral de Deus, por necessidade, deve operar neste mundo, pois de outro modo não haveria propósito nem destino nesta existência. O bem finalmente triunfará; o pecado terá de ser finalmente punido; a moral do Juiz será totalmente praticada neste mundo. Pois, de outra maneira, seria mister dizermos que essa lei não é certa, poderosa e digna de confiança.

Alguns intérpretes inserem aqui o problema da *segurança do crente*, ou então a questão da posse eterna da salvação da alma. Alguns ensinam, à base deste texto, que o crente verdadeiro *pode* perder sua salvação ao negar os princípios da lei moral de Deus. Outros dizem que isso é impossível para o verdadeiro crente. Uma vez mais dizemos que não é provável que Jesus tenha incluído, aqui, esse tipo de assunto. Simplesmente ilustrava que a lei da retribuição realmente funciona; e que ninguém pode ignorar a Deus e às suas leis sem sofrer, finalmente, as consequências dessa negligência. Se quisermos discutir essas questões, teremos de empregar outros textos, não salientando exageradamente alguns detalhes das parábolas. Deve-se consultar as notas detalhadas sobre a segurança do crente, em Romanos 8.39; sobre o julgamento (inferno), em Apocalipse 14.11; sobre o julgamento do crente, em 2Coríntios 5.10; e sobre a esperança além do sepulcro, em 1Pedro 3.18,19.

18.35 Assim vos fará meu Pai celestial, se de coração não perdoardes, cada um a seu irmão.

18.35 Οὕτως καὶ ὁ πατήρ μου ὁ οὐράνιος ποιήσει ὑμῖν ἐὰν μὴ ἀφῆτε ἕκαστος τῷ ἀδελφῷ αὐτοῦ ἀπὸ τῶν καρδιῶν ὑμῶν.

35 Mt 6.15; Mc 11.25; Ef 4.32; Cl 3.13

As palavras τὰ παραπτώματα αὐτῶν, que o *Textus Receptus*, seguindo testemunhas posteriores, adiciona ao fim da sentença, são uma expansão natural, talvez derivada de 6.14. A comissão preferiu a forma mais breve, apoiada pelos principais representantes dos tipos de texto alexandrino, ocidental e cesareano (ℵ B D L Q 1 22* 700 892 1582 it[a,b,c,d,e,ff1,l,q,r1] vg - syr[c,s] cop[sa,bo] geo eth Speculum).

"Assim também meu Pai" — Esse *logos* de Jesus figura entre os mais severos que ele proferiu; mas mesmo antes disso já enfatizara essencialmente a mesma coisa, ao dizer: "Porque se perdoardes aos homens as suas ofensas, também vosso Pai vos perdoará; se, porém, não perdoardes aos homens, tão pouco vosso Pai vos perdoará as vossas ofensas". É inútil tentar aqui uma explicação tendente a mostrar que isso foi "segundo a lei", mas que, sob a "dispensação da graça", após a ressurreição de Jesus, tudo mudou, porquanto o perdão divino nada tem a ver com o perdão com que devemos perdoar aos homens. É perfeitamente óbvio que aqui Jesus tenha expressado suas ideias morais; e dificilmente alguém poderia provar que essa moral se modifica com a mudança de *dispensações* ou das circunstâncias. É muito melhor dizer-se que o homem verdadeiramente "salvo", "regenerado" e "justificado", tem uma natureza que o ajuda a expressar esses princípios morais de Jesus, e que, em realidade, aquele que não age desse modo, não pode ser reputado um indivíduo "regenerado". Para que alguém viva a moral elevada de Cristo, é mister que participe da natureza de Cristo, mediante a participação na transformação segundo a sua imagem. Essas considerações, contudo, não eliminam o rigor de seu ensinamento. O indivíduo que não perdoa, também não é perdoado; o homem que não usa de misericórdia, também não alcança misericórdia; e a pessoa que pratica a maldade, só merece e recebe o mal. Assim também, o homem que faz os outros sofrerem, sofre por sua vez; e aquele que ignora a lei moral de Cristo padece o castigo imposto contra a ignorância dessa lei. Jesus ensina aqui o valor permanente de sua lei, bem como a retribuição que corresponde à observância ou não dessa lei. Jesus ensina aqui a vitória final do bem, e igualmente a punição final contra o mal. Jesus ensinou a existência de um mundo dualista, onde operam o bem e o mal. Ensinou, porém, também que o Pai celeste, finalmente, triunfará sobre o mal.

Mediante esses ensinamentos, especialmente acerca da certeza da retribuição, Jesus enfatizou a necessidade que temos de perdoar os nossos semelhantes. Perdoamos porque somos perdoados; praticamos misericórdia porque recebemos misericórdia; amamos ao próximo porque Deus nos ama. Se cumprirmos essas exigências, encontraremos o perdão, a misericórdia, a simpatia e o amor divinos. Se, porém, não as cumprirmos, encontraremos o julgamento, o castigo e a retribuição contra o pecado. Podemos afirmar, portanto, que sempre encontramos em nossa vida diária o princípio da retribuição ao bem ou ao mal. Finalmente, no decurso de nossa vida, haveremos de encontrar aquilo que temos praticado, e, de maneira apropriada, receberemos o "peso" de nossos pecados. Por outro lado, se tivermos praticado o bem, haveremos de receber a *glória* da justiça. Contudo, certamente receberemos aquilo que tivermos semeado.

Esses versículos constituem uma explicação *completa* das implicações da pergunta feita por Pedro: "[...] até quantas vezes meu irmão pecará contra mim, que eu lhe perdoe? até sete vezes?" E, segundo já vimos, não apenas sete, e, sim, setenta vezes sete, porquanto o perdão é qualitativo, e não quantitativo. A natureza da qualidade se acha em Deus, o Pai celeste. Sendo filhos desse Pai, devemos lutar por praticar a sua moral de perdão. Por outro lado, devemos rechaçar os vis impulsos da natureza carnal, como o orgulho, a injustiça e a insensibilidade que são próprios do homem terreno. Devemos, pois, examinar a natureza de Cristo e entender que essa natureza, que se caracteriza por grande compaixão e simpatia para com os outros, é o padrão de cada "crente". A moral aqui encontrada é extremamente elevada, mas o cumprimento total dessa moral, no fim da existência humana, faz parte do destino do crente. Em sua transformação segundo a imagem de Cristo, a natureza moral do crente também será transformada, e isso, por fim, atingirá o seu ponto mais completo.

"Suas ofensas" — Aparecem nas traduções AC e KJ, como também em traduções mais antigas. Tais palavras, porém, não têm base nos mss mais antigos do grego e das versões, como Aleph, BDL. Os mss que contêm essas palavras são CEFGHKMSUV, Gamma, Delta e Fam Pi. As traduções mais modernas, que seguem os mss mais antigos, como AA, IB, GD, WM, RSV e ASV, não têm essas palavras. Penetraram no texto como expansão natural, porquanto as dívidas que devemos perdoar incluem as "ofensas". Talvez essa adição venha de um "logos" idêntico ao que se encontra em Marcos 11.25, onde essas palavras são autênticas. Alguns, como Kilpatrick (*Origens of Matthew*, p. 29) sugerem que esse versículo têm como fonte aquela passagem do evangelho de Marcos.

Dessa maneira, termina a quarta grande seção de ensinamentos do evangelho de Mateus, não existindo discursos mais elevados entre toda a literatura humana, e nem mesmo coisa nenhuma que se lhes compare. Jesus ensinou a sublime moral do Pai Celeste. O autor deste evangelho usou esses ensinos a fim de mostrar a necessidade de um espírito manso, do perdão, de uma atitude sincera e altruísta entre os "irmãos" ou crentes.

Capítulo 19

vi. Sumário (19.1,2)
Cf 4.23-25; 5.48; 7.28,29; 11.1 e 13.53 quanto a sumários similares. O texto de Mateus 26.1 traz ainda outro sumário.

Após cada seção principal de ensinos de Jesus, o autor deste evangelho expõe um breve resumo. Aqui, em Mateus 19.1,2, encontramos o resumo da seção anterior. Os demais resumos, encontrados em Mateus, situam-se em 7.28,29; 11.1; 13.53 e 16.1. Mediante essa fórmula, o autor conclui cada seção principal de seu livro. Provavelmente, essa fórmula baseou-se em Marcos 10.1.

Os intérpretes veem, neste capítulo, diversos propósitos na apresentação da matéria aqui exposta. Bacon (*Studies in Matthew*, p. 308-325), dá a este capítulo o título "Sobre o julgamento", e estende-o até incluir o discurso de 24.1 a 26.1, porquanto é ali que o autor começa a mostrar como Jesus foi finalmente julgado e como morreu por determinação do governo. Esses capítulos nos conduzem a um clímax poderoso, apresentando uma literatura do mais alto quilate. A base da narrativa é dada por Marcos, onde vemos que quase toda a matéria, a começar pelo texto de 8.27, tem a finalidade de explicar os últimos dias de Jesus, a razão de sua morte, e o significado desses acontecimentos.

Além desses propósitos, o autor deste evangelho aproveita o ensejo para incluir mais algumas instruções para os membros da igreja ou para os homens em geral, dentre os ensinamentos de Jesus que se aplicam à sociedade inteira. Alguns, como Lange (in loc.), apresentam esses ensinos como se fossem somente (ou principalmente) para terem aplicação na igreja. Assim, em seu comentário, encontramos como título deste capítulo, "A família sacerdotal na igreja", com os seguintes subtítulos: "Relações do matrimônio na igreja" (v. 1-12); "Crianças na igreja" (v. 13-15); "Propriedade na igreja" (v. 16ss). Não se pode negar que o autor apresentou muitas vezes o seu material com o propósito de abordar problemas surgidos nas igrejas ou problemas com que se defrontam os crentes em seu contacto com o mundo. Esse método de ensino é comum no NT. Algumas das epístolas, igualmente, contêm seções inteiras escritas especialmente com a finalidade de apresentar material acerca de problemas especiais. Por exemplo, Colossenses 3.18—4.1 refere-se à responsabilidade

528 |Mateus| NTI

das esposas crentes, dos esposos crentes, dos escravos e dos mestres crentes. A passagem de 1Timóteo3 fala sobre as responsabilidades das autoridades eclesiásticas e sobre a posição das mulheres na igreja. O texto de Efésios 5.22—6.9 alude ao lar cristão em seus variegados aspectos. Antes do evangelho de Marcos ser escrito, provavelmente houve muitos exemplos desses ensinos catequéticos, e teria sido muito natural que ele tivesse incluído esse tipo de literatura em seu evangelho. Tendo-se utilizado do evangelho de Marcos como base, Mateus também incluiu essas seções, e, realmente, aumentou o número delas.

19.1 Tendo Jesus concluído estas palavras, partiu da Galileia, e foi para os confins da Judeia, além do Jordão;

19.1 Καὶ ἐγένετο ὅτε ἐτέλεσεν ὁ Ἰησοῦς τοὺς λόγους τούτους, μετῆρεν ἀπὸ τῆς Γαλιλαίας καὶ ἦλθεν εἰς τὰ ὅρια τῆς Ἰουδαίας πέραν τοῦ Ἰορδάνου.

1 ἐτέλεσεν] ἐλάλησεν D it

"Jesus [...] deixou a Galiléia" — Jesus concluíra seu ministério na Galileia, tendo completado *três excursões*. O evangelho de Mateus menciona aqui uma viagem a Jerusalém. Jesus ficara na Galileia e, evidentemente, tinha pouco contacto com lugares fora daquela região. Visitou os territórios para além do Jordão, provavelmente incluindo a Pereia nessa visita. O texto de Lucas 17.11 nos diz claramente que ele passou através dos territórios de Samaria e Galileia na viagem que fez a Jerusalém (localidades essas que ficavam do lado oposto — oeste — do rio Jordão, estando a Pereia localizada no lado oriental do Jordão). A passagem de Marcos 10.1 diz o seguinte: "Levantando-se Jesus, foi dali para o território da Judeia, além do Jordão". Todavia, os mss mais antigos registram "e além do Jordão", identificando assim outro território onde ele exerceu ministério, território esse que não fazia parte do território da Judeia. Esse outro território provavelmente era a Pereia. Por conseguinte, provavelmente essa viagem abrangeu a Galileia, a Samaria, uma parte da Judeia, e, finalmente, a Pereia. E, em seguida, Jesus partiu para Jerusalém.

O nome "Pereia" não aparece no NT, mas é mencionado por Josefo em seus escritos. Esse distrito correspondia aproximadamente a Gileade, do AT. O nome "Pereia" começou a ser usado logo depois do cativeiro, designando o território que ficava situado do outro lado do rio Jordão, isto é, a nordeste desse rio. Esse território tinha 16 quilômetros, e estendia-se do rio Arnon, ao sul de algum lugar perto do Jaboque, até o Iarmum, ao norte. Esse território era abundantemente regado pelas chuvas, e era fértil. Nos tempos de Jesus, era ocupado principalmente por judeus, e era governado por Herodes Antipas. Utilizando-se da passagem pela Pereia, o viajante podia passar da Galileia à Judeia, sem sair de território pertencente aos judeus, evitando assim cruzar Samaria. O texto de João 10.40 parece indicar que Jesus visitou essa localidade por mais de uma vez: "Novamente se retirou dali para além do Jordão, para o lugar onde João batizava no princípio, e ali permaneceu". É impossível determinar com precisão o caráter exato desses ministérios, mas parece perfeitamente óbvio que Jesus exerceu algum tipo de ministério naquele território, o que é contrário às opiniões de alguns intérpretes. O leitor deve consultar a nota acerca do esboço do ministério de Jesus, em Lucas 1.4. Não é impossível que, durante essa viagem, Jesus tivesse visitado, igualmente, algumas das cidades da região de Decápolis. (Ver nota em Mateus 4.25.)

19.2 e seguiram-no grandes multidões, e curou-as ali.

19.2 καὶ ἠκολούθησαν αὐτῷ ὄχλοι πολλοί, καὶ ἐθεράπευσεν αὐτοὺς ἐκεῖ.

"Seguiram-no muitas multidões" — O autor tem a intenção de mostrar o *grande sentimento* de humanidade de Jesus.

Por essa altura certamente sabia que seu fim estava muito perto, e que essa viagem a Jerusalém seria sua última viagem. Apesar de saber disso, porém, não se preocupou com ele mesmo, mas deu prosseguimento regular ao seu ministério. Outrossim, pode-se observar que a viagem à Pereia não era necessária, por estar fora do itinerário de Jesus, e também por exigir maior dispêndio de energia; mas, mesmo assim, Jesus fez a viagem com a intenção de ampliar o seu ministério, porquanto sabia que pouco tempo lhe restava para ministrar. Os seus poderes continuavam em evidência, e a sua fama, apesar das tentativas das autoridades em difamá-lo, acentuou-se mais ainda. Ali Jesus também atraiu multidões. Marcos 10.1 mostra-nos que Jesus deu prosseguimento ao seu ministério de ensino nesses territórios. Provavelmente, indivíduos vindos da região vizinha de Decápolis por terem ouvido a respeito da presença de Jesus na Pereia, foram ao seu encontro a fim de aproveitar as bênçãos com que ele sempre abençoava os homens. Portanto, Jesus estava cumprindo a sua última viagem a Jerusalém, evidentemente na companhia de muitos peregrinos, que para aquela cidade se dirigiam, a fim de observar a Páscoa.

XI. JESUS SOBE A JERUSALÉM (19.3—23.39)
1. Suas exigências e galardões, quanto aos discípulos (19.3—20.28)
(a) Sobre o matrimônio e o divórcio (19.3-12)

A seção de Mateus 19.3-12 trata do problema do *matrimônio, do divórcio* e da possibilidade do *celibato*. O autor deste evangelho, nos v.. 3-9, segue Marcos 10.2-12 como fonte de seu material. No emprego desse material, esse autor transpôs a substância dos *logoi*, fazendo com que as ideias de Marcos 10.3-5 sigam as ideias que se encontram em Marcos 10.9. Há algumas adições ao material em Mateus, especialmente a declaração do v. 9: "[...] não sendo por causa de adultério..." Provavelmente, a fonte "Q" é o manancial do material semelhante que aparece registrado em Lucas 16.18, mas o protomarcos é a fonte principal dessa seção. As fontes "Q" e "protomarcos" preservaram material quase idêntico; mas, neste caso, a fonte "Q" parece que era a mais abreviada das duas. O autor de Mateus escreveu para crentes que já tinham conhecimento das ideias contrárias das escolas teológicas judaicas (Samai e Hilel) acerca da *quaestio vexata* do divórcio.

O NT contém vários textos que atuam como seções didáticas para vários grupos especiais da igreja. Assim, Colossenses 3.18—4.1 visa à família, às esposas, aos esposos, aos filhos e aos escravos; 1Timóteo 2.8—3.13, às mulheres, aos supervisores, aos diáconos e às esposas dos diáconos; Efésios 5.22—6.9, às esposas e às famílias. (Ver também Tt 1.5-9; 2.2-10; 1Pe 2.13-18; 3.1-7 e 5.1-5). Mateus reflete o *desenvolvimento preliminar* de um catecismo simples, e a seção diante de nós tornou-se autoritária no tocante ao matrimônio e seus problemas; assim também Marcos 10.1-16 (Mt 19.13-15) aborda a questão das crianças; Marcos 10.17-27 e Mateus 19.16-26 (Mt 19.13-15) abordam a questão dos ricos; Marcos 10.28-30,35-45; Mateus 19.27-29 e 20.20-28 abordam a questão dos líderes eclesiásticos e alguns problemas da coletividade religiosa. (Quanto à nota de sumário sobre a questão do "divórcio", ver Rm 7.2, cf. 1Co 7.15.). Nesta seção, o evangelista escreveu para pessoas judias que, sem dúvida, tinham consciência da controvérsia sobre essa questão, nas escolas rabínicas de Hilel e Shamai. Hilel era extremamente liberal; e Shamai era muito estrito.

19.3 Aproximaram-se dele alguns fariseus que o experimentavam, dizendo: É lícito ao homem repudiar sua mulher por qualquer motivo?

19.3 Καὶ προσῆλθον αὐτῷ Φαρισαῖοι[1] πειράζοντες αὐτὸν καὶ λέγοντες, Εἰ ἔξεστιν ἀνθρώπῳ[2] ἀπολῦσαι τὴν γυναῖκα αὐτοῦ κατὰ πᾶσαν αἰτίαν;

3 Καὶ...αὐτόν Mt 16:1

1 3 {C} Φαρισαῖοι (ver Mc 10.2) ρ[25vid] B C L W Δ Θ Π f[1] f[13] 33 565 700 892 1010 1079 1195 1546 cop John-Damascus // οἱ Φαρισαῖοι ℵ D K 28 1009 1071 1195[c] 1216 1230 1241 1242 1253 1344 1365 1646 2148 2174 Byz Lect cop[sa] arm Diatessaron Origen Gregory-Nazianzus

2 3 {C} ἔξεστιν ἀνθρώπῳ ℵ[c] C D K W Δ Θ Π 087 f[1] f[13] (565 add τινι) 892 1009 1010 1071 1079 1195 1216 1230 1241 1242 1253 1344 1365 1546 1646 2148 2174 Byz Lect (l[871] eth[ms?] ἄνθρωπον) it[a,aur,b,c,d,e,f,ff1,2,g1,h,l,q] vg syr[c,s,p,h,pal] cop[sa,bo] eth[pp?] Geo[1.27] Diatessaron[cnyr] Origen Hilary Gregory-Nazianzus John-Damascus // ἔξεστιν ℵ* B K 28 (700 add τινι) eth[ro] Clement Augustine // ἔξεστιν ἀνδρί (ver Mc 10.2) 4 273 998 1224 eth[pp?] Geo[27] // ἔξεστίν τινι ἀνδρί arm

> A comissão ficou impressionada com a diversidade e qualidade dos testemunhos que apoiam a expressão anartra. Era natural que os escribas suprissem o artigo definido (conforme fizeram em alguns manuscritos, no paralelo de Marcos 10.2)
>
> [2]Por um lado, pode-se argumentar que os escribas provavelmente teriam suprido o termo ἀνθρώπῳ se a palavra não estivesse no original. Por outro lado, em face do caráter predominantemente alexandrino do caráter da evidência em apoio ao texto mais breve, a comissão julgou que é um tanto mais provável que a palavra tenha sido apagada para produzir um estilo literário mais conciso. A forma com ἀνδρί claramente se deve à assimilação com o paralelo de Marcos 10.2.

"Alguns fariseus..." — João Batista fora morto por causa da questão do *divórcio* (ver notas em Mt 14.1-12). Alguns fariseus também tentaram Jesus sobre o assunto. Entre eles havia tantos adeptos da escola de *Samai*, que só permitiam o divórcio em caso de infidelidade conjugal, como os da escola de *Hilel*, que permitiam o divórcio quase por qualquer capricho do marido. Ambos os grupos ansiavam por saber o que Jesus diria, esperando descobrir algum pretexto que pudesse ser usado contra ele. Apesar de contarmos com palavras anteriormente proferidas por Jesus sobre a questão, em Mateus 5.31, sabemos que ele deve ter falado sobre isso por mais de uma vez. As palavras que aqui lemos, "por qualquer motivo", ilustram a atitude de muitos judeus, isto é, alguns se divorciavam "por qualquer motivo", ainda que tudo se resumisse no fato de o marido ter encontrado uma mulher mais bela que a sua, ou por causa de qualquer coisa insignificante.

Desde os dias de Moisés que o divórcio era *permitido* entre os judeus; as leis referentes a essa questão tornaram-se cada vez mais liberais e favoráveis ao homem. A interpretação que os judeus davam às suas leis (e a matéria dos comentários sobre as Escrituras) e os costumes da sociedade judaica geralmente tinham duplo padrão, isto é, eram tolerantes para com os homens e severos para com as mulheres. Deuteronômio 24.1 diz: "Se um homem tomar uma mulher e se casar com ela, e se ela não for agradável aos seus olhos, por ter ele achado coisa indecente nela, e se ele lhe lavrar um termo de divórcio, e lho der na mão e a despedir de casa..." Esse versículo era interpretado de forma extremamente *liberal* por algumas autoridades religiosas dos judeus, e quase qualquer motivo era suficiente para um homem dizer que achara "coisa indecente" em sua esposa, criando assim uma razão legal para o divórcio. Segundo as provisões da lei, também era muito fácil a um homem tomar uma concubina. Os essênios, por sua vez, ensinavam e ratificavam o *celibato*. No entanto, todos esses grupos concordavam em que o homem é dominante, ficando assim criado um duplo padrão na sociedade judaica. Se Jesus tivesse dado uma explicação rigorosa sobre o problema, não deixando nenhuma liberdade para o divórcio, teria ofendido a Herodes e aos discípulos de Hilel, entre os fariseus. Se tivesse exposto uma explicação liberal, teria ofendido aos discípulos de Samai. Os v. 4-6 mostram que Jesus deu uma resposta tão elevada, que estava acima da discussão que rugia entre as escolas judaicas de pensamento. Não entrou diretamente no debate, mas esclareceu o problema com uma explicação criada segundo os princípios originais de Deus com relação ao matrimônio, vinculados aos propósitos divinos na criação. A literatura de Josefo ilustra muitos pretextos para o divórcio, na sociedade judaica, ao tempo de Jesus (Ant. 4.8; ver citação acima). Consultar as notas detalhadas sobre os "escribas", em Marcos 3.22; sobre os "saduceus", em Mateus 22.23; sobre os "fariseus", em Marcos 3.6; sobre os "herodianos", em Marcos 3.6; sobre os "essênios", em Lucas 1.8; e sobre o "sinédrio", em Mateus 22.23.

19.4 Respondeu-lhes Jesus: Não tendes lido que o Criador os fez desde o princípio homem e mulher,

19.4 ὁ δὲ ἀποκριθεὶς εἶπεν, Οὐκ ἀνέγνωτε ὅτι ὁ κτίσας[3] ἀπ' ἀρχῆς ἄρσεν καὶ θῆλυ ἐποίησεν αὐτούς;[a]

4 ἄρσεν...αὐτούς Gn 1.27; 5.2

3 4 {B} κτίσας (ver Mc 10.6) B Θ f 700 syr[pal] cop[sa,(bo)] arm eth[pp,ms] geo Origen Metrodius Ps-Clemente Athanasius Titus-Bostra // ποιήσας ℵ C D K (L omit ὁ and read ἐποίησας) W Δ Π f[1] 28 565 892 1009 1010 1071 1079 1195 1216 1230 1241 1242 1253 1344 1365 1546 1646 2148 2174 Byz Lect it[a,aur,b,c,d,(e),f,ff1,2,g1,h,l,q] vg syr[c,s,p,h] Diatessaron Origen[lat] Ambrosiaster Apostolic Constitutions Gregory-Nazianzus Chrysostom Augustine John-Damascus // omit, and add the Lord after αὐτούς eth[ro]

a a 4-5 a question, a statement: Nes BF² NEB TT // a minor, a question: TR (WH) (Bov) AV RV RSV (Zür) (Luth) Jer (Seg)

> É mais fácil supor que os copistas tenham mudado a palavra κτίσας (apoiada por vários excelentes testemunhos) para ποιήσας, assim harmonizando-a com o texto de Gênesis 1.27, na LXX (citado no contexto imediato), do que supor que ποιήσας foi alterada para adaptar-se ao termo hebraico usado em Gênesis 1.27 (ברא, que significa "criado").

"Respondeu ele" — Sobre os vss. 4 a 6, fazemos as seguintes observações:

1. Jesus esclareceu que a criação do homem e da mulher *não foi* algo arbitrário, e que nem o homem nem a mulher devem viver independentes um do outro. Foram criados para benefício um do outro, de modo compatível entre si.

2. O primeiro par não se constituía simplesmente de um homem e de uma mulher, mas de macho e fêmea, sendo, assim, os representantes do princípio da *união* entre o homem e a mulher, princípio esse que requer uma união permanente, porque esse foi o propósito original da criação dos seres humanos.

3. O verdadeiro casamento deve incluir, desde o princípio, a ideia de que aquele homem e aquela mulher foram criados *um para o outro*, e que os seus destinos e razões de existência estão ligados. Esse tipo de união, naturalmente, é indissolúvel. Esse princípio deve ser aplicado a cada caso, individualmente.

4. Jesus mostrou que o casamento deve *ser mais* do que uma necessidade biológica ou uma prática social, ou ainda uma exigência psicológica: deve ter base em finalidades espirituais, teístas e metafísicas. A própria natureza requer uma união indissolúvel.

5. Jesus baseou seus argumentos em citações dos dois primeiros capítulos do livro de Gênesis, evidentemente aceitando a história da criação como válida, e assim desenvolveu seus argumentos sobre bases históricas.

6. O v. 24 do segundo capítulo do Gênesis apresenta palavras proferidas por Adão; mas Jesus usa essa citação como se fossem palavras proferidas por Deus, como *divino afflato*. Portanto, a aplicação feita por Jesus a essas palavras lhes atribui um valor profético (porque se aplicam a todas as gerações dos homens), e também um valor espiritual (porquanto representam um princípio do código ético de Deus).

7. A natureza do matrimônio indica que marido e mulher tornam-se *uma só carne*, e que a dissolução desse vínculo só pode ocorrer pela morte. Vê-se, portanto, que só a morte libera o indivíduo para um novo casamento, se seguirmos esse argumento à sua conclusão lógica. Por conseguinte, Jesus queria ensinar a indissolubilidade do matrimônio, devido à sua natureza. A vida física de qualquer indivíduo impede a dissolução de seu organismo. Por semelhante modo, a continuação da vida física

530 |Mateus| NTI

do esposo e de sua esposa impede a dissolução de seu casamento. Somente a dissolução da "carne", por meio da morte, pode causar a dissolução do casamento.

19.5 e que ordenou: Por isso deixará o homem pai e mãe, e unir-se-á a sua mulher; e serão os dois uma só carne?

19.5 καὶ εἶπεν, Ἕνεκα τούτου καταλείψει ἄνθρωπος τὸν πατέρα καὶ τὴν μητέρα καὶ κολληθήσεται τῇ γυναικὶ αὐτοῦ, καὶ ἔσονται οἱ δύο εἰς σάρκα μίαν.ᵃ

5 Ἕνεκα...μίαν Gn 2.24 (Ef 5.31) ἔσονται...μίαν (1 Co 6.16)

"Por esta causa" — Essa citação baseia-se em Gênesis 2.24, onde as palavras foram proferidas por Adão. Ver o sexto item do v. 4. Ela adquire valor profético e espiritual, porque é apresentada como palavras proferidas por Deus. O vínculo matrimonial é tão forte, que todas as demais relações humanas devem ser consideradas *secundárias*. A coesão da união, no casamento, é apresentada como algo permanente e indissolúvel, e todas as demais relações humanas, seja com os pais (família), seja com qualquer outra pessoa, não podem desfazer ou impedir essa união. O aparecimento de uma mulher mais atraente não constitui razão para que o homem dissolva sua união com a esposa. No caso de Adão, notamos que ele teve união somente com uma mulher. Não criou o Senhor mais do que uma mulher para servir-lhe de companheira. Portanto, a própria natureza ensina que essa é a condição desejável no matrimônio, pois só essa condição — uma mulher para cada homem — reflete o propósito original da criação.

Além dessas observações, notamos que Jesus não aludia, principalmente aqui, à união espiritual ou intelectual, e nem à união do espírito e da alma, que dão certo sabor e compatibilidade ao casamento, mas falava da natureza da união física entre os dois cônjuges. Obviamente essa união é tão importante que, apesar da ausência de evidência de outras formas de união, ainda assim o casamento deve ser considerado indissolúvel. O argumento usado por Jesus baseia-se principalmente na natureza da união da "carne". Sem dúvida, ele teria destacado a necessidade e a qualidade desejáveis da união da mente e da alma a fim de criar uma vida matrimonial feliz e útil, mas o seu argumento sobre a indissolubilidade do matrimônio não se baseou nessas outras considerações. Alguns intérpretes insistem em que a "carne", na expressão hebraica, refere-se ao homem inteiro, e que a ideia deve incluir também a união do espírito e da mente. Pode ser que essa interpretação tenha as suas razões, e que esteja em vista a completa união da personalidade (física, espiritual e mental), mas não podemos imaginar que Jesus, mediante essa consideração, tivesse permitido o divórcio, no caso dos cônjuges não serem compatíveis. De fato, a união espiritual é possível, mesmo sem provas de compatibilidade conjugal. Todavia, Jesus enfatizava aqui a relação física, talvez como símbolo da união total das duas pessoas. O casamento perfeito seria a união de corpos e de almas, de simpatias, de desejos, de propósitos e de destinos.

"Os dois" — Não aparece no hebraico, mas é expansão natural da LXX, justificada pelas ideias apresentadas no texto. As pessoas envolvidas são duas, mas, no casamento, essas duas formam a união genérica, que é a expressão da natureza desejada pelos seres humanos. O homem completo, ou o ser humano completo, é formado por dois elementos, isto é, o masculino e o feminino, o positivo e o negativo. Essa união implica na presença dos fatores mentais, espirituais e morais, mas a união se completa pela "carne".

"Unirá" — Literalmente, no grego, é *colará*, termo que ilustra e enfatiza a ideia de coesão permanente.

19.6 Assim já não são mais dois, mas uma só carne. Portanto o que Deus ajuntou, não o separe o homem.

19.6 ὥστε οὐκέτι εἰσὶν δύο ἀλλὰ σάρξ μία. ὃ οὖν ὁ θεὸς συνέζευξεν ἄνθρωπος μὴ χωριζέτω.

"Já não são mais dois" — A expressão "uma só carne" indica a união total de duas personalidades à vista de Deus, mas talvez implique também numa verdade metafísica, isto é, que a personalidade humana não se completa enquanto não houver macho e fêmea, ou polos positivo e negativo.

É verdade que aqui o grego tem "o que" Deus ajuntou, e não "quem", e que este versículo refere-se às relações matrimoniais, e não às próprias pessoas; mas a necessidade de não ser quebrada essa relação implica e exige a permanência dos cônjuges em sua união. Segundo o ensino deste versículo, Deus é o criador e preservador da relação do casamento. O matrimônio não é somente uma instituição social e humana. Assim, as regras que regulamentam o casamento não podem ter base nas ideias e preferências humanas, e nem nas exigências ou conveniências sociais. Deus tem um propósito especial nesse tipo de união, a qual deve ser também espiritual, e não somente física, ou seja, não deve ter o objetivo único da procriação. Desfazer essa relação é atrair más consequências, não somente para a sociedade, para a família e para os indivíduos envolvidos, mas também para a alma e para o seu progresso na transformação segundo a imagem de Cristo. Juntas, as duas pessoas procuram realizar parte de seus destinos. A negligência nos deveres matrimoniais, ou a rejeição total desses deveres pelo divórcio, criam obstáculos ao progresso da alma. É óbvio, pois, que a instituição do casamento é um instrumento usado por Deus para nos instruir. Devemos aprender a cooperar, a abafar nosso egoísmo, a praticar a compaixão, a simpatia, e a assumir responsabilidades. Por sua natureza, o estado matrimonial ensina todas essas lições. É possível que Deus tenha em mira outros propósitos metafísicos no matrimônio, isto é, propósitos que afetam o estado da alma neste mundo e no vindouro, mas nas Escrituras não temos muitas informações sobre essa possibilidade. Basta-nos afirmar que Deus põe grande ênfase sobre a permanência do estado matrimonial. Somente a dissolução da carne pode separar o casal, isto é, desfazer a união, com a exceção exclusiva apresentada no v. 9.

"Ajuntou" — No grego, literalmente, a palavra significa "jungir", termo esse comumente usado no grego clássico para expressar os laços matrimoniais. Talvez tenhamos, nesta expressão, a ideia de união que visa a cumprir determinados deveres e objetivos comuns, isto é, alvos, propósitos ou trabalhos que ambas as pessoas tomam a responsabilidade de cumprir como um casal-tal como dois animais "jungidos" cumprem juntamente o serviço que deles é exigido.

Os argumentos dos v. 4-6 são duplicados na obra apócrifa intitulada *Fragmentos da Obra Zadoquita* (R. H. Charles, *Apocrypha and Pseudepigrapha of the Old Testament*, Oxford, Clarendon Press, 1913, II, p. 810). Nessa obra, há não somente uma referência à criação, como ilustração do princípio que governa o casamento, mas também a história da arca de Noé, e de como ali, igualmente, entraram "os dois" na arca (7.1-3). Essa mesma seção designa como ato de fornicação o fato de um homem ter duas esposas. Vemos, portanto, que os ensinos de Jesus tinham precedentes na interpretação dos judeus, mas que certamente não representavam o consenso das autoridades religiosas judaicas. Assim, pois, Jesus foi além das interpretações das escolas teológicas dos judeus, e estabeleceu uma moral mais elevada. A conduta ideal seria a eliminação total do divórcio, isto é, de conformidade com os princípios eternos. É possível que, na sociedade, o divórcio possa existir como um "mal", porém menos grave do que outras condições permitidas. Por exemplo, o v. 9 permite o divórcio por causa do adultério, e neste caso o "divórcio" passa a ser considerado como um mal menor que o do "adultério", ainda que constitua um mal na sociedade humana.

19.7 Responderam-lhe: Então por que mandou Moisés dar-lhe carta de divórcio e repudiá-la?

19.7 λέγουσιν αὐτῷ, Τί οὖν Μωϋσῆς ἐνετείλατο δοῦναι βιβλίον ἀποστασίου καὶ ἀπολῦσαι [αὐτήν]⁴;

7 δοῦναι...αὐτήν Dt 24.1; Mt 5.31

⁴ 7 {C} ἀπολῦσαι αὐτήν B C K W Δ Π 078 *f*¹³ 28 33 565 892 1009 1010 1071 1079 1195 1216 1230 1241 1242 1253 1344 1365 1546 1646 2148 2174 *Byz Lect* it^(f.q) syr^(p.h) cop^(sa),(bo),boms eth^(pp,ms) John-Damascus // ἀπολῦσαι τὴν γυναῖκα *l*^img it^(b,c,ff2) syr^(c,s) Irenaeus^lat Ambrose // ἀπολῦσαι ℵ D L Θ *f*¹ 700 it^(a,aur,d,e,ff1,g1,h,l) vg syr^pal arm eth^ro geo Diatessaron Origen Augustine Ps-Chrysostom

> É difícil decidir se é uma adição (como sem dúvida o é — τὴν γυναῖκα) a uma expressão dita de modo conciso, ou se a palavra foi apagada a fim se assimilar a passagem ao quase paralelo de Marcos 10.4. Já que a evidência externa por igual modo está bem equilibrada, a comissão resolveu incluir a palavra entre colchetes.

"Replicaram-lhe" — Em primeiro lugar, nota-se que, como era seu costume, os fariseus usavam de argumentos débeis que exageravam. Moisés nunca *mandou* que alguém se divorciasse. Simplesmente *permitiu* o divórcio como mal menor entre dois males possíveis. Os fariseus usaram uma referência com base em Deuteronômio 24.1. O que Moisés fez, porém, foi uma provisão para a fraqueza humana, porquanto por muitas vezes achamos que o princípio que ilustra a conduta ideal não pode ser praticado entre os homens por causa do estado de vileza em que caíram, faltando-lhes desenvolvimento espiritual.

"Carta de divórcio" — Em Marcos 10.4, a expressão usada é "livrinho de divórcio", enquanto que aqui está em foco apenas um certificado de separação; mas a referência é a mesma, havendo apenas uma diferença na maneira de expressar a mesma ideia. A expressão usada pelo evangelho de Mateus também era usada para indicar o abandono de propriedades. Esse documento usualmente era preparado sob a direção de um sacerdote levita, apresentando-se as razões do divórcio (às vezes, essa apresentação era dispensada) e outras informações pertinentes ao caso, como os nomes das pessoas envolvidas, os nomes dos progenitores etc. Essa carta dava à mulher permissão legal de casar-se com outro homem, direito esse que também era estendido ao divorciado. Na sociedade judaica, o homem podia divorciar-se de sua mulher, mas a mulher não tinha o direito de divorciar-se de seu esposo. Em contraste com isso, as leis gregas e romanas permitiam às mulheres divorciarem-se de seus maridos. Herodias se divorciara de seu esposo, como também Salomé, irmã de Herodias, já o fizera. Entretanto, agiram de conformidade com as leis romanas e não de acordo com as leis judaicas. É provável que a necessidade da feitura de um contrato legal, com testemunhas etc. tivesse o propósito de desestimular o divórcio, que às vezes poderia ser realizado por motivo de um capricho passageiro, a fim de que diminuísse o número de divórcios na sociedade.

Baseados em escritos de Maimonides (*Hilch. Gerushin*, c. 4, s. 12), reproduzimos um exemplo de carta de divórcio:

"No dia da semana [...], no mês de [...] desde o princípio do mundo, segundo o cálculo comum, na província de [...], eu [...], filho de [...] (pelo nome com que sou chamado), da cidade de [...], com o total consentimento de minha mente e sem qualquer compulsão, tenho-me divorciado, despedido e expulsado a ti, a ti, digo [...], filha de [...] (pelo nome com que és chamada), da cidade de [...], que antes foi minha esposa; mas agora eu te tenho despedido — a ti, digo [...], filha de [...] (por qualquer nome que sejas chamada), da cidade de [...], para ser livre de casar-se, por sua própria disposição, com qualquer um que a agrade, sem impedimento de qualquer pessoa, desde este dia e para sempre. Portanto, estás livre para casar com qualquer homem. Que esta seja a tua carta de divórcio, por mim concedida, escritura de separação e expulsão, segundo a lei de Moisés e de Israel.

Rubem, filho de Jacó (testemunha)
Eleazar, filho de Gileade (testemunha)"

19.8 Disse-lhes ele: Pela dureza de vossos corações Moisés vos permitiu repudiar as vossas mulheres; mas não foi assim desde o princípio.

19.8 λέγει αὐτοῖς ὅτι⁵ Μωϋσῆς πρὸς τὴν σκληροκαρδίαν ὑμῶν ἐπέτρεψεν ὑμῖν ἀπολῦσαι τὰς γυναῖκας ὑμῶν, ἀπ' ἀρχῆς δὲ οὐ γέγονεν οὕτως.

⁵ 8 *b* direct: TR? WH AV RV ASV RSV NEB Zur Luth Jer // *b* causal: TR? Bov Nes BF² TT Seg?

"Por causa da dureza" — Os fariseus haviam dito que Moisés "mandou" (v. 7); mas Jesus corrigiu-os, dizendo *permitiu*. Essa permissão fora concedida para desfazer casamentos errados e impossíveis, ou talvez para evitar a crueldade por parte do homem que perdera o interesse por sua esposa. Um casamento que não pudesse ser desfeito poderia provocar tratamento cruel por parte do homem, especialmente em uma sociedade onde imperava um padrão duplo e onde a mulher era considerada propriedade do homem. A elevada moral de Jesus não teria tido possibilidade de aplicação nesse tipo de sociedade, pelo que Moisés permitira o divórcio.

A palavra "dureza" vem de um vocábulo grego que significa "seco", "duro", "áspero", sendo usado para indicar indivíduos "obstinados". Neste caso, a palavra é combinada com o termo "coração", o que indicaria um "coração duro", combinação essa (formando uma única palavra) que só se encontra no grego *bíblico*, isto é, na LXX e no NT. Provavelmente, a palavra era usada pelo povo simples, mas a sua preservação só foi feita através desses documentos. Jesus mostrou claramente, em primeiro lugar, que era errada a opinião da escola de Hilel, que quase fazia do divórcio um "dever", e isso porque se fundamentava em uma ética inferior, acrescida à natureza pervertida do homem, o que tornava essa ética inaceitável aos olhos de Deus. O divórcio não deve ser apresentado com um "bem", mas, em alguns casos, como um "mal menor", especialmente quando o homem, movido por um coração duro e obstinado, maltratasse sua esposa. Em segundo lugar, Jesus ilustrava que a moral ideal deve ser estampada pelo casamento de um homem com uma mulher, sem nenhum divórcio; e isso ele expõe como a moral que concorda com as leis eternas de Deus. Os verdadeiros discípulos de Jesus certamente, portanto, estando sujeitos às leis do reino dos céus, desejariam praticar essa moral mais elevada. A resistência contra a prática dessa moral implica em um desenvolvimento inadequado das faculdades espirituais do indivíduo que resiste.

Por extensão da idéia, podemos supor que outras condições que eram aceitas na sociedade israelita (mas não aceitáveis segundo os ensinos de Jesus), como a poligamia, a escravidão e a punição excessiva por diversos erros, também evidenciavam um insuficiente desenvolvimento espiritual. É provável que uma sociedade dirigida pelos ensinamentos de Jesus não sofresse com tais problemas, e esse melhoramento de costumes na sociedade se realizasse de acordo com as leis superiores baseadas em uma moral superior, aquela moral que reflete o que foi "desde o princípio", o que alude ao estabelecimento de condições por força do decreto divino. Ao usar essa frase — "não foi assim desde o princípio" —, Jesus quis mostrar aos fariseus que as ideias deles se alicerçavam numa provisão que foi acrescentada à lei original, uma provisão baixa que não refletia a conduta ideal no matrimônio. Outrossim, essa adição comprovava o baixo estado das leis morais. Talvez outra implicação das palavras de Jesus tenha sido que ele, na qualidade de Messias, o rei do reino dos céus, viera a fim de estabelecer uma ordem social que seguisse a moral mais elevada, ficando eliminada a antiga moral da velha dispensação. A permissão que os fariseus preservavam com tanto cuidado, provava a crueldade deles. Aquilo que ofereciam como prova da retidão de sua conduta, de fato era prova da dureza de seu coração e da degradação moral da sociedade. Se realmente fossem filhos de Deus, teriam rejeitado essa permissão.

532 |Mateus| NTI

19.9 Eu vos digo porém, que qualquer que repudiar sua mulher, a não ser por causa de infidelidade, e casar com outra, comete adultério; (e o que casar com a repudiada também comete adultério.)

10.9 λέγω δὲ ὑμῖν ὅτι ὃς ἂν ἀπολύσῃ τὴν γυναῖκα αὐτοῦ μὴ ἐπὶ πορνείᾳ καὶ γαμήσῃ ἄλλην[5] μοιχᾶται[6].

9 Mt 5.32; 1 Co 7.10,11

[5] **9** {C} μὴ ἐπὶ πορνείᾳ καὶ γαμήσῃ ἄλλην (*ver nota 6*) ℵ C³ K L (W *omit* καί) Δ Θ Π 078 565 700 892 1010 1071 1079 1195 1230 1241 1242 1253 1344 1365 1546 1646 2174 (28 1009 2148 *j226,805,854,871* γαμήσει) *Byz Lect* (*j226* πορνείας, *j663* προνείαν) it¹ vg syrˢ,ᵖ,ʰ arm ethᵐˢ⁷ geo // παρεκτὸς λόγου πορνείας ποιεῖ αὐτὴν μοιχευθῆναι (*ver 5.32*) p²⁵ⁿⁱᵈ? B *j¹ j⁵⁴⁷* itⁿ¹ copᵇᵒ Origen Cyril // παρεκτὸς λόγου πορνείας καὶ γαμήσῃ ἄλλην (*ver 5.32*) D *j¹³* 33 itᵃ,ᵃᵘʳ,ᵇ,ᶜ,ᵈ,ᶜ,ff¹,ᵍ¹,ʰ,q,r¹ syrᶜ copˢᵃ ethʳᵒ?ᵖ? // καὶ γαμήσῃ ἄλλην (*ver Mc 10.11*) 1574 // μὴ ἐπὶ πορνείᾳ καὶ γαμήσῃ ἄλλην, ποιεῖαὐτὴν μοιχευθῆναι C* 1216 // παρεκτὸς λόγου πορνείας καὶ γαμήσῃ ἄλλην, ποῖει αὐτὴν μοιχευθῆναι (*ver 5.32*) syrᵖᵃˡ

[6] **9** {C} μοιχᾶται (*ver nota 5*) ℵ C³ D L 1241 1546 *j⁰⁵,⁸⁴⁵* itᵃ,ʰ,ᵈ,ᶜ,ff²,ᵍ¹,ʰ,j,r¹ syrᶜ copˢᵃ Origen Chrysostom // μοιχᾶται καὶ ὁ ἀπολελυμένην γαμήσας μοιχᾶται K 28 700 892 1071 1242 1344 1365 1646 2148 2174 *Byz Lect* // μοιχᾶται καὶ ὁ ἀπολελυμένην γαμῶν μοιχᾶται W Δ Θ Π 078 *j¹³* 33 565 1009 1010 1079 1195 1230 1253 *j⁸⁴,⁵⁴⁷* // μοιχᾶται καὶ ὁ ἀπολελυμένην γαμήσας (*or* γαμῶν) μοιχᾶται itᵃᵘʳ,ᶜ,f,q vg syrᵖ,ʰ arm eth geo // καὶ ὁ ἀπολελυμένην γαμῶν μοιχᾶται (*ver 5.32*) (B γαμήσας) C* *j¹* 1216 syrᵖᵃˡ copᵇᵒ // ὡσαυτῶς καὶ ὁ γαμῶν ἀπολελυμένην μοιχᾶται p²⁵

> [5]Na narrativa de Mateus sobre o ensino de Jesus acerca do divórcio, a "cláusula de exceção" ocorre de duas maneiras: παρεκτὸς λόγου πορνείας ("exceto com base na falta de castidade") e μὴ ἐπὶ πορνείᾳ ("exceto por falta de castidade"). É provável que o testemunho (incluindo B D F F 33) que tem a forma anterior tenha sido assimilado a 5.32, onde o texto é firme. Por igual modo, a frase ποιεῖ αὐτὴν μοιχευθῆναι ("fá-la cometer adultério", isto é, quando ela se casa de novo) entrou em vários testemunhos (incluindo B C *j¹*) com base em 5.32, onde é firme. A maneira mais breve de 1574, καὶ γαμήσῃ ἄλλην, — se tem conformado ao texto prevalente em Marcos 10.11.
>
> [6]Após moica`tai vários mss (incluindo K W Δ Θ Π *j¹³*) adicionam καὶ ὁ ἀπολελ γαμῶν (γαμήσας) μοιχᾶται ("e aquele que se casa com uma mulher divorciada comete adultério"). Embora se possa argumentar que homoeoteleuton (μοιχᾶται . . . μοιχᾶται) possa explicar a omissão acidental dessas palavras de — ℵ D L 1241 *al*, o fato que B C* *j¹* — *al* dizem μοιχᾶται apenas uma vez (no fim das cláusulas combinadas) torna mais provável que o texto tenha sido expandido por copistas, que acomodaram a declaração ao texto anterior de 5.32.

"Eu, porém..." — Obviamente, uma frase que Jesus usava com frequência para expressar uma lei *nova* ou superior, ou então uma interpretação mais elevada da lei judaica, quando não concordava com a prática da lei pelo povo, como interpretação dos escritos de Moisés. Com essa expressão, pois, Jesus assumia a posição de outro Moisés, e falava com grande autoridade. Consultar a nota detalhada sobre o divórcio, em Romanos 7.1-3. Ali, as explicações procuram resumir todos os textos que abordam o problema, oferecendo uma explicação bíblica acerca dessa questão.

"Não sendo por causa de adultério" — Ver Mateus 5.31,32 e Marcos 10.11,12, para ver comparações entre as palavras de Jesus. Aqui Jesus invoca novamente o grito de Malaquias 2.16: "O Senhor Deus de Israel diz que aborrece o repúdio..." A exceção aqui apresentada também aparece em Mateus 5.32, e tem provocado muitas interpretações, como as seguintes:

1. Alguns admitem que essa exceção não fez parte das palavras verdadeiras e *originais* de Jesus, porquanto os paralelos de Marcos 10.11 e Lucas 16.18 não as contêm, e até mesmo omitem qualquer indicação de exceção. Esses intérpretes também procuram provar que o próprio texto e o ensino geral de Jesus sobre tais assuntos são contrários à adição de exceções. Dizem também que o autor deste evangelho introduziu essas palavras para tornar mais aceitáveis, na comunidade

humana, os ensinamentos de Jesus sobre a questão. Todos os mss gregos, porém, contêm a exceção, pelo que, ainda que não fossem palavras autênticas de Jesus, proferidas nessa ocasião, foram acrescentadas pelo próprio autor do evangelho. A maior parte dos intérpretes aceita as palavras como autênticas, provavelmente em face da consideração de que este evangelho foi *inspirado* divinamente. Outros põem de lado o problema da inspiração e, com isso, pretendem descobrir o que Jesus disse exatamente. É difícil precisar por que Marcos e Lucas não registraram as palavras (se realmente saíram dos lábios de Jesus). Disso se observa que o problema termina por ficar sem uma explicação aceitável para todos os intérpretes. Se Jesus não abriu essa exceção, o seu ensino sobre o divórcio foi ainda mais *inflexível* do que o pensamento da escola de *Samai*, e muitas vezes mais inexorável do que as ideias da escola de *Hilel*. A verdade é que pelo menos um documento importante do cristianismo permite uma exceção, a saber, o evangelho de Mateus.

2. Alguns insistem em que o *adultério*, neste caso, não é o pecado após o casamento, e, sim, o de antes. Assim, o divórcio seria a separação depois do noivado, mas antes do casamento propriamente dito. (Ver a nota em Mt 1.18.) Ou dizem que pode se tratar de um tipo de separação ou divórcio, depois da realização do ato final do casamento, se o pecado foi descoberto pelo marido depois das núpcias. O próprio texto, contudo, não ensina isso. Essa ideia é um subterfúgio.

3. Outros pensam que a exceção é legítima e que elimina qualquer outra exceção. Alguns permitiriam outro casamento: (a) somente para o cônjuge inocente; (b) para ambos os cônjuges. Mas outros, aceitando a permissão para o divórcio por motivo de adultério, não permitem um segundo casamento, nem para a mulher nem para o homem, a despeito da inocência de uma das pessoas envolvidas.

4. Alguns (especialmente católico-romanos) ensinam que o divórcio permitido por Jesus em realidade trata-se de um tipo de *separação legítima*, mas não o fim oficial do casamento. Seria a separação "a toro et mensa" (de cama e mesa). Nesse caso, o divórcio não permitiria um segundo casamento, porquanto o primeiro não se dissolveria enquanto ambos os cônjuges vivessem. Todavia, essa ideia não é ensinada no texto, mas apresenta outra forma de legalismo, sendo uma invenção resultante de preconceitos e preferências individuais ou sociais daqueles que a têm criado. Para os judeus, "divórcio" significava o fim verdadeiro do casamento. Não teriam compreendido o que Jesus quis dizer, se ele tivesse querido expressar essas ideias. Se assim fosse, teria sido necessária uma explicação detalhada, da parte de Jesus, para que seus ouvintes judeus pudessem entendê-lo. Contudo, a ausência de qualquer explicação nesse sentido indica a falsidade da ideia de que esse "divórcio" não indica o fim verdadeiro do matrimônio.

5. Outros opinam que a exceção é legítima, mas que *não tem a intenção* de eliminar nenhuma outra exceção. Poderia haver outras exceções. O texto não parece ensinar isso, a despeito do fato de alguns sociólogos insistirem em que o adultério não é a principal razão causadora do divórcio, por existirem problemas mais profundos que podem causar o fim do matrimônio. Se isso, entretanto, for apresentado como ideia emanada de Jesus, a aceitação dessa interpretação é perigosa, porque ela começa a ensinar o que a escola de Hilel ensinava, sendo negado aquilo que Jesus quis ensinar e aliando-o aos seus inimigos. Se aceitarmos as ideias dos sociólogos modernos, que encontram razões no argumento que afirma existirem condições mais sérias do que o adultério que podem macular as relações matrimoniais, teremos de aceitar essa posição baseada em outras considerações (por nossa conta), e não como a explicação dada por Jesus. O mais certo é que Jesus permitiu apenas uma *exceção*,

e exclusivamente essa. 6. Alguns teimam em ensinar um *duplo padrão*, dizendo que o homem pode casar-se novamente, mas não a mulher, porquanto este versículo não proíbe diretamente que o homem se case de novo. Não seria por omissão, porém, que esses versículos ensinariam que o homem tem privilégios que a mulher não tem? Lucas 16.18 diz: "Quem repudiar sua mulher e casar com outra, comete adultério". Este versículo prova que o padrão não pode ser duplo. Essa ideia certamente chocou-se com o pensamento de todas as escolas judaicas, e, naquele instante, como em diversas outras oportunidades, Jesus elevou a importância da mulher e sua posição na sociedade a um nível mais elevado do que se aceitava antes.

7. Existem aqueles que asseveram que o indivíduo divorciado, quando se casa novamente, comete adultério, mas que esse adultério deve ser considerado um ato singular. Em outras palavras, as duas pessoas adulteram, mas depois o segundo casamento passa a ter foros de legitimidade. Nesse caso, as duas pessoas devem levar na consciência o fato de terem adulterado; sua reputação incluiria esse erro, mas, ao mesmo tempo, podem continuar casadas, como em um matrimônio legítimo. Essa interpretação alivia o problema que surge na sociedade e até mesmo na igreja, e talvez encoraje a muitos a lutarem contra a consciência culpada, resultante do divórcio e de um segundo casamento; e isso porque a verdade é que muitos dos segundos casamentos, e talvez a maior parte destes, não têm saída possível, porque, surgindo os filhos, torna-se impossível a separação. Se esses segundos casamentos pudessem ser considerados legítimos, haveria aqui uma solução para o problema; porém, o texto simplesmente não ensina isso. É impossível torcer as palavras de Jesus para dar a impressão de que ele assim ensinou, pois ele não quis ensinar essa ideia.

8. Pelo texto, é óbvio que Jesus permitiu o divórcio por uma só razão: o adultério. E é provável que o texto admita segundo casamento por parte da pessoa inocente, isto é, aquela que foi traída pela outra. As regras estabelecidas por meio de Paulo não permitiam que essa pessoa tivesse responsabilidade considerável na igreja local. Consultar as notas em 1Timóteo 3.2. Outros ensinam que a essa pessoa é permitido receber responsabilidades eclesiásticas, contanto que o erro tenha sido cometido antes de ela tornar-se crente. Consultar as notas em 1Coríntios 7.12-15.

9. *"A expõe a tornar-se adúltera"* (Mt 5.32) e "E casar com outra, comete adultério" (Mt 19.9). Os diversos intérpretes oferecem grande variedade de ideias, sobre estes casos, igualmente. Entre os judeus, o divórcio era o fim oficial do casamento, e a mulher ou o homem divorciados tinham o direito de contrair novas núpcias. Jesus, porém, parece indicar aqui que esse ato (o segundo casamento) deve ser considerado um adultério. Todavia, há aqueles que ensinam que o adultério provoca o término verdadeiro e completo do casamento, e que o segundo casamento, por isso mesmo, deve ser considerado legítimo para o homem ou para a mulher.

De acordo com essa interpretação, se o primeiro casamento não terminara por motivo de adultério, o segundo seria ilegal; mas, no caso de um adultério declarado, o primeiro casamento estaria "ipso facto" terminado, havendo possibilidade de um segundo casamento sem culpa. Outros, entretanto, negam essa ideia, explicando que somente a pessoa inocente tem o direito de casar-se novamente sem ser culpada. Esta segunda ideia parece mais coerente com o texto e com o espírito de Jesus. Os intérpretes que acompanham a primeira ideia (segundo casamento permitido para ambas as pessoas, em casos de adultério declarado no primeiro casamento), ensinam que segundos casamentos não são permitidos (sem culpa) se o primeiro casamento terminou por qualquer outra razão que não o adultério.

10. *A exceção paulina*: Os casamentos com pessoas que não são crentes podem ser terminados por razões além do adultério. Ver notas completas sobre este assunto em 1Coríntios 7.15.

A palavra "adultério" (na frase, "não sendo por causa de adultério") é diferente, em sua raiz, do verbo da expressão "comete adultério". Aquela palavra tem um sentido geral e inclui todos os pecados sexuais entre casados ou solteiros, e inclui também o "adultério" (ato sexual entre pessoas casadas, mas não uma com a outra). As notas que se acham em Romanos 7.1-3 tentam esclarecer por completo os diversos textos bíblicos que abordam o problema, apresentando tentativas de soluções, além das sugestões deste texto e das explicações aqui encontradas.

Os textos de Mateus 5.31,32; 19.9 e Marcos 10.11,12 evidentemente têm sofrido modificações nos mss dos evangelhos, modificações essas por assimilação uns dos outros.

"Comete adultério" Na maioria dos mss antigos, essas palavras são substituídas por "a expõe a tornar-se adúltera" (incluindo alguns dos mss mais antigos). Os mss que têm essas palavras são P(25), B,C,L e alguns outros. Isso, porém, é somente para harmonizar com Mateus 5.32, onde essas palavras são autênticas. Aqui, entretanto, foram tomadas de empréstimo de Mateus 5.32 por algum escriba. "Comete adultério" é que representa o texto original de Mateus 19.9, e todas as traduções retêm essas palavras. A frase "e o que casar com a repudiada comete adultério" é omitida pelos mss Aleph, C(3), D, L e S. Usualmente, essa evidência textual não determinaria as palavras originais do evangelho, mas diversos editores e autoridades textuais aceitam, neste caso, a omissão, como representação do texto original. Assim, as traduções RSV, NE, GD e WM omitem essas palavras. Usualmente, o texto mais breve é o original, porque era muito mais comum, entre os escribas posteriores, ampliarem o texto do que diminuí-lo. Além disso, nota-se que Mateus 5.32 apresenta essas palavras, sendo provável que algum escriba as tenha transferido para Mateus 19.9. Por conseguinte, essa frase seria tão-somente outra assimilação entre os textos. A maior parte das traduções latinas e o Si(sc) também as omitem, o que serve de outra prova de que elas não são originais em Mateus 19.9. No entanto, são autênticas no texto de Mateus 5.32.

O matrimônio ideal — No discurso da discussão historiada, nota-se que Jesus elevou o assunto muito acima das ideias e argumentos das escolas teológicas dos judeus. Jesus procurou mostrar qual a conduta ideal, qual a ética eterna do matrimônio, ignorando os desenvolvimentos posteriores, acrescidos pelos homens à lei originalmente estabelecida por Deus. Os judeus haviam desenvolvido ideias inferiores com referência às mulheres, e, portanto, também tinham ideias inadequadas acerca da posição da mulher no casamento. Uma mulher podia ser comprada, e com frequência era considerada propriedade do homem. No lar, era usada como se fora uma escrava, e por qualquer razão podia ser repelida e expulsa. Jesus não somente procurou elevar a posição da mulher na sociedade, mas também procurou eliminar esse duplo padrão. Assim fazendo, o Senhor elevou grandemente o estado de casado.

A fim de ilustrar o que consistiria o *casamento ideal*, talvez não pudéssemos fazer melhor do que apresentar a descrição do casamento de Cupido e Psique, de uma gravura encontrada gravada em jóias e outros materiais. Por exemplo, descobriu-se uma gravação feita em uma pedra de ônix. Uma réplica da pintura pode ser vista no segundo volume da obra de Bryant, *Analysis of Ancient Mythology*, p. 392. Ver o comentário de Adam Clarke (in loc.), que apresenta outras cenas desse casamento.

1. Tanto Cupido como Psique são representados com *asas*, para indicar vivacidade e espontaneidade. Ambos agem com o desejo de confortarem-se, alegrarem-se e ajudarem-se mutuamente.

2. Ambos estão vestidos, para expressar a ideia de que a *modéstia pura* deve acompanhar as relações matrimoniais.

3. Hímem (personificação do casamento) vai à frente deles com um archote aceso, guinado-os mediante a corrente de pérolas.

534 |Mateus| NTI

Cada qual segura essa corrente, demonstrando que estão *amarrados* um ao outro e guiados por um amor puro e constante. O archote levado por Hímem (casamento) fornece-lhes ao mesmo tempo luz e calor. Assim, o casamento nunca poderá ser destruído pela ignorância das trevas, nem poderá faltar a radiação do calor da vida, sem o que cessa a vida.

4. A corrente é feita de *pérolas*, e não de ferro nem de bronze, o que ilustra que a sua união era voluntária, e não uma imposição, como se fora uma escravidão. Os elos eram feitos na forma de pérolas, mostrando a preciosidade da união, bela e deleitável.

5. Nas mãos, eles seguram uma *pomba*, símbolo da paz e da fidelidade conjugal. Parecem abraçar a pomba afetuosamente, para mostrar que são fiéis um ao outro, e não só motivados pelo senso do dever, mas por afeição mútua, condição essa que traz paz e amor perenes ao casamento.

6. Um cupido com asas vai à frente deles para preparar-lhes a *festa* do casamento. Isso indica que, em seu matrimônio, o espírito do amor sempre lhes prepara o caminho, concedendo-lhes uma afeição ativa, um amor fervoroso e cordial, o que para eles serviria de fonte de conforto, força e prazer. Essa é a condição que sempre deverão encontrar no caminho da vida, porquanto o amor sempre vai à frente, preparando-lhes o caminho.

7. Atrás deles, segue-os outro cupido (*símbolo do amor*), o qual depõe sobre sua cabeça um cesto repleto de lindas frutas maduras, para indicar que um casamento daquele quilate seria abençoado com filhos que agradariam os seus progenitores, como as frutas bem criadas agradam os sentidos dos homens.

8. Este último cupido, que segue com o cesto de *frutas*, tem as asas totalmente secas e murchas, o que o torna incapaz de voar. Isso indica que o amor deve habitar sempre com eles, porquanto jamais poderá voar para longe. Entre eles não poderia haver separação de espírito nem fim de um amor ardoroso. Dessa maneira, o amor começava e terminava entre eles, formando uma união sagrada; essa união não conhece fim, porque Deus os unira. Neste quadro temos uma ilustração realmente bela do caráter do casamento ideal.

Os v. 10-12 preservam um *logos* de Jesus acerca do celibato. Para os judeus, o celibato não era reputado condição desejável, e, de fato, consideravam anormal esse estado. Na literatura judaica, lê-se que o casamento não era considerado apenas um estado natural, mas que realmente era obrigatório (Yebamot 6.6: Gn 1.28). Em Isaías 56.3-5, observamos que os eunucos eram considerados objetos de simpatia e misericórdia, como pessoa necessitada de um conforto especial. No AT, não era permitido que os eunucos tivessem parte no sacerdócio (Lv 21.20). Contudo, o celibato não era totalmente desconhecido na sociedade judaica, pois lembramo-nos de que os essênios o praticavam. Sem dúvida, João Batista, talvez por causa dessa influência, também o praticasse, e toda a indicação dada no NT é que Jesus jamais se casou. Nos escritos que não fazem parte do cânon do NT, mas que contêm alguns logoi atribuídos a Jesus, observamos ensinos que têm a finalidade de encorajar o celibato (*Apocryphal NT*, James, p. 10,11). Nos Evangelhos, existem textos que parecem indicar que esse estado é desejável, por permitir a pregação do evangelho sem obstáculos. Ver Mateus 19.29; Marcos 10.29,30. Paulo também louvava o celibato (1Co 7.25-35). Embora esse *logos* seja surpreendente no contexto do judaísmo, talvez seja somente uma extensão razoável dos princípios ensinados por Jesus com relação à importância do reino dos céus, e de como esse reino deve ter precedência acima de todas as demais considerações da vida, incluindo até mesmo as relações familiares e matrimoniais. Consultar as passagens de Mateus 8.21,22 e 13.44-46. A presença desse "*logos*", no evangelho de Mateus, ilustra aquilo que também é ilustrado na história eclesiástica — o celibato tornou-se um fator importante na comunidade cristã, e diversas pessoas procuraram praticá-lo. Naturalmente, as passagens bíblicas como as que foram

---

mencionadas formavam a base da prática do celibato entre as ordens religiosas que se foram desenvolvendo na igreja, e que daí se metamorfoseou na prática do celibato por parte dos ministros (sacerdotes) da Igreja Católica Romana. No próprio texto, não existe a menor indicação de que o ministério *deve* viver em celibato, ou que se possa baixar uma determinação que exija um ministério celibatário. De fato, tudo o que o texto ensina é que o celibato deve ser voluntário, e não por imposição a uma hierarquia religiosa. Todavia, Jesus indicou o valor desse estado, contanto, que praticado em uma atitude verdadeiramente sincera, como expressão da consagração do indivíduo ao serviço de Deus. O apóstolo Paulo mostrou que o sucesso nessa prática só pode ser conseguido como resultado da manifestação de um *dom* da parte de Deus (ver 1Co 7.7,8).

19.10 Disseram-lhe os discípulos: Se tal é a condição do homem relativamente à mulher, não convém casar.

19.10 λέγουσιν αὐτῷ οἱ μαθηταὶ [αὐτοῦ]⁷, Εἰ οὕτως ἐστὶν ἡ αἰτία τοῦ ἀνθρώπου μετὰ τῆς γυναικός, οὐ συμφέρει γαμῆσαι.

10 οὐ...γαμῆσαι 1 Co 7.1,2,7-9

7 10 {C} μαθηταὶ αὐτοῦ p²⁵ C D K L W Δ Π 078 *f¹ f¹³* 28 33 565 700 892 1009 1010 1071 1079 1195 1216 1230 1241 1242 1253 1344 1365 1546 1646 2148 2174 *Byz Lect* it^aur,b,c,d,f,ff¹,h,l,q vg syr^c,s,p,h,pal cop^sa,bo arm eth geo Diatessaron // μαθηταί p⁷¹ ℵ B Θ it^ff¹,a¹ cop^sa,ms John-Damascus

Embora a combinação de ℵ B Θ it^e cop^sams, em apoio à forma mais breve, seja digna de nota, a comissão ficou impressionada pela possibilidade que a presença de αὐτῷ antes de μαθηταί, tenha impelido alguns copistas a apagarem o termo αὐτοῦ. Julgou-se melhor, pois, incluir a palavra entre colchetes.

Não sabemos, com certeza, qual a fonte desse *logos* de Jesus, o qual figura exclusivamente no evangelho de Mateus. Certamente não é a fonte "Q", mas talvez seja "M". Todavia, alguns não aceitam a fonte "M" porque o caráter geral do "logos" é contrário ao espírito do judaísmo, e usualmente acha-se em "M" material que frisa ideias judaicas. Essa explicação, porém, tem por base a ideia de que a fonte do "logos" deve estar fora da cultura judaica, isto é, alguma cultura gentílica, ou seja, as ideias mais comuns fora da comunidade judaica. O fato de que os essênios praticavam o celibato, entretanto, ilustra que não precisamos rebuscar fora do judaísmo a fim de encontrar a fonte dessas palavras. Assim, pois, a fonte "M" facilmente pode ter sido o manancial informativo. Pelo menos não há razão para crer-se que o "logos" não tenha sido realmente proferido por Jesus.

"Disseram-lhe os discípulos..." — A palavra *condição*, que se origina do termo grego que usualmente significa "caso", "causa" ou "razão", é ambígua. Alguns intérpretes ligam-na à ideia expressa no v. 3, que fala de separação ou divórcio. Por força dessa ligação, a interpretação seria que, se o homem só pode divorciar-se de sua mulher por motivo de adultério, é melhor que não se case, nem pela primeira vez, e muito menos, pela segunda vez. Não obstante, o texto parece deixar claro que a ligação deve ser feita com a ideia geral das exigências gerais do casamento, dos princípios eternos que governam o matrimônio, isto é, que o casamento deve ser considerado permanente (mas talvez incluindo a ideia de que o homem só tem o direito de divorciar-se de sua esposa em caso de adultério). Esse *logos* foi difícil de ser aceito, tanto pelos seguidores das escolas judaicas de Samai e de Hilel como pelos próprios discípulos. Talvez alguns discípulos, antes disso, concordassem com as ideias liberais de *Hilel*, pensando que um homem facilmente poderia separar-se de sua esposa e casar-se novamente. No entanto, quando Jesus mostrou que o casamento implica em um estado muito mais permanente, importante e sério do que essa prática indicava, imediatamente os discípulos começaram a pensar que, nesse caso, talvez fosse melhor o homem não se casar. Parecia-lhes que o indivíduo demonstraria muito maior senso se evitasse totalmente o casamento, caso não lhe fosse dado o direito de, uma vez casado e não achando mais "graça" na mulher, não pudesse divorciar-se. Assim, pois, acharam que as condições ensinadas por Jesus acerca do casamento eram severas demais, pois comungavam com as ideias das autoridades religiosas da escola de Hilel. Argumentavam eles no íntimo que, se é tão difícil assim terminar o casamento, não vale a pena ao homem casar-se, porque a experiência humana demonstra que grande número de casamentos não é satisfatório. É possível que, a essa altura, os discípulos tivessem as mesmas ideias inadequadas acerca das mulheres, conforme era comum na sociedade judaica, onde as mulheres eram reputadas pouco mais do que propriedades que podiam ser compradas ou vendidas. A ideia de que o casamento é uma ligação permanente deve ter sido um choque para os discípulos, e a sua primeira reação foi de evitar totalmente o casamento, para não correrem o risco de se envolver em uma situação possivelmente má e sem saída.

19.11 Ele, porém, lhes disse: Nem todos podem aceitar esta palavra, mas somente aqueles a quem é dado.

19.11 ὁ δὲ εἶπεν αὐτοῖς, Οὐ πάντες χωροῦσιν τὸν λόγον [τοῦτον]⁸, ἀλλ' οἷς δέδοται.

11 Οὐ...δέδοται 1Co 7.7,9,17

⁸ **11** {C} τὸν λόγον τοῦτον ℵ C D K L W D P 078 f¹³ 28 33 565 700 892ᵐᵍ 1009 1010 1071 1079 1195 1216 1230 1241 1242 1253 1344 1365 1546 1646 2148 2174 *Byz Lect* itᵃ.ᵃᵘʳ,ᵇ,ᶜ,ᵈ,f,ff¹,²,g¹,ʰ,l,q vg syrᶜ,ˢ,ᵖ,ʰ copˢᵃ,ᵇᵒ arm ethᵖᵖ,ᵐˢ geo Clement Origenˡᵃᵗ Ambrose Augustine John-Damascus // τῶν λόγων τούτων Θ // τὸν λόγον B f¹ 892ᵗˣᵗ l¹⁸⁴ itᶜ syrᵖᵃˡ copˢᵃ ᵐˢˢ,ᵇᵒ ᵐˢ ethʳᵒ Origen Cyprian

> Por um lado, já que a tendência geral dos escribas era tornar o texto mais explícito, e. g., adicionando um pronome demonstrativo, a forma mais breve, apoiada por B f¹ — e várias versões antigas, tem certa presunção em seu favor. Por outro lado, porém, a ambiguidade da referência de τοῦτον no contexto refere-se à dedução feita pelos discípulos (v. 11), ou à exposição anterior de Jesus (v. 4-9)? — pode ter levado alguns escribas a apagarem a palavra. A fim de refletir o equilíbrio de possibilidades, a comissão resolveu reter a palavra, incluindo-a dentro de colchetes. A forma de Θ é obviamente secundária.

"Nem todos..." — A resposta de Jesus teria sido ambígua se não contássemos como v. 12, que mostra que devemos compreender que este versículo alude ao celibato, e não às difíceis exigências relativas ao casamento. Os discípulos pareciam ter preferência pelo celibato, considerando as *possíveis* dificuldades do casamento e a impossibilidade ou grande dificuldade em livrar-se de suas obrigações. Jesus, pois, formulou a sua resposta à base desse pensamento, isto é, a possibilidade de preferir o celibato ao matrimonio. Jesus declarou indiretamente que a ideia dos apóstolos, que pensavam que era melhor não casar-se, era falsa, porquanto poucos são os que podem viver celibatários com sucesso. Essa decisão, portanto, não pode ser feita por motivo de considerações egoísticas, ou como tentativa de escapar da possibilidade de um mau casamento. O estado do celibato não é fácil de ser seguido e cumprido, e talvez seja até mais fácil suportar um mau casamento do que o celibato. Para que possa cumprir as exigências do celibato, é mister que o homem receba de Deus um "dom", já que trata-se de um estado para o qual só é apto aquele para quem "é dado". O conceito ou a aceitação da ideia do celibato, portanto, limita-se às pessoas aptas a receber esse ensino, o que subentende que devem ser pessoas especiais, dotadas de alguma preparação ou de características especiais. Por isso é que disse o apóstolo Paulo: "Quero que todos os homens sejam tais como eu sou ("celibatário"); no entanto, cada um tem de Deus o seu próprio dom; um, na verdade, de um modo, outro de outro". Ver as notas na referida passagem acerca dos detalhes sobre o assunto. Por conseguinte, vemos que o

indivíduo não pode permanecer celibatário com êxito sem a ajuda de Deus, sem estar munido do propósito de Deus, sem o "dom" de Deus. A simples preferência pessoal em nada ajuda nessa questão. Isso se dá especialmente no caso do celibato como prática religiosa.

O indivíduo que deseja agradar a Deus ao máximo possível e alcançar o mais elevado alvo para sua vida talvez encontre algum auxílio na prática do celibato; mas ninguém pode iniciar-se nesse estado arbitrariamente, como se fosse uma característica permanente da sua vida, se não estiver entre aqueles a "quem" esse conceito *é dado*. A falácia da existência de um sacerdócio que exige o celibato consiste no fato de que simplesmente não existem tantos homens com esse dom, e isso é prova de que poucos guardam e observam os seus votos.

É *muito mais* fácil apreciar o estado do celibato e aprovar esse estado intelectualmente do que *praticá-lo*. Naquele momento, os discípulos expressaram preferência pelo celibato, mas estavam usando somente as suas faculdades mentais. O sucesso no celibato não é função intelectual, mas depende da capacidade moral; e essa capacidade deve ser inerente à pessoa, mediante uma concessão especial de Deus ao indivíduo. Deve-se observar igualmente que, se falarmos desse estado como preferência espiritual, isto é, com a finalidade de cumprir objetivos espirituais, torna-se ainda mais necessário que Deus seja a fonte do desejo. A mera preferência pessoal, como escolha intelectual, não tem valor nenhum neste caso. Talvez o homem alcance seu propósito de viver sem mulher por toda a sua vida; mas que valor teria esse ato, criado somente pela força da vontade humana? Isso bem pode servir de outra prova da natureza carnal, de base de orgulho, de ascetismo humano, mas jamais de expressão da vida espiritual. O celibato, por si mesmo, não tem valor nenhum. O que vale é o serviço prestado no reino dos céus. Se o celibato melhora a qualidade desse serviço, então o celibato é preferível. Em caso contrário, não terá valor nenhum como prática religiosa. O solteiro não é moralmente melhor do que o casado. O homem que melhor serve a Deus é o homem moralmente superior. Se, de fato, o celibato ajuda o homem a servir melhor a Deus, e se o Senhor lhe deu a capacidade para cumprir com sucesso o estado celibatário, então ele tem a obrigação moral de viver celibatário.Se, porém, não lhe foi dada por Deus essa aptidão, então estará brincando com fogo se tentar o celibato.

19.12 Porque há eunucos que nasceram assim; e há eunucos que pelos homens foram feitos tais; e outros há que a si mesmos se fizeram eunucos por causa do reino dos céus. Quem pode aceitar isso, aceite-o.

19.12 εἰσὶν γὰρ εὐνοῦχοι οἵτινες ἐκ κοιλίας μητρὸς ἐγεννήθησαν οὕτως, καὶ εἰσὶν εὐνοῦχοι οἵτινες εὐνουχίσθησαν ὑπὸ τῶν ἀνθρώπων, καὶ εἰσὶν εὐνοῦχοι οἵτινες εὐνούχισαν ἑαυτοὺς διὰ τὴν βασιλείαν τῶν οὐρανῶν. ὁ δυνάμενος χωρεῖν χωρείτω.

"Há eunucos de nascença..." — Evidentemente, há aqui a tentativa de incluir todas as modalidades do "eunuquismo". A palavra "eunuco" vem de dois termos gregos: "eune", que significa "cama", e "echo", que significa "ter". O eunuco era o homem que tinha a responsabilidade de proteger e de cuidar do dormitório do harém oriental. Eram emasculados para garantir o cumprimento do seu serviço sem problemas de impulsos sexuais. Falando sobre os eunucos e descrevendo todas as possibilidades do "eunuquismo", Jesus descreveu três tipos — dois por razões físicas, e um por razões éticas:

1. Eunucos de nascença — homens que nascem com defeitos físicos (ou mentais) que os tornam incapazes das funções sexuais. Os judeus chamavam esses homens de "eunucos do sol", isto é, pessoas que nunca viram o sol exceto no estado de "eunuquismo". (*T. Bab. Uebamot*, fol. 75.1.79.2; *Maimon. Hilch. Ishot.* c.2, secção 14). Por diversas vezes, também foram chamados de

"eunucos pelas mãos dos céus", a fim de serem distinguidos dos eunucos tornados assim por operações feitas pelos homens (*T. Bab. Yebamot*, fol. 80.2).

2. Eunucos feitos pelos homens — aqui Jesus refere-se aos emasculados por meio de intervenções *cirúrgicas*, e não "por nascimento". No tempo de Jesus, havia grande número dessas pessoas, especialmente aqueles que trabalhavam nos haréns orientais. Entretanto, também podem-se ler, na história antiga, muitos atos de barbaridade na forma de emasculação em tempos de guerra, como castigo contra os inimigos ou como atos de vingança. Alguns intérpretes, como Lange (*in loc.*), aplicam de forma espiritual ou moral essa segunda classe de eunucos, dizendo que a principal referência é aos homens que, por considerações sociais ou morais, recusam-se a contrair matrimônio, como, por exemplo, para servirem melhor ao estado, ao governo ou à sociedade. Contudo, essa interpretação figurada não faz parte do significado do texto, e em geral é ignorada nos comentários.

3. Eunucos por causa do reino dos céus — há diversas interpretações acerca dessa terceira classe. (a) Fala de pessoas casadas que agem como se não o fossem, a fim de melhor servirem ao reino (ver Lange, in loc.). Os intérpretes negam ou ignoram essa possibilidade, pois, de fato, é evidente que essa ideia nada tem a ver com o ensino de Jesus aqui. (b) Compreende-se perfeitamente que a referência é aos homens que se *recusam* a contrair matrimônio para melhor servirem e adorarem ao Senhor. Essa recusa não implica no ato físico da castração, a despeito do fato de que, durante séculos, muitos homens têm feito isso por motivos religiosos; mas dizer isso é exagerar grandemente as implicações do texto. Lemos que Orígenes castrou-se por ser extremamente *zeloso* em sua mocidade, e que foi subsequentemente excomungado pela igreja de Alexandria por causa desse ato. Lemos na história eclesiástica que isso se tornou um problema tão grande (homens que se emasculavam), que foi mister que a igreja antiga se pronunciasse contra o ato (ver a obra de Schaff, *History of the Apostolic Church*, §112, p. 448-454, e a obra de Lucius Waterman, *Post-Apostolic Age*, p. 337). (c) Outro exagero do texto tem sido a prática observada pelas ordens religiosas ou pelo sacerdócio da Igreja Católica Romana, ao transformar em *regra fixa* a necessidade do celibato, ao passo que Jesus deixou para o indivíduo o direito da livre escolha e indicou que poucos teriam capacidade para exercer o celibato com sucesso. Jesus jamais estabeleceu regra dessa natureza para os pregadores, e a história eclesiástica demonstra que a "regra" do celibato resultou de um processo prolongado, pelo que dificilmente tem base verdadeira neste texto de Mateus.

Entre aqueles que a si mesmos se fizeram eunucos "por causa do reino dos céus", temos João Batista, Jesus e Paulo (1Co 7.6,26). Barnabé (1Co 9.5,6) e, provavelmente, o apóstolo João, se é que podemos confiar na tradição da igreja grega, que o chamava de *o parthenos*, que é a expressão grega para "o virgem". É provável que essa interpretação possa incluir legitimamente os casos de pessoas que ficam solteiras depois da morte de um dos cônjuges.

"Por causa do reino dos céus" — Indica que as considerações acerca do serviço e da adoração a Deus são as mais importantes para essas pessoas. O texto não ensina que mediante o ato os indivíduos possam merecer a admissão ao reino dos céus, conforme alguns têm ensinado, como disse Orígenes (Ad regnum caelorum promeredum). Outro tanto declararam Hilário, Eutímio e Maldonado. O propósito do "eunuquismo" voluntário seria o de permitir ao indivíduo crente servir e adorar sem o tropeço dos obstáculos impostos pelo estado de casado. Paulo disse: "Quem não é casado cuida das coisas do Senhor, em como há de agradar ao Senhor..." (1Co 7.32). E ainda: "Digo isto em favor dos vossos próprios interesses; não que eu pretenda enredar-vos, mas somente para o que é decoroso e vos facilite o consagrar-vos,

desimpedidamente, ao Senhor" (1Co 7.35). Com relação ao casamento, Paulo declarou: "[...] tais pessoas sofrerão angústia na carne, e eu quisera poupar-vos" (1Co 7.28).

"Quem é apto..." — Jesus enfatiza aqui o "eunuquismo" voluntário, que se alicerça no "dom" de Deus, na inclinação pessoal e na capacidade do indivíduo em começar a cumprir com êxito as exigências do celibato. O número dos homens capazes disso deve ser diminuto, especialmente quando o celibato é praticado por motivos religiosos e como expressão da vida espiritual. Jesus ensinou claramente que o número dessas pessoas seria pequeno, e a história da igreja demonstra exatamente isso. Para o indivíduo capaz, que recebeu essa habilidade da parte de Deus, e que tem alvos elevados para alcançar no seu serviço ao Senhor, o celibato seria um ato inteligente e louvável.

(b) Crianças são abençoadas (19.13-15)

Esta seção tem paralelos em Marcos 10.13-16 e Lucas 18.15-17. A exposição encontra-se aqui. A fonte do material é o *proto-marcos*. Consultar os detalhes sobre as "fontes" informativas dos Evangelhos no artigo intitulado "O problema sinóptico".

Esta seção apresenta um *breve catecismo* sobre o tratamento que se deve conferir às crianças na comunidade religiosa. Observa-se, na literatura judaica, que os judeus davam grande valor à família, e entre os escritos rabínicos há passagens carinhosas sobre a questão das crianças. Exemplos disso se veem na obra de Joseph Klausner, *Jesus of Nazareth*, the Macmillan Co., N.Y., 1925, p. 306. Na cultura judaica, era costume que as crianças pedissem a bênção de seus progenitores, e os discípulos costumavam fazer a mesma coisa a seus mestres, os rabinos. Aquele que abençoava impunha as mãos sobre os solicitadores. O AT também apresenta exemplos desse costume (ver Gn 48.14,15).

19.13 Então lhe trouxeram algumas crianças para que lhes impusesse as mãos, e orasse; mas os discípulos os repreenderam.

19.13 Τότε προσηνέχθησαν αὐτῷ παιδία, ἵνα τὰς χεῖρας ἐπιθῇ αὐτοῖς καὶ προσεύξηται· οἱ δὲ μαθηταὶ ἐπετίμησαν αὐτοῖς.

Jesus acabara de pronunciar-se acerca da santidade do matrimônio, e era muito apropriado que agora abençoasse as crianças de várias idades, como nos indicam as palavras das diversas narrativas. O paralelo de Lucas 18.15 tem a palavra grega *brephe*, que, usualmente, indica "bebês de pouca idade" e que ilustra que as crianças que foram trazidas para ser abençoadas por Jesus pertenciam a várias idades, incluindo até mesmo bebês de colo. Provavelmente, na igreja primitiva, textos como este forneciam base suficiente para a ideia de que todas as pessoas da família, até mesmo as crianças mais novas, necessitam e devem ter acesso aos benefícios dos cultos e do ministério na congregação. Observando essa verdade e também o fato de Lucas ter usado a palavra "brephe" (bebês), alguns intérpretes ensinam o batismo de bebês pelo uso desse texto, mas essa ideia, como é claro, não passa de exagero das intenções do texto, porquanto simplesmente não encontramos nessas palavras confirmação dessa doutrina. O respeito dos rabinos pelas crianças era tão grande, que eles ensinavam que até mesmo os filhinhos dos pagãos teriam parte no "mundo vindouro". De maneira geral, a igreja cristã tem conservado essa doutrina, dizendo que as crianças que morrem antes de atingirem a idade da responsabilidade estão salvas. Jesus reflete, em grau elevado, o amor da sociedade judaica pelas crianças.

"Trouxeram-lhe [...] algumas crianças" — Mateus e Marcos empregam o vocábulo grego *paidia*, que em seu sentido geral indica "crianças", mas que pode incluir uma ampla gama de idades. A palavra *brephe*, em Lucas 18.15, significa, usualmente, "bebê". Jesus, que observava as exigências próprias ao celibato (ver notas sobre os v. 11 e 12) não tinha os próprios filhos, e por isso adotou, como Salvador que é, a todas as crianças. O celibato pode ser um bom e desejável estado civil para alguns; mas o estado matrimonial, abençoado por filhos, é o estado comum e natural aos homens. A vida em família é o ponto central nos propósitos de Deus (ver Mt 18.1-4; 18.10-14). É óbvio que a amabilidade de Cristo atraía a atenção das mães, e elas se aproximavam dele, sem receio, confiando em que ele abençoaria os seus filhos. No notável "texto das crianças", em Mateus 18.1-9, temos outra indicação da atitude de Jesus para com as crianças. Consultar as notas nessa referência.

"Para que..." — Atitude própria do ato de abençoar, entre os judeus. As mãos eram e continuam sendo símbolos de oração e bênção, e frequentemente simbolizavam o poder da transmissão de bênçãos espirituais ou físicas, como se dá no caso das curas espirituais. A parapsicologia tem demonstrado que os que são dotados de poder de efetuar curas mediante a imposição de mãos, emitem uma forma de energia por meio delas; essa energia é capaz de deixar marcas em um filme de raios-X. Talvez a observação dos efeitos da imposição de mãos, ainda que nada se soubesse sobre os efeitos reais desse ato, tenha dado origem à ideia de que a colocação das mãos pode ocasionar benefício moral ou espiritual. Orígenes sugere que talvez as pessoas que levaram as crianças a Jesus pensassem que aquele ato as *protegeria* dos maus espíritos. No AT, a imposição de mãos era símbolo de consagração e de curas físicas. Ver exemplos disso em Gênesis 48.14; Êxodo 29.10; e 2Reis 4.34. Na história dos judeus, lê-se que os dirigentes das sinagogas abençoavam as crianças mediante a imposição de mãos. O texto de 1Timóteo 4.14 diz "Não te faças negligente para com o dom que há em ti, o qual te foi concedido mediante profecia, com a imposição das mãos do presbitério". Alguns intérpretes opinam que o Espírito Santo aprovava essa imposição de mãos, por parte das autoridades da igreja, pelo fato de que ao mesmo tempo eram transmitidos os "dons do Espírito", os quais seriam utilizados para benefício da igreja. Assim, alguns intérpretes têm sugerido que, neste caso, a bênção dada por Jesus não consistiu de mero ato ou rito sem substância ou efeito, mas que, mediante a bênção concedida, as crianças realmente receberam um benefício moral e espiritual. O próprio texto não expõe esses detalhes, mas isso não expressa um pensamento impossível. Pelo menos ficou claro que a igreja deve cuidar das crianças, e que até mesmo crianças pequenas podem participar dos benefícios do ministério da igreja. Não obstante, este não é texto no qual alguém possa alicerçar o ensino do batismo de infantes; e, pelo fato de esse ensino não encontrar base mais ampla do que encontramos aqui, temos toda razão de rejeitar o batismo infantil. Se o batismo infantil é válido, terá de ser ensinado à base de outros textos e argumentos, mas não à base de implicações neste texto.

"Mas os discípulos..." — Marcos dá a ideia de que os discípulos repreendiam aos pais. Pela gramática do evangelho de Mateus, a repreensão era dirigida às próprias crianças, embora seja provável que a intenção do autor fosse idêntica à de Marcos. Com frequência, a multidão aglomerava-se ao redor de Jesus, aborrecendo-o ou mesmo ameaçando-o fisicamente. Os discípulos, com toda a sinceridade, pretenderam protegê-lo dessa situação. Nesse caso, pode ser que houvesse crianças pequenas demais para compreenderem os ensinamentos de Jesus, e os discípulos tivessem pensado que estas não poderiam receber nenhum benefício. Jesus, entretanto, não concordou com essa avaliação.

19.14 Jesus, porém, disse: Deixai as crianças e não as impeçais de virem a mim, porque de tais é o reino dos céus.

19.14 ὁ δὲ Ἰησοῦς εἶπεν, Ἄφετε τὰ παιδία καὶ μὴ κωλύετε αὐτὰ ἐλθεῖν πρός με, τῶν γὰρ τοιούτων ἐστὶν ἡ βασιλεία τῶν οὐρανῶν.

—————
14 Ἄφετε...οὐρανῶν Mt 18.2,3

"Jesus, porém, disse: Deixai os pequeninos" — Marcos adiciona a ideia da condição emotiva de Jesus, quando percebeu a atitude dos discípulos: "Jesus, porém, vendo isto, *indignou-se...*" Lucas não dá essa descrição; portanto, somente Marcos conservou esse detalhe (Mc 10.14). O fato de Jesus sentir tão forte emoção demonstra o amor genuíno que ele tinha pelas crianças. Ele não teria gostado também de ver as mães desapontadas em seu desejo de que seus filhos recebessem a bênção. Por conseguinte, erramos quando ignoramos as crianças em nossas igrejas. O ministério da igreja local deve oferecer às crianças os benefícios que o cristianismo oferece ao mundo inteiro.

"Não os embaraceis de vir a mim" — Nestas palavras, temos uma indicação sobre a humildade e a ternura de Jesus. Ele não levantava obstáculos ao caminho de quem quer que fosse, mas recebia até mesmo as pessoas mais humildes. Antes desta ocasião, Jesus usou uma criança como símbolo dos "crentes" mais humildes e fracos, e, por meio das palavras "porque dos tais é o reino dos céus", proferidas neste mesmo versículo, ele repetiu as implicações desse ensino. Jesus não aprovou a atitude dos discípulos, ao ignorarem os fracos e ignorantes. A avaliação feita por Jesus não coincidia com a deles. Pelo contrário, mostrava que todos são candidatos ao benefício do reino, não somente os que podem ser reputados inteligentes, nobres ou importantes. Os detalhes deste texto dão outro exemplo da grandeza moral de Jesus ao fazer a avaliação dos homens, isto é, da humanidade em geral. No sistema metafísico de Cristo, qualquer membro da humanidade é importante. Provavelmente, essa ideia tem base nos ensinos do cristianismo sobre o grande destino que Deus tem reservado para a humanidade, que, uma vez cumprido, tornará os redimidos mais elevados que os anjos, quando os crentes estiverem plenamente transformados segundo a imagem de Cristo. Esse é o ponto mais alto da mensagem evangélica. Ver notas sobre esse assunto, em Romanos 8.29.

"Porque dos tais é o reino dos céus" — Essa frase tem produzido diversas interpretações, tais como:

1. Crianças no sentido literal — Interpretação de Bengel, de *de Wette* e de Adam Clarke (in loc.), que traduzem: "[...] o reino dos céus é composto de tais..." (referindo-se às crianças). Essa ideia subentende que Deus jamais condena as crianças que morrem antes de atingirem a idade da responsabilidade; e Clarke ensina essa ideia como se fosse o ponto nevrálgico do texto. Realmente, o texto parece ser contrário à ideia de qualquer "decreto" divino que condene tais crianças. Certamente que a razão também se volta contra esse pensamento. Clarke compara a condenação das crianças à prática da adoração ao deus Moloque. Aqueles que eram adoradores dessa falsa divindade faziam seus filhos passarem pelo "fogo" em sua honra, sacrificando-os ao ídolo. (Ver 2Reis 16.3 e 17.7.) Deus condenou essa prática, e por isso pode-se afirmar que o texto implica em tais ideias, embora o seu ensino principal não seja esse.

2. Meyer (in loc.) interpreta que essa frase aponta para as pessoas dotadas da *mentalidade* própria das crianças. Nesse caso, as crianças seriam símbolo de algum tipo de pessoa. As palavras de Marcos 10.15 e de Lucas 18.17: "Em verdade vos digo: quem não receber o reino de Deus como uma criança, de maneira alguma entrará nele", ilustram que Jesus referia-se mais do que às crianças literais, porquanto referia-se às "crianças" do reino. Jesus apreciava a simplicidade, a inocência e a humildade das crianças. Enfatizou sempre que essas características são uma *necessidade* da personalidade de seus verdadeiros discípulos. No décimo oitavo capítulo de Mateus, notamos que Jesus repreendeu os discípulos por terem exibido um espírito de orgulho e ambição, quando discutiam sobre qual deles seria o maior no reino dos céus. Esse espírito é contrário aos princípios da inocência pura, característica do reino de Jesus. O Senhor quis eliminar o espírito de ira, de soberba e de ambição do coração

538 |Mateus| NTI

de seus discípulos. E em lugar disso, quis instilar uma disposição mansa, humilde e inocente. As crianças do reino devem ter esse espírito, porque o Pai celeste exige isso de seus filhos.

O *logos* que se acha nos paralelos de Marcos 10.15 e Lucas 18.17, e que não é incluído neste texto, aparece, porém, em Mateus 18.3, e fazia parte dos "logoi" de Jesus sobre o uso das crianças como símbolo dos autênticos discípulos do reino. Provavelmente, Jesus proferiu essas palavras por mais de uma vez, sob circunstâncias diferentes. Consultar as notas em Mateus 18.3 acerca dos detalhes do significado do "logos", o que não se acha aqui.

3. Calvino dizia (in loc.) que o sentido da frase é "crianças e aqueles que se assemelham a elas" (*tam parvuli, quam eorum similes*). Essa interpretação é uma combinação da primeira e da segunda interpretações, e provavelmente é razoável, se levarmos em conta todas as implicações do texto. Pois é impossível pensarmos que Jesus pudesse usar as crianças como um símbolo, pudesse abençoá-las, e depois pudesse deixar de incluí-las como beneficiárias de suas declarações.

4. Este texto tem sido comumente usado, por algumas denominações, para apoiar o ensino do *batismo* de infantes, como também a ideia de que os filhos dos crentes, automaticamente, recebem os benefícios espirituais e até mesmo certo tipo de regeneração, o que os filhos dos descrentes não desfrutam. A verdade, porém, é que, no máximo, este texto pode indicar que os verdadeiros benefícios são extensivos aos filhos pequenos dos crentes, mediante o ministério da igreja, benefícios esses que, naturalmente, não são oferecidos aos filhos pequenos daqueles que não são membros da igreja do Senhor. Entretanto, o ensino da regeneração batismal não tem base nenhuma neste texto. Alguns argumentam que, se o reino dos céus pertence às crianças, a fé e o batismo também lhes devem pertencer. Sem dúvida, os judeus teriam dito a mesma coisa sobre a circuncisão. Aqueles que ensinam a doutrina da regeneração por meio do batismo (quer de crianças, quer de adultos), dizem também que o batismo é a *circuncisão cristã*, isto é, que no sistema do cristianismo o batismo tomou o lugar da circuncisão. O fato é que o texto de Colossenses 2.12,13 parece indicar alguma relação entre os dois ritos; mas, em Romanos 2.28,29 nota-se claramente que o ato físico da circuncisão jamais teve valor *por si mesmo*, sendo meramente um símbolo de um valor espiritual. "Porque não é judeu quem é apenas exteriormente, nem é circuncisão a que é somente na carne. Porém, judeu é aquele que o é interiormente, e circuncisão a que é do coração, no espírito, não segundo a letra..." Aprende-se aqui, portanto, que a verdadeira circuncisão era efetuada no coração, no espírito, não sendo uma operação física, e, sim, espiritual. O rito físico meramente indicava a condição espiritual, mas não a causava. Por semelhante modo, o batismo em água não passa de um símbolo da condição espiritual, não tendo o poder de provocá-la. Além de todas essas considerações, não há, neste texto, nenhuma evidência de que Jesus queria deixar subentendido qualquer ensino com respeito ao batismo, às crianças e aos infantes.

19.15 E, depois de lhes impor as mãos, partiu dali.

19.15 καὶ ἐπιθεὶς τὰς χεῖρας αὐτοῖς ἐπορεύθη ἐκεῖθεν.

"**E, tendo-lhes imposto as mãos...**" — Lucas não inclui nem mesmo este detalhe; mas Marcos acrescenta uma explicação mais completa e carinhosa: "[...] tomando-as nos braços e impondo-lhes as mãos, as abençoava" (Mc 10.15). O verbo grego é traduzido aqui como "abençoava ardentemente", o que é mais uma indicação do raro amor de Jesus, especialmente para com as crianças.

É muito provável que as mães daquelas crianças, nos anos que se seguiram, tenham narrado a história desse acontecimento aos seus filhos, que na época eram pequenos demais para se lembrar da cena. Outras pessoas certamente nunca mais se esqueceram do

episódio, e é quase certo que entre os presentes tivessem nascido alguns verdadeiros discípulos de Jesus. Jesus, a caminho da cruz, sabendo claramente o amargo fim que o esperava, ainda teve tempo e disposição para parar e abençoar os pequeninos.

Provavelmente, os v. 13-15, qual *pequeno catecismo*, tenham o propósito de frisar a importância da educação cristã das crianças, tanto no lar como nas igrejas. As crianças são dotadas de mente impressionável; recebem instrução na rua, na escola, dos amigos, dos inimigos, e, realmente, de todas as circunstâncias e de todos os elementos da sociedade. O autor deste evangelho utilizou-se dos *logoi* de Jesus a fim de demonstrar, à igreja primitiva, que os pais devem interessar-se pela instrução de seus filhinhos, e que o lar e a igreja devem ser centros daquela instrução de que as crianças necessitam, porque fora dali certamente não poderão encontrá-la. As palavras de Jesus também ilustram que os pais devem ter interesse pela instrução religiosa de seus filhos. Aquelas mães levaram os seus filhinhos a Jesus, e ele não as desprezou. Se os próprios pais não mostram interesse pela instrução religiosa de seus filhos, não é razoável esperar que outros mostrem tal preocupação. Os pais sábios exigem que seus filhos frequentem a escola a fim de aprenderem a ler, a escrever e a educar-se de forma geral no conhecimento da sociedade humana; e também não se descuidam quanto à instrução espiritual de seus filhos. Os princípios dos ensinos de Jesus são os mais importantes na educação de qualquer pessoa, porque eles nos instruem na maneira com que se deve viver, considerando sempre a *eternidade*, e não tendo diante dos olhos apenas as preocupações desta existência terrena.

(c) O jovem rico (19.16-26)

Esta seção, que vai do v. 16 ao v. 30, tem paralelos em Marcos 10.17-31 e Lucas 18.18-30. A sua fonte é o *protomarcos*. Consultar as notas sobre as fontes informativas dos Evangelhos na introdução ao comentário no artigo intitulado "O problema sinóptico", e também na introdução ao evangelho de Marcos. Estes ensinamentos de Jesus (e a subsequente narrativa de Marcos, que os inclui) causaram não pequena perplexidade na igreja primitiva, pois, provavelmente entre aqueles crentes, ainda sobrevivia a crença comum à cultura judaica de que as riquezas comprovam as bênçãos de Deus, e também porque a narrativa é muito dura e apresenta a possibilidade de um rico entrar no reino dos céus ("de Deus", segundo Marcos e Lucas) como extremamente remota. (Ver Mt 19.24.) Clemente chamou atenção para a dureza desse *logos* quando achou necessário escrever um panfleto com o título de "Que homem rico é salvo?"

O evangelho segundo os *Nazarenos* (James, Apocryphal NT, p. 6) procura resolver esse problema, demonstrando que aquele homem, em realidade, não observava os mandamentos conforme asseverou. "E o Senhor lhe disse: Deves amar a teu próximo como a ti mesmo; e eis que há muitos de teus irmãos, filhos de Abraão, vestidos de roupas sujas, que morrem de fome, enquanto a tua casa está repleta de coisas boas, mas nada sai da tua casa para eles". Todavia, na narrativa dos evangelhos canônicos, pode-se perceber que esse ensino não visava às necessidades dos pobres, mas focalizava o rico, isto é, a necessidade que o rico tinha de sacrificar as suas muitas posses, se realmente desejasse possuir as *riquezas celestiais*.

19.16 E eis que se aproximou dele um jovem, e lhe disse: Mestre, que bem farei para conseguir a vida eterna?

19.16 Καὶ ἰδοὺ εἷς προσελθὼν αὐτῷ εἶπεν, Διδάσκαλε[9], τί ἀγαθὸν ποιήσω ἵνα σχῶ ζωὴν αἰώνιον;

[9] **16** {B} διδάσκαλε ℵ B D L f¹ 892txt 1010 1365 l⁵ ita,d,c,ff¹ copbo mss ethro,pp geo¹ Origen Hillary // διδάσκαλε ἀγαθέ (ver Mc 10.17; Lc 18.18) C K W Δ Θ f¹³ 28 33 565 700 892mg 1009 1071 1079 1195 1216 1230 1241 1242 1253 1344 1546 1646 2148 2174 Byz Lect itaur,b,c,f,ff²,g¹,h,l,q,r¹ vg syrc,s,p,h,pal

cop[sa,bo] mss arm eth[ms] geo² Diatessaron[a,(c syr),i,n] (Irenaeus) Origen Juvencus Basil Cyril-Jerusalem Chrysostom

16 Διδάσκαλε...αἰώνιον Mt 19.29; Lc 10.25

> A palavra ἀγαθέ, que não figura em antigos e bons representantes dos textos alexandrino e ocidental, foi claramente inclusa por copistas com base nas narrativas paralelas de Marcos 10.17 e Lucas 18.18. (Ver também os comentários sobre a variante textual que se segue.)

Marcos introduz a narrativa, dizendo: "E, *pondo-se Jesus a caminho...*" — Jesus estava viajando em uma caravana, pois ia para Jerusalém a fim de assistir à Páscoa. À medida que se aproximava do fim da viagem, o número de viajores aumentava. Essa foi a última viagem de Jesus para Jerusalém, porquanto seria naquele período pascal que as autoridades religiosas o crucificariam. Prosseguindo, pois, na viagem, estando Jesus no grupo, eis que um homem "de posição" (esse detalhe foi dado apenas por Lucas, em 18.18) veio correndo para falar-lhe, antes que ele reiniciasse a viagem. Alguns têm conjecturado que esse homem era membro do mais elevado tribunal judaico, o sinédrio (ver nota em Mt 22.23). Isso, porém, não pode ser asseverado com absoluta certeza por ninguém, ainda que provavelmente ele fosse elemento que ocupava alta posição religiosa. Somente Marcos nos fornece o detalhe que diz, *ajoelhando-se*. O homem certamente ouvira falar no ministério de Jesus, e talvez tivesse presenciado alguns de seus milagres e ouvido suas instruções, e por isso pôde sentir o poder de atração da imensa personalidade do Senhor. Esses fatores haviam convencido aquele homem de que Jesus ensinava o caminho certo para a entrada no reino vindouro. Parece que, neste caso, as expressões "reino de Deus" (Marcos e Lucas) e "reino dos céus" (Mt 19.23) não se referem ao reino terrestre que Jesus veio estabelecer, porém equivalem à "vida eterna", conforme também se vê em Mateus 19.15; Marcos 10.17; e Lucas 18.18. Nestes textos, a palavra "reino" alude àquele reino, o reino do outro mundo, o estado imortal. Ver nota detalhada sobre as expressões "reino dos céus" ou "reino de Deus", em Mateus 3.2.

"Bom Mestre" — Conforme algumas traduções, ao invés de simplesmente "Mestre", a expressão não representa as palavras dos mss mais antigos deste evangelho. *Bom* aparece em CEFGHKMSUV, Gamma, Delta, Fam Pi e nas traduções AC, F e KJ. Omitem-na os mss Aleph, BDL e todas as traduções, exceto aquelas mencionadas. A palavra "bom" foi acrescentada tendo por base o texto de Marcos 10.17, onde é autêntica. Evidentemente, havia uma crença judaica de que nenhum rabino deveria ser chamado de "bom", visto que só Deus merece esse título. Jesus, pois, exerceu certa pressão para que o homem deixasse transparecer as próprias atitudes, mas o texto só nos fornece mais detalhes por dedução, e não por declaração direta.

"Vida eterna" — A expressão é comum na literatura judaica e equivale à expressão "o mundo vindouro" ou "a vida do mundo vindouro" (*T. Bab. Sota*, fol. 7.2). A teologia judaica não antecipava uma doutrina como a da transformação à imagem de Cristo (assunto abordado em Rm 8.29), mas certamente incluía ensinos sobre a imortalidade, sobre a vida eterna, sobre a vida feliz e mais elevada que a existência nesta terra, perfeita e ao alcance do estado perfeito de justiça. Tudo isso fazia contraste com o lugar de julgamento e sofrimento. É óbvio, pois, que aquele homem não era um saduceu, apesar de desejar alcançar essa vida eterna.

O homem era *jovem*, segundo o v. 22. Sempre tinha dinheiro e possessões, provavelmente de uma herança, ou por simples participação numa família rica. O dinheiro dele o possuiu, ele não possuiu seu dinheiro. Este fato é ilustrado absolutamente pela história.

19.17 Respondeu-lhe ele: Por que me perguntas sobre o que é bom? Um só é bom; mas se é que queres entrar na vida, guarda os mandamentos.

19.17 ὁ δὲ εἶπεν αὐτῷ, Τί με ἐρωτᾷς περὶ τοῦ ἀγαθοῦ; εἷς ἐστιν ὁ ἀγαθός[10]. εἰ δὲ θέλεις εἰς τὴν ζωὴν εἰσελθεῖν, τήρησον τὰς ἐντολάς.

17 τήρησον τὰς ἐντολάς Lv 18.5; Lc 10.28

[10] **17** {B} τί με ἐρωτᾷς περὶ τοῦ ἀγαθοῦ; εἷς ἐστιν ὁ ἀγαθός ℵ (B* *omit* εἷς) B² D L Θ (f¹ 700 *omit* ὁ) 892[txt] (89[mg] οὐδείς ἐστιν) it[a,d] syr[s,pal] mss arm eth[pp] geo Origen // τί με ἐρωτᾷς περὶ τοῦ ἀγαθοῦ; εἷς ἐστιν ὁ ἀγαθός, ὁ θεός it[aur,b,c,(ff²),ff²,l,r¹] vg syr[c,palms] cop[bo] geo[Ac] (it[e] Marcion Clement ὁ πατήρ) (Clement Ps-Clement Juvencus ὁ πατήρ μου ὁ ἐν τοῖς οὐρανοῖς) Novatian Jerome // τί με λέγεις ἀγαθόν; οὐδεὶς ἀγαθὸς εἰ μὴ εἷς ὁ θεός (*ver* Mc 10.18; Lc 18.19) C K W Δ f¹³ 28 33 565 1009 1010 1071 1079 1195 1216 1230 1241 1242 1253 1344 1365 1546 1646 2148 2174 *Byz Lect* it[f,q] syr[p,h] cop[sa,bo] ms eth[ms] Diatessaron[e] syr Irenaeus Origen Hilary Chrysostom // τί με ἐρωτᾷς περὶ τοῦ ἀγαθοῦ; οὐδεὶς ἀγαθὸς εἰ μὴ εἷς ὁ θεός (*cf* 892[mg] *above*) it[s,h] eth[ro] Dionysius Eusebius Antiochus

> Muitos dos testemunhos (mas não Θ 700 al) que interpolam ἀγαθέ no v. 16, também modificam o v. 17, substituindo-a pela narrativa distintiva de Mateus, τί με ἐρωτᾷς περὶ τοῦ ἀγαθοῦ; οὐδεὶς ἀγαθὸς εἰ μὴ εἷς ὁ θεός ("Por que me chamas bom? Ninguém é bom, senão somente Deus", Mc 10.18; Lc 18.19). Se essa última forma é a original em Mateus, é difícil imaginar por que os copistas a teriam alterado para forma mais obscura, se a assimilação escribal aos paralelos sinópticos ocorre com frequência.

O autor do evangelho de Mateus *modificou* a história original, que se acha em Marcos, o evangelho mais antigo. A pergunta é diferente em Marcos 10.18: "Por que me chamas bom?" Em Mateus é: "Por que me perguntas acerca do que é bom?" Provavelmente, essa mudança foi feita para evitar qualquer ideia possível de que Jesus não se considerava "bom", ou que não se reputava tão bom quanto Deus Pai, sugestões essas que seriam danosas à sua deidade. Não é provável que essa mudança tenha sido efetuada a fim de criar uma discussão filosófica sobre o "bem". Nota-se, igualmente, que Marcos apresentou a história com o fito de mostrar a rendição absoluta do próprio ser (o que inclui a obediência perfeita às leis dos dez mandamentos, e também o sacrifício total das posses). Contudo, Mateus, apesar de ter preservado a necessidade da obediência às leis, no caso de todo homem que se interesse pela vida eterna, deixou entendido que o sacrifício das riquezas aplica-se somente aos que são perfeitos. Todavia, é possível raciocinar que a obediência perfeita inclui o sacrifício dos próprios bens, visando ao benefício de todos. De qualquer maneira, a mensagem dos dois evangelhos termina por ser a mesma — as riquezas usualmente servem de empecilho ao progresso e à realização espirituais, ou à posse da vida eterna.

"Por que me perguntas acerca do que é bom?" — Os mss mais antigos, como Aleph e BDL trazem as palavras tais como são citadas aqui. Diversas traduções, como AC e KJ, dizem: "Por que me chamas bom?" Essas versões seguem os mss CEFGHKMSUV, Delta e Fam Pi. Essa frase, entretanto, representa uma harmonização feita pelos escribas, baseada no texto de Marcos 10.17. O original do evangelho de Mateus é: "Por que me perguntas acerca do que é bom?" Todavia, o *logos* original provavelmente é aquele que se encontra em Marcos: "Por que me chamas bom?" O autor do evangelho de Mateus, portanto, modificou o "logos" original para evitar a impressão de que Jesus não se considerava "bom", ou pelo menos não tão bom quanto Deus, pois isso poderia ser interpretado como sugestão contrária à divindade de Cristo. A forma preservada por Mateus parece indicar que Cristo quis provocar uma discussão filosófica sobre a natureza da bondade, mas isso não é provável.

"Bom só existe um" — Jesus provocou uma discussão teológica, talvez querendo saber qual a opinião daquele homem sobre a sua pessoa, ou talvez para mostrar ao homem que, apesar de ser religioso e autoridade entre os judeus, ainda lhe faltava o conhecimento básico do conceito de bondade. É possível que aquele homem imaginasse que a bondade consiste de uma série

540 |Mateus| NTI

de boas ações, e não da imitação da bondade última, que só existe na personalidade de Deus. O homem era zeloso, mas sem profundidade. Provavelmente, quis ouvir dos lábios de Jesus *uma nova lei*, uma nova expressão espiritual, diferente daquilo que já estudara e lhe fora ensinado. Talvez pensasse que um ato de magia poderia completar as exigências para a entrada na vida além, a vida eterna. A resposta dada por Jesus — "Bom só existe um" — teve o propósito de mostrar-lhe que a bondade não se baseia em uma série de ações, nem em um ato mágico que ele pudesse revelar, e, sim, na personalidade de Deus, que é o *summum bonum*. Jesus já havia ensinado: "Portanto, sede vós perfeitos como perfeito é o vosso Pai celeste".

"Se queres..." — O homem deve ter ficado desapontado com essa resposta, porquanto ela nada acrescentou às informações que *já possuía*, as quais ele vinha estudando há muitos anos e que já ensinara a outros. Provavelmente, esperava um dos *logoi* de Jesus, algum ensino elevado, um rompimento radical com o sistema ético dos judeus.

19.18 Perguntou-lhe ele: Quais? Respondeu Jesus: Não matarás; não adulterarás; não furtarás; não dirás falso testemunho;

19.18 λέγει αὐτῷ, Ποίας; ὁ δὲ Ἰησοῦς εἶπεν, Τὸ Οὐ φονεύσεις, Οὐ μοιχεύσεις, Οὐ κλέψεις, Οὐ ψευδομαρτυρήσεις,

18-19 Οὐ φονεύσεις...μητέρα Êx 10.12-16; Dt 5.16-20 (Rm 13.9)

"E ele perguntou: quais?" — Só Mateus registra essa pergunta feita pelo homem. Entre os judeus muitos eram os debates acerca da importância relativa dos mandamentos. Muita insensatez surgira em torno dessa controvérsia, porquanto muitos criam que os mandamentos tradicionais, como o das lavagens (Mc 7.2,3,6-13 e Mt 15.2), ou mesmo o das fímbrias das vestes (Mt 24.5), fossem os principais mandamentos. Havia sido criado pelos judeus um grande edifício com 248 mandamentos afirmativos e 365 mandamentos negativos (248, para corresponder ao número das partes do corpo humano, e 365, para corresponder ao número dos dias do ano). O *total* era de 613, que correspondia ao número de letras do decálogo. Aquele homem provavelmente tinha conhecimento exato dessa situação, e queria saber a opinião de Jesus sobre os mandamentos mais importantes, especialmente devido ao fato de que Jesus recomendara a prática dos mandamentos para que se alcançasse a vida eterna. Talvez ele pensasse que Jesus daria uma explicação acerca da necessidade de ser observada uma lei mais obscura, ou uma lei que ele ainda não considerara.

19.19: honra a teu pai e a tua mãe; e amarás o teu próximo como a ti mesmo.

19.19 Τίμα τὸν πατέρα καὶ τὴν μητέρα, καί, Ἀγαπήσεις τὸν πλησίον σου ὡς σεαυτόν.

19 Ἀγαπήσεις... σεαυτόν Lv 19.18 (Mt 5.43; 22.39; Lc 10.27; Rm 13.9)

"Respondeu: Não matarás..." — Em Marcos 10.19, a lista acrescenta: *"Não defraudarás a ninguém"*.

Todos esses mandamentos têm um fator comum: são os mandamentos *sociais*, isto é, os mandamentos que enfatizam nossas ações para com os membros da raça humana. Jesus respondeu citando alguns dos mandamentos do decálogo, ilustrando assim que a base da ética divina já fora revelada, e que o homem já tinha conhecimento das exigências de bondade e retidão que caracterizam o reino dos céus e a personalidade de Deus, e também o caráter daqueles que alcançam a herança da vida eterna. Os mandamentos, às vezes, nos deixam nervosos e rebeldes, porque, de pronto, por meio deles reconhecemos que não temos alcançado a retidão necessária em nós mesmos. O poeta inglês Shelley demonstrou esse espírito de rebeldia quando chamou a Bíblia de *o maldito livro de Deus*. A despeito disso, reconhecemos que é mister agir segundo o padrão da elevada bondade de Deus,

que é o *summum bonum*. Um dos propósitos dessa existência é a de dar tempo ao homem para descobrir as exigências de Deus e aprender a praticar essas exigências. O destino do indivíduo é que ele seja perfeito como Deus é perfeito — nas ações, nas intenções e na própria natureza. Jesus não entra aqui na consideração de como se pode alcançar essa perfeição, mas simplesmente mostrou que o homem perfeito — aquele que alcança a "vida eterna" — deve apresentar as características do Pai celeste. As ações da perfeita bondade não vêm pelo esforço humano, mas resultam da transformação do ser humano. Essa transformação segue a imagem de Cristo, e, segundo é esclarecido por Paulo, em Romanos 8 e Efésios 1, o evangelho é que tem o poder de realizar essa transformação. Jesus não entra, aqui, na questão da regeneração, mas refere-se aos resultados necessários dessa regeneração. Não resta a menor dúvida de que, caso a indagação lhe tivesse sido dirigida, Jesus teria respondido que somente o homem regenerado pelo Espírito de Deus pode observar a lei, não como um princípio legal, e, sim, porque a lei representa a natureza da ética divina. Paulo explicaria posteriormente (em Rm 8, por exemplo,) que essa prática da lei divina torna-se realidade pelo poder do Espírito Santo na vida, e pela transformação por ele efetuada no indivíduo.

O resumo dos mandamentos sociais (segunda parte dos dez mandamentos) encontra-se no mandamento de ordem mais elevada: [...] *amarás o teu próximo como a ti mesmo*. Talvez essa conclusão tivesse o propósito de provocar no homem a ideia de que lhe faltava capacidade para cumprir uma ética tão elevada, e, assim, admitisse também que isso oferecera a Jesus a oportunidade de explicar com mais clareza as necessidades do discipulado do reino. (O texto paralelo de Marcos não inclui este último mandamento.) Ao fazer também a lista dos mandamentos sociais da segunda parte do decálogo, Paulo disse que todos os mandamentos se resumem nisto: "Amarás ao teu próximo como a ti mesmo", ajuntando que "o amor não pratica o mal contra o próximo" (Rm 13.9). Neste conceito — "amarás ao teu próximo como a ti mesmo" —, encontramos uma definição prática (não própria dos dicionários) acerca do amor. Todas as pessoas reconhecem facilmente o fato de que o indivíduo, como é natural, ama a si mesmo. Paulo escreveu: "[...] ninguém jamais odiou a sua própria carne, antes a alimenta e dela cuida, como também Cristo o faz com a igreja" (Ef 5.29). Todos sabem que sempre demonstramos amor pelo nosso ser. Cuidamos de nossas necessidades físicas, planejamos melhorar nossa situação financeira, social, física, intelectual e espiritual. Em poucas palavras, temos cuidado de tudo quanto nos afeta. Jesus quis demonstrar que esse "amor" (porquanto, por causa do amor que temos por nós mesmos, fazemos quase tudo que fazemos) deve ser transferido para as outras pessoas. Devemos ter cuidado pela situação financeira, social, física, intelectual e espiritual dos nossos semelhantes. Além disso, o amor completo só pode ser demonstrado quando esses cuidados não forem menos fortes para com os outros do que para com nós mesmos. Esse é o alvo, o *padrão elevado*. Essa é a natureza de Deus. Jesus alcançou perfeitamente esse padrão, e um dos propósitos desta vida é a perfeita compreensão e a prática dessa ética divina. O amor que só visa ao próprio indivíduo que ama não o satisfaz, porque o caráter do verdadeiro amor requer altruísmo. Amor a Deus e ao próximo — eis o caminho que guia o crente à perfeição requerida daqueles que herdarão a "vida eterna".

19.20 Disse-lhe o jovem: Tudo isso tenho guardado; que me falta ainda?

19.20 λέγει αὐτῷ ὁ νεανίσκος, Πάντα ταῦτα ἐφύλαξα· τί ἔτι ὑστερῶ;

20 εφυλαξα[add p) εκ νεοτητος D d: add εκ ν. μου W f13 pl it vg^d s

"Tudo isso tenho observado" — Não é impossível que, segundo a compreensão que aquele homem tinha sobre as exigências da lei, ele tivesse realmente observado tudo; mas ninguém pode crer que essa observação reflita uma obediência perfeita à lei dos mandamentos, de conformidade com a interpretação cristã. Jesus faz com que a observância perfeita da lei dependa da atitude mental, da intenção do coração e não somente da prática. Na literatura judaica, fica-se sabendo que os judeus (pelo menos alguns de seus autores) pensavam que homens, tais como Moisés, Samuel e outros, observaram a lei com perfeição, e essa verdade ilustra que os judeus não achavam que era impossível guardar a lei com todo o rigor. As palavras daquele homem — "Tudo isso tenho observado" — subentendem que ele pensava que sua observância da lei *era perfeita*. No entanto, referindo-se à humanidade em geral, Lucas escreveu: "Assim, também vós, depois de haverdes feito tudo quanto vos foi ordenado, dizei: Somos servos inúteis, porque fizemos apenas o que devíamos fazer" (Lc 17.10). Só Mateus inclui as palavras "que me falta ainda?" No entanto, a mesma coisa fica implicada nos outros evangelhos, pelo fato de que o homem continuava buscando alguma coisa para alcançar a "perfeição" necessária para garantir a sua entrada na "vida eterna". É evidente que, a despeito de sua observância da lei, na consciência ainda não surgira a certeza de que merecia a vida eterna. É provável, igualmente, que o homem não tivesse apreciado a resposta de Jesus, por ter aprendido esses conceitos desde a infância, e porque, sendo uma autoridade religiosa, já ensinara as mesmas coisas a outros, por muitas vezes. A sua visita a Jesus tivera o propósito de tentar descobrir algum elemento novo, até então desconhecido para ele.

Alguns comentaristas pensam que esse homem era possuidor de um espírito *orgulhoso e farisaico*, e que sua busca pelas coisas espirituais não passava de ostentação. Outros acham que sua busca era verdadeira e que ele mesmo era sincero, mas que lhe faltava profunda compreensão das exigências da lei e da busca espiritual. As palavras de Marcos — "Mas Jesus, fitando-o, o amou" — provavelmente indicam que o homem era sincero, embora ignorante. A ideia, portanto, é de que ele percebera que a observância da lei, mesmo que seja perfeita à vista dos homens, não satisfaz as exigências da busca espiritual. Percebeu o elemento ético da lei, embora ainda não tivesse aprendido inteiramente a profundidade das implicações dessa ética. A despeito de suas falhas, aquele homem pelo menos não era "farisaico", isto é, um hipócrita. Talvez pensasse que a bondade se constitui de uma série de atos de bondade, e não da participação na natureza perfeita de Deus. Tinha a série de atos bons, mas não participava da natureza de Deus.

"Desde a minha mocidade" — Essas palavras, que aparecem nas traduções AC, F, KJ e M, são provenientes dos mss Aleph (4), CDEFGHKMSUV, Gamma, Delta e Fam Pi. Entretanto, os mss mais antigos, como Aleph (1), B, L, 1, 22 e as versões latinas ff (1) e g as omitem; os pais da Igreja Irineu, Cipriano e Jerônimo também não citam esse acréscimo em suas citações deste texto. As traduções AA, ASV, GD, IB, NE, PH, BR, RSV e WM não contêm essas palavras. É certo que elas representam uma adição feita por algum escriba ou escribas para dar ênfase ao caráter da observância da lei por parte daquele homem, mas essa adição não faz parte do texto original do evangelho de Mateus, como o indicam os mss mais antigos e as citações dos pais da Igreja. Todavia, as palavras são autênticas em Lucas 18.21 e em Marcos 10.20; assim, a adição em Mateus tem por finalidade harmonizar o texto de Mateus com o de Lucas e o de Marcos.

19.21 Disse-lhe Jesus: Se queres ser perfeito, vai vende tudo o que tens e dá-o aos pobres, e terás um tesouro no céu; e vem, segue-me.

19.21 ἔφη αὐτῷ ὁ ᾽Ιησοῦς, Εἰ θέλεις τέλειος εἶ ναι, ὕπαγε πώλησον σου τὰ ὑπάρχοντα καὶ δὸς τοῖς πτωχοῖς, καὶ ἔξεις θησαυρὸν ἐν οὐρανοῖς, καὶ δεῦρο ἀκολούθει μοι.

21 πώλησον...πτωχοῖς Mc 14.5; Lc 12.33; Jo 12.5; At 2.45; 4.34-37 ἔχεις...οὐρανοῖς Mt 6.20

"Se queres ser perfeito" — Pouco antes disso, Marcos acrescenta as seguintes palavras: "[...] fitando-o, o amou..." Jesus reconheceu a sinceridade daquele homem, e, como sempre, foi atraído pela expressão autêntica de desejo ou intenção espiritual. Essas palavras demonstram que o homem não levava uma vida caracterizada só pela ostentação, porquanto reconhecia o elemento ético e espiritual da lei, procurando observar aqueles elementos. Essas palavras oferecem mais um exemplo do amor e da simpatia que Jesus tinha em prol de toda a humanidade, e mostram que essa simpatia sempre era desesperada quando ele percebia o anelo espiritual nos homens.

"Se queres ser perfeito" — Em lugar dessas palavras, Marcos diz: "Só uma coisa te falta". E Lucas escreve: "Uma coisa ainda te falta". Parece que Mateus torna a perfeição dependente da ação de vender tudo e dá-lo aos pobres, mas outro tanto não sucede em relação à vida "eterna", o que, na realidade, era o objeto da busca daquele homem; por outro lado, parece que Marcos e Lucas insistem nesse ato adicional à observância dos mandamentos como garantia da própria "vida eterna". De conformidade com essa interpretação, o autor do evangelho de Mateus alterou consideravelmente a ideia expressa por Jesus, a saber, que a "perfeição" pode ser algo muito diferente da busca pela vida eterna e sua aquisição. É possível que alguns encetem essa busca com êxito, embora nunca venham a alcançar a perfeição absoluta. Marcos e Lucas, porém, exigem o ato adicional como demonstração da sinceridade dessa busca, porquanto esse ato adicional faz parte integrante da busca e da obtenção da vida eterna. Também não é impossível que o autor do evangelho de Mateus quisesse dizer que a *perfeição* é necessária ao êxito dessa busca, e que a demonstração da "perfeição" seria a prontidão do homem em vender tudo para dá-lo aos pobres. Mediante essa interpretação, os três evangelhos sinóticos, embora o façam com palavras diferentes, em realidade ensinam a mesma verdade. É provável que o *logos* original seja aquele exposto por Marcos e Lucas. Nesse caso, o ensino seria que o homem deveria demonstrar a sinceridade e a "perfeição" de sua observância da lei. A prova desse caráter da observância da lei seria a sua disposição em vender tudo quanto possuía a fim de distribuir o amealhado entre os pobres. Tal observância, pois, deveria ser do coração, e não motivada por simples ostentação; deveria ser completa, e não parcial. Jesus enfatizara os mandamentos sociais. O homem declarara que vinha observando esses mandamentos com perfeição. Jesus exigiu dele mais um ato para demonstrar a validade de sua observância da lei, o que seria uma prova de sua consciência social, isto é, que o homem realmente amava aos seus semelhantes. O homem, no entanto, recusou-se a desfazer-se de seus bens (pelo menos deu isso a entender por sua atitude, afastando-se triste), demonstrando claramente que sua observância dos mandamentos sociais não era completa ou totalmente sincera.

"Dá-o aos pobres" — As palavras aqui aparecem em Marcos 10.21; e em Mateus 10.22. O homem queria ouvir uma coisa nova, que o ajudasse na busca pela vida eterna, um novo princípio e explicação, e naquele momento ele a recebeu. Não há que duvidar que a nova exigência chocou o homem. Disse que havia observado os mandamentos sociais, mas agora precisava demonstrar mais amor ao próximo do que a sua religião criara em seu coração. Naquele instante, apercebeu-se da intenção da lei; recebeu uma lição acerca do espírito da lei e acerca da verdadeira ética da lei. A lei determinava: "Amarás o teu próximo como a ti mesmo". O homem replicara: "Tudo isso tenho guardado". Jesus voltou à carga: "Dá aos pobres o que reservas para ti mesmo. Prova que o amor que tens por ti mesmo não é maior do que o amor que tens para com os outros. A lei requer essa demonstração. Tua série de atos de bondade não tem podido comprovar a 'perfeição' requerida pela lei. Dizer 'amo ao meu próximo' não é prova de amor. Dá os teus bens, e crerei

542 |Mateus| NTI

em tuas palavras". Aquele homem ensinara os mandamentos da lei aos outros, mas jamais percebera o verdadeiro espírito da lei. Esse versículo tem produzido diversas interpretações:

1. Alguns comentaristas têm compreendido esse ensino em seu sentido literal, com pouca ou nenhuma conexão com o *espírito* do mandamento. Esses intérpretes ensinam que Jesus queria dizer que esse ato, uma vez acrescentado aos outros atos de bondade que o homem já praticara, seria suficiente para fazê-lo *merecer* a vida eterna. É impossível, porém, crer que Jesus tivesse ensinado uma filosofia de "obras", ou que tivesse pensado que a bondade consiste de uma série de atos bondosos que, uma vez fosse alcançada determinada proporção de "bondade", finalmente seriam suficientes para conferir "merecimento" para a vida eterna. Essa ideia é extremamente superficial e errônea, e, de fato, ignora a lição profundamente espiritual que Jesus quis ensinar.

2. Outros intérpretes também erram ao pensar que Jesus simplesmente quis demonstrar que aquele homem não observava a lei com perfeição. É verdade que as palavras de Jesus tiveram esse efeito, mas a própria lição incluía mais implicações do que essa ideia permitiria.

3. A principal lição que Jesus quis enfatizar é que a "vida eterna" — se nos estamos referindo com isso à presença de Deus ou à *perfeição total* e final da humanidade, que é o grande alvo da vida humana e o propósito do evangelho — é possuída somente pelos "perfeitos". Essa é a perfeição total da natureza de Deus. Diz o texto de Mateus 5.48: "Sede vós perfeitos como perfeito é o vosso Pai Celeste". Essa perfeição se realiza na transformação do crente segundo a imagem de Cristo (ver Rm 8.28-30 e as notas relativas a essa referência). Ninguém comparecerá à presença de Deus sem essa perfeição. A perfeição é ética, mas também está vinculada ao caráter do indivíduo, pois inclui uma mudança *metafísica* de sua natureza, isto é, de conformidade com o padrão da natureza de Cristo, homem perfeito, de conformidade com a intenção de Deus com a humanidade (ver participação na divindade, 2Pe 1.4). Neste texto, Jesus demonstra algo acerca da natureza dessa perfeição. A lei não é superficial porquanto inclui o "espírito", fala do intento do coração, e descreve as verdadeiras exigências da perfeição. Por si mesmo, o homem é incapaz de atingir essa perfeição, mas, mediante o processo da regeneração, oferecido em Cristo, finalmente alcançará essa perfeição. A salvação completa abrange até a glorificação da humanidade redimida, e não somente o perdão dos pecados. Portanto, nessa salvação completa estão incluídos o perdão dos pecados, a regeneração e a glorificação. O processo da glorificação será infinito, conforme é ilustrado no caso de Cristo. Ele ainda se acha nesse processo, e não atingirá essa glorificação enquanto não ocorrer a glorificação da igreja e a transformação dos "filhos de Deus". A vida humana nesta terra é um tipo de preparação e escola para que o homem aprenda e aplique as exigências da "vida eterna". O processo de glorificação perdurará para sempre porque o céu também é um lugar de desenvolvimento. Deus está duplicando o Cristo, criando outros "filhos" verdadeiros. A lei nos fornece uma ideia sobre as exigências desse desenvolvimento. O homem desta narrativa não tinha ainda ideia certa e madura sobre as "verdadeiras exigências" da lei, e a sua "perfeição" era extremamente superficial. Jesus, entretanto, mostrou-lhe que a "perfeição" é o alvo. Os "perfeitos" haverão de herdar a "vida eterna". Nesta passagem, o Senhor não oferece maiores detalhes sobre a busca espiritual. Se quisermos mais implicações acerca da questão, teremos de buscá-las noutros textos bíblicos.

"Depois vem" — Com essa declaração, vemos qual a exigência geral para que alguém obtenha a "vida eterna". Novamente, os atos individuais do discipulado não "merecem" a vida eterna. No discipulado cristão, porém, temos a oportunidade de aprender acerca da salvação que está em Cristo, e assim podemos participar de sua vida, de sua transformação e de sua glorificação.

Com relação à glorificação de Cristo, lemos na passagem de Hebreus 1.4: "Tendo-se tornado tão superior aos anjos, quanto herdou mais excelente nome do que eles". E no v. 10 desse mesmo capítulo: "Amaste a justiça e odiaste a iniquidade; por isso Deus, o teu Deus, te ungiu com o óleo de alegria como a nenhum dos teus companheiros". E em Hebreus 5.8, encontramos: "Embora sendo Filho, aprendeu a obediência pelas coisas que sofreu, e tendo sido aperfeiçoado, tornou-se o Autor da salvação eterna para todos os que lhe obedecem". Nota-se que a *herança* de Cristo dependeu de sua *obediência* como homem, e não de sua natureza como Deus. Jesus completou todas as exigências da "vida eterna" como homem, e assim também "herdou" a sua posição de glorificação. Ele foi "aperfeiçoado", mas isso nada tem a ver com o "pecado", como se tivesse pecado e depois o tivesse eliminado de sua vida. Essa perfeição refere-se à sua expressão na carne, como homem, como "filho" de Deus na carne. Ele aprendeu a obedecer da mesma forma que nós precisamos aprender a ser obedientes. Ele herdou uma "posição" superior à dos anjos. Nós, na qualidade de discípulos de Jesus, estamos *no mesmo processo*. O discipulado cristão nos oferece as lições que nos convém aprender. Uma vez aprendidas, essas lições é que nos conduzem à "perfeição". Os perfeitos aparecerão na presença de Deus e serão herdeiros da "vida eterna". Consultar as notas detalhadas sobre a humanidade de Cristo, em Filipenses 2.7. Ver também as notas em Hebreus 1.4,10; 5.8. Ver sua "divindade", em Hebreus 1.3.

Segundo alguns mss antigos e traduções que seguem esses mss, Marcos acrescenta aqui a expressão *carregando a tua cruz*. O ms M tem essas palavras em uma nota separada (e não no texto), mas a versão KJ as traz no próprio texto. Essa adição vem dos mss AEFGHKMNSUVX, Gamma e Fam Pi. Os mss Aleph, BCD, Delta, Theta e a maior parte das versões latinas as omitem. As traduções AA, AC, ASV, GD, IB, NE, PH, BR, RSV e WM também omitem essa adição. Provavelmente, foram palavras tomadas de empréstimo, por algum escriba, de Marcos 8.34, onde são autênticas.

19.22 Mas o jovem, ouvindo essa palavra, retirou-se triste; porque possuía muitos bens.

19.22 ἀκούσας δὲ ὁ νεανίσκος τὸν λόγον[11] ἀπῆλθεν λυπούμενος, ἦν γὰρ εχων κτήματα πολλά.

22 ἀπηλθεν...πολλά Sl 62.10

[11] 22 {C} τὸν λόγον τοῦτον B 892^mg 1230 1253 *l*^5,51 it^a,b,c,ff1,h syr^c,s,p cop^bo mss eth^pp,ms geo¹ Diatessaron // τὸν λόγον C D K W X Δ Θ *f*¹ *f*¹³ 28 (33) 565 700 892* 1009 1010 1071 1079 1195 1216 1241 1242 1344 1365 1546 1646 2148 2174 Byz Lect it^aur,d,ff,g¹,l,q vg syr^h,pal cop^sa,bo arm (Orígen) // τοῦτο eth^ro // omit ℵ L *l*^950 it^e,f,h geo² Chrysostom

> A forma que melhor parece explicar a origem das outras é τὸν λόγον, apoiada por representantes de certa variedade de tipos de texto. Em acordo com a tendência geral dos copistas de preferirem textos explícitos, vários testemunhos adicionam τοῦτον. Poucos outros testemunhos omitem a expressão inteira, ou por acidente de cópia ou propositalmente, a fim de podar o texto do que se julgava ser supérfluo.

"O jovem, ouvindo" — O verdadeiro discipulado requer *entrega total* da vida. Para alguns, essa entrega deve incluir todas as propriedades, porquanto o caráter do seu serviço incluiria essa necessidade. A percepção de que nada, realmente, pertence ao discípulo, mas que tudo é possessão de seu Senhor, deve fazer parte das lições aprendidas pelos discípulos. Jesus sempre falou com grande seriedade com referência à vida espiritual, e mostrava que a rendição total faz parte integrante do discipulado cristão. Ele mesmo fornecia o exemplo mais elevado dessa rendição. Vivia em pobreza absoluta, se considerarmos as posses materiais que possuía. A sua *pobreza* também incluía a eliminação de todos os obstáculos da carne, abrangendo até mesmo a vontade própria, embora a sua "vontade" fosse a "vontade" do Pai celeste. Sendo um vaso totalmente vazio da vida terrena e das coisas que caracterizam esta existência, ele estava estuante da vida do outro mundo. Diz-nos o texto de Filipenses 2.7: "Antes a si mesmo se esvaziou, assumindo a forma de servo..." E lemos também: "[...] pelo que também Deus o exaltou sobremaneira e lhe deu o nome que está acima de todo nome". Jesus estava vazio da terra para que pudesse viver cheio do céu. Rejeitou toda e qualquer posição e benefício terrenos, a fim de adquirir aquele nome e posição sobremaneira exaltados no outro mundo. Mediante esses ensinos (como no caso do mandamento que se acha neste versículo), Jesus deixou entendido que os dois tipos de existência, o terreno e o celestial, são opostos e se excluem mutuamente. De fato, um dos propósitos dos verdadeiros discípulos, neste mundo, é o aprendizado dessa importantíssima lição. Nesta vida, não podemos escapar de certas necessidades, como a alimentação, o vestuário etc.; porém, nossa busca e propósito devem ter base nas considerações do outro mundo. Paulo expressou a mesma ideia quando escreveu: "Portanto, se fostes ressuscitados juntamente com Cristo, buscai as coisas lá do alto, onde Cristo vive, assentado à direita de Deus. Pensai nas coisas lá do alto, não nas que são aqui da terra" (Cl 3.1).

O obstáculo que se erguia à frente daquele homem é que ele possuía muitas riquezas. Passara a depender psicologicamente das possessões materiais. Ao mesmo tempo, procurava seguir princípios espirituais; mas a base principal, a principal consideração de sua vida, alicerçava-se em coisas materiais. Sendo jovem, é provável que tivesse adquirido suas riquezas por meio de herança. Nunca conhecera uma vida sem abundância de dinheiro, belas casas, servos, propriedades e sem a liberdade de fazer tudo quanto desejasse. Sabemos que o dinheiro confere determinada liberdade de ação. Aquele homem podia viajar e gozar das belezas naturais deste mundo. Seu *prestígio* na comunidade era fruto de suas riquezas. A sua vida estava totalmente integrada ao fato de que possuía muitos bens. A remoção dessa base teria significado *o fim* de sua vida, conforme ele a conhecia. Além disso, seguir a Jesus, quase como um vagabundo, sem casa, dinheiro, servos, sem nenhum prestígio na comunidade, somente lhe aumentaria a miséria que vem pela falta de riquezas. Não foi preciso que ele pensasse muito; percebeu imediatamente como seria sua vida de pobreza, e esse fato o entristeceu. Ouviu a coisa nova que queria ouvir de Jesus, mas a lição foi para ele pesada demais. Ensinara a lei, porém nunca se apercebera do verdadeiro espírito da lei. O fato de que o serviço e o discipulado do reino dos céus exigem uma absoluta rendição jamais entrara em suas considerações. Essa lição, pois, chocou-lhe a inteligência. Restava agora apenas o desejo de continuar na busca espiritual. Encetou-se tremenda luta entre os dois princípios. Foi luta muito intensa, mas de pequena duração — retirou-se triste; sim, triste, mas retirou-se, e não quis mais perguntar coisa nenhuma. Já soubera mais do que estava disposto a suportar. E isso nos mostra que conhecer o caminho espiritual não é, *ipso facto*, aceitar esse caminho. Conhecer o caminho para em seguida rejeitá-lo produz muita tristeza. Aquele homem não encontrara nem a pérola de grande valor nem o tesouro escondido (ver Mt 13.44,45). Foi-se embora entristecido porque não queria deixar Jesus. Entretanto, teria ficado ainda mais triste se tivesse tido de abandonar as suas riquezas terrenas.

19.23 Disse então Jesus aos seus discípulos: Em verdade vos digo que um rico dificilmente entrará no reino dos céus.

19.23 Ὁ δὲ Ἰησοῦς εἶπεν τοῖς μαθηταῖς αὐτοῦ, Ἀμὴν λέγω ὑμῖν ὅτι πλούσιος δυσκόλως εἰσελεύσεται εἰς τὴν βασιλείαν τῶν οὐρανῶν.

Os v. 23-30 têm paralelo em Marcos 10.23-31 e Lucas 18.24-30. A fonte informativa é o "protomarcos". O v. 24 é o "coração" do ensino apresentado nesta seção. Tanto na tradição judaica como na tradição cristã antiga, pode-se notar certa aversão pelas riquezas materiais. Alguns dos salmos ilustram o contraste entre os "pobres" piedosos e os "ricos", que perseguem aqueles (Sl 9.18; 10.9; 12.5; 34.6 etc.). No NT, a epístola de Tiago volta-se especialmente contra os "ricos". Ver o capítulo 2.1-7 e 5.1-6 dessa epístola. O chamado "cântico de Maria", em Lucas 1.53, louva a Deus porque o Senhor "Encheu de bens os famintos e despediu vazios os ricos". A passagem de Apocalipse 18.11-20 demonstra um espírito idêntico. Por outro lado, lembremo-nos de que geralmente, na cultura judaica, as riquezas materiais eram consideradas evidências das bênçãos de Deus. (Ver Jo 42.10 e Ec 44.6). Usualmente, o judaísmo, representado pelos rabinos, procurava achar lugar entre essas duas ideias contrárias. Nota-se, da mesma maneira, que a pobreza usualmente era considerada uma evidência do castigo de Deus. Todavia, o judaísmo também ensinava que as riquezas expõem o indivíduo às tentações e ameaças contra a sua vida espiritual. O v. 24, que vem da tradição judaica, serve de exemplo disso. (*T. Bab. Beracot*, fol. 55.2; *T. Bab. Bava Metzia*, fol. 38.2).

Nesta passagem, pelos ensinos de Jesus, bem como nos textos de Mateus 6.19-21,24 e Lucas 12.13-21, parece-nos que ele *concordava* com os autores que tinham receio das riquezas e dos poderes conferidos pelos bens materiais. Naturalmente que não temos a definição de quanto dinheiro ou de quantas propriedades constituem "riquezas", mas o ponto principal da lição ainda assim tem a aplicação. As riquezas, por muitas vezes, senão sempre, servem de obstáculo à vida espiritual. A história de Zaqueu, narrada em Lucas 19.1-10, mostra que, mesmo um homem rico, pode tornar-se um verdadeiro discípulo de Jesus. Compreende-se, portanto, este "logos" de Jesus, de modo relativo, e não de modo absoluto. A abundância de riquezas materiais tende a obscurecer os alvos e os anelos espirituais, e a corromper a moral.

"Em verdade vos digo" — A busca, a posse e a tentativa de amealhar dinheiro e as coisas que podem ser adquiridas com o dinheiro, são coisas que absorvem muito esforço, e a experiência demonstra que, para muitas pessoas, rápida e facilmente essas coisas se transformam em "deuses". Por isso é que Jesus disse: "*Ninguém* pode servir a dois senhores; porque ou há de aborrecer-se de um, e amar ao outro; ou se devotará a um e desprezará ao outro. Não podeis servir a Deus e às riquezas" (Mt 6.24; consultar as notas nessa referência). A palavra "riquezas", da tradução AA, e "mamom", da tradução AC, são sinônimos. (Esta última é transliteração de uma palavra semítica, provavelmente caldaica, mas que também era usada no siríaco e no púnico, e significava "riquezas"). Provavelmente, é vocábulo de origem mitológica, como se fora designação de um deus, o deus das riquezas, como *Plutão*, na mitologia grega. O modo de Jesus usar a palavra fez alusão à personificação de "mamom", indicando o "deus" das riquezas, como possível "senhor" dos homens. O servo desse deus, em realidade, não passa de um escravo; e é justamente por essa razão que jamais poderia servir ao "Pai" celeste. Em última análise, os ricos são servos ou escravos desse deus, e, assim, dificilmente poderão entrar no reino dos céus. Gastam todo o seu tempo servindo a esse deus. Seu dinheiro leva-os a pensar nas coisas terrenas e a ignorar as coisas celestiais. Por causa de seu dinheiro, eles compram coisas de que não precisam, que talvez sejam más e prejudiciais. Seu dinheiro empresta prestígio na comunidade em que vivem, e eles usam desse prestígio ou influência a fim de escapar à lei quando incorrem em erro. Para obter aquilo de que precisam ou aquilo que desejam, os ricos usam de seu dinheiro para subornar a outros. Seu dinheiro lhes confere poder político, e eles abusam desse poder. O dinheiro é um deus que ignora o clamor dos pobres pedindo justiça, e que só dispensa os seus benefícios àqueles que têm "mérito" monetário, cujo padrão e posição são determinados pelo seu poder financeiro. Por causa do dinheiro os homens se tornam lascivos, inflexíveis, destituídos de misericórdia, orgulhosos, violentos,

544 |Mateus| NTI

avaros, independentes das regras sociais; esquecem-se de Deus e dos homens; esquecem-se que fatalmente morrerão, e vivem tão-somente em função das considerações deste mundo. Tais homens encontrarão dificuldades para entrar no reino dos céus.

19.24 E outra vez vos digo que é mais fácil um camelo passar pelo fundo duma agulha, do que entrar um rico no reino de Deus.

19.24 πάλιν δὲ λέγω ὑμῖν, εὐκοπώ τερόν ἐστιν κάμηλον διὰ τροπήματος ῥαφίδος διελθεῖν ἢ πλούσιον εἰσελθεῖν εἰς τὴν βασιλείαν τοῦ θεοῦ.

24 καμηλον] καμιλον 59 pc arm | τρηματος אᵃ B Or] p) τρυπηματος DW fi fi3 pm ϛ; R: τρυμαλιας Θ al | εισελθειν] אW fi3 1 28 pm] p) διελθειν BDΘ 118 al latt ϛ; R| του Θεου] των ουρανων fi 33 al lat syˢᶜ

> Ao invés de κάμηλον, vários testemunhos secundários, incluindo 59 *l*¹⁸³ —ara geó, dizem κάμιλον ("uma corda" ou "uma espia de navio"). (Ver também os comentários sobre Lc 18.25).

"É mais fácil" — É óbvio que o provérbio original dizia *elefante*; mas Jesus falou em "camelo" por ser esse o maior animal que se conhecia na Palestina, porquanto fazer passar um camelo pelo fundo de uma agulha seria algo igualmente impossível. Embora, em tempos modernos, nas cidades da Síria, as portinholas existentes em alguns muros sejam chamadas de *olhos das agulhas*, em contraste com as portas maiores por onde passam as cargas, não parece haver nenhuma alusão a essas portinholas nas palavras de Jesus.

O Alcorão (*Surat* VII.37) tem um provérbio quase idêntico, o qual talvez tenha base numa antiga e independente tradição do NT, ou pode ter sido tomado de empréstimo do NT, depois de 570 d.C.

Na literatura judaica, há a declaração que nem em seus sonhos um homem vê uma palmeira de ouro ou um elefante a passar pelo fundo de uma agulha (*T.Bab. Beracot*, fol. 55.2). As referências ao elefante a passar pelo fundo de uma agulha encontram-se em *T. Bab. Beracot*, fol. 55.2; *T. Bab. Bava Metzia*, fol. 38.2, *Prefat. ad Zohar*, ed. Sultzbach.

Alguns mss mais recentes (por exemplo, o ms 59, do século XII d.C.) e algumas traduções armênias, dizem *cabo*, ao invés de camelo, o que no grego representa uma pequena modificação de "kamelos" para "kamilos". Sem dúvida essa mudança teve por finalidade diminuir a impossibilidade do ato; porém, não é menos impossível passar um cabo pelo fundo de uma agulha do que fazer passar por ali um elefante ou um camelo.

A mensagem do texto é clara. Os indivíduos de *mentalidade materialista* que consomem a vida procurando adquirir bens materiais só encontram satisfação nas riquezas ou na busca das mesmas; e somente em casos raríssimos é que chegam a importar-se com as questões espirituais para encontrar a vida eterna. No entanto, seria um erro aplicarmos o texto somente aos ricos, porquanto o materialismo tem realizado a sua devastação moral até mesmo entre os pobres, como também entre pessoas que contam com muitos bens materiais.

19.25 Quando os seus discípulos ouviram isso, ficaram grandemente maravilhados, e perguntaram: Quem pode, então, ser salvo?

19.25 ἀκούσαντες δὲ οἱ μαθηταὶ¹² ἐξεπλήσσοντο σφόδρα λέγοντες, Τίς ἄρα δύναται σωθῆναι;

¹² 25 {B} μαθηταί א B Cᵛ D K L Δ Θ *f*¹³ 33 565 700 892 1079 1195 1546 1646 2148 itᵃ·ᵃᵘʳ·ᵇ·ᶜ·ᵈ·ᵉ·ff²·gʹ·ʰ·ˡ·ⁿ·q·r¹ vg syrᵃ·ᵖ·ʰ·ᵖᵃˡ copˢᵃ·ᵇᵒ arm geoᴮ Hilary // μαθηταὶ αὐτοῦ C³ W X *f*¹ 28 1009 1010 1071 1216 1230 1241 1242 1253 1344 1365 2174 *Byz Lect* itff syrᶜ eth geo¹·ᴬ John-Damascus

> A tendência, característica do tipo de texto posterior, de adicionar pronomes, parece ter operado aqui, apesar da redundância resultante com τοῖς μαθηταῖς αὐτοῦ no v. 23.

"Ouvindo isto" — A expressão "grandemente maravilhados", literalmente seria "batidos fora de si mesmos", sendo uma expressão forte para expressar grande surpresa. Este versículo indica que os discípulos até então aceitavam a ideia, muito comum entre os judeus, de que as riquezas evidenciam as bênçãos e a aprovação de Deus e que, portanto, o homem rico tinha uma evidência inerente da aprovação de Deus. A ideia que formavam era esta: Se o indivíduo que tem evidências de gozar da bênção divina não pode entrar no reino dos céus, então, quem pode entrar? O pobre, por sua própria condição de penúria, mostra que Deus não o está abençoando, pois, de outra maneira, não seria pobre. Portanto, seria de se esperar que os pobres não entrassem no reino dos céus, e sim os ricos?

Diversos intérpretes apresentam interpretações menos prováveis do que aquela que já foi dada, como sejam:

1. A que se baseia na suposição de que todos têm mais ou menos o mesmo apego às coisas materiais, e, assim, todos são *semelhantes* ao rico. Isso talvez expresse uma verdade, isto é, que as pessoas não precisam ser ricas para serem materialistas, pois o materialismo pode ser defeito até mesmo dos pobres. Essa ideia, porém, embora expresse certa verdade, não é ensinada neste texto.

2. Os ricos dispõem dos meios necessários para realizar muitas coisas boas e humanitárias, e, se nem os ricos podem alcançar o reino, como seria isso possível para os pobres, que *não contam* com os meios para praticar as boas obras? Essa interpretação, no entanto, como é evidente, está muito longe do verdadeiro sentido deste versículo.

3. Outros pensam que a própria condição de ser rico *condena* o indivíduo abastado ou torna-o menos digno de herdar o reino dos céus. Contudo, Jesus não ensinou que as riquezas são inerentemente más, como alguma forma de enfermidade ou peste.

4. Outra interpretação que também está longe do sentido real deste versículo é a que diz que as riquezas são más e servem de obstáculo à entrada no reino dos céus, *quanto mais* o pecado! Assim, as pessoas que têm pecado (que é a condição de todas as criaturas humanas) certamente não podem alcançar o reino dos céus. Não é isso também o que o texto ensina.

5. Outros interpretam que, nesta passagem, "salvação" não se refere à vida do outro mundo, e, sim, à vida no *reino temporal*, o reino da terra e os privilégios próprios desse reino, e que Jesus quis indicar que os ricos não teriam nenhuma posição de autoridade nesse reino.

Contrariamente a todas essas explicações, é melhor compreendermos que os discípulos achavam (como de resto, a maioria dos judeus) que as riquezas evidenciam as *bênçãos* de Deus e a sua aprovação, e que, por isso mesmo, os ricos deveriam ser pessoas que finalmente seriam salvas. Jesus, entretanto, ensinou que a posse de bens materiais não prova, *ipso facto*, a aprovação de Deus, mas que usualmente o oposto é que expressa a verdade. Os ricos geralmente abusam de sua posição e poder, vivem a desrespeitar as regras sociais, independentes de Deus e dos homens, e usam de suas riquezas para viver na licenciosidade e na soberba. Essas pessoas dificilmente entrarão no reino dos céus.

Nota-se, por conseguinte, que Jesus concordava com os autores bíblicos, os quais tinham receio das riquezas e de seus efeitos entre os homens, e que ele rejeitou a ideia, muito comum entre os judeus, de que as riquezas necessariamente evidenciam as bênçãos de Deus. Pelo contrário, Cristo afirmou que, usualmente, a posse das riquezas materiais só serve de obstáculo à vida espiritual.

19.26 Jesus, fixando neles o olhar, respondeu: Aos homens é isso impossível, mas a Deus tudo é possível.

19.26 ἐμβλέψας δὲ ὁ Ἰησοῦς εἶπεν αὐτοῖς, Παρὰ ἀνθρώποις τοῦτο ἀδύνατόν ἐστιν, παρὰ δὲ θεῷ πάντα δυνατά.

26 παρὰ δὲ...δυνατά Gn 18.14; Jó 42.4; Zc 8.6 LXX

Jesus percebeu que causara profunda *impressão* nas mentes dos discípulos, e que grande fora a surpresa e a consternação deles. Naquele momento, foi arrancada deles uma crença que vinham nutrindo há muito tempo. Por esse motivo, Jesus faz o impossível tornar-se possível. Queria remover o efeito depressivo que seu *logos* tinha causado. Fixou neles um olhar "suave e humilde, consolando as suas mentes assustadas, aliviando a angústia que sentiam" (Crisóstomo, *Hom*, 1 XIII.). As palavras deste versículo têm por propósito mostrar que o duro *logos* contra os ricos (v. 25) não tem natureza absoluta, mas deve ser compreendido "cum grano", porque a situação de abastança estabelece uma tendência geral para atitudes e ações más, mas mesmo assim pode haver exceções, em face do arrependimento e das modificações de atitudes. As riquezas são uma influência contrária aos impulsos espirituais, mas o poder de Deus pode modificar a tendência do coração. No paralelo de Marcos 10.24, encontramos uma frase explicativa: "Filhos, quão difícil é entrar no reino de Deus!" Aqui Jesus fala de modo geral, mostrando que a dificuldade da entrada no reino não se limita somente aos ricos. Porquanto, além do fato de a maioria dos ricos ter ideias materialistas — o que é uma forma de pecado —, todos os homens são culpados de pecados diversos, talvez até piores que o pecado do materialismo. Algum escriba fez com que esse versículo do evangelho de Marcos se aplicasse somente aos ricos, ao acrescentar "para os que confiam nas riquezas", como se o versículo dissesse: "Filhos, quão difícil é para os que confiam nas riquezas entrar no reino de Deus!" Os mss AD, Theta, Fam Pi, Fam 1, Fam 13 e as traduções AA (assinalada duvidosa), AC, ASV, F, KH, BR (marcada duvidosa), PH, e WY, têm essa adição ou expansão do versículo. Os mss mais antigos, como Aleph, B, W, a versão latina *k* e a maior parte das versões siríacas e egípcias, não têm, porém, essas palavras, no que são acompanhadas pelas traduções NE, GD, IB, RSV, WE, AA e BR. A evidência é de que Jesus fez a declaração mais geral. Demonstrou quão difícil é a entrada de indivíduos pecaminosos no reino de Deus. De fato, as palavras de Jesus ilustram o fato de que essa entrada no reino é impossível para a capacidade humana. Pelo próprio poder, o homem não pode salvar a si mesmo do poder do pecado. A vontade que ele deve usar para resistir ao pecado e a seus efeitos é justamente o ponto fraco, motivado pela sua natureza pecaminosa, pelo que a vontade não tem o poder de eliminar o pecado. O homem não pode eliminar os seus pecados passados, e, pelo exercício mental, também não pode descobrir todos os maus resultados de seus pecados. Deus, porém, pode purificar o passado, desfazendo todos os maus efeitos do pecado e concedendo esperança firme quanto ao futuro. No caso do jovem rico, cujas riquezas lhe serviam de obstáculo na busca da vida eterna, Deus poderia remover as suas riquezas, ou poderia remover o homem de suas riquezas. "Todas as outras (riquezas) o deixariam, ou ele as deixaria" (Arcebispo Trench, em *Sermons Preached in Westminster Abbey*, Richard Chenevix Trench, New York, W. J. Middleton, 1860, p. 355). A passagem de Marcos 10.17 diz: "Para os homens é impossível; contudo, não para Deus, porque para Deus tudo é possível". Alguns mss da igreja ocidental (D e *k* das versões latinas) dizem parafraseando: "Para os homens é impossível, mas para Deus é possível". As famílias 1 e 13 omitem "para Deus todas as coisas são possíveis". Esses textos, todavia, não são originais, porquanto o texto familiar tem o apoio dos mss mais antigos, no que são acompanhados pelas traduções.

(d) Galardões para os discípulos (19.27—20.28)

i. Promessa de Cristo (19.27-30)

[Ver Mc 10.28-30, que torna a declaração bastante geral; mas a inserção feita por Mateus, de 28b, derivada de "Q" (Lc 22.28-30) faz a seção aludir especialmente aos doze.]

Os v. 27-30 formam uma seção separada que fala do *valor do discipulado*, especialmente considerando a recompensa que vem do sacrifício do dinheiro, da família, das propriedades ou de outras

coisas comumente reputadas valiosas pelos homens. O evangelho de Mateus faz o texto falar, de modo geral, da questão das recompensas, ajuntando logo em seguida (Mt 20.1-15) a parábola dos trabalhadores da vinha. Evidentemente, o propósito era o de mostrar que os discípulos, geralmente pobres como são, os quais têm sacrificado as vantagens da busca materialista durante sua existência terrena, podem ter a certeza de que, na vida vindoura, isto é, do reino, receberão a recompensa muito ampla. O ponto central é que Deus dá aos homens mais do que eles realmente merecem, fato esse que deve servir de consolo aos discípulos pobres. Os paralelos são Marcos 10.28-31 e Lucas 18.28-30, pelo que a fonte informativa principal deve ter sido o *protomarcos*, (ver notas sobre as fontes informativas dos Evangelhos na introdução a este comentário, no artigo intitulado "O problema sinóptico", e na introdução ao evangelho de Marcos. Todavia, o texto desta seção (Mt 19.28) é diferente (pois é uma adição) e, provavelmente, representa a fonte informativa "Q". A versão dada por Lucas é a mais abreviada, e também baseia-se no *protomarcos*, embora com modificações editoriais.

19.27 Então Pedro, tomando a palavra, disse-lhe: Eis que nós deixamos tudo, e te seguimos; que recompensa, pois, teremos nós?

19.27 Τότε ἀποκριθεὶς ὁ Πέτρος εἶπεν αὐτῷ, Ἰδοὺ ἡμεῖς ἀφήκαμεν πάντα καὶ ἠκολουθήσαμέν σοι· τί ἄρα ἔσται ἡμῖν;

Pedro falava como *porta-voz* dos doze. Eles observaram o jovem rico rejeitar o discipulado do reino por ter preferido preservar suas riquezas materiais. Ora, contrastando com isso, os discípulos haviam deixado tudo a fim de cumprir o discipulado cristão. Certamente haveria alguma recompensa para suas ações. Talvez Pedro tivesse falado movido pela ambição, refletindo a atitude materialista dos demais discípulos. Todos eles esperavam a instauração de um reino literal, pensavam que os ricos merecem a aprovação de Deus, e, sem dúvida, esperavam receber "riquezas" como parte integral desse reino. No entanto, em meio a essas atitudes de ambição pessoal, os doze também eram sinceros em seu serviço, em sua prédica e em sua busca pelas bênçãos espirituais. Por isso é que se interessavam pela recompensa que galardoaria certamente tais atitudes e ações como as deles. O jovem rico nada quisera sacrificar, mas fazia bastante tempo que os discípulos tinham deixado irmãos, irmãs, casas, pai e mãe. No seu caminho, haviam se encontrado com homens maus, ímpios, que eram carnais e que blasfemavam ante suas ações e intenções. Sua experiência foi idêntica à da igreja primitiva, e as palavras de Pedro, por conseguinte, tiveram aplicação posterior a toda a igreja em geral, cuja situação tornou-se idêntica à dos discípulos. Mais tarde, grande oposição levantou-se contra os cristãos. Elementos judeus rejeitaram totalmente o domínio e a posição do Cristo. Juntamente com oficiais do governo romano, esses elementos perseguiram os discípulos, defraudaram-nos de seus bens, e recusaram-se a dar-lhes qualquer posição nas suas comunidades, e até mesmo mataram a muitos deles. A passagem de Hebreus 10.34 reflete a situação da igreja primitiva: "Porque não somente vos compadecestes dos encarcerados, como aceitastes com alegria o espólio dos vossos bens, tendo ciência de possuirdes vós mesmos patrimônio superior e durável". Pedro, por conseguinte, falava não somente pelos doze, como **representante do grupo original de discípulos**, mas falava também *pela igreja inteira*. O autor deste evangelho apresenta aqui um diminuto catecismo sobre a questão das recompensas que serão distribuídas aos discípulos fiéis.

O *tudo* deixado por Pedro e pelos outros discípulos, como homens pobres que eram, foi pouco em comparação com as riquezas do jovem rico; mas esse "tudo" representava muito para eles. Bengel disse (*in loc.*): "O pouco possuído pelo operário é, para ele, não menos do que o muito do príncipe é para o príncipe". No caso dos filhos de Zebedeu (Tiago e João), o "tudo" provavelmente representava uma propriedade considerável, porquanto Zebedeu tinha o bastante para ser um empregador (Mc 1.20 informa-nos que ele tinha "empregados"). Em cada caso, o sacrifício feito foi de "tudo". Pedro disse: "[...] nós tudo deixamos..." No grego, o termo "nós" é enfático, contrastando com o caso do jovem rico, que nada deixara.

19.28 Ao que lhes disse Jesus: Em verdade vos digo a vós que me seguistes, que na regeneração, quando o Filho do homem se assentar no trono da sua glória, sentar-vos-eis também vós sobre doze tronos, para julgar as doze tribos de Israel.

19.28 ὁ δὲ Ἰησοῦς εἶπεν αὐτοῖς, Ἀμὴν λέγω ὑμῖν ὅτι ὑμεῖς οἱ ἀκολουθήσαντές μοι,ᶜ ἐν τῇ παλιγγενεσίᾳ, ὅταν καθίσῃ ὁ υἱὸς τοῦ ἀνθρώπου ἐπὶ θρόνου δόξης αὐτοῦ, καθήσεσθε καὶ ὑμεῖς ἐπὶ δώδεκα θρόνους κρίνοντες τὰς δώδεκα φυλὰς τοῦ Ἰσραήλ.

ᶜ**28** *c minor:* TR Bov Nes BF² AV RV ASV RSV NEB TT Zür Luth Jer Seg // *c none:* WH

28 ὅταν...αὐτοῦ Dn 7.9,10; Mt 25.31

ὅταν...θρόνους Mt 20.21; Mc 10.37; Ap 3.21

καθήσεσθε...' Ἰσραήλ Lc 22.30

Este *logos* de Jesus baseia-se na fonte "Q" e representa uma promessa feita especialmente aos doze. Todavia, as passagens de Apocalipse 2.26 e 3.21 indicam que a autoridade de reinar com Cristo (durante o milênio) será dada amplamente aos membros da igreja (os crentes), como uma forma de recompensa, ou, pelo menos, como um dos elementos da recompensa que é prometida aos cristãos fiéis. Entretanto, Jesus prometeu autoridade especial aos apóstolos, e o texto de Apocalipse 21.12 ensina justamente isso.

A palavra *regeneração* ou "recriação" pode significar "novo nascimento", e se acha somente aqui e em Tito 3.5. Nesta última passagem, a referência é ao "novo nascimento" do indivíduo, à "regeneração" pessoal, à transformação do ser individual. (Ver notas nessa passagem e também as notas detalhadas em Rm 8.29 e Jo 3.5,7). Contudo, nesta passagem de Mateus, está em vista o renascimento do mundo inteiro, incluindo os elementos físicos, quando a maldição que foi lançada contra a terra tiver sido removida. No milênio, o mundo e as nações haverão de sofrer tremendas modificações. É evidente que o homem se tornará mais espiritual, o que incluirá uma autêntica transformação metafísica de sua personalidade. Isso significa que o homem será um novo tipo de criação, embora, nesta altura, continue sendo ainda muito inferior aos anjos, apesar de muito superior ao seu estado atual. Em contraste com isso, os crentes serão transformados segundo a imagem de Cristo, pelo que receberão uma natureza superior à dos anjos (ver as notas em Rm 8.29). Quando dessa "regeneração" do mundo, Cristo estará presente na qualidade de Rei do universo. Mais tarde (terminados os mil anos), ocorrerá mais uma "regeneração", posto que o milênio, em realidade, será apenas um estágio preparatório para o estado eterno. A despeito disso, essa "regeneração" apresentará uma nova revelação de Cristo, de seu poder, de sua pessoa, de sua autoridade, e de como o destino de cada indivíduo está vinculado à sua pessoa. Essa nova revelação da pessoa de Jesus Cristo, portanto, é, ao mesmo tempo, uma nova revelação do destino e da finalidade da vida humana, porquanto Cristo é o pioneiro nessa escalada, e o destino dele é o nosso. Ele é a cabeça; nós somos o seu corpo. A sua glorificação é a nossa glorificação. Alguns intérpretes encontram, neste versículo, outra profecia paralela à de Isaías 1.26, que diz: "E te restituirei os teus juízes, como eram dantes; e os teus conselheiros, como antigamente; e então te chamarão cidade de justiça, cidade fiel".

A nova revelação de Cristo assumirá a forma de *Filho do homem*. Ver a nota detalhada acerca dessa expressão, em Mateus 8.20 e Marcos 2.7. Ver as notas detalhadas sobre *Filho de Deus*, em Marcos 1.1; sobre a humanidade de Cristo, em Filipenses 2.7; e sobre a divindade de Cristo, em Hebreus 1.3.

"Doze tronos" — Evidentemente, alude ao poder político literal, não sendo mero símbolo de glória ou de autoridade. Os paralelos desta seção, em Marcos e em Lucas, não contêm este versículo, mas o texto de Lucas 22.30 encerra uma promessa semelhante: "Para que comais e bebais à minha mesa no meu reino; e vos assentareis em tronos para julgar as doze tribos de Israel". Esse ministério, por conseguinte, está especialmente relacionado ao *governo* da nação de Israel no milênio. Alguns intérpretes dão uma interpretação simbólica, dizendo que Israel representa a autoridade que será conferida aos doze nessa sociedade. Nessa ideia, encontra-se certa verdade. Por certo os apóstolos desfrutarão de tais posições na igreja universal e eterna, mas não há razão para que se negue o seu reinado literal sobre o Israel literal, na terra, durante o milênio. O texto de Apocalipse 21.24 indica a continuação da existência das nações durante o milênio, e, provavelmente, até mesmo no estado eterno. As populações dessas nações, no milênio, provavelmente passarão por uma transformação metafísica em seu ser, quando da regeneração; mas é óbvio que essa transformação será em menor grau do que a transformação dos crentes à imagem de Cristo. Não contamos com muitas informações sobre essa questão, e precisamos ficar à espera de um conhecimento mais sólido, quando ocorrer a própria revelação da "regeneração".

Se por um lado, essa promessa dos *doze tronos* foi especialmente feita para os apóstolos, por outro, a passagem de 2Timóteo 4.8 indica que a recompensa que será dada aos crentes fiéis é certa, adquirindo diversas formas. Textos como os de Romanos 8.17, 1Coríntios 6.2, 2Timóteo 2.12, Apocalipse 2.26 e 3.21 implicam todos na verdade de que, pelo menos, uma parte da recompensa dos crentes será o poder de reinar com Cristo, em seu reino.

19.29 E todo o que tiver deixado casa, ou irmãos, ou irmãs, ou pai, ou mãe, ou filhos, ou terras, por amor do meu nome, receberá cem vezes tanto, e herdará a vida eterna.

19.29 καὶ πᾶς ὅστις ἀφῆκεν οἰκίας ἢ ἀδελφοὺς ἢ ἀδελφὰς ἢ πατέρα ἢ μητέρα[13] ἢ τέκνα ἢ ἀγροὺς ἕνεκεν τοῦ ὀνόματός μου ἑκατονταπλασίονα[14] λήμψεται καὶ ζωὴν αἰώνιον κληρονομήσει.

29 ζωὴν...κληρονομήσει Mt 19.16; Lc 10.25

[13]**29** {C} πατέρα ἢ μητέρα (ver Mc 10.29) B 2148 itᵃ·ⁿ syrᵖᵃˡ Irenaeusˡᵃᵗ Origen // πατέρα ἢ μητέρα ἢ γυναῖκα (ver Lc 18.29) ℵ C K L W X Δ Θ f¹³ 28 33 565 700 892 1009 1010 1071 1079 1195 1216 1230 1241 1242 1253 1344 1365 1546 (1646 μητέρα ἢ πατέρα) 2174 *Byz Lect* itᵃᵘʳ·ᶜ·ᶠ·ᵍ¹·ʰ·ˡ·q vg syrᵖ·ʰ copˢᵃ·ᵇᵒ arm eth geo Basil Chrysostom Cyril John-Damascus // μητέρα ἢ γυναῖκα syrᶜ // μητέρα D itᵇ·ᵈ·ff¹·² syrˢ Hilary Paulinus-Nola // γονεῖς (ver Lc 18.29) fˡ (itᵉ) Irenaeusˡᵃᵗ Origen

[14]**29** {B} ἑκατονταπλασίονα (*ver* Mc 10.30) ℵ C (D* − σιον) Dᶜ K W X Δ Θ f¹ f¹³ 28 33 565 700 892 1009 1071 1079 1195 1216 1230 1241 1242 1253 1344 1365 1546 1646 2148 2174 *Byz Lect* itᵃ·ᵃᵘʳ·ᵇ·ᶜ·ᵈ·ᵉ·ff¹·²·ᵍ¹·ʰ·ˡ·ⁿ·q vg syrᶜ·ᵃ·ᵖ·ʰ copᵇᵒ arm ethʳᵒ·ᵖᵖ geo Irenaeusˡᵃᵗ Hilary Basil Chrysostom // ἑπταπλασίονα Ephraem // πολλαπλασίονα (ver Lc 18.30) B L 1010 syrᵖᵃˡ copˢᵃ ethᵐˢ Diatessaron Origen Cyril

[13]A presença de γυναῖκα, em muitos testemunhos, parece ser resultado da assimilação escribal ao paralelo lucano (Lc 18.29), e a substituição de πατέρα ἢ μητέρα por γονεῖς, em outros testemunhos, pode refletir ou a influência do mesmo paralelo ou uma substituição que surgiu independentemente. A ausência de πατέρα ἢ —, em D e vários testemunhos do Latim Antigo, parece ter resultado de homoeoteleuton.

[14]As várias formas refletem-se nas passagens paralelas: o texto de Marcos (10.30) diz ἑκατονταπλασίονα ("cem vezes mais"); a maioria dos manuscritos de Lucas 18.30 diz πολλαπλασίονα ("muitas vezes"); e o texto ocidental de Lucas (D Latim Antigo sir syrʰᵐᵍ) diz ἑπταπλασίονα ("sete vezes"). O que foi julgado como um apoio externo predominante, bem como as considerações que envolvem a dependência de Mateus a Marcos, levaram a comissão a preferir ἑκατονταπλασίονα.

"Todo aquele" — Jesus fez uma lista completa das possibilidades do sacrifício. As palavras "ou mulher", para indicar a "esposa", são omitidas por BD, pela maior parte das versões latinas, pelo Si(s) e por Irineu e Orígenes, pais da Igreja, como também por diversas traduções modernas que seguem os mss mais antigos, como IB, WM, GD e outras. Nota-se, porém, que em Lucas 18.29 aparecem também essas palavras, onde são autênticas. Provavelmente, portanto, *ou mulher* (em Mateus) foram palavras acrescentadas por algum escriba a fim de que houvesse harmonia com a passagem de Lucas, para que a lista de Mateus ficasse mais completa. É importante observarmos aqui que este versículo tem a finalidade de estender o sentido do v. 28 (que se aplica somente aos doze apóstolos) a fim de incluir todos os crentes de todos os séculos. Os crentes que seguem o bom exemplo dos doze, rejeitando o mau exemplo do jovem rico, receberão galardões apropriados não menos que os doze.

"Por causa do meu nome" — Assim diz Mateus, embora isso seja uma variação. Marcos traz o texto mais longe: "[...] por amor de mim e por amor do evangelho". Lucas tem "por causa do reino de Deus". Não é impossível que Jesus tenha apresentado todos esses diversos motivos como base do sacrifício da abnegação dos crentes. Certamente, durante os anos que passou em companhia dos doze, deve ter proferido todas essas palavras, que falam de diversas circunstâncias; e talvez ainda se tivesse referido a outras circunstâncias. Qualquer uma delas seria motivo suficiente para o crente dispor-se ao sacrifício necessário. Aqueles que amam a Cristo mais do que a seus parentes, suas casas e suas possessões, podem esperar a recompensa que vem do amor de Deus. Desse amor, podemos esperar mais do que merecemos ou do que podemos imaginar. Aqueles que se dispõem a viver pregando o evangelho — as boas novas da salvação — podem esperar o recebimento das promessas contidas nesse evangelho. Os discípulos que prefiram viver para o engrandecimento do nome de Jesus Cristo, e não para a vantagem ou os benefícios de sua família ou a fim de amealharem riquezas, podem ficar aguardando uma recompensa muito maior e mais sublime do que qualquer possessão terrena. Aqueles que trabalham pelo reino de Deus podem esperar a sua herança, quando for estabelecido esse reino celestial à face da terra.

"Receberá muitas vezes mais". Algumas antigas traduções, como KJ e AC, dizem "cem vezes mais". Todavia, a tradução "muitas vezes mais", segundo as versões AA, IB WM e outras, baseia-se nos mss BL (e alguns outros), no Sa (versões egípcias) e no pai da Igreja Orígenes. Essa é a palavra original de Mateus. "Cêntuplo" ou "cem vezes mais" é a expressão original de Marcos (Mc 10.30). Lucas diz "muitas vezes mais" (Lc 18.30). O sentido, porém, é o mesmo em todos os três casos. Jesus não somente prometeu a recompensa na vida vindoura (a vida eterna), mas para esta própria vida. Marcos descreve o caráter da recompensa presente: "[...] o cêntuplo de casas, irmãos, irmãs, mães, filhos e campos, com perseguições". O sacrifício próprio ao discipulado rompe com as relações humanas mais preciosas. O indivíduo abandona o seu lar, seus pais, seus amigos, seus irmãos, suas irmãs, e até mesmo, se necessário for, a sua terra natal. Todas as suas relações com amigos e parentes se desfazem. No ministério do evangelho, porém, Deus restaura essas relações. Os novos pais, os novos irmãos e irmãs não são parentes de conformidade com a carne, e, sim, mediante a fé, nos vínculos do amor de Deus. Todos os crentes são filhos de Deus, pertencem à família de Deus. Ali impera um amor superior ao afeto que existe só por parentesco sanguíneo. Sabemos, igualmente, que essa família de Deus subsistirá eternamente, em contraste com o parentesco carnal, que é passageiro. Por conseguinte, as novas relações são eternas. Outrossim, o número de parentes — pais, filhos, irmãos e irmãs — aumenta grandemente. Marcos diz "cêntuplo", ou seja, cem vezes mais. Além disso, o discípulo obtém muitas outras possessões materiais, porquanto tudo quanto pertence aos seus novos irmãos, agora é seu também. Na família de Deus, ele acha

sustentáculo físico e regozijo espiritual. Brown (*in loc.*) diz: "Cem vezes, agora, neste tempo. Essa é a forma da reconstrução de todas as relações e afeições humanas, na base cristã entre os crentes, depois de tais relações e afeições terem sido sacrificadas, em sua forma natural, no altar do amor a Cristo". O mesmo autor também observa que o próprio Jesus ofereceu o primeiro exemplo ou padrão desse tipo de sacrifício, porquanto também abandonou sua casa, sua profissão, seus pais, seus irmãos e irmãs e seus amigos. (Ver Mt 12.49,50.) Consola-nos observar que esse tipo de sacrifício é agradável a Deus, o qual, por fim, haverá de dar sua recompensa a esse tipo de atitude e ação.

Todavia, é realmente estranho que este versículo tenha sido usado, por muitos missionários modernos, para internarem os próprios filhos em escolas, onde ficarão sob o cuidado de *outras pessoas*, para eles cumprirem mais convenientemente os deveres do seu serviço missionário. Não é razoável que nos desvencilhemos de nossos filhos, negligenciando assim o treinamento e a instrução dos mesmos, a fim de cuidarmos de filhos alheios. Toda essa prática é contrária ao claro ensino ministrado por meio de Paulo, em 1Timóteo 5.8: "Ora, se alguém não tem cuidado dos seus e especialmente dos de sua própria casa, tem negado a fé e é pior do que o descrente". Sim, pois até os próprios descrentes sentem a responsabilidade de cuidar de seus filhos. Precisamos ajuntar aqui que o fornecimento de dinheiro para cuidar da educação dos filhos dificilmente corresponde ao "cuidado" que os pais devem ter por seus filhos, segundo é expresso neste versículo. O próprio Jesus condenou fortemente a atitude que os judeus tinham contra a afeição natural que deve unir as famílias, especialmente no caso dos filhos que devem cuidar de seus pais, quando se tornam idosos e necessitados. Quanto mais devemos cuidar das crianças desamparadas, especialmente dos nossos filhos!

O texto de Mateus 15.3-5 diz: "Ele, porém, respondendo, disse-lhes: Por que transgredis vós também o mandamento de Deus pela vossa tradição? Porque Deus ordenou, dizendo: Honra a teu pai e a tua mãe; e: quem maldisser ao pai ou a mãe, morra de morte. Mas vós dizeis: Qualquer que disser ao pai ou a mãe: É oferta ao Senhor o que poderias aproveitar de mim; esse não precisa honrar nem a seu pai nem a sua mãe". O mandamento de Deus prescrevia a *afeição natural* entre pais e filhos e estabelecia responsabilidades entre eles. Fingindo servir a Deus, porém, os homens haviam encontrado um meio de negligenciar essas responsabilidades. Alguns missionários evangélicos abandonam os próprios filhos, como se dissessem *Corbã*, isto é, *dom* a Deus, ou: "É oferta ao Senhor o que poderias aproveitar de mim", e, com essas palavras, deixam a responsabilidade de criar os seus filhos em mãos de estranhos. Por essa ação, ainda têm a coragem de esperar uma grande recompensa. O versículo que segue diz: "Porém, muitos primeiros serão últimos; e os últimos, primeiros" (Mt 19.30). Não nos iludamos, pensando que essa atitude é justa. O décimo oitavo capítulo do evangelho de Mateus mostra o grande respeito de Jesus para com as crianças — e mais do que isso, seu grande amor às crianças. Precisamos seguir o exemplo deixado por Jesus. Certamente que abandonar os nossos filhos não pode ser uma necessidade para quem almeja servir a Deus. O exame detido de muitos casos ilustra o fato de que mui raramente os pais missionários têm verdadeira necessidade de deixar a tarefa da criação de seus filhos na mão de terceiros, a fim de que possam servir a Deus. Usualmente, há outras soluções que lhes permitiriam instruir seus filhos sem necessidade de se desfazerem da companhia deles, e sem que isso em nada interfira no seu serviço a Deus. Outrossim, o serviço cristão que requer o abandono das crianças só pode ser feito por aqueles que observam as sugestões de Jesus acerca do celibato, conforme encontramos em Mateus 19.10-12. Nossas obrigações para com os nossos filhos não são menores que quaisquer outras obrigações da ética cristã ou do serviço do evangelho. Aquele que abandona os próprios filhos comete um ato que até mesmo entre os descrentes e ateus não pode ser aprovado.

548 |Mateus| NTI

Por outro lado, no caso em que a família, o lar ou as possessões materiais venham a servir de obstáculos ao serviço do evangelho ou ao cumprimento da vontade de Deus, precisamos preferir o serviço e a vontade de Deus a todas as demais considerações. Quanto a mim, porém, não posso pensar em qualquer possibilidade em que nossos filhinhos inocentes possam servir de tal oposição ou empecilho. O grande erro que os modernos missionários evangélicos têm cometido é justamente esse — o de abandonarem os próprios filhos, a fim de servirem a outros. Felizmente, alguns pais missionários e organizações missionárias estão começando a reconhecer tão grande erro. Esse é um pecado que tem sido praticado pelas próprias pessoas que têm a responsabilidade de saber que isso não é direito. Quantos filhos de missionários são estranhos para os próprios pais? Quantos filhos de missionários estão revoltados contra a igreja? Quantos deles acham que seus pais não os amam? Aqueles que conhecem o drama desses filhos sabem que o número deles não é pequeno. Notemos, com cuidado, a advertência do v. 30: "Porém, muitos primeiros serão últimos; e os últimos, primeiros". A verdade é que devemos servir a Deus e aos nossos filhos ao mesmo tempo. De fato, aquele que cuida de seus filhos está servindo melhor a Deus.

"E herdará a vida eterna" — Esta é a principal promessa do evangelho e de todo o destino da vida humana. Nas Escrituras, a vida presente é sempre apresentada como oportunidade de preparação para a vida vindoura, quando o homem haverá de alcançar a vida imortal. O homem é primariamente uma criatura espiritual; porém, visto que habita em um corpo, precisa passar pela "morte", que consiste simplesmente do abandono dessa casa de barro. O espírito entra nos lugares celestiais e prossegue no processo de ser transformado segundo a imagem de Cristo. Essa transformação é de natureza moral, espiritual e metafísica. Dessa maneira o indivíduo torna-se, realmente, outro tipo de criação, mais elevada do que os anjos. Essa forma de recompensa não pode ser expressa por termos tais como "cêntuplo", que expressam o caráter da recompensa presente, porquanto a recompensa própria da vida eterna é extremamente elevada, ultrapassando em muito a toda percepção humana. Portanto, não se pode encontrar adjetivos capazes de expressar essa vida eterna e a sua glória; e mesmo que tais adjetivos pudessem ser encontrados, a mente humana não aprenderia a sua significação. Porém, podemos perceber, ainda que imperfeitamente, essa ideia, quando consideramos a perfeição, a glória, a majestade, o domínio e a grandeza de Cristo. Ele é o nosso alvo e padrão, e textos como Romanos 8 e Efésios 1 nos ensinam que a sua perfeição será a nossa, que a sua glória será a nossa, e que a sua majestade, domínio e grandeza também nos pertencerão. Ele é a cabeça, e nós somos o seu corpo. Nem os anjos, em toda a sua perfeição, podem atingir essa elevadíssima posição. Incorremos em grave erro ao pensar nos céus em termos materialistas, coroas, mansões, ruas de ouro etc. (a despeito dessas coisas também expressarem realidades; mas não expressam tudo). Os céus representam principalmente a transformação do indivíduo, a realização pessoal; e, nesse desenvolvimento espiritual e metafísico, seremos muito mais úteis a Deus, muito mais capazes de cumprir a vontade e majestosos alvos de nosso Senhor. Os céus não estabelecem o limite e o fim das obras de Deus, mas tão-somente uma *nova fase* dessas obras. A igreja será o instrumento mais poderoso para cumprir os alvos e propósitos que por enquanto não podemos compreender, e acerca dos quais não temos quase nenhum conhecimento. Buttrick (*in loc.*): "Mas a esperança da comunidade cristã foi focalizada em Cristo. Ele foi a divulgação de Deus. Ele foi o sinal vivo dos veredictos da eternidade". Esse tema — a "vida eterna" — é a luz e a música do evangelho. Existem "tronos", "glória", "domínios", "regozijo" e alvos eternos que nos pertencem por direito.

19.30 Entretanto, muitos que são primeiros serão últimos; e muitos que são últimos serão primeiros.

19.30 Πολλοὶ δὲ ἔσονται πρῶτοι ἔσχατοι καὶ ἔσχατοι πρῶτοι.

30 Mt 20.16; Lc 13.30

"Porém, muitos primeiros serão últimos" — Este *logos* de Jesus é paralelo a Marcos 10.31, mas o evangelho de Lucas o omite. Jesus acabara de falar sobre a recompensa na vida vindoura, e ajuntou uma breve explicação para ilustrar, principalmente, que as regras ou ideias de Deus sobre a citada recompensa são diferentes das nossas regras ou ideias. Deus leva em conta motivos que usualmente os homens nem são capazes de reconhecer. É possível que alguns mourejem no trabalho do evangelho por motivos egoísticos, visando à própria glória. Não é provável que Deus considere esse serviço útil ou benéfico ao seu reino. Alguns fazem coisas grandiosas, mas tudo isso não representa o serviço que Deus exige deles. Outros realizam coisas pequenas, que não têm valor ante a vista dos homens, mas que são de imenso valor à vista de Deus. A parábola que segue, no evangelho de Mateus (parábola essa que somente Mateus registrou), ilustra, pelo menos em parte, o princípio que este "logos" de Jesus deseja ensinar. Alguns dos trabalhadores citados na parábola trabalharam apenas por uma hora, ao passo que outros labutaram o dia inteiro; no entanto, todos receberam a mesma recompensa (salário). Por que motivo assim agiu o proprietário da parábola, não sabemos afirmar; mas a sua ação serve de ilustração daquilo que pode acontecer na questão das recompensas. É provável que, motivado exclusivamente por sua vontade, Deus dê o que não seja merecido por nós. Esse dom ou recompensa imerecida tem por base unicamente a determinação de Deus (na parábola, o proprietário), e talvez tenha também o propósito de servir de incentivo para aumentar e encorajar o desenvolvimento de nosso ser, para que busquemos alcançar a imagem de Cristo. Tratar-se-ia de um puro dom, oferecido pela graça de Deus, que visa a cumprir um de seus propósitos. As razões pertencem só a ele; quanto a nós, podemos meramente supor quais serão essas razões. Todavia, podemos confiar em que nosso Pai fará o que é melhor, porquanto todas as suas ações têm base na justiça.

Existem diversas outras interpretações acerca desse *logos* do Senhor Jesus:

1. Alguns pensam que a referência feita por Jesus não foi à recompensa individual, e, sim, para as *nações ou povos*. Ensinam esses intérpretes que Jesus aludiu aqui aos "gentios", que seriam os "primeiros", e aos "judeus", que seriam os "últimos". Embora essa interpretação encerre uma verdade possível, de conformidade com as ideias do cristianismo, face ao fato que os judeus rejeitaram o próprio Messias, a aplicação é claramente individual, conforme o texto demonstra — o jovem rico era um indivíduo. Foi como indivíduo que ele recusou ser discípulo de Jesus. Os doze também eram indivíduos, e foi como indivíduos que aceitaram o sacrifício próprio do discipulado cristão. Esses casos também nos fornecem ilustrações acerca do princípio aqui ensinado por Jesus. É provável que, à vista das autoridades religiosas da época, o jovem rico merecesse mais recompensas do que os doze. De fato, essas autoridades teriam dito que os doze eram hereges e que só mereciam as penas do inferno, mas que o jovem rico, como membro respeitado em sua comunidade, merecia uma grande recompensa. À vista do Senhor Jesus, entretanto, isso constituiria erro crasso; e certamente, em casos semelhantes, os primeiros serão últimos, e os últimos serão primeiros.

2. Outros pensam que esse *logos* expressa duas opiniões opostas — a dos homens e a de Deus. Os "primeiros", na opinião dos homens, são os "últimos" na opinião *de Deus*. Essa ideia talvez seja razoável, mas supõe que o pensamento humano sempre deve ser contrário ao de Deus.

3. Outros interpretam que as duas opiniões opostas referem-se às opiniões do século presente em contraste às opiniões que prevalecerão no século vindouro. Provavelmente, essa ideia

também seja razoável em parte. É claro que as opiniões que prevalecem agora podem ser reputadas erradas pela revelação do julgamento próprio ao século vindouro. Contudo, não é mister que *limitemos* a interpretação a essa ideia. Jesus falou de modo geral sobre valores de serviço, mas provavelmente incluiu a ideia de que alguma recompensa não procede diretamente do mérito do serviço, e, sim, da graça de Deus, a qual se baseia em considerações que são da alçada exclusiva do Senhor. De modo geral, porém, essa interpretação parece ter alguma razão.

4. A interpretação de outros é que o ensino também pode incluir a ideia centralizada na parábola que se segue, que o tempo da chamada (ou seja, a duração do serviço) não garante uma recompensa maior. Os trabalhadores que foram convocados mais tarde receberam a mesma recompensa dos que foram chamados no princípio do dia. Portanto, é possível que a intensidade do serviço seja mais importante do que a duração do serviço.

5. Considerando o caso do jovem rico, alguns intérpretes têm ensinado que a interpretação do texto deve incluir a ideia de que este *logos* de Jesus também inclui as considerações de salvação e regeneração. À vista de muitos, o jovem rico era um dos "primeiros"; entretanto, de acordo com a aquilatação dos céus, sem dúvida figurava entre os "últimos". Nem ao menos era discípulo de Jesus ou do reino, e jamais se convertera. Por conseguinte, esse *logos* deve ter uma ampla aplicação. Talvez indique o caráter da recompensa entre os crentes, ou pode indicar o caráter da ação do Juiz Supremo, em sua aplicação a todas as suas criaturas. Portanto, quer esteja em vista a recompensa ao serviço prestado pelos crentes, quer esteja em vista o juízo geral de todos os homens, o princípio ilustrado pelas palavras "muitos primeiros serão últimos; e últimos primeiros" será finalmente demonstrado. Sabemos que essa é uma verdade, sem importar se este versículo a ensina ou não.

Este versículo indica que, às vezes, supomos que este mundo é um mero reflexo do mundo real. A luz dos céus haverá de lançar luz sobre o caráter, o mérito, os motivos e o valor do nosso serviço. Judas Iscariotes provavelmente operou milagres na companhia dos doze apóstolos, mas finalmente perdeu-se devido à sua ambição e *desonestidade*. Sua alma, porém, nunca se converteu. O ladrão na cruz, ao lado de Jesus, andou neste mundo erradamente, mas ao morrer foi para o paraíso. Nisso podemos contemplar a graça e a glória de Deus. No serviço cristão talvez aqueles que aqui são os primeiros nos dons, serão os últimos na consagração desses dons. O jovem rico, sendo homem de importância, porquanto era líder e autoridade religiosa em sua comunidade, abandonou tudo em troca das riquezas. André, porém, sendo homem pouco conhecido e que a ninguém liderava, na presença de Jesus Cristo encontrou a oportunidade de obter uma grande recompensa. O êxito no serviço cristão não é, "ipso facto", garantia de recompensa futura. Alguns dirão, quando da prestação final de contas, que fizeram grandes serviços em favor do reino (como cristãos), mas Jesus lhes dirá explicitamente: "Nunca vos conheci. Apartai-vos de mim, os que praticais a iniquidade" (Mt 7.22). É provável que esses obreiros de grandes obras tenham iludido a muitos, e talvez até a si mesmos; mas em vista de terem sido dos "primeiros", em última análise serão dos "últimos". Buttrick assevera (*in loc.*): "Quantos heróis serão descobertos quando do julgamento! Agora mesmo há muitas reversões de veredictos humanos. Aqui e agora os humildes por muitas vezes têm suas heranças espoliadas; mas, na existência vindoura, todas as desigualdades terrenas serão niveladas. Cristo é a divulgação de Deus acerca do caráter do julgamento final...

A passagem de Lucas 13.30 contém esse *logos* de Jesus, mas em um contexto diferente. Os v. 29 e 30 dizem: "Muitos virão dos Oriente e do Ocidente, do Norte e do Sul, e tomarão lugares à mesa no reino de Deus. Contudo, há últimos que virão a ser primeiros, e primeiros que serão últimos". O v. 28 desse mesmo capítulo de Lucas refere-se a indivíduos "lançados fora", pelo que também este "logos" certamente alude à salvação e à regeneração. É indicada aqui a "posição metafísica" de cada um, isto é, a posição de cada indivíduo no estado eterno, no reino de Deus, na "regeneração". (Ver o v. 28 desse capítulo). No estado eterno, quando do julgamento, muitos dos "primeiros", segundo a ordem deste mundo, serão "últimos", na ordem do reino celeste de Deus. Bruce apresenta um sumário das significações possíveis desse *logos* (in loc.): "Este aforismo admite *muitas aplicações*: Existem não somente muitas variedades sob cada categoria (de significação), mas, igualmente, muitas categorias, como por exemplo: primeiro neste mundo, último no reino de Deus (exemplificado pelo jovem rico e os doze); primeiro, quanto ao 'tempo', último quanto ao poder e à fama (exemplificado pelos doze e por Paulo); primeiro em privilégio, último na fé cristã (exemplificado nos judeus e nos gentios); primeiro em zelo e sacrifício pessoal, último na qualidade do serviço, devido às influências profanas de motivos vis (falsa piedade, legalismo ou piedade evangélica falsa). Esse aforismo é adaptado a um uso frequente, em diversas conexões, e poderia ter sido utilizado pelo Senhor Jesus em ocasiões diversas".

O emprego dessa citação no evangelho de Lucas confirma essa ideia. No décimo terceiro capítulo de Lucas, onde aparece esse *logos* de Jesus, o autor desse evangelho vincula o *logos* com o texto que se refere à "porta estreita" e ao fato de que "Nem todo o que me diz: Senhor, Senhor! entrará no reino dos céus...", que aparece em Mateus 7.21. "Então direis: Comíamos e bebíamos na tua presença, e ensinavas em nossas ruas". No paralelo de Mateus, encontramos uma explicação mais completa. Essas mesmas pessoas dizem: "[...] não temos nós profetizado em teu nome, e em teu nome não expelimos demônios, e em teu nome não fizemos muitos milagres?" (Mt 7.22). Tanto Mateus como Lucas registram a mesma resposta dada por Jesus: "Nunca vos conheci..." — Mateus. "Não sei donde vós sois..." — Lucas. E ambos registram: "Apartai-vos de mim, vós todos os que praticais iniquidades". Neste texto, por conseguinte, encontramos uma claríssima aplicação do *logos* de Jesus — "Há últimos que virão a ser primeiros; e primeiros que serão últimos".

Capítulo 20

ii. Igualdade nos galardões: parábolas dos vinhateiros (20.1-16)

Esta parábola encontra-se somente no evangelho de Mateus, tendo sido provocada pela declaração feita em Mateus 19.30, repetida no v. 16 deste capítulo: "Assim, os últimos serão primeiros, e os primeiros serão últimos". Essa parábola ilustra tanto a *graça* de Deus como seu *senhorio*. A sua graça é tão grande, que ele paga o que não pareceria razoável para os homens; mas não o faz sem razão, pois essa demonstração da graça mui provavelmente contém fatores que tencionam ajudar aqueles que recebem a graça especial de se desenvolver mais prontamente, em sua inquirição espiritual, a fim de serem transformados segundo a imagem de Cristo. A graça de Deus jamais será dada por mero capricho. O tom dessa parábola parece indicar que também tem a intenção de "sacudir a complacência" dos chamados servos de Deus para que se apercebam de seu possível desvio ou serviço incompleto. Também pode servir de ilustração de como Deus trata com os homens no tangente aos privilégios religiosos conferidos, posto que a parábola parece advertir Israel de que Deus também pode abençoar os gentios, e de uma forma conforme a sua escolha, ainda que talvez desagradável para o seu povo terreno (*Israel*), que por tanto tempo estivera sob a influência dos ensinos de Deus, que há tantos séculos o servia, mas que com frequência fora negligente nesse serviço. Visto que essa parábola só se encontra em Mateus, é provável que a fonte informativa seja "M". (Ver notas sobre as fontes informativas dos evangelhos na seção da introdução a este comentário intitulada "O problema sinóptico", e também na introdução a Marcos e a Mateus.)

550 |Mateus| NTI

20.1 Porque o reino dos céus é semelhante a um homem, proprietário, que saiu de madrugada a contratar trabalhadores para a sua vinha.

20.1 Ὁμοία γάρ ἐστιν ἡ βασιλεία τῶν οὐρανῶν ἀνθρώπῳ οἰκοδεσπότῃ ὅστις ἐξῆλθεν ἅμα πρωῒ μισθώσασθαι ἐργάτας εἰς τὸν ἀμπελῶνα αὐτοῦ·

20.1 ἀνθρώπῳ...αὐτοῦ Mt 21.28,33

Is 51.1-7, 9.37.

A maior parte do ministério de Jesus não o pôs em contacto com as elites de Israel ou com as autoridades religiosas. Pelo contrário, Jesus trabalhou muito entre os campesinos, que não estavam em contacto íntimo com a corrente principal do judaísmo. Muitos desses pertenciam ao grupo que os fariseus denominavam de *Amhaarez*, que significa "gente da terra", isto é, habitantes do interior. Essa gente geralmente era descuidada (pelo menos aos olhos dos fariseus) no tocante às questões da lei. Hilel, o famoso rabino, disse acerca deles: "Nenhum amhaarez é religioso" (*Aboth* 2.6), e pode-se observar que em João 7.49 os fariseus disseram: "Quanto a esta plebe que nada sabe da lei, é maldita". A passagem de Mateus 22.8-10 mostra que Jesus não compartilhava dessa atitude; antes, pensava que os grandes e honrados, entre os homens são rejeitados em favor dos "convidados às bodas", recolhidos nos caminhos e valados, e não nos palácios, nas cortes reais ou entre as autoridades das sinagogas. Jesus exercia ministério entre os pobres e moralmente depravados porque eram os que mais necessitavam dele. (Ver Mt 9.12). Ao mesmo tempo, os fariseus e outras autoridades religiosas rejeitavam o que ele tinha para dizer. Essas condições eram fatores importantíssimos e que provocaram o pronunciamento desta parábola. Aos olhos de alguns talvez pareça que o ministério de Jesus tenha sido mal orientado por servir aos menos dignos e negligenciar aos supostamente dignos. Talvez o ponto crucial da parábola fique no v. 15, que diz: "Porventura não me é lícito fazer o que quero do que é meu? Ou são maus os teus olhos porque eu sou bom?" Jesus, portanto, exerceu o seu julgamento acerca de quem deveria receber sua ministração, mas não movido por algum capricho, pois a sabedoria eterna e a vontade de Deus jamais funcionam desse modo. Pelo menos os escorraçados da sociedade "ouviam-no alegremente", ao passo que os líderes, especialmente os líderes religiosos, com o tempo vieram a ser os seus executores. Bastaria esse fato para justificar a sua ação.

(Ver as notas detalhadas sobre "parábolas", em Mateus 13.1.)

"O reino dos céus..." — (Ver a nota detalhada sobre "reino dos céus", em Mateus 3.2.) *Dono de casa*, aqui, representa Deus, que é o proprietário de seu universo, o qual é o seu domínio, a sua possessão e a sua casa, onde todos, em determinado sentido, são "servos" de Deus. Não é provável que Jesus sempre limitasse os "servos" de suas parábolas aos indivíduos abertamente religiosos, e certamente é um erro imaginar que ele sempre visava aos "cristãos" com esse termo. Todos os povos de todas as nacionalidades são responsáveis perante Deus, tal como os servos de um rico proprietário de terras estão sujeitos a ele. Outros elementos dessa parábola que transparecem sem grande dificuldade de interpretação, são os seguintes: (1) O administrador, que é Cristo (v. 8); (2) a vinha, que é o reino dos céus (ver Is 5.1-7); (3) as diferentes horas de serviço parecem estar diretamente relacionadas ao elemento do tempo da chamada ao serviço em sentido espiritual; (4) a noite, momento da distribuição do salário, parece indicar a "parousia" de Cristo, ou seja, a sua segunda vinda; ou talvez simplesmente indique o tempo de julgamento ou prestação de contas.

A grande dificuldade da parábola jaz na interpretação do sentido do *denário* e na determinação da lição central da parábola. Muitos intérpretes têm feito observações sobre a dificuldade da interpretação da parábola, e alguns têm pensado que esta só cede o primeiro lugar, em dificuldade, à parábola do mordomo injusto, em Lucas 16.1-9.

Ao tempo da colheita da uva, os trabalhadores escasseavam e eram intensamente solicitados; é possível que o *dono* da casa tivesse de sair pessoalmente à procura de trabalhadores, ou então que tivesse de enviar representantes especialmente escolhidos para que fossem contratar trabalhadores. Essa situação nos faz lembrar da falta de obreiros na "colheita" do evangelho, e também que aqueles que são verdadeiramente religiosos, que buscam a Deus e que estão interessados em ser transformados segundo a imagem de Cristo são realmente poucos em número. Deus busca aqueles que são dotados de autênticas inclinações espirituais.

20.2 Ajustou com os trabalhadores o salário de um denário por dia, e mandou-os para a sua vinha.

20.2 συμφωνήσας δὲ μετὰ τῶν ἐργατῶν ἐκ δηναρίου τὴν ἡμέραν ἀπέστειλεν αὐτοὺς εἰς τὸν ἀμπελῶνα αὐτοῦ.

2 συμφωνήσας...ἡμέραν Tob 5.15

"Um denário por dia" — O denário ou dracma (*termo ático*) era a principal moeda de prata dos romanos naquela época, talvez valendo vinte centavos de dólar norte-americano, embora com muito maior poder aquisitivo do que essa quantia representa hoje em dia. Geralmente, é usado para indicar um dia de salário, o que se verifica na escala de soldos dos soldados romanos. (Ver também *Tobite* 5.14.). Alguns intérpretes asseveram que o salário diário original era ordinariamente menor que um denário, pelo que o oferecimento de um denário inteiro em pagamento de um dia de trabalho era um salário liberal. Lemos que os acordos verbais sobre o pagamento esperado e o trabalho a ser feito eram válidos de conformidade com a lei, isto é, as condições tinham de ser satisfeitas de ambos os lados, ou poderia haver dificuldade ante as autoridades civis. Um dia de trabalho era considerado o tempo desde o nascer do sol até o aparecimento das estrelas.

Muita discussão tem surgido em torno da interpretação do símbolo do "denário", a saber:

1. Alguns têm ensinado que indica uma recompensa *temporal* apenas, e, que não deve ser tomado como indicação de "galardão" eterno, nos céus. Essa recompensa (segundo essa interpretação) significaria as diversas expressões da bondade de Deus para com todos os povos que são seus servos. O recebimento desse tipo de "recompensa" não indicaria que essas pessoas têm ou teriam a "vida eterna". No fim, quando do julgamento, cada qual verá que recebeu o seu "denário", ou seja, qualquer aprazimento que a vida porventura lhes tenha dado. Alguns bons intérpretes, como Lutero, Stier, W. Nast e Wordsworth, têm mantido essa opinião; mas o ponto de vista não se coaduna com a dignidade da parábola e é incongruente com a descrição do dia da recompensa. Pois é muito difícil vermos como, no fim da vida (do dia, segundo a parábola) um servo poderia ser recompensado com a vida que já viveu.

2. Alguns interpretam que o "denário" é um símbolo da *vida eterna*. Assim pensavam Orígenes, Agostinho (ver, por exemplo, em Sermões 343: "Denarius illevita aeterna est, quae omnibus par est"), e também Gregório I, Bernardo, Maldonado (*salus et vita aeterna*), Meyer, Lange, Alford (que achava possível que se referisse ao próprio Deus, porquanto Deus é a nossa recompensa). Alguns têm feito objeção a esse ponto de vista porque faz da vida eterna uma forma de recompensa por serviço prestado, o que evidentemente contradiz a salvação pela graça. Todavia, em outras oportunidades, o próprio Jesus representou a vida eterna como uma espécie de recompensa ou soldo. Ver Mateus 5.12 ("[...] é grande o vosso galardão nos céus..."); 10.41,42; Lucas 6.23,35; 10.7; João 4.36; e também Paulo, em 1Coríntios 3.8,14.

3. Certamente a segunda interpretação condiz melhor com a parábola do que a primeira, mas parece que podemos interpretar o sentido do *denário* à luz das ideias que nos são fornecidas nos v. 15 e 16. O v. 15 indica de modo definido que

o "denário" é símbolo de *galardão*. Assim, pois, apesar da "vida eterna" estar em foco, esta existência terá certo caráter ou expressão para cada indivíduo. O caráter desta existência dependerá do que cada indivíduo tiver feito e tiver sido. Essa ideia, portanto, pelo menos em parte é paralela à doutrina dos galardões que serão conferidos na forma de "coroas", e que serão dados em recompensa ao serviço fielmente prestado. Por outro lado, devemos divorciar-nos de interpretações *materialistas*. Certamente que teremos posses materiais, mas as Escrituras falam mais particularmente, neste passo, da recompensa espiritual, o que deve incluir o desenvolvimento *do homem interior*, a capacidade de prestar serviço a Deus e a capacidade de ir-se desenvolvendo cada vez mais, mediante a graça divina, para que sejamos uma representação cada vez mais perfeita da imagem de Cristo. Nossa fidelidade no serviço cristão determinará o estado metafísico de nosso ser e a capacidade que teremos de prestar serviço especial e elevado a Deus. Portanto, aqui está em foco não simplesmente a "vida eterna", mas também a "nossa condição" nessa esfera. Esta passagem, pois, ensina a desigualdade daqueles que possuem a vida eterna, e isso está de acordo com todo o ensino cristão acerca dos "galardões". Seremos galardoados segundo nossas obras e nossa fidelidade; e isso não faz alusão às possessões materiais, de forma nenhuma. Deus tem muitas obras a serem realizadas, e essa realização envolve uma inquirição eterna. Ele disporá de instrumentos especiais para essas tarefas. Os galardões envolvem a doação de capacidade para o cumprimento dessas incumbências. Essa doação de capacidade envolve transformações metafísicas do ser, na direção da imagem de Cristo; o alvo mais elevado é a transformação total do crente, de conformidade com essa imagem. O v. 16 (que também interpreta o sentido do "denário") mostra que nos aguardam muitas surpresas. Com frequência, o ponto de vista humano é uma interpretação inadequada daquilo que Deus vê como valioso, daquilo que merece recompensa e daquilo que é digno de consideração, porquanto é verdade que nessa questão de recompensas, de posição metafísica na vida além, quer se trate de povos (nações), quer se trate de indivíduos, "[...] os últimos serão primeiros, e os primeiros serão últimos".

20.3 Cerca da hora terceira saiu, e viu que estavam outros, ociosos, na praça,

20.3 καὶ ἐξελθὼν περὶ τρίτην ὥραν εἶδεν ἄλλους ἑστῶτας ἐν τῇ ἀγορᾷ ἀργούς·

"Pela terceira hora" — Os judeus computavam a duração do dia em seu sentido mais lato, isto é, de pôr-do-sol a pôr-do-sol (ver Lv 23.32). Antes do cativeiro babilônico, o dia era dividido em manhã, meio-dia, tarde e duplo crepúsculo. Também se computava o dia do nascer do sol ao aparecimento das estrelas, e posto que o dia de trabalho obedecia a esse cômputo, o "dia" desta parábola é exatamente esse último. Gradualmente, a divisão do dia em horas foi sendo introduzida, o que parece ter ocorrido sob a influência dos babilônios, durante o cativeiro. Posto que o dia natural estava dividido em doze horas, a duração dessas horas naturalmente variava em diferentes períodos do ano. Na Palestina, o dia mais longo consiste de catorze horas e doze minutos; e o mais curto, de nove horas e quarenta e oito minutos. Cerca da "terceira hora", ou seja, 9 horas, mui naturalmente, o mercado estava repleto de gente. As indicações da passagem do tempo eram as seguintes: (1) "*madrugada*", literalmente, "acompanhando a alvorada", provavelmente cerca de 6 horas, v. 1; (2) *terceira hora*, cerca de 9 horas, v. 3; (3) *hora undécima*, cerca de 17 horas, v. 6.

"Na praça" — Ou melhor, *no mercado*. O mercado era o lugar central de reuniões para os que procuravam trabalhadores e para os que procuravam trabalho, conforme permanece o costume em muitos lugares ao redor do mundo. A literatura antiga

também revela que muitos homens que tinham pouca disposição para o trabalho se reuniam, igualmente, no mercado, a fim de conversar e passar as horas do dia. É possível que durante a época da colheita, quando havia escassez de trabalhadores, os representantes dos fazendeiros também tentassem impelir alguns desses preguiçosos a trabalharem por alguns dias. Como interpretação, diz Stier (in loc.): "O mercado do mundo é contrastado com a vinha do reino de Deus: os maiores negociantes nas coisas mundanas são meros espectadores, se ainda não entraram no verdadeiro serviço que é a única coisa digna de receber qualquer recompensa".

20.4 e disse-lhes: Ide também vós para a vinha, e dar-vos-ei o que for justo. E eles foram.

20.4 καὶ ἐκείνοις εἶπεν, Ὑπάγετε καὶ ὑμεῖς εἰς τὸν ἀμπελῶνα, καὶ ὃ ἐὰν ᾖ δίκαιον δώσω ὑμῖν.

"Ide vós também..." — Vemos, nessas palavras, que o "dono" não estipulou nenhum salário. Esses trabalhadores poderiam esperar 3/4 de um denário. O proprietário meramente prometeu dar o que era justo. Esta parábola não foi contada para ensinar principalmente uma recompensa justa, ainda que esse elemento transpareça claramente neste versículo. E, se por um lado, o v. 15 pode indicar uma ideia *voluntariosa*, isto é, Deus, por poder fazê-lo e por ser o grande proprietário de todas as coisas, pode fazer conforme lhe agradar, e de fato, nessa questão dos galardões faz o que melhor lhe parece, por outro lado, este versículo nos assegura que aquele que se assenta lá no céu usará de justiça. É encorajador para nós notarmos que quando entra em cena essa atitude voluntária da parte de Deus, ela pende para o lado positivo, ou seja, Deus dá aquilo que nem ao menos é merecido, e também não retém o que é merecido. Podemos ter a certeza de que se Deus exercer a sua vontade além daquilo que os homens considerariam "justo", ele preferirá, antes, dar do que tomar; preferirá abençoar a amaldiçoar; ele preferirá consolar a repreender; ele preferirá curar a ferir. A raça humana, incluindo a própria igreja, muito precisa emular esse tipo de atitude voluntária.

20.5 Outra vez saiu, cerca da hora sexta e da nona, e fez o mesmo.

20.5 οἱ δὲ ἀπῆλθον. πάλιν [δὲ] ἐξελθὼν περὶ ἕκτην καὶ ἐνάτην ὥραν ἐποίησεν ὡσαύτως.

5 δὲ 2º] om **BW**Θ fi f13 pm ς; R

"Outra vez..." — (Ver as designações sobre a passagem do tempo, no v. 3.) A sexta hora era cerca do meio-dia, e a nona hora era cerca das 15 horas. Este versículo também indica que o "dono" da vinha evidentemente concordou apenas em pagar o que era "justo" aos seus olhos, como no v. anterior. Estes trabalhadores poderiam esperar receber 1/2 denário ou menos. A situação parece subentender, simbolicamente, que ainda que se faça pouco trabalho, quando Deus nos chama, se for realizado no espírito de fidelidade, será melhor do que grande acúmulo de trabalho, realizado na atitude de um mercenário.

20.6 Igualmente, cerca da hora undécima, saiu e achou outros que lá estavam, e perguntou-lhes: Por que estais aqui ociosos o dia todo?

20.6 περὶ δὲ τὴν ἑνδεκάτην ἐξελθὼν εὗρεν ἄλλους ἑστῶτας, καὶ λέγει αὐτοῖς, Τί ὧδε ἑστήκατε ὅλην τὴν ἡμέραν ἀργοί;

6 ἐξελθὼν] εξηλθεν και (ℵ)D lat | εστωτας ℵBDΘ lat syᵉ co; R] add αργους **W** fi f13 700 pl f h q ς

"E, saindo..." — Estes trabalhariam apenas uma hora antes de terminar o dia de trabalho. Era hora realmente incomum para um proprietário sair em busca de trabalhadores, e certamente era horário incomum para alguém iniciar o trabalho. O mais provável é que esses homens não estivessem procurando

552 |Mateus| NTI

emprego, mas tão-somente deixando passar o tempo até o cair do sol. Talvez outros tivessem procurado trabalho durante o dia, mas sem sucesso. O fato de que depois do calor do dia ter passado, quando a brisa fresca começava a soprar, foi-lhes oferecido trabalho, deve ter-lhes parecido um deleite, embora certamente não pudessem esperar grande salário em pagamento de uma hora de serviço. Como a hora ia adiantada, tornara-se ainda mais urgente contratar trabalhadores adicionais para a colheita. É muito provável que estes últimos trabalhadores a serem contratados, impulsionados pela alegria e zelo, tivessem entrado de todo o coração no serviço. Apreciaram a boa disposição do "dono" em permitir-lhes começar a trabalhar em uma hora tão avançada, e provavelmente serviram-no com diligência, ainda que por breve período. Alguns intérpretes acreditam que esse *dono* ou agiu movido por pura benevolência, isto é, por causa de seu desejo de ajudar os desempregados, dando-lhes emprego, ou então que ele se mostrou um tanto excêntrico no que fazia. (Tais intérpretes, como Olshausen, Geebel, Koetsveld e Bruce apoiam-se mutuamente em suas opiniões.)

Como aplicação, podemos afirmar que Deus, na qualidade de *dono* de todas as coisas, mostra interesse por aqueles que têm desperdiçado a própria vida, talvez por falta de oportunidade de aprenderem os caminhos do Senhor, ou mesmo por terem cedido ante diversas tentações do mundo, que procura atrair os homens para longe de Deus. Até mesmo naquela hora tão adiantada do dia, o "dono" continuava mostrando o seu interesse pelos homens. O avançado do dia também pode referir-se ao fato de que o tempo está se escoando rapidamente para quem busca oportunidade de servir no reino de Deus, pois breve voltará o Senhor Jesus, quando o tempo de trabalhar nesta esfera terrena chegará ao fim. O adiantado da hora requer a intensificação do trabalho, pois muito ainda resta para ser feito. Deus não despreza aqueles que aparecem na última hora, pois entre esses podem estar os melhores servos, homens impulsionados por um zelo e um ardor novos, homens que, pelo seu exemplo, poderão reavivar aqueles que já trabalham há muito tempo, insuflando nova coragem naqueles que suportaram o "calor" do dia.

Esta parábola parece indicar que Deus se interessa mais *pela qualidade* do serviço do que pela duração do mesmo. Alguns podem fazer mais bem positivo, em pouco tempo, do que outros têm realizado durante um longo período. Todavia, além de tudo isso, precisamos relembrar a graça de Deus, que chama homens nas últimas horas de oportunidade, pois o ensino da graça de Deus é um dos principais elementos desta parábola. Aquele que se assenta nos céus faz o que é justo e até mesmo muito mais do que é justo, pois age movido pela sua graça. Isso nos faz lembrar do ladrão arrependido, que morria na cruz. É verdade que ele desbaratara toda a sua vida, mas no último minuto entrou no paraíso, acompanhado por Jesus. Essa é uma tremenda demonstração da graça de Deus. Não obstante, toda grande demonstração da graça divina tem o seu propósito, pois Deus nada faz por mero capricho. Seria interessante sabermos quão grande servo de Deus é atualmente aquele ladrão penitente. Aquilo que Deus faz com um homem, do outro lado da existência, isto é, após a morte, tornando-o uma criatura digna e dotada de grande utilidade nas mãos do Senhor, justifica todos os atos da graça que são realizados deste lado da vida.

20.7 Responderam-lhe eles: Porque ninguém nos contratou. Disse-lhes ele: Ide também vós para a vinha.

20.7 λέγουσιν αὐτῷ, Ὅτι οὐδεὶς ἡμᾶς ἐμισθώσατο. λέγει αὐτοῖς, Ὑπάγετε καὶ ὑμεῖς εἰς τὸν ἀμπελῶνα.

"**Responderam-lhe...**" — Evidentemente esses homens estavam *desocupados* porque ninguém lhes oferecera a oportunidade de trabalhar. Provavelmente, estavam desencorajados;

mas eis que o bondoso "dono" proveu-lhes a oportunidade que queriam. No grego, a palavra *vós* é enfática. Até aquele momento, por ser tão adiantada a hora do dia, fora-se tornando cada vez mais difícil que alguém viesse oferecer-lhes trabalho, mas esses, igualmente, não podiam ficar excluídos. Através de toda esta narrativa, podemos sentir algo da misericórdia, da graça e da compaixão de Deus, o qual realiza maravilhas quando os homens perdem toda esperança. Por essa razão é que "nós" também temos sido incluídos.

"**E recebereis o que for justo**" — Palavras que aparecem em traduções mais antigas, como AC e KJ, mas que não fazem parte autêntica do texto original do evangelho de Mateus. Alguns escribas adicionaram-nas à base do v. 4, mas a adição é muito antiga, posto poder ser encontrada nos mss C(1) EFGHKMNSUVX, Gamma, Delta, Fam Pi, Si(c), Cop e nos escritos dos pais da Igreja Orígenes e Cirilo. Os mss Aleph, BLZ, Fam 1 e a maioria das versões latinas, o Sa, e Hilário, Arnóbio, Jerônimo, Juvenal, pais da Igreja, também as omitem. Quase todas as traduções modernas (seguindo os mss mais antigos) omitem essa cláusula, incluindo a tradução AA e a IB, em português. É interessante notar que o "dono" não prometeu coisa nenhuma a estes últimos trabalhadores a serem contratados, e nem mesmo lhes fez a promessa de ser "justo", pois o que poderiam esperar da "justiça"? Trabalharam pouquíssimo, em comparação com os demais, pelo menos no que respeita à consideração de tempo, e poderiam esperar pouquíssimo da "justiça", pelo que fizeram.

20.8 Ao anoitecer, disse o senhor da vinha ao seu mordomo: Chama os trabalhadores, e paga-lhes o salário, começando pelos últimos até os primeiros.

20.8 ὀψίας δὲ γενομένης λέγει ὁ κύριος τοῦ ἀμπελῶνος τῷ ἐπιτρόπῳ αὐτοῦ, Κάλεσον τοὺς ἐργάτας καὶ ἀπόδος αὐτοῖς τὸν μισθὸν ἀρξάμενος ἀπὸ τῶν ἐσχάτων ἕως τῶν πρώτων.

8 ὀψίας...μισθόν Lv 19.13; Dt 24.15

"**Ao cair da tarde...**" — O v. 12 mostra que já chegara a hora *décima segunda*, talvez 18 horas. O dia já terminara, o sol já se punha. De conformidade com a lei mosaica, os empregados contratados tinham de ser pagos antes de cair a noite. (Ver Lv 19.13 e Dt 24.15.) Nota-se que, na prática, essa regra nem sempre era observada em Israel, mas sendo justo, esse "dono" não poderia deixar de observá-la. Alguns intérpretes preferem não atribuir nenhuma significação ao "administrador". Se, porém, serve de símbolo, sem dúvida Cristo está em vista. O próprio termo pode indicar o mordomo de uma única casa, ou o administrador de toda uma propriedade. Cristo é o supervisor posto sobre a família de Deus, a quem foi confiada toda a administração da salvação, incluindo a distribuição dos galardões finais, conforme é evidente pelas Escrituras. (Ver Hb 3.6; Jo 5.27 e Ap 2.7,10,17,28.)

"**Começando pelos últimos**" — Aqui também encontramos a atitude voluntária que é tão proeminente nesta parábola. Os últimos a começarem a trabalhar sem dúvida eram os que esperavam receber por último, especialmente se fosse grande o número de trabalhadores e se o processo do pagamento viesse a consumir muito tempo. Os últimos a começarem a trabalhar certamente não estariam tão cansados como os outros, e poderiam esperar um pouco mais do que aqueles que haviam trabalhado durante doze horas e que estavam exaustos em face do calor do sol. Eis que esse "dono" exerce os seus direitos e prefere pagar os recém-chegados trabalhadores em primeiro lugar. Uma vez mais se aprende que Deus é *soberano*; mas também que ele é *benévolo*, porquanto estava propiciando um privilégio todo especial àqueles que não mereciam tal privilégio. Essa ação não pode ser atribuída a alguma atitude excêntrica ou caprichosa, conforme certamente seria o caso se algum homem assim agisse, mas, aqui somos novamente ensinados que os desígnios especiais de Deus levam-no a fazer certas coisas que parecem estranhas aos olhos dos homens; um conhecimento mais profundo das realidades espirituais, todavia, certamente justificaria essa ação divina. Deus pode agir mediante princípios voluntariosos, ainda que as razões divinas deem apoio a esses princípios.

20.9 Chegando, pois, os que tinham ido cerca da hora undécima, receberam um denário cada um.

20.9 καὶ ἐλθόντες οἱ περὶ τὴν ἐνδεκάτην ὥραν ἔλαβον ἀνὰ δηνάριον.

9 ελθοντες δε] B] ελθ. ουν DΘ f13 33 pc latt: και ελθ.
ℵW f1 pl ς; R

"Vindo os da hora undécima..." — Pode-se imaginar a *surpresa* não só dos que estavam ao redor, e que haviam trabalhado por mais tempo, mas também desses homens, que praticamente nada esperavam receber pelo pouco serviço prestado. Contudo, o que fizeram, provavelmente o fizeram impulsionados por grande zelo e alegria, por terem sido contratados quando há haviam perdido a esperança. Todavia, qual deles teria imaginado que a *bondade* do "dono" fosse tão grande a ponto de dar-lhes o equivalente a um dia inteiro de trabalho, por apenas uma hora de labuta, e isso durante a fresca do dia?! Aqui é ilustrada novamente a grande bondade de Deus. Esse "dono" estava pensando mais nas necessidades dos trabalhadores, e não na realização do serviço que pudessem prestar-lhe. Sabia que aqueles homens voltariam para suas casas e encontrariam familiares famintos. Necessitavam do pagamento de um dia inteiro de trabalho, embora não o houvessem ganhado com seu trabalho. A necessidade, porém, foi suficiente para ativar a bondade do "dono".

Esta parábola também pode deixar entendido que o serviço prestado por estes últimos era de *alta qualidade*, feito com alegria e zelo, ainda que nenhuma ideia semelhante possa eliminar o fato óbvio de que o "dono" agiu movido por sua pura graça, dando aos trabalhadores mais do que poderiam esperar ou merecer pelo serviço que haviam prestado. Assim é a graça de Deus. A sua graça se adapta à necessidade, juntamente com o seu desígnio de transformar o trabalhador, mas não de acordo com os méritos do mesmo. Não obstante, Deus não ignora totalmente o mérito, porque a recompensa dos galardões será distribuída segundo o trabalho feito. Todavia, se assim preferir, Deus poderá realizar uma operação especial da graça. O "dono" não fizera nenhuma promessa a estes últimos trabalhadores, nem mesmo um salário segundo fosse "justo". Não obstante, receberam o galardão da promessa feita àqueles que haviam trabalhado longa e arduamente. É verdade que talvez não possamos compreender os propósitos de Deus, e de fato seria surpreendente se nossa inteligência pudesse aprender totalmente um assunto tão vasto; porém, ficamos certos, por ensinos como estes, que o Todo-poderoso usa de benevolência, o que basta para dar à existência humana uma grande significação.

Alguns intérpretes, enfatizando que a *vida eterna* é representada aqui pelo "denário", ensinam que a recompensa, portanto foi necessariamente igual para todos os trabalhadores. Ellicott reflete essa ideia, quando diz (in loc.): "Nenhum verdadeiro trabalhador poderia receber menos; e vida mais longa de trabalho não poderia exigir mais". No entanto, isso equivale a ignorar uma das principais intenções desta parábola, a saber, que haverá *desigualdade* nos galardões. A parábola ensina, igualmente, a desigualdade no estado eterno. As Escrituras ensinam tanto graus de punição como graus de galardão. Se Deus assim preferir, Deus poderá proporcionar recompensas não merecidas, mas isso terá algum desígnio que o justifica, e não se baseará em nenhum capricho.

20.10 Vindo, então, os primeiros, pensaram que haviam de receber mais; mas do mesmo modo receberam um denário cada um.

20.10 καὶ ἐλθόντες οἱ πρῶτοι ἐνόμισαν ὅτι πλεῖον λήμψονται· καὶ ἔλαβον [τὸ] ἀνὰ δηνάριον καὶ αὐτοί.

"Ao chegarem os primeiros..." — A parábola passa em branco os intermediários, isto é, os que trabalharam a partir da terceira hora, a fim de abreviar o relato. Obviamente o dono deu quantia igual a todos. Aqueles que começaram às 9 horas, ao meio-dia ou às 15 horas, também receberam mais do que poderiam ter esperado, pelo que também servem de ilustração da graça de Deus. Falando estritamente no caso desses, a graça foi menos notável do que no caso daqueles que trabalharam apenas durante uma hora; mas isso não a tornou menos real. Apesar de surpresos por não terem recebido mais do que aqueles que começaram a trabalhar na hora undécima, contudo perceberam que haviam recebido mais do que mereciam, pelo que também não se queixaram. Entretanto, os que começaram a trabalhar às 6 horas, observavam tudo com grande antecipação. Muitos deles já estariam calculando mentalmente o quanto receberiam. Provavelmente pensavam que cinco ou seis denários seria uma quantia razoável, considerando que haviam trabalhado 1.200% mais do que aqueles que haviam trabalhado durante uma hora. Todavia, enquanto observavam que cada grupo, sem importar as horas de trabalho, recebia a mesma quantia de um denário, foram perdendo a esperança de receber mais. Talvez tivessem esperado receber ao menos o dobro dos demais, mas ficaram amargamente desapontados. Bruce (in loc.) expressa a ideia de que o "dono" era um humorista um tanto *excêntrico*, que sentia prazer na consternação daqueles homens que haviam trabalhado o dia inteiro. Essa ideia poderia ser aplicada a qualquer homem que assim agisse, mas não é provável que esta parábola tenha o intuito de ensinar tal coisa com relação a Deus. Também é evidente que Jesus não tencionava ensinar que tal prática deve ser a norma empregada pelos empregadores. A interpretação do que foi feito (a aplicação espiritual) aparece nos v. 15 e 16. Acha-se presente a atitude voluntária de Deus. Essa atitude, porém, segundo é esclarecido nos v. 6, 8 e 9, tem um desígnio oculto. Fica entendido que o serviço daqueles homens não foi totalmente aceitável para o "dono". Talvez a atitude deles fosse semelhante à do irmão mais velho, na parábola do filho pródigo, em Lucas 15.29: "Há tantos anos que te sirvo sem jamais transgredir uma ordem tua, e nunca me deste um cabrito sequer para alegrar-me com os meus amigos". Esse filho mais velho obedecia perfeitamente à lei, mas conhecia pouquíssimo da graça e do companheirismo, porquanto mais tarde demonstrou claramente o ódio que nutria por seu irmão. Sem dúvida alguma, todos quantos conheciam aquela família, diriam que o irmão mais velho era o "melhor" em qualidades morais. Os líderes religiosos certamente pronunciariam suas bênçãos em favor dele. Talvez até o próprio pai estivesse impressionado por toda a sua "bondade". No entanto, finalmente, deixou transparecer a sua verdadeira natureza, com suas queixas e com seu ódio. Esse é o tipo de indivíduo que, apesar de pertencer à categoria dos "primeiros" certamente acabará entre os "últimos" porquanto chegaram a merecer essa posição, e não porque Deus tenha feito nenhuma violência ou injustiça contra eles.

20.11 E ao recebê-lo, murmuravam contra o proprietário, dizendo:

20.11 λαβόντες δὲ ἐγόγγυζον κατὰ τοῦ οἰκοδεσπότου

20.12 Estes últimos trabalharam somente uma hora, e os igualaste a nós, que suportamos a fadiga do dia inteiro e o forte calor.

20.12 λέγοντες, Οὗτοι οἱ ἔσχατοι μίαν ὥραν ἐποίησαν, καὶ ἴσους ἡμῖν αὐτοὺς ἐποίησας τοῖς βαστάσασι τὸ βάρος τῆς ἡμέρας καὶ τὸν καύσωνα.

554 |Mateus| NTI

"Murmuravam..." — No grego, o termo "murmuravam" está no imperfeito, indicando que aqueles homens haviam começado a murmurar e continuavam murmurando. O vocábulo grego aqui traduzido como *trabalharam* não indica (como alguns intérpretes têm pensado) que aqueles homens acusaram os demais de terem ficado inativos, como se somente eles tivessem realmente trabalhado; contudo, viam grande desigualdade na distribuição de salários por parte do "dono"; e à primeira vista a queixa deles parece justa. Por que motivo os publicanos e as prostitutas entrariam no reino de Deus antes daqueles cuja vida inteira expressava sua religiosidade e cujo mérito sem dúvida parecia muito maior do que o dos publicanos e o das prostitutas? Não obstante, Deus sabe dar a resposta certa, quando o conhecimento limitado do homem encontra um dilema. A parábola ensina a justiça perfeita da parte do "dono" para com aqueles trabalhadores. Tinham recebido exatamente o que mereciam, ao passo que os outros talvez tivessem recebido mais do que mereciam.

"A fadiga e o calor do dia" — A palavra aqui traduzida por *calor* é usada em outros lugares (como em Tiago 1.11 e em Jonas 4.8, na LXX), a fim de indicar o "vento escaldante" que sopra do sul e que geralmente traz muita poeira, em substituição ao frescor das primeiras horas da manhã. Segundo se lê, realmente isso torna o período matinal mais cansativo e difícil do que a tarde, quando esse vento geralmente cessa de soprar. Esse foi o vento que havia ressecado os grãos, no sonho de Faraó (Gn 41.6), e que secou a planta que nascera por sobre a cabeça de Jonas (Jn 4.8), e que também ressecou a vinha, na parábola de Ezequiel (Ez 17.10). Esse vento, que costumava soprar das bandas do deserto da Arábia, foi que dificultara o trabalho daqueles homens. Parece que estavam com toda a razão. A tendência que demonstraram foi a de exagerar o valor de seu trabalho e de superestimar o valor de suas ações aos olhos de Deus. Pois onde os homens encontram algum valor, e às vezes grande valor, Deus talvez não encontre nenhum. (Quanto à questão dos ventos que costumam soprar na Palestina, ver Benzinger, Heb. Arch., p. 30.)

20.13 Mas ele, respondendo, disse a um deles: Amigo, não te faço injustiça; não ajustaste comigo um denário?

20.13 ὁ δὲ ἀποκριθεὶς ἑνὶ αὐτῶν εἶπεν, Ἑταῖρε, οὐκ ἀδικῶ σε· οὐχὶ δηναρίου συνεφώνησάς μοι;

<small>13 συνεφωνησας μοι] -νησα σοι **L** 713 pc syˢ sa(5)</small>

"Amigo, não te faço injustiça" — A palavra *amigo* é tradução de um vocábulo grego que usualmente significa "camarada" ou "companheiro". Essa palavra não traz nenhum tom de repreensão, embora haja instâncias em que a palavra é usada dessa maneira. (Ver Mt 22.12; 26.50.) O *dono* não empregou essa palavra com *ironia;* antes, como expressão de gentileza, para mostrar que a repreenda contida em suas palavras não era resultado de parcialidade. A resposta do "dono" foi dirigida a um único indivíduo, provavelmente o principal queixoso, ou então por ser o porta-voz dos outros. Essa resposta, no entanto, aplicava-se, igualmente, a todos os outros. Todos sabiam que "um denário" era um salário liberal em pagamento de um dia de trabalho, pelo que é evidente que o "dono" de forma nenhuma estava enganando os trabalhadores que haviam começado a labutar cedo pela manhã. Se tivessem trabalhado para algum outro proprietário, provavelmente teriam recebido menos de um denário. Evidentemente, Jesus queria ilustrar que a justiça de Deus está acima de qualquer crítica. O contrato foi feito e mantido sem nenhuma revisão posterior. Paulo diz que quando alguém trabalha para Deus, em bases contratuais, "[...] o salário não é considerado como favor, e, sim, como dívida" (Rm 4.4). Na literatura rabínica encontra-se uma parábola similar, mas com uma lição significativamente diferente. Certo rei tinha muitos trabalhadores a seu serviço, embora um deles fosse um trabalhador extraordinariamente bom. O rei permitiu que esse

trabalhador trabalhasse por duas horas, e então permitiu-o ir em liberdade; mas recebeu a mesma quantia que os outros. Quando seus colegas se queixaram, o rei replicou: "Este homem fez mais em duas horas que qualquer de vós fez durante o dia inteiro" (B. T. B. Smith, *"Parables of the Synoptic Gospels"*, p. 71,72). Essa parábola indica uma atitude da doutrina judaica, isto é, que de todos se requer ações justas. Diz *Aboth* 2.8: "Se muito fizeste na Torah, não reivindiques mérito para ti mesmo, porque com esse propósito foste criado". Mais adiante se lê (*Aboth* 5.23): "[...] a recompensa é proporcional ao trabalho efetuado". Essas citações ilustram a compreensão que alguns rabinos tinham de que a graça de Deus contrabalança as deficiências humanas, e que essa graça expressa-se na forma de bondade que em muito ultrapassa a proporção do mérito humano. Por outro lado, isso não isenta o indivíduo de responsabilidades; e, segundo outro ponto de vista, o homem é galardoado de conformidade com o seu labor. No entanto, os rabinos também reconheciam que os motivos e atitudes são muito importantes aos olhos de Deus. As ações devem estar escudadas no motivo do amor, não devendo ser realizadas por mero sentimento de dever. Diz *Aboth* 1.3: "Não sejas como os escravos, que servem a seus senhores visando à recompensa; mas sê como os escravos que servem não por causa da recompensa, e então permite que o temor dos céus desça sobre ti". E *Aboth* 4.2 assevera: "A recompensa de um dever realizado é outro dever a ser cumprido". Comparar também as p. 202-217 de *"A Rabbinic Antology"* (London: Macmillan and Co., 1938).

Jesus ensinou que nenhum homem está isento da obrigação moral e que a simples obediência não dá direitos e privilégios especiais a quem quer que seja. (Ver Lc 17.9.) Não obstante, ele também expôs a "recompensa" como motivação ao serviço cristão. (Ver Mt 5.12). Jesus, entretanto, salientou que a "recompensa" é um fator principalmente do mundo vindouro, e que somente Deus tem conhecimento suficiente para recompensar ou punir corretamente. As ideias humanas, por conseguinte, com frequência podem ser completamente erradas. Pelo menos podemos ter certeza de que Deus é justo e fará o que é direito e que o agir corretamente na sua presença pode ser a maior recompensa que um servo merece. Se Deus resolver agir dessa maneira, nenhum daqueles que receberem seu "galardão" apropriado poderá queixar-se. Certamente que nenhum discípulo verdadeiro se ressentiria porque o ladrão penitente está em seu descanso celestial (ver Lc 23.43) ou ante qualquer outra manifestação da pura graça de Deus, ainda que ele mesmo não tivesse recebido diretamente essa graça.

20.14 Toma o que é teu, e vai-te; eu quero dar a este último tanto como a ti.

20.14 ἆρον τὸ σὸν καὶ ὕπαγε· θέλω δὲ τούτῳ τῷ ἐσχάτῳ δοῦναι ὡς καὶ σοί.

"Toma o que é teu..." — A indicação é que esse servo jogara no chão o seu denário, indignado, recusando-se a tocar nele, murmurando e queixando-se porque esperava receber mais. Seu único denário, porém, lhe foi devolvido — nem mais, nem menos do que antes; pois fora exatamente aquela a quantia que contratara e que havia ganhado. "Vai-te", nesse caso, não expressa o que alguns intérpretes têm imaginado — que o "dono" despediu indignado aquele homem, ou que o desligou do serviço em sua propriedade. Meramente mandou-o ir-se, não querendo mais discutir sobre o assunto, posto ser claro que a queixa do homem fora provocada pela inveja e pelo descontentamento. Pode-se ver claramente, aqui, que a interpretação que faz o denário ser símbolo da "vida eterna", e que faz essa vida eterna ser equivalente à "salvação", rui por terra. Como pode um cristão ser representado a aceitar com relutância a *vida eterna*, queixando-se de que outros foram mais abençoados do que ele? Isso é claramente impossível. Portanto, o que se tem aqui é o quadro representativo do estado metafórico dos servos de Deus (isto é, do mundo inteiro), no além-túmulo. Tal posição pode envolver a "vida eterna" ou "salvação", mas não é diretamente equivalente a ela. Cada indivíduo é assinalado por Deus para a sua respectiva posição na outra vida. Essa posição é uma retribuição ao bem ou ao mal; mas a graça de Deus também é fator *determinante*. Jesus falou, de modo muito geral, sobre essa questão, e não categoricamente, isto é, dividindo toda a humanidade em dois grupos, como com frequência ouve-se nos púlpitos. Essa parábola poderia, igualmente, aplicar-se aos que se acham no "hades" ou nos lugares celestiais. Cada indivíduo receberá, como recompensa, a posição que lhe cabe na outra vida. Alguns serão primeiros, e outros últimos, e essas posições com frequência serão reversões do que os indivíduos particulares talvez estivessem esperando.

20.15 Não me é lícito fazer o que quero do que é meu? Ou é mau o teu olho porque eu sou bom?

20.15 [ἢ][1] οὐκ ἔξεστίν μοι ὃ θέλω ποιῆσαι ἐν τοῖς ἐμοῖς; ἢ ὁ ὀφθαλμός σου πονηρός ἐστιν ὅτι ἐγὼ ἀγαθός εἰμι;

15 ὁ...ἐστιν Mt 6.23; Mc 7.22

[1] **15** {C} ἢ ℵ C K W X Δ Π 085 *f*[1] *f*[13] 28 33 565 892 1009 1010 1071 1079 1195 1216 1230 1242 1242 1253 1344 1365 1546 1646 2148 2174 *Byz Lect* l[883m] it[a,aur,b,c,e,(f),ff2,g1,h,l,n,q,r1] vg syr[p,h,pal mss] cop[sa,bo] arm geo[1] Chrysostom // *omit* B D L Θ 700 it[d] syr[c,s,pal ms] eth[?] geo[2]

> O apoio externo em favor da presença ou ausência de ἢ, no começo do v. 15 está bem dividido, com testemunhos representativos dos textos alexandrino (B e ℵ), ocidental (D e Latim Antigo) e cesareano (Θ – e *f*[1] *f*[13]) textos que se colocam em campos opostos. Do ponto de vista da transcrição, é mais provável que escribas tenham descontinuado a palavra após σοι (no grego posterior, tanto quanto η e οι pronunciavam "i") do que a teriam inserido. Devido ao equilíbrio, a comissão julgou melhor reter a palavra, mas incluindo-a em colchetes.

"Porventura não me é lícito..." — Essa declaração, posta na boca do "dono", prové uma das principais chaves da interpretação desta parábola que tantos estudiosos têm lutado por explicar. Temos aqui a atitude voluntária do cristianismo. Deus é soberano e não está sujeito às leis, ideias ou interpretações dos homens. O que Deus faz é correto porque assim ele determinou fazer. Por outro lado, Deus resolve fazer algo porque isso é *direto*. Deus não vive de conformidade com um padrão ou regra de conduta, para então esperar que os homens vivam segundo um padrão diferente ou contraditório. Se as duas coisas parecem diversas, é porque nosso conhecimento não é capaz de compreender ou explicar correta e completamente a vontade de Deus. Se isso não fosse verdade, então o Todo-poderoso, de quem se deriva toda a moralidade, pelo menos poderia ser considerado como uma força má, e não boa. Temos de aceitar que a moralidade é para Deus aquilo que é para nós, com algum desconto no tocante à nossa falta de compreensão ou à nossa interpretação equivocada. Temos de supor que a moralidade que é revelada para nós, pela revelação bíblica, não somente é boa para nós, mas é, igualmente, o padrão pelo qual se rege o *Todo-poderoso* em sua conduta. Se assim não fora, não poderíamos dizer que, de conformidade com nosso uso dos termos, o Todo-poderoso jamais poderia ser mau. Devemos notar, outrossim, que nesta passagem, os atos voluntários de Deus pendem para o lado positivo, e não para os aspectos negativos. Deus não dá menos do que merecemos; pelo contrário, em um caso ele deu mais do que o merecido, embora nos outros casos expostos na parábola ele tenha dado exatamente o que os indivíduos mereciam. E isso o Senhor não fez motivado por nenhum capricho, e, sim, baseado em desígnios elevados, tendentes a fomentar o progresso espiritual da alma, para que esta se aproxime mais ainda da imagem de Cristo, o que é o alvo de toda a existência

humana. Segundo todos os padrões humanos, essa ação não é apenas boa, mas reflete uma bondade desconhecida neste lado da vida, entre os homens. Aqueles que têm disposição religiosa e disso estão cônscios, aceitam essa ação sem levantar questões; e mesmo onde lhes restar qualquer dúvida de interpretação, hão de aceitá-lo pela fé. Quando se fala em termos do reino dos céus e do grande futuro que Deus ali nos oferece, quem pode reivindicar mérito para si mesmo? Parece claro, pois, que qualquer salário, qualquer recompensa, é uma pura manifestação da graça de Deus.

"Ou são maus..." "Olho mau" — é uma expressão usada nas Escrituras para indicar as más disposições ou a má vontade dos homens, e com frequência indica a inveja ante a prosperidade alheia. (Ver Pv 23.6.) Em Marcos 7.22, esse defeito é alistado entre os males que procedem do coração. Entre os povos das culturas antigas, esse "olho mau", segundo se pensava, era acompanhado por uma espécie de poder mágico capaz de injuriar o próximo, e as pessoas que se supunham capazes de lançar tais olhares eram evitadas. Nos tempos antigos, encantamentos e amuletos eram usados para proteger dos efeitos do chamado "mau olhado". Até hoje, no oriente e na Europa, prosseguem tais superstições. Na passagem de Mateus 6.23, o olho é usado como símbolo dos "olhos do coração" (ver Ef 1.18). É através da agência desse olho interno, que a iluminação atinge o ser inteiro do indivíduo iluminado. Essa visão interna fala do estado da alma, do desenvolvimento da personalidade, da espiritualidade, da comunhão com Deus, da percepção espiritual etc. Por outro lado, o "olho mau" refere-se à corrupção da alma, às disposições carnais, à comunhão com a malignidade etc. O indivíduo dotado de "olho mau" é homem do Diabo; e esse olho está cheio de trevas, o que significa que o indivíduo vive às apalpadelas, tropeçando nas trevas. (Ver referências em Pv 23.6; 28.22 e Aboth 2.9.)

"Bom", nessa passagem, é tradução do termo grego *agathos*. Em Romanos 5.7, encontramos um contraste entre as palavras gregas "agathos" e "dikaios", que geralmente são empregadas como sinônimos próximos. É evidente que "agathos" (a palavra aqui empregada) indica mais do que a mera "justiça", ou seja, expressa a ideia de generosidade. O "dono" mostrou-se mais do que bom ou justo, pois foi generoso. E essa generosidade foi a causa mesma da queixa do servo murmurador. Por isso é que tal servo foi descrito como possuidor de "olho mau", o que indica uma atitude de inveja ou ciúme.

20.16 Assim os últimos serão primeiros, e os primeiros serão últimos.

20.16 Οὕτως ἔσονται οἱ ἔσχατοι πρῶτοι καὶ οἱ πρῶτοι ἔσχατοι

16 Mt 19.30; Mc 10.31; Lc 13.30

> Após ἔσχατοι, a maioria dos testemunhos, seguidos pelo Textus Receptus, adiciona πολλοὶ γάρ εἰσιν κλητοί, ὀλίγοι δὲ ἐκλεκτοί, — ("pois muitos são chamados, mas poucos escolhidos"). A forma mais breve é apoiada pelo texto alexandrino (ℵ B L Z 085 36 1093 l[4] cop[sa,bo] eth[mss]). Embora seja igualmente possível que as palavras tenham sido descontinuadas no texto devido a homoeoteleuton (ἔσχατοι...ὀλίγοι), é bem mais provável que os copistas as tenham incorporado aqui com base em 22.14, onde eles terminam outra parábola.

"Assim, os últimos serão primeiros..." — A mesma declaração (logos) se encontra em Mateus 19.30, mas a ordem das palavras é ligeiramente diferente entre as duas passagens. Uma completa explanação de todos os sentidos possíveis desse "logos" encontra-se em Mateus 19.30, que o leitor deve examinar. É verdade que a obra do indivíduo não depende inteiramente do tempo que ele despende da mesma, pois a qualidade do serviço também reveste-se de grande importância. Jer. Berak, ii. 5c, entre os escritos rabínicos, diz: "Assim também o rabino Bun jar Chija,

556 |Mateus| NTI

em vinte e oito anos, realizou mais do que muitos eruditos estudiosos em cem anos". O sentido dessa declaração, nesse contexto da parábola, não é que o galardão será igual para todos os "servos", quer entrem cedo, quer entrem tarde no serviço cristão. De fato, o tom da parábola inteira é contrário à igualdade, e favorece mais a desigualdade. O ponto que Jesus deixou claro é que aquilo que os homens podem considerar como base para ocupar o "primeiro" lugar ou a melhor recompensa, não expressa, necessariamente, o que Deus reputa como base de "primeiro" ou de "último" lugar. Segundo o ponto de vista humano, os que entraram por último no trabalho, muito naturalmente seriam os últimos quanto às recompensas; no entanto, tornaram-se os "primeiros", pois seu galardão foi comparativamente maior do que o período de tempo em que trabalharam nos faria acreditar. Em termos gerais, e mediante o uso dessa declaração familiar, Jesus adverte-nos que os galardões, quer envolvam a "vida eterna", a "salvação" ou diversos graus de glória ou punição, poderão ser dispensados de uma forma extremamente diferente daquela que esperaríamos. Em todas essas condições (vida eterna, salvação, graus de glória ou punição etc.) haverá muitos "primeiros" que serão "últimos", e muitos "últimos" que serão "primeiros". Quanto a um sumário minucioso acerca dos possíveis sentidos desse "logos", ver a nota em Mateus 19.30.

"Porque muitos são chamados, mas poucos escolhidos" — Palavras que aparecem nos mss CDW, Theta, Fam Pi, Fam 1, Fam 13 e nas traduções AC, KJ, F e M. Os mss mais antigos omitem essas palavras, como Aleph, BLZ, Sah e todas as traduções, exceto KJ, AC, F e M. Essa cláusula não aparecia no original de Mateus, mas foi inserida aqui por algum escriba, com base em 22.14 deste evangelho, onde as palavras cabem melhor dentro do contexto.

Tem havido muitas interpretações dessa parábola, a qual é considerada como uma das mais difíceis que os leitores do NT podem encontrar. Abaixo estão as opiniões principais dos intérpretes:

1. Calvino ensinava (*in loc.*) que essa parábola foi apresentada por Jesus para *repreender* a pergunta de Pedro, em Mateus 19.27. Segundo essa opinião, Jesus repreendeu a Pedro por haver exibido uma atitude materialista, mostrando que ele poderia ficar surpreendido quando os galardões fossem distribuídos em recompensa pelo serviço dos crentes. Essa interpretação contém alguma verdade, mas não certamente a verdade central desta parábola.

2. Irineu dizia que aqueles que haviam trabalhado por mais tempo (por terem começado cedo) representam os patriarcas e profetas do AT, ao passo que os servos que entraram no serviço à hora undécima representam os discípulos de Cristo (citado por Richard Chenevix Trench, em *Notes on the Parables of Our Lord*, London, Kegan Paul, Trench and Co., 1886, p. 170).

3. Muitos intérpretes, antigos e modernos, têm expressado a opinião de que essa parábola ensina que os servos que trabalharam por muitas horas representam a nação *judaica*, enquanto aqueles que trabalharam pouco, representam a *igreja gentílica*. Essa interpretação tem sofrido muitas elaborações. Gregório, por exemplo, dividia a história dos judeus em períodos que correspondiam aos vários horários que aparecem na parábola; mas isso não passa de exagero. Se não for demasiadamente pressionada, essa teoria expõe, provavelmente, uma das coisas tencionadas por seu uso no evangelho de Mateus. Jesus parece ter ensinado uma verdade similar em outras parábolas, tais como a dos "dois filhos" (Mt 21.28-32), a dos "lavradores maus" (Mt 21.33-46) e a das "bodas" (Mt 22.1-14).

4. Os fariseus, e outras pessoas extremamente religiosas, embora falsas, no dizer de outras interpretações, são representadas *pelos servos* que começaram a trabalhar primeiro, enquanto os servos que chegaram por último representam as pessoas *simples* que vieram a tornar-se discípulos de Jesus. Essa interpretação contém um dos ensinos centrais dessa parábola, mas

é bem possível que a aplicação inclua, igualmente, a terceira interpretação.

5. *O mais provável* é que a parábola deva ser compreendida de maneira geral, em termos latos, não sendo impossível que o próprio Jesus a tenha proferido, em ocasiões diversas, para ilustrar diferentes verdades, tal como empregou outras declarações e narrativas, embora esta tenha sido registrada apenas por uma vez. O que ele quis destacar é a desigualdade que haverá entre os indivíduos ou nações na outra existência, sem importar se está em foco a "vida eterna", a "salvação" ou os vários graus de recompensa para os crentes autênticos. Jesus adverte-nos que, em todas essas situações, esperam-nos surpresas extraordinárias. Como elementos que explicam o caráter geral dessas situações, e as razões por detrás delas, podem-se alistar os seguintes: (a) As recompensas dadas por Deus não são conformes aquilo que os homens pensam merecer. Na vinha de Deus, quem ousa reivindicar qualquer mérito? (b) A justiça de Deus é completa e perfeita, e não está sujeita às inquirições motivadas pelas dúvidas dos homens. (c) A justiça de Deus, porém, é perfeitamente "justa", de conformidade com todas as definições corretas da justiça, pois Deus deseja aquilo que é correto, e as coisas não são retas simplesmente porque Deus as prefere, embora isso também seja verdade. (d) A graça de Deus também abrange aqueles que não a merecem, dispensando recompensas muito além daquilo que se poderia esperar com justiça. Essa graça opera mediante desígnio divino, e não por nenhum motivo caprichoso. (e) O tempo de serviço não é tudo. Os motivos e as atitudes por detrás desse serviço, bem como a qualidade do serviço, são levados em consideração. (f) A complacência pode iludir-nos e levar-nos a fazer avaliações que serão comprovadas como falsas, naquele grande dia. (g) Na qualidade de *administrador*, Jesus será o juiz dessas coisas, bem como o padrão e o despenseiro de toda graça e galardão.

---

iii. Interlúdio: terceira predição dos sofrimentos de Jesus (20.17-19)

Os v. 17-19 têm paralelos em Marcos 10.32-34 e Lucas 18.31-34. Nessa breve seção, a fonte informativa é o *protomarcos*. (Ver a introdução ao evangelho de Marcos e, na introdução a este comentário, o artigo intitulado "O problema sinóptico", quanto a uma discussão sobre as fontes informativas dos Evangelhos.) Essa foi a terceira advertência feita por Jesus aos discípulos, de que aquela seria a sua última viagem a Jerusalém, porquanto ali ele seria crucificado. (As outras predições encontram-se em Mt 16.21 e 17.22.) Essas predições foram introduzidas no texto como solenes badaladas de um grande sino, que avisa tristemente a condenação próxima. A passagem de Marcos 9.32 (após a segunda advertência) diz-nos que os apóstolos não entenderam esse aviso. O tom geral da história das últimas semanas da vida terrena de Jesus, antes de sua crucificação, também indica que os apóstolos jamais aceitaram essas advertências, mas continuaram nutrindo suas ideias de poder político e de reforma religiosa. O evangelho de Mateus omite uma declaração específica acerca do fato de que lhes faltava essa compreensão, mas a narrativa supre essa informação, ainda que não a declare abertamente.

20.17 Estando Jesus para subir a Jerusalém, chamou à parte os doze e no caminho lhes disse:
20.17 Καὶ ἀναβαίνων ὁ Ἰησοῦς² εἰς Ἱεροσόλυμα παρέλαβεν τοὺς δώδεκα [μαθητὰς]³ κατ᾽ ἰδίαν, καὶ ἐν τῇ ὁδῷ⁴ εἶπεν αὐτοῖς,

---

² 17 {C} καὶ ἀναβαίνων ὁ Ἰησοῦς ℵ C D K L W X Δ Θ Π 085 *f*¹³ 28 33 565 700 892 1009 1010 1071 1079 1195 1216 1230 1241 1242 1253 1344 1365 1546 1646 2148 2174 *Byz Lect* (*l*⁷⁶,³³³,⁸⁸³,⁹⁵⁰,¹⁵⁷⁹ *omit* καὶ) it^aur,b,c,d,e,f,ff 1,2,g1,h,l,n,q vg syr^c,s,h arm eth geo Origen Chrysostom // καὶ ἀναβαίνων 13 543 826 828 // μέλλων δὲ ἀναβαίνειν Ἰησοῦς B cop^sa?(bo?) // μέλλων δὲ ὁ Ἰησοῦς ἀναβαίνειν *f*¹ syr^p Origen

³**17** {C} τοὺς δώδεκα μαθητάς B C K W X Δ Π 085 33 565 700 1009 1071 1079 1195 1230 1241 1242 1253 1344 1365 1546 1646 2148 2174 *Byz* l[76,883] it[b,f,ff¹,h,l,q] vg syr[h] cop[sa, mss] geo² Chrysostom // τοὺς δώδεκα μαθητὰς αὐτοῦ 13 28 892[mg] 1010 1216 *Lect* (l[184] αὐτοῦ μαθητάς) it[a,aur,c,e,ff,g¹,n] syr[p] cop[sa mss] eth[pp,mw] // τοὺς δώδεκα (*ver* Mc 10.32; Lc 18.31) ℵ D L Θ f¹ f³ 892[txt] it[d] syr[c,s] cop[bo] arm eth[ro] geo¹ Origen Hilary

⁴**17** {B} καὶ ἐν τῇ ὁδῷ ℵ B L Θ 085 f¹ f³ 33 700 892 1010 l[48,185,211] cop[sa,(bo)] arm geo Origen // ἐν τῇ ὁδῷ καί C D K W X Δ Π 28 565 109 1071 1079 1195 1216 1230 1241 1242 1253 1344 1365 1546 1646 2148 2174 *Byz* *Lect* it[(a,c),d,e,f,h,(n),q] syr[c,s,p,h] eth[ms] Origen Chrysostom // ἐν τῇ ὁδῷ 346 // καί l[o] it[aur,b,ff³,²,g¹,l] vg Hilary

²Vários testemunhos (incluindo B f¹ — e Orígenes, em duas dentre três citações) dizem μέλλων δέ, e alteram ἀναβαίνων para o infinitivo ἀναβαίνειν, antes ou depois de Ἰησοῦς. Embora o uso de μέλλων siga o estilo de Mateus (ver 16.27; 17.12,22,; 20.22 e 24.6), no contexto a palavra parece ser uma correção topográfica introduzida por copistas que observaram que, de Jericó (ver v. 29), "sobe-se para Jerusalém"; antes de chegar a Jericó, pois, Jesus "estava prestes a subir a Jerusalém".

Alguns poucos manuscritos minúsculos omitem ὁ Ἰησοῦς, provavelmente devido à desatenção na transcrição (OICEIC).

³Embora com frequência copistas adicionassem o termo μαθηταί à expressão mais primitiva οἱ δώδεκα (ver a nota de Tischendorf *in loc* e 26.20, abaixo), a maioria da comissão julgou que esta passagem foi assimilada do texto de Marcos 10.32 ou de Lucas 18.31. A fim de apresentar ambas as possibilidades, resolveu-se usar colchetes.

A forma com αὐτοῦ, em vários manuscritos e versões, como é claro, é uma expansão secundária.

⁴A evidência externa que apoia ἐν τῇ ὁδῷκαί foi reputada a menos impressionante, e não aquela que apoia o texto. Outrossim, a transferência da frase preposicional para o que vai antes, parece ser uma melhoria do sentido. As formas mais breves sem dúvida resultam de equívocos de escribas.

20.18 Eis que subimos a Jerusalém, e o Filho do homem será entregue aos principais sacerdotes e aos escribas, e eles o condenarão à morte,

20.18 Ἰδοὺ ἀναβαίνομεν εἰς Ἱεροσόλυμα, καὶ ὁ υἱὸς τοῦ ἀνθρώπου παραδοθήσεται τοῖς ἀρχιερεῦσιν καὶ γραμματεῦσιν, καὶ κατακρινοῦσιν αὐτὸν θανάτῳ,

18 Mt 16.21; 17.22,23; Lc 9.22

18 εἰς θανατον ℵ sy] p) θανατω DWΘ f₁ f₁3 pl lat ς; R: *om* B eth.

"Filho do homem" — Para que se beneficie plenamente do material exposto neste comentário, o leitor deveria examinar as referências ligadas ao termo. (Ver a nota detalhada sobre o "Filho do homem", em Mc 2.7 e Mt 8.20; sobre "escribas", em Mc 3.22; sobre "fariseus", em Mc 3.6; sobre os principais sacerdotes, em Mc 11.27; sobre o "sinédrio", em Mt 22.23.) Esses foram os principais grupos responsáveis pelo planejamento da execução de Jesus, e pela sua crucificação em Jerusalém. Haviam enviado espiões que seguissem a Jesus pela Galileia, a fim de recolherem provas que pudessem ser apresentadas contra ele ante as multidões. Aliaram-se às autoridades romanas a fim de ser decretada a pena de morte contra Jesus, o que eles mesmos estavam proibidos de fazer, uma vez que a pena de morte só podia ser decretada e executada pelas autoridades romanas. Essas autoridades religiosas fingiam piedade, mas seu interior fora invadido pela inveja, pelo ódio e pela violência, e é por isso que crucificaram o *Senhor da Glória*. No que respeita ao termo "Filho do homem", alguns intérpretes têm imaginado que essa referência a Jesus deriva-se da fonte informativa "Q" (material usado em comum por Mateus e Lucas, e que Marcos não tinha à sua disposição), mas nos textos que falam sobre a glória futura ou sobre o sofrimento que antecederia essa glória, o termo não se aplicaria a Jesus, porquanto "Q" jamais fala de sofrimento em relação ao Filho do homem. Entretanto, esse argumento tem pouco valor, sendo uma investigação exageradamente complexa das intenções dos escritores dos Evangelhos. Quer a fonte "Q" se refira, quer não, aos sofrimentos e à glória do Filho do homem, de forma nenhuma determina de que forma os evangelistas poderiam ter preferido usar esse termo. Outrossim, esse argumento pressupõe grande conhecimento sobre o documento intitulado "Q", pois quem pode, realmente, dizer se tal documento limitava ou não a designação "Filho do homem" a um Salvador não-sofredor e não-glorificado? O argumento adicional que diz que quando esse termo é usado para indicar o futuro e glorioso líder, não pode ser especificamente vinculado a Jesus, também não passa de uma demonstração de engenho humano, pois ultrapassa todas as intenções claras dos evangelistas. As diversas passagens a respeito, quando aceitas em sua simplicidade, sem nenhuma forma de preconceito, indicam ao leitor que a expressão "Filho do homem" sempre é aplicada diretamente a Jesus. Quem pode ler os Evangelhos, em sua inteireza, sem deixar de crer que Jesus reivindicou para si exatamente o fato de ele ser o "homem que desceu do céu"?

20.19 e o entregarão aos gentios para que dele escarneçam, e o açoitem e crucifiquem; e ao terceiro dia ressuscitará.

20.19 καὶ παραδώσουσιν αὐτὸν τοῖς ἔθνεσιν εἰς τὸ ἐμπαῖξαι καὶ μαρτιγῶσαι καὶ σταυρῶσαι, καὶ τῇ τρίτῃ ἡμέρᾳ ἐγερθήσεται.

19 τῇ...ἐγερθήσεται Mt 16.21; 17.23; Lc 9.22; 24.7,46; At 10.40; 1Co 15.4

"Para ser escarnecido..." — Essa advertência, o *terceiro* soar do sino de aviso sobre a condenação próxima, expõe claramente os detalhes sobre os sofrimentos do Filho do homem que faltam aos avisos anteriores, por serem pronunciados de maneira muito geral. É quase inconcebível que a exaltada Jerusalém, suposta capital do centro da adoração a Deus, fosse justamente a cidade perseguidora e assassina e que as suas autoridades religiosas fossem os instrumentos desse homicídio, praticado justamente durante a celebração da mais santa de todas as observâncias do povo terreno de Deus: a Páscoa. Marcos oferece-nos a informação adicional que indica a atitude emocionada dos discípulos acerca dessas predições de Jesus: "Estes se admiravam e o seguiam tomados de apreensões" (Mc 10.32). É óbvio que as palavras que lemos nos evangelhos representam apenas uma parte das muitas conversas que Jesus teve com os seus discípulos. A indicação é que, a caminho de Jerusalém, viajando na caravana que ia celebrar a Páscoa, esse assunto foi abordado por diversas vezes. Os discípulos não gostaram da informação que lhes deu Jesus. E isso porque esperavam um reino terreno, caracterizado por poder e glória. Esperavam servir ao rei Jesus como altos oficiais. No entanto, Jesus persistia em suas profecias melancólicas. Os discípulos nutriam a esperança de que Jesus estava sendo apenas por demais pessimista, e que os acontecimentos futuros mostrariam que as coisas não eram exatamente assim, quando então os seus sonhos, finalmente, se cumpririam. Aquelas predições, no entanto, haviam lançado uma nuvem de tristeza em seus pensamentos. Estavam apreensivos, talvez sentindo intuitivamente que sua compreensão não era grande sobre esse particular. "Eles, porém, nada compreenderam acerca destas coisas; e o sentido destas palavras era-lhes encoberto, de sorte que não percebiam o que ele dizia" (Lc 18.34). O pior que sucedeu aos discípulos foi o abatimento da melancolia e o senso de uma apreensão crescente.

"Mas ao terceiro dia ressurgirá" — Essas palavras certamente teriam passado inteiramente despercebidas para os apóstolos, pois esse fenômeno deve ter-lhes parecido inteiramente impossível, por não haver nenhum precedente histórico no qual pudessem firmar-se. Jesus estava afeito a falar em parábolas e

558 |Mateus| NTI

símbolos, e é possível que os apóstolos tenham interpretado essa predição apenas como outro exemplo de uma declaração difícil de ser entendida. (Ver as notas detalhadas sobre a *ressurreição*: teorias e *modo* da ressurreição, Lc 24.6; fato da ressurreição, 1Co 15.20. Ver também a discussão sobre os dias da semana em que a crucificação e a ressurreição tiveram lugar, em Mt 27.1 e 28.1. Ver notas sobre a "cruz", em Mt 10.38; Mc 8.34 e 10.21. E sobre a "Páscoa", em Mt 26.17.) O pedido da mãe de Tiago e João, que seus filhos ocupassem cargos privilegiados como governantes no reino de Jesus (cena essa que vem logo em seguida), e o fato de que esses homens ou impeliram sua progenitora nesse pedido, ou, pelo menos, não a desaprovaram em sua petição, mostra que não estavam muito preocupados com o fim do ministério de Jesus, o que ocorreria dentro de poucos dias, e também que não se mostraram compreensíveis e simpáticos para com os sentimentos de Jesus, naquele seu momento de severíssima provação.

> iv. Grandeza baseada no serviço (20.20-28)
>
> Esta seção, que consiste dos v. 20-28, constitui-se de duas porções: de uma breve história (v. 20-23), cujo ponto central é o v. 23, e um pequeno grupo de *logoi* relacionados à grandeza, conforme Deus a vê, a verdadeira grandeza espiritual. O v. 24 vincula as duas porções entre si, sendo uma observação editorial da parte do autor deste evangelho. As lições centrais dizem respeito a que o próprio Deus é quem escolhe aqueles que receberam honrarias especiais, e que entre os discípulos de Jesus a verdadeira grandeza baseia-se no serviço humilde. Essas declarações de Jesus têm paralelos em Marcos 10.35-45, e a sua fonte informativa é o *protomarcos*. (Ver informação sobre as fontes informativas na introdução ao evangelho de Marcos e na introdução a este comentário, no artigo intitulado "O problema sinóptico".)

20.20 Aproximou-se dele, então, a mãe dos filhos de Zebedeu, com seus filhos, ajoelhando-se e fazendo-lhe um pedido.

20.20 Τότε προσῆλθεν αὐτῷ ἡ μήτηρ τῶν υἱῶν Ζεβεδαίου μετὰ τῶν υἱῶν αὐτῆς προσκυνοῦσα καὶ αἰτοῦσά τι ἀπ' αὐτοῦ.

20.21 Perguntou-lhe Jesus: Que queres? Ela lhe respondeu: Concede que estes meus dois filhos se sentem, um à tua direita e outro à tua esquerda, no teu reino.

20.21 ὁ δὲ εἶπεν αὐτῇ, Τί θέλεις; λέγει αὐτῷ, Εἰπὲ ἵνα καθίσωσιν οὗτοι οἱ δύο υἱοί μου εἷς ἐκ δεξιῶν σου καὶ εἷς ἐξ εὐωνύμων σου ἐν τῇ βασιλείᾳ σου.

21 καθίσωσιν...βασιλείᾳ σου Mt 19.28; Lc 22.30

"A mulher de Zebedeu" — No conceito de muitos, seria Salomé, irmã de Maria, mãe de Jesus. (Ver Mt 27.56; Mc 15.48 e Jo 19.25.) Provavelmente, ousou falar devido aos laços de ‚parentesco (seria tia de Jesus), e provavelmente também por ter ouvido Jesus dizer que os discípulos estavam prestes a ocupar doze tronos em Israel. (Ver Mt 19.28.) O mais certo é que os apóstolos esperavam que o reino fosse inaugurado imediatamente, e estavam excitados em face de sua participação especial nesse reino. No caso de Tiago e João, a mãe de ambos compartilhava de sua excitação, e procurou assegurar, para seus filhos, não apenas o que Jesus prometera, mas também os postos oficiais mais elevados possíveis, a saber, lugares à esquerda e à direita de Jesus. Nos tempos antigos, os altos oficiais ocupavam essas posições nas cortes reais. A mãe desses dois discípulos mostrou-se extremamente ambiciosa, não se contentando com a promessa feita por Jesus, e mostrou que ignorava totalmente que, longe de tornar-se brevemente um monarca, Jesus estava prestes a ser executado. Ela e seus filhos ainda teriam de

aprender muitas lições acerca de Jesus e seu reino, acerca do reino dos céus, acerca dos lugares celestiais — e é muito provável que continuassem aprendendo lições sobre essas grandes realidades. Na passagem paralela, Marcos não pinta o pedido como se tivesse sido feito pela mãe de Tiago e João, mas por esses discípulos. (Ver Mc 10.35). O que é evidente é que esses homens, sozinhos ou acompanhados pela sua mãe, refletiam uma atitude materialista e cheia de orgulho pessoal. Não é impossível, igualmente, que ambas as narrativas forneçam parte do quadro. O pedido teria saído dos lábios tanto de Tiago e João como da mãe de ambos.

"Manda que..." — Flávio Josefo esclarece que, nas cortes orientais, as posições de maior honra e autoridade eram as que ficavam à direita e à esquerda do monarca. (*Antiq*. VI.11,9). Por isso é que Jônatas e Abner se assentavam de ambos os lados de Saul, e o *Talmude* apresenta o Messias sentado à direita de Deus, e Abraão sentado à esquerda. Lutero comenta como segue: "A carne sempre procura ser glorificada antes de ser crucificada; e exaltada, antes de ser humilhada". A mãe de dois discípulos, e eles mesmos, parecem ter sentido que possuíam boas razões para esperar essas honras, já que João era conhecido como "o discípulo que Jesus amava". Quando da última ceia, João reclinou-se ao lado de Jesus, sendo possível que, nas refeições comuns, ele também ocupasse essa posição. Tiago e João foram dois dentre os únicos três que tiveram permissão de ver a transfiguração de Jesus, e ambos parecem ter recebido uma honra especial quando Jesus os chamou de *filhos do trovão* (Mc 3.17). É possível que pensassem que já lhes estava assegurada uma posição de maior autoridade, e que só precisava agora de uma declaração oficial da parte de Jesus. O texto de Lucas 19.11 indica que eles imaginavam que o reino seria inaugurado sem tardança, pelo que devem ter sentido que seu pedido teria de ser feito com urgência, a fim de que não perdessem sua posição.

Embora o quadro aqui apresentado mostre essencialmente a *vanglória* de Tiago e João, a maioria dos intérpretes deixa escapar de vista o elemento positivo, a saber, que os discípulos de Jesus realmente confiavam nele — estavam certos de que Jesus tinha a capacidade de estabelecer o reino que prometera; acreditavam que ele triunfaria, finalmente, sobre seus muitos amargos e poderosos adversários; tinham a certeza de que ele faria o bem triunfar sobre o mal, e que o seu governo seria perfeitamente reto. Queriam fazer parte desse reino, e prestavam lealdade a Jesus como seu rei. Muito frequentemente, exibimos as qualidades negativas dos discípulos, ao mesmo tempo que perdemos de vista suas qualidades positiva. É mais fácil desculparmos esses homens de sua altíssima ambição quando nos lembramos da sinceridade deles, de sua genuína inquirição espiritual e do fato de que, finalmente, conforme ficou demonstrado por suas ações de anos posteriores, chegaram à maturidade como discípulos de Jesus e arautos de seu reino.

20.22 Jesus, porém, replicou: Não sabeis o que pedis; podeis beber o cálice que eu estou para beber? Responderam-lhe: Podemos.

20.22 ἀποκριθεὶς δὲ ὁ Ἰησοῦς εἶπεν, Οὐκ οἴδατε τί αἰτεῖσθε· δύνασθε πιεῖν τὸ ποτήριον ὃ ἐγὼ μέλλω πίνειν; λέγουσιν αὐτῷ, Δυνάμεθα.

22 τὸ...πίνειν Mt 26.39; Jo 18.11

22 πινειν 𝔑BDΘ pc lat syˢᶜ; R] add p η το βαπτισμα ο εγω βαπτιζομαι βαπτισθηναι W (fi) f13 700 pl f h q boᵖᵗ ς

> Após πίνειν, muitos testemunhos, incluindo C E F G H K M U V W X Γ Δ Π Σ Φ e a maioria dos manuscritos minúsculos, adicionam ἢ τὸ βάπτισμα ὃ ἐγὼ βαπτίζομαι βαπρισθῆναι. A cláusula está ausente de testemunhos representativos dos três principais tipos de texto, alexandrino, ocidental e cesareano — (𝔑 B D L Z Θ 085 1 22 788 1582, maior parte do Latim Antigo, vg syrᶜˢ copˢᵃˑᵇᵒ eth). É o tipo de adição que muitos copistas fariam, com base na passagem paralela de Marcos 10.38.

"Mas Jesus respondeu" — Jesus salientou que o pedido deles baseava-se na *ignorância* dos métodos empregados no reino de Deus. Os tronos são reservados para os que se assemelham a Cristo, mas somente Deus pode ser o juiz da ordem de mérito e privilégio. É como se Jesus houvesse dito: "Não me cabe conferir honras no reino de Deus" (Sherman Johnson, *in loc.*). Quando de sua encarnação, Jesus esvaziou-se de seus direitos reais, e assumiu a forma de um servo, e assim, em humildade, realizou a tarefa que lhe foi demarcada e preparou o seu destino. Jesus aceitou as limitações de nossa natureza. Assim, pois, é Deus que ordena as nomeações no reino, e essa determinação às posições celestiais não se baseia em razões de dinheiro nem nos padrões da grandeza humana, e certamente não de acordo como nepotismo, que é essencialmente o espírito que provocou essa solicitação. Devido à sua longa associação com Jesus, Salomé, Tiago e João já deveriam saber que jamais o Senhor se rebaixaria ao nepotismo para oferecer tais posições, ainda que estas fossem determinadas por ele. Várias interpretações têm sido dadas a essa réplica de Jesus:

1. "Vosso pedido origina-se em um conceito errado do caráter de meu reino, que é espiritual" (De Wette, em Lange, *in loc.*).
2. Meyer (*in loc.*) indica que Jesus queria mostrar que eles ignoravam que as altas posições em seu reino só podiam ser reservadas àqueles que experimentassem sofrimento e angústia — pelo que realmente eram ignorantes quanto à verdadeira implicação de sua solicitação (pois esta necessariamente incluía o sofrimento, para o que ainda estavam mal preparados).
3. Outros veem uma referência aos dois ladrões, à direita e à esquerda de Jesus, quando ele foi crucificado. Esses foram os auxiliares que ele teve em seu "trono". Essa interpretação é uma vívida expansão da segunda. Não é provável que Jesus tenha feito referência direta a isso, embora provavelmente desejasse incluir a ideia geral da segunda interpretação.
4. Provavelmente, Jesus falou de maneira direta da nomeação para o domínio e a autoridade no reino, que é direito exclusivo de Deus. O v. 23 confirma essa opinião. O requerimento mostrou ignorância desse método e a estipulação da nomeação. A resposta completa de Jesus também subentende a segunda interpretação, pois parece que é ensinado, bem definidamente, que tais posições não podem ser alcançadas sem que o indivíduo sofra em favor do rei, ao qual servirá em sua glória. O próprio rei teria de passar por sofrimentos antes de entrar na glória de seu reino, sendo apenas natural supormos que todos os seus altos auxiliares tenham de compartilhar de seus sofrimentos. A resposta de Jesus, pois, contém certa nota de compaixão por aqueles que o seguiam. Para eles, até ali tudo era rebrilhante. Consideravam somente a glória que lhes caberia, conforme Jesus já prometera. Nada sabiam, por enquanto, dos grandes sofrimentos que os esperavam mais adiante. Jesus falou-lhes com brandura, e não em tons severos, a despeito da grande ambição dos dois discípulos, porquanto sabia quão verdadeiramente teriam ainda de sofrer por ele.

Os discípulos responderam que *podiam* beber do cálice de Jesus. Na literatura judaica, o cálice era frequentemente usado para indicar alegria e sucesso, como também se vê no AT (ver Sl 23.5 e 116.3), e não é impossível que, desse modo, tivessem compreendido a resposta de Jesus. Todavia, Jesus aludia ao cálice dos sofrimentos. (Ver Mt 26.39; Sl 11.6; 75.8; e Is 51.17.) É como se Jesus tivesse dito: "Podereis passar pelas escuras águas do sofrimento pelas quais eu passarei?" (Sherman Johnson, *in loc.*). A mesma metáfora é utilizada em Salmos 42.7 e Isaías 43.2. "Da mesma forma que a ideia que faziam do reino era terrena, sua aquilatação da natureza humana estava viciada por um otimismo indevido e pelo orgulho falso. O seu 'podemos' foi o cúmulo da cegueira, da atitude patética e da tragédia" (belo comentário de Buttrick, *in loc.*).

Algumas das traduções mais antigas, como AC e KJ, trazem algumas palavras adicionais neste ponto: "[...] ou receber o batismo com que eu sou batizado?" (tanto no v. 22 como no v. 23). Essas palavras aparecem nos mss CEFGHKMSUVX, Gamma, Delta e Fam Pi. Os mss Aleph, BDLZ e alguns mss latinos e o Si as omitem. Todas as traduções, exceto KJ e AC também as omitem. Foram adicionadas no evangelho de Mateus à base do texto paralelo de Marcos 10.38,39, onde são autênticas. O texto real de Mateus, portanto, menciona apenas o "cálice", símbolo da morte expiatória de Jesus; mas Marcos também alude ao "batismo", ali usado como símbolo de sua morte próxima. A passagem de Lucas 12.50 parece confirmar definidamente essa ideia. O apóstolo Paulo também a emprega dessa maneira, em Romanos 6.3-6 e em Colossenses 2.12. Jesus não removeu as suas promessas de glória e de governo no futuro, mas afirmou que os seus discípulos primeiramente teriam de compartilhar de seus sofrimentos.

20.23 Então lhes disse: o meu cálice certamente haveis de beber; mas o sentar-se à minha direita e à minha esquerda, não me pertence concedê-lo; mas isso é para aqueles para quem está preparado por meu Pai.

20.23 λέγει αὐτοῖς, Τὸ μέν ποτήριόν μου πίεσθε, τὸ δὲ καθίσαι ἐκ δεξιῶν μου καὶ ἐξ εὐωνύμων οὐκ ἔστιν ἐμὸν [τοῦτο] δοῦναι, ἀλλ' οἷς ἡτοίμασται ὑπὸ τοῦ πατρός μου.

---

23 πίεσθε] add και το βαπτισμα ο εγω βαπτιζομαι βαπτισθησεσθε *ut* 22 | (αλλ οις] αλλοις 225 *d*)

A maioria dos manuscritos preenche a sentença adicionando, com base no paralelo de Marcos 10.39, a cláusula καὶ τὸ βάπτισμα ὃ ἐγὼ βαπτίζομαι βαπτισθήσεσθε. O texto mais breve é decisivamente apoiado pelos mesmos testemunhos que trazem o texto mais breve no v. 22.

"Bebereis" — Jesus afirma que os dois discípulos realmente poderiam beber do cálice do sofrimento, embora, naquela oportunidade, nem o mais elástico exercício de sua imaginação pudesse conceber o que está envolvido nisso. Não obstante, não removeu a promessa de glória futura, porquanto os apóstolos realmente se assentarão em doze tronos a fim de julgar a nação de Israel. (Ver Mt 19.28, onde há uma explicação sobre essa ideia.) No entanto, aqueles mesmos dois homens — Tiago e João — de diferentes maneiras haviam de experimentar o cálice de um amargo sofrimento, e isso antes que pudessem esperar qualquer participação na glória e na honra eternas. Tiago foi o primeiro apóstolo a morrer como *mártir* (ver At 12.2), e, segundo evidências recentemente descobertas, João também sofreu como mártir e foi o último dos apóstolos a passar por essa experiência. É comum que os intérpretes, neste ponto, distingam dois tipos de mártires — aquele que é mártir no sentido literal, por ser morto em defesa da fé; e aquele que vive como mártir, sofrendo fielmente, e assim demonstrando o zelo característico dos mártires, mas sem morrer por isso. Tiago foi o mártir literal. João, de conformidade com a maior parte das tradições, foi o único apóstolo a não morrer como mártir, mas viveu como mártir a vida inteira.

Algumas tradições extrabíblicas recentemente descobertas parecem indicar que João, também, finalmente, coroou a sua vida com a morte sacrificial às mãos de homens ímpios e perversos. Entretanto, quer isso seja verdade, quer não seja, o fato é que João viveu por muitos anos como mártir, um homem que viveu com zelo especial e fidelidade, que é uma das características dos mártires autênticos. Ambos os discípulos, cada qual à sua maneira, sorveu do cálice de sofrimentos que Jesus prometeu, mas ambos, há séculos passados, entraram em seu descanso e começaram a participar da glória que lhes cabe. O futuro produzirá um magnífico aumento dessa glória, não somente para eles, mas também para todos os que amam a vinda do Senhor Jesus.

560 |Mateus| NTI

A expressão "beber do cálice" algumas vezes é usada para indicar a percepção da própria sorte ou destino, quer seja ele bom, quer seja mau. (Ver *Genesius*, sobre Is 41.17). Pode também incluir a ideia de alegria, e, particularmente, a noção de beber à mesa do rei, na presença da realeza. De outras vezes indica, mui definidamente, a participação em amargo sofrimento e morte violenta. Os apóstolos, pois, "beberam do cálice" de todas as três maneiras — completaram o destino que lhes estava determinado; sofreram amargamente; e entraram na glória do Senhor e agora descansam, e ainda haverão de reinar juntamente com ele.

Quanto à *concessão dos tronos*, estes são "[...] para aqueles a quem está preparado por meu Pai". Os conselhos de Deus não estão abertos ao escrutínio dos homens, e estão determinados desde a fundação do mundo. (Ver Mt 13.35). Os conselhos de Deus não dizem respeito às influências terrenas como dinheiro ou parentescos de sangue. Entretanto, não foram determinados arbitrariamente, pois repousam na vontade soberana de Deus. O Senhor prepara cada ser humano para um propósito distinto, significativo e glorioso. Não há dois destinos iguais, nem neste mundo e nem no estado eterno. Cada crente é uma joia preciosa que propiciará para Deus uma glória especial e sem-par, e que prestará ao Senhor um serviço distinto. Cada qual desfrutará de um desenvolvimento e de uma expressão toda pessoal. O texto de Apocalipse 2.17 ensina essa distinção ao mencionar o "novo nome" que cada qual receberá. Essa expressão indica uma posição pessoal e sem igual da parte de cada um dos servos de Deus. A passagem de Apocalipse 3.12 contém a promessa de que receberemos o novo nome de Cristo, isto é, uma nova compreensão e revelação acerca da pessoa de Cristo. Ambas as ideias são verdadeiras. Cada crente servirá em uma capacidade sem-par, contribuindo para a glória de Deus de maneira toda especial, e terá uma utilidade e função pessoais. E cada qual experimentará uma revelação sem igual de Cristo, o que servirá para fazer de cada crente um servo mais útil e um ser distinto de todos os outros.

Quanto à autoridade de sentar-se à "direita" ou à "esquerda" de Cristo, em seu reino, isso representa apenas outra daquelas posições sem-par no reino de Deus, e esses privilégios serão dados àqueles a quem foram determinados, pelos conselhos imutáveis de Deus. Sabe-se, porém, que não foram determinados por motivo caprichoso ou por impulso súbito, e nem serão surpreendentes para Deus; pois tudo foi adredemente determinado pela sua soberana vontade e propósito eterno. As posições proeminentes no reino de Deus, como é evidente, dependem de certas relações vinculadas à criação original, e, portanto, não estão sujeitas a modificações. A passagem de Mateus 25.34 alude ao reino como algo que foi preparado "desde a fundação do mundo". Crisóstomo ilustra a outorga dessas posições com os jogos atléticos. (*Hom.* 1 XV). Explicou ele que as coroas da vitória não são dadas pela decisão arbitrária dos juízes, mas "pertencem àqueles que se dispuseram a lutar e a suar". Àqueles que estiverem determinados para tais posições, pois eles passarão pelas lutas e sofrimentos necessários que os preparem para tão exaltado serviço.

20.24 E ouvindo isso os dez, indignaram-se contra os dois irmãos.
20.24 Καὶ ἀκούσαντες οἱ δέκα ἠγανάκτησαν περὶ τῶν δύο ἀδελφῶν.

<small>24 ηγανακτησαν] p) ηρξαντο αγανακτειν ℵ pc</small>

"Ora, ouvindo isto os dez" — A história segue o rumo que usualmente toma quando as pessoas se fazem de insensatas por causa de suas *ambições* e de seu egoísmo. A palavra grega aqui traduzida por "indignaram-se" é uma expressão vigorosa (também encontrada em diversos papiros extrabíblicos dos séculos I e II de nossa era). Essa expressão indica que os demais apóstolos se ressentiram da atitude de Tiago e João, e isso de maneira a não deixar dúvidas. Provavelmente, criam que os dois irmãos tinham procurado tirar vantagem da relação especial que já tinham com

Jesus, por motivo de parentesco, e se ressentiram especialmente por terem solicitado à própria mãe que reforçasse o pedido. Vários comentaristas têm observado, corretamente, que essa indignação não foi inspirada por motivos justos, mas surgiu porque os dez participavam das mesmas atitudes interesseiras e ambiciosas que inspiraram os dois a apresentarem sua solicitação. Isso reflete situações verdadeiras na vida diária, pois nada deixa mais irado um interesseiro do que quando outro interesseiro assume a posição que ele estava almejando.

Até parece que nessa crise da vida de Jesus, os apóstolos não lhe davam apoio nenhum; pelo contrário, eram todos impelidos por pensamentos *materialistas*. Todos esperavam que o reino fosse imediatamente inaugurado, e lutavam por alcançar as primeiras posições nesse reino. Esse espírito levou-os a mal entender as advertências de Jesus, o qual já por várias vezes avisara que sua morte se avizinhava. Até essa altura dos acontecimentos, a oração que diz "Torna-me autêntico seguidor de Deus" ainda não surgira no coração dos discípulos e em seus lábios. Eles se estavam tornando autoconfiantes, e dependiam dos próprios recursos. Essa autoconfiança é má porque não para a fim de contemplar os estranhos caminhos do Senhor — neste caso, a glória através de sofrimento, a vitória através da derrota. Deus pusera à frente deles caminhos estranhos que conduziam ao trono. Por conseguinte, chegaram à glória que lhes pertencia através de veredas que não tencionavam palmilhar. Infelizmente, nessa ocasião, todos os doze estavam no mesmo nível moral, todos procuravam, igualmente, os próprios interesses, pelo que também se indignaram ao ver, em outros, o que já era tão evidente e poderoso em sua vida.

Finalmente, queremos citar sobre essa questão as palavras de Adam Clarke (in loc.): "A ambição que conduz ao senhorio espiritual é uma grande causa de murmúrios e animosidades nas sociedades religiosas, e tem sido a causa da ruína das igrejas cristãs mais florescentes do universo".

20.25 Jesus, pois, chamou-os para junto de si e lhes disse: Sabeis que os governadores dos gentios os dominam e os seus grandes exercem autoridades sobre eles.
20.25 ὁ δὲ Ἰησοῦς προσκαλεσάμενος αὐτοὺς εἶπεν, Οἴδατε ὅτι οἱ ἄρχοντες τῶν ἐθνῶν κατακυριεύουσιν αὐτῶν καὶ οἱ μεγάλοι κατεξουσιάζουσιν αὐτῶν.

<small>25-26 Lc 22.25,26</small>

20.26 Não será assim entre vós; antes, qualquer que entre vós quiser tornar-se grande, será esse o que vos sirva;
20.26 οὐχ οὕτως ἔσται⁵ ἐν ὑμῖν· ἀλλ' ὃς ἐὰν θέλῃ ἐν ὑμῖν μέγας γενέσθαι ἔσται ὑμῶν διάκονος,

<small>26 Mt 23.11; Mc 9.35; Lc 9.48</small>

<small>⁵ 26 {C} ἔσται ℵ C K L W X Δ Θ Π 085 0197 *f*¹ *f*¹³ 28 565 700 892 1009 1010 1071 1079 1195 1216 1230 1241 1253 1344 1365 1546 1646 2148 2174 *Byz* (*Lect* δὲ ἔσται) it^{a,aur,b,c,e,f,ff²,g¹,²,g¹,h,l,n,q} vg syr^{c,p,h} cop^{sa, mss,bo} arm eth^{ro,pp} geo² Origen^{lat} Chrysostom John-Damascus // ἐστίν B D 1242 it^d cop^{sa} eth^{ms?} geo¹ Chrysostom</small>

> Embora a combinação de B e D, em apoio a ἐστίν não seja insignificante, a comissão julgou que o peso preponderante da evidência externa apoia o tempo futuro.

"Então Jesus, chamando-os" — A palavra grega aqui traduzida por *dominam* é um vocábulo forte (um verbo vazado na forma intensiva), que significa "governar subjugando". Na antiguidade aceitava-se como natural essa forma de governo, atitude essa que até hoje prevalece, especialmente nos lugares onde a mensagem cristã tem sido rejeitada e não tem sido ouvida.

Os apóstolos certamente devem ter tido ocasião de ver as ações cruéis e geralmente desarrazoadas dos oficiais romanos, que estavam investidos de direitos de vida e morte sobre as populações subjugadas, e que não hesitavam em ferir, assassinar, roubar e pilhar, contanto que essa ação contribuísse no menor grau para sua vantagem pessoal. A história da Palestina, relativa a esse período, revela muitos assassinatos e opressões sem o menor sentido, e Pilatos foi um dos principais ofensores nesse ponto. Herodes, o Grande, e seus sucessores eram homens dotados de paixões incontroláveis, pois mataram seus filhos e esposa, para não falar de outras pessoas.

Os apóstolos, pois, tinham visto oficiais tão inferiores como os centuriões romanos a exercerem controle de vida e morte. Tinham visto as multidões, padecendo intensas necessidades, a clamarem aos seus algozes: *Benfeitor! benfeitor!* Tinham visto várias revoltas dos judeus contra seus governantes, mas todos esse levantes tinham falhado, e a maioria dos participantes dos mesmos haviam perecido, sendo com frequência executados por crucificação. A história secular fala-nos do rei Canuto, que era homem tão orgulhoso, que esperava que até a maré lhe obedecesse. Esse rei estava investido de autoridade tão grande, que as pinturas o apresentam a descer o rio Dee em um barco impelido pelos remos nas mãos de seis reis tributários. Imagine-se um homem de tanta autoridade, que reis eram os seus remeiros!

Os apóstolos, pois, sabiam de todas essas coisas ou de outras similares; no entanto, em seu círculo apostólico, não se mostravam muito diferentes. Oh, não exerciam violência física, mas o seu espírito mostrava-se ocasionalmente violento. Odiavam e ficavam indignados uns contra os outros. Nisso imitavam homens perversos e ímpios. Por esse motivo é que Jesus tomou-os a um lado e lhes mostrou esse grave defeito. É como se lhes tivesse dito: "Esse é o tipo de ação que observais neste mundo; mas essas coisas não poderão acontecer entre vós, como autoridades em meu reino!" Jesus indicou que o seu reino não se caracterizaria pela brutalidade, como os reinos do mundo, e que os seus primeiros-ministros não poderiam agir como os reis e os centuriões desta terra. Jesus determinou-lhes: "Não é assim entre vós" (v. 26). O Senhor já os tinha preparado para uma expressão moral superior em sua vida, embora ainda se esquecessem disso de vez em quando. O Senhor introduzira novas leis espirituais, que refletiam a bondade, a misericórdia e o amor de Deus, e a necessidade dessas virtudes demonstradas pelos crentes em favor de seus semelhantes — e tudo isso fazia contraste direto com aquilo que os apóstolos podiam observar neste mundo. Buttrick disse (*in loc.*): "A ideia que o mundo faz da grandeza assemelha-se a uma pirâmide — o grande homem fica no topo, e a maioria dos outros luta por atingir o nível mais elevado, onde há menor número de iguais e mais subordinados. Mas a ideia de grandeza, ensinada por Cristo, é como uma pirâmide invertida: quanto mais próximo se encontrar alguém do ápice, maior é a carga, e maior número de pessoas é carregado com amor".

Os passos da humilhação de Cristo estão alistados eloquentemente em Filipenses 2.6-8. Na cruz, o Senhor atingiu o ponto mais baixo da pirâmide invertida, onde demonstrou seu terno amor e onde levou os pecados do mundo. Entre os crentes devem desaparecer perguntas interesseiras como: "Qual será o meu salário? Qual será a minha posição social?" Pelo contrário, devemos fazer a nós mesmos outras indagações: "Já me esqueci de mim mesmo? Sou sensível para com o sofrimento dos pobres, dos criminosos, dos entristecidos? Estou pronto a ocupar o último lugar, contanto que isso honre a Cristo?" Logo em seguida, Jesus proferiu palavras que deixam transpirar o hálito do *espírito de Cristo* e que ilustram tão magnificamente o que ele queria ensinar. Jesus empregou os termos "servo" e "escravo", e no capítulo décimo oitavo deste evangelho, usou a palavra "criança"— e com esses termos procurou ensinar aos seus discípulos o verdadeiro

conceito da grandeza espiritual. Disse-lhes que aqueles que aceitam esses títulos humilhantes são os verdadeiramente grandes, contanto que seu serviço seja genuíno, porquanto é em direção a essas posições humildes que seus discípulos devem caminhar. Que tivessem alguma ambição, que ambicionassem servir aos outros, porquanto "Ninguém chegará ao céu exceto apoiando-se no braço de alguém a quem ajudou" (Edgar Cayce). Em outras palavras, a medida da verdadeira grandeza deve ser a profunda humildade e o amor que demonstrarmos aos nossos semelhantes. Jesus lançou mão da palavra "escravo", que indica uma posição inferior à do "servo", pois o escravo não tem vontade própria, e pertence a outrem, como se fora uma propriedade alheia. Grande, pois, é o crente que de tal forma tem perdido a vontade de servir a si mesmo, que se torna escravo do benefício alheio.

20.27 e qualquer que entre vós quiser ser o primeiro, será vosso servo;

20.27 καὶ ὃς ἂν θέλῃ ἐν ὑμῖν εἶναι πρῶτος ἔσται ὑμῶν δοῦλος·

"E quem quiser" — Em ambos os casos (v. 26 e 27) o verbo "ser", embora futuro no grego — "será" —, conforme a tradução indica, provavelmente tem a força do imperativo, como ocasionalmente sucede na gramática grega. Jesus não estava meramente oferecendo um conselho, mas fez uma afirmação acerca do que caracteriza a verdadeira grandeza espiritual. O padrão de Napoleão tem-se demorado demasiadamente entre nós. Jesus quer que os seus seguidores sejam tão grandes quanto desejam, mas prefere que tenham a grandeza autêntica, imorredoura. Aqueles que, à semelhança de Napoleão, enchem as páginas da história com *ódio, violência* e *opressão*, não são os verdadeiramente grandes. Sim, é um triste fato os grandes assassinos da história serem considerados os maiores vultos, como Alexandre, que chorava porque não tinha mais mundos para conquistar. Jesus, entretanto, fala de modo diferente, pois está completamente divorciado dos conceitos mundanos e carnais. Nesse caso, o último será realmente o primeiro, porque é o escravo de todos que é realmente o rei do mundo. A verdade é que quando o cardeal Wolsey disse "Adeus! um adeus definitivo a toda a minha grandeza pessoal", em realidade, ele deixava a sua pequenez, e começava a caminhar pela estrada que conduz à verdadeira grandeza. (Ver Shakespeare, *Rei Henrique VIII*, Ato III, cena 2.) A aristocracia do reino de Cristo é formada de servos e escravos, aqueles que se têm despedido de sua grandeza pessoal e aceitado a grandeza espiritual do humilde Jesus de Nazaré. Como isso é contrário à nossa natureza, pois todos nós preferimos conservar a atitude de Napoleão, julgando tudo segundo os padrões terrenos! Como está repleta ainda a igreja de ódio, contenda, descontentamento e muitas lutas para obtenção das posições chaves! Quantas igrejas se têm cindido, tornando-se estéreis e repugnantes aos sentidos espirituais porque os homens dominam sobre outros homens, porque os homens traem o espírito de Cristo e desejam governar ou arruinar! *Quão grande é a lição* que ainda devemos aprender antes de apresentarmos qualquer coisa que seja uma autêntica expressão de Jesus a este mundo, na igreja! Quão equivocados temos estado em nossa compreensão sobre as exigências da ética cristã! Quão bem sabemos o que Jesus disse; e, no entanto, quão raramente obedecemos o que ele ordenou! Paulo deixou-nos exemplo porque, embora fosse grande à sua maneira, antes de sua conversão, tornou-se, depois de convertido, servo de todos os homens, para que pudesse conquistar alguns para Cristo. Ao agir assim, tornou-se um dos líderes entre os homens, embora se reputasse o último dos apóstolos, ou melhor, o menor do último de todos os santos.

20.28 assim como o Filho do homem não veio para ser servido, mas para servir, e para dar a sua vida em resgate de muitos.

20.28 ὥσπερ ὁ υἱὸς τοῦ ἀνθρώπου οὐκ ἦλθεν διακονηθῆναι ἀλλὰ διακονῆσαι καὶ δοῦναι τὴν ψυχὴν αὐτοῦ λύτρον ἀντὶ πολλῶν.

28 Lc 22.27 ὁ...διακονῆσαι δοῦναι...πολλῶν Fp 2.7 1Tm 2.6

28 fin.] add υμεις δε ζητειτε εκ μικρου αυξησαι και (add μη syᶜ) εκ μειζονος ελαττον ειναι. (cf. Lc. 14.8-10). εισερχομενοι δε και πατακληθεντες δειπνησαι μη ανακλιεσθε εις τους εξεχοντας τοπους, μηποτε ενδοξοτεπος σου επελθη και προσελθων ο δειπνοκλητωρ ειπη σοι, Ετι κατω χωρει, και καταισχυνθηση. εαν δε αναπεσης εις τον ηττονα τοπον και επελθη σου ηττων, ερει σοι ο δειπνοκλητωρ, Συναγε ετι ανω, και εσται σοι τουτο χρησιμον. D (Φ) it syᶜᵉⁿ ʰᵐᵍ

> ("Mas buscai aumentar daquilo que é pequeno, e o do maior para tornar-vos menores. Quando entrardes em uma casa e fordes convidados a cear, não vos reclineis nos lugares proeminentes, para que alguém de maior honra entre, e o hospedeiro venha e diga Desce; e serás envergonhado. Mas se estiveres reclinado em lugar inferior, e um inferior a ti entrar, o hospedeiro te dirá: Sobe; e isso te será vantajoso".) Essa interpolação é um exemplo de tradição flutuante, uma versão expandida mas inferior de Lucas 14.8-10.

"Tal como o Filho do homem" — (Ver a nota detalhada sobre o "Filho do homem", em Mc 2.7 e Mt 8.20; sobre a humanidade de Cristo, em Fp 2.7; sobre o "Filho de Deus", em Mc 1.1; e sobre a deidade de Cristo, em Hb 1.3.) Que Jesus não veio para ser servido, mas para servir, é ensinado também em Lucas 22.27, que pode representar uma fonte informativa diferente daquela na qual se baseou a narrativa de Mateus. Em Lucas 12.37, nota-se que o Senhor, quando retornar a este mundo, recompensará os escravos fiéis servindo-os, o que também é uma expressão do caráter de Jesus e que indica claramente a atitude de sua vida, durante a qual demonstrou a sua preocupação pelos outros. Quanto ao fato de ter dado sua vida como resgate por muitos, alguns intérpretes têm pensado que essas ideias não surgiram originalmente com Jesus, sob a alegação de que ele não tinha o hábito de interpretar a própria missão, mas que a igreja primitiva acrescentou essa declaração ao relato dos evangelhos, interpretando o que a sua missão significava. Isso significaria que Jesus realmente não proferiu essas palavras. Outros acreditam que a ideia de resgate ou expiação foi tomada por empréstimo das religiões misteriosas ou de outras fontes helênicas; o exame da literatura hebraica, entretanto, revela que a ideia da expiação — que fala de alguém que dá sua vida em favor de outrem — está bem entrincheirada na tradição judaica, pelo que também facilmente poderia ter feito parte da interpretação dada por Jesus à sua missão. (Ver 2Mac 7.37,38; 4Mac 6.28; 17.21; Is 53.4-6, passagens que apresentam de modo patente a declaração de expiação no AT, e que muitos intérpretes judeus reconheciam como alusões ao Messias.) A ação de Jesus quando da última ceia, ao partir o pão etc. indica a mesma coisa, isto é, que ele compreendia que a sua obra, a sua vida e a sua morte tinham por escopo beneficiar os homens. Apesar de o cordeiro pascal ser sempre identificado com a expiação pelo pecado, com o perdão de pecados e com a correta situação diante de Deus, através dessa expiação, é natural supormos que as ações de Jesus foram provocadas pela sua compreensão de que a sua morte tinha o propósito de servir de expiação pelos pecados dos "muitos" que devem ser identificados com os "todos". (Ver nota acima sobre esse particular.) Os "todos" são os "muitos". Montefiore e Loewe demonstram a existência de ideias sobre expiação nos escritos rabínicos (*Rabbinic Anthology*, p. 225-232).

"Em resgate por muitos" — A palavra grega "anti", traduzida pela palavra "por", neste caso, pode significar "em lugar de", e alguns intérpretes têm entendido que a vida de Jesus foi dada como espécie de compensação a Satanás, para livramento de todos os homens. (Ver *Orígenes*). Posteriormente, porém, pode ser visto que Jesus não era do tipo de pessoa que pudesse ser retido por Satanás ou por quem quer que seja, pelo que se libertou. Essa interpretação, embora sustentada por alguns homens piedosos, é claramente errônea. Deus nada paga a Satanás em troca das almas dos homens, porquanto Satanás não é o proprietário das almas. Ele pode tentar e acusar os homens, mas de ninguém é o dono. Por isso mesmo, outros intérpretes creem que o preço foi pago a Deus, o qual, tendo recebido a expiação, fica satisfeito e permite que os homens se vão livres, em face do pagamento da dívida de seus pecados. Essa ideia é muito melhor que a primeira, e pode ser consubstanciada por meio de outras passagens bíblicas. Não obstante, parece melhor compreender o termo "anti", neste caso, com o sentido de "por". Em Mateus 11.28-30 temos uma ilustração desse sentido do vocábulo. Jesus pagou o imposto do templo em favor de Pedro e dele mesmo. Pagou uma dívida de ambos. Na expiação, igualmente, Jesus paga a dívida que os homens têm diante de Deus, a consciência moral do universo. Todos os erros precisam ser retificados. Mediante a sua expiação pelos "muitos" (ou "todos"), Jesus pagou a dívida insolúvel e corrigiu todos os erros. Por essa ação, portanto, os homens tornaram-se aceitáveis a Deus, obtendo condições favoráveis a seus olhos.

Na última ceia, as ações de Jesus ilustram novamente o *sentido tencionado*. O cordeiro era oferecido como expiação pelo pecado, a fim de que os homens pudessem ficar livres de toda culpa (não necessariamente as consequências do pecado, em sentido absoluto). Jesus tornou-se o cordeiro que tira o pecado do mundo. Nele é que conseguimos saldar nossas dívidas e obrigações morais. Essas dívidas, pois, são pagas por motivo da misericórdia de Deus e de sua graça, e não em face de nossos esforços. O que fazemos com a salvação que Deus nos oferece, e a que altura nos elevamos como instrumentos a ser usados por ele no estado eterno, e quão próximos estaremos da imagem e do serviço de Cristo naquele estado, tudo depende de nossa obediência e receptividade para com suas ordens e de nossa participação em sua vida. As Escrituras não ensinam igualdade na vida vindoura. A doutrina inteira dos "galardões" ou "coroas", segundo a encontramos nos escritos de Paulo e na parábola da recompensa pelo serviço fiel, contada por Jesus, indica que haverá diversos níveis na pátria celeste. Jesus, mediante a sua expiação, nos eleva aos lugares celestiais (usando a terminologia de Paulo); mas, segundo a nossa posição, Deus nos confere responsabilidades. Alguns crentes serão salvos como que pelo fogo, pois todas as suas obras serão queimadas. Outros crentes entrarão em posições de alta utilidade e progresso, ocupando posições de domínio, mas tudo calculado para redundar para a glória de Deus. Entretanto, de forma nenhuma é mister imaginar que teremos de ficar estagnados. Até mesmo os que forem salvos como que pelo fogo serão alvo da misericórdia de Deus, capazes de obedecer, de progredir e de desenvolver-se. Não há razão nenhuma para imaginarmos que as obras de Deus ou seus obreiros venham algum dia a estacar. O Deus das Escrituras não é um Deus estagnado.

Existem vários sentidos possíveis da palavra *resgate*: (a) O dinheiro pago para livrar um homem da servidão. (Esse é o sentido mais frequentemente encontrado nos papiros dos séculos I e II de nossa era.) Exemplos também podem ser examinados na obra de Moulton e Milligan, "*Vocabulary*", ou na de Deissmann, "*Light from the Ancient East*", p. 328ss.) (b) Essa palavra também pode indicar o preço pago para libertar um homem de um crime cometido ou de uma desgraça sofrida, tal como a lei do AT permitia que um homem reparasse os danos feitos a outro por seu boi que o tivesse chifrado. (c) No AT, um homem poderia pagar certo preço a fim de livrar seu filho primogênito da necessidade de entrar na carreira sacerdotal. (d) O resgate também poderia ser um pagamento equivalente a uma vida destruída (ver Êx 21.30).

A *expiação*, portanto, pode ter ambas as ideias de substituição e de compensação. Outro elemento da expiação é que o grande valor de Jesus é reconhecido como nosso, pois ele é o cabeça e nós somos o seu corpo, pelo que também sua graça nos foi concedida "gratuitamente no Amado" (Ef 1.6). O plano de Deus é que o grande valor de Cristo não somente seja reconhecido como nosso, mas também que esse grande valor torne-se nossa legítima possessão, isto é, que sejamos literalmente transformados segundo a sua imagem e possuamos realmente a sua grandeza. Essa é a grande mensagem de Romanos 8, de Efésios 1 e de 1João 3.2. (Ver notas nessas referências.) Quanto a uma nota expandida sobre a "expiação", ver Romanos 5.11. A teoria da influência moral, referente à expiação, isto é, que Jesus, mediante sua morte de mártir em favor de uma boa causa, deu-nos *um exemplo* inspirado para seguirmos, naturalmente contém algum elemento de verdade, mas fica muito aquém de todas as verdadeiras implicações da expiação, conforme uma simples comparação entre Jesus e o sacrifício do cordeiro durante a Páscoa, poderá afirmar de imediato.

Os mss D, Phi, muitas versões latinas e siríacas, e o pai Hilário (368 d.C.), adicionam no fim desse versículo: "Mas buscai aumentar aquilo que é pequeno e diminuir aquilo que é grande. Mas, quando entrares e fores convidado a almoçar, não ocupes os lugares principais, para que porventura alguém mais honrado do que tu, chegando, leve aquele que te convidou a dizer-te: Desce; e assim fiques envergonhado. Mas, se te reclinares no último lugar, e chegar alguém inferior a ti, aquele que te convidou dirá: Sobe para cá; e isso te será vantajoso". Essas palavras não são originais de Mateus neste lugar, e nenhuma tradução as contém. Provavelmente, temos aqui, de forma abreviada, a passagem de Lucas 14.7-10, inserida por algum escriba, especialmente da igreja ocidental, a fim de ilustrar o *logos* de Jesus que aqui se encontra. O códex D contém certo número de outras extensas adições aos Evangelhos e ao livro de Atos. Talvez parte desse material seja autêntico, como palavras proferidas por Cristo, preservadas e narradas por outros que não os quatro evangelistas. O problema dessas adições, nos mss ocidentais, é abordado na introdução ao estudo dos mss antigos, que faz parte da introdução a este comentário.

A *intenção geral* do versículo (v. 28) é ilustrar, para os apóstolos, a necessidade que temos de considerar os outros, de viver pelos outros, de ser servos dos outros e de não considerarmos somente os próprios interesses. Os apóstolos estavam buscando para si mesmos altas posições no reino, e tinham ciúmes uns dos outros por causa da possibilidade de outros ocuparem posição superior. No entanto, Jesus mostrou que a verdadeira grandeza consiste na imitação da atitude do Filho do homem, que não somente viveu dos outros, mas que também morreu em favor dos outros. Se ele, em sua grandeza, pôde fazer isso, então quaisquer ideias de ambição e de grandeza pessoal devem estar bem afastadas de nós, que, em comparação com ele, nada somos.

XI- JESUS VAI A JERUSALÉM (19.3 23.39)
2. Cura dos dois cegos (20.29-34)

Esta seção tem paralelos em Marcos 10.46-52 e em Lucas 18.35-43. Aqui é oferecida a exposição que inclui os elementos das narrativas dadas por Marcos e Lucas, mas que não estão incluídas em Mateus. A fonte informativa é o *protomarcos*. (Ver informação sobre as fontes informativas dos Evangelhos na introdução a este comentário, sob o título "O problema sinóptico", e na introdução ao evangelho de Marcos.) Existem algumas diferenças notáveis no relato dos evangelhos sinópticos, especialmente na apresentação da história no evangelho de Mateus; esse fato tem levado os harmonistas a caírem em grande confusão. Muito papel e tinta têm sido desperdiçados em tentativas engenhosas de reconciliar as narrativas. Marcos narra a cura do cego Bartimeu. Lucas conta a história de "um cego", sem determinar-lhe o nome. Mateus menciona dois nomes. A narrativa de Lucas apresenta o incidente como se tivesse sucedido ao entrar Jesus em Jericó, ao passo que Mateus e Marcos fazem-no acontecer quando Jesus saía de Jericó. Alguns acreditam que a narrativa de Mateus

apresenta *dois* homens curados porque ele deixou de lado a narrativa dada por Marcos, em Marcos 8.22-26, e que, dessa maneira, quis compensar a omissão. Essa explicação, no entanto, não tem bases nas Escrituras. Outros acreditam que houve dois homens (segundo o que diz Mateus), mas que um deles foi muito mais vociferador (Bartimeu), pelo que foi o principal a chamar a atenção para si, tendo sido mencionado por Lucas e Marcos, enquanto seu companheiro foi deixado omisso. Não há maneira de confirmar ou de negar essa interpretação. Parece, porém, melhor do que a que diz que estamos tratando de duas ou três narrativas sobre milagres separados, isto é, que a narrativa de Lucas é separada da de Mateus. Pois é óbvio que as três narrativas expõem um único incidente. Alguns também têm apelado para a teoria das *duas* narrativas, a fim de explicar por que Lucas afirma que a ocorrência deu-se quando Jesus entrava em Jericó, enquanto que os demais afirmam que ocorreu quando Jesus saía dessa cidade. Outros acreditam que a arqueologia tem descoberto a existência de "duas" Jericós, o que explicaria a aparente contradição. Segundo esse ponto de vista, Marcos e Mateus referiram-se à antiga Jericó (cujas ruínas têm sido descobertas), mas que Lucas referiu-se à Jericó romana, que ficava a pequena distância da mais antiga localidade, talvez uma espécie de continuação ou de divisão da cidade mais antiga. Nesse caso, é possível que, quando o milagre teve lugar, os dois cegos estivessem realmente entre as duas localidades. A nova Jericó ficava a oito quilômetros, a oeste do rio Jordão, e a cerca de vinte e quatro quilômetros a leste de Jerusalém, pelo que ficava a cerca de um quilômetro e meio ao sul do local da antiga cidade. Naquela época, os cegos eram extremamente numerosos, em vista dos hábitos pouco sanitários do povo, o que espalhava enfermidades oculares contagiosas. Muito provavelmente Jesus curou a muitos cegos. Dentre esse grande número, encontramos nos Evangelhos o registro de alguns casos de cura, e um desses foi o que teve lugar perto da cidade de Jericó.

20.29 Saindo eles de Jericó, seguiu-o uma grande multidão;
20.29 Καὶ ἐκπορευομένων αὐτῶν ἀπὸ Ἰεριχὼ ἠκολούθησεν αὐτῷ ὄχλος πολύς.

29 ηκολουθησεν αυτω οχλος πολυς] -σαν αυτω (*om* a. p⁴⁵) οχλοι πολλοι p⁴⁵ D *al* it

29-30 Mt 9.27

20.30 e eis que dois cegos, sentados junto do caminho, ouvindo que Jesus passava, clamaram, dizendo: Senhor, Filho de Davi, tem compaixão de nós.
20.30 καὶ ἰδοὺ δύο τυφλοὶ καθήμενοι παρὰ τὴν ὁδόν, ἀκούσαντες ὅτι Ἰησοῦς παράγει, ἔκραξαν λέγοντες, Ἐλέησον ἡμᾶς, [κύριε]⁶ υἱὸς Δαυίδ.

30 ἐλέησον...Δαυίδ Mt 15.22

⁶ 30 κύριε, ἐλέησον ἡμᾶς B 085 it^{sur.g¹,l,r¹} vg cop^{sa,boms} eth^{ro} // {D} ἐλέησον ἡμᾶς, κύρι p^{45vid} C K W X Δ Π f¹ 28 33 1009 1010 1071 1079 1195 1216 1230 1241 1242 1253 (1344 *omit* ἡμᾶς) 1365 1546 1646 2148 2174 *Byz Lect* it^{f.q} syr^{p.h} cop^{sa ms} eth^{pp} geo^{Ac} Origen Ps-Chrysostom John-Damascus // ἐλέησον ἡμᾶς, Ἰησοῦ (*ver* Mc 10.47; Lc 18.38) ℵ Θ f¹³ 700 l^{547} it^{c,e,h,n} syr^{pal ms} arm geo // ἐλέησον ἡμᾶς D 565 l^{75vid} it^{b,d,ffq,²} syr^c eth^{ms} // κύριε, ἐλέησον ἡμᾶς, Ἰησοῦ L 892 syr^{pal mss} cop^{sa mss,bo}

Influenciados pela memória de passagens similares encontradas em alguns lugares, copistas introduziram muitas variações. Já que os paralelos de Marcos 10.47 e Lucas 18.38 contêm ambos a palavra Ἰησοῦ, é provável que as formas de Mateus que envolvem esse termo sejam secundárias. Embora se possa argumentar que a forma mais breve (ἐλέησον ἡμᾶς, υἱὲ Δαυίδ) seja a original, e que todas as demais sejam expansões escribais, é bem provável que copistas, influenciados pela narrativa anterior de Mateus acerca da cura dos cegos, tenham produzido por assimilação um

564 |Mateus| NTI

paralelo exato a 9.27. Outrossim, parece que as formas com υἱέ refletem um estilo grego mais elevado que o uso mais semita do nominativo (cf. Blass-Debrunner-Funk, § 147(3)). Como solução menos insatisfatória de todos os diversos problemas, a maioria da comissão resolveu adotar a forma de K W ΓΔ 28 *al*, —mas, em face da variação na posição de κύριε, o seu alvitre é que essa palavra ficasse dentro de colchetes.

O costume de alguns intérpretes, que insistem em harmonizar a qualquer preço as narrativas dos evangelhos, tem produzido a criação de *numerosas* mas altamente *improváveis* reconciliações, que se defrontam com dificuldades como a que encontramos neste texto. Isso tem provocado mais danos à aceitação das Escrituras do que muitas outras coisas, dificultando a crença dos leitores nas mesmas Escrituras. Se pequenas diferenças existem, como de fato existem, por que isso causaria grandes preocupações? O fato simples e cru é que tais diferenças existem, e qualquer pessoa que examine os Evangelhos versículo por versículo notará isso de forma perfeitamente clara. Os próprios documentos em parte nenhuma afirmam que todos os relatos foram apresentados de maneira a não dar margem a variações nos relatos paralelos, ou que apresentam exatidão de pormenores em todas as suas narrativas. Essa exatidão tem sido criada pela tradição humana, o que se vem desenvolvendo há séculos. Temos, portanto, novas formas de farisaísmo e de "tradições" insustentáveis que só nos trazem dificuldades, quando procuramos ser intelectualmente honestos. O que os documentos sagrados asseveram é que apresentam narrativas dignas de confiança sobre as obras e a natureza de Jesus. Jesus realizou o que ali está escrito, e Jesus foi o que ali está escrito que ele foi. Jesus curou o cego (ou cegos) e fez isso sem importar o fato de o milagre ter sido feito ou não entre as "duas Jericós", ou de ter sido realizado quando entrava ou saía de Jericó. E tudo isso foi evidenciado pela exclamação com que foi aclamado: "Senhor, Filho de Davi...!" isto é, Messias. Essa é a verdade das narrativas, ao passo que os pequenos detalhes não deveriam ser motivo de nos esforçarmos para obter à força uma "reconciliação" insensata e forçada.

É possível que os autores dos Evangelhos tencionassem comunicar algum *simbolismo teológico* em suas narrativas sobre a cura do cego. A narrativa dada por Lucas aparece imediatamente antes da confissão de Pedro, quando da transfiguração de Jesus (Mc 8.22-26). Nesses incidentes, os olhos espirituais de Pedro teriam sido abertos. Esta narrativa, por conseguinte, envolveria uma confissão sobre a missão messiânica de Jesus, e, por meio dela, a cura dos olhos cegos de muitos. Esta narrativa foi posta imediatamente antes dos acontecimentos mais destacados da vida terrena de Jesus, a saber, sua entrada triunfal em Jerusalém, sua crucificação e sua ressurreição, e, por intermédio desses acontecimentos, os olhos espirituais do mundo inteiro têm sido abertos.

"Jericó" — Herodes usava essa cidade como sua *capital de inverno*. Fora embelezada com estruturas de estilo helênico, por Herodes, o Grande, e por seu filho, Arquelau. Contava com um palácio de inverno, com uma fortaleza, com um teatro e com um hipódromo. Os arqueólogos têm podido desenterrar indícios das atividades que havia nesse edifício. A arquitetura da Jericó do NT era romana, e, diferentemente das aldeias de origem cananeia e judaica, Jericó estava ornamentada com árvores como o sicômoro, a qual cresce somente no vale do rio Jordão e na costa do mar Mediterrâneo. Pequenas peças de madeira, usadas para sustentar o muro de uma torre, que foi descoberta em Jericó (segundo foi demonstrado pela Escola de Florestas de Yale), eram feita de sicômoros.

Essa cidade estava situada nos vaus do *rio Jordão*, na fronteira com a Pereia, e na planície mais rica da Palestina. Ficava a cerca de 24 quilômetros de Jerusalém, e estava a cerca de 1100 metros abaixo em altitude, pelo que oferecia violentos contrastes com a capital. Herodes, o Grande, empenhou-se em extenso programa de edificações ali, e sabemos, pelas descobertas arqueológicas, que havia duas Jericós, a mais antiga (pertencente à história judaica), e a que foi construída pelos romanos. Esta última ficava bem próxima da primeira, e, em realidade, não passava de uma continuação daquela. Produzia certo número de importantes produtos, incluindo o bálsamo, e era uma próspera comunidade comercial ao tempo de Jesus. Era um centro de cobrança de impostos. Zaqueu era o chefe desse ofício lucrativo na cidade, e, naturalmente, era rico. (Ver Lc 19.1-10.) Provavelmente, Jesus viajara pelo lado oriental do Jordão e cruzara o vau perto de Jericó. Essa cidade foi o último estágio de sua jornada. Ali ele abriu os olhos de dois cegos e foi proclamado Messias. Mediante sua morte e ressurreição, o que ocorreu pouco depois, ele abriu os olhos de um mundo cegado pelo pecado.

Evidentemente, a cidade foi originalmente construída pelos cananeus, tendo sido destruída por Josué (ver Js 6.26). Mais tarde, foi construída novamente e, subsequentemente, foi ornamentada por Herodes, o Grande. Era uma cidade ornamentada de palmeiras. No entanto, pelo século XII d.C, não restava nenhum indício da existência dessa cidade. Atualmente, uma miserável localidade está situada no local chamado Richa ou Ericha, e a área perdeu todas as suas antigas palmeiras. O clima é quente e doentio. Tal como no caso de muitas localidades, lembramo-nos melhor de Jericó porque Jesus esteve ali também.

Lucas registra certa permanência de Jesus ali, na casa de Zaqueu. A parábola dos servos e dos talentos, como acontecimento associado a Jericó, foi registrada também por Lucas. Lucas situa o milagre da cura do cego antes desses outros acontecimentos. (Lucas diz *um* cego; Marcos fala em *dois*). Marcos esclarece que o cego chamava-se *Bartimeu*. Segundo indica a gramática do grego, a exclamação: "Senhor, Filho de Davi, tem misericórdia de nós!" foi repetida por diversas vezes. Bartimeu parecia ser mais insistente em seu clamor que o outro, e a multidão não conseguiu fazê-lo calar-se. Essas multidões acompanhavam Jesus em grande número. Muitos devem ter crido na missão messiânica de Jesus. A exclamação dos cegos: "Senhor, Filho de Davi..." reflete essa crença. (Quanto a notas sobre o título "Senhor", atribuído a Jesus, ver Mt 8.2. Quanto ao sentido do título "Filho de Davi", ver Mt 9.27.) A despeito da oposição das autoridades religiosas, não fenecia entre o povo a opinião de que o Messias estava em seu meio. Aqueles cegos tinham ouvido falar em Jesus e em seu poder de curar, e esse poder era aceito por eles como prova positiva da missão messiânica de Jesus, pelo que não percebiam razão para que ele não os curasse de sua cegueira. Em sua narrativa, Lucas diz que o "cego" percebeu a aproximação de Jesus pela agitação das multidões ao seu redor, tendo então indagado curioso o que estava acontecendo. O cego (ou os cegos) deve ter recebido o choque da surpresa, alegrando-se pelo fato de que o grande Jesus se aproximava. É possível que tivesse participado de muitas conversas acerca de Jesus, e mesmo que tivesse nutrido a esperança de ser curado por ele; mas jamais ocorreu-lhe que Jesus passaria por aquele caminho. Naquele dia, porém, como sempre, os conselhos de Deus estavam a seu favor, como sempre acontece no caso daqueles que reconhecem sua cegueira espiritual.

20.31 E a multidão os repreendeu, para que se calassem; eles, porém, clamaram ainda mais alto, dizendo: Senhor, Filho de Davi, tem compaixão de nós.

20.31 ὁ δὲ ὄχλος ἐπετίμησεν αὐτοῖς ἵνα σιωτήσωσιν· οἱ δὲ μεῖζον ἔκραξαν λέγοντες, Ἐλέησον ἡμᾶς, κύριε, υἱὸς Δαυίδ.

31 εκραξαν אBD 700 pc] εκραζον W fr 28 pm latt ς; R: εκραυγασαν p⁴⁵.: -γαζον Θ fr3 pc

> A sequência κύριε, ἐλέησον ἡμᾶς é bem confirmada em ℵ B D L Z Θ *f*[13] 543 892 1010 1293 it[a,b,c,d,h,l,h,r1] vg syr[p,pal] cop[sa,bo] arm geo[1], ao passo que a sequência ἐλέησον ἡμᾶς, κύριε é confirmada em Π[45vid] C N O W X Γ Δ Π Σ Φ — maior parte dos minúsculos it[ff2,q] syr[h] geo[2] (a palavra κύριε é omitida por 118 209 700 1675 vg[1,18] sy[pms]). Apesar da qualidade um tanto inferior da evidência externa que apoia a segunda sequência, essa forma foi preferida pela maioria da comissão, por ser a ordem não-litúrgica das palavras, pelo que mais provavelmente seria a forma alterada para a sequência mais familiar, nas tradições.

"A multidão os repreendia" — Alguns intérpretes sugerem que a razão dessa ordem é que não queriam que a vida de Jesus fosse ameaçada, posto que as autoridades religiosas haviam proibido qualquer menção favorável a Jesus, especialmente se indicasse sua missão messiânica. É bem provável que demonstrações dessa ordem não ajudassem Jesus, mas é muito mais provável que havia murmuradores que se opunham à missão messiânica de Jesus, e que, por isso, repreendiam o cego. Mateus apresenta-nos o quadro de uma espécie de "saída triunfal" de Jericó, mais ou menos parecida com a entrada triunfal em Jerusalém, que em breve ocorreria. Parece que a popularidade de Jesus chegara a um altíssimo e admirável nível popular. Muitos o acompanhavam desde a Galileia, na caravana que se dirigia a Jerusalém, para a celebração da Páscoa. Muitos outros se tinham unido à caravana, no decurso da viagem. Jericó exultava na presença de Jesus. As multidões se avolumaram até grandes proporções, quando ele saiu da cidade. Murmúrios e gritos de "Filho de Davi!" eram ouvidos por toda parte, mas nenhum deles tão vociferante e persistente como os dos cegos.

É possível também que a multidão tivesse repreendido os cegos por pensarem que nenhum esmoler cego *era digno* da atenção de Jesus. Não é comum que os reis deem atenção a esmoleres cegos. Jesus, entretanto, era um tipo diferente de rei, como o mundo jamais olvidará. Aqueles homens, portanto, clamavam cada vez mais alto, pois sempre será verdade que a repressão cria uma reação ainda mais forte. Os cegos clamavam: "[...] tem misericórdia de nós!" É fato notável que as litanias da cristandade durante séculos têm feito eco ao *Kyri Eleison* (grego para "Senhor, tem misericórdia de nós"). Todo o mundo, espiritualmente cego, precisa repetir esse grito da alma; e todos aqueles que antes foram espiritualmente cegos, mas agora veem, em algum tempo já soltaram essa exclamação. Adam Clarke observa com grande propriedade (in loc.): "Sempre que uma alma começa a clamar por Jesus, rogando luz e salvação, o mundo e o Diabo aliam-se para sufocar esse clamor ou para obrigá-la ao silêncio. Não nos esqueçamos, porém, de que Jesus está passando". É provável que grande porção dessa multidão, que testemunhava aqueles acontecimentos, estivesse mais tarde entre os que contemplaram a entrada triunfal de Jesus em Jerusalém.

20.32 E Jesus, parando, chamou-os e perguntou: Que quereis que vos faça

20.32 καὶ στὰς ὁ Ἰησοῦς ἐφώνησεν αὐτοὺς καὶ εἶπεν, Τί θέλετε ποιήσω ὑμῖν;

20.33 Disseram-lhe eles: Senhor, que se nos abram os olhos.

20.33 λέγουσιν αὐτῷ, Κύριε, ἵνα ἀνοιγῶσιν οἱ ὀφθαλμοὶ ἡμῶν.

---

33 *fin.*] *add* et videamus te sy[c]: *add* (9.28) Quibus dixit Jesus: Creditis posse me hoc facere? Qui responderun ei: Ita, Domine *c*

"Que quereis que eu vos faça?" — Jesus sabia, eles sabiam e a multidão sabia o que os cegos queriam; mas aquela foi a maneira de Jesus ficar conhecendo melhor os dois próximos súditos

de seu reino. Todo cego conquista de pronto a nossa simpatia. Temos dó da cegueira física e a tememos, mas mui frequentemente notamos aqueles que estão espiritualmente cegos. Diz Buttrick (*in loc.*): "Mas por que negamos simpatia para com a pior de todas as cegueiras? Os homens não podem ver quando o desastre é iminente, como ocorreu quando da Segunda Guerra Mundial. Os homens são cegos para com a nobreza de George Washington Carver (famoso cientista norte-americano, mas de raça negra). Os homens perdem de vista a alegria da boa vontade e a alegria mais profunda da oração. O artista Turner dizia acerca de sua obra: 'Sei que nenhum homem que vive atualmente na Europa se interessa por entendê-la; e quanto melhor eu fizer, tanto menos se verá o sentido do que faço' (John Ruskin, *Modern Painters*, V. 436). Jesus poderia ter dito outro tanto sobre a sua obra, e com muito maior razão". A narrativa de Marcos é ainda mais colorida neste ponto: "Parou Jesus e disse: 'Chamai-o'. Chamaram então o cego, dizendo-lhe: 'Tem bom ânimo; levanta-te; ele te chama'. Lançando de si a capa, levantou-se de um salto, e foi ter com Jesus". Aqui se sente a imensa emoção do momento. Antes, o cego se mantinha imóvel, sentado. Não podia correr atrás de Jesus porque lhe faltava a vista. Podia apenas ficar ali sentado, com grande sentimento na voz. A essa altura, até mesmo a multidão sentia compaixão dele, porquanto lhe disseram: *"Tem bom ânimo"*. Sabendo que Jesus estava disposto a atender ao seu clamor, o cego saltou sobre os pés e lançou de si a capa, correndo para a direção em uma condição que os antigos chamariam de "despido". Sem qualquer pejo ou consciência própria, no entanto, ele expôs o seu pedido. A saída triunfal de Jericó, por parte de Jesus, não teria sido triunfal para Bartimeu, se Jesus tivesse passado por ele, e ele continuasse cego. Bartimeu resolveu fazer aquele dia ser realmente triunfante, e sabia que Jesus era capaz disso. Oh, Bartimeu, o esmoler, talvez costumasse pedir esmolas; mas naquele dia os seus propósitos foram muitíssimo mais elevados.

Disse Bartimeu: **"Mestre, que eu torne a ver"** (segundo Marcos); ou: "Senhor, que se nos abram os olhos" (de conformidade com Mateus). As palavras, "que eu torne a ver", indicam que, provavelmente, antes não fora cego. Sua vista, pois, foi-lhe restaurada. Sabemos que, a menos que tenha causas psicológicas, a cegueira é incurável pelos meios humanos. Sabe-se que o imperador Adriano, por acidente, furou um dos olhos de um de seus servos com um estilete; entristecendo-se muito com o ocorrido, prometeu ao homem que lhe daria em recompensa o que pedisse. E o servo replicou: "Como eu gostaria que meu olho me fosse restituído!" Assim o homem mostrou que sua vista lhe era mais valiosa do que qualquer coisa que o imperador lhe pudesse oferecer. Por isso, o imperador não pôde satisfazer-lhe o pedido. Espiritualmente falando, precisamos correr para Jesus, sem pejo de nossa nudez espiritual, clamando por misericórdia e sem dar ouvidos às multidões zombeteiras. Precisamos apresentar-lhe o pedido que só ele pode atender: "Senhor, que eu veja". É mister que percebamos que nada no mundo tem tanto valor quanto a visão espiritual e que somente Jesus é capaz de dar-nos essa visão. O clamor da necessidade fez Jesus parar no meio de sua aclamação por parte das multidões.

Antes, esses esmoleres cegos não precisavam *trabalhar*; apenas permanecer sentados e pedir. A boa visão os *obrigaria* a trabalhar, pois pelo menos assim lhes requereria a sociedade. Nada lhes poderia ser tão importante como o sentido da visão, pois sabiam como era má a sorte de quem anda em trevas, e que qualquer coisa seria melhor do que isso. Por semelhante modo, a visão espiritual traz consigo muitas responsabilidades e obrigações. Ficamos na obrigação de trabalhar. O trabalho pode ser enfadonho, mas jamais será tão enfadonho como andar em trevas.

20.34 E Jesus, movido de compaixão, tocou-lhes os olhos, e imediatamente recuperaram a vista, e o seguiram.

566 |Mateus| NTI

20.34 σπλαγχνισθεὶς δὲ ὁ Ἰησοῦς ἥψατο τῶν ὀμμάτων αὐτῶν, καὶ εὐθέως ἀνέβλεψαν καὶ ἠκολούθησαν αὐτῷ.

<small>34 Ἰησοῦς...ἀνέβλεψαν Mt 9.29,30</small>

"**Condoído, Jesus tocou-lhes os olhos...**" — O leitor deve procurar observar por quantas vezes os evangelhos dizem que Jesus *teve compaixão* das pessoas. (Como exemplo disso servem Mt 9.36; 14.14; 15.32; só nesse evangelho). Jesus possuía o verdadeiro espírito humanitário, e essa compaixão se estendia para muito além do círculo de seus discípulos. Jesus compreendia a desgraça humana, e nunca se mostrou insensível para com ela. Somente Mateus nos diz que ele tocou em seus olhos; mas Lucas e Marcos acrescentam aqui um comentário acerca da fé: "Vai, a *tua fé* te salvou". Por muitas vezes, Jesus curou simplesmente por motivo de sua compaixão, não apresentando regras nem condições. Entretanto, algumas vezes apresentava a exigência da fé, e às vezes não curava quando esse elemento não se fazia presente. Jesus jamais deixou de corresponder à fé, e sempre se deleitava em ver provas da fé entre os homens. Ele conhecia o poder que a fé tem de curar ou de realizar um milagre espiritual. O cego se assentara à beira da estrada, clamando em alta voz, sabendo que, se pudesse atrair a atenção do Filho de Davi (o Messias, segundo a ideia judaica), poderia alcançar o grande desejo de seu coração. A fé surgiu no íntimo daquele homem, e Jesus sabia disso. Curar era fácil para Jesus agora, pois não havia mais obstáculos. E assim, o poder passou das mãos de Jesus para os tecidos conjuntivos enfermos e despedaçados, mas nem cicatrizes nem enfermidade poderiam resistir ao seu toque curador. Jesus não se surpreendeu, pois isso sempre acontecia, e, sem dúvida, embora transportado de alegria pela sua visão restaurada, o cego também não ficou surpreendido. É possível que alguns dos que estivessem ali tivessem ficado admirados, mas certamente só poderiam ser pessoas de pouca fé. Note o leitor, igualmente, que o poder se manifestou "imediatamente", pois Jesus estava em contacto constante com o Pai, e sua capacidade espiritual era tão altamente desenvolvida, que a resposta à sua ordem foi instantânea.

Sholem Asch, em sua novela intitulada *The Nazarene*, apresenta a história de um cego que zombava de Jesus e de seu estilo de vida, na qual Jesus teria respondido ao homem: "De que te adiantará recuperares a vista, se o teu coração permanecer cego?" Fica subentendido que Jesus poderia ter curado fisicamente aquele homem; mas que bem lhe falaria isso, se a cegueira espiritual é pior do que a cegueira física? O que teria feito aquele homem dotado de vista perfeita? Não usaria ele sua nova vantagem física para ser espiritualmente ainda mais pervertido? Jesus cura com propósito e movido por sua compaixão. Ele espera que aqueles que são curados de cegueira espiritual façam exatamente aquilo que aqueles cegos fizeram — "[...] *e o foram seguindo*". Aqueles homens imediatamente se tornaram parte daquela *saída triunfante* de Jericó, como também é provável que, mais tarde, tivessem participado da *entrada triunfal* em Jerusalém. É seguro mesmo dizer que ninguém sentiu mais profundamente o triunfo do Mestre e o próprio triunfo, do que eles. Lucas oferece o seguinte pormenor: "Também todo o povo, vendo isto, dava louvores a Deus". Foi um momento especial de triunfo para todos, e, por alguns instantes, o pálio de condenação que se abatera sobre Jesus e sobre os discípulos, devido aos sofrimentos e à morte de Jesus, que se aproximavam céleres, foi suspenso. Brown diz (*in loc.*): "Naquele dia, como de costume, o cego Bartimeu sentou-se à beira da estrada a esmolar; e não sonhava que antes da sombra da noite cair, veria a luz do céu". Ver as notas sobre as curas de Jesus, bem como seus propósitos e significados, em Mateus 3.13; 7.21-23; 8.3,13,17; 9.34; 14.19,22; Mc 1.29; 3.1-5; Lc 18.22-25.

Capítulo 21

3. Acontecimentos em Jerusalém (21.1—23.39)

(a) Entrada triunfal (21.1-11)

Esta seção contém a história da *última semana* da vida de Jesus, antes da crucificação. Nela é apresentada uma série de breves narrativas que, evidentemente, têm por desígnio explicar como foi crescendo a oposição contra Jesus, como foi organizada, e como isso resultou em morte. A cena passa-se na cidade de Jerusalém, a Cidade Santa, que, não obstante, mostrou-se cidade ímpia, porquanto Jesus não foi o primeiro profeta a perecer ali, e também porque naquele período da história ela estava cheia de hipocrisia por todos os lados, pelo que era dificílimo encontrar qualquer expressão religiosa autêntica. O *protomarcos* é a fonte básica, pois o autor deste evangelho segue de perto o esboço do evangelho de Marcos. Entretanto, a fonte "Q" também forneceu alguns subsídios, o que se vê em Mateus 22.1-10; 23.4,13,23-29. É muito difícil ter certeza sobre as origens das seguintes passagens: Mateus 21.28-32; 23.2,3,5; 8.10 e 15.22,24. Essas adições podem ter-se derivado parcialmente da fonte "M" ou seriam simples comentários editoriais feitos pelo próprio autor.

O evangelho de João registra *quatro* visitas de Jesus a Jerusalém; mas o de Marcos, que é a principal fonte informativa dos evangelhos sinópticos, fala apenas de uma visita declarada, embora os textos de Marcos 11.2,3 (Mt 21.2,3) mostrem que ele era bem conhecido nessa região da Palestina, sendo provável que tenha havido mais visitas a Jerusalém, que os evangelhos sinópticos não registraram. Os Evangelhos não explicam o propósito de sua última visita, exceto que foi para celebrar a Páscoa, o que era exigido de todos os homens de Israel. As narrativas limitam-se às palavras e feitos de Jesus, sem dar quaisquer notas interpretativas. Talvez os evangelistas tivessem pensado ser um sacrilégio tecer comentários, pensando que as palavras e as ações de Jesus falam por si mesmas. Um espírito de admiração e perplexidade interpenetra nessas narrativas. As ideias que dizem que Jesus subiu a Jerusalém a fim de fazer uma última tentativa para estabelecer o reino literal não estão bem fundadas nos fatos, pois parece perfeitamente claro que Jesus sabia que não sobreviveria a essa visita. O que é certo é que Jesus foi anunciar uma mensagem, caracterizada principalmente pela condenação à dureza de coração das autoridades religiosas, que dificilmente pareciam ainda ser capazes de deixar-se comover por qualquer ensino de Jesus. "*A reserva reverente* é apropriada tanto ao comentarista como aos evangelistas. Só podemos dizer que os acontecimentos redundaram na glória de Deus, e que o próprio Jesus não poderia desejar mais do que isso" (Sherman E. Johnson, *in loc.*).

Os paralelos deste texto são Marcos 11.1-11; Lucas 19.28-40 e João 12.12-19. Este é um dos poucos relatos acerca da vida de Jesus, quer se trate de simples incidentes históricos, quer se trate de narrativas sobre milagres ou ensinos, que foram registrados por todos os quatro evangelistas. A exposição aqui oferecida inclui os elementos dos outros evangelhos que não aparecem na narrativa de Mateus.

21.1 Quando se aproximaram de Jerusalém, e chegaram a Betfagé, ao Monte das Oliveiras, enviou Jesus dois discípulos, dizendo-lhes:

21.1 Καὶ ὅτε ἤγγισαν εἰς Ἱεροσόλυμα καὶ ἦλθον εἰς Βηθφαγὴ εἰς τὸ Ὄρος τῶν Ἐλαιῶν, τότε Ἰησοῦς ἀπέστειλεν δύο μαθητὰς

"**Quando se aproximaram de Jerusalém...**" — Mateus menciona *Betfagé* como localidade por onde Jesus passou. Essa é a única menção dessa localidade (com paralelos em Marcos e Lucas), tanto no Antigo como no Novo Testamentos. Esse nome significa "casa de figos", o que é uma alusão ao fruto abundantemente produzido naquela área. A localidade é mencionada na Mishnah, que a descreve como uma área do lado de fora de Jerusalém (ver *Manahoth* 11.2). Ficando próxima do monte das Oliveiras, certamente dali se via perfeitamente a capital. A tradição judaica indicava que o Messias apareceria no monte das Oliveiras. (Ver Flávio Josefo, *"Jewish Wars"*, II.13,5; Antiq. XX.8.6.) Evidentemente, essa localidade ficava na vertente oriental do monte das Oliveiras. A tradição medieval a situava a meio caminho entre Betânia e Jerusalém.

Os textos de Marcos e de Lucas mencionam ambos os lugares: Betânia e Betfagé. Betânia também ficava nas vertentes do *monte das Oliveiras*, na entrada para Jericó, a cerca de três quilômetros distante de Jerusalém. Maria, Marta e Lázaro viviam ali. Jesus foi ungido com óleo nesse lugar. Segundo a narrativa de Marcos, em alguns mss, é mencionada apenas Betânia, a saber, o códex D, 700 e a maior parte das versões da tradição latina. Alguns têm conjecturado que o texto *ocidental* (isto é, das igrejas cristãs ocidentais) é o texto correto neste caso, e que reflete o original; e que a menção de Betfagé e de Betânia é uma harmonia com os textos de Lucas e Mateus, adicionada por escribas subsequentes. É possível que assim seja, mas a maioria dos editores do texto grego prefere a menção de ambos os lugares. (Ver nota sobre Jerusalém em Lucas 2.41.) Josefo conta que Melquisedeque foi o fundador dessa cidade. Pertencia à herança de Benjamim, mas quase sempre foi habitada pela tribo de Judá. Alguns creem que a cidade deve ter existido antes de Melquisedeque, e que, provavelmente, foi uma cidade dos cananeus. Muitas têm sido as conquistas e os espólios de Jerusalém, tanto nos tempos antigos como nos tempos modernos, mas de alguma forma, até agora Betfagé tem conseguido sobreviver.

"Enviou Jesus dois discípulos" — Não são identificados aqui, mas o fato de Pedro e João terem sido enviados em incumbência semelhante, conforme Lucas 22.8, torna provável que eles também tenham recebido o encargo nessa ocasião.

21.2 Ide à aldeia que está defronte de vós, e logo encontrareis uma jumenta presa, e um jumentinho com ela; desprendei-a, e trazei-mos.

21.2ª λέγων αὐτοῖς, ᴀΠορεύεσθε εἰς τὴν κώμην τὴν κατέναντι ὑμῶν, καὶ εὐθέως εὑρήσετε ὄνον δεδεμένην καὶ πῶλον μετ' αὐτῆς· λύσαντες ἀγάγετέ μοι.

2 εὐθυς] om 544 pc it

ᴬᵃ 1-2 *a* number 2, *a* no number: TR^ᵈ WH? Bov Nes BF² AV RV ASV RSV NEB TT Zür Luth Jer Seg // *a* no number, *a* number 2: TR^ᵈ WH?

"Uma jumenta..." — Marcos, Lucas e João mencionam somente o "jumentinho". Alguns têm pensado que Mateus entendeu mal a profecia de Zacarias 9.9, onde, embora pareça haver indicação de dois animais, em realidade alude a apenas um, sendo só mais um caso de paralelismo hebraico, isto é, a menção de uma só coisa em duas frases paralelas. É muito mais provável, porém, que realmente houvesse dois animais na cena do que a profecia ter sido entendida equivocadamente. Jesus não separou o jumentinho de sua mãe. Justino Mártir cita Gênesis 49.11 como uma profecia messiânica que foi cumprida pela ação de Jesus, nessa oportunidade: "Ele amarrará o seu jumentinho à vide, e o filho da sua jumenta à cepa mais excelente; ele lavará o seu vestido no vinho, e a sua capa em sangue de uvas".

A *aldeia* aqui referida poderia ser Betânia ou Betfagé. A maioria dos intérpretes prefere Betfagé. Tanto Marcos como Lucas mencionam o fato de que o animal que Jesus montaria deveria ser um *"no qual ainda ninguém montou"*. Provavelmente, essa exigência foi feita a fim de salientar o caráter sem igual de Jesus. Nenhum outro era digno de montar no animal que lhe serviria de meio de transporte. Posteriormente, Jesus foi posto em um "sepulcro", no qual ninguém ainda fora sepultado (ver Jo 19.41), o que também teve intenção de demonstrar seu caráter sem-par e seu

valor sem-igual. As circunstâncias desse acontecimento e a ordem baixada por Jesus implicam na tentativa deliberada de cumprir as exigências proféticas acerca do Messias. Devemos ver aqui, porém, não uma tentativa deliberada ou consciente, da parte de Jesus, para cumprir essas profecias, e, sim, a mão orientadora de Deus, o cumprimento do destino por meio de Cristo. Esse foi apenas um dos muitos eventos da vida de Cristo que demonstram essa mesma verdade. Em sentido um tanto secundário, ou, pelo menos, em sentido menos significativo, a mesma coisa ocorre na vida de cada um de nós, se estivermos andando de conformidade com a orientação divina, pois os "passos" do justo são todos ordenados por Deus. (Ver Sl 37.23.) O homem "bom", talvez nem sempre tenha consciência disso, o que, não obstante, lhe ocorre.

21.3 E, se alguém vos disser alguma coisa, respondei: O Senhor precisa deles; e logo os enviará.

21.3 καὶ ἐάν τις ὑμῖν εἴπῃ τι, ἐρεῖτε ὅτι Ὁ κύριος αὐτῶν χρείαν ἔχει·ᵇ εὐθὺς δὲ ἀποστελεῖ αὐτούς.

ᵇ 3 *b* major: TR WH Bov Nes BF² AV RV ASV (RSV) NEB TT Zür Luth Seg // *b* none: NEB^{mg} (Jer)   3 τι] Τι ποιειτε; D (157) *d* Eus

"Se alguém..." — O texto indica ou que Jesus tinha amigos naqueles lugares, que lhe emprestariam de bom grado os animais, ou que a reputação de Jesus era suficiente para assegurar o sucesso da missão dos discípulos, ou, ainda, que o caminho seria preparado pelo Espírito de Deus, de modo que o pedido deles não seria negado. Parece que a narrativa está permeada do espírito da orientação e do controle divinos, pelo que esta última ideia não é impossível.

A palavra "Senhor", conforme é usada aqui, tem provocado diversas interpretações, a saber: (1) Alguns duvidam que Jesus seja o sujeito da frase; mas, pelo contexto parece impossível ver como ele não poderia ser aquele que é referido aqui como *Senhor*. (2) Alguns contendem que o termo deve ser considerado como equivalente a Jeová, isto é, uma referência à divindade de Jesus e à sua identificação com o "Deus" do AT, bem como com o Messias. Essa interpretação é um tanto exageradamente teológica para ser correta. (3) Outros têm pensado que o termo não tem a intenção de ter *nenhuma designação* especial, mas tão-somente uma expressão de respeito, como se poderia usar no tocante a qualquer homem, mais ou menos como o termo *senhor* é usado em português para indicar qualquer cavalheiro, ou como a palavra "sir" é usada em inglês. É verdade que, por diversas vezes, Jesus foi assim chamado, especialmente por parte de estrangeiros, mas o texto parece indicar que esse termo tinha importância especial para os proprietários dos animais, e que, com essa designação, haveriam de saber imediatamente quem lhes solicitava o empréstimo das montarias. (4) Por esse tempo da vida de Jesus, o emprego dessa palavra, ao referir-se a Cristo, já assumira significação *especial*. Os discípulos de Jesus chamavam-no não apenas de Senhor, mas de "o Senhor". Com isso, subentendiam, pelo menos, sua missão messiânica e a sua dignidade como profeta. Posteriormente, Tomé deixou subentendida a divindade de Jesus, ao empregar a mesma designação. Passagens como Mateus 28.6; Marcos 16.9; Lucas 10.1; 17.6; 18.6; João 11.2; 13.13; 20.2,13,18,20,25; 21.7,12 implicam todas em um reconhecimento, da parte dos discípulos, do caráter único de Jesus. É notável que Jesus tivesse usado aqui o termo para indicar a sua pessoa, e também que ele esperasse que os proprietários dos animais sentissem a importância do termo a ponto de emprestá-los voluntariamente. Caso os proprietários fossem amigos ou discípulos de Jesus, reconheceriam ainda mais prontamente a importância da ordem baixada. (Ver Mt 8.2 quanto a uma nota sobre o termo "Senhor", quando aplicado a Jesus Cristo.)

21.4 Ora, isso aconteceu para que se cumprisse o que foi dito pelo profeta:

568 |Mateus| NTI

21.4 Τοῦτο δὲ γέγονεν ἵνα πληρωθῇ τὸ ῥηθὲν διὰ τοῦ προφήτου λέγοντος,

---

4 δε ℵDΘ *pc* it vg^w; R] *add* ολον BW *ff ff3 pl q* vg^(s,d) ς

> Vários testemunhos (M^mg 42 it^(a,c,h) cop^boms Hilário) adicionam Ζαχαρίου antes ou depois de προφήτου; outros testemunhos (vg^4 ^mss cop^(bo ms) eti) prefixam o termo "Isaías".

21.5: Dizei à filha de Sião: Eis que aí te vem o teu Rei, manso, e montado em um jumento, em um jumentinho, cria de animal de carga.

21.5 Εἴπατε τῇ θυγατρὶ Σιών, Ἰδοὺ ὁ βασιλεύς σου ἔρχεταί σοι, πραῢς καὶ ἐπιβεβηκὼς ἐπὶ ὄνον, καὶ ἐπὶ πῶλον υἱὸν ὑποζυγίου.

5 Εἴπατε...Ἰδοὺ Is 62.11   Ἰδού...ὑποζυγίου Zc 9.9

"Para se cumprir..." — Somente o evangelho de João, paralelamente ao de Mateus, menciona de maneira especial os acontecimentos aqui narrados, como se fossem *cumprimento profético*. A citação dada por João é um tanto mais abreviada (Jo 12.15: "Não temas, filha de Sião, eis que o teu Rei aí vem, montado em um filho de jumenta"). João, entretanto, adiciona um comentário editorial de sua lavra, a fim de interpretar a atitude dos discípulos: "Seus discípulos a princípio não compreenderam isto; quando, porém, Jesus foi glorificado, então eles se lembraram de que estas coisas estavam escritas a respeito dele e também de que lhas fizeram". O texto (em Mateus) subentende que Jesus, proposital e conscientemente, cumpriu a profecia, e que assim fazia deliberadamente, ou a fim de impressionar o povo ou a fim de criar a impressão de que ele era o Messias, conforme alguns têm sugerido. Grande número de coisas ocorria espontaneamente, e muitas delas, especialmente ao tempo da crucificação (o que foi cumprimento profético), estavam além do controle consciente de Jesus, o que nos torna impossível acreditar que o cumprimento profético, nesse caso, tenha resultado de seus esforços, visando a estabelecer a sua missão messiânica. Pelo contrário, era a *orientação* e a *influência divina* que confirmavam a missão messiânica de Jesus, e vários acontecimentos, que depois os seus discípulos reconheceram terem sido importantes, quando ocorreram, de maneira nenhuma pareciam importantes. Tudo isso deve tê-los enchido de profunda admiração. Ao perceberem que tinham estado presentes e que Deus estivera com eles, cumprindo profecias, devem ter ficado profundamente emocionados. Não obstante, embora em grau menos evidente, Deus também está conosco, pois nós também temos a cumprir nosso respectivo destino, e todos os acontecimentos da vida de cada um de nós foram ordenados pelo Senhor. E isso nos deveria encher de profunda admiração e respeito.

O Rei é descrito como *humilde*, montado em um jumento (ou jumentinho). Conforme uma mistura das passagens de Isaías 62.11 e Zacarias 9.9. A primeira linha deriva-se do texto de Isaías, e o resto vem do livro de Zacarias.

"Filha de Sião" — significa Jerusalém, conforme se vê em Isaías 22.4. Tiro (ver Is 47.1) é chamada de "filha de Babilônia", e, em Salmos 45.12, "Filha de Tiro". Muitos comentaristas têm mencionado o fato de que os reis montavam em *cavalos*, e não em "jumentinhos", e que esse animal não seria considerado *digno* de um rei. O cavalo é um animal de guerra, que demonstra orgulho. Jesus, porém, não apareceu com carruagens e cavalos, acompanhado por soldados armados, como seria usual no caso de um rei. Não imitou os conquistadores e homens violentos da terra. Pelo contrário, veio como Príncipe da Paz, talvez revivendo o antigo cavalheirismo dos dias dos juízes (ver Jz 5.10; 10.4 e 12.14). No entanto, na qualidade de Messias, exercendo muito maior domínio que Davi ou Salomão, Jesus aparecerá novamente, porquanto o seu domínio "[...] se estenderá de mar a mar, e desde o Eufrates até as extremidades

da terra" (Zc 9.10). Muitos, dentre o povo, esperavam ainda que Jesus assumisse o papel de revolucionário, e que tentasse derrubar o domínio romano. Jesus entrou em Jerusalém como rei, mas não como guerreiro, e por essa ação mostrou que o seu reino não seria "deste mundo". Muitos devem ter ficado desapontados ante isso, porquanto tão poucos eram dotados de entendimento espiritual acerca dos propósitos de Jesus, ou das finalidades de seu reino ou das finalidades do evangelho. Jesus recusava-se a tomar parte no nacionalismo fanático que reinou durante o período de sua permanência na terra, e que, finalmente, produziu frutos daninhos em 66–70 d.C., tendo culminado na total destruição de Jerusalém, em 70 d.C., pelos exércitos romanos. Adam Clarke diz (*in loc.*): "Essa entrada em Jerusalém tem sido chamada de triunfo de Cristo. De fato, foi a vitória *da humildade* sobre o orgulho e a grandiosidade mundana; da pobreza sobre a abastança; e da mansidão e gentileza sobre a ira e a malícia. Jesus mostrava-se manso, pleno de bondade e compaixão para com aqueles que planejavam seu assassínio! Veio a fim de entregar-se às suas mãos, e, como rei, veio entregar-se às mãos de seus súditos homicidas, a fim de que sua morte servisse de preço de redenção pelas suas almas!"

21.6 Indo, pois, os discípulos e fazendo como Jesus lhes ordenara,

21.6 πορευθέντες δὲ οἱ μαθηταὶ καὶ ποιήσαντες καθὼς συνέταξεν αὐτοῖς ὁ Ἰησοῦς

21.7 trouxeram a jumenta e o jumentinho, e sobre eles puseram os seus mantos, e Jesus montou.

21.7 ἤγαγον τὴν ὄνον καὶ τὸν πῶλον, καὶ ἐπέθηκαν ἐπ᾽ αὐτῶν τὰ ἱμάτια, καὶ ἐπεκάθισεν ἐπάνω αὐτῶν.

7 αυτων I^o] *p*) αυτον DΦ it: αυτω Θ *ff3* 33 επεκαθ, επανω αυτων] επεκαθισαν επ. αυτον ℵ^c lat: εκαθισαν επανω επ αυτων ℵ*: εκαθητο (εκαθισεν Θ) επανω αυτου D(Θ) it

"Indo os discípulos..." — A narrativa de Marcos é mais completa nesse ponto: "Então foram e acharam o jumentinho preso, junto ao portão, do lado de fora, na rua, e o desprenderam. Alguns dos que ali estavam reclamaram: Que fazeis, soltando o jumentinho? Eles, porém, responderam conforme as instruções de Jesus; então os deixaram ir". A narrativa mostra que Jesus sabia de antemão o que aconteceria, e que ele preparou os discípulos para as objeções dos que "reclamaram". Não compreendemos tudo quanto está envolvido nessas ocorrências, mas somos obrigados a reconhecer, uma vez mais, que estranhos poderes operavam em Jesus. Somos informados de que muitas das melhores casas eram construídas em volta de um pátio descoberto. Desse pátio, saía um caminho subterrâneo para a rua. Provavelmente, na parte externa dessa passagem é que o jumentinho estava amarrado.

"Do lado de fora, na rua" — Interpretação do termo grego *anfodos*, que só ocorre aqui (no texto de Marcos) no NT, e que significa "vereda tortuosa". Esse pequeno pormenor deixa entrever uma testemunha ocular do relato, mui provavelmente, *Pedro*, que teria fornecido a Marcos a narração do incidente. O texto de Mateus abrevia o relato. Pode-se ver, tanto aqui como em muitos outros textos, pelo menos o fato de que o evangelho de Marcos foi o esboço empregado pelos outros evangelistas, e que o protomarcos é a fonte informativa básica desses textos. Nesse caso, provavelmente uma narrativa feita pelo próprio Pedro, embora o "protomarcos" deva ter incluído outras fontes informativas, quer orais, quer escritas.

"Puseram em cima deles..." — O v. 5 não indica necessariamente dois animais, mas trata-se apenas de um reflexo do paralelismo hebraico tão comum, onde se usavam duas frases paralelas para descrever uma só coisa. O v. 7, porém, indica *definidamente* a presença de dois animais. A gramática grega parece indicar que Jesus montou em ambos os animais, embora alguns intérpretes tenham insistido em que a expressão "sobre elas", significa "sobre as roupas". Outros interpretam que Jesus montou sobre os dois animais ao mesmo tempo! Não sei como isso poderia ser possível, mas não parece que o texto queira ensinar isso, ainda que a gramática assim pareça indicar. Outros intérpretes retêm a ideia de que "sobre elas" significa que Jesus montou nos dois animais alternadamente. É impossível sabermos exatamente o que aconteceu, e a questão não se reveste de importância.

21.8 E a maior parte da multidão estendeu os seus mantos pelo caminho; e outros cortavam ramos de árvores, e os espalhavam pelo caminho.

21.8 ὁ δὲ πλεῖστος ὄχλος ἔστρωσαν ἑαυτῶν τὰ ἱμάτια ἐν τῇ ὁδῷ, ἄλλοι δὲ ἔκοπτον κλάδους ἀπὸ τῶν δένδρων καὶ ἐστρώννυον ἐν τῇ ὁδῷ.

Primeiro Domingo de Ramos — Três são as principais interpretações sobre a significação da entrada triunfal de Jesus em Jerusalém:

1 Que Jesus tencionava fazer, com esse ato, uma *proclamação messiânica*. Por muitas vezes, Jesus relutara em revelar os seus propósitos acerca disso, talvez por temer que a verdadeira natureza de tal proclamação viesse a ser mal-entendida, como se fosse uma medida política, com finalidades materialistas. Pouco tempo depois, entretanto, declarou-a abertamente a Pilatos.

2. Outros acreditam que a proclamação veio *por puro acidente* e que Jesus não tivera nenhuma intenção de fazer essa proclamação; mas que os discípulos misturando esperanças terrenas e espirituais, haviam forçado a situação e incitado a multidão; ou então que as próprias multidões, juntamente com os discípulos, fizeram essa proclamação, contra os desejos das autoridades religiosas. Esta interpretação tem certo elemento de verdade, se lhe dermos o sentido de proclamação de ambições políticas intencionais. É verdade que Jesus não tinha nenhuma intenção de ser rei — no sentido que o povo almejava. Jesus foi sempre um líder religioso, um reformador e um inovador; mas jamais foi um político. É verdade também que as profecias messiânicas não somente subentendem mas até mesmo exigem ações políticas, mas essa parte das profecias messiânicas pode ser mais bem entendida se for aplicada à sua segunda vinda e ao seu reino milenar. Essa distinção, todavia, nunca foi compreendida pelo povo. É verdade que Jesus veio a fim de inaugurar um reino, e que esse necessariamente incluirá o domínio político. Não obstante, Jesus jamais agiu como mero político. Os conselhos de Deus podem explicar plenamente essas circunstâncias, apesar de não podermos compreender ou reconciliar completamente as ocorrências entre si. Pelo menos, parece que, de conformidade com as exigências dos conselhos de Deus, especialmente no que envolve o elemento tempo, Jesus sentia intuitivamente que ações exatas deveriam ser tomadas por ele, e quais as que deveriam ser por ele evitadas.

3. Outros acreditam que o cortejo fez, realmente, parte da celebração da *festa dos Tabernáculos*, e que os seguidores de Jesus, transportados de alegria, tiraram proveito do ensejo para honrá-lo como seu rei e profeta. As profecias indicam que Deus estava por detrás de tudo quanto ocorria, e que isso era um acontecimento necessário na vida de Cristo. O incidente não representou um movimento popular, pois a própria população da cidade ficou quase inteiramente indiferente. Diz Buttrick (*in loc.*): "Os homens continuavam a falar sobre o preço do trigo e acerca da ocupação romana. Não conheceram *o tempo da visitação de Deus* (Lc 19.44). Alguns esperavam que o Cristo viesse ser um Messias terreno; outros demoraram-se nas proximidades esperando vê-lo realizar um milagre. Talvez alguns poucos tivessem podido apreender a grandeza de sua alma, e talvez tenham sido esses os que estenderam suas vestes à frente dele, conforme de certa feita o povo recepcionou o rei Jeú (ver 2Rs 9.13). Provavelmente, a maioria das pessoas da multidão que se formou deu pouca atenção ao sentido do hosana!"

"Outros cortavam ramos..." — Provavelmente, esses ramos compunham-se de murta e salgueiro, juntamente com palmas. Tratava-se do *lulab*, palmas compostas de "ethrog" ou "citron", que eram levadas nos cortejos que se formavam quando das festas dos Tabernáculos e da Rededicação (ou Hanukkah). (Ver Moore, *Judaism*, II, 43-48,50.) Por ocasião dessas duas festividades, era lido o *hallel* (Salmos 113-118), o que talvez explique as palavras ditas pela multidão. Lightfoot cria que as vestes e os ramos eram usados para construir os tabernáculos, quando da festa dos Tabernáculos. Toda essa ação tinha por intenção demonstrar honra real (ver 2Rs 9.13), conforme era costume nos países do Oriente Médio.

Ver notas sobre o problema da cronologia desta história, par. 3, v. 11.

21.9 E as multidões, tanto as que o precediam como as que o seguiam, clamavam, dizendo: Hosana ao Filho de Davi! bendito o que vem em nome do Senhor! Hosana nas alturas!

21.9 οἱ δὲ ὄχλοι οἱ προάγοντες αὐτὸν καὶ οἱ ἀκολουθοῦντες ἔκραζον λέγοντες, Ὡσαννὰ τῷ υἱῷ Δαυίδ· Εὐλογημένος ὁ ἐρχόμενος ἐν ὀνόματι κυρίου· Ὡσαννὰ ἐν τοῖς ὑψίστοις.

9 Ὡσαννά...Δαυίδ Mt 21.15

Εὐλογημένος...κυρίου Sl 118.26 (Mt 23.39; Lc 13.35)

"As multidões [...] clamavam..." — (Ver as notas acerca do sentido de Filho de Davi, em Mt 9.27; sobre Cristo como "Filho de Deus", em Mc 1.1; como "Filho do homem", em Mc 2.7 e Mt 8.20; sobre a "humanidade" de Cristo, em Fp 2.7; sobre a "deidade" de Cristo, em Hb 1.3). As multidões reconheceram e proclamaram a missão messiânica de Jesus, embora provavelmente a tivessem compreendido em termos materialistas, e não conforme Jesus almejava, o que, por isso mesmo, não indicava nenhuma convicção religiosa ou modificação moral.

"Hosana" — significa algo como *Salve! Louvamos-te! Salve, agora!* ou "Ajuda, pedimos-te". O povo repetia palavras do *hillel* (Sl 148.1 ou 118.24, da seção de Salmos 113-118). O grito de "Hosana!" tornou-se uma simples exclamação de júbilo, mais ou menos como se usa hoje em dia essa expressão, sem pensarmos em seu sentido original.

"Bendito..." — era palavra compreendida como uma bênção invocada sobre todos os *peregrinos* que vinham participar da festa dos Tabernáculos, mas o texto mostra que foi uma aclamação especialmente dirigida a Jesus. Marcos emprega outras palavras importantes, que Mateus omite: "Bendito o reino que vem, o reino de nosso pai Davi!" Isso indica que o povo transformou uma peregrinação festiva em uma "demonstração messiânica". A narrativa de Lucas torna essa declaração pessoal, ao escrever: "Bendito é o Rei que vem em nome do Senhor". E acrescenta, igualmente: "Paz no céu e glória nas maiores alturas". Quando do nascimento de Jesus, os exércitos angelicais entoaram: "[...] paz na terra..." (Lc 2.14). Esta multidão terrena, entretanto, clamava: "Paz no céu". Proferiam uma grande verdade sem compreender o seu significado. Jesus, na qualidade de Príncipe da Paz, veio a fim de estabelecer paz universal, por meio da reconciliação. João nos diz que as implicações dessas coisas não foram compreendidas nem mesmo pelos discípulos íntimos de Jesus. A passagem de Lucas 19.37 menciona a "descida do monte das Oliveiras". Duas paisagens da cidade de Jerusalém, diferentes uma da outra, seriam vistas antes do cortejo chegar à cidade. O v. 37 (no relato de Lucas) assinala a primeira paisagem, e o v.. 41, a segunda. Somente Lucas ajunta o pormenor de que quando dessa segunda vez em que a cidade apareceu, Jesus chorou, porquanto sabia da grande condenação que a esperava, por causa de seus caminhos pecaminosos, e especialmente porque seus habitantes deveriam rejeitar o Messias e assassiná-lo. Nessa altura dos acontecimentos, Jesus proferiu uma profecia de condenação contra a cidade. (Ver notas em Lc 19.41-44.) A primeira paisagem surgiria mostrando a esquina do suleste da cidade, e o templo e suas cercanias ficariam ocultos. Foi quando do aparecimento dessa primeira cena que o povo prorrompeu em aclamações a Jesus. Da segunda vez em que a cidade apareceu, Jerusalém pôde ser contemplada em sua inteireza. Dessa feita, ao contemplar a cidade toda, Jesus pronunciou a sua lamentação. (Ver nota em Lc 21.6, acerca da profecia e seu cumprimento, quando da destruição de Jerusalém.)

O grito da multidão: **"Hosana nas maiores alturas!"** — não é fácil ser compreendido. Talvez signifique apenas "Suspendam no alto os seus hosanas (*ou ramos*)" os quais se comporiam de ramos formando grupos compostos. Entretanto, poderia significar também "Salva, agora, ó tu que *habitas* no céu"; ou então Marcos pode ter tido em mente o texto de Salmos 148.1, que diz: "Louvai ao *Senhor do alto* dos céus, louvai-o nas alturas", ou seja, que aqueles que habitam nos céus louvem ao Senhor. Bruce (*in loc.*) sugere: "Que nosso hosana seja reverberado e retificado *nos céus!*" Jesus, entretanto, não ficou impressionado com toda essa aclamação, nem exultou por causa dela. O espírito de profecia pesava intensamente sobre ele, porquanto sentia, ao entrar em Jerusalém, o baque surdo de muitos pés de soldados romanos. Devido à sua presciência, sentia a presença destruidora dos romanos, e a destruição necessária de Jerusalém, e por isso chorou. Ao seu redor, ele sentia a condenação, talvez envolvendo a própria morte, mas mui certamente a morte da cidade de Jerusalém, embora isso ainda estivesse a quarenta anos no futuro. Philip Schaff (in loc., no comentário de Lange) encontra aqui uma evidência da autenticidade do relato: "Jesus, ao invés de ceder ante o jubiloso entusiasmo das multidões vociferantes, chorou lágrimas de simpatia e compaixão, sobre a incrédula Jerusalém. (Ver Lc 19.41.) Poderia essa atitude ter sido inventada?"

21.10 Ao entrar ele em Jerusalém, agitou-se a cidade toda e perguntava: Quem é este?

21.10 καὶ εἰσελθόντος αὐτοῦ εἰς Ἰεροσόλυμα ἐσείσθη πᾶσα ἡ πόλις λέγουσα, Τίς ἐστιν οὗτος;

"**Toda a cidade se alvoroçou**" — O cortejo não foi um movimento de massas populares, mas a excitação foi tão grande, que despertou a cidade inteira, e todos ouviram algo que os afetou. A cidade ficou alvoroçada como se tivesse sido abalada por um terremoto, palavra esta que também vem do vocábulo grego aqui traduzido por "alvoroçou". Escreveu Bruce (*in loc.*): "Até mesmo a gélida Jerusalém estagnada pelo formalismo religioso e socialmente impassível, foi sacudida pelo entusiasmo popular como se por ela tivesse passado um poderoso tufão ou um terremoto". E Morrison observa: "Um mais profundo levante de sentimentos". Meyer disse (in loc.): "A excitação foi contagiante". John Gill (*in loc.*) notou a possibilidade de que a cidade em geral, ouvindo falar da grande comoção, talvez tenha suspeitado do avanço de um exército estrangeiro ou de outra ameaça que se adentrava pela cidade. Muitos corriam de um lado para outro, procurando inteirar-se do que ocorria. Embora fosse o começo da grande festividade que sempre atraía muitos peregrinos e enchia a cidade de excitação, o povo jamais testemunhara nada que se assemelhasse àquilo. Nem toda a excitação, entretanto, foi favorável (em contraste com o término simples da história dada por Mateus e Marcos). Lucas escreve: "Ora, alguns dos fariseus lhe disseram em meio à multidão: Mestre, repreende os teus discípulos. Mas ele lhes respondeu: Asseguro-vos que, se eles se calarem, as próprias pedras clamarão". Assim se reiniciava, uma vez mais, o antigo ódio e a contenda dos fariseus contra Jesus. Os fariseus também acorreram para ver o que estava acontecendo, e, ao descobrirem que se tratava da chegada do perturbador Jesus, a quem todos conheciam pelo menos devido à sua fama popular, iraram-se e tentaram pôr cobro ao que pensavam ser uma *blasfêmia*. Jesus, entretanto, mostrou que

aquele digno louvor era totalmente necessário naquela ocasião, porquanto nos conselhos de Deus teria de acontecer. Se o povo fosse reprimido, Deus faria com que os próprios objetos inanimados prorrompessem em exclamações de júbilo. Isso equivalia a dizer que os conselhos de Deus devem prevalecer, e que o seu Messias teria de ser devidamente adorado. O profeta Habacuque registrou quase a mesma declaração: "Por que a pedra clamará da parede, e a trave lhe responderá do madeiramento" (Hc 2.11). Neste caso, trata-se de um grito contra homens pecaminosos e violentos. No evangelho de Lucas, entretanto, trata-se de uma expressão de adoração, mas por detrás de ambas as passagens acha-se a ideia da necessidade de expressão.

Brown (in loc.) nos diz que essa declaração (isto é, uma declaração de conteúdo similar) era *proverbial* entre os gregos e romanos, conforme se pode verificar em autores como Cícero. João adiciona um adendo que nos diz que a multidão era tão grande devido, pelo menos em parte, ao fato de se ter espalhado a história da ressurreição de Lázaro por parte de Jesus (Jo 12.17,18). As multidões vieram, em parte, movidas pela curiosidade, mas foram apanhadas no entusiasmo da multidão, porquanto muitos vinham da Galileia, acompanhando a Jesus pelo caminho. João também revela o *desprezo* das autoridades religiosas, dizendo: "De sorte que os fariseus disseram entre si: Vede que nada aproveitais! eis aí vai o mundo após ele" (Jo 12.19). Essas palavras transpiram inveja, ira, ódio e desejo de vingança. Os fariseus tinham ouvido falar no "maléfico" (na concepção farisaica) profeta da Galileia, na maneira como atraía as multidões e em quanta perturbação causara ali. E agora, eis que ele ali se encontrava, maléfico como sempre, enganando o povo como sempre. E, em adição aos seus "crimes", aceitava os clamores de "hosana" e de "Filho de Davi", asseverando que tudo isso lhe era devido por direito. Talvez as autoridades religiosas de Jerusalém esperassem que os habitantes da Galileia se deixassem enganar daquela maneira, pois eram uma população mista, alienada da pura religião que se observava na capital. Não obstante, os próprios habitantes de Jerusalém corriam após Jesus — de fato, o mundo inteiro ia atrás dele!

21.11 E as multidões respondiam: Este é o profeta Jesus, de Nazaré da Galileia.

21.11 οἱ δὲ ὄχλοι ἔλεγον, Οὗτός ἐστιν ὁ προφήτης Ἰησοῦς ὁ ἀπὸ Ναζαρὲθ τῆς Γαλιλαίας.

"**E as multidões clamavam...**" — Isso respondia às indagações frenéticas dos habitantes de Jerusalém, que haviam acorrido para ver o que se passava, perguntando: *Quem é este?* O nome "Jesus" explicava tudo, e a adição "profeta" e a sua identificação como "de Nazaré", eram pormenores desnecessários. Todos os habitantes da nação de Israel, incluindo a altiva capital, sabiam quem ele era. Neste caso, a demonstração não tinha caráter político, embora muitos dentre as multidões preferissem que assim fosse. Pelo menos naquele momento, foi uma entusiástica proclamação a um profeta moderno. Havia muitas respostas possíveis acerca da identidade de Jesus. Anteriormente, de fato, minutos antes, Jesus fora proclamado Messias — "Filho de Davi". Aqui é exaltado como profeta. Os fariseus obviamente acreditavam que Jesus era um impostor. Alguns viam nele uma perigosa personagem política, pelo menos em potencial. Outros devem tê-lo reputado meramente um grande homem ou um bom mestre, mas jamais como o Salvador do mundo. Outros, ainda, viam nele um lampejo do mistério da deidade, aceitando a sua divindade. Na multidão que se juntou naquele Primeiro Domingo de Ramos estavam representadas todas as crenças, meias-crenças, dúvidas e oposições que o nome Jesus continua provocando até o dia de hoje. De certa forma, a história (especialmente no mundo ocidental) tem sido um grande teatro onde o drama dessa questão tem sido desempenhado por vezes e vezes sem conta. Buttrick diz (*in loc.*): "Quem é este? Contamos como veredicto da história cristã para nos ajudar, e mais especialmente a grande exaltação que se seguiu ao Calvário. No entanto, jamais atingiremos a verdade enquanto não pusermos de lado nossas suposições e não nos aventurarmos pela fé. Somente então é que seremos capazes de dizer, em autêntica adoração: 'Senhor meu e Deus meu!' "

Através dos séculos, a igreja tem celebrado intuitivamente esse acontecimento de maneira correta. Não tem sido uma celebração de regozijo insofreável, antes, tem relembrado as ações de uma raça humana cega e dirigida por tolos preconceitos. Poucos dias depois aquelas mesmas multidões estariam vociferando: "Crucifica-o! Crucifica-o!" John Kelman, em seu livro *Thoughts on Eternal Things*, também expressou certo elemento do sentido profundo desta história, ao dizer que essa entrada triunfal foi uma exibição de "realeza e morte". Há um hino evangélico que expressa apropriadamente o que ocorreu: "Cavalga! cavalga em majestade! em humilde pompa cavalga para morrer".

Cronologia da Entrada Triunfal: Muita discussão se tem centralizado em volta do lugar deste acontecimento na vida de Jesus, e também exatamente qual teria sido o dia em que ele assim entrou em Jerusalém. Esse problema tem sido causa de consternação entre os expositores que têm dedicado tempo ao seu estudo. Burkitt cria que o incidente ocorreu não ao tempo da Páscoa, e sim, da festa da rededicação (no mês de dezembro) e que Jesus, após a sua entrada triunfal em Jerusalém, purificou o templo, e assim "dedicou-o" ou "rededicou-o". (Ver seu livro *Jesus Christ, An Historical Outline*; London and Glasgow: Blackie and Son, p. 42,43, 1932). Outros, como Branscomb (Mark, p. 199-200) preferem dizer que tudo ocorreu *durante* a festa dos Tabernáculos, salientando que o imposto do meio-siclo tornava necessária a prática do câmbio no templo, mas que era recolhido cerca de duas semanas antes da Páscoa. Assim, durante a festa dos Tabernáculos, esse recolhimento já teria sido terminado, não havendo mais necessidade de cambistas no interior da área do templo, se Jesus entrou na cidade apenas uma semana antes da Páscoa. Por essa razão é que alguns creem que a última visita de Jesus a Jerusalém perdurou um pouco mais do que os evangelhos sinópticos parecem indicar. Esse incidente pode ter ocorrido na primavera, duas ou três semanas antes da Páscoa, não sendo mesmo impossível que cerimônias tais como aquelas que acompanhavam a festa dos Tabernáculos, também fossem efetuadas nas semanas que antecediam à Páscoa. Não temos provas de que assim era. Se esse foi o caso (se Jesus esteve por mais tempo em Jerusalém do que os evangelhos sinópticos parecem indicar), então os evangelhos expõem uma condensação dos acontecimentos das últimas poucas semanas de vida de Jesus, de forma a dar a impressão de que tudo aconteceu no breve período de uma semana. Todavia, é possível que a ação do povo tivesse sido espontânea, em imitação do que se fazia ao tempo da festa dos Tabernáculos, o que explicaria o uso de expressões que se encontram no *hallel*. Também não é impossível que a presença dos cambistas fosse necessária além do tempo esperado, especialmente por causa do influxo de estrangeiros na cidade, pelo que seu período de serviço deve ter prosseguido quase até o tempo da Páscoa. Faltam-nos informações exatas, que nos dariam as respostas a todas essas indagações.

As diferenças que existem nos próprios evangelhos causam dificuldades na identificação dos dias exatos dessas ocorrências. João revela-nos (12.1) que Jesus chegou a Betânia seis dias antes da Páscoa, e que ali teve lugar a unção (que aparece em Mt 26.6-13). No dia imediato, a entrada triunfal supostamente teve lugar. Pelo evangelho de Marcos, aprende-se que no dia em que entrou em Jerusalém, Jesus subiu ao templo e examinou o que ocorria; mas, visto que já era tarde, regressou a Betânia, e então, no dia seguinte, purificou o templo. A narrativa de Mateus não menciona nenhum lapso de um dia, mas isso pode ser um simples lapso de informação. A narrativa de Lucas, que é a mais completa dos quatro Evangelhos, parece concordar com Mateus. Alford acredita que se pode obter reconciliação entre os relatos supondo-se que Marcos relatou o incidente da entrada triunfal como se tivesse ocorrido um dia antes. Nesse caso, a primeira entrada de Jesus na cidade teria sido secreta, não tendo sido ele acompanhado pelas multidões. Assim, Jesus estaria hospedado por alguns dias em Betânia (o que é talvez sugerido em Marcos 11.1, de acordo com a opinião de Alford), e que as multidões souberam que ele se encontrava ali. Na manhã seguinte, as multidões teriam vindo ao seu encontro, e, no dia da entrada triunfal, as multidões o acompanhavam. As palavras de João, *seis dias antes da páscoa*, poriam Jesus em Betânia na tarde de sexta-feira ou no começo do sábado. Por conseguinte, Jesus teria estado ali por um dia ou mais, antes de entrar em Jerusalém com as multidões; e a narrativa de sua aproximação de Betânia e Betfagé (Mc 11.1 e Mt 21.1), no mesmo dia da entrada triunfal, pode ter sido um incidente ocorrido logo no primeiro dia da semana, sem nenhuma vinculação necessária com a narrativa do décimo segundo capítulo do evangelho de João, na qual Jesus ficou na casa de Lázaro e foi ungido (tudo antes da entrada triunfal).

As narrativas de Mateus, Marcos e Lucas omitem a ceia em Betânia e a unção de Jesus, mas dão prosseguimento à história quando Jesus reinicia a sua viagem final a Jerusalém, que ficava próxima. (Obviamente a ceia é relata mais adiante, nos evangelhos de Mateus e Marcos — Mt 26.6-13 e Mc 14.3-9). Assim, é claro que os quatro evangelistas nem sempre narram os acontecimentos na mesma ordem. Já observamos isso antes nos Evangelhos. (Ver notas em Mt 8.1). Papias mostra-nos que Marcos nem sempre narrou as histórias na ordem cronológica de sua ocorrência. Nos evangelhos de Mateus e de Marcos parece que a ceia teve lugar apenas dois dias antes da Páscoa. (Ver notas em Jo 12.2, quanto a essa questão.)

Usualmente, os harmonistas resolvem problemas tais como esses criando dois acontecimentos; mas parece melhor afirmar simplesmente que os autores dos Evangelhos não tiveram tanto cuidado em registrar os pormenores como os modernos harmonistas se preocupam em fazê-lo, e que tais diferenças não tinham para eles efeito nenhum sobre a veracidade ou importância das narrativas. Ver outras notas concernentes à atitude que devemos ter acerca da harmonia dos evangelhos, em Mateus 20.29; 6.9-15 e 8.1,2,25, bem como na seção da introdução a este comentário, no artigo intitulado "Historicidade dos Evangelhos".

(b) Purificação do templo (21.12-17)

Esta narrativa tem paralelos em Marcos 11.15-18 e Lucas 19.45,46, e alguns acreditam que uma história similar, em João 2.13-22 (no começo do ministério de Jesus), em realidade trata-se do mesmo acontecimento, mas que foi posta em lugar errado no evangelho de João. A fonte informativa é o *protomarcos*. Ver introdução ao evangelho de Marcos, quanto a informações sobre as fontes informativas dos Evangelhos. Aqueles que situam a narrativa de João lado a lado com esta, como se expusesse a mesma ocorrência, creem que no princípio de seu ministério ele não teria ainda a autoridade e o apoio popular que lhe dariam forças para praticar essa ação. É significativo que João não fale de uma *segunda* purificação do templo, fato esse que parece confirmar a opinião de que essa narrativa realmente representa aquela ocorrência próxima do fim do ministério de Jesus. Muito provavelmente, era algo usado contra Jesus, pelas autoridades religiosas, que o denunciavam como reacionário, revolucionário, como uma figura política ameaçadora.

21.12 Então Jesus entrou no templo, expulsou todos os que ali vendiam e compravam, e derribou as mesas e as cedeiras dos que vendiam pombas;

21.12 Καὶ εἰσῆλθεν Ἰησοῦς εἰς τὸ ἱερόν[1], καὶ ἐξέβαλεν πάντας τοὺς πωλοῦνταςκαὶ ἀγοράζοντας ἐν τῷ ἱερῷ, καὶ τὰς τραπέζας τῶν κολλυβιστῶν κατέστρεψεν καὶ τὰς καθέδρας τῶν πωλούντων τὰς περιστεράς,

---

[1] **12** {B} ἱερόν (ver Mc 11.15; Lc 19.45) ℵ B L Θ f[13] 33 700 892 1009 1010 it[b] syr[pal] cop[sa,bo] arm eth geo[1,B] Diatessaron Origen[2/5] Methodius Hilary Chrysostom // ἱερὸν τοῦ θεοῦ C D K W X Δ Π f[1] 28 565 1071 1079 1195 1216 1230 1241 1242 1253 1344 1365 1546 1646 2148 2174 Byz Lect it[a,aur,c,d,e,ff1,2,g1,h],q vg syr[c,p,h] geo[A] Origen[3/5] Basil Augustine

---

A adição de τοῦ θεοῦ — parece ser uma expansão natural, feita a fim de frisar a profanação do Lugar Santo. O fato que às passagens paralelas (Mc 11.15 e Lc 19.45, cf. Jo 2.14) faltam as palavras τοῦ Θεοῦ não seria uma ocasião para os copistas, se tivessem observado o fato, de apagar as palavras das cópias de Mateus, mas antes, de inserirem as palavras em cópias dos demais Evangelhos. Embora os judeus pouca utilidade tivessem para essa frase (já que para eles "o templo" só poderia significar uma coisa), a expressão mais longa não seria intrinsecamente objetável para ninguém, pelo que sua omissão não pode ser explicada sobre essa base. Parece, pois, que considerações internas unem-se com uma forte evidência externa em apoio à forma ἱερόν.

Os que vendiam vinho e animais para os sacrifícios armavam tendas dentro do átrio dos gentios (o *templo* do v. 12), evidentemente cercando os átrios interiores por três lados. Os responsáveis pelo câmbio das moedas também traziam as suas mesas, usualmente desde o dia 25 de Adar até o primeiro dia do mês de Nisã. Assim, pois, os judeus podiam trocar qualquer dinheiro que tivessem pelas moedas de meio-siclo, que era a quantia exata do imposto anual do templo. (Ver *Shekalim* 1.1-3). Em geral, essa prática era uma conveniência para os judeus, posto que era efetuada no templo, onde todos os homens eram obrigados a comparecer anualmente. É provável que se praticassem ludíbrios, e que certos homens enriquecessem nessa prática. O que se sabe com certeza é que os vendedores de animais procuravam obter grandes lucros, e no Talmude nota-se que as maldições contra o sacerdócio saduceu, devido à sua ganância. (Ver *Strack and Billerbeck*, I, 851,853; II,570). Nos escritos de Josefo, aprende-se que o comércio lucrativo com as pombas era comum, e que os "principais sacerdotes" se apossavam dos dízimos, resultando na inanição dos sacerdotes mais pobres. (*Antiq.* XX. 8.8-9,2). Os fariseus, em geral, desfrutavam da simpatia do povo comum, pelo que eram odiados pela família corrupta de Anás, que controlou o templo durante a maior parte do primeiro século, bem como os mercados de vendas dos animais usados nos sacrifícios. Jesus não fez objeção à venda necessária no templo, mas insurgiu-se contra os abusos de várias formas que se tinham desenvolvido, a ponto de o templo de Deus ter-se transformado em palco de desonestidade e corrupção.

"Jesus, entrando no templo" — Alguns mss adicionam as palavras *de Deus*, a saber, CDEFGHKMNSUVX Gamma e Fam Pi, no que são seguidos pelas traduções AC, F e KJ. Essas palavras são omitidas pelos mss Aleph, BL, Theta e por algumas versões latinas e siríacas. Todas as traduções usadas comparativamente neste comentário (nove em inglês e cinco em português; ver lista de abreviações, na introdução a este comentário), exceto AC, F e KJ, omitem tais palavras. A adição é uma glosa explicativa, não sendo original a Mateus. Marcos nos diz que no mesmo dia da entrada triunfal, Jesus meramente examinou o templo para verificar o que ali ocorria; e, então, no dia seguinte, ao retornar, purificou o templo. (Ver Mc 11.12,15.) Provavelmente, durante a noite, meditou sobre a situação do templo e resolveu fazer algo, não querendo deixar as coisas como estavam, a despeito do fato de que já estava em grandes dificuldades ante as autoridades religiosas, e apesar de saber perfeitamente bem que essa atitude seria usada

ardilosamente contra ele. Isso demonstra a coragem de que Jesus estava possuído, bem como o valor que ele dava à ação correta, acima de qualquer outra consideração, sem se importar com a própria reputação ou com a sua vantagem pessoal. Neste caso, "templo" é tradução do vocábulo "hieron", ou seja, o átrio dos gentios, e não do termo "naos", que indica o santuário.

"Expulsou a todos..." — Os que vendiam os animais para os sacrifícios *abusavam nos preços*, aproveitando-se do fato de que o povo tinha necessidade de adquiri-los. Ludibriavam sempre que podiam. Talvez a moral de um homem possa ser julgada pela natureza de suas ações quando sabe que ninguém verá o que ele faz ou quando sabe que não poderá ser descoberto e punido. Platão disse que a pior coisa que pode suceder a um homem é praticar o mal e não ser punido por isso. Tal indivíduo é confirmado em sua maldade, e encorajado a fazer pior ainda. Isso o conduz, finalmente, à total desintegração de sua personalidade. As pombas eram vendidas aos pobres, que as ofereciam em seus sacrifícios, e, embora essas aves tivessem pouco valor comercial, Josefo revela-nos que o lucro tirado nesse comércio era imenso, e que a prática era comum. Os cambistas estavam preparados tanto para cambiar moedas estrangeiras (que não podiam ser usadas para a compra das ofertas para a expiação — Êx 30.13) como também para trocar moedas comuns pela moeda de meio-siclo, para pagamento do imposto do templo. Os cambistas cobravam uma taxa intitulada "golbon". (Quanto a mais detalhes, ver as notas em Mt 17.24-27. Ver também o livro de Israel Abrahams, *Studies in Pharisaism and the Gospels*, first series; Cambridge: University Press, 1917, p. 82-89). Nesse câmbio, também campeava o ludíbrio. O templo criara um grupo de homens que perderam seu espírito nacional, roubando os pobres e dirigindo-se pela cobiça.

A ação de Jesus foi um *protesto* corajoso contra os saduceus e a família do sumo sacerdote, que controlava a política e a venda de animais para serem sacrificados no templo. Jesus atacou o poder que tinha a capacidade de tirar-lhe a vida, e que de fato o fez; mas a nada Jesus dava mais valor do que saber, compreender e praticar o que era direito. Poderia ter-se mantido em silêncio, como milhares e milhares de outras pessoas faziam, ou pelo menos ter levantado um inócuo protesto verbal; mas o templo lhe pertencia, por ser ele o Messias. Portanto, protestou da maneira mais pública e eficaz. Buttrick diz (*in loc.*): "Ele estava indignado: o cristianismo autêntico é conhecido tanto por suas indignações como por sua gentileza; tanto por seus adversários como por seus amigos. Jesus estava revestido de autoridade: era o senhor daquela multidão frenética e agitada. Fugiram dele como os vermes fogem da luz. Jesus estava revestido de poder, e a palavra que o descreve apropriadamente é: [...] de repente virá ao seu templo o Senhor... Mas quem pode suportar o dia da sua vinda? (Ml 3.1,2). E por essa causa ele morreu".

21.13 e disse-lhes: Está escrito: A minha casa será chamada casa de oração; vós, porém, a fazeis covil de salteadores.

21.13 καὶ λέγει αὐτοῖς, Γέγραπται, Ὁ οἶκός μου οἶ κος προσευχῆς κληθήσεται, ὑμεῖς δὲ αὐτὸν ποιεῖτε σπήλαιον λῃστῶν.

---

13 Ὁ...κληθήσεται Is 56.7 (60.7) σπήλαιον λῃστῶν Jr 7.11

"Está escrito..." — Essa citação foi extraída de Isaías 56.7 e de Jeremias 7.11, na LXX. Evidentemente, Mateus a citou de Marcos, sem consultar o AT, mas omite as palavras "para todas as nações", talvez considerando que o templo de Jerusalém era somente para Israel; ou a omissão pode ter sido um simples lapso de cópia, talvez intencional, ainda que sem nenhum propósito explícito. O contexto da citação de Jeremias está vinculado à acusação de assassínio e de derramamento de sangue inocente, pelo que o uso que Jesus fez das palavras (sem dúvida bem conhecidas dos negociantes presentes à cena), certamente ainda foi mais incisivo. A atitude de Jesus, ao expulsar aqueles homens, pode

NTI | Mateus | 573

ser justificada à luz do direito dos zelotes (ver Nm 25.6-13), ou à luz da energia reformadora que, por direito, cabia ao Messias (*Meyer*). Entretanto, não precisava de justificação à base de nenhum preconceito ou lei. Jesus foi forçado, por sua consciência moral e pelo seu respeito ao templo de Deus, a fazer alguma coisa acerca da situação que ali prevalecia. A maioria já se acostumara aos males ali existentes, e há muito que haviam perdido todo o impulso de tomar qualquer providência, ou, por outro lado, temiam manifestar-se contra tais abusos. Jesus não estava em posição de ousar ato, porquanto a sua vida vinha sendo ameaçada; mas nada disso o forçou o retroceder. Aqui vemos outro exemplo da admirável coragem de que estava possuído.

Essa cena teve lugar no *átrio dos gentios*. Qualquer pequeno privilégio que era permitido aos gentios era obscurecido pelas ações gananciosas daqueles homens. Como poderia ser atrativo o judaísmo para as "nações", se existiam essas condições? A humanidade inteira, e não apenas os judeus piedosos, era ultrajada pela falsa religiosidade e pelas tendências pervertidas daqueles homens. Lemos que, ao tempo de Jesus, a Palestina estava infestada de bandos de homens violentos, assaltantes, que se apinhavam nas cavernas de pedra calcária da Judeia. O povo os temia grandemente. Jesus, pois, demonstrou que não era apenas nas cavernas das colinas que aqueles homens se escondiam, pois ali mesmo no templo, podiam ser encontrados indivíduos da mesma categoria. O povo temia os bandidos, e algum esforço se fazia para controlá-los, mas, no próprio templo, tudo era tolerado.

O texto de Marcos 11.18,19 menciona *a reação* que já se poderia esperar das autoridades religiosas: "E os principais sacerdotes e escribas ouviam estas coisas e procuravam um modo de tirar-lhe a vida; pois o temiam, porque toda a multidão se maravilhava de sua doutrina. Em vindo a tarde, saíram da cidade". Planos formais foram traçados para tirar a vida de Jesus. Bem recentemente ele os insultara com sua ruidosa entrada em Jerusalém, não rejeitando a adoração popular. Agora, era tão ousado que ignorava toda a sua autoridade, entrando no templo e agindo como se o lugar lhe pertencesse. Além disso, Jesus tolhera seus negócios *lucrativos*, maltratando seus agentes, que compravam e vendiam, e que compartilhavam certa porcentagem com as autoridades religiosas. Humanamente falando, a única proteção de Jesus era a sua popularidade entre as massas; mas, em breve, usando de ardis, as autoridades religiosas haveriam de retirar de Jesus até mesmo esse apoio popular, deixando Jesus sem defesa, à sua mercê. O plano das autoridades religiosas funcionou de maneira admirável e fácil, porquanto foram capazes de assassiná-lo no breve espaço de uma semana. A passagem de Marcos 11.19 contém uma notável variante — "saíram da cidade" (plural). Nos mss Aleph, Theta, D, Fam 1, Fam 13 e na maioria das versões latinas e nos mss posteriores, essas palavras aparecem vazadas no singular — "saiu da cidade". O plural é apoiado nos mss ABW, 28, 565, 700 e nos mss latinos c e d. As traduções AA e IB dizem "saíam". Provavelmente, o plural representa o original, mas que subsequentemente foi alterado para o singular (para que a referência indicasse Jesus), apesar de não se poder imaginar por que razão aqueles homens *saíram da cidade*. Provavelmente, trata-se apenas de uma referência aos homens que saíram do centro da cidade para irem para o próprio lar, e não uma referência à ida de Jesus para Betânia, onde estava hospedado na casa de Lázaro, Maria e Marta, como sempre acontecia quando ele vinha de visita à capital.

21.14 E chegaram-se a ele no templo cegos e coxos, e ele os curou.

21.14 Καὶ προσῆλθον αὐτῷ τυφλοὶ καὶ χωλοὶ ἐν τῷ ἱερῷ, καὶ ἐθεράπευσεν αὐτούς.

21.15 Vendo, porém, os principais sacerdotes e os escribas as maravilhas que ele fizera, e os meninos que clamavam no templo: Hosana ao Filho de Davi, indignaram-se,

21.15 ἰδόντες δὲ οἱ ἀρχιερεῖς καὶ οἱ γραμματεῖς τὰ θαυμάσια ἃ ἐποίησεν καὶ τοὺς παῖδας τοὺς κράζοντας ἐν τῷ ἱερῷ καὶ λέγοντας, Ὡσαννὰ τῷ υἱῷ Δαυίδ, ἠγανάκτησαν

15 Ὡσαννὰ...Δαυίδ Mt 21.9

Esta seção tem um paralelo parcial em Lucas 19.47,48. Provavelmente, as fontes informativas são "M" e "Q". Alguns acreditam que essa seção, conforme é exposta no evangelho de Mateus, reflete o próprio estilo do autor, tratando-se, por isso mesmo, de uma espécie de adendo editorial, sem nenhuma fonte informativa em especial, pelo menos não de origem escrita. O comentário de Lucas, sobre esse incidente, menciona o ensino de Jesus, mas não as suas curas, e oferece-nos a informação de Marcos 11.18, de que as autoridades pretendiam matá-lo, embora ele resistisse, escudado em sua popularidade. Nessa altura, o relato de Lucas tem paralelos parciais em Mateus e em Marcos. Nessas situações, é extremamente difícil propor qualquer fonte informativa definida.

V. 14 e 15 — Jesus estava na cidade, e tinha a reputação de possuir extraordinários *poderes de cura*. Isso, naturalmente, atraía os que necessitavam de cura física. Como é lamentável que ele não pudesse atrair a todos quantos careciam de cura espiritual, pois ali mesmo, no templo, haveria milhares deles! "Cegos" e "coxos" vinham socorrer-se com Jesus, sendo esses casos impossíveis de serem tratados pelos médicos. Jesus estava indignado ante as ações de homens moralmente depravados, mas jamais fechava os ouvidos aos apelos dos necessitados. O texto mostra que crianças se ajuntavam à sua volta e lhe entoavam louvores. Isso está de acordo com o que sabemos acerca da natureza branda de Jesus para com as crianças, e sobre como essas crianças eram atraídas por ele. Ver a exposição do capítulo décimo oitavo desse evangelho, onde há várias indicações sobre isso.

"Principais sacerdotes" — provavelmente, a expressão indica os chefes das vinte e quatro ordens sacerdotais, bem como Anás e Caifás, que eram designados por esse título, em seu sentido mais elevado — um, por ser realmente o sumo sacerdote e o outro, em razão de ser o presidente do sinédrio. Ver notas sobre o "sinédrio", em Mateus 22.23; sobre os "escribas", em Marcos 3.22; sobre os "fariseus", em Marcos 3.6; sobre os "saduceus", em Mateus 22.23; sobre os "herodianos", em Marcos 3.6; e sobre os "essênios", em Lucas 1.80 e em Mateus 3.1.

"As maravilhas" — Essa expressão aparece somente aqui no NT (embora seja comum na LXX e nos escritos clássicos), e faz uma espécie de alusão toda inclusiva às muitas obras prodigiosas de Jesus. Jesus prestou um serviço real, realizado pelo poder do Deus de Israel e com a sua sanção. Os fariseus, que vinham mantendo contacto com os distritos circunvizinhos, a respeito de Jesus e de seus prodígios extraordinários, agora tinham a oportunidade de vê-lo em primeira mão. Viram as suas maravilhas; mas, excepcionalmente, não ficaram satisfeitos. Pelo contrário, indignaram-se contra ele grandemente. Ao contemplarem aquelas cenas, deveriam ter-se aproximado de Deus. No entanto, o que os perturbava eram as multidões que o aclamavam. Até as crianças reuniam-se ao seu redor e imitavam o que tinham ouvido seus pais dizerem, no dia da entrada triunfal de Jesus na cidade: "Hosana ao Filho de Davi..." (Ver notas em Mt 21.9, onde há uma explicação sobre esses termos.) Os v. 15 e 16 merecem um lugar ao lado de Mateus 19.13-15. Confirmam os ensinamentos de Jesus que as crianças ocupavam um lugar definido e importante em seu ministério. A inclusão dessas afirmações de Jesus, pelos autores dos Evangelhos, indica que na igreja, igualmente, as crianças devem ser consideradas importantes, recebendo plenamente os benefícios do ministério cristão. Provavelmente, de mistura com as crianças, havia grande número de cegos e coxos. Conforme se vê em Atos 3.2 e em João 9.1, aquelas pessoas, quase todas incapazes de andar, apinhavam as cercanias do templo, pedindo esmolas aos adoradores que iam e vinham. Em diversos

|Mateus| NTI

escritores judeus lemos que as crianças não eram excluídas dos cortejos religiosos, sendo-lhes permitido levarem o *lulab* (palmas, murtas e ramos de salgueiro). Provavelmente, o *lulab* era brandido acompanhando o ritmo dos cânticos do *hallel*. Talvez as crianças tenham continuado a imitar essas ações, ao verem Jesus no templo, repetindo as palavras de seus progenitores. Passagens da literatura judaica (*T. Bab. Succa*, fol. 42.1, fol. 42:1; Erachin, fol. 12.2; *Maimon. Hilch. Lulab*, c. 7, seção 19) indicam a obrigação das crianças de participarem de tais festividades e demonstrações de adoração.

21.16 e perguntaram-lhe: Ouves o que estes estão dizendo? Respondeu-lhes Jesus: Sim; nunca lestes: Da boca de pequeninos e de criancinhas de peito tiraste perfeito louvor?

21.16 καὶ εἶπαν αὐτῷ, Ἀκούεις τί οὗτοι λέγουσιν; ὁ δὲ Ἰησοῦς λέγει αὐτοῖς, Ναί· οὐδέποτε ἀνέγνωτε ὅτι Ἐκ στόματος νηπίων καὶ θηλαζόντων κατηρτίσω αἶνον;

16 Ἐκ...αἶνον Sl 8.3 LXX

21.17 E, deixando-os, saiu da cidade para Betânia, e ali passou a noite.

21.17 Καὶ καταλιπὼν αὐτοὺς ἐξῆλθεν ἔξω τῆς πόλεως εἰς Βηθανίαν, καὶ ηὐλίσθη ἐκεῖ.

"Da boca de pequeninos..." — A citação foi extraída de Salmos 8.3, conforme o texto da LXX. O texto de Mateus 4.21 usa a mesma palavra no grego, que aqui é traduzida por *tiraste perfeito*, ao referir-se à ação de emendar as redes de pescar. O verbo grego está na forma intensiva (com uma preposição como prefixo), e tem o sentido enfático de ação terminada. Essa palavra significa "fornecer completamente", ou seja, "aperfeiçoar". O oitavo salmo é frequentemente citado no NT (ver 1Co 15.27; Hb 2.6 e Ef 1.22). A pronta citação feita por Jesus, de uma passagem do AT, como em todas as emergências similares, indica que ele estava perfeitamente familiarizado com essa porção das Escrituras Sagradas. Essa profecia cumpriu-se no caso de crianças no sentido literal, mas também em determinada aplicação espiritual, que nada tem a ver com a idade do indivíduo. Todos quantos dão ouvidos às palavras de Cristo e lhe prestam louvores, são suas "crianças", que lhe prestam a honra perfeita de que fala a profecia. Isso fazia contraste com os indivíduos, como as autoridades religiosas, que prendiam Jesus, por estarem possuídos do espírito de inveja, de ódio e de homicídio. *Zohar*, em Êxodo 4.2., mostra que alguns judeus tinham consciência do intuito messiânico desse salmo, particularmente da citação aqui registrada. Lê-se ali: "Os infantes e as crianças de peito darão forças ao Messias", o que é uma alusão clara a esta passagem dos salmos.

Muitos acreditam que o v. 17 é paralelo de Marcos 11.19, que evidentemente foi vazado originalmente no plural: *saíram da cidade*. Talvez o singular, no evangelho de Marcos, tenha sido alterado por algum escriba, à base desse versículo (ver notas, no fim do v. 13 deste capítulo). Sabemos que Jesus costumava alternar a oração com o trabalho. Suas orações eram trabalho de amor, e seu labor era uma oração. Desse modo, ele conservava as forças mentais e espirituais de que necessitava para cumprir a sua missão. Neste versículo, vê-se também outra modalidade de alteração. Diariamente, Jesus ia a Jerusalém, a fim de ensinar, de repreender o erro e de dedicar-se à sua missão de curas. À noite, ele se retirava para Betânia, a fim de passar a noite com seus amigos, o que certamente lhe servia de motivo de consolo e fortalecimento. Havia outras pessoas que ali viviam e que Jesus conhecia e amava, incluindo talvez o homem que lhe emprestara os animais com os quais entrou em Jerusalém, além do amigo, cujo nome não é designado, e que cedeu, a ele e aos seus discípulos, o "cenáculo" onde se reuniram na importantíssima noite em que Jesus foi traído. Nesse

tempo, Betânia lhe servia de rocha de consolo. Seus amigos não compreendiam a profundidade da crise com que Jesus se defrontava. Sabiam que sua vida era ameaçada, porquanto tinham ouvido rumores de planos assassinos; mas um otimismo insofreável não lhes permitia darem crédito a tais relatórios. Jesus sabia que o fim estava próximo, e a cada nova noite apreciava grandemente a companhia de seus verdadeiros amigos. Diz Buttrick (in loc.): "Saía da cidade para tranquilidade do amor humano de Betânia e para a oração que apreendia o amor de Deus; e depois voltava à cidade a fim de cumprir a tarefa de que fora incumbido. Esse, igualmente, é o drama alternado de qualquer vida digna de ser vivida". (Ver Mt 26.6-13 e Jo 11.1,2; 12.1, quanto a detalhes sobre a permanência de Jesus ali.)

"Betânia" — Esse nome significa *casa de tâmaras*. Naquele lugar, Jesus era encorajado pelo companheirismo com os seus amigos fiéis. Era um período crítico para todos eles.

(c) A figueira amaldiçoada (21.18-22)

Tem paralelos em Marcos 11.12-14, 20-26. O leitor deve observar que Mateus e Marcos registraram esse acontecimento em ordem cronológica um tanto diferente, em contraste com outros eventos. Mateus o registrou como se tivesse ocorrido após a purificação do templo, *de manhã cedo*, no dia imediato. Marcos registra-o como se tivesse acontecido "no dia seguinte", isto é, após a entrada triunfal em Jerusalém, mas antes da purificação do templo. A narrativa de Marcos registra o fato como se tivesse acontecido na segunda-feira, no mesmo dia da purificação do templo. A narrativa de Mateus, entretanto, parece situar a purificação do templo no mesmo dia da entrada triunfal, e que a maldição contra a figueira estéril teve lugar na segunda-feira. Em todos os evangelhos sinópticos vem, a seguir, o relato da questão sobre a autoridade, e, desse ponto em diante, há uniformidade nos registros históricos de todos os três evangelhos sinópticos. Provavelmente, deve ser preferida a ordem cronológica dada por Marcos. A entrada triunfal ocorreu em um domingo. À tarde nesse dia, Jesus meramente observou o que ocorria no templo. À noite do mesmo dia, ele regressou a *Betânia*, para ali passar a noite. Na segunda-feira pela manhã, o Senhor regressou a Jerusalém. No caminho, segunda-feira pela manhã, ele amaldiçoou a figueira estéril. Mais tarde, nesse mesmo dia, Jesus purificou o templo. Na manhã seguinte, bem cedo, os discípulos viram novamente a figueira que fora amaldiçoada, a qual estava totalmente ressequida. (Ver Mc 11.20-26.) Nesse mesmo dia (terça-feira), a autoridade de Jesus foi desafiada pelas autoridades religiosas. Mateus, no caso da figueira estéril, expõe os acontecimentos fora da ordem própria, mas retém a tonalidade das palavras de Marcos, e diz "cedo de manhã" (Mt 21.18), ao invés das palavras de Marcos "no dia seguinte" (Mc 11.12); ou então talvez tenha seguido o v. 20, que começa a expor a lição (ou uma das explicações ou lições) que deve ser extraída dessa ocorrência — "passando eles pela manhã". Por conseguinte, houve dois incidentes separados acerca da figueira, que envolveram dois dias subsequentes. Mateus simplesmente tomou o material que tinha à mão e combinou os dois dias em um só incidente, como se tudo tivesse acontecido em um único dia. A fonte informativa é o *protomarcos*. (Ver a informação sobre as fontes informativas dos Evangelhos, na introdução ao evangelho de Marcos e na seção da introdução a este comentário intitulada "O problema sinóptico". Ver também as notas sobre as atitudes que devemos tomar no estudo da harmonia dos Evangelhos, em Mateus 6.9-15; 8.1,2,20,25; 20.29, e seção da introdução a este comentário sob o título "Historicidade dos Evangelhos".) Trench, em sua obra *Miracles*, p. 43, chama os que exageram pequenas discrepâncias cronológicas, criando casos difíceis em torno delas, de "verdadeiros fariseus da história, separando mosquitos mas engolindo camelos".

Alguns têm criado dificuldades *desnecessárias* neste ponto, evidentemente por sentirem dó da figueira, dizendo que não era próprio da natureza de Jesus praticar essas coisas, e supondo que Marcos (então seguido por Mateus), criou uma história do que não passava originalmente de uma parábola. Esses assinalam a parábola que aparece em Lucas 13.6-9 como a provável parábola de onde foi extraída essa história, como se tivesse sido um acontecimento real. Naturalmente, isso não passa de suposições inteiramente desnecessárias. Não está além de a fé sã supor que Jesus pudesse pôr fim à vida de uma árvore, sem que isso em coisa nenhuma maculasse o seu caráter, porquanto tinha uma boa lição a ensinar com o incidente, porque, segundo ajunta Marcos, "[...] não era tempo de figos" (Mc 11.13). Não é impossível, entretanto, que a omissão da história, por parte de Lucas, tenha sido proposital, visto que já incluíra uma parábola que ilustrava a mesma lição que Jesus ensina aqui.

21.18 Ora, de manhã, ao voltar à cidade, teve fome;
21.18 Πρωὶ δὲ ἐπανάγων εἰς τὴν πόλιν ἐπείνασεν.

21.19 e, avistando uma figueira à beira do caminho, dela se aproximou, e não achou nela senão folhas somente; e disse-lhe: Nunca mais nasça fruto de ti. E a figueira secou imediatamente.
21.19 καὶ ἰδὼν συκῆν μίαν ἐπὶ τῆς ὁδοῦ ἦλθεν ἐπ᾽ αὐτήν, καὶ οὐδὲν εὗρεν ἐν αὐτῇ εἰ μὴ φύλλα μόνον, καὶ λέγει αὐτῇ, Μηκέτι ἐκ σοῦ καρπὸς γένηται εἰς τὸν αἰῶνα. καὶ ἐξηράνθη παραχρῆμα ἡ συκῆ.

19 ἰδὼν...μόνον Lc 13.6

V. 18 e 19. *"Cedo de manhã"* (segunda-feira pela manhã). *Teve fome.* — Os intérpretes acham difícil crer nesse pormenor, por acharem que a hospitalidade de que Jesus era alvo, na casa de Lázaro em Betânia, não possibilitaria a Jesus estar com fome. Alguns pais da Igreja chegaram a sugerir que Jesus meramente fingiu estar com fome, a fim de criar a situação necessária para o incidente. Robertson sugere que Jesus tivesse passado a noite ao ar livre (para orar?), e que, naturalmente, tivesse sentido fome no dia seguinte. Entretanto, o ponto prescinde totalmente de qualquer importância. *Uma figueira.* O grego indica não que Jesus selecionou uma única árvore dentre outras, e, sim, que aquela era a única figueira de toda a área que aparecia aos olhares de Jesus.

"Não tendo achado senão folhas" — Era costume dos antigos plantarem figueiras à beira da estrada, porque se pensava que a poeira, ao absorver a seiva que delas exsudava, contribuía para uma boa produção pelas árvores. Essa figueira fora plantada à beira da estrada, estava coberta de folhas (o que, segundo alguns intérpretes deveria ser evidência de que também tinha *frutos*) mas, pelo menos naquela região, não chegara ainda o tempo dos figos. Alguns supõem, baseados nos escritos de Josefo (*Bell. J.* III.108), que em vista de as figueiras que havia à beira do lago onde Jesus se criara, darem fruto durante o espaço de dez meses — consideravelmente mais tempo do que em qualquer outra área da Palestina —, Jesus talvez tivesse realmente esperado encontrar figos naquela figueira. Na Palestina, o figo era uma fruta comum e muito apreciada. Lemos que havia várias variedades dessa fruta. Uma delas ordinariamente amadurecia em junho, outra em agosto, e o figo de inverno, sob condições favoráveis, poderia ficar pendurado na árvore por todo o inverno. Lemos que as folhas geralmente apareciam após a formação do fruto e, assim, a profusão de folhas teria feito Jesus pensar mais ainda que haveria figos naquela árvore. Aquela figueira, entretanto, fora um ludíbrio.

"Nunca mais nasça fruto de ti" — A esta altura da narrativa, os intérpretes têm criado uma dificuldade desnecessária,

achando que essa ação seria contrária à natureza *gentil* de Jesus, ao passo que outros encontram dificuldades em crer que tal prodígio pudesse ocorrer num único momento de tempo. Assim, alguns explicam que tudo quanto aconteceu é que Jesus, observando que a árvore estava enferma, predisse que a mesma jamais daria fruto, sem tê-la amaldiçoado, entretanto. Uma árvore tão bem coberta de folhas, porém, dificilmente estaria enferma. Igualmente, nenhuma enfermidade faria com que ela se secasse "imediatamente", ante as palavras de Jesus. Até um intérprete usualmente tão bom quanto Robertson (in loc.), procura indicar, pelo uso do optativo, na narrativa segundo Marcos (11.14), que o efeito não foi imediato e que tudo ocorreu por meio de uma predição (expressa em um desejo) e não por meio de uma ordem. O optativo, entretanto, dificilmente provaria tal coisa, posto que o grego costumeiramente (antes do grego *koiné*, mas também ocasionalmente no *koiné*) usava o optativo para transmitir ordens, tanto quanto o subjuntivo. Outrossim, um desejo intenso (também expresso pelo optativo) com frequência equivalia a uma ordem, conforme geralmente se verifica nas línguas modernas. "Oxalá me deixasses em paz!", por exemplo, a despeito de não ser frase vazada na forma gramatical que expressa geralmente uma ordem, certamente equivale a "Por favor, vá-se embora!" (Mateus emprega o subjuntivo, indicando exatamente uma ordem.)

Os intérpretes que duvidam de que Jesus *realmente tenha feito* o que se acha registrado aqui, mostrariam interesse na moderna pesquisa psíquica, que tem demonstrado que a "maldição" e a "oração", quer em tom positivo, quer em tom negativo, realmente produzem certo efeito no crescimento das plantas, acelerando-o ou retardando-o, ou mesmo matando totalmente a planta. Ora, Jesus ultrapassou em muito qualquer coisa que tem sido demonstrada pelos seres humanos comuns, mas sua vida terrena inteira foi perfeitamente humana (com esta observação não negamos a sua divindade, Hb 1.3). A energia mental é uma força poderosa. Jesus foi capaz de fazer a figueira secar-se imediatamente. Por isso, certas pessoas que antes duvidavam da veracidade desse milagre, têm aceitado a sua validade, porque os experimentos têm comprovado os poderes da energia mental.

21.20 Quando os discípulos viram isso, perguntaram, admirados: Como é que imediatamente secou a figueira?
21.20 καὶ ἰδόντες οἱ μαθηταὶ ἐθαύμασαν λέγοντες, Πῶς παραχρῆμα ἐξηράνθη ἡ συκῆ;

20 ἡ συκῆ] *om 238* lat

"Vendo isto..." — Neste ponto, saltamos para o v. 20 da narrativa de Marcos, que diz que isso aconteceu no dia seguinte — "[...] e, passando eles pela manhã". De conformidade com a ordem cronológica de Marcos, que mui provavelmente é a correta, a ocorrência teve lugar depois da purificação do templo, mas não no mesmo dia. Entretanto, os lances da purificação do templo certamente ainda estavam bem vívidos na memória de todos os discípulos. Jesus teve de purificar o templo por causa da desonestidade, da hipocrisia e da corrupção que ali prevaleciam. Jesus amaldiçoou a figueira, símbolo da nação de Israel, e talvez, mais particularmente, do sacerdócio, a autoridade religiosa de Israel, porque a mesma não produzia senão folhas — era um simulacro, não produzia fruto. Marcos diz-nos que a figueira se secara *desde a raiz*. Morrera totalmente no decurso da noite, de forma a estar seca na manhã seguinte.

Diversos sentidos simbólicos fazem-se presentes nessa história:

1. Alguns veem aqui uma *construção mística* da parábola que há em Lucas 13.6. Já levantamos objeção contra esse ponto de vista, na nota introdutória ao v. 18. É bem provável, contudo, que o sentido aqui tencionado seja o mesmo ou pelo menos esteja relacionado com a mensagem que Lucas queria transmitir com aquela parábola. Nessa parábola, a figueira nada produzira

576 |Mateus| NTI

durante três anos, e o proprietário mandou, então, cortá-la. Alguém fez um reparo sobre isso, e rogou que se desse mais um ano de oportunidade à figueira, pois talvez ainda produzisse figos. Foi dada essa permissão, mas com o aviso de que, se não tivesse produzido fruto por esse tempo, seria inexoravelmente derrubada. Não podemos deixar de ver aqui uma figura simbólica de Israel. Israel não produzia fruto, mas estava carregada de folhas de pretensão e fingimento. Nos capítulos nove a onze de Romanos, Paulo oferece-nos uma explicação do que sucedia: a despeito de Israel ter sido posta de lado por algum tempo, no futuro, *todo* o Israel ainda haverá de ser salvo. Tudo isso, de acordo com os desígnios de Deus, visava a trazer ao primeiro plano a igreja gentílica, parcialmente pela rejeição temporária de Israel. (Ver notas em Lc 13.6-9 e Rm 11.7-36, onde há detalhes completos.)

2. Seguindo essa ideia geral, Orígenes, Crisóstomo e outros pais da Igreja (seguidos por muitos intérpretes modernos), criam que a figueira infrutífera servia de *exposição simbólica* da condenação baixada contra a esterilidade espiritual da nação de Israel. Meyer observa a "simbólica eloquência silenciosa" da figueira ressequida. Lange diz (*in loc.*): "Jesus empregou simbolicamente a aparência atrativa daquela árvore enganadora, que iludia e zombava do viajor faminto, a fim de ensinar aos seus discípulos que também deveriam deixar de buscar nutrição espiritual no sacerdócio coberto de paramentos, mas infrutífero, olhando para o julgamento futuro e divino, que haveria de ressecar o povo teocrático". Trench observa que, nas poucas vezes em que uma figueira é usada com proeminência, no NT, tornava-se símbolo de alguma espécie de mal. É significativo que a tradição destaque a figueira como a árvore cujas folhas Adão procurou usar para encobrir a sua nudez, após ter cedido diante da tentação, assim oferecendo uma aparência falsa perante Deus.

3. Em toda essa aplicação à nação de Israel, seria um equívoco nos esquecermos do fato de que o símbolo da figueira coberta de folhas também pode ser aplicado *a qualquer* que professe falsamente ser possuidor de bênçãos espirituais, não passando de um hipócrita infrutífero. Certamente o mundo está repleto de indivíduos dessa categoria, e não é de surpreender que a igreja os encontre também em seu meio. Deveríamos aceitar a advertência que nos é feita por meio desse milagre de Cristo e da parábola em Lucas 13.6-9 — ainda que não seja imediatamente, essa é condição que aguarda o julgamento e a revelação. Todavia, a duração da vida humana é tão curta, que qualquer julgamento, quer imediato quer não, pode ser considerado imediato. Adam Clarke diz (*in loc.*): "Com frequência dizemos aos nossos semelhantes: 'Como esse homem morreu cedo! Quem teria esperado que ele falecesse tão depressa?' No entanto, quem se deixa advertir por esses exemplos? Aquilo que dizemos acerca de outros, no dia de hoje, pode ser dito a nosso respeito no dia de amanhã. Portanto, aprontemo-nos. Senhor, aumenta a nossa fé!"

21.21 Jesus, porém, respondeu-lhes: Em verdade vos digo que, se tiverdes fé e não duvidardes, não só fareis o que foi feito à figueira, mas até, se a este monte disserdes: Ergue-te e lança-te no mar, isso será feito; 21.21 ἀποκριθεὶς δὲ ὁ Ἰησοῦς εἶπεν αὐτοῖς, Ἀμὴν λέγω ὑμῖν, ἐὰν ἔχητε πίστιν καὶ μὴ διακριθῆτε, οὐ μόνον τὸ τῆς συκῆς ποιήσετε, ἀλλὰ κἂν τῷ ὄρει τούτῳ εἴπητε, Ἄρθητι καὶ βλήθητι εἰς τὴν θάλασσαν, γενήσεται·

_{21 Mt 17.20; Lc 17.6; 1Co 13.2}

"**Se tiverdes fé...**" — Jesus acabara de realizar um milagre sobre a natureza, certamente menos espetacular do que havia sido o acalmar da tempestade ou a multiplicação de pães para as multidões. Não obstante, foi um *prodígio* igualmente significativo. Jesus aproveitou essa oportunidade para ilustrar o poder da fé, a qual deve ser compreendida como resultado da comunhão íntima com Deus, como expressão da natureza superior, e não apenas como uma exclamação: *Eu creio! eu creio!*, a despeito das razões positivas para a crença. A fé opera por meio dos fatores mais positivos no mundo, a saber, o poder de aproveitar e de usar a energia de Deus. Essa energia, no entanto, não é usada como mera ferramenta. Conforme vamos aprendendo a viver pela fé, tornando-nos mais e mais parecidos com Jesus, somos realmente transformados em uma pessoa mais parecida com Cristo, e, dessa maneira, o poder de Deus se vai tornando nossa possessão permanente, sendo uma expressão de nossa natureza. Ver a *nossa* participação na divindade: 2Pedro 1.4.

"**duvidar**" — O verbo indica juízo dividido, *opinião hesitante*. Há um poder espantoso inerente à fé, quer se utilize do poder da personalidade humana quer apele para o próprio poder de Deus. Compreendemos tão pouco acerca desse poder, e tão pouco sobre o seu exercício, e vemos tão pouco de sua utilização, que nos passam completamente despercebidas declarações como a que vemos neste versículo. Jesus, entretanto, conhecia de perto esse grande poder, pois vivia diariamente em sua presença. Não obstante, ele sempre deixou claro que esse mesmo poder foi posto à disposição de todos os crentes. A personalidade de Jesus nos dá alguma ideia do que o homem deve ter sido antes da queda, antes de sua natureza espiritual haver sido debilitada, quando então o homem começou a olhar somente para baixo, cultivando afanosamente o solo. A obra expiatória e redentora de Jesus restaura-nos a uma posição ainda mais alta do que aquela que foi perdida na queda. (Ver a nota em Rm 8.29 e também a nota em Mt 5.48). O leitor reconhecerá o fato de esse *logos* de Jesus ter sido proferido também em outras oportunidades. Encontra-se, igualmente, em Mateus 17.20, em sua forma essencial, e, provavelmente, era uma das expressões favoritas de Jesus, que encontrou muitas ocasiões apropriadas para o seu emprego, quando o princípio da fé precisava ser demonstrado. (Ver a nota em Mt 17.20.) Ver uma discussão sobre a natureza dos milagres de Jesus e o seu significado, a origem de seu poder etc., em Mateus 8.27; 14.13-21,25-33.

Alguns intérpretes pensam que o *monte* aqui mencionado era aquele onde estava edificado o templo, e veem nisso sentidos simbólicos, a saber, que o judaísmo teocrático seria lançado no mar, ao passo que a igreja, por ser uma expressão mais verdadeira da fé e da frutificação, haveria de obter a proeminência. Esses intérpretes fazem esse versículo referir-se à mensagem transmitida no v. 20. Naturalmente que essa mensagem é verdadeira, mas não é provável que Jesus tivesse falado diretamente acerca disso.

21.22 e tudo o que pedirdes em oração, crendo, recebereis.
21.22 καὶ *πάντα ὅσα ἂν αἰτήσητε ἐν τῇ προσευχῇ* πιστεύοντες λήμψεσθε.

_{22 Mt 7.7-11; 18.19; Jo 14.13,14}

"**E tudo quanto pedirdes...**" — A narrativa do evangelho de Marcos é um tanto mais longa, mas versa também sobre o tema da oração, porquanto a oração é aquele exercício que nos dá a grande oportunidade de exercermos a fé. A oração cria a atmosfera onde a fé pode ser mais facilmente exercitada. Assim é que na fé que cura e em outras notáveis expressões do exercício da fé, a oração é ordinariamente empregada, embora muitas dessas manifestações se verifiquem sem nenhuma oração direta. A oração põe o que há de melhor em nossa natureza, e a natureza não-regenerada, naturalmente teimosa, é a maior montanha a ser removida. Essa montanha pode ser lançada no mar para abrir caminho para a manifestação interna e externa da vida de Cristo; e é justamente a oração, por meio da fé, que pode obter tal coisa. Pode haver também muitas outras montanhas a ser removidas, e todas permanecem imóveis enquanto não forem vencidas pela fé. A fé é a expressão de nossa natureza mais elevada em comunhão com Deus, pelo Espírito, não se tratando de simples *crença*. Não se deve equiparar a fé com as "circunstâncias incertas". Em outras palavras, ter fé não equivale a viver dia a dia sem saber o que pode acontecer, quer nas questões financeiras quer em qualquer outro aspecto da existência, sem nenhuma provisão para alterar essa "incerteza". Pelo contrário, a fé é um princípio dinâmico que se agarra ao poder de Deus e que aplica esse poder à vida diária. Ao mesmo tempo, esse poder de Deus, que é tão-somente uma manifestação de sua vida divina, torna-se parte de nossa existência. Utilizamo-nos desse poder, mas, ao mesmo tempo, ele nos transforma e se torna parte de nós mesmos. Esse é um dos passos de nossa transformação à imagem de Cristo. A fé, pois, é uma expressão da vida espiritual que existe em Cristo, e não meramente um instrumento que deva ser usado. A oração encoraja e se utiliza da fé, sendo, por isso mesmo, uma influência poderosa. Tal como qualquer outra força, a fé não opera a menos que seja *ligada*. E, ao adquirir impulso, seu poder nos movimenta, bem como altera as circunstâncias e modifica e transforma nossa natureza.

Marcos acrescenta aqui alguma informação *adicional*, ou talvez seja mais acertado dizer que a narrativa de Marcos é um tanto mais completa, e que Mateus resumiu o registro deixado por Marcos. Diz a passagem de Marcos 11.25: "E, quando estiverdes orando, se tendes alguma coisa contra alguém, perdoai, para que vosso Pai celestial vos perdoe as vossas ofensas". Esse *logos* foi proferido também em outras ocasiões e forma parte do Sermão da Montanha, em Mateus 6.14. Com essa declaração, Jesus ilustrou o fato de uma influência negativa poder arruinar a ação positiva da oração e da fé, e nenhuma influência negativa ser tão intensa como o ódio aos outros, ou um espírito não se dispor a perdoar. Essas coisas são incompatíveis com a expressão da vida de Cristo em nós. Jesus jamais poderia ter realizado o que realizou se tivesse odiado a seus semelhantes, se guardasse ressentimentos, ou se, de qualquer outra maneira, tivesse exibido a natureza degenerada do homem. O canal de ligação com o Pai, na vida de Cristo, era mantido desimpedido e limpo. Ao se odiarem uns aos outros, os homens têm entupido esse canal, e é por isso que quase não pode fluir nenhum poder, por meio deles, capaz de "remover" as montanhas que surgem em sua vida. A oração, portanto, foi dada como um meio do crente exercer o grande poder da fé. A oração serve de meio, tanto para o exercício como para o desenvolvimento da fé. O v. 25 oferece-nos outro importante princípio: A fé é impedida, se não mesmo completamente extinta, quando nutrimos pensamentos negativos e maus acerca de outras pessoas. A psicologia e a parapsicologia modernas têm demonstrado que esses pensamentos podem até mesmo atrair circunstâncias e tragédias para a vida do indivíduo, afetando não só seu bem-estar espiritual, mas até mesmo o seu bem-estar físico, o que, de resto, tem sido demonstrado pelas experiências de muitos nesta vida. Aquele que abriga ódio em seu peito contra outrem, talvez possa falar em tons piedosos, mas não poderá exercer a verdadeira fé. Esse poder só se manifesta na vida correta, isenta de malícia, que espera unicamente em Deus, e que, por isso mesmo, está se desenvolvendo espiritualmente. Não admira, pois, que seja uma qualidade tão rara em nossos dias. Jesus sentia-se deprimido em face da situação de bancarrota da humanidade, por causa da ausência de fé nos homens. É notável que Jesus tenha proferido essas palavras acerca da necessidade de evitarmos o ódio e a má vontade para com os outros, em um período de sua vida tão próximo de sua entrega às mãos dos homens e de sua morte, quando já sabia que homens ímpios e desarrazoados haveriam de assassiná-lo. Dessa maneira, ele mostrou, uma vez mais, a grande nobreza de seu caráter.

Em algumas traduções mais antigas, que seguem mss gregos mais recentes, há outra adição, que diz: "Mas, se não perdoardes, também vosso Pai celeste não vos perdoará as vossas ofensas". Os mss ACDEGHKMNUVX , Gamma, Theta, Fam Pi, Fam 1 e Fam 13 trazem esse versículo, como também as traduções AA (assinalada como duvidosa), AC, F, KJ, BR e M. Os mss Aleph, BLS, Delta, 565, 700 e as traduções. ASV, NE, GD, PH, RSV, WM e WY, o omitem. Provavelmente, o original de Marcos não continha esse versículo, que parece ter sido adicionado por algum escriba à base de Mateus 6.15. Nota-se que nessa última passagem o versículo vem imediatamente após a declaração representada por Marcos 11.15. O que aconteceu é que algum escriba acrescentou outro versículo tirado da mesma sequência, ao passo que o texto original de Marcos terminava depois de *logos* de Marcos 11.25. Essa declaração também se encontra em Mateus 18.35, e, tanto aí como em Mateus 6.15, trata-se de uma porção autêntica do texto sagrado. (Ver a exposição, em Mt 6.15, quanto ao sentido exato.)

(d) Discussões e controvérsias em Jerusalém (21.23–22.46)

i. Controvérsia sobre a autoridade de Jesus (21.23-27)

Esta seção tem paralelos em Marcos 11.27-33 e em Lucas 20.1-8. A fonte informativa é o *protomarcos*. (Ver nota sobre as fontes informativas dos Evangelhos na introdução ao evangelho de Marcos e no artigo da introdução a este comentário intitulado "O problema sinóptico"). As narrativas são quase exatamente idênticas, com poucas modificações editoriais.

Sem dúvida, esse incidente resultou diretamente da purificação do templo por Jesus, e a expressão "estas coisas", no v. 23, refere-se a esse ato. Os principais sacerdotes e anciãos eram os representantes do sinédrio, nomeados para examinar Jesus acerca da questão e a fim de envidarem todo o esforço tendente a desacreditar nele, aos olhos do povo. Ressentiam-se tanto do fato de Jesus ser um "profeta de Nazaré", conforme era considerado, que Josefo nem ao menos menciona essa localidade na lista que ele preparou de muitas cidades e aldeias da Galileia. Os líderes do judaísmo, em Jerusalém, devem se ter ressentido grandemente ante qualquer *autoridade* que tinha sua base na Galileia. As ideias rabínicas requeriam uma "autoridade" em seu mestre que só podia ser conferida pelo "semikhah", ou imposição de mãos, bem como o treinamento e a educação especiais que permitiam a um homem ser finalmente consagrado como rabino. Obviamente, Jesus não pertencia a esse grupo seleto e exaltado, a despeito do que guiava o povo mais do que todos os rabinos considerados juntamente. E esse era o motivo do ódio que lhe votavam.

21.23: Tendo Jesus entrado no templo, e estando a ensinar, aproximaram-se dele os principais sacerdotes e os anciãos do povo, e perguntaram: Com que autoridade fazes tu estas coisas? e quem te deu tal autoridade? 21.23 Καὶ ἐλθόντος αὐτοῦ εἰς τὸ ἱερὸν προσῆλθον αὐτῷ διδάσκοντι οἱ ἀρχιερεῖς καὶ οἱ πρεσβύτεροι τοῦ λαοῦ λέγοντες, Ἐν ποίᾳ ἐξουσίᾳ ταῦτα ποιεῖς;[c] καὶ τίς σοι ἔδωκεν τὴν ἐξουσίαν ταύτην;[c]

> [cc] **23** *c* question, *c* question: TR WH Bov Nes BF² AV RV ASV NEB TT Jer // *c* minor, *c* question: RSV Zür Luth Seg
>
> 23 διδασκοντι] *om* 7 it sy^sc arab(1) Or^pt Hipp

De acordo com Mateus, Jesus estava ensinando no templo; de acordo com Lucas, tanto ensinava como "pregava o evangelho". Embora a situação estivesse altamente agitada e tensa, Jesus não deixou de cumprir a sua missão de ensino e de curas, e, ousadamente, fez do templo o centro de suas atividades. Era inevitável que surgissem conflitos com as autoridades. Estas planejavam seu assassinato, mas, ao mesmo tempo, procuravam desacreditar o seu ministério, salientando que ele jamais fora consagrado como rabino e não tinha o direito de ensinar nem no templo e nem em qualquer outro lugar.

"Principais sacerdotes e os anciãos". Provavelmente, é uma alusão a certos representantes do *sinédrio*, que foram nomeados para interrogar a Jesus, possivelmente incluindo os chefes dos vinte e quatro grupos de sacerdotes, o presidente do sinédrio, e

578 |Mateus| NTI

talvez até o próprio sumo sacerdote. Assim, as mais altas autoridades religiosas da nação inteira procuravam interromper Jesus, enquanto ele falava, exigindo resposta às suas indagações. O povo, ao redor, guardava silêncio e ficava à espera da resposta. A maioria, pelo menos nessa altura dos acontecimentos, estava ao lado de Jesus, temendo que ele não fosse capaz de defrontar-se com êxito com um grupo tão augusto de autoridades religiosas. É possível que as autoridades religiosas esperassem ouvir de seus lábios alguma reivindicação de soberania ou de outra posição política qualquer, a fim de que pudessem acusá-lo ante as autoridades romanas, para que mais facilmente se vissem livres dele. Ao menos esperavam alguma resposta que pudessem torcer, para arruinar a sua imagem aos olhos do povo ou a fim de usá-la contra ele, em algum julgamento formal futuro.

"Autoridade". O direito de ensinar era usualmente conferido pelos escribas ou por um de seus principais representantes, a alguém que tivesse completado os estudos exigidos, geralmente aos pés de algum instrutor ou instrutores reconhecidos. Terminado o curso, tinha lugar uma cerimônia, na qual o diplomando recebia uma chave, símbolo da interpretação da lei. Ora, o profeta de Nazaré não apresentava essas credenciais; mas João Batista também não as tinha, a despeito de, tal como Jesus, ser ele proclamado profeta. Em sua resposta, Jesus preferiu deixá-los confusos com uma pergunta difícil e, provavelmente, já estavam exasperados além do ponto de poderem fornecer qualquer explicação ou de se defenderem.

21.24: Respondeu-lhes Jesus: Eu também vos perguntarei uma coisa; se ma disserdes, eu de igual modo vos direi com que autoridade faço estas coisas.
21.24 ἀποκριθεὶς δὲ ὁ Ἰησοῦς εἶπεν αὐτοῖς, Ἐρωτήσω ὑμᾶς κἀγὼ λόγον ἕνα, ὃν ἐὰν εἴπητέ μοι κἀγὼ ὑμῖν ἐρῶ ἐν ποίᾳ ἐξουσίᾳ ταῦτα ποιῶ·

21.25: O batismo de João, donde era? do céu ou dos homens? Ao que eles arrazoavam entre si: Se dissermos: Do céu, ele nos dirá: Então por que não o crestes?
21.25 τὸ βάπτισμα τὸ Ἰωάννου πόθεν ἦν; ἐξ οὐρανοῦ ἢ ἐξ ἀνθρώπων; οἱ δὲ διελογίζοντο ἐν ἑαυτοῖς λέγοντες, Ἐὰν εἴπωμεν, Ἐξ οὐρανοῦ, ἐρεῖ ἡμῖν. Διὰ τί οὖν οὐκ ἐπιστεύσατε αὐτῷ;

25 τὸ βάπτισμα...ἀνθρώπων

Jo 1.6,33   Διὰ...αὐτῷ Mt 21.32; Lc 7.30

25 ουν] om D 28 700 pm it sy sa(1) bo

21.26: Mas, se dissermos: Dos homens, tememos o povo; porque todos consideram João como profeta.
21.26 ἐὰν δὲ εἴπωμεν, Ἐξ ἀνθρώπων, φοβούμεθα τὸν ὄχλον, πάντες γὰρ ὡς προφήτην ἔχουσιν τὸν Ἰωάννην.

16 φοβούμεθα... Ἰωάννην Mt 14.5; 21.46

"Eu também..." Os rabinos estavam acostumados a ensinar fazendo perguntas e exigindo respostas às mesmas. Eram mestres na arte de fazer perguntas. Aqui, Jesus reverte a situação, exibindo um domínio que deve ter eletrificado as multidões, pondo-as imediatamente à vontade, ao perceberem que ele se sairia vitorioso no encontro. Jesus, porém, não tencionava entrar em debate. Tão-somente ilustrava a verdade. E, naquele momento, firmava ainda mais a sua reputação e autoridade como mestre, aos olhos do povo. O Senhor não reivindicou posição messiânica nessa oportunidade, mas mencionou João Batista, que era considerado, por grande parte do povo, um profeta e precursor do Messias. Como que fazendo o feitiço virar contra o feiticeiro, Jesus aguilhoou as autoridades religiosas com a verdade de sua grande autoridade como Messias. Certamente atingiu em cheio

a consciência deles, relembrando-lhes que haviam rejeitado a João, o qual era universalmente reconhecido como profeta. Essa rejeição ficou patenteada como algo sem fundamento, embora nenhuma palavra tivesse sido proferida acerca disso. O batismo de João simbolizava todo o seu ministério e falava especificamente de arrependimento, do qual todos necessitavam, mas especialmente as autoridades religiosas. Portanto, embora não tivesse dito uma única palavra acerca disso, Jesus deixou entendido que esse batismo, que esse ministério de arrependimento, contava com a autoridade celestial e que não requeria a imposição de mãos por parte daqueles homens. Deixou também subentendido que a autoridade deles era vazia, pois a eles é que realmente faltava qualquer autêntica autoridade, que a verdadeira autoridade vem de Deus, e que as cerimônias humanas não conferem autoridade nenhuma. Sem ter tocado nessa questão, deixou também subentendido que a verdadeira religião e espiritualidade são algo superior, que têm sua origem nos céus, e não na terra. João Batista foi aceito como profeta dotado de grande autoridade, por parte de todo o povo, ainda que tivesse sido totalmente rejeitado pelos líderes da religião judaica. A despeito desses líderes não se terem arrependido e nem terem dado ouvidos a João, este estava investido da verdadeira autoridade nos céus. O poder espiritual torna-se seu próprio cartão de apresentação, embora aqueles legalistas jamais pudessem compreender ou aceitar esse fato. Conforme era seu costume, aqueles homens hesitavam em suas opiniões e se recusavam a fazer uma declaração positiva ou negativa. Pois uma declaração positiva — "A autoridade de João veio de Deus" — poderia entregá-los completamente nas mãos de Jesus, porque, então, seria claramente patenteado que aquelas autoridades e técnicos da lei em realidade eram homens pecadores, que jamais se tinham arrependido, porquanto nenhum deles dera nenhuma atenção à sua mensagem de arrependimento. Não obstante, a resposta foi muito esclarecedora para o povo, embora os líderes religiosos nada tivessem admitido. O que é incrível é que, tão pouco tempo depois, aquelas mesmas multidões se tivessem voltado contra Jesus, tendo concordado e até mesmo insistido na sua morte. Aqueles homens não podiam atribuir a autoridade de João aos homens, pois temiam as massas e sabiam quão volúveis são as multidões. Essa volubilidade foi usada por eles como arma contra Jesus, a fim de derrubá-lo e matá-lo. Compreendiam perfeitamente bem as ações e atitudes populares. Por isso é que se calaram, pois João era uma espécie de herói entre o povo comum. Todavia, as respostas foram claras, embora não tivessem sido proferidas.

A verdade é boa na consciência como uma *moeda verdadeira* retine na pedra. À semelhança da luz, não precisa de validação. Buttrick (in loc.) diz: "Se tentássemos provar a existência da luz por qualquer coisa além dela mesma, só poderíamos usar a própria luz como prova. Assim, todo indivíduo é dotado do dom primário de reconhecer a verdade. Há perversões e más inclinações em sua natureza, mas, quando o Espírito Santo opera nele, convence-o do pecado, da justiça e do juízo' (Jo 16.8). O orgulho, especialmente o orgulho pela posição, e a cobiça, levam-nos a evasões. Por isso é que a delegação do sinédrio respondeu: 'Não sabemos' ". Não podemos saber todas as deliberações que se agitaram em sua mente. Lucas, porém, revela que chegaram mesmo a temer ser "apedrejados" pelo povo, se dessem uma resposta errada. (Ver Lc 20.6.) Lange (in loc.) sugere que essa informação pode ter sido preservada por Nicodemos, que era membro do sinédrio. As investigações de Lucas podem ter incluído uma entrevista com Nicodemos, pelo que alguns pequenos detalhes foram acrescentados, detalhes estes que o *protomarcos* não continha. Jesus, portanto, forçou-os ao silêncio e à confissão expressa de ignorância. Isso deve ter danificado muito a imagem que o povo formava deles, e também demonstrou que a sua reivindicação de serem autoridades espirituais e religiosas não estava alicerçada na verdade dos fatos.

21.27: Responderam, pois, a Jesus: Não sabemos. Disse-lhes ele: Nem eu vos digo com que autoridade faço estas coisas.

21.27 καὶ ἀποκριθέντες τῷ Ἰησοῦ εἶπαν, Οὐκ οἴδαμεν. ἔφη αὐτοῖς καὶ αὐτός, Οὐδὲ ἐγὼ λέγω ὑμῖν ἐν ποίᾳ ἐξουσίᾳ ταῦτα ποιῶ.

"Responderam a Jesus..." Jesus, provavelmente exasperado ante a incredulidade das autoridades religiosas, negou-se a dar-lhes resposta. Ele já fizera tudo, exceto abrir os céus e revelar a presença de Deus; mas nada convencia uma gente tão dura de coração. Talvez nem mesmo a revelação da presença do Pai tivesse produzido algum efeito benéfico. Por isso, o Senhor preferiu confundi-los. Deve-se observar, entretanto, que, ao mesmo tempo, Jesus desafiou o direito que supunham ter de interrogá-lo, à base de sua admissão de que não sabiam dizer qual a origem da autoridade de João. Já que não sabiam dizer qual a origem da autoridade de João Batista, como poderiam ser bons juízes no caso de Jesus? Dificilmente se poderia esperar que julgassem corretamente a natureza da autoridade de Jesus, visto que ignoravam a natureza da autoridade de João. Essa declaração que fizeram, acerca de João, os desqualificava, aos olhos de Jesus, como legítimos juízes de Israel. Assim, evaporou-se toda e qualquer autoridade de interrogarem a Jesus, pois ele não mostraria respeito pelas suas opiniões. Jesus rejeitou a autoridade que eles supunham ter de examiná-lo.

Em face disso, os membros do sinédrio bem poderiam ter admitido sua culpa, dizendo: *"É verdade, estamos convictos"*. Ao invés disso, todavia, continuaram empurrando Jesus para sua execução, enquanto eles mesmos arrastavam a si e a nação inteira ao sorvedouro da condenação. Os resultados dessa condenação se têm prolongado através de todos os séculos, até hoje, e Israel continua sofrendo por causa de sua perversa decisão. Adam Clarke diz (*in loc.*): "A simplicidade confere uma admirável confiança e tranquilidade mental; mas a duplicidade causa um milhar de inquietações e perturbações. Basta que um homem se esforce por abafar, em seu coração, a evidência que possui da verdade e da inocência, não querendo ceder ante as provas, para que Deus, que vê o coração, à luz do último dia, produza em seu íntimo um testemunho contra ele mesmo, tornando-o seu juiz". As autoridades religiosas rejeitaram a autoridade de Jesus, seu Messias, e a partir de então têm sofrido a falta de conhecimento e convicção da verdade. Andam à cata de um messias qualquer, porque, em sua ignorância voluntária, rejeitaram ao verdadeiro Messias, que estava vivendo no meio deles. O erro fatal da nação de Israel foi o de aceitar a autoridade daqueles homens, a mesma autoridade que foi rejeitada por Jesus, preferindo isso à autoridade de Jesus. A autoridade deles era terrena, mas a dele era celestial. Não obstante, olhos cegos não podiam ver a diferença.

---

ii. Parábola dos dois filhos (21.28-32)

A parábola original provavelmente é representada pelos v. 28-31, enquanto o v. 32 é o comentário da explanação suprida pelo autor. A fonte é "M", mui provavelmente. (Ver notas sobre as origens dos Evangelhos na introdução ao evangelho de Marcos e no artigo da introdução a este comentário intitulado "O problema sinóptico".) A principal lição da parábola visa a enfatizar que Deus requer a obediência real, e não meramente as "boas intenções" ou o culto de lábios, ou a intenção professa de fazer a vontade de Deus, mas que não é acompanhada pela realização. Alguns dos antigos filósofos gregos ensinavam que a *intenção* é mais importante do que a realização real, e que a única coisa realmente boa é a boa vontade. Os judeus tinham uma parábola que refletia uma ideia não muito diferente da opinião desses filósofos. Ver Strack Billerbeck, I.865, onde ele cita uma parábola dos judeus, na qual Deus teria oferecido um campo a todas as nações. Somente Israel se interessou em assumir a responsabilidade de cultivar esse campo. Tendo assumido a responsabilidade, porém, não tocou

---

no campo. Todavia, embora abandonado, o campo continuava pertencendo a Israel, porque, pelo menos algum dia, tivera a intenção de cultivá-lo. Para os rabinos, essas boas intenções eram dignas de encômios, quer o campo fosse cultivado, quer não. Essa atitude dos judeus é contrária ao espírito da parábola que Jesus ensina aqui. As boas intenções não são más e podem ser dignas de louvor; mas Deus requer, dos seus servos, o serviço real. Jesus talvez tenha proferido essa parábola, em algumas ocasiões, a fim de justificar o seu ministério entre os publicanos e as prostitutas, o que provocava a ira dos fariseus e de outros líderes religiosos. Essa parábola serve também de desafio direto aos fariseus, quanto ao seu formalismo, e aos saduceus, quanto à sua devoção ao templo, ao mesmo tempo que estes se recusavam a dar ouvidos à mensagem de Jesus, o Messias. Jesus ilustrou a natureza de sua reivindicação de autoridade por meio desta parábola.

21.28: Mas que vos parece? Um homem tinha dois filhos, e, chegando-se ao primeiro, disse: Filho, vai trabalhar hoje na vinha.

21.28 Τί δὲ ὑμῖν δοκεῖ; ἄνθρωπος εἶχεν τέκνα δύο. προσελθὼν τῷ πρώτῳ εἶπεν, Τέκνον, ὕπαγε σήμερον ἐργάζου ἐν τῷ ἀμπελῶνι.

28 ἄνθρωπος..δύο Lc 15.11   ὕπαγε...ἀμπελῶνι Mt 20.1

"Dois filhos". Essa parábola é introduzida por uma frase familiar: *"E que vos parece?"* (ver também Mt 17.25 e 18.12), que serve de conexão com o material que o antecede, isto é, a inquirição sobre a autoridade e o fato de que, embora o batismo de João (e o ministério de Jesus) devessem ser obedecidos por aquelas autoridades religiosas, e embora estas afirmassem estar obedecendo a Deus nos menores detalhes, elas se mostravam desobedientes e desviadas, tal como o "filho", nesta parábola, professava servir com os lábios, fingia obediência, mas de fato não era obediente ao seu pai. Os dois filhos representam todas as pessoas que têm a responsabilidade de obedecer a Deus, que é o Pai e o proprietário da vinha; e a vinha representa todo o mundo onde os homens trabalham, ou para Deus ou para Satanás. É um erro limitar aqui o simbolismo às situações "eclesiásticas", embora essa parábola certamente se aplique aos membros da igreja cristã que exercem influência sobre as outras pessoas. Além disso, é verdade que cada indivíduo é um servo de Deus, que tem responsabilidade diante de Deus por todas as suas ações.

Os dois filhos podem representar todos aqueles que têm recebido orientações claras do Pai, no sentido de servi-lo, honrá-lo e agradá-lo. A aplicação da parábola no v. 32 demonstra que a interpretação da atitude dos "dois filhos" é a de que o filho desobediente representa os *falsos líderes* religiosos, ao passo que o filho obediente, embora a princípio se tenha recusado a obedecer, representa os pecadores notórios, mas que finalmente chegam ao arrependimento. É muito provável que os discípulos de Jesus tivessem vindo principalmente desse último grupo.

Todavia, o fato de ambos serem *filhos* implica em idêntica oportunidade e responsabilidade pelo uso da oportunidade que Deus oferece a ambos. Essa oportunidade assume a forma de orientação para o serviço e para a vida piedosa. O pai não deixou na ignorância a nenhum de seus dois filhos. A vinha é um ótimo símbolo porque fala de um trabalho que nunca termina e que requer uma atenção constante. O serviço de Deus, a vida piedosa, a indagação espiritual, jamais se realiza totalmente. Quanto mais fazemos, mais encontramos para ser feito. Quanto mais nos desenvolvemos, mais nos apercebemos da necessidade de nos desenvolver. Quanto maior é a nossa vitória sobre o pecado, tanto mais sensíveis nos tornamos para com a necessidade de sermos santos. Aquele que deixa o trabalho na vinha logo terá de voltar ali, porquanto a tarefa jamais termina.

580 | Mateus | NTI

Nesta parábola, Jesus constrange os líderes religiosos a admitirem a própria culpa, porquanto eles eram como o filho que mostrou a intenção de servir, mas que jamais pôs a intenção em obras. Na parábola que se segue — a dos lavradores maus —, Jesus constrange as autoridades religiosas a declararem a própria punição. *Na terceira parábola* (Mt 22.1-14), Jesus mostrou que finalmente as autoridades religiosas seriam rejeitadas, que o seu sacerdócio lhes seria arrancado e que o reino dos céus, triunfante, seria entregue aos gentios. A primeira parábola encontra-se somente em Mateus, mas as duas outras têm paralelos; a segunda, tanto em Marcos como em Lucas, e a terceira, apenas em Lucas. Trench (in loc.) observa que, embora essas três parábolas tenham tom de severidade, não eram palavras de desafio e de ódio, e, sim, de amor intenso, proferidas com a intenção de afastar os seus ouvintes da má trilha. As autoridades religiosas já vinham traçando planos contra Jesus, e esperavam mesmo levá-lo à execução; no entanto, até então era possível o arrependimento, embora isso não fosse muito provável. Homens que chegam a esse extremo, especialmente quanto têm conhecimento da verdade, dificilmente retrocedem, a despeito das advertências que lhes sejam dirigidas. A parábola dos dois filhos faz um retrospecto, as duas outras têm caráter essencialmente profético.

21.29: Ele respondeu: Sim, senhor; mas não foi.
21.29 ὁ δὲ ἀποκριθεὶς εἶπεν, Οὐ θέλω, ὕστερον δὲ μεταμεληθεὶς ἀπῆλθεν[2].

[2] **29-31** {C} οὐ θέλω, ὕστερον δὲ μεταμεληθεὶς ἀπῆλθεν...ἑτέρῳ... ἐγώ, κύριε καὶ οὐκ ἀπῆλθεν...πρῶτος (ℵ* *omit* δέ) C* K W X Δ Π 0138 565 1010 1071 1079 1195 (1216 ὕπαγω κύριε) 1230 1241 1253 1546 *Byz*[pt] *l*[63,76,185,211,883,1642] (*l*[80] τίς οὖν) it[c,f,q] vg syr[c,p,h] cop[sa mss] eth[ro?pp?] Diatessaron[a,i,n] Irenaeus Origen Eusebius Hilary Cyril // οὐ θέλω, ὕστερον δὲ μεταμεληθεὶς ἀπῆλθεν...δευτέρῳ...ἐγώ, κύριε καὶ οὐκ ἀπῆλθεν...πρῶτος ℵ[c] C[2] L *f*[1] 28 33 892 1009 1242 1344 1365 1646 2148 2174 *Byz*[pt] *Lect* (*l*[127] τίς οὖν) syr[pal ms] eth[ro?pp?] Chrysostom // οὐ θέλω, ὕστερον δὲ μεταμεληθεὶς ἀπῆλθεν...ἑτέρῳ...ἐγώ, κύριε. καὶ οὐκ ἀπῆλθεν...ἔσχατος D it[a,aur,b,d,e,ff2,g1,h,l] syr[s] // ἐγώ, κύριε καὶ οὐκ ἀπῆλθεν...δευτέρῳ...οὐ θέλω ὕστερον μεταμεληθεὶς ἀπῆλθεν...ὕστερος B (700 ὕπαγω κύριε...ὕστερον δὲ...ἔσχατος) syr[palmss] (cop[bo]...ἔσχατος) eth[ms] (geo[2] ὕπαγω *for* ἐγώ *and insert "I will not go" before* ὕστερον, geo[A] πρῶτος *for* ὕστερος) Diatessaron Ephraem Isidore Ps-Athanasius // ὕπαγω καὶ οὐκ ἀπῆλθεν...ἑτέρῳ...οὐ θέλω ὕστερον δὲ μεταμεληθεὶς ἀπῆλθεν...ἔσχατος Θ (*f*[13] geo[1] ὕπαγω κύριε καί) (*l*[547] cop[sa?] // ἔρχομαι, κύριε, καὶ οὐκ ἀπῆλθεν...ἀλλὰ...οὐ θέλω, ἀλλὰ ὕστερον μεταμεληθεὶς ἀπῆλθεν ἐν τῇ ἀμπελῶνι...ἔσχατος | arm

A transmissão textual da parábola dos dois filhos é muitíssimo confusa (ver também os comentários sobre 21.32). O filho que recusou, mas depois obedeceu, é mencionado em primeiro ou segundo lugar (v. 29)? Qual dos dois filhos os judeus tencionavam asseverar que cumpriria a ordem do pai (v. 31), e que palavra usaram em sua resposta à pergunta de Jesus — (πρῶτος ου ἔσχατος ου ὕστερος ου δεύτερος)? Existem três formas principais de texto:

(a) Segundo ℵ C* K W Δ Π it[c,q] vg syr[c,p,h] *al*, o primeiro filho diz "não"; mas depois se arrepende. O segundo filho diz "sim"; mas nada faz. Qual deles fez a vontade do pai? Resposta": ὁ πρῶτος.

(b) Segundo D it[a,b,d,e,ff2,h,l] syr[s] *al*, o primeiro filho diz "não"; mas depois se arrepende. O segundo filho diz "sim"; mas nada faz. Qual deles fez a vontade do pai? Resposta: ὁ ἔσχατος.

(c) Segundo B Θ *f*[13] 700 syr[pal] arm geo *al*, o primeiro filho diz "sim"; mas nada faz. O segundo filho diz "não"; mas depois se arrepende. Qual deles fez a vontade do Pai? Resposta: ὁ ὕστερος (B), ou ὁ ἔσχατος (Θ *f*[13] 700 arm), ou ὁ δεύτερος (4 273), ou ὁ πρῶτος (geo[A]).

Porquanto (b) é a forma mais difícil dentre as três, vários eruditos (Lachmann, Merx, Wellhausen, Hirsch) têm pensado que essa forma deve ser preferida, como aquela que deu origem às demais. No entanto, (b) não apenas é difícil, como também é sem sentido — o filho que disse "sim", mas nada fez, foi o que obedeceu à vontade do pai?! Jerônimo, que, em seus dias, conhecia manuscritos que tinham essa resposta sem sentido, sugeriu que,

de maneira perversa, os judeus deram intencionalmente uma resposta absurda, a fim de estragar o ponto central da parábola. Essa explicação, porém, requer a suposição maior de que os judeus não só reconheceram que a parábola visava a eles, mas preferiram dar uma resposta sem sentido, ao invés de se calarem. Por causa dessas explicações atribuídas aos judeus, ou a Mateus, que envolvem motivos psicológicos ocultos ou motivos literários extremamente sutis, a comissão julgou que a origem da forma (b) deve-se a copistas que ou cometeram um erro de cópia ou foram motivados por preconceitos antifarisaicos (isto é, já que Jesus caracterizava os fariseus como aqueles que dizem mas não praticam (cf. Mt 23.3), os fariseus são apresentados como quem aprova o filho que disse 'Eu irei', mas não foi).

Entre as formas (a) e (c), a primeira é mais provavelmente a original. Não só os testemunhos que apoiam (a) são levemente superiores que os que apoiam (c), mas também haveria uma tendência natural de trocar a ordem de (a) para a de (c), porquanto:

1. Poder-se-ia argumentar que, se o primeiro filho obedeceu, não haveria razão para ter sido chamado o segundo; e

2. Seria natural identificar o filho desobediente ou com os judeus em geral ou com os principais sacerdotes e anciãos (v. 23), e o filho obediente, ou com os gentios ou com os publicanos e as meretrizes (v. 31) e, de acordo com essa linha de interpretação, o filho obediente deveria aparecer em último lugar na sequência cronológica. Pode-se também observar que a inferioridade da forma (c) é demonstrada pela grande diversidade de modalidades com que termina essa parábola.

Quanto a outras discussões sobre essa perplexa passagem, ver Josef Schmid (que concluiu que a forma (c) é a original), "Der textgeschichtliche Problem der Parabel von den zwei Sohnen", em *Vom Wort des Lebens, Festschrift für Max Meinertz*, ed. Nikolaus Adler (=*Neutestamentliche Abhandlungen*; 1. *Erganzungsband*; Münster/Westf. 1951), p. 68-84, e J. Ramsey Michaels (que argumenta que as formas (a) e (c) se originaram de (b), "The Parable of the Regretful Son", *Harvard Theological Review*, lxi (1968), p. 15-26.

A sugestão de Lachmann (*Novum Testamentum Graece*, II, p. v) de que as palavras entre πατρός e ᾿Αμήν são uma antiga interpolação, não foi geralmente aprovada, ainda que, na opinião de Westcott, "não parece improvável que Lachmann esteja substancialmente correto" ("Notes on Select Readings, p. 17). Westcott e Hort marcam a passagem com um obelus, indicando que, em seu parecer, o texto contém um erro primitivo, por detrás de todos os testemunhos existentes.

21.30: Chegando-se, então, ao segundo, falou-lhe de igual modo; respondeu-lhe este: Não quero; mas depois, arrependendo-se, foi.
21.30 προσελθὼν δὲ τῷ ἑτέρῳ[2] εἶπεν ὡσαύτως. ὁ δὲ ἀποκριθεὶς εἶπεν, ᾿Εγώ, κύριε· καὶ οὐκ ἀπῆλθεν[2].

Existem essencialmente *três versões* desta parábola nos mss antigos. As traduções mais modernas, como a AA, a IB e a WM, dizem o seguinte: "Ele respondeu: Sim, senhor; porém, não foi. Dirigindo-se ao segundo, disse-lhe a mesma coisa. Mas este respondeu: NÃO QUERO; depois, arrependido, foi". Esse é o texto dos mss B, Theta, 13,69,124 (Fam 13), 238 e de certo número de versões em idiomas antigos, como o siríaco, o cóptico e o armênio, em alguns mss. Outras traduções, tais como a AC, a KJ e a RSV, dizem: "Ele, porém, respondendo, disse: Não quero, mas depois, arrependido, foi. E dirigindo-se ao segundo, falou-lhe de igual modo; e respondendo ele, disse: Eu vou, senhor; e não foi". Assim é o texto dos mss Aleph, C e de certo número de versões antigas em latim, uma das mais importantes versões siríacas, o Si(c), e a maioria dos mss gregos posteriores. Alguns creem que aqui temos o texto original, mas muitos bons editores (com os quais concordo) preferem o primeiro. O códex Bezae (D), alguns antigos mss latinos, e o mais importante ms em siríaco, o Si(s), exibem ainda outra forma: "Ele respondeu: Não irei; depois, arrependeu-se e foi [...] O último disse: Irei, senhor; mas não foi". Alguns afirmam que *o último* representa os fariseus, os quais afirmam que, embora alguém não obedeça, por ter mostrado boa intenção, é aprovado por Deus. Isso concordaria de modo geral com a parábola referida no v. 28, que figura na literatura judaica. Este último texto, porém, não tem sido aceito pelas autoridades da crítica textual, embora tenha a vantagem (de conformidade com os princípios textuais) de representar o texto mais difícil, que geralmente é o texto correto. À base da evidência textual objetiva, porém, somos obrigados a rejeitá-lo. Seja como for, a mensagem é clara o bastante, a despeito da ordem da apresentação dos dois filhos (um que finalmente obedeceu, e um que nunca obedeceu), sem importar se os fariseus aprovavam ou não o filho desobediente. Deus exige serviço, a realização dos deveres e não meras intenções. Um antigo adágio assevera: "O caminho para o inferno está pavimentado de boas intenções". Isso expressa, até certo ponto, uma das principais lições desta parábola. As intenções podem ser verdadeiras ou falsas, mas, quer em um caso, quer em outro, não são suficientes. No caso dos hipócritas líderes religiosos dos dias de Jesus, as intenções eram quase todas pretextos, ou então certa forma de ostentação.

"Arrependido". Nesta passagem, é usado um vocábulo diferente do que é usualmente empregado no grego. Essa palavra significa "entristecer-se depois", e é usada apenas por cinco vezes no NT.: 21.29,32; 27.3; 2Coríntios 7.8 e Hebreus 7.21. Essa palavra talvez tenha todo o sentido do termo mais comum (o qual é empregado por cerca de sessenta vezes no NT). A palavra mais frequentemente usada indica uma mudança de mente e de direção, e com ela geralmente está associada a remissão de pecados e a salvação consequente. A ênfase da palavra mais utilizada recai mais sobre o elemento da tristeza do que no caso do vocábulo aqui empregado. Paulo distingue agudamente entre a mera tristeza e o ato de "arrependimento", que ele chama de "metanoian", no grego (ver 2Co 7.9), e que vem da mesma raiz da palavra mais frequentemente usada. No caso de Judas Iscariotes, o "arrependimento" foi um mero remorso. (ver Mt 27.3). E a mesma palavra é usada tanto ali como neste versículo (Mt 21.29 ou 30, dependendo dos mss gregos que estiverem sendo seguidos, conforme foi explicado acima). Entretanto, deve-se observar que a tristeza de um dos filhos foi suficientemente genuína, pois o levou ao verdadeiro arrependimento. Eu diria, à base dessa observação, que os dois vocábulos podem ser usados como simples sinônimos, mas que esta palavra destaca o elemento da "tristeza" que causa o arrependimento.

No que concerne à recusa de um dos filhos em obedecer, Trench observa (*in loc.*), que a resposta dada por ele indica rudeza e a total ausência de uma tentativa de desculpar-se por tal desobediência, atitudes essas que caracterizam os pecadores negligentes e desafiadores, que resistem a Deus em seu rosto. O outro filho disse enfaticamente "Eu vou" (conforme é indicado aqui pela gramática grega, ainda que isso não representasse intenção verdadeira, falsidade essa que ainda é mais abominável para Deus do que a outra ação). Esse filho pertence àquela classe dos que "dizem, mas não fazem", a qual é mencionada em Mateus 23.3 (ver nota detalhada sobre o "arrependimento", em Mt 3.2 e Mc 1.15).

Adam Clarke comenta (*in loc.*): "Quão grande multidão existe no mundo pertencente a essa classe, os quais professam conhecer a Deus, mas o negam com suas obras! Infelizmente para eles, de que lhes valerá tal profissão, quando Deus vier arrebatar-lhes a alma?"

21.31: Qual dos dois fez a vontade do pai? Disseram eles: O segundo. Disse-lhes Jesus: Em verdade vos digo que os publicanos e as meretrizes entram adiante de vós no reino de Deus.

21.31 τίς ἐκ τῶν δύο ἐποίησεν τὸ θέλημα τοῦ πατρός; λέγουσιν, Ὁ πρῶτος². Λέγει αὐτοῖς ὁ Ἰησοῦς, Ἀμὴν λέγω ὑμῖν ὅτι οἱ τελῶναι καὶ αἱ πόρναι προάγουσιν ὑμᾶς εἰς τὴν βασιλείαν τοῦ θεοῦ.

21.32: Pois João veio a vós no caminho da justiça, e não lhe destes crédito, mas os publicanos e as meretrizes lho deram; vós, porém, vendo isto, nem depois vos arrependestes para crerdes nele.

21.32 ἦλθεν γὰρ Ἰωάννης πρὸς ὑμᾶς ἐν ὁδῷ δικαιοσύνης, καὶ οὐκ ἐπιστεύσατε αὐτῷ· οἱ δὲ τελῶναι καὶ αἱ πόρναι ἐπίστευσαν αὐτῷ· ὑμεῖς δὲ ἰδόντες οὐδὲ μετεμελήθητε ὕστερον τοῦ πιστεῦσαι αὐτῷ.

32 οὐκ...αὐτῷ Mt 21.25; Lc 7.30 τελῶναι...ἐπίστευσαν Lc 3.12; 7.29 αὐτῷ ὑμεῖς...αὐτῷ Lc 7.30

32 οὐδὲ **B**Θ *f13 1 al* lat; R] ου **ℵW** *28 pm* bo^pt ς: *om* **D** *c d e* sy^s

A confusão que assinala a transmissão de 21.29-31 parece ter afetado também o texto da cláusula final desse versículo. Ao invés de οὐδέ (que aparece em B O Θ Σ Φ Ο 138 1 *f13* 22 33 157 543 565 700 892 1579 1582 a maior parte do Latim Antigo vg cop^bo etí) outros testemunhos (incluindo ℵ C L W X Π 28 118 209 texto bizantino cop^sa) dizem οὐ. D e syr^s omitem negativa; it^c,e,h alteram sua posição (*quad non crididistis*). Δ omite a cláusula toda (de ὑμεῖς δέ até o fim do versículo), talvez por motivo de homoeoteleuton.

A omissão da negativa provavelmente é acidental, pois o sentido resultante — "mas vós, quando o vistes, ao menos vos arrependestes, isto é, mudastes de mente a fim de crerdes nele" — parece ser uma conclusão extremamente imprópria para a declaração de Jesus. Por igual modo, a transferência da negativa para o verbo final não é menos infeliz — "[...] vos arrependestes mais tarde porque não crestes nele" — A forma οὐδέ, apoiada por testemunhos antigos e extremamente diversificados, parece ter sido alterada para οὐ por copistas que não viram a força do argumento — "e vós, vendo isso, nem ao menos sentistes depois, para virdes a crer nele".

"Qual dos dois..." O códex D apresenta os ouvintes a responderem de maneira contrária ao que aqui está, isto é, pensando que o que originalmente mostrou boas intenções, mas não as executou, foi o que fez a vontade do pai. Isso, porém, não representa o texto original, apesar de mostrar as atitudes de alguns mestres antigos. (Ver notas no v. 28.) A maioria concordaria que a execução final *é melhor* do que a obediência fingida (ou mesmo que a intenção genuína de obedecer à ordem) que acaba não obedecendo. Com esta parábola, Jesus forçou as autoridades religiosas a se pronunciarem a respeito de sua desobediência. Na parábola seguinte, o Senhor obrigou-os a pronunciarem o seu julgamento. Possuíam a mensagem de João e não ousavam asseverar abertamente que ele não tivera autoridade emanada diretamente de Deus. Agora também possuíam a mensagem ainda mais autoritária de Jesus, autenticada por muitos milagres inegáveis. Haviam rejeitado a ambos. Cumpriam rituais e cerimoniais com exatidão e zelo, perdendo-se em meros símbolos e sombras. Não obstante, naturalmente sua consciência, vez por outra, lhes dava testemunho da verdade. Todavia, rejeitavam a verdade e preferiam as trevas. Assim fazendo, deixavam de cumprir a vontade de Deus. Neste versículo, Jesus mostrou que essa recusa à obediência a Deus barrava-os da entrada no reino no reino de Deus. Neste caso, o "reino" não é o reino terrestre, que Jesus tencionava estabelecer, e que, às vezes, está em foco. O reino terrestre fora rejeitado, e é bem provável que há muito Jesus tivesse deixado de lado a intenção de trazer o reino literal à terra. Esse evento terá de esperar a inauguração do milênio. Um mundo exausto haverá de aceitar alegremente o reino, uma vez que Deus tenha subjugado todos os inimigos. Com a expressão "reino de Deus", Jesus queria indicar o mundo vindouro, os lugares celestiais. Os desobedientes não irão para ali, ainda que aqui tenham agido como líderes religiosos. (Ver a nota sobre o "reino dos céus" ou "reino de Deus", em Mt 3.2. Essa nota explica os diferentes sentidos possíveis dessa expressão.)

"Em verdade vos digo". Frase frequentemente usada por Jesus para reforçar suas declarações, a fim de mostrar que representam uma verdade seriíssima.

"Publicanos e meretrizes..." Como os fariseus devem ter abominado essas pessoas! Pela literatura rabínica, ficamos sabendo que eles reputavam os "cobradores de impostos", isto é, os "publicanos", como pessoas que estavam além da possibilidade de arrependimento. Imagine-se, pois, o efeito das palavras de Jesus, quando declarou que essas pessoas entrariam no reino na frente deles! Nem mesmo o maior salto da imaginação teria pensado qualquer coisa semelhante a isso. Até mesmo alguns modernos comentaristas das Escrituras pensam que aqui temos uma "declaração problemática". (Por exemplo, Sherman E. Johnson, *in loc.*) No entanto, sabemos que a maior parte dos discípulos de Jesus era proveniente das classes mais baixas, e, sem dúvida nenhuma, muitos deles se tinham enfileirado entre os pecadores mais vis. (Ver Lc 18.10-14.) De conformidade com as palavras de Jesus (v. 32), eles *creram*; e isso é mais do que se poderia dizer acerca dos fariseus e de sua classe.

É interessante observamos que, neste caso, *crer* é virtualmente o mesmo que *obedecer*. Um dos filhos obedeceu, pois foi ao campo trabalhar. Esse representa as classes mais baixas, que "creram". Precisamos aceitar que esse "crer" não era uma forma de "crendice" nenhuma, que tem infestado a moderna igreja evangélica; pelo contrário, subentende obediência e trabalho, e essa obediência e trabalho implicam em "dedicação total". A "crença", conforme é geralmente explicada nas igrejas evangélicas, não subentende "dedicação total". Parece justo dizer que a cristandade moderna não conhece outro tipo de "crença".

Os crentes também são discípulos, e os discípulos necessariamente são praticantes do que Jesus determinou, quer se trate de um princípio moral, quer se trate de uma ação positiva na vinha do Senhor. Os discípulos que nem agem e nem são transformados à imagem de Cristo não são crentes. Aqueles a quem falta a dedicação e a transformação moral à imagem de Cristo, em realidade não são crentes regenerados. A fé é como um rio. Todo rio segue por seu leito, e esse leito é que determina as ações da correnteza. *A fé sem obras é como um rio sem leito.* A "crença" desacompanhada do discipulado autêntico é *espúria*, e é muito difícil provar de outra maneira, quer pelas Escrituras ou pelo bom senso. Buttrick (in loc.) diz: "O cristianismo apela para a *nossa razão*, especialmente agora, quando contemplamos os trágicos resultados da maneira anticristã de viver. O cristianismo apela para as nossas emoções: somos atraídos para Jesus, ao morrer ele em amor solitário. A adoração agita toda a nossa alma dormente. Em face disso, votamos-lhe a nossa obediência. Para alguns, entretanto, hoje é muito cedo ainda, e a disciplina de tentar viver a própria fé é muito difícil. Portanto, embora tenhamos prometido lealdade a Cristo, não 'vamos' ". O primeiro filho representa uma elevada religião. Ele fora insensível e rebelde. Preferiu a própria vontade. No entanto, quem de nós não agiu da mesma forma? Todavia, arrependeu-se. Esse fato significa que ele meditou sobre a vida e enfrentou os fatos da consciência. Significa também que pôs de lado todo o seu orgulho. Por que motivo não temos grande vergonha de pecar, mas coramos de pejo ao tentar confessar nossos pecados? O orgulho é muito poderoso, mas esse filho admitiu o seu erro sem nenhuma tentativa de desculpar-se. Portanto, "foi". Talvez seu trabalho não tivesse sido impressionante, pois talvez sua anterior insolência tivesse servido de empecilho tanto para sua habilidade como para seu poder de permanência. Contudo, fez o que pôde, e Deus levou em consideração a tentativa. Essa história nos oferece uma grande promessa: não precisamos ser escravos de um passado insolente. Entretanto, apresenta-nos também uma advertência: apesar de professarmos a Cristo, nós nos podemos tornar réprobos.

"No caminho da justiça". Conforme Meyer explica, está em vista "um homem totalmente reto e justo. Não é a pregação da justiça que está em foco". A palavra "caminho" (no grego, *hodos*) com frequência significa uma doutrina ou padrão de conduta. (Ver Mt 22.16 e At 13.10.) Precisamos vincular esse "caminho" ao Messias, porquanto João Batista o anunciou. Foi por esse "caminho" que João Batista palmilhou, e não está fora de lugar refletir aqui sobre o fato de que Jesus é "o caminho" (ver Jo 14.6). Mais do que qualquer outro, Jesus apontava para o padrão do caminho, sendo ele mesmo a materialização desse caminho. Os fariseus pensavam que a piedade prática consistia de orações, esmolas e rituais de mil formas diferentes. Essas coisas talvez não sejam más em si mesmas, mas dificilmente representam a totalidade do que Jesus pretendia dizer com o vocábulo "o caminho". (Ver notas em Jo 14.6.)

> **iii. Parábola dos lavradores maus (21.33-43)**
>
> Os paralelos se encontram em Marcos 12.1-12 e em Lucas 20.9-18. A exposição é dada aqui. A fonte informativa é, definidamente, o *protomarcos*, e as pequenas diferenças podem ser explicadas como comentários editoriais ou interpretações. (Ver informação sobre as fontes informativas dos Evangelhos na introdução a este comentário, no artigo intitulado "O problema sinóptico" e na introdução ao evangelho de Marcos.) Esta parábola apresenta uma dificuldade a muitos estudiosos do NT, os quais acham difícil perceber, nas próprias palavras de Jesus, evidências suficientes de que ele ensinou, sem ambiguidades, que ele era o Messias ou o Filho de Deus, em sentido exclusivo. Poder-se-ia indagar de tais estudiosos, porém, como as reivindicações de Jesus poderiam ter sido expressas senão claramente, quando se sabe que os escritores dos Evangelhos escreveram especificamente para demonstrar essa verdade. Seria possível que tivessem escrito propositalmente de modo ambíguo, ao desejarem dizer que Jesus era o Messias e o Filho de Deus, sem que nunca o tivessem feito? E se eles não acreditavam nessas coisas, por que escreveram, então, os Evangelhos? Teriam apresentado a história de certo Jesus, ignorando que ele era o Messias? Esses pensamentos de imediato reduzem a insensatez todas as especulações que alegam que Jesus nunca se apresentou como Messias etc. De fato, a própria existência dos Evangelhos é uma demonstração dessas reivindicações por parte de Jesus; e ler os Evangelhos e não reconhecer essas reivindicações é o mesmo que negar a razão pela qual foram escritos.

21.33: Ouvi ainda outra parábola: Havia um homem, proprietário, que plantou uma vinha, cercou-a com uma sebe, cavou nela um lagar, e edificou uma torre; depois arrendou-a a uns lavradores e ausentou-se do país.

21.33 Ἄλλην παραβολὴν ἀκούσατε. Ἄνθρωπος ἦν οἰκοδεσπότης ὅστις ἐφύτευσεν ἀμπελῶνα καὶ φραγμὸν αὐτῷ περιέθηκεν καὶ ὤρυξεν ἐν αὐτῷ ληνὸν καὶ ᾠκοδόμησεν πύργον, καὶ ἐξέδοτο αὐτὸν γεωργοῖς, καὶ ἀπεδήμησεν.

33 ἐφύτευσεν...πύργον
Is 5.1,2

Esta parábola é uma espécie de *alegoria*. O proprietário da vinha é Deus. O herdeiro é Jesus, o Messias. Os agricultores são o povo judeu, especialmente os líderes religiosos, que tinham a responsabilidade da liderança espiritual. O "povo", que aparece no v. 43, é uma alusão à igreja, especialmente à igreja gentílica. É notável que Jesus tenha predito sua exclusão e morte, ao mesmo tempo que declarava abertamente a sua "autoridade", na qualidade de Filho único de Deus. Sem os toques interpretativos dos vários autores dos evangelhos sinópticos, como a expulsão do filho para fora da vinha e como os dois versículos que aparecem no fim da história, temos essencialmente a apresentação de uma parábola que talvez tenha sido exposta por mais de uma vez, na Galileia, conforme a oposição a Jesus foi ganhando vulto, por ordem dos líderes religiosos. Existiam na Galileia certas condições que se refletiram nesta parábola, tais como a ausência do proprietário e o cultivo da terra por representantes nomeados. (Ver a nota detalhada sobre *parábolas*, em Mt 13.1.) Alguns têm pensado que esta parábola é uma espécie de reedição falada ou escrita da passagem de Isaías 5.1-5, com aplicação especial às circunstâncias da vida de Jesus.

"Atentai noutra parábola". É como se Jesus tivesse dito: "Ainda tenho outra palavra de repreensão, de advertência e de julgamento. Ainda não terminei". Esta parábola não fala simplesmente do fato da punição futura, mas demonstra claramente a natureza da culpa daqueles líderes religiosos e o motivo pelo qual deveriam ser punidos. Haveriam de assassinar o "Filho".

"Vinha". Talvez refira-se, de modo geral, ao mundo onde os homens trabalham e labutam para Deus; mas o mais provável é que indique a *teocracia*, conforme se vê em Isaías 5.1-7. Jesus não falou em termos tão gerais como fez em outras ocasiões (embora, noutras oportunidades, a parábola possa ter tido uma aplicação mais ampla). Aqui, entretanto, ele fala especificamente da entrega de privilégios religiosos especiais às mãos da nação de Israel. A vinha ficou ao encargo deles. No texto de Jeremias 2.21, Israel é comparada com a vinha. Portanto, Israel era a depositária do conhecimento e do serviço de Deus. Na passagem de João 15.1, Cristo aparece como a verdadeira vinha. Ele é a esfera do novo e maior derramamento das bênçãos de Deus. Nele é que surgiu a nova teocracia. Pela história e pela literatura antigas, ficamos sabendo que a vinha era considerada a plantação mais preciosa, pois, usualmente, era a que produzia a maior colheita. Por outro lado, exigia também o mais diligente esforço e um labor constante e dedicado. Os privilégios de Deus não podem ser ignorados. O labor é necessário. A inquirição espiritual se impõe. Precisamos dar atenção às orientações de Deus e nos esforçar por obedecer-lhes. É mister que aprendamos, compreendamos e obedeçamos. Se estivermos trabalhando em sua vinha, será necessário que obedeçamos às orientações do Proprietário da vinha, respeitando seus representantes nomeados.

"Lagar". Deriva-se do vocábulo grego *lenos*, provavelmente sendo uma alusão à gamela que era posta em uma depressão do terreno. O lagar verdadeiro estava acima, e era pelas suas fendas que fluía o líquido para a gamela. Ambas as porções tinham o nome de "lenos". Algumas vezes, o receptáculo era feito de pedras, a fim de esfriar o líquido. Esse receptáculo de pedras poderia ficar acima da superfície do solo; em um lugar oco, eram postas as uvas. Alguns homens, de pés descalços, pisavam sobre as uvas, e o líquido escorria para a parte inferior, para a gamela. O lugar para pisar as uvas algumas vezes era escavado no terreno, e o lugar aberto era recoberto de tijolos ou de pedras. A expressão que se lê em Mateus 21.33 pode referir-se a uma escavação assim. Algumas vezes, o conjunto inteiro da gamela, da escavação e do lugar de pisar era chamado *lenos*.

"Torre". Trata-se da torre de vigia, geralmente construída nos vinhedos para dar ao vigia a vantagem de guardar os frutos contra os ladrões. Essas torres eram estruturas temporárias, pelo que alguns têm pensado que, neste caso, está em vista alguma estrutura mais permanente, talvez um armazém e até mesmo um lugar para os gerentes da vinha morarem.

Em torno de tudo isso fora levantada uma *sebe* ou cerca, provavelmente de uma variedade de plantas espinhosas, que protegia de animais e ladrões a plantação, pois assim o lugar não seria facilmente invadido.

Os intérpretes têm assumido a tarefa de explicar o simbolismo de cada uma dessas coisas, mas a correta interpretação só pode esperar apontar para uma parte do sentido de cada objeto mencionado, sob pena de exagerar e de expor muita insensatez. Pode-se dar uma interpretação geral dizendo que Jesus tencionava mostrar que aquela vinha contava com todas as vantagens possíveis, tal como Israel, mediante a providência de Deus, tinha todas as vantagens de uma vinha bem organizada. Israel tinha a lei e os profetas, e também orientações específicas. Nada lhe faltava.

"Arrendou-a a uns lavradores..." — O arranjo feito com os representantes nomeados poderia ter uma destas três naturezas: (1) Arrendamento a troco de dinheiro. Os lavradores poderiam ter arrendado o local. (2) Parte da colheita seria do proprietário e parte dos lavradores, segundo acordo prévio. (3) Uma quantidade definida da produção seria devolvida ao proprietário. Talvez o último arranjo esteja em foco. Ordinariamente, os lavradores pagavam as próprias despesas e devolviam ao proprietário de 1/4 a 1/2 do total da produção. Após ter sido estabelecido o arranjo, no caso desta parábola, o proprietário retirou-se para um país distante. Deus está no país distante, tendo nomeado supervisores que cuidem de sua vinha. "Somente quando o proprietário vivesse em um país distante é que os lavradores poderiam nutrir a estúpida esperança de, após terem assassinado o herdeiro, desfrutarem da posse permanente da propriedade" (Jeremais, *Gleichnisse Jesus*, p. 47,48). Quando afastados de Deus, os homens agem como querem e até cometem traição. Isso, porém, não passa despercebido por Deus, pois ele é o dono e senhor de todas as coisas.

21.34: E quanto chegou o tempo dos frutos, enviou os seus servos aos lavradores, para receber os seus frutos.

21.34 ὅτε δὲ ἤγγισεν ὁ καιρὸς τῶν καρπῶν, ἀπέστειλεν τοὺς δούλους αὐτοῦ πρὸς τοὺς γεωργοὺς λαβεῖν τοὺς καρποὺς αὐτοῦ.

21.35: E os lavradores, apoderando-se dos servos, espancaram um, mataram outro, e a outro apedrejaram.

21.35 καὶ λαβόντες οἱ γεωργοὶ τοὺς δούλους αὐτοῦ ὃν μὲν ἔδειραν, ὃν δὲ ἀπέκτειναν, ὃν δὲ ἐλιθοβόλησαν.

35 λαβόντες...ἀπέκτειναν Mt 22.6

"Ao tempo da colheita..." O proprietário da vinha é um símbolo de *Yahweh* (Is 5.2-7), o Deus de Israel. Ele aguardava os frutos de justiça que lhe pertenciam por direito, posto que fizera tantas provisões para o sucesso da colheita. Enviou os seus "servos" para recolherem os frutos. Seus servos são os profetas fiéis. Alguns intérpretes têm sugerido que, por causa da grande intranquilidade em Israel, que começou em cerca de 6 d.C., e que incluiu diversas revoltas, é perfeitamente possível que o que é descrito nesta parábola tenha realmente acontecido. Homens de países estrangeiros possivelmente eram donos de propriedades em Israel. O ódio aos estrangeiros, de mistura com a cobiça humana natural, poderia ter causado a matança dos "representantes" desses proprietários de terras. O certo é que a parábola inteira serve de símbolo do que aconteceu durante toda a história de Israel. Cerca de 430 anos após o êxodo do Egito, Deus começou a enviar profetas a Israel, o que continuou até o tempo de João Batista. Os israelitas perseguiram e mataram muitos deles. (Ver Ne 9.26; Mt 23.31,37; Hb 11.36-38.) As instâncias mais frisantes desse tratamento são ilustradas na vida de Isaías, Jeremias, e Zacarias, filho de Joiada. No tempo de Elias, os profetas foram apedrejados ou mortos à espada. (Ver 1Reis 19.14.)

Toda essa história ilustra bem a atitude das multidões religiosas só externamente, pois esses é que, apesar de terem nas mãos a lei e os profetas, eram um povo ímpio, perverso, gananciosos, e, acima de tudo, espiritualmente ignorante. Eram ignorantes porque criam que essas ações poderiam passar sem o devido castigo. O proprietário se afastara para um país distante; por isso, qualquer abuso poderia ser cometido. Na concepção de muitos, Deus

|Mateus| NTI

está distante. De fato, a concepção de Deus, intitulada *deísmo*, por filósofos e teólogos, significa que Deus criou tudo, por ser a causa primária, mas que daí por diante não tem ligação nenhuma com a sua criação, e que aquilo que aqui acontece não o atinge. Esse termo é usado em contraste com o vocábulo *teísmo*, que ensina que Deus criou, é a primeira causa etc., mas que permanece interessado pela sua criação, sendo, realmente, o controlador da criação e aquele que requer retidão. (Ver a nota detalhada sobre as várias ideias concernentes à pessoa e às ações de Deus, em Atos 17.27.)

21.36: Depois enviou ainda outros servos, em maior número do que os primeiros; e fizeram-lhes o mesmo.
21.36 πάλιν ἀπέστειλεν ἄλλους δούλους πλείονας τῶν πρώτων, καὶ ἐποίησαν αὐτοῖς ὡσαύτως.

"Enviou..." A impiedade da nação não se modificou para melhor com a passagem do tempo, porquanto nota-se que houve o aumento do número de profetas enviados, mas que isso serviu apenas para intensificar a violência dos lavradores, ao invés de aumentar a produção do *fruto* de justiça, em resultado do ministério dos profetas. Daqui se extrai a ideia de que os indivíduos pervertidos, que parecem poder escapar do castigo devido às suas más ações, são encorajados pelo fato, e assim se tornam ainda mais pervertidos. Sócrates dizia que "a vida não-examinada não é digna de ser vivida". Isso é uma boa doutrina, mas muitos existem que não se deixam convencer pela veracidade do conceito. Assim também, a nação de Israel, a despeito de suas notáveis vantagens, vivia essencialmente uma vida *não-examinada*. Ignoraram ou perseguiram os examinadores. Platão declarou que a pior coisa *que pode* suceder a um homem é que suas más ações não sejam descobertas e ele não seja punido por causa delas. Assim também, a nação de Israel praticava muitas iniquidades, conforme as acusações dos profetas que lhe foram enviados, mas os israelitas pareciam presos à noção de que nenhum castigo lhes sobreviria. Essa atitude só causou a piora da situação espiritual e a desintegração do caráter da nação, porquanto, por fim, foram capazes de assassinar o próprio Messias, chegando alguns a pensar que com isso estavam prestando um serviço a Deus. O caráter moral da nação de Israel desintegrara-se completamente.

A psicologia moderna ensina-nos que isso acontece àqueles que agem de modo contrário à sua consciência de maneira constante, e que nunca exercem fibra moral. A fibra moral *desintegra-se*, e, justamente com ela, a personalidade. Neste versículo, há, igualmente, uma alusão ao grande poder e à plenitude da obra dos profetas posteriores. A revelação divina tornou-se paulatinamente mais clara; mas foi sendo ao mesmo tempo mais e mais ignorada ou rejeitada. Finalmente, João Batista, o maior de todos os profetas de conformidade com as próprias palavras de Jesus, pereceu na terra. O povo comum reputava-o grande profeta; mas logo em seguida exigiu a crucificação daquele que João anunciara. A fibra da nação de Israel certamente estava fraquíssima nesse ponto, pois de outro modo isso jamais teria ocorrido. É incrível que não houvesse nenhuma manifestação de último minuto em favor de Jesus, considerando a sua fama e popularidade imensas entre o povo comum.

21.37: Por último enviou-lhes seu filho, dizendo: A meu filho terão respeito.
21.37 ὕστερον δὲ ἀπέστειλεν πρὸς αὐτοῖς τὸν υἱὸν αὐτοῦ λέγων, Ἐντραπήσονται τὸν υἱόν μου.

"Por último enviou-lhes o seu próprio filho..." Marcos assinala ainda mais a natureza da ação do proprietário: "Restava-lhe ainda um, *seu filho amado*". Tudo dava a entender que o proprietário tinha apenas um filho, e que ele era o *amado*. (Ver Mc 12.6.) Lucas também lhe dá o nome de "amado". (Ver Lc 20.13.) A

linguagem é deliberada e enfática. Ali estava a personagem ímpar, aquele que merecia o respeito de todos, até mesmo de homens ímpios e insensatos. É óbvio que a alusão é a Jesus, e que esse texto ensina seu valor infinito e sua posição acima de todos os profetas. Isso se vê especialmente na linguagem empregada. Os profetas eram apenas "servos" do proprietário, ao passo que Jesus era o Filho único e amado. Pela morte dos "servos" o proprietário não baixou nenhuma ordem de punição, mas, por causa da morte de seu filho, ele mandou matar a cada um daqueles homens miseráveis. Assim também Deus, em sua grande misericórdia e longanimidade, após todos os insultos e a violência de homens pouco mais elevados que os animais, cobiçosos e atrevidos, enviou-lhes o maior de todos os tesouros, o seu Filho unigênito. Ninguém pode deixar de ver nisso as atuações da graça divina. Os desejos de Deus visavam a receber os "frutos da justiça", que beneficiam a todos. E Deus não tem estacado diante de coisa nenhuma, no decurso da história humana, a fim de cumprir esse alvo.

A expressão "a meu filho respeitarão" tinha o desígnio de ensinar como era grave a culpa quase inconcebível de não terem acolhido reverentemente o Filho de Deus. (Ver Brown, in loc.) Buttrick (in loc.) diz: "Jesus talvez tenha falado abertamente sobre isso; mas, seja como for, expressou essa verdade (de sua filiação sem-par) por meio de sua vida, morte e ressurreição. A igreja talvez tenha feito acréscimos ao depósito original da história. E que importa? Neste último caso, Jesus continua falando para a igreja e por meio dela. Podemos ser gratos por ela estar aqui, pois ele se tornou para nós o mais alto motivo da sinfonia da história e da vida. O seu poder de perdoar, a inevitabilidade de seus ensinos, o constrangimento inescapável de sua morte, e sua permanência na conquista da morte, revelam-no como Filho de Deus e herdeiro dos séculos. Temos reverenciado o Filho? A comunidade cristã também deve viver sob o temor do juízo. Suponhamos que o julgamento começasse pela igreja! A própria consciência do fracasso de Israel pode cegar-nos para com nosso desvio rebelde".

"Respeitarão". O verbo significa, literalmente, voltar-se para, ou seja, dar ouvidos e respeitar. Este versículo, de modo geral, dá uma resposta bem direta à indagação que há no v. 23: "Com que autoridade fazes estas coisas? e quem te deu essa autoridade?" Os servos de Deus não haviam sido respeitados, mas, nesse caso, podemos supor que as autoridades religiosas não reconheceram a autoridade deles e nem aceitaram suas credenciais, ou que de outro modo tenham agido de maneira imprudente, embora escusável. No caso do Filho, porém, a quem deveriam ter reconhecido como Filho de Deus e herdeiro de tudo, não tinham desculpa a apresentar por sua ignorância etc.

21.38: Mas os lavradores, vendo o filho, disseram entre si: Este é o herdeiro; vinde, matemo-lo, e apoderemo-nos da sua herança.
21.38 οἱ δὲ γεωργοὶ ἰδόντες τὸν υἱὸν εἶπον ἐν ἑαυτοῖς, Οὗτός ἐστιν ὁ κληρονόμος· δεῦτε ἀποκτείνωμεν αὐτὸν καὶ σχῶμεν τὴν κληρονομίαν αὐτοῦ.

21.39: E, agarrando-o, lançaram-no fora da vinha e o mataram.
21.39 καὶ λαβόντες αὐτὸν ἐξέβαλον ἔξω τοῦ ἀμπελῶνος καὶ ἀπέκτειναν[3].

---

39 He 13.12

[3] **39** {B} αὐτὸν ἐξέβαλον ἔξω τοῦ ἀμπελῶνος καὶ ἀπέκτειναν (ℵ ἔβαλον) B C K L W X Δ Π 0138 *f*¹ *f*¹³ 28 33 565 700 892 1009 1010 1071 1079 1195 1216 1230 1242 1242 1253 1365 1546 1646 2148 2174 *Byz Lect* it^{aur,f,ff²,l,q} vg cop^{sa?bo?} (arm ἐξέβαλον αὐτόν) Irenaeus^{lat} // αὐτὸν ἀπέκτειναν καὶ ἐξέβαλον ἔξω ἀμπελῶνος D (Θ ἀπέκτειναν αὐτόν) it^{a,b,c,d,e,ff²,h,r1} geo Irenaeus Lucifer Juvencus // αὐτὸν ἐξέβαλον αὐτὸν ἔξω τοῦ ἀμπελῶνος καὶ ἀπέκτειναν αὐτὸν syr^{c,h,palms} (syr^{h with *} *omit second* αὐτόν, syr^{s,p,pal mss} *omit first* αὐτόν) eth

> O texto ocidental (D Θ it^{a,b,c,d,e,ff2,h,r1} geo Irineu Lúcifer Juvenco) foi assimilado à sequência de Marcos, onde o filho é morto e então lançado fora da vinha (Mc 12.8). Mateus e Lucas (20.15), refletindo o fato de que Jesus fora crucificado fora da cidade (Jo 19.17,20; Hb 13.12s) revertem a ordem e a expulsão aparece antes da matança.

"Este é o herdeiro..." A verdade é que o reconheceram, mas tornaram-se *mais* gananciosos e violentos do que nunca, porquanto, em sua mente pervertida calcularam ser grandemente beneficiados com sua morte, sabendo que ele era o herdeiro, e pensando tolamente que, dessa maneira, a herança passaria às mãos deles. Observe o leitor a loucura e a estupidez sem nome de homens que gradualmente têm arruinado o próprio caráter moral!

As palavras de Jesus revelam *total conhecimento* dos planos formados por aqueles homens. Já haviam planejado matá-lo, e Caifás já dissera que era mister que um só homem morresse pela nação. Caifás não falava de expiação. O que as autoridades religiosas temiam, entretanto, é que os seguidores de Jesus, entre os quais provavelmente haveria muitos radicais que ainda nutriam a esperança de vê-lo derrubar o domínio romano, aguardando como estavam um Messias político, poderiam provocar um levante popular. Isso obrigaria os romanos a enviar tropas para por os judeus de volta ao seu lugar de subserviência. Uma invasão romana certamente teria significado grande derramamento de sangue e carnificina em Israel, o que equivaleria à morte dessa nação. Ora, a morte de Jesus, na ideia de Caifás, evitaria toda essa tragédia.

"Lançaram-no fora da vinha". A despeito de que tais pormenores não visam a ter paralelos exatos na história do Calvário, não podemos deixar de ver que isso foi exatamente o que aconteceu. Jesus foi entregue ao julgamento pelos gentios e foi crucificado fora da cidade, a Cidade Santa, que era o grande símbolo da vinha de Deus. (Ver Jo 19.20 e Hb 13.12.) Alguns intérpretes acreditam que o fato de o filho ter sido expulso da vinha também inclui a ideia de que Jesus foi excomungado da congregação judaica. Ele foi expulso de sua vinha, rejeitado total e oficialmente pelas autoridades religiosas, e então foi executado na cruz. Foi dessa maneira que Israel atingiu o clímax de seus pecados nacionais e pessoais, e até agora não se recuperou de seus efeitos. "Que caso estranho e inexplicável é esse!" (Adam Clarke, in loc.).

21.40: Quando, pois, vier o senhor da vinha, que fará àqueles lavradores?
21.40 ὅταν οὖν ἔλθῃ ὁ κύριος τοῦ ἀμπελῶνος, τί ποιήσει τοῖς γεωργοῖς ἐκείνοις;

21.41: Responderam-lhe eles: Fará perecer miseravelmente a esses maus, e arrendará a vinha a outros lavradores, que a seu tempo lhe entreguem os frutos.
21.41 λέγουσιν αὐτῷ, Κακοὺς κακῶς ἀπολέσει αὐτούς, καὶ τὸν ἀμπελῶνα ἐκδώσεται ἄλλοις γεωργοῖς, οἵτινες ἀποδώσουσιν αὐτῷ τοὺς καρποὺς ἐν τοῖς καιροῖς αὐτῶν.

"Quando [...] vier o senhor..." O grego expõe um *jogo de palavras* que tem sido variegadamente traduzido, como, por exemplo: "[...] matará perversamente aqueles homens perversos...", "[...] destruirá *miseravelmente* aqueles homens *miseráveis*..." (Robertson), "[...] maléficos homens entregará ao mal..." (versão de *Rheims*), "[...] ele destruirá com mal aqueles homens maus" etc. A ordem das palavras, no texto grego, também se destaca aqui: "Homens miseráveis, miseravelmente ele os destruirá". O intuito óbvio da declaração é que eles receberão exatamente o que merecem, e essa é a grande lei moral do universo. A vida aqui e no outro mundo se "equiparam". Em outras palavras, pagamos as nossas dívidas porque nós as fizemos. Somos julgados porque temos cometido pecados e o julgamento é feito conforme o tipo e a extensão do pecado. Até mesmo quando os pecados nos são perdoados em Cristo, os efeitos e resultados da desobediência terão de ser sofridos pelo pecador, pois nada pode apagar a ordem dos acontecimentos que tivermos feito desencadear.

Por esse motivo é que os pecados contra o corpo são punidos mediante a morte do corpo. Os pecados contra a mente são punidos com a enfermidade mental. E os pecados contra a alma são punidos mediante o julgamento da alma. Paulo expressou a mesma ideia com outras palavras: "Não vos enganeis: de Deus não se zomba; pois *aquilo* que o homem semear, *isto* também ceifará. Porque o que semeia para a sua própria carne, da carne colherá corrupção; mas o que semeia para o Espírito, do Espírito colherá vida eterna" (Gl 6.7,8). Mateus apresenta a resposta à pergunta: "[...] que fará àqueles lavradores?", dizendo: "Fará perecer horrivelmente a estes malvados". Essas palavras foram proferidas pelas autoridades religiosas, e isso significa que elas mesmas determinaram a sua condenação. No caso de outros, podiam ver claramente o que deve ser feito. O mal deve ser punido, especialmente um mal tão iníquo. No seu caso, entretanto, estavam cegos — supunham que poderiam cometer o desmedido crime de assassinar o Filho de Deus sem que tivessem de sofrer o castigo que tal ação merece. Certamente faz parte das inclinações humanas pensar dessa maneira. Vemos claramente a necessidade de castigo contra o pecado alheio, mas ficamos cegos para com nossas iniquidades. Que Deus nos ajude a não ser cegos! Tal como as palavras de Caifás, em João 11.49-51, estas palavras foram uma profecia inconsciente. Talvez seja notável que aqueles que assassinaram os profetas por um momento ocupassem o lugar dos profetas, predizendo a própria condenação. Pelo menos neste caso, disseram uma verdade. O juízo de Deus, aqui referido, começou com a morte e a ressurreição de Cristo, expressou-se de maneira toda especial na destruição de Jerusalém, em 70 d.C., tem tido diversas oportunidades de expressão, na história antiga e moderna, e se expressará de maneira mais óbvia quando da *parousia* (segunda vinda) de Cristo, com uma última e completa expressão quando do juízo final. (Ver 1Co 15.23; Mt 25.31 e 2Ts 2.)

"E arrendará a vinha..." Trata-se de uma clara referência à *rejeição de Israel* por parte de Deus, e à sua intenção de formar uma "nova nação" (ver o v. 43), que é a igreja, formada principalmente de povos gentílicos. Os propósitos de Deus quanto à humanidade não falharão, mas os seus métodos podem ser alterados. Deus recolherá os frutos do labor dos profetas, mas, principalmente, dos labores de Jesus Cristo. Assim, pois, ele estabelecerá um novo reino e desenvolverá plenamente a sua vinha — terá uma grande colheita e obterá muito lucro. Enviará novos servos — mestres, profetas, pastores —, ministros que produzirão fruto abundante. Tanto Marcos como Lucas falam da entrega da vinha a outros, mas somente Mateus alude ao sucesso eventual da vinha. Nem todos os filósofos confiam na vitória final do bem sobre o mal; mas este texto assegura-nos que podemos ter essa confiança. Os "frutos" não devem ser limitados apenas aos atos de justiça dos indivíduos ou das nações; pelo contrário, devem ser aceitos como o grande sucesso geral de Deus, pois os seus planos relativos aos homens se cumprirão. O homem tem um destino imenso. Será metafísica e moralmente transformado segundo a imagem mesma de Cristo. Deus cumprirá esse alvo final, a despeito de todos os aparentes recuos. Ver notas em Romanos 8.29, onde há desenvolvimento desse tema.

21.42: Disse-lhes Jesus: Nunca lestes nas Escrituras: A pedra que os edificadores rejeitaram, essa foi posta como pedra angular; pelo Senhor foi feito isso, e é maravilhoso aos nossos olhos?
21.42 λέγει αὐτοῖς ὁ Ἰησοῦς, Οὐδέποτε ἀνέγνωτε ἐν ταῖς γραφαῖς, Λίθον ὃν ἀπεδοκίμασαν οἱ οἰκοδομοῦντες οὗτος ἐγενήθη εἰς κεφαλὴν γωνίας· παρὰ κυρίου ἐγένετο αὕτη, καὶ ἔστιν θαυμαστὴ ἐν ὀφθαλμοῖς ἡμῶν;

---

42 Λίθον...γωνίας At 4.11; 1Pe 2.7

Λίθον...ἡμῶν Sl 118.22,23

586 |Mateus| NTI

"Nas Escrituras..." Essa citação é extraída de Salmos 118.22,23, na LXX. Apropriadamente, essa citação foi extraída desse salmo, por ser o salmo do qual foi tirado o *hallel*, e que tantos entoaram para Jesus, quando de sua entrada triunfal em Jerusalém. Essa passagem tem ocupado importante papel na história da igreja, e muitos sermões, antigos e modernos, se têm baseado na mesma. Representa a porção essencial da esperança cristã e o triunfo final de Cristo. Nota-se que Pedro usou essa seção em sua defesa, ante o sinédrio, em face de que devem tê-lo odiado. (Ver At 4.11). Novamente Pedro a usou para defender a mensagem cristã, em 1Pedro 2.7. Utilizou-a para encorajar os crentes que estavam debaixo de perseguições, pois a esperança quanto ao futuro é necessária quando toda a esperança terrena se esvai. Pedro sabia que Jesus triunfara, pois o tinha visto vivo, após a ressurreição, e sabia que os crentes, por semelhante modo, triunfarão em Jesus Cristo.

A pedra angular era um item importantíssimo nas edificações daquela época. Tinha de ser firme e forte, porque era usada para juntar as duas paredes que se juntavam no ponto onde ela era posta. Lemos que o templo tinha uma pedra angular com 5,80 m de comprimento e 1,13 m de espessura. Qualquer edifício poderia ruir se a pedra angular fosse defeituosa. A pedra angular era selecionada com cuidado, pois de seu caráter é que dependeria a duração do edifício, bem como a sua segurança. O salmista aplicou essa passagem à escolha de Davi como rei, mas, nos escritos rabínicos, nota-se que a passagem era compreendida como uma alusão ao Davi messiânico. Davi, pois, tornou-se um tipo do Messias em sua posição de rei, porque é nesse ofício que o Messias uniria e daria vigor à nação inteira. A passagem de Efésios 2.20 menciona Cristo como a principal pedra de esquina, e este capítulo esclarece que a nova nação, que seria fundada sobre Cristo, seria composta tanto de judeus como de gentios. Por esse motivo é que os pais da igreja viam na imagem das duas paredes unidas pela imensa pedra angular, um símbolo da igreja, que reúne elementos judaicos e gentílicos por meio da agência de Cristo.

Temos, neste ponto, uma espécie de *segunda parábola* que explica os elementos da primeira; ou pelo menos pode-se dizer que temos aqui a figura de um edifício, usada para demonstrar que a vinha de Deus será firmada, e que, finalmente, realizará aquilo que é de seu propósito. Conforme essa explicação, a pedra angular era maciça; foi cortada segundo a orientação do construtor; mas, de alguma forma inexplicável, na confusão, os construtores se esqueceram dela. Dando prosseguimento à edificação, percebem o quanto inadequada é a sua pedra angular, e temem pela segurança da estrutura inteira. Então, os construtores voltam à pedra angular original, que talvez tenha sido redescoberta por acidente. O texto indica que antes essa pedra angular fora voluntariamente rejeitada. Agora, porém, os construtores, percebendo que essa é a pedra angular de que necessitam, remodelam a sua construção. E a pedra angular rejeitada torna-se a principal pedra de esquina.

Isso é um feito do *grande arquiteto chefe*, e todos nos maravilhamos ante o prodígio. Evidentemente, Jesus indica aqui a restauração de Israel, quando "todo o Israel será salvo", que é o tema do décimo primeiro capítulo da epístola aos Romanos. Deus não destruiu a construção original. Os gentios é que foram adicionados. Eventualmente, Deus haverá de restaurar toda a sua obra inicial em Israel. O labor dos profetas, pois, não terá sido em vão, e nem o ministério de Jesus em Israel. É inevitável que venha a restauração. Deus fará essa obra no tempo por ele determinado. E assim poderemos admirar o produto terminado. Cristo é a grande pedra angular, que garantirá o êxito final da construção e a fortaleza do edifício. Isso será maravilhoso aos nossos olhos. Parece, pois, que a profecia fala de modo geral sobre as obras de Deus. Ele edificará a igreja, mas também restaurará Israel. Paulo explica tudo isso de maneira pormenorizada, em Romanos 9—11.

21.43: Portanto eu vos digo que vos será tirado o reino de Deus, e será dado a um povo que dê os seus frutos.

21.43 διὰ τοῦτο λέγω ὑμῖν ὅτι ἀρθήσεται ἀφ' ὑμῶν ἡ βασιλεία τοῦ θεοῦ καὶ δοθήσεται ἔθνει ποιοῦντι τοὺς καρποὺς αὐτῆς.

"O reino de Deus..." Jesus aplica a parábola aos que ouviam e à nação inteira de Israel. Ele acabara de ilustrar o sentido da parábola dos "lavradores maus" mostrando que as obras de Deus podem ser comparadas a um edifício que requer uma maciça pedra angular, como também o templo de Deus, em Jerusalém, tinha uma dessas pedras. Os construtores do templo espiritual haviam rejeitado a pedra angular que fora cortada por ordem do arquiteto e chefe. Para esses, isto é, para o povo de Israel, a edificação terá de cessar até que a principal pedra angular seja devolvida ao seu devido lugar. Chegará, *finalmente*, o tempo em que Israel tornará a construir sobre essa pedra. Nesse ínterim, as obras de Deus não cessam. Deus planta uma nova vinha e envia novos servos, tendo garantido de antemão o sucesso da empreitada. O *novo povo*, como é óbvio, refere-se à igreja.

É digno de nota que *alguns rabinos* ensinavam que o reino seria tirado das mãos de Israel. Tal como em Mateus 22.7, aqui também pode haver uma alusão à destruição de Israel, durante a qual o templo seria derrubado etc., mas tudo isso é apenas um símbolo da maior destruição de Israel, como nação. O templo caiu nas mãos dos romanos. E eles o destruíram totalmente. Hoje em dia só se conhecem três pedras que antes faziam parte do templo. (Ver notas em Mt 24.2 e Lc 21.6.) O imperador romano, Adriano, reedificou Jerusalém, chamando-a de *Aelia Capitolina*, segundo o nome de um imperador e deus romano. Proibiu os judeus de ao menos entrarem na cidade. O imperador Constantino (272-337 d.C.) transformou-a em um santuário cristão. Como a história tem demonstrado de maneira admirável o sentido das palavras que Jesus pronunciou aqui! Finalmente, seu nome reinou supremo em Jerusalém. Quem teria antecipado essa ação de Constantino, ou o fato de que o império romano inteiro viria a ser chamado cristão? Por semelhante modo, Cristo tem triunfado e continuará triunfando, até mesmo em Israel, porquanto haverá de restaurar seu povo antigo, e ele haverá de reconhecê-lo, e tudo isso será maravilhoso aos nossos olhos. Nesse ínterim, por intermédio da igreja — novo edifício e nova vinha —, Deus põe em execução seus propósitos especiais, e por meio dessa "nova nação" virá a glória mais refulgente de Deus e de seu Cristo. Vê-se, portanto, que esta passagem tem um tom quase inteiramente profético. O símbolo de Cristo, como pedra, é aplicado de várias maneiras nas Escrituras: (1) Na qualidade de rei Messias (simbolizado por Davi, em Sl 118.22.) (2) Na qualidade de abençoador de Israel (1Co 10.4), qual bebida espiritual, qual porção satisfatória e enriquecedora. (3) No sentido de escândalo e tropeço, posta no caminho de Israel, referindo-se à infeliz condição da natureza, resultante do fato de se terem recusado a aceitar seu Salvador e rei. (Ver Is 8.14,15; Rm 9.32,33 e 1Pe 2.8.). A obra de Deus tem prosseguimento porque a principal pedra angular continua em seu devido lugar.

21.44: E quem cair sobre esta pedra será despedaçado; mas aquele sobre quem ela cair será reduzido a pó.

[[**21.44** Καὶ ὁ πεσὼν ἐπὶ τὸν λίθον τοῦτον συνθλασθήσεται· ἐφ' ὃν δ' ἂν πέσῃ λικμήσει αὐτόν.]][4]

[4] 44 Dn 2.34,35,44,45

[4] **44** {C} *omit verse 44* D 33 it[b,d,e,ff1,2,g1] syr[s] Diatessaron[v] Irenaeus[gr,lat] Origen Eusebius // *include verse 44* ℵ B C K L W X Δ Π 0138 (Θ 1079 1546 *omit* καὶ) *f*¹ *f*¹³ 28 565 700 892 1009 1010 1071 1195 1216 1230 1241 1242 1253 1344 1365 1646 2148 2174 *Byz Lect* it[aur,c,f,g1,h,l,q] vg syr[c,p,h] cop[sa,bo] arm eth geo Aphraates Ephraem Chrysostom Augustine Ps-Chrysostom

Muitos eruditos modernos reputam o versículo como antiga interpolação (com base em Lc 20.18) para a maior parte dos manuscritos de Mateus. Por um lado, porém, as palavras não são as mesmas, e um lugar mais apropriado para sua inserção seria após o v. 42. Talvez sua omissão possa ser explicada, pois, com a possibilidade de o olho do copista ter passado de αὐτῆς (v. 43) para αὐτόν. Apesar de considerar o versículo um acréscimo ao texto, devido à sua antiguidade e importância na tradição textual, a comissão resolveu mantê-lo no texto, dentro de colchetes duplos.

"Todo o que cair..." Os mss D, 33 e algumas traduções latinas e o Si(s) omitem esse versículo, que também não se encontra nas citações de Orígenes e Irineu, pais da igreja. Os mss Aleph, BCEFGHKLMSUVXZ, Delta e Fam Pi o contêm; ele também aparece nas traduções ASV, AA, AC, BR, GD, F, WM, WY e M. Alguns estudiosos reputam-no um acréscimo, feito por escribas antigos, para *harmonizar* com Lucas 20.17,18, que é o paralelo deste texto. No evangelho de Lucas, não há dúvidas quanto à autenticidade dessas palavras. Os editores, porém, estão divididos em torno da questão: essas palavras também fazem parte do texto original de Mateus? Se é uma adição ao evangelho de Mateus, elas são muito antigas, já que os melhores e mais antigos mss as contêm. Seja como for, elas são autênticas nos Evangelhos, considerados em seu conjunto, uma vez que a narrativa de Lucas as registra.

Essas palavras foram *extraídas* de Daniel 2.34,35,44,45, sendo uma passagem definidamente profética, concernente ao grande poder que Cristo, um dia, terá sobre este mundo, porquanto julgará todos os reinos e estabelecerá o seu reino milenar à face da terra. Com elas, Cristo mostra que ele não é apenas a principal pedra angular, mas é também o juiz; e não somente o juiz, mas também o juiz de todas as nações. Se essas palavras foram compreendidas pelas autoridades religiosas que as ouviam, devem tê-las deixado furiosas. Elas devem ter pensado que aquele profeta de Nazaré proferia imensas blasfêmias, reivindicando poderes e posições fantásticos. O que abrandava a gravidade do caso é que ele dizia a verdade; mas essa verdade deve ter sido completamente incompreensível para aqueles homens. Não havia meios para saber quão grande era sua estatura e poder espirituais. Àquela altura, nem mesmo os discípulos mais íntimos de Jesus poderiam ter compreendido as implicações universais do que Jesus dizia aqui. Há também, neste texto, uma referência a certa profecia, feita em Isaías 8.14,15, que visa especificamente à nação de Israel. Haverá muito despedaçamento e pulverização, antes do Messias assumir sua posição legítima neste mundo. Alguns acreditam que a primeira queda de um indivíduo sobre essa pedra pinta a humilhação do homem que finalmente crê, que os efeitos dessa queda são desanuviados, e que de fato esse homem se levantará em glória, para estar com Cristo em seu reino. Entretanto, caso a pedra se precipite sobre alguém, o que fala de julgamento, o resultado será irremediável, irreversível. Outros estudiosos, no entanto, acreditam que ambas as cláusulas se referem ao julgamento. Aqueles que caem sobre a pedra são injuriados quando do *julgamento*, mas não de forma comparável com o que sucederá quando do horrendo julgamento final, quando Cristo assumir todo o poder em suas mãos, a fim de reinar com vara de ferro. Assim como os operários de uma construção podem cair por acidente sobre uma pedra, também os construtores espiritualmente injustos tropeçam em Cristo, e ficam feridos. Imagine-se, porém, o efeito da gigantesca pedra angular a precipitar-se sobre um dos operários! Isso aconteceu quando da destruição de Jerusalém, no ano 70 d.C., quando a carnificina foi terrível. Resta ainda o futuro e mais severo julgamento, que envolverá não somente Israel, mas também todas as nações da terra. Jesus ilustra algo do que queria dizer nessa parábola: *"Destruirá miseravelmente aqueles homens miseráveis"*. Lange diz (in loc.) que a primeira cláusula refere-se ao julgamento do inimigo ativo do Cristo passivo. E que a segunda cláusula alude ao julgamento do Cristo ativo sobre o adversário passivo.

> **iv. Conluio contra Jesus (21:45,46)**
> "Os evangelistas criam que Jesus narrara a parábola incisiva e publicamente. Havia, porém, outras razões suficientes para seus oponentes desejarem detê-lo. Mateus adiciona que a razão por que eles temiam as multidões é que estas o tinham por profeta. Outrossim, Jesus, tal como muitos dos fariseus, era o campeão do povo comum contra o grupo corrupto dos principais sacerdotes." (Sherman Johnson, in loc.)

21.45: Os principais sacerdotes e os fariseus, ouvindo essas parábolas, entenderam que era deles que Jesus falava.

21.45 Καὶ ἀκούσαντες οἱ ἀρχιερεῖς καὶ οἱ Φαρισαῖοι τὰς παραβολὰς αὐτοῦ ἔγνωσαν ὅτι περὶ αὐτῶν λέγει·

21.46: E procuravam prendê-lo, mas temeram o povo, porquanto este o tinha por profeta.

21.46 καὶ ζητοῦντες αὐτὸν κρατῆσαι ἐφοβήθησαν τοὺς ὄχλους, ἐπεὶ εἰς προφήτην αὐτὸν εἶχον.

46 τοὺς οχλους] p) τον οχλον ℵ* pc | εἰς ℵΒΘ ı pc; R] ως **DW** f13 28 565 700 pl latt co ς

46 ἐφοβήθησαν...εἶχον Mt 14.5; 21.26   εἰς...εἶχον   Mt 16.14; 21.11; Lc 7.16; 24.19; Jo 4.19; 9.17

Ver as notas sobre os "fariseus", em Marcos 3.6, sobre os "escribas", em Marcos 3.22; sobre os "saduceus", em Mateus 22.23; sobre o "sinédrio", em Mateus 22.23; sobre os "herodianos", em Marcos 3.6; e sobre os "essênios", em Lucas 1.80 e Mateus 3.1.

Esses homens pelos menos compreenderam, *em termos gerais*, que Jesus falara a respeito deles, ainda que dificilmente pudessem ter entendido a grande profecia predita pelo Senhor. Saindo dali, tomaram conselho contra ele; e Lucas acrescenta que isso aconteceu "na mesma hora". Estavam furiosos, e não podiam esperar um momento sequer. Suas providências devem ter surtido efeito, pois não demorou muito tempo até levarem Jesus à execução. Como se fossem gigantescas aves de rapina a vigiarem a presa, tão-somente aguardavam o momento azado de infligir-lhe o ferimento mortal. Naquele exato momento, porém, faltou-lhes a oportunidade para tanto, porque as multidões ainda davam seu apoio a Jesus. Aquelas autoridades religiosas haviam perdido inteiramente a moral; temiam os homens, embora não tivessem temor a Deus. Já tinham concordado em assassiná-lo, mas agora deliberavam em como aperfeiçoar seus planos. Adam Clarke diz neste ponto (*in loc.*): "A intrepidez de nosso Senhor é digna de admiração e de imitação; na face mesma de seus mais inveterados inimigos, ele deu nobre testemunho da verdade, repreendeu as suas iniquidades, anunciou os julgamentos divinos contra eles, e, defronte mesmo dos dentes destruidores, arrostou o perigo e a morte".

Capítulo 22

v. Parábola do convite rejeitado (22.1-14)
Nota-se que o texto de Mateus 22.2-5,8-10 é igual ao de Lucas 14.16,21. Sem dúvida, a fonte informativa dessa parábola é a fonte "Q". (Ver notas sobre as fontes informativas dos Evangelhos no artigo da introdução a este comentário intitulado "O problema sinóptico", e na introdução ao evangelho de Marcos.) Ambos esses autores editaram e acrescentaram alguns pormenores à fonte original "Q", a fim de preencher diversos aspectos que eles tencionavam apresentar. Com frequência, os escritos rabínicos assemelham Deus a um rei. Mateus expõe a história da festa de casamento do filho do rei, ao passo que Lucas simplesmente fala

588 |Mateus| NTI

de *certo homem* que ofereceu um grande banquete. É provável que a fonte "Q" se parecesse mais com a narrativa de Lucas, em seus pequenos detalhes dessa natureza, do que a narrativa de Mateus. Mediante a parábola, Jesus evidentemente queria explicar por que o seu ministério visava primariamente aos pecadores e aos irreligiosos. O primeiro grande convite fora feito primeiramente aos "justos", às autoridades religiosas e aos "líderes"; mas estes não tinham tempo para perder com o convite do rei, embora se considerassem pessoas retas e morais. Estavam contentes com o desenrolar dos negócios da vida diária, com suas igrejas-teatros, com seus prazeres e suas alegrias mundanas. Por esse motivo, o ministério de Jesus passou a ser um convite aos pecadores e desprezados, a fim de que estes viessem usufruir os deleites do banquete de Deus, na vida futura.

22.1: Então Jesus tornou a falar-lhes por parábolas, dizendo:
22.1 Καὶ ἀποκριθεὶς ὁ Ἰησοῦς πάλιν εἶπεν ἐν παραβολαῖς αὐτοῖς λέγων,

Lucas expande a parábola a fim de incluir *um segundo convite*. Depois que o salão do banquete já estava quase repleto (com judeus que tinham aceitado o convite), Deus envia mensageiros pelos caminhos e atalhos, e desses lugares distantes são trazidos muitos gentios (provavelmente o sentido de Lc 14.22-24). Os que insultaram e assassinaram os mensageiros foram os judeus que rejeitaram o convite, especialmente as suas autoridades religiosas. Entretanto, Deus é o rei que pune, e o castigo preliminar mais provável foi a destruição de Jerusalém pelos romanos, em 70 d.C. Isso serve como indicação da data em que foi escrito este evangelho, que deve ter sido registrado após esse acontecimento. Essa destruição, porém, não passou de um símbolo do julgamento futuro que Deus reserva para aqueles que tiverem rejeitado o convite. Ao expandir o material fornecido pela fonte informativa "Q", o autor do evangelho de Mateus evidentemente acrescentou a parte acerca da veste nupcial, que originalmente pode ter sido uma parábola separada de Jesus. Essa adição teve o propósito de mostrar que algo mais é necessário do que a mera aceitação do convite — é mister que o conviva também esteja revestido de justiça. Esse acréscimo é importante à igreja de hoje em dia, quando a crença fácil é a regra, e não a exceção.

Alguns têm procurado manter a ideia de que as parábolas de Mateus e de Lucas são essencialmente *distintas*, e isso à base da alegação de serem *diferentes* quanto aos detalhes; mas isso é uma observação extremamente duvidosa e de forma nenhuma serve de prova, visto que cada autor usou o seu material de maneira diferente, e, talvez, com finalidades levemente diferentes. Basicamente, porém, o material exposto é o mesmo. De Wette, Strauss, Schneckenburger e Buttrick mantêm a identidade, acompanhando os autores mais antigos, como Theophylact, Calvino e Maldonato. Olshausen, Stier, Nast, Alford, Trench, Owen e Lange, entretanto, opinam que se trata de duas parábolas diversas.

22.2: O reino dos céus é semelhante a um rei que celebrou as bodas de seu filho.
22.2 Ὡμοιώθη ἡ βασιλεία τῶν οὐρανῶν ἀνθρώπῳ βασιλεῖ, ὅστις ἐποίησεν γάμους τῷ υἱῷ αὐτοῦ.

"Um rei". (Em Lucas, *certo homem*). O confronto entre os evangelhos de Mateus e de Lucas, nesta seção, lança alguma luz sobre como os dois autores usaram seu material informativo original. Algumas adaptações e algumas adições foram feitas, a fim de enfatizar a lição tencionada e ensinada. Uma das mensagens principais de Lucas é que precisamos mostrar gentileza, até mesmo para com aqueles que não podem retribuir à mesma. (Ver Lc 14.12-14). Sua lição, pois, visa essencialmente a destacar a moral e a ética; mas Mateus também tem o seu alvo, nessa narrativa. O

relato de Mateus procura ilustrar a razão pela qual o ministério de Jesus visava essencialmente aos pobres e aos desprezados, incluindo os pecadores notórios, como também tencionava mostrar por que o povo de Israel, e especialmente os seus líderes religiosos, não se beneficiaram desse seu ministério.

"Bodas". Tanto no original como nesta tradução, a palavra aparece no plural porque essas festas geralmente perduravam *vários dias*, como se vê, por exemplo, em Juízes 14.17, que faz referência a uma festa que durou sete dias. Outrossim, nesses casos, o grego helenista nem sempre fazia a distinção entre o singular e o plural. Alguns, como Kuinoel, têm sugerido que essa festa está vinculada à entrega do reino ao filho, dando-lhe uma interpretação escatológica. Não podemos rejeitar essa ideia, ainda que Jesus também estivesse ilustrando as condições reinantes entre as autoridades religiosas, que haviam rejeitado o reino de Deus e o seu "Filho". O banquete de casamento serviu de reconhecimento oficial do Filho como herdeiro do trono, e também serviu como prova da lealdade dos súditos. Nesse teste de lealdade, nem as autoridades religiosas e nem a nação, como um todo, se destacaram. Na literatura antiga, lê-se que os monarcas orientais tinham frequentemente muitas esposas e muitos filhos, e que o trono não era dado, necessariamente, ao primogênito. O monarca geralmente escolhia *um filho favorito*, e, usualmente, filho de alguma esposa favorita. Um banquete dessa espécie, pois, seria um reconhecimento especial do favor de que desfrutava o filho envolvido. Esses pormenores emprestam sentido adicional a essa parábola, pois o reconhecimento especial do filho é um dos fatores principais. Todos os súditos do rei estavam na obrigação de reconhecer que o filho era o herdeiro do trono, não havendo desculpas válidas.

A palavra traduzida por *bodas* pode ser usada em sentido mais geral, a fim de indicar a entronização de alguém. É possível, neste caso, que esteja em foco a apresentação da noiva ao príncipe, o qual, ao mesmo tempo, era elevado ao seu trono, como governante. (Ver Et 1.5 e 9.22, no uso que a LXX faz do termo "gamio" ou "bodas".). O noivado oficial é, ao mesmo tempo, o estabelecimento do reino.

22.3: Enviou os seus servos a chamar os convidados para as bodas, e estes não quiseram vir.
22.3 καὶ ἀπέστειλεν τοὺς δούλους αὐτοῦ καλέσαι τοὺς κεκλημένους εἰς τοὺς γάμους, καὶ οὐκ ἤθελον ἐλθεῖν.

Obviamente, era costume chamar aqueles que já haviam sido convidados a um banquete, pouco antes de este começar. Somente nessa ocasião é que o dono da casa poderia saber quem *tencionava* realmente vir à festa. Essa chamada ao banquete, feita na última hora, equivalia ao costume moderno de requerer que os convidados confirmem a presença no evento. Essas festas de casamento usualmente eram suntuosas, especialmente no caso do rei que apresentava seu herdeiro. Por isso mesmo, desprezar o convite real era considerado um insulto seriíssimo. Os versículos seguintes mostram que o desprezo a esse convite não resultava da iniquidade inerente, mas da absorção nas ocupações diárias; por isso é que se diz que as preocupações diárias dos homens geralmente lhes parecem mais importantes do que as reivindicações de Cristo e as próprias necessidades espirituais. As conversas que se ouvem nas ruas ilustram o fato de que os homens se preocupam com automóveis, casas, terras, alimento, esportes, sexo, diversões, e outras coisas semelhantes. O grande convite — "Subi para aqui" — que é o propósito mesmo da humanidade, nessa inquirição espiritual, com frequência não é ouvido nem atendido. Mui frequentemente, parece que somente a iminência de alguma crise, como a enfermidade ou a morte, é que tem o poder de fazer a atenção do homem se voltar para o alto. Geralmente também, uma vez passada a crise, voltamos rapidamente às trivialidades ordinárias da vida diária.

"Servos". Não estão em vista somente os profetas do AT, embora esses devam certamente ser incluídos na ideia.

Provavelmente, Jesus queria incluir o ministério mais recente de João Batista, o dos próprios discípulos, e o seu próprio ministério, porquanto o convite para o banquete das bodas fora feito bem recentemente, e até pelo próprio Noivo. A palavra *douloi*, mais apropriadamente traduzida por "escravos", quando se tem em vista as cortes orientais, geralmente indicava os auxiliares do rei, grupo esse que algumas vezes abrangia aqueles que estavam investidos de alta posição, como era o caso dos embaixadores.

"Convidados". Estão em vista, principalmente, *os judeus*, conforme a parábola deixa entrever sua intenção principal. No entanto, por aplicação, pode significar todo aquele que recebe o convite para dedicar-se a uma inquirição mais séria, profunda e espiritual. Mediante essa interpretação, a parábola assume sentido universal, chegando até mesmo a nós.

"Mas estes não quiseram vir". A nação de Israel, como um todo, não quis reconhecer o filho do rei, e julgou que era estranho que um mero profeta da Galileia, região desprezada pelos judeus, pudesse apresentar tão altas reivindicações. Eles não reconheceram a sua autoridade; não estavam dispostos a prestar-lhe lealdade, aceitando o convite que o rei lhes fizera. Outrossim, estavam ocupados com as trivialidades da vida, e não estavam preparados para aceitar e se utilizar das exigências da inquirição da nova vida espiritual, necessária para quem quisesse reconhecer o filho do rei. O convite real era genuíno, mas aqueles a quem o convite foi lançado não podiam suportar as exigências espirituais do convite. Os seus líderes espirituais tinham-nos prejudicado espiritualmente, ensinando-lhes doutrinas falsas e fazendo oposição pública e oficial ao Filho do Rei. Bruce (in loc.) salienta, de conformidade com o pano de fundo dos costumes orientais, que requeriam que se fizessem dois convites — um preliminar, para anunciar a festa, e outro, para chamar para a mesma —, que o primeiro convite fora feito pelos profetas do AT. O povo ouviu a mensagem prazerosamente, e pôs-se a esperar o estabelecimento do reino. Quando, porém, foi lançado o segundo convite, isto é, aquele que chamava à participação na festa espiritual, descobriu-se que as multidões estavam totalmente despreparadas para tão notável acontecimento. Por isso, recusaram-se a reconhecer um convite genuíno.

22.4: Depois enviou outros servos, ordenando: Dizei aos convidados: Eis que tenho o meu jantar preparado; os meus bois e cevados já estão mortos, e tudo está pronto; vinde às bodas.

22.4 πάλιν ἀπέστειλεν ἄλλους δούλους λέγων, Εἴπατε τοῖς κεκλημένοις, Ἰδοὺ τὸ ἄριστόν μου ἡτοίμακα, οἱ ταῦροί μου καὶ τὰ σιτιστὰ τεθυμένα, καὶ πάντα ἕτοιμα· δεῦτε εἰς τοὺς γάμους.

"Outros servos". Evidentemente, Jesus fala de um ministério contínuo de seus discípulos, os apóstolos, os setenta, e outros, que, então, haveriam de proclamar o estabelecimento do reino. Esse segundo grupo foi instruído não somente a lançar o convite, mas também a recomendarem a festa, a falar sobre a mesma, a mostrar as suas vantagens, e a procurar criar interesse por ela. Deveriam falar sobre o gado nédio que já fora abatido e preparado para o banquete. Deveriam enfatizar que o que havia de melhor já fora preparado para a festa. João Batista fizera exatamente isso. Os apóstolos e os setenta discípulos também haviam seguido as instruções de Jesus, mostrando a proximidade do reino, o valor da festa, as vantagens da aceitação do convite, e também as más consequências da rejeição a esse convite. Os mensageiros que proclamaram a mensagem foram muitos, e se desincumbiram de sua tarefa com grande sinceridade e zelo; porém, sua mensagem encontrou ouvidos moucos, corações insensíveis e mentes sem sinceridade. Os termos *bois e cevados* indicam um banquete em grande escala.

"O meu banquete". Essas palavras têm provocado muitas dificuldades aos intérpretes, já que, originalmente, como nos escritos de Homero, referia-se a uma refeição tomada *ao nascer* do sol. Entretanto, visto que muitos não tomavam o "quebra-jejum" e esperavam até que o dia avançasse a fim de comerem algo, essa palavra passou a designar, igualmente, uma refeição tomada mais tarde, talvez uma refeição tomada na metade da manhã, ou mesmo o almoço. É verdade que, em ambos os casos, na literatura clássica, a palavra não se referia à refeição principal do dia; mas, pelo texto, parece que essa refeição era a principal do dia. Meyer procura explicar a dificuldade sugerindo que essa refeição, naturalmente, seria tomada ao meio-dia, quando a festa tivesse início; e Alford (*in loc.*) e Bruce (*in loc*) aceitam essa interpretação. Provavelmente, o que temos em foco é o uso grego (helenista) posterior do vocábulo, pois, segundo o estilo helenista em geral, era permitido um emprego mais livre das palavras do que era costumeiro na literatura grega clássica. Essa palavra, pois, a despeito de sua designação temporal (que varia), provavelmente foi utilizada pelo autor a fim de indicar a refeição principal. Alguns interpretam que essa pregação indica a pregação da igreja primitiva, que anunciava um reino ainda futuro. (Ver Brown, in loc.) No entanto, a despeito de essa poder ser uma das aplicações dessa parábola (que já tem sido comentada de várias maneiras nos parágrafos anteriores), a intenção primordial da parábola é a de mostrar que a pregação que anunciava a aproximação do reino, nos dias de Jesus, era ampla, variada e pormenorizada, mas que, apesar de tudo isso, fora rejeitada.

22.5: Eles, porém, não fazendo caso, foram, um para o seu campo, outro para o seu negócio;

22.5 οἱ δὲ ἀμελήσαντες ἀπῆλθον, ὃς μὲν εἰς τὸν ἴδιον ἀγρόν, ὃς δὲ ἐπὶ τὴν ἐμπορίαν αὐτοῦ·

"Eles, porém..." Buttrick (in loc.) diz: "Para esses, as coisas principais da existência *nada tinham a ver* com o convite de Deus. A mensagem de Cristo não tinha valor para eles. 'Cinco juntas de bois' (Lc 14.19) parecia-lhes mais importante: era um grande negócio. O casamento também era algo importante (Lc 14.20) — tão importante, que um homem era justificado se perdesse duas semanas proveitosas por causa da lua-de-mel. Uma nova fazenda também lhes parecia importante. Comerciar, por semelhante modo, parecia-lhes importante. Aqui temos a própria massa de que se compõe a luta pela existência, e essa luta pela existência tem destronizado a vida. Para eles, pois, Cristo não era importante. 'Não tenho pretensões de ser religioso', diz o homem moderno; pois para ele a religião é uma questão secundária. Por isso é que damos tanta atenção aos andaimes, que nos olvidamos do próprio edifício. A luta pela existência e o orgulho de propriedade, que a acompanha, se têm transformado em pobres substitutos da verdadeira vida.

Esse modo de existência é uma *repressão*. Porquanto o homem normal é impelido a perguntar: *Por que existo?* Quando seus filhos nascem, deve levantar-se a pergunta: 'Por que a mim foi confiada a continuação do mistério da vida?' E quando a morte o ameaça — e essa ameaça se cumpre no caso de todo indivíduo — o homem pergunta, admirado: 'Por quê? daqui, para onde irei?' Em suma, a verdadeira questão não diz respeito às propriedades: diz respeito à alma e ao seu destino eterno".

A sociedade reflete as próprias frustrações. E o motivo dessas frustrações é que os homens *têm substituído* os verdadeiros valores por coisas de somenos importância, como a iniquidade e a violência. As guerras mundiais são o resultado de uma civilização que se tem esquecido de Cristo e que se tem deixado absorver pelo materialismo. O grande Charles Darwin chegou a confessar: "Minha mente parece ter-se tornado uma espécie de máquina de triturar leis gerais, extraindo-as de um grande acúmulo de fatos [...] a perda [...] é uma perda de felicidade, e mui provavelmente danifica o intelecto, e, mais provavelmente ainda, o caráter moral" [*The Life and Letters of Charles Darwin*, de Francis Darwin (New York L. D. Apleton and Co., 1887, I, p. 8,82)]. A maioria dos homens, entretanto, não é inteligente ou sensível bastante para fazer essa confissão.

Essa tradução da AA — "Eles, porém, não se importaram..." — é muito apropriada, pois o sentido não é que os convidados tenham resistido ao convite, ou tenham zombado do mesmo (embora, historicamente falando, a nação de Israel também tenha feito isso); mas a indicação dada pela narrativa é simplesmente que eles não tinham tempo para refletir, por não se tratar de coisa que lhes parecesse importante. Não tinha o condão de alterar-lhes o rumo da vida. Não tinham desejo nenhum por uma inquirição espiritual mais profunda, porque as trivialidades da vida os deixavam perfeitamente satisfeitos. *Quão moderna é essa atitude!* Infelizmente, muitas formas de trivialidades têm infestado a igreja, pelo que geralmente é difícil aprofundar a inquirição espiritual mediante a frequência às congregações evangélicas! Quando as coisas ficam desse modo, as pessoas (que são sérias acerca das coisas espirituais) tornam-se impacientes e irritadas, porquanto sentem que as coisas sérias não são nem ensinadas e nem procuradas, nem mesmo nas igrejas. E também é verdade que, com grande frequência, até mesmo nessas igrejas, o convite sério a uma inquirição espiritual profunda não se enfileira entre as coisas reputadas importantes.

Tal divisão de atividades mundanas é comum no pensamento judaico, e aparece na literatura judaica, como fica ilustrado nesta citação (*Zohar*, em Lev. fol. 40.2): "A conduta de um hospedeiro se assemelha à de um rei que oferece um grande entretenimento, e diz aos criados de seu palácio: Por todo o resto de vossos dias estareis em vossas respectivas casas; este se ocupará de seus negócios, esse se ocupará de seus negócios, aquele haverá de dedicar-se ao comércio, e aquele outro irá para o seu campo, exceto no meu dia".

A nação de Israel, todavia, não deu valor nem importância ao "dia" do Filho do Rei; e nesse dia, igualmente, entregou-se às suas atividades ordinárias da existência, como se não houvesse coisa mais importante para fazer.

22.6: e os outros, apoderando-se dos servos, os ultrajaram e mataram.

22.6 οἱ δὲ λοιποὶ κρατήσαντες τοὺς δούλους αὐτοῦ ὕβρισαν καὶ ἀπέκτειναν.

6 Mt 21.35

"**E outros [...] maltrataram e mataram**". Aqui é apresentada outra classe de incrédulos. Por conseguinte, são expostos três tipos diferentes de incrédulos:

1. Existem aqueles que preferem uma *vida suave*, sonolenta e voluptuosa, na qual o indivíduo em nada mais pensa senão em desfrutar tranquilamente da vida, das conveniências de que dispõe, de suas riquezas, e dos prazeres particulares e públicos. Não há como impressioná-los sobre as vantagens da busca espiritual, por mais que se fale e descreva. Segundo pensam os tais, já encontraram o que é importante, e bastaria um passo espiritual qualquer para que perdessem, segundo imaginam, aquilo que torna a sua existência tão boa e deleitosa. Sua mente está insensível para com os valores autênticos, e a sua vida diária passa-se nas sombras da realidade, e não na própria realidade. São como os homens imaginários, na ilustração de Platão, acerca da "caverna" onde certos homens se assentavam, olhando os reflexos das imitações de objetos existentes no mundo, reflexos esses lançados nas paredes da caverna pela luz bruxuleante de uma pequena fogueira que havia por detrás deles. Nada sabiam acerca dos objetos verdadeiros, mas contentavam-se em ver o seu mero reflexo ou imitação.

2. Existem outros que se atarefam e se deixam absorver inteiramente pelos *empreendimentos agrícolas*, comerciais ou industriais, ou mesmo pelos prazeres. Seu amor concentra-se no *dinheiro*, e nisso se atolam completamente, ocupados e amarrados. Todo o seu pensamento dirige-se para a expansão de suas atuais empresas e para a criação de novos empreendimentos; no entanto, nada pensam acerca da necessidade de expandir, ou desenvolver a alma. Para eles, a alma consiste da possessão de dinheiro. Tais atitudes cristalizam a inclinação natural da alma, que é a de voltar-se para Deus. Por isso é que muitos desses indivíduos chegam mesmo a negar a existência da alma, pois, para eles, não há testemunho nem sensibilidade para com os ditames da alma. Jesus referiu-se com muitas palavras à situação desses homens, em sua parábola da semente e do semeador. (Ver notas em Mt 13.1-23.)

3. Finalmente, existem aqueles que se opõem amargamente à mensagem da verdadeira busca espiritual, chegando até a *perseguir* e a matar aqueles que proclamam essa mensagem. Isso talvez saliente os incrédulos radicais, que odeiam qualquer ensinamento religioso; mas é muito mais provável que Jesus quisesse indicar não os irreligiosos radicais, mas as *próprias autoridades* religiosas que operavam em seus dias, propagando os conceitos judaicos, cuidando do ministério do templo e da lei de Deus. É notável que os *incrédulos* mais perigosos e destruidores eram exatamente aqueles que pareciam mais religiosos; certamente temos uma lição a ser aprendida nesse fenômeno. Os indiferentes não mataram nem os profetas nem o Messias, como também não o fizeram os negociantes e agricultores. Foram as autoridades do templo que o fizeram, aqueles que sabiam, de memória, grandes porções do AT, que conheciam bem os comentários e as tradições judaicas, que proclamavam a existência de realidades espirituais, a imortalidade e a ressurreição, a obediência a Deus e as recompensas que esperam os obedientes nos céus. No âmago de seus seres, todavia, esses indivíduos estavam pobres, e eram dominados pelo ódio, pela violência e pela iniquidade. Eram injustos, violentos e ultrajantemente ímpios; e, no entanto, eram as autoridades religiosas ao tempo de Jesus.

A despeito do fato de que Jesus falava principalmente de seus dias, é evidente, porém, que quando a narrativa passou pela pena do autor deste evangelho, estavam em vista as perseguições movidas contra os primitivos missionários cristãos, tanto pelos líderes romanos como pelas autoridades religiosas judaicas, pois o tempo em que este evangelho foi escrito já testemunhara tais perseguições. O mundo não tratou os discípulos de Jesus com mais brandura do que havia tratado a Cristo. Alguns *líderes cristãos* de vulto haviam sido assassinados. Estêvão fora morto por apedrejamento, e o apóstolo Tiago, irmão de João, à espada, por ordem de Herodes. Isso, porém, foi praticado (conforme se lê na narrativa bíblica) para agradar aos judeus e a fim de consolidar entre os judeus a popularidade dos governantes. E isso significa que essas ações eram aprovadas pela população judaica. A incredulidade, disfarçada de religião fanática, não é mais desejável do que o mundanismo indiferente; e suas atuações, em realidade, são muito mais destruidoras e virulentas.

22.7: Mas o rei encolerizou-se; e enviando os seus exércitos, destruiu aqueles homicidas, e incendiou a sua cidade.

22.7 ὁ δὲ βασιλεὺς ὠργίσθη, καὶ πέμψας τὰ στρατεύματα αὐτοῦ ἀπώλεσεν τοὺς φονεῖς ἐκείνους καὶ τὴν πόλιν αὐτῶν ἐνέπρησεν.

7 ο δε βασ. אB fi 700 pc; R] add ακουσας Θ fi3 al: ακ. δε ο βασ. (add εκεινος 33) 33 ς: και ακ. ο β. εκ. W pm f q: εκ. ο ακ. D (b) d | τα στρατευματα] το -μα D fi al it syᶜ

Neste versículo, o autor deste evangelho quase que certamente estava fazendo uma referência velada à *destruição de Jerusalém*. Essa tragédia ocorreu no ano 70 d.C., por determinação de Tito e Vespasiano. Os "exércitos" são os soldados romanos, e a ideia de que Deus se utiliza até mesmo dos pagãos para cumprir os seus propósitos não é conceito desconhecido nem mesmo nas páginas do AT. Na qualidade de símbolos, deveríamos ver nisso qualquer indivíduo ou indivíduos que Deus usa para realizar os seus propósitos. Ocasionalmente, o NT pinta os anjos como "servos" que impõem julgamento, especialmente em conexão ao grande julgamento que haverá quando da vinda de Cristo para reinar. A destruição da cidade de Jerusalém, em 70 d.C. tornou-se símbolo dos juízos de Deus, especialmente daquele que terá lugar quando do segundo advento do Senhor. (Quanto a detalhes sobre esse acontecimento, ver as notas em Lc 21.6. Quanto a Jerusalém, ver Lc 2.41. Quanto a "julgamentos", ver Mt 25.3. E quanto a "anjos", ver Lc 4.10).

"Tropas". Está no plural. Certamente é um conceito surpreendente. Bruce (*in loc.*) sugere "forças" como tradução, isto é, partes de um só exército. Robertson (*"Word Pictures in the New Testament"*), sugere "bandos de soldados". Naturalmente, todas essas são traduções possíveis. A compreensão do pano de fundo histórico (isto é, a destruição de Jerusalém, que foi o clímax de quatro anos de assédio) leva-nos a crer que o sentido de "exércitos" é o que parece mais justificado. A indignação de Deus impeliu os exércitos romanos para destruírem a nação de Israel, e não só a cidade de Jerusalém; e tão completa foi essa destruição, que a arqueologia não tem sido capaz de desenterrar uma única sinagoga que possa ser definidamente atribuída ao primeiro século. Roma impôs uma destruição generalizada, mas principalmente contra Jerusalém. Este versículo, entre outros, ajuda-nos a datar este evangelho, pois certamente foi escrito após o ano 70 d.C. Não obstante, a declaração de Jesus, em Mateus 24.2, que prediz a destruição de Jerusalém, foi uma profecia autêntica, ainda que, em realidade, tenha sido registrada após a ocorrência prevista. O texto de Marcos 13.2 apresenta a mesma profecia, e geralmente aceita-se que o evangelho de Marcos tenha sido escrito antes desse acontecimento. Note-se, igualmente, que a parábola apresenta esse evento como algo que ocorreria antes da chamada dos gentios, ao passo que os fatos históricos mostram que essa chamada antecedeu à destruição de Jerusalém. Portanto, o fato de o autor não seguir a ordem de acontecimentos históricos, conforme eles mesmos ocorreram, indica que ele estava lançando mão de fontes informativas que se tenham originado em data anterior à escrita da narrativa evangélica. Em outras palavras, ele escreveu uma parábola que continha uma referência à destruição de Jerusalém, e que foi proferida antes dessa destruição, mas só a registrou depois de tal acontecimento. (Quanto a expressões similares que mostram que alguns são instrumentos inconscientes da indignação divina, isto é, o fato de que Deus pode usar até mesmo os pagãos para cumprirem os seus propósitos de punição, ver Is 10.5; 13.5; Jr 25.9 e Jl 2.25.)

22.8: Então disse aos seus servos: As bodas, na verdade, estão preparadas, mas os convidados não eram dignos.

22.8 τότε λέγει τοῖς δούλοις αὐτοῦ, Ὁ μὲν γάμος ἑτοιμός ἐστιν, οἱ δὲ κεκλημένοι οὐκ ἦσαν ἄξιοι·

"Os convidados não eram dignos". Mateus emprega a palavra "dignos" para indicar aqueles que Deus aceita, segundo se vê também em Mateus 10.11,13. Entre os islamitas, recusar-se a atender a uma festa de casamento, uma vez convidado, é considerado um transpasse contra a lei de Deus. (Ver Hedayah, vol. iv., p. 19.) Qualquer que seja convidado a um almoço, e não o aceite, estará desobedecendo a Deus e ao seu mensageiro: e todo aquele que vem sem ter sido convidado, pode ser considerado um ladrão e assaltante. (Ver *Mischat ul Mesabih*). Essas atitudes orientais ilustram o crime que foi cometido, porquanto alguns não foram meramente indiferentes, mas até mesmo zombaram abertamente dos mensageiros do convite, ao passo que outros chegaram a persegui-los e até mesmo a matá-los. E não somente isso, pois o convite era para que se fizessem presentes à festa de noivado e coroação do Filho do Rei. E ignorar esse convite era uma falta imperdoável. Por aplicação, a indignidade da nação judaica, e, mais particularmente, dos que estavam encarregados do templo,

vê-se no fato de eles terem resistido continuamente ao convite, embora este tenha sido feito por muitos mensageiros dignos, tais como João Batista, que era universalmente reconhecido em Israel como profeta, e que gozava de notável popularidade entre o povo. João Batista era tão poderoso e bem conhecido, que Flávio Josefo diz-nos que Herodes temia que ele iniciasse algum movimento revolucionário, com o intuito de derrubar o governo dos Herodes. João Batista deve ter sido não apenas bem conhecido, mas também poderoso e temido, para que pudesse causar tanta preocupação por parte de Herodes, preocupação essa (conforme o historiador Josefo) que, finalmente, levou à execução de João Batista. No entanto, até mesmo uma personagem tão importante quanto João Batista foi finalmente ignorada pelo povo. O próprio ministério de Jesus era poderoso e universal entre o povo judaico, e os apóstolos de Jesus pregaram e ministraram segundo a sua tradição, como também fizeram os setenta. Três circuitos completos tiveram lugar na Galileia, além de ministérios efetuados em outras regiões. Nada disso, entretanto, teve o efeito esperado. O próprio Jesus foi rejeitado, quase desde o princípio, nas sinagogas, e ele foi obrigado a ministrar ao ar livre. Por conseguinte, um povo que tão obstinadamente se recusava a dar ouvidos ao convite de Deus, teria de ser finalmente classificado como *indigno* desse convite.

22.9: Ide, pois, pelas encruzilhadas dos caminhos, e a quantos encontrardes, convidai-os para as bodas.

22.9 πορεύεσθε οὖν ἐπὶ τὰς διεξόδους τῶν ὁδῶν, καὶ ὅσους ἐὰν εὕρητε καλέσατε εἰς τοὺς γάμους.

"Ide, pois..." Neste caso, a palavra "caminhos" (no grego, *diexodous*) significa "caminho que atravessa", "passagem", "artéria". Estão em vista as ruas principais, as estradas principais. Essas ruas e estradas principais eram cruzadas por outras (no grego, *doidoi*, ruas cruzadas, travessas). Portanto, os mensageiros deveriam percorrer as estradas principais e as artérias, que, naturalmente, seriam cruzadas por muitas outras estradas ou ruas, onde, ao longo do caminho, haveriam de encontrar muitos pedestres, pobres ou mesmo vagabundos. Lucas acrescenta aqui, na narrativa paralela ou no material adaptado, a palavra "becos" (ver Lc 14.21). O convite adicional de Lucas (v. 23) acrescenta "atalhos", aos lugares onde o convite deveria ser efetuado, ajuntando que pessoas como os "pobres", os "aleijados", os "cegos" e os "coxos" deveriam ser trazidas ao salão de banquete (ver o v. 21). Sabe-se que muitos esmoleres reuniam-se nos cruzamentos das ruas ou nas praças públicas e parques, onde se entrecruzavam as artérias principais. Nos *becos*, poderiam ser encontrados os indivíduos das classes mais baixas, os enfermos, os miseravelmente pobres, o "lixo" da humanidade, enfim. Ali poderiam ser encontrados aqueles que nem ao menos podiam sustentar-se nesta vida, mas que eram obrigados a pedir esmolas, dependendo da mercê alheia, passando uma existência simples e abjeta. O sentido central é profético e fala da chamada dos gentios, os quais, espiritualmente falando, entre os judeus (e também na realidade), eram os "cegos", os "pobres", os "aleijados" e os "coxos". Posteriormente, quando o cumprimento dessa profecia se encontrava em seus estágios iniciais, podemos achar uma ótima ilustração nas palavras de Paulo, ao afastar-se o apóstolo dos judeus de Antioquia da Pisídia, que se reputavam *"indignos da vida eterna"* (At 13.46), e, ao aproximar-se ele dos *gentios*, que se dispunham a acolher a mensagem de salvação. Lê-se, na literatura judaica, que era costume, entre os judeus, quando algum ricaço oferecia uma festa, que se saísse a convidar todos os viajores destituídos. (Ver em Rab. Beracoth, fol. 43.) Este versículo implica no caráter universal da proclamação eventual do evangelho, que, finalmente, haverá de espalhar-se pelo mundo inteiro, e que, naturalmente influenciará todos os tipos de sociedades e povos, mas que, de fato, visará principalmente às classes mais

592 |Mateus| NTI

humildes e pobres. O evangelho deverá ser proclamado a judeus e a gentios, a importantes e aos sem importância, aos ricos e aos pobres, aos externamente religiosos e aos francamente profanos, aos pecadores menos culpados ou aos mais empedernidos. Aqui, pois, é ensinada a universalidade do convite, embora a ênfase recaia sobre os grupos que mais facilmente ouviriam e aceitariam esse convite.

22.10: E saíram aqueles servos pelos caminhos, e ajuntaram todos quantos encontraram, tanto maus como bons; e encheu-se de convivas a sala nupcial.

22.10 καὶ ἐξελθόντες οἱ δοῦλοι ἐκεῖνοι εἰς τὰς ὁδοὺς συνήγαγον πάντας οὓς εὗρον, πονηρούς τε καὶ ἀγαθούς· καὶ ἐπλήσθη ὁ γάμος[1] ἀνακειμένων.

ἀνακειμ.] praem twn **DQ** f13 al

[1] **10** {B} ὁ γάμος B^mg D K W X Δ Θ Π 085 f¹ f¹³ 28 33 565 700 1009 1071 1079 1195 1216 1230 1241 1242 1253 1344 1365 1546 1646 2148 2174 Byz Lect it^(a,aur,b,c,d,e,f,ff¹,g¹,h,l,q,r¹) vg cop^bo arm geo Origen Chrysostom // ὁ ἀγαμος C // ὁ νυμφών ℵ B* L 0138 892 1010 cop^sa Cyril // ὁ γάμος or ὁ νυμφών syr^(c,s,p,h,pal) eth

> A forma ὁ νυμφών (que aqui significa salão do casamento) foi reputada uma correção alexandrina introduzida no lugar de ὁ γάμος, que pode ter parecido imprópria junto ao verbo "encheu".

"Reuniram todos..." Uma vez mais fica entendido (como também na parábola da rede de pesca, em Mateus 13.47,48) que diversas coisas estão em vista:

1. Que a mensagem do evangelho seria *universal*, e que ninguém ficaria fora da possibilidade de suas bênçãos, por causa de pecados ou crimes anteriores. Essa é uma grande mensagem de consolo que faz parte do evangelho. Somos ensinados que a "dignidade" é determinada, em primeiro lugar, pela aceitação do convite; que a dignidade contínua e deve tornar-se realidade mediante a santificação progressiva; e que a transformação segundo a imagem de Cristo seria uma consideração posterior, ministrada pelo próprio Deus, mediante o seu Espírito. Não obstante, a ninguém se negligenciaria por parecer digno ou por ser corrupto, malvado e malicioso.

2. Alguns interpretam que daí se deve concluir que a igreja deve ser caracterizada *por tais elementos*; mas isso equivale a perder de vista o ponto central do ensinamento de Paulo, onde a ênfase é que Deus, ao operar por meio de Cristo, no Espírito, transforma qualquer personalidade, e que a própria santidade divina se irá formando no íntimo de todos quantos aceitarem o seu convite. Não é intenção de Deus deixar intocáveis os maus elementos que porventura venham a participar de sua igreja. No mundo (talvez visto por Deus como uma comunidade religiosa, visto que esse é o palco da pregação do evangelho, do convite, e é onde os homens são atingidos com a sua mensagem) haverá bons e maus, em suas formas mais extremas — mas jamais o Senhor tencionou que essa situação caracterizasse a sua igreja. Não obstante, partindo-se de uma observação prática, nota-se que essa condição realmente existe na igreja, porquanto alguns jamais se convertem verdadeiramente, e se encontram no seio do cristianismo por motivos que não são espirituais. O fato de elementos bons e maus persistirem na igreja cristã não prova, entretanto, que esse tenha sido o plano de Deus para com a sua igreja; e nem que a mistura retratada por esta parábola tencione ser um quadro da condição que Deus espera que finalmente se fixe em sua igreja.

Paralelos às ideias apresentadas nesta parábola encontram-se em outras seções que falam sobre o "chão" onde o trigo e a palha com frequência são misturados (ver Mt 3.12). A "rede", que recolhe todas as variedades de peixes, bons e maus (ver Mt 13.48); o "campo", onde crescem o trigo autêntico e o falso (ver Mt 13.26,27); a "casa", onde podem ser encontrados os sábios e os insensatos (ver Mt 15.1); e o "rebanho", onde se acham tanto as ovelhas como os bodes (ver Mt 25.33).

Até este ponto, a apresentação do material desta parábola, por parte de Lucas, é essencialmente paralela; mas aqui, os autores começam a fazer suas *adaptações pessoais*. No evangelho de Mateus, encontra-se a porção adicional que descreve as ações do rei, ao descobrir que não tinha a veste apropriada. No evangelho de Lucas, nos é apresentado um convite adicional, porque "[...] ainda há lugar..." (Lc 14.22). O texto de Lucas 14.23 descreve o outro convite, no qual são empregados os termos mais enfáticos — os mensageiros deveriam ir pelos "caminhos" e pelos "atalhos", procurando mais convivas para que o salão de banquete realmente ficasse repleto e transbordante. Isso enfatiza a urgência da mensagem, bem como o seu caráter universal. E a urgência recebe uma ênfase adicional na ordem com que os servos deveriam *compelir* mais hóspedes a entrar no salão de banquete, sem aceitar nenhuma desculpa, aplicando todo argumento persuasivo possível e cumprindo diligentemente a ordem do rei. A ideia provável é de que não deveriam deixar de lado os pobres, os cegos e os desprezados, por sentirem tratar-se de pessoas indignas ou sem importância. (Ver essa mesma palavra, conforme é usada em Mt 14.22; At 26.11 e Gl 16.12.) A principal intenção de Lucas, nesse segundo convite, foi de salientar ainda mais a salvação dos "gentios" e a urgência desse propósito divino.

22.11: Mas, quando o rei entrou para ver os convivas, viu ali um homem que não trajava veste nupcial;

22.11 εἰσελθὼν δὲ ὁ βασιλεὺς θεάσασθαι τοὺς ἀνακειμένους εἶδεν ἐκεῖ ἄνθρωπον οὐκ ἐνδεδυμένον ἔνδυμα γάμου·

Neste ponto, o autor inicia uma história diferente, que, originalmente, como é provável, constituía uma parábola separada. Faz boa sequência à parábola apresentada e ilustra mais ainda a lição que o Senhor tencionava ensinar. Ilustra o fato de o convite de Deus basear-se na sua graça livre, e também a realidade de ser necessária a "justiça" (a *veste nupcial*) e não meramente a aceitação do convite. Ensina a graça de Deus, mas também ensina que ninguém pode abusar dessa graça, pois a aceitação dessa graça deve resultar no revestimento da justiça por parte dos que aceitarem esse convite. É possível a alguém demonstrar uma aceitação externa da graça (o convite gratuito), mas sem nada experimentar da vida eterna, que na existência vindoura, faz parte da provisão gratuita. No entanto, o olho de Deus, que a tudo vê, examina o caráter de cada indivíduo que tem aceitado o convite. Ele percebe aqueles que não têm as vestes nupciais (a justiça). Em uma antiga missão religiosa espanhola, no Texas, havia uma sala em cujo teto fora pintado um grande olho, bem no centro. Era, evidentemente, um lugar onde os monges costumavam examinar a si mesmos. A traspassadora inteligência de Deus pode distinguir facilmente entre o bem e o mal. Essa parábola adicional ilustra exatamente isso.

Segundo praxe entre os judeus, aqueles que aceitavam o convite para um banquete deveriam usar um traje limpo e apropriado. Não existe nenhuma evidência convincente de que nenhum traje especial fosse fornecido para os hóspedes (quando este evangelho foi escrito), e esse pormenor, sem a menor dúvida, foi acrescentado pelo autor, a fim de ilustrar a provisão da justiça de Deus. A passagem de Apocalipse 19.8 fala do fornecimento de linho fino para os santos. Os escritos rabínicos usam as vestes finas como símbolos de arrependimento ou de justiça.

Vachel Lindsay tem um notável poema acerca da chegada do general Booth no céu. (O general Booth foi o fundador do Exército de Salvação.) Ali são vistas muitas pessoas em vestes surradas — *"legiões imundas, no caminho da morte"* — grandes multidões de pessoas comuns, acumuladas no salão de festa. A cena é assinalada pela ausência dos "grandes", as autoridades religiosas e os pretensiosos políticos. O poeta simplesmente tornou a descrever o que Mateus disse em sua grande parábola das bodas.

Grande parte das discussões dos intérpretes tem-se centralizado em torno da dúvida de que esta seção adicional teria ou não feito parte da parábola original, especialmente em face de ela parecer não retratar nenhuma polêmica contra as autoridades do sinédrio. A resposta aparente é que a versão de Lucas representa mais de perto a parábola original das bodas, conforme ela foi narrada por Jesus (o que não incluiria essa porção original), mas que essa porção original mui provavelmente representa uma parábola separada de Jesus.

Ao que parece, o autor do evangelho de Mateus reuniu as duas parábolas, a fim de ensinar, com maior ênfase, o que queria destacar. A intenção principal desta parábola (isto é, da adicional), é mostrar que, embora a graça de Deus seja ampla, o homem não pode deixar de lado a retidão pessoal, mostrando-se totalmente insensato e irresponsável, e imaginando que a graça de Deus convida a todos sem nada fazer para modificar a natureza dos pecadores iníquos que atendem ao seu convite. O destino da existência humana é a transformação do redimido segundo a imagem moral e metafísica de Jesus Cristo; e não tem sido ainda aplicada a graça real, nem há a justiça. O autor desejava ilustrar o fato de que o judaísmo de seus dias não produzia essa justiça, advertindo, igualmente, que a mera aceitação do convite não garantia, necessariamente, a aceitação e a aprovação de nenhum conviva por parte de Deus. Essa segunda porção da parábola (conforme Mateus a apresenta, como se fora uma só parábola), provavelmente, baseia-se diretamente em Sofonias 1.7,8. A vinda do rei, para examinar os hóspedes, representa o julgamento final e separador da comunidade religiosa. (Ver também Mt 25.19.) Nesse julgamento final, o próprio rei julgará, a fim de aquilatar e separar, o que nenhum outro é apto a fazer. Alguns intérpretes mencionam também a possibilidade, ainda que remota, de que essa vinda do rei não precisa ser limitada às ocorrências escatológicas, mas que a sua vinda espiritual também pode estar em foco, como uma realidade contínua e presente. Segundo essa opinião, o juízo não está inteiramente reservado a alguma futura "parousia". Um conviva (convidado às bodas do Filho do Rei) pode imaginar-se bem vestido, como se seus trajes fossem aceitáveis; por causa disso, pode negligenciar a verdadeira preparação espiritual, que o capacitaria a possuir, realmente, a justiça de Cristo. (Ver 1Jo 5.10; Is 64.6; 61.10 e Ap 19.8.)

Diversas têm sido as interpretações acerca da "veste nupcial": (1) Alguns pais da igreja, muitos intérpretes católicos romanos e alguns protestantes têm explicado que se trata da *caridade* ou da santidade. (2) A maioria dos comentaristas protestantes mais antigos explicavam que se trata *da fé*. (3) Muitos outros interpretam com uma *combinação* da primeira e da segunda posições, com vinculações em Cristo. A passagem de Isaías 61.10 diz essencialmente isso: "Regozijar-me-ei muito no Senhor, a minha alma se alegra no meu Deus: porque me vestiu de vestidos de salvação, me cobriu com o manto de justiça, como um noivo que se adorna com atavios, e como noiva que se enfeita com as suas joias". (4) Outros explicam que se trata da *justiça* em seu mais alto sentido, o adorno total do novo homem espiritual, que, naturalmente, incluiria a fé em Cristo. Conforme pode-se observar com facilidade, esta posição diz essencialmente o que diz também a terceira posição, e provavelmente expressa o sentido tencionado.

22.12: e perguntou-lhe: Amigo, como entraste aqui, sem teres veste nupcial? Ele, porém, emudeceu.

22.12 καὶ λέγει αὐτῷ, Ἑταῖρε, πῶς εἰσῆλθες ὧδε μὴ ἔχων ἔνδυμα γάμου; ὁ δὲ ἐφιμώθη.

12 Εταιρε] *om* Or | εισηλθες] ηλθες **D** it syᶜ Ir

"Como entraste..." A declaração que aqui temos pressupõe que os hóspedes, ao entrarem no lugar do banquete, haviam sido supridos das *vestes nupciais* apropriadas. Vários comentaristas enfatizam o fato de que esse costume antigo, particularmente no tempo de Jesus, não é bem consubstanciado na literatura antiga;

mas a própria menção desse costume, nesta passagem, parece indicar que deve ter existido, quer fosse universal, quer não. Em Homero, *Odisseia* 1.IV. versículos 49-51, há alusão a esse costume: "Entraram cada qual em um banheiro, e foram lavados pelas mãos de criadas, untados e vestidos novamente com mantas frouxas e vestes resplendentes, e assentaram-se ambos ao lado do trono de Menelau". Não sabemos o quanto era comum ou bem conhecida essa prática, ao tempo em que escreveu o autor deste evangelho, mas ele usa a ideia para formar a base dessa parte da parábola. A verdade é que o hóspede que entrasse pela porta própria não poderia deixar de receber as vestes apropriadas para o banquete. O fato de que aquele conviva não tinha essa veste indica que ele não entrara no salão como era devido; pelo contrário, deve ter-se intrometido, penetrando por outra porta, ou então por alguma janela.

Esse hóspede serve de símbolo dos que se *professam* crentes, mas não o são; alguém que talvez tenha passado pelas formalidades próprias de quem havia aceitado um convite, embora sem se preocupar com a verdadeira substância da inquirição espiritual. Poderia tratar-se, portanto, de alguém que professava fé "em Jesus", mas que nada sabia da "fé" de Jesus. Pronunciava palavras próprias da fé, mas sua vida não demonstrava os resultados dessa fé. Olhava para Cristo como um Salvador objetivo, mas de forma nenhuma vinha sendo transformado à sua imagem. Conhecia as fórmulas, seguia os ritos, aparentemente aceitara o convite de participar do banquete da salvação pessoal, mas de forma nenhuma era verdadeiro participante da vida que há em Cristo. Dizia: "Eu creio", mas nada sabia da comunhão com Cristo, e nada podia externar do "testemunho do Espírito"; não podia exibir o "poder no íntimo" ou a "influência celeste". Era ortodoxo, mas não convertido; convidado e presente, mas não convencido pelo Espírito. Assim como uma pessoa não convidada que se fizesse presente a um banquete era considerada uma conviva ilegal e um ladrão, conforme os padrões orientais, assim era aquele homem. Essa pessoa, com sua presença, insultava o senhor das bodas. Jesus expressou a mesma ideia acerca da aplicação espiritual ao "caminho" da salvação, quando disse: "Em verdade, em verdade vos digo: O que não entra pela porta do aprisco das ovelhas, mas sobe por outra parte, esse é ladrão e salteador".

"E ele emudeceu". Literalmente, puseram-lhe uma *mordaça* na boca. Essa palavra é usada para referir-se ao amordaçamento de um boi (ver 1Tm 5.18), e foi usada por Jesus acerca do demônio descrito em Marcos 1.25, bem como sobre o mar encapelado (Mc 4.39). Pedro empregou a mesma palavra ao falar em silenciar os ignorantes e insensatos (ver 1Pe 2.15). Em primeiro lugar, o falso conviva ficou mudo em face do súbito senso de sua culpa, porquanto ignorara até então a necessidade de estar vestido com a veste nupcial, embora talvez tenha pensado ser uma tolice ou um enfado preocupar-se com isso. Lembrou-se de sua consciência perturbada e do testemunho que a mesma lhe trouxera, ao subir por uma das janelas, ao escorregar por alguma porta, ou ao passar pelo guarda quando a sentinela olhava noutra direção. Outrossim, na presença da majestade augusta do grande Rei, o homem ficou confuso e perplexo. Aquele que antes certamente fora muito esperto, astuto e inteligente, não pôde proferir uma única palavra. Sua conduta fora insultuosa e indecorosa. Agora, porém, estava sem poder apresentar desculpas.

Um interessante paralelo a essa porção da parábola encontra-se na literatura judaica. (Ver *T. Hieros. Nedarim*, fol. 38.1): "Esaú, o ímpio, velar-se-á com a sua capa e sentar-se-á entre os justos, no paraíso, no mundo vindouro; mas o bendito Deus haverá de arrancá-lo dali, conforme o sentido das palavras de Obadias 1.4: 'Embora te exaltes como águia e ainda que faças o teu ninho entre as estrelas, dali eu te farei descer, diz o Senhor' ".

22.13: Ordenou então o rei aos servos: Amarrai-o de pés e mãos, e lançai-o nas trevas exteriores; ali haverá choro e ranger de dentes.

594 |Mateus| NTI

22.13 τότε ὁ βασιλεὺς εἶπεν τοῖς διακόνοις, Δήσαντες αὐτοῦ πόδας καὶ χεῖρας ἐκβάλετε αὐτὸν εἰς τὸ σκότος τὸ ἐξώτερον· ἐκεῖ ἔσται ὁ κλαυθμὸς καὶ ὁ βρυγμὸς τῶν ὀδόντων.

13 Δήσαντες...ἐκβάλετε] Αρατε αυτον ποδων κ. χειρων και βαλετε **D(W)** it (sy^{mc}) Ir^{lat}

13 ἐκβάλετε...ἐξώτερον Mt 8.12; 25.30 ἐκεῖ...ὀδόντων Mt 8.12; 13.42,50; 24.51; 25.30; Lc 13.28

No livro apócrifo chamado *Enoque* (10.4), o Senhor ordena que Rafael (o anjo) amarre o anjo rebelde, *Azazel* "de mãos e pés, para ser lançado nas trevas". Os judeus se utilizavam do símbolo do salão de banquete que, naturalmente, estaria iluminado com muitas lâmpadas e que podia ser visto de longa distância, por causa da luz que se irradiava dali. Pois os banquetes de casamento usualmente eram levados a efeito à noite. Em contraste com o iluminadíssimo salão do banquete, do lado de fora, havia trevas espessas e *frio*, e os que estavam do lado de fora sofriam muito com as intempéries, a ponto de baterem os dentes de frio. Essa figura foi ampliada para ilustrar as condições que prevalecem na Geena ou inferno. Os que para ali forem habitarão em trevas, por terem rejeitado a luz de Deus. O juízo é uma realidade neste mundo e com frequência recai com subitaneidade sobre aqueles que pecam. Por que pensaríamos que o pós-vida é isento de julgamento? Ali Deus corrigirá todos os erros. Existem muitas ideias variegadas sobre a natureza exata do julgamento que então haverá, mas o senso moral requer a realidade desse juízo. Ver as notas expandidas sobre o "julgamento" e suas implicações, em Apocalipse 14.11 e 1Pedro 3.18,19 e 4.6. Ver as notas sobre o "julgamento dos crentes", em 2Coríntios 5.10.

Com nossas noções ocidentais, talvez pensemos que a ação de amarrar e expulsar o conviva falso tenha sido um tanto *exagerada*; mas a questão de etiqueta é coisa muito séria no oriente, especialmente no caso de altos dignitários. Furrer (segundo é citado por Bruce, in loc, *Wanderungen*, p. 181), diz: "Que estranho e temível, para o vagabundo que se perdeu pelo caminho, é a noite, quando as nuvens encobrem o firmamento, quando, através das trevas espessas, ouve-se o uivo e o matraquear dos dentes dos lobos, assustando o indivíduo solitário!" Verdadeiramente, nenhum outro simbolismo poderia descrever de maneira mais impressionante a angústia daquele que foi abandonado por Deus.

22.14: Porque muitos são chamados, mas poucos escolhidos

22.14 πολλοὶ γάρ εἰσιν κλητοὶ ὀλίγοι δὲ ἐκλεκτοί.

É evidente que Jesus repetiu certas declarações ou ensinos, algumas vezes com determinado sentido, e de outras vezes, com sentido ou conexão diferente, conforme qualquer mestre pode fazer. Esta é uma dessas declarações. Aqui vemos uma *distinção* entre grupos que realmente tinham ouvido e aceitado o convite. Os escolhidos, neste caso, são aqueles destacados dentre o grupo dos "chamados". Essa declaração realmente expressa a intenção geral da parábola, ou das duas parábolas construídas de modo a parecerem uma só. Do princípio ao fim, o convite foi feito para muitos. A maioria rejeitara totalmente esse convite, e esse grupo, naturalmente, estaria entre os "chamados, mas não escolhidos". Todavia, dentro do grupo que respondera afirmativamente ao convite, havia aqueles que, embora chamados, não eram escolhidos. Tinham chegado ao salão do banquete, externamente haviam obedecido à convocação para a festa de casamento; mas tinham a própria opinião acerca da necessidade e do valor de alguma forma especial de *vestes nupciais*, isto é, de "riquezas espirituais". Tinham tudo quanto pensavam que era mister, e, a despeito das claras indicações das exigências requeridas para quem quisesse estar presente ao banquete, exigências essas determinadas pelo próprio grande rei, possuíam sua opinião pessoal e não se prepararam convenientemente. Por esse motivo é que houve outra seleção, feita pelo rei em pessoa, o qual passou em revista os convivas. Entre os "chamados" foram encontrados aqueles

que realmente não eram convidados dignos de estarem no salão de banquete, e esses foram duramente tratados, sendo expulsos. Ao empregar a palavra "escolhidos", portanto, Jesus quis indicar aqueles que realmente possuíam a "justiça", identificada pelas "vestes nupciais". Esses eram os que tinham feito uma inquirição espiritual genuína e sincera.

É possível que nestes versículos tenhamos uma alusão ao costume dos romanos, ao formarem suas milícias. Todos os cidadãos eram convocados, mas somente os que estivessem realmente *aptos* eram finalmente escolhidos para desempenhar qualquer serviço real em prol da nação. "Chamados" e "escolhidos", portanto, neste caso, não implica em mera diferença, mas indica uma *antítese* verdadeira. Segundo os ensinamentos de Jesus, como também acontecia com os escritos rabínicos, sempre se verificava uma rigorosa separação entre os dignos e os indignos. Alguns intérpretes encontram aqui uma ideia calvinista extremada, como se se tratasse da eleição externa e da *reprovação*; mas isso é exagerar o significado das palavras de Jesus. A ideia de "eleição" não tem alicerces dogmáticos neste versículo. Quanto a essa questão, o leitor deveria ler as notas e Romanos 9.15,16 e Efésios 1.3-5. Aqui temos antes o julgamento definido dos convidados por parte do rei, julgamento esse baseado no modo com que os homens acolheram o convite, sem nada ficar subentendido acerca das ações dos indivíduos a quem foi lançado o convite. Deve-se notar, entretanto, que fica demonstrada aqui importantíssima questão doutrinária, e que a autoridade teocrática de Cristo é proclamada, bem como sua especialíssima relação com Deus, por ser ele o filho do rei, e em face do fato de a festa das bodas ser, ao mesmo tempo, o recebimento da noiva e a coroação do filho do rei. O autor deste evangelho, pois, ensinou que a antiga autoridade investida em Israel fora passada para os ombros de Cristo. O sinédrio, portanto, tinha apenas uma aparência de autoridade. A grande verdade é que, ao tempo da escrita deste evangelho, o sinédrio já fora destruído pelo poder romano, e, em sentido muito real, a autoridade fora arrancada das mãos do povo de Israel.

Este versículo não expressa pessimismo indevido; pelo contrário, mostra a *dura realidade*. Pouquíssimos judeus corresponderam de bom grado a Jesus e ao seu convite, e o autor deste evangelho escreveu num período quando a igreja estava sendo perseguida tanto pelos romanos como pelos judeus. Nada indicaria que haveria grande quantidade de conversões entre os judeus.

---

vi. Controvérsia sobre o imposto (22.15-22)

Os paralelos desta seção são Marcos 12.13-17 e Lucas 20.20-26. A fonte informativa é o *protomarcos*. (Ver notas sobre as fontes informativas dos evangelhos no artigo introdutório a este comentário, intitulado "O problema sinóptico" e na introdução ao evangelho de Marcos.)

Esta seção é aquilo que os intérpretes têm chamado de *paradigma* ou "história declaratória", porquanto tem por finalidade "pronunciar" uma verdade ou princípio geral que precisa ser seguido pelos discípulos sérios do reino. Nessas histórias, o autor revela a ética de Jesus, os princípios morais que ele ensinou como vantajosos para os seus discípulos seguirem. O principal conceito se encontra no v. 21. Esse conceito exprime a noção de que, na qualidade de discípulos, temos responsabilidades tanto para com Deus como para com as autoridades civis. No décimo terceiro capítulo da epístola aos Romanos, Paulo ensina a mesma verdade, e, nesse texto, a obediência às autoridades civis é ordenada principalmente porque essas autoridades são vistas como preservadoras da ordem social, e porque Deus foi quem lhes conferiu essa autoridade. Muito tem sido escrito sobre as implicações desse assunto, incluindo-se explicações extremadas para um lado ou para outro. Alguns têm ensinado, à base desse texto, uma "separação absoluta entre igreja e estado"; e, apesar desse ponto de vista ter o seu valor justo e de ter produzido, na prática, grandes benefícios à sociedade, não é provável que Jesus estivesse contemplando o governo humano sob esse prisma. Outros fazem com que a obediência ao governo humano seja tão absoluta, que os crentes que vivem em sociedades imorais e ímpias são forçados a ser imorais e ímpios. Nos tempos antigos, os cristãos chegaram a prostrar-se diante de César ou de sua imagem, como se fosse um deus, e alguns negaram a Cristo a fim de escapar com vida. Nos tempos modernos, basta lembrar a Alemanha onde, ao tempo de Hitler, enquanto seis milhões de judeus sofreram agonias inenarráveis e finalmente pereceram, quando seus cadáveres foram usados para o fabrico de produtos comerciais, como a gordura que era transformada em sabão, e a pele que era usada para fabricar abajures, a igreja cristã permaneceu geralmente silenciosa — num silêncio que era uma *blasfêmia* contra Deus. Neste último caso, as igrejas cristãs se ocultaram por detrás de passagens como o décimo terceiro capítulo da epístola aos Romanos, e assim se desculpavam.

22.15: Então os fariseus se retiraram e consultaram entre si como o apanhariam em alguma palavra;
22.15 Τότε πορευθέντες οἱ Φαρισαῖοι συμβούλον ἔλαβον ὅπως αὐτὸν παγιδεύσωσιν ἐν λόγῳ.

15-16 Τότε...᾽ Ἡρῳδιανῶν Mc 3.6

Muito provavelmente a atitude de Jesus assemelhava-se à de muitas das autoridades religiosas dos judeus de seu tempo. O mais certo é que ele sempre tivesse mantido o ponto de vista mais estrito possível sobre a monarquia absoluta de Deus neste mundo, sem jamais ter dividido claramente o mundo em duas partes distintas: uma religiosa (*para Deus*), e outra política (*para César*). Isso teria obrigado os discípulos do reino a viver uma existência dualista, algumas vezes para Deus e outras vezes, para César. Não obstante, é necessário obedecer às autoridades (até mesmo as autoridades romanas), e com isso concorda a corrente principal do ensino rabínico. Muitas autoridades religiosas, dos dias de Jesus, eram pacifistas que não queriam imiscuir-se nas questões políticas. Jesus parece ter compartilhado dessa disposição, pois o fato de a pergunta sobre o tributo lhe ter sido apresentada por diversas vezes sugere que os seus pontos de vista políticos não eram bem conhecidos, ou mesmo não eram conhecidos de maneira geral. Pode haver, entretanto, exceções acerca dessa obediência, conforme foi expressado por Israel Abrahams: "Pois embora assim preparados para obedecerem a Roma, sendo leais a todos os seus legítimos regulamentos, não poderia haver transigência quando César infringisse a esfera que pertencia exclusivamente a Deus" (*Studies in Pharisaism and the Gospels*, primeiro sermão, p. 64). Isso se assemelha à atitude que os cristãos primitivos apresentaram: "Então Pedro e os demais apóstolos afirmaram: Antes importa obedecer a Deus do que aos homens" (At 5.29).

Tanto para as autoridades religiosas de Israel como para os cristãos primitivos, geralmente era difícil encontrar solução para os problemas de obediência a Deus ou a César, porquanto o governo romano nem sempre se mostrava simpático, provocando muitas dificuldades de consciência. Algumas vezes, surgiam mesmo *divisões* de opinião entre as autoridades religiosas, sobre o que se deveria fazer em determinados casos. Os crentes tiveram de enfrentar os mesmos problemas, especialmente durante tempos de perseguição. Não obstante, permanece de pé a regra geral. Apesar de a consciência ser o guia em todos os casos, os crentes devem prestar lealdade às autoridades civis. O pagamento de impostos era apenas uma questão, e Jesus se pronunciou de modo definido em favor disso. Esta instância, todavia, é expandida a fim de incluir outros tipos de "obediência", conforme é indicado pela declaração geral do v. 21: "Daí, pois, a César o que é de César, e a Deus o que é de Deus".

Na história judaica, nota-se que muitos *se ressentiam* da necessidade de pagar impostos a Roma, e por mais de uma vez rebentaram revoltas justamente sobre essa questão. Muitos judeus argumentavam que não era necessário nem desejável esse imposto, visto que em realidade viviam sob uma "teocracia". Alguns procuraram pôr Jesus em posições embaraçosas ante as autoridades civis, insistindo que ele lhes desse resposta sobre a questão. Se tivesse respondido que deveriam pagar impostos, ele teria deixado indignada boa parte da população contra ele. E se sua resposta fosse negativa, cairia em dificuldades perante as autoridades civis romanas. Como sempre, Jesus não se esquivou, não retrocedeu e nem deu uma resposta de sentido dúbio. Simplesmente expressou a sua convicção. Sim, deviam ser pagos os tributos. Essa declaração talvez tenha sido um dos fatores que fez as multidões finalmente se voltarem contra ele, tendo-o rejeitado totalmente.

Jesus não tinha simpatia pelo nacionalismo *radical*, e é importante observar que ele não considerava isso como questão muito importante. Não queria que o *seu evangelho* estivesse associado ao derramamento de sangue que qualquer espécie de levante armado teria causado. Jesus se interessava, primariamente, e quase inteiramente, pelas correntes íntimas que são impostas pelo pecado. Roma acabou sucumbindo. Deus tem sua maneira de tratar com as nações, e os laços externos e políticos flutuam. Essa prisão íntima, porém, está sempre bem presente entre os homens. Aquele que é libertado pelo filho, fica realmente liberto. Ele veio a fim de livrar-nos da servidão interna.

"Retirando-se os fariseus..." (Quanto a notas sobre os "fariseus", ver Mc 3.6; sobre os principais sacerdotes, ver Mc 11.27; sobre os "escribas", ver Mc 3.22; sobre os "saduceus", ver Mt 22.23; sobre o "sinédrio", ver Mt 22.23; sobre os "herodianos", ver Mc 3.6; sobre os "essênios", ver Lc 1.80 e Mt 3.1; e sobre a comunidade de *Qumran*, ver Mt 3.1.)

"Consultaram entre si". Essa expressão é usada somente aqui, no NT. É similar à expressão latina *consilum capere*, como em Mateus 12.14. O verbo significa "armar armadilha", e procede do substantivo grego "pagis", que significa armadilha. (Ver usos na LXX, em 1Rs 28.9; Eclesiastes 9.12; *Testamento dos Doze Patriarcas*, José 7.1). As autoridades religiosas planejaram pôr uma armadilha diante de Jesus, tal como faria um caçador que quisesse apanhar um animal feroz ou um pássaro.

Marcos 12.13 (o paralelo deste relato) dá-nos a ideia de que o plano foi traçado *pelo sinédrio*, que enviara representantes do grupo dos fariseus, os quais vieram acompanhados por representantes dos herodianos. O texto de Mateus 21.46 revela outro plano do sinédrio para silenciar Jesus; mas, nesse caso, mediante a violência física. Por essa altura dos acontecimentos, as coisas haviam piorado muito, e somente o aparente apoio do povo impedia as autoridades de já terem crucificado a Jesus. Ao enfraquecer-se esse apoio popular, Jesus não podia mais aproveitar-se dessa espécie de proteção; daí por diante, conforme também estava escrito a seu respeito, ele passou a ser um sacrifício para os mentores de uma religião falsa e radical. A essa altura, eles desejavam apanhar Jesus numa armadilha com alguma "palavra", isto é, mediante perguntas astutamente feitas; o mais provável é que quisessem provocar Jesus para ele se atirasse a debater algum assunto controvertido, tal como esta questão que envolvia o pagamento de impostos aos romanos, o que era questão delicada para todo o Israel, incluindo as suas autoridades religiosas, que estavam divididas em torno do problema.

22.16: e enviaram-lhe os seus discípulos, juntamente com os herodianos, a dizer: Mestre, sabemos que és verdadeiro, e que ensinas segundo a verdade o caminho de Deus, e de ninguém se te dá, porque não olhas a aparência dos homens.
22.16 καὶ ἀποστέλλουσιν αὐτῷ τοὺς μαθητὰς αὐτῶν μετὰ τῶν ᾽Ηρῳδιανῶν λέγοντες, Διδάσκαλε, οἴδαμεν

596 |Mateus| NTI

ὅτι ἀληθὴς εἶ καὶ τὴν ὁδὸν τοῦ θεοῦ ἐν ἀληθείᾳ
διδάσκεις, καὶ οὐ μέλει δοι περὶ οὐδενός, οὐ γὰρ
βλέπεις εἰς πρόσωπον ἀνθρώπων.

16 λεγοντας ℵBL 085 *27 700.*; R] *-υτες* s *rell*

"E enviaram-lhe os discípulos..." A passagem de Marcos 12.13 diz que os fariseus e os herodianos também participaram do conluio; e Mateus chama de *discípulos* a uma parte desse grupo, o que, quando ligado ao v. 15, parece indicar os discípulos dos fariseus. As ordens religiosas dos judeus tinham discípulos que estavam sob a orientação estrita dos membros mais antigos de cada grupo. Todos viviam em contacto íntimo com esses líderes, e não somente eram instruídos por eles, mas também os observavam na vida diária, sob todas as circunstâncias. Ao treinar jovens ministros, Paulo utilizou-se do mesmo método que Jesus usara antes, porquanto os seus doze discípulos originais o acompanhavam em suas viagens. Esse método de treinamento não era peculiar ao judaísmo, mas fazia parte bem definida do método didático da época, e também foi empregado no cristianismo primitivo, conforme se vê no exemplo de Paulo. Esses homens, sendo também fariseus bem treinados nas escolas farisaicas, uniram-se aos herodianos, a fim de tentar lançar Jesus no descrédito, tanto perante o povo como perante os diversos grupos de líderes do povo.

Os herodianos eram os partidários da dinastia dos Herodes, instituída por motivo de *interesses nacionalistas*, a fim de ser impedido o governo pagão direto, que sempre foi desprezado pelos judeus. Ordinariamente consideravam (ou pelo menos assim diziam) que a sucessão dos Herodes era o Messias. Procuravam manter a política judaica, e, nessa tentativa, concordavam com os pontos de vista dos fariseus. Em realidade, não eram um grupo religioso, e usualmente tendiam a não se mostrar ortodoxos quanto a pontos de vista religiosos, e nisso concordavam mais frequentemente com os saduceus. Davam apoio ao pagamento de tributos aos romanos, a que os fariseus, como um grupo, se opunham.

A palavra *fariseus* significa *separados*, embora alguns eruditos considerem que se trata de um vocábulo de origem e de significação incertas. A princípio, apareceram como um grupo distinto, pouco depois da revolta dos Macabeus (que livrou os judeus do domínio sírio, em cerca de 140 a.C.). Os fariseus, como agrupamento religioso, ordinariamente procediam do povo comum, em contraste com os saduceus, que, usualmente, eram elementos provenientes da aristocracia. No começo, o movimento dos fariseus tinha por intuito purificar e defender a crença ortodoxa. Eles eram porta-vozes das opiniões das massas populares. Após alguns anos, porém, o farisaísmo foi invadido por grande acúmulo de legalismo ritualista, que obscureceu o propósito original do movimento, embora muitos indivíduos dentre eles se tenham conservado sinceros e honestamente religiosos. Embora continuassem ortodoxos em suas declarações, gradualmente foram perdendo a presença e a aprovação divina, e, nessa condição, não souberam reconhecer o seu Messias, transformando-se, assim, nos principais oponentes de Jesus. Os fariseus, juntamente com os saduceus, perfaziam o principal corpo civil e religioso autorizado dos judeus, denominado sinédrio.

A combinação desses dois grupos para oferecer oposição a Jesus é instrutiva, porquanto geralmente se opunham um ao outro quanto à questão do pagamento de impostos às autoridades romanas. Os fariseus se opunham à cobrança de impostos e os herodianos lhe eram favoráveis. No entanto, por algum tempo, tendo encontrado um adversário comum, uniram-se aqueles dois grupos normalmente inimigos. Não buscavam resposta com sinceridade, mas meramente armavam uma cilada para forçar Jesus a fazer alguma forma de pronunciamento que fosse desaprovado por um ou por outro poder e pelo próprio povo.

"Mestre, sabemos que és verdadeiro". Aqueles homens usavam a *lisonja* como isca. Adam Clarke (in loc.) tem algum comentário digno de nota sobre isso. "Os homens que nos lisonjeiam no rosto sempre são suspeitos. Os italianos têm um provérbio muito expressivo que diz: 'Chè ti fa carezze più che non suelo, O t'ha ingannato, o ingannar ti vuole' e que significa: 'Aquele que te agrada mais do que é mister, ou te tem enganado ou está prestes a enganar-te'. Jamais vi falhar o sentido desse provérbio; e ele é notoriamente exemplificado nesta instância. Os lisonjeadores, embora digam a verdade, sempre serão possuidores de uma alma vil e maliciosa". É possível que até mesmo eles tenham percebido algo de suas declarações lisonjeiras, o que explicaria sua infame acusação contra Jesus, de que ele estava aliado a *Beelzebul* (ver Mt 12.24), o que era um pecado contra a própria luz. É possível que algumas vezes tenham sentido admiração por Jesus, mas o orgulho, o egoísmo, o ciúme e até mesmo a pura malícia os tenham levado a obscurecer sua ocasional admissão de grandeza na pessoa de Jesus. Nessa lisonja eles reconheciam: (a) a fidelidade de Jesus como mestre religioso; (b) sua sinceridade; (c) seu destemor; (d) que ele, em contraste com eles, não era lisonjeador e não fazia acepção de pessoas. Contudo, essas declarações, lado a lado com suas más intenções, eram um insulto, porque pensavam que Jesus ficaria temporariamente impressionado com eles se dissessem coisas contrárias às suas convicções, ou, pelo menos, caísse como um ingênuo, arruinando-se na explicação que daria.

22.17: Dize-nos, pois, que te parece? É lícito pagar tributo a César, ou não?

22.17 εἰπὲ οὖν ἡμῖν τί σοι δοκεῖ·ᵃ ἔξεστιν δοῦναι κῆνσον Καίσαρι ἢ οὔ;

ᵃ **17** *a* statement: WH RSV NEB Luth Jer Seg // *a* question: TR Bov Nes BF² AV RV ASV TT Zür

"É lícito pagar tributo..." O imposto aqui mencionado provavelmente era o *tributum capitis*, cobrado daqueles que estavam sob domínio romano direto. Nos tempos de Jesus, isso se aplicaria na Judeia, mas não na Galileia, que era governada indiretamente pelos romanos, por meio de Antipas. Foi devido a esse tributo que Judas da Galileia fomentara a rebelião (ver At 5.37 e Josefo *Antiquities*, XVIII.1.1 e *Jewish War*, II.8.1), em meio à qual foi morto (6 d.C.).

Pelo termo *lícito* entende-se a pergunta se um judeu, que se considerava parte de uma "teocracia" e sujeito só a Deus, poderia dar legitimamente de seus bens para um rei ou governante pagão. Segundo princípios teocráticos, somente Jeová poderia ser considerado o Rei de Israel. Na própria Israel, porém, esse princípio não era considerado violado se algum governante terreno agisse em nome de Jeová, ficando claro, na história dos judeus, que o povo sempre pagou impostos a tais governantes. No passado também pagaram impostos a potências estrangeiras, isto é, à Babilônia, à Pérsia etc. Todavia, não se pode dizer que faziam isso voluntariamente ou com boa consciência.

Dois elementos tornaram difícil a situação presente: (1) Tratava-se de uma questão *religiosa*, que envolvia a consciência, e não de descaso para com o próprio dinheiro. Muitos talvez tenham sentido a ferroada econômica também; mas era questão de pagar impostos a uma potência estrangeira, cujos governantes não podiam ser reputados legítimos representantes de Jeová; (2) o nacionalismo judaico radical se vinha intensificando há muito, pelo que a questão também assumira tons *políticos*. A combinação de sentimentos religiosos e políticos fazia da questão dos impostos um dilema especialmente difícil, que já produzira mais de uma revolta. Nota-se também que as esperanças messiânicas eram avivadas em chamas e exploradas pelos líderes radicais políticos ou religiosos, e, de forma geral, as condições que causaram a revolta de 66 d.C., que terminou com a miserável destruição de Jerusalém, em 70 d.C., já iam bem avançadas nos dias de Jesus. A questão dos impostos era apenas um entre muitos problemas, embora de caráter exageradamente importante. Alguns líderes se opunham a qualquer sinal de aceitação do domínio romano. Por exemplo, Judas, o Gaulonita (ver Josefo, *Antiq. XVIII.1* e Atos 5.37) fizera objeção ao recenseamento feito pelos romanos por ser símbolo da servidão a Roma, além de ser motivo de cobrança de tributo; mas a sua rebelião por causa dessas questões terminou em desastre. Sempre será perigoso misturar sentimentos religiosos e políticos, agindo como se tudo fosse uma só e a mesma coisa; mas essa atitude era extremamente comum em Israel, nos dias de Jesus, sendo fomentada pelo ensino oferecido nas escolas e sinagogas. É até mesmo possível que alguns dos fariseus continuassem embalando a esperança de atrair a Jesus para encabeçar alguma revolta nacionalista, e isso seria um dos meios de fazê-lo envolver-se na questão. Os pontos de vista políticos de Jesus, como é óbvio, não eram bem conhecidos.

Apesar de haver muitas possibilidades pelas quais essa pergunta foi apresentada a Jesus, a qual se originou de *variegados motivos*, o paralelo de Lucas 20.20 revela a razão principal por que isso foi feito: "Observando-o (a Jesus), subornaram emissários que se fingiam de justos para verem se o apanhavam em alguma palavra, a fim de entregá-lo à jurisdição e à autoridade do governador". Portanto, vê-se que espiões haviam sido comissionados com a finalidade expressa de entregar o Senhor às autoridades, e, especialmente neste caso, sob a alegação de insubordinação contra o governo. Outros indivíduos já haviam sido executados em face de tais acusações, e é evidente que isso é o que esperavam que acontecesse também a Jesus.

22.18: Jesus, porém, percebendo a sua malícia, respondeu: Por que me experimentais, hipócritas?
22.18 γνοὺς δὲ ὁ Ἰησοῦς τὴν πονηρίαν αὐτῶν εἶπεν, Τί με πειράζετε, ὑποκριταί;

"**Jesus [...] conhecendo...**" Até mesmo um homem de menor envergadura espiritual do que Jesus teria percebido o que aqueles homens eram, e isso não poderia passar despercebido por Jesus, que possuía faculdades de telepatia extremamente sensíveis. Talvez um bom psicólogo pudesse dar-se conta da hipocrisia oculta nesse caso, mesmo sem quaisquer poderes de percepção extra-sensorial. Aqueles homens eram hipócritas porque não tinham vindo como polemistas, a exemplo de fariseus e saduceus mais honestos. Vieram fingindo-se *de justos* (ver Lc 20.20), abrigando no coração maus desígnios e malícia. Queriam ver Jesus executado, e aquela lhes parecia a única maneira de derrubá-lo. Esta seção do evangelho de Mateus registra as diversas disputas de Jesus com as autoridades religiosas. Estas representam muitas outras disputas, pois não devemos imaginar que os incidentes registrados nos Evangelhos tenham sido os únicos de sua natureza. O texto tem o propósito específico de mostrar a razão pela qual Jesus foi levado à cruz, isto é, as razões por detrás das acusações assacadas contra ele, e como sucedeu que ele tenha morrido como aparente inimigo do estado, já que a crucificação era reservada aos criminosos mais radicais e baixos.

"**Hipócritas**". Vem do verbo que significa *replicar*. O substantivo era usado para indicar "aquele que replica", e, no uso e desenvolvimento dessa palavra, veio a assumir o sentido de "ator", partindo da ideia de que os atores replicavam uns aos outros. Finalmente, o termo passou a significar *ator* em coisas sérias, até adquirir o moderno sentido de "hipócrita". Essa palavra é empregada vinte vezes no NT (todas nos evangelhos sinópticos), e sempre em mau sentido. Lucas usou a forma verbal uma vez (Lc 20.20), com o sentido de "fingir". As autoridades profanavam a prática religiosa, transformando-se numa peça de teatro, chegando ao cúmulo de atraírem as multidões para aplaudirem o espetáculo. Por isso, continuaram aplicando seu espírito comum diante de Jesus, e foram verazmente chamados de "hipócritas".

22.19: Mostrai-me a moeda do tributo. E eles lhe apresentaram um denário.
22.19 ἐπιδείξατέ μοι τὸ νόμισμα τοῦ κήνσου. οἱ δὲ προσήνεγκαν αὐτῷ δηνάριον.

"**Mostrai-me a moeda do tributo...**" Jesus tinha pouco dinheiro, e evidentemente não tinha o hábito de levá-lo consigo, pois até mesmo neste caso teve de pedir emprestada uma moeda, a fim de fazer esta ilustração. Muito provavelmente, essa moeda era um *denário*, que tinha a efígie do imperador e a legenda apropriada estampada em um de seus lados; e que neste caso provavelmente era a efígie de Tibério ou de Augusto. Não se tratava, pois do *siclo* (moeda sagrada) que era usado para pagar os reparos necessários ao templo, imposto esse que estava sendo cobrado, então. A parábola dos trabalhadores da vinha (Mt 20.2) indica que o denário era moeda que circulava comumente. A presença de moedas romanas indicava que a independência de Israel era um mito, e os judeus desprezavam essa indicação. Havia um ditado dos rabinos que dizia: "Sempre que corre o dinheiro de qualquer rei, esse rei é senhor". O denário tinha o valor de um dia de trabalho, contanto que o proprietário fosse generoso, pois o salário de um denário por dia era considerado generoso. Lembramo-nos de que o bom samaritano deixou "dois" denários com o dono da hospedaria (ver Lc 10.35), o que nos dá boa indicação do poder aquisitivo dessa moeda. A arqueologia tem mostrado que o denário que circulava ao tempo de Jesus tinha a efígie laureada do imperador Tibério no anverso, com sua mãe, Lívia, no papel de Oax, com um ramo e um cetro na mão, no reverso. Essa moeda era de prata. (Ver *Plínio*, N.H. 33,3,15; *Marquardt, Tom. Alt* 3,2,147.)

22.20: Perguntou-lhes ele: De quem é esta imagem e inscrição?
22.20 καὶ λέγει αὐτοῖς, Τίνος ἡ εἰκὼν αὕτη καὶ ἡ ἐπιγραφή

"**De quem é esta efígie...**" Conforme se explicou no v. 19, provavelmente era de *Tibério* (ver detalhes sobre a aparência dessa moeda nos comentários do v. s. anterior). Pela história dos judeus entende-se que os primeiros Herodes evitaram a prática de estampar efígies em suas moedas, por causa dos preconceitos judaicos contra isso; mas o tetrarca Filipe introduziu efígies nas moedas judaicas, e isso foi seguido por Herodes Agripa I. Naturalmente que as moedas cunhadas em Roma tinham essas imagens, e, pela arqueologia, sabemos que essas moedas circulavam na Palestina durante os tempos de Jesus. Os Herodes, acima mencionados, cunhavam moedas com as efígies de imperadores romanos, o que adicionava insulto às sensibilidades judaicas. Segurando essa moeda na mão, perante aqueles homens, Jesus forçou-os a admitir que estavam sujeitos realmente a um governo estrangeiro, pois eles mesmos é que levavam aquelas moedas no bolso, comprando produtos com elas, e sem dúvida desejando amealhar a maior quantidade possível de tais moedas.

"**De quem é...**" Toda existência humana é como uma moeda, pois traz impresso aquilo que reputa de maior valor. Felizes são aquelas almas que trazem os sinais de Deus. A todos nós ele criou à sua imagem e semelhança, e o propósito do evangelho é injetar em nós a semelhança de Cristo. Entretanto, uma efígie pode ser desgastada com o uso, e outra efígie pode ser cunhada por cima daquela. Um tijolo babilônico, recentemente desenterrado, mostra a marca da pata de um cão sobre o selo original, ocultando-o. Isso nos faz lembrar as palavras do livro de Tennyson, "Idylls of the King" (*O Santo Graal*, II.25-27): "Pois sois bons e maus, e semelhantes a moedas; alguns verdadeiros, outros falsos, mas cada qual estampado com a imagem do Rei".

22.21: Responderam: De César. Então lhes disse: Daí, pois, a César o que é de César, e a Deus o que é de Deus.
22.21 λέγουσιν αὐτῷ, Καίσαρος. τότε λέγει αὐτοῖς, Ἀπόδοτε οὖν τὰ Καίσαρος Καίσαρι καὶ τὰ τοῦ θεοῦ τῷ θεῷ.

21 Ἀπόδοτε...θεῷ Rm 13.7

"Responderam: De César". Júlio César foi o primeiro imperador romano a ordenar a cunhagem de moedas com sua efígie; depois dele, Otávio e Tibério seguiram o seu exemplo.

"Daí, pois..." A resposta de Jesus mostrou que ele reconheceu o princípio de que a aceitação de moedas dos imperadores era uma admissão de sua soberania "de facto". As palavras que se seguem — "[...] e a Deus o que é de Deus" — ensinam que tal admissão não significa admissão de qualquer lealdade menor a Deus. A primeira admissão não interfere com o serviço mais elevado que se deve prestar ao grande Rei. De fato, é ideia de Jesus (posteriormente desenvolvida por Paulo, no décimo terceiro capítulo de Romanos) que a obediência a governantes terrenos é, ao mesmo tempo, obediência a Deus, tal como o serviço prestado à humanidade é, ao mesmo tempo, serviço prestado a Deus. (Ver Mt 25.40.) Os governos terrenos surgiram por instituição divina. A resposta, naturalmente, deve ter deixado indignados os representantes dos fariseus, porque ela revelava claramente a opinião política geral de Jesus, que era definidamente contra o nacionalismo radical, ao mesmo tempo que mostrou, de uma vez por todas, que Jesus não tomaria parte em nenhuma revolta violenta para libertar Israel do domínio estrangeiro. A moeda provava que César era governador *de facto* mas não necessariamente "de jure" (isto é, por direito de lei ética ou política). César impunha o seu domínio pela força, e isso não podia ser considerado como "legal", do ponto de vista político ou ético, pelos judeus nacionalistas comuns. Por conseguinte, Jesus deixou entendido que a independência nacional não era o bem final, e que o patriotismo não combate necessariamente em favor de um valor ou virtude final. Os valores e as virtudes e os bens que podem ser considerados "finais", ou seja, pertencentes à ordem mais elevada possível, são as virtudes, valores e bens que só podem ser encontrados em Deus, na adoração e no serviço a ele e na conformação segundo a imagem de seu Filho. Esses alvos podem ser seguidos sem qualquer atividade política. Essa ideia era defendida por Jesus, em comum com os profetas judaicos. Jesus não ensinou nem deixou subentendido que o "reino de Deus" significava a restauração à independência israelita do domínio romano, embora isso fosse o que o povo comumente entendia ao ouvir a designação *reino de Deus*. Jesus não tratava como necessariamente distintas as questões "seculares" e as questões "religiosas", porquanto é bem provável que para Jesus não houvesse tal coisa como questões seculares. Aquilo que se convencionou chamar de secular em realidade faz parte do quadro completo da atividade humana, que deveria estar inteiramente centralizada em torno das considerações de Deus, das coisas espirituais, da busca espiritual. Jesus, no entanto, avaliava em graus diversos as diferentes atividades dentro da conduta da vida humana. As questões do pagamento de tributo, da independência política etc. simplesmente não eram importantes para Jesus, pelo menos quando parecia óbvio ao povo que somente uma revolução sangrenta poderia alterar a situação. Jesus deixava-se conduzir por ideias acerca do reino de Deus, que consiste da influência de Deus entre os homens, dos valores verdadeiramente espirituais e do destino final das almas.

A resposta de Jesus foi *sábia* e, caso tivesse sido ouvida, a destruição de Jerusalém, que ocorreu no ano 70 d.C. teria sido evitada, como também teria sido evitada a destruição posterior e ainda mais devastadora imposta por Adriano, alguns anos depois. Jesus não ensina aqui diretamente a separação entre igreja e estado, como muitos comentadores têm pensado, pois esse conceito seria inteiramente estranho para qualquer judeu, mas ensinou um tipo de separação de obrigações, estabelecendo prioridades. A questão realmente importante é espiritual. A obediência ao estado também é uma exigência espiritual, embora se situe em escalões menos importantes. Entretanto, embora menos importante, deve ser cumprida honestamente, sem esquivas. Essa passagem inteira tem provocado muitas discussões sobre as relações entre as responsabilidades religiosas e civis, problema esse mais amplamente examinado nas notas introdutórias a esta seção, no v. 15 deste mesmo capítulo, onde o leitor deve consultar as notas para obter detalhes maiores.

22.22: Ao ouvirem isso, ficaram admirados; e, deixando-o, se retiraram.

22.22 καὶ ἀκούσαντες ἐθαύμασαν, καὶ ἀφέντες αὐτὸν ἀπῆλθον.

"Ouvindo isto, se admiraram..." Maravilharam-se e foram derrotados no debate, mas não ficaram convencidos. A palavra aqui traduzida por "se admiraram" pode significar "ficaram surpresos", "ficaram atônitos", mas também pode indicar uma espécie de avaliação subjetiva que reconhece algo de exaltado valor, ou que, de outro modo, prova a admiração dos circunstantes. É neste último sentido que essa palavra é usada aqui. Por um momento, uma vez mais tiveram de reconhecer a grande energia mental de Jesus, bem como seus poderes de raciocínio e elucidação. Jesus já se tornara famoso devido a essa capacidade, e cada nova demonstração provocava a admiração até mesmo dos seus inimigos. No entanto, os comentaristas têm exagerado em suas descrições sobre os efeitos que as palavras de Jesus tiveram sobre aqueles homens. Pois, embora emudecidos por alguns momentos, sua mente continuava ativa e só maquinava a destruição de Jesus. A princípio, a resposta dele causou admiração, mas logo em seguida, ódio. Outrossim, agora compreendiam quais as opiniões políticas de Jesus, e perceberam que ele jamais serviria para tornar-se líder de um levante sangrento contra Roma. Acabavam de perder um ajudador em potencial, e que poderia ser extremamente valioso, em face de sua vasta influência no meio do povo. Bastaria isso para enraivecê-los. Os comentadores têm caído no erro de pensar que Jesus emergiu vitorioso dessa controvérsia. Pelo contrário, aproximou-se mais ainda da cruz, porque agora tinham mais uma razão para odiá-lo. Devemos lembrar que o propósito distinto do autor, ao narrar as histórias desta seção, foi o de mostrar como e por que Jesus foi finalmente executado como se fosse UM INIMIGO DO ESTADO.

Nesse incidente, Jesus não se livrou inteiramente da questão política, e muitos rumores devem ter circulado acerca das intenções políticas de Jesus. Lucas assevera: "E ali passaram a acusá-lo, dizendo: Encontramos este homem pervertendo a nossa nação, vedando pagar tributo a César e afirmando ser ele o Cristo, Rei" (Lc 23.2). Assim, foi feita uma *acusação falsa* que dizia justamente o contrário do que Jesus realmente expressara com relação à questão dos impostos; e essa foi uma questão que o perseguiu até o fim de seu ministério. Naturalmente, isso fazia parte da questão mais geral sobre suas intenções políticas — se ele tencionava ou não ser uma espécie de rei. Tudo isso representava uma ameaça ao governo romano. E não nos esqueçamos de que outros, vez por outra, haviam provocado revoltas políticas. É bem possível que as autoridades romanas locais estivessem realmente com receio de Jesus, pois ele não era nenhum simples Judas da Galileia, e não podia ser controlado tão facilmente quanto Judas. Aos olhos dessas autoridades, Jesus ameaçava verdadeira revolta e verdadeiras dificuldades, e parece claro, mediante as diversas indicações que nos são fornecidas nos Evangelhos, que a acusação que realmente levou Jesus a ser executado na cruz foi a questão da insubordinação política. Isso, naturalmente, é extremamente irônico, porque a evidência é de que Jesus evitava ao máximo imiscuir-se em questões políticas, estando sempre ocupado com assuntos espirituais, originando declarações espirituais, liderando a inquirição espiritual. No entanto, seus inimigos mostraram-se astutos, e, eventualmente, fizeram com ele o que quiseram, chegando ao extremo de dar foros de verdade à acusação política, pelo menos em grau suficiente para levar as autoridades romanas a tomarem medidas drásticas contra ele!

Uma das implicações das palavras de Cristo que podemos perder de vista neste ponto, se nos deixarmos envolver demasiadamente na questão do tributo, é o fato de Jesus, por causa de suas profundas preocupações com as questões espirituais, provavelmente ter considerado as questões políticas, tais como esse assunto dos tributos, uma das *muitas trivialidades* de seus dias. Como se acharia a felicidade? Envolvendo-se os judeus em questões tais como quem deveria exercer o poder, os romanos ou a família de Anás? Porventura os judeus passariam melhor sob a autoridade de Anás ou sob alguma das outras autoridades religiosas? Não é provável, quando nos lembramos do tipo de justiça que aplicaram no caso de Jesus. O que se deve fazer, pois? "Buscai primeiro o reino de Deus", e ele cuidará daquilo que é realmente importante para nós.

> vii. Controvérsia sobre a ressurreição (22.23-33)
> (Ver a nota sobre os *saduceus* nesta referência. Sobre o *sinédrio*, igualmente. Ver a nota sobre os *herodianos* e os *fariseus*, em Marcos 3.6; sobre os *essênios*, em Lucas 1.80 e Mateus 3.1; sobre a comunidade de Qumran, em Mateus 3.1; sobre os *principais sacerdotes*, em Marcos 11.27). Os paralelos se encontram em Marcos 12.18-27 e Lucas 20.27-40. A fonte informativa deste material é o "protomarcos". Ver as notas que explicam as várias fontes informativas dos Evangelhos, no artigo de introdução a este comentário intitulado "O problema sinóptico".

22.23: No mesmo dia vieram alguns saduceus, que dizem não haver ressurreição, e o interrogaram, dizendo:

22.23 Ἐν ἐνείκῃ τῇ ἡμέρᾳ προσῆλθον αὐτῷ Σαδδουκαῖοι, λέγοντες² μὴ εἶναι ἀνάστασιν, καὶ ἐπηρώτησαν αὐτὸν

23 Σαδδουκαῖοι...ἀνάστασιν At 23.8

² 23 {B} Σαδδουκαῖοι, λέγοντες ℵ* B D W Π˙ 0138 *f*¹ 28 33 892 1009 1010 1195 1216 1241 1242* 1344 1365 1546 2148 *l*¹⁰,¹⁸⁵pt,³⁰³,⁸⁶¹,⁹⁵⁰,¹⁶⁴² it^{d,(ff¹)} (syr^{c,s,p}) eth^{ro} Origen Methodius (Ephraem) // Σαδδουκαῖοι οἱ λέγοντες (*ver* Mc 12.18; Lc 20.27) ℵ K L Δ Θ Π² 0107 565 1071 1079 1230 1242ᵉ 1646 2174 *Byz Lect* l^{88pt} it^{a,aur,b,c,e,f,ff¹,g¹,h,l,q,r¹} vg syr^{h,pal} cop^{bo} arm eth^{pp7} Hilary // οἱ Σαδδουκαῖοι οἱ λέγοντες *f*¹³ (700 1253 *omit second* οἱ) l⁵⁴⁷ cop^{sa} eth^{pp7} // Sadducees, who do not believe thtat the dead will live, and they said unto him, "The dead will not live" eth^{ms} *for* Σαδδουκαῖοι...αὐτόν

> Embora o artigo definido após Σαδδουκαῖοι pudesse ter sido tirado por causa da confusão com a terminação do substantivo, foi considerado bem mais provável que copistas tenham adicionado o artigo por assimilação às passagens paralelas (Mc 12.18 e Lc 20.27). Sem o artigo, o particípio indica que os saduceus apresentaram a sua opinião negativa no começo de sua conversa com Jesus; com o artigo, a passagem mostra o credo saduceu ("saduceus, que dizem que..."). Já que esse seria o único lugar onde Mateus proveu explicação desse tipo, concernente às questões judaicas, a forma sem o artigo é preferível.

Embora os saduceus não sejam frequentemente mencionados nos Evangelhos, devem ter figurado entre os *mais poderosos* inimigos de Jesus. O sumo sacerdote e os seus amigos, que denunciaram Jesus a Pilatos, pertenciam a esse partido religioso. Embora aparentemente liberais — porque não criam na ressurreição e no mundo dos espíritos (crenças rejeitadas por muitos liberais modernos) —, de muitas outras maneiras eram conservadores políticos e intérpretes literais das Escrituras. Negavam a ressurreição somente porque não a encontravam explicitamente ensinada no Pentateuco, que era a porção do AT que eles aceitavam como "*Escritura*". Passagens como Daniel 12.2,3 ensinam claramente a ressurreição; mas é provável que os saduceus dissessem que, por achar-se fora do Pentateuco, esse ensino não era autorizado (como devem ter considerado outros textos também). Por sua vez, os fariseus defendiam a crença na ressurreição e afirmavam que aqueles que a negavam não teriam parte na mesma. (Ver *Sanhedrin* 10.1). Os saduceus ufanavam-se de ser os intelectuais, tanto no aspecto político como no aspecto religioso. Sendo conservadores, advogavam a aceitação do domínio romano, a fim de evitar o derramamento de sangue e a revolução. Estes não vieram fazer indagações honestas, mas pensavam que poderiam demonstrar seu intelecto superior diante de Jesus, reduzindo sua doutrina ao absurdo. Estavam tentando ser bons filósofos, algo parecido com o que Sócrates costumava fazer, confundindo e esmagando os seus oponentes, mostrando-lhes como eram basicamente ignorantes.

Os saduceus. Se o ponto de vista mantido pelos fariseus demonstrava que eles criam na ressurreição literal, os saduceus *rejeitavam* essa ideia, juntamente com outras doutrinas que envolvem o sobrenatural, como a existência e a sobrevivência da alma, e a existência dos espíritos. (Ver At 23.8.) Ao negarem a existência dos espíritos, naturalmente negavam a existência dos anjos. Para os saduceus, esse furto da substância das ideias metafísicas não era demonstração de liberalismo (conforme ele é ensinado atualmente), mas, em realidade, parecia-lhes evidência do conservadorismo, uma vez que a base nessa negação era o fato de que eles aceitavam como Escritura somente o Pentateuco, e o que ali não fosse claramente expresso era rejeitado por eles. As doutrinas dos espíritos, dos anjos, da ressurreição, e da imortalidade são geralmente demonstradas em livros posteriores do AT, e, como é óbvio, em nossos dias, no NT. Essa posição conservadora dos saduceus também aplicava-se às questões políticas. Provavelmente, não estavam satisfeitos com o domínio romano, mas ansiavam por preservar a paz, mais especialmente porque faziam parte das classes de proprietários de terras, e boa parte das riquezas da nação estava em suas mãos. Não desejavam perturbar essa condição. Segundo sua estimativa, pois, eram conservadores na política e na religião. Essa é uma das razões por que temiam a Jesus, já que, nas controvérsias mais doutrinárias, Jesus tendia por tomar partido com os mais *liberais* fariseus; mas Jesus também representava uma possível revolta política, porquanto pelo menos muitos rumores dessa natureza circulavam a seu respeito. Portanto, anelavam por silenciar a Jesus, no que eram acompanhados por outros líderes de Israel.

O título *saduceus* indica qualquer indivíduo que simpatizasse com os *zadoquitas*, os descendentes sacerdotais da tradição de Zadoque, o sumo sacerdote dos dias de Davi e Salomão. Esse partido compunha-se quase exclusivamente dos elementos mais ricos da população, incluindo sacerdotes, comerciantes e aristocratas mundanos. Entretanto, muitos eruditos não concordam com essa derivação do termo. Alguns deles pensam que o nome vem de um hipotético fundador de alguma antiga seita religiosa e política, de nome Zadoque, que teria sido discípulo de Antígono de Socó. Isso, entretanto, parece ter pouca base nos fatos. Outros sugerem que o nome vem do vocábulo grego *syndikoi* ou controladores fiscais, o que explicaria a origem do nome em bases principalmente comerciais. Outros creem que vem da palavra "saddiq" — justo —, o que significaria que essa ordem estaria ligada a origens religiosas. Por conseguinte, não há certeza quanto à origem do nome e do partido dos saduceus. Não sabemos também qual o caráter distintivo original desse grupo. Alguns acreditam que era principalmente um grupo político; outros, que se tratava de um partido religioso; outros, que representavam uma classe distinta de líderes — a aristocracia —, em contraste com os fariseus, que geralmente vinham do povo comum, e que eram os principais exponentes das ideias das massas. Nossas fontes de informação sobre eles são Flávio Josefo, o historiador judeu, *Mishnah* (parte do Talmude), e as diversas declarações que há sobre eles no NT. (Ver as referências seguintes: Mt 3.7; 16.1,6,11,12; 22.23-34; Mc 12.18-27; Lc 20.27-38; At 4.1,2; 5.17; 23.6-8.) Todas essas fontes encaram negativamente esses grupos.

No aspecto religioso, os saduceus diferiam dos fariseus no fato de rejeitarem toda a tradição oral e todas as Escrituras, exceto os cinco livros de Moisés ou Pentateuco. (Alguns eruditos, porém,

|Mateus| NTI

rejeitam esse parecer, como, por exemplo, Alford.) Nota-se que, após a destruição de Jerusalém, no ano de 70 d.C., os saduceus desapareceram como grupo influente em Israel, e, de modo geral, as suas ideias foram lançadas no esquecimento, pois o ceticismo não é popular em tempos de prova e sofrimento. Alguns dos saduceus haviam sido, nos tempos de Jesus, membros do mais elevado corpo legal e religioso da nação de Israel: o sinédrio.

O sinédrio. Esse corpo legal derivava seu nome da palavra grega *synedrion* (da qual, o termo hebraico "sanhedrin" era um empréstimo). A própria palavra significa *concílio*. Esse grupo era o corpo indígena governante mais exaltado da Judeia, mas também representava o judaísmo inteiro; compunha-se de sumos sacerdotes, anciãos e eruditos (escribas), e se reunia sob a presidência do sumo sacerdote. Na qualidade de anciãos e sacerdotes, os saduceus formavam parte desse corpo; e, nos tempos de Jesus, eram os elementos mais poderosos, uma vez que a família do sumo sacerdote pertencia a esse grupo. A maioria dos abusos praticados no templo, tal como o comércio altamente desenvolvido e torpe que ali se via, fora criada por esse partido. O sinédrio era a autoridade final em questões, tanto religiosas como civis, e só não era acatado quando usurpava os direitos do governo romano. Não tinha a autoridade para executar a pena de morte, pelo que também, quando queriam que tal sentença fosse executada, precisavam da autorização das autoridades romanas. O número de membros do sinédrio era geralmente de setenta, havendo evidências de que havia dois desses tribunais — um que tratava das questões civis e judiciais, e outro que cuidava das questões religiosas, embora não possamos ter tanta certeza disso. (Ver a nota em Mateus 10.17 sobre os diversos tribunais dos judeus.)

22.24: Mestre, Moisés disse: Se morrer alguém, não tendo filhos, seu irmão casará com a mulher dele, e suscitará descendência a seu irmão.
22.24 λέγοντες, Διδάσκαλε, Μωϋσῆς εἶπεν, Ἐάν τις ἀποθάνῃ μὴ ἔχων τέκνα, ἐπιγαμβρεύσει ὁ ἀδελφὸς αὐτοῦ τὴν γυναῖκα αὐτοῦ καὶ ἀναστήσει σπέρμα τῷ ἀδελφῷ αὐτοῦ.

24 Ἐάν...γυναῖκα αὐτοῦ Dt 25.5 ἐπιγαμβρεύσει...ἀδελφῷ αὐτοῦ Gn 38.8

O autor deste evangelho não se preocupa em explicar as doutrinas dos saduceus, embora o seu evangelho tenha sido escrito primariamente para leitores judeus, que podiam entender as implicações das narrativas que ele contava sobre os encontros entre Jesus e os saduceus. Jesus não pertencia a nenhum partido religioso ou político; por isso mesmo, era alvo de todos os partidos e facções existentes ali em Israel. Alguns têm sugerido que os saduceus vieram debater com Jesus com o propósito de se divertir, e não com malícia política, como sucedera antes, no caso do debate de Jesus com os representantes dos fariseus e herodianos. Os saduceus teriam vindo com Jesus, a fim de exibir o absurdo da doutrina da ressurreição, crença essa que Jesus defendia em comum com os fariseus. Usaram de uma antiga e proverbial história, que devem ter empregado por muitas vezes, talvez para consternação dos fariseus. A resposta dada por Jesus envolve pelo menos dois elementos: (1) A despeito de toda a sua sabedoria terrena e de seu prestígio como intelectuais da sociedade, os saduceus *pouco* compreendiam do poder de Deus, que pode ressuscitar novamente os mortos à vida; (2) outrossim, a despeito de aceitarem fundamentalmente as Escrituras, delas não haviam aprendido conceitos *metafísicos básicos*, e principalmente pouco ou nada sabiam sobre o destino do homem, o que deveria ser o seu ponto mais forte, como filósofos religiosos que arrogavam ser. Não compreendiam que a vida é essencial aos propósitos de Deus, e que os mortos, se realmente fossem extintos, não poderiam fazer parte desses propósitos — pois Deus é Deus de vivos. Talvez do modo indireto, dentro da informação dada, Jesus tenha aludido à natureza dessa

existência, a qual não envolve as instituições humanas ordinárias, conforme as conhecemos, como o matrimônio, por exemplo. (Ver notas sobre isso que seguem a esta seção. Paulo revelou que essa existência espiritual será mais elevada que a existência dos anjos, porquanto possuiremos mais inteligência, poder e domínio do que eles, como corpo de Cristo, o qual preenche tudo em todos, e seremos a sua plenitude. Ver Ef 1.) Quanto a notas adicionais sobre a imortalidade, ver a nota expandida em 2Coríntios 5.8.

Este versículo faz referência à versão da LXX, quanto a Deuteronômio 25.5,6, a chamada *lei do casamento levirato*, que foi pela primeira vez exposta em Gênesis 38.8, cujo propósito era certificar que um homem falecido teria descendência que levasse avante a herança da família, isto é, impedisse que fosse absorvida por outras famílias. Os textos de Deuteronômio 25.7-10 e Rute 3.9—4.12 mostram que essa lei passou por alguma revisão e mudança. A *Yebamoth*, na Mishnah, trata deste último desenvolvimento. (Ver as notas sobre o Talmude, a Mishnah e a Gemara, em Mateus 15.2.)

O desígnio dos saduceus era o de mostrar, *pela própria lei* (isto é, pelos livros que eles aceitavam como autoridade religiosa), que a doutrina da ressurreição deveria ser encarada como absurda. A lei criara a necessidade de a viúva casar-se com seu cunhado (quando o primeiro marido dela tivesse morrido sem filhos), a fim de preservar o nome da família e os direitos de herança. Não obstante, havia a possibilidade de surgirem casos complexos, se os casamentos terrenos tiverem de ter seus paralelos no *céu*. Provavelmente, os fariseus ensinavam que existe esse paralelismo, e isso abria caminho para a aplicação do argumento dos saduceus. Não se seguia daí que o matrimônio "celestial" deveria ter sua origem em algum casamento terreno; mas essa era a suposição de que os saduceus evidentemente depreendiam das explicações sobre o matrimônio, dadas pelos mestres da tradição farisaica.

22.25: Ora, havia entre nós sete irmãos: o primeiro, tendo casado, morreu; e, não tendo descendência, deixou sua mulher a seu irmão;
22.25 ἦσαν δὲ παρ' ἡμῖν ἑπτὰ ἀδελφοί· καὶ ὁ πρῶτος γήμας ἐτελεύτησεν, καὶ μὴ ἔχων σπέρμα ἀφῆκεν τὴν γυναῖκα αὐτοῦ τῷ ἀδελφῷ αὐτοῦ·

22.26: da mesma sorte também o segundo, e o terceiro, até o sétimo.
22.26 ὁμοίως καὶ ὁ δεύτερος καὶ ὁ τρίτος, ἕως τῶν ἑπτά.

22.27: Depois de todos, morreu também a mulher.
22.27 ὕστερον δὲ πάντων ἀπέθανεν ἡ γυνή.

22.28: Portanto, na ressurreição, de qual dos sete será ela esposa, pois todos a tiveram?
22.28 ἐν τῇ ἀναστάσει οὖν τίνος τῶν ἑπτὰ ἔσται γυνή; πάντες γὰρ ἔσχον αὐτήν.

Sete irmãos casaram-se com a mesma mulher, cada qual por sua vez, formando um caso extremamente complexo para *reunir* os casais no céu. Cada um desses matrimônios seria igualmente válido, visto que, de conformidade com a lei judaica, tais casamentos eram legais, e, neste caso, eram mesmo necessários, em face da "lei do casamento levirato". Em cada caso supõe-se que não havia descendentes, para que nenhuma preferência pudesse ser dada a qualquer dos irmãos. Parece que, a esse ponto, os comentadores percebem algo do espírito *brincalhão* dos saduceus, pois é quase impossível que um caso assim chegasse a ocorrer. Crisóstomo observa com humor que esse acontecimento não poderia mesmo ocorrer, visto que, após haver morrido o segundo irmão, todos os demais haveriam de evitar aquela mulher como um mau presságio. Essa situação de casamento e morte estava de tal maneira entranhada na mulher, que somente a própria morte poderia terminar a sequência, quando finalmente a morte estendeu o braço para a infeliz viúva de sete irmãos. Vê-se, portanto, que os saduceus apresentaram um caso absurdo, na esperança de reduzir a doutrina da ressurreição ao absurdo. Com isso, porém, conseguiram apenas apresentar um argumento absurdo. É admirável que antes houvessem deixado os fariseus perplexos com ela. Ao mesmo tempo, refletiam uma ideia absurda sobre o mundo espiritual, e, além disso, mostraram que tinham uma compreensão muito superficial sobre o destino humano e suas exigências. A terra não passa de um debuxo a lápis, muito mal traçado, acerca do céu ou dos lugares celestiais, e não podemos supor muita coisa acerca da natureza das coisas celestiais, à base daquilo que sabemos sobre a terra.

O quebra-cabeça era espirituoso, mas de solução impossível para os talmudistas, que tinham um ponto de vista extremamente materialista sobre a ressurreição, porquanto eles simplesmente baixavam a regra que o primeiro marido tinha a prioridade sobre a esposa. Não obstante, essa tão *tola questão*, provavelmente apresentada como zombaria pelos saduceus, provocou da parte de Jesus uma de suas grandes declarações, pelo que até poderíamos ser gratos aos saduceus.

22.29: Jesus, porém, lhes respondeu: Errais, não conhecendo as Escrituras nem o poder de Deus;
22.29 ἀποκριθεὶς δὲ ὁ Ἰησοῦς εἶπεν αὐτοῖς, Πλανᾶσθε μὴ εἰδότες τὰς γραφὰς μηδὲ τὴν δύναμιν τοῦ θεοῦ·

"**Errais**", disse Jesus aos 'intelectuais', mostrando que os seus argumentos não tinham fundamento. Os saduceus ufanavam-se por serem os que interpretavam literalmente as Escrituras; mas, em realidade, não conheciam o livro sagrado. Isso se aplica muito bem a muitas pessoas hoje em dia! Como é grande a certeza de que sabem muito, mas quão pouco realmente sabem sobre as Escrituras! Era muito provável que Jesus tivesse em mente alguma passagem como Daniel 12.2,3, que ensina a ressurreição, como também que a própria fé e a perspectiva espiritual requerem a crença na ressurreição, isto é, a continuação da personalidade humana para além da sepultura. Além disso, ele talvez tenha deixado entendido que a autêntica compreensão das Escrituras teria evitado inteiramente a questão, uma vez que, em lugar nenhum as Escrituras ensinam a continuação dos laços matrimoniais além desta vida, conforme a conhecemos aqui. Seja como for, o conhecimento bíblico que tinham os deixara inteiramente nas trevas acerca da verdade da outra vida. Em segundo lugar, os saduceus, que exerciam tanta influência e poder diante dos homens, faziam bem pouca ideia do poder de Deus. Ainda que os laços matrimoniais tivessem de continuar, Deus não encontraria problema em reunir o casal certo, a despeito das vinculações da mulher nesta vida. É possível que os fariseus já tivessem mostrado isso aos saduceus. Entretanto, Jesus queria dizer que o poder de Deus é tão grande, que o fato da vida pós-túmulo é certo. Muitas teorias insensatas sobre o modo da ressurreição têm circulado, algumas das quais são realmente cruas, tal como aquela que afirmava que o corpo dos fiéis seria levado por meio de canais subterrâneos para Jerusalém, onde seria reanimado para o julgamento final. Jesus ignorava essas histórias, mas afirmou a continuação da personalidade individual, e isso de alguma forma. Jesus não explicou nem o modo da ressurreição nem o que se deve esperar. Em 1Coríntios 15.20, tentamos uma explicação sobre a natureza do corpo da ressurreição. Esta nota explica a doutrina do NT a respeito da ressurreição. Conforme a doutrina de Jesus, a ressurreição é a oportunidade de Deus mostrar o seu poder, porquanto, ao morrer, o homem deixa de confiar em si mesmo. Para o homem, a morte é uma tragédia final. Para Deus, no entanto, é apenas um novo começo ou exibição da glória e da realidade da vida. A ressurreição *não é* réplica deficiente da existência terrena. É a vida da alma, dos anjos, das realidades celestiais, de novos propósitos, de novas aspirações, de novos desafios, de novos alvos, de uma partilha maior na vida que

caracteriza o próprio Deus: Ver a nossa participação na divindade, em 2Pedro 1.4.

Os saduceus, todavia, não confiavam no poder de Deus sobre a morte e, por isso mesmo, eram incapazes de conceber ou de antecipar a glorificação do corpo presente, quando houver de ser transformado e assumir um estado superior, passando a um tipo de existência que não pode ser aquilatado pelos padrões terrenos atuais. Jesus poderia ter salientado que o mesmo Deus que fez o homem do pó da terra pode ressuscitá-lo do pó, e as Escrituras aceitas pelos saduceus (os cinco livros de Moisés) certamente ensinam esse aspecto do poder de Deus. As Escrituras subentendem a ressurreição até mesmo em textos onde ela não é diretamente afirmada, e ante o poder de Deus dissolvem-se todas as aparentes dificuldades. A doutrina dos saduceus envolvia um mal-entendido "a priori" do poder de Deus.

22.30: pois na ressurreição nem se casam nem se dão em casamento; mas serão como os anjos no céu.
22.30 ἐν γὰρ τῇ ἀναστάσει οὔτε γαμοῦσιν οὔτε γαμίζονται, ἀλλ' ὡς ἄγγελοι[3] ἐν τῷ οὐρανῷ εἰσιν.

[3] **30** {C} ἄγγελοι (*ver* Mc 12.25) B D 0197 700 Cosmos[1/3] // οἱ ἄγγελοι Θ *f*[1] cop[sa] Origen // ἄγγελοι *or* οἱ ἄγγελοι it[a,b,c,d,e,f,ff²,h,q,r¹] syr[c,s] arm geo Diatessaron[csyr] Ambrose // ἄγγελοι θεοῦ ℵ L *f*[13] 28 33 892 1071 1216 1241 *Lect* l[185pt,950pt] Chrysostom Cosmos[1/3] // ἄγγελοι τοῦ θεοῦ K W Δ Π 0138 565 1009 1010 1079 1195 1230 1242 1253 1344 1365 1546 1646 2148 2174 *Byz* l[12,76,80,184,185pt,299,303,950pt,997,1127] Methodius Epiphanius // ἄγγελοι θεοῦ *or* ἄγγελοι τοῦ θεοῦ it[aur,ff²,g¹,l] vg syr[p,h,pal] cop[bo] eth Diatessaron Origen[lat]

Apesar de a evidência em prol de ἄγγελοι ser limitada em extensão, não obstante inclui os principais representantes dos tipos de texto alexandrino e ocidental. A adição de (τοῦ) θεοῦ é uma expansão natural, a qual, se fazia parte do texto original, dificilmente teria sido omitida.

Um rabino do século III de nossa era disse: "No mundo vindouro não haverá comida nem bebida, geração nem procriação, negócios nem comércio, e nem inveja, nem inimizade ou controvérsia; mas os justos assentar-se-ão com coroas na cabeça e se aquecerão à luz da glória de Deus". Em parte, ele tinha razão, e em parte, não, pois essa *cena de praia*, imaginada pelo rabino, não é muito preferível à ideia de que o céu é apenas uma terra renovada. O pensamento humano tem reduzido grandemente o conceito do céu, talvez devido ao desejo de "compreendê-lo", porquanto o anelo de compreender algo cria o vício de simplificar tudo. No entanto, o conhecimento de Deus simplesmente não pode ser reduzido à escala terrena. Certamente que o "céu", neste caso, alude aos "lugares celestiais" referidos por Paulo (ver Ef 1.3), que servirão de lar da igreja e da humanidade redimida. O céu é muito mais do que mera mudança de endereço, muito mais do que coroas, mansões e outras coisas concretas que compreendemos porque as temos neste mundo. O céu é, principalmente, um lugar para onde vamos em nossa inquirição espiritual de sermos transformados na imagem moral e metafísica de Cristo. A vida celestial consiste da participação na vida de Deus, da total transformação de nosso ser e natureza segundo a imagem de Cristo. Isso significa novos alvos, novos propósitos, novos poderes e novos destinos. É possível que as coroas sejam símbolos que falam de capacidades individuais e pessoais de realizar novos alvos e propósitos e de cumprir novas obras, capacitando o crente a fazer parte do novo povo de Deus. Seremos coroados com vida, com justiça e com glória. Isso não fala de nenhum objeto de metal, e, sim, de um estado metafísico e moral. O céu é onde nos tornaremos como Cristo.

Casamento no céu. Esta explicação de Jesus tem causado muitos e intensos debates, controvérsias, e até mesmo *agonia* para os habitantes da terra, especialmente no caso daqueles bem casados e felizes, ou no caso daqueles que desejam ardentemente a cena doméstica feliz, pensando que não pode haver substituição para essa

602 |Mateus| NTI

cena terrestre. Charles Kingsley escreveu acerca deste versículo: "Tudo que posso dizer é que, se eu não amar minha esposa, de corpo e alma, tanto quanto a amo aqui, então não há ressurreição nem para o meu corpo e nem para a minha alma" (Charles Kingsley, *His Letters and Memories of His Life*, p.267). Parece que o Sr. Kingsley realmente amava a sua esposa. Entretanto, não há razões para crermos que esses laços terrenos serão partidos, embora ele evidentemente temesse que isso fosse o que Jesus queria dizer com "não haverá casamento no céu". O mais provável é que o Senhor Jesus fortalecerá mais ainda esses laços que ainda assumirão uma *textura mais fina*, mais verdadeira, mais santa e mais satisfatória, e que esses laços serão instrumentos usados nos propósitos de Deus. Há evidências que nos encorajam a acreditar que o princípio positivo-negativo (*macho e fêmea*) continuará no céu, embora elevado a uma nova relação que não pode ser comparada aos vínculos matrimoniais terrenos. Não se segue daí que os atuais casais serão os cônjuges no mundo celestial. Helen Hunt Jackson, em *Poems* (Boston: Roberts Bros. 1892), disse:

Todas as coisas perdidas são guardadas pelo anjo Amor;
Nenhum passado está morto para nós...

Aqui temos uma verdade, dita de maneira simples, mas profunda. Tudo quanto é bom ou tiver sido bom em nós jamais se perderá. Sim, será transformado; e nas mãos do Senhor devemos entregar essa transformação. Os dignos terão os "salários do prosseguimento" (Tennyson, "*Wages*"). O amor verdadeiramente compartilhado, o mais elevado dos valores humanos, não pode perder-se. Transformado, sim, e ao Senhor é que entregamos essa transformação. Buttrick (in loc.) diz: "Isso é uma prova da bondade de Deus (sobre palavras que ele escrevera antes — 'Conheceremos nossos entes queridos com olhos não nublados pela carne, e com fé mais firme'). No céu, haverá recompensa para as lágrimas aparentemente fúteis. As esperanças mais nobres terão seu cumprimento. No céu, haverá trabalho sem o veneno da fadiga".

O belo poema de Tennyson, "*I Wage Not any Feud with Death*", pode ser usado aqui para expressar algo do sentido de nosso texto:

Não tenho conflito com a Morte,
Pois mudanças são feitas na forma e na face;
Nenhuma vida inferior desta terra
Pode espantar a minha fé.

Processo eterno em movimento,
De estado em estado avança o espírito;
Mas são apenas os restos carcomidos
Ou crisálidas arruinadas de alguém.

Nem culpo a Morte, por ter gerado
O desuso da virtude nesta terra;
Sei que o valor humano transplantado
Medrará com proveito algures.

Só há uma coisa por que culpo a Morte,
É a ira que ruge em meu peito.
Ela separou de tal modo as nossas vidas
Que nem ao menos falamos uns aos outros.

Que é o céu, porém, senão o perfeito cumprimento do que é bom nesta existência? Aquela bondade de Deus que nos proporciona vida, amor, alegria, companheirismo, poderá ser menos depois de havermos atravessado para o outro lado da porta de Deus? Por que haveríamos de pensar que o amor esfriará, ou que os amigos e entes queridos serão menos amados ali? Todas as relações serão transformadas e embelezadas, e não seremos tentados a comparar tais afeições às relações terrenas, segundo as conhecemos, quer se

trate do matrimônio, quer se trate de outro parentesco qualquer. O valor intrínseco dessas relações continuará, transformado e ornado. Isso exigirá o *poder* de Deus, e é ao Senhor e ao seu poder que entregamos, confiantemente, essa *transformação* e *ornamentação*.

Um encontro na pátria celeste, somente que mais nobre e exaltado, com aqueles que amamos aqui, assinalado por um amor especial, contínuo, elevado, transformado [...] por que haveríamos de pensar que isso é estranho? Essa reunião lá no alto, com todas as suas implicações, suas alegrias, suas novas esperanças, seus novos alvos, seus novos destinos, suas novas dimensões, sua natureza metamorfoseada — *Senhor, em tuas mãos entregamos esse encontro ali.*

Mateus diz: "[...] são, porém, como os anjos no céu"; e Lucas diz: "[...] são iguais aos anjos..." (ver o paralelo, em Lc 20.27-40), indicações essas que têm sido mal-entendidas de várias maneiras, pelos comentaristas. Jesus não estava falando da igualdade entre os anjos, mas indicou, particularmente, que os homens imortalizados, tal como os anjos que são imortais, na vida vindoura não terão nenhuma *instituição* que se possa comparar ao *matrimônio* terreno. É nesse particular que os homens serão "*como*" e "*iguais*" aos anjos. E, falando sobre as palavras de Lucas, não significa isso que os homens não serão mais elevados que os anjos, porquanto Paulo ensinou claramente que a humanidade imortal, a noiva de Cristo, o corpo de Cristo possuirá a sua plenitude e será definidamente mais exaltada do que os anjos, como entidade metafísica. Seremos superiores aos anjos, pois, de outro modo, jamais poderíamos alcançar a plenitude de Cristo. Em comparação com Cristo, os anjos são meros "bafos de vento" (segundo Hb 1.7) e "labaredas de fogo". Isso jamais poderia ser dito acerca dos que são a plenitude de Cristo. "Bafos de vento" dificilmente poderiam equiparar-se à plenitude de Cristo. Outrossim, jamais foi dirigida aos anjos a palavra "Filho". Aos redimidos, porém, essa palavra é dirigida, e sabemos, pelo oitavo capítulo de Romanos, que o grande propósito de Deus, na direção do qual toda a criação geme e se esforça, consiste de levar à glória esses novos "filhos" de Deus, transformados na imagem exata, moral e metafísica do Filho mais velho — Jesus Cristo. (Ver notas em Rm 8.28-30, quanto aos detalhes, bem como em Ef 1.23 e 3.19.) Os anjos jamais aspiraram a atingir essa imagem, e jamais poderão ter tal aspiração. Ver Colossenses 2.10; 2Pedro 1.4.

22.31: E, quanto à ressurreição dos mortos, não lestes o que vos foi dito por Deus:

22.31 περὶ δὲ τῆς ἀναστάσεως τῶν νεκρῶν οὐκ ἀνέγνωτε τὸ ῥηθὲν ὑμῖν ὑπὸ τοῦ θεοῦ λέγοντος,

22.32: Eu sou o Deus de Abraão, o Deus de Isaque, e o Deus de Jacó? Ora, ele não é Deus de mortos, mas de vivos.

22.32 Ἐγώ εἰμι ὁ θεὸς Ἀβραὰμ καὶ ὁ θεὸς Ἰσαὰκ καὶ ὁ θεὸς Ἰακώβ; οὐκ ἔστιν [ὁ] θεὸς⁴ νεκρῶν ἀλλὰ ζώντων.

32 4 Macc 7.19   'Εγώ...'Ιακώβ Êx 3.6,15,16

⁴ **32** {C} ἔστιν ὁ θεός B L Δ *f*¹ 33 1009 *l*⁷⁶,¹⁸⁴ (*l*⁵⁴⁷ ἔστιν δέ) // ἔστιν θεός (*ver* Mc 12.27) ℵ D W 28 1242' Irenaeus Origen Eusebius Hilary Chrysostom // ἔστιν *or* θεός ἔστιν ὁ θεός it^aur,b,c,d,e,f,ff²,g¹,h,l,q,r¹ vg syr^c,s,p,pal cop^sa,bo eth? geo² (Cyprian) // ἔστιν ὁ θεὸς θεός Κ Π 0138 (Θ *f*¹³ ἔστιν δὲ ὁ) 565 700 892 1010 1071 1079 1195 1216 1230 1241 1242^c 1253 1344 1365 1646 2148 2174 (1546 *l*¹¹²⁷ omit ὁ) *Byz Lect* syr^h arm geo¹ Origen Chrysostom

No interesse de maior precisão, a forma anterior do texto inseria um segundo θεός ("Pois Deus não é um Deus de mortos, mas de vivos"). A fim de refletir a dificuldade na decisão se o *o* foi omitido por assimilação ao paralelo de Marcos 12.27, ou se foi adicionado sob a influência das quatro instâncias de ὁ θεός, imediatamente anteriores, a comissão reteve — ὁ dentro de colchetes.

"Não tendes lido..." Aqueles saduceus aceitavam apenas os cinco primeiros livros do AT como Escritura Sagrada. Jesus, pois, citou esses livros para provar o ponto. Se eles aceitavam aqueles livros como autoritários, deveriam estar dispostos a aceitar o que Jesus dizia. Se eles necessitavam de textos de prova bem citados, a fim de poder acatar uma opinião, deveriam ter dado ouvidos ao que Jesus citava. Marcos diz aqui "[...] no livro de Moisés..." que eles aceitavam sem fazer perguntas. Quanto ao resto do AT, a posição dos saduceus era ambígua; mas parece bem certo que não declaravam aceitação dogmática de nenhum escrito além dos cinco livros de Moisés. O texto usado por Jesus, porém, foi extraído desses livros, o que comprova o que estamos dizendo. Os saduceus rejeitavam francamente as tradições orais que, posteriormente, assumiram forma escrita no *Talmude*, e só aceitavam realmente os cinco livros de Moisés. Se não rejeitavam totalmente os livros escritos após Moisés, é que temiam a opinião popular, pois o povo, juntamente com os fariseus, aceitava universalmente tais "Escrituras". Segundo diversas afirmações do historiador Josefo, bem como de outros, parece que os saduceus tendiam por classificar os escritos pós-mosaicos juntamente com a tradição; noutras palavras, realmente rejeitavam-nos como canônicos. Jesus procurou demonstrar o ensino da ressurreição, baseado num dos livros de Moisés, tendo citado o texto de Êxodo 3.6. Marcos elabora um pouco a sua descrição de como Deus falou a Moisés, mencionando a "sarça", isto é, "[...] no texto referente à sarça, como Deus falou..." Lucas também menciona a sarça (Lc 20.37), pelo que vemos que o autor do evangelho de Mateus condensou um tanto a história, deixando de incluir essa informação particular. Jesus poderia ter citado livros posteriores, como Isaías 26.19; Ezequiel 37.1-14 ou Daniel 12.2, mas preferiu limitar-se a Moisés. A passagem de Lucas 20.37 diz: "[...] *Moisés o indicou...*", permitindo que outras testemunhas fossem supridas na memória dos saduceus. No conceito dos saduceus, os livros de Moisés eram o tribunal de apelo final e decisivo, em qualquer questão doutrinária. Por isso mesmo, Jesus se utilizou desses livros, onde os saduceus imaginavam a dificuldade da "lei do casamento levirato".

"Eu sou o Deus de Abraão...". É interessante notar aqui que o artigo definido é repetido por *três vezes*, antes da menção de cada personagem, isto é, antes de Abraão, de Isaque e de Jacó. A tradução em português tem conservado fielmente essa repetição. Em cada caso, Jesus enfatizou uma personalidade separada. Abraão, homem que viveu na terra e morreu, em realidade está vivo. Isaque, homem que viveu na terra e morreu, também está realmente vivo. Jacó, homem que viveu na terra e morreu, por semelhante modo, está vivo. Todos os homens, todos os indivíduos que têm vivido na face da terra e então morreram, em realidade estão vivos algures. A essência de Deus é a vida, e ele não seria Deus se fosse Deus de mortos. Jesus ensina aqui claramente, que *não há extinção*, de maneira nenhuma. Nossos pensamentos indagam acerca daqueles que conhecíamos, mas que faleceram. Juntamente com Jó, perguntamos: "Morrendo o homem, porventura tornará a viver?" E Jesus responde que, para Deus, todos estão vivos, pois Deus não é Deus de mortos. Pelo contrário, é Deus de todos, de cada indivíduo. A própria natureza de Deus requer que todos continuem vivos. Isso, naturalmente, demonstra a realidade da *imortalidade* da alma, tanto quanto a realidade da ressurreição dos mortos. Para os judeus, a vida perfeita, a perfeita vida imortal, requeria a união da personalidade inteira de corpo e alma. Aqui não há explicações sobre a natureza metafísica dessa união; apesar disso, o homem continua vivo, até agora. No décimo quinto capítulo de 1Coríntios, Paulo procurou dar uma forma de definição sobre a ressurreição, que deve ser consultada. Jesus demonstrou que a relação que Deus mantinha com Abraão, Isaque e Jacó não cessara quando seus corações cessaram de pulsar; antes, sua existência continuou, como também a relação com o Senhor. E além de comprovar esse ponto, Jesus também defendeu outra doutrina de que os saduceus zombavam, a saber, a realidade dos espíritos vivos dos homens, dos espíritos desencorpados. E isso Jesus fez por antecipação, porquanto os saduceus não haviam apresentado dúvida nenhuma quanto à sobrevivência da "alma". Jesus, pois, defendeu a doutrina que fora tão bem elucidada por *Platão* e pelos antigos pais gregos da igreja, mas que só depois foi incorporada ao pensamento hebreu. Outrossim, Jesus ensinou aqui o *teísmo*, em contradistinção com o "deísmo". O teísmo assevera que Deus criou todas as coisas e que continua interessado profundamente em sua Criação, dirigindo-a. O deísmo ensina que Deus criou todas as coisas, mas abandonou-as e nada mais tem a ver com elas. Note-se, igualmente, que Jesus ensinou aqui a preservação da personalidade e da individualidade, no estado da alma e na ressurreição. É Abraão que continua vivo. É Isaque que continua vivo. E são eles que ainda haverão de ressuscitar.

Jesus, portanto, afirmou que a morte *não é* a rainha da terra; *nem* ao menos é rainha da sepultura, porquanto todos os que para ali foram, na realidade continuam existindo. O pensamento judaico primitivo ensinava certa ressurreição, mas não a imortalidade da alma, com clareza. O pensamento judaico posterior, especialmente entre os fariseus, ensinava tanto a ressurreição como a imortalidade. Os gregos ensinavam a imortalidade, mas não a ressurreição do corpo. A soberania de Deus é uma autêntica soberania, e o próprio nome de Deus implica em vida. Ele seria menos do que Deus, se as almas dormissem para sempre num sono sem sonhos. Deus, porém, no dizer de Jesus, não é Deus de mortos, pois, de fato, não existe a extinção. Deus é o mais elevado exemplo de amor, e até os humanos ligam a palavra Deus ao amor perene. Deixar de amar é realmente nunca ter amado. A morte não pode gelar o amor no silêncio. Jesus ensinou-nos a orar ao Pai. Nenhum de seus filhos cessa de existir, e nenhum deles tem cessado de amar. O amor de Deus tem decretado uma existência "interminável"; por isso mesmo falamos de Abraão, de Isaque e de Jacó como amigos de Deus, como nossos entes amados que atravessaram o portão de Deus. Todos esses continuam vivos; não há morte para eles. Se não fosse assim, realmente teríamos de arcar com "a carga pesada e cansativa de todo este mundo ininteligível" (Wordsworth, *Lines Composed a Few Miles Above Tintern Abbey*, 1.39). Um mundo que oferece meramente uma existência passageira, seguida por silêncio e trevas eternas, seria realmente ininteligível. No entanto, Deus mostra o motivo de tudo isso; e a morte, tão final e temida pelos homens, é apenas uma mudança para melhor, perto de Deus, sim, para todos quantos têm a coragem de olhar para além. É verdade que a frase "Deus de Abraão, de Isaque e de Jacó" é usada quase sempre para afirmar que Deus será fiel à sua promessa. Portanto, consola-nos ver que essa afirmação foi feita com relação ao fato de a morte ser apenas uma transição, e não a cessação da vida.

Thomas Edison, o famoso inventor da lâmpada elétrica e de muitas outras coisas, deixou sua família perplexa, ao fazer sua última observação, em seu leito de moribundo. Edison não era um ateu, como muitos têm dito, mas não discutia as suas crenças, nem mesmo com os mais íntimos. Estando Edison a morrer, lenta e dolorosamente, a sala estava mergulhada em total silêncio, exceto o pulsar laborioso do seu coração. Subitamente, ele se sentou sem nenhuma ajuda. Abriu os olhos e olhou para a frente por alguns segundos. Então, voltou-se para a Sra. Edison e exclamou: "*Estou surpreendido! É muito belo do outro lado*". Sim, Deus é o Deus dos vivos.

22.33: E as multidões, ouvindo isso, se maravilhavam da sua doutrina.

22.33 καὶ ἀκούσαντες οἱ ὄχλοι ἐξεπλήσσοντο ἐπὶ τῇ διδαχῇ αὐτοῦ.

33 οἱ...αὐτοῦ Mt 7.28; 13.54; Mc 11.18

Imediatamente antes da mensagem deste versículo, Marcos acrescenta, para efeito de ênfase: "*Laborais em grande erro*" (a fim de destacar novamente quão distantes estavam os saduceus

604 |Mateus| NTI

de compreender questões metafísicas), e que provavelmente se derivou de mesma fonte. O autor deste evangelho condensou a narrativa em alguns detalhes menores. Lucas adiciona ao relato: "Então disseram alguns dos escribas: Mestre, respondeste bem" (Lc 20.39). Quase sem dúvida, esses escribas eram do grupo dos fariseus; tendo ouvido a explicação de Jesus, momentaneamente se esqueceram de toda a controvérsia com ele; ou então, pertenciam ao número daqueles que nunca haviam entrado em choque com Jesus. Seja como for, reconheceram como vigorosa e *convincentemente* Jesus respondera, e puderam apreciar a sua doutrina, porquanto ele proferiu palavras esperançosas para a humanidade. Nesse ponto, Lucas também tem pequena adição que os outros Evangelhos não apresentam: "Dali por diante não ousaram mais interrogá-lo". Os saduceus estão em foco e não as autoridades religiosas em geral, uma vez que sabemos, pela narrativa dos Evangelhos, se seguiram diversas outras controvérsias religiosas.

"Ouvindo isto...". Trata-se da observação final feita por Mateus, acerca do incidente, o que é um término um tanto diferente do que aparece nos demais Evangelhos. Em realidade, Marcos não tem observação final, exceto a ênfase ao grande erro que os saduceus exibiam em sua teologia. Lucas menciona a aprovação de alguns escribas às palavras de Jesus, como também o temor, da parte de alguns, de continuarem a fazer perguntas a Jesus. Mateus nota a impressão que Jesus exerceu sobre o povo em geral. Dessa forma, cada escritor dos Evangelhos termina esse incidente de forma um tanto diferente; mas esses finais são suplementares e não se contradizem. É possível que o final de Marcos seja o que expõe mais tipicamente o material originário da narrativa. O povo comum conhecia o ensino sobre a ressurreição, mas não tanto o ensino sobre a imortalidade. Nesses versículos, Jesus ensinou definidamente contra o sono da alma, e isso também deve ter servido de refrigério para o povo, porquanto todos os homens se apegam à existência, a despeito dos elementos negativos de que ela pode vir acompanhada. Qualquer coisa que assegure aos homens a continuação da vida, e particularmente a continuação da vida em um estado melhor, é impressionante e bem recebido. Todavia, Jesus não era um mestre comum, e sua admiração não se devia tanto às suas declarações, mas também por causa de sua vigorosa apresentação da verdade. Quando os homens ouviam Jesus, sua alma comungava com a eternidade, e essa experiência se tornava inesquecível. Ver notas sobre a imortalidade, em 2Coríntios 5.8.

---

viii. O maior dos mandamentos (22.34-40)

O sumário da lei é uma combinação de dois versículos das Escrituras, a saber: Deuteronômio 6.5 e Levítico 19.18. Os rabinos gostavam de enfatizar o seu ensino mediante o uso de *aforismos*, sumariando pontos importantes dessa maneira. Em Aboth 1.1-2; 2.9, há uma discussão sobre quais são os mandamentos "mais importantes". Certo rabino frisa que existem 613 mandamentos de Moisés, mas que Davi reduziu-os a 11 conceitos principais (Sl 15.2-5), Isaías, a apenas seis (Is 33.15), Miqueias, a apenas três (Mq 6.8), Amós, a meramente dois (Am 5.4) e Habacuque, a apenas um (Hc 2.4). A Regra Áurea é um exemplo desses sumários, como também Tiago 1.27 nos dá outro exemplo: "[...] religião pura e sem mácula visitar os órfãos e as viúvas nas suas tribulações e a si mesmo guardar-se incontaminado do mundo". O rabino *Akiba* (martirizado em 135 d.C.) referia-se a Levítico 19.18 como o grande princípio da lei: "Não te vingarás nem guardarás ira contra os filhos do teu povo; mas amarás o teu próximo como a ti mesmo: Eu sou o Senhor". As palavras de Jesus concordam essencialmente com essa avaliação.

O evangelho de Mateus extrai seu material de Marcos 12.28-34 e da fonte "Q", representada por Lucas 10.25-28. A fonte "Q" expõe a pergunta como se tivesse sido feita pelo "*doutor da lei*", que

---

provavelmente é sinônimo de "escriba" e que indica um indivíduo conhecedor das leis religiosas, e não da "lei civil". A fonte "Q" acrescenta o louvor a Jesus, pelo seu discernimento espiritual quanto aos homens. Lucas apresenta a história em pano de fundo um pouco diferente. Mateus a introduz pelas circunstâncias do v.34. Não é impossível que esse tipo de ocorrência tenha acontecido por muitas vezes durante a vida de Jesus, e é possível (embora talvez não provável) que tenhamos mais de uma instância apresentada pelas diversas razões. (Ver notas sobre as "fontes" informativas dos Evangelhos no artigo da introdução a este comentário, intitulado "O problema sinóptico".)

22.34: Os fariseus, quando souberam que ele fizera emudecer os saduceus, reuniram-se todos;

22.34 Οἱ δὲ Φαρισαῖοι ἀκούσαντες ὅτι ἐφίμωσεν τοὺς Σαδδουκαίους συνήχθησαν ἐπὶ τὸ αὐτό.

<small>34 επι το αυτο] επ αυτον **D** it sy^{sc}</small>

A narrativa de Lucas, sobre o silêncio a que foram reduzidos os saduceus, indica que pelo menos alguns dentre os escribas (provavelmente pertencentes ao grupo dos fariseus) ficaram *comovidos* ante as palavras de Jesus (Lc 20.39). Os fariseus, de modo geral, devem ter desfrutado da derrota infligida por Jesus sobre os seus inimigos, especialmente em face do fato de Jesus ter demonstrado uma doutrina com a qual concordavam. Não obstante, *o ódio cimentou o conluio feito por aqueles que entre si eram adversários*, e logo tentaram os fariseus desacreditar a Jesus. Assim, o autor deste evangelho continua em sua explanação, mediante o uso de diversas narrativas sobre o conflito, sobre como as autoridades cercaram a Jesus, assediando-o intensamente, como fizeram o povo voltar-se contra ele, e por que motivo Jesus, finalmente, morreu como inimigo do Estado, tendo sido oficialmente executado por Roma, provavelmente à base de uma acusação política.

A palavra traduzida por *calar*, neste passo, contém um pouco de humor sarcástico, pois literalmente significa "amordaçar" os saduceus. Essa palavra vem da mesma raiz que se encontra no v. 12, a respeito do homem sem a veste nupcial apropriada, que emudeceu quando o rei o descobriu, ao vir ver os convidados. (Ver notas em Lucas 20 quanto aos detalhes adicionais.) Os fariseus ficaram tão impressionados, que sentiram que o caso exigia outra reunião para traçar planos, pois parecia que Jesus ia vencendo galhardamente todos os que contra ele se atiravam; e isso não contribuía para a causa deles, e nem para seus planos contra Jesus. Os versículos que se seguem aqui indicam que, indubitavelmente, chegaram à conclusão de que a melhor maneira de atacar a Jesus era alvejar a sua *teologia*, pois ali poderiam encontrar algo de substancial para ser usado contra ele, e a heresia religiosa estava sujeita a sanções drásticas. Nos diversos julgamentos a que Jesus foi sujeitado, vemos que essas tentativas de desacreditar a Jesus finalmente produziram fruto; e, munidos dessa forma de descrédito, as autoridades religiosas foram capazes de quebrar a popularidade de Jesus diante do povo, que até então fora a sua principal proteção contra os planos das autoridades de eliminá-lo. O principal elemento que serviu para arruinar a popularidade de Jesus diante do povo foi, porém, o fato de ele não se querer aliar à revolta ativa contra Roma, papel esse que realmente todos esperavam da parte do "Messias" que concebiam.

22.35: e um deles, doutor da lei, para o experimentar, interrogou-o dizendo:

22.35 καὶ ἐπηρώτησεν εἷς ἐξ αὐτῶν [νομικὸς]⁵ πειράζων αὐτόν,

<small>⁵ **35** {C} νομικός ℵ B D K L W Δ Θ Π 0138 0197 *f*¹³ 28 33 565 700 892 1009 1010 1071 1079 1195 1216 1230 1241 1242 1253 1344 1365 1546 1646 2148 2174 *Byz* *l*^{185pt,211,333} it^{a,aur,b,c,d,f,ff²,²,g¹,h,l,q,r¹} vg syr^{c,p,h,hg r,pal} cop^{sa,bo} eth // νομικός τις (*ver* Lc 10.25) F G H 372 495 713 (*Lect l*^{185pt} *beginning of lection*) // omit (*ver* Mc 12.28) *f*¹ it^c syr^s arm geo Origen^{gr,lat}</small>

A despeito do que parece ser esmagadora preponderância de evidência em apoio à palavra νομικός, sua ausência da família 1, bem como de testemunhos patrísticos e das versões largamente espalhadas reveste-se de significação adicional, quando se observa que, à parte dessa passagem, em nenhuma outra parte, Mateus usa a palavra. Não é improvável, portanto, que copistas tenham introduzido aqui a palavra com base na passagem paralela de Lucas 10.25. Ao mesmo tempo, em face do largo testemunho em apoio à sua presença no texto, a comissão relutou em omitir inteiramente a palavra, preferindo incluí-la dentro de colchetes.

22.36: Mestre, qual é o grande mandamento na lei?
22.36 Διδάσκαλε, ποία ἐντολὴ μεγάλη ἐν τῷ νόμῳ;

"E um deles, intérprete da lei". Essa é uma boa tradução, da Edição Revista e Atualizada no Brasil, porquanto esse *doutor da lei* não era advogado da lei civil, como a palavra também pode indicar, e conforme é usada em Tito 3.13 (no sentido moderno de *advogado*). Aqui, porém, significa intérprete da lei religiosa, o que provavelmente significa que o homem era escriba ou fariseu. De fato, o texto de Marcos 12.28 (a passagem paralela) diz-nos claramente que o homem era um escriba. O evangelho de Mateus indica uma "tentação" deliberada contra Jesus, e devemos compreender com isso que se tratava de uma tentativa maliciosa de lançar Jesus no descrédito, já que somos informados de que, imediatamente antes, haviam-se reunido em concílio, e já que sabemos que não fizeram tal a fim de aprovar ou condenar a Jesus, por ter ele deixado os saduceus confusos. A narrativa de Marcos não revela nenhuma malícia na pergunta; por isso mesmo é provável que o relato de Mateus seja uma interpretação do incidente, embora seja uma interpretação verdadeira, como é claro.

"Mestre, qual é...". Uma das *principais disputas* entre as várias facções rivais das escolas religiosas dos judeus girava em torno da prioridade dos mandamentos. Os fariseus enumeravam 248 preceitos afirmativos (tantos quantos os membros do corpo humano, segundo eles), e 365 preceitos negativos (tantos quantos os dias do ano), o que dá o total de 613 preceitos, número das letras do decálogo, no original hebraico. Alguns se mostravam tão tolos a ponto de exaltarem mandamentos secundários e insignificantes da lei cerimonial, tal como a lei sobre as fímbrias que deveriam ser usadas nas vestes, como lembretes da necessidade de observar a lei, ou que a omissão de muitas das cerimônias que haviam sido ordenadas era um crime equivalente ao homicídio. O questionador provavelmente se ufanava de seu conhecimento sobre essas questões, bem como de sua habilidade de ensinar esses conhecimentos ao povo comum. Certamente esperava, com suas perguntas, deixar Jesus perplexo e desacreditado, por imaginar que Jesus era menos preparado do que ele, por não ter frequentado suas escolas teológicas. Esse escriba não só queria saber que mandamento era o maior, na opinião de Jesus, mas também sobre que *princípio* ele alicerçava a sua crença, porquanto parece ter indicado que a resposta de Jesus deveria demonstrar como a lei poderia ter seu centro em qualquer dos mandamentos que Jesus indicasse como o mandamento central e mais importante. Jesus poderia ter citado muitas coisas, concordando assim com algumas autoridades. Poderia ter falado sobre a circuncisão, sobre as fímbrias das vestes, sobre várias abluções cerimoniais, sobre as exigências próprias do sábado, sobre os dízimos, sobre os diversos aspectos do sistema de sacrifícios etc. Todas essas coisas haviam recebido grande ênfase por parte de vários mestres religiosos. O grego diz nesse ponto "que tipo de mandamento" é o maior; e isso nos mostra que aquele escriba procurava uma resposta que mostrasse o que realmente importa na religião, que tipo de mandamento fala da grandeza nas coisas espirituais, e não meramente a opinião expressa por Jesus acerca de uma simples prioridade entre os mandamentos. Em sua resposta, Jesus *limpou o caminho* de toda insensatez, penetrando

imediatamente no âmago da "verdadeira ética" e piedade. Era impossível qualquer réplica, e, evidentemente, nenhuma outra pergunta foi dirigida a Jesus senão quando ele teve de enfrentar o julgamento, cerca de três dias mais tarde, pois esse acontecimento parece ter ocorrido em uma terça-feira.

22.37: Respondeu-lhe Jesus: Amarás ao Senhor teu Deus de todo o teu coração, de toda a tua alma, e de todo o teu entendimento.
22.37 ὁ δὲ ἔφη αὐτῷ, Ἀγαπήσεις κύριον τὸν θεὸν σου ἐν ὅλῃ τῇ καρδίᾳ σου καὶ ἐν ὅλῃ τῇ ψυχῇ σου καὶ ἐν ὅλῃ τῇ διανοίᾳ σου·

37 Ἀγαπήσεις...διανοίᾳ σου Dt 6.5 (Js 22.5)

37 ψυχη...διανοια[ισχυι...διανοια 33: ψυχη...ισχυι c sy^{sc}: p) ψυχη... ισχυι σου και εν ολη τη διανοια Θ f13 al

22.38: Este é o grande e primeiro mandamento.
22.38 αὕτη ἐστὶν ἡ μεγάλη καὶ πρώτη ἐντολή.

Buttrick (*in loc.*) diz: "Esse é o primeiro mandamento. Tal como os marinheiros encontram sua posição pelo firmamento e descobrem o posto somente quando viajam, nossa relação com nossos semelhantes torna-se um caos, exceto quando primeiramente amamos a Deus. Nossos semelhantes são criaturas como nós. Nosso vínculo mais profundo é com o Criador. Só nele podemos aprender o propósito da existência ou descobrir o poder para cumpri-lo. A linha vertical da vida é *esta* linha: somente depois de termos estabelecido uma correta relação com Deus podemos esperar uma amizade estável e fulgurante com nossos semelhantes".

A experiência mais satisfatória no companheirismo e a fonte do amor encontra-se na presença de Deus. Outrossim, as Escrituras ensinam que ele mesmo busca a companhia dos homens. Browning expressou essa verdade em seu poema *Christmas-Eve and Easter Day*, verso ix:

Deus
Não desdenha sua própria sede de aliviar
No amor mais puro que ele já ofereceu:
Com verdadeiro amor fremente a abrasar;
E para que o siga — ele sofreu —
Para sempre!

"Nós amamos porque ele nos amou primeiro" (1Jo 4.19).

No grego, é empregado o artigo definido, o que mostra que Jesus apontou ou demonstrou o fato de ser este justamente o mandamento que, na realidade, contém todos os demais, aquele tipo de mandamento que é de tal qualidade, que serve de centro para todos os outros, que sustenta todos os outros, e que dá sentido a todos os outros. A fé que se encontrava em Jesus era inteiramente teísta, fazendo contraste com a opinião deísta. O deísmo ensina que Deus criou, mas que depois abandonou a sua Criação. O teísmo, por outro lado, ensina que Deus criou e continua presente, sempre interessado em sua Criação, sempre guiando, sempre ajudando os homens a encontrar seu verdadeiro destino, sempre interessado pela inquirição espiritual dos homens.

O mandamento que nos ordena amar a Deus como o grande objetivo da inquirição é, ao mesmo tempo, o primeiro na lista dos dez mandamentos e o grande mandamento, porquanto é *sobre ele* que repousa toda a significação da existência. A inquirição espiritual consiste de um retorno a Deus, mas isso implica em mais do que uma volta à sua presença, embora isso já fosse uma grande mensagem e um grande evangelho. O evangelho, porém, é mais do que isso. A volta a Deus envolve uma transformação da natureza do indivíduo, para que venha a ser perfeito como Deus é perfeito. Em nossa transformação segundo a imagem de Cristo, refletiremos com perfeição a natureza moral de Deus e a natureza metafísica e moral de Cristo, o qual é tão grande, que preenche todas as coisas. Em outras palavras, Cristo dá sentido a toda a Criação, sendo o seu cabeça e o seu alvo. As cláusulas que se referem ao "coração", à "alma" e à "mente" devem ser aceitas cumulativamente, com o

606 |Mateus| NTI

sentido de amor elevado ao seu mais alto grau, com "tudo que em nós existe", com todo o nosso ser (ver Sl 103.1, que expressa a mesma coisa). Esse mandamento é citado não apenas como o maior dos mandamentos, mas como indicação do espírito que dá valor a toda obediência. A vida assume significado porque Deus existe e é o alvo da vida inteira. Se removermos Deus do quadro, ficarão apenas os andaimes, sem edifício nenhum. Notemos, igualmente, que amamos o Senhor, não como Deus, mas ao Senhor, nosso Deus. Aprendemos também aqui que a lei divina não consiste meramente de ações, mas tem sua base em atitudes psicológicas apropriadas, em conceitos e reações emocionais; porém, o mais importante de tudo é que esse é o caráter espiritual básico que mantém o contacto e atitude convenientes para com a fonte de toda a vida.

A alma é vista aqui como capaz dos mais profundos afetos. Se tivéssemos essa afeição, viver a vida, entrar e obter êxito na inquirição espiritual seriam coisas fáceis. Aprendemos que o caminho do amor é a estrada mais rápida de volta a Deus. *O amor* forma a base de todas as ações humanas razoáveis e dignas, tanto no que diz respeito a Deus como no que diz respeito aos homens. O caminho de volta a Deus será muito lento e difícil, se não mesmo impossível, sem esse princípio. O amor fala de possessão total. Quando Deus possui totalmente uma pessoa, de tal maneira que todo o seu ser lhe seja entregue, é quando passa a reinar o amor de Deus. O amor personaliza a inquirição espiritual, e dessa maneira ficam removidos o temor, a dúvida e a incerteza. O termo "coração" geralmente significa o "homem interior"; mas, neste caso, parece indicar a *natureza emocional*. A "mente" pode expressar as faculdades intelectuais do homem. A "alma" é o *homem essencial*, aquela parte eterna do homem, sobre a qual a morte não exerce controle nem poder. Muitas outras definições poderiam ser dadas, algumas das quais intercambiam os sentidos aqui atribuídos a esses termos; mas o mais provável é que aqui tenhamos um acúmulo de termos para dar ideia do homem inteiro, porquanto Deus deve ser amado com tudo quanto há no homem. Neste caso, não precisamos procurar definições individuais para os termos "coração", "alma" e "mente".

Essa explicação, dada por Jesus, acerca do sentido e da intenção da lei, revela o seu caráter espiritual, como poucas outras de suas declarações conseguem fazer. Pode-se supor que Jesus observou esse mandamento de forma perfeita, e é isso que nos permite ver facilmente quão grande foi ele. Tendo comungado em amor perfeito, a sua jornada na inquirição espiritual, como homem, foi extremamente rápida, pois, de fato, vivia como se já estivesse parcialmente presente no mundo espiritual. O conhecimento que tinha sobre esse outro mundo, e a experiência que ele tinha sobre o poder e a bondade desse outro mundo, para ele era algo tão natural como a experiência que tinha desta esfera terrena mais baixa. Às vezes, Jesus ficou perplexo ante o fato de que os homens nada sabiam sobre esse outro mundo, nada conheciam de seus consolos, de seu poder e de seu amor. Jesus era verdadeiro homem, e sua transformação até a imortalidade final, como homem, era uma experiência diária. Não é de admirar, portanto, que ele tenha podido multiplicar pães, curar os enfermos, ressuscitar os mortos e andar à superfície da água. Aqueles que o seguem inteiramente, nessa estrada do amor, poderão fazer as mesmas coisas, e não à base de nenhum poder "emprestado" por algum tempo ou com propósitos específicos, e, sim, à base do fato de o próprio cristão, em sua natureza metafísica básica, ser transformado, e o poder que ele recebe tornar-se uma expressão de sua natureza, não sendo algo que lhe é "emprestado" por algum tempo. O grande Jesus ensinou-nos essas lições, que infelizmente só aprendemos com extrema lentidão. São lições sobre o significado da existência humana.

22.39: E o segundo, semelhante a este, é: Amarás ao teu próximo como a ti mesmo.

22.39 δευτέρα δὲ ὁμοία αὐτῇ, Ἀγαπήσεις τὸν πλησίον σου ὡς σεαυτόν.

39 ομοια αυτη (ℵ) Θ *f 33 69* lat sy; R^m] ομ. αὐτη **E** pl ς; **R**¹: ομ. ταυτη **D** *692* lat: ομιωως **B** bo(ı)

39 Ἀγαπήσεις...σεαυτόν Lv 19.18 (Mt 5.43; 19.19; Rm 13.9; Gl 5.14; Js 2.8)

Nenhuma cunha pode ser interposta entre o amor de Deus e o amor ao próximo, o que, no sistema ético de Jesus, envolve a humanidade inteira. Uma obra de Stephen Vincent Benét, *"John Brown's Body"*, descreve o capitão de um navio negreiro, muito ativo nesse comércio *desumano*, mas que, ao mesmo tempo, era supostamente muito devoto e fiel em suas orações diárias. Esse homem não sentia a incompatibilidade entre a escravatura e a devoção a Deus. Jesus ensina aqui que são incompatíveis o abuso contra nossos semelhantes e a devoção a Deus. O amor a Deus requer o amor ao próximo. O próximo é a humanidade inteira, pois Deus não reconhece separações em torno de continentes e de povos. Isso é justamente o que Jesus quis ensinar com a história do bom samaritano (ver Lc 10.29-37). Ao falar sobre o amor ao próximo ou sobre o princípio envolvido nesse amor, Walt Whitman declarou: "Quem anda uma milha sem simpatia, anda para seu próprio funeral, vestido em sua mortalha" (*Song of Myself*). Kant, em sua obra sobre princípios éticos (*The Metaphysic of Morality*, sec. 2), diz que o verdadeiro amor ao próximo significa tratar a todo indivíduo como *uma finalidade*, e não como um meio. Com isso, ele queria dizer que cada pessoa deve ser respeitada por aquilo que é, devido ao valor de sua individualidade e pessoa, e não por causa do proveito e benefício que podemos extrair de nossa associação com ela. Jesus ensinou a dignidade da humanidade e de cada indivíduo, quando observou que uma alma vale mais que o mundo inteiro e tudo quanto nele está contido. (Ver Mc 8.36.)

O princípio inteiro do amor é ilustrado nas palavras que revelam que esse amor deve ser tão intenso como aquele com que amamos a nós mesmos. O amor a nós mesmos e a proteção a nós mesmos são fáceis de ser exercidos, porque para nós são coisas muito naturais. Cuidamos de nós mesmos, damos atenção à nossa educação para que ocupemos uma boa posição na sociedade, temos o cuidado de evitar acidentes e enfermidades. Até mesmo as coisas ínfimas, quando estão relacionadas à nossa pessoa, tornam-se importantes para nós. Jesus, pois, ensinou que esse amor natural por nós mesmos deve ser transferido para os outros. Shakespeare falou a verdade ao escrever como segue (em *Hamlet*, ato I, cena 3.1.78):

"Isto acima de tudo: a ti mesmo sejas fiel,
E então, tal como a noite segue ao dia,
Não poderás ser falso para com ninguém".

Precisamos salientar uma vez mais que esse caminho para o amor é a vereda *mais rápida* para o nosso destino, que consiste em nos voltar, moral e metafisicamente, para Deus. Poderíamos dizer, juntamente com Edgar Cayce, que ninguém chegará ao céu senão apoiado no braço de alguém a quem tenha ajudado. Isso significa que a nossa completa glorificação em Cristo não poderá ocorrer sem o concurso do princípio ao amor. O amor a Deus se pareceria com o amor aos homens, que também é amor a Deus. Jamais seremos moralmente transformados segundo a imagem de Cristo, enquanto nosso ser não aprender a amar aos outros como amamos a nós mesmos. Isso, em realidade, faz parte de nossa glorificação, porquanto essa glorificação e transformação envolvem a transformação da natureza moral; e a natureza moral inclui, como seu princípio básico, a atitude e a característica do amor.

Temos de amar *conforme Deus ama*, pois nada menos do que isso poderá levar os "filhos à glória". Não existe razão nenhuma para supor que, no momento da morte, toda essa glorificação nos é dada instantaneamente. De fato, no caso do próprio Cristo, não lhe foi dada toda a sua glória instantaneamente, pois ele mesmo ainda aguarda a maior parte de sua glorificação, quando então será coroado como cabeça de toda a Criação (essa é a mensagem do primeiro capítulo da epístola aos Efésios) e receberá a sua noiva (Ef 1—3). O universo de Deus não está estagnado. *Nós* é que o imaginamos estagnado, ao requerer que tudo se faça instantaneamente. Deus não terminará de operar as transformações que ele fará em nós no momento de nossa morte. O próprio Deus está para sempre progredindo em suas obras, se não mesmo em sua natureza. A grande obra que Deus fará em nós e por meio de nós será a própria significação da vida eterna; e, tal como no caso de Deus, nossa obra será eterna e sempre nova. Conforme formos progredindo em suas obras, iremos paralelamente progredindo em nossa natureza moral e metafísica, pois assim iremos crescendo "à estatura de Cristo", chegando a uma estatura suficiente para realizar todos os seus desígnios. A lei não tinha simplesmente o intuito de mostrar o que é errado e o que é certo. Apontava, no entanto, para algo da própria natureza moral de Deus, que é o nosso alvo, a natureza de que seremos possuidores. Jesus afirmou que devemos ser perfeitos como Deus é perfeito; e explicar que essa perfeição significa apenas "maturidade espiritual" e não perfeição absoluta, é perder inteiramente de vista o sentido da existência humana, e do destino do homem. O amor a Deus e aos homens é o ponto alto, a significação central da lei inteira, uma vez que todos os outros mandamentos são apenas as expressões desse amor, ou então subcategorias desse mandamento primordial. A lei não ditava simplesmente o que devemos fazer, mas mostra aquilo que *devemos ser*; e de fato não podemos fazer aquilo que nos é exigido, enquanto não formos plenamente o que devemos ser. Esse preceito é fundamental para a mensagem do cristianismo.

22.40: Destes dois mandamentos dependem toda a lei e os profetas.

22.40 ἐν ταύταις ταῖς δυσὶν ἐντολαῖς ὅλος ὁ νόμος κρέμαται καὶ οἱ προφῆται.

40 Rm 13.10 ὅλος...προφῆται Mt 7.12

"Destes dois mandamentos...". A palavra "dependem" significa, literalmente, *penduram-se*. A figura é extraída da porta em seus gonzos, ou de um prego na parede, indicando admiravelmente bem a dependência do crente de um princípio comum e de seu desenvolvimento à base desse princípio. Assim, vê-se que em realidade não existem muitos mandamentos — certamente não os 613 diferentes preceitos, conforme os judeus dividiam a descrição de todo o dever dos homens. Em realidade há apenas um mandamento — a total devoção de nosso ser a Deus. Isso é tão típico da pessoa de Jesus, que ele demonstrou em sua vida como isso deveria ser feito; e, embora seja um alvo extremamente alto para os homens abandonados a si mesmos, Jesus fez tudo isso como homem. Jesus *provou* que um ser dotado de livre-arbítrio, em meio a todas as formas de tentações, que eram tão reais e potencialmente destruidoras para ele como o são para nós, pode escolher o bem e não o mal. Jesus mostrou-nos o caminho real do amor, perante o qual se dissipam todas as dificuldades próprias da inquirição espiritual. Se tivermos de mencionar outro mandamento por seu nome, seja-nos permitido mencionar o amor aos nossos semelhantes, pois é justamente nessa esfera que demonstramos o nosso amor a Deus, onde praticamos esse amor, onde aprendemos a dar e a receber, onde aprendemos a ser mais parecidos com Deus, com a esperança de algum dia sermos perfeitamente semelhantes a ele.

John Gill (in loc.) salienta que o termo *pendurar*, ao referir-se aos preceitos sobre os quais os demais mandamentos estão edificados, é um hebraísmo; e fornece-nos a seguinte citação de Maimonides (*Hilch. Yesode Hatorah*, c.1, sec.6): "[...] o conhecimento dessa questão é um preceito afirmativo, conforme está dito, 'Eu sou o Senhor, teu Deus'; e aquele que imagina que existe outro Deus além desse, transgride um preceito negativo, conforme foi dito, 'Não terás outros deuses diante de mim'; e nega o ponto fundamental, pois esse é o grande alicerce, no qual tudo está *pendurado*". Jesus salientou que a mensagem dos profetas, embora dada mais tarde e apesar de não fazer parte da lei original, não contradizia, antes, estava em plena harmonia com essa mensagem. Beza achava que aqui há uma alusão às *filactérias* (ver nota em Mt 23.5, onde há uma explicação) ou caixinhas amarradas à testa e a uma das mãos, como memorial da lei. O lugar onde a lei está realmente pendurada é no amor de Deus e no amor a Deus.

Jesus ensinou a doutrina de que o homem deve ser consagrado a Deus *em sua totalidade* e, com isso, ele entendia que o homem não pode dividir a sua vida em diversas partes, algumas para Deus e outras para os interesses próprios de várias modalidades. O *shema* era oferecido diariamente em orações, por todos os judeus devotos. Essa palavra significa "ouvir", e essa oração era assim chamada devido à primeira palavra do grande mandamento: "Ouve, Israel, o Senhor nosso Deus é o único Senhor. Amarás, pois, o Senhor teu Deus de todo o teu coração, de toda a tua alma, e de toda a tua força" (Dt 6.4,5). Coração, alma e forças devem participar dessa profunda adoração. A inquirição espiritual *é que dá sentido* à vida. O alvo dessa inquirição é a perfeição (Mt 5.48), quando o crente será moralmente semelhante a Deus, quando sua vida será semelhante à de Cristo, moral e metafisicamente. A devoção parcial deixa-nos com uma vida dividida e sobrecarregada de tensões. É fato bem conhecido nos escritos psicológicos que a personalidade dupla é prejudicial à saúde mental. Platão ensinava que o homem bom é aquele que não sofre de tensões entre seus três componentes, que seriam o vegetal (o físico), o animal (talvez as emoções) e o racional (a alma ou espírito). A *alma* deve dominar, a parte animal é que encoraja para o bem, e o vegetal (físico) deve ficar em sujeição. Quando reina a harmonia no homem inteiro, esse homem é justo e faz aquilo que é correto.

Neste ponto, a narrativa em Marcos é mais complexa e acrescenta a resposta dada por um dos escribas. (Ver Mc 12.32-34.) O autor do evangelho de Mateus, por razões desconhecidas, deixou de fora essa porção da narrativa, provavelmente por querer condensá-la e abreviá-la. Essa omissão, entretanto, remove o calor humano da narrativa, e podemos ser gratos a Marcos pela sua inclusão. Sua adição é como segue: "Muito bem, Mestre disseste que ele é o único, e não há outro senão ele; e que amar a Deus de todo o coração, de todo o entendimento e de toda a força, e amar ao próximo como a si mesmo, excede a todos os holocaustos e sacrifícios. Vendo Jesus que ele havia respondido sabiamente, declarou-lhe: Não estás longe do reino de Deus. E já ninguém mais ousava interrogá-lo".

O artigo definido antes da palavra "escriba", *o escriba*, salienta o fato de tratar-se do mesmo homem que fizera a pergunta ao princípio, e que agora aprovava a Jesus por sua resposta correta e bem pensada. Ele reconheceu que todas as demais coisas, tais como os sacrifícios, são de pequeno valor, a menos que por detrás delas haja a motivação apropriada. Esse escriba faz uma alusão adicional a 1Samuel 15.22, a fim de ilustrar a sua declaração. Jesus, por sua vez, aprovou o escriba, por haver compreendido e aceitado essa verdade. O autor deste evangelho diz que ele respondeu "sabiamente" (no grego, *nounechos*), derivado de *nous*, que significa "intelecto" ou "mente", juntamente com o verbo "echo", que significa "ter". O escriba tinha plena posse de seus poderes mentais e os usava com maestria; mas é certo que esse correto uso das faculdades mentais só era possível, porque, em algum ponto, ao longo do caminho, esse homem percebera a importância da inquirição espiritual e algo de seu sentido. (Esse vocábulo é usado exclusivamente aqui no NT, mas se encontra com abundância na literatura clássica, havendo muitos exemplos nos escritos de Aristóteles e de Políbio). Jesus, tendo compreendido a bondade básica daquele homem, cumprimentou-o ao dizer: *Não estás longe do reino de Deus*. O povo em geral havia interpretado de forma totalmente errônea as intenções de Jesus quanto ao reino de Deus, porquanto esperavam um Messias político e não um líder verdadeiramente espiritual. Esse escriba, embora se tivesse aproximado de Jesus com atitude crítica, e com a esperança de derrotá-lo com uma sabedoria supostamente superior à dele, quebrantou-se diante da atitude verdadeiramente espiritual e honesta de Jesus. Diante de tais fatores, o escriba perdeu sua atitude de crítica, e demonstrou o que nele havia de melhor, porquanto

608 |Mateus| NTI

basicamente lhe interessava uma verdadeira pesquisa espiritual. Jesus ajudou-o nessa busca, e ele expressou a sua apreciação por essa ajuda. Por sua vez, pressionado por todos os lados por seus críticos e pelo ódio, Jesus apreciou a sábia resposta desse escriba e observou que ele estava na estrada certa, em sua busca de Deus, e por isso encorajou-o a continuar.

> ix. Controvérsia sobre o Filho de Davi (22.41-46)
>
> Os paralelos se encontram em Marcos 12.35-37 e Lucas 20.41-44. A fonte originária desta seção é o "protomarcos". (Ver as notas sobre as fontes informativas dos Evangelhos no artigo da introdução intitulado "O problema sinóptico").
>
> Esta é a última de uma série de histórias sobre *controvérsias*, que o autor apresentou para mostrar como Jesus se tornou antipático ante as autoridades religiosas e ante o povo. Histórias como essas nos são apresentadas a fim de podermos compreender mais claramente como se verificou a crucificação de Jesus, e em torno de que questões girou esse acontecimento. Alguns eruditos acreditam que essa narrativa particular originou-se na tradição eclesiástica, quando a igreja começou a especular sobre o sentido da missão de Jesus, que era chamado o Cristo. No entanto, naturalmente, não há prova disso, e bem pouca razão para aceitação de tal opinião. É possível que tenha havido muitas dessas discussões de Jesus com as autoridades religiosas, discussões que abordavam vários aspectos da missão messiânica, ao tornar-se geralmente conhecido que Jesus se reivindicava o Messias. Alguns eruditos, como Middleton Murry (*Jesus Man of Genius*. New York: Harper and Bros., 1926, p. 3,4), vão para o outro extremo e ensinam que o conceito de Jesus sobre o Messias era tão diferente do conceito ordinário sustentado pelo judaísmo, que ele chegou mesmo a negar o seu nascimento em Belém e não reivindicou ser o "Filho de Davi" em qualquer sentido. Essa ideia contradiz a mensagem básica dos Evangelhos. Os primitivos cristãos compreendiam que Jesus era descendente de Davi (At 2.25,26; Rm 1.3). Mas o ponto principal dessa história é que a autoridade de Jesus não se derivava dessa linhagem, nem de um Messias que só poderia ser chamado de filho de Davi. Apesar de corretas, essas ideias não são suficientes para identificar Jesus, ou para explicar a sua autoridade. O Messias não seria um mero monarca terreno que livraria Israel do domínio romano; e nem Davi poderia ser comparado verdadeiramente a ele. Jesus, o Messias, deve ser compreendido como Senhor de todos, de tal maneira, que o próprio Davi chamou-o de *Senhor*, mediante visão profética. O v. 44 desta seção exalta grandemente o conceito do Messias, conferindo-lhe uma dignidade majestática e um reino universal; é perfeitamente possível que o autor deste evangelho, ao escrever esta seção, tivesse em mente a ressurreição de Jesus, a sua ascensão e a sua promessa de retorno. As citações baseadas no AT foram extraídas de Salmos 110 (na versão da LXX), onde, no primeiro versículo, lê-se Messias, e não meramente filho de Deus, à direita de Deus. Muitos mestres judeus reconheciam o salmo 110 como salmo *messiânico* que trata de seu ofício real. Não há como negar que o Messias pode ser o filho de Davi, mas o que se vê aqui é que ele não pode apenas ser isso.

22.41: Ora, enquanto os fariseus estavam reunidos, interrogou-os Jesus, dizendo:

22.41 Συνηγμένων δὲ τῶν Φαρισαίων ἐπηρώτησεν αὐτοὺς ὁ Ἰησοῦς

22.42: Que pensais vós do Cristo? De quem é filho? Responderam-lhe: De Davi.

22.42 λέγων, Τί ὑμῖν δοκεῖ περὶ τοῦ Χριστοῦ; τίνος υἱός ἐστιν; λέγουσιν αὐτῷ, Τοῦ Δαυίδ.

42 Jo 7.42

Os fariseus davam muito valor à missão deles, e as sábias respostas de Jesus, sobre outras questões, haviam feito com que eles silenciassem apenas temporariamente. Grupos de fariseus, de vez em quando, vinham assediar a Jesus, depois de terem traçado algum novo plano, tendo resolvido usar alguma nova pergunta que pudesse prejudicá-lo. Marcos situa essa controvérsia particular *no templo* (ver Mc 12.35), pelo que vemos que essa discussão particular teve lugar no terreno sagrado dos fariseus; e, sem dúvida, Jesus ali se encontrou com os melhores dentre eles — os mais sábios, os mais astutos. Jesus tirou vantagem de seu silêncio temporário (depois de haverem sido derrotados sobre a questão do grande mandamento) e lhes fez, por sua vez, uma pergunta que visava a testar o conceito que faziam do Messias, e, se possível, a mostrar-lhes quão curto era o atendimento deles sobre essa doutrina, que ficava muito além do alcance deles. Em Marcos, Jesus é apresentado a dirigir suas observações ao povo comum, reunido no templo, e a dizer-lhes o que os líderes escribas e religiosos afirmavam no tocante ao Messias. Em Mateus, a história é apresentada como mais uma controvérsia, que se teria diretamente com aqueles homens. É indubitável que ambos os tipos de acontecimentos tiveram lugar. Por muitas vezes, Jesus deve ter afrontado as autoridades religiosas a respeito da identificação e do caráter do Messias. E por muitas vezes ele deve ter falado ao povo sobre o assunto, destacando a falta da verdadeira compreensão da parte dos escribas, fariseus e outros líderes, sobre o que esse conceito realmente significava.

"Que pensais vós do Cristo?" A palavra *Cristo*, neste caso, não é empregada como nome próprio de Jesus. Jesus não pedia que aqueles homens avaliassem a sua pessoa. Falou sobre o *conceito* que tinham no que concerne ao ofício e à pessoa do Messias prometido. Por essa altura, talvez tenham compreendido algo das reivindicações messiânicas de Jesus; mas, nessa ocasião, Jesus não os estava examinando acerca de sua identidade pessoal. Tãosomente queria saber qual era a "doutrina" deles sobre o Messias. Após a queda da dinastia dos macabeus, e especialmente depois que os romanos impuseram seu domínio sobre a Palestina, na segunda metade do século I a.C., o anelo pela vinda de um Messias pessoal foi assumindo proeminência cada vez maior na mente do povo, e a esperança de um reino universal de Deus foi se centralizando cada vez mais na vinda de um Messias dotado espiritualmente de uma forma sem-par. Esse Messias era usualmente aceito como pertencente à linhagem de Davi, mas nem sempre se pensava assim. Essa crença foi aumentando de intensidade quando, no calendário da criação, foi-se aproximando a época do ano 5000, pois, de conformidade com uma crença corrente nos dias de Jesus, seria então inaugurado o milênio, isto é, mil anos de justiça universal, bênção e paz, após o que o mundo retornaria ao seu caos primevo.

O conceito da *identidade* do Messias era muitíssimo mais complexo do que poderíamos supor antes apenas com a leitura do Novo Testamento. Por exemplo, os essênios não esperavam que um só personagem cumprisse todas as profecias concernentes à pessoa e à obra do Messias, e assim supunham a existência de *três* pessoas. É óbvio que nem todas precisavam ser da linhagem de Davi. Outros pensavam que o Messias se apresentaria na volta de algum grande profeta dos tempos do Antigo Testamento, como Jeremias ou Elias. Nem todos os judeus pensavam que o Messias seria da linhagem de Davi. Havia também muita confusão sobre qual seria exatamente o seu caráter e a sua obra. (Ver o artigo introdutório intitulado *Jesus, Identificação, Ministério, Ensinos*, especialmente sobre "Missão messiânica", onde há uma discussão mais pormenorizada sobre o conceito do Messias.) Entretanto, parece bastante claro que, pelo tempo de Jesus, a ideia de que o Messias seria filho de Davi, tornou-se uma ideia universal, realmente predominante. A resposta que Jesus esperava dos judeus era "filho de Davi". Essa seria considerada a resposta mais tradicional dos tempos de Jesus, pois era a ideia que obtivera ascendência, se não mesmo total controle. (Jo 7.42 reflete essa crença.)

22.43: Replicou-lhes ele: Como é então que Davi, no Espírito, lhe chama Senhor, dizendo:

22.43 λέγει αὐτοῖς, Πῶς οὖν Δαυὶδ ἐν πνεύματι καλεῖ αὐτὸν κύριον λέγων,

<u>43 Δαυὶδ ἐν πνεύματι 2Sm 23.2</u>

"[...] como, pois, Davi...". Essa pergunta tem por intenção salientar outro lado das relações de Davi para com o Messias, e não negar que o Messias era filho de Davi, como alguns intérpretes têm dito. (Ver notas na introdução a esta seção, quanto a mais detalhes sobre esse ponto.) Não podemos também concordar em que Jesus salientou que, embora o Messias tivesse de ser filho de Davi, tal conceito não tem grande importância. Pelo contrário, ele simplesmente estava tentando salientar que o Messias, como filho de Davi, o Messias que reinstalaria um governo político terreno e que restauraria as glórias políticas nacionais de Davi e de Salomão, era um conceito muito inadequado sobre o Messias, em face da total verdade da doutrina sobre o Messias. Jesus procurou mostrar-lhe que o conceito de senhorio universal é o conceito central, e não as ideias materialistas que eles sustentavam e acerca das quais ensinavam o povo.

Jesus, pois, frisou que Davi falou *pelo Espírito*, isto é, por inspiração divina, quando expôs sua ideia sobre o Messias, sendo particularmente importante notar que essas palavras saíram dos lábios do próprio Davi, sendo assim enfatizado um conceito do Messias que ultrapassava, em muito, as notações populares a respeito, e que essa ideia superior é que deve ser reputada como válida.

22.44: Disse o Senhor ao meu Senhor: Assenta-te à minha direita, até que eu ponha os teus inimigos debaixo dos teus pés?

22.44 Εἶπεν κύριος τῷ κυρίῳ μου, Κάθου ἐκ δεξιῶν μου ἕως ἂν θῶ τοὺς ἐχθρούς σου ὑποκάτω τῶν ποδῶν σου;

<u>44 Κυριος ℵBDZ.] (Sl 110.1) ο Κυρ. rell ς; R</u>
<u>44 Εἶπεν...ποδῶν σου Sl 110.1; (At 2.34,35; 1Co 15.25; Hb 1.13)</u>

"Disse o Senhor ao meu Senhor...". Jesus citou o salmo 110.1, que era então interpretado como salmo *messiânico*, embora pouco se entendesse de sua mensagem. Muitos mestres judaicos proclamavam o elevado senhorio do Messias, mediante o uso desse salmo, mas não viam nenhuma aproximação íntima do Filho do Pai nessa expressão. Não compreendiam plenamente o que estava envolvido no termo "Senhor". Quando um Senhor fala a outro "Senhor", em termos de igualdade, e lhe promete um reino universal, bem como completa porção do trono celestial, há nisso muito mais envolvimento do que geralmente se reconhecia entre os judeus pelo termo "Messias". Provavelmente, Jesus também desejava frisar, para aqueles líderes, que o domínio do Messias dependia de sua nomeação pelo Pai, e que a sua glória eventual se tornaria realidade, a despeito de uma oposição amarga e inflexível. Se, ao refletirem sobre o Messias, aqueles homens tivessem partido do conceito do senhorio, e, especialmente, do conceito de filiação, que incluía a promessa de reinado universal absoluto (o que também é mensagem do primeiro capítulo de Efésios, embora com descrição mais exaltada nessa epístola), teriam compreendido mais plenamente o que o Messias haveria de ser. Como ficava aquém desse fato o messias político que eles concebiam!

Quanto à interpretação desse salmo, descobre-se que havia *grande variedade* de opiniões, embora todas concordassem que ali está em foco o Messias. Alguns criam que Abraão era o personagem desse salmo, e que fora composto ou por Melquisedeque ou por Eliezer, e não por Davi. É óbvio, entretanto, que a descrição ultrapassa o que se poderia esperar do destino de Abraão. Outros fazem do próprio Davi o tema desse salmo, e indicam a grandeza do reinado e do trono de Davi. Entretanto, a interpretação mais sábia — que se referia ao Messias — é a interpretação correta, e foi a que finalmente prevaleceu entre os eruditos, ao tempo de Jesus.

A mensagem geral desse salmo é grandemente elaborada no próprio NT, ao descrever o *reino universal* que finalmente Jesus terá. (O leitor deveria consultar textos como Ef 1; Cl 1 e 2; Hb 1; 1Co 15 e Ap 1,19,20,21). O que mais tarde se tornou interpretação comum e entendimento geral entre os cristãos, acerca da natureza de tais profecias, era realmente uma questão problemática para os fariseus, simplesmente porque o conceito que eles faziam do Messias era limitado e repleto de ideias materialistas, bem como de implicações temporais e políticas. É significativo que, após o tempo de Cristo, muitos rabinos declararam que a interpretação desse salmo não é messiânica, recusando-se a dar aos cristãos o consolo de contarem com um texto tão vívido, que mostra que Jesus é o Messias.

Quesnel diz (*in loc.*): "Neste ponto, Jesus fez uma pergunta também, não a fim de tentar, mas a fim de instruir os seus discípulos; a fim de confundir os obstinados; de salientar a origem de todas as suas perguntas capciosas, a saber, a ignorância em que estavam sobre as profecias que prediziam acerca do Messias; e a fim de fornecer à sua igreja as armas contra os judeus de todas as eras; e, então, mediante sua instrução pública, a fim de estabelecer a verdade de sua divindade, encarnação, poder e reino, como alicerces da religião revelada".

22.45: Se Davi, pois, lhe chama Senhor, como é ele seu filho?

22.45 εἰ οὖν Δαυὶδ καλεῖ αὐτὸν κύριον, πῶς υἱὸς αὐτοῦ ἐστιν;

"[...] se Davi, pois, ...". Jesus não apresentou essa pergunta adicional a fim de indicar que o Messias não poderia ser o Senhor eterno e o Filho de Davi ao mesmo tempo, conforme alguns intérpretes têm dito erroneamente, os quais vão a extremos de interpretação. Pelo contrário, ele procurou salientar que o Messias não pode ser apenas Filho de Davi, e que os fariseus tinham um conceito muito inadequado do Messias, e que precisavam revisar grandemente a sua teologia sobre esse particular, pois, afinal de contas, o ponto em foco se revestia de grande importância. Por detrás dos argumentos na apresentação de tais perguntas, Jesus esperava demonstrar que ele, como Messias, era uma espécie diferente de pessoa, e o fato que isso não cabia dentro da ideia que os judeus faziam do Messias, não invalidava as reivindicações de Cristo. Sobre como o Messias poderia ser ao mesmo tempo Senhor e Filho de Davi, os textos de Romanos 1.3,4 e Atos 2.22-25 nos suprem a resposta. O Messias era ao mesmo tempo humano e divino; ou pelo menos isso é o que fica implicado nesse salmo, ainda que não seja o seu ensino central. A pergunta de Jesus, acerca da própria identificação (uma vez que devem ter compreendido as intenções de Jesus, por detrás da pergunta geral concernente ao Messias), *não obteve resposta*, porquanto nem conheciam a ele e nem sabiam o sentido da passagem bíblica que se referia a ele. Jesus tocou no problema de sua pessoa, ao mesmo tempo divina e humana; tratava-se de uma questão que os líderes do judaísmo provavelmente jamais haviam discutido, e acerca da qual eram totalmente ignorantes. A própria ideia sem dúvida teria sido considerada uma blasfêmia, e de fato foi reputada como tal, quando do julgamento de Jesus, tendo servido de uma das principais acusações assacadas contra ele — que ele se fazia de "Filho" em sentido especial, *igual* ao Pai. Os fariseus e outros líderes judaicos estavam bem afeitos à herança física do Messias, mas tinham-se esquecido inteiramente da significação de seu senhorio e de sua natureza transcendental.

22.46: E ninguém podia responder-lhe palavra; nem desde aquele dia jamais ousou alguém interrogá-lo.

22.46 καὶ οὐδεὶς ἐδύνατο ἀποκριθῆναι αὐτῷ λόγον, οὐδὲ ἐτόλμησέν τις ἀπ᾽ ἐκείνης τῆς ἡμέρας ἐπερωτῆσαι αὐτὸν οὐκέτι.

<u>46 οὐδὲ...οὐκέτι Mc 12.34; Lc 20.40</u>
<u>46 ἡμερας] ωρας DW fi al a d q sy^c</u>

610 |Mateus| NTI

"E ninguém...". Marcos registra uma declaração similar, após a controvérsia referente ao *maior mandamento*. (Ver Mc 12.34.) Lucas tem uma declaração semelhante, após a controvérsia de Jesus com os saduceus, no tocante à ressurreição. (Ver Lc 20.40.) Jesus talvez tenha silenciado diante de seus inimigos durante aqueles dias, mas não modificou com isso o perverso coração deles — suas intenções e ações, pois dentro de mais algumas horas eles o haviam de assassinar. O dr. Wotton, conforme é citado por Adam Clarke (*in loc.*), diz: "Assim, Jesus reduziu ao silêncio as quatro grandes seitas dos judeus, em um só dia, sucessivamente. Os herodianos e fariseus queriam saber se poderiam ou não pagar tributo a César legalmente. Os saduceus indagaram sobre de quem seria esposa a mulher que se casara com sete irmãos sucessivamente, na ressurreição. Então se aproximou o escriba, que não reconhecia autoridade além da lei escriba, e perguntou qual o maior mandamento da lei. Esse doutor da lei merece ser mencionado aqui, porque ele não somente aquiesceu, mas também recomendou a resposta que o Senhor deu à sua pergunta". (Wotton's *Miscellaneous Discourses*, vol. 1, p. 78).

Talvez Jesus tivesse se libertado por algum tempo, das insistentes perguntas que lhe eram dirigidas, mas não ficou livre dos maus desígnios e dos planos contra a sua vida. Os seus inimigos não podiam derrotá-lo com argumentos falados, mas puderam matá-lo em uma cruz romana, e a atenção deles focalizou-se então apenas nessa última consideração.

Marcos acrescenta, no fim desta seção, a breve observação que diz: "E a grande multidão o ouvia com prazer" (Mc 12.37). A única coisa que preservava ainda a vida de Jesus era a sua popularidade entre o povo; porém, conforme foi-se espalhando a notícia que Jesus não era um messias de conformidade com o conceito que faziam, isto é, libertador político da dominação romana, as massas populares, igualmente, provavelmente por motivo de frustração, foram-se voltando contra ele. Finalmente descarregaram sua ira e frustração sobre Jesus, quando se viu que ele jamais seria um revolucionário político. Gostariam de ter ferido os romanos e esmagado Roma, mas não podiam. Por conseguinte, feriram a Jesus, por tê-los desapontado em suas esperanças. Não perguntaram jamais se Jesus havia desapontado a Deus naquilo que ele viera fazer. Isso jamais os preocupou.

Capítulo 23

X. DENÚNCIA CONTRA OS FALSOS LÍDERES RELIGIOSOS (23.1-39)

Este capítulo começa com uma crítica geral feita aos "escribas e fariseus" (v. 1-12), o que é seguido por sete tremendos *ais*, que denunciam tanto as doutrinas como as práticas das autoridades religiosas (v. 13-33). Uma ameaça e um fim lamentoso encerram essa amarga queixa e denúncia. Quanto a este capítulo, contamos com um complexo exército de materiais originários, que podem ser distribuídos como segue: O autor segue a ordem dada por Marcos, já que, neste ponto (após a controvérsia em torno do Filho de Davi), Marcos contém "uma breve condenação" contra os escribas (Mc 12.38-40). A condenação básica, pois, alicerça-se no "protomarcos". A fonte "Q", entretanto, é a fonte principal, e dela é que vêm os v. 4,13,23,25-27,29-36, que têm paralelos em Lucas 11.46,52,39-42,44,47-51. A parte final do capítulo — v. 37-39 — tem um paralelo em Lucas 13.34,35. A ordem desses paralelos é um tanto diferente em Mateus e Lucas, e é provável que, embora o relato de Mateus seja mais complexo (pois extrai subsídios de várias origens), Lucas tenha seguido a ordem mais simples do material da fonte "Q". O autor, usando a própria fonte de material, que estava fora do alcance de Marcos e de Lucas, isto é, a fonte "M", construiu os v. 2,3,5,8-10,15-22. O v. 11 é extraído de Marcos 10.43,44. O evangelista reuniu todo esse variegado material e nos apresentou os tipos de denúncia que Jesus lançou contra os vários

grupos de autoridades religiosas. Como fórmula fixa para apresentar esses homens, o autor deste evangelho usa a expressão: "*Ai de vós, escribas e fariseus, hipócritas!*" As fontes informativas, conforme se pode facilmente verificar por meio de comparação de paralelos, usualmente têm forma mais simples de fraseado.

a. Princípios bons, mas conduta má (23.1-3)

23.1: Então falou Jesus às multidões e aos seus discípulos, dizendo:

23.1 Τότε ὁ Ἰησοῦς ἐλάλησεν τοῖς ὄχλοις καὶ τοῖς μαθηταῖς αὐτοῦ

Alguns intérpretes têm pensado que este capítulo encerra cinco grandes discursos de Jesus, e que os capítulos 24 e 25 contêm um *sexto* grande discurso. Todavia, existem apenas cinco *cólofons* ou seções de sumário, e que diziam mais ou menos algo como "tendo Jesus acabado todos estes ensinamentos", e, por esse meio, compreendemos que o autor planejou que seu livro fosse escrito apenas em torno de cinco seções de ensino. Essas seções são os capítulos 5—7; 9.35—11.1; 13.1-58; 18.1—19.2; 24.1—26.2. Um cólofon segue-se a cada uma dessas seções. O capítulo vigésimo terceiro, portanto, é uma espécie de seção de transição entre as controvérsias e o discurso apocalíptico de Jesus. Aqui o tema é a condenação a que estavam sujeitas as autoridades religiosas dos judeus, o *julgamento* passado pelo Messias. Os caps. 24 e 25 abordam o julgamento final de Deus, contra toda a humanidade, no fim do mundo.

Nos v. 1 a 12, temos os sinais dos religiosos fingidos, isto é, aqueles que da religião fazem um teatro: (1) Com frequência, são *aplaudidos* e recebem posição de autoridade em postos da religião organizada; (2) não *praticam* seus bons preceitos; (3) gostam de ser *honrados*, dos títulos e de toda sorte de ostentação, isto é, aquelas coisas que atraem a atenção pessoal e aumentam seu senso de orgulho. Além de usar essas coisas como exemplo do tipo de religião a ser evitada, Jesus lançou mão da ocasião para ensinar a humildade, contrastando esse espírito com o espírito de amor fraternal que deve ser comum entre verdadeiros irmãos espirituais.

23.2: Na cadeira de Moisés se assentam os escribas e os fariseus.

23.2 λέγων, Ἐπὶ τῆς Μωϋσέως καθέδρας ἐκάθισαν οἱ γραμματεῖς καὶ οἱ Φαρισαῖοι.

"Na cadeira de Moisés...". Alusão à prática dos mestres de se assentarem, ao levarem a efeito esse ofício. A própria expressão é uma forma breve de indicar a função de mestre, que era a de interpretar os escritos de Moisés. "Os herdeiros da autoridade de Moisés, por uma tradição inquebrável, podiam baixar pronunciamentos *ex-cathedra* sobre os seus ensinos" (McNeile, *in loc.*). Os judeus falavam da cadeira de Moisés como nós falaríamos da cadeira de um mestre universitário, dando a entender a autoridade, a função ou o ofício de tal indivíduo. Moisés era juiz e legislador de Israel. Autoridades religiosas posteriores agiam como intérpretes dos escritos de Moisés, e eram oficialmente reconhecidas nessa função. (Ver Êx 2.13-25 e Dt 17.9-13). Os v. 8-10 ilustram que, no caso da autoridade da igreja cristã, ninguém poderá ocupar o assento de Cristo, e isso faz notável contraste, no âmbito da distribuição de autoridade, entre a congregação judaica e a igreja cristã.

23.3: Portanto, tudo o que vos disserem, isso fazei e observai; mas não façais conforme as suas obras; porque dizem e não praticam.

23.3 πάντα οὖν ὅσα ἐὰν εἴπωσιν ὑμῖν ποιήσατε καὶ τηρεῖτε, κατὰ δὲ τὰ ἔργα αὐτῶν μὴ ποιεῖτε· λέγουσιν γὰρ καὶ οὐ ποιοῦσιν.

3 Ml 2.7,8

"Fazei e guardai...". Os escribas e os fariseus eram grupos que se misturavam facilmente. Nem todos os rabinos eram fariseus, e nem todos os fariseus eram rabinos. O termo *cadeira de Moisés* provavelmente é uma alusão à cadeira que havia nas sinagogas, onde o mestre autorizado se assentava a fim de ensinar a lei, e tal lugar era assim denominado por causa da ideia de que o orador, nesse caso, exercia a autoridade de Moisés. Cria-se também que grande parte da lei oral (os preceitos principais) tivera sua origem em Moisés. Jesus, todavia, não reconhecia essa autoridade como legítima, segundo se vê em passagens como Mateus 5.33-37; 15.1-11; 2127; e o autor deste evangelho ensinou que essa autoridade passou para as mãos da igreja cristã. (Ver Mt 16.19; 18.18). Essa primeira denúncia parece ter reconhecido a autoridade deles (a dos escribas e fariseus), mas também reconheceu que a prática deles era contraditória. O resto do capítulo ataca tanto a prática como as crenças dessas autoridades. Sob diferentes circunstâncias, e no caso de diferentes autoridades que exerciam a autoridade em diferentes sinagogas, ambas as denúncias teriam sido apropriadas; noutros casos, apenas uma das denúncias; e, noutros casos ainda, a outra denúncia.

Não se pode deixar de observar certa ambiguidade no ensino sobre a autoridade, nos Evangelhos: os membros da nova comunidade cristã devem obedecer às autoridades do antigo e corrupto estado judaico, ou devem prestar sua lealdade à recém-constituída autoridade da igreja? Precisamos lembrar que as coisas estavam em transição, quando os Evangelhos foram escritos. Outrossim, os ditos de Jesus, segundo se encontram nos Evangelhos, vieram de um tempo em que a antiga autoridade ainda estava sendo seguida. Portanto, a autoridade judaica era reconhecida, com determinadas qualificações; embora noutras porções dos Evangelhos, essa autoridade seja rejeitada por causa de sua corrupção. Aparece também uma nova autoridade, como a dos apóstolos, no décimo sexto capítulo do evangelho de Mateus. *A lata aceitação* da autoridade dos escribas, por parte de Jesus, neste caso, parece contradizer o material encontrado em Mateus 15.1-20. Precisamos reconhecer, uma vez mais, o período de transição nisso envolvido. É perfeitamente claro que a antiga autoridade judaica tenha sido finalmente rejeitada, e que a nova autoridade tenha sido aceita. Alguns intérpretes procuram solucionar esse problema com diversos tipos de qualificação, como Crisóstomo, que dizia que o sistema cerimonial tinha de ser excluído dessa aprovação. Outros (como Meyer e De Wette), diziam que Jesus não tinha em mente a aceitação, de forma oficial, da autoridade dos escribas, mas simplesmente *recomendou a prática* do bem que falavam, contanto que fosse rejeitado o seu exemplo; e que a perversão do ofício não estava em foco, nesse caso. Entretanto, parece melhor reconhecer simplesmente que as coisas estavam em estado de fluxo, em transição, e que várias declarações foram feitas sobre o assunto — algumas delas indicando a aceitação da antiga autoridade, segundo definida pelas autoridades religiosas; e outras declarações indicando total rejeição a essa autoridade. Foi mister que se passassem alguns anos até que essa questão fosse solucionada. A igreja cristã, finalmente, emergiu dotada da própria autoridade; e, nas questões religiosas, os crentes não mais tiveram de seguir a ordem antiga.

b. Sua falta de misericórdia (23.4)

23.4: Pois atam fardos pesados e difíceis de suportar, e os põem aos ombros dos homens; mas eles mesmos nem com o dedo querem movê-los.

23.4 δεσμεύουσιν δὲ φορτία βαρέα [καὶ δυσβάστακτα][1] καὶ ἐπιτιθέασιν ἐπὶ τοὺς ὤμους τῶν ἀνθρώπων αὐτοὶ δὲ τῷ δακτύλῳ αὐτῶν οὐ θέλεουσιν κινῆσαι αὐτά.

[1] 4 βαρέα L X[comm] f[1] 892 it[a,b,e,ff2,h] syr[c,s,p] cop[bo] Diatessaron[a] Iren[lat] Origen[lat] // μεγάλα βαρέα ℵ (eth[ro?po?] μαγάλα καὶ) // {C} βαρέα καὶ δυσβάστακτα B (D[*] ἀδυσβάστακτα) D[c] K W Δ Θ Π 0107 (0138 δυσβάκτα) f[13] 28 33 565 1009 1071 1079 1195 1216 1230 1241 1242 1253 1344 1365 1546 1646 2148 2174 *Byz Lect* it[aur,c,f,f,ff²,g¹,l,q] vg syr[h,pal] cop[sa] arm (eth[ms] διωβάστακτα) geo Clement Chrysostom John-Damascus // δυσβάστακτα (*ver* Lc 11.46) X[comm] 700 1010 l[847]

Impressionada pela evidência externa em apoio ao texto mais longo, a maioria da comissão explica a ausência de καὶ δυσβάστακτα-, em L f[1] 892 *al*, talvez devido ao refinamento estilístico ou a descuido acidental (onde os olhos do copista passou de um καὶ para outro). Todavia, por ser possível que essas palavras sejam uma interpolação de Lucas 11.46, resolveu incluí-las entre colchetes.

(As palavras καὶ δυσβάστακτα não deveriam fazer parte do texto, pois (a) se estivessem presentes no original, nenhuma boa razão se pode dar para sua ausência em tão grande variedade de testemunhos; e (b) a tendência de copistas em frisar a solenidade das palavras de Jesus explica a prefixação de μεγάλα antes de βαρέα em ℵ, — bem como a interpolação após βαρέα, da expressão sinônima, καὶ δυσβάστακτα com base em Lucas 11.46. B.M.M.)

"Atam fardos pesados e difíceis de carregar..." Essa parte final da sentença — "e difíceis de carregar" — encontra-se nos mss B,D,W, Theta, Fam 13, a maioria das traduções latinas e algumas cópticas, bem como a grande maioria dos mss gregos posteriores. É, contudo, porção omitida por Aleph, L. Fam 1, muitos mss latinos antigos e a tradição siríaca. Embora essa adição conte com alguma evidência impressionante, os editores dos textos gregos usualmente omitem essas palavras, provavelmente com razão, porquanto parecem ser uma *glosa* levemente explanatória de ideias já apresentadas no texto.

Atam fardos pesados provavelmente é um termo técnico, como aparece em Mateus 16.19. Esse ato de atar fala do grande número de cargas adicionais, impostas a quem quisesse tornar-se fariseu. A ideia vem do termo "jugo da lei", isto é, onde a lei é reputada um fator que obriga o indivíduo a fazer certas coisas, a não praticar outras, e, por meio de tais práticas, a fazê-lo ter certo tipo de vida religiosa, tal como um boi é forçado a realizar determinado serviço, estando sob o jugo da "canga". Os fariseus erigiam uma cerca em torno da lei (*Aboth* a:1), e isso significava que aqueles que se tornavam fariseus deveriam esperar grande aumento no peso de seu fardo, ao *observarem a lei*, composta tanto de mandamentos positivos como negativos. Alguns judeus acolhiam esse tipo de ensino, crendo que a "cerca" assim construída impedia-os de transgredirem. Pensavam que assim seriam mais agradáveis a Deus, e que assim estariam na "segurança" da categoria dos "salvos". Muitos temiam a abordagem menos técnica, mais aventuresca e profética de Jesus sobre a inquirição espiritual. Evidentemente Jesus cria em menor número de regras, em menor número de leis cerimoniais, em maior área da escolha e do juízo individuais. Os fariseus desejavam remover toda dúvida quanto à interpretação da prática da religião, compilando uma lista interminável de "certos e errados", de "tabus" e de "autoridade constituída". Os homens, de forma geral, achavam impossível arcar com esse peso de regras e leis. Outrossim, geralmente seus regulamentos eram hipócritas, e consideravam como muito importantes coisas que não se revestiam de importância nenhuma. Impunham grandes cargas sobre homens fracos, e nada faziam para auxiliá-los nessas cargas. Seiscentos e treze leis eram uma carga muito pesada. Eles mesmos eram técnicos em ostentação (v. 5-7), e geralmente em realidade não observavam as próprias regras, mediante a observância de princípios espirituais autênticos.

"[...] nem com o dedo..." Trata-se de um provérbio pitoresco. Eram quais feitores, e não carregadores de cargas; eram técnicos na legislação, mas observantes muito deficientes; nem mesmo um dos dedos da mão desses homens era empregado na ajuda a seus semelhantes, ao mesmo tempo que, a todo o tempo, com a autoridade de Moisés, sobrecarregavam os homens com pesadas cargas. A repreensão de Jesus continha três elementos: (1) Faziam da religião *uma carga*, e não um motivo de alegria; matavam a alegria da inquirição espiritual. (2) Faziam da religião uma carga

612 |Mateus| NTI

intolerável. (3) Entregavam a carga a outros, ao mesmo tempo que não faziam o *mínimo* esforço para serem verdadeiramente humanitários, o que deveria ser um dos alvos principais de toda a sua atividade religiosa. (4) Faziam da lei uma regra muito *mais severa* do que o necessário, e adicionavam a isso o grande peso da tradição humana, que em si mesmo era algo demasiado para qualquer homem levar. (5) Haviam perdido o espírito da verdadeira religião, substituindo esse espírito por diversos *ritos e* cerimônias e por intermináveis regulamentos.

Ao contemplarmos o que aconteceu ao judaísmo, não nos devemos esquecer de que isso não está inteiramente no passado, pois mui geralmente, em nossas igrejas, hoje, temos aceitado as palavras, as organizações e as pobres interpretações humanas, em lugar da vitalidade da mensagem cristã, especialmente essa vitalidade que é vista no grande evangelho de Paulo. É lamentável que tanto se ouça falar do "perdão de pecados" e da "viagem ao céu", mas que nada se ouça acerca da transformação segundo a imagem metafísica e moral de Cristo, e isso em sentido absoluto, que realmente é o aspecto mais profundo do evangelho. Ver notas em Romanos 8.28-30 e Efésios 1.19 até o fim.

Na Mishnah (*Misna Seta*, c. 3, sec. e), há menção de um "astuto e iníquo homem" que, juntamente com uma mulher de crenças farisaicas, impuseram pesadas cargas sobre outros, e que exigiam os *golpes* dos fariseus. Esses golpes são uma referência aos castigos com que alguns batiam suas cabeças contra as paredes, e assim se feriam como exercícios religiosos. Na Gemara (*T. Bab. Sota*, fol. 21.2) há menção daqueles que criavam cargas leves para eles mesmos e cargas pesadas para outros. Assim é que até mesmo nessa literatura judaica encontramos uma revolta contra as ações extremistas de algumas das autoridades religiosas.

c. Sua ostentação (23.5-12)

23.5: Todas as suas obras eles fazem a fim de serem vistos pelos homens; pois alargam os seus filactérios, e aumentam as franjas dos seus mantos;

23.5 πάντα δὲ τὰ ἔργα αὐτῶν ποιοῦσιν πρὸς τὸ θεαθῆναι τοῖς ἀνθρώποις· πλατύνουσιν γὰρ τὰ φυλακτήρια αὐτῶν καὶ μεγαλύνουσιν τὰ κράσπεδα,

<small>5 πάντα...ἀνθρώποις Mt 6.1-5 πλατύνουσιν...φυλακτήρια Éx 13.9; Dt 6.8 μεγαλύνουσιν τὰ κράσπεδα Nm 15.38,39</small>

Jesus pronunciou um discurso violento contra o orgulho humano. O Talmude palestiniano fala de "fariseus de ombros", que levam a realização de todos os mandamentos sobre os seus "ombros", evidentemente indicativo do espírito de ostentação. Eram melhores atores do que líderes religiosos. Eram bons "atores", e a sinagoga se transformou em um teatro.

"Filactérios". Eram cápsulas usadas no braço esquerdo, próximo ao coração e sobre a testa. Continham um pedaço de pergaminho com quatro passagens das Escrituras, a saber, Êxodo 13.1-10,11-16; Deuteronômio 6.4-9 e 9.13-21. O filactério usado na cabeça tinha quatro compartimentos, cada qual com um pedacinho de pergaminho, com essas quatro passagens bíblicas. O filactério usado no braço tinha um único pedaço de pergaminho, com todas as quatro passagens bíblicas. Honravam essas cápsulas tanto quanto as próprias Escrituras, e imaginavam tolamente que o próprio Deus as usava. O tamanho das cápsulas demonstrava a medida do zelo de quem as usava. Chegaram também a ser supersticiosos, usando-as como encantamentos para espantar o mal, incluindo os maus espíritos ou os demônios.

"Franjas". Em Mateus 9.20, vemos que Jesus, tal como os judeus em geral, usava uma franja ou beirada, na veste mais externa, que era um regulamento antigo, dado aos judeus (ver Nm 15.38). Os rabinos judeus haviam desenvolvido regras minuciosas sobre isso, tal como aquela que dizia que cada uma das franjas brancas deveria consistir de oito fios, um dos quais deveria ser enrolado em torno dos demais. Outros regulamentos foram baixados sobre

quantas vezes o fio deveria ser enrolado (primeiramente sete vezes, com um nó duplo; então, oito vezes, com um nó duplo; então, onze vezes, com um nó duplo; e, finalmente, treze vezes, com outro nó duplo). Isso era feito segundo os valores numéricos dos caracteres hebraicos que formavam as palavras Jeová Um. O que começara como um simples lembrete de coisas espirituais, para os judeus, tornou-se mais um motivo de orgulho e de formalismo exagerado.

Nos tempos modernos, lemos acerca de certo Carlyle que odiava a propaganda, o qual, ao invés de fabricar bons chapéus, enviava um carro pelas ruas, com um imenso chapéu sobre o mesmo. Geralmente nossa propaganda religiosa é boa, e podemos proferir palavras elevadas; mas essas palavras podem contradizer completamente a nossa experiência e expressão espiritual. Isso é farisaísmo, e transforma nossas igrejas em teatros. No caso dos filactérios dos judeus, parece que não começaram a ser usados senão depois do cativeiro; mas é evidente que essa prática ainda persiste entre os judeus. Ela parece ter evoluído de uma interpretação literal das Escrituras, com algumas expressões figuradas, tais como "um sinal em tua mão" e "um memorial entre teus olhos"; e, isso, por sua vez, passou a ser reputado com ordens para que usassem objetos físicos sobre o corpo. Ver Êxodo 13.9 e Deuteronômio 6.8,9.

Alguns líderes exageravam grandemente a importância da franja nas vestes, e alguns chegavam mesmo a dizer que todos os mandamentos dependiam dessa observância (*Maimonides, Hilc. Tzitzith*, c. 3, sec. 12). Alguns também diziam que essa observância equivalia aos mandamentos, quanto à sua importância, e que quem não a observasse era digno de morte. (*T. Bab. Nedarim*, fol. 25-1). Virtudes especiais eram atribuídas às franjas, e supunha-se que tivessem propriedades mágicas, capazes de evitar os acidentes e os espíritos malignos. Alguns judeus, por causa dessas crenças, aumentavam grandemente as dimensões da franja, e por isso usavam "compridas vestes".

Certas modalidades de filactérios (chamados *tephillim*) são usados pelos judeus, hoje em dia, durante a oração matinal diária; e é interessante observar que haviam sido baixadas regulamentações que impediam a ostentação, e isso provavelmente em resultado direto da antiga repreensão de Jesus contra essa forma de ostentação.

23.6: gostam do primeiro lugar nos banquetes, das primeiras cadeiras nas sinagogas,

23.6 φιλοῦσιν δὲ τὴν πρωτοκλισίαν ἐν τοῖς δείπνοις καὶ τὰς πρωτοκαθεδρίας ἐν ταῖς συναγωγαῖς

<small>6 φιλοῦσιν...δείπνοις Lc 14.7</small>

"Amam o primeiro lugar...". *Primeiro lugar* é uma referência aos divãs nos quais os antigos se reclinavam enquanto comiam, em contraste com o costume moderno de assentar-se ao redor de mesas. Os persas, gregos, romanos e judeus diferiam em seus costumes, mas todos cuidavam de ser levados aos *lugares de honra* nas reuniões formais e nos banquetes. As anfitriãs atuais geralmente solucionam esses problemas apondo o nome de cada hóspede no lugar designado à mesa, e isso, provavelmente, por mais de uma vez tem impedido os esforços frenéticos dos hóspedes de ocuparem lugares mais destacados nos salões de banquetes. Lemos que, por ocasião da última páscoa com Jesus, os próprios apóstolos tiveram uma luta e discussão sobre esse ponto. (Ver Lc 22.24; Jo 13.2-11), e isso aconteceu pouco tempo depois de Jesus ter pronunciado essa repreensão contra tal ostentação.

As primeiras cadeiras (intituladas *zuchermandel*) nas sinagogas ficavam na plataforma que se localizava de frente para o auditório; por detrás dessa plataforma, ficavam os armários onde eram guardados os rolos das Escrituras. Robertson (in loc.) observava a estranha e hipócrita humildade que se vê nas igrejas, hoje em dia, onde se encontram pessoas que preferem os últimos assentos, do fundo do salão; essas mesmas pessoas, entretanto, ao irem a algum teatro, interessam-se pelos lugares mais caros e ostentosos.

Lemos que os persas e os romanos consideravam o lugar do meio (em qualquer divã) como o lugar mais honroso.

No tocante ao arranjo dos assentos, nas sinagogas, Maimonides diz (*Hilcho Tephill*, c. 11, sec. 4): "Como as pessoas se assentam nas sinagogas? Os anciãos se assentam primeiro, isto é, de rosto voltado para o povo, e de costas voltadas para o templo ou santo lugar; e todo o povo se assenta em fileiras, e os rostos de uma fileira dão para as costas da fileira mais à frente, de forma que os rostos de todos dão para o lugar santo, para os anciãos e para a arca".

23.7: das saudações nas praças, e de serem chamados pelos homens: Rabi.
23.7 καὶ τοὺς ἀσπασμοὺς ἐν ταῖς ἀγοραῖς καὶ καλεῖσθαι ὑπὸ τῶν ἀνθρώπων, Ῥαββί.

> A forma germinada, ῥαββί, ῥαββί (D E F G H K M S U V W Y Γ Ω *al*) é mais solene e formal, e provavelmente é resultado de intensificação feita por copistas. A comissão preferiu seguir a forma mais breve, que é fortemente apoiada por ℵ B L Δ Θ Σ 0107 0138 *f*[1] it vg syr[p] cop[sa,bo] arm eth geo[1-A] arab pers.

"[...] as saudações...". Lemos que os títulos honoríficos, aplicados aos eruditos, começaram a ser usados desde o primeiro século de nossa era. Os rabinos (traduzida aqui a palavra por "mestres", na Almeida Revista e Atualizada) recebiam esse título que significa *meu grande, meu senhor*; e alguns se ufanavam por serem distinguidos com esse título.

A segunda repetição de *rabino*, em algumas traduções, como a KJ e as versões antigas de Almeida, em português, deriva-se de mss posteriores, como D e W (e também de mss mais recentes, como EFGHKMSUV, Gamma, Fam Pi), mas essa repetição é omitida por Aleph, B, Delta, Theta, e também por muitas das versões. A adição não é autêntica, mas reflete uma ligeira glosa, feita por escribas posteriores.

Este versículo encontra reflexo em certos ministros modernos do evangelho que se sentem negligenciados, ou que pensam que sua dignidade ministerial tem sido desprezada, se não forem convocados a tomar parte nos púlpitos de uma igreja que porventura estejam visitando, ou de alguma conferência da qual estejam participando.

"As saudações" mencionadas neste versículo eram apenas *cortesias comuns*, mas passaram a ser cobiçadas nos lugares públicos, porquanto eram reputadas como demonstrações de reconhecimento ou respeito. No entanto, isso é muito semelhante aos costumes modernos, quando tantos se ofendem quando outros não os saúdam, quer nas igrejas quer em outros lugares públicos. Na literatura judaica, encontramos esta descrição (*T. Bab. Maccot*, fol. 21.1 e em Cerubot, fol. 103.2). "Sempre que ele via um discípulo dos sábios, levantava-se (falando sobre o antigo rei Josafá) de seu trono, e o abraçava e beijava, chamando-o de 'Mestre, mestre, pai, pai, rabino rabino'. John Gill (*in loc.*) mostra que isso não passa de ficção tradicional, porquanto esses títulos ainda não tinham começado a ser usados nos dias de Josafá; mas pelo menos temos aqui um reflexo de um costume que só se desenvolveu mais tarde. Nem todos os líderes religiosos aceitavam esse costume de títulos honoríficos e de saudações; mas é evidente que esse costume tornara-se intensamente popular ao tempo de Jesus. O termo *mestre* era mais elevado que o simples "rabino", uma vez que o mestre era o cabeça de uma seção inteira, talvez líder de muitos rabinos; ao passo que o rabino era mestre de uma única sinagoga.

23.8: Vós, porém, não queirais ser chamados Rabi; porque um só é o vosso Mestre, todos vós sois irmãos.
23.8 ὑμεῖς δὲ μὴ κληθῆτε, Ῥαββί, εἷς γάρ ἐστιν ὑμῶν ὁ διδάσκαλος, πάντες δὲ ὑμεῖς ἀδελφοί ἐστε.

8 μη κληθητε] μηδενα καλεσητε Θ (sy[sc]) | διδασκαλος ℵ[c]B 565 al; R] καθηγητης ℵ'DWΘ *f*1 *f*13 700 pm ς

"Vós, porém...". Neste caso, "mestres" (segundo a Almeida Revista e Atualizada no Brasil) é uma referência a "rabinos", sendo traduzida assim essa palavra pelas versões mais antigas de Almeida e pela tradução da Imprensa Bíblia Brasileira (uma revisão mais recente da tradução de Almeida, lançada em 1967).

Rabinos era o título dado aos "mestres". Na igreja cristã, somente Cristo merece tal título, por estar acima dos demais irmãos. Se todos são irmãos, não pode haver distinção de cargo externo. Em determinado sentido, todos os homens, até mesmo os mais importantes, são irmãos; e essa fraternidade deveria ser ainda mais patente na igreja cristã. Qualquer conflito, pendência ou luta eclesiástica evidencia que os homens são bons, mas nem todos são motivados por boas intenções. Muito geralmente, o espírito de orgulho, de separação e de egoísmo torna-nos semelhantes à descrição de Caim, na famosa pintura de *Pierre Prudon* (conforme o original no museu do Louvre), a qual mostra-o por baixo da Vingança alada, que leva balanças e uma tocha, e a Justiça, que carrega uma espada. Com toda a equidade a Vingança e a Justiça nos ameaçam, porquanto ainda não aprendemos a tratar os irmãos como irmãos, e, mui frequentemente, por motivo de nosso orgulho e egoísmo, ferimos e prejudicamos aqueles que não se podem defender adequadamente. Um pouco de reflexão revela que o egoísmo pervertido é o fator básico da maioria dos males, dissensões, descontentamentos e querelas.

Em Cristo, temos um mestre que é suficiente para satisfazer todas as nossas necessidades psicológicas de reconhecer a outros; e que também é suficiente para satisfazer nossa necessidade psicológica de ser reconhecidos, porquanto trazemos em seu nome, estamos sendo *transformados* à sua imagem; e que mais precisaríamos, no que respeita ao reconhecimento e à glorificação? Cristo é nosso mestre, nosso algo, nosso padrão, nosso transformador. Assim, por que teríamos a necessidade de ter o título de doutor, reverendo, pai, ou qualquer outra designação? Com justiça, Cristo está cumulado de todos os títulos; mas, sendo irmãos de uma única congregação fraterna, não precisamos de nenhum outro título. O autor deste evangelho, em termos enfáticos e absolutos, proíbe o uso de títulos na comunidade religiosa. Ele não estava meramente proibindo o uso excessivo desses títulos, conforme alguns intérpretes pretendem fazer-nos acreditar. *De nada vale* tentar harmonizar as palavras de Jesus com as práticas modernas na igreja, a qual tem preferido imitar os fariseus a dar ouvidos ao que Jesus ensinou. Imagine-se tal coisa na primitiva igreja cristã! A proibição é absoluta, e não relativa. Jesus não falava sobre títulos usados em profissões, escolas seculares etc., embora até mesmo nessa área devamos encorajar a prática, ou até mesmo proibi-la. Jesus, porém, referia-se às condições em sua igreja, na comunidade religiosa dos salvos. Nessa comunidade, todos são *irmãos* de Cristo, que é o grande Mestre, o augusto rabino, o único Pai. Ser chamado de *irmão* é suficiente, contanto que essa fraternidade tenha sido criada mediante a relação com o irmão mais velho, que é Cristo. De que outro título precisaríamos, além desse?

23.9: E a ninguém sobre a terra chameis vosso pai; porque um só é o vosso Pai, aquele que está nos céus.
23.9 καὶ πατέρα μὴ καλέσητε ὑμῖν ἐπὶ τῆς γῆς, εἷς γάρ ἐστιν ὑμῶν ὁ πατὴρ ὁ οὐράνιος.

υμων 1°] υμιν DΘ lat sy co

> Embora se tenha argumentado que ὑμῖν, que figura em D Θ — e vários testemunhos latinos e siríacos, representa o dativo ético semita, a maioria da comissão não viu razão para preferir essa forma à mais bem confirmada forma ὑμῶν, que aparece em todos os outros testemunhos.
>
> 1. C. C. Torrey, *Our Translated Gospels* (New York, 1936), p. 76 e Matthew Black, *An Aramaic Approach to the Gospels and Acts*, 3ª edição (Oxford, 1967), p. 102.

614 | Mateus | NTI

"A ninguém...". A fraternidade, naturalmente, implica em paternidade. Alguns políticos procuram equiparar a fraternidade com a democracia, mas essa equiparação não é exata. A fraternidade implica numa família, e isso ultrapassa todos os conceitos sobre a mera democracia. O lema usado na convocação para a revolução francesa foi *"Liberté, Egalité, Fraternité"* (Liberdade, Igualdade, Fraternidade). No entanto, o conceito mais importante é o último, que implica nos outros dois. Este versículo também mostra a preocupação do autor deste evangelho em salientar tanto a universalidade como os conceitos teísticos da nova religião revelada — o cristianismo bíblico. Nosso Pai é o Pai universal, e ele se preocupa com cada um, e o contacto com ele é possível e real. (Assim, temos aqui o teísmo, contrastado ao deísmo, que ensina que existe um Deus que criou as coisas, mas que, ato contínuo, desinteressou-se completamente pela sua Criação).

O vocábulo grego aqui empregado é *patera*, e provavelmente essa é a palavra grega usada como sinônimo do termo aramaico *abba* (conforme mostra Mc 14.36, que tem tanto o termo grego como o aramaico). No aramaico, portanto, Jesus teria proibido o emprego do termo *"abba"* como termo de chamamento. Essa palavra não era comumente usada como modo de chamar os outros; mas era usada como demonstração de respeito para indicar os rabinos e os grandes homens do passado, que não estavam mais vivos. Entretanto, parece claro que, ao tempo de Jesus, algumas autoridades religiosas vivas cobiçavam esse título ou forma de chamamento, o que demonstra mais claramente ainda a atitude de ostentação e de grande orgulho que alguns elementos exibiam. Naturalmente que o moderno uso do vocábulo "pai" para indicar os líderes religiosos não está em harmonia com as instruções gerais desta passagem. Jesus chamou Deus de Pai, *Abba*, em sua oração no jardim do Getsêmani. Para esse Pai é que olham todos os homens, e somente ele merece realmente esse título, que fala de grandeza, tal como somente os grandes vultos do passado eram chamados de "abba", antes que a liberalidade mais ampla de uso do termo se tivesse desenvolvido como se vê nos tempos de Jesus. O autor deste evangelho, porém, parece querer dizer que nenhum homem e nem mesmo os grandes homens do passado, merecem a reverência e o respeito envolvidos nesses termos. No entanto, quem se sentiria desprezado, em face do fato de que esse Grande Pai é o nosso pai? E de que necessitamos de outro reconhecimento, além de sermos chamados de irmãos de Cristo? Que outra exaltação deveríamos esperar além dessa? O termo "pai", por conseguinte, torna-se um título sagrado que não pode ser pronunciado como chamamento a homens. O termo "pai" parece ter sido usado como título extremo ou mais elevado de qualquer mestre. Ora, somente Deus é esse mestre supremo.

23.10: Nem queirais ser chamados guias; porque um só é o vosso Guia, que é o Cristo.

23.10 μηδὲ κληθῆτε καθηγηταί, ὅτι καθηγητὴς ὑμῶν ἐστιν εἷς ὁ Χριστός.ᵃ

ᵃ ᵃ 10-11 *a* major, *a* major: TR Bov Nes BF² AV RV ASV NEB TT Zür Luth Jer Seg // *a* minor, *a* major: WH // *a* major, *a* minor: RSV

Os v. 8-10 condenam *toda forma* de títulos e de distinções, tais com "rabino", "mestre", "senhor" e "pai", todos os quais eram empregados nos dias de Jesus. O autor deste evangelho deplora todas as distinções, tais como "rabino", "mestre", "senhor" e "pai", todos os quais eram empregados nos dias de Jesus. O autor deste evangelho deplora todas as distinções, entre os irmãos, que supostamente são iguais. Somente Deus é Pai, e somente Cristo é o Mestre, na igreja cristã. À base desta seção, parece óbvio que, se seguirmos a sério as instruções aqui baixadas, não devemos usar nenhum título ou distinção ao nos dirigirmos aos líderes (ou a outros elementos) na igreja cristã. Isso, todavia, não inclui o uso de títulos no mundo profissional, fora da igreja, ainda que seja certo que, mesmo nesse caso, Jesus tenha desencorajado a ênfase e o orgulho que se seguem a essas distinções. O mandamento não

tem sido tomado a sério na igreja, e, atualmente, é comum que os protestantes chamem seus ministros de "reverendos", e que os católicos chamem seus ministros de "padres". Nem uma coisa nem outra é permitida nos escritos de Mateus, e uma delas não pode ser mais corretamente usada do que a outra. Pois somente Deus é "reverendo", o que significa alguém digno de ser reverenciado. Além disso, somente Deus é Pai, e todos nós não passamos de irmãos.

É interessante notar as lutas entre os comentaristas, neste particular, os quais costumam ser intitulados *doutor, reverendo,* ou outra designação qualquer. Por exemplo, Alford diz (in loc.): "A proibição é contra *o amar* tais títulos e usá-los em sentido religioso, quando dá a entender o domínio sobre a fé alheia. Deve ser compreendida no espírito, e não na letra [...] Compreender e seguir tais mandamentos na escravidão à letra é cair dentro do mesmo farisaísmo contra o qual nosso Senhor advertiu". Pode ser uma *boa tentativa* de explicação, mas obviamente não diz o que Jesus disse. O seu exemplo (in loc.) acerca de como Paulo chamou Timóteo de "filho" é um exemplo fraquíssimo. Albert Barnes (outro comentarista) mostra-se mais correto em sua interpretação neste ponto, e observamos que ele se opunha ao título de "doutor em divindades", rejeitando esse título que alguns lhe haviam dado, e que entre nós se tem tornado mais ou menos equivalente ao título judaico de *rabino*. Barnes estava certo ao rejeitar esse título; e é lamentável que tantos líderes evangélicos modernos estejam buscando tais títulos. E as escolas religiosas, geralmente sem nenhum direito de conferir doutorados, porquanto, segundo as leis civis, poucas delas têm esse direito, lançam-se a fazer *doutores* umas às outras. Tais títulos não valem o papel em que são escritos e não aumentam o respeito pelos homens que os recebem. Jesus pregou contra todo o orgulho espiritual e contra todos os títulos e distinções entre os irmãos; e, de forma geral, essa ordem tem sido ignorada, modificada ou pervertida. E isso pelas mesmas razões que os antigos assim agiam, a saber, por causa do orgulho espiritual e do desejo de ostentação.

O termo *mestre* (tradução nas versões mais antigas de Almeida, em português), não é, no original, a mesma palavra que aparece no v. 8 (embora os vocábulos sejam similares); mas poderia ser mais bem traduzido como *guia*, conforme também se vê na versão de Almeida Revista e Atualizada no Brasil. Essa palavra pode indicar o *líder* de uma seita, de um grupo religioso ou de uma denominação. Ninguém deve aspirar por tornar-se cabeça de uma denominação religiosa, que não passa de uma facção no seio da igreja cristã; ou, pelo menos, ninguém deve rebuscar um título que representa esse líder. Ninguém deve buscar para si mesmo a distinção de ser o fundador de uma igreja ou de uma seita.

É motivo de tristeza, embora seja notável, que muitos homens bons, incluindo intérpretes das Escrituras, em realidade tenham tomado o partido dos fariseus, ao invés de concordarem com Jesus neste particular, devido ao seu desejo de reter o uso de títulos no seio da igreja; e, em sua defesa, têm apresentado argumentos que *os fariseus* também teriam achado úteis, na defesa de suas ações e de seus costumes, em torno da mesma questão.

23.11: Mas o maior dentre vós há de ser vosso servo.

23.11 ὁ δὲ μείζων ὑμῶν ἔσται ὑμῶν διάκονος.ᵃ

11 Mt 20.26,27; Mc 9.35; 10.43,44; Lc 8.48; 22.26

"[...] o maior dentre vós...". Os v. 11 e 12 repetem a substância de Mateus 20.26,27 e de Mateus 18.4, e o ensino de forma nenhuma está fora de lugar nesta passagem. Tal como naqueles versículos, encontramos aqui o futuro do indicativo, usado com a força do imperativo, talvez em imitação à forma hebraica de mandamento, mas que, nesta altura dos acontecimentos históricos, já entrara no método grego. Neste ponto, repetimos o comentário que já foi oferecido sobre esse princípio, nos textos mencionados acima. O comentário é longo, mas esse princípio de serviço, que ilustra a verdadeira grandeza, é digno de ser detalhadamente discutido.

"Jesus, chamando-os, disse...". No grego, a palavra aqui traduzida por *dominam* é vocábulo forte (um verbo na forma intensiva), que significa "dominar como senhor", "governar duramente". Na antiguidade, era reputado como automático que assim agiriam os governantes, espírito esse que ainda prevalece, especialmente nos lugares do mundo onde a mensagem cristã tem sido rejeitada ou não tem sido obedecida.

Os apóstolos devem ter tido muitas ocasiões de observar as *ações cruéis* e sem misericórdia dos oficiais romanos, os quais exerciam o poder de vida ou morte e que não hesitavam em afastar, assassinar, roubar ou pilhar quem quer que fosse, contanto que tais ações contribuíssem para sua vantagem pessoal. A história da Palestina, relativa a esse tempo, revela *muitos homicídios* insensatos. Pilatos foi um dos principais ofensores nesse particular. Herodes, o Grande, juntamente com seus sucessores, foram homens de paixão incontrolável, inclinados ao ódio, porquanto assassinaram os próprios filhos e esposa, para não falarmos de outras vítimas. Os apóstolos tinham visto até mesmo oficiais inferiores, como os centuriões, a exercerem o controle de vida ou morte. Tinham visto o povo, premido sob grande necessidade, a clamar àqueles tiranos: "Benfeitor! Benfeitor!" Tinham visto várias revoltas dos judeus contra tais homens; mas todas essas revoltas fracassaram, e a maioria dos participantes desses levantes pereceu, geralmente por meio da crucificação.

A história universal revela-nos o caso do rei Canuto, homem tão soberbo, que esperava que até a própria maré lhe prestasse obediência. Era soberano tão grande, que as pinturas apresentam-no a descer o rio Dee em uma embarcação impelida a remos por seis reis tributários. Imagine-se um homem tão importante que fazia de outros monarcas remadores seus!

Ora, os apóstolos estavam familiarizados com todas essas coisas; no entanto, em seu círculo, entre eles mesmos, não era muito diferente disso. Não, não exerciam violência física, mas o seus espírito algumas vezes se mostrava violento. Odiavam-se uns aos outros e se indignavam por causa dos outros. Imitavam homens iníquos e sem Deus. Por isso é que Jesus os levou a um lado e mostrou-lhes essas verdades. É como se Jesus lhes houvesse dito: "Esse é o tipo de ação que podeis observar neste mundo; mas tais coisas não terão lugar entre vós, como autoridades em meu reino". Jesus deixou claro que o seu reino não se caracterizaria pela brutalidade dos reinos deste mundo, e que os seus primeiros-ministros não deveriam agir como os monarcas e centuriões terrenos. Por isso é que Jesus ajuntou: *Não é assim entre vós* (Mt 20.26).

Jesus já os tinha preparado para expressões morais *superiores*, embora, algumas vezes, ainda se olvidassem disso. Jesus introduzira novas leis espirituais, as quais refletiam a bondade, a misericórdia e o amor de Deus, virtudes essas que os seus seguidores deveriam demonstrar uns para com os outros, fazendo contraste direto com o que os apóstolos podiam ver diariamente neste mundo. Buttrick diz (*in loc.*): "A ideia de grandeza que o mundo faz é como uma pirâmide — o grande homem avulta no pico, enquanto a maior parte dos demais luta por subir para o nível próximo superior, onde há menos iguais e mais subordinados". Entretanto, a ideia de Cristo sobre a pirâmide assemelha-se a uma pirâmide invertida; quanto mais perto alguém está do vértice, maior a sua carga e maior o número de pessoas que transporta com amor sobre os seus ombros. Os passos da humilhação do crente estão eloquentemente descritos em Filipenses 2.6-8. Na cruz, Jesus atingiu o vértice dessa pirâmide invertida, pois foi ali que levou os pecados do mundo. Entre os irmãos da fé cristã, aquelas perguntas pagãs — "Qual o salário dele? qual é a sua posição social?" — devem desaparecer. Convém que façamos novas perguntas, como: "Ele está se esquecendo de si mesmo? Mostra-se ele sensível para com os sofrimentos dos pobres, dos criminosos, dos aflitos? Está ele pronto a ser o último, contanto que assim honre a

Cristo?" Aqui, pois, temos uma citação que bafeja o hálito do espírito de Cristo, e que ilustra, de forma admirável, o que Jesus queria dizer nesse versículo. O Senhor empregou os termos *servo* e *escravo*; e, no cap. 18 de Mateus, empregou o termo *crianças*. Com esses vocábulos, procurou ele ensinar aos apóstolos o verdadeiro conceito de grandeza — a grandeza espiritual. Disse-lhes que aqueles que têm esses títulos é que são verdadeiramente grandes, contanto que o seu serviço seja genuíno; e que é essas posições que eles devem procurar galgar. Se tiverem de ser ambiciosos, que ambicionem servir aos outros, porquanto "Ninguém chegará ao céu, a não ser apoiado no braço de alguém a quem tenha ajudado". Em outras palavras, a medida da verdadeira grandeza deve ser humildade profunda e amor aos outros. Jesus usou a palavra "escravo", que indica uma posição inferior à de "servo", porquanto o escravo não tem vontade própria, e é propriedade alheia. Grande é o homem que perdeu de tal modo sua vontade própria, que se torna escravo pelo benefício de outros.

"E quem quiser ser o primeiro...". Em ambos os casos (Mt 20.26 e 27), o verbo "será", embora futuro no grego, segundo a tradução indica, provavelmente foi usado como *imperativo*, conforme ocasionalmente sucede na gramática grega. Jesus não estava meramente dando um conselho, mas afirmou qual deve ser a característica da grandeza autêntica. O padrão de Napoleão tem-se demonstrado, por tempo demasiadamente longo, entre nós. Jesus quer que os seus seguidores sejam grandes, não menos que eles o desejam; mas quer que sejam realmente grandes. Aqueles que, como Napoleão, enchem as páginas da história de ódio, violência e opressão *não são* realmente os grandes. Sim, é fato triste que os maiores *homicidas* da história do mundo são considerados, infelizmente, os melhores de todos. Jesus, porém, fala de maneira diferente, de forma totalmente divorciada de conceitos mundanos e carnais. Assim, os últimos é que serão os primeiros, porquanto o escravo é que é verdadeiramente o rei do mundo. Certamente é verdade que, quando o cardeal Wolsey despediu-se com um "Adeus! um longo adeus a toda a minha grandeza!", em realidade ele deixava de lado a sua mesquinhez, e começava a palmilhar pela vereda da autêntica grandeza. (Shakespeare, *Rei Henrique* VIII, ato III, cena 2). A aristocracia do reino de Cristo é formada de servos e escravos, isto é, daqueles que se despediram da própria grandeza e tomaram sobre si mesmos a grandeza do humilde Jesus. Como isso é contrário à nossa natureza! Todos nós somos possuídos pelo espírito de Napoleão, julgando tudo segundo padrões terrenos. Como está a igreja ainda repleta de ódio, contenda, descontentamento e de muitos conflitos! Todos procuramos reter nossa posição superior. Quantas igrejas se têm despedaçado na *esterilidade*, tornando-se repugnantes aos sentidos, quando homens se assenhoreiam de outros homens, por traírem o espírito de Cristo e desejarem governar ou arruinar! Como é grande a lição que ainda devemos aprender, antes de expressar verdadeiramente Jesus em nossa vida, perante este mundo e na igreja! Como temos estado equivocados em nossa compreensão sobre as exigências da ética cristã! Sabemos bem o que Jesus disse, e, no entanto, raramente praticamos aquilo que ele ordenou. Paulo deixou-nos exemplo, porquanto, embora, antes de converter-se, fosse grande à sua maneira, depois do seu encontro com o Senhor, tornou-se *servo de todos*, a fim de que, ao menos alguns, ele pudesse conquistar para Cristo. Ao assim fazer, tornou-se o principal entre os homens — embora continuasse se considerando o último dos apóstolos; ou, mais ainda, o menor dentre os menores de todos os santos.

23.12: Qualquer, pois, que a si mesmo se exaltar, será humilhado; e qualquer que a si mesmo se humilhar, será exaltado.

23.12 ὅστις δὲ ὑψώσει ἑαυτὸν ταπεινωθήσεται, καὶ ὅστις ταπεινώσει ἑαυτὸν ὑψωθήσεται.

12 Jó 22.20; Pv 29.23; Ez 21.26; Lc 14.11; 18.14

616 |Mateus| NTI

No livro de Thomas Stamford Raffles, *Memoirs of the Life and Ministry of the Rev. Thomas Raffles*, D.D. LL. D. (Londres: Jackson, Walford and Hodder, 1864, p. 292), temos a conversa que houve com o rajá Rammohun Roy, no lar do Dr. Thomas Raffles, de Liverpool, e que ilustra a falta de fraternidade que impera na religião organizada: "Dizeis que sois todos um em Cristo, todos irmãos, todos iguais nele [...]. Ide à catedral de Calcutá; ali vereis uma grande cadeira de carmesim dourada — é para o governador geral [...]. Então há outras cadeiras de carmesim, douradas — são para os membros o concílio; há outros assentos de carmesim — são para os comerciantes [...] então há os bancos nus para o povo comum e para os pobres [...]. Se algum pobre sentar-se na cadeira do governador geral, partir-lhe-ão a cabeça! No entanto, todos sois *um em Cristo*".

O rajá observou isso com grande propriedade, mas não precisamos ir a uma catedral para ver essas condições. Grande número de igrejas estão nessas condições, pois estabelecem condições, ainda que não haja ali cadeiras recobertas de veludo carmesim. O carmesim talvez esteja apenas na mente dos homens.

O apelo aqui contido em favor da humildade não era contrário a muitos ensinos expressos pelo judaísmo, sendo perfeitamente possível que esta declaração de Jesus tivesse *muitos paralelos* nos escritos e nos sermões dos rabinos. Certamente trata-se de um ensino frequentemente repetido no NT (ver Mt 18.4; 20.26; Lc 14.11; 18.14; Rm 12.16; Tg 2,3 e 4). Esse princípio da ética ensinada por Jesus, que se repete com frequência, salienta não só o caráter universal do modo de Deus tratar com os homens, mas também destaca a pronta humilhação dos orgulhosos fariseus, sendo um notável paralelo da passagem de Ezequiel 21.26,27. Essas palavras também têm paralelo em Lucas 14.11 e 18.14. Essa afirmativa era proverbial, e parece que era comumente usada entre os judeus. Como exemplo disso, temos a seguinte declaração do Talmude (*T. Bab. Erubin*, fol. 13.2 e 54.1: "Quem se humilhar será exaltado pelo Deus bendito; e quem se exaltar será humilhado pelo Deus santo e bendito". É evidente que o princípio básico por detrás dessa máxima é que o homem que está sempre na presença de Deus e que é observado por Deus, não é digno de exaltar-se acima de seus semelhantes, pois isso compete exclusivamente a Deus. Um exaltado homem mortal é um tipo de insulto, tanto a Deus como a seus semelhantes, porquanto é algo contrário à natureza tencionada do mundo.

d. Primeiro ai: contra eles fecham o reino (23.13)

23.13: Mas ai de vós, escribas e fariseus, hipócritas! porque fechais aos homens o reino dos céus; pois nem vós entrais, nem aos que entrariam permitis entrar.

23.13[b] Οὐαὶ δὲ ὑμῖν, γραμματεῖς καὶ Φαρισαῖοι ὑποκτιταί, ὅτι κλείετε τὴν βασιλείαν τῶν οὐρανῶν ἔμπροσθεν τῶν ἀνθρώπων· ὑμεῖς γὰρ οὐκ εἰσέρχεσθε, οὐδὲ τοὺς εἰσερχομένους ἀφίετε εἰσελθεῖν.[2b]

[b b] 13-14 verse 13, b omit verse 14:Bov Nes BF² RV ASV RSV NEB TT Zür Jer Seg // b verse 13, b verse 14: TR^ed AV RV^mg ASV^mg RSV^mg NEB^mg TT^mg Zür^mg (Luth) Jer^mg Seg^mg // b verse 14, b verse 13: TR^ed RV^mg ASV^mg RSV^mg // b verse 13 (numbered as verse 14), b omit verse 14: WH

Em Lucas, esse "ai" é o clímax da diatribe, expressando a indignação de Jesus contra as autoridades religiosas, que haviam furtado a chave do conhecimento das mãos do povo. Evidentemente Jesus queria dizer que o manuseio que faziam das questões religiosas havia quase impossibilitado ao homem comum entender a mensagem da lei. A intenção original do farisaísmo era anunciar a lei ao povo, em sua pureza; mas o que aconteceu, na prática, foi a formação de uma sociedade fechada que se tornou dominada por elementos extremistas. Isso tem sucedido frequentemente na história do cristianismo, nas formações de suas muitas denominações e divisões, cada qual afirmando ser *o caminho melhor*, o *mais iluminado* etc. Hoje em dia, entre os evangélicos, existem aqueles que praticam a "comunhão fechada", tendo cercado a *mesa do Senhor* com uma sebe. Outras formas de exclusivismo também

são praticadas. Mateus diz que os fariseus fechavam "o reino dos céus diante dos homens". A versão de Lucas diz que os fariseus haviam arrebatado a "chave do conhecimento". Ambas as coisas expressam a verdade. A expressão "fechar" é gráfica, fazendo provável alusão ao fechar de uma porta. Eles batiam a porta na cara daqueles que buscavam a verdade.

Nessa diatribe *amarguíssima*, Jesus pronunciou um total de sete "ais" contra os líderes religiosos pervertidos, embora algumas traduções (que contêm o v. 14) tenham oito "ais". O v. 14 não é autêntico no evangelho de Mateus (ver nota textual ali), pelo que sete "ais" é o número correto. Entretanto, deve-se observar que esse versículo é autêntico em Marcos 12.40, de onde foi tomado por empréstimo e posto no evangelho de Mateus, a fim de obter-se a harmonia. (Ver Mc 12.38-40, onde há detalhes adicionais.) Essa diatribe tem os seguintes pontos principais: (1) Ficava empanada a compreensão sobre a instituição do templo e sobre a tarefa dos que estavam relacionados com o mesmo (v. 16 e 21); (2) a propagação da religião bíblica era realmente *impedida*, pois outros viam-se incapazes de encontrar a verdade, tornando-se convertidos do mal, ao invés de se converterem ao bem (v. 13 e 15); (3) na religião prática, aqueles homens não passavam de uns *pretenciosos*, destruindo os fracos, ao invés de lhes servirem de ajuda genuína, que supostamente é a razão da existência dos líderes religiosos; (4) eram meticulosos quanto às formalidades externas, cerimônias e ritos religiosos; mas mostravam-se totalmente *ignorantes* no tocante à culpa e à corrupção pessoais e assim desconheciam os frutos tencionados da religião revelada (v. 22-28); (5) eram filhos legítimos de *assassinos* maliciosos, e se admitiam descendentes físicos diretos dos que haviam matado os profetas, comparando-se a eles em espírito e intenção, bem como no seu caráter íntimo (v. 29-36). O v. 34 é profético e demonstra que os missionários cristãos, que seriam enviados a eles, seriam tratados por eles como o foram antigos profetas, por parte de seus antepassados.

"Hipócritas" vem do verbo grego que significa *replicar*. O substantivo era usado para indicar "aquele que replica"; e, em seu desenvolvimento, essa palavra terminou assumindo o sentido de "ator", partindo da ideia de que os atores replicam uns aos outros. Finalmente, o termo passou a significar "ator" em coisas sérias, até adquirir o moderno sentido — "hipócrita". Essa palavra é usada por vinte vezes no NT (todas nos evangelhos sinópticos), e sempre com mau sentido. Lucas usou a forma verbal uma vez (Lc 20.20), com o sentido de *fingir*. As autoridades profanavam a prática religiosa, transformando-a em peça de teatro, chegando ao cúmulo de atraírem as multidões para que aplaudissem o espetáculo. A recompensa daqueles homens era o aplauso do auditório.

23.14: [Ai de vós, escribas e fariseus, hipócritas! porque devorais as casas das viúvas, e sob pretexto fazeis longas orações; por isso recebereis maior condenação.]

[2] 13 {B} Οὐαὶ δὲ ὑμῖν...εἰσελθεῖν (*omit verse 14*) ℵ B D L Θ *f*¹ 33 892^txt 1344 it^a,aur,d,e,ff²,g¹ vg^ww cop^sa,palms cop^sa,bo, mss arm geo Origen^gr,lat Eusebius Jerome Druthmarus // *14, 13* Οὐαὶ δὲ ὑμῖν, γραμματεῖς καὶ Φαρισαῖοι ὑποκριταί, ὅτι κατεσθίετε τὰς οἰκίας τῶν χηρῶν καὶ προφάσει μακρὰ προσευχόμενοι διὰ τοῦτο λήμψεσθε περισσότερον κρίμα. Οὐαὶ ὑμῖν...εἰσελθεῖν. (*ver* Mc 12.40; Lc 20.47) K W Δ^gr Π 0107 0138 28 565 700 892^mg (1009 μικρά) 1010 1071 1079 1195 1216 1230 1241 1242 (1253 λήψονται) 1365 1546 1646 2148 2174 *Byz Lect* (*l*⁷⁶ μικρά) it^f syr^p,h cop^bomss eth Chrysostom Ps-Chrysostom John-Damascus // *13, 14* Οὐαὶ δὲ ὑμῖν...εἰσελθεῖν. Οὐαὶ δὲ ὑμῖν...κρίμα. (*ver* Mc 12.40; Lc 20.47) *f*¹³ *l*547 it^b,c,ff¹,h,l,r¹ vg^cl syr^c,pal mss cop^bo, mss Diatessaron^n,t Origen Hilary Chrysostom

> Que o v. 14 é uma interpolação derivada do paralelo de Marcos 12.40 ou Lucas 20.47 é claro (a) de sua ausência nas mais antigas e melhores autoridades dos tipos de texto alexandrino, ocidental e cesareano; e (b) do fato de os testemunhos que incluem a passagem a trazerem em diferentes lugares, ou após o v. 13 (conforme se dá no Textus Receptus) ou antes do citado versículo.

Os mss que retêm este versículo são EFGHKMSUV, Gamma, Delta(2), Fam Pi e as traduções KJ, BR (marcada como duvidosa), AA, AC, F e M, e AA também assinala que a ocorrência é duvidosa, em algumas edições. Põem-no após o v. 12 os mss W, 0138, 28, 565, 700 e alguns outros. Nenhuma tradução coloca nesse ponto esse versículo. Omitem-no inteiramente os mss BDLZ, Theta, algumas versões como a *lat* (a maior parte delas), o Si(s) e Orígenes, um dos pais da igreja. A omissão certamente representa o original de Mateus, à base dos melhores e mais antigos mss. Assim fazem-no as traduções ASV, RSV, PH, WM, WY, NE, GD e a recente tradução em português, a IB. Esse versículo foi inserido por algum escriba à base de Marcos 12.40, onde é autêntico. Porquanto esse versículo expressa afirmações autênticas de Jesus (embora Mateus não o tenha incluído neste ponto), damos aqui a sua exposição:

Naqueles tempos, *muitos daqueles* homens também serviam como juristas e tabeliães, e assim se achavam em posição de reivindicar coisas injustas dos ricos ou das viúvas (pobres). Alguns deles enganavam viúvas devotas, para que lhes deixassem as suas propriedades, como herança, à guisa de piedade, dizendo que, fazer isso, era prestar um serviço a Deus. Alguns convenciam tais pessoas a contribuírem para a manutenção física (financeira) das autoridades religiosas, acima do dízimo requerido e de outras obrigações religiosas.

"Devoram as casas das viúvas". Como isso soa moderno! Convenciam as viúvas a doarem sua herança ao templo, mediante negociatas, apossando-se dessas doações. Os escribas eram universalmente utilizados para registrar os testamentos. Sabiam como influenciar as mulheres que tinham enviuvado, pois seu falecido marido não se teria deixado enganar facilmente como a esposa. Convenciam-nas de que, desse modo, prestavam um serviço a Deus, doando a essas autoridades religiosas as suas propriedades; e assim tais homens se iam enriquecendo, sem se importar com Deus e sua justiça. Requeriam também suas legítimas reivindicações sobre as propriedades dessas infelizes mulheres, furtando-lhes os seus bens, com toda aparência de legalidade. Muitos dentre nós também conhecem líderes de igrejas evangélicas que têm convencido viúvas a lhes deixar suas propriedades, ou então para alguma igreja ou denominação. Outros furtam-nas enquanto elas ainda vivem, convencendo-as de que devem fazer grandes *doações* ao trabalho da igreja ou para alguma "campanha" religiosa. Essas mulheres idosas são facilmente convencidas e enganadas, e é uma vergonha, para a igreja em geral, que ainda existam entre nós esse tipo de indivíduos, que a si mesmos se chamam de ministros de Deus, mas que furtam as casas das viúvas, como seus antigos parceiros, os escribas e fariseus. Jesus chama essas pessoas de "hipócritas".

"Longas orações". Provavelmente, temos aqui uma referência às dezoito orações que formavam o esboço da devoção farisaica. A história também mostra que alguns dos fariseus com frequência passavam, realmente, muitas horas de determinados dias em orações; e, dessa maneira, como é lógico, obtinham a reputação de serem homens piedosos. Evidentemente, esses homens não percebiam nenhuma contradição entre suas supostas devoções intensamente longas e suas desonestidades financeiras, para nada dizer sobre as injustiças que praticavam contra pessoas inocentes e indefesas.

"Por isso sofrereis...". Aqueles que são os guardiões da verdade, quando erram, serão julgados *com maior severidade* do que aqueles que não pretendem ser autoridades nas questões doutrinárias e práticas da religião. Jesus confiava na justiça universal, quer aplicada nesta existência, quer aplicada na existência futura. Os homens que praticam essas desonestidades simplesmente não escaparão impunes. Deus pode operar lentamente (ou de maneira que parece lenta para os homens), mas, no fim, cada ação terá sua retribuição apropriada, quando do juízo. Platão ensinava que *a pior coisa* que pode ocorrer a um indivíduo é que ele venha a praticar o

mal e não seja punido por isso, porquanto um homem assim passa a confiar em que sempre conseguirá escapar, dissipando-se até mesmo o mais leve impulso para o arrependimento. Um psicólogo moderno falaria na *desintegração* da personalidade ou do caráter, que vem em resultado da prática e do hábito de más ações. Tiago repetiu as implicações das declarações de Jesus, em sua substância, quando escreveu: "Meus irmãos, não vos torneis, muitos de vós, mestres, sabendo que havemos de receber maior juízo" (Tg 3.1).

e. Segundo ai: caráter de seus convertidos (23.15)

23.15: Ai de vós, escribas e fariseus, hipócritas! porque percorreis o mar e a terra para fazer um prosélito; e, depois de o terdes feito, o tornais duas vezes mais filho do inferno do que vós.

23.15 Οὐαὶ ὑμῖν, γραμματεῖς καὶ Φαρισαῖοι ὑποκριταί, ὅτι περιάγετε τὴν θάλασσαν καὶ τὴν ξηρὰν ποιῆσαι ἕνα προσήλυτον, καὶ ὅταν γένηται ποιεῖτε αὐτὸν υἱὸν γεέννης διπλότερον ὑμῶν.

Jesus fala aqui *contra* os que se dão ao proselitismo. O vocábulo *prosélito* significa estranho ou estrangeiro. Havia, tanto em Jerusalém como entre a diáspora (dispersão dos judeus), alguns líderes religiosos que se destacavam pelo zelo evangelístico. Rodear *o mar e a terra* era uma frase proverbial que indicava fanatismo. Jesus aludia aqui a um tipo mau de religião, que não tem por objetivo a glória de Deus, mas que visa tão-somente à exaltação do culto, ao seu crescimento, ao seu poder, à sua autoridade e à sua influência. Nesses casos, o número de convertidos logo se transforma num termômetro que mede o sucesso dessas organizações religiosas. Usualmente, esses grupos podem ser distinguidos pelos seguintes pontos característicos: (1) Preocupam-se com o crescimento e o sucesso do culto, e não com a ampliação de horizontes de uma nova vida para todos; (2) são dirigidos por homens satisfeitos com eles mesmos e com sua doutrina, e isso leva à atitude de justiça própria; (3) seu alvo é que sejam pessoalmente cultuados, e que a glória seja atribuída a eles, e não a Deus, Pai de todos.

William E. Gladstone expressou a questão da seguinte maneira: "Definindo o proselitismo: um apetite mórbido pelas conversões, mui geralmente fundamentado em exagerada autoconfiança e amor-próprio", (*Later Gleanings*, p. 292). Os que são "convertidos" sob tais circunstâncias e por tais homens, dificilmente podem ser melhores do que seus conquistadores; pelo contrário, geralmente tornam-se piores do que eles. Lemos que, na escola de Hillel (o famoso rabino), os convertidos eram bem recebidos, mas que geralmente se desconfiava, segundo se vê em Gálatas 5.2-6 e em Colossenses 2.16-23.

Havia dois tipos de prosélitos. *Os da porta*, que não eram realmente judeus, mas tementes a Deus, que desejavam o bem do judaísmo — gentios como Cornélio. Em realidade, bem poucos desses se tornavam convertidos no sentido real, participando plenamente do judaísmo; e um número ainda menor desses se associava a uma seita como a dos fariseus. A literatura judaica helenista, como os escribas de Dilo, os oráculos silibinos etc., atraíam muitos gentios ao judaísmo. Os esforços missionários dos fariseus, porém, não produziam muitos resultados, sendo assim um fracasso comparativo. Todavia, havia *alguns* convertidos; mas Jesus lamentou esses casos, porquanto eram *filhos da geena*, forte expressão que indica indivíduos destinados à "geena", isto é, ao castigo mais severo imposto por Deus. "Quanto mais convertidos, tanto mais pervertidos" (ver H. J. Holtzmann, in loc.).

Os fariseus afirmavam-se filhos especiais do reino de Deus; mas Jesus reverteu essa autoavaliação. Jesus salientou que aqueles homens, inteiramente incompetentes para exercer autoridade religiosa, eram os que mais ansiavam por exercê-la, embora com resultados desastrosos. Os convertidos a esse tipo de judaísmo certamente tornavam-se piores do que antes, porquanto os vícios do

618 |Mateus| NTI

farisaísmo eram somados aos vícios do paganismo. Contudo, havia elementos judeus que se opunham a esse proselitismo, tachando--o de "lepra de Israel", declarando que tal situação servia apenas para impedir a vinda do Messias. É bastante divertido ler que se tornou proverbial em Israel que ninguém podia confiar em um prosélito, nem mesmo da "vigésima quarta" geração, e certamente essa é uma opinião muito baixa acerca dos prosélitos. Alguns os chamavam de "as cicatrizes" da nação judaica. Justino Mártir declarou que os prosélitos não somente não criam na doutrina de Cristo, mas também que se inclinavam muito mais para a blasfêmia que os próprios judeus, tendo-se tornado os mais ardorosos perseguidores dos cristãos. Os escribas e os fariseus empregavam os prosélitos como instrumentos de seus planos. (Quanto à *geena*, ver nota em Mt 5.22.)

f. Terceiro ai: juramentos (23.16-22)

23.16: Ai de vós, guias cegos! que dizeis: Quem jurar pelo santuário, isso nada é; mas quem jurar pelo ouro do santuário, esse fica obrigado ao que jurou.
23.16 Οὐαὶ ὑμῖν, ὁδηγοὶ τυφλοὶ οἱ λέγοντες, Ὃ ἂν ὀμόσῃ ἐν τῷ ναῷ, οὐδέν ἐστιν· ὃς δ' ἂν ὀμόσῃ ἐν τῷ χρυσῷ τοῦ ναοῦ ὀφείλει.

16 ὁδηγοὶ τυφλοὶ Mt 15.14; 23.24 Rm 2.19

Contra os juramentos: Lemos que os rabinos procuraram impedir o povo de fazer votos e juramentos, a fim de ser evitada a corrupção do que pensavam ser os juramentos apropriados e úteis, como prática religiosa. Todavia, o povo comum era incuravelmente inclinado a toda forma de juramentos e, gradualmente, os rabinos foram forçados a aceitar o costume; e assim extraíram certas distinções sobre o poder e a validade de diversos juramentos. Jesus, entretanto, ensinou que apenas os insensatos poderiam fazer essas distinções, e ele increpou toda essa prática em sua denúncia, afirmando que qualquer juramento teria de ser finalmente visto em sua relação para com Deus, o Criador de todas as coisas. A solução dada por Jesus consistiu em desafiar o costume popular mórbido, eliminando inteiramente os juramentos.

Os escribas podiam isentar um homem de um juramento de natureza geral (tal como "pelo templo"), mas diziam que era obrigatório o juramento baseado em coisas específicas (como "pelo ouro do templo"), e assim não isentavam de seu juramento quem fizesse tais especificações. Jesus procurou fazer compreendido que um juramento por um "sacrifício" qualquer era, ao mesmo tempo, um juramento "pelo altar"; e que um juramento "pelo templo" era, ao mesmo tempo, um juramento "pelo Deus do templo". O mal dos juramentos é que estes substituem a realidade da vida por simples palavras. Não basta pronunciar palavras ou fazer declarações. Jesus estava interessado no valor interior e na busca espiritual do indivíduo, e não apenas nas palavras que ele pudesse proferir.

Esse terceiro "ai" volta-se não só contra a estupidez dos muitos juramentos que então se faziam, ou contra a incoerência e os fatores de corrupção que neles havia, mas também é uma declaração contra qualquer modalidade de juramento. Um juramento é apenas uma declaração, que consiste de palavras, embora ditas de maneira mais ou menos solene. Jesus estava interessado na substância da espiritualidade, e não em meras palavras. (Quanto a uma explicação minuciosa sobre toda essa questão, o leitor é convidado a examinar o texto de Mt 5.33-37, onde Jesus aborda o assunto longamente.)

Jesus fazia objeção à lassidão pervertida das leis fundamentais da religião e da moral reveladas, onde um homem podia fazer quase qualquer coisa, contanto que tivesse alguma sanção de qualquer autoridade religiosa. Dessa forma, as instituições divinas eram negligenciadas e contadas como nada.

"Ouro do santuário" provavelmente é uma referência não ao ouro empregado nas estruturas do templo, mas ao fato de que moedas e barras de ouro faziam parte do corbã, isto é, do tesouro

sagrado (Mt 15.5). Esse ouro era especialmente consagrado, e assim parecia envolver uma obrigação maior, quando incluído em algum juramento, mais do que o templo em geral ou o altar, na concepção dos líderes religiosos dos judeus. Contudo, o templo incluía o altar e o tesouro inteiro; outrossim, tudo pertencia a Deus, e qualquer juramento como esse envolvia o próprio Deus. E os homens simplesmente não podiam apelar para Deus, a fim de que validasse ou respeitasse esses juramentos. Quem pode chamar a Deus para o seu lado, a fim de confirmar um juramento, como se fosse alguém que convocasse seu servo, ou como alguém que chamasse a outrem, a fim de servir-lhe de testemunha? Pensar que podemos fazer tal coisa é ideia muito inadequada da verdadeira natureza e da estatura de Deus.

23.17: Insensatos e cegos! Pois qual é maior: o ouro, ou o santuário que santifica o ouro?
23.17 μωροὶ καὶ τυφλοί, τίς γὰρ μείζων ἐστίν, ὁ χρυσὸς ἢ ὁ ναὸς ὁ ἁγιάσας τὸν χρυσόν;

"Insensatos e cegos!...". Jesus tachou-os de insensatos, usando a mesma palavra que condenara se fosse usada contra um irmão (ver Mt 5.22), e ao fazer isso, demonstrou a seriedade de sua acusação. McNeile (*in loc.*) diz: "Isso mostra que o que importa não é a palavra, mas o espírito com que ela é proferida". Essa opinião está parcialmente correta, mas parece mais certo afirmar que, o que Jesus podia dizer, na qualidade de Messias, na posição de quem está investido de autoridade especial e de conhecimento especial do caráter do homem, e que, portanto, tinha o direito de fazer avaliações e de expressar tais avaliações, não era permitido a homens comuns, que não podem avaliar corretamente os seus semelhantes. Jesus repetiu a palavra *cegos*, a fim de salientar o fato de que a suposta percepção espiritual deles era um mito, pois, na realidade, não podiam ver nada das coisas espirituais. Sua cegueira foi demonstrada na questão dos juramentos, quando permitiam certos juramentos à base das razões mais insensatas, e proibiam outros, por razões igualmente estúpidas. O raciocínio deles levara--os a pensar que o ouro do templo fazia um juramento tornar-se obrigatório, mas que o próprio templo não validava nenhum juramento. (Ver as notas no v. 16, quanto às razões para esse tipo de crença.) É provável que nada indignasse mais aqueles homens do que serem eles chamados de "cegos", porquanto isso feria seu orgulho espiritual, uma vez que se ufanavam de sua profunda espiritualidade. Mais tarde, o apóstolo Paulo descreveu esses homens em termos um tanto parecidos: "[...] que estás persuadido de que és guia dos cegos, luz dos que se encontram em trevas, instrutor de ignorantes, mestre de crianças tendo na lei a forma da sabedoria e da verdade; tu, pois, que ensinas a outrem, não te ensinas a ti mesmo...?" (Rm 2.19-21).

Os rabinos pensavam que os artigos mais específicos (se usados como base dos juramentos) eram os que mais validavam os juramentos. Portanto, davam mais valor ao ouro do templo do que ao templo, mais valor ao *sacrifício* sobre o altar do que ao altar, e assim por diante. Para eles, a especificação indicava maior intensidade. Jesus, entretanto, indicou justamente *o princípio oposto*. O altar é maior do que o sacrifício, e o templo é maior do que o seu ouro. O geral é mais importante do que o particular, e os v. 17,19 e 22 salientam a importância de cada coisa geral envolvida — no v. 17, o templo; no v. 19, o altar; e no v. 22, Deus, que é maior que o trono. Jesus estava demonstrando apenas a estupidez do raciocínio por detrás dessa regulamentação farisaica dos juramentos; mas ele mesmo ensinava que todos os juramentos, em última análise, envolvem a pessoa de Deus, pois o ouro lhe pertence, como também o altar, o templo e o seu trono, e ninguém deste mundo tem o direito de utilizar-se do nome de Deus em um juramento, como também não se pode esperar que Deus apoie esses votos insensatos. Os rabinos, através de seus juramentos, expandiam a esfera das palavras vãs e tolas entre os homens, e assim enfraqueciam a base da religião sincera. Se realmente estivessem interessados na seriedade, teriam eliminado completamente todo e qualquer juramento. Jesus ensinou que os homens não devem proferir palavras insinceras, e certamente que os homens não devem mesclar palavras sinceras com insinceras. Os rabinos, entretanto, ensinavam aos homens algo diferente. Num momento, poderiam pronunciar um juramento geral, certamente feito em insinceridade, para, no instante seguinte, pronunciar um juramento particular, que se tornava obrigatório. Ora, o caráter piedoso não pode permitir tão grande vacilação.

23.18: E: Quem jurar pelo altar, isso nada é; mas quem jurar pela oferta que está sobre o altar, esse fica obrigado ao que jurou.

23.18 καί, Ὃς ἂν ὀμόσῃ ἐν τῷ θυσιαστηρίῳ, οὐδέν ἐστιν· ὃς δ᾽ ἂν ὀμόσῃ ἐν τῷ δώρῳ τῷ ἐπάνω αὐτοῦ ὀφείλει.

"[...] quem jurar..." Em face de qualquer ponto de vista realista e espiritual, é patente que o altar e o sacrifício oferecido sobre o mesmo são uma e a mesma coisa. A hipocrisia, porém, mediante o seu raciocínio falaz e sua astúcia, encontrava base para a falsidade e para desculpas, para o que, de outra maneira, se destacaria como práticas maléficas evidentes. Assim, essa forma de raciocínio mata a vida da religião revelada e a transforma numa espécie de sofisma, onde o que importa são meras distinções sutis, argumentos baseados na esperteza, e tentativas óbvias para escapar da responsabilidade.

John Gill (in loc.) cita certas formas de juramentos proferidos pelo altar, e ajunta que esses juramentos eram reputados de mínimo valor, e que não era considerado um pecado quebrar tais juramentos, porquanto não eram tomados como obrigatórios. Um homem podia observar ou não o juramento, e isso lhe dava um caráter de ambiguidade. Essa *ambiguidade* era proposital, utilizada para enganar a outros. Muitos indivíduos faziam juramentos solenes, mas que jamais pensaram realmente em cumprir, escolhendo cuidadosamente os objetos à base dos quais jurariam, para que seus juramentos não fossem válidos. Jesus desprezava esse tipo de religião, e aqui condenou os homens que permitiam e encorajavam tais práticas.

23.19: Cegos! Pois qual é maior: a oferta, ou o altar que santifica a oferta?

23.19 τυφλοί[3], τί γὰρ μείζων, τὸ δῶρον ἢ τὸ θυσιαστήριον τὸ ἁγιάζον τὸ δῶρον;

19 τὸ θυσιαστήριον...δῶρον Êx 29.37

[3] 19 {C} τυφλοί ℵ D L Θ *f*[1] 892 it[a,aur,d,e,ff1,2,g1,h,l] vg syr[c,s] Diatessaron[i,n] // μωροὶ καὶ τυφλοί (*ver* 23.17) B C K W Δ Π 0138 *f*[13] 28 33 565 700 1009 1010 1071 1079 1195 1216 1230 1241 1242 1253 1344 1365 1546 1646 2148 2174 *Byz Lect* it[c,f] syr[p,h with *,pal] cop[sa,bo] arm eth geo Origen[lat]

> Evidentemente as palavras μωροὶ καί foram inseridas por copistas com base no v. 17, pois nenhuma boa razão pode ser achada para explicar o fato de terem sido apagadas, se fizessem parte do original.

23.20: Portanto, quem jurar pelo altar jura por ele e por tudo quanto sobre ele está;

23.20 ὁ οὖν ὀμόσας ἐν τῷ θυσιαστηρίῳ ὀμνύει ἐν αὐτῷ καὶ ἐν πᾶσι τοῖς ἐπάνω αὐτοῦ·

"Cegos..." O alvo de Jesus era garantir a *honestidade* entre os homens, em quem a honestidade não vem como virtude natural, mas precisa ser cuidadosamente desenvolvida e nutrida. O fariseísmo impossibilitava esse desenvolvimento. Ele procurou inculcar a sinceridade absoluta — "Sempre se deve querer dizer o que se diz." — "Fale-se a verdade e aquilo que é direito, e não aquilo que talvez seja vantajoso ou aquilo que alguém queria ouvir." — "Que nenhuma declaração do crente seja meramente

convencional, generalidades, para realizar propósitos diabólicos." — "Que o crente sempre seja sincero, não só quando é vantajoso sê-lo." Esses são princípios éticos básicos e simples, mas a sinceridade e a honestidade do povo haviam sido subvertidas pela permissão e mesmo pelo encorajamento à hipocrisia, pelos líderes religiosos. Dessa forma, ninguém podia realmente saber quando outra pessoa falava sincera e honestamente, especialmente se essa pessoa se tornara habilidosa no emprego dos vários tipos de juramentos.

Em realidade, tudo quanto Jesus fez aqui foi repetir palavras dos próprios escritos deles, a fim de demonstrar que as distinções entre o altar e o sacrifício, entre o templo e seu ouro, e entre o trono e Deus, não eram válidas. Por exemplo, encontramos a seguinte citação: "O altar santifica aquilo que é próprio para ele; isto é, aquilo que é próprio para ser oferecido nele" (*Misn. Zebachim*, c.9, seção 7). Por conseguinte, a própria tradição deles não fazia aquelas distinções que os líderes posteriores passaram a fazer, e nem permitiam sentidos duplos nas declarações, nos votos e nas promessas.

23.21: e quem jurar pelo santuário jura por ele e por aquele que nele habita

23.21 καὶ ὁ ὀμόσας ἐν τῷ ναῷ ὀμνύει ἐν αὐτῷ καὶ ἐν τῷ κατοικοῦντι αὐτόν·

21 1Rs 8.13 Sl 26.8

23.22: e quem jurar pelo céu jura pelo trono de Deus e por aquele que nele está assentado.

23.22 καὶ ὁ ὀμόσας ἐν τῷ οὐρανῷ ὀμνύει ἐν τῷ θρόνῳ τοῦ θεοῦ καὶ ἐν τῷ καθημένῳ ἐπάνω αὐτοῦ.

22 Is 66.1; Mt 5.34; At 7.49

"Quem jurar pelo santuário..." A começar pelo v. 20, continuando até o fim do v. 22, temos a conclusão do ensino. Um juramento feito pelo templo é, ao mesmo tempo, um juramento por Deus, que ali habita. Um juramento feito pelo "céu" ou pelo "trono" é, ao mesmo tempo, um juramento pelo Deus que habita no céu e que se assenta em seu trono, isto é, aquele que exerce domínio universal. Em última análise, todos os juramentos estão ligados *a Deus*, e os homens simplesmente não podem fazer juramentos à base de sua augusta pessoa. Deus não dá apoio a tão tolas e insinceras afirmações. Isso é o que nos indica o texto de Mateus 5.34-37. O indivíduo nem ao menos tem o poder de alterar a cor natural de seus cabelos; como, pois, pode fazer Deus agir em seu favor ou fazê-lo servir de testemunha para assegurar a honestidade e a sinceridade de tais juramentos? Um indivíduo não pode aumentar a própria estatura física, como também não pode assegurar a realização de nenhum dever pronunciando palavras solenes, ainda que essas palavras solenes mencionem o nome de Deus, incluam o céu ou o seu trono, ou envolvam o seu templo. A exposição feita em Mateus 5.33-37 é mais completa do que a que temos aqui, e o leitor deve consultar aquela seção, que aborda com mais pormenores esse assunto e considera diversas questões envolvidas em juramentos feitos em tribunais de justiça etc., que não são ventiladas aqui.

Aqueles homens eram apenas *servos do templo*; mas haviam realmente negligenciado *o Deus* do templo, tendo-se esquecido do verdadeiro sentido do altar e do templo. Tendo-se olvidado das realidades espirituais da doutrina e das práticas religiosas, isto é, tendo perdido de vista a substância da espiritualidade, facilmente se prestavam a fazer distinções tolas entre objetos religiosos, sem sentirem abalo nenhum na consciência.

Há uma interessante citação de *Marcial*, concernente ao costume de se fazerem juramentos pelo templo (Marcial, *epigr.* 1.11; Ep. 60): "Ecce negas, jursque mihi per templa tonantis; Non credo; jura, Verpe, per Anchialum". A tradução é a seguinte: "Eis que negas e a mim juras pelos templos de Júpiter; não o creio; jura,

620 |Mateus| NTI

ó judeu, pelo templo de Jeová". Aqui temos uma indicação de que as pessoas de fora já haviam aprendido também a *não confiar* nos judeus, quando juravam pelos objetos religiosos do paganismo, porquanto o mais certo é que não tivessem a menor intenção de cumprir tais votos. Infelizmente, porém, não se podia confiar nos judeus nem mesmo quando juravam pelo templo de Jeová, conforme indica esse texto do evangelho de Mateus; e muito menos quando juravam pelo templo de Júpiter.

No v. 23, há uma interessante variante no tempo gramatical do verbo. Alguns mss (Aleph, BHS, Theta) dizem "*habita*", isto é, no tempo presente. Os mss posteriores, tais como CDEFGKLMUNZ, Gamma, Delta, Fam Pi dizem "habitavam", no passado. As traduções, de modo geral, retêm o tempo presente, que, indubitavelmente, é o texto correto. Algum escriba posterior alterou o tempo do verbo, devido a considerações doutrinárias, crendo que Deus abandonara o templo antes de seus dias. Alguns intérpretes, todavia, preferem o tempo passado, explicando que, após o cativeiro, a glória da presença de Deus não mais se manifestava na área do templo. Quer isso seja verdade quer não, é uma questão para ser resolvida pelos teólogos; mas pelo menos podemos dizer que o tempo presente é correto aqui, e que não há indicação nenhuma, nesta passagem, de que Deus tivesse abandonado o seu templo. O tempo gramatical presente é apoiado por muitas das versões, como a maior parte das versões latinas, o Sy(c), as versões etíopes e também as versões armênias.

g. Quarto ai: regras banais (23.23,24)

23.23: Ai de vós, escribas e fariseus, hipócritas! porque dais o dízimo da hortelã, do endro e do cominho, e tendes omitido o que há de mais importante na lei, a saber, a justiça, a misericórdia e a fé; estas coisas, porém, devíeis fazer, sem omitir aquelas.

23.23 Οὐαὶ ὑμῖν, γραμματεῖς καὶ Φαρισαῖοι ὑποκριταί, ὅτι ἀποδεκατοῦτε τὸ ἡδύοσμον καὶ τὸ ἄνηθον καὶ τὸ κύμινον, καὶ ἀφήκατε τὰ βαρύτερα τοῦ νόμου, τὴν κρίσιν καὶ τὸ ἔλεος καὶ τὴν πίστιν· ταῦτα [δὲ] ἔδει ποιῆσαι κἀκεῖνα μὴ ἀφιέναι.

23 ἀποδεκατοῦτε...κύμινον Lv 27.30 τὰ...πίστιν Mq 6.8
23 βαρυτερα] βαρεα fr Epiph

23.24: Guias cegos! que coais um mosquito, e engolis um camelo.

23.24 ὁδηγοὶ τυφλοί, οἱ διϋλίζοντες τὸν κώνωπα τὴν δὲ κάμηλον καταπίνοντες.

24 ὁδηγοὶ τυφλοί Mt 15.14; 23.16; Rm 2.19   24 οι] *om* BD' *pc*

Jesus denuncia a exaltação de *trivialidades* na religião revelada. A lei (Dt 14.22,23) prescrevia o dízimo do trigo, do vinho e do azeite. Ao erigirem uma sebe em torno da lei, os rabinos insistiam em que se deveria pagar também o dízimo dos legumes, das frutas e das castanhas. O dízimo do coentro e do cominho era expressamente provido na Mishnah (*Maaseroth* 4.5; *Demai* 2.1). Mediante essas leis, transformavam a religião em meras observâncias escrupulosas. "Vede-os diante de suas balanças, a pesarem o coentro (incluindo até mesmo os raminhos) e o cominho!" (Buttrick, in loc.). Os homens modernos, porém, não são muito diferentes disso. A única coisa que se alterou é que contam com diferentes ingredientes em suas trivialidades. Essas coisas não fazem parte da inquirição espiritual, e Jesus negou a importância delas. Buttrick (in loc.) diz: "Não haverá paralelismos modernos dessa desproporção da religião farisaica? Que dizer sobre a mulher profundamente preocupada com a temperança na questão das bebidas fortes, mas totalmente *intemperante* em seus preconceitos e em sua inclinação para condenar os outros? Que dizer sobre o homem de negócios que se mostra meticulosamente polido e muito regular na frequência à sua igreja, mas que defende *desigualdades* clamantes na estrutura social e que procura tirar vantagens ilícitas

nos negócios que faz? Os principais sacerdotes não quiseram colocar o dinheiro de Judas de volta no tesouro, por ser imundo, visto que era preço de sangue (ver Mt 27.6); no entanto, eles mesmos pagaram a Judas para que Cristo fosse traído!"

"[...] mosquito [...] camelo..." Ambos os animais eram *imundos* (segundo as leis cerimoniais dos judeus), e os fariseus mui naturalmente tinham o cuidado de retirar os mosquitos que porventura houvessem caído no vinho; no entanto, não evitavam o contacto com um animal imundo e muito mais volumoso como era o camelo. Jesus não queria dizer que eles não evitassem camelos literais em sua conduta diária; mas quis dizer que a moral deles se caracterizava pelas falhas e pelas injustiças abundantes, havendo camelos éticos que eles nem sequer notavam, enquanto que, a todo o tempo, podiam ver claramente um mal ético do tamanho de um mosquito.

Eles davam o dízimo (a décima parte) da *menta*, que era uma planta favorita, de aroma suave, que algumas vezes medrava nos soalhos das casas de moradia e das sinagogas, para dar seu aroma suave e assim poder prover uma atmosfera mais agradável. Essa planta também era usada como especiaria; enquanto que o anis, o coentro e o cominho (que são sementes aromáticas) eram usados como condimentos e, algumas vezes, como medicamentos. Os fariseus se tinham tornado muito severos sobre essas questões, e o *Talmude* realmente narra a história do asno de certo rabino que fora tão *bem treinado*, que se recusava a ingerir ração que ainda não fora dizimada! Essas plantas tinham valor comercial; mas o dízimo dessas plantas certamente tinha valor extremamente diminuto. No entanto, os fariseus se mostravam muito particulares e conscientes sobre coisas tão sem importância, ao mesmo tempo que eram extremamente empedernidos no que dizia respeito às questões éticas e religiosas, que são muito mais importantes do que aquelas. Furtavam uma viúva de seus bens, e também pagavam os dízimos do furto, com toda a probabilidade. Eram externalistas, isto é, para eles as questões externas é que tinham importância, mas o interior do copo podia ficar cheio de excessos e de corrupção. Foi contra tais práticas que Jesus pronunciou este quarto "ai". Negligenciavam a justiça, a misericórdia e a fé, mas mostravam-se cuidadosos quanto aos dízimos.

Jesus *não negava* a obrigação ou o valor dos dízimos, mas mostrou que a prática de tais coisas, fora do contexto da vida em geral, não tem nenhum valor. Um negociante de escravos que fosse homem dedicado à oração não poderia ser considerado piedoso e moral. Um rico negociante que obtivesse seu dinheiro mediante a fraude e o engodo, mas que desse o dízimo de todo o dinheiro assim obtido, jamais seria homem moral, não podendo receber a aprovação do Senhor. Um homem que frequente regularmente uma igreja evangélica, mas que seja maldoso, cruel e egoísta não tem valor nenhum para Deus.

"Juízo". Isso indica não a própria retidão, e, sim, a fidelidade no desempenho dos deveres, segundo os princípios da justiça.

"Misericórdia". É uma das características do desejo de que seja feito o que é reto, que deve ser reunida ao elemento humano para eliminar a precipitação e a violência nas ações. Indica uma atitude de desassossego com aqueles que estão aflitos, de simpatia e de bondade para com os oprimidos.

"Fé". Essa expressão pode indicar o ato da crença, a substância do que alguém acredita, ou uma condição ética e subjetiva de "fidelidade". Muito provavelmente este último sentido é o que está em foco aqui. Tanto a fé como a fidelidade fazem parte do princípio de confiança, e usualmente a linguagem bíblica não indica nenhuma diferença entre esses dois aspectos. Os verdadeiros discípulos de Jesus devem ser homens "autênticos", dignos de confiança e fiéis.

"Guias cegos!..." Os insetos eram reputados cerimonialmente imundos, o que explica o cuidado dos judeus em evitá-los. O ato de coar era usualmente realizado com um pedaço de linho ou de gaze. O camelo também era cerimonialmente imundo, e partindo desse fato conhecido é que Jesus extraiu sua ilustração. O camelo era *o maior animal* imundo que os judeus conheciam, e o mosquito era o menor. "Engolir" ou "devorar" um camelo era uma *hipérbole* oriental. (Ver Mt 19.24; 5.29,30; 17.20; 21.21, quanto a outras expressões semelhantes.) Alguns tipos de mosquitos se multiplicavam no vinho. Aristóteles usou a palavra camelo (*konopa*) para um verme ou larva que se encontra no sedimento do vinho azedo, e isso nos mostra que a associação do vinho e do mosquito era comum. Os judeus não bebiam vinho sem primeiramente coar os mosquitos que, por acaso, ali tivessem caído, visto que o mosquito, juntamente com os demais insetos, era reputado cerimonialmente imundo. Entretanto, moralmente falando, eles *engoliam* (embora engolir seja palavra muito fraca para expressar o termo grego aqui) um camelo. Moralmente, eram muito cautelosos quanto a coisas mínimas, como os dízimos e as cerimônias, ou como o contacto com os insetos. Contudo, quando se apoderavam desonestamente das casas das viúvas, estavam engolindo camelos. Se deixassem de dar o dízimo do coentro e do cominho, estariam engolindo um mosquito. Preferiam males morais muito maiores.

h. Quinto ai: regras sobre purificação (23.25,26)

23.25: Ai de vós, escribas e fariseus, hipócritas! porque limpais o exterior do copo e do prato, mas por dentro estão cheios de rapina e de intemperança.
23.25 Οὐαὶ ὑμῖν, γραμματεῖς καὶ Φαρισαῖοι ὑποκριταί, ὅτι καθαρίζετε τὸ ἔξωθεν τοῦ ποτηρίου καὶ τῆς παροψίδος, ἔσωθεν δὲ γέμουσιν ἐξ ἁρπαγῆς καὶ ἀκρασίας.

25 καθαρίζετε...παροψίδος Mc 7.4

25 ακρασιας אBDΘ *f1* f13 *al* it ς; R] ακαθαρσιας OΣ *al* lat sy⁸ co Cl: αδικιας *28 700 al* f: ακρασιας αδικιας W

"[...] limpais o exterior..." Nos tempos de Jesus, os vários regulamentos referentes à pureza cerimonial estavam em desenvolvimento, e era costume guardar à mão um suprimento de água para purificar os copos dos homens e os vasos que seriam usados. (Ver Mc 7.2-4 e Jo 2.6). Encontramos essas leis no tratado intitulado "Kelim", na Mishnah. Naturalmente que os rabinos estavam tão interessados na limpeza do interior dos vasos como na limpeza de seu exterior; mas Jesus empregou o excesso de zelo deles, nessas questões, como ilustração da falta de compreensão deles sobre as questões éticas realmente importantes — a fé, a retidão, a justiça, a misericórdia, o amor, a simpatia e a compaixão. Seus vasos estavam sempre limpos por dentro e por fora, mas o caráter moral daqueles homens era assinalado pela imundícia e pelos excessos. Portanto, Jesus procurava ensinar que as "regras de santidade" não criam a santidade. As convenções externas são inúteis se o coração não houver sido transformado. A ganância e a opressão provavelmente caracterizavam mais o sacerdócio dos saduceus do que o dos fariseus, e não há dúvida de que Jesus, originalmente, pronunciou contra eles as denúncias contidas nestes versículos.

Este quinto "ai" ataca a exterioridade na vida espiritual, a preocupação pelo espetáculo, as cerimônias, o mecanismo da fé e da prática religiosa, mas que, ao mesmo tempo, demonstra total despreocupação para com os verdadeiros princípios religiosos. Entretanto, este "ai" faz também um pronunciamento geral sobre o caráter total daqueles líderes religiosos, e o quadro é distintamente negro.

"Prato". No grego clássico, essa palavra significava o alimento posto no prato. Posteriormente, o termo veio a ser usado para indicar o próprio prato. Jesus, pois, faz aqui alusão aos cuidados extremos de algumas das autoridades religiosas no que concerne às lavagens e abluções. Um copo tinha de estar limpo, um prato tinha de estar limpo, e isso, tanto pelo lado de fora como pelo lado de dentro. No entanto, a fim de enfatizar o ponto onde queria chegar, Jesus falou como se eles não se importassem em lavar um prato ou o interior de um copo. Moralmente falando, assim agiam esses

homens. Não hesitavam em furtar, fraudar ou mostrar total falta de autocontrole, em sua vida pessoal. Diz Robertson (*in loc.*): "Um quadro moderno da iniquidade, entre os escalões superiores das autoridades civis e religiosas, mostra que os elementos morais da vida são violentamente pisoteados". Jesus, pois, indicou que, até na lavagem dos copos, o interior é obviamente mais importante que o exterior, pois é dali que vem a corrupção, e é dali que um indivíduo se corrompe fisicamente.

"Rapina". Descreve a condição íntima daqueles indivíduos. Tal como um prato pode estar cheio de alimento, ou como um copo pode estar cheio de água, aqueles homens estavam cheios de "rapina", o que indica desonestidade, ganância, voracidade.

"Intemperança". Vem do termo grego "*akrasias*", que se compõe de "a" (negativo) e de "krasis", que significa poder. Moralmente falando, não tinham poder nenhum, o que indica que não possuíam poder moral de restrição, de controle próprio, de disciplina. Sócrates declarou que a vida indisciplinada não é digna de ser vivida. Jesus, por conseguinte, indicou algo da mesma falha neste passo. Aqueles homens, que controlavam tão rigidamente as coisas pequenas e sem importância, eram, ao mesmo tempo, indisciplinados em sua vida pessoal e moral. Isso é tão verdadeiro, que foi dito estarem realmente "cheios" de males morais.

23.26: Fariseu cego! limpa primeiro o interior do copo, para que também o exterior se torne limpo.
23.26 Φαρισαῖε τυφλέ, καθάρισον πρῶτον τὸ ἐντὸς τοῦ ποτηρίου⁴, ἵνα γένηται καὶ τὸ ἐκτὸς αὐτοῦ⁴ καθαρόν.

26 Φαρισαῖε τυφλέ Jo 9.40

⁴ 26 {D} τοῦ ποτηρίου...τὸ ἐκτὸς αὐτοῦ Θ *f¹* it*ᵃ,ᵉ* syrˢ geoᴵ,ᴬ // τοῦ ποτηρίου...τὸ ἐκτὸς it*ff²,ʳ¹* geoᴮ Irenaeusˡᵃᵗ // τοῦ ποτηρίου...τὸ ἔξωθεν αὐτοῦ D (itᵈ Clement *omit* αὐτοῦ) // τοῦ ποτηρίου καὶ τῆς παροψίδος...τὸ ἐκτὸς αὐτοῦ B* *f¹³* 28 1009 1253 1344 2148 *l¹·²·⁶⁹·⁷⁰·⁸⁰·³⁰ ³·³³³·³⁷⁴·⁵⁴⁷·⁸⁵⁰·⁹⁵⁰pt,1127,1579* eth Basil¹/² John-Damascus // τοῦ ποτηρίου καὶ τῆς παροψίδος...τὸ ἐκτὸς αὐτοῦ (א* ἐντὸς) א² B² C K L W (Δ *omit* τό) Π 0138 33 565 892 1010 1071 1079 1195 1216 1230 1241 1242 1365 1546 1646 2174 *Byz Lect l⁹⁵⁰pt* syrᵖ,(ʰ),ᵖᵃˡ copˢᵃ,ᵇᵒ arm Basil¹/² // τοῦ ποτηρίου καὶ τῆς παροψίδος...τὸ ἐκτός X itᵃᵘʳ,ᶜ,f,ff³,g¹,h,l vg

O peso da evidência externa parece apoiar o texto mais longo. Ao mesmo tempo, a presença de αὐτοῦ (ao invés de — αὐτῶν) em B* *f¹³* 28 *al* parece ser indício de que ao arquétipo faltavam as palavras καὶ τῆς παροψίδος. Em face do equilíbrio, há leve probabilidade de que as palavras tenham sido inseridas por copistas com base no v. 25.

"[...] limpa primeiro..." Dificilmente podemos pensar que Jesus estivesse realmente aprovando, mesmo em sentido secundário, o *externalismo* e o cerimonialismo daqueles homens. Estava simplesmente insistindo que aquilo que pode ser visto como piedade externa só pode ser aceitável como "puro" se proceder de um coração limpo, de um interior puro. Jesus ensinava que a pureza ética é toda a limpeza de que o crente precisa. Em termos práticos, isso equivale a considerar a limpeza cerimonial como coisa de pouquíssima importância.

Por tudo isso, verifica-se que o modo de pensar de Cristo era inteiramente diferente do modo de pensar dos fariseus, sendo realmente incompatíveis. Diversas indicações dadas pelos Evangelhos mostram que Jesus não deu valor às leis cerimoniais dos judeus, e que sempre evitou dar ares de importância aos ritos e cerimônias que eles observavam. Sua experiência espiritual era tão grande e o seu andar com o Espírito era tão íntimo, que o *formalismo* que acompanhava o judaísmo em seus dias deve ter sido extremamente opressivo para ele. Para Jesus, aqueles religiosos devem ter parecido crianças a brincar com seus brinquedos, ou com atores que desempenhavam seus papéis adredemente preparados. Jesus parece deixar subentendido que a *pureza levítica*, quando desacompanhada da pureza moral, era apenas

622 |Mateus| NTI

uma forma de corrupção, já que, de fato, era uma perversão da inquirição espiritual.

O paralelo em Lucas (Lc 11.40) é um tanto diferente: "Isensatos! quem fez o exterior não é o mesmo que fez o interior?" Jesus salientou que todas as coisas existem e têm sua origem e continuação em Deus, o Criador de tudo. A fonte comum de tudo transmite à pessoa inteira uma santidade comum, e essa santidade é interior e exterior. Qualquer condição contrária a isso nega a influência de Deus.

i. Sexto ai: sua justiça é exterior (23.27,28)

23.27: Ai de vós, escribas e fariseus, hipócritas! porque sois semelhantes aos sepulcros caiados, que por fora realmente parecem formosos, mas por dentro estão cheios de ossos de mortos e de toda imundícia.

23.27 Οὐαὶ ὑμῖν, γραμματεῖς καὶ Φαρισαῖοι ὑποκριταί, ὅτι παρομοιάζετε τάφοις κεκονιαμένοις, οἵτινες ἔξωθεν μὲν φαίνονται ὡραῖοι ἔσωθεν δὲ γέμουσιν ὀστέων νεκρῶν καὶ πάσης ἀκαθαρσίας.

27 τάφοις κεκονιαμένοις At 23.3   27 οιτινες (om ℵ* d Cl) εξωθεν...γεμουσιν] εξωθεν ο ταφος φαινεται ωραιος, εσωθεν δε γεμει D (Cl) Ir

23.28: Assim também vós exteriormente pareceis justos aos homens, mas por dentro estais cheios de hipocrisia e de iniquidade.

23.28 οὕτως καὶ ὑμεῖς ἔξωθεν μὲν φαίνεσθε τοῖς ἀνθρώποις δίκαιοι, ἔσωθεν δέ ἐστε μεστοὶ ὑποκρίσεως καὶ ἀνομίας.

28 Lc 16.15

"[...] sois semelhantes aos sepulcros caiados..." Este é o sexto "ai". O códex D e o Diat. parafraseiam este versículo como segue: "Por fora o túmulo parece belo, mas por dentro está cheio de ossos de homens mortos". Nenhuma tradução apresenta o texto dessa forma. O texto familiar conta com a maior parte da evidência dos mss e versões.

Imediatamente antes da Páscoa, havia grande atividade entre os judeus, fazendo marcas nos túmulos, porquanto as autoridades religiosas cuidavam para que os peregrinos que chegassem para observar a páscoa não se corrompessem ou ficassem cerimonialmente impuros, se pisassem por acidente em algum sepulcro. (Ver Nm 19.16.) Essa pintura externa dos sepulcros embelezava-os e identificava-os, a fim de que o povo pudesse evitar tocar neles; mas não fazia absolutamente nada para limpar o interior dos sepulcros, onde permanecia a imundícia real.

Com frequência, Jesus vira a paisagem da Palestina coalhada de túmulos pintados de branco. Seriam pintados de branco especialmente para melhorar-lhes a aparência? Não, mas porque pisar em um sepulcro tornava o indivíduo cerimonialmente impuro, e isso o deixava impedido de participar das cerimônias e da adoração particular ou pública; a pintura era feita para tornar os sepulcros mais visíveis e, assim, serem evitados pelas pessoas. Como é óbvio, a pintura desses túmulos tornava-os mais atraentes. Pareciam mais *belos*; contudo, essa beleza externa não alterava em nada o estado de decomposição dos cadáveres que ali jaziam. A caiação dos sepulcros era feita no décimo quinto dia de Adar, anualmente, a fim de assegurar a pureza dos peregrinos, durante o festival da Páscoa (ver *Shekalim* 1.1). Os hipócritas interessavam-se intensamente por esse tipo de purificação e limpeza, mas não tinham interesse nenhum pela limpeza interior, porquanto também não faziam nenhum esforço no sentido de limpar o conteúdo imundo das sepulturas. Moralmente falando, eles mesmos eram quais sepulcros putrefeitos.

Os *"sepulcros caiados"* não se referem aos túmulos escavados na rocha, que pertenciam às famílias mais ricas, mas aos sepulcros cobertos de diversas estruturas. Usualmente, os sepulcros ficavam fora das cidades, mas um cadáver encontrado em algum campo tinha de ser sepultado no local onde jazia. Quando Jesus proferiu essas palavras, a atividade febril da caiação dos sepulcros estava em processo, e isso lhe deu uma boa oportunidade de ensinar uma lição espiritual. O grande cuidado para embelezar o exterior pode não ser indicação de preocupação pela verdadeira pureza. Aqueles homens eram como sepulcros caiados. Outras pessoas poderiam notá-los, e poderiam até mesmo ficar impressionadas com sua vida religiosa limpa e externamente santa. Em seu íntimo, entretanto, havia como que o conteúdo dos sepulcros. Nada de limpo havia ali, mas tão-somente uma corrupção antiga, estagnada e obnóxia. Alford diz (*in loc.*): "Isso vai até a raiz da podridão: 'vossos corações não são templos do Deus vivo, mas sepulcros de corrupção pestífera; não um céu, mas um inferno. E vossa religião é apenas uma caiadura, extremamente superficial".

Neste caso, o termo "caiados" vem do grego *kekoniamenois*, derivado de *konis*, que significa poeira, sugerindo o tipo de pintura denominada "caiação", que se faz com a mistura de pó branco e água. Isso indica uma ornamentação extremamente superficial, temporária, sem substância real, para nada dizer do fato de que, no seu interior, o sepulcro não era, de forma nenhuma, modificado pela pintura externa.

Jesus descreve a condição interior desses homens empregando o vocábulo *hipocrisia*, e também o termo "iniquidade". Os fariseus haviam transformado a religião em uma hipocrisia. (Ver a nota em Mt 22.18, quanto a uma explicação sobre a palavra "hipócrita".) Não passavam de atores, cuja inquirição espiritual não era realmente sincera, mas tão-somente buscavam o aplauso dos que os viam. Davam muito valor às questões externas, mas não se importavam com aquilo que realmente tinha importância. Faziam longas orações nos mercados, para em seguida furtar, assassinar e pilhar. Faziam longos e piedosos sermões nas sinagogas, aos sábados; mas, aos domingos, passavam a furtar legalmente as propriedades das viúvas. Dessa maneira, eram caracterizados tanto pela hipocrisia como por toda forma de "iniquidade". A palavra grega aqui empregada para "iniquidade" é "anomia", que, literalmente significa "sem lei". Contavam com inúmeras leis cerimoniais, mas, em realidade, na prática ética e moral, eram homens sem nenhuma lei; eram homens desregrados.

O texto de Lucas 11.44 apresenta outra versão da ilustração dos sepulcros caiados: "Ai de vós, fariseus! porque sois como as sepulturas insensíveis, sobre as quais os homens passam sem o saber". Os homens que cercavam esses homens possivelmente não sabiam e dificilmente poderiam calcular qual era o verdadeiro estado espiritual deles. Eram como sepulturas ocultas; escondiam seus pecados íntimos e sociais; mas eram culpados, ainda que os homens não tivessem consciência de sua verdadeira natureza. De conformidade com as leis cerimoniais, os ossos de mortos eram objetos imundos. (Ver Nm 5.2 e 6.6.) Aqueles homens estavam espiritualmente mortos, e assim estavam moralmente impuros, enquanto que os ossos dos mortos eram apenas cerimonialmente impuros.

j. Sétimo ai: sua hipocrisia (23.29-33)

23.29: Ai de vós, escribas e fariseus, hipócritas! porque edificais os sepulcros dos profetas e adornais os monumentos dos justos,

23.29 Οὐαὶ ὑμῖν, γραμματεῖς καὶ Φαρισαῖοι ὑποκριταί, ὅτι οἰκοδομεῖτε τοὺς τάφους τῶν προφητῶν καὶ κοσμεῖτε τὰ μνημεῖα τῶν δικαίων,

"Ai de vós [...] porque edificais..." O "ai" final, o *sétimo* "ai", tem paralelo em Lucas 11.47,48. Esse "ai" estende-se até o v. 33.

É mais fácil alguém louvar um profeta morto do que *dar ouvidos* a um profeta vivo. Os fariseus convenientemente ignoravam o fato de os seus antepassados haverem matado os profetas que professavam pregar e seguir; no entanto, pervertiam os ensinos desses profetas, o mesmo ensino contra o qual os seus antepassados haviam feito oposição, por causa dos que mataram mais de um dos profetas de Deus. Eles louvavam os profetas com os lábios, mas ignoravam ou pervertiam os seus ensinamentos. Os fariseus diziam: "Somos filhos dos pais, os patriarcas". O Senhor Jesus, no entanto, disse: "Sois os verdadeiros filhos daqueles que assassinaram os profetas, os patriarcas". Toda nova verdade é perturbadora e nos leva a repensar o nosso conjunto de conceitos. Toda nova verdade usualmente não é aceita por homens presos a uma tradição. Os que proclamam verdades novas e, portanto, desagradáveis, nunca se deram bem entre os homens. Os fariseus eram os principais guardiães das tradições, e jamais incorporaram, em seu sistema religioso ou em seu coração, a mensagem dos profetas.

Quatro monumentos, intitulados *Túmulos dos Profetas* (Zacarias, Absalão, Josafá e Tiago), encontram-se no sopé do monte das Oliveiras. Alguns elementos talvez estivessem subindo de visita a esses túmulos no momento mesmo em que Jesus falou. Dessa maneira, a ilustração teria sido ainda mais vigorosa se, ao mesmo tempo, também estivessem construindo um memorial para o martirizado Zacarias, que seus progenitores haviam assassinado (ver v. 35). Plummer (*in loc.*) diz: "Aqueles homens, que pareciam tão desolados ante o assassinato dos profetas, ao mesmo tempo tramavam a morte daquele que era muito maior do que qualquer profeta". Neste sétimo e último "ai", parece haver uma declaração que visa à nação inteira de Israel, por causa de sua conduta espiritual, ao rejeitar os profetas enviados pelo Senhor, e não apenas uma condenação contra os líderes religiosos. Os próprios túmulos eram impressionantes, embora não haja nenhuma autoridade que nos leve a ligá-los aos remanescentes mortais dos profetas que forneceram tais nomes. Dois desses túmulos são monólitos ornamentais. São muito extensos, consistindo de galerias sinuosas ou semicirculares, que passam sob o monte mais de trinta metros, de leste para o este e que terminam numa rotunda acerca de dois metros e meio da entrada.

23.30: e dizeis: Se tivéssemos vivido nos dias de nossos pais, não teríamos sido seus cúmplices no derramar o sangue dos profetas.
23.30 καὶ λέγετε, Εἰ ἤμεθα ἐν ταῖς ἡμέραις τῶν πατέρων ἡμῶν, οὐκ ἂν ἤμεθα αὐτῶν κοινωνοὶ ἐν τῷ αἵματι τῶν προφητῶν.

"E dizeis: Se tivéssemos vivido..." A hipocrisia sempre cria palavras *encorajadoras*, mas nunca *altera* os feitos dos hipócritas, pelo que aqueles homens eram hipócritas autênticos do princípio ao fim. Ao falarem assim, os fariseus provavelmente estavam sendo honestos nessa afirmação, o que ilustra que, pelo menos parcialmente, eram hipócritas inconscientes. É óbvio que esse é o tipo de hipocrisia de cura mais difícil; porquanto, se uma pessoa nem ao menos reconhece sua condição espiritual, dificilmente desejará mudar. Aqueles homens honravam os antigos profetas com dinheiro e com trabalho árduo, construindo memoriais aos santos que seus antepassados haviam matado; todavia, ao mesmo tempo, planejavam elaboradamente matar o maior de todos os profetas — Jesus Cristo. De fato, dentro de menos de uma semana aqueles mesmos homens mataram a Jesus. No entanto, o tempo todo repetiam essas palavras: "Se tivéssemos vivido nos dias de nossos pais, não teríamos sido seus cúmplices no sangue dos profetas". A aflição que consiste da hipocrisia inconsciente não se limita aos tempos antigos. Qualquer igreja pode fornecer alguns bons exemplos; ou podemos dizer que qualquer organização religiosa, em qualquer período da história, tem demonstrado exemplos dessa fraqueza. Neste ponto, devemos também observar que, se aqueles homens houvessem respeitado a mensagem dos profetas e a pessoa de cada um deles, nunca teriam abrigado o assassinato em seu coração; não teriam sido homens violentos; não teriam sido como sepulcros caiados; não se teriam dedicado aos furtos das casas das viúvas; e não teriam matado a Jesus.

23.31: Assim, vós testemunhais contra vós mesmos que sois filhos daqueles que mataram os profetas.

23.31 ὥστε μαρτυρεῖτε ἑαυτοῖς ὅτι υἱοί ἐστε τῶν φονευσάντων τοὺς προφήτας.

31 υἱοί...προφήτας At 7.52

23.32: Enchei vós, pois, a medida de vossos pais.
23.32 καὶ ὑμεῖς πληρώσατε τὸ μέτρον τῶν πατέρων ὑμῶν.

32 πληρωσατε] -σετε Β e sy*: επληρωσατε D al d | με- τρον] εργον 28

"[...] testificais que sois filhos..." Jesus sabia perfeitamente bem que seria morto dentro de poucos dias. Conhecia a culpa que residia no coração daqueles homens; tinha consciência do ódio que lhe votavam, e quantas vezes o teriam matado, se olhares ferozes fulminassem; como haviam enviado espiões à Galileia para que o desacreditassem e reunissem evidências que pudessem usar contra ele; como tinham enviado diversas delegações, desde que ele chegara a Jerusalém, para que encontrassem evidências contra ele, a fim de que pudessem levá-lo ao julgamento e à morte; como já tinham efetuado diversas reuniões com o propósito de discutir modos de eliminá-lo; como lhe haviam enviado homens injustos e ameaçadores, como se fossem homens seriamente interessados em questões religiosas, mas que, em realidade, só buscavam prender a Jesus; como haviam propagado mentiras a seu respeito, chegando mesmo a identificá-lo com o racionalismo radical, esperando que Roma fizesse intervenção e o executasse. Jesus sabia, muito melhor do que eles, naquele instante, como haviam sido eficazes os seus diversos métodos, e como brevemente satisfariam o desejo de destruí-lo. Ao mesmo tempo, Jesus sentia profunda simpatia pelos profetas antigos, que haviam sido martirizados; pois sabia que, em breve, extravasaria o cálice da violência, e que ele mesmo seria a vítima.

Aqueles homens davam e tinham o amplo testemunho contra eles mesmos, tanto pelas suas ações e intenções passadas como pelas suas ações e intenções presentes; e esse testemunho testificava em altos brados que ali estavam homens tão perversos quanto seus *antepassados*, filhos legítimos de homens ímpios, violentos e desarrazoados. Meyer diz (*in loc.*): "Quando assim falavam de seus pais, davam testemunho contra eles mesmos, de que pertenciam à família dos assassinos dos profetas". Lange (*in loc.*), porém, diz: "O sentido é justamente o oposto: Posto que reputais os antepassados, a despeito de sua atitude assassina contra os profetas, como vossos antepassados no sentido mais pleno da palavra, em vossas tradições; e já que explicais a antiga culpa de sangue, que vos foi transmitida, como se fosse um mero acidente, como produto de um período bárbaro..." Philip Schaff (*in loc*; nota de rodapé no comentário de Lange) diz: "Os fariseus chamavam aos assassinos dos profetas, corretamente, seus antepassados: eram piores mesmo que os seus antepassados, porquanto acrescentavam a hipocrisia à impiedade".

"Enchei vós..." Essa frase tem provocado diversas explicações: Crisóstomo diz que foi proferida profeticamente. Outros têm indicado que Jesus falou apenas permissivamente. De Wette e Meyer reputam-na um imperativo *irônico*. Esta última ideia provavelmente é a correta; e encontramos uma expressão semelhante na passagem de João 13.27, onde Jesus disse a Judas: "O que pretendes fazer, faze-o depressa". Não é provável que o pronunciamento do texto de João e que o pronunciamento que temos nesta passagem, tivessem tido a intenção de chocar aqueles homens violentos, a fim de levá-los a reconhecer suas intenções assassinas, de forma a que pudessem entender que eram verdadeiros filhos de pais homicidas, com o propósito de levá-los a se arrependerem dessa ação. É mais provável, porém, que Jesus tivesse conhecimento de que sua morte era inevitável e que jamais aqueles homens se arrependeriam. Por ironia, por conseguinte, ele ordenou que eles se apressassem em seu propósito, enchendo a sua taça de violência. O termo "medida de culpa" era uma expressão comum entre os rabinos, e certamente teriam compreendido de imediato o que Jesus queria dizer. Alguns

624 |Mateus| NTI

também sugerem que um provérbio como "Um mata e outro cava a cova" era comum entre os judeus para indicar cumplicidade em um crime; dessa maneira, teriam podido compreender a descrição de Jesus acerca de tal cumplicidade. Naturalmente que esse antigo quadro dos antepassados matando os profetas, e de seus descendentes a louvarem os mártires, tem sido ilustrado através da história toda, nas organizações religiosas e nas denominações cristãs. Muitos santos martirizados posteriormente vêm a ser louvados e elevados no pensamento religioso. Joana D'Arc, por exemplo. E veja-se quão popular é Martinho Lutero hoje em dia, até mesmo entre aqueles que pertencem a grupos que antes o perseguiram. Os mártires de uma geração são os heróis e santos de outra; mas nada disso indica a menor alteração na violenta natureza humana.

23.33: Serpentes, raça de víboras! como escapareis da condenação do inferno?

23.33 ὄφεις γεννήματα ἐχιδνῶν, πῶς φύγητε ἀπὸ τῆς κρίσεως τῆς γεέννης;

33 γεννήματα ἐχιδνῶν Mt 3.7; 12.34; Lc 3.7

"Serpentes..." O sétimo "ai", e, portanto, esta seção, termina com uma *amaríssima denúncia*. Os termos e acusações empregados por Jesus aqui ilustram como se tinham deteriorado completamente as relações entre Jesus e as autoridades religiosas e como se tornara impossível que houvesse reconciliação ou ajustamento entre Jesus e elas. Jesus via aquelas autoridades como totalmente apóstatas e além da possibilidade de um verdadeiro arrependimento. Essas amargas palavras fazem-nos lembrar de João Batista, que proferiu quase as mesmas coisas (ver Mt 3.17), e nos fazem também lembrar da ocasião em que Jesus foi acusado de estar em liga com Belzebu (ver Mt 12.34). Jesus já se dirigira a essas autoridades tachando-as de falsas, insensatas, cegas e hipócritas. Agora ele salienta que eram indivíduos totalmente iníquos, venenosos e assassinos. Jesus comparou-os a serpentes e geração de cobras venenosas. Os homens temem instintivamente as víboras por causa de sua natureza venenosa; porque costumam ocultar-se em lugares perigosos e escondidos; porque atacam sem advertência e misericórdia, e muitos são mortos por elas. Dessa maneira, Jesus descreveu a natureza interior daqueles homens — eram venenosos e mortíferos, sutis, ímpios e traiçoeiros.

"Como escapareis..." Existe uma maldição não muito diferente dessa no Talmude, que diz: "Ai da casa de Anás! Ai de seus sibilos semelhantes aos das serpentes". No fim desses "ais", Jesus pronunciou a maior de todas as advertências — a ameaça da geena. *Geena* refere-se ao vale de Hinom, um vale estreito e escuro, que fica ao sul de Jerusalém, e onde antigamente o fogo queimava de maneira contínua. Naqueles tempos os judeus idólatras haviam usado esse vale para sacrificar os próprios filhos. Mais tarde, o lugar passou a ser usado como monturo da cidade. Além do lixo, eram ali lançados os cadáveres dos animais e dos criminosos. O fogo que queimava o lixo subia continuamente desse vale, e por isso mesmo o lugar se tornou símbolo do inferno. (Ver a nota sobre o "inferno", em Apocalipse 14.11.)

k. Ameaça e lamento (23.34-39)

23.34: Portanto, eis que eu vos envio profetas, sábios e escribas; e a uns deles matareis e crucificareis; e a outros açoitareis nas vossas sinagogas e os persequireis de cidade em cidade;

23.34 διὰ τοῦτο ἰδοὺ ἐγὼ ἀποστέλλω πρὸς ὑμᾶς προφήτας καὶ σοφοὺς καὶ γραμματεῖς· ἐξ αὐτῶν ἀποκτενεῖτε καὶ σταυρώσετε, καὶ ἐξ αὐτῶν μαστιγώσετε ἐν ταῖς συναγωγαῖς ὑμῶν καὶ διώξετε ἀπὸ πόλεως εἰς πόλιν·

34 At 7.52; 1Tm 2.15 διώξετε...πόλιν Mt 10.23

O autor descreve aqui o que aconteceu *aos missionários* cristãos que viviam nas comunidades cristãs do século primeiro de

nossa era, e, provavelmente, ele tinha muitos casos na memória, presenciados pessoalmente por ele. Essa passagem é paralela de Lucas 11.49-51 e se deriva da fonte "Q", da qual Lucas é um documento que a representa com mais exatidão. Ali (em Lucas), as palavras são postas nos lábios da "Sabedoria de Deus", o que provavelmente significa o Cristo ressurreto (1Co 1.24), como se falasse por meio de um profeta cristão. "Esse oráculo, em sua forma primitiva, provavelmente tenha sido proferido algum tempo entre 42 e 50 d.C., e se reflete nas amargas palavras do apóstolo Paulo, em 1Tessalonicenses 2.16." (Sherman E. Johnson, in loc.). Antes de essas palavras serem escritas, Tiago já fora martirizado e Pedro e os demais apóstolos já haviam fugido de Jerusalém. O texto de Lucas 11.49 reúne "apóstolos e profetas", pelo que temos aqui uma referência aos profetas cristãos, conforme também encontramos em 1Coríntios 12.28; Efésios 2.20 e 4.11. Os termos "sábios e escribas" (v. 34) foram também usados para indicar os cristãos, em Mateus 13.52.

Os vocábulos *profetas*, *sábios* e *escribas* são conservados na terminologia cristã primitiva como nomes dos líderes espirituais, como títulos familiares prenhes de sentido para os judeus. Na profecia original de Jesus provavelmente esses termos foram usados. Gradualmente, todos esses títulos, exceto o de "profeta", foram desaparecendo; e, ao mesmo tempo, outros termos, como "ancião", "apóstolo" etc. substituíram aqueles outros, como títulos dos líderes da igreja cristã.

A história indica que os judeus (tanto quanto os romanos) crucificaram ou de outras maneiras maltrataram os cristãos, antes mesmo da destruição de Jerusalém. (Ver Euséb. *H.E.*, 3.32.) Nessa seção de sua história, Eusébio narra como foi a crucificação de certo Simeão, filho de Clopas, durante o reinado de Trajano (material extraído de Hegesipo). Deve ter havido outros crentes martirizados, e, pelo livro de Atos, sabemos que alguns foram mortos à espada ou a pedradas. Intensa discussão gira em torno do termo de Lucas na passagem paralela (Lc 11.49), que diz: "A sabedoria de Deus". As interpretações são as seguintes:

1. Trata-se de uma referência às Escrituras, *mas inexata*, não encontrando localização exata, e sendo apenas uma expressão geral do fato de que os verdadeiros discípulos devem sofrer. Essa interpretação não encontra muito favor entre os comentadores, e não é provável que transmita o sentido tencionado.

2. Alguns pensam que um escritor *desconhecido* (desconhecido para nós, bem entendido, mas não para os leitores dos tempos cristãos primitivos) é aqui citado, e que, provavelmente, teria escrito um livro que poderia ter sido chamado *A Sabedoria de Deus*. Naturalmente temos aqui a mais pura conjectura; pode ser verdade ou não. Não contamos, porém, com nenhuma evidência sobre a existência desse livro; e, portanto, em geral, essa ideia tem sido rejeitada.

3. Muitos acreditam tratar-se de uma referência *ao próprio Cristo*, na qualidade de sabedoria de Deus; e alguns creem que esse foi um dos títulos que Jesus aplicou a si mesmo, mais ou menos como se chamou de "Filho do homem", "caminho", "porta" etc.

4. É possível que se trate de uma designação de Jesus como sabedoria de Deus, embora de autoria *de Lucas*, visto que Paulo aplicou essa mesma designação a Jesus, em 1Coríntios 1.24. O Cristo ressurreto teria passado a ser conhecido como sabedoria de Deus. Alguns intérpretes são de opinião de que Jesus não limitou o termo "profetas" aos tempos do NT, mas também falou de todos os profetas do AT, os quais haviam sido perseguidos pelo povo de Israel; e que, ao assim falar, falou como a eterna sabedoria de Deus, e não meramente como o Messias daquele tempo. Talvez isso seja tornar esse versículo mais complexo e teológico do que Lucas tencionou. Seja como for, essa declaração seria verdadeira, quer esse versículo a ensine quer não.

23.35: para que sobre vós caia todo o sangue justo, que foi derramado sobre a terra, desde o sangue de Abel, o justo, até o sangue de Zacarias, filho de Baraquias, que matastes entre o santuário e o altar.

23.35 ὅπως ἔλθῃ ἐφ' ὑμᾶς πᾶν αἷμα δίκαιον ἐκχυννόμενον ἐπὶ τῆς γῆς ἀπὸ τοῦ αἵματος Ἄβελ τοῦ δικαίου ἕως τοῦ αἵματος Ζαχαρίου υἱοῦ Βαραχίου, ὃν ἐφονεύσατε μεταξὺ τοῦ ναοῦ καὶ τοῦ θυσιαστηρίου.

35 τοῦ αἵματος Ἄβελ Gn 4.8; Hb 11.4 τοῦ αἵματος Ζαχαρίου... θυσιαστηρίου 2Cr 24.20,21 Ζαχαρίου υἱοῦ Βαραχίου Zc 1.1

35 υιου Βαραχιου] filii Ioiadae Evg. sec. Heb.: om ℵ* pc Eus

"[...] sobre vós recai..." Esta profecia de Jesus assemelha-se àquela que temos em Mateus 24.2, concernente à *destruição de Jerusalém* e aos horrores que acompanhariam essa ocorrência. Talvez ele também tivesse em mente a segunda destruição de Israel, ocorrida no tempo de Adriano. Precisamos observar que os pecados acumulados atraem um julgamento severo, ainda que esse julgamento pareça tardio, conforme os padrões humanos. Isso se dá tanto no caso de indivíduos como no caso das nações. Por isso, se aprende algo acerca da providência de Deus, tanto no tocante aos indivíduos como no tocante às nações. Os juízos de Deus visam tanto à vingança (punição) como à instrução. Em diversos períodos da história, Deus julgou Israel como nação; mas ele jamais abandonou esse povo, e Paulo, nos capítulos nono a décimo primeiro da epístola aos Romanos, prometeu uma restauração eventual. Incorremos em erro ao ver, nos julgamentos, apenas o elemento do castigo; pois Deus sempre corrige, encoraja e guia a sua criação, e, finalmente, fará com que o bem vença ao mal.

A menção a Abel e Zacarias deve-se ao fato de Abel ser o primeiro mártir mencionado nas Escrituras do AT, enquanto que Zacarias é o último que tomba ali, em defesa da justiça. (Ver 2Cr 24.20-22.)

"Filho de Baraquias" é omitido em Aleph(1) e nos escritos de Eusébio, um dos pais da igreja. O original de Mateus sem dúvida continha essas palavras, pelo que elas aparecem em todas as traduções. Surge, porém, uma dificuldade no fato de que não há registro sobre o martírio de Zacarias, filho de Baraquias, no AT (ver Zc 1.7). Alguns sugerem que, a despeito do fato de não existir tal registro, o seu martírio realmente teve lugar. Outros creem que a referência é a Zacarias, filho de Joiada, em 2Crônicas 24.20-22, e que o erro acerca do nome de seu pai deve-se ou ao próprio evangelista ou a algum copista muito antigo. O livro apócrifo do NT, "Evangelho segundo aos Hebreus", chama esse Zacarias de filho de Joiada. Existem muitas interpretações que procuram explicar a confusão. Em primeiro lugar, a omissão no mss Aleph e nos escritos de Eusébio, da expressão "filho de Baraquias" é uma tentativa óbvia de remover a dificuldade, não podendo, por isso mesmo, ser reputada representante do evangelho original de Mateus. Outrossim, culpar algum antigo escriba do equívoco, e assim afirmar que o evangelho original de Mateus não continha esse nome, é um *subterfúgio evidente*. A seguir, enumeramos as tentativas de explicação dessa dificuldade:

1. Estamos tratando de um *mártir desconhecido*, chamado Zacarias, e filho de Baraquias. Isso resolveria o problema, excetuando o fato de que Jesus estava obviamente falando da história dos mártires, segundo é exposta no AT, tendo mencionado o primeiro e os últimos desses mártires.

2. Alguns dizem que seu pai tinha *dois nomes* diferentes, fenômeno esse comum naqueles tempos. Assim pensavam Beza e Grotius.

3. Outros pensavam que o pai de Zacarias fosse Baraquias, e que Joiada tivesse sido seu avô; e assim, em certo sentido, esse mártir era *filho* de ambos, conforme o uso hebreu o permitia.

Quanto às interpretações de número dois e três, não temos nenhuma evidência. Adam Clarke diz que Joiada e Baraquias têm o mesmo sentido no hebraico, "louvor ou bênção de Jeová", e isso implica que eram nomes intercambiáveis entre si. Essa ideia parece dar apoio à segunda interpretação.

4. Kuinoel supõe que as palavras "filho de Baraquias" são uma *glosa* feita pelos escribas antigos, ou talvez que já figurava no evangelho original de Mateus; mas a essa suposição falta alicerce histórico.

5. Jerônimo diz-nos que o evangelho dos Nazarenos tinha Joiada em lugar de Baraquias, e isso concorda com o AT, podendo sugerir a verdade da interpretação de número quatro, ou de verdade semelhante. Certo número de intérpretes modernos têm uma ideia não muito distante dessa, sugerindo que Jesus não teria feito nenhuma referência ao pai de Zacarias, mas que o autor do evangelho de Mateus, sendo judeu, estando acostumado a designar as pessoas com a adição do nome de seus progenitores (conforme era hábito entre os judeus), acrescentou o nome de Baraquias, e assim cometeu um ligeiro equívoco. (Assim interpretam De Wette, Bleeck, Meyer e Alford).

6. Alguns consideram que aqui temos uma *profecia*, e não uma descrição sobre os tempos do AT. Josefo (Guerras, IV, cap.5, seção 5) menciona o assassinato de um Zacarias, filho de Baruque, um judeu rico, que foi julgado falsamente e condenado pelos zelotes idumeus, por causa de sua suposta intenção de desejar entregar a cidade aos romanos. No hebraico, porém, Baruque é um nome diferente de Baraquias, e qualquer identificação entre os dois nomes é muito difícil. De conformidade com Josefo, eles o teriam matado no meio do templo. Isso teria acontecido pouco antes da destruição de Jerusalém. Ora, Jesus poderia ter feito essa profecia, mas o mais provável é que estivesse se referindo a um profeta conhecido, a um acontecimento passado. O tempo do verbo é passado (aoristo), "matastes".

7. Ainda outros acreditam que o Zacarias aqui mencionado era o *pai* de João Batista, e que ele teria sido morto no templo. Orígenes preserva essa tradição (em um comentário sobre o evangelho de Mateus, série 34, vol. III, p. 846), porém alguns creem que a própria tradição surgiu como explicação dessa passagem. (A tradição encontra-se no *Protoevangelho de Tiago*, cap. 16, um evangelho apócrifo.)

O mais provável de tudo é que o profeta mencionado seja o Zacarias do AT (ver 2Cr 24.20-22), e isso elimina muitas das interpretações, embora deixe intacta a dificuldade. *O Talmude* registra uma lenda popular acerca da morte desse profeta, dizendo que o seu sangue jamais foi lavado, que o mesmo não se secava, e que nenhum sacrifício tinha o dom de fazer estancar o fluxo de sangue, nem mesmo a matança de mil sacerdotes. Diziam que continuava borbulhando ao tempo em que Nabuzaradã, o comandante caldeu (Jr 39.9) apossou-se do templo. Por mais esdrúxula que seja a narrativa, serve para ilustrar a grande impressão que o assassinato de Zacarias deixou na mente dos habitantes de Israel. A construção do túmulo em memória ao seu nome ilustra a mesma coisa. É possível que uma das conjecturas que tem sido levantada para explicar essa dificuldade quanto ao seu progenitor e quanto à razão pela qual temos dois nomes diferentes para ele, expresse a verdade; porém, não podemos ter nenhuma certeza quanto a esse particular.

John Gill (in loc.) faz uma citação que ilustra ainda mais como foi importante esse martírio para Israel, e como esse crime chocara a consciência nacional: "Os israelitas cometeram naquele dia grande crime: mataram um sacerdote, um profeta e um juiz; derramaram sangue inocente e blasfemaram de Deus; contaminaram o átrio, e isso em dia de sábado, em dia de expiação" (*T. Hieros. Taanioth*, fol. 69.1).

23.36: Em verdade vos digo que todas essas coisas hão de vir sobre esta geração.

23.36 ἀμὴν λέγω ὑμῖν, ἥξει ταῦτα πάντα ἐπὶ τὴν γενεὰν ταύτην.

626 |Mateus| NTI

"[...] todas estas coisas..." A fim de enfatizar a questão, Jesus reiterou a melancólica profecia do v. 35. Jesus iniciou essa solene afirmação com a palavra *amém*, que significa "verdadeiramente", "certamente" e que era um termo favorito para expressar ênfase e solenidade. Realmente, é um pensamento solene pensar em um julgamento que tinha como propósito a punição de muitos séculos de culpa de uma nação, especialmente o homicídio, porquanto os israelitas foram assassinando os profetas que lhes foram enviados; finalmente, planejaram o assassínio do maior de todos os profetas — Jesus Cristo, o próprio Messias. Esse versículo demonstra claramente que a denúncia de Jesus abrangeu a nação inteira, e não meramente os líderes religiosos. O juízo que finalmente se descarregou também demonstrou que toda a nação foi castigada, e não apenas os seus líderes. Era um povo homicida, violento e sem misericórdia. Os romanos os mataram, excederam à violência deles e não demonstraram misericórdia nenhuma.

23.37: Jerusalém, Jerusalém, que matas os profetas, e apedrejas os que a ti são enviados! quantas vezes quis eu ajuntar os teus filhos, como a galinha ajunta os seus pintos debaixo das asas, e não o quiseste!

23.37 Ἰερουσαλὴμ Ἰερουσαλήμ, ἡ ἀποκτείνουσα τοὺς προφήτας καὶ λιθοβολοῦσα τοὺς ἀπεσταλμένους πρὸς αὐτήν, ποσάκις ἠθέλησα ἐπισυναγαγεῖν τὰ τέκνα σου, ὃν τρόπον ὄρνις ἐπισυνάγει τὰ νοσσία αὐτῆς ὑπὸ τὰς πτέρυγας, καὶ οὐκ ἠθελήσατε.[c]

[c] 37 c statement: Bov Nes BF² NEB // c question: TR WH AV^ed // c exclamation: AV^ed RV ASV RSV TT Zür Luth Jer Seg
37 λιθοβολοῦσα...αὐτήν At 7.59; 1Tm 2.15   37 προς αυτην] προς σε D lat sy^s Ir^lat Or

23.38: Eis aí abandonada vos é a vossa casa.
23.38 ἰδοὺ ἀφίεται ὑμῖν ὁ οἶκος ὑμῶν ἔρημος.[5]

38 1Rs 9.7,8; Jr 12.7 22.5

[5] 38 {C} ὑμῶν ἔρημος (ver Jr 22.5) ℵ C D K W X Δ Θ Π 0138 f¹ f¹³ (28 ὁ οἶκος ὑμῶν ὑμῖν ἔρημος) 33 565 700 892 1009 1010 1071 1079 1195 1216 1230 1241 1242 1253 1344 1365 1546 1646 2148 2174 *Byz Lect* l^883m it^a,aur,b,c,d,e,f,ff²,h,l,q,r¹ vg syr^p,h,pal cop^bomss arm eth geo Irenaeus^lat Clement Origen Cyprian Eusebius Chrysostom Cyril Cosmos // ὑμῶν B L l^184 it^ff² syr^s cop^sa,bo mss Irenaeus^lat Origen Cyril

> Por um lado, pode-se argumentar que copistas adicionaram ἔρημος a fim de adaptar a citação ao texto de Jeremias 22.5. Por outro lado, porém, em face do que se reputa ser o peso preponderante da evidência externa, a maioria da comissão preferiu incluir ἔρημος, explicando sua ausência, em alguns testemunhos, em resultado de haver sido apagada por copistas, que julgaram a palavra supérflua após ἀφίεται.

Esta grande declaração é ao mesmo tempo um *lamento* e uma *profecia*. Outros textos bíblicos mostram que a restauração do povo de Israel não ocorrerá enquanto as potências gentílicas não terminarem a sua carreira, enquanto a igreja não for recolhida, durante este tempo de graça especial, que flui da missão de Cristo, e também enquanto não ocorrer a grande tribulação (que é descrita no capítulo vigésimo quarto deste evangelho, além de diversos capítulos do livro de Apocalipse, a começar pelo cap. quarto). Todos esses acontecimentos finalmente levarão Israel a pôr-se de joelhos, em desespero, e clamar a Deus e ao seu Messias — Jesus. (Ver os textos de Rm 10.3,4; 9.11; Lc 21.24; Dn 2.34,35.)

"Jerusalém, Jerusalém". Buttrick diz (in loc.): "Raramente as palavras têm sido tão fecundas em beleza e paixão. A repetição, 'Jerusalém, Jerusalém', aprofunda a tristeza ali contida. Por acaso não clamou Davi: 'Absalão, Absalão' (2Sm 18.22)? Nenhum expositor, e nem mesmo o maior artista ou músico poderia ter feito mais do que dar a entender essa explosão de amor, que emana do fundo do coração... Cristo amava a cidade de Jerusalém — por causa de seu deleite aos olhos, por causa de sua história, cujas ruas

Isaías e Jeremias haviam percorrido, por causa de sua associação às Escrituras que ele amava, e porque Deus a escolhera como sua voz e sua mão. Aqui encontramos o patriotismo em sua forma mais excelente: Jesus amava a cidade de Jerusalém, e não podia ver o seu templo, nem mesmo à distância, sem que sua alma se agitasse".

Esse lamento é típico do humaníssimo Jesus, e expressa particularmente a sua grande compaixão. Era-lhe próprio jamais esquecer-se da misericórdia, nem mesmo ao pronunciar indignadas reprimendas. Andava sempre transbordante de misericórdia e amor, e isso nos mostra o que devemos ser, porquanto estamos sendo transformados à sua imagem. Muitos pregadores radicais poderiam ter pronunciado essas maldições e a vinda iminente desses julgamentos; mas quantos deles poderiam mesclar essas coisas com um lamento de misericórdia, de compaixão e de amor? Todos os erros serão corrigidos, todo pecado será julgado; mas Jesus também levantou a sua voz para proclamar restauração e esperança.

"Quantas vezes..." Jesus veio recolher o povo de Israel no reino de Deus, veio trazer um reino espiritual, alicerçado na justiça, no julgamento perfeito e na retidão. Ele se assemelhou a um *pássaro* (no original grego, o termo pode indicar qualquer ave, e não apenas uma galinha) que instintivamente ama e cuida de seus filhotes. Quando essas palavras foram escritas por este evangelista, os terríveis acontecimentos da guerra dos judeus e do juízo subsequente já se tinham desenrolado. Como ficara desolada a terra de Israel! Como eram patentes as evidências dessa profecia cumprida! *O sinédrio*, antes grandioso e augusto, agora não mais tomava deliberações, porquanto os romanos destruíram completamente esse tribunal. O templo não mais podia ser contemplado, pois não restara pedra sobre pedra. As sinagogas jaziam em ruínas. As estradas estavam cheias de entulho. Os habitantes se lamentavam, perplexos e na miséria, pois dificilmente alguma família houve que não perdeu nenhum ente querido, e muitas famílias inteiras haviam sido extintas. Um silêncio incomum e melancólico tomava conta das ruas antes apinhadas de gente. Não admira, pois, que encontremos aqui a declaração do v. 38: "Eis que a vossa casa vos ficará deserta". Essa terrível profecia de Jesus ainda rasga o silêncio. Como as pessoas devem ter-se lembrado dela com frequência, especialmente os crentes, ao pisarem as ruas de Jerusalém! A destruição efetuada por Adriano, muitos anos mais tarde, porém, foi ainda mais devastadora. (Adriano reinou de 117 a 138 d.C., e a destruição de Jerusalém e de Israel ocorreu perto do fim de seu reinado.) As sinagogas foram tão completamente destruídas, que a arqueologia não tem sido capaz de identificar, com alguma certeza, as ruínas de nenhuma sinagoga do primeiro século. As que têm sido desenterradas pertenceram a uma data muito posterior.

De acordo com *Josefo*, ao falar esse historiador sobre a queda de Jerusalém, que ocorreu no ano 70 d.C., ao tempo da festa de Pentecostes, pouco antes da queda do templo, os sacerdotes teriam ouvido uma voz portentosa que dizia: "Estamos partindo daqui!" De modo geral, acreditava-se entre o povo que essa visão de uma voz foi dada para indicar que a presença de Deus olvidara o seu templo. Não é de forma nenhuma impossível que essa experiência mística tenha realmente acontecido. Os habitantes de Jerusalém haviam rejeitado a proteção das asas estendidas do Messias; assim, tendo-se tornado vulneráveis ao poder de Roma e tendo persistido em seus maus caminhos, sempre acumulando a dívida de pecados pessoais e nacionais, finalmente sentiram o açoite do julgamento divino.

23.39: Pois eu vos declaro que desde agora de modo nenhum me vereis, até que digais: Bendito aquele que vem em nome do Senhor.

23.39 λέγω γὰρ ὑμῖν, οὐ μή με ἴδητε ἀπ' ἄρτι ἕως ἂν εἴπητε, Εὐλογημένος ὁ ἐρχόμενος ἐν ὀνόματι κυρίου.

39 Εὐλογημένος...κυρίου Sl 118.26 (Mt 21.9; Mc 11.10; Lc 19.38)

"Declaro-vos..." O texto de Lucas 13.35 situa essa afirmação antes da entrada triunfal em Jerusalém; assim, torna-a uma profecia desse acontecimento.Observamos, porém, que a entrada triunfal era, por si mesma, um quadro profético da segunda volta de Jesus, na glória, isto é, da *parousia*, quando ele viverá um acontecimento verdadeiro e não falso, e quando os "hosanas" serão genuínos.

O afastamento de Jesus, o Messias, foi duplo. Naquele momento, fisicamente, ele deixou o templo, e assim terminou oficialmente o seu ministério ali. Não poderia enfrentar uma oposição perene sem nenhum tipo de reação. Sabia que o seu tempo era curto, e, a fim de tipificar o que acontecera espiritualmente a Israel, perante os próprios olhos do povo, ele deixou o templo, afirmando que não mais retornaria. Ele, o Messias, assim abandonou o seu templo; mas logo retornou, como prisioneiro, a fim de ser julgado. Foi dessa forma que Israel multiplicou infinitamente a sua dívida, deixando-se assim às melancólicas profecias que Jesus pronunciara. Todavia, o afastamento físico de Jesus também revestiu-se de uma significação espiritual. O ministério do Messias fora *totalmente rejeitado*, e assim, pelo menos durante algum tempo, o povo de Israel também foi rejeitado por Deus. Naquele instante, o templo não era mais "a casa de Deus" nem "a minha casa", conforme Jesus intitulava o templo, ao referir-se a si mesmo como Messias, mas tornou-se a "vossa casa". E essa casa em breve haveria de ficar desolada, e isso no sentido mais literal possível. Não obstante, quando Jesus a deixou, ela já estava bastante desolada. Após a ressurreição, Jesus não retornou ao templo, mas foi visto apenas por algumas testemunhas selecionadas. O templo permaneceu abandonado. Israel rejeitou à chamada da ave maternal e gentil, e sentiu o tacão despedaçador e brutal dos exércitos romanos, da *águia romana*.

"Até que venhais a dizer..." Jesus pronunciou aqui uma lata e importantíssima profecia, que se estende para além do tempo em que vivemos, o que indica a energia profética de que Jesus estava possuído. Ele falou de sua vinda futura e acerca dos resultados que isso produziria. Seu tema, neste ponto, é a eventual restauração de Israel; e isso não ocorrerá senão após o afastamento da igreja, o fim das potências gentílicas e o término dos propósitos de Deus entre as nações, e só depois do período da tribulação, tão vividamente descrito no quarto capítulo do livro de Apocalipse até o capítulo dezenove. Então, quando da volta de Cristo, a fim de reinar, Deus restaurará o povo de Israel. Antes disso, Israel, como nação, se terá voltado para Cristo, porquanto terá sofrido agonias inenarráveis, tanto físicas como espirituais, e será ameaçada de total destruição, às mãos das forças gentílicas do mundo. Israel, então, se prostrará de joelhos e reconhecerá a Cristo. Então dirão os judeus: *Bendito o que vem em nome do Senhor!* Esse grito de agonia, no entanto tão prenhe de esperança, haverá de reverberar no céu e na terra, e Deus aceitará a fé e as boas intenções por detrás do mesmo. Assim Cristo virá reinar sobre eles, em paz e esplendor. Paulo nos fala acerca disso, em Romanos 11. Lemos também a mesma coisa em textos como Zacarias 12.10 e Isaías 66.10 (além de muitas outras profecias semelhantes, do AT), os quais descrevem a esperança que Jesus expressou nessa profecia, que é uma das maiores e mais importantes profecias. Nessa ocasião, os seus clamores não serão falsos "hosanas", mas estes serão proferidos em espírito e em verdade, e Deus haverá de honrá-los.

Para terminar nosso comentário quanto a esta seção, e a fim de ilustrar a grande compaixão e misericórdia de Deus, manifestas por meio de seu Cristo, o que é indicado nessa restauração geral de Israel, provemos abaixo uma tradução do grego, em forma de epigrama, extraída da Anthologia lib. 1. Tit. 1 XXXVII, editora Bosch, p. 344. Essa citação ilustra de forma admirável o cuidado da galinha por seus pintinhos, cuidado esse tão intenso, que se tornou proverbial:

Debaixo das asas protetoras a galinha defende
Os seus pintinhos, enquanto a neve desce;

Por todo o dia de inverno ela desafia,
As rajadas frias e os céus inclementes;
Até que vencida pelo frio e pelo gelo,
Fiel ao seu encargo, ela perece afinal!
Ó Fama! ao inferno leva o afeto dessa ave;
Narra-o ali a Progné e a Medeia;
A mães como aquelas que a história revela,
E que elas corem ao ouvirem o relato!

Uma compaixão tão ampla, um amor tão grande, uma afeição tão alta, uma misericórdia tão profunda encontramos em Jesus, que finalmente restaurará o seu povo. Narre-se isso às mães, que são famosas pelo amor que têm a seus pequeninos, e elas corarão de vergonha por causa da pobreza do seu amor.

Capítulo 24

XII. QUINTO GRANDE DISCURSO: TEMPO DO FIM OU O PEQUENO APOCALIPSE (24.1—26.2)

1. A indagação dos discípulos (24.1-3)

A seção de Mateus 241 a 26.2 constitui a *quinta* e *última* grande seção de ensino deste evangelho. O evangelho de Mateus foi escrito abrangendo as cinco grandes seções de ensinos: (1) Caps. 5—7, o Sermão da Montanha; (2) 9.35—11.3, descrição da obra e da conduta dos discípulos especiais; (3) cap. 13, os mistérios do reino dos céus; (4) 18.1—19.2, discurso aos discípulos e problemas comunitários; (5) 24.1—26.2, profecias sobre o fim — o pequeno Apocalipse. Cada uma dessas seções é encerrada por uma observação feita pelo autor, que diz algo como "Tendo Jesus acabado todos estes ensinamentos...", declarações essas encontradas nas seguintes referências de Mateus: 7.18; 11.1; 13.53; 19.1 e 26.1. Dessa maneira, o próprio autor assinala as divisões naturais de seu evangelho. Ele compõe as narrativas históricas em volta dessas seções de ensino; pois Mateus será sempre o evangelho dos ensinos (logoi) de Jesus.

Fontes desta seção de Mateus 24.1—26.2. A maior parte desse discurso (24.1-36) é uma nova redação do poderoso décimo terceiro capítulo do evangelho de Marcos, que aborda principalmente a *famosa profecia* de Jesus sobre a destruição de Jerusalém, mas que também contempla, através dos séculos, até a *parousia*, isto é, o segundo aparecimento ou vinda de Jesus à terra. A fonte originária desta seção é o "protomarcos". Os v. 26-28 deste capítulo são uma inserção do material da fonte informativa "Q". (Ver Lc 17.33-37, quanto ao paralelo). Marcos, em 13.35-37, aborda a questão da necessidade de vigilância, enquanto o evangelho de Mateus refaz esse tema de forma e estilo um tanto diferentes, em Mateus 25.32-51. Os v. 37-51 são extraídos principalmente dos discursos da fonte informativa "Q", que tratam do fim dos séculos; e encontramos paralelos dessas passagens em Lucas 17.26,27,34,35; 12.39,40,42-46. A parábola das dez virgens (Mt 25.1-13) parece ser um eco de Lucas 13.35, e, provavelmente, faz parte do material informativo "Q", e não da fonte "M". Esse discurso conclui com duas parábolas referentes ao julgamento. O texto de Mateus 25.14-30 — a parábola dos talentos — ensina que os crentes (ou quaisquer outros), serão julgados em conformidade com o uso que tiverem feito do que lhes foi dado no terreno espiritual. A outra passagem — Mateus 25.31-46 — fala do julgamento, caracterizado pelas ovelhas e bodes, descrevendo o julgamento das nações, bem como o estabelecimento de princípios gerais concernentes à necessidade de servir à humanidade, reconhecendo que servir à humanidade é, ao mesmo tempo, servir verdadeiramente a Deus. Essas porções do discurso mui provavelmente baseiam-se na fonte informativa "M". Alguns também classificam a parábola das dez virgens como pertencente a essa fonte informativa. (Ver informação sobre as fontes informativas dos Evangelhos no artigo da introdução a este comentário intitulado "O problema sinóptico". A leitura cuidadosa desse artigo introdutório ajudará o leitor a compreender os comentários referentes às fontes informativas dos Evangelhos sinópticos.)

|Mateus| NTI

Propósitos:

1. Quando essas palavras foram proferidas, o seu propósito imediato era *advertir os crentes* de que Jerusalém seria em breve destruída, e que a antiga ordem de autoridades religiosas seria eliminada. Isso faria com que muitos que ainda estivessem presos à tradição da *sinagoga* ficassem desorientados, talvez até mesmo perplexos. No entanto, Jesus queria que soubessem que esse acontecimento era parte necessária do trato de Deus com os homens rebeldes, e isso com um propósito bem definido. Lembrando-se dos avisos que se encontram neste capítulo, os crentes fugiram para Pela, a fim de escapar dos exércitos romanos que avançavam. Seus vizinhos judeus, porém, jamais os perdoaram por causa disso. Todavia, isso também contribui para assegurar o rompimento final entre o cristianismo e o judaísmo, permitindo, mais do que antes, a propagação universal do cristianismo.

2. Jesus falou sobre o seu retorno, embora desejasse que soubessem que *determinadas ocorrências* precederiam esse acontecimento; e que os crentes não deveriam estar ociosos, sentados à espera do desenrolar das coisas. Pelo contrário, ele queria que os seus seguidores soubessem que havia trabalho a ser feito, o evangelho deveria ser levado a todas as nações, potências mundiais haveriam de levantar-se e cair por terra e que esses acontecimentos precisavam ter lugar a fim de preparar este mundo para o governo de Cristo. Muitos crentes primitivos esperavam a volta imediata de Cristo, e, a despeito das profecias que encontramos aqui, muitos esperavam que Cristo interviesse em seguida, a fim de assumir o controle das coisas. Jesus ensinou aos seus discípulos que esperassem a sua vinda, que tornassem vívida essa expectativa; mas suas profecias de tão grande alcance deveriam ensinar-lhes a paciência e um senso mais intenso de como Deus faz desenrolar seus "tempos" e "épocas" (ver At 1.7 e Ef 1.9,10, onde há uma discussão sobre esses termos). Jesus ensinou, igualmente, que haveria um período de apostasia antes da *parousia* (ver Mt 24.10-12).

3. Por semelhante modo, Jesus ensinou a *importância do serviço*, enquanto o crente espera ansiosamente pela intervenção celestial. No meio do serviço cristão, devemos estar prontos para ir ao seu encontro a qualquer instante (Mt 24.43-57); devemos estar totalmente preparados (25.4); devemos desempenhar um serviço mais completo, lançando mão de tudo quanto possuímos (25.14-30), e, em meio a essa atividade, não nos devemos olvidar das obras de misericórdia (25.31-46).

Os discursos que se seguem mostram que Jesus compartilhou, em termos gerais, dos pontos de vista escatológicos de seu tempo, a saber, aqueles que eram pregados no judaísmo. Ele cria que a ordem de coisas deste mundo terminaria, finalmente, numa catástrofe, que seria ultrapassada por uma ordem permanente do governo de Deus, e que esse governo se caracterizaria pela ordem, pela justiça e pela felicidade. Essa posição escatológica é expressa como um estimulante às ações morais e significativas no presente, porquanto Deus está no seu trono, e a esperança tem um alicerce firme. O bom senso, hoje em dia, é suficiente para ensinar aos homens que o mundo realmente está se dirigindo para o desastre, e que esse desastre não pode estar distante. Muitos crentes acreditam que a *nossa geração* verá a culminação dos acontecimentos descritos nessas profecias de condenação. Ao mesmo tempo, porém, são profecias de esperança, pois a alma é imortal e tem sua vida em Deus. Quando Deus governa, a alma se regozija.

Quase todos os intérpretes reconhecem que essas profecias aludem a uma destruição *imediata* de Jerusalém (o que ocorreu em 70 d.C.), mas que também indicam as condições e acontecimentos que precederão a *segunda vinda* de Cristo e o fim da ordem atual de coisas neste mundo. Mateus 24.3 apresenta as perguntas que provocaram essa discussão, e é óbvio que as próprias perguntas não incluem apenas a história de Jerusalém. A tendência da passagem inteira, que não é curta, é contra a ideia da pequena minoria de comentaristas que insiste em que a destruição de Jerusalém é a única coisa aqui indicada.

As divisões distintas são como segue: (1) *A iminente destruição* vindoura de Jerusalém (v. , Lc 21.20-24; esta última passagem muito provavelmente contém a adição de uma aplicação futura). (2) O *caráter geral* dessa época, antes da vinda de Cristo (v. 4-14), embora muitos detalhes também possam ser aplicados às condições imediatamente anteriores à vinda de Cristo, sendo que a passagem é paralela ao texto de Daniel 9.24-27 e à "septuagésima semana" do livro de Daniel. As características desta época serão intensificadas já perto do fim da mesma. Provavelmente, o verso 14 refere-se ao testemunho do remanescente crente, ao tempo da grande tribulação (ver também Ap 14.6,7; 5.9,10). (3) O v. 15 identifica definidamente essas profecias como paralelas a alguns aspectos das predições de Daniel, referindo-se especificamente ao *anticristo* (ver nota detalhada em 2Ts 2.3) e às suas relações com Israel, no fim mesmo da época presente, durante o período da tribulação. (Ver Ap 13.4-7; 2Ts 2.3-8; Dn 9.2; 12.11). A tribulação mais intensa se prolongará por sete anos, e os três últimos anos e meio serão mais intensos do que a primeira metade (ver nota em Ap 7.14). A batalha do Armagedom encerrará esse período de angústia (ver nota em Ap 19.11-16). Isso é parcialmente descrito nos v. 27 e 31.

24.1: Ora, Jesus, tendo saído do templo, ia-se retirando, quando se aproximaram dele os seus discípulos, para lhe mostrarem os edifícios do templo.

24.1 Καὶ ἐξελθὼν ὁ Ἰησοῦς ἀπὸ τοῦ ἱεροῦ ἐπορεύετο, καὶ προσῆλθον οἱ μαθηταὶ αὐτοῦ ἐπιδεῖξαι αὐτῷ τὰς οἰκοδομὰς τοῦ ἱεροῦ·

24.2: Mas ele lhes disse: Não vedes tudo isto? Em verdade vos digo que não se deixará aqui pedra sobre pedra que não seja derribada.

24.2 ὁ δὲ ἀποκριθεὶς εἶπεν αὐτοῖς, Οὐ βλέπετε ταῦτα πάντα; ἀμὴν λέγω ὑμῖν, οὐ μὴ ἀφεθῇ ὧδε λίθος ἐπὶ λίθον ὃς οὐ καταλυθήσεται.λίθον ὃς οὐ καταλυθήσεται.

---

24 2 οὐ μὴ...καταλυθήσεται Lc 19.44

2 Ου Ιº] om D 33 700 al lat syˢ

"[...] do templo..." (paralelo em Mc 13.1,2 e em Lucas 21.5-9). Todos os discursos registrados em Mateus, a partir de 21.23, foram proferidos nos átrios do templo ("*hieron*", o sagrado recinto cercado). Após essa poderosa e amarga denúncia contra os líderes religiosos, mas não apenas contra eles, pois o Senhor também inclui toda a nação de Israel em algumas porções, Jesus deixou o templo. Os ensinamentos do Senhor terminaram ali, e aquele foi um momento trágico. Ele fora forçado a sair da Galileia, as sinagogas se tinham fechado para ele, e agora, na Judeia, ele fora forçado, por várias circunstâncias e oposições, a deixar o templo. Ora, o templo era familiar para Jesus, um belíssimo logradouro (*como um monte coberto de neve*, diz Josefo, *Guerras* V, 5,6), e deve ter sido com grande e profunda tristeza que o Senhor se afastou definitivamente dali. Nos tempos de Jesus, o templo ainda não estava totalmente concluído, mas muitas pedras de mármore polido brilhavam ao sol, enquanto talvez, outras permanecessem ao redor, prontas para serem colocadas em seus respectivos lugares. Algumas daquelas pedras tinham quase doze metros de comprimento. Eram de cor branca-esverdeada e, à distância, pareciam a superfície calma do oceano. A parede frontal do templo era recoberta de chapas de ouro, e lemos que os imensos portais eram quase tão altos como o próprio edifício. O templo era um *memorial* e um *monumento*; mas ali habitavam aqueles que, em realidade, eram homens iníquos. Jesus afastou-se lentamente, em atitude pensativa. Os ensinos espirituais foram negligenciados, a mensagem fora rejeitada, e muitos zombaram dele e o ridicularizaram. É provável que os discípulos tivessem notado a atitude melancólica de Jesus, e pensassem que um passeio pelos terrenos do templo, para ver as construções, o afastaria da atitude melancólica e sombria em que estava mergulhado.

Não puderam, porém, alterar a atitude mental de Jesus, pois nessa ocasião ele teve uma visão — não de um belo templo, mas apenas de um *montão de escombros*. Sua mente ficou também povoada de pensamentos e visões que apenas uma personalidade grandemente desenvolvida poderia ter. Ele viu o futuro distante, quarenta anos mais adiante; ouviu os gritos e os clamores agoniados do povo, os soldados romanos de capacetes, a violência e o derramamento de sangue. Ao falar, reinava ainda a paz, e quem teria imaginado que aquela destruição sobreviria para o templo? Até os próprios pagãos admiravam o templo, e certamente ninguém seria insano o bastante para destruir o templo. Todavia, Jesus proferiu essa profecia e, posteriormente, os seus discípulos a copiaram e a preservaram. Embora o evangelho de Mateus tenha sido escrito mais tarde, depois desses acontecimentos, pelo paralelo no evangelho de Marcos, parece que a profecia foi por este evangelista preservada cerca de vinte anos antes desses acontecimentos. Poucos eruditos duvidam de sua autenticidade. Entretanto, por que alguém haveria de pô-la em dúvida, quando sabemos que muitos profetas, místicos e psíquicos, têm feito algo semelhante, e que esse tipo de fenômeno ocorre até entre homens comuns é fato bem reconhecido nos diversos níveis da sociedade? Por que somente o grande Jesus não poderia prever o futuro? Mediante sua grande intimidade com o Espírito e mediante o desenvolvimento de muitos anos, de sua natureza espiritual, essas experiências eram comuns para ele. Suas profecias, nesta seção, naturalmente incluem acontecimentos em longo prazo, a maioria dos quais são ainda aguardados por nós, e todos os quais podem ocorrer em nossos dias.

Pouco depois da morte e da ressurreição de Jesus, os judeus começaram a intensificar a sua luta contra o domínio romano; os nacionalistas radicais iam sendo guindados ao poder. Talvez a própria crucificação de Jesus tenha desempenhado influência nesse particular, pois o povo nutriria a esperança de que ele seria a resposta que viria libertá-los dos odiados dominadores romanos. Jesus, porém, morreu como inimigo do Estado, e os próprios judeus forçaram essa execução. Os judeus queriam esmagar seus senhores romanos, mas, como não puderam fazê-lo, em frustração, esmagaram a Jesus, porque isso eles puderam fazer. Muitos foram atraídos para a causa nacionalista, e a nação inteira lembrava-se de como os macabeus haviam expulsado os dominadores estrangeiros, crendo que essa família representava a casa de Deus. Todavia, Deus abandonara o próprio templo, quando o Messias foi expulso dali. Por isso mesmo, quando os romanos compreenderam que só a força armada poderia restaurar a ordem na Palestina, em cerca de 66 d.C., teve início o conflito armado. Após um longo assédio, a cidade de Jerusalém foi capturada e completamente destruída, e o sangue corria pelas ruas a ponto de os cavalos não se poderem firmar de pé.

Os sacerdotes e muitos outros haviam fugido para o templo, imaginando que certamente Deus pouparia o templo; mas isso não aconteceu, porquanto Deus não estava presente; assim, o templo foi destruído, e muitos dos que ali se abrigavam foram crucificados. Antes do cerco final do templo, grande número de judeus foi crucificado, durante muitos dias consecutivos, à vista mesma daqueles que continuavam lutando. E que espetáculos horrendos devem ter eles contemplado naqueles dias! Tantos foram crucificados, que a madeira se tornou escassa. Tito, general romano que depois se tornou imperador (era filho do imperador *Vespasiano*), queria poupar o templo e baixava ordens para que o mesmo não fosse destruído. Contudo, eis que as profecias teriam de cumprir-se, e as ordens de Tito foram ignoradas pelas enraivecidas tropas romanas. Tito era geralmente reputado como homem generoso e cheio de bondade para com o seu povo (ele foi chamado de *deliciae humani generis*), pelo que se acredita que as condições escaparam

momentaneamente ao seu controle. Três torres apenas ficaram de pé, e uma delas ainda permanece, chamada *Fasael*, tendo sido incorporada à "torre de Davi".

Por causa de sua vitória sobre Israel e do modo com que tratou esse problema, ao retornar a Roma, Tito foi recebido triunfalmente (um cortejo que celebrava a volta de um general vitorioso e de seu exército, uma espécie de boas-vindas aos heróis). O feito foi comemorado pela edificação do Arco de Tito, que até hoje continua de pé. Sete anos após ter capturado Jerusalém, Tito substituiu seu pai no trono do Império Romano. Foi durante o primeiro ano de seu reinado que o monte Vesúvio entrou em erupção, destruindo as cidades de Pompeia e Herculano. Diz-se que Drusila pereceu nessa catástrofe.

Adriano, imperador romano em 132 d.C., também teve de abafar *outra revolta* dos judeus, e dessa vez a repressão foi ainda mais destrutiva do que a primeira, porquanto não só Jerusalém mas todo o Israel foi arrasado, de forma que nenhuma sinagoga do primeiro século tem sido identificada pela arqueologia, tão completa foi a destruição. Adriano reedificou a cidade, mas em proporções muito menores. Foi então dedicada a Júpiter Capitolino; e, dessa vez, todos os judeus foram expulsos da cidade, não podendo nem mesmo entrar na sua área ao redor. A nova cidade foi denominada *Aelia* Capitolina, nome esse derivado de um imperador e de um deus romanos. Não foi senão já durante o reinado de Constantino, o primeiro imperador cristão, que os judeus tiveram permissão de entrar na cidade. Verdadeiramente a casa dos judeus fora deixada desolada!

O imperador *Constantino* (272-337 d.C.) fez de Jerusalém um santuário cristão, e restaurou seu nome antigo. Sua mãe, Helena, assinalou muitos dos supostos sítios do ministério de Jesus, com vários templos e monumentos. A chamada igreja do Santo Sepulcro foi erigida para marcar o local do túmulo de Cristo, mas sem dúvida a identificação do lugar estava equivocada, como também muitos outros lugares assinalados por Helena.

Aqueles que visitaram Jerusalém, após ter sido destruída pelas tropas de Tito, quase não podiam crer que a cidade algum dia tivesse sido habitada. O templo passou por uma destruição tão completa, que lemos que até os alicerces foram arrancados. Contudo, o templo já se vinha tornando uma *ruína espiritual* por muitos, muitos anos.

24.3: E estando ele sentado no Monte das Oliveiras, chegaram-se a ele os seus discípulos em particular, dizendo: Declara-nos quando serão essas coisas, e que sinal haverá da tua vinda e do fim do mundo.

24.3 Καθημένου δὲ αὐτοῦ ἐπὶ τοῦ ῎Ορους τῶν ᾽Ελαιῶν προσῆλθον αὐτῷ οἱ μαθηταὶ κατ᾽ ἰδίαν λέγοντες, Εἰπὲ ἡμῖν[a] πότε ταῦτα ἔσται,[a] καὶ τί τὸ σημεῖον τῆς σῆς παρουσίας καὶ συντελείας τοῦ αἰῶνος.[a]

3 τί...παρουσίας Mt 24.27,37,39 συντελείας τοῦ αἰῶνος Mt 13.39,40,49; 28.20

3 (εσται.] ; ς R)

"No Monte das Oliveiras". O monte das Oliveiras é uma pequena elevação com quatro cumes, o mais alto dos quais está situado a 830 metros de altura, e domina Jerusalém e o monte do templo do oriente, do outro lado do vale do Cedrom e do poço de Siloé. Nos dias de Jesus, esse monte era densamente recoberto por bosques, e rico em oliveiras; razão por que lhe emprestou o nome. Durante o assédio de Tito, perdeu inteiramente a sua vegetação. Hoje há um templo cristão localizado em suas bases, para indicar o lugar onde Jesus andou; mas não há certeza sobre a localização exata em nenhuma narrativa dos Evangelhos de que ali se tenha desenrolado. O AT menciona também o lugar (2Sm 15.30; Ne 8.15; Ez 11.23; 1Rs 11.7; 2Rs 23.13). Em um ou mais de seus cumes, praticava-se a idolatria, nos tempos de Salomão, como também em outras ocasiões históricas; e é provável que isso é que tenha feito

630 |Mateus| NTI

com que um de seus cumes fosse intitulado *"monte do Escândalo"*. Uma profecia que se refere ao futuro estabelecimento do reino de Cristo sobre a terra indica que esse monte se dividirá em duas partes, por ocasião da *parousia*.

"Quando sucederão estas coisas..." A predição de Jesus acerca da destruição de Jerusalém levou os discípulos a fazerem muitas perguntas escatológicas. A expressão "estas coisas" é, provavelmente, uma alusão ao julgamento descrito imediatamente antes, e que sobreveio a Jerusalém no ano 70 d.C. Não há dúvida de que "tua vinda" é referência à segunda vinda de Cristo, a *parousia*, que, quando o evangelho de Mateus foi escrito, tornara-se um termo técnico para esse acontecimento. A comparação com o texto de Marcos 13.4 mostra que, ao tempo de Marcos, a discussão escatológica não se desenvolvera tão completamente, e ali não encontramos nenhuma menção direta à segunda vinda de Cristo. Não obstante, o texto que segue inclui essa ideia, mesmo que nenhum termo técnico se tenha desenvolvido a fim de designá-la. (Mc 13.24-27 descreve claramente esse evento.)

Coisas como essas — as diferenças na apresentação do material — e o fato de que, conforme é próprio ao evangelho de Mateus, várias fontes informativas tenham sido consultadas, mostram que muitas elaborações foram feitas por Mateus, baseadas em diversas fontes informativas, em acréscimo à narração mais antiga de Marcos. Vemos que, neste discurso, existem essencialmente três fontes informativas básicas, entrelaçadas entre si. Encontramos o chamado pequeno Apocalipse, que foi escrito na metade do primeiro século, e que foi usado tanto por Marcos como por Paulo (ver Mc13, 1Ts 4.3 e 2Ts 2.) Em segundo lugar, encontramos adições e adaptações feitas pelo autor deste evangelho, as quais, em alguns casos, podem ser comentários editoriais, mas que, noutros casos, podem ter sido baseadas na fonte informativa "M". Em seguida, temos a citação direta de várias declarações de Jesus, feitas em ocasiões diferentes.

Alguns expositores reconhecem os *vários* problemas aqui apresentados e alguns acreditam que esta seção seja uma das mais difíceis, especialmente do ponto de vista das fontes informativas. Quanto a uma discussão mais pormenorizada sobre isso, ver o material introdutório ao cap. vigésimo quarto. Entretanto, poderíamos observar que não há razão para acreditarmos que esta seção, incluindo as suas profecias, não tenha por base as declarações de Jesus. O autor do evangelho de Mateus reuniu em um bloco só as declarações desses ensinos, tal como fizera no caso do sermão do Monte, que expõe os ensinos éticos essenciais de Jesus. É impossível pensarmos que os cinco discursos do evangelho de Mateus foram os únicos que ele pregou, e que esses cinco discursos foram apresentados apenas em cinco ocasiões e em cinco localizações geográficas apenas. É evidente que Jesus pregou muitos sermões em muitos lugares, e que estes *cinco discursos* são compilações de muitos discursos feitos por Jesus, proferidos em diversas oportunidades. Poderíamos dizer que temos aqui o "Jesus essencial", no tocante às questões escatológicas. É muito provável, também, que os vários autores tenham incluído algum material editorial, como interpretação ou explanação. Além disso, devemos observar que as profecias essenciais desta seção são aquelas que já haviam sido dadas em diversas passagens do AT, até mesmo aquelas relacionadas à vinda do Filho do homem, do Messias, do rei de Deus.

O paralelo de Marcos representa os quatro discípulos — Pedro, Tiago, João e André — como questionadores, enquanto que este evangelho e o de Lucas dizem apenas "os discípulos". A expressão "consumação do século" era familiar e muito em voga ao tempo de Jesus, e os rabinos a usavam para referir-se à época então corrente, antes do estabelecimento do reino do Messias. Após a morte e ressurreição de Jesus e a destruição de Jerusalém, os cristãos começaram a usar esse termo a fim de indicar a era imediatamente anterior à *parousia*, ou segunda vinda de Cristo. Nesse sentido, o tempo em que vivemos seria chamado de "o século", termo esse que

não seria, necessariamente, uma referência aos últimos dias de nossa era, embora aqui Jesus tivesse falado particularmente dos últimos dias da época presente. O termo "últimos dias" refere-se à era ou tempo que precede à vinda do Messias, e não necessariamente à última porção desse período ou ao tempo que precederá imediatamente o fim desta dispensação, conforme a conhecemos.

2. Sinais preliminares do fim (24.4-8)

24.4: Respondeu-lhes Jesus: Acautelai-vos, que ninguém vos engane.

24.4 καὶ ἀποκριθεὶς ὁ ᾽Ιησοῦς εἶπεν αὐτοῖς, Βλέπετε μή τις ὑμᾶς πλανήσῃ·

24.5: Porque muitos virão em meu nome, dizendo: Eu sou o Cristo; e a muitos enganarão.

24.5 πολλοὶ γὰρ ἐλεύσονται ἐπὶ τῷ ὀνόματί μου λέγοντες, ᾽Εγώ εἰμι ὁ Χριστός, καὶ πολλοὺς πλανήσουσιν.

<hr>

5 Mt 24.11,23,24; Jo 5.43; 1Jo 2.18

Primeiro sinal: Falsos Cristos

A começar daqui, e até o v. 31 deste capítulo, temos apresentado essencialmente os sinais que deverão caracterizar este "século" antes da *parousia* ou segunda vinda de Cristo; e a ideia é que esses sinais se intensificarão no fim, ao aproximar-se a sua conclusão, de forma que aquilo que tem sido verdade no decorrer da história inteira, ainda se tornará mais patente quando do fim da atual dispensação. Jesus falou primeiramente sobre os distúrbios religiosos, sobre o levantamento de falsos profetas, e sobre a corrupção de praticamente toda a cristandade. Essa advertência parece ter sete aspectos: Primeiro vários messias *fingidos*, que ensinarão doutrinas subversivas. Segundo, haverá aqueles que afirmarão ser o Cristo, até mesmo o Cristo que voltou do céu. O grande cumprimento dessa profecia se verificará na pessoa do anticristo, que surgirá em cena pouco antes da volta real de Cristo. (Ver nota detalhada sobre esse personagem, em 2Ts 2.3.) A observação adicional de Lucas 21.8 — *Chegou a hora!* — é um reflexo da necessidade da igreja de manter-se na expectativa do fim, em seu tempo, de estar sempre pronta e vigilante, sabendo que os homens não sabem quando será o fim, mas devem estar sempre prontos para a consumação da época e para a volta de Cristo. Jesus ensinou sua Igreja a preparar-se, e a breve consumação desta época e o estabelecimento do reino será uma esperança eterna da Igreja, até que esse evento tenha lugar. Essa expectação contínua deverá agir como elemento purificador, além de servir de encorajamento para a vida diária, sabendo-se que Deus continua reinando, que a vitória está assegurada para sempre, e que Deus está interessado em nossa vida. Jesus advertiu-nos contra a aceitação fácil dos *cristos*, porque as condições agitadas da época levarão muitos a desejar uma base palpável para sua fé e para sua vida. Um homem como Simão, o Mago, por exemplo, muito atraía o povo, que ansiava pela estabilidade e por um toque do sobrenatural. (Ver At 8.9-11.) Três desses falsos cristos são mencionados no livro de Atos: Teudas (5.36), Judas da Galileia (5.37) e *o egípcio* (21.28). Buttrick (*in loc.*), observa: *O hitlerismo* dos tempos modernos foi um tipo de messianismo pervertido. Outrossim, Jesus advertiu que os falsos cristos não são o sinal de tudo, antes, são apenas o começo dos sofrimentos (v. 8). A história nos diz, especialmente Josefo, que houve outros. O profeta egípcio aqui mencionado conduziu 30 mil homens (4 mil dos quais eram assassinos e homens violentos) ao deserto, prometendo-lhes liberdade, diversos sinais da parte de Deus e o fim do domínio romano. Félix, evidentemente, matou a maioria desses homens, e assim ficou patente que aquele cristo era falso. Josefo escreve que muitos apareceram afirmando ter recebido revelações divinas e orientação dos céus, fazendo toda sorte de declarações bombásticas. Simão, o Mago, persuadiu os habitantes de Samaria a que acreditassem ser ele o grande poder de Deus, e, evidentemente, vangloriava-se, entre os judeus, de ser o filho de Deus. (Ver At 8.9,10.) Outro homem, Dositeu, um samaritano, apresentou-se como o Messias prometido por Moisés. Cerca de doze anos depois da crucificação de Jesus, durante o governo de Cuspius Fadus, levantou-se Teudas, que já foi mencionado, o qual persuadiu a muitos de que era um profeta. John Gill assevera que esse Teudas não é o mesmo mencionado em Atos 5.36, mas que é um personagem anterior. Ele persuadiu uma grande multidão a segui-lo até a beira do rio Jordão, declarando que haveria de dividi-lo, conforme sucedera na história antiga. Esse movimento, porém, terminou desastrosamente, e Teudas foi decapitado. Josefo nos diz (*Ant*. b. XX.c 4 e 7) que poucos anos depois disso, ao tempo do reinado de Nero, enquanto Félix era procurador da Judeia, que se tornaram tão numerosos os impostores de natureza religiosa, que algum deles era morto quase todos os dias.

24.6: E ouvireis falar de guerras e rumores de guerras; olhai não vos perturbeis; porque forçoso é que assim aconteça; mas ainda não é o fim.

24.6 μελλήσετε δὲ ἀκούειν πολέμους καὶ ἀκοὰς πολέμων· ὁρᾶτε, μὴ θροεῖθε· δεῖ γὰρ γενέσθαι¹, ἀλλ' οὔπω ἐστὶν τὸ τέλος.

¹ 6 {B} γενέσθαι (ver Mc 13.7) ℵ B D L Θ *f* 33 892 itᵈ copˢᵃ·ᵇᵒ ethʳᵒ,ᵖᵖ Origenˡᵃᵗ Cyprian Eusebius Ps-Athanasius // πάντα γενέσθαι C K W Δ Π 0138 *f*³ 28 700 1009 1010 1071 1079 1195 1230 1242 1253 1344 1365 1546 1646 2148 2174 *Byz Lect* Chrysostom // ταῦτα γενέσθαι (ver Lc 21.9) 565 *l*⁴⁷,²¹¹ (itᵃ,ᵇ γενέσθαι ταῦτα) itᵃᵘʳ,ᶜ,ᵉ,ff²,g¹,h,l,q,rˡ vg ethᵐˢ geoᴮ Diatessaronᵃ Cyprian // ταῦτα πάντα Θ Σ 1170 // πάντα ταῦτα γενέσθαι 1216 1241 syrᵖ,ʰ,ᵖᵃˡ // ταῦτα πάντα γενέσθαι 544 *l*⁸⁸³,⁹⁵⁰ itᶠ (arm γενέσθαι ταῦτα πάντα) geoˡ·ᴬ

A mais breve forma é apoiada por grande variedade de testemunhos antigos. É provável que copistas tivessem expandido a afirmativa adicionando expressões naturais como "*todas as coisas terão lugar*" ou "*todas estas coisas deverão ter lugar*". Se qualquer dessas formas fosse original, não haveria boa razão que explicasse o fato de terem sido apagadas.

Segundo sinal: Guerras e rumores de guerras

O autor deste evangelho mostra que, por mais horrível que fosse a destruição de Jerusalém, isso não assinalaria o fim do século, conforme alguns pensavam que aconteceria. Haveria ainda muitas outras guerras, muitos rumores e narrativas sobre guerras. O termo *fim*, aqui mencionado, significa o "fim" da presente dispensação, antes do reaparecimento de Jesus, o Messias. E a palavra "fim", no versículo, em realidade marca a nova era de justiça e da retidão universais, conforme encontramos em Daniel 12.4. Em 2Tessalonicenses 2.1,2, Paulo adverte similarmente aos crentes de Tessalônica que o dia do Senhor ainda não chegara, e que ainda não seria para breve. Meyer diz (*in loc.*): "Guerras nas vizinhanças, onde podemos ouvir o ruído e a confusão pessoalmente; e guerras à distância, cujos rumores apenas podem ser ouvidos". De Wette diz: "Rumores de guerras, isto é, guerras futuras em expectativa". Do ponto de vista histórico, Alford salienta as três ameaças de guerra contra os judeus, por parte de Calígula, Cláudio e Nero (Josefo, *Antiq*. XIX, 1,2).

Essas condições não nos devem assustar. O verbo *throeo*, aqui empregado no original, significa "clamar em voz alta, gritar"; e, na voz passiva, ele é usado para indicar as condições de ser aterrorizado mediante um clamor. O apóstolo Paulo usou esse mesmo verbo em 2Tessalonicenses 2.2, acerca de irrompimentos de temor por causa de falsas notícias, que ele predisse haveriam de manifestar-se pouco antes da segunda vinda de Cristo. O curso da história da humanidade requer manifestações e rumores de violência, porque a natureza humana permanece inalterada enquanto não é modificada por Deus na pessoa de seu Cristo; e essa modificação universal não está planejada para ocorrer por enquanto. Muitas das guerras e muitos dos rumores de guerra

haveriam de ser ocasionados pela atividade política de extremistas, e Jesus sabia que Israel se dirigia para muitas perturbações, por causa desses extremistas, ainda que destituídos de qualquer dom profético.

24.7: Porquanto se levantará nação contra nação, e reino contra reino; e haverá fomes e terremotos em vários lugares.

24.7 ἐγερθήσεται γὰρ ἔθνος ἐπὶ ἔθνος καὶ βασιλεία ἐπὶ βασιλείαν, καὶ ἔσονται λιμοὶ καὶ σεισμοὶ κατὰ τόπους·

7 ἔθνος ἐπὶ επθνος 2Cr 15.6   βασιλεία ἐπὶ βασιλείαν Is 19.2
7 λιμοι ℵBD *pc* it syˢ sa; R] *add p*) και λοιμοι Θ *f*₁ *f*₁3 *pm* ς: *praem* λοιμοι και W 33 lat

"[...] se levantará nação contra nação..." O título da obra de Josefo — *Guerras dos Judeus* — é muito sugestivo acerca dos diversos tumultos que assinalaram esse tempo. Essa profecia fala tanto da matança mútua, no seio da nação de Israel, como de seus conflitos com outras nações. Em Cesareia, surgiu uma disputa entre judeus e sírios, concernente ao governo da cidade, o que terminou com a expulsão dos judeus como um todo, e vinte mil deles morreram nesse processo. Isso exasperou a nação inteira da Judeia, e eles invadiram vilas sírias circunvizinhas, e incendiaram, pilharam e assassinaram muitos. Os sírios, em revide, mataram um número ainda maior de judeus. Em Citópolis, assassinaram nada menos de 13 mil; em Ascalom, cerca de 2.500; em Ptoleimada, cerca de 2 mil; e muitos outros foram feitos prisioneiros. Os sírios também mataram muitos judeus e aprisionaram muitos outros; e os habitantes de Gadara fizeram a mesma coisa. Em Alexandria, os judeus e os gentios puseram-se a lutar, e mais de 50 mil judeus foram mortos. Damasco conspirou contra a população judaica e foram abatidas 10 mil pessoas desarmadas.

Além desses desastres, lê-se acerca de violências, matanças, pilhagens e aprisionamentos até à saciedade. Os anais de *Tácito* mostram-nos como o mundo romano também ficou convulsionado, antes da destruição de Jerusalém, por candidatos rivais ao trono do império. Houve conflitos entre Oto e Vitélio e Vespasiano. Os escribas dos rabinos antigos contêm muitas observações como aquela que citamos aqui: "No tempo do Messias, multiplicar-se-ão guerras por todo o mundo; nação se levantará contra nação, e cidade contra cidade" (*Sohar Kadash*). E igualmente: "Novamente disse o rabino Eleazar, filho de Albina: Quando virdes reino erguer-se contra reino, então esperai o aparecimento imediato do Messias" (*Bereshith Rabba*, seção 42).

Terceiro sinal: Fomes

Houve uma fonte predita pelo profeta *Ágabo* (ver At 11.28) e isso é mencionado pelos historiadores Suetônio, Tácito e Eusébio. Ocorreu nos dias do imperador Cláudio César e foi tão severa em Jerusalém, que muitos morreram de inanição, por falta absoluta de alimentos. (Ver Josefo, *Antiq.* liv. XX. c.2.) A fome e as pestes são as companheiras usuais das guerras. Essa fome também se fez sentir em Roma, e provavelmente também no Egito e no resto da África romana. Houve também fome na Judeia, ao tempo do imperador Cláudio. Como também o disse Tácito (*Anais*, XVI.13), em Roma, em 65 d.C., Suetônio (*Nero* 39) relata que uma peste varreu a cidade de Roma, e que numa única estação de outono morreram 30 mil pessoas.

"E pestilências", texto encontrado nos mss CE(2) FGHKMSUV, Delta, Fam Pi, seguidos pelas traduções KJ, AC, F e M, e omitido pelos mss Aleph, BDE(1) e também pela maioria das versões siríacas e latinas. (Ver a lista de abreviações, onde se explica o sentido das letras que representam diversas traduções modernas, incluindo cinco traduções ou versões em português.) Essa omissão certamente representa o evangelho original de Mateus, embora, como fato real da história, tenha havido realmente muitas pestilências, companheiras eternas da guerra e do desassossego.

Quatro sinal: Terremotos

Certo número de terremotos ficou registrado nos anais referentes aos anos seguintes. Houve um grande terremoto em Creta, em 46 ou 47 d.C. (*Philostr. Vita Apollonii* IV.34). Em Roma, houve outro terremoto, no dia em que Nero assumiu a toga virilis, em 51 d.C. (*Zonaras XI.* 10, p. 565). Houve outro terremoto em Apamea, na Frígia, mencionado por Tácito (anais XII.58), enquanto esse mesmo historiador menciona diversos outros terremotos em Campanha e em Laodiceia. Um severo terremoto sacudiu Jerusalém, em cerca de 67 d.C., que ficou registrado por Josefo (*Guerras*, IV. 4,5).

24.8: Mas todas essas coisas são o princípio das dores.
24.8 πάντα δὲ ταῦτα ἀρχὴ ὠδίνων.

8 ὠδίνων] ὀδυνῶν D° *1093* latt

"[...] tudo isto é o princípio das dores...". Antes disso, Lucas acrescenta outros sinais à lista de sinais — "[...] grandes sinais no céu..." (Lc 21.11). Esse seria o quinto sinal.

Adam Clarke enumera algumas ocorrências assim, que envolveram estranhos acontecimentos no firmamento, como cometas e luzes estranhas, manifestações de luzes no templo, como a grande luz que brilhou ao redor do altar e do templo pelo espaço de meia hora. Uma das mais interessantes manifestações foi aquela que ocorreu quando da festa de Pentecostes, quando os sacerdotes entravam no templo, à noite, a fim de se ocuparem de seus serviços. Primeiramente, ouviram um movimento e um ruído, e então houve uma voz, como se uma multidão dissesse: "Vamos partir daqui!" Isso foi interpretado como sinal de que o *desastre* era *iminente*, e que o Senhor abandonara o seu templo. Outra história é a de certo "Jesus" que, apenas quatro anos antes dessa destruição, saiu pela cidade clamando: "Uma voz do oriente! uma voz do ocidente! uma voz dos quatro ventos! uma voz contra Jerusalém e contra o templo! uma voz contra os noivos e contra as noivas! uma voz contra todo o povo!" Ele foi reprimido pelas autoridades, e até mesmo torturado; porém, continuava clamando: *Ai, ai de Jerusalém!* Deu prosseguimento a essas advertências pelo espaço de alguns anos, e também saía pelos muros, clamando em alta voz: "Ai, ai da cidade, do povo e do templo!" Essas ocorrências foram registradas por Josefo (juntamente com outros escritores que não são mencionados aqui) no prefácio de sua obra, *Guerras dos Judeus*. Josefo acrescenta o depoimento de algumas testemunhas. Não podemos saber exatamente quantas advertências psíquicas autênticas se realizaram. É verdade que grandes e trágicos acontecimentos lançam à sua frente longas sombras, e até mesmo pessoas comuns às vezes recebem visões fugazes de acontecimentos futuros. A ciência da parapsicologia tem demonstrado que a predição do futuro é uma possibilidade para as capacidades mentais do homem; e a história mostra que isso tem ocorrido por muitas vezes. Ainda não compreendemos esses poderes misteriosos, mas são perfeitamente reais. Alguns os veem como imagens visuais, outros como impressões auditivas. Algumas manifestações são individuais (ouvidas ou vistas apenas por uma pessoa); outras são coletivas. A pesquisa moderna sobre essas questões demonstra claramente a realidade desses fenômenos, e é provável que Jerusalém tivesse muitos profetas que anunciavam sua condenação, antes de haver sido a sua destruição consumada por Roma.

Todas essas coisas, porém, foram tão-somente o *princípio das dores*. A palavra "dores" significa *dores de parto*, e os próprios judeus a usavam para descrever os tempos atribulados que acompanhariam a aproximação do advento do Messias. (Livro dos Jubileus 23.18; Apocalipse de Baruque 27-29.) O vocábulo também é usado para indicar as dores da morte, em Salmos 18.5 e Atos 2.24. Essas dores indicam apenas que as condições sociais pioram, que os horrores se multiplicam, que a humanidade atravessa períodos de aprendizado, antes de aprender as lições da paz, da conversão, da inquirição espiritual, de conhecer a Cristo e de ser transformado à sua imagem. É verdade que o novo mundo é um nascimento, tal como o fim do mundo antigo é uma morte. Isso não pode suceder sem nascimento e sem dores de parto. Esses *ais* físicos são apenas uma previsão dos grandes "ais" morais e espirituais, a saber, a matança de homens bons e justos, a matança dos crentes (ver os v. 9 e 10).

Embora elas sejam horríveis, com essas palavras, Jesus de fato fez soar uma nota de esperança. Buttrick diz (*in loc.*): "Nota-se a persistência da esperança humana. Por que todos os marinheiros se lançam ao mar com tanto afã, embora cada navio termine no fundo do oceano e embora todo marinheiro finalmente tenha de morrer? Por que os poetas escrevem e os artistas pintam, quando sabem que todo livro e tela terminarão mofados no pó? Por que permanece a esperança humana? Emerson disse que o homem 'é como um navio em um rio; ele avança contra obstruções por todo lado, menos por um lado; e, nesse lado, não existem obstruções e o barco navega serenamente adiante, até chegar ao oceano infinito' (Ensaio sobre *Leis Espirituais*). Por conseguinte, estes versículos lançam vista para além das convulsões e chegam até o ato remidor de Deus. 'Porquanto isso terá de acontecer'. Suas mãos continuam no leme e além da tempestade está o porto seguro. Por isso, o apelo é lançado, não para que nos entreguemos à histeria ou à curiosidade mórbida, mas para que sejamos fiéis a Cristo".

3. Perseguição e apostasia (24.9-14)

24.9: Então sereis entregues à tortura, e vos matarão; e sereis odiados de todas as nações por causa do meu nome.
24.9 τότε παραδώσουσιν ὑμᾶς εἰς θλῖψιν καὶ ἀποκτενοῦσιν ὑμᾶς, καὶ ἔσεσθε μισούμενοι ὑπὸ πάντων τῶν ἐθνῶν διὰ τὸ ὄνομά μου.

9 παραδώσουσιν...θλῖψιν Mt 10.17,23   ἀποκτενοῦσιν Jo 16.2   ἔσεσθε...μου Mt 10.22; Jo 15.18

Quinto sinal: Perseguição.

Evidentemente, temos aqui uma espécie de *sumário*, extraído de Marcos 13.9-13, mas que é abordado com mais amplitude em Mateus 10.17-21. Neste ponto, a comunidade cristã certamente está em foco, e isso serve para provar que as profecias de Jesus visavam a muito além da destruição de Jerusalém, chegando mesmo a contemplar a evangelização do mundo por parte dos missionários cristãos. Ao tempo em que foi escrito o evangelho de Mateus, muitas perseguições já estavam ocorrendo. Tiago fora morto, e Pedro e os demais apóstolos haviam sido forçados a fugir de Jerusalém. Os cristãos eram odiados por toda parte e morriam às mãos, tanto dos judeus como dos romanos. Tácito (*Anais* xi. 44) refere-se aos cristãos como "classe odiada por causa de suas abominações", com o que certamente tinha em vista os novos conceitos que o cristianismo trouxe ao mundo. Hoje em dia, o nome "cristão" não é termo de repreensão e opróbrio; mas antigamente assim acontecia e aqueles que eram chamados "cristãos" sofriam por causa desse *nome*.

A expressão "de todas as nações" não se encontra em Marcos, que representa a maneira mais primitiva do registro do discurso de Jesus; mas é uma expansão natural da ideia e que Jesus expressou por mais de uma vez. A *universalidade* da mensagem cristã fica aqui subentendida, ainda que se faça oposição a ela por toda a parte. Lemos que Nero assassinou a muitos cristãos por métodos desumanos, vestindo-os em peles de animais e lançando feras contra eles. Fez isso com frequência, nos jardins do próprio palácio, para diversão sua e de seus amigos. Muitos cristãos foram forçados a combater contra animais ferozes, e outros foram crucificados. Outros imperadores seguiram o seu exemplo e as grandes perseguições contra os cristãos se estenderam até o tempo de Constantino (300 d.C.). A igreja sofreu durante quase duzentos anos as mais severas desumanidades. (Neste ponto, ver Mc 9—12, que dá diversos outros detalhes das perseguições que os crentes terão de sofrer. O texto de Mt 10.16-23 é também paralelo a essa passagem e é anotado plenamente nessa seção.)

Perseguições do anticristo: Este personagem promoverá a maior perseguição religiosa de todos os tempos.

24.10: Nesse tempo muitos hão de se escandalizar, e trair-se uns aos outros, e mutuamente se odiarão.

24.10 καὶ τότε σκανδαλισθήσονται πολλοὶ καὶ αλλήλους παραδώσουσιν καὶ μισήσουσιν ἀλλήλους·

10 σκανδαλισθήσονται πολλοί Dn 11.41

"[...] muitos hão de se escandalizar...". Em tempos de perseguição, surgem também as tensões entre os "cristãos", e também a queda da fé ou *apostasia*, que provoca as perseguições. Apesar de essa profecia visar principalmente a acontecimentos ligados de perto com a morte de Jesus (perseguição, tanto às mãos dos judeus como às mãos dos romanos), e que se prolongaram até os dias de Constantino (300 d.C.), contudo, prolonga-se também até os nossos dias, indicando que a apostasia também brotará, com virulência toda particular, no fim do tempo, pouco antes da segunda vinda de Cristo. No texto de 2Tessalonicenses 2.3, o apóstolo Paulo ensina isso, e a epístola aos Hebreus foi escrita com o propósito específico de advertir contra essas condições. O livro de Apocalipse fala daqueles que "abandonaram o amor que tinham a princípio" (ver Ap 2.4; 3.1-5; 3.15-17).

A expressão "odiar uns aos outros" sugere a existência de *cismas* na Igreja, e essas divisões são claramente aludidas em Efésios 4.14, em 1João 2.18-22, como também nas epístolas pastorais e nas epístolas de Inácio, juntamente com diversas das obras apócrifas, como o Pastor de Hermas e a Ascensão de Isaías. O *Didache* (cap. 11) fornece instruções para o teste verificador dos profetas. Tácito (*Anais 1*. XV) ilustra as condições que prevaleceram debaixo da perseguição movida por Nero: "A princípio, diversos foram aprisionados, os quais confessaram; e então, por sua delação (isto é, com a ajuda desses, foram descobertos outros), uma grande multidão de outros foi acusada e executada". As perseguições provocaram traições e apostasias. Não obstante, as perseguições separaram a palha do trigo, purificaram o ouro e a prata, poliram as joias, fortaleceram a fraternidade, aprofundaram a fé, avivaram a esperança, asseguraram a fidelidade a Cristo, e fizeram propagar ainda mais, por toda parte, a mensagem do cristianismo. Foram lucros e vantagens inesperados das perseguições contra os cristãos.

24.11: Igualmente hão de surgir muitos falsos profetas, e enganarão a muitos;

24.11 καὶ πολλοὶ ψευδοπροφῆται ἐγερθήσονται καὶ πλανήσουσιν πολλούς·

11 Mt 24.5,24

"Levantar-se-ão muitos falsos profetas..." Ver o v. 5 e a exposição ali feita. A diferença entre aqueles descritos no v. quinto e os que são mencionados aqui é que os primeiros são essencialmente uma espécie de falsos messias, ou pelo menos que se fazem líderes de movimentos do tipo messiânico, frequentemente com ligações políticas. A maioria daqueles mencionados neste versículo, os *falsos profetas*, tem se levantado no seio da própria igreja. Alguns deles têm sido *antinomianos*, isto é, são libertinos que exageram as declarações do apóstolo Paulo de que o crente está livre da lei de Moisés. Muitos dos *gnósticos* pertenciam a essa classe, dizendo que o corpo não tem importância, por ser ele o guardião do mal, e que a morte do corpo é a única coisa capaz de livrar a alma, para que ela, então, siga para a inocência completa. Os que se guiavam por essas ideias pouco se importavam como tratavam o corpo ou quantos pecados de natureza carnal eram praticados, sem nenhum escrúpulo de consciência. Alguns desses homens tornaram-se líderes nas igrejas. Foi desses tipos que Paulo falou quando escreveu: "Pois entre estes se encontram os que penetram sorrateiramente nas casas e conseguem cativar mulherinhas sobrecarregadas de pecados, conduzidas de várias paixões" (2Tm 3.6). O ponto principal em foco não é tanto a atitude libertina, mas o fato de que, nas igrejas, havia mestres que ensinavam que não há mal nenhum nessas coisas, porque envolvem apenas o corpo, que não têm importância nenhuma para a natureza moral do homem. Acerca desses mestres disse também o apóstolo: "Tendo forma de piedade, negando-lhe, entretanto, o poder. Foge também destes" (2Tm 3.5).

Além disso, e por outro lado, havia também os gnósticos e outros de ação contrária, que enfatizavam o *ascetismo*, isto é, que maltratavam o próprio corpo e que se deixavam orientar por uma interminável lista de proibições contra uma multidão de coisas, seguindo um tanto a atitude dos fariseus. Havia aqueles que diziam: "Não manuseies isto, não proves aquilo, não toques aquiloutro" (Cl 2.21). Tinham regras quanto ao uso dos alimentos, observavam dias especiais, mostravam-se contrários ao casamento e proibiam qualquer uso do sexo, mesmo legítimo. Paulo sentiu-se obrigado a advertir aos seus ouvintes e leitores que esses, igualmente, eram falsos profetas.

Outrossim, havia também os *judaizantes*, que eram legalistas que pervertiam as doutrinas da graça e que tentavam conservar a igreja sob a lei de Moisés. O evangelho segundo os Hebreus (um evangelho apócrifo) parece ter sido escrito com o propósito definido de fazer da igreja uma instituição judaica, ignorando as revelações recebidas por Paulo e negando-as, revelações essas que dão à igreja o seu caráter distintivo. As epístolas de Paulo aos Efésios e aos Colossenses foram escritas a fim de combater diversas formas de heresia, incluindo a forma de gnosticismo que ensinava que Cristo era apenas *um ser* pertencente à ordem dos *anjos*, mas não divino.

A apostasia dos últimos dias

O anticristo enganará quase toda a Igreja e, através dele, o próprio Satanás será adorado em todo o mundo. Então, se realizará *a grande apostasia*. Ver a nota detalhada sobre isto em 2Ts 2.3. Esta referência tem a nota sobre o anticristo também.

24.12: e, por se multiplicar a iniquidade, o amor de muitos esfriará.

24.12 καὶ διὰ τὸ πληθυνθῆναι τὴν ἀνομίαν ψυγήσεται ἡ ἀγάπη τῶν πολλῶν.

"[...] por se multiplicar a iniquidade..." Neste passo, "iniquidade" indica *desregramento*, e não a imoralidade, embora o espírito de iniquidade, isto é, o espírito rebelde, a falta de autoridade etc. produzam um efeito imoral sobre a sociedade. A apostasia que desvia os homens das leis espirituais e internas do cristianismo, o desregramento mental, é a essência mesma da iniquidade. O desaparecimento gradual da verdadeira religião obrigatoriamente é seguido pelo desaparecimento gradual do amor fraternal na comunidade religiosa. Ora, essa morte é gradual. Alguns intérpretes tomam essa iniquidade como um antinomianismo específico, isto é, o ensino contra qualquer lei ou contra *a lei*, o que era um exagero da doutrina paulina da graça ou a expressão natural de indivíduos iníquos, que não se baseavam em nenhuma doutrina de Paulo. Os gnósticos negavam a aplicação da lei no tocante ao uso do corpo, conforme se esclarece nas anotações referentes ao v. 11; e, por isso mesmo, estavam isentos de qualquer lei moral, ensinando mesmo que essa condição coaduna-se perfeitamente com o cristianismo, uma vez que o corpo não teria nenhum valor e que somente a morte é capaz de eliminar o princípio do mal na personalidade humana. Em realidade, o que ocorria nesses casos era a mistura da licenciosidade pagã com a profissão externa do cristianismo. Esse tipo de iniquidade destrói a confiança mútua entre os crentes, e a condição geral da maldade, prevalecente em qualquer sociedade, tende então por esfriar o fervor do amor fraternal que, de outra maneira, continuaria existindo.

"O amor se esfriará". Neste caso, *esfriar* vem do verbo que significa soprar a fim de arrefecer (derivado do verbo básico

634 |Mateus| NTI

"soprar"), de esfriar. A mesma palavra é usada para indicar a extinção de um incêndio. Os sopros gélidos da apostasia e da iniquidade dos indivíduos, especialmente aqueles que caracterizam a iniquidade, apagam as chamas do amor, esfriam as brasas, e nada deixam senão cinzas frias.

"O amor [...] de quase todos". Não temos aqui uma tradução literal (da AA), mas essa expressa bem o sentido do original. Literalmente, o grego diz "o amor dos muitos". Algumas traduções dizem "o amor de muitos", mas isso nos faz perder o ponto em foco. Não significa apenas que uma grande proporção dos crentes perderá o seu amor uns pelos outros, pelas questões espirituais ou por Deus, mas o que está sendo focalizado é que isso acontecerá entre *os muitos*, isto é, no seio da maioria, entre "quase todos", conforme diz a tradução AA. O amor da fraternidade, das coisas espirituais, arrefece, e então passa a governar a suspeita e a desconfiança mútuas.

A tendência que se verifica em períodos de tensão, de perseguição, de fomes etc. é de que todos se tornem *egoístas*, que se esqueçam uns dos outros, que cada qual se importe somente consigo mesmo. Então, todo princípio orientador, que caracteriza a busca espiritual, perde-se, a saber, o amor; e resta apenas o amor-próprio. Nessas ocasiões, esquecemo-nos de que somos guardiães de nossos irmãos, de que eles fazem parte de nossa responsabilidade e de que o serviço aos nossos semelhantes é, ao mesmo tempo, serviço prestado a Deus, porquanto todos são criaturas de Deus, feitos à sua imagem.

24.13: Mas quem perseverar até o fim, esse será salvo.
24.13 ὁ δὲ ὑπομείνας εἰς τέλος οὗτος σωθήσεται.

13 Mt 10.22

"Aquele, porém, que perseverar...". Este versículo tem recebido muitas e variadas interpretações, algumas delas totalmente fora do contexto, como as que enumeramos a seguir:

1. Alguns fazem finca-pé, dizendo que envolve inteiramente a *salvação física*, isto é, a preservação da vida física. Aqueles que permanecessem fiéis, durante os dias de prova da destruição de Jerusalém, seriam preservados dos seus males e da morte que isso produziria. Alguns intérpretes têm asseverado que, de fato, os crentes escaparam completamente dessa destruição, e que os "não-crentes" pereceram (Alford, *in loc.*). Se essa opinião é certa ou errada, é difícil de provar; pelo menos, porém, podemos dizer com confiança que, de modo geral, a comunidade cristã foi surpreendentemente poupada desses horrores. Contudo, essa interpretação não pode envolver o sentido total, neste caso, como também não se pode dizer que somente a destruição de Jerusalém está em foco nesta profecia de Jesus. Porquanto sabemos que essa profecia inclui coisas que se seguiram à destruição de Jerusalém, e que se prolongam até os nossos dias.

2. Alguns ligam essas palavras com o texto de Apocalipse 2.10, e indicam que o que Jesus promete aqui é que ninguém morrerá (o *fim* seria uma referência individual ao dia da morte do crente) enquanto não chegar o dia realmente determinado por Deus para isso, especialmente no caso dos mártires. O ensino, nesse caso, seria que *nenhum martírio* poderia ocorrer enquanto não chegasse o tempo marcado por Deus para esse acontecimento. Naturalmente que aqui há uma verdade, porque nos conforta e nos põe nas mãos de Deus em tudo; e não precisamos realmente esperar surpresas de nossos inimigos, ímpios e desarrazoados; mas não parece que essa interpretação reflita o que o texto quer dizer.

3. Outros acreditam que aqui temos uma garantia de que Deus preservará os seus fiéis *na fé de Cristo*, até o fim de todas as coisas, e que os fiéis gozarão da evidência e da possessão da fidelidade até o fim. Talvez isso expresse uma verdade, mas ainda parece não acertar em cheio no sentido da predição.

4. O autor do evangelho de Mateus parece indicar, com essas palavras, que, em face da apostasia, da multiplicação imensa da iniquidade e dos males de todas as variedades, em face das perseguições e dos tempos difíceis, precisamos permanecer constantes; e que aqueles que honestamente buscarem fazê-lo, andando sempre bem perto de Deus, em Cristo, *serão salvos*. Esses serão os crentes que levarão o evangelho do reino a todas as nações, antes do fim. Pois o fim não poderá ocorrer enquanto isso não acontecer. Paulo referiu-se a essa necessidade, em Romanos 10.12-15, e uma vez que "a totalidade dos gentios" tenha sido trazida para o redil, então virá o "fim", o que significa que Deus terá completado, neste mundo, os planos para a propagação das boas novas e se cumprirão os seus propósitos entre as nações. Aqueles que fizerem parte desse grupo perseverante, que não hesitarem, que não se deixarem envolver pela apostasia e pela iniquidade, mas que continuarem fiéis na proclamação das boas novas de Deus, até que seus planos estejam completos quanto a este mundo, esses serão os que compartilharão daquela *grande herança* dos redimidos. Apesar de que a salvação ou preservação física também está envolvida aqui, parece certo bastante que o sentido vai mais longe do que isso.

A controvérsia entre calvinistas e arminianos, que ruge em torno deste versículo, não tem sido causada pelas simples palavras de Jesus. Os calvinistas dizem que os fiéis "perseverarão e deverão perseverar" por serem os fiéis. Os arminianos dizem que os fiéis, mediante a sua fé pessoal e seus esforços, precisam provar a si mesmos que são os fiéis. A verdade é que Jesus *não explica* e nem tenta eliminar qualquer desses lados em conflito, mas tão-somente fez a declaração de que aqueles que perseverarem serão aqueles que serão salvos. Não obstante, as palavras de Jesus encerram uma advertência, pois a *responsabilidade humana* é aqui claramente subentendida, tanto no versículo como no seu contexto. Pedro escreveu: "Por isso, irmãos, procurai com diligência cada vez maior, *confirmar* a vossa vocação e eleição; porquanto, procedendo assim, não tropeçareis em tempo algum". A epístola aos Hebreus foi escrita com o propósito distinto *de advertir* contra a apostasia. Quaisquer que sejam as razões por detrás disso, a possibilidade é perfeitamente real. Aqueles que andaram com Jesus, retrocederam. Demas abandonou o apóstolo Paulo. (Quanto a notas mais específicas sobre esses problemas, ver as notas sobre a segurança do crente, em Rm 8.39.) Ver também as notas em Mateus 10.21,22 e comparar com Hebreus 10.38,39, que obviamente faz alusão à afirmação que encontramos aqui.

As expressões que se veem nos paralelos, em Lucas, são instrutivas quanto ao sentido tencionado neste versículo, a saber: "É na vossa perseverança que ganhareis a vossa alma". No entanto, encontramos também ali uma palavra de conforto e de segurança: "Contudo, não se perderá um só fio de cabelo da vossa cabeça" (Lc 21.18,19). Pode-se ver, portanto, que Jesus falou assim, tanto da salvação física como da salvação espiritual. Os cabelos indicam uma coisa, e a salvação da "alma", no outro versículo, indica a outra coisa.

24.14: E este evangelho do reino será pregado no mundo inteiro, em testemunho a todas as nações, e então virá o fim.
24.14 καὶ κηρυχθήσεται τοῦτο τὸ εὐαγγέλιον τῆς βασιλείας ἐν ὅλῃ τῇ οἰκουμένῃ εἰς μαρτύριον πᾶσιν τοῖς ἔθνεσιν, καὶ τότε ἥξει τὸ τέλος.

14 κηρυχθήσεται...ἔθνεσιν Mt 28.19

εἰς...ἔθνεσιν   Mt 10.18   14 τῆς βασιλείας] om 1424 g¹ l rⁱ Or Eus

"[...] será pregado este evangelho...". O autor deste evangelho está mostrando, de maneira definida, que as profecias de Jesus aplicam-se a um período muito mais longo do que simplesmente até a destruição de Jerusalém ou a um período (relativamente curto) após ocorrer o evento. É preciso que tomemos em consideração um período em que será evangelizado o mundo. Alguns intérpretes, mais inclinados à interpretação dispensacional, procuram ensinar aqui que isso se aplica somente ao período da tribulação e ao remanescente fiel, que haverá de pregar durante esse tempo, imediatamente antes do estabelecimento do reino, quando do segundo advento de Cristo. Essa posição, naturalmente, envolve uma verdade, mas é muito improvável que o autor deste evangelho quisesse expressar essa verdade. Pelo contrário, ele descrevia a obra tencionada da igreja que, naquele tempo, estava bem adiantada e,de fato, já exercera boa porção de sua tarefa. No primeiro capítulo da epístola aos Colossenses, Paulo nos diz que já fora feita *grande propagação* do evangelho, até mesmo em seus dias, pelo mundo romano, embora a maioria das nações espalhadas pelo mundo, nações desconhecidas para Paulo e para os demais apóstolos, permanecessem nas mais complexas trevas, no que respeita à mensagem espiritual de Cristo.

Esta profecia, portanto, fala de um alcance maior do evangelho do que o autor deste evangelho de Mateus poderia ter imaginado, porquanto ignorava a maior parte da população do mundo, que jazia para além das fronteiras do Império Romano. Não obstante, o conhecimento do autor sobre a natureza real da vastidão do mundo não o impediu de registrar essa profecia. Tempos mais modernos têm visto o cumprimento dessa profecia em proporções que ninguém dos tempos primitivos poderia ter imaginado. É preciso que se note que esta profecia não proclama a *aceitação* universal da mensagem de Cristo, mas tão-somente que a mensagem será largamente divulgada. Passagens bíblicas como Colossenses 1.6,23 e 2Timóteo 4.7 dificilmente podem ser encaradas como cumprimentos desta profecia.

"Então virá o fim". Esse *fim* não é a destruição de Jerusalém, e, sim, o fim da era atual, a era que haverá de preceder imediatamente o estabelecimento do reino, e que completa aquele "tempo" que Deus tem em suas mãos. (Ver At 1.7). O "fim" virá por ocasião da *parousia* ou segundo advento de Cristo. Alford diz (*in loc.*): "A apostasia dos últimos dias e a dispersão universal das missões, são os dois grandes sinais de que o fim se avizinha".

Naturalmente que a igreja primitiva não fazia ideia adequada de quanto tempo isso envolvia; e é realmente evidente que Deus não deseja que a Igreja mantenha esse conceito, porquanto os capítulos seguintes do evangelho de Mateus indicam claramente que a Igreja, em todos os séculos, deve ficar esperando pelo "fim". Essa expectação funciona como estimulante da fé e da ação, além de servir também de elemento purificador. Em todos os séculos, a Igreja precisa dispor desses elementos em funcionamento. A evidência que se obtém dos escritos de Paulo é que ele esperava o "fim" em seus dias. Quanto a nós, devemos esperar o "fim" em nossos dias. Quando, porém, será o "fim" cabe somente a Deus saber, não fazendo parte da revelação que nos tem sido feita. Os sinais indicam apenas o tempo aproximado. A nossa geração está aguardando o fim, e isso não sem boas razões. Não devemos ser apanhados a dormir. Não é de forma nenhuma impossível que nossa geração veja o cumprimento total dessas profecias de Jesus, registradas neste quinto grande discurso do evangelho de Mateus. O historiador Tácito informa-nos que desde o reinado de Nero (contemporâneo de Paulo) os cristãos se haviam tornado tão numerosos em Roma, que as autoridades civis se mostravam enciumadas (*Anais* 1. xv). Isso, no entanto, não deve obscurecer a luz desta profecia, que, obviamente, tem uma aplicação muito mais ampla do que vemos nisso.

XII. QUINTO GRANDE DISCURSO: AOS DISCÍPULOS – FIM DOS TEMPOS E O PEQUENO APOCALPSE (24.1 - 26.2)

4. Eventos esperados na Judeia (24.15-22)

Aqui começamos uma *nova* seção, que se estende até o v. 36, inclusive. Conforme o ponto de vista limitado, podemos chamar esta seção de "acontecimentos em Judá"; mas, segundo o ponto de vista mais distante, temos de incluir a grande tribulação. As principais divisões dessa nova seção, são: (1) acontecimentos na Judeia: v. 15-22; (2) advertência contra alguma falsa *parousia*: v. 23-28; (3) sinais da *parousia*: v. 29-31; (4) exemplo tirado da figueira: v. 32,33; (5) impossibilidade de prever o tempo exato: v. 34-36. O *protomarcos* certamente é a fonte informativa principal. Quanto a maiores informações sobre isso, ver a introdução a Mateus 24.1,que tem a lista das fontes informativas sobre toda esta seção.

24.15: Quando, pois, virdes estar no lugar santo a abominação da desolação, predita pelo profeta Daniel (quem lê, entenda),

24.15 Ὅταν οὖν ἴδητε τὸ βδέλυγμα τῆς ἐρημώσεως τὸ ῥηθὲν διὰ Δανιὴλ τοῦ προφήτου ἑστὸς ἐν τόπῳ ἁγίῳ, ὁ ἀναγινώσκων νοείτω,

15 τὸ βδέλυγμα...ἁγίῳ Dn 9.27; 11.31; 12.11; 1Macc 1.54; 6.7

"Abominação da desolação". (Ver Dn 9.27; 11.31; 12.11.) Essas palavras foram aplicadas a Antíoco Epifânio, que erigiu um altar a Zeus, no altar de Jeová. Essa história encontra-se registrada em 1Macabeus 1.54-64, e também no livro de Josefo, *Antiguidades*, xii.5.4. Em cerca de 170 a.C., esse monarca selêucida perpetrou o que se considerou atrocidades contra os judeus e contra a religião judaica, mediante a poluição do templo de Jerusalém. Ele, porém, serviu apenas de tipo simbólico do grande anticristo que virá, e que é um dos temas do NT. (Ver em 2Ts 2.3, onde é dada uma nota detalhada acerca dessa pessoa). O texto de Apocalipse 13 supre mais pormenores sobre essa personalidade imensa, mas pervertida. O futuro anticristo ainda aparecerá, assumirá o controle do templo, proclamar-se-á Deus, realizará muitas maravilhas falsas, controlará o mundo inteiro por breve período. Ele será tão intensamente iníquo, que só se poderá comparar ao próprio Satanás. Alguns acreditam que houve personagens de menor envergadura, e que serviram de material para esta seção, tais como Calígula, que planejou a destruição do templo de Jerusalém (isto é, mediante a edificação de sua imagem naquele lugar sagrado); e outros acreditam que Marcos liga isso às circunstâncias da guerra dos judeus contra Roma. É verdade que, ao tempo da destruição de Jerusalém, os romanos ofereceram sacrifícios às suas insígnias, postas diante da porta oriental, quando proclamaram Tito imperador; mas, uma vez mais, isso serviu de mero símbolo da blasfêmia maior que ainda aguarda o futuro. É evidente que o anticristo não manifestará o seu verdadeiro caráter senão na metade da tribulação, quando então, cheio de pensamentos do *superego*, sentirá que é o próprio Deus e forçará o seu conceito sobre os outros. Israel afinal lhe fará oposição e muito sofrerá por causa disso. Entretanto, o anticristo assumirá o controle do templo e obrigará o povo a adorá-lo ali, como se fosse Deus. (Ver 2Ts 2.4.) Essa ação é justamente o "abominável da desolação", ou, conforme dizem algumas traduções, "a abominação que desola". Fala da grande apostasia, quando o próprio Satanás será adorado na pessoa do anticristo, ao invés de Deus ser adorado na pessoa de Jesus Cristo. A apostasia não atingirá o grau de grande apostasia, isto é, não terá assumido as proporções de grandeza que deverá atingir, enquanto o próprio Satanás não estiver sendo adorado, e isso ocorrerá por meio da ação e do poder do anticristo. O termo cognato da palavra "abominação", aqui empregado, significa "sentir náusea em face dos alimentos", o que denota "desgosto", de modo geral. No sentido moral, indica repugnância moral ou religiosa. Algumas vezes é usado como equivalente de "ídolo", como em 1Reis 11.17; Deuteronômio 8.26; 2Reis 23.13. Denota aquelas condições que provocam o afastamento entre o homem e Deus, como o comer animais imundos (ver Lv 11.11; Dt 14.3). Ver também Apocalipse 17.4,5. Ver o artigo da introdução do comentário sobre "A tradição profética e a nossa época".

24.16: então os que estiverem na Judeia fujam para os montes;

24.16 τότε οἱ ἐν τῇ Ἰουδαίᾳ φευγέτωσαν εἰς τὰ ὄρη,

|Mateus| NTI

"[...] os que estiverem na Judeia..." Eusébio revela-nos que os cristãos, lembrando-se dessa advertência, ante a aproximação das tropas romanas, fugiram para *Pela*, entre as montanhas, cerca de 27 quilômetros ao sul do mar da Galileia; mas essa profecia aguarda um cumprimento ainda maior, no futuro. (Ver *Eusébio* iii.5). Em adição a isso, também lemos que os crentes receberam advertências especiais sobre os acontecimentos que se avizinhavam e, por causa disso, fugiram da cidade, antes de sua destruição. Essas formas de advertência especial, provavelmente parecidas, se não mesmo idênticas às experiências psíquicas dos tempos modernos sobre perigos iminentes e tragédias, não se limitaram somente aos cristãos, pois houve muitos desses avisos entre os habitantes judeus de Jerusalém. Ver Mateus 24.8, onde há uma descrição de algumas dessas manifestações, conforme registradas nos escritos de Josefo. Este texto também serve de profecia de alcance muito mais longo. A ira do anticristo será lançada contra muitos, e muitos serão destruídos. Naqueles dias, no tempo próprio, aqueles que conhecem esta profecia poderão escapar de sua violência se fugirem conforme é indicado aqui. Aqueles que se acharem nessas circunstâncias reconhecerão que foi especialmente para eles que esta profecia foi registrada. Lemos que os amigos e vizinhos judeus dos cristãos que fugiram de Jerusalém jamais os perdoaram por causa disso; mas isso também teve bons efeitos, porquanto tornou ainda mais definitiva a separação entre o judaísmo e o cristianismo, e isso propiciou maior *universalidade* ainda para o cristianismo.

24.17: quem estiver no eirado não desça para tirar as coisas de sua casa,
24.17 ὁ ἐπὶ τοῦ δώματος μὴ καταβάτω ἆραι τὰ ἐκ τῆς οἰκίας αὐτοῦ,

17,18 Lc 17.31   17 τα (το ℵ*) ℵᶜBW f13 pm; R] p) τι DΘ f1 28 33 565 700 al lat Ir Or ς

24.18: e quem estiver no campo não volte atrás para apanhar a sua capa.
24.18 καὶ ὁ ἐν τῷ ἀγρῷ μὴ ἐπιστρεψάτω ὀπίσω ἆραι τὸ ἱμάτιον αὐτοῦ.

"Quem estiver sobre o eirado..." Naqueles tempos, podia-se fugir de telhado em telhado, sem descer ao solo, porquanto as casas eram construídas umas próximas às outras, e seus telhados eram planos. Os rabinos falavam sobre *a estrada dos telhados*. Quando se descia para o que parecia um lugar seguro, chegava-se a um átrio, de onde se abriam diversas portas da casa; mas até mesmo nessa posição vantajosa, ninguém deveria aproveitar-se da proximidade das portas, porquanto a fuga requeria prontidão e presteza. Céstio Galo avançou com seu exército, contra Jerusalém, com grande ira; e os seus soldados chegaram prontos para assassinar, para violar e para pilhar. Os que escaparam tiveram de fazê-lo na maior rapidez possível, pois a ira dos romanos não conheceria misericórdia. Também parece que temos aqui uma alusão à fuga precipitada de Ló e sua família, da destruição de Sodoma. Isso é especificamente mencionado em Lucas 17.32, que aborda especialmente as condições que prevalecerão pouco antes do julgamento que Cristo imporá durante a *parousia*. O autor descreve aqui as terríveis condições que acompanharão a ira do anticristo, bem como os julgamentos gerais que sobrevirão da parte dos pagãos, e isso tudo convulsionará o globo terrestre durante aqueles dias. Jerusalém será o centro dos sofrimentos, e aqueles que reconheceram os sinais, farão muito bem em escapar para algum lugar mais seguro.

Quem estiver no campo fará bem em não voltar à cidade para apanhar a sua "capa", ao tomar conhecimento da situação. Talvez esteja trabalhando *despido*, isto é, apenas com sua veste interior, conforme lemos que muitos costumavam fazer, por causa do calor do dia, no campo aberto, e do suor gerado por esse tipo de trabalho. Ordinariamente, ninguém pensaria em aparecer em *lugares públicos* apenas com sua veste interior, isto é, sem a sua "capa", "túnica" ou "veste exterior". Entretanto, devido à grande pressa,

todos farão bem em não retornar a sua casa, porque poderão encontrar-se com o desastre no caminho. Lemos que, nos tempos modernos, no Oriente Médio, os aldeões trabalham nos campos sem suas mantas, que deixam em casa. As notícias do assédio de Jerusalém poderão chegar aos ouvidos de um homem quando ele estiver arando o campo, sem sua "capa"; se der valor à sua vida não regressará à sua casa para munir-se de mais vestes, mas dará ouvidos à advertência com presteza. Assim será no tempo futuro da grande tribulação. Ao reconhecerem os sinais preditos, aqueles que estiverem vivendo nessa região do mundo farão bem em fugir para lugares mais seguros; e o sinal da aproximação da destruição generalizada e da miséria que se seguirá será a ação do anticristo, que a si mesmo proclamará Deus. Pois, então, é que a ira dos céus e da terra irromperá numa fúria jamais vista até o presente. Não compreendemos tudo quanto está envolvido nessas profecias. No entanto, aqueles que estiverem vivos naquela ocasião, (e isso bem pode ocorrer ainda durante esta geração) terão melhor compreensão do que está subentendido nessas predições.

24.19: Mas ai das que estiverem grávidas, e das que amamentarem naqueles dias!
24.19 οὐαὶ δὲ ταῖς ἐν γαστρὶ ἐχούσαις καὶ ταῖς θηλαζούσαις ἐν ἐκείναις ταῖς ἡμέραις.

"Ai das que estiverem grávidas..." Essa expressão dá à narrativa uma nota de lamento lúgubre, pois até mesmo as funções naturais da vida, que visam a garantir a continuação da espécie humana, servirão de *obstáculos* e serão motivos de perigo. Quando a pressa se tornar necessária, a mulher grávida dificilmente conseguirá escapar, embora a fuga se torne menos cansativa para outras mulheres. O ruído das tropas que se aproximam levará as grávidas a temerem mais do que as outras mulheres, não só por sua causa, mas também devido à criança que ainda não nasceu. E elas temerão a violência e o desvario de homens alucinados. As jovens mães, cujos filhos forem pequenos, ainda terão maior dificuldade nessa fuga, porquanto não será fácil fugir e cuidar dos bebês ao mesmo tempo. Essas mulheres temerão por si e por seus filhinhos. No tempo da invasão dos romanos e da vasta destruição que se seguiu, mulheres nessas condições sofreram mais do que todas as outras. Assim também, no período futuro da grande tribulação, que precederá de perto à *parousia*, ou segundo advento de Cristo, o horror será tão grande, que será mais desejável não ter filhos pequenos de que cuidar; o horror será tão grande, que será melhor fugir sem nenhum empecilho; se alguém tiver de sofrer, será melhor que sofra sozinho, e não na companhia de seus filhos.

Como em muitas ocasiões e em muitas de suas declarações, Jesus mostra aqui a *sua compaixão* pelos incapazes e fracos. Mais tarde, ele mostrou a mesma preocupação e piedade pelas mulheres que o seguiam para a cena da crucificação, lamentando ao vê-lo, conforme se lê em Lucas 23.28,29. Nessa oportunidade, Jesus esqueceu-se dos próprios sofrimentos e de sua morte iminente, a fim de expressar sua compaixão por outras pessoas. Jesus compreendia os horrores que haveriam de acompanhar o assédio de Jerusalém. Lê-se na obra de Josefo, *Guerras dos Judeus*, vi.3, seção 4, que, durante o cerco, quando algumas mães foram forçadas a fugir, em seu desespero esqueceram-se de levar com elas provisão de alimento; e logo a inanição as ameaçou. Então, na sua debilidade e desespero, algumas mães chegaram ao extremo de matar os próprios filhos pequeninos e comê-los, enquanto muitas outras preferiram morrer com eles de inanição.

24.20: Orai para que a vossa fuga não suceda no inverno nem no sábado;
24.20 προσεύχεσθε δὲ ἵνα μὴ γένηται ἡ φυγὴ ὑμῶν χειμῶνος μηδὲ σαββάτῳ·

"[...] fuga não se dê no inverno nem no sábado..." Este versículo dá prosseguimento à nota de compaixão, expressa no v. 19. A fuga em dia de sábado envolvia a quebra de um dos mandamentos da lei, que o povo consciente sentiria como motivo de desgraça, acrescentado a todos os seus sofrimentos. É patente também que a igreja para a qual Mateus escreveu ainda observava o sábado, porquanto ainda não se completara *a separação* entre o judaísmo e o cristianismo, sem falarmos no fato de que muitos crentes, vindos de família judias, jamais descontinuaram completamente a observância de vários aspectos, até mesmo da lei cerimonial. É natural esperar-se que a igreja primitiva experimentasse essas condições; mas ninguém pode, baseado nesses fatos, impor a observância do sábado em nossos dias. É interessante ainda observar que somente Mateus adiciona essa observação sobre o sábado, e isso indica que ele escreveu especialmente para leitores judeus. Nos sábados, os judeus só podiam afastar-se de sua moradia menos de dois quilômetros, sem quebrar o mandamento sabático, e isso não seria bastante para fugir de um exército inimigo que avançasse. Outrossim, no sábado, os portões das cidades eram fechados, e isso seria enorme obstáculo para a fuga de quem quer que fosse. Acrescente-se a tudo isso o fato de que seus vizinhos judeus haveriam de desprezá-los por estarem fugindo num sábado, e poderiam chegar ao extremo de procurar impedir essa fuga.

A fuga durante os meses de inverno também seria extremamente *perigosa*, porquanto as condições atmosféricas estariam péssimas, as estradas estariam escorregadias e até mesmo intransitáveis; os dias seriam breves e as noites longas. Encontramos interessante paralelo dessa passagem, que diz respeito à destruição do primeiro templo; essa ocorrência teve lugar no verão, e não no inverno, e muitos acolheram o fato como uma bênção direta de Deus, dada devido à sua misericórdia. "Deus mostrou grande favor a Israel, porque deveriam ter saído da terra no dia dez do mês de *Tebeth*, conforme disse também Ezequiel (24.2): 'Filho do homem, escreve o nome deste dia, deste mesmo dia'. Portanto, que fez o santo e bendito Senhor? Se agora saírem no inverno, morrerão todos por conseguinte, prolongou o tempo para eles, e tirou-os dali durante o verão" (Tonchuma, fol. 57.2).

Alguns têm pensado que a expressão "no sábado" indica realmente um ano sabático ou sétimo ano, quando nenhuma plantação seria encontrada nos campos, e quanto haveria grande escassez de provisões entre o povo; todavia, o mais provável é que se trate apenas do dia de sábado comum. John Gill (*in loc.*) demonstrou, mediante diversas citações, que a questão de alguém dever ou não fugir do inimigo num sábado, ou dever viajar por causa de alguma grande emergência ameaçadora, num sábado, continuava sendo a questão não solucionada e motivo de debate, entre os judeus, nos dias de Jesus. Algumas pessoas extremamente escrupulosas, embora fossem cristãs, poderiam hesitar em iniciar uma longa viagem em um dia de sábado, por causa da questão que ainda não fora resolvida.

24.21: porque haverá então uma tribulação tão grande, como nunca houve desde o princípio do mundo até agora, nem jamais haverá.

24.21 ἔσται γὰρ τότε θλῖψις μεγάλη οἵα οὐ γέγονεν ἀπ' ἀρχῆς κόσμου ἕως τοῦ νῦν οὐδ' οὐ μὴ γένηται.

21 Dn 12.1; Jl 2.2 θλῖψις μεγάλη 1Rs 7.14

A descrição feita pelo historiador Josefo, em seu livro *Guerras dos Judeus*, sobre os acontecimentos que acompanharam a destruição de Jerusalém, em 70 d.C., ilustra como o autor deste evangelho deve ter pensado que nenhum acontecimento poderia ser mais horrível, nem antes e nem depois. Quanto aos pormenores dessa realidade, ver as notas em Mateus 24.2. Todavia, as palavras são essencialmente proféticas, acerca da grande tribulação que ainda permanece no futuro, o tempo da *angústia de Jacó*, quando se levantar o anticristo. A destruição de Jerusalém, no ano 70 d.C., foi apenas um exemplo simbólico; além disso, lê-se que, no tempo

do imperador Adriano (132 d.C.), outra devastação ainda maior atingiu toda a nação de Israel, quando os judeus foram proibidos até mesmo de entrar na cidade. Em seguida, os romanos mudaram o nome da cidade para Aélia Capitolina, até que Constantino a transformou em santuário cristão (em cerca de 310 d.C.). Esta profecia, portanto, é claramente paralela à que se lê em Daniel 12.1,2: "Haverá um tempo de angústia, qual nunca houve, desde que houve nação até aquele tempo; mas naquele tempo liberar-se-á o teu povo, todo aquele que se achar escrito no livro. E muitos dos que dormem no pó da terra ressuscitarão, uns para a vida eterna, e outros para vergonha e desprezo eterno".

O contexto da passagem de Daniel demonstra que a destruição de Jerusalém, pelas tropas de Tito e, mais tarde, de Adriano, dificilmente pode ter sido o cumprimento final dessas profecias. Tais destruições foram meros tipos simbólicos da colossal destruição do fim, que não se limitará apenas à nação de Israel, mas que envolverá todas as nações. Assim sendo, uma vez mais Israel sofrerá perseguição religiosa e tremendas destruições, impostas pelos gentios. Aquele que promoverá e dirigirá essa destruição final não será nenhuma figura apagada como Tito ou Adriano, mas será o grande destruidor em pessoa, o anticristo.

Além das destruições motivadas pelas perseguições religiosas e por outras atrocidades perpetradas pelos homens, haverá grande agravamento dos distúrbios naturais, como terremotos, inundações, enfermidades em vasta escala e pestes severas e incontroláveis. A completa descrição desses acontecimentos pode ser lida no livro de Apocalipse, a começar pelo quarto capítulo e estendendo-se até o capítulo décimo nono, que descreve a *parousia*, que porá ponto final naqueles dias horrendos. Esse período se prolongará por 40 anos, com um período de 7 anos que será mais crítico para Israel. Então, se modificará a linha costeira de muitos lugares, ilhas afundarão, enfermidades se propagarão, guerras devastarão países, homens ímpios e enlouquecidos passarão a governar, o caos e a ruína reinarão, e nenhuma nação poderá controlar os próprios cidadãos. No meio dessa confusão, destruição e caos, somente uma pequena porção dos habitantes do mundo sobreviverá. Alguns acreditam que parte da causa desses acontecimentos será a mudança dos polos da terra, e isso traria de volta condições características de outras grandes devastações que a geologia revela, e que teriam ocorrido na história das eras passadas da terra. As zonas climáticas serão alteradas repentinamente, os oceanos invadirão vastíssimas áreas de terras atualmente povoadas, os vulcões entrarão em erupção, em grande número e com fúria avassaladora. Muitos clamarão a Deus, implorando misericórdia, mas outros amaldiçoarão ao Senhor, e desesperarão da existência. De conformidade com Josefo, muitas centenas de milhares de criaturas humanas pereceram durante o assédio final de Jerusalém, porquanto este se deu durante uma das festividades religiosas, quando Jerusalém estava repleta de gente vinda de toda parte de Israel. Imediatamente depois da guerra, noventa mil pessoas foram levadas para a escravidão. Tudo isso, entretanto, é apenas símbolo ou exemplo do tipo de calamidade que ainda se verá ali; somente que dessa vez a destruição se tornará universal. E note-se que todos esses acontecimentos poderão ocorrer durante a nossa geração. Quanto a notas adicionais sobre a "tribulação", ver Apocalipse 7.14. Ver também "Armagedom", em Apocalipse 19.11.

24.22: E se aqueles dias não fossem abreviados, ninguém se salvaria; mas por causa dos escolhidos serão abreviados aqueles dias.

24.22 καὶ εἰ μὴ ἐκολοβώθησαν αἱ ἡμέραι ἐκεῖναι, οὐκ ἂν ἐσώθη πᾶσα σάρξ· διὰ δὲ τοὺς ἐκλεκτοὺς κολοβωθήσονται αἱ ἡμέραι ἐκεῖναι.

"[...] aqueles dias [...] abreviados..." A palavra aqui traduzida por *abreviados* significa, literalmente, "amputados", sendo usada para indicar mãos ou pés mutilados ou a ação de decepar. A expressão "aqueles dias" refere-se ao aspecto profético imediato,

638 |Mateus| NTI

que visa à destruição da cidade de Jerusalém e aos acontecimentos que acompanharam essa ocorrência. A profecia, em seu aspecto mais prolongado, envolve a *parousia* ou segunda vinda de Cristo, que porá ponto final nos terríveis sofrimentos do período da tribulação. Lemos acerca de certo número de circunstâncias que cercaram os eventos da destruição de Jerusalém e que contribuíram para abreviar o assédio, apressar a rendição dos defensores da cidade e assim permitir que escapassem pelo menos alguns sobreviventes, os quais, de outro modo, teriam perecido. Isso teria obrigado os romanos a continuarem o assédio por longo tempo:

1. Herodes Agripa começara a fortalecer as fortificações da cidade; e se essas obras tivessem sido terminadas, os judeus teriam podido continuar a luta por mais tempo. No entanto, por ordem de *Cláudio*, em 42 ou 43 dC., essas fortificações não foram terminadas.

2. Os próprios judeus, por estarem divididos em diversas facções e partidos, não se haviam preparado como convinha para que resistissem com êxito às tropas romanas.

3. Lemos também que pouco antes dos exércitos comandados por Tito, alguns armazéns de provisões e cereais haviam sido incendiados.

4. Tito chegou *repentinamente*, sem aviso; e os judeus, assustados ante a sua súbita aproximação, abandonaram seus postos e deixaram desguarnecidos muitos postos defensivos.

5. Talvez o fato mais notável de todos esteja refletido nas palavras do próprio Tito, que disse: "*Lutamos com Deus do nosso lado; pois foi Deus que expulsou os judeus de seus baluartes; pois que poderiam ter feito máquinas ou mãos nuas contra muros e torres como essas?*" (Josefo, *Guerras*, liv. vi. cap. 9). As preparações foram espantosas, e os judeus deveriam ter sido capazes de resistir aos romanos por longo tempo; todavia, a combinação desses diversos fatores adversos, abreviou de forma extraordinária o período da luta, e, embora muitas centenas de milhares tivessem perecido, contudo, um período mais curto de conflito permitiu que muitos pudessem sobreviver. Tito lançara alguns assaltos anteriores com sucesso; mas finalmente resolveu rodear a cidade com um muro de oito quilômetros de circunferência, que erigiu com grande rapidez, ou seja, em três dias. Isso impediu que chegassem à cidade quaisquer reforços, e os judeus começaram a morrer de fome no interior da cidade. Ninguém podia escapar e nenhuma provisão de alimento podia ser trazida para a cidade cercada. Essa combinação de coisas provocou o fim imediato da guerra. (Quanto a mais detalhes sobre esses acontecimentos, ver Josefo, *Antiq.* xix. 7:2; e *Guerras dos Judeus*, v. 1.5; vi. 8:4 e 9.1.)

Todas essas explanações mostram como os acontecimentos e condições *históricos*, e até mesmo ocorrências aparentemente acidentais, podem ser usados por Deus para proteger o remanescente de seu povo e garantir a sobrevivência de alguns, ou seja, dos "eleitos". A ideia de que Deus determinou certo período de tempo para a tribulação, abreviado por causa de sua misericórdia, é um conceito contido não somente aqui, mas também noutras porções da literatura judaica e cristã. Ver, por exemplo, a Epístola de *Barnabé*, 4.3; 2*Baruque* 20.1,2 e 83.1, e também a porção inicial do livro apócrifo de *Enoque*. Os "eleitos", que lemos no evangelho de Mateus, são os membros da Igreja de Cristo, que representam uma pequena minoria de "judeus" autênticos, isto é, participantes do Israel espiritual, que, nesse caso, eram pessoas quase todas descendentes físicas de Abraão. Temos aqui os crentes em Jesus, aqueles que acolheram o Messias. Aplicando essa profecia, devemos esperar as mesmas condições na tribulação futura, quer as pessoas envolvidas sejam descendentes de Israel, quer não. A ideia é de que Deus preservará um remanescente, a despeito das terríveis condições reinantes, quando imperarão o juízo e a angústia; e que Deus fará isso utilizando-se de todos os meios necessários, quer mediante o controle político, quer por meio de forças físicas,

quer por intervenções diretas, como será a *parousia* ou segundo advento de Cristo.

XII. QUINTO GRANDE DISCURSO: AOS DISCÍPULOS – FIM DOS TEMPOS E O PEQUENO APOCALPSE (24.1 - 26.2)
5. Contra a "falsa parousia" (24.23-28)

24.23: "Se, pois, alguém vos disser: Eis aqui o Cristo! [...] não acrediteis..." A começar deste ponto até o v. 28, encontramos diversas advertências contra as falsas *parousias*, isto é, contra o aparecimento de falsos cristos. Os v. 23 e 24 são paralelos de Marcos 13.21,22 (e a fonte informativa dos mesmos é o "protomarcos"); mas esse material parece ser uma forma variante do material "Q", que encontramos nos v. 26 e 27 deste capítulo, como também em Lucas 17.23-34. (Ver as notas sobre as fontes informativas dos Evangelhos, no artigo introdutório deste comentário, intitulado "O problema sinóptico".)

24.23: Se, pois, alguém vos disser: Eis aqui o Cristo! ou: Ei-lo ali! não acrediteis;

24.23 τότε ἐάν τις ὑμῖν εἴπῃ, Ἰδοὺ ὧδε ὁ Χριστός, ἤ, Ὧδε, μὴ πιστεύσητε·

23-24 Mt 24.5,11; 1Jo 2.18

A mensagem geral desta seção é que a vinda (ou *parousia*) do Filho do homem não será uma ocorrência secreta, e, sim, *universal* e bem conhecida. Portanto, é tolice alguém dizer, por necessidade de provocar agitação revolucionária etc., "Cristo está na casa de certo zelote, no outro lado da cidade; vamos reunir-nos a ele para podermos resistir aos inimigos; e então ele se revelará a todos". Jesus advertiu contra as *falsas auroras*. Lê-se que, nas áreas árticas, após a longa noite de seis meses, algumas vezes surge a aurora; mas então as trevas engolfam tudo novamente. Finalmente, porém, aparece a verdadeira aurora, mas somente no tempo certo. Assim sucederá quando da vinda de Cristo — haverá muitas auroras falsas, muitas reivindicações ilegítimas, muitos movimentos e milagres, muitos sinais e prodígios, mas todos eles anunciando falsas *parousias*.

É interessante observar que os falsos profetas (v. 11) é que criarão as dificuldades, e que, em seguida, os falsos cristos (v. 23 e 24) oferecerão saídas para essas dificuldades. Suas vítimas iludidas criarão religiões e lançarão o grito: *Ei-lo aqui!* Contudo, os "eleitos" terão o discernimento necessário para dar ouvidos a esses indivíduos.

A passagem que se encontra em Lucas 21.24 (no texto paralelo) indica os elementos de tempo que circundarão a vinda do verdadeiro Cristo: "Cairão ao fio da espada e serão levados cativos para todas as nações; e, até que os tempos dos gentios se completem, Jerusalém será pisada por eles". Olhando as coisas de nosso ponto privilegiado, podemos ver *claramente* agora que Jesus predisse que haveria um considerável *intervalo* de tempo antes de seu reaparecimento, quando vier para livrar o povo de Israel do domínio gentílico. Do ponto de vista privilegiado daqueles que viveram durante o primeiro século de nossa era, eles devem ter percebido, ao menos, que essa *parousia* não seria imediata, mas que primeiramente passaria algum tempo. Por conseguinte, não deveriam dar ouvidos a falsas notícias que indicassem que Cristo "aparecera". Naturalmente que os crentes do primeiro século não podiam fazer ideia do tempo exato em que aconteceriam essas coisas; e todos os crentes, de todas as épocas, não têm podido precisar o tempo exato desses acontecimentos. Essa é a bendita esperança, a esperança que purifica, e que deve animar a Igreja de todos os séculos. Deus não encara o tempo conforme nós o encaramos, pois a grande realidade é que, para o Senhor, os intervalos de tempo não são uma consideração importante. Os tempos e as épocas estão em suas mãos, conforme o texto de Atos 1.7 nos ensina. Não obstante, Jesus indicou que devemos esperar determinados períodos de tempo, e que, chegando o tempo certo, todos reconhecerão que nada é feito em segredo. Jesus também quis ensinar que a destruição de Jerusalém (que haveria de ocorrer pouco tempo depois que ele falou) não deveria ser considerada como o fim da atual ordem de coisas ou o arauto da *parousia*. Apesar desse aviso, porém, muitos entenderam erradamente o sentido da destruição dessa cidade, e esperaram que a volta de Cristo acontecesse imediatamente depois dessa catástrofe. O certo é que maior tribulação será o verdadeiro arauto da *parousia*. Esse acontecimento, entretanto, ainda permanece no futuro. Todavia, será de proporções tão gigantescas, que ninguém deixará de compreender as implicações das ocorrências. Entre as populações judaicas do primeiro século, alguns chegaram a considerar Vespasiano como o "Messias", porquanto ele era o imperador de Roma ao tempo da queda de Jerusalém.

24.24: porque hão de surgir falsos cristos e falsos profetas, e farão grandes sinais e prodígios; de modo que, se possível fora, enganariam até os escolhidos.

24.24 ἐγερθήσονται γὰρ ψευδόχριστοι καὶ ψευδοπροφῆται, καὶ δώσουσιν σημεῖα μεγάλα καὶ τέρατα ὥστε πλανῆσαι, εἰ δυνατόν, καὶ τοὺς ἐκλεκτούς·

24 Dt 13.1-3; 2Tm 2.9,10; Ap 13.13,14   24 πλανῆσαι BW f13 28 565 700 pl ς; R] -νασθαι Θ f1 33 pc; -υηθηναι ℵD

"**Porque surgirão...**" Esses dois termos — "**prodígios**" e "**sinais**" — não denotam necessariamente duas manifestações sobrenaturais, olhadas de pontos de vista diferentes. (Ver Jo 4.48; At 2.22; 4.30; 2Co 12.12.) O vocábulo *sinal* pode indicar as habilidades sobrenaturais de alguém. O termo "prodígio" pode indicar a reação do espectador diante do "sinal" operado. Alguns comentaristas se têm equivocado neste ponto, julgando que aqui está em vista uma fraude. Não há motivos para crermos que todos os milagres realizados fora da Igreja aprovada sejam obrigatoriamente fraudulentos. De fato, em nossos dias, lemos relatórios e vemos fotografias de milagres especiais e não há razões para duvidarmos de que temos nisso expressões de poder, ou expressões de ajuda de poderes espirituais superiores, demoníacos ou angelicais, que levam os homens a fazer coisas de outro modo impossíveis. Outrossim, neste texto, não há nenhuma indicação de que tais milagres, sinais e prodígios serão *falsos*.

Aconteceu realmente, naquele tempo, que surgiram *muitos* homens capazes de exercer certos poderes; mas seus milagres eram prodígios falsos, que visavam a enganar um povo já confuso. Josefo fala dessas manifestações (*Ant. liv.* xx. c.7). Entre os indivíduos que operaram essas coisas, poderíamos citar Simão Mago e Dositeu. (Quanto a mais pormenores, ver as notas em Mt 24.5.) Jerônimo fala de certo Barcocabe que fingia vomitar fogo da própria boca. Esse homem foi recebido por muitos como um genuíno messias, e o famoso rabino *Akiba* chegou mesmo a consubstanciar a reivindicação messiânica desse indivíduo. No entanto, um exército romano pôs fim a essas manifestações, e, nesse processo, ele e muitos de seus seguidores foram mortos. Inicialmente, ele foi chamado de *Barcocabe*, que significa "filho de uma estrela"; mas depois os judeus o chamaram de *Barcoziba*, que tem o sentido de "filho de uma mentira".

Toda essa descrição exposta por Jesus, neste ponto, naturalmente é profética sobre aquele indivíduo realmente grande operador de milagres, prodígios e sinais, a saber, o próprio anticristo. É nele que o mistério da iniquidade terá o mais pleno desenvolvimento, porquanto, por intermédio dele, o mundo realmente adorará Satanás em pessoa, e isso representará a apostasia em seu desenvolvimento máximo. A passagem de 2Tessalonicenses 2.9 nos diz que ele terá grande "poder", operando sinais e prodígios, e que esses serão operados mediante a agência do próprio Satanás. Por meio desses sinais, ele iludirá a muitos, e tão grande será o seu poder, que somente os eleitos não serão enganados por ele. Ver a nota detalhada sobre esse personagem, em 2Tessalonicenses 2.3. Ver a nota sobre Satanás (Diabo ou Belzebu), em Lucas 10.18.

24.25: Eis que de antemão vo-lo tenho dito.

24.25 ἰδοὺ προείρηκα ὑμῖν.

"**Vede que vo-lo tenho predito**". Jesus sabia que essas condições prevaleceriam ao tempo da destruição de Jerusalém, e que muito depois dessa tribulação, já nos últimos dias, elas se repetiriam com muito maior intensidade, até que finalmente se manifestaria o próprio anticristo. Jesus considera a sua profecia uma advertência suficiente; e uma advertência suficiente deveria prover preparo suficiente contra a crença em falsas reivindicações, maravilhas mentirosas de enganadores, que asseveram possuir atributos messiânicos. Por meio dessas palavras, Jesus acrescenta uma *nota bene* ao seu discurso. Cada crise, quer seja política, quer seja religiosa, produz os seus falsos líderes, que oferecem soluções falsas. Esses homens, ou por visarem a vantagens econômicas ou por desejarem poder, exploram o temor e a incerteza de seus semelhantes. Os eleitos, porém, não serão enganados, porquanto a maravilha da cruz foi vista por eles e eles têm sido tocados pelo poder da ressurreição: conheceram o verdadeiro Cristo, e certamente não seguirão a voz de estranhos.

24.26: Portanto, se vos disserem: Eis que ele está no deserto, não saiais; ou: Eis que ele está no interior da casa; não acrediteis.

24.26 ἐὰν οὖν εἴπωσιν ὑμῖν, Ἰδοὺ ἐν τῇ ἐρήμῳ ἐστίν, μὴ ἐξέλθητε· Ἰδοὺ ἐν τοῖς ταμείοις, μὴ πιστεύσητε·

26,27 Lc 17.23,24

"**[...] eis que ele está no deserto...**" Josefo (*Guerras dos Judeus*, iv 9,5,7) declara que certo Simão, filho de Gioras, apareceu atraindo uma multidão ao deserto, fazendo falsas reivindicações messiânicas. O mesmo documento, no v. 6,1 fala de certo João de Giscala, que se supôs ser um messias oculto em uma câmara secreta. Esses falsos messias gostavam de desempenhar o papel de o Grande Invisível ou Grande Desconhecido, o que tem uma atração psicológica para muita gente, e que pode iludir mais facilmente do que uma aproximação direta e franca. Esses tipos de falsos messias evitam o escrutínio público, e por métodos secretos e diabólicos procuram consubstanciar suas reivindicações, dirigindo revoltas de distâncias seguras para eles mesmos.

Foi no deserto que Moisés viu a Deus e muitos judeus e cristãos primitivos lembravam-se dos dias de Moisés com certa nostalgia. Josefo fala de rebeldes que procuraram imitar Moisés, levando muitos para o deserto (*Antiq.* xx. 8,6,10; também em *Guerras* II 12.5). Ver também Atos 21.37,38. As câmaras secretas sugerem doutrinas orientais de messias ou libertadores ocultos. Essas ações, de modo geral, parecem indicar vários partidários ou ações políticas radicais da parte de alguns. Jesus indicou que o verdadeiro Messias não poderia jamais identificar-se com esses movimentos. O verdadeiro Messias deve ser o Rei universal, e a sua vinda será universalmente reconhecida, assim como um relâmpago é visto de um lado a outro do firmamento, podendo ser visto por todos.

Houve muitas ideias estranhas que circularam entre o povo judeu, acerca de onde poderia ser encontrado o Cristo. Alguns diziam que ele se ocultara no mar; outros, que ele caminhava pelo jardim do Éden; e outros que ele se assentava entre os leprosos, nos portões de Roma (*Vid. Buxtorf, Synag. Jud.* c. 50).

24.27: Porque, assim como o relâmpago sai do oriente e se mostra até o ocidente, assim será também a vinda do Filho do homem.

24.27 ὥσπερ γὰρ ἡ ἀστραπὴ ἐξέρχεται ἀπὸ ἀνατολῶν καὶ φαίνεται ἕως δυσμῶν, οὕτως ἔσται ἡ παρουσία τοῦ υἱοῦ τοῦ ἀνθρώπου.

27 ἡ παρουσία...ἀνθρώπου Mt 24.37,39; 1Co 15.23; 1Tm 2.19; 3.13; 4.15; 5.23; 2Tm 2.1,8; Tg 5.7,8; 2Pe 3.4,12; 1Jo 2.28

27 ἔσται add και WΘ f13 pm lat ς

640 | Mateus | NTI

"[...] como o relâmpago..." Os seguidores de Cristo não precisam aprender nenhuma doutrina secreta nem crer em histórias estranhas sobre *parousias* secretas, nem acreditar em aparecimentos de quaisquer messias. A *parousia* do Senhor não será um acontecimento secreto, mas será público no mais alto grau — tal como um relâmpago em meio a uma tempestade, que fulgura de um lado a outro do firmamento. Jesus declarou que, quando vier o Filho do homem, não haverá nenhum equívoco a respeito, e que ninguém precisará da orientação de quem quer que seja, para reconhecer o evento. O símbolo do relâmpago é muito instrutivo não só porque ensina *franqueza, visibilidade* e *universalidade*, mas também porque ensina subitaneidade e *poder*: um grande corisco que caia assusta e acorda as pessoas. Os homens temem instintivamente os relâmpagos, porque sua grande energia mata com facilidade. O Filho do homem virá em poder e grande glória, e virá repentinamente. Para muitos, essa ocorrência será causa de espanto, e para outros, será fatal (de conformidade com o décimo nono capítulo de Apocalipse). A segunda vinda de Cristo será não somente súbita e poderosa, mas também permeará todas as coisas, afetará de tal maneira a vida de todos os homens, que ninguém terá de perguntar se a *parousia* teve lugar ou não. Tal como o súbito resplendor de um relâmpago desnuda toda uma paisagem, assim a *parousia* desnudará certas verdades fundamentais, especialmente aquelas que se relacionam à pessoa de Cristo e ao reino de Deus. Então se verá com clareza que o destino humano está determinado e tem o seu alicerce em Cristo, que ele é um personagem universal, e que, realmente, ele é o Rei dos reis.

No entanto, até mesmo agora assim sucede, porquanto a vinda de Cristo ilumina uma vida. A vinda de Jesus para um pecador arrependido difunde nele uma luz que brilha desde as maiores profundidades de sua personalidade até seu ponto mais excelso. Quando o evangelho de Mateus foi escrito, o relâmpago ainda era uma força extremamente *misteriosa*, muito temida e com muitas lendas e mitos a cercá-la. Alguns imaginavam que se tratava de uma força ou visitação de algum deus ou deuses. Por isso mesmo se percebe ainda maior significação no uso que o autor fez desse símbolo. Quando Benjamim Franklin apresentou a teoria de uma tempestade elétrica como explicação dos relâmpagos, alguns pregadores o acusaram de ser um demônio, ou de estar possuído de demônios. E, apesar de alguns dos mistérios do relâmpago físico terem sido explicados pela ciência moderna, o mistério e a maravilha do poder de Cristo permanecem de pé. Ele visitou este mundo com um poder e um amor dinâmicos, que procedem do alto.

"Filho do homem". Jesus retornará como aquele personagem cujo destino está vinculado a toda a humanidade, e ele será o seu rei; mas também será (tal como já é) o alvo de toda a existência humana. Neste título, duas verdades estão em destaque: (1) Jesus, como o *homem típico* ou representante, conforme o sentido comum das expressões que contêm as palavras "filho de"; (2) Jesus identificou-se com o *personagem profético* de Daniel 7.13,14. Esse título, por conseguinte, implica em sua missão distintiva como Messias. Os termos "Messias", "Filho do homem" e "Servo sofredor" mostram aspectos diversos de seu caráter em relação a nós. Ele mesmo, porém, incorporava em si todos esses títulos e ofícios. Ver outras notas em Marcos 2.7 e em Mateus 8.20.

24.28: Pois onde estiver o cadáver, aí se ajuntarão os abutres.

24.28 ὅπου ἐὰν ᾖ τὸ πτῶμα, ἐκεῖ συναχθήσονται οἱ ἀετοί.

---
28 Lc 17.37

"Onde estiver o cadáver..." Em passagem similar, que descreve a *parousia* ou vinda de Cristo, em seus aspectos de julgamento, Jesus disse que "Então dois estarão no campo, um será tomado, e deixado o outro" (Mt 24.40). Com isso, o Senhor revelou que o julgamento atingirá uns, e não outros (pois certamente esse versículo não fala de nenhum súbito e repentino arrebatamento da Igreja; quanto a isso, é preciso buscar informações em outras passagens do NT); mas aqui são aludidos julgamentos — como o dilúvio, que veio e destruiu a muitos, mas no qual alguns foram salvos; ou como o juízo que sobreveio a Sodoma e apanhou de surpresa os seus moradores, com exceção de Ló e suas filhas.

Ao ouvirem essas palavras de Jesus, seus discípulos indagaram: *Onde?* Onde sobrevirá o julgamento? E Jesus respondeu com as palavras deste versículo: "Onde estiver o cadáver, aí se ajuntarão os abutres" (Lc 17.37). Algumas traduções, como a AC, dizem *águias*. Em realidade, nesse caso, as "águias" são abutres, que os antigos aceitavam como uma raça de águias. (Comparar Jó 39.30; Os 8.1 e Plínio, *História Natural*, ix. 3.) Trata-se do abutre, que ultrapassa a águia em tamanho e poder. Em seus escritos, Aristóteles observou que esse pássaro tem a capacidade de farejar a sua vítima a grande distância, e que, com frequência, acompanhava os exércitos. Lemos que, durante a guerra russa, grande número dessas aves se juntou na península da Crimeia, e ali estacionou até o fim da campanha, nas circunvizinhanças do campo, embora em tempos anteriores dificilmente fossem vistas naquela parte do país. Lemos também que esses pássaros seguiram a retirada de Napoleão dos gelados campos russos.

"Cadáver". Essa palavra deriva-se do verbo grego que significa *cair*, e fala de um "corpo caído". O vocábulo português "cadáver" vem do vocábulo latino, "cado", "cair". Este versículo, embora muito breve, tem sido motivo de inúmeras interpretações, algumas das quais inteiramente equivocadas. A seguir, damos alguns exemplos:

1. Cristo seria o alimento (*a carcaça*), e os crentes seriam os abutres. Assim pensaram Teofilacto, Calvino, Colóvio e Jerônimo, que encontram na palavra "cadáver" até mesmo uma referência à morte de Cristo. Crisóstomo também defendia essa interpretação, chamando os participantes da assembleia de santos de águias. Alguns intérpretes modernos, como Wordsworth, têm-se lançado na defesa dessa interpretação. A simples leitura do contexto, entretanto, basta para mostrar a qualquer um que nas Escrituras não há intenção de transmitir essas ideias, porquanto o tema do texto é o julgamento.

2. Tão infeliz quanto essa é a interpretação que diz que o cadáver significa aqueles que morrem para si mesmos (*a crucificação espiritual*), e que as águias são os dons do Espírito Santo (no pensar de Grotius). Isso está completamente fora do sentido do texto.

3. Jerusalém e os judeus seriam os cadáveres que teriam atraído as águias romanas (assim diziam Lightfoot, Wolf e de Wette).

4. O cadáver representaria os indivíduos *espiritualmente mortos*, e as águias seriam os anjos vingadores, enviados por Cristo (na opinião de Meyer).

5. O mais provável é que, neste caso, Jesus tivesse tomado por empréstimo um provérbio secular, dando-lhe uma nova aplicação. Esse provérbio significa algo como "Onde houver motivos para julgamento, aí haverá julgamento". Assim disse Sherman Johnson (*in loc.*). A declaração, por conseguinte, seria uma declaração geral, acerca da *inevitabilidade* do julgamento que se tornava necessário e imperioso. No caso de Israel, foi Roma que atacou Jerusalém. No caso da volta de Cristo, ele atacará os poderes do mal neste mundo, tanto os individuais como os internacionais. Ele destruirá o anticristo com o resplendor de sua vinda. É uma lei geral que o julgamento cai onde deve, tal como os abutres se reúnem onde jazem os cadáveres.

6. Sinais da verdadeira parousia (24.29-31)

24.29: Logo depois da tribulação daqueles dias, escurecerá o sol, e a lua não dará a sua luz; as estrelas cairão do céu e os poderes dos céus serão abalados.

24.29 Εὐθέως δὲ μετὰ τὴν θλῖψιν τῶν ἡμερῶν ἐκείνων, ὁ ἥλιος σκοτισθήσεται, καὶ ἡ σελήνη οὐ δώσει τὸ φέγγος αὐτῆς, καὶ οἱ ἀστέρες πεσοῦνται ἀπὸ τοῦ οὐρανοῦ, καὶ αἱ δυνάμεις τῶν οὐρανῶν σαλευθήσονται.

29 ὀ...αὐτῆς Is 13.10; Ez 32.7; Jl 2.10,31; 3.15; Ap 6.12
οἱ...σαλευθήσονται Is 34.4; Ag 2.6,21; Ap 6.13

"[...].o sol escurecerá..." Jesus passa a relatar diversos tipos de sinais que precederão de perto a *parousia*, v. 29-31. A mensagem geral é que o advento do Filho do homem será anunciado por certos *desastres cósmicos* que não envolverão a vontade humana ou que não serão resultantes de nenhuma ação humana; e que, por isso mesmo, terão de ser considerados como uma intervenção divina. Há explicações amplas desses acontecimentos, como nos capítulos 8, 9 e 10 de Apocalipse. Esses eventos serão as dores de parto da *parousia*. A volta de Cristo não poderá ocorrer sem tribulações, confusões e sofrimentos sem paralelo, e o próprio firmamento entrará num estado caótico. Haverá tremendos terremotos, mas também surgirão grandiosos sinais no céu, períodos incomuns e prolongados de trevas. O texto de Apocalipse 16.10 descreve um período incomum de trevas (*escurecimento do sol*), que haverá de ter lugar: "Derramou o quinto a sua taça sobre o trono da besta, cujo reino se tornou em trevas, e os homens remordiam as línguas, por causa da dor que sentiam".

Lê-se que, no tempo da crucificação de Jesus, uma escuridão estranha envolveu o local durante três horas (ver Mt 27.45). Essas noites no meio do dia não são desconhecidas na história. Existem grandes massas de matéria opaca ou semi-opaca a flutuar no espaço sideral, e não seria impossível que, ocasionalmente, esses corpos tapassem o sol, quais grandes nuvens cósmicas. A 26 de abril de 1884, isso evidentemente ocorreu em Preston, na Inglaterra. Os relatórios da época indicam que, ao meio-dia, o céu simplesmente se tornou negro, como se uma grande cortina houvesse sido puxada. A mesma coisa aconteceu em Aitkin, estado de Minessota, nos Estados Unidos da América do Norte, a 2 de abril de 1889, e também em Londres, a 19 de agosto de 1963, e em Oshkosh, Wisconsin, nos Estados Unidos da América do Norte, a 19 de março de 1886. Em Memphis, no Estado do Tennessee, nesse mesmo país, na manhã de 2 de dezembro de 1904, sem nenhuma razão aparente, o sol desapareceu e caíram densas trevas sobre a cidade. Isso aconteceu pelo espaço de cerca de quinze minutos, e muitas pessoas entraram em pânico. Houve gritos, clamores e orações angustiadas, pois muitos suspeitaram que era o *fim do mundo*. Em setembro de 1950, uma larga porção dos Estados Unidos da América do Norte experimentou um estranho sol azulado que parecia brilhar fracamente, como que através de um espesso filtro (a 24 de setembro). Esse mesmo sol "azulado" foi visto dois dias mais tarde na Escócia, na Inglaterra e na Dinamarca, onde o fenômeno durou apenas duas horas. E assim muitas ocorrências cósmicas estranhas têm tido lugar na história do nosso planeta. Jesus predisse que a sua vinda seria anunciada por esses acontecimentos; mas é indubitável que esses sinais anunciadores de seu retorno terão natureza mais intensa do que se tem visto até aqui.

Condições atmosféricas também haverão de afetar *a lua*, de modo que a mesma não será vista; e outras alterações farão com que o calor do sol chegue à superfície da terra sem a modificação da atmosfera; pelo que o calor será intenso, chegando a causar a morte de alguns. O texto de Apocalipse 16.9 descreve esse fenômeno. Cairão grandes meteoritos, mas evidentemente essas transformações envolverão mais do que isso; e podemos apenas conjecturar quanto à extensão da confusão que reinará entre os corpos celestes.

Muitos intérpretes consideram que todas essas expressões são *meros símbolos* de acontecimentos entre as nações, como se o escurecimento do sol significasse tribulação e perigo entre a sociedade das nações. Essas declarações bíblicas têm sido sujeitas a uma grande variedade de interpretações simbólicas. A passagem de Isaías 13.10 tem sido apresentada como exemplo desses pronunciamentos simbólicos que prometem julgamento. O comentário de Ellicott (*in loc.*) diz: "[...] tal linguagem exclui qualquer interpretação literal". Robertson (*in loc.*) diz: "O literalismo não é próprio nessa escatologia apocalíptica". E outro tanto diz um grande número de intérpretes. É possível que assim seja; mas eu voto em favor da interpretação literal nesse particular, e essa interpretação, pelo menos em parte, baseia-se em considerações das profecias que se derivam das predições parapsicológicas, que predizem grandes e literais agitações na terra, quando os polos da terra se alterarem (o que foi predito por muitos, para o começo do século XXI). Parece perfeitamente claro que o universo inteiro será convulsionado, e que o globo terrestre será grandemente afetado. Aqueles que viverem o bastante para contemplar esses acontecimentos e sinais reconhecerão a realidade da questão; seja como for, a *parousia* virá em grande turbilhão, e evidentemente será contemplada por toda a humanidade. Parece que o autor descreve o começo do fim cosmológico, como também se lê em 2Pe 3.12 e em Ap 20 e 21. Ver também Joel 3.3; Isaías 34.5; 24.21 e Daniel 7.13.

24.30: Então aparecerá no céu o sinal do Filho do homem, e todas as tribos da terra se lamentarão, e verão vir o Filho do homem sobre as nuvens do céu, com poder e grande glória.

24.30 καὶ τότε φανήσεται τὸ σημεῖον τοῦ υἱοῦ τοῦ ἀνθρώπου ἐν οὐρανῷ, καὶ τότε κόψονται πᾶσαι αἱ φυλαὶ τῆς γῆς καὶ ὄψονται τὸν υἱὸν τοῦ ἀνθρώπου ἐρχόμενον ἐπὶ τῶν νεφελῶν τοῦ οὐρανοῦ μετὰ δυνάμεως καὶ δόξης πολλῆς·

30 κόψονται...γῆς Zc 12.10,14; Ap 1.7 τὸν...πολλῆς Dn 7.13,14; Mt 16.27; 26.64

"[...] o sinal do Filho do homem..." Muita especulação cerca o sentido do "sinal do Filho do homem". Alguns têm sugerido que será uma imagem literal e visual, que tomará forma definida, como a de uma "cruz" ou a de algum símbolo de julgamento. Outros acreditam que de algum modo o próprio Cristo se fará visível, em terrível esplendor e brilho. Bruce (*in loc.*) assevera que se trata aqui de uma referência direta a Cristo, tornando este versículo paralelo de Daniel 7.13. Essa interpretação pode ser confirmada pelo resto do versículo: "[...] todos os povos da terra se lamentarão e verão o Filho do homem vindo sobre as nuvens..." Os judeus solicitaram um sinal por repetidas vezes, e talvez esse seja o sinal que receberão. É possível também que, por meio de alguma visão universal e especial, a sua glória possa ser contemplada simultaneamente por todos. O texto de Apocalipse 1.7 ensina a mesma coisa que esta passagem de Mateus 24: "Eis que vem com as nuvens, e todo olho o verá, até quantos o traspassaram. E todas as tribos da terra se lamentarão sobre ele. Certamente. Amém".

Alguns estudiosos, como Alford, acreditam que o "sinal" do Filho do homem e a sua vinda real precisam ser distinguidos entre si. Nesse caso, o "sinal" serviria de arauto de sua vinda, e não seria uma parte direta dessa vinda. Alford acredita que se trata de alguma manifestação visível que indicará, de forma clara e universal, que a *parousia* deve ser esperada para breve. Ele compara esse "sinal" à estrela de Belém, que foi um sinal especial, ainda que tenha sido mera conjunção de planetas (seu ponto de vista sobre a natureza daquela estrela). Alford também acredita que somente a cruz seria um símbolo apropriado, que todos haveriam de compreender, e apela para a opinião dos pais da Igreja, indicando que a maioria deles assim interpretou essa passagem. Olshausen fala de uma "estrela" do Messias, alguma manifestação cosmológica. Meyer diz que se tratará de um aparecimento de luminosidade, que anuncia a aproximação da glória do Senhor. Outros creem que se tratará da própria "glória" de Cristo, o resplendor de Cristo (na opinião de Lange). Ficamos sem nenhuma resposta definida; mas podemos ter a certeza de que, quando esse sinal aparecer, sem importar do que se trate, não haverá lugar para dúvidas, na mente dos

642 | Mateus | NTI

homens, acerca de sua natureza exata. Os místicos atuais dizem que será uma grande cruz luminosa.

"Todos os povos da terra se lamentarão..." Neste caso, "lamentarão" é uma tradução fraca. O vocábulo significa *bater angustiadamente no peito*. As nações se lamentarão com angústia. Por que será assim? Provavelmente, em parte, porque reconhecerão que rejeitaram a Cristo, ignorando-o, negando-o, zombando dele, enquanto que outros duvidaram da sua existência, ao passo que alguns rejeitaram totalmente o seu senhorio. Grandes verdades cósmicas lhe serão reveladas, mas por brevíssimo tempo; e lamentarão a sua ignorância, iniquidade e estupidez. Eles se angustiarão, também, porque perceberão, intuitivamente, que ele virá com a finalidade de julgar, que todos os erros serão reparados, que todos sofrerão a justa retribuição contra os seus pecados. Essa expectação não será fácil de suportar, pelo que haverá angústia universal. Reconhecerão que o "poder" do reino de Deus está próximo, e não estarão prontos para esse reino. Apocalipse 17 indica que esses lamentos se deverão parcialmente ao fato da participação deles na morte do Messias. Meyer (*in loc.*) diz: "Lamentarão: pela alteração completa no estado das coisas, pela derrubada e revolução de todas as relações da vida, pelas catástrofes decisivas que declararão estar próximo o juízo e a mudança das eras". Dorner (*in loc.*) expressou a sua crença de que a lamentação dos "arrependidos" não pode ser excluída desse quadro. Talvez essa ideia empreste alguma esperança para essa cena tenebrosa.

A declaração "sobre as nuvens do céu com poder e muita glória", transmite *o reinado universal* de Cristo, o seu poder como Rei dos reis e a sua aprovação nesse ofício, pelos céus, isto é pela autoridade de Deus.

A conversão de Israel: O "sinal do Filho do homem" será um fator importante na conversão de Israel. Na terceira guerra mundial, Israel será quase totalmente destruído; uma intervenção divina garantirá sua sobrevivência. A *cruz luminosa* nos céus mostrará a todos que, mais uma vez, Deus entra na história humana para mudar seu curso. Jesus será visto literalmente entre os soldados israelenses. Ganhando novas forças por esta visão, Israel e seus aliados terão o poder para vencer seus inimigos. As boas novas da intervenção divina em favor de Israel correrão como um fogo para todos os indivíduos daquela nação. Os líderes declararão Israel uma nação cristã: eis a conversão de Israel. Ver outras notas sobre esse particular em Romanos 11.26. Na introdução a este comentário, ver um artigo sobre profecia, intitulado "A tradição profética e a nossa era".

24.31: E ele enviará os seus anjos com grande clangor de trombeta, os quais lhe ajuntarão os escolhidos desde os quatro ventos, de uma à outra extremidade dos céus.

24.31 καὶ ἀποστελεῖ τοὺς ἀγγέλους αὐτοῦ μετὰ σάλπιγγος² μεγάλης, καὶ ἐπισυνάξουσιν τοὺς ἐκλεκτοὺς αὐτοῦ ἐκ τῶν τεσσάρων ἀνέμων ἀπ' ἄκρων οὐρανῶν ἕως ἄκρων αὐτῶν.

31 ἀποστελεῖ τοὺς ἀγγέλους αὐτοῦ Mt 13.41 μετὰ...μελάλης Is 27.13; 1Co 15.52 1Tm 4.16   ἐπισυνάξουσιν...αὐτῶν Dt 30.4; Zc 2.6

² 31 {B} σάλπιγγος ℵ L W X^comm Δ Θ *f*¹ 700 892^txt 1195 *l*¹⁸⁴ it^e syr^s,p,h cop^bo arm geo Diatessaron^a Origen^lat Cyprian Eusebius Cyril-Jerusalem Chrysostom Theodoret // σάλπιγγος φωνῆς B K X^txt Π *f*¹³ 28 33 565 892^mg 1071 1079 1230 1242 1253 1344 1365 1546 1646 2148 2174 *Byz Lect* // φωνῆς σάλπιγγος syr^with *,pal cop^sa eth // μεγάλης φωνῆς cop^fay // σάλπιγγος καὶ φωνῆς D 1009 1010 1216 1241 it^a,aur,b,c,d,f,ff²,²,g¹,h,l,r¹ vg Hilary John Damascus

> Embora seja possível que os copistas tenham omitido φωνῆς como desnecessária, é bem mais provável que, segundo seus hábitos, eles tenham feito a expressão mais explícita, adicionando φωνῆς ou καὶ φωνῆς (talvez influenciados pela narrativa da teofania, em Êx 19.16). Deve-se observar que, embora a expressão φωνὴ μεγάλη ocorra por muitas vezes no NT, σάλπιγξ μεγάλη ocorre somente aqui.

"E ele enviará os seus anjos..." Algumas traduções dizem "com o som de uma grande trombeta", mas a tradução acima parece preferível, embora alguns mss omitam a palavra "clangor". Lembramo-nos de que, na história de Israel, o soprar de trombetas servia de sinal de que os exércitos de Israel deveriam avançar pelo deserto, ou preparar-se para a batalha, ou deveriam estar alertas para outras ações coletivas. As trombetas convocavam para a guerra, proclamavam as festividades públicas e assinalavam o começo de novos meses. (Ver Nm 10.1-10; Sl 81.3.) O NT aproveitou-se desse simbolismo, conforme se vê em Apocalipse 11.15 e em outros lugares, como também nos escritos de Paulo em passagens como 1Coríntios 15.52. No texto de 1Tessalonicenses 4.16, como também nos *Oráculos Sibilinos* IV, 14, é empregado o simbolismo de uma trombeta para anunciar a ressurreição dos mortos. Deus recolherá os seus eleitos, de conformidade com essa passagem, mediante o clangor de trombetas; e essa ideia pode também ser encontrada em muitas passagens não-bíblicas, tais como Enoque 61.1,5, como no Testamento de Naftali, cap. 6; como no Didache, 9.4 e 10.5.

As dezoito bênçãos do culto da sinagoga contêm a seguinte petição: "Faz soar a grande trombeta da libertação; alça o pendão que reunirá nossos exilados, e ajunta-nos dos quatro cantos da terra" (Cantor, *Authorized Daily Prayer Book*, p. 48). A trombeta, pois, haverá de chamar os fiéis dentre os mortos, dentre a dispersão, dentre as tristezas, e dentre a perdição. Haverá de conclamá-los para a vida, para a comunhão, para a alegria e para a posse de sua herança. Os ímpios não são mencionados aqui. A mensagem que as Escrituras querem transmitir é de que Cristo será vindicado, que a sua Palavra será provada autêntica e veraz, que a fé se tornará visível. O autor do evangelho de Mateus quer impressionar a nossa mente com a verdade de que Deus continua governando, de que o Senhor continua entronizado, e de que, finalmente, a vitória pertencerá a ele e a todos aqueles que compartilharem dessa vitória por intermédio de Cristo.

"[...] anjos [...] reunirão..." Geralmente não damos grande valor ao ministério dos anjos. Eles ministraram a Jesus, e, conforme Hebreus 1.14, têm também um serviço para o nosso benefício. Os anjos estão associados ao julgamento, conforme se verifica em Mateus 13.41,42. Os anjos são seres dotados de vastíssimo poder, domínio e inteligência, e têm serviços específicos a realizar, tanto em relação aos homens como sem nenhuma vinculação com os seres humanos. O destino dos anjos é alto, mas não tão exaltado como o da Igreja, que será transformada segundo a imagem de Jesus Cristo. Dessa maneira, os crentes se tornarão seres dotados de grande poder e inteligência, e superiores aos próprios anjos. (Ver a nota detalhada sobre os "anjos", em Lc 4.10.)

Existem certo número de *fraquíssimas* interpretações acerca desse ajuntamento, as quais temos de rejeitar, tais como aquelas que dizem que está em vista simplesmente o ajuntamento por meio da pregação do evangelho, ou a preservação dos crentes quando da destruição de Jerusalém. O acontecimento ainda permanece no futuro e envolve uma participação pessoal na *parousia* de Cristo e na glória que acompanhará a vinda pessoal da glória de Jesus, a fim de reinar na qualidade de Rei universal.

As expressões "quatro ventos" e "de uma à outra extremidade dos céus" dão a entender a universalidade desse ajuntamento e quão completo ele será. Essas eram expressões comumente empregadas para referir-se às regiões distantes do globo terrestre e à totalidade da superfície da terra.

7. O exemplo da figueira (24.32,33)

24.32: Aprendei, pois, da figueira a sua parábola: Quando já o seu ramo se torna tenro e brota folhas, sabeis que está próximo o verão.

24.32 Ἀπὸ δὲ τῆς συκῆς μάθετε τὴν παραβολήν· ὅταν ἤδη ὁ κλάδος αὐτῆς γένηται ἁπαλὸς καὶ τὰ φύλλα ἐκφύῃ, γινώσκετε ὅτι ἐγγὺς τὸ θέρος·

NTI | Mateus | 643

24.33: Igualmente, quando virdes todas essas coisas, sabei ele que está próximo, mesmo às portas.

24.33 οὕτως καὶ ὑμεῖς, ὅταν ἴδητε ταῦτα πάντα, γινώσκετε ὅτι ἐγγύς ἐστιν ἐπὶ θύραις.

"**Aprendei, pois, a parábola da figueira...**" Essas palavras têm paralelos em Marcos 13.28 e Lucas 21.29, e a fonte informativa é o "protomarcos".

A parábola da figueira era usada como exemplo ou ilustração sobre como os homens poderiam saber que a *parousia*, ou segunda vinda de Cristo, já se avizinhava. A figueira é uma das árvores frutíferas mais comuns da Palestina. Seu florescimento era proverbialmente reconhecido como um sinal certo da chegada da primavera. A florescência surgia como prova de que a primavera se aproximava, e uma coisa sempre acompanhava a outra. "Os acontecimentos futuros lançam sombras à sua frente" (Thomas Campbell, em *Lochiel's Warning*). Tem ficado provado que assim sucede, com uma das funções naturais da personalidade humana, pois as pesquisas dos fenômenos parapsicológicos indicam que até mesmo um ser humano comum, por ser um ser espiritual, e não mera criatura física, possui alguns poderes de pré-conhecimento. Os grandes acontecimentos do fim da era presente, isto é, de nosso atual sistema mundial, têm sido preditos tanto por Jesus como por outros profetas. Homens comuns reconhecem a veracidade dessas profecias, sem o emprego de nenhum documento escrito, porque os acontecimentos lançam longas e escuras sombras antes de sua ocorrência. Hoje em dia, muitas pessoas acreditam, e muitas outras assim ensinam, incluindo aqueles de diferentes posições doutrinárias, que *o fim está perto*. Muitos percebem o alongamento das sombras. Para alguns, essas sombras já se escurecem. Todas essas coisas podem acontecer dentro de *nossa geração*. A figueira é um símbolo disso. Os sinais do tempo do fim são acontecimentos terríveis, como a angústia entre as nações, o surgimento de falsos cristos, o anúncio de falsas *parousias* etc.; e, finalmente, haverá a grande tribulação. Certamente, ninguém poderá ficar equivocado quanto a esse sinal, dizendo "[...] porque desde que os pais dormiram, todas as coisas permanecem como desde o princípio da criação" (2Pe 3.4).

Naturalmente que ainda não entramos no período da tribulação, e isso ainda teremos de ver, como sinal da vinda gloriosa de Cristo. É verdade que alguns ensinam que o arrebatamento da Igreja não depende de nenhum sinal, e que esse evento não precisará esperar pela chegada da tribulação. Outros ensinam que a Igreja passará pela tribulação. Outros ainda creem que não haverá tribulação como angústia de um tempo definido, como acontecimento histórico separado. Quanto à discussão dos problemas envolvidos nessas declarações, ver as notas sobre o arrebatamento da Igreja, em 1Tessalonicenses 4.15. Pelo menos sabemos que, no tocante à vinda gloriosa de Cristo, existem sinais; e não é impossível que, qualquer que seja a verdade com respeito ao arrebatamento da Igreja, quer se verifique antes, durante ou após a tribulação, ainda vemos o sinal do florescimento da figueira.

É muito *significativo* que Jesus tenha escolhido como ilustração o florescimento da figueira. Esse fenômeno anuncia a chegada da primavera, uma vida nova, uma nova esperança. Embora anunciado por acontecimentos que horrorizam, contudo, o governo de Deus, por intermédio de Cristo, será um domínio caracterizado pela paz, pela alegria e por grandes realizações. O inverno é gélido e mata. A violência humana é espantosa, mas a esperança é possível. "Se o inverno vem, pode estar longe a primavera?" (Shelley, *Ode to the West Wind*). Buttrick (in loc.) diz: "Certamente que Cristo não escolheu a instância de uma árvore que prediz a vinda da primavera sem a intenção de infundir-nos esperança. As próprias penas da vida, a angústia e as lágrimas são arautos do verão para aqueles que confiam em sua graça e que seguem os seus passos".

"**Estas coisas**" referem-se, em particular, aos acontecimentos descritos nos v. 15-31. Os versículos anteriores, entretanto, transmitem também parte do quadro ilustrativo. O inverno inteiro da perversidade humana tem de preceder a vinda primaveril da

graça de Deus. À proporção que virmos o desenrolar dos acontecimentos do inverno, nós nos convenceremos do fato de que outra estação se seguirá. O original grego não é claro aqui quanto à expressão "está próximo". Significará a condenação de Jerusalém ou o fim da presente ordem de coisas, como coisas que estão *às portas*? Ou significará que Cristo é quem está próximo? Não se pode decidir com absoluta certeza o que está em foco; mas sabemos que o fim da atual dispensação coincidirá com a vinda de Cristo, pelo que o sentido envolvido não difere muito, se tomarmos uma ou outra dessas duas posições. Como interpretação secundária, ou como interpretação com ponto de vista de curto alcance, pode-se compreender que a destruição de Jerusalém estava "próxima, às portas"; de fato, que estava tão próxima, que aquela geração não passaria inteiramente até que se cumprissem todas as profecias de condenação proferidas de Jesus.

XII. QUINTO GRANDE DISCURSO: AOS DISCÍPULOS – FIM DOS TEMPOS E O PEQUENO APOCALPSE (24.1 - 26.2)

8. O tempo exato da parousia é imprevisível (24.34-36)

Não se pode duvidar que a igreja primitiva pensasse na segunda vinda de Cristo como mui próxima. (Ver as notas sobre isso, em 1Co 15.51 e Ap 17.10,11.) Sem dúvida isso deu origem a muitas especulações sobre "quando" tudo sucederia. Portanto, a predição de Jesus sobre sua *parousia*, ou segundo advento, que tomamos como profecia válida, é agora usada por Mateus para acautelar os cristãos contra a tentativa de estabelecer datas. Nada é dito, entretanto, que nos permita especular que essa vinda poderá ser adiada.

24.34: Em verdade vos digo que não passará esta geração sem que todas essas coisas se cumpram.

24.34 ἀμὴν λέγω ὑμῖν ὅτι οὐ μὴ παρέλθῃ ἡ γενεὰ αὕτη ἕως ἂν πάντα ταῦτα γένηται.

<u>34 Mt 16.28</u>

"**[...] não passará esta geração...**". Na opinião de muitos intérpretes, o sentido deste versículo é difícil de se precisar; alguns acreditam que não podemos ter certeza de seu significado. A maior dificuldade consiste em compreender o que está em foco em seu sentido mais breve. Parece evidente que o autor esperava a volta de Jesus, antes da morte dos ouvintes de Jesus. (Ver Mt 16.28.) Se assim for, naturalmente ele estava equivocado. Não obstante, a Igreja, em todas as gerações, deve ser impulsionada por essa expectativa. A seguir, temos as principais interpretações:

1. Jesus estaria se referido somente à *destruição de Jerusalém*, e isso, naturalmente, teve cumprimento naquela mesma geração, se usarmos o costume do AT de considerar que o período de cada geração é de quarenta anos. O problema aqui envolvido, entretanto, é o significado de "tudo isto". A fim de conservar essa interpretação, não se deve incluir a *parousia* (que faz parte definida dos assuntos que acabam de ser ventilados nas palavras de Jesus). Esta interpretação ensina que Cristo veio "em espírito" (não literalmente) na destruição de Jerusalém. Nesse caso, "tudo isto" equivaleria às palavras "todas estas coisas", conforme lemos no v. 33. Por essas razões, essa interpretação não parece natural, porquanto parece óbvio que esta profecia inclui, de modo definido, a ideia da vinda literal de Cristo, no fim da atual dispensação.

2. Alguns eruditos mais liberais explicam simplesmente que Jesus estava *equivocado*, como também Mateus, porque a *parousia*, ou segunda vinda de Cristo, não teve lugar no espaço de uma geração.

3. Outros têm procurado explicar a dificuldade, fazendo com que "geração" signifique *raça*, "espécie", "família" ou "nação", dizendo que essa profecia tão-somente assegura a continuação

644 |Mateus| NTI

de Israel, como nação, até a vinda de Cristo, isto é, que Israel, na sua identidade como raça e como nação continuará até que esse acontecimento se cumpra. Paulo declara exatamente isso em Romanos 11.15ss. Essa explicação é possível; contudo, vai de encontro ao uso comum da palavra "geração", conforme se vê em passagens como Mateus 1.17; 23.26 e Atos 13.36, onde o sentido claro é um período de tempo, mais ou menos de quarenta anos, ou a extensão da duração da vida das pessoas que vivem em determinado período. O texto não parece indicar que "raça" ou "nação" seja o sentido tencionado aqui.

4. Outros explicam que a "geração" de que aqui se trata é o período de tempo quando os sinais da grande tribulação, ou mesmo sinais anteriores de angústia, no fim da atual dispensação, se tornarem evidentes. A geração que *então estiver viva* não passará completamente antes de esse processo se completar, incluindo a vinda de Cristo. Essa interpretação goza de algum apoio devido à analogia com a primeira interpretação. É verdade que os acontecimentos que conduzirão à destruição de Jerusalém, a partir do tempo da profecia de Jesus em diante, não ocuparam mais do que uma geração, e que algumas pessoas pertencentes à geração de Jesus continuaram vivas até que Jerusalém foi destruída. Assim também será no tocante à vinda de Cristo, após a tribulação. A partir do começo dos horrendos sinais do fim desta dispensação, até a culminação final dos acontecimentos, quando da vinda de Cristo, a geração que então estiver viva, no começo dessas ocorrências, não passará inteiramente até que tudo se complete. É improvável que esse seja o sentido das palavras de Jesus; ou pelo menos parece ser esse o sentido do versículo, se considerarmos a profecia em seu aspecto mais prolongado, quer Mateus tenha ou não compreendido essas implicações. É óbvio que ele não as entendeu inteiramente.

Existem ainda outras interpretações acerca do termo *geração*, além daquelas que acabamos de enumerar, e que são alistadas a seguir: (1) A raça humana (Jerônimo); (2) a criação (Maldonado); (3) os discípulos, a geração de crentes (Orígenes, Crisóstomo, Paulus). Se adicionarmos que "essa geração" indica aquela geração particular de crentes que estará viva no fim desta dispensação, e que verá tanto o começo como o fim de todos esses acontecimentos, que trarão o "fim" a este sistema mundial, teremos a interpretação número quatro, que é dada acima, e o mais provável é que esse seja o sentido do versículo. Ver Lucas 21.32.

24.35: Passará o céu e a terra, mas as minhas palavras jamais passarão.

24.35 ὁ οὐρανὸς καὶ ἡ γῆ παρελεύσεται, οἱ δὲ λόγοι μου οὐ μὴ παρέλθωσιν.

35 Mt 5.18; Lc 16.17

"Passará o céu e a terra...". Essa afirmação é semelhante àquela que se encontra em Mateus 5.18; mas ali há uma referência à validade eterna da lei. Esta declaração ultrapassa essa ideia ao proclamar que *a palavra do Messias*, que inclui as suas afirmações proféticas, tais como aquelas que se encontram neste capítulo, também é palavra eterna. O Messias proclamara muitos acontecimentos seriíssimos, que trariam o "fim desta dispensação". Tem sido demonstrado que certa instabilidade reina no universo material, e, em termos similares ao que lemos em 2Pedro 3.10, que nem mesmo os céus e a terra oferecem nenhuma estabilidade. De fato, tem sido claramente calculado que haverá um fim do universo físico. "Virá, entretanto, como ladrão, o dia do Senhor, no qual os céus passarão com estrepitoso estrondo e os elementos se desfarão abrasados; também a terra e as obras que nela existem serão atingidas" (2Pe 3.10). Houve tempo em que as populações em geral e os cientistas usavam pronunciamentos bíblicos como esse para atacar a profecia bíblica, dizendo que esse acontecimento é claramente impossível. Entretanto, desde o descobrimento do uso da energia atômica, ninguém mais duvida da possibilidade de esse episódio ocorrer; de fato, os cientistas nos dizem que o

universo e as estrelas, uma por uma, podem explodir subitamente, transformando-se de matéria em energia.

É provável que essa profecia indique exatamente isso: de maneira acidental, a matéria do universo, da criação inteira, reverterá em energia. O estoicismo antigo ensinava uma doutrina que não difere muito disso, no uso que fazia da expressão "fogo eterno", como base de tudo, afirmando que o fogo é o elemento básico do universo, que se expressa em objetos bem conhecidos, que algum dia reverterão todos ao fogo. Jesus nos revela que esse acontecimento terminará por acontecer, ou pelo menos ele fala da instabilidade básica de tudo quanto é físico. O Senhor empregou essa ideia para ilustrar a eternidade e a estabilidade de sua *verdade*. Neste caso, a expressão não equivale a "lei"; porém, não se pode duvidar de que essas palavras do Messias impliquem na *nova lei*. Encontramos paralelos dessa afirmação em Salmos 102.26 e Isaías 40.8. O Filho do homem, portanto, reivindicou para suas palavras a eternidade que pertence às palavras de Jeová (ver 1Pe 1.24,25). A história da cristandade e a influência contínua da pessoa de Cristo, em escala internacional, são testemunhas da verdade do que ele falou. Buttrick (*in loc.*), ilustrando a eternidade das palavras de Cristo em sua aplicação em todos os séculos, escreveu: "Faz parte da vida esperar a vontade de Cristo, pesquisá-la e procurar cumpri-la: uma palavra inequívoca em breve seria uma cova, mas existe uma presença inequívoca. Existem palavras de natureza seminal, que produzem novas colheitas. Existe um espírito que opera por intermédio das palavras, pelo que lançam fogo em cada nova ocasião. Existe um coração humano, era após era, que vibra em resposta ao que ele disse e à eterna Palavra de sua vida, de sua morte e de sua ressurreição".

24.36: Daquele dia e hora, porém, ninguém sabe, nem os anjos do céu, nem o Filho, senão só o Pai.

24.36 Περὶ δὲ τῆς ἡμέρας ἐκείνης καὶ ὥρας οὐδεὶς οἶδεν, οὐδὲ οἱ ἄγγελοι τῶν οὐρανῶν οὐδὲ ὁ υἱός[3], εἰ μὴ ὁ πατὴρ μόνος.

36 At 1.7 1Tm 5.1,2

[3] 36 {C} οὐδὲ ὁ υἱός (*ver* Mc 13.32) ℵ*,b B D Θ *f*3 28 1195 1230* *l*490,547m,823 it*a,aur,b,c,(e),f,ff1,2,h,l,q,r1* syr*pal* cop*fay* arm eth geo1,B Diatessaron Irenaeus*lat* Origen*lat* Hilary Ambrose Chrysostom Latin mss*acc.to Jerome* // *omit* ℵa K L W Δ Π *f*1 33 565 700 892 1009 1010 1071 1079 1216 1230c 1241 1242 1253 1344 1365 1546 1646 2148 2174 *Byz* Lect it*s1,l* vg syr*s,p,h* cop*sa,bo* geo*A* Origen Greek mss of Adamantius and Pierius*acc. to Jerome* Basil Phoebadius Greek mss*acc,to Ambrose* Didymus Paulinus-Nola Ps-Athanasius John-Damascus Euthymius

> As palavras "nem o Filho" não existem na maioria dos testemunhos de Mateus, incluindo o texto bizantino posterior. Por outro lado, os melhores representantes dos tipos de texto alexandrino, ocidental e cesareano contêm a frase. A omissão dessas palavras, devido à dificuldade doutrinária que apresentam, é mais provável do que sua adição por assimilação a Marcos 13.32. Outrossim, a presença de μόνος e a formação da sentença como um todo (οὐδὲ...οὐδὲ... pertencem juntamente como um parêntesis, pois εἰ μὴ ὁ πατὴρ μόνος — está ligado a οὐδεὶς οἶδεν) sugerem a originalidade da frase.

"[...] mas a respeito daquele dia...". Para alguns comentaristas, essas são algumas das palavras proferidas por Cristo mais difíceis de entender. A dificuldade não está em sua interpretação, pois o sentido é perfeitamente claro; o problema está em sua aceitação. Uma vez que aceitemos a ideia de que Cristo não sabia tudo, então não teremos dificuldade nenhuma em compreender o que ele disse aqui. Jesus declarou claramente que *não sabia* tudo, e isso significa que também não sabia o tempo de sua volta para reinar como Filho do homem, que é um fator principal de conhecimento.

A dificuldade de alguns intérpretes, que não querem aceitar o que Cristo mesmo disse, é que essa dificuldade é criada pelo ponto de vista errôneo sobre a *própria encarnação*. Alguns mestres se esquecem de que, por ocasião da encarnação, a Palavra eterna, o Filho de Deus, esvaziou-se a si mesmo — não de sua natureza divina, mas de suas *prerrogativas*. Por conseguinte, quando ele se tornou homem, esvaziou-se de todo conhecimento, de todo poder etc., a fim de ser um *verdadeiro* homem. Nenhum ser humano possui todo o conhecimento, todo o poder e todas as perfeições divinas. Jesus, porém, era um homem autêntico, e esse foi justamente o propósito da encarnação. O Filho de Deus tornou-se homem a fim de que pudesse palmilhar pela mesma estrada por onde os homens devem andar, pudesse experimentar as mesmas experiências que eles, pudesse sofrer, lutar, tropeçar, cair, recuperar-se, seguir avante, viver pelo Espírito e no Espírito, desenvolver-se como homem, adquirir a sua herança. Essa é a mensagem de Hebreus 1 e de Filipenses 2. Jesus era homem verdadeiro. Entretanto, com demasiada frequência temos criado entre nós um Cristo *docético*, palavra essa que vem do termo grego *dokeo*, que significa "parecer". Para certas pessoas, Jesus não seria homem verdadeiro, porquanto possuía todas as qualidades de Deus e exerceu todas essas qualidades. Não era homem verdadeiro; apenas parecia sê-lo; era uma mera "aparência" de homem.

A grande verdade, entretanto, é que Jesus é não somente o caminho, mas também o *pioneiro do caminho*. (Ver Hb 2.9,10.) A palavra *autor*, em algumas traduções, poderia ser mais bem traduzida por *pioneiro*. Jesus veio a este mundo como homem, revestido das limitações humanas, tendo vivido e morrido como homem; tudo isso com um propósito eterno, a saber, o propósito de conduzir muitos filhos à glória (Hb 2.10). As implicações da encarnação são vastíssimas. Jesus viveu a nossa vida. E também haveremos de viver a dele. Da mesma forma com que ele viveu a nossa vida, como homem, assim também, como homens, haveremos de segui-lo passo a passo, estando inteiramente conformados com a sua morte (crucificação), compartilhando totalmente de sua ressurreição e glorificação, até que estejamos compartilhando, total e perfeitamente, de sua "imagem". Então, é que seremos realmente "filhos de Deus", tal como Jesus é o grande Filho de Deus; pois compartilharemos da mesma essência. Essa é justamente a mensagem de Romanos 8 e de Efésios 1. Seremos a plenitude de Cristo, e ele preencherá todas as coisas. (Ver Ef 1.23.) Ver a nossa participação na divindade — 2Pedro 1.4.

A encarnação de Jesus foi necessária para realizar isso, pois, na encarnação, Jesus identificou-se perfeitamente conosco, em nossa humanidade; pelo que também, aqueles dentre nós que tiverem fé em Cristo Jesus, serão capazes de se identificar total e perfeitamente com ele, em sua glória, natureza divina e imortalidade. A encarnação exigiu que ele se limitasse em seus poderes, incluindo o atributo do conhecimento; e tudo isso foram limitações autoimpostas; não obstante, foram limitações perfeitamente reais, o que mostra que Jesus disse a verdade ao declarar que não sabia o tempo de sua *parousia*, isto é, de sua segunda vinda. Contudo, se naquela ocasião Jesus não o sabia, certamente agora, em seu estado de glorificação, ele o sabe. (Quanto a explicações adicionais, o leitor deve examinar Fp 2.7, sobre a natureza da humanidade de Cristo; e também as notas em Rm 8.28-31 e Ef 1.19-23.) Como a natureza divina e a natureza humana se combinaram em Jesus, não temos resposta satisfatória, porquanto essa é uma consideração que ultrapassa os limites de nossa compreensão humana.

Há uma variante textual de nota neste versículo, que se originou de algum escriba que, por causa de sua cristologia, eliminou as palavras *nem o Filho*. Após "céus", os mss Aleph(1) B D, Theta, F,M, 13 e a maioria das versões latinas adicionam "nem o Filho". As palavras são nas traduções AA, AC, ASV, BR, IB, NE, PH, RSV, GD, WM e WY. Mas essas palavras estão omitidas pelos mss Aleph(4) EFGHKLMSUV, Gamma, Delta, Fam Pi e as traduções KJ, F e M. (Ver os sentidos desses símbolos, tanto nos manuscritos como nas traduções, para que possa entender completamente a sua significação. A lista de abreviações identifica as traduções. A introdução a este comentário tem um tratamento sobre os manuscritos e sua importância.) Talvez alguns escribas tenham eliminado essas

palavras porque lhes pareciam diminuir o poder de Cristo. A narrativa paralela, em Marcos 13.32, diz também "nem o Filho", e ali não há dúvidas quanto à sua autenticidade.

XII. QUINTO GRANDE DISCURSO: AOS DISCÍPULOS – FIM DOS TEMPOS E O PEQUENO APOCALPSE (24.1 - 26.2)
9. Preparando-se para a parousia (24.37–25.13)
(a) A maioria será apanhada de surpresa (24.37-41)
Quando de sua primeira vinda, a maioria dos homens foi tomada de surpresa. Quase ninguém estava preparado, pois a "preparação" é constituída de espiritualidade, centralizada em Cristo.

24.37: Pois como foi nos dias de Noé, assim será também a vinda do Filho do homem.

24.37 ὥσπερ δὲ αἱ ἡμέραι τοῦ Νῶε, οὕτως ἔσται ἡ παρουσία τοῦ υἱοῦ τοῦ ἀνθρώπου.

37 αἱ...Νῶε Gn 6.9-12 ἡ...ἀνθρώπου Mt 24.27,39; 1Co 15.23; 1Tm 2.19; 3.13; 4.15; 5.23; 2Tm 2.1,8; Tg 5.7,8; 2Pe 3.4,12; 1Jo 2.28

"Pois assim como foi nos dias de Noé...". Esta pequena seção, composta dos v. 37-41, tem o propósito de mostrar que a *maioria* dos homens será apanhada de surpresa pelos acontecimentos do fim desta dispensação, e que se pode fazer isso com uma comparação natural com os tempos de Noé, quando sobreveio tremenda destruição. E disso se entende que qualquer "dispensação" chega ao seu fim.

Jesus já usara esse *simbolismo* em debate com os fariseus (Lc 17.26-30). Lemos que no tempo de Noé, antes daquele grande cataclismo do dilúvio, foi anunciada a advertência com tempo suficiente; porém, os homens daquela época não encontraram tempo para ouvir os avisos sobre o juízo. Há outra comparação interessante entre Noé, o dilúvio, os acontecimentos daquele mundo antigo, e nossa época histórica. Alguns cientistas acreditam que as grandes agitações naturais da terra, que se tornaram conhecidas como *dilúvio de Noé*, foram provocadas essencialmente pela mudança do eixo da terra, o que teria tido o efeito de fazer irromper as águas do batismo, fazendo os oceanos inundarem grandes áreas de terras. Ultimamente, a ciência está predizendo novamente essa possibilidade, e as profecias que vêm da parapsicologia indicam que esse acontecimento em breve. Isso causaria muitas das catástrofes naturais sobre as quais lemos no livro de Apocalipse, tais como o desaparecimento de ilhas inteiras, gigantescos terremotos etc. Por conseguinte, é perfeitamente possível que as profecias de Jesus estejam prestes a ser cumpridas, e que elas se cumprirão, pelo menos em parte, da mesma forma com que as profecias de Noé, acerca da destruição universal, foram cumpridas. Neste texto, todavia, Jesus somente frisou que as condições sociais que precederão essa destruição serão similares àquelas que prevaleciam nos dias de Noé; particularmente a atitude de desatenção e despreocupação daqueles que serão julgados. A maioria da humanidade será apanhada de surpresa por esses terríveis acontecimentos, tal como ocorreu nos dias de Noé. Robertson (*in loc.*) diz: "A maioria das pessoas mostra-se ou indiferente para com a segunda vinda, ou cria os programas mais fantásticos acerca da mesma. Poucos realmente anseiam e esperam e deixam nas mãos de Deus o tempo certo e os planos". (Ver paralelos a esse ensino em 1Pe 3.20; 2Pe 2.5 e 3.6.) Ver notas sobre o termo "Filho do homem", no v. 27 deste capítulo, em Marcos 3.7 e em Mateus 8.20. O paralelo desta passagem, no evangelho de Lucas, adiciona uma referência ao caso de Ló, e ilustra isso, fazendo referência à iniquidade geral que então prevalecia, comparando-a à impiedade que prevalecerá no futuro, naqueles dias, o que parece ser uma característica geral da sociedade, antes de qualquer grande julgamento divino.

24.38: Porquanto, assim como nos dias anteriores ao dilúvio, comiam, bebiam, casavam e davam-se em casamento, até o dia em que Noé entrou na arca,

646 |Mateus| NTI

24.38 ὡς γὰρ ἦσαν ἐν ταῖς ἡμέραις ταῖς πρὸ τοῦ κατακλυσμοῦ τρώγοντες καὶ πίνοντες, γαμοῦντες καὶ γαμίζοντες, ἄχρι ἧς ἡμέρας εἰσῆλθεν Νῶε εἰς τὴν κιβωτόν,

38-39 εἰσῆλθεν...ἄπαντας Gn 6.13—7.24; 2Pe 3.6

"[...] nos dias anteriores ao dilúvio...". O termo "comiam" deriva-se do verbo grego que significa mastigar verduras ou frutos crus, como castanhas ou amêndoas; mais tarde, tornou-se o termo geral que indicava o ato de comer. Essa palavra é frequentemente usada para indicar os hábitos alimentares dos animais; por isso mesmo, é provável que aqui tenhamos uma indicação de glutonaria, e não meramente que aquela geração continuasse em sua ocupação ordinária e diária, da maneira regular, sem nenhum pensamento sobre a real possibilidade de um desastre iminente. Eles haviam sido advertidos, mas realmente não consideravam que essa profecia tivesse reais possibilidades de cumprimento. Consideravam fantásticas as ideias como a de uma destruição universal, assunto próprio somente para os radicais, os místicos e os insensatos desvairados. Por conseguinte, continuaram desfrutando de seus alimentos, de suas festividades e de sua glutonaria; e não havia como impressioná-los com os avisos proféticos. Continuavam provando seus vinhos, seus licores e seus excessos, e sua mente não acordava do estado de torpor em que se encontrava.

"Casavam e davam-se em casamento...". Alguns intérpretes têm explicado que essas palavras são referência à licenciosidade sexual e ao abuso do sexo; e, mediante a comparação com o paralelo do evangelho de Lucas e com a referência sobre os dias de Ló, com o que o AT descreve aquela antiga sociedade, sabemos que essa inferência é justa. Neste texto, porém, essa interpretação é duvidosa, pois não parece provável que o autor tenha empregado o vocábulo *casamento* como eufemismo de licenciosidade sexual. Facilmente poderia ter dito algo mais direto sobre o assunto, se assim quisesse fazê-lo. No entanto, não pode haver nenhuma dúvida de que a licenciosidade sexual está em foco aqui, como uma das grandes características das sociedades que estão à beira do julgamento, incluindo aquela sociedade que estará vivendo às vésperas do julgamento da *parousia*. A ênfase principal, neste versículo, recai sobre o fato de que essa geração viverá como se *jamais* houvesse de chegar *ao fim* a existência da atual ordem de coisas. No tempo de Noé, os homens casavam-se, planejavam ter filhos e imaginavam que tinham longas existências à sua frente. Agiam como se tivessem de viver para sempre. Não sabiam que lhes restava apenas mais alguns anos, alguns meses, alguns dias, e, finalmente, algumas horas, antes que o grande cataclismo predito separasse sua alma de seu corpo. Essa mesma forma de atitude caracterizará a sociedade que tiver de experimentar os julgamentos da *parousia*, ou segunda vinda de Cristo.

24.39: e não o perceberam, até que veio o dilúvio, e os levou a todos; assim será também a vinda do Filho do homem.

24.39 καὶ οὐκ ἔγνωσαν ἕως ἦλθεν ὁ κατακλυσμὸς καὶ ἦρεν ἄπαντας, οὕτως ἔσται [καὶ] ἡ παρουσία τοῦ υἱοῦ τοῦ ἀνθρώπου.

39 ἡ...ἀνθρώπου Mt 24.27,37; 1Co 15.23; 1Tm 2.19; 3.14; 4.15; 5.23; 2Tm 2.1,8; Tg 5.7,8; 2Pe 3.4,12; 1Jo 2.28

39 καὶ 3°] *om* BD *pc* it sy^{s.p} co; R

"[...] e não o perceberam...". O que não sabiam e se recusaram a aceitar foi o fato de o dilúvio estar prestes a desabar sobre eles, não podendo ser impedido; ele era inevitável. Somente a visão das grandes ondas, das águas que borbulhavam da terra, somente aqueles espetáculos dantescos por toda parte, é que puderam despertá-los para a realidade. Foi então que compreenderam. Foi então que se lembraram de todas as profecias sobre que tinham ouvido. No entanto, logo em seguida pereceram.

A expressão "os levou a todos" descreve a terrível universalidade daquela destruição. Ela foi grande e vasta. Podemos, pelo menos, tentar imaginar como teria sido, se a causa foi, parcialmente, a mudança do eixo da terra, como alguns cientistas acreditam ter sido. Isso faria o oceano inundar grandes massas da terra, faria levantarem-se as águas do abismo, causaria tremendos terremotos, faria entrar em erupção grandes vulcões, mesmo onde nenhum vulcão existisse, espalhando a destruição, durante o dilúvio. Torna solene o pensar que a mesma coisa pode acontecer em nossos dias, e que verdadeiramente *essa geração* não passará enquanto todas essas coisas não se cumprirem. Por causa das catástrofes naturais, da miséria provocada pelo homem e por causa dos julgamentos divinos, as condições, durante o período da tribulação, serão tão horríveis, que a raça humana inteira perderá a esperança de sobreviver. Muitos pensarão, finalmente, que ninguém conseguirá escapar.

A geração durante a qual viveu Noé era uma geração absorvida em si mesma. Não tinha tempo para Deus, para santuários, para orações, para meditação ou para a busca espiritual. Eram homens terrenos, preocupados apenas com as coisas deste mundo. Viviam como se estivessem descendo por um rio tranquilo, sem corredeiras, em uma embarcação luxuosa. Não esperavam encontrar rochas, cataratas ou abismos. Nem lhes vinha ao pensamento a ideia de que a viagem poderia ter um fim súbito e doloroso. Não davam ouvidos a nenhuma significação mais profunda da vida. William Morris escreveu acerca do nosso *progresso*, nestas palavras: "Em tempos passados, eu realmente me inclinava ao desespero, porquanto pensava que aquilo que os idiotas de nossos dias chamam de progresso continuaria se aperfeiçoando; mas agora, felizmente, sei que tudo terá um fim súbito e repentino, a saber, 'assim como foi nos dias de Noé' " (J. W. Mackail, *The Life of William Morris*, New York: Langmans, Green and Co., 1889, p. 144,145). Buttrick diz (*in loc.*): "As linhas climatéricas são traçadas através da História e através da história de cada indivíduo: pois a história não consiste do movimento suave de um bote impelido pelo homem, rio abaixo, e, sim, de negócios e de conversas entabuladas com Deus. Há uma grande verdade nos v. 40 e 41. Pois o dilúvio não faz acepção de pessoas".

"Assim será...". A *parousia* virá acompanhada da *destruição visível* deste mundo, tal como aconteceu no dilúvio de Noé; e apanhará os homens na mais total ignorância. Os corações iluminados pela fé na Palavra de Deus anteciparão os acontecimentos e escaparão de suas consequências. Contudo, os corações empedernidos na incredulidade não terão a atitude de antecipação, não se prepararão para a catástrofe, e perecerão.

24.40: Então, estando dois homens no campo, será levado um e deixado o outro;

24.40 τότε δύο ἔσονται ἐν τῷ ἀγρῷ, εἷς παραλαμβάνεται καὶ εἷς ἀφίεται·

"Então dois estarão no campo...". Em realidade, os verbos gregos aqui traduzidos como futuros ("estarão" e "será") estão no tempo presente, e isso aumenta a vivacidade da narrativa. Portanto, "um é tomado e o outro é deixado". O julgamento virá com subitaneidade, apanhando a muitos em suas ocupações diárias; e assim um será "tomado", isto é, *apanhado* pelo juízo, enquanto que outro será "deixado", ou seja, escapará do julgamento. Embora o julgamento seja repentino, não será indiscriminado. Alguns serão tomados para a condenação, enquanto que outros serão preservados de dano; e somente os conselhos de Deus podem fornecer a razão apropriada para essa ação. Alguns intérpretes modernos têm visto um quadro do "arrebatamento" da Igreja nessas palavras de Jesus, crendo que o "tomar" será a ação de Deus que *removerá* a Igreja deste mundo perverso, e que os "deixados" são justamente aqueles que, não pertencendo à Igreja, serão deixados para o eventual sofrimento e destruição, durante o período de tribulação. Neste capítulo, entretanto, não temos nenhuma descrição do arrebatamento da Igreja. Quanto a esse ensinamento, ver a nota em 1Tessalonicenses 4.15. Essa nota expõe os vários pontos de vista sobre a questão. Aqui, entretanto, temos uma comparação com o dilúvio dos tempos de Noé. O tema desta passagem é julgamento, e não arrebatamento, e esse julgamento será o da segunda vinda de Cristo, para que ele governe e reine. A passagem paralela que ilustra essas circunstâncias é Apocalipse 19. Os grandes juízos que varrerão o mundo pouco antes da vinda de Cristo e o seu advento serão como o dilúvio de Noé. Esses acontecimentos apanharão as pessoas em suas atividades ordinárias, despreparadas, negligentes, a praticar a iniquidade. Assim como o dilúvio varreu a muitos, mas a outros (*embora poucos*) deixou, sem que estes fossem atingidos, assim também sucederá quando da segunda vinda de Cristo a fim de julgar este mundo. O dilúvio não fez acepção de pessoas, e nem o fará a *parousia*. Não obstante, os juízos de Deus têm um propósito, e haverá discriminação entre os indivíduos. Há também indicações de que aquilo que servirá de condenação para uns servirá de júbilo para outros, porquanto a mão de Deus sobre um homem, que é o que o preserva, não pode ser senão a mão que infunde alegria. Este versículo, juntamente com o v. 41, ilustra de maneira dramática a subitaneidade e a finalidade desse acontecimento. Em um momento só, os destinos serão determinados para sempre.

24.41: estando duas mulheres a trabalhar no moinho, será levada uma e deixada a outra.

24.41 δύο ἀλήθουσαι ἐν τῷ μύλῳ, μία παραλαμβάνεται καὶ μία ἀφίεται.

"**Duas estarão trabalhando num moinho...**". Aqui temos uma referência às ocupações das mulheres. No v. 40, aparecem dois homens. Os homens trabalhavam no campo. As mulheres comumente trabalhavam no moinho caseiro aqui aludido. A referência é ao tipo de moinho que requeria duas pessoas para que funcionasse, e esse trabalho geralmente era entregue às mulheres. Os viajantes do Oriente Médio dizem que até em nossos dias existem lá esses moinhos, e que neles as mulheres continuam se ocupando na moagem do grão. Alguns manuscritos dizem "casa de moenda", neste lugar, mas são os mss mais recentes. O texto melhor — "moinho" — conta com o apoio dos ms Aleph, B e a maioria dos mss mais antigos, incluindo I, L, Gamma, Delta, Fam Pi, a maioria das versões latinas, e o pai Orígenes, que também cita o texto dessa forma. Assim, vemos que o julgamento discernidor de Deus atingirá tanto homens como mulheres, repentinamente, quando estiverem atarefados na rotina diária da vida. Com frequência, escravas eram usadas nesse trabalho. (Ver Êx 11.5; Is 47.2.) No processo de moagem, uma das mulheres segurava a pedra inferior do moinho, enquanto a outra fazia girar a pedra superior. Esse trabalho era considerado uma forma vil de serviço e, algumas vezes, com o propósito de humilhar, homens capturados na guerra eram forçados a desempenhar esse tipo de serviço. John Gill (*in loc.*) supre a seguinte citação: "À indagação sobre que tipo de trabalho se espera que uma mulher faça, a resposta é a seguinte: 'Estas são as obras que uma mulher deve fazer em favor de seu marido: ela deve moer o grão, coser e lavar, cozinhar e arrumar-lhe o leito...' " (*Mishnah, Cetubot*, c. 5, seção 5). Esse era o costume entre os judeus; mas lemos que sucedia a mesma coisa entre outras culturas antigas, incluindo os gregos e os romanos.

(b) Os discípulos devem estar preparados (24.42-44)

Cf. esta seção com 1Tessalonicenses 5.1ss.

24.42: Vigiai, pois, porque não sabeis em que dia vem o vosso Senhor;

24.42 γρηγορεῖτε οὖν, ὅτι οὐκ οἴδατε ποίᾳ ἡμέρᾳ ὁ κύριος ὑμῶν ἔρχεται.

42 Mt 25.13

42 ἡμέρᾳ אBDW Θ fl3 I pm d f ff²; R] ωρα II8 565 700 al lat syˢ ς

"**Portanto, vigiai...**". O sumário e a conclusão das advertências acima podem ser resumidos nesta expressão: "portanto,

vigiai". É como se o Senhor tivesse dito: "Sede diferentes dos outros, que pertencem a este mundo. Não sejais tolos e insensíveis". Embora as advertências se multipliquem, corações e mentes endurecidos não notarão diferença nenhuma, até que o julgamento inexorável os arrebate.Os verdadeiros seguidores de Cristo, porém, não devem ser tais. Este versículo é um sumário do texto de Marcos 13.35 e supre o tom moral para os v. 37-41 deste evangelho de Mateus. Introduz também a declaração que se segue e que está contida na breve parábola do *pai de família*. A ideia de expectação é expandida e ampliada nas diversas parábolas que se seguem, bem como em referências tais como Ob 5; Ap 3.3; 16.15 e 1Ts 5.1-10. O Senhor Jesus proferiu certo número de parábolas que visavam a ilustrar a necessidade da expectação; temos cerca de sete parábolas, que são as seguintes: o porteiro, o dono da casa, o servo fiel e os servos iníquos, as dez virgens, os talentos, as ovelhas e os bodes. O evangelho de Mateus não nos apresenta a parábola do porteiro, que só encontramos em Marcos 13.35-37.

De modo geral, aprendemos que o grande acontecimento da *parousia*, com suas muitas e seriíssimas implicações (para nada dizermos acerca da seriedade dos acontecimentos que antecederão o aparecimento de Cristo), requer uma vigilância toda especial. Provavelmente, essa vigilância parece ainda mais importante quando nos lembramos de que a nação de Israel havia errado totalmente na leitura e interpretação dos "sinais dos tempos", chegando ao extremo de rejeitar o próprio Messias. Jesus ansiava por não acontecer outro tanto com sua Igreja. Sua Igreja deve ser mais sensível para com as grandes realidades espirituais do que o fora Israel. A fim de garantir essa atitude de vigilância, cada geração deve considerar a possibilidade de estar vivendo nos últimos tempos, e de todos esses acontecimentos poderem ser completados dentro de breve período. Jesus declarou que não sabia qual o tempo, pelo que, na ocasião em que falou, não podia destacar quando teria lugar essa ocorrência. É evidente também que nenhum de nós sabe qual o tempo exato, pelo que todos devem munir-se de uma atitude de expectação no que concerne ao tempo do regresso de Cristo a esta terra. Essa esperança e expectação é um motivo que nos purifica, vivifica e nos guia em nossa inquirição espiritual.

24.43: sabei, porém, isto: se o dono da casa soubesse a que vigília da noite havia de vir o ladrão, vigiaria e não deixaria minar a sua casa.

24.43 ἐκεῖνο δὲ γινώσκετε ὅτι εἰ ᾔδει ὁ οἰκοδεσπότης ποίᾳ φυλακῇ ὁ κλέπτης ἔρχεται, ἐγρηγόρησεν ἂν καὶ οὐκ ἂν εἴασεν διορυχθῆναι τὴν οἰκίαν αὐτοῦ.

43 ποίᾳ...ἔρχεται 1Tm 5.2; 2Pe 3.10; Ap 3.3; 16.15   43-44   Lc 12.39,40

"**Se o pai de família soubesse...**". No grego, encontramos aqui o que se tem convencionado chamar de "declaração contrária aos fatos". Neste exemplo, o pai de família não estava esperando um ladrão; porém, numa hora em que não esperava, o ladrão *irrompeu* e furtou-lhe objetos da casa. Mui provavelmente, a ideia era a de um pai de família possuidor de meios pecuniários comuns. Sua casa, como a de outras pessoas comuns da época, era feita de barro cozido, pelo que era extremamente fácil a um invasor fazer nela uma abertura, não precisando descobrir artifícios especiais para ganhar admissão à habitação. Por causa desse fato, os ladrões eram, algumas vezes, chamados pelos antigos, de "escavadores de lama". O dono de casa que guardasse seus objetos em uma casa assim deveria estar sempre vigilante para preservar suas possessões; e a única coisa que se tornava necessária era essa vigilância, porquanto esse tipo de casa não oferecia nenhuma proteção contra ladrões.

É verdade que, nesta vida, procuramos preservar nossa maior possessão — nosso ser — em uma casa de barro. Jesus nos

648 | **Mateus** | NTI

ensinas que é possível a sua destruição, que é possível às pessoas "perecerem", ou seja, perderem *o seu destino*, por não terem cumprido aquilo que Deus tencionava para elas; e assim essas pessoas vêm a sofrer a "perda eterna". Nós, que habitamos em casas de barro, por isso mesmo devemos exercer grande vigilância para conservar nossas grandes possessões e possibilidades, não sendo apanhados na negligência pelos ladrões de possessões espirituais. Certo provérbio norte-americano fala de "trancar a cocheira depois de ser roubado o cavalo". Esse tipo de negligência só toma providências tarde demais e não se pode mais recuperar o cavalo. Uma pessoa sensível para com os tempos e as estações de Deus, para com os seus grandes propósitos, para com a sua salvação e os juízos do Senhor, é aquela que sempre vigia a sua casa com cuidado.

No entanto, a nação judaica mostrou-se como homem que deixou sua casa *desguarnecida* de vigilância. Por isso é que homens ímpios furtaram a nação de seus direitos espirituais. Veio o Messias, e os judeus se opuseram a ele. O povo judeu terminou por exigir a crucificação do Senhor Jesus. O homem mau, que é Satanás, por intermédio das autoridades religiosas do povo, roubou as possessões dos israelitas. Por conseguinte, Jesus adverte aos seus discípulos que eles deveriam vigiar, porquanto é possível que a grande *parousia* não esteja sendo aguardada, e o resultado dessa negligência será a perda das bênçãos espirituais.

"A que hora". Aqui o grego diz realmente "em que vigília", que se refere à divisão do dia em várias vigílias. Os judeus dividiam a noite em três vigílias: (1) do pôr-do-sol até as 22 horas; (2) das 22 horas até as 2 horas da madrugada; (3) das 2 horas da madrugada até o raiar do sol. Os romanos, entretanto, dividiam a noite em quatro vigílias, cada qual de três horas. Evidentemente, esse costume generalizou-se na Palestina, durante a ocupação romana. Essas quatro vigílias romanas começavam, respectivamente, às 18 horas, às 21 horas, às 24 horas e às 3 horas.

24.44: Por isso ficai também vós apercebidos; porque numa hora em que não penseis, virá o Filho do homem.

24.44 διὰ τοῦτο καὶ ὑμεῖς γίνεσθε ἕτοιμοι, ὅτι ᾗ οὐ δοκεῖτε ὥρᾳ ὁ υἱὸς τοῦ ἀνθρώπου ἔρχεται.

"Por isso ficai...". Há uma antiga afirmação rabínica que estipula: "Três coisas vêm inesperadamente: o Messias, a descoberta de um tesouro, e um escorpião". No NT, a metáfora do ladrão é usada em diversos lugares para indicar qualquer ação inesperada, usualmente com maus e desastrosos resultados: ver 1Ts 5.4 e Ap 3.3. Embora nossa casa seja pobre, feita apenas de barro, continuamos sendo senhores dessa casa; e de nós depende a preparação correta e as decisões certas no terreno da inquirição espiritual. Vigiar, entretanto, não significa que o indivíduo deva esquecer-se de seus *deveres diários*; pelo contrário, significa que ele deve melhorar aquilo que faz em suas tarefas diárias, a fim de que o Senhor, quando vier, possa encontrá-lo bem ocupado, com coisas dignas dos que são discípulos do Messias. O bombeiro deve manter os olhos em seu trabalho; mas, ao mesmo tempo, deve fazer uma pausa para saudar um vizinho, para orar a Deus ou para examinar os céus, procurando perceber as condições atmosféricas. Esse é o tipo de atitude que devem ter os discípulos autênticos do reino. Robertson diz (*in loc*.): "É vão estabelecer o dia e a hora da vinda de Cristo. E é insensatez negligenciá-lo". Quando Jesus voltar, o mundo se encontrará em profundo sono. "Quando abrirem finalmente os olhos, o grande furto terá tido lugar; todas as suas antigas e mundanas propriedades, nas quais levaram uma vida falsa, lhe terão sido arrebatadas para todo o sempre" (Lange's Commentary, *in loc*.)

(c) Escravos bons e maus (24.45-51)

Aqui temos a *parábola do servo fiel* e a *parábola dos servos iníquos* (v. 45-51). Há um paralelo em Lucas 12.44-48, e a fonte informativa é a fonte "Q". (Ver notas sobre as fontes informativas dos Evangelhos na introdução a este comentário, no artigo intitulado "O problema sinóptico".) É típico do evangelho de Mateus enfatizar os aspectos morais de qualquer doutrina, e aqui ele ilustra a grande mensagem apocalíptica com observações concernentes à necessidade de nos apropriarmos de uma conduta reta. Aqui, como em outros textos, o autor deste evangelho procura firmar preceitos que ajudem os discípulos do reino a seguir um plano de conduta ideal. O fato futuro da *parousia* envolve implicações morais em grande número. Requer uma vigilância toda especial, e também mordomia e fidelidade. Evidentemente, esta parábola tem diversos propósitos. Um desses propósitos certamente é Jesus repreender os líderes religiosos (bem como toda a nação judaica), por não terem sido bons administradores dos dons da graça de Deus. Esses dons estavam contidos no AT e nas instituições da religião revelada aos judeus. Esses dons, entretanto, foram mal-usados, negligenciados e pervertidos. Outra aplicação é que Jesus faz aqui uma advertência aos líderes "cristãos", às autoridades da igreja, para que não sigam o péssimo exemplo dos líderes do judaísmo, mas que sejam cuidadosos em cumprir suas obrigações e deveres, bem como o ministério que lhes foi entregue. Outra aplicação, igualmente, visa aos discípulos em geral, a comunidade da igreja, todos os seus membros. Cada discípulo em particular deve realizar os seus deveres com toda a fidelidade, fazendo uso correto dos privilégios e revelações espirituais de que já dispõe, porquanto cada qual deve estar pronto a prestar contas de seu serviço a todo o tempo. Dessa maneira, o autor do evangelho de Mateus, usando as palavras de Jesus, encerra esta seção apocalíptica, o *pequeno Apocalipse*, com um apelo em prol da vigilância espiritual.

24.45: Quem é, pois, o servo fiel e prudente, que o senhor pôs sobre os serviçais, para a tempo dar-lhes o sustento?

24.45 Τίς ἄρα ἐστὶν ὁ πιστὸς δοῦλος καὶ φρόνιμος ὃ ν κατέστησεν ὁ κύριος ἐπὶ τῆς οἰκετείας αὐτοῦ τοῦ δοῦναι αὐτοῖς τὴν τροφὴν ἐν καιρῷ;

45 οικετειας BWΘ 13 al; R] οικιας ℵ 565 al: p) θεραπειας D fr 28 al ς

"[...] a quem o senhor confiou...". A expressão "a seu tempo" significa realizar alguma coisa em horas regulares e esperadas, o que o próprio Senhor observou quando estava em casa, quando ainda não estava viajando. Aqueles que são nomeados para levar avante as tarefas estabelecidas pelo Mestre, devem ter o cuidado de fazê-lo da maneira indicada, e não do modo que lhes pareça mais apropriado. Temos aqui o simbolismo do alimento, que pode ser um símbolo do evangelho, das palavras do Senhor (que foram declaradas "eternas", em Mateus 24.35). Esse alimento alude à vida eterna, à vida espiritual àqueles elementos necessários para que os servos sejam mantidos felizes e saudáveis. O que temos aqui, pois, é o ministério da Palavra da Vida, bem como instruções referentes à inquirição espiritual. Um sábio e bom servo administrará de forma conscienciosa.

Fiel significa que o servo tem constância, perseverança; não pode desviar da tarefa a sua atenção. *Sábio* significa que ele é dotado de juízo e previsão saudáveis. Seu conhecimento fundamenta-se na sabedoria do Senhor, que se demora em sua viagem. Sua sabedoria não é apenas teórica, mas também é prática. Esse tipo de sabedoria se expressa em atividades e ensinos positivos, em ajuda positiva a outros, em sua inquirição espiritual. Assim sendo, ele ensinará, buscará, crerá e praticará a verdade, encorajando os demais a fazer o mesmo.

24.46: Bem-aventurado aquele servo a quem o seu senhor, quando vier, achar assim fazendo.
24.46 μακάριος ὁ δοῦλος ἐκεῖνος ὃν ἐλθὼν ὁ κύριος αὐτοῦ εὑρήσει οὕτως ποιοῦντα·

"**Bem-aventurado aquele servo...**" A expressão "bem--aventurado", com seus cognatos, é usada cerca de 55 vezes no NT, sendo uma das palavras que o NT expandiu, para dar-lhe um sentido mais alto e mais significativo. Sua raiz, no grego clássico original, significa *grande*, e também era usada como sinônimo de *rico*; mas quase sempre visava à prosperidade externa, e não à prosperidade espiritual. Na literatura grega primitiva, era aplicada aos deuses em sua condição de *felicidade*, contrastando com o estado inferiorizado dos homens. Os filósofos gregos empregavam o vocábulo com o sentido de elemento moral, e algumas vezes indicaram, por meio dele, aquela felicidade que resulta da bondade interior de caráter. Alguns intérpretes acreditam que o uso que Jesus fez aqui reflete mais as ideias e expressões hebraicas como aquelas que se encontram em Salmos 1.1; 32.1; e 112.1, e que o termo hebraico *ashrê* ou "quão feliz!" indica a condição de felicidade tencionada aqui. Pelo menos o Senhor Jesus elevou todo o terreno da "felicidade" para um ambiente espiritual. A verdadeira felicidade está associada à correta posição espiritual diante de Deus. Esse mesmo termo é aplicado aos mortos que morrem no Senhor (ver Ap 14.13), e esse uso do vocábulo é intensamente instrutivo. Assim, o servo que se ocupa de coisas espirituais, tanto para seu benefício espiritual como para alimentar os seus conservos, é um homem verdadeiramente feliz, pois em certa medida está participando da vida de Deus.

O paralelo de Lucas 12.42, ao referir-se à provisão de alimento que o servo fiel providencia para os seus conservos, ao invés de falar em *tempo próprio* (como diz Mateus), fala em dar o sustento em "medidas certas" (embora nossa versão portuguesa diga ali "a seu tempo"), isto é, a medida certa da farinha. O verdadeiro ministro deve saber como fazer isso, não negligenciando nesse serviço. O servo verdadeiro deve permanecer fiel nesse serviço até que o seu senhor volte do país distante por onde está viajando. É perfeitamente óbvio que os crentes esperavam a volta de Cristo durante sua vida terrena. Ansiavam por conservar-se fiéis até aquele dia, tendo mantido o ministério segundo o Senhor lhes deixara nas mãos. Essa expectação deve ser a mesma em todos os séculos e em todas as áreas da igreja.

24.47: Em verdade vos digo que o porá sobre todos os seus bens.
24.47 ἀμὴν λέγω ὑμῖν ὅτι ἐπὶ πᾶσαν τοῖς ὑπάρχουσιν αὐτοῦ καταστήσει αὐτόν.

₄₇ ἐπὶ...αὐτόν Mt 25.21,23

"**[...] lhe confiará todos os seus bens**". Este versículo reflete, bem definidamente, a crença que aparece em várias porções do NT, de que aqueles que forem fiéis em seus *deveres terrenos*, receberão poderes especiais *de governo*, além de outros altos privilégios, *no reino* de Cristo ou no estado eterno. Os discípulos mostraram que tinham esse conhecimento ao indagar entre si quem seria o maior no reino de Deus e quando requereram exaltadas posições, isto é, quando solicitaram o direito de se assentar à direita ou à esquerda do rei Jesus, quando ele estivesse reinando. O texto de 1Coríntios 6.2,3 reflete a mesma crença: "Ou não sabeis que os santos hão de julgar o mundo...? Não sabeis que havemos de julgar os próprios anjos...?" A passagem de Apocalipse 20.4 ensina as mesmas verdades concernentes à participação do crente no reino milenar de Cristo. Em realidade, a ideia básica era comum tanto ao judaísmo como ao cristianismo. E, apesar de ser verdade que tais deveres esperam os discípulos autênticos, contudo, a mensagem maior é aquela que diz respeito à transformação do crente segundo a imagem mesma de Cristo, isto é, a participação em sua essência.

Os grandes dons de Deus são aqueles que apressam esse processo e os tornam *reais* para nós. Maior fidelidade neste ponto significa *maior capacidade* neste particular. Isso não significa que toda transmissão de capacidade cesse por ocasião da morte. Antes, que aquilo que fazemos aqui, ao administrar a sua palavra aos outros, e ao viver a nossa vida em favor de nossos irmãos e semelhantes, mediante o princípio do amor cristão, faz grande diferença tanto em nossa glória como em nossa capacidade, no futuro eterno, de continuarmos no serviço de Deus, prosseguindo em nossa subida progressiva, até que cheguemos à plenitude da estatura de Cristo, quando tivermos de estar totalmente transformados segundo o modelo de sua imagem. (Ver Romanos 8.29,30 quanto aos detalhes dessas ideias.)

24.48: Mas se aquele outro, o mau servo, disser no seu coração: Meu senhor tarda em vir,
24.48 ἐὰν δὲ εἴπῃ ὁ κακὸς δοῦλος ἐκεῖνος ἐν τῇ καρδίᾳ αὐτοῦ, Χρονίζει μου ὁ κύριος,

₄₈ ἐκεῖνος] om ℵ*Θ *pc* sy^s sa

24.49: e começar a espancar os seus conservos, e a comer e beber com os ébrios,
24.49 καὶ ἄρξηται τύπτειν τοὺς συνδούλους αὐτοῦ, ἐσθίῃ δὲ καὶ πίνῃ μετὰ τῶν μεθυόντων,

"**Mas se aquele servo...**". Não podemos deixar de ver aqui *a reprimenda* de Jesus aos líderes dos judeus, pois eles, apesar de lhes ter sido confiada a mensagem do Senhor, e apesar de pregarem o tempo todo a *parousia*, ou vinda do Messias, em seu coração, adiavam essa vinda, não chegando mesmo a reconhecê-lo quando se pôs no meio deles. Maltratavam seus semelhantes, substituindo a lei de Deus por grande número de tradições humanas; e, dessa maneira, puseram grande carga nos ombros alheios. De fato, abandonaram sua busca espiritual, deixaram de observar as grandes questões da lei, passando a desconhecer o verdadeiro amor, que consiste em amar os outros e a Deus, embora a todo tempo se supusessem muito piedosos. Pregavam contra a cobiça, mas, ao mesmo tempo, furtavam as casas das viúvas. Com frequência, eram homens violentos, tendo chegado ao cúmulo do homicídio. Por isso é que terminaram por se tornarem os assassinos de seu Messias. De conformidade com as implicações deste versículo, um servo não pode ser apenas *sábio* e *fiel*, embora esses sejam elementos necessários; mas também deve ser "vigilante". Deve mostrar-se sensível para com os ditames de seu Senhor ausente. Deve esperar a sua volta a qualquer momento, orientando a sua vida de conformidade com as expectações desse retorno. A conduta ímpia de qualquer servo se origina na incredulidade, porque o esse servo, em realidade, não crê que o Senhor esteja prestes a voltar, pelo menos durante o período de sua existência terrena. Por isso mesmo, não é impulsionado por nenhuma esperança purificadora, simplesmente porque não tem nenhuma esperança. É um descrente, e só faz fingir que é um servo no reino de Deus. Suas ações violentas e sem ética provam exatamente isso. O maior exemplo de sua incredulidade diz respeito à vinda do Senhor da casa. Esse homem simplesmente não acredita nessa doutrina.

Acrescente-se a isso o fato de essa incredulidade expressar-se em suas atitudes despóticas e orgulhosas entre os seus conservos. Em realidade, não está ali para servir, mas para ser servido e para receber os aplausos dos homens. Esse tipo de atitude cede lugar à corrupção moral e, finalmente, à violência. Essa violência pode ser espiritual, porquanto se pode prejudicar espiritualmente aos outros, ou pode tomar a forma de violência física. A história eclesiástica revela esse tipo de ação, como se deu com o caso da inquisição e das indulgências; mas existem muitas ilustrações particulares sobre isso, tanto nas congregações locais como, individualmente, na vida dos crentes. E não devemos limitar essa descrição somente às condições reinantes entre os líderes judaicos, pois essa parábola visa a todos. Foi escrita para a Igreja cristã, a fim de encorajá-la a vigiar, como uma das características necessárias dos verdadeiros discípulos.

24.50: virá o senhor daquele servo, num dia em que não o espera, e numa hora de que não sabe,

24.50 ἥξει ὁ κύριος τοῦ δούλου ἐκείνου ἐν ἡμέρᾳ ᾗ οὐ προσδοκᾷ καὶ ἐν ὥρᾳ ᾗ οὐ γινώσκει,

"[...] virá o Senhor...". Jesus repete aqui o princípio geral que procurava ensinar, isto é, que a *parousia* pode ocorrer a *qualquer instante*, que o tempo é curto, que a Igreja deve aprontar-se. Trata-se de uma repetição do v. 42: "Portanto, vigiai, porque não sabeis em que dia vem o vosso Senhor". As doutrinas referentes às coisas futuras, como a tribulação, o período de sofrimento, a volta de Cristo para reinar, requerem uma estrita vigilância. Não devemos ser insensatos e insensíveis como foram os líderes religiosos da nação judaica, os quais nem ao menos reconheceram o Messias e chegaram ao extremo de exigir a sua crucificação. Não devemos também ser semelhantes ao pai de família que, vivendo em uma casa de barro, estava sujeito a ser roubado, mas que nada fez para impedir o roubo de sua casa, o que teria sido evitado se fosse vigilante. A vigilância traz recompensa, especialmente se, durante a demora do Senhor, servirmo-nos uns aos outros em amor. Deus não se esquecerá disso, e a glória espera aqueles que forem "sábios", "fiéis" e "vigilantes". O Senhor haverá de chegar finalmente, e, como é natural, conforme ele mesmo avisou, virá inesperadamente. "A tirania e a sensualidade que ocasionalmente têm maculado os registros da Igreja de Cristo, têm tido sua origem nesse esquecimento do fato de que, embora a vinda final se demore, o juiz está sempre perto, às portas (Tg 5.9)" (Ellicott's Commentary, *In loc.*).

24.51: e cortá-lo-á pelo meio, e lhe dará a sua parte com os hipócritas; ali haverá choro e ranger de dentes.

24.51 καὶ διχοτομήσει αὐτὸν καὶ τὸ μέρος αὐτοῦ μετὰ τῶν ὑποκριτῶν θήσει· ἐκεῖ ἔσται ὁ κλαυθμὸς καὶ ὁ βρυγμὸς τῶν ὀδόντων.

<small>51 ἐκεῖ...ὀδόντων Mt 8.12; 13.42,50; 22.13; 25.30;Lc 13.28</small>

"E castigá-lo-á...". A tradução que encontramos aqui — castigá-lo-á —, da AA, não é realmente uma tradução, e, sim, uma interpretação. Literalmente, significa "cortar em pedaços", segundo a RSV, ou *cortar pelo meio*, conforme a KJ. A tradução AC, em português, diz "separá-lo-á". A IB é a melhor tradução em português quanto a este particular. Diz "cortá-lo-á". Meyer interpreta que significa "cortar em duas partes", que é o sentido estritamente literal da palavra. Açoite e mutilação podem estar implicados, como muitos intérpretes têm ensinado; mas provavelmente temos aqui uma referência direta a uma forma antiga de punição, isto é, a de cortar uma pessoa em duas partes, serrando-a pelo meio. Ver Daniel 2.5; 3.29, que falam disso; e Hebreus 4.12 e 11.37 fazem alusão a isso. Jesus usou os termos mais fortes possíveis para expressar os desastrosos resultados da negligência quanto à mensagem espiritual, quanto ao abuso dessa mensagem, quanto aos abusos contra os nossos semelhantes, especialmente contra os irmãos na fé, e, especialmente, contra o abuso daqueles a quem deveríamos estar ajudando. Essas pessoas têm seu destino juntamente com aqueles da mesma espécie, a saber, os "hipócritas". Os hipócritas fingem possuir grande espiritualidade e prestar grandes serviços aos outros; mas, em realidade, são negligentes quanto a essas questões. Sob os olhos do senhor exibem zelo; mas por trás das costas são totalmente incrédulos e infiéis. No paralelo de Lucas, são descritos como *infiéis* (Lc 12.46).

"Hipócritas". Vem do verbo grego que significa *replicar*. O substantivo era usado para indicar "aquele que replica", e, no uso e desenvolvimento dessa palavra, veio a significar "ator", partindo da ideia de que os atores replicam uns aos outros. Finalmente, o termo passou a significar "fingimento" em coisas sérias, até adquirir o moderno sentido de "hipócrita". Essa palavra é empregada por vinte vezes no NT (todas as vezes nos Evangelhos sinópticos), e sempre em mau sentido. Por sua vez, Lucas usou a forma verbal (Lc 20.20) com o sentido de "fingir". As autoridades religiosas profanavam a prática religiosa, transformando-a em peça de teatro, chegando ao cúmulo de atrair as multidões, que aplaudiam o espetáculo. Essas pessoas não terão recompensa no dia final do julgamento, mas sofrerão perda espiritual e eterna.

"Ali haverá choro...". Esta parábola é a expressão acerca do juízo final. A expressão "choro e ranger de dentes" é comum nesse quadro final, uma vez que, usualmente, pinta o frio extremo ou o calor extremo como elemento. No caso de alguém ser lançado nas trevas exteriores, a ideia é de frio extremo. O convidado que não tivesse a veste própria era lançado nas trevas exteriores, para longe do bem iluminado salão do banquete, do calor aconchegante do palácio. Fora, há frio extremo, lamentações e ranger de dentes. (Ver Mt 22.1-4, quanto a essa história. O v. 13 tem essa mesma expressão.) Entretanto, essa expressão também era empregada para indicar o calor extremo, e, possivelmente, há pouca diferença nos sentimentos que os condenados terão nos dois extremos. Aqueles que serão lançados na *geena* haverão de ranger os dentes por causa da dor. Por conseguinte, vemos que essa é uma expressão que indica juízo, e, mais particularmente, o julgamento final. Muitos intérpretes negam que ali haverá frio ou fogo, julgando que se trata de meros símbolos. Isso está muito mais de conformidade com aquilo que sabemos acerca de Deus. Não parece provável que Deus fique a cozinhar eternamente as pessoas, sem sentido literal. Não obstante, o julgamento é real e há um princípio e uma lição muito sérios que se devem aprender aqui. (Quanto a notas detalhadas sobre o "julgamento", ver Ap 14.11; e quanto às diversas interpretações sobre o seu caráter, ver também 1Pe 3.18 e 4.6, bem como as notas ali. Ver as notas sobre os "sete julgamentos", em Mt 25.3.)

Capítulo 25

(d) Parábola das dez virgens: ilustração da preparação (25.1-13)

A parábola das dez virgens: A quinta grande seção de ensino (das cinco seções em volta das quais Mateus foi escrito), tem prosseguimento no vigésimo quinto capítulo, e vai até Mateus 26.2. O autor demonstrou que a *parousia*, ou segunda vinda de Cristo, apanhará desprevenida a maior parte da humanidade. Por outro lado, os discípulos de Jesus deverão estar prontos, não apenas no espírito de vigilância, mas também por serem fiéis e sábios em seu serviço em favor dos outros. Esta parábola encerra outra lição acerca da necessidade de preparo. Encontra-se exclusivamente no evangelho de Mateus, pelo que a fonte informativa é "M", isto é, material de que somente Mateus dispunha para usar, que muito provavelmente originava-se da tradição oral (ou talvez, em alguns casos, de certas fontes escritas), da igreja judaica ou da igreja de Antioquia. Quanto aos detalhes sobre as fontes informativas dos Evangelhos, ver o artigo da introdução a este comentário, intitulado "O problema sinóptico".

Uma festa de casamento era um dos grandes acontecimentos sociais nas vilas da Palestina. Todos aqueles envolvidos, a noiva, o noivo e os convidados, eram automaticamente dispensados de certos deveres religiosos, como, por exemplo, o dormir em cabanas, por ocasião da festa dos Tabernáculos, e os eruditos podiam abandonar, momentaneamente, o estudo da *Torah*. A frequência a um casamento era considerado um dever e um privilégio importantes. Era costume, entre os judeus e os gregos, que o noivo, acompanhado por seus amigos, fosse até a casa da noiva a fim de conduzi-la à casa do noivo, no que ela era acompanhada pelas suas virgens (amigas especiais da noiva), não quando ele fosse buscar a noiva, mas quando retornasse em companhia dela, a caminho de sua casa. Costume similar evidentemente prevalece até os nossos dias na Sicília. Apesar de esse ser o costume regular, alguns comentaristas, como Lange, supõem que nesta parábola foi feita uma modificação, a fim de que as amigas da noiva, que são as virgens, suas amigas especiais, sejam vistas saindo ao encontro do noivo, a caminho da casa da noiva, e não quando ele estivesse voltando com a noiva para a sua casa. O ponto mais alto da festa de casamento era quando o noivo tirava a sua noiva da casa de seu pai para a sua casa, usualmente em uma liteira; e, nessa ocasião, todos os convidados estariam com eles. Esses costumes fornecem o material de pano de fundo para a parábola que temos aqui.

25.1: Então o reino dos céus será semelhante a dez virgens que, tomando as suas lâmpadas, saíram ao encontro do noivo.

25.1 Τότε ὁμοιωθήσεται ἡ βασιλεία τῶν οὐρανῶν δέκα παρθένοις, αἵτινες λαβοῦσαι τὰς λαμπάδας ἑαυτῶν ἐξῆλθον εἰς ὑπάντησιν τοῦ νυμφίου[1].

25 1 δέκα...νυμφίου Lc 12.35,36

[1] 1 {C} τοῦ νυμφίου ℵ B K L W X² Δ Π f[13] 28 33 565 700 892[mg] 1009 1010 1071 1079 1195[c] 1216 1230 1241 1242[c] 1253 1344 1365 1546 1646 2148 2174 Byz Lect l[883m] syr[h,pal] cop[sa,bo] eth geo[A] Methodius Basil Chrysostom John-Damascus // τῷ νυμφίῳ C // τῶν νυμφίων 892˙ // τοῦ νυμφίου καὶ τῆς νυμφῆς D X˙ Θ f[1] 1195[*vid] it[a,aur,b,c,d,f,ff²,g¹,h,l,q,r¹] vg syr[s,p,h,with *,(hmg)] arm geo[1,B] Diatessaron Origen[lat] Hilary

> Pode-se argumentar que as palavras καὶ τῆς νυμφῆς ("e a noiva"), confirmadas por forte combinação de testemunhos ocidentais e cesareanos, foram omitidas por se ter sentido serem incompatíveis com o ponto de vista largamente difundido de que Cristo, o Noivo, viria buscar sua noiva, a Igreja. Entretanto, é duvidoso que os copistas tenham sido tão sensíveis à lógica da alegoria. Outrossim, aqueles que omitiram a palavra visualizavam o casamento a tomar lugar no lar da noiva; mas aqueles que a adicionaram pensavam que o noivo estaria levando a noiva à sua casa (ou à casa dos pais dele), onde o casamento teria lugar. Já que este último costume era mais comum no mundo antigo, é provável que essas palavras sejam uma interpolação feita por copistas que não notaram que a menção da noiva perturbaria a interpretação alegórica da parábola. Somente o noivo é mencionado no que se segue.
>
> 1. Cf. Hilma Granqvist, *Marriage Conditions in a Palestinian Village*, II (Helsingfors, 1935), p. 79ss; Jeoachim Jeremias, *The Parables of Jesus* (New York, 1963), p. 173; e idem, em Kittel, *Theological Dictionary of the New Testament*, iv. P. 1100.

Essa parábola tem recebido muitas e variegadas interpretações, que podem ser sumariadas como segue:

1. Foi dada a Israel, ilustrando os resultados para aqueles que aceitam ou *rejeitam* o "noivo", que é o Messias, o Cristo. Jesus teria ilustrado que Israel não se preparara convenientemente para receber o Messias, e que isso equivalia a rejeitá-lo. Por conseguinte, aquela porção dos convidados que não se preparara convenientemente, teria de ficar fechada do lado de fora das festividades do reino.

2. Outros dizem que a parábola foi apresentada principalmente à Igreja, e que no seio da própria Igreja alguns estarão preparados para a *parousia*, ou vinda de Cristo, mas que outros *não estarão* assim preparados. Os que estiverem preparados serão "arrebatados", isto é, tirados deste mundo para o céu; enquanto que aqueles que não estiverem preparados serão deixados para trás, para sofrerem o período da tribulação. Essa é a chamada teoria do "arrebatamento parcial". Não são poucos os evangélicos, em nossos tempo, que aceitam esta interpretação, mas ela parece ter pouca base no texto sagrado. Em casos assim, é melhor não rejeitar totalmente a ideia, na mente, mas esperar até o julgamento, pois, conforme o fim for se aproximando, receberemos mais luzes sobre as questões proféticas.

Os acontecimentos lançam sombras à sua frente, e, à medida que se vão avizinhando, uma melhor compreensão se vai tendo da natureza do acontecimento que se acerca. A profecia não foi escrita para satisfazer a curiosidade de ninguém. Ela visa principalmente àqueles que viverão no tempo de seu cumprimento, a fim de que possam compreender o que está acontecendo e qual o sentido de cada ocorrência. Algumas vezes, portanto, o único intérprete apropriado de uma profecia é o seu cumprimento.

3. Parece melhor, entretanto, que aceitemos essa parábola como ilustração de *uma verdade geral*, a da expectativa da volta de Cristo, a de preparação para esse acontecimento, tanto por pessoas de dentro como por pessoas de fora da Igreja. Pode ser aplicada a Israel (quer em relação à geração que vivia naquele tempo, por ocasião da primeira vinda de Cristo, quer em relação à última geração, em relação à segunda vinda do Senhor). Pode aplicar-se ao círculo inteiro da profissão cristã, tanto falsa quanto verdadeira, no que diz respeito a Cristo e à sua segunda vinda. A segunda vinda de Cristo é um acontecimento *universal*, isto é, terá efeitos universais, e deverá ser antecipada por todos os homens, quer cristãos quer não, porque todos os homens são convocados a se preparar para isso. Entretanto, é muito difícil vermos como todas as "dez virgens" podem ser cristãs, pois a parábola apresenta Jesus a dizer à metade delas "Nunca vos conheci". Se insistirmos em pensar que todas as dez virgens representam crentes, e nos apegarmos a esse simbolismo, devemos ser coerentes, aceitando que o "azeite" representa o Espírito Santo. No entanto, lê-se na parábola que as cinco virgens imprudentes não tinham nenhum azeite (ou seja, não tinham o Espírito Santo). Todavia, o apóstolo Paulo ensina-nos que é impossível alguém pertencer a Cristo se não tem o Espírito de Cristo (ver Rm 8.9,11). Ora, a própria regeneração é obra do Espírito Santo, e onde houver regeneração, aí também deve haver o Espírito de Deus. Por isso mesmo, parece muito melhor não tentar explicar todos os pormenores com nenhuma interpretação especial, pois é provável que nem todos os detalhes tenham sido dados para transmitir algum simbolismo. Devemos permitir que as minúcias gozem de um pouco de latitude em sua interpretação, sem forçar ideias a respeito dos detalhes.

"Reino dos céus". Ver a notas detalhada acerca dessa expressão, em Mateus 3.2. A ideia é complexa, e muitas implicações são possíveis. Aqui, parece perfeitamente claro que Jesus esteja falando do futuro reino de Deus, que ele virá estabelecer e sobre o qual governará quando de sua segunda vinda. Nesse estado, Deus estenderá o seu reino e influência em proporções universais, conforme ele não existe na atualidade. Naquela ocasião, alguns também não serão capazes de participar do reino, por falta de preparação para recepção ao Rei. Jesus adverte que todos devem preparar-se, que todos devem vigiar, que todos devem ser fiéis, se tiverem de figurar entre os que sairão ao encontro do noivo, com todo o direito e com grande regozijo.

"Dez virgens". Neste ponto, a palavra "virgens" tem esse sentido comum, mas pode também ser empregada no sentido geral de "donzelas". Ver a nota sobre essa palavra em Mateus 1.23. Alguns intérpretes veem sentido simbólico nos números envolvidos, como, por exemplo, *dez*, o número da vida secular desenvolvida; por conseguinte, tratar-se-ia do número completo do desenvolvimento secular da Igreja. Esse número era chamado pelos rabinos de "número total", que a tudo abrange. "O que ultrapassa o número dez volta novamente à unidade. Por isso é que haveria os dez mandamentos, a harpa de dez cordas, os dez *Sephiroth* dos cabalistas etc." (*Lange's Commentary*, *in loc.*). Essas interpretações são extremamente interessantes, mas infelizmente erradas, pois não parece provável que nada especial se tenha em vista aqui com o número dez. É verdade que "dez" era o número de uma companhia, entre os judeus, como também dez era o número de uma família

652 |Mateus| NTI

para comemorar a Páscoa, e dez judeus em uma localidade era o suficiente para formar uma congregação para a sinagoga. Dez tochas ou lâmpadas eram o número usual nos cortejos nupciais. É provável que essas ideias e costumes tenham influenciado na escolha desse número, mas fora daí não tem nenhuma significação. Os primeiros gnósticos chegaram mesmo a encontrar simbolismos místicos nesses números, dizendo que as cinco virgens insensatas significam os cinco sentidos, que podem ser facilmente enganados, e que as cinco virgens prudentes significam as faculdades da razão, que não podem ser facilmente enganadas.Entretanto, pode-se rejeitar com segurança interpretações dessa ordem.

Quanto à interpretação do simbolismo das virgens, existem muitíssimas ideias diferentes. A introdução a este capítulo apresenta as ideias principais que têm surgido:

1. A nação judaica daquela época. 2. A nação judaica no tempo futuro da segunda vinda de Cristo. 3. A igreja judaica restaurada, e, neste caso, os convidados que acompanharão o noivo serão os gentios, que também participarão das bênçãos da vinda do noivo. 4. Outros estudiosos dizem que o noivo é a igreja judaica restaurada, e que os convidados são os gentios, que também serão beneficiados em face da volta do noivo. 5. Neste caso, a noiva, naturalmente, muito provavelmente é símbolo da Igreja; todavia, ao mesmo tempo, os convidados, embora apareçam como entidades separadas nessa parábola, devem representar os membros da Igreja, bem como aqueles que aparentemente tinham fé autêntica, mas não verdadeiramente, porquanto não estavam esperando pelo noivo, pois, nesta parábola, essa expectativa é exposta como uma qualidade essencial dos verdadeiros discípulos do reino, conforme também se vê na parábola do servo bom e dos servos iníquos (ver Mt 24.45-51).

Apesar de parecer uma contradição fazer com que tanto a noiva como cinco virgens prudentes representem a mesma companhia, e que o grupo das cinco virgens imprudentes represente a comunidade dos homens espiritualmente despreparados, especialmente aqueles que vestem a capa da religiosidade, mas não possuem a fé verdadeira, contudo, parece que essa é a explicação lógica do sentido da parábola. Pois não é provável que Jesus quisesse que separássemos em nossa mente, judeus, gentios, Igreja etc. Ele simplesmente estava fazendo uma advertência geral de que os discípulos autênticos terão as características próprias da vigilância, enquanto que os falsos discípulos não terão essas características.

Alguns pais da Igreja, que favoreciam o celibato, tentaram *tirar proveito* do termo "virgens", compreendendo-o em sentido literal; e assim ensinavam que haveria um privilégio especial para aqueles que vivessem como celibatários. É possível que o termo envolva alguma alusão à pureza necessária à Igreja; mas até mesmo essa alusão é duvidosa aqui, já que até as insensatas também são chamadas de "virgens". O mais provável é que essa palavra tenha sido aqui empregada em sentido geral, com a significação de "donzelas", sem nada de especial. "A Igreja aparece aqui como um agregado, como uma unidade ideal, na pessoa da noiva; os membros da igreja, individualmente considerados, seriam os convidados" (*Lange's Commentary, in loc.*). Esse parecer provavelmente está com a razão, mas a última parte que aparece nessa mesma obra de Lange, e que diz "no fato de estarem separadas do mundo e de esperarem a vinda do Senhor são suas virgens", não expressa toda a verdade. Pois, apesar de se tratar de uma realidade, não é ensinada neste ponto particular.

"Tomando as suas lâmpadas". Cada qual era responsável por si mesma; todos aqueles que buscam as coisas espirituais devem tomar suas decisões e devem preparar-se pessoalmente. Uma vez chegado o grande dia, era impossível no momento mesmo da crise, quando da chegada do noivo, que alguém pedisse azeite emprestado de outrem. A inquirição religiosa é uma questão pessoal; o preparo espiritual é uma questão individual. O verdadeiro discipulado não pode ser pedido de empréstimo de outrem.

As lâmpadas eram uma espécie de *tocha* que consistia de uma longa vara, na extremidade superior da qual era inserido um vaso com azeite, munido de um pavio. Assim, esse instrumento era ao mesmo tempo uma tocha e uma lâmpada. Alguns, como Alford, acreditam que estão em vista simples lâmpadas. Lemos, porém, que nas festas de casamento eram usadas tochas, e dez parecia ser o número tradicional; e tudo isso parece emprestar mais peso à interpretação dessas lâmpadas como "tochas".

"[...] saíram" refere-se ao costume descrito na introdução deste capítulo, quando as virgens saíam ao encontro do noivo, para acompanhá-lo da casa do pai da noiva até à casa do noivo. Esse era o clímax das bodas. Esses cortejos ocorriam ou durante o dia ou durante a noite; mas entre os gregos e os romanos era usual que a noite fosse preferida. (O trecho de I *Macabeus* 9.37 descreve um cortejo assim, à luz do dia.) Ordinariamente, o noivo ia buscar a noiva; mas parece que o autor deste evangelho alterou um tanto esse detalhe, a fim de adaptá-lo melhor aos seus propósitos, fazendo com que o papel das virgens fosse o de ir buscar o noivo, ao mesmo tempo que as bodas parecem ter tido lugar na casa da noiva. Temos também aqui o quadro da grande demora do noivo e dos convidados, que saíram ao seu encontro a fim de acompanhá-lo até à cena da festa.

Alguns mss., como D, Theta, Fam 1 e muitas versões latinas, bem como a principal versão siríaca Sy(s), adicionam a este versículo a expressão "e a noiva". Alguns eruditos creem que essas palavras pertenciam originalmente a este versículo, à base da suposição que escribas subsequentes eliminaram essas palavras, já que o "noivo", obviamente, é símbolo de Cristo, e que não podiam encontrar modo de fazer a "noiva" encontrar um lugar simbólico na história. Todavia, esse raciocínio parece fraco; porque também a verdade é que a maioria dos mss, tanto mais antigos como mais recentes, não apresentam essa adição. Provavelmente, trata-se de uma das características dos chamados mss ocidentais, os quais acrescentam aqui e ali, esparsamente, algum material extra, especialmente no caso dos Evangelhos, e muito mais ainda no livro de Atos. Nenhuma das traduções usadas para efeito de comparação, neste comentário, contém essas palavras, exceto a tradução F, que segue os mss ocidentais. (Quanto a informações sobre o estudo dos mss, e que darão ao leitor bom conhecimento sobre a importância dos mesmos, e como julgar o valor de suas respectivas evidências, o leitor deve estudar a seção da introdução intitulada "Manuscritos do Novo Testamento". Quanto à informação sobre as catorze traduções que são usadas para efeito de comparação, neste comentário — nove, em inglês, e cinco, em português — o leitor deve consultar a lista de abreviações na introdução a este comentário.)

25.2: Cinco delas eram insensatas, e cinco prudentes.

25.2 πέντε δὲ ἐξ αὐτῶν ἦσαν μεραὶ καὶ πέντε φρόνιμοι.

"Cinco [...] néscias, e cinco prudentes...". Dois tipos de pessoas são aqui citados. Quanto a uma completa explicação sobre as diversas interpretações desses dois grupos, ver os comentários no primeiro versículo, incluindo as notas introdutórias. Novamente não devemos esperar nenhum simbolismo especial no número "cinco". A classificação aqui não é entre "boas" e "más", embora naturalmente se esperasse que aqueles que estivessem preparados para o advento do noivo fossem os "bons", enquanto que os despreparados seriam os "maus". O que o autor do evangelho de Mateus está salientando, entretanto, é a atitude de "expectação" como qualidade necessária dos verdadeiros discípulos. Os discípulos autênticos devem esperar a sua *parousia*. A igreja primitiva esperava a volta de Cristo dentro de sua geração, e, àquele que não esperasse esse acontecimento, faltava a qualidade de antecipação, apresentada aqui como a atitude necessária e digna dos verdadeiros discípulos. É sinal de sabedoria alguém ser capaz de distinguir algo dos *sinais dos* *tempos*. Antes da destruição de Jerusalém, os crentes, por meio de sonhos, visões e outros impulsos psíquicos, compreenderam que essa ocorrência estava à porta, e todos fugiram da cidade. Por isso mesmo, lemos que nenhum cristão pereceu nessa destruição. Esses cristãos leram os "sinais". Assim, igualmente sucederá antes da segunda vinda de Cristo. Os verdadeiros discípulos lerão os sinais e se prepararão com lâmpadas bem acesas. As pessoas meramente religiosas, e os ímpios comuns, não terão oportunidade de ter essa preparação. São pessoas que se destacam por sua insensatez. Poderão ser sábios em muitas coisas, mas, no que diz respeito aos planos de Deus, ao advento do Filho do homem, são totalmente néscios, até mesmo embotados; mas, por causa de sua insensatez, terão de sofrer pesadas consequências.

25.3: Ora, as insensatas, tomando as lâmpadas, não levaram azeite consigo.

25.3 αἱ γὰρ μεραὶ λαβοῦσαι τὰς λαμπάδας αὐτῶν οὐκ ἔλαβον μεθ' ἑαυτῶν ἔλαιον·

> 3 ελαιον] add εν τοις αγγελοις αυτων D pc d (ffˡ)

"[...] não levaram azeite...". Nesse tempo, era costume, nos cortejos de casamento, que fossem levadas cerca de dez tochas acesas. O azeite era o único ingrediente necessário para assegurar que um cortejo fosse bem-sucedido, especialmente se ele tivesse lugar à noite, conforme costume entre os gregos e romanos, e, com alguma frequência, entre os judeus. O uso do azeite nas lâmpadas era a indicação de que aquelas que conduziam essas lâmpadas tinham sido previdentes. A ausência do azeite mostrava *o espírito de negligência*, de despreocupação, de descuido, daquelas que conduziam as lâmpadas vazias. O azeite, portanto, em si mesmo pode ser um símbolo da atitude de expectação e preparo. Há diversas interpretações sobre as lâmpadas e o azeite. Para alguns, as lâmpadas representam a vida externa de santidade, mediante a qual o discípulo de Cristo permite que a sua luz brilhe diante dos homens (Mt 5.16), enquanto que o azeite representa a *graça divina*, ou seja, o dom do Espírito Santo, ou o próprio Espírito Santo, sem o qual a tocha pode bruxulear fracamente. a princípio, para logo em seguida apagar-se inexoravelmente. Segundo essa interpretação, as cinco virgens néscias representam a categoria de pessoas que possuem uma forma externa de profissão cristã ou religiosa, mas às quais falta a graça de Deus e a presença do Espírito Santo.

Existem ainda outras interpretações sobre o simbolismo do azeite, como a de Adam Clarke: "*É a salvação* de Deus na sua alma"; ou a de John Gill: "[...] é a *regeneração* e a graça santificadora do Espírito". Pode também haver uma alusão ao azeite da unção do AT, por causa de sua excelente natureza, de seu grande valor comercial, e, especialmente, por causa de sua composição e dos usos a que se prestava, posto que era empregado para ungir o tabernáculo, os seus vasos e os que ali serviam, tais como os profetas, os sacerdotes e os reis. (Ver Êx 30.23.) John Gill (*in loc.*) diz: "Ora, aquelas virgens néscias, embora levassem a lâmpada da profissão cristã externa, não se preocuparam com o azeite da graça, a fim de encher, manter e aparar os pavios de suas lâmpadas: ignoravam a natureza e o uso da verdadeira graça; não viam necessidade da mesma e, por isso mesmo, não a pediram; pelo contrário, elas a negligenciaram, desprezaram, negaram sua utilidade; e, estando destituídas da mesma, professavam-se cristãs sem sê-lo realmente; e justamente disso é que consistia sua insensatez".

25.4: As prudentes, porém, levaram azeite em suas vasinhas, juntamente com as lâmpadas.

25.4 αἱ δὲ φρόνιμοι ἔλαβον ἔλαιον ἐν τοῖς ἀγγείοις μετὰ τῶν λαμπάδων ἑαυτῶν.

"As prudentes...". Essas outras virgens também levavam suas lâmpadas; mas, além disso, não se esqueceram do azeite, que era necessário para que as lâmpadas pudessem brilhar intensamente, para que suas lâmpadas tivessem utilidade, e para que assim pudessem ir condignamente ao encontro do noivo. A sabedoria desse grupo ficou demonstrada pela preparação apropriada. É mister que essa preparação tenha sua base em uma verdadeira profissão cristã, a saber, a profissão que se caracteriza pela posse e pela expressão da graça suprida pela presença do Espírito Santo. (Ver Êx. 20.23-25,30; Sl 25.7; Hb 1.9; Jo 3.34; Zc 4, textos que fornecem indicações sobre a necessidade da presença do Espírito Santo, na profissão cristã, como elemento absolutamente indispensável.) Além disso, precisamos reconhecer, nesta parábola, que a expressão particular de preparo é aquela atitude mental de expectação e de prontidão para a *parousia*, ou segunda vinda de Cristo. Alguns discípulos verdadeiros podem possuir o Espírito sem que esperem diariamente a volta do noivo celeste. Esses discípulos não estão perfeitamente preparados. Esta parábola, portanto, ensina que há necessidade de expectação pela segunda vinda de Cristo. Aqueles que possuem tanto o Espírito Santo como a preparação necessária para esse evento, são os discípulos verdadeiramente *sábios*.

Por outro lado, os ímpios não têm o Espírito de Deus e nem esperam a *parousia* de Cristo. Suas lâmpadas vivem secas e eles não podem produzir luz, nem tomar parte no cortejo das bodas. No caso da nação de Israel, para quem essa parábola provavelmente se aplicava, eles tinham uma lâmpada bem conspícua, mas há muito que seu azeite se acabara. Por isso é que, quando chegou o Messias, eles não estavam preparados para participar da festa de casamento. Chegaram mesmo a confundi-lo com um inimigo, e o assassinaram. Se, todavia, suas lâmpadas estivessem brilhando com clareza, eles o teriam acolhido como o noivo esperado.

O sinal especial de preparação das virgens "sábias" pode ser visto no fato de suas lâmpadas brilharem *intensamente*, repletas de azeite; mas, além disso, elas levavam um suprimento extra de azeite, pois tinham também consigo "vasilhas" cheias de azeite. Caso o noivo se demorasse por algum tempo considerável, ainda seriam capazes de esperá-lo com suas lâmpadas acesas e preparadas. Ora, não sabemos quando Cristo voltará; podemos e devemos esperá-lo a qualquer instante, embora ele talvez se demore. Nossa profissão cristã deve ser válida bastante para podermos esperá-lo com êxito, diante de qualquer demora.

25.5: E tardando o noivo, cochilaram todas, e dormiram.

25.5 χρονίζοντος δὲ τοῦ νυμφίου ἐνύσταξαν πᾶσαι καὶ ἐκάθευδον.

"[...] tardando o noivo...". "[...] tomadas de sono", neste caso, literalmente significa "toscanejaram". Seus olhos ficaram pesados. Isso indica o estágio inicial do sono, e o tempo aoristo, no verbo grego, é empregado para indicar um ato transitório, o estágio inicial do sono. "Adormeceram", por sua vez, está no tempo imperfeito e denota um sono contínuo. Robertson observa (*in loc.*): "Muitos pregadores têm visto isso acontecer, enquanto pregam", o que, apesar de ser uma observação interessante, não tem aplicação direta a este texto, embora possamos notar que a demora da vinda do noivo celeste, em alguns casos, faça com que até os "prudentes" se cansem e comecem a toscanejar, como também os sermões longos demais podem fazer os mais fiéis se sentirem sonolentos. Nesta parábola, a atitude do grupo inteiro de virgens parece ter sido totalmente inocente. Não eram hostis para com o noivo; e nem fizeram a observação *"Meu senhor demora-se"*, comentário feito pelo servo iníquo, que, por causa disso, começou a espancar os seus conservos, levando uma vida violenta e iníqua. (Ver Mt 24.45-51.) Aquelas virgens simplesmente foram vencidas *pelo sono*, em face da demora do noivo. Os dois estágios do sono podem indicar dois estágios de declínio espiritual. A princípio, o indivíduo meramente "toscaneja", mas em realidade ainda está acordado. Não se mostra totalmente negligente em seus deveres, em sua inquirição espiritual, no sentir a importância da alma;

654 |Mateus| NTI

contudo, não está totalmente alerta como deveria estar, nem se preocupa com a urgência da necessidade, como deveria preocupar-se. A tragédia é que esse estágio inicial de sono finalmente conduz a um sono contínuo, a uma negligência permanente, a um desinteresse total pelas coisas espirituais. O estado de quem toscaneja é perigoso porque embota e, finalmente, elimina o estado de alerta mental necessário para quem tiver de esperar apropriadamente pelo noivo. Alford (*in loc.*) escreveu: "Sendo fracos por natureza, cedem ao enfado; pois de fato a prontidão do mais santo dos crentes, em comparação com o que ele deveria ser, é uma espécie de sono leve".

Alguns intérpretes têm pensado que neste toscanejar e neste sono está em vista a "morte", e que os mortos esperam o retorno do noivo para despertá-los, quando da ressurreição; mas, de forma nenhuma, essa é a ênfase desta parábola. Pelo contrário, o sono representa a *negligência*, conforme é explicado anteriormente.

A demora, neste caso, fala do *intervalo* entre a ascensão e a *parousia* de Cristo. O autor deste evangelho não tinha meios de saber por *quanto tempo* se prolongaria essa demora, mas deixou indicado que pelo menos tal intervalo ocorreria, e que, por esse motivo, muitos se tornariam insensíveis à inquirição e às obrigações espirituais, especialmente no que concerne à expectativa pela volta de Cristo. Na história da igreja, pode-se ver evidência clara desse fato. Quando Constantino tornou-se nominalmente cristão (em cerca de 310 d.C.), com o que terminou a era das grandes perseguições contra os cristãos, período que perdurou cerca de duzentos anos, muitos cristãos pensaram que Cristo viera na pessoa de Constantino. Dessa maneira, quase a Igreja inteira perdeu a esperança purificadora do segundo advento. Embora alguns continuassem a esperar a volta de Cristo, coube a Lutero (em cerca de 1550) reviver essa expectativa na Igreja.

Não sabemos perfeitamente bem por que Cristo se demora, mas podemos estar certos de que nisso há *propósitos* e significações bastante reais, embora ocultos para nós. Pelo menos um desses propósitos certamente é que Deus está demonstrando, através do curso da história da humanidade, a necessidade de o homem voltar-se para Deus, pois sozinho o homem não está completo, e, se o seu destino for inteiramente determinado por si mesmo, o resultado será mal e destrutivo, e não bom. Deus também deve provar que o homem, finalmente, pela própria vontade, escolherá o bem e não o mal, rejeitando, por seu livre-arbítrio, as tentações de Satanás, que lhe oferece um mundo e um destino sem Deus. Entretanto, é mister longo tempo para mostrar esses fatos aos homens, e o desenrolar da história humana é essencialmente essa demonstração. Buttrick (*in loc.*) diz: "De que outra maneira, senão mediante a demora, poderíamos aprender a graça da constância? De que outra forma poderíamos saborear o júbilo do céu, após o longo castigo do mar?" Se a alma é preexistente, como pensavam alguns pais da igreja primitiva. e como asseveram muitos estudiosos em nossos dias, a viagem total da alma, de volta a Deus, é muito mais demorada do que havíamos suposto. Essa demora, porém, leva-nos a toscanejar. Todavia, a atitude de "expectação é o sinal dos discípulos prudentes". Os prudentes compreendem que esta vida está envolvida em alegrias apocalípticas, que Cristo pode aparecer subitamente, que, dessa maneira, lhes será perenemente renovada a confiança em Deus, e que essa fé é expressa na expectação por um Cristo que certamente voltará.

25.6: Mas à meia-noite ouviu-se um grito: Eis o noivo! saí-lhe ao encontro!

25.6 μέσης δὲ νυκτὸς κραυγὴ γέγονεν, Ἰδοὺ ὁ νυμφίος, ἐξέρχεσθε εἰς ἀπάντησιν [αὐτοῦ].

<small>6 εξερξεσθε] εγειρεσε Θ fi pc</small>

25.7: Então todas aquelas virgens se levantaram, e prepararam as suas lâmpadas.

25.7 τότε ἠγέρθησαν πᾶσαι αἱ παρθένοι ἐκεῖναι καὶ ἐκόσμησαν τὰς λαμπάδας ἑαυτῶν.

"[...] à meia-noite [...] um grito [...] eis o noivo!..." O autor deste evangelho escolheu com maestria os seus símbolos. O *grande grito* soou à meia-noite. A noite é fria e longa, e já havia chegado a hora de trevas mais espessas, enquanto que os discípulos dormiam profundamente. Ninguém esperaria que o cortejo nupcial começasse a tão avançadas horas — que noivo planejaria isso? A meia-noite é o tempo para dormir, e não para cortejos nupciais. O noivo, porém, disse que viria numa hora *inesperada*. O próprio uso do vocábulo "meia-noite" pode expressar o pensamento do autor de que a demora do segundo advento será longa; e, realmente, conforme os padrões humanos, assim tem sido. Contudo, o grito soou à meia-noite, em um momento não somente tardio e improvável, mas também inapropriado. Quando Cristo voltar, apanhará a muitos inteiramente despreparados. A tranquilidade da morte cobrirá a face da terra, quando subitamente o grito rasgará o ar. Esse grito espantará os homens e os deixará aterrorizados; mas, para os fiéis, será um clamor de alegria, de fato, o fim de uma longa e cansativa noite.

Neste caso, o tempo verbal, no grego, é o perfeito, e é mais bem traduzido pelo tempo presente: "Eis um grito", expressão essa que empresta vivacidade à narrativa, já que expressa a realidade presente do grito lancinante, e não apenas conta o acontecido como se fosse um acontecimento passado, conforme se vê na parábola. Os sonolentos não poderão continuar dormindo; seus olhos se esbugalham e seu coração subitamente se põe a bater forte. Todos ficam nas pontas dos pés de expectação. *Há alegria à meia-noite!* Para outros, porém, que subitamente se lembrarão de que não se prepararam, esse grito será motivo de angústia. Como gostariam de poder voltar ao sono! No entanto, os acontecimentos que se precipitam não podem mais ser estancados. Os prudentes, embora apanhados no sono, mas agora perfeitamente despertos, regozijam-se no fato de que estão preparados. Ao passarem pela porta, vestem-se rapidamente, mas de maneira suficiente; então apanham suas tochas, que estão repletas de azeite e precisam ser apenas acesas. Eles têm tempo de saudar o noivo da maneira que convém. Os cristãos precisam não se esquecer disto: "Eis o grito!" Apesar de a história parecer tornar obscuro esse fato, o grito lancinante no meio da noite despertará todos os prudentes, e será um grito de alegria.

O autor deste evangelho enfatiza aqui a realidade da *parousia*, a despeito dos elementos aparentemente negativos da história que antecederá a esse "grito". A trombeta soará, aparecerá no firmamento o sinal da vinda de Cristo, haverá o grito, e se disseminará a alegria no coração dos prudentes. Buttrick diz (*in loc.*): "O próprio cristianismo incorre em certo tipo de equívoco, que consiste em preparar-se apenas para a morte, ao mesmo tempo que se está despreparado para a vida daqui e do além. As meias-noites da vida não são sinal de condenação: são a hora em que desce o céu para oferecer o regozijo do céu, em substituição à exaustão humana. Quando, porém, irromper o grito, não haverá mais tempo para preparação. As tochas acesas haverão, então, de estampar alegria nas árvores e nas colinas, e o cortejo se encaminhará para a casa do banquete; mas aqueles que estiverem sem as suas lâmpadas serão deixados nas trevas. Quando finalmente chegarem à casa do banquete, a porta já terá sido fechada.

"Suas lâmpadas". No grego, a expressão é mais enfática: "as próprias lâmpadas delas". Esse versículo destaca a preparação individual. As prudentes, cada uma de per si, se prepararam cuidadosamente. Não poderiam ter preparado as lâmpadas das virgens néscias, ainda que o quisessem. Pois, embora o cristianismo ofereça uma salvação universal, é mister que essa salvação seja individualmente aplicada. E, embora ofereça uma esperança universal da *parousia*, e um encerramento justo e jubiloso do governo humano, conforme o conhecemos atualmente, quando for implantada a verdadeira justiça, a verdadeira alegria e salvação, tudo isso precisa ser pessoalmente apropriado. A resposta de Cristo tem de ser individual, e nada deste mundo pode cancelar essa necessidade do coração — nem o que a igreja possa conferir, nem o que possa decidir a comunidade cristã em geral, em favor de qualquer indivíduo. Cada qual terá de munir-se de azeite para a própria lâmpada, e cada qual deve preparar o seu pavio e acendê--lo. Durante o dia, tanto as virgens prudentes como as néscias se assemelham; é somente na hora da meia-noite, quando soar o grito, que se poderá distinguir entre elas. "Por isso ficai também vós apercebidos; porque, à hora em que não cuidais, o Filho do homem virá" (Mt 24.44).

"E prepararam as suas lâmpadas". Isso significa que elas puseram em ordem, ajeitando o pavio, fazendo a luz brilhar; pois as lâmpadas se tinham apagado enquanto todas dormiam. Trench (*Parables*) citando Ward (de seu livro *View of the Hindus*) descreve uma cerimônia de casamento na Índia, onde relata uma história que ilustra este texto: "Após esperar-se por duas ou três horas, finalmente, já perto da meia-noite, foi anunciado, tal como nas palavras das Escrituras: 'Eis que chega o noivo; saí ao encontro dele'. Todas as pessoas empregadas acenderam, então, as suas lâmpadas e correram, com essas lâmpadas nas mãos, a fim de ocuparem os seus respectivos lugares no cortejo. Algumas delas haviam perdido as suas lâmpadas, e estavam despreparadas; mas agora era tarde demais para procurá-las, e o cortejo se foi embora"(Vincent's *Word Studies in the New Testament*, in loc.)

25.8: E as insensatas disseram às prudentes: Dai-nos do vosso azeite, porque as nossas lâmpadas estão se apagando.

25.8 αἱ δὲ μωραὶ ταῖς φρονίμοις εἶπαν, Δότε ἡμῖν ἐκ τοῦ ἐλαίου ὑμῶν, ὅτι αἱ λαμπάδες ἡμῶν σβέννυνται.

"[...] as néscias disseram..." Elas tinham lâmpadas também, símbolo da profissão cristã; mas o azeite *se acabara*, e por isso mesmo não estavam preparadas para reunir-se ao cortejo nupcial. Agora se pode reconhecer a sabedoria do grupo das virgens prudentes, talvez uma classe que vinha sendo desprezada. Essa alteração nas condições da história ensina-nos uma lição de sabedoria. As virgens prudentes é que estavam realmente esperando o noivo, sendo as que tinham base, devido à sua prudência, para participar da inquirição espiritual por meio do Espírito. A crise da noite revelava a diferença das duas classes, uma diferença que a calma do dia não pudera revelar. Assim também, a crise da *parousia*, ou segundo advento de Cristo, revelará que alguns são prudentes, e outros, néscios. Nesta parábola, o autor do evangelho de Mateus define certa modalidade de sabedoria. A prudência consiste de uma preparação espiritual e íntima, mediante a graça do Espírito Santo; e essa prudência se manifesta na atitude de expectação e antecipação pela segunda vinda de Cristo, o que, naturalmente, tem alicerces na correta compreensão da natureza de sua augusta pessoa. Não basta, entretanto, o entendimento correto; deve haver participação na mesma santidade que o caracterizava na terra. As virgens prudentes, pois, são aquelas que têm participado dessa santidade, reconhecendo a pessoa de Cristo e esperando ansiosamente a sua volta. Suas vasilhas conservam-se cheias de azeite, ao passo que as virgens néscias ficam desprovidas de azeite.

"Nossas lâmpadas estão-se apagando". Uma tradução verdadeira do grego, pois não indica que a luz de suas lâmpadas se apagara completamente; antes, estavam no processo de apagar-se. A luz das lâmpadas das néscias começara a bruxulear, morrendo, pouco a pouco, por falta de azeite. A falsa profissão cristã é apenas uma luz bruxuleante que a qualquer momento ameaça apagar-se e, certamente, não oferece nenhuma esperança de renovação ou de continuar queimando até a volta do noivo.

25.9: Mas as prudentes responderam: Não; pois de certo não chegaria para nós e para vós; ide antes aos que o vendem, e comprai-o para vós.

25.9 ἀπεκρίθησαν δὲ αἱ φρόνιμοι λέγουσαι, Μήποτε οὐ μὴ ἀρκέσῃ ἡμῖν καὶ ὑμῖν· πορεύεσθε μᾶλλον πρὸς τοὺς πωλοῦντας καὶ ἀγοράσατε ἑαυταῖς.

"[...] as prudentes responderam: Não!..." Eis uma resposta simples, mas *enfática*! Jesus ensina aqui que aquela atitude responsiva que há na inquirição espiritual e que provoca a expectação pelo seu retorno, é uma questão inteiramente individual. Nenhuma igreja pode conferir essa atitude de reação favorável, como também não pode ser passada ao redor, de membro para membro de uma família, por mais religiosos que sejam esses membros. Em última análise, cada qual deverá produzir a própria prudência, a própria preparação. Não existe azeite suficiente, na vasilha de quem quer que seja, para permitir distribuição com outros. Essa seca negação das virgens prudentes pode parecer desumana e anticristã, mas o autor deste evangelho queria ilustrar que as palavras de Jesus, neste passo, ensinam uma lição central, focalizada sobre um dos fachos luminosos da experiência humana — a necessidade de preparação. Todos os detalhes desta parábola são adicionados com a finalidade exclusiva de enfatizar essa grande lição. Contudo, a preparação para o julgamento ou para os acontecimentos da segunda vinda, ou a preparação para a transição da morte, será sempre uma questão individual. Nenhuma comunidade, por mais religiosa que possa ser, poderá fazer uma decisão coletiva nesse particular; e alguns membros dessas comunidades — aqueles que levam suas lâmpadas — podem estar inteiramente destituídos de azeite, e, portanto, podem estar completamente despreparados para o segundo advento de Cristo.

Por todas essas razões, esta parábola ilustra a *importância* do individualismo. Cada indivíduo tem valor imenso, sendo agente para consigo mesmo, capaz de prestar um serviço pessoal e peculiar a Deus e à sua criação. Cada indivíduo pode e deve ser um instrumento especial, dotado do próprio desenvolvimento espiritual. Nenhuma das criaturas de Deus está destituída de importância individual, e isso requer prontidão e preparo pessoais.

O texto de Apocalipse 2.17 evidentemente ensina essa doutrina da individualidade também: "[...] Ao vencedor, dar-lhe-ei do maná escondido, bem como lhe darei uma pedrinha branca, e sobre essa pedrinha escrito um nome novo, o qual ninguém conhece, exceto aquele que o recebe". É óbvio que esse nome não equivale ao novo nome de Apocalipse 3.12, onde o nome em foco é o de Cristo, que certamente significa que, para os fiéis, serão proporcionadas novas revelações e entendimentos acerca de Cristo. Aqui, entretanto, trata-se do novo nome de um indivíduo, e isso se refere à individualidade de seu serviço prestado a Deus, bem como ao seu particular desenvolvimento espiritual, desenvolvimento esse que visa a fazer de cada crente um instrumento sem-par. Todavia, essa expressão única de cada qual requer que o crente, por si mesmo, reaja favoravelmente. As virgens prudentes tiveram essa reação. As néscias, entretanto, não. Estas tentaram tomar de empréstimo a preparação alheia, mas isso é impossível.

"Ide antes..." Certamente seria muito incomum uma loja abrir-se à meia-noite, embora, em face do fato de a vila inteira se ter despertado pelo grito que anunciava a chegada do noivo, talvez houvesse alguma pequena possibilidade de as virgens néscias ainda poderem adquirir o azeite. O mais provável, porém, é que o autor deste evangelho tenha desejado ainda ilustrar a necessidade de preparação prévia, por ser evidente que, à meia-noite, a hora prometida para o retorno do noivo, será tarde demais para que alguém comece a preparar-se. Baseando um de seus poemas nessa passagem, Tennyson empregou a expressão: *"Tarde, tarde, ó, tão tarde!"* (Idylls of the King, *Guinevere*, 1.166). A hora da meia-noite será tal como se vê aqui. O clamor da meia-noite poderá ser de alegria ou de angústia, e a preparação prévia é que determinará se será de uma ou de outra maneira. O conselho dado pelas jovens prudentes foi um bom conselho; mas era impossível segui-lo, devido o adiantado da hora.

656 |Mateus| NTI

Contudo, Koetsveld (*in loc.*) sugere que o cortejo nupcial avançou lentamente, pelo que haveria boa chance de as cinco virgens néscias correrem para comprar o azeite, a fim de ainda participar do acompanhamento; mas o restante da parábola nega definidamente essa ideia "super-humanizadora". Não havia mais tempo suficiente, pelo que as virgens néscias perderam a festa e ficaram fechadas do lado de fora. É isso que a parábola tenciona ensinar. Plummer diz (*in loc.*): "Era necessário mostrar que as virgens néscias não podiam ver revertidas as consequências de sua insensatez no último momento". Alguns estudiosos do idioma grego pensam que a resposta foi cortês; porém, cortês ou não, foi decisiva. A menção de dinheiro, neste caso, bem como a compra de azeite etc. tem provocado muitas discussões em comentários bíblicos. Entretanto, nada se tenciona aqui além do fato de que a aquisição de azeite deva ser uma questão pessoal. Nada tem a ver com a questão de um ministério pago, com a questão de tentar comprar posições ou privilégios espirituais, a exemplo de Simão Mago (At 8) etc. Deus requer algo de valor em troca dessas graças espirituais, e isso é um coração sincero e o desejo de seguir avante pela estrada espiritual (ver Pv 23.26). Esse é o "ouro" que Deus exige dos seguidores de Cristo.

25.10: E, tendo elas ido comprá-lo, chegou o noivo; e as que estavam preparadas entraram com ele para as bodas, e fechou-se a porta.

25.10 ἀπερχομένων δὲ αὐτῶν ἀγοράσαι ἦλθεν ὁ νυμφίος, καὶ αἱ ἕτοιμοι εἰσῆλθον μετ' αὐτοῦ εἰς τοὺς γάμους, καὶ ἐκλείσθη ἡ θύρα.

10 ἦλθεν...γάμους Ap 19.7,9

10 απερχ. δε αυτων] εως υπαγουσιν D it

"[...] saindo elas para comprar...". As virgens imprudentes aceitaram o conselho, bom ou mau. A indicação parece mostrar que elas realmente encontraram o azeite; mas o ensino claro da parábola é que isso só aconteceu *muito tarde*. O cortejo já chegara na mansão onde se celebraria a festa; e, muito antes de chegarem as cinco virgens néscias, a porta já fora fechada. E a porta se fechara porque todos os convivas que eram esperados já haviam chegado. Enquanto o cortejo prosseguia e enquanto as portas ainda estavam abertas, as virgens imprudentes estavam fazendo os preparativos que deveriam ter feito quando ainda se mostravam negligentes; por conseguinte, só conseguiram preparar suas lâmpadas quando ainda não havia mais necessidade delas. Alguns acreditam que, originalmente, a parábola terminava aqui. Vemos as cinco virgens néscias do lado de fora. Do lado de dentro havia a alegria das bodas. Se na parábola original o noivo aparecia ou não à porta, a fim de pronunciar aquelas palavras de condenação e rejeição, não importa; o sentido é o mesmo. Quer falemos da preparação da nação judaica para o reino, da preparação de cada indivíduo para a morte ou transição para a vida do além, ou da preparação para a *parousia*, ou segunda vinda de Cristo, o fato é que a preparação terá de ser feita no tempo próprio, porquanto as preparações de último minuto estão condenadas ao fracasso. Brown diz (*in loc.*): "Quão gráfico e espantoso é o quadro de alguém quase salvo, mas perdido!" O baque da porta, ao fechar-se, faz reboar um ruído horrível pelo ar, um sinal de perda definitiva. Robertson explica que o grego dessa passagem envolveu um "aoristo eficaz", e que a tradução mais certa seria "a porta foi fechada para ficar fechada".

25.11: Depois vieram também as outras virgens, e disseram: Senhor, Senhor, abre-nos a porta.

25.11 ὕστερον δὲ ἔρχονται καὶ αἱ λοιπαὶ παρθένοι λέγουσαι, Κύριε κύριε, ἄνοιξον ἡμῖν.

11-12 Lc 13.25,27

25.12: Ele, porém, respondeu: Em verdade vos digo, não vos conheço.

25.12 ὁ δὲ ἀποκριθεὶς εἶπεν, Ἀμὴν λέγω ὑμῖν, οὐκ οἶδα ὑμᾶς.

12 Mt 7.23

"[...] chegaram as virgens néscias...". Obviamente essas virgens tinham sido capazes de adquirir o azeite, mas a compra fora efetuada tarde demais, pois não só a porta fora fechada, mas também o noivo já observara os convidados e decidira que o número de visitantes já se completara. No salão do banquete não restava mais espaço.

Em uma aplicação um tanto diferente desse princípio, Lucas acrescenta vivacidade à narrativa, dizendo-nos que houve *pancadas vigorosas* à porta, por parte das virgens que tinham ficado de fora: "Quando o dono da casa se tiver levantado e fechado a porta, e vós, do lado de fora, começardes a bater, dizendo: Senhor, abre-nos a porta, ele vos responderá: Não sei donde sois" (Lc 13.25). Nesse texto, Lucas está falando das condições da salvação, sem importar se muitos ou poucos serão salvos. Ele indicou que a porta da salvação se abre apenas para alguns poucos. Essa mesma seção menciona o fato de que aqueles que forem deixados do lado de fora professaram-se religiosos, tendo chegado mesmo a fazer milagres no nome de Cristo, o que mostra que eram chamados cristãos. O Senhor não negou a validade das obras deles, e, sim, disse simplesmente que não os conhecia, o que indica que as obras de vulto que fizeram, em realidade não haviam sido feitas por meio de seu poder, e, sim, mediante algum poder estranho. Essa seção de Lucas termina com as seguintes palavras: "[...] há últimos que virão a ser primeiros, e primeiros que serão últimos". Em outras palavras, o julgamento de valores dos homens será revertido, e o julgamento de valores de Deus poderá ser totalmente diferente.

Nesta seção, o noivo se torna no dono da casa, algo que não se daria na vida real; mas isso serve bem aos propósitos do autor, pois, no terreno espiritual, o noivo também é o senhor. Por definição em outras passagens e por implicação aqui, o noivo torna-se então o juiz celeste. Ele não reconhece aqueles que negligenciaram a preparação pessoal, quando ainda havia tempo. A ideia geral é de que o arrependimento e a preparação têm um limite, quer nos refiramos à preparação para o reino, por parte da nação judaica, quer à preparação para a morte e para a transição para a outra existência, ou quer à preparação para a *parousia*, ou volta de Cristo. A mesma ideia pode também ser encontrada em Hebreus 12.27 e nas Visões de Herm. III.5.5; III.8.8,9. A regra é que cada qual deve preparar-se pessoalmente, e que a grande característica dos verdadeiros discípulos é a atitude de preparo, e, especialmente nesta parábola, a atitude de preparo para os últimos dias, mediante a ardente expectativa pela vinda de Cristo. Os discípulos autênticos sentem, por intuição, a proximidade desse acontecimento e se preparam, não menos do que ocorreu entre os cristãos, no tempo da destruição de Jerusalém, os quais, por meio de diversas experiências psíquicas, reconheceram a aproximação dos exércitos romanos e abandonaram essa cidade, salvando-se assim toda a comunidade cristã. Os demais, aqueles que não são discípulos legítimos, apesar de receberem muitas advertências, e chegarem mesmo a reconhecer o que elas representam, não se preparam como é devido, o que, nesta parábola, consistem em entrar e andar na verdadeira inquirição espiritual, por meio da graça e da presença do Espírito Santo.

Aqui o noivo diz: "[...] não vos conheço...". Em Mateus 7.23, em uma passagem um tanto paralela, o Senhor disse: "Nunca vos conheci". Esta seção de Mateus 25 extraiu subsídios da fonte informativa "Q", de Mateus 7.21-23 e de Lucas 13.25-27, juntamente com subsídios do material "M". Essa declaração não é realmente uma penalidade judicial, por haverem as virgens chegado tarde demais, e, sim, uma inferência tirada à base de sua chegada tardia, de que não se tinham preparado, e, que, por isso mesmo, não pertenciam ao cortejo nupcial. A passagem de Lucas 11.7 expressa o tom e as maneiras do noivo: "Não me perturbem; a porta já foi fechada". Alguns intérpretes (Alford, Olshausen) supõem, neste ponto, que essas virgens insensatas sofreram apenas a exclusão do reino milenar, mas não da glória final do reino, nos lugares celestiais. O próprio texto, porém, não parece ensinar essas distinções tão delicadas; pelo que também tais distinções só recebem apoio da teologia especulativa. Ver 1Pedro 4.6 e notas.

25.13: Vigiai pois, porque não sabeis nem o dia nem a hora.

25.13 Γρηγορεῖτε οὖν, ὅτι οὐκ οἴδατε τὴν ἡμέραν οὐδὲ τὴν ὥραν.

13 Mt 24.42; Mc 13.35; Lc 12.40

13 ωραν]add εν η ο υιος του ανθρωπου ερχεται fi 28 700 al ς

A cláusula, ἐν ᾗ ὁ υἱὸς τοῦ ἀνθώπου ἔρχεται (C³ Γ Π³ Φ fʲ³ 28 157 543 700 1241 syrᵖᵃˡ ᵐᵍ) é uma adição pedante, feita por copistas bem intencionados que se lembravam da cláusula similar de 24.44. Na realidade, o aviso é mais enérgico sem ela, e é amplamente claro para o que tiver lido o que antecede, de 24.36 em diante. A comissão preferiu a forma mais breve, que é decisivamente apoiada p³⁵ א A B C˙ D L W X Y˙ Δ Θ Π˙ Σ Φ 047 fʲ 33 565 892 1219 1424˙ 1604 2145˙ it vg syrˢ·ᵖ·ʰ·ᵖᵃˡ ᵗˣᵗ copˢᵃ·ᵇᵒ arm eth.

"**Vigiai, pois...**". A parábola inteira tem esse ponto como lição central. O preparo e a vigilância fazem parte necessária do fato de alguém ser *verdadeiro* discípulo. Falta-nos o conhecimento exato acerca do tempo da *parousia*, ou segunda vinda de Cristo, e por isso mesmo se faz necessária uma preparação contínua. A base dessa prontidão consiste do recebimento da graça do Espírito, porquanto isso cria em nós uma verdadeira inquirição espiritual, uma intensa expressão de espiritualidade. Essa mesma prontidão é útil para enfrentarmos galhardamente a morte, pois, de certa maneira, é pela morte que o crente vai ter com Cristo; e essa prontidão é útil também para as nações e comunidades religiosas, em sua espera pela chegada do rei. Ora, a nação de Israel não demonstrou ter essas qualidades, pelo que não reconheceu o Messias e teve de ficar do lado de fora do salão do banquete.

Essa ordem para que *vigiemos*, isto é, para que nos mantenhamos despertos, é inserida aqui pelo autor deste evangelho a fim de ligar a parábola com o v. 42 do capítulo anterior, que expressa uma conclusão similar à ideia da *parousia*, que ocorrerá logo em seguida à tribulação. É verdade que todas as dez virgens sucumbiram ao sono, e isso parece mostrar a falta de vigilância da parte de todas; no entanto, a vigilância de espírito foi a característica das cinco virgens prudentes; por isso, quando se fez ouvir o grito, elas estavam de fato "preparadas" para participar do cortejo nupcial. Talvez alguns tenham dado importância demasiada ao fato de todas as virgens terem dormido, ainda que a parábola apresente as prudentes como "preparadas".

Por esta parábola, aprendemos também que a ignorância acerca do tempo da segunda vinda de Cristo não é desculpa ou justificação aceitável para a negligência, mas é razão ainda maior para que haja vigilância. Adam Clarke (*in loc*) diz: "[...] infelizmente! quão poucos daqueles que se chamam cristãos realmente vigiam! a maioria dormita! quantos estão toscanejando! quantos estão presos à letargia! quantos estão praticamente mortos!"

"**[...] em que o Filho do homem há de vir.**" São palavras encontradas em algumas traduções mais antigas, como a AC e a KJ, mas que realmente não fazem parte do texto original, conforme o demonstra a evidência dos mss antigos. Os mss que as contêm são C(3) EFGHKMSUV, Gamma, Pi(3), Fam 13. Os mss que não as contêm são Aleph, ABC(1), DLX, Delta, Theta, Fam 1 e Fam Pi, o que é evidência avassaladora contra a inclusão dessas palavras. Por isso é que as traduções mais modernas, como GD, NE, ASV, RSV, WM, AA, IB e outras, as omitem. Essa adição foi um acréscimo relativamente tardio, feito por algum escriba, e que

foi posta ali à guisa de explanação. Essa parábola, naturalmente, fala da *parousia*, embora alguns estudiosos acreditem que, em sua forma original, não tinha essa intenção. É perfeitamente claro, porém, que o uso da parábola em Mateus faz referência definida à segunda vinda de Cristo, e que, para isso, precisamos estar prontos e vigilantes.

(e) Parábola do Senhor em viagem (25.14-30)

Os v. 14-30 apresentam a parábola dos talentos, que nos ensina o uso de nossas capacidades. Tem havido considerável debate acerca da origem dessa parábola. O fraseado empregado por Mateus, nesta seção, difere grandemente do de Lucas (ver Lc 19.12-17). Por esse motivo, muitos têm pensado que esta seção de Mateus não tem nenhuma conexão vital com aquela porção aparentemente paralela do evangelho de Lucas. Por conseguinte, a fonte originária seria "M". Outros supõem que, tanto Lucas quanto Mateus, neste ponto, usaram uma passagem derivada da fonte "Q", e que cada qual, mediante adaptação para seus propósitos particulares, produziu uma parábola aparentemente diferente da outra. Nesse caso, as minas de Lucas foram alteradas para talentos, uma unidade monetária de muito maior valor, a fim de aumentar a importância das doações e das oportunidades propiciadas aos diversos servos. Outrossim, alguns toques alegóricos, como os que se encontram no v. 30, além de outras palavras como "entra no gozo do teu Senhor", nos v. 21 e 23, foram acrescentados pelo autor deste evangelho. De conformidade com essa teoria, Lucas fez também algumas modificações editoriais, como a de fazer com que o senhor tenha entregado a cada servo uma quantia idêntica, ou de fazer a história ir-se transformando em outra (Lc 19.12,14-15a,27). Tudo isso, porém, não passa de especulação, e não podemos ter realmente a certeza de que essa parábola baseie-se na fonte "M", que tem similaridades com o material "L", de Lucas 19.12-17, ou que ambos os evangelistas tenham apresentado versões modificadas da fonte "Q". (Ver notas sobre as fontes informativas dos Evangelhos no artigo da introdução a este comentário intitulado "O problema sinóptico". Essa introdução dará ao leitor boa compreensão acerca do problema das fontes informativas empregadas pelos diversos autores dos Evangelhos.)

25.14: Porque é assim como um homem que, ausentando-se do país, chamou os seus servos e lhes entregou os seus bens:

25.14 Ὥσπερ γὰρ ἄνθρωπος ἀποδημῶν ἐκάλεσεν τοὺς ἰδίους δούλους καὶ παρέδωκεν αὐτοῖς τὰ ὑπάρχοντα αὐτοῦ,

14 Mc 13.34; Lc 19.12,13

Nos idiomas modernos, o vocábulo "talento", usado para indicar a capacidade e os dotes de alguém, em realidade deriva-se dessa parábola. Originalmente, o talento era uma unidade de peso; depois passou a ser uma unidade monetária, ou seja, seis mil denários. O denário valia o trabalho de um dia. Um talento, portanto, valia o trabalho de um homem por mais ou menos 18 anos. O uso posterior dessa palavra, para indicar as habilidades ou dotes naturais, desenvolveu-se do uso simbólico com que o termo é usado nesta parábola. A interpretação da parábola parece girar em torno do sentido simbólico da palavra "talento". A seguir, citamos algumas das principais ideias apresentadas pelos intérpretes:

1. Alguns acreditam que a referência é às habilidades com que servimos a Deus, quer naturais, quer espirituais.
2. Outros creem que se trata da oportunidade espiritual, isto é, a outorga de conhecimento e da verdade que Deus dá de si mesmo e de seu caminho de salvação. Essas oportunidades espirituais teriam a intenção de orientar a vida. No caso de Israel, significou a chegada do reino e a necessidade de sujeição ao governo de Deus, o que, realmente, teria conduzido essa nação a um tipo

superior de vida espiritual. No caso da *parousia*, ou segunda vinda de Cristo, significa a prontidão, mediante o serviço, que os homens terão ou não. No caso da morte, haverá uma prestação de contas e cada qual será considerado responsável pelo que fez, tanto com as suas oportunidades como com seus dotes naturais.

3. Portanto, a verdadeira interpretação parece ser uma interpretação bastante ampla, que incluiria ambas as ideias acima, isto é, as habilidades concedidas por Deus, tanto naturais como espirituais, com as quais podemos servir aos homens e glorificar a Deus, e também as oportunidades espirituais ou "luzes" que recebemos, para serem empregadas em nossa inquirição espiritual. Dessa maneira, teremos de prestar contas tanto do que sabemos como do que fazemos. Aquele que sabe mais, isto é, que tem uma compreensão mais clara do caminho da vida, tem a obrigação de viver uma vida mais frutífera. Alguns detalhes dessa parábola são de difícil interpretação, se nos apegarmos apenas a algum sentido limitado. Por exemplo, se considerarmos que essa parábola aplica-se somente aos crentes verdadeiros, que terão de prestar contas de seu serviço, o v. 24 será difícil de ser interpretado, porquanto nenhum crente autêntico teria essa atitude para com Deus. O v. 30 dificilmente pode também indicar o julgamento de um crente autêntico. Pois esse julgamento é o mesmo que foi imposto ao conviva que entrou no banquete nupcial sem a veste apropriada. (Ver Mt 22.12-14.) Por esses motivos, devemos buscar uma interpretação mais lata. Os judeus, por exemplo, são como os que receberam muitos talentos, muita oportunidade para conhecerem os segredos espirituais, e isso os deveria ter conduzido à vida. Contudo, abusaram de seus privilégios, ocultaram os seus talentos e terão de sofrer as consequências eternas desse ato. Existem outros, porém, que fazem pleno uso de suas oportunidades espirituais, ainda que recebam menos que outros; e, ao assim agirem, tanto encontram a vida como vivem uma vida frutífera. O mais provável é que ambas as ideias estejam contidas na entrega dos talentos. Esses talentos envolvem tanto o conhecimento como a capacidade para o serviço. Os talentos, pois, parecem ser dons de oportunidade espiritual que conduzem à vida, contanto que sejam recebidos da maneira certa e sejam usados com toda a propriedade; e isso resulta na manifestação das evidências do Espírito Santo na vida do crente. Assim se vão multiplicando os talentos na experiência prática, o que certamente também é algo agradável ao Pai. Segundo a interpretação mais ampla desta parábola, devemos incluir aqui a ideia do julgamento do crente, porquanto é perfeitamente claro nas Escrituras que somos responsáveis pelo uso que fazemos tanto do nosso conhecimento espiritual como das oportunidades que nos são abertas. (Quanto a uma explicação pormenorizada destas ideias, ver 2Co 5.10.) Ao aplicar essa parábola às responsabilidades dos crentes, não precisamos forçar o sentido de alguns versículos que não se aplicam diretamente a eles, exceto em princípio, de que os crentes também serão julgados e que esse julgamento será determinado pelo uso que fizerem do conhecimento recebido e da frutificação espiritual de sua vida. (Ver Mt 25.33, quanto aos vários julgamentos ensinados nas Escrituras Sagradas.)

"[...] homem [...] ausentando-se do país...", o que é expressão antiga para "viajar pelo estrangeiro". A ideia é de alguém que se ausenta de seu país e do meio de seu povo, a fim de permanecer em outro país. Imediatamente podemos reconhecer que esta parábola alude à esperada ausência de Cristo, o qual deixou o seu povo aqui, dando-lhe capacidades próprias para esse serviço, embora tenha de demorar-se no país distante por muito tempo.

"[...] chamou os seus servos...". Esta parábola reflete, igualmente, uma forma antiga dos senhores tratarem seus escravos. Enquanto estivesse ausente, o senhor cuidaria dos seus interesses por meio dos seus servos. Naturalmente que o senhor deseja tirar lucro de suas posses, mesmo em sua ausência. Assim, de forma geral, dois caminhos se abrem à sua frente: (1) Poderia fazer de seus escravos agentes seus. Teriam de arar o solo, vender o produto do plantio e usar o dinheiro resultante como capital, para negociar. Nesse caso, haveria uma espécie de entendimento mútuo entre o senhor e os seus escravos, sobre quanto dinheiro seria lucro pessoal deles e quanto caberia ao senhor. Esse era o método mais primitivo desses acordos. (2) A outra possibilidade de cuidar dessas questões era a valer-se dos bancos, dos cambistas, dos sistemas de empréstimo a juros, inventados pelos fenícios, que, nos dias de Jesus, estavam em franco funcionamento por todo o Império Romano. Os banqueiros recebiam dinheiro em depósito e pagavam juros aos depositantes; emprestavam esse dinheiro a porcentagens mais altas, ou então empregavam esses fundos no comércio ou em outra forma qualquer de investimento. Dessa maneira, um senhor que estivesse viajando por lugares de sua pátria, poderia esperar, se os seus escravos se mostrassem sábios, um bom lucro ao retornar. Quanto ao simbolismo dos "talentos", ver a explicação no início deste versículo.

25.15: a um deu cinco talentos, a outro dois, e a outro um, a cada um segundo a sua capacidade; e seguiu viagem.

25.15 καὶ ᾧ μὲν ἔδωκεν πέντε τάλαντα, ᾧ δὲ δύο, ᾧ δὲ ἕν, ἑκάστῳ κατὰ τὴν ἰδίαν δύναμιν, καὶ ἀπεδήμησεν. ᵉεὐθέως

[2] 15-16 {C} ἀπεδήμησεν, εὐθέως πορευθείς ℵ* B it^{b?gl?} arm eth^{ms?} geo^{1?B?} // ἀπεδήμησεν, εὐθέως δὲ πορευθείς Θ f¹ 700 2148 l²⁶ it^{c,f,ff¹,²,h,q,r¹} syr^{pal mss} cop^{sa} eth^{ms?} geo^{1?B?} Ps-Chrysostom // ἀπεδήμησεν εὐθέω, πορευθεὶς δὲ ℵ^c A C D K L W X Δ Π 074 0136 f¹³ 28 33 565 892 1009 1010 1071 1079 1195 1216 1230 1241 1242 1253 1344 1365 1546 1646 2174 Byz Lect it^{aur,d,f} vg syr^{p,h} cop^{bo?} eth^{pp} geo^A Diatessaron Origen^{lat} Basil // εὐθέως ἀπεδήμησεν, εὐθέως δὲ πορευθείς syr^{pal ms} eth^{ro}

> Embora a evidência externa em apoio à forma adotada no texto seja de extensão limitada, é de boa qualidade. Mais importante, porém, essa forma explica melhor a origem das outras, que surgiram quando copistas tentaram eliminar o assíndeto bem como a ambiguidade de onde pertence εὐθέως, inserindo δε antes ou depois de πορευθείς.
>
> A pontuação adotada para o texto segue o que é usado em outros textos de Mateus (onde εὐθέως ou εὐθύς, invariavelmente pertence ao que se segue) e segundo o sentido da parábola (Que adiantaria se o senhor partisse imediatamente? Muito adiantaria, entretanto, se o servo se pusesse imediatamente a trabalhar.)

"[...] a um deu cinco talentos...". Quanto a uma completa explicação do sentido do simbolismo dos talentos, ver as notas no v. 14. Na linguagem moderna, é comum falarmos em "talento" para a música, para os negócios, para as profissões liberais ou para qualquer outra atividade na sociedade. Esse emprego e definição da palavra "talento" deriva-se do uso simbólico da palavra, conforme usada nesta parábola. Originalmente, o talento era um peso que variava de 26 a 36 quilogramas. Posteriormente, a palavra passou a indicar um valor monetário, que diferia consideravelmente, dependendo do lugar e do tempo. O talento podia ser de ouro, de prata ou de cobre, e isso indicava o valor tencionado, embora sempre fosse altíssimo; e é justamente por isso que esta parábola emprega esse símbolo. Era considerável a quantia que o senhor desta parábola confiou aos seus servos. Se seis mil denários forem considerados como o valor de um talento, isso envolveria o valor de seis mil dias de trabalho. Seriam necessários quase vinte anos para que um homem ganhasse essa importância, o que significa uma vida inteira de trabalho. Até mesmo um talento, naquele tempo, era considerado de valor altíssimo, do ponto de vista do homem comum, visto que um denário era considerado um bom salário diário para o trabalhador médio. Assim, o escravo que recebeu cinco talentos, recebeu uma quantia que lhe exigiria mais de noventa anos para adquirir. Por meio dessas cifras, o autor deste evangelho nos dá um quadro impressionante nesta parábola. Grandes responsabilidades estão sendo entregues por Deus aos seus servos.

Na possível passagem paralela de Lucas (onde temos a parábola das minas), a cada escravo foi entregue uma idêntica quantia; mas cada um deles tinha de fazer o melhor possível com o dinheiro. De certa maneira, neste caso também, cada qual recebeu uma quantia idêntica, pois cada um recebeu de conformidade com a sua capacidade. A proporção de dinheiro diferiu, mas cada um deles tinha o dever de ser igualmente fiel e sábio no emprego do que recebeu. Aqui temos a implicação do fato de que existem diferenças entre os homens, quanto aos seus dotes naturais; ou então, seguindo-se o simbolismo desta parábola, que há diferenças quanto às oportunidades espirituais. Ambas as coisas são verdadeiras. Entre as nações, Israel recebera uma dose muito mais vasta de oportunidades espirituais, mas não fez bom uso das mesmas.

Na literatura judaica, existe uma parábola similar a esta, e que pode ter formado a base da parábola narrada pelo Senhor Jesus. Essa parábola judaica diz: "Certo rei entregou uma quantia de dinheiro a três de seus servos: o primeiro guardou-o; o segundo o perdeu; e o terceiro gastou parte do mesmo e entregou o resto a alguém para guardá-lo. Após algum tempo, o rei voltou e exigiu de volta o depósito. O que o guardara foi louvado pelo rei, que o fez governante de sua casa. O que perdera seu depósito foi entregue à destruição, de forma que, tanto seu nome como sua herança foram extintos. Quanto ao terceiro, que gastara uma parte e que entregara o resto a outrem, para que o guardasse, o rei disse: 'Mantende-o na minha casa e não o deixes ir-se, até que vejamos o que fará aquele que ficou com uma parte: se fizer uso apropriado dessa parte, este homem poderá ser devolvido à liberdade; em caso contrário, ele será punido" (Sohar Chadash, fol. 47). Se essa parábola serviu de base para a parábola ensinada por Jesus, pode-se ver facilmente como ela foi tremendamente melhorada ao passar de uma mão para outra.

25.16: O que recebera cinco talentos foi imediatamente negociar com eles, e ganhou outros cinco;

25.16ª πα πορευθεὶς² ὁ τὰ πέντε τάλαντα λαβὼν ἠργάσατο ἐν αὐτοῖς καὶ ἐκέρδησεν ἄλλα πέντε·

25.17: da mesma sorte, o que recebera dois ganhou outros dois;

25.17 ὡσαύτως ὁ τὰ δύο ἐκέρδησεν³ ἄλλα δύο.

3 17 {B} ἐκέρδησεν ℵ B C* L 33 892 1010 1546 it^{aur.g¹.l} vg^{(cl).ww} syr^{p.pal} cop^{sa,bo} arm eth? geo Origen^{lat} Basil // καὶ αὐτὸς ἐκέρδησεν D it^d // ἐκέρδησεν καὶ αὐτός A C³ K W X Δ Θ Π 074 f¹ f³ 28 565 700 1009 1071 1079 1195 1216 1230 1241 1242 1253 1344 1365 1646 2174 Byz Lect it^h syr^h // lucratus est et it^{f,(r¹)} // lucratus est in eis it^{a,b,c,ff¹,²,q}

> Interessados em um estilo de narrativa popular intenso, copistas adicionaram as palavras καὶ αὐτός. Sua posição variegada se adapta à sua natureza secundária.

"[...] saiu imediatamente a negociar...". A ação do escravo que recebeu os cinco talentos prova que o negócio foi bom, que o comércio foi intenso e que as condições gerais eram boas para negociar, porquanto o mercado era altista e oferecia muitas vantagens. As condições econômicas prevalentes eram favoráveis, pelo que qualquer fracasso nos negócios teria de ser encarado como resultado da negligência, do descuido ou da mais pura estupidez. O senhor provavelmente deixou algumas normas para a aplicação do dinheiro; mas também é provável que o servo tenha usado a sua inteligência, tenha desenvolvido as suas habilidades e tenha agido sabiamente em seus investimentos. O resultado dessa sua atividade é que logo se duplicaram os cinco talentos, de forma que

ele terminou possuidor da impressionante soma de dez talentos. Esta parábola, pois, incentiva o crente à prontidão e à diligência. O caráter que foi louvado no caso das dez virgens foi o da vigilância; aqui, a qualidade específica do verdadeiro discípulo é a diligência na inquirição espiritual, bem como o pleno uso da graça e do conhecimento de que dispõe. Servimos a nosso Senhor servindo aos nossos semelhantes, conforme se vê na mensagem especial da parábola, que vem a seguir, nesta mesma seção (parábola das ovelhas e dos bodes). Embora a mensagem desta parábola não esteja principalmente vinculada à *parousia*, ou segunda vinda de Cristo, o regresso do Rei ou Senhor implica em um tom apocalíptico nesta parábola. Pelo menos será verdade que, por ocasião da volta do Rei, será mister os seus servos lhe prestarem conta do uso que tiverem feito de suas oportunidades, quer da oportunidade de usar corretamente os privilégios espirituais, quer da oportunidade de servir aos outros, e, em consequência, de servir a Deus. Seja como for, esta parábola fala de uma correta busca espiritual, mediante o uso de todas as vantagens providas por Deus para isso.

O escravo que recebera dois talentos também mostrou-se fiel, embora não igualmente produtivo. Esta parábola está salientando exatamente essa fidelidade, a necessidade de empregar, com o mais pleno proveito, tudo aquilo que temos. Seremos julgados de conformidade com o emprego que fizermos de nosso conhecimento e de nossas capacidades espirituais. Um homem de "dois talentos" poderia ficar inteiramente confuso com a responsabilidade que cinco talentos lhe imporiam. Poderia falhar inteiramente, não arcando com as pesadas cargas de empregar e de cuidar de tão altas responsabilidades. Esperar-se-ia que ele fizesse o melhor ao seu alcance; por isso mesmo recebeu apenas dois talentos, enquanto que seu companheiro recebeu cinco. Não obstante, sua vida não tem menos significado por causa disso. A fidelidade, no mais alto grau, segundo as próprias habilidades, é que empresta a esta vida o seu significado; mas a negligência furta-nos do sentido da existência humana. Sócrates teria concordado com a mensagem desta parábola, porquanto declarou: "A vida indisciplinada não é digna de ser vivida". Com essa disciplina, ele entendia a disciplina ética, a busca pelo conhecimento perfeito, que, segundo ele, seria suficiente para produzir a conduta ideal.

25.18: mas o que recebera um foi e cavou na terra e escondeu o dinheiro do seu senhor.

25.18 ὁ δὲ τὸ ἓν ἀπελθὼν ὤρυξεν γῆν καὶ ἔκρυψεν τὸ ἀργύριον τοῦ κυρίου αὐτοῦ.

18 ἀπελθων] om D it

"[...] o que recebera um...". Esse homem não se mostrou desonesto; não gastou o dinheiro e nem o desperdiçou; simplesmente deixou de empregá-lo vantajosamente. Assim, foi preguiçoso, negligente, indigno de confiança — do ponto de vista produtivo. Nos tempos antigos, o dinheiro era frequentemente escondido para ficar em segurança (ver Mt 13.44), uma vez que não havia estabelecimentos bancários com condições seguras de depósito. É natural à personalidade humana ocultar coisas para que fiquem guardadas em segurança. A maioria das moedas antigas, que atualmente podem ser vistas nos museus, foi preservada dessa maneira. Este escravo não era um malfeitor ativo, como o foi o servo iníquo de Mateus 24.48. Não obstante, não estava isento de culpa. Recebera ordens e um depósito, da parte do senhor, para que usasse sabiamente as suas possessões. Foi do tipo daqueles que não são externamente maus, mas que, no íntimo, são improdutivos, despreocupados, egoístas. Não manteve nenhum tipo de atividade ou negócio. Tornou-se o símbolo da preguiça, do embotamento e da indiferença espirituais.

Esta parábola, pois, ensina que a indiferença para com a inquirição espiritual é uma maldade mortal e aberta. O Senhor requer de nossa parte conhecimento e ação, bem como a busca ativa pelas coisas espirituais. Aquele que não manifesta essas

660 |Mateus| NTI

qualidades dificilmente pode ser considerado um verdadeiro discípulo. Esta parábola pode falar de alguém que gozou de oportunidades espirituais, mas que não lançou mão delas, chegando mesmo a ignorá-las e a desprezá-las. A nação de Israel nos dá o principal exemplo nesse particular. Foram dotados de notáveis vantagens, mas fizeram escasso uso das mesmas, ou então nem fizeram uso delas; e mostraram-se tão embotados em sua inquirição espiritual, que nem ao menos reconheceram o Messias, e, finalmente, crucificaram-no, ao invés de lhe prestarem respeito e serviço. Muitos indivíduos podem demonstrar a mesma espécie de má natureza indiferente ou de má natureza ativa. Outros, como os crentes em Cristo, podem desperdiçar a sua vida seguindo coisas que não são compatíveis com a verdadeira vida de um discípulo genuíno, ou simplesmente podem negligenciar os seus deveres. Em todos esses casos, pode-se esperar o mesmo resultado — o juízo de alguma espécie. Ver 2Coríntios 5.10, onde há uma nota acerca do julgamento do crente. Ver Apocalipse 14.11, onde há uma nota sobre o julgamento dos ímpios. E ver Mateus 25.33, onde há uma nota geral sobre os diversos julgamentos referidos nas Escrituras.

Não podemos deixar de observar que esta parábola parece ter sido especificamente narrada por causa da condição ilustrada pelo homem que recebeu um talento. Esse indivíduo aparece bem no centro do palco. Dele é que devemos extrair a principal lição desta parábola. Certamente existem outros homens de "um talento" só neste mundo, em número mais numeroso que os homens de dois e de cinco talentos. "Só existem alguns poetas como Keats, alguns inventores como Edison, alguns estadistas como Lincoln, ou pregadores como Crisóstomo. Perigos peculiares cercam o homem de um talento só. Ele é tentado a dizer: 'Com minhas poucas aptidões nada se pode esperar de mim: Que posso fazer?' Esse é um sussurro demoníaco aos seus ouvidos: Que posso fazer? O homem de um só talento inclina-se para o ressentimento. Pode ressentir-se da própria vida e de seus semelhantes, por ter sido insuficientemente dotado, em contraste com seus brilhantes companheiros. O quadro de sua queixa transparece incisivamente em sua verdade psicológica. Ele culpou a Deus: 'Senhor, sabendo que és homem severo...' (v. 24). Chegou mesmo a acusar a Deus de ceifar onde não semeara. As críticas contra Deus e os homens é o meio de escape de muitas pessoas que sentem e se ressentem de sua mediocridade" (Buttrick, *in loc.*). Por essa parábola, além dessas implicações, fica-se com a impressão de que Deus espera que os homens mostrem-se alertas quanto às revelações do mundo natural. A todos os homens é dada certa oportunidade espiritual, algum conhecimento da inquirição espiritual. Espera-se de cada um que tire o máximo proveito do conhecimento assim recebido e das implicações desse conhecimento; de cada um espera-se que sirva e que se desenvolva segundo a plena capacidade de suas habilidades: "O dinheiro na terra é o espírito na carne" (*Lange's Commentary, in loc.*). A carne, com seus desejos e com suas imposições, tem a capacidade de confundir-se e de prejudicar a verdadeira expressão espiritual neste mundo. O homem de um talento só, segundo é apresentado nesta parábola, é aquele cuja carne abafa-lhe o espírito.

25.19: Ora, depois de muito tempo veio o senhor daqueles servos, e fez contas com eles.
25.19 μετὰ δὲ πολὺν χρόνον ἔρχεται ὁ κύριος τῶν δούλων ἐκείνων καὶ συναίρει λόγον μετ' αὐτῶν.

<hr>

19 ἔρχεται...αὐτῶν Mt 18.23

"Depois de muito tempo..." Não podemos deixar de perceber, nestas palavras, uma referência direta à *parousia*, ou segunda vinda de Cristo. Assim é que o autor deste evangelho continua registrando parábolas cuja intenção é ensinar como devem ser os verdadeiros discípulos, enquanto aguardam o Senhor dos céus. Neste caso, o preparo não consiste da vigilância, como no caso da parábola das dez virgens; pelo contrário, trata-se de atividade na inquirição espiritual, em que o crente se utiliza

de todo o conhecimento e capacidade, na extensão mais ampla possível. Consiste de ocupar-se até que Cristo volte. Essa ocupação pode ser individual ou geral. As nações são responsáveis pelo correto uso da luz espiritual que possuem, tanto quanto o são responsáveis os indivíduos. Jesus voltará e requererá a prestação de contas da parte de todos os homens. Para alguns, ele vem mediante a morte; para outros, virá em vida. Entretanto, a forma pela qual ele preferir vir a nós não altera a exigência de lhe prestarmos contas. A demora pode ser longa, mas esse retorno é inevitável. É impossível escapar da prestação de contas, embora ela seja adiada por muito tempo. Este versículo pode não falar do juízo final, em seus elementos escatológicos. Não obstante, estão envolvidos os mesmos princípios, isto é, a prestação de contas será um acontecimento que envolverá todos os indivíduos e nações, sem distinção. O tempo dessa prestação de contas é a única diferença. Após longo tempo, o termo pode ter tido a intenção de indicar, para a igreja primitiva, que a *parousia* poderia demorar-se por longo tempo, embora seja verdade que a igreja em geral continuará a esperar esse evento em seus dias; até o apóstolo Paulo reflete essa opinião em suas epístolas. Para Deus, todavia, os prazos que nos parecem longos, não são significativos. O que tem importância para ele é a correta aplicação das oportunidades e dotes que nos tiverem sido proporcionados. John Gill diz (*in loc.*): "[...] mil e setecentos anos já se passaram, mas ele ainda não voltou; e isso é um longo período, segundo o cômputo humano, mas não segundo a maneira de Deus ver as coisas. Pois, para ele, mil anos são como um dia; embora os santos se impacientem, porque amam, anseiam e apressam a vinda de Cristo. Contudo, embora pareça tardio, ele finalmente virá: ele se mantém afastado, a fim de dar tempo aos seus laboriosos ministros de exercerem todos os dons que ele lhes outorgou, e a fim de que os preguiçosos não tenham meio de desculpa". (Ora, desde os dias de John Gill, mais duzentos anos já se passaram; porém, nossos dias e nossa geração têm recebido muitíssimos sinais do iminente retorno de Cristo.)

Tal como em Mateus 18.23, a terminologia deste versículo — ajustou contas com eles — não aparece no grego clássico. No entanto, dois papiros, bem como uma ostraca de Núbia, apresentam essa expressão idiomática. O sentido é tal e qual se encontra nesta tradução em português. Agora, o senhor desejava receber o que era seu, além de estar desejoso de recompensar seus servos fiéis e de punir os servos preguiçosos.

25.20: Então chegando o que recebera cinco talentos, apresentou-lhe outros cinco talentos, dizendo: Senhor, entregaste-me cinco talentos; eis aqui outros cinco que ganhei.
25.20 καὶ προσελθὼν ὁ τὰ πέντε τάλαντα λαβὼν προσήνεγκεν ἄλλα πέντε τάλαντα λέγων, Κύριε, πέντε τάλαντά μοι παρέδωκας· ἴδε ἄλλα πέντε τάλαντα ἐκέρδησα.

<hr>

20 ἐκέρδησα] ἐπεκερδ- DΘ lat ἐπει ἐπ D lat co Ir

"[...] aproximando-se...". Esse servo avançou com passos confiantes. Nada tinha a temer, nem mesmo de seu augusto senhor. Cumprira as suas ordens e negociara usando o seu engenho. Aplicara toda energia e forças de que dispunha para negociar com seus investimentos. Havia trabalhado quando outros tinham ficado a dormir ou tiravam férias. Havia esperado e mesmo anelado pelo retorno de seu senhor, para que pudesse mostrar-lhe os bons frutos de seu labor. Podia estar de cabeça erguida, sem pudor. Esse primeiro servo é o retrato de um servo autêntico e fiel do Rei, um elemento digno do reino dos céus. Amou e serviu aos seus conservos. Tinha afeição no coração pelo seu rei, e não queria envergonhar o seu nome. Era homem capaz, e empregou essa capacidade ao máximo. Desenvolveu sua natureza moral — seu amor, sua simpatia, seu interesse pelos outros, sua compaixão pelos débeis, sua misericórdia para com todos. Agiu a exemplo de Jesus, compartilhou de sua natureza e realizou a sua obra. Mostrou-se sério em seu desenvolvimento espiritual e também conduziu outros à compreensão de Cristo. Mostrou-se apto para distinguir entre o bem e o mal, e teve visão clara do que é importante e do que é supérfluo.

Quão lindamente esta parábola ilustra o estado de ousadia espiritual, no dia do juízo, referido pelo apóstolo João. "[...] permanecei nele, para que, se ele se manifestar, tenhamos confiança e dele não nos afastemos envergonhados na sua vinda" (1Jo 2.28 e 4.17). O servo fiel não precisa louvar a si mesmo e, de fato, não precisa fazê-lo. Suas obras o louvam, e o seu Senhor fica satisfeito. O Senhor examina o dinheiro, e basta-lhe um olhar para ver que seu servo está fazendo bem. Nem ao menos precisa conferir para saber que verdadeiramente os dez talentos estão ali. Sabe que o servo diz a verdade. Quão maravilhoso é termos feito algo de valor nesta vida, que engrandece ao Grande Rei! O Senhor mesmo nos concede os meios de retornarmos a ele, de sermos conformados à imagem de seu Filho, de compartilharmos da essência mesma de Cristo e de sua imagem moral. A nós compete usar os meios que ele nos concede. De certo modo, tudo vem por meio de sua graça, porquanto o Senhor é que entregou os talentos aos seus servos. Sendo escravos, eles não teriam meios de agir independentemente. Não obstante, usando o que lhe foi dado pela graça, aquele servo duplicou a quantia que lhe foi entregue. É exatamente esse o princípio usado por Deus em seus tratos com os homens. Lançamos aqui os olhos para a questão das recompensas, que devem ser consideradas principalmente dotes extras para que sirvamos no reino eterno; coroas de justiça, pela participação da grande natureza moral de Deus; coroa da vida, pela participação da vasta e elevadíssima vida de Deus, o que é acompanhado pela transformação de nossa natureza, a fim de que possamos participar, literalmente, daquela vida que é a grande característica da essência de Deus. Essa é a mais elevada mensagem do evangelho, a qual tem seu centro na nossa transformação segundo a imagem de Cristo, no sentido mais literal possível. As recompensas são, pois, uma participação e transformação espirituais; e a maneira pela qual tivermos usado a graça recebida é que determinará até que ponto será essa nossa participação. A doutrina, portanto, é importantíssima, nada tendo a ver "o outro lado" da existência com as possessões materiais. Pelo contrário, consiste do que seremos e do que faremos. O que fizermos nesta existência terá consequências sobre a outra.

25.21: Disse-lhe o seu senhor: Muito bem, servo bom e fiel; sobre o pouco foste fiel, sobre muito te colocarei; entra no gozo do teu senhor.

25.21 ἔφη αὐτῷ ὁ κύριος αὐτοῦ, Εἶ, δοῦλε ἀγαθὲ καὶ πιστέ, ἐπὶ ὀλίγα ἦς πιστός, ἐπὶ πολλῶν σε καταστήσω· εἴσελθε εἰς τὴν χαρὰν τοῦ κυρίου σου.

21 ἐπὶ ὀλίγα...καταστήσω Mt 25.23; Lc 16.10 ἐπὶ πολλῶν σε καταστήσω Mt 24.27

21 ἐπὶ Iᵒ] ἐπεί ἐπὶ D lat co Ir

"Muito bem...". O grego tem aqui uma única palavra: bem. Quão grande e bela é essa palavra, saída dos lábios do Grande Rei, sem nenhuma elaboração ou embelezamento. Todo o conflito por que passamos neste mundo torna-se digno do sacrifício, contanto que possamos ouvir essa expressão da parte de Deus ou de seu Cristo! "Uma única palavra, não de simples satisfação; mas de calorosa e deleitosa recomendação" (Brown, *in loc.*), e ele acrescenta: "E de que lábios!" E ainda: "Quanta alegria nessa saudação! Muito bem, 'excelente'. Deus é assim; não é como um policial, que quase espera apanhar os homens na prática do erro. O mundo é assim; finalmente recompensa a aventura da fé. Esse fato não pode ser exagerado, pois a implicação da história é que a vida é como um campo fértil, para o homem que corajosamente semeia a semente. O novo mundo aguarda Colombo. Ele não veleja em um mar vazio e enganoso, por mais longa que seja a viagem. De que natureza são aqueles homens que conquistarão a aprovação de seu Senhor? Mostram-se prontos: saíram imediatamente (v. 16). Não toleraram sonhos nem temores, mas puseram-se de 'devotos'. Cristo era a sua principal preocupação" (Assim escreveu, belamente, Buttrick, *in loc.*).

"Servo bom e fiel..." "Bom", por ser devotado, "consagrado"; "fiel", por mostrar-se persistente e nobremente venturoso. Não havia pedido descanso; cria que trabalhar pelos outros e esforçar-se no sentido de obter o desenvolvimento espiritual era bom para ele. Mostrara-se bom porque não recebera em vão a graça de Deus (os talentos), mas fizera uso da mesma e se desenvolvera baseado nela; possuía aquela bondade íntima, que lhe fora conferida mediante a graça, por meio do Espírito Santo. Já havia começado a ser transformado à imagem de Cristo e já trazia a imagem da natureza moral de Deus em sua alma. Essa qualidade assegurou a fidelidade dele, pois a verdadeira fidelidade é uma manifestação da natureza ou essência interna.

"Sobre o muito te colocarei..." Cinco talentos, o fruto de mais de noventa anos de trabalho, tratando-se apenas de homens comuns, é uma quantia aqui reputada como pouca pelo Grande Rei. Para ele, realmente encontramo-nos em estado humilde, mas ele deseja fazer-nos alçar até a verdadeira grandeza, até uma concessão de dons realmente exaltados. Embora os talentos fossem uma grande quantia, segundo o cômputo humano, e embora os homens que os usaram se tivessem mostrado grandes, contudo, em comparação com o que Deus tenciona fazer com uma pessoa, transformando-a segundo o modelo que é Cristo, tanto moral como metafisicamente, essa grandeza tem de ser reputada pequena. O céu não se caracteriza pelo descanso, conforme os homens entendem esse termo. Pelo contrário, o céu é assinalado por uma estatura metafísica cada vez maior; pois nosso ser será glorificado até se tornar superior aos anjos, conforme o próprio Cristo está muito acima dos anjos. (Ver sobre a participação do crente na natureza divina, em 2Pe 1.4.) Dotados dessa capacidade grandemente aumentada, ficaremos encarregados de maior serviço e responsabilidade. Possuiremos o muito que é contrastado com o "pouco" desta vida, por mais que esse pouco pareça muito para os homens mortais. "O mundo por vir é dessa forma vinculado, pela lei da continuidade, àquele mundo no qual vivemos; e aqueles que tiverem usado os seus 'talentos' de forma a conduzirem muitos à justiça, receberão novas esferas de ação, que ultrapassam todos os sonhos, naquele mundo onde os laços da fraternidade que tiverem sido formados na terra não serão extintos; mas, pelo contrário, conforme cremos reverentemente, serão multiplicados e fortalecidos". (*Ellicott's Commentary, in loc.*). Esta é uma elevada expressão do que esta parábola procura ensinar. A obra de Deus jamais termina, mas sempre se desenvolve mais e mais. Deus desenvolve instrumentos para esse serviço. O uso correto que fizermos dos talentos que ele nos der — os dons espirituais — é o que nos prepara para continuarmos a servi-lo e glorificá-lo em níveis superiores; e, ao mesmo tempo, vamos sendo transformados, em nossa natureza, para sermos capazes de servi-lo melhor. Nossa medida espiritual corresponde sempre à nossa capacidade, e servimos sempre de acordo com essa capacidade. As recompensas, por isso mesmo, serão algo mais do que riquezas. Essas recompensas consistem do que acontecerá conosco e do que poderemos fazer então, dotados desse desenvolvimento mais profundo. O alvo é a possessão da própria vida de Deus em Cristo, sendo moralmente perfeitos não menos do que o próprio Deus e não possuindo substância ou essência inferior à natureza do próprio Cristo glorificado, pois Deus está duplicando o seu Filho em nós. Essa é a mensagem de Romanos 8.28-30 e de Efésios 1.19-23.

"Entra no gozo do teu senhor". A palavra gozo, que aqui aparece, tem sido variegadamente compreendida pelos intérpretes. Alguns pensam que "chara" (gozo, alegria) é uma referência à festa que é celebrada quando da volta do Senhor. A festa seria símbolo da participação que temos no reino dos céus ou nos "lugares celestiais". Certamente que isso é capaz de produzir uma

662 |Mateus| NTI

alegria profunda e de origem divina. Alford compara essa alegria com aquela que é referida em Hebreus 12.2 e Isaías 53.11. Esta fala daquele estado emocional de profundo regozijo que nos é oferecido no lar celestial. Tratar-se-ia de um estado de êxtase constante, e não de uma emoção passageira, e que a vida no mundo de Deus produziria em nós.

"Entra" significa "compartilha", conforme aparece também na tradução de Goodspeed. Mateus descrevia aqui a alegria da vida eterna (Mt 19.17). Existem três condições que criam esse estado de júbilo: Em primeiro lugar, os redimidos sentem alegria uns com os outros, nas renovadas relações que certamente serão aprofundadas e elevadas. O companheirismo será renovado. Aqueles que tiverem vivido em laços espirituais íntimos, não poderão gozar, ali, de menor intimidade espiritual. Lemos que o servo negro, Chuma, acompanhou o corpo do grande explorador evangélico, Livingstone, de volta à Inglaterra (*Livingstone, the Liberator*, James I. Macnair). A amizade entre aqueles dois homens não podia ser descontinuada e a devoção, mesmo em face da morte, certamente será renovada na nova vida. Em segundo lugar, os redimidos receberão a alegria da responsabilidade aumentada. Em terceiro lugar, eles terão a grande alegria de possuir poderes multiplicados sobre a natureza, como a transformação de seu ser. E é dessa maneira que participaremos do gozo de nosso Senhor, Jesus Cristo.

25.22: Chegando também o que recebera dois talentos, disse: Senhor, entregaste-me dois talentos; eis aqui outros dois que ganhei.

25.22 προσελθὼν [δὲ] καὶ ὁ τὰ δύο τάλαντα εἶπεν, Κύριε, δύο τάλαντά μοι παρέδωκας· ἴδε ἄλλα δύο τάλαντα ἐκέρδησα.

22 ἐκέρδησα] ἐπεκερδ- DΘ d f

25.23: Disse-lhe o seu senhor: Muito bem, servo bom e fiel; sobre o pouco foste fiel, sobre o muito te colocarei; entra no gozo do teu senhor.

25.23 ἔφη αὐτῷ ὁ κύριος αὐτοῦ, Εὖ, δοῦλε ἀγαθὲ καὶ πιστέ, ἐπὶ ὀλίγα ἦς πιστός, ἐπὶ πολλῶν σε καταστήσω· εἴσελθε εἰς τὴν χαρὰν τοῦ κυρίου σου.

23 ἐπὶ ὀλίγα...καταστήσω Mt 25.21; Lc 16.10 ἐπὶ πολλῶν σε καταστήσω Mt 24.47   23 ἐπι I⁰] ἐπει ἐπ D lat co Ir

Excetuando a mudança de cinco para dois talentos, estes versículos são idênticos aos v. 21 e 22, e todos os comentários se aplicam aqui também. Basta que se diga que, embora a fidelidade tivesse sido idêntica, os resultados foram diferentes. Não obstante, cada qual ouviu a mesma recomendação. Isso não deixa entendido, necessariamente, porém, que cada qual ocupará a mesma posição nos lugares celestiais, ou que terão idêntica expressão ou desenvolvimento. Deus dará responsabilidades a cada um, naquele reino, dependendo das capacidades de cada um. Acrescente-se a isso que não há razões para supormos que o progresso será descontinuado ou que ficará estagnado. Equivocamo-nos ao imaginar que Deus está estagnado; ou que ele visava a um alvo, e, ao atingir esse alvo, nada mais lhe resta fazer, nem realizações a se cumprir, nem alvos a serem atingidos. Nós nos tornaremos parte das obras externas de Deus, e não há razão para supormos que nossa permanência nos lugares celestiais se caracterizará pela imobilidade. Aqueles que se tiverem desincumbido bem de suas tarefas neste mundo se desincumbirão bem ali e continuarão a desenvolver-se em seu ser e em seus trabalhos. A estagnação que se tem generalizado na área das ideias escatológicas da teologia cristã tem prejudicado nossa compreensão sobre o destino do homem e sobre a maneira de Deus tratar com os homens.

25.24: Chegando por fim o que recebera um talento, disse: Senhor, eu te conhecia, que és um homem duro, que ceifas onde não semeaste, e recolhes onde não joeiraste;

25.24 προσελθὼν δὲ καὶ ὁ τὸ ἓν τάλαντον εἰληφὼς εἶπεν, Κύριε, ἔγνων σε ὅτι σκληρὸς εἶ ἄνθρωπος, θερίζων ὅπου οὐκ ἔσπειρας καὶ συνάγων ὅθεν οὐ διεσκόρπισας·

24 θερίζων...διεσκόρπισας Jo 4.37

"[...] o que recebera um talento..." A negligência deste mau servo tinha raízes no medo. Esse medo impediu qualquer aventura. Sabia o que seu senhor esperava dele, mas receava qualquer tentativa necessária para agradar ao senhor. Milton disse que não podia louvar um fugitivo e uma virtude enclausurada. Pelo menos neste ponto Milton expressou o pensamento de Jesus. (Ver Milton, Areopagítica.) Charlotte Brontë expressou essa ideia em termos ainda mais candentes: "É melhor tentar tudo e encontrar tudo vazio do que nada tentar e deixar a vida como uma folha em branco" (*De Shirley*, cap. XXIII). O tipo de homem representado pelo servo mau é aquele que se contenta com as formas antigas, com a rotina na igreja. Não possui, necessariamente, vícios externos, mas é viciado no íntimo. Não comete grandes crimes, mas também não se interessa muito em nenhuma expressão exteriorizada do bem. Mostra-se egoísta, e o pior é que se contenta em seu egoísmo. Não serve aos seus semelhantes, porquanto se envolve demasiadamente em seus negócios particulares, e só serve a si mesmo. Conhece pouquíssimo de qualquer transformação interior em seu ser, e a inquirição espiritual não é algo de importância para ele. Não percebe quanta coisa precisa ser feita, tanto dentro como fora, no tocante ao serviço prático em favor dos seus semelhantes. Buttrick (*in loc.*) diz: "Esse homem — de um talento — é como uma nota no piano; mas seu fracasso pode causar uma tragédia, pois uma nota desafinada ou muda pode estragar um piano inteiro. O homem de um talento só pode falar, votar, trabalhar e orar. Na realidade, ele pode lançar mão de muitas habilidades, e o avanço do reino depende dele também. Na história contada por Jesus, caso esse homem tivesse sido fiel, também teria entrado no regozijo de seu senhor".

Por causa de seus temores, tinha seu senhor em baixa opinião, e isso ilustra um fato que se pode observar facilmente no mundo e na igreja — os homens podem fazer ideia insuficiente de Deus, especialmente concebendo-o como um monstro terrível, que espalha destruição e miséria por toda parte. Em seus temores, os homens lançam a culpa sobre Deus por todos os males que ocorrem, além de julgarem ser Deus a causa de sua falta de frutificação. Muitos dos escritos das religiões do mundo refletem esse conceito inadequado de Deus, pois, nesses escritos, encontramos um Deus que é apenas um homem elevado, mas perverso, mais origem da miséria do que do regozijo.

O termo "severo" significa aqui duro, inflexível. O vocábulo realmente é pior do que aquele que se acha em Lucas 19.21 (que alguns estudiosos consideram texto paralelo desta passagem), e que significa "exigente" (austero). Algumas vezes, o termo empregado por Lucas é usado em bom sentido; mas a palavra utilizada por Mateus (*skleros*) jamais é usada em bom sentido. Assim, o servo mau julgava Deus como arbitrário, vingativo, sem misericórdia, tal como o são os reis da terra. Essa atitude tem permeado grande parte da Igreja cristã, tendo mesmo torcido os pensamentos até de homens bons. Alguns acreditam que temos aqui uma boa descrição de Judas Iscariotes, o traidor, que era cheio de inveja e amargura, por pensar que sua posição era de inferioridade, entre os onze apóstolos.

"[...] e ajuntas onde não espalhaste..." Parece ser uma afirmação proverbial. (Ver também Jo 4.37.) Evidentemente, referia-se a um homem cobiçoso, desejoso de apossar-se de coisas que não lhe pertenciam, ou então sempre pronto a obter algo em troca de nada. Assemelha-se esse homem aos mestres-de-obra egípcios, os quais requeriam tijolos mas não forneciam a palha para fabricá-los. Provavelmente, esta expressão vem da observação de que, com frequência, o trigo medra onde a palha fora lançada. A palha, naturalmente, conteria determinada quantidade de grãos; pelo que, ao ser lançada fora, a pequena quantidade de semente poderia produzir boa quantidade de trigo.

25.25: e, atemorizado, fui esconder na terra o teu talento; eis aqui tens o que é teu.

25.25 καὶ φοβηθεὶς ἀπελθὼν ἔκρυψα τὸ τάλαντόν σου ἐν τῇ γῇ· ἴδε ἔχεις τὸ σόν.

25.26: Ao que lhe respondeu o seu senhor: Servo mau e preguiçoso, sabias que ceifo onde não semeei, e recolho onde não joeirei?

25.26 ἀποκριθεὶς δὲ ὁ κύριος αὐτοῦ εἶπεν αὐτῷ, Πονηρὲ δοῦλε καὶ ὀκνηρέ, ᾔδεις ὅτι θερίζω ὅπου οὐκ ἔσπειρα καὶ συνάγω ὅθεν οὐ διεσκόρπισα;[b]

"[...] escondi na terra..." Essa expressão também se encontra no v. 18, onde é plenamente comentada. O leitor deve examinar as notas que há naquele versículo. É óbvio que esse servo supôs que, se devolvesse o depósito intacto, teria pelo menos cumprido com o seu dever. Existe certo número de tocantes parábolas rabínicas que contêm algo da mesma ideia, no caso da morte de um filho, que eles consideravam uma devolução a Deus, daquilo que lhes fora confiado. É claro, todavia, que a simples devolução do que alguém recebeu não é suficiente. Espera-se que desenvolvamos e melhoremos todos os dons, aproveitando ao máximo todas as nossas oportunidades espirituais. Este versículo, naturalmente, aplica-se às ordens religiosas ou às pessoas que se retiram do mundo a fim de procurar preservar o sal da sua alma, mas que se recusam a ser o sal deste mundo.

"Respondeu-lhe [...] o senhor" O senhor dos escravos apresenta aqui sua aquilatação do caráter desse servo. Tal como Judas ou Balaão, ele tinha profissão religiosa externa; e talvez houvesse alguma atividade envolvida em sua vida. Essa atividade, porém, era de natureza egoística, nada possuindo de genuinamente espiritual. No seu íntimo, ele era corrupto, deixando-se conduzir por conceitos inferiores acerca de Deus e de seu Cristo, pouco conhecendo das operações da graça que o Espírito Santo opera no íntimo do crente. Sua alma jamais se convertera, embora ele tenha proferido palavras de conversão perante outros.

Neste caso, a palavra "mau" deriva-se do vocábulo grego *ponos*, que pode indicar "trabalho", "enfado", "perturbação" ou "mal". A alma daquele servo estava carregada de iniquidade, estava em estado de perturbação, por causa do princípio mau que ele permitira que residisse ali. Sua alma não se convertera e ainda não experimentara o pulsar da alegria da inquirição espiritual. "Negligente" vem do termo grego *okneo*, que significa "ser lento, letárgico". O servo mau caracterizava-se pela estagnação interior, tendo pontos de vista baixos tanto de Deus como dos alvos da existência humana, alvos esses que se centralizam na pessoa de Jesus Cristo. Vincent (*in loc.*) salienta que não com mais trabalho do que ele empregou para enterrar o dinheiro, poderia tê-lo posto nas mãos dos cambistas, tendo conseguido algum lucro. Como é verdadeiro o caso no terreno espiritual! Muitas pessoas empregam grandes esforços para evitar qualquer coisa de natureza espiritual, como se o interesse pelas coisas da alma representasse uma carga pesada demais para ser suportada pela mente humana. No entanto, noutros particulares, empregam grande energia, ainda que de maneiras sem proveito para a alma, quer para a alma delas, quer para a alma alheia.

"Sabias que ceifo..." Notamos aqui que a versão da Almeida Atualizada (AA) considera esta frase como uma interrogação, conforme dá o texto grego de Westcott & Hort. O texto grego de Nestle também põe um ponto de interrogação no fim desse versículo. A maioria dos intérpretes que aceitam essa pontuação entende que a pergunta foi sarcástica. Isso significa que o senhor não admite ser esse tipo de homem, especialmente se, de acordo com o uso antigo

desse "provérbio", estivesse em vista a cobiça e a ganância; mas o senhor, com sua pergunta sarcástica, salientou a baixa opinião que o servo fazia de seu senhor. Outrossim, ele não seguiu a conclusão lógica de suas ideias, em suas obras. Outras traduções e outros eruditos consideram que essa cláusula é uma declaração, e não uma indagação, como, por exemplo, a Almeida Revista e Corrigida. Nesse caso, a ideia seria de que, embora o escravo soubesse que o seu senhor exigia trabalho e produção, bem como o uso apropriado dos dotes que desse, e, apesar de conhecer a personalidade forte e a natureza exigente do senhor, preferira ser negligente, nada fazendo de prático. Assim, o servo não pôs em uso o conhecimento que possuía e, propositadamente, foi de encontro à vontade de seu senhor. Por isso, ficou condenado à base das próprias palavras. Lembrando-nos que um talento representava seis mil dias de trabalho, quase vinte anos seriam necessários para que um homem adquirisse esse dinheiro. No entanto, o senhor confiou-lhe tão grande quantia, embora tivesse recebido menos que os outros dois servos. Isso certamente não indicava que o senhor era cobiçoso e ganancioso. Seus dons eram realmente amplos; mas ele também esperava ampla produção desses dons.

25.27: Devias então entregar o meu dinheiro aos banqueiros e, vindo eu, tê-lo-ia recebido com juros.

25.27 ἔδει σε οὖν βαλεῖν τὰ ἀργύριά μου τοῖς τραπεζίταις, καὶ ἐλθὼν ἐγὼ ἐκομισάμην ἂν τὸ ἐμὸν σὺν τόκῳ.

"[...] cumpria, portanto, que entregasses..." Neste caso, a forma verbal "entregasses" significa, literalmente "lançasses", sendo um reflexo do antigo costume dos cambistas efetuarem seu comércio em público, diante de uma mesa onde o dinheiro era lançado. Esses cambistas cambiavam o dinheiro em troca de uma taxa, e pagavam juros aos investidores. No Império Romano, a princípio, a taxa de juros era de 8%, mas extra-oficialmente essa taxa era com frequência muito mais alta, como doze, vinte e quatro ou até mesmo quarenta e 8%. Juros compostos a 6% duplicam o investimento a cada vinte anos. Assim, aquele escravo poderia ter, pelo menos, duplicado o dinheiro de seu senhor, pela simples ação de lançá-lo na mesa dos banqueiros, ao invés de fazer um buraco no chão para escondê-lo. Não seria maior a quantidade de energia despendida, e a ação teria sido muitíssimo mais sábia. O escravo mais industrioso, que recebeu cinco talentos, deve ter usado uma ação de multiplicação mais rápida, como a inversão em alguma indústria ou como algum empreendimento qualquer mais proveitoso. O escravo de um talento só talvez não tivesse a capacidade de entrar nesse tipo de negócio; mas certamente pelo menos poderia ter feito seu depósito render juros. O senhor só exigiu o que era permitido pela capacidade de cada servo. Teria ficado satisfeito com um lucro relativamente baixo; mas o que ele exigia era o uso daquilo que fora dado para ser usado, com algum lucro, embora pequeno.

No entanto, o servo mau e negligente professou ter receio de seu senhor, a ponto de ter tido medo de sua natureza severa. Não obstante, esse suposto temor o impediu de realizar algo tão simples como fazer render juros o dinheiro de que fora encarregado. Certamente esse temor deve tê-lo motivado a algum tipo de ação. Assim, o servo condenou-se com as próprias palavras, pois suas ações mostraram que ele era um mentiroso. Como aplicação, diz o *Ellicott's Commentary* (*in loc.*): "Quando, na Idade Média, os homens contribuíam para uma catedral ou universidade, ou quando agora contribuem para hospitais ou missões, embora só façam isso e nada mais, estão 'entregando seu dinheiro aos banqueiros'. Não é uma oferta tão aceitável e voluntária como o serviço ativo; porém, se assim agirem honesta e humildemente, não perderão a sua recompensa". Adam Clarke (*in loc.*) expressa uma declaração dura: "As virgens néscias e o servo inútil foram santos em comparação com milhões, hoje em dia, que, a despeito de sonharem com um céu interminável, só servem para um inferno sem fim".

|Mateus| NTI

25.28: Tirai-lhe, pois, o talento e dai-o ao que tem os dez talentos.

25.28 ἄρατεο οὖν ἀπ' αὐτοῦ τὸ τάλαντον καὶ δότε τῷ ἔχοντι τὰ δέκα τάλαντα·

25.29: Porque a todo o que tem, dar-se-lhe-á, e terá em abundância; mas ao que não tem, até aquilo que tem ser-lhe-á tirado.

25.29 τῷ γὰρ ἔχοντι παντὶ δοθήσεται καὶ περισσευθήσεται· τοῦ δὲ μὴ ἔχοντος καὶ ὃ ἔχει ἀρθήσεται ἀπ' αὐτοῦ.

29 Mt 13.12

29 fin.] *add* ταυτα λεγων εφωνει, Ο εχων ωτα ακουειν ακουετω H al: ead. post vs. 3º fr3 al

"Tirai-lhe [...] o talento..." Aqui temos a declaração central de Cristo sobre a natureza dos galardões. Uma expansão das implicações dessa declaração é dada no v. 21, que já foi amplamente comentado. As recompensas envolvem o *muito bem* proferido pelo Senhor. Envolvem o reinar sobre o "muito", no caso daqueles que tiverem sido fiéis no "pouco". E também envolvem a participação no "gozo" do Senhor. O leitor deve examinar as extensas anotações do v. 21, a fim de compreender claramente o que está envolvido nisso. Significa, essencialmente, a transformação do ser do crente na imagem metafísica de Cristo e na transformação moral, conforme a perfeita imagem moral do próprio Deus. Esse é o ponto mais alto dos "galardões", que resulta de uma fidelidade crescente e que é o alvo mesmo da inquirição espiritual.

De alguma forma, a vida inteira está envolvida nisso, e a coroa da vida é a realização desse alvo. Este versículo salienta novamente que, nesse ponto, a fidelidade afeta o estado do crente na outra existência. Aqueles que seguirem com diligência a inquirição espiritual, seguindo as orientações do Senhor, encontrarão oportunidades cada vez maiores, tanto de serviço como de desenvolvimento, na outra vida, nos lugares celestiais. Receberão ainda mais "talentos", e sua estatura espiritual aumentará grandemente, tanto na própria natureza como na expressão dessa natureza, no serviço prestado a Deus, completando e participando ainda mais de seus propósitos eternos. Deus não é estagnado, e ele nos concederá ainda maiores talentos, não havendo fim nesse desenvolvimento e progresso. Pois o próprio Deus porá ponto final em suas obras, e ainda restam muitas grandes surpresas que esperam os seus servos, os quais são também "filhos" de Deus. Na qualidade de "filhos" é que seremos moldados à imagem de seu "Filho". De conformidade com as implicações desse logos de Cristo, o apóstolo Paulo diz: "[...] a qual é o seu corpo, a plenitude daquele que a tudo enche em todas as coisas" (Ef 1.23). Cristo é a plenitude de tudo, e a sua energia "conserva junto" o sistema inteiro do universo. Ele preenche tudo porque é, ao mesmo tempo, o agente, o sustentador e o alvo da Criação. Na humanidade, Cristo está sendo duplicado, por ser o "primogênito entre muitos irmãos". Seus irmãos são a sua plenitude. Cristo recebe sua plena glória e expressão na Igreja. Os anjos jamais poderiam ocupar esse lugar, pelo que também nossa transformação ultrapassará em muito o estágio onde se acham os anjos. Assim, receberemos outros talentos, por termos feito uso daqueles que nos foram confiados. Precisamos arrancar da mente a ideia de estagnação, pois como são grandes e exaltados os talentos que ainda nos esperam do outro lado da existência não podemos, no presente, começar a imaginar. Por outro lado, aqueles que se mostrarem negligentes na inquirição espiritual não precisam esperar que lhes sejam conferidos talentos do outro lado da existência. A alma é responsável por sua inquirição, embora Deus outorgue graça para ajudar-nos nesse caminho. Não obstante, cada entidade é responsável pelo uso que fizer dessa graça. As oportunidades espirituais podem ser perdidas e desbaratadas.

25.30: E lançai o servo inútil nas trevas exteriores; ali haverá choro e ranger de dentes.

25.30 καὶ τὸν ἀχρεῖον δοῦλον ἐκβάλετε εἰς τὸ σκότος τὸ ἐξώτερον· ἐκεῖ ἔσται ὁ κλαυθμὸς καὶ ὁ βρυγμὸς τῶν ὀδόντων.

30 ἐκβάλετε...ὀδόντων Mt 8.12; 22.13   ἐκεῖ...ὀδόντων   Mt 13.42,50; 22.13; 24.51; Lc 13.28 30 εκβαλετε] βαλετε εξω D (69)

"[...] lançai-o para fora..." Evidentemente, foi uma declaração de Cristo que ele repetiu por muitas vezes. (Ver Mt 8.12; 13.42; 22.13; 24.51 e Lc 13.28.) Embora proferida em diversas aplicações, obviamente foi extraída, originalmente, de uma alusão à ceia de um casamento, onde os convivas eram entretidos no bem iluminado salão de banquete, mas de onde os não convidados eram expelidos ou deixados do lado de fora, nas trevas e no frio, onde ficavam a bater os dentes. As três expressões — "trevas", "choro" e "ranger de dentes" — procedem dos ensinos e da literatura dos judeus, para descrever o caráter do juízo imposto aos que ficassem do lado de fora do reino. Fora do palácio do rei (palácio que estaria feericamente iluminado, com grande número de lâmpadas e outras fontes luminosas) só havia trevas espessas. Estando nessas trevas, os homens sofreriam muitas dores, por terem sido excluídos da mesa real. Os que ficassem do lado de fora sofreriam de frio e de fome, e por isso haveria "ranger de dentes". Esses são símbolos do juízo. Assim é que tal expressão veio a ser comumente empregada para expressar a ideia do julgamento, a saber, dos julgamentos próprios da era do reino e do julgamento final da humanidade.

A severidade desse julgamento perturbava os leitores antigos, tal como perturba até hoje os leitores modernos. Assim é que no chamado evangelho segundo aos Hebreus (um evangelho apócrifo do NT) encontramos uma forma moralista desta parábola. Nela, também aparecem três escravos. O primeiro fez dinheiro com a "doação" feita pelo senhor. O segundo escondeu o seu talento. O terceiro gastou-o com prostitutas e com moças flautistas. Como resultado disso, o primeiro foi aceito, o segundo foi simplesmente repreendido, e o terceiro foi punido. (Ver James, *Apochryphal N.T.*, p. 3.) Pode-se ver nisso uma tentativa de suavizar as expressões de julgamento nessa "reformulação" da parábola. Todavia, Jesus salientou que o simples fato de alguém não tirar proveito de suas oportunidades equivale a perdê-las. Com isso, concorda o escrito judaico Aboth 13, que diz: "Aquele que não aumenta, diminui". A nação judaica ficou incumbida da lei e dos profetas, e, finalmente, da mensagem do próprio Messias. Entretanto, não fez uso dessas oportunidades. O julgamento caiu sobre eles, na forma da destruição de Jerusalém, no ano 70 d.C., e em uma destruição ainda mais completa nos dias de Adriano (132 d.C.). Contudo, a alma também será julgada. Ver as diversas notas sobre o "julgamento", que tentam apresentar uma descrição dessa doutrina, em Apocalipse 14.11 e em 2Coríntios 5.10. Ver Mateus 25.33 quanto a uma descrição acerca dos diversos julgamentos referidos no NT.

(f) Julgamento das ovelhas e dos bodes (25.31-46)

Parábola do julgamento final, também intitulada parábola das ovelhas e dos bodes. É provável que nenhum outro texto do NT expresse com tanta eloquência a atitude do AT e do judaísmo. Nessa altura dos acontecimentos, Jesus não entrara em controvérsia com seus contemporâneos; nos escritos judaicos, encontramos muitos paralelos do conteúdo desta passagem. Alguns acreditam que, devido às suas expressões judaicas especiais, os cristãos judeus é que teriam preservado o texto, à base da fonte "M", uma vez que ela expressa tão belamente a sua compreensão da verdadeira religião e de uma inquirição espiritual digna de nota. Passagens paralelas podem ser encontradas em Tiago 1.27; 3.14-16; Lucas 10.30-37.

25.31: Quando, pois, vier o Filho do homem na sua glória, e todos os anjos com ele, então se assentará no trono de sua glória;

25.31 Ὅταν δὲ ἔλθῃ ὁ υἱὸς τοῦ ἀνθρώπου ἐν τῇ δόξῃ αὐτοῦ καὶ πάντες οἱ ἄγγελοι μετ' αὐτοῦ, τότε καθίσει ἐπὶ θρόνου δόξης αὐτοῦ·

---
31 Ὅταν...μετ' αὐτοῦ Dt 33.2 LXX; Zc 14.5; Mt 16.27; Jd 14
καθίσει...αὐτοῦ Mt 19.28; Ap 3.21; 20.11

---
31 οι αγγ.] οι αγιοι αγγ. AW f13 700 al bo^pc ς

Seria superficial a suposição de que esta seção representa toda a compreensão de Jesus acerca da religião autêntica. Contudo, o amor transbordante que ela ilustra certamente é o tema moral central, tanto da vida como dos ensinamentos de Jesus. Seu novo mandamento foi o amor; e seria difícil demonstrar, de forma completa, o quanto ele deve ter sentido intensamente a veracidade desse princípio. A justiça do reino tem muitos aspectos, e os seus alicerces são a confiança, a receptividade e a fidelidade para com Deus; mas o amor é o produto final da religião genuína. Podemos pronunciar todo credo com grande confiança e podemos tentar convencer a todos que somos crentes em Cristo; porém, nenhum pronunciamento pode tomar o lugar daquela demonstração de amor que procede da real espiritualidade da alma, e não meramente da capacidade mental de formular pronunciamentos doutrinários bombásticos. A nota mais notável e mais perturbadora dessa parábola talvez seja a nota do julgamento, que pode ser uma descrição do caráter do juízo em geral ou que pode referir-se particularmente ao julgamento das nações, antes do estabelecimento do reino milenar. Certamente que os mesmos princípios se aplicam a quaisquer dos julgamentos de Deus. O julgamento produzirá surpresas, porque alguns descobrirão que, apesar de terem proferido as palavras certas e crido nas doutrinas corretas, faltou-lhes totalmente a posse das realidades espirituais. Sua alma manteve-se totalmente longe da conversão. Outros ficarão surpreendidos ao descobrirem que seu serviço pelos outros, a expressão de amor por seus semelhantes, era mais importante aos olhos de Deus do que eles poderiam ter imaginado. Haverá uma reorientação geral de valores. Uma das grandes características dos verdadeiros crentes em Cristo é que, ao se absorverem no serviço a Deus e aos seus semelhantes, eles se esquecem de si mesmos. Esta seção ensina-nos a lição que todos precisamos aprender perfeitamente bem e que sempre devemos considerar: servir aos homens é, ao mesmo tempo, servir a Deus. Essa verdade pode ter sido obscurecida pela moderna ênfase, que se vê nas igrejas evangélicas, da justificação pela fé. Não devemos lançar Paulo contra o que temos aqui, pois ele também fala muito claramente do fruto do Espírito, e uma parte desse fruto é o amor. Aquele que diz que ama a Deus, mas odeia seu irmão, é um mentiroso, pois o amor é como uma rua de duas mãos, que procede de Deus para os homens, e aquele que ama a um, também ama ao outro.

"[...] quando vier o Filho do homem..." Ver as notas detalhadas sobre a expressão "Filho do homem", em Marcos 2.7 e em Mateus 8.20. Ver a nota sobre "Filho de Deus", em Marcos 1.1. E sobre a humanidade de Cristo, em Filipenses 2.7. Cristo situou esse julgamento no tempo de sua segunda vinda, isto é, quando da *parousia*. Isso tem levado alguns estudiosos a crerem que se trata particularmente do julgamento das nações, no começo do reino milenar, e de como Cristo tratará com as nações. Portanto, sua aplicação aos indivíduos seria um aspecto secundário. Não podemos deixar de ver, entretanto, embora isso possa ser uma das mensagens centrais desta passagem, que o princípio geral por detrás de qualquer dos julgamentos de Deus, fica assim demonstrado. Cristo julgará as nações segundo elas tiverem tratado Israel, e isso é claramente ensinado em outros textos bíblicos, e não apenas aqui. Entretanto, nesse julgamento das nações, o Senhor também julgará pessoalmente cada indivíduo, porquanto as nações se compõem do agrupamento dos indivíduos.

"[...] todos os anjos com ele..." Em diversos lugares, o autor deste evangelho expressou a ideia da participação dos anjos no julgamento. (Ver também Mt 13.39,41; 16.27; 24.31.) Sabemos que as Escrituras indicam não somente a realidade desses seres espirituais, mas, igualmente, o fato de eles desempenharem serviços específicos para o Senhor, alguns para consolar, dirigir e auxiliar os crentes, e outros, para impor punições. São seres dotados de grandes poderes e de notável inteligência. Paulo classificou-os em diversas categorias, como "principados", "potestades", "poderes" e "domínios". (Ver Ef 1.21.) Na sua humanidade exaltada, como homem imortal, Cristo foi exaltado muito acima dos anjos, e, em nossa transformação à imagem de Cristo, nós também, uma vez participantes de todos os efeitos dessa ressurreição, ascensão e glorificação, seremos elevados muito acima deles. Paulo chega mesmo a dizer que julgaremos os anjos. (Ver 1Co 6.3.) No entanto, essas considerações não devem diminuir nosso conceito sobre esses seres, que são muito mais poderosos do que imaginamos agora. (Quanto a uma nota detalhada acerca desses seres, ver Lc 4.10. Quanto a uma nota sobre os "demônios", ver Mc 5.2.)

"[...] se assentará..." O autor deste evangelho indica definidamente a *parousia* de Cristo e seus efeitos imediatos. Os primitivos cristãos esperavam ver essa grande glória de Cristo em seus dias. Cristo viera como rei, mas fora rejeitado; sua glória não fora percebida. Não obstante, essa manifestação continua sendo aguardada. O próprio Jesus aludiu a esse evento como futuro, quando estava sendo julgado pelos homens: "Respondeu-lhes Jesus: Tu o disseste; entretanto, eu vos declaro que desde agora vereis o Filho do homem assentado à direita do Todo-poderoso e vindo sobre as nuvens do céu". Essa declaração foi considerada blasfema pelo sumo sacerdote, mas constitui uma das principais crenças escatológicas do cristianismo. Finalmente, Deus tomará nas próprias mãos o governo humano, e, por meio de seu Cristo, governará este mundo. Comentando esta passagem, Jerônimo assim se expressou: "Aquele que dentro de dois dias haveria de celebrar a Páscoa e de ser crucificado, mui apropriadamente estabelece agora a glória de seu triunfo". Jesus conhecia a prova pela qual teria de passar; mas, dotado de grande visão profética, também pôde ver "a glória que se seguiria".

25.32: e diante dele serão reunidas todas as nações; e ele separará uns dos outros, como o pastor separa as ovelhas dos cabritos;

25.32 καὶ συναχθήσονται ἔμπροσθεν αὐτοῦ πάντα τὰ ἔθνη, καὶ ἀφορίσει αὐτοὺς ἀπ' ἀλλήλων, ὥσπερ ὁ ποιμὴν ἀφορίζει τὰ πρόβατα ἀπὸ τῶν ἐρίφων,

---
32 ὥσπερ...ἐρίφων Ez 34.17

"[...] e todas as nações..." Na Palestina, as ovelhas são usualmente brancas, ao passo que os bodes são pretos; por isso, com facilidade um pastor poderia separar um grupo do outro. A expressão "todas as nações", que aqui encontramos, refere-se não somente às nações gentílicas, que é o sentido usual da expressão (em contraste com Israel), mas também incluem a própria nação de Israel. Alguns eruditos acreditam que essa passagem seja uma composição do autor, que visava a glorificar a Jesus. Em outras passagens, porém, podemos encontrar ideias semelhantes a essa, que podem ser consideradas como palavras autênticas de Cristo; outrossim, por essa interpretação, seríamos forçados a explicar a obra como de outra mente, e essa passagem contém porções tão elevadas, contendo elementos da "magnificente poesia hebraica" (descrição de Buttrick, *in loc.*), que mais provavelmente é produto da mente de Jesus que de qualquer outra inteligência. Possui as marcas de sua grandiosidade mental.

Com frequência, nos campos da Palestina, as ovelhas e os cabritos pastavam juntos; mas até mesmo de longe podiam ser distinguidos entre si, devido às suas cores — branca e preta, respectivamente. Os bodes são destruidores, pois devastam os campos relvados e até mesmo extinguem muitas espécies de árvores e

666 |Mateus| NTI

arbustos, deixando as colinas inteiramente desnudas de vegetação. O pastor postava-se à porta do curral, separando as duas espécies de animais, quando estes passavam por ele. Com um toque nas ovelhas, fazia-as dirigirem-se para a direita; e, pela mesma ação, fazia os bodes dirigirem-se para a esquerda.

O simbolismo dos cabritos, como representação de indivíduos ou nações ímpios, é um simbolismo instrutivo, já que os antigos geralmente consideravam o bode um animal quase tão inútil quanto destruidor. Esse símbolo ilustra que o autor acreditava que Jesus é o Rei do mundo inteiro, plenamente capaz de distinguir os bons dos maus. Até mesmo no lusco-fusco do princípio da noite o pastor podia notar a diferença entre os dois animais, e isso ilustra a confiança do autor deste evangelho na capacidade de Cristo julgar corretamente. Entretanto, isso forma um contraste com o julgamento humano, que está sempre sujeito a erro. Há uma afirmação que diz: "Existe tanto bem no pior de nós, e tanto mal no melhor de nós, que dificilmente é próprio que qualquer dentre nós se ponha a falar sobre os restantes" (Autor desconhecido). O julgamento humano tende a considerar as aparências externas e o espetáculo exterior; mas o Cristo eterno reconhece o estado da alma.

O *Ellicott's Commentary* diz (*in loc.*): "A lei pela qual serão julgados aqueles que viveram e morreram como pagãos, sem nada conhecer do nome de Cristo, e conhecendo a Deus somente no que é revelado pela natureza ou pela lei escrita em seu coração. Cada estágio que se segue daí confirma essa interpretação". Pelo menos essa é uma forma de olhar para esta parábola, e pode conter alguns elementos da verdade. No entanto, não é muito provável que se deva limitar exclusivamente às nações e aos indivíduos que nada sabem acerca de Cristo. Os homens podem prestar serviço a outros homens fazendo pouca ou nenhuma ideia de que, ao mesmo tempo, estão servindo a Deus ou agradando a Cristo, os quais podem não ignorar totalmente a Deus ou até mesmo conhecê-lo bem.

25.33: e porá as ovelhas à sua direita, mas os cabritos à esquerda.

25.33 καὶ στήσει τὰ μὲν πρόβατα ἐκ δεξιῶν αὐτοῦ τὰ δὲ ἐρίφια ἐξ εὐωνύμων.

_{33-34 Lc 12.32}

"[...] ovelhas à sua direita..." A figura é da ação do pastor, que, com uma pancadinha com sua vara dirige as ovelhas para um lado e os cabritos para outro, ao passarem esses animais diante dele. Nosso vocábulo "sinistro" vem do termo latino que significa "esquerda" ou "mão esquerda", e reflete a ideia que tinham alguns antigos de que o lado esquerdo era inferior. Em algumas culturas, pessoas canhotas eram consideradas ou com certo respeito, ou, mais frequentemente, com um pouco de temor e suspeita. O lado direito era usualmente considerado o lado da honra e da bênção, e até hoje falamos de uma pessoa ao "lado direito" de outra, e com isso queremos dizer que aquela é particularmente útil a esta. Cristo, pois, é exposto à mão direita de Deus, nos lugares celestiais. Os antigos achavam pouca utilidade nas cabras. Elas não produziam lã, leite ou peles como as ovelhas, e tinham forte e desagradável odor. Por sua natureza, às vezes, as cabras tornam-se teimosas e impossíveis de controlar. Em contraste com isso, as ovelhas eram consideradas como animais de valor, possuidoras de uma natureza plácida e boa. Na literatura rabínica, o lado direito (o lado das ovelhas) significava aprovação e aceitação, enquanto que o lado esquerdo (o lado dos cabritos) significava rejeição e desaprovação. Nos escritos de Virgínio, encontramos esta citação: "Ali, em duas estradas amplas, o caminho se divide — o direito guia nossa viagem, pelo palácio de Plutão, até as planícies elísias; o da esquerda conduz ao Tártaro, onde, presos a correntes, gritam em altas vozes os condenados, em dores eternas". (Aen. vi. 540).

Adam Clarke escreveu (*in loc.*) acerca das ovelhas e dos cabritos: "As ovelhas, que sempre foram consideradas um emblema de suavidade, de simplicidade, de paciência e de utilidade,

representam aqui os discípulos genuínos de Cristo. Os cabritos, que, naturalmente são briguentos, lascivos e excessivamente mal cheirosos, eram considerados como símbolos de homens violentos, profanos e impuros. Aqui representam todos os que têm vivido e morrido em seus pecados".

Neste ponto, consideremos os diversos julgamentos referidos nas Sagradas Escrituras:

1. Na pessoa mesma de Cristo, que levou nossos pecados. O resultado desse julgamento é a vida para o crente (ver Rm 5.9; 8.1; 2Co 521).
2. Autojulgamento, pelo qual o crente melhora suas relações, tanto com Deus como com os homens (1Co 11.31).
3. Julgamento no seio da igreja, mediante a disciplina de crentes que laboram em erro. (1Co 5.1-5).
4. Julgamento futuro de Israel (Sl 50.1-7; Ez 20.33-44). Esse julgamento determinará que israelitas receberão os privilégios e a glória do reino milenar de Cristo.
5. Julgamento dos anjos que caíram (Jd 6).
6. Julgamento dos crentes e de suas obras (2Co 5.9,10).
7. Julgamento dos ímpios (Ap 20.11-15), também chamado de julgamento do Grande Trono Branco.
8. Julgamento de Satanás (Ap 20.10).
9. Julgamento das nações, especialmente condicionado pela maneira com que trataram a Israel, durante seu período de grande tribulação, quando o remanescente crente surgirá. Esse é o julgamento que esta passagem de Mateus está frisando, embora vejamos que as descrições sejam gerais, incluindo princípios de julgamento em geral. Aqueles que tiverem tratado os filhos de Deus, seus semelhantes, com misericórdia e generosidade, sempre poderão esperar o favor de Deus, sem importar a dispensação em que tiverem vivido. A íntima identificação de Cristo com todo o que agrada a Deus, faz com que, tanto eles como ele também, sejam os recebedores do tratamento conferido pelos homens ao seu povo. Isso é evidenciado nas palavras de Cristo a Saulo de Tarso: "Saulo, Saulo, por que me persegues?" (At 9.4), quando em realidade Saulo perseguia à igreja. A recompensa do tratamento certo conferido a Israel parece ser uma bênção e um privilégio especiais, durante o milênio, para algumas nações e indivíduos. Entretanto, seria impossível negar que a salvação pessoal dos indivíduos também está indicada nestes versículos de Mateus, e parece claro que essa ideia também está incluída. Os v. 34 e 36 parecem indicar exatamente isso, pelo que não pode estar em foco apenas o julgamento das nações. Não há razão pela qual tanto as bênçãos gerais como as bênçãos pessoais não possam estar aqui em vista, porquanto é uma nação senão a congregação de muitos indivíduos, que se chamam por um nome comum. Não obstante, muitos elementos são vistos como diferentes daqueles elementos que pertencem ao julgamento do Grande Trono Branco, onde serão julgados os ímpios.

25.34: Então dirá o Rei aos que estiverem à sua direita: Vinde, benditos de meu Pai. Possuí por herança o reino que vos está preparado desde a fundação do mundo;

25.34 τότε ἐρεῖ ὁ βασιλεὺς τοῖς ἐκ δεξιῶν αὐτοῦ, Δεῦτε, οἱ εὐλογημένοι τοῦ πατρός μου, κληρονομήσατε τὴν ἡτοιμασμένην ὑμῖν βασιλείαν ἀπὸ καταβολῆς κόσμου·

_{35 κληρονομήσατε...βασιλείαν Lc 22.30}

"Então dirá o Rei..." A expressão "meu Pai" é uma das características do estilo do autor deste evangelho. A recompensa, no fim desta dispensação é frequentemente descrita como uma herança, conferida por um Pai amoroso. (Ver Mt 5.5; 19.29; Gl 4.1-7,21-31.) Realmente, a frase "entrai na posse do reino", em seu uso antigo, indica que seus recebedores eram reconhecidos como autênticos filhos de Deus. Outrossim, os judeus sempre se referiram ao reino como um estado preparado para os verdadeiros filhos de Deus, desde a fundação do mundo. Paulo concorda com essa ideia geral ao falar sobre a eleição dos crentes para fazerem parte da comunidade dos bem-aventurados que herdará a vida eterna. (Ver Ef 1.3-6,11,12). O simbolismo da herança também é empregado por Paulo nessa passagem. O evangelho de Mateus não inclui a ideia de predestinação de determinada classe de pessoas para essa herança, e o que o autor poderia ter pensado dessa ideia não sabemos dizê-lo. Quanto ao problema da predestinação, o leitor deve examinar Romanos 9.15,16 e as notas detalhadas ali existentes. João 17.24 expressa um pensamento similar ao de Paulo, em Efésios 1: "que vos está preparado desde a fundação do mundo". Dentro do universo de Deus, nada acontece por capricho, tirania ou acidente. Buttrick diz (*in loc.*): "O coração pulsante da criação é o amor de Deus pelo seu mundo — o amor que foi dado a conhecer em Jesus Cristo. Seu anelo é que os seus filhos vivam nesse mesmo amor. Que quadro você faz de Deus? Será ele um policial, um juiz, uma causa primária...? Jesus forneceu-nos outro quadro: 'Meu Pai' ".

A igreja primitiva esperava a volta de Cristo e o estabelecimento de seu reino. Criam no poder de Deus em realizar isso, bem como no desígnio de Deus, que planejou tudo. Os reinos deste mundo aparecem a desaparecem, levantam-se e caem, mas não têm seus alicerces no plano eterno de Deus. Certa feita, Abraão Lincoln narrou um sonho espantoso, que teve uma noite: o firmamento ficava repleto de "estrelas cadentes", e como os homens temiam que tivesse chegado o fim do mundo! Todavia, continuou ele, as grandes e milenares constelações, fixas em seus lugares, continuavam inabaláveis por detrás dos meteoros. (*The Complete Prose Works of Walt Whitman*, II, 296-297). Assim também sucede com os propósitos ternos de Deus. Outros acontecimentos poderão obscurecer nossa compreensão acerca de seus caminhos e de suas obras, mas esses propósitos estão fixos, e nós participamos dos mesmos. O texto de Atos 1.7 assegura-nos que os "tempos" e as "épocas" estão em suas divinas mãos.

Neste caso, o rei é Cristo, na glória de sua *parousia*. Ele é o Rei dos reis e o Senhor dos senhores, e esse é o quadro que encontramos a respeito dele, em Apocalipse 19, onde o leitor pode examinar os detalhes sobre a glória de seu segundo advento, e os acontecimentos que circundarão essa vinda. Alford observa que aqui, pela primeira vez, Jesus confere a si mesmo este título; isso pode ser verdade, mas não é a única vez em que o faz (como Alford diz), pois certamente isso está subentendido em Mateus 26.64; e, apesar do termo "rei" não ser ali empregado, ele já falara antes de seu reino, e sobre como alguns se assentariam à sua direita e à sua esquerda, e tudo isso claramente faz alusão a Jesus como rei (ver Mt 20.21-23). A controvérsia com os fariseus, concernente à identificação do Cristo como filho de Davi, também demonstrou que Jesus é soberano, embora ele não tenha feito um pronunciamento no qual usasse diretamente o termo "rei".

25.35: porque tive fome, e me destes de comer; tive sede, e me destes de beber; era forasteiro, e me acolhestes;

25.35 ἐπείνασα γὰρ καὶ ἐδώκατέ μοι φαγεῖν, ἐδίψησα καὶ ἐποτίσατέ με, ξένος ἤμην καὶ συνηγάγετέ με,

35-36 ἐπείνασα...περιεβάλετέ με Is 58.7

25.36: estava nu, e me vestistes; adoeci, e me visitastes; estava na prisão, e fostes ver-me.

25.36 γυμνὸς καὶ περιεβάλετέ με, ἠσθένησα καὶ ἐπεσκέψασθέ με, ἐν φυλακῇ ἤμην καὶ ἤλθατε πρός με.

"[...] porque tive fome..." Mediante essas expressões encontramos a diversificada gama de males e sofrimentos que sobrevêm aos homens. Aqui temos indicações sobre a sorte do homem e sobre o "problema do mal". Quanto a um estudo detalhado sobre o "problema do mal", ver Romanos 3.3-8. As reivindicações desses famintos, destituídos e estranhos clamam de forma universal, exigindo ação da parte dos homens, ação essa baseada em nossas sensibilidades e no nosso senso de "humanidade comum". Temos uma sucessão de males, cada vez mais graves, entre os homens. Alguns podem estar padecendo sede e fome sem estar totalmente destituídos, por más que sejam essas manifestações. Outros, porém, são destituídos de tudo, vagueando sem lares e sofrendo de solidão, enfermidade e futilidade da pior espécie. Não há que duvidar de que os tais, ao mesmo tempo, padecem de fome. Alguns vivem tão destituídos das possessões comuns da vida, que nem ao menos possuem vestes apropriadas. Outros, por falta de uma alimentação equilibrada, ficam enfermos. Outros têm sofrido injustiça às mãos das autoridades, e mofam nas prisões. Assim é que existem graus sucessivos de desgraças. A cada uma dessas desgraças, o verdadeiro discípulo do reino precisa reagir. Heubner (*in loc.*) diz: "Os atos de amor aqui citados não são tais que requeiram mera doação de dinheiro; mas são tais que envolvem também o sacrifício de tempo, de forças, de descanso e de conforto..." Outros têm observado que esses atos de bondade não envolvem necessariamente a cura da enfermidade ou a soltura da prisão, mas envolvem certamente a visita como expressão de simpatia, de atenção, de presentes de misericórdia, de palavras de compreensão. Essas expressões resultam da graça do Espírito atuando no íntimo. A caridade e o amor são filhos da fé, e a fé é um dom do Espírito; todavia, está disponível para todos, porquanto essa é a provisão de Deus para todos os crentes. Os rabinos têm um lema que é paralelo a esta passagem: "Todas as vezes que um pobre apresentar-se diante de tua porta, o Deus santo e bendito está à sua direita: se lhe deres uma esmola, sabe que aquele que está à sua direita te recompensará. Se, porém, não lhe deres uma esmola, aquele que está à sua direita te castigará" (*Vaiyikra Rabba*, s. 34, fol. 178).

Para ilustrar essa passagem, Adam Clarke escreveu o seguinte: "Enquanto escrevo isto [seu comentário sobre esta passagem, em 13 de novembro de 1798], ouço os sinos que repicam fortemente em comemoração ao aniversário de E. Colson, Esq., um nativo desta cidade (Bristol), que passou uma longa vida e gastou uma imensa fortuna procurando aliviar as misérias dos aflitos. Seu trabalho continua a louvá-lo às portas; seu nome é reverenciado, e o seu aniversário é considerado uma data sacra, entre os habitantes da cidade. Quem já ouviu os sinos repicarem em comemoração do aniversário de qualquer herói ou rei falecido? De muito maior valor, até mesmo aos olhos das multidões, é uma vida de utilidade pública do que uma vida de glória mundana ou de posição secular exaltada. Entretanto, qual não deve ser a exaltada posição dessa pessoa, aos olhos de Deus, a qual, quando Cristo, na pessoa de seus representantes, teve fome, deu-lhe de comer; quando sedento, deu-lhe de beber; quando nu, vestiu-o; quando enfermo ou encarcerado, visitou-o! Vinde, benditos de meu Pai" Na *Bhagvat Geet* (p. 46), o Deus supremo é apresentado a dirigir-se à humanidade com as seguintes palavras: "Aqueles que preparam seu alimento só para si mesmos, comem o pão do pecado". Naturalmente que o texto de Tiago 1.27 expressa uma ideia semelhante: "A religião pura e sem mácula para com o nosso Deus e Pai é esta: visitar os órfãos e as viúvas nas suas tribulações e a si mesmo guardar-se incontaminado do mundo". E também Tiago 2.15,16: "Se um irmão ou uma irmã estiverem carecidos de roupa, e necessitados do alimento cotidiano, e qualquer dentre vós lhe disser: Ide em paz, aquecei-vos, e fartai-vos, sem, contudo, lhes dardes o necessário para o corpo, qual é o proveito disso?" Certamente que o amor de Deus não habita com quem age assim.

Importantíssima em seu alcance é a lição deste texto; e também um tanto perturbadora para uma igreja que tem de tal maneira enfatizado a justificação pela fé, que tem perdido de vista o fato de que aquilo que praticamos também se reveste de vasta importância. A ausência dessas obras é prova da ausência de fé. A presença e o desenvolvimento dessas obras, que operam por meio do princípio do amor, neste texto, é considerada como prova de que a pessoa pertence ao grupo das "ovelhas", que ela é um filho autêntico do reino, e que aquele grande e bendito reino será a sua herança. É realmente estranho que Jesus pouco diga aqui sobre dogmas, crenças etc., o que parece tão importante para nós hoje em dia, ao mesmo tempo que nos olvidamos de que a verdadeira fé em Cristo resulta na expressão do mesmo tipo de vida que ele viveu. Jesus andou fazendo o bem, curando as enfermidades e, de toda forma, mostrava a sua simpatia para com os que padeciam não só de necessidades espirituais, mas também de necessidades físicas. O Senhor espera que nossas ações sejam idênticas, que expressemos o mesmo amor que ele expressava. De fato, esta vida é o terreno de provas onde se desenvolve a natureza moral que Jesus demonstrou ter, e isso certamente inclui qualidades morais positivas, como a gentileza, o amor e a simpatia. A importância da encarnação tem um de seus alicerces aqui. Ele viveu a fim de mostrar-nos como se deve viver. Ele exerceu o amor do Pai; e, na qualidade de seus irmãos, espera-se de nós que façamos outro tanto. Ele é "o Caminho", mas também é o "pioneiro" do caminho. Ele palmilhou pela estrada que nos compete atravessar, e nos ensinou como se anda por essa estrada. O princípio que se aplica a tudo é o "amor". A fé é a mãe do amor. A fé que não é acompanhada pelo amor está morta; esse tipo de fé não pode salvar a ninguém.

25.37: Então os justos lhe perguntarão: Senhor, quando te vimos com fome, e te demos de comer? ou com sede, e te demos de beber?

25.37 τότε ἀποκριθήσονται αὐτῷ οἱ δίκαιοι λέγοντες, Κύριε, πότε σε εἴδομεν πεινῶντα καὶ ἐθρέψαμεν, ἢ διψῶντα καὶ ἐποτίσαμεν;

25.38: Quando te vimos forasteiro, e te acolhemos? ou nu, e te vestimos?

25.38 πότε δὲ σε εἴδομεν ξένον καὶ συνηγάγομεν, ἢ γυμνὸν καὶ περιεβάλομεν;

25.39: Quando te vimos enfermo, ou na prisão, e fomos visitar-te?

25.39 πότε δέ σε εἴδομεν ἀσθενοῦντα ἢ ἐν φυλακῇ καὶ ἤλθομεν πρός σε;

25.40: E responder-lhes-á o Rei: Em verdade vos digo que, sempre que o fizestes a um destes meus irmãos, mesmo dos mais pequeninos, a mim o fizestes.

25.40 καὶ ἀποκριθεὶς ὁ βασιλεὺς ἐρεῖ αὐτοῖς, Ἀμὴν λέγω ὑμῖν, ἐφ' ὅσον ἐποιήσατε ἑνὶ τούτων τῶν ἀδελφῶν μου τῶν ἐλαχίστων, ἐμοὶ ἐποιήσατε.

40 ἐφ'...ἐμοὶ ἐποιήσατε Pv 19.17; Mt 10.42; 18.5; Mc 9.41

Estes versículos são uma repetição do que já foi exposto e que foi amplamente anotado nos comentários sobre os v. 35 e 36. Aqui as "ovelhas", os legítimos filhos de Deus, ao se dirigirem a Cristo, pedem um esclarecimento acerca das palavras de Cristo, por não reconhecerem que alguma vez tenham feito isso com ele, nem que o tenham servido com essas diversas ações misericordiosas. Alguns intérpretes acreditam que essa falta de conhecimento, por parte das "ovelhas", deve indicar que essas "ovelhas" vieram dentre as nações gentílicas, que não conhecem a Cristo; mas que, ao servirem aos seus semelhantes, sem o saberem, de fato estavam servindo ao Senhor. Apesar dessa sugestão, podem estar presente, e de que nisso exista certo elemento de verdade, contudo não podemos encarar esse ponto como a principal interpretação dessa passagem. Trata-se meramente de uma declaração de que o serviço sincero, prestado à humanidade, é ao mesmo tempo um serviço prestado a Jesus Cristo, que é o homem representativo; e mais particularmente ainda, se tal serviço for prestado àqueles

que lhe pertencem, ou seja, os seus discípulos. Ou, então, entendendo-se o texto à base do ponto de vista dispensacional, estaria em foco o serviço prestado aos israelitas durante o futuro período da grande tribulação. Neste caso, aqueles que mostrarão esses atos de misericórdia serão as nações que, de uma forma ou de outra, procuraram ajudar os filhos de Israel. Os homens podem estar servindo a Cristo e não o saber. O pregador que prega um sermão poderoso e que leva os seus ouvintes a tomarem decisões ao lado de Cristo pode pensar que nisso está servindo a Deus, e que receberá a sua recompensa nessa base. No entanto, é possível que, na tarde daquele mesmo dia, quando ele foi visitar alguma pessoa necessitada, tendo levado consigo certa provisão de alimentos e de medicamentos, nisso esteja o seu verdadeiro serviço, e que por causa disso é que venha a ganhar os seus galardões. Pelo menos nessa atitude terá demonstrado algo do trabalho do Espírito Santo em seu interior.

Robertson diz (*in loc.*): "Algumas ovelhas poderiam pensar que são cabritos, e alguns cabritos poderiam pensar que são ovelhas". Sem dúvida, o julgamento surpreenderá a muitos. Cristo se identificará com os necessitados e os sofredores. Pela nossa conduta misericordiosa, teremos demonstrado a nossa identificação com Cristo; e quando servimos aos necessitados estamos demonstrando a atitude de Cristo. Bruce (*in loc.*) diz: "Os irmãos são os pobres, os necessitados e os sofredores no seio do cristianismo, em primeiro lugar; mas, em última análise e inferencialmente, qualquer pessoa sofredora, de qualquer lugar". Aqueles que servirem a outros e então descobrirem que tudo fizeram para Cristo, ao serem reveladas as suas obras na presença do Senhor, serão avassalados pela obra da graça que tem sido operada neles, bem como ante o valor do serviço que prestaram. A fé induziu-os ao amor, e o amor induziu-os a agirem em favor dos outros. O processo inteiro teve uma utilidade e um valor muito superiores a tudo quanto poderiam ter imaginado, e eles ficarão espantados ante o fato de que sua vida se revestiu de tanta importância, a ponto de receberem tão calorosa recomendação dos lábios do próprio Cristo, entrando, subsequentemente, na herança do reino. Aqueles que ouvirem esse pronunciamento e ouvirem essa bênção serão os verdadeiros "bem-aventurados". Quanto a uma exposição do sentido e da história desta palavra, que é tão apropriadamente usada aqui, ver Mateus 5.3. Tudo quanto for feito por amor de Cristo é feito por intermédio de sua graça. E tudo quanto é feito por intermédio de sua graça tem por objeto real o próprio Cristo. Esse é o grande ensino que emerge deste texto, e que tem o poder de surpreender a todos no dia do julgamento, quando a sua aplicação for amplamente realizada e claramente vista. Então, perceberemos como foram importantes as ações diárias desta vida, e a importância dessas ações brilhará com grande fulgor.

25.41: Então dirá também aos que estiverem à sua esquerda: Apartai-vos de mim, malditos, para o fogo eterno, preparado para o Diabo e seus anjos;

25.41 Τότε ἐρεῖ καὶ τοῖς ἐξ εὐωνύμων, Πορεύεσθε ἀπ' ἐμοῦ [οἱ] κατηραμένοι εἰς τὸ πῦρ τὸ αἰώνιον τὸ ἡτοιμασμένον⁴ τῷ διαβόλῳ καὶ τοῖς ἀγγέλοις αὐτοῦ·

4 41 Τότε...αἰώνιον Mt 7.23 τὸ πῦρ τὸ αἰώνιον Mc 9.48; Jd 7; Ap 20.10

41 {B} τὸ ἡτοιμασμένον p⁴⁶ ℵ A B K L W Δ Θ Π 067 074 0128 0126 f¹³ 28 33ᵛⁱᵈ 565 700 892 1010 1071 1079 1195 1216 1230 1241 1242 1253 1365 1546 1646 2148 2174 Byz Lect itᵃᵘʳ,f,l,q vg syrˢ,ᵖ,ʰ,ᵖᵃˡ copˢᵃ,ᵇᵒ goth arm eth geo Diatessaron Tertullian¹/² Hippolytus Origenᵍʳ,ˡᵃᵗ Eusebius Hilary Basil Apostolic Constitutions Didymus Augustine Cyril // τῷ ἡτοιμασμένῳ 1009 1344 l¹⁶⁶³ // ὃ ἡτοίμασεν ὁ πατήρ μου D f¹ itˢ,ᵇ,ᶜ,ᵈ,ff¹,²,g¹,ʰ,ʳ¹ Justin Irenaeusˡᵃᵗ Hippolytus Origenˡᵃᵗ³/⁵ Cyprian Ps-Clement Hilary Petilianusᵃᶜᶜ·ᵗᵒ ᴬᵘᵍᵘˢᵗⁱⁿᵉ Augustine // ὃ ἡτοίμασεν ὁ κύριος Clement Tertullian¹/² (Origenˡᵃᵗ)

A expressão "que meu Pai preparou" foi suavizada por copistas para o menos explícito particípio passivo, concordando com ἡτοιμασμένην —, no v. 34; ou as palavras foram introduzidas a fim de prover um paralelo para τοῦ πατρός do versículo anterior? Já que é possível uma coisa ou outra, a maioria da comissão preferiu tomar decisão com base no peso da evidência externa, que apoia pesadamente a forma mais breve.

Seja com for, as formas τῷ ἡτοιμασμένῳ e ὃ ἡτοίμασεν ὁ κύριος são desenvolvimentos secundários das outras formas.

"[...] dirá..." Em lugar de "fogo eterno", Justino e Clemente, pais da Igreja, em suas homílias, disseram "trevas exteriores". Entretanto, esse não é o verdadeiro texto, o que provavelmente se deve ao fato de terem citado a passagem de memória. Parece tratar-se de um reflexo de passagens tais como Mateus 8.12. Todos os mss trazem o texto familiar e são seguidos pelas traduções (14) que são usadas neste comentário com propósitos de comparação. Alguns mss, como D, Fam 1 e muitas versões latinas, além dos pais Ju, Ir, Cl e Cl (hom) (ver a lista de abreviações na introdução a este comentário, que dá o sentido desses símbolos), dizem: "[...] fogo eterno, que meu Pai preparou para o Diabo e seus anjos". O texto familiar, que não faz alusão nenhuma ao Pai, tem o apoio dos melhores mss e, sem dúvida nenhuma, é o texto original. Neste comentário, todas as traduções usadas para efeito de comparação concordam com o texto familiar. Esse texto, igualmente, como aquele descrito nas notas acima, provavelmente se deve à citação feita de memória, que contém reflexos de outros textos.

Aqui aprendemos acerca da origem ou do propósito da origem do mundo infernal, isto é, como um lugar apropriado para Satanás e seus agentes. São criaturas espirituais, e os homens são criaturas espirituais que habitam temporariamente em corpos físicos.

Satanás e seus anjos (o ensino declara) irão para um mundo exterior, um mundo apropriado para eles. Os homens caídos haverão de acompanhá-los, a menos que sejam salvos mediante o conhecimento de Cristo e a aplicação de sua graça. O fogo é um símbolo desse lugar, como também o são as "trevas", o "ranger de dentes" etc. Quanto a uma completa descrição desse julgamento, ver Apocalipse 14.11. Quanto ao julgamento dos crentes, ver 2Coríntios 5.9,10. Ver passagens com pensamentos paralelos, em Apocalipse 20.10,15; Judas 6 e 7; e Enoque 10.13.

25.42: porque tive fome, e não me destes de comer; tive sede, e não me destes de beber;
25.42 ἐπείνασα γὰρ καὶ οὐκ ἐδώκατέ μοι φαγεῖν, ἐδίψησα καὶ οὐκ ἐποτίσατέ με,

25.43: era forasteiro, e não me acolhestes; estava nu, e não me vestistes; enfermo, e na prisão, e não me visitastes.
25.43 ξένος ἤμην καὶ οὐ συνηγάγετέ με, γυμνὸς καὶ οὐ περιεβάλετέ με, ἀσθενὴς καὶ ἐν φυλακῇ καὶ οὐκ ἐπεσκέψασθέ με.

43 γυμνος] και γ. Θ: και γ. ημην p45

25.44: Então também estes perguntarão: Senhor, quanto te vimos com fome, ou com sede, ou forasteiro, ou nu, ou enfermo, ou na prisão, e não te servimos?
25.44 τότε ἀποκριθήσονται καὶ αὐτοὶ λέγοντες, Κύριε, πότε σε εἴδομεν πεινῶντα ἢ διψῶντα ἢ ξένον ἢ γυμνὸν ἢ ἀσθενῆ ἢ ἐν φυλακῇ καὶ οὐ διηκονήσαμέν σοι;

25.45: Ao que lhes responderá: Em verdade vos digo que, sempre que o deixastes de fazer a um destes mais pequenos, deixastes também de o fazer a mim.

25.45 τότε ἀποκριθήσεται αὐτοῖς λέγων, Ἀμὴν λέγω ὑμῖν, ἐφ' ὅσον οὐκ ἐποιήσατε ἑνὶ τούτων τῶν ἐλαχίστων, οὐδὲ ἐμοὶ ἐποιήσατε.

Estes versículos repetem, uma vez mais, as declarações dos v. 35 e 36. O leitor pode encontrar a plena explicação dos mesmos e suas implicações na exposição que há naqueles versículos. Considerando-se a questão em seu aspecto negativo (e no sentido positivo vemos o assunto ser abordado nos v. 37-40 — ver as notas ali), o texto ensina a identificação essencial de Cristo com a humanidade. Novamente não devemos limitar a descrição àqueles que se chamam corretamente de "cristãos", pois, apesar disso certamente expressar uma verdade, essa descrição é por demais estreita para caber dentro das implicações amplas desta passagem. Cristo é o Rei, e, em sentido perfeitamente real, a sorte do mundo inteiro está em suas mãos. Tal como o rei da parábola, ele anda por toda parte disfarçado de esmoler. Ele é humilde, e passa incógnito na pessoa dos pobres e dos necessitados, dos perseguidos, dos destituídos de lar, dos desprezados e dos empobrecidos. Nesta passagem, é intensificada a identificação de Cristo com toda a humanidade. Ele é o Filho do homem, o homem típico e representativo, como também é o Rei que virá. Ele é afetado por nossa alegria e nossa desgraça, pois é verdadeiramente homem de tristezas, familiarizado com a aflição e realmente levou sobre si nossas chagas; nossas tristezas e aflições são perenemente sentidas por ele. Esse é o sentido central da encarnação de Cristo. Ele assumiu a nossa natureza, e isso de forma total e completa. Agora, elevado à mão direita de Deus, não está menos identificado conosco, e todos os homens lhe pertencem. Nesse amor, nossas linhas humanas de separação desaparecem. A questão central não é a da crença formal, riqueza, raça ou classe. Pelo contrário, é: "Qual é a necessidade de alguém, como irmão no qual Cristo habita?" O poema de Alice Meynell, com sua oração, "O Christ in this man's life" (*The Unknown God*) conseguiu captar a verdade; a estranha em seu banco, ao participar do sacramento, também era o cálice da presença de Cristo.

Essa intensa identificação de Cristo com os homens tem por base o fato de que ele é o "primogênito" entre os homens, e, potencialmente, todos os homens são seus irmãos, e poderão trazer sua imagem exata, sendo transformados em sua imagem metafísica e na própria imagem moral de Deus, para que estampem a sua santidade, não menos perfeitamente do que o próprio Deus. Esse é o elevadíssimo alvo, e o homem foi criado justamente para atingi-lo. E o caminho que nos leva a isso é Cristo, e o próprio Cristo nos encaminha. Por isso também, todo serviço prestado aos nossos semelhantes é um serviço prestado a Cristo. E todo serviço negado a nossos semelhantes é um serviço negado a Cristo. Os ímpios, que nada sentem das influências de Cristo, que desprezam o seu nome, ou que simplesmente negligenciam a graça transformadora do Espírito, e que ignoram a inquirição espiritual, também ignoram essa porção prática do serviço aos seus semelhantes. Esses indivíduos têm pouco ou nenhum interesse pelo amor de Cristo, pela sua compaixão e simpatia. E os sofrimentos de seus semelhantes não os abalam nem um pouco. Disfarçado como um dos pequeninos, Cristo se aproxima deles. Eles, porém, zombam dele, odeiam-no, rejeitam-no, e despedem-no vazio. Não reconhecem, e nem se importam em reconhecer o fato de que Cristo está em todos, que potencialmente cada pessoa pode ser transformada à sua imagem, e que assim permanece aquela intensa identificação de Cristo com toda a criatura humana. Essas pessoas podem ser educadas e brilhantes, e, no entanto, jamais compreenderam essa santa e profunda doutrina, que forma o alicerce mesmo do destino do homem, e a razão pela qual Deus o criou.

A passagem de Colossenses 1.16 ensina-nos que a Criação deu-se de conformidade com o Senhor Jesus, que serviu de modelo; que teve a Cristo como agente; e que tudo foi criado "para ele",

670 |Mateus| NTI

porquanto ele é o alvo de tudo, especialmente no caso de seres inteligentes, e, mais particularmente ainda, no caso dos homens; pois somente os homens haverão um dia de estampar plenamente a imagem e a semelhança de Cristo em seus seres, manifestando a essência mesma de Cristo (2Co 318). Na pessoa dos homens, portanto, Cristo solicita a nossa simpatia. Aquele que não mostra simpatia pelo homem, nada sabe acerca de Deus, porque Deus se revela em Cristo, e Cristo se identifica com todo homem. Na pessoa de um homem faminto, Cristo se tem apresentado a eles, mas eles zombam e o despedem vazio, e ele continua a padecer de fome. Não tiveram consciência disso, mas enviaram Cristo de volta, com fome; pois, potencialmente, aquele homem era uma criatura de Deus, que poderia, no sentido mais pleno possível, manifestar a essência do ser de Cristo. E Cristo já se identificou com aquele homem.

Para ilustrar em termos práticos esse princípio, tanto do ponto de vista positivo como do ponto de vista negativo, oferecemos esta citação de Buttrick (*in loc.*): "O julgamento e o amor só podem ser claramente compreendidos em Cristo... Assim, as perguntas podem ser respondidas. O teste, porém, permanece. William Hale Write (Mark Rutherford), em Miriam's Schooling, fala de certa senhora de nome Joll, que era uma dama desarrumada, rixenta, sem delicadeza, nem nas palavras e nem nas maneiras, mas que imediatamente ajudava qualquer estranho que porventura precisasse de auxílio em alguma enfermidade. O novelista acrescenta que ela tinha 'aquilo que era necessário' e ajunta incisivamente que, se tiver de haver um dia de julgamento, haverá de pô-la na boa posição; quando toda sorte de pessoas cientistas, pessoas religiosas, estudantes de poesia, pessoas dotadas de emoções esdrúxulas, serão deixadas para a condenação eterna". (Ed. Reubem Shapcott, Londres, 1893, p. 107.) Esse comentário é fiel quanto à luz central que essa narrativa lança sobre a verdade.

25.46: E irão estes para o castigo eterno, mas os justos para a vida eterna.

25.46 καὶ ἀπελεύσονται οὗτοι εἰς κόλασιν αἰώνιον, οἱ δὲ δύκαιοι εἰς ζωὴν αἰώνιον.

46 κολασιν] (41) πυρ it Aug

"[...] irão estes..." Neste versículo, várias versões latinas e diversos pais da Igreja dão diferentes palavras em lugar de "castigo eterno". Os mss latinos, a, b e c dizem "fogo eterno". Os pais da Igreja Cipriano, Agostinho e Fulgêncio têm palavras que significam "queima eterna". Essas variações não se recomendam como originais e, provavelmente, resultam do fato de esses textos terem sido citados de memória, refletindo outras passagens bíblicas.

Diversos intérpretes têm feito grandes esforços, nesta altura do texto, para demonstrar que o termo "eterno", no grego, pode ter um "sentido qualitativo", e não um sentido temporal. Segundo essa opinião, esse julgamento "pertenceria aos séculos ou eras" (eras seria a tradução literal da palavra envolvida). E isso não implicaria em duração eterna. É verdade que o vocábulo pode ser usado nesse sentido; e, no evangelho de João, assim o vemos empregado. Não obstante, a palavra também é usada para indicar tempo, conforme é também usada no grego moderno. Ainda que esteja em mira a ideia qualitativa (e, provavelmente, essa ideia está inclusa no termo), isso, de forma nenhuma diminuiria o tempo possível da duração, mas tão-só lançaria a todos nós na ignorância sobre o elemento tempo envolvido no julgamento. Alguns dos pais da Igreja, como Orígenes e Gregório de Nissa, pensavam que haveria um fim no castigo, e compreenderam a expressão restauração de todas as coisas. Essa doutrina, entretanto, teria de ser demonstrada pelo uso de outros argumentos, e iria muito adiante das implicações deste texto. Que a expiação de Cristo fez alguma diferença no estado dos perdidos (ou até ofereceu salvação no mundo intermediário) é ensinado em 1Pedro 3.18 e 4.6; e nessas passagens encontramos uma muito desejada luz sobre a natureza do julgamento. Isso,

todavia, não significa que o julgamento será ultrapasado, e nem que, finalmente, todos os homens compartilharão da salvação dos eleitos. (Quanto a uma nota sobre o emprego da palavra "eterno", no grego, ver Mt 18.8,9. Quanto a notas sobre o julgamento, ver Ap 14.11; 2Co 5.9,10 e Mt 25.33.)

"[...] porém os justos..." "A doutrina ensinada nesta passagem é que o amor é a essência da verdadeira religião, sendo o teste final do caráter de todos os homens, crentes ou não. Todos aqueles que amam verdadeiramente são cristãos implícitos. Para os tais, que podem encontrar-se em qualquer lugar, o reino foi preparado. São os verdadeiros cidadãos do reino, e Deus é o Pai deles. Ao chamar de benditos do Pai àqueles que amam, Jesus fez uma importante contribuição à doutrina da paternidade de Deus, definindo, mediante o uso discriminado, o título "Pai" (Bruce, *in loc.*). Aqueles que têm palmilhado pela vereda do amor, têm encontrado o caminho de volta para Deus; pois, entrar em seus "lugares celestiais", é começar o que verdadeiramente pode ser chamado de vida eterna, embora na realidade já sejamos eternos, pois realmente não existe extinção; o que chamamos de "morte" é apenas uma transição; e muitos daqueles que morrem nem ao menos perdem a consciência. Evidentemente a alma é capaz de dormir; e é possível que em alguns casos, após a morte, a alma durma por um breve período, especialmente se a morte foi violenta. Essas almas usualmente recuperam a consciência em pouco tempo, tudo dentro do tempo determinado por Deus. O usual, porém, parece ser que o processo da morte nem ao menos causa um lapso momentâneo de consciência, e o indivíduo contempla a maravilhosa transformação e mudança de lugar e de estado, no pleno uso de todas as suas faculdades mentais.

E, quando a alma vai para os lugares para ela preparados, ali, nos "lugares celestiais", verifica-se mais um desenvolvimento nos caminhos e nas obras de Deus, porquanto o homem nunca cessa em sua busca, como também Cristo jamais pôs ponto final em suas obras.

Agora Cristo está numa posição exaltada, sendo aquele que controla o universo inteiro, sendo o cabeça do corpo, o noivo da igreja. Nossos destinos estão vinculados ao dele, no sentido mais pleno possível. Por isso mesmo, ir para o "céu" é muito mais do que meramente mudar de endereço da terra para o céu, ou do que desfrutar certos prazeres acima daqueles que temos gozado aqui, ou muito mais que a ausência de dor e sofrimento.

A grande mensagem do evangelho é que Deus está duplicando o seu Filho, Jesus Cristo, em cada crente, e isso no sentido mais completo e literal possível. Isso significa uma responsabilidade crescente de nossa parte, nos eternos planos de Deus, e que finalmente seremos "eternos" como Deus é eterno. Essa palavra, como termo teológico e filosófico, significa mais do que simplesmente não termos nem princípio e nem fim, pois, com frequência, ela é explicada "qualitativamente". Deus vive fora dos limites do tempo e do espaço, não estando limitado por essas considerações que nos envolvem; mas para ele são condições relativas, apenas, e não absolutas. Assim também, em nossa eternidade, desconheceremos limites de tempo e de espaço. Mais particularmente ainda, o vocábulo "eterno" fala de uma espécie de vida, e não apenas uma vida que não tem fim. Deus é eterno, ou seja, possui uma forma extremamente elevada de existência. E nós, à proporção que vamos sendo transformados à imagem de Cristo, compartilharemos dessa forma de vida, em Cristo (ver Jo 5.25,26). Portanto, não se trata apenas de uma vida sem fim, mas está em foco um tipo de vida. Trata-se da vida de Deus, aquela da qual participamos, e vamos absorvendo a própria essência ou substância de Cristo. A vida eterna consiste da participação na vida de Deus (2Pe 1.4) e essa é a principal mensagem do evangelho. É realmente lamentável que a Igreja tenha reduzido essa vida a uma mera existência interminável. O que se destaca não é tanto a duração interminável, e, sim, a qualidade dessa vida.

Capítulo 26

(g) Sumário e predição de detenção (26.1,2)

26.1: E havendo Jesus concluído todas estas palavras, disse aos seus discípulos:

26.1 Καὶ ἐγένετο ὅτε ἐτέλεσεν ὁ 'Ιησοῦς πάντας τοὺς λόγους τούτους, εἶπεν τοῖς μαθηταῖς αὐτοῦ,

<small>26 1 Καὶ...τούτους Mt 7.28; 11.1; 13.53; 19.1</small>

"Tendo Jesus acabado..." Essa é a frase que o autor deste evangelho de Mateus emprega ao encerrar suas *seções de ensino*; e, neste ponto, ele encerra o seu quinto "livro" ou bloco de ensinamentos de Jesus. Esta é a última seção de ensino deste evangelho. As outras seções são as seguintes: (1) Caps. 5—7: ética de Jesus, o Sermão da Montanha. (2) Caps. 9.35—11.1: o discurso sobre a conduta e a obra dos discípulos especiais. (3) Cap. 13: discurso sobre o reino dos céus. (4) Cap. 18.1—19.2: problemas comunitários da nova igreja; início dos ensinos próprios da igreja. (5) Caps. 24.1—26.2: discurso sobre o fim desta dispensação, sobre a *parousia* e sobre suas implicações. Em torno desses cinco blocos de ensino, pois, o autor deste livro ergue o seu evangelho, incluindo narrativas históricas, embora o âmago desses escritos se constitua dos ensinamentos ou *logoi* de Cristo. Cada uma dessas seções termina com um cólofon um tanto parecido com o que temos aqui — "[...] tendo Jesus acabado estes ensinamentos..." — e esses se encontram, respectivamente, em Mateus 7.28; 11.1; 13.53; 19.1; 26.1.

26.2: Sabeis que daqui a dois dias é a Páscoa; e o Filho do homem será entregue para ser crucificado.

26.2 Οἴδατε ὅτι μετὰ δύο ἡμέρας τὸ πάσχα γίνεται, καὶ ὁ υἱὸς τοῦ ἀνθρώπου παραδίδοται εἰς τὸ σταυρωθῆναι.

<small>2 τὸ πάσχα Êx 12.1-27 ὁ...σταυρωθῆναι αἰώνιον Mc 9.48; Jd 7; Ap 20.10; Mt 20.18,19; 27.26; Mc 15.15; Lc 24.7,20; Jo 19.16</small>

"[...] daqui a dois dias". De conformidade com a maneira antiga de dizer, "daqui a dois dias" significaria *no segundo dia*, pois o cômputo era inclusivo, incluindo o dia em que o cômputo era feito. Por exemplo, "ao terceiro dia", caso tenha sido proferido em uma segunda-feira, indicaria a quarta-feira seguinte, porque o cômputo começaria no dia em que as palavras foram proferidas, neste caso, o dia de segunda-feira. Incluiria a segunda-feira, o que explica o termo "cômputo inclusivo". A Páscoa começava numa quinta-feira à noite, que marcava o início da sexta-feira, segundo a maneira dos judeus considerarem as coisas. Esse dia, pois, em que Jesus fez outra predição sobre a crucificação, provavelmente foi um dia de terça-feira à noite (i.e., começo da quarta-feira, segundo a maneira de pensar dos judeus). Alguns têm imaginado uma discrepância nos elementos de tempo dos diversos relatos dos Evangelhos, quanto a este particular. A seguir, damos uma explicação sobre esse problema:

Marcos 14.1 diz: *Dali a dois dias...* Provavelmente, Jesus proferiu essas palavras terça-feira à tardinha, começo da quarta-feira, segundo o modo de contar dos judeus. Alguns apelam para o relato paralelo, em Mateus 26.2, para dizer que o tempo referido teria sido a quinta-feira à noite. Intensa controvérsia gira em torno da declaração que aparece em João 13.1,27; 18.28; 19.14,31, a qual parece discordar com dos outros três evangelhos, no que concerne à data da última Páscoa. Essas diferenças podem ser conciliadas, se nos lembramos de que "Páscoa" e "festa dos pães asmos" eram expressões utilizadas para indicar a mesma festividade, e que algumas vezes indicavam o primeiro dia dessa observância; enquanto que, em outras ocasiões, referiam-se ao período completo de oito dias de festa. O texto de João 18.28 parece, à primeira vista, indicar que Jesus comeu o cordeiro pascal

com antecedência, ao passo que os demais judeus, observando o dia regular, ainda não o haviam comido. O texto de 2Crônicas 30.22, porém, diz que "comeram por sete dias as ofertas da festa", referência essa à festa inteira, e não apenas a uma porção da mesma — o comer do cordeiro pascal. Os que são mencionados em João 18.28 provavelmente já haviam comido o cordeiro pascal (como Jesus), no dia regular (noite de quinta-feira, começo da sexta-feira, conforme o cômputo judaico), mas continuavam observando os outros dias da "festa", e assim não queriam tornar-se cerimonialmente impuros.

Ver outras notas sobre este problema de harmonia que tem soluções diferentes: Mateus 26.17,19 (Lc 22.7,8), João 18.28.

"A Páscoa e a festa dos pães asmos". Havia sete dias durante os quais os judeus deveriam comer pão sem fermento. Essa festividade comemorava a sua apressada saída do Egito, o que não lhes deu tempo para fermentar a massa do pão que levaram com eles. Todo fermento foi tirado e destruído. A Páscoa e a festa dos pães asmos, estritamente falando, eram instituições separadas, embora ligadas entre si, já que a sua celebração ocorria ao mesmo tempo, motivo por que esses termos são por muitas vezes empregados um em lugar do outro. A "Páscoa" é nome usado em três conexões: (1) O comer do cordeiro pascal, no primeiro dia dos sete dias da festa (14 do mês de Nisã), que comemorava a morte do cordeiro cujo sangue foi posto nos umbrais e vigas das portas, quando o anjo não tocou nos moradores assim protegidos; (2) a festividade anual do dia 15 do mês de Nisã, que pode ser chamada de festa da Páscoa (ver Nm 28.17); (3) a solenidade inteira, que em sua totalidade também é chamada de festa dos pães asmos, e que se prolongava por sete dias. Quanto à Páscoa como tipo de Cristo, ver a nota em João 1.29.

O cordeiro pascal era consumido no dia 15 do mês judaico de *Nisã* (equivalente a nossos meses de março-abril), e podia ser comido a qualquer hora após o pôr-do-sol do dia 14 de Nisã (uma vez que os judeus começavam seus novos dias às 18 horas). Todos os quatro Evangelhos indicam que a sexta-feira foi o dia da crucificação, e com isso concorda a maioria dos intérpretes. Quanto a uma nota sobre essa questão e à controvérsia que a cerca, ver Mateus 27.1 e 28.2. Os acontecimentos seguintes, portanto, foram narrados como se tivessem ocorrido na quarta-feira, dia 13 de Nisã. Quanto à outra discussão sobre as dificuldades em torno do elemento tempo, aqui envolvidas, nos Evangelhos sinópticos, quando comparados com o evangelho de João, ver as notas sobre o v. 17 deste mesmo capítulo.

"Filho do homem" (Ver a nota detalhada sobre essa expressão em Mc 2.7 e Mt 8.20. Sobre a humanidade de Cristo, em Fp 2.7. Sobre o Filho de Deus, em Mc 1.1. Sobre a divindade de Cristo, em Hb 1.3.) Jesus já havia predito a sua morte e ressurreição antes dessa ocasião, mas agora repetiu o anúncio sobre o acontecimento que ocorreria dentro de poucos dias. (Ver também Mt 16.21; 17.12; 20.17-19, onde há outras predições semelhantes.)

A crucificação de Cristo é a Páscoa cristã. A própria palavra indica a ideia de "passar por cima". A Páscoa tinha um tríplice sentido: (1) O livramento dos israelitas da escravidão egípcia, mediante os julgamentos contra os egípcios, o que é símbolo da redenção espiritual que se efetua por meio do julgamento contra o princípio do pecado. (2) O oferecimento *espiritual* dos primogênitos israelitas, o que é expresso pelo sangue do cordeiro que foi aspergido sobre os umbrais e as vigas das portas, o que é símbolo da morte expiatória de Jesus Cristo. (3) O poupar dos primogênitos israelitas, em resultado do sacrifício do cordeiro, que serviu de símbolo do fornecimento da nova vida, que nos é transmitida por causa da morte e da ressurreição de Cristo, o Cordeiro de Deus. O resultado disso é a participação na nova vida de Deus.

672 |Mateus| NTI

XIII. MORTE DE JESUS, O MESSIAS (26.1—27.66)

1. Eventos preliminares (26.3—27.26)

(a) Conluio (26.3-5)

26.3 - Neste ponto, temos o *reinício* da narrativa, que inclui os detalhes de como Jesus foi finalmente crucificado. Esta seção abrange o material apresentado em Mateus 26.3 a 27.66. A maioria dos estudiosos acredita que a paixão tem seu relato original mais bem preservado no evangelho de Marcos, e que várias adições foram feitas àquela narrativa original. A fonte informativa básica, pois, é o "protomarcos". As seguintes passagens do evangelho de Mateus têm base na narrativa de Marcos, ou seja, no "protomarcos": 26.2a,3a,14-16,20,26-28a,29,30-35,47a,48--51,55,56b,57a; 27.1,2,12-18,20-23,26,31b-33,35a,37-39a,44--51a,c. As passagens a seguir, segundo se pensa, teriam sido acrescentadas ao "protomarcos" original, depois de Marcos ter usado essa fonte informativa em seu evangelho, material esse que foi subsequentemente incluído na narrativa de Mateus: Mateus 26.17a,21-23,47b,56a,58,69-75; 27.11b,34. Existem outras fontes informativas que foram seguidas por Marcos, as quais, provavelmente são remanescentes de histórias adicionadas pelo testemunho de testemunhas oculares ou de outros cristãos primitivos, que haviam preservado histórias dos acontecimentos dos últimos poucos dias da vida terrena de Jesus. O autor do evangelho de Lucas obviamente contou com algumas fontes informativas independentes, que ele deve ter encontrado em suas investigações. O evangelho de Mateus vai além do de Marcos, onde este dá apenas alguns informes; e, nesse caso, provavelmente esses informes são partes de histórias preservadas por judeus cristãos, ou pelas igrejas da Judeia ou pela igreja de Antioquia. Isso se reflete nos seguintes versículos: 26.52b; 27.3-10,19,24,25,51b-53,62-66. Outros textos podem ser reflexos proféticos do AT, tais como 26.54; 27.34 e 43.

26.3: Então os principais sacerdotes e os anciãos do povo se reuniram no pátio da casa do sumo sacerdote, o qual se chamava Caifás;

26.3 Τότε συνήχθησαν οἱ ἀρχιερεῖς καὶ οἱ πρεσβύτεροι τοῦ λαοῦ εἰς τὴν αὐλὴν τοῦ ἀρχιερέως τοῦ λεγομένου Καϊάφα,

<small>26.3 Καιαφα[Καιφα D it vg^{s,cl} sa, *item vs. 57*</small>

É provável que muitas histórias e detalhes independentes desses acontecimentos tivessem circulado separadamente, e que esses vários elementos finalmente tenham sido postos em uma narrativa unificada pelos escritores dos Evangelhos. Muito provavelmente, a história fora narrada por muitas vezes, tendo formado a base de muitos sermões, e em geral era bem conhecida mediante a transmissão oral, antes que viesse a ser finalmente registrada na forma escrita. Esse é o maior elemento da tradição dos Evangelhos, o que tem produzido admiração e interesse desde o princípio. As expressões usadas pelo apóstolo Paulo — "palavra da cruz" e "poder de Deus" (ver 1Co 1.18) — sem dúvida são alusões à substância dessa história. É provável também que a primeira parte da tradição oral dos Evangelhos, que tomou forma de documento escrito, tenha sido essa, e que assim tenha sido formado o núcleo da narrativa inteira da vida de Jesus Cristo. Alguns têm dito que os Evangelhos são narrativas expandidas da paixão; e, de certa maneira, isso expressa uma verdade. Cerca de 30% dos Evangelhos aborda a última semana da vida terrena de Jesus. Buttrick (*in loc.*) "A história mais admirável que jamais foi contada!".

"[...] principais sacerdotes e os anciãos..." Evidentemente, está em vista o mais alto tribunal judaico: o *sinédrio*. (Ver a nota em Mt 22.23, onde há uma informação geral sobre essa organização). Os "principais sacerdotes" não eram os sumos sacerdotes e seus delegados, e, sim, os principais dentre os sacerdotes, eleitos pelos demais, para fazerem parte do sinédrio. (Ver notas sobre as diversas organizações existentes entre os judeus:

"escribas", Mc 3.22; "fariseus", Mc 3.6; "saduceus", Mt 22.23; "herodianos", Mc 3.6; "essênios", Lc 1.80 e Mt 3.1.)

Caifás foi sumo sacerdote e presidente do sinédrio, de 18 a 36 d.C. Seu sogro, Anás, foi sumo sacerdote, de 6 a 15 d.C., e alguns ainda o chamavam de sumo sacerdote. Caifás casou-se com uma das filhas de Anás, que estava associado a ele no sacerdócio. Cerca de dois anos após a crucificação de Jesus, Caifás e Pilatos foram ambos depostos por Vitélio, então governador da Síria, que, mais tarde, tornou-se imperador. Caifás, incapaz de suportar essa desgraça, e provavelmente por motivo de sua má consciência, por ter tido parte na crucificação de Jesus, suicidou-se, em cerca de 35 d.C. (Ver Josefo, Antiq. liv. XVIII.c.2-4.)

Sabemos que o plano para assassinar Jesus foi formado previamente, algum tempo depois da ressurreição de Lázaro (ver Jo 11.49,50). O que aconteceu nesse ínterim — a entrada triunfal, a expulsão dos cambistas, os diversos discursos vergastantes de Jesus contra as autoridades religiosas — serviu somente para agitar a situação, tendo criado a necessidade de ser tomada alguma ação positiva contra Jesus. Evidentemente, muitos dos principais governantes dos judeus fizeram parte do plano homicida, já que Lucas e Marcos mencionam os "escribas" como parte do grupo, ao invés de mencionar os "anciãos". É provável que ambos tenham feito parte do grupo, pelo que pode ter havido uma reunião geral do sinédrio para planejar especificamente a traição e a morte de Jesus.

"[...] no palácio..." parece indicar não o palácio do próprio sumo sacerdote, mas o "átrio" fechado pelos edifícios do palácio. O local onde o sinédrio se reunia comumente era chamado "gazith"; e (segundo o Talmude) ficava anexo ao templo.

26.4: e deliberaram como prender Jesus a traição, e o matar.

26.4 καὶ συνεβουλεύσαντο ἵνα τὸν Ἰησοῦν δόλῳ κρατήσωσιν καὶ ἀποκτείνωσιν·

26.5: Mas diziam: Não durante a festa, para que não haja tumulto entre o povo.

26.5 ἔλεγον δέ, Μὴ ἐν τῇ ἑορτῇ, ἵνα μὴ θόρυβος γένηται ἐν τῷ λαῷ.

"[...] prender Jesus à traição, e matá-lo...". Esse foi o plano original, e, à base dessas palavras, alguns têm chegado à suposição de que a crucificação de Jesus não ocorreu realmente no dia da Páscoa. É evidente, porém, que o inesperado benefício da traição de Judas Iscariotes apressou o processo inteiro, tornando possível os homens provocarem a morte de Jesus antes do que eles haviam planejado. Não houve dificuldade nenhuma em descobrir o paradeiro de Jesus nesse ponto (ver Jo 11.57); mas eles tiveram de enfrentar o problema de como realizar o seu plano sem perturbar o povo. Mais tarde, parece que Jesus se retirou, chegando mesmo a ocultar-se, e então os serviços prestados pelo traidor tornaram--se um elemento imprescindível. A entrada triunfal de Jesus demonstrara o seu poder ante o povo; e o modo com que ele fora capaz de derrotar, na argumentação, até os mais argutos dentre as autoridades religiosas dos judeus, havia perturbado imensamente a liderança, pois agora, em primeira mão, viam claramente como Jesus era poderoso, como era notável a sua energia mental, e como poderia ter começado facilmente uma revolução, se o caso não tivesse sido tratado com a mais extrema cautela.

"[...] não durante a festa...", porquanto a lei dos judeus proibia essa ação, uma vez que nenhuma punição capital podia ser baixada no principal dia da Páscoa, isto é, no dia do sacrifício do cordeiro. (Ver Êx 12.16.) Segundo as coisas correram, parece perfeitamente claro, à base de várias narrativas, que Jesus foi crucificado justamente nesse dia; mas, nesta altura, não estava planejado desse modo; os líderes não consideraram isso uma possibilidade. O dia da festa atraía muitos estranhos a Jerusalém, incluindo grande número vindo da Galileia; e esse tipo de multidão mista facilmente poderia ser provocada a qualquer espécie de levante ou revolta. A história demonstra que outras execuções também tiveram lugar nesse dia festivo. Hegesipo relata em Eusébio, *Hist. Eccl.* II.23, que Tiago, o Justo, irmão do Senhor, foi apedrejado e morto no dia da Páscoa.

A palavra *tumulto* (no grego, thorubos) é empregada por Josefo para indicar insurreições sangrentas que ocorreram na Palestina durante o primeiro século de nossa era (*Guerras dos Judeus* II, 12.1-2), e era exatamente esse tipo de ocorrência que os líderes religiosos dos judeus temiam.

(b) Unção de Jesus (26.6-13)

26.6: Estando Jesus em Betânia, em casa de Simão, o leproso,

26.6 Τοῦ δὲ ᾽Ιησοῦ γενομένου ἐν Βηθανίᾳ ἐν οἰκίᾳ Σίμωνος τοῦ λεπροῦ,

"[...] Betânia..." Aqui temos a cena da unção de Jesus: os v. 6-13. Os acontecimentos aqui registrados estão variegadamente colocados nos Evangelhos, pois neste ponto não seguem a mesma ordem cronológica, conforme precisa admitir qualquer pessoa que leia as narrativas juntas. (Ver Mc 14.3-9 e Jo 12.1-8.) O texto de João 12.1 parece situar esse acontecimento particular antes da Páscoa, por um período de seis dias, assim fazendo com que a noite de sábado tenha precedido a entrada triunfal. As narrativas de Mateus e de Marcos não declaram especificamente determinado período, mas, pela ordem dos acontecimentos, segundo eles aparecem, parece claro que esse acontecimento teve lugar em uma terça-feira à noite. Se essa ordem for preferível, esses acontecimentos tiveram lugar ao mesmo tempo que o sinédrio traçava planos para matar a Jesus. Sem dúvida nenhuma, Jesus tinha plena consciência de suas deliberações, e ele sabia que eles teriam êxito.

A vila de Betânia era uma aldeia que ficava do outro lado do monte das Oliveiras, na estrada para Jericó, cerca de três quilômetros de Jerusalém. Hoje em dia, existe ali uma pequena vila com uma população de menos de mil pessoas, chamada el.Azariyeh. Lembramo-nos de Betânia como o lugar onde Jesus foi ungido. Fora dos Evangelhos, essa aldeia figura em diversos itinerários, tradições e lendas cristãs. Havia ainda outra Betânia, onde João batizava "doutro lado do Jordão" (Jo 1.28). Entretanto, a identificação desta última permanece incerta. Até mesmo no tempo de Orígenes, a sua localização exata não era mais conhecida. Os melhores mss dizem "Betânia" ao invés de "Betabara", em João 1.28; e o termo "Betabara" foi uma substituição de um local desconhecido por um nome conhecido, por copistas antigos de mss do NT. (Quanto a evidências sobre isso, ver a referência no evangelho de João.) A Betânia onde Jesus foi ungido, entretanto, é a Betânia conhecida, próxima de Jerusalém.

"[...] casa de Simão, o leproso..." Alguns têm pensado que, em face de Jesus poder entrar e sair livremente dessa casa, onde se hospedava quando passava alguns dias em Jerusalém, Simão deve ter sido curado de sua lepra, provavelmente pelo próprio Senhor Jesus. Simão, o leproso, tem sido variegadamente identificado. Alguns o identificam com o fariseu em cuja casa Jesus tomou uma refeição, e aonde uma mulher pecadora veio ungir os pés de Jesus. (Ver Lc 7.36.) Alguns creem que ele era ou pai ou marido de Marta, crendo que foi na casa de Maria e Marta que esse acontecimento teve lugar (a julgar pela narrativa de Jo 12). Contudo, Simão era um nome muito comum, e nada certo pode ser dito acerca de sua identidade. A Maria aqui envolvida também tem sido várias vezes identificada. Alguns dizem que ela é a mesma mulher pecadora que aparece na narrativa de Lucas (Lc 7.36); outros opinam que ela seria Maria Madalena. Novamente, nada se sabe com certeza com respeito à sua identidade, embora, provavelmente, fosse uma pessoa distinta, que poderíamos chamar de Maria de Betânia. (Quanto a uma nota sobre as várias "Marias" do NT, ver a nota em Jo 11.1.) Sabemos que, muito provavelmente, Lázaro estava presente na ocasião dessa unção, de acordo com a narrativa do evangelho de João, pois era irmão de

Maria e Marta. Esses diferentes detalhes têm levado alguns intérpretes a crerem numa segunda unção; mas o mais provável é que existam diversos detalhes desse mesmo acontecimento.

26.7: aproximou-se dele uma mulher que trazia um vaso de alabastro cheio de bálsamo precioso, e lho derramou sobre a cabeça, estando ele reclinado à mesa.

26.7 προσῆλθεν αὐτῷ γυνὴ ἔχουσα ἀλάβαστρον μύρου βαρυτίμου καὶ κατέχεεν ἐπὶ τῆς κεφαλῆς αὐτοῦ ἀνακειμένου.

7 Lc 7.36-38   7 βαρυτιμου BW f1 f13 700 pm ς ; R] (Ioh. 12. 3)

"[...] aproximou-se dele uma mulher..." O evangelho de João (12.3) afirma que essa era *Maria*, irmã de Lázaro; mas outros têm pensado que a narrativa é paralela a Lucas 7.36, e que, por isso mesmo, outra pessoa está sendo focalizada aqui. Parece provável, entretanto, que a narrativa do evangelho de João e a narrativa dos evangelhos de Mateus e Marcos relatam, os três evangelhos, um acontecimento que teve lugar durante a última semana da vida de Jesus, e que devemos identificar essa pessoa como a Maria de Betânia, irmã de Marta. Quanto a esses pormenores não podemos ter certeza absoluta. Uma tradição que tem prevalecido na igreja ocidental tem identificado a irmã de Lázaro com a mulher que era pecadora, segundo se lê em Lucas 7. Não há como confirmar ou negar isso, embora não se conte com nenhum meio para testar se essa tradição é digna de confiança. Pode ser que ela se tenha desenvolvido, por meio de uma interpretação das Escrituras que possuímos, sem quaisquer raízes independentes na história. Portanto, pode ser apenas uma interpretação separada da identidade dessas pessoas.

"[...] alabastro..." O frasco é que era feito de alabastro, um carbonato ou sulfato de cálcio, branco ou amarelado, e que recebeu esse nome por ser encontradiço numa aldeia do Egito, com nome quase semelhante a esse. Esse tipo de mineral era frequentemente usado como receptáculo para unguentos dispendiosos, conforme fica demonstrado em muitas referências dos escritores antigos, em muitas inscrições e em papiros do primeiro e do segundo século de nossa era. Ordinariamente, esses vasos ou receptáculos tinham forma cilíndrica no topo, e, em regra geral, eram fechados no alto, com uma tampa que tinha a forma de um botão de rosa. (Informações dadas por Plínio)

"[...] bálsamo..." O termo grego por detrás dessa tradução não identifica nenhum tipo particular de unguento, mas temos aqui a informação de que o unguento era de grande valor, o que, no grego, diz literalmente "de pesado valor" (no grego, essa palavra só é usada aqui, em todo o NT). Bruce (*in loc*) diz: "Um alabastro com nardo era um presente digno de um rei". Em *Heródoto* III.20 lemos que foi um dos cinco presentes enviados por Cambises ao rei da Etiópia. A mulher ungiu a Jesus em sua cabeça (segundo Mateus e Marcos) ou em seus pés (conforme João). A mulher partiu o gargalo do frasco, assim permitindo que o unguento fosse derramado. Não havia maneira de recuperar o líquido, e seu recolhimento no frasco era um processo muito dispendioso, o que revelou um amor muito intenso ao Senhor, por parte daquela mulher.

A interpretação da ação dessa mulher, ou seja, a razão por detrás da unção, tem deixado perplexos muitos intérpretes. Alguns acreditam que essa ocorrência tenha tido certa significação — política, visto que a unção era um rito levado a efeito na iniciação de um novo rei. Com frequência, havia unções particulares de reis, como sucedeu com Saul (1Sm 10.1); Salomão (1Rs 1.38,39) e Jeú (2Rs 9.4-10). É evidente que, neste caso, Jesus não aceitou a unção, embora certamente a tenha apreciado; e então observou, um tanto ironicamente, que, em realidade constituía um rito que antecipava o seu sepultamento; porquanto sabia que dentro de mais algumas horas seria morto. Provavelmente, conforme o costume, Jesus estava assentado com as pernas cruzadas, no soalho, juntamente com os outros, comendo de uma terrina comum, quando, subitamente,

674 |Mateus| NTI

a mulher entrou e o ungiu. No sétimo capítulo do evangelho de Lucas, vemo-los reclinados ao estilo romano, em divãs. Alguns têm pensado, à base desses pormenores, que duas unções separadas devem estar envolvidas, e isso é possível. A expressão "à mesa", da versão portuguesa AA, não faz parte do texto grego original, mas é uma interpretação para leitores modernos.

Os costumes semitas geralmente ficam obscurecidos ao serem traduzidos para o grego, ou seja, para a terminologia helênica, o que reflete costumes helenistas. O costume semita de assentar-se no chão e comer em uma terrina comum, pode ter sido traduzido dando a ideia de reclinar-se em divãs, de conformidade com o estilo romano. Ambos os costumes prevaleciam nos dias de Jesus, e é quase impossível dizer exatamente o que ocorreu nesse caso. Todavia, aqui, a minúcia não se reveste de importância. Jesus reconheceu que a sua coroação se transformaria em uma cruz; todavia, aceitou o feito, por ter sido praticado em amor, e pode ter sido impulsionado pelos motivos mais puros. Ordinariamente, a cabeça era ungida com óleo, enquanto que os pés eram lavados com água. Ungir tanto a cabeça como os pés com óleo era sinal de alta estima em que se tinha a pessoa. "O unguento de nardo era altamente procurado na antiguidade, como um aroma precioso e como um luxo muito dispendioso" (*Plínio*, XII.26). "Era trazido especialmente da Ásia Menor, em pequenos fracos de alabastro; e os melhores eram aqueles adquiridos em Tarso. Todavia, a planta medrava no sul da Índia". (Winer, sub *Narde*). Os melhores unguentos de nardo eram caríssimos. No evangelho de João, encontramos uma estimativa de seu preço, isto é, trezentos denários, o que equivale ao salário de trezentos dias de um trabalhador, i.e, de quase um ano (Jo 123). O fato de Maria possuir esse unguento indica que a casa era bastante rica, e o capítulo 12 de João parece confirmar essa indicação. Alguns têm conjecturado que unguentos semelhantes podem ter sido usados no embalsamento de Lázaro; essa circunstância emprestaria sentido à referência que Jesus fez ao ato da mulher, como se fosse de preparo para seu sepultamento.

26.8: Quando os discípulos viram isso, indignaram-se e disseram: Para que este desperdício?

26.8 ἰδόντες δὲ οἱ μαθηταὶ ἠγανάκτησαν λέγοντες, Εἰς τί ἡ ἀπώλεια αὕτη;

8 μαθηται p⁴⁵vid.64 ℵBDΘ; R] *add* πολυτ-ℵADΘ *al* αυτου AW *al* ς

"[...] indignaram-se os discípulos..." Marcos diz "[...] indignaram-se *alguns* entre si..." O evangelho de João (12.4) fixa o julgamento descaridoso se *Judas Iscariores*. Judas era uma alma estreita e gananciosa, e, na unção de Jesus, não pôde ver senão desperdício. Outrossim, sendo o tesoureiro dos doze (era quem trazia a sacola de dinheiro), isso diminuía a possibilidade de ele se apossar indevidamente de algum dinheiro. *Trezentos denários* na sacola lhe teriam conferido ótima oportunidade de surripiar algum dinheiro para seu proveito pessoal. No entanto, ao negligenciar uma busca verdadeiramente espiritual, por dar atenção somente às vantagens físicas, perdera de vista aquilo que era muito mais valioso que trezentos denários. E assim, perdeu até a própria alma. O que Judas Iscariotes disse por motivo de cobiça e do egoísmo pessoal, alguns outros, evidentemente, disseram com toda a honestidade, isto é, realmente gastariam entre os pobres. Assim, o que Maria de Betânia julgou que agradaria a todos, especialmente por tratar-se de um caríssimo presente, provocou, da parte de alguns, palavras indignadas e amargas, e isso deve ter sido para ela um choque cruel. Observamos que ficariam indignados por terem crido que a ação era provocada por um zelo mal dirigido. No entanto, a reprimenda de Jesus indicou que os que se tinham deixado arrebatar por um zelo mal dirigido foram os que se indignaram contra ela, porque o presente da mulher era perfeitamente aceitável. Podemos aprender disso que a opinião que fazemos dos outros e do valor de seus labores e presentes, que buscam apresentar a Deus, nem sempre corresponde à realidade dos fatos; e, além disso, que as estimativas que fazemos de nossas intenções nem sempre são válidas e aceitáveis. Certamente que o texto ensina a necessidade de alta dose de caridade cristã, e essa, infelizmente, é uma mercadoria que não é muito comum na igreja moderna, onde há grande abundância de pessoas que se sentem perfeitamente seguras sobre o que agrada a Deus e sobre o que não o agrada, e igualmente seguras de que os seus atos são agradáveis ao Senhor, ao passo que as ações alheias são reputadas de pouco valor aos olhos de Deus. Precisamos ter mais cuidado na estimativa que fazemos dos outros e de seus lavores, passando a ser menos críticos. Se assim fizermos, seremos mais semelhantes a Jesus, o qual sempre aquilatava tanto a intenção por detrás de qualquer serviço prestado, como o próprio serviço também.

Esses julgamentos precipitados e errôneos era algo que *perseguia* aos discípulos. Eles julgaram à mulher siro-fenícia, às mães e seus filhinhos que vieram para ser abençoados por Jesus. Deixavam-se levar pelo espírito de partidarismo. Alguns buscavam posições especiais no reino, para o benefício de sua glória pessoal, ao mesmo tempo que os demais protestavam com justa indignação por causa disso. Este último ato de julgamento equivocado foi tão grave como os outros. Não olhavam para as mulheres e para as crianças com olhos compassivos, como Jesus olhava. Essa mulher agiu pelo impulso de uma alma de poetisa. Tentou prestar um serviço decorativo. Os discípulos, porém, mostraram-se por demais prosaicos para poderem admirar ou apreciar o ato. No entanto, a alma de Jesus entendeu intuitivamente o sentido do feito, e aceitou-o sem levantar nenhuma dúvida; antes, recomendou-o.

26.9: Pois este bálsamo podia ser vendido por muito dinheiro, que se daria aos pobres.

26.9 ἐδύνατο γὰρ τοῦτο πραθῆναι πολλοῦ καὶ δοθῆναι πτωχοῖς.

"[...] podia ser vendido...". O utilitarismo não pode explicar muitos dos desejos do coração humano, e nem sempre pode satisfazer as nossas necessidades. Não podemos medir os meros valores humanos, quanto menos os valores espirituais, pela medida *do valor do dinheiro*. É verdade que foi um ano inteiro de trabalho que se derramou sobre a cabeça e os pés de Jesus. Um trabalhador teria de trabalhar trezentos longos e quentes dias para duplicar o valor do unguento usado naquilo que pareceu um ato precipitado pelo impulso de um momento. Os verdadeiros valores, porém, ultrapassam o que pode ser medido em termos de salários diários ou o número de denários. As mentes inclinadas para o materialismo não podem perceber isso. Além de sua inclinação materialista, os discípulos se haviam olvidado e, continuamente, compreendiam mal as predições de Jesus sobre a sua pessoa, nas quais profetizava a sua morte; e por isso a sua declaração sobre a "unção para o sepulcro" também não deve ter sido entendida. Jesus estava enfrentando tremenda crise, pois a sua vida estava sendo ameaçada, mas pouquíssimos o percebiam. Jesus está sozinho, e na hora de sua mais premente necessidade. Quando qualquer outro ser humano teria clamado por uma mão ajudadora, por uma palavra de simpatia, os discípulos continuavam inclinando-se a julgar as coisas segundo o seu valor monetário. Em sua resposta, Jesus parece ter indicado que aquela mulher como que pressentia a aproximação da morte dele. De alguma forma, ainda que mui imperfeitamente, ela teria compreendido intuitivamente o simbolismo de seu ato. Seja como for, não fora infectada pelo *materialismo* que se apegara aos discípulos, porque, sem a menor hesitação, partira o gargalo do caríssimo frasco de nardo, e derramara esse dispendioso unguento sobre a cabeça e os pés do Senhor Jesus. O aroma suave tomou conta do ambiente, servindo de forte testemunho do amor e da generosidade daquela mulher. O amor não conta os valores segundo os padrões monetários, e nem pode ser confinado por essa consideração, nem pelas críticas alheias adversas. O unguento poderia ter durado por muitos anos, se usado apenas ocasionalmente como perfume. No caso de Jesus, entretanto, seu emprego imediato, de uma só vez, de forma nenhuma foi algo fora de lugar ou exagerado.

26.10: Jesus, porém, percebendo isso, disse-lhes: Por que molestais esta mulher? pois praticou uma boa ação para comigo.

26.10 γνοὺς δὲ ὁ Ἰησοῦς εἶπεν αὐτοῖς, Τί κόπους παρέχετε τῇ γυναικί; ἔργον γὰρ καλὸν ἠργάσατο εἰς ἐμέ·

"[...] por que molestais esta mulher?" O grego é enfático: "Por que estais perturbando...?" Marcos oferece uma descrição levemente diferente da cena, ao escrever: "E murmuravam contra ela" — de forma literal, "Repreendiam-na amargamente". Não guardaram para si mesmos os seus pensamentos e as suas palavras, mas imediatamente lançaram-se em uma diatribe contra a mulher. A ideia de que estava sendo feito um tremendo desperdício deixou-os chocados, e julgaram a ação da mulher segundo os padrões terrenos e carnais, e não à base de considerações espirituais. A palavra grega, usada neste caso, é *kopos*, que vem de um verbo que significa "espancar", "golpear", "ferir", "cortar". Essa expressão, com o verbo que a integra, não é comum nos autores gregos, mas também a encontramos em Lucas 11.7; 18.5; e Gálatas 6.17, onde Paulo menciona as tribulações que sofrera às mãos de seus inimigos, o que deixou em seu corpo os sinais visíveis e permanentes de Jesus, com o que ele queria dar a entender os ferimentos literais que lhe haviam sido infligidos por homens ímpios e desarrazoados.

"[...] boa ação..." O adjetivo grego aqui utilizado geralmente implica em algo que é mais do que simplesmente "bom". Fala de uma ação *nobre* e "honrosa", e também pode ser traduzido por "bela coisa". Foi a expressão de uma poetisa, um ato de decoro, o que Jesus reconheceu imediatamente ser uma ação nobre. O espírito prosaico e utilitário dificilmente teria reconhecido o valor dessa ação; mas Jesus pôde julgar a ação segundo seu merecido valor. Jesus reconhecia o valor do afeto humano, e jamais fez objeção às demonstrações calorosas dessa afeição. É interessante observar que este texto tem sido usado como base (ou pretensão) para dispêndios exagerados com os elementos estéticos da adoração, isto é, o adorno dos templos e das catedrais, a arquitetura eclesiástica e a ornamentação geral dos santuários e outros objetos de culto. Não é provável que Jesus tencionasse fazer essa aplicação com a presente história; é possível que, até mesmo em casos como esse, se a ação estivesse escudada em uma afeição verdadeira, e não em mero espírito de ostentação, o Senhor não se mostrasse tão crítico como os homens se mostram inclinados a ser.

26.11: Porquanto os pobres sempre os tendes convosco; a mim, porém, nem sempre me tendes.

26.11 πάντοτε γὰρ τοὺς πτωχοὺς ἔχετε μεθ᾽ ἑαυτῶν, ἐμὲ δὲ οὐ πάντοτε ἔχετε·

11 πάντοτε γὰρ...ἑαυτῶν Dt 15.11

"[...] os pobres sempre..." Jesus não estava ensinando aqui que devemos negligenciar os pobres, e nem mesmo que a sociedade sempre *precisará* contar com uma camada necessitada. Nem quis ensinar, com essas palavras, que os homens não se devem interessar em eliminar a pobreza ou que não devem fazer tudo quanto está ao seu alcance para obter essa iluminação. Não há aqui nenhuma justificativa para o egoísmo, e nem encorajamento para que nada se faça com respeito à pobreza. Essas ideias não são interpretações do texto, e, sim, perversões e contradições em face de outras passagens, as quais ensinam de forma perfeitamente clara que somos *guardiães de nossos irmãos*. Buttrick (*in loc.*) expressa oposição a tais pensamentos, em termos bastante fortes, dizendo: "[...] existem poucas blasfêmias piores do que aquela que faz dele (de Jesus) o apóstolo da indiferença egoística. Maxim Gorky está muito mais perto da verdade: 'Um propósito de despertar a nossa consciência' (*Foma Gordeev*, tr. Isabel F. Hapgood, p. 149). Sempre nos devemos esforçar por banir a pobreza, a qual ninguém merece".

Contudo, o Senhor Jesus ensina aqui uma verdade maior do que a do simples suprimento para as necessidades físicas dos pobres. Buttrick (*in loc.*) expressa isso com maestria, ao dizer: "Existem crises quando a causa de Cristo é ameaçada por um eclipse. Então, um sinal precisa ser levantado por ele, a despeito de qualquer abundância ou escassez. Se ele viesse a ser esquecido entre os homens, a abundância se tornar pior do que a fome. A unção foi apenas um desses símbolos — um suspiro dramático para ungi-lo para o sepultamento, e, portanto, para uma coroação ainda mais exaltada. Há momentos em que o cristianismo *não pode* seguir um curso rotineiro; o vaso da vida precisa ser partido num "abandono de amor". Assim é que dão sua vida o missionário e o mártir. O alabastro partido deixa propagar a sua fragrância e modifica o clima de nosso mundo. Aquela mulher ajudou a Cristo, talvez com muito mais profundeza do que ela mesma tencionava; e ela ajudou os pobres, tendo pregado o evangelho".

A grande verdade é que nossa época científica, utilitária e pragmática ainda tem muito para aprender. Algumas vezes, ciência e utilidade ficam muito aquém da capacidade de definir o que é valioso e digno de louvor. Maria viu a necessidade, e praticou um gesto raríssimo. O utilitarismo dificilmente produziria uma ação dessa envergadura.

26.12: Ora, derramando ela este bálsamo sobre o meu corpo, fê-lo a fim de preparar-me para a minha sepultura.

26.12 βαλοῦσα γὰρ αὕτη τὸ μύρον τοῦτο ἐπὶ τοῦ σώματός μου πρὸς τὸ ἐνταφιάσαι με ἐποίησεν.

"[...] derramando este perfume..." Deliberadamente, ela derramou o unguento até a última gota. Embora pudesse ter ficado com uma pequena quantidade dele, e, ainda assim, ter praticado uma ação digna de apreciação, Maria não deixou ficar um pouquinho que fosse do perfume, no fundo do frasco, antes, deu tudo quanto tinha, porque a sua devoção era autêntica. Uma verdadeira *devoção* desconhece tudo quanto não passe de meias-medidas, e não obedece àquilo que está subentendido no vocábulo "razoável". Por meio desse ato, ela demonstrou que reconheceu, mais do que os próprios discípulos, a natureza da crise pela qual Jesus passava; e naquele instante ela sentiu que ele precisava de um supremo e nobre ato de amor. Por isso é que ela partiu o frasco de alabastro e ungiu a Jesus até a última gota. As lições espirituais aqui envolvidas são óbvias. Jesus nos ensinou a partir os frascos de nossa vida, derramando até o fim o valor que podemos produzir, porquanto esse amor requer um sacrifício completo, e não um sacrifício hesitante, calculado. É justamente isso que Paulo queria dizer quando escreveu: "Porquanto, *para mim o viver é Cristo*, e o morrer é lucro" (Fp 1.21). Jesus nos ensina aqui a fazer o que ele já fez na sua vida. Conhecemos tão pouco e fazemos tão pouco do que Jesus conhecia e fazia!... Seu sacrifício foi supremo, tanto na vida como na morte, e o mundo jamais pode esquecer-se disso. À sua maneira limitada, aquela mulher demonstrou exatamente o mesmo princípio. Jesus tinha dito a um indivíduo: *Vende tudo e segue-me*.

"[...] para o meu sepultamento". Não podemos saber todas as intenções dessa mulher, e nem o quanto profundamente ela percebeu o desastre que estava prestes a acontecer. O mais provável é que soubesse que o seu ato, pelo menos em parte, ungia Jesus para seu sepultamento, ainda que em sua mente consciente ela estivesse apenas ungindo um rei futuro. No nível consciente, sua ação pode ter tido sentido político; ou pelo menos pode ter tido por detrás um sentido político, conforme tem sido explicado nas notas sobre o v. 7. De fato, a unção visava à coroação; só que nesse caso a coroa foi de espinhos, e o trono foi uma cruz. No entanto, nenhuma verdade mais nobre e real jamais fora elevada tão alto como quando Jesus deu a sua vida na cruz; pois nisso ele demonstrou o mais exaltado de todos os atos reais — trouxe o perdão a

676 | Mateus | NTI

todos os penitentes, desde a presença de Deus. É estranho notar o que essa mulher fez durante a vida de Jesus, antecipando a sua morte, o que nem os discípulos puderam fazer, nem mesmo na hora da provação de Jesus, quando seria mais de se esperar da parte deles a prática dessa ação. Pelo contrário, os discípulos o abandonaram e fugiram, e outros é que tiveram de ungir com bálsamos o corpo inerte de Jesus. José de Arimateia e Nicodemos tiveram de encarregar-se disso, e esses não passavam de discípulos secretos de Jesus, chegando alguns a pensar que eles fossem partidários dos adversários de Jesus. O evangelho de João revela-nos isso em uma declaração negativa. (Ver Jo 19.38,39.) Contudo, esses dois discípulos secretos de Jesus secretos por terem receio dos judeus pelo menos cuidaram dele em sua morte. E assim vemos os irônicos elementos dos últimos dias de Jesus entre os homens. "Jamais se perderá um ato bom!", diz Browning, *Abt Vogler*. E isso expressa uma grande verdade, porquanto esse ato nobre isolado, que, aos olhos do mundo sempre parecerá insignificante, jamais se perdeu. A previsão e a simpatia de Maria, para com Jesus, são contrastadas com a preocupação dos discípulos com o suposto reino político e com a participação deles no mesmo, preocupação essa que quase os leva a mal entender inteiramente as repetidas advertências de Jesus acerca de sua morte. Jesus justificou o serviço de Maria.

26.13: Em verdade vos digo que onde quer que for pregado em todo o mundo este evangelho, também o que ela fez será contado para memória sua.
26.13 ἀμὴν λέγω ὑμῖν, ὅπου ἐὰν κηρυχθῇ τὸ εὐαγγέλιον τοῦτο ἐν ὅλῳ τῷ κόσμῳ, λαληθήσεται καὶ ὃ ἐποίησεν αὕτη εἰς μνημόσυνον αὐτῆς.

"[...] em todo o mundo...". A passagem dos séculos não pode dissipar o aroma daquele perfume, e quando o nosso NT se abre nessa narrativa bíblica, *novamente* a nobreza do ato de Maria toca profundamente nossas emoções e nossa mente. Crisóstomo disse acerca desta passagem: "Pois eis que aquilo que ele disse está acontecendo; e em qualquer parte do mundo aonde se vá, pode-se ver a celebração do que ela fez [...]. O mundo saberá o que tem sido feito no interior de uma casa, e em secreto!" (*Homilies of Saint John Chrysostom on the Gospel of St. Matthew, Homily*, LXXX). Buttrick expressa a mesma verdade ainda com maior eloquência (*in loc.*): "Aqueles que entram na luz de Cristo não voltam mais às trevas, como se fossem navios que navegam nas trevas, atravessam um facho de luz, para se perderem novamente na escuridão; antes, ficam *imortalizados com a sua eternidade*. Verdadeiramente, 'nenhum bem se pode perder'".

"Evangelho". Ver a nota sobre o evangelho, em Mateus 1.1 e Romanos 1.16. Esse vocábulo é utilizado por Marcos por oito vezes. Lucas e João nunca o empregam, embora com frequência tenham sugerido o seu conteúdo. É provável que o evangelho aqui em foco seja especialmente as boas novas daquilo que a morte de Jesus traz aos homens, segundo nos mostra a natureza deste incidente, embora de forma nenhuma fique excluída a mensagem da ressurreição. Alguns intérpretes veem nisto um anúncio do reconhecimento, por parte de Jesus, da futura existência dos evangelhos "escritos". Naturalmente sabemos que, quando este evangelho foi escrito, já existiam outros "evangelhos" em forma escrita, principalmente o evangelho de Marcos, e, também, talvez, o evangelho de Lucas. Quase certamente, a fonte deste versículo é o "protomarcos". Crendo na tradição que diz que essa mulher é a mesma prostituta de Lucas 7, observou: "Até mesmo os habitantes das ilhas britânicas falam da ação praticada em uma casa da Judeia, por uma prostituta". (*Hom.* LXXX). Se essa mulher era ou não prostituta, não sabemos dizê-lo; no entanto, a predição tem sido exata e plenamente cumprida.

Stier (*in loc.*) vê aqui uma indicação da glória de Cristo, bem como a vindicação do trabalho dessa mulher. "Quem, senão ele mesmo, teria o poder de assegurar a qualquer ação dos homens,

ainda que reboasse em seu tempo pela terra inteira, uma memória *imperecível* nos meandros da história? Vê-se aqui, uma vez mais, a majestade de sua real supremacia judiciária no governo do mundo, em seu, 'Em verdade vos digo...' ".

(c) Judas planeja trair(26.14-16)

26.14: Então um dos doze, chamado Judas Iscariotes, foi ter com os principais sacerdotes,
26.14 Τότε πορευθεὶς εἷς τῶν δώδεκα, ὁ λεγόμενος Ἰούδας Ἰσκαριώτης[1], πρὸς τοὺς ἀρχιερεῖς

14-15 πορευθεὶς...αὐτόν Jo 11.57

[1]14 {B} Ἰσκαριώτης p^{64vid} ℵ A B K L W Δ Θ Π f^1 f^{13} 28 33 565 700 892 1009 1010 1071 1079 1195 1216 1230 1241 1242 1253 1344 1365 1546 1646 2148 2174 *Byz Lect* vg^{cl} syr^h cop^{sa,bo,fay} eth Origen Eusebius Chrysostom // Σκαριώτης D it^d (it^f *Scariothes*, it^{a,aur,b,ff1,g1,l} vg^{ww} *Scarioth*, it^{ff1} *Scariot*, it^c *Scariotha*, it^q *Scariota*, it^h *Carioth*) syr^{s,b,pal} arm geo Diatessaron^{i,n} (Origen^{lat}) Augustine

Ver os comentários sobre 10.4.

"[...] um dos doze, chamado Judas Iscariotes..." As tentativas para fazer com que esse nome signifique *assassino*, relacionando-o a uma palavra aramaica semelhante, têm sido fúteis. A referência mais provável é a *Queriote*, localidade de Moabe (Jr 48.24), ou então a Queriote-Hezron (Js 15.25), acerca de 20 quilômetros ao sul de Hebrom. Esse Judas sempre aparece em último lugar nas listas dos apóstolos, sendo sempre identificado pelo adjetivo "o traidor". Era o tesoureiro do grupo apostólico. Aprendemos, em João 12.6, que ele não se tornou perverso repentinamente; pelo contrário, durante o tempo todo vinha surripiando da "sacola" do tesouro comum, a fim de satisfazer sua cobiça pessoal. Pelas narrativas, tiramos a conclusão de que, juntamente com os demais, ele fora dotado de certos poderes miraculosos; mas isso não mostra que ele se tenha convertido verdadeiramente. Sendo da região de Judá, ele era o único dos apóstolos que não havia nascido na Galileia. Sua carreira levou-o, finalmente, à apostasia e ao suicídio. (Ver At 1.18,25; Mt 27.5.)

Não há que duvidar de que Judas Iscariotes tenha sido o responsável pelo aprisionamento de Jesus. Sua traição consistiu em fornecer informações às autoridades religiosas, sobre onde Jesus poderia ser encontrado, tendo mesmo chegado ao cúmulo de acompanhar o bando até o local, a fim de guiá-los. Evidentemente, Jesus *se retirara* do ministério público, possivelmente para sua proteção, bem como para segurança de seus discípulos íntimos, que também seriam objeto do ódio dos chefes eclesiásticos. Não podemos precisar todos os motivos por detrás desse ato de traição. Sabemos que o dinheiro foi uma consideração importante nesse ato, e a tradição de Marcos salienta definidamente esse elemento (ver Mc 1411). Contudo, é provável que também houvesse outras razões. Mui provavelmente Judas esperava a vinda de um governante terreno, como o esperavam os demais apóstolos e o povo comum. Jesus jamais aceitou esse papel, segundo as condições que o povo julgava serem necessárias. O senhor nunca deixou de ser um reformador espiritual, e a reforma política só ocorreria por meio e em decorrência de uma mudança espiritual. O povo — no que certamente era acompanhado por Judas Iscariotes — ansiava por ver a derrubada de Roma, e não encontrava muita utilidade para o lado "espiritual" dos planos de Jesus. E assim vieram gradualmente a perceber que Jesus jamais viria a ser um reino no sentido em que pensavam. E isso os levou a perderem as esperanças quanto a todos os seus planos de um Israel renovado, independente, reinante com as glórias anteriores dos tempos de Davi e Salomão. Suas esperanças e seu respeito para com Jesus começaram a transformar-se em *ressentimento* e ódio. Esse ódio visava especialmente à pessoa de Jesus, resultante de muitas ansiedades mentais e frustrações por causa da situação, sem falar no mais puro desapontamento. Judas feriu o Senhor Jesus, entregando-o às autoridades traiçoeiramente. O povo comum atingiu o Senhor Jesus anuindo ante os desejos das autoridades religiosas, e isso até com satisfação. Gostariam de se ter livrado do poder dominante de Roma; já que não podiam fazê-lo, voltaram-se contra Jesus, para destruí-lo, porque, supostamente, ele não conseguira livrá-los de Roma.

As passagens paralelas deste texto são Marcos 14.10,11 e Lucas 22.3-6. A fonte informativa é o "protomarcos".

"[...] principais sacerdotes". Não se refere ao ofício do sumo sacerdote e seus auxiliares, e, sim, aos principais elementos do sacerdócio, àqueles que haviam sido selecionados pelos demais para fazerem parte do sinédrio. (Ver notas sobre o "sinédrio", em Mt 22.23; sobre os "escribas", em Mc 3.22; sobre os "fariseus", em Mc 3.6; sobre os "saduceus", em Mt 22.23; sobre os "herodianos", em Mc 3.6; e sobre os "essênios", em Lc 1.80 e Mt 3.1.)

26.15: e disse: Que me quereis dar, e eu vo-lo entregarei? E eles lhe pesaram trinta moedas de prata.

26.15 εἶπεν, Τί θέλετέ μοι δοῦναι κἀγὼ ὑμῖν παραδώσω αὐτόν; οἱ δὲ ἔστησαν αὐτῷ τριάκοντα ἀργύρια.

15 οἱ...ἀργύρια Zc 11.12 (Êx 21.32)   15 αργυρια] στατηρας
D a b d q rˡ,ᵃ: οτατ. αργυριου f i b

"E pagaram-lhe trinta moedas de prata". O códex D e algumas versões latinas (isto é, a b l q e r) dizem *estáteres* em lugar de "moedas de prata". Os mss gregos da Fam L e a versão latina *h* dizem "estáteres de prata". Apesar de essas palavras não aparecerem no original grego de Mateus, os mss mais antigos, bem como a maioria dos demais mss, dizem "moedas de prata". Contudo, muitos acreditam que o estáter de prata deve ter sido a moeda usada para pagar o preço da traição. O estáter tinha o valor de *quatro* denários. O denário era considerado um bom pagamento para um dia inteiro de trabalho. Por conseguinte, a Judas foi pago o equivalente ao salário de cento e vinte dias de trabalho. Teria sido necessário mais de quatro meses de trabalho para ele ganhar esse dinheiro. De qualquer ponto de vista em que consideremos o caso, porém, a quantia foi miseravelmente irrisória, para que ele cometesse feito tão miserável e cruel. Compraram Judas Iscariotes praticamente em troca de nada, o que basta para dar-nos uma ideia de seu caráter mesquinho. Com essa ação, Judas comprou para si mesmo uma posição eterna na história, mas uma posição que ninguém cobiça, porquanto o próprio Jesus declarou: "[...] ai daquele por intermédio de quem o Filho do homem está sendo traído! Melhor lhe fora não haver nascido!" (Mt 26.24). Shakespeare escreveu sobre essa ação nos termos seguintes: "[...] como o vil judeu que jogou fora uma pérola mais rica que toda a sua tribo" (*Othello*, ato V, sec. 2,1.347). Onze dos discípulos são chamados hoje pelo nome de santos, mas não existe nenhum São Judas Iscariotes. O preço pelo qual Judas vendeu Jesus era a importância pela qual comumente se comprava um escravo. Essa informação acrescenta à narrativa uma pitada de ironia, de horror e de lamentação. O que o teria impulsionado a tão horrendo ato? Certamente que a cobiça mais pura não seria suficiente para tanto. Talvez tivesse ficado ressentido ante o fato de que Jesus não aceitara o papel de rei, nem livrara o povo da dominação romana. (Ver comentários sobre o v. 14, onde há um desenvolvimento dessa ideia.) Talvez ele temesse muito pela própria vida, por ser um dos íntimos de Jesus. Não é impossível que ele tivesse compreendido, melhor do que os outros o perigo em que Jesus estava, ou que tivesse levado mais a sério dos que os demais as repetidas advertências de Jesus sobre sua morte. Nesse caso, que estranho seria que Judas tivesse sido mais receptivo que os outros! Essa percepção o teria feito romper relações com Jesus, antes que fosse tarde demais. O dinheiro talvez só tivesse surgido em segundo lugar, quando ele talvez tivesse resolvido tirar algum proveito de toda aquela situação. Alguns acreditam que ele tenha traído Jesus a fim de forçá-lo a declarar-se rei, esperando ainda que o reino fosse estabelecido, e, naturalmente, desejando alguma alta posição para si mesmo nesse reino. Essa opinião, porém, parece muito menos provável do que as motivações do temor, da ganância e da frustração, que foram mencionadas acima.

A quantia de dinheiro *cumpriu a profecia de* Zacarias 11.12. Uma das especialidades do autor do evangelho de Mateus é que ele anotava como Jesus ia cumprindo as profecias bíblicas, tanto em sua vida como em sua morte. (Êx 21 menciona que essa quantia era o preço da compra de um escravo.) José foi vendido como escravo por vinte moedas de prata, tornando-se assim um tipo de Jesus, na traição de que foi vítima. Trinta moedas de prata, entretanto, era o preço regular. De fato, Jesus morreu do tipo de morte que somente os escravos e os piores tipos de criminosos poderiam sofrer, porque nenhum cidadão romano podia ser crucificado. Vários pais da Igreja têm encontrado um simbolismo alegórico no número das moedas de prata. *Orígenes* compara isso com a idade de Jesus, que era mais ou menos de trinta anos. Essas interpretações são interessantes, mas não têm significação. Se o boi de um homem chifrasse um servo, seu proprietário teria de pagar essa quantia ao dono do servo. (Ver Êx 21.32.) Pelo menos parece certo que o valor oferecido a Judas Iscariotes refletia a atitude de desprezo do sinédrio para com o Senhor Jesus.

A interpretação dada por Lucas não deve ser olvidada. Ele explica que "[...] Satanás entrou em Judas, chamado Iscariotes..." (Lc 22.3). A natureza humana é sujeita a súbitas erupções vulcânicas, que podem sair inteiramente da norma e do comum. Entretanto, a possessão demoníaca é uma grande realidade, e existem entidades espirituais maldosas. Ninguém poderia ficar indiferente a Cristo. Judas resistira a essa graça e se lançara à mercê da possessão demoníaca. Judas poderia ter sido fiel e poderia ter sido o escritor de um evangelho! Não o foi, porquanto cedeu ante os poderes infernais. A desintegração de sua personalidade foi gradual; nem tudo aconteceu naquele dia inesquecível. Pelo menos de certo modo, Judas foi mais honroso do que Pilatos. Pois, ao perceber o horror de sua ação, não tolerou mais viver com sua consciência perturbada. Pilatos e outros, que também foram culpados da crucificação de Jesus, não se abalaram por terem de continuar a agir como juízes. Lemos, entretanto, que, posteriormente, o sumo sacerdote Caifás foi deposto de seu ofício, e também cometeu suicídio. (Ver a nota sobre *demônios*, em Mc 5.2; sobre *Satanás*, em Lc 10.18; e sobre a possessão demoníaca, em Mt 8.28.)

26.16: E desde então buscava ele oportunidade para o entregar.

26.16 καὶ ἀπὸ τότε ἐζήτει εὐκαιρίαν ἵνα αὐτὸν παραδῷ.

"[...] buscava ele uma boa ocasião..." O tempo do verbo é o imperfeito, e isso indica que Judas ultimamente vinha sempre procurando uma boa oportunidade para trair a Jesus. Se ele tivesse ainda alguma consciência, que tremendas lutas mentais deve ter sofrido durante aquelas horas! É possível, entretanto, que a possessão demoníaca fosse tão forte, que agisse quase independentemente da própria personalidade; e por isso mesmo não sentia nenhum abalo ou remorso em face do que poderia acontecer em decorrência de sua ação. "Agora ele era o miserável e vacilante espectador dos acontecimentos, e deixava que o seu último ato dependesse de uma oportunidade casual" (*Lange's Commentary, in loc.*). Adam Clarke (*in loc.*) diz: "Os homens raramente deixam um crime no meio do caminho; uma vez que o pecado seja concebido, geralmente encontra poucos obstáculos, até que produz a morte. Quão ilusório, quão profundamente destruidor, é o amor ao dinheiro! Ó maldita cobiça pelo ouro! o que não compelirás o coração humano a perpetrar?" (citando diretamente Virg. *Aen.* III.56: "Quid non montalia pectora cogis Auri sacra fames?") Com razão, Judas é reputado um dos mais infames entre os homens, e a sua conduta é vil além de qualquer tentativa de descrição, e os seus motivos são os mais baixos possíveis. Quantos, porém, desde os seus dias, têm percorrido o mesmo caminho!" Buttrick (*in loc.*) diz mais ou menos a mesma coisa: "Existem em nós forças demoníacas da cobiça, da inveja e do orgulho. Podemos também renunciar aos métodos de Jesus. Ele não segura pessoa

678 | **Mateus** | NTI

nenhuma pela força. Será por isso que falha o cristianismo por que existem tantos Judas entre nós?" Lucas revela ainda um pouco mais sobre a situação. "Judas concordou e buscava uma boa ocasião de lho entregar sem tumulto" (Lc 22.6). Judas também temia a grande popularidade de Jesus. Agora pensava os pensamentos dos adversários de Jesus, e compartilhava dos feitos deles.

Trinta moedas
Ou, que compraram trinta moedas?
Compraram o grito de "crucifica!",
O lucro de um ósculo.
Compraram um julgamento que zombou de seu nome.
Compraram cada uma das reivindicações covardes e
temerosas,
E também a covardia de Pilatos.

Aquelas peças de prata compraram os cravos,
A cruz, a coroa, os lamentos humanos,
O vinagre e o fel.

Compraram a liberdade para quem matara
Para que sangue imaculado pudesse ser derramado...
Compraram tudo isso.
Aquelas moedinhas compraram
morte para dois
Para nosso Senhor e para aquele
que foi infiel.

Foram o preço de um príncipe.
Compraram um ladrão arrependido,
Cujo último suspiro foi de fé,
E uma vida no paraíso.

Compraram o véu que entenebreceu aquele dia.
Compraram a perplexidade do túmulo vazio,
e o cristianismo.

Ou, qual é o valor de trinta moedas?
A vergonha e a glória da terra,
por toda a eternidade.
(Margaret Rorke)

> **(d) A última ceia, v. 17-30**
> Tem paralelos em Marcos 14.13-26; Lucas 22.7-20 e 1Coríntios 11.23-26. A fonte dessas várias narrativas, mui provavelmente é o *protomarcos*, embora não seja impossível que essa história tenha chegado até nós por meio de mais de uma tradição oral ou escrita. Essa é a verdade no tocante a toda a história da *semana da paixão*. Muitos devem ter preservado diversas porções dessa história. Isso se reflete nos variegados pormenores que aparecem nas diversas narrativas, de tal modo que é quase impossível aos harmonistas obterem um quadro totalmente unificado da narrativa. (Ver notas sobre as fontes informativas dos Evangelhos no artigo da introdução intitulado "O problema sinóptico").

26.17: Ora, no primeiro dia dos pães ázimos, vieram os discípulos a Jesus, e perguntaram: Onde queres que façamos os preparativos para comeres a Páscoa? 26.17 Τῇ δὲ πρώτῃ τῶν ἀζύμων προσῆλθον οἱ μαθηταὶ τῷ Ἰησοῦ λέγοντες, Ποῦ θέλεις ἐτοιμάσωμέν σοι φαγεῖν τὸ πάσχα;

17 Τῇ...ἀζύμων Êx 12.14-20

"No primeiro dia dos pães asmos..." Havia sete dias durante em que os judeus não podiam comer pão levedado: desde o dia 14 até o dia 21 do mês de Nisã (equivalente aos nossos meses de março-abril). Isso, em comemoração à sua súbita partida da terra do Egito, o que não lhes deu tempo de levedar a massa que levariam consigo. Todo fermento, portanto, era removido das casas, por busca diligente, e queimado ou de outra maneira acabado. Estritamente falando, a Páscoa e a festa dos pães asmos eram duas instituições separadas, embora intimamente vinculadas, já que a sua celebração tinha lugar ao mesmo tempo. O termo "Páscoa" era usado em três conexões: (1) A solenidade anual que era celebrada no dia 14 de Nisã: o cordeiro era assado e comido pelo povo em suas casas. Isso era feito com o fito de comemorar a matança do cordeiro e o aspergir do sangue do mesmo nas vigas e umbrais das portas, o que havia significado o livramento do povo de Israel do poder do anjo da morte (ver Êx 12.1-13). (2) A festividade anual celebrada a 15 do mês de Nisã, que pode ser chamada também de festa da Páscoa (ver Nm 28.17). (3) A solenidade inteira, que em outras oportunidades também era designada de "festa dos pães asmos", e que se prolongava por sete dias, conforme foi descrito acima. Quanto a uma nota sobre os simbolismos da Páscoa e de outros pormenores, ver Mateus 26.2. Quanto a uma nota sobre a Páscoa como tipo de Cristo, ver a nota em João 1.28. (Nota mais detalhada sobre "Páscoa", encontra-se em Jo 2.13).

A refeição começava à tardinha do dia 15 do mês de Nisã, talvez às 18 horas (embora os preparativos começassem a ser feitos desde o dia 14). Apesar de começar à tardinha, a refeição estendia-se pela noite, pelo que sua conclusão ocorria no dia 15 de Nisã (já que, para os judeus, cada dia começava às 18 horas, e não a zero hora, como sucede entre nós). A refeição aqui referida é a refeição da Páscoa, e que Mateus designa de "festa dos pães asmos", além de incluir o comer da Páscoa, assim ficando refletido um uso judaico ordinário, onde não se fazia aguda distinção entre as duas festividades. A respeito dos elementos cronológicos desta seção, existe uma famosa controvérsia. Muitos bons eruditos acreditam que os Evangelhos sinópticos não concordam com o evangelho de João neste particular. Essa refeição foi celebrada na tarde do dia 13 de Nisã (começo do dia 14), conforme o evangelho de João parece indicar, ou foi celebrada na tarde do dia 14 de Nisã (começo do dia 15), segundo os Evangelhos sinópticos parecem dar a entender? (Veja Mc 14.12, Lc 22.7 em comparação com Jo 18.28; 19.14,31.) Muito labor, papel e tinta têm sido gastos em torno desse problema, suficiente para encher diversos grandes volumes; apesar disso, os resultados são incertos. Se a refeição foi tomada no dia 13, foi uma antecipação, e não a refeição regular da Páscoa; mas parece não ter havido nenhum motivo para aceitarmos essa ideia, à base da narrativa dos próprios *Evangelhos sinópticos*. Por conseguinte, permanece de pé o problema sobre como se pode mostrar, por intermédio dessas mesmas narrativas, que essa refeição foi tomada no dia 13. Tomando-se em consideração o quarto evangelho, parece que a crucificação de Jesus teve lugar ao mesmo tempo que o cordeiro pascal estava sendo abatido, o que significaria que a refeição tomada por Jesus e seus discípulos foi antecipatória (isto é, foi realizada um dia antes da data certa, tendo sido tomada no dia 13). A maioria dos estudiosos sustenta agora que a data fornecida por João é a correta. Na consubstanciação dessa ideia, encontramos os seguintes argumentos:

1. É estranho, e talvez mesmo impossível que os membros do sinédrio, tanto quanto Jesus e os seus seguidores, estivessem atarefados em tantas atividades naquela noite santa.
2. O Talmude contém uma tradição que diz que Jesus sofreu na véspera do dia da Páscoa, o que significaria que a crucificação teve lugar no dia 14, e que a refeição de Jesus e seus discípulos ocorreu no dia 13 de Nisã.
3. A maioria das características especiais da Páscoa não é mencionada pelos Evangelhos sinópticos. É possível que essa refeição de Jesus e seus apóstolos tenha sido tomada em antecipação, do tipo que era designado "habburah", um solene banquete de uma fraternidade religiosa. Assim sendo, poderia ter ocorrido no dia 13, conforme o evangelho de João parece indicar. (Ver

The Early Eucharist, F. L. Cirlot). Não contamos, porém, com nenhuma prova insofismável de que os judeus tivessem alguma vez celebrado essa refeição um dia antes da Páscoa; e, por essa razão, parece que a dificuldade tem de permanecer.

4. Alguns estudiosos têm chegado a pensar que se pode fazer reconciliação dos dados, se admitirmos que a celebração realmente era realizada em diferentes dias, por diferentes família; ou então que o cômputo dos dias era diferente entre as diversas facções do judaísmo. (Esses argumentos encontram-se na obra de August Arnold, *Der Ursprung des christlichen Abendmahls*.)

5. Outros têm procurado demonstrar que os judeus da Galileia, em estrita conformidade com a maneira de proceder descrita em Êxodo 12.1-13, começavam a observância da festa da Páscoa com a matança do cordeiro pascal e com o comer da refeição da Páscoa, na véspera do dia de Nisã, ao passo que os habitantes de Jerusalém seguiam um plano diferente; estes sacrificavam o cordeiro pascal e comiam a refeição da Páscoa no dia 15 de Nisã. A questão continua duvidosa. A maioria dos eruditos modernos prefere a cronologia de João, nesse particular, e aceita o fato de que Jesus tenha sofrido, quando os sacrifícios estavam sendo realmente oferecidos na observação da Páscoa. Muitos estudiosos, como Robertson, procuram harmonizar o evangelho de João com os Evangelhos sinópticos, afirmando que Jesus comeu a Páscoa no tempo regular, cerca das 18 horas, a começar no dia 15 de Nisã (mas que o cordeiro foi abatido no fim da tarde, dia 14 de Nisã).

Deve-se observar que virtualmente todos os comentaristas concordam que o dia da semana era quinta-feira, e que a crucificação teve lugar na *sexta-feira*, a despeito de dúvidas lançadas sobre essa asserção, por parte de alguns, tanto nos tempos antigos como na atualidade. A questão gira em torno da data certa: se a 13-14 de Nisã ou a 14-15 de Nisã. Bons intérpretes têm tomado ambos os lados. Os que argumentam em favor do tempo regular da observância da Páscoa — isto é, 14-15 de Nisã (o que significa que Cristo foi crucificado no dia mais solene da festa da Páscoa) —, apresentam os seguintes argumentos:

(1) Os Evangelhos sinópticos parecem implicar claramente essa data, pela referência "no primeiro dia dos pães asmos". (2) Não é provável que Jesus tenha quebrado o período regular da observância da Páscoa. (3) Um sacrifício antecipado do cordeiro pascal não teria sido permitido pelos sacerdotes.

Quanto aos *argumentos contrários*, ver a explicação dada acima. Não existe conclusão satisfatória acerca do problema. A. T. Olmstead identificou o dia da crucificação de Jesus como uma sexta-feira, dia 7 de abril do ano 30 d.C., e isso, muito provavelmente, dá a data correta, contanto que os judeus de Jerusalém estivessem seguindo o calendário babilônico ao computando o tempo da Páscoa. (Ver a obra de Olmsted *Jesus in the Light of History*.) Ver as notas sobre os dias envolvidos na crucificação e na ressurreição, em Mateus 27.1 e 28.1, que encerram a controvérsia de a crucificação ter sido ou não na "sexta-feira", e de a ressurreição ter sido ou não no "domingo".

A ordem dos acontecimentos da quinta-feira à noite, provavelmente 6 de abril de 30 d.C., é como segue: (1) Judas Iscariotes concorda em trair ao Senhor Jesus (Mt 26.14-16; Mc 14.10,11; Lc 22.3-6). (2) Participação na refeição da noite. (3) Os discípulos disputam sobre quem seria o maior no reino político (Lc 22.24-27). (4) Cerimônia do lava-pés (Jo 13.2-20). (5) Judas é revelado como o traidor, e se retira da cerimônia. (6) É instituída a Ceia do Senhor. (7) Jesus esclarece aos seus onze discípulos qual o sentido de sua morte (Mt 26.26-39; Jo 13-15). (8) Jesus se retira do local da ceia, advertindo então os discípulos que haveriam de abandoná-lo (Mt 26.31-35; Jo 15—16). (9) Agonia no Getsêmani e oração sacerdotal de Jesus (Jo 17). (10) Jesus é aprisionado (Mt 26.43-50; Mc 14.43-50; Lc 22.47-53; Jo 18.3-11). (11) Na mesma noite, Jesus é levado à presença de Caifás (Mt 26.57-68). Pedro nega ao Senhor (Mt 26.69-75; Mc 14.66-72; Lc 22.55-62; Jo 18.15-18,25-27).

26.18: Respondeu ele: Ide à cidade a um certo homem, e dizei-lhe: O Mestre diz: O meu tempo está próximo; em tua casa celebrarei a Páscoa com os meus discípulos.

26.18 ὁ δὲ εἶπεν, Ὑπάγετε εἰς τὴν πόλιν πρὸς τὸν δεῖνα καὶ εἴπατε αὐτῷ, Ὁ διδάσκαλος λέγει, Ὁ καιρός μου ἐγγύς ἐστιν· πρὸς σὲ ποιῶ τὸ πάσχα μετὰ τῶν μαθητῶν μου.

"[...] certo homem..." Aqui é preservada uma antiga expressão idiomática do grego ático, e somente neste lugar do NT. Não há maneira de sabermos quem seria esse homem, em cuja casa Jesus e os seus discípulos comemoraram a Páscoa, embora possivelmente as instruções de Jesus fossem bastante específicas. O autor deste evangelho fala do acontecimento em termos indefinidos, sendo possível que essa nebulosidade se deva à maneira de ele manusear a narrativa, e não tanto por causa de alguma instrução prévia dada por Jesus. Alguns têm especulado que talvez tivesse sido na casa de *João Marcos*, o autor do evangelho original — o evangelho de Marcos. A narrativa de Marcos, acerca desse incidente, é mais completa do que a que vemos aqui (Mc 14.13-16), pois ali se vê a informação de que Jesus disse a seus discípulos que encontrariam a casa seguindo um homem que levava um "cântaro de água". Esse homem estaria a caminho da casa mesma onde haveriam de celebrar a refeição da Páscoa. Dessa forma, Jesus exibiu novamente seus grandes poderes de presciência e de telepatia. Jesus sabia que circunstâncias os discípulos haveriam de encontrar ao procurarem a casa apropriada para ali fazerem os preparativos para a Páscoa, e também sabia o que aconteceria, incluindo o detalhe de que o *dono* da casa lhes ofereceria certo "cenáculo" para a celebração da refeição pascal. Isso significa que os moradores da casa eram conhecidos. Muito provavelmente eram discípulos de Jesus; é possível que se tratasse da casa de João Marcos, conforme também já foi mencionado.

A expressão que se lê nesse versículo — *O Mestre manda dizer* — subentende que Jesus era conhecido pelos moradores da casa, como também subentende a ideia de que esses moradores eram seus discípulos. Alguns discordam dessa interpretação, argumentando que a hospitalidade comum no oriente, especialmente aquela exigida durante o período da Páscoa, quando muitos estrangeiros chegavam à área de Jerusalém, vindos de todos os países ao redor de Israel, permitiria que Jesus fizesse essa solicitação e fosse atendido, embora o morador da casa fosse um completo estranho.

"O meu tempo está próximo". Jesus ajunta uma profecia acerca de sua morte, que ocorreria dentro de tão pouco tempo; e essa é uma observação que figura exclusivamente no evangelho de Mateus. Alguns creem que o tempo mencionado é o da celebração da *Páscoa*, ou o tempo da revelação messiânica. Pelo texto, entretanto, parece claro que Jesus simplesmente expunha mais um alerta sobre seu fim próximo. Alguns acreditam que a nebulosidade das instruções tinha o propósito de ocultar de Judas Iscariotes o lugar em que a refeição pascal seria servida, a fim de que ele não pudesse dar às autoridades religiosas essa informação, evitando que a cena do aprisionamento traiçoeiro acontecesse no momento mesmo da celebração da ceia. É possível que assim tenha sido, pois sabemos que, por essa altura, Judas Iscariotes já buscasse uma ocasião favorável para trair o Senhor. Jesus queria que essa refeição fosse realizada em particular, sem nenhuma interrupção.

26.19: E os discípulos fizeram como Jesus lhes ordenara, e prepararam a Páscoa.

26.19 καὶ ἐποίησαν οἱ μαθηταὶ ὡς συνέταξεν αὐτοῖς ὁ Ἰησοῦς, καὶ ἡτοίμασαν τὸ πάσχα.

"[...] prepararam-se a Páscoa..." Um cordeiro foi trazido e preparado. Havia ainda a preparar os pães asmos e as ervas amargosas, juntamente com o vinho e a conserva de frutas doces,

680 | Mateus | NTI

prática esta que fora adicionada ao ritual mais antigo. O cordeiro pascal teria de ser morto nos átrios do templo, por um representante oficial dos sacerdotes. O cordeiro era assado, as ervas amargosas eram preparadas e a mesa era posta. Quando se aproximasse o pôr-do-sol, tudo estaria pronto para que Jesus e seus discípulos, formados em um grupo, como se fora uma "família", participassem da ceia pascal.

Falando sobre aqueles amigos desconhecidos ou obscuros de Jesus, e do serviço que lhe prestaram, Buttrick diz (*in loc.*): "Não foram apóstolos ou mártires. Seus nomes não se encontram em nenhum santuário cristão. Eram, porém, amigos de Jesus. Seria o dono da casa o pai de João Marcos? Os discípulos se teriam abrigado naquela mesma casa logo após a crucificação? Seria o cenáculo o mesmo local do Pentecostes? Seja como for, o dono da casa recebeu o seu galardão. Qual de nós encontra-se naquele posto que para nós parece humilde? Mostramo-nos fiéis, corajosos e modestos nesse posto? O reino não é uma coletânea de notas esparsas ao acaso, e, sim, uma sinfonia. A música não é perfeita se o instrumento de alguém estiver silente ou desafinado".

26.20: Ao anoitecer reclinou-se à mesa com os doze discípulos;

26.20 Ὀψίας δὲ γενομένης ἀνέκειτο μετὰ τῶν δώδεκα².

> ² 20 {C} μετὰ τῶν δώδεκα (*ver* Mc 14.17) p³⁷ᵛⁱᵈ,⁴⁵ᵛⁱᵈ B D K *f* *f*¹³ 28 565 700 1010 1216 1230 1242 1253 1344 1365 1646 2148 2174 *Byz Lect* itᵈ (syrˢ) geo² Eusebius Chrysostom¹/² // μετὰ τῶν δώδεκα μαθητῶν א A L W Δ Θ Π 33 892 1009 1071 1079 1195 1241 1546 itᶠᶠ,ˢ¹,ᵃ,ʳ¹ vgʷʷ syrʰ,ᵖᵃˡ ᵐˢˢ copˢᵃ,ᵇᵒ arm eth? geo¹ Chrysostom¹/² Augustine // μετὰ τῶν δώδεκα μαθητῶν αὐτοῦ 074 itᵃ,ᵃᵘʳ,ᵇ,ᶜ,ᶠᶠ²,ˡ vgᶜˡ syrᵖ eth? Origenˡᵃᵗ // μετὰ τῶν μαθητῶν αὐτοῦ (itⁱ *omit* αὐτοῦ) syrᵖᵃˡ ᵐˢ Origenˡᵃᵗ

> Tal como em 20.17, a forma μαθηταί depois oἱ δώδεκα, é duvidosa. Neste versículo, o peso da evidência externa parece favorecer a forma mais breve.

"**Chegada a tarde [...] os doze...**". O número mínimo para essa observância, de conformidade com a lei judaica, era de dez pessoas; e assim, Jesus e seus discípulos perfaziam um número legal. O cordeiro pascal tinha de ser totalmente consumido, e isso era possível com tantas pessoas presentes. As várias narrativas sobre esse particular complementam-se entre si. O texto de Lucas 22.15,16 expressa o desejo de Jesus de participar daquela Páscoa, antes de sua paixão. Essas palavras encerram em si mesmas outra indicação de uma desgraça iminente, visto que Jesus declarou que seria a última refeição festiva que ele teria com os seus discípulos, até que a repetisse *no reino de Deus*. Os v. 17 e 18 do mesmo capítulo de Lucas também mencionam como Jesus distribuiu o cálice, cujo conteúdo foi dividido entre eles; e, juntamente com essa ação, outra vez foi declarado que aquela refeição de companheirismo, que incluía beber do suco da videira, não se tornaria realidade novamente senão já no "reino de Deus" que viria. Parece que essas palavras são compreendidas, escatologicamente, mais ou menos com o mesmo sentido das palavras de Paulo, em 1Coríntios 11.26: "[...] até que ele venha..." Jesus prometeu aqui um futuro brilhante, quando o mal seria revertido para o bem. Com o coração pesado de tristeza, ele instituiu a *ceia*; mas, ao mesmo tempo, dotado de visão profética, ele enxergava ao longe uma circunstância mais feliz, isto é, a vinda do reino, a *parousia*, a verdadeira comunhão do Senhor com os seus discípulos, "no reino". Por conseguinte, Jesus profetizou o triunfo eventual de sua missão entre os homens, missão essa que, dentro de mais um dia, haveria de ser reputada como um fracasso total por todos os homens, incluindo os seus discípulos mais chegados. No decurso dessa festividade, Jesus lavou os pés dos seus discípulos, querendo ensinar-lhes, de maneira especial, uma lição de humildade que se fazia extremamente necessária, pois até mesmo ali e naquela ocasião, com olhos vendados para a

tragédia que estava prestes a precipitar-se, continuavam disputando sobre qual deles seria o maior no reino que esperavam. (O texto de Jo 13.1-20 revela isso.) Ora, houve muitas fontes informativas sobre esses acontecimentos, e os diversos evangelhos apresentam, conjuntamente, um quadro variegado que nenhum dos evangelhos contém em si mesmo sozinho.

"**[...] pôs-se ele à mesa...**" Os tradutores teriam acertado mais, neste ponto, se tivessem imitado o tempo imperfeito do grego — *eles se reclinavam* —, e isso não em torno de uma mesa. O tempo imperfeito dá-nos a impressão de que se chegava algum tempo depois do começo da refeição. Jesus se mantivera em silêncio acerca do traidor, na presença deles, lendo o tempo todo a sua mente e conhecendo os seus pensamentos; todavia, não queria arruinar a festa para os outros, mencionando um elemento tão negativo, senão quando chegasse o momento mais propício. De conformidade com o estilo romano, eles estavam reclinados, deitados do lado esquerdo do divã, o que lhes deixava livre a mão direita. É essa cena que o autor nos apresenta, e foi enquanto estavam no processo de "reclinar-se", talvez depois de algum tempo, que os acontecimentos seguintes tiveram lugar. A postura original para a refeição da Páscoa era em pé, mas as autoridades religiosas haviam relaxado essa exigência.

26.21: e, enquanto comiam, disse: Em verdade vos digo que um de vós me trairá.

26.21 καὶ ἐσθιόντων αὐτῶν εἶπεν, Ἀμὴν λέγω ὑμῖν ὅτι εἷς ἐξ ὑμῶν παραδώσει με.

"**[...] enquanto comiam...**" As circunstâncias da refeição foram as seguintes: (1) O anúncio da festa era feito pelo chefe da família que, nesse caso, era o Senhor Jesus, como cabeça do grupo. (2) Os ritos da festa eram regulamentados pela sucessão de taças de vinho a serem bebidas, em que o vinho vermelho usualmente era misturado com água. (3) O chefe da casa expressava suas ações de graça pelo vinho e pela festa, tomando o primeiro copo. Seguiam-se então os outros, cada qual tomando o seu copo. (4) Em seguida, eram lavadas as mãos e se erguiam louvores a Deus. Essa lavagem pode ter sugerido a Jesus o lava-pés, o elemento que ele introduziu na cerimônia. (5) Comiam-se, então, as ervas amargosas, as quais eram mergulhadas em vinagre ou água salgada, o que servia para lembrar os tempos difíceis que seus antepassados tinham passado, quando escravizados no Egito. (6) A seguir, era trazido o cordeiro pascal, bem temperado com molho, os pães asmos e as ofertas festivas. O sentido desses elementos era esclarecido. (7) Em seguida, ocorria a primeira parte do *hallel*, ou cântico de louvor, extraída de Salmos 113 e 114, imediatamente após o que se tomava o segundo copo de vinho. (8) Chegava o momento mais importante da festa, ao que todos se reclinavam. O chefe da casa tomava dois pães, partia um deles em dois pedaços, punha-os sobre o pão inteiro, abençoava os pães, cobria tudo com ervas amargosas, mergulhava-o no molho, comia um pouco e o distribuía, com as palavras: "Este é o pão da aflição, que nossos pais comeram no Egito". (9) Em seguida, o cordeiro pascal era abençoado e o chefe da família comia um pouco do mesmo. As ofertas festivas eram, então, comidas com o pão, sempre mergulhadas no molho. (10) Finalmente, o cordeiro era comido, até ser completamente consumido por todos. (1). Isso era seguido por ações de graças e pela ingestão do terceiro copo de vinho. (12) O restante do "hallel" era, então, entoado (Sl 115—117), após o que era tomado o quarto copo de vinho. Às vezes era tomado um quinto copo, enquanto se entoavam os Salmos 120-127.

Podem-se fazer as seguintes conexões com a sucessão de cálices, no rito que Jesus instituiu: (1) Primeiro cálice: Jesus anuncia que aquela refeição de companheirismo seria a última, até que fosse repetida "no reino". (2) Segundo cálice: Conforme declara Paulo, Jesus interpretou o sentido da nova festa: "Isto é o meu corpo que é dado por vós..." (3) Terceiro cálice: Após ter sido partido o pão, ao ser introduzido o cálice, Jesus explicou acerca de seu sangue expiatório. Dessa maneira, Jesus adaptou a refeição da Páscoa para que servisse de ceia do Senhor. Os primitivos cristãos observavam uma ceia completa, um tanto na ordem que foi descrita acima. Entretanto, devido aos abusos com que alguns chegaram a excessos de glutonaria e de bebedice, posteriormente a celebração foi muito simplificada, restando a cerimônia simples do partir do pão e do beber do cálice. Aqueles que quisessem observar a festa, com todos os seus pormenores, receberam de Paulo a instrução de fazê-lo em suas respectivas casas. (Ver 1Co 11.21,22.)

"[...] um dentre vós me trairá..." Foi durante o decorrer da festa que Jesus fez essa espantosa declaração. Ele disse isso abertamente, embora Mateus pareça indicar que ele tinha, de maneira definitiva, alguém em mente. A narrativa de Marcos é um tanto mais vaga. Jesus não mencionou o traidor pelo nome; mas aterrorizou a todos com esse anúncio. Não sabemos dizer até que ponto exato da festa Judas Iscariotes continuou presente. A maioria dos pais da Igreja e dos eruditos favorece a ideia da participação de Judas *até o fim*. (Por exemplo, Cipriano, Jerônimo, Agostinho, Tomás de Aquino, Calvino e Beza.) Contra essa opinião, insurgiram-se Taciano, Amônio, Hilário e a maioria dos teólogos reformados. Alguns têm procurado elaborar princípios doutrinários em torno da questão, especialmente sobre quem deve ou não participar da ceia. Entretanto, quaisquer que sejam os pontos de vista de alguém sobre a participação ou não na ceia do Senhor, a participação ou não de Judas *não tem* nenhuma conexão real com o assunto. Os diversos textos parecem indicar que Judas participou de quase toda a festa, senão mesmo da totalidade da celebração. Jesus proferiu essas palavras como se tivesse deixado sair um corisco. O traidor fizera sua pervertida barganha em segredo, e pensava que passaria despercebido. Já conhecia os poderes de Jesus; mas, de alguma forma, pensou que Jesus não saberia o que ele estava tramando. Essas palavras lhe devem ter atravessado a alma como um dardo. João informa-nos que foi nesse ponto que *Satanás entrou* nele. Ele estava ainda mais sujeito agora à influência do mal; agora já tomara sua decisão e prosseguiria até o fim, mesmo que isso o destruísse. A narrativa de João indica também que, após esse anúncio, Judas saiu quase imediatamente, internando-se na escuridão da noite, buscando meios de cumprir seus maus desígnios. (Ver a narrativa de João sobre esses acontecimentos, em Jo 13.21-30.)

26.22: E eles, profundamente contristados, começaram cada um a perguntar-lhe: Porventura sou eu, Senhor?

26.22 καὶ λυπούμενοι σφόδρα ἤρξαντο λέγειν αὐτῷ εἷς ἕκαστος, Μήτι ἐγώ εἰμι, κύριε;

22 εις εκαστος] om p⁶⁴ Orᵖᵗ

26.23: Respondeu ele: O que mete comigo a mão no prato, esse me trairá.

26.23 ὁ δὲ ἀποκριθεὶς εἶπεν, Ὁ ἐμβάψας μετ' ἐμοῦ τὴν χεῖρα ἐν τῷ τρυβλίῳ οὗτός με παραδώσει.

23 Ὁ ἐμβάψας...παραδώσει Sl 41.9

"[...] muitíssimo contristados..." Talvez por motivo de temor, alguns deles chegaram a pensar na possibilidade de serem eles o traidor, embora a maioria deles simplesmente esperasse uma resposta negativa. João (13.22) descreve os olhares de inquirição e de perplexidade que lançaram uns para os outros, e como Pedro sussurrou para João. Essas são indicações de que a narrativa foi registrada por uma testemunha ocular das ocorrências. Jesus lançara a conversa num borborinho. A resposta de Jesus evidentemente passou despercebida. Em um grupo de mais de dez pessoas, talvez vinte, em alguns casos de observância da Páscoa, lemos que, com frequência, eram servidos diversos pratinhos com molho, para que nele se molhasse o pão. Assim, apenas um pequeno grupo de discípulos estaria mergulhando o pão na mesma terrina que Jesus. As ações de Judas, e os olhares entre ele e Jesus, poderiam

ter revelado claramente, para quem estivesse observando a cena que se desenrolava ali, quem era o traidor. Jesus sabia, Judas sabia; mas os outros evidentemente não notaram as circunstâncias com percepção bastante para perceberem o que Jesus queria dizer. O texto de João 13.26 menciona a ação específica de Jesus com a qual ele identificou o traidor. Ele mergulhou o pedaço de pão no molho e o entregou a Judas. Isso pelo menos deveria ter feito conhecer quem era o traidor, para a mente de João e de Pedro, que também estavam reclinados perto do Senhor, os quais haviam especificamente solicitado essa informação; não sabemos dizer por que razão eles não compreenderam o sinal simbólico dado por Jesus. Alguns intérpretes acreditam que esse sinal não foi reconhecido pelos discípulos, e nem mesmo por Pedro e João, porque essa ação de mergulhar um pedaço de pão no molho e entregá-lo a alguém era um sinal oriental de amizade. (Ver Rt 2.14.) Por conseguinte, talvez não tenham percebido a sua significação. Judas, entretanto, compreendeu isso perfeitamente; e, estando certo de que sua traição era claramente conhecida, saiu imediatamente. O "prato" continha um molho feito de castanhas, passas, tâmaras, figos etc.

26.24: Em verdade o Filho do homem vai, conforme está escrito a seu respeito; mas ai daquele por quem o Filho do homem é traído! bom seria para esse homem se não houvera nascido.

26.24 ὁ μὲν υἱὸς τοῦ ἀνθρώπου ὑπάγει καθὼς γέγραπται περὶ αὐτοῦ, οὐαὶ δὲ τῷ ἀνθρώπῳ ἐκείνῳ δι' οὗ ὁ υἱὸς τοῦ ἀνθρώπου παραδίδοται· καλὸν ἦν αὐτῷ εἰ οὐκ ἐγεννήθη ὁ ἄνθρωπος ἐκεῖνος.

24 ὁ μὲν...αὐτοῦ Sl 22.7,8,16-18; Is 53.9

"O Filho do homem vai, como está escrito..." Essa afirmação de Jesus provavelmente foi usada em outras conexões, e parece que é uma daquelas suas declarações da fonte chamada "Q". (Ver notas sobre as fontes informativas dos Evangelhos na seção da introdução a este comentário intitulada "O problema sinóptico". Ver também Mt 18.7, em comparação com Lc 17.1 e com I Clemente 46.8.) Jesus queria dizer que enfrentaria a sua sorte, e, ao assim falar, tinha em mente a sua "morte". *Ir, partir* e outros eufemismos similares eram usados pelos escritores gregos e latinos para indicar a morte. O pensamento hebreu, tanto quanto o pensamento grego, ligavam a essas expressões ideias de destino, de determinismo etc., porquanto pensavam que os homens têm tarefas específicas a cumprir, mortes específicas a experimentar, e tudo em períodos e tempos específicos. As Escrituras, naturalmente, em diversos lugares ensinam justamente isso. (Ver a nota detalhada sobre a expressão "Filho do homem", em Mc 2.7 e Mt 8.20; sobre a humanidade de Cristo, em Fp 2.7; sobre o "Filho de Deus", em Mc 1.1; e sobre a divindade de Cristo, em Hb 1.3.)

"Melhor lhe fora..." Várias citações extraídas da literatura judaica antiga demonstram claramente que se tratava de uma afirmação proverbial bastante familiar, e que servia para indicar o destino adverso de um pecador; usualmente, porém, era proferida para algum pecador notório, como aquele que dissesse mentiras, ou que não respeitasse a glória do Criador. (*Zohar*, em Gn fol. 41.1). Algumas vezes a expressão tinha uma forma que indicava que seria melhor que esse homem não houvesse "sido criado", e não "nascido"; mas o sentido era essencialmente o mesmo. Embora a declaração fosse proverbial, incorreríamos em erro se pensássemos que isso diminuiu o seu impacto. Jesus indicou que para algumas pessoas a punição futura seria muito severa. Alguns intérpretes, como o Ellicott's Commentary (*in loc.*), à base dessa circunstância, veem alguma esperança no julgamento, visto que são indicados graus definidos de punição. E não somente isso, mas também pode estar subentendido que a existência ordinária, mesmo sob o juízo no mundo vindouro, é melhor do que a não-existência, pois somente no caso do castigo mais radical é que não seria esse o caso. Isso é essencialmente o que ensina o texto de 1Pedro 3.18 e 4.6, embora

682 |Mateus| NTI

em termos ainda mais vigorosos. (Ver as notas nesses versículos.) Entretanto, todas essas considerações não devem obscurecer o tremendo pronunciamento que Jesus fez acerca da severidade do julgamento, pelo menos do julgamento do povo dotado da mesma natureza do filho da perdição. Naturalmente que essa terminologia indica uma existência consciente no mundo vindouro, até mesmo no caso dos que serão severamente punidos, embora isso não seja diretamente declarado. Ver "imortalidade", 2Coríntios 5.8.

Esta passagem ensina o princípio do autoexame. Nós, tanto quanto os apóstolos, precisamos fazer a pergunta: *Sou eu?* Pois também podemos sair da mesa do sacramento para o local da traição. Precisamos também da disciplina de indagações trans-passadoras.

26.25: Também Judas, que o traía, perguntou: Porventura sou eu, Rabi? Respondeu-lhe Jesus: Tu o disseste.

26.25 ἀποκριθεὶς δὲ ᾽Ιούδας ὁ παραδιδοὺς αὐτὸν εἶπεν, Μήτι ἐγώ εἰμι, ῥαββί; λέγει αὐτῷ, Σὺ εἶπας.

"[...] Judas [...] perguntou..." Essa adição aparece somente no evangelho de Mateus, embora a narrativa em João 13.26,27 implique na mesma coisa. O autor desejou deixar claro que Jesus *tinha consciência* da identidade do traidor, bem como do fato de o traidor saber que os seus planos já haviam sido descobertos. Alguns comentaristas falam da possibilidade da notícia se ter espalhado por acidente, e que um dos discípulos ouvira o rumor e o contara a Jesus; mas isso está além de qualquer grau de possibilidade. Jesus simplesmente soube, como soube de outros acontecimentos, por meio de sua presciência e conhecimento especial como o Messias. Ver notas, Mateus 9.4.

"Tu o disseste". Conforme também demonstraremos no v. 64 deste capítulo, isso simplesmente significa "sim". O paralelo de Mateus 26.64, que é Marcos 14.62, tem a afirmativa "Eu sou", que interpreta claramente o sentido dessa aparente maneira indireta de falar. Nota-se, igualmente, que essa maneira de afirmar não é incomum na literatura grega, latina e hebraica. (Ver *T. Hieros Kiliaim*, fil. 32.2.) A esta passagem, João acrescenta nesta altura: "O que pretendes fazer, faze-o depressa" (Jo 13.27). Provavelmente, isso foi dito em sussurros. Somente Jesus e Judas compreenderam o sentido dessa porção da conversa. Judas, pois, saiu imediatamente. O texto de João 13.28,29 mostra que os outros discípulos não entenderam bem a conversa, e meramente pensaram que Jesus estava dando a Judas orientações a respeito da compra de suprimentos para a festa, ou que ele o instruíra a dar algo aos pobres. Naturalmente que muitas outras coisas foram feitas e ditas naquela noite, acerca do que nada sabemos, pois o que temos aqui registrado é apenas um esboço dos acontecimentos principais da noite. João também ajunta o "novo" mandamento que nos ordena "amar uns aos outros". Isso é significativo, posto que no companheirismo subentendido na refeição pascal, o amor é um elemento necessário. Não devem os discípulos ser como o traidor, que professava amor comendo pão juntamente com eles, mas que abrigava a traição no coração. A raiz da palavra portuguesa "companheiro" é *com pão*. A ideia é que o compartilhar do pão e compartilhar do banquete servem de sinais de amor e companheirismo. Ora, Judas quebrara essa lealdade por desempenhar um papel traiçoeiro; não passava de um ator barato, um hipócrita. Jesus, pois, advertiu que os verdadeiros companheiros certamente devem amar uns aos outros.

26.26: Enquanto comiam, Jesus tomou o pão e, abençoando-o, o partiu e o deu aos discípulos, dizendo: Tomai, comei; isto é o meu corpo.

26.26 ᾽Εσθιόντων δὲ αὐτῶν λαβὼν ὁ ᾽Ιησοῦς ἄρτον καὶ εὐλογήσας ἔκλασεν καὶ δοὺς τοῖς μαθηταῖς εἶπεν, Λάβετε φάγετε, τοῦτό ἐστιν τὸ σῶμά μου.

26 λαβὼν...μαθηταῖς Mt 14.19; 15.36; Mc 6.41; 8.6; Lc 9.16

26 απτον p45vid ℵBDΘ *fi al*; R] τον α. AW fi3 28 565 pm ς | ευλογησας p37vid.45 ℵBDΘ *al*; R] p) ευχαριστησας AW fi fi3 565 pm Iu Ir Cl ς

"[...] tomou Jesus um pão [...] isto é o meu corpo". Ver notas sobre Jesus como "o pão da vida", em João 6.48. Quanto a notas que abordam a importância e a natureza geral dessa cerimônia da ceia do Senhor, ver 1Coríntios 11.23. Os paralelos desta seção são Marcos 14.22-25; Lucas 22.17-20; 1Coríntios 11.23-25. A base é o "protomarcos". Esses versículos em Mateus seguem bem de perto a narrativa de Marcos, onde se vê que primeiramente foi partido o pão e depois foi distribuído o cálice. Essa é também a ordem que se lê em 1Coríntios 11.23-25, como também a de Justino, em sua *Apologia* LXVI.3. No evangelho de Lucas, porém, no códex Bezae (designado D), além de alguns mss latinos antigos, há uma omissão de Lucas 22.19b,20, de modo que há apenas uma menção do cálice, e este precede o partir do pão, conforme se faz nas modernas orações judaicas do *Kiddush*. Por conseguinte, pode haver certa confusão na ordem desses dois procedimentos; embora saibamos, pela narrativa do evangelho de Marcos, que é antiquíssimo, que essa ordem pode ser reconciliada com os costumes da Páscoa e com os costumes da "habburah", segundo sabemos que eram observados.

"[...] abençoando-o..." Era próprio do pai ou hospedeiro essa ação, em qualquer refeição judaica, incluindo as refeições das festividades importantes, como a da Páscoa. A fórmula usual era: "Bendito és tu, ó Senhor, nosso Deus, rei do mundo, que produzes pão da terra". A adição foi feita pelo Senhor Jesus, com as palavras: "Este é meu corpo", palavras essas que têm provocado intenso debate e especulação doutrinária. Em geral, pode-se falar sobre três teorias:

1. Simbolismo;
2. Transubstanciação;
3. Consubstanciação.

Segundo o *simbolismo*, a primeira interpretação, posição da maioria das igrejas protestantes, quando Jesus proferiu as palavras "Este é o meu corpo", ele quis que elas fossem aceitas figurativamente. Foram palavras simbólicas. Poderiam ser parafraseadas como: "Este cálice representa o novo pacto que será selado pelo meu sangue, o qual será derramado por vós". Uma paráfrase similar poderia ser feita com relação ao pão. Assim como comemos o pão e somos nutridos por ele, também a morte de Cristo não foi uma perda trágica, mas, realmente, visou ao nosso benefício. Cristo é o *pão espiritual*. A ideia de que até mesmo a morte de um mártir tem valor para a salvação de Israel não era uma ideia nova; e Jesus aprofundou a significação disso fazendo alusão à "expiação" operada pela sua morte, juntamente com os benefícios universais que dali procederam. Este texto é a maior prova de que Jesus concebia a sua morte como um ato de expiação, sendo diretamente contrário à teologia moderna, a qual nega que Jesus tenha compreendido a sua morte sob esse prisma, mas que essa explicação dos Evangelhos foi fornecida pela igreja, sem base nenhuma nas palavras mesmas de Jesus. Àqueles que questionam uma interpretação literal, mas ainda que isso fosse exigido, seria natural mostrar que os símbolos são apresentados em linguagem não menos literária do que qualquer outra apresentação linguística sobre qualquer outra coisa. Deve-se acrescentar aqui que a própria linguagem não pode ser forçada para que requeira um sentido simbólico ou um sentido literal. O que crermos sobre esse ponto será como dogma, preferência emotiva ou razão pessoal. Isso fica provado como verídico pelo simples fato de do seio da própria igreja terem surgido tantos pontos de vista diferentes sobre esse texto; e, no entanto, todos leem e interpretam o mesmo texto.

Conforme a interpretação da *transubstanciação*, acreditam alguns que está em foco a "essência" ou "substância" do pão e do vinho, que seria alterada sem que os "acidentes" do pão e do vinho se modificassem. Por *acidentes* os seus defensores dizem tratar-se das características como peso, cor, gosto, extensão, ou mesmo a estrutura dos átomos envolvidos. Em suma, não haveria necessidade de modificação material de nenhuma espécie; e se houvesse um exame científico do pão e do vinho, antes e depois, não haveria nenhuma mudança nas propriedades físicas dos mesmos. Todavia, dizem seus defensores, que isso não significa que a "substância" metafísica dos elementos não se tenha alterado. Outrossim, é mister que se compreenda o que Aristóteles quis ensinar pela palavra "substância", a fim de entender essa doutrina, uma vez que, de forma geral, as ideias de Aristóteles sobre a "substância" têm sido usadas para explicar a doutrina. A palavra "substância" vem dos termos latinos "sub" e "stare", "estar por baixo". A substância do pão e do vinho pode alterar-se, sem que sejam modificados os seus "acidentes". Aquele elemento místico ou metafísico que não está sujeito à percepção dos sentidos humanos, pode alterar-se e não ser descoberto por nenhum teste científico. Assim, a substância do corpo e do sangue de Cristo estaria no pão e no vinho, substância essa que não é passível de nenhuma verificação científica; porém, mediante um processo místico, transforma-se num elemento real, o elemento básico, do pão e do vinho. Embora não haja maneira de verificar tal "substância", tanto a sua existência como a sua descrição ficam reduzidas ao dogma. Sua aceitação fica dependendo do treinamento religioso e do doutrinamento. No que diz respeito à doutrina, visto ter sido um desenvolvimento posterior, definido em termos das ideias aristotélicas sobre "substância", ideias essas inteiramente estranhas ao pensamento da teologia do AT, concluímos que doutrina não passa de uma invenção, muito engenhosa (com base no engenho especulativo de Aristóteles), mas sem nenhum fundamento nas simples palavras de Deus.

A terceira ideia, chamada de *consubstanciação*, foi inventada por Lutero, que desejava preservar a ideia da "presença" de Cristo nos elementos da ceia, ainda que não quisesse identificar esses elementos com o corpo e o sangue de Cristo. De acordo com essa opinião, os elementos permanecem inalteráveis, a substância não se altera, mas, mediante um processo místico, a *presença* do corpo e do sangue de Cristo faz-se presente, ainda que não identificada com os elementos do pão e do vinho. Poderíamos dizer que assim é criado um "dualismo": duas substâncias — a do pão e a do vinho —, mas também a do corpo e a do sangue de Cristo. A substância de Cristo estaria "em, ao redor e sob" a outra substância. Essa explicação leva-nos a crer que há uma espécie de "mistura de ambas as substâncias em uma só massa". (Ver Hooker's *Eccl. Polity*). Alguns têm rejeitado essa noção à base de que ela parece criar uma onipresença do corpo e do sangue de Cristo, o que, sem dúvida, é uma doutrina monstruosa. Entretanto, em conceitos teológicos ou filosóficos mais refinados, especialmente por novamente seguir algumas ideias de Aristóteles sobre "substância", seríamos obrigados a pensar no corpo e no sangue de Cristo como se tivessem alguma propriedade de onipresença. A maioria dos luteranos tem abandonado esse conceito, ou porque o mesmo é ambíguo ou porque simplesmente não possuímos nenhuma informação sólida sobre aqueles tipos de "substâncias" que não estão sujeitos à percepção de nossos sentidos. Simplesmente não temos meios para definir tais "substâncias", e nem podemos afirmar a sua existência, salvo por dogma, revelação ou raciocínio. Assim, a mesma crítica levantada contra a transubstanciação pode ser levantada contra a consubstanciação. Não é provável que Jesus tivesse esses pensamentos na mente quando declarou: "Este é o meu corpo".

Apesar de não falarmos de nenhuma transferência de substância, ou nenhuma permanência literal do corpo e do sangue de Cristo, nos elementos de ceia, à base de outras verdades, certamente podemos pregar a *presença* de Cristo, em sentido literal, como parte integral da cena da ceia do Senhor. Jesus prometeu que onde dois ou três se reunissem em seu nome, ali estaria ele no meio deles. Isso aceitamos literalmente, pelo que dizemos que o desfrutamento dos benefícios da presença de Cristo é uma realidade.

Quando da "ceia", ele vem estar presente conosco, embora isso não signifique, de forma nenhuma, que ele tenha entrado nos elementos do pão e do vinho, ou que seja ingerido nesses elementos, como muitos afirmam. Pelo contrário, ele interpenetra em nossa personalidade mediante a radiação de sua energia. Bruce (*in loc.*) refere-se ao simbolismo dessa passagem como "um belo, simples, patético e poético símbolo de sua morte", rejeitando aquilo que ele apoda de *adoração fetichista*.

Devemos notar outras ideias importantes que circundam este texto:

1. Jesus tencionou instituir uma *refeição memorial*, um rito para sua futura Igreja. Paulo indica isso no paralelo a esta passagem, em 1Coríntios 11. Jesus vai além de qualquer simbolismo geralmente compreendido na Páscoa. Ele mesmo tornou-se a Páscoa cristã, com todas as suas implicações da expiação. (Ver a nota detalhada sobre a "expiação", em Rm 5.11.)

2. A compreensão dos benefícios dessa *Páscoa* pode ser indicada na multiplicação dos pães para os 5 mil. Jesus é o pão espiritual, que sustenta toda a vida espiritual. Eventualmente, todos os crentes legítimos compartilharão, de modo perfeito, de sua essência e de sua natureza, pela transformação gradual na pessoa dele. Essa é a mensagem mais elevada do evangelho. Ver notas completas sobre este tema, em João 6.48.

3. Os pormenores secundários do acontecimento, como quando a ceia foi instituída em relação ao processo inteiro da festa pascal, são impossíveis de ser determinados com precisão. Lucas menciona a ceia antes do anúncio da traição de Judas, ao passo que Mateus e Marcos o fazem depois disso. Alguns acreditam que Jesus distribuiu dois cálices (assim pensava Alford), enquanto outros defendem a interpretação do uso de um único cálice. Um cálice pode ter sido passado antes da ceia, e outro, depois. O "meter a mão no prato e a distribuição do bocado molhado", podem também ter correspondido a certas partes do cerimonial judaico. Por conseguinte, nossa moderna observação desse rito é certamente uma observância muito simplificada. Não obstante, o sentido é o mesmo, e os símbolos permanecem constantes.

4. Pelo menos temos aqui uma *alusão* ao fato de Cristo ser o Criador e o sustentador de toda a vida espiritual, e que a humanidade inteira depende dele para ter vida. Isso, naturalmente, é ensinado com clareza na passagem de Colossenses 1.16. Para o crente, entretanto, ele é ainda mais do que o doador e o sustentador da vida, pois a sua vida, no crente, eventualmente será compartilhada no sentido mais pleno possível. O que temos aqui, por conseguinte, é o ensinamento do sentido central do próprio cristianismo, que proclama a vida por meio da personalidade, da obra e da agência de Cristo. Ele é o primogênito, e nós, os muitos filhos que estão sendo conduzidos à glória. Ele é tudo; nós somos a sua plenitude, de acordo com o que ensina Efésios 1.23. Essa doutrina da ceia do Senhor é mística e elevada; e, no entanto, deve ser aceita em seu sentido mais literal. De que maneira ele infunde nossos seres e nos vai transformando à sua imagem, não sabemos; mas nossa ignorância acerca desse processo não diminui a realidade.

Muitos debates se têm ferido em torno do termo "é" (no grego, *estin*), que aparece neste texto. Alguns acreditam (como os católicos romanos e Lutero, ainda que um tanto diferentemente) que o termo requer a aceitação da presença real da "essência" ou "substância". Zwinglio acreditava que o vocábulo deveria ser entendido em sentido *exclusivamente espiritual*. Calvino declarou tratar-se de uma forma "concreta real-espiritual". Com isso, ele queria dizer que se trata de uma presença espiritual nos termos que temos explicado no parágrafo anterior, mas não em quaisquer termos de troca ou infusão de "substâncias". Seria perda de tempo entrar nas longas discussões que têm anuviado muitas páginas de literatura, com tão ínfimos resultados, discussões em torno do simples termo "é", e que vários intérpretes têm acompanhado através das

684 |Mateus| NTI

páginas do NT, a fim de ilustrar essas ideias. Basta dizer que se pode fazer com que essa palavra diga qualquer coisa que se tenha querido dizer predeterminadamente. A forma verbal "é" pode ser uma simples cópula, sem nenhuma intenção de indicar qualquer comunicação ou transferência de "substância" ou "essência", de um sujeito para um predicado ou pronome. Contudo, pode implicar em mais do que uma mera relação gramatical; razão pela qual permanece de pé a ambiguidade. O exame da linguagem usada aqui jamais produzirá um resultado positivo, e é surpreendente ver-se tão grande número de bons intérpretes entrarem nessa controvérsia. A explicação lógica sobre as crenças de alguém acerca deste texto não pode depender da linguagem do mesmo, quanto menos do simples vocábulo "é". Pelo contrário, convém que interpretemos mediante a consideração do que Jesus mui provavelmente quis dizer, conservando em mente o seu conceito judaico básico em segundo plano. Portanto, parece mais acertado rejeitar aquelas interpretações que dependem do engenho *filosófico de Aristóteles* sobre a teoria da "substância", pois essa filosofia não serviu de base para as palavras de Jesus, embora ela sirva de alicerce das teorias da "transubstanciação" e da "consubstanciação". Não é provável que Jesus tivesse cultivado essas ideias, e o sexto capítulo do evangelho de João (cujo texto tem ideias paralelas às que aparecem aqui) pode ser facilmente interpretado como uma referência simbólica à vida espiritual e como essa vida nos vem inteiramente por meio de Cristo: mediante a participação nos benefícios de sua expiação e de sua vida e ser, mediante a graça que ele providenciou em sua ressurreição, ascensão e glorificação.

26.27: E tomando um cálice, rendeu graças e deu-lho, dizendo: Bebei dele todos:

26.27 καὶ λαβὼν ποτήριον[3] καὶ εὐχαριστήσας ἔδωκεν αὐτοῖς λέγων, Πίετε ἐξ αὐτοῦ πάντες,

[3] 27 {C} ποτήριον (ver Mc 14.23) ℵ B L W Δ Θ 074 f[1] 28 33 700 892 l[185,299,547,1634] cop[sa,bo] arm Diatessaron Chrysostom // τὸ ποτήριον (ver Lc 22.17) p[37vid,45] A C D K Π f[13] 565 1009 1010 1071 1079 1195 1216 1230 1241 1242 1253 1344 1365 1546 1646 2148 2174 Byz Lect Justin Diatessaron[i,n]

> A tendência dos copistas provavelmente seria a de adicionar, e não a de apagar o artigo definido.

"A seguir tomou um cálice..." Alguns dos melhores mss omitem o artigo definido, como Aleph, B, W, Theta e Fam 1. Os papiros P(15) e P(37), porém, têm o artigo definido, e, à base dessa evidência, é difícil dizer se o original de Mateus dizia "cálice" ou "o cálice". Lange (*in loc.*) acredita que deve haver o artigo definido, identificando assim esse cálice com o *terceiro* da cerimônia da Páscoa. Havia um quarto cálice, que assinalava a conclusão da festa e que realmente não era parte da cerimônia, pois servia só para encerrar o ato. Maimonides testifica que esse cálice não tinha vinculação nenhuma com o cordeiro pascal, pelo que também não devemos rebuscar qualquer significação para o mesmo. O sangue da aliança é uma alusão à passagem de Êxodo 24.8. Ali o sangue do sacrifício era aspergido sobre o altar, o livro da aliança e o povo, a fim de confirmar o solene acordo que o povo acabara de fazer, a fim de observar a lei de Deus. Isso sucedia para o bem de muitos (como em 20.28). Certamente os primitivos cristãos criam que o sangue de Jesus obtinha o "perdão de pecados". (Ver Rm 3.25; Ef 2.13 e 1Jo 1.7.) Os símbolos do sangue expiatório dos sacrifícios do AT são, dessa maneira, aludidos. O sangue é a vida do corpo. Jesus é a vida do universo, e, mais particularmente ainda, do homem, de cuja natureza deve compartilhar totalmente, de sua essência e de sua vida, até que ele volte em total perfeição. (Ver as notas em Rm 8.28,29, quanto a uma completa descrição sobre esse conceito.)

O ato de comer é símbolo da *apropriação* espiritual da virtude salvadora e transformadora de Cristo. Essa participação simbólica na "ceia do Senhor" fala da elevada verdade da "participação" em tudo quanto Cristo realizou, foi e será. Compartilharmos de sua morte, de sua vida, de sua ressurreição, de sua ascensão e de sua glorificação. Ao assim fazermos, compartilhamos de sua verdadeira essência. Essa é a nossa forma de participar da vida de Deus.

Esse é o nosso alto destino.

"Bebei dele todos". Essa é uma boa tradução, porque a palavra "todos" está ligada à ideia dos discípulos, isto é, todos receberam ordem de beber do vinho. Não modifica a palavra vinho, como se quisesse dizer "Bebei todo o vinho". A versão KJ, em inglês, incorreu nesse equívoco. A ordem verdadeira tem sido corretamente usada contra a prática, que prevalece em alguns círculos eclesiásticos, de negar o cálice aos leigos. Todos os verdadeiros discípulos têm o direito de participar plenamente da ceia, tanto no comer do pão como no beber do vinho. No que tange à participação na ceia, por parte de todos os presentes, ou por parte apenas de membros em boas relações com a igreja (o que se chama de *comunhão fechada*), o próprio texto não ensina claramente que método está mais certo. Jesus tinha ao seu redor um grupo seleto de discípulos, mas isso não significa necessariamente que deva haver um grupo selecionado, em contraste com uma congregação mais ampla, para que só o grupo seleto participe da ceia. Pois é a "ceia do Senhor", e só esse nome implica em "comunhão aberta", na qual a única exigência é que cada um examine a si mesmo, para que não participe da ceia indignamente. Outros, entretanto, argumentam que a igreja tem a necessidade de manter a disciplina. Muitas igrejas usam a "mesa do Senhor" como um *meio de disciplina*, permitindo a participação apenas dos membros em posição regular ante a igreja. Pode ser extremamente difícil determinar que membros são esses. Basta dizer que o próprio texto não fornece nenhuma instrução sobre esse particular, porquanto muitos irmãos, utilizando-se dos mesmos textos de prova, tiram diferentes conclusões e respostas. O que fizermos a respeito depende muitíssimo de nossa criação, de nossos costumes e de nossas observâncias. Parece realmente estranho fazer dessa observância memorial um meio de disciplina. Seria mais aconselhável se as igrejas encontrassem outros meios de disciplina e não esse de privar alguns dos seus membros da ceia do Senhor. Contudo, se alguém evita a participação na ceia do Senhor, por haver examinado a si mesmo e não ter-se achado digno; então, isso já é outra questão.

26.28: pois isto é o meu sangue, o sangue do pacto, o qual é derramado por muitos para remissão de pecados.

26.28 τοῦτο γάρ ἐστιν τὸ αἷμά μου τῆς διαθήκης[4] τὸ περὶ πολλῶν ἐκχυννόμενον εἰς ἄφεσιν ἁμαρτιῶν.

28 τὸ αἷμα...διαθήκης Êx 24.8; Jr 31.31; Zc 9.11; Hb 9.20

[4] 28 {B} διαθήκης (ver Mc 14.24) p[37,45vid] ℵ B L Θ 33 (syr[pal ms]) cop[bo] ms geo[1] Irenaeus Cyprian Cyril // καινῆς διαθήκης (ver Lc 22.20) A C D K W Δ Π 074[vid] f[1] f[13] 28 565 700 892 1009 1010 1071 1079 1195 1216 1230 1241 1242 1253 1344 1365 1546 1646 2148 2174 Byz Lect it[a,aur,c,d,ff1,2,g1,h,l,q,r1] vg syr[s,p,h,pal ms] cop[sa,bo] arm eth geo[2] Diatessaron Irenaeus[lat] Origen[gr,lat] Cyprian Basil Chrysostom // novi et aeterni testamenti it[b]

> A palavra καινῆς aparentemente vem da passagem paralela de Lucas 22.20; se estivesse presente no original, não haveria boa razão para alguém tê-la apagado.

"[...] meu sangue [...] de nova aliança". A palavra *nova* é omitida em todas as traduções usadas para efeito de comparação neste comentário (cinco, em português, e nove, em inglês) excetuando a KJ e a PH (em inglês), e a AC, a F e a M (em português). Os mss que omitem essa palavra são P(37), P(45), BLZ, 33, 102 e o pai Cirilo. Isso significa uma evidência esmagadora em favor da omissão. Os mss ACDEFGHKMSU, Gamma, Delta, Fam Pi, porém, trazem a palavra "nova", o que evidentemente foi uma inserção com base em 1Coríntios 11.25 (explanação de Paulo), onde a palavra é autêntica. Essa palavra também é autêntica em Lucas 22.20, paralelo nos

Evangelhos sinópticos. O texto original, entretanto, não dizia "Novo Testamento" ou "novo pacto", e isso é uma explicação posterior do sentido da cerimônia. Não se segue daí, todavia, que o pacto não seja "novo". A ação inteira de Jesus, ao instituir a ceia e ao falar assim de "seu corpo" e de "seu sangue", certamente fez da cerimônia da Páscoa uma coisa nova e diferente. Assim, tanto os simbolismos como as situações se tornaram novos. O sentido total seria: "Meu sangue, que ratifica e sela a aliança já estabelecida nos conselhos eternos de Deus, mas que agora eu vo-la apresento".

O sistema de sacrifícios dos judeus subentendia claramente esse *novo pacto*, e o antigo pacto era o seu símbolo antecipatório. Pelo novo pacto, ou novo acordo, ou novo testamento (porquanto somos herdeiros por causa da morte de Cristo), Deus abre para nós um panorama inteiramente novo sobre o sentido da existência humana; e justamente para tratar disso é que foi escrito o Novo Testamento. As epístolas de Paulo, especialmente, fornecem-nos definições definidas quanto à natureza desse pacto. Se por um lado o AT salientava a necessidade de perdão dos pecados e de correta relação moral com Deus, o NT vai muito além disso, ao mesmo tempo que nada abandona do que o AT queria ensinar. Continuam em destaque tanto a expiação como o perdão dos pecados; mas agora a participação é a nova chave de tudo, a saber, a participação na vida daquele que fez expiação por nós. O novo pacto (ou *testamento*, sendo que a palavra no original grego significa uma e outra coisa) assegura-nos muito mais do que o mero perdão de pecados. Garante que, em nossa natureza, chegaremos a ser semelhantes àquele que fez a expiação, uma vez que participamos não só de sua morte e dos benefícios daí decorrentes, mas também de sua vida inteira, da totalidade do seu ser, isto é, de sua essência. Seremos finalmente transformados segundo a sua imagem. Esse é o conceito central e unificador do novo pacto, que o AT nunca alcançou, e que meramente deixou subentendido. A expressão "[...] para remissão..." enfatiza ainda a antiga ideia neste texto. O perdão dos pecados é uma necessidade, mas é apenas o começo do processo que nos transformará segundo a imagem de Cristo. Devemos também possuir a sua natureza positiva, e não só a liberdade da condenação do pecado. (Foi deixada a Paulo a tarefa de frisar as diferenças e de estabelecer definições sobre todos os benefícios que são dados àqueles que estão unidos a Cristo. Os textos de Ef 1 e Rm 8 apresentam o desenvolvimento desse tema.) O grego do evangelho de Mateus usa o vocábulo "peri", enquanto que o evangelho de Lucas emprega "uper", ou seja, "em favor dele". Os empregos são praticamente sinônimos, nesse caso, pois a expiação é "concernente" aos pecados, mas também é "em favor" dos pecadores.

"[...] aliança..." Deriva-se do termo grego *diatithemi*, um verbo que significa "distribuir", "dispor". É usado em relação à distribuição ou disposição da propriedade de algum falecido. Da ideia de dispor ou de arranjar é que vem a ideia de "pacto" ou *aliança*. É o sentido geral que o AT dá a essa palavra. Ver 1Reis 20.24; Isaías 28.15; 1Samuel 18.3. E essa é também a ideia geral do Novo Testamento, ao empregar esse termo, exceto na passagem de Hebreus 9.15-17, onde a tradução *testamento* se adapta melhor. Todavia, alguns intérpretes não admitem que esse sentido de "testamento" apareça ao menos nessa passagem. A conexão da morte de Cristo com essa "aliança" ou com esse "testamento", faz-nos crer que a ideia de "testamento" certamente também deve ser incluída nesse conceito. E muitas passagens bíblicas dão apoio a essa observação, porquanto nos tornamos herdeiros por meio do "testamento" que foi estabelecido em face da morte de Jesus Cristo.

"[...] para remissão..." é expressão que não se encontram no evangelho de Marcos, no original grego, podendo ter sido acrescentada como uma forma de interpretação pelo amor do evangelho de Mateus. Não obstante, é um comentário verdadeiro, consubstanciado por outras passagens. Jesus disse: "[...] que está sendo derramado..." como antecipação, como se o seu sangue já houvera sido derramado.

26.29: Mas digo-vos que desde agora não mais beberei deste fruto da videira até aquele dia em que convosco o beba novo, no reino de meu Pai.

26.29 λέγω δὲ ὑμῖν, οὐ μὴ πίω ἀπ' ἄρτι ἐκ τούτου τοῦ γενήματος τῆς ἀμπέλου ἕως τῆς ἡμέρας ἐκείνης ὅταν αὐτὸ πίνω μεθ' ὑμῶν καινὸν ἐν τῇ βασιλείᾳ τοῦ πατρός μου.

"[...] desta hora em diante, não beberei [...] até..." O Senhor Jesus acrescentou aqui um definido significado escatológico à ceia do Senhor, tal como Paulo fez com a expressão "até que ele venha". O Senhor voltou ao ensino de sua *parousia*, ou segunda vinda, que os caps. 24 e 25 de Mateus discutem tão amplamente. Ele estabeleceu um novo pacto, e muitos se chegarão a ele por meio dessa provisão. No entanto, ele também queria que soubessem que ele ainda haveria de estabelecer o reino há muito esperado, reino esse que oferecerá novas e ricas circunstâncias para a comunhão que ele estava estabelecendo na *nova igreja*. O Senhor mencionou o "beber" do fruto da videira, e isso serve de símbolo de nossa participação nessa comunhão. Assim, será estabelecida outra forma de comunhão, que, em realidade, é uma extensão daquela de que já desfrutamos; mas então ele terá retornado literalmente para estar em companhia dos seus. E então os elementos da comunhão serão grandemente intensificados. E serão intensificados porque dessa maneira Deus estará cumprindo ainda mais plenamente o plano que traçou em Cristo, que envolve novas relações com os homens. A comunhão total só poderá ser uma realidade quando houver total semelhança e total perfeição por parte de seus discípulos, porque a imperfeição quebra a comunhão de formas sutis. Assim, a transformação a partir do íntimo criará uma comunhão mais perfeita. Na *parousia*, Cristo criará grandes condições favoráveis à comunhão com os homens, porque isso será um *gigantesco passo* no programa de Deus, o qual consistirá do aperfeiçoamento total dos crentes, para que se tornem segundo a imagem de Cristo. Tiersch declarou acertadamente em suas preleções sobre *catolicismo* e *protestantismo*, que, "A ceia do Senhor aponta não somente para o passado, mas também para o futuro. Tem um sentido não só comemorativo, mas também profético. Nela não só exibimos a morte do Senhor, 'até que ele venha', mas também pomo-nos a meditar sobre o tempo em que ele voltará para celebrar sua santa comunhão com os que lhe pertencem, nova, em seu reino glorioso. Cada celebração da ceia do Senhor é uma prelibação e antecipação profética do grande banquete de casamento que está sendo preparado para a Igreja, quando do segundo aparecimento de Cristo...

"Precisamos comentar sobre essa interpretação, dizendo que a analogia com o banquete do casamento é bem escolhida; outrossim, esse banquete não deve ser encarado como algo materialista, mas, pelo contrário, também serve de grande símbolo da participação da Igreja *na vida* de Cristo. Porque como a noiva assume o nome de seu marido, assim também a Igreja assumirá a natureza de Cristo, pois ficará unida perfeitamente a ele. Disso é que consistirá a glorificação, pois está em foco uma completa participação. Essa é a comunhão pela qual continuamos esperando, que antecipamos pela participação nos elementos da ceia do Senhor. "A expressão é figurada e visa à mais elevada felicidade. O vinho novo do mundo glorificado ou do reino dos céus serve de símbolo da futura bênção festiva do mundo celestial, tal como o cálice terreno [...] era símbolo do aprazimento festivo da vida espiritual, neste mundo divinamente criado" (*Lange's Commentary, in loc.*).

As palavras de Jesus "[...] não beberei...", são prenhes de significação. O corpo ainda não está completo; somente a cabeça. O marido não fica completo sem a noiva. Jesus, que preenche tudo em todas as coisas, não estará completo sem aquilo que cria a sua plenitude, isto é, a Igreja (Ef 1.23). Por conseguinte, em certo sentido, ele se refreia de tomar do cálice da comunhão até que esteja novamente unido com os seus, no seu reino. Então, todos os remidos beberão, tal como aqui ele ordenou que "todos" bebessem.

686 |Mateus| NTI

26.30: E tendo cantado um hino, saíram para o Monte das Oliveiras.

26.30 Καὶ ὑμνήσαντες ἐξῆλθον εἰς τὸ Ὄρος τῶν Ἐλαιῶν.

30 ὑμνήσαντες Sl 113—118   ἐξῆλθον...' Ἐλαιῶν   Lc 22.39

"[...] tendo cantado um hino, saíram..." Provavelmente, esse hino foi a segunda metade do *hallel*, isto é, Salmos 115—118. Deixar a casa era originalmente proibido, conforme Êxodo 12.22; mas as práticas do judaísmo posterior assim o permitiam. Com estranho regozijo puseram-se a cantar. Jesus, que antecipava a agonia por que passariam dentro de momentos, foi sustentado pela alegria da comunhão direta com Deus, e nenhuma tribulação poderia arrancar-lhe essa comunhão. Assim diz o salmo entoado: "O Senhor está comigo: não temerei. Que me poderá fazer o homem? [...] adornai a festa com ramos até as pontas do altar [...]. Rendei graças ao Senhor, porque ele é bom, porque a sua misericórdia dura para sempre". O Senhor Jesus saiu munido da coragem de fazer frente a todas as provações. Pois não apenas sofreu, mas também foi traído e abandonado, até mesmo pelos que eram seus companheiros mais chegados. Naqueles momentos, ele precisava do senso da presença permanente de Deus. Não fora esse fortalecimento, talvez houvesse falhado diante o teste. Mediante a graça e a comunhão íntima com o Pai, porém, Jesus pudera ajudar a tantos milhares; agora chegara a vez de ajudar a si mesmo. Assim, saiu para o monte das Oliveiras, onde havia de começar a sua agonia. Alguns acreditam que os discursos que se encontram nos caps. 14—17 do evangelho de João tenham sido proferidos antes do grupo ter saído daquela casa, quando ainda estavam no cenáculo. Quanto a uma ordem sugerida dos acontecimentos daquela noite, ver Mateus 26.12. Outros creem que o cap. 17 de João foi proferido quando já estavam no jardim.

"Monte das Oliveiras". Foram para o jardim do Getsêmani. Era um jardim a leste de Jerusalém, do outro lado do vale de Cedrom, perto do monte das Oliveiras. Evidentemente, era um retiro favorito de Jesus, pelo que Judas foi capaz de levar até ali os soldados e as autoridades religiosas, sabendo que, provavelmente, Jesus se encontraria naquele lugar. (Ver mais notas sobre o *"Getsêmani"*, no v. 36 deste mesmo capítulo.)

O Monte das Oliveiras é uma pequena serra com quatro cumes, o mais alto dos quais ergue-se a 830 metros acima do nível do mar, e que dá de frente para Jerusalém e para o monte do templo, do lado oriental do vale do Cedrom e do poço de Siloé. Nos tempos de Jesus essa área era densamente arborizada, mas nos dias de Tito foi devastada de sua vegetação. Uma igreja foi erigida nas vertentes do monte a fim de comemorar o fato de ter Jesus percorrido aquelas cercanias, embora não possamos ter certeza de localização nenhuma associada a acontecimentos específicos mencionados nos Evangelhos. Essa igreja é chamada de Todas as Nações; e nas proximidades existem algumas árvores antiquíssimas, embora seja impossível demonstrar com certeza que elas datam dos dias de Jesus.

O comentário de Buttrick sobre essa passagem dá-nos um esboço que bem pode servir de texto de um sermão: "A passagem ensina: (1) *A ceia do Senhor*. Essa é a mesa dos crentes e de sua comunhão com o hospedeiro. É a mesa onde dons preciosíssimos são dados e recebidos. É o lugar onde o Cristo encarnado se identifica com a necessidade humana, a verdadeira necessidade — a necessidade da alma. (2) É o *sacramento*. "Um sacramento é um sinal externo e visível de uma graça interna e invisível. 'Vivemos por sinais'. Um cenho carregado ou um sorriso é um índice do humor invisível. Uma aliança de noivado é sinal do pacto de afeto entre os noivos. A terra e o firmamento são os hieróglifos de uma presença. O homem que finge não precisar de símbolos está procurando viver como espírito desencarnado. Reduza-se a religião aos seus elementos mais simples, e ele continuará contando com os seus sinais: o silêncio, o aperto de mão, o ósculo santo, o vocabulário. Este símbolo, o sacramento, é incomparável. Consideremos sua

humildade: não há nenhum monumento de pedra, nem um maciço santuário [...] apenas pão e vinho. Consideremos sua natureza comum: vincula Jesus a cada lar. Consideremos sua aptidão: chega a compungir o coração — 'o pão é feito de semente que morreu para viver, e o vinho é extraído no lagar...' (3) A *Eucaristia*: 'Essa palavra significa "ação de graças" [...] certamente que não é de estranhar que o sacramento tenha servido de poderoso louvor. O Didache provia louvores apropriados para a celebração da eucaristia. 'As ações de graça devem abranger a vida e o mundo, porque a criação inteira é um sacramento; embora deva ter seu foco em Jesus Cristo'. (4) A *comemoração*: 'Este coração da adoração serve de "memória" dele'. Ele quis ser lembrado: amor e esquecimento sempre serão uma contradição. Esse, porém, não foi o motivo central de sua ordem: Fazei isto em memória de mim (Lc 22.19). Suponhamos que o mundo viesse a olvidá-lo! O labor seria uma provação, a industriosidade de uma morte poeirenta, o pecado uma obscenidade final, e a tristeza seria um desespero vazio. De certa feita, um orador castigava os missionários em termos amargos; mas então adicionou: 'Mas não quero que Cristo seja esquecido!' Sim, o cristianismo conta com uma presença. (5) *O Pacto*: '[...] este foi o pacto de perdão, mediante o sangue derramado de Cristo, um pacto de comunhão mais ampla, se o texto de Isaías 42.6 nos vier à mente. (6) A *oferta*: 'Este nome tem sido usado em alguns círculos da igreja. E, com razão, pois um pacto tem duas partes interessadas. Toda a graça vem de Cristo; mas o pacto não é ratificado enquanto não nos comprometermos a ser gratos e leais. A mesa é dele; e, no entanto, devemos participar dela'. (7) A *comunhão*: 'É um laço de sangue de qualidade nova e superior. Por meio do sacramento, pecadores são recuperados, e, como homens perdoados, gozam novamente da comunhão com Deus [...]. A música terá feito sua homenagem. O santo Graal se tem movido através dos séculos cristãos, esmigalhando por toda parte os maus costumes' (Tennyson, *Idylls of the King, "The Holy Grail"*, 1). Esse caudaloso rio de bênçãos continua fluindo porque, de certa feita, em uma noite trágica, antes da chegada da morte, Jesus Cristo ordenou: "Tomai, comei..."

> **(e) Predição da negação de Pedro (26.31-35)**
>
> "Se Jesus *antecipou* sua detenção, não é de surpreender que ele tivesse predito que os discípulos se afastariam, por causa dele. Desejava ele que permanecessem em sua companhia, e prestassem seu testemunho até o fim? Se ele tencionava que eles levassem avante a sua obra, nada há de culpável na fuga deles, o que é narrado no v. 56. Havia, porém, o perigo de que abandonassem totalmente o trabalho. A citação extraída de Zacarias 13.7 sugere um reflexo cristão sobre a ocorrência. Esse livro do AT deve ter sido consideravelmente usado pelos pregadores cristãos (cf. 24.31 e 26.15). Mateus deriva sua forma da citação do texto hebraico, tanto quanto do evangelho de Marcos". (Sherman Johnson, *in loc.*).

26.31: Então Jesus lhes disse: Todos vós esta noite vos escandalizareis de mim; pois está escrito: Ferirei o pastor, e as ovelhas do rebanho se dispersarão.

26.31 Τότε λέγει αὐτοῖς ὁ Ἰησοῦς, Πάντες ὑμεῖς σκανδαλισθήσεσθε ἐν ἐμοὶ ἐν τῇ νυκτὶ ταύτῃ, γέγραπται γάρ, Πατάξω τὸν ποιμένα, καὶ διασκορπισθήσονται τὰ πρόβατα τῆς ποίμνης·

31 Πατάξω...ποίμνης Zc 13.7 (Mt 26.56; Jo 16.32)   31 ὑμεῖς]
om p64vid geopt | διασκορπισθήσονται p53 אAB f13 700 al] -σεται p37,45
DWΘ f1 28 565 pm ς; R

"Todos vós vos escandalizareis comigo..." Bruce (*in loc.*) diz: "A sombra do Getsêmani estava descendo sobre o próprio espírito de Cristo, e ele sabia como isso pesaria para os homens despreparados para o que estava prestes a acontecer". Jesus evidentemente pensava naquele que já se fora com profunda iniquidade no próprio coração, com más intenções de traição. Então olhou para os outros. Não, não eram iníquos como Judas Iscariotes, mas eram fracos. Um deles haveria de negá-lo abertamente entre os homens; e os outros, todos eles, haveriam de deixá-lo só, no seu exato momento de maior necessidade, quando mais precisava deles.

"[...] vos escandalizareis..." No grego, significa "ser apanhado" ou "cair", usado simbolicamente com o sentido de "pecar". Tem também o sentido de "ofender-se com". Eles temiam pela própria vida. A associação deles com Jesus realmente se tornara uma "armadilha" para eles, e psicologicamente se sentiam reprimidos ante essa associação, pelo menos naqueles instantes. O substantivo que vem da raiz verbal significa "armadilha", ou aquilo que causa "revulsão". Por breve período, na fraqueza que sentiam e no temor da morte, desejaram nunca ter conhecido nem andado com Jesus de Nazaré, pois estavam "escandalizados" com ele. Entretanto, a causa disso era a debilidade espiritual, a falta de preparo para o horror dos acontecimentos, e não uma natureza básica, como se deu na atitude de Judas. Os onze recuperaram-se do lapso, e o livro de Atos registra os resultados.

"[...] escrito..." Essa citação vem de Zacarias 13.7. Sugere que Jesus sabia qual o seu destino, conhecia perfeitamente bem o seu ofício como Messias, e conhecia perfeitamente bem as implicações. Sabia que suas ações estavam cumprindo certas implicações das escrituras do AT. Ele andara sempre perto de Deus Pai; seus olhos mantinham-se perenemente abertos para as verdades espirituais profundas. Entendia o que estava acontecendo com ele. Esse conhecimento teria sido realmente muito vantajoso para os homens. Poderíamos compartilhar do mesmo, se andássemos como ele andou e nos desenvolvêssemos como ele se desenvolveu. Talvez Jesus quisesse dar a entender que os seus sofrimentos não eram contrários, como os apóstolos podem ter pensado, às predições do AT. Cristo queria orientar a mente dos apóstolos para uma nova direção de pensamento, o do *servo sofredor*. Nem todas as predições falavam em glória, nem todas falavam de sucesso, conforme os homens pensam no êxito. A verdade era muito maior do que eles haviam imaginado, e isso é uma boa lição que todos nós podemos e devemos observar. Jesus queria conduzi-los a verdades mais profundas, ainda que essas verdades, durante aqueles dias, fossem amarguíssimas para eles. O sentido das profecias dirigidas a Israel parece ser o de que, quando o povo judaico rejeitasse seu grande Libertador e Salvador, eles sofreriam a punição da dispersão. Esse era pelo menos um dos aspectos do sentido dessas profecias. Contudo, também estava incluída a ideia de uma dispersão não-voluntária, de inocentes discípulos, por ocasião da morte de Jesus. E enquanto Jesus proferia essas palavras, Judas Iscariotes ajuntava a turba que haveria de prender o Senhor. O irrevogável temporal se estava concentrando.

26.32: Todavia, depois que eu ressurgir, irei adiante de vós para a Galileia.
26.32 μετὰ δὲ τὸ ἐγερθῆναί με προάξω ὑμᾶς εἰς τὴν Γαλιλαίαν.

32 Mt 28·7,16

"[...] depois da minha ressurreição [...] a Galileia..." A narrativa volta os olhos para os acontecimentos que só serão descritos em Mateus 28.7, onde os discípulos relembram-se dessa profecia. Como eram poucos os que compreenderam essas palavras, quando as ouviram pela primeira vez! Entretanto, como devem ter raiado para eles como um corisco, quando eles delas se lembraram! Como todos os horríveis acontecimentos devem ter assumido um novo e súbito sentido para eles! Como viam claramente agora o padrão das obras de Deus, e com que alegria se aperceberam de que, verdadeiramente, Deus continuava no trono! Como é extraordinária a maneira com que o Senhor pode transformar a derrota aparente em uma súbita vitória! Essa profecia sobre a intenção de Jesus, de encontrar-se com eles na Galileia, não elimina as primeira reuniões na área de Jerusalém, ocorridas imediatamente

após a ressurreição, mas antecipa a grande alegria da reunião, nas cenas familiares na Galileia. É como se ele houvesse dito: "Antes de poderdes voltar aos vossos lares, na Galileia, terminada a festa, já terei ressuscitado dentre os mortos, e chegarei ali antes de vós".

Assim, o Pastor predisse que o rebanho seria disperso, mas também assegurou aos discípulos que o Grande Pastor iria adiante deles, conduzindo-os às cenas familiares de sua terra natal, a Galileia. Os aparecimentos de Jesus aos discípulos, após a ressurreição, conforme lemos em Mateus 28.7,10,16,17, tiveram lugar na Galileia.

26.33: Mas Pedro, respondendo, disse-lhe: Ainda que todos se escandalizem de ti, eu nunca me escandalizarei.
26.33 ἀποκριθεὶς δὲ ὁ Πέτρος εἶπεν αὐτῷ, Εἰ πάντες σκανδαλισθήσονται ἐν σοί, ἐγὼ οὐδέποτε σκανδαλισθήσομαι.

"[...] Pedro [...]". Embora outros pudessem pensar que a sua associação com Jesus era-lhes uma *armadilha*, embora outros considerassem como "revulsão" essa associação (segundo o sentido básico da palavra "tropeço"), contudo, conforme a declaração de Pedro, ele não podia ver a possibilidade de isso acontecer em seu caso. Ele sabia bem quais era os seus pensamentos, falava com toda a sinceridade; mas simplesmente não compreendia a extensão do horror que o aguardava. Pedro era forte, mas não para esse tipo de teste. Sempre fora fiel, mas jamais tivera de enfrentar esse tipo de problema. A visão dos soldados, levando tochas e lanternas, homens duros, cruéis, sem piedade, pode modificar a confiança de quem quer que seja. Olhando a face benigna de Jesus, nada deixava transparecer como ele se sentia, enfrentando o rosto de um bando perverso e cruel de soldados. "Permanece de pé nossa impotência humana, bem como nossa insensatez, por não nos apercebermos de nossa fraqueza. Mas o Pastor permanece firme" (Buttrick, *in loc.*). Pedro parecia disposto a admitir debilidade da parte de outros, mas não de si mesmo. A princípio, quando a provação começou, ele demonstrou uma ousadia e uma coragem invencíveis, porquanto brandiu a espada e decepou a orelha do servo do próprio sumo sacerdote. Poucos teriam exibido tanta coragem diante de circunstâncias numéricas tão avassaladoras. Essas circunstâncias, porém, finalmente fizeram-no pensar duas vezes, pois percebeu como era inevitável a situação; e logo mergulhou sob a carga psicológica do temor. Desertou; negou; ocultou-se.

Mateus e Marcos situam a declaração ousada de Pedro e a ação de sua negação, *depois* que os discípulos deixaram o cenáculo. Lucas (22.23) e João (13.37) concordam que foi antes disso. Encontramos aqui um exemplo de deslocação natural de eventos, quando as ocorrências se sucedem rapidamente, pois também os evangelistas não estavam tão ansiosos, como muitos modernos intérpretes pensam que deveriam estar, de produzir documentos perfeitamente *cronológicos*. Esses pormenores simplesmente não lhes pareciam importantes. (Quanto a uma nota sobre a harmonia dos evangelhos e sobre qual deva ser a nossa atitude quanto a esse particular, ver o artigo da introdução ao comentário intitulado *Historicidade dos Evangelhos* e as notas do comentário sobre Mateus 6.9-15; 8.1,2; 8.20 e 20.29).

26.34: Disse-lhe Jesus: Em verdade te digo que esta noite, antes que o galo cante, três vezes me negarás.
26.34 ἔφη αὐτῷ ὁ Ἰησοῦς, Ἀμὴν λέγω σοι ὅτι ἐν ταύτῃ τῇ νυκτὶ πρὶν ἀλέκτορα φωνῆσαι τρὶς ἀπαρνήσῃ με.

34 ἐν...με Mt 26.69-75; Mc 14.66-72; Lc 22.56-62; Jo 18.25-27

34 αυτω] add και p37 | πριν αλ. θων.] πριν (προ Or: πριν η L) αλεκτοροθωνιας p37.45 ff a

"[...] nesta mesma noite..." "Antes que o galo cante" parece que era a maneira regular de dizer "Antes da madrugada". Segundo o cômputo romano, o "cantar do galo" era a terceira vigília da

688 |Mateus| NTI

noite, mais ou menos da meia-noite às 3 horas. (Ver as designações das "vigílias", em Mc 6.48.) Vemos, uma vez mais, como Jesus andava sempre no espírito da profecia, como a sua mente estava centralizada nas coisas de Deus, e como ele era diferente dos outros homens, embora fosse verdadeiro homem; e esses poderes lhe pertenciam por causa da influência do Espírito. Ele apresentava grandeza espiritual, como homem, e prometeu que todos quantos chegassem a um desenvolvimento semelhante ao dele, fariam as mesmas coisas. Ele queria espiritualizar os homens, tal como ele estava espiritualizado em seu ser humano, tal como ele mesmo fora "aperfeiçoado" (ver Hb 5.9). Dessa forma, ele foi o pioneiro no caminho, e não apenas o próprio caminho. Mostrou-nos o caminho pelo qual devemos seguir, e também como devemos ser. Todos os verdadeiros crentes eventualmente compartilharão dessa sua natureza no sentido mais pleno possível.

"**Três vezes**", a fim de mostrar que o fato da negação não seria um impulso momentâneo, proferido num instante de precipitação. Pois Pedro, sob a pressão, e temendo pela própria vida, ansiava impressionar a outros afirmando que jamais estivera associado com Jesus. Como são egoístas os homens! Quantas vezes, por motivo de egoísmo, de ganância, de concupiscência ou de temor, temos negado a Cristo, tal como Pedro fez, e em forma agravada!

A narrativa de Marcos diz que Pedro negaria a Jesus por três vezes, antes de o galo cantar por *duas vezes*. É provável que o autor do evangelho de Mateus tenha obtido essa informação no evangelho de Marcos, ou do "protomarcos" que Marcos usou; e, então, minúcias secundárias como essa ficaram registradas com leve variação. Ver o fim do comentário sobre o v. 33 e as referências ali acerca de qual deve ser a nossa atitude para com a harmonia dos evangelhos.

26.35: Respondeu-lhe Pedro: Ainda que me seja necessário morrer contigo, de modo algum te negarei. E o mesmo disseram todos os discípulos.

26.35 λέγει αὐτῷ ὁ Πέτρος, Κἂν δέῃ με σὺν σοὶ ἀποθανεῖν, οὐ μὴ σε ἀπαρνήσομαι, ὁμοίως καὶ πάντες οἱ μαθηταὶ εἶπαν.

35 Κἂν...ἀποθανεῖν Jo 11.16

"[...] ainda que me seja necessário morrer...". Pedro frisou sua ufania, chegando a mostrar superficial compreensão sobre as *profecias de desastre*, que haviam sido proferidas por Jesus, por ter estendido sua negação firme a fim de incluir a ameaça de morte ou mesmo sofrimento e morte, se necessário fosse. A melancolia da noite ia se acentuando, mas isso não parecia afetar o espírito altivo de Pedro. Ele falou de boa fé e com toda a sinceridade; mas não conhecia a extensão de sua debilidade. E assim é que, se essa passagem confirma os poderes proféticos de Jesus, contudo, a principal lição que se pode aprender aqui é que a confiança pode terminar na traição mais positiva. A despeito de sua longa associação com Jesus e de conhecer bem os seus estranhos poderes, Pedro julgou ser mais sábio do que ele. Sobreestimou a própria espiritualidade, bem como sua capacidade de resistir à pressão esmagadora dos acontecimentos. A passagem paralela do evangelho de Lucas é iluminadora, pois ali aprendemos que Satanás estava procurando destruir todos os discípulos. Já derrotara a Judas Iscariotes, tendo-o testado com um ferro em brasa, e tendo descoberto que ele não passava de palha seca. Agora tentava a mesma coisa com Pedro; mas neste caso o simbolismo é mais de alguém a crivar o trigo. Satanás pensava que Pedro terminaria sendo nada mais do que palha. Estava equivocado. Pedro era feito de melhor estofo do que Judas. Orgulhoso, altivo, superconfiante, débil [...] sim, tudo isso; mas era trigo autêntico. As implicações deste texto, quando tomamos em consideração a descrição de Lucas (12.31,32), são espantosas. O NT ensina a existência e a influência de seres malignos, e a moderna pesquisa da parapsicologia parece confirmar essas declarações. Ver as notas sobre Satanás, em Lucas

10.18; sobre os "demônios", em Marcos 5.2; e sobre a possessão demoníaca, em Mateus 8.28.

Provavelmente, o ponto central destes versículos é que Pedro se tornou ainda mais culpado por haver prometido fazer aquilo que não *era capaz* de realizar. Portanto, esta passagem serve para demonstrar que, desde os primitivos cristãos até todos quantos estiverem potencialmente interessados em se tornar cristãos, é mister que cada qual *calcule o custo* do discipulado. (Ver também Mt 8.22; Lc 14.25-33). Provavelmente, a partir dessa instância, Pedro aprendeu a dizer, quando ensinava aos jovens discípulos: "Olhem para mim. Eu pensava que era forte. Entretanto, neguei a Jesus. Fui tão fraco como uma criança. Nenhum homem é bastante forte, exceto no poder de Cristo" (Buttrick, *in loc.*).

"**E todos os discípulos disseram o mesmo**". O mais provável é que os outros tivessem ficado embaraçados ante a firme declaração de Pedro, e não gostaram do mau colorido que isso lançava sobre todos eles. Pedro deixou subentendido que eles eram débeis, e que somente ele era capaz de resistir às verdadeiras provas. Sentiram que precisavam justificar-se, para que não parecessem menos zelosos do que Pedro. Provavelmente, não falaram com tanta veemência como Pedro; mas, não obstante, também se mostraram sinceros. Notamos que Tomé já dissera algo não muito diferente disso (ver Jo 11.16), que estava preparado para enfrentar a morte por amor a Jesus. Eventualmente, todos tiveram sua oportunidade de sofrer a morte por causa dele. E todos eles foram fiéis. Todavia, para que chegassem àquele lugar de fidelidade e força, ainda tinham de aprender muito, ainda tinham de sofrer muito, ainda tinham de desenvolver sua confiança na vitória final de Jesus. (Ver outras notas e detalhes desta história em Lucas 22.31-34.)

(f) O Getsêmani (26.36-56)

Jesus no Getsêmani. Esta seção tem paralelos em Marcos 14.32-42 e em Lucas 22.40-46. Muito provavelmente, a fonte informativa deste material é o "protomarcos", embora alguns intérpretes indaguem como os autores dos Evangelhos poderiam ter adquirido esse material, visto que dizem ter Jesus ido sozinho ao jardim. Isso, porém, é admitir que Jesus, após a sua ressurreição, ou mesmo algum tempo após esse incidente, não tenha tido oportunidade de explicar aos seus discípulos os detalhes de seu sofrimento no jardim. Outrossim, equivale a ignorar a realidade da inspiração, que facilmente pode fornecer esse tipo de detalhes. Alguns acreditam que se trata de um mero desenvolvimento teológico, ou seja, uma explanação teológica da história da tentação, relatada antes nos Evangelhos. A narrativa, pois, seria produto de especulação teológica; e, nesse caso, uma tentativa de descrever algo de sua natureza humana. É verdade que temos aqui uma das mais excelentes passagens sobre a natureza de Jesus como homem, e, nesse sentido, é paralela ao texto de Hebreus 5.7,8. Quanto às suas origens, contudo, parece mais lógico ficarmos com o "protomarcos" e depender da narração feita por Jesus aos discípulos, ou da inspiração dos autores sagrados, a fim de explicar como chegamos a esses pormenores. (Ver as notas sobre as fontes informativas dos Evangelhos na seção da introdução a este comentário intitulada "O problema sinóptico".) Seja como for, o certo é que, a despeito dos discípulos não haverem participado da cena, eles estavam perfeitamente cônscios do horror da agonia que sobreveio a Jesus, nessa altura da sua vida.

Essa história é uma das mais tocantes, como também uma das mais altamente significativas e instrutivas, dentro dos acontecimentos da vida de Jesus. Acima de tudo, demonstra a sua verdadeira humanidade. (Ver a nota expandida sobre esse assunto, em Fp 2.6,7. Ver também as notas em Mt 1.16,21; 3.13; 4.1,13.) Jesus tomou seus discípulos especiais e favoritos — Pedro, Tiago e João —, pois precisava de seu consolo e apoio; mas, incapaz de suportar sua provação na presença imediata deles, e debaixo da observação deles, adiantou-se um pouco mais. Como homem, procurava evitar instintivamente a morte na cruz, o que era algo altamente revoltante e que só lhe prometia as piores agonias. Seria uma tolice pensar aqui que Jesus só se preocupava com os sofrimentos espirituais, ou em começar a arcar com o peso dos pecados do mundo. Isso é verdade até certo ponto; mas Jesus, sendo homem, também possuía as sensibilidades, sim, e às vezes até os temores dos homens, embora tais elementos jamais tivessem podido derrotá-lo. Esquecemo-nos de que ele foi tentado em todos os pontos, tal como nós mesmos o somos, que ele levou completamente sobre si a nossa natureza, com suas debilidades naturais. A luta e a intensa agonia de Jesus foi perfeitamente real; ele não estava desempenhando um papel adredemente preparado, para benefício alheio. As tentações pelas quais passou, de não submeter-se à cruz, foram, certamente, reais; de estrita disciplina espiritual e de desenvolvimento, junto com o Pai, por meio da comunhão com ele, não lhe permitiram incorrer em erro tão fatal.

26.36: Então foi Jesus com eles a um lugar chamado Getsêmani, e disse aos discípulos: Sentai-vos aqui, enquanto eu vou ali orar.

26.36 Τότε ἔρχεται μετ' αὐτῶν ὁ Ἰησοῦς εἰς χωρίον λεγόμενον Γεθσημανί, καὶ λέγει τοῖς μαθηταῖς, Καθίσατε αὐτοῦ ἕως [οὗ] ἀπελθὼν ἐκεῖ προσεύξωμαι.

36 ἔρχεται...Γεθσημανί Jo 18.1

Não deveríamos mesclar, neste ponto, os ensinos sobre a divindade de Cristo a fim de obscurecer a intensidade de seus sofrimentos e de sua luta; pois Cristo, embora divino por natureza, quando da encarnação, esvaziou-se de seus atributos divinos e limitou-se de conformidade com os nossos limites. De outra forma, a encarnação *não teria* significação nenhuma; e, se Jesus pudesse ter incorrido em tal equívoco, declarações como aquelas que dizem "[...] aprendeu a obediência pelas coisas que sofreu..." (Hb 5.8) e "[...] aperfeiçoasse por meio de sofrimentos o Autor da salvação..." (Hb 2.10) etc., não teriam significado nenhum. Se ele tivesse sido tentado em todos os pontos, à nossa semelhança, mas jamais pudesse ter-se equivocado, então toda essa ideia de tentação de Jesus seria uma insensatez, sem nenhum sentido para nós. Ele teria passado por essas tentações como um robô, pois, na realidade, jamais poderia ter incorrido em engano. Não, a indicação é que as tentações foram perfeitamente reais. Não caiu por causa de seu elevadíssimo desenvolvimento espiritual como homem; foi isso que não lhe permitiu a queda. Nisso, ele nos deixou exemplo, padrão, pois também nós, sendo seres dotados de livre-arbítrio, podemos vencer, podemos obter a vitória. Jesus obteve a vitória pela provação mais amarga, e essa vitória foi completa. Nossa vitória também será completa, se permitirmos que o seu desenvolvimento também seja nosso, como meio de nosso avanço espiritual, tal como ele mesmo fez. Jesus foi não somente o caminho, mas também o pioneiro do caminho, conforme nos ensina Hebreus 2.10. Isso é o que dá sentido à encarnação, isto é, à vida terrena de Jesus. Jesus não foi um ator, a cumprir os requisitos de um papel. Foi um homem verdadeiro, que sofreu as agonias e as crises autênticas por que passou. Venceu em sua humanidade por meio do poder do Espírito. Por conseguinte, ele é o nosso capitão. (Quanto a outras notas sobre as implicações da humanidade de Jesus, ver Mt 8.3,14,15; 4.23,24; 7.21,23; 14.15,22; 15.32.) Muito frequentemente, a igreja tem aceitado um Cristo *docético*, isto é, um atributo à sua natureza divina, como se nada tivesse restado de sua humanidade. Segundo essa opinião, Jesus seria humano apenas na aparência. Entretanto, as Escrituras ensinam a *verdadeira humanidade* de Jesus, e esta é uma das mais notáveis passagens sobre essa verdade. O docetismo era considerado uma heresia na igreja primitiva, mas continua encontrando ampla expressão nos sermões de hoje em dia, na igreja moderna.

"**Getsêmani**". Essa palavra quer dizer *lagar de azeite*. Tratava-se de um terreno cercado, um jardim, um pomar. Estava localizado ao pé do monte das Oliveiras, para além do riacho do Cedrom, acerca de um quilômetro da muralha oriental. Até hoje, permanecem ali oito oliveiras antiquíssimas, mas não há como afirmar se já viviam nos dias de Jesus ou não. Esse bosque de oliveiras, a oriente do vale do Cedrom, tem sido tentativamente identificado como o lugar onde Jesus orou na noite em que foi traído, desde o século IV d.C. Até hoje o lugar tem o nome de "Getsêmani". Lemos que, atualmente, os pedintes infestam a área, aproveitando-se dos corações ternos e contritos daqueles que visitam aqueles lugares da agonia de Jesus. O local transformou-se em um dos grandes santuários do mundo, porque ali Jesus orou e sofreu.

26.37: E levando consigo a Pedro e os dois filhos de Zebedeu, começou a entristecer-se e a angustiar-se.

26.37 καὶ παραλαβὼν τὸν Πέτρον καὶ τοὺς δύο υἱοὺς Ζεβεδαίου ἤρξατο λυπεῖσθαι καὶ ἀδημονεῖν.

37 παραλαβὼν...Ζεβεδαίου Mt 17.1; Mc 5.37; 14.22; Lc 8.51; 9.28

"**[...] Pedro e aos dois filhos de Zebedeu...**" Trata-se das mesmas testemunhas, escolhidas para contemplar a transfiguração, segundo é registrado no capítulo 17 deste evangelho. Portanto, a história tem neles a sua origem.

A palavra simples que aparece no evangelho de Mateus — *entristecer-se* — toma o lugar da expressão mais vigorosa do evangelho de Marcos (no grego, *ekuambeisthaí*), que significa estar *atônito* ou mesmo *aterrorizado*. A expressão traduzida por "angustiar-se", é também uma expressão forte no grego. Moffatt traduz, em inglês, a frase de Marcos por "appalled and agitated". Goodspeed (neste comentário é a abreviatura GD, sobre cuja tradução já têm sido feitas muitas referências: ver a introdução ao comentário, onde há a lista das catorze traduções usadas para efeito de comparação nesta obra) diz: "began to feel distress and dread". Os evangelistas geralmente não procuraram descrever as emoções de Jesus; mas nessa oportunidade a expressão era tão notável, que ninguém podia deixar de observá-la. Essas expressões fortes enfatizam ainda mais o quanto Jesus sofreu como homem, como as suas provações foram reais, como ele cambaleou, para em seguida recuperar o equilíbrio; sim, como ele não deve ter gostado de escapar do opróbrio e dos lancinantes sofrimentos da cruz, do ponto de vista mental, físico e espiritual! Conforme todos os padrões humanos, a sua missão fracassara. Francisco Otaviano (1825-1889), Rio de Janeiro, expressão essa agonia humana nestas belas palavras:

Quem passou pela vida em branca nuvem
E em plácido repouso adormeceu;
Quem não sentiu o frio da desgraça,
Quem passou pela vida e não sofreu;
Foi espectro de homem — não foi homem,
Só passou pela vida — não viveu.

Robertson (*in loc.*) interpretou a descrição do evangelho de Marcos como se indicasse um "sentimento de aterrorizante surpresa". Alguns intérpretes, fiéis às noções docéticas que têm influenciado a igreja, que afirmam que a humanidade de Jesus só era aparente, que o Cristo realmente não poderia ter sofrido, duvidado, hesitado etc., dizem que a agonia de Jesus não foi por causa dele mesmo, antes, foi uma agonia por causa dos três apóstolos, temendo que pudessem abandonar totalmente a sua fé em Deus. (Assim pensava Hilário, entre os antigos; mas é seguido por muitos pregadores modernos quanto à essência do pensamento.) Esse tipo de interpretação *elimina* a mensagem da encarnação e a verdadeira humanidade de Jesus, e por isso mesmo deve ser vigorosamente rejeitada. Alford tem razão ao comentar: "A correta compreensão de toda essa importantíssima narrativa deve ser adquirida não nos olvidando da realidade da humanidade de

690 |Mateus| NTI

nosso Senhor, em todo o seu aviltamento e debilidade" (*in loc.*). Quando da encarnação, Jesus esvaziou-se dos "atributos" de Deus (assim diz Fp 2.7), e ficou limitado à sua humanidade, de acordo com as nossas limitações. Portanto, sofreu, aprendeu a obedecer e foi aperfeiçoado como homem (no dizer de Hb 5.9), e esse é o processo no qual devemos entrar e experimentar, porquanto estamos seguindo nosso *pioneiro* (ideia de Hb 2.10).

Alguns comentaristas, como o Dr. Wordsworth, seguindo diversas interpretações dadas pelos pais da Igreja, veem sentidos simbólicos no Getsêmani, no que se relaciona a Jesus. Era um lugar onde as azeitonas eram esmigalhadas, para que sua substância valiosa pudesse ser obtida. Jesus, em seu sofrimento, também foi quebrantado e esmigalhado, a fim de que pudéssemos tirar benefício de sua vida e de sua morte, para que entrássemos em sua qualidade de vida.

26.38: Então lhes disse: A minha alma está triste até a morte; ficai aqui e vigiai comigo.

26.38 τότε λέγει αὐτοῖς, Περίλυπός ἐστιν ἡ ψυχή μου ἕως θανάτου· μείνατε ὧδε καὶ γρηγορεῖτε μετ' ἐμοῦ.

---
38 Περίλυπος...μου Sl 42.5,11; 43.5; Jo 12.27
Περίλυπος...θανάτου Jo 4.9

"[...] profundamente triste até a morte..." Aqui o autor deste evangelho aproxima-se um tanto da profunda expressão do evangelho de Marcos. A expressão "até a morte" era uma idiomática comum com o sentido de *"no mais extremo grau"*. Jonas disse (Jn 4.9): "É justo que me enfade a ponto de desejar a morte". Expressões similares podem ser encontradas em Salmos 22.16 e 40.13, passagens bíblicas essas que poderiam estar presentes na mente de Jesus quando proferiu essas tristes palavras. Estava a ponto de morrer, por causa da tristeza; sua alma estava partida, seu espírito estava quebrantado, sua mente estava agitada no mais alto grau. Sua tristeza era de ter sido rejeitado, por sentir que a sua missão falhara, por temer a provação que jazia à sua frente, tanto do ponto de vista dos sofrimentos físicos que ele teria de suportar como também por causa da pesadíssima carga sob cujo peso ele já começara a arcar — o peso dos pecados do mundo inteiro; pois certamente esse texto, e mais particularmente ainda, o contexto, ensinam expiação, identificação com os homens em suas tristezas, e o fardo da tristeza do pecado. No Getsêmani, ele viu a grande nuvem negra da impiedade que se abatia sobre ele. Foi uma espécie de batismo, e horrendo. Ele foi imerso em um dilúvio negro. Foi uma experiência nova para ele. Jamais conhecera a contaminação desse dilúvio negro. Sua alma estava perplexa, sua natureza humana se encurvava sob a carga imensa. Essa agonia era até a morte. Não existe paralelo humano: Deus "[...] o fez pecado por nós..." (2Co 5.21).

"[...] vigiai comigo..." A hora era adiantada, a tensão era enorme; mas Jesus implorava um pouco de simpatia humana, e isso, em si mesmo, é extremamente instrutivo para nós. Vemos até que ponto Jesus caíra em sua agonia. Agora, mais do que nunca antes, era "[...] homem de dores e que sabe o que é padecer..." (Is 53.3). No entanto, não podia esperar nenhuma simpatia da parte de seus discípulos vencidos pelo sono, insensíveis. Como que ocultaram dele o seu rosto. Com frequência, ele atendera às necessidades alheias. Agora precisava desesperadamente do ministério de outros, para que o ajudassem. Jesus estava avassalado pela tristeza, e o raciocínio humano em nada o ajudava; mas a simpatia poderia tê-lo feito. Encontramos aqui uma grande lição sobre a simpatia e a misericórdia; e, se Jesus necessitava de tal simpatia, certamente os outros homens precisam desesperadamente da mesma. Alford (*in loc.*) diz: "[...] derivamos consolo em meio a uma terrível tempestade, por saber que alguns estão despertos junto conosco, embora a presença deles não sirva de verdadeira garantia". O sistema filosófico pessimista de Schopenhauer permite apenas uma emoção positiva — a simpatia junto aos outros, e isso ele só permite por reconhecer que todos estamos sob a mesma situação, precisando da simpatia mútua, uns dos outros. Portanto, a filosofia mais pessimista que existe, e que acredita que a própria existência é um mal, reconhece o valor e a necessidade dessa moral positiva.

26.39: E adiantando-se um pouco, prostrou-se com o rosto em terra e orou, dizendo: Meu Pai, se é possível, passa de mim este cálice; todavia, não seja como eu quero, mas como tu queres.

26.39 καὶ προελθὼν μικρὸν ἔπεσεν ἐπὶ πρόσωπον αὐτοῦ προσευχόμενος καὶ λέγων, Πάτερ μου, εἰ δυνατόν ἐστιν, παρελθάτω ἀπ' ἐμοῦ τὸ ποτήριον τοῦτο· πλὴν οὐχ ὡς ἐγὼ θέλω ἀλλ' ὡς σύ.

---
39 Hb 5.7-8

39 προελθὼν p37 B *al* lat co; R] προσελθ -p53 ℵADWΘ f1 f13 pm ς | μου]
om p53* f1 *al a* vgw Irlat Or

39 *fin.*] add Lc 22.43,44 f13 *al*

No fim do v. 39, vários testemunhos secundários (C3mg f13 124 230 348 543 713 788 826 829 983) adicionam, com base em Lucas 22.43,44, as palavras:

ὤφθη δὲ αὐτῷ ἄγγελος ἀπ' (ἀπὸ τοῦ 543 826 983) οὐρανοῦ ἐνισχύων αὐτὸν καὶ γενόμενος ἐν ἀγωνίᾳ ἐκτενέστερον προσηύχετο· ἐγένετο δὲ (om. 124) ὁ ἱδρὼς αὐτοῦ ὡσεὶ θρόμβοι αἵματος καταβαίνοντες ἐπὶ τὴν γῆν.

"[...] prostrou-se [...] orando..." A fé da vida é a fé da morte, e Jesus demonstrou isso perfeitamente bem. Ele não enfrentou suas provações finais e sua morte de maneira diferente do que fizera quando se tinham aproximado crises anteriores. O poema abaixo expressa bem a ideia:

> Nossa fé é um farol, não só um portal na tempestade,
> *Mas um jato contínuo da vida, em qualquer de suas formas;*
> *Guia-nos e orienta-nos; escurecendo-se o mundo ela fica firme,*
> *Iluminando todas as esquinas com seu grande resplendor.*
>
> *Temos de erigi-la cuidadosamente com um alicerce de confiança,*
> *Para que jamais caia em qualquer tempestade em que estivermos.*
> *A lente tem de estar sempre polida, pois são as janelas da alma.*
> *Com toda a confiança em Deus, nossos seres serão mantidos impolutos.*
>
> *Esse jato que nos perscruta pode trazer-nos grande calma,*
> *Sua orientação dá-nos paz e esperança em seu bálsamo.*
> *Que essa luz brilhe em nossa vida, interna e externamente,*
> *Enquanto lutamos nas batalhas da vida, certos da vitória.*

Jesus não triunfou só porque não poderia ter fracassado; mas poderia ter fracassado, pois de outra maneira não seria homem verdadeiro. Contudo, não fracassou, e dessa forma provou que *o homem pode triunfar*, mesmo sob as provações mais extremas. Jesus não falhou por causa de seu elevadíssimo desenvolvimento espiritual, que não poderia permitir-lhe incorrer em um equívoco fatal. Ele quis escapar do "cálice", mas não contra a vontade do Pai.

"Cálice". Aqui temos um símbolo de sua morte sacrificial, que se avizinhava, que foi tão nitidamente predita pela agonia que ele passou no jardim. A cruz apenas aumentaria a agonia; mas juntas formavam uma só grande provação — um "cálice" que tinha de ser sorvido. Os v. 27 e 28 deste mesmo capítulo confirmam essa interpretação, como também os textos de Mateus 20.22 e João 18.11. É verdade que nessa altura da crise, quando Jesus entregou-se nas mãos de Deus, ele obteve a vitória e ganhou as forças físicas e espirituais necessárias para enfrentar o resto da provação, incluindo os diversos comparecimentos diante das autoridades, os espancamentos, a vergonha, as zombarias, e, finalmente, a própria cruz.

Nos escritos sagrados, o *cálice* é usado para indicar tristeza, angústia, terror ou alguma *provação* especial. Na antiga cidade de Atenas, o cálice de veneno era um dos meios de execução de criminosos, e o grande Sócrates foi contra ele. É possível que a ideia do "passar do cálice" seja uma alusão à permissão, por algum juiz, de que um criminoso não tivesse de sorver o cálice, sendo passado para outro (quando diversos condenados estivessem enfileirados para ser executados), e assim aquele criminoso seria poupado.

É muito significativo que Jesus se tivesse prostrado sobre o rosto, e não de joelhos. A situação levou-o a um ponto tremendamente vil; e, em total desamparo, ele se lançou à mercê da vontade de Deus Pai. Algumas vezes tem o Senhor de levar-nos à mais total prostração, de rosto em terra, para que ele nos torne conhecida a sua vontade. Essa vontade nem sempre é imediatamente proveitosa, e pode envolver aparente derrota e sofrimento, conforme ocorreu com Jesus; mas, de alguma forma, com frequência sem sabermos como, Deus opera de um modo admirável em nossa vida, fazendo tudo quanto é necessário para a sua glória e para o nosso bem. Jesus também foi o pioneiro dessa experiência como homem. A ressurreição provou que a sua escolha era acertada. Não teria havido nenhuma glória da ressurreição, qualquer vitória sobre a própria morte, se Jesus tivesse falhado neste ponto. O mais provável é que ele teria morrido de idade avançada, como todos os mortais, pois a grande verdade é que ele se tornou mortal, em sua identificação conosco. E quão diferente seria o evangelho que temos!

"[...] Pai..." O autor deste evangelho não repete o *Abba* do evangelho de Marcos, que Jesus usava frequentemente em suas orações, mas conservou o termo grego equivalente. Seja como for, a palavra "Pai" é muito instrutiva. Ele se entregou nas mãos de Deus Pai e à sua vontade, como um pai sábio, que nada faria de inerentemente destrutivo contra seus filhos, e que, acima de tudo, faria tudo com o propósito distinto de produzir um bem final e perfeito. O relato de Mateus sobre o acontecimento tem algumas expressões diferentes. Neste ponto, Marcos salienta a confiança de Jesus na onipotência de Deus, como base da sua oração: "[...] tudo é possível; passa de mim esse cálice..." Ele sabia que, na imensa expressão de Deus, os apelos espirituais são poderosos e variegados. Pensou que talvez a obra de Deus pudesse operar a redenção sem a cruz, mas não pressionou sobre esse ponto. Sabia instintivamente que isso não poderia ser feito, e embora deixasse de lado, momentaneamente, um plano perfeito, logo voltou para o mesmo.

A narrativa de *Lucas* neste ponto (Lc 22.43) revela que, em meio a essa agonia, Deus proveu o consolo e a força que os seus discípulos tinham deixado de prover para Jesus, pois ao lado dele apareceu um anjo. Geralmente damos pouquíssima importância ao ministério dos anjos, que o primeiro capítulo da epístola aos Hebreus ensina tão claramente. Faz parte da herança do crente. O anjo apareceu, uma figura celestial, com seu ser a espalhar a luz celeste. Imediatamente a alma de Jesus entrou em estado mais calmo. Percebeu que o cálice não poderia passar, mas ficou satisfeito. Orou ainda, pois continuava precisando de forças; mas agora não mais lhe era possível fracassar, porquanto havia ultrapassado o cume da crise.

"[...] faça-se a tua vontade". Essa é uma grande expressão de confiança, que todos os crentes devem assimilar. Soluciona o problema da natureza moral e natural, não sobre hastes do conhecimento, ou seja, continuaremos incapazes de dizer por que razão vem o sofrimento, e por que Deus permite tal coisa. Não obstante, a alma fica satisfeita, pois sabe que Deus continua entronizado e que, eventualmente, haverá vitória, incluindo a correção de todos os erros, e que isso é inevitável. Hariet Martineau relata uma história na qual certa mãe disse para seu filho: "Eles em breve terão um novo e deleitável prazer, que ninguém, senão os mais amargamente desapontados, poderão sentir — o prazer de despertar sua alma para suportar a dor, e de concordar em silêncio com Deus, quando ninguém mais sabe o que se passa em seu coração" (*Expositor's Dictionary of Texts*, II, 159). Assim é que, por intuição, a alma pode indicar respostas para as crises e os sofrimentos, ainda que isso envolva amargos desapontamentos e morte. Se ao menos uma oração pudesse ser concedida à humanidade, quem poderia orar outra coisa senão aquela petição que a tudo inclui: *Pai, seja feita a tua vontade?* Nisso confiamos que Deus é o Bem final, e que ele se importa conosco. O futuro demonstrará essa confiança que, em alguns casos, tem de basear-se totalmente na fé, e em nada mais.

26.40: Voltando para os discípulos, achou-os dormindo; e disse a Pedro: Assim nem uma hora pudestes vigiar comigo?

26.40 καὶ ἔρχεται πρὸς τοὺς μαθητὰς καὶ εὑρίσκει αὐτοὺς καθεύδοντας, καὶ λέγει τῷ Πέτρῳ, Οὕτως οὐκ ἰσχύσατε μίαν ὥραν γρηγορῆσαι μετ' ἐμοῦ;

26.41: Vigiai e orai, para que não entreis em tentação; o espírito, na verdade, está pronto, mas a carne é fraca.

26.41 γρηγορεῖτε[a] καὶ προσεύχεσθε,[a] ἵνα μὴ εἰσέλθητε εἰς πειρασμόν· τὸ μὲν πνεῦμα πρόθυμον ἡ δὲ σὰρξ ἀσθενής.

41 προσεύχεσθε...πειρασμόν Mt 6.13; Lc 11.4

[a] [a] 41 *a* none, *a* minor: TR WH Bov Nes BF² AV RV ASV TT Zür Luth Seg // *a* minor, *a* none: RV^mg ASV^mg NEB // *a* none, *a* none: RSV Jer

"[...] discípulos [...] dormindo..." A princípio talvez seja difícil compreendermos como poderiam dormir em momentos como aqueles; mas é óbvio que não entenderam a crise que Jesus enfrentava. Sabiam que ele passara por muitos problemas com as autoridades. Sabiam que ele predissera um desastre iminente; mas não podiam aceitar isso como uma possibilidade imediata. Sabiam que tinha havido diversos planos para eliminar Jesus; mas Jesus se saíra vitorioso em muitas lutas, porque possuía estranhos e altos poderes. Simplesmente não estavam mentalmente preparados para a crise, e, naquele momento, nada lhes parecia mais importante do que o sono. A noite estivera ocupada com as festividades; não haviam compreendido a conversa referente a Judas Iscariotes, e não percebiam que, naquele exato instante, Judas estava reunindo autoridades e soldados para prenderem Jesus. Os três apóstolos tornaram-se exemplo para a Igreja de todos os séculos, ilustrando aqueles que, sendo íntimos de Jesus e possuindo todas as vantagens, não possuem a graça suficiente para vencer em tempos de provação, ou mesmo de reconhecer a ameaça das crises. Quantos de nós se põem a dormir, quando outros lutam pela sua sobrevivência, mental ou espiritualmente! Quantos de nós pouco se preocupam quando outros atravessam a noite escura da alma! O texto descreve também a grande solidão da inquirição espiritual. Jesus ansiava pela lealdade humana. Seria um crime sério o fato de um soldado ou sentinela se pôr a dormir em seu posto. Os sacerdotes no templo, que tinham a responsabilidade de ficar despertos e de observar as vigílias da noite, seriam considerados culpados de um crime grave, se, quando nomeados para vigiar a casa de Deus, ao invés de fazer isso, se pusessem a dormir. Este texto ensina a necessidade de integridade, fidelidade e companheirismo. Jesus estava "assustado e abalado até a noite" (expressão do evangelho de Marcos). Estava entristecido de uma forma que ninguém podia medir. No entanto, os seus discípulos dormiam como se as circunstâncias fossem normais.

"[...] nem uma hora pudestes vós vigiar..." Pedro, que se vangloriava tanto de sua coragem, porquanto dissera que até morreria com Jesus, agora nem ao menos pôde manter-se acordado juntamente com ele. Nesta altura, Pedro mostra somente

692 | Mateus | NTI

a coragem das palavras. Espiritualmente, mostrava-se insensível. Uma grande provação ameaçava a todos eles, mas ele não elevou a voz em oração; pelo contrário, seus olhos eram dominados pelo sono. Jesus, pois, repetiu a advertência que se lê no v. 38, mas adicionou a ela a necessidade de orar. Jesus tinha confiança na oração como o agente que toca no poder de Deus. Pedro também enfrentou uma provação ou *tentação*, tentação essa que haveria de conduzi-lo à ação mais vergonhosa de sua vida — a negação ao Senhor —, uma ação que o mundo jamais pode olvidar, que ficou gravada nas páginas do NT, para todos contemplarem. O quanto Pedro deve ter desejado frequentemente poder apagar aquelas horríveis palavras do registro! O quanto ele mesmo deve tê-las mencionado, frequentemente, quando ensinava a outros sobre o verdadeiro discipulado! A provação de Jesus também era a de Pedro, mas Pedro deixou-se vencer pelo sono. Dessa maneira, Pedro tornou-se exemplo daqueles que se ufanam, mas que o fazem apenas dos lábios para fora, porquanto não possuem o desenvolvimento espiritual necessário para pôr em ação suas palavras tão altissonantes.

É como se Jesus tivesse dito a Pedro e aos outros apóstolos: "Conservai-vos acordados e buscai o poder de Deus". "Sem essa sabedoria, os homens ficam cegos com relação às circunstâncias do momento, como os discípulos sonolentos ficaram cegos para a hora de Cristo. Sem esse alerta, os homens mostram-se desleais a Cristo, e o conduzem a algum novo Calvário. Sem essa vigilância, os homens ficam sem defesa: o espírito pode estar bem-disposto, mas a carne é fraca. Contudo, há um recurso. Nossa atitude de alerta não seria suficiente; e, por semelhante modo, a própria oração falharia. Entretanto, Deus é o nosso recurso" (Buttrick, *in loc.*). No livro de Bunyan, *A Guerra Santa*, o mau personagem Diábolus jactou-se de que tudo que tinha a fazer para obter a vitória era pôr um pé na "Cidade da Alma do Homem". Satanás pusera o pé na alma dos discípulos, naquela noite. Destruiu Judas Iscariotes completamente, deixando-o uma massa tremeluzente de carne. Desejou fazer Pedro passar pela peneira, como que para provar que seu trigo era apenas palha. Uma vez que Judas Iscariotes já estava destruído, embora seu ser estivesse sendo ameaçado, Pedro deixou-se vencer pelo sono.

"[...] o espírito, na verdade, está pronto...". Trata-se de uma declaração geral, tal como a que encontramos em Romanos 7.22,25. Isso se aplica a toda a humanidade, tanto aos convertidos como aos não-convertidos. No caso dos não-convertidos, a prontidão do espírito jaz dormente, amarrada, embora algumas vezes encontre expressão, tal como no caso da vida de Saulo de Tarso, antes de sua conversão. Instintivamente ele odiava o mal e amava o bem, porque essa parece ser a tendência da alma humana, embora muito se tenha afastado de Deus. Essas intenções, entretanto, não são consideradas como evidências de retidão genuína, conforme nos ensina o terceiro capítulo da epístola aos Romanos. No entanto, o homem conhece instintivamente o bem e lhe dá preferência; mas a alma está agrilhoada na prisão do pecado. O princípio da carne, que, no caso dos não-convertidos está não somente *enfraquecido* mas também mostra-se positivamente inclinado para o mal, serve de grande fator que bloqueia o caminho do homem de volta para Deus. No caso do crente, o espírito foi vivificado e transformado em força poderosa; mesmo assim, o poder da carne pode ser tão grande, que derrote aquela. Nesse caso, a carne pode ser o mau princípio (como na última porção do sétimo capítulo da epístola aos Romanos), ou pode ser simplesmente uma referência geral à fraqueza humana, por estarem os homens na "carne", sendo criaturas mortais, não passando de pó, um vapor que passa, uma flor que se resseca. Nesse sentido, a expressão "a carne é fraca" é também usada aqui, e esse é o sentido principal que encontramos neste texto do evangelho de Mateus. Jesus não desejou ensinar que os seus discípulos eram malignos, que o mau princípio da carne os ameaçava (embora isso fosse verdade); mas simplesmente referiu-se à debilidade humana, que é tão evidente no caso daqueles que não se preparam de alguma forma especial, no espírito,

para enfrentar as provações. Alford diz aqui, corretamente, que a principal referência, neste texto, é *à natureza humana*, e não ao próprio mal; e que a carne é simplesmente reputada como débil, e isso inerentemente. Nesse sentido, até o próprio Jesus estava incluído em suas palavras (conforme diz Alford, *in loc.*), pois nessas palavras do Senhor não há nenhuma alusão ao pecado, mas tão-somente à debilidade de homens mortais. Entretanto, naquilo que Jesus venceu pelo exercício espiritual, pela vigilância e pela oração, os discípulos foram derrotados por causa de sua preguiça e negligência espirituais. A necessidade de atitude espiritual alerta tem entrado no vocabulário do cristianismo até mesmo nos nomes próprios que damos aos nossos filhos. "Gregório" é a palavra grega que significa "vigia", como "Vigilius" ou "Vigilantius" o é em latim.

26.42: Retirando-se mais uma vez, orou, dizendo: Pai meu, se este cálice não pode passar sem que eu o beba, faça-se a tua vontade.

26.42 πάλιν ἐκ δευτέρου ἐπελθὼν προσηύξατο λέγων, Πάτερ μου, εἰ οὐ δύναται τοῦτο παρελθεῖν ἐὰν μὴ αὐτὸ πίω, γενηθήτω τὸ θέλημά σου.

42 γενηθήτω...σου Mt 6.10

42 λέγων] om B g¹ | μου] om p³⁷ 1295 a c (b) Eus | τουτο p³⁷ אABW fI 565 al it; R] το ποτηριον τ. D 69 al it sy^s: το ποτ. Θ 28 al lat ς | παρελθειν] add aπ εμου AW 28 565 al ς

Este versículo repete a mensagem do v. 39, onde o leitor pode ver as notas de explicação, que também se aplicam aqui. Jesus *prosseguia* em seu teste, voltando periodicamente para falar com seus discípulos, buscando ainda consolo e simpatia e fortalecimento, mas nada encontrando entre eles. Continuava buscando a vitória. Lucas registra nesse ponto a sua terrível agonia. "E, estando em agonia, orava mais intensamente. E aconteceu que o seu suor se tornou como gotas de sangue caindo sobre a terra" (Lc 22.44). Este versículo e o v. 43, concernentes ao ministério do anjo, não se encontram em alguns dos mss mais antigos, incluindo P(69) B, W, W, Si(s) e também não são citados por certo número de pais da Igreja, ao se referirem ao texto, tais como Márciom, Cl e Or, e por isso muitos eruditos duvidam que façam parte do texto original de Lucas. (Ver Lc 22.43,44, quanto a uma completa evidência textual sobre esse problema.) Não obstante, quer fizesse parte ou não do texto original, faz parte muito antiga da tradição, estando em Aleph, D e Theta, e sendo citados por Ju, Ir, pais da Igreja, e aparecendo em muitas versões latinas. Descreve a agonia de Jesus, e não é de forma nenhuma impossível que as descrições sejam genuínas. Outros exemplos de suor de sangue são mencionados na história, não sendo um fenômeno desconhecido que acompanha grande agonia mental. Adam Clarke (*in loc.*), citando o Dr. Mead, diz: "Acontecem ocasionalmente casos em que, mediante a pressão mental, os poros ficam tão dilatados, que o sangue escorre por eles, de forma que pode haver um suor de sangue". O bispo Pearce menciona o caso de um italiano que ficou tão abatido pelo medo, que o seu corpo ficou coberto de suor sangrento. (Alford, *in loc*, menciona outros casos semelhantes). No caso do Senhor Jesus, lembremo-nos de que ele estava em ótimas condições de saúde. Quanto deve ter sido a sua agonia, para que surgisse esse fenômeno!

26.43: E, voltando outra vez, achou-os dormindo, porque seus olhos estavam carregados.

26.43 καὶ ἐλθὼν πάλιν εὗρεν αὐτοὺς καθεύδοντας, ἦσαν γὰρ αὐτῶν οἱ ὀφθαλμοὶ βεβαρημένοι.

43 ευρεν] ευρισκει 28 346 al ς

"[...] voltando, achou-os outra vez dormindo..." Ver as notas no v. 40, que também se aplicam aqui. Isso é mencionado pelo autor como um incidente que *agravou* a ilustração inteira de negligência, falta de vigilância, inércia, ausência de simpatia, egoísmo, e tudo isso em momentos de tremenda provação. Pois, a despeito dos rogos de Jesus, os discípulos continuavam dormindo. A lição é perfeitamente atual, e muitos pregadores têm acusado os seus ouvintes exatamente dessa atitude, a despeito de sermões intensos da exortação sobre a necessidade do avanço espiritual, e das óbvias condições no mundo, que exigiriam uma igreja vigilante e dedicada à oração. Bruce diz (*in loc.*): "Era tarde, e eles estavam entristecidos, e a tristeza é um soporífico". Marcos acrescenta aqui: "[...] e não sabiam o que lhe responder..." o que significa que, provavelmente, Jesus tornou a indagar deles se não poderiam vigiar e orar juntamente com ele. Estavam tão sonolentos, que dificilmente o ouviram falar, e seu cérebro estava de tal modo embotado pelo sono, que não podiam nem ao menos formular uma resposta. Isso é um quadro gráfico de almas embotadas por pesado sono, que tem aplicação espiritual. O cérebro (espiritualmente falando) pode tornar-se sonolento, embotado.

26.44: Deixando-os novamente, foi orar terceira vez, repetindo as mesmas palavras.

26.44 καὶ ἀφεὶς αὐτοὺς^b πάλιν^b ἀπελθὼν προσηύξατο ἐκ τρίτου τὸν αὐτὸν λόγον εὐτὼν^c πάλιν.^c

44 προσηύξατο ἐκ τρίτου 2Co 12.8   ^{b b} 44 *b* none, *b* none: WH Bov Nes BF² // *b* minor, *b* none: (TR) (AV) (NEB) TT Zür (Luth) (Jer)

^{c c} 44 *c* none, *c* major: WH Bov Nes BF² RV ASV NEB TT Zür Jer Seg // *c* major, *c* none: WH^{mg} // Seg // *b* none, *b* minor: RV ASV RSV *c* major, *c* different text: TR AV RSV Luth

44 παλιν 1º] *om* p³⁷Θ f*1 pc* sy^s | εκ πριτου] *om* p³⁷ AD f*1 al* it

Aqui temos uma repetição dos v. 39 e 42, onde o leitor deve consultar as notas. Jesus se foi para o embate *final*, e voltou totalmente preparado para as provas que viriam. Há muito tempo sabia que a cruz esperava por ele, e reconhecia as implicações do sofrimento espiritual, tanto quanto do sofrimento físico; porém, saber e começar a experimentar são duas coisas muito diferentes. Sua agonia tivera começo. Procurou libertar-se dela, mas logo compreendeu que isso era impossível. Em três grandes períodos de oração, o Senhor obteve a vitória. O anjo se pôs ao seu lado; as forças lhe foram proporcionadas. Sua mente retornou ao estado de calma natural, e assim permaneceu até o fim mesmo dos sofrimentos, até que, novamente, atônito, ele clamou: "Meu Deus, meu Deus, por que me abandonastes?" Nunca mais precisou hesitar.

Os comentários de G. Campbell Morgan são instrutivos neste ponto: "Do que consiste a verdadeira santidade? (1) Não da incapacidade de pecar, mas capacidade de *não pecar*. (2) Não da liberdade da tentação, mas do poder para *vencer* a tentação. (3) Não da infalibilidade no julgamento, mas da intensa e honesta busca de *seguir* a sabedoria mais alta. (4) Não do livramento das fraquezas da carne, mas do *triunfo* sobre toda aflição corporal. (5) Não da isenção de conflito, mas da *vitória* em meio aos conflitos. (6) Não da liberdade da possibilidade de fracasso, mas da graciosa *capacidade* de impedir a queda. (7) Não do fim do progresso, mas do ser *libertado* de permanecer parado.

26.45: Então voltou para os discípulos e disse-lhes: Dormi agora e descansai. Eis que é chegada a hora, e o Filho do homem está sendo entregue nas mãos dos pecadores.

26.45 τότε ἔρχεται πρὸς τοὺς μαθητὰς καὶ λέγει αὐτοῖς, Καθεύδετε [τὸ] λοιπὸν καὶ ἀναπαύεσθε;^d ἰδοὺ ἤγγικεν ἡ ὥρα καὶ ὁ υἱὸς τοῦ ἀνθρώπου παραδίδοται εἰς χεῖρας ἁμαρτωλῶν.

^d 45 *d* question: ASV^{mg} RSV NEB Luth // *d* statement: Jer? Seg^{mg} // *d* comand: AV RV ASV TT Zür Seg. // *d* statement or command: TR WH Bov Nes BF²

45 ιδου ηγγ.] ηγγ. γαρ Θ f*1*: ιδ. γαρ ηγγ. B *pc* sy^s sa

"**Ainda dormis e repousais!...**" Conforme a pontuação da versão portuguesa AA, que indica que Jesus proferiu essas palavras em ironia, talvez com alguma ideia de indignação. As versões AC (Almeida antiga) e IB (nova tradução da Imprensa Bíblica Brasileira) apresentam essas palavras como uma simples declaração, sem o ponto de exclamação (!). A RSV, por semelhante

modo, tanto quanto as versões de Moffatt e Goodspeed, trazem o sinal de interrogação no fim dessa declaração, tradução essa que remove qualquer senso de ironia ou indignação, que de outra maneira poderia ser atribuído a Jesus neste ponto. Provavelmente, essa é a interpretação correta. Os mss originais não traziam nenhum sinal de pontuação, pelo que há espaço para interpretação até mesmo nos lugares que envolvem tão-somente sinais de pontuação.

"**[...] é chegada a hora...**" Essa hora de tribulação, tentação, aprisionamento, espancamento, crucificação, é introduzida nos Evangelhos com um senso de admiração perplexa. O evangelho de Marcos, a fonte originária básica, prossegue no espírito de admiração e perplexidade, sem nenhum comentário editorial, apenas com uma narração simples e patética, uma narração que tem atravessado os séculos e serve de núcleo da maior história que já foi narrada. Os discípulos haviam perdido para sempre a oportunidade de ajudar Jesus; ele conquistara a vitória sozinho, e nada podia ser lançado no crédito deles. Bruce diz (*in loc.*): "Passara o momento de debilidade do Mestre; agora estava preparado para enfrentar o pior que viesse". Jesus previra aquela hora durante meses, e agora enfrentava-a calmamente. Em volta dele, agora, havia aquela atmosfera familiar de confiança. Os temores haviam desaparecido. Os seus discípulos novamente obtiveram forças da parte dele, conforme era comum acontecer. Jesus se entregara nas mãos do Pai. Com certa atitude de desprendimento, ele se aproximou da morte. Nenhum homem podia feri-lo agora, porquanto estava em paz consigo mesmo e com Deus. Essa é a única paz verdadeira que existe, e aquele que a possui não precisa ter receio das agitações exteriores.

Quanto a uma nota detalhada sobre a expressão "Filho do homem, ver Marcos 2.7 e Mateus 8.20.

26.46: Levantai-vos, vamo-nos; eis que é chegado aquele que me trai.

26.46 ἐγείρεσθε, ἄγωμεν· ἰδοὺ ἤγγικεν ὁ παραδιδούς με.

46 ἐγείρεσθε, ἄγωμεν Jo 14.31

"**Eis que o traidor se aproxima...**" No grego, é a mesma expressão usada por João Batista com alusão à vinda próxima do reino dos céus (ver Mt 3.2). Jesus pode ter reconhecido, telepaticamente, a aproximação de Judas, ou pode ter ouvido os inevitáveis passos que se aproximavam. Um numeroso grupo se avizinhava e, sem dúvida, fazia ruído suficiente para ser ouvido à distância. Traziam também muitos archotes e, sem dúvida, podiam ser vistos à distância. Certo número de detalhes do que aconteceu imediatamente antes do aprisionamento não recebe comentário nenhum. Lucas, em 22.47 de seu livro, indica que Jesus continuou a falar, provavelmente advertindo-os de novo de seu iminente aprisionamento e encorajando os discípulos. O mais provável é que, por essa altura, os discípulos estivessem alarmados, e mais especialmente quando perceberam como haviam sido exatas as profecias de Jesus.

ELE ANDOU NO JARDIM

Ele andou no jardim sozinho, em desespero;
Algumas vezes, indagava por que fora mandado ali.
Embora soubesse que devia morrer, para outros viverem,
Era justo que sua vida fosse dada como preço?

Ele andou pelo jardim, cabeça baixa em oração;
Dormindo, sem vigilância, os doze estavam ali.
E havia o que o trairia por prata, conforme Deus dissera...
Seu coração doía de tristeza por causa desse.

Os sacerdotes e anciãos, o concílio, se aproximou,
E com o testemunho falso de Judas, o condenou.
Feriram-no, zombaram dele e lhe cuspiram no rosto...
Esse homem da Galileia, esse homem da graça de Deus.
(Eileen Jenkins)

694 |**Mateus**| NTI

TUA VONTADE SEJA FEITA

Se todo pôr-do-sol fosse fundido,
Em um só rolo celestial,
Ou se todo o amor do mundo se derramasse
Em uma só taça de ouro...

Se todas as lágrimas se fizessem
Uma só pérola iridescente
Enquanto o vento rugisse
Em turbilhão interminável...

A beleza e o poder triunfante
De tudo não se compararia
Com Jesus no Getsêmani
E sua oração submissa.
(Elberta Leisure)

(g) A detenção (26:47-56)

26.47: E estando ele ainda a falar, eis que veio Judas, um dos doze, e com ele grande multidão com espadas e varapaus, vinda da parte dos principais sacerdotes e dos anciãos do povo.

26.47 Καὶ ἔτι αὐτοῦ λαλοῦντος ἰδοὺ Ἰούδας εἷς τῶν δώδεκα ἦλθεν καὶ μετ᾽ αὐτοῦ ὄχλος πολὺς μετὰ μαχαιρῶν καὶ ξύλων ἀπὸ τῶν ἀρχιερέων καὶ πρεσβυτέρων τοῦ λαοῦ.

"[...] chegou Judas..." Judas recebeu o auxílio de um bando de soldados, vindos da guarnição da torre de Antônia (Jo 18.3), uma das fortalezas de Herodes, que ficava ao norte do templo de Jerusalém. Juntamente com os soldados, vieram também os policiais do templo (Lc 22.52), enviados pelo sinédrio. Era tempo de lua cheia; mas Judas não quis arriscar-se; trouxeram grande abundância de espadas e de tochas, pois Judas estava bem acostumado com os estranhos poderes de Jesus.

Judas foi descrito em todos os três Evangelhos sinópticos como *um dos doze*, e isso adiciona certo senso de horror à narrativa. O traidor saíra dentre o grupo mais íntimo de discípulos! Esse acontecimento não poderia ter sido antecipado senão por Jesus, e foi exatamente isso que aconteceu. Pelo tempo em que o evangelho de Mateus foi escrito, essa designação de Judas Iscariotes, "um dos doze", já se tornara estereotipada, mais ou menos como a expressão "aquele que o traiu", mas seu uso original deve ter servido de considerável impacto entre os primitivos cristãos.

Essa seção histórica sobre o *aprisionamento* de Jesus é contada em todos os quatro Evangelhos, sendo um dos poucos acontecimentos historiados por todos. Os paralelos são Marcos 14.43-50; Lucas 22.47-53; João 18.2-11. Embora as narrativas sejam basicamente idênticas, transparece mais de uma fonte informativa, particularmente quanto ao evangelho de João. Provavelmente, a fonte informativa mais antiga é a do *protomarcos*, e isso forma a base de informações, especialmente dos Evangelhos sinópticos (Marcos, Mateus e Lucas). Somente Lucas registra a cura do servo do sumo sacerdote, cuja orelha fora decepada por Pedro (Lc 22.51); e somente o evangelho de João registra o poder psicológico de Jesus sobre o grupo, quando ele se aproximou, fazendo-se cair para trás. Parece certo, portanto, que há mais de uma fonte informativa por detrás dessas narrativas, pois não é provável que todos esses pormenores tenham sido postos como comentários editoriais. Não é impossível que posteriormente Malco se tivesse tornado cristão — contou a parte da história que lhe dizia respeito. A petição de Jesus, de que os discípulos fossem deixados em liberdade, e que somente ele fosse aprisionado, também só está registrada no evangelho de João (18.8). É evidente que esse pedido foi concedido, pois somente Jesus foi levado ao tribunal; os discípulos se ocultaram.

Essa grande demonstração de força parece indicar, conforme dizem alguns intérpretes, que esperavam alguma *rebelião armada*, como se Jesus tivesse recolhido em torno de si um grande bando armado, sabendo que Judas saíra propositalmente da refeição da Páscoa a fim de entregá-lo às autoridades. Judas não sabia o que Jesus poderia ter feito após ele ter deixado o salão onde foi celebrada a Páscoa. E é bem possível que as autoridades religiosas tivessem pensado que Jesus tentaria resistir, provocando uma revolta política; por isso mesmo, vieram preparados para enfrentar qualquer circunstância, dispostos a esmagar qualquer rebelião.

26.48: Ora, o que o traía lhes havia dado um sinal, dizendo: Aquele que eu beijar, esse é: prendei-o.

26.48 ὁ δὲ παραδιδοὺς αὐτὸν ἔδωκεν αὐτοῖς σημεῖον λέγων, Ὃν ἂν φιλήσω αὐτός ἐστιν· κρατήσατε αὐτόν.

26.49: E logo, aproximando-se de Jesus disse: Salve, Rabi. E o beijou.

26.49 καὶ εὐθέως προσελθὼν τῷ Ἰησοῦ εἶπεν, Χαῖρε, ῥαββί· καὶ κατεφίλησεν αὐτόν.

"[...] dado[...] sinal [...] a quem eu beijar..." A evidência dada pela literatura oriental é que, naquele tempo, o ósculo de saudação era comum na Palestina, e que era assim que os discípulos saudavam os seus mestres. O ósculo da saudação, porém, era um sinal de *lealdade*, de sujeição, de respeito e de amizade. (Esse beijo de saudação foi levado para os costumes da Igreja: ver Rm 16.16 e 1Ts 5.26.)

A palavra original aqui traduzida como *beijo* realmente é uma forma composta, e poderia ser traduzida "beijou fervidamente", embora os papiros indiquem que a palavra era algumas vezes usada como simples sinônimo da palavra comum, sem nenhuma qualidade intensiva. A mesma palavra é empregada para indicar o abraço que o progenitor do filho pródigo deu em seu filho; e nessa oportunidade é possível que o senso de intensidade esteja em foco. (Ver Lc 15.20.) O ósculo era sinal de amizade, de lealdade; mas Judas Iscariotes transformou-o em um sinal de vil traição e de morte. Judas planejou bem a traição, e, embora não tivesse nenhuma certeza de que Jesus estaria realmente no jardim, calculou astutamente que ali o encontraria.

O mais provável é que Judas estivesse dividido entre os imensos sentimentos de *culpa e temor* do que sabia que seria a sorte de Jesus. Nessa ocasião, não fazia ideia de que um profundo remorso o levaria ao suicídio horrível que cometeu, antes até mesmo da morte de Jesus. Judas era dotado de dupla personalidade. Ao aproximar-se ele de Jesus, o antigo encanto funcionou novamente, e ele o beijou fervorosamente. Horas antes, a mulher que chegara repentinamente na casa de Simão, ungira a cabeça e os pés de Jesus com o óleo precioso (Lc 7), e também o beijara fervorosamente. Que tremenda diferença entre esses dois ósculos! O primeiro foi um sinal autêntico e duradouro de lealdade e respeito; o outro serviu de marca deixada por uma alma depravada, como prova dessa depravação. A primeira teria facilmente morrido por Jesus; o outro levou-o à morte de cruz. O mais certo é que Jesus poderia ter sido reconhecido sem a necessidade de nenhum ósculo; mas seus captores não queriam arriscar-se, e por isso concordaram sobre o sinal do beijo dado por Judas Iscariotes.

"Salve, Mestre!" Literalmente, a palavra é *rabino*, que significa mestre ou professor; e é provável que os discípulos, incluindo Judas, ordinariamente usassem o termo para indicar o Senhor Jesus. Judas, de palavra, desejou bem a Jesus. "Alegra-te", foi a saudação literalmente traduzida por ele empregada; equivalia ao nosso "como vai?". No entanto, em realidade, não desejava bem ao Senhor; pelo contrário, estava entregando-o traiçoeiramente nas mãos de seus inimigos, para que fosse morto. Agiu como Joabe fez com Amasa, que, após perguntar-lhe sobre a saúde, segurou-o pela barba e o feriu à espada sob a quinta costela, matando-o instantaneamente. (Ver 2Sm 20.9). A saudação judaica geralmente expressava o desejo de saúde, prosperidade e felicidade. Judas

dirigiu-se a Jesus, chamando-o de mestre, expressando bons desejos; mas nisso tudo estava apenas entregando-o nas mãos dos seus inimigos.

26.50: Jesus, porém, lhe disse: Amigo, a que vieste? Nisto, aproximando-se deles, lançaram mão de Jesus, e o prenderam.

26.50 ὁ δὲ Ἰησοῦς εἶπεν αὐτῷ, Ἑταῖρε, ἐφ' ὃ πάρει.ᵉ τότε προσελθόντες ἐπέβαλον τὰς χεῖρας ἐπὶ τὸν Ἰησοῦν καὶ ἐκράτησαν αὐτόν.

50 (πάρει. R]; vg ς) ᵉ50 e command: WH Nes BF RV ASV RSVᵐᵍ NEB TT Jer Seg // e question: TR Bov AV RSV NEBᵐᵍ Zür Luth

"Jesus [...] lhe disse: Amigo..." Somente o evangelho de Mateus registra essa pergunta de Jesus. O texto de Lucas 22.48 registra outra indagação: "Judas, com um beijo trais o Filho do homem?" Ambas as perguntas tinham tom de reprimenda, especialmente a registrada no evangelho de Lucas, porque Jesus mostrou como era incoerente trair com um beijo, sinal de lealdade e amizade. Ninguém sabia disso melhor do que o próprio Judas, podemos estar certos; mas seu caráter retorcido permitiu que assim fosse. No que tange à narrativa de Mateus, tem havido muitos debates sobre a frase, "para que vieste...?" Alguns intérpretes a aceitam mais como afirmação do que como pergunta. Por isso é que Moffatt e Goodspeed a traduzem por "Dá o teu pecado", como se estivesse encorajando Judas a levar sua traição até o fim. Deissmann (*Light from the Ancient East*, p. 125-131), porém, parece ter provado conclusivamente que devemos compreender a frase como uma indagação, visto que a expressão *eph'ho*, no grego posterior, tem a força do interrogativo *"epi ti"*. (Ver também Robertson, *Grammar*, p. 725.) Encontramos essa forma de indagação em uma placa síria do século I de nossa era, sendo evidentemente uma forma comum da linguagem do grego *koiné* dos dias de Jesus. A maioria das versões antigas, tanto latinas como siríacas, apresentam a frase como uma pergunta. Disse Bruce (*in loc.*): "O ponto é que o Mestre mostrou ao falso discípulo que ele não cria naquela demonstração exterior de afeto".

"[...] amigo..." Jesus usou um apelativo civil, sem revelar nenhum sentimento de indignação; não chamou Judas de *vilão*, "assassino" ou "traidor", como a maioria de nós teria feito. Não se tornou violento; pelo contrário, controlou-se e não se lançou em amarga denúncia contra Judas, como a maioria dos homens teria feito sob as mesmas circunstâncias. Novamente vemos o admirável caráter de Jesus, o qual, mesmo debaixo das circunstâncias mais adversas, "permanecia", conforme o encontramos aqui (ver Mt 11.16; 20.13; 22.12), embora fosse um apelativo comum na literatura grega.

E, dessa maneira, Judas Iscariotes traiu o maior de todos os homens, mediante uma vil e baixa traição. O que se formara em seu caráter que o levou a agir dessa maneira? Sabemos que pecados vis dessa espécie resultam de um processo formativo, e não de impulso súbito. O poeta indica essa possibilidade até mesmo nos anos formativos da meninice de Judas, quando começou aquele processo que finalmente se transformou no pior de todos os crimes:

Em antigas sombras e lusco-fuscos,
Onde a infância fora passada,
Nasceu a maior tristeza do mundo,
E seus heróis se fizeram.
Na infância perdida de Judas,
(Germinal, de Vale)

Pelo menos sabemos que tais atos são uma excrescência. Judas permitira que aquelas atitudes se fossem formando dentro dele. Começou a "furtar" da sacola de dinheiro, que era uso de todos, e acabou sendo o traidor e assassino.

26.51: E eis que um dos que estavam com Jesus, estendendo a mão, puxou da espada e, ferindo o servo do sumo sacerdote, cortou-lhe a orelha.

26.51 καὶ ἰδοὺ εἷς τῶν μετὰ Ἰησοῦ ἐκτείνας τὴν χεῖρα ἀπέσπασεν τὴν μάχαιραν αὐτοῦ καὶ πατάξας τὸν δοῦλον τοῦ ἀρχιερέως ἀφεῖλεν αὐτοῦ τὸ ὠτίον.

51 Jo 18.26   51 των] om p³⁷ | μετα Ιησου] μετ αυτου B | παραξας τ.δ.τ.α.] p) επαραξεν τ.δ.τ.α. και D it

"[...] um dos que estavam com Jesus..." Os Evangelhos sinópticos (Marcos, Mateus e Lucas) ocultam a identidade desse homem, que o evangelho de João identifica como *Pedro*. Alguns têm sugerido que assim ficou registrado porque Pedro ainda vivia e poderia ter sofrido más consequências se a sua identidade se tornasse conhecida. João, no entanto, tendo escrito no fim daquele século, depois que Pedro já fora martirizado, não precisou ocultar-lhe o nome. (Ver Jo 18.10.) A espada foi uma das duas que Lucas 22.38 diz que eles traziam consigo. Talvez tenha havido alguma ideia de preparação para ação violenta, entre os discípulos, alertados pelas predições contínuas de Jesus. Alguns intérpretes têm sugerido que realmente se tratava de uma faca grande, que fora usada na preparação da refeição pascal. Ainda que assim tivesse sido, seria difícil explicar por que razão teriam com eles essa faca naquela noite, no jardim, se é que não havia pensamento de nenhum perigo e necessidade de autodefesa. Provavelmente, jamais saberemos de forma exata, o que os discípulos teriam em mente. Com certeza, Pedro tencionava decapitar o homem; mas, sendo pescador, não sabia manejar corretamente uma espada. Felizmente ele apenas decepou uma orelha, que foi imediatamente curada, conforme a versão de Lucas. Não podemos deixar de admirar a imensa coragem de Pedro nesse ponto, pois o número de adversários era avassalador, não havendo, simplesmente, possibilidade de defesa contra tão grande número de soldados armados. Até parecia que Pedro estava prestes a cumprir sua jactância. Agora estava totalmente desperto e percebia perfeitamente bem o perigo que ameaçava Jesus. Com grande coragem arrostou toda a multidão. Quando, porém, lhe foi dado tempo para refletir, essa coragem se dissipou, porquanto chegou a temer até mesmo diante de uma simples criada (ver o v. 69). O nome do homem cuja orelha foi decepada era Malco, de acordo com a narrativa do evangelho de João, sendo provável que ele fosse líder do bando, estando assim em posição conspícua e vulnerável quando o bando se defrontou com Jesus e seus discípulos. O fato de que sabemos o seu nome, provavelmente indica que, mais tarde, ele se tivesse *tornado cristão*, e que talvez ele mesmo tivesse contado a sua história; mas também é possível que um dos doze, talvez o apóstolo João, que tinha associações com os elementos do sinédrio, conhecesse pessoalmente o criado do sumo sacerdote.

Tolamente, alguns têm tentado fazer esta passagem ter aplicação à questão do *pacifismo*, isto é, se os crentes podem ou não brandir armas. Pedro estava armado, mas Jesus repreendeu-o por causa disso. Quanto à defesa ou ao repúdio do pacifismo, precisamos buscar argumentos noutras passagens bíblicas. Não é provável que neste texto se tivesse a intenção de ensinar qualquer coisa sobre o tema.

26.52: Então Jesus lhe disse: Mete a tua espada no seu lugar; porque todos os que lançarem mão da espada, à espada morrerão.

26.52 τότε λέγει αὐτῷ ὁ Ἰησοῦς, Ἀπόστρεψον τὴν μάχαιράν σου εἰς τὸν τόπον αὐτῆς, πάντες γὰρ οἱ λαβόντες μάχαιραν ἐν μαχαίρῃ ἀπολοῦνται.

52 πάντες...ἀπολοῦνται Gn 9.6; Ap 13.10; 21.37; Jo 18.20

52 απολουνται p³⁷ אABDΘ fl pm latt. syᵉ; R] αποθανουνται W fl3 565 al ς

"[...] todos os que lançam mão da espada...". Jesus não tentou levantar aqui um argumento em defesa do pacifismo, porquanto a situação e as circunstâncias desse incidente não são bastante amplas para assegurar-nos de que ele teria ou não permitido a guerra em determinados casos, ou a autodefesa ou outras ações violentas quaisquer. No entanto, em princípio, essas famosas palavras de Jesus são definidamente contrárias à violência. Jesus não quis meramente advertir que um soldado profissional está sujeito à violência, embora isso seja verdade; porém, apresentava um julgamento de valor, dizendo que a violência é uma ação que precisa ser reprimida, rejeitada e eliminada. É-nos difícil imaginar Jesus agindo de maneira violenta. Essa é uma das lições que todos os homens precisam aprender, e que está sendo ensinada a todos os discípulos autênticos, isto é, odiar a violência. Jesus demonstrou uma dose infinita de misericórdia para com os homens. Ele possuía simpatia natural pelos homens. O seu modo de tratar Judas Iscariotes, segundo é descrito neste capítulo, é um bom exemplo de sua natureza não-violenta. Sua ação foi em defesa de um inimigo, contra a violência praticada por um de seus amigos íntimos; e o ato de cura também serviu de outro exemplo da atitude básica de Jesus sobre como devemos tratar nossos semelhantes. Segundo o código ético de Jesus, os inimigos não são objetos de nossa violência. Ele nos ensinou a amar até mesmo os nossos inimigos, e nossa aparente incapacidade de fazer isso é uma boa indicação de nosso desenvolvimento espiritual inadequado. A declaração do Senhor indica que a violência gera a violência, e que, em última análise, todos quantos apelam para a violência são perdedores. A própria história nos ensina essa lição, embora o homem seja tardio em aprender. As *vergonhosas* guerras religiosas entre católicos e protestantes servem também para exemplificar a degradação do homem, a despeito da bandeira de cada um. Pois há ocasiões em que as pessoas matam e odeiam com palavras e ações sutis, e não apenas com armas. Jesus ensinou que esses indivíduos também são assassinos. Seus princípios éticos acerca da violência são inflexíveis, mas são autênticos, pelo que também os aceitamos intuitivamente e pelo raciocínio. Pedro entrou no domínio e na insensatez deste mundo perverso, de onde Jesus o chamara para o discipulado cristão.

Este texto também tem sido empregado para consubstanciar a *abolição* da punição capital, mas isso sem nenhuma justificativa. Essa questão não pode ser resolvida mediante o uso de textos de prova, mas dentro da estrutura da própria sociedade; no seio daquelas leis que têm sido estabelecidas para o benefício de todos; à base de verdades sociológicas e psicológicas, e não à base de textos de prova.

Tanto este como os dois próximos versículos não se encontram nos evangelhos de Marcos, Lucas e João, sendo, por isso mesmo, peculiares a Mateus; e provavelmente foram supridos pela tradição da igreja de Antioquia ou da igreja de Jerusalém. A fonte "M", pois, com certeza, é a origem mais provável.

26.53: Ou pensas tu que eu não poderia rogar a meu Pai, e que ele não me mandaria agora mesmo mais de doze legiões de anjos?
26.53 ἢ δοκεῖς ὅτι οὐ δύναμαι παρακαλέσαι τὸν πατέρα μου, καὶ παραστήσει μοι ἄρτι πλείω δώδεκα λεγιῶνας ἀγγέλων;

<hr>

53 μοι] *add* ωδε ℵ·Θ fr

"[...] neste momento..." Naquela ocasião mesma de aparente impotência, Jesus não estava sem poder. Era crença da igreja primitiva que a morte de Jesus não fora causada por sua falta de poder, pois poderia ter chamado grande número de anjos para derrotar todos os desígnios contra ele; mas Deus tinha outros planos, bem como um destino diferente para o Filho; e este ele enfrentou, para benefício de todos os homens.

"[...] doze legiões de anjos..." Em data posterior (66 d.C.) havia grandes contingentes de soldados na Palestina, mas estavam aquartelados principalmente em Cesareia e na torre de Antônia, em Jerusalém, quando estas palavras foram proferidas. Não obstante, os que ouviram essas palavras puderam compreender, tanto pela história como pela observação pessoal, como seria grande número de anjos de doze legiões. Uma *legião* romana completa tinha

6.100 homens, além de 726 cavalos. Jesus via mais de doze legiões (mais de 72.000) e seres angelicais, sob as suas ordens. É possível que esses termos indicassem uma legião para cada apóstolo. Jesus não precisava da defesa violenta dos doze apóstolos, porquanto, se quisesse apelar para a violência, poderia ter uma legião de anjos para cada apóstolo. A vitória de Jesus, no jardim do Getsêmani, não fora uma vitória da violência. A sua vitória na cruz, embora produzida pela violência de homens iníquos, também não foi uma vitória da violência.

Este versículo, naturalmente, mostra outra razão pela qual os verdadeiros discípulos não podem ser homens violentos: se a violência fosse necessária para realizar os desígnios de Deus na vida dos homens, Deus poderia ter fornecido os elementos violentos em muito maior quantidade e em termos mais convincentes do que qualquer plano que os discípulos pudessem ter traçado. A igreja primitiva, portanto, reputava esses versículos como uma prova de que Jesus não morreu por ter sido dominado à força, ou sem desígnio, pois Deus *permitiu* a ação de homens ímpios e violentos. Nada disso poderia ter ocorrido sem a permissão do Senhor. Além disso, é boa doutrina observar que Deus usou essa ação, no destino de Jesus, visando à própria glória e o bem de toda a humanidade. Se Deus pode agir assim, no caso de Jesus, é razoável supormos que seu controle também se aplique ao nosso caso. Por conseguinte, aqui nos é ensinada uma lição sobre o senhorio de Deus, como também sobre o fato de que "[...] todas as coisas cooperam para o bem daqueles que amam a Deus, daqueles que são chamados segundo o seu propósito", os quais têm parte nos propósitos de Deus e estão no caminho de ser transformados segundo a imagem de seu Filho.

Este versículo indica, igualmente, como fora completo o conflito de Jesus no jardim, porquanto agora ele aceitava totalmente que o seu destino era a cruz. Nem mesmo a certeza de que lhe era possível ser total e eficazmente libertado do suplício e da morte, o impeliu a incorrer no erro da insubmissão. Temos aqui uma possível alusão à história de Eliseu, em Dotã. Ver 2Reis 6.17.

26.54: Como, pois, se cumpririam as Escrituras, que dizem que assim convém que aconteça?
26.54 πῶς οὖν πληρωθῶσιν αἱ γραφαὶ ὅτι οὕτως δεῖ γενέσθαι;

"Como, pois, se cumpririam as Escrituras...?" O texto de João 18.11 é paralelo a esse versículo de Mateus, em contraste com os demais *sinópticos*, os quais nada dizem que se assemelhe a isto e nem dão nenhuma indicação sobre a consciência que Jesus tinha de estar cumprindo qualquer profecia ou desígnio especial de Deus nessas ações.

"Não beberei..." Este *cálice* é profético, prometido ao Messias como *Servo sofredor*. Todavia, os discípulos jamais haviam entendido realmente essa ideia, e passagens como Isaías 53, embora frequentemente esclarecidas nos escritos judaicos, como profecias acerca do Messias, nunca foram inteiramente aceitas no quadro em geral compreendido sobre o Messias, por parte do povo, ou também por parte das autoridades religiosas. Jesus falava sobre o cálice de seus sofrimentos, especialmente sua horrível morte, conforme já observamos no v. 39 deste mesmo capítulo. O "cálice" fala de tristeza, angústia, terror ou provação especial, segundo os escritos judaicos. Em algumas culturas antigas, um cálice de veneno era a forma de execução que se empregava. Ver o v. 39 quanto aos detalhes sobre o sentido dessa expressão. Jesus procurava salientar a lição que ele tornara a aprender no jardim, mas que realmente já sabia desde muito tempo que a libertação poderia não estar de acordo com os planos divinos, os quais já haviam sido fixados há séculos, nas Escrituras do AT. O conselho de Deus já fora revelado em textos bíblicos como Salmos 22; Isaías 53; Daniel 9.26 e Zacarias 13.7. Jesus agora entendia plenamente esse conselho; sua mente estava clara e tranquila, e suas energias anteriores lhe haviam sido restauradas. Ninguém poderia feri-lo no íntimo agora, e ele não haveria de desviar-se nem para a esquerda e nem para a direita. O Senhor Jesus haveria de ser aperfeiçoado mediante esses sofrimentos. (Ver Hb 2.10.)

26.55: Disse Jesus à multidão naquela hora: Saístes com espadas e varapaus para me prender, como a um salteador? Todos os dias estava eu sentado no templo ensinando, e não me prendestes.

26.55 Ἐν ἐκείνῃ τῇ ὥρᾳ εἶπεν ὁ Ἰησοῦς τοῖς ὄχλοις, Ὡς ἐπὶ λῃστὴν ἐξήλθατε μετὰ μαχαιρῶν καὶ ξύλων συλλαβεῖν με; καθ᾽ ἡμέραν ἐν τῷ ἱερῷ ἐκαθεζόμην διδάσκων καὶ οὐκ ἐκρατήσατέ με.

_{ᶠ 55 f question: TR WH Bov Nes BF² AV ASV RSV NEB TT Jer // f statement: Zür Luth Seg   55 καθ᾽...διδάσκων Lc 19.47}

"**Saístes com espadas...**" Essa mesma palavra, usada aqui para *salteador* é empregada por Josefo para descrever aqueles *revolucionários* que combinavam o banditismo com um nacionalismo violento. (Por exemplo, ver *Ant.* XX.8.5.) Jesus não era um desses, e nem jamais dera nenhuma indicação de ser um deles quanto aos seus propósitos. Sempre ensinara publicamente, no próprio templo. Jesus pregava abertamente a mensagem do arrependimento e do preparo para a entrada em um reino espiritual. Aqueles homens, porém, tratavam Jesus como se ele fosse um salteador sem princípios, que ganhasse a vida aproveitando-se da humanidade, furtando propriedades alheias por meios violentos. Bem pelo contrário, o Senhor Jesus era homem de paz, que constantemente se recusou a tomar parte em movimentos revolucionários, que sempre mostrou um espírito de bondade e de sentimentos humanitários. Alguns intérpretes têm pensado que as autoridades do templo realmente apoiavam os *salteadores revolucionários* que infestavam o vale do rio Jordão, os quais, por meios desonestos e duvidosos, tentavam derrubar o domínio romano, ao mesmo tempo que se enriqueciam. Se assim realmente acontecia, a declaração de Jesus é irônica. Havia muitos salteadores revolucionários a serem presos por bandos armados de soldados, se assim quisessem fazer. No entanto, prendiam um reformador religioso que não tinha tendências políticas ou violentas. Jesus jamais ocultara os seus motivos. Ele expunha a suas convicções no próprio templo; não se uniu a nenhum grupo de homens violentos, que esperavam suas vítimas passarem para que as assassinassem e roubassem. "O triunfo da fé cristã, um triunfo pela derrota aparente, conquista-se pela sua fraqueza ante a verdade, combinada com um amor pacífico por todos os homens" (Buttrick, *in loc.*). A presença daquele bando armado subentendia que Jesus pregava a sua doutrina em segredo, ou que planejava o mal secretamente. Jesus, entretanto, achava-se ali com motivos puros, a fim de preparar-se para a provação que teria de sofrer. "Como as ações mais santas e nobres são capazes de ser torcidas, e como isso é humilhante para uma alma heróica! Era plenamente característico de Jesus que ele sentisse a humilhação, expressando os seus sentimentos". (Bruce, *in loc.*).

26.56: Mas tudo isso aconteceu para que se cumprissem as Escrituras dos profetas. Então todos os discípulos, deixando-o fugiram.

26.56 τοῦτο δὲ ὅλον γέγονεν ἵνα πληρωθῶσιν αἱ γραφαὶ τῶν προφητῶν. Τότε οἱ μαθηταὶ πάντες ἀφέντες αὐτὸν ἔφυγον.

_{56 οἱ...ἔφυγον Zc 13.7; Mt 26.31; Jo 16.32}

"**[...] aconteceu para que se cumprissem as Escrituras dos profetas...**" Temos aqui uma repetição da ideia apresentada no v. 54, onde o leitor poderá ler as notas de explicação. Além dos textos bíblicos mencionados no v. 54, muitas outras passagens poderiam ser adicionadas à lista, como Salmos 69; Isaías 50; Miqueias 5; Zacarias 12; Salmos 34; 41; Lamentações 4 etc. Essas profecias descreviam os sofrimentos do Messias, incluindo o maior de todos os sofrimentos — a morte por crucificação. Provavelmente esse versículo é uma nota editorial do autor, passando ele em revista os acontecimentos, quando então simplesmente expandiu o que Jesus deixou entendido a declaração que encontramos no v. 54. Ele demonstrou a fé e a compreensão da igreja primitiva, no tocante ao ofício do Messias. Não se tratava de um ensino novo, porquanto o AT já o encerrava, mas era uma nova compreensão acerca desses textos das Escrituras, e que a igreja primitiva muito frisava em sua apresentação da pessoa de Jesus como o verdadeiro Messias de Israel.

"**[...] todos, deixando-o, fugiram**". O que fica subentendido nisso, naturalmente, é aquilo que a igreja tem dito com frequência: foi uma evidência de covardia e de deslealdade, debaixo da pressão. Cumpriu-se a profecia de Jesus, conforme lemos em João 16.32: "Eis que vem a hora e já é chegada, em que sereis dispersos, cada um para a sua casa, e me deixareis só; contudo, não estou só, porque o Pai está comigo". Essa ideia, todavia, parece contraditória à informação que encontramos no evangelho de João, pois ali vemos Jesus pedindo que os discípulos fossem deixados em liberdade, para que não compartilhassem de sua sorte, e nem mesmo de seu aprisionamento.

"**[...] se é a mim, pois, que buscais, deixai ir estes; para se cumprir a palavra que dissera: Não perdi nenhum dos que me deste**" (Jo 18.8,9). Somente João tece esses comentários, os quais são expostos como profecia cumprida. Os apóstolos estavam entregues aos cuidados de Jesus. O Senhor poderia falar de ameaça física contra eles; porém, mais particularmente, indicava o possível dano espiritual contra eles, por meio de uma provação que talvez não pudessem suportar, em seu atual estado de desenvolvimento espiritual. Judas Iscariotes fora testado por Satanás além de sua capacidade de resistência, e fora destruído. Mais tarde, Jesus mencionou que só se perdera aquele discípulo, por ser filho da perdição. Em realidade, porém, ele jamais estivera seguro dentro do rebanho, porquanto a sua natureza não fora transformada, e a sua traição foi apenas mais uma manifestação de sua natureza básica, embora mais radical que as anteriores. Jesus não queria que os outros discípulos igualmente apostatassem. Por conseguinte, quis que ficassem em liberdade, que não tivessem de enfrentar a provação, pois ainda não estavam preparados para tanto. Posteriormente, puderam enfrentar o teste, como Jesus suportara com paciência os seus sofrimentos.

Não podemos afirmar com certeza *o que* aconteceu neste ponto. Os discípulos fugiram, e, em sua mente, abandonaram o seu Senhor. Como isso se combina com a solicitação de Jesus que fossem deixados em liberdade (pedido esse que obviamente foi atendido), não sabemos dizer. É possível que o pedido tivesse sido atendido, mas que os discípulos, em espírito, não somente desertaram, mas também se alegraram em estar desligados de qualquer associação com Jesus, naquela ocasião, porque temiam compartilhar de sua sorte também. E todos desapareceram, com exceção de Pedro, que foi seguindo o Senhor de longe. Buttrick (*in loc.*) expressa uma verdade que se aplica a essas observações, ao dizer: "Existem malignidades em nós e à nossa volta, com as quais nenhum homem pode lutar à altura, se conta apenas com as suas débeis forças". A fuga da deserção não foi completa, porquanto o texto de Marcos 14.51 menciona que certo jovem o seguia, "[...] coberto unicamente com um lençol; e lançaram-lhe a mão, mas ele, largando o lençol, fugiu desnudo". Muitos intérpretes acreditam que se tratava do próprio Marcos, sendo essa uma forma de autoautógrafo neste evangelho, um incidente que só tinha importância para ele mesmo, pois nenhum dos outros o registram. (Ver as notas sobre essa ocorrência, no texto de Mc 14.51.) A passagem de João 18.15 indica que Pedro e João seguiram o Senhor Jesus. Evidentemente, João era pessoalmente conhecido do sumo sacerdote, e, mesmo naquela ocasião, foi-lhe outorgado o direito de acesso ao templo. Ver as notas no texto de João 18.15,16.

698 | Mateus | NTI

> **(h) Audiência diante de Caifás (26.57-68)**
>
> Jesus comparece *perante o sinédrio*. Os paralelos são Marcos 15.53-65; Lucas 22.66-71 e João 18.19-24. Portanto, todos os quatro Evangelhos fornecem-nos informações sobre esse julgamento preliminar de Jesus, perante o augusto corpo das autoridades religiosas dos judeus, o mais alto tribunal de Israel. A história levanta certas dificuldades, principalmente por nossa falta de conhecimento exato sobre os costumes da época. Parece que o sinédrio inteiro reuniu-se para examinar o caso de Jesus. Alguns duvidam que isso fosse possível, especialmente se aquela tivesse sido a noite da Páscoa. As regras da *Mishnah* determinam que, nos casos de punição capital, os julgamentos teriam de ser levados a efeito à luz do dia. Por semelhante modo, nesses casos de punição capital (isto é, que envolvessem a morte do prisioneiro), o veredicto da pena de morte poderia ser exarado em um dia, mas só poderia ser declarado no dia seguinte. Todavia, essas regras (que aparecem em Sanhedrin 4.1) talvez reflitam desenvolvimentos posteriores; além disso, não é impossível que, no caso de Jesus, tivessem feito toda sorte de exceções, pois desde muito lhes servia de praga, e estavam ansiosos por se verem livres dele. Outros estudiosos, contudo, salientam que a única blasfêmia que se podia punir com a morte era aquela em que o nome divino era usado de forma blasfema, e que a reivindicação de alguém ser o Messias ou de vir a assentar-se à direita de Deus, não era tal crime. Como poderíamos, porém, saber de que modo teriam interpretado as reivindicações de Jesus, que foram consideradas blasfemas, segundo o v. 64 deste mesmo capítulo, além de certo número de passagens no evangelho de João, como os capítulos 6 e 8? Supomos demais, ao nos considerar aptos para ler os pensamentos daqueles homens. Naturalmente que é verdade que a acusação real contra Jesus, e que finalmente causou a sua morte, não foi a de blasfêmia, por mais intensamente que as autoridades tivessem sentido a esse respeito. Foi a acusação de alta traição, acusação essa confirmada pelas ações de Pilatos, embora sob a insistência da multidão. Jesus foi executado como inimigo do estado romano, sob uma acusação política, demonstrada pelo fato de ser crucificado (modo romano de execução), e não apedrejado, que era o método de execução judaica contra os blasfemadores. Não obstante, os fatores básicos que causaram a crucificação eram fatores religiosos, os quais foram provocados pelas autoridades religiosas. O "sinédrio" convenceu astutamente os oficiais romanos, para que executassem os seus desígnios. Os *Evangelhos* suavizam o aspecto político, o que indubitavelmente fez parte do quadro geral; porém, não devemos descambar para o outro extremo, supondo que se tratou meramente de uma execução por crime político.

26.57: Aqueles que prenderam a Jesus levaram-no à presença do sumo sacerdote Caifás, onde os escribas e os anciãos estavam reunidos.

26.57 Οἱ δὲ κρατήσαντες τὸν Ἰησοῦν ἀπήγαγον πρὸς Καϊάφαν τὸν ἀρχιερέα, ὅπου οἱ γραμματεῖς καὶ οἱ πρεσβύτεροι συνήχθησαν.

Caifás, o sumo sacerdote, e alguns de *seus amigos*, reuniram-se à noite, e procuraram testemunhas. É provável que o *sinédrio*, como um corpo, ao menos por meio de certos representantes seus, tivesse realizado o julgamento. Os fariseus sempre ensinaram que as testemunhas deveriam ser examinadas individual e cuidadosamente; mas o modo de proceder precipitado provavelmente não permitiu que eles usassem de suas precauções comuns nessas questões. Dificilmente, aquele poderia ser reputado um júri sem preconceitos. Pois, em última análise, eles mesmos haviam planejado a morte de Jesus, desde há muito. Negligenciaram as formalidades de um julgamento justo. Em realidade, nem ao menos pretenderam que estivessem em julgamento. Sabemos, pela história daquele período,

que os judeus não tinham autoridade para executar quem quer que fosse. Tinham de apresentar os casos de punição capital às autoridades romanas, neste caso, representadas por Pilatos. Contudo, podiam arquitetar um bom plano, expondo-o a Pilatos, o qual, por sua vez, poderia executar os desígnios deles. E, em tudo isso, obtiveram um sucesso extraordinário.

"[...] à casa de Caifás, o sumo sacerdote..." A casa tradicional de Caifás, o sumo sacerdote, que ficava ao sul da porta de Sião, imediatamente do lado de fora dos atuais muros, e próxima da esquina sudoeste da Cidade Antiga, que fica a considerável distância do monte das Oliveiras. Temos aqui uma alusão ao palácio de Caifás. O evangelho de João (18.24) indica que Jesus primeiramente compareceu ante Anás, e que, em seguida, foi mandado à presença de Caifás. Provavelmente, assim é que aconteceu, embora somente o quarto evangelho nos dê essa indicação. Em realidade, Caifás exercia a autoridade de sumo sacerdote, naquela ocasião. Seu sogro fora sumo sacerdote no período de 6 a 15 d.C., mas fora deposto. Não obstante, as Escrituras ainda o chamam de sumo sacerdote, e o povo continuava a respeitá-lo como tal. Os judeus consideram que o ofício de sumo sacerdote era vitalício, não reconhecendo autoridade, por parte dos romanos, que haviam deposto a Anás; para o povo, ele continuava exercendo a autoridade sumo sacerdotal, e grande era a sua influência sobre o sinédrio. Cinco dos filhos de Anás e seu genro tornaram-se sumo sacerdotes. Caifás, de acordo com a nomeação dos romanos, era o sumo sacerdote oficial, mas Anás continuava exercendo a sua influência entre os judeus.

Segundo alguns intérpretes afirmam neste ponto, é possível que duas, ou mesmo três, reuniões tivessem sido realizadas pelo sinédrio. Uma ou duas à noite, pouco depois do aprisionamento de Jesus, sendo essas meramente preliminares. E então outra, pouco antes do raiar do dia. Jesus não dormiu durante aquela noite.

Alguns creem que os acontecimentos desses julgamentos preliminares em realidade tenham se realizado em três estágios, e não em dois: (1) O exame preliminar, encabeçado por Anás (Jo 18.13 — não sendo uma reunião oficial do sinédrio). (2) O exame efetuado por Caifás, durante a noite, e que também seria um exame preliminar (talvez com bom número de representantes do sinédrio, embora também não fosse um julgamento oficial — Jo 18.24). (3) O exame final e o julgamento formal, ante o sinédrio inteiro, na manhã de sexta-feira, bem cedo. (Este julgamento é que estaria registrado nos Evangelhos *sinópticos*, e é o que está em vista neste capítulo.) Entretanto, não podemos ter nenhuma certeza acerca de tudo isso, embora esse método pareça harmonizar os diversos textos bíblicos que têm relação com o julgamento de Jesus.

Esses julgamentos religiosos foram seguidos por julgamentos *civis*, os quais também foram em número de três: (1) Diante de Pilatos, pela primeira vez. (2) Perante Herodes (registrado em Lc 23.8). (3) Diante de Pilatos, pela segunda vez. Lucas apresenta esses três julgamentos no cap. 23 de seu evangelho, ao passo que os demais evangelistas deixam de lado os pormenores, o que poderia levar-nos a pensar que apenas um julgamento, diante de Pilatos, teria tido lugar, e que nenhum julgamento teria sido realizado diante de Herodes. As investigações pessoais de Lucas provavelmente nos podem dar melhor compreensão sobre os acontecimentos, em sua ordem cronológica, do que os demais evangelistas nos expõem.

"[...] reunidos os escribas e os anciãos..." Trata-se de uma referência ao sinédrio, como diz claramente o v. 59. (Ver as notas sobre esse corpo de governantes, em Mt 22.33. Ver notas sobre os "escribas", em Mc 3.22; sobre os principais sacerdotes, em Mc 11.27; sobre os "fariseus", em Mc 3.6; sobre os "saduceus", em Mt 22.23; sobre os "herodianos", em Mc 3.6; e sobre os "essênios", em Lc 1.80 e Mt 3.1.)

26.58: E Pedro o seguia de longe até o pátio do sumo sacerdote; e entrando, sentou-se entre os guardas, para ver o fim.

26.58 ὁ δὲ Πέτρος ἠκολούθει αὐτῷ ἀπὸ μακρόθεν ἕως τῆς αὐλῆς τοῦ ἀρχιερέως, καὶ εἰσελθὼν ἔσω ἐκάθητο μετὰ τῶν ὑπηρετῶν ἰδεῖν τὸ τέλος.

"Mas Pedro o seguia de longe..." O evangelho de João informa que *João* estava em companhia dele, e também que passaram do pátio para o interior da casa; e isso porque João era conhecido do sumo sacerdote. É estranho que aquela multidão sedenta de sangue não tenha envidado esforços para eliminar a todos. Sem dúvida, pensavam que o fato de se livrarem de Jesus já seria uma grande realização, e que o seu grupo de seguidores se desintegraria assim que desaparecesse a influência de Jesus. Quanto estavam equivocados, pois os seguidores de Jesus existem até hoje, e se têm espalhado pelo mundo inteiro! Não reconheceram a grandeza de Jesus, e nem mesmo os seus discípulos perceberam a sua importância.

Muitos sermões têm sido pregados acerca de como Pedro seguia a multidão de longe, ele, que fizera tão ousadas asseverações de ousadia. No entanto, pelo menos observamos que, ao contrário dos outros discípulos, ele não abandonou *completamente* o Senhor. Pelo menos estava por perto, e não escondido em algum lugar distante, como os demais discípulos. Continuava arriscando-se a ser aprisionado, pois certamente muitos devem tê-lo reconhecido. Estava dividido entre sentimentos de temor e de lealdade. Não estava preparado, espiritual ou mentalmente, para essa calamidade que lhe sobreviera tão repentinamente. Este versículo de Mateus expõe a introdução à provação de Pedro, interrompida por cenas do julgamento de Jesus, e que tem reinício no v. 69. Marcos e Lucas apresentam de forma similar essa narrativa, e é possível que o esboço básico da mesma tenha sido provido por Marcos, tendo o *protomarcos* como fonte informativa. Tanto João como Lucas apresentam notáveis acréscimos às informações que temos nesta fonte; mas Mateus, em geral, se apega firmemente a ela.

A expressão "de longe" não fala de uma medida de distância, pois realmente Pedro não estava a grande distância de Jesus; porém, comparativamente, estava distante do Senhor, tanto no corpo como no espírito. Realmente não fez nenhum esforço para aproximar-se de Jesus, para apoiá-lo durante o julgamento. Para todos os propósitos práticos, ele abandonara o Senhor, embora não tão completamente quanto os demais discípulos. Pedro mostrou-se mais corajoso do que os outros discípulos, ainda que não suficientemente corajoso. Em momento nenhum chegou perto de cumprir suas ousadas declarações, feitas poucas horas antes. Quanta vergonha deve ter sentido ele, por causa de seu receio! Encorajamo-nos a dizer que, para Jesus, ver a João e a Pedro, vez por outra, deve ter-lhe sido um consolo.

"[...] para ver o fim..." Pedro até certo ponto conseguira recuperar-se do pânico que se apossara de todos. Não lhe era possível deixar Jesus morrer completamente só, embora continuasse temendo qualquer identificação pública com ele. Queria ver e ouvir o que estava sucedendo, embora continuasse interessado em evitar ser visto. E assentou-se junto com alguns oficiais, no saguão que dava para o interior do palácio. Nas casas orientais e da Judeia, havia um pátio interno rodeado por paredes laterais. João conseguira permissão para entrar para o salão interior. Jesus estava sendo inquirido mais no interior do palácio ainda; mas é provável que houvesse janelas que davam para o pátio, onde João e Pedro aguardavam; e é bem possível que pudessem ouvir ao menos parte dos debates do julgamento.

Uma fogueira fora acesa para dar calor, por ser cedo de manhã e certamente por estar fazendo frio. Escravas, que agiam como porteiras, passavam para lá e para cá. Pedro estava exausto e com frio. Aproximou-se da fogueira do inimigo, esperando ainda que ninguém o reconhecesse.

26.59: Ora, os principais sacerdotes e todo o sinédrio buscavam falso testemunho contra Jesus, para poderem entregá-lo à morte;

26.59 οἱ δὲ ἀρχιερεῖς καὶ τὸ συνέδριον ὅλον ἐζήτουν ψευδομαρτυρίαν κατὰ τοῦ Ἰησοῦ ὅπως αὐτὸν θανατώσωσιν,

59 Οι δε αρχιερεις] Ο δε -ρευς *a n* sa(I) bo(2) Or^pt: *om* sy

"[...] todo o sinédrio..." Aqui, como é possível, suponhamos a *terceira* reunião (ver a explicação no v. 57). Esta seria a reunião oficial, talvez com a ausência de um ou dois membros apenas, mas com número suficiente para levar avante o julgamento. O tempo imperfeito é usado no grego, aqui, o que parece indicar que o inquérito foi um tanto demorado. A intenção das autoridades religiosas era encontrar alguém que desse um testemunho arruinador contra Jesus. Esse foi o "júri" que julgou a Jesus. O júri procurava testemunhas que apoiassem a decisão que já fora tomada. Pode-se ter a certeza de que não foi chamada nenhuma testemunha favorável a Jesus; e certamente haveria algumas delas. "Queriam encontrar provas para uma conclusão já tomada; e não importava que essa conclusão fosse falsa, contanto que parecesse autêntica e coerente. Jesus foi aprisionado com a finalidade expressa de ser executado, e o julgamento foi apenas uma máscara, formalidade necessária devido ao fato de haver um procurador (Pilatos) que teria de ser satisfeito" (Bruce, *in loc.*). A lei de Moisés exigia a presença de pelo menos duas testemunhas (Dt 17.6; 19.15), e essas testemunhas deveriam ser interrogadas em separado, segundo a mesma lei.

26.60: e não o achavam, apesar de se apresentarem muitas testemunhas falsas. Mas por fim compareceram duas,

26.60 καὶ οὐχ εὗρον πολλῶν προσελθόντων ψευδομαρτύρων. ὕστερον δὲ προσελθόντες δύο

26.61: e disseram: Este disse: Posso destruir o santuário de Deus, e reedificá-lo em três dias.

26.61 εἶπαν, Οὗτος ἔφη, Δύναμαι καταλῦσαι τὸν ναὸν τοῦ θεοῦ καὶ διὰ τριῶν ἡμερῶν οἰκοδομῆσαι[5].

61 Οὗτος...οἰκοδομῆσαι Mt 27.40; Jo 2.19; At 6.14   61 Οὑτος εφη] Τουτου ηκουσαμεν λεγοντος D it

[5] 61 {C} οἰκοδομῆσαι Β Θ *f*^1 *f*^13 700 arm eth^ro geo Origen // αὐτὸν οἰκοδομῆσαι ℵ C L 090 33 892 it^b.(c).ff2.h,q,r1 cop^sa?bo? Origen^gr.lat // οἰκοδομῆσαι αὐτόν A D K W Δ Π 28 565 1009 1010 1071 1079 1195 1216 1230 1241 1344 1365 1646 2174 *Byz Lect* it^a.aur.d,f,ff1,g1,l vg syr^h eth^pp.ms Origen^lat // οἰκοδομῆσαι αὐτῷ 346 // οἰκοδομήσω αὐτόν 1242 1253 1546 2148 syr^d,p.pal

Embora se possa argumentar que αὐτόν foi apagada por copistas que a sentiam supérflua, a comissão pensou ser mais provável que eles adicionariam o pronome por causa de maior clareza explícita (cf. Jo 2.19). A diversidade da posição da palavra é um ponto forte contra sua originalidade.

Através destes versículos, temos a impressão de que os presentes, encorajados pela demora e pela *dificuldade* em encontrar testemunhas, opinariam que Jesus deveria ser solto, por falta de provas. Para João e Pedro, aqueles deveriam ter sido momentos de agonia. É possível que as esperanças fossem renovadas, pensando que Jesus ainda escaparia, e que suas predições talvez viessem a falhar. Contudo, se pensavam dessa maneira, logo ficariam amargamente desapontados.

Duas testemunhas eram necessárias, e teriam de concordar entre si. Pelo século I a.C., tornara-se regra geral que essas testemunhas fossem examinadas em separado, para evitar que concordassem sobre o que deveriam dizer. A história de Suzana celebra o estabelecimento dessa norma. Contudo, não podemos dizer se essa regra foi seguida ou não; mas, seja como for, a demora foi grande, não sendo impossível que essa regra é que tenha provocado a demora. Foram encontradas muitas testemunhas falsas, mas não havia duas que concordassem sobre quais seriam as acusações; ou, pelo menos, as autoridades não queriam arriscar-se sobre as diversas acusações

700 |Mateus| NTI

que seriam apresentadas, pois não sabiam qual delas seria aceita por qualquer governador romano, ou mesmo por Pilatos.

Finalmente, porém, encontraram uma *acusação*, apoiada por duas testemunhas que pareciam promissoras. Jesus fizera uma observação ameaçadora sobre a sua capacidade de destruir o templo. Isso parecia mostrar que ele era homem violento, revolucionário, uma força destruidora, um inimigo do povo. Não é impossível que os primitivos cristãos tenham interpretado literalmente essa profecia (ver At 6.14). Pelo menos esta passagem do livro de Atos mostra que a notícia circulara amplamente, e que, como é mais provável, poucos a tivessem aceitado em sentido espiritual, como referência ao seu *corpo*, em sua morte e ressurreição. Alguns intérpretes acreditam que essa acusação tenha sido baseada em diversas profecias acerca da destruição de Jerusalém e do templo, as quais, segundo sabemos, foram feitas por Jesus. Muitos devem ter odiado tais profecias, bem como aquele que as proferira. O povo tinha um orgulho imenso do templo, e em tudo que o mesmo representava. E jamais perdoaram a Jesus, por causa dessas observações. Podemos também notar que Jesus mencionou o fato quando purificou o templo (ver Jo 2.19-21), e essa ação corajosa foi encarada como um sinal de hostilidade, ajudando-os a interpretarem falsamente as intenções de Jesus. Bem podem ter pensado que ele, literalmente, planejava alguma forma de revolta, que executasse sua ameaça de destruir o templo, cumprindo assim a própria predição.

26.62: Levantou-se então o sumo sacerdote e perguntou-lhe: Nada respondes? Que é que estes depõem contra ti?

26.62 καὶ ἀναστὰς ὁ ἀρχιερεὺς εἶπεν αὐτῷ, Οὐδὲν ἀποκρίνῃ;^g τί οὗτοί σου καταμαρτυροῦσιν;^g

> ^{g g} 62 *g* question, *g* question: TR WH AV RV ASV RSV Jer Seg // *g* minor, *g* question: Bov Nes BF² (NEB) TT Zür Luth Jer^{mg} (Seg^{mg})

> 62 (ἀποκρίνῃ,]; ς R)

"[...] o sumo sacerdote, perguntou a Jesus..." O sumo sacerdote estava *irritado*, não somente porque Jesus não respondia, mas também porque reconhecia que as acusações não eram suficientemente sérias para condenar a Jesus. Por conseguinte, levantou-se com um espírito altivo, pois sabia que nenhum homem poderia ser condenado por causa de uma simples declaração, ousada e precipitada. Alguns intérpretes creem que a referência ao fato de Jesus ter dito que destruiria o templo e o ergueria novamente, em alguns contextos, realmente significa que ele queria dizer que poderia destruir a adoração que se efetuava no templo, e que, no espaço de três dias, estabeleceria ali a adoração certa. Entretanto, sem se importar com o fato de as palavras de Jesus terem tido ou não esse sentido, ou se teriam sido uma alusão estrita à sua morte e subsequente ressurreição, o sumo sacerdote sabia que essas acusações não convenceriam um procurador romano de que o réu deveria ser executado. Realmente, o silêncio de Jesus reforçava o ridículo das acusações. Já impaciente, o sumo sacerdote tentou provocar Jesus a dizer algo que poderia condená-lo. Alguns comentadores acreditam que Jesus ficou em silêncio a fim de não entrar em explicações sobre a sua doutrina e sobre as suas reivindicações, o que realmente lhe seria adverso; mas parece preferível pensar que o Senhor tão-somente ignorou as acusações, como falsas e sem substância. O sumo sacerdote fingiu estar possuído de uma justa indignação, e fez o papel de um iracundo ator, a fim de provocar a Jesus. Era o espetáculo do sumo sacerdote, e muita coisa estava em jogo. O sumo sacerdote ansiava por ver-se finalmente livre de Jesus, o qual tão gravemente atacara as autoridades religiosas durante muitos meses. A ação de Jesus, todavia, cumpriu a profecia que se lê em Isaías 53.7: "Ele foi oprimido, mas não abriu a sua boca..." Em 1Pedro 2.23, encontramos um registro da grande impressão que esse cumprimento deixou no coração dos discípulos: "Pois ele, quando ultrajado, não revidava com ultraje, quando maltratado não fazia ameaças, mas entregava-se àquele que julga retamente".

26.63: Jesus, porém, guardava silêncio. E o sumo sacerdote disse-lhe: Conjuro-te pelo Deus vivo que nos digas se tu és o Cristo, o Filho de Deus.

26.63 ὁ δὲ Ἰησοῦς ἐσιώπα. καὶ ὁ ἀρχιερεὺς εἶπεν αὐτῷ, Ἐξορκίζω σε κατὰ τοῦ θεοῦ τοῦ ζῶντος ἵνα ἡμῖν εἴπῃς εἰ σὺ εἶ ὁ Χριστὸς ὁ υἱὸς τοῦ θεοῦ.

> 63 ὁ δὲ...ἐσιώπα Is 53.7; Mt 27.12,14; Lc 23.9; Jo 19.9
> Ἐξορκίζω...υἱὸς τοῦ θεοῦ Mt 16.16,17

> ^b 63 {C} καὶ ℵ^{ms} B L Θ *f*¹ *f*¹³ 33 892 (1010 ὁ δὲ) *l*⁵⁴⁷ *it*^{aur,ff²,g¹,l} vg syr^{pal} cop^{(sa),bo} eth geo Diatessaron^{a,v} Origen^{gr,lat} Cyril // καὶ ἀποκριθεὶς A C K W Δ Π 090 28 565 700 1009 1071 1079 1195 1216 1230 1241 1242 1253 1365 1546 1646 2148 2174 *Byz Lect* it^{a,b,c,f,ff¹,h,q,r¹} syr^{s,p,h} arm Diatessaron // ἀποκριθεὶς οὖν D it^d

> Por um lado, a minoria da comissão preferiu a forma mais longa, julgando que copistas apagaram ἀποκριθεὶς como imprópria para a cláusula anterior (ὁ δὲ Ἰησοῦς ἐσιώπα). Por outro lado, a maioria da comissão preferiu adotar a forma mais breve, apoiada pelo que foi reputado o peso preponderante da evidência externa.

"Eu te conjuro pelo Deus vivo..." A expressão "eu te conjuro" significa "exijo que testifiques sob juramento". O sumo sacerdote pôs Jesus sob a necessidade legal de responder, visto que o Senhor fazia silêncio até aquele momento. É provável que os rumores sobre as diversas reivindicações de Jesus estivessem a circular, e certamente, entre esses rumores, destacava-se aquele acerca de sua reivindicação de ser o Messias. Naquela fase de sua vida, isso já se tornara bem conhecido, e a cidade inteira fremia, desde a sua entrada triunfal. O sumo sacerdote, pois, desgostoso ante as acusações inúteis que haviam sido apresentadas pelas falsas testemunhas, resolveu fazer algo, pessoalmente, acerca do rumo do julgamento. Embora muitas questões colaterais tivessem sido ventiladas (segundo se vê no v. 61), como sempre acontece durante as controvérsias, a verdadeira acusação assacada contra Jesus — a de blasfêmias, por fazer-se Messias e por reivindicar para si mesmo a natureza divina — que fica subentendida no termo "Filho de Deus" (embora não necessariamente), deve ter estado na mente dos membros do sinédrio. Provavelmente a multidão não era suficientemente sofisticada em seu conhecimento da causa para apresentar tal acusação contra Jesus. Por essa razão é que o sumo sacerdote resolveu intervir pessoalmente na situação, a fim de extrair uma resposta do mudo Jesus, obrigado sob juramento. Na jurisprudência judaica isso era *ilegal* — fazer com que um homem incriminasse a si mesmo, o que era a intenção de Caifás —, mas Jesus preferiu responder de qualquer maneira. Sim, a acusação expressava a verdade, porquanto Jesus reivindicara exatamente isso sobre sua pessoa, e ela expressa a realidade dos fatos. A acusação oficial, daí por diante, passou a ser a de blasfêmia, o que, de conformidade com as leis judaicas, requeriam a pena de morte. Naturalmente que somente as autoridades romanas tinham o direito de executar quem quer que fosse, e essa acusação não teria validade nenhuma diante das autoridades romanas. Por conseguinte, ato contínuo, Jesus foi identificado pelas autoridades religiosas dos judeus como um adversário político perigoso. Foi dito que ele aconselhava o povo a não pagar impostos a Roma, ou a não mostrar lealdade a César em outros pontos particulares, tendo sido descrito como um revolucionário perigoso. Essa era a acusação política, pela qual Roma permitia a execução de qualquer indivíduo, tendo sido por esse motivo, executados muitos judeus.

26.64: Respondeu-lhe Jesus: É como disseste; contudo vos digo que vereis em breve o Filho do homem assentado à direita do Poder, e vindo sobre as nuvens do céu.

26.64 λέγει αὐτῷ ὁ Ἰησοῦς, Σὺ εἶπας·^h πλὴν λέγω ὑμῖν, ἀπ' ἄρτι ὄψεσθε τὸν υἱὸν τοῦ ἀνθρώπου

NTI|Mateus| 701

καθήμενον ἐκ δεξιῶν τῆς δυνάμεως καὶ ἐρχόμενον ἐπὶ τῶν νεφελῶν τοῦ οὐρανοῦ.

64 τὸν...δεξιῶν Sl 110.1   τὸν...οὐρανοῦ Dn 7.13; Mt 24.30

ʰ 64 *h* statement: TR WH Bov Nes BF² AV RV ASV RSV NEB TT Zür Luth Jer Seg // *h* question: WHᵐᵍ

"[...] Tu o disseste..." Ver as notas quanto ao v. 25, sobre uma discussão acerca dessa expressão que, evidentemente, foi usada por Mateus como uma simples afirmativa. Nota-se, porém, na literatura grega, latina e hebraica, dos dias antigos, que o seu uso era relativamente comum. O texto de Marcos 14.62 tem a simples afirmativa: *Eu sou...* Jesus preferiu responder, embora não fosse forçado a isso, já que era óbvio que a pergunta tinha por objetivo fazê-lo incriminar-se, e que, segundo as leis judaicas, essas indagações não precisavam ser respondidas. Por outro lado, o sumo sacerdote tinha o direito de obrigar outros, sob juramento, a responderem, contanto que as perguntas fossem honestas, buscando fazer justiça. Jesus respondeu principalmente porque, ficar em silêncio, teria sido considerado uma negação. Assim Jesus também aproveitou a oportunidade para fazer um pronunciamento sobre o fato de que tinha consciência de ser o Messias. O ministério inteiro de Jesus, especialmente durante aqueles últimos meses, tornara inevitável essa questão, não somente para o sumo sacerdote, mas para toda a terra de Israel. Era uma questão que teria de ser eventualmente levantada e respondida. Jesus respondeu-a publicamente. A resposta de Jesus, no entanto, foi mais do que uma simples afirmação de seu caráter messiânico. Indicava também que, eventualmente, daria uma demonstração inegável da validade de sua missão messiânica, conforme segue:

"[...] vereis o Filho do homem..." Jesus, pois, afirmou que o próprio Deus lhe confirmaria o ofício, pondo os seus "inimigos debaixo de seus pés". O termo "Todo-poderoso", que aqui aparece, provavelmente representa o vocábulo aramaico *Gebhurta*, que significa "onipotência", sendo termo usado para evitar a menção do nome de Deus. Assim, Jesus reivindicou a posição de assentar-se à mão direita do Deus todo-poderoso, sendo esta uma declaração realmente espantosa, ante a qual o próprio Caifás deve ter se surpreendido. Caifás esperara, da parte de Jesus, alguma afirmação altissonante, a fim de que pudesse condená-lo; mas certamente nunca esperara ouvir isso, e certamente ficou perplexo ao ouvir uma afirmação de tão exaltada natureza. Jesus reivindicava posição messiânica, mas, dentro dessa reivindicação, ele incluía muito mais do que os conceitos judaicos permitiam. Jesus acabara de reivindicar um tipo especial de Filiação. Essa reivindicação, em realidade, equivalia à reivindicação de divindade. (Ver notas sobre o termo "Filho de Deus", em Mc 1.1; "Filho do homem", em Mc 2.7 e Mt 8.20; sobre a humanidade de Cristo, em Fp 2.7; e sobre a divindade de Cristo, em Hb 1.3).

É realmente estranho que alguns comentadores repitam a ideia moderna que declara que Jesus não reivindicou jamais ser o especial *Filho do homem*, mas que, em realidade, estava apenas prometendo uma espécie de "messias", futuro, alguma figura profética, que não identificava com ele mesmo. Assim é que lemos a interpretação dada pelo *Interpretor's Bible* (*in loc.*): "Eu sou o Messias, mas o Filho do homem ainda virá. Os evangelistas preservaram cuidadosamente essa ambiguidade, porque não havia tradição que dissesse que Jesus se tivesse identificado claramente com o celestial Filho do Homem". Essa noção cai imediatamente por terra quando examinamos o v. 24 deste mesmo capítulo, onde lemos: "O Filho do homem vai, como está escrito a seu respeito, mas ai daquele por intermédio de quem o Filho do homem está sendo traído!" Sem dúvida, não parece que o escritor deste evangelho estivesse querendo preservar aqui alguma ambiguidade. Evidentemente, o Filho do homem é aquela pessoa que foi traída por Judas Iscariotes, sendo assim entregue às mãos de pecadores. Quem mais poderia ser esse "Filho do homem", senão o Senhor Jesus? Portanto, Jesus se referia à própria

exaltação especial, à mão direita de Deus. Outrossim, ele trouxe para o centro dos debates a sua *parousia* ou segunda vinda. Esse mesmo Jesus voltará, mas, nessa segunda vez, com poder e grande glória. Pois não é somente o Messias, mas também o Senhor dos céus. (Ver a nota sobre esse acontecimento, em Ap 19.11.) Este versículo expressa o estado inteiro da exaltação de Cristo, sua posição atual, e sua posição futura, e de que maneira isso terá aplicação à humanidade inteira. Jesus deixou claro que, embora naquele momento estivesse sendo julgado pelos homens, diante de um juiz terreno e iníquo, contudo, algum dia voltaria como Juiz universal de todos. Bruce (*in loc.*) diz: "Chegará o tempo em que vós e eu trocaremos de lugar; então serei o *Juiz*, e vós sereis os *réus*". Jesus aludiu a passagens proféticas, tais como Daniel 7.13 e Salmos 109.1. Ver as notas em Mateus 24.30, onde encontramos um ensino similar. (É possível que essa exaltação do Messias, com as referências acompanhantes à sua posição como Juiz, também inclua a ideia de julgamento, quando da destruição de Jerusalém, o que teve lugar no ano 70 d.C., como indicações preliminares de sua vingança, como justo Juiz).

26.65: Então o sumo sacerdote rasgou as suas vestes, dizendo: Blasfemou; para que precisamos ainda de testemunhas? Eis que agora acabais de ouvir a sua blasfêmia.

26.65 τότε ὁ ἀρχιερεὺς διέρρηξεν τὰ ἱμάτια αὐτοῦ λέγων, Ἐβλασφήμησεν· τί ἔτι χρείαν ἔχομεν μαρτύρων; ἴδε νῦν ἠκούσατε τὴν βλασφημίαν·

65 διέρρηξεν...αὐτοῦ Nm 14.6; 2Sm 13.19; Ed 9.3; Jó 1.20; 2.12; Jr 36.24; At 14.14   65-66 Ἐβλασφήμησεν...ἐστίν Lv 24.16; Jo 19.7

"...o sumo sacerdote rasgou as suas vestes..." No AT, há mandamentos, como o de Levítico 21.10 e 10.6, que proíbem o sumo sacerdote de rasgar suas vestes; mas o mais provável é que os mandamentos aqui se apliquem somente quando de um falecimento, ou como ação de lamentação pelos mortos. Notamos, no texto de 1Macabeus 11.71, e também em Josefo (*Guerras dos Judeus*, ii. 15.4), que existem outras instâncias em que algum sumo sacerdote tenha rasgado as próprias vestes. Evidentemente, era ação que podia ser praticada com propriedade pelos sumos sacerdotes, especialmente quando a blasfêmia fosse a razão do ato, ou quando se tratasse de alguma outra elevada questão religiosa. Esse rasgar das roupas era um costume oriental muito comum, com a finalidade de expressar angústia, ira ou alguma forte emoção negativa. O sumo sacerdote rasgou sua *simla* ou capa externa, e não as suas vestes sumo sacerdotais propriamente ditas, que só usava quando ministrava no templo. (Ver At 14.14, quanto à outra instância dessa ação que expressa indignação. 2Sm 1.11 tem uma instância em que a causa foi a tristeza.) A prática de rasgar as vestes provavelmente baseava-se na passagem bíblica de 2Reis 18.37. Originalmente, como é claro, o costume começou como explosão natural e espontânea, por motivo de alguma emoção extrema; contudo, tal como geralmente acontecia com outras coisas, até mesmo isso se formalizou, exigindo regras especiais. Maimonides menciona as regras e declara que se deveria rasgar a roupa do pescoço para baixo, cerca de um palmo. As roupas íntimas e a túnica eram deixadas intactas. Podemos estar certos de que Caifás obedeceu literalmente a essa regra. Ele estava apresentando um espetáculo, agindo como se estivesse no palco de um teatro, demonstrando emoções fortes; e, nesse ponto do espetáculo, rasgou as roupas com toda a propriedade que lhe permitiam as regras fixas. era altamente apropriado que um homem "santo" se sentisse chocado e ultrajado ante uma "blasfêmia", e Caifás não se mostraria negligente nessa questão.

"Blasfêmia". Esse vocábulo, no grego, indica palavras ou conversa abusivas, sendo usado para indicar esse tipo de conversa contra os homens (Ap 2.9), contra Satanás (Jd 9), contra Deus (Ez 32.12; Mt 26.65; Mc 2.7; 14.64; Lc 5.21; Ap 13.5). Esse vocábulo também é

702 |Mateus| NTI

usado no tocante ao se proferirem palavras abusivas contra coisas que, segundo se sente, pertencem a Deus, tal como o templo, a igreja etc. Algumas vezes, significa difamação e *calúnia*. Neste caso, a "blasfêmia" de Jesus certamente não consistia da reivindicação de ser ele o Messias, embora, como é evidente, sua ideia sobre o ofício do Messias pudesse ter sido considerada como uma blasfêmia. Mais provavelmente, a sua reivindicação superior de ter uma posição de autoridade, juntamente com o "Todo-poderoso" dos céus, isto é, juntamente com Deus, e sua declaração de que no futuro governaria, em resultado de sua *parousia* (segunda vinda), é que foram consideradas como reivindicações além do que qualquer homem poderia fazer. Essas reivindicações indicam que Jesus teria um ofício e poderes que se criam pertencer exclusivamente ao próprio Deus. Por conseguinte, teriam de ser reputadas como blasfêmias; de outra maneira, haveria necessidade de uma revisão na teologia das autoridades religiosas, especialmente no tocante às noções que elas tinham sobre a posição e a autoridade do Messias. Certamente que essas autoridades prefeririam acusar Jesus de blasfêmia e executá-lo do que alterar sua teologia errada; e embora isso tivesse sido uma ação extremada, foi bem típica da humanidade, pois os homens sempre parecem ter certeza de sua teologia, e todas as modificações só são feitas com lentidão e muita relutância.

26.66: Que vos parece? Responderam eles: É réu de morte.

26.66 τί ὑμῖν δοκεῖ; οἱ δὲ ἀποκριθέντες εἶπαν, Ἔνοχος θανάτου ἐστίν.

"[...] é réu de morte..." Passara a necessidade de testemunhas, pois todos tinham sido testemunhas da blasfêmia de Jesus. Muito eficazmente, aos olhos dos judeus, ele se incriminara a si mesmo; mas provavelmente de maneira ainda mais completa do que o sumo sacerdote tinha esperado. Todos os membros do sinédrio imediatamente concordaram com a opinião do sumo sacerdote. Aquela não era uma condenação formal, se se refere ao julgamento que teve lugar à noite, após Jesus ter sido enviado a Caifás e a Anás. Naquela manhã, no mesmo dia, Jesus foi executado, e o pronunciamento formal de condenação foi feito. Não podemos ter certeza se essa cena particular, apresentada por Mateus, foi o julgamento noturno ou o julgamento matinal, pois Lucas e João fornecem mais pormenores sobre os diversos julgamentos do que Marcos e Mateus. À base desses detalhes, verificamos que houve três julgamentos "religiosos" — diante de Anás, diante de Caifás e diante de, pelo menos, parte do sinédrio. Alguns intérpretes acreditam que Mateus 27.1 faça alusão ao julgamento matinal. O julgamento formal teve lugar pela manhã. Depois disso, Jesus passou por três julgamentos "civis" — diante de Pilatos, diante de Herodes, e novamente diante de Pilatos, quando foi realmente condenado à crucificação, sob a falsa acusação de traição política, pois Roma não crucificaria um homem por motivos religiosos, pelo menos formalmente. A acusação religiosa e o ódio de homens reputados "santos", eram a base da acusação política, como força que impeliu esta última. Segundo as leis judaicas, a morte era a pena imposta por motivo de blasfêmias (ver Lv 24.15), e, embora as autoridades religiosas não tivessem a autoridade de infligi-la, pelo menos tinham o poder de provocá-la por intermédio das autoridades romanas. O voto condenatório foi unânime, e isso deve indicar que dois dos membros do sinédrio — José de Arimateia e Nicodemos — estavam ausentes, ou foram totalmente eliminados, porquanto não teriam concordado com esse voto, conforme suas ações posteriores deixaram claro, ao cuidarem eles do corpo de Jesus. Talvez se tivessem ausentado por motivo de temor, porquanto, secretamente, eram discípulos de Jesus, e estavam sob suspeita. É significativo, entretanto, que dois membros desse mesmo sinédrio é que cuidaram de Jesus em sua morte, e que um deles tenha chegado ao ponto de ceder-lhe o próprio túmulo. Não foram os seus discípulos íntimos e "declarados" que se arriscaram por

serem vistos a favorecer a Jesus, mesmo em sua morte. As crises criam estranhas reversões das condições reinantes.

26.67: Então uns lhe cuspiram no rosto e lhe deram socos,

26.67 Τότε ἐνέπτυσαν εἰς τὸ πρόσωπον αὐτοῦ καὶ ἐκολάφισαν αὐτόν, οἱ δὲ ἐράπισαν

67 ἐνέπτυσαν...ἐράπισαν Is 50.6; 53.5

"[...] cuspiram-lhe no rosto [...] davam murros [...] esbofeteavam..."

Embora tempos aoristos sejam empregados, não há que duvidar de que essas ações insultuosas foram repetidas. As próprias altas autoridades não agiram assim, pois certamente isso foi deixado nas mãos dos vários servos, dos sacerdotes e dos soldados e outros elementos da escolta. Agora que Jesus fora condenado, pensavam que poderiam fazer o que bem entendessem contra eles, e passaram a demonstrar tremenda falta de respeito e ódio contra aquele que fora tão-somente um benfeitor.

Quanto a "esbofeteavam", algumas traduções indicam um espancamento com as mãos, mas a raiz da palavra indica um espancamento com varas (o vocábulo é "erapisan", e vara é *rapis*; pelo que a forma verbal se deriva da palavra que indica "vara").

"[...] lhe davam murros..." indica que batiam em Jesus com o *punho*. Não deveríamos ficar surpreendidos com o fato de essa ação ter tido lugar depois da condenação de Jesus, pois, até mesmo na casa de Anás, antes de qualquer acusação ou condenação formal ter tido lugar, um servo julgou que estava no dever de espancar a Jesus. (Ver Jo 18.22.) Os espancamentos mencionados em Lucas 22.63 são reputados como diferentes daqueles que são aqui mencionados. Até parece que esses ultrajes acompanhavam todos os julgamentos "religiosos". Cuspir em alguém era considerado, entre os judeus, como o maior desprezo possível, conforme se vê em Deuteronômio 25.9 e em Números 12.14; e essa ideia, naturalmente, tem sido transportada até os tempos modernos. Um homem pode odiar seu inimigo; mas é mister uma ocasião fortíssima e rara para que uma pessoa de qualquer cultura cuspa no rosto de outra. Vemos que esse insulto, de conformidade com o costume judaico, estava sujeito a uma multa, até mesmo cuspir na direção de outra; quanto mais, portanto, se cuspisse em seu rosto, que era reputado um insulto muito sério. Sêneca (o escritor e filósofo romano) menciona que isso foi infligido a Aristides, o Justo, quando foi julgado em Atenas; e que as autoridades tiveram dificuldade em encontrar uma pessoa que se dispusesse a praticar essa ação. Por conseguinte, Jesus sofreu as maiores indignidades possíveis, às mãos de homens muito inferiores a ele, moral e espiritualmente; e, nessas circunstâncias, vemos um quadro vívido da expiação, porque essa doutrina ensina que Jesus sofreu assim por todos os homens, e que todos os homens foram, dessa maneira, zombadores, espancadores, e que a humanidade, coletivamente, cuspiu no rosto de Jesus.

Buttrick (*in loc.*) expressa esse ultraje, com as seguintes palavras: "Quase não suportamos a leitura dessas linhas. Cuspir no rosto de um homem será sempre, em todos os lugares, um sinal do mais completo desprezo. Esbofetear o rosto de um homem impotente é sadismo. Zombar de Cristo — *Profetiza quem te bateu!* (seria um disfarce, posto sobre seu rosto, por haver sido condenado à morte?) — foi demonismo que se encarnou em um ato. A psicologia das multidões estava em operação. Uma multidão pode exercer um bom efeito, como quando nos reunimos para contemplar uma digna representação histórica ou para ouvir uma sinfonia. Nessas ocasiões, o que há de melhor nos indivíduos é fomentado. No entanto, uma multidão também pode irromper em concupiscência sanguinária, como quando de um linchamento. Talvez devamos indagar de nós mesmo, antes de nos reunirmos a qualquer ajuntamento popular: *Com que propósito essa gente está se reunindo?* Pois uma multidão pode arrastar-nos ao desvario, para o bem ou para o mal... Como se sentiram os desprezadores, quando finalmente foram descansar, à noite? Existe um Espírito que convence de pecado os filhos dos homens. Existe uma vontade soberana, pelo que Cristo foi exaltado. Poderiam aqueles zombadores ter sonhado que sua vítima seria adorada em todas as terras, e que eles mesmos seriam apenas uma advertência e uma execração?"

26.68: e outros o esbofetearam, dizendo: Profetiza-nos, ó Cristo, quem foi que te bateu?

26.68 λέγοντες, Προφήτευσον ἡμῖν, Χριστέ, τίς ἐστιν ὁ παίσας σε;

"**Profetiza-nos, ó Cristo...**" Faziam isso como zombaria definida contra a reivindicação de Jesus, feita sob juramento, conforme lemos em Mateus 26.63. Perpetravam sua insensatez com satisfação e abandono, como um bando de malfeitores. O texto de Marcos 14.65 relata que o rosto de Jesus foi coberto. Provavelmente isso foi um sinal de que a sentença de morte fora declarada contra ele. Entretanto, poderia tão-somente fazer parte das zombarias que ele teve de suportar. Seja como for, após terem coberto o rosto de Jesus, a fim de que ele não pudesse ver, puseram-se a espancá-lo, ao mesmo tempo que proferiam insultos. John Gill (*in loc.*) menciona que nos tempos antigos havia um jogo, do qual participavam crianças e outros, e que era notavelmente similar ao que ocorreu ao Senhor Jesus, naquela ocasião. (*Braunii Slect. Sacr.*1.5). Os antigos chamavam esse jogo de *kollabismo*. Uma pessoa ficava com os olhos vendados, e o resto batia nela, ou então alguém punha a mão sobre os seus olhos, enquanto os demais lhe davam pancadas; a pessoa espancada tinha de identificar o seu espancador. Esse antigo jogo tem sobrevivido até os tempos modernos, e na Inglaterra é denominado "blind-man's buff". Por conseguinte, os soldados, os elementos da escolta e os escravos do palácio, bem como os próprios sacerdotes, puseram-se a brincar desse jogo com Jesus; somente que o faziam para valer, e não como uma brincadeira inocente. Zombavam dele, como os coleguinhas de brinquedos poderia zombar de uma criança.

> **(i) A negação de Pedro 26.69-75**
>
> Reputamos Pedro como *fonte informativa* dessa narrativa, o que, sem dúvida, se dá no caso de grande parte do material do evangelho de Marcos. "Tem-se argumentado que somente ele teria contado esse lance vergonhoso de como ele negara a seu Senhor; e esse ponto tem algum peso. Ao mesmo tempo, o centro moral da narrativa é a riqueza da graça de Deus. O discípulo que se mostrara tão poltrão, apesar disso foi a primeira testemunha da ressurreição (1Co 15.5 e Lc 24.34), tendo-se tornado um apóstolo rochoso e uma coluna da igreja (Gl 2.9)" (Sherman Johnson, *in loc.*). Cf. Marcos 14.66-72; Lucas 22.55-62 e João 18.15-18, 25-27. A fonte informativa sobre a qual se baseia Mateus é o protomarcos, porém, mais de uma tradição pode ter preservado a narrativa.

26.69: Ora, Pedro estava sentado fora, no pátio; e aproximou-se dele uma criada, que disse: Tu também estavas com Jesus, o galileu.

26.69 Ὁ δὲ Πέτρος ἐκάθητο ἔξω ἐν τῇ αὐλῇ· καὶ προσῆλθεν αὐτῷ μία παιδίσκη λέγουσα, Καὶ σὺ ἦσθα μετὰ Ἰησοῦ τοῦ Γαλιλαίου.

A harmonia entre as diversas narrativas tem causado muitas *dores de cabeça* e sofrimentos aos intérpretes, especialmente no caso daqueles que insistem em harmonias exatas entre todas as narrativas. Isso é impossível nesta seção, conforme a simples leitura das várias narrativas demonstra de imediato. Bruce (*in loc.*) afirma: "Os esforços harmonizadores são um desperdício de tempo". E diz um pouco antes: "Seria difícil, para qualquer pessoa presente naquela multidão confusa, reunida dentro dos

portões do palácio, naquela noite, relatar exatamente o que aconteceu. O próprio Pedro, herói da narrativa, provavelmente tinha lembranças mal delineadas de algumas particularidades, e talvez nunca tivesse podido relatar o incidente da mesma forma". Não obstante, não há que duvidar de que ali está registrada a realidade e a importância do acontecimento, bem como a sua exatidão geral, a despeito de alguns pormenores que diferem em elementos secundários. A comparação a seguir apresenta ao leitor as várias narrativas:

1. Embora as quatro narrativas não tivessem sido escritas de maneira totalmente independentes umas das outras (certamente os Evangelhos sinópticos não o foram), contudo, cada autor simplesmente não tinha em mente a ideia de harmonizar com as narrativas dos outros, segundo alguns intérpretes modernos desejam que tivessem feito. Pequenos e secundários detalhes certamente não lhes pareciam importantes, pelo que discrepâncias de pouco vulto surgem nessas narrativas.

2. Não deveríamos ficar surpreendidos ou desanimados ante esses elementos em choque nas narrativas; porque, se essas coisas não foram importantes para os autores originais dos evangelhos, por que motivo deveriam sê-lo para nós?

3. É melhor sermos honestos e admitirmos diferenças nas narrativas e pequenas discrepâncias, do que forçar uma harmonia ridícula e impossível entre essas narrativas.

4. Nenhum leitor ou intérprete, que não esteja inteiramente preso à inspiração de cada letra, haverá de exigir que as palavras reais, em cada particular, proferidas por Pedro, em cada instância sejam registradas exatamente do mesmo modo.

5. De maneira nenhuma deveríamos pensar que o que aconteceu deve, necessariamente, ser limitado a três sentenças saídas dos lábios de Pedro, cada qual expressando uma negação, sem possibilidade nenhuma de ele ter dito outra coisa.

6. Em todos os elementos importantes, as narrativas concordam entre si. Algumas diferenças são suplementares, enquanto que outras apresentam minúsculas discrepâncias; mas estas se originam do fato de que muitos acontecimentos tiveram lugar, que nenhum dos autores sagrados registrou a todos eles, e que a sequência cronológica e o número de declarações etc. não são importantes para a veracidade do incidente. Aqueles que esperam conseguir pormenores mais exatos, neste ponto, ficarão desapontados.

MATEUS

1ª *negação*	Sentado no pátio externo, é acusado por uma serva de ter estado com Jesus, o galileu. "Não sei o que dizes".
2ª *negação*	Pedro saíra ao pórtico, e outra serva o viu. "Este também estava com Jesus, o nazareno. E ele negou outra vez, com juramento: Não conheço tal homem".
3ª *negação*	Logo depois, aproximando-se os que ali estavam, disseram a Pedro: Verdadeiramente és também um deles, porque o teu modo de falar o denuncia. Então começou ele a praguejar e a jurar: Não conheço este homem! E imediatamente cantou o galo. Então Pedro se lembrou da palavra que Jesus lhe dissera... E, saindo dali, chorou amargamente.

MARCOS

1ª *negação*	Aquecia-se no pátio etc., como em Mateus. Sai ao alpendre. O galo canta. "Não o conheço, nem compreendo o que dizes".

704 |Mateus| NTI

| 2ª *negação* | A mesma criada (como é possível) o vê novamente e diz: "Este é um deles". Pedro, no entanto, torna a negar. |
| 3ª *negação* | Tal como Mateus. "Verdadeiramente és um deles, porque também tu és galileu".

Pela segunda vez o galo cantou. Pedro lembrou e chorou amargamente etc. |

LUCAS

1ª *negação*	Sentado "perto do fogo". Pedro é reconhecido pela criada e acusado. Replica: "Mulher, não o conheço".
2ª *negação*	Um servo lhe diz: "Também tu és um dos tais". Pedro retruca: "Homem, não sou".
3ª *negação*	Tendo passado cerca de uma hora, outro dizia: "Também este, verdadeiramente, estava com ele, porque também é galileu". E Pedro insistia: "Homem, não compreendo o que dizes". E logo, estando ele ainda a falar, cantou o galo. Voltando-se o Senhor, fixou os olhos em Pedro. Pedro se lembrou... saindo dali, chorou amargamente.

JOÃO

1ª *negação*	Pedro é reconhecido pela recepcionista, ao entrar com o outro discípulo: "Não és tu também um dos discípulos deste homem?" E ele respondeu: "Não sou".
2ª *negação*	Pedro se aquecia perto do fogo. E disseram-lhe: "És tu, porventura, um dos discípulos dele?" "Não sou", respondeu Pedro.
3ª *negação*	Um dos servos do sumo sacerdote, parente daquele a quem Pedro tinha decepado a orelha, perguntou: "Não te vi eu no jardim com ele?" De novo Pedro o negou. E no mesmo instante cantou o galo.

A história iniciada no v. 58 é reiniciada aqui. O julgamento teve lugar dentro dos edifícios que rodeavam o pátio. Pedro estava no pátio. Provavelmente ouvia indistintamente o que se dizia no tribunal. Sabia que as cosias não iam bem para Jesus. Estava mostrando mais coragem que os outros discípulos, por estar por perto da cena do julgamento. Era bem cedo pela manhã, pelo que Pedro se assentou próximo à fogueira que tinham acendido para dar calor, e a luz da fogueira mostrou o seu rosto. Uma criada (o vocábulo grego indica uma "escrava") viu-o e reconheceu-o. Provavelmente ela o notara ao entrar ele com João, que entrou no palácio; e antes ela pôde tê-lo visto nas ruas de Jerusalém, em companhia de Jesus. O grego diz aqui *uma escrava*, a fim de distingui-la de outra serva, mencionada no v. 71. Essas jovens vieram falar com Pedro em tons maliciosos. Tornara-se muito perigoso e impopular ser amigo do galileu. Elas não tinham autoridade para fazer mal a Pedro; mas ele deve ter temido que a sua identidade estivesse sendo reconhecida, porquanto também poderia ser chamado para ser julgado. Não querendo arriscar a sua segurança física, negou ter associação com Jesus.

26:70: Mas ele negou diante de todos, dizendo: Não sei o que dizes.

26.70 ὁ δὲ ἠρνήσατο ἔμπροσθεν πάντων λέγων, Οὐκ οἶδα τί λέγεις.

_{70 λεγεις] *add p*) ουδε επισταμαι D *fi pc* (it) sy^s}

"[...] o negou diante de todos..." A pergunta da *escrava* atraiu a atenção de alguns. Pedro foi apanhado desprevenido; muitos olhos inquisitivos fixaram-se nele. Não estava inteiramente sem desculpa; estava fisicamente cansado. Estava mentalmente perturbado. A causa de Jesus subitamente se eclipsou. Pedro estava acuado. Seguira a Jesus até o pátio, e isso lhe infundira coragem. Agora, porém, com olhos penetrantemente fixos em sua pessoa, por que se arriscaria a ser morto, dizendo a verdade? Não, não podia fazer isso. De que adiantaria se ele morresse também? Tinha esposa e filhos que dele necessitavam, que dependiam dele. Por isso é que retrucou: *"Não, não sei do que estás falando"*. Meramente negou, nessa primeira ocasião. Mais tarde, quando novamente sujeitado à pressão, negou que conhecia a Jesus, acompanhando a negação com um juramento. Mais tarde ainda, chegou a praguejar. Uma mentira conduziu a outra mentira; é isso que acontece sempre com a natureza humana. Aristóteles disse que a penalidade para quem diz uma mentira é que ninguém acredita quando o mentiroso diz a verdade. (*Diógenes Laertius* XI). Quando há quebra da confiança, desintegra-se o vínculo entre os homens. "Foi uma demonstração de extrema ignorância, que a ninguém enganou", disse Robertson (*in loc.*). Alguns intérpretes sugerem que Pedro provavelmente usou uma palavra aramaica-galileia para dizer "conheço", ao invés da palavra judaica-aramaica; e isso o teria traído, sendo identificado mais facilmente. "Antes de ter seguido muito adiante, agora Pedro negou; foi a segunda escala de sua queda", escreveu Adam Clarke (*in loc.*). Aquele que se mostrara tão corajoso, em face de grave perigo, puxando da espada diante de um grande grupo de soldados armados, agora tremia diante da pergunta feita por uma escrava.

26.71: E saindo ele para o vestíbulo, outra criada o viu, e disse aos que ali estavam: Este também estava com Jesus, o nazareno.

26.71 ἐξελθόντα δὲ εἰς τὸν πυλῶνα εἶδεν αὐτὸν ἄλλη καὶ λέγει τοῖς ἐκεῖ, Οὗτος⁷ ἦν μετὰ Ἰησοῦ τοῦ Ναζεραίου.

_{⁷71 {B} ουτος (*ver* Mc 14.69) ℵ B D syr^s cop^{sa} geo^{1.B} Diatessaron^{a.l} // και ουτος A C K L W X Δ Θ Π *f*¹ *f*¹³ 33 565 700 892 1009 1010 1071 1079 1195 1216 1230 1241 1242 1253 1344 1365 1546 1646 2148 2174 *Byz Lect* it^{a,aur,b,c,f,ff²,g¹,h,l,n,q,r¹} vg syr^{p,h,pal} (cop^{bo}) goth arm eth geo^A Origen^{lat} Chrysostom}

A forma καὶ οὗτος parece ter entrado no texto com base no paralelo de Lucas 22.59. O acordo dos melhores representantes dos textos alexandrino, ocidental e siríaco antigo, em apoio à forma mais breve, constitui forte apoio externo.

"[...] saindo para o alpendre..." Após a primeira negação, muitos olhos continuaram a observar a Pedro. Ele não conseguira enganá-los. Começou a sentir-se intranquilo. A situação tornava-se dolorosa. Começou a desejar que nem ao menos tivesse vindo para ali, mas continuava agonizando no íntimo, porquanto simpatizava com a causa de Jesus. Portanto, tentou aliviar a situação levantando-se e saindo do pátio para um alpendre contíguo. Talvez estivesse planejando ir embora, mas querendo ocultar o fato fazendo uma pausa no alpendre.

"Outra criada". Outra escrava, das que trabalhavam no palácio. E esta disse: "Este também estava com Jesus, o nazareno". Pedro estava, como diríamos, com má sorte. Foi imediatamente reconhecido por outra pessoa. Tornara-se alvo das atenções devido à sua associação com Jesus; e, naquele momento, não estava ele interessado em nenhuma fama decorrente desse fato. Sempre há alguma coisa que nos trai, quando vivemos falsamente. Pedro começara suas *negações*, e não poderia mais parar. Não se lembrava mais, de forma nenhuma, da predição feita por Jesus — muitas coisas haviam acontecido nesse intervalo. Não tinha consciência de que estava cumprindo aquelas palavras que julgara não serem sensatas, há apenas poucas horas atrás. Evidentemente, conforme se nota pelo fraseado deste versículo, esta escrava não se dirigiu diretamente a Pedro, mas às pessoas que estavam ao redor. Isso chocou a Pedro, pois, uma vez mais, não somente ele estava envolvido com Jesus, mas a atenção de todos se focalizava nele. A escrava observou seu ar de quem queria fugir. "Este pobre sujeito, que está se aquecendo aqui, certamente é um dos discípulos desse homem" (John Gill, *in loc.*).

26:72: E ele negou outra vez, e com juramento: Não conheço tal homem.

26.72 καὶ πάλιν ἠρνήσατο μετὰ ὅρκου ὅτι Οὐκ οἶδα τὸν ἄνθρωπον.

"[...] negou outra vez [...] com juramento..." Somente Mateus menciona o juramento. É provável que fosse um juramento comum entre os judeus, naquela época, os quais estavam acostumados a proferir juramentos de muitas espécies, como pelo templo, pelo altar, pelos céus, pelo trono de Deus etc. (Ver uma nota sobre esses juramentos, em Mt 5.34.) Portanto, esta segunda negação foi mais direta e enfática do que a primeira, e assinalou outro passo descendente na queda de Pedro. É possível que ele tenha jurado pelo "Deus da verdade", conforme fazia alguns judeus, envolvendo assim o nome divino, agravando mais ainda o seu pecado. "Não conheço tal homem". Ele fez uma espécie de alusão indefinida à pessoa de Jesus, como se este fosse realmente *um estranho* para ele. Tinha andado na companhia de Jesus por diversos anos. Vira-o operar muitos milagres, em sua casa, e até mesmo entre seus entes amados. Ouvira suas maravilhosas palavras. Contemplara seus grandes atos de bondade e simpatia para com os homens. Vira-o andar por sobre a água, e até mesmo ressuscitar mortos. Vira-o transformado em luz celestial, diante dos próprios olhos. Agora, porém, não conhecia a Jesus, e fazia questão cerrada de que todos o soubessem, tendo chegado ao extremo de invocar algum objeto santo, como testemunho do que dizia. "Esse exemplo dado por Pedro mostra a maldade e a ilusão que existem no coração do homem; e também em que se transformam os melhores homens, quando deixados ao desamparo; tornam-se idênticos aos outros homens, tal como os homens mundanos, cuja boca está repleta de amargura e de maldições" (John Gill, *in loc.*).

26:73: E daí a pouco, aproximando-se os que ali estavam, disseram a Pedro: Certamente tu também és um deles pois a tua fala te denuncia.

26.73 μετὰ μικρὸν δὲ προσελθόντες οἱ ἑστῶτες εἶπον τῷ Πέτρῳ, Ἀληθῶς καὶ σὺ ἐξ αὐτῶν εἶ, καὶ γὰρ ἡ λαλιά σου δῆλόν σε ποιεῖ.

73 και ου] *om p*) DΘ *1 pc* (it syˢ) sa(1) | δηλον σε ποιει] ομοιαζει D it syˢ

"Logo depois..." Lucas informa-nos que cerca de *uma hora* se passara. (Ver Lc 22.59). Pedro talvez tenha começado a sentir-se um pouco mais em segurança. Agora tinha tempo de pensar no que acabara de fazer; mas evidentemente não o fez, pois desta vez mostrou-se igualmente despreparado. Dessa vez, evidentemente diversas pessoas se aproximaram dele. Agora era popular ser contra Jesus, e extremamente impopular ser favorável a ele. Esses indivíduos se deleitaram na oportunidade que lhes foi dada de atormentar Pedro. Sentiam-se à vontade, na atmosfera que os rodeava. Haviam sido afetados pelo mau espírito que os feriados provocam, tornando possíveis aquelas ações próprias das multidões. Eles odiavam Roma. Tinham nutrido a esperança de que Jesus os livraria dos romanos. Jesus não assumiu o ofício de nenhum tipo de Messias político, conforme almejavam. Por esse motivo, passaram a odiar também a Jesus. Não podiam esmagar os romanos; portanto, esmagariam a Jesus. Pedro estava ligado a Jesus. E desejaram também fazer-lhe mal. Por conseguinte, vários deles tomaram a si o encargo de atormentar o apóstolo. Que outras intenções poderiam ter tido, não sabemos dizê-lo. Pedro, no entanto, esperava o pior;

seus nervos estavam estraçalhados, e toda a coragem o abandonara. João acrescenta que, entre aqueles que acusavam a Pedro, estava o próprio servo do sumo sacerdote, cuja orelha ele decepara. Pedro tinha muitas razões para temê-lo. Negar que conhecia a Jesus, com um mero juramento, não seria suficiente desta vez. E por isso pôs-se a praguejar e a dizer impropérios.

"Porque o teu modo de falar o denuncia..." Seu *sotaque* o traía, e, em sua excitação, esse sotaque ainda se tornava mais pronunciado, o que acontece quando alguém fala num idioma estrangeiro. Se ele tivesse tentado imitar o aramaico mais gutural que se falava em Jerusalém, logo se tornaria incapaz de uma boa imitação. Por conseguinte, passou a usar abertamente o aramaico da Galileia. Lemos que até mesmo o árabe falado na Galileia, hoje em dia, tem as suas peculiaridades que o identificam como pertencente àquela área. Lemos também que o aramaico da Galileia confundia a pronúncia espessa das letras guturais do alfabeto hebraico, pelo que era impossível aos galileus distinguir umas das outras, e o som "*sh*" era alterado para "*th*". A Galileia não era uma região muito respeitada em Israel, e o próprio sotaque dali era considerado uma desgraça. A Galileia contava com grande mistura de população gentílica, pois era a "Galileia das nações" (ver Mt 4.15). Os galileus, misturando os sons, algumas vezes alteravam o sentido das palavras. É por essa razão que lemos no Talmude (*T. Babi. Erubin*, fol. 53.1,2): "[...] os homens de Judá, cuidadosos em seu idioma, tinham a lei confirmada em suas mãos; os homens da Galileia, não sendo cuidadosos em seu idioma, não tinham a lei confirmada em suas mãos — os homens da Galileia, que não observam o idioma, que se diz acerca deles? Certo galileu foi e disse [...] e eles disseram-lhe: 'Tolo galileu', 'chamor' significa cavalgar; 'chamar' significa beber; 'hamar' significa vestir-se; e 'immar' é esconder-se para a matança". Tudo isso mostra claramente que os galileus pronunciavam "chamor" (*um asno*), "chamar" (*vinho*), "hamar" (*lã*) e "immar" (*cordeiro*), exatamente da mesma forma, sem nenhuma distinção. Por conseguinte, para um judeu de Jerusalém, era difícil, quase sempre, compreender o que algum galileu queria dizer".

26.74: Então começou ele a praguejar e a jurar, dizendo: Não conheço esse homem. E imediatamente o galo cantou.

26.74 τότε ἤρξατο καταθεματίζειν καὶ ὀμνύειν ὅτι Οὐκ οἶδα τὸν ἄνθρωπον. καὶ εὐθέως ἀλέκτωρ ἐφώνησεν.

"[...] começou ele a praguejar e a jurar..." Era o *quarto* passo descendente de sua negação. Pedro negou sua negativa, desta vez com a adição de profanação nas palavras. Proferiu palavras que nunca tinha usado, que ordinariamente nem pensaria em pronunciar. Estava temeroso e indignado; a ira fora provocada em seu coração. Odiava-os pelo que estavam fazendo com Jesus, e também pelo que faziam agora com ele. "Enquanto Jesus estava sendo julgado perante Caifás, Pedro também estava sendo provado, como se estivesse numa fornalha. Jesus, zombado por homens mundanos, sofria uma zombaria ainda mais cruel, por causa da infidelidade de um amigo. Jesus ensinara Pedro a negar-se, mas Pedro negou a seu Senhor" (Buttrick, *in loc.*). As repetidas negações de Pedro saíram de seus lábios no desconsiderado sotaque galileu; por isso mesmo, quanto mais ele falava, mais se condenava. As pressões sobre Pedro haviam sido demasiadas. Pedro perdera o sono, e sua mente estava embotada; seu temperamento estava agitado. Exausto, mental e fisicamente, e em desespero, ele perdeu completamente o autocontrole.

"Imediatamente cantou o galo". Nem bem tinham suas violentas palavras morrido no silêncio, quando Pedro ouviu o canto do galo. A narrativa de Marcos menciona um momento anterior em que o galo cantou, e que os demais evangelistas não relatam. "A natureza inteira conspira contra o pecador. Pedro foi traído,

706 |Mateus| NTI

tal como qualquer pecador, por um tormento íntimo. Pelo menos notou um olhar que Jesus lhe lançou. (Ver Lc 22.61.) Esse olhar foi a gota que fez o vaso extravasar, e ele irrompeu em soluços. "Todas as coisas traem aquele que me trai". A imediata penitência de Pedro lhe foi própria.

26.75: E Pedro lembrou-se do que dissera Jesus: Antes que o galo cante, três vezes me negarás. E, saindo dali, chorou amargamente.

26.75 καὶ ἐμνήσθη ὁ Πέτρος τοῦ ῥήματος Ἰησοῦ εἰρηκότος ὅτι Πρὶν ἀλέκτορα φωνῆσαι τρὶς ἀπαρνήσῃ με· καὶ ἐξελθὼν ἔξω ἔκλαυσεν πικρῶς.

75 ἐμνήσθη...με Mt 26.34; Mc 14.30; Lc 22.34; Jo 13.38
75 αλ. φων.] αλεκτοροφωνιας 0231 fr

"**Então Pedro se lembrou da palavra que Jesus lhe dissera...**" Nesse ponto, Lucas registra aquelas dramáticas palavras: "[...] voltando-se o Senhor, fixou os olhos em Pedro, e Pedro se lembrou da palavra do Senhor, como lhe dissera: Hoje três vezes me negarás antes de cantar o galo". O galo cantou, Pedro viu o olhar fixo de Jesus sobre ele; e isso o fez relembrar-se das palavras do Senhor. Foi um pequeno incidente, mas para Pedro foi a *magna circunstantia* (Bengel, *in loc.*). Num repente, a memória de Pedro ligou os acontecimentos com a profecia de Jesus sobre as suas repetidas negações. Pedro ficou chocado e envergonhado de si mesmo, de sua vil ação; e, naquele momento, provavelmente teria dado a sua vida pelo Senhor, se assim pudesse fazer. Os acontecimentos daquela noite estavam recolhendo os seus terríficos efeitos. Judas Iscariotes estava inteiramente destroçado; Pedro estava quase condenado. Com grande energia, Satanás reduzira Judas Iscariotes a zero, e agora estava fazendo Pedro passar por uma peneira, como se fosse trigo. Jesus, porém, orara por Pedro (Lc 22.31). Satanás não foi capaz de mostrar que Pedro não passava de palha, conforme provara com Judas Iscariotes.

"**[...] chorou amargamente**". No grego, essa expressão está na forma intensiva, e é diferente do vocábulo ordinário que significa *chorar*. Com frequência significa "chorar em voz alta", em distinção à palavra que simplesmente significa "derramar lágrimas". Agora Pedro estava envergonhado, não de seu Senhor, mas de si mesmo. Sentira a derrota e a vergonha do pecado; este não lhe ficava bem. O arrependimento foi imediato, e isso certamente foi favorável a Pedro. Assim é que as negações e as passagens pelo pecado não precisam ser a "última palavra", a prestação final de contas da vida. Como é grande a diferença entre a história e seu ministério pentecostal! Como foi diferente o testemunho dado pela sua morte, quando foi crucificado de cabeça para baixo, por não considerar-se digno de sofrer conforme seu Senhor sofrera!

Pedro foi-se embora, pois não se sentiu digno de entrar abertamente no salão onde Jesus se encontrava. Nem podia ele suportar ficar no pátio ou no alpendre, em companhia dos inimigos de Jesus. E, dessa maneira, foi escrita esta história: para advertir-nos que até mesmo os maiores podem cair, mas que uma queda não precisa ser final em uma vida cristã. O arrependimento é possível. E, após o arrependimento, vem a completa restauração, com a possibilidade de uma vida ainda maior e mais triunfante.

Capítulo 27

(j) Audiência ante Pilatos (27.1-26)
i. Perante a Pilatos (27.1,2)

Jesus é levado à presença de Pilatos: Esta passagem tem paralelos em Marcos 15.1; Lucas 23.1,2 e João 18.28-32. Tal como os outros materiais das cenas de julgamento, há aqui uma mistura de fontes informativas. O "protomarcos" é a fonte principal, e Mateus segue bem de perto a narrativa de Marcos. Lucas e João variam um pouco mais; e mui provavelmente contaram com fontes adicionais de informação. Os estudos mais modernos emitem a

ideia de que as fontes usadas por João eram valiosas, e que todos os Evangelhos apresentam um quadro mais ou menos completo dos acontecimentos que houve nos últimos poucos dias de vida mortal de Jesus. Ver informação sobre as fontes informativas dos Evangelhos, no artigo da introdução a este comentário intitulado "O problema sinóptico".

27.1: Ora, chegada a manhã, todos os principais sacerdotes e os anciãos do povo entraram em conselho contra Jesus, para o matarem;

27.1 Πρωΐας δὲ γενομένης συμβούλιον ἔλαβον πάντες οἱ ἀρχιερεῖς καὶ οἱ πρεσβύτεροι τοῦ λαοῦ κατὰ τοῦ Ἰησοῦ ὥστε θανατῶσαι αὐτόν·

27 1 Πρωΐας... Ἰησοῦ Lc 22.66 συμβούλιον...αὐτόν Mt 12.14; Mc 3.6

"**Ao romper o dia...**" De acordo com as leis judaicas, uma pena de morte não podia ser imposta nem oficialmente decidida em um tribunal que funcionasse durante a noite. É óbvio que essa reunião matutina do sinédrio teve como finalidade ratificar a decisão ilegal de condenar a Jesus, o que evidentemente ficara resolvido na noite anterior. Reunindo todas as narrativas, descobrimos nos Evangelhos que houve três julgamentos "religiosos": (1) O exame preparatório diante de Anás (Jo 18.13). Não foi uma reunião oficial do sinédrio. Anás não era, nessa ocasião, o sumo sacerdote oficial, tendo sido deposto pelos romanos, e Caifás fora posto em seu lugar. De acordo com a tradição judaica, porém, o ofício sumo sacerdotal era vitalício, e, aos olhos deles, Anás continuava exercendo autoridade como sumo sacerdote. Outrossim, continuava exercendo grande influência sobre os membros do sinédrio, ainda que em capacidade extraoficial. Portanto, foi necessário levar Jesus à sua presença, pois sua opinião pesaria muito na solução do caso. (2) Houve também outro julgamento, naquela mesma noite, imediatamente depois do julgamento diante de Anás. Este segundo julgamento foi realizado diante de Caifás. Provavelmente, a este julgamento compareceu bom número dos juízes do sinédrio. (Jo 18.24). Alguns acreditam que as narrativas gerais, que aparecem nos Evangelhos sinópticos, tais como aquela que se encontra em Mateus 26, descrevem esse julgamento. Não foi um julgamento legal, porquanto foi efetuado à noite. Outros creem que a simples declaração de Mateus 27.1 reflete o julgamento principal, e não aquele efetuado durante a noite do dia anterior. Não podemos ter certeza nenhuma sobre tudo isso; porém, pelo menos, Mateus 27.1 indica uma ratificação oficial da resolução que pode ter sido tomada na noite anterior. (3) O terceiro julgamento, então, teve lugar, ou pelo menos houve uma reunião dos membros do sinédrio, durante a qual Jesus estava novamente presente, e que foi realizada bem cedo, na manhã seguinte. Esse julgamento foi uma extensão de natureza oficial, do julgamento que fora realizado na noite anterior.

Jesus também foi sujeitado a três julgamentos "civis". Houve este julgamento diante de Pilatos (v. 2); houve o julgamento diante de Herodes (registrado em Lc 23); e houve outro julgamento, final, diante de Pilatos. Lucas menciona todos os três julgamentos no vigésimo terceiro capítulo de seu evangelho. Os demais Evangelhos deixam de lado os pormenores, e bem podemos supor, à base disso, que apenas um julgamento perante Pilatos teria tido lugar e nenhum diante de Herodes. Sem dúvida, houve muitos outros incidentes que aconteceram durante esse período, que não foram registrados por nenhum dos evangelistas. Nessa altura dos julgamentos civis, as investigações pessoais de Lucas (conforme ele menciona no prólogo de seu evangelho, no primeiro capítulo) forneceram-lhe informações adicionais, a que os outros evangelistas não tiveram acesso.

"**Principais sacerdotes e os anciãos**". Trata-se do *sinédrio*. Quanto a uma nota detalhada acerca desse principal corpo dirigente dos judeus, ver Mateus 22.23; sobre os "fariseus", ver

Marcos 3.6; sobre os "saduceus", ver Mateus 22.23; sobre os "herodianos", ver Marcos 3.6; sobre os "essênios", ver Lucas 1.80 e Mateus 3.1; e sobre os principais sacerdotes, ver Marcos 11.27.

O dia da crucificação: Os acontecimentos descritos neste capítulo ocorreram na sexta-feira, como concorda a maioria dos eruditos antigos e modernos. O dia da crucificação de Jesus tem sido variegadamente situado na quarta-feira, na quinta-feira ou na sexta-feira. Apesar de qualquer dessas datas envolver algumas dificuldades, a sexta-feira, que tem sido tradicionalmente aceita como o dia da crucificação, desde os tempos mais antigos, é a que conta com menor número de objeções. A questão tem provocado muitos debates, e muito tempo tem sido desperdiçado, e imensas energias têm sido concentradas nessa discussão. Para alguns, o conhecimento e a declaração do dia certo parecem ter a importância de uma convicção religiosa. Os seguintes argumentos indicam ter sido a sexta-feira o dia da crucificação:

1. Um número *demasiado* de acontecimentos teve lugar nas narrativas, para permitir que todos eles tivessem ocorrido entre o domingo, que foi o dia da entrada triunfal, e a crucificação de Jesus, se esta tivesse tido lugar na quarta ou mesmo na quinta-feira.

2. O testamento deixado pelos pais da Igreja, até o terceiro século, é unânime em afirmar que a crucificação teve lugar na sexta-feira. (Ver Wordsworth, The Greek New Testament, sobre as passagens envolvidas, incluindo Mt 27.62, onde há uma lista dos nomes dos pais da Igreja que defendiam ser a sexta-feira o dia da crucificação.) De fato, da parte dos pais da Igreja, não temos outra data que não a sexta-feira. Os antigos pais da Igreja são anteriores aos primórdios da Igreja Católica Romana, pelo que, de forma nenhuma podemos asseverar que a crucificação na "sexta-feira" tenha sido uma invenção dessa organização religiosa.

3. O testamento do *símbolo* favorece o dia de sexta-feira. Quando da Criação, Deus trabalhou durante seis dias, e descansou. Assim também Cristo trabalhou durante esses seis dias, e descansou no dia sétimo, o sábado.

4. A profecia de Jesus, de que estaria no sepulcro por "três dias e três noites" (Mt 12.40), embora para ouvidos modernos pareça três dias e noites completos, para os antigos não era assim, por causa do costume de computar *partes* do dia ou da noite como se fossem dias ou noites inteiras. Uma parte da sexta-feira, o sábado e uma parte do domingo, satisfaria o sentido aqui tencionado. Ao computarem sequências do tempo, os antigos sempre incluíram, nesse cômputo, o mesmo dia em que a declaração era feita. Assim, "em três dias" incluiria o dia em que a declaração foi feita. Esses três dias seriam a sexta-feira, o sábado e o domingo. Partes desses dias podiam ser chamadas de "três dias".

5. *A cronologia* simples *de Lucas* (23.54—24.1) não deixa dúvida nenhuma a respeito, porquanto ele menciona declaradamente três dias: (1) A "preparação" (v. 54), isto é, o dia anterior ao sábado, ou sexta-feira, conforme essa palavra significa até mesmo no grego moderno, sendo usada com esse sentido por todas as páginas do NT onde ela aparece. (2) O sábado (v. 56), durante o qual descansaram. (3) O primeiro dia da semana (24.1) ou domingo. Se é que a crucificação ocorreu antes, o que teria acontecido à quarta-feira e à quinta-feira, nesse novo cálculo cronológico? João 19.31 diz especificamente que o corpo de Jesus foi tirado da cruz, a fim de que não permanecesse ali no dia de "sábado".

6. Alguns tentam fazer desse "sábado" um feriado judaico diferente, salientando que, no v. 31, esse sábado é chamado de "grande o dia daquele sábado". Entretanto, a expressão deriva-se do fato de que este dia era o sábado durante o período da Páscoa, sincronizado com o segundo dia da festa dos pães asmos. A narrativa de Lucas indica que somente *um dia* de "sábado" está aqui em foco, por maior que fosse considerado esse dia.

7. Alguns estribam-se no fato de que em Mateus 28.1, a palavra usada para sábado está no *plural*, o que leva esses intérpretes a traduzirem, "no fim dos sábados", como se tivesse ocorrido mais de um sábado (ou feriados especiais), o que faria com que o dia da "preparação" fosse a terça-feira, ao passo que os dias de quarta-feira, quinta-feira, sexta-feira e sábado seriam os "sábados". Todavia qualquer pessoa que consulte um dicionário grego completo do NT descobrirá que o plural era frequentemente usado em lugar do singular, embora estivesse em vista apenas um sábado. Outras instâncias desse fato se encontram em Mateus 12.1; Marcos 1.21; 2.23; 3.2,4; Lucas 4.31; 6.9. Em todas essas instâncias, o grego tem o plural, mas o contexto mostra sempre que se trata do singular. Esse emprego do plural era comum entre os demais autores, fora do NT, conforme um dicionário grego completo facilmente revela. Que o singular era tencionado é óbvio em Marcos 16.1, que usa o singular, "sábado", e de onde Mateus extraiu a sua narrativa (posto parecer correto dizer, com o que muitíssimos concordam, que Marcos foi usado como base dos evangelhos de Mateus e de Lucas). Adicione-se a isso a narrativa em Lucas 23.54,56, que também usa o singular.

8. É altamente improvável que as mulheres tivessem esperado durante quase *três dias e meio* (desde a tarde de quarta-feira até a manhã de domingo), antes de irem ao sepulcro, a fim de ungirem e embalsamarem o corpo de Jesus. Nessa altura, a putrefação estaria tão adiantada, que todo esforço seria estranho e inútil. Afinal de contas, elas esperavam encontrar um cadáver, embora não tivessem ficado desapontadas por não o terem encontrado.

9. As Escrituras declaram, pelo menos por *nove vezes*, que Jesus ressuscitaria ao *terceiro dia*. (Mt 16.21; 17.23; 20.19; Mc 9.31; 10.34; Lc 9.22; 18.33; 24.7; 1Co 15.4.) Segundo o costume do *cômputo inclusivo* das sequências de tempo, comum entre as culturas antigas, ao enumerar qualquer número de dias, horas, meses ou anos, sempre se incluía nessa numeração o dia *em que* se fazia a declaração e é óbvio que o dia da crucificação deve estar incluído nesse cômputo dos "três dias". Jesus queria dizer que ressuscitaria ao terceiro dia. Assim, segundo esse cômputo à moda antiga, temos a sexta-feira, o sábado e o domingo. O terceiro dia, a começar na quarta-feira, dificilmente poderia ser o domingo. Jesus teria de ter ressuscitado na sexta-feira, se a quarta-feira tivesse sido o dia de sua crucificação. Se o dia de sua crucificação foi a quinta-feira, Jesus teria de ter ressuscitado no sábado. Alguns intérpretes, embora em pequeno número, ensinam exatamente isso. As descrições sobre a manhã da ressurreição parecem indicar que a ressurreição teve lugar bem cedo, na manhã de domingo, talvez às 3 horas, ou entre as 3 horas e as 6 horas. Não contamos com nenhuma declaração específica sobre a hora exata. De conformidade com os cálculos dos judeus, o domingo teria começado às 18 horas daquele que ainda consideraríamos como o dia de sábado. Portanto, Jesus poderia ter permanecido no túmulo por diversas horas do "domingo", ainda que tivesse ressuscitado tão cedo como a meia-noite de nosso sábado, embora bem dentro do domingo, segundo a maneira de contar dos judeus. Assim, embora tivesse ressuscitado antes da meia-noite do domingo judaico, Jesus ainda estaria morto no túmulo, no domingo. Dessa maneira, esteve no túmulo por "três dias", conforme ele declarou que ficaria. "Três dias e três noites", sendo uma expressão que não precisa envolver mais do que partes desses três dias e noites, não está fora de lugar. (Ver a nota, em Mt 28.1, quanto a uma discussão mais ampla sobre o dia da ressurreição do Senhor Jesus.)

27.2: e, maniatando-o, levaram-no e o entregaram a Pilatos, o governador.

27.2 καὶ δήσαντες αὐτὸν ἀπήγαγον καὶ παρέδωκαν Πιλάτῳ[1] τῷ ἡγεμόνι.

708 |Mateus| NTI

2 {C} Πιλάτῳ (*ver* Mc 15.1) ℵ B L 33 syr[s,p,pal ms] cop[sa,bo] geo Diatessaron[a] Origen Peter-Alexandria // Ποντίῳ Πιλάτῳ A C K W X Δ Θ Π 0250 *f*[1] *f*[13] 565 700 892 1009 1010 1071 1079 1195 1216 1230 1241 1242 1253 1344 1365 1546 1646 2148 2174 *Byz Lect* it[a,aur,b,c,d,f,g¹,h,l,q,r¹] vg syr[h,palms] goth arm eth Diatessaron[n,v] Origen[lat] Diodore Augustine

Se Ποντίῳ tivesse estado originalmente presente, não haveria boa razão para ter sido apagada. Por outro lado, sua inserção por copistas seria natural na primeira passagem, onde o nome de Pilatos ocorre nos Evangelhos. Os dois nomes também figuram em Lucas 3.1; Atos 4.27 e 1Timóteo 6.13. Na igreja post-apostólica o nome duplo tornou-se comum (cf. Inácio *Trall.* 9, *Smyr.* 1, e muitos textos de Justino Mártir). Em Josefo, *Antiq.* XVIII.ii, Πιλᾶτος ocorre com frequência, havendo a forma Πόντιος Πιλᾶτος na primeira ocorrência.

"[...] governador Pilatos..." *Pontius*, aparece nos mss ACEFGHKMSUVX, Gamma, Delta, Fam Pi, e nas traduções AC, F e KJ. Esse nome é omitido pelos mss mais antigos, como Aleph, B, L e pela maioria das versões siríacas, bem como por todas as traduções, excetuando AC, F e KJ. O evangelho original de Mateus não continha essa palavra, que foi acrescentada à base de outras passagens, neste ponto. Quanto a uma nota detalhada sobre Pilatos, ver o v. 11 deste mesmo capítulo. Essa nota inclui confirmação arqueológica de seu governo na Palestina. Pela história antiga compreendemos que o sinédrio não tinha a autoridade de executar quem quer que fosse. Não obstante, seus membros tinham meios de forçar essa punição capital por parte dos romanos; e os judeus devem ter-se livrado de muitos "hereges" e outros adversários religiosos, apresentando alguma acusação contra eles, que levasse os romanos a estender a mão e executá-los. Pilatos tinha a autoridade de impor a pena capital, autoridade essa que lhe era conferida por Roma.

Jesus fora amarrado antes de ser conduzido à presença de Pilatos, embora essa informação não nos seja dada pelo evangelho de Mateus. É provável que durante o inquérito diante de Caifás as algemas tivessem sido removidas. Mas que, quando Jesus foi levado à presença de Pilatos, as cordas tivessem sido repostas. Pilatos era um péssimo juiz para opinar sobre um caso como aquele; pois era um inadequado representante de Roma, conforme nos mostra a história da época, o que é descrito nas notas do v. 11 deste mesmo capítulo. Era um *pragmatista egoísta*. Para ele, a "justiça" era determinada de acordo com o que fosse expediente no momento. Não esperava a orientação de Deus, e nem se aconselhava com quaisquer conselheiros. Só se interessava em continuar em seu ofício, e dispôs-se a sacrificar a vida de Jesus, porque isso agradaria aos judeus, porquanto já tivera muitas dificuldades com eles, por outros motivos. De fato, nos anos que se seguiram, encontrou ainda maior dificuldade para controlá-los. Pilatos era o "procurador" desse território a Judeia. A residência comum dos procuradores ficava em Cesareia, à beira-mar; mas, durante o período da Páscoa, ordinariamente residiam em Jerusalém, juntamente com um destacamento militar, a fim de preservar a ordem durante as festividades.

UM PROCURADOR era um oficial da classe *equestre*, encarregado de alguma das províncias imperiais menores, e que ficava em seu ofício durante o tempo em que o quisesse o imperador. Não sabemos com certeza se Pilatos estava sujeito ao legado da Síria, ou se era diretamente responsável diante do imperador. Houve ocasião em que Pilatos teve dificuldades com seus súditos judeus, por ter feito entrar tropas romanas em Jerusalém sem remover as suas insígnias (o medalhão com a efígie do imperador), o que era considerado uma idolatria pelos judeus. De outra feita, ele se apossou de fundos do templo a fim de construir um aqueduto. Isso causou tremendo furor entre os judeus. Sua brutalidade, ao esmagar uma pequena insurreição em Samaria é que o levou à queda. (Ver Josefo, Antiq. XVIII.3.1,2; 4.1,2.) Ver as notas no v. 11, quanto a mais detalhes.

A nomeação para governar a Judeia sem dúvida era considerada uma *tarefa pequena* pelos romanos. Pilatos tinha pouca autoridade e, escudado nela, cometeu o maior de todos os crimes da história. Shakespeare (*Measure for Measure*, ato II, cena 2) descreveu o seu tipo: "Homem, muito orgulhoso, revestido em pequena e breve autoridade. Mais ignorante daquilo que tinha mais certeza".

ii. Suicídio de Judas (27.3-10)

Somente Mateus e Lucas (este último, em At 1.18,19) nos dão alguma informação sobre essa ocorrência. Assim, neste caso, a fonte informativa não é o *protomarcos*, mas provavelmente alguma tradição oral da igreja de Jerusalém ou da igreja de Antioquia. A narrativa de Lucas, segundo apresentada no primeiro capítulo do livro de Atos, sem dúvida nenhuma representa uma tradição separada. Não houve colaboração entre os dois autores, ou seja, nenhum deles usou a narrativa do outro, como fonte de informação. São relatos separados. Certo número de dificuldades se faz presente nessas narrativas, especialmente no tocante à maneira pela qual Judas Iscariotes morreu. Alguns intérpretes não veem a possibilidade de suicídio, segundo a versão do livro de Atos, pois ali pode estar em foco até mesmo uma morte acidental. Parece não haver maneira de reconciliar as narrativas exatas sobre o que Judas fez com o dinheiro recebido como recompensa pela traição contra Jesus. O texto de Mateus 27.5-7 declara que Judas lançou fora o dinheiro, movido pelo remorso; e que, tendo-o ajuntado, os principais sacerdotes compraram certo terreno para ali sepultarem estrangeiros. A passagem de Atos 1.18 revela que o próprio Judas comprou um campo, uma pequena propriedade, embora não diga com que finalidade o fez. Alguns estudiosos sugerem que Judas não comprou pessoalmente o campo; porém, uma vez que o dinheiro lhe pertencia, embora outros tivessem feito a transação, "ele" é que teria comprado o campo. Acerca dessas explicações, qualquer um que ler a narrativa do livro de Atos terá dúvidas. Simplesmente não sabemos com exatidão o que aconteceu nesse particular. Os detalhes principais, entretanto, são os mesmos, a saber, que terras foram compradas com o dinheiro, e Judas Iscariotes chegou a um triste fim, o que por todos foi reputado como um castigo de Deus, por haver ele traído a Jesus. A diferença no modo de sua morte tem sido explicada mediante a suposição de que Judas enforcou-se, que a corda partiu-se ou escorregou, e que ele despencou no chão, causando o terrível despedaçar de seu corpo, conforme lemos no livro de Atos. Novamente, acerca dessas explicações, não podemos ter certeza — mas que ele teve um mau fim, provavelmente por meio do suicídio, parece perfeitamente *óbvio*.

Uma narrativa mais completa sobre essa questão, com material extraído de citações antigas a seu respeito, e onde as dificuldades são amplamente examinadas, figura em Atos 1.18.

27.3: Então Judas, aquele que o traíra, vendo que Jesus fora condenado, devolveu, compungido, as trinta moedas de prata aos principais sacerdotes e aos anciãos, dizendo:

27.3 Τότε ἰδὼν Ἰούδας ὁ παραδιδοὺς αὐτὸν ὅτι κατεκρίθη μεταμεληθεὶς ἔστρεψεν τὰ τριάκοντα ἀργύρια τοῖς ἀρχιερεῦσιν καὶ πρεσβυτέροις

3 ἔστρεψεν...πρεσβυτέροις Mt 26.14,15

"[...] vendo que Jesus fora condenado, tocado de remorso..." É possível que Judas realmente não esperasse que Jesus fosse condenado. Alguns intérpretes creem que essa ação de Judas tivesse o propósito de forçar Jesus a declarar-se rei, assim provocando uma revolta popular contra Roma. Todavia, essa interpretação diz demais em favor de Judas. O mais provável é que ele tivesse percebido melhor as coisas do que os outros discípulos, tomando a sério as repetidas advertências de Jesus de que morreria às mãos das autoridades religiosas dos judeus. Judas percebeu que Jesus não seria o tipo de messias político que o povo almejava, e entendeu que a sua associação com ele lhe seria *fatal*. Saiu dessa situação logo que pôde, e resolveu tirar disso algum proveito. Tal como Pilatos, Judas Iscariotes era um *pragmatista*, e julgava a situação do momento de conformidade com o que lhe parecia melhor, baseado em um ponto de vista egoísta, ao invés de fazê-lo estribado em valores éticos eternos. Uma vez que viu que o inocente Jesus realmente estava condenado à morte, o próprio Judas sentiu remorso. É possível também que Satanás, tendo realizado os seus intentos por intermédio de Judas, agora o tivesse abandonado; e então, desaparecendo essa tremenda influência má, finalmente Judas teve sentimentos de misericórdia comuns à humanidade. De repente, embora tardiamente, Judas reconheceu o seu terrível crime, que antes parecera uma ação sábia e necessária, ainda que muito desagradável.

"Tocado de remorso", ou como dizem outras traduções, *arrependeu-se*. No grego foi usada uma palavra diferente daquela que é normalmente traduzida por "arrependimento", conforme geralmente usada no NT. Significa "entristecer-se depois", sendo usada apenas por cinco vezes no NT (Mt 21.29,32; 27.3; 2Co 7.8 e Hb 7.21). Esse vocábulo pode ter todo o sentido da palavra usual (empregada sob diversas formas por quase 60 vezes no NT), que indica uma mudança de mente, usualmente associada à remissão de pecados e à salvação que disso resulta. A ênfase da palavra "remorso" recai sobre a tristeza. As palavras traduzidas por "arrependimento" podem ser usadas uma em lugar da outra, e frequentemente são sinônimas. Nada podemos dizer de específico sobre o valor do arrependimento à base da simples definição de palavras. Alguns intérpretes aceitam um arrependimento genuíno da parte de Judas; mas outros rejeitam essa ideia. Pelo menos Judas foi emocionalmente esmagado, conforme os acontecimentos seguintes provaram conclusivamente. A verdade é que mera tristeza de nada vale, se não for acompanhada pela mudança de mente. Não podemos ter certeza sobre qual foi o caso de Judas, embora a maioria dos intérpretes entenda que não havia esperança de que ele retornasse a Cristo, nesse remorso. A referência bíblica feita a ele, que o designa como "filho da perdição", parece confirmar esse ponto de vista. (Ver Jo 17.12 sobre essa particularidade.)

27.4: Pequei, traindo o sangue inocente. Responderam eles: Que nos importa? Seja isso lá contigo.
27.4 λέγων, Ἥμαρτον παραδοὺς αἷμα ἀθῷον². οἱ δὲ εἶπαν, Τί πρὸς ἡμᾶς; σὺ ὄψῃ.

4 σὺ ὄψῃ Mt 27.24

² 4 {B} ἀθῷον ℵ A B° C K W X Δ Π f¹ f¹³ 33 565 700 892 1009 1010 1071 1079 1195 1216 1230 1241 1242 1253 1344 1365 1546 1646 2148 2174 *Byz Lect* syr^p,h,hgr cop^sa ms goth Origen Eusebius Cyril-Jerusalem Epiphanius Chrysostom // δίκαιον B^mg L Θ it^a,aur,b,c,d,f,ff²,g¹,h, l,q,r¹ vg syr^pal cop^sa,bo arm eth^pp geo Diatessaron^c,arm,i,s Origen^gr,lat Cyprian Ambrosiaster Lucifer Augustine // τοῦ δικαίου syr^s Diatessaron^l // *innocent blood and that I killed a righteous one* eth^ro,ms

O AT grego diz αἷμα ἀθῷον ("sangue inocente") por 15 vezes; αἷμα δίκαιον ("sangue justo") por 4 vezes; e αἷμα ἀναίτιον ("sangue inculpável") por 4 vezes. Assim, é possível argumentar que αἷμα δίκαιον, por ser uma expressão rara, mais provavelmente teria sido alterada para a forma mais comum, αἷμα ἀθῷον, do que o contrário. Por outro lado, porém, é possível que Πδίκαιον tenha sido introduzida por copistas com base em Mateus 23.35. Seja como for, o peso da evidência externa, neste ponto, apoia fortemente a forma ἀθῷον.

"Pequei, traindo sangue inocente..." Buttrick (*in loc.*) diz: "A igreja primitiva estava certa de que Judas teve um mau fim. Essa crença é inabalável na humanidade: de Deus não se zomba, e o pecado acaba achando o pecador, embora não ele seja encontrado". Alguns intérpretes preferem traduzir *errei*, ao invés de "pequei" (o que é permitido pelo grego), acreditando que Judas não admitiu o seu pecado. A sua ação de suicídio, entretanto, demonstra, de maneira definida, que ele tinha em mente mais do que um simples equívoco. O que há de mais significativo neste versículo é a sua admissão sobre o caráter sem jaça de Jesus. Sabia Judas que Jesus nunca enganara a quem quer que fosse, e que não merecia ser crucificado, conforme estavam prestes a fazer. Talvez inconscientemente, se tivesse tornado uma testemunha de defesa, embora tarde demais. Judas exibiu alguma coragem com sua atitude, pois um concílio irado poderia resolver livrar-se dele também, especialmente se ele se pusesse a proclamar agora por toda a parte a inocência de Jesus.O mais certo, porém, é que Judas Iscariotes não tivesse nenhuma intenção de ser corajoso; fez o que fez meramente impulsionado pela tremenda pressão da depressão mental que o afligia naqueles instantes terríveis.

A expressão "sangue inocente" era uma expressão idiomática, no hebraico, que indica uma pessoa inocente (ver Dt 27.25). Existem citações que revelam que os escritores gregos usavam a palavra "sangue" para indicar um homem, uma pessoa. O comentário de Ellicott (*in loc.*) diz: "A sua confissão era como o germe do arrependimento; mas a repulsa por parte dos principais sacerdotes impeliu-o de volta ao desespero, e ele não teve a coragem ou a fé de voltar-se para o grande absolvedor; e, dessa maneira, a sua vida terminou na escuridão das trevas".

"[...] que nos importa...?" O que era importante para eles é que conseguissem assassinar com êxito a Jesus, e não que fosse feita justiça. Judas poderia falar acerca de inocência e justiça, conforme bem entendesse; mas, naquele momento, essas considerações eram estranhas para aqueles homens ímpios e desarrazoados. Vemos aqui a lição sobre como o pecado pode operar em segredo, mortalmente, anuviando, na sua totalidade, o raciocínio de uma pessoa. Vemos como a maldade pode ser agravada. E vemos como um mal irreversível pode resultar desse processo, como produto final.

27.5: E tendo ele atirado para dentro do santuário as moedas de prata, retirou-se, e foi enforcar-se.
27.5 καὶ ῥίψας τὰ ἀργύρια εἰς τὸν ναόν³ ἀνεχώρησεν, καὶ ἀπελθὼν ἀπήγξατο.

5-10 At 1.18,19

³ 5 {D} εἰς τὸν ναόν ℵ B L Θ f¹³ 33 700 l⁵⁴⁷ cop^sa,bo goth geo Origen Eusebius Chrysostom // ἐν τῷ ναῷ A C K W X Δ Π f¹ 565 892 1009 1010 1071 1079 1195 1216 1230 1241 1242 1253 1344 1365 1546 1646 2148 2174 *Byz Lect* it^a,aur,b,c,d,f,ff²,g¹,h,l,q,r¹ vg syr^s,p,h,pal Origen Lucifer Cyril-Jerusalem

A forma ἐν τῷ ναῷ parece subentender que Judas esteve no Lugar Santo, embora só aos sacerdotes fosse franqueada a entrada ali. O termo ναός, porém, às vezes era usado mais frouxamente para indicar as cercanias do próprio santuário. A forma εἰς τὸν ναόν parece mais apropriada ao contexto, o que implica em forte emoção e esforço físico. Por outro lado, porém, a construção com εἰς pode ser um refinamento alexandrino. Em face dessas tão conflitantes considerações, a comissão julgou que a decisão menos insatisfatória seria seguir o texto apoiado pelos testemunhos que geralmente se mostram superiores.

Os v. 5-7 proveem um exemplo do raciocínio cristão-judaico. É provável que essa informação tenha sido tecida numa espécie de sermão acerca de Judas, juntamente com a informação histórica básica e com referências a profecias do AT, que pareciam aludir ao incidente. O *atirar* do dinheiro no templo se derivou do texto de Zacarias 11.13: "Então o Senhor me disse: Arroja isso ao oleiro, esse magnífico preço em que fui avaliado por eles. Tomei as trinta moedas de prata, e as arrojei ao oleiro, na casa do Senhor". Segundo o texto massorético, lemos *oleiro* na última ocorrência

710 |Mateus| NTI

dessa palavra, no texto acima. Contudo, "tesouro", provavelmente, é o texto original de Zacarias. "Tesouro" e "oleiro" são palavras similares no hebraico. O tratamento dado pelo autor deste evangelho a essa citação, nesta passagem, e que talvez se tenha derivado da fonte informativa por ele usada, mostra que ele aceitava a profecia de ambos os modos: o dinheiro foi arrojado no templo. Tornou-se parte do tesouro do templo, e subsequentemente foi empregado para comprar um terreno de um oleiro, ou pelo menos para comprar um campo onde se obtinha argila para trabalhos de olaria. Desta passagem das Escrituras é que se derivou a ideia de *campo do oleiro* significar um cemitério próprio para esmoleres. Aceitava-se geralmente que as profecias do AT teriam de ser cumpridas nos dias do Messias; e a morte de Judas e as circunstâncias que a cercaram, foram encaradas como cumprimentos proféticos, ideia essa que aparece refletida no texto.

NÃO sabemos exatamente *onde* o dinheiro foi atirado. Poderia ter sido em qualquer dentre muitos lugares, desde os átrios até o local onde se reunia o sinédrio, e até o próprio santo lugar. A palavra aqui traduzida como "templo" significa "santuário", pelo que deve estar em vista o interior do templo, propriamente dito. Judas lançou ali o dinheiro, em uma espécie de ato expiatório, o que, naturalmente, não obteve expiação nenhuma — mas a sua mente torturada pode ter visto a sua ação como tal. Os seus motivos vinham sendo tortuosos o tempo todo, como usualmente sucede nos casos criminosos. Judas evidentemente falou com as autoridades religiosas fora do templo, em algum átrio. Por haverem-se recusado a dar-lhe ouvidos, em agonia e indignação, ele lançou o dinheiro dentro do próprio templo, naqueles lugares onde só os sacerdotes tinham permissão de entrar. Era o seu ato de protesto contra si mesmo e contra eles.

"[...] e foi enforcar-se..." Várias tentativas têm sido feitas, por diversos intérpretes, para verem aqui algo diferente de um enforcamento. Alguns acreditam que isso simplesmente significa que Judas foi consumido pela angústia de consciência. (Assim pensavam Grotius, Hammonte, Heinsius, e outros.) O mais provável é que essa opinião se baseie na tentativa de reconciliar a passagem acerca da morte de Judas, em Atos 1.18. Assim, nenhuma indicação específica sobre a maneira da morte de Judas Iscariotes pode ser extraída da narrativa de Mateus. Essa interpretação, entretanto, não tem sido bem recebida pela maioria dos intérpretes. E há boas razões para isso. Parece que a maioria favorece a explicação de que, após o enforcamento, a corda se soltou ou se partiu, e que o corpo de Judas Iscariores sofreu a tremenda mutilação aludida em Atos 1.18. Essa explicação, entretanto, é apenas uma suposição, pelo que também certo número de intérpretes, tanto antigos como modernos, supõe que temos aqui uma expressão de duas tradições separadas, as quais, embora concordem em seus pontos essenciais, têm algumas discrepâncias nos pormenores da narrativa. Assim diz Meyer (*in loc.*): "Judas encontrara morte violenta e terrível, de uma forma que a tradição apresenta variegadamente como suicídio por enforcamento (Mateus), como cair de cabeça e partir-se pelo meio (Atos 1.18), ou, finalmente, como inchar e ser despedaçado por carruagens (tradições preservadas por *Papias*, segundo algumas autoridades posteriores). Várias lendas apócrifas se desenvolveram em torno da pessoa de Judas, que apenas confundem mais ainda o quadro, se as tomarmos a sério. O problema não pôde ser resolvido pelos antigos, e é exatamente nesse ponto que, hoje, encontramos o problema, excetuando no caso dos harmonistas, os quais, às expensas do bom senso, talvez honestamente, se sentem obrigados a harmonizar tudo entre os quatro evangelistas.

27.6: Os principais sacerdotes, pois, tomaram as moedas de prata, e disseram: Não é lícito metê-las no cofre das ofertas, porque é preço de sangue.
27.6 οἱ δὲ ἀρχιερεῖς λαβόντες τὰ ἀργύρια εἶπαν, Οὐκ ἔξεστιν βαλεῖν αὐτὰ εἰς τὸν κορβανᾶν, ἐπεὶ τιμὴ αἵματός ἐστιν.

"[...] não é lícito..." Assim as autoridades religiosas judaicas continuaram provando sua reputação de maiores hipócritas do mundo. A justiça não era o motivo de suas preocupações; no entanto, a obediência à letra da lei (quando lhes parecia apropriado observar essa lei) tinha de ser observada à risca. Construíam seu sistema à base de Deuteronômio 23.18. Essa lei proibia o uso de *certos tipos* de dinheiro no templo. Raciocinaram que o preço do sangue seria igualmente inaceitável no tesouro do templo. (*Corbã* foi a palavra aqui utilizada por Josefo, bem como nesta passagem, para indicar o tesouro sagrado.) Por conseguinte, recolheram aquele dinheiro e usaram-no para alguma finalidade "secular". Mui provavelmente supunham que estavam fazendo algum bem à humanidade, pois não estavam provendo assim um cemitério para sepultamento dos estrangeiros? Demonstraram um bom espírito humanitário; e, além disso, demonstraram uma vez mais seu imenso zelo pela observância da letra da lei, chegando mesmo mais longe do que estava expressamente escrito — e nisso, mui provavelmente, pensavam que estavam agradando a Deus. Sua consciência estava retorcida e manchada. Diz Buttrick (*in loc.*): "O estado calejado dos sacerdotes e dos anciãos quase nos assusta. É a natureza humana capaz de tal endurecimento? Essa história, qualquer que seja a sua origem, provê uma ilustração ante a qual podemos recuar revoltados perante a mente humana ao procurar preservar a sua iniquidade. Pensavam que, não havendo traído pessoalmente a Jesus, por isso mesmo não eram culpados: *Isso é contigo*". Poderíamos adicionar a esse quadro que, apesar de ser verdade que eles não traíram a Jesus pessoalmente, eles é que tinham traçado o plano da traição e o tinham financiado. Além disso, aproveitaram-se para tornar realidade a ideia de assassinar a Jesus. Aqueles homens iníquos consolavam-se à sua maneira. Observaram todas as supostas exigências religiosas. Conheciam bem o seu *livro*, as suas Escrituras. Contavam com seus "textos de prova", e aplicavam e viviam de conformidade com os mesmos. No entanto, eram pervertidos; totalmente pervertidos.

27.7: E, tendo deliberado em conselho, compraram com elas o campo do oleiro, para servir de cemitério para os estrangeiros.
27.7 συμβούλιον δὲ λαβόντες ἠγόρασαν ἐξ αὐτῶν τὸν Ἀγρὸν τοῦ Κεραμέως εἰς ταφὴν τοῖς ξένοις.

"[...] compraram com elas o campo...". Provavelmente era um pequeno campo, dotado de argila, útil para o trabalho de olaria. Alford acredita que era o campo de um oleiro bem conhecido, e que, provavelmente, foi comprado a preço baixo por causa das escavações que nele haviam feito, em busca de argila. Quando era impossível empregar o dinheiro no templo, a lei judaica ordenava que esse dinheiro fosse devolvido ao doador. Por exemplo, se uma prostituta quisesse fazer uma doação ou oferta ao templo, seu dinheiro não podia ser usado em nenhum propósito sagrado, e nem podia fazer parte do tesouro sagrado. O dinheiro deveria lhe ser devolvido; ou, se ela continuasse insistindo em doá-lo, seria empregado em alguma *obra pública*, em algum projeto "secular". Aquelas autoridades religiosas, pois, raciocinaram que o dinheiro que Judas lançara no interior do templo poderia ser corretamente usado para atender a algum propósito "humanitário". Muitos peregrinos vinham a Jerusalém, de muitas partes do mundo antigo, especialmente durante o tempo de festividades, como a que ocorria naqueles dias. Alguns poucos, inevitavelmente, faleciam devido aos rigores da jornada etc. Isso criava um problema — como se livrarem dos cadáveres? Por conseguinte, as autoridades religiosas tentaram solucionar a questão comprando o campo do oleiro, o qual seria usado como cemitério de gentios que vivessem em Jerusalém, porque esses também eram reputados estrangeiros em Israel. Os soldados romanos seriam incluídos nessa categoria. Dessa maneira, foi usado o preço da traição contra Jesus o qual em realidade também era um estranho no meio deles. Alguns, por analogia dessas considerações, acreditam que a narrativa em Atos 1.18, onde se lê que Judas *comprou* um campo, explica que ele o comprou indiretamente, por meio dessas autoridades religiosas, embora já estivesse morto, tal como o dinheiro doado por uma prostituta poderia ser empregado para ajudar a instalar um encanamento de água. Essa consideração nos ajudaria a reconciliar as duas narrativas. É interessante observar aqui que o grego usa o artigo definido, "o campo do oleiro". Dessa maneira, o autor indicou que o lugar era bem conhecido por todos, ou no tempo da compra, ou, pelo menos, depois que o local passou a ser associado à morte de Jesus. Certamente era um texto conhecido pelos crentes, conforme está subentendido no versículo seguinte.

27.8: Por isso tem sido chamado aquele campo, até o dia de hoje, Campo de Sangue.
27.8 διὸ ἐκλήθη ὁ ἀγρὸς ἐκεῖνος Ἀγρὸς Αἵματος ἕως τῆς σήμερον.

"[...] chamado até ao dia de hoje, Campo de Sangue". Esse é, igualmente, o nome encontrado em Atos 1.19, onde aparece como tradução do vocábulo *akeldama*. Alguns têm sugerido que essa palavra semítica deveria significar "campo de dormir", isto é, cemitério; mas não pode haver certeza a esse respeito. Mais provavelmente, a conexão era, na verdade, com a ideia de sangue, o preço de sangue. A tradição tem identificado esse lugar, retendo a mesma designação até hoje, como se fosse a inclinada encosta da colina do sul, defronte do monte Sião, que limita o campo de Bem Hinnon. A tradição tem precisado a localização, mas não podemos ter certeza nenhuma sobre isso. Entretanto, o que é certo é que não somente durante os tempos de Jesus e pouco depois, mas também até hoje, o local denominado *Campo de Sangue* é um testemunho contra aqueles homens pervertidos, pois todos os habitantes da área são lembrados do preço de seu sangue, que, de certa feita, foi usado para comprar um campo não muito distante. Várias lendas, algumas delas provenientes de outras terras, têm aparecido em torno dessa localização. Era dito comum que essa terra podia consumir um cadáver em poucos dias. Por causa disso, carregamentos dessas terras foram levados de navio para o "Campo Santo", em Pisa, durante o século XIII. É provável que essa ação estivesse baseada em forte sentimento religioso, e que o solo fosse considerado com grande respeito, por causa de sua ligação com a história de Jesus. O campo fica contíguo ao que atualmente se chama "colina do Mau Conselho", onde Caifás, de conformidade com a tradição, possuía uma casa de campo, onde a morte de Jesus teria sido planejada.

A tradição tem identificado apenas um local; mas, desde os tempos de Jerônimo, duas localidades vêm sendo apontadas. Jerônimo revela que, em seus dias, o local ordinariamente apontado ficava no lado sul do monte Sião. (*De Locis Hebraicis*).

"[...] até ao dia de hoje..." Essa expressão indica a passagem de *algum tempo* após os acontecimentos descritos, quando se escreveu este evangelho. Uma antiga tradição diz: "oito anos"; porém, há boas razões para supormos que o evangelho de Mateus só foi escrito após o ano 70 dC, ou seja, somente depois da destruição de Jerusalém. (Ver a introdução ao evangelho de Mateus quanto a ideias concernentes à data da escrita deste evangelho de Mateus.)

27.9: Cumpriu-se, então, o que foi dito pelo profeta Jeremias: Tomaram as trinta moedas de prata, preço do que foi avaliado, a quem certos filhos de Israel avaliaram,
27.9 τότε ἐπληρώθη τὸ ῥηθὲν διὰ Ἰερεμίου τοῦ προφήτου λέγοντος, Καὶ ἔλαβον τὰ τριάκοντα ἀργύρια, τὴν τιμὴν τοῦ τετιμημένου ὃν ἐτιμήσαντο ἀπὸ υἱῶν Ἰσραήλ,

9, 10 Καὶ ἔλαβον...κύριος Zc 11.12,13; Jr 32.6-9
9 Ἰερεμίου] Ζαχαρίου *22* sy^hmg : Ησαιου *21* l: om φ 33 157 *a b sy*

A forma Ἰερεμίου é firmemente estabelecida, apoiada por ℵ A B C L X W Γ Δ Θ Π maioria dos minúsculos, maior parte do Latim Antigo vg syr^htxt,pal cop^sa,bc goth arm eth geo. Entretanto, já que o texto citado pelo evangelista não se acha no livro de Jeremias, mas parece provir de Zacarias 11.13, não é de surpreender que vários testemunhos — (22 syr^hmg arm^mss) substituam esse termo por Ζαχαρίου, ao passo que outros (φ 33 157 1579 it^a,b vg^ms syr^s,p,pall cop^boms pers^p Diates^a,1, mss^acc.to Augustine) — omitam inteiramente o nome. Curiosamente, dois testemunhos (— 21 it¹ —) dizem "*Isaías*" — talvez porque, por ser o mais proeminente dos profetas, seu nome se repete mais frequentemente no NT (ver os comentários sobre διά, em 13.35.)

27.10: e deram-nas pelo campo do oleiro, assim como me ordenou o Senhor.
27.10 καὶ ἔδωκαν⁴ αὐτὰ εἰς τὸν ἀγρὸν τοῦ κεραμέως, καθὰ συνέταξέν μοι κύριος.

10 εδωκαν] εδωκα ℵW *pl* sy; R^m
⁴ 10 {C} ἔδωκαν (A*^vid ἔδωκεν) A^c B* C K L X Δ Θ Π 064 f1 f13 33 565 700 892 1009 1010 1071 1079 1195 1216 1230 1241 1242 1253 1344 1365 1546 1646 2148 *Byz Lect* it^a,aur,b,c,d,ff2,g1,h,l,q,r1 vg syr^palmss cop^sa,bo goth arm eth geo // ἔδωκα ℵ B^2vid W 2174 *l*^24,31,76,1599 syr^s,p,h,pal ms (Diatessaron) Eusebius // ἔβαλον 69

É difícil resolver se a letra final "nu" entrou no texto por causa da vogal seguinte, ou se foi apagada sob a influência de — μοι. Com base na diversidade da evidência externa, a maioria da comissão preferiu o plural.

"[...] o que foi dito por intermédio do profeta Jeremias...". Quanto a *Jeremias*, alguns mss, como o 22 e o Sy (hmg), dizem "Zacarias". Outros mss, como o 21 (além de algumas versões latinas) dizem "Isaías". O mss 33, algumas versões latinas e o Sy(s) (o mais importante dos mss siríacos), omitem toda e qualquer referência a profetas. O verdadeiro texto de Mateus, porém, diz "Jeremias", o que aparece em quase todos os mss, incluindo aqueles de maior antiguidade e mais dignos de confiança. Em realidade, entretanto, a citação foi extraída de Zacarias 11.12,13, pelo que essa variação se originou dos esforços de diversos escribas em corrigirem o suposto *erro*. Há diversas opiniões a respeito:

1. Alguns têm sugerido que a referência feita por Mateus a Jeremias deve-se ao fato de que esse profeta aparecia em primeiro lugar entre os livros proféticos, e que ele fez a citação sob o nome daquele que figurava em primeiro lugar entre esses livros, ao invés de identificar com mais exatidão o autor dessas palavras. Isso é possível, mas não temos meios de confirmar a ideia.

2. Outros explicam que o autor citou *de memória*, e que simplesmente incorreu em pequeno equívoco, por lapso de memória.

3. Ao tentar solucionar o mistério, Orígenes supôs que a passagem se encontra em algum livro apócrifo de Jeremias (*Homil.* 25). Jerônimo chegou mesmo a encontrar uma referência em certo livro apócrifo de Jeremias, mas pensou que esse versículo, na obra apócrifa, em realidade fosse uma citação tirada do livro original de Zacarias, pelo que o problema permanece até o presente.

4. Eusébio pensava que o livro original de Jeremias tinha essa citação, mas que os judeus a apagaram de todas as cópias, por causa de sua conexão com a história de Jesus. Não há prova nenhuma acerca disso, entretanto.

5. Meyer procurou resolver a dificuldade explicando que não é provável que o autor do evangelho de Mateus incorresse em tão grande equívoco, porquanto em muitíssimas outras passagens ele demonstra ter bom conhecimento das fontes do AT, e que é provável que tivesse usado o material básico de Jeremias 32.8,14, e, mediante uma paráfrase, produziu a citação que encontramos aqui. Essa paráfrase teria a intenção de destacar o

712 |Mateus| NTI

sentido original do autor, ou de explicar mais completamente as implicações dessa profecia. Tudo isso é muito engenhoso, mas parece por demais *forçado* para ser aceitável.

6. Wordsworth vai ainda além disso, ao asseverar que o nome de Jeremias foi *propositalmente* inserido no lugar do de Zacarias, a fim de mostrar-nos que todas as profecias vêm da parte do Espírito Santo, e que os nomes humanos particulares não são importantes.

Agostinho concorda com a segunda posição, dada acima, afirmando que o motivo foi um lapso de memória. Entre os modernos, Alford concorda com isso, dizendo: "Provavelmente a citação foi feita de memória, sem exatidão". Essa explicação é, provavelmente, a mais certa, embora a controvérsia prossiga. Entretanto, podemos afirmar que, ao ser citada de memória, a passagem inclui algumas leves reminiscências de Jeremias 18.2,3 e 32.6-15, e que, por isso mesmo, poderia ser identificada com Jeremias, sem causar grande dano à mensagem profética. O ponto não se reveste de excessiva importância, e não deve ser considerado como tal pelos leitores, não importando qual a solução para o problema.

O problema *principal* não consiste da atribuição de autoria, mas do fato de que as palavras, conforme se encontram em Zacarias, tinham uma aplicação inteiramente *diferente* daquela que lhes é atribuída no evangelho de Mateus. No livro de Zacarias têm uma referência histórica adequada e um sentido inteiramente independente da aplicação que Mateus lhe dá. Por um lado, é o próprio profeta que é avaliado por uma soma irrisória, e que lançou o seu preço no interior da casa do Senhor, ou, conforme outras autoridades dizem, "para o oleiro". Por outro lado, os sacerdotes é que compraram a vida do profeta de Nazaré por uma pequena soma, os quais, por sua vez, compraram com o dinheiro devolvido o campo do oleiro. Não obstante, qualquer pessoa que ler ali a profecia e que contemplar os maus-tratos sofridos pelo profeta, notando quão pouco valor deram ao seu trabalho pastoral em favor deles, não pode deixar de ver que o preço da traição, no caso de Jesus Cristo, é, ao mesmo tempo, uma depreciação feita contra o Grande Pastor. O povo recusou-se a dar-lhe o quanto ele valia, a própria consideração e salário. Deram por ele o preço que se pagava por um escravo, ou um servo de orelha furada (ver Êxodo 21.32). Portanto, "arroja isso ao oleiro" é uma expressão proverbial cuja intenção é indicar uma pessoa que merecia mais ser avaliada em tão irrisória quantia; pois o oleiro era uma pessoa humilde, que ganhava a vida trabalhando com argila. A expressão que aparece no livro de Zacarias, que diz ser "magnífico" o preço da avaliação, é um sarcasmo. Que se desse tão ínfima quantia pelo oleiro, pois ele era a pessoa que valia aquele preço. Dessa maneira, o grande Cristo, o Grande Pastor, foi traído pela soma apropriada somente a um oleiro.

Brown diz (*in loc.*): "Nunca houve uma profecia complicada, em tudo a mais obscura, que tivesse um cumprimento mais admirável". Não precisamos buscar um acordo perfeito e completo nas circunstâncias históricas de uma profecia e sua real aplicação profética.

> iii. Audiência e condenação (27.11-26)
> 27.11 — PILATOS: Os paralelos desta seção são Marcos 15.1-15; Lucas 23.3-5,13-25; João 18.33-40. As narrativas são suplementares, e se originam de diversas fontes. A narrativa de Lucas é a mais completa, pois menciona o julgamento diante de Herodes e o retorno de Jesus a Pilatos. João relata a entrevista particular de Pilatos com Jesus. *Três tentativas* foram feitas por Pilatos para pôr Jesus em liberdade. João une essas tentativas em uma só, uma vez que apresenta um compêndio dos acontecimentos.

27.11: Jesus, pois, ficou em pé diante do governador; e este lhe perguntou: És tu o rei dos judeus? Respondeu-lhe Jesus: É como dizes.

27.11 Ὁ δὲ Ἰησοῦς ἐστάθη ἔμπροσθεν τοῦ ἡγεμόνος· καὶ ἐπηρώτησεν αὐτὸν ὁ ἡγεμὼν λέγων, Σὺ εἶ ὁ βασιλεὺς τῶν Ἰουδαίων; ὁ δὲ Ἰησοῦς ἔφη, Σὺ λέγεις.[a]

11 βασιλεὺς τῶν Ἰουδαίων Mt 2.2; 27.29,37; Mc 15.9,12,18,26; Lc 23.37,38; Jo 18.39; 19.3,19,21

[a] 11 *a* statement: TR WH Bov Nes BF² AV RV ASV RSV NEB TT Zür Luth Jer Seg // *a* question: WH^mg

NO ANO de 1961, em Cesareia, foi descoberta uma placa de pedra contendo os nomes latinos de *Pontius Pilatos* e "Tiberius". Tibério era o imperador romano naquela época, filho adotivo de César Augusto. Isso deu à arqueologia evidências de sua existência. Pilatos era um romano da classe equestre, ou classe média superior. O imperador romano nomeou-o como quinto procurador da Judeia, o que era considerado, pelos romanos, um ofício mais ou menos humilde. Na qualidade de procurador, ele tinha pleno controle da província e estava encarregado do exército romano aquartelado em Cesareia. Tinha também direitos de vida e morte, isto é, podia executar criminosos ou inimigos políticos, se as acusações lhe parecessem suficientes. Podia também reverter sentenças capitais, impostas pelo sinédrio judaico, se assim quisesse fazer. Todas as condenações a penas capitais tinham de lhe ser submetidas, para sua apreciação e autorização. Era ele quem nomeava o sumo sacerdote e, dessa maneira, controlava indiretamente o templo. Tácito, o historiador romano, só menciona Pôncio Pilatos quando se refere à autorização para a execução de Jesus. Josefo menciona muitos atos insensatos e brutais de Pilatos. Algumas vezes, ele empregava os fundos recolhidos no templo em seus projetos, e isso deixou os judeus indignados contra ele. Pilatos foi removido de sua posição de autoridade e chamado de volta a Roma, após ter mandado matar certo número de samaritanos, sem dúvida injustamente. Eusébio, o historiador eclesiástico do século IV de nossa era, revela que Pilatos foi, finalmente, forçado a cometer suicídio, durante o reinado de Gaio (37-41 dC). Filo refere-se a ele como homem "rígido por natureza e teimosamente violento", afirmando que ele cometeu muitos atos de violência, alguns dos quais por causa de sua natureza desprezível. Durante o seu governo na Judeia, muitos assassinatos foram cometidos sem julgamento. O livro apócrifo *Atos de Pilatos*, que o apresenta como homem bondoso, não passa de esforços vãos da imaginação de seu autor.

"És tu o rei dos judeus?..." Este versículo mostra que as autoridades religiosas haviam acusado a Jesus de *traição* perante Pilatos. Apresentaram-no como um revolucionário, apenas outro dentre os muitos que gostariam de derrubar o domínio romano; mas que, devido à força de sua personalidade e popularidade entre as massas, representava uma autêntica ameaça à ordem pública. As autoridades religiosas sabiam que Pilatos jamais se interessaria por quaisquer acusações religiosas de blasfêmia, pois também não poderia executar um homem por causa de tais acusações. Por isso é que engendravam a acusação de natureza política. A expressão "Tu o dizes" já foi explicada em Mateus 26.25 e 64. É uma expressão afirmativa, e seu uso era comum na literatura antiga hebraica, grega e latina. Aqui, pois, Jesus não negou sua natureza real. O fato de Jesus ter-se recusado a responder às várias acusações assacadas contra ele pelas autoridades religiosas, na presença de Pilatos (v. 14), mostra que ele não aceitou essas acusações, conforme foram feitas. Os seus acusadores torceram as suas declarações, dando-lhes um cunho político; pois Jesus jamais reivindicara para si o trono da Judeia; nem jamais envidara qualquer esforço para reviver a autoridade dos Macabeus, e também não tinha ambição nenhuma de tomar o lugar de Herodes. O seu governo seria uma teocracia, e isso teria de ocorrer mediante a reforma religiosa. Se isso fosse levado a efeito em Israel, Deus cuidaria dos arranjos políticos, a fim de que fossem favoráveis ao estabelecimento do reino de Deus na face da terra. Esse governo, porém, a despeito de ser um governo literal sobre a terra, não seria nunca instaurado mediante uma revolução sangrenta, e também Jesus jamais planejou essa ação.

NTI | Mateus | 713

27.12: Mas ao ser acusado pelos principais sacerdotes e pelos anciãos, nada respondeu.

27.12 καὶ ἐν τῷ κατηγορεῖσθαι αὐτὸν ὑπὸ τῶν ἀρχιερέων καὶ πρεσβυτέρων οὐδὲν ἀπεκρίνατο.

12 οὐδὲν ἀπεκρίνατο Is 53.7; Mt 26.63; 27.14; Lc 23.9; Jo 19.9

"[...] nada respondeu..." As acusações serviam como sua réplica, e Jesus deixou as coisas como estavam. Sua reputação era inteiramente diferente disso. É óbvio que ele evitava cuidadosamente dar qualquer *aparência* de ter ambições políticas. Por essa razão, o povo terminou por rejeitá-lo. Jesus simplesmente não lhes ofereceu nenhuma esperança de que lideraria qualquer tipo de rebelião. Provavelmente essa foi uma das razões por que Judas finalmente o abandonou. Viu que Jesus não seria rei, conforme tinha esperado intensamente, e, por isso mesmo, não haveria de compartilhar desse poder, nem poderia engrandecer a si mesmo. Todavia, Pilatos não tinha meios para saber disso. O texto de Lucas 23.2 apresenta uma indicação dos tipos de acusação que foram assacadas contra Jesus: "[...] Encontramos este homem pervertendo a nossa nação, vedando pagar tributo a César e afirmando ser ele o Cristo, Rei". Sem dúvida, houve muitas acusações semelhantes. Aqueles hipócritas, que odiavam pagar impostos a Roma, agora se fazem de sustentadores do governo, e até mesmo favoráveis ao pagamento de impostos e de outras expressões do domínio exercido pelos romanos. Tudo isso apenas fez com que Pilatos se enfurecesse contra Jesus, o qual, entre toda aquela gente, provavelmente era o único que não era culpado das acusações. Mateus também não menciona a entrevista particular de Jesus com Pilatos (ver Jo 18.28-32), a qual levou Pilatos a compreender, afinal, que Jesus não praticara crime nenhum. Essa entrevista pessoal teve lugar após as autoridades terem exposto as suas acusações. Pilatos desejava saber a verdade, e levou Jesus a um local à parte, a fim de ouvir o seu lado da história. E Pilatos voltou convencido de que Jesus não praticara nenhum mal.

Por conseguinte, mediante o seu silêncio, Jesus deixou que as acusações assacadas pelas autoridades religiosas *refutassem a si mesmas*. Pilatos estava acostumado aos estratagemas dessas autoridades, e provavelmente não confiou no que diziam. Não obstante, não poderia ignorar as acusações, pois, de outro modo, ele mesmo poderia ser acusado de não ter cuidado com os inimigos políticos potencialmente perigosos. Ele já vira a muitos dessa espécie, e provavelmente ali estava outro, à sua frente. O texto de Marcos 15.3 revela que houve muitas acusações. Aqueles hipócritas haviam preparado bem o seu caso, reunindo muitas acusações falsas. Esperavam convencer a Pilatos com uma avalanche de argumentos. Diz o comentário de Lange (*in loc.*): "As acusações, por motivo do silêncio de Jesus, ficaram sem alicerce, e a majestade do silêncio de Jesus encheu Pilatos de admiração e respeito".

27.13: Perguntou-lhe então Pilatos: Não ouves quantas coisas testificam contra ti?

27.13 τότε λέγει αὐτῷ ὁ Πιλᾶτος, Οὐκ ἀκούεις πόσα σου καταμαρτυροῦσιν;

"[...] Não ouves..." Pilatos vira muitas multidões agitadas comparecerem à sua presença, por ocasião de acusações sobre subversão política. Vira homens irados, culpados e temerosos denunciarem-se entre si. Vira prisioneiros grandemente agitados, devido ao temor e ao ódio, negarem as acusações que lhes eram feitas, fazendo contra-acusações a respeito de seus denunciadores. Neste caso, ele observava a ira dos acusadores de Jesus, tendo ouvido muitas declarações pretensiosas e bombásticas contra ele. Essa parte era usual. Todavia, aquele galileu não se mostrava comum; não era como os outros acusados. Mostrava-se calmo e imperturbável. Não adicionou confusão nem ódio à atmosfera da reunião. Mantinha-se *intocável* pela loucura deles. Aquilo constituía uma nova visão para Pilatos, que pensava que já tinha visto de tudo, politicamente falando.

27.14: E Jesus não lhe respondeu a uma pergunta sequer; de modo que o governador muito se admirava.

27.14 καὶ οὐκ ἀπεκρίθη αὐτῷ πρὸς οὐδὲ ἓν ῥῆμα, ὥστε θαυμάζειν τὸν ἡγεμόνα λίαν.

14 οὐκ... ῥῆμα Is 53.7; Mt 26.63; 27.12; Lc 23.9; Jo 19.9

"Jesus não respondeu nem uma palavra..." O grego literal é muito enfático neste ponto: "[...] não lhe deu resposta, nem mesmo uma só palavra". Jesus nem respondeu à pergunta direta de Pilatos. O grego contém a negativa dupla por motivo de ênfase, que a tradução AA, acima, duplica fielmente. Adam Clarke (*in loc.*) diz: "O silêncio, debaixo da calúnia, manifesta o máximo de magnanimidade. Os principais sacerdotes não se admiraram disso, porque ficaram confusos e perplexos; mas Pilatos, que não tinha interesses em jogo, foi profundamente afetado. Esse próprio silêncio, porém, estava profetizado, em Isaías 53.7. John Gill (*in loc.*): "[...] acima de tudo, ele (Pilatos) maravilhou-se ante a paciência de Jesus, por ser capaz de ouvir tão notórias falsidades, que afetavam tão profundamente o seu caráter e a sua vida, sem nada retrucar; e também ante a fortaleza de sua mente de sua tão pequena preocupação com a própria vida, tão destemido diante da morte".

A palavra aqui traduzida por *admirar-se* algumas vezes é usada para expressar respeito ante o sobrenatural (como em Mt 9.33); mas Pilatos admirou-se profundamente porque todos os homens, quer culpados quer inocentes, haveriam de protestar em altas vozes a sua inocência, pois já vira essa cena por inúmeras vezes. É provável também que Pilatos compreendesse a falsidade das acusações, porque teve a intuição necessária para perceber que o homem que estava à sua frente não era um pretendente à realeza, embora a sua conduta fosse real. Aquele homem não tinha posição, nem riquezas, nem prestígio político, nem era seguido por elementos políticos radicais, e nem contava com o apoio de tropas. Era óbvia a sua inocência, e o seu silêncio majestático o provava.

A NARRATIVA de Lucas sobre esses acontecimentos é mais *completa* neste ponto. O texto de Lucas 23.4-12 é adicional. Nessa passagem, Pilatos afirma a sua crença na inocência de Jesus (v. 4). Ao ouvir isso, as autoridades tentaram ainda com mais sofreguidão convencer a Pilatos, mencionando, entre outras coisas, as atividades de Jesus na Galileia. Ao ouvir isso, e sabendo que Jesus era galileu, enviou-o a Herodes, visto que Herodes é quem tinha jurisdição sobre aquele território. Dessa forma, talvez pensasse em livrar-se do problema, deixando que Herodes cuidasse do caso. Herodes também se encontrava em Jerusalém, para a festa religiosa, pelo que era fácil entrar em contato com ele.

Ora, Herodes também *muito* ouvira falar a respeito de Jesus, e queria vê-lo pessoalmente. Esse é o chamado Herodes, o Tetrarca. Ele é mencionado nos textos de Lucas 3.19 e 9.7. Era conhecido também pelo nome de *Antipas*. Era um dos filhos mais jovens de Herodes, o Grande, e sua mãe era Maltace. Os distritos da Galileia e da Pereia compunham o seu reino. Nos Evangelhos, ele é lembrado por haver aprisionado, encarcerado e decapitado João Batista, e também por motivo de seu breve encontro com Jesus, em Lucas 23. (Quanto a uma nota detalhada sobre os Herodes do NT, ver Lc 9.7. Quanto a detalhes acerca das condições políticas em geral, durante o tempo de Jesus, ver o artigo da introdução a este comentário, intitulado "O período intertestamental: acontecimentos e condições do mundo ao tempo de Jesus".) No evangelho de Lucas, aprendemos que as veementes acusações feitas diante de Pilatos, por parte das autoridades religiosas dos judeus, prosseguiram com igual vigor diante de Herodes. Jesus, ali, também se recusou a proferir qualquer palavra. A passagem de Lucas 23.11 expressa o tratamento zombeteiro a que Jesus foi sujeitado ali: "Mas Herodes, juntamente com os da sua guarda, tratou-o com desprezo, e, escarnecendo dele, fê-lo vestir-se de um manto aparatoso, e o devolveu a Pilatos". Todo esse incidente provocou a reconciliação de Pilatos com Herodes, que, até aquele momento, eram rivais políticos, sendo inimigos por causa da diferença de temperamentos. (Quanto

714 |Mateus| NTI

aos detalhes desse julgamento de Jesus diante de Herodes, ver Lc 23.6-12.) Neste particular, Lucas contou com fontes informativas com que os outros evangelistas não contavam, as quais, como é provável, foram recolhidas à base de seus contactos pessoais, durante as suas investigações, que ele levou a efeito a fim de escrever de forma pormenorizada e ordenada, um evangelho convincente. (Ver o seu prólogo, que explica essa atividade, em Lc 1.1-3.)

27.15: Ora, por ocasião da festa costumava o governador soltar um preso, escolhendo o povo aquele que quisesse.

27.15 Κατὰ δὲ ἑορτὴν εἰώθει ὁ ἡγεμὼν ἀπολύειν ἕνα τῷ ὄχλῳ δέσμιον ὃν ἤθελον.

15 ἑορτην] την ε. D

"[...] costumava o governador soltar ao povo um dos presos..." O costume da anistia, em tempos festivos, é universal. Alguns eruditos têm dito que não há evidência em favor dessa prática na Palestina, ao tempo de Jesus; e alguns elementos mais liberais dizem, portanto, que todo esse incidente foi inventado pelos escritores dos Evangelhos, a fim de aumentar o interesse da história. Existe, porém, uma norma talmúdica que menciona que um cordeiro pascal poderia ser abatido em favor de alguém a quem fora prometido a libertação da prisão. (Essa ideia é sustentada e explicada em um artigo de C. B. Chavel, *The Releasing of a Prisoner on the Eve of Passover in Ancient Jerusalém*, no Journal of Biblical Literature, LV (1941), p. 273-278.) Parece que os eruditos mais modernos, incluindo alguns liberais, aceitam atualmente essa história como genuína. Grotius explica que esse costume foi introduzido entre os judeus pelos romanos, com o propósito de lisonjeá-los. Sabemos que os romanos e os gregos tinham o costume de soltar prisioneiros durante os aniversários e períodos de festividade dos imperadores, bem como em outras datas de regozijo público. Era natural, pois, que esse costume tivesse sido adotado pela cultura judaica, durante o período da páscoa, tempo em que se comemorava a libertação do povo, pela misericórdia de Deus.

27.16: Nesse tempo tinham um preso notório, chamado Barrabás.

27.16 εἶχον δὲ τότε δέσμιον ἐπίσημον λεγόμενον [Ἰησοῦν] Βαραββᾶν⁵.

5 16 {C} Ἰησοῦν Βαραββᾶν Θ f¹ 700ˢ syrˢ·ᵖᵃˡ, ᵐˢˢ arm geo² Origen mssᵃᶜᶜ· ᵗᵒ ᴾᵉᵗᵉʳ⁻ᴸᵃᵒᵈⁱᶜᵉᵃ // Βαραββᾶν ℵ ABDKLWΔ Π 064 0250 f¹³ 33 565 700ᶜ 892 1009 1010 1071 1079 1195 1216 1230 1241 1242 1253 1344 1365 1546 1646 2148 2174 Byz Lect itᵃ·ᵃᵘʳ·ᵇ·ᶜ·ᵈ·f·ff¹·²·ᵍ¹·ʰ·ˡ·q·ʳ¹ vg syrᵖ·ʰ·ᵖᵃˡ ᵐˢ copˢˢ·ᵇᵒ goth eth geo¹ Origenˡᵃᵗ

"[...] um preso muito conhecido, chamado Barrabás..." Alguns mss têm o curioso texto, embora possivelmente genuíno neste caso, *Jesus Barrabás*, ao invés do simples "Barrabás". Os mss que trazem esse texto são a Fam 1, 1012, e o mais importante ms da tradição siríaca, o Sy(s), além de algumas versões armênias. Orígenes, um dos pais da Igreja, também cita a passagem desse modo, e em seus dias outros mss estavam escritos assim, de acordo com o seu testemunho. Todos os demais mss, entretanto, trazem o texto comum, pelo que o peso da evidência externa é contrário ao nome "Jesus Barrabás". Dentre as catorze traduções usadas, para efeito de comparação, neste comentário — nove, em inglês e cinco, em português (ver a lista de abreviações na introdução ao comentário) —, somente a versão NE traz esse curioso texto. Alguns acreditam que "Jesus" (como parte do nome de Barrabás) foi eliminado por respeito a Cristo. Outros estudiosos acham que a adição foi um erro de algum escriba antigo, não sendo o texto original do evangelho de Mateus. Entretanto, se seguirmos a regra ordinária e digna de confiança da crítica textual, de que o texto *mais difícil* é o original, teríamos de aceitar a minoria dos mss, juntamente com Orígenes, ficando com "Jesus Barrabás" como original. Alguns bons eruditos modernos também defendem o nome "Jesus Barrabás" como texto original, mas a questão ainda não ficou resolvida, e não parece possível, à base das evidências atualmente disponíveis, ter a certeza da verdade, nesse caso particular.

Qualquer que fosse o seu nome correto era um prisioneiro notório, evidentemente popular entre o povo. O texto de Marcos 15.7 revela que ele era assassino e revolucionário. É provável que fosse líder de alguma revolta contra os romanos, sendo culpado do próprio crime pelo qual os judeus tentavam livrar-se de Jesus, acusando-o falsamente diante de Pilatos, a fim de que fosse condenado à morte. Barrabás já era popular entre o povo; mas, mesmo que não o fosse, é possível que fosse preferido ao invés de Jesus, naquele dia. Dessa forma, ele se tornou um tipo do pecador, cujo livramento é efetuado pela condenação e morte de Jesus.

É possível que a insurreição de que participara fosse aquela que teve lugar como protesto contra o uso que Pilatos fizera dos fundos do templo, para empregá-los em seus projetos. Se assim foi, é fácil ver por que motivo ele seria considerado um herói, tanto perante o povo como perante os sacerdotes, porquanto representara a causa deles. Os Evangelhos caracterizam-no como assaltante, *homem violento*, assassino; e sabemos que muitos elementos dessa categoria envolveram-se em diversos conluios para derrubar o domínio romano. A violência e a possibilidade de violência atraem os homens violentos e, algumas vezes, por motivo de associação com causas populares, homens violentos tornam-se famosos, apesar de serem realmente figuras destruidoras da sociedade, completos egoístas, sem nenhum altruísmo. O nome "Barrabás" significa "filho de um pai", o que alguns intérpretes pensam que significa "mestre", talvez *rabino*. Se por acaso fosse filho de algum rabino, embora violento e pervertido, isso lhe daria mais prestígio ainda entre o povo. A escolha entre "Jesus, filho do rabino", e "Jesus, o nazareno", era fácil demais para o povo, especialmente por causa do ódio que crescera contra Jesus, em face de sua relutância em encabeçar uma revolução contra os romanos.

27.17 Portanto, estando o povo reunido, perguntou-lhe Pilatos: Qual quereis que vos solte? Barrabás, ou Jesus, chamado Cristo?

27.17 συνηγμένων οὖν αὐτῶν εἶπεν αὐτοῖς ὁ Πιλᾶτος, Τίνα θέλετε ἀπολύσω ὑμῖν, [Ἰησοῦν τὸν] Βαραββᾶν⁶ ἢ Ἰησοῦν τὸν λεγόμενον Χριστόν;

6 17 {C} Ἰησοῦν τὸν Βαραββᾶν (Θ omit τὸν) f¹ 700ˢ syrˢ·ᵖᵃˡ arm geo² Origenˡᵃᵗ // τὸν Βαραββᾶν B 1010 Origen // Βαραββᾶν ℵ ADKLWΔ Π 064 f¹³ 565 700ᶜ 892 1009 1071 1079 1195 1216 1230 1241 1242 1253 1344 1365 1546 1646 2148 2174 Byz Lect copˢˢ·ᵇᵒ goth // Βαραββᾶν οτ τὸν Βαραββᾶν itᵃ·ᵃᵘʳ·ᵇ·ᶜ·ᵈ·ff¹·²·ᵍ¹·ʰ·ˡ·q·ʳ¹ vg syrᵖ·ʰ eth geo¹

> A forma preservada em vários testemunhos do texto cesareano era conhecida por Orígenes, que declara em seu comentário sobre o texto: "Em muitas cópias não se diz que Barrabás também era chamado *Jesus*, e talvez a omissão esteja certa". (Orígenes mostra, no que segue, a sua razão para desaprovar a forma *Jesus Barrabás*; não pode estar certa, subentende ele, porque "na gama inteira das Escrituras não se acha nenhum pecador com o nome Jesus".)
>
> Em um manuscrito uncial do século X d.C. (S), e em cerca de vinte manuscritos minúsculos, diz um comentário à margem: "Em muitas cópias antigas que conheço, encontrei o próprio Barrabás chamado 'Jesus'; assim, a pergunta de Pilatos teria sido como segue: Τίνα θέλετε ἀπὸ τῶν δύο ἀπολύσω ὑμῖν, Ἰησοῦν τὸν Βαραββᾶν ἢ Ἰησοῦν τὸν λεγόμενον Χριστόν; pois, aparentemente, o nome paterno do assaltante era 'Barrabás', que se pode interpretar como 'Filho do mestre' ". Essa anotação à margem do manuscrito, usualmente atribuída ou a Anastásio, bispo de Antioquia (talvez porção final do século VI d.C.) ou a Crisóstomo, acha-se em um manuscrito atribuído a Orígenes, que talvez tenha sido sua fonte final.
>
> No v. 17, a palavra Ἰησοῦν poderia ter sido adicionada ou apagada acidentalmente por copistas, devido à presença de ὑμῖν — anteriormente (YMININ). Outrossim, a forma de B 1010 (τὸν Βαραββᾶν) parece pressupor a presença de Ἰησοῦν — em um manuscrito ancestral.

> A maioria da comissão foi de opinião de que o texto original de Mateus tinha o duplo nome em ambos os versículos, e que Ἰησοῦν foi deliberadamente suprimido na maioria dos testemunhos por motivo de reverência. Em face do apoio externo relativamente escasso em prol de Ἰησοῦν, porém, achou-se melhor incluí-la entre colchetes.

"[...] Barrabás ou a Jesus..." Os comentários do v. 16 dão diversas indicações sobre o motivo pelo qual o povo preferiu Barrabás a Jesus. Os dois homens, provavelmente ambos de nome "Jesus", provocaram a necessidade de se escolher entre eles. E foi o que o povo fez, e o que, em princípio, todos os homens continuam a fazer. Barrabás representou a revolução pela força e pela violência, onde os homens extravasam suas paixões mais baixas. Jesus representou a revolução espiritual, mediante a persuasão e a implantação das realidades espirituais na alma dos homens. Barrabás representou as causas físicas, materiais e políticas, bem como os métodos carnais de obter os resultados desejados nessas causas. Jesus representou a causa celestial, a busca da alma, o desejo do coração de voltar-se para Deus. Jesus representou a necessidade da alma; Barrabás representou as supostas necessidades do corpo. E a multidão preferiu Barrabás, e essa escolha não nos deve surpreender, porque essa é a preferência comum entre os homens.

POR essa altura, em face da conduta violenta e *irracional* das autoridades religiosas dos judeus, Pilatos já sabia que Jesus era inocente; mas, faltando-lhe a coragem necessária para soltá-lo, porque já tinha grande dificuldade em manter Jerusalém tranquila, jogou com a vida de Jesus, esperando que, por meio de algum estratagema, conseguisse salvá-lo, ao mesmo tempo que impediria qualquer agitação de vulto, por parte do povo, contra o governo. E depositou a sua esperança em uma escolha da parte do povo, entre Jesus e Barrabás. Uma semana antes, esse jogo teria sido favorável a Jesus, mas agora o povo estava totalmente alienado de Jesus, e realmente os acontecimentos fizeram o povo resolver voltar sua ira, de Roma contra Jesus.

A menção da palavra *Cristo*, neste versículo, é muito significativa. Pilatos não era erudito nas questões da teologia judaica, e não se poderia esperar que soubesse exatamente o que as autoridades religiosas queriam dizer ao usar o termo "o Cristo". Propositalmente, haviam pervertido essa doutrina, a fim de pôr Jesus debaixo de uma luz desfavorável. Jesus admitira que reivindicava para si ser o Messias, e as autoridades religiosas usaram essa admissão contra ele. Agora a palavra "Cristo" passa a significar *"rebelde"*, de acordo com a explicação dada pelas autoridades a Pilatos. Isso, para dizer o mínimo, "foi uma atitude extremamente vil" (Bruce, *in loc.*). Daqui por diante, Pilatos mostra-se culpado, porquanto procurava transferir para o povo a responsabilidade do que acontecesse a Jesus, ao invés de assumir pessoalmente essa responsabilidade, fazendo o que era direito, dando a liberdade a Jesus. Tornou-se um pragmatista covarde. A estabilidade de sua carreira política e de sua posição política em Jerusalém parecia-lhe mais importante do que a vida de Jesus.

27.18: Pois sabia que por inveja o haviam entregado.
27.18 ᾔδει γὰρ ὅτι διὰ φθόνον παρέδωκαν αὐτόν.

"Porque sabia que por inveja o tinham entregado". Esse foi um dos motivos, mas a narrativa dos Evangelhos deixa claro que havia muitos outros motivos em operação. Pilatos teve percepção suficiente para julgar a natureza humana. Notou como olhavam para Jesus com ódio. Provavelmente ouvira falar nas ocorrências durante a entrada triunfal, e também em seus ensinos e em seu ministério miraculoso. Os líderes odiavam a Jesus porque ele atraíra a atenção do povo, e porque fora aclamado pelas multidões; e isso lhes parecia importantíssimo. Eram atores, e tinham inveja quando a sua audiência lhes era arrebatada. Além disso,

tinham ficado ofendidos em face da maneira autoritária com que Jesus se expressava, como, por exemplo, no caso da purificação do templo. Tinham ouvido falar nos milagres operados por Jesus, e ainda recentemente tinham sido testemunhas dessas operações, com os próprios olhos. Acrescente-se a isso o fato de que Jesus demonstrara admirável energia mental, que jamais poderia ser igualada. Sabiam que nenhum homem podia falar como ele falava. Temiam-no, bem como o que ele poderia fazer contra a estrutura do templo, da adoração religiosa por eles encabeçada. Pensavam que ele era bem capaz de destruir o "status quo". Contudo, não queriam que este fosse perturbado, especialmente por parte de um galileu que a si mesmo considerava profeta.

A fim de caracterizar a natureza da inveja, Buttrick (*in loc.*) é citado aqui: "O pintor italiano Gioto tem um quadro que representa a inveja — um ser dedicado à maledicência, ansioso por ouvir qualquer coisa de adverso sobre algum vizinho mais digno; assim, é pintado como alguém dotado de orelhas enormes, protuberantes. Mostra-se também cobiçoso; agarra numa das mãos uma sacola de ouro, enquanto que estende a outra, cujos dedos terminam em garras. É venenoso e astuto; e, por isso mesmo, uma serpente sai de sua boca, e visto que a calúnia sempre difama o caluniador, os dentes da serpente mordem-lhe a testa. Vive em autotortura e desespero; saem chamas de seus pés, queimando tanto a ele como ao seu mundo". (Esse é um dos *vícios* da pintura afresco das *Sete virtudes e sete vícios*, da capela Arena, em Pádua, Itália.) Dessa forma, igualmente, distinguimos um quadro do veneno pervertido da multidão, em ataque contra a pura alma de Jesus.

Adam Clarke diz (*in loc*): "Embora a malícia seja capaz de assassinar o próprio Cristo, devemos ser cuidados para não permitir que a menor fagulha da mesma seja acolhida em nosso peito. Não nos olvidemos de que a malícia se origina tão frequentemente da inveja como se origina da ira".

27.19: E estando ele assentado no tribunal, sua mulher mandou dizer-lhe: Não te envolvas na questão desse justo, porque muito sofri hoje em sonho por causa dele.
27.19 Καθημένου δὲ αὐτοῦ ἐπὶ τοῦ βήματος ἀπέστειλεν πρὸς αὐτὸν ἡ γυνὴ αὐτοῦ λέγουσα, Μηδὲν σοὶ καὶ τῷ δικαίῳ ἐκείνῳ, πολλὰ γὰρ ἔπαθον σήμερον κατ' ὄναρ δι' αὐτόν.

"[...] sua mulher..." A tradição chama a esposa de Pilatos de *Cláudia Procla*, e diz que ela se interessava pela fé judaica do povo, que seu marido governava como conquistador. Supõe-se que mais tarde ela se tornou cristã. A igreja grega canonizou-a. Não temos meios nem de confirmar e nem de negar essas tradições. Sua ação, entretanto, por causa de um sonho, não é incomum na história e nem nos tempos modernos. Mateus fala de várias *revelações* dadas por meio de sonhos (ver Mt 1.20; 2.12,13,19). Por conseguinte, Mateus aceitava a possibilidade de avisos ou revelações divinas por meio de sonhos. Contudo, Mateus não indica se esse sonho da mulher de Pilatos foi de origem divina ou não. Lemos, na história, que a esposa de César, Calpúrnia, tentou impedi-lo de ir ao fórum no dia da sua morte, porque fora advertida do desastre iminente em um sonho (Appian, *Guerras Civis*, II.480). No prólogo de seu livro, *Guerras dos Judeus*, Josefo fala sobre muitos sinais de natureza psíquica antes dos acontecimentos do ano 70 d.C., a destruição de Jerusalém.

A psicologia moderna ensina que muitos sonhos têm sentido, já que a mente subconsciente fala por meio de *símbolos*, e essa função mostra-se especialmente ativa quando sonhamos. A parapsicologia indica que os sonhos misturam as condições passadas, presentes e futuras da vida de uma pessoa, na tentativa de *solucionar problemas*. Mediante as pesquisas no mundo dos sonhos, compreendemos agora que o conhecimento prévio é uma das funções *naturais* da "psyche" humana, sendo uma função

716 |Mateus| NTI

perfeitamente normal e comum da personalidade humana. Isso não faz de todos os homens profetas, porque o dom da profecia é outra questão. Significa, entretanto, que mensagens significativas podem ser comunicadas a uma pessoa por meio de seu subconsciente, enquanto dorme. O mais provável é que esse tivesse sido o tipo de experiência da esposa de Pilatos, sendo algo extremamente comum, sem importar a época ou o século de sua ocorrência. Alguns comentaristas, naturalmente, acreditam que a ocorrência teve origem sobrenatural, e que Deus ou um anjo, ou outra personalidade celestial, tenha falado com ela, quando sonhava. Que isso acontece também é questão de registro histórico e de experiência humana. Não podemos dizer, exatamente, qual a origem do fenômeno. Não obstante, a mensagem era autêntica. Ela sabia que Jesus era justo, e que seria melhor para seu esposo que ele não se envolvesse em sua morte. Posteriormente, após haver sido deposto, Pilatos foi forçado a cometer suicídio. Não é impossível que se tivesse dado ouvidos à sua mulher, pudesse ter escapado dessa morte trágica.

A narrativa que encontramos aqui nos é dada exclusivamente por Mateus, pelo que a fonte não pode ser o *protomarcos*. Provavelmente, ele encontrou a informação em tradições escritas ou orais, provenientes da igreja de Jerusalém, ou mesmo da igreja de Antioquia. Pode ter sido porção da fonte informativa designada pelo símbolo "M".

Pela história, ficamos sabendo que o governo humano permitia que a esposa de um oficial que servisse em lugares estrangeiros, acompanhasse seu esposo. O chamado Evangelho de Nicodemos (livro apócrifo do NT) informa que a esposa de Pilatos converteu-se ao judaísmo. (Ver informação sobre os livros apócrifos do NT, na introdução a este comentário.)

Os intérpretes como Orígenes, Crisóstomo e Agostinho, atribuem esse sonho a Deus. Outros, porém, o atribuem a Satanás (como Inácio, Beda, Bernard e Heliand), afirmando que era um ardil para impedir a morte expiatória de Cristo. Outros intérpretes, tais como de Wette e Meyer, falam em prol da naturalidade do sonho, embora sem contradizerem os termos da explicação dada acima. (Kopstock, no sétimo "Cântico do Messias", oferece uma curiosa interpretação ao dizer que foi "Sócrates" que apareceu à mulher de Pilatos, naquele sonho.) Pelo menos é interessante que tenha sido uma mulher, e pagã, por sinal, a *única pessoa* a se apresentar em defesa de Jesus, naquelas horas cruciais. Platão declarou que um homem justo "sem cometer nenhum erro, pode assumir a aparência da mais grosseira das injustiças" (Platão, *Politia*, vol. IV). Aristóteles afirmou que o homem perfeitamente justo "eleva-se tão acima da ordem e da constituição política, conforme existem, que se vê forçado a quebrá-las, onde quer que apareça ele". As profundas ideias sobre a justiça ou o homem justo, ventiladas pelos filósofos, foram perfeitamente exemplificadas na pessoa de Cristo. Foi preciso uma mulher pagã para que se elevasse o *único grito* de protesto contra o que estava sendo feito a Jesus. E isso é um fato realmente notável.

27.20: Mas os principais sacerdotes e os anciãos persuadiram as multidões a que pedissem Barrabás e fizessem morrer Jesus.

27.20 Οἱ δὲ ἀρχιερεῖς καὶ οἱ πρεσβύτεροι ἔπεισαν τοὺς ὄχλους ἵνα αἰτήσωνται τὸν Βαραββᾶν τὸν δὲ Ἰησοῦν ἀπολέσωσιν.

"[...] os principais sacerdotes..." As autoridades religiosas temeram que o estratagema de Pilatos desse resultado. Talvez o povo tivesse escolhido a Jesus, se pudesse ter tomado uma decisão independente. os líderes do sinédrio, porém, fizeram discursos inflamados, muito provavelmente dirigidos às multidões, reunidas de maneira informal. Agora Jesus estava quase no lugar onde essas autoridades desejavam, e não haveriam de permitir que ele escapasse mediante aquele truque barato de Pilatos. Precisavam do apoio popular, a fim de que Pilatos não resistisse às exigências deles. Repetiram as acusações mentirosas em palavras retumbantes, convencendo o povo de que Jesus era o verdadeiro inimigo. Aqueles homens maliciosos haviam recebido duas advertências de origens as mais inesperadas. Uma delas da parte de Judas Iscariotes, e a outra, indiretamente, dessa mulher, esposa de Pilatos, por meio de seu esposo, o qual se mostrou relutante em levar a efeito os maus desígnios das autoridades religiosas. Contudo, estas ignoravam ambos os avisos. Nada poderia fazer parar o avanço galopante da maldade, naquele dia tremendo. Naturalmente é verdade que os membros mais ruidosos da multidão não precisavam ser encorajados pelos seus líderes. Estavam sedentos de sangue. Haviam ficado desapontados por causa das atitudes não-políticas de Jesus; e agora, por ironia, à base de uma falsa acusação de crime político, estavam prestes a assassiná-lo. E foi assim que a turba preferiu um destruidor de vidas humanas ao Salvador dos homens. É fato triste da história que os heróis incensados pelos homens tenham sido sempre os maiores assassinos.

27.21: O governador, pois, perguntou-lhes: Qual dos dois quereis que eu vos solte? E disseram: Barrabás.

27.21 ἀποκριθεὶς δὲ ὁ ἡγεμὼν εἶπεν αὐτοῖς, Τίνα θέλετε ἀπὸ τῶν δύο ἀπολύσω ὑμῖν; οἱ δὲ εἶπαν, τὸν Βαραββᾶν.

---
21 At 3.14

"[...] responderam eles: Barrabás". As autoridades religiosas estavam solicitando o apoio do povo, na condenação a Jesus. Pilatos pôs um fim a esse processo, o que provavelmente provocara grande confusão e muitos debates. A resposta saiu dos lábios dos líderes religiosos e da multidão: "Barrabás". Era uma multidão ao mesmo tempo maleável e tremendamente pervertida. Fazia apenas poucos dias que haviam proclamado Jesus como rei, enquanto as crianças entoavam os seus louvores pelas ruas, a ponto de as autoridades religiosas quase chegarem ao desespero, por estar Jesus recebendo tão calorosa aprovação do povo em geral. Haviam-no reconhecido como um dom de Deus; mas agora prefeririam assassiná-lo. Quando os líderes são corruptos, podem induzir os seus seguidores a fazer escolhas incríveis, como neste caso, em que preferiram Barrabás a Jesus. Contudo, essa é a natureza do mundo, essa é a natureza do homem, e a passagem dos séculos não tem melhorado muito esse quadro. Adam Clarke (*in loc.*) diz: "Eram uma multidão de suínos". John Gill (*in loc.*) diz acerca dessa decisão: "[...] Cristo não somente foi contado entre os transgressores, mas foi considerado pior do que o pior deles; um indivíduo sedioso, um ladrão e assassino, foi preferido a ele (ver At 3.14)".

27.22: Tornou-lhes Pilatos: Que farei então de Jesus, que se chama Cristo? Disseram todos: Seja crucificado.

27.22 λέγει αὐτοῖς ὁ Πιλᾶτος, Τί οὖν ποιήσω Ἰησοῦν τὸν λεγόμενον Χριστόν; λέγουσιν πάντες, Σταυρωθήτω.

22-23 At 3.13; 1.28

"Que farei então de Jesus..." Pilatos nunca poderia saber que essa sua pergunta ficaria reboando *através dos séculos*, e que o mundo inteiro um dia teria de enfrentar a mesma questão. Todo indivíduo, eventualmente, fica no lugar de Pilatos, perguntando a si mesmo o que pode fazer com Jesus Cristo, porquanto ele é o ungido de Deus para ser juiz do mundo. Mais do que isso ele é o Salvador e o modelo para o destino de todo homem. Faz parte do destino da humanidade o sermos transformados segundo a imagem de Cristo. A estrada do destino do homem leva para o alto, para a presença de Deus; mas ninguém chega a essa presença enquanto não for totalmente transformado *à imagem de Cristo*, o Filho, que é o primogênito entre muitos irmãos. Deus está conduzindo muitos filhos à glória, e Cristo é o modelo para a criação desses outros filhos. Portanto, em sentido muito real, essa pergunta: "Que farei então de Jesus, chamado Cristo?" é a mais importante indagação que se pode fazer, e, em última análise, todos terão de enfrentá-la. Em Filipenses 3, Paulo declara que, por fim, todo joelho se dobrará perante Cristo. Ele foi o pioneiro do caminho que nós, nesta vida, também temos de palmilhar — ele assumiu a nossa natureza, a fim de que nós, que seguimos por esse mesmo caminho, possamos assumir perfeitamente a sua natureza. (Ver as notas em Rm 8.28,29 quanto a detalhes sobre essa doutrina.) Diz Buttrick (*in loc.*): "Em toda vida o trono é posto, o clamor é levantado, e a pergunta é feita [...]. Vem o Natal, e ele está conosco. Chega a Páscoa, e não podemos escapar ao sinal da cruz. Datamos nossas cartas a partir do seu nascimento. Onde quer que duas pessoas se reúnam, Jesus é o terceiro personagem, embora invisível".

OBSERVAMOS que a pergunta "Que farei então de Jesus, chamado Cristo?" é a pergunta central da existência humana. Alguns, como aquela multidão, o desprezam, e não percebem a necessidade que têm de pensar nele. "Quem é Jesus?" é uma pergunta que reflete uma blasfêmia que choca até mesmo a alma moderadamente pia. Alguns dos que fazem essa indagação preferem Barrabás em sua vida: é a ele que realmente preferem. Alguns meramente admiram a Cristo, pois de fato ele foi um grande homem. Essa admiração pode, porém, por si mesma, ocultá-lo de sua alma, pois nessa admiração situam a Cristo, com certo senso de segurança, na mesma categoria dos outros homens — ele, porém, não é como os outros homens. A questão é muitíssimo mais importante do que isso. A questão é vital ao destino eterno de todo indivíduo. Alguns ignoram a Jesus. Essa negligência é menos chocante do que o ódio franco; mesmo assim, é fatal. Certo poema de Studdert Kennedy (intitulado "Indiferença") pinta Jesus agachado perto de um muro da cidade, não porque esteja sendo levado para uma nova crucificação, mas porque ninguém ao menos olha para ele ao passar. O mundo ignorou a Jesus na primeira porção deste século, e a Primeira Guerra Mundial veio em seu lugar. Mais tarde, ainda neste século, os homens o ignoraram e à sua mensagem, e a Segunda Guerra Mundial espalhou destruição e miséria. As guerras são características das gerações que se esquecem de Deus. O mundo continua preferindo os seus Barrabás. O fato é que, nas próprias igrejas, onde se lhe presta culto só de lábios, há *pouquíssimo* cristianismo vital. Não é impossível que essas pessoas, com a ajuda da exortação de seus líderes, viessem a escolher novamente Barrabás, e não a Jesus se ele estivesse aqui novamente. Todavia, eis que ele surge novamente em nosso coração, nos momentos em que menos esperamos por ele. Ele está conosco, e essa questão sempre volta a nos fazer lembrar do modo com que andamos e do destino que temos.

"Seja crucificado!" Essas tremendas palavras indicam claramente o estágio a que chegara o ódio, no coração daquela gente. Poderiam simplesmente ter condenado Jesus no estilo judaico, pedindo o seu apedrejamento. Solicitaram, porém, a ativa participação de Roma na morte de Cristo, e, segundo o horrendo modo romano da crucificação, que um cidadão romano não podia sofrer, sem importar a gravidade de seu crime, e que era certamente a morte mais desgraçada e dolorosa conhecida entre os homens. Quiseram que a crueldade mais extrema possível fosse infligida a Jesus. Queriam que ele ficasse conhecido como criminoso do tipo mais degradado. Buscaram, mediante essa extrema penalidade e desgraça mais profunda, aniquilar a memória de Jesus da face da terra. Queriam puni-lo por sua relutância em preencher o papel de um messias político.

27.23: Pilatos, porém, disse: Pois que mal fez ele? Mas eles clamavam ainda mais: Seja crucificado.

27.23 ὁ δὲ ἔφη, Τί γὰρ κακὸν ἐποίησεν; οἱ δὲ περισσῶς ἔκραζον λέγοντες, Σταυρωθήτω.

A fim de identificar mais precisamente o sujeito de ἔφη (embora tenha sido mencionado apenas dois versículos antes), a maioria dos copistas inseriu ἡγεμών ou antes ou depois do verbo. O texto mais breve é amplamente apoiado por ℵ B Θ 33 69 174 788 syr[s,pal] cop[sa] arm geo[1].

"Que mal fez ele?" Seus argumentos haviam deixado Pilatos totalmente *convicto* da inocência de Jesus, e, lá no fundo de sua mente, ele ainda trazia a advertência feita por sua esposa. Talvez ela já tivesse feito antes o tal aviso, e ele sabia que poderia ser verdadeiro. Pilatos estava perplexo e ainda tentou obter o livramento de Jesus; porém, era um homem fraco e essencialmente sem princípios. Continuava procurando uma solução pragmática, ao invés de simplesmente ordenar que aquele homem inocente fosse posto em liberdade, arcando ele mesmo com a responsabilidade de seu ato. Em última análise, não lhe parecia lógico que o bem-estar de um único homem fosse considerado mais importante do que a segurança da cidade inteira. Outrossim, era possível que uma verdadeira revolta estourasse dali, em Jerusalém ou em qualquer outra parte de Israel; e então muitas vidas se poderiam perder. Melhor seria que se perdesse uma única vida, do que se criasse esse tipo de condição. Por meio dessa pergunta, Pilatos demonstrou a convicção de que não havia provas convincentes para condenar o homem que lhe fora apresentado. Muito fora dito, até mesmo entre gritos de indignação, mas nada que tivesse real substância.

Os evangelhos apresentam Pilatos como um caráter fraco e vacilante. Lembramo-nos, pela história, que o imperador Tibério era muito severo com os governadores que maltratavam os seus súditos; e foi justamente por essa razão que Pilatos, finalmente, foi deposto. Tibério parece ter sido homem muito diferente; é provável que ele jamais tenha condenado um homem inocente; porém, também era muito severo para com qualquer um que se tornasse suspeito de traição. Talvez Pilatos, conhecendo esse aspecto do temperamento de Tibério, tivesse pensado que era melhor não se arriscar ante a multidão, que naquele exato momento estava prestes a irromper em revolta. Tal como Herodes Antipas, que executou João Batista, ele preferiu não se arriscar a deixar irromper uma insurreição. A passagem de João 19.12 faz clara alusão às implicações da situação política: "A partir deste momento, Pilatos procurava soltá-lo, mas os judeus clamavam: Se soltas a este, não és amigo de César; todo aquele que se faz rei é contra César".

Apesar de tudo, a consciência de Pilatos desejava a soltura de Jesus. "Foi um débil protesto, feito por uma consciência bruxuleante. Pilatos desceu ao ponto de argumentar com a multidão, agora inflamada com a paixão pelo sangue de Jesus, um verdadeiro bando de linchadores!" (Robertson, *in loc.*). À base da narrativa de Lucas 23.22, vemos outra tentativa de Pilatos para salvar a Jesus: Pilatos sugeriu um castigo menos severo: "[...] depois de o castigar, soltá-lo-ei". A multidão, porém, não queria ouvir tal coisa; isso não satisfaria o ódio que sentiam naquele momento.

"Cada vez clamavam mais: Seja crucificado!" Aqui o original grego usa o tempo imperfeito, indicando ação *repetida*. Era um clamor contínuo. Gritavam, berravam, insistiam com veemência. E assim avassalaram completamente os apelos feitos por Pilatos. Eram uma multidão de suínos, e se comportaram como animais ferozes. "Era como um espetáculo de gladiadores, com todos os polegares voltados para baixo" (Robertson, *in loc.*). De conformidade com a narrativa de Lucas, por duas vezes Pilatos declarou a inocência de Jesus, e não é impossível que essa declaração tenha sido repetida por diversas vezes. Pilatos mostrava-se insistente; mas não tinha chance contra aquela massa humana furiosa, desprezível, insensata, cruel e insensível.

27.24: Ao ver Pilatos que nada conseguia, mas pelo contrário que o tumulto aumentava, mandando trazer água,

718 |Mateus| NTI

lavou as mãos diante da multidão, dizendo: Sou inocente do sangue deste homem; seja isso lá convosco.
27.24 ἰδὼν δὲ ὁ Πιλᾶτος ὅτι οὐδὲν ὠφελεῖ ἀλλὰ μᾶλλον θόρυβος γίνεται, λαβὼν ὕδωρ ἀπενίψατο τὰς χεῖρας ἀπέναντι τοῦ ὄχλου, λέγων, Ἀθῷός εἰμι ἀπὸ τοῦ αἵματος τούτου[7]· ὑμεῖς ὄψεσθε.

> 24 λαβὼν...τούτου Dt 21,6-9; Sl 26,6 Ἀθῷος...τούτου Sus 46
> Tehodotion: At 18.6; 20.26 ὑμεῖς ὄψεσθε Mt 27.4

> [7]24 {B} τούτου B D Θ itᵃ·ᵇ·ᵈ·ff²·ʳ¹ syrˢ copˢᵃ·ᵇᵒ·ᵐˢ geo¹ Hippolytus Origenˡᵃᵗ Cyprian Chrysostom Ps-Athanasius // τοῦ δικαίου τούτου ℵ K L W Π fˡ·fˡ³ 33 565 700 892 1009 (1010 omit τούτου) 1071 1079 1195 1216 1241 1242 1253 1344 1365 1546 (1646ᶜ ἀπὸ τοῦ δικαίου and omit τούτου) 1646ᶜ 2148 2174 Byz Lect itᶜ·ff¹·ᵍ¹·ˡ·q vg syrʰ copˢᵃ·ᵐˢˢ·ᵇᵒ arm eth? geo²ᵗ Apostolic constitutions Cyril-Jerusalem Theodore Cyril // τούτου τοῦ δικαίου A Δ 064 1230 ˡ¹²³¹ itᵃᵘʳ·f·ʰ syrᵖ·ᵖᵃˡ eth? geo²ᵗ Augustine

> As palavras τοῦ δικαίου (comparar a forma variante no v. 4), que ocorrem em diversos lugares, em boa variedade de manuscritos (mas não nos melhores representantes dos textos alexandrino, ocidental e cesareano), parecem ser uma adição tencionada a acentuar os protestos de Pilatos quanto à inocência de Jesus.

"[...] mandando vir água, lavou as mãos perante o povo..." Neste ponto, alguns intérpretes descrevem como, pelo tempo em que esse evangelho foi escrito, as condições entre os judeus crentes e os outros judeus tinham piorado muito. As autoridades judaicas já haviam começado a excomungar os cristãos, e até haviam acrescentado, em sua liturgia, uma maldição contra os hereges. As assembleias dos cristãos haviam sido declaradas ilegais e sem licença, e a tensão era intensa. Alguns cristãos haviam mesmo sido martirizados, e desenvolvera-se uma mútua desconfiança entre os dois elementos da comunidade. Esse tipo de sentimento provocara amargura entre os dois grupos. Por causa dessas condições, alguns comentaristas acreditam que os registros evangélicos refletem um elemento exageradamente antijudaico, juntamente com a tentativa de aplacar os romanos. Por isso mesmo, acreditam os tais que Roma esteve mais envolvida na crucificação de Jesus, e que as autoridades judaicas estiveram menos envolvidas do que os evangelhos parecem indicar. É natural que parte dessa implicação possa ter tido alguma base histórica, especialmente que Roma esteve mais envolvida; mas aquela ação da multidão está muito de acordo com a natureza humana, e não há razão nenhuma para diminuirmos a culpa da turba e seus líderes religiosos. Alguns afirmam que Pilatos jamais lavaria as suas mãos como aqui está registrado, porquanto isso seria interpretado como sinal de debilidade e subserviência do conquistador ao conquistado. Todavia, não há nenhuma razão sólida para que se duvide das descrições narradas aqui, a fim de entrarmos na esfera das especulações. Pilatos era o tipo de pessoa que faria qualquer coisa que lhe parecesse vantajosa no momento. Por repetidas vezes, tentara soltar a Jesus, mas mostrou-se incapaz de fazê-lo. Contudo, reconhecia a inocência de Jesus, e não queria compartilhar da culpa. Lembrava-se do sonho de sua esposa. E assim, fez a única coisa que podia, sob tais circunstâncias, e que parecia isentá-lo de culpa na crucificação que teria lugar. Os judeus usavam esse símbolo de inocência, e certamente compreenderam o ato de Pilatos (ver Dt 21.6; Sl 26.6 e 73.13).

Pilatos adotou aqui um *costume judaico*, a fim de que os judeus entendessem que ele não compartilhava daquele derramamento de sangue, sobre o qual tanto insistiam, provavelmente esperando que, com isso, conseguisse dissuadi-los de sua perversa ação. Assim diz o comentário de Lange (*in loc.*): "Pilatos lavou as mãos, mas não o coração, e, ao entregar a Cristo, a quem pronunciara inocente, condenou a si mesmo. O senso de culpa fez dele um covarde". Assim, vemos novamente o hiato que existe entre os princípios éticos humanos e aqueles que procedem do coração, ali postos pelo Espírito de Deus. O código humano de ética permitia aquela ação; mas estamos convencidos de que, mesmo diante dessa ação

exterior, Pilatos não conseguiu dirimir a culpa de sua alma. Um dos poetas populares dos próprios dias de Pilatos e de seu país, lhe poderia ter ensinado a futilidade dessa sua ação:

"Ah, nimium faciles, qui tristia crimina caedis
Fluminea tolli posse putetis aqua"
(Ovid., Fast. II. 45)
Tradução:
"Fácil demais as almas sonham que com o dilúvio de cristal
Podem lavar-se da temível culpa de sangue".

27.25: E todo o povo respondeu: O seu sangue caia sobre nós e sobre nossos filhos.
27.25 καὶ ἀποκριθεὶς πᾶς ὁ λαὸς εἶπεν, Τὸ αἷμα αὐτοῦ ἐφ' ἡμᾶς καὶ ἐπὶ τὰ τέκνα ἡμῶν.

> 25 Τὸ...ἡμῶν Ez 33.5; At 5.28

"[...] Caia sobre nós o seu sangue..." É como se tivessem dito: "Pilatos, estás livre de qualquer culpa; a culpa seja nossa, sofreremos as consequências". A verdade é que os cristãos, mais ou menos no tempo em que este evangelho foi escrito, após a destruição de Jerusalém, consideravam a destruição dessa cidade como um juízo de Deus, por causa da rebeldia de seus habitantes. Muitos líderes e pessoas comuns, que não eram crentes, também reputavam esse evento como um castigo de Deus. O evangelho apócrifo de Pedro desenvolve esse tema ainda mais, pondo declarações como as que são citadas a seguir, na boca dos judeus: "Ai de nós, por causa de nossos pecados! O julgamento e o fim de Jerusalém se têm aproximado" (James, *Apocryphal NT*, p. 90,92). A culpa por causa do derramamento de sangue de Jesus teria de repousar sobre aquela porção fanática da população judaica, que clamava pelo seu sangue; todavia, a nação inteira também o rejeitou, e as sinagogas lhe haviam sido fechadas, muito antes de sua crucificação. Não obstante, a culpa maior foi a de Pilatos, porquanto ele tinha a autoridade para dar liberdade a Jesus. É verdade que os seres humanos continuamente aquiescem em matar os inocentes, a fim de proteger os próprios privilégios, ou a fim de manter o que pensam ser a ordem social apropriada, ou simplesmente a ousadia dos profetas e de outros reformadores ofende o senso de justiça própria deles.

MATEUS é o único evangelho que registra *essa* declaração da multidão; mas parece ser uma porção digna de confiança da tradição. A teologia cristã tem desenvolvido as suas implicações, para ensinar que a humanidade inteira compartilha da culpa pelo sangue de Cristo, porque, de fato, ele morreu pelos pecados de todos. Ver Romanos 3—5. O sangue de Jesus, que purifica de todo pecado, fala de melhores coisas do que o sangue de Abel, e chega até nós como um riacho purificador e curador, e ainda poderá descer sobre a raça humana inteira, depois que a plenitude dos gentios houver sido salva (ver Rm 11.25,26).

Diz o comentário de Ellicott (*in loc.*): "Nenhuma oração mais terrível está registrada na história da humanidade; e é por sentimento natural que muitos homens têm visto seu cumprimento no opróbrio e na miséria que, durante séculos, tem sido a porção do povo judaico. Temos de lembrar, todavia, que apenas uma fração do povo judeu estava presente; e que ao menos alguns, dentre as autoridades religiosas, como José de Arimateia, Nicodemos e, talvez, Gamaliel, não consentiram no derramamento de sangue de Jesus (ver Lc 23.51). Devemos também nos lembrar de que até mesmo nesse caso, continua sendo verdade que 'o filho não levará a iniquidade do pai' (Ez 18.20), exceto até o ponto em que aquele o consente e reproduz".

Naturalmente que as palavras acima foram descritas antes dos horrendos sofrimentos do povo de Israel às mãos de Hitler, e muitos reputaram esses sofrimentos como outro resultado da culpa aqui incorrida. A verdade parece encontrar-se na declaração acima do comentário de Ellicott. A *participação* da culpa, por parte dos filhos, requer a mesma ira que caíra contra os pais. Não obstante, isso não é razão para ódios e perseguições raciais. Uma das porções mais vergonhosas da história da Igreja cristã é justamente aquelas páginas negras onde vemos os cristãos a perseguir e matar os judeus, devido ao ódio contra eles. Essas ações, naturalmente, nunca foram inspiradas pelo grande galileu, que foi e continua sendo o Príncipe da Paz, e que nunca destruiu os seus inimigos, embora pudesse fazê-lo. Não honramos a Cristo agindo como se fôssemos seus inimigos.

27.26: Então lhes soltou Barrabás; mas a Jesus mandou açoitar, e o entregou para ser crucificado.

27.26 τότε ἀπέλυσεν αὐτοῖς τὸν Βαραββᾶν, τὸν δὲ Ἰησοῦν φραγελλώσας παρέδωκεν ἵνα σταυρωθῇ.

"[...] soltou Barrabás..." Os açoites, antes da crucificação, era um brutal costume romano, o qual fazia parte da punição capital. O açoite era feito de uma forte tira de couro, na ponta da qual havia um pedacinho de chumbo ou de outro metal, ou de osso. As leis judaicas limitavam o número de açoites a quarenta, que na prática eram reduzidos a "quarenta açoites menos um"; mas as leis romanas não estabeleciam nenhum limite. O número de açoites dependia do capricho do cruel executor. Com frequência esse espancamento reduzia o corpo a uma massa de carne sangrenta. (Ver Josefo, *Guerras Judaicas*, II.14.9, onde se menciona esse costume.) Jesus foi entregue aos soldados, a fim de que recebesse esse castigo cruel.

Lemos, no décimo nono capítulo do evangelho de João que, mesmo depois dos açoites, Pilatos ainda fez uma última tentativa para soltar a Jesus, no que, naturalmente, não obteve sucesso. (Comparar Jo 19.1 com Jo 19.15.)

Naturalmente que Barrabás estava sendo libertado porque Cristo levou o castigo que ele merecia. Assim, Barrabás tornava-se um tipo de todos os pecadores que se beneficiam com a morte de Cristo e a sua *expiação*. Ele era homem sedicioso, ladrão, violento, iníquo e assassino. Ele concentrava em si a natureza má dos homens; de acordo com todas as leis justas, ele é que merecia o castigo. Fora aprisionado, condenado e sentenciado com justiça; no entanto, foi posto em liberdade. Quando o pecador segue a Cristo, confiando nele e aceitando o seu destino, ao dar assim o primeiro passo na estrada da transformação segundo a imagem de Cristo, ele é livrado do justo julgamento que fora pronunciado contra ele. Nesse sentido, todo pecador é um Barrabás e um participante da graça gratuita de Deus.

XIII. MORTE DE JESUS, OO MESSIAS (26.1 - 27.66)

2. A crucificação (27.27-56)

Cf. Marcos 15.16-23; Lucas 23.26-32 e João 19.16,17. Evidentemente, há várias fontes informativas no caso desta seção, mas Mateus segue, essencialmente, o protomarcos, conforme é verdade em quase todas as suas seções históricas.

(a) Jesus maltratado pelos soldados (27.27-31)

27.27: Nisso os soldados do governador levaram Jesus ao pretório, e reuniram em torno dele toda a corte.

27.27 Τότε οἱ στρατιῶται τοῦ ἡγεμόνος παραλαβόντες τὸν Ἰησοῦν εἰς τὸ πραιτώριον συνήγαγον ἐπ' αὐτὸν ὅλην τὴν σπεῖραν.

"[...] levando Jesus para o pretório..." O pretório era a residência do governador. Um "batalhão de soldados", quando completo, compunha-se de cerca de quinhentos a seiscentos homens; mas não temos meios de saber o número exato da companhia. Os soldados reuniram-se como espectadores para o açoite, que era o primeiro passo para a execução da sentença de morte por crucificação. Para os soldados, isso era um grande esporte, e lemos sobre muitas ações horríveis e violentas dos romanos, quando iam às praças de esportes. Posteriormente, os cristãos foram obrigados a lutar contra feras ou foram queimados em fogueiras, defronte de grandes audiências, como participantes desse passatempo inacreditavelmente cruel e desumano. Aqueles soldados pagãos também gostariam de mostrar o seu desprezo pelos judeus, castigando horrendamente um dos membros de sua raça.

Aqueles soldados, provavelmente, faziam parte de um destacamento da segunda corte italiana, que estava então aquartelada na Palestina. Levaram Jesus à residência do governador, o *praetorium*. Era ali que ele residia quando estava longe de casa, quando não estava em Cesareia, que era seu posto verdadeiro em Israel. Certa tradição da Idade Média identifica o pretório com o castelo de Antônia, que, sem dúvida, estava localizado na esquina noroeste do terreno cercado do templo. O mais provável, porém, é que o quartel-general de Pilatos ficasse localizado no palácio de Herodes, que estava estabelecido na atual cidadela, no muro ocidental da Cidade Velha. Acreditamos que isso seja verdade porque sabemos que os procuradores depois de Pilatos ali viveram, conforme Josefo nos revela em *Guerras dos Judeus, ii. 14.8; 15.5; V. 4.4*.

Parece que levaram Jesus para esse lugar a fim de zombar dele sossegadamente. Haviam sido contagiados pelo espírito odioso da multidão; queriam zombar e punir aquele pretenso rei. Deram prosseguimento às zombarias que haviam sido iniciadas por Herodes, quando vestiu Jesus em um manto branco, como desprezo à sua reivindicação de realeza. Lemos que essa punição por espancamento muitas vezes era tão severa, que os prisioneiros morriam no local, sem nunca chegarem à cruz ou a outra forma qualquer de punição capital. Somente os esforços da imaginação podem indicar os horrores que Jesus deve ter sofrido às mãos daqueles homens ímpios e desvairados.

27.28: E, despindo-o, vestiram-lhe um manto escarlate;

27.28 καὶ ἐκδύσαντες αὐτὸν[8] χλαμύδα κοκκίνην περιέθηκαν αὐτῷ,

28-30 Lc 23.11

8 **28** {B} ἐκδύσαντες αὐτὸν ℵ[*.b] A K L W Δ Θ Π 064 0250 *f* *f*[13] 565 700 892 1009 1010 1071 1079 1216 1230 1241 1242 1253 1344 1365 1546 1646 2148 2174 *Byz Lect* it[aur,ff2,g1,l] vg syr[p,h,pal mss] cop[sa,bo] arm geo Origen[lat] Eusebius Chrysostom Augustine // ἐνδύσαντες αὐτὸν ℵ[*] B syr[s] eth Origen[lat] // ἐκδύσαντες αὐτὸν τὰ ἱμάτια αὐτοῦ 33 1195 syr[hmg] cop[sa,boms] // ἐνδύσαντες αὐτὸν ἱμάτιον πορφυροῦν καί (*ver* Jo 19.2). D it[a,(b),c,d,(f),ff2,(h),(q)] syr[palms] Origen[lat]

A forma ἐνδύσαντες parece ser uma correlação sugerida pela nudez quando da flagelação. A sequência de despir (ἐκδύσαντες) e vestir de novo é paralela ao v. 31.

"[...] cobriram-no com um manto escarlate..." Era uma espécie da capa curta, usada pelos soldados, pelos oficiais militares, pelos magistrados, pelos reis e pelos imperadores. (Ver 2Macabeus 12.35; Josefo, *Antiq.* V.1.10.) Era o *sagum* dos soldados, ou capa escarlate. Eles a colocaram em Jesus como vestimenta real de zombaria, porque estavam prestes a saudá-lo como se fora rei.

Diz Buttrick (*in loc.*): "O demonismo das galhofas dos soldados chega quase a crestar a página, como de fato cresta-nos a mente, durante a leitura. A vida de um soldado é assaltada por muitas tentações. Pode começar como cruzado. Contudo, pelo menos em nossos dias, o ódio é fomentado pela propaganda; e, no temor e violência da batalha, as paixões elementares se soltam [...] alguns se tornam como o grupo que zombou e torturou do impassível Jesus, pois muitos deles estavam calejados. Defendemos o nosso corpo, ao risco tremendo da alma. Cada item daquela zombaria tornara-se uma insígnia da nobreza de Jesus. A capa escarlate provavelmente era a capa vermelha de um soldado, mas agora era o carmesim da realeza. A coroa provavelmente era uma coroa de louros, como os vitoriosos recebiam; e Jesus transformou-a na coroa vitoriosa da verdade. A cana se tem transformado em cetro, um cetro melhor do que qualquer outro, conquistado pelo orgulho

|Mateus| NTI

das riquezas ou da posição social, porquanto o humilde cetro de cana cabia bem ao manso Salvador. As homenagens escarninhas dos soldados eram um eco do "Salve, vitorioso!" com que a população romana saudava um imperador que retornasse vitorioso das guerras; mas agora eram a homenagem prestada por todo o mundo reverente. Esse é um dos milagres do Espírito de Deus — tudo quanto foi feito a Jesus para assegurar o seu esquecimento no meio do opróbrio, tão-somente dissolveu as negras nuvens e fez resplandecer ainda mais o brilho de sua luz".

FILO relembra uma zombaria semelhante, perpetrada contra um pobre idiota de Alexandria, que foi ali forçado a representar Agripa II (*Em Flacc.* P. 980). A ideia dessa ação foi dada pela zombaria contra Herodes Agripa. Evidentemente, era prática comum, que fazia parte dos castigos contra os pretendentes ao poder político. Marcos e João declaram que se tratava de uma capa de cor *púrpura.* Não é impossível que ambas as ações tivessem acontecido; mas, mesmo que assim não tivesse sido, e que apenas uma capa houvesse sido usada nessa zombaria, ela era vermelha ou púrpura, e a cor não é importante.

27.29: e tecendo uma coroa de espinhos, puseram-lha na cabeça, e na mão direita uma cana, e ajoelhando-se diante dele, o escarneciam, dizendo: Salve, rei dos judeus!

27.29 καὶ πλέξαντες στέφανον ἐξ ἀκανθῶν ἐπέθηκαν ἐπὶ τῆς κεφαλῆς αὐτοῦ καὶ κάλαμον ἐν τῇ δεξιᾷ αὐτοῦ, καὶ γονυπετήσαντες ἔμπροσθεν αὐτοῦ ἐνέπαιξαν[9] αὐτῷ λέγοντες, Χαῖρε, βασιλεῦ τῶν Ἰουδαίων,

29 βασιλεῦ τῶν Ἰουδαίων Mt 2.2; 27.11,37; Mc 15.9,12,18,26; Lc 23.37,38; Jo 18.39; 19.3,19,21

[9] **29** {B} ἐνέπαιξαν ℵ B D L 33 892 1230 it[d] // ἐνέπαιζον A K W Δ Θ Π 064 0250 *f*[1] *f*[13] 565 700 1009 1010 1071 1079 1195 1216 1241 1242 1253 1344 1365 1546 1646 2148 2174 *Byz Lect* it[a,aur,b,c,ff1,2,g1,h,l,q] vg syr[s,p,h,pal] arm geo? Eusebius Chrysostom

> O tempo imperfeito pode ter resultado da conformação com — ἔτυπτον (v. 30). Seja como for, porém, a combinação de — ℵ B D L 33 892 al pareceu à comissão ser uma confirmação superior.

"[...] coroa de espinhos..." A coroa de espinhos corresponde ao diadema real, e o caniço (que só figura no evangelho de Mateus) corresponde ao cetro real.

"Salve, rei dos judeus!" imitava o que o povo clamava ante os imperadores romanos, especialmente aqueles que tivessem voltado de uma guerra conquistadora contra os inimigos. Equivalia a *Ave, Caesar, victor, imperator!* (Ver outros comentários a esse respeito, no v. 37.) Não é possível, e nem mesmo é importante determinar que tipo de espinhos foi usado; mas provavelmente a coroa foi confeccionada pelos próprios soldados, com plantas espinhosas encontradas nos terrenos do palácio, que poderia ser qualquer espécie dentre as diversas que crescem na Palestina. Poderia ter sido feita com ramos de espinheiros, ou talvez dos ramos flexíveis da acácia síria, que tinha espinhos tão longos como um dedo. O caniço provavelmente era feito de cana brava comum.

Os soldados *ajoelhavam-se* diante de Jesus. A expressão, conforme escrita em Mateus 15.19, dá ideia de um ato contínuo, e não momentâneo. Provavelmente o bando de soldados se pôs em fila diante dele, cada qual participando por sua vez das zombarias. Dificilmente poderiam perceber quem era Jesus, e como as suas ações ficariam gravadas para o mundo inteiro lê-las, no maior de todos os documentos do mundo, o Novo Testamento.

John Gil (*in loc.*) aplica simbolicamente essa ação da soldadesca: "[...] e se ajoelhavam diante dele, como se fora um príncipe que acabasse de descer do trono, e o saudavam como tal; e, em meio a zombarias, desejavam-lhe longa vida e prosperidade: assim insultando o seu ofício real, conforme fazem todos aqueles que o chamam de Senhor, mas desrespeitam os seus mandamentos".

27.30: E, cuspindo nele, tiraram-lhe a cana, e davam-lhe com ela na cabeça.

27.30 καὶ ἐμπτύσαντες εἰς αὐτὸν ἔλαβον τὸν κάλαμον καὶ ἔτυπτον εἰς τὴν κεφαλὴν αὐτοῦ.

30 Is 50.6

"E, cuspindo nele..." Aquele que homenageia um rei poderá osculá-lo, como sinal *de confiança*, de saudação e de amor, conforme continua sendo praticado até hoje em alguns países. Ao invés de ósculo, porém, cuspiam em Jesus, o que sempre foi um sinal, em quase todas as culturas, do mais total desrespeito e desprezo. Aqueles soldados haviam contemplado os servos da corte de Herodes zombarem de Jesus, e agora queriam imitá-los. O que fora um esporte bastante cruel, agora se transformara na mais aberta brutalidade. Tiraram-lhe o caniço da mão e começaram a bater nele com o mesmo. O tempo imperfeito, no grego, indica pancadas repetidas. Diz o comentário de Lange (*in loc.*): "A crueldade dos soldados, e o veneno da iniquidade, impediu-os de fazerem a caricatura nefanda com exatidão — a zombaria transforma-se em maus-tratos brutais". Batiam-lhe na cabeça, dessa maneira enterrando os espinhos pontiagudos no crânio de Jesus.

27.31: Depois de o terem escarnecido, despiram-lhe o manto, puseram-lhe as suas vestes, e levaram-no para ser crucificado.

27.31 καὶ ὅτε ἐνέπαιξαν αὐτῷ, ἐξέδυσαν αὐτὸν τὴν χλαμύδα καὶ ἐνέδυσαν αὐτὸν τὰ ἱμάτια αὐτοῦ, καὶ ἀπήγαγον αὐτὸν εἰς τὸ σταυρῶσαι.

"[...] despiram-lhe o manto..." Provavelmente isso teve lugar após haver sido Jesus apresentado ao povo, conforme está registrado em João 19.5, depois da última tentativa de Pilatos para salvar a vida de Jesus. Após a decisão final, Jesus recebeu de volta as suas vestes. Tiraram-lhe a capa, a coroa de espinhos e o caniço. Os romanos provavelmente não queriam que os judeus vissem outros judeus zombando daquela maneira. Haviam praticado suas *perversidades* em segredo, e agora removiam as evidências de sua ação. As provas de seus cruéis espancamentos, porém, essas eles não poderiam jamais remover. Provavelmente foi por causa desse cruel tratamento que Jesus resistiu — tão pouco tempo — na cruz. Estava moído e dolorido. Suas energias se dissipavam, e havia um torpor causado pela exaustão física e mental, que lhe invadia o corpo todo. Mostrou-se incapaz de carregar a cruz, o que, em condições ordinárias, teria sido um pequeno peso para ele. Jesus estava sendo levado para fora da cidade, porque quando das punições capitais os criminosos não poderiam ser executados dentro dos muros de Jerusalém, de acordo com os costumes dos judeus. Alguns comentaristas dão exemplos, extraídos da literatura latina, para mostrar que os romanos observavam um costume similar nesses casos. Levaram Jesus para fora do pátio, fizeram-no atravessar Jerusalém, e passaram por uma das portas da cidade. Jesus não resistiu a isso, e assim cumpriu a profecia de Isaías 53.7: "Ele foi oprimido, mas não abriu a sua boca: como um cordeiro foi levado ao matadouro, e como a ovelha muda perante os seus tosquiadores, ele não abriu a sua boca". Isso também armou o palco para a mensagem do texto de Hebreus 13.12: "Por isso foi que também Jesus, para santificar o povo, pelo seu próprio sangue sofreu de fora da porta. Saiamos, pois, a ele, fora do arraial, levando o seu vitupério".

(b) Caminhada até à cruz (27.32-34)

27.32: Ao saírem, encontraram um homem cireneu, chamado Simão, a quem obrigaram a levar a cruz de Jesus.

27.32 Ἐξερχόμενοι δὲ εὗρον ἄνθρωπον Κυρηναῖον ὀνόματι Σίμωνα· τοῦτον ἠγγάρευσαν ἵνα ἄρῃ τὸν σταυρὸν αὐτοῦ.

32 Κυρηναιον] add εις απαντησιν αυτου D it

A Via Dolorosa — Jornada até a cruz: na história aprendemos que a partir da época das guerras púnicas (guerras entre Roma e Cartago, 264-146 a.C.), os romanos passaram a empregar a crucificação como punição aos rebeldes, aos escravos e aos criminosos da classe mais baixa. Josefo escreve acerca da crucificação em massa, ao tempo da destruição de Jerusalém, quando "[...] não havia espaço suficiente para as cruzes, nem cruzes suficientes para os corpos" (*Guerras dos Judeus*, V.II.1). Em realidade, a crucificação era morte por tortura. O açoite fazia parte do castigo, e o condenado era forçado a carregar, não a cruz inteira, e sim o poste vertical (*patibulum*) da cruz. Ao chegar o condenado ao local da crucificação, eram-lhe tiradas as roupas, suas mãos eram cravadas ou amarradas na peça transversal da cruz, e seu corpo era apoiado pelo poste vertical por um bloco ou amarrado de alguma forma qualquer. As pernas eram suspensas em posição fora do natural, e os pés eram fixados no poste vertical a fim de que ficassem acerca de um palmo acima do terreno. Os sofrimentos incluíam sede, exposição aos elementos do tempo, paralisação da circulação sanguínea, e perda de sangue. Lemos que muitos sofriam durante longos períodos de tempo, por muitos dias na cruz, antes de serem livrados da tortura pela morte. Jesus, entretanto, parecia estar tão enfraquecido por causa dos sofrimentos já passados, pela falta de sono, pelos julgamentos, e, finalmente, pelos espancamentos, que foi incapaz de carregar a cruz. Foi necessária a ajuda de um homem de Cirene, no norte da África, cujo nome era Simão. É provável que ele fosse membro da numerosa sociedade judaica daquele lugar (At 11.20; 13.1), e que tivesse vindo a Jerusalém a fim de celebrar a Páscoa. Provavelmente veio a tornar-se cristão, porquanto seus filhos, Alexandre e Rufo, eram membros bem conhecidos da igreja (ver Mc 15.21). A tradição diz que ele era da raça negra, mas isso ninguém pode saber com certeza.

De maneira nenhuma Simão, o cirineu, poderia saber o que estava prestes a fazer, quando subiu à festa religiosa. Nenhum soldado romano se rebaixaria a carregar a cruz de um condenado; e por isso algum outro foi forçado a fazer isso para Jesus. Em certo momento, Simão era um expectador; e, subitamente, foi lançado bem no centro do drama. Não podemos saber o que Simão sentiu naquele momento; pois o mais certo é que até então não fosse crente.

O CORTEJO na direção do local de execução incluía Jesus, os outros dois prisioneiros, um centurião, e alguns poucos soldados. Simão foi obrigado a fazer parte do grupo. Jesus não dormira na noite anterior, e durante meses vinha antecipando aquelas horas horríveis, através de seu espírito profético. As controvérsias e debates haviam-lhe sugado energias mentais e físicas. O Getsêmani o enfraquecera. O espancamento poderia tê-lo matado, conforme acontecia com muitos condenados. Fisicamente *exausto*, Jesus cedeu ante o peso da cruz. Simão foi forçado a carregá-la. Isso é outra prova concludente da humanidade de Jesus, o que é frequentemente ignorado pela igreja, mediante explicações docéticas acerca de sua personalidade. (Ver as notas em Mt 26.36 e em Fp 2.6, onde há discussões sobre a natureza da humanidade de Cristo, e no que isso implica para nós.)

De acordo com o costume da época, o prisioneiro era obrigado a carregar a sua cruz, e a passagem de João 19.17 assevera que o cortejo começou com Jesus carregando a própria cruz. A tradição narra que ele tropeçou e caiu debaixo do peso, mas os Evangelhos não registram esse pormenor. Simão Pedro abandonara inteiramente o seu Senhor. Outro Simão, vindo de uma terra distante, teve de servir em seu lugar.

Um acontecimento miraculoso está registrado, na história recente, que envolve um sonho sobre o cortejo até o local da execução. Mary Stewart estava morrendo aos poucos de um tumor maligno. Sofria muito, e já orara a Deus por diversas vezes, rogando a cura, porquanto somente o sobrenatural poderia aliviá-la; mas tudo parecia sem resultado. Então, certa noite, em meio a um sono agitado, subitamente ela se sentiu no meio da multidão iracunda, e, diante de seus olhos espantados, apareceu *o cortejo aqui descrito*. Jesus se aproximava, desgastado, sangrando, a carregar a sua cruz. Quando ele chegou diante da Sra. Stewart, subitamente cedeu sob o peso da cruz e caiu de joelhos. Foi então que a Sra. Stewart, impulsionada por uma compaixão e simpatia imensas, clamou: *Oh, Jesus, deixe-me ajudá-lo*. E nisso despertou, respirando fundo, com a agonia da cena ainda bem vívida em sua mente. E, repentinamente, teve consciência de que o terrível tumor maligno havia desaparecido inteiramente, sem ter deixado nem um traço. O poder de Jesus, que desconhece barreiras de tempo e espaço, havia chegado até ela também (*The Fourth Dimension*, Mei Ling).

27.33: Quando chegaram ao lugar chamado Gólgota, que quer dizer, lugar da Caveira,

27.33 Καὶ ἐλθόντες εἰς τόπον λεγόμενον Γολγοθᾶ, ὅ ἐστιν Κρανίου Τόπος λεγόμενος,

"[...] a um lugar chamado Gólgota..." Gólgota é o caldaico ou aramaico para "Gulgatha"; no hebraico é "Gulgoleth", que significa *crânio*. Refere-se a uma elevação em forma de crânio, e não a lugares de crânios, que é uma espécie de sepulcro aberto. Alguns pais da Igreja julgaram tratar-se desta última possibilidade, mas parece não restar dúvidas de que o nome era dado a certas formações rochosas que são facilmente visíveis hoje em dia, fora dos muros de Jerusalém, e que têm a aparência de um crânio humano. A versão da Vulgata Latina diz *Calvarius locus*, e é com base no latim que temos a palavra "Calvário". O Calvário ou Gólgota certamente não fica localizado no local tradicional do Santo Sepulcro, em Jerusalém; mas é um lugar fora dos muros da cidade, provavelmente o que hoje se conhece como "Calvário de Gordon", uma colina ao norte dos muros da cidade, que do monte das Oliveiras se assemelha a um crânio, e onde os túmulos escavados na rocha parecem as órbitas. E não é impossível que em um desses túmulos é que Jesus foi sepultado.

A tradição que assinalava o atual local do Santo Sepulcro como o lugar da crucificação não pode ser recuada para antes do século IV, e poucos eruditos hoje em dia aceitam essa como a localização correta. Supostamente estavam localizados ali os túmulos de Nicodemos e de José de Arimateia. Muitos estudiosos dão preferência ao que agora se chama "túmulo do Jardim" e *Calvário de Gordon*, embora para outros a questão continue em aberto. Pelo menos não parece haver dúvida de que a referência a um crânio é uma alusão ao formato de uma elevação, e não a um terreno onde havia execuções. Pois os judeus não teriam deixado crânios a jazerem ao redor, insepultos; porquanto isso era contrário a suas leis. Outrossim, não é admissível que homens ricos como Nicodemos e José de Arimateia tivessem adquirido túmulos em um terreno comumente usado para execução de criminosos. O suposto local da crucificação e do sepultamento foi assinalado pela mãe de Constantino, Helena; e a igreja do Santo Sepulcro foi erigida para marcar o lugar (princípio do século IV d.C.). Entretanto, parece evidente que Helena se tenha equivocado quando dessa identificação particular, e muito provavelmente também há equívocos em outras localidades que, anualmente, se têm tornado atrações turísticas para muitos milhares de turistas. A maioria dessas identificações não tem tradição mais antiga do que aquela iniciada por Helena.

27.34: deram-lhe a beber vinho misturado com fel; mas ele, provando-o, não quis beber.

27.34 ἔδωκαν αὐτῷ πιεῖν οἶνον μετὰ χολῆς μεμιγμένον· καὶ γευσάμενος οὐκ ἠθέλησεν πιεῖν.

722 | Mateus | NTI

---

34 ἔδωκαν...μεμι μένον Sl 69.21

34 οινον אBDΘ ƒ*r* 69 *al* lat sy*ᶜ*; R] (Sl 69.22) οξος AW *565 700 pim* it bo(3)ₛ

"[...] deram-lhe a beber vinho com fel..." Algumas traduções dizem "vinagre", que é o texto dos mss *AEFGHMNSUVW*, Gamma, Delta e Pi(2). A versão KJ tem justamente essa palavra. Todas as demais traduções utilizadas para efeito de comparação neste comentário (catorze — quanto à sua identificação ver a lista de abreviações, na introdução ao comentário) dizem "vinho". Isso é apoiado pelos mss mais antigos, tais como Aleph, BDKL, a maior parte da Fam Pi, como também por Theta, Fam 1, as versões latinas e o siríaco Sy(s). O vinagre era um vinho azedo, frequentemente misturado com água, sendo a bebida comumente usada pelos soldados. Provavelmente nenhuma diferença é tencionada pelo uso das duas palavras, por parte dos escribas. A palavra "vinagre" aparece novamente no v. 48, onde goza da autoridade de todos os manuscritos. Essas duas palavras, pois, eram comumente empregadas como sinônimos. O texto de Marcos 15.23 diz "mirra" ao invés de "fel". A mirra dava ao vinho azedo um sabor melhor, e, tal como o fel, produzia um efeito narcótico e estupefaciente. Não é impossível que ambos os elementos tivessem sido usados na bebida que Jesus provou e se recusou a beber; contudo, o mais provável é que os autores dos Evangelhos simplesmente tenham empregado termos diferentes para expressar uma ou outra coisa — os elementos postos no vinho a fim de dar-lhe um efeito narcótico; e para eles, a identificação exata desse elemento não era tão importante como parece ser para os modernos harmonistas. Lemos na história que esse tipo de bebida era usado para diminuir os sofrimentos dos soldados feridos. E era costumeiro dá-la às vítimas da crucificação, para que suas dores fossem suavizadas. Por quanto tempo amortecia as dores, não sabemos dizê-lo, mas provavelmente não conseguia efeito de grande duração.

Neste versículo temos o cumprimento notável de certa profecia: "Deram-me fel por mantimento, e na minha sede me deram a beber vinagre" (Sl 69.21). É bem possível que o *fel* que é citado no evangelho de Mateus tenha sido escrito ao invés de "mirra" por causa da influência da profecia que ele provavelmente tinha em mente, ao escrever esta seção. O costume de prover essa bebida para os que sofriam era reputado como uma caridade piedosa, por parte dos rabinos, sendo provável que em Provérbios 3.16 houvessem encontrado um texto de prova para a prática. Esse costume persistia nos tempos dos mártires cristãos (Neander, Leben Jesus, p. 757). Não se pode provar que esse hábito tivesse sido originado entre os romanos, mas aqui o estavam seguindo, pelo que, pelo menos, deve ter sido adotado por eles. Alguns acreditam que o oferecimento, mais provavelmente, deve ter sido feito pelas mulheres que seguiram o cortejo até o Gólgota, penalizadas que estavam por Jesus (ver Lc 23.27); mas quanto a isso, não podemos ter certeza.

A RECUSA de Jesus *em beber* esse vinho é encarada por alguns comentaristas como ação significativa do ponto de vista espiritual. "Jesus queria sorver até o fim e completamente o cálice que lhe era dado pela mão do Pai" (Jo 18.11). (Robertson, *in loc.*)

(c) Jesus na cruz (27.35-44)

27.35: Então, depois de o crucificarem, repartiram as vestes dele, lançando sortes, para que se cumprisse o que foi dito pelo profeta: Repartiram entre si as minhas vestes, e sobre a minha túnica deitaram sortes.
27.35 σταυρώσαντες δὲ αὐτὸν διεμερίσαντο τὰ ἱμάτια αὐτοῦ βάλλοντες κλῆρον,

---

35 διεμερίσαντο...κλῆρον Sl 22.18

35 βαλλοντες **BW** ƒ*r*₃ *700 al* ς; R] βαλλοντες אABΘ ƒ*r* *pm* | κληρον אABDW *565 700 pim* it vg*ᶜ.ʷ* sy; R] *add* (Jo 19.24) ινα πληωθη το ρηθεν υπο του προφητου, Διεμερισαντο τα ιμτια μου εαυτοις και επι τον ιματισμον μου εβαλον κληρον. (Θ) ƒ*r* (ƒ*r*₃) *al* it vg*ᵉˡ* ς

Após κλῆρον, o Textus Receptus adiciona: ἵνα πληρωθῇ τὸ ῥηθὲν ὑπὸ τοῦ προφήτου· Διεμερίσαντο τὰ ἱμάτιά μου ἑαυτοῖς, καὶ ἐπὶ τὸν ἱματισμόν μου ἔβαλον κλ. (Sl 22.18). Embora se possa argumentar que o texto foi esquecido em razão de homoeoteleuton, em que o olho do copista saltou de κλῆρον para κλῆρον, a comissão ficou impressionada diante da ausência da passagem em testemunhos antigos dos tipos de texto alexandrino e ocidental (א A B D L W Γ Π 33 71 157 565 700 892ᶜ it*ff2,1* vg*mss* syr*s.p.hmg.pal* eth pers*ᵖ*) — e com a possibilidade dos copistas terem sido influenciados pelo texto paralelo de João 19.24, com a frase τὸ ῥηθὲν ὑπὸ (ou διὰ — τοῦ προφήτου assimilada à fórmula de citação usualmente empregada por Mateus.

"Depois de o crucificarem..." (Ver nota sobre a *expiação*, em Rm 5.11.) A crucificação é modo muito antigo de execução. O *stauros* (vocábulo grego para "poste", "cruz", originalmente era um poste de ponta afiada, em cima do qual as vítimas eram lançadas, para ficarem ali suspensas e torturadas. Era usado na Pérsia e em Roma dos tempos antigos. Os judeus suspendiam um criminoso, após a sua morte, com o propósito de servir de exemplo (ver Dt 21.22,23). Ao tempo de Cristo, três tipos de cruzes eram usados — uma que se assemelhava à nossa letra "X" (chamada cruz de Santo André), outra parecida com nossa letra "T" (chamada cruz de Santo Antônio), e a cruz latina, de desenho bem conhecido "+". Não há absoluta certeza sobre a modalidade de cruz empregada quando da execução de Jesus; mas a maioria dos estudiosos acredita que tenha sido a do último tipo. A crucificação sempre tinha lugar fora dos muros da cidade e a vítima carregava a sua cruz até o local da execução. As mãos (provavelmente no pulso ou no metacarpo) eram cravadas, primeiramente a direita, e então a esquerda, enquanto o condenado permanecia sobre a terra. As autoridades diferem sobre o ponto dos pés serem cravados em separado ou se ambos eram cravados juntos. Não havia apoio para os pés, propriamente dito, mas alguma espécie de apoio em torno dos pés era usado. O mais provável é que na cruz os pés da vítima ficassem a apenas cerca de um palmo do chão. A morte usualmente demorava muito, raramente exigindo menos de trinta e seis horas, e, ocasionalmente, prolongava-se por nada menos de nove dias. As dores eram intensas, e as artérias da cabeça e do estômago ficavam grossas de sangue. Às vezes, declarava-se febre traumática e tétano. Quando era desejável apressar a morte da vítima, as pernas eram despedaçadas com golpes aplicados com um pesado cacete ou martelo. O próprio nome da cruz era motivo de opróbrio, culpa e ignomínia. *Cícero* declarou: "O próprio nome (da cruz) deveria ser excluído não só do corpo, mas também dos pensamentos, dos olhos e dos ouvidos dos cidadãos romanos". Era uma execução reservada aos criminosos mais vis. Constantino (imperador romano em cerca de 300 d.C.), após a sua conversão ao cristianismo, embora nominalmente apenas, aboliu essa prática.

UMA MORTE EM JERUSALÉM
Artigo extraído com permissão da Revista Time, seção "Ciência", edição de 18 de janeiro de 1971

Foi um período de grande intranquilidade e agitação na antiga Judeia. Desassossegados sob o governo pagão de Roma, os judeus da Palestina, no primeiro século da era cristã, por repetidas vezes desafiaram os seus conquistadores com gestos ousados de oposição e atos francos de rebelião. A resposta dos romanos usualmente era imediata e cruel. Talvez porque tenha participado em um desses levantes ou tenha cometido alguma outra ofensa grave, aos olhos dos severos governantes de Jerusalém, um jovem judeu, chamado *Yehohanan* (forma hebraica para *João*), foi sentenciado à morte. À semelhança de milhares de outros judeus — incluindo Jesus de Nazaré — que também fora condenado pelos procuradores romanos durante aqueles anos de turbulência, Yehohanan morreu lenta e dolorosamente na cruz.

PRIMEIRA EVIDÊNCIA

A morte de *Yehohanan* foi esquecida prontamente. Nenhum documento foi jamais encontrado que registrasse o seu crime ou relembrasse a sua execução. No entanto, depois de quase dois mil anos, foi ele agora súbita e sensacionalmente desenterrado das brumas da história. Na semana passada, arqueólogos israelenses anunciaram que haviam identificado os restos mortais do desafortunado jovem, por haverem encontrado claras evidências sobre sua terrível execução.

Os eruditos israelenses, que estudaram seu achado por mais de dois anos, antes de fazerem o seu anúncio, mostraram-se compreensivelmente cautelosos. O que descobriram e autenticaram foi a primeira firme evidência física de uma crucificação real, no antigo mundo mediterrâneo. Embora a história registre que essa forma de punição tenha continuado a ser usada pelos romanos, até ao século IV d.C. (até que foi finalmente banida por lei, pelo imperador Constantino I, que legalizou o cristianismo no império), a única evidência física anterior sobre a crucificação era extremamente tênue. Consistia de alguns poucos ossos, escavados na Itália e na Romênia, que continham perfurações nos braços e nos calcanhares, e que poderiam ter sido feitos durante crucificações. Nunca se descobrira nenhum traço dos cravos que teriam sido utilizados para penetrar no corpo das vítimas, fixando-as à cruz.

A nova evidência arqueológica, que é um subproduto de intensas escavações e dos projetos de construção efetuados pelos israelenses, nos territórios conquistados durante a Guerra de Seis Dias, é muito mais substancial. Em junho de 1968, um ano depois de as tropas israelenses ocuparem a cidade inteira de Jerusalém, os trabalhadores começaram a aplainar um trecho rochoso de terreno, com tratores, em um local que distava quase dois quilômetros da antiga Porta de Damasco daquela cidade, na direção norte, como preparativos para o soerguimento de um moderno complexo de edifícios de apartamentos. E quase imediatamente descobriram que aquele local, denominado Giv´at ha-Mivtar (que significa Colina da Fronteira), estava coalhado de sepulcros que datavam dos tempos bíblicos.

Convocado pelo *Departamento de Antiguidades e Museus de Israel*, o arqueólogo Vasilius Tzaferis não demorou em abrir quinze ossuários, ou seja, sarcófagos de pedra, que continham os esqueletos de trinta e cinco pessoas — onze homens, doze mulheres e doze crianças. Pelo menos cinco daqueles judeus tinham tido morte violenta. Tzaferis ficou especialmente intrigado pelo que encontrou em um dos ossuários, que continha os ossos de uma criança de três ou quatro anos de idade, e os ossos de um adulto cujo nome — Yehohanan — estava escrito em letras aramaicas quase ilegíveis, do lado de fora. Os ossos do calcanhar desse homem estavam atravessados pelos restos enferrujados de um cravo com dezoito centímetros de comprimento.

Com base nesses frágeis ossos, um anatomista e antropólogo romeno, da Universidade Hebraica de Jerusalém, *Nicu Haas*, foi capaz de compor um quadro surpreendentemente detalhado do jovem: teria entre vinte e trinta anos de idade, e era de estatura média para aquele período (1,65 m), sendo dotado de feições delicadas e agradáveis, que pareciam aproximar-se do ideal helênico; talvez tivesse usado barba, e, aparentemente, jamais realizara nenhum trabalho realmente árduo, o que indicava sua possível origem nas classes abastadas. Excetuando os ferimentos que lhe foram infligidos durante sua crucificação, parece que gozava de saúde realmente excepcional. Suas únicas deformações físicas eram um palato levemente aberto e certa assimetria quase imperceptível em seu crânio, o que talvez fosse sinal de um nascimento difícil.

CRAVO TORTO

O único cravo tão revelador foi preservado por uma estranha ocorrência. Por causa de um nó muito duro na madeira de oliveira da cruz, o cravo entortou-se levemente para um lado, quando estava sendo fincado a marteladas em seu lugar. Mais tarde, quando aplicaram o tradicional golpe de misericórdia (pancada forte que fraturava ambas as pernas e que apressava a morte da vítima, causando hemorragia e choque), o cravo, aparentemente torto, mostrou estar fixado com firmeza na madeira, tendo impedido todos os esforços de tirar o cadáver da cruz. Segundo escreve Haas, no *Israel Exploration Journal*, a única maneira prática pela qual isso pôde ser feito foi "decepar os pés e, então, remover o complexo inteiro da cruz — cravo, placa de madeira que ajudava a manter os pés em posição, e os pés". Em seguida, segundo o que parece, as porções cortadas foram sepultadas imediatamente, juntamente com o resto do corpo, em uma sepultura temporária; pois os costumes judaicos proíbem que um corpo fique exposto por muito tempo depois da ocorrência da morte. Subsequentemente, os restos mortais de Yehohanan foram desenterrados por seus amigos ou parentes, tendo sido removidos para seu lugar de descanso permanente, do lado de fora da cidade, onde permaneceram intocados até o ano de 1968.

A data exata da execução já não transparece com tanta clareza. Se, porém, levarmos em conta os vasos e outros artefatos existentes na caverna, conforme verificaram os eruditos israelenses, poderemos fazer um cálculo aproximado: tudo poderia ter tido lugar desde 7 d.C., quando os judeus se levantaram contra os romanos, protestando por motivo de um recenseamento oficial, ou já no final da década antes da destruição do Segundo Templo e da dispersão dos judeus, em 70 d.C.

A AGONIA DE JESUS

O período e o lugar da execução desse jovem animaram comparações com a própria paixão de Jesus Cristo na cruz — o que, segundo creem os eruditos, teve lugar em cerca de 30 d.C., quando Jesus já havia passado dos trinta anos de idade.

Ao fixar a data para o início da era cristã, o monge citado do século VI d.C., Dionísio Exíguo, introduziu um equívoco de pelo menos quatro anos no cálculo do ano do nascimento de Jesus. Além disso, os Evangelhos não fazem menção de uma data precisa nem para o nascimento e nem para a morte de Cristo.

Entretanto, o diretor de antiguidades de Israel, Avraham Biran, bem como certo número de eruditos bíblicos cristãos, prontamente advertiram contra a tentativa de identificar o esqueleto como se fosse o de Jesus. Conforme salientou o Dr. Bruce Metzger, do Princeton Theological Seminary: "Não temos, em absoluto, nenhum conhecimento acerca da estatura física de Jesus". Outrossim, o executado era mais jovem que Jesus, e os Evangelhos historiam que os soldados romanos, em contraste com sua prática regular, não quebraram as pernas de Jesus antes de sua morte; mas feriram-lhe o lado do cadáver com uma lança. Tanto os arqueólogos como os eruditos bíblicos mostraram-se compreensivelmente preocupados. Qualquer sugestão, ainda que remota, de que o corpo era o de Jesus, poderia desafiar duas das crenças cristãs mais centrais: a ressurreição, ou seja, a doutrina de que Cristo ressuscitou dentre os mortos, três dias após a sua crucificação; e a ascensão, que assegura que Jesus subiu corporalmente aos céus, quarenta dias mais tarde.

Embora o descobrimento feito em *Giu´at ha-Mitvar* não acrescente nenhuma nova informação sobre a vida de Jesus, pode dar uma nova dimensão ao seu sofrimento final. Segundo a arte religiosa clássica, Jesus crucificado geralmente aparece em uma posição ereta, preso à cruz por cravos atravessados em suas mãos estendidas e através de seus pés. Na opinião de alguns estudiosos, entretanto, essa interpretação acerca da crucificação desde há muito tem parecido altamente improvável. Pois, se o peso principal do corpo ficasse dependurado pelas mãos, o corpo da vítima ficaria arqueado para fora; tornar-se-ia extremamente difícil o funcionamento. De conformidade com a reconstituição da crucificação de Yehohanan, feita por Haas — o que talvez mostre a maneira típica usada nas crucificações da Palestina antiga — os cravos bem poderiam ter sido fixados através dos antebraços, a fim

724 | Mateus | NTI

de que houvesse maior apoio, ao mesmo tempo que as pernas da vítima eram torcidas para um lado e dobradas. Haas chama a isso de *posição compulsória e desnatural*. Ele explica, porém, que isso teria servido aos propósitos dos executores perfeitamente bem: teria prolongado tanto a vida como a agonia da vítima.

De conformidade com os costumes romanos, os crucificados não eram tirados da cruz; eram ali abandonados, a fim de morrerem lentamente. Suas carnes eram dadas às aves ou aos animais ferozes. Havia ocasiões em que o sofrimento dos condenados era abreviado, acendendo-se uma fogueira ao pé da cruz, ou permitindo que leões ou ursos os despedaçassem. Os judeus, porém, não permitiam essas coisas; e também insistiam em que se desse sepultamento aos mortos na cruz. O ato de quebrar as pernas dos crucificados, em realidade era uma espécie de *golpe de misericórdia*, a fim de apressar a morte; e o transpassar com a lança também era outra forma de "golpe de misericórdia". Alguns comentaristas acreditam que foi quando estava sendo cravado na cruz que Jesus proferiu as palavras: "Pai, perdoa-lhes, porque não sabem o que fazem" (Lc 23.34). A tortura da cruz era a forma de punição mais horrenda, desumana e sem misericórdia que jamais foi inventada pelo homem, e a palavra *excruciante*, termo moderno para indicar tortura ou dores intensas, deriva-se do vocábulo "cruz".

Temos um hino favorito que diz:

Sob a cruz de Jesus,
Quero tomar meu lugar...

Por instinto, preferíamos tomar lugar em toda parte, menos ali, porquanto em parte nenhuma encontramos uma acusação tão patente contra a iniquidade humana. Ali vemos claramente demonstrada a iniquidade do homem. A própria história do mundo, com todos os seus conflitos e guerras, e até mesmo com as divisões e as contendas no seio da própria Igreja cristã, serve de mais um testemunho acerca da maldade do homem. É na cruz que encontramos *nossa natureza vil*, nossas propensões ao pecado, nossas expressões de maldade. Na cruz, entretanto, sofreu e morreu o homem da alma mais pura que a terra já conheceu. Buttrick diz (*in loc.*): "Como poderíamos exibir ainda a natureza humana, exceto quando essa natureza humana é lançada na misericórdia e poder de Deus?"

Na Via Dolorosa, Jesus lutara sob o peso de sua cruz. Fora açoitado com um açoite cuja ponta era munida de um pedacinho de metal. Foi espancado até quase não poder ser reconhecido, e a caminho do Calvário foi com ferimentos abertos, a derramar sangue. Nessas condições é que foi cravado na cruz. Foi vítima de exposição ao sol e ao calor, a enxames de moscas, e aos insultos de homens dotados de mentes sádicas. Quando a altivez humana — tal como a de Caifás, que cobiçava ouro e posição, ou como Pilatos, que desejava governar — desenvolve-se plenamente, crucifica o Cristo de Deus. Aprendemos, então, que é à sombra da cruz, que devemos tomar nosso lugar, pois dali flui o sangue que dá vida. Jesus identificou-se conosco, sofrendo em favor de toda a humanidade, a ira que pertence ao pecado e o precede. Por conseguinte, a sua morte é a nova páscoa. Por conseguinte, o seu poder permanece até hoje, para salvar-nos do pecado que o enviou à cruz. O desespero do expositor é o fato de não existirem paralelos para a obra de Cristo. O crânio daquela colina atualmente está partido mediante a coragem e a compaixão de Deus, em Cristo, pelo que agora há nele o nascimento de uma vida nova para todos quantos vivem neste mundo.

As Chagas
Divinas mãos e pés, peito rasgado,
Chagas em brandas carnes imprimidas,
Meu Deus, que, por salvar almas perdidas,
Por elas quereis ser crucificado.

Outra fé, outro amor, outro cuidado,
Outras dores às vossas são devidas,

Outros corações limpos, outras vidas,
Outro querer no vosso transformado.

Em vós se encerrou toda a piedade,
Ficou no mundo só toda a crueza,
Por isso cada um deu o que tinha.

Claros sinais de amor, ah! saudade!
Minha consolação, minha firmeza,
Chagas do meu Senhor, redenção minha.
(Frei Agostinho da Cruz, Portugal: 1540-1619).

"[...] repartiram entre si as suas vestes...". Cumprimento da profecia que se encontra em Salmos 22.18. Segundo o costume, as vestes do condenado tornavam-se propriedade dos executores; e neste caso essas vestes incluíam (segundo declara Jo 19.23) a túnica posta logo acima do corpo, e também a outra peça mais externa. A túnica fora feita "[...] sem costura, toda tecida de alto a baixo...", e, provavelmente, foi considerada um prêmio de valor pelos soldados.

"[...] o que foi dito pelo profeta..." Esta citação, extraída de Salmos 22.18, é uma adição posterior ao texto deste evangelho, ou com base em João 19.24, onde faz parte autêntica do texto, ou tirada diretamente de Salmos 22.18, acrescentada aqui por escribas de séculos posteriores. A narrativa, naturalmente presta-se à adição, posto que, de fato, nesse ponto, cumpriu-se a profecia de Salmos 22.18. Os mss que contêm a adição são Delta, Theta, Fam1, Fam 13 e algumas traduções latinas e mss gregos posteriores. Dentre as traduções usadas para efeito de comparação, neste comentário (catorze, em número; ver a lista de abreviações na introdução ao comentário, quanto à sua identificação), somente as versões KJ, AC, F e M contêm essa adição. A tradução BR a assinala como duvidosa. Os mss Aleph, BDEFGHKLMSUV, Gamma, e Fam Pi omitem-na, como também as traduções ASV, RSV, PH, WM, WY, NE, GD, AA e IB. Contudo, em João 19.24, faz parte autêntica do texto sagrado.

27.36: E, sentados, ali o guardavam.
27.36 καὶ καθήμενοι ἐτήρουν αὐτὸν ἐκεῖ.

"[...] assentados ali, o guardavam". Essa vigilância tinha por finalidade impedir que os crucificados fossem baixados da cruz por amigos, ou mesmo por passantes, que subitamente poderiam ser dominados por sentimentos de misericórdia. E também servia para impedir que alguém, impulsionado por ódio contra as vítimas, infligisse mais alguma indignidade ou castigo contra elas. O texto de João 19.24 revela que quatro soldados ficaram ali de vigília. Esse grupo consistiria de um centurião e três outros.

27.37: Puseram-lhe por cima da cabeça a sua acusação escrita: ESTE É JESUS, O REI DOS JUDEUS.
27.37 καὶ ἐπέθηκαν ἐπάνω τῆς κεφαλῆς αὐτοῦ τὴν αἰτίαν αὐτοῦ γεγραμμένην· Οὗτός ἐστιν Ἰησοῦς ὁ βασιλεὺς τῶν Ἰουδαίων.

37 ὁ...Ἰουδαίων Mt 2.2; 27.11,29; Mc 15.9,12,18,26; Lc 23.37,38; Jo 18.39; 19.3,19,21

"[...] a sua acusação: Este é Jesus, o Rei dos Judeus". A redação da acusação varia nos diversos Evangelhos — Mateus: "Este é Jesus, o Rei dos Judeus" (Mt 27.37); Marcos: "O Rei dos Judeus" (Mc 15.26); Lucas: "Este é o Rei dos Judeus" (Lc 23.38); João: "Jesus Nazareno, o Rei dos Judeus" (Jo 19.19). Alguns intérpretes têm chegado à suposição de que cada evangelista registrou uma parte do título completo, o qual seria, portanto: "Este é Jesus Nazareno, o Rei dos Judeus". Apesar de poder ter sido honestamente imaginada, esse tipo de interpretação certamente é improvável, refletindo um intenso desejo, da parte de alguns, de obter a *harmonia* entre as narrativas dos evangelhos, o que é claramente impossível. O mais provável é que a inserção mais simples de Marcos represente o original, enquanto que nos demais Evangelhos haja expansão desse título. A questão não se reveste de importância e, sem dúvida, nenhuma doutrina de qualquer espécie é afetada por essa variação não-intencional dos autores dos Evangelhos. João declara que essa inscrição foi escrita em grego, latim e hebraico. É possível que parte da variação se tenha derivado dessa circunstância, pois os idiomas têm sintaxes diferentes. Os romanos tinham o costume de anunciar, em letras brancas, em uma *tábua tosca*, o crime pelo qual o condenado estava sendo executado. Com frequência, o título era pendurado no pescoço do condenado. No caso de Jesus, porém, evidentemente foi posto acima da sua cabeça, na própria cruz. Oficialmente, pois, Jesus foi executado por motivo de alta traição, como inimigo político de Roma. Roma jamais teria crucificado a Jesus por motivo de uma blasfêmia de natureza religiosa. A acusação contra Jesus foi "crimen laesae majestatis" ou alta traição. Foi expressa nessas palavras para fazer às autoridades judaicas uma advertência inolvidável: "Isto é o que os romanos farão a qualquer 'rei dos judeus' ". O título (*acusação oficial*) certamente era extremamente ofensivo à sensibilidade dos judeus (o que fica demonstrado em Jo 19.21,22), e isso serve de prova absoluta do fato de que o caso de Jesus foi resolvido em um tribunal romano. Provavelmente esse título foi afixado à cruz, antes de ter sido erguida, mas esse pormenor também não se reveste de importância para a narrativa e sua significação.

Alguns eruditos mais recentes acreditam que os Evangelhos não representaram bem a pessoa de Jesus, e que realmente ele era um *ativista político*, envolvido em um conluio para derrubar o governo. Esses homens insistem em que a purificação do templo realmente tenha sido um ato político, que tinha por intenção apossar-se do dinheiro roubado aos pobres, com o intuito de devolvê-lo aos seus donos; e que provavelmente isso foi levado a efeito por um bando de homens, tendo Jesus como cabeça, sem importar se a ação era justa ou não. Jesus, pois, tornou-se uma espécie de figura patriótica, e realmente morreu como herói. Esse é o tema de diversos livros recentes, como *Jesus and the Zealots* (Scribners), e *The Trial of Jesus of Nazareth* (Stein & Day). Ambos os livros foram escritos por S. G. F. Brandon, um erudito inglês. A maioria dos intérpretes, entretanto, é de opinião que as evidências em favor dessa teoria são extremamente fracas. A intenção inteira dos Evangelhos a contradiz; e, apesar de a culpa de Roma poder ter sido suavizada nos Evangelhos, não é provável que tenhamos ali uma completa reversão do que verdadeiramente aconteceu. Os Evangelhos são, na realidade, nossa única fonte de informação, e tudo o mais pertence exclusivamente à região das conjecturas. Parece bastante certo, entretanto, que a acusação oficial contra Jesus, embora falsa, foi a que o levou à cruz. Jesus era inocente dessa acusação, porquanto sempre evitou implicações políticas e envolvimentos, conforme ilustrado em suas declarações sobre o pagamento de impostos a César.

27.38: Então foram crucificados com ele dois salteadores, um à direita, e outro à esquerda.

27.38 Τότε σταυροῦνται σὺν αὐτῷ δύο λῃσταί, εἷς ἐκ δεξιῶν καὶ εἷς ἐξ εὐωνύμων.

38 Is 53.12

38 δεξιῶν] add nomine Zoatham ετ ευωνυμων] add nomine Camma c

> Após as palavras "um à direita" e "um à esquerda" o códex Colbertinus, em Latim Antigo (it^c), supre os nomes dos dois ladrões que foram crucificados juntamente com Jesus: *nomine Zoatham* e *nomine Comma*, respectivamente. (Ver também os comentários sobre Mc 15.27 e Lc 23.32.)

"[...] foram crucificados com ele dois ladrões..." A tradição de séculos posteriores fornece os nomes dessas duas personagens, conforme sempre acontece à tradição, que procura fazer as histórias mais concretas. A tradição chama-os de Zoatão e Cama. Em antiga versão latina, entretanto, são designados pelos nomes de Dismas e Gestas. Provavelmente, eram *revolucionários*, ou pelo menos criminosos que se haviam destacado pelos seus crimes. Não é de modo nenhum improvável que tivessem sido aprisionados juntamente com Barrabás, ainda que não tivessem compartilhado de sua boa sorte ao ser livrado daquela condenação horrível.

Os que se rebelaram contra as injustiças do governo com frequência se voltavam para o *banditismo* como meio de vida. O assassínio se tornava um mal necessário em suas atividades. Roma tratava severamente esse tipo de homens. Não obstante, finalmente, por causa de repetidas tentativas revolucionárias, por parte de muitos — e, muitos desses indivíduos, gozavam da proteção e do apoio das autoridades religiosas dos judeus — finalmente, Roma interveio e destruiu Jerusalém, no ano 70 d.C. Alguns comentaristas, como Meyer (*in loc.*), acreditam que esses homens foram vigiados por um grupo diferente de soldados, e não pelo mesmo grupo que crucificou a Jesus. Não podemos, porém, ter certeza acerca disso, por causa da asseveração de que os executores de Jesus se assentaram para vigiá-lo, o que tornava desnecessária a atividade de outro grupo de soldados. Contudo, o ponto não é importante. O evangelho apócrifo de Nicodemos (1.10) dá seus nomes como Dismas e Gismas, nomes esses que ainda aparecem nos Calvários e nas Estações da Cruz, encenados pela Igreja Católica Romana. Essa circunstância, de haver Jesus sido crucificado em companhia de homens daquela categoria, cumpriu a profecia de Isaías 53.12, que ele seria "contado" (arrolado na lista) com os *transgressores*. Quando crucificado, Jesus foi colocado no meio dos outros dois condenados, talvez como indicação de que era o pior dos três.

27.39: E os que iam passando blasfemavam dele, meneando a cabeça.

27.39 Οἱ δὲ παραπορευόμενοι ἐβλασφήμουν αὐτὸν κινοῦντες τὰς κεφαλὰς αὐτῶν

39 κινοῦντες...αὐτῶν Sl 22.7; 109.25; Lm 2.15

"Os que iam passando, blasfemavam..." No grego, o vocábulo "blasfêmia" indica palavras ou conversa abusivas, sendo usada para indicar os abusos contra os homens (Ap 2.9), contra Satanás (Jd 9) ou contra Deus (Ez 32.12; Mt 26.65). O vocábulo também é usado com referência a essa forma de linguagem abusiva, e com referência às coisas pertencentes a Deus, como, por exemplo, o templo. Algumas vezes, significava difamação e calúnia, e é evidente que é disso que se trata neste versículo. Eles caluniavam a Jesus; difamavam-no; abusavam dele com suas palavras.

"[...] meneando a cabeça..." Era um gesto original de zombaria, que também aparece em passagens como Salmos 22.7; Isaías 37.22 e Jeremias 18.16. Alguns intérpretes creem que essa ação também se deu em cumprimento a profecias, como a de Salmos 22. Esses abusos contra os desafortunados eram extremamente usuais no oriente antigo. Temos aqui a terceira zombaria contra Jesus. O sumo sacerdote zombara de Jesus antes de haver sido condenado formalmente. Os soldados zombaram dele depois de haver sido condenado, quando levaram o Senhor a um lugar retirado, a fim de se divertirem, fazendo com ele brincadeiras brutais e insensatas. Agora a multidão se põe a zombar do Senhor, enquanto ele agoniza na cruz. Continuavam a dar vazão ao seu ódio. Seus líderes haviam trabalhado bem. Odiaram a Jesus até o fim. Não lhes parecia bastante que o condenado sofresse padecimentos físicos e a desgraça da cruz; tinha também de sofrer palavras proferidas por homens sádicos. Nessa altura, o cálice da violência e da iniquidade enche-se e extravasa. A alma mais pura que o mundo já viu, tornou-se vítima de homens incalculavelmente maus.

E ISSO era feito pelos que passavam por perto, pois o local onde a cruz havia sido erguida situava-se ao lado de uma estrada. "Homens que se dirigiam para seus negócios ou diversões, estacavam por

726 |Mateus| NTI

uns momentos, alguns talvez movidos por curiosidade mórbida, e outros, para se reunirem à concupiscência sangrenta e zombar. A indiferença de bandos de homens ímpios é aqui destacada em uma frase, 'os que iam passando'. Os negócios e as diversões eram importantes, mas com Deus não se importavam. Portanto, paravam por alguns instantes, e se divertiam à sua moda pervertida. É como se declarassem: 'Outro tolo está sendo crucificado!' e continuavam em seu caminho" (Buttrick, *in loc.*). Mais adiante, diz o mesmo autor: "A psicologia muito nos tem ensinado acerca da zombaria. A indagação apropriada, que devemos fazer a nós mesmos, quando soltamos uma língua sarcástica e um espírito amargo, é 'Por que odeio tanto a mim mesmo?' Na vida de um crente há lugar para indignação flamejante, mas não para a zombaria ácida. Os apuros sofridos por Jesus servem de tremenda revelação da vida íntima dos desprezadores: que enxame de coisas más se agita neles, debaixo da luz! E o fato de que ele suportou essa zombaria em silêncio prova que nele não 'havia treva alguma' (1Jo 1.5)".

27.40: e dizendo: Tu, que destróis o santuário e em três dias o reedificas, salva-te a ti mesmo; se és Filho de Deus, desce da cruz.

27.40 καὶ λέγοντες, Ὁ καταλύων τὸν ναὸν καὶ ἐν τρισὶν ἡμέραις οἰκοδομῶν, σῶσον σεαυτόν, εἰ υἱὸς εἰ τοῦ θεοῦ, [καὶ][10] κατάβητι ἀπὸ τοῦ σταυροῦ.

40 Ὁ...οἰκοδομῶν Mt 26.61; Mc 14.58; Jo 2.19,20   εἰ...θεοῦ Mt 4.3,6; 26.63; Lc 4.3,9

[10] 40 {C} καὶ ℵ A D it[a,b,c,d,h] syr[s,p,pal] Diatessaron Chrysostom Cyril // *omit* ℵ[c] B K L W Δ Θ Π 0250 *f*[1] *f*[13] 33 565 700 892 1009 1010 1071 1079 1195 1216 1230 1241 1242 1253 1344 1365 1546 1646 2148 2174 *Byz Lect* it[aur,f,ff2,g1,l,q,r1] vg syr[h] cop[sa,bo] arm eth geo Origen[lat] Eusebius Chrysostom

> Por um lado, καὶ pode ter sido omitida devido à confusão com a primeira sílaba da palavra seguinte; por outro lado, pode ter sido inserida por aqueles que entendiam a cláusula condicional (εἰ... θεοῦ) com o que precede. Já que nenhuma decisão clara parece possível, a maioria da comissão pensou ser melhor reter a palavra, mas dentro de colchetes.

"[...] tu que destróis o santuário..." Essa foi uma das principais acusações contra Jesus. Circulavam rumores acerca de determinadas palavras que Jesus proferira acerca de destruir o templo. Isso parecia provar que ele era homem violento, um revolucionário, uma força destruidora na sociedade. E não é mesmo impossível que os cristãos primitivos tivessem considerado literalmente essa profecia, conforme a passagem de Atos 6.14 parece indicar. Pelo menos sabemos que isso era um rumor que circulou por toda parte. É provável que o fato de Jesus se ter referido ao próprio corpo como "santuário de Deus" (o santuário de seu corpo) não fosse interpretação largamente conhecida e aceita. Alguns intérpretes pensam que esse rumor resultou da repetição descuidada de diversas profecias acerca da destruição de Jerusalém (inclusive do templo), proferidas pelo Senhor Jesus. Uma das interpretações dizia que ele se referia à adoração efetuada no templo; que se lhe fosse dada oportunidade para tanto, ele destruiria a falsa adoração em pouco tempo, e restabeleceria o verdadeiro culto. Pelo menos sabe-se que o povo geralmente cria que Jesus faria alguma tentativa para destruir o templo e reedificá-lo em três dias. Essa reivindicação era dotada de extraordinária potência, mas o povo julgava-a extremamente ridícula. Por conseguinte, nesta ocasião, lembravam-lhe a predição, usando-a para zombar dele.

"[...] salva-te [...] se és Filho de Deus..." (Ver as notas sobre *Filho de Deus*, em Mc 1.1; sobre *Filho do homem*, em Mc 2.7 e Mt 8.20.) Tinham consciência do fato de que Jesus reivindicara uma posição especial no reino espiritual. Não podemos saber com certeza o que entendiam com essa expressão; mas o mais certo é que a vinculassem com declarações tais como aquelas que foram feitas por Jesus, a respeito de seu ofício messiânico, o que

certamente ultrapassava em muito o que os judeus ordinariamente entendiam como esse ofício (ver Mt 26.64). Essas reivindicações de Jesus, de que seria o juiz vindouro, de que retornaria (quando de sua *parousia* ou segunda vinda), de que exerceria grande autoridade, de que tinha exaltada posição à mão direita de Deus — tudo isso fazia parte da compreensão popular sobre o que Jesus queria dizer quando se chamava Filho de Deus. Entendiam, ao menos, que alguém tão importante assim não poderia terminar cravado em uma cruz. Isso nos faz lembrar uma das tentações desfechadas por Satanás, que proferiu palavras similares (ver Mt 4.3). Aqueles zombadores descuidados jamais poderiam sonhar que Jesus realmente possuía o poder que reivindicava e que, no espaço daqueles três dias, ele realizaria um milagre extraordinário, maior do que aquele que seria necessário para destruir e edificar um templo material em três dias. Jesus ressuscitou ao próprio corpo; e não somente lhe infundiu vida nova, e, sim, uma vida superior, mais elevada. Jesus espiritualizou o seu corpo, e esse corpo tornou-se um templo novo. Elevou-o a um novo plano de existência. Tornou-se o primeiro homem imortal, e, ao assim fazer, passou a ser o primogênito entre muitos irmãos. E assim trouxe à luz uma grande verdade, uma grande realidade, a saber, que o homem não está destinado à morte, antes, seu destino é ser transformado para uma nova vida. Essa verdade eletrizou a igreja primitiva, pois os primeiros cristãos foram testemunhas do fato. (Quanto a uma nota sobre o caráter dessa nova vida, ver as notas existentes em Rm 8.29.)

27.41: De igual modo também os principais sacerdotes, com os escribas e anciãos, escarnecendo, diziam:

27.41 ὁμοίως καὶ οἱ ἀρχιερεῖς ἐμπαίζοντες μετὰ τῶν γραμματέων καὶ πρεσβυτέρων ἔλεγον,

41 ομοιως] *add* και BΘ *f*[1] *f*[13] *pm* lat; R: *add* δε και D *157 al* ς

27.42: A outros salvou; a si mesmo não pode salvar. Rei de Israel é ele; desça agora da cruz, e creremos nele;

27.42 Ἄλλους ἔσωσεν, ἑαυτὸν οὐ δύναται σῶσαι·[b] βασιλεὺς[11] Ἰσραήλ ἐστιν, καταβάτω νῦν ἀπὸ τοῦ σταυροῦ καὶ πιστεύσομεν ἐπ᾽ αὐτόν.

42 βασιλεὺς Ἰσραήλ Jo 1.49; 12.13

42 [b] statement: TR WH Bov Nes BF2 AV RSV NEB TT Zür Luth Jer Seg // b question: RV[mg] ASV[mg]

42 (σωσαι·] . R[1] : ; 700 ; R[m])

[11] 42 {B} βασιλεὺς ℵ B D L 33 892 it[d] cop[sa] // εἰ βασιλεὺς A K W Δ Θ Π *f*[1] *f*[13] 565 700 1009 1010 1071 1079 1195 1216 1230 1241 1242 1253 1344 1365 1546 1646 2148 2174 Byz Lect it[a,aur,b,c,ff2,g1,h,l,q,r1] vg syr[s,p,h,pal] cop[bo] arm eth[ro,pp] geo Diatessaron Origen[lat] Eusebius Ps-Athanasius // καὶ εἰ βασιλεὺς eth[ms]

> Não entendendo a ironia implícita na declaração: "Ele é o Rei de Israel", copistas, influenciados pelo v. 40, inseriram — εἰ. Se essa palavra estivesse presente no original, não haveria boa razão para ser omitida.

"De igual modo os principais sacerdotes..." Não é provável que realmente tenham desafiado Cristo a descer da cruz. Estavam convencidos de que isso lhe era impossível. Disseram essas coisas por zombaria, fingindo que havia condições sob as quais confiariam nele; mas em realidade nada os faria acreditar, e essas palavras eram zombeteiras. O fato de ele ter salvado a outros significa que ele curou, que ele ajudou, que ele socorreu a outros de suas tristezas e dificuldades. Ele também reivindicara salvar os homens de seus pecados, mas nisso jamais acreditariam. Não obstante, sabiam que Cristo seria um Salvador de alguma espécie. Todos, em Israel, sabiam disso. Um grande Salvador deveria ser dotado de imenso poder, suficiente até mesmo para salvar-se e descer da cruz. Jesus, pois, recebeu tributo de seus adversários, até mesmo quando agonizava na cruz. Sua bondade foi reconhecida até mesmo quando essa bondade passou a ser motivo de zombarias. A fábula da princesa que se lançou num sepulcro aberto a fim de salvar a própria terra da seca, é verdadeira quanto à mensagem de Cristo sobre a cruz. Realmente, Jesus não poderia descer da cruz, pois, em sua *obediência* à vontade de Deus Pai, teria de cumprir o seu destino. Entretanto, o poder continuava presente, porquanto assim realizou grande expiação, em favor de todos; e, além disso, em tão pouco tempo, haveria de ressuscitar dentre os mortos. Ora, não poderia haver ressurreição sem primeiro haver a cruz. John Gill (quanto ao v. 40) diz: "[...] sua filiação não seria declarada mediante o descer da cruz, o que ele poderia ter feito facilmente, mas por meio de uma demonstração muito maior de poder — a própria ressurreição dentre os mortos; e nenhum outro sinal, além desse, haveria de ser dado àquela geração ímpia e perversa". A cruz, a ressurreição foram apenas diferentes aspectos do mesmo plano, mutuamente dependentes entre si.

Lemos, na história, que quando Napoleão tentou reunir inutilmente os seus homens, em Waterloo, fez-se ouvir um clamor por todo o campo dos derrotados: "Foram traídos! Salve-se quem puder!" Nesse sentido da palavra, egoisticamente, Jesus poderia ter-se salvado. Contudo, essa tentação já fora resolvida no jardim do Getsêmani. Ali ele abafara o desejo de fugir para a segurança pessoal. Talvez naquela ocasião, sob o ministério do anjo, o grande plano da redenção se tivesse esclarecido, ou, pelo menos, tivesse ficado mais claro do que antes. O grande quadro da vontade de Deus para com os homens, a vasta expansão da vida eterna à frente, a participação na própria vida de Deus, tudo se abriu diante do entendimento de Jesus, e ele nunca mais hesitou, e nem se deixou vencer pela indecisão.

"[...] salvou os outros..." (conclusão obrigatória), "[...] *a si mesmo não pode salvar-se...*" (conclusão blasfema) (comentário de Lange, *in loc.*). A declaração de que creriam nele, se descesse da cruz, não podia ser considerada seriamente. Eram *zombadores pios* (Bruce, *in loc.*). Fingiram uma vez mais, como também estavam acostumados a fazer. Eram hipócritas, que já haviam manchado suas mãos de sangue. Para alguns deles, aquilo era uma novidade, mas para aqueles que assaltavam as casas das viúvas, pervertendo a intenção moral da lei no que respeita a muitas outras coisas, aquele crime extra lhes foi fácil de praticar. Em suas palavras, porém, continuavam mostrando-se religiosos. Falavam de fé em Cristo; mas em realidade zombavam dele o tempo todo. O texto de Lucas 23.36,37 mostra que a zombaria era geral, porque até os próprios soldados romanos imitaram os judeus que estavam nas proximidades, desafiando a Jesus em iguais termos.

27.43: confiou em Deus, livre-o ele agora, se lhe quer bem; porque disse: Sou Filho de Deus.

27.43 πέποιθεν ἐπὶ τὸν θεόν, ῥυσάσθω νῦν[12] εἰ θέλει αὐτόν· εἶπεν γὰρ ὅτι Θεοῦ εἰμι υἱός.

> 43 πέποιθεν...αὐτῶν Sl 22.8   ῥυσάσθω...υἱός Sabedoria 2.18-20 εἰ πεν...υἱός Jo 5.18; 10.36; 19.7
>
> [12]**43** {C} ῥυσάσθω νῦν ℵ B L 33 892 vg^{cl} // ῥυσάσθω νῦν αὐτόν A^{vid} D K W Δ Θ Π² *f*¹ *f*¹³ 700 1071 1195 1216 1230 1241 1242 1253 1344 1365 2148 2174 *Byz Lect* (*l*⁵⁴⁷ αὐτῷ) it^{a,aur,b,c,d,ff,ff²,g¹,h,l,q,r¹} vg^{ww} syr^{s,p,h,pal} cop^{sa} goth arm eth geo¹ Diatessaron Eusebius // ῥυσάσθω αὐτόν (*ver* Sl 21.9 LXX) A^c Π^c 565 1009 1010 1079 1546 1646 *l*^{185,883,950,1663} it^{ff²} cop^{bo} geo² Eusebius

> Embora se possa argumentar que αὐτόν foi apagada por um editor alexandrino como palavra supérflua, a comissão julgou mais provável que o termo tenha sido inserido devido ao texto de Salmos 21.9, na LXX.

"[...] **confiou em Deus...**". A primeira parte desse versículo é uma tradução independente do texto hebraico de Salmos 22.8. A segunda parte faz notável paralelo com Sabedoria de Salomão 2.18, que diz: "Porque se o justo é filho de Deus, ele o sustentará, o livrará

da mão de seus adversários". Alguns acreditam que o autor deste evangelho pode ter tido em mente a seção inteira de Sabedoria de Salomão (2.12-20) quando escreveu estas palavras. Isso, naturalmente, não significaria que Jesus não cumpriu a profecia, ao sofrer esses desafios ousados, mas significaria que a linguagem particular para expressar as zombarias de que foi alvo verteu na linguagem mesma das Escrituras. Portanto, foi um extraordinário cumprimento profético, porque a vontade de Jesus não esteve envolvida. Ele não controlava o que seus adversários diziam, e certamente eles não tinham nenhuma intenção de cumprir uma profecia. Não obstante, a grande vida de Jesus foi prevista, e aqueles momentos terríveis têm muitos paralelos proféticos no AT.

"[...] **se de fato lhe quer bem...**" Aqui temos uma boa tradução do texto grego, porque ali a ideia é a de desejo ou amor, e não de mera aceitação. Se o Pai realmente amasse o homem que ali morria na cruz, que demonstrasse esse amor e interesse por ele; se Jesus era realmente o amado de Deus, certamente o Pai não haveria de rejeitá-lo agora. "Uma zombaria plausível, embora iníqua" (Bruce, *in loc.*). O verbo grego *thelo* é usado na LXX por mais de quarenta vezes para traduzir o vocábulo hebraico que significa "desejar intensamente", "deleitar-se em". Esse é o verbo em foco, nesta passagem de Mateus.

27.44: O mesmo lhe lançaram em rosto também os salteadores que com ele foram crucificados.

27.44 τὸ δ' αὐτὸ καὶ οἱ λῃσταὶ οἱ συσταυρωθέντες σὺν αὐτῷ ὠνείδιζον αὐτόν.

"[...] **os mesmos impropérios...**" O certo é que tanto Marcos como Mateus não tiveram alcance à tradição que Lucas reflete, acerca do *assaltante arrependido*. Quanto à exposição dessa porção, ver Lucas 23.40-43. Essa seção contém algum material importante sobre a questão da imortalidade, sendo de grande interesse, por fazer parte da história da crucificação de Jesus. Alguns intérpretes consideram que as duas narrativas são contraditórias, mas a verdade é que são meramente suplementares. A princípio, os dois ladrões blasfemavam, mas finalmente um deles mudou de atitude. "[...] o primeiro resignou a todas as esperanças terrenas, e em sua morte voltou-se para o Cristo moribundo; o outro, em seu desespero, blasfemou do Cordeiro que morria". (Comentário de Lange, *in loc.*). Essa porção adicional da tradição, provavelmente foi descoberta por Lucas através das investigações que fez nos vários aspectos da vida de Jesus, investigações essas que sem dúvida o levaram a muitos lugares, ensejando-lhe a oportunidade de conversar com muitas testemunhas de várias cenas. O desvendamento desse incidente particular oferece novas bases de esperança para toda a humanidade. O arrependimento é de importância capital. E a vida é eterna.

(d) Morte de Jesus (27.45-56)

27.45: E, desde a hora sexta, houve trevas sobre toda a terra, até a hora nona.

27.45 Ἀπὸ δὲ ἕκτης ὥρας σκότος ἐγένετο ἐπὶ πᾶσαν τὴν γῆν ἕως ὥρας ἐνάτης.

> 45 Am 8.9   45 επι πασαν την γην] om ℵ* 248 *l*

"[...] **desde a hora sexta até a hora nona houve trevas...**". Mateus emprega designações judaicas da passagem do tempo. As trevas tiveram início ao meio-dia e se prolongaram até às 15 horas. A passagem de Marcos 15.25 revela que a crucificação começou na terceira hora, maneira judaica de aludir às 9 horas da manhã. (Ver Jo 19.14 para uma discussão sobre o problema de harmonia em relação à hora da crucificação.) O evangelho apócrifo de Pedro diz: "Era *meio-dia*, e as trevas se apossaram da Judeia inteira". Por conseguinte, poderíamos compreender que "toda a terra" refere-se a um fenômeno local, e não ao "mundo inteiro". O texto de Lucas 23.45 pode indicar um eclipse do sol, mas não é necessário que se compreenda o versículo desse modo. Sabemos

728 |Mateus| NTI

que um eclipse era algo astronomicamente impossível durante a lua cheia do período da Páscoa; e, além disso, nenhum eclipse se teria prolongado por três horas. Sem a menor dúvida, os evangelistas estavam pensando em um grande milagre. Todavia, tem havido diversos estranhos períodos de *trevas durante o dia*. A terra está cruzando o espaço à velocidade de cerca de trinta mil quilômetros por hora; mas de forma nenhuma o espaço é uma expansão vazia. Bilhões de minúsculas partículas são varridas para a atmosfera da terra diariamente. Existem massas de poeira e de gases, as quais são capazes de, ocasionalmente, bloquear os raios do sol.

Segundo está registrado, a 26 de abril de 1884, em Preston, na Inglaterra, houve *trevas dramáticas* em pleno meio-dia. O céu simplesmente escureceu-se como se uma gigantesca cortina houvesse sido baixada. As pessoas ficaram sem enxergar, a ponto de não poderem andar nas ruas; algumas delas pensaram que se tratasse do fim do mundo; os devotos puseram-se a orar. A escuridão, porém, desapareceu tão subitamente como começou. Em Aitkin, no Estado de Minessota, nos Estados Unidos da América, a 2 de abril de 1889, aconteceu a mesma coisa, como também já acontecera a 19 de março de 1886, em Oshkosh, Estado de Wisconsin, no mesmo país. Ali, a escuridão, negra como carvão, perdurou apenas dez minutos. Outras cidades, mais a oeste, também viram o fenômeno. Em setembro de 1950, grande parte dos Estados Unidos da América presenciou um estranho sol azul, que parecia estar filtrado por um espesso filtro. Dois dias mais tarde, na Escócia e na Inglaterra, houve o mesmo fenômeno. Mais ou menos nesse mesmo tempo, a Dinamarca também deu notícias sobre fato idêntico em seu território. Portanto, essas coisas realmente acontecem. (Informações extraídas do livro *Stranger than Science*, Frank Edwards, cap. 24). Por conseguinte, é provável que, ao tempo da crucificação de Jesus, mediante providência de Deus, o firmamento simplesmente se tivesse obscurecido, por causa de algum fenômeno astronômico ainda desconhecido, e não devido a um eclipse do sol. Quando da crucificação de Jesus, a natureza mostrou seu desprazer com o que os homens faziam. Os cristãos primitivos apelavam para a declaração de Flegon, cronista que viveu ao tempo do imperador Adriano, que apoiava a realidade dessa ocorrência. Eusébio cita essas palavras (data, quarto ano da 202ª olimpíada): "Ocorreu o maior escurecimento do sol de que já se teve notícia; tornou-se noite ao meio-dia, de forma que as estrelas brilharam no firmamento. Um terremoto gigantesco na Bitínia, destruiu parte de Niceia". Essa mesma passagem foi citada por Júlio Africano (222 d.C.), em Syncellu's *Chron.* 257, *Ven.* 322. Entretanto, alguns acham que ele aludiu tão-somente a um eclipse do sol. Assim, vemos que o falecimento do Senhor Jesus foi acompanhado por uma extraordinária ocorrência neste mundo físico. Era como se a natureza física protestasse contra os maus desígnios dos homens. "No momento em que Cristo, o Príncipe da Criação, princípio da vida da humanidade e do mundo, expirou, todo o mundo físico se convulsionou também". (Comentário de Lange, *in loc.*). Assim também, quando Cristo nasceu, uma grande luz brilhou ao redor dos pastores, e a noite tornou-se como o dia. Quando Cristo morreu, o sol foi encoberto e o dia transformou-se em noite. Suidas relata que Dionísio, o Aeropagita (nessa época, ainda pagão) exclamou, ao observar esse fenômeno: "Ou Deus está sofrendo, e o mundo simpatiza com ele, ou então o mundo está se precipitando para a destruição". Pelo menos as trevas cerraram a boca dos escarnecedores.

Deve-se observar que, embora os primitivos escritores cristãos, como Tertuliano e Orígenes, tivessem citado autores pagãos em apoio às narrativas dos Evangelhos, muito se tem escrito mais recentemente para mostrar que esse material foi mal citado e mal compreendido. Não obstante, o fato real do escurecimento parece ter sido perfeitamente certo; e ninguém pode afirmar com certeza que os primitivos cristãos não contavam com evidências substanciais em apoio a isso, extraído de autores antigos, ainda que esse ponto permaneça na dúvida.

Os mss Aleph(1), 248 e a versão latina 1 omitem as palavras *sobre toda a terra*. Todavia, a evidência uniforme, dada pelos mss, favorece o texto familiar, e nenhuma das traduções utilizadas para efeito de comparação, neste comentário, omite essas palavras.

27.46: Cerca da hora nona, bradou Jesus em alta voz, dizendo: Eli, Eli, lamá sabactani; isto é, Deus meu, Deus meu, por que me desamparaste?

27.46 περὶ δὲ τὴν ἐνάτην ὥραν ἀνεβόησεν ὁ Ἰησοῦς φωνῇ μεγάλῃ λέγων, Ηλι ηλι λεμα σαβαχθανι; τοῦτ' ἔστιν, Θεέ μου θεέ μου, ἱνατί με ἐγκατέλιπες;

---

46 Ηλι ηλι...σαβαχθανι Sl 22.1   Θεέ μου θεέ...ἐγκατέλιπες Sl 22.1

46 Ηλει Ηλει] *p)* Ελωι Ελωι אB *33* | λεμα (λαμα Θ *1 al* ς; R)σαβαχθανει] λαμα ζαφθανι D it

---

Ao invés de ηλι (ou ηλει), em lugar do hebraico אֵלִי ("meu Deus"), o texto de vários testemunhos, incluindo א B 33 cop[sa,bo] eti foi assimilado à forma ελωι, de Marcos 15.34, que representa o aramaico אֱלָהִי ("meu Deus"), e a letra ω em em lugar de α, deveu-se à influência do hebraico אֱלֹהִי.

A soletração — λεμα (א B 33 700 998 *al*) representa o aramaico לְמָא (por quê?), que também provavelmente deve ser entendido como a palavra que está por trás de λιμα (A K U Γ Δ Π 090 *al*) e de λειμα (E F G H M S V *al*) ao passo que λαμα (D Θ 1 22 565 1582 *al*) representa o termo hebraico לָמָה (por quê?)

Tal como em Marcos 15.34, a maioria dos testemunhos diz σαβαχθανι ou algo similar (σαβαχθανει, א A Δ 1 69; σαβακτανει, B 22 713 1402), que representa o termo aramaico שְׁבַקְתָּנִי ("tu me esqueceste"). O códex Bezae, porém (como também o paralelo de Marcos, diz ζαφθανει, que representa o hebraico צֻבַתֲנִי ("tu me esqueceste"; quanto à soletração, ver o comentário sobre Mc 15.34); e assim, esse manuscrito, em Mateus e Marcos, é coerente ao dar uma transliteração que representa um original hebraico do princípio ao fim, ao invés de parte hebraico (primeiras palavras) e parte aramaico (última palavra). (Ver também os comentários sobre Mc 15.34.)

"Por volta da hora nona, clamou Jesus... Eli, Eli, lema sabactâni..." Os mss antigos diferem ao dar essas palavras em forma transliterada. Seguindo o aramaico, alguns mss dizem "Eloi, eloi, lema sabacthanei". O códex Vaticanus é o principal mss que contém esse texto. Os mss Aleph e 33 dizem "Eloi, eloi", mas depois alteram levemente as palavras restantes. Outros mss, seguindo a transliteração hebraica dessas mesmas palavras, dizem: "Eli, Eli, lama zaphthanei". Todavia, isso pode ser simplesmente a transliteração de Salmos 22.1, de onde se deriva a citação, e pode ter sido diretamente copiada dali por alguns escribas antigos que compilaram mss do NT. O códex D e muitos mss latinos assim registram. Outros mss misturam o aramaico e o hebraico de uma forma ou de outra, dizendo "lema" ou "lama", "Eli", "Eloi", ou "Elei" e "sabachthanei" ou "zaphthanei". O texto adotado pelo Nestlé é *Eli, Eli, lema sabaxthani*, que é essencialmente aramaico, embora o "Eli" seja hebraico. Ainda que uma conclusão inteiramente certa sobre as palavras exatas que Jesus proferiu pareça impossível de ser obtida, parece bem provável que ele deve ter usado termos aramaicos; ou então, estando em terrível agonia, realmente pode ter *misturado* os dois idiomas, o que seria um resultado natural de tão intensos sofrimentos como os que experimentou.

O evangelho apócrifo de Pedro, refletindo tendências docéticas, diz: "Meu poder, meu poder, tu me abandonaste!" Os gnósticos ceríntios diziam que o *aeon* Cristo veio habitar no homem Jesus, quando de seu batismo, tendo-o abandonado na cruz de tal modo, que somente o homem Jesus morreu, enquanto que a sua porção "divina" ou semidivina abandonou-o antes da morte. Essa ideia foi considerada herética pela igreja primitiva, e certamente não é doutrina neotestamentária quanto à pessoa e à identificação de Jesus Cristo. (Quanto a um completo tratamento sobre a identificação de Jesus, consultar o artigo da introdução a este comentário, intitulado *Jesus, identificação, ministério e ensinos*. (Ver notas sobre o "Filho de Deus", em Mc 1.1; sobre o "Filho do homem", em Mc 2.7 e Mt 8.20; e sobre a humanidade de Cristo, em Fp 2.7.)

Esse clamor de desolação foi solto ao término das três horas de escuridão, e, muito curiosamente, é a única das sete declarações da cruz dada ao mesmo tempo por Marcos e Mateus.

"[...] hora nona..." "No começo da tarde de sexta-feira, um novo grupo de sacerdotes, de levitas e de 'auxiliares', que eram os representantes de todo o povo de Israel, chegaram a Jerusalém; e então, tendo-se preparado para o período festivo, subiram ao templo. A aproximação do sábado, e seu início real, foram anunciados por três sinais de trombeta, soprados pelos sacerdotes. Os três primeiros toques tiveram lugar quando um terço do culto do sacrifício vespertino terminara, ou seja, cerca da hora nona; isso era cerca de 15 horas da sexta-feira". (Edershein, *Temple*). Por conseguinte, o grito dado por Jesus na cruz e a sua morte, seguiram-se quase imediatamente, e isso correspondeu ao tempo em que terminavam os sacrifícios.

MUITA discussão se tem centralizado em volta *do sentido* desse clamor de desamparo. Naquele ponto, após aquelas horas de trevas, Jesus sentiu mais agudamente o seu horrendo estado de separação de Deus, porquanto suportava os pecados do mundo, e se identificou perfeitamente com o pecador, que está separado de Deus. Alguns intérpretes acreditam que, naquele momento, Jesus foi abandonado por Deus Pai, sendo ele o representante dos homens pecaminosos; porém, parece mais provável que tenha ocorrido exatamente o contrário. Deus não abandonou a Jesus, porquanto naquele momento (como em todos os momentos em que esteve na cruz), quando Jesus expressou seu grito de total desolação, Deus aceitou não somente a ele, mas também toda a humanidade em sua pessoa; pois tão grande é o seu valor, como homem representativo, que, mediante identificação com ele, somos aceitos nele. Por isso mesmo é que o salmo 22, de onde se deriva a declaração, termina com uma nota de triunfo, e não de desespero ou derrota. Diríamos, portanto, que a pessoa de Cristo é tão grande, que o abandono de sua pessoa por parte de Deus Pai era simplesmente uma impossibilidade. Naquele momento, todavia, Deus teve *de aceitar todos os homens* em sua pessoa; e o valor de Cristo é tão grande, que isso se tornou possível, e realmente se tornou realidade. Dessa forma, o valor de Jesus envolveu o mundo inteiro, a raça inteira dos homens. E agora, em Jesus Cristo, a raça humana inteira é aceita, sob condição de arrependimento e fé.

O que não devemos perder de vista nesta passagem, no clamor de Jesus, é que uma vez mais fica comprovada a sua verdadeira humanidade, porque ele não era um mero ator a desempenhar um papel. Era homem autêntico, tendo compartilhado plenamente de nossa natureza, tendo experimentado os sofrimentos humanos, e tendo sido aperfeiçoado em sua natureza humana por meio desses sofrimentos, como também se fica sabendo em Hebreus 5.9. Quanto a uma nota sobre a grande importância dessa doutrina, tão frequentemente ignorada pela igreja moderna, ver as notas em Filipenses 2.7.

O grito de desamparo de Jesus foi registrado apenas por Mateus e Marcos, sendo a única declaração feita por Jesus, estando na cruz, registrada em ambos esses evangelhos. Quanto a uma lista das sete declarações da cruz, ver os comentários relativos ao v. 50.

27.47: Alguns dos que ali estavam, ouvindo isso, diziam: Ele chama por Elias.

27.47 τινὲς δὲ τῶν ἐκεῖ ἑστηκότων ἀκούσαντες ἔλεγον ὅτι Ἠλίαν φωνεῖ οὗτος.

"[...] diziam: ele chama por Elias". Alguns estudiosos são de opinião de que as palavras de Jesus realmente não foram mal compreendidas; foram tão-somente pervertidas, para que dele aquelas pessoas pudessem zombar. "Nenhum judeu poderia confundir 'Eli' com o nome de Elias: a zombaria, se foi propriamente registrada, mostra-se como um jogo deliberativo de palavras" (Buttrick, *in loc.*). E diz mais adiante o mesmo autor: "O escárnio acerca de Elias, a quem os judeus reputavam como um aliado impávido dos justos, em suas provações, acrescentou amargura humana ao trabalho de parto da natureza. James Stalker referia-se a esse grito como o clamor vindo das maiores profundezas do desespero. De fato, trata-se do mais espantoso som que já atravessou a atmosfera desta terra... Até hoje, não pode ser ouvido sem um estremecimento frio de terror (*The Trial and Death of Jesus Christ*, p. 218, 219) [...] sabemos que Jesus, durante toda a sua vida e também na cruz, compartilhou de nossa luta humana".

Existem várias explicações que admitem que aqueles que estavam nas proximidades da cruz tivessem pensado que Jesus estivesse a chamar por Elias: (1) Foi um mal-entendido por parte dos soldados romanos e dos judeus helenistas; (2) ou foi um equívoco por parte dos próprios judeus de Jerusalém. Isso está dentro da hipótese possível, se Jesus, em sua agonia, não pronunciou claramente as palavras; ou se houve uma mescla de palavras aramaicas e hebraicas. No entanto, parece que a maioria dos comentaristas até certo ponto concorda com o comentário de Meyer: "Uma blasfema brincadeira judaica, com um jogo de palavras infeliz e ímpio com o nome Eli". Diz Alford (*in loc.*): "[...] *escárnio intencional...*" No entanto, diz o comentário de Lange (*in loc*): "De forma nenhuma está fora de cogitação imaginarmos que a superstição judaica, após trevas tão prolongadas, tenha tomado a forma da expectação do aparecimento do Messias. Pelo menos, podemos dizer que eles procuraram ocultar o seu terror sob um ambíguo jogo de palavras". Devemos também lembrar que Elias estava associado àquelas expectativas messiânicas, e que o seu nome, naturalmente, pode ter sido proferido com temor, quando o grito lancinante de Jesus quebrou o silêncio, após as três horas de trevas.

27.48: E logo correu um deles, tomou uma esponja, ensopou-a em vinagre e, pondo-a numa cana, dava-lhe de beber.

27.48 καὶ εὐθέως δραμὼν εἷς ἐξ αὐτῶν καὶ λαβὼν σπόγγον πλήσας τε ὄξους καὶ περιθεὶς καλάμῳ ἐπότιζεν αὐτόν.

48 Sl 69.21

27.49: Os outros, porém, disseram: Deixa, vejamos se Elias vem salvá-lo.

27.49 οἱ δὲ λοιποὶ ἔλεγον, Ἄφες ἴδωμεν εἰ ἔρχεται Ἠλίας σώσων αὐτόν.[13]

[13] 49 {B} αὐτόν A D K W Δ Θ Π 090 *f¹ f¹³* 28 33 565 700 892 1009 1071 1079 1195 1216 1230 1241 1242 1253 1344 1365 1546 1646 2148 2174 *Byz Lect* it^{a,aur,b,c,d,f,ff²,g¹,h,l,q,r¹} vg syr^{s,p,h,pal mss} cop^{sa,bo} goth arm eth^{pp,mss} geo Diatessaron Origen^{lat} Apostolic Canons Eusebius Hilary Jerome Augustine // αὐτόν ἄλλος δὲ λαβὼν λόγχην ἔνυξεν αὐτοῦ τὴν πλευράν καὶ ἐξῆλθεν ὕδωρ καὶ αἷμα. (*ver* Jo 19.34.) ℵ B C L 1010 syr^{pal mss} eth^{ro,ms*} Chrysostom^{acc.to Severus}

Embora confirmadas em — ℵ B C L *al* as palavras ἄλλος δὲ λαβὼν λόγχην ἔνυξεν αὐτοῦ τὴν πλευράν, καὶ ἐξῆλθεν — ὕδωρ καὶ αἷμα devem ser consideradas como uma antiga intrusão, derivada de uma narrativa similar, em João 19.34. Poder-se-ia pensar que essas palavras foram omitidas porque fazem a ferida no lado de Jesus anteceder sua morte, ao passo que João o faz seguir-se; mas essa diferença teria sido apenas uma razão para mudar a passagem para posição posterior (talvez para o fim dos v. 50, 54 ou 56); ou então houve algum manuseio da passagem no evangelho de João, o que não se verificou. É provável que o texto

730 |Mateus| NTI

joanino tenha sido escrito por algum leitor à margem do evangelho de Mateus, de memória (há várias diferenças menores, como a sequência de "água e sangue"), e um copista posterior, desajeitadamente, o tenha introduzido no texto de Mateus.

"[...] um deles correu a buscar uma esponja..." As palavras proferidas por Jesus na cruz — "Tenho sede" — precederam de imediato essa cena, provavelmente tendo provocado a ação em foco, o que, de acordo com o evangelho de João, foi feito por diversas pessoas, e não apenas por uma (ver Jo 19.28,29). Essa declaração, feita na cruz, é considerada pelo autor do evangelho de João como cumprimento de certa profecia referente ao Messias, certamente o cumprimento das exigências de Salmos 22.15 e 69.21. Uma sede intensa era resultado natural da experiência da crucificação, quando os líquidos corporais se ressecavam em grande escala. Sem dúvida nenhuma, esse vinagre foi oferecido a lábios ressequidos e partidos. Conforme é esclarecido no v. 34, era o vinho azedo comum, que os soldados estavam acostumados a ingerir. A esponja foi afixada em um caniço, ou na ponta da lança de um soldado (ver Jo 19.29). A passagem de João 19.30 indica que Jesus não rejeitou a bebida desta vez, conforme fizera antes (segundo se verifica no v. 34 deste mesmo capítulo).

Parece que, enquanto um fazia isso, os outros o interromperam, desejando ver se algum acontecimento prodigioso teria lugar, porquanto estavam familiarizados com os poderes estranhos de Jesus, e talvez tivessem realmente esperado que algo de incomum tivesse lugar na ocasião. No evangelho de Mateus, os *outros* procuram restringir o homem; mas no evangelho de Marcos, o próprio homem clama: "Deixai..." (Mc 15.36). Não é impossível que ambas as coisas tivessem realmente ocorrido, ou então que os diversos evangelistas simplesmente houvessem misturado as circunstâncias, pois pequenos pormenores não lhes pareciam importantes como o são para alguns intérpretes modernos.

Alguns intérpretes (embora a minoria) atribuem esse ato de misericórdia a um ou mais dos soldados; visto que, sem dúvida, foi o vinho deles que foi usado. No entanto, é possível que os próprios escritores dos evangelhos tenham pensado em outro mau-trato, porquanto o salmo 69.21 diz: "Por alimento me deram fel, e na minha sede me deram a beber vinagre", e isso foi predito como sinal de maus-tratos, e não como um ato misericordioso.

"Deixa..." No grego é *antes*, que neste caso provavelmente serve como auxiliar do subjuntivo e não deveria ser traduzido; e, assim, as duas palavras, consideradas juntamente, significariam "[...] *vejamos*..." Era uma palavra de cautela, a expectação temerosa de algum evento prodigioso. O que esperavam, porém, não ocorreu — embora tivesse acontecido o prodígio: Jesus morreu, e assim se consumou o maior crime da humanidade; mas, ao mesmo tempo, fez-se a grande expiação, porquanto, em Cristo, Deus aceita a todos nós. "Lembrar-se-ão do Senhor e a ele se converterão os confins da terra..." (Sl 22.27). "[...] Deus estava em Cristo, reconciliando consigo o mundo..." (2Co 5.19).

Os mss Aleph, BCL, e alguns códigos da Vulgata Latina, adicionam a este versículo: "E outro tomou uma lança e perfurou-lhe o lado, e dali saiu água e sangue". Aqui temos uma instância em que os mss mais antigos são os que têm o texto errado. Foi acrescentado o texto à base de João 19.34, mas posto no *lugar errado* desta narrativa, porquanto Jesus ainda não havia morrido, neste ponto da narração de Mateus. Poderíamos conjecturar que foi o próprio autor deste evangelho que se equivocou, relatando o incidente fora da ordem, e que, subsequentemente, escribas eliminaram essas palavras. Todavia, é mais provável que em algumas cópias antigas, mediante assimilação harmonizadora, se tenha acrescentado o versículo do evangelho de João nesta altura do evangelho de Mateus; e então, escribas posteriores, percebendo o erro, simplesmente tenham deixado de lado essas palavras. Nenhuma das traduções usadas para efeito de comparação neste comentário (catorze, ao todo) contém essas palavras.

27.50: De novo bradou Jesus com grande voz, e entregou o espírito.

27.50 ὁ δὲ Ἰησοῦς πάλιν κράξας φωνῇ μεγάλῃ ἀφῆκεν τὸ πνεῦμα.

$\overline{50\ \pi\alpha\lambda\iota\nu]}$ *om* Lϕ *pc sy*ᶜ

"E Jesus, clamando outra vez com grande voz, entregou o espírito". Talvez com o desejo de indicar que se tratou de um ato voluntário de Jesus, Mateus substituiu a expressão "entregou o espírito" pela palavra usada por Marcos: "expirou". O texto de João 19.30 expressa a mesma ideia, ao dizer: "Está consumado! E inclinando a cabeça, rendeu o espírito". Foi espantoso que Jesus tivesse morrido em tão pouco tempo, conforme a passagem de Marcos 15.44 também nos mostra: "Mas Pilatos admirou-se de que ele já tivesse morrido". É possível que os diversos julgamentos e os espancamentos a que Jesus foi sujeitado tivessem minado as suas energias, e que ele tivesse ficado enfraquecido ao ponto de seu corpo não poder mais resistir por longo tempo aos rigores da cruz. Jesus foi crucificado às 9 horas, e só conseguiu sobreviver até as 15 horas. Seis horas era período brevíssimo para os casos de crucificação, porquanto alguns condenados resistiam durante vários dias. Não obstante, lemos que algumas vítimas morriam dos açoites, o que fazia parte do castigo; pelo que não devemos pensar ser impossível que a morte de Jesus pudesse ter ocorrido em tão breve espaço de tempo.

Embora os autores dos evangelhos de Mateus e de João desejem indicar *um ato voluntário* na entrega do espírito, por parte de Jesus, não obstante a sua morte foi perfeitamente real. Sua morte comprovou a sua humanidade. Jamais nos devemos esquecer disso, porque é uma doutrina importante. Jesus se identificou totalmente conosco em nossa natureza, tendo vivido uma vida mortal, e morreu como qualquer mortal morreria. A sua morte tem significação mística, pois nessa morte nós morremos para o mundo, bem como para os efeitos da condenação imposta contra o pecado. Assim também, em sua vida, a partir de sua ressurreição, vivemos em Cristo. Dessa maneira, a identificação tornou-se completa, e agora convém que compartilhemos de sua vida total, por meio da transformação metafísica e moral de nosso ser, seguindo o modelo de sua pessoa. (Ver as notas que fornecem pormenores sobre essa importantíssima doutrina, em Rm 8.29. Quanto a notas sobre a importância da humanidade verdadeira de Jesus Cristo, ver Fp 2.7.) Acima de tudo, a morte de Jesus provou a sua humanidade, e mostrou que essa era real, semelhante à nossa.

Alguns acreditam que Jesus tenha morrido de ruptura do coração, o que explicaria o seu grito lancinante de dor. A descrição de João, de que saiu água e sangue de seu lado transpassado pela lança, parece acrescentar provas a essa teoria (ver Jo 19.34). Nesse caso, a lança chegou-lhe até perto do coração. Quando o coração se rompe, o sangue se ajunta no pericárdio, o ligamento em torno da parede do coração, dividindo-se numa espécie de coágulo de sangue e soro aquoso. Isso, naturalmente, é evidência sólida de que Jesus realmente morrera, que não foi tirado da cruz ainda vivo, para mais tarde ser reanimado, para assim "ressuscitar". Pelo contrário, essa substância, dividida em água e sangue prova que ele estava realmente morto; e o registro simples de João, sobre esse detalhe, reveste-se de imenso valor, embora provavelmente não tivesse conhecimento do que tal condição indicava.

As sete declarações da cruz — Não pode haver certeza absoluta sobre a ordem dessas declarações, visto que precisamos extraí-las dos diversos Evangelhos, e os Evangelhos não nos fornecem precisas indicações de tempo. Todavia, a ordem delas parece ter sido a seguinte:

1. Oração de Jesus, rogando perdão para os seus inimigos, a qual, provavelmente, foi proferida quando a crucificação estava em começo (Lc 23.34).

2. Promessa ao assaltante arrependido (Lc 23.43).

3. Entrega de sua mãe aos cuidados do discípulo amado (Jo 19.26,27).

Essas três primeiras declarações foram feitas antes de sobrevirem as trevas, e cada uma delas mostrou a preocupação de Jesus por outros, o que, por si mesmo, é algo muito instrutivo acerca da natureza e da personalidade de Jesus. (No tocante aos pormenores dessas declarações, ver a exposição em cada referência indicada.)

4. Pouco antes de sua morte, houve o clamor de desamparo, provavelmente quando ainda fazia trevas, ou pouco depois dessas se terem dissipado (Mc 15.34 e Mt 27.46).

5. O grito de angústia física — "Tenho sede" (Jo 19.28).

6. O grito de vitória (Jo 19.30).

7. O grito de resignação (Lc 23.46).

Estas quatro últimas declarações de Jesus disseram respeito a ele mesmo. A exposição de cada uma delas pode ser encontrada nas referências indicadas.

Além daquilo que já foi mencionado, o que é ilustrado pelas declarações deste versículo, devemos observar que Jesus entregou o seu espírito ao Pai (ver também Lc 23.46: "Pai, nas tuas mãos entrego o meu espírito"). Isso, naturalmente, subentende que a personalidade humana não se compõe de um elemento simples, a que chamamos de matéria. Existe também uma porção espiritual, que sobrevive e que pode ser separada do corpo. Em outras palavras, a imortalidade é um fato. (Ver 2Co 5.8,l quanto a uma descrição dessa doutrina.)

Após sua morte, mas antes de sua ressurreição, o espírito de Jesus teve um ministério importante no Hades (ver 1Pe 3.18 e 4.6, quanto a uma descrição desse ministério).

27.51 E eis que o véu do santuário se rasgou em dois, de alto a baixo; a terra tremeu, as pedras se fenderam,
27.51 καὶ ἰδοὺ τὸ καταπέτασμα τοῦ ναοῦ ἐσχίσθη ἀπ' ἄνωθεν ἕως κάτω εἰς δύο, καὶ ἡ γῆ ἐσείσθη, καὶ αἱ πέτραι ἐσχίσθησαν,

51 τὸ...ναοῦ Ex 26.31-35; Hb 10.20

"[...] o véu do santuário se rasgou..." Se confiamos em Deus e cremos em seu poder, por que haveríamos de duvidar de determinadas ocorrências físicas, havidas quando da morte de Cristo? Ele era o Filho de Deus em sentido todo especial. A natureza protestou contra a iniquidade dos homens, e esse protesto chegou até o interior do próprio templo. O véu do templo era extremamente espesso e resistente. Tinha a largura de u'a mão de espessura, tecido com setenta e duas dobras torcidas, cada dobra feita com vinte e dois fios. Media cerca de dezoito metros de altura por nove de largura. Seria mister uma força poderosíssima para conseguir esse prodígio.

O véu dividia o *Santo Lugar* do *Santo dos Santos*, onde o sumo sacerdote entrava no dia da expiação (ver Êx 26.31 e Lv 16.1-30). A presença de Deus estava associada ao Santo dos Santos e, assim, em tipo ou símbolo, o acesso maior a Deus, por meio de Cristo, posto à disposição de todos os homens, foi indicado. O texto de Hebreus 10.20 usa o véu como símbolo do corpo partido de Jesus. Por esse corpo alquebrado o acesso é provido. Não podemos deixar de crer, igualmente, que o véu rasgado simbolizou o fim da adoração judaica, como expressão válida da alma em busca da veracidade de Deus. Outrossim, o véu rasgado foi um protesto contra os homens, externamente piedosos, mas que crucificaram o Cristo de Deus. Os judeus confiavam na adoração que eles efetuavam no templo, como dotada de valor espiritual; não obstante, o seu coração estava totalmente destituído de qualquer reverência à fé em Deus. Viram que o véu se rasgara em dois e, diante disso, souberam que a ira de Deus pairava sobre eles, e que seus dias estavam contados. Havia dois véus ou cortinas no templo — um, entre o átrio exterior e o Santo Lugar; outro, entre o Santo Lugar e o Santo dos Santos. Este último véu é que se rasgou em dois.

Certo livro apócrifo (evangelho segundo aos Hebreus) revela-nos que, em adição a esse rompimento do véu, o umbral onde estava pendurado, despedaçou-se sozinho. Os líderes do templo haviam sido *falsos* para com o concerto, e o lugar de adoração deles foi deixado desolado. Mais fenômenos ainda haveriam de demonstrar a mesma coisa. Josefo e o Talmude ambos narram vários portentos que procederam à queda de Jerusalém; e alguns desses prodígios começaram a ocorrer logo depois da crucificação de Jesus, até a destruição final da cidade, em 70 d.C. (Quanto a uma descrição dessas diversas experiências místicas, que aconteceram como profecias de advertência, ver as notas em Mt 24.2.)

Lemos, em Atos 6.7, que "[...] também muitíssimos sacerdotes obedeciam a fé", isto é, convertiam-se ao cristianismo. Não é de forma nenhuma improvável que o conhecimento do que ocorreu no templo, ao tempo da crucificação de Jesus, tenha ajudado muitos deles a enxergarem a verdade, reconhecendo que Jesus era o Cristo, o que os levou a abraçarem sem tardança a nova religião revelada.

"[...] tremeu a terra, fenderam-se as rochas..." Alguns têm conjecturado que essa convulsão é que rasgou o véu; mas isso é extremamente improvável. O despedaçamento do umbral onde estava o véu (se o evangelho segundo aos Hebreus é correto em sua informação), entretanto, facilmente poderia ser um dos resultados do tremor de terra. (Ver o v. 45, quanto a uma evidência histórica acerca desse acontecimento.) Os alicerces da Cidade Santa começaram a tremer e a abalar-se, em protesto contra o que fora praticado. Os habitantes da cidade não haviam confiado em Deus e em seu Cristo; e agora nem ao menos podiam confiar na terra, debaixo de seus pés. Josefo (*Guerras dos Judeus*, VI, 299) indica que ocorreu tremendo terremoto em Jerusalém, nesse tempo, quarenta anos antes da destruição de Jerusalém. O Talmude apresenta uma informação semelhante. "Não seria inteiramente correto rejeitar os testemunhos dos viajantes, sobre o fato de extraordinárias fissuras e aberturas nas rochas, perto do local" (Alford, *in loc.*). Durante o reinado de Tibério César, Plínio (L.2.c.84) relata que houve um terremoto que destruiu doze cidades da Ásia, referindo-se à Ásia Menor. Entretanto, o coração dos líderes religiosos dos judeus eram mais duros do que pedra, pois, embora as rochas se partissem, eles não quiseram chegar ao arrependimento.

27.52: os sepulcros se abriram, e muitos corpos de santos que tinham dormido foram ressuscitados;
27.52 καὶ τὰ μνημεῖα ἀνεῴχθησαν καὶ πολλὰ σώματα τῶν κεκοιμημένων ἁγίων ἠγέρθησαν,

52,53 πολλὰ...μνημείων Ez 37.12

27.53: e, saindo dos sepulcros, depois da ressurreição dele, entraram na cidade santa, e apareceram a muitos.
27.53 καὶ ἐξελθόντες ἐκ τῶν μνημείων μετὰ τὴν ἔγερσιν αὐτοῦ εἰσῆλθον εἰς τὴν ἁγίαν πόλιν καὶ ἐνεφανίσθησαν πολλοῖς.

53 τὴν ἁγίαν πόλιν Mt 4.5; Ap 11.2; 21.2.10; 22.19

"[...] abriram-se os sepulcros [...] muitos [...] ressuscitaram...". Somente Mateus adiciona esses informes sobre acontecimentos miraculosos, e provavelmente faziam parte da tradição da igreja de Jerusalém, ou da igreja de Antioquia, ou seja, pertencentes à fonte "M". A ressurreição dos corpos daqueles santos foi mais do que um prodígio ou um aviso. Contudo, sugeriu que a ressurreição de Jesus representa os primeiros frutos da ressurreição geral (ver 1Co 15.20), e que, quando de sua "parousia" ou segunda vinda, o que aqui foi retratado por algumas poucas ressurreições, se generalizará, quando todos os crentes participarem de sua ressurreição e da nova vida, provida por meio disso. (Inácio, Mag. 9:2, contém uma alusão a essa história.) Mediante o seu sacrifício, Jesus venceu o pecado; e, mediante a sua ressurreição, "trouxe" *a*

732 |Mateus| NTI

imortalidade à luz (ver 2Tm 1.10). Portanto, por intermédio dele, todo homem tem acesso a essa vida, a qual é a verdadeira vida, porquanto todos os crentes serão transformados segundo a imagem de Cristo.

"*Quantas* cortinas divisórias *Cristo rasgou* de alto a baixo com a sua morte! A divisão entre sacerdotes e adoradores se dissipou: a igreja é o sacerdócio de todos os crentes. A divisão entre judeus e gentios se dissipou: agora os gentios podem ir além do átrio exterior, entrando no Lugar Santo, sim, e até mesmo no próprio Santo dos Santos. A barreira entre escravo e liberto ruiu, porquanto todos são servos de Cristo, e, por isso mesmo, usufruem de perfeita liberdade. 'A cortina do templo se rasgou em duas partes' " (Buttrick, *in loc.*). A ressurreição desses santos, elevado símbolo da nova liberdade, provavelmente foi permanente, embora não contemos com informações abundantes a respeito disso. Provavelmente, compartilharam da imortalidade que Cristo trouxe, como primogênito entre muitos irmãos. Diz o comentário de Lange (*in loc.*): "Temível e significativo fenômeno, que introduziu o outro fenômeno fantasmagórico. E isso tudo forma um tipo e um símbolo da ressurreição geral e do fim do mundo..." Muitos intérpretes, tanto antigos como recentes, têm dado excessiva importância aos chamados elementos "místicos" desse material, exposto exclusivamente por Mateus. Naturalmente que não podemos apresentar nenhuma evidência, exceto a prova da fé. Se esse elemento é um mito, e chamado assim apenas por ser incomum, então temos pouca razão em esperar pela ressurreição de nosso corpo. O fato de que Paulo, mais tarde, condenou aqueles que ensinavam que a ressurreição já era passada (ver 2Tm 2.18), é uma possível indicação de que essa narrativa é digna de confiança, porquanto muitos têm chegado a supor que esse incidente foi a ressurreição. A tradição é apoiada por diversos pais da Igreja, como Epifânio, Ambrósio e Calóvio, encontrando-se, igualmente, em obras apócrifas, como Atos de Pilatos, e também evangelho de Nicodemos. É possível que as diversas narrativas tivessem outros pontos de referência, não estando limitados exclusivamente ao evangelho de Mateus.

Seis são as ressurreições mencionadas nas Escrituras, que precederam a de Jesus Cristo, embora provavelmente tivessem sido todas restaurações à vida física, sem a participação na vida celestial, pois as pessoas assim ressuscitadas continuaram sendo pessoas mortais: (1) O filho da viúva de Sarepta (1Re 17.2). (2) O filho da sunamita (2Re 4). (3) A ressurreição mediante o toque nos ossos de Eliseu (2Re 13). (4) A filha de Jairo (Mt 9). (5) O filho da viúva de Naim (Lc 7). (6) Lázaro (Jo 11).

Foi o poder ressuscitador de Jesus que ressuscitou as pessoas mencionadas neste versículo, e isso teve lugar quando da ressurreição de Cristo, e não por ocasião de sua morte, conforme fica entendido na expressão "depois da ressurreição de Jesus". Muitas conjecturas têm sido feitas acerca da identificação dos membros desse grupo, como os patriarcas, Abraão, Isaque, Jacó, e outros de tempos mais recentes, como João Batista, Simeão, Ana, Zacarias etc.; mas acerca disso não temos nenhuma informação.

27.54: Ora, o centurião e os que com ele guardavam a Jesus, vendo o terremoto e as coisas que aconteciam, tiveram grande temor, e disseram: Verdadeiramente este era filho de Deus.

27.54 Ὁ δὲ ἑκατόνταρχος καὶ οἱ μετ' αὐτοῦ τηροῦντες τὸν Ἰησοῦν ἰδόντες τὸν σεισμὸν καὶ τὰ γενόμενα ἐφοβήθησαν σφόδρα, λέγοντες, Ἀληθῶς θεοῦ υἱὸς ἦν οὗτος.

"**O centurião...**" O centurião aqui mencionado foi o que dirigiu a execução de Jesus. No exército romano, as divisões principais eram as legiões, as coortes auxiliares e as alas, que eram grupos menores de soldados. As coortes auxiliares (no grego, *speira* ou "bandos") algumas vezes eram chamadas por epítetos distintivos, como a "coorte italiana" (ver At 10.1). As

coortes estavam divididas em dez centúrias, compostas de cem homens cada centúria. Os "centuriões" eram os comandantes de grupos de cem homens ou centúrias.

Em algumas traduções, aparece o artigo definido: "Verdadeiramente este era o Filho de Deus"; contudo, o original grego não contém o artigo. Portanto, é melhor traduzir o título como *um filho*, conforme dizem algumas traduções, como GD, PH, NE, RSV, AC, AA, F, M e IB, embora algumas delas omitam tanto o artigo definido como o artigo indefinido, conforme encontramos nas traduções AA e IB. Não deveríamos, realmente, esperar nenhuma declaração exaltada da parte de lábios pagãos, inconversos e destreinados, como se ele já pudesse reconhecer a deidade de Cristo. Ainda que aquele centurião conhecesse bem as ideias judaicas, mesmo assim não compreenderia os termos empregados, da maneira com que os cristãos o definiriam; e ainda que ele se tivesse convertido naquele mesmo lugar, não poderia saber coisa nenhuma sobre o que significa o termo "Filho de Deus", com respeito a Jesus Cristo. O centurião simplesmente ficou extremamente comovido com o que viu, tendo compreendido que algum acontecimento *prodigioso* tivera lugar, supondo que tivesse relação com o reino dos deuses ou do sobrenatural. A narrativa de Lucas usa palavras diferentes: "Verdadeiramente este homem era justo". Essa é a interpretação de Lucas sobre o que o homem queria dizer. Ele sabia que nenhum homem injusto poderia ter causado tais acontecimentos, e que algo definidamente muito incomum tivera lugar — fenômenos sobrenaturais. Ele atribuiu esses acontecimentos a protestos da natureza contra a crucificação, e declarou que Jesus era homem justo, talvez filho de algum deus, mais do que um mero homem. Não sabemos o nome desse homem, nem coisa nenhuma de certo acerca de sua vida posterior, embora a tradição, no seu desejo de concretizar tudo quanto é deixado sem pormenores, chame-o de Longinus ou Petronius, tendo criado muitas história em torno de sua pessoa.

27.55: Também estavam ali, olhando de longe, muitas mulheres que tinham seguido Jesus desde a Galileia para o servir;

27.55 Ἦσαν δὲ ἐκεῖ γυναῖκες πολλαὶ ἀπὸ μακρόθεν θεωροῦσαι, αἵτινες ἠκολούθησαν τῷ Ἰησοῦ ἀπὸ τῆς Γαλιλαίας διακονοῦσαι αὐτῷ·

<u>55,56 Lc 8.2,3</u>

"**Estavam ali muitas mulheres...**" Elas tinham subido a Jerusalém juntamente com a caravana, para a festa da Páscoa. Eram discípulas de Jesus, e algumas delas haviam ajudado a Jesus com suas posses materiais, quando do ministério dele na Galileia. "As mulheres descritas aqui faziam dos discípulos uns covardes, e essa história bem poderia ter sido suprimida, e não escrita, se não expressasse a verdade [...] o motivo delas, ao seguirem a Jesus até a cruz, foi um misto de gratidão, coragem e amor. A gratidão se devia às bênçãos que ele lhes proporcionara. A coragem ficou demonstrada no fato de elas terem seguido quando e de onde os discípulos fugiram — seguiam de longe, por causa da brutalidade dos soldados romanos, mas seguiam. *O amor* era a origem dessa *coragem*; a intuição delas, acerca de Jesus, era mais certa do que qualquer raciocínio humano, e elas lhe tinham uma devoção pura... Será que ele podia vê-las à distância, enquanto morria? Nesse caso, elas suavizaram suas dores e iluminaram as suas trevas. Pouco mais podiam fazer do que contemplar; mas a aparente incapacidade delas mostrou que era o poder que tinham. Talvez elas nos tenham fornecido a história da crucificação! Muitos comentaristas têm observado o fato de que a narrativa do Calvário foi escrita com austeridade, como se o drama estivesse sendo visto de alguma distância. Talvez essas mulheres é que tivessem garantido a transmissão das notáveis narrativas do evangelho. Isso é o que fica claramente implicado na narrativa de Mateus. Portanto, a observação aparentemente inerme delas, não era tal: de fato foi a própria transmissão da fé" (Buttrick, *in loc.*).

27.56: entre as quais se achavam Maria Madalena, Maria, mãe de Tiago e de José, e a mãe dos filhos de Zebedeu.

27.56 ἐν αἷς ἦν Μαρία ἡ Μαγδαληνὴ καὶ Μαρία ἡ τοῦ Ἰακώβου καὶ Ἰωσὴφ μήτηρ καὶ ἡ μήτηρ τῶν υἱῶν Ζεβεδαίου.

56 ἡ μήτηρ... Ζεβεδαίου Mt 20.20

56 Ιωσηφ אD'WΘ *pc* latt sy⁴·ʰᵐˢ, sa(4) bo] Ιωση **AB** *f¹ f¹3 565 700 pl* syᵖ sa(2) ϛ; R

"[...] Maria Madalena...". Maria, mãe de Jesus, estava perto da cruz, como também João, o apóstolo; e pelo menos em certo momento, outras das mulheres também se chegaram, isto é, Maria (*irmã* de Maria, mãe de Jesus, e esposa de Cléopas, e tia de Jesus) e Maria Madalena (ver Jo 19.25,26). Outras mulheres, em grande número, vindas da Galileia, que evidentemente haviam acompanhado Jesus em seu ministério por muitos lugares por onde ele esteve (ver Lc 8.1-3), também ficaram nas proximidades até o fim.

MATEUS poupa-nos a descrição *da angústia* dessas mulheres, mas Lucas provê algumas indicações sobre isso, nas seguintes palavras: [...] *retiraram-se a lamentar, batendo nos peitos.* Essa descrição parece envolver mais do que simplesmente as mulheres que haviam subido da Galileia; talvez outros discípulos, da área de Jerusalém, também se lamentassem desse modo. Maria, mãe de Tiago, e de José, provavelmente é a mesma que é chamada mãe de Tiago Menor e de José, em Marcos 15.40. Os mss posteriores alteram o nome deste último — de "José" —, para "Joses", nessa referência do evangelho de Marcos, mas "José" é o texto autêntico (ver a nota textual sobre esse particular). Mateus identifica a esposa de Zebedeu com a Salomé que aparece no evangelho de Marcos, porquanto ele a descreve (em Mt 20.20) a viajar em companhia dos discípulos. Diversas discussões se têm centralizado em volta da identificação dessas mulheres, nos Evangelhos. Alguns identificam a Maria que era mãe de Tiago e José com a esposa de Cléopas, pensando que Cléopas e Alfeu poderiam ser formas diferentes do mesmo nome. Outros estudiosos têm identificado a "mãe dos filhos de Zebedeu" com a irmã de Maria de Jesus. Não podemos afirmar, com certeza, quais eram exatamente essas relações de parentesco. Alguns também asseveram que Maria Madalena era a Maria, irmã de Marta e Lázaro. (Ver a nota a respeito das diversas Marias das Escrituras, em Jo 11.1.)

3. Sepultamento de Jesus (27.57-66)
(a) O sepultamento (27.51-61)

27.57: Ao cair da tarde, veio um homem rico de Arimateia, chamado José, que também era discípulo de Jesus.

27.57 Ὀψίας δὲ γενομένης ἦλθεν ἄνθρωπος πλούσιος ἀπὸ Ἀριμαθαίας, τοὔνομα Ἰωσήφ, ὃς καὶ αὐτὸς ἐμαθητεύθη τῷ Ἰησοῦ·

57,58 Dt 21.22,23

57 Αριμαθαιας] -θιας Φ 565 al it vg⁴·ʷ: -θειας **D**

"Caindo a tarde...". Não se sabe muito acerca de José de Arimateia, além do fato de que era rico, discípulo secreto de Jesus, por temor aos judeus (ver Jo 19.38), e que não concordava com a sentença de morte imposta a Jesus. O texto de Lucas 23.50,51 revela que ele era membro do sinédrio, e que não consentira com o julgamento de Jesus. Lucas acrescenta a interessante informação sobre seu caráter pessoal, que diz: [...] *homem bom e justo* [...] e que esperava o reino de Deus... Isso indica que as investigações de Lucas lhe tinham rendido mais informações acerca desse homem (ver o seu prólogo, onde ele menciona as suas investigações sobre as questões que rodeavam a história do evangelho); e não é impossível que Lucas tenha conhecido pessoalmente o homem,

tendo falado com ele acerca do incidente. É provável também que, mediante essa ação, tenha declarado abertamente a sua lealdade a Jesus, o que até então vinha ocultando. A ousadia desse ato ficou demonstrada pelo fato de que os outros discípulos continuavam escondidos, e também por temor aos judeus. Todos os discípulos se tinham ocultado, exceto João, que ficou diante da cruz em companhia de Maria, mãe de Jesus. A tradição assevera que José de Arimateia foi enviado à Grã-Bretanha pelo apóstolo Filipe, em 63 d.C., e que se estabeleceu com um grupo de discípulos em Glastonbury, Somersetchire. Não temos, porém, nenhum informe exato sobre essa notícia.

ARIMATEIA foi identificado por Eusébio e Jerônimo como *Ramá* ou Ramataim, lugar do nascimento de Samuel (1Sm 1.19). Isso é mais provável do que sua identificação com Ramá, de Benjamim. Em 1Samuel 11, o nome é dado em sua forma completa, não-contraída, "Ramataim-Zofim, enquanto que na LXX ela aparece sempre sob a forma 'Armathaim'; nos escritos de Josefo como *Armatha*; e, em 1Macabeus 11.34, como 'Ramathem' ". Era uma cidade dos judeus que, no sentido mais estrito significaria "da Judeia" (ver Lc 23.51). Alguns têm identificado a localização com a moderna Nebby Samuel, cerca de seis quilômetros e meio a noroeste de Jerusalém; todavia, sua localização exata não pode ser afirmada sem nenhuma sombra de dúvida.

Nesta história, naturalmente, encontramos um triste comentário. Poderíamos ter suspeitado que Maria, sua mãe, ou Pedro, ou outro de seus discípulos íntimos viria, naquelas horas, a fim de mostrar seu amor por Jesus, cuidando do seu corpo. Entretanto, quem veio? José de Arimateia. E quem o ajudou? Nicodemos, que também era membro do sinédrio. (Ver a nota sobre o *sinédrio*, o superior tribunal judaico, em Mt 22.23.) Ambos esses homens eram discípulos secretos, mas as crises produzem estranhos resultados. Para muitos, significou uma demonstração de covardia. Para outros, como no caso desses dois homens, incendiou-lhes a coragem. Conforme diz o ditado comum: [...] *a história é mais estranha do que a ficção.*

O discipulado secreto de José de Arimateia fora uma lição para ele; foi uma lição trágica, mas a sua alma tirou proveito disso. Ele se revelou, e sob circunstâncias perigosas, deixou claro o seu discipulado. Em realidade, já fizera isso, quando se opusera à decisão do concílio. Certa feita, um rei francês cavalgou até o campo da batalha clamando: "Que aquele que me ama me siga" (Francisco I, quando da batalha de Marignano, 1515). Por *amor*, José de Arimateia seguiu a Jesus, embora sem saber da grande vitória futura que estava a menos de três dias. Há muitas e muitas lendas a respeito de José de Arimateia. Uma delas diz que ele usou o cálice da Ceia do Senhor a fim de apanhar um pouco do sangue de Jesus, no Calvário, e que esse cálice se transformou no Santo Graal. Outras aludem aos seus muitos ministérios na Grã-Bretanha. Outra lenda conta como ele enfiou seu bordão no chão, e este floresceu com flores brancas como a neve, no período do Natal. (Anne Taxter Eaton, *The Animal's Christmas*). Disse Buttrick (*in loc.*): "Essas lendas têm algum elemento de verdade. Aquele que corajosamente sepultou o corpo de Jesus, pensando que ele estivesse morto para sempre, tornou-se porta-voz do evangelho. Há muitas ocasiões em que Jesus parece liquidado; porém, se lhe somos fiéis, nossa lealdade se ilumina como uma nova tocha de fé". Alguns consideram José de Arimateia como o santo guardião dos ricos.

27.58: Esse foi a Pilatos e pediu o corpo de Jesus. Então Pilatos mandou que lhe fosse entregue.

27.58 οὗτος προσελθὼν τῷ Πιλάτῳ ᾐτήσατο τὸ σῶμα τοῦ Ἰησοῦ. τότε ὁ Πιλᾶτος ἐκέλευσεν ἀποδοθῆναι.

58 προσελθ. τ. Π.] προσηλθεν τ. Π. και **D** latt sy⁴·ᵖ

"[...] pediu o corpo de Jesus..." Sepultar os mortos era considerado um *ato de piedade*; e isso se poderia esperar de um homem como José de Arimateia. Se ele não o tivesse feito, provavelmente outro o teria feito, mais tarde. (Ver Tob 1.16-18;

734 | Mateus | NTI

2.1-8, que dá indicações sobre o pensamento dos judeus quanto ao sepultamento dos mortos.) Era comum que se sepultassem os mortos no mesmo dia de seu falecimento, e sabemos que o corpo de um homem executado não tinha permissão de ficar pendurado na cruz a noite inteira (ver Dt 21.23). Isso poluiria a terra. O texto de Marcos 15.43 declara que o pedido de José de Arimateia a Pilatos foi feito com ousadia. Era costume, entre os romanos, permitir que os corpos ficassem dependurados até desaparecerem, ou serem consumidos pelas aves de rapina. (Ver *Plaut. Mil glor.* II.4,9; *Horat. Epist.* 1.16,18.) Até mesmo de acordo com o costume romano, se algum amigo requeresse o corpo do condenado, para ser sepultado, isso seria usualmente concedido. Além disso, os costumes judaicos realmente requeriam o sepultamento. O evangelho de Mateus menciona apenas que Pilatos entregou voluntariamente o corpo de Jesus a José de Arimateia, mas o evangelho de Marcos revela a surpresa de Pilatos, pois a cruz usualmente exigia mais de seis horas para que um homem que tivesse sido crucificado morresse.

A expressão de Marcos, a respeito do tempo, é mais exata neste ponto. Tudo isso ocorreu "ao cair da tarde, por ser o dia da preparação, isto é, *a véspera do sábado*". Essa informação, como é natural, confirma o que a maioria dos intérpretes assevera — que Jesus foi crucificado na sexta-feira. A palavra aqui traduzida como "preparação" significava o dia anterior ao sábado, e, atualmente, é a palavra empregada, no grego moderno, para "sexta-feira". (Quanto a uma completa discussão concernente ao dia da crucificação de Jesus, ver as notas em Mt 27.1. As passagens de Lc 23.54 e Jo 19.42 dizem a mesma coisa).

27.59: E José, tomando o corpo, envolveu-o num pano limpo, de linho,

27.59 καὶ λαβὼν τὸ σῶμα ὁ Ἰωσὴφ ἐνετύλιξεν αὐτὸ [ἐν] σινδόνι καθαρᾷ,

---
59,60 λαβὼν...μνημείῳ Mc 6.29; At 13.29   59 ἐμετύλιξεν] ἐμειληϭεν ff 3

"[...] envolveu-o num pano limpo de linho..." (Ver Mt 28.6, para notas sobre a "mortalha de Turim".) Não um envoltório, nem uma peça de roupa, e, sim, tiras envolventes, panos de linho (ver Jo 19.40, onde se lê que o corpo de Jesus foi envolvido). Provavelmente, era uma única peça de tecido, no princípio, e que foi dividida em tiras menores, com o propósito de envolver o corpo de Jesus. As tiras de linho tinham de ser enroladas de modo a envolver também as especiarias, que haviam sido postas sobre o corpo de Jesus em forma de pó, a fim de servirem como agentes embalsamadores. A primeira função, temporária, e a intenção da segunda unção, que era mais completa, passam ambas sem nenhuma menção por parte de Mateus. A segunda unção foi o propósito da visita das mulheres, na manhã bem cedo de domingo. A segunda unção cumpriria as exigências cerimoniais da lei, o que era muito importante para os judeus devotos. Não houvera tempo para essa unção, na sexta-feira à tarde, porque o dia de sábado já estava muito próximo. Mirra e aloés eram empregados nesse processo, e as mulheres teriam dificuldades em encontrar esses materiais para comprá-los, no sábado. Contudo, devem tê-los obtido de tal maneira, que, no primeiro dia da semana, bem cedo, já estavam preparadas para fazer o que era necessário. O pano de linho limpo concorda com os costumes rabínicos. José de Arimateia sem dúvida preservara o túmulo para ele mesmo e para sua família. Certamente lhe foi impossível usá-lo posteriormente, porque era proibido a alguém usar um túmulo onde jazera um homem condenado, e, com certeza, ele não o teria feito por respeito a Jesus. Aprendemos, em João 19.39,40, que cerca de cem libras da mistura de mirra e aloés haviam sido supridas para o corpo de Jesus. Não é impossível que o pano exista hoje, o mesmo que conteve o corpo de Jesus. (Ver as notas em Mt 28.6, quanto a uma discussão sobre esse particular.)

27.60: e depositou-o no seu sepulcro novo, que havia aberto em rocha; e, rodando uma grande pedra para a porta do sepulcro, retirou-se.

27.60 καὶ ἔθηκεν αὐτὸ ἐν τῷ καινῷ αὐτοῦ μνημείῳ ὃ ἐλατόμησεν ἐν τῇ πέτρᾳ, καὶ προσκυλίσας λίθον μέγαν τῇ θύρᾳ τοῦ μνημείου ἀπῆλθεν.

---
60 προσκυλίσας...47; 16.1; Lc 24.10; Jo 19.25
μνημείου Mt 28.2; Mc 16.3,4; Lc 24.2; Jo 20.1
60 αυτο] om ℵΘ 69 pc arm

"[...] depositou no seu túmulo novo..." Esse túmulo era para uso próprio de José de Arimateia e sua família, mas ele o cedeu ao corpo de Jesus. (Ver as notas, no v. 59, quanto a outros detalhes.) Alguns arqueólogos de crédito acreditam que esse túmulo tem sido identificado. É atualmente denominado de *Túmulo de Gordon*. Os pormenores a seu respeito são os seguintes:

Assim cumpriu-se a profecia que predisse que o Messias estaria "com o rico em sua morte" (ver Is 53.9). O cumprimento dessa profecia seria extremamente improvável até o momento mesmo do aparecimento de José de Arimateia, o qual, sem dúvida, não tinha a menor ideia de que estava cumprindo uma profecia. Muitos arqueólogos de renome acreditam que o túmulo de Gordon, localizado perto do muro norte de Jerusalém, próximo da elevação chamada colina do Crânio, é o sepulcro que pertencia a José de Arimateia. Seu nome se deriva do general Christian Gordon, o qual, em 1881, descobriu o sepulcro. Trata-se de um espaço de 4,20 m x 3 m x 2,30 m de altura. Dois sepulcros foram preparados dentro desse recinto. O sepulcro da frente parece jamais ter sido utilizado, mas existem indicações de que o outro o foi, embora não restem traços de remanescentes mortais, por mais que se fizessem testes. Eusébio revela-nos que o imperador romano Adriano edificou um santuário por cima do túmulo onde Jesus fora sepultado (135 d.C.). Constantino, primeiro imperador cristão, embora nominalmente, destruiu esse templo (330 d.C.). O general Gordon, em meio aos destroços que retirou do local, encontrou um santuário de pedra, em honra a Vênus. Encontrou também vestígios de uma construção que fora erigida sobre o sepulcro. Acima da entrada do mesmo foram encontrados dois nichos, característicos dos templos edificados a Vênus. Em uma abóboda contígua ao túmulo, tocando-o no subsolo, foi encontrada a seguinte inscrição: "[...] sepultado perto de seu Senhor". Dentro do próprio sepulcro, sobre o lugar de descanso do corpo, foi burilada uma âncora na parede de pedra. A âncora era o símbolo primitivo dos cristãos. Na seção do sepulcro onde presumivelmente Jesus fora deixado, a parede onde ficariam os pés do corpo fora aprofundada um pouco mais do que se fizera originalmente. De conformidade com a tradição, Jesus era alto, ao passo que José de Arimateia era baixo; e isso teria feito necessário o alongamento. A localização desse túmulo, em relação a Jerusalém e aos demais fatos, parece confirmar que esse sepulcro realmente foi o lugar onde Jesus foi sepultado.

Os túmulos familiares usualmente ficavam *fora* dos muros das cidades, e tinham a forma geral de câmaras, com nichos em ambos os lados, onde os corpos eram depositados. Poderiam ser cavernas naturais, ou poderiam ser escavadas na rocha, como no caso do túmulo de José de Arimateia. A grande pedra que foi rolada para a porta do túmulo, provavelmente tinha forma de disco, podendo ser rolada para diante e para trás, dando acesso ao túmulo. Bons exemplos desse tipo de túmulo ainda podem ser vistos em Jerusalém, como o túmulo de Gordon, também chamado de "Túmulo do Jardim", ou os "túmulos dos reis".

27.61: Mas achavam-se ali Maria Madalena e a outra Maria, sentadas defronte do sepulcro.

27.61 ἦν δὲ ἐκεῖ Μαρία ἡ Μαγδαληνὴ καὶ ἡ ἄλλη Μαρία καθήμεναι ἀπέναντι τοῦ τάφου.

---
61 Μαρία...Μαρία Mt 27.56; 28.1; Mc 15.40

"Achavam-se ali Maria Madalena e a outra Maria..."
Não era incomum que os amigos ou parentes de um falecido vigiassem à entrada do túmulo, para o caso de uma pessoa aparentemente morta dar sinais de vida. Este versículo de Mateus é paralelo a Marcos 15.47, onde a *outra Maria* de Mateus é chamada de "mãe de José". Vemos essa mesma Maria mencionada no v. 56. Era a esposa de Alfeu. O apóstolo Tiago é chamado "filho de Alfeu", a fim de distingui-lo do outro apóstolo, "filho de Zebedeu" (Mt 10.3; Mc 3.18; Lc 6.14; At 1.13). Têm sido feitas tentativas de identificá-lo com Cléopas (Lc 24.18) ou com Clopas (Jo 19.25), mas os eruditos não consideram muito prováveis essas identificações. O corpo sem vida de Jesus não foi deixado só, embora José de Arimateia se tivesse afastado. A narrativa subentende que ficaram vigiando cuidadosamente, enquanto o corpo foi baixado ao sepulcro; em seguida, chegou José de Arimateia ao local, que era bem próximo, e observou o sepultamento. Assim, as mulheres sabiam para onde deveriam retornar, na manhã de domingo, bem cedo, a fim de completarem o ritual do embalsamento. Estavam ansiosas por realizar esse serviço, conforme se observa pelo fato de que elas se levantaram quando o sol ainda nem surgira no horizonte, e chegaram ao túmulo ainda de madrugada. Diz Adam Clarke (*in loc.*): "Aquelas santas mulheres, impulsionadas por um amor ao seu Senhor que a morte não foi capaz de destruir, apegaram-se a ele em vida, e quando de sua morte não se separaram uma da outra. Vieram ao sepulcro ver o fim, e avassaladas de tristeza e angústia, se assentaram para lamentá-lo".

(b) Vigília ante o túmulo (27.62-66)

27.62: No dia seguinte, isto é, o dia depois da preparação, reuniram-se os principais sacerdotes e os fariseus perante Pilatos,

27.62 Τῇ δὲ ἐπαύριον, ἥτις ἐστὶν μετὰ τὴν παρασκευήν, συνήχθησαν οἱ ἀρχιερεῖς καὶ οἱ Φαρισαῖοι πρὸς Πιλᾶτον

"No dia seguinte, que é o dia depois da preparação..." Está claramente em foco o dia de *sábado*. Ver a nota em Mateus 27.1 acerca das provas de que a crucificação de Jesus ocorreu na *sexta-feira*. Esse sábado, provavelmente, também foi o primeiro dia dos pães asmos, embora não possamos ter certeza a esse respeito (ver a nota em Mt 2617). Esta seção (v. 62-66) e 28.11-15 têm sido mais plenamente desenvolvidas no evangelho apócrifo de Pedro 8.29—11.49 (ver James, *Apocryphal NT*, p. 92,93). Alguns supõem que a mensagem de Marcos 16.1-8 tenha dado origem à controvérsia entre os cristãos e os judeus. Os cristãos reivindicariam uma ressurreição autêntica, enquanto que seus oponentes judeus afirmariam que o corpo de Jesus fora furtado, e que a ressurreição fora uma fraude. Alguns pensam que essas passagens do evangelho de Mateus, que não têm paralelo em outros evangelhos, é a explicação ou refutação dada por Mateus aos judeus. O túmulo foi vigiado por uma *escolta*, cujos membros foram subsequentemente subordinados, para não divulgarem a admirável história do que haviam presenciado. Provavelmente, Mateus obteve a narrativa da tradição oral da igreja de Jerusalém ou da igreja de Antioquia, pelo que é provável que a fonte informativa seja "M". (Ver as notas sobre as fontes informativas dos Evangelhos, na introdução a este comentário, no artigo intitulado "O problema sinóptico".). Alguns intérpretes têm duvidado da fidelidade histórica dessas seções, supondo terem sido invenções para ajudar o lado cristão dessa controvérsia; todavia, não pode haver certeza quanto a essas conjecturas, e não precisamos considerá-las a sério.

Alguns afirmam que a visita dos sacerdotes e fariseus a Pilatos talvez tenha ocorrido após às 18 horas, já no sábado, porquanto não é provável que aqueles homens se tivessem aventurado a sair, para qualquer finalidade, em um dia santo. Talvez essa opinião seja correta. Juntamente com muitos, em Israel, aqueles homens tinham ouvido rumores de que Jesus asseverara que ressuscitaria

ao terceiro dia. É notório que as autoridades religiosas tivessem levado essa declaração mais a sério do que os próprios discípulos de Jesus. Pelo menos queriam impedir o furto de seu corpo, para tornar impossível que os discípulos em seguida declarassem que Jesus ressuscitara. Talvez se tenha sabido dessa reunião por meio dos sacerdotes convertidos, mencionados em Atos 6.7.

O termo "preparação" (no grego, *paraskeue*) era uma palavra técnica para indicar o dia anterior ao sábado — sexta-feira —, o dia em que se faziam os preparativos para o sábado. Passou a fazer parte do uso cristão, e Clemente de Alexandria (200 d.C. — ver Strom. VII. § 76), diz que esse dia passou a chamar-se *Dies Veneris*, ou sexta-feira, aniversário da crucificação de Jesus, sendo uma "grande" ou "santa" *paraskeue*.

27.63: e disseram: Senhor, lembramo-nos de que aquele embusteiro, quando ainda vivo, afirmou: Depois de três dias ressurgirei.

27.63 λέγοντες, Κύριε, ἐμνήσθημεν ὅτι ἐκεῖνος ὁ πλάνος εἶπεν ἔτι ζῶν, Μετὰ τρεῖς ἡμέρας ἐγείρομαι.

63 Μετά...ἐγείρομαι Mt 12.40; 16.21; 17.23; 20.19; Mc 8.31; 9.31; 10.34; Lc 9.22; 18.33; 24.7

"[...] lembramo-nos..." Um aoristo ingressivo indica aqui, "acabamos de lembrar-nos". Subitamente lhes surgiu o pensamento; e tiveram de tomar providências imediatas para guardar o sepulcro. Sabiam que Jesus fizera prodígios, estando vivo; e suspeitavam que a morte realmente não seria capaz de fazê-lo parar. E o temor de que o corpo de Jesus fosse furtado pelos discípulos também era real.

"[...] aquele embusteiro..." No grego, o termo assim traduzido significa "vagabundo", ou também pode ter o sentido de "fraudulento". Deriva-se do vocábulo grego "planao", que significa "desviar", a mesma palavra de onde se origina nosso termo moderno "planeta", o qual indica as "estrelas móveis", em contraste com as "estrelas fixas". Vemos essa acusação repetida na literatura judaica posterior. Chamaram Jesus de impostor, de mágico que aprendera suas artes no Egito, de vagabundo que por toda parte enganava o povo. Alguns intérpretes encontram dificuldade ante essa história, porquanto supõem que a história de que Jesus ressuscitaria ao terceiro dia, só era sabido por alguns poucos, e não publicamente. Quanto a isso, todavia, não podemos ter certeza, pois isso bem poderia ter sido declarado abertamente pelo Senhor Jesus. Alguns têm sugerido que Judas Iscariotes já informara as autoridades a esse respeito, embora essa ideia pareça improvável, apesar de não ser impossível. Esses argumentos, contra a autenticidade da passagem, são julgamentos "a priori", pelo que podemos classificá-los como meras conjecturas.

Falando a respeito desses homens, que se lembraram do que Jesus predissera, embora os seus discípulos não tivessem lembrado o fato, John Gill diz (*in loc.*): "Os homens maus geralmente têm boa memória, enquanto que os homens bons têm má memória; portanto, boa memória *não é* sinal de graça". (Por *graça*, John Gill entende a infusão da graça de Deus, mediante a conversão).

27.64: Manda, pois, que o sepulcro seja guardado com segurança até o terceiro dia; para não suceder que, vindo os discípulos, o furtem e digam ao povo: Ressurgiu dos mortos; e assim o último embuste será pior do que o primeiro.

27.64 κέλευσον οὖν ἀσφαλισθῆναι τὸν τάφον ἕως τῆς τρίτης ἡμέρας, μήποτε ἐλθόντες οἱ μαθηταὶ αὐτοῦ κλέψωσιν αὐτὸν[14] καὶ εἴπωσιν τῷ λαῷ, Ἠγέρθη ἀπὸ τῶν νεκρῶν, καὶ ἔσται ἡ ἐσχάτη πλάνη χείρων τῆς πρώτης.

64 ἔσται...πρώτης Mt 12.45; Lc 11.26; 2Pe 2.20

[14] 64 {A} κλέψωσιν αὐτόν (ℵ κλέψουσιν) A B C* D K W Δ Θ Π f¹ f¹³ 33 1010 1071 1079 1195 1216 1230 1253 1546 1646 *l*²¹¹ it^(a,aur,b,c,d,f,ff²,g¹,h,l,n,q,r¹) vg syr^(h,pal) cop^(sa,bo) goth geo² Origen^(lat) Chrysostom John-Damascus //

736 |Mateus| NTI

νυκτὸς κλέψωσιν αὐτόν (*ver* 28.13) C³ L 565 700 892 1009 1241 1241 1344 2174 *Byz Lect* syrᵃ arm geo¹ Diatessaron // (*ver* 28.13) 28 1365 (2148 κλέψουσιν) syrᵖ eth

> Vários testemunhos secundários dizem νυκτός ("à noite", AV), antes ou depois de κλέψωσιν αὐτόν. Sua ausência dos mais antigos e melhores manuscritos mostra que essa palavra foi uma intrusão escribal, derivada de 28.13.

"[...] que o sepulcro seja guardado...". Estas últimas quatro palavras — "até o terceiro dia" — servem de importante indicação sobre o que se entendia com isso. As autoridades religiosas as interpretaram como a mesma coisa que "após três dias" ou "no terceiro dia". Conforme os costumes do cômputo inclusivo dos antigos, que sempre contava o dia (ou a hora, mês etc.) em que uma coisa qualquer era declarada, como a primeira da série, fica uma vez mais determinado o dia de sexta-feira como dia da crucificação de Jesus. A sexta-feira foi o primeiro dia; o sábado, o segundo; e o domingo, o terceiro. Jesus ressuscitou "ao terceiro dia", afirmação essa que ocorre por nove ou dez vezes nas Escrituras. Quanto a detalhes sobre isso, ver a nota em Mateus 27.1. É possível que realmente tenham compreendido a declaração de Jesus, sobre a destruição do santuário de seu corpo e sobre a sua ressurreição, três dias depois. Se assim foi, o que anteriormente perverteram, a fim de forçar a execução de Jesus, agora interpretavam corretamente e com essa interpretação esperavam evitar qualquer surpresa — rumores sobre a sua ressurreição. "Assim são apanhados os sábios em sua astúcia. Nem o Diabo nem os seus servos falam jamais a verdade, a não ser quando esperam obter algum mau propósito com isso" (Adam Clarke, *in loc.*).

"[...] o último embuste..." As autoridades religiosas continuavam preocupadas com a influência de Jesus entre o povo, influência essa que, durante certo período, parecia ameaçar que todo o Israel o seguiria. Isso tinha assustado as autoridades religiosas, e não desejavam que houvesse outra ameaça contra a sua autoridade. Jesus deixara as autoridades religiosas em pânico. Agora queriam que os três dias se passassem sem problemas e que o povo se esquecesse até mesmo do fato de que ele existira. Com certeza, pouco deveriam ter pensado que o seu nome seria imperecível, e que grande parte do mundo viria a prestar-lhe lealdade. Na opinião dessas autoridades religiosas, o primeiro embuste teria sido a crença na missão messiânica de Jesus; e o segundo seria a crença em sua ressurreição. O embuste seria então tanto da parte de Jesus, como "fraude", como da parte do povo, como crendice.

A expressão "à noite", encontrada em algumas traduções mais antigas, como KJ e AC, derivam-se dos mss C (3) FGLMU, Gamma e a versão Sy (s), a mais importante das versões em siríaco. Os melhores mss, entretanto, omitem essa expressão, como Aleph, BDW, Theta, a maioria das traduções latinas, e a Fam Pi. A maioria das traduções modernas também as omitem, seguindo os mss mais antigos. Em português, são omitidas pelas traduções AA e IB. Foi uma expansão natural, acrescentada por alguns escribas, para indicar o tempo em que os discípulos mais provavelmente levariam a efeito o furto do corpo de Jesus.

27.65: Disse-lhes Pilatos: Tendes uma guarda; ide, tornai-o seguro, como entendeis.
27.65 ἔφη αὐτοῖς ὁ Πιλᾶτος, Ἔχετε κουστωδίαν· ὑπάγετε ἀσφαλίσασθε ὡς οἴδατε.

65 κουστωδιαν] φυλακας D* it

"[...] aí tendes a escolta..." (literalmente, "levai a escolta"). Essa escolta poderia compor-se de judeus; mas o mais provável é que se compusesse de romanos, conforme diz o evangelho apócrifo de Pedro. Ali, aparece um centurião de nome *Petronius*, encabeçando a mesma; todavia, ninguém pode afirmar algo tão concreto quanto isso. Por detrás dessa ação, vemos não somente a

agitação e a perturbação que Jesus causara durante sua vida terrena, mas também quão grande fé pudera criar. Provavelmente, Pilatos não tinha interesse nenhum pela questão; mas, da mesma forma que antes, dispôs-se a permitir que as autoridades religiosas dos judeus fizessem o que bem entendessem, para impedir qualquer conflito com elas. O sinédrio tinha guardas à sua disposição, e é possível que alguns deles tivessem sido enviados, também. Esse grupo de soldados consistia de diversas companhias, e agia como guarda do templo. (Ver Atos 4.1.) As companhias se revezavam nesse dever. Provavelmente, os soldados liberados foram forçados a um serviço extra.

"[...] guardai o sepulcro..." (Literalmente, "tornai-o seguro para vós, conforme sabeis"). "A permissão judicial aos judeus, a quem ele (Pilatos) desprezava, foi apropriada na boca do oficial romano" (McNeile, *in loc.*). Pilatos deu-lhes a permissão, segundo solicitavam, pois queriam impedir o furto do corpo de Jesus. Certamente as autoridades romanas superiores não teriam aprovado o fato de ser destacada uma escolta de soldados romanos por motivos meramente religiosos; porém, Pilatos mostrou-se pragmático até o fim, e cuidou para que nenhuma dificuldade fosse criada pelas autoridades religiosas dos judeus; porque sabia que, se se recusasse a atendê-los, certamente teria de enfrentar conflito com eles. Essa ação, embora não intencionalmente com esse propósito, tornou-se mais uma testemunha da realidade da ressurreição de Cristo.

27.66: Foram, pois, e tornaram seguro o sepulcro, selando a pedra, e deixando ali a guarda.
27.66 οἱ δὲ πορευθέντες ἠσφαλίσαντο τὸν τάφον σφραγίσαντες τὸν λίθον μετὰ τῆς κουστωδίας.

66 της κ-διας] των φυλακων D* lat

"[...] montaram guarda ao sepulcro, selando a pedra..." O selo, como é provável, consistia de uma corda esticada diante da pedra, selada em cada extremidade, como se vê em Daniel 6.17. A presença da escolta romana, e as precauções tomadas, atestam claramente a veracidade das narrativas dos Evangelhos, de que a história do furto do corpo de Jesus, por parte de seus discípulos, foi apenas mais uma fraude eclesiástica dos judeus, para esconder a verdade. Diz Buttrick, (*in loc.*): "Este é o comentário final deste evangelista sobre a vida terrena de Jesus, porque no próximo capítulo ele entra diretamente no irromper do dia da ressurreição. Os inimigos de Jesus fizeram tudo quanto estava ao seu alcance para destruir a Jesus e a todas as suas obras. Sua última tentativa consistiu em fazer com que seu túmulo se tornasse sua prisão perene. A falsa esperança deles serve de símbolo da insensatez militar dos homens. Todos nós não procuramos *aprisionar a Cristo* em um sepulcro? Procuramos encerrá-lo em uma prisão, à força: as incansáveis perseguições contra os profetas, geração após geração, servem de testemunho. Entretanto, Nero continua impotente, após toda a sua crueldade, pois Cristo continua vivo. Tentamos aprisionar a Cristo em uma prisão de coisas: amealhamos riquezas e nos enganamos com a ciência da época. Contudo, não nos podemos esquecer dele: os acordes de um hino antigo trazem-no de volta à memória, e as suas palavras estão agora tão entremeadas com nossas palavras que ele está sempre em nossas conversas [...] Procuramos encerrá-los em uma prisão de negócios: flagelamos nosso espírito com atividades, e resolvemos escapar dele dessa maneira. A carne, porém, cansa-se e os nervos rebelam-se, e então algum quadro sobre ele é visto na vitrine da loja, que reaviva os nossos antigos anelos da alma".

O selo conseguiu mais do que se tinha proposto, porque serviu apenas de mais um testemunho acerca da realidade da ressurreição de Jesus Cristo.

Capítulo 28

XIV. A RESSURREIÇÃO (28.1-20)

1. O anjo e as mulheres (28.1-8)

A HISTÓRIA DA RESSURREIÇÃO DE JESUS. Mateus 28, com paralelos em Marcos 16, Lucas 24 e João 20. A principal fonte informativa de Mateus é a narrativa de Marcos. Os melhores mss do evangelho de Marcos terminam em 16.8. (Ver problema textual em Mc 16.9.) É possível que a narrativa de Mateus represente o caráter geral do término *perdido* do evangelho de Marcos, se realmente houve esse término, que veio a perder-se depois. (Essa é a teoria de E. J. Goodspeed, em seu livro *New Solutions of New Testament Problems*, University of Chicago Press.) Parece suposição razoável, embora não contemos com provas conclusivas contra ou a favor. Seja como for, os versículos do evangelho de Mateus que vão além do material do evangelho de Marcos 16.8 representam uma antiga tradição, se não mesmo o próprio "protomarcos", isto é, provavelmente a tradição da igreja de Jerusalém ou da igreja de Antioquia, a fonte "M". As diversas narrativas sobre os aparecimentos de Jesus, após sua ressurreição, não são grandemente detalhadas, excetuando o episódio dos discípulos de Emaús, contado em Lucas 24.13-35. Provavelmente, essa história resultou de alguma entrevista com um ou outro desses dois discípulos, o que lhe proporcionou a possibilidade de oferecer mais pormenores. (Ver notas sobre as fontes informativas dos Evangelhos, no artigo da introdução a este comentário intitulado "O problema sinóptico"). Os cristãos primitivos não preenchiam os detalhes desses aparecimentos e da própria história, provavelmente por crerem que isso era suficiente para proclamar o grande fato da ressurreição de Jesus. O relato da ressurreição, embora restrito e até mesmo austero, goza de mais pormenores. (Quanto a uma lista dos aparecimentos de Jesus, após a sua ressurreição, ver os comentários no v. 9 deste capítulo).

28.1: No fim do sábado, quando já despontava o primeiro dia da semana, Maria Madalena e a outra Maria foram ver o sepulcro.

28.1 Ὀψὲ δὲ σαββάτων, τῇ ἐπιφωσκούσῃ εἰς μίαν σαββάτων, ἦλθεν Μαριὰμ ἡ Μαγδαληνὴ καὶ ἡ ἄλλη Μαρία θεωρῆσαι τὸν τάφον.

_{1 Μαρία ἡ...Μαρία Mt 27.56,61; Mc 15.40,47; Jo 19.25}

Quanto ao uso do plural, *sábados*, ver a nota no começo do capítulo 27, ponto sétimo. É óbvio que a narrativa de Marcos, sobre a visita das mulheres, faz com que ela tenha ocorrido ao nascer do sol. As indicações de tempo, no evangelho de Mateus, têm deixado perplexos a alguns eruditos, visto que a palavra traduzida por "findar", poderia indicar que esses acontecimentos ocorreram no fim do sábado, cerca de 18 horas, ou seja, perto do começo do primeiro dia da semana, o que, segundo o uso judaico, começaria às 18 horas de nosso sábado. Um exame em um completo léxico grego demonstrará que a palavra aqui traduzida por "findar" foi também usada por diversos autores com o sentido de "depois".

Que a *manhã de domingo*, bem cedo, está em foco nessas palavras, é confirmado pela declaração: "E muito cedo, no primeiro dia da semana, ao despontar do sol..." (Mc 16.2), palavras essas que mostram a hora do dia e o fim da noite, e não, segundo o uso judaico, às 18 horas do dia anterior. A narrativa paralela de Marcos não deixa dúvidas sobre o horário dessa visita, "muito cedo, no primeiro dia da semana, ao despontar do sol", o que dificilmente se poderia aplicar à noite de sábado. A narrativa de Mateus dá detalhes sobre a visita e as circunstâncias acompanhantes da grande ressurreição de Cristo, quando houve forte terremoto. Se essas coisas não aconteceram perto do raiar do sol do domingo, deveríamos estar preparados para dizer que a narrativa de Mateus fala de uma visita diferente da visita feita pelas mulheres ao túmulo, não sendo a mesma visita aludida por Marcos. Isso, porém, é altamente

improvável, porque, segundo sabemos, Marcos foi usado como modelo genuíno, à base do qual os evangelhos de Mateus e Lucas foram escritos, e obviamente a ocorrência, segundo registrada tanto por Mateus como por Lucas, foi um único evento. O texto de Marcos 16.9 mostra definidamente que o domingo ou "primeiro dia da semana" foi o dia da ressurreição de Jesus, embora ali não seja indicado se ele ressuscitou pouco antes do romper do dia ou justamente nesse período de tempo. É possível que Jesus tenha ressuscitado bem antes disso, pouco depois das 18 horas do sábado, que, segundo o uso judaico, já seria domingo (mas que, segundo nosso modo de calcular o tempo, ainda seria sábado à noite). O relato de Mateus, contudo, parece ligar a ressurreição com o aparecimento do anjo e o terror dos guardas, os quais, até então, evidentemente estavam imperturbáveis. Nesse caso, a ressurreição deve ter acontecido pouco antes da chegada das mulheres, talvez quando ainda era escuro, embora já se aproximasse a aurora. As narrativas dadas pela tradição, algumas delas aceitas como dignas de confiança por alguns eruditos, concordam com esse cálculo do tempo.

Os acontecimentos e a ordem dos mesmos, quando do dia da ressurreição, são os seguintes:

1. As mulheres, Maria Madalena, Maria, mãe de Jesus, e Salomé, dirigem-se ao sepulcro.
2. Ao chegarem elas, ou talvez pouco antes, o anjo desceu, Jesus ressuscitou e os guardas caíram por terra como mortos.
3. Pouco depois disso, o mesmo anjo que aterrorizara os guardas, fala com as mulheres, que haviam chegado à cena. (Alguns registros tradicionais pintam os guardas a correr de terror, passando pelas mulheres que iam a caminho do túmulo).
4. As mulheres encontraram a pedra rolada para um lado, e Maria Madalena volta a fim de contar o ocorrido aos discípulos (Lc 23.55—24; Jo 20).
5. Ao receberem a notícia, Pedro e João vão ao túmulo, o examinam e vão embora (Jo 20.11-18).
6. Maria Madalena volta à cena da ressurreição, chorando, ainda duvidosa; então vê os dois anjos e o próprio Senhor Jesus (Jo 20.11-18). Em seguida, Maria Madalena é enviada a avisar os outros discípulos.
7. Maria, mãe de Tiago e José, retornou com as outras mulheres ao sepulcro; as mulheres veem os dois anjos (Lc 24.4,5 e Mc 16.5) e, ao receberem a mensagem angelical, saem à procura dos discípulos; mas ao encontro delas sai o próprio Senhor Jesus (Mt 28.8-10).

Todavia, *a ordem exata* desses acontecimentos não é dada em parte nenhuma, e eles são variegadamente arranjados. Toda ordem apresentada, entretanto, está sujeita a dúvidas.

A ressurreição de Jesus Cristo é o grande alicerce histórico da Igreja cristã, sendo o elemento do qual se origina uma das principais diferenças da doutrina cristã, quando contrastada com outras religiões. É um equívoco declarar ou mesmo supor que a mensagem de Cristo não teria significação se ele não houvesse ressuscitado dentre os mortos, porquanto, até mesmo sem a história da ressurreição, provavelmente Cristo seria considerado um dos maiores homens que já viveram na face da terra, tanto por causa dos seus ensinamentos como por causa de sua vida extraordinária, na qual demonstrou diversos poderes admiráveis.

HOJE em dia, muitos não aceitam a realidade de uma ressurreição *literal*, ou pelo menos física; e, apesar disso, encontram grande valor na vida e nos ensinamentos de Cristo. Não obstante, a ressurreição é pressuposta em todas as porções do NT, sendo *constantemente solicitada* como o *fato* mais certo e como aquele que tem consequências teológicas de maior alcance. (Ver, por exemplo, as declarações do apóstolo Paulo, em 1Co 1512-20,29-32.) É verdade que, em sua maior parte, a nossa crença na ressurreição de Jesus não pode ser apoiada pela moderna investigação científica; mas certamente não lhe falta o "apoio histórico". Paulo afirma que mais de quinhentos irmãos tinham visto a Jesus, após a sua

738 |Mateus| NTI

ressurreição (ver 1Co 15.6). Teria sido fácil verificar o testemunho dessa gente, quando Paulo fez essa declaração. Outrossim, certo número de indivíduos específicos afirmava não só ter visto a Jesus, mas também ter tido extenso contacto com ele. (Ver as notas no v. 9 deste capítulo, sobre os aparecimentos de Jesus após a sua ressurreição.) As tradições que cercam a ressurreição de Jesus provavelmente sofreram modificações e adornos; mas o grande fato da ressurreição permanece de pé; e, em todos os seus elementos essenciais, as tradições mais antigas (as de Pedro, as de Paulo e as dos Evangelhos) estão em plena harmonia umas com as outras. (Ver os comentários no fim do v. 20, acerca das diversas citações de intérpretes e historiadores, no tocante a esse evento.)

"No findar do sábado..." No evangelho de Marcos, lemos "Passado o sábado..." E no evangelho de Lucas lê-se: [...] *alta madrugada...* O comentário adicional de Mateus — "[...] ao entrar o primeiro dia da semana..." — faz harmonia com a narrativa de Lucas. Goodspeed (GD) traduz aqui, "após o sábado", sendo, provavelmente, a tradução mais correta do texto. (Ver notas adicionais sobre a dificuldade com referência às designações de tempo, no começo do comentário sobre este vigésimo oitavo capítulo.) Alguns acreditam que Mateus falava do pôr-do-sol, que Marcos falava do nascer do sol; mas isso não é uma inferência necessária, à base deste versículo do evangelho de Mateus. De fato, o versículo indica que as mulheres foram ao túmulo cedo pela manhã, pouco antes do romper do dia.

"[...] Maria Madalena e a outra Maria..." Ver comentários em Mateus 27.61. as mesmas duas mulheres que observaram os movimentos de José de Arimateia, são aquelas que agora retornam, alta madrugada, com a finalidade expressa de embalsamar o corpo de Jesus. Mateus omite a declaração que aparece em Marcos, de que a intenção das mulheres era ungir o corpo de Jesus. É interessante notar que Maria Madalena não é mencionada na lista das testemunhas da ressurreição de Jesus, em 1Coríntios 15. Paulo pode tê-la incluído na lista não especificada dos quinhentos irmãos. A tradição do túmulo vazio pode ser traçada até essas duas mulheres. Os v. 9 e 10 deste capítulo e o texto de João 20.14-18 afirmam que elas foram testemunhas diretas da ressurreição.

As mulheres chegaram bem cedo, de manhã, quando o sol ainda não surgira no horizonte, embora a aurora já surgisse para o lado do oriente. As condições do firmamento não poderiam indicar o grande acontecimento que já tivera lugar; mas a madrugada anunciou o fato à terra inteira, e essa mensagem jamais deixou de propagar-se.

Naturalmente que se estabeleceu certa confusão quanto ao nome das testemunhas da ressurreição de Jesus, especialmente no que se refere àquelas primeiras visitas. João refere-se apenas a Maria Madalena, quando da primeira aparição. Marcos também menciona Salomé. Lucas menciona diversas outras, a saber, Joana, esposa de Cusa (ver Lc 8.3). Mateus apresenta as duas Marias. Alguns têm suposto que essas diferenças originaram-se em diferenças de ênfase, pois todos os evangelistas teriam enfatizado mais uma pessoa do que outra. Outros estudiosos preferem pensar que os diferentes personagens foram postos ali para serem descritos. (Ver comentários sobre o v. 9, onde há mais detalhes.)

28.2: E eis que houvera um grande terremoto; pois um anjo do Senhor descera do céu e, chegando-se, removera a pedra e estava sentado sobre ela.

28.2 καὶ ἰδοὺ σεισμὸς ἐγένετο μέγας· ἄγγελος γὰρ κυρίου καταβὰς ἐξ οὐρανοῦ καὶ προσελθὼν ἀπεκύλισεν τὸν λίθον καὶ ἐκάθητο ἐπάνω αὐτοῦ.

<small>2 σεισμὸς...μέγας Mt 27.51 ἀπεκύλισεν τὸν λίθον Mt 27.60; Mc 15.46</small>

"[...] eis que houve um grande terremoto..." Não pode ser o mesmo terremoto mencionado em Mateus 27.51, a menos que aquele tenha sido mencionado por antecipação. A tradição pode ter misturado os dois acontecimentos, identificando um grande

tremor de terra com uma e com outra ocorrência. Nessa área, há amplas evidências de que houve acontecimentos cataclísmicos ao redor do antigo local do Gólgota. Entretanto, parece melhor supormos que houve aqui um terremoto separado, pois nada é mais comum que um terremoto dividir-se em vários choques, algumas vezes a curtos intervalos; mas de outras vezes, separados por dias ou mesmo meses, embora tudo faça, realmente, parte de um só fenômeno. Os choques secundários podem ser violentos, ou então o choque principal pode ser anunciado por um ou mais choques de menor monta. Por conseguinte, de forma nenhuma é estranho que tivesse havido dois terremotos — um, por ocasião da morte de Cristo, e outro, quando de sua ressurreição. Cornelius à Lapide diz: "A terra, que tremeu de tristeza quando da morte de Cristo, como que saltou de alegria por motivo de sua ressurreição". Observamos também que, assim como um anjo anunciou a encarnação de Cristo, também um anjo anunciou a sua ressurreição.

"[...] um anjo do Senhor..." (Ver a nota sobre os *anjos*, em Lc 4.10.) Marcos diz simplesmente "[...] um jovem [...] vestido de branco..." No entanto, no evangelho de Mateus, o anjo se assenta na pedra que bloqueara a entrada do sepulcro. Lucas, todavia, alude a dois personagens: "[...] dois varões com vestes resplandecentes..." A narrativa de Lucas subentende algo mais do que meras personalidades humanas, e Mateus declara bem definidamente que se tratava de "um anjo". É possível que as investigações de Lucas, a esse respeito, tenham revelado que houve duas personalidades angelicais. Esses pormenores diferentes, pois, procedem de fontes informativas separadas do "protomarcos". A narrativa de João 20, no começo, não menciona coisa nenhuma sobre anjos ou homens, mas no v. 12, dois "anjos" são mencionados dentro do próprio túmulo. O sepulcro foi simplesmente encontrado vazio. Ao invés de provar que as narrativas não são dignas de confiança, essas discrepâncias realmente ajudam a consubstanciar a narrativa geral, uma vez que provam que nem todas as histórias se derivam de uma fonte única de informação. Portanto, houve multiplicidade de fontes informativas, muitas testemunhas, muitas tradições. Essa multiplicidade indica um sólido fundamento histórico — pelo menos muito mais sólido do que se houvesse apenas uma tradição, ainda que essa narrativa fosse repetida exatamente com os mesmos vocábulos, sem a menor variação.

A narrativa de Mateus não faz alusão nenhuma à preocupação das mulheres sobre quem empurraria para elas a pesadíssima pedra da entrada do sepulcro (comp. Mc 16.3,4). Quanto a isso, o evangelho de João revela que Pedro e João foram correndo até o sepulcro, o que os demais evangelistas não relatam; mas parece claro que temos aqui um acontecimento que ocorreu um pouco mais tarde, provavelmente após já estar em circulação a história da ressurreição de Jesus. (Quanto a uma nota acerca da ordem dos acontecimentos do dia da ressurreição, ver as notas em Mt 28.1. Quanto aos aparecimentos de Jesus, após a sua ressurreição, ver as notas no v. 9 deste capítulo. Essas notas procuram harmonizar as diversas narrativas.)

A história que aparece nos v. 2-4 deste capítulo aparece mais expandida no evangelho apócrifo de Pedro (12.50—13.57). (Ver James, *Apocryphal NT*, p. 93.) Nesse livro apócrifo, aparece um elemento mitológico. O túmulo já fora aberto, e os guardas e anciãos judeus teriam visto a Jesus subindo para o céu, com a sua cruz.

28.3: O seu aspecto era como um relâmpago, e as suas vestes brancas como a neve.

28.3 ἦν δὲ ἡ εἰδέα αὐτοῦ ὡς ἀστραπὴ καὶ τὸ ἔνδυμα αὐτοῦ λευκὸν ὡς χιών.

<small>3 τὸ...χιών Mt 17.2; Mc 9.3; Lc 9.29; At 1.10 3 εἰδεα ℵ° **ABD** 700 al] ιδεα **WΘ** f1 f13 pm ς; R</small>

"[...] seu aspecto era como um relâmpago..." Essas descrições não nos deveriam levar a suspeitar de elementos mitológicos segundo alguns comentaristas insistem. Alguns estudiosos têm mesmo sugerido que se omitirmos a frase "[...] que ele ressuscitou dos mortos...", que aparece no v. 7, restará apenas um episódio comum, que, posteriormente, teria resultado naquilo que conhecemos como história da ressurreição. Como, porém, poderia um episódio comum ser sucedido pelos fantásticos acontecimentos que se seguiram, e que foram a base de toda a pregação apostólica que encontramos no livro de Atos? Essa explanação também não aborda várias outras tradições, as quais insistem na realidade do acontecimento, tal como aquela que aparece no evangelho de João, em partes do evangelho de Lucas que vão além da tradição do "protomarcos", e, especialmente, em 1Coríntios 15, que, provavelmente, é a mais antiga de todas as tradições. Buttrick diz (*in loc.*): "Uma era mais sábia do que a nossa poderá ficar perplexa ante nossa constante exigência de uma comprovação científica dos fatos. Não tem uma notável pintura qualquer fato que a inspirou, e alguma verdade por detrás da mesma? E esta narrativa tem provocado mais fatos e verdade do que a maior de todas as pinturas!

Geralmente damos pouquíssimo valor ao ministério dos anjos. Por que pensamos que somente as coisas que ordinariamente vemos podem representar a realidade? Sabemos que a vista humana (embora admirável) é um instrumento de percepção visual relativamente fraco, porquanto pode perceber apenas pequena fração da energia luminosa que existe. É lógico supormos, portanto, que a maior parte da realidade se desenvolve invisível aos nossos olhos, até mesmo realidades deste mundo, e quanto mais as realidades do mundo superior, do mundo espiritual. A parapsicologia muito tem feito para confirmar *a realidade* da existência do mundo espiritual. Não é impossível que métodos científicos reais venham a ser encontrados, capazes de detectar e mesmo de ver entidades espirituais; ou o próprio homem poderá desenvolver-se espiritualmente o bastante para que essa visão faça parte de sua personalidade. Jesus possuía essa forma de desenvolvimento como homem; e outras pessoas, no decorrer da história, parecem ter compartilhado ao menos de uma porção dessa capacidade. Ocasionalmente, algum homem comum, sem quaisquer desenvolvimentos espirituais em especial, tem sido capaz *de ver* entidades espirituais, por meios para nós desconhecidos, mas talvez explicáveis pelas circunstâncias, pelas condições atmosféricas etc., que algum dia a ciência poderá definir. A experiência humana demonstra que a existência de seres espirituais é uma realidade. (Ver notas em Lc 4.10, para maiores explicações a respeito, bem como em Mc 5.2.)

Os mensageiros da história da ressurreição foram ministros dotados de grande poder. Deus tocara nas vidas humanas por meio de Cristo; e isso seria motivo para que não empregasse outras entidades espirituais? A mão de um anjo facilmente fez deslizar uma pedra maciça. Era um anjo de pureza, porquanto as suas vestes brilhavam como a luz. Era um anjo de luz reveladora, porquanto trazia a extraordinária mensagem de vitória sobre a morte. Era um ser sobrenatural, tal como o anjo de Apocalipse 10.1, e tal como o próprio Jesus, quando de sua transfiguração. O anjo veio de um ambiente celestial, e a sua glória brilhou ao redor, e os homens foram transpassados de terror. Por breves momentos ele entrou nesta terra tenebrosa; mas a mensagem que ele trouxe continua iluminando os corações humanos. A morte não é mais permanente, nem mesmo com relação ao corpo, quanto menos no que diz respeito à alma. Morte? Para o crente não há morte!

Jesus ressuscitou e atravessou a matéria física, e o anjo meramente rolou a pedra, para que todos vissem que ele saíra; ou o anjo rolou a pedra para que Jesus pudesse sair? Essa pergunta tem sido levantada e debatida desde o começo da Igreja. Muitos dos pais da Igreja explicavam que Jesus ressuscitou e partiu, quando o túmulo ainda estava cerrado e selado. O ponto é interessante, ainda que não seja de grande importância. Alguns pais da Igreja (Ambrósio, Crisóstomo, Jerônimo, Agostinho, e outros) compararam esse túmulo com o ventre da virgem. Por ocasião da encarnação, Jesus entrou no mundo como bebê, pelo ventre da virgem.Quando da ressurreição, porém, ele partiu do ventre da terra, trazendo *luz*

e imortalidade aos homens; nasceu de novo, mas dessa vez como imortal. Mediante esse segundo nascimento, todos os homens podem compartilhar da sua imortalidade, de sua imagem perfeita, da sua essência divina (2Pe 1.4). O ato da ressurreição de Jesus declarou-o Filho de Deus (ver Rm 1.4), e nós, os crentes, compartilhamos dessa filiação no sentido mais literal e completo. (Ver as notas em Rm 8.29.) É interessante que a declaração da Filiação divina de Cristo foi com "poder". Trata-se do poder da ressurreição, pelo qual a morte foi derrotada e passou a ser o atual poder da vida cristã, o que, por si mesmo, é um agente de transformação, e que será exercido ainda com maior intensidade quando de nossa ressurreição, bem como quando na imortalidade perfeita que nos espera, na qualidade de participantes da vida mesma de Deus, daquela mesma vida da qual Cristo participou, na qualidade de primeiro homem imortal, como primogênito entre muitos irmãos. (Essa é a mensagem de Ef 1.19-23.) E essa é a mensagem central do evangelho, o que ultrapassa em muito a simples ideia do perdão dos pecados, por mais grandiosa que já seja essa mensagem.

28.4: E de medo dele tremeram os guardas, e ficaram como mortos.

28.4 ἀπὸ δὲ τοῦ φόβου αὐτοῦ ἐσείσθησαν οἱ τηροῦντες καὶ ἐγενήθησαν ὡς νεκροί.

"...e os guardas tremeram espavoridos..." Não esperavam ver uma das maiores visões de todos os séculos. Não podemos afirmar, com absoluta certeza, mas parece que a ressurreição aconteceu mais ou menos quando do aparecimento dos anjos e do choque sísmico. Parece ser intenção do autor ensinar que *o terremoto anunciou* a ressurreição de Cristo, tal como outro terremoto anunciara a sua morte. Se isso é verdade, teremos aqui uma indicação definida sobre o tempo da ressurreição, a saber, pouco depois da madrugada do domingo. Alguns têm pensado que esse acontecimento teve lugar no sábado, ou, pelo menos, pouco depois do pôr-do-sol, sábado à noite, começo do domingo judaico. Esta narrativa, entretanto, parece favorecer a madrugada de domingo como dia da ressurreição. Naturalmente assim tem dito a tradição da Igreja, desde séculos recuados, e, realmente, a reação pela qual a maioria das igrejas evangélicas da atualidade se reúnem no domingo, é que essa adoração é um culto comemorativo da ressurreição de Jesus. A história subentende que as duas Marias viram os soldados acovardados de temor. Eles estavam atordoados; realmente nada haviam esperado de extraordinário naquela noite tranquila; pensavam que o passar a noite no local era algo extremamente ridículo. *Vigiando um cadáver!* Subitamente, entretanto, o ar tornou-se mais leve; uma grande luz brilhou ao redor, com a intensidade de um raio; seres celestiais, certamente não desta terra, apareceram diante deles; o chão elevou-se e tremeu: ficaram tão aterrorizados que não podiam mover um músculo. Essas descrições bíblicas têm todos os sinais de autenticidade, incorporando nelas o que se sabe ser verdade nas experiências místicas. Aqueles soldados tiveram imenso privilégio, embora sem dúvida não pudessem apreciar a magnitude do que ocorria. Experiências místicas dessa natureza aterrorizam, paralisando os músculos.

No interior do túmulo ocorria outro drama, jamais sonhado pelo homem. O corpo jazia inerme. Jesus estava realmente morto. O espírito de Cristo estivera em missão por outras regiões, a saber, no próprio hades (ver 1Pe 3.18 e 4.6). Agora retornara ao sepulcro. O espírito de Jesus exerceu seu grande poder, o mesmo poder que exercera durante o seu ministério terreno. Nada pode resistir a esse poder. Subitamente, o corpo se sentou, e então pôs-se de pé. Estava transformado. Agora Jesus era um homem imortal. Nova vida transbordava de cada célula. Cada célula estava espiritualizada. A vida celestial permeava todo aquele corpo. Era a vida eterna, que não está sujeita à dissolução. O tempo e o espaço não eram mais barreiras. Jesus saiu; as rochas não

740 | Mateus | NTI

o impediram disso, porquanto ele agora pertencia a uma nova dimensão da existência. Passou através das rochas. Jesus havia espiritualizado o seu corpo. Estava totalmente transformado. Em sua ascensão e glorificação, foi ainda transformado mais um estágio. Esse é também o nosso destino, e haveremos de compartilhar plenamente dele, porquanto Jesus é o primogênito entre muitos irmãos, e nada pode impedir o seu poder. (Essa é a mensagem de Ef 1.19-23, sendo o elemento mais profundo da mensagem bíblica, porquanto o evangelho inclui mais do que apenas o perdão dos pecados. Envolve a participação na própria forma de vida de Deus — ver 2Co 3.18; Jo 5.26,27; Ef 3.19.)

O drama do túmulo é o drama sagrado da alma humana. Morte? A Morte não mata!

Aqueles eram soldados romanos; eram veteranos de diversas batalhas; haviam visto muitos acontecimentos incomuns e espantosos. Eram homens calejados; nada era capaz de abalá-los. Agora, porém, jaziam por terra como mortos. O grande drama *de todas as épocas* desenrolara-se diante de seus olhos. Contudo, não estavam espiritualmente preparados para resistir a isso. Estavam paralisados de medo.

28.5: Mas o anjo disse às mulheres: Não temais vós; pois eu sei que buscais a Jesus, que foi crucificado.

28.5 ἀποκριθεὶς δὲ ὁ ἄγγελος εἶπεν ταῖς γυναιξίν, Μὴ φοβεῖσθε ὑμεῖς, οἶδα γὰρ ὅτι Ἰησοῦν τὸν ἐσταυρωμένον ζητεῖτε·

"[...] anjo [...] dirigindo-se às mulheres [...] Não temais..." O que serviu de grande pavor para uns, foi mensagem de notável esperança e poder para outros. Os detalhes, aqui, não se revestem de grande importância. Houve um anjo ou *dois*? Estavam sentados do lado de fora, sobre a pedra, ou estavam *no interior* do sepulcro? Que importa isso, se estavam ali? As mulheres os viram, e ouviram palavras de consolo. Parece que Maria Madalena saiu apressada para contar a Pedro e a João o *suposto furto* do corpo de Jesus; então retornou; mas, nesse ínterim, houve esta visão por parte das outras mulheres. E então, pouco mais tarde (embora com a diferença de poucos minutos), os anjos foram novamente vistos (segundo o evangelho de João parece indicar). Acerca desses pormenores não podemos afirmar coisa nenhuma, mas que importam tais detalhes? O fato é que os mensageiros celestiais ali se encontravam. A excitação enchia a atmosfera; a vida se manifestou em novidade; o negríssimo véu do desespero subitamente foi retirado, e uma luz intensíssima brilhou ao redor. A morte fora derrotada. Essas condições, por si mesmas, provavelmente foram as que causaram os diversos elementos aparentemente contraditórios em várias narrativas. Ninguém se assentou a fim de detalhar os pormenores. *Os grandes fatos* foram suficientes, e isso é mais do que a mente humana pode apreender. Podemos afirmar que há elementos contraditórios na narrativa, ou, pelo menos, que ninguém foi capaz de obter uma harmonia coerente de todos os acontecimentos. Todos os grandes fatos, porém, permanecem de pé, e os detalhes são secundários. Em realidade, a diversidade, e até mesmo a contradição aparente, ao invés de destruírem a validade da história, realmente a consubstanciam, uma vez que demonstram que por detrás da narração há certa variedade de tradições. Há o "protomarcos", as fontes "M" e "L", a tradição separada do evangelho de João, e também a de Paulo, como se vê em 1Coríntios 15, que provavelmente foi a primeira a ser registrada em forma escrita permanente. Certa variedade de testemunhas, as quais concordam entre si em todos os pontos capitais, só diferem quanto aos detalhes menos importantes. Teríamos mais razões para suspeitar de erro histórico, e mesmo de fraude, se tivesse havido apenas uma tradição, cuidadosamente vazada nas mesmas palavras, apresentada em todos os evangelhos e nos escritos de Paulo sem variação de um único vocábulo. Então poderíamos pensar que

a história tivesse sido uma invenção da Igreja, e não narrativas excitadas de várias testemunhas, sobre as ocorrências.

O SUDÁRIO DE CRISTO?
Legendas
1. O que a câmera revela: pintura fina
2. Afresco de Mandylion: o sudário dobrado?
3. Peregrinos em Turim: depois vêm os cientistas
4. Impressão facial: último enigma
5. Mostrando uma relíquia renomada: a face de Cristo ou só um pedaço de pano?

Do lado de fora da catedral de estilo florentino em Turim, Itália, a fila se estende por mais de dois quarteirões. Dentro, peregrinos em grupos de 100 se alinham silenciosamente diante de uma vitrina à prova de bala, dramaticamente iluminada, montada sobre o altar. O objeto de sua curiosidade sossegada era um pedaço de linho de 14 pés de comprimento, contendo uma imagem vaziamente discernível de um homem aparentemente crucificado. Conhecido como o Santo Sudário de Turim, e acreditado por muitos como a real veste funerária de Jesus Cristo, a relíquia é a mais famosa da cristandade — e o desafio mais irritante para a ciência moderna.

Para marcar o 400º aniversário da chegada do sudário em Turim, a relíquia foi colocada em uma rara mostra pública — a primeira em muito tempo. Quando a exibição se encerrou, mais de 3 milhões de pessoas ter passaram em testemunho. As reações dessas pessoas foram o que se pode dizer de variadas. "Eu era capaz de ver a face de Cristo", proclamou uma freira espanhola. "Tudo é loucura", encolheu os ombros um estudante francês de 18 anos de idade. "Para mim é somente outra peça de roupa".

Os veredictos mais cruciais, entretanto, não foram dados até o final da exibição. Se o arcebispo de Turim, Anastásio Ballestero, consentir, grupos de cientistas convidados para ir à cidade pelo Centro Internacional de Sindonologia (estudos de sudários) começarão a conduzir experiências altamente delicadas sobre a antiga mas durável roupa. Armados com equipamentos sofisticados da era espacial, os cientistas colherão dados que, eles esperam, eventualmente desvendarão os segredos do sudário. Testes anteriores já foram desgastados pelo ceticismo natural de alguns cientistas. Diz Kenneth Stevenson, o coordenador da unidade americana de sindonologistas: "Baseados na evidência científica da data, a maioria de nós concordaria que ele é a autêntica roupa funerária de Jesus Cristo".

Para o observador normal, ver não é necessariamente acreditar. Para o olho nu, o sudário revela duas linhas paralelas de marcas chispadas — os resultados de um fogo quase desastroso no século dezesseis — compondo o contorno assombreado de um corpo humano em direção ao centro do linho. Como, porém, o seu primeiro fotógrafo — um advogado italiano — descobriu há 80 anos, o sudário age na forma de um filme fotográfico. Quando o pano é fotografado, o negativo fornece uma imagem positiva de detalhe fino. Grandes aplicações de negativos em exibição em um anexo da catedral mostram uma figura masculina, de aproximadamente 5 pés e 11 polegadas de altura, deitada em repouso com suas mãos cruzadas sobre seu pélvis e seus pés cruzados nos tornozelos. Ele é barbado e seu longo cabelo está enrolado em trança — moda entre os homens judeus nos tempos bíblicos.

Os detalhes anatômicos acentuadamente precisos têm impressionado os físicos. A face e o corpo são marcados por ferimentos e lesões em misteriosa correspondência com os relatos evangélicos do flagelo e crucificação de Jesus. A parte posterior está coberta com sinais de marcas em forma de halteres sugerindo açoitamento por um *flagelador* romano. Ambos os ombros estão machucados pelo peso de um objeto pesado, como uma cruz. Os punhos e os pés estão furados e, entre a quinta e a sexta costela no lado direito do corpo há uma ferida inclinada que poderia ter sido feita por uma lança. Um grupo final de detalhes distingue o homem do sudário de um criminoso romano comum crucificado. Existem aparentes manchas de sangue na linha do cabelo e fronte, como se fossem causadas por uma coroa de espinhos.

"UM CORPO EMBAIXO DAQUELE PANO"

Pesquisadores já dissolveram a explicação mais óbvia para a imagem do sudário — de que seja uma fraude perpetrada por algum astuto pintor medieval. Análise química falhou em descobrir mesmo uma única partícula de tinta. Além disso, esse artista deveria ter sido não somente exímio estudante de anatomia e patologia, como também teria que entender os princípios de fotografia, cinco séculos antes da invenção da câmera. Em adição, estudos recentes usando um analisador de imagem da agência espacial dos EUA, demonstraram que as marcas contêm informação tridimensional sobre o homem do sudário, um efeito que nem pinturas nem técnicas fotográficas convencionais poderiam atingir. "É tecnicamente impossível, de acordo com nossa pesquisa, para um falsário fornecer uma perfeita, tridimensional imagem em um pedaço de pano", diz Stevenson. "Além disso, nós podemos concluir que havia um corpo embaixo daquele pano".

As questões chaves levantadas pelo sudário são: Quantos anos ele tem? De onde ele veio? E o mais intrigante de tudo: como a imagem foi formada? Dados históricos confiáveis mostram que o sudário foi pela primeira vez colocado em exibição no século XIV, na França, pela viúva necessitada de um homem chamado Geoffrey de Charny. Foi uma rápida retirada, entretanto, depois que um bispo reclamou que um sudário com tal imagem poderia não ser autêntico porque não está mencionado nos Evangelhos.

Nos anos recentes, exames cuidadosos do material do sudário colocaram sua manufatura no Oriente Médio do tempo de Cristo. Em um estudo de nove anos do pó tirado do sudário, o criminologista suíço Max Frei descobriu concentrações de pólen semelhantes àquelas encontradas quase que exclusivamente no Mar Morto na área da Palestina. "Se o sudário for genuíno, o que eu acredito que seja, teria 2.000 anos de idade", conclui Frei.

UMA "SEMELHANÇA VERDADEIRA"

A pesquisa de Frei dá crédito à teoria das origens do sudário proposta por Ian Wilson, da Grã Bretanha, um jornalista histórico largamente respeitado. Em seu livro recentemente publicado, *O Sudário de Turim*, Wilson argumenta que a relíquia bem que poderia ser o legendário *Mandylion*, um pano misterioso que os cristãos orientais ortodoxos há muito consideraram como portados de "semelhança verdadeira" com Cristo. Wilson acredita que o sudário original foi levado por um discípulo de Cristo para *Edessa* (agora *Urfa*, na região *Anatoliana* de Turquia) algum tempo antes de 50 d.C., como um brinde para o rei cristão da cidade. Depois que a cidade caiu no paganismo, o sudário desapareceu até o sexto século, quando foi descoberto em uma cavidade em uma parede da cidade e recebeu o nome de *Mandylion*. Em 944, o *Mandylion* foi levado para Constantinopla onde se tornou parte da coleção do imperador bizantino.

Wilson sugere que os bizantinos podem não ter entendido que eles reverenciavam a imagem facial que era um sudário, em toda extensão, porque ele estava dobrado para que somente a face ficasse visível, e então esticado em uma estrutura e circundado com uma moldura decorativa. Ele também sugere que a razão pela qual muitos retratos de Jesus depois do sexto século se assemelham entre si é todos terem sido inspirados pelo *Mandylion*, que desapareceu no século XIII. Como Wilson reconstrói sua história subsequente, o Mandylion pode ter sido transportado por um cavaleiro templário e ancestral de Geoffrey de Charny, cuja viúva o colocou brevemente em exibição. Finalmente, em 1453, o sudário foi levado para a Casa de Savoia, que o manteve desde então.

ENERGIA RADIANTE

Para os cientistas, o único método seguro de determinar a data do sudário é por meio de um teste carbono 14, que os oficiais da igreja têm há longo tempo rejeitado porque poderia danificar uma grande parte do pano. Cientistas americanos, entretanto, estão aperfeiçoando uma forma de teste carbono 14, que exigiria somente 5 milímetros de amostra. Enquanto isso, outros cientistas deram ao arcebispo de Turim uma longa lista de solicitações. Alguma esperança de expor o sudário a uma microexperiência de íon, que pode achar vestígios de uns 30 elementos em um único fio de cabelo humano, para provar sem dúvida a ausência de tinta. Um teste envolvendo análise de ativação de nêutron poderia determinar se há sangue humano no pano. Em complementação, os cientistas esperam conduzir experiências no sudário, usando raios X fluorescentes e fotomicrografia, assim como o exame do avesso do pano com instrumentos óticos flexíveis.

O último enigma, é claro, é justamente que processo imprimiu a imagem humana no sudário. Confrontado com nenhuma outra explicação racional, alguns cientistas concluíram que pode ser causada por um *flash* de energia radiante. O químico térmico Ray Rogers do Laboratório Científico Los Alamos — um dos 30 *sindonologistas* que examinarão o sudário — sugere que a imagem tenha sido impressa por uma intensa queima de luz ou *"fotólise flash"* — um conceito que enreda confortavelmente a pintura tradicional de um brilhante Cristo ressuscitado saindo do túmulo.

A ILUMINAÇÃO DA FÉ

Ironicamente, essas conclusões vêm de cientistas, precisamente quando muitos teólogos se tornam relutantes ao afirmar a ressureição física de Jesus. O evangelho testemunha que a crença de um discípulo duvidoso foi reavivada somente depois de ele ter colocado sua mão no ferimento da lança do Cristo ressuscitado. Se o sudário de Turim aparecesse como a roupa funerária de Jesus, sem dúvida ajudaria a escorar o compromisso cristão dos "Tomases" duvidosos de hoje. Todavia, essa dúvida ainda não provaria conclusivamente que a ressureição tenha ocorrido. Este é um mistério que sempre exigirá a iluminação da fé.

Artigo usado pela gentil permissão de *Newsweek Magazine*, 18 de setembro de 1978.

28.6: Não está aqui, porque ressurgiu, como ele disse. Vinde, vede o lugar onde jazia;
28.6 οὐκ ἔστιν ὧδε, ἠγέρθη γὰρ καθὼς εἶπεν· δεῦτε ἴδετε τὸν τόπον ὅπου ἔκειτο[1].

6 ἠγέρθη...εἶπεν Mt 12.40; 16.21; 17.23; 20.19; Mc 8.31; 9.31; 10.34; Lc 9.22; 18.33; 24.7

[1] {B} ἔκειτο ℵ B Θ 33 892[txt] it[e] syr[s,pal, ms] cop[sa,bo] arm eth geo[2] Diatessaron[n] Origen[lat] Chrysostom Cyril // ἔκειτο ὁ κύριος A C D K L W Δ Π 0148 *f*[1] *f*[13] 28 565 700 892[mg] 1009 1010 1071 1079 1195 1216 1230 1241 1242 1253 1365 1546 1646 2148 2174 *Byz Lect* it[a,aur,b,c,d,ff[1,2],g[1],h,] [l,q,r[1]] vg syr[p,h,pal mss] geo[1] Diatessaron Chrysostom // ἔκειτο ὁ Ἰησοῦς Φ // ἔκειτο τὸ σῶμα τοῦ κυρίου 517 954 1424 1574 1675

Prover um sujeito para ἔκειτο teria sido uma adição bastante natural para os copistas; se originalmente presente, não há razão para ter sido apagado. Em Mateus, a palavra κύριος nunca é aplicada a Jesus, exceto em suas declarações registradas.

"Ele não está aqui: ressuscitou". Cinco palavras, segundo a nossa tradução; *quatro* palavras no original grego. E nas asas dessas palavras voa *a maior de todas as mensagens já proferidas por quaisquer lábios*. Disse Buttrick (*in loc.*): "Quão terna e simplesmente essas novas foram ditas! Tal é o quadro de Mateus sobre o anjo da ressureição. Muito além de todas as nossas embotadas ideias científicas, existem verdades profundíssimas. Aqui

742 |Mateus| NTI

foi proclamado o único fato capaz de explicar a igreja primitiva e a nova fé dos seguidores de Cristo. 'Ele ressuscitou!' Este é o fato que *revivificou* a Igreja cristã e que a sustenta através dos anos. O sinal de nossa fé não é tanto uma cruz, e, sim, uma presença pessoal". Mais adiante, diz ele: "Todos nós temos indagado, admirados, se a terra visível é real. Há ocasiões em que até parece que podemos meter uma das mãos terra adentro, como se fosse uma finíssima cortina, a fim de tocar em realidades ocultas. Uma criança perguntou: 'O que há por detrás do pôr-do-sol?' Essa é a pergunta final, porque não podemos escapar da aurora que anuncia outro mundo ao redor do nosso, tal como a terra sólida circunda e passa por baixo do oceano. Sem essa esperança em nós, o fato da ressurreição não encontraria eco, como também o sol seria inútil se os homens não tivessem olhos para ver a luz... Cristo trouxe a vida e a imortalidade à luz, por meio do evangelho (2Tm 1.10)".

A sexta sinfonia de Beethoven imita o estrondo de uma furiosa tempestade, mas logo se seguem as primeiras *notas trêmulas* de uma *nova esperança*, e estas, finalmente, se expandem em um cântico de ação de graças. Assim também ocorreu no caso de Jesus. Todavia, as ilustrações são insuficientes, quando tentam ilustrar aquele que é a própria Luz. Diz o primeiro versículo deste capítulo: "[...] ao entrar o primeiro dia da semana..." As primeiras notas trêmulas retinem, após uma gigantesca tempestade. Segue-se, então, a grande mensagem, e esta termina em um cântico de ações de graças. É apropriado que essa grande mensagem tenha começado no primeiro dia da semana, e que, a cada domingo, ela seja novamente proclamada, porquanto é perenemente nova, e o tempo não pode diminuir o seu poder.

"[...] como havia dito..." (Ver Mt 16.21; 17.23 e 20.19.) Como essas palavras foram subitamente lembradas, *cheias* de significação. No entanto, apesar de familiares, haviam sido mal-entendidas. Jesus proferira palavras verazes. Quão claras parece que elas deveriam ter sido, mas quantas trevas havia então! A narrativa de Lucas contém uma gentil repreensão contra essa incredulidade: "Por que buscais entre os mortos ao que vive?" Agora a incredulidade foi iluminada. Novamente devem ter-se admirado dos poderes proféticos de Jesus — mais admirados, entretanto, devem ter ficado com a sua pessoa.

"[...] Vinde ver onde ele jazia". Aquele lugar, pois, tornou-se *sagrado*. De certa feita vi uma fotografia na qual uma mulher estava ajoelhada no local do túmulo de Gordon, no ponto exato onde esteve o corpo de Jesus, de mãos estendidas e deitadas sobre o lugar onde Jesus jazia. Ela também fora ver o lugar onde Jesus descansava. Muitos dos que têm estado nesses lugares têm chorado, até mesmo em nossos dias. De certa feita, Jesus esteve ali, inerme; estava morto; e não havia equívocos sobre isso. Agora, porém, o local *está vazio*. Nenhum corpo morto se decompôs ali. E até hoje se pode contemplar o lugar onde ele esteve, *sagrado para todos nós*. (Ver as notas sobre o túmulo do jardim, também chamado "túmulo de Gordon", em Mt 27.60.)

A observação de Hilário é digna de ser repetida aqui: "Através da mulher, a morte entrou pela primeira vez neste mundo; à mulher foi feito o primeiro anúncio sobre a ressurreição". E Crisóstomo declarou: "Observemos como nosso Senhor elevou o sexo mais fraco, que caíra em desonra mediante a transgressão de Eva; e como ele inspirou esperança, curou as tristezas, e tornou mulheres em *mensageiras das boas novas* aos seus discípulos".

As demais narrativas evangélicas incluem a menção aos panos de linho que tinham envolvido o corpo de Jesus, e que foram deixados no sepulcro; agora Jesus não precisava mais deles. É possível que uma das poucas relíquias autênticas da vida de Jesus tenha sido preservada na chamada "mortalha de Turim", que poderia ter sido o pano que lhe envolvia o corpo.

A mortalha de Turim — Há algumas evidências científicas convincentes de que esse pano, de certa feita, envolvera o corpo de um homem crucificado; e muitos a têm aceitado como a mortalha

autêntica de Cristo, embora nenhum grupo eclesiástico lhe tenha dado sanção oficial. Atualmente, encontra-se encerrada em um cofre-forte, por detrás do altar da catedral de S. João Batista, em Turim, na Itália. Tem estado ali por mais de duzentos e cinquenta anos. Tem 4,20 m de comprimento e 0,90 m de largura, feito de linho, onde se estampam os contornos frontal e dorsal de um homem crucificado. São *Nino*, do século IV d.C., diz-nos que Pedro guardara a mortalha de Cristo; mas em seus dias, não sabia se esta havia sido descoberta ou não. A tradição revela que trezentos anos mais tarde, apareceu em Jerusalém, onde foi vista pelo bispo Arculfus. Ficou ali guardada por quatrocentos anos. No fim do século XI, encontrava-se em Constantinopla; e, após o saque da cidade, pelos cruzados, desapareceu para reaparecer na França. A partir desse ponto, há uma história razoavelmente acurada e historicamente digna de confiança a respeito dessa mortalha. Era propriedade dos duques de Savoia, ancestrais do rei Vítor Emanuel, da Itália. No século XIV, houve a primeira controvérsia eclesiástica sobre ela. Em 1898, o cavaleiro Pia, um rico fotógrafo amador, recebeu autorização para fotografá-la, e, para seu espanto, quando a imagem estampada na mortalha ficou revertida na *chapa negativa*, apareceu o retrato de um homem crucificado. A mortalha se transformara em uma chapa fotográfica negativa, por meio dos elementos químicos pelo corpo que antes envolvera. Subsequentemente, comprovou-se, mediante testes feitos em panos de linho, que essa imagem negativa poderia ser produzida usando-se os elementos químicos emitidos por uma pessoa em grande padecimento. Os ferimentos nas mãos (realmente nos pulsos), as marcas dos espinhos, os ferimentos nos pés, a ferida no lado, tudo é claramente visível. As reações químicas gravadas no pano de linho indicam que a pessoa ali contida estava realmente morta, mas que pouco depois a pessoa deve ter deixado o processo (ou deve ter sido tirada dos mesmos), pois, do contrário, o processo fotográfico negativo teria sido borrado pela continuação das reações químicas. O corpo que ali esteve contido tinha aproximadamente 1,73 m de altura. Jamais poderemos saber se essa mortalha foi aquela em que o corpo de Jesus foi enrolado; mas é possível que se trate de uma das poucas relíquias que possuímos da vida de Cristo. (Extraído de *Between Two Worlds*, de Nandor Fodor, p. 265-268.) Quanto a uma discussão sobre as ideias referentes ao modo da ressurreição, ou sobre a verdade desse acontecimento, ver o texto de Lucas 24.6.

28.7: e ide depressa, e dizei aos discípulos que ressurgiu dos mortos; e eis que vai adiante de vós para a Galileia; ali o vereis. Eis que vo-lo tenho dito.

28.7 καὶ ταχὺ πορευθεῖσαι εἴπατε τοῖς μαθηταῖς αὐτοῦ ὅτι[a] Ἠγέρθη ἀπὸ τῶν νεκρῶν[2],[a] καὶ ἰδοὺ προάγει ὑμᾶς εἰς τὴν Γαλιλαίαν, ἐκεῖ αὐτὸν ὄψεσθε· ἰδοὺ εἶπον ὑμῖν.

7 Ἠγέρθη...Γαλιλαίαν Mt 26.32; Mc 14.28   προάγει...ὄψεσθε Mt 28.10,16; Jo 21.1-23

[a a] 7 *a direct, a minor*: WH Bov Nes[7] BF[2] (NEB) TT Jer // *a indirect, a minor*: TR RSV // *a direct*: *a major*: RV ASV // *a indirect, a major*: AV (Zür) Luth Seg

[2] 7 {C} ἀπὸ τῶν νεκρῶν A B C K L W Δ Θ Π 0148 *f*[1] *f*[13] 28 33 700 892 1009 1010 1071 1079 1195 1216 1230 1241 1242 1253 1344 1365 (1546 ἐκ) 1646 2148 2174 *Byz Lect* it[aur,c,f,ff²,q] syr[p,h,pal] cop[sa,bo] eth Cyril // *omit* D 565 it[a,b,d,e,ff²,g¹,h,l] vg syr[s] arm geo Diatessaron[a,v] Origen[gr,lat] Cyril-Jerusalem Augustine

Apesar de reconhecer a dificuldade de explicar a ausência das palavras ἀπὸ τῶν νεκρῶν dos manuscritos do texto ocidental, bem como de vários outros testemunhos antigos, a maioria da comissão julgou que a preponderância da evidência externa favorece a sua inclusão. Sua omissão pode se ter dado devido ao descuido na transcrição, talvez impulsionada pela circunstância que, na sentença anterior (v. 6), a palavra ἠγέρθη aparece sem essa adição.

"**Ide, pois, depressa...**". Essas palavras levam de volta para a predição em Mateus 26.32, mas o evangelho de Mateus altera as palavras do evangelho de Marcos, "[...] como ele vos disse", porque esse versículo não foi dirigido às mulheres. (Ver Mc 14.28 e 16.7.)

"**[...] dizei aos seus discípulos...**" indicava a grande maioria dos crentes, os quais residiam na Galileia. Embora, nas proximidades de Jerusalém houvesse certo número de revelações do Senhor ressurreto às mulheres, a Pedro e aos discípulos de Emaús, bem como aos onze discípulos, na Judeia, contudo, sua grande automanifestação deu-se na Galileia, conforme se vê no v. 16. É notável que Mateus não registre outra manifestação do Cristo ressurreto, exceto a da Galileia (além daquela que aparece no v. 9, para as mulheres; mas talvez aqui também tenhamos outro aparecimento na Galileia). Quanto às *aparições*, precisamos depender dos demais evangelhos. É provável que as investigações de Lucas tivessem descoberto diversos incidentes, tais como o dos discípulos no caminho de Emaús. Essa omissão acerca dos outros aparecimentos do Cristo ressurreto, simplesmente, é outra prova de que as diversas narrativas procederam de certo número de fontes informativas distintas; e isso, uma vez mais, aumenta a nossa confiança na autenticidade dessas narrativas, porquanto chegaram a nós de diversas direções, e não apenas de uma fonte informativa, como se tivesse sido uma criação histórica com propósito definido, por parte da Igreja. *Na Galileia*, Jesus apareceu aos discípulos em duas ocasiões notáveis — à beira do lago da Galileia (Jo 21) e no monte, onde Jesus encarregou a Igreja de sua Grande Comissão (Mt 28.16-20). Este versículo não indica que ele não tenha podido aparecer antes para eles; mas ele queria reunir-se com eles ali, em um grupo completo. Antes de ter aparecido na Galileia, Jesus apareceu somente a Pedro (ver Lc 24.34) e aos onze, e em Jerusalém (Jo 20.26).

> *Badalai, sinos da Páscoa, badalai!*
> *Badalai a bendita história;*
> *Badalai, e assim narrai,*
> *O conto inefável da glória.*
>
> *Badalai, sinos da Páscoa, saudai o sol,*
> *Pois a data da Páscoa é chegada.*
> *Badalai, desde cedo, desde o arrebol,*
> *Que do túmulo a pedra foi tirada.*
>
> *Badalai, sinos da Páscoa, pois para Jesus*
> *Este foi um tempo de alegria.*
> *Badalai, sinos da Páscoa, pois há luz,*
> *Para os homens, como antes não se via.*
>
> *Badalai, sinos da Páscoa, badalai!*
> *Tomai conta de cada coração.*
> *Badalai, sinos da Páscoa, badalai!*
> *Este é o dia da ressurreição.*
> (Mamie Ozburn Odum)

28.8: E, partindo elas pressurosamente do sepulcro, com temor e grande alegria, correram a anunciá-lo aos discípulos.

28.8 καὶ ἀπελθοῦσαι ταχὺ ἀπὸ τοῦ μνημείου μετὰ φόβου καὶ χαρᾶς μεγάλης ἔδραμν ἀπαγγεῖλαι τοῖς μαθηταῖς αὐτοῦ.

"**[...] tomadas de medo e grande alegria...**". A passagem de Marcos 16.8 indica o grande temor das mulheres, o que as levou a hesitarem falar com quem quer que fosse. Essa condição, porém, não perdurou por muito tempo, conforme vemos em Lucas 24.10,11 e nesta seção de Mateus. Disse Buttrick (*in loc.*): "As narrativas da aparição de Jesus, após a sua morte, mostra as marcas da autenticidade. Que fértil imaginação poderia pensar em fazê-lo aparecer a Maria, que fora purificada de sete demônios, ou à outra Maria, comparativamente desconhecida, mãe de Tiago, o menor?

O fato de Jesus ter aparecido primeiramente a elas, e não aos discípulos, é um registro de profunda significação, porquanto elas haviam sido testemunhas de sua crucifição (ver Mt 27.55,56)". Robertson diz (*in loc.*): "Aquilo foi um toque de vida, quando as excitadas mulheres correram rapidamente para levar a notícia aos discípulos. Tinham a maior notícia que alguém poderia anunciar. Marcos compara isso a *temor e êxtase*. Agora qualquer coisa parecia possível". Toda notícia poderosa faz *os nervos se arrebatarem*, como que com temor e tremor (Is 40.5 e Fp 2.12). O temor e tremor referidos pelo apóstolo Paulo são um extravasamento consciente do fato de que tinha uma obra solene a realizar, uma corrida a percorrer, um prêmio a conquistar.

2. Jesus aparece às mulheres (28.9,10)

28.9: E eis que Jesus lhes veio ao encontro, dizendo: Salve. E elas, aproximando-se, abraçaram-lhe os pés, e o adoraram.

28.9 καὶ ἰδού[3] Ἰησοῦς ὑπήντησεν αὐταῖς λέγων, Χαίρετε. αἱ δὲ προσελθοῦσαι ἐκράτησαν αὐτοῦ τοὺς πόδας καὶ προσεκύνησαν αὐτῷ.

[3] **9** {B} καὶ ἰδού ℵ B D K W Θ *f*[3] 33 700 892 1009 1010 1365 1646 *l*[32,76,184,185pt,211,299,950,1642] it[a,aur,b,c,d,e,ff[1,2],g[1],h,l,n,r[1]] vg syr[p,pal] cop[sa,bo] arm eth[pp] geo Origen Eusebius Cyril-Jerusalem Cyril // ὡς δὲ ἐπορεύοντο ἀπαγγεῖλαι τοῖς μαθηταῖς αὐτοῦ καὶ ἰδού (*ver* 28.8) A C K L Δ Π 0148 *f*[1] 28 565 1071 (1079 2174 *omit* καὶ) 1195 1216 1230 1241 1242 1253 1344 1546 2148 *Byz Lect l*[185pt] it[f,q] syr[h] eth[ro] (eth[ms] *omit* καὶ ἰδού) Diatessaron[a,(n,t)]

> Embora seja possível que as palavras ὡς δὲ ἐπορεύοντο ἀπαγγεῖλαι τοῖς μαθηταῖς αὐτοῦ καὶ ἰδού tenham saído do texto devido à homoeoteleuton, sua ausência dos melhores e mais antigos representantes de todos os três tipos de texto (alexandrino, ocidental e cesareano) levaram a comissão a considerá-las uma expansão natural, derivada do sentido do versículo anterior.

"**[...] eis que Jesus veio ao encontro delas [...] Salve!**". Jesus veio ao encontro delas, com naturalidade, como se nada tivesse acontecido. No entanto, que prodígio extraordinário tivera lugar! Ele disse "Salve!", saudação grega comum, equivalente ao nosso "Bom Dia!" ou a outra saudação similar. Tudo parecia muito familiar, porque era a saudação comum entre amigos. Literalmente, essa saudação significa "Alegrai-vos!" ou "Regozijai-vos!" Alguns tradutores a têm traduzido como "Oh, alegria!" Se não soubéssemos que se tratava de uma saudação comum, talvez lhe déssemos excessiva importância, porque, realmente poderíamos clamar. "Oh, alegria! aquele que tão recentemente esteve morto, agora está vivo para sempre. *Oh, alegria!* esta é a promessa que ele nos fez, porque todos quantos morrerem, haverão de ressuscitar! Não existe mais morte!" Sim, se essas narrativas tivessem sido inventadas, certamente nelas Jesus teria aparecido a Pilatos ou a Caifás, proferindo palavras denunciadoras. (E existem narrativas apócrifas que fazem exatamente isso). Mas, não! Pelo contrário, Jesus saudou a duas mulheres, saudou aos seus discípulos, como fazia antes de toda aquela tribulação e morte. Jesus disse: "Alegrai-vos", e a passagem de João 20.19 acrescenta: "Paz seja convosco!" Como parecia simples e costumeiro tudo aquilo! No entanto, o regozijo deve ter tomado conta de cada célula de seu corpo. "O fato da ressurreição irrompeu sobre eles em uma esmagadora surpresa de alegria. O grande amigo deles não era o mesmo amigo que tinham conhecido: era o Senhor reinante. Jesus veio ao encontro deles: a iniciativa partiu dos céus. Ele os apanhou de surpresa, em sua tristeza e desespero" (Buttrick, *in loc.*). Antes de sua ressurreição, Jesus era o Messias. Após a sua ressurreição, todos os títulos são por demais exíguos para descrevê-lo. Nós o chamamos de Senhor, Salvador, Rei, Alfa e Ômega, e foi em todos esses sentidos que os discípulos o adoraram. A ressurreição tirou-lhes a cegueira para as realidades celestes. A ressurreição é a grande parede divisória da história humana.

744 |Mateus| NTI

"[...] abraçaram-lhe os pés..." Não para ver se ele era um fantasma, pois o mais certo é que essa possibilidade jamais tenha penetrado na mente delas. *Transbordantes* de satisfação, *tremendo* de emoção, *tomadas* de gratidão, *inundadas* de imensa e santa felicidade, não havia outra coisa que pudessem fazer. Elas caíram no chão, e, em instantes de intenso êxtase, com mãos trêmulas, abraçaram aqueles pés transpassados. Nenhum mortal jamais adorou com maior liberdade, mais completamente, do que aquelas mulheres fizeram naquele momento. Mais tarde, Tomé, ao segurar entre seus dedos as mãos transpassadas de Jesus, deve ter sentido o mesmo arrebatamento, e exclamou: *"Meu Senhor e meu Deus!"* Por conseguinte, encontramo-nos com Jesus, e *nada mais pedimos* além disso. Ele é nosso Senhor e nosso Deus.

As aparições de Jesus, após sua ressurreição, segundo registro nos Evangelhos, foram as seguintes:

1. *No dia da ressurreição*: A Maria Madalena (Jo 20.14-18). Às outras mulheres — Maria, mãe de Tiago e José, Joana, Salomé (e outras também), que tinham vindo com especiarias para ungir o corpo de Jesus (Lc 24.10 e Mt 28.7-10). Na tarde daquele mesmo dia, a Pedro (Lc 24.34 e 1Co 15.5); e, mais tarde, ainda nesse dia, aos dois discípulos no caminho de Emaús, um dos quais se chamava Cléopas, embora desconheçamos o nome do outro. Sabemos o nome de Cléopas porque é provável que ele tenha fornecido a Lucas essa informação (ver Lc 24,13,18). Pouco mais tarde, a dez discípulos — Judas Iscariotes já morrera, e Tomé estava ausente (Lc 24.36-43; Jo 21.1-23).

2. Oito dias mais tarde (de acordo com Jo 20.26), a todos os onze apóstolos, incluindo Tomé (Jo 20.24-29).

3. Certo número indeterminado de dias, depois disso, a sete discípulos: Pedro, Tomé, Natanael, Tiago, João (estes dois últimos, filhos de Zebedeu), e dois outros cujos nomes não são revelados no texto (Jo 21.2).

4. Em data indeterminada, a quinhentos irmãos (1Co 15.6).

5. Em Jerusalém e em Betânia, em data posterior, para Tiago (1Co 15.7), e, pouco mais tarde, a todos os apóstolos novamente, ao tempo da ascensão (1Co 15.7; Mt 28.16-20; Lc 24.33-43; At 1.3-12).

6. Por meio de visões, a Paulo (1Co 15.8; At 9.3-6); a Estêvão (At 7.55); e a João, na ilha de Patmos (Ap 1.10-19).

As narrativas assim fornecidas nos dão uma base histórica firme sobre o fato da ressurreição, como uma das principais doutrinas fundamentais do NT e da fé cristã.

"[...] ao saírem a contar aos seus discípulos", são palavras que aparecem nos mss ACEFGHKLMSUV, Gamma, Delta, Fam Pi, e na versão KJ. Os melhores e mais antigos mss omitem essas palavras, a saber, Aleph, BD, 33, 69, 435 e a maioria das versões latinas, incluindo a,b,c e ff (1,2). Outras versões, como o *cop* e o *si* (s ph), também omitem essas palavras, como também nos escritos de Orígenes, um dos pais da Igreja. Todas as traduções usadas para efeito de comparação, neste comentário (catorze, ao todo), excetuando a versão KJ, omitem essas palavras. O acréscimo, que aparece em alguns mss, é uma explicação natural do texto, mas não faz parte do documento original.

28.10: Então lhes disse Jesus: Não temais; ide dizer a meus irmãos que vão para a Galileia; ali me verão.

28.10 τότε λέγει αὐταῖς ὁ Ἰησοῦς, Μὴ φοβεῖσθε· ὑπάγετε ἀπαγγείλατε τοῖς ἀδελφοῖς μου ἵνα ἀπέλθωσιν εἰς τὴν Γαλιλαίαν, κἀκεῖ με ὄψονται.

10 ὑπάγετε...μου Jo 20.17

ὑπάγετε...ὄψονται Mt 26.32; 28.7,16; Mc 14.28; Jo 21.1-23

"[...] não temais. Ide avisar..." A mensagem de Jesus foi a mesma mensagem do anjo, segundo é descrita no v. 5. A ênfase, tanto em Mateus como em Marcos, recai sobre o encontro na Galileia, ao passo que os demais evangelhos preferem falar sobre as outras aparições de Jesus na área de Jerusalém. Esse encontro com as mulheres evidentemente tinha por intuito ser descrito como algo que ocorreu na área de Jerusalém, embora alguns eruditos acreditem que também pertence à tradição da Galileia. Jesus lhes disse para não temerem. Antes dessa ocasião, ele deve ter feito isso com frequência; mas agora ele falou com *nova autoridade*, com palavras, com certeza, impressionantes. Quem poderia temer aquela evidência tremenda de vitória sobre a morte e o mal? John S. Whale conta a história de um músico que, ao ouvir "alguma frase musical perfeitamente convincente", em uma das sinfonias de Beethoven, exclamou: "Naturalmente, se isso é assim, não é motivo de preocupações" (*"Christian Doctrine"*, p. 155). Parece que esse músico podia ouvir palavras e verdades ditas mediante notas musicais, o que o homem comum não pode fazer. Isso, porém, serve de ilustração sobre a fé na ressurreição. Esse acontecimento é a corda da música celeste que nos convence de que nada nos deve preocupar. Temos confiança quando ouvimos os acordes da ressurreição; e as palavras de Jesus "não temais", assumem uma significação vital.

"[...] meus irmãos..." Isso acrescenta um *toque de ternura* à narrativa, pois é a primeira vez que o termo é usado neste evangelho, nessa relação. Na mente de Jesus há perdão. Eles o haviam abandonado, mas são *irmãos*, e eles foram elevados. Eram "amigos", mas agora eram muito mais íntimos dele do que antes. A narrativa de Marcos adiciona [...] *e a Pedro...* (Mc 16.7). Jesus queria que compreendessem que ele não os tinha rejeitado, embora eles o tivessem abandonado debaixo da pressão. Compartilhavam dos benefícios da ressurreição. Jesus conhecia os corações, e era por causa da debilidade humana que eles se haviam afastado, e não por causa de malícia. Vemos também uma indicação da grande doutrina concernente aos "primogênitos" e a muitos outros filhos, que também serão conduzidos à glória. Em um novo sentido, Jesus era agora irmão deles, porquanto era o homem imortal, o modelo para toda a humanidade. Jesus lhes oferecia o mesmo destino, por meio da transformação deles em sua imagem metafísica. Esse é o ensinamento mais elevado do evangelho. (Quanto a notas sobre esse assunto, ver Rm 8.29.)

As negações sobre a ressurreição têm assumido diversas formas, que podem ser sumariadas como segue:

1. A do sinédrio *mentiroso*. Jesus teria morrido, mas seu corpo teria sido furtado, e se espalhou um falso rumor de ressurreição. Isso significaria que os apóstolos eram ousados enganadores. Entretanto, viver e morrer por causa de uma fraude, por quê? A vida dos apóstolos e da igreja primitiva negam essa acusação.

2. O ponto de vista derivado do *racionalismo*, de que Jesus desmaiou, entrou num aparente transe de morte e, mais tarde, recuperou-se — o que explicaria a ressurreição. A história da crucificação, especialmente aquela que indica a ruptura do coração, que é sempre *fatal*, refuta a história; como também a refutada mortalha de Turim, que conteve um cadáver, sem a menor dúvida, se essa mortalha realmente foi de Jesus. (Ver notas em 28.9 quanto aos pormenores a esse respeito.)

3. Alguns defendem um ponto de vista *psicológico*. Teriam sido ocorrências internas, interpretadas como realidades externas, que "clamavam por cumprimento". Essa hipótese, todavia, é uma impossibilidade, conforme comprovado pelo grande número de aparições de Jesus. É difícil acreditar que mais de quinhentas pessoas, de uma só vez, tivessem tido, simultaneamente, essa experiência psicológica. É difícil também crer que Tomé, ao tocar em Jesus, estivesse tão-somente experimentando um desejo psicológico de cumprimento, enquanto os outros apóstolos contemplavam a cena, também vendo e ouvindo tudo como se fora uma realidade objetiva.

4. Teriam sido efeitos do *espírito perenemente* vivo de Jesus, mas não algo a ver com sua ressurreição corporal. As mãos, os pés e o lado transpassado, e a observação desses fatos por parte dos apóstolos, não dão apoio a essa teoria.

5. Há explicações mediúnicas a respeito: Jesus teria aparecido em espírito; teriam sido aparecimentos reais, autênticos, mas em espírito, e não em corpo. É perfeitamente possível que o espírito de Jesus tivesse o poder de exteriorizar um corpo, e até mesmo supri-lo de cicatrizes nas mãos, nos pés e no lado; mas nada disso explicaria a pormenorizada história do túmulo vazio. Preservaria a imortalidade e realmente seria uma boa prova em favor dela; mas essa explanação não se adapta às narrativas bíblicas da ressurreição. Pelo menos devemos tomar em consideração o que as próprias testemunhas oculares creram, e a ressurreição corporal de Jesus foi a posição dos apóstolos.

Quanto a notas sobre as teorias referentes aos *modos* da ressurreição de Jesus, com sugestões além daquelas aqui oferecidas, ver as notas em Lucas 24.6.

AURORA ORIENTAL
Pouco antes da aurora, naquela manhã, faz tantos anos,
Cristo se ergueu triunfal, segundo escrito nos arcanos.

Falou aos amigos no jardim, antes de ir-se embora,
Pra provar a realidade, de que estava vivo agora.
A luz fraca da aurora, muito pálida, em seu rosto se refletia,
E isso transformou o sombrio jardim num local de alegria.

E até hoje, na Páscoa, ainda que séculos se tenham passado,
Com reverência nos prostramos, de coração santificado.

Admirados vemos os raios do sol, finalmente rebrilhando,
E eles tingem o espetáculo, cores brilhantes vão acendendo.

E então brilha o sol, como que inspirado por aquele dia,
Da ressurreição de Jesus, eternizado em nossa alegria.
(Donita M. Dyer)

Declarações de alguns grandes estudiosos das Escrituras, acerca da ressurreição do Senhor Jesus:

"Embora permaneça um mistério que não pode ser dissipado com respeito ao modo da ressurreição de Jesus, o fato da ressurreição não pode ser empalidecido pela dúvida, por qualquer evidência histórica, como também não pode ser o assassínio de César". (*De Wette*).

"Pode-se afirmar, sem rebuços, que a ressurreição de Cristo é o fato histórico mais perfeitamente confirmado". (*Edersheim*).

"Historicamente, nada é mais certo do que o fato de que Jesus ressuscitou dentre os mortos e tornou a aparecer aos seus seguidores" (Ewald).

"Se ainda não sabemos que Jesus de Nazaré ressuscitou dentre os mortos, é que ainda nada sabemos sobre a história" (*John A. Broadus*).

SE A PÁSCOA NÃO É VERDADE
Se a Páscoa não é verdade,
Então os lírios todos devem cair;
As papoulas holandesas devem morrer,
A primavera deve perder o seu frescor
Pois Cristo ainda estaria no túmulo...
Se a Páscoa não é verdade.

Se a Páscoa não é verdade,
Então a fé deve subir em asas partidas;
A esperança não será mais fonte imortal,
E terá perdido todo o seu impulso;
A vida será um fantasma, a morte um lamento...
Se a Páscoa não é verdade.

Se a Páscoa não é verdade,
Foi tolice suportar a cruz cruel:
Ele morreu em vão e em vão sofreu ali.
Que importa se nós rimos ou choramos,
Se somos bons ou maus, se vivemos ou morremos,
Se a Páscoa não é verdade?

Se a Páscoa não é verdade...
Mas é verdade, e Cristo ressuscitou!
E espíritos imortais, de suas prisões
Do pecado e morte com ele se erguerão!
Digna é a luta, assegurado o prêmio,
Posto que a Páscoa, sim, é verdade!

XIV. A RESSURREIÇÃO (28.1-10)
3. Falso testemunho dos guardas (28.11-15)
28.11 — Esta seção (v. 11-15) é a continuação da narrativa iniciada em Mateus 27.62 e, provavelmente, chegou até nós por meio da tradição. Somente Mateus preservou a tradição, pelo que pode fazer parte do material "M", da igreja de Jerusalém ou da igreja de Antioquia. (Ver notas sobre as fontes informativas dos Evangelhos na introdução a este comentário, no artigo intitulado "O problema sinóptico".) Muitos intérpretes, antigos e modernos, têm posto em dúvida a *autenticidade* histórica desta seção, crendo que pode ter sido uma invenção da Igreja, ao afirmar que a ressurreição deve ter sido uma ocorrência histórica válida, visto estar o sepulcro sob guarda, o que impossibilita a teoria favorita dos judeus, isto é, que o corpo de Jesus foi furtado. É possível, à base de Mateus 27.65, que os soldados ali descritos fossem membros da guarda do templo. (Ver notas naquela seção quanto a uma informação sobre a identidade dos soldados.) Nesta seção, parece que faziam parte da coorte italiana, que estava sob as ordens de Pilatos. Seja como for, eram soldados romanos e estavam sujeitos a Pilatos. No tocante a certos pormenores, não temos informações seguras. Justino Mártir menciona algo sobre esse incidente em seu *Diálogo com Trifo*, mas é evidente que ele dependeu totalmente da narrativa de Mateus, e nada nos oferece de novo. Esse incidente também é mencionado no evangelho de Pedro (11.46-49) e, embora alguns outros detalhes sejam dados, não é provável que esse evangelho apócrifo realmente tenha fornecido informação válida e nova. E a ideia de que se trata de mera tradição fabricada, não sai da área das conjecturas, porquanto, se rejeitássemos as narrativas dos Evangelhos, apenas porque só há uma tradição por detrás delas, teríamos de rejeitar *boa porção* da narrativa bíblica inteira.

28.11: Ora, enquanto elas iam, eis que alguns da guarda foram à cidade, e contaram aos principais sacerdotes tudo quanto havia acontecido.

28.11 Πορευομένων δὲ αὐτῶν ἰδού τινες τῆς κουστωδίας ἐλθόντες εἰς τὴν πόλιν ἀπήγγειλαν τοῖς ἀρχιερεῦσιν ἅπαντα τὰ γενόμενα.

Pelo menos podemos asseverar que a narrativa da ressurreição de forma nenhuma descansa sobre esta história particular, porquanto o resto da história é apoiado em diversas tradições. Essa multiplicidade das tradições, bem como o caráter das próprias narrativas, soam autênticas. (Quanto a uma expansão dessa ideia, ver as notas em Mateus 28.1, e também em Mateus 28.2.) É provável que o incidente tenha sido registrado pela primeira vez pelos crentes judeus da Palestina, uma vez que, constantemente, tinham de enfrentar o mito do corpo furtado.

É significativo observarmos que os soldados da guarda dirigiram-se aos membros do sinédrio para contar o que acontecera. Receavam dirigir-se primeiramente a Pilatos, não porque pudessem ter impedido o que ocorreu, mas porque poderiam ser acusados de terem dormido ou, de outra maneira, terem negligenciado seus

746 |Mateus| NTI

deveres. É provável, porém, que a história tenha chegado aos ouvidos de Pilatos, de qualquer maneira; ou talvez que os próprios soldados lhe tenham revelado a verdade. O mais certo é que ele não tomou nenhuma providência a respeito. O sinédrio não lhe poderia causar dificuldades com isso, porquanto eles mesmos queriam suprimir a verdade do que sucedera, para que os soldados, os únicos que conheciam a verdade a respeito dos fatos, fossem deixados em paz.

28.12: E congregados eles com os anciãos e tendo consultado entre si, deram muito dinheiro aos soldados,
28.12 καὶ συναχθέντες μετὰ τῶν πρεσβυτέρων συμβούλιόν τε λαβόντες ἀργύρια ἱκανὰ ἔδωκαν τοῖς στρατιώταις

"**Reunindo-se eles em conselho...**" Convocaram um novo concílio; estavam novamente em dificuldades por causa de Jesus. Provavelmente, foi uma reunião formal do sinédrio. Outra vez apelaram para seu costumeiro expediente de falsidades e subornos, conforme haviam feito com Judas Iscariotes. Lembremo-nos de que o corpo controlador do sinédrio, naquele tempo, eram os ricos e socialmente poderosos saduceus. Estes controlavam o templo, a adoração ali efetuada, o seu comércio, e também o governo geral de Israel. Não criam em espíritos e nem em ressurreição, e preocupavam-se muito em impedir qualquer coisa que ameaçasse essas suas crenças, como também não queriam que soubessem que Jesus ainda vivia, o que para eles era motivo de embaraço e de ameaça. (Ver At 4.12 e as notas sobre os "saduceus", em Mt 22.23; sobre o "sinédrio", em Mt 22.23; sobre os "fariseus", em Mc 3.6; sobre os "escribas", em Mc 3.22; sobre os principais sacerdotes, em Mc 11.27; sobre os "herodianos", em Mc 3.6; sobre os "essênios", em Lc 1.80 e Mt 3.1.) Essa reunião do sinédrio apresenta uma contínua descrição do caráter da religião organizada da época. A despeito de *todas as provas* da grande atuação de Deus entre eles, os corações permaneciam empedernidos e, provavelmente, incrédulos. Tinham ainda alguma teoria mediante a qual continuavam duvidando do poder de Deus, de sua ressurreição e da aprovação divina a Jesus? Certamente que sim, pois do contrário a iniquidade e dureza deles era de tal natureza, que já estava fora do alcance da mensagem de Deus, a despeito de todas as provas e evidências.

"**[...] grande soma de dinheiro...**" Literalmente, é *dinheiro suficiente*, ou seja, suficiente para garantir que os soldados se conservariam calados. Muito provavelmente esse suborno era resultado de alguma decisão anterior, feita pelo corpo principal do sinédrio ou por alguma comissão nomeada pelo sinédrio. Aquelas autoridades religiosas reconheciam o poder do suborno, e, em suas práticas políticas, provavelmente aplicavam esse princípio em seus negócios, com bastante frequência. Haviam corrompido a Judas Iscariotes com essa prática, e tinham poucas dúvidas de que aqueles soldados pagãos, apesar de alguma notável experiência mística, por causa de sua natureza corrupta, não haveriam de declarar a verdade, antes, haveriam de cooperar com eles. O emprego do vocábulo grego *ikana*, isto é, "suficiente", com frequência tinha o sentido de boa quantia, de considerável quantia; pelo que, muito provavelmente, aqui está em vista o sentido de uma grande quantia de dinheiro, no dizer de algumas versões. (Ver Mc 10.46, sobre a multidão que seguia a Jesus, em cujo texto é usada novamente essa palavra.)

28.13: e ordenaram-lhes que dissessem: Vieram de noite os seus discípulos e, estando nós dormindo, furtaram-no.
28.13 λέγοντες, Εἴπατε ὅτι Οἱ μαθηταὶ αὐτοῦ νυκτὸς ἐλθόντες ἔκλεψαν αὐτὸν ἡμῶν κοιμωμένων.

13 Εἴπατε...αὐτόν Mt 27.64

"**[...] vieram [...] os discípulos [...] e o roubaram...**". Além de se terem sujeitado ao julgamento da incapacidade, do embaraço e da negligência nos deveres, aqueles soldados agora se sujeitavam a uma história de estupidez; e teriam de contar *essa comédia*, se quisessem ficar com o dinheiro do suborno. Teriam de dizer que estavam dormindo. Isso não é de todo impossível, visto que talvez tenham participado de muitas festas e de vinho, altas horas da noite; contudo, dormir no posto do dever poderia atrair contra eles a sentença de morte, e por isso mesmo era algo altamente improvável. Não obstante, somente por meio dessa circunstância é que alguns poucos pescadores, certamente desarmados, poderiam ter furtado um cadáver guardado por soldados profissionais armados. Estavam dormindo! Como poderiam ter sabido disso, se estavam dormindo? No entanto, essa era a melhor história que poderia ser contada, sob aquelas circunstâncias.

DIVERSOS comentaristas bíblicos mencionam o fato de as mentiras de Satanás trazerem sempre em si a *própria refutação*. Todavia, todas essas improbabilidades de forma nenhuma servem de argumento contra a veracidade da narrativa, porquanto quando os homens se recusam obstinadamente a crer na verdade é que "[...] Deus lhes manda a operação do erro, para darem crédito à mentira" (2Ts 2.11). Com esse princípio concorda o antigo adágio pagão: "A quem os deuses querem destruir, primeiramente enlouquecem". Justino Mártir, em "*Diálogo com Trifo*" (cap. 108) mostra que a mesma calúnia era corrente nos meados do século II de nossa era. Tertuliano também menciona essa mentira como algo corrente e popular entre os judeus. Isso demonstra, se é que não prova outra coisa, que sentiam a necessidade de explicar o *túmulo vazio*; e que essa própria necessidade de explicação comprova a ressurreição de Jesus. A improbabilidade da história, de que temerosos discípulos teriam vindo subitamente, realizando um furto de tão grande envergadura, mostra a mentira e dá apoio à narrativa da ressurreição.

28.14: E, se isto chegar aos ouvidos do governador, nós o persuadiremos, e vos livraremos de cuidado.
28.14 καὶ ἐὰν ἀκουσθῇ τοῦτο ἐπὶ τοῦ ἡγεμόνος, ἡμεῖς πείσομεν [αὐτὸν] καὶ ὑμᾶς ἀμερίμνους ποιήσομεν.

"**[...] ao conhecimento do governador, nós o persuadiremos...**" O apócrifo evangelho de Pedro narra que esses homens falaram *diretamente* com Pilatos, e que ele os teria aconselhado a calar a boca, temendo que o povo judeu os apedrejasse a todos (ver 11.46-49). Embora essa narrativa seja interessante, não há que duvidar de que a narrativa de Mateus é a certa. Não queriam que Pilatos soubesse da verdade, embora a confiança que o sinédrio aqui demonstra, de ser capaz de aplacar ao governador com várias astúcias e persuasões, seja bem apoiada pelo que sabemos a respeito do caráter de Pilatos. (Ver a nota sobre Pilatos, em Mt 27.11.) Serve de tributo ao novo poder da Igreja cristã, que se originou do poder do Senhor ressurreto, que a comunidade judaica viu ser necessário apodar Jesus de impostor, vendo-se obrigada a fabricar tão ridícula e impossível história como essa. Realmente, trata-se de um tributo inconsciente e involuntário a Cristo e à sua nova vida, que impulsionava também os seus seguidores. A sinagoga percebeu ser imprescindível perseguir a nova fé, por causa de sua vitalidade, que ameaçava os antigos e seculares padrões religiosos.

É possível que o temor das providências de Pilatos, por parte das autoridades religiosas dos judeus, fale de algum julgamento formal que os soldados teriam de enfrentar, cujo resultado, não fosse a intervenção do sinédrio, certamente seria a pena de morte. Não sabemos o que aconteceu; mas, se Pilatos realmente causou dificuldades, aqueles homens conseguiram sobreviver, porquanto a fraude persiste entre os judeus até os nossos dias. Isso lhes tem servido de desculpa para não crerem na missão messiânica de Jesus, e nem em sua ressurreição.

28.15: Então eles, tendo recebido o dinheiro, fizeram como foram instruídos. E essa história tem-se divulgado entre os judeus até o dia de hoje.

28.15 οἱ δὲ λαβόντες τὰ ἀργύρια ἐποίησαν ὡς ἐδιδάχθησαν. Καὶ διεφημίσθη ὁ λόγος οὗτος παρὰ 'Ιουδαίοις μέχρι τῆς σήμερον [ἡμέρας].

<small>15 αργυρια אᴮˢᴮˢᵂ *1574.*; R] praem τα rell ς | ημερας] om אAW f1f13 pl ς; R</small>

"**Eles, recebendo o dinheiro...**". É possível que os elementos mais conscientes do sinédrio não tivessem participado desses conchavos. Certamente Nicodemos e José de Arimateia não participaram, e talvez também Gamaliel. No entanto, a história da crucificação é prova do que as autoridades do sinédrio eram capazes de fazer, e o fato de essa história generalizar-se, sendo ainda conhecida nos tempos de Justino Mártir, tanto quanto na comunidade onde vivia Tertuliano, mostra que efetivamente foi criada e propagada. Notamos também que o folheto talmúdico, intitulado *Toledoth Jeshu*, expande essa mentira dos judeus. Essa falsificação hierárquica da história da ressurreição e de outros temas centrais do evangelho foi apenas o início da mesma sorte de coisas que enche muito espaço nos evangelhos apócrifos e que se tornaram crenças das primeiras seitas heréticas, tais como os ebionitas.

A expressão "**[...] até ao dia de hoje...**" sugere um intervalo de tempo que ultrapassa a data tradicional da escrita deste evangelho, dez anos após a ressurreição de Jesus. Este evangelho provavelmente foi escrito após a destruição de Jerusalém e, até mesmo nesse tempo, e a despeito de toda essa calamidade, a história continuava popular e se ia espalhando cada vez mais. (Quanto a notas sobre a data escrita deste evangelho, ver a introdução ao evangelho de Mateus.)

No escrito judaico, *Toldos Jesu*, p. 18,19,21, há outra inverdade que afirma que o próprio Judas Iscariotes, vendo onde fora sepultado o corpo de Jesus, roubou-o e sepultou-o em seu jardim. Mais tarde, fiel ao seu caráter doentio, contou a história aos judeus, os quais, subsequentemente, tomaram o corpo de Jesus e o expuseram, da maneira mais ignominiosa, como espetáculo público. Essa é apenas mais uma dentre as muitas versões da mesma mentira, que foram propagadas a fim de explicar a história do sepulcro vazio.

XIV. A RESSURREIÇÃO (28.1-10)
4. Aparecimento final aos onze (28.16-20)

Os v. 16-20 narram a história do *último aparecimento* de Jesus, após a sua ressurreição, aos onze apóstolos. Nesta altura, o evangelho de Mateus atinge a sua conclusão, como final apropriado de uma história de tão grande magnitude. Este evangelho começa no espírito do AT, oferecendo a genealogia real do Messias, mas termina com uma expressão que serve para indicar que esse mesmo Jesus é o Salvador e Senhor *universal*, tanto na terra como no céu. Embora o evangelho de Mateus se caracterize por certo sabor ético, explicando os ensinamentos de Jesus, contudo, contém também essa grande maravilha sobrenatural — a ressurreição e a vida eterna. Ninguém pode calcular a influência que essa passagem tem exercido sobre o mundo, onde se lê a maravilha com que se encerra a narrativa da vida terrena do Senhor Jesus. A epístola aos *Romanos*, bem como esta seção do evangelho de Mateus e os seus paralelos, têm por intento universalizar a mensagem cristã. Jesus, o Cristo, é o Salvador de toda a humanidade, e as identidades raciais e nacionais são, no evangelho, substituídas pela cidadania celestial. Desse ponto em diante, o Senhor Jesus é o cabeça de uma nova raça, redimida, na qual cada indivíduo tem o direito de ser transformado segundo o molde de sua imagem. Os outros evangelhos (Lc 24 e Jo 20) referem-se aos aparecimentos de Jesus, depois de sua ressurreição, em Jerusalém ou nas proximidades dessa cidade. O texto de João 21.1-4, entretanto, dá apoio à tradição dos aparecimentos de Jesus na Galileia, que é o tema central de Mateus; e isso, provavelmente, representa o fim "perdido" do evangelho de Mateus. (Quanto a esse problema textual, ver as notas em Mc 16.9.) A tradição refletida em 1Coríntios 15 (que deve ter sido material informativo procurado por Paulo entre

testemunhas oculares com quem ele conversou, conforme fica subentendido no v. 6 desse mesmo capítulo) não menciona nenhuma localização geográfica, e, de fato, essa parte não se reveste de grande importância.

28.16: Partiram, pois, os onze discípulos para a Galileia, para o monte que Jesus lhes designara.

28.16 Οἱ δὲ ἕνδεκα μαθηταὶ ἐπορεύθησαν εἰς τὴν Γαλιλαίαν εἰς τὸ ὄρος οὗ ἐτάξατο αὐτοῖς ὁ 'Ιησοῦς,

<small>16 Οἱ...' Ιησοῦς Mt 26.32; 28.7,10</small>

O que há de mais notável nestes versículos é o que se tornou conhecido como *Grande Comissão*, que é, realmente, a universalização da mensagem cristã. Essa tradição propagou-se também por toda parte e, provavelmente, deriva-se de diferentes fontes informativas. O evangelho de Mateus talvez preserve a tradição do "protomarcos". Os textos de Lucas 24.47,48 e de Atos 1.8, ambos escritos por Lucas, representam uma fonte informativa independente. O evangelho de João, em 20.23, expressa a necessidade de os crentes se tornarem repletos de amor e de interesse por todos os irmãos. A passagem de João 21.24,25, embora não seja uma direta ordem de evangelização, lança o alicerce para isso, ao afirmar que o testemunho inteiro é veraz, e que Jesus fez muitas outras coisas de idêntica importância, tudo o que constitui uma notável mensagem aos homens. A passagem de João 20.30,31 é a que mais se aproximava das palavras básicas da Grande Comissão. Jesus operou muitas maravilhas; de fato, mais do que aquelas que ficaram registradas, e estas são provas de seu ofício messiânico. Contudo, elas provam também que ele é o Filho de Deus, e de que, por meio da fé em Cristo, também podemos partilhar da vida eterna. Essa é a intenção da Grande Comissão, a propagação da mensagem da vida. Assim é que essa tradição é múltipla e conta com bons fundamentos históricos. Podemos concluir, por conseguinte, que a Igreja derivou o seu impulso missionário dos aparecimentos do Cristo ressurreto.

"**Seguiram os onze discípulos para a Galileia...**". Mateus deixa de lado (provavelmente representando uma tradição que não continha as outras aparições de Jesus) os aparecimentos do Senhor na área de Jerusalém, com a exceção do aparecimento às duas mulheres, pouco depois da ressurreição. Muitos discípulos provavelmente retornaram à Galileia, em companhia dos onze, alguns deles convictos da verdade da ressurreição de Cristo, mas outros não tão convencidos disso. A declaração que se lê no v. 17, de que alguns duvidaram, não pode significar que alguns dos onze apóstolos ainda fossem assaltados por dúvidas, porquanto todas as demais aparições de Jesus já tinham acontecido, incluindo-se a sua aparição a Tomé, o único que, até esse encontro, tinha dúvidas sobre a ressurreição. Portanto, os duvidosos devem ter sido diversos outros discípulos de Jesus.

A ordem para que os discípulos se reunissem em um monte especificado pode ter sido dada enquanto eles ainda estavam em Jerusalém; ou pode ter sido dada indiretamente da Galileia, quando Jesus já se encontrava ali. Alguns intérpretes acreditam que essa ordem foi dada quando Cristo veio ao encontro de sete dos seus discípulos, conforme vemos o registro em João 21 (ver 21.2, onde há a lista). Por conseguinte, Jesus ordenou uma reunião *mais ampla*, evidentemente para que os crentes fossem testemunhas de sua ascensão, e esse grupo maior, sem a menor dúvida, incluía os onze. (Ver Mt 28.9, onde há notas que explicam as diversas aparições de Jesus, após a sua ressurreição.)

ESTAVA em vista um monte *específico*: Podemos ter certeza disso, embora não contemos com meios de saber a sua localização exata. Provavelmente, era algum lugar familiar de retiro dos discípulos e de Jesus. Certa tradição apócrifa, que data do século XIII, determina o pico norte do monte das Oliveiras como o local da cena, dando a esse pico o nome de Galileia. Essa teoria, porém, originou-se como uma tentativa imprópria de obter harmonia entre as narrativas. Vemos os primeiros vestígios disso em *Actus Pilati*. Alguns têm sugerido o monte Tabor, que, muito provavelmente, não foi a cena da transfiguração de Jesus, mas que bem pode ter sido o local de sua ascensão ao céu. Esse monte fica cerca de dez quilômetros de Nazaré, na direção suleste. As vertentes do monte Tabor, no tempo de Jesus, estavam recobertas de densas florestas e flores agrestes, tendo um cume chato com cerca de dois quilômetros e meio de circunferência. Ali existem ainda os vestígios de uma grande fortaleza e de duas antigas igrejas cristãs. Outros têm conjecturado que seria apropriado que a ascensão (a nova transfiguração) de Jesus tivesse tido lugar no local da (primeira) transfiguração. (Ver notas sobre as supostas localizações, em Mateus 17.) Pode ter sido o monte próximo de Cafarnaum, onde Jesus ensinara, e que fora o cenário do Sermão do Monte. Há ainda outras conjecturas, mesmo que não haja meios de determinarmos a localização exata.

28.17: Quando o viram, o adoraram; mas alguns duvidaram.

28.17 καὶ ἰδόντες αὐτὸν προσεκύνησαν[4], οἱ δὲ ἐδίστασαν.

[4] 17 {C} προσεκύνησαν ℵ B D L 33 it[a,aur,b,c,d,e,ff1,2,g1,h,l,n] vg syr[palms] Eusebius Chrysostom // προσεκύνησαν αὐτῷ A K W Δ Θ Π 0148 f[1] f[13] 565 700 892 1010 1071 1079 1195 1216 1242 1344 1546 2148 2174 Byz Lect l[185s,m] cop[sa7bo7] eth Diatessaron Didymus // προσεκύνησαν αὐτόν 074 28 1009 1230 1241 1253 1365 1646 l[32,183,184,303,950,1231,1634] // προσεκύνησαν αὐτοῦ 346 // προσεκύνησαν αὐτῷ (or αὐτόν) it[q] syr[p,h,pal mss] arm geo

> Tanto a superioridade da evidência externa em apoio da forma mais breve, quanto a diversidade da forma (dativo, acusativo ou mesmo genitivo) do pronome, favorecem a forma adotada pelo texto.

"[...] o adoraram...". Caíram prostrados aos pés de Jesus. Esse ato não era uma novidade, mas as manifestações de Jesus após a sua ressurreição, bem como o grande fato de sua ressurreição, fortaleceram e intensificaram a fé dos discípulos. O ato de adoração assumira um novo e vivo significado. O termo "adorar", neste caso, é um vocábulo forte. Os discípulos sabiam que o seu Mestre, a quem o povo considerava apenas como um profeta, na realidade era o Senhor reinante.

"[...] mas alguns duvidaram". Essa pequena adição tem causado intensa *consternação* entre os comentaristas das Escrituras. Alguns creem que se trata de uma alusão aos onze, julgando não ser natural enfrentar essas palavras de outra maneira. Seria possível que alguns deles ainda tivessem dúvidas? E, em caso positivo, sobre o que duvidariam? Alguns pensam que os onze ainda duvidavam do grande fato da ressurreição; outros, porém, creem que a dúvida era se deveriam ou não adorar a Jesus. Pela própria narrativa bíblica, entretanto, parece que o centro da dúvida era o próprio fato da ressurreição.

Alford, nas seguintes palavras, nega que estivesse em foco o ato de adoração, nessa dúvida: "[...] não deveriam adorá-lo, o que é absurdo e não está implicado na palavra". E então prossegue para apoiar a teoria de que não estavam em vista os onze apóstolos, mas outras pessoas presentes, provavelmente alguns daqueles quinhentos que estariam presentes nessa ocasião. Buttrick (*in loc*) diz que essas palavras expressam dúvidas da parte dos verdadeiros discípulos, e não da parte dos circunstantes, e diz: "Quase certamente a palavra é usada para indicar os seguidores de Jesus, e não os circunstantes. Alguma dúvida era quase inevitável. Todos pecaram, e o pecado *obscurece* a fé. Enquanto isso, nossa mente é embotada ainda quando parece mais brilhante, e os caminhos de Deus se revestem de grandes mistérios para nós. Talvez só lentamente os discípulos se tenham convencido do fato de que Jesus vivia após a morte. Talvez alguns o tivessem visto, mas julgavam que as boas novas eram boas *demais* para serem verdadeiras. E

talvez outros tivessem visto a Jesus, mas, logo em seguida, não pudessem crer que o tinham contemplado. Nossa vida, de fé e dúvida vacilantes, é vista aqui em duas palavras: "[...] adoraram [...] e [...] duvidaram... Talvez, neste caso, a dúvida não seja o contrário da fé; mas tão-somente o equívoco da fé [...] se duvidarmos de Deus, talvez já tenhamos obtido a primeira visão fugidia de Deus. Não precisamos temer a dúvida, senão quando esta se originar no pecado. Existe fé até mesmo na dúvida honesta. Quem nunca duvidou nem chegou a crer pela metade. Onde está a dúvida, aí está a verdade; é a sua sombra (Philp James Bailey: *Festus: a Country Town*). O oposto da fé não é a dúvida, mas o *cinismo* [...] porquanto a verdade não descansa na pobre lógica da mente [...] O evangelho de João diz-nos como Tomé apresentou o seu ceticismo diretamente a Cristo, e como obteve a resposta (ver João 20.24-20) [...] Aqueles que se aventuram firmados no poder da ressurreição de Cristo encontrá-lo-ão perto, pronto para dar-lhes poder. Este evangelho é testemunho".

E Bruce expressa uma verdade possível ao escrever (*in loc.*): "A narrativa inteira tão breve e vaga que dá apoio à hipótese que diz que nos registros sobre as aparições de Jesus não temos uma ocorrência particular apenas, mas um quadro geral de *Cristofanias*, onde sentimentos mistos e em conflitos, de reconhecimento reverente e de hesitação, quanto à identidade da pessoa a quem viam, desempenharam o seu papel". (Mais ou menos outro tanto disseram intérpretes como Keil, Stenmeyer e Holtzmann.) Alguns estudiosos acreditam que a dúvida não dizia respeito ao fato da ressurreição, e nem à propriedade da adoração a Cristo, mas à incerteza de o personagem que viam no monte ser realmente o Senhor Jesus (embora já acreditassem que ele ressuscitara dentre os mortos), visto que, no processo da transfiguração, ele tivesse assumido uma aparência diferente, como se fosse um fantasma, o que dificultaria a identificação, propiciando as dúvidas surgidas no espírito de alguns contemplarem a Jesus. (*Em essência*, essa é a posição de John Gill, Olshausen, H. Johann Meyer, e outros.) Isso é possível, mas as outras interpretações parecem mais prováveis.

28.18: E, aproximando-se Jesus, falou-lhes, dizendo: Foi-me dada toda a autoridade no céu e na terra.

28.18 καὶ προσελθὼν ὁ Ἰησοῦς ἐλάλησεν αὐτοῖς λέγων, Ἐδόθη μοι πᾶσα ἐξουσία ἐν οὐρανῷ καὶ ἐπὶ [τῆς] γῆς.

18 Ἐδόθη...γῆς Dn 7.14; Mt 11.27; Jo 3.35; 13.3; 17.2; Ef 1.20-22; Fp 2.9,10

18 fin.] add (Jo 20.21) καθως απεστειλεν με ο Πατηρ καγω αποστελω υμας Θ (*1604*) sy[p]

A Grande Comissão: Ver também Marcos 15.18; Lucas 24.44-49; Atos 1.8 e João 20.20,21. A tradição não é única, mas conta com fontes informativas diversas, pelo que repousa historicamente sobre as declarações do Senhor ressurreto. (Ver notas no versículo 16 sobre a importância dessa observação.)

A Grande Comissão, assim chamada com toda a razão, porquanto se aplica à Igreja toda, ainda que dada inicialmente aos discípulos daqueles tempos, esboça o caráter geral dos discípulos, seu trabalho e a mensagem que seria as *boas novas* de tudo quanto Jesus é e fez por nós, agora e para todo o sempre. Inclui o "ide a todas as nações", o que jamais foi cumprido no tempo daqueles apóstolos, pelo que fala conosco também. Alguns têm chamado essa passagem de *Magna Carta* do programa missionário da Igreja. Esse programa inclui fazer discípulos ou aprendizes, mas também inclui o ministério de ensino, que visa ao desenvolvimento desses discípulos. E devemos notar que isso faz parte da "Grande Comissão" tanto quanto o fazer discípulos — fato esse do qual a Igreja moderna poderia tirar proveito. O batismo, como símbolo vívido da identificação espiritual com Cristo, torna-se um importante elemento acompanhante da pregação e do ensino.

Esse programa deve continuar até a *consumação do século*, o que não fala de localização geográfica, e, sim, de tempo. Por isso é que as traduções vertem de várias maneiras essas palavras, como temos aqui em RSV, GD, WM e AC, ou como temos em NE: "fim do tempo". Essa é outra indicação de que a comissão visava a nós, porquanto ainda não chegou esse tempo; e, enquanto não chegar, não se completará o trabalho de evangelização e de instrução dos convertidos.

É próprio adorarmos alguém que goza de toda a autoridade no céu e na terra. Essa declaração mostra a fé universal dos primitivos cristãos, e difere apenas na escolha das palavras da doutrina joanina de que Cristo é Deus. (Ver Jo 1.1; 10.30 e 20.28). O evangelho de Mateus termina com algumas notáveis asseverações:

1. Uma reivindicação de vasta *autoridade* (v. 18).
2. Uma grande *comissão*, baseada nessa reivindicação (v. 19).
3. E uma grande *promessa*, sobre a presença permanente e ajudadora (v. 20).

A superficialidade de nossa época pode dizer: "Uma religião é tão boa quanto outra", mas o cristianismo bíblico jamais poderá aceitar essa declaração. Jesus falou de "toda forma de autoridade" (Bruce, *in loc.*). Esta se encontra no céu. A narrativa de Mateus não nos fornece a história da ascensão de Jesus, mas tudo quanto está subentendido na *ascensão* — Jesus assentado à mão direita de Deus Pai — está implicado nessa grande reivindicação de autoridade real, que não exerce seus efeitos apenas sobre a terra, mas sobre o próprio céu. As duas expressões, "[...] no céu..." e "[...] na terra...", implicam um domínio cósmico, universal. O apóstolo Paulo desenvolveu esse tema no primeiro capítulo da epístola aos Efésios, e no primeiro e segundo capítulos da epístola aos Colossenses. (Ver também Hb 1.6; Rm 14.9; Fp 2.9-11 e 1Pe 3.22).

"É o mais sublime de todos os espetáculos ver o Cristo ressurreto, sem dinheiro e sem guarnição de soldados ou governo organizado, comissionar aquele grupo de quinhentos homens e mulheres com o programa de conquista do mundo, levando-os a crer que isso é possível, e fazendo-os se atirarem à tarefa com paixão séria e com poder. O Pentecostes ainda viria, mas a fé dinâmica já operava naquela montanha da Galileia" (Robertson, *in loc.*). Devemos nos lembrar também que a tradição nos diz que a família de Paulo era originária da Galileia, pelo que, foi daquele local imprevisível que saiu a força poderosíssima da fé cristã, a qual, para milhões de pessoas, através dos séculos, e até os nossos dias, é a principal consideração na vida, o princípio unificador e orientador da existência.

28.19: Portanto ide, fazei discípulos de todas as nações, batizando-os em nome do Pai, e do Filho, e do Espírito Santo;

28.19 πορευθέντες οὖν μαθητεύσατε πάντα τὰ ἔθνη, βαπτίζοντες αὐτοὺς εἰς τὸ ὄνομα τοῦ πατρὸς καὶ τοῦ υἱοῦ καὶ τοῦ ἁγίου πνεύματος,

19 πορευθέντες...ἔθνη At 1.8

19 πορ. ουν] *om* ουν ℵA 28 69 *pm* Ir^{lat}: πορευεσθε νυν D it | βαπτιζοντες...Πνευματος] εν τω ονοματι μου Eus^{pt} | βαπτιζοντες] βαπτισαντες BD

"**Ide, portanto, fazei discípulos...**". Algumas versões trazem "*ensinai* todas as nações". No entanto, "fazei discípulos" é uma tradução melhor, embora em Mateus 13.52 seja usada essa expressão com o sentido de "instruir". O fazer discípulos envolve, em primeiro lugar, a necessidade do evangelismo ou da pregação do evangelho; mas também subentende um exercício de treinamento e orientação, de forma a que esses discípulos sejam mais bem firmados e instruídos na plenitude da mensagem das Escrituras Sagradas. A palavra "portanto", provavelmente é uma glosa, pois é omitida pelos mss Aleph, AEFHKMSUV, Gamma e outros. Todavia é porção muito antiga do texto, por causa do Códex do Vaticano, como também dos mss Delta e Fam Pi. A glosa é excelente, conforme a maioria dos intérpretes concorda prontamente, porque mostra que essa ação de fazer discípulos dentre todas as nações, repousa na autoridade universal de Cristo. Por conseguinte, sem

importar o que aconteça, algum sucesso está garantido; e o que parece ser fracasso, em realidade não pode sê-lo. Se tragédias acontecerem, se mártires surgirem, se um tratamento vergonhoso for dado aos pregadores, se desumanidades forem perpetradas contra os discípulos, devemos saber que tudo será por causa de Jesus, e que a vitória e o sucesso final estão plenamente assegurados. Se males forem cometidos contra os discípulos de Cristo, o que parece não ter remédio, todavia, Deus curará a tudo, porque em Cristo está toda a autoridade, não somente neste mundo, mas também no céu. Assim, dessa promessa flui um rio de paz e de segurança. Da mesma forma em que a horrenda crucificação de Jesus foi pronta, final e completamente sarada pela ressurreição, também todos os recuos e derrotas dos verdadeiros discípulos serão sarados, porquanto a autoridade de Jesus Cristo garante isso.

"**[...] de todas as nações...**" Todas as limitações fronteiriças são aqui *removidas*, como também se verifica em Mateus 10.5. Assim foi estabelecida a universalidade da comissão apostólica. A questão sobre como os discípulos haveriam de receber e de incorporar-se na igreja, ainda não fora respondida; e ainda não haviam sido feitas as revelações, dadas a Paulo, que identificam a igreja como organismo quase totalmente gentílico, uma noiva gentílica, e também aquelas outras que falam da alta chamada dessa igreja, que será transformada completamente segundo a imagem de Cristo. Todas essas coisas haveriam de ser esclarecidas mais tarde, e podemos ler acerca delas em textos como Romanos 8; Efésios 1; Colossenses 1; Hebreus 5. O desenvolvimento dessa semente é deixado nas mãos do Espírito Santo, por meio do ministério dos apóstolos. "Todas as nações" certamente incluiria os judeus; mas a mensagem não teria mais alcance provinciano. Um dos principais temas deste evangelho de Mateus é o de demonstrar a universalidade da mensagem cristã; e este é o texto central deste tema. Assim, encontramos nesta passagem a grande "Magna Carta" do empreendimento missionário do cristianismo.

"**[...] batizando-os...**" Essa declaração tem como base o conceito da *triunidade divina*. Paulo também ligou dessa maneira Jesus Cristo com Deus Pai e com Deus Espírito Santo, segundo se vê em 2Coríntios 13.14 e 1Coríntios 12.4-6; e o quarto evangelho envolve muita coisa dessa natureza. Este versículo também é evidência de que a mesma geração que conheceu a Jesus Cristo na carne, também já estava reconhecendo as implicações trinitárias, tendo adotado uma expressão das mesmas em seu rito batismal. Isso se tornou uma fórmula consagrada pelo uso, que tem prosseguimento até os nossos dias. (Ver também At 2.38 e 8.16, que subentendem a mesma coisa.) Por conseguinte, apesar de essa doutrina não ter recebido sanção oficial senão já no *concílio de Niceia* (325 d.C.), já ganhara a ascendência sobre todas as outras ideias, ao tempo em que os evangelhos foram escritos. É fútil reivindicar que a doutrina da triunidade divina tenha sido mero pronunciamento de um concílio eclesiástico, porque isso simplesmente não é verdade. O que sucedeu é que, nesse concílio, a doutrina foi ratificada, aprovada, sobre outras ideias referentes às relações entre o Pai, o Filho e o Espírito Santo. Foi aprovada e não criada, pelo concílio de Niceia. Os cristãos primitivos talvez não compreendessem a palavra *trindade*, segundo ela é atualmente empregada como termo teológico; porém, se tivessem sido solicitados a explicar as relações no seio da deidade, entre Pai, Filho e Espírito Santo, provavelmente teriam dito algo similar ao que essa doutrina ensina atualmente. Naturalmente que na igreja havia muitas vozes contraditórias, como ainda existem, se incluirmos aqui tudo quanto se convencionou chamar de *igreja*. Ver sobre a *Trindade*, em 1João 57.

"**[...] batizando-os em...**" é reflexo do texto grego, neste caso. Aqui temos uma significação profunda, porquanto expressa admiravelmente bem o sentido do batismo, que é a identificação espiritual com Cristo. Estamos plenamente identificados com Cristo, em sua morte. Compartilhamos dessa morte e de todas

750 |Mateus| NTI

as suas implicações. Estamos mortos para o pecado, e fomos libertados do castigo imposto contra o pecado. Compartilhamos também da vida ressurreta de Cristo, que é o outro notável símbolo do batismo. Compartilhamos da vida eterna que Jesus trouxe do túmulo. É como se o sepulcro fosse o ventre da própria vida. Jesus saiu dali uma nova criatura, o primeiro homem imortal. Subsequentemente, foi glorificado em sua ascensão, e então ainda mais glorificado quando de sua glorificação, à mão direita de Deus Pai. Agora estamos seguindo as suas pisadas. Participamos de sua imagem moral e metafísica, e participaremos *plenamente* de sua natureza e imagem.

Essa é a *grande mensagem* do evangelho, a qual ultrapassa em muito a simples questão do perdão dos pecados e a mudança de endereço para o céu. O céu é, essencialmente, o que tiver de suceder conosco, em termos de transformação em criaturas vastamente superiores, e não apenas o aprazimento de bem-aventurança eterna em um lindo lugar. (Quanto a detalhes dessa importante doutrina, ver as notas em Rm 8.29; Ef 3.19; 2Pe 14.) O batismo é símbolo dessa realidade; não é a própria realidade. A água não transforma, mas essa transformação é operada por nossa identificação com Cristo. A água é meramente o símbolo: a transformação é a coisa simbolizada. Não podemos confundir o símbolo com a verdade simbolizada; são coisas separadas. (Quanto a uma nota sobre o sentido do batismo, ver Rm 6.3.)

O batismo *em Cristo* não tem a intenção de servir de mera fórmula para o rito batismal, embora possa ser legitimamente usado como tal; pelo contrário, expressa aquela relação mística com Jesus, aquele participar espiritual de toda a sua vida e ser, no sentido mais literal possível, de tal maneira, que a própria essência de nosso ser seja transformada até tornar-se idêntica a essa essência. Essa expressão é paralela àquela expressão de Paulo: "[...] em Cristo..." Somos batizados em Cristo, no Pai e no Espírito Santo. Dessa forma, é assegurada a participação na vida celestial, na vida eterna. Trata-se de nossa identificação com a divindade. Temos aqui uma linguagem mística, que não é fácil de ser entendida. Tão-somente sabemos que envolve algo vastissimamente grande. Seremos elevados a uma posição que muito raramente é indicada na pregação comum da igreja. Precisamos erguer muito mais os nossos olhos, acima das doutrinas básicas do perdão dos pecados e da mudança de endereço para o céu. O evangelho consiste de muito mais do que está simbolizado pelo rito do batismo em água.

28.20: ensinando-os a observar todas as coisas que eu vos tenho mandado; e eis que eu estou convosco todos os dias, até a consumação dos séculos.

28.20 διδάσκοντες αὐτοὺς τηρεῖν πάντα ὅσα ἐνετειλάμην ὑμῖν· καὶ ἰδοὺ ἐγὼ μεθ᾽ ὑμῶν εἰμι πάσας τὰς ἡμέρας ἕως τῆς συντελείας τοῦ αἰῶνος.[5]

20 ἐγώ...εἰμι Ag 1.13; Mt 18.20; Jo 14.23 συντελείας τοῦ αἰῶνος Mt 13.39,49; 24.3

[5] 20 {B} αἰῶνος ℵ A* B D W 074 f¹ 33 itaur,d,e,ff¹,g¹,h,n,q vg syrpalms copsa arm ethpp,msc geo¹·ᴮ Origen Chrysostom // αἰῶνος. ἀμήν. A² Κ Δ Θ Π f¹³ 28 565 700 892 1009 1010 1071 1079 1195 1216 1230 1241 1242 1253 1344 1365 1546 1646 2148 2174 *Byz Lect* lᵃᵍˢ,ᵐ itᵃ,ᵇ,ᶜ,f,ff²,(l) syrᵖ,ʰ,ᵖᵃˡ ᵐˢ copᵇᵒ ethʳᵒ,ᵐˢ· geoᴬ

> Após — αἰῶνος, quase todos os manuscritos, seguidos pelo *Textus Receptus*, terminam o evangelho com a palavra ἀμήν, refletindo o uso litúrgico do texto. Se a palavra estava presente no original, nenhuma boa razão se pode achar para explicar sua ausência dos melhores representantes dos tipos de texto alexandrino, ocidental e cesareano.

"[...] ensinando-os a guardar todas as cousas...". Devemos observar que nosso ensino precisa *incluir* os ensinamentos morais e éticos do Senhor Jesus, além de quaisquer outros ensinamentos que formam o corpo de doutrinas que ele nos deixou.

Aqueles que rejeitam o evangelho de Mateus e os demais evangelhos, como material de ensino para a igreja — e que assim negam essencialmente que se trata de documentos "cristãos" —, fariam bem em notar que Jesus recomendou-os como material de ensino. É patente que a expressão "todas as coisas que vos tenho ordenado" refere-se aos ensinamentos de Cristo, encontrados tanto neste evangelho como nos demais documentos que a igreja primitiva tinha à sua disposição, e que continuam os ensinamentos particulares de Jesus. Por conseguinte, vemos que não podemos rejeitar esses documentos, e nem podemos dizer que não têm nenhuma aplicação apara a igreja. O que foi escrito nos Evangelhos serve de expressão do que Jesus ensinou. As citações sobre suas declarações, nas epístolas, são extremamente raras. Se quisermos saber em que Jesus cria e o que ensinou, teremos de examinar os Evangelhos. Sem dúvida, é importante sabermos o que ele ensinou e no que cria, e é obrigatório aos crentes compartilharem de seus pontos de vista, baseando sua vida naquilo que ele nos ensinou. "Ensinar é um termo que reflete o traço ético sutil deste evangelho: a vida no reino não consiste de mera emoção, mas consiste de compreensão na justiça. Contudo, vai além da ética: é vida e é alegria" (Buttrick, *in loc.*).

O particípio presente que vemos nesse mandamento — "[...] *ensinando...*" — pode implicar em que seja um processo contínuo, e não algo feito apenas como preparação para o batismo, e, sim, uma apresentação planejada e organizada da verdade, conforme nós a temos recebido de Cristo. Esse ensino não tem meramente como alvo a aquisição de conhecimentos, mas também visa ao treinamento da conduta. Sabemos como devemos agir. Cremos naquilo em que nos podemos tornar e ser transformados. Por conseguinte, podemos asseverar que o alvo da instrução cristã não é meramente o de corrigir opiniões ou a ortodoxia, mas é corrigir a vida e desenvolver-se na vida cristã.

CRISTO e seus apóstolos não criaram um conceito *dualista* do cristianismo, um aspecto para as crenças e outro aspecto para a prática diária. A crença é o alicerce da prática, e a *prática é a prova da fé*. Aquelas igrejas evangélicas que frisam exclusivamente a evangelização e que pensam que apenas isso foi indicado na Grande Comissão fariam bem em reexaminar este versículo. Pois não existe evangelismo que não possa e não deva ser seguido pela instrução. Ambos têm partes iguais na Grande Comissão. As igrejas que não negam isso em sua doutrina, mas cuja prática é unilateral, deveriam reexaminar estes versículos. Disse Alford (*in loc.*): "[...] esse ensino é nada menos do que a edificação do homem inteiro, na obediência a Cristo [...] não meramente a proclamação do evangelho, mas também todo o ofício catequético da igreja, que envolve todos os batizados." "Os cristãos têm percebido muito lentamente o fato do pleno valor daquilo que atualmente chamamos de educação religiosa. O trabalho do ensino pertence ao lar, à igreja (sermão, *Escola Dominical*, trabalho entre a juventude, reuniões de oração, classes de estudo, classes missionárias), à escola (separação entre igreja e Estado, mas instrução moral, mesmo que não se faça a leitura da Bíblia), aos bons livros (que deveriam existir em todos os lares cristãos) e à leitura da própria Bíblia. Alguns reagem exageradamente, e realmente põem a educação no lugar da conversão e da regeneração. Isso é errar o alvo. Ensinar faz parte, e parte importante, do trabalho entregue aos crentes" (Robertson, *in loc.*).

"[...] eis que estou convosco..." Declarou Buttrick (*in loc.*): "O evangelho de Marcos é uma *sinfonia inacabada*. Perderam-se as suas palavras finais; ou então, por alguma ação desconhecida, Marcos foi impedido de completar a sua obra. A conclusão dada por Lucas é o ruído de louvores constantes no templo. João leva seu evangelho ao término declarando que o cosmo inteiro não poderia conter tudo que se poderia escrever sobre Jesus. Este evangelho de Mateus termina na glória de Deus: a promessa da presença infalível de Cristo. Esse compromisso envolve mais do que mera 'influência' [...] mais do que o fato de que na história se derramaria certa luz vinda da distante Palestina [...] o compromisso é que

Jesus está conosco, não meramente como 'rádio orientador', mas como amigo e Salvador. Bem poderia R. W. Dale, quando parou os passos em seu estudo sobre a noite da Páscoa, clamar: *'Cristo está vivo! Cristo está vivo! Cristo está vivo!'* (A. W. W. Dale, *The Life of. R. W. Dale*). Realmente, Cristo está vivo, e está entre nós".

O autor deste evangelho conhecia as perseguições que se haviam seguido à ressurreição de Jesus — vira seus colegas serem caçados e mortos. Esse sonido triunfal de vitória fora experimentado por ele, em sua fé cristã. Gilmour da Mongólia, que deixou tudo para seguir a Cristo, escreveu acerca dessa promessa: "Ninguém que não se vá embora, deixando tudo e indo sozinho, poderá sentir a força dessa promessa" (*James Gilmour of Mongolia*, ed. Richard Lovett). Alguns comentaristas atribuem essas palavras de Jesus aos apóstolos, sucessores de Cristo, ou a outros que sejam altos dignatários eclesiásticos, mas isso é cegueira eclesiástica. A Grande Comissão é universal em seu escopo, e a promessa que a acompanha é igualmente universal. Assim como o Salvador orou, não apenas em favor dos apóstolos, mas "[...] também por aqueles que vierem a crer em mim, por intermédio da sua palavra; a fim de que todos sejam um..." (Jo 17.20,21), assim também a promessa de sua presença permanente diz respeito a todos quantos ministram o evangelho, e a todos os crentes.

"[...] até à consumação do século". Isso é melhor do que "fim do mundo", como dizem algumas versões mais antigas. Está em foco a época atual, e a sua consumação coincide com a segunda vinda de Cristo, depois que o evangelho tiver sido anunciado por toda a terra. A mesma expressão é empregada em Mateus 13.40,49; 24.13. Na passagem de Hebreus 9.26, a mesma expressão é utilizada para indicar o aparecimento de Cristo na carne, como começo da última era da história do mundo. Tal como todas as palavras semelhantes, o seu sentido se expande ou se contrai de conformidade com o nosso ponto de vista. Neste caso, o contexto determina a sua significação, como o tempo que se prolongará até o fim da era presente, deste "aeon", que começou quando do primeiro advento de Cristo, e que perdurará até o seu segundo advento.

Muitos têm indagado por que razão o evangelho de Mateus termina aqui, sem fazer *nenhuma alusão* à ascensão de Cristo. Para essa pergunta não há resposta completa; mas temos de dizer que essa tradição também está alicerçada. (Ver as notas em Lc 24.50-53.) O comentário de Lange (*in loc.*) tenta uma explicação: "Em face da presença toda permeadora de Cristo, que envolve o céu e a terra, o fato da ascensão pessoal de Jesus é omitido por nosso evangelista, o que também é feito por João, como particularidade autoevidente, compreendida em sua onipresença. O fato da ascensão é claramente *subentendido*, não apenas neste versículo, mas também em outras passagens deste evangelho, como 22.44; 24.30; 25.14,31; 26.64.

Bruce (*in loc.*) apresenta o seguinte comentário: "Encontramos aqui: (1) Uma significação cósmica atribuída a Cristo ("todo o poder no céu e na terra"). (2) Um destino absolutamente universal para o evangelho. (3) O batismo como rito de admissão ao discipulado. (4) Uma triunidade batismal rudimentar. (5) A presença espiritual de Cristo, similar àquela referida no quarto evangelho".

Essa promessa, tão majestosa como é, porquanto nos dá certeza da presença contínua do Senhor Jesus entre nós, tal como esteve entre os primitivos discípulos, é um motivo suficiente para nossa obediência e para agradavelmente darmos cumprimento a essa Grande Comissão. E se a promessa de sua presença não deve ser considerada desse ângulo, então terei deixado de compreender as requeimantes e sempre vivas desse evangelho, que descreve as maravilhas de sua pessoa e obra. E foi assim que Jesus nos deu a esperança da vida eterna, que para sempre consiste de um compartilhar de sua presença. "A vida toda consiste de *imortalidade*; todo trabalho é eternamente significativo. Todo homem digno que tem vivido tem feito planos que abrangem mais do que o próprio período de vida" (Bruce Barton). "A ocorrência da ressurreição emprestou *nova perspectiva* à visão humana. Não era mais a visão restrita à pequena distância de uma existência terrena. O horizonte dissolveu-se, por assim dizer, e o homem pode divisar para além das nuvens, até à glória dourada da vida eterna" (Esther Baldwin York). "Nosso Senhor escreveu a promessa da ressurreição, não em livro tão-somente, mas em cada folha da primavera" (Martinho Lutero). *"A esperança pode ver o piscar de uma estrela; o amor pode ouvir o arrufar de uma asa"* (Ingersoll, em um discurso feito ao pé do caixão mortuário de seu irmão). *"Deus está no céu [...] Tudo é direito no mundo!"* (Robert Browning).

"Agora terminei as minhas observações quanto ao evangelho de Mateus: uma peça literária da história, devemos reconhecer; é a composição *mais singular*, a mais admirável em seu conteúdo, a mais importante em seu objetivo, que jamais chegou à atenção da humanidade. Devido à simplicidade de sua narração, devido à relação sem artifícios entre os fatos historiados, sem nenhum aplauso ou censura, sem nenhumas observações digressivas, por parte do historiador, contra os personagens ali apresentados; sem nenhuma mistura de suas opiniões acerca de qualquer assunto; e devido à multiplicidade de sinais interno de credibilidade, este evangelho certamente não encontra paralelo entre as produções literárias do homem" (Wakefield, *in loc.*).

"É o livro mais importante que jamais foi escrito" (Ernest Renan).

Tudo isso se deve ao fato de que este evangelho descreve a maior vida que já houve — a de Jesus de Nazaré, homem de pureza e graça sem-par, homem de poderes singulares, diante de Deus e dos homens.

Oh, Cristo ressurreto, da Páscoa a flor!
Quão querida tem crescido a tua graça!
De leste a oeste é conhecido o Salvador,
Dentre os homens tem liberto a toda raça.
(Philips Brooks)

ETERNIDADE
Eu que sou frágil, transitório, e vão,
Que projeto, no mundo, a sombra duma cruz;
Que sou a desventura, a morte, a escuridão,
Sinto brilhar, em mim, a eterna luz.

Eu que sou a miséria,
A lágrima que tomba desolada,
Conheço bem que existe uma ansiedade etérea
Que arde na minha noite e a deixa iluminada!

Eu que sou frio medo e trágico pavor,
Barro amassado em água de tristeza,
Alma, que a mão da dor,
Ouço, nos lábios meus, a voz que conta e reza.

Meu frágil ser que se traduz em gritos,
Meu corpo que se apaga num momento,
Presente, para além de espaços infinitos,
Ideal deslumbramento!

Eu que sou a aridez, a lívida secura;
O inverno que a chorar se desespera,
Vejo alvorar crescer, em longes de ternura,
Divina primavera!

Eu que sou poeira miserável,
Que ergue o veto da Via Dolorosa;
A doida angústia a nada assemelhável,
Vejo nascer de mim a esperança raiosa!

Eu que sou o derradeiro e pálido gemido,
O sangrento suor gelado da agonia,
Sinto meu coração, liberto e redimido,
À luz dum novo dia...
(Teixeira de Pascoais)

Evangelho de Marcos

ESBOÇO

I. AUTOR

II. DATA

III. LUGAR E DESTINO

IV. PROPÓSITO

V. LINGUAGEM

VI. FONTES DOS MATERIAIS, E MARCOS COMO UMAS PRINCIPAIS FONTES DOS EVANGELHOS SINÓPTICOS

VII. CONTEÚDO

VIII. BIBLIOGRAFIA

N.B. Quando aparecem textos paralelos em Mateus e Marcos, apresentamos a exposição em Mateus; em Marcos acrescentamos apenas algumas notas suplementares.

Observações Gerais:

Embora o evangelho de Marcos, certamente, seja o *evangelho original* (dentre os que possuímos no NT), figura como o *quadragésimo primeiro* livro em nossa Bíblia, colocado após o evangelho de Mateus, provavelmente porque Agostinho e outros entre os primeiros comentadores consideraram-no uma condensação do evangelho de Mateus. Nenhum erudito moderno de nome apega-se atualmente a essa teoria, e uma universalidade virtual tem sido agora conferida à ideia já bem demonstrada de que o evangelho de Marcos foi escrito antes do de Mateus, do de Lucas e do de João. O evangelho de Marcos é designado pelo nome de *sinóptico* porque, juntamente com o de Mateus e o de Lucas, apresenta uma narrativa similar da vida e do ministério do Senhor Jesus, fazendo contraste nisso com o evangelho de João, cujo conteúdo é bastante diferente, tanto no tocante ao esboço histórico como nos acontecimentos e ensinamentos ali apresentados. Os três evangelhos de Mateus, Marcos e Lucas "veem juntos" as ocorrências, razão pela qual são chamados pelo termo "sinópticos". "Essa designação não significa que à base deles (em contraste com o quarto evangelho) possamos obter uma sinopse da vida de Jesus, e, sim, que estão de tal maneira relacionados uns com os outros que poderiam ser impressos em colunas paralelas, com pouquíssima distorção, o que nos leva à admiração... Em contraste com esses três...avulta o quarto, o de João". (Morton Scott Enslin, *Literature of the Christian Movement-*, Harper and Brothers, Nova Iorque, pág. 372, parte III).

O evangelho de Marcos não se apresenta a si mesmo como uma *biografia*, conforme esse vocábulo é comumente usado, mas é antes uma narrativa ou esboço breve, ainda que altamente dramática, que tem como seu tema central retratar a Jesus como operador de milagres, como o profeta e o Messias, e também como ele veio a ser crucificado, e ainda, como podemos ter a esperança de *vida eterna* na pessoa dele. Cerca de vinte por cento da narrativa inteira está dedicada à "semana da paixão", porquanto é essencialmente nesse ponto, na grandiosa história do triunfo de Jesus sobre a morte, que o cristianismo deriva a sua significação sem-par.

A mais notável fraqueza do evangelho de Marcos consiste —da ausência—dos ensinamentos de Jesus, por tratar-se, essencialmente, de uma descrição das operações miraculosas do Senhor Jesus. Esse fato requer a existência de outros evangelhos, e são os evangelhos de Mateus e de Lucas (juntamente com o de João) que preenchem essa lacuna, ao mesmo tempo que (mas só no caso dos dois outros evangelhos sinópticos) fica preservado o esboço histórico geral exposto pelo evangelho de Marcos.

I. AUTOR

A tradição eclesiástica mais antiga, no tocante à origem ou autoria do evangelho de Marcos, é aquela que nos é fornecida por *Papias*, bispo de Hierápolis em cerca de 140 d.C. Encontramos citações de suas palavras na obra de Eusébio, primeiro entre os historiadores da Igreja. A secção III.39.15 de sua *História Eclesiástica* diz o seguinte:

"Isto o *presbítero* também costumava dizer: 'Marcos, que realmente se tornou o primeiro intérprete de Pedro, escreveu com exatidão, tanto quanto podia relembrar, sobre as coisas feitas ou ditas pelo Senhor, embora não em ordem'. Pois ele nem ouvira ao Senhor nem fora seu seguidor pessoal; mas em período posterior, conforme eu disse, passara a seguir a Pedro, que costumava adaptar os ensinamentos às necessidades do momento, mas não como se estivesse traçando uma narrativa corrente dos oráculos do Senhor: de tal forma que Marcos não incorreu em equívoco ao escrever certas questões, conforme podia lembrar-se delas. Pois tinha apenas um objetivo em mira, a saber, não deixar de fora coisa alguma das coisas que ouvira e não incluir entre elas qualquer declaração falsa".

Não temos meios de saber que proporção dessa citação foi extraída do "presbítero" que Papias empregava como sua fonte de informação, ou qual proporção consiste de suas próprias palavras. Frederick C. Grant ("*The Earliest Gospel*", Nova Iorque e Nashville, Abingdon-Cokesbury Press, 1943, pág. 34) expressa a opinião de que somente as linhas introdutórias são, realmente, palavras do "presbítero". Seja como for, isso constitui a declaração mais antiga e autorizada que possuímos acerca da autoria do evangelho de Marcos, além de fornecer-nos alguns importantes pormenores sobre como o material foi manuseado e apresentado.

Outras antigas autoridades têm expressado ideias semelhantes, mas o mais provável é que todas elas se alicerçaram nessa tradição. Irineu, bispo de Lião (*Contra as Heresias*, III.1.1) declarou: "Após o falecimento (de Pedro e de Paulo), deixou-nos em forma escrita aquilo que Pedro proclamara". Não possuímos o livro (5 volumes), de Papias, "*Interpretação dos Oráculos do Senhor*", pelo que nos é impossível obter meios para aquilatar, em primeira mão, quão digna de confiança é essa declaração; mas a verdade é que Eusébio não ficara impressionado com a sua inteligência, e disse que ele possuía uma "mente muito pedestre". Algum dia a arqueologia talvez desenterre das areias do Egito uma cópia dessa obra, e julgamentos mais bem fundamentados poderão ser feitos sobre essa importante questão.

Muitos eruditos modernos não aceitam com entusiasmo, sem maiores investigações, essas declarações de Papias. Kirsopp Lake cria que o próprio Papias estava apenas conjecturando, e muitos eruditos se têm agarrado a essa declaração, como se ela tivesse alguma estranha autoridade. Poder-se-ia dizer melhor que Lake estava *apenas conjecturando* que Papias estava conjecturando.

NTI | Marcos | 753

Parece que Papias estava em melhor posição histórica para conjecturar do que Lake.

É verdade que Papias viveu cerca de cem anos depois do evangelho de Marcos ter sido escrito, pelo que não poderia ter tido perfeito conhecimento. Mas apesar de ter escrito relativamente tarde, não é impossível que ele tivesse acesso a alguma tradição genuína que ressaltava Marcos como o autor do evangelho original (canônico). Seja como for, a tradição eclesiástica comum é que Marcos foi seu autor. Outrossim, o "Marcos" referido sempre foi tido como o João Marcos de Atos e das epístolas paulinas. (Ver At 15.37; Col 4.10; 2Tim 4.11 e 1Pe 5.13). Apesar de que o sobrenome latino *Marcus* era comum, e que Papias podia estar pensando em algum outro Marcos, se ele tivesse querido indicar outro, fora da tradição do NT, quase certamente o teria informado. Suas várias menções do "Marcos" envolvido levam-nos, naturalmente, a pensar no Marcos das narrativas neotestamentárias.

1. Já que o evangelho não identifica seu autor, de fato, é obra anônima.

    A aceitação ou rejeição da autoria marcana, pois, deve repousar sobre a opinião que alguém faz de quão fidedigna é a tradição eclesiástica, no tocante a esse particular, sobretudo acerca de "Quão bem informado estava Papias?"

2. A data antiga de Marcos (que tem evidência recente) assegura-nos que o evangelho repousa firmemente sobre a autoridade apostólica. Portanto, sem importar se João Marcos escreveu-o ou não, o livro é autoritário, e, segundo cremos, é inspirado. Certamente Deus teve sua mão sobre esse *evangelho original* da coleção canônica. (Ver uma discussão sobre a "data", secção 2 desta introdução).

3. Considerando a evidência pró e contra, no tocante à autoria marcana, não hesitamos em aceitar a tradição antiga de que João Marcos, foi, de fato, o autor do evangelho que tem seu nome. Realmente, não há evidência sólida *contra* essa crença.

4. Tal como no caso de —todos— os "livros disputados" do NT, e até de todo o NT, o real problema que enfrentamos não é "quem escreveu este livro" e "quem escreveu aquele livro", mas antes: *Praticamos os seus preceitos?* De que vale que João Marcos tenha produzido um retrato imortal de Cristo, se este não é o Senhor de nossa vida?

II. DATA

Certos colofões, no fim de alguns manuscritos deste evangelho, querem fazer-nos crer que o livro foi escrito cerca de dez anos, mais ou menos, a partir da ascensão do Senhor Jesus; mas tais anotações se derivam da Idade Média, e não se revestem da menor autoridade. Alguns eruditos mais antigos (seguidos por alguns poucos conservadores, dos tempos modernos), datariam o livro tão cedo como 50 d.C. Aqueles que aceitam a teoria Marcos-Pedro, como originadores do livro, datam-no em cerca de 64 a 67 d.C. Alguns supõem-no escrito após a destruição de Jerusalém (depois do ano 70 d.C.) acreditando que o capítulo décimo terceiro (o pequeno Apocalipse) desse evangelho apresenta um *reflexo histórico* dessa catástrofe, e não que seja um trecho *profético*. Porém, apesar de que provavelmente esse é o caso com os evangelhos de Mateus e Lucas (ambos escritos após o de Marcos, que se utilizaram dele como esboço histórico), o mais certo é que isso não se verifica com o evangelho de Marcos, posto que este capítulo, que encerra predinições feitas pelo Senhor Jesus, parecem verdadeiras profecias. Não encontramos razão alguma pela qual Jesus não teria podido prever, com bastante detalhe, a destruição de Jerusalém, e essa passagem encerra uma das mais notáveis profecias a respeito do fato.

Josefo, o historiador judeu, informa-nos que antes dessa ocorrência, muitos perceberam a sua aproximação, tanto entre os judeus como entre os cristãos, porquanto todos os grandes acontecimentos lançam longas sombras à sua frente, e, com frequência, até mesmo homens comuns podem predizer acontecimentos futuros à base do conteúdo dessas sombras. Eusébio diz-nos que os cristãos, relembrando-se do conselho dado por Jesus, para fugirem antes

da chegada dos invasores, assim fizeram, refugiando-se em Pela, onde, como uma comunidade inteira, ficaram a salvo. (Quanto a notas sobre essas questões, ver a "destruição de Jerusalém", em Mateus 24:2). É óbvio, portanto, que essa profecia, sendo predição real e autêntica de Jesus, tendo sido registrada no livro de Marcos antes desse acontecimento (que ocorreu no ano 70 d.C.) requer que admitamos que esse evangelho foi escrito antes de 70 d.C.) e que as datas 64 a 67 d.C. (Que fazem vinculação com a teoria da origem Marco-Petrina) são datas relativamente exatas.

Há evidências recentes, todavia, que indicam uma data ainda mais antiga: Um erudito católico-romano, papirologista, *José O'Callaghan*, descobriu, entre o material dos Papiros do Mar Morto, um fragmento de 17 letras, que atravessa criticamente cinco linhas do texto, identificado como Marcos 6.52,53. Seu trabalho acerca disso foi impresso na publicação do Instituto Bíblico Pontifício em Roma, intitulado *Bíblica*. Além desse fragmento, O'Callaghan vinculou um fragmento de cinco letras com Marcos 4:28, e um fragmento de sete letras com Tiago 1.23,24. Outras identificações prováveis incluem Atos 27.38; Marcos 12.17; Romanos 5.11,12; e as identificações possíveis incluem 2Pedro 1.15 e Marcos 6.48. Os fragmentos achados foram escritos na forma escrita grega Zierstill, o que, segundo os paleógrafos, foi usada a grosso modo entre 50 a.C. e 50 d.C. Isso significaria que o evangelho de Marcos poderia ter sido escrito antes de 50 d.C., e certamente não foi escrito muito depois dessa data. Isso demonstra, naturalmente, que certamente se baseava em relatos de uma testemunha ocular, embora não tenha sido reduzido à forma escrita por aqueles mesmos que "viram" o que é descrito no livro. Alguns eruditos duvidam da validade dessas identificações. Com ou sem esses fragmentos, e mesmo com um hiato maior de tempo entre os próprios eventos e suas descrições *escritas*, há toda razão para supor-se que os eventos foram bastante importantes para assegurar um registro essencialmente exato.

III. LUGAR E DESTINO

Em contraste com outras questões que envolvem o evangelho de Marcos, parece geralmente aceito pelos estudiosos que este evangelho foi escrito em *Roma*, provavelmente visando aos gentios daquela cidade. O próprio livro fornece-nos indícios sobre isso, no fato de que Marcos citou as palavras proferidas por Jesus em aramaico, ajuntando-lhes a tradução ou as explicações necessárias, esclarecendo, ainda, diversos costumes correntes entre os judeus. Ora, tais esclarecimentos não seriam de forma alguma necessários, se os leitores em mira fossem judeus, ainda mesmo aqueles que estivessem vivendo em centros culturais gregos ou romanos, tais como Alexandria ou Roma. Em muitos dos manuscritos antigos existem declarações introdutórias que declaram, bem definidamente, que esse evangelho foi escrito em Roma; e apesar dessas declarações repousarem unicamente na tradição, contudo, neste caso, a tradição parece justificada. É provável que o evangelho chamado de Marcos tenha sido escrito em Roma, pouco antes do martírio de Pedro (que teve lugar em 62-64 d.C.). Tendo-se originado em Roma, o evangelho de Marcos provavelmente consiste de uma compilação de tradições orais (juntamente com algumas fontes informativas escritas) que circulavam em Roma, entre a comunidade cristã. Em Marcos 7.3,4 encontramos certa explicação sobre costumes judaicos, no caso das lavagens cerimoniais. Vocábulos e expressões tais como *talitha cumi, ephphatha*, e os termos técnicos "puro" e "impuro", são ventilados pelo autor. (Ver Mc 5.41; 7.34 e 7.2). Esses casos fornecem-nos exemplos que ilustram o fato de que o evangelho de Marcos não visava, primariamente, leitores judeus, e, sim, do mundo gentílico.

IV. PROPÓSITO

Marcos não prefaciou a sua obra, a exemplo de Lucas, declarando os *seus propósitos* ao compilar e distribuir o seu evangelho; contudo, não enfrentamos grande dificuldade em perceber quais são esses propósitos, os quais transparecem até mesmo ante um exame superficial da obra. O livro não visa servir de propaganda,

754 |Marcos| NTI

tendente a converter os não-cristãos ao cristianismo, mas foi escrito primariamente para aqueles que já professavam a fé cristã, firmados em uma fé que já estava alicerçada nas mesmas fontes de onde Marcos recolheu o seu material. Marcos, por conseguinte, escreveu para uma *igreja mártir* e em sofrimento, para cristãos que a qualquer instante poderiam ser forçados a entrar na arena de Roma, para servirem de comida para as feras, ou a fim de serem besuntados de piche, serem pendurados em estacas e servirem de archotes, ou a fim de serem de outra maneira qualquer torturados nos jardins do palácio de Nero, que assim procurava entreter os seus convidados pagãos. Isso é o que sucedera ainda recentemente em Roma, e que estava acontecendo, nos dias mesmo em que Marcos escrevia; e essa perseguição fora intensificada quando os cristãos foram acusados de terem provocado o grande incêndio de Roma, acerca do que Tácito nos escreve (*Anais XV.44*).

Pedro e Paulo haviam sido martirizados ainda recentemente, e o martírio do grande mártir, Jesus, ainda estava bem vívido nas mentes dos cristãos. Essa "narrativa da paixão", domina a composição inteira (mais de vinte por cento do material do evangelho foi dedicado à mesma), a ponto de alguns terem feito a observação de que Marcos apenas ampliou a "história da paixão", em seu evangelho. Naturalmente que esse conceito emite um exagero, embora se revista de certa verdade. Por todo o evangelho de Marcos, avulta a pergunta: "Por que Jesus morreu?" E por implicação, encontramos esta outra, que indaga: "Por que os mártires têm de morrer?" Assim sendo, defrontamo-nos uma vez mais com o milenar problema do sofrimento, por que os justos sofrem, na tentativa de dar sentido à violência inexplicável feita contra os homens, por parte dos homens. Ora, Marcos responde à pergunta feita acerca dos sofrimentos de Jesus com os seguintes pontos: 1. Os líderes dos judeus suspeitavam dele e passaram a odiá-lo, e a culpa dos romanos não foi tão grave como a daqueles; 2. Cristo mesmo deu a sua vida, *voluntariamente*, e fê-lo *em favor* de "muitos", o que lança o alicerce da doutrina da expiação; 3. e esse era o destino de Jesus na terra, porquanto estava de acordo com a vontade de Deus Pai, e a vontade de Deus domina suprema neste mundo; ora, isso nos serve de encorajamento, porque deixa entendido que o problema do mal será eventualmente respondido, embora essa resposta, por enquanto, nos pareça um tanto obscura.

Essa porção dos propósitos de Marcos, ao escrever o evangelho que traz seu nome, segundo se percebe, tem natureza essencialmente prática e apologética, sendo questão de fé religiosa, e não tanto questão histórica ou biográfica. Marcos escreveu um livro cuja intenção é *fornecer orientação* e consolo à igreja que estava atravessando grave crise. Provavelmente o evangelho não foi escrito com a intenção de ser publicado e distribuído largamente, e sem dúvida Marcos não fazia ideia de que o seu evangelho daria começo a uma nova forma literária, passando a ser um dos maiores e mais bem conhecidos livros da história humana. Pelo contrário, foi escrito como uma espécie de *circular*, para ser lido por alguns poucos selecionados e ser passado adiante, isto é, pela comunidade cristã da cidade de Roma. Marcos não escreveu o seu evangelho a fim de promover qualquer ponto doutrinário ou a fim de fazer propaganda; mas simplesmente refletiu a crença que era defendida pelos seus leitores, fazendo-os relembrarem os propósitos da vida e da morte de Jesus, para que pudessem enfrentar galhardamente a grande crise presente. "É em termos do mistério da paixão, e não em quaisquer outros termos, que deve ser feita a autêntica confissão cristã acerca da natureza messiânica de Jesus". (A.E.J. Rawlinson, St. Mark, Londres, Methuen and Co., 1925, pág. 56), porquanto Marcos, segundo observou com grande profundeza Johannes Weiss, cria que Jesus era o Messias não a despeito da cruz, mas justamente por causa dela. ("*History of Primitive Christianity*", Nova Iorque, Wilson-Erickson, 1937, II, cap. XXII).

Além desse propósito central, que consiste de consolo e orientação para a comunidade cristã sofredora, há alguns outros propósitos, que também estão vinculados a esse tema. O Senhor Jesus é apresentado como o grande operador de milagres, o poderoso *Filho*

de Deus, cujos feitos poderosos, feitos à face da terra, podem ser reproduzidos por aqueles que tiverem fé suficiente, e que são seguidores do caminho da cruz, caminho esse que precisa continuar sendo seguido. (Ver Marcos 8.27 – 10.45). Ao mesmo tempo que as perseguições rugem, o caminho da cruz continua envolvendo conduta ética, além de dedicação religiosa séria. Podemos morrer a qualquer momento, mas mesmo assim continuamos tendo regras mediante as quais devemos andar e viver. Cumpre-nos ser discípulos caracterizados pela mais completa dedicação e renúncia, porquanto Jesus carregou a sua cruz, e nós devemos carregar a nossa. É mister que não somente estejamos preparados a morrer como mártires, mas também que estejamos preparados a viver como mártires.

No evangelho de Marcos encontramos uma—dupla—cristologia. Jesus é ao mesmo tempo o Filho do homem e o Filho de Deus. O termo *Filho de Deus* é uma expressão muito importante para Marcos, e não pode ser derivada de qualquer compreensão judaica acerca do "Messias", conforme se vê em passagens ordinariamente usadas para demonstrar tais coisas, como em Salmo 2:7. O Filho de Deus, de conformidade com o evangelho de Marcos, é participante da divina essência, bem como juiz futuro do mundo inteiro. De maneira alguma pode ser comparado com o governante terreno, simplesmente, que é apresentado na doutrina messiânica do AT. O Filho de Deus, segundo o evangelho de Marcos, triunfou sobre a morte, e promete o mesmo tipo de vida a todos quantos querem segui-lo em sinceridade e verdade. Ele é aquele que tem as propriedades de "aseidade" (do latim *a-se-esse*, aquele que tem vida em si mesmo, que é auto-existente, independente, participante da vida divina essencial). E é justamente esse tipo de vida que ele promete a outros. Haveremos de transformar-nos em seres que participam da vida divina, por intermédio de Cristo; e então possuiremos vida em nós mesmos, passando a ser verdadeiramente imortais, como Deus é imortal. Ora, tudo isso não pode deixar-nos de encorajar, nós que diariamente enfrentamos a possibilidade de chegarmos ao final de nossa existência terrena.

Contudo, Jesus também aparece no evangelho de Marcos como Filho do homem, estando perfeitamente identificado com o homem, sendo homem verdadeiro, cujos sofrimentos foram reais. Marcos relembra isso aos seus leitores, a fim de que compreendam que eles não podem passar por nada pior do que aquilo que seu próprio Senhor já passou. Nesses termos também encontramos indicações daquela consciência pessoal e da íntima relação que Jesus mantinha com Deus Pai. Essa é a substância mesma do andar diário espiritual, porquanto toda religião é estéril a menos que tenha algum contato genuíno com Deus. Jesus, na qualidade de verdadeiro homem, andou em comunhão com o Pai, e isso emprestava—significação—à sua vida, especialmente uma vida repleta de sofrimentos e ultrajes, que de outra maneira não teria sentido. (Quanto a outras anotações sobre o significado dos termos "Filhos de Deus", e "Filho do homem", ver Marcos 1.1 e 2.7; como também Mateus 8.20; quanto a notas acerca da "humanidade de Cristo" e a importância dessa doutrina, ver Filipenses 2.7; e quanto a notas sobre a "divindade de Cristo", ver Hb 1.3).

V. LINGUAGEM

Entre aqueles que leem o NT em seu original grego, é fato bem conhecido que esse evangelho de Marcos apresenta o exemplo do grego *Koiné* mais inferior, e que, provavelmente, em paralelo ao Apocalipse, representa a pior forma do grego de todo o NT. A falta de polimento do grego de Marcos é obscurecida pela tradução, posto que poucos tradutores imitariam propositalmente os erros gramaticais ali encontrados, somente para serem mais fiéis ao original. Não obstante, até mesmo as traduções refletem os elementos mais inferiores; como o uso frequente da palavra copulativa "*e*". Por exemplo, dos quarenta e cinco versículos do primeiro capítulo, nada menos de trinta e cinco começam por "*e*". Doze dos dezesseis capítulos começam pela palavra '*e*'. De um total de oitenta e oito secções e subsecções desse evangelho, oitenta começam com "*e*". Marcos utiliza-se de um vocabulário de cerca de mil duzentos e setenta vocábulos, dos quais apenas oitenta lhe são peculiares. Isso demonstra que ele empregou um vocabulário extremamente comum. Todavia, o que falta a Marcos em estilo e graça, é contrabalançado em novidade e vigor. Em algumas secções, Marcos mostra-se o mais emocional e comovente dos escritores evangélicos. O seu idioma se caracteriza pela simplicidade, mas mesmo assim ele consegue obter certa grandiosidade. Embora o grego "koiné" de Marcos possa ser classificado entre os exemplos mais deficientes do NT, e que sem dúvida ele se sentia mais à vontade manuseando o aramaico do que o grego (o seu evangelho é o que contém o maior número de aramaísmos), contudo, demonstra que dominava bem o grego *koiné* coloquial. A seu crédito também poderíamos dizer que ele deve ser relembrado um tanto como inovador literário e como gênio artístico, porquanto inventou uma nova modalidade de literatura. Jamais alguém escrevera coisa alguma parecida com o seu "evangelho", antes dele, ou, pelo menos, não tem sido preservado até nós qualquer exemplar desse tipo de literatura.

VI. FONTES DOS MATERIAIS

Marcos como uma das principais fontes dos evangelhos sinópticos.

Na discussão sobre *autor*, nesta introdução ao evangelho de Marcos, bem como na discussão sobre "lugar e destinatários", já tivemos ocasião de mencionar as principais fontes informativas deste evangelho. Nossa tradição mais antiga (e outras tradições dos pais primitivos da igreja, baseadas nela), no que diz respeito à fonte deste evangelho, é aquela em que Papias cita certo *"presbítero"*, que nos diz que o grosso do material foi recebido por Marcos à base das narrações feitas oralmente por Pedro, o qual, naturalmente, era testemunha ocular. (Quanto a essa citação, ver a secção sob o título "autor", no evangelho de Marcos). O evangelho de Marcos, portanto, se isso expressa a verdade (e quanto às diversas especulações acerca da validade dessa teoria, que nos foi transmitida por Papias, ver a nota existente sobre o título *autor*), seria uma espécie de memórias de Pedro. Assim sendo, teria sua base e autoridade principal na tradição apostólica. Por esse motivo, embora não tivesse sido escrito nem por um apóstolo e nem mesmo por uma testemunha ocular, reveste-se da validade de uma narrativa feita por uma testemunha ocular.

Com base no livro de Atos sabemos que Marcos, por algum tempo, foi companheiro de viagem do apóstolo Paulo, e deve ter sido elemento bem conhecido no círculo apostólico; por isso mesmo deve ter tido amplas oportunidades de conferenciar com Pedro e com outras testemunhas oculares, acerca da vida e dos ensinamentos de Jesus.

Essa mesma citação feita por Papias informa-nos que não precisamos depender completamente dos acontecimentos que ali são narrados, como se tivessem sido registrados *na ordem real* dos acontecimentos; e essa observação também se aplica às declarações do Senhor. Torna-se óbvio, mediante o exame aproximado dos vários acontecimentos, relatados cronologicamente, em confronto com as declarações de Jesus, que nem sempre existe uma conexão vital, pois na realidade diversos evangelistas nem sempre atribuem as mesmas declarações às mesmas ocorrências históricas. (Quanto a evidências sobre isso, ver as notas de introdução aos capítulos décimo e décimo primeiro do evangelho de Lucas). Contudo, isso se reveste de relativamente pouca importância. O que importa é que Jesus realmente fez aquilo que está escrito que ele fez, e que disse aquilo que está registrado que ele declarou. A citação feita por Papias assegura-nos que essa é uma posição bastante sólida.

Também se tem pensado, especialmente da parte de eruditos de décadas anteriores, que *Paulo* exerceu influência sobre o evangelho de Marcos, e que algumas passagens ou ideias ali apresentadas são empréstimos ou adaptações feitas à base desse apóstolo; e esse ponto de vista se tornou especialmente popular durante o século XIX. Mas o conceito de Marcos como um evangelho "paulino" se tem perdido quase inteiramente nos tempos modernos. (Todavia, isso continua sendo dito, e com certa justificação, no tocante ao evangelho de Lucas).

Traços da influência de Paulo são vistos em passagens como Marcos 1.15 ("..."o tempo está cumprido...") ou como na passagem sobre o "resgate", em Marcos 14.24 ("...meu sangue, o sangue da aliança, derramado em favor de muitos..."). Quando examinamos essa evidência, descobrimos que a dependência especial de Marcos a Paulo serve apenas de prova de que tanto Paulo como Marcos dependeram, em suas ideias, da variedade geral do cristianismo gentílico primitivo. Em outras palavras, ambos expressaram ideias correntes na igreja, sem dúvida aquelas que tiveram origem nas próprias declarações de Jesus. Marcos não escreveu como intuito de propagar quaisquer pontos de vista teológicos em particular, paulinos ou outros, embora tenhamos em seu livro uma união do que é teológico e do que é histórico, conforme Branscomb diz: "Perguntar se esse evangelho é uma obra teológica ou uma obra histórica é estabelecer uma falsa alternativa. Trata-se de ambas as coisas. Mas dogma e doutrina parecem perfeitamente secundários para o evangelista, ao narrar a história cristã, conforme era conhecida e crida nas igrejas do mundo helenista, uma geração após a morte de Jesus". (*"Gospel of Mark"*, pág. XXII).

É claro, portanto, que além da fonte informativa petrina, devemos olhar também para a tradição eclesiástica da igreja cristã de Roma. No seio dessa comunidade, Marcos já encontrou preparado para ele um bom tesouro de material, provavelmente tanto em forma oral como escrita; e sem dúvida ele colheu material de determinado número de pessoas que eram testemunhas oculares pelo menos em parte, ou que conheciam pessoalmente as testemunhas oculares. Nesse grande bloco informativo, Marcos deve ter preservado muitas fontes informativas individuais, algumas das quais se alicerçavam, sem dúvida, sobre uma única testemunha ocular, ao passo que outras informações podiam ser dadas por múltiplas testemunhas. Atualmente nos é impossível deslindar essa complexidade, pelo que também devemos referir-nos ao fato meramente como a tradição cristã, oral e escrita, da igreja cristã em Roma. A grande probabilidade é que o evangelho de Marcos seja uma compilação das tradições orais correntes na comunidade cristã na década dos sessenta. Uma parte do conteúdo do livro talvez já houvesse sido escrita antes de Marcos ter feito as suas anotações. B. Harvie Branscomb (*The Gospel of Mark*, N.I. Harper and Brothers, 1937, pág. XXIII) reconhece certo número dessas fontes escritas: as controvérsias de Marcos 2:1-3:6, e também as do capítulo décimo segundo; o pequeno Apocalipse do capítulo décimo terceiro; a coletânea de parábolas do quarto capítulo; a narrativa da paixão dos capítulos décimo quarto e décimo quinto; a lista dos doze apóstolos, no capítulo terceiro; a narrativa sobre João Batista, no primeiro capítulo; os *textos de prova*, usados por Marcos, tirados do AT; a narrativa dos incidentes em volta do mar da Galiléia, nos capítulos sexto até oitavo, que contém certo número de referências topográficas; e, provavelmente, ainda outras". (Frederick C. Grant, *"Introduction to the Gospel of Mark*, Interpreter's Bible", NT, Abingdon-Cokesbury Press, Nashville, pág. 630).

Além dessas fontes informativas, é bem provável que parte do material desse evangelho se tenha originado de lugares fora de Roma, talvez com base em informações dadas por *outros apóstolos*, ou por outros que conheceram a Marcos em suas viagens, e que entraram em contato com ele, relatando-lhe incidentes ou declarações da vida de Jesus. O que é verdade é que todas as fontes informativas, tanto esta como aquelas que já foram mencionadas, tiveram seu manancial na tradição cristã primitiva, que começou na Palestina, porquanto muitas passagens continuam fragrantes com a brisa fresca da Galiléia. Essas tradições estiveram primeiramente contidas no idioma aramaico, quer escrito quer falado; mas parece certo que o próprio evangelho de Marcos foi originalmente vazado em grego *koiné*, pois, apesar de conter alguns semitismos, não existe nele qualquer comprovação sólida de que tenha sido uma tradução. E a fonte básica e final desse evangelho é o Senhor Jesus, o que ele disse e o que ele fez.

Nos dias que se passam, reconhece-se quase universalmente (em contraste com o que ocorria em séculos anteriores) que o evangelho de Marcos foi o evangelho original (dentre aqueles que ficaram preservados até nós), e que tanto Mateus como Lucas se utilizaram desse evangelho como esboço histórico. As evidências em favor disso são apresentadas, em forma detalhada, no artigo da introdução intitulado *Problema Sinóptico*, que o leitor deve examinar. Essas evidências podem ser sumariadas como segue:

1. Dentre um total de seiscentos e sessenta e um versículos do evangelho de Marcos, *seiscentos* foram copiados no de Mateus, o que representa mais de noventa por cento do total.
2. A narrativa de Mateus *usualmente* acompanha a de Marcos, embora ele moita alguns versículos, por motivo de brevidade, ou altere alguns versículos, a fim de conseguir um mais perfeito estilo literário. Outras modificações provavelmente também se devem à tentativa do autor em eliminar alguns elementos mais crus, como a dureza demonstrada por Jesus para com certo leproso (ver Mt 8.2,3 com Mc 1.43), ou à tentativa de eliminar a ira demonstrada por Jesus (ver Mt 12.10-14 e 19.13-15 com Mc 3.5 e 10:14); e no evangelho de Mateus alguns trechos são alterados ou desenvolvidos a fim de se tornarem mais aplicáveis às condições presentes, que atuavam na comunidade cristã, como se dá com o famoso capítulo décimo sexto do evangelho de Mateus. Não obstante, o fato de que Marcos foi copiado por Mateus é perfeitamente óbvio, a despeito das diferenças existentes.
3. Lucas emprega cerca de *sessenta por cento* dos versículos encontrados no evangelho de Marcos, e a maior parte desse material é passado para o seu evangelho com pouquíssimas modificações.
4. Lucas utiliza-se menos do material de Marcos do que Mateus. Mas, quase sempre que se utiliza de Marcos, preserva o mesmo versículo e a mesma ordem das palavras, e, usualmente, as mesmas sequências históricas (embora existam pontos de diferença quanto a esse particular).
5. Assim é que, dos seiscentos e sessenta e um versículos de Marcos, Mateus e Lucas aproveitam seiscentos e dez entre si, deixando apenas algumas *poucas dúzias* sem serem repetidos. Por outro lado, se Marcos é que lançou mão do evangelho de Mateus, então torna-se impossível entender por que ele deixou de lado nada menos de cinquenta por cento de seu material; e ainda é mais difícil compreender porque deixou de lado os ensinamentos de Jesus, ali registrados. Isso teria sido uma omissão imperdoável. Todavia, pode-se entender facilmente por qual motivo é que Mateus, apesar de ter usado o esboço histórico provido por Marcos, contudo acrescentou os ensinamentos derivados das fontes informativas "Q" e "M". Isso também se dá no caso do evangelho de Lucas, o qual se utilizou do evangelho de Marcos como esboço histórico, mas que também empregou a fonte informativa "Q", além da fonte informativa exclusiva, que tem sido denominada "L". O mais certo é que Mateus e Lucas trabalharam independentemente um do outro, embora houvessem usado parte do mesmo material, principalmente da fonte informativa "Q" e do evangelho de Marcos.
6. Além do fato de que a mesma ordem histórica que se pode observar no evangelho de Marcos também se pode detectar nos outros dois evangelhos sinópticos, temos também o fato de que eles usaram muitas *palavras próprias* de Marcos. Isso equivale a dizer que houve certa *dependência verbal* a Marcos; mas igualmente significativo é o fato de que algumas vezes palavras erradas ou inclusas, ou mesmo estruturas gramaticais menos felizes, são corrigidas no evangelho de Mateus, e, mais particularmente ainda, no evangelho de Lucas, o qual dominava realmente o idioma grego e que não poderia deixar passar sem correção os equívocos cometidos por Marcos.
7. Finalmente, precisamos observar que se Lucas e Mateus tivessem escrito os seus respectivos evangelhos antes do de Marcos (ou mesmo se um deles houvesse escrito antes de Marcos), não teria havido qualquer *necessidade de escrever* o evangelho de Marcos. Por que haveria de ter Marcos apanhado uma cópia do evangelho de Mateus para copiá-lo, fazendo alterações em apenas seis ou sete por cento do total do material deste evangelho? Isso teria sido uma reprodução inteiramente desnecessária, e nada teria acrescentado ao nosso conhecimento sobre a vida e os atos do Senhor Jesus. Por outro lado, pode-se ver facilmente por qual motivo Mateus e Lucas, tendo apanhado uma cópia do evangelho de Marcos, perceberam a necessidade de escrever outra narrativa evangélica. Pois em Marcos faltavam os ensinamentos de Jesus. Por essa razão é que os evangelhos de Mateus, Lucas e João tiveram de preencher essa lacuna. Marcos, por conseguinte, foi o primeiro evangelho a ser escrito, tendo servido de base, ou, pelo menos, de uma das principais fontes informativas, aos evangelhos de Mateus e de Lucas.

Uma breve nota pode comentar aquele material contido no evangelho de Marcos, que não aparece nos demais evangelhos sinópticos. Alguns versículos isolados, especialmente nos casos em que os outros evangelistas condensaram as narrativas, é que compõem larga porcentagem desse material. Além disso, encontramos os seguintes dados: Dentre as quarenta e uma parábolas que aparecem nos evangelhos sinópticos, Marcos registrou apenas oito, e uma delas, a da semente em desenvolvimento, é peculiar a Marcos (Mc 4.26-29). Dentre os cerca de quarenta milagres narrados nos evangelhos sinópticos, o de Marcos contém apenas dois exclusivos a ele, a saber, a cura do surdo-mudo (Mc 7.31) e a cura do cego (Mc 8.22).

O diagrama abaixo serve para ilustrar as fontes informativas do evangelho de Marcos, e, subsequentemente, as fontes informativas usadas pelos demais evangelhos sinópticos:

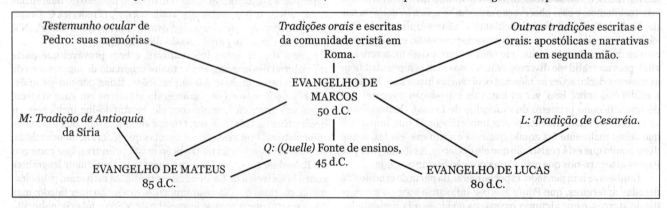

VII. CONTEÚDO

O evangelho de Marcos se divide facilmente em quatro secções, que podem ser sumariadas como segue:

1. Introdução – Marcos começa no meio dos acontecimentos, sem fornecer-nos a história do nascimento de Jesus e nem a sua genealogia – 1.1-13.

2. Início do Ministério de Jesus, na Galiléia – Primeiras controvérsias com as autoridades religiosas dos judeus, e primeiras parábolas de Jesus – 1.14 – 3.6.

Diversas viagens de Jesus – Temos aqui a "grande inserção" de Marcos, que é seguida por Mateus mas quase inteiramente ignorada por Lucas – 7.24 – 8.26. Jesus em relação à lei, e a controvérsia acerca dos sinais; antipatia crescente das autoridades religiosas para com Jesus – 3.7 – 8.26. O caminho em direção à cruz, que inclui certo número de declarações e ensinamentos acerca do discipulado – 8.27- 10.45.

3. Jesus em Jerusalém – 10.1 – 15.47

- Aproximando-se de Jerusalém – 10.1-52
- Acontecimentos em Jerusalém – 11.1 – 12.44. Mais controvérsias.
- O "Pequeno Apocalipse" ou coletânea das declarações proféticas de Jesus – 13.
- A narrativa da paixão – 14.1 – 15.47

4. A história da Ressurreição – 16

Apresentamos abaixo um esboço mais pormenorizado, utilizando-nos das mesmas quatro divisões principais:

1. INTRODUÇÃO
a. Ministério de João Batista – 1.2-6
b. O batismo de Jesus – 1.9-11
c. A tentação de Jesus – 1.12,13

2. VOLTA DE JESUS À GALILEIA - 1-14,15
- Chamada dos discípulos de Jesus – 1.16-20
- Expulsão de um demônio, em Cafarnaum – 1.21-28
- A cura da sogra de Pedro – 1.29-31
- Outros milagres de cura – 1.32-34
- A popularidade de Jesus e sua vida de oração – 1.35-39
- A cura de um leproso – 1.10-45
- A chamada de Levi – 2.13,14
- Jesus tem convivência com pecadores – 2.15-17
- Jesus ensina acerca do jejum – 2.18-10
- As parábolas do velho e dos odres de vinho – 2.21,22
- Relação de Jesus com o sábado – 2.23-28
- O homem de mão ressequida – 3.1-6
- Sumário do ministério de Jesus – 3.7-12
- Escolha dos doze apóstolos – 3.13-19
- A blasfêmia dos escribas – 3.20-30
- A nova relação: a verdadeira família de Jesus – 3.31-35
- Parábola do semeador – 4.1-9
- Explicação da parábola do semeador – 4.10-20
- Parábola da candeia – 4.21-25
- A parábola da semente de mostarda – 4.30-32
- Por que Jesus falava em parábolas? – 4.33,34
- Jesus realiza o milagre de acalmar a tempestade – 4.35-41
- A cura do endemoninhado geraseno – 5.1-14
- Os gerasenos rejeitam o Senhor Jesus - 5.15-20
- O pedido de Jairo – 5.21-24
- Cura de uma mulher enferma e ressurreição da filha de Jairo – 5.25-43
- Jesus prega e é rejeitado em Nazaré – 6.1-6
- Instruções dadas aos doze – 6.7-13
- Circunstâncias da morte de João Batista – 6.14-29
- A primeira multiplicação de pães, para cinco mil homens – 6.30-44
- Jesus anda sobre o mar – 6.45-52
- Jesus em Genezaré – 6.53-56
- Jesus e as tradições dos anciãos – 7.1-23
- A mulher siro-fenícia curas – 7.24-30
- Cura do surdo-mudo – 7.31-37
- Segunda multiplicação de pães – 8.1-10
- O fermento de Herodes e dos fariseus – 8.14-21
- Os fariseus exigem um sinal do céu – 8.11-13
- A cura do cego de Betsaida – 8.22-26
- A confissão de Pedro – 8.27-30
- Primeiro anúncio feito por Jesus – 8.31-33
- Declarações sobre o verdadeiro discipulado – 8.34-38
- A transfiguração – 9.1-13
- Cura do jovem possesso por um demônio – 9.14-29
- Segundo anúncio da aproximação da morte de Jesus – 9.30-32
- Questão sobre quem é o maior no reino dos céus? – 9.33-37
- Jesus ensina a tolerância e o amor – 9.38-41
- As pedras de tropeço e o inferno – 9.42-50

3. JESUS ATRAVESSA O RIO JORDÃO – 10.1
a. No caminho
- A questão do divórcio – 10.2-12
- Jesus abençoa as crianças – 10.13-16
- História do jovem rico – 10.17-22
- O perigo das riquezas – 10.23-31
- Terceira predição de Jesus sobre a aproximação de sua morte – 10.32-34
- A solicitação de glória, feita por Tiago e João – 10.35-45
- A cura do cego de Jericó – 10.46-52
b. Em Jerusalém – 11.1 – 12.44
- Entrada triunfal – 11.1-11
- A figueira sem fruto – 11.12-14 e 20-22
- A purificação do templo – 11.15-19
- Diversas declarações sobre a fé e a oração – 11.23-26
- A autoridade de Jesus e o batismo de João Batista – 11.27-33
- Parábola dos lavradores maus – 12.1-12
- A questão do pagamento de tributo a Roma – 12.13-17
- Controvérsia com os saduceus, por causa da ressurreição – 12.8-27
- O grande mandamento – 12.28-34
- Cristo, como filho de Davi – 12.35-37
- Jesus repreende os escribas – 12.38-40
- A oferta da viúva pobre – 12.41-44
c. O "pequeno Apocalipse" – Destruição de Jerusalém – 13.1,2
- O começo das dores – 13.3-13
- A grande tribulação – 13.14-23
- A volta do Filho do homem – 13.24-33
d. A narrativa da paixão – 14.1 – 15.47
- Jesus mostra quem é o traidor – 14.17-21
- O plano para tirar a vida de Jesus – 14.1,2
- Unção de Jesus em Betânia – 14.3-9
- O pacto da traição – 14.10,11
- Preparação para a Páscoa – 14.12-16
- A última ceia – 14.22-26
- Pedro é avisado sobre sua futura negação – 14.27-31
- Jesus ora no jardim do Getsêmani – 14.32-42
- Jesus é aprisionado – 14.43-50
- O jovem que fugiu – 14.52
- Julgamento de Jesus diante do sinédrio – 14.53-65
- Pedro nega o Senhor Jesus – 14.66-72
- O julgamento de Jesus na presença de Pilatos – 15.1-15
- Jesus é entregue nas mãos dos soldados – 15.16-20
- Simão, o cireneu, carrega a cruz de Jesus – 15.21
- A crucificação de Jesus – 15.22-32
- Morte de Jesus – 15.33-41
- Sepultamento de Jesus – 15.42-47
- José de Arimateia – 15-43
4. A RESSURREIÇÃO DE JESUS – 16.1-8
- Términos do evangelho de Marcos – 16.9-20
- A ascensão de Jesus – 16.19-20

VIII. BIBLIOGRAFIA

Dibelius, Martin, *A Fresh Approach to the New Testament*, Charles Scribners & Sons, 1936.

Enslin, Morton Scott, *Christian Beginnings, The Literature of the Christian Movement*, Harper and Brothers, N.Y., 1965.

Goodspeed, Edgar J., *Introduction to the New Testament*, Chicago, University of Chicago Press, 1938.

Streeter, B.H., *The Four Gospels*, The Macmillan Co., 1925.

Trawick, Buckner B., *The New Testament as Literature*, Gospels and Acts, Barnes and Noble, N.Y., 1964.

N.B. A exposição do Evangelho de Marcos se baseia sobre doze comentários em série. Estas obras são identificadas na introdução, com a lista das abreviações largamente usadas. Além destas coleções, recomendamos os livros alistados acima.

O *Interpreter's Bible* está utilizado neste comentário pela gentil permissão da Abingdon-Cokesbury Press, Nashville. Desta obra, são citados, em Marcos, Frederick C. Grant e Halford E. Luccock.

Marcos Códex Khabouris   *Christian Computer Art*

Capítulo 1

1. INTRODUÇÃO

Ao examinar o tratamento dado ao evangelho de Marcos, neste comentário, o leitor poderá observar imediatamente que este consiste essencialmente de referências cruzadas com os evangelhos de Mateus e Lucas. Tem sido plano, neste comentário, anotar todo versículo do NT, o que, naturalmente, inclui cada versículo dos registros dos quatro Evangelhos. Todavia, na introdução a este evangelho, ficou demonstrado que dos 661 versículos (sem incluir os versículos em controvérsia, com os quais terminam este evangelho; ver as notas onde a questão é discutida, em Mc 16.9) existentes no evangelho de Marcos, 600 foram copiados diretamente por Mateus, o que equivale a cerca de 93% desse total. Dos 7% restantes, Lucas também empregou algum material, além de haver copiado novamente grande porção do restante do evangelho de Marcos, em cerca de 60%. Apenas cerca de 50 versículos são distintamente pertencentes a Marcos. Por conseguinte, pareceu-nos inútil repetir as exposições no evangelho de Marcos, uma vez que o leitor pode simplesmente examinar as passagens paralelas. Nos casos em que Mateus ou Lucas condensaram o material (ou onde os detalhes dos três são diferentes ou suplementares) houve o esforço de incluir o material extra de Marcos, juntamente com a exposição em Mateus ou Lucas, a fim de que o desígnio deste comentário — comentar versículo por versículo — pudesse ser mantido. Por essas razões, o comentário sobre o evangelho de Marcos consiste principalmente de referências cruzadas.

1.1: Princípio do evangelho de Jesus Cristo, Filho de Deus.

1.1 Ἀρχὴ τοῦ εὐαγγελίου Ἰησοῦ Χριστοῦ [υἱοῦ θεοῦ][1].[a]

[a] *1 a* major: WH Bov Nes RV ASV RSV NEB Zür Luth Jer Seg // *a* minor: TR BF2 AV (TT)

[1] 1 {C} Χριστοῦ υἱοῦ θεοῦ ℵ* B D L W Diatessaron[p] Irenaeus Severian // χριστου υιοῦ τοῦ θεοῦ A K Δ Π f¹ f¹³ 33 565 700 892 1009 1010 1071 1079 1195 1216 1230 1242 1253 1344 1365 1546 1646 2148 2174 Byz Lect[m] Cyril // χριστου υἱοῦ θεοῦ οτ χριστοῦ υἱοῦ τοῦ θεοῦ it[a,aur,b,c,d,f,ff²,l,q,r¹] vg syr[p,h] cop[sa,bo] goth arm eth geo² Irenaeus[lat2/3] Origen[lat] Ambrose Jerome Augustine // χριστου υἱοῦ τοῦ κυρίου 1241 // χριστοῦ ℵ* Θ 28[c] syr[pal] geo¹ Irenaeus[gr.lat1/3] Origen[gr.lat] Victorinus-Pettau Serapion Titus-Bostra Basil Cyril-Jerusalem Epiphanius Jerome // omit 28*

A ausência de υἱοῦ θεοῦ em ℵ* θ 28[c] *al* pode ser devido ao descuido na cópia, ocasionado pela similaridade dos fins dos nomes sagrados. Por outro lado, porém, sempre houve a tentação (à qual sucumbiram os copistas) de expandir títulos e quase-títulos de livros. Já que a combinação de B D W *al*, em apoio a υἱοῦ θεοῦ, é extremamente forte, não foi julgado aconselhável omitir inteiramente essas palavras; contudo, devido à antiguidade da forma mais breve e à possibilidade de expansão escribal, resolveu-se incluir as palavras entre colchetes.

Quanto à observação sobre o vocábulo *evangelho*, ver Mateus 1.1 e Romanos 1.16. Quanto a notas sobre o conteúdo, a mensagem, as origens e os propósitos do evangelho de Marcos, é necessário ler a introdução a este evangelho.

"Princípio do evangelho de Jesus Cristo, Filho de Deus..." Quanto a notas sobre o termo "Cristo", ver Mateus 1.16. Quanto a notas expandidas sobre "Jesus, o Cristo", ver o artigo da introdução a este comentário, intitulado "Jesus, identificação, ministério e ensinamentos".

A expressão **"[...] princípio do evangelho de Jesus Cristo..."** tem deixado perplexos muitos intérpretes, tendo servido de tema para muitos debates, e tem estado sujeita a diversas interpretações. Alguns comentadores pensam tratar-se da designação do ponto inicial do ministério de Jesus, conforme teria sido representado pelo ministério de João Batista (segundo também dão a entender os versículos imediatamente seguintes), isto é, que o começo das boas novas acerca de Jesus Cristo teve início com o ministério de João Batista. Apesar de isso expressar parte da verdade, especialmente no tangente ao ministério ativo de Jesus, o fato é que todos os outros evangelhos dão início ao "evangelho" em um ponto diferente. Mateus e Lucas começam o seu evangelho narrando o nascimento de Jesus, além de algum comentário sobre sua infância e meninice. Já o evangelho de João começa com a pré-existência de Cristo e a criação por meio dele realizada. Por essa razão, dizemos que Marcos começou no "meio das coisas", pois vemos Jesus, pela primeira vez, neste evangelho, quando ele já tinha cerca de trinta anos de idade, prestes a dar início ao seu ativo ministério. Naturalmente é possível que Marcos pudesse ter dado início à sua narrativa com João Batista, considerando isso uma espécie de começo das boas novas acerca de Cristo. (Apesar de encerrar certa verdade, entretanto, essa interpretação, não traduz corretamente o significado da expressão.) Encontramos determinada variação dessa interpretação, que adiciona que aquilo que é mencionado é a totalidade da vida e do ministério de Jesus, mencionando João, especificamente, como o ponto inicial da narrativa que se segue, isto é, o evangelho em sua inteireza. Isso, novamente, expressa certa verdade possível, mas ainda não é o sentido da expressão em foco.

O mais provável é que a expressão "[...] princípio do evangelho de Jesus Cristo, Filho de Deus..." seja equivalente àquilo que, em uma obra literária moderna, seria chamado de "incipit" de um manuscrito medieval. Assim, equivaleria a "Aqui começa... (*incipit*) o evangelho de Jesus Cristo, o Filho de Deus". Esse versículo, pois, não tem nenhuma conexão vital com o que vem em seguida, e nem mesmo com o segundo versículo; mas deve ser considerado como um todo separado, que termina com um ponto, posto que represente o *título* do livro. "Este versículo (v. 1) pode ser mais bem considerado como o título do evangelho inteiro, como se tivesse a significação de "aqui começa o evangelho acerca de Jesus Cristo, o Filho de Deus". Assim considerado, deve ser reputado como algo à parte, e o que no versículo 2 começa uma nova seção..." (Bruce, *in loc.*). "Provavelmente, trata-se de um título do que vem em seguida, como sucede também a Mateus 1.1, e não há nenhuma vinculação nem com o versículo 4 (conforme Fritzsche e Lehm) e nem com o versículo 2 (conforme Meyer). É mais simples, e empresta mais majestade ao exórdio, colocar um ponto no fim do versículo primeiro, e fazer da citação tirada do profeta um novo título, confirmatório" (Alford, *in loc.*).

"[...] de Jesus Cristo..." Isso poderia significar (de conformidade com a gramática usada) que Jesus Cristo foi o autor real do livro, ou que ele é o tema do livro, e que outra pessoa foi seu autor, o qual proveu uma espécie de bibliografia. É evidente que a última possibilidade é que foi tencionada pelo autor. Essa expressão, neste caso, significa, por conseguinte: "As boas novas concernentes a Jesus Cristo" (conforme diz Meyer, *in loc.*). Essas boas novas têm como seu conteúdo a vida, as palavras e a grande importância de Jesus Cristo. Provavelmente, pelo tempo em que o evangelho de Marcos foi escrito, Cristo se tornara um nome próprio, vinculado (talvez com grande frequência) ao prenome Jesus; e apesar de mesmo ainda tencionar referir-se definidamente à sua *unção* (que é o sentido básico da palavra); todavia, o termo já era largamente usado (conforme se verifica até hoje), meramente como um segundo nome de Jesus, mais ou menos como sucede ao nome "Simão Pedro".

"[...] Filho de Deus..." Esta adição aparece nos mss ABDW, Fam Pi, Fam 1 e Fam 13, juntamente com certo número de versões latinas e cópticas. É seguida pelas traduções ASV, AA, AC, BR (que a assinala como duvidosa), NE, IB, KJ, PH, RSV e WY. Tais palavras são omitidas pelos mss Aleph (1), Theta, 28 e pelos pais da Igreja Irineu, Orígenes, Basílio, Victor e Hieráclito (em algumas citações).

|Marcos| NTI

As traduções GD e W; também as omitem. A evidência objetiva infelizmente está dividida exatamente pela metade. A grande questão, e aquela que sem dúvida favorece o texto mais abreviado, mostrando que o evangelho original de Marcos não continha essas palavras, é: Se essas palavras eram autênticas, por que foram omitidas? Não existe razão nenhuma para que algum escriba, mesmo parcialmente ortodoxo, houvesse de omiti-las. Parece melhor dizermos, portanto, que essas palavras foram acrescentadas em uma data bem remota. Isso não significa, contudo, que Marcos não chame ao Senhor Jesus de "Filho de Deus" em diversas outras oportunidades. Ver, por exemplo, Marcos 1.11; 3.11; 5.7; e 14.61. A questão básica, por conseguinte, não é se Jesus é considerado ou não como Filho de Deus, neste evangelho; mas tão somente se ele foi chamado ou não por esse título neste versículo. Alguns têm lutado pela autenticidade da expressão nesta passagem, salientando que, neste versículo, existem seis genitivos singulares em sucessão, cada um deles terminando com as letras "ou", onde três ou quatro deles provavelmente apareciam na forma abreviada "uu"; por motivo desta circunstância, pois, não teria sido difícil a algum escriba ter omitido a última dessa sucessão, o que seria uma espécie de haplografia. Apesar de admitirmos que isso poderia ser verdade, o sentido doutrinário dessas palavras é tal, que não é provável que muitas cópias, e, subsequentemente, bom número de pais da Igreja, as tivessem omitido. A conjectura que fazemos é que essa omissão, que envolve uma expressão tão importante, deveria ter sido uma instância muito mais isolada, e não algo tão repetido nos manuscritos e nos escritos dos pais da Igreja.

Nesta referência é que aparece a anotação sobre Jesus, na qualidade de *Filho de Deus*:

Não é necessário que alguém faça um exame exaustivo, sobre esse título do Senhor Jesus, quer nos evangelhos e quer na tradição cristã, a fim de perceber que era usado em sentido muito mais elevado do que meramente para designar Jesus como o *Messias*, segundo esse termo aparece no AT. Na realidade, tenciona apresentar uma espécie de dupla cristologia, transmitindo a ideia contrastante do que poderia ser compreendido na expressão "Filho do homem". Jesus é o homem representativo, o verdadeiro homem, que sofreu os sofrimentos próprios dos homens, que se identificou com os homens em todas as questões essenciais, menos quanto ao pecado. (Quanto a notas sobre a "humanidade de Cristo", ver Fp 2.7.) Ao mesmo tempo, ele é o "Filho de Deus" distinto dos homens conforme eles se encontram atualmente, ou seja, dotado da natureza divina essencial. É bem provável que, pelo tempo em que foi escrito o evangelho de Marcos, essa expressão fosse frequentemente utilizada como um título divino.

É verdade que a própria expressão não indica, necessariamente, *divindade*, porquanto, no AT, foi usada para referir-se a Israel, a reis e a sacerdotes, e meramente dava a entender o modo especial pelo qual Deus estava com eles e os orientava. É óbvio também que, em muitas referências, quando a expressão era aplicada a Jesus, significava muito mais do que mera relação especial, pois tencionava incluir a ideia de participação na essência divina; e é justamente neste particular que o cristianismo vai muito além do que qualquer coisa que o judaísmo entendesse com respeito à natureza do Messias. (Ver Mt 11.27; Mc 13.32; 14.36; Jo 20.17; 10.38; 14.10; 5.35; 3.16; Hb 1.2.) As ideias centrais da expressão são as seguintes:

1. Jesus é a personagem *profetizada* pelo AT, mas em termos que ultrapassam a compreensão judaica ordinária sobre tais profecias.
2. Realmente ele mantém uma *relação especial* com o Pai (o que também transparece em passagens como Jo 5.19,30; 16.32; 8.49,50; Hb 1.3.)
3. Essa expressão tornou-se um termo que designa a *natureza divina* de Jesus. Assume uma natureza transcendental, e passa a ser um título que indica a natureza divina e exaltada do Salvador dos homens. Na qualidade de Messias, segundo a compreensão

cristã sobre esse ofício, Jesus é o filho de Deus no sentido mais absoluto. (Ver Mt 27.43; 9.27; 24.36; Mc 13.32.) Por causa dessa filiação, ele é o verdadeiro Messias, o Salvador qualificado para salvar, o alvo da criação, pois Deus está duplicando a Cristo nos homens salvos. O apóstolo Paulo assevera que o próprio Deus se manifesta em Cristo, o que também é a grande ênfase do quarto evangelho, onde o Cristo é, igualmente, o Logos, o *Verbo* eterno, o Criador. (Ver também Cl 1 e 2.) Parece fazer parte do ensino do NT que, para que Cristo leve os homens a uma verdadeira e plena comunhão com Deus, é necessário que ele seja ao mesmo tempo verdadeiro homem e verdadeiro Deus, e não meramente uma personagem celestial, como os anjos, por exemplo.

A discussão sobre Jesus, na qualidade de "Filho de Deus" (isto é, participante da essência divina) ficaria incompleta se não mencionássemos aquela grande mensagem do evangelho, que é o desígnio de Deus de conduzir os homens a uma profunda união com Cristo, o Filho de Deus, união essa que requer a transformação moral e metafísica dos homens segundo a plena imagem de Cristo. Isso significa que, ao serem transformados à imagem de Cristo, os homens não somente deixarão transparecer a imagem ética de Deus, mas também, na realidade, serão transformados em seres que participam da essência divina (ver 2Pe 1.4) segundo ela aparece na pessoa de Cristo. Terminado esse processo, por conseguinte, os seres redimidos pertencerão a uma ordem extremamente mais elevada que a dos anjos, e podemos apenas conjecturar no que diz respeito ao sentido completo e perfeito de tal ensinamento. Não somos informados em nenhuma porção das Escrituras sobre a maneira com que a natureza divina de Cristo (e, por conseguinte, da dos homens que serão transformados à sua imagem) difere da natureza divina de Deus Pai. E ainda que fôssemos informados sobre isso, não possuiríamos a capacidade intelectual ou espiritual para apreender o sentido do que nos seria dito. Outrossim, no presente nem mesmo possuímos os meios intelectuais e espirituais para compreender o que significa sermos transformados segundo a imagem de Cristo; embora possamos perceber, facilmente, que essa é a mensagem mais elevada do evangelho, embora ande quase inteiramente esquecida por parte da Igreja, a qual se preocupa inteiramente com o simples perdão de pecados e com a mudança de endereço para o céu. Todavia, o evangelho envolve muito mais do que isso. Quanto a notas sobre a transformação dos homens à imagem de Cristo, ver as anotações em Romanos 8.29 e Efésios 3.19; ver também 2Coríntios 3.18; Colossenses 2.10.

N.B.: Quando aparecem textos paralelos em Mateus e Marcos, apresentamos a exposição em Mateus; em Marcos, acrescentamos apenas algumas notas suplementares.

a. 1.2-6 - *Ministério de João Batista.* (As notas expositivas aparecem em Mateus 3.1-10.)

1.2: Conforme está escrito no profeta Isaías: Eis que envio ante a tua face o meu mensageiro, que há de preparar o teu caminho;

1.2 Καθὼς γέγραπται ἐν τῷ Ἠσαΐᾳ τῷ προφήτῃ[2],
Ἰδοὺ ἀποστέλλω τὸν ἄγγελόν μου πρὸ προσώπου σου,
ὃς κατασκευάσει τὴν ὁδόν σου·

---

2 Ἰδοὺ...ὁδόν σου Êx 23.20; Ml 3.1 (Mt 11.10; Lc 1.76; 7.27) [Ἰδου] *add* εγω ℵAW *pl* vg[s,cl] ς

---

[2] **2** {A} ἐν τῷ Ἠσαΐᾳ τῷ προφήτῃ ℵ B L Δ 33 565 892 1241 Origen Severian // ἐν Ησαΐᾳ τῷ προφήτῃ D Θ *f*[1] 700 1071 2174 Irenaeus[gr.lat] Origen Serapion Titus-Bostra Basil Epiphanius Victor-Antioch // ἐν (*or* ἐν τῷ) Ἠσαΐᾳ τῷ προφήτῃ it[a,aur,b,c,d,f,ff².l,q] vg syr[p,h,hmg,pal] cop[sa,bo] goth geo Porphyry[acc.to Jerome] Victorinus-Pettau Eusebius Ambrosiaster Jerome Augustine // ἐν τοῖς προφήταις A K P W Π *f*[13] 28 1009 1010 1079 1195 1216 1230 1242 1253 1344 1365 1546 1646 2148 *Byz Lect*[m] syr[s] cop[bo,ms,mg] arm eth Irenaeus[lat] Photius Theophylact

---

A citação dos v. 2 e 3 é composta, sendo a primeira parte retirada de Malaquias 3.1, e a segunda, de Isaías 40.3. É fácil ver, pois, por que os copistas teriam alterado as palavras "em Isaías, o profeta" (uma forma achada nos primeiros testemunhos representativos dos tipos de texto alexandrino, ocidental e cesareano) para a fórmula introdutória mais compreensiva, "nos profetas".

"Esta citação tenciona provar, "pela profecia", que as boas novas sobre Cristo tiveram seu início determinado na proclamação de um precursor, que veio preparar-lhe o caminho. A primeira parte é extraída de Malaquias 3.1, e a segunda, de Isaías 4.3. O princípio subjacente é que o reino messiânico, *fundado por Jesus*, é real culminação da história judaica, e que, de alguma forma, suas predições de acontecimentos próximos apontam todas para ele, igualmente. Sobretudo neste caso, o fato subjacente é que a nação judaica é uma teocracia e que as crises de sua história se devem à aparição e intervenção divinas; uma vinda de Deus, outrossim, cujo caminho foi aberto por seus mensageiros, os profetas. Essa característica comum foi compartilhada pela intervenção culminante, e dá um sabor messiânico à predição original" (Gould, *in loc.*). Portanto, o próprio Deus, na pessoa de seu Messias, vem expurgar o seu templo. Entretanto, o precursor tinha uma missão importante a cumprir antes disso.

V. 2. Nota textual: "[...] nos profetas..." são as palavras que aparecem nos mss AEFHKMPSUVW, Gamma, Fam Pi e na tradução KJ. Os mss Aleph, BDL, Theta, Fam 1, 33 e na maioria das versões latinas e saídicas, dizem: "[...] no profeta Isaías..." Todas as traduções, exceto a KJ, seguem essa forma. Esse é o texto original, atestado pela evidência mais antiga. A declaração generalizada, "[...] nos profetas...", evidentemente surgiu em face da observação, feita por alguns escribas, que a citação se encontra parcialmente em Malaquias 3.1, e, parcialmente, em Isaías 40.3.

1.3: voz do que clama no deserto: Preparai o caminho do Senhor, endireitai as suas veredas;

1.3 φωνὴ βοῶντος ἐν τῇ ἐρήμῳ, Ἑτοιμάσατε τὴν ὁδὸν κυρίου, εὐθείας ποιεῖτε τὰς τρίβους αὐτοῦ - b

3 φωνὴ...αὐτοῦ Is 40.3 (Jo 1.23)

b 3 b dash: RSV // b major: TR WHmg BF² AV NEB TT Luth Seg // b minor: WH Bov Nes RV ASV Zür Jer

A citação é tirada de Isaías 40.3 (LXX), com leves modificações. A vinda de Deus, na pessoa de seu Messias, foi preparada pelo precursor. No antigo contexto, essa vinda haveria de livrar seu povo do cativeiro babilônico. Aqui, haveria de livrá-los das peias do pecado, conduzindo-os ao reino. Isso é o livramento e a intervenção messiânica. Essa é a mensagem teísta. O *teísmo* ensina que Deus não somente existe, mas também intervém na história humana, recompensando e punindo. Em contraste, o *deísmo* ensina que Deus abandonou o universo, deixando-o sob o governo de leis naturais. Portanto, Deus não intervém. não recompensa e nem pune. (Ver At 17.27 quanto a ideias sobre a "natureza de Deus e suas relações com os homens".) Do princípio ao fim, o NT tem caráter teísta.

1.4: assim apareceu João, o Batista, no deserto, pregando o batismo de arrependimento para remissão dos pecados.

1.4 ἐγένετο Ἰωάννης βαπτίζων ἐν τῇ ἐρήμῳ καὶ³ κηρύσσων βάπτισμα μετανοίας εἰς ἄφεσιν ἁμαρτῶν.

4 ἐγένετο...μετανοίας At 13.24; 19.4

³ 4 {C} βαπτίζων ἐν τῇ ἐρήμῳ καί A K P W Π f¹ f¹³ 565 700 1009 1010 1071 1079 1195 1216 1230 1241 1242 1253 1344 1365 1546 1646 2148 2174 *Byz Lect*ᵐ itᶠ syrʰ·ᵖᵃˡ (copˢᵃ *omit* καί) goth arm eth // ὁ βαπτίζων ἐν τῇ ἐρήμῳ καί ℵ L Δ geo¹ copᵇᵒ // ὁ βαπτίζων ἐν τῇ ἐρήμῳ B 33 892 copᵇᵒ·ᵐˢˢ // ἐν τῇ ἐρήμῳ βαπτίζων καὶ D Θ 28 itᵃ·ᵃᵘʳ·ᵇ·ᶜ·ᵈ·ff¹·ˡ·q·ʳ¹·ᵗ vg syrᵖ Eusebius Cyril-Jerusalem Augustine // ἐν τῇ ἐρήμῳ καί geo²

Em face do uso predominante nos evangelhos sinópticos, que chamam João de "o Batista" (ὁ βαπτιστής ocorre em Mc 6.25 e 8.28, bem como por sete vezes em Mateus, e três, em Lucas), é mais fácil explicar a adição do que a excisão do artigo definido antes de βαπτίζων. A omissão de καί, em alguns poucos testemunhos alexandrinos resulta de ter-se tomado ὁ βαπτίζων — como se fora um título.

(Ver At 2.38 acerca do *arrependimento*. Ver Rm 6.3 sobre os vários tipos de *batismo*, no NT.) "A obra de João, o Imersor, era comumente vista como o começo do movimento cristão (At 10.37; 13.24 e 19.4). O evangelho de João, em seus capítulos iniciais, pressupõe íntima conexão entre Jesus e o Batista." (Frederick C. Grant, *in loc.*). Talvez não seja errado supor que Jesus, bem como João, tenham algo a ver com o movimento essênio. Um centro desse movimento pode ter sido localizado perto de Nazaré, bem como perto do mar Morto.

1.5: E saíam a ter com ele toda a terra da Judeia, e todos os moradores de Jerusalém; e eram por ele batizados no rio Jordão, confessando os seus pecados.

1.5 καὶ ἐξεπορεύετο πρὸς αὐτὸν πᾶσα ἡ Ἰουδαία χώρα καὶ οἱ Ἱεροσολυμῖται πάντες, καὶ ἐβαπτίζοντο ὑπ' αὐτοῦ ἐν τῷ Ἰορδάνῃ ποταμῷ ἐξομολογουμενοι τὰς ἁμαρτίας αὐτῶν.

5 πάντες, κ. ἐβ. BD 28 pc lat Or; R] καὶ ἐβ. π. AW f¹ 700 pm ς· κ. π. ἐβ. f13 565 pc: κ. ἐβ. ℵ* pc | ποταμω] om DWΘ pc it Eus

Alguns pensam que essa declaração tem um elemento de exagero; mas Josefo informa-nos do vasto impacto do movimento de João no deserto. Ele causou profunda impressão sobre seus contemporâneos. (Ver Mc 11.32 e At 10.37.) "O autobatismo, por imersão, era o rito judaico usual de purificação; e.g., de mulheres após o parto (o *techilah*) e dos prosélitos, após a circuncisão, presumivelmente para lavar as contaminações da idolatria; neste último caso, o candidato mergulhava pessoalmente, enquanto duas pessoas ficavam próximas e recitavam para ele porções da lei. Algo desse tipo pode ser imaginado no procedimento durante o batismo joanino, onde a presença do profeta, e talvez exortações, acompanhavam o rito [...] O próprio rito indicava o reconhecimento dos pecados deles [...] a religião antiga era concreta e específica." (Grant, *in loc.*)

1.6: Ora, João usava uma veste de pelos de camelo, um cinto de couro em torno de seus lombos, e comia gafanhotos e mel silvestre.

1.6 καὶ ἦν ὁ Ἰωάννης ἐνδεδυμένος τρίχας καμήλου καὶ ζώνην δερματίνην περὶ τὴν ὀσφὺν αὐτοῦ, καὶ ἐσθίων ἀκρίδας καὶ μέλι ἄγριον.

6 ζώνην...αὐτοῦ 2Rs 1.8; Zc 13.4

6 τριχας] δερριν | D a καὶ ζων...συτου] om D it

Pano áspero, feito de pelos, provavelmente está em foco, e não a própria pele (cf. a aparência de Elias, em 2Rs 1.8). O alimento era próprio do deserto, e corresponde às vestes grosseiras. Juntos representam o espírito do homem, o seu desprezo pela comodidade e pelo luxo, sua revolta contra uma geração pecaminosa [...] Os gafanhotos eram um alimento especialmente permitido pela lei levítica, e continuam sendo consumidos, preparados de vários modos, pelos orientais. Por *mel silvestre* talvez se entenda o feito por abelhas silvestres, depositado no oco das árvores, sendo geralmente aplicado à seiva doce de certas árvores.

1.7,8 — *Testemunho de João Batista* concernente a Cristo. (As notas expositivas são dadas em Mt 3.11,12.)

1.7: E pregava, dizendo: Após mim vem aquele que é mais poderoso do que eu, de quem não digno de, inclinando-me, desatar a correia das alparcas.

762 |Marcos| NTI

1.7 καὶ ἐκήρυσσεν λέγων, Ἔρχεται ὁ ἰσχυρότερός μου ὀπίσω μου, οὗ οὐκ εἰμὶ ἱκανὸς κύψας λῦσαι τὸν ἱμάντα τῶν ὑποδημάτων αὐτοῦ·

> 7 At 13.25
>
> 7 οπισω μου] *om* Δ *pc:* οπισω **B**
>
> 7 κυψας] *om p)* **DΘ** *pc* it

João *pregava*, fazia uma proclamação sobre a autoridade de Jesus como Messias. Os evangelhos sinópticos — Mateus, Marcos e Lucas —, ao frisarem suas obras miraculosas, visam a consubstanciar as reivindicações messiânicas de Jesus, pois toda a literatura judaica falava de um Messias que seria um operador de milagres. O testemunho verbal de João é adicionado a essa "polêmica". Isso tinha muito peso, pois o povo reputava João um profeta. João tinha batismo em água, algo simbólico; Jesus tinha batismo do Espírito, um desenvolvimento espiritual fantasticamente elevado. A própria grandeza de Jesus testifica da validade de suas reivindicações messiânicas. Uma parte importante da *kerygma* (pregação) foi sua consubstanciação das reivindicações de Jesus; e a igreja primitiva empregava essa pregação como sendo sua. De modo geral, os judeus eram incapazes de ver um Messias em um "*Servo Sofredor*", que terminou crucificado. Portanto, os evangelhos tentam reverter essa impressão por uma variegada e extensa defesa do caráter messiânico de Jesus. *João não é digno de realizar nem mesmo o ofício braçal de um escravo, na presença do vindouro sobrenatural Juiz.*

1.8: Eu vos batizei em água; ele, porém, vos batizará no Espírito Santo.

1.8 ἐγὼ ἐβάπτισα ὑμᾶς ὕδατι⁴, αὐτὸς δὲ βαπτίσει ὑμᾶς ἐν πνεύματι ἁγίῳ⁵.

> ⁴ 8 {B} ὕδατι ℵ B Δ 33 892¹ 1216 vg arm geo Origen Augustine // ἐν ὕδατι A (D) K L P W (Θ μὲν ὕδατι Π) *f f*³ 28 565 700 892ᵐᵍ 1009 1010 1071 1079 1195 1230 1241 1242 1253 1344 1365 1546 1646 2148 2174 *Byz Lect*ᵐ itᵃ,ᵃᵘʳ,ᵇ,ᶜ,(ᵈ),f,(ff²),l,q,(r¹),ᵗ copˢᵃ,ᵇᵒ goth eth Hippolytus
>
> ⁵ {B} ἐν πνεύματι ἁγίῳ (ver Mt 3.12; Lc 3.16) ℵ A D K W A Θ Π *f f*³ 28 33 565 700 892 1009 1010 1071 1079 1216 1230 1242 1253 1344 1365 1546 2148 2174 *Byz Lect*ᵐ itᵃ,ᶜ,ᵈ,f,ff²,l,q,(r¹) syrᵖ⁷ʰ⁷ᵖᵃˡ? copˢᵃ,ᵇᵒ goth eth Hippolytus Origen // πνεύματι ἁγίῳ B L itᵃᵘʳ,ᵇ,ᵗ vg syrᵖ⁷ʰ⁷ᵖᵃˡ² arm geo Augustine // ἐν πνεύματι ἁγίῳ καὶ πυρί (ver Mt 3.12; Lc 3.16) P 1195 1241 *l*⁴⁴ᵐ syrʰ ʷⁱᵗʰ *

A tendência dos escribas seria adicionar ἐν – antes de ὕδατι (cf. os paralelos em Mt 3.11 e Jo 1.26, que dizem ἐν ὕδατι).

O peso esmagador da evidência dos manuscritos gregos (o testemunho das versões pouco conta em um ponto assim) apoia a forma com ἐν. A adição de καὶ πυρί, em vários testemunhos, refletem a influência dos paralelos de Mt 3.11 e Lc 3.16.

O Messias é superior em poder e ofício, em sua missão e pessoa. O que nos é dito aqui é que sua *espiritualidade* é superior. Bem dentro da era cristã, prosseguiu a seita de João Batista. A mensagem era tanto para eles quanto para os judeus. Por maior que tenha sido, João não podia ser considerado o Messias, como alguns supunham. Alguém maior, muito maior, chegara. Ele é a verdadeira Luz do Mundo, seu Pão, seu Salvador, seu Senhor, seu *Ungido*, para resolver todas as questões de lealdade. (Cf. At 1.5 e 11.16, onde a declaração neste versículo é atribuída ao próprio Jesus, conforme provavelmente circulava em alguns lugares.) O ministério de João visava a introduzir o ministério de Jesus, e essa introdução está repleta do elemento polêmico. Os evangelhos não são apenas históricos. Foram escritos pela fé e para a fé, para ajuda e fortalecimento da comunidade cristã, e não apenas tendo em vista a propagação do evangelho para os que estivessem fora do redil da igreja.

b. 1.9-11 — *O batismo de Jesus* (as notas expositivas são dadas em Mt 3.13-17).

1.9: E aconteceu naqueles dias que veio Jesus de Nazaré da Galileia, e foi batizado por João no Jordão.

1.9 Καὶ ἐγένετο ἐν ἐκείναις ταῖς ἡμέραις ἦλθεν Ἰησοῦς ἀπὸ Ναζαρὲτ τῆς Γαλιλαίας καὶ ἐβαπτίσθη εἰς τὸν Ἰορδάνην ὑπὸ Ἰωάννου.

> 9 Και εγ.] Εγ. **B:** Και   Θ: *om a:* Εγ. δε **W** *ff*²

"**Naqueles dias**", ou seja, algum tempo durante o ministério de João no deserto. Trata-se de uma declaração indefinida. Nazaré foi o lar de Jesus durante os trinta anos de silêncio. (Ver também Mc 6.1.) Jesus viajou de Nazaré até o local do ministério de João. Sem dúvida, eles se conheciam de antemão, embora os evangelhos não digam isso. Jesus identificou-se com o pequeno grupo de pessoas que se arrependiam seriamente. Para tanto, fez uma longa viagem, o que demonstra sua sinceridade. A vida de um homem pode ser sem movimento e bastante descolorida. O que Deus espera, porém, é que ele seja sério em sua inquirição espiritual, provando isso com o seu esforço em prol do melhoramento espiritual. O *cristianismo* é, antes de tudo, uma dádiva; mas isso se transforma em uma exigência. Não prescinde o evangelho de exigências morais e espirituais.

1.10: E logo, quando saía da água, viu os céus se abrirem, e o Espírito, qual pomba, a descer sobre ele;

1.10 καὶ εὐθὺς ἀναβαίνων ἐκ τοῦ ὕδατος εἶδεν σχιζομένους τοὺς οὐρανοὺς καὶ τὸ πνεῦμα ὡς περιστερὰν καταβαῖνον εἰς αὐτόν.

> 10 ευθυς] *om* **D** it | σχιζ.] *p)* ηνοιγμενους **D** latt syᵖᵃˡ sa | καταβ.] *add* (Jo 1.33) και μενον ℵ**W** *pc* lat

(Ver *in loc.*, em Marcos, uma nota técnica.) Marcos tem um estilo vívido e nervoso, pelo que, por 41 vezes, ele diz *logo*, em sua narrativa. Uma grande experiência mística, restrita a Jesus, acompanhou o ato de batismo. Devemos buscar experiências místicas que evidenciem a presença e o poder do Espírito, melhorando nossa qualidade espiritual. Em sua definição mais genuína, o misticismo é o contacto genuíno com algum ser mais elevado que nós; e, no cristianismo, isso aponta para Deus Pai, Deus Filho ou Deus Espírito Santo, para um anjo etc., em uma experiência "objetiva". Já o misticismo oriental é "subjetivo", pois busca contacto com a própria alma ou com o "eu" superior. Todo misticismo nos deve transformar moral e espiritualmente; de outro modo será mero psiquismo, ou seja, algo proveniente do próprio ser humano, e não do poder divino. Deve estar centralizado em Cristo, ou poderá tornar-se perigoso, conduzindo-nos a veredas estranhas e negras. (Cf. este versículo com 1Sm 16.13, onde a unção é seguida pelo dom do Espírito Santo. Ver At 2.4 quanto a notas sobre o "dom do Espírito".)

1.11: e ouviu-se dos céus esta voz: Tu és meu Filho amado; em ti me comprazo.

1.11 καὶ φωνὴ ἐγένετο ἐκ τῶν οὐρανῶν⁶, Σὺ εἶ ὁ υἱός μουᶜ ὁ ἀγαπητός, ἐν σοὶ εὐδόκησα.

> 11 Σὺ εἶ...εὐδόκησα Gn 22.2; Sl 2.7; Is 42.1; Mt 12.18; 17.5; Mc 9.7; Lc 9.35; 2Pe 1.17   ᶜ 11 c none: TR WH Bov Nes BF² AV RV ASV RSV NEBᵐᵍ TT Zür Luth Jer Seg / c minor: RSVᵐᵍ NEB
>
> ⁶ **11** {C} ἐγένετο ἐκ τῶν οὐρανῶν ℵᶜ A B K L P (W ἐκ τοῦ οὐρανοῦ) Δ Π *f f*³ 33 700 892 1009 1010 1071 1079 1195 1216 1230 1241 1242 1253 1344 1365 1546 1646 2148 2174 *Byz Lect* *l*⁴⁴ᵐ,⁶⁹ᵐ,⁷⁰ᵐ,⁷⁶ˢ,ᵐ,¹⁸⁵ˢ,ᵐ,³³³ˢ,m,547s,m,883s,m,1634s,m itᵃ,ᵃᵘʳ,(ᵇ),ᶜ,(f),l vg syrᵖ,ʰ,ᵖᵃˡᵐˢ copˢᵃ,ᵇᵒ goth arm geo²⁷ // ἐκ τῶν οὐρανῶν ἠκούσθη Θ 28 565 geoⁱ // ἐκ τῶν οὐρανῶν ℵ* D *l*¹⁸⁴ itᵈ,ff²,ᵗ syrᵖᵃˡᵐˢ Diatessaron

---

A omissão do verbo parece ser ou acidental ou uma imitação parcial do que diz Mateus 3.17: καὶ ἰδοὺ φωνὴ ἐκ τῶν οὐρανῶν λέγουσα. A forma com ἠκούσθη (Θ 28 565 *al*), como é claro, foi uma tentativa escribal de melhoria, com base em uma ou outra das formas.

Esse é o "BATH QOL" do judaísmo, a *filha (eco) da voz de Deus*", vinda do próprio Deus ou de um agente seu, como um anjo. Algumas vezes, somente aquele que tem de ser abençoado pela mensagem a ouve, mas de outras vezes é compartilhada pelos circunstantes. Seja como for, o misticismo, sendo ocorrência em outro nível da existência, normalmente é "subjetivo", ou seja, recebido somente pelos que estão preparados para tanto, embora o próprio contacto seja "objetivo", isto é, fora do próprio ser. Isso significa que um grande poder espiritual pode influenciar a alguém, ao passo que outras pessoas, nas proximidades, nada saibam do acontecido. A voz celestial, neste caso, combina os textos bíblicos de Salmos 2.7 e Isaías 42.1; e assim o autor sagrado mostra que Jesus é a continuação da antiga tradição, e não sua destruição, e que ele brandia a autoridade da tradição do AT. Ele veio cumprir, e não destruir, embora aquilo que ele ensinou fosse uma elevadíssima graduação acima de Moisés e dos profetas. A narrativa que temos à frente traz ao mundo a "consciência messiânica", que haveria de transformar aqueles que ouvissem e dessem atenção ao que era dito. O *próprio Jesus* recebeu a consciência de sua missão no incidente que teve lugar no templo, o que é registrado em Lucas 2.41ss. (Ver *in loc.*, em Marcos, uma variante textual sobre este versículo.)

c. 1.12,13 — *A tentação de Jesus* (as notas expositivas são apresentadas em Mt 4.1-11). Acrescentamos, aqui, algumas notas meramente suplementares.

1.12: Imediatamente o Espírito o impeliu para o deserto.
1.12 Καὶ εὐθὺς τὸ πνεῦμα αὐτὸν ἐκβάλλει εἰς τὴν ἔρημον.

Oxalá fôssemos impedidos como ele o foi; sendo impulsionado pelo Espírito; conhecer e realizar poderosamente a vontade de Deus, conforme ele a conhecia e fazia. E isso nos está franqueado, conforme se aprende em João 12.14. Notemos que isso sucedeu imediatamente. No grego, essa é uma palavra que Marcos usa por 41 vezes. (Ver as notas sobre Mc 1.10.) Não houve nenhuma hesitação. O Espírito ungira Jesus, e então logo ele foi conduzido a uma experiência significativa. É verdade que, sem o ministério do Espírito, a nossa experiência cristã não será significativa. Ao registrarem esse episódio, os demais evangelhos sinópticos (Marcos e Lucas) evitam o termo forte usado por Marcos: "impeliu"; mas esse vocábulo empresta vigor e significação à afirmativa. (Ver notas completas sobre o *Espírito*, em Rm 8.1. Ver o Espírito como "dom de Cristo" a nós dado, em At 2.4.)

1.13: E esteve no deserto quarenta dias sendo tentado por Satanás; estava entre as feras, e os anjos o serviam.
1.13 καὶ ἦν τῇ ἐρήμῳ τεσσαράκοντα ἡμέρας πειραζόμενος ὑπὸ τοῦ Σατανᾶ, καὶ ἦν μετὰ τῶν θηρίων, καὶ οἱ ἄγγελοι διηκόνουν αὐτῷ.

13 εμ τη ερ.] εκει *fi 28' al* sy°: εκει εμ τ. ερ. **W** *565 700 al* ς

A obediência de Jesus teve lugar em local difícil; mas, sendo feita a vontade do Espírito, isso o fez triunfar *grandemente* em sua espiritualidade, pelo que logo em seguida ele pôde triunfar em sua missão. Essa é a ordem que deve haver no genuíno sucesso espiritual, ainda que mera imitação, devido a meras qualidades e forças humanas, para que possam substituir a realidade. Marcos não desenvolve a narrativa, o que é deixado ao encargo dos outros evangelistas; mas dele obtemos mensagem claríssima: Com aqueles quarenta dias, Jesus estava sendo preparado para seu ministério, tal como os quarenta anos que Israel passou no deserto foram necessários para prepará-los para a entrada na Terra prometida.

A vida de triunfo não deixa de ter seus pontos difíceis e suas tentações severas. O próprio Satanás veio testar Jesus. Não devemos esperar caminho mais suave se formos fiéis. Nossas tentações

talvez sejam diferentes, mas serão reais; e potencialmente serão devastadoras, se não contarmos com a ajuda do Espírito. Parte da tentação pode ter ocorrido na alma de Jesus. Pois parte da luta é interna. No entanto, não precisamos duvidar da historicidade desta narrativa. A tentação também se dá externamente, envolvendo as forças morais que nos circundam, segundo se vê em Efésios 6.10. Quando resistimos com sucesso ao Diabo, então os anjos se chegam para ministrar a nós.

2. VOLTA DE JESUS A GALILEIA – **1-14,15** (as notas expositivas aparecem em Mt 4.12-17).

1.14: Ora, depois que João foi entregue, veio Jesus para a Galileia pregando o evangelho de Deus,
1.14 Μετὰ δὲ τὸ παραδοθῆναι τὸν Ἰωάννην ἦλθεν ὁ Ἰησοῦς εἰς τὴν Γαλιλαίαν κηρύσσων τὸ εὐαγγέλιον[7] τοῦ θεοῦ

14 τὸ παραδοθῆναι Mc 6.17,18; Jo 3.24   14 Καὶ μετα **BD** *a (c) ff²* sy°] M. δε **אAWΘ** *fi fi3 pl lat* sa ς; R |

[7] **14** {A} εὐαγγέλιον **א B L Θ** *f f³ 28' 33 565 892* it^{b.c,ff².t} syr^{s,h} cop^{sa,bomss} arm geo Origen // εὐαγγέλιον τῆς βασιλείας A D K W Δ Π 074 28^{mg} 700 1009 1010 1071 1079 1195 1216 1230 1241 1242 1253 1344 1365 1546 1646 2148 2174 *Byz Lect* it^{a,(aur),d,f,l,r1} vg syr^{p,h,mg} cop^{bomss} goth eth Diatessaron^a

A inserção de τῆς βασιλείας foi obviamente feita por copistas a fim de harmonizar a incomum frase de Marcos com a expressão muito mais frequentemente usada: "o reino de Deus" (cf. v. 15).

"Após o encarceramento de João, Jesus partiu para a Galileia, onde começou seu ministério com a proclamação das boas novas do reino de Deus, anunciando que chegara o tempo para o mesmo. Achou Pedro, André, Tiago e João a pescar no lago da Galileia, e chamou-os para que o seguissem e se tornassem pescadores de homens". (Gould, *in loc.*). Em Marcos, a conexão dos eventos perde-se em sua brevidade. A Galileia torna-se o centro de atividades. *Não é provável* que Jesus tenha permanecido por longo tempo na área de Jerusalém, pelo que não fora determinado pela vontade divina que esse fosse o centro de atividades. A igreja cristã nasceu na Galileia, embora mais tarde confirmada em Jerusalém, pela descida do Espírito. Deus enviou suas *"boas novas"*. Os homens têm sido infinitamente beneficiados com base nisso. "As boas novas de Deus são aqui as coisas jubilosas provenientes de Deus, o autor e enviador da mensagem (gen. subj.). As próprias boas novas, conforme se vê no versículo seguinte, falam sobre o reino". (Gould, *in loc.*). (Ver a nota textual sobre este versículo, *in loc.*, em Marcos.)

1.15: e dizendo: O tempo está cumprido, e é chegado o reino de Deus. Arrependei-vos, e crede no evangelho.
1.15 καὶ λέγων ὅτι Πεπλήρωται ὁ καιρὸς καὶ ἤγγικεν ἡ βασιλεία τοῦ θεοῦ· μετανοεῖτε καὶ πιστεύετε ἐν τῷ εὐαγγελίῳ.

15 Πεπλήρωται ὁ καιρὸς Gn 4.4; Ef 1.10 ἤγγικεν...μετανοεῖτε Mt 3.2

15 κ. λεγ.] *om* **א**' *c* sy° Or: λεγ. **D** *pm* it | Πεπλήρωται ο καιρος] -ωνται οι -ροι **D** it

O Antigo estava prestes a desaparecer, ante o advento do reino. O Messias determinou o fim do antigo e o começo do novo; e assim sempre sucede espiritualmente (ver 2Co 5.17). (Acerca do arrependimento, ver At 2.38; acerca do "reino", ver Mt 3.2; acerca do *evangelho*, ver Rm 1.16; acerca da "fé", ver Hb 11.1.) A fé assume três aspectos no NT: (1) Fé objetiva — A fé, a religião e o credo cristãos. Esse uso se limita às epístolas pastorais e católicas. A respeito, ver 1Timóteo 1.2. (2) Fé como virtude — É uma das três maiores. (Ver 1Co 13.13 e Gl 5.22.) (3) Contudo, a fé também é a outorga subjetiva ao mundo interno e seus princípios. Como tal, é dom e cultivo de Deus, embora exija a reação do livre-arbítrio humano. O texto de Hebreus 11.1 expande esse conceito.

Este versículo subentende a familiaridade com algum tipo de conceito do reino entre os judeus. Nas mãos da igreja, as palavras

764 |Marcos| NTI

dirigem as mentes dos homens ao evangelho, conforme já se desenvolvera, incluindo a ressurreição, a "parousia" vindoura e a glorificação subsequente. Agora, esse é o "reino" pelo qual devemos aguardar, embora não fosse esse o seu sentido original. O autor sagrado não entra em nenhuma discussão exata sobre os conceitos do reino, mas seus leitores farão ideia do que ele pretende dizer, em nosso presente arcabouço cristão primitivo. "Crer é o lema do novo ministério. E o nome aplicado à mensagem a ser crida estabelece a natureza do reino". (Bruce, *in loc.*).

1.16-20 — *Chamada dos discípulos de Jesus* (as notas expositivas são dadas em Mt 4.18-22).

1.16: E, andando junto do mar da Galileia, viu a Simão e a André, irmão de Simão, os quais lançavam a rede ao mar, pois eram pescadores.
1.16 Καὶ παράγων παρὰ τὴν θάλασσαν τῆς Γαλιλαίας εἶδεν Σίμωνα καὶ' Ανδρέαν τὸν ἀδελφὸν Σίμωνος ἀμφιβάλλοντας ἐν τῇ θαλάσσῃ· ἦσαν γὰρ ἁλιεῖς.

16 αμφιβαλλ. אB pc; R] αμφ. τα δικτυα DΘ fι3 28 lat: αμφ. αμφιβληστρον AW: αμφιβληστρον βαλλοντας (p) (β. α. al ς) (fι) 700

"Quanto tempo se passara, desde a volta de Jesus à Galileia *não é dito*. Evidentemente, os pescadores já o conheciam. Conforme é claro mediante o evangelho como um todo, os parágrafos de Marcos nem sempre seguem uma estrita sequência cronológica. 'Mar da Galileia', na realidade, era um *lago*; e é chamado lago por Lucas, Josefo e escritores gregos — com cerca de 11 quilômetros de largura e 19 de comprimento, era famoso por sua piscosidade. Os judeus costumavam chamá-lo de 'mar' " (Grant, *in loc.*). Esse mar tornou-se o centro das atividades de Jesus. Em suas margens noroestes estavam as aldeias de Cafarnaum (quartel-general de Cristo), Magdala e Corazim, bem como Betsaida e outras. As praias orientais eram desabitadas, e ali esteve Jesus ocasionalmente, a fim de escapar das multidões.

1.17: Disse-lhes Jesus: Vinde após mim, e eu farei que vos torneis pescadores de homens.
1.17 καὶ εἶπεν αὐτοῖς ὁ 'Ιησοῦς, Δεῦτε ὀπίσω μου, καὶ ποιήσω ὑμᾶς γενέσθαι ἁλιεῖς ἀνθρώπων.

O discipulado começa na obediência à ordem de Jesus. Por isso, aqui, ao reunir discípulos para o seu reino, ele baixa essa ordem. É necessário sacrifício para segui-lo. Os discípulos abandonaram sua profissão, mas abraçaram uma carreira mais nobre ainda. A igreja deveria certificar-se de que os jovens são capazes de obedecer plenamente a esse mandato. O lar deveria ser o centro onde os jovens são ensinados a obedecer. A força do exemplo é o principal. Dificilmente os jovens seguirão a Cristo, a menos que seus *pais* o façam. Um homem deve três coisas a seu filho: *exemplo, exemplo, exemplo*. O discipulado conduz à comunhão pessoal com Cristo e à participação em sua obra; mas conduz também ao galardão e ao destino do próprio indivíduo. (Ver Rm 8.29; 2Co 3.18 e Cl 2.10, acerca desse pensamento.) Compartilhamos da obra de Cristo; depois haveremos de compartilhar de sua natureza, participando da sua divindade (ver 2Pe 1.4). Esta é a mensagem do evangelho, que facilmente olvidamos, reduzindo-a apenas ao perdão de pecados e à eventual mudança de endereço para os céus.

1.18: Então eles, deixando imediatamente as suas redes, o seguiram.
1.18 καὶ εὐθὺς ἀφέντες τὰ δίκτυα ἠκολούθησαν αὐτῷ.

18 τα δικτυα] παντα D it | ηκολουθησαν] θουν B

Conforme se vê na narrativa, o sucesso desses homens dependia de imediata e voluntária *obediência* aos mandamentos de Cristo. Como se pode obedecer a esses mandamentos quando se tem ideia muito imprecisa sobre o que são e sobre o que exigem de nós? É nesse ponto que entra o estudo da Palavra. Nenhum estilo, porém, por mais profundo que ele seja, pode tomar o lugar das

operações íntimas do Espírito Santo. Portanto, devemos buscá-lo em oração, meditando em Cristo, procurando nos desenvolver na santidade, sem o que ninguém jamais verá a Deus (ver Hb 12.14).

"Provavelmente, deve-se esse *imediato ato* de seguir a Cristo ao fato de Simão e André já conhecerem a Jesus e aos seus ensinamentos. Já haviam sido atraídos a ele antes, e estavam preparados para prestar ouvidos a essa chamada aparentemente abrupta, a fim de se tornarem seus seguidores pessoais. João 1.35-43 revela que eles se tornaram discípulos um ano antes disso, durante o ministério de João Batista". (Gould, *in loc.*).

1.19: E ele, passando um pouco adiante, viu Tiago, filho de Zebedeu, e João, seu irmão, que estavam no barco, consertando as redes,
1.19 Καὶ προβὰς ὀλίγον εἶδεν 'Ιάκωβον τὸν τοῦ Ζεβεδαίου καὶ 'Ιωάννην τὸν ἀδελφὸν αὐτοῦ,ᵈ καὶ αὐτοὺς ἐν τῷ πλοίῳ καταρτίζοντας τὰ δίκτυα,ᵉ

19 'Ιάκωβον...αὐτοῦ Mt 10.2; Mc 3.17; 10.35; Lc 5.10

ᵈ 19 d minor: TR WH Bov BF² AV RV ASV RSV NEB TT Luth Jer Seg // d done: Nes Zür

ᵉᵉ 19,20 e minor, e major: WH Luth Jer // e major, e minor: TR Bov Nes BF² AV RV ASV RSV NEB TT Seg // e major, e major: Zür

Aqueles foram dias formativos. Jesus reunia ao seu redor homens bons que tanto pudessem ajudá-lo em sua missão como levassem avante a mesma, quando ele se fosse. Jesus desempenhava o papel do rabino que deu significado a seu ministério, reunindo um grupo de discípulos. Os discípulos frequentaram a melhor escola que jamais foi organizada. A mesma escola continua convidando recrutas hoje em dia. Jesus invadiu o círculo de amigos e de famílias. Muito sacrifício se exigia da parte dos que aceitassem o convite e dos que permanecessem; mas como é grandioso quando uma família ou um círculo de amigos se sacrifica por alguma grande causa!

Oh, ser nada [...] nada.
Ou, ser alguma coisa,
Algo para depositar a seus pés.

1.20: e logo os chamou; eles, deixando seu pai Zebedeu no barco com os empregados, o seguiram.
1.20 καὶ εὐθὺς ἐκάλεσεν αὐτούς.ᵉ καὶ ἀφέντες τὸν πατέρα αὐτῶν Ζεβεδαῖον ἐν τῷ πλοίῳ μισθωτῶν ἀπῆλθον αὐτοῦ.

N.B.: Quando aparecem textos paralelos em Mateus e Marcos, apresentamos a exposição em Mateus; em Marcos, acrescentamos apenas algumas notas suplementares.

A mensagem é dita de forma simples, mas eloquente. A preparação cristã tem adornado cada palavra. Eles se sacrificaram; deixaram o próprio lar, seus familiares e sua antiga ocupação. Não havia sacrifício grande demais, pois tinham ouvido e tinham ficado comovidos ante a voz de Jesus. E a voz dele nunca cessou; continua requerendo sacrifício, embora prometa grande cumprimento nesta vida, bem como recompensa eterna. Todos os discípulos deixaram algo para trás. Alguns deles deixaram tudo. Não há discipulado sem sacrifício; e nem há sacrifício que não envolva seguir a Jesus. A palavra *deixando* empresta ao discipulado sua marca distintiva, o seu começo; mas a palavra *achando* é seu resultado final. Foi dito sobre certa heroína que "ela se dispunha a morrer por uma ideia, mas não podia conceber nenhuma" (Virgínia, Ellen Glasgow). Deus não nos chama para inventar a ideia do discipulado. Isso já foi feito. Somos convocados para nos dispor a morrer por essa ideia, embora não sem primeiro termos vivido a mesma.

1.21-28 — *Expulsão de um demônio, em Cafarnaum* (as notas expositivas aparecem em Lc 4.31-37). Aqui seguem algumas notas suplementares.

1.21:Entraram em Cafarnaum; e, logo no sábado, indo ele à sinagoga, pôs-se a ensinar.

1.21 Καὶ εἰσπορεύονται εἰς Καφαρναούμ. καὶ εὐθὺς τοῖς σάββασιν εἰσελθὼν εἰς τὴν συναγωγὴν ἐδίδασκεν[8].

21 τοῖς...συναγωγήν Mc 6.2; Lc 4.16; 6.6; 13.10

21 Καφαρν.] Καπερν- A fi 28 pm ς

[8] **21** {C} εἰσελθὼν εἰς τὴν συναγωγὴν ἐδίδασκεν A B K W Π 074 f¹ 1009 1010 1071 1079 1195 1216 1230 1241 1242 1253 1344 1365 (1546 συναγωγὴν αὐτῶν) 1646 2148 2174 Byz l¹⁰,⁷⁶,⁸⁰,¹⁸⁵,³¹³,¹¹²⁷,¹⁵⁴² itʳ syrʰ copᵇᵒᵐˢˢ // εἰσελθὼν εἰς τὴν συναγωγὴν ἐδίδασκεν αὐτούς D Θ 700 it⁽ᵃ⁾,ᵃᵘʳ,ᵇ,ᵈ,⁽ᵉ⁾,⁽ᶠ⁾,⁽ᶠᶠ²⁾,⁽ʟ⁾,⁽ᵠ⁾,ʳ¹ vg syrʰ ʷⁱᵗʰ ¹ goth arm eth geo² Augustine // εἰσελθὼν ἐδίδασκεν εἰς τὴν συναγωγὴν 33 // ἐδίδασκεν εἰς τὴν συναγωγὴν τοῖς σάββασιν L f¹³ 28 565 syr⁽ˢ⁾,ᵖᵃˡ (copᵇᵒ) Origen // ἐδίδασκεν εἰς τὴν συναγωγὴν αὐτῶν Δ 892 (syrᵖ) copᵇᵒᵐˢˢ // in synagogan Capharnaum docebat populum itᶜ // εἰς τὴν συναγωγὴν ἐδίδασκεν Lect (geo¹ συναγωγὴν αὐτῶν)

> É difícil resolver se a palavra εἰσελθὼν foi acidentalmente omitida na cópia, por causa do que se segue (com a consequente transposição de ἐδίδασκεν antes de εἰς τὴν συναγωγήν), ou se essa palavra foi inserida a fim de melhorar o que se pensou ser uma construção grega desajeitada (εἰς τὴν συναγωγὴν ἐδίδασκεν). Em face do equilíbrio nas probabilidades de transcrição, a maioria da comissão preferiu adotar a forma apoiada pelo peso predominante da evidência externa (A B C W Θ f¹ — (33) 700 al).

Durante o primeiro *circuito* pela Galileia, Jesus tinha acesso às sinagogas. Por ocasião do segundo, porém, já perdera esse direito, tão feroz se tornara a oposição. Jesus fez de Cafarnaum seu quartel-general. Ficava no extremo norte do lago, em uma estrada de Ptolemaida para Damasco, na fronteira do território de Antipas, o que explica o posto de cobrança ou coletoria (2.14). Era uma das mais importantes aldeias da Galileia, sendo lugar apropriado para que ali Jesus desse início ao seu ministério. O local arruinado é atualmente chamado *Tell Hum*. Notemos aqui, novamente, a palavra que indica urgência — "logo" —, usada por 41 vezes no evangelho de Marcos. Ver v. 10 e 12. Ver a nota textual sobre este versículo, *in loc.*, em Marcos.

1.22: E maravilhavam-se da sua doutrina, porque os ensinava como tendo autoridade, e não como os escribas.

1.22 καὶ ἐξεπλήσσοντο ἐπὶ τῇ διδαχῇ αὐτοῦ, ἦν γὰρ διδάσκων αὐτοὺς ὡς ἐξουσίαν ἔχων καὶ οὐχ ὡς οἱ γραμματεῖς.

22 Mt 7.28,29

A grande e poderosa *mensagem* de Jesus confirmava seu caráter messiânico, não sendo isso feito só por meio de suas obras miraculosas. O evangelista era dotado de mente polêmica, não querendo expor apenas uma narrativa histórica, pois essa narrativa é agora uma espada nas mãos da igreja, para provar certos conceitos básicos, entre os quais o primeiro é de que Jesus foi o Messias. Os evangelhos são mais do que biografias; são provenientes da fé e para a fé. Cristo não teve ninguém igual a ele; sua missão foi sem igual; seus poderes são sem iguais; suas palavras são sem iguais. Portanto, ele é o Messias. É isso o que os evangelhos asseguram. A sabedoria aprende a aceitar isso. Quando alguém reconhece a Cristo, aceitando-o com a razão, fica solucionado todo o problema no mundo e fora dele. Os ensinamentos de Jesus transformam a vida das pessoas. Esses ensinamentos estão fazendo isso conosco? Talvez esse seja o "teste definitivo" de todo o ensinamento. Jesus era diferente porque agia inspirado pelo Espírito de Deus (ver v. 10), o que significa que seus ensinamentos revestiam-se de autoridade íntima. Ele falava como profeta enviado da parte de Deus (ver Mc 6.15 e 8.28).

Marcos omite os grandes *ensinamentos* de Jesus, registrando apenas oito dentre as 41 parábolas dos evangelhos sinópticos. A narrativa de Marcos, entretanto, com alguns poucos toques

vívidos, mostra-nos a notável personalidade e o poder de Jesus. O evangelho de Marcos é *escasso, conforme* alguns o têm denominado; mas é admiravelmente eficaz, apesar de toda a sua brevidade.

1.23: Ora, estava na sinagoga um homem possesso dum espírito imundo, o qual gritou:

1.23 καὶ εὐθὺς ἦν ἐν τῇ συναγωγῇ αὐτῶν ἄνθρωπος ἐν πνεύματι ἀκαθάρτῳ, [f] καὶ ἀνέκραξεν

23 ἄνθρωπος...ἀκαθάρτῳ Mc 5.2

23 αυτων] om p) DL 579 it sa boᵖ¹

[f] **23,24** f no number, f number 24: TR WH? Bov Nes BF² AV RV ASV NEB? TT Zür Luth Jer // f number 24, f no number: WH? RSV NEB? Seg Jer // f number 24, f no number: WH? RSV NEB? Seg

(Quanto a "*demônios*", ver Mc 5.2. Quanto à "*possessão demoníaca*", ver Mt 8,28.) Essa é uma realidade, confirmada pela experiência, e não somente pelos dogmas.

O poder de expulsar demônios é adicionado àquelas notáveis características de Jesus para provar seu caráter messiânico. Na qualidade de Messias, nenhum poder maligno podia resistir à sua frente. Ele tem o poder de transformar até mesmo a mais vil das vidas.

Notemos a ideia de urgência, novamente, na expressão "não tardou que" (ver os v. 10,12 e 18).

1.24: Que temos nós contigo, Jesus, nazareno? Vieste destruir-nos? Bem sei quem és: o Santo de Deus.

1.24 [f] λέγων, Τί ἡμῖν καὶ σοί, Ἰησοῦ Ναζαρηνέ; ἦλθες ἀπολέσαι ἡμᾶς;[g] οἶδά σε τίς εἶ, ὁ ἅγιος τοῦ θεοῦ.

24 Τί...Ναζαρηνέ Mt 8.29; Mc 5.7; Lc 4.34; 8.28 ὁ...θεοῦ Jo 6.69

24 οιδα οιδαμεν ℵ pc Ir Ot Tert

[g] **24** q question: TR WH Nes BF² AV RV ASV RSV NEB TT Zür Jer // g statement: Bov NEBᵐᵍ TTᵐᵍ Luth Seg

As forças malignas se aliaram às obras magnificentes de Jesus e às suas palavras poderosas, a fim de validarem seu caráter messiânico. Certamente essa é a polêmica que o autor sagrado vincula às suas palavras, embora sem dúvida façam parte autêntica do incidente aqui descrito. O v. 25 mostra que Jesus não precisava e nem queria esse tipo de afirmação; mas ela serve a seu propósito, seja como for. A tradição judaica assevera que o destino dos demônios é a geena. Isso fica subentendido aqui, embora não seja declarado. Os demônios temiam *a rápida remoção* para aquele lugar. (Ver Mt 5.22,30; 10.28; 23.15,33; Mc 9.43,45; e Tg 3.6, acerca desse lugar e o uso do termo no judaísmo.) Jesus, em seu total caráter santo, o que também demonstrava seu caráter messiânico, podia banir as forças malignas. A permanência delas está determinada no mundo pelo horário de Deus. Suas manifestações muito serão incrementadas nos últimos dias, conforme o Apocalipse o afirma, sobretudo nos "*juízos das trombetas*".

1.25: Mas Jesus o repreendeu, dizendo: Cala-te, e sai dele.

1.25 καὶ ἐπετίμησεν αὐτῷ ὁ Ἰησοῦς λέγων, Φιμώθητι καὶ ἔξελθε ἐξ αὐτοῦ.

25 λεγων] om ℵ* | εξ αυτου] απ αυτ. 565 700 al: απο του ανθρωπου, το πνευμα το ακαθαρτον (D)Θ 565ᵐᵍ (lat)

O ser humano não é o "*habitat*" legítimo dos demônios, embora essas forças pareçam deleitar-se em cativar a personalidade humana. (Ver Cl 2.15, quanto ao fato de a cruz nos dar a vitória sobre as forças malignas.) Um baixo desenvolvimento espiritual é um convite aos demônios. Os semelhantes se atraem. Todo aquele que busca desenvolver a sua espiritualidade não terá dificuldade com os demônios. As forças malignas simplesmente não se acham "à vontade" em um homem espiritual, e buscam territórios mais férteis para suas atuações maliciosas. A ordem: "*Silencia!*" evidentemente fazia parte da ordem do exorcista (cf. Mc 4.39), além de ser sinal, dado por Jesus, de que ele não estava satisfeito com o testemunho do demônio acerca de sua autoridade messiânica.

766 |Marcos| NTI

1.26: Então o espírito imundo, convulsionando-o e clamando com grande voz, saiu dele.

1.26 καὶ σπαράξαν αὐτὸν τὸ πνεῦμα τὸ ἀκάθαρτον καὶ φωνῆσαν φωνῇ μεγάλῃ ἐξῆλθεν ἐξ αὐτοῦ.

<u>26</u> Mc 9.26

"[...] imundo..." Por ser moralmente corrupto, e porque qualquer associação com tais espíritos incapacitam o indivíduo para o culto divino.

"[...] agitando-o violentamente..." Isso é típico das atividades demoníacas. O espírito instalado no corpo, ao ser forçado a sair, pode fazer o físico passar por uma forma de convulsão ou ataque. O grito em voz alta também é comum nas possessões demoníacas, tanto durante sua permanência como durante sua saída, provocada pelo exorcista.

"[...] saiu..." O versículo ensina que as forças do mal já estavam, por assim dizer, "em fuga", perante o grande poder do Messias. Isso demonstrava a autoridade messiânica de Jesus (cf. Mc 3.27). Na vida de Jesus, uma surpresa se seguia a outra. Era evidente sua natureza ímpar. Ele não podia ser ignorado.

1.27: E todos se maravilharam a ponto de perguntarem entre si, dizendo: Que é isto? Uma nova doutrina com autoridade! Pois ele ordena aos espíritos imundos, e eles lhe obedecem!

1.27 καὶ ἐθαμβήθησαν ἅπαντες, ὥστε συζητεῖν πρὸς ἑαυτοὺς λέγοντας, Τί ἐστιν τοῦτο; διδαχὴ καινή[h] κατ᾽ ἐξουσίαν· [h] καὶ[9] τοῖς πνεύμασι τοῖς ἀκαθάρτοις ἐπιτάσσει, καὶ ὑπακούουσιν αὐτῷ.

27 διδ. κ. κατ εξ. και אB fr pc bo; R] τις η διδ. κ. αυτη; οτι κατ εξ. και **A** (**DW** fr 3 28) pm lat ς

[h] [h] **27** h none, h major: Bov Nes BF² TT Zür // h none, h exclamation: Luth (Jer) Seg // h major, h none: WH // h exclamation, h none: RV ASV RSV // h exclamation, h major: NEB // different text:

[9] **27** {C} τί ἐστιν τοῦτο διδαχὴ καινὴ κατ᾽ ἐξουσίαν καί א B L 33 (700 καινὴ διδαχὴ ὅτι) (syr^s) // τί ἐστιν τοῦτο; διδαχὴ καινὴ αὕτη κατ᾽ ἐξουσίαν καί f¹ (28* τίς διδαχή) 565* / τί ἐστιν τοῦτο; διδαχὴ καινὴ αὕτη ὅτι κατ η ἐξουσίαν Θ (cop^bo) geo / τί ἐστιν τοῦτο; τίς ἡ διδαχὴ ἡ καινὴ αὕτη ὅτι κατ᾽ ἐξουσίαν καί C K Δ Π 28^c 565* 892 1009 1010 (1071 τίς) 1079 1195 1216 1230 1241 1242 1253 1344 1365 1546 1646 2148 2174 Byz [80,195,299,883,950,1127,1642] it^aur,f,l vg syr^p,h,pal goth // τί ἐστιν τοῦτο τίς ἡ καινὴ διδαχὴ αὕτη ὅτι κατ᾽ ἐξουσίαν καί (A αὐτη διδαχη) f³ [48,76] (τίς ἡ διδαχὴ ἡ καινὴ αὕτη η ἐξουσία ὅτι καί D (it^d) // τίς ἡ διδαχὴ ἡ καινὴ αὕτη ὅτι κατ᾽ ἐχουσίαν καί Lect (l²¹¹ κενή | [=καινή] and add τοῖς) (arm omit αὐτη) // τίς ἡ διδαχὴ ἡ κενὴ [=καινή] αὕτη ἡ ἐξουσιαστικὴ αὐτοῦ καί ὅτι W (it^q) // quaenam esset doctrina haec? Potestatis et it^(b,c,d,e,ff2),r¹

> Entre a abundância de variantes, aquela preservada em — א B L 33 parece explicar melhor o surgimento das outras. Sua forma abrupta convidava modificações, e mais de um copista acomodou a fraseologia, de um modo ou outro, à parábola de Lucas 4.36. O texto também pode ser pontuado διδαχὴ καινή κατ᾽ ἐξουσίαν καί..., — mas, em face do v. 22, parece preferível considerar κατ᾽ ἐξουσίαν com διδαχὴ καινή.

O caráter sem igual dos poderes e palavras de Jesus validava o caráter ímpar de sua missão. Quando o autor sagrado fala de uma *"nova doutrina"*, referia-se à "Igreja", fundada por Cristo, porque nas mãos da Igreja, essas declarações assumem o seu devido sentido, embora não tivessem sido originalmente proferidas com essa intenção. A novidade do poder de Jesus justifica a presente existência da chamada "nova fé". Nos escritos de Lucas, temos a polêmica em que o cristianismo envolve "o melhor que havia no judaísmo", em forma graduada, pelo que merecia o título de "religião legal", que Roma conferira ao judaísmo. Lucas procurou obter essa posição para o cristianismo, em sua narrativa *"Lucas-Atos"*; mas falhou, naturalmente. Isso não significa que sua mensagem não fosse verídica, mas que foi rejeitada pela Roma pagã.

Todos reconheciam que Jesus era algo novo e trouxera algo novo. Havia duas reações a essa novidade. Alguns dos escribas e fariseus reagiram com violento antagonismo. Algo novo? Fora das normas familiares? Longe com tal coisa, sem importar as bênçãos trazidas! Outros abriam sua mente. O teste deles não era: Isso profere palavras familiares com uma repetição inebriante? Pelo contrário, indagavam: O que ele faz em prol da vida? "Novas doutrinas" sempre separam as pessoas em dois campos. Para qual dos campos nos retiramos instintivamente?

1.28: E logo correu a sua fama por toda a região da Galileia.

1.28 καὶ ἐξῆλθεν ἡ ἀκοὴ αὐτοῦ εὐθὺς πανταχοῦ εἰς ὅλην τὴν περίχωρον τῆς Γαλιλαίας.

<u>28</u> Mt 4.24

28 τῆς Γαλ.] τῆς Ιουδαιας א*: του Ιορδανου 28

O texto de Mateus 4.24 faz incluir a expressão *"toda a Síria"*; e Lucas 4.37, a vizinhança de Cafarnaum. As diversas afirmativas frisam como "Jesus não podia ser circunscrito" pelas estreitas fronteiras geográficas. Sua mensagem teve de transcender aos limites naturais, pois nele operavam um imenso poder: o Espírito de Deus. Notemos a característica da urgência em Marcos, na palavra "célere" (ver Mc 1.10). Por 41 vezes essa palavra aparece para assinalar a urgência das ações de Jesus e de suas palavras. Notemos as dependências verbais de Lucas e Mateus ao conteúdo deste versículo. Marcos foi o evangelho original, e forneceu aos outros o esboço histórico. (Ver uma completa discussão sobre as fontes originárias dos evangelhos sinópticos no artigo que tem esse título, na introdução a este comentário.)

Nesta história, "os reflexos semelhantes à vida dos espectadores (v. 27), testificam poderosamente em prol da realidade da ocorrência" (Bruce, *in loc.*). Nesta referência em Marcos, ver a variante textual.

1.29-31 — *A cura da sogra de Pedro* (ver as notas expositivas em Mt 8.14,15).

1.29: Em seguida, saiu da sinagoga e foi a casa de Simão e André com Tiago e João.

1.29 Καὶ εὐθὺς ἐκ τῆς συναγωγῆς ἐξελθόντες ἦλθον[10] εἰς τὴν οἰκίαν Σίμωνος καὶ Ἀνδρέου μετὰ Ἰακώβου καὶ Ἰωάννου.

[10] **29** {C} ἐκ τῆς συναγωγῆς ἐξελθόντες ἦλθον א A* C K L (Δ εἰσῆλθον) Π 28 33 892 1009 1010 1071 1079 1195 1216 1230 1241 1253 1344 1365 1646 (2174 ἦλθεν) Byz syr^h goth // ἐξελθόντες ἐκ τῆς συναγωγῆς ἦλθον 31 435 vg (syr^s,p,pal καὶ ἦλθον) cop^bomss geo¹ // ἐκ τῆς συναγωγῆς ἐξελθὼν ἦλθεν B f¹ f¹³ 565 700 1242 1365 2148 (cf 2174 ἐξελθόντες) eth geo²⁷ // ἐξελθὼν ἐκ τῆς συναγωγῆς ἦλθεν D (W ἐξελθὼν δέ) Θ it^aur,b,c,d,e,ff2,(l),q,r¹ cop^bomss arm

> Embora o singular do particípio e do verbo sejam apoiado por forte evidência externa (incluindo B D Θ f¹ f¹³ al), e embora a forma *"vieram [...] com Tiago e João"* parecesse estranha para alguns membros da comissão, a maioria se inclinou em favor do plural, porque os copistas tenderiam por modificar o plural para o singular, a fim de (a) focalizar a atenção sobre Jesus; (b) adaptar a forma aos paralelos em Mateus 8.14 e Lucas 4.38); e (c) prover um antecedente mais próximo para αὐτῷ, no v. 30.

Uma das principais fontes do evangelho de Marcos foram as *memórias de Pedro*, pelo que este evangelho poderia ser denominado "Evangelho de Pedro", sem nenhum grande exagero. Aqui vemos um episódio no lar de Pedro, pelo que provavelmente dependeu diretamente de sua narrativa. Supomos que grande parte do evangelho de Marcos (e, portanto, dos evangelhos sinópticos — Mateus, Marcos e Lucas) depende das narrativas pessoais de Pedro. Uma vez mais surge a ideia de urgência, o que ocorre por 41 vezes neste evangelho. (Ver Mc 1.10). O vocábulo é constantemente omitido nos paralelos de Mateus e Lucas, uma das características distintivas de Marcos que preferiram não incluir em suas narrativas. Embora sua repetição seja um tanto monótona, isso empresta algo de vivacidade à narrativa. "A série inteira, considerada juntamente, mostra o quanto persistentemente Jesus prosseguiu, desde seu primeiro aparecimento em *Cafarnaum*, até o clímax dos v. 32 e 33. Esses dois episódios (Mc 1.29,30) mostram mais particularmente a urgência com que o milagre na casa de Pedro se seguiu ao prodígio na sinagoga. Um milagre se seguiu ao outro, até que, finalmente, a cidade inteira trouxe a ele todos os seus enfermos". (Gould, *in loc.*). (Ver uma variante textual sobre esse versículo *in loc.*, em Marcos.)

1.30: A sogra de Simão estava de cama com febre, e logo lhe falaram a respeito dela.

1.30 ἡ δὲ πενθερὰ Σίμωνος κατέκειτο πυρέσσουσα,, καὶ εὐθὺς λέγουσιν αὐτῷ περὶ αὐτῆς.

"A linguagem é *descritiva*, e a preposição em '*hatekeito*' (deitada abaixo) denota a prostração causada pela enfermidade; e o particípio da palavra 'fogo' mostra como era alta a febre. O imperfeito denota que esse era o estado dela na ocasião" (Gould, *in loc.*). Não há nenhuma indicação de que a informação sobre o estado de saúde da sogra de Pedro equivalia a um pedido acerca de sua cura. Jesus foi além do que se esperava dele, para glória de Deus e bem do homem. Todos nós deveríamos seguir esse exemplo.

1.31: Então Jesus, chegando-se e tomando-a pela mão, a levantou; e a febre a deixou, e ela os servia.

1.31 καὶ προσελθὼν ἤγειρεν αὐτὴν κρατήσας τῆς χειρός· καὶ ἀφῆκεν αὐτὴν ὁ πυρετός, καὶ διηκόνει αὐτοῖς.

31 ἤγειρεν...χειρός Mt 9.25; Mc 5.41; 9.27; Lc 8.54

31 ἤγειρεν...χειρός] εκτεινας την χειρα κρατ. ηγ. αυτ. **D(W)** it | πυρετος] add ευθεως **A** (*trsp* **D** lat) f13 pm ς

Estudos feitos no campo das curas *espirituais* demonstram que há uma verdadeira energia vital que passa do taumaturgo para a pessoa curada. Isso tem sido até mesmo fotografado em uma espécie de *radiografia*. Portanto, é benéfico "tocar" nas pessoas enfermas, pois isso facilita a transferência de poder. Os estudos feitos demonstram que o taumaturgo perde algum "peso", o que significa que há alguma substância nesse poder. Lembremo-nos de como o evangelho nos diz que Jesus sabia que "virtude" saíra dele (Mc 5.30; Lc 6.19 e 8.46). Tudo isso indica a própria realidade definida do que Jesus fazia. É um absurdo negar esses poderes ou duvidar deles e igualmente absurdo é duvidar de sua missão cósmica e messiânica em favor da humanidade. Ninguém relembra isso por acidente ou de maneira inútil. Ele era o que asseverava ser. O que Jesus realizou aqui já era esperado por ele. Em outras palavras, a cura não lhe foi uma surpresa, embora o tivesse sido para os circunstantes. Ele sabia que o poder de Deus manava por intermédio dele. E também poderíamos ter idêntica certeza, se nos entregássemos totalmente a ele. (Ver Jo 12.14.)

"[...] passando ela a servi-los..." Isso é adicionado a fim de assegurar-nos que a cura tanto foi completa quanto foi permanente. Outro tanto se dá no caso da cura da alma que Jesus oferece a todos os homens.

1.32-34 — *Outros milagres de cura* (as notas expositivas são dadas em Mt 8.16,17).

1.32: Sendo já tarde, tendo-se posto o sol, traziam--lhe todos os enfermos, e os endemoninhados;

1.32 Ὀψίας δὲ γενομένης, ὅτε ἔδυ ὁ ἥλιος, ἔφερον πρὸς αὐτὸν πάντας τοὺς κακῶς ἔχοντας καὶ τοὺς δαιμονιζομένους·

32 ἔφερον...δαιμονιζομένους Mt 4.24

Jesus cura o corpo; também cura *a alma*. Livra os homens de defeitos físicos e aprimora sua alma para o serviço espiritual. Ele liberta os homens dos males e empecilhos físicos, e obtém vitórias contínuas sobre as forças do mal. Na cruz, encontramos poder sobre o reino das trevas (ver Cl 2.15). O breve parágrafo que encontramos aqui é um sumário editorial, incorporado no evangelho de Mateus; mas não há motivo para duvidarmos da realidade dos acontecimentos que são descritos de modo tão abreviado.

"[...] ao cair do sol..." Porquanto havendo terminado o sábado (v. 29) — o que é um detalhe não encontrado em Mateus —, as pessoas se sentiam livres para trazer os enfermos à presença de Jesus. A severidade do preceito sabático impedia de terem vindo antes. Ao pôr-do-sol, entre os judeus, começa um novo dia e não à meia-noite, como entre nós. Ele curou a "muitos" (Marcos), ou a "todos" ou "a cada um" (paralelos de Mateus e Lucas). "Muitos" não é contrastado com "todos". Os "todos" foram, de fato, muitas pessoas, já que os milagres foram numerosos. Nenhuma imitação do poder de Jesus se deve pressupor dentro da descrição presumivelmente menos vigorosa de Marcos.

À tardinha, quando o sol se pôs,
Os enfermos, ó Senhor, ao teu redor jaziam;
Oh, em quão várias dores estavam!
Oh, com que alegria se foram!
(Henry Twells)

1.33: e toda a cidade estava reunida à porta;

1.33 καὶ ἦν ὅλη ἡ πόλις ἐπισυνηγμένη πρὸς τὴν θύραν.

Em nossos dias vê-se como um taumaturgo é entronizado pelas multidões, e como chegam de outros estados, e, algumas vezes, de outros países, para ver de quem é a fama de curar enfermos. O caso de Jesus não era diferente. "Um mundo enfermo, muito enfermo; para ali vai, tremendo, a esperança, como correu por toda a terra da Galileia. A fama do taumaturgo se propagou. "A pergunta é feita por milhões: 'Há algo que possa curar e salvar?'. Não estão enchendo as portas das igrejas, como enchiam a porta da casa onde Jesus estava. Antes, estão em busca de recuperação e saúde, quer usem essa palavra ou não, *de salvação*. Devemos ver tudo isso com compaixão, senti-la novamente em nosso coração. Em nossas palavras e vida devemos proclamar que Deus, por intermédio de Jesus Cristo, nos pode curar e salvar. Deus nos ajude em seu nome a nos colocarmos de pé nas ruas das aldeias que é o mundo, trazendo cura, restaurando, transformando o poder de Deus para a necessidade e a esperança do mundo" (Luccock, *in loc.*).

1.34: e ele curou muitos doentes atacados de diversas moléstias, e expulsou muitos demônios; mas não permitia que os demônios falassem, porque o conheciam.

1.34 καὶ ἐθεράπευσεν πολλοὺς κακῶς ἔχοντας ποικίλαις νόσοις, καὶ δαιμόνια πολλὰ ἐξέβαλεν, καὶ οὐκ ἤφιεν λαλεῖν τὰ δαιμόνια, ὅτι ᾔδεισαν αὐτόν[11].

34 οὐκ ἤφιεν...αὐτόν Mc 3.12

[11] **34** {A} αὐτόν ℵ A (D) K Δ Π 090 1010 1071 1079 1230 1253 1344 1546 *Byz* l[185,313,1642] it[a,aur,b,c,d,e,f,ff2,q] vg syr[s,p,h] goth Ambrosiaster Victor-Antioch // αὐτὸν χριστὸν εἶναι (ver Lc 4.41) B L W Θ *f*1 28 33[vid] 565 1365 2148 *Lect* it[r] syr[h with *] arm eth geo Diatessaron[a,n] // αὐτὸν τὸν Χριστὸν εἶναι (ver Lc 4.41) ℵ[c] *f*13 700 1009 1216 1242 1646 2174 cop[bo] // τὸν Χριστὸν αὐτὸν 892 1241 // τὸν Χριστὸν αὐτὸν εἶναι C (1195* τὸν Χριστὸν αὐτόν, 1195[c] αὐτὸν εἶναι τὸν Χριστόν)

É claro que Marcos terminou a sentença com αὐτόν, e que copistas fizeram várias adições, provavelmente derivadas do paralelo de Lucas 4.41 (ὅτι ᾔδεισαν τὸν Χριστὸν αὐτὸν εἶναι). Se qualquer das formas mais longas fosse a original em Marcos, não haveria razão para que qualquer delas fosse alterada ou eliminada inteiramente.

768 |Marcos| NTI

Cristo cumpriu todas as expectações, e para a *variedade de males* ele trazia "variedade de remédios". Os evangelistas frisam esse ponto, pois ele é importante para nós. Não temos males, nem retrocessos, nem fracassos, nem revoltas, nem corrupções e nem fraquezas em nossa vida para o que ele não tenha a cura. Os "muitos", que figuram neste versículo, são os "todos" do v. 32. Cristo não conheceu fracassos, e seus sucessos foram numerosos. Nenhuma dessas curas foi parcial ou temporal.

"O texto de Mateus 8.16 diz que traziam *muitos* endemoninhados, que ele expulsou demônios e curou doentes. Lucas diz que todos quantos tinham doentes os traziam, que ele curou a muitos, impondo as mãos em cada um; e que demônios saíram de muitos. Na narrativa de Lucas, certamente não há o intuito de contrastar a cura de muitos endemoninhados com a cura de todos os enfermos" (Gould, *in loc.*). (Ver a variante textual sobre este versículo *in loc.*, em Marcos.)

Jesus não permitia aos demônios falarem, embora eles o reconhecessem. (Ver Mc 1.25, quanto a notas sobre isso.) Jesus não encorajava, e de fato repelia o testemunho prestado pelo reino das trevas sobre seu caráter messiânico. Sob hipótese nenhuma ele *juntava forças* com o mal, nem mesmo para algum bom propósito. Há certas ajudas que faríamos melhor em não aceitar, pois podem comprometer nossa espiritualidade. Alguns veem nisso "o segredo messiânico", isto é, que Jesus não tinha ainda certeza de sua missão messiânica, ou que não estava ainda preparado para anunciá-la. A primeira ideia é claramente errônea; e a segunda é possível, pois houve um tempo apropriado para esse anúncio, quando talvez o povo estivesse pronto para acolher tão imensa mensagem. Nas mãos do autor sagrado, porém, a mensagem sobre o Messias é promovida constantemente, e não ocultada, ainda que vejamos que, por algum tempo, e visando a algum propósito específico, Jesus ocultou seu intuito messiânico.

1.35-39 — *A popularidade de Jesus* e sua vida de oração (ver as notas expositivas em Lc 4,42-44).

1.35: De madrugada, ainda bem escuro, levantou-se, saiu e foi a um lugar deserto, e ali orava.

1.35 Καὶ πρωῒ ἔννυχα λίαν ἀναστὰς ἐξῆλθεν καὶ ἀπῆλθεν εἰς ἔρημον τόπον κἀκεῖ προσηύχετο.

35 Mt 14.23; Mc 6.46; Lc 5.16; 6.12

(Quanto a notas completas sobre a ORAÇÃO, ver Ef 6.18, onde a nota de sumário é apresentada, juntamente com poemas ilustrativos.) Em conexão com os incidentes descritos nesta breve seção, a oração não é mencionada na narrativa de Lucas, mas é uma das principais características de Marcos. Não se pode duvidar da importância da oração na vida de Jesus. Suas orações eram poderosas porque sua vida era limpa, e sua obra era feita diretamente dentro da vontade de Deus. Ambos esses elementos são necessários para a oração bem-sucedida, embora precisemos de longo tempo para aprender essa lição. Jesus deixou suas muitas atividades, que eram de valor *altíssimo*, para dar execução à tarefa específica da oração. Nunca podemos estar por demais ocupados para orar. Lutero afirmava: "Tenho tanto trabalho para fazer hoje, que primeiramente devo orar por três horas, a fim de poder terminá-lo". O tempo passado em oração dificilmente nos é prejudicial; pelo contrário, haverá de nos beneficiar e tornar nossa atuação mais frutífera. Notemos que o próprio Jesus precisava interromper momentaneamente sua obra regular. Esse breve "descanso", porém, plenificava-se de propósitos espirituais. E ele interrompia seu descanso, a fim de reiniciar seu ministério.

"[...] alta madrugada..." Os místicos informam-nos que as horas da madrugada são as melhores para as experiências. Em sua definição básica, o misticismo consiste de algum contacto genuíno com o poder fora de nós mesmos. Todas as doutrinas cristãs que têm algo a ver com a salvação, com a santificação etc. são místicas, pois todas elas presumem um contato genuíno com

o Espírito Santo, e, por meio dele, com o próprio Cristo, o qual nos conduz ao Pai.

1.36: Foram, pois, Simão e seus companheiros procurá-lo;

1.36 καὶ κατεδίωξεν αὐτὸν Σίμων καὶ οἱ μετ' αὐτοῦ,

A narrativa abreviada de Lucas também deixa de lado a menção específica do fato de Pedro ter procurado a Jesus, fazendo com que o episódio assumisse caráter mais geral. Aqueles "que com ele estavam", provavelmente eram André, Tiago e João, conforme os versículos anteriores, no evangelho de Marcos, parecem indicar. Aqueles homens buscaram a Jesus para dizer-lhe como as multidões estavam à sua procura. Lucas simplesmente nos diz que as multidões, e não os apóstolos, estavam atrás de Jesus.

1.37: quando o encontraram, disseram-lhe: Todos te buscam.

1.37 καὶ εὗρον αὐτὸν καὶ λέγουσιν αὐτῷ ὅτι Πάντες ζητοῦσίν σε.

"Se o Filho do homem for levantado, atrairá a si mesmo todos os homens" (Jo 12.32). Isso é evidenciado na narrativa à nossa frente. Todos os homens podem ver algo da beleza de Cristo, excetuando-se apenas os mais pervertidos. Todos podem ter em Cristo o senso de cumprimento, se aprenderem a conhecê-lo corretamente. O poder de Jesus, no seio das multidões, sem dúvida faz parte da polêmica do autor sagrado em prol do caráter messiânico do Senhor, bem como é algo historicamente correto em relação ao que transpirou. A população de Cafarnaum, onde ele fizera seu quartel-general, buscava-o com diligência. A vida chega ao ponto do sucesso quando aprendemos a tornar nosso coração um quartel-general das atividades de Cristo. A expressão "*todos de Cafarnaum*", eventualmente torna-se em "todos os da criação inteira, todos os seres", conforme vemos no primeiro capítulo da epístola aos Efésios, pois ele será a força central em torno da qual todas as demais forças se congregam. Isso deve ser verdade, considerando a "imensidade" de seu poder. (Ver notas sobre esse conceito, em Ef 1.10.)

1.38: Respondeu-lhes Jesus: Vamos a outras partes, às povoações vizinhas, para que eu pregue ali também; pois para isso é que vim.

1.38 καὶ λέγει αὐτοῖς, Ἄγωμεν ἀλλαχοῦ εἰς τὰς ἐχομένας κωμοπόλεις, ἵνα καὶ ἐκεῖ κηρύξω· εἰς τοῦτο γὰρ ἐξῆλθον.

38 ἀλλαχου] om ADWΘ f1 f13 pl latt sy ς

O texto de Lucas 4.43 é quase *idêntico* a este, exceto por mencionar a pregação do reino de Deus. (Ver as notas acerca do *reino*, em Mt 3.2, onde são descritos os vários conceitos neotestamentários a respeito.). Jesus agora seguia para as aldeias circunvizinhas de Cafarnaum, isto é, deu início a um circuito pela Galileia. As circunstâncias e outras influências podem dizer a uma pessoa: "Fique aqui". Ou então podem dizer: "Vá a outros lugares". Nós podemos dizer: "O que tenho é bom. Ficarei aqui". A vontade de Deus, porém, pode ser diferente. Temos de desenvolver espiritualidade suficiente para saber o que fazer e para onde ir. Corremos o perigo de permitir que a crença em um credo seja tudo quanto a fé religiosa requer de nós; porque isso é suicídio espiritual.

Jesus punha em ação o seu credo. Ele tinha de anunciar o reino de Deus, e isso exigia que ele viajasse para outros lugares. O credo é inútil sem a ação e a transformação da própria vida.

1.39: Foi, então, por toda a Galileia, pregando nas sinagogas deles e expulsando os demônios.

1.39 καὶ ἦλθεν¹² κηρύσσων εἰς τὰς συναγωγὰς αὐτῶν¹³ εἰς ὅλην τὴν Γαλιλαίαν καὶ τὰ δαιμόνια ἐκβάλλων.

39 Mt 4.23; 9.35

[12] **39** {C} ἦλθεν ℵ B L Θ 892 *l*[1632] syr[pal] cop[sa,bo] eth // ἦν A C D K W Δ Π 090 *f*[1] *f*[13] 28 33 565 700 1009 1010 1071 1079 1195 1216 1230 1241 1242 1253 1344 1365 1546 1646 2148 2174 *Byz Lect* (*l*[32]) it[a,aur,b,c,d,e,f,ff2,l,q,r1] vg syr[s,p,h] goth arm geo Diatessaron

[13] **39** {B} εἰς τὰς συναγωγὰς αὐτῶν (ver Lc 4.44) ℵ A B C D K L W Δ Θ Π 090 *f*[1] *f*[13] 28 565 892 1009 1079 1195 1230 1241 1253 1546 *l*[1632] syr[pal] arm? // ἐν ταῖς συναγωγαῖς αὐτῶν (ver Mt 4.23) 700 1010 1071 1216 1242 1344 1365 1646 2148 2174 *Byz Lect* it[a,aur,(b),(c),d,ff2,l,(q),r1] vg syr[h] cop[sa,bo] goth arm? geo // *in all the synagogues* it[e] syr[s,(p)]

> [12] Embora o imperfeito perifrástico seja típico de Marcos, a maioria da comissão resolveu que, nesta passagem, ἦλθεν — é necessário para transportar a ideia de ἐξῆλθον na sentença anterior, e que ἦν — foi introduzido por copistas, com base no paralelo de Lucas 4.44.
>
> [13] Após ἦν — ter sido substituído por ἦλθεν, na unidade anterior de variação, foi apenas natural padronizar a gramática, mudando εἰς para ἐν.

A atuação de Cristo em Cafarnaum foi *duplicada* por muitos lugares da Galileia. Seu sucesso não se limitava a nenhuma localização geográfica. Agora sua mensagem exercia efeito sobre regiões distantes. O empreendimento missionário da Igreja foi assim antecipado e encorajado. Jesus terá feito três circuitos pela Galileia, se lermos corretamente as narrativas dos evangelhos sinópticos. Paulo também fez três viagens pelo mundo gentílico, em seu tempo, mas ele também dizia: "Devo ir à Espanha" (Rm 15.24). Então ele já se tornara homem idoso, mas sua visão espiritual não diminuíra.

"Por todas as eras, *esterilidade*, FUTILIDADE e *tragédia* têm caçado aos anos quando os homens têm tentado barrar a Jesus, pondo pequenas barreiras humanas em volta da ilimitada palavra de Deus, buscando fechar a Jesus em alguma pequena prisão ou fronteira, ou raça, ou nascimento. Quando ele diz: 'Prossigamos avante!' só há uma resposta apropriada: 'Prossigamos até o *Rei eterno*' ". (Luccock, *in loc.*). (Ver as variantes textuais no texto de Marcos, *in loc.*)

1.40-45 — *A cura de um leproso* (as notas expositoras são dadas em Mt 8.1-4). Aqui seguem algumas notas suplementares.

1.40: E veio a ele um leproso que, de joelhos, lhe rogava, dizendo: Se quiseres, bem podes tornar-me limpo.
1.40 Καὶ ἔρχεται πρὸς αὐτὸν λεπρὸς παρακαλῶν αὐτὸν [καὶ γονυπετῶν][14] καὶ λέγων αὐτῷ ὅτι 'Ἐὰν θέλῃς δύνασαί με καθαρίσαι.

[14] **40** {D} καὶ γονυπετῶν ℵ L Θ *f*[1] 565 892 1216 1241 1242 1646 2174 it[e,f,l,q] vg (syr[s,p]) cop[bo] goth arm geo[1,A] Augustine // καὶ γονυπετῶν αὐτόν A C K Δ Π 090 *f*[13] 28 33 700 (1010 1071 αὐτῷ) 1079 1195 1344 1365 1546 2148 *Byz Lect* syr[h,pal] eth geo[B] Diatessaron[a] // *omit* (ver Mt 8:1) B D W 1230 1253 *l*[26,211,303,952,956,1627] it[a,aur,b,c,d,ff2,r1] cop[sa]

> Por um lado, a combinação de B D W *al* em apoio ao texto mais breve é extremamente forte. Por outro lado, se καὶ γονυπετῶν αὐτόν era a forma original, um homoeoteleuton poderia explicar sua omissão acidental. No todo, já que nos textos paralelos, Mateus usa προσεκύνει (Mt 8.1) e, mais ainda, Lucas usa πεσὼν ἐπὶ πρόσωπον (Lc 5.12), que parecem apoiar a originalidade da ideia do ato de ajoelhar-se na narrativa de Marcos, a comissão resolveu reter καὶ γονυπετῶν, que figura em ℵ L Θ *f*[1] 565 *al*, embora dentro de colchetes.

Lembremo-nos da história de *Naamã* (2Rs 5). A narrativa aqui é um tanto mais vívida do que seu paralelo de Mateus. Aqui o leproso se ajoelha, mostrando a intensidade de sua busca, a humildade com que veio. Ambas as narrativas mostram a completa fé do leproso. Seu corpo estava invadido por uma doença incurável, mas nada havia de errado com a força de sua fé. O leproso ouvira sobre o grande poder de Jesus. Sem dúvida, muitos milagres houve

durante aquele circuito pela Galileia (ver Mc 1.39); mas este, por ser notável, foi usado como "mostra" do que Jesus podia fazer e do que ele realmente fez. A *lepra* antiga (mencionada na Bíblia), não era uma única enfermidade, mas provavelmente muitas, incluindo fungos e mofos, o que se vê pelo fato que até roupas podiam ser infectadas por aquela lepra. As formas mais modernas dessa enfermidade eram raras nos dias antigos, mas não se duvide que ela ocorresse, embora assumindo formas variegadas.

"[...] **purificar-me...**" Já que a lepra era um tipo do pecado. Era considerada imunda, sendo muito temida, por ser incurável. Outrossim, os leprosos não eram "limpos" para a adoração religiosa, não podendo participar dela publicamente. (Ver a variante textual sobre este versículo de Mc, *in loc.*).

1.41: Jesus, pois, compadecido dele, estendendo a mão, tocou-o e disse-lhe: Quero; sê limpo.
1.41 καὶ σπλαγχνισθεὶς[15] ἐκτείνας τὴν χεῖρα αὐτοῦ ἥψατο καὶ λέγει αὐτῷ, Θέλω, καθαρίσθητι·

[15] **41** {C} σπλαγχνισθεὶς ℵ A B C K L W Δ Θ Π 090 *f*[1] *f*[13] 28 33 565 700 892 1009 1010 1071 1079 1195 1216 1230 1242 1242 1253 1344 1365 1546 1646 2148 2174 *Byz Lect* it[aur,c,e,f,l,q] vg syr[s,p,h,pal] cop[sa,bo] goth arm geo Diatessaron[a] // ὀργισθεὶς D it[a,d,ff2,r1] Ephraem // *omit* it[b]

> É difícil chegar a uma decisão firme acerca do texto original. Por um lado, é fácil ver por que a forma ὀργισθεὶς ("estar irado") teria impelido copistas excessivamente escrupulosos a alterá-la para σπλαγνισθεὶς ("estando cheio de compaixão"), mas não é fácil explicar a mudança contrária. Por outro lado, a maioria da comissão ficou impressionada pelas seguintes considerações: (1) O caráter da evidência externa, em apoio a ὀργισθεὶς é menos impressionante que a diversidade e o caráter da evidência que apoia σπλαγχνισθεὶς. (2) Os dois outros textos em Marcos, que apresentam Jesus com ira (3.5) ou com indignação (10.14), não levaram copistas excessivamente escrupulosos a fazer correções. (3) É possível que a forma ὀργισθεὶς seja ou (a) algo sugerido por ἐμβριμησάμενος, do v. 43, ou (b) tenha surgido devido à confusão com palavras similares no aramaico [cf. o siríaco, *ethraham* ("ele teve dó"), com *ethra'em* ("ele se enraiveceu"). — Embora Efraem, em seu comentário sobre o Diatessaron de Taciano, tivesse mostrado conhecer a forma ὀργισθεὶς, todas as versões siríacas (syr[s,p,h,pal]; Curetoniano hiat) combinam-se em apoio a σπλαγχνισθεὶς.

Marcos menciona a profunda *simpatia* de Jesus, o que Mateus deixa de lado em sua forma abreviada da história. (Ver Mt 9.36 quanto a notas sobre a "compaixão de Jesus".) O amor é o melhor e mais forte de todas as virtudes. A simpatia é uma forma de amor. É fruto do Espírito Santo, conforme se lê em Gálatas 5.22, ou seja, uma operação sua sobre a alma. O Espírito de Deus operava supremamente sobre a alma e a vida humanas de Jesus. Ele é o Pioneiro do caminho e não apenas o Caminho (ver Hb 2.10). Suas virtudes e sua santidade devem ser duplicadas em nós. É disso que consistem a santificação e o desenvolvimento espiritual. (Ver Hb 12.14; Rm 3.21, quanto à "retidão divina produzida no homem".)

"[...] **tocou-o...**" Vemos a imposição de mãos visando à cura. Isso transfere energia vital, o que não é algo imaginário.

"[...] **Quero...**" Essa é uma palavra de *consolo divino*. O leproso sabia que Jesus podia efetuar a cura, mas estava incerto sobre a vontade dele a respeito dessa cura. Jesus fez dissipar-se essa dúvida. Somente a incredulidade impede sua operação em nosso favor. Jesus era dono de personalidade profundamente compassiva, e usou tudo quanto tinha para aliviar o sofrimento humano. Ele não realizou suas maravilhas a fim de dar um espetáculo, mas somente para demonstrar seus direitos messiânicos. E também agia daquele modo porque o sofrimento humano levava-o a simpatizar e agir.

770 |Marcos| NTI

Esse é o caminho pelo qual o Mestre ia,
E os servos não devem percorrê-lo ainda?
(Horatius Bonar, "Go, labor on")

1.42: Imediatamente desapareceu dele a lepra e ficou limpo.

1.42 καὶ εὐθὺς ἀπῆλθεν ἀπ᾽ αὐτοῦ ἡ λέπρα, καὶ ἐκαθαρίσθη.

A cura foi instantânea, completa e benéfica, para o corpo e para a alma. Agora o homem pode participar no culto público religioso. A cura espiritual deve ter o propósito de aprimorar a alma, e não apenas o corpo. A narrativa de Marcos é mais completa. *"A lepra o deixou e assim ficou limpo".* Mateus traz a última dessas indicações; Lucas, a primeira. Temos aqui, uma vez mais, o senso de "urgência", característica de Marcos. Isso sucede por 41 vezes no evangelho.

1.43: E Jesus, advertindo-o severamente, logo o despediu,

1.43 καὶ ἐμβριμησάμενος αὐτῷ εὐθὺς ἐξέβαλεν αὐτόν,

43,44 ἐμβριμησάμενος...εἴπης Mt 9.30

Evidentemente essa é a ordem do versículo seguinte (ver Mt 8.4); mas Marcos menciona a intensidade da ordem. A lepra se fora, mas o curado tinha de obedecer à legislação mosaica sobre a questão, para que pudesse ser oficialmente restaurado à sociedade e à sinagoga, ambas as quais coisas eram importantes para ele. Talvez o Senhor também quisesse que ficasse patenteada a validade da cura, para que não se dissesse depois que ele efetuara um trabalho parcial. O termo aqui usado — *"veemente"* — pode indicar certa dose de indignação, embora não saibamos dizer por quê. Porventura o leproso não teria a intenção de cumprir o mandato legal? E isso teria ofendido a Jesus? Ou o grego apenas destaca a energia da ordem de Jesus? Notemos que Mateus e Lucas omitem esse detalhe da história, talvez porque não saibam como interpretá-lo. É possível que a advertência tivesse incluído de "silêncio", conforme se vê em Marcos 1.25,34. O "segredo messiânico" não permitia que a história se propagasse. Ainda não chegara o tempo de Jesus anunciar seu caráter messiânico, e ele não queria que narrativas sobre suas curas se espalhassem como fogo fátuo.

1.44: dizendo-lhe: Olha, não digas nada a ninguém; mas vai, mostra-te ao sacerdote e oferece pela tua purificação o que Moisés determinou, para lhes servir de testemunho.

1.44 καὶ λέγει αὐτῷ, Ὅρα μηδενὶ μηδὲν εἴπῃς, ἀλλὰ ὕπαγε σεαυτὸν δεῖξον τῷ ἱερεῖ καὶ προσένεγκε περὶ τοῦ καθαρισμοῦ σου ἃ προσέταξεν Μωϋσῆς,[i] εἰς μαρτύριον αὐτοῖς.

44 ὕπαγε...Μωϋσῆς Lv 14.2-32

[i] 44 i minor: TR Nes AV RV ASV RSV NEB TT Zür? Luth? Seg // i none: WH Bov BF² Jer

É imposto o silêncio, ou devido ao segredo messiânico (ver as notas sobre o versículo anterior), ou porque Jesus simplesmente não queria a aclamação popular, de maneira muito diferente de tantos que vivem em vários tipos de edificação do "ego". É possível também que Jesus tenha percebido que aquele homem, talvez desviado por seu entusiasmo, nunca chegaria à presença de um sacerdote para cumprir a lei sobre a questão. Jesus queria que a cura fosse autenticada, que o homem fosse restaurado à sociedade. Ambas as questões excluíam a ideia de o homem sair a espalhar a notícia. Um sacerdote provavelmente expediria um certificado escrito, confirmando a cura. Jesus queria que o homem tivesse esse documento, porque muitos tenderiam a duvidar do direito do indivíduo em ser restaurado à sinagoga e à sociedade.

1.45: Ele, porém, saindo dali, começou a publicar o caso por toda parte e a divulgá-lo, de modo que Jesus já não podia entrar abertamente numa cidade, mas conservava-se fora em lugares desertos; e de todos os lados iam ter com ele.

1.45 ὁ δὲ ἐξελθὼν ἤρξατο κηρύσσειν πολλὰ καὶ διαφημίζειν τὸν λόγον, ὥστε μηκέτι αὐτὸν δύνασθαι φανερῶς εἰς πόλιν εἰσελθεῖν, ἀλλ᾽ ἔξω ἐπ᾽ ἐρήμοις τόποις ἦν· καὶ ἤρχοντο πρὸς αὐτὸν πάντοθεν.

45 αυτ.δυν.] trsp ℵ 700 pc: om αυτ. DW

A *advertência* não foi sem propósito. O homem estava tomado de alegria e olvidou a severa proibição de Jesus. Presume-se, porém, que finalmente ele tenha terminado obedecendo à ordem de falar com o sacerdote, do que dependia sua restauração à sociedade. Apesar de o homem fazer tudo com bom espírito, querendo glorificar a Jesus, sua desobediência trouxe alguma dificuldade para Jesus. Assim ocorre no caso de qualquer desobediência, mesmo quando buscamos fazer coisas nobres. Há nisso uma profunda lição espiritual, que ignoramos com frequência. Não basta ser bom; é necessário "praticar o bem". Nem isso ainda é suficiente. Esse bem deve ser controlado e dirigido segundo a vontade divina. A atividade não pode tomar o lugar da obediência. Notemos que a narrativa não inclui esse detalhe; e o texto de Lucas 5.15 não menciona especificamente a desobediência do homem, embora mencione com o tornou-se grande a fama de Jesus, devido a esse incidente. A narrativa de Marcos é mais vívida e exata em seus detalhes.

Jesus não queria depender de sinais *externos*. Um milagre nunca é uma finalidade em si mesmo. Jesus queria ver nos homens o sinal "interno" da transformação da alma em santidade. Seus milagres visavam a encorajar isso, e não meramente propagar a sua fama. Nunca devemos buscar o miraculoso devido à curiosidade, mas sempre como meio de fortalecer a fé e encorajar o milagre efetuado na alma. Um misticismo falso e distorcido só pode prejudicar à alma. Se autêntico, porém, pode fomentar o desenvolvimento espiritual da alma. Como ele for usado, determinará uma coisa ou outra.

Capítulo 2

2.1-12 — *Cura de um paralítico*, em Cafarnaum (quanto às notas expositivas, ver Mt 9.1-8. A nota sobre a expressão "Filho do homem" encontra-se em Mt 8.20). Aqui seguem algumas notas suplementares.

2.1: Alguns dias depois entrou Jesus outra vez em Cafarnaum, e soube-se que ele estava em casa.

2.1 Καὶ εἰσελθὼν πάλιν εἰς Καφαρναοὺμ δι᾽ ἡμερῶν ἠκούσθη ὅτι ἐν οἴκῳ ἐστίν.

2. I εμ οικω] εις οικον A fi f13 pl ς; R

Embora parte da comissão tenha preferido εἰς οἶκον (A C Γ Δ Π Φ 090 f¹ f¹³ 22 28 157 330 543 565 579 al) como menos literário e dentro do estilo de Marcos, a maioria ficou impressionada pela confirmação generalizada e diversificada em apoio a ἐν οἴκῳ (ℵ B D L W Θ Σ 33 571 892 1071 al).

Em Mateus 9.1, Cafarnaum é chamada *sua cidade*, pois ele fez nela o seu quartel-general, como lugar conveniente em relação geográfica com as áreas populadas da Galileia. Em Marcos, começam as várias controvérsias de Jesus com as autoridades religiosas, o que, finalmente, conduziu ao declínio da popularidade de Jesus, e, finalmente, à sua morte. Os evangelhos procuram esclarecer isso — como é que Jesus, sendo tão poderoso, e tendo sido antes tão popular, finalmente foi crucificado.

"Este capítulo e os próximos seis versículos relatam incidentes que, embora não representados como sucessos ocorridos ao mesmo tempo, têm todos a mesma finalidade: mostrar Jesus como quem se tornou objeto das suspeitas da classe religiosa, os escribas e fariseus. Mais cedo ou mais tarde, e aquilo mais do que isto, isso era inevitável. Jesus e eles eram por demais diferentes, em pensamento e métodos, para que a boa vontade prevalecesse entre eles por longo tempo". (Bruce, *in loc.*).

Para os judeus, é um obstáculo quase *intransponível* que o Messias pudesse ter chegado a um fim tão inglório quanto o de Jesus. Os evangelhos buscam mostrar as razões para a aparente queda de Jesus. Estava profetizado acerca do Messias: em sua morte ele faria expiação. Portanto, o que parece ter sido tão grande revolta, realmente foi uma imensa vitória. A fé pode perceber isso com clareza. Deus conclama os homens à fé. As *"histórias de controvérsias"* se adaptam bem dentro dessa polêmica, já que, finalmente, nos levam à cruz.

2.2: Ajuntaram-se, pois, muitos, a ponto de não caberem nem mesmo diante da porta; e ele lhes anunciava a palavra.

2.2 καὶ συνήχθησαν πολλοὶ ὥστε μηκέτι χωρεῖν μηδὲ τὰ πρὸς τὴν θύραν, καὶ ἐλάλει αὐτοῖς τὸν λόγον.

Aqui Jesus estava em uma casa, talvez a de *Pedro*. Aos sábados, ele ia à sinagoga. Notemos o extenso ministério didático por ele exercido. Não havia estudos semanais adredemente escolhidos. Ele ensinava todos os dias; todos os dias o povo ia sendo transformado por seu ministério. Esse é um exemplo de ensino. O povo se juntava em torno dele porque sua mensagem era vital. Ele era um gigante espiritual. Uma pergunta para cada um de nós: A minha vida denota qualquer sinal de que Jesus sente-se à vontade comigo, em meu espírito e em minhas ações? Nesse caso, não nos enganemos a respeito. Haverá uma reunião diante da porta.

A *palavra* aponta para o evangelho do reino (notas em Mt 3.2). Nas mãos de Marcos, isso indica também a "mensagem cristã", que veio por meio de Cristo; na tradição profética, a mensagem que agora a igreja propaga. (Cf. as seguintes passagens: Cristo como Palavra viva, Jo 1.1; a palavra do reino, Mt 13.19; ministros da palavra, Lc 1.2; a palavra, o evangelho, At 2.41; 2Tm 4.2; o evangelho como palavra de Deus, At 4.31; 12.24; 1Co 14.36; palavra de vida, Fp 2.16; a palavra da verdade, Cl 1.5; a palavra de Cristo, Cl 3.16.) No NT, o termo "palavra", com seus diversos qualificativos, normalmente aponta para algum aspecto do evangelho cristão, ou é simples referência geral ao mesmo.

2.3: Nisso vieram alguns a trazer-lhe um paralítico, carregado por quatro;

2.3 καὶ ἔρχονται θέροντες πρὸς αὐτὸν παραλυτικὸν αἰρόμενον ὑπὸ τεσσάρων.

Apenas Marcos nos diz que eram *quatro*; mas, em outros aspectos, as narrativas são bem parecidas. Marcos nos diz como esses homens chegaram à presença de Jesus, detalhes que os demais omitem, sem dúvida e propósito. Os necessitados chegavam, e continuavam chegando. Isso é elevado tributo a Jesus. Suas palavras e suas obras tinham o dom da autenticidade, e o povo via que para ele nada havia de difícil demais. Todos quantos confiam nele aprendem isso; mas o homem é um ser decaído, que caiu tanto, que sua recuperação não é fácil. Para o homem médio, é mais fácil duvidar do que crer. Outrossim, o mundo engana e desaponta, levando os homens a duvidarem. Notemos aqui, igualmente, *a fé dos quatro homens* e a simpatia dos mesmos. Eles compartilharam de algo das atitudes de Jesus. A própria vida tem como propósito tornar os homens parecidos com Jesus. Somos Cristo em formação. Aqueles homens tornaram-se os "apoiadores de outros", visando-lhes ao bem. Essa é a tarefa de cada indivíduo. Notemos o zelo deles. Nem multidão e nem eirado puderam fazê-los parar. Lembremo-nos de Mônica, que conduziu a Cristo seu grande filho, Agostinho. Ambrósio disse a ele: "Nenhum filho de tantas lágrimas pode ser finalmente perdido". E isso é verdade. Ela não cessou em sua persistência, até que Agostinho chegou-se a Cristo. Aqueles que *levam* outros a Cristo devem mostrar grande dose de zelo, porque a maioria dos homens virá apenas com relutância.

O homem era um paralítico. Não podia ajudar-se a si mesmo. Ninguém busca a Deus. Primeiramente Deus deve buscar o homem, por meio de Cristo; e então é mister que o indivíduo seja ajudado por outros, para que Cristo seja trazido com sucesso à sua vida.

2.4: e não podendo aproximar-se dele, por causa da multidão, descobriram o telhado onde estava e, fazendo uma abertura, baixaram o leito em que jazia o paralítico.

2.4 καὶ μὴ δυνάμενοι προσενέγκαι[1] αὐτῷ διὰ τὸν ὄχλον ἀπεστέγασαν τὴν στέγην ὅπου ἦν, καὶ ἐξορύξαντες χαλῶσι τὸν κράβαττον ὅπου ὁ παραλυτικὸς κατέκειτο.

δια τ. οχλ.] απο του οχλου **DW** lat

4 {C} προσενέγκαι ℵ B L Θ (33 προσενεγκεῖν) 892 *l*⁴⁸ it^{aur,f,l} vg syr^{h,pal} cop^{sa,bo} eth Diatessaron^a Augustine // προσεγγίσαι A C D K Δ Π 090 *f*¹ *f*³ 28 565 700 1009 1010 1071 1079 1195 1216 1230 1241 1242 1253 1344 1365 1546 1646 2148 2174 *Byz Lect* (*l*¹²⁷) it^{a,b,c,d,e,ff²,q,r¹} syr^p goth arm geo // προσελθεῖν W

A ausência de objeto direto (αὐτόν) pode ter provocado a substituição de προσεγγίσαι (aproximar-se) ou de προσελθεῖν (chegar a) para προσενέγκαι (levar para).

Aqui D e W se unem a dois manuscritos da versão armênia na forma ἀπὸ τοῦ ὄχλου. Um membro da comissão julgou essa forma muito mais de acordo com o estilo de Marcos do que a forma διὰ τὸν ὄχλον (que é também a forma do paralelo de Lc 5.19), e sugeriu que isso poderia refletir um aramaico primitivo, מִן.

"Na Palestina, os terraços eram feitos de troncos de árvores novas, com ramos e gravetos espalhados por cima deles, com adobe de barro, tudo cozido ao sol. Marcos talvez tenha pensado em um terraço romano (tal como Lucas, em Lc 5.19)" (Grant, *in loc.*). Lucas fala de um *telhado de telhas*. Talvez algumas das casas da Galileia tivessem copiado esse estilo. Seja como for, certo trabalho teve de ser feito para que o aleijado chegasse diante de Jesus. Estavam dispostos a gastar a energia necessária para ajudar um amigo. Nisso tudo está envolvido o amor. Essa é a virtude central, é o caminho mais rápido de volta a Deus. (Ver Gl 5.22 quanto a notas completas sobre o *"amor"*.)

"Engenhosa persistência! Não esticamos o sentido dessa história quando paramos para admirar o engenho e a persistência daqueles homens. E nem exageramos quando vemos e sentimos nisso uma eloquente persuasão ao trabalho de evangelismo, no profundo significado daquele termo — trazer pessoas para que sejam curadas por Cristo. O engenho e a persistência ambos são qualidades necessárias. Quando descobriram que não podiam aproximar-se de Jesus por causa da multidão, não puseram o leito no chão para dizer: 'Bem, isso é tudo. Lamentamos, camarada, mas é difícil demais'. Pelo contrário, subiram e desmancharam o eirado. Inconvencional e distintivo, para dizermos o mínimo. Eles, porém, tinham mentes de uma "gloriosa via única". Resolveram levar o amigo deles a Jesus, e o puseram diante dele. Através dos anos, a persistência engenhosa daqueles homens diz para nós: 'Quando um caminho está bloqueado, devemos experimentar outro'. O alvo de conduzir uma vida até o toque curador de Cristo é tão grande, que nada, nem mesmo eirados, deveria interpor-se no caminho" (Luccock, *in loc.*).

Alguém tinha de fazer a *abertura* no eirado. O trabalho do evangelho causa despesas. Mais tarde, alguém teve de fazer despesa para consertar o eirado. É preciso pagar aos trabalhadores. Os projetos custam dinheiro. Devemos estar dispostos a sofrer para pagar

772 |Marcos| NTI

essas despesas. Um pregador não pode sair a campo sem incorrer em despesas. A igreja tem a responsabilidade de pagar as dívidas.

2.5: E Jesus, vendo-lhes a fé, disse ao paralítico: Filho, perdoados são os teus pecados.

2.5 καὶ ἰδὼν ὁ Ἰησοῦς τὴν πίστιν αὐτῶν λέγει τῷ παραλυτικῷ, Τέκνον, ἀφίενταί[2] σου αἱ ἁμαρτίαι.

[2] 5 {B} ἀφίενται (ver Mt 9.2) B 28 33 565 1241 it[a,aur,c,d,e,ff2,l,r1] vg syr[p,h,pal] cop[sa,bo] goth geo // ἀφέωνται (ver Lc 5.20) א A C D K L W Θ ἀφίωνται Π 090 f[1] f[13] 700 892 1071 1195 1216 1242 1344 1365 1646 2174 *Byz Lect* it[b,f,q] arm Diatessaron Clement Basil // ἀφέονται (Δ ἀφίωνται) 1009 1010 1079 1230 1253 1546 2148 *l*[48,70,183,211,223,224,225,547,950,1578,1627,1642] (*l*[60] ἀφέοντε, *l*[227] ἀφαίονται)

2 5 ἀφίενται...ἁμαρτίαι Lc 7.48

> Embora fortemente apoiado nos manuscritos, o tempo perfeito (ἀφέωνται) parece ser secundário, tendo sido introduzido por copistas com base na narrativa de Lucas 5.20. O uso que Marcos faz do tempo presente (ἀφίενται) foi seguido em Mateus 9.2.

Os antigos frisavam mais do que nós a *relação* de causa e efeito entre o pecado e as enfermidades. Hoje em dia, sabemos que doenças, como até mesmo o câncer, podem ter causas psíquicas. O ódio certamente pode provocar o câncer, e muitas chamadas enfermidades "não-mentais", que, supostamente, em sua totalidade são físicas; na realidade, têm origem psíquica. Ninguém pode escapar aos efeitos de seus pecados. Se houve ódio no coração de alguém, poderá desenvolver-se um câncer em seu estômago. As radiografias que mostram a aura humana, um campo de luz em torno da pessoa, e que se estendem até a 4 m, mostram defeitos nesse campo de luz, que indicam "futuras" enfermidades físicas. Mediante a dúvida, a inveja e as perturbações mentais, um homem pode causar defeitos em sua aura, o que, mais tarde, provocará defeitos em seu corpo físico. Por isso é que diz o Talmude: "O doente não sairá de seu leito enquanto seus pecados não forem perdoados". (Nedarim 41a, cf. Tg 5.15,20). Assim, apesar de admitirmos que há muitas doenças inteiramente "físicas", o pecado com frequência se acha à raiz das enfermidades, mesmo quando elas não são obviamente psíquicas. Esse fato sem dúvida estava na mente de Jesus, inteiramente à parte do fato de que o perdão dos pecados, que cabe por direito ao Messias, é necessário, sem importar se o pecador está enfermo ou não, e isso muito mais que a cura de enfermidades físicas. Cf. João 9.2: "Mestre, quem pecou, este ou seus pais, para que nascesse cego?" Isso ilustra a mentalidade judaica sobre a questão. Naturalmente, muitos judeus, incluindo fariseus e essênios, criam na reencarnação, pelo que um "pecado passado", praticado em uma "*vida passada*", podia ser reputado a "causa" da cegueira (na vida presente daquele homem).

Tudo isso ilustra as atitudes judaicas da relação de causa e efeito entre o pecado e as doenças. Acabamos de chamá-las de judaicas; mas, na realidade, nisso há grande verdade que deve ser aprendida, muito mais do que supúnhamos previamente.

"[...] teus pecados estão perdoados..." Apenas quatro palavras, mas de significação ilimitada. Pois sem a santidade ninguém jamais verá a Deus (Hb 12.14. Ver Rm 3.21 quanto ao fato de que precisamos da própria retidão de Cristo para entrar na presença de Deus.) Isso envolve muito mais do que a "ausência do pecado", pois envolve até mesmo a participação na própria natureza santa de Deus e em suas virtudes morais (ver Mt 5.48). O evangelho cristão cuida não somente do corpo, mas igualmente da alma; e primariamente desta última. Sem dúvida essa é a lição que nos importa aprender aqui. Não diminuímos a glória e a importância do ministério curador de Jesus ao declarar que a alma é mais importante que o corpo. A paralisia e a impotência espirituais do paralítico deveriam chamar nossa atenção mais do que as necessidades do seu corpo físico. Vemos que Jesus não negligenciou a cura espiritual, e nem deveríamos fazê-lo nós. As curas físicas, porém,

podem servir de poder para trazer homens a Cristo, contanto que disso não se abuse.

"[...] fé..." Três coisas podem estar em foco, no NT, com o uso desse vocábulo: (1) *Fé objetiva*, isto é, o credo cristão (anotado em 1Tm 1.2), e limitado quase inteiramente às epístolas pastorais e católicas. (2) *Fé como virtude* (Gl 5.22). (3) *Fé subjetiva*, isto é, a outorga pessoal da alma aos cuidados de Cristo (anotado amplamente, com poemas ilustrativos, em Hb 11.1). Esse terceiro tipo de fé é que está em foco neste versículo. A fé se manifesta mediante ações enérgicas, e nenhuma fé será fé sem seus frutos, embora os homens possam ter um credo destituído de transformação moral e espiritual.

2.6: Ora, estavam ali sentados alguns dos escribas, que arrazoavam em seus corações, dizendo:

2.6 ἦσαν δέ τινες τῶν γραμματέων ἐκεῖ καθήμενοι καὶ διαλογιζόμενοι ἐν ταῖς καρδίαις αὐτῶν,

(Quanto a notas completas sobre os "herodianos, fariseus e saduceus", ver Mc 3.6. Sobre os "escribas", ver Mc 3.22.)

Neste ponto, ouve-se o primeiro *trovão* da tempestade que se aproximava. Quem poderia ter adivinhado então que aquela controvérsia com os líderes religiosos poderia ter resultado em tão horrendo desastre? Eles chegaram interrogando. Não demorou, porém, para que apelassem para a hostilidade franca, desta para o ódio, e deste para o assassinato. Lembremo-nos da história de Caim. Primeiramente, ele teve inveja; então, odiou; e então, cometeu homicídio.

Oposição dos escribas. Esses eram os mestres da lei. Orgulhavam-se de seu conhecimento. Sabiam que somente Deus pode perdoar pecados. Entretanto, olvidaram que a própria erudição deles dizia que o Messias também teria esse direito. O autor sagrado prova a autoridade messiânica de Jesus ao mostrar que ele podia perdoar pecados. Isso não prova necessariamente — e, provavelmente, não é seu intuito — a divindade de Jesus, apesar de tratar-se de uma doutrina do NT. Ver Hebreus 1.3, quanto a notas completas sobre a "divindade de Cristo". "Eles pareciam homens chocados, que desaprovavam. A *popularidade* de Jesus impedia que eles expressassem suas opiniões em voz alta. Contudo, todos podiam ver que eles estavam desagradados e o porquê desse desagrado. Foi a declaração sobre o perdão." (Bruce, *in loc.*). "[...] e a questão da controvérsia, as extraordinárias reivindicações de Jesus, certamente tornar-se-iam questão de debate entre eles." (Gould, *in loc.*).

"[...] corações..." O homem interior, do ponto de vista intelectual ou emocional. Algumas vezes está em foco a "alma", com suas manifestações intelectuais ou emocionais. Aqui parece estar em foco a mente.

"[...] arrazoavam..." O ceticismo é distintamente prejudicial à pessoa. *É melhor* crer demais do que crer de menos. A alma cresce somente no solo da fé. Contudo, é verdade que, com frequência, temos muitas crenças, mas não fé suficiente. Um credo com muitas crenças, sem importar quão zelosamente sejam elas defendidas, dificilmente pode tomar o lugar da genuína outorga da própria alma aos cuidados de Cristo.

2.7: Por que fala assim este homem? Ele blasfema. Quem pode perdoar pecados senão um só, que é Deus?

2.7 Τί οὗτος οὕτως λαλεῖ; βλασφημεῖ· τίς δύναται ἀφιέναι ἁμαρτίας εἰ μὴ εἷς ὁ θεός;

7 τίς...θεός Sl 103.3; Is 43.25; 1Jo 1.9

7 Τι] οτι (ο τι) B Θ

Mateus menciona somente a suposição de *blasfêmia*, sem entrar no detalhe de que só Deus pode perdoar pecados. Marcos 2.10 e Mateus 9.6 dão o ponto central da história. Por ser o Messias, Jesus podia perdoar pecados; e isso comprovava a sua autoridade messiânica. A divindade de Cristo, porém, não está ensinada diretamente, mas está implícita. Esta doutrina é um assunto do

NT. Essa questão, porém, nada tem a ver com a desta passagem, embora seja uma aplicação popular da mesma. "Filho do homem" é o título messiânico aqui usado, de ocorrência frequente no NT, e que não é raro na literatura judaica.

Aqui encontramos líderes religiosos, porta-vozes da tradição messiânica, na presença do Messias; mas em oposição a ele. Essa é uma genuína *calamidade* da alma, mostrando que o desenvolvimento espiritual deles, embora grande nos olhos deles, na realidade era de baixa qualidade; pois, de outro modo, teriam reconhecido o Messias em Jesus. Por outras razões, além do orgulho religioso e do entendimento espiritual pervertido, outros homens não conseguem reconhecer a validade das reivindicações de Jesus.

Apesar de não contarmos com nenhuma *citação* rabínica direta sobre o poder e o direito do Messias em perdoar pecados, o fato é que a doutrina comum de que ele seria *Juiz* (Talmude Bab. Sand. fol. 93.2) subentende esse poder. Neste ponto, tomando-se as palavras de Jesus como autenticamente históricas, ele deve ter esperado que seus oponentes compreendessem que o perdão dos pecados fazia parte da autoridade messiânica. É verdade que, desde os tempos antigos, esta passagem tem sido empregada para ensinar a divindade de Cristo, e que alguns afirmam que Jesus chegou a reivindicar isso aqui. *Atanásio* usou o texto desse modo, contra os arianos (Adv. Arian. III.4, p. 433). O intuito original da passagem, porém, quase certamente foi o de comprovar seu caráter messiânico, e não sua divindade. Dificilmente pode-se imaginar que Jesus estivesse aqui tentando provar sua divindade aos escribas. Estes estavam longe de aceitar seu caráter messiânico, quanto menos outra doutrina mais elevada. Nas mãos dos autores dos evangelhos, o poder que Jesus tinha para perdoar pecados demonstrava sua natureza messiânica, conforme fica claro no décimo versículo e no título "Filho do homem".

2.8: Mas Jesus logo percebeu em seu espírito que eles assim arrazoavam dentro de si, e perguntou-lhes: Por que arrazoais desse modo em vossos corações?

2.8 καὶ εὐθὺς ἐπιγνοὺς ὁ Ἰησοῦς τῷ πνεύματι αὐτοῦ ὅτι οὕτως διαλογίζονται ἐν ἑαυτοῖς λέγει αὐτοῖς, Τί ταῦτα διαλογίζεσθε ἐν ταῖς καρδίαις ὑμῶν;

8 Τί...διαλογίζεσθε...ὑμῶν Mt 16.8   8 οὕτως]
om **BW**Θ it

"[...] por seu espírito..." Marcos talvez visse a intuição de Jesus como algo sobrenatural, e isso pode ter gerado a intenção de provar, por outro ângulo, seus direitos messiânicos, bem como sua identidade como o Messias. Em seu desenvolvimento espiritual, Jesus não teria necessidade de apelar para o poder divino para realizar um feito de telepatia; mas é bem provável que, para o autor sagrado, isso tendesse a demonstrar sua autoridade espiritual, mesmo que não sua divindade. O certo é que este versículo reflete a polêmica da igreja primitiva contra os incrédulos, que se recusavam a crer no Messias como Servo Sofredor; mas não há razão para duvidarmos da validade histórica original deste episódio. Jesus deve ter entrado em muitos debates, com os líderes religiosos, acerca de sua "autoridade", sobretudo no tocante à sua reivindicação de autoridade messiânica. Jesus "leu seus pensamentos", e isso "logo", o que reflete o senso de urgência que figura por 41 vezes no evangelho de Marcos. Tal como no caso de todos os seus poderes, esse poder operava sem nenhuma dificuldade ou fraqueza.

Cremos aqui que é errado supor que a tradição judaica não oferecia precedente ao poder do Messias em perdoar pecados. Outrossim, é certo que o texto está dizendo mais do que Jesus, como homem, na qualidade de Sumo Sacerdote etc., por delegação, tinha o poder de perdoar pecados, em lugar de Deus, por assim dizer. Antes, o texto reivindica para Jesus o poder real de perdoar pecados. Ele pode curar o corpo; e ele pode curar a alma. Uma coisa é *tão fácil* quanto a outra. Esse é o ponto frisado pelo autor

sagrado: o total "senhorio de Cristo". Ele possuía esse senhorio na qualidade de Messias, o qual também é nosso Salvador e Senhor.

2.9: Qual é mais fácil? dizer ao paralítico: Perdoados são os teus pecados; ou dizer: Levanta-te, toma o teu leito, e anda?

2.9 τί ἐστιν εὐκοπώτερον, εἰπεῖν τῷ παραλυτικῷ, Ἀφίενταί³ σου αἱ ἁμαρτίαι, ἢ εἰπεῖν, Ἔγειρε καὶ ἆρον τὸν κράβαττόν σου καὶ περιπάτει;

9 {B} ἀφίενται (ver Mt 9.5) ℵ B 28 565 it^{a.aur,c,d,e,f,ff²,l,q,r¹} vg syr^{p,h,pal} cop^{(sa),bo} goth geo // ἀφέωνται (ver Lc 5.23) A C (D) K L W Δ ⁻ Θ Π 090 0130 f¹ f¹³ 33 700 892 1010 1079 1195 1216 1241 1241 1344 1365 1646 2148 2174 *Byz Lect* it^b arm Diatessaron^a Clement // ἀφίονται 1009 1071 1230 1253 1546 l^{48,224,227,547,956,1627,1635,1642} (l^{bo} ἀφέοντε, l^{70,211} ἀφαίονται)

Ver os comentários sobre o v. 5.

Uma coisa diz respeito ao corpo; *a outra diz* respeito à alma. Ambas seriam ordens de cura. Na qualidade de Messias, Jesus tinha o poder de fazer ambas as coisas. Sua cura subsequente do homem que portava um "impossível" caso de enfermidade, comprovou, acima de qualquer dúvida, que a palavra dita: "Teus pecados estão perdoados", mostrou ser igualmente eficaz. Para ele, fazer uma coisa ou outra tinha a mesma dificuldade, ou seja, nenhuma dificuldade.

"Jesus não estabelece aqui o contraste entre a cura e o perdão e, sim, entre o dizer 'sê perdoado' e 'sê curado'. As duas coisas, portanto, seriam coincidentes, e a única diferença é que são duas maneiras de dizer a mesma coisa. Já que a enfermidade era consequência do pecado daquele homem, a cura seria a remissão da penalidade" (Gould, *in loc.*).

2.10: Ora, para que saibais que o Filho do homem tem sobre a terra autoridade para perdoar pecados (disse ao paralítico),

2.10 ἵνα δὲ εἰδῆτε ὅτι ἐξουσίαν ἔχει ὁ υἱὸς τοῦ ἀνθρώπου ἀφιέναι ἁμαρτίας ἐπὶ τῆς γῆς⁴ - λέγει τῷ παραλυτικῷ,

¹⁰ {B} ἀφιέναι ἁμαρτίας ἐπὶ τῆς γῆς B Θ l^{185} eth Marcion // ἀφιέναι ἐπὶ τῆς γῆς ἁμαρτίας A K Π f¹ f¹³ 28 565 1010 1079 1241 1344 1365 1646 2174 *Byz*^{pt} *Lect* syr^h Basil // ἐπὶ τῆς γῆς ἀφιέναι ἁμαρτίας (ver Mt 9.6; Lc 5.24) ℵ C D L Δ 090 130 33 700 892 1009 1071 1230^{vid} 1242 1253 1546 *Byz*^{pt} l^{60,69,70,76,(150),211,299,303,333,547,883,1127,1663} it^{a.aur,c,d,e,f,ff²,l} vg syr^{p,pal} cop^{sa,bo} goth arm geo Diatessaron^r // ἀφιέναι ἁμαρτίας W 1195 1216 it^{b,q}

O texto de B Θ — apresenta a ordem aramaica e primitiva das palavras, as quais foram postas em novo arranjo, talvez por sutis razões exegéticas, por copistas que produziram outras formas.

"[...]Filho do homem..." Apesar de essa expressão poder ser usada para indicar um "homem típico", no NT e na literatura judaica, com frequência é messiânico, derivado de uma interpretação messiânica do texto de Daniel 7.13-27. No livro de Enoque, figura por várias vezes, e definidamente com um sentido messiânico. Nos evangelhos sinópticos é um título favorito do próprio Jesus, e, apesar de visar a identificar Jesus com a humanidade, como aquele que sofre com o homem — um homem típico, por assim dizer, pois sua humanidade era real e simpática — sem dúvida quase sempre é usado para subentender seus direitos messiânicos. Na visão de Daniel, o Filho do homem é uma personagem de grande autoridade, que substitui os quatro grandes poderes mundiais. Jesus usou o título para indicar que o Messias participa do dilema humano a fim de tirar dele os homens. Ele é o *segundo Adão*, uma personagem cheia de simpatia pelo homem, e redentor do mesmo. Sua vida comprovou a validade de sua autodesignação. O uso do título pela igreja primitiva certamente era polêmico. Muitos judeus estavam afeitos ao uso messiânico do termo, e reconheceram o intuito de Jesus com esse termo. Ao registrar o título, a igreja dizia que Jesus

774 |Marcos| NTI

é esse Filho do homem; e sua vida comprovava a assertiva, pelo que ele é o verdadeiro Messias.

"Na qualidade de *redentor* e libertador da humanidade, foi nomeado para anular o poder inteiro do mal entre os homens, ferindo-o nas raízes, bem como em seus ramos e gavinhas, e tanto em seus efeitos quanto em suas causas". (Gould, *in loc.*). A fim de fazer isso com eficácia, foi mister a encarnação. (Ver as notas sobre isso, em Jo 1.14). Na encarnação, o Messias foi devidamente chamado de "Filho do homem", e esse título subentende a missão inteira da encarnação. (Quanto à referência, no NT, onde Jesus alude a si mesmo como "Filho do homem", ver Mc 8.38; 13.26; 14.62; Lc 17.24 e 21.27.) O Filho do homem é humilde, mas somente em razão de sua missão messiânica. O mesmo título implica um vindouro grande poder, conforme o demonstra a origem do título, em Daniel. (Ver Mt 26.64, quanto a esse uso, no NT. Quanto ao uso do termo, no que subentende a participação no estado humano humilhado, com seus sofrimentos acompanhantes, ver Mc 8.31; 9.31; 14.21,41; Lc 18.31; 19.10; Mt 20.18,28; 26.45.) Ele veio para servir e não para ser servido e para dar sua vida como resgate por muitos (Mc 10.45; Jo 10.11,15).

No AT, trata-se de um uso *não-messiânico*, pois vê baixeza e fragilidade humanas, acompanhadas por sofrimentos, pelos precipícios comuns à humanidade. Assim é que Ezequiel é chamado por esse título por cerca de 80 vezes. (Ver também Jo 25.6; Sl 144.3.) Jesus tornou-se o homem representativo, tanto em seus sofrimentos quanto em sua glória; tanto em sua vida quanto em sua morte; tanto na derrota quanto no triunfo. (Ver Sl 8.4-8; Mt 16.13; 20.18,23.) Ele reintegra a glória do homem porque primeiro participou da vil condição humana. A glória humana será reintegrada mediante a participação da natureza divina de Cristo, tal como antes ele participou de nossa vil natureza (ver 2Pe 1.4; Cl 2.10; 2Co 3.18; Ef 3.19; Rm 8.29). No Filho do homem, pois, a raça humana acha não só simpatia, mas também destino, e, finalmente, um tipo totalmente novo de natureza, elevada muito acima dos anjos. Suas relações absolutas com os homens, em sua missão terrestre, abriram caminho para nossas relações absolutas com ele, na qualidade de outros filhos de Deus, conduzidos à glória (ver Hb 2.10ss). Assim como ele se uniu a nós, seremos unidos a ele. Nele se concretiza o verdadeiro ideal da humanidade, mas não sem que primeiro ele tenha genuinamente participado de nossa natureza. Portanto, nossa participação em sua natureza também será genuína, ainda que ele participe infinitamente da natureza divina, e nós apenas finitamente. No entanto, a eternidade inteira terá por propósito propiciar continuamente nosso preenchimento com a plenitude de Deus (ver Ef 3.19). Somente Cristo encarna o Homem Ideal; mas os demais filhos haverão de ir crescendo eternamente em seu ideal. Não haverá limite ou fim nesse processo, porque já que teremos de ser prenchidos com a infinidade de Cristo, também infinito será o preenchimento.

2.11: a ti te digo, levanta-te, toma o teu leito, e vai para tua casa.

2.11 Σοὶ λέγω, ἔγειρε ἆρον τὸν κράβαττόν σου καὶ ὕπαγε εἰς τὸν οἶκόν σου.

Aquele que passou por *uma experiência*, tem vantagem sobre aquele que tem apenas *um argumento*. Essa experiência, uma cura poderosa, faz pender o argumento em favor do fato de que Jesus pode perdoar pecados, embora, sem dúvida, os escribas e fariseus não vissem a questão sob esse prisma. Contudo, essa é a verdadeira luz, e a fé a aceita. Jesus submeteu a teste o seu poder de perdoar pecados. Se ele pudesse realizar um milagre que espantasse a mente, isso indicaria a seus oponentes que ele possuía o poder de Deus. Possuindo esse poder, é razoável que isso pudesse ser aplicado a ele em outros particulares, até mesmo no aspecto do perdão de pecados. Assim como seus prodígios ilustravam seu caráter messiânico, aqueles mesmos feitos ilustram o poder do Messias em perdoar.

"Jesus ordenou a ele duas coisas, ambas as quais são provas conclusivas de recuperação: 'Levanta-te' e 'vai para casa com teus próprios pés' e com o leito de enfermidade sobre os ombros" (Bruce, *in loc.*).

2.12: Então ele se levantou e, tomando logo o leito, saiu à vista de todos; de modo que todos pasmavam e glorificavam a Deus, dizendo: Nunca vimos coisa semelhante.

2.12 καὶ ἠγέρθη καὶ εὐθὺς ἄρας τὸν κράβαττον ἐξῆλθεν ἔμπροσθεν πάντων, ὥστε ἐξίστασθαι πάντας καὶ δοξάζειν τὸν θεὸν λέγοντας ὅτι Οὕτως οὐδέποτε εἴδομεν.

---
12 Οὕτως...εἴδομεν Mt 9.33
---
12 εξιστ. παντας] θαυμαζειν αυτους **W**

Nunca vimos algo assim! "Certamente! Isso é sugestivo ponto inicial para frisar o quanto é inconfundível o evangelho de Cristo. Ele se interessa pelas pessoas e tem o poder de curar, ambas as coisas sendo dramatizadas nessa cura. Nunca houve nada similar. Que outra religião jamais se aproximou disso, mesmo um pouco? Portanto, milagres não eram *'provas'*, mas *'sinais'* de seu poder". (Luccock, *in loc.*).

"Todos se admiravam". Os escribas, inclusive? Talvez *secretamente*, pois era uma obra prodigiosa que somente os mais insensíveis poderiam ter desprezado. Ficaram espantados, sem dúvida, mas isso os levou a Cristo? Não é provável. Mais do que isso é necessário, pois um homem pode dizer: 'Satanás faz coisas espantosas!' E, em ocasião posterior, esse foi exatamente o tipo de argumento que os líderes religiosos usaram para explicar os poderes extraordinários de Jesus. Entretanto, Jesus nunca usou seus milagres para mera ostentação, e normalmente procurava ocultá-los, se possível (ver Mt 8.4). Dessa vez, porém, ele tornou a questão a mais pública possível, a fim de demonstrar sua autoridade messiânica em face de uma teimosa oposição.

2.13,14 — *A chamada de Levi* (as notas expositivas aparecem em Mt 9.9). Acrescentamos, aqui, algumas notas meramente suplementares.

2.13: Outra vez saiu Jesus para a beira do mar; e toda a multidão ia ter com ele, e ele os ensinava.

2.13 Καὶ ἐξῆλθεν πάλιν παρὰ τὴν θάλασσαν· καὶ πᾶς ὁ ὄχλος ἤρχετο πρὸς αὐτόν, καὶ ἐδίδασκεν αὐτούς.

Mateus, reduzindo o material de Marcos, e adaptando-o para a porção histórica de seu evangelho, deixa de lado essa *declaração de local*. É possível que Marcos tencionasse que a declaração do v. 13 introduzisse os v. 15-17, outra "seção de controvérsia", além de introduzir-nos ao episódio sobre Mateus, o coletor. Seja como for, a chamada de Mateus e a história de como Jesus se associava aos *pecadores* (devido ao que foi severamente criticado pelos fariseus) vão bem juntas, e, sem dúvida, assim se tencionou que fosse. Supomos que as fontes originais tinham duas narrativas separadas; mas elas foram reunidas convenientemente no original de Marcos, e dali, passaram assim para Mateus e Lucas. Notemos como Jesus combinava obras com contactos pessoais (ver também Mc 1.15.16). A multidão se juntou ao redor dele, mas isso não impediu que ele notasse a presença de Levi (Mateus). Jesus pregava o discipulado, e fazia discípulos, pública e privadamente. Ele não negligenciava os indivíduos porque não estava interessado apenas nas multidões. E isso deve servir de lição para nós, hoje em dia. Os seus "segue-me" indicam que Mateus haveria de ter um importante ministério. Que qualidades Jesus viu em Mateus? Pode-se imaginar que esse chamamento foi acidental ou arbitrário? Dificilmente. Entretanto, depois de Jesus o ter encontrado, Mateus tornou-se muito mais do que era antes.

Jesus terminara seu *primeiro* circuito pela Galileia, e agora voltava ao seu quartel-general, em Cafarnaum. A necessidade de trabalhar era grande. E, conforme ele sabia, Mateus o ajudaria a cumprir o que era necessário ser feito.

2.14: Quando ia passando, viu a Levi, filho de Alfeu, sentado na coletoria, e disse-lhe: Segue-me. E ele, levantando-se, o seguiu.

2.14 καὶ παράγων εἶδεν Λευὶν⁵ τὸν τοῦ Ἀλφαίου καθήμενον ἐπὶ τὸ τελώνιον, καὶ λέγει αὐτῷ, Ἀκολούθει μοι. καὶ ἀναστὰς ἠκολούθησεν αὐτῷ.

14 Ἀκολούθει μοι Mt 8.22; 19.21; Mc 10.21; Lc 9.59; 18.22; Jo 1.43; 21.19,22 ἀναστὰς...αὐτῷ Mt 4.20,22

⁵ 14 {A} Λευίν C (ℵᶜ B L W Λευείν) fl 700 892 1009 1010 1071 1195 1216 1230 1241 1242 1253 1365 2174 Byz Lect (lᵇᵒ Λευήν, lⁿᵒ Λευείν) itᶠ vgʷʷ (Λευί (ℵ* Λευεί) A K Δ Π (28 Λευή) 33 1079 1344 1546 1646 2148 l²⁵⁵,³⁰²,³¹³,⁹⁵⁶,¹⁶⁴² itᵃᵘʳ,ˡ,q vgᶜˡ syrᵖ,ʰ,ᵖᵃˡ (copˢᵃ Λευεί) copᵇᵒ (goth Λευυί) arm geo Origen) // Ἰάκωβον (ver 3.18) D Θ f¹³ 565 itᵃ,ᵇ,ᶜ,ᵈ,ᵉ,ff²,ʳ¹ Diatessaronᵃ Origen Ephraem Photius

> A forma Ἰάκωβον nos textos ocidental e cesareano mostra a influência de 3.18, onde Ἰάκωβον τὸν τοῦ Ἀλφαίου é incluído entre os doze.

Provavelmente, Mateus já soubesse algo sobre Jesus. Não se pense que só agora ele tomava a decisão de seguir a Cristo, pois isso significava iniciar uma vida totalmente diferente, deixando para trás a antiga. Sua vida fora devotada a *recolher*, mas com propósitos egoístas. Agora ele começaria a "recolher" almas para o reino, visando à glória de Deus, bem como à satisfação da alma. Antes, ele distribuíra riquezas para o governo humano, em seu trabalho de coletor. Agora, ele distribuiria benefícios aos homens, ao ministrar-lhes Cristo. Ele é o tradicional autor do evangelho de Mateus. (Ver as notas sobre "autoria", na introdução). Apesar de isso ser apenas um ponto tradicional, e não uma declaração do próprio evangelho, é provável que a "fonte didática", pelo menos, que está contida neste evangelho, repouse sobre a autoridade de Mateus, conforme *Papias* nos informa. Assim, em sentido bem real, ele distribui o bem aos homens, não apenas quanto à sua geração, mas quanto a todos os tempos. Ele recebera de graça, e agora dava gratuitamente (ver Mt 10.8). O que sucedeu a Mateus ilustra como Cristo transforma uma vida, quando o indivíduo corresponde ao seu "segue-me!", tornando-se discípulo genuíno, conforme esse termo subentende. Quem quer que não esteja seguindo a Cristo pode ser, realmente, discípulo dele, sem importar o quanto seja ortodoxo o credo desse alguém. Mateus estava "sentado". Jesus, ao chamá-lo, forçou-o a pôr-se de pé. Assim, Jesus tem elevado a muitos homens. Em Cristo, os homens se levantam para novidade de vida, para um tipo especial de dignidade. O filho pródigo, no chiqueiro de porcos, disse: "Levantar-me-ei e irei ter com meu pai". Essa tem sido a experiência daqueles que confiam em Jesus.

2.15-17 — *Jesus tem convivência com pecadores* (as notas expositivas aparecem em Mt 9.10-13).

Acrescentamos, aqui, algumas notas meramente suplementares.

2.15: Ora, estando Jesus à mesa em casa de Levi, estavam também ali reclinados com ele e seus discípulos muitos publicanos e pecadores; pois eram em grande número e o seguiam.

2.15 Καὶ γίνεται κατακεῖσθαι αὐτὸν ἐν τῇ οἰκίᾳ αὐτοῦ, καὶ πολλοὶ τελῶναι καὶ ἁμαρτωλοὶ συνανέκειντο τῷ Ἰησοῦ καὶ τοῖς μαθηταῖς αὐτοῦ· ἦσαν γὰρ πολλοί. καὶ ἠκολούθουν αὐτῷ

⁶ 15,16 {C} αὐτῷ καὶ οἱ γραμματεῖς τῶν Φαρισαίων, καὶ ἰδόντες ℵ (Δ 0130ᵛⁱᵈ omit καὶ οἱ) (L 33 omit οἱ) (itʰ) (geo omit first καὶ) // αὐτῷ καὶ οἱ γραμματεῖς τῶν Φαρισαίων ἰδόντες (B omit καὶ) (W omit ἰδόντες... καὶ Λευών) 28 l⁵⁴⁷ syrᵖᵃˡ // αὐτῷ οἱ γραμματεῖς καὶ οἱ Φαρισαῖοι ἰδόντες copᵇᵒ // αὐτῷ οἱ γραμματεῖς καὶ οἱ Φαρισαῖοι ἰδόντες A C (D καὶ εἶδαν) K Θ Π f¹ f¹³ 565 892 1009 1010 1071 1079 1195 1216 1230 1241 1242 1253 1344 1365 1546 1646 2148 2174 Byz Lect (l²²⁷) itᵃᵘʳ,(ᵈ),f,l,q,(ʳ) vg syrᵖ,ʰ (goth omit second οἱ) arm eth Diatessaron // αὐτῷ οἱ δὲ γραμματεῖς καὶ οἱ Φαρισαῖοι ἰδόντες 700 itᵃ,ᶜ,(ᵉ),(ff²) copˢᵃ

A expressão mais incomum, οἱ γραμματεῖς τῶν Φαρισαίων, deve ser preferida, já que a tendência de escribas teria sido inserir καί após οἱ γραμματεῖς, sob a influência da expressão comum, "os escribas e fariseus". Já que, nos evangelhos, o verbo ἀκολουθοῦν é seguido pelos discípulos de Jesus, mas nunca pelos que lhe eram hostis, um ponto deveria seguir à palavra αὐτῷ. Olvidados desse uso, copistas transferiram o ponto para seguir πολλοί e inseriram καί antes de ἰδόντες.

O grego diz "*na casa dele*", e não "[...] na casa de Levi...", conforme se vê aqui. Isso é uma interpretação, e não uma tradução. Alguns intérpretes supõem que está em foco a casa de Jesus, em Cafarnaum (talvez a mesma casa de Pedro), mas o texto de Lucas 5.29 quase certamente identifica essa casa como a de Levi. Muito provavelmente a casa de Levi era o ponto de reunião favorito da classe dos coletores. E Jesus foi até ali a fim de aprimorar aqueles homens, embora tenha sido severamente criticado por isso.

Nenhum bom fariseu teria sido apanhado nessa companhia. Jesus mostrou uma atitude deveras revolucionária para com essas classes. Seus associados, alguns deles, eram pecadores desabridos; mas ele não se contaminou com o modo de eles viverem; antes, os fez abandonar o seu estilo de vida.

"Aqui há provas de um segredo que anda esquecido: Jesus sabia como atrair os irreligiosos. Aquela refeição pareceu distante da vida comum de nossas igrejas. Hoje em dia, os paralelos modernos dos 'coletores e pecadores' não se vêm sentar em grande número com os membros da igreja. Mostram-se distantes, desinteressados e sem conforto no ambiente eclesiástico. É perturbador pensar que a própria classe sobre a qual Jesus exercia tanta atração se faz conspicuamente ausente de nosso mundo eclesiástico. Replicamos: 'A falta é deles mesmos'. E geralmente isso é verdade. Basta, porém, dizer-se isso? Isso não é um escape fácil demais para nós?" (Luccock, *in loc.*). Sim, por que Jesus atraía aquela gente? Ele tinha uma profunda e genuína simpatia pelos homens de todas as classes. E isso atraía os homens. Ele não ficava distante, usando de maneiras artificiais para com eles. Contudo, nós simpatizamos com os que têm natureza similar à nossa, que compartilham de idênticos interesses. Nossa simpatia é egoísta. A simpatia de Jesus era aberta e altruísta.

Que tipo de pessoas costumamos ter como companheiros? Havia os odiados coletores, homens desonestos e violentos. Havia as prostitutas e os alcoviteiros, os fornicários e adúlteros. Jesus sentava-se no meio deles, a fim de soergê-los, e não a fim de comprometer-se com os vícios deles. Para os pecadores ele dizia: "Arrependei-vos!" Para os discípulos ele recomendava: "Aprendei de mim!" e: "Fazei como eu faço. Compartilhai de minha simpatia!" Somente a operação do Espírito Santo poderá transformar-nos para fazer de nós o que ele era e fazia. Ele nos deixou elevadíssimo exemplo. Isso, porém, é o que um mestre deve a seus discípulos: exemplo, exemplo, exemplo.

"[...] eram em grande número, e também o seguiam..." Isso mostra o poder de atração de Jesus. Muitos coletores só podem ter vindo de vários outros lugares, especificamente para estar com Jesus, pois em nenhuma localidade haveria "muitos" coletores.

2.16: Vendo os escribas dos fariseus que comia com os publicanos e pecadores, perguntavam aos discípulos: Por que é que ele come com os publicanos e pecadores?

2.16 καὶ οἱ γραμματεῖς τῶν Φαρισαίων, ἰδόντες⁶ ὅτι ἐσθίει μετὰ τῶν ἁμαρτωλῶν καὶ τελωνῶν ἔλεγον τοῖς μαθηταῖς αὐτοῦ, Ὅτιᵃ μετὰ τῶν τελωνῶν καὶ ἁμαρτωλῶν ἐσθίει⁷·ᵃ

⁷ 16 {B} ἐσθίει (ver Mt 9.11) B D W l³⁰² itᵃ,ᵇ,ᵈ,ᵉ,ʳ¹ // ἐσθίεται Θ // ἐσθίει καὶ πίνει A K Π f¹ 28 33 892 1009 1010 1079 1195 1230 1242 1253

776 |Marcos| NTI

1344 1365 1546 1646 2148 *Byz Lect* (*l*⁷⁶ πίννει) it^q syr^{p.h} goth // ἐσθίετε καὶ πίνετε (ver Lc 5.30) 565 700 1241 *l*⁵⁴⁷ syr^{pal} arm geo Diatessaron // ἐσθίει ὁ διδάσκαλος ὑμῶν (ver Mt 9.11) א it^{aur} // ἐσθίει καὶ πίνει ὁ διδάσκαλος ὑμῶν L Δ *f*¹³ 1071 1216 2174 it^{c,f} vg cop^{bo} Augustine // ὁ διδάσκαλος ὑμῶν ἐσθίει καὶ πίνει C it^l cop^{sa} eth

---

a *a* **16** *a* interrogative, *a* question: (TR) WH Bov Nes BF² (AV) RV^{mg} ASV RSV TT Zür Jer. Seg // *a* direct: Luth // *a* direct, *a* exclamation: NEB // *a* direct, *a* statement: RV ASV^{mg}

16 Mt 11.19; Lc 7.34; 15.1,2   16 των Φαρ. **BW** 28; R¹] των Φαρ. και א *pc*: και οι Φ-αιοι **AD**Θ *fi* f*i3 pl* lat ς; R^m | Οτι (2°) **B** *pc*; (οτι Μετα R)] Τι Θ: *p*) Δια τι א**DW**: Τι οτι **A** *fl* f*i3* 565 700 *pm* ς

A adição de καὶ πίνει é uma adição natural, inserida por copistas, talvez sob a influência da passagem paralela de Lucas 5.30. A forma mais breve, que fortemente apoiada por B D W *al*, foi seguida por Mateus, que adicionou ὁ διδάσκαλος ὑμῶν (Mt 9.11), uma expressão que, por sua vez, foi adotada em Marcos 2.16 pelos escribas de C L Δ *f*¹³ *al*.

(Ver Mt 12.14, quanto aos herodianos e fariseus. Ver Mc 3.20, quanto aos escribas.) Com frequência, os escribas e fariseus são mencionados juntos. Muitos escribas também eram fariseus; mas poucos fariseus eram também escribas, porquanto essa era uma profissão, ao passo que a seita dos escribas incluía a muitos que não tinham essa profissão. A expressão aqui usada, "escribas dos fariseus", dá a entender escribas que pertenciam à seita dos fariseus. Os escribas farisaicos evidentemente eram mais estritos e rígidos em suas práticas religiosas do que os demais escribas, porque também eram fariseus. E é provável que esses "escribas" fossem os que normalmente fizeram oposição a Jesus. O certo é que os observadores estritos do judaísmo tradicional teriam evitado qualquer contacto com os coletores e "pecadores", especialmente se para tanto tivessem de entrar na casa de um deles. Um judeu estrito daquela época nunca entrava na casa de um gentio, pois isso o tornaria *impuro* para a adoração religiosa. Outro tanto se dava se tivesse de entrar na casa de um pecador público, como uma prostituta ou um homem desonesto ou violento, como era o caso dos coletores. Outrossim, essa classe era odiada devido a seu contacto com o governo romano. *Berakoth*, 43b proíbe a entrada na casa dessas pessoas, para "um discípulo de um sábio" (isto é, um rabino). (Ver Gl 2.12, quanto a essa atitude entre os judeus.)

Para os fariseus, o fato de Jesus comer em companhia de pecadores e coletores o desqualificava como *rabino*, ou mesmo como discípulo de um mestre daqueles. Eles diriam: "Pode-se ver que o que ele faz não é próprio de um rabino autêntico". A resposta de Jesus era que um verdadeiro mestre deve agir desse modo, pois os que precisam ser ensinados são justamente os "enfermos no pecado", os que precisam ser soerguidos (v. 17). A característica de um mestre genuíno é que ele transforma a vida daqueles para quem ele ministra. Os mestres entre os rabinos se recusavam a ministrar justamente para os mais necessitados de ensino.

2.17: Jesus, porém ouvindo isso, disse-lhes: Não necessitam de médico os sãos, mas sim os enfermos; eu não vim chamar justos, mas pecadores.
2.17 καὶ ἀκούσας ὁ Ἰησοῦς λέγει αὐτοῖς [ὅτι] Οὐ χρείαν ἔχουσιν οἱ ἰσχύοντες ἰατροῦ ἀλλ' οἱ κακῶς ἔχοντες· οὐκ ἦλθον καλέσαι δικαίους ἀλλὰ ἁμαρτωλος.

---

17 οτι **B**ΔΘ 565 1071.] om rell ς; R

Jesus *justifica* aqui a sua conduta. Ele não tinha desculpas a dar, pois o que fazia era o correto; não importava a opinião dos mestres religiosos tradicionais. Jesus foi um revolucionário, em seus métodos e em suas atitudes. As várias passagens de controvérsia, começando em Mateus 9 e em Marcos 2, demonstram isso. Como é profunda a lição que temos nisso! A conduta acertada pode contradizer a tradição religiosa. Jesus, com sua autoridade messiânica, frisou isso. Naturalmente, os preconceituosos estão mais interessados em manter a tradição do que em descobrir a verdade. Novas verdades sempre serão combatidas, e os que as promovem serão sempre perseguidos.

> *Da covardia que teme novas verdades,*
> *Da preguiça que aceita meias-verdades,*
> Da arrogância que pensa conhecer toda a verdade,
> *livra-nos, ó Senhor.*
> (Arthur Ford)

"[...] vim..." disse Jesus, mostrando seu forte senso de "missão". A crítica dos escribas jamais alteraria suas convicções.

"Porque o Filho do homem veio buscar e salvar o perdido" (Lc 19.10). Cristo não veio chamar os "justos", o que talvez, sarcasticamente, apontasse para seus opositores, tão orgulhosos de sua espécie formal de retidão. Ele, no entanto, é o Salvador universal, sobretudo dos que o recebem, sem importar o grau de desenvolvimento espiritual dos mesmos, quando são encontrados por ele. Paulo compartilhava da paixão de Cristo em atingir os perdidos, conforme F. W. H. Myers o expressou:

"Oh, salvar esses, perecer para salvação deles,
Morrer para que vivam, ser oferecido por eles todos".

"A igreja não é um grupo reunido no saguão de um hotel, no verão. É uma *equipe de socorro*. Quantas igrejas, justamente quando há mais necessidade, têm empacotado as coisas e seguido os 'justos' para uma nova localidade, de um agradável bairro residencial, onde reina a paz, paz perfeita! Mais ou menos assim, podemos evitar os clamores perturbadores e o fardo do pecado e da necessidade. Entretanto, teremos de pagar um preço por causa disso. Pois também nos afastamos para longe daquele que veio salvar os pecadores". (Luccock, *in loc*.).

2.18-20 — *Jesus ensina acerca do jejum* (as notas são dadas em Mt 9.14-17).

2.18: Ora, os discípulos de João e os fariseus estavam jejuando; e foram perguntar-lhe: Por que jejuam os discípulos de João e os dos fariseus, mas os teus discípulos não jejuam?
2.18 Καὶ ἦσαν οἱ μαθηταὶ Ἰωάννου καὶ οἱ Φαρισαῖοι νηστεύοντες. καὶ ἔρχονται καὶ λέγουσιν αὐτῷ, Διὰ τί οἱ μαθηταὶ Ἰωάννου καὶ οἱ μαθηταὶ τῶν Φαρισαίων νηστεύουσιν, οἱ δὲ σοὶ μαθηταὶ οὐ νηστεύουσιν;

---

18 οι Φαρ. ς | οι μαθ. τ. Φ.] οι Φ-αιοι Θ *pc a ff*⁸ *g*²| א**ABD**Θ f*i3 al* lat; R] οι των Φ-αιων (**W**) *fi* 28 700 *pm* μαθηται 4°] om *p*) **B** *I*27 565 bo^{pt}

A narrativa de Marcos é um tanto *abreviada* em Mateus. Marcos menciona o hábito dos fariseus e dos discípulos de João (talvez estes últimos copiassem os essênios), os quais jejuavam. Os *alguns* que vieram interrogar a Jesus sobre o jejum, na narrativa de Mateus, são identificados como discípulos de João, os quais evidentemente não se tinham tornado discípulos de Jesus. Sabemos que a seita de seguidores de João Batista continuou existindo até bem depois da morte de João e de Jesus (ver At 19); e muitos pensavam que João fosse o Messias, e não Jesus. Parece ter havido algum conflito com os seguidores de João, até mesmo durante o ministério de Jesus. Esta seção talvez subentenda isso. Pelo menos são apreciados certos aspectos do "estilo de vida" e dos costumes religiosos dos discípulos de Jesus, e sem dúvida houve ocasiões em que os criticaram rigidamente, por não serem suficientemente "ascéticos". Pela mesma razão, os fariseus criticavam Jesus e seus discípulos. A narrativa de Marcos fala sobre "alguns" que vieram interrogar Jesus, os quais pareciam ser representantes tanto dos fariseus quanto da seita de João Batista. Alguns intérpretes, entretanto, fazem deles simplesmente "pessoas" que, observando os constantes jejuns de diversas pessoas, admiraram-se com o fato de os discípulos de Jesus não jejuarem. Daí a indignação. Mateus pode ter feito a narrativa assumir um tom mais definido, mediante comentário editorial; e o relato de Lucas parece indicar que os "escribas", tanto quanto os fariseus, estavam envolvidos nisso. Provavelmente, tudo ocorreu por motivo de abreviação da narrativa.

Esta passagem dá prosseguimento às histórias de *controvérsia*, iniciadas em Marcos 2 e Mateus 9, cujo intuito é mostrar como Jesus perdeu a sua popularidade, entrou em declínio, e, finalmente, foi crucificado. Parece que ele reteve elevada popularidade somente por um ano, tendo passado por dois anos agitados antes de sua crucificação. Os evangelistas, pois, tentam nos dizer que, apesar de ser verdade Jesus ter pedido sua popularidade, ele o fez porque não quis abrir mão dos seus princípios fundamentais, e não por causa de nenhum erro seu.

A lei mosaica *requeria* que se jejuasse apenas uma vez por ano; mas isso era multiplicado muitas vezes pelos costumes ascéticos, os quais se tornaram tão fortes quanto a própria lei. Jesus, entretanto, ignorava os costumes e isso, naturalmente, significou tribulação para ele. Em outras palavras, ele não exagerava, conforme faziam alguns de seus adversários. Não se pode duvidar de que ele tivesse jejuado algumas vezes (ver Mt 4). Dificilmente podemos imaginar que essa tenha sido a única vez em que ele jejuou. Os místicos modernos nos dizem que o jejum aclara e eleva as qualidades da alma, sendo prática distintamente benéfica. Não se pode duvidar da correção dessas palavras, e o jejum deveria fazer parte de nossa inquirição espiritual, contanto que não decaiamos para o exagero.

2.19: Respondeu-lhes Jesus: Podem, porventura, jejuar os convidados às núpcias, enquanto está com eles o noivo? Enquanto têm consigo o noivo não podem jejuar;

2.19 καὶ εἶπεν αὐτοῖς ὁ Ἰησοῦς, Μὴ δύνανται οἱ υἱοὶ τοῦ νυμφῶνος ἐν ᾧ ὁ νυμφίος μετ' αὐτῶν ἐστιν νηστεύειν; ὅσον χρόνον ἔχουσιν τὸν νυμφίον μετ' αὐτῶν οὐ δύνανται νηστεύειν·

Uma festa de casamento é ocasião de *alegria* e júbilo. O jejum dificilmente pode ter lugar numa oportunidade dessas. Cristo dá a entender a metáfora de sua noiva, porquanto, neste ponto, certamente ele mesmo é o "noivo". (Ver Ef 5.22ss e Ap 19.7 e 21.2, quanto a esse símbolo.) A "noiva" dificilmente poderia estar em atitude de recolhimento, tristeza e ritos rígidos, já que o noivo estava a seu lado. Pelo contrário, isso era motivo de regozijo, de indulgência e de festa. Portanto, os amigos íntimos do noivo compartilhariam de idêntica atitude. O pensamento do noivo a ir-se embora é uma alusão à cruz. Quando o noivo se ausentasse, então, seria apropriado jejuar. O texto também é uma polêmica contra o ascetismo, algo da ordem de Cl 2.14ss, embora não apresentado de modo dogmático. Provavelmente, existe também aqui um ataque indireto à "religião externa", que dependia de ritos tão "obviamente pios" como o jejum, porquanto nenhum fariseu jejuava secretamente. Os fariseus deixavam bem claro o que faziam, para que pudessem ser admirados pelos homens devido à sua piedade. Os atos religiosos de valor, entretanto, dominam a alma e a transformam, não tendo por intuito impressionar os nossos semelhantes com a nossa importância ou suposta profunda espiritualidade.

No contexto da vida, quando esta passagem foi escrita, provavelmente esta seção visava a regular o jejum no seio da igreja cristã; pois muitos dos primitivos cristãos, nos centros judaicos, provinham da seita dos fariseus, conforme se aprende em Atos 15. Os *evangelistas* frisam a autenticidade de todos os atos religiosos, e se mostram contrários ao contínuo farisaísmo nas fileiras cristãs. A "alegria" é uma das características do crente, e não a tristeza que geralmente acompanha o jejum. Há profundo poder na alegria, ao passo que a tristeza debilita o corpo físico e os seres espirituais. O jejum é bom em seu devido lugar, mas não devemos exagerar nessa prática. Isso não é problema na igreja evangélica moderna, porque o jejum está saindo praticamente de moda. Entretanto, a igreja tem encontrado outros meios artificiais de autoexaltação.

2.20: dias virão, porém, em que lhes será tirado o noivo; nesses dias, sim hão de jejuar.

2.20 ἐλεύσονται δὲ ἡμέραι ὅταν ἀπαρθῇ ἀπ' αὐτῶν ὁ νυμφίος, καὶ τότε νηστεύσουσιν ἐν ἐκείνῃ τῇ ἡμέρᾳ.

Este versículo mostra que o jejum *não foi anulado*, mas tão somente regulamentado na igreja primitiva. O evangelista fala com dor; ele se lembra da cruz, que tão rudemente arrebatou o noivo para longe. A tristeza bem pode ter descido sobre a sua mente. Agora, porém, o jejum tornara-se apropriado. Não há motivo para a suposição de que as palavras aqui não são autenticamente proferidas por Jesus, ou que ele realmente não tivesse predito a própria morte. Contudo, a igreja usou todas as palavras de Jesus que ensinavam verdades morais e espirituais, e algumas vezes as situou em novos arcabouços, a fim de torná-las mais eficazes. Aquele dia era sexta-feira na semana da paixão. (Ver Lc 23.54—24.1, cuja cronologia necessariamente mostra que a sexta-feira foi o dia da crucificação de Jesus, embora seja popular negar essa verdade em alguns círculos, hoje em dia). Didache 8.1 mostra que em muitas partes da igreja primitiva era praticado o jejum.

2.21,22 — *As parábolas do pano velho e dos odres de vinho* (as notas expositivas são apresentadas em Mt 9.16,17. Ver também Lc 5.36-39, onde há material adicional.)

2.21: Ninguém cose remendo de pano novo em vestido velho; do contrário o remendo novo tira parte do velho, e torna-se maior a rotura.

2.21 οὐδεὶς ἐπίβλημα ῥάκους ἀγνάφου ἐπιράπτει ἐπὶ ἱμάτιον παλαιόν· εἰ δὲ μή, αἴρει τὸ πλήρωμα ἀπ' αὐτοῦ τὸ καινὸν τοῦ παλαιοῦ, καὶ χεῖρον σχίσμα γίνεται.

---

27 Τὸ...ἐγένετο Êx 20.8-10; Dt 5.12-14
21 ἐπιραπτει επισυνραπτει **D(W)**

A mensagem de Jesus era *revolucionária*. Segundo alguns supõem, ele não foi simples reformador do judaísmo. O Novo não pode ajustar-se perfeitamente ao Antigo; pois, de fato, este ultrapassa aquele. Essa foi a polêmica da igreja primitiva, e isso é antecipado nas palavras proferidas por Jesus nesta seção. Marcos inseriu duas parábolas gêmeas em sua narrativa histórica, a fim de mostrar a questão geral levantada em Marcos 2.18. Como pode ter havido tanta diferença entre os fariseus e os discípulos de Jesus? Essa diferença é para melhor, ou é uma perversão do que era antigo?

A conexão original das duas parábolas (as roupas e os odres) sem dúvida teve algo a ver com as muitas controvérsias de Jesus com as autoridades religiosas acerca das tradições deles, acerca da lei cerimonial, e acerca dos exageros dos mesmos. Jesus justificou o fato de não estar observando essas coisas. Pois o que ele trouxera era muito mais livre, elevado e jubiloso. Mediante essas palavras, Jesus *predisse* o rompimento com o judaísmo. Sem dúvida, ele podia ver que esse rompimento já se encontrava em seus primeiros passos. A igreja usou essas palavras para justificar o rompimento. Isso levou os discípulos de Cristo a uma relação mais vital com Deus; e isso é suficiente para justificar o movimento de secessão.

2.22: E ninguém deita vinho novo em odres velhos; do contrário, o vinho novo romperá os odres, e perder-se-á o vinho e também os odres; mas deita-se vinho novo em odres novos.

2.22 καὶ οὐδεὶς βάλλει οἶνον νέον εἰς ἀσκοὺς παλαιούς - εἰ δὲ μή, ῥήξει ὁ οἶνος τοὺς ἀσκούς, καὶ ὁ οἶνος ἀπόλλυται καὶ οἱ ἀσκοί[8] ἀλλὰ οἶνον νέον εἰς ἀσκοὺς καινούς[9].

---

[8] 22 {C} ἀπόλλυται καὶ οἱ ἀσκοί B 892 cop^bo // καὶ οἱ ἀσκοὶ ἀπολουνται (ver nota de rodapé 9) D it^{a,b,d,e,ff2,i,r1,t} // ἐκχεῖται καὶ οἱ ἀσκοί L (syr^pal) // ἐκχεῖται καὶ οἱ ἀσκοὶ ἀπολοῦνται (ver Mt 9.17; Lc 5.37) ℵ A C K (W ἀπόλλυται) Δ (Θ ἀπόλλυται) Π 074 f^1 f^13 28 33 565 700 1009 1010 1071 1079 1195 (1216 ἀπόλλυται) 1230 1241 1242 (1253 ἀπόλλυται)

778 |Marcos| NTI

1344 1365 1546 1646 2148 2174 *Byz Lect* it^aur,c,f,l,q vg^(cf),ww syr^s,(p),h cop^sa goth arm eth geo // ἐκχεῖται *l*^80

9 22 {C} ἀλλὰ οἶνον νέον εἰς ἀσκοὺς καινούς ℵ* B // ἀλλὰ (*or* ἀλλ') οἶ νον νέον εἰς ἀσκοὺς καινοὺς βλητέον (ver Lc 5.38) ℵ^c A C K L Δ^gr Θ Π 074 *f* *f*^13 28 33 565 700 892 1009 1010 1071 1079 1195 1216 1230 1241 1242 1253 1344 1365 1546 1646 2148 2174 *Byz Lect* it^aur,c,l,q vg syr^h,pal arm // ἀλλὰ οἶνον νέον εἰς ἀσκοὺς νέους βάλλουσιν (ver Mt 9.17; W it^c,f syr^s,p cop^sa,bo goth eth geo Diatessaron' // *omit* D it^a,b,d,ff2,i,r1,t

> [8] A forma que melhor explica a origem das outras é aquela pre-servada em B 892 cop^bo. Já que as palavras καὶ οἱ ἀσκοί parecem exigir um verbo, a maioria dos testemunhos transportou ἀπόλλυ-ται (tornando-o plural) para depois de οἱ ἀσκοί. Outrossim, sob a influência dos paralelos de Mateus 9.17 e Lucas 5.37, copistas introduziram o verbo ἐκχεῖται, considerando-o mais apropriado que ἀπόλλυται para descrever o que sucede ao vinho.
>
> [9] Não observando que εἰ...ἀσκοί é parentética, e, portanto, que a força de βάλλει é transportada para as palavras após ἀλλά —, copistas inseriram βλητέον (com base em Lc 5.38), ou βάλλουσιν (com base em Mt 9.17). A omissão das palavras ἀλλά...καινούς, em D it^a,b,d,ff2,i,r1,t pode ter sido deliberada (quando o copista, não observando seu regime com βάλλει, não viu sentido), ou mais provavelmente, de modo acidental (ocasionado pela repetição das palavras οἶνος e ἀσκός — em rápida sucessão).

Os odres, feitos de peles, ficavam estragados com o decorrer do tempo. Os sistemas religiosos antigos assumem em si mesmos elementos *prejudiciais* e destruidores. Além disso, Deus tem um plano de mutação, graduação e aprimoramento. O velho deve ceder lugar ao novo; e assim será sempre. O novo, dentro do velho, faz o antigo explodir. Novas verdades causam controvérsias, e as contro-vérsias tendem à divisão. A divisão pode levar ao avanço na verdade (embora normalmente nada seja senão demonstração de carnali-dade). Portanto, se o cristianismo estava intimamente associado ao judaísmo, em sentido nenhum foi simples desenvolvimento do mesmo. Trata-se de algo ímpar e mais elevado. (Ver Gl 1.8ss, quanto à natureza ímpar do cristianismo, como é ele expresso nos dogmas cristãos posteriores.) O antigo legalismo, e o cerimonialismo, não poderiam jamais ser usados como "vasos" da nova espiritualidade, com sua tendência expansionista de liberdade. "O movimento que Jesus pôs de pé é algo fresco e crescente; é impossível estabelecer limites à sua expansão, e é irracional confiná-lo a formas que não foram feitas para ele" (Allan Menzis. *The Earliest Gospel*, p. 88).

2.23-28 — *Relação de Jesus para com o sábado* (as notas expositivas são dadas em Mt 12.1-8).

2.23: E sucedeu passar ele num dia de sábado pelas searas; e os seus discípulos, caminhando, começa-ram a colher espigas.
2.23 Καὶ ἐγένετο αὐτὸν ἐν τοῖς σάββασιν παραπορεύεσθαι διὰ τῶν σπορίμων, καὶ οἱ μαθηταὶ αὐτοῦ ἤρξαντο ὁδὸν ποιεῖν τίλλοντες τοὺς στάχυας.

> 23 ἤρξαντο...στάχυας Dt 23.25

As narrativas de controvérsias continuam, tendo tido início em Marcos 2 e Mateus 9. Explicam por que Jesus perdeu sua popu-laridade e sofreu oposição da parte dos líderes religiosos de seu tempo, e, finalmente, foi morto. Os judeus dificilmente poderiam aceitar um Messias que fosse o Servo Sofredor. Os autores dos evangelhos mostram por que ele teve de sofrer. Ele trouxe uma nova e mais alta revelação, a qual se tornou intolerável para seus contemporâneos, os quais, à semelhança de odres velhos, não podiam conter o vinho novo. A questão acerca de como Jesus se recusava a deixar-se limitar pelas leis sabáticas, extremamente rígidas, que foram criadas no judaísmo cerimonial, deve ter sido uma das questões mais críticas.

"[...] atravessar [...] as [...] searas..." Não se deve traduzir literalmente, como se eles estivessem fazendo "veredas" entre o

cereal. O grego pode ter esse sentido, mas é difícil que esse seja o seu sentido aqui.

Motivos de queixa contra Jesus, conforme os vemos até este ponto:

1. Ele reivindicava para si o poder de *perdoar* pecados, e pro-vavelmente outros elevados poderes, que os judeus julgavam pertencer exclusivamente a Deus, ou, pelo menos, ao Messias (ver Mc 2.1-12).
2. Ele se associava às *classes humildes*, incluindo pecadores de-clarados de vários tipos (ver Mc 2.13-17).
3. Ele não observava as leis rígidas dos escribas e fariseus, *omitin-do*, em sua conduta, várias exigências cerimoniais, que tinham surgido na tradição judaica posterior (ver Mc 2.18-22).
4. Ele não observava a lei do *sábado*, conforme o mesmo era posto em prática nos seus dias (ver Mc 2.23-28).

2.24: E os fariseus lhe perguntaram: Olha, por que estão fazendo no sábado o que não é lícito?
2.24 καὶ οἱ Φαρισαῖοι ἔλεγον αὐτῷ, Ἴδε τί ποιοῦσιν τοῖς σάββασιν ὃ οὐκ ἔξεστιν;

O texto de Deuteronômio 23.24,25 permite que se apanhe algo para satisfazer a fome, em campo alheio; mas nada é dito sobre se isso podia ser feito ou não no sábado. Naturalmente, era proibido fazer a colheita em terra alheia, pois isso prejudicaria financeira-mente o dono da terra. No Talmude, as leis se tinham tornado mais estritas. *Mishnah* (Sabbath 7.2) proibia o tipo de coisa que Jesus e seus discípulos faziam. Exceções eram abertas para obras de misericórdia e necessidade, mas a simples satisfação da fome difi-cilmente caberia sob essa categoria. Por suas tradições, os homens adicionaram muita coisa à lei mosaica original. Ora, Jesus não se sentia obrigado a obedecer a tão estritas tradições, argumento de que essas leis eram anti-humanitárias, ao passo que a lei mosaica original visava a abençoar, e não a amaldiçoar o homem.

"Vê!" disseram eles, quase sem poder ocultar sua satisfação por terem apanhado Jesus e seus discípulos a fazer algo questioná-vel, para que os pudessem tornar desacreditados. Frequentemente as pessoas religiosas, em defesa fanática de um credo, tornam-se *perseguidores profissionais*. Lembremo-nos de que os líderes re-ligiosos da época, zelosos pela "letra da lei", perdiam inteiramente de vista o seu "espírito". Podemos dizer que algo é "bíblico"; mas a verdade da questão pode ser que usamos esse vocábulo para aludir somente ao que nos é aceitável, e não ao que realmente é ensinado nas Escrituras. Por não obedecer às tradições, Jesus foi reputado corruptor do povo, embora estivesse obedecendo rigidamente às Escrituras.

2.25: Respondeu-lhes ele: Acaso nunca lestes o que fez Davi quando se viu em necessidade e teve fome, ele e seus companheiros?
2.25 καὶ λέγει αὐτοῖς, Οὐδέποτε ἀνέγνωτε τί ἐποίησεν Δαυίδ,^b ὅτε χρείαν ἔσχεν καὶ ἐπείνασεν αὐτὸς καὶ οἱ μετ' αὐτοῦ;^b

> ^b ^b ^b **25,26** *b* minor, *b* question: TR (WH) Bov Nes BF² AV RV ASV (TT) Zür Luth // *b* minor, *b* minor, *b* question: RSV Jer // *b* minor, *b* question, *b* major: (NEB) Seg **25,26** – τί...οὖσιν 1Sm 21.1-6

Jesus combateu as tradições humanas com as Escrituras. Davi era *homem segundo o coração de Deus*, pelo que Jesus sabia que o exemplo dele tinha peso diante dos que estivessem escutando o debate. Pelo menos seus discípulos seriam fortalecidos diante do raciocínio de Jesus; e isso era o que realmente importava. No caso de Davi, tal como no caso do texto presente, a mera fome foi o motivo; e isso é paralelo importante, porque Davi não estava realizando nenhuma ação de misericórdia naquele ato.

2.26: Como entrou na casa de Deus, no tempo do sumo sacerdote Abiatar, e comeu dos pães da propo-sição, dos quais não era lícito comer senão aos sacer-dotes, e deu também aos companheiros?

NTI | Marcos | 779

2.26 πῶς εἰσῆλθεν εἰς τὸν οἶκον τοῦ θεοῦ ἐπὶ ᾽Αβιαθὰρ ἀρχιερέως[10] καὶ τοὺς ἄρτους τῆς προθέσεως ἔφαγεν, οὓς οὐκ ἔξεστιν φαγεῖν εἰ μὴ τοὺς ἱερεῖς, καὶ ἔδωκεν καὶ τοῖς σὺν αὐτῷ οὖσιν;[b]

[10]26 {A} ἐπὶ ᾽Αβιαθὰρ ἀρχιερέως ℵ B K L 892 1010 1195 1216 1230 1242 1344 1365 1646 2174 *Byz* l[69,70,76,80,150,299,883]1127,1634 arm // ἐπὶ ᾽Αβιαθὰρ τοῦ ἀρχιερέως A C Θ Π 074 *f¹ f¹³* 28 33 565 700 1071 1079 1241 1253 1546 2148 *Lect* cop[sa,bo] // ἐπὶ ᾽Αβιαθὰρ ἀρχιερέως (*or* τοῦ ἀρχιερέως) it[aur,c,l,q] vg syr[(p),h,palms] geo // ἐπὶ ᾽Αβιαθὰρ τοῦ ἱερεῖς Δ it[f] (goth *omit* τοῦ) // *omit* (ver Mt 12.4; Lc 6.4) D W 1009 1546* it[a,b,d,e,ff²,i,r¹,t] syr[s,(palms)]

26 ἐπὶ...ἀρχιερέως

26 τοὺς...ἱερεῖς

26 πως] *om* **BD** *r¹ t* |

> Segundo 1Samuel 21, era Aimeleque, e não Abiatar, o sumo sacerdote quando Davi comeu dos pães da presença. A fim de evitar a dificuldade, D W *al* omitem as palavras ἐπὶ ᾽Αβιαθὰρ, assim confirmando os textos de Mateus 12.4 e Lucas 6.4. Outros testemunhos, relutando ir tão longe, a ponto de cortar a frase, inseriram a palavra τοῦ antes de ἀρχιερέως ou ἱερέως —, a fim de permitir a interpretação de que isso tenha sucedido no tempo (mas não necessariamente durante o sumo sacerdócio) de Abiatar (o qual só mais tarde tornou-se sumo sacerdote).

Tal como Jesus, Davi, figura *altamente respeitada* pelos judeus, fizera algo que a tradição dos escribas combatia fortemente. Jesus, pois, afirmava que a ação que estava levando a efeito não era errada, a despeito das tradições em contrário, tal como não fora errada a ação de Davi, pois ambos, o sábado e as regras do templo, diziam respeito a elementos centrais do culto divino.

Naturalmente, o argumento de Jesus tornou-se mais forte quando ele se declarou "Senhor do sábado" (v. 28), o que subentende que ele não estava forçado a observar rigidamente a lei, em particularidades que não envolvessem questões morais verdadeiras. É como se ele dissesse: o Messias *pode alterar* as tradições, e até mesmo as provisões doutrinárias das próprias leis, contanto que nenhuma questão moral esteja envolvida; e ele estava plenamente justificado ao agir assim. Isso, naturalmente, dificilmente poderia ser aceito pacificamente pelos escribas e fariseus, os quais não aceitavam a autoridade messiânica de Jesus.

"Jesus cita um caso decidido por uma autoridade competente e aceita pelo povo, demonstrando a superioridade da lei natural sobre a legislação positiva; e o mesmo princípio estava envolvido na alegada ação ilegal de seus discípulos. Evidentemente, ele sustentou a correção daquele princípio, e não apenas a autoridade desses precedentes" (Gould, *in loc.*).

2.27: E prosseguiu: O sábado foi feito por causa do homem, e não o homem por causa do sábado.

2.27 καὶ ἔλεγεν αὐτοῖς, Τὸ σάββατον διὰ τὸν ἄνθρωπον ἐγένετο καὶ οὐχ ὁ ἄνθρωπος διὰ τὸ σάββατον·

27 εγενετο] εκτισθη **W** f1 *700* sy[s,p]

27,28 και ελεγ...ωστε κυρ.] λεγω δε υμιν, Κυρ. **D** it

"A validade de toda instituição jaz fora de si mesma. É determinada pelo grau em que a instituição satisfizer ao seguinte teste: 'Serve aos homens?' Em caso negativo, a instituição falhou. Jesus aplicou esse teste destemido e rigorosamente ao sábado. Essas palavras, levadas à conclusão lógica, indicam que nenhuma instituição é sagrada por si mesma. As pessoas é que são sagradas. Qualquer autoridade final que uma instituição mereça ter derivar-se de seu serviço à grande variedade de necessidades humanas. A parábola de Jesus acerca do julgamento final (ver Mt 25), onde os homens são retratados como quem será julgado conforme sua sensibilidade àquelas necessidades, é poderosa dramatização desse princípio do teste final do serviço prestado" (Luccock, *in loc.*).

Aquele que é o maior de todos é o servo de todos. Outro tanto se diga quanto ao princípio da lei.

Não somente a lei natural deve ter precedência sobre a tradição legislada, mas o próprio homem é a *medida da lei*. Em outras palavras, a lei foi feita para benefício do homem. Somente o homem decaído é que não pode ver isso com clareza, rebelando-se contra o fato. Portanto, uma lei sabática ridiculamente estrita era injuriosa ao homem, fazendo com que a lei e sua aplicação fossem contrárias ao homem. Agora Jesus responde à pergunta que lhe fizeram: "Por que eles fazem no sábado o que não é legítimo?" A resposta simples de Jesus é que, segundo o entendimento espiritual, seus discípulos nada faziam de ilegal. A "ilegitimidade" do ato deles era meramente uma contradição ao exagerado sistema cerimonial que, na realidade, não podia dominar a alma humana.

2.28: Pelo que o Filho do homem até do sábado é Senhor.

2.28 ὥστε κύριός ἐστιν ὁ υἱὸς τοῦ ἀνθρώπου καὶ τοῦ σαββάτου.

(Quanto a notas centrais sobre a expressão "*Filho do homem*", ver Mt 9.6, onde são dadas as notas sobre Mc 2.10). Este versículo quase certamente inclui a polêmica da igreja primitiva, que foi usada para justificar a adoração no primeiro dia da semana, o qual substituiu o sábado, devido à ressureição de Jesus naquele dia. Alguns têm pensado que esta declaração (v. 28) foi uma adição feita pela igreja, o que estendem a outras declarações do Filho do homem. Isso, porém, é uma inferência desnecessária. *Lembremo-nos* de que Jesus foi combatido por causa de sua doutrina e maneira de vida, não havendo razão para supor que ele não tenha proferido essas duras declarações que tanto ofenderam os judeus. "Filho do homem", pois, é claramente um "título messiânico", pois somente ele podia "pôr de lado", por assim dizer, a tradição então existente. Nenhum mero "ser humano" (conforme alguns erroneamente pensam que significa a expressão "Filho do homem") ousaria a tanto. Portanto, Jesus não está dizendo que "o homem é senhor do sábado", embora antes tenha deixado claro que o homem é que é a medida do sábado. Somente o "Filho do homem", considerado como Messias, pode ser tido como Senhor do sábado. Naturalmente, os escribas e fariseus não esperavam que o Messias viesse reformar, e modificar as tradições deles, pois tolamente imaginavam que elas refletiam a verdade eterna. Jesus declara que o Messias pode fazer isso e que, de fato, o faria; e, naquele instante, era exatamente o que ele fazia.

Sem ver a autêntica natureza revolucionária de Jesus, alguns intérpretes supõem que ele se opunha somente à interpretação legalista e cerimonial, exagerada da lei, mas que, sob sentido nenhum, pôs de lado como inválidos os preceitos do AT. No entanto, a julgar pelas narrativas de controvérsia, *é quase indubitável* que Jesus tenha ido além disso, estabelecendo modificações genuínas, impondo uma nova ordem, bem como novas doutrinas. Além disso, eliminou antigas interpretações e estabeleceu novas explicações. O cristianismo resultou disso. Não se pode atribuir toda essa revolução a Paulo.

Capítulo 3

3.1-6 — *O homem de mão ressequida* (as notas expositivas aparecem em Mt 12.9-14).

3.1: Outra vez entrou numa sinagoga, e estava ali um homem que tinha uma das mãos atrofiada.

3.1 Καὶ εἰσῆλθεν πάλιν εἰς τὴν συναγωγήν. καὶ ἦν ἐκεῖ ἄνθρωπος ἐξηραμμένην ἔχων τὴν χεῖρα·

3. 1 εις ℵ**B.**] *p*) εις την *rell* ς; R

Essa é a *segunda controvérsia* sobre o sábado. Presumimos que a questão sabática, o que Jesus ensinou a respeito, e como ele e seus discípulos viviam o sábado, foi uma das mais conturbadas

780 |Marcos| NTI

de suas controvérsias com as autoridades religiosas. Começando em Marcos 2 e Mateus 9, achamos essas controvérsias, por causa das quais houve o declínio da popularidade de Jesus, sua rejeição pelos líderes religiosos, e, eventualmente, sua morte. Os evangelhos usam essas narrativas a fim de revelar como o Messias pôde sofrer, podendo ser o "Servo Sofredor" e ainda ser o Messias. Esse tipo de Messias foi difícil de ser acolhido pela corrente principal do judaísmo, apesar de certas passagens do AT (como Is 53), que predizem exatamente essa sua natureza.

Os líderes religiosos tão exatos em seu conhecimento, e com tão bem desenvolvido sistema teológico, não tinham o senso da apreciação pela grandeza espiritual. Esperavam que Jesus quebrasse as normas deles sobre o sábado, curando o homem que aparece nesta história. Satisfeitos, confrontaram-no com o fato de essas suas expectativas se terem cumprido. Tinham conhecimento, mas faltava-lhes a boa vontade para reconhecerem as obras de Deus e serem transformados por elas.

Conhecimento, não pedimos — conhecimento tu emprestaste,
Mas, Senhor a vontade — aí está nossa mais amarga necessidade.
O feito [...] o feito.
(John Drinkwater, *A Prayer*)

Lucas revela que foi a mão *"direita"* do homem que estava ressequida. Jerônimo (Mt. XII 2) por meio da tradição do evangelho aos Hebreus (confundido na antiguidade com o de Mateus), diz que ele era um pedreiro, que dependia de suas mãos para ganhar a vida e que viera implorar a Jesus que o curasse. Entretanto, provavelmente isso é uma emenda apócrifa. Todavia, o homem tinha a mão atrofiada. Nenhuma ciência sobre a terra poderia curá-lo. Jesus, com sua ciência celeste, não teve dificuldade em realizar o milagre.

3.2: E observavam-no para ver se no sábado curaria o homem, a fim de o acusarem.

3.2 καὶ παρετήρουν αὐτὸν εἰ τοῖς σάββασιν θεραπεύσει αὐτόν, ἵνα κατηγορήσωσιν αὐτοῦ.

2 θεραπευσει] -ευει ℵW pc

Um olho mau contra a maravilhosa obra de Deus, o que pôs fim na miséria humana! Isso mostra o verdadeiro caráter deles, a dureza de seu coração, a superficialidade da espiritualidade daqueles doutores da lei. "Para Deus em ação, essa cegueira no mundo pode ocorrer sempre que algum interesse ou tradição particular, que os homens elevam acima de tudo, é ameaçado" (Luccock, in loc.). Como ilustração disso, lembremo-nos da ausência da igreja na oposição à servidão, nos tempos antigos e modernos. A condição econômica do mundo, bem como dos indivíduos na igreja, poderia ser debilitada se aquela horrenda prática fosse abolida. O dinheiro fecha a boca dos homens; e eles ainda não tinham suficiente desenvolvimento humanitário, quanto menos o espiritual, para ver como era péssima a escravatura. Assim é que hoje em dia muitos fazem do próximo seu "escravo do salário", e muitos crentes são culpados disso. As vantagens pessoais e o lucro podem transformar os homens assim, e podem eles tornar-se opositores da obra de Deus no mundo. É quase sempre alguma forma de egoísmo que leva os homens a terem uma pequena visão da realidade espiritual e suas operações.

"[...] estavam observando..." O imperfeito é usado para indicar um processo contínuo. Seus olhos observavam, enquanto Jesus via o homem aproximar-se dele, chamá-lo para o centro etc. Eram olhos de ódio e inveja, baseados em dogmas deprimentes, cegados pelas tradições, embotados pelo ordinário, bitolados pelas convenções. Os fariseus eram os mais destacados nessa atitude, conforme se vê no v. 6. "Dessa vez, penderam por achar falta em Jesus acerca do sábado, tendo percebido instintivamente que seus pensamentos sobre o tema deveriam ser bem diferentes dos pensamentos deles". (Bruce, *in loc.*).

N.B.: Quando aparecem textos paralelos em Mateus e Marcos, apresentamos a exposição em Mateus; em Marcos, acrescentamos apenas algumas notas suplementares.

3.3: E disse Jesus ao homem que tinha a mão atrofiada: Levanta-te e vem para o meio.

3.3 καὶ λέγει τῷ ἀνθρώπῳ τῷ τὴν ξηρὰν χεῖρα ἔχοντι, Ἔγειρε εἰς τὸ μέσον.

"Mediante esse ato, Jesus transferiu a atenção dos criticadores para o milagre que ele estava prestes a realizar. Não como um milagre, porém, e, sim, como um caso que envolvia o princípio em disputa, entre ele mesmo e eles, no tocante à cura em dia de sábado" (Gould, *in loc.*). "Então, com o homem de pé, na presença de todos, Jesus passou a catequizar os que só viam faltas" (Bruce, *in loc.*).

3.4: Então lhes perguntou: É lícito no sábado fazer bem, ou fazer mal? salvar a vida, ou matar? Eles, porém, se calaram.

3.4 καὶ λέγει αὐτοῖς, Ἔξεστιν τοῖς σάββασιν ἀγαθὸν ποιῆσαι ἢ κακοποιῆσαι, ψυχὴν σῶσαι ἢ ἀποκτεῖναι; οἱ δὲ ἐσιώπων.

3 4 Lc 14.3

O argumento de Jesus é *irresistível*, do ponto de vista espiritual. No entanto, eles pensavam: "Poder-se-ia esperar até amanhã. Este não é um caso de emergência; e, de acordo com a lei, somente casos de emergência podem ser atendidos no sábado". Este versículo é o anúncio de um grande princípio espiritual, mediante o que os absurdos das tradições dos escribas foram postos de lado. Conforme Marcos 2.27, quanto à mesma questão: "O sábado foi estabelecido por causa do homem, e não o homem por causa do sábado". Portanto, sendo o homem a medida do sábado, certamente ele pôde receber cura espiritual naquele dia, o que visará definidamente ao seu benefício. Há um provérbio que diz: "Quanto melhor for o dia, tanto melhor será o feito". Que dia melhor poderia haver para uma cura feita por Deus, do que um dia separado para a honra de Deus?

"[...] salvar a vida ou tirá-la?..." Eles já tinham planejado *homicídio* em seu coração, e isso em dia de sábado. Não é impossível que Jesus tenha tecido referência, aqui, ao espírito assassino deles, que já estava em processo de desenvolvimento. Jesus estava prestes a curar; e eles estavam prestes a matar (ver o v. 6). Imensos hipócritas! Objetavam a milagres transmissores de vida em dia de sábado, mas, ao mesmo tempo, planejavam a morte de um homem bom. Em certo sentido, as necessidades humanas desconhecem leis. Certamente devem tomar precedência acima da maquinaria eclesiástica e dos preconceitos tradicionais. Jesus reputava o "não curar" com uma omissão temporária, o que era atitude dos escribas. Para ele, seria uma maldade positiva deixar de fazer o bem possível. Esse é um elevado raciocínio espiritual, algo estranho aos oponentes de Jesus. Em todas essas discussões [...] Jesus figura como o emancipador do espírito humano, revelando princípios, ao invés de regras, como guia da conduta humana; e assim libertou todos os homens possuidores de tal atitude, das algemas da moralidade convencional.

3.5: E olhando em redor para eles com indignação, condoendo-se da dureza dos seus corações, disse ao homem: Estende a tua mão. Ele a estendeu, e, lhe foi restabelecida.

3.5 καὶ περιβλεψάμενος αὐτοὺς μετ᾽ ὀργῆς, συλλυπούμενος ἐπὶ τῇ πωρώσει τῆς καρδίας αὐτῶν, λέγει τῷ ἀνθρώπῳ, Ἔκτεινον τὴν χεῖρα. καὶ ἐξέτεινεν, καὶ ἀπεκατεστάθη ἡ χεὶρ αὐτοῦ.

5 τῇ πωρώσει...αὐτῶν Mc 6.52; 8.17; Jo 12.40; Rm 11.25; Ef 4.18
5 πωρώσει] πηρ- 17 20 : νεκρωσει D it sy^s

A indignação de Jesus. Com razão consideramos a ira como um pecado. Nem toda a ira, porém, é pecaminosa. A ira *egoísta* sempre é pecaminosa; e dificilmente nos iramos de outro modo. Não obtemos o que queremos e, quais crianças, mostramos nosso desprazer em um ataque de ira, algumas vezes controlado, e, de outras vezes, não. Ora, isso é carnalidade. A ira de Jesus, entretanto, estava baseada no desprazer com a carnalidade, e concordava com o desprazer divino contra o pecado. Esse é um tipo diferente de ira. Bertrand Russel, pois, em seu livro *Por que não sou cristão*, não estava justificado ao usar, como uma de suas razões, o fato de Jesus se ter irado. Por muitas vezes, o próprio Russell irou-se contra a guerra — mas não parece ter achado nada de errado com a própria atitude. Jesus estava justificado em sua indignação contra a distorção de princípios justos, da parte dos líderes religiosos, o que prejudicava a sociedade e os indivíduos. A ira de Jesus voltava-se contra a religião falsa que prejudica as pessoas, pois, acima de qualquer um, ele era aquele que ajudava as pessoas. Poderíamos resistir ante a ira de Jesus? O que ele pensaria com nossas falsidades religiosas? Além disso, podemos indagar: "O que nos deixa indignados?" Normalmente não é algo baseado em nosso egoísmo? Ficamos perturbados sobre as mesmas coisas que perturbavam Jesus? E há outra pergunta sempre pertinente: "Nossa chamada justa indignação é realmente isso, ou nos entregamos aos preconceitos religiosos e ao ódio profissional?"

"[...] dureza dos seus corações..." Trata-se da esclerosidade da própria alma, através de anos de pensamento religioso pervertido. Estavam endurecidos por conceitos errôneos prévios sobre o que seriam os princípios espirituais. Espiritualmente falando, a dureza equivale à cegueira. Não tinham simpatia; não tinham nenhuma visão religiosa que pudesse apreender a mente de Deus.

A cura foi instantânea, *poderosa*, completa, tudo o que caracteristicamente falava com eloquência da autoridade messiânica de Jesus, o que, sem dúvida, era a mensagem que o autor sagrado queria transmitir.

3.6: E os fariseus, saindo dali, entraram logo em conselho com os herodianos contra ele, para o matarem.

3.6 καὶ ἐξελθόντες οἱ Φαρισαῖοι εὐθὺς μετὰ τῶν Ἡρῳδιανῶν συμβούλιον ἐδίδουν κατ᾽ αὐτοῦ ὅπως αὐτὸν ἀπολέσωσιν.

6 οἱ ...Ἡρῳδιανῶν Mt 22.15,16; Mc 12.13

As "narrativas de controvérsias", de Marcos 2ss e Mateus 9ss têm o propósito de mostrar como a popularidade de Jesus *declinou*, e por que razões, de modo que, finalmente, Jesus foi levado à cruz. Este versículo de Marcos declara esse propósito diretamente. Somente Marcos menciona a participação dos herodianos no conluio. Este versículo conclui a seção de Marcos 2.1–3.6, assinalando o fim dos vários conflitos havidos na Galileia, embora o tema seja abordado mais uma vez, em Marcos 3.20-30, talvez esse texto tenha derivado de "Q", ou de algum outro documento além daqueles normalmente seguidos por Marcos. O texto de Marcos 12.34 é a conclusão das controvérsias em Jerusalém.

Tanto quanto os fariseus, os herodianos estariam *ansiosos* por se livrar de Jesus, embora por motivos diferentes. Para eles, ele era um revolucionário político em potencial, que queria perturbar seus planos de restaurar a monarquia judaica. Os falsos líderes não mais buscam "falsas acusações", mas agora planejavam a morte de Jesus, por meios legais ou ilegais. A opinião antiga de que os herodianos não queriam pagar impostos a Roma, ou se opunham a Jesus porque pensavam que Herodes, o Grande, fosse o Messias, provavelmente é incorreta. Eram simplesmente políticos, que preferiam o governo romano indireto, através da dinastia herodiana, ao governo direto, estando ansiosos por assumir algum poder dessa maneira. Jesus, pois, era obviamente perigoso para os planos deles.

Os herodianos: Esses eram *os apoiadores* da dinastia dos Herodes, instituída por motivo de interesses nacionalistas, a fim de impedir o governo romano direto, que era desprezado quase universalmente pelos judeus. Ordinariamente, os herodianos reputavam (ou assim diziam) o sucessor dos Herodes como se fora o Messias. Procuravam conservar a política judaica (isso em acordo com os fariseus). Não eram ordinariamente ortodoxos em suas crenças religiosas (e nisso concordavam com os saduceus). Os herodianos são mencionados como inimigos de Jesus, por uma vez, na Galileia; e por mais uma vez, em Jerusalém (ver Mc 3.6; 12.13 e Mt 22.16). Uniam-se aos fariseus no tocante à questão do pagamento de impostos a um governo estrangeiro, pagamento esse que, segundo a mentalidade judaica, era considerado ilegal.

A identificação desse partido político com o partido religioso que, na literatura rabínica, é chamado de os *boethusianos*, isto é, aderentes da família de Boethus, cuja filha, Mariamne, foi uma das esposas de Herodes, o Grande, e cujos filhos foram criados por ele visando ao sumo sacerdócio, atualmente não é bem aceita entre os eruditos. (Quanto a uma nota sobre os "Herodes" do NT, ver Lc 9.7.)

Os fariseus: A palavra "fariseu" deriva-se do vocábulo hebraico que significa "separado", embora alguns estudiosos considerem o termo como de significação incerta. O termo foi aplicado, pela primeira vez, a um grupo distinto, pouco depois da revolta encabeçada pelos macabeus (que libertou os judeus do governo sírio opressivo), em cerca de 140 a.C. Os fariseus usualmente estavam dentre a massa de povo comum, e nisso faziam contraste com os saduceus, que geralmente eram provenientes da aristocracia. No princípio, o movimento que recebia esse nome envolvia uma espécie de grupo reformador, que tencionava purificar e defender a crença ortodoxa. Eram os porta-vozes da opinião da maioria das massas populares. Após alguns anos, intrometeu-se nas fileiras do farisaísmo uma grande quantidade de atitudes legalistas e ritualistas, e isso serviu apenas para obscurecer os propósitos originais do grupo. Embora continuassem ortodoxos em suas palavras, gradualmente foram perdendo a presença e a aprovação de Deus, e se tornaram representantes inadequados da porção melhor do judaísmo.

Sob a orientação de *João Hircano* (134-104 a.C.) exerceram grande influência e gozaram do apoio geral da população judaica (ver Josefo, Antiq. XIII.10.5-7). Quando, porém, romperam com João Hircano, este se voltou para os saduceus. Em face disso, os dois grupos se tornaram adversários daí por diante, especialmente no tocante às questões do poder político, mas também no que diz respeito às questões religiosas. Os fariseus fizeram oposição a Alexandre Janeu (103-78 a.C.), e chegaram ao extremo de apelar para a ajuda do rei selêucida, Demétrio III. Por causa disso é que, quando Janeu triunfou, vingou-se deles, crucificando cerca de 800 dos líderes dos fariseus (ver Josefo, Antiq. XIII.14.2). No leito de morte, entretanto, aconselhou à sua esposa que permitisse a reinstauração do grupo no poder político; e então, a partir dessa data começaram a dominar o sinédrio, o principal tribunal religioso e civil da época, entre os judeus, o que continuou até a destruição de Jerusalém, no ano 70 d.C.

Apesar de exercerem notável autoridade, em realidade os fariseus eram um grupo de minoria.

As diferenças quanto às crenças doutrinárias, entre os fariseus e os saduceus, conforme é frisado pelo historiador Josefo, eram as seguintes (ver *Guerras dos Judeus*, II.8.14): Os fariseus criam na imortalidade da alma, que haveria de reencarnar-se. Isso poderia envolver uma série de reencarnações (doutrina essa muito comum naquela época, que evidentemente também era defendida pelos essênios; ver nota em Lc 1.80 e Mt 3.1), mas também incluía a ideia de que a alma haveria de animar o corpo ressurreto. Criam fortemente na sorte ou determinismo, no universo, bem como na existência dos espíritos. Os fariseus aceitavam como canônico o conjunto completo do AT, ao passo que, com frequência, os saduceus aceitavam como canônicos apenas os primeiros *cinco livros*, ou pentateuco, ainda que provavelmente houvessem divergências pessoais, entre os saduceus, acerca desse particular. Os saduceus enfatizavam a adoração no templo, o que os fariseus também faziam. Entretanto, estes últimos punham mais ênfase no desenvolvimento individual e ético do que o faziam os saduceus. Os fariseus criam que os exílios

782 |Marcos| NTI

haviam sido causados pela desobediência às leis de Deus, e eles se puseram a interpretar essa lei, desenvolvendo assim os comentários que foram incorporados no *Talmude*. (Ver a nota existente sobre isso em Mt 15.2.) Esse zelo pelo ensino e pela interpretação chegou aos exageros tão familiares a qualquer leitor do NT. E a sede dos fariseus pelo poder político, além de sua resistência natural a qualquer coisa que ameaçasse interromper o seu domínio religioso e a sua influência sobre o povo comum, fizeram deles inimigos naturais de Jesus. Juntamente com os saduceus, os fariseus constituíam o sinédrio, o mais elevado tribunal civil e religioso da nação judaica. (Ver notas sobre esse grupo religioso, em Mt 22.23.)

3.7-12 — *Sumário do ministério de Jesus*: Primeira excursão pela Galileia. Quanto a notas sobre este material, ver Mateus 4.23-25; e quanto a notas adicionais a respeito, ver Lucas 6.17-19. Ver especialmente Mateus 12.15,16 para as anotações dos versículos de Marcos, desta seção.

3.7: Jesus, porém, se retirou com os seus discípulos para a beira do mar; e uma grande multidão dos da Galileia o seguiu; também da Judeia,
3.7 Καὶ ὁ Ἰησοῦς μετὰ τῶν μαθητῶν αὐτοῦ ἀνεχώρησεν πρὸς τὴν θάλασσαν·ᵃ καὶ πολὺ πλῆθος ἀπὸ τῆς Γαλιλαίας [ἠκολούθησεν]·ᵃ καὶ ἀπὸ τῆς Ἰουδαίας

---

¹7,8 {D} ἠκολούθησεν καὶ ἀπὸ τῆς Ἰδουδαίας καὶ ἀπὸ Ἰεροσολύμων (ver *footnote 2*) B L 565 // ἠκολούθησαν αὐτῷ καὶ ἀπὸ της Ἰουδαίας καὶ ἀπὸ Ἰεροσολύμων Kᵛⁱᵈ 1009 1241 1344 1546 *Byz*ᵖᵗ *Lect* (lᵘ²⁷ *omit second* ἀπὸ) syrᵇ copˢᵃ⁷⁽ᵇᵒᵐˢˢ⁾ goth arm (eth) Diatessaronᵃᵐˢ // ἠκολούθησεν αὐτῷ καὶ ἀπὸ τῆς Ἰουδαίας καὶ ἀπὸ Ἰεροσολύμων A K² P Π (700 *omit* τῆς) 892 1010 1079 1195 1216 1242 1365 1646 2148 *Byz* lˡ⁸⁵,⁸⁸³,⁹⁵⁰ syrᵖ Diatessaronᵃᵐˢ Victor-Antioch // ἠκολούθησεν αὐτῷ καὶ ἀπὸ Ἰεροσολύμων καὶ ἀπὸ τῆς Ἰουδαίας (Θ *omit* αὐτῷ) ƒ (1230 ἐκ τῆς Ἰουδαίας) 1253 // καὶ ἀπὸ Ἰεροσολύμων ἠκολούθησαν αὐτῷ καὶ ἀπὸ τῆς Ἰουδαίας 33 // καὶ ἀπὸ τῆς Ἰουδαίας ἠκολούθησαν αὐτῷ καὶ ἀπὸ Ἰεροσολύμων (Δ αὐτόν) itᵃᵘʳ,ᶠ⁽ⁱ⁾ vg // καὶ ἀπὸ τῆς Ἰουδαίας ἠκολούθησαν αὐτῷ καὶ ἀπὸ Ἰεροσολύμων ℵ C 1071 // καὶ τῆς Ἰουδαίας καὶ ἀπὸ Ἰεσοσολύμων D (ƒ¹³ 28 *omit* τῆς) itᵃ,⁽ᵇ⁾,ᶜ,ᵈ,ᵉ,ff²,ⁱ,⁽ᑫ⁾,ʳ¹ (syrˢ) copᵇᵒᵐˢˢ geo // καὶ τῆς Ἰουδαίας καὶ ἀπὸ Ἰεροσολύμων...Σιδῶνα ἠκολουθοῦν αὐτῷ W

ᵃ ᵃ ᵃ **7,8** *a* major, *a* major, *a* minor: (TR) Bov Nes BF² RV ASV // *a* major, *a* minor, *a* minor: WH AV // *a* minor, *a* major, *a* none: RSV (TT) Zür (Luth) (Jer) // *a* major, *a* minor, *a* major: Seg // *a* major, *a* minor, *a* dash: WHᵐᵍ // different text: NEB **7,8** πολὺ...Ἰορδάνου Mt 4.25 **7** πολυ πληθος] πολυς οχλος D lat (syˢ) |

> Esse ninho de variantes provavelmente resultou do estilo prolixo da declaração sumária de Marcos. A comissão considerou a forma de B L 565 como a menos insatisfatória, aquela que explica melhor a origem de quase todas as outras formas. Assim, a mudança do singular para o plural, ἠκολούθησαν a adição de αὐτῷ após esse verbo, e as modificações da ordem de palavras, não surpreendem. A ausência do verbo nos testemunhos ocidentais e cesareanos — (D W ƒ¹³ 28 Latim Antigo *al*) pode se ter dado devido ou a uma revisão editorial deliberada, o que é mais provável, ou então a um acidente de cópia. Entretanto, em face do resíduo de incerteza que envolve a palavra ἠκολούθησεν, julgou-se melhor deixar a palavra entre colchetes.

Esse é um sumário, evidentemente do primeiro circuito pela Galileia, que mostra o quanto surgiu cedo a oposição contra Jesus. No decurso de três anos, ele viveu em paz comparativa e sucesso apenas por um ano. Marcos é mais específico do que Mateus acerca do grande número de pessoas que seguia a Jesus. As multidões vinham, informa-nos ele, não só da Galileia, como se teria esperado, mas também da Judeia. Sua fama espalhou-se até ali, mas o evangelho de João também indica que ali ele teve um ministério, o que também é indicado (*nos melhores manuscritos*), em Lucas 4.44. A Galileia, nos tempos de Jesus, tinha uma população de mais de 4 milhões de habitantes, e contava com 400 cidades. Esse era um imenso campo de atividade para um homem só; e, pelo menos a

princípio, os discípulos de Jesus eram muitos. Samaria mostra-se conspicuamente ausente desta lista, e não sabemos se isso é um reflexo das atividades históricas de Jesus, ou se foi mero descuido da parte do autor sagrado.

3.8: e de Jerusalém, da Idumeia e de além do Jordão, e das regiões de Tiro e de Sidom, grandes multidões, ouvindo falar de tudo quanto fazia, vieram ter com ele.
3.8 καὶ ἀπὸ Ἰεροσολύμων¹ καὶ ἀπὸ τῆς Ἰδουμαίας² καὶ πέραν τοῦ Ἰορδάνου καὶ περὶ Τύρον καὶ Σιδῶνα,ᵃ πλῆθος πολύ³, ἀκούοντες ὅσα ἐποίει ἦλθον πρὸς αὐτόν.

---

²**8** {B} καὶ ἀπὸ τῆς Ἰδουμαίας (ver nota de rodapé *1*) ℵᶜ A B C (Dᵍʳ *omit* ἀπὸ) K L P Δ Π ƒ¹ 28 (33 *omit* ἀπὸ τῆς) 565 700 892 1010 1071 1079 1195 1216 1230 1242 1242 1344 1365 1546 1646 2148 2174 *Byz Lect* itᵃ,ᵃᵘʳ,ᵇ,ᵈ,ᵉ,ff²,ⁱ,ˡ,ᑫ,ʳ¹ vg syrᵖ,ʰ (copᵇᵒ geo¹ *omit* ἀπὸ τῆς) goth // *and a great multitude also from Idumea* copˢᵃ // *omit* ℵ* W Θ ƒ¹ 1009 1253 itᶜ syrˢ armᵃ geo²

8 {B} πλῆθος πολύ ℵ A B C D K L P Δ Θ Π ƒ¹³ 28 33 565 700 892 1009 1010 1071 1079 1195 1216 1230 1242 1242 1253 1344 1365 1546 1646 2148 2174 *Byz Lect* itᵃᵘʳ,ᵈ,ᵉ,ff²,ⁱ,ˡ,ᑫ,ʳ¹ vg syrᵖ,ʰ (copᵇᵒ) goth arm geo // καὶ πλῆθος πολύ ƒ¹ // *omit* W itᵃ,ᵇ,ᶜ syrˢ copˢᵃ

> ²A omissão da frase καὶ...Ἰδουμαίας {ℵ* W Θ ƒ¹ syrˢ al} parece ser acidental, talvez devido à similaridade com a frase anterior, καὶ ἀπὸ τῆς Ἰδουδαίας (v. 7).
>
> ³A segunda omissão é um melhoramento estilístico que evita redundância.

Marcos nos fornece uma boa lista, mas não inclui Samaria. (Ver as notas acima, sobre o v. 7.) Até mesmo gentios, entretanto, estão incluídos na lista. A força de atração de Cristo era universal, e o autor frisa isso com um propósito evidente, pois a missão gentílica da Igreja já tivera início, ao escrever ele, e agora usava isso como polêmica em prol de sua legitimidade. Atos 11 mostra que muitos primitivos cristãos judeus duvidaram da legitimidade da missão gentílica. A Idumeia era uma região ao sul da Judeia, diretamente a oeste do mar Morto, e era território judaico desde os dias de João Hircano (Josefo, Antiq. XIII.9). Aquela gente vinha de todas essas regiões para estar com Jesus, o que demonstra sua imensa popularidade. Idumeia é o nome grego para Edom. Tiro e Sidom eram as duas grandes cidades siro-fenícias, às margens do mar Mediterrâneo, a noroeste da Galileia, e já era definidamente território gentílico. Ver lista similar em Mateus 4.25, que pode ser paralela a esta, a despeito de colocação diferente nos evangelhos, em relação aos acontecimentos. "[...] dalém do Jordão..." provavelmente é uma referência à Pereia, que nunca é diretamente mencionada nos evangelhos. Esse território corresponde mais ou menos à Gileade do AT. Nos dias de Jesus, a Pereia estava ocupada pelos judeus, e era governada por Herodes Antipas.

3.9: Recomendou, pois, a seus discípulos que se lhe preparasse um barquinho, por causa da multidão, para que não o apertasse;
3.9 καὶ εἶπεν τοῖς μαθηταῖς αὐτοῦ ἵνα πλοιάριον προσκαρτερῇ αὐτῷ διὰ τὸν ὄχλον ἵνα μὴ θλίβωσιν αὐτόν.ᵇ

ᵇᵇ**9,10** *b* minor, *b* major: WH Bov Nes BF² RV ASV RSV TT // *b* major, *b* minor: TR // *b* major; *b* major: AV NEB Zür Luth Jer Seg
9 Mc 4.1; Lc 5.3

Não há nenhuma menção ao *barco*, nas passagens similares (Mt 4.23ss e 12.15ss). Provavelmente isso é um leve toque histórico, simplesmente omitido por Mateus e Lucas, quando usaram Marcos como seu esboço histórico. (Cf. Lc 6.17ss; que, provavelmente, é um paralelo de Lucas, embora situado imediatamente antes do "sermão da planície", que equivale, a grosso modo, ao sermão do monte, em Mateus.. Neste ponto, o barco serve ao propósito de dar a Jesus *"espaço para ficar de pé"*, o que ele não tinha na praia, tão grande era a pressão da multidão. A multidão poderia tê-lo pisado, pois as multidões são tradicionalmente selváticas. Além disso, buscavam "tocar" nele, ter algum contacto físico com ele, para obterem a cura. (Ver as notas sobre isso, no v. 10.) Sem dúvida, isso aumentava a agitação das multidões.

3.10: porque tinha curado a muitos, de modo que todos quantos tinham algum mal arrojavam-se a ele para lhe tocarem.

3.10 πολλοὺςγὰρ ἐθεράπευσεν, ὥστε ἐπιπίπτειν αὐτῷ ἵνα αὐτοῦ ἅψωνται ὅσοι εἶχον μάστιγας.[b]

10 Mt 14.36; Mc 6.56

Este versículo é *essencialmente* equivalente a Mateus 4.24, exceto pelo fato de o autor sagrado ali adornar um tanto mais a declaração. Ambas as declarações visam a nos impressionar com o fato de que Jesus era o taumaturgo por excelência e que nenhum mal podia permanecer em sua presença. Daí, conclui-se que ele era o Messias genuíno. Essa polêmica certamente faz parte do intuito da declaração bíblica. O versículo mostra-nos que ele exercia "virtude" com seu toque. Cf. Marcos 5.27-30, quanto à mesma ideia. Sabemos, hoje em dia, por meio da fotografia Kirliana, um tipo de radiografia, que os taumaturgos realmente transmitem certa energia vital aos curados, perdendo um pouco de peso nessa transação. Portanto, há uma autêntica "virtude" transmitida nessa cura, o que envolve alguma espécie de energia vital. A multidão tinha tanta confiança nessa *virtude*, que supunham que até mesmo uma rude colisão efetuaria a cura. Não admira, pois, que Jesus tivesse de ficar de pé em um barco. Os antigos não tinham provas científicas do poder de curar. Não possuíam laboratórios; mas sabiam que funcionava, e que Jesus era o maior de todos os taumaturgos. Devido às suas experiências pessoais, aquilo que homens, até mesmo ignorantes, afirmam é sempre digno de atenção; mas o que os sábios negam, em sua ignorância, jamais merece nossa investigação.

3.11: E os espíritos imundos, quando o viam, prostravam-se diante dele e clamavam, dizendo: Tu és o Filho de Deus.

3.11 καὶ τὰ πνεύματα τὰ ἀκάθαρτα, ὅταν αὐτὸν ἐθεώρουν, προσέπιπτον αὐτῷ καὶ ἔκραζον λέγοντες ὅτι Σὺ εἶ ὁ υἱὸς τοῦ θεοῦ.

11,12 Mc 1.34; Lc 4.41

11 λεγοντα] -ντες אDW 28 pc

Cf. isso com Marcos 1.24ss, onde a ideia é expandida com um incidente histórico particular do tipo de coisa aqui mencionada. Essas notas são dadas em Lucas 4.31ss, onde o texto de Marcos, e comentários sobre isso, estão incorporados na exposição. Naquele texto, Jesus é chamado de *santo de Deus* e "*Filho de Deus*", tal como aqui. Seja como for, fica claro o seu elevado poder messiânico, e talvez sua divindade. (Ver Hb 1.3, quanto à nota de sumário sobre a "divindade de Cristo". Acerca da ampla explicação do termo "Filho de Deus", ver Mc 1.1). Esse termo não implica necessariamente em divindade; mas, quando é usado acerca de Cristo, geralmente tem esse intuito nas páginas do NT. Aqui, pois, é um título messiânico, e talvez seja seu significado principal neste ponto.

O fato de que os poderes malignos mostravam a *tendência* de se submeterem a Jesus, temendo-o, é outra prova da validade de suas reivindicações messiânicas; e sem dúvida teve o intuito, por parte do autor sagrado, de transmitir essa impressão. No tocante ao fato de os espíritos se prostrarem, presumimos que isso indica que os espíritos faziam suas vítimas agirem desse modo. Não é impossível, naturalmente, que Marcos pensasse que aqueles seres espirituais, invisíveis a outros, realmente fizessem isso, inteiramente à parte dos corpos que controlavam; e talvez ele pensasse que tais espíritos, mesmo sem corpo para controlar, faziam isso. Esses seres espirituais, com seu poder de clarividência, facilmente reconheceriam a Jesus naquilo que ele era. Aqui, tal como em Marcos 1.24ss, Jesus mostra que ele não precisava desse tipo de

testemunho e nem o queria. Os liberais estão longe da verdade, ao suporem que tudo quanto temos aqui é que acalmou a histeria. A possessão e a influência demoníaca são reais, conforme a experiência humana e os estudos psíquicos o confirmam. (Ver Mt 8.28, quanto a notas sobre isso, e ver Mc 5.2, quanto a "demônios".)

3.12: E ele lhes advertia com insistência que não o dessem a conhecer.

3.12 καὶ πολλὰ ἐπετίμα αὐτοῖς ἵνα μὴ αὐτὸν φανερὸν ποιήσωσιν.

Cf. Marcos 1.25, incluída na exposição de Lucas 4.35. O "*segredo messiânico*" pode estar envolvido nisso. Em outras palavras, parece que no princípio do ministério de Jesus ele não queria que seu caráter messiânico se tornasse conhecido, até ter provado o seu valor. Os liberais, porém, supõem que ele não queria que a ideia se espalhasse, porque ele mesmo não tinha certeza dessa ideia. Certamente isso é estranho ao evangelho. Seja como for, ele não queria que o reino das trevas fizesse propaganda, e provavelmente isso é o que o evangelista tem em mente ao mencionar que Jesus ordenou ao endemoninhado que se calasse. (Ver Mt 12.16, quanto a uma declaração similar, mas que não tem nenhuma relação com demônios).

3.13-19 — *Escolha dos doze apóstolos* (a lista de seus nomes). (Ver as notas expositivas em Mt 10.1-41. A nota sobre o ofício apostólico se encontra em Mt 10.1. A lista dos nomes dos apóstolos, e a explicação sobre a mesma, acha-se em Lc 6.12.)

Acrescentamos, aqui, algumas notas meramente suplementares.

3.13: Depois subiu ao monte, e chamou a si os que ele mesmo queria; e vieram a ele.

3.13 Καὶ ἀναβαίνει εἰς τὸ ὄρος καὶ προσκαλεῖται οὓς ἤθελεν αὐτός, καὶ ἀπῆλθον πρὸς αὐτόν.

O texto de Mateus 10.1-41 é o *paralelo geral*, mas Marcos evidentemente nada sabia sobre instruções dadas a discípulos especiais. E Mateus ignora as circunstâncias geográficas do "monte", ao qual Jesus subiu a fim de comissionar os apóstolos e enviá-los em sua missão. O segundo circuito pela Galileia seria feito em companhia dos doze; e isso transparece em Mateus 10. A maior parte de Mateus 10 vem da fonte "Q", que Lucas e Mateus usaram em comum, mas que Marcos não usou. (Ver as notas sobre as "fontes", no artigo intitulado "O problema sinóptico", na introdução a este comentário.)

3.14: Então designou doze para que estivessem com ele, e os mandasse a pregar;

3.14 καὶ ἐποίησεν δώδεκα, [οὓς καὶ ἀποστόλους ὠνόμασεν,] ἵνα ὦσιν μετ᾽ αὐτοῦ[4] καὶ ἵνα ἀποστέλλη αὐτοὺς κηρύσσειν

[4] **14** {C} δώδεκα, οὓς καὶ ἀποστόλους ὠνόμασεν, ἵνα ὦσιν μετ᾽ αὐτοῦ (ver Lc 6.13) א B (C[vid] *transposes:* ὠνόμασεν δώδεκα, ἵνα) Θ f[13] (28 περὶ αὐτοῦ) (1195 ὠνόμασεν ἀποστόλους) syr[hmg] cop[sa,bo] eth // δώδεκα ἵνα ὦσιν μετ᾽ αὐτοῦ A C[2] (D *transposes:* ἵνα ὦσιν δώδεκα) K L P Π f[1] 33 565 (700 περὶ αὐτοῦ) 892 1009 1010 1071 1079 1216 1230 1241 1242 1253 1344 1365 1546 1646 2148 2174 *Byz Lect* (l[76] δέκα) it[a,aur,b,c,d,e,f,ff2,l,l,q,] [r1,t] vg syr[s,p,h] goth arm geo[2] Diatessaron[a] // δώδεκα, ἵνα ὦσιν μετ᾽ αὐτοῦ οὓς καὶ ἀποστόλους ὠνόμασεν W (Δ *transposes:* ἵνα ὦσιν μετ᾽ αὐτοῦ δώδεκα) geo[1]

> Embora as palavras οὓς ... ὠνόμασεν possam ser reputadas como uma interpolação com base em Lucas 6,13, a comissão foi de opinião de que a evidência externa é forte demais em seu favor para sancionar sua ejeção do texto. A fim de refletir o equilíbrio de probabilidades, as palavras foram retidas, mas dentro de colchetes.

Cf. Lucas 6.13. Ele escolheu e "*nomeou*" ou ordenou aos doze. Mateus deixa de lado esses detalhes, embora seja óbvio que alguma espécie de ordenação formal está em vista. Nas mãos da Igreja, isso significava que os apóstolos agora tinham tomado o lugar

784 |Marcos| NTI

do Sinédrio, que desaparecera com a destruição de Jerusalém, em 70 d.C. Assim é usada a questão em Mateus e Lucas, mas não em Marcos, pois este último foi escrito antes daquela ocorrência. Contudo, em Marcos igualmente, a *autoridade* da Igreja, em contraste com a do judaísmo, está bem em foco, e não apenas o acontecimento histórico. Em outras palavras, o sucesso histórico toma um aspecto polêmico, nas mãos dos autores sagrados.

"[...] **para os enviar a pregar...**" Mateus 10 desenvolve esse conceito amplamente, tal como o faz Lucas 10, referindo-se aos 70 discípulos. O segundo ou terceiro circuitos estão imediatamente em foco, mas isso também indica um ministério mundial, ficando implícita a missão gentílica.

Essa ordenação e envio dos apóstolos está claramente em foco nos evangelhos sinópticos como o verdadeiro início da Igreja, embora o livro de Atos dê a impressão de que o Pentecoste foi o seu início. O ponto não é importante; e, à sua maneira, ambos os acontecimentos foram inícios.

3.15: e para que tivessem autoridade de expulsar os demônios.

3.15 καὶ ἔχειν ἐξουσίαν ἐκβάλλειν τὰ δαιμόνια·

15 ἐξουσιαν אB 565; R] add θεραπευειν τας νοσους και ADW (Θ) f¹ f¹³ 700 pl lat sy ꜱ

A ideia de "*cura*" é adicionada ao exorcismo em Aleph D *latim si* e na maioria dos manuscritos posteriores, mas é omitida em Aleph, BCL e várias versões. É uma glosa escribal, provavelmente baseada no paralelo de Mateus 10.1, onde são dadas as notas. Os dize fariam o que Jesus fazia, pois foram investidos de sua autoridade e estavam impulsionados por seu Espírito. Demonstrariam a autoridade messiânica de Jesus do mesmo modo que ele fez: (1) com prodígios; e (2) expelindo as forças do mal. A cruz nos dá vitória sobre os seres malignos (ver Cl 2.15). (Ver a nota sobre o "exorcismo", em At 15.8.)

3.16: Designou, pois, os doze, a saber: Simão, a quem pôs o nome de Pedro;

3.16 [καὶ ἐποίησεν τοὺς δώδεκα,ᶜ] καὶ⁵ ἐπέθηκεν ὄνομα τῷ Σίμονιᶜ Πέτρον,

᷉16 {C} καὶ ἐποίησεν τοὺς δώδεκα, καὶ א B Cˈ Δ 565 // καί A C² D K L P Θ Π 0134 f¹ 28 33 700 892 1009 1010 1071 1079 1195 1216 1230 1241 1242 1253 1344 1365 1546 1646 2148 2174 *Byz Lect* itᵃᵘʳ,ᵇ,ᵈ,f,ff²,l,l,q,rʲ,t vg syrᵃ,ᵖ,ʰ copᵇᵒ goth arm geo Diatessaronᵖ // πρῶτον Σίμωνα καί f¹³ copˢᵃ // καὶ περιάγοντας κηρύσσειν τὸ εὐαγγέλιον καί W itˢ,ᶜ,ᵉ

ᶜᶜ16 c minor, c none: Bov Nes BF² (NEB) (TT) Zür Luth (Jer) (Seg) // c parens, c parens: WH // different text: TR AV RV ASV RSV

16 Mt 16.17,18; Jo 1.42

> Por um lado, pode-se argumentar que as palavras καὶ...δώδεκα entraram no texto em resultado de descuido escribal (ditografia — com as palavras iniciais do v. 14); por outro lado, a cláusula parece ser necessária a fim de apanhar o fio da meada do v. 14, após o parêntese ἵνα...δαιμόνια. A fim de refletir o equilíbrio da evidência externa e das considerações internas, a comissão resolveu reter as palavras, mas dentro de colchetes.
>
> A forma de W, καὶ περιάγοντας κηρύσσειν τὸ εὐαγγέλιον, é suspeita, pois esse manuscrito também insere τὸ εὐαγγέλιον após κηρύσσειν, no v. 14: A forma de f¹³ copˢˢ, πρῶτον Σίμωνα καί ("*Primeiro é Simão e ele deu o sobrenome de Simão, Pedro*"), embora atrativa, parece ser uma assimilação a Mateus 10.2, introduzida a fim de suavizar uma construção desajeitada.

Ver as notas sobre a lista dos apóstolos, em Lucas 6.12.

3.17: Tiago, filho de Zebedeu, e João, irmão de Tiago, aos quais pôs o nome de Boanerges, que significa: Filhos do trovão;

3.17 καὶ Ἰάκωβον τὸν τοῦ Ζεβεδαίου καὶ Ἰωάννην τὸν ἀδελφὸν τοῦ Ἰακώβου,ᵈ καὶ ἐπέθηκεν αὐτοῖς ὀνόμα[τα] Βοανηργές,ᵈ ὅ ἐστιν Υἱοὶ Βροντῆς·ᵈ

ᵈᵈᵈ17 d minor, d minor, d major: (TR) Bov Nes BF² AVᵉᵈ RV ASV RSV NEB Luth (Jer) (Seg) // d parens, d minor, d parens: WH AVᵉᵈ (TT) // d minor, d parens, d parens: Zür   17 ᵎ Ἰάκωβον...ᵎ Ἰωάννην Lc 9.54

17 και Ιακ...ονομα] κοινως δε αυτους εκαλεσεν W b c e q | Βοαν.] Βανηρεγες 565 (700, sy): bene reem *cj*. Hier

3.18: André, Filipe, Bartolomeu, Mateus, Tomé, Tiago, filho de Alfeu, Tadeu, Simão, o cananeu,

3.18 καὶ Ἀνδρέαν καὶ Φίλιππον καὶ Βαρθολομαῖον καὶ Μαθθαῖον καὶ Θωμᾶν καὶ Ἰάκωβον τὸν τοῦ Ἀλφαίου καὶ Θαδδαῖονᶜ καὶ Σίμωνα τὸν Καναναῖον

᷉18 {A} καὶ Θαδδαῖον א A B C (K Δαδδαῖον) L (Δˈ Ταδδαῖον) (Θ omit καί) Π 0134 f¹ f¹³ 28 33 565 700 892 1009 1010 1071 1079 1195 1216 1230 1241 1242 1253 1344 1365 1546 1646 2148 2174 *Byz Lect* itᵃᵘʳ,ᶜ,f,l vg syrˢ,ᵖ,ʰ copˢᵃ,ᵇᵒ goth arm geo Diatessaronᵖ // καὶ Λεββαῖον D itᵃ,ᵇ,ᵈ,ff²,i,q,rʲ // καὶ Λευής mssᵃᶜᶜ ᵗᵒ ᴼʳⁱᵍᵉⁿ // omit W itᶜ

18 και Ανδρεαν etc.] ησαν δε ουτοι Σιμων και Ανδρεας etc. W (b c e) | Ματθ] add p) τον τελωνην Θ f¹³ pc |

> A substituição de Λεββαῖον em lugar de Θαδδαῖον ocorre no testemunho ocidental também em Mateus 10.3, onde muitos testemunhos mesclam ambas as formas (ver os comentários sobre Mt 10.3). A omissão de Θαδδαῖον, em W, deve ser acidental, já que somente onze pessoas são mencionadas; itᵉ também omite Tadeu, e adiciona a palavra *Iudas*, após Bartolomeu.

3.19: e Judas Iscariotes, aquele que o traiu.

3.19 καὶ Ἰούδαν Ἰσκαριώθ⁷, ὃς καὶ παρέδωκεν αὐτόν.

⁷19 {B} Ἰσκαριώθ א B C L Δ Θ 33 565 892 1241 (lⁱ⁵⁰ Ἰσκαριώθ) geo²ᵖ // Ἰσκαριώτιν Α (Kˈ Ἰσκαριώτιν) (Wˈ Ἰσκαριώτ) Π 0134 f¹ f¹³ 28 (700 Ἰσκαριότην) 1009 1010 1071 1079 1195 1216 1230 1242 1253 1344 1365 1546 1646 2148 2174 *Byz Lect* vg¹ syrʰ copˢᵃ,ᵇᵒ goth geo²ᵖ // Σκαριώθ l) itᵃ,ᵃᵘʳ,ᵇ,ᵈ,ff²,i,l,q,rʲ,t vgʷʷ (itᶜ *Cariotha*, itᶠ *Scariothen*, itᶜ syrˢ,ᵖ *Scariotha*) arm geo¹ Diatessaronᵖ

ᵉᵉ19,20 e number 20, e no number: TRᵉᵈ WH? Bov Nes BF² NEB? TT Zür Luth Jer Seg // e no number, e number 20: TRᵉᵈ WH? AV RV ASV RSV NEB?   19 ᵎ Ἰούδαν...αὐτόν Mt 26.25; 27.3; Jo 18.2,5

Ver os comentários sobre Mateus 10.4

3.20: Depois entrou numa casa. E afluiu outra vez a multidão, de tal modo que nem podiam comer.

3.20ᵉ Καὶ ἔρχεται⁸ εἰς οἶκον· ᵉκαὶ συνέρχεται πάλιν [ὁ] ὄχλος, ὥστε μὴ δύνασθαι αὐτοὺς μηδὲ ἄρτον φαγεῖν.

20 συνέρχεται...φαγεῖν Mc 6.31

⁸20 {C} ἔρχεται א B W 1241 1646ˈ l⁸⁰,²¹¹ itᵃ⁷ᵇ (itᵉ,ff²,l,rʲ εἰσέρχεται) syrʰ copˢᵃ,ᵇᵒ Victor-Antioch // ἔρχονται אᶜ A C (D εἰσέρχονται) K L Δ Θ Π 0134 f¹ f¹³ 28 33 565 700 892 1009 1010 1071 1079 1195 1216 1230 1242 1253 1344 1365 1546 1646 2148 2174 *Byz Lect* itᵃᵘʳ,ᵈ,f,l,q vg syrᵖ,ʰ goth arm geo

> O singular, que aparece em antigos testemunhos dos tipos de texto alexandrino e ocidental, foi alterado para o plural na maioria dos testemunhos, o que é a forma mais fácil, pois segue os v. 17-19.

3.20-30 — *A blasfêmia dos escribas.* (Quanto a notas sobre esta seção, ver Mt 12.22-32). Os v. 20 e 21 são peculiares a Marcos, servindo de introdução à controvérsia registrada logo em seguida. O v. 20 relata alguma coisa sobre a intensa atividade do Senhor Jesus, possuindo evidências de ter sido uma narrativa feita por alguma testemunha ocular, em face de sua grande vivacidade. Muito daquilo que aconteceu parece ter sido visto por Pedro, sendo depois relembrado por ele; e algumas dessas coisas parecem ter ocorrido em sua casa, ou nas circunvizinhanças. Na introdução a este evangelho, fizemos menção de uma das fontes originadoras do evangelho de Marcos; a saber, as memórias de Pedro; e é justamente em passagens como esta que essa fonte provavelmente tem seu reflexo.

A tradução "[...] **fora de si...**" expressa um estado de perigosa exaltação mental (ver 2Co 5.13), talvez característica de certos entusiastas religiosos, exorcistas e operadores de milagres. A tradução da Vulgata latina diz neste ponto: "[...] *in furorem versus est...*", o que é uma boa tradução do sentido aqui tencionado. Tudo isso serve para descrever a intensidade do ministério de Jesus.

A palavra **"[...] parentes..."**, que aparece no v. 21, não precisa indicar os seus parentes mais chegados, isto é, mãe, irmãos e irmãs, mas também pode indicar parentes mais distantes, ou pode significar, simplesmente, seus "amigos", conforme também se lê na tradução RSV, o que é aprovado por alguns eruditos. Esta porção do versículo prepara o leitor para a controvérsia que é registrada logo em seguida, porquanto vemos que certo tipo de oposição já começara a se desenvolver entre os *próprios amigos* de Jesus, e talvez até mesmo entre os seus parentes. "O veredicto '[...] *está fora de si...*' tem reverberado através dos séculos, em altas vozes, até o dia de hoje. A princípio, Jesus foi considerado um desvairado, porque as suas ações e as suas palavras não estavam de conformidade com o ensino e a autoridade geralmente aceitos. Isso prossegue ainda [...] e muitos hoje em dia, como sempre, têm uma nova ideia de loucura [...]. Viver como vivemos, em uma atmosfera tão carregada de ceticismo sobre a validade dos ensinamentos de Jesus, e se não mesmo da negação mais desaforada, exige uma nova e avassaladora convicção sobre a sanidade mental de Cristo. Precisamos da crença mais firme de que, longe de estar desvairado, Jesus é o caminho, a verdade e a vida, e que nenhum outro fundamento pode ser posto, além daquele que já foi estabelecido em Cristo Jesus" (Halford E. Luccock, *in loc.*).

As memórias de Pedro estão bem em *evidência* aqui. Pode estar em pauta a própria casa de Pedro, ou talvez a de Jesus; ou então Jesus vivia na casa de Pedro. Seja como for, os acontecimentos repousam sobre a narrativa de uma testemunha ocular. Tanto Mateus quanto Lucas omitem os detalhes introdutórios (ver Mc 3.20,21), e se lançam imediatamente na controvérsia com os escribas, acerca do exorcismo. Este versículo, típico de Marcos, mostrou que a multidão era tanta, e que a atuação de Jesus era tão intensa, que nem havia tempo para comer. Jesus estava em casa, e sua casa tornou-se centro do alívio para todos os tipos de sofrimento humano. *Oxalá* tornássemos assim também nossas casas! Os escribas vieram de Jerusalém (ver o v. 22), para ver o que Jesus estava fazendo. Esperavam poder fazer com que fosse desacreditado e fecharam as sinagogas para o ministério dele, mas ele continuou florescendo em sua casa de Cafarnaum, bem como ao ar livre.

"[...] de novo..." Evidentemente alusão a Marcos 2.1,2, onde sucedeu algo similar. Jesus voltara a casa.

3.21: Quando os seus ouviram isso, saíram para o prender; porque diziam: Ele está fora de si.
3.21 καὶ ἀκούσαντες οἱ παρ᾽ αὐτοῦ⁹ ἐξῆλθον κρατῆσαι αὐτόν, ἔλεγον γὰρ ὅτιᶠ ἐξέστη.

> ⁹ **21** {A} ἀκούσαντες οἱ παρ᾽ αὐτοῦ ℵ A B C K L Δ Θ Π 0134 *f*¹ *f*³ 28 33 565 700 892 1009 1010 1071 1079 1195 (1216 2174 περὶ αὐτοῦ) 1230 1241 1242 1253 1344 1365 1546 1646 2148 *Byz Lect* (*l*²¹¹ ὑπὲρ αὐτοῦ *for* οἱ παρ᾽ αὐτοῦ) it^{aur,l} vg syr^{(p,h),hgr} cop^{sa,bo} arm eth geo Diatessaron^p // ἀκούσαντες περὶ αὐτοῦ οἱ γραμματεῖς καὶ οἱ λοιποί W goth // ὅτε ἤκουσαν περὶ αὐτοῦ οἱ γραμματεῖς καὶ οἱ λοιποί D it^{(a),(b),(c),d,(e),f,ff2,i,q,r1}

> ᶠ **21** *f* indirect: WH Bov Nes? BF² NEB TT // *f* direct: TR Nes? AV RV ASV RSV NEB^{mg} Zür Luth Jer Seg

> **21** ἔλεγον...ἐξέστη Jo 10.20

> A forma original, οἱ παρ᾽ αὐτοῦ ("*seus amigos*" ou "*seus parentes*"), aparentemente se mostrou tão embaraçosa que D W *al* alteraram-na para _____. "Quando os *escribas e os outros* tinham ouvido a seu respeito, foram agarrá-lo, pois diziam: '*Está fora de si*'".

No v. 31 deste mesmo capítulo de Marcos, há menção aos *irmãos* e à *mãe* de Jesus, e presumimos que os mesmos estejam aqui em foco. Podem ter trazido também alguns primos, para subjugar

qualquer resistência oferecida por Jesus. O autor sagrado busca dizer que a "oposição" a Jesus tornou-se tão grande, que até sua família imediata pôs-se do lado contrário, embora, sem dúvida, devido a um interesse equivocado no seu bem-estar. Outros comentadores (ver as notas abaixo), porém, não supõem que sua família imediata esteja aqui em foco. O termo pode subentender apenas "seus amigos". O v. 31, porém, parece claramente ser contra essa suposição.

"[...] Está fora de si..." O conceito popular sobre pessoas religiosamente poderosas em extremo, entre os "sábios", é sempre esse. As multidões quedam-se admiradas, mas os intelectuais zombam e fazem observações sobre a sanidade mental do indivíduo. Para esses, grande espiritualidade é apenas perversão mental, é uma aberração. Assim, muitos modernos têm procurado explicar a Jesus e até a Paulo. Dizem que a visão deste último, na estrada de Damasco, foi apenas um ataque de epilepsia. Francisco de Assis seria um louco, como também Guilherme Carey. Certa feita, Sinclair Lewis escreveu acerca de um homem que tinha um projeto para organizar certa "Sociedade para promoção da loucura entre as classes respeitáveis". E alguns têm encarado o cristianismo verdadeiramente espiritual como nada mais senão um movimento de loucos.

3.22: E os escribas que tinham descido de Jerusalém diziam: Ele está possesso de Belzebu; e: É pelo príncipe dos demônios que expulsa os demônios.
3.22 καὶ οἱ γραμματεῖς οἱ ἀπὸ Ἱεροσολύμων καταβάντες ἔλεγον ὅτι Βεελζεβοὺλ ἔχει, καὶ ὅτι ἐν τῷ ἄρχοντι τῶν δαιμονίων ἐκβάλλει τὰ δαιμόνια.

> 22 ἐν...δαιμόνια Mt 9.34

> 22 Βεελζεβούλ **B**.] Βεελζ- *rell* it ς; R: -lzebub *c* vg sy sa^{pl}

Ver notas completas sobre os conceitos deste versículo em Mateus 12.24.

Neste ponto, damos a nota expositiva sobre os *escribas*. O vocábulo "escribas" é empregado para descrever os eruditos leigos dos judeus, dos quatro ou cinco séculos que antecederam a era cristã, na Palestina. Em diversas passagens dos escritos rabínicos, Moisés é descrito como um "escriba", e é à base desse ponto de vista que ele veio a ser reputado como fundador dessa classe. A profissão dos escribas incluía os deveres de copiar os contratos legais e os registros civis. Alguns escribas eram usados como diplomatas e enviados especiais aos governos estrangeiros. (Ver 2Reis 18.18 e 19.2). Alguns escribas eram empregados, em períodos de guerra, para compilar as listas dos circunscritos para a guerra. Nos cultos efetuados no templo de Jerusalém cabiam-lhes diversas tarefas, como a coleta de impostos, bem como a cópia e preservação das Escrituras. Usualmente os escribas eram indivíduos dotados de elevada educação, sendo homens de posses consideráveis, e, geralmente, famílias inteiras seguiam essa profissão.

Os escribas foram *os originadores dos cultos* nas sinagogas, e alguns deles se assentavam como membros do sinédrio (ver Mt 16.21 e 26.3). Depois do ano 70 d.C., e da destruição de Jerusalém, a importância dos escribas ainda mais se intensificou, visto que eles é que preservaram, em forma escrita, a lei oral, transmitindo fielmente, às gerações seguintes, as Escrituras do AT. Os escribas esperavam de seus discípulos uma reverência maior do que aquela que geralmente era dada aos progenitores. Atuavam também como mestres, reunindo em torno deles grupos de discípulos, aos quais instruíam nas questões atinentes à lei. Faziam conferências no templo de Jerusalém e nas muitas sinagogas. Ocasionalmente, funcionavam também como juízes das leis civis. Em sua maioria, os escribas pertenciam ao movimento dos fariseus; mas, como grupo, na realidade, eram distintos deles. *A maioria* dos escribas fez oposição a Jesus, embora alguns deles tivessem crido (ver Mt 21.15 e 8.19). Puseram-se ao lado de Paulo, contra os saduceus, no tocante à questão da ressurreição (ver At 23.9). Não obstante,

786 |Marcos| NTI

perseguiram a Pedro e a João (At 4.5) e participaram também do martírio de Estêvão (ver At 6.12).

3.23: Então Jesus os chamou e lhes disse por parábolas: Como pode Satanás expulsar Satanás?

3.23 καὶ προσκαλεσάμενος αὐτοὺς ἐν παραβολαῖς ἔλεγεν αὐτοῖς, Πῶς δύναται Σατανᾶς Σατανᾶν ἐκβάλλειν;

Jesus não aceitou a teoria de seus acusadores de que *Satanás* autenticaria um homem seu dando-lhe poder sobre espíritos malignos inferiores, para que o povo se admirasse ante seus poderes de exorcismo. Ele procurou mostrar seu absurdo por meio de parábolas. Jesus começou a declarar a questão como um princípio geral, para então ilustrá-la com histórias simples. Esta parábola é uma simples comparação, com uma única lição, uma verdadeira parábola, ao passo que há nos evangelhos autênticas alegorias (cada item está cercado de algum significado), ou então metáforas ou símiles. Jesus mostrou que a ação contra um demônio é uma ação hostil — sendo difícil imaginar que Satanás pudesse hostilizar seus aliados. Aqueles que expulsam os demônios devem ser diferentes quanto à força, ao interesse, ao propósito e à natureza. Jesus era muitíssimo diferente deles, pelo que não poderia estar em liga com Satanás. O texto de Marcos deixa de lado o detalhe maior de Mateus (12.27,28,30), que talvez viesse da fonte *"Q"*, por ter paralelo em Lucas. Eles fornecem argumentos adicionais contra o insulto dos fariseus. Todos os evangelhos são claros quanto ao ponto que a "hostilidade", dentro do reino de Satanás, inevitavelmente significaria o "FIM" de seu poder. Ora, Satanás é inteligente por demais para permitir que isso suceda.

3.24: Pois, se um reino se dividir contra si mesmo, tal reino não pode subsistir;

3.24 καὶ ἐὰν βασιλεία ἐφ' ἑαυτὴν μερισθῇ, οὐ δύναται σταθῆναι ἡ βασιλεία ἐκείνη·

A guerra civil é extremamente *destrutiva* a um país, e seu prolongamento aponta para o fim. Satanás tem seu país, seu reino. É claro que ele não promoveria uma guerra civil no mesmo. O argumento de Jesus é claro, penetrante e conclusivo. No entanto, tolamente o mundo imagina que o bem pode vir de obras e de métodos maus, os quais, de alguma forma, são transmutados em "bem". Os líderes religiosos da época de Jesus compartilhavam dessa ideia perversa, pois supunham que Jesus pudesse fazer o bem por meio do poder de Satanás, e que este ajudaria a Cristo na conduta humanitária, incluindo a expulsão de forças espirituais malignas. A lei: "Por seus frutos os conhecereis", está relacionada ao princípio que Jesus estabelece aqui. "*Bons fins* não podem ser obtidos por meios malignos, pois os meios têm um meio sutil e inevitável de se tornarem nos fins" (Luccock, *in loc.*). Moralmente, era impossível a Satanás guerrear contra si mesmo. Isso seria uma forma de suicídio.

3.25: ou, se uma casa se dividir contra si mesma, tal casa não poderá subsistir;

3.25 καὶ ἐὰν οἰκία ἐφ' ἑαυτὴν μερισθῇ, οὐ δυνήσεται ἡ οἰκία ἐκείνη σταθῆναι.

Da nação ou reino, a próxima parábola envolve uma casa, sobre a qual estaria o proprietário, com numerosos parentes e escravos. Nessa casa, as atividades devem ser desempenhadas em harmonia. Um escravo não pode estar agindo contra outro, um filho contra seu pai etc. O bem-estar de todos depende da cooperação de cada um. Abraão Lincoln fez uso das palavras deste texto em seus debates com Douglas, em 1856, demonstrando que uma nação não pode existir com meios-livres e meios-escravos. Esse foi um emprego legítimo das ideias de Jesus. Uma nação ou uma casa pode suportar e até mesmo progredir em meio à diversidade ou à pluralidade; mas, quando surgem facções e tem início a guerra civil, a própria sobrevivência da entidade está em perigo.

3.26: e se Satanás se tem levantado contra si mesmo, e está dividido, tampouco pode ele subsistir; antes tem fim.

3.26 καὶ εἰ ὁ Σατανᾶς ἀνέστη ἐφ' ἑαυτὸν καὶ ἐμερίσθη, οὐ δύναται στῆναι ἀλλὰ τέλος ἔχει.

Satanás deve ter uma natureza *fixa*, uma escolha fixa. Não pode lançar seus poderes maiores contra seus poderes menores. Assim como homens bons não vacilam no mal, tentando trazer o bem do mal, assim também não podem homens ou poderes malignos vacilar, tentando fazer o bem por meio do mal. Tiago chamou a vacilação íntima de guerra em vossos membros (ver Tg 4.1). Isso debilita a personalidade, e, finalmente, a destrói. Os psicólogos já perceberam essa verdade e falam sobre a "desintegração da personalidade". Os psicólogos pelo menos tentam fazer os homens viver em paz consigo mesmos. Satanás tem uma psicologia *coerente* ao menos como a dos homens.

3.27: Pois ninguém pode entrar na casa do valente e roubar-lhe os bens, se primeiro não amarrar o valente; e então lhe saqueará a casa.

3.27 ἀλλ' οὐ δύναται οὐδεὶς εἰς τὴν οἰκίαν τοῦ ἰσχυροῦ εἰσελθὼν τὰ σκεύη αὐτοῦ διαρπάσαι ἐὰν μὴ πρῶτον τὸν ἰσχυρὸν δήσῃ, καὶ τότε τὴν οἰκίαν αὐτοῦ διαρπάσει.

27 ἀλλ] om **ADW** 565 pl lat sy s

Outra breve parábola é dada para ilustrar a mesma lição. Satanás é um *homem forte*, certamente, e mais forte do que a maioria das pessoas concebe. Ninguém poderá entrar em sua casa para maltratar seus servos, ou estragar-lhe as possessões, sem saber como cuidar dele. Que absurdo pensar que Satanás permite a algum de seus poderes maiores maltratar a poderes menores, assim enfraquecendo o seu domínio sobre os homens! Pois, quando um demônio é expulso, Satanás perde o domínio sobre aquele indivíduo. O expelir os demônios, pois, envolve o triunfo sobre Satanás, e jamais a união de forças com ele. O demônio é instrumento de Satanás, sua possessão. Ninguém pode tocar a esses sem primeiro guerrear contra o próprio Satanás. Satanás deseja ser senhor. Não cederá a quem quer que seja que pretenda prejudicar a um poder maligno secundário. Jesus não está em ligação com Satanás. Pelo contrário, ele é como o *ladrão* que invade a casa de Satanás e furta-lhe suas possessões, as almas humanas.

3.28: Em verdade vos digo: Todos os pecados serão perdoados aos filhos dos homens, bem como todas as blasfêmias que proferirem;

3.28 Ἀμὴν λέγω ὑμῖν ὅτι πάντα ἀφεθήσεται τοῖς υἱοῖς τῶν ἀνθρώπων, τὰ ἁμαρτήματα καὶ αἱ βλασφημίαι ὅσα ἐὰν βλασφημήσωσιν·

(Ver Rm 3.25, quanto ao "*perdão de pecados*". Ver Rm 5.10, quanto à "expiação", base do perdão. Ver At 2.38, quanto ao arrependimento, como algo necessário ao perdão. Quanto ao "amém", ver Jo 1.51.) A expressão baseia-se na partícula hebraica de afirmação "estar firme", "estar seguro", que também age como imperativo, "*Assim seja!*". Usualmente, vem no fim da sentença como afirmação do que acabara de ser dito, e foi adaptado na liturgia com essa finalidade. Algumas vezes, como aqui, precede e chama solene atenção ao que se segue. Esta seção final (v. 28-30) acha-se em outra conexão em Lucas 12.10, como também a seção seguinte, em Mateus 12.33-37. Presumivelmente, pois, o material 'Q' que subjaz a Marcos, determina no v. 27. Se os v. 28 e 29 são de 'Q', não foram localizados aqui. Parece, entretanto, que os paralelos de Mateus 12.32 e Lucas 12.10 representam um desenvolvimento mais avançado do que Marcos.

Já observamos com frequência que as várias declarações ou ensinamentos de Jesus estão localizados em *diversas* conexões, nos evangelhos sinópticos. (Ver as notas introdutórias a Lc 10, quanto a um exemplo disso.) Apesar de ser indubitável que Jesus repetiu várias de suas declarações em mais de uma circunstância, também é indubitável que os diversos evangelistas não situaram essas declarações necessariamente dentro dos mesmos históricos, e nem na mesma ordem cronológica. Papias informa que o próprio Marcos (que publicou o evangelho original) não narrou os acontecimentos na ordem em que, necessariamente, sucederam. Portanto, as declarações podem ser agrupadas com eventos de modos historicamente artificiais, usualmente com o intuito de fazer com que uma declaração ilustre ou comente os sucessos históricos.

Na seção anterior, Jesus *raciocinava* com os líderes religiosos fanáticos. Agora ele *adverte-os* severamente. É como se ele tivesse dito: "Não credes em vossa teoria; tanto quanto eu, sabeis quão absurdo é isso. Devo estar expelindo os demônios por um poder bem diverso do de Belzebu. Portanto, não sois apenas 'teóricos' equivocados, mas sois homens em condição 'moral' perigosíssima. Cuidado!" (Bruce, *in loc.*).

3.29: mas aquele que blasfemar contra o Espírito Santo, nunca mais terá perdão, mas será réu de pecado eterno.

3.29 ὃς δ᾽ ἂν βλασφημήσῃ εἰς τὸ πνεῦμα τὸ ἅγιον οὐκ ἔχει ἄφεσιν εἰς τὸν αἰῶνα, ἀλλὰ ἔνοχός ἐστιν[10] αἰωνίου ἁμαρτήματος[11]

29 οὐκ...ἁμαρτήματος 1 Jo 5.16

[10] **29 {B}** ἐστιν A B C K W Θ Π 074 0134 *f*¹ *f*¹³ 28 565 700 1009 1010 1071 1079 1195 1216 1230 1242 1253 1344 1365 1546 1646 2148 2174 *Byz Lect* it^b syr^p,h cop^bo goth geo² Diatessaron^n Cyprian Athanasius // ἔσται ℵ D L Δ 33 892 1241 *l*^10,48,185 it^a,aur,c,d,e,ff²,l,q,r¹ vg syr^vid arm eth^vid geo¹ Cyprian Augustine Eugippius

[11] **29 {B}** ἁμαρτήματος ℵ B L Δ 28 33 565 892^txt // ἁμαρτίας C^vid D W *f*¹³ Athanasius // ἁμαρτήματος *or* ἁμαρτίας it^a,e syr^s goth arm geo¹ Cyprian // κρίσεως καὶ ἁμαρτίας 826^· 828 // κρίσεως A C² K Π 074 0134^c *f*¹ 700 892^mg 1009 1010 1071 1079 1195 1230 1241 1242 1253 1344 1365 1546 1646 2148 *Byz Lect* (*l*^883 κατακρίσεως) it^f,r¹ syr^p,h cop^bomss eth geo² // κολάσεως 1216 2174 Diatessaron^a,p // *delicti* it^aur,b,c,d,ff²,l,q vg cop^bomss Augustine Eugippius

[10] Em face da cláusula anterior, é mais provável que o texto desenvolvido com base no tempo presente para o futuro é que tenha ocorrido, e não vice-versa.

[11] Tanto κρίσεως ("juízo") quanto κολάσεως ("tormento") foram introduzidos por copistas, a fim de aliviar a dificuldade da incomum expressão no texto, e ἁμαρτίας foi substituída por outras palavras, por ser mais familiar que — ἁμαρτήματος (que, nos quatro evangelhos, ocorre somente aqui e no v. 28; noutras porções do NT ocorre apenas por três vezes).

Ver a nota detalhada sobre o pecado imperdoável, em Mateus 12.31.

Essa pessoa sofrerá *punição eterna*, porque o pecado jamais se despegará dela. (Ver nota textual sobre este versículo.) O original diz "pecado eterno", e não "condenação eterna". As duas expressões, porém, se equivalem, pois uma coisa conduz à outra, como causa e efeito. Um pecado não-perdoado requer juízo incansável. Ver Apocalipse 4.11, quanto à nota de sumário sobre o "julgamento".

"É seguro dizer, teologicamente, que certamente pouquíssimas pessoas já se tornaram culpadas do pecado '*imperdoável*'. Poucas já disseram, como o Satanás de Milton: 'Mal, sê o meu bem!' Ao mesmo tempo, o perigo desse pecado é constante — a atribuição de obras divinas de misericórdia e restauração à ambição humana, a alvos mercenários ou políticos, ao desejo de poder, ou ao conluio com os poderes das trevas". (Grant, *in loc.*).

Muitíssimo melhor é fixarmos nossa escolha em Cristo, repousar sobre ele; compartilhar de seu destino. Aprender a sabedoria de Emanuel, Deus conosco.

Ó dia feliz, aquele em que fixei minha escolha,
em Ti, meu Salvador e meu Deus!

3.29 — Nota textual. Os mais antigos manuscritos, como Aleph, BL, Delta, 33 e muitas versões latinas, dizem "**[...] pecado eterno...**", ao invés de "**[...] condenação eterna...**" Neste ponto, esta última representa o texto original do evangelho de Marcos, e é seguida por todas as traduções usadas para efeito de comparação neste comentário, excetuando as traduções AC e KJ. A palavra "[...] condenação..." aparece em AC(2), Gamma, Fam Pi e em alguns poucos outros manuscritos de data mais recente. Essa variante chegou a entrar no texto sagrado por meio de substituição, a fim de facilitar a interpretação.

3.30: Porquanto eles diziam: Está possesso de um espírito imundo.

3.30 ὅτι ἔλεγον, Πνεῦμα ἀκάθαρτον ἔχει.

30 ἔλεγον...ἔχει Jo 7.20; 8.48,52; 10.20

30 ἔχει] ἔχειν D: ἔχει αυτον W it: αυτον ἔχει C eth

Este versículo *altera um pouco* a declaração do v. 22. Ali, o próprio Satanás, o arquiacusador, é o possuidor. Aqui, apenas um de seus auxiliares. Não se pode duvidar que ambas as coisas foram ditas por Jesus. Supõe-se que "Está possesso de um espírito imundo?" tornou-se um lema entre os opositores de Jesus. Era um pecado tão grosseiro e perverso, que os que o cometem correm o perigo de se tornarem casos espirituais irrecuperáveis. Mateus 11.38 e João 8.48 mostram que a acusação de Jesus ser possuído por demônios deve ter sido comum. Penetrou nas várias fontes informativas que os evangelistas usaram em suas obras. Na conexão desta seção, somente Marcos, porém, traz a declaração aberta.

3.31-35 — *A nova relação: a verdadeira família de Jesus.* (Ver as notas expositivas sobre esta seção em Mt 12.46-50, onde se expõe a difícil questão sobre os familiares de Jesus).

3.31: Chegaram então sua mãe e seus irmãos e, ficando da parte de fora, mandaram chamá-lo.

3.31 Καὶ ἔρχεται ἡ μήτηρ αὐτοῦ καὶ οἱ ἀδελφοὶ αὐτοῦ καὶ ἔξω στήκοντες ἀπέστειλαν πρὸς αὐτὸν καλοῦντες αὐτόν.

31 ἡ...ἀδελφοὶ αὐτοῦ Mc 6.3; Jo 2.12; At 1.14

31 ερχονται] ερχεται ℵDWΘ *f*1 565 *al* it | καλουντες ℵBWΘ *f* f13; R] φωνουντες D *pl* ς: ζητουντες A

Os evangelhos apresentam, inocentemente, e sem qualquer antecipação de dificuldade, o fato de que Jesus tinha vários irmãos e irmãs (ver Mc 6.3). Algumas tradições antigas falam da santa família como numerosa. O dogma tem defendido a ideia da virgindade perpétua, tendo inventado engenhosamente alternativas para esse claríssimo ensinamento.

Podemos estar absolutamente certos de que, se qualquer doutrina de "*virgindade perpétua*" fosse importante aos olhos dos evangelistas, eles teriam deixado claro aqui que, com o termo "irmãos", eles entendiam parentes mais distantes, como "primos", ou que esses eram filhos de José por meio de um casamento anterior. Não terem eles dado tais explicações mostra que devemos entender o dito relativamente à família imediata de Jesus, filhos de José e Maria. Ninguém pensava diferente disso, até que o dogma exaltou Maria acima das nuvens.

É possível que esses membros da família sejam identificados com aqueles mencionados em Marcos 3.21, que ficaram perturbados sobre a higidez mental de Jesus, tão absorvido estava ele em sua obra, ensinando, curando e expulsando demônios. É possível que isso seja verdade, embora alguns intérpretes hesitem diante disso. Seja como for, a conversão deles seguiu-se à ressurreição de Jesus. Os evangelhos afirmam sua anterior *incredulidade* na missão messiânica de Jesus.

Jesus punha a obediência acima de quaisquer laços de família. Usualmente, nenhuma escolha é necessária, e os que servem a Deus melhor são os que servem como uma família unida. Desde Marcos 2 e Mateus 9, entretanto, temos várias narrativas de

788 |Marcos| NTI

"controvérsia". Esta seção ilustra que o conflito, causado pela lealdade a Cristo, pode afetar até a família, tornando-se necessária uma opção. A história prova que isso ocasionalmente sucede. O v. 35 traz a lição moral do relato. A vontade de Deus deve ser suprema na vida, e isso se operará mediante total lealdade a Cristo, que é aquilo a que chamamos de fé. (Ver Hb 11.1, quanto à nota de sumário sobre a "fé", o que é ilustrado com poesias.)

"[...] tendo ficado do lado de fora..." Não apenas no corpo físico, mas também espiritualmente, até aquele tempo, com exceção de sua mãe, a qual, a despeito disso, provavelmente não entendia a missão e a obra de Jesus ainda. Dificilmente, porém, ela pode ter-se mostrado hostil a ele, como seus meios-irmãos se mostravam. O texto de João 7.3-6 (especialmente o v. 5) declara abertamente a hostilidade de seus irmãos.

3.32: E a multidão estava sentada ao redor dele, e disseram-lhe: Eis que tua mãe e teus irmãos estão lá fora e te procuram.

3.32 καὶ ἐκάθητο περὶ αὐτὸν ὄχλος, καὶ λέγουσιν αὐτῷ, Ἰδοὺ ἡ μήτηρ σου [καὶ αἱ ἀδελφαί σου]¹² ἔξω ζητοῦσίν σε.

> ¹² **32** {B} σου (ver Mt 12.47; Lc 8.20) ℵ B C K L W Δ Θ Π 074 *f*¹ *f*¹³ 28 33 565 892 1009 1071 1079 1195* 1241 1365 1546 2148 2174 *Byz Lect* it^{aur,e,l,r¹} vg syr^{s,p,h} cop^{sa,bo} arm eth geo Diatessaron' Hegemonius Faustus // σου καὶ αἱ ἀδελφαί σου A D 700 1010 1195 1216 1230 1242 1253 1344 1646 *l*¹⁸⁴,¹⁸⁵,⁸⁸³ syr^{hmg} goth

A maioria da comissão considerou provável que as palavras καὶ αἱ ἀδελφαί σου foram omitidas da maioria dos testemunhos (a) por acidente, devido ao descuido de cópia (o olho do escriba saltou de σου para σου), — ou (b) deliberadamente, porque nem no v. 31 e nem no v. 34 (e nem nas passagens paralelas) as irmãs são mencionadas. Se essas palavras tivessem sido interpoladas, provavelmente a adição se daria somente no v. 31. No entanto, em face do peso da confirmação em favor da forma mais breve, julgou-se melhor incluir as palavras disputadas entre colchetes.

O texto mais breve, preservado nos tipos de texto alexandrino e cesareano, deveria ser adotado; a forma mais longa, talvez de origem ocidental, penetrou no texto mediante expansão mecânica. Do ponto de vista histórico, é extremamente improvável que as irmãs de Jesus se tivessem unido na busca pública, a fim de entravá-lo em seu ministério. B. M. M.

"[...] irmãs..." A ocorrência desse termo, aqui, não é genuína, conforme se mostra na nota textual abaixo. Contudo, é autêntica em Mateus 13.56 e Marcos 6.3, pelo que o vocábulo reflete um fato histórico, embora não haja exatidão textual neste ponto. Jesus tinha família *numerosa*. Vários deles, e talvez todos esses membros, vieram agora à sua procura. Ainda não se achavam entre seus discípulos. Portanto, Jesus aproveitou-se desse fato para ensinar uma importante lição. Há comunhão de natureza dentro da família divina (ver Hb 2.10ss), e isso ocorre por meio do nascimento espiritual, e não pela descendência natural. É óbvio que mais importa ter esse tipo de relação com Jesus do que ter a relação carnal. A própria salvação é uma filiação e assim chegamos a participar da própria natureza divina (ver 2Pe 1.4), pelo que também participaremos de toda a plenitude de Deus (ver Ef 3.19), do mesmo modo que Cristo participa dessa plenitude (ver Cl 2.9,10). Trata-se de elevadíssima doutrina, que ultrapassa em muito à salvação como mero perdão de pecados e mudança de endereço para os céus, após a morte física.

3.32 — Nota textual. Após a palavra "[...] irmãos...", os mss ADEFHMSUV e Gamma adicionam "[...] e suas irmãs". As traduções BR e WY trazem esse acréscimo. Os mss Aleph, BCGKL, Delta e Fam Pi omitem essas palavras, bem como todas as outras traduções. Alguns editores defendem a validade da adição, uma

vez que a omissão poderia ter sido ocasionada por terminações similares das palavras, em que o olho de um escriba inadvertidamente poderia ter deixado escapar algumas poucas palavras. O texto de Mateus 13.56 menciona as suas "[...] irmãs...", e pode ser que a adição que há no evangelho de Marcos tenha sido feita em harmonia com esse versículo de Mateus, em alguns manuscritos.

3.33: Respondeu-lhes Jesus, dizendo: Quem é minha mãe e meus irmãos?

3.33 καὶ ἀποκριθεὶς αὐτοῖς λέγει, Τίς ἐστιν ἡ μήτηρ μου καὶ οἱ ἀδελφοί [μου];

A relação mais profunda é obtida mediante o dom *espiritual* e a subsequente transformação moral e espiritual, que produz os novos filhos de Deus, que estão sendo conduzidos à glória. Esses são os que têm verdadeiro e permanente relacionamento com Jesus. (Ver Rm 8.14-17,29, quanto aos "privilégio dos filhos".) "Jesus, quanto a essa questão, não desejava negar ou diminuir as relações humanas. Ele sentiu com uma força, não comum entre os homens, o relacionamento divino e as relações humanas que a isso dão origem. Outrossim, o atual recado de seus familiares o levaram a sentir que eles ficavam aquém da real conexão que é a única que dá valor a qualquer relação de família". (Gould, *in loc.*).

3.34: E olhando em redor para os que estavam sentados à roda de si, disse: Eis aqui minha mãe e meus irmãos!

3.34 καὶ περιβλεψάμενος τοὺς περὶ αὐτὸν κύκλῳ καθημένους λέγει, Ἴδε ἡ μήτηρ μου καὶ οἱ αδελφοί μου.

Certamente é possível que Jesus tivesse reconhecido a exigência deles, considerando-a demasiada ou sem importância, indigna de sua resposta imediata. Talvez parecesse algo com Marcos 3.21, aonde vieram para entravar-lhe a ação. Seja como for, ele foi um tanto rude, ou coisa parecida. Indiretamente, o texto ilustra a lição de que um homem *deve deixar* sua família e seguir o próprio caminho, ser o próprio homem. Deus disse a Abraão: "Sai de tua casa..." (Gn 12.1); e dali por diante o Senhor o conduziu a uma nova vida, a uma nova missão. "Uma família deve ser o porto de onde o navio parte, para velejar os mares e não uma doca onde se amarram e lançam raízes. As ações e palavras de Jesus pintam as prioridades compelidoras de Deus — a família mais lata, a comunhão dos praticantes de sua vontade" (Luccock, *in loc.*).

3.35: Pois aquele que fizer a vontade de Deus, esse é meu irmão, irmã e mãe.

3.35 ὃς [γὰρ] ἂν ποιήσῃ τὸ θέλημα τοῦ θεοῦ, οὗτος ἀδελφός μου καὶ ἀδελφὴ καὶ μήτηρ ἐστίν.

> 35 ὃς...θεοῦ Jo 7.17; 9.31

> **35** ος **B** *b e* bo^{pt} add p) ℵADΘ fi f13 pl lat sy sa bo^{pc} ς; **R**

"[...] de Deus..." Por conseguinte, "[...] há um só Deus, o Pai, de quem são todas as coisas e para quem existimos; e um só Senhor, Jesus Cristo, pelo qual são todas as coisas, e nós também por ele..." (1Co 8.6). Deus é a fonte de toda vida e bondade, bem como o alvo da existência. A vida eterna (notas em Jo 3.15) é um tipo de vida, e não meramente vida sem-fim; e esse tipo de vida é a participação no próprio tipo de vida de Deus. (Ver Jo 5.25,26 e 6.57, quanto a esse ensinamento.) Portanto, Deus nos torna participantes de sua vida, de sua natureza, de seus atributos, embora de modo finito. Seres finitos começam a participar dessas qualidades, e nunca deixarão de crescer nisso, pois a eternidade inteira consiste do processo de ir participando de toda a plenitude de Deus (Ef 3.19). Essa participação vem por meio do fazer a vontade de Deus, conforme ela é revelada em Cristo, em face da transformação efetuada pelo Espírito, que nos transmuta na imagem de Cristo (ver 2Co 3.18). Já que há uma infinitude com que seremos cheios, também haverá um infinito preenchimento. Tudo isso se deriva de nossa posição como filhos de Deus, que estão sendo conduzidos à glória. Portanto, sem importar o quanto importantes nos pareçam os laços de família, esse novo relacionamento e a prática da vontade de Deus tomam precedência. Jesus ensinava às multidões. Estavam aceitando a sua palavra; estavam se tornando filhos de Deus, que fariam a vontade de Deus revelada em Cristo, em sua missão messiânica, em seu caráter de Salvador, em seu senhorio e em sua glória. Os valores do lar são grandes; mas só se cumprem plenamente quando se tornam, ao mesmo tempo, valores da família divina. Notemos o texto de Mateus. Deus é chamado de Pai celestial. Nele se cumprem todos os nossos empreendimentos e todo o nosso bem-estar.

Capítulo 4

4.1-9 — *Parábola do semeador* (as notas aparecem em Mt 13.1-9).

4.1: Outra vez começou a ensinar à beira do mar. E reuniu-se a ele tão grande multidão que ele entrou num barco e sentou-se nele, sobre o mar; e todo o povo estava em terra junto do mar.

4.1 Καὶ πάλιν ἤρξατο διδάσκειν παρὰ τὴν θάλασσαν. καὶ συνάγεται πρὸς αὐτὸν ὄχλος πλεῖστος, ὥστε αὐτὸν εἰς πλοῖον ἐμβάντα καθῆσθαι ἐν τῇ θαλάσσῃ, καὶ πᾶς ὁ ὄχλος πρὸς τὴν θάλασσαν ἐπὶ τῆς γῆς ἦσαν.

4 1 Mc 3.7-9; Lc 5.1-3

Marcos provê o esboço *histórico*; e, nesse ponto, Mateus inclui até o meio ambiente, à beira-mar, itens esses que com frequência ele omite em suas condensações e manuseios diferentes. O v. 2 dá o fato que ele entrou em um barco para ensinar.

Em Marcos 3.9 (notas em Mt 12.15), já vimos que Jesus, algumas vezes, assim ensinava. E ali achamos que ele fazia assim a fim de evitar ser comprimido pela multidão, porquanto sabiam que ele tinha "poder" ou virtude de curar, e supunham que bastava tocar nele para provocar o poder curador. Portanto, buscavam ter algum contacto físico com ele, sem importar se ele gostava disso ou não; e, provavelmente, isso se tornou uma situação insustentável. Por isso, Jesus entrou no barco, para estar livre dos empurrões da multidão.

Nessas ocasiões, Jesus expôs muitas *parábolas*. O texto de Marcos 4.2,33,34 revela a consciência que tinha o autor sagrado de estar apresentando apenas um sumário. O registro de Mateus 13 mostra que houve várias ocasiões similares. Devemos dispor mais de uma fonte informativa quanto a essas seções paralelas, o "protomarcos", "Q" e "M", talvez.

"[...]voltou..." Em outras palavras, voltou a ensinar à multidão, ao ar livre, conforme já fizera antes, ao invés de ensinar particularmente aos seus discípulos. A declaração pode estar diretamente vinculada a esse evento, com outros ocorridos à "beira-mar", conforme se vê em Marcos 1.16; 2.13 e 3.7. (Ver Mc 3.9, sobre como Jesus ordenou que um barco fosse mantido em prontidão para ele usá-lo.) É característica de Marcos frisar como eram grandes as multidões, mediante algum ponto específico.

4.2: Então lhes ensinava muitas coisas por parábolas, e lhes dizia no seu ensino:

4.2 καὶ ἐδίδασκεν αὐτοὺς ἐν παραβολαῖς πολλά, καὶ ἔλεγεν αὐτοῖς ἐν τῇ διδαχῇ αὐτοῦ,

2 ἐδίδασκεν...πολλά Mt 13.34; Mc 4.33,34

"[...] parábolas..." Ver notas completas sobre os tipos e usos das parábolas, na introdução a Marcos 13. A expressão "muitas coisas" usada por Marcos subentende que ele dava aqui mero sumário de alguns importantes itens dos ensinamentos de Jesus. Marcos não está tanto interessado aqui em mostrar as reivindicações messiânicas de Jesus, mas de mostrar seus feitos poderosos; portanto, ele expõe muito superficialmente os seus ensinos, uma falha que Mateus e Lucas preenchem.

Notemos o imperfeito **"[...] ensinava..."**. Jesus teve extenso ministério de ensino, e isso deveria ser lição para todos os evangelistas e ministros. (Ver Mt 28.19,20, quanto a notas sobre a "importância do ensino".)

4.3: Ouvi: Eis que o semeador saiu a semear;

4.3 Ἀκούετε. ἰδοὺ ἐξῆλθεν ὁ σπείρων σπεῖραι.

Essa parábola é uma espécie de *alegoria*, pois sua explanação dá o sentido de cada detalhe, à moda das alegorias, ao passo que a verdadeira parábola é uma espécie de exemplo que enfatiza uma única verdade, mediante comparação. A parábola encoraja-nos a exercer nosso entendimento espiritual, segundo se vê no v. 9: "Quem tem ouvidos para ouvir, ouça". Nas sociedades agrícolas, a ilustração do semeador era comum. (Ver Platão, Leis VI. 777 E; II Esdras 9.31,33). Esta parábola, na realidade, é a parábola dos muitos tipos de solo, pois isso é o que a lição destaca. Ela ilustra a própria experiência de Jesus, e aquilo que ele esperava que fosse característico de seus enviados.

"Ele conhecia o solo rochoso das mentes dos escribas e fariseus: já encontrara o entusiasmo superficial e instável da multidão. Portanto, deixando de lado a questão de quanto Jesus tencionava que essa parábola refletisse de sua experiência, na realidade ela faz mais que isso. Um ponto a observar é que, apesar de todo esse entendimento realista sobre as várias reações ou falta de reação, apesar de olhar de frente o pior que pode suceder à semente, que é a Palavra, Jesus continuava ensinando. A parábola não é *pessimista*. A produção do bom solo, sem importar em que proporção em relação à semente perdida em ouvidos fechados, garante, abundantemente, a fé e a ventura do semeador. Jesus continuou ensinando até o fim [...] É um verdadeiro quadro da experiência de todo pregador, sem importar se esse ensinamento é feito no púlpito, na sala de aula ou nos contactos da vida diária, aquela forma mais eficaz de ensino para todo o discípulo cristão". (Luccock, *in loc.*).

4.4: e aconteceu que, quando semeava, uma parte da semente caiu à beira do caminho, e vieram as aves e a comeram.

4.4 καὶ ἐγένετο ἐν τῷ σπείρειν ὃ μὲν ἔπεσεν παρὰ τὴν ὁδόν, καὶ ἦλθεν τὰ πετεινὰ καὶ κατέφαγεν αὐτό.

(Ver Mt 13.19, quanto a uma explicação.) Desencorajamentos podem vir, devido a ocorrências como a deste versículo. Entretanto, uma das lições da parábola é que *continuemos a semear*. Há muitas "aves" que buscam nosso trabalho. A parábola, porém, como que diz: "Não temei semear, por causa das aves". Só uma quarta parte dos lugares por onde a semente cai é que produz fruto permanente; mas essa é uma porcentagem encorajadora, e não desencorajadora. A semente que caiu à beira do caminho, ao ser comida pelas aves, nem ao menos penetrou no solo. Perdeu-se desde o começo. Parte de nosso ensinamento é assim. Somente um milagre de Deus pode tornar os homens prontos a responder. Certamente, Efésios 1 ensina que, de maneira casual, em algum grau de intensidade, em todos os homens ocorrerá esse milagre (ver notas sobre Ef 1.10), embora isso não signifique que todos venham a participar da vida dos eleitos. Muitas pessoas têm uma crosta de "autossatisfação" e de falsa confiança em um sistema, em um meio de vida, ou em uma filosofia religiosa, que não pode ser penetrada nem mesmo pelo mais poderoso ensino ou prédica.

"A falta de produção, naturalmente, deve-se à dureza do solo repisado. Jesus adiciona que os pássaros devoraram a semente; e isso se deve ao fato de ter ficado à superfície, sem penetrar no solo". (Gould, *in loc.*).

4.5: Outra caiu no solo pedregoso, onde não havia muita terra; e logo nasceu, porque não tinha terra profunda;

4.5 καὶ ἄλλο ἔπεσεν ἐπὶ τὸ πετρῶδες ὅπου οὐκ εἶχεν γῆν πολλήν, καὶ εὐθὺς ἐξανέτειλεν διὰ τὸ μὴ ἔχειν βάθος γῆς·

5 ἐξανετ.] ἐξεβλαστησεν fi fi3 28 700

O solo estava recoberto de pedras ou obstáculos para a semente, pois pedras eram o "solo" que teria acolhido a semente. A vida dos homens está repleta de obstruções. As pessoas de solo superficial talvez ouçam com alegria, com aparente novidade de vida; mas não têm poder de permanência, e não há nelas conversão autêntica, e muito menos uma santificação contínua. O pecado faz a pessoa perder suas raízes. As dificuldades da experiência humana, tornando as pessoas cínicas e, algumas vezes, rebeldes, são pedras que fazem lançar de si o solo potencialmente frutífero. O solo é superficial e exposto às influências imediatas do sol e da chuva. Portanto, a semente germina imediatamente; mas a raiz das plantas não encontra solo mais profundo para crescer. E assim, o mesmo sol que produziu rápida germinação, também mata a planta com o calor. Os homens, na tórrida situação humana, podem aprender instintivamente algumas novas coisas, que parecem prometer uma SAÍDA para seus problemas. No entanto, esses problemas lhes tiram todo discernimento, tornando-os inconstantes e desencorajando-os, pelo que, logo se afastam do caminho da esperança, porque a palavra não eliminou os problemas da vida, conforme esperavam. Não têm coragem suficiente para vencer.

4.6: mas, saindo o sol, queimou-se; e, porque não tinha raiz, secou-se.

4.6 καὶ ὅτε ἀνέτειλεν ὁ ἥλιος ἐκαυματίσθη, καὶ διὰ τὸ μὴ ἔχειν ῥίζαν ἐξηράνθη.

6 εκαυμα τισθη] -θησαν **BD** *a e* sa *et* εξηρανθη] -θησαν **D** *a e* sa

Há um entusiasmo *prematuro* que não resiste ao teste do tempo. Há resoluções que são feitas mediante mera "atração por Cristo", mas que fracassam porque essa atração não se tornou em genuína outorga da alma.

> *Trabalhando, regozijando-me, entristecendo-me,*
> *Assim vou conduzindo a minha vida.*
> *Cada manhã vê alguma tarefa iniciada,*
> *Cada tarde vê a mesma sufocada.*

Contraste-se o que sucede aqui com o homem que achou o tesouro no campo. Ele saiu e vendeu "*tudo quanto tinha*", a fim de ficar com o campo (ver Mt 13.44). Os personagens desta parábola, porém, não se dispõem a qualquer sacrifício que se aproxime disso. De Cristo aproveitam aquilo que entregaram a seus cuidados: praticamente nada.

4.7: E outra caiu entre os espinhos; e cresceram os espinhos, e a sufocaram; e não deu fruto.

4.7 καὶ ἄλλο ἔπεσεν εἰς τὰς ἀκάνθας, καὶ ἀνέβησαν αἱ ἄκανθαι καὶ συνέπνιξαν αὐτὸ, καὶ καρπὸν οὐκ ἔδωκεν.

Mateus 13.22 explica o simbolismo dos *espinhos*: são os cuidados do mundo, as riquezas e seus enganos. Essas são as coisas especialmente deprimentes para as classes mais abastadas. Acham satisfação no lucro terreno; mas as vantagens celestes lhes parecem distantes, uma espécie de pastelão no céu. Perdem totalmente de vista o ensinamento de Jesus em Mateus 6.33: "[...] buscai, pois, em primeiro lugar, o seu reino e a sua justiça, e todas estas coisas vos serão acrescentadas". O sentimento espiritual que o evangelho cria na alma é como uma plantinha tenra que precisa de boas condições para se desenvolver. Se o coração estiver repleto de "sentimentos mundanos", ambições, cuidados, não medrará a plantinha tenra do evangelho. Se ela crescer, se tornará muito robusta. Por isso, temos de dar oportunidade para que ela se desenvolva, e isso mediante a outorga da alma a Cristo, o grande segador. (Ver Hb 11.1, quanto à nota de sumário sobre a FÉ, que ilustra isso.) Neste caso, as raízes contam com solo profundo, ou seja, grande potencial. Contudo, elementos estranhos surgem e "sufocam" a planta. Um menino pequeno, ao ler sobre as principais

causas da morte, atinou com uma nova causa. Ao lhe ser pedido que soletrasse a palavra, ele disse *miscelâneas*. Portanto, há uma multidão de empecilhos e vícios que pode sufocar o crescimento da alma. A vida agitada e atropelada do homem moderno leva-o a imergir nas miscelâneas e trivialidades da existência física, tirando-lhe a visão de algumas coisas, até da própria existência de sua alma, quanto mais das considerações de sua nutrição.

4.8: Mas outras caíram em boa terra e, vingando e crescendo, davam fruto; e um grão produzia trinta, outro sessenta, e outro cem.

4.8 καὶ ἄλλα ἔπεσεν εἰς τὴν γῆν τὴν καλήν, καὶ ἐδίδου καρπὸν ἀναβαίνοντα καὶ αὐξανόμενα[1], καὶ ἔφερεν ἐν[2] τριάκοντα καὶ ἐν2 ἑξήκοντα καὶ ἐν2 ἑκατόν.

[1] 8 {C} καὶ αὐξανόμενα ℵ B 1071 syr[pvid] cop[sa] geo[27] // καὶ αὐξανόμενον A D L W Δ 892 syr[h,uid] cop[bo] // καὶ αὐξάνοντα C K Θ Π f¹ f¹³ 28 33 700 1009 1010 1079 1195 1216 1230 1241 1242 1253 1344 1365 1546 1646 2148 2174 *Byz Lect* goth syr[s] // καὶ αὐξανόμενον *or* καὶ αὐξανόντα it[(a),aur,b,e,d,f,(ff²),i,l,q,r¹] vg // *omit* 565 syr[s]

[2] 8 {C} ἐν...ἐν...ἐν D (L εἰς...ἐν...ἐν) f 1365 1546 *Lect* it[a,aur,b,(c),d,f,(ff²),i,l,(q),r¹] vg syr[p] cop[sa,bo] goth Diatessaron[a] // ἐν...ἐν...ἐν (B εἰς...ἐν...ἐν) K Π f¹ 33 565 892 1009 1010 1079 1195 1216 1230 1241 1242 1253 1344 1646 2148 2174 *Byz* l[185,211,299,883,950,1127] syr[h?] arm? // εν...εν...εν A C[vid] (W το εν...το εν...το εν) Θ // ἐν...*omit*...ἐν 1071 (geo¹ ἐν...*omit*...*omit*) // ἐν... ἐν... *omit* 118 (l[76] ἐν...*omit*...ἐν) (syr[s] ἐν...*omit*...*omit*) // εἰς...εἰς...εἰς ℵ C[vid] Δ 28 700 syr[h?] arm? // *omit*...*omit*...*omit* geo²

[1] A forma que melhor explica a origem das outras é αὐξανόμενα (ℵ B 1071 *al*), que é o nominativo neutro plural, o qual concorda com o sujeito ἄλλα ("Outras sementes caíram na boa terra, e enquanto cresciam e aumentavam produziram fruto; e produziram..."). Sob a influência de ἀναβαίνοντα, que pode ser (erroneamente) construída com καρπόν, houve forte tendência de alterar αὐξανόμενα para αὐξανόμενον ou αὐξάνοντα. Outro fator que contribuiu para alterar o particípio foi a assimilação de ἄλλα para ἄλλο, nos v. 5 e 7 (o singular aparece em a ℵ D Δ Π Σ Φ f¹ f¹³ 22 157 543 565 700 1071 *al*).

[2] A forma que predomina nos manuscritos é εν, acentuada ἐν -ou ἕν. Em prol da última forma, há a probabilidade que subjazem as variantes: o sinal aramaico de multiplicação ("[...] vezes"), הה , que também é o numeral "*um*".

N .B.: Quando aparecem textos paralelos em Mateus e Marcos, apresentamos a exposição em Mateus; em Marcos, acrescentamos apenas algumas notas suplementares.

(Ver as notas em Mt 13.23, quanto a explanações.). Até a baixa cifra que aqui aparece — 35% — é uma boa produção. Não há ideia aqui sobre produção deficiente, mas somente boa, melhor e extraordinária. Assim deve suceder com todos os crentes. Nos Estados Unidos, um dos países mais produtivos do mundo, no campo da agricultura, a produção anual de trigo vai de 15 a 20 alqueires por acre plantado, com uma média de 20 a 30%, na multiplicação de sementes. Uma colheita excelente produz 40 vezes. Naturalmente se conhece produção 100 vezes maior; mas isso é raríssimo em qualquer lugar. Ao frisar o *mal* que pode suceder à semente, não devemos olvidar esse importante aspecto da parábola. Muito fruto pode ser produzido pelos poucos que lhe correspondem. De fato, até mesmo dos menores crentes se pode esperar muita frutificação, e os melhores dentre eles serão gigantes espirituais. Outra lição aqui, certamente, é que somos responsáveis pelo aproveitamento melhor de nossas oportunidades; e nos é assegurado, espiritualmente falando, uma prodigiosa frutificação. Deve-se também frisar o seguinte pensamento: "É possível viver o ideal cristão com sucesso". Isso, entretanto, não tem sido experimentado por muitos crentes, em sua vida diária.

4.9: E disse-lhes: Quem tem ouvidos para ouvir, ouça.

4.9 καὶ ἔλεγεν, Ὃς ἔχει ὦτα ἀκούειν ἀκουέτω.

NTI | Marcos | 791

9 Ὅς...ἀκουέτω Mt 11.15; 13.43; Mc 4.23; Lc 14.35; Ap 2.7,11,17,29; 3.6,13,22

9 ακουετω] add και ο συνιων συνιετω **D** it sy^{hmg}

Eis uma declaração que figura por muitas vezes no NT, saída dos lábios de Jesus. Deve ter sido uma de suas afirmativas favoritas, que ele usou em muitos contextos. (Ver Mt 13.9 e Ap 2.7, quanto a explicações completas do dito.) Nas mãos dos evangelistas, essas palavras fazem parte do evangelismo cristão, bem como da polêmica em prol da validade das reivindicações de Jesus e da autoridade de sua Igreja.

Essa declaração nos permite entender que qualquer alma humana pode corresponder à mensagem do evangelho, se assim quiser fazer. Há uma graça geral, conferida a todos, que lhes permite e encoraja essa reação favorável. Se alguém não corresponde, é devido às várias razões frisadas nesta parábola, e não porque não possa crer em Cristo e aceitá-lo. "A convocação subentende que o entendimento é possível até mesmo para os 'de fora'". (Bruce, *in loc.*).

4.9 — *Nota textual.* O mss D, juntamente com muitas versões latinas e siríacas, adicionam a este versículo: "[...] e aquele que entende, que entenda..." Essa adição não faz parte do texto original, mas representa uma expansão do texto, característica de alguns manuscritos derivados de igrejas ocidentais. Nenhuma tradução ajunta essas palavras.

4.10-20 — *Explicação da parábola do semeador.* (Quanto a notas sobre esta seção, ver Mt 13.10-20.)

4.10: Quando se achou só, os que estavam ao redor dele, com os doze, interrogaram-no acerca da parábola.

4.10 Καὶ ὅτε ἐγένετο κατὰ μόνας, ἠρώτων αὐτὸν οἱ περὶ αὐτὸν σὺν τοῖς δώδεκα τὰς παραβολάς.

10 ἠρώτων...παραβολάς Mt 15.15; Mc 7.17

10 οι περι αυτ. συν τ. δωδ.] p) οι μαθηται αυτου **DWΘ** f13 28 it sy^s

Mateus e Lucas fazem com os que a expressão *estavam junto dele* refira-se aos discípulos, o círculo interior dos seletos. Temos a surpreendente afirmativa de que o intuito das "parábolas" era de "ocultar" o significado, e não de revelá-lo; mas tomamos isso como um resultado da rejeição e não porque as parábolas realmente tivessem essa função. A declaração que termina a parábola: "Quem tem ouvidos para ouvir, ouça" prova que assim deve ser. Essa avaliação lúgubre da obra da parábola resulta da polêmica cristã que visava a explicar como o poderoso Jesus ganhava tão poucos seguidores autênticos, e como a igreja dificilmente tem atingido a grande massa da humanidade. A razão se acha na dureza dos homens, em seus espinhos, bem como nas aves que vêm arrebatar a semente, coisas que os homens promovem, e não somente permitem. Por causa disso, os ensinamentos espirituais caem em "ouvidos surdos" porquanto assim o fizeram os homens e não porque haja predestinação ao embotamento espiritual, com a subsequente destruição de seus possuidores. Duvidamos que este texto queira ensinar a reprovação ativa; e, seja como for, repelimos a ideia como teologia deficiente, sem importar quem a ensine. Há uma lei espiritual que diz que o que os homens se recusam a fazer, eventualmente se tornam incapazes de fazer, pois destroem a própria fibra moral e espiritual, passando a faltar-lhes a capacidade de cumprir a ordem do evangelho. Nesses casos, somente uma intervenção divina direta pode estabelecer diferença nessa vida. Ocasionalmente, isso sucede; mas normalmente Deus deixa que o indivíduo se torne responsável pelo uso da oportunidade que lhe foi dada. Deve haver reação favorável, na vontade humana, para com a mensagem divina, ainda que aquilo que Deus nos dá seja conferido como uma dádiva.

A igreja *tem o direito* de ficar perturbada sobre a frutificação em seu ministério.No tocante às grandes massas, Jesus sentia a mesma ausência de frutos. Esta breve seção abre nossos olhos para o porquê dessa ausência de frutos.

4.11: E ele lhes disse: A vós é confiado o mistério do reino de Deus, mas aos de fora tudo se lhes diz por parábolas;

4.11 καὶ ἔλεγεν αὐτοῖς, Ὑμῖν τὸ μυστήριον δέδοται τῆς βασιλείας τοῦ θεοῦ· ἐκείνοις δὲ τοῖς ἔξω ἐν παραβολαῖς τὰ πάντα γίνεται,

11 εξω] εξωθεν **Β**Σ 517 1424 | γιν.] λεγεται **D**Θ 28 it sa

A parábola da iluminação torna-se a parábola do enigma, se os homens assim insistirem. Então a parábola se torna um ensinamento esotérico para aqueles que são do *lado de dentro*. Dificilmente, porém, esse pode ser o plano original. Jesus nunca teria dilapidado seu tempo, ensinando, se tudo fosse fútil. Na realidade, seus ensinamentos tornam-se fúteis, quando não correspondemos nem abrimos nossa alma à mensagem. A experiência humana prova isso abundantemente, tanto no caso do crente como no caso do incrédulo. Parece que Deus nos dá o meio para a iluminação e o desenvolvimento espirituais; então ele se oculta nas sombras para ver o que faremos com esses meios. Enquanto ele se posta nas sombras, alguns falham; mas todos poderiam obter sucesso, pois essa é a razão por que existem tais ensinamentos. O mistério não deve ser encarado como o é nas *religiões misteriosas*, como um ensinamento secreto, dado somente aos iniciados. Antes, os mistérios do NT são "segredos desvendados". É verdade que, por serem "ensinamentos divinos", devem ser conhecidos pela revelação, pois o engenho humano e a inteligência não podem revelá-los. Contudo, há aquela revelação necessária para torná-los conhecidos, mas esta é dada só a corações receptivos. A falta de receptividade se baseia na rebelião, e não na falta de graça da parte de Deus. Ao mencionar o mistério, o presente texto certamente não situa o cristianismo na categoria das religiões misteriosas orientais. Dentro de cada indivíduo está a chave para a compreensão da parábola. Essa chave é a reação humana exigida para que se tenha o privilégio de receber e entender a verdade divina. Essa resposta é possível para qualquer ser humano, pois quando Cristo foi levantado passou a atrair a todos (ver Jo 12.32). Sem essa reação positiva, pois, a chave se perde e a parábola se torna um enigma. Esse é o julgamento divino contra a rebeldia. Há um "grande segredo" sobre o que Cristo significa para todos os homens, sobre quem ele é e tudo está incluso no evangelho. E esse é um segredo revelado àqueles que o recebem.

"[...] aos de fora..." Equivale aos incrédulos. Essa era uma expressão judaica comum para indicar os não-judeus, isto é, os gentios; mas também era aplicada aos judeus desviados, que se tornavam insensíveis para com a revelação e os ensinamentos divinos.

4.12: para que vendo, vejam, e não percebam; e ouvindo, ouçam, e não entendam; para que não se convertam e sejam perdoados.

4.12 ἵνα βλέποντες βλέπωσιν καὶ μὴ ἴδωσιν, καὶ ἀκούοντες ἀκούωσιν καὶ μὴ συνιῶσιν, μήποτε ἐπιστρέψωσιν καὶ ἀφεθῇ αὐτοῖς.

12 βλέποντες...αὐτοῖς Is 6.9,10; Jo 12.40; At 28.26,27

O propósito do ensinamento é a *"conversão"*. (Ver notas completas sobre a "conversão", em Jo 3.3, no terceiro ponto, sob "novo nascimento".) A conversão se compõe da fé em Cristo e do arrependimento para com Deus (ver At 20.31). A conversão combina o humano com o divino. A porção divina é o poder transformador do Espírito, que inicia em um homem a formação da imagem de Cristo, no aspecto da santidade (a santidade de Deus, nele implantada; ver Rm 3.21 e Hb 12.14) e o "tipo de natureza" (ver 2Co 3.18), pois a própria natureza de Cristo é então implantada no indivíduo. Cristo vai sendo duplicado nesse homem, para que possa tornar-se um filho de Deus que está sendo levado à glória (ver Hb 2.10ss). A conversão, pois, é o começo desse processo, sendo uma operação divina. Ninguém pode atingir esse ponto sem a atuação do Espírito de Deus. Há também um lado humano. O indivíduo deve

792 |Marcos| NTI

corresponder a esse poder, mediante a fé (Rm 10.14), entregando a própria alma a Cristo, para ser transformado segundo a sua imagem. Tudo mais que sucede na vida e na experiência humana é apenas desenvolvimento daquilo que começou na conversão. (Ver At 2.38, sobre arrependimento, e Hb 11.1, sobre fé.)

O ensinamento cristão leva os homens à conversão, porque o Espírito honra à Palavra e a torna eficaz. Entretanto, conforme este versículo demonstra, é possível que tal ensinamento endureça, ao invés de converter. Isso, entretanto, depende do tipo de solo onde cai a semente. Temos de admitir que, no judaísmo antigo, havia a doutrina da reprovação ativa, ou a ideia de que Deus endurece propositalmente os homens; havia também o conceito da reprovação passiva, mediante o qual Deus deixaria certos indivíduos de lado, não lhes dando graça suficiente que lhes oferecesse a chance de se converter. Na verdade, ninguém pode converter-se sozinho, sem a ajuda divina. Portanto, se Deus deixa alguém de lado, esse indivíduo fica em estado de impotência espiritual. Apesar de essa doutrina fazer parte do judaísmo antigo (juntamente com o livre-arbítrio, sem nenhuma tentativa de reconciliar as duas coisas), e apesar de parecer que isso tenha sido transferido para o cristianismo, em algumas seções do NT, como o capítulo 9 de Romanos, cremos que se trate de uma doutrina deficiente, sem importar quem nela tenha crido ou quem a tenha ensinado. O intuito inteiro do evangelho é contrário a essa doutrina. João 12.32 mostra especificamente texto contrário à mesma. Apesar de admitirmos que a predestinação e o livre-arbítrio são ambas doutrinas cristãs bíblicas, e que podemos reconciliar uma à outra, não podemos admitir uma fria predestinação que garanta a condenação dos homens, e nem mesmo uma morna predestinação, que meramente deixe os homens de lado, abandonando-os em seus maus caminhos, para que, subsequentemente, sejam condenados. Isso parece ser uma contradição básica com todo o intuito de Deus em Cristo.

Lembremo-nos de que a heresia *gnóstica* promovia uma doutrina exclusivista, ao denominar a maioria dos homens de "hílicos" ou "terrenos", supondo que nem ao menos estão sujeitos à redenção, já que estariam de tal modo imersos na matéria, que jamais se poderiam livrar dela. É verdade que, sozinhos, assim sucede; mas Deus pode tirá-los daí e essa é sua intenção em Cristo. Contra o exclusivismo gnósticos temos passagens específicas, como 1Timóteo 2.4, que diz: "[...] o qual deseja que todos os homens sejam salvos e cheguem ao pleno conhecimento da verdade". O hipercalvinismo, baseado em premissas diferentes, reitera o erro do gnosticismo, e lança a culpa dessa circunstância sobre Deus, ao passo que os gnósticos disso culpavam os homens.

4.13: Disse-lhes ainda: Não percebeis esta parábola? como pois entendereis todas as parábolas?
4.13 Καὶ λέγει αὐτοῖς, Οὐκ οἴδατε τὴν παραβολὴν ταύτην,ᵃ καὶ πῶς πάσας τὰς παραβολὰς γνώσεσθε;ᵃ

ᵃ ᵃ **13** *a minor, a question:* WH Nes BF² Zür Luth Seg // *a question, a question:* TR Bov AV RV ASV RSV NEB TT Jer

13 ἤλειφον ἐλαίῳ Tg 5.14 πολλοὺς...ἐθεράπευον Mt 4.14; Mc 6.5

Essa reprimenda está contida somente no evangelho de *Marcos*. (Cf. com Mt 13.16, que é um cumprimento, e não uma repreensão). É uma reprimenda à falta de compreensão por parte dos próprios discípulos, os quais, tendo-se tornado insensíveis para com os ensinamentos de Jesus, não eram modelos de iluminação espiritual. (Ver sobre a iluminação do Espírito, em Ef 1.18.) Todos nós nos achamos em graus variados de iluminação. O alvo é a iluminação absoluta na visão beatífica (notas em 1Jo 3.2). Estamos nos aproximando desse alvo, no estado de variegados empreendimentos espirituais. Agora somos encorajados a aumentar no conhecimento, para que mais prontamente seus ensinamentos se arraiguem em nós, formando em nós a imagem de Cristo. Não se

duvide de que Jesus repreendeu a mente obtusa de seus discípulos. A consciência faz outro tanto, por estarmos bem conscientes de nossa falha, sobre como dilapidamos as oportunidades de aprender e ser transformados. Tendemos para a preguiça espiritual. Este versículos ensina o resultado desapontador do ministério de Cristo perante seus discípulos, como anteriormente fora destacado o mesmo fato em relação aos "de fora". (Em Mc 8.21 achamos repreensão semelhante.)

4.14: O semeador semeia a palavra.
4.14 ὁ σπείρων τὸν λόγον σπείρει.

O semeador é o *próprio Cristo*, no contexto original; ou então são os discípulos, depois de se tornarem missionários a propalar a mensagem cristã.

"[...] a palavra..." O ensinamento cristão, baseado na própria mensagem de Cristo, ou seja, o "evangelho", conforme é ilustrado em diversos aspectos das parábolas desta seção. O texto de Mateus 13.19 faz disso a "palavra do reino", que é seu uso original. (Ver notas completas em Mc 3.2, sobre o "reino dos céus" — "reino de Deus", em Marcos e Lucas).

4.15: E os que estão junto do caminho são aqueles em quem a palavra é semeada; mas, tendo-a eles ouvido, vem logo Satanás e tira a palavra que neles foi semeada.
4.15 οὗτοι δέ εἰσιν οἱ παρὰ τὴν ὁδὸν ὅπου σπείρεται ὁ λόγος, καὶ ὅταν ἀκούσωσιν εὐθὺς ἔρχεται ὁ Σατανᾶς καὶ αἴρει τὸν λόγον τὸν ἐσπαρμένον εἰς αὐτούς.

Satanás é o senhor das aves que arrebatam a semente (palavra). Em Mateus, ele é chamado de o maligno. (Ver Jo 8.44, quanto a notas completas sobre esse maligno ser.) Em parte alguma o NT nega a realidade do Diabo como ser, e nunca diz ser ele apenas um princípio do mal. (Ver também Lc 10.18.) Ele é quem envia as aves que comem a semente lançada. Sua obra é feita com maestria. Somente a graça de Deus pode livrar-nos de seu astucioso poder.

Marcos confunde aqui a semente com o solo. "A semente é a palavra, o solo é a mente do ouvinte. A declaração exata seria: 'esses são o caminho' ". (Gould, *in loc.*). Existe certa inexatidão de expressão neste ponto; mas o sentido é *perfeitamente* claro. Não temos diferentes espécies de sementes, conforme o versículo poderia subentender; e, sim, diferentes tipos de solo onde a semente é lançada. A narrativa de Mateus 13.19ss remove essencialmente a ambiguidade da expressão, ainda que, até mesmo aqui, o fraseado não seja absolutamente claro.

4.15 — *Nota textual.* As palavras "[...] em seus corações..." aparecem nos mss DEFGKMSUV e Fam Pi. Essas palavras estão contidas nas traduções AC, F, KJ, GD (por meio de interpretação), WM (por meio de interpretação). "[...] neles..." aparece nos mss Aleph, B, CL, Delta e nas traduções AA, ASV, BR, NE, IB, PH, M, RSV e WY. "[...] de seus corações..." aparecem no códex A, embora nenhuma tradução siga essa variante. "[...] neles...", entretanto, é o original. "[...] corações..." é uma interpretação ou explicação do sentido dessa frase.

4.16: Do mesmo modo, aqueles que foram semeados nos lugares pedregosos são os que, ouvindo a palavra, imediatamente com alegria a recebem;
4.16 καὶ οὗτοί εἰσιν³ οἱ ἐπὶ τὰ πετρώδη σπειρόμενοι, οἳ ὅταν ἀκούσωσιν τὸν λόγον εὐθὺς μετὰ χαρᾶς λαμβάνουσιν αὐτόν,

---

16 θνευς] *om* D *579 pc* it syˢ

³ **16** {B} εἰσιν D W Θ *f*¹ *f*¹³ 28 565 700 1216 itᵃˑᵇˑᶜˑᵈˑᶠᶠ²ˑⁱˑq.r¹ syrᵉ·ᵖ copˢᵃˑᶠᵃʸ arm geo Diatessaron Origen // εἰσιν ὁμοίως A B K Π 1009 1010 1079 1195 1230 1242 1253 1344 1365 1546 1646 2148 2174 *Byz* lᵉ⁰ˑ⁷⁶ˑ¹⁸⁵ˑ²⁹⁹ˑ⁸⁸³ˑ¹⁶⁴² itᵃᵘʳˑᶠˑˡ vg syrʰ goth // ὁμοίως εἰσίν ℵ C L Δ 33 892 1071 1241 *Lect* copᵇᵒ

Todas as três formas contam com respeitável apoio nos manuscritos, e nenhuma tem um paralelo sinóptico. Se ὁμοίως estava presente no original, é difícil compreender por que alguém desejaria mudar-lhe a posição ou apagá-la inteiramente. Por outro lado, não há que duvidar que ὁμοίως suaviza o texto. Aparentemente, pois, a palavra foi introduzida em diferentes lugares por copistas de inclinações literárias.

Este versículo retém a confusão entre a semente e o solo, previamente mencionada (versículo anterior). Há uma preparação superficial, em algumas pessoas. Essas são as que não sentem profundamente a mensagem, mas que, por algum tempo, são meramente atraídas por suas promessas e beleza inerente. Olham para o que nela é agradável, mas se esquecem da dor e da oposição que acompanha o recebimento da palavra. Desde o princípio, temos dado explanações que acompanham o relato original da parábola (ver Mt 13.3ss, onde são providos suplementos e comentários, sobretudo nas notas inseridas, provenientes dos comentários sobre Marcos).

4.17: mas não têm raiz em si mesmos, antes são de pouca duração; depois, sobrevindo tribulação ou perseguição por causa da palavra, logo se escandalizam.

4.17 καὶ οὐκ ἔχουσιν ῥίζαν ἐν ἑαυτοῖς ἀλλὰ πρόσκαιροί εἰσιν· εἶτα γενομένης θλίψεως ἢ διωγμοῦ διὰ τὸν λόγον εὐθὺς σκανδαλίζονται.

17 γενομένης...σκανδαλίζονται Mt 26.31; Mc 14.27

17 η διωγμ. δια τ. λ.] *om* f1

(Ver as notas adicionais de explanação pelos comentários do texto de Mc, em Mt 13.5,6.) A raiz fala do *apego* que alguém tem à verdade, bem como do apego da verdade à alma do indivíduo. Alguns supostos discípulos nem se apegam e nem são apegados. Da raiz é que vem a nutrição para a planta. A palavra de Cristo floresce em alguns, porque há certa raiz em seus ensinamentos. Isso significa que o Espírito Santo mostra-se ativo, duplicando em nós a imagem de Cristo; e então nossa alma se vai arraigando nele. Ele é o nosso alimento espiritual.

Os homens se achegam à religião por causa de seu *lado alegre*. No entanto, quando, ao invés disso, acham a perseguição, logo abandonam sua fé primária e débil. Isso sucede "logo", uma palavra característica de Marcos, usada 41 vezes, em diversos contextos.

4.18: Outros ainda são aqueles que foram semeados entre os espinhos; estes são os que ouvem a palavra;

4.18 καὶ ἄλλοι εἰσὶν οἱ εἰς τὰς ἀκάνθας σπειρόμενοι· οὗτοί εἰσιν οἱ τὸν λόγον ἀκούσαντες,

4.19: mas os cuidados do mundo, a sedução das riquezas e a cobiça doutras coisas, entrando, sufocam a palavra, e ela fica infrutífera.

4.19 καὶ αἱ μέριμναι τοῦ αἰῶνος καὶ ἡ ἀπάτη τοῦ πλούτου καὶ αἱ περὶ τὰ λοιπὰ ἐπιθυμίαι εἰσπορευόμεναι συμπνίγουσιν τὸν λόγον, καὶ ἄκαρπος γίνεται.

19 ἀπάτη τοῦ πλούτου Mt 19:23,24; Mc 10:23,24; Lc 12:15-21; 18:24,25

19 αιωμπς אB f1 *28* vg; R] αι. τουτου A f13 *pm* ς: βιου DWΘ *al* | η απ. τ. πλ.] αι απαται τ. κοσμου (D)Θ | και αι περι τ. λ. επιθ.] *om* DWΘ f1 *28* it

N. B.: Quando aparecem textos paralelos em Mateus e Marcos, apresentamos a exposição em Mateus; em Marcos, acrescentamos apenas algumas notas suplementares.

(Ver as notas em Mt 13.7, quanto a comentários adicionais sobre as ideias aqui transmitidas pela exposição da narrativa da parábola em Marcos.) No v. 18 continua a *ambiguidade* da identificação dos tipos de solo, como se, ao invés disso, fossem tipos de semente. Isso é comentado nas notas sobre Marcos 4.15.

"São tais que, faltando-lhes o desinteresse da primeira e a superficialidade da segunda classe, e possuindo alguma profundidade e intensidade, poderiam tornar-se frutíferos; um tipo bastante comum, e bastante interessante. O v. 19 especifica os empecilhos, os espinhos sufocadores [...] os cuidados da vida, no caso dos pobres devotos (Mt 6.25-34). A concupiscência por outras coisas — vícios sensuais —, no caso dos publicanos e pecadores (Mt 2.13-17). Jesus já encontrara esses casos em seu ministério passado" (Bruce, *in loc.*).

4.20: Aqueles outros que foram semeados na boa terra são os que ouvem a palavra e a recebem, e dão fruto, a trinta, a sessenta, e a cem, por um.

4.20 καὶ ἐκεῖνοί εἰσιν οἱ ἐπὶ τὴν γῆν τὴν καλὴν σπαρέντες, οἵτινες ἀκούουσιν τὸν λόγον καὶ παραδέχονται καὶ καρποφοροῦσιν ἕν[4] τριάκοντα καὶ ἕν4 ἑξήκοντα καὶ ἕν4 ἑκατόν.

4 **20** {B} ἕν...ἕν...ἕν K (L ἕν...ἕν...ἕν) Θ 1009 *Lect* it[sur,(b),c,d,e,f,ff2,i,l,q,r1] vg cop[sa,bo] goth geo // ἕν...ἕν...ἕν f[13] 28 33 565 700 892 1010 1071 1079 1195 1216 1230 1241 1242 1253 1365 1546 1646 2148 2174 *Byz* l[76,185,21 1,299,333,883,950,1127] syr[p,h] arm // ἕν...ἕν...ἕν א A C[2vid] D (W το ἕν...το ἕν... το ἕν) Δ Π // ἕν...omit...ἕν C[vid] 1344 // ἕν...omit...omit B // *some... some...some* cop[fay]

Ver os comentários sobre o v. 8.

(Ver as notas suplementares sobre as ideias transmitidas neste versículo, em Mt 13.8, pelos comentários sobre Mc 4.20, inseridas no comentário naquele ponto.) Este versículo faz continuar a ambiguidade do autor sagrado, que identificou os solos com as sementes, apresentando diversos tipos de sementes.

"Isso é o que *distingue* o solo bom de todos os outros. O que é plantado nele produz fruto; a verdade torna-se virtude, naquele solo. Não denota os labores ou sucessos dessa classe de trabalhadores, na propagação da verdade. Nosso Senhor distingue entre esse tipo de fruto e a obediência que é o verdadeiro teste do discipulado, em Mateus 7.21-23". (Gould, *in loc.*). Seja como for, a fruição no íntimo torna-se frutificação externa, e, mediante isso, fica-se conhecendo o verdadeiro caráter e o discipulado de um homem.

4.21-25 — *Parábola da candeia.* (Ver as notas expositivas a respeito em Mt 5.15,16 e em Lc 8.16 e 11.33, onde o mesmo material é apresentado, em conexões diferentes).

4.21: Disse-lhes mais: Vem porventura a candeia para se meter debaixo do alqueire, ou debaixo da cama? não é antes para se colocar no velador?

4.21 Καὶ ἔλεγεν αὐτοῖς, Μήτι ἔρχεται ὁ λύχνος ἵνα ὑπὸ τὸν μόδιον τεθῇ ἢ ὑπὸ τὴν κλίνην;[b] οὐχ ἵνα ἐπὶ τὴν λυχνίαν τεθῇ;[b]

b b **21** b question, b question: TR Bov Nes BF2 AV NEB TT Zür Jer Seg // b minor, b question: WH RV ASV RSV // b question, b statement: Luth 21 Μήτι...λυχνίαν τεθῇ Mt 5.15; Lc 11.33 21 οτι **BL** 892.; R] ιδετε f13 *28.*: *om* rell ς | ερχ.] απτεται **D** it: καιεται **W** f13 | επι τ. λ.] υπο τ. λ. אB[*] f13 *pc*

A parábola da "*lâmpada*" parece ter tido originalmente alguma conexão com a ideia de Marcos 4.11ss, a questão do emprego das parábolas. Visam a ser janelas que nos permitem ver a verdade, e não meios de ocultar a verdade. Assim, a própria parábola, apesar de ser um enigma aos duros de mente, não visa a ser posta sob uma medida ou debaixo da cama, para não ser vista. Isso se assemelha ao ensinamento de Paulo acerca dos *mistérios* de Deus. Eles existem a fim de se tornarem, finalmente, "segredos desvendados", e não mensagens esotéricas somente para uma elite. (Ver Ef 3.5, quanto a esse conceito.) Os mistérios do reino dos céus, por igual modo, não podem permanecer ocultos, e a parábola é um meio de trazer a céu aberto a lâmpada de Deus, para ser entendida por todos. A aplicação que Mateus faz dessa declaração (Mt 5.15,16), e que faz parte do protomarcos, embora também pudesse ter sido preservada em outras fontes, como "Q" e com diferentes conexões ou aplicações, diz respeito ao testemunho pessoal à verdade, em meio a este mundo vil. A aplicação, em Marcos, talvez seja

794 |Marcos| NTI

apenas o que já se mencionou; mas o v. 22 pode torná-la mais geral, declarando que a *justiça*, em todas as suas formas, deverá finalmente triunfar, mediante a revelação divina do que é certo ou errado, por meio de suas recompensas ou juízos. Entretanto, a ideia principal parece ser que, se Deus oculta alguma coisa, isso é medida meramente temporária, com um propósito em mira, pois, finalmente, todos os segredos de Deus relativos aos homens (incluindo aqueles referidos em parábola) tornar-se-ão conhecidos, e isso para benefício dos homens. Por conseguinte, ocultar parte do propósito total da revelação não é uma medida antirrevelatória. A aplicação feita verbalmente por Lucas, pelo menos, parece ser a mesma que aquela que temos aqui em Marcos (ver Lc 8.16,17). Ali, porém, ao que parece, temos uma advertência de que os pecados e obras secretos dos homens estão inclusos nessa revelação (ver o v. 18), sendo perfeitamente possível que a própria declaração, mesmo quando utilizada por Jesus, tivesse aplicações as mais variadas.

Como aplicação, juntamente com aquilo que é tencionado em Mateus, a mensagem do "evangelho do reino" (e, nas mãos dos evangelistas, o evangelho cristão) não visa a ficar oculta, mas deve ser amplamente revelada. Portanto, isso pode ter sido um conceito aplicado na primitiva missão gentílica da Igreja. A igreja pode tornar-se um meio que oculte o evangelho, sobretudo quando dominada por "medidas" da traição, do ódio e dos preconceitos, que afogam essa mensagem de Deus para todos os homens. A igreja deveria, antes, servir de meio para anunciar a mensagem, tal como uma lâmpada que é posta em lugar elevado em um quarto, para conferir o máximo de luz. Nossa vida pessoal, infestada de pecados e vícios, apaga dela a luz do evangelho, aos olhos dos que nos cercam no mundo.

Alguns intérpretes supõem que, aqui em Marcos, o sentido da parábola da candeia é o da *"necessidade de frutificação"*, distorcendo-a assim para algo do que se acha em Mateus; mas as sugestões acima são superiores como interpretações de como a declaração é usada em Marcos.

4.22: Porque nada está encoberto senão para ser manifesto; e nada foi escondido senão para vir à luz.
4.22 οὐ γὰρ ἐστιν κρυπτὸν ἐὰν μὴ ἵνα φανερωθῇ, οὐδὲ ἐγένετο ἀπόκρυφον ἀλλ' ἵνα ἔλθῃ εἰς φανερόν.

22 Mt 10:26; Lc 12:2

Essa afirmativa, tal como a anterior, é de natureza geral, podendo ser aplicada de vários modos. (1) Pode apenas declarar que a justiça *finalmente* prevalecerá, em todos os casos. Os pecados secretos serão revelados; secretas ou obscuras, as boas obras também virão a lume. O juízo sobrevirá; o galardão será completo. Essa é apenas outra operação da lei da colheita segundo a semeadura (ver Gl 6.7,8). Lucas parece indicar, pelo menos, esse tipo de aplicação, embora não como sentido exclusivo. Diz Lucas 8.18: "Vede, pois, como ouvis; porque ao que tiver, se lhe dará; e ao que não tiver, até aquilo que julga ter lhe será tirado". Mateus ignora completamente essa possibilidade. (2) No entanto, a aplicação central de Marcos provavelmente seja aquela descrita acima. O *ocultamento temporário* faz parte do propósito da revelação. A mensagem do reino, dada por meio de parábolas e outras instruções, por final se tornará totalmente conhecida. A mensagem do reino é um tesouro precioso, contido em um mistério. Esse mistério, porém, será eventual e totalmente conhecido.

"A finalidade do ato de ocultar é *manifestar*. É o caso de um argumento 'a minori'. Até o que está oculto, assim se acha somente para ser por fim manifesto, quanto mais aquilo que por sua natureza é luz, e não trevas [...] Deus tem segredos, mistérios; mas não são segredos permanentes; estão tão somente guardados em reserva para revelações futuras" (Gould, *in loc.*).

"As coisas são escondidas quando são preciosas; mas as coisas preciosas trazem a ideia de serem usadas de algum modo. Tudo depende da ocasião e do meio; e é nessa altura que entra a diversidade

de ações. A regra de Cristo no tocante a isso era: mostra a tua luz quando isso glorificar a Deus e beneficiar os homens. A regra do mundo, porém, é: *mostra tua luz* quando isso for seguro e benéfico para ti mesmo". (Bruce, *in loc.*).

4.23: Se alguém tem ouvidos para ouvir, ouça.
4.23 εἴ τις ἔχει ὦτα ἀκούειν ἀκουέτω.

23 Mt 11.15; 13.43; Mc 4.9; Lc 14.35; Ap 2.7,11,29; 3.6,13,22

É óbvio que essa é a outra das afirmativas de Jesus usada em *várias* conexões. No entanto, sempre chama a atenção para o imperativo de darmos à mensagem espiritual. Nesta conexão, Mateus não a repete. O texto de Lucas 8.18 não a traz diretamente, embora incorpore sua substância, em associação à parábola da lâmpada. Traz, porém, uma versão mais ornada da mesma, extraída de Mateus 4.24. Aquele que "ouve" de maneira correta será abundantemente recompensado, porquanto (fica entendido) não só ouviu, mas também "praticou" o que a mensagem lhe determinava fazer. Entretanto, aquele que não "ouve", mas negligencia a mensagem, repelindo-a, perderá até aquilo que pensava ter, e será julgado com severidade. O uso que Marcos faz da declaração, em sua forma simples, parece apenas ser uma confirmação do princípio anterior, ou seja, que o *ocultamento* da vontade divina é apenas *temporário*, pois, de fato, tudo será, *por fim*, revelado. Que todos quantos ouvirem essa declaração a compreendam! A mensagem do reino visa a ser "publicada". Ouçamos e entendamos a mesma, e então ajudemos em sua publicação. Alguns supõem que as palavras referem-se especificamente a parábolas. Que aquele que ouvir a parábola, que a "ouça corretamente", buscando a sua mensagem oculta e tirando proveito do entendimento recebido. (Ver as notas sobre essa declaração em Mt 11.15 e Ap 2.7.)

Em Marcos, a frase também introduz os sentimentos de Marcos 4.24,25, que o juízo sobrevirá sobre um homem, dependendo de como *ouviu* e aplicou as declarações espirituais. Mateus não tem essa mensagem em conexão com a parábola da candeia, mas Lucas a retém; e supomos que no protomarcos havia essa conexão. Mateus 7.2, em outra conexão, repete a substância do que se lê em Marcos 4.24,25.

4.24: Também lhes disse: Atendei ao que ouvis. Com a medida com que medis vos medirão a vós, e ainda se vos acrescentará.
4.24 Καὶ ἔλεγεν αὐτοῖς, Βλέπετε τί ἀκούετε. ἐν ᾧ μέτρῳ μετρεῖτε μετρηθήσεται ὑμῖν καὶ προστεθήσεται ὑμῖν[5].

24 ἐν...μετρηθήσεται ὑμῖν Mt 7.2; Lc 6.38

[5] 24 {A} καὶ προστεθήσεται ὑμῖν ℵ B C L Δ 700 892 it^aur,c,ff2,i,r1 vg cop^bo,mss arm eth // καὶ προστεθήσεται ὑμῖν τοῖς ἀκούουσιν A K (Θ περισευθήσεται) Π 0107 f^1 f^13 (28 προστεθήσεται γὰρ ὑμῖν and omit καί) (33 omit ὑμῖν) (1009 ὑμῖν) 1010 1071 1079 1195 1216 1230 (1241 omit καί) 1242 1253 1365 1546 2174 Byz Lect it^q syr^p,h cop^sa,bo,mss geo Diatessaron^a // et adicietur vobis credentibus it^f goth // τοῖς ἀκούουσιν 1344 1646 2148 l^10,12,184pt,883,1231m // omit (ver Mt 7.2) D W 565 it^b,c,d,e,l Cyprian

A omissão de καὶ προστεθήσεται ὑμῖν parece ter sido acidental, devido a homoeoteleuton. As palavras τοῖς ἀκούουσιν parecem ser uma glosa inserida para explicar a conexão da declaração com βλέπετε τί ἀκούετε. Um manuscrito latino e a versão gótica diziam "será adicionada a vós, *que creem*".

(Cf. Mt 7.2 e Lc 8.18.) Em Marcos, as palavras são ligadas à parábola da lâmpada. Em Mateus, à seção do *juízo*; e em Lucas, à parábola da lâmpada. É possível que tanto o protomarcos quanto Q trouxessem essa declaração, e isso pode ter sido preservado em outras fontes, ainda com outras conexões. Sem importar suas conexões, a lei da colheita segundo a semeadura está em foco. (Ver Gl 6.7,8, quanto a explicações detalhadas sobre essa lei.) Um discípulo pode crescer no entendimento somente se der atenção às declarações espirituais de Cristo. À medida que elas estiverem em seu coração e a elas ele for leal, estará adquirindo galardões, pois sua vida estará sendo transformada por elas; ele estará participando da plenitude de Deus (ver Ef 3.19) e da natureza e imagem de Cristo (ver 2Co 3.18), pois são ensinamentos dele. De *outro modo*, aqueles que não querem ouvir, repelem o poder transformador de Cristo na vida, mas terão de sofrer as consequências disso no juízo. De modo geral, essa afirmativa mostra a responsabilidade dos ouvintes. É mister que tentem compreender o que ouvem; então que apliquem o que entenderam. Aquele que ouve e pratica cresce. Aquele, porém, que não dá ouvidos e, portanto, não pratica, atrofia-se. O processo por que passará depende de cada um.

Provavelmente, a declaração também inclui a ideia de que o ouvir atento provoca um maior aprendizado, oferece mais oportunidades de ouvir a instrução do Espírito, e, assim, *maiores oportunidades* de crescimento. É uma lei espiritual que o "conhecimento repelido" corta o fluxo de conhecimento; mas conhecimento recebido e aplicado, abre as comportas para maior conhecimento, maior desenvolvimento, maiores triunfos. O Espírito de Deus é generoso. Contudo, exige nossa reação favorável. Uma vez que lhe franqueemos isso, ele faz chover sobre nós o conhecimento celeste e as bênçãos em medidas que ultrapassam tudo quanto merecemos ou poderíamos esperar.

4.25: Pois ao que tem, ser-lhe-á dado; e ao que não tem, até aquilo que tem ser-lhe-á tirado.

4.25 ὃς γὰρ ἔχει, δοθήσεται αὐτῷ· καὶ ὃς οὐκ ἔχει, καὶ ὃ ἔχει ἀρθήσεται ἀπ᾽ αὐτοῦ.

25 Mt 13.12; 25.29; Lc 19.26

Essa declaração adorna o que acabara de ser dito. Mateus 25.29 traz essa afirmativa em conexão com a parábola dos talentos; e Lucas 19.26 tem a mesma conexão que o texto de Mateus. Assim, supomos, uma vez mais que essa declaração era favorita de Jesus e que ele a proferiu em mais de uma conexão. Reforça a lei da colheita segundo a semeadura. Se aquele que possui discernimento aplicar o mesmo e não entravá-lo, será recompensado com maior discernimento, resultando em maior conhecimento e crescimento espirituais, além da recompensa, devido ao seu desenvolvimento espiritual. (Ver 1Co 3.14, quanto à nota de sumário sobre os *galardões*; e 2Tm 4.8, sobre as *coroas*.) Supomos, por todo este comentário, que as "recompensas" consistem muito mais no que sucederá conosco do que meras coisas que haveremos de ganhar. Não temos um ponto de vista materialista sobre os galardões. Se alguém vier a compartilhar da natureza de Cristo, de seus atributos e poderes, e de seu tipo de vida (ver Rm 8.29 e Cl 2.10) — portanto, da plenitude de Deus (ver Ef 3.19) e da participação na sua divindade (2Pe 1.14) — isso será o seu galardão. O resto é mero adorno das circunstâncias. Outrossim, esses são os elementos do evangelho espiritual de Cristo, que fazem a "salvação" ser algo muito mais profundo do que o perdão de pecados e a mudança futura para os céus. Infelizmente, a esses aspectos mais vulgares é que a mensagem da salvação tem sido reduzida pelas igrejas evangélicas comuns. (Ver Hb 2.3, sobre a "salvação".)

Mas a lei da colheita segundo a semeadura é uma estrada de *duas* vias. Aqueles que se negam a ouvir e repelem a transformação segundo a imagem de Cristo, efetuada mediante a influência de seu Espírito, haverão de perder até aquilo que pareciam ter. Em outros termos, não chegarão à maturidade espiritual, não poderão participar da imagem de Cristo; e, além disso, serão julgados de outros modos. (Ver Ap 14.11, sobre a doutrina do julgamento.) Uma alma que não avança, atrofia-se; e essa atrofia é o tipo de retribuição especial para os negligentes. Obtenha-se o conhecimento; obtenha-se o conhecimento de Cristo. E, então, que se aja segundo esse conhecimento, permitindo-lhe aumentar, florescer e frutificar. Em caso contrário, é certo que retrocederemos até o desastre espiritual, neste mundo e no outro.

4.26-29 — Parábola do desenvolvimento inconsciente do reino. Dentre as 41 parábolas de Jesus, que encontramos nos evangelhos sinópticos, Marcos registrou apenas oito, e esta parábola é peculiar ao seu livro. Esta parábola forma um par com aquela que paralelamente a segue (a da semente de mostarda). Uma delas exibe o segredo e o mistério do crescimento do reino de Deus, ao passo que a outra mostra o espantoso contraste entre o pequeno começo do reino e o gigantesco resultado no seu crescimento e desenvolvimento. Tanto Mateus como Lucas omitiram a primeira dessas parábolas, embora, sem dúvida, tivessem tido acesso à mesma, no evangelho de Marcos ou na fonte do *protomarcos* original. Mateus substituiu a primeira dessas parábolas pela sua parábola do "joio", em Mateus 13.24-30.

Esta parábola de Marcos fala sobre algo pertencente ao governo de Deus — o *determinismo* e a soberania de Deus. O ensinamento central da parábola é a certeza, e, de fato, a inevitabilidade do desenvolvimento e da vinda do reino, uma vez que a semente (v. 3-8) tenha sido plantada. Isso equivale ao "feito maravilhoso do Senhor, aos nossos olhos", que está muito além do terreno da compreensão, da explicação ou da realização humana. O escritor dessa parábola "não sabe" como tudo acontece; mas essa ocorrência está determinada nos conselhos de Deus. A fonte originária dessa parábola, juntamente com as outras que figuram neste capítulo quarto, provavelmente foi a *comunidade cristã romana*, que preservou as tradições orais ou escritas da vida de Jesus, que aparecem por detrás deste evangelho. A introdução a este evangelho provê boa discussão sobre as suas fontes informativas, e o leitor deve consultá-la para que fique mais bem informado a respeito.

4.26: Disse também: O reino de Deus é assim como se um homem lançasse semente à terra,

4.26 Καὶ ἔλεγεν, Οὕτως ἐστὶν ἡ βασιλεία τοῦ θεοῦ ὡς ἄνθρωπος βάλῃ τὸν σπόρον ἐπὶ τῆς γῆς

"[...] o reino de Deus é assim..." (Quanto a notas completas sobre a significação do termo "reino de Deus", empregado por Marcos, ou "reino dos céus", empregado por Mateus, ver Mt 3.2.)

Não é dito *para quem* essa parábola foi proferida, se para as multidões ou para os discípulos de Jesus; mas a terra, neste caso, sem dúvida representa corações acolhedores, aqueles discípulos autênticos de Jesus, conforme também se verifica com outras parábolas desta mesma seção. A observação de Bruce quanto a este ponto (in loc.) é digna de atenção: "[...] seja como for, essa nova parábola refere-se aos discípulos, ilustrados aqui como o solo fértil, seja um apêndice à parábola do semeador, ensinando que até mesmo no caso da quarta modalidade de ouvintes, a produção de frutos é um processo gradual, que requer tempo. Posto em termos negativos, essa parábola equivaleria a dizer que o ministério de Cristo até aquele ponto, apropriadamente falando, ainda não havia produzido nenhum fruto; tão somente encontrara solo promissor (os discípulos). Esta parábola revela, ao mesmo tempo, a discriminação e a paciência de Jesus. Ele sabia distinguir a diferença entre a espiga que haveria de produzir grão maduro e a espiga que finalmente haveria de ressecar-se; mas, em qualquer desses casos, ele não aguardava esse resultado repentinamente, 'per-saltum'. Um ensino parabólico dessa natureza mostra-se extremamente apropriado após a parábola do semeador".

Naturalmente que essa palavra é ao mesmo tempo *individualista* (isto é, aplica-se ao desenvolvimento da semente, que é a palavra implantada, a mensagem de Jesus, no discípulo, individualmente) e universalista (o que se refere ao crescimento da mesma palavra no mundo, por meio da união conglomerada dos discípulos, individualmente, o que, sem dúvida, deixa entrever algo da vinda do reino de Deus em seu sentido milenar, isto é, o governo eventual de Cristo neste mundo, uma espécie de conversão do mundo aos seus princípios).

796 |Marcos| NTI

4.27: e dormisse e se levantasse de noite e de dia, e a semente brotasse e crescesse, sem ele saber como.
4.27 καὶ καθεύδῃ καὶ ἐγείρηται νύκτα καὶ ἡμέραν, καὶ ὁ σπόρος βλαστᾷ καὶ μηκύνηται ὡς οὐκ οἶδεν αὐτός.

27 Tg 5.7
27 μηκυνηται] -νεται **DW** 700 al

"[...] depois dormisse..." Aqui temos o mistério do *desenvolvimento inconsciente* do reino, o que aponta diretamente para o senhorio de Deus, que governa este mundo dos homens, bem como o mundo do coração. A semente da mensagem de Cristo, uma vez semeada no mundo e no coração dos homens, finalmente deve produzir fruto. A terra, que é o "coração dos homens" e a "sociedade dos homens", não pode resistir para sempre ao poder dessa semente. Essa terra, por motivo de suas qualidades naturais, "automaticamente" produz fruto. Muito apropriadamente diz Halford E. Luccock (*in loc.*): "A terra produz por si mesma. Os gregos tinham uma palavra para isso — *automate* — a qual, muito literalmente traduzida poderia ser 'a terra automática'. A comparação entre o agricultor, que confia firmemente na frutificação da terra, e o semeador da semente do reino pinta a inevitabilidade da vinda do reino de Deus. Nota-se que isso tem sido frequentemente mal-entendido, que o verdadeiro cerne da parábola não é o desenvolvimento gradual da semente, e, sim, a certeza desse desenvolvimento, a sua inevitabilidade, devido à natureza da terra. Assim, o reino está próximo por causa da operação do poder de Deus, de cujo poder os discípulos podem depender serenamente. Essa foi uma grande palavra de encorajamento, tanto quando foi proferida como em todas as ocasiões, como é também uma resposta à impaciência e ao desânimo. Os discípulos que viveram nos dias de Jesus devem ter sido tentados a se aliarem aos zelotes, procurando forçar, dessa maneira, um método mais rápido e mais seguro de estabelecer o reino..."

"A semente no coração, em seu crescimento depende de outras causas que estejam além da ansiedade humana e da vigilância dos homens: depende de um misterioso poder implantado por Deus, tanto na semente como no solo, cuja operação não aparece aos olhos dos homens" (Alford, *in loc.*). No tocante à questão do solo do homem, Ellicott vê certa lição (*in loc.*): "Assim também tem acontecido na história do mundo. Os homens não reconheceram a grandeza da nova força que fora posta em ação. Os filósofos e os estadistas a ignoraram. Até mesmo os próprios pregadores da nova fé, os semeadores da parábola, dificilmente tinham consciência da gigantesca revolução que estavam pondo em marcha. Assim também acontece na vida do indivíduo. A palavra aparentemente ocasional, a nova verdade que resplandece na alma qual uma revelação, as antigas palavras que agora, pela primeira vez, são apreendidas em sua verdadeira força, tudo isso mostra ser as sementes de um novo desenvolvimento na alma".

4.28: A terra por si mesma produz fruto, primeiro a erva, depois a espiga, e por último o grão cheio na espiga.
4.28 αὐτομάτη ἡ γῆ καρποφορεῖ, πρῶτον χόρτον, εἶτεν στάχυν, εἶτεν πλήρη[ς] σῖτον ἐν τῷ στάχυϊ.

28 πληρης σιτος **B**] πλ. ο σ. **DW**: ρης σιτον **C**vid 28 pc: πληρη (*add* τον Θ pc)σιτον ℵA fr f13 pl ς; R

"A terra por si mesma frutifica...". Temos aqui uma descrição mais pormenorizada daquilo que é descrito em termos gerais no v. 27. Fica salientada a espontaneidade desse desenvolvimento, bem como o fato de que o próprio agricultor não tem nenhuma parte a desempenhar nesse crescimento, mas que o poder de dar início e de passar pelos sucessivos estágios, até que atinja a maturidade e a perfeição, é algo que faz parte das propriedades da própria semente, na proporção em que for sendo encorajada pelo bom solo, e assim o bom fruto é produzido automaticamente.

Compreendemos perfeitamente bem que uma grande energia está aqui em operação, e não é observada e não é provocada, mas que, a despeito disso, é real. Esse é o poder da vontade de Deus, operante por intermédio da vida de Cristo, e tem como seu objetivo a transformação do coração e da mente dos crentes segundo a imagem da mente de Cristo. Trata-se de uma espécie de vida que emana de Cristo, por meio do Espírito Santo, e que encontra expressão nos crentes, individualmente, e, por intermédio deles, nas comunidades humanas, e, finalmente, no reino milenar de Cristo. Esse poder é "automovimento, espontâneo, sem nenhuma ajuda externa, e também fica fora do alcance de qualquer controle externo; tem uma forma peculiar, digamos aqui, que precisa ser respeitada e aguardada". (Bruce, *in loc.*). Os três estágios do crescimento espiritual, aqui mencionados, naturalmente subentendem um desenvolvimento gradual; e é justamente esse o ponto enfocado na parábola. Todavia, isso não oblitera aquele ponto principal, que é a certeza desse desenvolvimento, posto que a semente é poderosa, e que a terra é boa. Esse desenvolvimento gradual, todavia, ocorre em toda a experiência humana. A vereda do desenvolvimento espiritual, tal como a chegada final e a fruição do reino universal de Cristo, é um processo longo e difícil, do qual não podemos escapar, entretanto, mas pelo qual é mister que esperemos, e acerca do que precisamos continuar confiando. Temos, por conseguinte, a base, nesta passagem, tanto da fé como da esperança. Ficamos a olhar para o poder de Deus, para que sejamos transformados, e, nessa caminhada, não nos podemos impacientar. Não podemos embalar *expectações irracionais*, mas precisamos perceber que, o chegarmos ao estágio do desenvolvimento completo, sendo transformados segundo a imagem de Cristo, assim passando a compartilhar da essência divina, conforme ele compartilha dessa essência, não é algo que ocorra da noite para o dia. Não existe também razão nenhuma para pensarmos que a morte, ou seja, a transição deste mundo para o outro, seja o fim desse processo. As Escrituras revelam que Deus é muito mais paciente do que nós, provavelmente porque ele compreende, muito melhor do que nós, que grande distância teremos de prosseguir, até que cheguemos à perfeição. (Ver as notas existentes em Rm 8.29 e Ef 1.23.)

4.29: Mas assim que o fruto amadurecer, logo lhe mete a foice, porque é chegada a ceifa.
4.29 ὅταν δὲ παραδοῖ ὁ καρπός, εὐθὺς ἀποστέλλει τὸ δρέπανον, ὅτι παρέστηκεν ὁ θερισμός.

29 ἀποστέλλει...θερισμός Jl 3.13; Ap 14.15

"[...] E quando o fruto já está maduro..." Nisto temos uma alusão ao texto de Joel 3.13, e muito apropriadamente podemos considerar essas palavras como um apêndice à parábola. Esta adição nos apresenta Deus como o ceifeiro (mas Deus não é o agricultor da parábola, visto que muito dificilmente alguém poderia dizer que Deus não sabia como a semente cresce e se desenvolve — v. 27). Assim, não precisamos esperar grande coerência entre os símbolos aqui utilizados. Neste ponto, precisamos simplesmente admitir outro símbolo, isto é, o símbolo da ceifa e do ceifeiro, que é Deus.

Este versículo ajunta um distintivo aspecto *escatológico* à parábola, embora esse aspecto já se ache presente, porquanto a própria perfeição, quer no crente, individualmente, ou na comunidade cristã, é um longo processo, embora, no NT, sempre apareça vinculado à segunda vinda de Cristo, ou à morte, ou ao julgamento, ou à ressurreição, todas as quais são ideias escatológicas. Assim, o aperfeiçoamento do reino nos homens, no reino composto de homens, está ligado ao tempo da ceifa, o que, em outras passagens, é definidamente identificado com a vinda de Jesus Cristo a fim de julgar e recompensar os fiéis. Esta adição à parábola, portanto, ensina-nos que, desde o princípio, está garantido o fim. O próprio fato de que a parábola ensina-nos que a semente foi plantada em bom terreno, mesmo sem levarmos em conta qualquer outra consideração, é uma garantia de que haverá ceifa; e essa ceifa sempre é associada ao retorno de Cristo, quando ele estabelecer o seu reino milenar.

As leis da natureza são leis de Deus. E, da mesma forma que progridem as estações do ano, e a semente se desenvolve, transformando-se em uma planta em amadurecimento, até que finalmente chega o tempo próprio da colheita, *também* acontece às leis espirituais de Deus. O mesmo Deus é quem controla tanto uma coisa como outra. Nesse caso, a foice serve, aqui, de outro símbolo. Fala do grão eterno, porquanto o grão é recolhido, sendo algo bom e proveitoso. Dessa maneira, esta parábola instrui-nos sobre o fato de que existe um bom resultado, que é eterno e muito desejável, tanto para o plantio como para o desenvolvimento espiritual. Ensina-nos a parábola que algum dia a foice será posta em funcionamento e que tudo aquilo pelo que nos tínhamos esforçado, trabalhado e orado por tanto tempo, finalmente atingirá o ponto da realização. Esse símbolo da foice, pois, fala-nos da esperança que aguarda uma colheita inevitável, o que se dará em um dia melhor. Em suas conexões escatológicas, conforme se vê neste versículo, a foice fala-nos daquilo que é *melhor*, o dia que está por detrás do véu da morte ou transição, quando tivermos de passar pela outra porta de Deus. Ensina-nos que esta vida não é vã, que existe aqui certo desígnio e destino; que Deus, a alma e o destino são realidades básicas de nossa existência. A foice assegura-nos a vitória final — que seremos fruto para Deus, maduro e aceitável. Muito estranhamente, porém, a foice jamais serviu de símbolo cristão, como se verifica com a pomba; esse simbolismo merece um lugar entre aqueles outros.

"*De certo ponto* de vista, vemos aqui, uma vez mais que a ceifa será o fim do mundo (ver Mt 13.39), e que a foice a operar equivale à vinda de Cristo com o intuito de julgar. (Comparar o emprego dessa mesma imagem, em Ap 14.14-18.) De outro ponto de vista, entretanto, a ceifa é o final da vida de cada indivíduo, e a foice representa as mãos do anjo da morte". (Ellicott, *in loc.*). "Isso (v. 29) aponta encantadoramente para a transição das condições terrenas para as condições celestes, tanto no caso do crente como no caso da Igreja" (Brown, *in loc.*).

4.30-32 — *A parábola da semente de mostarda* (as notas expositivas aparecem em Mt 13.31,32).

4.30: Disse ainda: A que assemelharemos o reino de Deus? ou com que parábola o representaremos?

4.30 Καὶ ἔλεγεν, Πῶς ὁμοιώσωμεν τὴν βασιλείαν τοῦ θεοῦ, ἢ ἐν τίνι αὐτὴν παραβολῇ θῶμεν;

30 αυτ. παραβ. θωμε ομοιωματι παραβαλωμεν αυτην ƒ¹

4.31: É como um grão de mostarda que, quando se semeia, é a menor de todas as sementes que há na terra;

4.31 ὡς κόκκῳ σινάπεως, ὃς ὅταν σπαρῇ ἐπὶ τῆς γῆς, μικρότερον ὂν πάντων τῶν σπερμάτων τῶν ἐπὶ τῆς γῆς,

31 ὡς...σινάπεως Mt 17.20; Lc 17.6

(Ver Mt 3.2 quanto a uma nota completa sobre os "vários conceitos do reino, no NT".). A versão de Marcos introduz a parábola com uma *pergunta* retórica, algo ignorado em Mateus. Lucas 13.18 é virtualmente idêntico a Marcos; portanto, de maneira geral, Lucas segue mais exatamente a fonte de Marcos, embora, em última análise, ele tenha usado menos desse material do que Mateus. No uso antigo, as parábolas com frequência eram introduzidas por perguntas retóricas, e Marcos preserva esse estilo em alguns casos. De modo geral, esta parábola ilustra que "minúsculos começos" não negam imenso desenvolvimento posterior. Talvez, nas mãos dos evangelistas, isto seja polêmico, assegurando que a pequena e combativa igreja cristã, eventualmente haveria de florescer de maneira grandiosa. Em seu contexto original, Jesus assegura ao mundo que a mensagem do seu reino haverá de prevalecer de modo maravilhoso. (Cf. Mc 13.10 e 14.9, onde a promessa do sucesso do evangelho é frisada de novo.) A parábola é de natureza agrícola,

e muitas parábolas de Jesus se escudavam em circunstâncias comuns e diárias, bem conhecidas do povo, para ilustrarem profundas verdades espirituais.

"A história cristã mostra um notável comentário sobre esta parábola. Os minúsculos primórdios da obra de um obscuro mestre e de um pequeníssimo grupo de discípulos, que eram homens comuns, tornou-se 'o maior de todos os arbustos'. O instrumento de Deus tem sido uma minoria criativa. Nenhum limite pode ser imposto ao empreendimento de um pequeno grupo de vidas, possuídas pelo Espírito de Deus, imbuídas pela ideia do reino, dedicadas à pessoa de Cristo. Há uma notável declaração feita pelo estranho pregador, Casey, na novela de John Steinbeck, 'Grapes of Wrath': 'Uma pessoa de mente resoluta, pode valer muitas pessoas ao derredor'. Isso é verdadeiro em qualquer terreno. Elevemos isso ao que é espiritual. Naquele redemoinho da vida greco-romana, surgiram, no primeiro século d.C., algumas poucas pessoas de 'mente resoluta'; conforme um de seus líderes o disse: 'Temos a mente de Cristo' (1Co 2.16). E por muitos séculos podemos ver na história a varredura divina da humanidade do mundo. Podemos ver os minúsculos começos em Paulo, a viajar até Atenas e Roma, diante de poderes avassaladores intelectuais e políticos de sua época; vemo-lo em Lutero; em John Wollman e Wilberforce, enfrentando a servidão; em Robert Morrison, enfrentando 400 milhões de não-cristãos na China (houve uma minúscula semente de mostarda!) — por toda parte a semente de mostarda está crescendo" (Luccock, *in loc.*).

Em Marcos, a planta continua como *erva*, não se tornando uma "árvore", como em Mateus e Lucas. A planta *é grande* em relação à sua espécie, e não em comparação com outras árvores. O autor sagrado não tenciona fazer contraste com outras espécies, mas tão somente mostra como uma pequena semente torna-se arbusto tão grande. Um pequeno começo não é incoerente com grandes resultados, quer no indivíduo, quer na igreja, quer no mundo. A graça de Deus é suficiente. Crescimento e poder atraem a "provisão divina". Não há limite para essa provisão. O homem não é abandonado aos próprios esquemas.

4.32: mas, tendo sido semeado, cresce e faz-se a maior de todas as hortaliças e cria grandes ramos, de tal modo que as aves do céu podem aninhar-se à sua sombra.

4.32 καὶ ὅταν σπαρῇ, ἀναβαίνει καὶ γίνεται μεῖζον πάντων τῶν λαχάνων καὶ ποιεῖ κλάδους μεγάλους, ὥστε δύνασθαι ὑπὸ τὴν σκιὰν αὐτοῦ τὰ πετεινὰ τοῦ οὐρανοῦ κατασκηνοῦν.

32 ὑπὸ...κατασκηνοῦν Ez 17.23; 31.6; Dn 4.12,21

Apesar de *não ser* uma árvore, seu crescimento é tão grande, que ela assume as características de árvore. Os pássaros reconhecem isso e buscam fazer seus ninhos sob sua sombra (conforme Marcos enuncia), ou diretamente sobre seus galhos (conforme Mateus e Lucas declaram). Quem esperaria que esse arbusto se transformasse em árvore? E quem esperaria que tão pequena semente tivesse todo esse potencial? A provisão de Deus excede, de modo magnífico, toda a potencialidade humana.

O intuito dessas parábolas nos é dado em Marcos: (1) O da parábola do semeador — o crescimento só toma lugar no solo certo; há responsabilidade do homem no tocante à acolhida dada à Palavra. (2) O da parábola do crescimento inconsciente da semente (somente em Mc 4.26ss) mostra que o solo possui forças ocultas mas poderosas, e que o crescimento do propósito de Deus é inevitável. (3) O da parábola da semente de mostarda mostra que esse desenvolvimento inevitável pode florescer partindo de minúsculo começo.

4.33,34 — *Por que Jesus falava em parábolas?* (As notas expositivas são dadas em Mt 13.34,35.)

4.33: E com muitas parábolas tais lhes dirigia a palavra, conforme podiam compreender.

798 |Marcos| NTI

4.33 Καὶ τοιαύταις παραβολαῖς πολλαῖς ἐλάλει αὐτοῖς τὸν λόγον, καθὼς ἠδύναντο ἀκούειν·

4.34: E sem parábola não lhes falava; mas em particular explicava tudo a seus discípulos.

4.34 χωρὶς δὲ παραβολῆς οὐκ ἐλάλει αὐτοῖς, κατ' ἰδίαν δὲ τοῖς ἰδίοις μαθηταῖς ἐπέλυεν πάντα.

<small>34 χωρις δε] p) και χ. **B** 700 syᵖ saᵖⁱ</small>

Mateus toma por empréstimo a declaração de Marcos sobre o porquê de Jesus se utilizar de parábolas. Marcos só menciona como ele explicava o sentido das mesmas a seus discípulos (quando estavam a sós); e Mateus adiciona a citação de Salmos 78.2ss, como ilustração disso. Essa citação visa a mostrar como os segredos haverão de ser revelados, e não como serão conservados em segredo, o que faz contraste com Mateus 13.11, que subentende que as parábolas haveriam de manter as realidades espirituais ocultadas das massas, ao invés de revelá-las. É bem possível que este "sumário", na fonte de Marcos, originalmente formasse a conclusão a uma extensa seção sobre parábolas. E em Marcos, naturalmente, a série de parábolas apresentadas neste capítulo chega a um fim, o que também sucede no evangelho de Mateus, no tocante à série exposta em seu capítulo 13, que fala sobre os mistérios do reino. (Cf. Mc 4.10, sobre como as parábolas eram explicadas por Jesus a seus discípulos, em particular.)

Não se pode duvidar de que as parábolas de Marcos 4 e de Mateus 13 são apenas exemplares do TIPO contado por Jesus. Muitas parábolas se perderam, e dificilmente podemos duvidar disso. Aquelas, porém, que foram preservadas para nós revestem-se de máxima significação, e, sem dúvida, refletem de maneira fiel a mente de Jesus sobre vários assuntos, em particular as exigências do discipulado e a natureza do reino espiritual. É errôneo supor-se aqui que as multidões nada entendiam, e que somente os discípulos eram alvo do ministério de ensino de Jesus. As multidões entendiam alguma coisa, e os discípulos eram mais bem instruídos, para que pudessem tornar-se mestres das multidões. Marcos parece vacilar entre duas opiniões opostas sobre a função mesma das parábolas, conforme dadas por Jesus. Cf. 4.11ss com estes versículos. As notas de Mateus 13.13 tentam alcançar o sentido dessa circunstância; e aquelas notas incluem os versículos de Marcos aqui mencionados.

4.35-41 — *Jesus realiza o milagre de acalmar a tempestade* (as notas expositivas podem ser encontradas em Mt 8.23-27.)

4.35: Naquele dia, quando já era tarde, disse-lhes: Passemos para o outro lado.

4.35 Καὶ λέγει αὐτοῖς ἐν ἐκείνῃ τῇ ἡμέρᾳ ὀψίας γενομένης, Διέλθωμεν εἰς τὸ πέραν.

Notemos como as *conexões* feitas pelos evangelistas são *diferentes* entre si. O que vem após as parábolas do reino, em Marcos 4, é dado muito antes delas, em Mateus 8.23-27, pouco após a cura da sogra de Pedro. Em Lucas, entretanto, é retida a conexão apresentada por Marcos. Isso é típico. Apesar de Lucas não haver incorporado grande parte de Marcos em seu evangelho, conforme fez Mateus, o que ele incorporou ele o fez com maior cuidado, seguindo mais de perto a sequência histórica. O manuseio de Mateus é mais livre e mais por tópicos do que cronológico.

"[...] Naquele dia..." Em Marcos, isso indica o mesmo dia em que as anteriores parábolas do reino foram proferidas. Mateus ignora isso e situa o milagre muito antes das parábolas (no oitavo, e não no décimo terceiro capítulo). Lucas altera a designação específica de Marcos, "Naquele dia", para "em certo dia". Vemos nisso, com certeza, vários manuseios editoriais da mesma fonte informativa de Marcos. Papias informa que Marcos relatou os eventos da vida de Jesus não necessariamente na ordem em que aconteceram. É verdade, portanto, que perdemos muitas "conexões históricas" das declarações ou parábolas, em relação às oportunidades em que

foram ditas. (Ver as notas introdutórias a Lucas 10, sobre como Lucas e Mateus não misturam as duas coisas do mesmo modo.) A questão não é importante, exceto para aqueles que insistem em perfeição absoluta de algo que veio por meio de mãos humanas. Essa tese não pode permanecer de pé, quando são examinados os próprios documentos sagrados.

"O frequente cruzar de Jesus para o lado oposto do lago devia-se ao fato de a região não ser muito populosa, bem como ao fato de ali quase não o conhecerem, o que lhe provia oportunidade de escapar das multidões de ouvintes da numerosa população da margem ocidental, e também, com frequência, de seus inimigos" (Gould, *in loc.*).

4.36: E eles, deixando a multidão, o levaram consigo, assim como estava, no barco; e havia com ele também outros barcos.

4.36 καὶ ἀφέντες τὸν ὄχλον παραλαμβάνουσιν αὐτὸν ὡς ἦν ἐν τῷ πλοίῳ, καὶ ἄλλα πλοῖα ἦν μετ' αὐτοῦ.

<small>36 πλοια] πλοιαρια **L** al ς | ην 2°] ησαν ℵDW</small>

A narrativa de Marcos é mais vívida, contendo pequenos detalhes que os outros evangelistas omitem. Só Marcos fala da travessia de vários barcos, e não apenas de um, bem como da despedida das multidões, que tinham acabado de ser instruídas por meio de parábolas. Marcos talvez desejasse dizer que se tornara difícil Jesus escapar das multidões, mesmo quando atravessava o lago, pois outros tinham aprendido a seguir a Jesus, mesmo sobre as águas, empregando embarcações com esse propósito. Ou então, conforme alguns sugerem, Jesus reunira grande número de discípulos por essa época, e a esses era permitido segui-lo, o que significa que, pelo menos em algumas ocasiões, foram incluídos no círculo mais íntimo. Talvez alguns dos setenta estivessem entre esses.

4.37: E se levantou grande tempestade de vento, e as ondas batiam dentro do barco, de modo que já se enchia.

4.37 καὶ γίνεται λαῖλαψ μεγάλη ἀνέμου, καὶ τὰ κύματα ἐπέβαλλεν εἰς τὸ πλοῖον, ὥστε ἤδη γεμίζεσθαι τὸ πλοῖον.

Mateus usa a palavra normalmente empregada para indicar *terremoto*, a fim de descrever a "tempestade". Esta era grande e as ondas se agitavam como que por grande levante submarino. Em Mateus, as ondas *encobriam* o barco. Ele estava sendo inundado. Aqui em Marcos, somos informados de que estava o barco sendo rapidamente cheio de água. Lucas 8.23 menciona que o barco se enchia de água.

4.38: Ele, porém, estava na popa dormindo sobre a almofada; e despertaram-no, e lhe perguntaram: Mestre, não se te dá que pereçamos?

4.38 καὶ αὐτὸς ἦν ἐν τῇ πρύμνῃ ἐπὶ τὸ προσκεφάλαιον καθεύδων· καὶ ἐγείρουσιν αὐτὸν καὶ λέγουσιν αὐτῷ, Διδάσκαλε, οὐ μέλει σοι ὅτι ἀπολλύμεθα;

Notemos que Jesus *dormia*. Estava fatigado do trabalho do dia. Era um ser humano. Algumas vezes nos olvidamos disso, criando um Jesus "docético", isto é, um Cristo divino que só *parecia* humano, mas não tinha nenhuma característica humana. (Ver Fp 2.7, quanto à importante doutrina da "humanidade de Jesus".). É notável que em um lugar onde sua humanidade se evidenciava, ele tenha produzido um de seus prodígios realmente grandes, por meio do que podemos ver o poder divino. Ordinariamente, os evangelhos não frisam os milagres de Cristo para comprovar a sua divindade; mas através deles, ilustram sua autoridade messiânica. A tradição judaica esperava que o Messias fosse poderoso operador de prodígios. Isso não significa, porém, que sua divindade não seja doutrina neotestamentária. (Ver Hb 1.3, quanto à nota de sumário sobre essa doutrina.)

O Cristo que parece não se importar com o homem, na realidade é quem *cuida* supremamente do destino humano. O NT inteiro foi escrito para demonstrar esse fato.

"[...] travesseiro..." Outro detalhe *gráfico* de Marcos, que se faz ausente em Mateus e em Lucas. Não é o travesseiro de um leito, mas talvez o acolchoado de couro do piloto, ou o banco baixo posto à popa, onde o piloto ocasionalmente se assentava, e que fazia parte da própria embarcação. O termo pode indicar um travesseiro comum, mas dificilmente esse é o sentido aqui. Provavelmente era alguma espécie de acolchoado para alguém se sentar; e Jesus aproveitou essa peça do equipamento do barco para descansar a cabeça por um pouco.

No lago da Galileia, os temporais eram *súbitos e violentos*, devido às condições atmosféricas e à configuração geográfica. Na vida diária, eles também podem ocorrer com prontidão devastadora. Jesus é a rocha em uma terra cansada. O maligno cria tais temporais, e, sem a proteção de Deus, todos nós estaríamos perdidos, tanto física quanto espiritualmente.

A narrativa de Marcos continua sendo mais vívida. Tanto Mateus quanto Lucas omitem a estridente reprimenda dos discípulos a Jesus: reduzem-na ao simples e suave *Senhor, salva-nos! Perecemos!* (Mateus). Ou: *Mestre, Mestre, perecemos!* (Lucas). Talvez as palavras de Marcos fossem reputadas ofensivas para os demais evangelistas, pelo que foram suavizadas. Sem dúvida, porém, representam o que realmente foi dito.

O Príncipe das trevas se ira
Mas não trememos diante dele;
Podemos suportar o seu ódio,
Pois eis que sua condenação é certa,
Uma pequena palavra fá-lo-á cair.
(Martinho Lutero)

4.39: E ele, levantando-se repreendeu o vento, e disse ao mar: Cala-te, aquieta-te. E cessou o vento, e fez-se grande bonança.
4.39 καὶ διεγερθεὶς ἐπετίμησεν τῷ ἀνέμῳ καὶ εἶπεν τῇ θαλάσσῃ, Σιώπα, πεφίμωσο. καὶ ἐκόπασεν ὁ ἄνεμος, καὶ ἐγένετο γαλήνη μεγάλη.

Cristo repreendeu o vento que estava agitando as águas. A crença antiga afirmava que os ventos podem ser soprados pelos demônios, os quais também podiam provocar outros fenômenos naturais. Se é isso que o autor sagrado tinha em mente, a calmaria repentina do vento (e, subsequentemente, das águas) deveu-se ao fato de Jesus repreender a força demoníaca por detrás da perturbação. No entanto, apesar de os antigos acreditarem nisso, não parece ter *nada* a ver com o texto presente. Antes, o autor desejava mostrar o poder de Cristo sobre os próprios elementos da natureza, algo ainda maior que o controle aos poderes demoníacos. Talvez fique subentendido que Cristo é o Criador, pois, assim, naturalmente ele teria o poder de controlar as forças da natureza. Tudo isso entrou fortemente na teologia posterior, conforme se vê em Colossenses 1.16ss, mas, mais cedo, na história da multiplicação dos pães e peixes, ou no episódio do caminhar por sobre a água, ou no incidente da transformação da água em vinho, já se viram coisas similares. Esse poder de Jesus sobre a própria natureza serve de prova absoluta do fato de que ele era o Messias, pois ele foi o maior operador de prodígios de todos os séculos. Não há razão para duvidarmos de que os evangelistas tencionavam que entendêssemos isso por meio desse relato, ou que tudo isso realmente tenha sucedido. Vários intérpretes veem nisso a ilustração da divindade e bem pode ter sido esse o propósito do autor sagrado. Isso também pode estar subentendido na pergunta dos discípulos: "Quem é este, então, que até o vento e o mar lhe obedecem?" "Mais de um homem", sem dúvida, devemos estar prontos a responder.

A palavra dita por Jesus produziu calmaria *instantânea*. Sua voz ainda pode ser ouvida por aqueles que escutam. Nenhuma força, até hoje, pode perturbar ou causar destruição, quando a alma dá ouvidos à sua voz, e lhe obedece. Em sua voz está a substância da intervenção divina na vida humana, e todos nós precisamos muito dessa intervenção. Ele traz o poder de Deus aos homens, naquela maneira de ver que denominamos *teísmo*. Já o *deísmo*, posição contrária, ensina que, apesar de existir alguma pessoa ou poder divinos, ele se divorciou de sua criação, deixando o governo às leis naturais. Não é isso que declara o NT. Deus continua com os homens, como uma pessoa, e não como uma lei impessoal. Ele pode intervir e realmente faz intervenção. Ele recompensará ou castigará, e nunca deixou o homem sozinho. (Ver At 17.27 quanto a várias ideias sobre a natureza de Deus e suas relações para com os homens.)

Espiritualmente falando, a maior lição que aqui há é que Cristo pode salvar a alma das tempestades repentinas da vida e da destruição final. Nele reside o poder salvador de Deus. (Ver Hb 2.3, sobre a *salvação*.)

4.40: Então lhes perguntou: Por que sois assim tímidos? Ainda não tendes fé?
4.40 καὶ εἶπεν αὐτοῖς, Τί δειλοί ἐστε; οὔπω[6] ἔχετε πίστιν;

[6] **40** {A} δειλοί ἐστε; οὔπω ℵ B D L Δ Θ 565 700 892 it[a,aur,b,c,d,ff2,i,l] vg cop[sa,bo] eth geo // δειλοί ἐστε οὕτως W // οὕτως δειλοί οὔπω 28 // δειλοί ἐστε οὕτως οὔπω Α C Κ Π 33 (892[mg] οὕτως οὔπω) 1009 1010 1071 1079 1195 1216 1230 1241 1242 (1253 *omit* πῶς) 1344 1365 1546 1646 2148 2174 Byz (*Lect* οὔτω) (*l*[69,333,883,1127] οὕτως, *l*[211] δηλοί) (it[f]) syr[p,h] goth Diatessaron[a] // οὕτως δειλοί ἐστε οὔπω 𝔓[45vid] *f*[1] *f*[3] arm // *Quid timidi estis?* it[e,q]

A forma adotada como texto conta com apoio externo muito superior. A forma ... πῶς οὐκ (Α C Κ P 33 *al*) parece ter surgido do desejo de suavizar um tanto a reprimenda de Jesus contra os discípulos.

Supomos que a *reprimenda* de Jesus, que realmente muito exige dos homens, é razoável, já que os discípulos tinham estado com ele por longo tempo, contemplando seu absoluto domínio sobre qualquer situação. Tendo visto isso, ainda não tinham podido apreciar plenamente a magnitude de suas implicações. O evangelista mostra que Jesus queria que entendessem mais do que entendiam. A tradução "tímidos" fica muito aquém do termo grego *deilos*, pelo menos no que tenciona significar aqui. Pode significar covarde, medroso. O evangelista fala do "temor covarde", que levou os discípulos a entrarem em pânico sob a pressão, o que mostra que ainda não tinham aprendido o suficiente sobre o grande Jesus. Eram temerosos e infiéis, e este último por causa daquele. A fé é a outorga da própria alma a Cristo, e não mera crença em um credo ortodoxo. (Ver Hb 11.1, sobre isso, onde há poemas ilustrativos.) O autor sagrado dá a entender que, se os discípulos tivessem exercido fé apropriada, desenvolvida pelas experiências e observações passadas, não teriam temido naquela ocasião, apesar da ferocidade da prova. Por essa história, vemos que Deus muito espera de nós; devemos aprender rapidamente e bem as lições que ele nos ministra. Não nos ocorreria chamar aqueles homens de "pequenas-fés", devido à sua reação aterrorizada ante o tufão. A avaliação divina, porém, é de que tinham aprendido pouco demais, considerando-se as grandes vantagens que tinham com eles, pois estavam há tanto tempo com Jesus. Gould (*in loc.*) certamente tem um claro entendimento do texto, quando diz: "O apelo que lhe fizeram, estando ele dormindo, não foi a calma invocação de um poder em que se confia, mas a 'reprimenda' assustada daqueles cuja fé foi derrotada pelo perigo".

4.41: Encheram-se de grande temor, e diziam uns aos outros: Quem, porventura, é este, que até o vento e o mar lhe obedecem?

800 |Marcos| NTI

4.41 καὶ ἐφοβήθησαν φόβον μέγαν, καὶ ἔλεγον πρὸς ἀλλήλους, Τίς ἄρα οὗτός ἐστιν ὅτι καὶ ὁ ἄνεμος καὶ ἡ θάλασσα ὑπακούει αὐτῷ;

Antes estavam tomados de *temor covarde*; agora foram tomados de 'grande temor', por causa do que tinham acabado de ver. Um tipo de medo substituiu os outros, embora de melhor espécie, certamente. A atuação de Jesus aparvalhara a mente deles. À pergunta "Quem é este?", o autor sagrado certamente queria que confessássemos a natureza sobrenatural desse Ser, que podia fazer tais coisas. As maneiras comuns e céticas de explicar os milagres, mediante meios racionalistas e psicológicos, falham totalmente quando se manuseia com essa natureza de "prodígios". Neste caso, a única alternativa à fé é a total rejeição da narrativa histórica. No entanto, todos os três evangelistas registraram o episódio, sendo um dos onze milagres assim confirmados em todo o NT. Meu voto, neste ponto, é em favor da historicidade da narrativa.

A lição tencionada pelo autor é de natureza geral. Cristo resolve todos os problemas de *lealdade*, para todos nós, e nos assegura o triunfo do bem sobre o mal, tanto cósmico quanto individual. Indiretamente, o autor sagrado estaria consolando a igreja em meio às perseguições romanas. Jesus podia acalmar essa tempestade ou dar aos seus seguidores a graça necessária para que pudessem enfrentar o sofrimento. E Cristo cumpriu esta última alternativa.

Apesar de o relato visar a EDIFICAR A FÉ, vários intérpretes modernos têm buscado destruir a fé justamente neste lugar, negando de vez a *possibilidade* desses milagres, ou procurando mostrar como os discípulos poderiam estar equivocados em sua interpretação de alguns assustadores acontecimentos. Alguns até supõem que o autor sagrado tenha inventado a história inteira para provar um preconceito teológico. Bem pelo contrário, a própria narrativa, que tem vários toques vívidos e naturais, tem em si mesma as marcas da historicidade. Afinal, por que teríamos problemas para aceitar o poder de Deus na vida humana, se, em última análise, cremos em Deus? Certamente esse poder é maior em Jesus; portanto, qualquer coisa podia suceder. Não é sábio ser apenas sábio, e fechar os olhos ao testemunho do coração, confirmado em tranquila piedade. Temos pouca fé, realmente, quando exaltamos o visível acima do invisível, supondo que o que sabemos "em meio ao visível" pode explicar o invisível. Esse tipo de falta de fé é indigno para todo ministro cristão, ou mesmo para qualquer crente. Vivemos em um mundo de milagres e portentos, dos quais compreendemos apenas porção minúscula, ou aos quais ao menos percebemos a existência. Este relato facilmente pode encaixar-se neste mundo de maravilhas.

Capítulo 5

5.1-14 — *A cura do endemoninhado geraseno*. As notas expositivas relativas a esta seção aparecem em Mateus 8.28-33. (Quanto a uma nota sobre a "possessão demoníaca", ver Mt 8.28).

5.1: Chegaram então ao outro lado do mar, à terra dos gerasenos.

5.1 Καὶ ἦλθον εἰς τὸ πέραν τῆς θαλάσσης εἰς τὴν χώραν τῶν Γερασηνῶν[1].

[1] {C} Γερασηνῶν (ver Lc 8.26) ℵ B D it[aur,b,c,d,e,f,ff2,i,q,r1] vg cop[sa] Tertullian Eusebius // Γαδαρηνῶν (ver Mt 8.28) A C K Π *f*[13] 1009 1010 1079 1195 1216 1230 1242 1253 1344 1365 1546 2148 2174 *Byz l*[76,185,313,883] syr[p,h] goth Diatessaron[p] // Γεργεσηνῶν ℵ[c] L Δ Θ *f*[1] 28 33 565 700 892 1071 1241 1646 *Lect* (*l*[211] Γεργεσινῶν) syr[s,bmg] cop[bo] arm eth geo Origen Epiphanius Theophylact // Γεργυστήνων W

Dentre as várias variantes, a maioria da comissão preferiu Γερασηνῶν, com base em (a) superior evidência externa (antigos representantes dos tipos de texto alexandrino e cesareano; e (b)

probabilidade de que Γεργεσηνῶν seja assimilação escribal ao texto prevalente de Mateus 8.28, e que Γεργεσηνῶν seja uma correção, talvez originalmente proposta por Orígenes (ver os comentários sobre Mt 8.28). A forma de W (Γεργυσητήνων) reflete uma idiossincrasia escribal.

Trata-se de uma longa narrativa, para mostrar o *grande poder* de Jesus como exorcista. Que ele podia resistir com sucesso e poder às forças das trevas é fato usado pelos evangelistas para provar sua autoridade messiânica. Os judeus sempre tiveram o grande problema de aceitar um Messias que fosse o Servo Sofredor. Por essa razão, os evangelhos apresentam muitos e variados argumentos em favor da missão messiânica autêntica de Jesus. O principal argumento é o de suas obras poderosas, mormente os milagres. A tradição talmúdica exigia que o Messias fosse operador de milagres. Outra dessas provas é a mensagem poderosa de Jesus. O Messias teria de trazer novos discernimentos e enriquecer a teologia antiga. Poderia também fazer oposição bem-sucedida aos poderes satânicos. Assim, os evangelhos exibem bom número de incidentes nos quais o poder de Jesus facilmente dominou casos de possessão demoníaca, até mesmo de natureza mais difícil. Na prática do exorcismo, Jesus ignorou totalmente os métodos ordinários da época, que incluíam vários ritos, cerimônias, encantamentos etc. Sua simples palavra era bastante, pois conheciam sua identidade e respeitavam sua autoridade, não podendo oferecer-lhe resistência. (Ver Jo 20.31, quanto ao propósito dos evangelhos de "comprovar o caráter messiânico de Jesus".)

A única alusão bíblica à área *gadarena* envolve a história de Gadara: o milagre da vara de porcos. A palavra "gadarenos" (que figura nas notas textuais) acha-se em vários manuscritos, em Mateus 8.26; Marcos 5.1 e Lucas 8.26; mas é original somente em Mateus. Gadara data do período ao AT e, nos tempos do NT fazia parte das cidades de Decápolis. As ruínas de Umm Qays assinalam o local. O milagre da passagem diante de nós evidentemente teve lugar em uma subárea dessa cidade (ou região), próxima à beira do mar da Galileia.

Gerasa era importante cidade do período clássico, a meio caminho entre o mar Morto e o mar da Galileia, a 32 km do rio Jordão. O moderno povoado existente no local que se chama *Jara*. Muitas ruínas dos tempos romanos estão localizadas ali e na área em geral, datando principalmente de cerca do ano 130 d.C., na época de Adriano. A cidade começou a declinar no século III d.C., mas não foi totalmente abandonada senão já no tempo das cruzadas. Sua localização improvável, em relação ao milagre deste texto, tem dado margem a especulações de que outra cidade do mesmo nome ou de nome parecido estava localizada perto do mar da Galileia. Talvez Gergesa esteja em pauta. Isso, porém, é pura conjectura.

Aqui Jesus achava-se em território pagão; mas seu poder foi junto com ele. Ele é o Senhor de todos, e mudanças geográficas não podem diminuir sua autoridade. Sem dúvida essa é uma das lições que devemos aprender da história que está diante de nós.

Muitos estudiosos têm encontrado dificuldade na história, supondo que contém várias lendas e superstições da época, embora alguns talvez pensem que houve aqui um caso válido de exorcismo. Outros pensam que a mesma tem um tom apócrifo, e um deles cita um dos 39 artigos da igreja anglicana sobre os "livros apócrifos", e pensa que essas palavras aplicam-se neste caso: "Apesar de poder ser lida como exemplo de vida e instrução de maneiras, é uma base precária para sobre ela estabelecer qualquer doutrina". Tudo isso, entretanto, é desnecessário, pois os estudos modernos no campo da parapsicologia tendem a confirmar a existência e possessão de espíritos, até de múltiplas possessões, ao invés de negá-las. As explicações psicológicas falham totalmente em muitos casos. Parece-me que há uma observação fatal que anula os argumentos daqueles que supõem que as chamadas *possessões demoníacas* sejam meras perturbações psicológicas ou insanidades. Indagamos: como pode acontecer de severíssimos casos de perturbação mental poderem ser instantaneamente curados pela ordem do exorcista? Quem já ouviu falar em debilidade mental ceder tão prontamente a uma breve oração ou à ordem de um homem? A verdadeira insanidade, que nada tem a ver com espíritos malignos, dificilmente pode ser curada desse modo. No entanto, algumas pessoas que, sem dúvida, estão muito enfermas mentalmente, são assim curadas. Há quem não esteja insano, mas possesso. Qualquer ministro crente, cuja vida é limpa, pode expulsar demônios ordinários. Alguns são expelidos com maiores dificuldades, e exigem o esforço de várias pessoas, em união.

V. 1. *Nota textual*. Quanto a uma discussão mais completa sobre o problema de localidade que envolve este texto, ver a nota textual existente em Mateus 8.28. A palavra "gadarenos" aparece nos mss ACEFGHKMSV, Fam Pi, e é retida pelas traduções AC e KJ. Os mss BD e muitas versões latinas e saídicas dizem "geresenos". Todas as traduções, exceto AC e KJ, seguem esta última variante. Sem a menor sombra de dúvida, isso reflete o texto original do evangelho de Marcos, embora o de Mateus diga "gadarenos" (ver notas ali). "Gergesenos" aparece nos mss LU e Delta, mas ninguém aceita essa variante como se fora o texto original.

5.2: E, logo que Jesus saíra do barco, lhe veio ao encontro, dos sepulcros, um homem com espírito imundo,

5.2 καὶ ἐξελθόντος αὐτοῦ ἐκ τοῦ πλοίου εὐθὺς ὑπήντησεν αὐτῷ ἐκ τῶν μνημείων ἄνθρωπος ἐν πνεύματι ἀκαθάρτῳ,

2 ἄνθρωπος...ἀκαθάρτῳ Mc 1.23
2 ευθυς] om **BW** it sy

Segundo a crença antiga, os sepulcros eram esconderijos de espíritos maus, e os endemoninhados tinham a tendência natural de ocupar esses lugares, uma vez que fossem expelidos da sociedade. Apesar de isso ser uma crença antiga, nada há contra a possibilidade de sua exatidão. É razoável supor que, em cada três casos, dois pertencem a essa categoria. Primeiro, que alguns demônios são espíritos humanos de baixo desenvolvimento, os quais, após a morte física, não foram para seu destino final, conforme supunham a teologia judaica e a primitiva teologia cristã; além disso, seria natural frequentarem lugares mórbidos, tais como os sepulcros. Sua baixa espiritualidade os atrairia a esses lugares e a outros semelhantes. Cremos que há um *mundo intermediário* para o incrédulo, ao passo que o crente, por ocasião da morte física, passa diretamente aos lugares celestiais. A vinda de Cristo assinalará fronteiras eternas (ver 1Pe 4.6, notas), as quais não são determinadas quando da morte do indivíduo. E se os demônios não são espíritos humanos, mas são seres que se nutrem do ódio, do desespero e da condenação, alguns deles ainda assim seriam atraídos para esses lugares mórbidos. Os suicidas, às vezes, buscam os cemitérios para cometer seu ato tresloucado, e pessoas mentalmente afetadas fazem o mesmo, como aqueles que o vulgo chama de "vampiros". Os "dementes", afetados por espíritos humanos ou por entidades espirituais, fazem suas vítimas escolherem depressões repletas de cadáveres. Cremos que lugares de pecado, como clubes noturnos e casas de prostituição etc também são esconderijos favoritos dos espíritos malignos.

Aplicação espiritual: Devemos cuidar para não viver nos túmulos de ontem, da estagnação em pensamento e inquirição espiritual. Os que moram nos túmulos de ontem, servem de obstáculo para si mesmos e para outros, no caminho do autêntico progresso espiritual.

"[...] sepulcros..." Tanto podiam ser aberturas naturais quanto artificiais nas rochas. Com frequência eram escavados lateralmente nas colinas e deixados sem cobertura, formando uma espécie de caverna de pequena dimensão, e, portanto, próprio para esconderijo de feras, demoníacos e doentes mentais.

Os demônios. Neste ponto, apresentamos as notas expositivas detalhadas sobre os "demônios". (Quanto à *possessão demoníaca*,

ver Mt 8.28; e quanto a *Satanás*, ver Lc 10.18.) O vocábulo "demônio" era empregado, no grego clássico, ocasionalmente como sinônimo do termo "theos", "deus". Assim o usou Homero (século IX a.C.). Por outros autores, entretanto, a palavra foi utilizada para indicar certas divindades subordinadas, que inocentavam os deuses da maioria da prática de muitas maldades; e é provável que, por causa dessa mesma circunstância, é que a palavra eventualmente passou a significar alguma entidade sobrenatural cujo propósito é praticar a maldade. Esse termo também tem sido usado para referir-se à alma dos homens que, por ocasião da morte, são elevados a determinados privilégios, e, posteriormente, passou a indicar os espíritos humanos em geral, partidos deste mundo. Gradualmente esse vocábulo foi-se limitando aos espíritos malignos, exclusivamente, sem nenhuma definição sobre a origem ou natureza desses espíritos.

Do princípio ao fim, as Escrituras comprovam a realidade do mundo dos espíritos, que tanto podem ser maus quanto bons. Os espíritos, tanto os bons quanto os maus, são apresentados como extremamente numerosos (ver Ef 1.21; 6.12; Cl 1.16 e Mc 5.9). Os espíritos malignos têm influência sobre os homens, e procuram ocupar os seu corpo (ver Mc 5.8 e Mt 12.43,44). São imundos (o que significa que tornam o indivíduo incapaz de entrar em contacto com Deus, com o culto ao Senhor e com a adoração). Algumas vezes são obstinados, com frequência são maldosos e violentos, mas podem ser imitadores do bem, e supostamente trazem alguma luz (ver 1Tm 4.1-3). Sua inspiração não se limita a atos vis, mas essa perversa influência pode estar vinculada até mesmo ao ascetismo religioso. Um dos mais severos julgamentos, nos tempos do fim, consistirá da liberação de um poder demoníaco extremamente virulento neste mundo (conforme alguns consideram que ensina a passagem de Ap 9.1-11, embora outras indicações sobre isso também existam nas Escrituras).

Nada de realmente certo encontra-se sobre a origem dos demônios, nas páginas da Bíblia, ainda que muitos creiam que sejam os anjos decaídos que seguiram a Satanás. (Ver Ap 12.7-9 com Ap 12.3,4.) Outros estudiosos, todavia, acreditam (conforme criam muitos dos antigos) que esses são espíritos dos mortos que ainda não entraram em nenhum estado bem determinado de transição. Outros, ainda, sustentam que os demônios pertencem a ambas essas ordens de seres. Muitos psicólogos modernos duvidam que exista realmente a possessão por meio de espíritos, mas a experiência universal com esses espíritos desaprova essas dúvidas. Alguns daqueles que se ocupam de pesquisas psíquicas, nestes últimos anos, estão convencidos da realidade do mundo dos espíritos, tanto bons como maus. É uma completa tolice pensar que, simplesmente porque não podemos ver os espíritos, eles não existem; todavia, algumas pessoas *sensíveis* (pessoas psiquicamente dotadas) asseveram que podem ver ocasionalmente os espíritos, e algumas dessas pessoas os veem regularmente. É fato sobejamente conhecido que os sentidos humanos são *extremamente limitados*, não percebendo muitas coisas que sabemos que realmente existem, como, por exemplo, a força chamada lei da gravidade; e assim, a maior parte deste mundo totalmente físico continua imperceptível para os nossos sentidos (e quanto menos o mundo espiritual!). Assim, pois, afirmar alguém que algo não existe simplesmente porque os seus sentidos não são aptos a captá-lo mostra que esse alguém se deixa levar por preconceitos. Uma coisa que sabemos bem é que não sabemos praticamente coisa nenhuma acerca do universo em que vivemos. Não obstante, existem muitas evidências inequívocas, perceptíveis até mesmo para os sentidos humanos, que confirmam a existência de um mundo dos espíritos ao nosso redor.

Era ponto *teológico comum*, entre os judeus (sendo ensinado nas escolas teológicas judaicas dos fariseus e de outros), que os demônios, capazes de possuir e de controlar um corpo vivo, são espíritos de *mortos partidos* deste mundo, especialmente aqueles de caráter vil e de natureza perversa (ver Josefo, *de Bello Jud.*, VII.

802 | Marcos | NTI

6.3). Os gregos, os romanos e outros povos antigos compartilhavam dessa crença. Alguns dos pais da Igreja também aceitaram essa ideia, tais como Justino Mártir (150 d.C.) e Atenágoras.

Tertuliano (150 d.C.) foi o primeiro pai da Igreja a começar a modificar essa ideia, e deu origem à crença de que os demônios fazem exclusivamente parte de uma ordem de anjos decaídos. Finalmente, tendo aparecido o grande comentador Crisóstomo (407 d.C.), obteve aceitação geral a ideia de que os demônios não são espíritos humanos decaídos, e, sim, pertencem à ordem de anjos decaídos juntamente com Satanás. Essa ideia também prevalece na teologia moderna, apesar de ainda existirem alguns que se apegam à corrente mais antiga, como Lange (do *Comentário* de Lange), o qual acredita que aquilo que conhecemos pelo título de *demônio* pertence tanto à ordem de espíritos humanos que daqui partiram e que se tornaram parte de um nível mais baixo dos espíritos como à ordem de seres angelicais decaídos. Lange, portanto, aceita ambos os pontos de vista. As próprias Escrituras nada nos informam acerca da origem dos demônios, pelo menos em termos bem definidos; por isso mesmo, a sua identificação com os anjos decaídos pode representar ou não a verdade. Se isso representa a verdade, mesmo assim pode *não* representar *a verdade inteira* sobre a questão. Muitos casos de possessão demoníaca parecem demonstrar que alguns demônios, pelo menos, são de fato entidades que antes eram seres humanos comuns. Pois é possível que, por enquanto, pelo menos parcialmente, estejamos dentro de um intervalo de tempo, antes do julgamento, e que os espíritos não foram ainda para o seu *destino final*; embora também seja possível que exista alguma forma de comunicação entre certas dimensões espirituais (que podem até mesmo ser chamadas de *hades*) e os homens. Diversos exemplos bíblicos mostram que a comunicação com os mortos é algo que ocorre ocasionalmente. Nas Escrituras, somos advertidos contra essa prática, mas não nos é dito ali que tal comunicação seja impossível. Existem evidências que parecem indicar que a posição assumida por Lange, de que os demônios pertencem a ambas as ordens — tanto espíritos humanos de mortos como seres pertencentes à ordem de anjos decaídos — é a mais correta, embora nos faltem provas inequívocas quanto a isso.

5.3: o qual tinha a sua morada nos sepulcros; e nem ainda com cadeias podia alguém prendê-lo;
5.3 ὃς τὴν κατοίκησιν εἶχεν ἐν τοῖς μνήμασιν· καὶ οὐδὲ ἁλύσει οὐκέτι οὐδεὶς ἐδύνατο αὐτὸν δῆσαι,

Mateus 8.28 menciona sua *tremenda ferocidade*, mas deixa de lado o detalhe de ser o homem tão forte que nem mesmo cadeias podiam detê-lo. A ciência confirma a ocasional força hercúlea dos loucos e a experiência diária confirma o que lemos aqui: a tremenda força física de alguns endemoninhados. Marcos menciona esse detalhe para que possamos ver com maior clareza o grande feito de Jesus ao libertar aquele homem. O poder a que Jesus se opunha era grande, mas nada em comparação com o próprio poder, conferido pelo Espírito Santo.

Embora o grego de Marcos, neste ponto, seja de qualidade *deficiente*, sendo denominado "barbarismo" por alguns intérpretes, a corrente de negativas dão à narrativa uma vivacidade que não teria de outro modo. Literalmente, temos aqui: "[...] e nem mesmo com uma cadeia não podia ninguém não mais amarrá-lo" (Gould, *in loc.*).

Os detalhes extraordinários dados por Marcos emprestam uma aura de autenticidade à narrativa, e é razoável supor que o relato se tenha baseado no testemunho ocular de Pedro ou de outro discípulo de Jesus, que contemplou a ocorrência.

5.4: porque, tendo sido muitas vezes preso com grilhões e cadeias, as cadeias foram por ele feitas em pedaços, e os grilhões em migalhas; e ninguém o podia domar;

5.4 διὰ τὸ αὐτὸν πολλάκις πέδαις καὶ ἁλύσεσιν δεδέσθαι καὶ διεσπάσθαι ὑπ' αὐτοῦ τὰς ἁλύσεις καὶ τὰς πέδας συντετρῖφθαι, καὶ οὐδεὶς ἴσχυεν αὐτὸν δαμάσαι·

A descrição sobre a força do homem prossegue; esses detalhes são *omitidos* em Mateus e Lucas. O homem era reputado perigoso. Talvez ele já houvesse matado ou aleijado pessoas que se aproximaram demais de sua furna. As autoridades tinham tentado controlá-lo, mas não foram capazes, nem mesmo com correntes. Deixaram-no ficar naquela área de sepulcros, e esperavam que esse isolamento fizesse o que as cadeias não tinham podido fazer. Ninguém podia amansá-lo. No entanto, logo Jesus o curou, total e instantaneamente, e sua "condição anterior" aumenta a admiração sobre sua "condição posterior".

Os termos gregos para "quebrar" implicam em *puxar à parte*, bem como "esmagar juntamente", vívidas descrições para nos impressionar com sua tremenda força física. Aquele homem possuía uma "força demoníaca", porque estava endemoninhado. Jesus, porém, estava à altura da tarefa de curá-lo, o que mostra que ele era o Messias autêntico. Sua mensagem, por conseguinte, deve ser ouvida.

5.5: e sempre, de dia e de noite, andava pelos sepulcros e pelos montes, gritando, e ferindo-se com pedras.

5.5 καὶ διὰ παντὸς νυκτὸς καὶ ἡμέρας ἐν τοῖς μνήμασιν καὶ ἐν τοῖς ὄρεσιν ἦν κράζων καὶ κατακόπτων ἑαυτὸν λίθοις.

Assim como o versículo anterior de Marcos frisa a *força física* do endemoninhado, este frisa sua extrema miséria, por ser endemoninhado. Não há miséria, por mais extrema que seja, que esteja fora do alcance da ajuda do Senhor Jesus. Essa é certamente uma lição que devemos aprender aqui. O que o homem fazia também demonstra claramente sua loucura — seu espírito e sua mente desarranjados. No entanto, Jesus satisfez essa profunda necessidade. Seu caso era extremo; e o nosso certamente não o é menos. Ele também pode satisfazer as nossas necessidades. As descrições que há aqui são peculiares a Marcos, cujas narrativas são sempre mais vívidas, sem dúvida sendo aquelas que serviram de base para as narrativas dos outros evangelistas, embora tragam detalhes alicerçados em outras fontes. Lucas menciona que o homem vivia despido e Mateus mostra como ninguém ousava passar por aqueles sepulcros, por temerem ao homem. A maior parte dos homens dorme e se recupera. Aquele pobre homem não se recuperava, pois não dormia. Naturalmente, isso significa que ele dormia muito pouco, pois ninguém pode viver inteiramente sem sono. O poder dos demônios tomava conta dele dia e noite. Assim acontece com o pecado. Atormenta a alma sem cessar. Somente se os homens fizerem um pacto secreto com o pecado é que obtêm algum descanso, embora seja apenas aparente. O verdadeiro descanso vem pela libertação dada por Cristo, e não por pactos secretos com o pecado.

5.6: Vendo, pois, de longe a Jesus, correu e adorou-o;

5.6 καὶ ἰδὼν τὸν Ἰησοῦν ἀπὸ μακρόθεν ἔδραμεν καὶ προσεκύνησεν αὐτῷ,

Supomos que o espírito no homem, embora proveniente do reino das trevas, ou sendo usado pelo mesmo, voluntária ou involuntariamente, *reconheceu* de imediato tanto a pessoa de Jesus, como Filho de Deus, como também como esperança de libertação. Jesus podia redimir aquele espírito (pelas implicações de seu universal poder redentor, em Cl 1.20 e Ef 1.10), além de redimir o endemoninhado. Naturalmente, o espírito mostrou-se contraditório consigo mesmo. Ele primeiro adorou, mas em seguida pediu que Jesus o deixasse e não o atormentasse. O pecado sempre nos puxa nessas duas direções extremas. Desejamos ardentemente a libertação, mas amamos o pecado em paixão. Queremos o novo estado de livramento, mas

NTI | Marcos | 803

prezamos o "velho estado" de perversão. Tanto Mateus quanto Lucas deixam de fora a nota sobre o fato de que o espírito adorou a Jesus, provavelmente algo que pensaram ser impróprio para um demônio, conforme muitos hoje certamente pensariam. Ou então podemos supor que o homem é quem adorou a Cristo, ao passo que o demônio implorou não ser atormentado. Contudo, a descrição simples de Marcos não dá lugar a essa dualidade de ação. O espírito falou por meio do homem o tempo todo. O homem não mais controlava suas ações ou palavras. Seu caso era totalmente impossível; e esse é também um aspecto que devemos entender aqui. Jesus pode curar casos impossíveis, e não apenas sofredores.

5.7: e, clamando com grande voz, disse: Que tenho eu contigo, Jesus, Filho do Deus Altíssimo? conjuro-te por Deus que não me atormentes.

5.7 καὶ κράξας φωνῇ μεγάλῃ λέγει, Τί ἐμοὶ καὶ σοί, Ἰησοῦ υἱὲ τοῦ θεοῦ τοῦ ὑψίστου; ὁρκίζω σε τὸν θεόν, μή με βασανίσῃς.

7 Τί...ὑψίστου 1Rs 17.18; Mc 1.24; Lc 4.34   υἱὲ...ὑψίστου Lc 1.32; 6.35 ὁρκίζω...θεόν Mt 26.63

Neste ponto, o espírito se recolhe de seu primeiro impulso de *adorar*. Agora, torna-se hostil a Jesus, embora temendo-lhe o poder. Queria apenas ser deixado sozinho e, sem dúvida, temia que Jesus o furtasse de seu "habitat" naquele homem. Apesar de ser típico das histórias antigas de exorcismo, que os demônios reconheçam vários bem conhecidos exorcistas e os temam (ver Philostratus, "Apollônio de Tiana", IV. 25) não há razão para duvidarmos da autenticidade deste detalhe. Na história mencionada, o demônio também roga não ser torturado, e também não ser forçado a dar o seu "nome", já que se pensava que "saber o nome" de alguém dava certo tipo de poder sobre esse alguém.

"[...] filho do Deus Altíssimo..." Este é um título messiânico, pois "Filho de Deus" não implica necessariamente em "divindade". Todavia, nas mãos dos escritores do NT, esse título com frequência abarca a ideia da divindade de Cristo. (Ver Hb 1.3, quanto a notas sobre o tema. Ver Mc 1.1, quanto à nota sobre o título "Filho de Deus".) O título *Deus Altíssimo* era comum no judaísmo helenista, fazendo contraste com as imitações pagãs. Mateus diz apenas "Filho de Deus", mas Lucas preserva o título completo usado por Marcos, o que, sem dúvida, é a narrativa original. O demônio totalmente ordenou ao "Deus Altíssimo" que fizesse Jesus parar, pois, para o demônio, Jesus seria uma pessoa inferior, a despeito da magnificência de sua pessoa. Somente Mateus fala do "tormento" que o demônio esperava experimentar "antes do tempo". Mateus antecipa um "julgamento" dos demônios, e que incluirá o tormento; e isso em algum momento específico do tempo. Já que tanto Marcos quanto Lucas omitem o detalhe, pode ter sido uma adição editorial de Mateus. É possível, naturalmente, que essa minúcia tenha sido adicionada com base em uma fonte diferente do protomarcos, sendo parte autêntica da narrativa original. O demônio pode ter temido ser expulso do homem, pois logo iria para seu lugar apropriado de tormento. Ignorava algumas coisas muito importantes, no tocante ao juízo. Não sabia quando e como seria julgado.

5.8: Pois Jesus lhe dizia: Sai desse homem, espírito imundo.

5.8 ἔλεγεν γὰρ αὐτῷ, Ἔξελθε τὸ πνεῦμα τὸ ἀκάθαρτον ἐκ τοῦ ἀνθρώπου.

Este versículo é um *comentário editorial* de Marcos, explicando a razão pela qual o demônio conjurou Jesus, pelo Deus Altíssimo, a que não o atormentasse. É que Jesus já lhe ordenara que saísse do homem. O demônio resistiu bastante para fazer o pedido. Temia ser lançado em seu merecido lugar de tormento; e, se o comentário de Mateus é original, talvez tivesse pensado ser injusto que Jesus o enviasse ao tormento antes do tempo, o que ele esperava não ter ainda chegado. Alguns intérpretes tomam

aqui o *imperfeito* como imperfeito conativo, pelo que poderíamos traduzir: "Jesus estava prestes a dizer", e então o demônio sabia que a ordem estava prestes a ser dada. Isso, porém, parece ser refinamento demasiado da questão.

Os espíritos são *imundos* porquanto se corromperam com o mal moral e espiritual, e porque infectam a outros com a mesma impureza. O contacto com eles torna o indivíduo incapaz da adoração, tal como o contacto com qualquer coisa proibida.

5.9: E perguntou-lhe: Qual é o teu nome? Respondeu-lhe ele: Legião é o meu nome, porque somos muitos.

5.9 καὶ ἐπηρώτα αὐτόν, Τί ὄνομά σοι; καὶ λέγει αὐτῷ, Λεγιὼν ὄνομά μοι, ὅτι πολλοί ἐσμεν.

A tradição antiga preceituava que saber o *nome* do demônio dava poder ao exorcista sobre aquele demônio. A tradição de "conhecer o nome" tinha mais aplicações do que meramente ao exorcismo. Os nomes de vários deuses de templos pagãos nunca eram proferidos, e eram mantidos em segredo, por temor de que, tornando-se conhecidos esses nomes, o poder dessas divindades seria prejudicado entre o povo, pois algo de sua distinção seria diminuído. Talvez isso tenha alguma coisa a ver com o fato de o apelativo "yahweh" nunca ser pronunciado pelos hebreus, ainda que a razão principal, nesse caso, sem dúvida fosse o respeito ou mesmo o temor de proferir o nome divino.

O demônio (ou demônios) replicou com um número, e não com um nome, mas os evangelistas podem ter tencionado dizer que esse era seu verdadeiro nome. Seja como for, Jesus não precisava saber o nome de um demônio para exercer seu poder irresistível. Para nosso benefício, aprendemos que aquele era um caso de possessão "múltipla", que ilustra que não há caso difícil demais para Jesus. Uma legião usualmente contava entre cinco a seis mil homens. A crença antiga é de que os demônios, tanto quanto os anjos bons (ver Mt 26.53) estavam organizados em companhias comparáveis às *legiões*. (Ver também as lendas antigas dos judeus, como, por exemplo, Pesahim 112b). Não há razão, porém, para supormos que qualquer número específico esteja aqui em foco. Havia muitos demônios ativos naquele homem. Isso é o que nos importa entender. Contudo, sendo muitos e poderosos, não puderam ser adversários de Jesus. Nenhum caso é difícil demais para ele. Ele traz com ele uma genuína "intervenção divina", para beneficiar a vida humana. Lucas 8.30 preserva a menção de Marcos à questão do nome, mas Mateus omite o detalhe.

Os muitos males dos homens *são comparáveis* a muitos demônios, sobretudo os males causados pela rebelião e pelos pecados de muitas variedades. A história subentende que todos os tipos de males podem ser curados por Jesus, que seu poder não está limitado a nenhuma categoria de problemas. A *legião* romana, bem conhecida em todas as partes do mundo, nos dias de Jesus, era símbolo de um poder irresistível. Esse tipo de poder, neste texto, pertence a Jesus, e não ao grande número invasor de poderes malignos. Talvez o falar de uma "legião" de demônios naquele homem possa ser um exagero retórico da história. Mesmo assim, o poder maléfico do pecado na vida humana não pode nunca ser um exagero. Portanto, sempre haverá necessidade de livramento.

5.10: E rogava-lhe muito que não os enviasse para fora da região.

5.10 καὶ παρεκάλει αὐτὸν πολλὰ ἵνα μὴ αὐτὰ ἀποστείλῃ ἔξω τῆς χώρας.

10 αυτα **BCΔ** (*trsp* Θ)] αυτους (*trsp* **A**) **D** f₁ f₁₃ 565 700 pl ς; R: αυτον ℵ *pc* (*trsp* **W**)

A narrativa de Mateus menciona apenas o pedido para que os demônios fossem enviados para os porcos. Marcos, porém, acrescenta o primeiro desejo exposto pelos demônios, de não serem eles enviados "para fora do país", ou seja, daquele território geográfico. Lucas menciona que eles não desejavam ser expulsos, *desencorporados*, por assim dizer, para serem lançados no "abismo", que aqui

804 |Marcos| NTI

supomos tratar-se do "hades", e não as águas do lago da Galileia. Não sabemos dizer onde Lucas obteve esse detalhe. Todavia, está implícito na questão do "tormento" que os demônios queriam evitar, mencionado em Mateus 8.29 e visto também em Marcos 5.7 e Lucas 8.28. Assim, em Marcos, o pedido é simplesmente que não fossem expulsos daquele território, o qual apreciavam, por alguma razão. No entanto, em Lucas, o pedido (dado antes da alternativa referente aos porcos) é que não fossem enviados para o tormento do hades. Não sabemos por que os demônios queriam ficar naquela área. Grotius sugere que era porque a região de Decápolis era amada pelos demônios, visto ser a pátria dos judeus helenizadores apóstatas. De qualquer maneira, o termo grego aqui usado — "choram" — dificilmente pode significar "para fora da terra". E isso talvez faça Marcos e Lucas formarem algum paralelo em seu texto, embora Lucas, tendo copiado essencialmente de Marcos o relato, poderia ter feito com que essa minúcia significasse isso mesmo, já tendo sido feita a sugestão de como queriam evitar o "tormento".

5.11: Ora, andava ali pastando no monte uma grande manada de porcos.
5.11 Ἦν δὲ ἐκεῖ πρὸς τῷ ὄρει ἀγέλη χοίρων μεγάλη βοσκομένη·

A área em questão era habitada por uma população *mista*, pelo que os gentios da região criavam porcos, algo que os judeus não fariam. A área era montanhosa, o que tem levado alguns a citarem Gergesa como o local descrito, por ficar perto do lago da Galileia, e haver ali um abismo que dava frente para a área. Os evangelistas, no entanto, não dão esse nome, apesar de o local poder ter sido onde o milagre foi realizado. Há certo apoio nos manuscritos em favor de Gergesa, mas somente porque alguns escribas fizeram com que essa conjectura sobre a localidade fosse inserida em alguns manuscritos posteriores.

5.12: Rogaram-lhe, pois, os demônios, dizendo: Manda-nos para aqueles porcos, para que entremos neles.
5.12 καὶ παρεκάλεσαν αὐτὸν λέγοντες, Πέμψον ἡμᾶς εἰς τοὺς χοίρους, ἵνα εἰς αὐτοὺς εἰσέλθωμεν.

A antiga tradução judaica julgava que porcos e outros animais cerimonialmente *imundos* fossem lares apropriados dos demônios. Portanto, esse pedido estaria em conformidade com o pensamento dos antigos sobre essas entidades malignas. Os demônios, que exerceram poderes de clarividência, ao reconhecerem Jesus, eram totalmente ignorantes da sorte que os esperava, uma vez que entrassem nos porcos. Lucas diz que Jesus permitiu aos demônios entrarem nos porcos. Foram obrigados a fazer o que ele queria, pois a vontade deles era dominada pela vontade do Senhor.

5.13: E ele lho permitiu. Saindo, então, os espíritos imundos, entraram nos porcos; e precipitou-se a manada, que era de uns dois mil, pelo despenhadeiro no mar, onde todos se afogaram.
5.13 καὶ ἐπέτρεψεν αὐτοῖς. καὶ ἐξελθόντα τὰ πνεύματα τὰ ἀκάθαρτα εἰσῆλθον εἰς τοὺς χοίρους, καὶ ὥρμησεν ἡ ἀγέλη κατὰ τοῦ κρημνοῦ εἰς τὴν θάλασσαν, ὡς δισχίλιοι, καὶ ἐπνίγοντο ἐν τῇ θαλάσσῃ.

13 επετρ. αυτοις ℵBW ff 28 co; R] add θυεεως ο Ιησους A ff3 pl lat; ς επεμψεν αυτους Θ: ευθεως Κυριος Ιηο. επεμψεν αυτ. εις τους χοιρους D it

Neste ponto, a narrativa de Marcos *assemelha-se* à de Lucas 8.32. Os demônios fizeram aquilo que lhes foi permitido por Jesus. A narrativa de Marcos subentende isso, mas registra só a ordem de Jesus para que fossem embora. Rejeitamos as interpretações racionalistas que negam a conexão direta entre o exorcismo e a precipitação dos porcos para a morte, no lago. Não há dúvidas de que Jesus foi responsável, tanto pelo exorcismo quanto pela precipitação dos porcos abismo abaixo. Os "gritos loucos" do lunático realmente

podem ter assustado os porcos, mas a questão não envolveu somente isso. Não houve mera "coincidência" entre a cura do homem e a corrida dos porcos. Somente Marcos cita o número aproximado de porcos, a saber, cerca de 2 mil. Não sabemos por que os outros evangelistas deixaram de fora esse item. De qualquer modo, o número mostra que os donos dos porcos sofreram grande perda financeira; e esse é o motivo por que tanto ansiaram por se livrarem de Jesus. Ele os prejudicara imensamente, e eles não estavam interessados em nenhum "bem espiritual" que tivesse sido realizado. Julgavam as coisas somente de acordo com os padrões econômicos. Afinal, essa é a atitude normal dos homens incrédulos.

5.14: Nisso fugiram aqueles que os apascentavam, e o anunciaram na cidade e nos campos; e muitos foram ver o que era aquilo que tinha acontecido.
5.14 καὶ οἱ βόσκοντες αὐτοὺς ἔφυγον καὶ ἀπήγγειλαν εἰς τὴν πόλιν καὶ εἰς τοὺς ἀγρούς· καὶ ἦλθον ἰδεῖν τί ἐστιν τὸ γεγονός.

Eventos notáveis acompanhavam a vida de Jesus, e as pessoas ficavam profundamente impressionadas com eles. Isso, no entanto, não quer dizer que essas pessoas desenvolvessem sua vida espiritual. O homem decaiu para muito longe de Deus, e somente a vida poderosa de Jesus trouxe-o de volta, estando ativo na esfera terrestre. O texto de João 12.32 subentende isso; e o primeiro capítulo de Efésios ensina definidamente que, de algum modo, todos os homens seriam influenciados pelo Cristo eterno, ao ponto de serem conduzidos a algum tipo de unidade cósmica no plano e na vontade de Deus. Isso não significa que todos participarão do elevado destino dos eleitos, que compartilharão da forma de vida de Cristo, em sua natureza e imagem. Não significa que o poder de Cristo não seja *universal*; e o mesmo terá efeitos universais, para o bem de todos os seres e para a própria Criação. Portanto, a maior de todas as vidas não foi vivida em vão, a despeito da pequeníssima acolhida que lhe foi dada. É preciso muito tempo para levar os homens a Deus, e, com frequência, os milagres impressionam apenas temporariamente.

5.15-20 — *Os gerasenos rejeitam o Senhor Jesus.* Mateus reduz essa narrativa a um sumário que está contido em um único versículo, isto é, Mateus 8.34. Lucas registrou uma narrativa mais longa, que é essencialmente idêntica à de Marcos, e o leitor poderá verificar as notas relativas a esta seção na passagem de Lucas 8.35-39.

5.15: Chegando-se a Jesus, viram o endemoninhado, o que tivera a legião, sentado, vestido, e em perfeito juízo; e temeram.
5.15 καὶ ἔρχονται πρὸς τὸν Ἰησοῦν, καὶ θεωροῦσιν τὸν δαιμονιζόμενον καθήμενον ἱματισμένον καὶ σωφρονοῦντα, τὸν ἐσχηκότα τὸν λεγιῶνα, καὶ ἐφοβήθησαν.

Por razões desconhecidas, Mateus omite um dos melhores detalhes da narrativa original, preservada por Marcos. A cura foi completa; o endemoninhado é devolvido à sua sanidade mental. Uma alma foi libertada dos poderes malignos. Uma alma certamente vale mais que 2 mil porcos. Nosso livramento do pecado certamente vale mais do que desfrutar os "prazeres do pecado por um tempo". No homem comum, por assim dizer, pode haver "muitas pessoas", puxando-o e empurrando-o nesta e naquela direção. É um milagre da graça de Deus quando um homem é capaz de ceder e de continuar cedendo o seu "eu" mais nobre. Esse "eu" mais nobre é sua natureza que vai sendo transformada segundo a imagem de Cristo. É isso que está envolvido na mensagem do evangelho.

Notemos como o povo *temeu*, quando viu o milagre de libertação. Temeriam mais a sanidade do que a loucura? Até parece que algumas vezes assim sucede. Parece que nos sentimos mais à vontade com nossos pecados insanos, pois toda a prática pecaminosa é alguma forma de insanidade moral e espiritual. Tememos o real livramento. De alguma forma, ficamos afeitos à insanidade pecaminosa, e preferimos isso a uma mente espiritualmente correta.

"É *fácil* ficarmos indignados e nos tornar zombeteiros acerca de pessoas cegas, como aqueles habitantes de Gersa, que preferiam os males da *desordem* à sanidade mental e espiritual. A questão, entretanto, impressiona a cada um de nós. De algum modo, estamos infectados por essa cegueira? Podemos dar ouvidos, em nossos dias, à voz de Jesus, que diz: 'Sai, espírito imundo'?" (Luccock, *in loc.*).

5.16: E os que tinham visto aquilo contaram-lhes como havia acontecido ao endemoninhado, e acerca dos porcos.

5.16 καὶ διηγήσαντο αὐτοῖς οἱ ἰδόντες πῶς ἐγένετο τῷ διαμονιζομένῳ καὶ περὶ τῶν χοίρων.

Mateus omite o *sumário* de eventos subsequentes, mas Lucas os inclui. O sumário (ver Mc 5.15-20) mostra como os notáveis milagres levaram o povo a rejeitar a Jesus, ao invés de se arrependerem e se tornarem discípulos seus. Não estavam ainda preparados para enfrentar as realidades e os poderes espirituais. É possível alguém ter mais receio do Espírito Santo do que de poderes malignos. Talvez isso aconteça porque nós gostamos do tipo de vida que levamos, e não podemos suportar a ideia do sacrifício envolvido no discipulado autêntico. Os demônios então são deixados em nós, e o poder de Cristo não é aplicado à nossa vida. Neste versículo, as testemunhas oculares são vistas a propalarem o acontecido. O povo, pois, ficou plenamente informado do poder de Jesus. Não estavam nem ao menos curiosos bastante para pedir-lhe que ficasse por um pouco, explicasse seus intuitos e pregasse a sua mensagem. Ressentiram-se, antes, da perda financeira. Exigiram que Jesus se retirasse daquele território. Essa é a história do não-regenerado. Até mesmo quando está bem informado, prefere o caminho antigo, a vida antiga. Como fácil perder de vista o imperativo da alma, *Cristo na vida!*

5.17: Então começaram a rogar-lhe que se retirasse dos seus termos.

5.17 καὶ ἤρξαντο παρακαλεῖν αὐτὸν ἀπελθεῖν ἀπὸ τῶν ὁρίων αὐτῶν.

17 ηρξ.παρακ.] παρεκαλουν **DΘ** *pc*

Para eles, Jesus era um homem *perigoso*. Rogaram-lhe que saísse dali. Não podiam arriscar-se a outras "catástrofes" por causa dele. Era muito mais fácil se livrarem dele do que tentarem ser transformados por ele, ou aprender com ele. Toda a nossa indiferença e pecado é um desejo secreto de ver Jesus desaparecer de nossa vida, embora isso jamais seja formulado em palavras. Aquela gente via Jesus como uma força destruidora. Existem em nossa vida "porcos" que precisam ser destruídos; e certas formas de destruição são boas para nós. De fato, todo o progresso espiritual é feito em meio à agonia, à perda do que é antigo, a fim de que se obtenha o novo. Lembremo-nos, porém, do próprio Jesus. Ele agonizou para que pudéssemos obter nossa redenção.

5.18: E, entrando ele no barco, rogava-lhe o que fora endemoninhado que o deixasse estar com ele.

5.18 καὶ ἐμβαίνοντος αὐτοῦ εἰς τὸ πλοῖον παρεκάλει αὐτὸν ὁ διαμονισθεὶς ἵνα μετ᾽ αὐτοῦ ᾖ.

18 παρεκαλει] ηρξατο παρακαλειν **D** lat

O milagre, destrutivo e temível para outros, foi um meio de *atrair* aquele homem a Jesus, ao completo discipulado, conforme se pode supor, pois ele percebera o poder curador que há na vida de Cristo. Sem dúvida, devemos entender que o homem exerceu "arrependimento e fé". As atuações de Jesus têm esse alvo, além de demonstrarem que ele é o Messias genuíno (Jo 20.31).

5.19: Jesus, porém, não lho permitiu, mas disse-lhe: Vai para tua casa, para os teus, e anuncia-lhes o quanto o Senhor te fez, e como teve misericórdia de ti.

5.19 καὶ οὐκ ἀφῆκεν αὐτόν, ἀλλὰ λέγει αὐτῷ, Ὕπαγε εἰς τὸν οἶκόν σου πρὸς τοὺς σούς, καὶ ἀπάγγειλον αὐτοῖς ὅσα ὁ κύριός σοι πεποίηκεν καὶ ἠλέησέν σε.

19 Ὕπαγε...σου Mt 9.6; Mc 8.26; Lc 5.24; 8.39

19 απαγγ. **אΒΘ** *pc*; R] διαγγ- *p45* **DW** f1 f13 *700*: αναγγ- **A** *565 pl* ς| ο Κυριος] ο Θεος **D** *pc*

Em princípio, a intenção do homem era *correta*. Ele queria tornar-se pregador das boas novas do reino e do Rei desse reino. Entretanto, devia ir ao lugar para onde, na realidade, não queria ir especialmente, ou seja, sua casa e sua terra. A história mostra a sabedoria dessa decisão de Jesus, pois aquela área, mais do que os lugares por onde Jesus passaria, *precisava* de um missionário. Ele já contava com 12 que o acompanhavam, para ajudá-lo. Lucas diz que lhe foi dito que espalhasse a mensagem sobre "quão grandes coisas" o Senhor fizera por ele. Aqui lemos apenas "tudo o que o Senhor te fez", com uma nota adicional de que isso se deveu à compaixão divina. Compaixão é amor em ação. (Ver notas completas sobre o *amor*, em Gl 5.22, onde este figura como um dos aspectos do "fruto do Espírito". Ver também 1Jo 2.6. Essas notas trazem poemas ilustrativos. Ver Mt 14.14 e 15.32, quanto à "compaixão de Jesus".)

Lições baseadas neste versículo: (1) Até um "desejo natural" pode ser defeituoso, devendo sujeitar-se à vontade de Deus. (2) O que o Senhor faz por nós deve redundar naquilo que "fazemos para o Senhor". (3) Há um plano para a vida de cada um, individualmente. (4) *Emoção religiosa* não basta, se for apenas emoção; deve ser dirigida na direção de um serviço útil. (5) Esse serviço beneficiará outros. Não aprecio a virtude enclausurada. (6) A maior coisa que fazemos é voltar à família, ajudando nossos parentes e amigos, ao invés de nos afastarmos deles. (7) Pelo menos indiretamente, é provável que o versículo faça parte do apelo da igreja primitiva em prol da validade da missão gentílica. (Ver At 11, onde até a Pedro se opuseram, em Jerusalém, porque ele ousou levar o evangelho aos gentios.) Jesus nos deixou exemplo, embora tenha vindo essencialmente para o povo de Israel. Contudo, seu evangelho não podia ser contido por missão tão restrita. O ex-endemoninhado foi evangelizar Decápolis, o "distrito de dez cidades". Nove dessas cidades ficavam na Transjordânia, e somente Citópolis ficava no lado ocidental do rio Jordão. Portanto, gentios seriam os principais beneficiários dessa pregação. Várias cidades dali tinham sido transformadas em lares, por Pompeu, para seus soldados veteranos, depois que ele as liberou do domínio judaico. Assim, apesar de haver população mista em Decápolis, o elemento gentio era denso, talvez dominante. (Ver em Mt 4.25 que os habitantes de Decápolis estavam incluídos nas multidões que seguiam a Jesus. Mc 7.31 mostra que, tempos depois, Jesus voltou a visitar a área.)

5.20: Ele se retirou, pois, e começou a publicar em Decápolis tudo quanto lhe fizera Jesus; e todos se admiravam.

5.20 καὶ ἀπῆλθεν καὶ ἤρξατο κηρύσσειν ἐν τῇ Δεκαπόλει ὅσα ἐποίησεν αὐτῷ ὁ Ἰησοῦς, καὶ πάντες ἐθαύμαζον.

Lucas conta que o cenário dessa atividade era a *cidade toda*; mas Marcos, autor do evangelho original, fala na área inteira de Decápolis, adicionando como o povo se admirava diante da mensagem e do homem. (Ver notas sobre *Decápolis*, em Mc 5.19, acima.) O evangelho admira pelo que pode fazer, mas isso requer que a vontade humana ceda e coopere. É bem possível que esse homem fosse bem conhecido por toda a área de Gerasa como louco (nossa Gadara ou Gergesa, como o caso pode ser; ver notas a respeito nos v 1 e 11). O "espanto momentâneo" não converteu a muitos, sem dúvida, mas alguns devem ter sido atraídos para Jesus por meio daquele homem. Ele fora o famoso louco, mas agora se tornara poderoso propalador da mensagem cristã.

5.21-24 — *O pedido de Jairo*. (Quanto a notas sobre esta seção, ver Mt 9.18,19, com algumas anotações adicionais em Lc 8.40-42.)

5.21: Tendo Jesus passado de novo no barco para o outro lado, ajuntou-se a ele uma grande multidão; e ele estava à beira do mar.

5.21 Καὶ διαπεράσαντος τοῦ 'Ιησοῦ [ἐν τῷ πλοίῳ][2] πάλιν εἰς τὸ πέραν[3] συνήχθη ὄχλος πολὺς ἐπ' αὐτόν, καὶ ἦν παρὰ τὴν θάλασσαν.

[2] **21** τοῦ 'Ιησοῦ p^{45vid} D Θ f^1 28 565 700 $it^{a,b,c,d,e,ff2,i,q,r1}$ syr^s arm geo // {D} τοῦ 'Ιησοῦ ἐν τῷ πλοίῳ ℵ A (B *omit* τῷ) C K L Δ Π 0107^{vid} 0132 0134 f^{13} 33 892 1009 1010 1071 1079 1195 1216 1230 1241 1242 1253 1344 1365 1546 1646 2148 2174 *Byz* $it^{aur,f,l}$ vg $syr^{p,h}$ $cop^{sa,bo}$ goth $Diatessaron^a$ // ἐν τῷ πλοίῳ τοῦ 'Ιησοῦ W

[3] **21** {C} πάλιν εἰς τὸ πέραν $ℵ^c$ A B C K L W Δ Π 0132 0134 0171^{vid} f^1 28 33 892 1009 1010 1071 1079 1195 1216 1241 1242 1344 1365 1546 1646 2148 2174 *Byz* $it^{aur,l}$ vg syr^h cop^{bo} (goth) arm geo Augustine // πάλιν ἦλθεν εἰς τὸ πέραν f^{13} (cop^{sa} *omit* πάλιν) // εἰς τὸ πέραν πάλιν ℵ* D 565 700 $it^{a,b,(c),d,e,(ff2),i,q,r1}$ syr^p cop^{bomss} // εἰς τὸ πέραν Θ 1230 1253 syr^s $Diatessaron^a$ // πάλιν p^{45vid} it^f

[2] Embora a minoria da comissão considerasse a frase ἐν τῷ πλοίῳ como uma antiga inserção escribal, adicionada antes de τοῦ 'Ιησοῦ, em W, e depois de τοῦ 'Ιησοῦ em grande número de testemunhos (incluindo ℵ A (B) C Λ Δ f^{13} 33 1079 1241 *al*), a maioria preferiu a forma confirmada pelos tipos de texto alexandrino e outros, explicando a ausência da frase ou como acidente ou como assimilação ao paralelo de Lucas 8.40. A mudança de posição da frase em W deve-se ao desejo de obter melhor sequência. Entretanto, em face do conflito entre probabilidades de transcrição, pensou-se melhor incluir as palavras entre colchetes.

[3] O paralelo de Lucas 8.40, (ἐν δὲ τῷ ὑποστρέφειν τὸν 'Ιησοῦν ἀπεδέξατο αὐτὸν ὁ ὄχλος pressupõe a forma de Marcos, πάλιν εἰς τὸ πέραν. A forma de — ℵ* D 565 700 *al*, que coloca πάλιν πολύς depois de συνήξθη ὄχλος ("reuniu-se novamente grande multidão") olha de volta para 4.1. Tanto a omissão de πάλιν, εμ Θ *al*, como a omissão de εἰς τὸ πέραν πορ p^{45vid} al parecem resultar de confusão paleográfica.

Mateus deixa inteiramente de lado as *conexões acidentais*, que Marcos usa a fim de apresentar seu relato; e isso já fora visto antes. Lucas 8.40, porém, realmente baseou-se na declaração geral de Marcos, embora elimine vários detalhes.

"O resto do quinto capítulo (de Marcos) conclui esta grande série de milagres e nos dá um exemplo das narrativas telescópicas desse evangelista. A cura da mulher tem lugar no caminho para a casa de Jairo, cuja filha é então restaurada. Ambos os episódios falam de restauração mediante o toque, e ambos são milagres estupendos: a filha de Jairo estava morta (v. 35) quando Jesus chegou, e o caso da mulher fora incurável. O cenário é um território judaico, presumivelmente o lado ocidental do lago. Jairo era um 'chefe da sinagoga', ou seja, o que chamaríamos um presidente leigo da congregação. O v. 21 é editorial; Marcos concebe toda essa série de eventos (desde 4.1), como algo que teve lugar próximo ao mar" (Grant, *in loc.*).

O relato de Marcos é mais *detalhado* que o de Mateus, pelo que alguma condensação teve lugar neste último. Consultando Mateus 9, deve-se notar que a mesma sequência e conexão de eventos não é a observada em Mateus, em relação às narrativas originais de Marcos. Mateus recompõe essas questões para seu propósito, e não se preocupa acerca da cronologia exata, como querem os modernos harmonistas. É típico de Lucas seguir mais exatamente o esboço provido por Marcos. Entretanto, o evangelho de Mateus é mais "tópico" do que cronológico. Ele arranja o material em "blocos" de ensinamentos, com frequência desconsiderando a ordem histórica dada por Marcos.

5.22: Chegou um dos chefes da sinagoga, chamado Jairo e, logo que viu a Jesus, lançou-se-lhe aos pés,

5.22 καὶ ἔρχεται εἷς τῶν ἀρχισυναγώγων, ὀνόματι 'Ιάϊρος, καὶ ἰδὼν αὐτὸν πίπτει πρὸς τοὺς πόδας αὐτου

22 ονομ. Ιαειρ.] *om* D it

Algumas vezes tem-se argumentado (e.g., por Vincent Taylor, *The Gospel According to St. Mark*, p. 287) que as palavras ὀνόματι 'Ιάϊρος são uma antiga interpolação, porque: (1) estão ausentes em diversos testemunhos ocidentais (D $it^{a,e,ff2,i}$); (2) a narrativa paralela de Mateus não identifica Jairo pelo nome; (3) a única pessoa mencionada por Marcos, fora da narrativa da paixão, à parte dos discípulos, é Bartimeu (10.46); e o nome Jairo não é mencionado em 5.35ss; (4) o uso da palavra ὀνόματι é lucano, e não próprio de Marcos. Noutros lugares, Marcos usa o termo ὄνομα com o dativo (3.16 e 5.9).

Quando esses argumentos são analisados, seu peso diminui grandemente. Considerados em sua ordem reversa, temos:

a. As três instâncias de ὄνομα com o dativo são escassamente suficientes para firmar o uso preferido de Marcos, sobretudo em face de duas das instâncias narrarem a doação de um nome de uma pessoa, quando o dativo era esperado — (ἐπιτιθέναι, 3.16s). É verdade que Lucas geralmente prefere ὀνόματι, mas isso é irrelevante, pois o paralelo lucano (8.41) da passagem em consideração diz ἀνὴρ ᾧ ὄνομα 'Ιάϊρος — (o que explica a variante de Marcos ᾧ ὄνομα 'Ιάϊρος em W Θ 565 700).

b. É duvidoso se é justo ou não excluir das considerações os muitos nomes existentes na narrativa da paixão em Marcos. Seja como for, porém, em adição a Bartimeu, Taylor olvidou inexplicavelmente a presença das alusões de Marcos ao nome de João Batista (1.4,6,9,14; 6.14,16-18,24s). A ausência do nome de Jairo, em 5.35ss, certamente não pode provar ser isso uma interpolação em 5.22 (o nome de Jairo ocorre somente uma vez na narrativa de Lucas 8.41; será também uma interpolação, ali?)

c. A ausência do nome na narrativa de Mateus seria explicável se, conforme às vezes se tem argumentado com base em outras instâncias, Mateus se tivesse utilizado de uma cópia ocidental de Marcos. Seja como for, porém, deve-se observar que Mateus condensou muitíssimo a narrativa de Marcos, tendo omitido mais que meramente o nome de Jairo.

d. A evidência externa em prol da presença de ὀνόματι 'Ιάϊρος é muito mais impressionante (incluindo p^{45} ℵ A B C L N Δ Π Σ Φ quase todos os minúsculos, $it^{b,c,l,q}$ vg $syr^{c,s,p,h,pal}$ $cop^{sa,bo,fay}$ ara geó) que o testemunho que apoia a ausência dessas palavras (D $it^{a,e,ff2,i}$). Em outras palavras, de um ponto de vista da crítica textual, é mais provável que o nome Jairo tenha sido acidentalmente descontinuado durante a transmissão de parte do texto ocidental (representado por um manuscrito grego e vários testemunhos do Latim Antigo) do que tenha sido ele adicionado, no mesmo ponto da narrativa, em todos os demais grupos textuais, incluindo o alexandrino, o resto do tipo ocidental, o oriental e o cesareano (pois, conforme é sugerido pelo texto preservado em — W Θ 565 700, o fraseado original da alusão de Marcos a Jairo, no ancestral dos testemunhos cesareanos, foi assimilado ao paralelo lucano). Ver também a nota sobre as "não-interpolações ocidentais", depois de Lucas 24.53.

Ao aproximar-se de Jesus, esse homem *arriscou* sua reputação, uma vez que, desde muito, os conflitos e controvérsias com os líderes religiosos tinham começado, dando a Jesus o aspecto de um poderoso agitador herege. Todavia, sua necessidade era grande, e ele ignorou a política. Devido à sua coragem, seu nome tornou-se imortal, por haver entrado em contacto com Jesus. Ele se serviu de uma das muitas janelas do NT, pelas quais vemos

NTI | Marcos | 807

algo da glória do Senhor Jesus. Jairo, juntamente com outros, ilustra aqueles que são dotados de mente aberta o suficiente para aprender algo. Ele ignorou os dogmas que se opunham a Jesus e experimentou o poder de Cristo, querendo saber se ganharia ou não alguma coisa com ele. Jairo veio *ver* Jesus. Outros o ignoravam ou criticavam. Jesus trouxera o VINHO NOVO que não podia ser contido em "odres velhos". Jairo estava pronto a tornar-se um odre novo, a fim de conter o vinho novo. Jairo nos anuncia esta mensagem: "Conserva aberta a tua mente", para que teu crescimento espiritual aumente. E isso porque a mente fechada pelos dogmas e pelas restrições denominacionais somente dificultam o avanço espiritual. Jairo também representa a "necessidade humana". Ele tinha uma "filha" em necessidade, que precisava da atenção de Jesus, pois o caso dela era extremamente grave. Todos nós temos, em nossa vida, as nossas "filhas" que precisam da ajuda de Jesus.

"[...] um dos principais da sinagoga..." O grego traz o plural, "*sinagogas*".O mais provável, porém, é que aquele homem fosse um dos principais líderes de uma única sinagoga, embora seu "ofício" tivesse validade para todas as sinagogas. O grego, "*archon*", significa "chefe líder", alguém encarregado dos negócios gerais de uma instituição. O "archisunagogon" talvez fosse um indivíduo que não conduzisse a adoração pública, mas que arranjasse as coisas para que outros as pusessem em execução; talvez fosse aquele que cuidava das questões materiais e financeiras da sinagoga. Deve-se notar, entretanto, que Mateus chama Jairo de "archon"; e Lucas usa os dois títulos intercambiavelmente; pelo que é difícil fazer qualquer distinção válida entre eles, com bases neotestamentárias.

Em Mateus, o homem *adora* a Jesus. Em Marcos, ele se lança a seus pés, detalhes com os quais os autores sagrados queriam indicar a natureza messiânica autêntica de Jesus, pois, de outro modo, esses atos estariam fora de Lucas.

5.23: e lhe rogava com instância, dizendo: Minha filhinha está nas últimas; rogo-te que venhas e lhe imponhas as mãos para que sares e viva.

5.23 καὶ παρακαλεῖ αὐτὸν πολλὰ λέγων ὅτι Τὸ θυγάτριόν μου ἐσχάτως ἔχει, ἵνα ἐλθὼν ἐπιθῇς τὰς χεῖρας αὐτῇ ἵνα σωθῇ καὶ ζήσῃ.

23 ἐλθὼν...σωθῇ Mt 6.5; 7.32; 8.23,25; Lc 4.40; 13.13; At 9.12,17; 28.8

23 ινα ελθων... χ. αυτη] ελθε αψαι αυτης εκ των χειρων σου **D** it

O homem mostrou-se insistente por causa de sua profunda necessidade; e ele não podia ser ignorado e nem tratado com passividade. Note-se que ele correu o risco de tornar-se alvo da indignação de seus colegas de ofício, pois Jesus, bem antes desta ocasião, já perdera acesso às sinagogas da Galileia. A filha estava quase morta, e logo mais é anunciada como morta (por Marcos e Lucas), por um mensageiro vindo da casa de Jairo. Isso, no entanto, não ocorre em Mateus, que abrevia a questão e deixa em branco vários detalhes.

A filhinha de Jairo estava em necessidade. Isso adiciona certo toque de ternura à narrativa, e explica também a insistência e o exagero de Jairo. Ele lutava contra a morte de alguém com quem estava emocionalmente muitíssimo ligado.

A imposição de mãos: Jesus curava de várias formas. Algumas vezes, fazia-o à distância; mas, geralmente, empregava a imposição de mãos. Alguns supõem que esse ato seja mera "boa psicologia", pois consola por meio do toque. É verdade que o toque pode consolar. No entanto, é verdade também que a imposição de mãos pode ser altamente beneficente, pois há uma verdadeira transferência de *energia* do taumaturgo para a pessoa curada, a qual é mais bem transmitida por meio das mãos. A fotografia kirliana já mostrou isso em termos absolutos. O taumaturgo, além disso, perde algum peso corporal, por causa da perda de energia vital nessa transferência. Assim, em Marcos 5.30, Jesus é apresentado a saber que

"virtude" saíra dele, quando houve uma cura; e isso é uma descrição do *modus operandi* da cura, o que foi dito muitos séculos antes de ter sido feita a citada fotografia. Lucas 8.46 registra a questão da perda de "virtude" ou energia vital; mas Mateus omite o detalhe. (Ver Lc 6.19, onde a mesma coisa é dita em conexão com outro evento.)

5.24: Jesus foi com ele, e seguia-o uma grande multidão, que o apertava.

5.24 καὶ ἀπῆλθεν μετ' αὐτοῦ. Καὶ ἠκολούθει αὐτῷ ὄχλος πολύς, καὶ συνέθλιβον αὐτόν.

Lucas 8.42 registra também o fato de Jesus, a caminho da casa de Jairo, ser acompanhado por grande multidão. Mateus contenta-se em mencionar apenas os discípulos especiais. Jesus ainda não perdera sua popularidade diante das multidões, ainda que os líderes, desde há muito, já tivessem começado a odiá-lo. Desde o segundo capítulo de Marcos, as controvérsias com eles vinham sendo registradas.

"[...] Jesus foi com ele..." Como era costumeiro, ele respondeu à necessidade humana, e um de seus maiores milagres estava prestes a ser realizado.

5.25-43 — Cura de uma mulher enferma e ressurreição da filha de Jairo. (Ver as notas expositivas em Mt 9.20-26, com anotações adicionais em Lc 8.43-56. A narrativa de Mateus é abreviada, mas as notas ali existentes incluem os diversos detalhes da narrativa do evangelho de Marcos.)

5.25: Ora, certa mulher, que havia doze anos padecia de uma hemorragia,

5.25 καὶ γυνὴ οὖσα ἐν ῥύσει αἵματος δώδεκα ἔτη

A mulher tinha uma hemorragia delitante, embaraçosa, desencorajadora (v. 26), que estava além da ajuda do conhecimento e da simpatia humanos. Os evangelistas pintam propositalmente um *quadro negro*. Agora, só Jesus poderia ajudá-la. Todos nós, eventualmente, chegamos ao ponto onde aquela mulher estava. Meu socorro vem do Senhor. Apesar de tudo, a mulher tinha começado a esperar novamente em Jesus. Não há miséria humana que não possa ser aliviada por essa espécie de esperança. Doze anos de sofrimentos tiveram cura repentina. O tempo passado não pôde impedir que, afinal, fosse exercido o poder salvador de Cristo. (Ver Jo 12.32.) A mulher sofreu muito devido a "métodos primitivos de cura", os quais, geralmente, faziam agravar-se as condições de saúde, ao invés de curá-las. Isso é o que sucede às "autocuras espirituais" dos homens. Só existe um único e verdadeiro Salvador. Os gnósticos antigos tolamente imaginavam que há muitos deuses, redentores e mediadores. O NT tenta centralizar todas essas qualidades em Cristo. (Ver Cl 1.14-20, quanto às 12 *superioridades* de Cristo.)

5.26: e que tinha sofrido bastante às mãos de muitos médicos, e despendindo tudo quanto possuía sem nada aproveitar, antes indo a pior,

5.26 καὶ πολλὰ παθοῦσα ὑπὸ πολλῶν ἰατρῶν καὶ δαπανήσασα τὰ παρ' αὐτῆς πάντα καὶ μηδὲν ὠφεληθεῖσα ἀλλὰ μᾶλλον εἰς τὸ χεῖρον ἐλθοῦσα,

Mateus *deixa de lado* todos esses detalhes, embora Lucas os registre em parte. A enfermidade não fora negligenciada pela mulher. De fato, ela fizera disso uma obsessão e sacrificara tudo *em busca* da cura. É assim que algumas pessoas se sentem em relação à cura espiritual, sobretudo pessoas intensamente religiosas. Assim também é que muitas seitas têm vindo à existência. A tentativa de ser espiritualmente curado ocupa a atenção e os esforços de muitas pessoas, e isso com grande intensidade. O amor, por meio de Cristo, conferiu em um momento o que doze anos de esforços humanos não tinham podido realizar. Esse amor trouxe o poder de Cristo àquela vida. Fé em Cristo na vida, valor incomparável. (Ver Hb 11.1, quanto a uma nota completa sobre a "fé".)

808 |Marcos| NTI

A mulher veio a Jesus como *último recurso*. Teria apelado para ele antes, se tivesse podido fazer isso. Tendo chegado ao fim de sua esperança, os gregos e romanos antigos diziam: "Lança-o ao cuidado dos deuses, e reza". Assim também, na "Tempestade", de Shakespeare, os marinheiros, julgando tudo perdido, clamam: "Tudo está perdido! À oração, à oração!" A mulher solicitara a ajuda de muitos médicos, mas nenhum deles pôde aliviá-la. Em tudo isso, as lições espirituais são óbvias e impressionantes. Os homens tentam tolamente o nacionalismo, o imperialismo, o militarismo, o facismo, o nazismo, o socialismo, o comunismo, o humanismo, e riquezas imensas são gastas em programas inúteis. Algum dia o mundo virá a Cristo como seu último recurso. "E não há salvação em nenhum outro [...] pelo qual importa que sejamos salvos" (At 4.12). Os medicamentos do mundo antigo eram crus e, com frequência, prejudiciais. Na questão da espiritualidade, os medicamentos do mundo continuam crus, e com frequência são prejudiciais.

5.27: tendo ouvido falar a respeito de Jesus, veio por detrás, entre a multidão, e tocou-lhe o manto;

5.27 ἀκούσασα περὶ⁴ τοῦ Ἰησοῦ, ἐλθοῦσα ἐν τῷ ὄχλῳ ὄπισθεν ἥψατο τοῦ ἱματίου αὐτοῦ·

4 27 {C} περὶ א^c A C² D K L W Θ Π 0132^vid 0134 *f*¹ *f*¹³ 28 33 565 700 892 1009 1010 1071 1079 1195 1216 1230 1241 1242 1253 1365 1646 2148 2174 *Byz Lect* syr^p.h.pal cop^sa?bo? goth arm eth geo Diatessaronᵃ // τὰ περὶ א* B C* Δ 1546 *l*³³   27 ἥψατο...αὐτοῦ Mt 14.36; Mc 6.56

> A forma com τά (i.e. ἀκούσασα τὰ περὶ τοῦ Ἰησοῦ) parece ser um refinamento alexandrino.

Não se duvide de que, neste ponto, o *toque* seja uma lição espiritual, e não um mero detalhe histórico acerca do poder curador de Jesus. A mulher já ouvira muitos rumores. Rumores usualmente são prejudiciais; mas, neste caso, grande verdade se propalara por meio deles. A mulher tinha um coração acolhedor. Admitimos que seja possível alguém ser crédulo por demais, e isso pode prejudicar a qualquer um. Entretanto, ainda é mais verdadeiro que o ceticismo prejudica mais que a credulidade. É melhor crer demais do que crer de menos. O ceticismo é uma atmosfera de negridão e temor, que não permite ser espalhada. Somente à luz da fé pode-se fazer progresso espiritual. Agostinho disse algo parecido com isso; mas hoje em dia a questão não é menos verdadeira que em sua época. O ceticismo prejudica as energias espirituais de uma pessoa. E os místicos capazes de ver a aura humana (um campo de luz que circunda as pessoas atingindo até 4m de onde estão), dizem que pessoas céticas têm horrendas *manchas* em suas auras, demonstrando graves defeitos espirituais.

A mulher ouvira falar de Jesus estando muito longe, em *Cesareia* de Filipo, de acordo com Eusébio (História Eclesiástica VII.18), mas isso não impediu que alguma coisa lhe servisse de empecilho. Ela fez o sacrifício a fim de levar seu problema à presença da Fonte da Cura.

5.28: porque dizia: Se tão somente tocar-lhe as vestes, ficarei curada.

5.28 ἔλεγεν γὰρ ὅτι Ἐὰν ἄψωμαι κἂν τῶν ἱματίων αὐτοῦ σωθήσομαι.

Essa declaração retrata uma grande fé. Aquela mulher passara por muitas dolorosas e prolongadas *curas*. Havia tomado muitos remédios e sofrido com muitos curadores crus. No entanto, ela sabia que Jesus era diferente, e que sua cura podia ser alcançada de modo instantâneo e completo. Foi recompensada em sua fé. Alguns estudiosos modernos referem-se à atitude dessa mulher, tocando as vestes de Cristo, como se fora uma superstição nas artes mágicas de Jesus; mas a ciência tem mostrado o erro desses estudiosos, revelando que uma energia vital e real pode ser e é transmitida pelo toque dos taumaturgos, nada havendo de mágico

nisso. Portanto, ela não estava equivocada, ao supor que até a fímbria das vestes podia ser um ponto por onde o enorme poder de Jesus podia ser emitido. Sua fé estava firmada em terreno sólido. Nada havia de mágico nas roupas de Jesus; mas dele emanava um poder autêntico, para quem estivesse em necessidade. A mulher não confiava nas vestes de Jesus, mas no próprio Cristo que por elas estava envolvido. *É possível* que alguém deposite confiança equivocada em uma roupa na qual não reside nenhum poder. Todos nós fazemos isso, vez por outra, e sistemas políticos inteiros se alicerçam sobre vestes totalmente destituídas de poder.

A legislação levítica proibia esse *toque* em alguém que estivesse nas condições daquela mulher (ver Lv 15.19-27). No entanto, nem mesmo a lei pôde impedi-la de receber a cura de Jesus. Os dogmas geralmente nos entravam, se estão encastoados em tradições, que são apenas transitórias. Há dogmas falsos e prejudiciais, que os homens confundem com a verdade.

5.29: E imediatamente cessou a sua hemorragia; e sentiu no corpo estar já curada do seu mal.

5.29 καὶ εὐθὺς ἐξηράνθη ἡ πηγὴ τοῦ αἵματος αὐτῆς, καὶ ἔγνω τῷ σώματι ὅτι ἴαται ἀπὸ τῆς μάστιγος.

Esse comentário também é verdadeiro acerca do que se sabe sobre as curas espirituais. Alterando o estado físico de alguns enfermos, a cura também produz confiança psicológica e, com frequência, a certeza de que o problema físico foi curado. Não sabemos como isso acontece, mas sabemos tratar-se de uma realidade. Por meio de algum sentido espiritual, o indivíduo sabe quando o poder curador foi aplicado. Algumas pessoas curadas podem até "sentir" o poder curador, que vem como uma vibração, calor ou choque elétrico. Com frequência, não há sensação física. E o próprio taumaturgo por muitas vezes também sente o fluxo de poder curador. Alguns têm afirmado que, quando a pessoa curada sente algo, isso visa a criar fé, ou demonstrar, por algum meio tangível, que a cura teve lugar, já que algumas das maiores e mais poderosas curas não são acompanhadas por nenhuma sensação por parte da pessoa curada, exceto o alívio do sofrimento ou um sentimento de júbilo psicológico. Seja como for, a cura espiritual é bem real e graciosa, pois nela residem o poder e a misericórdia de Deus. Uma verdadeira cura espiritual é coisa belíssima de ser contemplada. Aquela mulher soube que o problema fora solucionado, tal como antes sabia que o mesmo existia. Provavelmente, ela também experimentou o júbilo da cura espiritual, psíquica, e não só fisicamente.

5.30: E logo Jesus, percebendo em si mesmo que saíra dele poder, virou-se no meio da multidão e perguntou: Quem me tocou as vestes?

5.30 καὶ εὐθὺς ὁ Ἰησοῦς ἐπιγνοὺς ἐν ἑαυτῷ τὴν ἐξ αὐτοῦ δύναμιν ἐξελθοῦσαν ἐπιστραφεὶς ἐν τῷ ὄχλῳ ἔλεγεν, Τίς μου ἥψατο τῶν ἱματίων;

30 ὁ Ἰησοῦς...ἐξελθοῦσαν Lc 6.19

O poder curador saíra dele para a mulher. Ele sentiu *súbita* diferença em suas energias vitais. Já mostramos acima (ver comentários sobre Mc 5.27) que uma autêntica energia vital é transferida nos casos de cura espiritual, um processo que hoje em dia pode ser até fotografado. *Os taumaturgos* perdem peso corporal nessa transferência, pelo que essa energia tem certa densidade. Esse é o *"modus operandi"* da cura, o que não nega o poder divino nas curas, mas só explica por que meio Deus assim favorece os homens. Naturalmente, a cura pode ir além disso, sendo puramente do Espírito Santo. Parece, entretanto, que o homem Jesus, por vontade divina, estava intensamente carregado de poder de cura; e assim, até mesmo sem sua intenção direta, ele podia curar, quando o "beneficiário", mediante a confiança em Deus, estava sintonizado com o processo. O poder de cura é uma intervenção divina, mesmo que seja efetuada por meio do complexo humano de energias. Noutras ocasiões, a cura pode provir de poderes angelicais, ou, em

NTI | Marcos | 809

alguns casos, de poderes demoníacos; ou mesmo do Espírito de Deus, que transcende a todos os demais. Todos os seres humanos, só por serem "seres humanos", são entidades espirituais, porque o homem é, essencialmente, um espírito; e, assim, até certo ponto, podem exercer o poder de cura. Alguns, porém, são separados por Deus a fim de curar, mediante um processo espiritual, além de aliviarem os sofrimentos humanos. Nesses casos, a cura torna-se uma habilidade natural da pessoa, parte do equipamento pessoal de sua missão, tal como outras pessoas podem ensinar ou pregar bem, pelo menos em parte, usando suas faculdades naturais. As curas, portanto, são naturais ao estado de seres humanos, mas *podem* transcender a isso, conforme for ditado pela vontade de Deus.

5.31: Responderam-lhe os seus discípulos: Vês que a multidão te aperta, e perguntas: Quem me tocou?

5.31 καὶ ἔλεγον αὐτῷ οἱ μαθηταὶ αὐτοῦ, Βλέπεις τὸν ὄχλον συνθλίβοντά σε, καὶ λέγεις, Τίς μου ἥψατο;

Marcos continua apresentando detalhes omitidos por Mateus. Jesus hesita, mas busca aquela que nele tocara de modo especial, embora tantos nele tocassem, sem que a cura fosse produzida. A narrativa de Marcos e de Lucas nos dão a ideia de que a cura teve lugar sem o intuito consciente de Jesus, mas meramente porque o seu poder era tão grande, que podia saltar em ação se entrasse em contacto com a fé, como quem liga uma máquina elétrica à tomada de luz. Sem dúvida, a narrativa visa a ensinar aqui uma lição espiritual. Muitos *tocavam* em Jesus, mas não eram curados. Até hoje, também, muitos sabem acerca de Cristo e o respeitam, mas poucos são transformados por ele. Isso só ocorre mediante a confiança legítima nele, e não mediante o mero contacto com seu evangelho, com sua igreja, com sua história. Jesus corresponde àqueles que correspondem a ele, de modo real. A indiferença humana torna Jesus uma figura distante. Naturalmente, essa situação não permanece no caso de todos. Pois Efésios 1.10 observa como o toque de Cristo transformará a todos, eventualmente, pelo menos até certo grau, embora nem todos cheguem a participar da vida eterna dos eleitos.

Outras lições deste versículo: (1) Jesus cuida do *indivíduo*, e não meramente das multidões. (2) Os doze discípulos repreenderam Jesus, por assim dizer, por causa desse cuidado, por haver curado uma pessoa entre tantas. (3) Até mesmo líderes religiosos, como os doze, podem sofrer de *miopia* espiritual, e buscar impedir as operações de Cristo. (4) Jesus é como a "estrela polar", que atrai a agulha das bússolas do mundo inteiro. Aqueles que se deixarem atrair por ele (ver Jo 8.32) serão infinitamente ajudados.

5.32: Mas ele olhava em redor para ver a que isto fizera.

5.32 καὶ περιεβλέπετο ἰδεῖν τὴν τοῦτο ποιήσασαν.

A narrativa de Marcos é mais minuciosa e dramática. As abreviações feitas por Mateus furtaram delas algo de seu vigor e graça. Jesus buscou a ofensora. Ela se ocultou temerosa, mas em vão. Aquele, cujo poder acabara de curá-la em seu imenso problema, não haveria agora de prejudicá-la. Nada havia no aspecto de Cristo que pudesse despertar medo em alguém, pois ele é o Salvador, e não o destruidor. Notemos aqui o original grego. Ele buscou uma mulher (no grego, artigo feminino); ele sabia que algo feminino estava envolvido. Naturalmente, esse detalhe poderia ser um "pensamento posterior" do autor sagrado, mas tomamo-lo como toque genuíno, extraído do acontecimento original.

5.33: Então a mulher, atemorizada e trêmula, cônscia do que nela se havia operado, veio e prostrou-se diante dele, e declarou-lhe toda a verdade.

5.33 ἡ δὲ γυνὴ φοβηθεῖσα καὶ τρέμουσα, εἰδυῖα ὃ γέγονεν αὐτῇ, ἦλθεν καὶ προσέπεσεν αὐτῷ καὶ εἶπεν αὐτῷ πᾶσαν τὴν ἀλήθειαν.

33 τρεμουσα] *add* διο πετοιηκει (-κεν Θ) λαθρα **DΘ** *28 pc* it | αληθειαν] αιτιαν I 28: αιτ. αυτης **W** f*13 pc*

A mulher temeu porque, em seu desespero, havia *quebrado* a lei levítica (ver Lv 15.19ss). Temeu porque ela pensou que ultrapassara os limites da liberdade permitidos a uma mulher. Temeu porque pensou que poderia ter brincado com o poder do grande Jesus, não buscando sua bênção e permissão para aquele ato. Temeu a presença de um poder avassalador, que acabara de tocá-la pessoalmente.

"[...] toda a verdade..." O que fora sua enfermidade. Como precisara de socorro. Por que tentara obter a cura do modo pelo qual agira.

5.34: Disse-lhe ele: Filha, a tua fé te salvou; vai-te em paz, e fica livre desse teu mal.

5.34 ὁ δὲ εἶπεν αὐτῇ, Θυγάτηρ, ἡ πίστις σου σέσωκέν σε· ὕπαγε εἰς εἰρήνην, καὶ ἴσθι ὑγιὴς ἀπὸ τῆς μάστιγός σου.

34 ἡ πίστις...σε Mc 10.52; Lc 7.50; 17.19   ὕπαγε εἰς εἰρήνην 1Sm 1.17; 20.42; 2Sm 15.9; 2Rs 5.19; Lc 7.50; At 16.36; Tg 2.16

No NT, a fé pode ser assim descrita: (1) *Objetiva*, isto é, o "credo", aquilo em que se crê; ou então, o sistema cristão. O uso desse tipo de fé é limitado quase que inteiramente às epístolas católicas. (Ver 1Tm 1.2, acerca desse aspecto.) (2) *Subjetiva*, isto é, a outorga pessoal a Cristo, incluindo a confiança no seu poder de salvar. (Ver Hb 11.1, quanto a esse tipo de fé, com poemas ilustrativos.) Esse é o tipo de fé referido neste versículo. (3) A fé também pode ser uma *virtude*, a saber, a prática diária da confiança, parte da expressão da alma. (Ver sobre esse aspecto em Gl 5.22.) A fé resulta da operação do Espírito, pois o homem natural não pode exercer fé genuína, embora possa "crer" em um credo e aceitar certas proposições doutrinárias. A fé e o arrependimento compõem a "conversão", que também é obra do Espírito, o começo da transformação da alma segundo a imagem de Cristo. (Ver At 20.21, sobre a observação.)

"[...] paz..." Porque a mulher estivera perturbada na mente, na alma e no corpo; mas o poder da graça de Jesus lhe conferira paz. (Ver Rm 5,1, quanto à "paz com Deus"; e Jo 14.27, quanto à nota geral sobre a "paz". Gálatas 5.22 mostra que se trata de um dos aspectos do "fruto do Espírito". Essas referências trazem poemas ilustrativos.) Alguns preferem aqui *bem-estar*, como tradução. Naturalmente, a paz de Deus produz bem-estar geral, mas não há razão para supor que a tranquilidade da alma, o descanso na graça de Deus, não esteja em foco, o que alivia as tensões e põe a vida em harmonia com Deus.

"[...] fica livre do teu mal..." A cura teve lugar quando a mulher tocou nas vestes de Jesus. Essa ordem, porém, tornou a cura permanente. Fica diminuído o impacto dramático da história quando supomos que agora a mulher ficara curada. O poder já saíra de Jesus. A mulher já soubera em seu corpo que estava curada. É verdade que curas, até mesmo as genuínas, não são permanentes. Não era esse o caso das curas feitas por Jesus. As curas genuínas pela fé, em média, têm 25% de recaídas.

Juntamente com outros *prodígios* de Jesus, este demonstra a validade das suas reivindicações messiânicas, pois o Messias haveria de ser operador de milagres. Essa é a polêmica nas histórias de milagres. Ocasionalmente, seu "poder divino" é visto em operação; e a expressão "Filho de Deus", apesar de messiânica, certamente também subentende sua divindade. (Ver Hb 1.3, quanto à "divindade de Cristo".) Contudo, os evangelhos normalmente tencionam mostrar-nos que Jesus, o Messias, o homem, podia fazer prodígios por meio do poder de Deus, pois a encarnação foi um "esvaziamento" real, não de sua natureza divina, mas de suas prerrogativas, de modo que Jesus viesse a ser tanto o Caminho quanto o Pioneiro do caminho. Ver Filipenses 2.7, quanto ao ensinamento sobre a "humanidade de Cristo", o que não vem sendo suficientemente salientado na igreja moderna, onde, com frequência, temos um Cristo docético.

810 | Marcos | NTI

"[...] Filha..." Provavelmente a mulher era mais idosa que ele; mas ele se referiu a ela como "filha". Isso também é um toque messiânico; pois, na qualidade de Messias, Jesus era uma figura paternal de Israel, que traria os benefícios do Pai celeste à humanidade.

Em Marcos, a narrativa é vívida e dramática, mais do que na revisão feita por Mateus. Tem todos os sinais de basear-se em narrativa de uma testemunha ocular, a qual provavelmente foi Pedro ou outro dos discípulos especiais.

5.35: Enquanto ele ainda falava, chegaram pessoas da casa do chefe da sinagoga, a quem disseram: A tua filha já morreu; por que ainda incomodas o Mestre?

5.35 Ἔτι αὐτοῦ λαλοῦντος ἔρχονται ἀπὸ τοῦ ἀρχισυναγώγου λέγοντες ὅτι Ἡ θυγάτηρ σου ἀπέθανεν· τί ἔτι σκύλλεις τὸν διδάσκαλον;

Mateus deixa de lado o detalhe sobre como o *mensageiro* vindo da casa de Jairo informou acerca da *morte* da menina ao grupo que caminhava; mas Lucas 8.49 retém essa minúcia. Lucas normalmente segue mais de perto os relatos de Marcos, quanto aos detalhes e à sequência cronológica. O milagre a seguir-se é de primeira ordem. Os evangelhos sinópticos todos o narram. Lucas narra outra história sobre ressurreição de mortos (ver Lc 7.11-17), e João narra o milagre da ressurreição de Lázaro (ver Jo 11); e esta última, por certo é totalmente desconhecida dos evangelhos sinópticos, pois nenhum deles faz citação dela. Os intérpretes racionalistas tentam tirar desse milagre o seu poder, falando em um desmaio, transe etc., ou seja, apenas um estado letárgico, mas não a morte biológica. Tudo isso é desnecessário, pois hoje se sabe que, algumas vezes, de modo até mesmo instantâneo, um espírito pode voltar ao seu corpo que estava clinicamente morto. Há uma tradição no Talmude que expõe a ideia de que o espírito paira perto do corpo por três dias após a morte, esperando a oportunidade de retornar. Todavia, ao ver no rosto sinais de corrupção, parte dali. Apesar de isso não ser dito de modo agradável, há estudos que parecem confirmar que a própria morte, após o ponto da morte clínica, é um processo que pode durar até três dias. Em outras palavras, a separação entre a energia espiritual e a matéria pode tomar todo esse tempo. Não é impossível, pois, que o espírito possa, algumas vezes, retornar a um corpo "*clinicamente morto*". Outrossim, não há razão para supormos que o poderoso Jesus não pudesse fazer isso, chamando de volta um morto do mundo dos espíritos, se necessário. Seja como for, aceitamos a menina, neste caso, como "clinicamente morta" (o coração já parara, bem como as ondas cerebrais já haviam cessado), pelo que uma ressurreição genuína está em foco. O poder que Jesus tem de efetuar ressurreição, antes de tudo, é prova de seu poder messiânico (e divino), que pode fazer qualquer coisa. Em segundo lugar, podemos também esperar que esse poder seja aplicado literalmente em nossa vida (fisicamente, por assim dizer; ver Co 15.20), mas também espiritual e moralmente (ver Rm 6.3,4). A nova modalidade de vida que temos em Cristo é medida pela da ressurreição (ver Jo 6.25,26 e 6.57), de modo que chegamos a possuir, em sentido literal, a própria natureza de Cristo. Assim chegamos a participar de sua divindade (ver 2Pe 1.4), bem como de toda a plenitude de Deus (ver Ef 3.19; Cl 2.10). Esta última referência entra amplamente neste admirável tema, que é o real intento do evangelho.

O mensageiro disse que não perturbassem por mais tempo o Mestre. É como se tivesse dito: "Já que a menina está morta, trata-se de um *caso perdido*, até para o grande Nazareno". Ele esperava que seu recado pusesse fim à esperança, e que todos fossem lançados no desespero da tristeza. Subestimou a Jesus. Isso, porém, é comum aos seres humanos. Quanto frequentemente limitamos o poder salvador de Cristo por causa de nossa vida impura, de nossos vícios, e *até* de nossos dogmas! Entretanto, tratando-se do poder de Cristo, nunca haverá nenhuma palavra final de desespero.

5.36: O que percebendo Jesus, disse ao chefe da sinagoga: Não temas, crê somente.

5.36 ὁ δὲ Ἰησοῦς παρακούσας⁵ τὸν λόγον λαλούμενον λέγει τῷ ἀρχισυναγώγῳ, Μὴ φοβοῦ, μόνον πίστευε.

⁵36 {A} παρακούσας (ℵ* παρακαούσας) ℵᵇ B L W Δ 892* itᵉ // ἀκούσας ℵᵃ A C D K Θ Δ Π 0126 0132 ƒ¹ ƒ¹³ 28 33 565 700 892ᶜ 1009 1010 1071 1079 1195 1216 1230 1241 1242 1253 1344 1365 1546 1646 2148 2174 *Byz Lect* itᵃ,ᵃᵘʳ,ᵇ,ᶜ,ᵈ,ff²,l,l,q vg copˢᵃ,ᵇᵒ goth arm eth geo Diatessaronᵖ

> A ambiguidade de παρακούσας ("ignorando" ou "entreouvindo") levou sua substituição, em ℵᵃ A C D K Θ Π al, pelo paralelo lucano ἀκούσας (Lc 8.50).

A abreviação feita por Mateus esquece esse detalhe; mas Lucas 9.50 o retém. Tanto Marcos quanto Lucas falam do *temor* sentido pelo homem. Não é fácil nos aproximarmos da morte. Há algo temível na morte. Muitas instituições, prevenções e medicamentos existem para combater a morte. O homem não gosta de aceitá-la sem luta, e até sonha em criar a própria imortalidade, descobrindo como rejuvenescer totalmente o corpo. Os homens estão em servidão porque "temem" à morte (ver Hb 2.15). A fé no poder de Cristo e sua boa vontade, em sua simpatia, alivia o temor. Nem sempre somos libertados daquilo que tememos; mas sempre podemos ser livrados do próprio temor. Neste ponto, as palavras simples de Marcos e de Lucas subentendem uma cena comovente. O homem recebeu o recado. Seu coração quase parou. Seu rosto deixou entrever sua agonia. O temor do desconhecido, o temor de grande perda, a dor na própria alma, pela sorte de sua menina, o esmagavam. Jesus observou aquela crassa exibição de desespero humano. E imediatamente lhe confere consolo. Ele encoraja a fé quando toda a razão para a fé parece perdida. Ele podia ressuscitar mortos mesmo sem a fé de Jairo; mas aquele homem deveria aprender valiosíssima lição, que o acompanharia e o transformaria durante o resto de sua vida terrena. Como poderia esquecer o que Jesus fez por ele naquele dia?

"*A fé cristã* ignora os rumores de que a esperança morreu e lembra-se de outras palavras: '[...] edificarei a minha igreja, e as portas do inferno não prevalecerão contra ela...' (Mt 16.18). Ele é '[...] poderoso para fazer infinitamente mais do que tudo quanto pedimos, ou pensamos...' (Ef 3.20)" (Luccock, in loc.).

5:37: E não permitiu que ninguém o acompanhasse, senão Pedro, Tiago, e João, irmão de Tiago.

5.37 καὶ οὐκ ἀφῆκεν οὐδένα μετ' αὐτοῦ συνακολουθῆσαι εἰ μὴ τὸν Πέτρον καὶ Ἰάκωβον καὶ Ἰωάννην τὸν ἀδελφὸν Ἰακώβου.

37 Πέτρον...Ἰακώβου Mt 10.2; 17.1; Mc 1.29; 3.16,17; 9.2; 13.3; 14.33; Lc 6.14; 9.28; At 1.13

Esse detalhe é eliminado por Mateus, mas também se acha em Lucas 8.51. Os evangelhos apresentam Pedro, Tiago e João como discípulos *favoritos* de Jesus. Cf. a cena da transfiguração (Lc 9.28). Os evangelhos apócrifos não concordam necessariamente com isso, mas expõem um ou outro dos doze como favoritos. Isso.porém, porque foram escritos com outros nomes; esses foram tomados de empréstimo para dar prestígio e circulação ao escrito, e, naturalmente, os autores sentiram-se forçados a exaltar aqueles cujos nomes foram emprestados. Não há razão para duvidar das narrativas sinópticas que fazem Pedro, Tiago e João, os favoritos, já que são baseadas em circunstâncias históricas genuínas e narrativas de testemunhas oculares, o que é algo que não pode ser dito acerca dos livros apócrifos. (Ver o artigo na introdução ao comentário sobre os livros apócrifos e outra literatura cristã primitiva.) *No Getsêmani*, os três foram novamente favorecidos (ver Mc 14.33). Não é claro por que Jesus favoreceu assim os três, e nem a razão pela qual, neste caso, ele permitiu que somente esses três o acompanhassem. Dificilmente o motivo pode ser o de querer ele evitar que se publicasse a história, pois haveria grande abundância de testemunhas oculares, as quais espalhariam a notícia por toda parte. Como parte de seu treinamento especial, talvez aos três tenha sido permitido verem algo além daquilo que foi visto pelos outros discípulos no ministério e poder de Jesus. E é quase certo que alguma coisa profundamente humana estava envolvida nisso. Jesus sentia maior simpatia pelos três, e algo que havia neles o ajudava em sua obra, o que não acontecia com os demais. Tal como entre homens comuns e seus amigos íntimos e especiais, que têm amigos secundários, também sucedeu no caso de Jesus. Isso foi perfeitamente natural.

5.38: Quando chegaram a casa do chefe da sinagoga, viu Jesus um alvoroço, e os que choravam faziam grande pranto.

5.38 καὶ ἔρχονται εἰς τὸν οἶκον τοῦ ἀρχισυναγώγου, καὶ θεωρεῖ θόρυβον καὶ κλαίοντας καὶ ἀλαλάζοντας πολλά,

38 πολλα] πολλας **B***: πολλους Θ

Os lamentadores *profissionais* já tinham dado início às suas lamentações, ou é possível que houvesse lamento genuíno, criando o estrépito aqui referido. Alguns orientais são bem conhecidos por seus funerais ruidosos. Em alguns países ocidentais, é considerado uma desgraça, até mesmo religiosamente falando, se a família e os amigos demonstrarem emoção exagerada. Os funerais, pois, são acontecimentos solenes, mas não ruidosos. Em alguns países orientais, o povo simplesmente não encara a morte por esse prisma.

"[...] **pranteavam...**" Procede do termo "*alala*", que originalmente indicava o choro dos soldados que iam à batalha. Depois foi usado acerca de todos os gritos, bem como das lamentações monótonas dos lamentadores. (Ver 1Co 13.1, onde isso é usado para indicar o *clangor* de um gongo). O texto de Mateus 9.23 quase certamente subentende que os lamentadores profissionais (carpideiras), alugados que eram, já tinham chegado ao cenário da morte, e o clamor era imenso, quando Jesus chegou à casa de Jairo.

5.39: E, entrando, disse-lhes: Por que fazeis alvoroço e chorais? a menina não morreu, mas dorme.

5.39 καὶ εἰσελθὼν λέγει αὐτοῖς, Τί θορυβεῖσθε καὶ κλαίετε; τὸ παιδίον οὐκ ἀπέθανεν ἀλλὰ καθεύδει.

39 τὸ...καθεύδει Jo 11.11

Alguns eruditos modernos prendem-se a este versículo para reduzir as dimensões do milagre. Tomam literalmente as palavras de Jesus, e declaram que a menina estava em *estado de coma*, e não realmente morta. No entanto, dificilmente esse pode ser o intuito do evangelista, que queria mostrar o grande poder de Jesus, até sobre a morte. O que Jesus quis dizer é que a morte, para ele, é um sono, quanto aos seus efeitos permanentes, e todos logo veriam essa demonstração. Não há aqui nenhum intuito de exibir Jesus como um técnico no diagnóstico, que pudesse distinguir coma profunda da morte real. Antes, para ele, a morte é como o sono, do qual os homens são despertados. Jesus sabia que a menina seria ressuscitada; portanto, aqui, morte era apenas um sono temporário. Em Marcos, esse milagre é posto em último lugar; em uma série de narrativas cuja intenção é comprovar a missão messiânica de Jesus; e dificilmente é possível que tenha havido mero despertamento de um "desmaio", pois isso não serviria àqueles propósitos.

5.40: E riam-se dele; porém ele, tendo feito sair a todos, tomou consigo o pai e a mãe da menina, e os que com ele vieram, e entrou onde a menina estava.

5.40 καὶ κατεγέλων αὐτοῦ. αὐτὸς δὲ ἐκβαλὼν πάντας παραλαμβάνει τὸν πατέρα τοῦ παιδίου καὶ τὴν μητέρα καὶ τοὺς μετ' αὐτοῦ, καὶ εἰσπορεύεται ὅπου ἦν τὸ παιδίον·

Os homens continuavam *divertindo-se*, referindo-se à fé religiosa como se fosse mera superstição ou um mito de *Alice no país das maravilhas*. Esse tipo de abuso não levou Jesus a fazer cessar o seu ministério; ele vive em muitas vidas, ainda hoje em dia, apesar dessa forma de escárnio. É fácil zombarmos de algo sobre o que nada sabemos. É fácil negarmos a validade de algo que ainda não experimentamos.

"Quando o cristianismo irrompeu no mundo grego e romano, *houve risos*, usualmente tingidos de escárnio. Esse estranho culto a um criminoso crucificado — que teria com ele uma pessoa sofisticada? Sempre que Jesus, seus ensinamentos, seu evangelho, têm barrado o caminho de qualquer pensamento ou costume no mundo, os homens se têm rido. Quando um grande grupo de seus discípulos, finalmente, enfrentou a servidão humana e entrou em luta de morte contra ela, pessoas para quem a escravatura fazia parte da ordem estabelecida, riram-se! Até mesmo no seio da igreja, quando nos primeiros dias do movimento missionário do estrangeiro, alguns poucos começaram a tomar a sério as palavras 'Ide por todo o mundo...', houve muitos que se riram ante a visão de um Cristo universal e da salvação universal para todos os homens. Assim como os adoradores pagãos de Marte sempre gargalharam, com uivos de derrisão, diante do pusilânime Príncipe da Paz, outros se divertem da ridícula intensidade moral do crente. A situação original desta passagem, porém, exige o maior destaque. Aquela gente, na casa de Jairo, riu-se porque Jesus se recusava a aceitar a morte como *última* palavra. Quem pode negar o fato de bom senso que o agente funerário e o coveiro têm diante da última palavra acerca da morte?" (Luccock, *in loc.*)

O riso da multidão exemplificou, para o evangelista, a *incredulidade* deles. Apesar de podermos desculpar isso, considerando as circunstâncias, o autor sagrado, perto do tempo da manifestação do poder de Jesus, sentiu que tinham culpa os que assim faziam. Erraram ao contradizer a "intenção" de Jesus, e riram-se em sua face quando ele lhes assegurara que essa "morte" era apenas um sono temporário. A quem muito se dá, dele muito é requerido. Aqueles que acompanharam a vida de Jesus, ou ouviram aqueles que a contemplaram, não podem ser desculpados de falta de fé, quanto mais de hostilidade franca, como se deu naquela oportunidade.

Jesus tomou consigo os que com ele simpatizavam, bem como os que nutriam esperança em meio a circunstâncias impossíveis. Ele queria que vissem o que ele podia fazer. Ensinou-lhes uma lição espiritual que seguiriam e que os transformaria até o fim de sua peregrinação terrena. Mateus deixa de lado o detalhe de como Jesus tomou consigo alguns poucos elementos seletos, registrando somente como ele expulsou a multidão hostil. Lucas diz como Mateus, neste caso. Alguns operadores de milagres são capazes de atrair o poder espiritual de pessoas simpáticas, que as ajudam na realização de seus feitos. Não é provável que Jesus precisasse disso, mas ele era sensível à zombaria; e, nesse caso, livrou-se dos zombadores, antes de efetuar sua obra admirável.

5.41: E, tomando a mão da menina, disse-lhe: Talita cumi, que, traduzido, é: Menina, a ti te digo, levanta-te.

5.41 καὶ κρατήσας τῆς χειρὸς τοῦ παιδίου λέγει αὐτῇ, Ταλιθα κουμ, ὅ ἐστιν μεθερμηνευόμενον Τὸ κοράσιον, σοὶ λέγω, ἔγειρε.

41 σοὶ λέγω, ἔγειρε Lc 7.14

41 Ταλ. κουμ **אB** *fi 28 al* co; R] Ταλ. κουμ **AΘ** *fi3 pm* lat ς: Ραββι θαβιτα κουμ **D**: Ταβιθα **W**: Tabea acultha cumhi *e*

A forma Ταβιθα (sem κουμ), em W 28 245 349 e vários manuscritos do Latim Antigo e da Vulgata, deve-se à confusão escribal com o nome próprio de Atos 9.40. A forma curiosa do códex Bezae, ραββει θαβιτα κουμ parece ser uma corrupção de ραβιθα, — transliteração de רַבִיתָא, uma forma dialética aramaica que significa "menina". A variação entre κουμ (א B C L M N Σ *f*3 33 892) e κουμι

812 | Marcos | NTI

(A D Δ Θ Π Φ *f*¹³ 22 28 124 543 565 579 700 1071 a maioria dos minú. it^{a,e} vg syr^{p,h,hgr} arm etí) reflete a diferença de gênero das formas do imperativo singular do aramaico (קוּם é masculino, algumas vezes usado sem alusão ao sexo; קוּמִי, feminino). De acordo com Dalman, ambas as formas podem ser pronunciadas do mesmo modo[2], pois o *i* final do imperativo feminino cai após a penúltima[3] sílaba acentuada. A expansão em it^e — *tabea acultha cumbi* — não tem sido satisfatoriamente explicada.[4]

2. M. J. Lagrange, porém, discorda desse ponto de vista comumente aceito (*Evangile selon saint Marc, ad loc.*).

3. D. A. Dalman, *Grammatik des jüdisch-palastinischen Aramaisch*, 2te Aufl. (Leipzig, 1905), p. 266, nº 1).

4. F. H. Chace pensava que *acultha* "é uma relíquia do termo sírio ܡܐܟܘܠܬܐ (macultha = *alimento*)". (*The Syro-Latin Text of the Gospels*, London, 1895, p. 110s)

Mateus deixa inteiramente *de lado* essa ordem, e Lucas não se preocupa em mencionar o aramaico original em que tudo foi dito. As palavras mostram que era provável que, originalmente, a história circulasse em forma oral ou escrita, em aramaico; mas isso, de qualquer modo especial, não está em favor quanto a um original aramaico de Marcos, ou de qualquer dos outros evangelhos. Nos próprios evangelhos sinópticos, *não há evidência* convincente de que sejam traduções. Alguns supõem que a fórmula aramaica mesma era tida como possuidora de mágica especial, sendo eficaz como ordem. Apesar de ser verdade que, em muitas culturas, existem "palavras mágicas", em várias lendas e ritos religiosos, nada disso foi tencionado na simples narrativa diante de nós. A lição espiritual, porém, é grande. Tal como pouco antes o mero "toque" nas vestes de Jesus provocou grande cura, assim também agora, a simples palavra de Jesus é vista como poderosa para ressuscitar mortos. Todo esse imenso poder pode ser dilapidado em nós, agora que estamos tantos séculos afastados daquela maior de todas as vidas. Podemos, entretanto, estar *certos* de que coisas dessa natureza impressionavam profundamente os contemporâneos de Jesus. Todavia, o poder de Cristo ainda está em nossa vida, hoje em dia, e realiza milagres todos os dias. Comparar com a palavra da Criação que trouxe vida à existência, em primeiro lugar. Aquela mesma palavra certamente pode restaurar a vida a um corpo morto, chamando o espírito de volta à sua tenda.

5.42: Imediatamente a menina se levantou, e pôs-se a andar, pois tinha doze anos. E logo foram tomados de grande espanto.

5.42 καὶ εὐθὺς ἀνέστη τὸ κοράσιον καὶ περιεπάτει, ἦν γὰρ ἐτῶν δώδεκα. καὶ ἐξέστησαν [εὐθὺς][6] ἐκστάσει μεγάλῃ.

42 {D} ἐξέστησαν εὐθύς ℵ B C L Δ 33 892 cop eth // ἐξέστησαν p A K W Θ Π *f*¹ *f*¹³ 28 565 700 1009 1010 1071 1079 1195 1230 1241 1242 1253 1344 1365 1546 1646 2148 *Byz Lect* it^{a,aur,b,e,l} vg syr^{p,h} cop^{boms} goth arm geo Diatessaron^p // ἐξέστησαν πάντες D it^{c,d,f,ff2,i,q} cop^{sa,boms} // ἐξέστησαν οἱ γονεῖς αὐτῆς (ver Lc 8.56) 1216 2174 *l*⁴⁸

É dificílimo decidir se εὐθύς foi inserida por copistas, em imitação a εὐθύς, na sentença anterior, ou se ela foi apagada como imprópria e supérflua. A comissão, finalmente, tomou decisão com base na excelência geral do texto alexandrino, mas reputou ser necessário o uso de colchetes, a fim de indicar a incerteza quanto à forma. O texto com πάντες reflete o códex Bezae, em seu gosto por essa palavra[5], e a forma com οἱ γονεῖς αὐτῆς vem do paralelo de Lucas 8.56.

5. O códex Bezae usa πᾶς em 40textos, onde o texto de Westcott-Hort não o exibe.

"[...] imediatamente..." Em Marcos, por 41 vezes, como aqui, é repetido o senso de urgência. Esse detalhe é deixado de fora em Mateus e Lucas. No entanto, ele adiciona urgência e vivacidade à narrativa. A ressurreição restaurou tanto a vida quanto a saúde.

Isso provaria aos da vizinhança a validade do que sucedeu, pois sabiam como a menina agonizara antes de chegar à morte. Assim, em Cristo, sua vida ressurreta cura nossa enfermidade moral. (Quanto ao batismo espiritual, ver Rm 6.3, texto em que esses fatos são comentados longamente.) Aquela jovem estava forte bastante para "andar". Ela reiniciou sua vida cheia de saúde. Quando a vida ressurreta de Cristo entra em um homem, ele entra na saúde espiritual e passa a "andar" no caminho do Senhor.

"[...] doze anos..." Provavelmente, isso foi dito para informar que a menina podia andar. Poderíamos supor uma minúscula criança que não sabia ainda andar. Além disso, pequenos detalhes como esse subentendem uma narrativa de uma testemunha ocular, e, talvez, um contínuo conhecimento das pessoas envolvidas, que se tinham tornado discípulos de Cristo por causa do que sucedera. Não parece ter havido nenhum intuito por parte do autor sagrado para ligar esses "doze" com os "doze" anos de sofrimento da mulher, na história que acaba de ser relatada. Esses detalhes, apesar de válidos, são meramente coincidentes, mas ambas as coisas revelam o aspecto de terem sido historiadas por uma "testemunha ocular". Não pode haver razão para supor que os evangelhos não são historicamente dignos de confiança. (Ver o artigo sobre a historicidade dos evangelhos, na introdução a este comentário.)

Aqueles que viram o milagre ficaram extremamente *atônitos*. Sua zombaria nisso se transmutou; e através da história a mesma coisa se tem repetido por muitas vezes. Isso sucede quando um homem vê por si mesmo o que o poder de Cristo pode fazer na vida.

"[...] filhinha..." A desumanidade do homem contra as meninas pequenas é uma forma horrenda e agonizante da perversidade humana. No mundo Mediterrâneo, no século I d.C., com frequência elas não passavam de coisas malqueridas. Eram expostas à intempérie, uma forma bastante comum de *infanticídio*. Mesmo onde não prevalecia esse tipo de crueldade, as meninas eram reputadas mais como um infortúnio do que como uma bênção. A nova avaliação das pessoas, trazida pelo evangelho de Jesus, modificou o conceito; elas não eram mais apenas coisas, mas pessoas, *preciosas* aos olhos de Deus.

5.43: Então ordenou-lhes expressamente que ninguém o soubesse; e mandou que lhe dessem de comer.

5.43 καὶ διεστείλατο αὐτοῖς πολλὰ ἵνα μηδεὶς γνοῖ τοῦτο, καὶ εἶπεν δοθῆναι αὐτῇ φαγεῖν.

43 διεστείλατο...τοῦτο Mc 1.44; 7.36   43 δοθῆναι] δουναι D

A ordem de silêncio não figura em Mateus, mas é retida em Lucas. As razões aventadas pelos intérpretes para isso são dadas nos comentários sobre Mateus 9.26. Uma ideia não incluída ali é o chamado *segredo messiânico*. Essa explanação postula a hipótese de que ou Jesus não tinha certeza de ser o Messias, pelo que proibiu que sua fama se espalhasse, para que o povo não tivesse uma ideia errada, ou não estava ainda pronto a fazer, publicamente, essa revelação, enquanto não chegasse o tempo certo. Marcos 9.9 talvez adie essa revelação até depois da ressurreição. Esta última ideia é possível, mas a outra é altamente improvável. Certamente que, aos doze anos de idade, no templo, ao mostrar sua sabedoria aos doutos, Jesus já tinha a "consciência messiânica". Simplesmente Jesus não dava nenhum valor, e até considerava prejudicial, a aclamação pública sem real aceitação de sua pessoa. Contudo, o "segredo messiânico" é ideia que tem alguma verdade. As revelações são reservadas para o próprio tempo e manifestações.

"[...] dessem de comer à menina..." A enfermidade, talvez prolongada, tornara impossível que ela se alimentasse. Para que se sentisse bem, e para manutenção das forças restauradas, que lhe foram dadas quando da ressurreição, ela deveria agora alimentar-se. Jesus nos dá da sua vida para o sustento de nossa vida espiritual. (Ver Jo 6.48, quanto a uma nota detalhada sobre Jesus como "o Pão da Vida".)

Capítulo 6

6.1-6 — *Jesus prega e é rejeitado em Nazaré*. (As notas expositivas relativas a esta seção foram apresentadas em Mt 13.53-58. Lucas provê uma longa descrição sobre a primeira rejeição ocorrida em Nazaré, que tem similaridades com esta seção, em Lc 4.16-30, onde as notas expositivas também podem ser consultadas pelo leitor, a fim de obter mais informações.)

6.1: Saiu Jesus dali, e foi para a sua terra, e os seus discípulos o seguiram.

6.1 Καὶ ἐξῆλθεν ἐκεῖθεν, καὶ ἔρχεται εἰς τὴν πατρίδα αὐτοῦ, καὶ ἀκολουθοῦσιν αὐτῷ οἱ μαθηταὶ αὐτοῦ.

6 εθαυμασεν ℵB *565 579*] αζεν **ADWΘ** fi f13 *pl* latt sa ς; R

Jesus foi para sua terra, *Nazaré*. Até esse ponto da narração, Jesus tinha Cafarnaum como seu quartel-general. Já fizera um circuito pela Galileia (ver Mc 1.39), bem como uma viagem de ida e volta, atravessando o lago (ver Mc 4.35 e 5.21). Agora, tem início uma nova divisão da narrativa histórica do evangelho de Marcos. Primeiramente, Jesus vai a Nazaré, e então faz um segundo circuito pela Galileia (ver Mc 6.6b). Faz uma viagem a Betsaida (ver Mc 6.45), retorna (ver Mc 6.53), e então visita a região de Tiro e Sidom (ver Mc 7.24), retornando através de Decápolis (ver Mc 7.31). Então visita Dalmanuta (ver Mc 8.10), e Betsaida, novamente (ver Mc 8.22). Ato contínuo, entra em Cesareia de Filipe (ver Mc 8.27), sobre uma elevada montanha (ver Mc 9.2,9), e retorna através da Galileia a Cafarnaum (ver Mc 9.33). Em seguida, começa a longa viagem para Jerusalém (ver Mc 10.1), via Transjordânia e Jericó (ver Mc 10.46). Essas são todas as alusões topográficas de Marcos; e é óbvio que o quadro não é completo. Contudo, é *indiscutível* que Jesus tenha percorrido toda a Galileia, pelo menos em três circuitos separados; e as narrativas que temos são "típicas", pois delas aprendemos que "tipos" de coisas ele fazia e dizia, embora o que nos seja contado seja apenas pequena porção dos acontecimentos. Em Marcos 6—9, após a rejeição de Jesus em Nazaré, Jesus podia ser visto fora das áreas da jurisdição de Herodes Antipas, e vários intérpretes encaram isso como uma fuga de Jesus de seus inimigos. Essa "fuga" teve lugar devido ao essencial fracasso do ministério galileu. Apesar de não podermos ter nenhuma certeza sobre isso, algo similar deve ter ocorrido. Jesus não foi rejeitado somente em Jerusalém e na Judeia. De fato, no começo de seu ministério parece haver perdido acesso à sinagoga, e, finalmente, ao povo. Alguns intérpretes veem no texto de Marcos 6.34—7.37, em confronto com 8.1-26, duas tradições que dizem respeito essencialmente aos mesmos eventos; mas as duas narrativas estariam baseadas em duas fontes informativas diversas, e foram postas lado a lado neste evangelho, ao invés de terem sido combinadas em uma só narrativa.

Deve-se notar que, cronologicamente, Lucas 4.16-30 localiza a visita a Nazaré em uma porção *anterior* do ministério de Jesus. Talvez o evangelista quisesse apresentar essa visita como uma espécie de inauguração do ministério público de Jesus, e não como passo no declínio de sua popularidade, o que o levou à fuga. Apesar disso, de modo geral, os evangelhos sinópticos seguem o esboço histórico de Marcos; com frequência, Mateus, e, algumas vezes, Lucas quebram a sequência de eventos, recolocando os mesmos, algumas vezes largamente. (Ver as notas introdutórias a Lc 10, quanto a um exemplo de como isso sucede.) Apesar de isso criar consternação para os harmonistas que pensam assim poderem detectar "erros" nos evangelhos, vemos a questão meramente como um manuseio diferente e proposital do material dos vários evangelistas, a fim de satisfazer seus planos de apresentação um tanto diferentes. Entretanto, não podermos ter certeza sobre nenhuma ordem definida dos acontecimentos em nada nos serve de empecilho à fé. Jesus fez o que os evangelhos dizem que ele fez, e disse o que eles dizem que ele disse; e a cronologia dos eventos não

é questão importante, e nem empecilho nenhum para o poder da maior história que já foi contada.

"[...] para a sua terra..." Geralmente o termo *"patris"* é usado para indicar o "local do nascimento"; mas dificilmente pode ter esse sentido aqui, pois Jesus não nasceu em Nazaré. Alguns intérpretes supõem que Marcos realmente tenha pensado que Jesus nasceu ali, pois parecem desconhecer a história de Belém. O mais provável é que, já que Jesus viveu ali por trinta anos, isso é considerado sua terra natal real, para todos os propósitos práticos.

6.2: Ora, chegando o sábado, começou a ensinar na sinagoga; e muitos, ao ouvi-lo, se maravilhavam, dizendo: Donde lhe vêm estas coisas? e que sabedoria é esta que lhe é dada? e como se fazem tais milagres por suas mãos?

6.2 καὶ γενομένου σαββάτου ἤρξατο διδάσκεν ἐν τῇ συναγωγῇ· καὶ πολλοὶ ἀκούοντες[1] ἐξεπλήσσοντο λέγοντες, Πόθεν τούτῳ ταῦτα, καὶ τίς ἡ σοφία ἡ δοθεῖσα τουτῳ ἵνα καὶ δυνάμεις[2] τοιαῦται διὰ τῶν χειρῶν αὐτοῦ γίνωνται[2];

2 τίς ἡ σοφία...τούτῳ Jo 7.15

[1] **2** {A} πολλοὶ ἀκούοντες ℵ A C K W *f*¹ 33 700 1009 1010 1071 1079 1195 1230 1241 1253 1344 1365 1546 1646 2148 2174 *Byz Lect* *l*²¹¹,ˢ,ᵐ goth arm // οἱ πολλοὶ ἀκούοντες B L 28ᶜ 892 // πολλοὶ (*or* οἱ πολλοὶ) ἀκούοντες itᵃᵘʳ,ᵈ,f,ff²,i,l,q,r¹ vg copᵇᵒᵐˢˢ // πολλοὶ ἀκούσαντες Dᵍʳ Δ Θ Π 0126 565 1010 1216 1242 (*10,*48,*184,*299,*547m,*950,*1627,*1642 // οἱ πολλοὶ ἀκούσαντες *f*³ 28 // πολλοὶ (*or* οἱ πολλοί) ἀκουσαντες itᵃ syrᵖ,ʰ,(pal) copˢᵃ,ᵇᵒ geo // omnes itᶜ // omit itᵇ,ᶜ

[2] **2** ἵνα καὶ δυνάμεις...γίνωνται D K Π 1079 1195 (C* 1365 1546 *l*⁷,⁶⁸,⁸⁸³ γίνονται) itᵃ (syrᵖ,ʰ) // καὶ δυνάμεις...γίνονται Θ 700 itᵗ,q,r¹ arm // καὶ δυνάμεις...γίνωνται A C² W *f*¹ (*f*³ 1071 γίνονται) 28 565 1009 1010 1216 1230 (1241 καὶ δυνάμεις...γίνονται) 1253 1344 1646 2148 2174 *Byz Lect* *l*ᵃ,ᵃᵘʳ,ᶜ,ᵉ,l it vg geo? Theophylact // {C} καὶ αἱ δυνάμεις... γινόμεναι ℵ* (ℵᶜ αἱ δυνάμεις αἱ τοιαῦται αἱ) B (L *omit* αἱ) Δ 33 892 copˢᵃ,ᵇᵒ // ὅτι καὶ δυνάμεις...γίνονται 1242 *l*²⁹⁹ (itᶠ goth *omit* καὶ) (syrᵖᵃˡ)

[1] O apoio em favor do uso anastro de πολλοί é esmagador (todos os testemunhos gregos, exceto B L *f*¹³ 28 892). O particípio aoristo parece ter sido um refinamento pedante feito por copistas do uso mais vívido e típico de Marcos, de um tempo verbal que expressa ação contínua.

[2] A maioria da comissão preferiu a forma gramaticalmente difícil do texto alexandrino (— ℵ* B 33 892 *al*) como a que melhor explica a origem das outras formas; assim, alguns testemunhos adicionaram αἱ após τοιαῦται (ℵᶜ I Δ), ao passo que muitos outros eliminaram o artigo antes de δυνάμεις, mudando o particípio para um verbo finito, ou γίνονται ou γίνωνται (introduzido por ἵνα). A última forma, que foi incorporada no Textus Receptus, prefixa ὅτι à cláusula indicativa.

Eles não negam que o que Jesus disse era surpreendente e *autoritário*, e que o que fazia era *espantoso*. Sua mente, porém, era avassalada por dúvidas que não permitiam a penetração da verdade de Deus. Nenhuma prova poderia convencê-los do caráter messiânico do "carpinteiro" que crescera entre eles. Tudo isso indica que os primeiros trinta anos de Jesus, em Nazaré, devem ter sido bastante comuns e sem pontos notórios, pelo que seu súbito surgimento de poder espiritual e de eloquência os deixava confusos.

A narrativa tornou-se uma espécie de *história instrutiva* sobre "como ser cego diante de eventos significativos. O ceticismo daquela gente era diante dos fatos. Preferiam ignorância e desculpas à investigação honesta e franca do caso. Nazaré era pequeno lugarejo, tão pequeno que Josefo, ao fazer a lista de muitas dúzias de cidades da Galileia (cuja população era de cerca de 4 milhões, na época de Jesus), não mencionou Nazaré. O povo humilde do lugar achava ser impossível que sua cidade tão pequenina fosse o lar do Messias.

Aquela gente conhecia o que pensava serem fatos significativos sobre Jesus. Sabiam onde era a casa que ele morava e conheciam

814 |Marcos| NTI

seus pais e seus irmãos. Faziam interpretação especial desses fatos. *Propositalmente* ignoravam os fatos maiores do admirável poder de Jesus. Sacrificavam a verdade em troca do conforto mental. Temiam ver nele o Messias, pois isso requeriria deles mudanças radicais em sua maneira de pensar e de viver. Eram por demais espiritualmente imaturos para enfrentar a realidade. Todavia, podemos pensar: "A verdade nos acha *imaturos* demais para podermos aprendê-la e avançar?"

Jesus ensinou na sinagoga. Isso era *perfeitamente* possível, embora ele não tivesse as credenciais normais de um rabino. O presidente da sinagoga podia pedir que ali falasse quem quer que ele julgasse qualificado. Desde bem cedo as sinagogas fecharam as portas para Jesus, talvez pouco depois de ser ele rejeitado em Nazaré. Jerusalém enviou espias para ver o que o nazareno estava fazendo, e sem dúvida uma influência má, vinda da capital, finalmente fechou as sinagogas da Galileia para Jesus (ver Mc 7.1ss).

Jesus parece ter voltado a Nazaré a fim de *descansar*, bem como para renovar antigas amizades e ter comunhão com seus familiares. Sua missão, porém, não lhe permitiu o descanso que ele buscava. O poder de Deus estava sobre ele, e operava nele poderosamente.

6.3: Não é este o carpinteiro, filho de Maria, irmão de Tiago, de José, de Judas e de Simão? e não estão aqui entre nós suas irmãs? E escandalizavam-se dele.

6.3 οὐχ οὗτός ἐστιν ὁ τέκτων, ὁ υἱός³ τῆς Μαρίας καὶ ἀδελφὸς Ἰακώβου καὶ Ἰωσῆτος καὶ Ἰούδα καὶ Σίμωνος; καὶ οὐκ εἰσὶν αἱ ἀδελφαὶ αὐτοῦ ὧδε πρὸς ἡμᾶς; καὶ ἐσκανδαλίζοντο ἐν αὐτῷ.

³ **3** {A} Τέκτων, ὁ υἱός ℵ A B C D K L W Δ Θ Π *f*¹ 28 892 1009 1010 1071 1079 1195 1216 1230 1241 1242 1344 1365 (1546 *omit* ὁ) 1646 2174 *Byz Lect* (*l*²¹¹⁸,ᴹ τέκτον) it*ⁱ,ᶠ,ᶠᶠ2,ˡ,q* vg syr*ᵖ,ʰ* cop*ˢᵃ,ᵇᵒ* goth geo¹ // τοῦ τέκτονος υἱός (ver Mt 13.55) (*p*⁴ˢᵛⁱᵈ ὁ υἱός) 565 (1253 2148 *omit* τοῦ) (*l*ʰᵒ τοῦ τέκτον ὁ υἱός, *l*⁵⁴⁷ᴹ ὁ υἱός) it*ᵉ* // τοῦ τέκτονος υἱὸς τοῦ (ver Mt 13.55) *f*¹³ 33ᵛⁱᵈ 700 *l*³¹,⁴⁸,¹⁸⁴,²⁹⁹,¹⁶⁴² it*ᵃ,ᵃᵘʳ,ᵇ,ᶜ,ⁱ,ʳ¹* cop*ʰᵒᵐˢˢ* arm geo² Origen // ὁ υἱός syr*ᵖᵃˡ*

> Todos os manuscritos unciais, muitos minúsculos e importantes versões antigas, dizem "*Não é este o carpinteiro, o filho de Maria...?*" Desde o princípio sentiu-se objeção à descrição de Jesus como carpinteiro, e vários testemunhos (incluindo *p*⁴⁵) assimilam o texto a Mateus 13.55 e dizem: "Não é este o *filho* do carpinteiro⁶, o filho de Maria...?" O siríaco palestino obtém o mesmo resultado omitindo as palavras ὁ τέκτων.
>
> 6. Por exemplo, Celso, antagonista do cristianismo no século II d.C., observa zombeteiramente que o fundador da nova religião não passava de um "carpinteiro de profissão" – zombaria que Orígenes procurou refutar declarando: "Em nenhum dos evangelhos correntes na igreja o próprio Jesus é descrito como carpinteiro" (*contra* Celso, vi. 34 e 36). Ou Orígenes não se lembrou de Marcos 6.3 ou o texto desse versículo, em cópias dele conhecidas, já tinham sido assimiladas ao paralelo de Mateus.

Neste ponto, Mateus segue bem *de perto* o material de Marcos, pelo que há pouca diferença no texto, exceto que Marcos chama Jesus de "carpinteiro", ao passo que Mateus fala em "filho do carpinteiro". Ambas as coisas são provavelmente verdadeiras, segundo se vê nas notas no texto de Mateus. Alguns eruditos sentem que a expressão de Mateus, "filho do carpinteiro", é uma revisão posterior para tirar, por assim dizer, a estima da suposta humilde ocupação de Jesus em Nazaré. O P(45) assimila o texto de Marcos ao de Mateus e diz aqui "filho de", ao invés da declaração direta, "o carpinteiro". Alguns intérpretes têm aceitado a originalidade da descrição de Mateus; mas é óbvio que a adição da expressão "filho de" é uma mudança da forma difícil para a mais fácil, pois pode ter parecido degradante chamar Jesus de carpinteiro. Orígenes (opondo-se a Celso) afirmou que nunca vira uma cópia do evangelho que descrevesse Jesus como um carpinteiro (*contra* Celso, vi.34 e 36); mas esse testemunho tem pouco peso quando nos lembramos que nos manuscritos que agora possuímos de Marcos, quase todos preservam a afirmativa direta, "o carpinteiro", e não "filho do carpinteiro". É verdade que as versões em Latim Antigo, Armênia e Etíope trazem a forma de Mateus aqui em Marcos, mas isso é a mesma mudança para a forma *mais fácil*, contida em alguns poucos manuscritos gregos. Celso, o antagonista do cristianismo, no século II d.C., observou zombeteiramente que o fundador da nova religião era um humilde "carpinteiro de ofício". Esse tipo de zombaria sem dúvida levou vários escribas a alterarem o texto para "filho do...".

"[...] filho de Maria..." Por que José não é mencionado? Duas respostas são dadas: (1) José já teria falecido, pelo que, naturalmente, não foi lembrado. (2) O texto subentende a narração do nascimento virginal, exceto este evangelho (excetuando aqui), nunca inclui nenhum indício a respeito. Dentre essas duas conjecturas, a primeira é mais provavelmente a correta. Se houvesse alguma intenção, por parte do autor, de ensinar o nascimento virginal (conforme é claramente ensinado em Mateus e Marcos), certamente teria achado meio mais direto de fazer isso. (Ver Lc 1.27, quanto à nota de sumário sobre essa doutrina. Ver Mt 12.47, sobre os *irmãos* de Jesus.)

6.4: Então Jesus lhes dizia: Um profeta não fica sem honra senão na sua terra, entre os seus parentes, e na sua própria casa.

6.4 καὶ ἔλεγεν αὐτοῖς ὁ Ἰησοῦς ὅτι Οὐκ ἔστιν προφήτης ἄτιμος εἰ μὴ ἐν τῇ πατρίδι αὐτοῦ καὶ ἐν τοῖς συγγενεῦσιν αὐτοῦ καὶ ἐν τῇ οἰκίᾳ αὐτοῦ.

4 Οὐκ...πατρίδι αὐτοῦ Jo 4.44

O conhecimento da *origem* de alguém não explica, necessariamente, seu caráter. As pessoas têm várias formas de "não pensar". Sabendo da origem de Jesus, aqueles seus conterrâneos convenientemente olvidaram sua grandeza. Laboravam em grande erro. A verdade é que, espiritualmente falando, não estavam preparados para enfrentar o desafio apresentado por Jesus. Quanto frequentemente nos encontramos despreparados para enfrentar esse desafio, por razões diferentes, mas igualmente destrutivas! Usualmente, a base de tudo é algum pecado, ou antes, uma fraqueza criada pelo pecado. Esperamos que, de algum modo, Jesus nos possa salvar em nossos pecados, e não fora deles. É pura ilusão! Se assim fosse, ele não seria um Messias, não seria um Salvador.

Há muitos truques mentais que justificam o *desafio* de Cristo. Os evolucionistas dizem que a vida humana começou como um processo natural, pelo que nem Deus nem a alma existiriam. Mesmo que sua teoria básica fosse verdadeira, essas duas conclusões dificilmente estariam confirmadas. Os psicólogos afirmam que, com frequência, a religião baseia-se no *temor*, e pensam que ela é mera válvula de escape para aliviar as pressões do temor e da incerteza. Mesmo que a religião fosse algo como se crê, e que pudesse funcionar dessa maneira, isso não indicaria que a religião é só isso. Podemos conhecer certos fatos acerca do que nos é familiar e óbvio; porém, aquilo que sabemos pode tornar-se autêntico empecilho para o que deveríamos saber. Sabemos, a fim de poder crescer e saber mais, e não para fechar as portas sobre o conhecimento.

Ver notas completas sobre este provérbio, em Mateus 13.57.

Jesus citou o que evidentemente era um *provérbio comum* (ver as evidências acima), para mostrar o erro daquela gente. O que lhe sucedia era uma espécie de "regra-geral", sobre como o povo trata os profetas que surgem entre eles. "Familiaridade faz medrar o desprezo" é outro dito comum, que também é passível de muitas aplicações. A declaração deste versículo foi achada no *Papiro Oxyrynchus* 1.11, vinculada a outra de que um médico não cura seus amigos; mas é possível que isso seja mero reflexo dos evangelhos sinópticos.No meio da mesma narrativa, Lucas 4.23 inclui a afirmativa sobre o médico.

"Muitas vidas não têm rendido o melhor e mais elevado ministério de que eram capazes porque o povo que primeiro testificou disso, estava cego pela familiaridade, pelo desprezo ou pela inveja. Em suas linhas sobre a morte terrena, Milton em 'Lícidas', esboça o padrão:

Vem a Fúria cega, com as aborrecidas tesouras,
E corta a vida finamente tecida.

"Da "fúria cega", que corta fora o ministério possível de um profeta, ó bom Senhor, livra-nos!" (Luccock, *in loc.*).

6.5: E não podia fazer ali nenhum milagre, a não ser curar alguns poucos enfermos, impondo-lhes as mãos.

6.5 καὶ οὐκ ἐδύνατο ἐκεῖ ποιῆσαι οὐδεμίαν δύναμιν, εἰ μὴ ὀλίγοις ἀρρώστοις ἐπιθεὶς τὰς χεῖρας ἐθεράπευσεν·

<small>5 ὀλίγοις...ἐθεράπευσεν Mt 14:14; Mc 6:13   ἐπιθεὶς...ἐθεράπευσεν Mt 9.18; Mc 5.23; 7.32; 8.23,25; Lc 4.40; 13.13; At 9.12,17; 28.8</small>

Provavelmente, o poderoso Jesus poderia ter feito *muitos* e *grandes* milagres ali, até mesmo em meio à hostilidade da pobre Nazaré. Em outras palavras, mesmo sem o concurso da fé que havia entre aquelas pessoas, poderia ter feito isso, pois a experiência mostra que poderes como o dele não são necessariamente impedidos pela falta de fé. Aquilo, porém, foi juízo divino contra aqueles céticos. Jesus não teve permissão de fazer muito em favor deles. Deus exige o acolhimento. Contudo, com frequência, a falta de fé é real impedimento para o poder espiritual. É provável que, algumas vezes, essa tenha sido a experiência de Jesus. Consideremos a descrição de William Watson, sobre uma igreja sem fé:

Externamente, esplêndida como antigamente —
Internamente, sem fagulhas, vazia e fria —
Sua força e fogo desgastados e desaparecidos —
Como a morta lua, ela continua resplandecendo.

Nazaré ficou "*meio admirada, meio ofendida*" (Montefiore), e essa irritação contra Jesus, que os desafiava a mudarem de atitude, venceu a admiração, e o resultado foi o antagonismo a ele, e não a aceitação dele como Messias. Por isso é que o ministério galileu declinou, e, finalmente, falhou, exceptuando o pequeno grupo de genuínos discípulos. Supomos que, diferentemente de outros lugares, não havia multidões à porta da casa onde Jesus se achava, enquanto ele esteve em Nazaré. Algumas poucas almas corajosas, que lhe levaram os enfermos, foram a exceção. Entretanto, aqueles que vieram foram curados, pois o ceticismo de outros não pode entravar o poder de Deus. Um homem obtém essencialmente aquilo que merece. A cura era efetuada mediante a imposição de mãos, como era usual, embora Jesus não utilizasse exclusivamente esse método. Agora sabemos que uma cura real e uma energia vital são transferidas do taumaturgo para a pessoa curada. (Ver as notas em Mt 9.20,21.)

Naturalmente, esta passagem encerra uma questão *polêmica*. O autor sagrado mostra como Jesus, embora fosse o verdadeiro Messias, viu sua popularidade declinar, tendo sido rejeitado na própria cidade natal, e, finalmente, em todo o Israel. O povo não tinha fé e estava esclerosado, cético; em outras palavras, de modo geral, estava despreparado para o desafio que o Messias lhe apresentava.

6.6: E admirou-se da incredulidade deles. Em seguida percorria as aldeias circunvizinhas, ensinando.

6.6 καὶ ἐθαύμαζεν διὰ τὴν ἀπιστίαν αὐτῶν. Καὶ περιῆγεν τὰς κώμας κύκλῳ διδάσκων.

Algumas pessoas são predispostas a *não crer*. Essa predisposição é tão forte quanto o desejo de "crer" que se encontra em outras pessoas. Seja como for, espiritualmente falando, é melhor crer em demasia do que crer pouco demais. Jesus admirou-se desse "não querer acreditar", já que ele vivia em constante contacto com as realidades e poderes espirituais, e esse contacto tornara-se parte tão integrante de sua vida, que ele via sua ausência em outros como algo estranho e desconcertante. De fato, é estranho. O homem é um espírito; mas, em sua união com a matéria crassa, esquece-se disso e, algumas vezes, baixa ao nível de duvidar da existência da própria alma. Avilta-se ao nível dos animais

irracionais, ou mesmo abaixo deles. Jesus tem transformado a vida de milhões de pessoas, e isso dificilmente pode ser atribuído a uma ilusão trivial. Algumas pessoas acham difícil crer; mas a verdadeira dificuldade, quando se considera o poder e a graça da vida de Cristo, consiste em não crer. Os ateus e agnósticos exigem que neguemos a existência de um criador e da vida espiritual. Inventam uma grande massa de provas negativas, demonstrando suas ideias. *O ceticismo* é uma área ou esfera das *trevas*. Sob sua ilusão, os homens confiam em meio à dúvida, como se tivessem encontrado a verdade autêntica bem no meio do vácuo onde não há verdade. Essa própria confiança, porém, é não-pensante — é uma espécie de "esconderijo espiritual". É possível alguém confundir o vácuo sem verdade com a própria verdade, e o ceticismo é muito hábil nesse tipo de equívoco.

Neste ponto da rejeição que encontrou em Nazaré, Jesus começou seu *segundo circuito* pela Galileia. É evidente que houve três desses circuitos em sua carreira, mas a natureza fragmentar dos evangelhos pode indicar que houve mais de três. Seja como for, Jesus percorreu uma distância prodigiosa, a ensinar e fazer prodígios, durante os três anos e pouco de seu ministério.

6.7-13 — *Instruções dadas aos doze.* (Quanto às notas expositivas sobre este material, ver os textos de Mt 10.5-15 e Lc 9.1-6.). Aqui seguem algumas notas suplementares.

6.7: E chamou a si os doze, e começou a enviá-los a dois e dois, e dava-lhes poder sobre os espíritos imundos;

6.7 καὶ προσκαλεῖται τοὺς δώδεκα, καὶ ἤρξατο αὐτοὺς ἀποστέλλειν δύο δύο, καὶ ἐδίδου αὐτοῖς ἐξουσίαν τῶν πνευμάτων τῶν ἀκαθάρτων·

<small>7 ἤρξατο...δύο δύο Lc 10:1</small>

Obviamente, *em seu primeiro circuito* pela Galileia, Jesus foi com os quatro discípulos originais especiais. No segundo circuito, enviou à frente *os doze*, e então os seguiu a fim de confirmar a atuação deles. Talvez no terceiro circuito tenha enviado os *setenta*, para então segui-los. Não podemos, entretanto, ter nenhuma certeza sobre esses detalhes. Os paralelos a esta seção, em Mateus 10 e Lucas 9,10, adornam grandemente o relato de Marcos, adicionando ainda material derivado de outras fontes, além de Marcos, tal como Q. Não se duvide que o projeto "missionário" desta seção tenha partido da iniciativa genuína de Jesus, e tais atividades não tenham sido desconhecidas no judaísmo do primeiro século. Apesar de essa ter sido uma missão genuína de Jesus e seus discípulos originais, é provável também que tenha sido usada pela igreja primitiva como "exemplo" de como a igreja deve estar envolvida, de modo eficaz e definido, na propagação do evangelho. O envio de missionários de dois em dois foi imitado nos primeiros séculos, e continua a ser feito por algumas seitas. O "casal" missionário, entretanto, atualmente no normal constitui-se de marido e mulher.

Esta seção certamente ilustra a necessidade de um *ativo programa* missionário em qualquer século, encorajando cada crente a fazer o seu papel,

Tu, em teu cantinho,
E eu, no meu.

Mas esses cantinhos não devem ser confinados a uma atividade *egoísta*. Devem eles se tornar nas esferas da manifestação de cada qual no cumprimento de sua missão. A igreja jamais deveria ficar satisfeita com seus "cantinhos confortáveis", ignorando outras regiões de necessidade, outras esferas de atividade possível.

A chamada dos apóstolos evidentemente ocorreu por estágios. Marcos infere a chamada original, e não meramente a comissão deles a um trabalho especial; mas evidentemente parece dar a entender que a chamada original não foi feita nessa ocasião. Pode ser historicamente verdadeiro, porém, que a comissão plena dos doze não tenha ocorrido antes do segundo circuito pela Galileia; e, nesse caso, esta seção apresentaria a comissão e chamamento

816 |Marcos| NTI

original, embora pelo menos os quatro discípulos originais já tivessem acompanhado a Jesus no primeiro circuito. O texto de Marcos 3.13ss, entretanto, relata a ordenação original dos doze, como também o faz Lucas 6.12ss(completa a lista com nomes), passagens essas que parecem anteceder a esta, do ponto de vista cronológico. Portanto, é provável que a chamada, neste caso, seja uma renovação da comissão a uma tarefa especial, e não a chamada absoluta original.

6.8: ordenou-lhes que nada levassem para o caminho, senão apenas um bordão; nem pão, nem alforje, nem dinheiro no cinto;

6.8 καὶ παρήγγειλεν αὐτοῖς ἵνα μηδὲν αἴρωσιν εἰς ὁδὸν εἰ μὴ ῥάβδον μόνον, μὴ ἄρτον, μὴ πήραν, μὴ εἰς τὴν ζώνην χαλκόν,

8,9 παρήγγειλεν...σανδάλια Lc 10.4

Jesus *não era asceta*, como o era João Batista; e não é provável que suas instruções visassem a torná-lo seus missionários em pobres pedintes. A igreja tem tido dificuldades para livrar-se dessa mentalidade quanto aos missionários. O que Jesus fez aqui foi dar instruções práticas para uma ocasião especial, instruções *temporárias* para uma circunstância particular. No entanto, envolvem um importante princípio: o discipulado cristão, sobretudo o dos discípulos especiais, como missionários, *não deve* ser sobrecarregado com luxos e buscas mundanas. Tempo demais pode ser gasto na "preparação" de programas missionários, em detrimento da própria obra. Hoje em dia, muitas juntas missionárias exigem um "sustento fixo" (e quase certo) para os missionários, e isso se torna até mesmo um teste da vontade de Deus: deve ou não o missionário ser enviado? Talvez seja estranho, mas a verdade é que práticas assim contradizem obviamente o que Jesus fez aqui.

Pelo relato de Marcos, Jesus permitiu que os discípulos por ele enviados levassem com eles um bordão. Mas, pelo relato de Mateus, *até mesmo isso* foi proibido por Jesus. O detalhe não é importante. Alguns salientam que o plural é usado em Mateus 10.10, ou seja, o que é proibido aqui é permitido ali, tal como foram proibidos de levar sapatos extras etc. (Ver notas no paralelo de Mateus, quanto a várias explicações sobre esses pontos de secundária importância.)

"[...] **dinheiro...**" O vocábulo grego indica *cobre*, ou seja, moeda de pequeno valor, provavelmente o único tipo de moeda que um missionário cristão poderia ter. Não teriam moedas de prata e de ouro, pois nem mesmo teriam moedas de cobre. Mateus menciona todas as três espécies de moedas. Essas minúcias, embora possam ser reputadas contraditórias, são totalmente destituídas de importância, e cada autor sagrado tomou certa liberdade de modificar a história original.

6.9: mas que fossem calçados de sandálias, e que não vestissem duas túnicas.

6.9 ἀλλὰ ὑποδεδεμένους σανδάλια καὶ μὴ ἐνδύσασθαι δύο χιτῶνας.

"O equipamento deles deveria ser o *mais simples*, pois sua viagem pela Galileia não demoraria muito, e eles poderiam depender da hospitalidade para receber alimento e abrigo. O cajado, proibido em Mateus e Lucas, é permitido aqui, a menos que o texto de Marcos seja defeituoso. O *uso* de duas túnicas, em Marcos, é modificado para a posse das mesmas, em Mateus e Lucas" (Grant *in loc.*).

"[...] **nem pão, nem alforje, nem dinheiro...**" Que viajassem leves, para que mente e alma fossem totalmente investidas no trabalho. A ênfase tem uma pertinência para todos os tempos. Mais de uma vez a urgência da missão se tem perdido devido à preocupação com coisas incidentais. A preocupação atarefada com acessórios, ou a procrastinação até que o equipamento perfeito esteja pronto, tem entravado o propósito evangelístico. Os meios podem suplantar o fim. A palavra 'empecilho', antigamente significava bagagem" (Luccock, *in loc.*).

Não podiam usar duas túnicas. Um costume antigo no vestuário é que pessoas de distinção deveriam usar duas túnicas, uma interna e outra externa. Aos missionários cristãos, porém, é proibido esse *luxo*.

6.10: Dizia-lhes mais: Onde quer que entrardes numa casa, ficai nela até sairdes daquele lugar.

6.10 καὶ ἔλεγεν αὐτοῖς, Ὅπου ἐὰν εἰσέλθητε εἰς οἰκίαν, ἐκεῖ μένετε ἕως ἂν ἐξέλθητε ἐκεῖθεν.

10 Ὅπου...ἐκεῖθεν Lc 10.7

Pode haver aqui um reflexo dos primórdios da *missão cristã* e das ações de missionários que iam de casa em casa, para receber melhor hospitalidade. Seja como for, seria tentação para os missionários deixarem um lar humilde em troca de outro mais luxuoso, se, porventura, alguém de maiores posses lhes fizesse o convite: "Vinde e ficai comigo". O Senhor proibiu mudanças de lugar de hospitalidade em busca de maior conforto, melhor alimentação etc. Ele não queria que o desejo de conforto ou as vantagens de hospitalidade se tornassem meios para ofender a um irmão mais pobre, ou para negligenciar a tarefa a ser feita. Os missionários saem a trabalhar, e não para encontrar melhores alojamentos. Teriam de conquistar os sentimentos de descontentamento e inquietude de tal modo, que a questão do alojamento não exercesse influência sobre eles. A casa onde ficassem deveria tornar-se um centro de adoração, talvez um lugar onde um núcleo da igreja fosse formado. A movimentação de lugar em lugar poderia introduzir um elemento de instabilidade na obra missionária.

6.11: E se qualquer lugar não vos receber, nem os homens vos ouvirem, saindo dali, sacudi o pó que estiver debaixo dos vossos pés, em testemunho contra eles.

6.11 καὶ ὃς ἂν τόπος μὴ δέξηται ὑμᾶς μηδὲ ἀκούσωσιν ὑμῖν, ἐκπορευόμενοι ἐκεῖθεν ἐκτινάξατε τὸν χοῦν τὸν ὑποκάτω τῶν ποδῶν ὑμῶν εἰς μαρτύριον αὐτοῖς.

11 ἐκτινάξατε...ὑμῶν Lc 10.11; At 13.51

εἰς μαρτύριον αὐτοῖς Mt 8.4; 10.18; Mc 1.44; 13.9; Lc 5.14

11 τοπος] om fi sy^s | αυτοις] add p) αμην λεγω υμιν, Ανεκτοτερον εσται Σοδομοις η Γομορροις εν ημερα κρισεως η τη πολει εκεινη A fi fi3 pm ς

Um lugar hostil teria uma poeira contaminadora e hostil. É *claro* que o ato de sacudir o pó de um lugar era mero símbolo de desprazer contra aqueles que repelissem a mensagem de arrependimento, não sendo nenhuma maldição. Não há nisso nenhuma arte mágica ou negra. Um judeu que rejeitasse a mensagem nem por isso se tornaria melhor que um pagão; e os judeus detestavam e até temiam a poeira dos pagãos, lavando os pés, ou mesmo todo o corpo, após terem passado por um lugar pagão. Esse costume é refletido aqui, embora os missionários estivessem se dirigindo (neste segundo circuito pela Galileia) apenas aos judeus.

Apesar de esse ato ser apenas *simbólico*, ele servia de testemunho de que aquelas pessoas podiam esperar certamente o juízo de Deus contra elas, devido à sua indiferença. E, sem dúvida, também representava que os missionários se tinham corretamente desincumbido de sua responsabilidade, e que aquelas pessoas sem coração, dali por diante, eram as responsáveis por sua alma. A quebra de relações também estava simbolizada nesse ato. Aquelas pessoas tinham rejeitado os benefícios que poderiam ter recebido e não poderiam mais esperar nenhum ministério. Tudo isso mostra quão seriamente Jesus encarava o ministério da palavra do evangelho, e quão séria é a rejeição à mesma.

6.12: Então saíram e pregaram que todos se arrependessem;

6.12 Καὶ ἐξελθόντες ἐκήρυξαν ἵνα μετανοῶσιν,

12 εκηρυξαν] -υσσον AWΘ fi fi3 pl ς; R

Tal como a de João Batista, a mensagem era sobre o *reino* e o *arrependimento*. (Ver notas completas sobre o "reino", em Mt 3.2; e sobre o "arrependimento", em At 2.38.) A fé e o arrependimento compõem a conversão, conforme se vê em Atos 20.21. A fé vem de Deus, mas também requer a reação humana (ver notas completas em Hb 11.1). O arrependimento também requer a reação humana; mas nada terá efeito sem o toque transformador do poder do Espírito na vida do indivíduo. O arrependimento é o primeiro passo da conversão, a qual, por sua vez, é o começo da santificação. Trata-se de "meia-volta" na direção geral da alma, em seus desejos, alvos e interesses, ficando olvidado o caminho antigo. Não é mera "mudança mental", conforme significa literalmente o próprio termo grego. Pois essa "mudança mental", nos evangelhos, deve chegar à alma, que está começando a ser transformada segundo a imagem de Cristo, para compartilhar de sua natureza moral e espiritual.

Atuação e *ministério* dos enviados: Eles deveriam duplicar, essencialmente, o próprio ministério de Jesus, conforme ele o demonstrara em seu primeiro circuito pela Galileia. Deveriam pregar o arrependimento, expulsar demônios malignos e curar aos enfermos.

6.13: e expulsavam muitos demônios, e ungiam muitos enfermos com óleo, e os curavam.

6.13 καὶ δαιμόνια πολλὰ ἐξέβαλλον, καὶ ἤλειφον ἐλαίῳ πολλοὺς ἀρρώστους καὶ ἐθεράπευον.

13 ἤλειφον ἐλαίῳ Tg 5.14

πολλοὺς...ἐθεράπευον Mt 14.14; Mc 6.5

(Quanto a notas completas sobre os demônios, ver Mc 5.2. Quanto à "possessão demoníaca", ver Mt 828. Quanto ao "exorcismo", ver At 19.13. Quanto à cura mediante "unção com óleo", ver Tg 5.14,15.) Era um costume judaico. Reputava-se o óleo dotado de valores medicinais, mas isso também era usado em cerimônias de cura, que haveriam de exceder quaisquer propriedades medicinais que tivesse o próprio azeite. A menção de "óleo de cura" figura somente aqui em Marcos, mas não nos seus paralelos de Mateus e Lucas. Alguns eruditos supõem que isso reflete um antigo costume da igreja, e não quaisquer métodos de cura de Jesus. É possível, porém, que, apesar da falta de menção a isso, Jesus e os primeiros discípulos tivessem usado esse meio, já que havia *precedente* para tanto no judaísmo da época. Nesse caso, porém, é quase certo que isso significa que o óleo era usado apenas ocasionalmente, pois o registro mostra que, para curar, normalmente Jesus usava a imposição de mãos ou a simples ordem verbal. Marcos 6.13 e Tiago 5.14 são os únicos lugares do NT onde a unção com óleo está associada às curas.

6.14-29 — *Circunstâncias da morte de João Batista.* (Ver as notas expositivas em Mt 14.1-12, com algumas anotações adicionais em Lc 9.7-9.)

6.14: E soube disso o rei Herodes (porque o nome de Jesus se tornara célebre), disse: João, o Batista, ressuscitou dos mortos; e por isso estes poderes milagrosos operam nele.

6.14 Καὶ ἤκουσεν ὁ βασιλεὺς Ἡρῴδης, φανερὸν γὰρ ἐγένετο τὸ ὄνομα αὐτοῦ, καὶ ἔλεγον⁴ ὅτι Ἰωάννης ὁ βαπτίζων ἐγήγερται ἐκ νεκρῶν, καὶ διὰ τοῦτο ἐνεργοῦσιν αἱ δυνάμεις ἐν αὐτῷ.

⁴ **14** {B} καὶ ἔλεγον B W it^{a,b,d,ff²} Augustine // καὶ ἔλεγεν ℵ A C K L Δ Θ Π ƒ¹ ƒ¹³ 28 33 565 700 892 1009 1010 1071 1079 1195 1216 1230 1241 1242 1253 1344 1365 1546 1646 2148 2174 *Byz Lect* it^{aur,c,f,i,l,q,r¹} vg syr^{s,p,h,pal} cop^{sa,bo} goth arm eth geo^{1,A} // καὶ ἐλέγοσαν D // *omit* geo^B

O plural, ἔλεγον, que figura em B W it^{a,b,d,ff²}, apoiados em sua intenção pelo D^{gr} (ἐλέγοσαν), parece ser a forma original. Os copistas alteraram-na para ἔλεγεν — em consonância com ἤκουσεν não

observando que após as palavras καὶ ἤκουσεν ὁ βασιλεὺς Ἡρῴδης a sentença é suspensa, a fim de introduzir parenteticamente três espécimes das opiniões tidas sobre Jesus (καὶ ἔλεγον...ἄλλοι δὲ ἐγλεγον...ἄλλοι δὲ ἔλεγον), e que a mesma é retomada no v. 16, ἀκούσας δὲ ὁ Ἡρῴδης...

Notemos como a *conexão* feita por Marcos visa diretamente às atividades dos 12 discípulos especiais, enviados no segundo circuito pela Galileia. Mateus, porém, situa o incidente da especulação de Herodes em tempo bem posterior, pelo que o fato figura no cap. 14, e não imediatamente após o cap. 10. Lucas, porém, preserva a conexão de Marcos que, provavelmente, foi uma das fontes do evangelho original. Temos tido ocasião de notar que Mateus não se preocupa muito em seguir as conexões "cronológicas" de Marcos, pois seu evangelho foi esboçado mais por tópicos. Em outras palavras, ele arranja seu material segundo "tópicos", e não cronologicamente apenas, como faz Marcos, o evangelho original. Lucas segue mais de perto a cronologia de Marcos.

Ignorando o ministério e a vida de Jesus, contemporâneo de João, Herodes pode ter pensado *literalmente* que Jesus era apenas o Batista ressurreto. Há quem pense na possibilidade de Jesus ter praticado a necromancia, segundo alguns supunham; mas não parece ter sido essa a ideia de Herodes sobre a questão. Não é que Jesus tivesse ressuscitado João, pelo que ele estaria vivo novamente; mas é que, para Herodes, Jesus e João pareciam ser uma só personalidade. Jesus seria João *redivivo*. As crenças antigas diziam que a "alma" de uma pessoa que passara por morte violenta poderia tornar-se o "controle" de um ser ainda vivo, manifestando-se assim por meio da pessoa viva. É possível que isso tenha sido o que Herodes imaginou. Ele causara a morte violenta de João; e agora, mais do que nunca, João estaria produzindo dificuldades, pois o seu espírito se teria apossado de Jesus, controlando-o e guiando-o. Nesse sentido "indireto" é que Herodes pode ter pensado que João ressuscitara. Herodes, o Tetrarca, está em vista, e não Herodes, o Grande. (Ver nota completa sobre os vários "Herodes" do NT, em Lucas 9.7.) Ele também era chamado *Antipas*.

6.15: Mas outros diziam: É Elias. E ainda outros diziam: É profeta como um dos profetas.

6.15 ἄλλοι δὲ ἔλεγον ὅτι Ἠλίας ἐστίν· ἄλλοι δὲ ἔλεγον ὅτι προφήτης ὡς εἷς τῶν προφητῶν.

Tanto os *essênios* quanto os *fariseus* criam na reencarnação e na preexistência da alma (conforme nos mostram o Talmude e Josefo), doutrinas que sempre foram tidas em alta conta no Oriente. Não é de surpreender, pois, que muitos entre o povo tivessem pensado que Jesus fosse a reencarnação de algum profeta do AT. O fato de ele ter sido identificado com os maiores dentre os profetas, Elias ou Jeremias, demonstra como era grande o poder da influência de Jesus. Contudo, essas ideias eram infelizes, pois, por elas, o povo perdeu de vista o caráter ímpar de Jesus. Ele era um novo começo, na qualidade de Messias e Salvador, e não mera continuação da missão de algum antigo profeta. Esperava-se que Elias voltasse antes do estabelecimento do reino (ver Mt 4.5). Portanto, é natural que Jesus tivesse sido identificado com Elias. O NT, por outro lado, identifica-o com João Batista, e não com Jesus, porquanto, em certo sentido, Jesus é quem continuara a missão de João (Cf. esta passagem com Mc 8.27ss, onde vemos o tipo de "especulação" acerca da identidade de Jesus. Mt 16.13ss é o paralelo daquela passagem.)

Há explicações *inadequadas* sobre Jesus. Pelos fins do século II d.C., 20 seitas diferentes já reivindicavam autoridade da parte de Jesus, o Cristo. Pelos fins do século IV d.C, isso aumentara para mais de 80 seitas. Hoje é impossível enumerá-las. Muitas dessas seitas vieram à existência por não darem o valor devido à estatura de Cristo e à sua missão. Muitos dos nossos problemas espirituais existem por se *subestimar* a pessoa de Jesus, ou por não se dar a

818 |Marcos| NTI

ele a importância que deve ter em nossa vida. Até mesmo muitos dos que são ortodoxos em sua cristologia não têm "Cristo em sua vida", e são tão não-ortodoxos em suas práticas, a julgar pelos verdadeiros padrões cristãos que admiram. Neste texto, Herodes, juntamente com muitos até hoje, subestimou a Jesus. Podemos ser totalmente ortodoxos, mas, ao mesmo tempo, agir como ele agiu. Na vida que não é governada por Cristo, na vida onde Cristo não tem poder transformador, Jesus é subestimado ou ignorado.

6.16: Herodes, porém, ouvindo isso, dizia: É João, aquele a quem eu mandei degolar; ele ressuscitou.

6.16 ἀκούσας δὲ ὁ Ἡρῴδης ἔλεγεν, Ὃν ἐγὼ ἀπεκεφάλισα Ἰωάννην, οὗτος ἠγέρθη.

(Quanto a notas completas sobre esse pensamento de Herodes, ver o v. 14.) Entre as muitas explicações "populares" da identificação de Jesus, Herodes, em sua ignorância e consciência culpada, preferiu a teoria de que Jesus era "João Batista". (As notas em Mc 6.14 — dadas em Mt 14.2 — abordam as várias maneiras com que isso tem sido interpretado.). A superstição aterrorizada de Herodes levou-o a errar em seu conceito de Jesus. Outras coisas, embora menos dramáticas, podem induzir-nos ao mesmo erro.

É um tributo a Jesus o fato de podermos identificá-lo com homens "poderosos e santos", mesmo que esses atributos sejam inadequados. Quando os homens olham para nós, lembram-se de Jesus, ou mesmo de alguma figura digna de ser representada, mas que seja muito menor que Jesus?

Notemos o paralelo em Lucas 9.7ss. Trata-se de *algo* bem diferente. Não é dito ali que o próprio Herodes tenha feito a identificação entre João e Jesus. Outros a fizeram; e então Herodes ficou meramente *perplexo*, mostrando-se indeciso diante da questão. Neste particular, a narrativa de Lucas é provavelmente secundária, segundo reformulação do relato de Marcos. É também possível que tivesse chegado a seu conhecimento por fonte informativa diferente. Em Marcos, a identificação feita por Herodes entre Jesus e João é direta e enfática.

6.17: Portanto o próprio Herodes mandara prender a João,e encerrá-lo maniatado no cárcere, por causa de Herodias, mulher de seu irmão Filipe; porque ele se havia casado com ela.

6.17 Αὐτὸς γὰρ ὁ Ἡρῴδης ἀποστείλας ἐκράτησεν τὸν Ἰωάννην καὶ ἔδησεν αὐτὸν ἐν φυλακῇ διὰ Ἡρῳδιάδα τὴν γυναῖκα Φιλίππου τοῦ ἀδελφοῦ αὐτοῦ, ὅτι αὐτὴν ἐγάμησεν·

17,18 Lc 3.19,20   17 εμ φυλ.] και εβαλεν εις φυλακην DΘ ƒ13 28 it

A história secular fala-nos só de um *Filipe*, a saber, o tetrarca de Galaunites e outros distritos a leste da Galileia (mencionado em Lc 3.1); e alguns eruditos supõem que os evangelhos confundem esse Filipe com outro homem, membro dessa família, chamado Herodes, o qual foi deserdado e vivia como cidadão comum, destituído de qualquer ofício político. Alguns buscam resolver o problema meramente supondo que esse Herodes não-político também se chamava Filipe. O quadro ainda se torna mais confuso pelo relato de Josefo (*Antig.* xviii.5.4), onde se obtém a informação de que a esposa de Herodes Antipas tinha uma filha, Salomé, e que essa mulher é que era a esposa de Herodes Filipe, e não Herodias. Se estamos tratando do mesmo homem, então Josefo e os evangelhos discordam neste ponto. Alguns estudiosos admitem o desacordo e creem que a solução do problema é que este incidente histórico particular, narrado um tempo considerável após ter tido lugar, foi um tanto *distorcido* na tradição dos evangelhos. Outros estipulam, porém, a teoria de *dois Filipes*. Já que uma "Salomé" está envolvida em ambas as histórias, em Josefo como "esposa de Filipe", e nos evangelhos (onde seu nome não é dado), como suposta "filha" dessa mulher (a qual é então chamada Herodias, e não Salomé), parece possível que uma mesma mulher esteja em foco, e que a confusão envolva alguma

forma de identificação errônea. (Ver outra solução possível em Mt 14.6). Isso em nada afetaria a natureza geral do ocorrido. João objetara a alguma forma de divórcio injusto e novo casamento, na vida de Herodes Antipas. Ele não era apenas um inimigo político em potencial de Herodes, o que justifica a preocupação de Herodes, conforme se vê nos escritos de Josefo. Se há alguma confusão relativa a nomes nos evangelhos, no tocante a essa história, seu esboço geral e seu sentido geral nem por isso são obscurecidos. Outrossim, as lições morais são perfeitamente claras. As relações maritais da família de Herodes perfaziam uma extraordinária confusão, e é bem possível que houvesse dois Filipes e até mesmo duas Salomés, talvez aparentadas, embora pessoas diferentes. Simplesmente não possuímos informações históricas suficientes para chegar à solução inequívoca desse problema. E nem a solução para essa questão se reveste de especial importância. "Mesmo se houve pequeno erro, em uma questão sem importância, isso nada é, em comparação com o interesse moral de tão repulsiva história" (Bruce, *in loc.*).

Entre outras coisas, o relato ilustra: (1) A grande *coragem* de João, o qual sem dúvida sabia que isso punha em perigo a sua vida, devido a sua aderência aos princípios morais. (2) *A loucura* do sexo, que pode provocar muitos incidentes como esse. (3) Como o *egoísmo* pessoal, como quando um homem deseja a esposa de outro, pode produzir grande caos e destruição, espiritual e fisicamente.

6.18: Pois João dizia a Herodes: Não te é lícito ter a mulher de teu irmão.

6.18 ἔλεγεν γὰρ ὁ Ἰωάννης τῷ Ἡρῴδῃ ὅτι Οὐκ ἔξεστίν σοι ἔχειν τὴν γυναῖκα τοῦ ἀδελφοῦ σου.

18 Οὐκ ἔξεστιν...σου Lv 18.16

Não se deve pensar que João é aqui o intérprete da *Torah*, que não permitiu esse "novo casamento" (ver Lv 18.16 e 20.21). Até o bom senso repeliria o que Herodes fizera, quanto mais os sentimentos religiosos. Se o irmão de Herodes tivesse morrido, nem assim podia ele invocar a lei judaica de Deuteronômio 25.5 (a qual encorajava um irmão a casar-se com sua cunhada viúva), já que, nesse caso, a mulher tinha filhos. A lei do levirato servia somente para assegurar a existência de filhos no círculo da família. Já tendo filhos por seu falecido marido, ela poderia casar-se com quem quisesse, não estando obrigada a obedecer à *lei do levirato*. Pode-se frisar, porém, que Salomé era uma filha, e não um filho; e isso significaria que a lei do Levirato ainda teria aplicação. Quase certo, porém, é que o irmão de Herodes ainda vivia, e nisso é que está a dificuldade moral. Provavelmente, além disso, esse Herodes arrebatara de "Filipe" a sua esposa, e friamente abandonara própria esposa para casar-se com sua cunhada. Portanto, ele criara um complicado novelo moral.

6.19: Por isso Herodias lhe guardava rancor e queria matá-lo, mas não podia;

6.19 ἡ δὲ Ἡρῳδιὰς ἐνεῖχεν αὐτῷ καὶ ἤθελεν αὐτὸν ἀποκτεῖναι, καὶ οὐκ ἠδύνατο·

Josefo apresenta um quadro mais *tenebroso* sobre os intuitos e motivos de Herodes do que o fazem os evangelhos. Provavelmente, ele hesitou sobre o que faria com João, algumas vezes temendo tocar nele, e até conferindo-lhe certa proteção, para que não fosse tocado por sua esposa, embora doutras vezes resolvesse executá-lo, chegada a oportunidade certa. Seja como for, não há razão para duvidarmos do ódio furioso de Herodias contra João. Sem dúvida, ela exercia grande influência sobre Herodes, e isso, entre outras forças, finalmente produziu a execução do Batista. Em face desse ódio destruidor, João preservou sua coragem moral, não cessando de acusar, nem mesmo a fim de salvar a própria vida. Neste ponto, um homem menos honesto e menos moralmente motivado, não teria tido dificuldade em escapar ao perigo. A integridade assinalava o *caráter* de João, tal como sucedia aos primeiros cristãos. Apesar de ser verdade que os primitivos cristãos se tivessem tornado

NTI | Marcos | 819

conhecidos pelo modo com que se amavam, não é menos verdadeiro que se tornaram famosos por sua integridade de caráter, devido aos seus motivos honestos e morais, qualidades essas que formavam vívido contraste com o caráter normal dos pagãos. A "discrição" indevidamente motivada pode prejudicar a alma. Com frequência, precisamos tomar posição clara sobre as questões que se nos defrontam, mesmo quando, algumas vezes, isso nos prejudique. Isso não nos permite ser intrometidos nos negócios alheios, e nem que sejamos a "palmatória" do mundo. João Batista, entretanto, era um profeta com um ministério nacional. Ele estava obrigado a falar contra governantes, quando dessem mau exemplo ao povo israelita. (Comparar este versículo com Mt 14.5.) No citado versículo, Herodes é representado como quem queria matar João, mas sem poder fazê-lo, porque temia o povo. Isso, naturalmente, faz contraste com a maneira com que Marcos nos narra a história. É provável também que Herodes tenha hesitado entre as duas atitudes. O modo com que Mateus narra o fato concorda melhor com Josefo.

6.20: porque Herodes temia a João, sabendo que era varão justo e santo, e o guardava em segurança; e, ao ouvi-lo, ficava muito perplexo, contudo de boa mente o escutava.

6.20 ὁ γὰρ ʽΗρῴδης ἐφοβεῖτο τὸν ʼΙωάννην, εἰδὼς αὐτὸν ἄνδρα δίκαιον καὶ ἅγιον, καὶ συνετήρει αὐτόν, καὶ ἀκούσας αὐτοῦ πολλὰ ἠπόρει, καὶ⁵ ἡδέως αὐτοῦ ἤκουεν.

> ⁵ **20** ἐποίει, καί A C K D Π f¹ f¹³ 28 33 565 700 892 1009 1010 1071 1079 1195 1216 1230 1241 1242 1253 1344 1365 1546 1646 2148 2174 *Byz Lect*ᵐ itᵃ·ᵃᵘʳ·ᵇ·ᶜ·ᵈ·ᶠ·ff²·ⁱ·ˡ·q·ʳ¹ vg syrᵃ·ᵖ·ʰ·ᵖᵃˡᵐˢˢ goth arm geoᴮ Diatessaronᵃ // {D} ἠπόρει, καί א B L Θ ˡ¹⁰⁴³ copˢᵃ·ᵇᵒ // ἠπορεῖτο, καί W // *omit* Δ geoˡ·ᴬ

Por um lado, a forma ἐποίει, que se pensa refletir um original semita,[7] é apoiada por um largo espectro de testemunhos gregos e das versões. Por outro lado, a forma ἠπόρει, embora ocasionalmente suspeita de ter surgido por assimilação escribal à declaração lucana sobre Herodes ter ficado "muito perplexo" (διηπόρει — Lc 9.7), em outra ocasião, foi referida, pela maioria da comissão, com base em: (a) forte apoio externo (א B L (W) Θ copˢᵃ·ᵇᵒ); (b) o uso, nesse caso, de πολλά como advérbio, em acordo com o estilo de Marcos; e (c) a superioridade intrínseca do significado, em contraste com a banalidade da cláusula com ἐποίει.

7. Cf. C. C. Torrey, *Our Translated Gospels* (New York, 1936), p. 155; Blass-Debrunner-Funk, §414 (5).

(Ver as notas dadas acima, que se aplicam aqui.) O relato de Marcos dá detalhes que Mateus deixa de lado. João tomara sobre si a tarefa de instruir Herodes. Herodes era bastante sábio para sentir a profunda espiritualidade de João, temendo-o e o respeitando por isso. Portanto hesitou em pôr em execução os seus impulsos (os quais eram encorajados por sua amásia), de livrar-se das censuras morais e da ameaça política de João Batista.

"*O júbilo* com que Herodes ouvia João é o tributo que o *senso moral*, até mesmo em homens perversos, presta à verdade, e à ousadia e frescor de sua declaração" (Gould, *in loc.*).

"Herodias é um exemplo comum de reação à *reprimenda moral*. Ela reagiu com violência. Na expressão *'odiava-o'*, podemos ver o impulso emocional em sua cabeça. Podemos ouvi-la clamar: 'Como é que ele ousa?' É tragicamente comum [...]. A mesma reação é algumas vezes achada no terreno religioso. Aqueles que estão entrincheirados na fortaleza dos dogmas com frequência reagem com violência à crítica de que sua intolerância quebradiça e seu orgulho espiritual não expressam o espírito do evangelho. Afirmam esses que tais críticas são feitas por 'traidores' da causa de Cristo. Senta-se ali Herodias, em trajes eclesiásticos" (Luccock, *in loc.*).

Herodes ouviu João alegremente. Embora totalmente "imoral e perverso", ele era atraído pela autêntica fé religiosa. Não

podemos duvidar de que ele desejava possuir a pureza e a coragem moral de João. Há na vida coisas mais importantes que o sexo, que o autoengrandecimento, que o poder político, misturado com as riquezas. Herodes anelava por aquelas coisas maiores, mas sua perversidade, finalmente, impeliu-o a um ato insano. Certa dose de temor misturado com reverência, não impediu isso, pois Herodes preferiu cultivar o mal, e não o bem.

V. 20 — *Nota textual*. As palavras "[...] fazia muitas coisas..." aparecem nos mss ACDEFGHKMSUV, Delta, Fam Pi e nas traduções AC, F e KJ. Entretanto, o verdadeiro texto da maioria dos manuscritos antigos e que aparece em todas as demais traduções, é "[...] muito perplexo...", ao invés de "[...] fazia muitas coisas..." Os manuscritos que trazem o texto correto são P(45), Aleph, BW e Theta.

6.21: Chegado, porém, um dia oportuno quando Herodes no seu aniversário natalício ofereceu um banquete aos grandes da sua corte, aos tribunos militares e aos principais da Galileia,

6.21 Καὶ γενομένης ἡμέρας εὐκαίρου ὅτε ʽΗρῴδης τοῖς γενεσίοις αὐτοῦ δεῖπνον ἐποίησεν τοῖς μεγιστᾶσιν αὐτοῦ καὶ τοῖς χιλιάρχοις καὶ τοῖς πρώτοις τῆς Γαλιλαίας,

Lucas condensa grandemente a narração de Marcos, embora Mateus não a condense tanto. Portanto, ambos deixam de fora detalhes deste e de outros versículos. A presença de um bom número de *dignitários* convidados à Galileia indica que alguma cidade central da Galileia foi o cenário dessa festividade, como *Tiberias*. Josefo informa que João foi aprisionado e executado em *Maguero*, uma fortaleza a leste do mar Morto, perto da fronteira com a Pereia. É possível que galileus estivessem então presentes. É impossível solucionar a questão; mas Josefo provavelmente está correto quanto à localização do encarceramento e da execução do Batista. Certamente ele estava informado sobre a questão.

6.22: entrou a filha da mesma Herodias e, dançando, agradou a Herodes e aos convivas. Então o rei disse à jovem: Pede-me o que quiseres, e eu to darei.

6.22 καὶ εἰσελθούσης τῆς θυγατρὸς αὐτοῦ ʽΗρῳδιάδος⁶ καὶ ὀρχησαμένης, ἤρεσεν τῷ ʽΗρῴδῃ καὶ τοῖς συνανακειμένοις. εἶπεν ὁ βασιλεὺς τῷ κορασίῳ, Αἴτησόν με ὃ ἐὰν θέλῃς, καὶ δώσω σοι·

> ⁶ **22** {D} θυγατρὸς αὐτοῦ ʽΗρῳδιάδος א B D L Δ 565 // θυγατρὸς αὐτῆς τῆς ʽΗρῳδιάδος A C K (W *omit* τῆς) Θ Π f¹³ 28 33 700 892 1009 1010 1071 1079 1195 1216 1230 1241 1242 1253 1344 1365 1546 1646 2148 2174 *Byz Lect* itᵃ·ᵈ·ff²·ⁱ·ˡ·q·ʳ¹ vg syr // θυγατρὸς τῆς ʽΗρῳδιάδος f¹ itᵃᵘʳ·ᵇ·ᶜ·ᶠ syrᵈ·ᵖ·ᵖᵃˡ copˢᵃ·ᵇᵒ goth arm eth geo Diatessaronᵃ·ᵖ

É dificílimo decidir que forma é a menos insatisfatória. Segundo a forma αὐτοῦ, a menina é chamada Herodias, e descrita como filha de Herodes. No v. 24, porém, ela é filha de Herodias, a qual, segundo outras fontes, tinha o nome de Salomé, sobrinha-neta de Herodes. A forma com αὐτῆς τῆς deve significar algo como "a filha da própria Herodias", a menos que a palavra αὐτῆς seja considerada como pronome redundante em antecipação a um substantivo (um aramaísmo). A forma com τῆς, que aparece em f¹ e (presumivelmente) em testemunhos gregos por detrás de diversas versões antigas, é a forma mais fácil, e parece ter surgido da omissão acidental da palavra αὐτῆς.

A maioria da comissão resolveu, com certa relutância, que a forma com αὐτοῦ, a despeito de suas dificuldades históricas e contextuais, deve ser adotada, com base na confirmação externa.

A menos que a jovem tivesse realmente *dançado*, é altamente improvável que qualquer autor ou mesmo rumor popular houvesse inventado essa história. As mulheres eram conservadas em *reclusão*, exceto no caso de mulheres "públicas" de alguma sorte,

820 |Marcos| NTI

como dançarinas e prostitutas. Assim, é quase impossível que uma princesa (por assim dizer) tivesse feito algo desse gênero, exceto sob as circunstâncias mais extraordinárias. É fácil imaginar que ele e seus convivas, já um pouco ou muito alcoolizados, e tendo provado das danças provocativas de várias mulheres que os entretiam, tivessem encorajado até a *filha* do tetrarca a unir-se a tal folguedo. É evidente que isso foi o que sucedeu, e a "imitação" que ela fez das dançarinas profissionais admirou e erotizou Herodes e seus convidados. Note-se, no grego, o pronome intensivo — a filha da própria Herodias. Isso ilustra que o caso foi incomum, e que o evangelista o reconheceu como tal.

6.23: E jurou-lhe, dizendo: Tudo o que me pedires te darei, ainda que seja metade do meu reino.

6.23 καὶ ὤμοσεν αὐτῇ [πολλά][7], Ὅ τι[8] ἐάν με αἰτήσῃς δώσω σοι ἕως ἡμίσους τῆς βασιλείας μου.

> [7] **23** {C} αὐτῇ πολλὰ p[45vid] D Θ 565 700 it[a,b,d,ff2,i,q] arm // αὐτῇ ℵ A B C[cvid] Κ Δ Π f[1] f[13] 33 892 1009 1010 1071 1079 1195 1216 1230 1241 1242 1253 1344 1365 1646 2148 2174 Byz Lect[m] it[aur,c,f,i] vg syr[(s),p,h] cop[sa,bo] goth Diatessaron[s,p] // πολλὰ 28 // omit L l[211m] cop[sams,boms]

> [8] **23** {D} ὅ τι or ὅτι p[45] B Δ 33[*] 1241 l[6om,1127m] syr[p,h] Origen // ὅτι ὅ ℵ A Κ L Θ Π f[13] 28 33[c] 565 700 892 1010 1071 1079 1195 1216 1230 1242 1253 1344 1365 1646 2148 2174 Byz Lect[m] it[a,aur,b,c,d,f,ff2,i,l,q] vg (cop[sa,bo]) goth arm // ὅ 1009 // εἴ τι D[gr] // omit l[211m,1634m] syr[s]

> 23 Ὅ τι...αἰτήσῃς...βασιλείας μου Et 5.3; 7.2

> [7] Já que o uso de πολλὰ, em sentido adverbial (=muito, veementemente) é uma das características do estilo de Marcos (1.45; 3.12; 5.10,23,38,43; 6.20; 9.26 e 15.3), se poderia suspeitar de que, se fizesse parte do original, a palavra teria sido tirada por acidente, no decurso da cópia. Por outro lado, porém, a excelência geral dos testemunhos aos quais falta essa palavra (ℵ A B L Δ Π f[1] f[13] al) torna aconselhável a inclusão do vocábulo dentro de colchetes.
>
> [8] É possível que ὅ tenha sido inserida por copistas que, chegando às letras οτι, julgaram que fossem ὅτι (ao invés de ὅ τι) — e assim sentiram a necessidade de um pronome relativo que introduzisse a cláusula seguinte. As demais formas representam idiossincrasias escribais.

A extravagância dessa promessa mostra que, ao fazê-la, Herodes devia estar ao menos um pouco alcoolizado. Seja como for, já que ele era apenas um representante de Roma, não poderia ter cumprido a promessa, mesmo que a tivesse querido cumprir; e todos os presentes sabiam disso. Contudo, ele estava em uma atitude muito *generosa* e, sem dúvida, teria dado à jovem qualquer tipo de presente imenso que ela lhe tivesse pedido, mesmo que não se aproximasse daquela promessa exagerada. Marcos relata como Herodes teria dado metade de seu reino. Mateus simplifica ou diminui isso para "o que ela pedisse". A narração de Lucas é tão breve, que ignora toda essa cena, incluindo a própria execução do Batista. A promessa de Herodes, seja como for, era uma expressão proverbial, não devendo ser entendida literalmente. (Cf. 1Rs 13.8; Et 5.3 e 7.2). Por mais de uma vez, a história e a lenda falam sobre reis que se atrapalharam e se *prejudicaram* por algum juramento feito em momento de descuido.

O bom senso de Herodes estava entravado pelo álcool. Entretanto, não é somente o álcool que entrava o bom senso; é, sobretudo, o discernimento espiritual. A maioria dos homens tem meios de intoxicar-se espiritual e mentalmente, pelo que seus valores sofrem distorção. A sede pelo *dinheiro* é um dos principais ofensores. Os homens dão a fim de obtê-lo, em termo das forças da vida e da saúde. Alguém já disse acertadamente que o dinheiro custa demais. Contudo, há também outras coisas cujo preço é exagerado, embora os homens anseiem por pagar grandes somas por coisas inúteis.

6.24: Tendo ela saído, perguntou a sua mãe: Que pedirei? Ela respondeu: A cabeça de João, o Batista.

6.24 καὶ ἐξελθοῦσα εἶπεν τῇ μητρὶ αὐτῆς, Τί αἰτήσωμαι; ἡ δὲ εἶπεν, Τὴν κεφαλὴν Ἰωάννου τοῦ βαπτίζοντος.

> 24 Βαπτ. ℵBΘ pc; R] Βαπτιστου ADW f1 f13 700 pl ς

Enorme é a *responsabilidade* dos pais, e severo é o juízo sobre aqueles que levam seus filhos a errar, seguindo vida detrimente à humanidade e à espiritualidade. Um pai deve a seus filhos três coisas: *exemplo, exemplo, exemplo*. Aquela mãe, no entanto, em seu ódio cego, envolveu a própria filha no meio de um ato assassino. Ambas, sem a menor dúvida, sofreram grandemente por isso; primeiramente em termos de comum sentimento humano; então, em termos de espiritualidade; e, finalmente, em termos do juízo além do sepulcro. Esse foi um preço altíssimo a ser pago para satisfazer um desejo de vingança e de liberação das palavras ferroadoras do profeta. Quando as jovens estão no período de formação mental e espiritual, as mães podem prejudicá-las instilando nelas falsos padrões, e impedindo-lhes o treinamento espiritual necessário. Outrossim, prejudicam principalmente por seu mau exemplo. Não se pode superestimar a influência do lar sobre uma mente jovem e em desenvolvimento.

"[...] os filhos têm olhos *terrivelmente penetrantes*. Não importando quão reto e pio seja o disfarce, eles veem pelo que seus pais cuidam mais. Sabem quando lições de dança são mais importantes que lições bíblicas. Sabem quando os móveis da casa são mais importantes que o clima espiritual do lar; quando a posição é mais importante que o caráter; quando o alimento na mesa da sala de jantar é mais importante que os símbolos sobre a mesa da comunhão; quando os penteados são mais importantes que os pensamentos que se agitam sob as ondas do penteado. Assim, perversa, mas enfaticamente, era o Dia das Mães na fortaleza de Maquero. Há uma tremenda tragédia na linha concludente desta narrativa sobre Salomé. Um soldado trouxe a cabeça de João Batista, e a jovem a deu à sua mãe. É como se ela estivesse dizendo: 'Eis, minha mãe, um presente para a senhora. Isso é o que mais queria'. Não é difícil imaginar uma filha, que bem poderia ter sido grande personalidade, rica em simpatia, generosa de espírito, forte no caráter cristão, a trazer à sua mãe a vida degolada para dizer: 'Isso é o que o senhor queria, mãe?' É uma hora crítica quando alguém olha para nós e diz: 'Que pedirei?' Oremos a Deus, pedindo-lhe misericórdia e graça naquela hora". (Luccock, *in loc.*)

6.25: E tornando logo com pressa à presença do rei, pediu, dizendo: Quero que imediatamente me dês num prato a cabeça de João, o Batista.

6.25 καὶ εἰσελθοῦσα εὐθὺς μετὰ σπουδῆς πρὸς τὸν βασιλέα ᾐτήσατο λέγουσα, Θέλω ἵνα ἐξαυτῆς δῷς μοι ἐπὶ πίνακι τὴν κεφαλὴν Ἰωάννου τοῦ βαπτιστοῦ.

> 25 ευθυς] om D fr it | μετα σπουδης] om D it sy[s] | Βαπτ.] (24) Βαπτιζοντος L 700 892

Herodes já desejara *isso*, embora tivesse hesitado, pois ficava jubilosamente impressionado ao ouvir João. Herodias, porém, *nunca* hesitara. Seu intuito era constantemente homicida em relação a João, o que é demonstrado por sua imediata resposta, ante tão inesperada oportunidade. A filha talvez compartilhasse de parte do ódio de seus pais. Seja com for, não parece que ela tenha feito grande objeção a isso, embora talvez tivesse tido de ser persuadida para participar da cena. *Que família!* E que preço devem estar pagando por isso! O pecado agrava-se quando se torna comunitário e unido. Ai daqueles que encorajam outros a pecar, pois serão os mínimos no reino. Por duas vezes o versículo frisa a rapidez com que Herodias lançou-se ao ataque. A filha voltou imediatamente à presença de Herodes, por instigação da mãe; e seu pedido exigia uma execução imediata. A mãe da jovem não quis perder aquela excelente oportunidade. Apesar do juramento feito, se estivesse sóbrio, Herodes teria resistido àquela solicitação. Herodias não podia arriscar-se a isso. Ela exigiu e obteve ação imediata. Podemos supor que, no dia seguinte, Herodes teve pesadelos horripilantes. Alguns devido à ressaca do festim, mas outros devido à sua ação violenta a ímpia. Quantas vezes ficamos envergonhados no "dia seguinte", por assim dizer, quando chegam os segundos pensamentos sóbrios, porque alguma ação nossa foi efetuada sob a influência estranha de alguma intoxicação mental ou espiritual, como a concupiscência da carne, o desejo por poder, a dureza ante o sofrimento humano etc!

6.26: Ora, entristeceu-se muito o rei; todavia, por causa dos seus juramentos e por causa dos que estavam à mesa, não lha quis negar.

6.26 καὶ περίλυπος γενόμενος ὁ βασιλεὺς[a] διὰ τοὺς ὅρκους καὶ τοὺς ἀνακειμένους οὐκ ἠθέλησεν ἀθετῆσαι αὐτήν·

[a] **26** *a* none: TR WH Bov Nes BF² TT // *a* minor: AV RV ASV RSV NEB Zür Luth Jer Seg

Como já se viu, Herodes *hesitava* entre tirar a vida de João e derivar algum benefício de seus sábios conselhos. E aqui continuou a hesitar, devido à óbvia brutalidade e insensibilidade desse ato violento que sua esposa queria realizar. Entretanto, sendo homem de caráter moral débil, ao olhar ao redor para os rostos de seus convivas pervertidos, ele se sentiu na obrigação de cumprir aquela promessa tola. Como ele era jogado para cá e para lá por más influências: primeiramente, sua embriaguez e concupiscência levaram-no àquele insensato juramento; e isso abriu caminho para sua depravada amásia vingar-se de João. Além disso, Herodes não quis ser ridicularizado por seus convivas, recusando-se a cumprir sua palavra. Não atender ao pedido o teria feito parecer um *fraco*, que não cumpria o que dizia. Sua única resistência moral foi uma tristeza passageira, um aperto na consciência, que o perturbou enquanto efetuou o insensato homicídio. Certamente essa é uma lição objetiva do que o pecado pode fazer a um homem, furtando-lhe qualquer senso de propriedade, e, finalmente, tirando-lhe a própria vontade livre. Herodes poderia ter escapado se dissesse que o que jurara era apenas uma brincadeira. No entanto, temeu sua esposa; temeu desatender sua enteada; temeu o que seus nobres convivas pensariam ou diriam. E seguiu o curso da menor resistência, cometendo assim uma ação que passaria a persegui-lo para sempre. Algumas vezes é dificílimo calcular as plenas consequências de certas coisas que praticamos.

6.27: O rei, pois, enviou logo um soldado da sua guarda com ordem de trazer a cabeça de João. Então ele foi e o degolou no cárcere,

6.27 καὶ εὐθὺς ἀποστείλας ὁ βασιλεὺς σπεκουλάτορα ἐπέταξεν ἐνέγκαι τὴν κεφαλὴν αὐτοῦ. [b]καὶ ἀπελθὼν ἀπεκεφάλισεν αὐτὸν ἐν τῇ φυλακῇ

[b] *b* **27,28** *b* no number, *b* no number 28: TR^ed WH Bov Nes BF² AV RV ASV RSV NEB TT Zür Luth Jer // *b* number 28, *b* no number: TR^ed Seg

"[...] executor..." No latim, é "speculator", termo latino que significa "escoteiro", e que geralmente era membro da guarda pessoal de alguém. Já se descobriu, porém, que essa palavra significa "executor". (Ver Sêneca, Benef. 3.25; Ira 1,18,4; Syntipas p. 61,8; 71.10; Martry. Pauli, p. 115,17 Lips.) E é bem possível que esse seja seu sentido aqui. Desse termo é que se deriva nosso vocábulo "especulador", ou seja, conforme sua raiz, um *vigia*. Esse homem, pois, um instrumento de um mal desejo, cumpriu bem o seu ofício. O mal envolve muitos instrumentos, alguns voluntários, outros passivos e outros involuntários.

6.28: e trouxe a cabeça num prato e a deu à jovem, e a jovem a deu a sua mãe.

6.28 [b]καὶ ἤνεγκεν τὴν κεφαλὴν αὐτοῦ ἐπὶ πίνακι καὶ ἔδωκεν αὐτὴν τῷ κορασίῳ, καὶ τὸ κοράσιον ἔδωκεν αὐτὴν τῇ μητρὶ αὐτῆς.

A narrativa presume que o cárcere ficava *próximo*. Josefo diz que ficava perto do castelo de Maqueros, um dos retiros favoritos de Herodes. Diz Gould (*in loc.*): "Maquero era uma serra montanhosa com quilômetro e meio de comprimento, que dava frente para uma profunda ravina, em uma das extremidades da qual Herodes edificara grande palácio, ao passo que na outra extremidade estava a cidadela onde João fora preso. Ficava no sul da Pereia, na extremidade leste da parte norte do mar Morto. Alguns supõem que Tiberias tenha sido o cenário da festa e da execução; mas outros acham que a festa foi em Tiberias e a execução foi em Maquero. Não parece haver razões suficientes para anular o testemunho de Josefo sobre a decapitação de João Batista; e, nesse caso, a narrativa favorece a suposição de que a festa tenha ocorrido no mesmo lugar. Com justiça diz certo poema que Aretas, pai da ex-esposa rejeitada de Herodes, fez guerra contra seu infiel genro, tendo-o derrotado de tal modo, que Herodes só foi salvo por intervenção do imperador romano".

A dureza do pecado. Quão facilmente foi executado aquele ato temerário! A cabeça sangrenta, qual troféu, foi exibida a todos os participantes do festim, e o grande opróbrio tornou-se o orgulho para eles. Podemos estar certos de que nenhum daqueles participantes chegou àquela vil depravação sem ter tido um preparo *anterior*. A pior parte da história é pensar em que essa mãe não teve nenhum cuidado por sua filha. Esta foi tratada apenas como meio de obtenção do que a mãe desejava, e as sensibilidades da jovem foram totalmente ignoradas. A filha foi transformada em simples meio de satisfazer o ódio perverso da mãe. Foi visto como coisa de somenos, e até desejável, fazer aquela jovem tornar-se acessório de um assassinato. *Grande* é a responsabilidade dos pais, e temível é o abuso da paternidade!

6.29: Quando os seus discípulos ouviram isso, vieram, tomaram o seu corpo e o puseram num sepulcro.

6.29 καὶ ἀκούσαντες οἱ μαθηταὶ αὐτοῦ ἦλθον καὶ ἦραν τὸ πτῶμα αὐτοῦ καὶ ἔθηκαν αὐτὸ ἐν μνημείῳ.

29 ἦραν...μνημείῳ Mt 27.59,60; Lc 23.52,53; Jo 19.38,41

29 αὐτο] αυτου א W *346*

A seita de João Batista *prosperou* até bem dentro da era cristã. Muitos dos seus discípulos estavam convencidos de que João era o *Messias*. O primeiro capítulo do evangelho de João tem como propósito, entre outras coisas, contradizer essa crença, ao subordinar João a Jesus. Josefo escreve sobre o poder imenso de João, e como grandes multidões o seguiam. Por causa disso, Herodes o executou, como um inimigo político. A história secular não aborda a "teia do divórcio" que é descrita na história evangélica. O texto de Mateus 14.12 revela como os discípulos de João transmitiram as novas de sua morte a Jesus. E isso mostra que havia alguma comunhão íntima entre os discípulos de João e Jesus com os seus discípulos, embora tivessem permanecido separados como associações. Mateus também conta que Jesus e seus discípulos, ao ouvirem a notícia, atravessaram de barco e buscaram refúgio em um lugar ermo. Talvez isso visasse em parte à segurança, mas também por motivo de repouso. Era incerto até que ponto Herodes se atreveria agora, na tentativa de livrar-se de "fanáticos" religiosos.

6.30-44 — *A primeira multiplicação dos pães, para os cinco mil homens.* (As notas expositivas relativas a esta seção são apresentadas em Mt 14.13-21.) Acrescentamos, aqui, algumas notas meramente suplementares.

6.30: Reuniram-se os apóstolos com Jesus e contaram-lhe tudo o que tinham feito e ensinado.

6.30 Καὶ συνάγονται οἱ ἀπόστολοι πρὸς τὸν Ἰησοῦν, καὶ ἀπήγγειλαν αὐτῷ πάντα ὅσα ἐποίησαν καὶ ὅσα ἐδίδαξαν.

30 Lc 10.17

30 οσα 2°] om א*W f₁ *565 pc* lat

822 |Marcos| NTI

Evidentemente, esse é o término do *segundo circuito* pela Galileia, após o qual houve um terceiro circuito. No primeiro, Jesus foi com 4 discípulos especiais; em seguida, enviou os 12 discípulos e seguiu-os, a fim de confirmar-lhes a atuação, e, finalmente, enviou os 70 e os seguiu. A morte de João Batista ocorreu no fim do segundo circuito e poderia ter sido um fato que levaria a questão ao fim. Ao invés de melhorarem, as coisas foram se tornando cada vez piores; e quanto mais Jesus ministrava, maior oposição ocorria. Os discípulos especiais obtiveram sucesso, tendo feito grandes obras e tendo ensinado profundas verdades; mas nunca houve conversões em massa. Retornavam com um relatório promissor, por assim dizer, mas era apenas como a pulga nas costas do elefante, no tocante à conquista de almas para o reino. O incansável Jesus, porém, via tudo a ser feito e se compadecia das multidões. Essa "volta" provavelmente teve lugar em *Cafarnaum*, que Jesus transformara em seu quartel--general. A Galileia tinha uma população de cerca de 4 milhões de habitantes, com cerca de 400 cidades de algum tamanho. Mediante isso, pode-se ver como até mesmo a grande obra feita pelos 12, em termos numéricos e duradouros, realizou pouco.

6.31: Ao que ele lhes disse: Vinde vós, à parte, para um lugar deserto, e descansai um pouco. Porque eram muitos os que vinham e iam, e não tinham tempo nem para comer.

6.31 καὶ λέγει αὐτοῖς, Δεῦτε ὑμεῖς αὐτοὶ κατ᾿ ἰδίαν εἰς ἔρημον τόπον καὶ ἀναπαύσασθε ὀλίγον. ἦσαν γὰρ οἱ ἐρχόμενοι καὶ οἱ ὑπάγοντες πολλοί, καὶ οὐδὲ φαγεῖν εὐκαίρουν.

31 οὐδὲ...εὐκαίρουν Mc 3.20

31 υμ. αυτ. κ. ιδ.] υπαγωμεν **D** it (sy^s) | ευ καιρ.] ευκαιρως ειχον **D** lat

O tempo imperfeito dos verbos "*iam*" e "*vinham*", vinculados ao termo *muitos*, indica que houve grande interesse em assistir ao ministério de ensino de Jesus, de modo que se formou um movimento popular em torno de sua pessoa. Alguns intérpretes veem aqui, por igual modo, um "movimento político", algo da ordem do que ocorrera no caso de João Batista. Não se pode duvidar que tenha havido tal movimento, pois o povo esperava encontrar em Jesus um campeão da causa da independência, que os livrasse do domínio romano. Contudo, isso não significava que Jesus fosse um ativista político radical, conforme alguns eruditos têm pensado. O mais provável é que a verdade da questão seja o povo, finalmente, ter descoberto que Jesus não cabia dentro da noção que tinham de um "salvador político". E, assim, se terem voltado irados contra ele, disso resultando a crucificação. Seja como for, as grandes multidões que seguiam Jesus faziam-no *principalmente* por ser ele capaz de ajudá-las física e espiritualmente. Os que podem ajudar nesses campos são sempre procurados, até mesmo quando são muito menos poderosos que Jesus.

Em meio a toda essa *atividade*, Jesus buscava, para si mesmo e para seus discípulos, períodos de descanso. Todos sabem que isso é necessário à vida e ao bem-estar, e, se o próprio grande Jesus viu ser preciso buscar esse descanso, muito mais nós precisamos dele. Podemos estar certos, porém, que esses períodos de descanso eram oportunidades em que ele se entregava à meditação, à oração e à renovação espiritual e não apenas a diversões e prazeres, o que, infelizmente, se dá no caso de homens menos espirituais. Em contraste com Jesus, a maioria dos homens, ao buscar períodos de relaxamento, usam os mesmos para as atividades carnais e prazeres mundanos.

Outra lição que se pode tirar deste texto é que o "*descanso*" é "merecido" pelo trabalho árduo. Aquele que pouco ou nada faz dificilmente precisa de períodos de descanso. A vida ociosa é uma maldição, não sendo meritória e nem desejável para ninguém. Desenvolvemos a espiritualidade por meio do cumprimento apropriado de nossa missão; e essa missão necessariamente envolve muito trabalho.

O encontro com o próprio "eu". Todo homem tem o direito e a necessidade de repousar ocasionalmente. Ninguém deve existir somente para fazer parte de uma grande máquina. O desenvolvimento espiritual de cada um é questão individual. Certo homem de negócios, de nome Charles Lamb, queixou-se de nunca ser apenas "Charles Lamb", mas "Charles Lamb & Cia." O texto de Apocalipse 2.17 promete a *individualidade* na pessoa e na missão pessoal, no tocante ao estado em que vivemos agora e ao estado eterno. Todo homem precisa de um encontro consigo mesmo; ou melhor, com muitos desses encontros, a fim de fazer o inventário de sua vida a um fim e tomar novas determinações sobre como poderá servir melhor ao próximo e a si mesmo, de acordo com os padrões espirituais. William Blake, o famoso poeta inglês, era conhecido por sua força espiritual, obtida mediante sua capacidade de manter comunhão íntima com Deus. Isso se refletiu na qualidade do seguinte poema, da autoria de James Thompson, o Jovem, que escreveu acerca de Blake:

> *Ele veio à desértica cidade de Londres,*
> *Cinzentas milhas de distância.*
> *Ele andou para cima e andou para baixo,*
> *Entoando uma calma canção.*

> *Ele veio à desértica cidade de Londres,*
> *Negras milhas de expansão.*
> *Ele andou para cima e andou para baixo,*
> *Sempre sozinho com Deus.*

6.32: Retiraram-se, pois, no barco para um lugar deserto, à parte.

6.32 καὶ ἀπῆλθον ἐν τῷ πλοίῳ εἰς ἔρημον τόπον κατ᾿ ἰδίαν.

O costumeiro *barco* surge em cena de novo, evidentemente muito usado por Jesus e seus discípulos. Lucas deixa de lado esse detalhe. Entretanto, ele diz (ver Lc 9.10) que o lugar desértico para onde foram pertencia à área da cidade de Betsaida, um lugar não muito distante de Cafarnaum, afastado do mar, na direção norte. (Ver o "barco de serviço", mencionado em Mc 3.9.) Jesus quis afastar-se do povo por motivo de descanso, mas também por causa da morte recente de João. Isso poderia ter despertado "sentimentos políticos" entre o povo, ameaçando transformar o movimento espiritual de Jesus em outro levante político apenas. Jesus nada queria ter com esses levantes.

"O ponto de partida provavelmente foi *Cafarnaum*; e, como estava à beira-mar, era esse o lugar mais provável para o encontro após a viagem. Marcos diz 'a um lugar desértico'. Lucas diz que eles foram para Betsaida, a saber, a cidade do lado leste do lago. Quando ele conta a história da multiplicação de pães, porém, diz também que o lugar era desértico (ver Lc 9.10,12)". (Gould, *in loc.*)

6.33: Muitos, porém, os viram partir, e os reconheceram; e para lá correram a pé de todas as cidades, e ali chegaram primeiro do que eles.

6.33 καὶ εἶδον αὐτοὺς ὑπάγοντας καὶ ἐπέγνωσαν πολλοί, καὶ πεζῇ ἀπὸ πασῶν τῶν πόλεων συνέδραμον ἐκεῖ καὶ προῆλθον αὐτούς[9].

[9] **33** {B} ἐκεῖ καὶ προῆλθον αὐτούς ℵ B (0182^vid *omit* ἐκεῖ) 892 *l*^49,69,70,299,303,333,1679 (*l*^850 αὐτοῖς) it^aur,l vg (cop^sa,bo) // ἐκεῖ καὶ προσῆλθον αὐτούς L 1241 (Δ Θ *l*^10 αὐτοῖς) *l*^12,80,184,211,1127 arm geo^(1),2 // ἐκεῖ καὶ συνῆλθον αὐτῷ D^gr (28 700 αὐτῷ) it^b // ἐκεῖ καὶ ἦλθον αὐτοῦ 565 it^(a),d,ff2,i,r1 Diatessaron^p // καὶ ἦλθον ἐκεῖ *f* // προῆλθον αὐτὸν ἐκεῖ syr^p // πρὸς αὐτοὺς καὶ συνῆλθον πρὸς αὐτόν 33 // ἐκεῖ καὶ προῆλθον αὐτοὺς καὶ συνῆλθον πρὸς αὐτόν (A συνέδραμον *for* συνῆλθον) K Π (*f* συνεισῆλθον πρὸς αὐτούς) 1009 1010 1071 1079 1195 1216 1230 1242 (1253 προσῆλθον αὐτοῖς καὶ προσῆλθον πρὸς αὐτόν) (1344 *omit* ἐκεῖ) 1365 1546 1646 2148 2174 *Byz* *l*^313,883 (*l*^374 ἐξῆλθον *for* συνῆλθον) (*l*^642 προσῆλθον αὐτοῖς) it^f,(q) syr^h eth // ἐκεῖ W *l*^50 it^c Euthymius // *and when they came* syr^s

Em meio à grande variedade de variantes, é óbvio que o *Textus Receptus*, que segue K Π — e muitos manuscritos minúsculos — é mesclado[8], composto das formas ἐκεῖ καὶ προῆλθον αὐτούς e συνῆλθον πρὸς αὐτόν, cada uma das quais é confirmada separadamente. Dentre as duas formas componentes, a primeira é apoiada por א B 892 *al*, bem como, indiretamente, por L Δ Θ 1241 *al* (προσῆλθον e προῆλθον poderiam ter sido facilmente confundidas, paleograficamente). É provável que προῆλθον tenha sido alterada ou para προσῆλθομ ou para συνῆλθον, por copistas que pensaram ser improvável que a multidão, por terra, tivesse andado mais depressa que o barco (de nada vale observar, como faz Lagrange, que o vento pode ter sido contrário). Assim, tanto considerações de evidência externa como de evidência interna convergem e tornam provável que a forma com προῆλθον seja a original.

8. Quanto a uma longa discussão sobre essa forma mesclada, ver Westcott e Hott, *Introduction*, p. 95-99.

É óbvio que este versículo exibe a imensa *popularidade* e *poder* de Jesus. Nenhuma fraude poderia ter atraído tão resolutamente a atenção do povo. Podemos falar corretamente sobre as multidões estúpidas que buscavam as emoções dos milagres e dos sinais prodigiosos, bem como do bem-estar físico, por motivos totalmente egoísticos. Todavia, não podemos duvidar de que em tudo isso muitos buscavam a solução para seus problemas espirituais, e em Jesus viam uma beleza que era suficiente para tanto.

"Correram juntos, excitados e excitando a outros, cada aldeia contribuindo pelo caminho com um pouco mais para a torrente crescente de ansiosos seres humanos. Que quadro! O resultado final foi uma congregação de *cinco mil* homens. Esse foi o clímax da popularidade; e, pelo quarto evangelho, ficamos sabendo que foi sua crise (ver Jo 6)" (Bruce, *in loc.*).

Variante Textual — Conforme consta de alguns manuscritos e traduções, as palavras finais deste versículo — "[...] e juntaram-se a ele..." — não se acham nos mais antigos manuscritos, a saber, Aleph, BL, Delta, bem como em 13 manuscritos minúsculos e algumas versões da Vulgata.

6.34: E Jesus, ao desembarcar, viu uma grande multidão e compadeceu-se deles, porque eram como ovelhas que não têm pastor; e começou a ensinar-lhes muitas coisas.

6.34 καὶ ἐξελθὼν εἶδεν πολὺν ὄχλον, καὶ ἐσπλαγχνίσθη ἐπ' αὐτοὺς ὅτι ἦσαν ὡς πρόβατα μὴ ἔχοντα ποιμένα, καὶ ἤρξατο διδάσκειν αὐτοὺς πολλά.

34 εἶδεν...ἐπ' αὐτούς Mt 9.36; 15.32; Mc 8.2
34 ἦσαν...ποιμένα Nm 27.17; 1 Rs 22.17; 2 Cr 18.16; Ez 34.8; Zc 10.2; Jdth 11:19; Mt 9.36

A narração de *João* indica que, antes de as multidões chegarem, Jesus e os discípulos passaram sozinhos algum tempo (ver Jo 6.3), pelo menos segundo se pode inferir do texto. Os *evangelhos sinópticos*, porém, dizem que as multidões chegaram *antes* de Jesus, evidentemente tendo calculado para onde ele se dirigia. (Teria ele usado aquele lugar, anteriormente, para meditar? E por esse motivo teria esse lugar se tornado conhecido?) O evangelho de João é paralelo aqui aos sinópticos, quanto à única oportunidade de descanso entre o ministério do Batista até a chegada final de Jesus a Jerusalém. Todos os evangelhos são fragmentares, quando confrontados com o total da vida de Jesus, pelo que não se pode esperar que se harmonizem de modo exato. A historicidade deles, porém, não depende de nenhuma harmonia estrita. Além disso, pequenos detalhes que parecem cair em discrepância nada detratam da "Maravilhosa História".

O pastor compassivo. Antes de satisfazer as necessidades físicas das multidões, o que formou vívido quadro de Jesus como o Pão da Vida (tema amplamente comentado em Jo 6.48), ele se ocupou de um extenso ministério de ensino, algo com frequência

olvidado em algumas partes da igreja, onde o evangelismo é salientado em detrimento de tudo o mais. O Pastor é um *mestre*, tanto quanto um *evangelista*; e em ambas essas capacidades é que ele é o Pão da Vida para todos os homens. Toda essa atividade foi inspirada por seu amor aos homens. Muito havia que ele poderia ter censurado naquela multidão, sobretudo a superficialidade dos motivos das pessoas. Ele, porém, sabia como derramar o óleo da cura, e não apenas como usar o bisturi cortante. (Ver as notas em Mt 9.36, acerca da "compaixão de Jesus".)

"Ele — Jesus — buscou um *lugar tranquilo* para escapar das multidões por algum tempo; mas foi frustrado o seu propósito, pois as multidões invadiram o seu retiro; e ele acedeu à importunação deles e à sua compaixão. Trata-se de uma distinta modificação de propósito humano, que o conhecimento prévio teria impedido; e serve de confirmação de sua humanidade, aproximando-se de nós" (Gould, *in loc*, com um comentário muito perceptivo).

Jesus veio *ensinar* (Marcos). E veio para *curar* (Mateus). Ele veio para servir, testificam todos os evangelhos. Seu serviço é eficaz, pois corpo e alma podem ser curados, mente e espírito podem ser ensinados. E esse é o testemunho de todo o NT e da experiência humana. Ora, tudo isso envolvia intenso sacrifício por parte de Jesus. Qualquer serviço bem realizado só pode ser feito entre o sacrifício e a agonia. Em meio a isso, aprendemos a ser mais *parecidos* com Jesus; e, nesse aprendizado, somos transformados de modo a participar de sua natureza e imagem (ver Rm 8.29; Cl 2.10; 2Pe 1.4 e Ef 3.19), o que é o mais elevado de todos os conceitos religiosos. Jesus poderia ter-se mostrado irritado ante a multidão onipresente. Ao invés disso, teve compaixão. Isso muito nos fala sobre seu desenvolvimento pessoal como homem. Que tipo de emoções registramos no tocante à humanidade? As nossas emoções motivam nossa vida de serviço? Carlyle, o filósofo e historiador escocês, de certa feita observou que a população inglesa, então de 30 milhões, se compunha *principalmente de tolos*. Essa é a maneira carnal do homem olhar as coisas.

6.35: Estando a hora já muito adiantada, aproximaram-se dele seus discípulos e disseram: O lugar é deserto, e a hora já está muito adiantada;

6.35 Καὶ ἤδη ὥρας πολλῆς γενομένης προσελθόντες αὐτῷ οἱ μαθηταὶ αὐτοῦ ἔλεγον ὅτι Ἐρημός ἐστιν ὁ τόπος, καὶ ἤδη ὥρα πολλή·

35-44 Mt 15.32-38; Mc 8.1-9

Essas palavras se prestam admiravelmente para explanações *metafóricas*. O lugar onde as multidões estavam era ermo, espiritualmente falando. A tarde está sempre avançada. A necessidade de ajuda espiritual é *urgente* e *vital*. A solução é Jesus em companhia do povo, no deserto. Ele se torna o Pão da Vida sob condições aparentemente impossíveis. Aqueles que servem a Jesus com frequência têm visão míope. Mesmo os que melhor o conhecem algumas vezes ficam assoberbados pelas condições aparentemente impossíveis; mas, pelo menos, são suficientemente sábios para trazerem seus problemas a Jesus, e não há necessidade que ele não possa satisfazer. As multidões, buscando resposta para suas necessidades, seguem a Jesus; mas, em sua pressa, olvidam-se de buscar a ajuda espiritual. Não estão preparadas para longa permanência com Jesus, e se sentem desamparadas diante dos rigores do deserto. Ficam absorvidas pelo ensinamento dele e se esquecem de suas necessidades físicas. Ele cumpre primeiramente a necessidade espiritual delas (ensinando), e depois suas necessidades físicas (por algum milagre), mas até esse milagre é espiritualmente importante, já que se torna uma lição objetiva que nos ensina algo acerca de Jesus como o Pão da Vida. Os discípulos não fizeram nenhum convite à turba e, se as coisas tivessem corrido como queriam, nada de especial teria ocorrido naquele dia, quanto menos a multiplicação de pães para cinco mil homens! Jesus elevou-se acima de todas essas circunstâncias entravadoras, incluindo aquelas

824 |Marcos| NTI

levantadas por seus amigos. Ele satisfez as necessidades humanas. O que estamos fazendo a fim de imitá-lo?

6.36: despede-os, para que vão aos sítios e às aldeias, em redor, e comprem para si o que comer.
6.36 ἀπόλυσον αὐτούς, ἵνα ἀπελθόντες εἰς τοὺς κύκλῳ ἀγροὺς καὶ κώμας ἀγοράσωσιν ἑαυτοῖς τί φάγωσιν.

<small>36 κυκλω] εγγιστα **D** 700 latt</small>

Os discípulos frisaram uma *solução humana* para uma crítica necessidade humana. Entretanto, para a mais crítica necessidade do homem não há solução humana. Ninguém pode comprar aquilo de que mais necessitamos, através de nossos esforços. A solução apresentada pelos discípulos era "razoável". Cada qual poderia cuidar de si mesmo. Essa solução, porém, teria separado a multidão de Jesus, ao invés de levá-la a se achegar mais a ele. A solução não estava no "despedir" as multidões por parte de Jesus; antes, consistia de suprir-lhes as necessidades, em meio àquele deserto. A "solução divina" repousa em Jesus, na fusão da natureza divina e da natureza humana em sua pessoa, que ele oferece a todos quantos creem, os quais assim são feitos filhos de Deus que estão sendo conduzidos à glória (ver Hb 2.10 e cf. Jo 5.25,26). Ele veio conferir--nos a vida necessária e independente de Deus, elevando-nos muito acima da posição, da natureza e do poder dos anjos. Na qualidade de Pão da Vida é que Jesus realiza isso. Em sua ignorância, porém, os discípulos se dispunham a perder esse milagre. Temos aqui, naturalmente, uma poderosa lição moral, bem como uma profunda lição teológica. Jesus se interessava pelas necessidades físicas dos homens, e não apenas pelas de natureza espiritual. Ele conquistava os homens mediante sua solidariedade com eles, em seus sofrimentos físicos. Ele os ajudava porque se interessava por eles, e não meramente a fim de condicioná-los psicologicamente para ouvirem sua mensagem. As obras caridosas, pessoais e nacionais, deveriam ser importantes aos olhos dos crentes. Dentre todos os povos, deveriam mostrar-se sensíveis para com o sofrimento e as necessidades físicas dos homens.

6.37: Ele, porém, lhes respondeu: Dai-lhes vós de comer. Então eles lhe perguntaram: Havemos de ir comprar duzentos denários de pão e dar-lhes de comer?
6.37 ὁ δὲ ἀποκριθεὶς εἶπεν αὐτοῖς, Δότε αὐτοῖς ὑμεῖς φαγεῖν. καὶ λέγουσιν αὐτῷ, Ἀπελθόντες ἀγοράσωμεν δηναρίων διακοσίων ἄρτους καὶ δώσωμεν αὐτοῖς φαγεῖν;

<small>37 δωσωμεν p⁴⁵ **AB** pc latt; R] -σωμεν **ℵD** f13 28 565 pc: δωμεν **WΘ** f1 pl ς</small>

É possível que esse dinheiro, que talvez equivalesse a *200 dias* de trabalho naquele tempo, pudesse prover uma *parca* refeição para os 5 mil homens que ali estavam; e talvez houvesse até o total de 10 mil pessoas, contando também as mulheres e as crianças. Sem dúvida, também havia ali famílias inteiras. Os discípulos tinham trazido pequena provisão para passarem o retiro, mas isso nada era ante as necessidades das multidões. E não havia como levantar o dinheiro para comprar alimentos para aquela gente. Além disso, onde arranjar alimentos para tantos, em um lugar desértico? O texto ensina que as necessidades espirituais, que são mais críticas e urgentes entre os homens, não podem ser satisfeitas com a "pequena provisão" humana com que os homens contam. Deus deve satisfazer a esse tipo de necessidade. Isso é feito por meio de Cristo. Todos os raciocínios dos discípulos acerca de como solucionar o problema não puderam modificar isso. Alguns estudiosos sugerem que a soma mencionada era a que os discípulos tinham consigo, e não o que calcularam ser necessário para comprar pequena refeição para as multidões. Talvez o círculo apostólico inteiro, o pequeno grupo de discípulos especiais de Jesus, tivesse esse dinheiro, juntando todos os seus recursos. Seja como for, quer já tivessem em mãos o dinheiro, quer pensassem em levantá-lo, essa importância ficava muito aquém da necessidade real. Já que um denário representava o salário de um dia, é quase certo que os "200" denários mencionados fossem um cálculo apressado, feito pelos discípulos, sobre o que seria mister para alimentar as multidões, e não o que *tinham* com eles. Não é muito provável que levassem consigo o salário de 200 dias de trabalho, embora houvesse ali 13 homens presentes.

Entre os evangelhos sinópticos, somente Marcos informa o *dinheiro calculado* que se julgou necessário para essa provisão. Lucas menciona o dinheiro, mas não a quantia; e Mateus deixa inteiramente de lado o detalhe, mencionando apenas a pequena quantidade de pão e peixe que tinham com eles. E esses últimos itens são mencionados em todos os evangelhos sinópticos. João diz que Jesus indagou de Filipe: "Onde compraremos pão, para que esses comam?", ao invés de fazer essa sugestão aos discípulos, embora também seja dito em João 6.6 que Jesus assim perguntara a fim de testar seus discípulos, pois já sabia como resolveria o problema. Então Filipe fez o cálculo de 200 denários, o que figura na narrativa de Marcos. Em João, essa quantia é declarada insuficiente para a necessidade. *No mesmo evangelho*, os peixes e pães são apresentados como parte do lanche de um menino; mas, nos sinópticos, tem-se a ideia de que os pães e os peixes eram a pequena provisão trazida pelos próprios discípulos para o retiro. Essa variação de detalhes não anula a historicidade da narrativa. O mais provável é que tenha havido mais de uma fonte informativa preservando esse incidente; e essas fontes informativas, como seria de esperar, incluíam detalhes variegados de tal modo, que nenhuma harmonia perfeita pode ser reconstituída. Não obstante, a fé não precisa dessa harmonização. De fato, temos maiores razões para acreditar na história em geral, desse modo, pois assim vê-se que não houve um esforço "consertado" da parte dos autores sagrados, ao narrarem os incidentes.

6.38: Ao que ele lhes disse: Quantos pães tendes? Ide ver. E, tendo-se informado, responderam: Cinco pães e dois peixes.
6.38 ὁ δὲ λέγει αὐτοῖς, Πόσους ἄρτους ἔχετε; ὑπάγετε ἴδετε. καὶ γνόντες λέγουσιν, Πέντε, καὶ δύο ἰχθύας.

No evangelho de João, os pães e os peixes fazem parte da *merenda* de um menino. Nos sinópticos, representam as provisões trazidas pelos discípulos para o *retiro*. Esses detalhes não são fatais para a historicidade da narrativa, conforme se menciona nos comentários sobre Marcos 6.37. (Ver as notas ali existentes, onde a ideia é desenvolvida.) Os *cinco pães* seriam "[...] pequenos pães redondos, feitos de cevada (segundo se vê em 2Rs 4.42; cf. Jo 6.9), pouco maiores que nossos modernos pãezinhos. Os dois peixes sem dúvida estavam cozidos. Provavelmente, não era o que restara do recente circuito dos apóstolos (conforme o v. 8, não deveriam levar pão com eles), mas a modesta provisão para o retiro deles (v. 31), que agora receberam ordem para distribuir entre o povo" (Grant, *in loc*). Foi-lhes ordenado darem o que tinham, por mais insignificante que isso fosse. Somente então Jesus achou por bem multiplicar essa provisão. Há uma lei espiritual que diz que devemos estar dispostos a dar, a fim de receber, de nos sacrificar, a fim de obter sucesso, de dar o que possuímos, a fim de que Deus recompense com bom *êxito* os nossos esforços. Quanto mais nos sacrificarmos, mais teremos com que multiplicar. Essa é apenas outra maneira de expressar a lei da "colheita segundo a semeadura" (Quanto a esse princípio, ver as notas de Gl 6.7,8.)

6.39: Então lhes ordenou que a todos fizessem reclinar-se, em grupos, sobre a relva verde.
6.39 καὶ ἐπέταξεν αὐτοῖς ἀνακλῖναι¹⁰ πάντας συμπόσια συμπόσια ἐπὶ τῷ χλωρῷ χόρτῳ.

10 **39** {B} ἀνακλῖναι A B² D K L W Δ Π 33 892ᵛ 1009 1010 1071 1079 1195 1216 1230 1241 1365 1546 2148 2174 *Byz Lect* itᶠ·⁽ᶠᶠ²⁾·ⁱ vg (syrᵖ·ʰ) copˢᵃ⁷ geo Origen // ἀνακλιθῆναι (ver Mt 14.19) ℵ B* Θ 0187 fⁱ f¹³ 28 565 700 892ᶜ 1071 1242 1253 1344 1646 *l*¹⁸⁵ itᵃ·ᵃᵘʳ·ᵇ·ᶜ·ᵈ·ⁱ·q·ʳ¹ (syrˢ) copᵇᵒ Origen

> A voz ativa é transitiva ("ele lhes (aos discípulos) ordenou que fizessem todos se reclinarem em grupos..."), ao passo que a voz passiva é intransitiva ("ele ordenou-lhes que todos se reclinassem em grupos..."). Parece que copistas, talvez não entendendo o uso da voz ativa neste ponto, assimilaram ἀνακλῖναι ao texto paralelo (ἀνακλιθῆναι) de Mateus 14.19:

Jesus começou a dominar a situação de *urgência*, mediante um processo ordeiro. O plano divino assume imagens que podem ser discernidas e apreciadas. As circunstâncias nos podem levar a um caminho bem definido, porquanto o Espírito de Deus dispõe as coisas para que o poder de Deus possa transcender às circunstâncias, a fim de nos prestar a assistência divina. Normalmente, Deus se retira para as sombras, por assim dizer, após dar-nos o material com que possamos trabalhar, permitindo-nos fazer aquilo que esteja ao nosso alcance. Em outras ocasiões, ele entra no quadro para fortalecer-nos e encorajar-nos. A cena diante de nós teve lugar sobre a "relva verde", um pequeno toque dado somente por Marcos. Verde é a cor da vida, do suprimento. Nessa região, a relva só ficava verde no tempo da Páscoa. Isso parece ser uma indicação cronológica sobre a passagem do tempo durante o ano, e que nos ajuda a perceber melhor o tempo passado, pelo "registro cronológico" dos evangelhos sinópticos. Esses documentos só indicam claramente que o ministério de Jesus durou um ano, ao passo que João nos faz pensar em três anos pelo menos. Basear uma suposição cronológica sobre a menção da "relva verde", porém, é algo precário. Não é provável que os evangelistas originais se preocupassem em indicar por "quanto tempo" o ministério de Jesus perdurou; e nenhuma cronologia restrita pode ser deduzida dos seus escritos.

6.40: E reclinaram-se em grupos de cem e de cinquenta.

6.40 καὶ ἀνέπεσαν πρασιαὶ πρασιαὶ κατὰ ἑκατὸν καὶ κατὰ πεντήκοντα.

O plano divino exige a *reação humana* favorável. Sabemos isso por experiência própria, e não só pelas Escrituras. O que foi ordenado foi obedecido. Quando nos esforçamos em busca da excelência, temos de obedecer às regras de competição. Aquele que não obedece a essas regras é desqualificado e não pode tornar-se vitorioso. O povo postou-se em grupos ordeiros, e isso facilitou a distribuição do pão. Um pouco de ordem facilita o recebimento do Pão divino. A santificação deve seguir-se à conversão, pois a conversão é apenas um primeiro passo. Não haverá conversão autêntica sem a santificação, e nem poderá haver glorificação sem ela. (Ver 2Ts 2.13, acerca desse conceito.)

O termo aqui traduzido por "grupos" pode também ser traduzido por "canteiros de jardim". O povo parecia "canteiros", entre a relva verde, bem organizado e decorativo. A concretização da vontade de Deus é bela, e aqueles que participam dela são o seu jardim cultural. Esse toque dado pelo evangelho de Marcos indica a narrativa de uma testemunha ocular, que revela pequenos detalhes que dificilmente seriam invenções.

6.41: E tomando os cinco pães e os dois peixes, e erguendo os olhos ao céu, os abençoou; partiu os pães e os entregava a seus discípulos para lhos servirem; também repartiu os dois peixes por todos.

6.41 καὶ λαβὼν τοὺς πέντε ἄρτους καὶ τοὺς δύο ἰχθύας ἀναβλέψας εἰς τὸν οὐρανὸν εὐλόγησεν καὶ κατέκλασεν τοὺς ἄρτους καὶ ἐδίδου τοῖς μαθηταῖς

[αὐτοῦ]¹¹ ἵνα παρατιθῶσιν αὐτοῖς, καὶ τοὺς δύο ἰχθύας ἐμέρισεν πᾶσιν.

¹¹ **41** {C} μαθηταῖς αὐτοῦ p⁴⁵ A D K W Θ Π fⁱ f¹³ 28 565 700 1009 1010 1071 1079 1195 1216 1230 1242 1253 1344 1365 1546 1646 2148 2174 *Byz l*⁷⁶·¹⁸⁴·¹⁸⁵·³¹³·⁸⁸³ itᵃ·ᵃᵘʳ·ᵇ·ᶜ·ᶠ·ᶠᶠ²·ⁱ·ˡ·q·ʳ¹ vg syrᵖ·ʰ copˢᵃᵐˢ eth geo // μαθηταῖς (ver Mt 14.19; Lc 9.16) ℵ B L Δ 0187ᵛⁱᵈ 33 892 1241 *Lect* itᵈ copᵐˢˢ·ᵇᵒ arm

O peso da evidência externa está bastante dividido entre as formas com e sem αὐτοῦ. Normalmente, Marcos fala de "seus discípulos", e só raramente de "os discípulos". A primeira expressão é uma característica arcaica, que reflete certo estágio na transmissão da tradição evangélica, quando os discípulos de Jesus ainda não eram "*os discípulos*" (cf. com os paralelos de Mateus 14.19 e Lucas 9.16). Por um lado, pois parece que deve figurar aqui. Por outro lado, entretanto, já que as formas mais breves do texto alexandrino geralmente são preferíveis, a comissão julgou ser melhor incluir αὐτοῦ dentro de colchetes.

Encontramos aqui vívidos símbolos *místicos*. O pão, tradicionalmente, é símbolo de nutrição espiritual. O próprio Jesus é o Pão Vivo (ver Jo 6.48). Ao participar dele, o indivíduo assume sua natureza e imagem, isto é, é fundido em Cristo (ver Cl 2.10 e 2Pe 1.4, sobre esse conceito). O peixe é símbolo tanto da nutrição *espiritual* como da personalidade inteira de Cristo. Era um antigo símbolo cristão, pois suas letras, em grego, falam de alguns aspectos do caráter de Cristo. Em grego é *ICHTUS*. Temos o I (para *Iesus*, "Jesus"), CH (para *Christos*, "Cristo"), TH (para *Theou*, "de Deus"), U (para *uios*, "Filho"), S (para *soter*, "Salvador"). Portanto, o total resulta em "Jesus, o Cristo, o Filho de Deus, Salvador". Notemos que os discípulos tinham a tarefa de distribuir o suprimento, pelo que se tornam aqui símbolos de evangelistas. Foi Jesus quem tornou possível o suprimento, pelo que é ele a fonte de todo o bem para a humanidade. E restou para o povo comer e beneficiar-se. A resposta humana favorável é exigida para que a dádiva não fique sem efeito. O texto de João 12.32 mostra, porém, que, no mesmo sentido, a dádiva será universalmente eficaz, e o primeiro capítulo de Efésios traz a mensagem. Apesar disso não significar que todos os homens chegarão a possuir a vida eterna dos eleitos, significa que o poder e a graça de Cristo podem beneficiar os homens de todas as partes, visando-lhes o bem.

A benção: Jesus olhou para os céus e agradeceu, pois todas as dádivas excelentes partem dali, do Pai de todos. Esse método de abençoar é *tipicamente* judaico. Os judeus normalmente ficavam de pé enquanto oravam, e uma bênção era invocada mediante o volver do olhar para o alto, na expectativa de receber o bem do Pai celestial. (Ver notas em Rm 8.15, quanto a *Deus como Pai*, o que serve para ilustrar o propósito desta seção.) As refeições dos judeus eram abençoadas por esse método, e isso foi transportado para o cristianismo, sendo universalmente praticado até hoje. O cabeça da família dizia: "Bendito és tu, Senhor, que alimentas os famintos". Originalmente, era Deus que era abençoado (ou louvado), e não o pão ou alimento. Todavia, a maior parte das bênçãos proferidas hoje em dia envolvem ambos os tipos.

6.42: E todos comeram e se fartaram.

6.42 καὶ ἔφαγον πάντες καὶ ἐχορτάσθησαν·

Quando o supridor dos bens é Jesus, e quando evangelistas e mestres fiéis cumprem a parte que lhes cabe, há então *abundância* de alimentos espirituais para todos. Ficaram satisfeitos com aquilo de que participaram. Os benefícios divinos exigem a reação humana favorável e a cooperação dos homens. Cristo tem as palavras de vida eterna. Todos os homens querem viver para sempre, a menos que tenham algum problema neurótico. Para muitos, é preciso muito tempo para encontrar a fonte da vida. Supõem eles que se trate de um acaso, de uma providência nebulosa, que se encontraria neles mesmos, na política, na filosofia ou na ciência.

826 |Marcos| NTI

No entanto, existe uma só verdade, e esta gira em torno da pessoa de Cristo, que nos serve de Mediador, entre nós e Deus Pai, o qual é a fonte originária de toda a vida.

6.43: Em seguida, recolheram doze cestos cheios dos pedaços de pão e de peixe.

6.43 καὶ ἦραν κλάσματα δώδεκα κοφίνων πληρώματα καὶ ἀπὸ τῶν ἰχθύων.

Começaram com os cinco pães e os dois peixes. Um pão para cada mil pessoas, e nem metade de um peixe para cada mil. *Foi consumida* uma imensa quantidade de alimentos, mas a refeição terminou com maior acúmulo de suprimentos do que quando começou. A *multiplicação* é a palavra chave neste ponto. Os homens trouxeram a Jesus o que puderam. Sacrificaram o *pouco* que possuíam. E, ao fazer isso, houve admirável e espantosa multiplicação, que deixa perplexa a mente do homem moral. Os evangelistas queriam que ficássemos atônitos ante esse milagre, devido à multiplicação divina nisso envolvida. Os intérpretes racionalistas, entretanto, pretendem furtar-nos esse impacto. Devemos, porém, aprender aqui que, tendo Jesus conosco, nada nos será impossível. Nosso ser depende do Cristo divino. Ninguém se foi embora, naquele dia, sem o suprimento alimentar de que precisava. E houve maior quantidade de alimentos do que aquilo que era mister. Quantas vezes vidas alquebradas têm sido curadas e usadas, e, por assim dizer, têm sido multiplicadas, mediante a graça divina que opera por intermédio de Cristo. Diferentemente do "maná", nas páginas do AT, o alimento que "sobrou", neste milagre de multiplicação, pôde ser guardado a fim de ser usado quando houvesse posterior necessidade.

De certa feita, Jesus recebeu uma moeda romana. Olhou-a e entregou-a de volta; mas agora já era símbolo de uma realidade espiritual. Mães trouxeram-lhe seus filhos e se foram melhores do que quando tinham chegado. Jesus disse: "*Segue-me*". E aqueles que o seguiram foram elevados acima do que antes eram. Na cruz, ele experimentou a morte; mas pouco depois devolveu ao mundo a vida eterna. Os homens precisam estar dispostos a trazer a Cristo o que possuem. Ele mostrou estar disposto a ser capaz de devolver mais do que lhe trouxessem. Em nossas dúvidas e ceticismo, esquecemo-nos de que ele pode multiplicar, e não somente adicionar.

O número "doze"? Supomos que isso não é apenas um toque histórico autêntico, mas também é um símbolo. Pode representar as doze tribos de Israel ou os doze apóstolos. A multidão foi alimentada, por meio daquele número relativamente pequeno. Houve, entretanto, mais do que o suficiente, em forma simbólica, para alimentar todo o povo de Israel. Seja como for, uma das lições aqui ensinadas é que Jesus dá *superabundância*. Não há fomes que possam exaurir os depósitos divinos. O ressalto de Marcos nada tem a ver com os "piqueniques agradáveis" nas colinas, ao que alguns intérpretes modernos reduzem a história. O suprimento veio não das multidões de lanches que o povo trouxera consigo, mas veio devido ao poder da graça divina.

6.44: Ora, os que comeram os pães eram cinco mil homens.

6.44 καὶ ἦσαν οἱ φαγόντες [τοὺς ἄρτους][12] πεντακισχίλιοι ἄνδρες.

[12] **44** {C} τοὺς ἄρτους A B K L Δ Π 33 892 1009 1010 1071 1079 1195 1216 1230 1241 1242 1253 1344 1365 1546 1646 2148 2174 *Byz Lect* it[f] syr[p.h] cop[bo] eth geo // *panes et pisces* it[c] // omit p[45] ℵ D W Θ ƒ[1] ƒ[13] 28 565 700 it[a,aur,b,d,ff2,i,l,q,r1] vg (syr[s]) cop[sa] arm Diatessaron[a,n,p] Theophylact

Uma vez mais a evidência externa está bem dividida entre os testemunhos que incluem as palavras τοὺς ἄρτους, e aqueles que as omitem. Outrossim, vários testemunhos (tais como D W syr[s]), que com frequência trazem a forma mais longa, neste ponto trazem a forma mais breve. Do ponto de vista das probabilidades de transcrição, é mais provável que os copistas se sentissem tentados a apagar, e não a adicionar as palavras τοὺς ἄρτους, pois a presença desses termos levanta perguntas estranhas, como: "Por que os 'pães' deveriam ter sido frisados, sem nenhuma menção aos peixes (o ms c do Latim Antigo diz ambas as coisas). Em face dessas considerações conflitantes, a comissão julgou ser melhor reter as palavras, mas dentro de colchetes.

É provável, pois, que o número total orçasse em *mais* de 10 mil, já que mulheres e crianças estariam incluídas nas multidões. O número específico não é mencionado por ser grande demais, e isso mostra o poder que foi demonstrado naquele dia; pois *nenhuma outra coisa*, senão o poder divino, poderia suprir a necessidade física de tão numerosa multidão. Não foi apenas um *milagre de providência*, mediante o qual o Espírito de Deus certificou-se de que cada homem trouxera algo consigo. Nem foi algum milagre ético de participação, mediante o qual, alguns, que tinham trazido algo, dividiram seus recursos com outros. Ou Deus está com os homens, ou não está. Se ele está com eles, então qualquer coisa pode acontecer; e para os que estão preparados para os milagres, qualquer coisa sucede. Não precisamos aqui de uma explanação, que nos livre da suposta grandeza perturbadora deste milagre; precisamos, antes, de uma mudança no espírito, que nos ajude a participar da grandiosidade divina de um modo que nunca antes experimentamos. O que é o ato de multiplicação de pães diante do poder que, no princípio, criou todas as coisas? O teísmo necessariamente inclui a possibilidade de que as coisas narradas nesta passagem podem acontecer, e realmente acontecem. Aquele que tornou possíveis os campos recobertos de cereais, que encheu os oceanos de peixes, podia prover uma refeição de pães e peixes para meras dez mil pessoas! Cuidado com o *ceticismo* que sufoca o crescimento espiritual da alma, pois são as trevas que não permitem que a luz da aurora chegue até nós. Naturalmente, recusamo-nos a crer em qualquer coisa; antes, inclinamo-nos pela investigação, e até a exigimos. Contudo, *é melhor* crer demais do que crer pouco demais, pois os homens dotados de fé pequena demais ficam anões em seu crescimento espiritual.

6.45-52 — *Jesus anda sobre o mar*. (As notas expositivas sobre esta seção aparecem em Mt 14.22-33. Ver também o texto de Jo 6.15-21.)

6.45: Logo em seguida obrigou os discípulos a entrar no barco e passar adiante, para o outro lado, a Betsaida, enquanto ele despedia a multidão.

6.45 Καὶ εὐθὺς ἠνάγκασεν τοὺς μαθητὰς αὐτοῦ ἐμβῆναι εἰς τὸ πλοῖον καὶ προάγειν εἰς τὸ πέραν πρὸς Βηθσαϊδάν, ἕως αὐτὸς ἀπολύει τὸν ὄχλον.

Notemos que, neste ponto, começa no evangelho de Lucas a chamada *grande omissão*. Esse evangelho, embora seguisse formalmente o esboço histórico de Marcos, mais de perto do que Mateus o fez, deixa de lado a seção de Marcos 6.45—8.26, sem fazer nenhuma menção ou inclusão de todo esse material. Alguns estudiosos têm sugerido que circularam duas edições do evangelho de Marcos; Mateus teria usado uma delas, e Lucas, a outra. Pelo menos é certo que esta seção de Marcos faz parte autêntica do evangelho que tem seu nome, pois não traz nenhum sinal de *interpolação*. É possível que Lucas tenha omitido, propositalmente, a presente seção; e isso por motivos desconhecidos; ou então porque, em Marcos, temos paralelismos entre as seções de Marcos 6.34—7.37 e 8.1-26, ao passo que Lucas não se queria ver envolvido com essa repetição de material. Entretanto, nos é impossível descobrir uma razão convincente que explique por que Lucas teria omitido toda essa seção.

O evento seguinte, sobre o andar sobre as águas, naturalmente tem sido sujeitado a interpretações racionalistas. Sem dúvida, entretanto, não se trata de *criação* do autor sagrado, mediante uma elaboração poética de vários versículos do AT, como Jó 9.8b ou Salmos 77.19, e nem parece ser um "aparecimento de Cristo ressurreto", deslocado, que poderia ser explicado por algum truque psicológico de alucinação ou hipnotismo em massa. A literatura helenista traz narrativas similares, e diz-se que Buda conseguiu esse feito. Ocasionalmente, nas histórias dos santos cristãos, há relatos de quem andou por sobre as águas. Não se pode duvidar de que alguns homens tenham podido fazer isso, pelo que nenhum poder divino é necessário para tanto. Em alguns casos, pode tratar-se de mero truque psíquico, semelhante àquele outro bem conhecido de andar sobre o fogo, sem queimaduras. Nesses casos, nada de espiritual está envolvido, necessariamente, mas meramente uma espécie de suspensão *natural* das forças da gravidade, o que certamente é possível para a psique humana. A gravidade é a mais débil força de energia que se conhece, sendo perfeitamente possível que possa ser suspensa ou temporariamente contida ou neutralizada pela força da mente humana, se esta última for devidamente treinada e dirigida. Há pessoas que têm aprendido a movimentar objetos, e, para algumas, esse poder parece natural. É ridículo chamar isso de influência "demoníaca", pois os objetos normalmente movidos assim pesam pouquíssimo, e presume-se que um demônio pode movimentar quase qualquer peso. Contudo, no caso que envolveu a Jesus, não devemos contemplar mero "truque psíquico", mesmo que este pudesse duplicar o feito. Antes, Jesus o fez como homem dotado de imenso desenvolvimento espiritual, que assim pôde dominar facilmente forças naturais, como a da gravidade. Os Evangelhos talvez tenham querido dizer-nos que ele empregou seu poder divino neste caso, tal como no caso da multiplicação dos pães; e isso pode ter sido assim ou não. Seja como for, a ocorrência foi espiritualmente significativa, mesmo que não tivesse resultado do emprego direto do poder divino. Apoiamo-nos sobre sua historicidade, e nisso buscamos lições espirituais.

Jesus movimentava-se *com senso de urgência*. João 6.15 diz que o povo viera para compeli-lo a declarar-se rei, ou seja, fazer-se líder de um movimento político para derrubar o domínio romano. Seu grande poder miraculoso, pensavam eles, poderia ser usado com essa finalidade. Jesus, porém, nunca desejou ter nada a ver com tais planos, motivo por que se retirou, a fim de escapar das multidões e orar (ver Mc 6.46). Jesus dirigiu-se a Betsaida, que ficava na extremidade norte do lago da Galileia, no território de Filipe. Presumivelmente, haveria duas Betsaidas. Uma delas ficava um pouco mais no interior, no lado noroeste do lago; e a outra ficava a cerca de 12 quilômetros e meio para o leste e o norte. Presumimos que Jesus se tenha dirigido da área de uma das Betsaidas (onde ocorrera o milagre da multiplicação dos pães, de conformidade com Lc 9.10), para a outra, tendo feito o percurso de barco, ao invés de fazê-lo por terra, porquanto se tratava de uma viagem relativamente curta. A *Betsaida* que ficava mais ao norte foi reconstruída pelo tetrarca Filipe, tendo sido então denominada Júlias, em honra a Júlia, filha de Augusto. No hebraico, o nome Betsaida significa *casa de peixe*.

6.46: E, tendo-a despedido, foi ao monte para orar.

6.46 καὶ ἀποταξάμενος αὐτοῖς ἀπῆλθεν εἰς τὸ ὄρος προσεύξασθαι.

46 ἀπῆλθεν...προσεύξασθαι Mc 1.35; Lc 5.16; 6.12; 9.28

(Ver Ef 6.18, quanto à nota sumário sobre a *oração*.) Não se pode subestimar o poder da oração, quando feita por um homem reto. E nem se pode eliminar a necessidade da oração, ou seja, o orar no Espírito. E aqueles que têm esse dom são gigantes espirituais. Contudo, a oração se destina a todos, e sua eficácia visa a todos, quando fielmente empregada. Jesus orava quando tinha decisões difíceis a fazer, ou em horas de crise; mas também podemos estar certos de que a oração fazia parte de sua vida diária (ver Mc 1.35).

6.47: Chegada a tardinha, estava o barco no meio do mar, e ele sozinho em terra.

6.47 καὶ ὀψίας γενομένης ἦν[13] τὸ πλοῖον ἐν μέσῳ τῆς θαλάσσης, καὶ αὐτὸς μόνος ἐπὶ τῆς γῆς.

[13] **47** {C} ἦν ℵ A B K L W X Θ Π *f*[13] 33 565 700 892 1009 1010 1071 1079 1195 1216 1230 1241 1253 1344 1546 1646 2148 2174 *Byz Lect* it[aur,c,f,i,q] vg syr[s,p,h] cop[sa,bo] arm geo Diatessaron[p] // ἦν πάλαι p[45] D *f*[1] 28 1365 it[a,b,d,ff2,i] // omit Δ[gr]

> Vários testemunhos importantes (p[45] D *f*[1] 28 *al*) adicionam a expressiva palavra πάλαι ("já", "por muito tempo", "agora mesmo"). Apesar de poder-se argumentar que Mateus (que diz τὸ δὲ πλοῖον ἤδη) pode ter conhecido uma cópia de Marcos que incluía πάλαι, se essa palavra fizesse parte do original do evangelho de Marcos, na opinião da maioria da comissão, seria difícil explicar sua ausência de tão grande variedade de manuscritos. Ver Mateus 14.24.

Era *tardinha* (Mateus) ou *já tarde* (Marcos), ou já *declinava o dia* (Lucas), ao surgir o problema da multiplicação de pães para os 5 mil. Era no que se chamava de tarde — das 15 às 18 horas. E a tardinha era das 18 horas até que realmente escurecesse. Realmente, o milagre (conforme Mt 14.25 e Mc 6.48) teve lugar bem cedo pela manhã, várias horas depois da multiplicação de pães; mas é evidente que a sequência de eventos começou na tarde anterior. Presumimos que os discípulos estiveram pescando durante a noite, buscando a provisão necessária.

6.48: E, vendo-os fatigados a remar, porque o vento lhes era contrário, pela quarta vigília da noite, foi ter com eles, andando sobre o mar; e queria passar-lhes adiante;

6.48 καὶ ἰδὼν αὐτοὺς βασανιζομένους ἐν τῷ ἐλαύνειν, ἦν γὰρ ὁ ἄνεμος ἐναντίος αὐτοῖς, περὶ τετάρτην φυλακὴν τῆς νυκτὸς ἔρχεται πρὸς αὐτοὺς περιπατῶν ἐπὶ τῆς θαλάσσης· καὶ ἤθελεν παρελθεῖν αὐτοῖς.

48 εν τω ελ.] και ελαυνοντας D (ελ. και βασ. Θ it)

Novamente Jesus *satisfaz* às necessidades humanas, demonstrando a capacidade de solucionar, por meios miraculosos, qualquer problema difícil. À sua maneira, este evento ensina o mesmo tipo de lição que o da multiplicação de pães. Jesus faz vastíssima diferença na nossa vida, quanto à esperança, ao sucesso e à razão da existência. Além disso, ele provê a proteção necessária para cumprimento de nossa missão. Ele nos confere a "ajuda divina" necessária, quando nos vemos em dificuldades grandes demais para serem solucionadas humanamente.

"Há uma autêntica eloquência na expressão "veio ter". Nelas, há também história legítima. Cristo tem vindo a inúmeras vidas, oprimidas por trabalho árduo, açoitadas por ventos fortes e engolfadas por ondas imensas. Isso é histórico. Ele vem a nós com a certeza sustentadora dos cuidados de Deus por nós. No lar da tristeza, do desencorajamento, do fracasso, da angústia, ele chega. E, como tal aqui no mar da Galileia, ele veio para o perigo mais negro. O verbo *vir* tem tempos presente, futuro e também passado. Jesus *veio* aos discípulos em dificuldade. Ele tem vindo para muitos outros em horas de desespero. Entretanto, há também um glorioso elemento no tempo presente: *ele vem*. E há um glorioso tempo futuro: *ele virá*" (Luccock, *in loc.*).

6.49: eles, porém, ao vê-lo andando sobre o mar, pensaram que era um fantasma e gritaram;

6.49 οἱ δὲ ἰδόντες αὐτὸν ἐπὶ τῆς θαλάσσης περιπατοῦντα ἔδοξαν ὅτι φάντασμά ἐστιν, καὶ ἀνέκραξαν·

49 ἔδοξαν...ἐστιν Lc 24.37

49 οτι φ. εστιν ℵB *pc*; R] φ. ειναι AD Θ *f*l[pt] *f*13 *pl* latt arm ς

49,50 ανεκρ...εταραχθ.] ανεκρ. παντες και εταρ. DΘ it

828 |Marcos| NTI

Julgaram tratar-se de uma *aparição*, provavelmente de um espírito humano desencarnado, tendo eles imaginado baseados nas comuns noções metafísicas da época. As notas em Mateus mostram outras possibilidades sobre a questão. A lição espiritual é que não reconheceram a Jesus por causa da escuridão, e são as trevas espirituais que impedem os homens de reconhecê-lo; e outro tanto se acha por detrás do *temor* dos homens acerca das realidades espirituais ou por detrás da "negligência" quanto às mesmas. Naquele momento, Jesus era para eles um "fantasma sem substância". E para muitos, hoje em dia, ele não passa disso, embora isso se deva ao estado lastimável da alma humana. Jesus parecia querer ultrapassá-los. No entanto, jamais foi intuito de Jesus ultrapassar a quem quer que fosse.

6.50: porque todos o viram e se assustaram; mas ele imediatamente falou com eles e disse-lhes: Tende ânimo; sou eu; não temais.

6.50 πάντες γὰρ αὐτὸν εἶδον[14] καὶ ἐταράχθησαν. ὁ δὲ εὐθὺς ἐλάλησεν μετ' αὐτῶν, καὶ λέγει αὐτοῖς Θαρσεῖτε, ἐγώ εἰμι· μὴ φοβεῖσθε.

> **50** {B} γὰρ αὐτὸν εἶδον p[asuid] ℵ A B K L W X Δ Π ƒ ƒ[13] 28 33 892 1009 1010 (1071 1546 γὰρ εἶδον αὐτόν) 1079 1195 1216 1230 1241 1242 1253 1344 1365 1646 2148 2174 *Byz Lect* (l[127,1579] *omit* γὰρ) it[(aur),(f),] vg syr[(s),p,h] cop[sa,bo] arm geo // γὰρ αὐτὸν ἰδόντες καὶ l[211] // *omit* D Θ 565 700 it[a,h,c,d,ff2,i,q]
>
> 50 ο δε ℵB (Θ 565) pc; R] καὶ A(D)W ƒ ƒ13 700 pl ς

> A ausência das palavras γὰρ αὐτὸν εἶδον, D Θ al pode ser explicada por (a) como algo devido a um acidente de cópia, ou (b) apela descontinuação deliberada, feita por copistas, que as consideram supérfluas, após as palavras οἱ δὲ ἰδόντες αὐτόν, no v. 49.

Não podiam crer que um homem tivesse o poder de andar sobre a água, e, embora a aparição se assemelhasse a Jesus, não podiam crer. Suas palavras de conforto, porém, logo acalmaram seus temores. Era apenas outro acontecimento espantoso nos contactos que tiveram com Jesus, o que os ajudou a terem uma fé que foi capaz de abalar o mundo.

Esta história, com suas palavras encorajadoras — *Tende bom ânimo! sou eu. Não temais!* — deve ter fortalecido a igreja sob o látego odioso dos romanos e dos judeus. Jesus viu a dificuldade dos discípulos, sua labuta, seu desespero. E resolveu ajudá-los. E não ajudaria agora a nós? Essa narrativa deve ter sido contada e recontada com expectante e calma esperança. Todo homem passa por momentos de trevas e tribulação, quando o próprio Jesus parece um mero espectro. O grande *sou eu* foi dito para dar solução aos sofrimentos e ao temor humanos. Jesus trouxe consolo pessoal e triunfante à desgraça humana. Não precisamos de lógica, de matemática, nem de ciência, para ouvir essa palavra fortalecedora. Cristo vive em meu coração. Na realidade, algumas vezes uma esperança irracional bem pode ser a esperança que transcende à razão, mas que está em perfeito acordo com uma razão mais alta. A história inteira de Jesus afirma que a mera razão humana é ultrapassada pela lógica divina. O homem Jesus, fundido com o Logos divino, é a própria lógica de Deus, solucionando para o homem todo problema de lealdade; tanto neste mundo como fora dele, dentro do tempo e fora do mesmo.

Digo que o reconhecimento de Deus em Cristo,
Aceito pela razão, revolve para ti
Todas as questões na terra e fora dela.
(Robert Browning)

6.51: E subiu para junto deles no barco, e o vento cessou; e ficaram, no seu íntimo, grandemente pasmados;

6.51 καὶ ἀνέβη πρὸς αὐτοὺς εἰς τὸ πλοῖον, καὶ ἐκόπασεν ὁ ἄνεμος. καὶ λίαν [ἐκ περισσοῦ] ἐν ἑαυτοῖς ἐξίσταντο[15],

> 51 ἐκόπασεν ὁ ἄνεμος Mc 4.39
>
> 51 λιαν εκ περισσου **a** ƒ13 pl ς] ℵB pc; R: εκ περ. W 28 (D 565, 700) |
>
> [15] **51** {C} ἐξίσταντο ℵ B L Δ 28 892 it[c,ff2,i,l] vg syr[s] cop[sa,bo] geo // ἐξεπλήσσοντο ƒ // ἐξίσταντο καὶ ἐθαύμαζον (ver At 2.7) A D K W X Θ Π ƒ13 33 565 700 1009 1010 1071 1079 1195 1216 1230 1241 1242 1253 1344 1365 1546 1646 2148 2174 *Byz Lect* it[(a),aur,b,d,f,q,r1] syr[arm] eth Diatessaron[a,p] // ἐθαύμαζον καὶ ἐξίσταντο 517 1424 syr[p]

> A forma mais breve é preferível, pois a forma expandida, ἐξίσταντο καὶ ἐθαύμαζον parece ser intensificação da narrativa, por copistas que lembravam a narrativa, em At 2.7, onde aparece o mesmo par de verbos.

Apenas Mateus registra a tentativa de Pedro em duplicar o feito de Jesus. João impede qualquer subida de Jesus para o barco, por um *milagre de transporte*, de modo que o barco logo se achou à beira da praia (ver Jo 6.21), embora o texto nos mostre os discípulos ansiosos por fazerem Jesus entrar no barco, tendo crido que se tratava dele, embora não tivessem podido cumprir o desejo. Aqui, como em muitos lugares, vemos os Evangelhos diferindo entre si quanto a minúcias; e, às vezes, até se contradizendo. Isso, no entanto, labora mais em prol da historicidade das narrativas do que contra isso. Isso mostra que os registros não foram fixados, tirando as arestas difíceis entre as narrativas. Outrossim, é quase certo que, no caso desta história miraculosa, mais de uma tradição a preservara. Foi preservada porque o sucesso foi tido como extraordinário, ficando destacada a natureza *incomum* de Jesus, e, além disso, pelo menos seu caráter messiânico e missão divina, e, talvez, sua divindade também. Mateus mostra como esse incidente levou os discípulos a adorarem a Jesus como o Filho de Deus. Marcos registra o total espanto deles diante do acontecido, e, ao invés de mostrá-los adorando, mostra que esse espanto não levou sua mente à sóbria reflexão sobre a verdadeira natureza de Jesus, pois seu coração estava endurecido. Mateus deixa de lado, incisivamente, a questão, e com essa "adoração tranquila", parece ter querido indicar exatamente o contrário. Apesar das diferenças entre os escritores sacros, não há motivo para duvidarmos da autenticidade da história. Seríamos desonestos em não reconhecer os *elementos humanos* nas narrativas que causam problemas, cujos detalhes variam; mas seríamos céticos cegos se duvidássemos da "essência" dessas narrações. Jesus era o que diziam que era; e fez o que diziam que ele fez; e disse o que diziam que ele disse.

V. 51. *Nota textual*. A expressão "[...] e admiravam-se...", aparece nos mss ADW, Theta, Fam Pi, Fam 13 e em algumas versões latinas, e são seguidos pelas traduções AC e KJ. Todas as outras traduções omitem essa expressão, seguindo os mss Aleph, BL, Delta, 1, 28, alguns poucos outros manuscritos gregos e algumas versões latinas. A omissão representa o texto correto, conforme é indicado pelos manuscritos mais antigos.

6.52: pois não tinham compreendido o milagre dos pães, antes o seu coração estava endurecido.

6.52 οὐ γὰρ συνῆκαν ἐπὶ τοῖς ἄρτοις, ἀλλ' ἦν αὐτῶν ἡ καρδία πεπωρωμένη.

> 52 ἦν...πεπωρωμένη Mc 8.17

Essa nota um tanto irônica e amarga é totalmente *eliminada* em Mateus e João; e o primeiro até a substitui por algo justamente contrário, isto é que confessaram que Jesus era o *Filho de Deus*, o que, mesmo naquela altura dos acontecimentos, indicaria a confissão da divindade de Jesus, ou, pelo menos, de seu caráter messiânico. Isso é muito diferente do que ter o coração endurecido

NTI | Marcos | 829

e denotar falta de entendimento. Talvez Mateus tenha ressentido o tom negativo. A preocupação de Marcos, sem dúvida, foi a de mostrar que os apóstolos ainda precisavam de muita instrução e de maturidade espiritual, e que o progresso deles fora lento, levando em conta as maravilhas que tinham visto e experimentado. Ao invés de se *espantarem*, deveriam ter ficado admirados, em adoração e louvor, com base na pura fé. Homens ordinários, com pouquíssima oportunidade, teriam ficado meramente "assustados", diante de tal coisa. Os apóstolos, porém, deveriam ter reagido no coração com muito mais do que isso.

N. B.: Quando aparecem textos paralelos em Mateus e Marcos, apresentamos a exposição em Mateus; em Marcos, acrescentamos apenas algumas notas suplementares.

6.53-56 — *Jesus em Genezaré.* (Ver as notas sobre esta seção no texto de Mt 14.34-36.)

6.53: E, terminada a travessia, chegaram à terra em Genezaré, e ali atracaram.

6.53 Καὶ διαπεράσαντες^c ἐπὶ τὴν γῆν^c ἦλθον εἰς Γεννησαρὲτ καὶ προσωρμίσθησαν.

^{cc}**53** c none, c none: WH Bov Nes BF² // c minor, c none: RV ASV RSV (NEB) Luth Jer // c none, c minor: RV^mg ASV^mg (TT) Zür // different text: TR AV Seg

53 Γενν.] Γεννησαρ **D** it sy bo(I) | και προσωρμισθ.] om **DWΘ** 28 it sy

Esse lugar ficava a poucos quilômetros ao sul de Betsaida, de onde haviam partido, antes de entrarem no temporal descrito nos versículos anteriores. O temporal os tirara do curso certo. Os v. 53-56 oferecem uma espécie de sumário editorial de atividades e indicam somente os acontecimentos "esboçados", sem descrevê-los. Em Mateus, esses sumários são usados para encerrar seções importantes de material.

6.54: Logo que desembarcaram, o povo reconheceu a Jesus;

6.54 καὶ ἐξελθόντων αὐτῶν ἐκ τοῦ πλοίου εὐθὺς ἐπιγνόντες αὐτόν

"Notemos que o *retiro* de Jesus e seus discípulos para um lugar isolado, para descansarem (v. 31,32), e o fato de Jesus ter subiu *sozinho* no monte para orar, figura como interlúdio entre as pressões feitas pelas duas maiores multidões registradas nos Evangelhos. Houve a turba de 5 mil homens, que seguiram a Jesus ao redor do lago. E houve essa multidão que se reuniu rapidamente, trazendo doentes de todo o interior. Jesus ia de multidão para multidão. Quando ia para algum retiro para descansar, ou subia em um monte para orar, não ia para escapar, mas para equipar-se. Ele se retirava a fim de se misturar mais *eficazmente* com o povo. A oração era uma renovação de seu ministério. A oração, é claro, nunca é algo meramente instrumental. O fim da oração não é fornecer meios para alguma outra finalidade, sem importar quão boa seja essa finalidade. A razão válida para a oração é que a comunhão com Deus é a mais alta experiência da vida. Entretanto, embora seja uma finalidade em si mesma, a verdadeira oração tem consequências que beneficiam outras vidas. A verdadeira oração, como se dava no caso de Jesus, faz o crente voltar às multidões, para ter um ministério contínuo" (Luccock, *in loc.*).

As multidões *reconheciam* a Jesus, pois ele se tornara familiar devido aos seus muitos prodígios. As pessoas podem vir a reconhecer a Jesus em nós, pelo mesmo motivo. Não há tal coisa como fé sem obras, e não há nenhuma contradição entre a graça e as obras, a menos que estas últimas sejam encaradas como atividades que conferem "mérito humano". Contudo, quando o Espírito opera em nós e por nosso intermédio, as obras são apenas uma expressão de sua graça em nós. Portanto, quando as *obras* são entendidas por esse prisma, tornam-se virtual sinônimo da graça na vida, e não meras evidências da graça divina, mas a própria expressão dessa graça. (Ver Ef 2.10, quanto às relações entre as obras e a graça.)

6.55: e correndo eles por toda aquela região, começaram a levar nos leitos os que se achavam enfermos, para onde ouviam dizer que ele estava.

6.55 περιέδραμον ὅλην τὴν χώραν ἐκείνην καὶ ἤρξαντο ἐπὶ τοῖς κραβάττοις τοὺς κακῶς ἔχοντας περιφέρειν ὅπου ἤκουον ὅτι ἐστίν.

55 τους κακ...εστιν] p) φερειν παντας τ. κακ. εχ.· περιεφερον γαρ αυτους οπου αν ηκου σαν τον Ιησουν ειναι **D** (pc) it

Muitas vítimas do pecado, outras muitas das concupiscências, muitas das debilidades humanas, das enfermidades, do desconforto, do desânimo, *vinham a Jesus*, provenientes de muitos lugares. Observamos que o poder imenso do homem Jesus, que fundia em si mesmo as naturezas divina e humana, de modo a ser o Homem Ideal que deve ser seguido e que está duplicado em nós mesmos, na medida em que formos compartilhando de sua imagem e natureza (notas em Cl 2.10; Ef 3.19; 2Pe 1.4). Amigos ajudavam aos doentes. Se não encontravam a Jesus em um lugar, levavam os doentes a outro lugar. Sabiam algo do enorme poder de Jesus e do espírito de sua graça. A vida inteira poderia ser concentrada nesse mesmo empreendimento, nesse mesmo reconhecimento. Não que apenas admiremos a Jesus pelo que ele é; precisamos buscá-lo para que nossa natureza espiritual, nossa alma, seja transformada segundo a sua imagem. Pois assim como ele é, nos tornaremos. Sem dúvida é isso, que nos ensina o texto de Romanos 8.29. Algumas vezes nos esquecemos das dimensões imensas do evangelho, reduzindo-as ao simples perdão dos pecados. O evangelho cristão *começa* somente com o perdão dos pecados. Os homens precisam vir a participar da natureza moral positiva de Deus, de suas virtudes santas (ver Mt 5.48; Gl 5.22,23). Nessa transformação moral, os homens têm fundida neles a natureza metafísica do próprio Cristo, e assim tornam-se filhos de Deus que estão sendo conduzidos à glória (ver Hb 2.10). Irineu observou sobre como Jesus veio compartilhar de nossa humanidade, para que pudéssemos compartilhar de sua divindade. Essa é a correta interpretação de 2Pedro 1.4. Certamente ele compartilha da natureza divina em grau infinito, ao passo que nós o fazemos apenas finitamente; e isso significa que nossa inquirição será infinita, pois já que há uma infinidade com que seremos cheios, deverá haver, também, uma infinitude de preenchimento. No entanto, nossa participação será real, e receberemos o mesmo *tipo* de natureza que Cristo tem, a mesma *essência*. Essas são as "boas novas" trazidas por Jesus, o mais elevado de todos os conceitos espirituais.

6.56: Onde quer, pois, que entrava, fosse nas aldeias, nas cidades ou nos campos, apresentavam os enfermos nas praças, e rogavam-lhe que os deixasse tocar ao menos a orla do seu manto; e todos os que a tocavam ficavam curados.

6.56 καὶ ὅπου ἂν εἰσεπορεύετο εἰς κώμας ἢ εἰς πόλεις ἢ εἰς ἀγροὺς ἐν ταῖς ἀγοραῖς ἐτίθεσαν τοὺς ἀσθενοῦντας, καὶ παρεκάλουν αὐτὸν ἵνα κἂν τοῦ κρασπέδου τοῦ ἱματίου αὐτοῦ ἅψωνται· καὶ ὅσοι ἂν ἥψαντο αὐτοῦ ἐσῴζοντο.

56 ἵνα...ἅψωνται Mt 9.20; Mc 5.27; Lc 8.44

56 αγοραις] πλατειαις **D** 565 700 latt

(Ver Mt 9.20, quanto ao toque da fímbria das vestes de Jesus, para efeito de cura.) Há uma espécie de radiografia, chamada fotografia Kirliana, que pode mostrar a transferência de energia de uma pessoa para outra, ordinariamente provocada pela vontade ou pelas emoções. Essa radiografia também tem mostrado o processo curador, por essa transferência de energia, usualmente por meio da imposição de mãos. Portanto, o que poderia parecer mera superstição e *condicionamento psicológico* em torno das curas, como no caso de "doenças mentais", na realidade é muito mais do que isso. Afinal de contas, os antigos não eram tão ignorantes assim, e, em nossos dias, novos processos científicos estão

830 | Marcos | NTI

começando a *demonstrar* a validade de várias práticas antigas. Seja como for, não há razão para duvidarmos de que o poderoso Jesus podia curar, ou pelo *mero toque*, ou pelo olhar, ou por uma palavra de ordem por ele proferida.

O Mestre, das faldas da montanha
Urge por curar estes corações de dor.
(Frank Mason North)

Na antiguidade, Jesus postou-se no mercado, *a fim de curar*. Ainda está ali, no centro de nossa vida civil, econômica e social. Haveremos de buscá-lo pessoalmente, trazendo outros a ele, a fim de que os males de nossa época sejam curados?

Capítulo 7

7.1-23 — *Jesus e as tradições dos anciãos*: aquilo que contamina o homem. (No tocante às notas expositivas sobre este material, ver Mt 15.1-20).

7.1: Foram ter com Jesus os fariseus, e alguns dos escribas vindos de Jerusalém,

7.1 Καὶ συνάγονται πρὸς αὐτὸν οἱ Φαρισαῖοι καί τινες τῶν γραμματέων ἐλθόντες ἀπὸ Ἱεροσολύμων[a]

> [a][a] **1,2** (*ver nota* b) *a* none, *a* none // *a* major: Luth Seg // *a* minor, *a* minor: Jer // *a* major, *a* minor: Bov Nes BF² TT (Zür) // *a* minor, *a* major: (WH) RV ASV RSV NEB // different I οι] *om* fı 565 700

Esses eram *espiões* procedentes da capital, que vieram ver aquele herege da Galileia, o qual ameaçava a própria segurança da nação. Pois ele era ainda mais poderoso que João Batista, e, conforme diziam, facilmente, poderia tornar-se o ponto focal de uma revolução que faria os romanos enviarem suas legiões sem misericórdia. Outrossim, que direito tinha aquele fanático de furtar a imponência deles e de enfraquecer a autoridade deles, com aquela conversa de "reino de Deus", do qual ele se declarava rei? Sem dúvida, aqueles escribas e fariseus tinham sido comissionados pelo Sinédrio, sendo possível que um membro ou dois do próprio Sinédrio estivessem entre eles. A situação podia ser controlada enquanto as disputas de Jesus se limitassem à Galileia. Agora, porém, a própria capital fora envolvida, e a situação ficara muito mais séria e perigosa. As "narrativas de controvérsias", nos Evangelhos, têm por intuito mostrar como Jesus foi perdendo sua popularidade, chegando ter o que os homens chamam de *fim inglório*. Isso fazia parte da apologia cristã em prol do caráter messiânico de Jesus. Com grande dificuldade, os judeus aceitariam um Messias crucificado. Os evangelistas, pois, tentaram mostrar como o ódio humano derrubara a Jesus, mas até que mesmo isso fazia parte do plano de Deus, porquanto da morte de Cristo é que fluiu a expiação e a vida eterna.

Nas mãos dos evangelistas, essa história também envolve outra *polêmica* que deve ser considerada. Refere-se a que o "separatismo judeu", sobretudo da variedade farisaica, deve ser repelido, pois a fé cristã não pode ser contida dentro das antigas formas judaicas. Ela é por demais poderosa, por demais universal, por demais extensa, para que caiba dentro desse veículo. Os odres velhos não poderiam conter o vinho novo; um novo veículo tinha de vir a lume. Isso significa que a formação da igreja cristã era inevitável. Não poderia ser senão um movimento de reforma dentro da comunidade judaica. Sem dúvida, essa é uma das polêmicas que devem ser subentendidas neste relato. Jesus *transcende* ao tradicionalismo e ao separatismo. Ele trouxe uma mensagem que tornou obsoleta a mensagem antiga. Ele trouxe uma nova e íntima fé, a qual ultrapassa em muito à antiga, que era externa. A mensagem de Jesus era poderosa demais, revolucionária por demais para ser tolerada. Ele se teria envergonhado se não tivesse sido chamado de herege, naquela geração. E muitos elementos da igreja primitiva, sobretudo em Jerusalém, ainda tiveram de aprender essa lição, e não somente os judeus fora da igreja cristã.

(Cf. esta seção com histórias similares de controvérsias, em Mc 2.1—3.6; 3.22-30 e 11.27—12.40.) A maior parte dessas narrativas termina com algum pronunciamento final de Jesus sobre o tema em foco. Talvez Marcos 7.15 seja um desses pronunciamentos; mas isso não põe fim à seção. Contudo, é boa a declaração geral sobre as tradições e formalidades ritualistas que dizem respeito às histórias que são narradas. O autor reuniu material similar a fim de ilustrar o *grande problema* da antiga tradição e suas relações para a nova fé, mais livre. O cristianismo primitivo, sobretudo nos lugares dominados por populações judaicas, encontrou muitas dificuldades com as questões de alimentos, lavagens, rituais etc., conforme a primeira metade do livro de Atos mostra. O próprio Pedro precisou de uma visão especial, que lhe deu o necessário discernimento sobre esse problema (ver At 10). Portanto, podemos perceber com facilidade que esta seção era usada no ensino cristão, e que sua finalidade era essa, embora não se possa duvidar de que seja texto historicamente autêntico.

Em Mateus, esta seção faz parte do texto geral que fala sobre a *fundação* da igreja universal (14.1—17.27). A rejeição ao antigo caminho fazia parte dessa fundação. Sem dúvida, é verdade que até mesmo dentro da própria igreja tenha sido intenso o debate exatamente sobre as tradições e leis judaicas (se existe alguma) que teriam sido rejeitadas por Jesus. Os documentos cristãos são *ousados*. Jesus rejeitou grande parte das velhas tradições, algo que o ramo farisaico do cristianismo (os "legalistas") provavelmente jamais tenha admitido. O capítulo 15 de Atos mostra que eles continuavam requerendo a circuncisão como necessária à salvação; e, se assim fizeram, é quase certo que se apegavam às antigas cerimônias, como as lavagens etc., julgando-as importantes para a fé, conforme sempre fizeram. A mudança vem lentamente, e a heresia de ontem com frequência torna-se a ortodoxia de hoje, e vice-versa.

7.2: e repararam que alguns dos seus discípulos comiam pão com as mãos impuras, isto é, por lavar.

7.2 καὶ ἰδόντες τινὰς τῶν μαθητῶν αὐτοῦ ὅτι κοιναῖς χερσίν, τοῦτ' ἔστιν ἀνίπτοις, ἐσθίουσιν τοὺς ἄρτους[a]

> **7 2** Lc 11.38 text: TR AV
> **2** αρτους] κατεγνωσαν **D:** *add* εμεμψαντο Θ fı fı3 pm latt sa(ı) ς

O que provavelmente começou como *uma cerimônia de piedade* terminou por tornar-se em ritualismo rígido, exagerado além de todas as proporções sensatas. O exagero veio a tomar o lugar da verdadeira fé espiritual. Todos correm o perigo de cair nessa armadilha, ainda que por razões inteiramente diversas das dos fariseus. Nos dias de Jesus, os trabalhadores tinham pouco tempo para observar os ritos das classes sacerdotais, e, sem dúvida, ignoravam as minúcias piedosas oficiais. É provável que Jesus tivesse sido criado em atitude mais relaxada para com essas coisas, e quando ele se tornou mestre bem conhecido, incluiu esse liberalismo em seu ensino. Não admira, pois, que sacerdotes e oficiais religiosos o tivessem odiado. Aquilo que tinham por mais sagrado era totalmente ignorado por ele, ou era mesmo denunciado. A verdadeira questão aqui é a *tradição escribal*, que tinha certo apoio por parte dos preceitos do AT. Jesus foi ousadíssimo ao ignorar os poderes religiosos e popularizar uma abordagem mais livre e liberal da fé religiosa. O fato de Jesus ter feito muitos discípulos e lhes ter transmitido essa nova atitude sobre a vida espiritual deixou seus críticos grandemente irados. Azeite estava sendo lançado no fogo. No entanto, Jesus permaneceu firme, embora soubesse que, afinal, seria consumido.

"Os fariseus não buscavam remover a sujeira com essas lavagens, e, sim, a contaminação pelo contacto com *coisas profanas*". (Gould, *in loc.*). Vieram a substituir a santificação do coração pelas lavagens cerimoniais, supondo, absurdamente, que uma coisa era necessária à outra, pois pensavam que faziam esta parte integrar aquela.

V. 2 — Os melhores e mais antigos manuscritos, Aleph, ABEFGLVX, Gamma, Delta e todas as traduções, excetuando KJ e AC, omitem a expressão "[...] encontravam falta...", o que representa uma adição escribal para tornar a passagem mais suave. A adição aparece nos mss DFKMNSH e Fam Pi.

7.3: Pois os fariseus, e todos os judeus, guardando a tradição dos anciãos, não comem sem lavar as mãos cuidadosamente;

7.3ᵇ οἱ γὰρ Φαρισαῖοι καὶ πάντες οἱ Ἰουδαῖοι ἐὰν μὴ πυγμῇ¹ νίψωνται τὰς χεῖρας οὐκ ἐσθίουσιν, κρατοῦντες τὴν παράδοσιν τῶν πρεσβυτέρων,

¹ **3** {A} πυγμῇ   A B (Dᵍʳ πυκμῇ) K L X Θ Π 0131 *f*¹ *f*³ 28 33 565 700 892 1009 1010 1071 1079 1195 1216 1230 1241 1242 1253 1344 1365 1546 1646 2148 2174 *Byz Lect* it⁽ᵃᵘʳ⁾,ᶜ,ff²,i,q,r¹ (syrᵇᵐᵍ) Origen Epiphanius // πυκνά ℵ W itᵇ,f,l vg syrˢ,ᵖ,ʰ copᵇᵒ goth arm (eth) geo Diatessaronᵃ // *momento* itᵃ // *primo* itᵈ // omit Δ syrˢ copˢᵃ Diatessaronᵖ

ᵇ ᵇ **3,4** (*ver nota a*) b dash, b dash: WH Bov Nes BF² Zür Jer // b parens, b RSV NEB TT // b no parens or dashes, b major: TR AV RV Luth Seg, parens: ASV

> A dificuldade de compreender a significação de πυγμῇ (literalmente, "com (o) punho"), em um contexto que explica as lavagens cerimoniais dos judeus, impeliu alguns copistas a omitirem essa palavra (Δ syrˢ copˢᵃ Diatᵖ), mas outros foram tentados a substituírem-na por uma palavra que dá melhor sentido, como ("com frequência" ou "totalmente", ℵ W itᵇ,l vg *al*), ou *momento* ("em um instante", itᵃ), ou *primo* ("primeiro", itᵈ).

Os v. 3-5, em Marcos, explicam as práticas dos *fariseus escritos* em relação às questões discutidas nesta seção. Mateus omite tudo, talvez antecipando que os seus leitores já sabiam bastante a respeito; mas Marcos explica-o para benefício de seus leitores gentios, que sabia que usariam seu evangelho. Alguns têm suposto que estes versículos sejam uma interpolação posterior, feita no texto de Marcos; mas não há provas textuais quanto a isso. Além disso, é característica do evangelho de Marcos fazer estas observações explanatórias (ou traduções) para seus leitores gentílicos.

No dias de Jesus, o costume de lavar as mãos era *universal* no judaísmo; mas tudo se originou entre os fariseus. A nota textual abaixo discute a existência da palavra "punho", que aparece no texto, traduzida e manuseada de diversos modos nas traduções. Com certeza, não existe o problema. Não sabemos o que o autor sagrado tinha em mente. É possível que o termo fosse apenas um equívoco da sua pena, um erro, em lugar de algum outro termo. Edersheim procura mostrar que não há nenhuma autoridade que mostre que "punho" tivesse alguma coisa a ver com as lavagens cerimoniais. A única tradução que parece possível é "com punho", isto é, a lavagem era feita por esse meio; mas o que poderia isso significar? Parece insensato pensar que o punho fosse usado como meio para espalhar a água. A prática parece ter envolvido um levantar das mãos, para permitir que a água escorresse até o punho ou até o cotovelo; mas isso dificilmente seria indicado pela palavra que significa "punho". Outros supõem que o termo grego aqui traduzido assim — "punho" — reflete o aramaico que significa *de modo nenhum*. O texto seria: "[...] a menos que lavem as mãos, não comem de modo nenhum". Todavia, a maioria dos eruditos objeta sobre essa possibilidade, negando um original aramaico em favor da ideia de que os Evangelhos foram escritos originalmente em grego, o que elimina essa possível explicação da dificuldade.

V. 3 — O termo "[...] frequentemente..." aparece nos mss Aleph e W, nas versões latinas e no Syp, mas estes só são seguidos pelas traduções KJ, AC e F. Esse termo, entretanto, evidentemente não passa de uma tentativa de simplificar aquilo que, sem dúvida, era um quebra-cabeça para os escribas, isto é, a palavra traduzida em português por "[...] mãos...", que tem forma bastante semelhante ao termo "[...] frequentemente..." As traduções GD e PH consideram a palavra "mãos" como uma forma idiomática de dizer as coisas, e

traduzem-na como "[...] de maneira particular..." As traduções WM e WY traduzem-na por "[...] cuidadosamente..." (o que também fazem as traduções AC e M. A tradução BR diz "[...] até os cotovelos..." As traduções NE e RSV omitem essa palavra no texto, e a tradução RSV diz que o vocábulo é de sentido incerto (ver nota). Os manuscritos mais antigos dão apoio ao sentido "[...] mãos..." Assim ocorre com os mss P(45), ABLNX, Gamma, Fam Pi e alguns poucos outros [...] Orígenes também cita a passagem dessa maneira. Muito provavelmente temos nisso o texto original de Marcos.

7.4: e quando voltam do mercado, se não se purificarem, não comem. E muitas outras coisas há que receberam para observar, como a lavagem de copos, de jarros e de vasos de bronze.

7.4 καὶ ἀπ᾽ ἀγορᾶς² ἐὰν μὴ βαπτίσωνται³ οὐκ ἐσθίουσιν, καὶ ἄλλα πολλά ἐστιν ἃ παρέλαβον κρατεῖν, βαπτισμοὺς ποτηρίων καὶ ξεστῶν καὶ χαλκίων [καὶ κλινῶν]⁴ – ᵇ

4 βαπτισμοὺς...χαλκίων Mt 23:25; Lc 11:39

² **4** {A} ἀγορᾶς *p*⁴⁵ᵛⁱᵈ ℵ A B K L X Δ Θ Π *f*¹ *f*³ 28 33 565 700 892 1010 1071 1079 1195 1216 1230 1241 1242 1253 1344 1365 1546 1646 2148 2174 *Byz Lect* syrˢ,ᵖ,ʰ copˢᵃ,ᵇᵒ goth eth Diatessaronˢ,ᵖ Origen // ἀγορᾶς ὅταν ἔλθωσιν D (W δὲ ὅταν) (1009 ὅταν δὲ εἰσέλθωσιν) itᵃ,ᵃᵘʳ,ᵇ,ᶜ,ᵈ,ff²,i,q,r¹ arm geo

³ **4** {A} βαπτίσωνται A D K (L βαπτίζονται) W X (βαπτίζωνται) Θ Π *f*¹ *f*³ 28 33 565 700 892 1010 1079 1195 1241 1242 1344 1365 1646 (1009 1071 1210 1253 1546 2148 2174 βαπτίσονται) *Byz Lect* (*l*¹²⁷ κατα βαπτίσωνται) itᵃ,ᵃᵘʳ,ᵇ,ᶜ,ᵈ,ff²,i,l,q,r¹ vg syrˢ,ᵖ,ʰ copᵇᵒ goth arm (eth) Diatessaronˢ,ᵖ Origen // ῥαντίσωνται ℵ B copˢᵃ geo Euthymius

⁴ **4** {C} καὶ χαλκίων καὶ κλινῶν A D K W X Θ Π *f*¹ *f*³ 28ᶜ 33 565 700 892 1009 1010 1071 1079 1195 1241 1242 1253 1344 1365 1546 1646 2148 2174 *Byz Lect* (*l*¹·¹⁰,³⁰³,³¹³,⁵³³,³⁷⁴,⁸⁸³,¹¹²⁷ χαλκείων) itᵃ,ᵃᵘʳ,ᵇ,ᶜ,ᵈ,ff²,i,l,q,(r¹) vg syrᵖ,ʰ copˢᵃ goth arm geo Diatessaronˢ,ᵖ Origen // καὶ χαλκίων *p*⁴⁵ᵛⁱᵈ ℵ B L Δ 28* *l*⁴⁵ copᵇᵒ // omit syrˢ

> ² A forma abrupta de καὶ ἀπ᾽ ἀγορᾶς ἐὰν μὴ βαπτίσωνται οὐκ ἐσθίουσιν foi aliviada pela adição, em diversos testemunhos (D W *al*) das palavras ὅταν ἔλθωσιν ("*quando chegam do mercado, não comem, a menos que se lavem*").
>
> ³ Embora se possa argumentar que a palavra menos familiar (ῥαντίσωνται) tenha sido substituída pela mais familiar (βαπτίσωνται),
>
> ——— É bem mais provável que copistas alexandrinos, desejando conservar βαπτίζειν, para indicar o rito cristão, ou, mais provavelmente ainda, tomando ἀπ᾽ ἀγορᾶς como se essas palavras envolvessem uma construção partitiva, tenham introduzido ῥαντίσωνται como termo muito mais apropriado para expressar o sentido, "a menos que se aspergisse o que é do mercado, não o comeriam".
>
> ⁴ É difícil aceitar se as palavras καὶ κλινῶν foram adicionadas por copistas influenciados pela legislação de Levítico 15, ou se essas palavras foram omitidas (a) por acidente, devido a homoeoteleuton, ou (b) deliberadamente, por causa da ideia de que lavar ou aspergir camas parecesse bastante incongruente. Em face do equilíbrio de probabilidades, bem como em face da forte confirmação em apoio a cada forma, a maioria da comissão preferiu reter as palavras, mas dentro de colchetes.

No mercado, o povo se reunia, juntando todos os tipos e raças de homens. Religiosamente falando, conforme as leis cerimoniais e pelos padrões farisaicos, seria *impossível* uma pessoa entrar nesse lugar sem tocar em algo ou em alguém considerado impuro. Portanto, ao voltarem, o banhar o corpo era necessário, a fim de tornar a pessoa religiosamente limpa. Quem se recusasse a isso era reputado como incapaz da adoração pública ou privada. Imaginavam tolamente que o espírito e o coração fossem purificados por meio de observâncias rituais. A princípio, provavelmente esses ritos eram meros sinais de santificação. No AT, ver tais "lavagens" mencionadas em Levítico 14.8,9; 15.5,6,8,10,11,13,21,22,27; 16.4,24,26 e 22.6. Nessas referências, pode-se ver claramente que os fariseus não

832 |Marcos| NTI

"criaram" os princípios de tais ideias, embora os tenham exagerado. É quase certo que Jesus tenha ignorado muitas das provisões cerimoniais, até mesmo aquelas firmemente baseadas no AT; e não admira que, de Jerusalém, tenha descido fogo para destruí-lo.

Não era apenas o corpo humano que tinha de ser *imerso* (banhado completamente), mas também taças, jarras etc. Eram totalmente lavados em água, e não "aspergidos", conforme alguns tentam fazer o verbo "baptizo" significar aqui. Essa palavra (traduzida por "lavagens") significa "imergir" tal como "baptismos" significa "imersão". Vasos de metal e de madeira tinham de ser lavados, mas os vasos de barro tinham de ser quebrados (ver Lv 15.12), se, de qualquer maneira, fossem contaminados. Pessoas impuras, como as enfermas, que entrassem em contacto com os utensílios caseiros, faziam com que estes fossem totalmente lavados. Tudo isso era sério para a classe religiosa dominante, e os que dessa classe faziam parte ressentiram-se amargamente com a atitude de Jesus acerca dessas coisas. Um comentário queixa-se de que os fariseus tinham mudado *o santuário para a cozinha*. O que poderia ser aplicado em um lugar às lavagens cerimoniais, dificilmente teria aplicação em outro lugar. Os fariseus, porém, faziam essa aplicação. "A grande exortação 'Adora ao Senhor na beleza da *santidade*' (Sl 29.2) degenerara em um mandamento prosaico: 'Cuida em lavar bem os pratos' ". (Luccock, *in loc.*).

V. 4 — As palavras "[...] e mesas..." ou [...] "leitos..." são omitidas pelos melhores e mais antigos manuscritos, como P(45), Aleph, B, 28, 700 e alguns poucos outros. Todas as traduções, exceto KJ, BR (que as assinalam duvidosas), AC e F, omitem essas palavras. Os manuscritos de menor autoridade, como ADW, Fam Pi, Fam 1, Fam 13, e muitas versões latinas, encerram essa adição.

7.5: Perguntaram-lhe, pois, os fariseus e os escribas: Por que não andam os teus discípulos conforme a tradição dos anciãos, mas comem o pão com as mãos por lavar?

7.5 καὶ ἐπερωτῶσιν αὐτὸν οἱ Φαρισαῖοι καὶ οἱ γραμματεῖς, Διὰ τί οὐ περιπατοῦσιν οἱ μαθηταί σου κατὰ τὴν παράδοσιν τῶν πρεσβυτέρων, ἀλλὰ κοιναῖς χερσὶν ἐσθίουσιν τὸν ἄρτον;

5 κοιναις (*add* ταις **DW** 28 565) χερσιν א* **B**Θ fī 28 lat co; R] ανιπτοις χ. **A** *pm* η: κοιν.χ.και ανιπτοις *p*⁴⁵ (f13)

O significado de Cristo é que ele veio *abalar* as tradições. Nenhuma busca pela verdade pode limitar-se a "formas eclesiásticas" ou "tradições denominacionais". Jesus veio para fazer o mundo avançar, e não para atá-lo por meio de novas tradições. Para dizermos a verdade, porém, há muitos fariseus modernos que pensam que sua tradição contém toda a verdade e que nenhum progresso é possível exceto segundo os métodos que aprovam. Podemos estar certos de que todo o que segue estritamente qualquer regra denominacional perderá alguma verdade possível, que poderia ter ganhado, se a ela não estivesse amarrado. Estudos superficiais não revelam exatamente quanto de "tradição" todas as denominações adicionaram à verdade.

As tradições dos anciãos cresceram até se tornarem uma autêntica *enciclopédia*, composta da Mishnah, de dois Talmudes, e, mais tarde, de maciços comentários sobre eles. A leitura desse material revela muita coisa boa, histórias e comentários instrutivos, mas também ali há muita coisa que entrava e é antiespiritual, sem nenhum proveito para a alma. Apesar disso, aqueles que não andassem (hebraico para "observassem") segundo essa tradição, automaticamente eram tidos como hereges. As modernas organizações religiosas têm preservado essa maneira de pensar, e quase todas preservam o orgulho farisaico que supõe que Deus conta apenas com alguns poucos depositários, e que elas estão entre esses.

7.6: Respondeu-lhes: Bem profetizou Isaías acerca de vós, hipócritas, como está escrito: Este povo honra-me com os lábios; o seu coração, porém, está longe de mim;

7.6 ὁ δὲ εἶπεν αὐτοῖς, Καλῶς ἐπροφήτευσεν 'Ησαΐας περὶ ὑμῶν τῶν ὑποκριτῶν, ὡς γέγραπται ὅτι Οὗτος ὁ λαὸς τοῖς χείλεσίν με τιμᾷ⁵, ἡ δὲ καρδία αὐτῶν πόρρω ἀπέχει ἀπ' ἐμοῦ·

6,7 Οὗτος...ἀνθρώπων Is 29.13 LXX

⁵ **6 {B}** τιμᾷ *p*⁴⁵ א A B K L X Δ Θ Π *f*¹ *f*¹³ 28 33 565 700 892 1009 1010 1071 1079 1195 1216 1230 1241 1242 1253 1344 1365 1546 1646 2148 2174 *Byz Lect* it^aur,d,ff²,l,q vg syr^s,p,h cop^sa,bo goth arm eth^pp,ms geo Diatessaron^p // ἀγαπᾷ D^gr W it^a,b,c Clement²/⁶ Tertullian // τιμᾷ καὶ ἀγαπᾷ eth^ro // φιλοῦσι Clement¹/⁶

Em diversos testemunhos antigos (D^gr W it^a,b,c Clemente Tertuliano), a forma ἀγαπᾷ talvez reflita uma variante de outro modo perdida, que fazia parte do texto de Isaías 29.13 na LXX, ou pode tratar-se de mero desvio tipicamente ocidental do texto de Marcos. Em nenhum dos casos, porém, é preferível essa forma àquela apoiada por *p*⁴⁵ א A B L Δ Θ *f*¹ *f*¹³ 33 565 700 892 it^d,ff²,l,l,q vg^s,p,h cop^sa,bo goth arm geo Diatessaron^p.

Como é comum nos evangelhos, Jesus não *refuta diretamente* nenhum argumento, mas vai diretamente ao "princípio espiritual" envolvido na questão. Ele não defendeu sua não-observância de princípios ridículos, embora pudessem ser defendidos em certas passagens do AT. Não se deu também ao trabalho de frisar que muitos israelitas, sobretudo entre o povo comum, não observavam as minúcias e exageros da religião farisaica. Se tivesse feito isso, teria meramente incluído essas pessoas na mesma negra categoria em que já tinham posto a Jesus e seus discípulos. Entretanto, ao utilizar-se de Isaías 29.13, Jesus mostrou que a própria tradição profética antecipara essas perversões que os legalistas incorporaram em seu sistema. Ao invés de frisar o absurdo de vários pontos inferiores nesse sistema, ele mostrou que tinham deslocado mandamentos realmente importantes da lei, como "honrar pai e mãe", para dar lugar a uma estúpida preocupação pela lavagem de mãos, taças e panelas. Não se duvide que essas declarações de Jesus foram usadas pela igreja primitiva, não apenas como polêmica contra o judaísmo, mas também contra os cristãos legalistas. É o que se vê em Atos 15, onde surgem alguns que chegam ao extremo de pensar que a circuncisão é necessária para a salvação.

Os críticos de Jesus foram chamados "*hipócritas*", isto é, "atores", fingidos religiosos; e isso os situou na posição de "falsos" representantes da fé religiosa. A raiz desse termo é o verbo "*replicar*", devido ao fato de que, nos teatros, os atores replicam uns para os outros. Os fariseus haviam trazido o teatro para dentro da religião. Infelizmente, até hoje, a igreja é mais frequentemente conduzida como um espetáculo do que como um lugar de adoração, e os cultos mais bem frequentados são os que têm mais do que é teatral e mundano, sobretudo a importação da sensual música do mundo pela igreja. Não é difícil imaginar o que Jesus teria dito acerca de tais práticas da igreja moderna. Assim, Jesus demonstrou que, nas igrejas locais, nem tudo quanto se declara ser de "origem divina" é realmente divino. E certas coisas que tiveram origem humana, por mais que sejam reverenciadas por alguns, na realidade trazem prejuízo à fé e não são saudáveis.

7.7: mas em vão me adoram, ensinando doutrinas que são preceitos de homens.

7.7 μάτην δὲ σέβονταί με, διδάσκοντες διδασκαλίας ἐντάλματα ἀνθρώπων.

⁶ **7,8 {A}** ἀνθρώπων, ἀφέντες...ἀνθρώπων, *p*⁴⁵ א B L W Δ *f*¹ 1365 *l*⁶⁹pt, 76pt,211pt,883pt,950pt,1127pt cop^sa,bo arm geo // ἀνθρώπων, ἀφέντες...ἀνθρώπων. βαπτισμοὺς ξεστῶν καὶ ποτηρίων καὶ ἄλλα παρόμοια τοιαῦτα πολλὰ ποιεῖτε (*ver* 7.4) (A *omit* ἄλλα) K W Π *f*³ 33 700 892 1009 1010 1071 (1079 1546 ποιειτε πολλα) 1195 1216 1230 (1241 πολλα τοιαυτα) 1242 1253 1646 (2148 *omit* τοιαυτα) 2174 *Byz Lect* *l*⁶⁹pt,76pt,211pt,883pt,95 opt,1127pt (*l*³⁰³ *omit* πολλα) it^aur,h vg syr^p,h cop^boms goth eth Diatessaron^a // ἀνθρώπων βαπτισμοὺς ξεστῶν καὶ ποτηρίων καὶ ἄλλα παρόμοια ἃ ποιεῖτε τοιαῦτα πολλὰ ἀφέντες...ἀνθρώπων (*ver* 7.4) D^vid (28 παρόμοια τοιαυτα ποιειτε ἀφεντες...) (565 ποτηριων και ξεστων *and* παρομοια τοιαυτα ποιειτε ἀφεντες...) it^a,b,c,d,ff²,i,q,r¹ Diatessaron^a // ἀνθρώπων, καλῶς (*omit verse 8*) syr^s

> O texto grego, por detrás da tradução AV, "como a lavagem de vasos e copos; e muitas outras coisas como essas fazeis", que não aparece nos mais antigos e melhores testemunhos, sem dúvida é uma adição escribal, derivada do v. 4. O fato de que a forma mais longa se acha em dois lugares diferentes — no começo do v. 8 (D al) e no fim do v. 8 (K X Π f^{13} 33 700 892 al)— por igual modo indica a sua natureza secundária.

> É mais difícil resolver se os escribas substituíram deliberadamente a palavra στήσητε ("guardais" no lugar de τηρήσητε, por ser o verbo mais apropriado ao contexto, ou se mediante descuido na cópia, e talvez inconscientemente influenciados pela frase anterior, τὴν ἐντολὴν τοῦ θεοῦ, eles substituíam στήσητε por τηρήσητε. A comissão decidiu que, quanto ao total, a última possibilidade é um tanto mais provável.

Eles honravam a Deus com *falsidade*; seus louvores eram falsos; mostravam falso respeito, pois suas tradições humanas os levavam a ignorar questões importantes. Portanto, a adoração deles era vã, agradando somente a eles mesmos. Naturalmente, as acusações feitas por Jesus foram amargas e cortantes, e devem ter deixado iracundos os espias religiosos vindos de Jerusalém. Jesus, afinal, era pior do que haviam antecipado, pois eles tinham grande respeito por aquelas "lavagens", e as tinham tornado parte importante de sua imaginária santificação. Por certo que o pior vício dos sistemas religiosos é que transformam os preceitos humanos em leis divinas, e não reconhecem a diferença. Então passam a forçar sobre os outros os absurdos por eles mesmos inventados.

7.8: Vós deixais o mandamento de Deus, e vos apegais à tradição dos homens.
7.8 ἀφέντες[6] τὴν ἐντολὴν τοῦ θεοῦ κρατεῖτε τὴν παράδοσιν τῶν ἀνθρώπων.[6]

Nem toda tradição humana é *má* e contradiz necessariamente a *verdade* divina. Um pouco de tradição, até mesmo em organizações religiosas, pode ajudar a dar aos membros certos laços comuns de natureza social e psicológica. As tradições humanas, entretanto, tornam-se prejudiciais quando ocupam o lugar das ordens divinas, ou então, quando se tornam testes obrigatórios de ortodoxia. Jesus contradisse esse tipo de tradição, e, sem dúvida, nem toda e qualquer tradição. Ele conclamou a batalha contra o farisaísmo opressivo. Os mandamentos de Deus são eternos e fora do tempo, mas os preceitos da tradição não podem adquirir, para si mesmos, aquelas características. Jesus repudiou a subtração farisaica da verdade e a sua distorção da mesma. Ele objetou vigorosamente contra a elevação das tradições a uma falsa autoridade, as quais, ao mesmo tempo, repeliam o que é moralmente importante.

"[...] Os mais horrendos e sangrentos capítulos da história ocorrem *quando os* mandamentos de Deus são repelidos em favor das tradições dos homens. As perseguições e matanças, em nome da religião, as crueldades, as cercas de arame farpado da exclusão, as lutas obscenas por causa de trivialidades, tudo faz parte dessa história. Muitos dos conflitos que têm despedaçado o corpo de Cristo não têm mais sentido do que a guerra amarga, satiricamente descrita por Swift na sua obra "Guliver", em que este teria viajado a Lilipute, e onde ocorreu uma guerra entre o partido que cria que o ovo deve ser partido pela extremidade mais grossa e o partido que dizia que deve ser rachado pela extremidade mais fina. E assim, uns e outros lutaram até a morte, arruinando completamente o seu país. Bem poderíamos parafrasear o clamor de Madame Roland: 'Ó liberdade, que crimes são cometidos em teu nome!', a fim de exclamarmos: 'Ó tradição, que crimes têm sido cometidos em teu nome!" (Luccock, *in loc.*).

7.9: Disse-lhes ainda: Bem sabeis rejeitar o mandamento de Deus, para guardardes a vossa tradição.
7.9 Καὶ ἔλεγεν αὐτοῖς, Καλῶς ἀθετεῖτε τὴν ἐντολὴν τοῦ θεοῦ, ἵνα τὴν παράδοσιν ὑμῶν στήσητε[7].

7 **9** {D} στήσητε D W Θ f^1 28 565 it$^{a,b,c,(d),f,ff^2,i,q,r^1}$ syr^{s,p} arm geo Diatessaron^{s,p} Cyprian Zeno Jerome Augustine // τηρήσητε ℵ A K L X Δ Π f^{13} 33 700 892 1009 1010 1071 1079 1195 1216 1230 1241 1242 1253 1344 1365 1546 1646 2148 2174 *Byz Lect* it$^{syr^{mk}}$ vg syr^h cop^{sa,bo} goth eth // πήρητε B l^{15}

Primeiramente, ergueram uma *cerca* em redor da lei, com suas interpretações, fazendo delas teste de ortodoxia. Em segundo lugar, fizeram com que certas de suas interpretações contradissessem ousadamente a mandamentos claros da primeira ordem. As interpretações e as tradições que as preservam devem ter a função de explanar e promover a verdade, e não de obscurecer e diminuir a mesma. Nos versículos que se seguem Jesus mostra como eles obstruíam a verdade, por meio de um exemplo concreto.

"[...] Jeitosamente rejeitais..." Jesus disse isso em pura ironia. Nossa tradução, além de outra, manuseia o termo *Kalos* (bem, em grego) com profundo tom irônico, sendo boa tradução. Eles eram "técnicos" no que faziam; mas o que faziam era desprezível.

7.10: Pois Moisés disse: Honra a teu pai e a tua mãe; e: Quem maldisser ao pai ou à mãe, certamente morrerá.
7.10 Μωϋσῆς γὰρ εἶπεν, Τίμα τὸν πατέρα σου καὶ τὴν μητέρα σου, καί, Ὁ κακολογῶν πατέρα ἢ μητέρα θανάτῳ τελευτάτω·

10 Τίμα...μητέρα σου Êx 20.12; Dt 5.16 (Mc 10.19; Ef 6.2)
Ὁ...τελευτάτω (Êx 21.17 Lv 20.9)

Primeiramente, pelo uso da lei do AT (ver Êx 20.12; 21.17 e Dt 5.16), Jesus lhes apresenta as responsabilidades *"primárias"* da lei. Contudo, com votos "secundários" (como na questão das dádivas para o templo), eles tinham contradito àquelas leis. Ele sabia do que estava falando, pois eles tinham até mesmo inventado meios de eliminar a obrigação para com seus pais, mediante um voto que não passava de um "truque". Assim, não mais honravam a pai e mãe, preferindo deixá-los morrer de fome, se dissessem: "O que eu poderia dar-vos, dou como uma dádiva ao templo". E então faziam seus votos tão ardilosamente que, mais tarde, esses votos poderiam ser por eles quebrados, sem temor de perda ou castigo. E assim conservavam com eles mesmos o que era dolorosamente necessário por parte de seus pais desamparados. Jesus escolheu bem esse exemplo, já que o quinto mandamento era reputado, por muitos rabinos, como o mais importante da lei. No entanto, apesar de ser tão importante, tinham descoberto um modo de desconsiderá-lo; e isso por parte das próprias "tradições". A quebra de muitos dos dez mandamentos, embora tornasse o culpado passível de punição, não importava na pena de morte. Todavia, a quebra do quinto mandamento podia levar um homem à morte. Jesus, pois, acusou-os de seriíssima ofensa, segundo os padrões da própria mentalidade judaica.

7.11: Mas vós dizeis: Se um homem disser a seu pai ou a sua mãe: Aquilo que poderias aproveitar de mim é Corbã, isto é, oferta ao Senhor,
7.11 ὑμεῖς δὲ λέγετε, Ἐὰν εἴπῃ ἄνθρωπος τῷ πατρὶ ἢ τῇ μητρί, Κορβᾶν, ὅ ἐστιν, Δῶρον, ὃ ἐὰν ἐξ ἐμοῦ ὠφεληθῇς,

"Corbã" simplesmente significa "*oferta*"; mas, neste caso, alude a algo dedicado a propósitos religiosos, como o templo. Jesus frisa que eles, com uma piedade fingida, tinham descoberto um meio de desobedecer ao quinto mandamento. Isso é bastante comum. Muitas pessoas acham conveniente ignorar princípios espirituais encastoados em passagens bíblicas claras, mediante algum "caso especial" ou "necessidade pessoal", o que, para eles, transcende a claros ensinamentos espirituais. Essa tradição de "Corbã", proferida sobre uma oferta, era tão forte, que quem fazia esse voto era proibido de usar tal coisa, qualquer que fosse ela, com outras finalidades. No entanto, tinham descoberto um modo de evitar isso, tornando vagos os seus votos, a fim de que pudessem interpretá-los como bem quisessem.

Marcos usa o termo *aramaico*, e então usa a tradução do mesmo, para seus leitores predominantemente gentios. É entristecedor que os homens usem a religião para se dirimir das responsabilidades espirituais, abusando das mesmas e obtendo com isso alguma vantagem. Notemos a prática atual de se persuadirem viúvas que se lembrem da igreja em seus testamentos, ficando assim privadas famílias inteiras de sua herança. Algumas pessoas estão mais interessadas no engrandecimento de uma instituição qualquer do que em obedecerem aos impulsos da consciência, que procura dirigi-las na direção da simpatia humana. É verdade também que algumas vezes o "progresso financeiro" de certas instituições religiosas tem dependido diretamente de prejuízo imposto a pessoas que já são pobres. Quando os homens perdem suas "prioridades espirituais", a própria religião pode tornar-se um meio de promover o mal.

7.12: não mais lhe permitis fazer coisa alguma por seu pai ou por sua mãe,

7.12 οὐκέτι ἀφίετε αὐτὸν οὐδὲν ποιῆσαι τῷ πατρὶ ἢ τῇ μητρί,

A má *intenção* resulta no feito *perverso*. A mãe do indivíduo passa fome, os credores roubam-lhe sua propriedade, o filho retém o dinheiro, enganando tanto sua mãe quanto o templo; e tudo isso é possibilitado por uma tradição humana que fora elevada à posição de verdade divina. Desde o começo, porém, era péssima tradição. Mesmo que aquele filho desse uma dádiva ao templo, devido às circunstâncias, o que poderia ser digno de encômios torna-se um ato vergonhoso. Esse princípio pode ser lato bastante para servir de cautela aos ministros, para que cuidem de seus familiares e não negligenciem aos mesmos devido ao trabalho religioso em que se acham, sacrificando tudo pelo trabalho. Sem dúvida, os ministros deveriam buscar um equilíbrio apropriado em torno da questão. E é óbvio que o "princípio" exarado no texto, mesmo que não seja o problema em foco, muito tem a ver com responsabilidade dos pais para com seus filhos. Pensemos nos missionários que permitem que seus filhos sejam criados por outros, a fim de que não se ocupem com os cuidados de uma família. Apesar de ter algum senso funcional, essa prática está longe de ter "senso espiritual". Não é mal maior negligenciar a própria mãe do que negligenciar um filho ou uma filha. Pois três coisas um pai deve a seus filhos: exemplo, exemplo, exemplo. Como pode um pai dar exemplo a um filho ausente?

7.13: invalidando assim a palavra de Deus pela vossa tradição que vós transmitistes; também muitas outras coisas semelhantes fazeis.

7.13 ἀκυροῦντες τὸν λόγον τοῦ θεοῦ τῇ παραδόσει ὑμῶν ᾗ παρεδώκατε· καὶ παρόμοια τοιαῦτα πολλὰ ποιεῖτε.

13 υμων] *add* τη μωρα **D** it sy^hmg

Jesus faz aqui um contraste entre as práticas humanas errôneas e a milenarmente honrada *Palavra de Deus*. Há quem professe honrar essa Palavra acima de tudo, mas vive repleto de falhas morais perversas, que destroem o sentido espiritual das Escrituras.

"A tradução de Goodspeed sobre essas palavras é muito sugestiva e embaraçosa: 'Anulais o que Deus disse pelo que transmitistes'. Levanta a questão: Qual é vosso ato privativo de anulação? Que porção da Palavra de Deus apagais e deixais sem efeito? Podemos dizer que nunca fizemos tal coisa? Alguns de nós anulam as palavras de Jesus: 'perdoai setenta vezes sete'. Nesse ponto, o '*galileu é grande demais para nossos minúsculos corações*'. Além de inflexíveis e vingativos, achamos que essas palavras são

desconcertantes. 'Invalidais', disse Jesus. 'Tomai a cruz e segui-me' (Mc 8.34). É dificílimo tomar uma cruz. Isso estraga nossa carreira ansiosa, desimpedida através da vida". (Luccock, *in loc.*).

Notemos como Jesus lança as *Escrituras* contra sua interpretação farisaica. Se for honestamente empregado, esse tipo de contraste, além de servir de estudo informativo, poderia melhorar nosso conhecimento e nossas ações, livrando-nos de certos dogmas que se baseiam somente sobre as tradições humanas.

O "etc." de Jesus — muitas outras coisas semelhantes —, no fim deste versículo, envolve a todos nós, e não meramente aqueles fingidos religiosos. O seu "etc." foi uma frase "*retórica redundante* [...] que expressa desprezo". (Bruce, *in loc.*). Essas são as "muitas coisas semelhantes" em que os modernos religiosos se envolvem. Todo aquele que segue os dogmas de qualquer denominação certamente se vê envolvido nessas coisas.

7.14: E chamando a si outra vez a multidão, disse-lhes: Ouvi-me vós todos, e entendei.

7.14 Καὶ προσκαλεσάμενος πάλιν τὸν ὄχλον ἔλεγεν αὐτοῖς, Ἀκούσατέ μου πάντες καὶ σύνετε.

14 ἐλεγεν] λεγει **B**: ειπεν Θ 565 700

Nas narrativas de Marcos, o povo estava sempre *perto*. Sem dúvida as controvérsias, levadas a efeito ao ar livre, atraíam grandes audiências. Isso teria sido naturalíssimo para um mestre oriental, sobretudo na Palestina do século I d.C. Até em terras gregas e romanas, os filósofos pagãos ensinavam nos lugares públicos, com zelo evangelístico. Chamando o povo a si, pois, Jesus elaborou um princípio que ab-rogou a distinção entre puro e impuro, tão importante em certas porções levíticas da lei mosaica, bem como das tradições farisaicas. Historicamente, não sabemos até que ponto levou Jesus esses ensinamentos; mas é certo que ultrapassou *em muito* os rabinos comuns, sem importar quão liberais fossem, e que declarações como as que se acham aqui foram usadas pelos cristãos primitivos contra os legalistas entre os judeus e os cristãos. Jesus estabeleceu clara distinção entre a espiritualidade interna e externa. O coração é muito mais importante que o ventre.

7.15: Nada há fora do homem que, entrando nele, possa contaminá-lo; mas o que sai do homem, isso é o que o contamina.

7.15 οὐδέν ἐστιν ἔξωθεν τοῦ ἀνθρώπου εἰσπορευόμενον εἰς αὐτὸν ὃ δύναται κοινῶσαι αὐτόν· ἀλλὰ τὰ ἐκ τοῦ ἀνθρώπου ἐκπορευόμενά ἐστιν τὰ κοινοῦντα τὸν ἄνθρωπον.[8]

Isso é chamado de *parábola*, no v. 17; mas de fato é uma forma de comparação ou símile. O ato físico de comer, por exemplo, visa a ensinar-nos uma verdade espiritual sobre a religião interna e externa. A preocupação com tipos de alimentos, lavados ou não, comidos com mãos lavadas ou não, na realidade não tem nenhuma importância espiritual. O que nos deve preocupar é a expressão do coração, o que está no íntimo, o que dizemos sobre a razão de estar no íntimo, como confiamos em Deus no espírito, e como o glorificamos na vida. O NT usa a palavra "parábola" em sentido lato. Só ocasionalmente achamos ali uma "parábola" autêntica, segundo a definição moderna, ou seja, uma história para ilustrar uma única verdade central, e da qual os detalhes são apenas adornos. As histórias em que cada detalhe tem algum sentido (como na "parábola do semeador"), na realidade são "alegorias", conforme a terminologia moderna.

7.16 Se alguém tem ouvidos para ouvir, ouça.

[8] {B} *omit verse 16* ℵ B L Δ* 28 *Lect* l^333pt,950pt,1127pt cop^bomss geo¹ // *include verse 16* εἰ τις ἔχει ὦτα ἀκούειν, ἀκουέτω. (*ver 4.9,23*) A D K W X Δ Θ Π ƒ ƒ^13 33 565 700 892 1009 1010 (1071 ὁ ἔχων ὦτα) 1079 1195 1216 1230 1241 1242 1253 1344 1365 1546 1646 2148 2174 *Byz* l^76,185,313,333pt,950pt,1127pt it^a,aur,b,c,d,f,ff²,i,l,n,q,r¹ vg syr^(s,p),h cop^sa,bomss goth arm eth geo² Diatessaron^s,p Augustine

Este versículo, embora presente na maioria dos testemunhos, está ausente nos importantes testemunhos alexandrinos (ℵ B L Δ* al). Parece ser uma glosa escribal (talvez derivada de 4.9 ou 4.23), introduzida como sequência apropriada ao v. 14.

Este versículo não faz parte *autêntica* de Marcos neste ponto. Algum escriba posterior adicionou uma "nota bene" no meio da história. A declaração, porém, saiu com frequência dos lábios de Jesus, e notas completas são dadas a respeito em Apocalipse 2.7, onde há uma lista de suas ocorrências no NT.

7.17 Depois, quando deixou a multidão e entrou em casa, os seus discípulos o interrogaram acerca da parábola.

7.17 Καὶ ὅτε εἰσῆλθεν εἰς οἶκον ἀπὸ τοῦ ὄχλου, ἐπηρώτων αὐτὸν οἱ μαθηταὶ αὐτοῦ τὴν παραβολήν.

17 ἐπηρώτων...παραβολήν Mt 13.36; Mc 4.10; Lc 8.9

Com frequência o que Jesus dizia era *enigmático* para os discípulos, pelo que os vemos a pedir explicações. (Ver Mt 13.26. Quanto a notas sobre o uso do termo parábola aqui, ver Mc 7.15 e Mt 15.11. Quanto a uma nota sobre as "parábolas", ver Mt 13.3. Quanto a uma lista das parábolas do NT e sua localização, ver o artigo introdutório a este comentário, intitulado "O problema sinóptico", em suas últimas páginas. Esse artigo também alista os milagres de Jesus). Nesta "declaração", o "entrando nele" indica a religião "formal" e externa. O que "sai do homem", porém, representa a fé de natureza genuína. O que é cerimonial Jesus categorizou como "externo", mas a expressão espiritual livre, com base na autêntica espiritualidade da alma, ele categorizou como "interna". A preocupação com alimentos, lavagens, dia de guarda etc. só serve para entravar o espírito em sua inquirição por Deus. Sem dúvida, essa é uma das lições que devemos aprender nesta seção. Esta seção exige genuína fé da alma, ou seja, a entrega aos cuidados de Cristo, a comunhão mística com ele, mediante a influência do Espírito, que transcende formalidades e tradições, o que também dá à vida do crente uma genuína expressão piedosa. (Ver notas completas sobre a *fé*, em Hb 11.1, que ilustram esta lição.)

7.18: Respondeu-lhes ele: Assim também vós estais sem entender? Não compreendeis que tudo o que de fora entra no homem não o pode contaminar,

7.18 καὶ λέγει αὐτοῖς, Οὕτως καὶ ὑμεῖς ἀσύνετοί ἐστε; οὐ νοεῖτε ὅτι πᾶν τὸ ἔξωθεν εἰσπορευόμενον εἰς τὸν ἄνθρωπον οὐ δύναται αὐτὸν κοινῶσαι,ᶜ

ᶜᶜ **18,19** (*ver nota d*) *c* minor, *c* question: WH Bov RV ASV RSV NEB TT (Jer) // *c* question, *c* none: TR // *c* question, *c* major: Zür Luth Seg // *c* minor, *c* minor: Nes BF AV 18 ou 1º] ουπω fɨ *700 al*

(Cf. a repreensão de Jesus, neste versículo, com Mc 6.52.) Marcos frisa a *lentidão* com que aprendiam os discípulos especiais, apesar de suas muitas vantagens. Os líderes religiosos, cheios de preconceitos, podiam ser desculpados por serem ignorantes, pois tinham muita *bagagem* que os entravava na sua busca espiritual. O povo comum tinha muitas desculpas e até mesmo razões para não entender. Aqueles que tinham estado com Jesus por tanto tempo, entretanto, não tinham justificação para seu "retardamento espiritual". Neste caso, Mateus repete a repreensão que figura em Marcos 15.16, além de adornar o relato um pouquinho, ao passo que antes ele incisivamente modificara a repreensão, de algo negativo para algo positivo (ver Mt 14.33, em contraste com Mc 6.52).

"As declarações de Jesus deixaram-nos *perplexos*, não só por causa da sua forma compacta, mas também devido à sua intrínseca espiritualidade. Eles haviam sido treinados no judaísmo, onde a distinção entre puro e impuro é parte inseparável, e não podiam compreender uma declaração que ab-rogasse a mesma". (Gould, *in loc.*).

7.19: porque não lhe entra no coração, mas no ventre, e é lançado fora? Assim declarou puros todos os alimentos.

7.19 ὅτι οὐκ εἰσπορεύεται αὐτοῦ εἰς τὴν καρδίαν ἀλλ' εἰς τὴν κοιλίαν, καὶ εἰς τὸν ἀφεδρῶνα ἐκπορεύεται;ᶜ ᶦ⁻ᶜ

19 αφεδρωνα] οχετον D

⁹ **19** {A} καθαρίζων ℵ A B L W X Δ Θ *f*ɨ *f*¹³ 28 565 892 1009 1071 1216 1241 1242 1253 1546 1646 *Byz*ᵖᵗ *l*⁴⁹,¹⁸⁴,²¹¹,²⁹⁹,⁸⁸³,⁹⁵⁰ syrᵖ,ʰ copˢᵃ,ᵇᵒ eth Origen Gregory-Nyssa Chrysostom // καθαρίζον Κ Π 33 700 1010 1079 1195 1230 1344 1365 2148 2174 *Byz*ᵖᵗ *Lect* Diatessaronᵃ // καθαρίζων *or* καθαρίζον itᵃ,ᵃᵘʳ,ᵇ,ᶜ,ᵈ,ff²,l,n,q vg // καὶ καθαρίζεται (1047 omit καί) syrˢ // καθαρίζων τε *l*⁷⁰ // καὶ καθαρίζει (D *l*¹⁸⁵ omit καί) itⁱ,ʳ¹ (goth *omit* καί) arm geo

ᵈᵈ **19** (*ver nota c*) *d* dash, *d* major: WH Bov Zür // *d* none, *d* major: (TR) RV ASV NEB TT Luth Seg // *d* none, *d* question: Nes BF² AV // *d* parens, *d* parens: RSV Jer

O peso esmagador da evidência dos manuscritos apoia a forma καθαρίζων. A dificuldade de construir essa palavra dentro da sentença (1) impulsionou copistas a tentarem várias correções e melhorias.

1. Muitos eruditos modernos, seguindo a interpretação sugerida por Orígenes e Crisóstomo, consideram καθαρίζων como gramaticalmente vinculada a λέγει no v. 18, e pensam que a mesma é um comentário do evangelista sobre o que está implícito nas palavras de Jesus, acerca das leis dietéticas dos judeus.

Esta declaração reveste-se de *fortíssimo* tom cristão. (Cf. Rm 14.2ss, 14ss: 1Co 6.13; Cl 2.16; 1Tm 4.3; e Hb 13.9.) Assim, alguns eruditos supõem que a "declaração" não é realmente de Jesus, mas foi posta em sua boca pela igreja. Porventura Jesus teria ido ao ponto de ab-rogar virtualmente as leis levíticas no tocante a alimentos puros e impuros, além de coisas similares? Pelo contexto geral, concluímos que assim foi, e isso mostra quão revolucionária era realmente a sua doutrina. Não havia como os odres velhos do judaísmo pudessem conter esse vinho novo. A igreja cristã, como uma organização separada, com doutrinas distintivas, foi o resultado inevitável. Cerimonialmente falando, Jesus removeu a distinção entre alimentos próprios e impróprios. Não obstante a tradução inglesa que fala em expurgar os alimentos, alguns têm pensado que Jesus limpou o sistema digestivo humano, o qual, depois de usar o que é bom, lança fora os resíduos. Apesar de possível, essa ideia é menos provável. E há outras sugestões. Não há modo absolutamente certo de solucionar o problema, pelo que seu sentido deve permanecer incerto. Entretanto, o quadro maior é bem claro. Jesus deu muito menos importância que os mestres rabínicos comuns a coisas como alimentos puros e impuros; e assim ele advogava a abolição de "leis alimentares" e todas as "bagagens" similares. Nesse caso, foi natural que, posteriormente, o cristianismo tivesse adotado esse ponto de vista mais liberal; e essas atitudes culminaram na abordagem de Paulo, em seu "sistema de graça".

7.20: E prosseguiu: O que sai do homem, isso é que o contamina.

7.20 Ἔλεγεν δὲ ὅτι Τὸ ἐκ τοῦ ἀνθρώπου ἐκπορευόμενον ἐκεῖνο κοινοῖ τὸν ἄνθρωπον·

O *íntimo* é que dá origem ao mal. O interior do homem pode estar puro ou contaminado, tornando-se assim as fontes da vida. Segundo diz um comentador, existe a "química terrível do coração mau". Os versículos seguintes, pois, trazem uma lista espantosa de vícios, que são venenos que arruínam a vida. Os filósofos helenistas usavam listas de vícios para ensinar lições morais, mais ou menos como, hoje, são ensinados os Dez Mandamentos na Escola Dominical. O NT adotou essa prática, o que pode ser encontrado em 1Coríntios 5.13. (Ver também Gl 5.19,21, onde a maior parte dos itens desta lista é citada.)

836 |Marcos| NTI

7.21: Pois é do interior, do coração dos homens, que procedem os maus pensamentos, as prostituições, os furtos, os homicídios, os adultérios,

7.21 ἔσωθεν γὰρ ἐκ τῆς καρδίας τῶν ἀνθρώπων οἱ διαλογισμοὶ οἱ κακοὶ ἐκπορεύονται, πορνεῖαι, κλοπαί, φόνοι,

21,22 οἱ διαλογισμοί...ἀφροσύνη Rm 1.29-31; 1Co 5.11; 6.9,10; Gl 5.19-21; Ef 5.3,4; Cl 3.5; 1Tm 1.9,10; 2Tm 3.2-4; 1Pe 4.3; Ap 21.8; 22.15
21,22 πορνεῖαι...δόλος] πορνεια κλεμματα μοιχειαι φονος πλεονεξια δολος πονηρια **D**

7.22: a cobiça, as maldades, o dolo, a libertinagem, a inveja, a blasfêmia, a soberba, a insensatez;

7.22 μοιχεῖαι, πλεονεξίαι, πονηρίαι, δόλος, ἀσέλγεια, ὀφθαλμὸς πονηρός, βλασφημία, ὑπερηφανία, ἀφροσύνη·

22 βλασφημια υπερηφανια] -ιαι -ιαι **D**

Marcos 7.21,22. Estes versículos e os vícios neles mencionados são incorporados aos comentários sobre Mateus 15.18,19. Mateus abrevia a lista de Marcos e adiciona o "falso testemunho". (Cf. a lista de vícios em Gl 5.22,23, onde há muitos paralelos e onde são dadas notas mais completas.) Aquela lista envolve adultério e fornicação (todas as formas de imoralidades), e adiciona mais dois vícios de natureza sexual, pois, sem dúvida, esse é o vício mais comum praticado pelos homens. O assassínio também faz parte da lista em Gálatas, havendo outros paralelos. As listas de vícios judaico-cristãs duplicam as listas feitas pelos filósofos; mas adicionam algumas objeções típicas. De modo geral, porém, os homens reconhecem o que é o pecado. E o testemunho do Espírito garante isso.

7.23: todas estas más coisas procedem de dentro e contaminam o homem.

7.23 πάντα ταῦτα τὰ πονηρὰ ἔσωθεν ἐκπορεύεται καὶ κοινοῖ τὸν ἄνθρωπον.

A lei moral, não as leis cerimoniais, ataca a iniquidade autêntica. Paulo ensinou isso. O judaísmo antigo não estabelecia *distinção* entre as leis morais e as leis cerimoniais, pois muitas das cerimônias estavam repletas de importante conteúdo moral, no tocante aos judeus. Apesar disso, a teologia cristã tem feito bem em fazer diferença entre umas e outras. Cerimônias e ritos podem ser úteis, como uma espécie de receptáculo para a fé, como modo de expressão, sobretudo na adoração pública. Nunca, porém, devem ser postas no lugar da santificação e da realização espiritual. Cremos que Jesus ensinou essa verdade. Não é que a igreja tenha aceitado a ideia sob a influência de Paulo. Os versículos anteriores mostram que Jesus ensinou isso também. Faríamos bem em examinar a lista. Somos culpados de algumas das coisas dessa lista. Não assassinamos, mas temos inveja, o que é uma forma de homicídio, pois imaginamos assassínio em nosso coração, mediante o ódio. O que Jesus disse, pois, é agora lugar comum; mas que originalidade teve isso no antigo contexto judaico! Não se pode duvidar do fato de que o judaísmo normal, nos dias de Jesus, jamais poderia ter aceitado a doutrina de Jesus sobre as leis cerimoniais. Podemos ver aqui, claramente, por que eles o odiaram tão profundamente.

7.24-30 — *A mulher siro-fenícia.* (Quanto às notas expositivas sobre esta seção, ver Mt 15.21-28.)

7.24: Levantando-se dali,l foi para as regiões de Tiro e Sidom. E entrando numa casa, não queria que ninguém o soubesse, mas não pôde ocultar-se;

7.24 Ἐκεῖθεν δὲ ἀναστὰς ἀπῆλθεν εἰς τὰ ὅρια Τύρου[10]. καὶ εἰσελθὼν εἰς οἰκίαν οὐδένα ἤθελεν γνῶναι, καὶ οὐκ ἠδυνήθη λαθεῖν·

[10] 24 {A} Τύρου **D** L W Δ Θ 28 565 it^(a,b,d,ff²,l,n,r¹) syr^(s,pal) Origen Ambrosiaster // Τύρου καὶ Σιδῶνος (*ver* Mt 15.21) ℵ A B K X Π ƒ¹ ƒ¹³ 33 700 892 1009 1010 1071 1079 1195 1216 1230 1241 1242 1253 1344 1365 1546 1646 2148 2174 *Byz Lect* it^(aur,c,f,l,q) vg syr^(p,h) cop^(sa,bo) goth arm eth geo Diatessaron^(s,p)

As palavras καὶ Σιδῶνος parecem ser uma assimilação a Mateus 15.21 e Marcos 7.31. Se estivessem presentes no original, não haveria razão para ter sido apagadas. Os testemunhos em apoio à forma mais breve incluem representantes dos tipos de texto ocidental e cesareano.

Vários eruditos pensam que esta seção mostra, *conclusivamente*, que Jesus tinha atitude estrita e não queria levar seu ministério de curas e exorcismos a territórios gentílicos. Mateus 10.5,23b são versículos frisados com o mesmo sentido. Outros têm suposto que isso não diz respeito à vida de Jesus, mas à vida de algum exorcista judeu-cristão. Tudo isso, entretanto, é evitar enfrentar a questão. Não se pode duvidar de que Jesus limitou seu ministério quase inteiramente a territórios judaicos. Isso não significa que *nenhuma visão* gentílica figurava em seus planos, por intermédio de seus discípulos. Se Jesus tivesse tido mente estreita ou fixa no "exclusivismo", é bem provável que os primeiros cristãos judeus nunca tivessem simpatizado com a missão gentílica, e que vários tivessem documentado sua posição citando Jesus. A ausência dessa atitude e dessas citações quase certamente mostra que, apesar de Jesus não ter tido como prática visitar os territórios gentílicos, em princípio, ele não era contra isso. Cremos que até em sua humanidade (para nada dizer sobre sua divindade) ele teria tido conhecimento prévio acerca da missão entre os gentios. Assim é que a Grande Comissão (ver Mt 28.19ss) subentende isso, pois o evangelho foi enviado ao mundo todo. Podemos apenas supor que a relutância de Jesus em trabalhar em territórios gentílicos deveu-se ao desdobramento gradual do plano evangelístico divino, e não a qualquer atitude fixa no próprio Jesus. O fato de ele ter estado entre samaritanos e ter usado a ilustração de um samaritano em uma parábola, sob luz favorável (ver Lc 10 e Jo 4), mostra que ele não tinha "preconceito racial".

Por mais que tentasse, Jesus não se podia *ocultar*. Quantos sermões têm sido feitos com base nesse texto! Jesus queria descansar; queria evitar os espiões enviados de Jerusalém e as perturbações. No entanto, a necessidade dos homens continuava a clamar, e sua fama o seguia por toda a parte. Até hoje, nada o pode ocultar. Até mesmo igrejas locais, inconscientemente, têm tentado fazer isso; tem sido sepultado sob muitos dogmas, separatismo e ódio eclesiástico. Contudo, de algum modo alguém sempre o encontra de novo, e se repete a Maravilhosa História. Ele anda novamente pelas ruas, e seu encanto atrai inimigos e repele inimigos. Todavia, em caso nenhum pode ele ser ignorado. Ele continua presente em meio às mudanças do tempo. Ele nunca se torna obsoleto, em meio a este mundo revolucionário. Períodos de calamidade tornam ainda mais urgentes sua presença e seu ensinamento. Jesus foi ocultar-se na região de Tiro, mas logo foi descoberto. E assim será sempre.

Jesus não foi a Tiro em viagem missionária. *Isso é claro.* Ele foi descansar, para estar a sós com seus discípulos, evitando agitações, ao perceber que a tempestade se avizinhava. Bastou, porém, sua presença para transformar a viagem em uma viagem missionária.

"Tiro e Sidom pertenciam à siro-fenícia, uma faixa de território às margens do Mediterrâneo, notória por sua antiguidade, riquezas e civilização, e que permanecera praticamente independente de governo judaico, grego ou assírio, embora súditos de Roma desde os dias de Augusto" (Gould, *in loc.*).

7.25: porque logo, certa mulher, cuja filha estava possessa de um espírito imundo, ouvindo falar dele, veio e prostrou-se-lhe aos pés;

7.25 ἀλλ' εὐθὺς ἀκούσασα γυνὴ περὶ αὐτοῦ, ἧς εἶχεν τὸ θυγάτριον αὐτῆς πνεῦμα ἀκάθαρτον, ἐλθοῦσα προσέπεσεν πρὸς τοὺς πόδας αὐτοῦ·

25 ης...ακαθ.] η ειχεν θυγ. εν πν-τι ακ-ρτω (p⁴⁵) 28 (**W** f13) | ελθουσα εισελθε-ℵ 700 pc bo

O NT por toda a parte confirma a *realidade* dos demônios e da possessão demoníaca. (Ver notas sobre "possessão", em Mt 8.28; sobre "demônios", em Mc 5.2; e sobre o "exorcismo", em Mt 12.27.) Os espíritos malignos fazem uma pessoa parecer insana. O exorcismo abole esses sintomas imediatamente. A verdadeira loucura, porém, não pode ser curada fácil e prontamente. Nem devemos supor que as pessoas desejam passar por sintomas temporários, livrando-se deles por ordem do exorcista. A experiência mostra como é tola essa teoria.

Pode haver uma *polêmica intencional* neste relato. Era uma mulher, a qual, segundo a opinião judaica, estava reduzida a nada, pois os rabinos chegavam a debater sobre as mulheres terem ou não terem alma. Se um escravo ou um menino podia ler a lei nas sinagogas, isso não era permitido nem a uma judia adulta. Tanto a ciência quanto a religião têm tornado obsoletas essas noções ridículas. Como classe, as mulheres tendem por ser mais espirituais que os homens e menos presas a várias fraquezas humanas. Esta mulher, porém, além de ser do sexo feminino, era gentia. Além disso, sua filha estava endemoninhada, o que recomenda pouquíssimo àquela mulher como mãe, que deveria saber como proteger a filha das más influências. Nenhum rabino que *respeitasse* a si mesmo teria querido qualquer contacto com ela. Jesus, porém, concedeu-lhe a resposta ao pedido, embora seja uma história estranha que levou a um final feliz. Nas mãos da igreja primitiva, essa história provavelmente serviu para ilustrar a universalidade da mensagem cristã e de sua aplicação; e sem dúvida era favorita entre os que defendiam a missão gentílica.

7.26: (ora, a mulher era grega, de origem siro-fenícia) e rogava-lhe que expulsasse de sua filha o demônio.

7.26 ἡ δὲ γυνὴ ἦν Ἑλληνίς, Συροφοινίκισσα τῷ γένει· καὶ ἠρώτα αὐτὸν ἵνα τὸ δαιμόνιον ἐκβάλῃ ἐκ τῆς θυγατρὸς αὐτῆς.

26 Συροφ.] Θοινισσα **D** *i*

A chamada literatura "clementina" dá a essa mulher o nome de *Justa*, e sua filha se chamaria Berenice. O hábito das tradições é atribuir nomes às pessoas, para tornar mais concreto o que é indefinido. Não podemos, porém, confiar nessas tradições, apesar de elas serem interessantes. Quaisquer que tenham sido os defeitos daquela mãe, não se pode duvidar do amor que tinha por sua filha. Por que outra razão ela se teria mostrado tão insistente? (Ver notas sobre o "amor", em Gl 5.22.) Essa é a rainha das motivações, o guia dos dons espirituais, a fragrância de toda a existência humana. Todas as virtudes no amor acham seu colo, e nenhum poder ou habilidade significa qualquer coisa sem o amor. (A nota mencionada traz poemas ilustrativos. Ver também a inteireza de 1Coríntios 13 e os poemas ali expostos, junto com muitas excelentes citações sobre o "amor".) Ora, além da qualidade do amor, a mulher tinha fé, pois confiou no poder de Cristo para realizar aquilo que ela desejava. Nenhum desencorajamento ou argumento pôde alterar o curso de sua ação.

A mulher apresentou sua filha a Cristo. Essa é a aplicação *central* do relato. Todas as crianças precisam dele; mas nem todos os pais as trazem a ele. Notemos a insistência da mulher. Como é terrível que até mesmo pais crentes não sejam tão insistentes ao apresentarem seus filhos a Cristo! Quantos lares cristãos têm o "altar da família"? Quantos pais crentes buscam influenciar seus filhos pela força do exemplo? Entretanto, quantos realmente afastam seus filhos de Cristo, pelo mau exemplo e falta de entusiasmo pelas realidades espirituais? Esses pais terão de pagar conta elevada por essa negligência. A mulher desta história, no entanto, amava sua filha e não desistiu. Quanto profundo é nosso amor por nossos filhos? Se negligenciamos o desenvolvimento espiritual deles, certamente nosso amor por eles não é muito profundo.

Todos nascemos para o amor... É o princípio da existência e sua única finalidade.

(Benjamim Disraeli)

7.27: Respondeu-lhe Jesus: Deixa que primeiro se fartem os filhos; porque não é bom tomar o pão dos filhos e lançá-lo aos cachorrinhos.

7.27 καὶ ἔλεγεν αὐτῇ, Ἄφες πρῶτον χορτασθῆναι τὰ τέκνα, οὐ γὰρ ἐστιν καλὸν λαβεῖν τὸν ἄρτον τῶν τέκνων καὶ τοῖς κυναρίοις βαλεῖν.

Presume-se que essa conversa entre Jesus e a mulher tenha sido cheia de brincadeiras, embora a questão fosse seriíssima, a saber, o bem-estar da filha da mulher. "Esses diálogos brincalhões não são desconhecidos nas tradições judaicas antigas; além disso, é uma das características encantadoras de muitas narrativas dos antigos rabinos. Se podemos ver essas brincadeiras aqui, em uma obra séria como é o evangelho de Marcos, é duvidoso". (Grant, *in loc.*).

7.28: Ela, porém, replicou, e disse-lhe: Sim, Senhor; mas também os cachorrinhos debaixo da mesa comem das migalhas dos filhos.

7.28 ἡ δὲ ἀπεκρίθη καὶ λέγει αὐτῷ, Κύριε[11], καὶ τὰ κυνάρια ὑποκάτω τῆς τραπέζης ἐσθίουσιν ἀπὸ τῶν ψιχίων τῶν παιδίων.

[11] **28** {B} κύριε *p*[45] D W Θ *f*[13] 565 700 *l*[85,299] it[b,c,d,ff2,l,r1] syr[s] arm geo[2] // ναί, κύριε (*ver* Mt 15.27) ℵ A B K L X Δ Π *f*[1] 28 33 892 1009 1010 1071 1079 1195 1216 1230 1241 1242 1253 1344 1365 1546 1646 2148 2174 *Byz Lect* it[a,aur,f,l,n,q] vg syr[p,h,pal] cop[sa,bo] goth geo[1]

Considerações similares se aplicam na avaliação da evidência em prol dessa variante, como aqueles mencionados na discussão sobre o v. 24. Aparentemente, a palavra ναί (que ocorre por 8 vezes em Mateus, 4 vezes em Lucas e nenhuma outra vez em Marcos) foi introduzida com base no texto paralelo de Mateus 15.27.

Jesus respeitou a *espirituosidade* e a inteligência da mulher. A resposta que ele deu foi essencialmente determinada por seu amor e pela fé da mulher. Contudo, um pouco de *espirituosidade* e inteligência, na igreja e no trabalho cristão, é algo muito necessário. Não basta ter "coração de ouro", se a cabeça está "cheia de penas", conforme alguém já observou. Temos contribuído com ouro e prata para a causa de Cristo. Quanto de nossa *espirituosidade* e inteligência tem sido investido nessa causa? Usamos esses recursos somente para nosso bem-estar? Aquela mulher chamou de "Senhor" e apresentou-lhe sua filha. O crente verdadeiro é aquele que tem a Jesus como seu Senhor (ver Cl 2.18).

O texto ensina que há um lugar para os *cães* (pessoas desprezadas) no reino de Deus. Sem dúvida, esse fato foi usado polemicamente pelos primeiros missionários cristãos, em prol da missão gentílica. A fé aferra-se à convicção de que Jesus simpatiza com as necessidades humanas. Essa fé nunca foi desapontada. A simpatia de Jesus envolve o mundo inteiro, e, finalmente, lhe trará bem completo (ver Jo 12.32 e Ef 1).

7.29: Então ele lhe disse: Por essa palavra, vai; o demônio já saiu de tua filha.

7.29 καὶ εἶπεν αὐτῇ, Διὰ τοῦτον τὸν λόγον ὕπαγε, ἐξελήλυθεν ἐκ τῆς θυγατρός σου τὸ δαιμόνιον.

Oh, a *imensidade* do poder de Cristo! Ele expeliu o demônio à distância, mesmo sem nenhuma ordem direta ao espírito maligno. Cremos, pois, que não há problema que Jesus não possa solucionar. A terra não tem tristeza que ele não possa curar, e os céus estão conosco agora mesmo, na presença do Espírito Santo, o "alter ego" de Jesus, o que significa que todos os males podem ser solucionados.

7.30: E, voltando ela para casa, achou a menina deitada sobre a cama, e que o demônio já havia saído.

7.30 καὶ ἀπελθοῦσα εἰς τὸν οἶκον αὐτῆς εὗρεν τὸ παιδίον βεβλημένον ἐπὶ τὴν κλίνην καὶ τὸ δαιμόνιον ἐξεληλυθός.

30 το παιδ. βεβλ.] την θυγατερα β-νην **D** f[1] f[13] (Θ): trsp *p*[45] **AW** 28 pm ς

838 |Marcos| NTI

É *característica* do exorcismo que a pessoa liberta de um demônio é convulsionada ou derrubada por terra. A menina jazia no leito, pois a experiência da libertação não fora fácil. Nunca é fácil livrar nossa alma de poderes malignos e entravadores. Aquele que vence só o faz mediante grande agonia; não nos devemos enganar quanto a isso. Nada há de fácil na vitória em Cristo. A grande realidade, porém, é que isso é possível, e que há suficiente graça divina para dar vitória aos que a buscam. A nós cumpre buscar com zelo, desenvolver e exercer fé autêntica, fazendo o esforço determinado de fazer Cristo tornar-se Senhor de tudo em nossa vida. (Ver Mc 1.26 e 9.26, sobre como os demônios só deixam a pessoa após um tapa final.). As convulsões provavelmente se devem à separação de energias espirituais e físicas. De algum modo, o ser espiritual do demônio misturou-se com o ser físico e espiritual de sua vítima. É preciso algum rasgão para separar esse ser do indivíduo, e isso deixa a pessoa exausta.

> 7.31-37 — *Cura do surdo-mudo.* Dentre os 40 milagres (mais ou menos) que os evangelhos registram como ocorridos durante o ministério de Jesus, somente *dois* são peculiares a este evangelho de Marcos. Um deles é o que aqui encontramos, e o outro é a cura do cego de Betsaida, relatado em Marcos 8.22-26. Na realidade, porém, esta passagem (Marcos 7.31-37) tem um paralelo, porquanto o texto de Mateus 15.29-31 faz uma condensação do material de Marcos, e o converte em uma espécie de sumário sobre as muitas curas efetuadas pelo Senhor Jesus; e, ao fazer isso, Mateus também ignora as anotações topográficas feitas por Marcos.
>
> Marcos situa o milagre como algo ocorrido em conexão com os acontecimentos anteriores (deste capítulo), como se tivesse acontecido ao *término* da viagem de Jesus através da Fenícia, tendo cruzado Decápolis, quando de sua volta para a margem oriental do mar de Galileia (Gaulonites). O que muito se destaca, como novidade na narrativa deste milagre, é a menção do fato de Jesus ter feito uso de saliva. Esse era um medicamento antigo, especialmente para os olhos (mas usado aqui com a língua). Naturalmente que, nas formas mágicas, era também empregada a saliva, conforme mostra Plínio, em sua *História Natural* XXVIII.7, conforme diz Tácito, em suas *Histórias* IV.81. O texto de Marcos 8.23 registra também o uso da saliva no caso da cura de cegueira (ver também o texto de Jo 9.1-7). O uso de ordens diretas era método mais característico do Senhor Jesus; mas parece certo, pelas instâncias mencionadas aqui, que ocasionalmente ele também deve ter lançado mão de outros métodos, sem a menor dúvida designados a criar fé por parte das pessoas a serem curadas, mas sem dúvida não como parte de noções supersticiosas sobre supostas propriedades mágicas da saliva.
>
> Diversos elementos combinavam-se nos diversos milagres efetuados pelo Senhor Jesus: a fé denotada por *Jesus*, a fé encontrada no *paciente* (algumas vezes ajudada por alguma aplicação externa de lama, saliva etc.); porém, o elemento mais importante de todos era o poder que Jesus realmente tinha para curar, o que provavelmente era alguma forma poderosa de energia que emanava dele. As pesquisas realizadas nos casos de cura miraculosa, nos tempos modernos, têm demonstrado que essa energia pode afetar tanto as plantas como os animais, os quais dificilmente podem exercer fé. O espírito de fé parece facilitar a liberação desse poder misterioso; mas nem sempre se torna isso necessário. (Quanto à natureza e aos propósitos das curas efetuadas por Jesus, ver as seguintes notas: Mt 8.27; 14.13-21; 14.25-33; 17.9. Quanto à fé necessária para a cura, ver o texto de Mt 9.28. Quanto à imposição de mãos, na cura, ver a passagem de Mt 8.3. E quanto às curas, especificamente, ver Mt 3.13; 7.21-23; 8.3; e Lc 18.22-25.)
>
> A fonte originária desta narrativa foi uma história contada por *Pedro* (ou seja, as memórias de Pedro), ou então alguma tradição pertencente às muitas histórias correntes na comunidade cristã de

> Roma. (Quanto às fontes informativas deste evangelho de Marcos, ver a introdução ao mesmo.)

7.31: Tendo Jesus partido das regiões de Tiro, foi por Sidom até o mar da Galileia, passando pelas regiões de Decápolis.

7.31 Καὶ πάλιν ἐξελθὼν ἐκ τῶν ὁρίων Τύρου ἦλθεν διὰ Σιδῶνος[12] εἰς τὴν θάλασσαν τῆς Γαλιλαίας ἀνὰ μέσον τῶν ὁρίων Δεκαπόλεως.

[12] **31 {A}** ἦλθεν διὰ Σιδῶνος ℵ B D L Δ Θ 33 565 700 892 it^{a,aur,b,c,d,ff2,l,n,r1} vg syr^{pal} cop^{samss,bo} eth // καὶ Σιδῶνος ἦλθεν p^{45} A K W X Π 0131 *f* *f*3 28 1009 1010 1071 1079 1195 1216 1230 1241 1242 1253 1344 1365 1546 1646 2148 2174 *Byz Lect* it^q syr^{p,h} cop^{sa} goth arm geo Diatessaron^{a,p}

> Segundo a forma apoiada pelos melhores representantes dos textos alexandrino e ocidental, bem como pelo digno testemunho cesareano, Jesus fez uma rota em circuito, passando ao norte, deste Tiro, através de Sidom, e dali para o suleste, atravessando o Leontes, continuando para o sul até passar além de Cesareia de Filipo, a leste do rio Jordão, e assim aproximou-se do lago da Galileia, em sua margem oriental, dentro do território de Decápolis.
>
> A forma καὶ Σιδῶνος ἦλθεν é uma modificação introduzida por copistas, ou acidentalmente (influenciados pela expressão familiar, *"Tiro e Sidom"*), ou deliberadamente (porque o itinerário de Jesus parece ser extraordinariamente longo).

(Quanto a notas sobre *Tiro e Sidom*, ver o texto de At 21.3; quanto ao mar da Galileia, ver Jo 6.1 e Mt 4.13; quanto à região de Decápolis, ver Mt 4.25.) O que existe de estranho nesta narrativa é o fato de que a cidade de Tiro ficava a grande distância do mar da Galileia — cerca de 65 quilômetros — mesmo em linha reta; e muito mais ainda, se o viajante seguisse as linhas tortuosas e ordinárias de comunicação. A região de Decápolis ficava a suleste do lago ou mar da Galileia. Jesus deve ter exercido alguma forma de ministério naquelas regiões, em território gentílico; e agora regressava outra vez à Galileia.

7.32: E trouxeram-lhe um surdo, que falava dificilmente; e rogaram-lhe que pusesse a mão sobre ele.

7.32 καὶ φέρουσιν αὐτῷ κωφὸν καὶ μογιλάλον, καὶ παρακαλοῦσιν αὐτὸν ἵνα ἐπιθῇ αὐτῷ τὴν χεῖρα.

32 παρακαλοῦσιν...χεῖρα Mt 9.18; Mc 5.23; 8.23,25; Lc 4.40; 13.13; At 9.12,17; 28.8   32 καὶ 2°] *om* p^{45} A fr f13 pl sy co ς

"[...] lhe trouxeram um surdo e gago..." A palavra aqui usada para traduzir "gago", usualmente significa "quem fala com dificuldade"; mas, neste caso, o sentido pode ser absoluto, isto é, o homem não podia falar de maneira nenhuma. Seja como for, uma vez que ele não podia ouvir, e talvez por causa de algum outro defeito físico, se ele chegava a falar, certamente o fazia de maneira incompreensível. Essa mesma palavra é usada no texto de Isaías 35.6, na LXX, como tradução do vocábulo hebraico que significa "mudo", e isso serve de ilustração sobre o seu possível sentido ou sentidos. As indicações são de que era necessário um autêntico milagre físico, porquanto esse tipo de condição mui dificilmente se poderia atribuir a alguma causa psicológica.

7.33: Jesus, pois, tirou-o de entre a multidão, à parte, meteu-lhe os dedos nos ouvidos e, cuspindo, tocou-lhe na língua;

7.33 καὶ ἀπολαβόμενος αὐτὸν ἀπὸ τοῦ ὄχλου κατ' ἰδίαν ἔβαλεν τοὺς δακτύλους αὐτοῦ εἰς τὰ ὦτα αὐτοῦ καὶ πτύσας ἥψατο τῆς γλώσσης αὐτοῦ,

33 Mc 8.23

33 ἔβαλεν...γλωσσης αυτου] επρυσεν εις τ. δ. αυτου και εβ. εις τα ωτα του πρυσας εβ. τ. δ. αυτ... και ηψατο της γλ. αυτου D(Θ): κωφου και ηψατο της γλωσσης του μογιλαλου **0131**: εβ. (ενεβ. p^{45}) τ. δ. α. και πρυσας εις τα ωτα αυτ. ηψ. τ. γλ. αυτ. p^{45} **W** (f13) 28 sy^s

"**[...] tirando-o da multidão...**" Em outro caso, o Senhor Jesus tirou um indivíduo do meio da multidão (um caso de cegueira), segundo está registrado em Marcos 8.23. Devemos também estar lembrados do caso da ressurreição da filha de Jairo, quando o Senhor, ao entrar na casa, só permitiu a presença de Pedro, de Tiago, de João e dos pais da mocinha, e expulsou todas as carpideiras e os que faziam lamentação. Essa ação, que deve ter sido repetida em muitos milagres, sem dúvida reveste-se de grande significação. É bem provável que Jesus sentisse o empecilho da comoção e da indisciplina das multidões, para nada dizermos acerca das atitudes mentais negativas que muitos tinham para com ele, lançando no descrédito os seus milagres. Mais fácil e plenamente, o Senhor podia liberar os seus poderes na quietude de circunstâncias mais favoráveis, especialmente com pessoas simpáticas ao seu derredor. Por conseguinte, essas ações serviam para preparar o caminho para a liberação do poder necessário para efetuar milagres difíceis, conforme deve ter sido a cura deste surdo e gago.

É possível também que, ao retirar do meio do burburinho popular as pessoas que estavam prestes a curar, Jesus estivesse demonstrando simplesmente que não tinha nenhum interesse em ser aclamado pelas multidões, porquanto jamais demonstrou uma atitude de ostentação. Por isso, devemos compreender que simplesmente lhe era agradável realizar as suas maravilhas em circunstâncias particulares, sempre que isso era possível. (Outras razões têm sido sugeridas sobre o motivo pelo qual ele separou o homem do meio da multidão: para que não alimentasse noções supersticiosas (segundo *Reinhard*); para que ele pudesse estabelecer uma relação sem perturbações, entre ele mesmo e o homem a ser curado (segundo *Meyer*); a fim de que ele não provocasse ainda mais ódio contra si mesmo, já que não se encontrava em terras exclusivamente judaicas, e que os judeus talvez se sentissem ofendidos por causa disso (segundo *Lange*).

Jesus pôs os seus dedos nos ouvidos do homem e tocou em sua língua com saliva. O v. 32 mostra que o homem fora trazido à presença de Jesus, na esperança de que este lhe *impusesse as mãos*. Pelas pesquisas feitas no terreno das curas miraculosas, tem-se verificado que algumas pessoas realmente transferem certa forma de energia (por enquanto ainda desconhecida e indefinível), mediante a imposição de mãos, e que a confiança não é o único fator dessas curas. Algum contato físico parece servir de auxílio nessa transferência de energia, embora não seja elemento necessário em todos os casos, porquanto essa energia pode ser enviada por meio de grandes distâncias, pois a cura de enfermos ausentes também é possível. De forma nenhuma, isso nega o papel desempenhado por Deus nessas curas, mas tão somente serve de tentativa de definição do meio *físico* dessas curas. O que parece inegável é que elas envolvem alguma modalidade de energia, talvez energia não diferente daquela que constitui a própria vida. A passagem de Marcos 5.30 confirma esse ponto de vista sobre a transferência do poder que cura, ao dizer, acerca da mulher que foi curada de seu fluxo hemorrágico, que ela tocou na fímbria das vestes do Senhor: "[...] Jesus, reconhecendo [...] que dele *saíra poder*..."

Sim, em sua *verdadeira humanidade*, na qualidade de homem representativo, Jesus estava cheio desse poder, e sempre o empregou para benefício de seus semelhantes humanos. Andando sempre sob a orientação do Espírito, ele se desenvolveu como todos os homens deveriam desenvolver-se, porquanto o homem possui espírito. E o Senhor Jesus, possuindo um espírito puro, livre dos obstáculos que tolhem os outros homens, servia de poderoso canal pelo qual fluía essa energia curadora. Dessa maneira, Jesus mostrou-nos o que devemos fazer, como homens, contanto que saibamos como nos devemos desenvolver espiritualmente, pois ele também se desenvolveu como homem. Nada disso equivale a dizer que Jesus não era divino, mas serve tão somente para afirmar que ele era *verdadeiramente humano*, e que, na qualidade de homem perfeito, mostrou-nos como

também podemos desenvolver os nossos poderes espirituais. Pois foi mediante os seus poderes espirituais altamente desenvolvidos que Jesus realizou os seus prodígios, e a sua encarnação consiste justamente desse fato. O apóstolo Paulo esclarece que Jesus despiu-se de suas prerrogativas e poderes como Deus (não de sua natureza divina e, sim, meramente, das manifestações dessa natureza), por ocasião de sua encarnação. Ele fez isso a fim de desenvolver-se e mostrar como todos os homens devem desenvolver-se em sua estatura espiritual, a fim de mostrar-nos qual é o rumo desse desenvolvimento. (Quanto a uma nota sobre a *humanidade de Cristo*, bem como sobre seu sentido e as suas implicações, ver o texto de Fp 2.7.) Por conseguinte, Jesus se utilizava de determinados meios físicos, tendentes a produzir fé nos indivíduos que estavam prestes a ser curados, para que assim pudesse fluir mais facilmente a energia curadora, que emanava de sua pessoa.

7.34: e erguendo os olhos ao céu, suspirou e disse-lhe: Efatá; isto é Abre-te.

7.34 καὶ ἀναβλέψας εἰς τὸν οὐρανὸν ἐστέναξεν, καὶ λέγει αὐτῷ, Εφφαθα, ὅ ἐστιν, Διανοίχθητι.

34 ἀναβλέψας...οὐρανόν Mt 14.19; Mc 6.41   34   Εφφαθα]   -εθα ℵ*D(W) (latt) sa^{pt}

7.35: E abriram-se-lhe os ouvidos, a prisão da língua se desfez, e falava perfeitamente.

7.35 καὶ [εὐθέως][13] ἠνοίγησαν αὐτοῦ αἱ ἀκοαί, καὶ[14] ἐλύθη ὁ δεσμὸς τῆς γλώσσης αὐτοῦ, καὶ ἐλάλει ὀρθῶς.ὀρθῶς.

[13] **35** {C} καὶ εὐθέως p^{45} A K W X Θ Π 0131^c f f^{13} 28 565 700 1009 1010 1071 1079 1195 1216 1230 1241 1242 1253 1344 1365 1546 1646 2148 2174 *Byz Lect* it^{aur,c,f,l} vg syr^{s,p,h,pal} cop^{sa} goth arm eth geo Diatessaron^{s,p} // καὶ ℵ B D L Δ 0131* 33 892 it^{s,b,d,ff²,i,q,r¹} cop^{bo}

[14] **35** {B} καὶ A B D K W X Θ Π f f^{13} 28 33 565 700 1009 1010 1071 1079 1195 1216 1230 1241 1242 1253 1344 1365 1546 1646 2148 2174 *Byz Lect* it^{a,aur,b,c,d,ff²,i,l,q,r¹} vg syr^{palms} cop^{sa,bo} goth arm geo // καὶ εὐθύς (L εὐθέως) Δ 892 syr^{palms} (eth) // καὶ τοῦ μογγιλάλου 0131

[13] O gosto de Marcos pelo uso de εὐθύς (que algumas vezes aparece como εὐθέως, em vários manuscritos), torna provável que o advérbio foi empregado ou aqui ou antes de ἐλύθη (ver a próxima variante textual). O apoio externo, porém, em favor de εὐθύς antes de ἐλύθη é extremamente fraco, ao passo que é relativamente forte aqui, em prol de εὐθέως. Ao mesmo tempo, a combinação de testemunhos aos quais faltam εὐθέως é tão impressionante que a maioria da comissão considerou aconselhável deixar εὐθέως dentro de colchetes. ℵ B D L Δ *al* omitem a palavra.

[14] Vários testemunhos (ℵ L Δ 892) que omitem εὐθέως após καὶ (1), inserem-na (ou εὐθύς) neste ponto. (Ver os comentários sobre a variante anterior.)

V. 34 e 35. "**[...] Abriram-se-lhe os ouvidos...**" Na relativa quietude do isolamento, Jesus realizou um notável milagre físico. A energia como que saltou dele para o enfermo, que precisava da cura; e assim, de forma estranha e miraculosa, Jesus curou ou criou as novas e necessárias aptidões físicas para que o homem pudesse tanto ouvir quanto falar fluentemente, sem nenhuma dificuldade. O ato de olhar para cima, que vemos em Jesus, implica em orar. Jesus ordenou, e isso provocou a transferência de poder.

A palavra que aparece aqui em Marcos, "[...] efatá...", e que significa "[...] abre-te...", demonstra que Marcos escreveu para leitores gentios, porquanto os judeus não teriam necessidade de saber qual a tradução desse vocábulo. Acredita-se universalmente que Marcos escreveu para a comunidade cristã em Roma, que padecia então grandes sofrimentos; e o mais provável é que a maior parte desse evangelho tenha sido escrito ali, mediante o uso de tradições orais e escritas daquela comunidade. (Quanto a explicações mais pormenorizadas sobre essas questões, ver a introdução a este evangelho, que aborda tais assuntos.)

840 |Marcos| NTI

Jesus olhou para cima e suspirou, o que tem paralelo nos *gemidos* e nas *lágrimas* da passagem de João 11.33,35,38, e que tem por base a simpatia de Jesus pela humanidade sofredora, o que é perfeitamente típico das ações e associações do Senhor Jesus com os homens. A medida do poder curador de Jesus pode ser percebida no fato de que essa dificílima cura ocorreu instantânea e perfeitamente. O suspiro foi uma oração, e, ao mesmo tempo, um gemido de simpatia; e a própria cura serviu de prova de que Jesus simpatiza genuinamente com os homens, porquanto nada mais se interpunha para impedir o fluxo de energia, nenhum obstáculo de dúvida, de temor ou de pecado não perdoado. Ora, se fôssemos tão puros quanto Jesus era puro neste mundo, poderíamos fazer as mesmas coisas que ele fez, mediante o poder de seu Espírito em nós. Parece ser uma suposição — por sinal, bem aceitável — que a transformação moral também provoca certa transformação metafísica, e que podemos ir sendo transformados à imagem de Cristo enquanto ainda vivemos nesta terra, quando então o seu poder poderá fluir livremente por nosso intermédio. Nesse ínterim, esse poder de Cristo se irá tornando nosso também, qual expressão permanente e verdadeira manifestação de nossa natureza transformada.

Expressando certa aplicação espiritual a esta narrativa, Halford E. Luccock diz (*in loc.*): "Os milagres de Jesus, em toda a sua variedade, sugerem ricamente as transformações que ocorrem em uma vida, quando Cristo ali entra como Senhor e Salvador. Neste caso Jesus curou um surdo: restaurou a sua audição. Isso nos conduz a mente para aquele seu ministério ainda mais profundo, que faz a mente e o coração tornarem-se mais sensíveis às vozes de Deus e do mundo... Quantos males desta terra se devem principalmente à surdez espiritual daqueles que não podem ouvir a *tranquila e triste música da humanidade*, ou o *cicio suave* da voz de Deus. Esses também são surdos para com os soluços de tristeza, quer se façam ouvir através dos mares, ou através dos trilhos das vias férreas, ou mesmo através das ruas. Tais indivíduos são por demais surdos para ouvirem o rumor de descontentamento em face das injustiças, ou para discernirem as trovoadas que prenunciam as tempestades que se aproximam. É que o baque clamoroso dos tambores do egoísmo abafam todos os demais ruídos. Keble escreveu com razão:

Mas o coração surdo, mudo por sua própria escolha,
Abafa até mesmo as predições do céu.
(Extraído de "*The Christian Year*")

"*Vale a pena observarmos* que, no grande quadro messiânico do capítulo 35 do livro de Isaías, certo sinal do milênio é aquele que diz que '[...] se abrirão os olhos dos cegos, e se desimpedirão os ouvidos dos surdos...' (Is 35.5). Sempre que algum ouvido é realmente desimpedido, de tal forma que podem ser ouvidas as mensagens do próximo, quer este se ache a 30 mil quilômetros ou a 5 metros de distância, mensagens que podem resultar em compreensão e simpatia, temos nisso uma pequena demonstração do milênio. E como necessitamos desesperadamente de ouvidos novos em lugar dos velhos, ouvidos dos quais tenham sido removidos os tampões dos preconceitos de raça, de classe e de nacionalidade! O milagre dos ouvidos abertos porventura já foi efetuado em nós".

7.36: Então lhes ordenou Jesus que a ninguém o dissessem; mas, quanto mais lho proibia, tanto mais o divulgavam.

7.36 καὶ διεστείλατο αὐτοῖς ἵνα μηδενὶ λέγωσιν· ὅσον δὲ αὐτοῖς διεστέλλετο, αὐτοὶ μᾶλλον περισσότερον ἐκήρυσσον.

36 διεστείλατο...λέγωσιν Mc 1.44; 5.43 ὅσον...ἐκήρυσσον Mc 1.45

"[...] Mas lhes ordenou que a ninguém o dissessem..." Jesus não baixou essa ordem com o objetivo de operar neles um efeito de *truque psicológico*, a fim de que, uma vez proibidos de propagarem a história, viessem a divulgá-la cada vez mais intensamente, a fim de aumentar mais ainda a popularidade de Jesus,

conforme, de certa feita, ouvi um professor da Escola Dominical afirmar. Muitas razões têm sido apresentadas para explicar esse tipo de ordem, e que encontramos repetido em diversos textos bíblicos. (Ver, por exemplo, Mt 8.4 e 9.26.) É possível que Jesus desejasse que aquele homem considerasse a própria cura, crescesse nessa contemplação, mas não aumentasse o seu senso de orgulho espiritual por narrar repetidamente a história. Talvez Jesus não quisesse ser conhecido como mero operador de milagres, mas almejasse que os seus ensinamentos se destacassem acima de tudo, na mente dos homens. Talvez ele não quisesse despertar superstições locais sobre nenhum semideus ou super-homem, sobre espíritos sobrenaturais esvoaçantes, pois os seus milagres poderiam ser interpretados dessa maneira. É possível também que ele não quisesse que as autoridades judaicas se sentissem ainda mais desafiadas em seu ódio contra ele, por meio de narrativas de curas feitas em um território racialmente misto. Acima de tudo, porém, Jesus simplesmente não tinha nenhum interesse na ostentação, mas era inteiramente avesso ao exibicionismo. Não tinha nenhuma ambição de ser famoso, e dava passos cautelosos para suavizar o espetáculo e o senso de admiração que acompanhavam os milagres por ele efetuados.

O segredo messiânico: Outros acham que Jesus escondia o "segredo messiânico", isto é, que ele não tinha certeza ainda do próprio messiado e não quis alimentar esperanças no povo, proclamando-se Messias. Parte daquela proclamação teria sido a divulgação do conhecimento de seus poderes especiais que os judeus esperavam encontrar no messias político que o povo em geral esperava. É melhor dizer que ele não se apresentou por causa das ideias erradas tão comuns entre a multidão daquele tempo.

7.37: E se maravilhavam sobremaneira, dizendo: Tudo tem feito bem; fez até os surdos ouvir e os mudos falar.

7.37 καὶ ὑπερπερισσῶς ἐξεπλήσσοντο λέγοντες, Καλῶς πάντα πεποίηκεν· καὶ τοὺς κωφοὺς ποιεῖ ἀκούειν καὶ [τοὺς] ἀλάλους[15] λαλεῖν.

[15] 37 {C} τοὺς ἀλάλους A D^gr K X Θ Π 0131 *f*¹ *f*¹³ 565 700 1009 1010 1071 1079 1195 1216 1230 1242 1253 1344 1365 1546 1646 2148 2174 *Byz Lect* cop^sa,bo // ἀλάλους ℵ B L Δ 33 892 1241 arm // τοὺς ἀλάλο or ἀλάλους it^a,aur,b,ff²,i,l,q,r¹ vg syr^p,h,pal goth geo Diatessaron^s,p Augustine // *multis* it^c,d // *omit* W 28 syr^s

37 τοὺς κωφοὺς...λαλεῖν Is 35.5,6

O fato de que κωφός significa não apenas "surdo", mas também "mudo", parece ter levado alguns copistas (W 28 *al*) a omitirem τοὺς ἀλάλους. O equilíbrio da evidência pró e contra τοὺς é tão grande, que a comissão julgou sábio incluir a palavra dentro de colchetes.

"[...] Maravilhavam-se sobremaneira". Parece haver aqui uma alusão à obra da Criação, conforme é ela descrita no texto de Gênesis 1.31. "Esse feito foi apropriado e dignamente comparado com o primeiro ato da criação — foi a mesma beneficência que impulsionou e o mesmo poder que atuou". (Alford, *in loc.*). Também é muito importante observarmos que essa obra foi realizada na região de Decápolis, onde Jesus fora de certa feita rejeitado por haver causado a perda de uma vara de porcos; mas, nesta segunda oportunidade, os habitantes da região demonstraram uma atitude mais nobre. "O espanto deles, ante o milagre, talvez nos pareça extravagante; contudo, devemos lembrar que eles tinham pouquíssima experiência das operações miraculosas de Cristo, e isso por sua culpa". (Bruce, *in loc.*).

Teu toque tem ainda seu poder antigo,
Nenhuma palavra tua pode cair inútil;
Ouve, nesta solene hora da noite,
E, em tua compaixão, cura-nos a todos.
(Henry Twill, *At Even, When the Sun was Set*)

Capítulo 8

8.1-10 — *Segunda multiplicação de pães*, quando 4 mil homens foram alimentados. (As notas expositivas desta seção são apresentadas em Mt 15.32-39). Aqui seguem algumas notas suplementares.

8.1: Naqueles dias, havendo de novo uma grande multidão, e não tendo o que comer, chamou Jesus os discípulos e disse-lhes:

8.1 Ἐν ἐκείναις ταῖς ἡμέραις πάλιν πολλοῦ ὄχλου ὄντος καὶ μὴ ἐχόντων τί φάγωσιν, προσκαλεσάμενος τοὺς μαθητὰς λέγει αὐτοῖς,

8 1-10 Mt 14.14-21; Mc 6.35-44; Lc 9.12-17; Jo 6.5-13

8 1 μαθ.] add p) αυτου ABWΘ f13 pm sa bo(i) ς; R

Notemos os paralelos entre Marcos 6.34—7.37 e 8.1-26:

1. A multiplicação de pães para os cinco e para os 4 mil (6.34-44 e 8.1-9).
2. O andar à superfície do lago (6.45-52 — sem paralelo).
3. A viagem de barco a Genezaré e a viagem a Dalmanuta (6.53-56 e 8.10).
4. As controvérsias com autoridades religiosas (em 7.1-23, acerca das leis cerimoniais; e em 8.11,12, acerca de sinais).
5. O "pão dos filhos", na história da mulher siro-fenícia, e declarações sobre o "pão" (7.24-30 e 8.13-21).
6. A cura do surdo-mudo e a cura do cego (7.31-37 e 8.22-26).

Naturalmente, o NT envolve narrativas *paralelas* das mesmas histórias, com detalhes variegados, como no caso das narrativas da conversão de Paulo (por três vezes, no livro de Atos). Apesar de não ser impossível que os paralelos dados acima sejam recontagens diversas da mesma história, o que talvez nem Marcos tenha reconhecido como repetição, suas diferenças são tão notáveis quanto suas similaridades. Os eventos de Marcos 6 e 7 incluem territórios gentílicos; e os de Marcos 8, territórios judaicos. Apesar de alguns elementos e palavras serem comuns a ambos os textos, como a presença de "pão" em ambos, as diferenças são mais notáveis que as similaridades. É difícil ver, por exemplo, como a história da mulher pode ter paralelo no episódio de Marcos 8.13, onde a aplicação é *totalmente diferente,* embora ali também se fale de pão. Outrossim, há tantas histórias de curas, na vida de Jesus, que é difícil ver aqui como a história de um surdo-mudo poderia ter-se transformado na história de um cego, se o mesmo episódio estivesse por detrás de "duas tradições resultantes". Pelo menos é curioso como a "ordem" dos eventos, nas duas seções, no tocante a "tipos" de histórias, é a mesma. Assim, pois, temos as duas multiplicações de pães, uma viagem a Nazaré, com paralelo a uma viagem a Dalmanuta; em seguida, o "pão" entra em diferentes narrações. E, finalmente, há a cura de um homem em cada caso. Como se pode explicar isso, não sabemos dizê-lo; mas que as duas seções são narrativas paralelas (provenientes de tradições diversas) da mesma história, é extremamente duvidoso, uma vez que a teoria seja examinada de perto.

"[...] outra vez..." Talvez haja aqui referência de volta à primeira história, na qual a multidão se reunira também.

8.2: tenho compaixão da multidão, porque já faz três dias que eles estão comigo, e não têm o que comer.

8.2 Σπλαγχνίζομαι ἐπὶ τὸν ὄχλον ὅτι ἤτη ἡμέραι τρεῖς προσμένουσίν μοι καὶ οὐκ ἔχουσιν τί φάγωσιν·

2 προσμ. μοι] εισιν απο ποτε ωδε εισιν D it

"[...] compaixão..." (Ver notas completas a respeito em Mt 14.14 e 9.36. Ver igualmente sobre o "amor", em Gl 5.22.) A compaixão e o amor são aspectos do fruto do Espírito. O amor é uma expressão da divindade, e sem o Espírito de Deus no mundo não haveria amor. No campo do desenvolvimento espiritual, nossa responsabilidade é fazer com que os atributos e as perfeições morais

divinas se cumpram em nós, mediante nossa transformação segundo a imagem de Cristo (notas em Rm 8.29). Os grandes feitos de Jesus se originaram em seu "amor". A natureza moral sempre estará no fundo das ações heroicas. Jesus vinha ensinando por três dias. Isso mostra a importância do ministério do ensino. (Ver notas a respeito, em Mt 28.20.)

8.3: Se eu os mandar em jejum para suas casas, desfalecerão no caminho; e alguns deles vieram de longe.

8.3 καὶ ἐὰν ἀπολύσω αὐτοὺς νήστεις εἰς οἶκον αὐτῶν, ἐκλυθήσονται ἐν τῇ ὁδῷ· καὶ τινες αὐτῶν ἀπὸ μακρόθεν ἥκασιν.

3 εισιν B pc] ηκασιν (ηκουσιν 13 al) אADWΘ f1 28 69 pm latt ς; R

Não basta ter Cristo em nosso *credo*. Ele deve ser uma força em nossa vida. Jesus não despediu o povo somente com ensinamentos, e muito menos ainda, com dogmas. Ele era uma força espiritual entre eles, pois, de outra maneira, não lhes poderia ter satisfeito as necessidades.

Não o Cristo de nossos credos sutis,
Mas o Senhor de nosso coração, de nosso lar,
De nossas esperanças, orações e necessidades;
O irmão da necessidade e da culpa.
(Richard Watson Gilder)

Havia boas razões para não *despedir* a multidão. Algumas dessas razões estavam em Jesus, e outras, no povo. Jesus tinha um trabalho a fazer, um povo a convencer, um Deus a glorificar. O povo tinha *necessidades* físicas e espirituais. A vida inteira opera segundo a razão. Não cremos na chance cega, e nem em uma providência vaga. Antes, nossos destinos estão vinculados a uma Pessoa viva e real, suficientemente grande para conferir-nos o bem agora, bem como a vida eterna no além. Como Jesus pouco se deixava governar por autointeresses! E quanto eles nos governam! Temos muito para avançar, para compartilhar de sua espiritualidade pura.

8.4: E seus discípulos lhe responderam: Donde poderá alguém satisfazê-los de pão aqui no deserto?

8.4 καὶ ἀπεκρίθησαν αὐτῷ οἱ μαθηταὶ αὐτοῦ ὅτι Πόθεν τούτους δυνήσεταί τις ὧδε χορτάσαι ἄρτων ἐπ' ἐρημίας;

(Cf. este versículo com Mt 14.17, onde os discípulos, no caso da multiplicação de pães para os 5 mil, sentiram ser impossível a tarefa. Ali as notas abordam como a graça de Deus, por meio de Cristo, pode solucionar problemas impossíveis.) Diz Grant (*in loc.*): "*A confiança* de Jesus na *abundância* divina é tão grande, que a única questão é essa questão de fato e prática, que subentende que os discípulos deveriam produzir e usar o que tinham". Os discípulos indagam "como" tudo poderia ser feito; e isso repete a mesma circunstância da primeira multiplicação de pães. Eles tinham memórias espirituais curtas. Todavia, provavelmente não teríamos agido melhor que eles. A experiência ensina o quanto somos lentos para aprender lições espirituais; e precisamos de muitas reiterações, antes de nos convencer de que Deus está conosco, provendo para nós e dando-nos forças. Na primeira ocasião, a cena também era desértica (ver Mc 6.32). Ali, todavia, o alimento parecia estar bem à mão, contanto que tivessem dinheiro bastante. Aqui, porém, essa circunstância aparentemente favorável não se fazia notada. O quadro era mais negro que aquele outro. *Negro e mais negro,* porém, em nada fazem diferença diante de Deus.

8.5: Perguntou-lhes Jesus: Quantos pães tendes? Responderam: Sete.

8.5 καὶ ἠρώτα αὐτούς, Πόσους ἔχετε ἄρτους; οἱ δὲ εἶπαν, Ἑπτά.

Isso tem paralelo no relato da primeira *multiplicação de pães,* em Mateus 14.17, exceto que ali os pães eram cinco, e aqui, sete. Seja como for, a "impossibilidade" do milagre não se alterou. Em outras palavras, ter dois pães a mais, e mil pessoas a menos, não

842 |Marcos| NTI

faria o milagre menos difícil que o primeiro. Em ambos os casos, os homens ficaram muito aquém da premente necessidade; em ambos os casos, Deus tomou o pouco do homem e lhe infundiu a "suficiência divina".

8.6: Logo mandou ao povo que se sentasse no chão; e tomando os sete pães e havendo dado graças, partiu-os e os entregava a seus discípulos para que os distribuíssem; e eles os distribuíram pela multidão.

8.6 καὶ παραγγέλει τῷ ὄχλῳ ἀναπεσεῖν ἐπὶ τῆς γῆς· καὶ λαβὼν τοὺς ἑπτὰ ἄρτους εὐχαριστήσας ἔκλασεν καὶ ἐδίδου τοῖς μαθηταῖς αὐτοῦ ἵνα παρατιθῶσιν καὶ παρέθηκαν τῷ ὄχλῳ.

Este versículo é essencialmente paralelo a Mateus 14.19 (no tocante à primeira multiplicação de pães); e as lições espirituais envolvidas são anotadas ali. (Ver Mc 6.38-40, quanto ao paralelo de Marcos sobre a primeira multiplicação, que é bem mais pitoresca que a segunda. Quanto a Jesus, na qualidade de "Pão da Vida", o que é uma das lições espirituais tencionadas neste episódio, ver as notas completas em Jo 6.48.)

8.7: Tinham também alguns peixinhos, os quais ele abençoou, e mandou que estes também fossem distribuídos.

8.7 καὶ εἶχον ἰχθύδια ὀλίγα· καὶ εὐλογήσας αὐτὰ¹ εἶπεν καὶ ταῦτα παρατιθέναι.

¹7 {B} εὐλογήσας αὐτά ℵ B C L Δ Θ 892 1071 1241 cop^bo eth // αὐτὰ εὐλογήσας W 0131 *f*¹ *f*¹³ 28 565 1195*⁷ 1216 1230 1253 2174 *Lect* it^a,aur,b,c,f,ff²,l,l,r¹ vg syr^s,p,h goth arm geo // ταῦτα εὐλογήσας A K Π 1079 1195*⁷ 1546 cop^sa // εὐλογήσας X 33 700 1010 1195ᶜ 1242 1344 1365 1646 2148 *Byz* *l*⁷⁶,³¹³,⁸⁸³,¹⁶⁴² // εὐχαριστήσας D 1009 it^d,d

> A forma εὐχαριστήσας (D 1009 it) parece ser uma assimilação escribal ao v. 6. Dentre as outras formas, a escolhida para o texto é a que conta com a melhor confirmação externa. Vários testemunhos omitem o pronome, ou como supérfluo (em face da palavra ταῦτα, seguinte), ou talvez como impróprio (Jesus bendisse o nome de Deus, e não os peixes).

Jesus *deu graças* a Deus Pai, mas *abençoou* aos peixinhos, os dois lados da costumeira bênção judaica. No caso da bênção, quando da primeira multiplicação de pães, somente o primeiro lado está em foco (ver Mt 14.19). No tocante à segunda multiplicação, o paralelo de Mateus só dá o lado da ação de "graças" a Deus, quanto ao alimento suprido. É possível, porém, mesmo neste versículo, compreender somente uma segunda bênção de Deus, um louvor pela provisão divina, visto que em alguns manuscritos não há objeto para o verbo. Seja como for, entretanto, o ponto não é importante. Os manuscritos mais recentes, como D e o latim q, juntamente com a tradição bizantina posterior, omitem a bênção quanto aos peixes; mas Aleph, BCL, Delta e vários manuscritos minúsculos trazem o objeto direto, "eles", por detrás do verbo. D, 1009, *it* dizem "deu graças", ao invés de "abençoou", e, naturalmente, omitem o objeto direto, já que Deus, obviamente, seria o objeto do agradecimento.

8.8: Comeram, pois, e se fartaram; e dos pedaços que sobejavam levantaram sete alcofas.

8.8 καὶ ἔφαγον καὶ ἐχορτάσθησαν, καὶ ἦραν περισσεύματα κλασμάτων ἑπτὰ σπυρίδας.

Aqui, os cestos são *maiores* que os de Mateus 14 e Marcos 6. Cf. "*spurides*" com "*kophinoi*". A mesma distinção ocorre nos v. 19,20. Na primeira multiplicação de pães havia 12 dos cestos menores, e provavelmente o número tencionou ser místico ou simbólico, talvez das 12 tribos de Israel, que "podiam ser alimentadas pelo Messias", como suas ovelhas, se imitassem a ação da multidão, buscando ao Cristo. Talvez os "sete" deste versículo também sejam

simbólicos. Há perfeição no suprimento de Cristo, para aquele que busca as realidades espirituais. O longo comentário sobre as lições que se derivam desses milagres de multiplicação de pães considera misticamente a questão, em João 6, onde Jesus figura como Pão da Vida. Os antigos, sob Moisés, comeram pão no deserto, porque a presença e o poder de Deus estavam com eles. Entretanto, alguém maior que Moisés ali estava. Quando nos alimentamos espiritualmente de Cristo, sua natureza é infundida na nossa, e não recebemos apenas suprimentos necessários para as graças espirituais. (Ver Jo 6.48, quanto à plena exposição desse conceito.)

8.9: Ora, eram cerca de quatro mil homens. E Jesus os despediu.

8.9 ἦσαν δὲ ὡς τετρακισχίλιοι. καὶ ἀπέλυσεν αὐτούς.

Quatro mil homens estavam presentes, além de mulheres e crianças, o que poderia ter duplicado esse número. Na primeira multiplicação, havia 5 mil homens. Seja com for, notáveis milagres estão em foco, algo que transcende ao poder humano. Tais milagres antes de tudo provam que Jesus era o Messias; e então que o Messias podia fornecer a seus discípulos todas as suas necessidades espirituais, o que resulta em participarem de sua natureza e imagem, conforme a passagem sobre o Pão da Vida, em João 6 (certamente escrito como explicação mística destes milagres de multiplicação) sem dúvida subentende.

8.10: E, entrando logo no barco com seus discípulos, foi para as regiões de Dalmanuta.

8.10 Καὶ εὐθὺς ἐμβὰς εἰς τὸ πλοῖον μετὰ τῶν μαθητῶν αὐτοῦ ἦλθεν εἰς τὰ μέρη Δαλμανουθά².

²10 {B} τὰ μέρη Δαλμανουθά ℵ A (B Δαλμανουνθά) C K L X Δ Π 0131 33 700 892 1009 1010 1079 1195 1216 1230 1242 1253 1344 1365 1546 1646 2148 2174 *Byz Lect* it^l,q vg syr^(p),h,(bgr) cop^sa,bo (arm Δαλμανοῦναι) geo¹ // τὰ ὄρη Δαλμανουθά 1071ᶜ // τὸ ὄρος Δαλμοῦναι W (Diatessaron^p Δαλμανουθά) // τὰ ὅρια Δαλμανουθά 1241 it^f // τὸ ὄρος Μαγεδά 28 (syr^s Μαγεδάν) // τὰ ὅρια Μελεγαδά D^gr* (D^b Μαγαδά, it *Magedan*, it *Mageda*) // τὰ ὅρια Μαγδαλά Θ (565 Μαγεδά) *f*¹ *f*¹³ *f*⁸⁰ (it^a,d *Magedan*, it^b,ff²,r¹ *Magedam*, it^l *terra Magedam*) syr^pal goth geo²

Io εμβ.] εμβ. αυτος **B**: αυτος ανεβη (*et* αυτου) *add* και) **D(W)** *k* (*b i r*¹)

> Duas séries de variantes estão envolvidas. A forma τὰ μέρη, apoiada por quase todos os manuscritos unciais e por muitos manuscritos minúsculos importantes (ℵ A B C K L X Δ Θ Π *f*¹ *f*¹³, 33 *al*), claramente deve ser preferida; seu sinônimo, τὰ ὅρια (que ocorre no texto paralelo de Mt 15.39) e a formas τὰ ὄρη e τὸ ὄρος não têm apoio adequado. Dalmanuta (que aparece em todos os manuscritos unciais, exceto D) é um lugar de localização incerta. Perplexos ante a palavra, que não ocorre em nenhum outro lugar, (1) copistas substituíram a palavra por Μαγεδά(ν) ou Μάγδαλα, formas que ocorrem na passagem paralela de Mateus 15.39.

1. Muitas tentativas têm sido feitas para explicar linguística ou paleograficamente a origem da palavra Dalmanuta (ver Eb. Nestle no *Dictionary of Christ and the Gospels*, de Hastings, I, p. 406 f e a literatura mencionada em Bauner-Arndt-Gingrich, s.v.).

Tal como no caso da primeira multiplicação, Jesus cruzou o lago imediatamente após o milagre. Notemos os vários paralelos entre Marcos 6.34—7.37 e 8.1-26.

Dalmanuta é lugar desconhecido hoje em dia, pelo que não se pode precisar onde ficava. Presumimos que ficava nas costas ocidentais do lago da Galileia. Alguns conjecturam que esse nome é uma corrupção, e que Tiberias está em vista. Este nome teria sido combinado com seu nome anterior, *Amantus*. Não se pode, porém, comprovar essa conjectura. O relato de Mateus complica mais a questão, ao dizer que foram para Magedam (melhores manuscritos), logo após o segundo milagre. Esse lugar também é desconhecido, e as conjecturas que buscam identificar os dois locativos (dois nomes para um só lugar), são *pobres tentativas* de harmonização, que não podem ser tomadas a sério. Conforme já seria de esperar, vários manuscritos desta referência de Marcos, modificam a desconhecida "Dalmanuta" para "Mageda" (28), "Magadam" (Si), "Melegada" (D) ou "Magdala" (Theta). Isso, porém, é mera atividade harmonística por parte de escribas, que procuravam eliminar o embaraço da "diferença" entre Marcos e Mateus, neste ponto. A "harmonia a qualquer preço" não é ação honesta, mesmo quando homens piedosos buscam assim "conforto mental". Aqueles que examinam versículo por versículo, através dos Evangelhos, logo aprendem que nenhuma harmonia definitiva pode ser construída, nem mesmo entre os evangelhos sinópticos. Entretanto, as "diferenças" genuínas entre os escritores sagrados, embora nos levem a alguma contradição ocasional, e não apenas a detalhes suplementares, na realidade favorecem a historicidade de seus escritos. Se tivessem sido fraudulentos, podemos estar certos de que a igreja primitiva teria tido o cuidado de eliminar as dificuldades. Que os documentos não foram "fixados" é prova de serem narrativas históricas autênticas, mesmo que, ocasionalmente, encontremos alguma dificuldade histórica ou de harmonização. Talvez Dalmanuta fosse pequena aldeia próxima de Magedam. Seja com for, parece que a praia ocidental do lado está em pauta.

8.11-13 — Os fariseus exigem um sinal do céu. (As notas expositivas aparecem em Mt 16.1-4.)

8.11: Saíram os fariseus e começaram a discutir com ele, pedindo-lhe um sinal do céu, para o experimentarem.

10.11 Καὶ ἐξῆλθον οἱ Φαρισαῖοι καὶ ἤρξαντο συζητεῖν αὐτῷ, ζητοῦντες παρ' αὐτοῦ σημεῖον ἀπὸ τοῦ οὐρανοῦ, πειράζοντες αὐτόν.

11 Mt 12.38; 16.1; Lc 11.16; Jo 6.30

É bem possível que, levando a sério sua teoria de que Jesus estava ligado ao Diabo, os oficiais religiosos pensassem que ele pudesse produzir "*sinais celestiais*" em certas ocasiões. Agora, queriam ter certeza disso. Ou então esperaram que, se ele falhasse nisso, poderiam eles achar terreno para zombar dele e torná-lo desacreditado junto ao povo. (Ver Mc 3.22, quanto à teoria de Belzebu, criada por eles.) Podemos estar certos, seja como for, de que tiveram alguma espécie de motivo malicioso em seu pedido; e, por essa e outras razões, esse pedido foi negado. (Ver Mc 10.2 e 12.13, quanto ao zelo distorcido mostrado por eles, na tentativa de desacreditar Jesus.)

Notemos aqui como os fariseus entraram em territórios *mistos* com gentios, a fim de prejudicar a Jesus. Seus motivos devem ter sido fortíssimos para se arriscarem a tal viagem, o que necessariamente os tornaria cerimonialmente impuros por algum tempo.

8.12: Ele, suspirando profundamente em seu espírito, disse: Por que pede esta geração um sinal? Em verdade vos digo que a esta geração não será dado sinal algum.

8.12 καὶ ἀναστενάξας τῷ πνεύματι αὐτοῦ λέγει, Τί ἡ γενεὰ αὕτη ζητεῖ σημεῖον; ἀμὴν λέγω ὑμῖν, εἰ δοθήσεται τῇ γενεᾷ ταύτῃ σημεῖον.

12 Τί...ταύτη σημεῖον Mt 12.39; Lc 11.29
12 λέγω υμ.] om p⁴⁵W: λέγω B pc

Provavelmente, davam a entender que, recebendo esse *sinal*, creriam nas reivindicações messiânicas de Jesus. O Messias que esperavam era operador de milagres. Jesus cumpriu amplamente essa expectativa, mas estava convencido de que não queriam saber sinceramente da verdade, mas fingiam apenas para enlaçá-lo. Notemos como ser alguém religioso não elimina "motivos vis". Em *"O Peregrino"*, o cristão sentiu-se atônito ante os próprios motivos, até quando "fazia o que é reto". Quanto mais homens ímpios e violentos precisam criticar-se a si mesmos e se encherem de remorsos, pelo que fazem em nome da fé religiosa. Notemos quantos religiosos andam cheios de ódio, e como justificam isso dizendo que estão "defendendo a fé".

O texto certamente é *polêmico*. Mostra como eram teimosos os líderes judeus. Como exigiam coisas insensatas, em face de provas já esmagadoras. Além disso, o texto ensina a buscar uma "*Pessoa*", e não apenas "milagres", devido à nossa curiosidade, e nenhuma espécie de autoexaltação. Todo misticismo nos deveria conduzir a Cristo, e não a nós mesmos. No entanto, é tolice supor, com base neste incidente, que a eliminação de milagres é algo desejável. Não há nenhum intuito aqui de ensinar tal coisa. Esta passagem foi escrita em uma época de milagres, e estes, sendo corretamente usados, produzem um bem imenso.

"[...] esta geração..." talvez signifique este tipo de pessoas. Mais provavelmente, porém, o termo tem um sabor apocalíptico. A frase, pois, significaria esta última geração antes do estabelecimento do reino. Foi uma geração "mais perversa" que qualquer outra antes dela. Cf. esse sentimento com Marcos 8.38; 9.19; Mateus 11.16-24; 12.38-45 e 23.34-36. João Batista foi um "sinal" para uma geração perversa, e o Filho do homem também deveria sê-lo, e isso para a mais perversa de todas as gerações. O relato de Lucas 11.29s adiciona o que Marcos deixa de fora. O relato de Mateus 16.1-4 é bastante diferente, adicionando muitos adornos à narração simples de Marcos. A "geração", ali, é chamada de "*má*" e "*adúltera*". Mateus fala igualmente sobre o "sinal de Jonas" (ver Mt 12.38ss, quanto a uma história ainda mais adornada e de um incidente diferente, segundo presumimos). Sem dúvida, é correto dizer que o pedido de um "sinal" deve ter sido feito em diversas ocasiões, com diferentes reações da parte de Jesus.

"[...] Em verdade vos digo..." (Ver Jo 1.51, quanto a notas sobre essa expressão favorita de Jesus, que os evangelhos sinópticos trazem no singular no grego, "Amém eu digo"—, ao passo que em João quase sempre é dupla — "Amém, amém eu digo").

8.13: E, deixando-os, tornou a embarcar e foi para o outro lado.

8.13 καὶ ἀφεὶς αὐτοὺς πάλιν ἐμβὰς³ ἀπῆλθεν εἰς τὸ πέραν.

³ 13 {C} πάλιν ἐμβὰς ℵ B C L Δ itᵃᵘʳ,ff² vgʷʷ // πάλιν ἐμβὰς εἰς τὸ πλοῖον p⁴⁵ D W (Θ 565 1071 omit τό) f¹³ 28 700 892 itᵃ,ᵈ,ˡ,ʳ,ʳ¹ (syrˢ) arm eth geo // ἐμβὰς πάλιν εἰς τὸ πλοῖον K Π 0131 (A X 33 1010 1242 1365 1646 2148 lˡ⁸⁵,³¹³,⁸⁸³,¹⁶⁴² omit τὸ) f¹ 1009 1079 1195 1216 1230 1253 1344 1546 2174 Byz itᶠ,¹ vgᶜˡ syrʰ copˢᵃ goth // ἐμβὰς εἰς τὸ πλοῖον l¹⁹⁹ itᵇ,ᶜ syrᵖ,ᵖᵃˡ copᵇᵒ // εἰς τὸ πλοῖον ἀπῆλθεν πάλιν Lect (l⁷⁰ εἰσῆλθε) // εἰς τὸ πλοῖον 1241

> A posição de πάλιν envolve certo grau de ambiguidade, pois talvez a palavra deva ser entendida com ἀφεὶς ou como ἐμβὰς, pelo que alguns copistas transpuseram-na para depois de ἐμβὰς. Embora se possa argumentar que estilistas alexandrinos apagaram as palavras εἰς τὸ πλοῖον como supérfluas depois de ἐμβὰς, é algo mais provável que essa frase (que não existem em certos testemunhos latinos bem como alexandrinos) tenha sido adicionada como complemento natural do verbo "embarcar".

Segundo se observou acima, Mateus e Lucas dão uma versão *diferente* e mais ornada da história. É possível que, ao invés de terem ornado o relato de Marcos, tenham dependido de fontes informativas separadas; ou, pelo menos, tenham adicionado algo à história simples de Marcos, com base na tradição oral, segundo a qual teriam "pedido sinais". Seja como for, na narração de Marcos, Jesus meramente se recusa a mostrar o sinal. Nos outros sinópticos, há alguma conversação e é dado um sinal, o incidente de Jonas, em confronto com o ministério de Jesus. E nisso fica incluído até a futura ressurreição, o que é especificamente dado em Mateus 12.40. Esse item é omitido nas outras passagens que falam sobre sinais onde o ministério poderoso de Jonas é o sinal e não o fato de que quase tenha morrido. De fato, a vida inteira de Jesus foi um grande sinal e as gerações subsequentes têm reconhecido isso, pois até hoje Cristo nos abala com seus ensinamentos, exigindo nossa

844 |Marcos| NTI

lealdade. A má geração da época de Jesus recebera o sinal imenso de sua encarnação e de seu ministério espetacular. Algum milagre adicional não os teria abalado. O que significaria mais um milagre entre tantos, para eles, já que haviam rejeitado a esses muitos?

Os milagres visavam a *ensinar*, e os milagres *didáticos* são chamados "sinais", no NT. É até mesmo possível alguém nada aprender dos milagres. (Ver Jo 20.30, quanto aos "sinais" de Jesus, que deveriam convencer os homens de que ele é o Cristo, o Filho de Deus. Ver Atos 2.19,22,43; 4.30; 5.12; 8.13 e 14.3, sobre como os apóstolos duplicaram muitos dos "sinais" de Jesus, cujo intuito foi o de ajudar o ministério do evangelismo em seu nome).

8.14-21 — *O fermento de Herodes e dos fariseus* (as notas de exposição são dadas em Mt 16.5-12).

8.14: Ora, eles se esqueceram de levar pão, e no barco não tinham consigo senão um pão.

8.14 Καὶ ἐπελάθοντο λαβεῖν ἄρτους, καὶ εἰ μὴ ἕνα ἄρτον οὐκ εἶχον μεθ' ἑαυτῶν ἐν τῷ πλοίῳ.

14 και ει... ειχον] εμα μονον α. εχοντες p^{45} Θ fr: εμα μ. εχ. α. **W** f13 28

Esta seção com "*declarações sobre pães*", de acordo com alguns é paralela ao texto de Marcos 5.24-30, onde o "pão" tem algo a ver com o milagre em prol da filha da mulher siro-fenícia. (Ver os "supostos paralelos" entre Mc 6 e Mc 8, nas notas em Mc 8.1.) É difícil perceber como a história que se segue é uma espécie de "duplicação" (recontagem da história contada em Marcos 6, e provenientes as duas narrativas, esta e aquela, de fontes diversas) da mesma história. Apesar de que, em ambas, é mencionado o "pão", as seções são muito diferentes quanto ao conteúdo.

A história visa a ensinar que Jesus pode suprir e realmente suprirá nossas *necessidades*, com um pão apenas ou com muitos; e o mesmo se aplica às condições espirituais. Uma questão lateral é o fermento dos fariseus. Há pão ruim, como há ensinamento ruim, a religião hipócrita, ludíbrio etc.

O pequeno *toque histórico* que alude a *um pão* encoraja-nos a crer que, segundo os Evangelhos sinópticos, os eventos da vida de Jesus são historicamente autênticos. Se o autor pode falar de tal "memória" (provavelmente suprida por Pedro), não precisamos duvidar de que a história em geral seja verídica, isto é, historicamente alicerçada. Rejeitamos as conjecturas que aqui fazem tais detalhes parecerem mero colorido verbal — invenções do autor sagrado. O pão único ensina-nos a "pouca preocupação" que Jesus e seus discípulos tinham pelas questões mundanas, até mesmo se eram fundamentais. A maioria de nós se certificaria em ter pão abundante.

Através de uma interpretação *mística*, podemos ver aqui a pessoa de Jesus, o pão único, o exclusivo pão da vida. (Ver Jo 6.48, quanto a Jesus como "Pão da Vida".) Os discípulos tinham trazido um só pão. Isso, porém, bastava. Jesus não multiplicara os cinco pães para os 5 mil, e os sete pães para os 4 mil? Nesse caso, um pão proveria ampla quantidade para ser multiplicada para apenas 13 homens.

8.15: E Jesus ordenou-lhes, dizendo: Olhai, guardai-vos do fermento dos fariseus e do fermento de Herodes.

8.15 καὶ διεστέλλετο αὐτοῖς λέγων, Ὁρᾶτε, βλέπετε⁴ ἀπὸ τῆς ζύμης τῶν Φαρισαίων καὶ τῆς ζύμης Ἡρῴδου⁵.

15 βλέπετε...Φαρισαίων Lc 12.1

⁴ **15** {C} ὁρᾶτε, βλέπετε ℵ A B K L W X Π 33 892 1009 1010 1071 1079 1195 1241 1242 1344 1365 1546 1646 2148 Byz Lect vg^ww syr^(p),h cop^bomss Diatessaron^a // ὁρᾶτε καὶ βλέπετε p^{45} C 0131 f3 28 1216 1230 1253 2174 it^aur,c,f,l vg^cl cop^sa,bo goth Diatessaron D βλέπετε D f¹ 565 syr^s arm geo Diatessaron^p // ὁρᾶτε Δ 700 // videte it^b,d,ff2,i,q,r¹ // cavete it^a,k

⁵ **15** {A} Ἡρῴδου ℵ A B C D K L X Π 0131 33 700 892 1009 1010 1071 1079 1195 1216 1230 1241 1242 1253 1344 1546 1646 2148 2174 Byz Lect it^a,aur,b,c,d,ff2,l,q,r¹ vg syr^s,p,h cop^bo goth eth Diatessaron^s,p // τῶν Ἡρω διανῶν (ver 3.6) p^{45} W Δ Θ f¹ f13 28 565 1365 it^i,k cop^sa arm geo

⁴ A forma com καί, embora antiga, parece ser secundária, produzida pelo desejo de copistas de evitarem o anacoluto desajeitado (talvez também em imitação ao texto quase paralelo de Mateus 16.6, ὁρᾶτε καὶ προσέχετε). Outros obtiveram um texto mais suave pelo expediente de omitir um ou outro dos verbos mais ou menos sinônimos.

⁵ A forma τῶν Ἡρῳδιανῶν, corrente desde os séculos III e IV d.C. (p^{45} W cop^sa), é claramente uma alteração escribal influenciada por 3.6 e 12.13.

Ao ser mencionada a "*fermentação*", está em foco a "corrupção". Os herodianos não eram corruptos do mesmo modo que eram os fariseus, exceto pelo fato de ambos os grupos se oporem a Jesus. Marcos não dá uma interpretação, mas Mateus diz (talvez um comentário editorial) que está em foco a "doutrina" dos fariseus. A narrativa de Mateus também traz o ensinamento dos saduceus para o quadro. Esses três grupos eram "moralmente" parecidos, mesmo que em particularidades sua depravação se manifestasse de maneiras diversas. Tinham para comer um "pão" perverso, que permeava o corpo inteiro, tal como faz o fermento à massa. Lucas 12.1 diz que esse fermento significa a hipocrisia. Há muitas explicações possíveis, mas todas elas têm algo a ver com a depravação moral, e isso de pessoas tidas como religiosas. Jesus advertiu seus discípulos contra a "infecção" do espírito de falsidade, de hipocrisia e dos dogmas destrutivos. Os críticos de Jesus eram culpados de negligenciarem a verdade, de ignorarem os conceitos espirituais, de hipocrisia, de mundanismo, de externalismo e de violência. E qualquer dessas más atitudes pode ser simbolizada pelo "fermento", o espírito pervertedor. Os herodianos, mencionados por Marcos (mas não mencionados por Mateus) estavam infectados com a praga do mundanismo e do serviço em proveito próprio, de mistura com um vergonhoso secularismo. Eles se ajustavam a qualquer poder político mau, e encontravam um modo de servirem a si mesmos, vivendo no luxo, em meio à turbulência de Israel. Os saduceus (mencionados em Mateus, mas não mencionados em Marcos, em conexão com esta história) também faziam tais ajustamentos, e cuidavam zelosamente de seus interesses financeiros, ao mesmo tempo abusando do poder político. Aos fariseus e saduceus faltava o poder político, mas exerciam eles grande influência entre o povo. E essa influência era usada erradamente por eles, tendo feito o povo voltar-se contra Jesus. Tendiam por frisar a *superficialidade*, no campo espiritual, embora se mostrassem intensamente religiosos; e ocultavam sua hipocrisia com as externalidades que eram por eles enfatizadas.

8.16: Pelo que eles arrazoavam entre si porque não tinham pão.

8.16 καὶ διελογίζοντο πρὸς ἀλλήλους⁶ ὅτι^a Ἄρτους οὐκ ἔχομεν⁷.

⁶ **16** {C} πρὸς ἀλλήλους p^{45} ℵ B D W f¹ 28 565 700 it^a,b,(c),d,ff2,i,k,q cop^sa geo // πρὸς ἀλλήλους λέγοντες (ver Mt 16.7) A C K L X Δ Θ Π 0131 f13 33 892 1009 1010 1079 1195 1216 1230 1241 1242 1253 1344 1365 1546 1646 2148 2174 Byz Lect it^aur,f,l vg syr^(s,p),h cop^bo goth arm eth // ἐν ἑαυτοῖς λέγοντες (ver Mt 16.7) 1071

⁷ **16** {C} ἔχομεν ℵ A C L X Δ Θ Π (K 1009 1344 2174 ἔχωμεν) f¹³ 33 892 1010 1071 1079 1195 1216 1230 1241 1242 1253 1365 1546 1646 2148 Byz Lect it^aur,f,l vg syr^s?,p,h cop^bomss goth arm eth geo Diatessaron^p,1 // ἔχομεν p^{45} B W f¹ 28 565 700 it^k syr^s? cop^sa,bo // εἶχον D it^a,b,c,d,ff2,i,q,r¹ // ἐλάβομεν (ver Mt 16.7) 579 1396 1424

^a **16** *a* direct: TR? RV ASV RSV Luth? // *a* causal: TR? AV RV^mg ASV^mg NEB Zür Luth? Seg^mg // different text: WH Bov Nes BF² RV^mg ASV^mg TT Jer Seg

⁶ Depois de *allelous* muitos manuscritos (influenciados, talvez, pelo paralelo em Mt 16.7) têm a forma *legontes*, que serve para aliviar uma construção abrupta.

⁷ Embora a forma ἔχομεν seja fortemente apoiada, a maioria da comissão preferiu ἔχουσιν como a que melhor explica o

aparecimento das outras formas. Assim, εἶχαν em D *al* (que expande o apoio em prol da terceira pessoa, contra a primeira pessoa do verbo) é uma correção gramatical introduzida por algum purista, ao passo que tanto ἔχομεν quanto — ἐλάβομεν parecem ter sido acomodações do contexto seguinte, provavelmente tendo sido influenciados também pelo paralelo de Mateus 16.7.

Mais do que os outros evangelistas, Marcos denota apreciar descrever a *ignorância* dos discípulos. Em um caso, Mateus reverte totalmente essa avaliação negativa. Cf. Marcos 6.51,52 com Mateus 14.33, os versículos "finais" de um único incidente. Nesta seção, os discípulos discutem sobre o problema da falta de pão simplesmente porque tinham *falta de fé*, além de possuírem memória fraca; pois bem recentemente Jesus multiplicara pães, primeiro cinco pães para uma multidão de 5 mil homens, e depois sete pães, para 4 mil homens. Portanto, ele não teria nenhuma dificuldade em multiplicar um pão para alimentar 13 pessoas. Essa consideração, entretanto, estava distante da mente dos discípulos, os quais só lamentavam o fato de não terem trazido pães. Conforme diz Gould (*in loc.*): "Os discípulos estavam tão cegos, espiritualmente falando, que atribuíram um sentido material a uma declaração espiritual de Cristo. Pensaram que os advertia, com a atitude dos próprios fariseus, contra alimentos contaminados pelos fariseus. Seus pensamentos estavam fixos na ausência de pão, pelo que o fermento só serviu para sugerir-lhes o pão".

8.17: E Jesus, percebendo isso, disse-lhes: Por que arrazoais por não terdes pão? não compreendeis ainda, nem entendeis? tendes o vosso coração endurecido?

8.17 καὶ γνοὺς λέγει αὐτοῖς, Τί διαλογίζεσθε ὅτι ἄρτους οὐκ ἔχετε; οὔπω νοεῖτε οὐδὲ συνίετε; πεπωρωμένην ἔχετε τὴν καρδίαν ὑμῶν⁸;

17 Τί διαλογίζεσθε...ὑμῶν Mc 6.52

⁸ **17** {B} πεπωρωμένην ἔχετε τὴν καρδίαν ὑμῶν p⁴⁵ ℵ B C L W Δ ƒ¹ ƒ¹³ (28 ἔχοντες) 33 892ᵛ 1009 1195 1241 arm eth geo² // πεπωρωμένη ἐστὶν ἡ καρδία ὑμῶν 0143ᵛⁱᵈ (Dᶜ πεπηρωμένη) Dᵉ it^(b,c,d,ff2,i) syrˢ cop^(sa,bo) geo¹ // πεπωρωμένη ὑμῶν ἐστὶν ἡ καρδία Θ 565 // ἔτι πεπωρωμένην ἔχετε τὴν καρδίαν ὑμῶν A K X Π 700 892ᶜ 1010 1071 1079 1216 (1242 *Byz Lect* (l⁷⁰,¹⁵⁷⁹ *omit* ὑμῶν) τὴν καρδίαν ὑμῶν ἔχετε) 1344 1365 1546 (1646 *omit* ὑμῶν) 2148 2174 *Byz Lect* (l⁷⁰,¹⁵⁷⁹ *omit* ὑμῶν) it^(aur),f,l,(q) vg syr^(p),h // ὅτι πεπωρωμένην ἔχετε τὴν καρδίαν ὑμῶν 047 1230 1253 goth // *omit* 245

A forma ἔχετε conta com confirmação superior (todos os manuscritos unciais, exceto D e Θ). A presença de ἔτι antes de πεπωρωμένην (A K X Π 700 *al*) parece ter vindo das últimas sílabas de συνίετε, e o sentido também parece justificar essa forma.

Os apóstolos tiveram *vastíssimas* oportunidades. O que podia ser perdoado em outros era imperdoável neles. Poder-se-ia esperar que os fariseus ignorassem as grandes obras e palavras de Jesus, devido aos preconceitos que desenvolviam. Poder-se-ia esperar que as multidões ignorassem a Jesus ou avaliassem deficientemente seus atos, devido à falta de treinamento. Os apóstolos, porém, não tinham desculpa, pois, embora tivessem fé, em contraste com outros, o que já tinham visto com os próprios olhos e ouvido com os próprios ouvidos, não lhes permitia serem cegos e surdos, espiritualmente falando. A avaliação de Marcos, porém, deve ser entendida em sentido comparativo e não em termos absolutos.

8.18: Tendo olhos, não vedes? e tendo ouvidos, não ouvis? e não vos lembrais?

8.18 ὀφθαλμοὺς ἔχοντες οὐ βλέπετε καὶ ὦτα ἔχοντες οὐκ ἀκούετε;ᵇ καὶ οὐ μνημονεύετε,ᵇ

ᵇᵇ **18** b question, b minor: (WH) Bov Nes BF² TT Zür Luth Jer Seg // b minor, b question: TR // b question, b question: AV RV ASV RSV NEB

18 ὀφθαλμοὺς...ἀκούετε Jr 5.21; Ez 12.2; Mc 4.12; At 28.26

8.19: Quando parti os cinco pães para os cinco mil, quantos cestos cheios de pedaços levantastes? Responderam-lhe: Doze.

8.19 ὅτε τοὺς πέντε ἄρτους ἔκλασα εἰς τοὺς πεντακισχιλίους, πόσους κοφίνους κλασμάτων πλήρεις ἤρατέ λέγουσιν αὐτῷ, Δώδεκα.

19 Mt 14.15-21; Mc 6.35-44; Lc 9.12-17; Jo 6.5-13

Jesus usa as Escrituras que descrevem a *dureza de coração* e a cegueira dos olhos espirituais, embora não se faça nenhuma citação direta (ver Is 6.9,10; Jr 5.21; e Ez 12.2). Essa circunstância é especialmente amarga, já que a tradição evangélica emprega esses versículos contra os mais empedernidos incrédulos (ver Mt 13.14ss; e Mc 4.12). O texto de Marcos 16.14 traz outra reprimenda contra os apóstolos, mais ou menos com a mesma linguagem, porque não tinham crido na ressurreição senão depois de totalmente vencidos pelas evidências. Paulo aplicou essas profecias de incredulidade a Israel, a qual rejeitara o Messias e sua mensagem (ver Rm 10.19-21). Sem dúvida a igreja primitiva usava esses versículos entre suas compilações de *testemunhos*, que buscavam mostrar tanto o caráter messiânico de Jesus como prediziam a sua rejeição por parte de Israel.

Mediante uma série de *perguntas*, Jesus catequizou seus discípulos que aprendiam com tão enervante lentidão. Eles eram testemunhas oculares e o tinham ouvido falar. Foi nos dias da antiguidade que:

[...] o apóstolo André o ouviu,
à beira do lago da Galiléia.
(Cecil Frances Alexander, *Jesus calls us, o´er the tumult*).

Meditemos, porém, em que agora já ninguém resta que ouviu Jesus falando. Solene pensamento! Eles tinham ouvido, mas aprenderam muito lentamente. Seremos nós diferentes deles? "Vimos a *satisfação* das mais profundas necessidades da humanidade. E, no entanto, não compreendemos. Só confiamos lentamente, para nos lançar na ventura da fé, em nossa vida pessoal ou na vida em sociedade. Há um ponto especialmente incisivo na pergunta: "Não vos lembrais?" Isso sucede a nós, hoje em dia. Não nos lembramos das horas em que ele nos falou. Quando suas reivindicações tornaram-se claras e fortes para nós? Não nos lembramos dos anos em que a mão do Senhor nos tem protegido, da maneira com que ele tem cercado nossa vida para nosso bem? 'Não vos lembrais? Não compreendeis ainda?' " (Luccock, *in loc.*). Percebe-se aqui o tom de desapontamento do Mestre. Ele viveu, por assim dizer, em dois mundos ao mesmo tempo. A fé e a certeza espiritual eram fatores comuns na sua vida diária. Parece que ficava perplexo, e mesmo desanimado, ante a incredulidade humana, pois, para ele, não havia base possível para essa atitude. Somente os homens, caídos para nível tão distante de Deus, é que podem permanecer na incredulidade diante de Jesus.

8.20: E quando parti os sete para os quatro mil, quantas alcofas cheias de pedaços levantastes? Responderam-lhe: Sete.

8.20 Ὅτε τοὺς ἑπτὰ εἰς τοὺς τετρακισχιλίους, πόσων σπυρίδων πληρώματα κλασμάτων ἤρατέ καὶ λέγουσιν [αὐτῷ], Ἑπτά.

20 Mt 15.32-38; Mc 8.1-9

20 λεγ.] *add* αυτω **B** *pc co*

Cada pergunta traz uma *nova memória*, uma nova *lição*, uma nova *base* para a fé. As várias perguntas, juntamente, formam um caso fortíssimo em prol da fé. A própria vida, embora acompanhada por derrota e desilusão, é o catecismo do Mestre, a fim de ensinar-nos a ter fé. (Ver Hb 11.1, onde damos a nota de sumário sobre a "fé".)

"Tudo isso mostra de quanto os doze precisavam de *instrução* especial; e em Marcos esse intuito é proeminente. O desejo de lazer, a fim de receber instrução, neste relato é a chave das excursões na

846 |Marcos| NTI

direção de Tiro, Sidom e Cesareia de Filipe". (Bruce, *in loc.*). (Ver a "importância do ministério de ensino", em Mateus 28.20.) É fácil nos esquecer de que o "ensino" faz parte inerente da Grande Comissão.

Os v. 19 e 20 preservam a diferença ente os "spurides" (cestos maiores), associados ao milagre da multiplicação de pães para os 4 mil, e os "kophinoi" (cestos menores), associados ao primeiro milagre de multiplicação, para os 5 mil. Cremos que esse pequeno detalhe deriva-se da narrativa de uma testemunha ocular.

8.21: E ele lhes disse: Não entendeis ainda?
8.21 καὶ ἔλεγεν αὐτοῖς, Οὔπω συνίετε;

Compreender o quê? É óbvio que Jesus era o *Messias*, sendo essa a razão do poder imenso que nele residia. Mais que isso ainda, supostamente eles já haviam aceitado esse fato. Tal fato deveria ter-se tornado vital em sua vida. Um "credo frio" nunca basta. Deve haver realidade de experiência para que a fé seja real. A fé não é a aceitação de certo número de afirmativas ortodoxas. Antes, é Cristo na vida. Tem como alvo a nossa transformação na imagem e natureza de Cristo (amplamente notada em Rm 8.29 e Cl 2.10). "Não compreendeis ainda?" Por que "ainda?" Porque por essa altura dos acontecimentos, em face das oportunidades recebidas, deveriam ser gigantes na fé. No entanto, "ainda não" tinham atingido a estatura espiritual necessária para que propalassem a mensagem de Jesus, quando ele se fosse. Os manuscritos D, Theta e as traduções da *Vulgata*, trazem uma declaração um tanto mais poderosa: "Como não podeis ainda compreender?" Esses manuscritos, entretanto, não preservam a declaração original, em comparação com os manuscritos mais antigos (incluindo Aleph e B), os quais preservam a outra forma de pergunta. Todavia, preservam o espírito do que Jesus perguntou.

8.22-26 — A cura do cego de Betsaida. Este milagre é o *segundo* dos dois milagres de Cristo registrados exclusivamente no evangelho de Marcos. Os evangelhos registram cerca de 40 milagres realizados por Cristo. Desses, 18 foram registrados por Marcos. E, desses 18, apenas *dois* lhe são peculiares — este e o da cura do surdo-mudo, relatado em Marcos 7.31-37. Pode-se observar que este milagre tem diversos pontos de semelhança com o de Marcos 7.31-37. Em ambos os casos, a pessoa a ser curada foi trazida a fim de ser "tocada" ou a fim de que Jesus lhe *impusesse as mãos*. Em ambos os casos, Jesus levou a pessoa para longe da multidão. Em ambos os casos, o Senhor empregou saliva. Por essas razões, alguns estudiosos têm chegado a pensar que, na realidade, a narrativa é apenas uma, e que duas versões da mesma chegaram até nós, uma delas envolvendo um surdo-mudo, e a outra envolvendo um cego. Todavia, existem diferenças que distinguem as duas ocorrências, especialmente as localizações geográficas, porquanto o primeiro caso (do capítulo sétimo) teve lugar no território geral de Decápolis, ao passo que este segundo caso foi definidamente realizado em Betsaida.

Provavelmente, a origem das duas narrativas seja a mesma: Trata-se ou de uma história que foi transmitida diretamente por *Pedro* (sendo assim derivada de uma testemunha ocular), ou uma história dentre as muitas que foram preservadas nos registros orais e escritos da comunidade cristã em Roma. (Quanto a notas sobre as fontes informativas deste evangelho, ver a introdução ao evangelho de Marcos, onde o problema é amplamente ventilado. Se, por um lado, Mateus não menciona especificamente este milagre, por outro lado, sem dúvida ele dispunha do mesmo em alguma das fontes informativas por ele utilizada; contudo, ao invés de descrevê-lo, preferiu apresentar uma narrativa *generalizada* sobre o ministério miraculoso do Senhor Jesus, o que fez em Mateus 15.29-31. O texto de João 9.1-7 encerra uma história similar, porém, que acontece na cidade de Jerusalém. Alguns estudiosos têm especulado que Mateus e Lucas omitiram este milagre por ser o único no qual Jesus

---

não operou uma cura instantânea, e, sim, por etapas. Isso poderia parecer, para alguns, como uma forma de defeito no milagre de cura ou então poderia parecer uma demonstração um tanto inferior de poder; dessa maneira, uma boa história teria sido deixada de lado por Mateus e Lucas. Entretanto, essa própria circunstância que envolve o milagre fala de sua autenticidade, embora nada nos seja dito sobre a razão pela qual o milagre foi efetuado por sucessivas fases.

8.22: Então chegaram a Betsaida. E trouxeram-lhe um cego, e rogaram-lhe que o tocasse.
8.22 Καὶ ἔρχονται εἰς Βηθσαϊδάν. καὶ φέρουσιν αὐτῷ τυφλὸν καὶ παρακαλοῦσιν αὐτὸν ἵνα αὐτοῦ ἅψηται.

22,23 φέρουσιν...αὐτῷ Mc 7:32,33

22 Βηθσ.] Βηθανιαν **D** *pc* it

Betsaida: Essa cidade ficava nas praias do norte do mar da Galileia, próximo ao rio Jordão. O nome da cidade deriva-se de uma palavra aramaica que significa "casa de pesca". Filipe, o tetrarca, foi quem a reedificou, tendo-a denominado "Júlias", em honra a Júlia, filha do imperador César Augusto. Jerônimo e Plínio revelam que ficava na margem oriental do rio Jordão; mas esta narrativa informa que os discípulos foram enviados da margem oriental do Jordão (em direção a Cafarnaum) para Betsaida. Dessa maneira, tem sido postulada uma segunda cidade de Betsaida. Cafarnaum, em qualquer dos casos, não ficava longe dali. Betsaida era cidade natal de Filipe, de André e de Pedro. (Quanto a maiores detalhes sobre essa localidade, ver a nota existente em Mt 11.21.)

8.23: Jesus, pois, tomou o cego pela mão, e o levou para fora da aldeia; e cuspindo-lhe nos olhos, e impondo-lhe as mãos, perguntou-lhe: Vês alguma coisa?
8.23 καὶ ἐπιλαβόμενος τῆς χειρὸς τοῦ τυφλοῦ ἐξήνεγκεν αὐτὸν ἔξω τῆς κώμης, καὶ πτύσας εἰς τὰ ὄμματα αὐτοῦ, ἐπιθεὶς τὰς χεῖρας αὐτῷ, ἐπηρώτα αὐτόν, Εἴ τι βλέπεις;

23 πτύσας...αὐτοῦ Jo 9.6

As circunstâncias deste versículo são uma virtual duplicação das circunstâncias descritas em Marcos 7.33. Por que motivo Jesus levou o cego para fora da cidade? Por que o Senhor resolveu empregar um meio físico, como a saliva e a imposição de mãos? Essas perguntas são respondidas com amplitude e com ilustrações diversas nas notas sobre Marcos 7.33, onde o leitor deve consultar as notas expositivas. As notas em Marcos 7.31 entram ainda mais detalhadamente na questão do emprego de substâncias físicas nos milagres de cura, e as notas ali existentes também devem ser consultadas. (Quanto a notas sobre os milagres de cura, sobre como e por que Jesus curou, ver os seguintes textos: Mt 3.13; 7.21-23; 8.3; e Lc 18.22-25.)

8.24: E, levantando ele os olhos, disse: Estou vendo os homens; porque como árvores os vejo andando.
8.24 καὶ ἀναβλέψας ἔλεγεν, Βλέπω τοὺς ἀνθρώπους, ὅτι ὡς δένδρα ὁρῶ περιπατοῦντας.

"[...] Vejo os homens..." A tradução portuguesa AA segue aqui quase literalmente o original grego. Com esse fraseado fica indicado que o homem ainda não via bem, e nem com exatidão de pormenores. Via os homens, mas pintou-os distorcidos, porquanto pareciam árvores andando. A primeira ação de Jesus havia restaurado a visão, mas não uma boa focalização, porquanto ainda era uma cura parcial. Muitas explicações têm sido levantadas para mostrar o motivo de a cura não ter sido efetuada completamente após a primeira imposição de mãos e a aplicação de saliva. Eis algumas dessas explicações:

1. Jesus curou o homem estágio por estágio, uma vez que seria débil a fé daquele homem, precisando ele de encorajamento.

(Isso é possível; mas, provavelmente, não é a explanação mais acertada.)

2. Jesus queria ensinar uma *lição espiritual*, especialmente acerca da necessidade de fé; e por isso teria prolongado a cura. (Novamente, essa explicação é possível, mas não a mais provável.)

3. Uma variação dessa razão é uma terceira explicação que diz que ele realizou essa cura com o intuito de ensinar certa lição espiritual, a saber, que a vida cristã deve ser mais perfeitamente seguida e desenvolvida, e que cada estágio sucessivo nos traz mais perfeita luz. (Com certeza, encontramos nisso certa dose de verdade, bem como uma aplicação que pode ser feita dessa cura miraculosa; mas não é muito provável que Jesus tivesse em mente algum propósito pedagógico específico quando realizou o milagre.)

4. Alguns acreditam que um processo rápido demais da recuperação da vista poderia ter sido prejudicial para o homem, e que a cura gradual foi melhor para o estado físico de seus olhos. (Isso, porém, é pura especulação, e não encontramos base bíblica nenhuma para negar ou afirmar essa opinião.)

5. Outros acreditam que Jesus realizou, propositalmente, um milagre *subnormal*, a fim de suprimir um tanto a fama de suas operações miraculosas, em um distrito onde procurava asilo e retiro perfeito, em um período de descanso tanto para si mesmo como para seus discípulos. Não estava interessado na fama e nem na perturbação popular que o seu milagre causaria, especialmente naquela ocasião e naquele lugar. (Isso parece oferecer uma boa explicação sobre o segredo que envolveu o milagre; mas a explicação é muito duvidosa.)

6. Parece muito mais provável que todas as explicações dadas acima, que as curas operadas por Jesus (bem como as de outros curadores), nem sempre eram instantaneamente aperfeiçoadas. Essa é uma experiência comum entre os curadores. Algumas pessoas e condições reagem favoravelmente com rapidez e com evidente facilidade, ao passo que outras, embora suas enfermidades sejam de natureza similar às das primeiras, são difíceis de ser tratadas. Provavelmente, isso tem algo a ver com a formação energética do indivíduo, em relação ao tipo e à intensidade de energia liberada pelo curador. Quando a combinação não é correta, ou a cura não se verifica, ou pode ser parcial, ou mesmo gradual. Nosso problema não consiste em saber por que motivo isso ocorre. Não saberíamos mesmo dizê-lo. Só sabemos que *a fé* pode efetuar essa ação reflexa, embora nem sempre assim ocorra, pois um curador poderoso pode vencer as dificuldades da dúvida, pelo menos das dúvidas que existem no nível da consciência.

Se soubéssemos mais acerca do poder curador, exatamente que tipo de energia é essa, e se conhecêssemos mais acerca do tipo de energia que pode ser encontrada em um homem, tanto em seus componentes físicos como em seus elementos espirituais, provavelmente teríamos algumas respostas definidas sobre por que ocorrem curas instantâneas, em alguns casos e por que razão, noutros casos, só se conseguem curas imperfeitas ou graduais. O máximo que podemos asseverar é que assim acontece nas curas, e que isso ocorreu até mesmo durante a vida terrena de Jesus, embora não haja o registro de nenhum caso de fracasso da parte de Jesus, exceto que é dito que ele não pôde realizar operações poderosas em determinados lugares, por causa da ausência de fé das pessoas, ou por causa de certas atitudes negativas dos pacientes para com ele.

8.25: Então tornou a pôr-lhe as mãos sobre os olhos; e ele, olhando atentamente, ficou restabelecido, pois já via nitidamente todas as coisas.

8.25 εἶτα πάλιν ἐπέθηκεν τὰς χεῖρας ἐπὶ τοὺς ὀφθαλμοὺς αὐτοῦ, καὶ διέβλεψεν, καὶ ἀπεκατέστη, καὶ ἐνέβλεπεν τηλαυγῶς ἅπαντα.

"[...] novamente lhe pôs as mãos nos olhos..." Todos esses detalhes indicam a narrativa feita por alguma *testemunha ocular*, provavelmente Pedro; e também indicam que a história é autêntica. Não podemos imaginar alguém inventando uma história que parece refletir alguma debilidade no poder de cura do Senhor Jesus. As curas instantâneas e completas são muito mais impressionantes. Contudo, ficamos muito mais admirados ante esta cura, justamente por não ter sido instantânea, por ter sido diferente, diferença essa que nos mostra que o relato é autêntico. Assim, o grande Jesus, de forma nenhuma desencorajado por uma cura temporariamente imperfeita, embora a vista do cego já lhe houvesse sido restaurada, passou a terminar a obra iniciada, e produziu um foco perfeito nos olhos do homem. A cegueira resistira parcialmente ao toque das mãos de Jesus, mas não pôde resistir a um segundo contacto.

Variante textual. "[...] fê-lo olhar para cima..." são palavras que se encontram nos mss AEFGHKMNSUVX, Gamma e Fam Pi, os quais são seguidos pela tradução KJ. "[...] ele começou a olhar para cima..." é o texto que aparece no códex D e nas versões latinas, embora nenhuma tradução siga essas palavras. "[...] ele via distintamente..." ou "[...] olhava firme ou fixamente..." são palavras que se encontram nos mss P(45), BC(1), L, Delta, 13, 28 e 69 (além de alguns outros), variante essa seguida em todas as traduções, com algumas modificações. Algumas versões preferem a tradução "[...] claramente...", como a versão portuguesa AA, ou então "[...] atentamente...", como as traduções IB e RSV. Isso é uma tradução do mesmo texto, mas com diferente compreensão sobre o sentido do original grego. A expressão "[...] todo homem..." figura nos mss AG(2) EFGHKMNSUVX, Gamma e Fam Pi, variante essa seguida pela tradução KJ. "[...] todas as coisas..." é o que aparece nos mss P(45), BC(1),DLM, Delta, 1,13,69 e muitas versões latinas, variante essa seguida pela grande maioria das traduções. Este versículo, portanto, segundo o original grego, diz: "[...] ele via distintamente (ou olhava fixamente) [...] e via tudo..."

Este versículo encerra certa *aplicação espiritual*, embora isso não nos seja diretamente ensinado. Muitos possuem uma visão espiritual apenas parcial; e, de fato, não é essa a condição que afeta a todos nós? Não é justamente esse o nosso problema? Não é por esse motivo que ainda não temos crescido e aprendido a aperfeiçoar a nossa visão espiritual? Podemos conhecer diversos e profundos credos, e podemos repetir de memória muitos versículos das Escrituras, conhecendo a sua interpretação e podendo transmiti-la habilidosamente. De alguma forma estranha, porém, a imagem de Deus fica empanada em nossa mente. Professamos que Deus, a alma e o destino eterno são realidades; porém, com demasiada frequência, essas verdades exercem pouquíssima impressão sobre nossa vida diária, e a nossa busca espiritual torna-se debilitada. Possuímos o Salvador, os credos e as fórmulas e, no entanto, nos esquecemos de que Jesus não é só isto.

Quando a nossa visão espiritual fica obscurecida, temos uma visão pervertida deste mundo. Não sentimos o que está errado em nossa vida, e quais são nossas verdadeiras relações para com este mundo. Permanecemos também insensíveis às nossas responsabilidades para com os outros, e vivemos de maneira egoística. Então, para nós, os homens são quais árvores andando. Olvidamo-nos da vereda do amor, e preferimos palmilhar pelo caminho largo do materialismo e da ambição. Notemos, entretanto, que Jesus insistiu sobre uma cura completa. Impôs novamente as mãos sobre aquele homem. Necessitamos frequentemente da renovação de nossa experiência com Cristo. É mister que ele toque em nós novamente, hoje e também amanhã. Se lhe permitirmos fazer isso, ele ainda chegará a clarear completamente a nossa visão espiritual.

8.26: Depois o mandou para casa, dizendo: Mas não entres na aldeia.

8.26 καὶ ἀπέστειλεν αὐτὸν εἰς οἶκον αὐτοῦ λέγων, Μηδὲ εἰς τὴν κώμην εἰσέλθῃς[9].

[9] 26 {B} μηδὲ εἰς τὴν κώμην εἰσέλθῃς (א* W μή) א^c B L *f*[1] syr^s cop^sa,bo,fay geo[1] // μηδενὶ εἴπῃς εἰς τὴν κώμην it^k // μηδὲ εἰς τὴν κώμην εἰσέλθῃς μηδὲ εἴπῃς τινὶ ἐν τῇ κώμῃ A C K X Δ Π 33 700 (892 τινι τῶν ἐν τῇ κώμῃ) 1009 1010 1071 1079 1195 1230 1241 1253 1344 1365 (1546 ἐν τῇ πόλει) 1646 2148 *Byz Lect* syr^p,h cop^bomss goth eth Diatessaron^s,(p) // ὕπαγε εἰς τὸν οἶκόν σου καὶ μηδεὶ εἴπῃς εἰς τὴν κώμην (ver 2.11; 5.19) D it^(c),d,(q) // ὕπαγε εἰς τὸν οἶκόν σου καὶ ἐὰν εἰς τὴν κώμην εἰσέλθῃς μηδεὶ εἴπῃς εἰ τῇ κώμῃ (Θ *omit and* τὸν κώμην) *f*[3] (28 *omit* τὸν *and read* μηδεὶ μηδὲν εἴπῃς) (565 *omit* μηδὲ) (1216 2174 ἐὰν εἰσέλθῃς εἰς τὴν κώμην μηδενὶ μηδὲ εἴπῃς ἐν τῇ κώμῃ) (arm) geo^A // ὕπαγε εἰς τὸν οἶκόν σου καὶ ἐὰν εἰς την κώμην εἰσέλθῃς μηδενὶ εἴπῃς it^(a),aur,b,f,(ff2),(i),l vg geo^B // ὕπαγε εἰς τὸν οἶκόν σου καὶ μηδὲ εἰς τὴν κώμην εἰσέλθῃς μηδὲ εἴπῃς τινὶ ἐν τῇ κώμῃ 124 // καὶ ἐὰν εἰς τὴν κώμην εἰσέλθῃς μηδενὶ εἴπῃς ἐν τῇ κώμῃ syr^hmg

---

O desenvolvimento das principais variantes parece ter procedido como segue:

(1) μηδὲ εἰς τὴν κώμην εἰσέλθῃς (א^c B L *f*[1] syr^s cop^sa,bo,fay)

(2) μηδενὶ εἴπῃς ἐν τῇ κώμῃ (it^k)

(3) μηδὲ εἰς τὴν κώμην εἰσέλθῃς μηδὲ εἴπῃς τινὶ ἐν τῇ κώμῃ (A C ... *al*)

(4) ὕπαγε εἰς τὸν οἶκόν σου καὶ μηδενὶ εἴπῃς

(fonte das seguintes variantes)

(4a) και + ἐὰν εἰς τὴν κώμην εἰσέλθῃς (Q it^b,1 vg)

(4b) εἴπῃς + εἰς τὴν κώμην (D)

(4c) εἴπῃς + ἐν τῇ κώμῃ (Θ 565)

(4d) καὶ + μηδὲ εἰς τὴν κώμην εἰσέλθῃς μηδὲ εἴπῃς τινὶ ἐν τῇ κώμῃ (124)

A forma (1), apoiada por antigos representantes dos tipos de texto alexandrino, cesareano, oriental e egípcio, parece ser a forma mais antiga do texto. A forma (2) surgiu a interesse do esclarecimento do sentido de (1); e a forma (3) é obviamente uma mescla de (1) e (2). A forma (4), que é uma elaboração da forma (2), com a ajuda de uma frase introdutória, parece ter sido a progenitora de várias maiores modificações que são confirmadas por testemunhos ocidentais e cesareanos.

"[...] mandou-o Jesus embora para casa..." A intenção óbvia deste versículo é deixar claro que Jesus queria que o milagre fosse mantido em segredo; e isso serve de outra prova de que Jesus rejeitava a aura da fama e da ostentação. (Ver Mc 7.36, sobre o *segredo messiânico*.)

8.27-30 — *A confissão de Pedro* (As notas expositivas são oferecidas em Mt 16.13-20). Acrescentamos, aqui, algumas notas meramente suplementares.

8.27: E saiu Jesus com os seus discípulos para as aldeias de Cesareia de Filipe, e no caminho interrogou os discípulos, dizendo: Quem dizem os homens que eu sou?

8.27 Καὶ ἐξῆλθεν ὁ Ἰησοῦς καὶ οἱ μαθηταὶ αὐτοῦ εἰς τὰς κώμας Καισαρείας τῆς Φιλίππου· καὶ ἐν τῇ ὁδῷ ἐπηρώτα τοὺς μαθητὰς αὐτοῦ λέγων αὐτοῖς, Τίνα με λέγουσιν οἱ ἄνθρωποι εἶναι;

Com base na existência de várias passagens *identificadoras* nos Evangelhos, no tocante à pessoa e à missão de Jesus, supomos que a questão surgiu mais de uma vez, tanto no círculo íntimo dos próprios discípulos como nos círculos dos de "fora", que vinham interrogar a Jesus. Em outros lugares, damos notas completas sobre o problema. (Ver Mc 6.15, e Mt 14.2. Ver também Lc 9.18-21 e Jo 6.68,69, sobre o problema.) Na introdução a este comentário, no artigo referente a Jesus, uma seção é dedicada às várias ideias quanto à sua "identificação", e isso dá um ponto de vista geral teológico e histórico sobre a questão.

Cesareia de Filipe era a cidade central da área, cercada por aldeias de menor importância. A cidade ficava perto das cabeceiras do rio Jordão, cerca de 40 km do lago da Galileia. Seu nome original era Panio, derivado do deus Pan, que tinha um santuário ali. A cidade foi expandida e adornada por Herodes Filipe, tetrarca de Traconites, a cujo território pertencia a cidade. O Senhor foi até esse ponto norte, e não mais, em seus circuitos, exceto as visitas a Tiro e Sidom. A seção seguinte mostra como Jesus começou a *fortalecer* os discípulos em face do desastre iminente. Ele primeiro quis que entendessem sua verdadeira identidade. Elevou Pedro a uma estatura maior, e seu testemunho e força preservariam a igreja em luta, após a morte do Senhor. Em primeiro lugar, pois, Pedro tinha de tornar-se homem de fé; e essa fé teria de ser posta em Jesus, o Messias, o Filho de Deus. A identidade de Jesus, o Cristo, torna-se central no relato dos Evangelhos, como sucede até hoje para nós, os crentes. A definição básica de um crente é aquele que tem a Jesus como seu Senhor. (Ver Cl 2.18, sobre isso.)

O sinédrio falharia. Nas mãos da igreja, o texto seguinte certamente é *polêmico* e instrutivo. Quando da *destruição* de Jerusalém, o sinédrio, símbolo e centro do poder religioso, falharia. Que faria a igreja para substituir isso, para prover autoridade na comunidade religiosa? A resposta de Mateus é "Pedro, a pedra". A resposta do evangelho de João é "os apóstolos". (Ver Mt 16.18 e Jo 20.23.) Essas respostas não visavam a ser definitivas. Mateus também dá lugar ao "voto da assembleia", que teria grande poder para decidir as questões (ver Mt 18.17).

8.28: Responderam-lhe eles: Uns dizem: João, o Batista; outros: Elias; e ainda outros: Algum dos profetas.

8.28 οἱ δὲ εἶπαν αὐτῷ λέγοντες [ὅτι] Ἰωάννην τὸν βαπτιστήν, καὶ ἄλλοι, Ἠλίαν, ἄλλοι δὲ ὅτι εἰς τῶν προφητῶν.

28 Mc 6.14,15; Lc 9.7,8

O texto reflete a crença, tanto na transmigração das almas quanto na reencarnação. Nos dias de Jesus, ambas as doutrinas eram comumente defendidas na Palestina, sendo ensinadas nas escolas dos fariseus. Sem duvida, é verdade que a maior parte dos contemporâneos de Jesus aceitava essas doutrinas como válidas. No Oriente, elas têm predominado por todo o tempo em que a história registra. O espírito de João Batista poderia vir sobre Jesus, deslocando o espírito deste, por assim dizer. E isso seria um caso de "possessão", mas também de "transmigração" da alma para um novo corpo. Os antigos criam que os que morressem violentamente (como no caso de João) enviavam seu espírito para que se tornasse guia poderoso de alguma pessoa viva; e, provavelmente, essa era a ideia de Herodes com relação a Jesus. (Ver Mt 14.2, quanto a notas completas sobre esse conceito.). O texto de João 9.1ss quase certamente reflete também a crença comum da época na reencarnação; e já que os próprios discípulos fizeram a pergunta sobre o *porquê* da cegueira desse homem, não é impossível que eles mesmos julgassem verdadeira essa ideia. Naturalmente, o NT em parte nenhuma ensina a reencarnação como um dogma. E, mesmo que ocorra, podemos ter certeza de que envolve os *perdidos*, pois, ao falecerem, os remidos são levados para os céus, para nunca mais retornarem à terra. Podemos imaginar, contudo, como os perdidos poderiam ser envolvidos em muitas encarnações, como parte do "estado de perdição". Contudo, isso seria uma medida graciosa, provendo-lhes tempo para acharem a Cristo. Afirmamos isso como uma especulação, e não dogmaticamente, e sem querer dizer que o NT ensine realmente a reencarnação. Se é uma verdade, porém, então é uma "verdade de Deus", pois só há uma verdade. Que ele nos guie a toda verdade! Em um texto como o que temos à frente, e que "levanta a possibilidade da questão", dificilmente poderíamos ignorá-la de todo.

As *mesmas antigas categorias*: O povo errou ao tentar categorizar Jesus. Ele não era este ou aquele que tinha vindo de novo. Antes, reunia em si mesmo todas as outras missões, pois, em certo sentido, todos os outros foram seus precursores. No entanto, ele transcendeu imensamente a todos. Ele era o Cristo, o Filho de

Deus, o genuíno Messias e Salvador. O texto visa a impressionar-nos com esse fato admirável (ver Jo 20.31).

8.29: Então lhes perguntou: Mas vós, quem dizeis que eu sou? Respondendo, Pedro lhe disse: Tu és o Cristo.

8.29 καὶ αὐτὸς ἐπηρώτα αὐτούς, Ὑμεῖς δὲ τίνα με λέγετε εἶναι; ἀποκριθεὶς ὁ Πέτρος λέγει αὐτῷ, Σὺ εἶ ὁ Χριστός.

29 Σὺ...Χριστός Jo 6.69 mg

29 ο Χρ.] add ο Υιος τοῦ Θεου ℵ: add ο Υι. τ. Θ. του ζωντος W f13 pc sa

Ó tu, de Deus e dos homens Filho,
A ti eu darei valor,
A ti eu honrarei.
(Hino "Fairest Lord Jesus").

Pedro chegou a um planalto de *profunda* fé. O relato de Mateus é muito ornado, e talvez inclua aqui material derivado de outras fontes. Pedro chegou a tal nível de fé antes da transfiguração, pelo que pelo menos estava revertendo a cegueira espiritual de que Marcos tantas vezes se queixa (ver Mc 8.17,18). Podemos ter a certeza de que essa fé transcende imensamente a qualquer mera aceitação de um credo. Pedro aprendia a entregar a própria alma a uma Pessoa. É disso que consiste a fé. (Ver notas completas a respeito da *fé*, em Hb 11.1)

Como sabemos as coisas. Pode-se aprender pela *percepção* dos sentidos, o que é a base de nossas experiências diárias, bem como de toda a ciência. A ciência ultrapassa os sentidos. Pode-se aprender pela razão. Cremos que a *razão* tem a capacidade de conhecer coisas que os sentidos não chegam a revelar. A *intuição*, porém, vai mais fundo ainda, e talvez participe do fundo de conhecimento universal, mediante meios desconhecidos. O alcance da experiência *mística*, entretanto, é o mais profundo, o dom de Deus como visões, sonhos, o contato direto com o Espírito Santo ou com algum poder angelical. Pedro identifica agora o Cristo, mas não chegou a isso somente por observação de seus milagres e pelo testemunho de seus sentidos. Suas faculdades intuitivas operavam, e, além disso, havia o Espírito Santo que o ensinava. (Quanto a um artigo sobre o "Conhecimento e a crença religiosa", ver a introdução a este comentário.)

V. 29. *Nota Textual.* "[...] ele lhes diz..." aparecem nos mss AC(3) EFGHKMNSUVX Gamma e Fam Pi, bem como nas traduções AC, F e KJ. "[...] ele lhes indagou..." aparecem nos mss Aleph, BC(1), DL, Delta, 53 e em algumas versões latinas. Todas as traduções, excetuando-se aquelas anteriormente mencionadas, seguem esse texto, que, sem a menor dúvida, é o original, conforme também o demonstram os manuscritos mais antigos. Alguns manuscritos acrescentam glosas no fim desse versículo. Acrescentam à palavra "Cristo", estas outras: "[...] o Filho de Deus..." (Aleph); ou "[...] Filho do Deus vivo..." (W, Fam 13 e versão saídica), que são acréscimos feitos de memória, à base de outras ocorrências dessas expressões, onde Jesus é assim especificamente chamado, com base no texto do capítulo 16 do evangelho de Mateus.

8.30: E ordenou-lhes Jesus que a ninguém dissessem aquilo a respeito dele.

8.30 καὶ ἐπετίμησεν αὐτοῖς ἵνα μηδενὶ λέγωσιν περὶ αὐτοῦ.

Este é o mais *claro* versículo de que dispomos em apoio à ideia de alguns estudiosos de que Jesus tinha um segredo messiânico. Em outras palavras, ele chegou à ideia de que era o Messias, tal como sucedeu a seus discípulos; e, por algum tempo, ambos vieram a crer nisso, mas mantiveram a ideia em segredo. Dessa forma, neste ponto, Jesus ansiava que as multidões não tivessem assim pensado, "por enquanto", até que estivessem bem preparadas para isso, e incisivamente ordenou aos discípulos que não revelassem o segredo. Embora os Evangelhos tenham sido escritos para "comprovar" o caráter messiânico de Jesus, e não para lançar uma nuvem de dúvidas a respeito dele, parece quase certo que este versículo envolve um *segredo* sobre o tema, o qual Jesus conservou com ele por algum tempo, até que sentiu que chegara a hora para essa revelação. De acordo com isso, não anuímos ao que alguns têm dito, isto é, que o próprio Jesus repudiou essa identificação, e que foi a igreja, após a sua morte, que lhe deu foros messiânicos. Nos próprios Evangelhos, há muito contra essa ideia. De fato, nem mesmo este texto, em qualquer sentido, nega que Jesus o tenha dito (conforme alguns querem nos fazer crer). Aqui se aprende somente que ele conservou seu caráter messiânico em segredo, por algum tempo. É óbvio que Jesus não aplicou a si mesmo a noção popular do que seria o Messias; e é evidente que ele teria repudiado qualquer identificação de si mesmo com essa "noção popular". É possível também que o segredo tenha sido guardado por muito tempo porque Jesus relutava em ser chamado de "Messias", no sentido que a multidão queria dar ao termo. Ele jamais quis preencher o quadro de um Messias "político", de um revolucionário militar, conforme diziam as ideias populares.

8.31-33 — *Primeiro anúncio feito por Jesus* sobre *sua morte próxima*, em Jerusalém. Os três diferentes anúncios sobre a sua paixão aparecem em Marcos 8.31; 9.31 e 10.32-34. (As notas expositivas sobre este anúncio são dadas em Mt 16.21-23. Ver também Lc 9.22.)

8.31: Começou então a ensinar-lhes que era necessário que o Filho do homem padecesse muitas coisas, que fosse rejeitado pelos anciãos e principais sacerdotes e pelos escribas, que fosse morto, e que depois de três dias ressurgisse.

8.31 Καὶ ἤρξατο διδάσκειν αὐτοὺς ὅτι δεῖ τὸν υἱὸν τοῦ ἀνθρώπου πολλὰ παθεῖν καὶ ἀποδοκιμασθῆναι ὑπὸ τῶν πρεσβυτέρων καὶ τῶν ἀρχιερέων καὶ τῶν γραμματέων καὶ ἀποκτανθῆναι καὶ μετὰ τρεῖς ἡμέρας ἀναστῆναι·

31 δεῖ...ἀποκτανθῆναι Mt 17.12; Mc 9.12; Lc 17.25

Jesus previu e *aceitou* seus sofrimentos, mas também previu sua ressurreição. Nem uma coisa nem outra o apanhou de surpresa. Há três anúncios da paixão: Marcos 8.31; 9.31; e 10.32-34. Espiritualmente falando, Jesus era altamente desenvolvido como homem e certamente tinha essa capacidade; mas, nas mãos dos evangelistas, seus anúncios são polêmicos pelo menos em parte. Os judeus jamais aceitaram a ideia de um Messias que fosse o *Servo Sofredor*, sobretudo a ideia de um Messias crucificado. Isso era contrário a tudo quanto esperavam do Messias. Pois, se terminasse assim a sua vida terrena, dificilmente obteria o triunfo sobre o governo romano. Os evangelistas, entretanto, mostram que tudo isso fazia parte do plano divino, e que Jesus tinha consciência do fato, tendo-o até predito. Isso não contradiz certos textos do AT, como Isaías 53; essas passagens foram até usadas para fomentar a polêmica cristã. Tanto cristãos quanto judeus precisavam ser lembrados do fato; e Jesus no topo da situação serve de fortaleza para todos quantos aceitam seu caráter messiânico. Alguns intérpretes têm negado o valor do conhecimento prévio de Jesus, supondo que isso faria seus sofrimentos serem menos reais e importantes, ou que assim sua qualidade de mártir seria neutralizada. Isso, porém, é uma estupidez, levando-se em conta que sabemos muito mais, hoje em dia, sobre o conhecimento prévio na personalidade humana. Os estudos sobre os sonhos têm mostrado, muito definidamente, que todos os seres humanos têm consciência de eventos importantes em sua vida, com antecedência, pelo menos no plano subconsciente. Sem dúvida, o grande Jesus sabia de eventos futuros importantes, no plano consciente, inteiramente à parte de qualquer poder divino. Não é impossível, porém, que os evangelistas tenham desejado que víssemos algo do exercício de conhecimento divino de Cristo, sobre esse particular. Pelo menos, esperaríamos que o Messias tivesse um conhecimento prévio genuíno, e isso seria apenas mais uma prova de sua missão

850 |Marcos| NTI

messiânica, segundo pensavam os evangelistas. Com base na grandeza de Jesus, de qualquer ângulo que ela possa ser considerada, rejeitamos as interpretações céticas que querem tornar em meras invenções dos evangelistas os anúncios prévios de Jesus sobre sua morte e ressurreição.

8.32: E isso dizia abertamente. Ao que Pedro, tomando-o à parte, começou a repreendê-lo.

8.32 καὶ παρρησίᾳ τὸν λόγον ἐλάλει. καὶ προσλαβόμενος ὁ Πέτρος αὐτὸν ἤρξατο ἐπιτιμᾶν αὐτῷ.

Está aí outra falha de Pedro, quanto à sua fé e entendimento, embora com ele possamos simpatizar totalmente. Sem dúvida, nas mãos dos evangelistas, esse *fracasso* foi usado para mostrar como, até então, os judeus continuaram a falhar. Continuavam a tomar o Messias a um lado, deplorando qualquer ideia de sofrimento em sua pessoa. Todavia, a história mostra que o próprio Messias repreendeu esse tipo de atitude. Naturalmente, isso sucedeu porque a morte e a ressurreição de Jesus foi o que lhe deu seu maior triunfo, não o imergindo na derrota; e disso fluiu a expiação e a vida para os homens. Estamos misticamente *identificados* com Cristo, em sua morte e ressurreição, o que é amplamente notado em Romanos 6.3, sob o título "batismo espiritual". (Ver Rm 5.11, quanto à "expiação", e Rm 3.25, quanto à "expiação pelo sangue".)

O discipulado *sem* fingimentos. Jesus esperava que seus discípulos prosseguissem, apesar da predição de desastre, ainda que tivessem de fazê-lo em "fé cega", até que pudessem ser mais bem instruídos sobre o que significaria aquele evento. A igreja erra ao disfarçar o verdadeiro significado e os rigores do discipulado, ao supor que isso deve envolver somente sorrisos, vitórias e felicidade.

A *reprimenda* segue-se após imensa vitória. Notemos como essa repreensão ocorreu logo depois da confissão de Pedro, em que ele reconheceu o Messias em Jesus. Ninguém está a salvo de tais precipícios, nem mesmo os que são vitoriosos na vida cristã e iluminados pelo Espírito. Enquanto vivermos neste corpo mortal, estaremos sujeitos às falhas dos homens mortais.

Pedro como que disse "cala-te!" à verdade que não pôde acolher. Jesus dissera uma espantosa verdade, cheia de implicações, pois abordava a morte e a vida. Pedro não gostou do som dessa verdade, pelo que disse a Jesus: "cala-te!" Como ele foi humano nessa hora! Crentes demais supõem que eles ou sua denominação têm a verdade em um saco, e que esse saco é exclusivo. Grandes verdades, entretanto, poderão ainda ser descobertas e que nos são vitais. Nenhum homem, nenhum livro, nenhuma denominação pode conter toda a verdade de Deus. Não se pode pôr uma cerca em torno da verdade.

8.33: Mas ele, virando-se e olhando para seus discípulos, repreendeu a Pedro, dizendo: Para trás de mim, Satanás; porque não cuidas das coisas que são de Deus, mas sim das que são dos homens.

8.33 ὁ δὲ ἐπιστραφεὶς καὶ ἰδὼν τοὺς μαθητὰς αὐτοῦ ἐπετίμησεν Πέτρῳ καὶ λέγει, Ὕπαγε ὀπίσω μου, Σατανᾶ, ὅτι οὐ φρονεῖς τὰ τοῦ θεοῦ ἀλλὰ τὰ τῶν ἀνθρώπων.

Este versículo mostra que Jesus entendeu bem o *sentido* de sua morte, tendo confiado em sua ressurreição. Isso não fez seus sofrimentos serem menos reais ou menos agonizantes. Confiamos em Deus em meio à prova; mas isso não faz a prova ser menos real. Naquele instante, Jesus viu Satanás em Pedro, pois se as ideias humanas de Pedro sobre o Messias se tornassem realidade, Jesus e a humanidade inteira seriam roubados do maior e mais necessário triunfo do Messias. Somente tais considerações nos podem levar a entender a súbita explosão de indignação de Jesus sobre a questão. De outro modo, ele teria meramente agradecido a Pedro

por seu interesse, pois certamente seria natural que um apóstolo se preocupasse com a segurança de Jesus.

O NT ensina claramente a *realidade* de Satanás, como príncipe do mal. (Ver as notas sobre ele, em Jo 10.44 e Lc 10.18.)

"Essa resistência contra a cruz tinha de ser eliminada imediata e decisivamente. O que Pedro disse todos 'sentiram'. No relato de Marcos, a repreensão da frase 'és para mim pedra de tropeço' é omitida". (Bruce, *in loc.*).

"[...] **Arreda!**..." Na linguagem moderna: *Desaparece!* (conforme o sentido possível do grego). São palavras severíssimas e cortantes, que mostram claramente os fortes sentimentos de Jesus sobre o que sucedera. Como é triste quando fazemos o jogo de Satanás, quando nos tornamos seus escravos, em detrimento do bem espiritual, tanto nosso quanto de outros! Todavia, qual de nós não tem caído nessa falha, e isso com frequência?

8.34-38 — *Declarações sobre o verdadeiro discipulado cristão.* (As notas expositivas sobre esta seção aparecem em Mateus 16.24-28. Ver também Lucas 9.23-27. E ver também Mateus 10.32,33, que são textos paralelos ao v. 38 deste capítulo de Marcos).

8.34: E chamando a si a multidão com os discípulos, disse-lhes: Se alguém quer vir após mim, negue-se a si mesmo, tome a sua cruz, e siga-me.

8.34 Καὶ προσκαλεσάμενος τὸν ὄχλον σὺν τοῖς μαθηταῖς αὐτοῦ εἶπεν αὐτοῖς, Εἴ τις θέλει ὀπίσω μου ἀκαλουθεῖν, ἀπαρνησάσθω ἑαυτὸν καὶ ἀράτω τὸν σταυρὸν αὐτοῦ καὶ ἀκολουθείτω μοι.

34 Εἴ τις θέλει...μοι Mt 10.38; Lc 14.27   34 ελθειν אAB f13 pm sy
ς; R] ακολουθειν p⁴⁵DWΘ fi 28 lat saᵖᵗ

Pedro, tendo tomado recentemente o partido de Satanás, e tendo falado como um simples homem, em contraste com alguém divinamente inspirado, repreendera Jesus por ter ele falado sobre a *cruz*. Agora Jesus mostra que *não pode haver* discipulado cristão *sem* a cruz. Isso mostra como é autêntico o discipulado cristão, que só pode ocorrer mediante a total abnegação, e não apenas mediante o sacrifício pessoal. Jesus mesmo mostra o caminho; e o que é bom para o Filho do homem é bom também para outros que se queiram submeter ao plano divino. Não se pode duvidar de que as palavras originalmente tinham profundo significado, pois foram escritas para uma igreja que sofria, e onde houve muitos martírios. Tais palavras, pois, foram mais do que isso, foram reflexos vivos de uma dura realidade. O discipulado cristão é extremamente exigente, mas os crentes se consolam em saber que Jesus nos deixou exemplo de sofrimento. No entanto, ele triunfou em vida interminável.

A palavra difícil. O vocábulo *cruz*, quando é corretamente entendido, é uma palavra difícil de ser ouvida, quanto mais de tornar-se real na vida. Referindo-se ao discipulado cristão, o uso popular desse termo diminuiu seu sentido original. Supomos que qualquer dificuldade é provocada, de algum modo, devido à nossa lealdade a Cristo. Os discípulos, porém, tanto quanto as multidões, sem dúvida já tinham visto homens levando suas cruzes, a caminho do lugar de execução. Já tinham visto e sentido o terror da cruz romana. Muitas famílias cristãs tinham perdido seus membros por uma morte sem misericórdia e cruel, como é a morte da crucificação. A "cruz", pois, para eles significava profundo sofrimento, imenso sacrifício. Para eles, significava "pôr Deus em primeiro lugar". Significava "fazer de Deus o seu tudo". Somente quando fazemos isso podemos ver o imenso brilho que emana da cruz.

Da cruz, resplandecendo o brilho,
Adiciona-se novo brilho ao dia.
(John Bowring)

Aquele que *leva* a cruz deve primeiramente negar-se a si mesmo, pois de outro modo nunca poderá carregar a cruz. O homem que leva sua cruz ao lugar da execução, com a multidão ululante por todos os lados, sabe o que significa ser esmagado no próprio *"eu"*. De algum modo, o discipulado cristão deve produzir isso em nós. Para mim, o viver é Cristo!

8.35: Pois quem quiser salvar a sua vida, perdê-la-á; mas quem perder a sua vida por amor de mim e do evangelho, salvá-la-á.

8.35 ὃς γὰρ ἐὰν θέλῃ τὴν ψυχὴν αὐτοῦ σῶσαι ἀπολέσει αὐτήν· ὃς δ' ἂν ἀπολέσει τὴν ψυχὴν αὐτοῦ ἕνεκεν ἐμοῦ καὶ [10] τοῦ εὐαγγελίου σώσει αὐτήν.

35 Mt 10.39; Lc 17.33; Jo 12.25

[10] 35 {C} ἐμοῦ καί ℵ A B C K L W X (Δ ἐμοῦ ἤ) Θ Π 0214 f1 f13 565 892 1009 1010 1071 1079 1195 1216 1230 1241 1242 1253 1344 1365 1546 1646 2148 2174 Byz Lect l85,211,333,883 itaur,c,f,l,q vg syrp,h,pal copsa,bo goth geo Diatessarons,p Basil // ἐμοῦ 33 itff2 syr copfay // omit p45 D 28 700 ita,b,d,i,(k),n,r1 arm eth Origen

> Embora a ausência das palavras ἐμοῦ καί de p45 D 28 700 al seja difícil de explicar, exceto como resultado de descuido escribal, a maioria da comissão preferiu adotar a dupla expressão após ἕνεκεν, como algo mais de acordo com o estilo de Marcos. Outrossim, já que ambos os paralelos sinópticos (Mt 16.25 e Lc 9.24) dizem ἕνεκεν ἐμοῦ, é provável que as cópias de Marcos, utilizadas por Mateus e Lucas, contivessem essa frase.

Na obra de Georde Bernard Shaw, *Saint Joan*, há um discernimento penetrante, posto na boca do arcebispo de Reims, ao falar com Joana. Ele observa que ela "estava enamorada da religião". Joana considerou um instante, sorriu e disse: "Nunca pensei sobre isso! Há qualquer prejuízo nisso?" O arcebispo responde que prejuízo não há, mas apenas *perigo*. E assim é. Portanto, aquele que faz de Cristo o seu "tudo" não pode considerar que nisso há prejuízo, nem agora e nem no outro mundo; porém, há um perigo presente. Esse perigo se mescla com tudo quanto um homem faz e é. Isso lhe causará "perda" quanto ao seu "eu" carnal, podendo até mesmo lançá-lo em perigo físico, até mesmo no martírio. Pode fazê-lo perder o favor de outros, e certamente a maioria dos homens se afastará dele, havendo quem o evite e dele zombe. O versículo foi originalmente dirigido à "situação do martírio", mui literalmente, embora vise a uma aplicação mais lata. Talvez não tenhamos de morrer como mártires; mas teremos de viver como mártires, se nosso discipulado for autêntico, pois o seguir a Cristo naturalmente conduz a isso. Somente aqueles que vivem a vida de martírio (vida de absoluta dedicação) são realmente dignos do nome de discípulos de Cristo, pois Cristo é aquele, acima de tudo, cuja vereda de santidade e fidelidade o conduziu à cruz.

"[...] e do evangelho..." Isso é dito somente por Marcos, ao passo que Mateus e Lucas omitem essa expressão nos seus paralelos. Essa adição dá à declaração geral uma aplicação para todas as épocas, pois, enquanto houver um "evangelho" a pregar, será dever do cristão viver uma vida de martírio. Enquanto fizermos isso, haverá uma "salvação" final a obter, a saber, a vida eterna e todas as suas implicações. (Ver Jo 3.15, sobre a vida eterna, e Hb 2.3, sobre a "salvação".) Diz Luccock (*in loc.*): "O interesse próprio não rende lucro, mas termina no sepulcro com o epitáfio entristecedor: 'Ele cuidou de si mesmo' ". Enquanto isso, a vida de martírio traz dividendos imensos: "Deus cuidou dele". A experiência humana tem comprovado abundantemente a declaração de Jesus de que quem serve é maior que os outros. Essa é a única grandeza realmente genuína. O verdadeiro discipulado cristão nos põe na melhor posição possível para servir aos outros. As próprias qualidades morais e metafísicas de Cristo são infundidas em nós, quando aprendemos a segui-lo.

"É quando um homem se perde em coisas tão grandes e elevadas, que ele se encontra a si mesmo, e quando sacrifica a sua vida em favor de outros, então é que ele é salvo. *Somente* nessas atitudes há verdadeira vida". (Gould, *in loc.*).

8.36: Pois que aproveita ao homem ganhar o mundo inteiro e perder a sua vida?

8.36 τί γὰρ ὠφελεῖ ἄνθρωπον κερδῆσαι τὸν κόσμον ὅλον καὶ ζημιωθῆναι τὴν ψυχὴν αὐτοῦ;

"[...] alma..." Neste ponto, é igual à vida, conforme se vê no v. 35. Conforme aprendemos, a verdadeira vida é aquela que transcende às barreiras do tempo e do espaço, bem como o que é meramente terreno. Em primeiro lugar, embora um corpo mortal, o homem na realidade é um *espírito imortal*. Afinal de contas, sua vida deve ser espiritual, embora por algum tempo possa ele ficar imerso no que é material. Este comentário tem frisado a vasta importância da "alma". Na introdução há uma série de artigos sobre a "alma", onde buscamos demonstrar, de vários pontos de vista, a existência e a sobrevivência da alma, ante a morte biológica. Naturalmente, a verdadeira vida é mais do que a mera sobrevivência diante da morte física. Trata-se de uma espécie de vida, a saber, a participação na própria forma de *vida divina*, segundo se vê em João 5.25,36 e 6.57, onde o conceito é anotado. A verdadeira vida consiste de nos tornar o que Cristo é, pelo que, naturalmente, possuir o que ele possui. Isso significa a participação em *sua natureza*. Assim como ele assumiu nossa natureza humana, haveremos de assumir sua natureza divina, conforme o declara ousadamente o texto de 2Pedro 1.4. Esse conceito é anotado ali; e também, com abundância de detalhes, em Colossenses 2.10 e Romanos 8.29. Esse é o "evangelho" que pregamos. Não o mero perdão de pecados (embora seja passo inicial e necessário), não meramente o ir para os céus algum dia (embora essa seja uma verdade gloriosa), mas "ser o que ele é", mediante a graça. A participação na natureza divina é real; mas, naturalmente, é algo "secundário" no sentido de que essa natureza é infinita; e nossa participação na mesma, embora vá crescendo eternamente, é "finita". Contudo, a eternidade inteira será uma espécie de "diminuição do hiato" entre Cristo e nós, embora esse hiato jamais possa ser realmente transposto. Já que há uma infinitude com que seremos cheios, deverá haver também um preenchimento infinito. Tudo isso está envolvido na "salvação da alma". (Ver 2Co 5.8, quanto à nota geral sobre a "alma".)

Nesta vida, o valor de um homem pode ser calculado em termos de dólares ou de cruzeiros, de terras ou possessões. Na *vida vindoura*, no entanto, o valor de um homem será calculado segundo a *extensão* em que vier a participar da forma de vida de Cristo. Aquele que agora segue os "valores terrenos" da vida humana, conforme os profanos os calculam, é uma alma desgraçada, que talvez até perca de vista o fato da eternidade.

À pergunta deste versículo — "[...] o mundo ruge em resposta: Abundância! com o santo patrono do paganismo, Omar Khayyam, muitos dizem: 'Tomarei o dinheiro e deixarei que o crédito se vá'. Há muitos votos assim daqueles que anseiam por ganhar o mundo ou ainda pequena parte dele, deixando de lado o *lucro dúbio* de alguma vida futura, ou seja, aquela qualidade de vida, neste mundo, que o NT chama de eterna. Esses preferem o imediato em lugar do permanente, o tangível em lugar do intangível, o material em lugar do espiritual. No entanto, surgem sugestões perturbadoras sobre a sabedoria da escolha. Justamente quando estão mais seguros, cai a sombra do ponto de interrogação, juntamente com a seguinte cautela:

Nunca escrevas um diário
No próprio dia.
É preciso mais tempo que isso,
Para saber o que sucedeu.
(Christopher Morley)

A pergunta séria

1. A pergunta de Jesus mostra claramente a pobre barganha que é escolher *coisas* no lugar do bem-estar da alma.

2. Não é importante a acumulação de coisas. Praticamos este conceito?

852 |Marcos| NTI

8.37: Ou que daria o homem em troca da sua vida?
8.37 τί γὰρ δοῖ ἄνθρωπος ἀντάλλαγμα τῆς ψυχῆς αὐτοῦ;

"A pergunta significa: se um homem perdeu sua vida, por que *preço* ou *resgate* poderá recuperá-la? É a forma retórica de dizer que a perda é irrevogável. É o caráter irrevogável da perda que faz a vantagem nada ser ao seu lado. O mundo inteiro, mesmo que fosse conquistado por alguém, não compraria de volta a sua vida, se porventura a perdesse". (Gould, *in loc.*).

8.38: Porquanto, qualquer que, entre esta geração adúltera e pecadora, se envergonhar de mim e das minhas palavras, também dele se envergonhará o Filho do homem quando vier na glória de seu Pai com os santos anjos.
8.38 ὃς γὰρ ἐὰν ἐπαισχυνθῇ με καὶ τοὺς ἐμοὺς λόγους[11] ἐν τῇ γενεᾷ ταύτῃ τῇ μοιχαλίδι καὶ ἀμαρτωλῷ, καὶ ὁ υἱὸς τοῦ ἀνθρώπου ἐπαισχυνθήσεται αὐτὸν ὅταν ἔλθῃ ἐν τῇ δόξῃ τοῦ πατρὸς αὐτοῦ μετὰ[12] τῶν ἀγγέλων τῶν ἁγίων.

38 Mt 10.33; Lc 12.9

[11] **38** {A} λόγους (*ver* Lc 9.26) ℵ A B C D K L X Δ Θ Π *f f*[13] 28 33 565 700 892 1009 1010 1071 1079 1195 1216 1230 1241 1242 1253 1344 1365 1546 1646 2148 2174 *Byz Lect* l[883,s,m] it[a,aur,b,c,d,ff2,l,l,n,q,r1] vg syr[s,p,h,pal] cop[bo,fay] goth arm geo Diatessaron[a] Clement Origen Cyril // *omit* p[45vid] W it[k] cop[sa] Tertullian

[12] **38** {B} μετά ℵ A B C D K L X Δ Θ Π *f f*[13] 28 33 565 700 892 1009 1010 1071 1079 1195 1216 1230 1241 1242 1253 1344 1365 1546 1646 2148 2174 *Byz Lect* l[883s,m] it[a,aur,b,c,d,ff2,j,k,l,n,q,r1] vg syr[p,h,pal] cop[sa?bo?] goth geo // καί p[45] W syr[s] cop[fay] arm

> [11]Embora a forma sem a palavra λόγους dê bom sentido ("quem se envergonhar de mim e dos meus seguidores"), é mais fácil explicar a origem da forma mais breve como algo devido à omissão acidental, facilitada pela similaridade do fim das palavras ἐμοὺς λόγους,— do que explicar a inserção da palavra em grande variedade de diferentes tipos de texto.
>
> [12]A forma com καί, e não com μετά, parece ter surgido da falta de atenção de um escriba, ou da assimilação ao paralelo de Lucas 9.26.

A conclusão de Marcos, nessa declaração, é *diferente* da de Mateus ou de Lucas. Esse *logion* de Jesus acha-se em Mateus 10.33, mas em outra conexão; mas tanto em Mateus como em Lucas, aplica-se ao discipulado, pelo que cabe bem em ambas as aplicações. É possível que essa afirmativa de Jesus tenha sido usada em várias ocasiões, tendo diversas aplicações. Deve-se notar que sua forma, se expressa levemente diferente em Lucas e Mateus. Marcos fala sobre homens se "envergonharem" de Jesus e sua mensagem; Mateus fala em negar a Cristo, presumivelmente entre outras razões, porque alguém se envergonhava dele. O Messias-Servo *Sofredor* pode ser uma vergonha para alguns, conforme se vê em 1Coríntios 1.18ss. Sem dúvida, os judeus, bem como a grande maioria dos pagãos, não ansiariam por confessar o Senhor crucificado. Isso, porém, deve-se ao fato de que essa geração é "adúltera" e "pecadora", ou seja, está cega para a verdade espiritual, tendo acanhamento das realidades espirituais, tão pervertidos estavam. Desse modo, alienaram-se de Deus Pai, ou de Deus como Marido, por assim dizer; voltaram-se para a busca mundana e prostituída e para o orgulho. Em Mateus, por duas vezes essa geração é chamada "adúltera" (ver Mt 12.39 e 16.4). A isso é adicionado, como aqui —"má" ou "ímpia". Nessas passagens está envolvido o termo grego "poneros" ("mau"); mas aqui também é usado o termo "amartolos" ("pecadora"), quanto à segunda descrição. No entanto, é provável que esteja sendo reiterada a mesma declaração de Jesus, embora o próprio Jesus tenha feito variar um pouco suas descrições. Como conclusão das afirmativas desta seção, Lucas 9.26 preserva a ideia de um homem "envergonhar-se" do Filho do homem, mas não adiciona "e das minhas palavras".

"[...] **Filho do homem...**" (Ver as notas sobre esse tema em Mc 2.7 e em Mt 8.20).

"[...] **Pai...**" (quanto a Deus Pai, em Rm 8.15).

"[...] **santos anjos...**" (Quanto a uma nota detalhada sobre os "anjos", ver Lc 4.10 e At 1.10. Quanto aos anjos como quem estará associado ao julgamento, ver Mt 13.39,41, onde também o Filho do homem é mencionado como aquele que os enviará; Mt 24.31 e 25.31.)

Envergonhado de Jesus, pode isso ser,
Que um mortal se envergonhe de ti?
Envergonhado de Jesus? Antes disso
Que a tarde core de ter uma estrela.

"Envergonhados de Jesus, em um mundo que chegou ao abismo estonteante do desastre, porque os homens desconsideram a ele e às suas palavras? Envergonhados de Jesus, quando uma geração da história pôde averiguar de modo espantoso os seus ensinamentos? Envergonhados de Jesus, em uma época quando parece *mais claro do que nunca* que nenhuma outra base para a sobrevivência humana pode ser lançada além daquela que está lançada nele? Não estamos em tempo de desculpas, mas de uma tremenda afirmação. Não estamos em tempo de ficar envergonhados ante a única palavra de salvação, a um mundo cada vez mais perdido". (Luccock, *in loc.*).

Capítulo 9

9.1-13 — *A transfiguração* e a questão sobre o retorno de Elias. (As notas expositivas sobre esta seção são apresentadas em Mt 17.1-13.)

9.1: Disse-lhes mais: Em verdade vos digo, dos que aqui estão, alguns há que de modo nenhum provarão a morte até que vejam o reino de Deus já chegado com poder.
9.1 Καὶ ἔλεγεν αὐτοῖς, Ἀμὴν λέγω ὑμῖν ὅτι εἰσίν τινες ὧδε τῶν ἑστηκότων οἵτινες οὐ μὴ γεύσωνται θανάτου ἕως ἂν ἴδωσιν τὴν βασιλείαν τοῦ θεοῦ ἐληλυθυῖαν ἐν δυνάμει.

9 1 εστηκ.] μετ εμου D 565 it

A exposição sobre Mateus 16.28 apresenta as *várias* interpretações sobre essa declaração que tem sido variegadamente entendida. (Sobre o "reino", ver Mt 3.2.) O NT usa o termo de muitos modos diferentes, e um sumário de ideias figura na referência mencionada. Esta declaração parece pertencer tanto à seção anterior como à seguinte, agindo como uma espécie de vínculo entre elas. Jesus falou da vinda do Filho do homem. Agora ele declara que essa vinda será para breve. Em seguida, o texto mostra a sua transfiguração, como símbolo de sua verdadeira "parousia" (segundo advento). Não é de modo nenhum impossível que Jesus, como a igreja primitiva após ele, tenham pensado em sua "vinda gloriosa" para estabelecer o reino "dentro em breve"; tão breve, de fato, que pelo menos alguns de seus discípulos especiais daqueles dias viveriam o bastante para vê-la. Nisso, naturalmente, ele foi desapontado, tal como o foram seus discípulos. É típico das declarações "apocalípticas" que os que falam ou escrevem vejam o cumprimento das profecias como algo imediato. Pode-se ver isso no AT, nos apocalipses judaicos e no NT. A profecia tem a sua maneira de "saltar por cima" de vastas expansões de tempo, ou de ignorar as mesmas, como se seu cumprimento fosse imediato. Isso, porém, não torna a profecia menos "real".

Falham as interpretações que substituem a interpretação *literal* dessas palavras por qualquer outra, a fim de evitar a ideia do "reino imediato", o qual, na realidade, não se cumpriu logo.

Portanto, rejeitamos a *espiritualização* dessa afirmativa: o reino já veio, embora na forma da missão gentílica da igreja primitiva. Ou então somente a transfiguração de Cristo está em foco. Ou isso se cumpriu quando da destruição de Jerusalém, no ano 70 d.C. Contudo, a transfiguração quase certamente está em foco, como símbolo místico da *parousia*; e os discípulos viram isso literalmente, embora nenhum deles tenha sobrevivido fisicamente para ver a chegada real do reino sobre a terra, que Jesus pode ter esperado. Problemas dessa ordem são difíceis, e nada que dizemos poderá agradar a todos. Nenhuma interpretação, porém, visa ao propósito de agradar, mas antes, de inquirir pela verdade.

9.2: Seis dias depois tomou Jesus consigo a Pedro, a Tiago, e a João, e os levou à parte sós, a um alto monte; e foi transfigurado diante deles;

9.2 Καὶ μετὰ ἡμέρας ἓξ παραλαμβάνει ὁ Ἰησοῦς τὸν Πέτρον καὶ τὸν Ἰάκωβον καὶ τὸν Ἰωάννην, καὶ ἀναφέρει αὐτοὺς εἰς ὄρος ὑψηλὸν κατ' ἰδίαν μόνους. καὶ μετεμορφώθη ἔμπροσθεν αὐτῶν,

2-8 2Pe 1.17,18

2 Πέτρον...Ἰωάννην ·Mt 10.2; Mc 1.29; 3.16,17; 5.37; 13.3; 14.33; Lc 5.10; 6.14; 8.51; At 1.13

2 καὶ 3°] *add* τον p45 ℵDW f1 f13 pm ς; R] υψηλον] *add* λιαν ℵ pc it | μονους. και] *add* εν τω προσευχεσθαι αυτους (αυτον Θ 28) p45vid WΘ f13 28

Não há como determinar o *local* dessa experiência. Alguns falam no monte *Tabor*, mas outros pensam em um local mais ao norte, a fim da situação caber dentro da predição de alguns dos apocalipses (como I Enoque) acerca de algum tipo de elevada manifestação divina nos últimos dias.

Jesus foi *transformado*, tendo havido um brilho que veio de dentro, com a mudança consequente de sua aparência, com base em uma real mudança na forma de energia de seu ser. Em outras palavras, foi a "transformação" momentânea quanto à forma de vida — foi a *espiritualização*. Jesus assumiu uma aparência mais espiritual e mostrou aos homens a vereda da espiritualização, que caracterizará os remidos quando da "parousia", quando então seremos semelhantes a ele, pois haveremos de vê-lo como ele é. Isso nos conduzirá, finalmente, à participação em sua natureza, no sentido mais literal. (Ver 2Pe 1.4, quanto a notas completas sobre isso.) Esse é o mais elevado conceito espiritual que se conhece. Por ocasião da transfiguração, pois, houve uma espécie de *Cristofania*, quando o Filho de Deus se manifestou em sua verdadeira forma. Agora ele se acha à mão direita de Deus Pai (ver Mc 14.62 e At 7.55), provavelmente em uma forma ainda mais altamente espiritualizada do que aquela em que se manifestou quando de sua transfiguração.

"[...] Seis dias depois..." Cerca de uma semana após ter predito a sua morte (ver Mc 9.31ss) Lucas diz que Jesus subiu ao monte a fim de orar. Um extraordinário evento teve lugar, acompanhando esse propósito espiritual. Isso após um selo de autoridade no Messias que breve seria crucificado; e o texto de 2Pedro 1.17,18 mostra que assim os cristãos primitivos o entenderam. O texto é polêmico pelo menos em parte. O Messias tinha essa elevada glória, e sua crucificação não serviu para desfazer o fato. Realmente, conforme ensina o NT, a crucificação foi uma parte necessária do cumprimento dos propósitos e da missão messiânicos.

9.3: as suas vestes tornaram-se resplandecentes, extremamente brancas, tais como nenhum lavandeiro sobre a terra as poderia branquear.

9.3 καὶ τὰ ἱμάτια αὐτοῦ ἐγένετο στίλβοντα λευκὰ λίαν οἷα γναφεὺς ἐπὶ τῆς γῆς οὐ δύναται οὕτως λευκᾶναι.

3 λιαν p45vid ℵBWΘ f1; R] *add* ως χιων AD f13 (28) pl lat sy bopt ς 565 700 3 οια (ωςW) γν...λευκαναι] *om* X a n sys: ως ου δυν. τις λευκ. επι τ. γης D b i syp

As *vestes gloriosas* lhe pertencem porque seu é o reino, o poder e a glória. Cf. I Enoque 62.15,16. As *vestes brilhantes* são um *símbolo* comum nas visões, mas não há razão para duvidarmos da realidade da ocorrência e seus detalhes. O novo Moisés duplicou o feito do antigo Moisés (ver Êx 34.29-35 e 2Co 3.7). Esse é ponto importante a ser calcado, pois uma prova do caráter messiânico de Jesus deve ser extraída do episódio. Somente Marcos tem vestes *alvejadas*. Manuscritos subsequentes, como A D O L Si, adicionam a glosa, *como neve*, o que é omitido pelos manuscritos gregos mais antigos; e alguns poucos manuscritos de parca importância tomam por empréstimo de Mateus as palavras "como luz".

Lições extraídas desse incidente: (1) A transfiguração de Jesus fluiu naturalmente do andar espiritual de sua pessoa, que incluía a oração. (2) Prefigurou a sua *parousia*. (3) Prefigurou a futura *glória* e a transformação metafísica, primeiramente do homem Jesus, e então de todos nós que estivermos em Cristo. (4) Comprovou a natureza *messiânica* de Jesus. (5) Mostrou o poder e a necessidade da *adoração*, e o que ela pode significar em nossa vida. (6) Mostra que "altos cumes" de visão e transformação são possíveis nesta vida. O andar espiritual não é meramente e sempre um "progresso gradual". Dá saltos inesperados para o alto. (7) Mostrou que Deus está *interessado* nos homens e intervém na história humana (teísmo, em contraste com o deísmo). O deísmo diz que, se existe um deus, este está desinteressado nos homens e permitiu que neste mundo imperassem as leis naturais. (Ver At 17.27, quanto a diversas ideias filosóficas e teológicas sobre a natureza e as manifestações de Deus.) (8) Os lavandeiros terrenos podem obter certo efeito; mas há um efeito *transcendental*, que se obtém pela graça divina, de tal modo que o que é terreno sob hipótese alguma pode comparar-se favoravelmente com o que é celestial.

V. 3 *Nota textual*. A expressão "[...] como neve..." encontra-se nos mss ADEFGHKMNSUVX, Gamma e Fam Pi, e esses são seguidos pelas traduções AC, F e KJ. Entretanto, os mss P(45), Aleph, BWL, Delta, Theta e Fam 1 omitem essa expressão, no que são seguidos por todas as traduções, com exceção daquelas mencionadas acima. Essa adição é uma pequena glosa que visa a reforçar a ideia de brancura nas vestes de Jesus.

9.4: E apareceu-lhes Elias com Moisés, e falavam com Jesus.

9.4 καὶ ὤφθη αὐτοῖς Ἠλίας σὺν Μωϋσεῖ, καὶ ἦσαν συλλαλοῦντες τῷ Ἰησοῦ.

A lei e os profetas do AT *aprovaram* Jesus como o Messias, e aqui prestam testemunho a seu respeito. No entanto, são ultrapassados pela sua glória ainda maior. Sem dúvida, essas são lições que devemos entrever no texto. Moisés é o protótipo do Messias, e Elias é o tipo do precursor de Cristo (ver Ml 4.5). A presença deles mostra-nos que a era messiânica está perto, pois esta teria de começar com a "parousia". E esta última, por sua vez, foi tipificada pela transfiguração. Marcos e Mateus nada dizem sobre o que os três conversaram, mas Lucas aventura-se a dizer que falavam sobre a morte de Jesus para breve, bem como sobre os eventos e as finalidades em torno da mesma (ver Lc 9.31). Isso é mais do que uma antiga especulação pois Jesus pode ter revelado a seus discípulos algo do que transpirara, embora eles não tenham podido acompanhar a conversação. Tanto Moisés quanto Elias saíram desta terra de modo misterioso. Jesus haveria de segui-los, embora não pareça haver aqui a tentativa de ensinar nenhuma lição especial nesse fato.

9.5: Pedro, tomando a palavra, disse a Jesus: Mestre, bom é estarmos aqui; façamos, pois, três cabanas, uma para ti, outra para Moisés, e outra para Elias.

9.5 καὶ ἀποκριθεὶς ὁ Πέτρος λέγει τῷ Ἰησοῦ, Ῥαββί, καλὸν ἐστιν ἡμᾶς ὧδε εἶναι, καὶ ποιήσωμεν τρεῖς σκηνάς, σοὶ μίαν καὶ Μωϋσεῖ μίαν καὶ Ἠλίᾳ μίαν.

854 |Marcos| NTI

5 και 2°] θελεις **DΘ** f13 565 b ff fa: p) ει θελεις 28 a: και θελεις **W** |
ποιησωμεν] ποιησω **DW** b ff i: add p) ωδε p⁴⁵**WΘ** 565 c ff

9.6: Pois não sabia o que havia de dizer, porque ficaram atemorizados.
9.6 οὐ γὰρ ᾔδει τί ἀποκριθῇ, ἔκφοβοι γὰρ ἐγένοντο.

6 αποκριθη **B** f1 28 565 700 pc; R] απεκριθη **ℵ**: ελαλει Θ: λαλει p⁴⁵**W**:
λαλησει **AD** pm: λαλησει pc ς

Pedro queria deter os visitantes celestiais e repetir a cena ocorrida no deserto. Falou sem conhecimento e contradisse os altos propósitos e lições inerentes ao episódio. Talvez Pedro julgasse que os "últimos dias" haveriam de repetir, de algum modo, os primeiros dias do Êxodo; mas isso está distante da verdade. As observações de Pedro não foram particularmente inteligentes; e o v. 6 é uma apologia feita por Marcos, desculpando Pedro com base em seu temor. Pelo menos sua avaliação lata estava correta: isso é bom. Uma das lições do fato é que as experiências místicas são desejáveis para a fé religiosa. Os dons do Espírito, em Efésios 4, visam ao "crescimento da igreja", o que também se vê em Romanos 12. Podemos imaginar, entretanto, poder passar sem eles, já que sem nenhuma base no próprio NT, dizendo dogmaticamente que não pertencem à nossa época.

Jesus não permitiu a "estagnação" do evento, o que ocorreria se ele tivesse seguido a sugestão de Pedro. O surgimento de dogmas e organizações religiosas tem servido para estagnar a verdade, pois esses exigem a fixação do credo e das experiências. No entanto, o intuito mesmo de Jesus foi o de "abalar" a ordem estabelecida, para que nossos irrompimentos na verdade pudessem ser alcançados. Jesus nada quis dizer, se não quis dizer isso. Jamais podemos atar nossas experiências espirituais a alguma organização, a algum evento, a algum conjunto de dogmas, a alguma experiência, passada ou presente. Nada há de errado na edificação com base na experiência, mas essa edificação jamais deve ter permissão de estagnar a busca pela verdade, por maior luz, para ter mais de Cristo na vida. "Foi bom para Pedro passar pela experiência da transfiguração; mas não foi bom que ele tentasse prolongá-la. Ele precisava avançar para novas experiências de entendimento e discipulado" (Luccock, in loc).

O pronome de tratamento usado. Em Mateus, Pedro se dirige a Jesus, chamando-o de "Senhor". Em Marcos, chama-o de "Rabi". E em Lucas, de Mestre. Não é importante recuperar o vocábulo exato; os próprios evangelistas não procuraram harmonizar essas minúcias, conforme teimam em fazer alguns harmonistas modernos.

9.7: Nisto veio uma nuvem que os cobriu, e dela saiu uma voz que dizia: Este é o meu Filho amado; a ele ouvi.
9.7 καὶ ἐγένετο νεφέλη ἐπισκιάζουσα αὐτοῖς, καὶ ἐγένετο φωνὴ ἐκ τῆς νεφέλης, Οὗτός ἐστιν ὁ υἱός μου ὁ ἀγαπητός, ἀκούετε αὐτοῦ.

7 Οὗτος...ἀγαπητός Sl 2.7; Mt 3.17; 12.18; Mc 1.11; Lc 3.22; 2Pe 1.17
ἀκούετε αὐτοῦ Dt 18.15; At 3.22

7 εγενετο 2°] om **W** f1 k syᵖ

Jesus está relacionado ao antigo pacto, mas transcende ao mesmo. Isso se torna patente neste versículo. Se antes havia Moisés e Elias (a lei e os profetas), eles não mais permanecem, exceto em Cristo. O versículo provavelmente visa a indicar a filiação divina de Jesus, e não apenas sua missão messiânica, embora, nas páginas do NT, a missão messiânica certamente inclua esse aspecto. (Ver sobre a "divindade de Cristo", em Hb 1.3).

As palavras que foram ouvidas aqui duplicam o que foi ouvido quando do batismo de Jesus, e são reiteradas em 2Pedro 1.7. (Ver também Mt 3.17; 17.5; Mc 1.1; Lc 3.22; 9.35.) Elas envolvem a sabedoria suprema. Nossa vida deveria ser um lembrete contínuo disso. Quando a vida começa e busca caminho por meio da teia de perturbações; quando ela busca alvos e cumprimentos; quando ela entra em eclipse, a voz de Deus continua sendo nosso guia. Quando

da vida se esvai a sua força; quando se mirra na derrota, então precisamos dar ouvidos à voz de Deus. É a Palavra, o Logos de Deus que fala aos homens de toda parte. É a voz da instrução, uma voz pacífica, de fraternidade, de sobrevivência da alma e do triunfo. É a voz que nos põe na presença da eternidade.

A "BATH QOL", ou seja, a "voz" dos céus, ou "filha" (talvez eco) da voz de Deus, conforme os rabinos diziam, quando falavam em incidentes dessa natureza, é o que está aqui em foco (ver Salmos 2.7). Esse salmo messiânico fala de Cristo como "o filho amado".

9.8: De repente, tendo olhado em redor, não viram mais a ninguém consigo, senão só a Jesus.
9.8 καὶ ἐξάπινα περιβλεψάμενοι οὐκέτι οὐδένα εἶδον ἀλλὰ τὸν Ἰησοῦν μόνον μεθ' ἑαυτῶν.

8 αλλα **AWΘ** f1 f13 pm ς] ει μη **ℵBD** al; R

Isso é próprio. Todas as experiências místicas nos devem conduzir, afinal, somente a Jesus. Talvez seja refinamento demasiado da intenção da história frisar que Moisés e Elias desapareceram e deixaram Jesus sozinho, isto é, como "única autoridade" para os discípulos. A verdade, porém, é que o NT ensina isso. Moisés continua existindo, mas toda a sua importância reside em Cristo, e não fora dele; e isso se dá com tudo quanto "sobrevive" da antiga dispensação. A "epifania" de Jesus faz as coisas serem assim, e isso tornar-se mais real e será universalmente aplicado quando da parousia, do que esta "epifania" serviu de símbolo. A visão celestial ocorreu subitamente; e desapareceu do mesmo modo; mas o seu poder permaneceu com os três discípulos especiais pelo resto de sua vida. As experiências místicas, quando são reais, mesmo que não sejam frequentes, têm esse bom efeito. A alma humana precisa, ocasionalmente, de elevar-se e de tocar no fogo divino. Com tais "toques" um homem chega a ver mais claramente que é um ser espiritual, cujo destino está nos mundos eternos. Às vezes precisamos ver isso nitidamente. Certamente essas experiências nos tornam crentes melhores.

Mas descerei desse espaço arejado, dessa paz rápida,
e branca, dessa exultação que ferra,
E o tempo se fechará a meu redor, e minha alma se agitará
ao ritmo das atividades diárias.
Contudo, tendo conhecido, a vida não chegará mui perto, e
sempre sentirei o tempo desenrolar-se fino em torno de mim;
Pois uma vez estive
Na presença branca e ventosa da Eternidade.
(Profiles from China, Eunice Tietjens)

9.9: Enquanto desciam do monte, ordenou-lhes que a ninguém contassem o que tinham visto, até que o Filho do homem ressurgisse dentre os mortos.
9.9 Καὶ καταβαινόντων αὐτῶν ἐκ τοῦ ὄρους διεστείλατο αὐτοῖς ἵνα μηδενὶ ἃ εἶδον διηγήσωνται, εἰ μὴ ὅταν ὁ υἱὸς τοῦ ἀνθρώπου ἐκ νεκρῶν ἀναστῇ.

9 εκ 1° **BD** pc] απο **ℵAWΘ** f1 f13 pl ς;R

(Ver as notas sobre Filho do homem, em Mt 8.20 e Jo 1.51. Ver sobre o modo da ressurreição de Cristo, em Lc 24.6, e sobre o fato e o significado dessa ressurreição, em 1Co 15.20.)

Para baixo, chamam as vozes do Dever —
Para baixo, à labuta para misturar-se no oceano,
Os campos secos queimam e os moinhos giram,
E miríades de flores anelam mortalmente.

É a descida da vida inteira, do lugar da visão para a planície do dever, das colinas do privilégio para as planícies da necessidade. Rafael pintou isso numa tela. Sidney Lanier pintou-o em seu poema "The Song of the Catthahhoche (acima). Rafael pintou-o. Lanier cantou-o. Jesus viveu-o. E agora repousa sobre nós como seu mandato.

O Filho do homem morreria, por mais estranho que isso fosse para os discípulos, pois ele era o Messias. Contudo, ressuscitaria, um jubiloso pensamento, embora pouquíssimo entendido naquela ocasião. Elias prefigurou a Cristo nesse particular, pois a "morte" não pôde dominá-lo e nem levá-lo à corrupção. Nisso Jesus ultrapassou a Moisés.

O segredo messiânico. Por alguma razão, ou razões, evidentemente Jesus manteve em segredo o seu poder messiânico por longo período de seu ministério. Isso se faz claro em Marcos 8.30. (Ver as notas sobre isso, em Mt 16.20, o paralelo.) Naturalmente, o povo tinha um conceito errôneo do que seria o Messias. Jesus não queria ser reputado como o Messias, de acordo com esses conceitos errôneos do povo. E sem dúvida houve outros motivos por detrás da ordem para os discípulos se calarem, e as notas mencionadas abordam esses motivos.

9.10: E eles guardaram o caso em segredo, indagando entre si o que seria o ressurgir dentre os mortos.

9.10 καὶ τὸν λόγον ἐκράτησαν^a πρὸς ἑαυτοὺς^a συζητοῦντες τί ἐστιν τὸ ἐκ νεκρῶν ἀναστῆναι.

_{a a **10** a none, a none: WH Bov Nes BF² // a none, a minor: TR (AV^{ed}) RSV // a minor, a none: (AV^{ed}) RV ASV NEB TT (Zür) (Luth) Jer Seg}

"[...] dentre os mortos...", ou seja, dentre o sepulcro o lugar dos mortos. Na linguagem cristã, isso significa "dentre os espíritos dos mortos", manifestando-se novamente no plano terrestre. Sendo judeus, eles sabiam o que significava a palavra ressurreição. No entanto, não sabiam como aplicar isso a Jesus. Não esperavam que isso pudesse ser visto por eles, sobretudo no caso daquele que, sem dúvida, tinham como o Messias. Para eles, a doutrina da ressurreição era um dogma, mas não uma verdade vital, que pudesse tornar-se uma experiência real. Com exagerada frequência, os dogmas são desvinculados da experiência diária; por essa razão, há grande diferença entre o Cristo em um credo e o Cristo na vida.

9.11: Então lhe perguntaram: Por que dizem os escribas que é necessário que Elias venha primeiro?

9.11 καὶ ἐπηρώτων αὐτὸν λέγοντες, Ὅτι^b λέγουσιν οἱ γραμματεῖς ὅτι Ἠλίαν δεῖ ἐλθεῖν πρῶτον;^b

<sub>b b **11** b interrogative, b question: TR WH Bov Nes BF² AV RV^{mg} ASV RSV NEB TT Zür Jer Seg // b direct, b statement: RV ASV^{mg} Luth
11,12 λέγουσιν...πάντα Ml 4.5,6</sub>

_{11 Ὅτι] Τι ουν WΘ: Πως ουν f13: (οτι λεγ. R)}

Sem dúvida, muita conversa fora espalhada que indicava que Jesus era o *Messias*. As autoridades religiosas tentaram contrabalançar isso de muitos modos, com argumentos vários. Um desses argumentos é o deste texto: "Elias deve voltar primeiro, pois assim dizem as Escrituras. Jesus não pode ser o Messias, pois Elias ainda não voltou". Sem dúvida, isso preocupava a muitos seguidores de Jesus, e a controvérsia continuou rugindo após a ressurreição. Resposta cristã: (1) João Batista era o "Elias" do *primeiro advento*". Alguns podem ter crido que ele era a reencarnação literal de Elias, mas outros pensariam que ele meramente dava continuação à sua missão. (2) O verdadeiro Elias voltará antes do *segundo advento*" ("parousia"), inteiramente à parte da personalidade de João Batista. Alguns o identificam com uma das duas testemunhas do Apocalipse 11. (3) No v. 10 (ver Mt 17.12), vê-se que o "sofrimento" também deveria fazer parte da vida do Messias. Nenhum texto bíblico é citado diretamente, mas os crentes pensavam em Isaías 53 e outras passagens. Não nos podemos apegar a alguns textos bíblicos e rejeitar outros. Jesus cumpriu todos esses textos com sua vida. Os "escribas" não se preocupavam com esse outro tema das profecias messiânicas. *A polêmica cristã* primitiva acerca do caráter messiânico de Jesus é evidente em tudo isso, mas não há razão para se duvidar da autenticidade das declarações e de que eles tinham uma declaração histórica "anterior à ressurreição".

O aparecimento de Elias, por ocasião da *transfiguração*, teria relembrado os discípulos acerca da controvérsia, sobre o "Messias". Por isso é que fizeram a indagação constante neste versículo.

9.12: Respondeu-lhes Jesus: Na verdade Elias havia de vir primeiro, a restaurar todas as coisas; e como é que está escrito acerca do Filho do homem que ele deva padecer muito e ser aviltado?

9.12 ὁ δὲ ἔφη αὐτοῖς, Ἠλίας μὲν ἐλθὼν πρῶτον ἀποκαθιστάνει πάντα, καὶ πῶς γέγραπται ἐπὶ τὸν υἱὸν τοῦ ἀνθρώπου ἵνα πολλὰ πάθῃ καὶ ἐξουδενηθῇ;

_{12 γέγραπται...ἐξουδενηθῇ Sl 22.1-18; Is 53.3}

_{12 Ἠλ. μὲν] ει Ἠλ. D: Ἠλ. W f1 28 565}

É como se Jesus tivesse respondido: "É verdade. Os escribas estão certos até onde vão. A profecia sobre Elias deverá cumprir-se. De fato, já se cumpriu, de certo modo em João Batista. Os escribas, porém, esqueceram-se das predições sobre os 'sofrimentos'. Portanto, quando eu sofrer e for morto, não deveis ficar surpreendidos, e nem pensar que isso é contrário ao meu caráter messiânico, pois tudo foi predito nas Escrituras".

O problema da restauração. Como pode ser que Jesus evidentemente tenha defendido a tese de alguma lata "restauração" (que levaria ao reino), em face dessa predição de sofrimento e morte para o Messias, o principal restaurador? Alguns gostariam de entender como segue essas palavras: "Se Elias vier primeiro e restaurar tudo, então como está escrito sobre o Filho do homem..." E isso daria a entender que a ideia de restauração é falsa. Entretanto, isso é extremamente duvidoso como forma de entender esta passagem. Alguns intérpretes pensam que a referência à restauração é uma antiga glosa, baseada em Malaquias 4.6. Contudo, não há provas textuais em favor dessa ideia. Quase sem a menor dúvida, Jesus admitiu a restauração: (1) porque ele ainda tinha essa esperança, a despeito dos sofrimentos preditos; (2). porque ele transfere essa restauração para seu segundo advento, pois, no primeiro, ela era apenas "*potencial*".

O "*primeiro Elias*" (João Batista), deveria sofrer, como também o Messias. Esse conceito não era entendido pelos escribas, que só podiam pensar em um precursor que seria um general triunfante, e um Messias e rei triunfante. Ora, se Elias é realmente uma das duas testemunhas de Apocalipse 11, o "precursor da segunda vinda" também terá de sofrer. Nenhum reino de Deus pode aparecer sem agonia.

A profecia do AT em foco é a de Malaquias 3.5,6. A *restauração* seria não somente o retorno do povo à ética da lei. Deveria ser um "reino", e não apenas uma condição moral. Por conseguinte, a parousia está em pauta, e não meramente o primeiro advento.

9.13: Digo-vos, porém, que Elias já veio, e fizeram-lhe tudo quanto quiseram, como dele está escrito.

9.13 ἀλλὰ λέγω ὑμῖν ὅτι καὶ Ἠλίας ἐλήλυθεν, καὶ ἐποίησαν αὐτῷ ὅσα ἤθελον, καθὼς γέγραπται ἐπ' αὐτόν.

_{13 Ἠλίας ἐλήλυθεν Mt 11.14}

O "*precursor sofredor*" seria tão estranho para as autoridades religiosas como estranho foi o "Messias-Servo Sofredor". Todavia, Jesus declarou que ambos os casos eram necessários, a fim de que houvesse restauração. As duas coisas correm paralelas, embora os escribas jamais tivessem concebido tal coisa. Jesus dizia que o conhecimento que tinham das Escrituras era parcial e errôneo. A verdadeira maneira de entender as Escrituras do AT concorda com a esperança e a experiência cristãs. Certamente é isso que estes versículos queriam dizer, nas mãos da igreja primitiva.

Os homens fazem como bem entendem. Fizeram João sofrer. Levaram Jesus a agonizar. Provocaram o adiamento do reino. O plano divino, porém, já *previra* tudo isso, e até mesmo incorporara tal coisa. Como? Não sabemos dizê-lo. Deus se utiliza da vontade humana sem destruí-la. O método que ele usa é insondável. A predestinação é uma verdade; e o livre-arbítrio também o é. Para nossa mente humana, são conceitos claramente contraditórios; mas não para a mente divina. Todas as tentativas que os homens têm feito

856 |Marcos| NTI

para reconciliar os dois conceitos, têm fracassado. É um erro negar uma coisa, ao mesmo tempo que admitimos a outra. (Quanto à predestinação, ver Rm 9.15,16; e quanto ao "livre-arbítrio", ver 1Tm 2.4.)

"[...] como a seu respeito está escrito..." O AT não faz nenhuma predição acerca dos sofrimentos do precursor do Messias. Alguns estudiosos conjecturam que está em foco alguma obra judaica apócrifa, a qual talvez também estivesse em foco quando da compilação de Apocalipse 11, que fala sobre as duas testemunhas que haverão de sofrer, uma das quais, ao que parece, será Elias. Contudo, não há como afirmar ou negar isso.

9.14-29 — *Cura do jovem possesso por um demônio.* A narrativa de Mateus é mais abreviada, mas a exposição desta seção aparece no texto de Mateus 17.14-21, e todos os elementos da narrativa de Marcos, que não estão contidos na narrativa de Mateus, são tomados em consideração ali.

9.14: Quando chegaram aonde estavam os discípulos, viram ao redor deles uma grande multidão, e alguns escribas a discutirem com eles.

9.14 Καὶ ἐλθόντες πρὸς τοὺς μαθητὰς εἶδον ὄχλον πολὺν περὶ αὐτοὺς καὶ γραμματεῖς συζητοῦντας πρὸς αὐτούς.

"Tal como a grande pintura de Rafael, Marcos põe esta história da reação de Jesus à necessidade humana em íntima conexão com a narrativa da transfiguração. O contraste entre Jesus visto na glória e a impotência dos nove discípulos no monte, é marcante. A discussão dos escribas evidentemente resultou do fracasso dos discípulos em expelir o demônio; além disso, os escribas não servem para outro propósito na história" (Grant, *in loc.*).

Os v. 14-16 estão em Marcos somente para *introduzir* o milagre da cura do lunático. Não é impossível que os crentes primitivos, em suas tentativas de expelirem os demônios, tenham produzido ridículo similar ao que sucedeu aos discípulos especiais. Nesse caso, a resposta da igreja seria aquela ilustrada neste texto. Jesus é adequado para todas as necessidades, sem importar a debilidade de seus discípulos. É uma perversidade humana quando indivíduos religiosos deleitam-se no fracasso de outros, que também são religiosos, e cujas obras são feitas em nome de Jesus Cristo.

9.15: E logo toda a multidão, vendo a Jesus, ficou grandemente surpreendida; e correndo todos para ele, o saudavam.

9.15 καὶ εὐθὺς πᾶς ὁ ὄχλος ἰδόντες αὐτὸν ἐξεθαμβήθησαν, καὶ προστρέχοντες ἠσπάζοντο αὐτόν.

15 αυτον 1°] τον Ιησουν **D** it: *om f1* | προστρεχ.] προσχαιροντες **D** it

Por que razão ficaram *surpresos*? Diferentes respostas têm sido dadas: (1) Jesus ainda teria no rosto os resultados da transfiguração. Seu rosto brilhava, como quando Moisés voltou de ter recebido a lei (ver Êx 34.29-35). (2) Ou então ficaram assustados ante seu aparecimento súbito e oportuno, já que seus discípulos tinham acabado de falhar na tentativa de expelir um demônio; e sabiam, por experiência, que Jesus seria bem-sucedido. Todavia, ele ter chegado no *momento exato* os surpreendeu. Ficaram alegres com a surpresa, e correram ao encontro de Jesus.

O termo grego é *fortíssimo*. É usado novamente em Marcos 14.33 e 16.5, quando da agonia de Jesus no jardim, e acerca do aparecimento do anjo, ao ressuscitar Jesus. Considerando o "total espanto" ou "choque", ou mesmo "temor", que a palavra expressa, talvez seja melhor entender aqui a primeira das duas explicações acima. O que viram deu-lhes uma espécie de considerável choque emocional. Alguns sugerem que a consternação das multidões pode ter havido, em parte, devido ao fato de se terem unido aos escribas, na zombaria contra os discípulos, por não terem estes podido curar em nome de Jesus. O repentino aparecimento de Jesus os teria envergonhado com esse ato ridículo.

9.16: Perguntou ele aos escribas: Que é que discutis com eles?

9.16 καὶ ἐπηρώτησεν αὐτούς, Τί συζητεῖτε πρὸς αὐτούς;

A despeito do que parece ser um uso helenista (ver o comentário final sobre Fp 3.21), a minoria da comissão preferiu decisivamente o uso do sinal de aspiração em αὐτούς.

"[...] eles..." Os discípulos, ou a multidão? Apesar da "multidão" estar mais próxima do pronome, os "discípulos", no v. 14, oferecem melhor resposta. Os escribas discutiam com os discípulos, ridicularizando-os. O ponto, porém, não é importante. As disputas carnais não faziam parte das atividades de homens espirituais. Certamente essa é uma das lições que o episódio nos ensina. Discutiam, ao mesmo tempo que uma necessidade humana não era atendida. Por que não tentavam, todos juntos, expelir o demônio? Os escribas, entretanto, preferiam frisar ante a multidão que o uso do nome de Jesus era impotente para efetuar a cura. Os discípulos, por sua vez, ao usarem o nome de Jesus, como se fora uma fórmula mágica, se tinham esquecido de ter a Jesus de modo suficiente em sua vida, o que lhes daria o poder necessário. Como tudo isso é verdadeiro em nossa situação moderna! Religiosos colocam-se em seus quartéis, a saber, em suas igrejas, e, em nome de Cristo, se amaldiçoam mutuamente! Nesse ínterim, a necessidade humana vai sendo negligenciada, e a questão de Cristo na vida é ignorada.

Nos primeiros dias do moderno movimento missionário, quando os poucos primeiros recapturaram a visão de Cristo para o mundo inteiro, a maioria dos discípulos continuava *discutindo* sobre outra coisa.

E lembramo-nos de que muitos estavam até mesmo discutindo sobre a própria validade dessa missão (ver At 11).

9.17: Respondeu-lhe um dentre a multidão: Mestre, eu te trouxe meu filho, que tem um espírito mudo;

9.17 καὶ ἀπεκρίθη αὐτῷ εἷς ἐκ τοῦ ὄχλου, Διδάσκαλε, ἤνεγκα τὸν υἱόν μου πρὸς σέ, ἔχοντα πνεῦμα ἄλαλον·

(Quanto aos "*demônios*", ver Mc 5.2; quanto à "*possessão demoníaca*", ver Mt 8.28; quanto ao "exorcismo", ver At 15.8.) Aquele era um espírito que provocava mudez. (Ver Mateus 9:32 e 12:22 sobre isso). Apesar de, segundo a crença popular, qualquer enfermidade poder ser causada por possessão demoníaca, e, sem dúvida, toda essa questão ser grandemente exagerada, não se pode duvidar da realidade do mundo invisível, o qual infelizmente, conta com espíritos malignos. A possessão demoníaca é uma realidade e pode causar enfermidades.

Aquele pai trouxe seu filho ao "*Mestre*", mas encontrou somente seus discípulos. Os discípulos decepcionaram o homem porque não eram como o Mestre. A inquirição espiritual nos leva à transformação espiritual segundo a imagem e natureza de Cristo. (Ver Rm 8.29 e Cl 2.10 sobre esse tema, o mais elevado do evangelho, mas que anda quase totalmente negligenciado hoje em dia.)

9.18: e este, onde quer que o apanha, convulsiona-o, de modo que ele espuma, range os dentes, e vai definhando; e eu pedi aos teus discípulos que o expulsassem, e não puderam.

9.18 καὶ ὅπου ἐὰν αὐτὸν καταλάβῃ ῥήσσει αὐτόν, καὶ ἀφρίζει καὶ τρίζει τοὺς ὀδόντας καὶ ξηραίνεται· καὶ εἶπα τοῖς μαθηταῖς σου ἵνα αὐτὸ ἐκβάλωσιν, καὶ οὐκ ἴσχυσαν.

18 ρησσει] ρασσει **D** 565 | αυτον 2°] *om* ℵ**DW** k | ισχυσαν] *add* εκβαλειν αυτο **DWΘ** (565) *a b* sa

"É difícil imaginar palavras mais incisivas para expressar a repreensão de um modo sofredor contra uma igreja impotente [...]

não puderam. Quem de nós pode escapar a esse clamor de partir o coração? Por quantas vezes tem sido tristemente levantado contra nós, pelas pessoas necessitadas e sofredoras do mundo [...]. O mundo traz a nós os seus aflitos, por sermos discípulos do grande Médico. Esse relatório de partir o coração deverá prosseguir para sempre — 'Não puderam?' " (Luccock, *in loc.*).

Os sintomas aqui mencionados sugerem a *epilepsia*, mas alguns desses sintomas são bem conhecidos como indicadores de possessão demoníaca. Para Jesus, era indiferente se ele tinha de ajustar as substâncias químicas do cérebro e o equilíbrio do sistema nervoso, ou expelir o demônio que causava essas desordens. Seu poder é universal.

9.19: Ao que Jesus lhes respondeu: Ó geração incrédula! até quando estarei convosco! até quando vos hei de suportar? Trazei-mo.

9.19 ὁ δὲ ἀποκριθεὶς αὐτοῖς λέγει, Ὦ γενεὰ ἄπιστος, ἕως πότε πρὸς ὑμᾶς ἔσομαι; ἕως πότε ἀνέξομαι ὑμῶν; φέρετε αὐτὸν πρός με.

19 ο δε] και p⁴⁵DWΘ f¹ f¹3 pc | απιστος] add p) και διεστπαμμενη p⁴⁵W f¹3

O desenvolvimento *espiritual* de Jesus, como homem, era tão *elevado*, que ele se admirava quando via o ceticismo, a incredulidade ou a dureza de coração. Ele vivia literalmente em dois mundos ao mesmo tempo, estando imerso e saturado no poder do Espírito Santo. Ele conhecia e experimentava constantemente as invasões do mundo espiritual neste mundo físico, e em certas ocasiões, não entendia como os homens nada sabiam sobre isso. Provavelmente, segundo o ponto de vista dos evangelistas, tudo isso mostra algo da divindade de Cristo; mas não nos devemos olvidar de que ela operava no homem Jesus e o transformava, e assim, como homem, o Cristo veio a possuir divindade sob uma nova forma. Em outras palavras, um novo ser veio à existência, o Deus-homem. A natureza humana de Jesus foi transformada, tal como deve suceder a todos os outros homens, pois ele foi não somente o Caminho, mas também o Pioneiro do caminho, segundo se aprende em Hebreus 5.9. Em Cristo, pois, também somos transformados, e chegamos a participar da mesma forma de vida que ele tem. (Ver as notas a respeito em 2Pe 1.4. Consultar também Jo 5.25,26 e 6.57 sobre esse tema.)

O pai *repreendeu* os discípulos; e Jesus fez o mesmo. Suas palavras foram severas e cortantes; e elas têm uma aplicação universal, pois o que via de desagradável para si nos discípulos, via em todos os homens, pois todos são seres decaídos. Como é que um homem chega a esquecer-se do poder e da glória dos mundos espirituais? Por haver caído para muito longe de Deus. Jesus, porém, veio para trazer-nos de volta.

"[...] um mundo inteiro de incredulidade se posta no caminho da restauração do menino" (Grant, *in loc.*). O menino fazia parte da raça humana decaída, de uma geração sem fé. Essas palavras sempre serão modernas. O ceticismo prejudica à alma, já que lhe furta até da possibilidade do conhecimento espiritual, pois consiste de trevas espirituais. Somente na fé — que indica a outorga da alma a Cristo — é que a verdade de Deus pode chegar até nós, de modo que Cristo possa viver em nós.

Um mundo inteiro de perversidade espiritual. Consideremos as guerras constantes, a carnificina ímpia, o ódio que é tão grande que infecciona a igreja, onde homens, carnais e odiosos, odeiam em nome de Cristo. Esse é o mundo incrédulo que Jesus condenou. Entretanto, a crença é muito mais que mero credo. É Cristo na vida.

Jesus, o homem espiritual, suportou este mundo, mas isso não lhe foi fácil. Chegou a indagar quanto mais de infidelidade seria capaz de tolerar. Notemos como Jesus incluiu os próprios discípulos nessa geração infiel:

Superficiais meio-crentes, de credos casuais,
Mas que nunca sentiram no íntimo, nem desejaram,

Cujo discernimento nunca produziu fruto nas ações,
Cujas vagas resoluções nunca foram cumpridas;
Para quem, cada ano que passa,
É um novo começo, mas gera novos desapontamentos,
Que hesitam e titubeiam por toda a vida,
E que perdem amanhã o terreno conquistado ontem.
(Matthew Arnold)

9.20: Então lho trouxeram; e quando ele viu a Jesus, o espírito imediatamente o convulsionou; e o endemoninhado, caindo por terra, revolvia-se espumando.

9.20 καὶ ἤνεγκαν αὐτὸν πρὸς αὐτόν. καὶ ἰδὼν αὐτὸν τὸ πνεῦμα εὐθὺς συνεσπάραξεν αὐτόν, καὶ πεσὼν ἐπὶ τῆς γῆς ἐκυλίετο ἀφρίζων.

Jesus percebeu que o caso era *tão grave* quanto dissera o pai do menino. Aquele era o momento da verdade. Jesus podia ajudar ou não. Em caso negativo, ficaria sujeito ao mesmo *ridículo* que fora sofrido por seus discípulos. A fé religiosa deve transcender a meros artigos de fé. Um artigo diz: "Jesus pode curar". Todavia, a menos que Jesus faça realmente isso, de que serve isso como "declaração de fé"? Outro tanto sucede em nossa vida. O credo é inútil. É Cristo na vida quem nos transforma, e isso significa algo.

O *"espírito"* o convulsionou, pois tomara conta do menino. O espírito conhecia a Jesus, o que é um detalhe bastante comum em Marcos (ver Mc 5.7). O espírito se agitou porque sabia o que estava prestes a suceder, e assim demonstrou sua agitação, repetindo os sintomas. "O espírito, vendo a Jesus, e sabendo que o seu poder estava no fim, fez um assédio final" (Bruce, *in loc.*). Como é bom quando o poder de Cristo nos leva ao *término* de um fracasso, de um vício, da indiferença e da impotência espiritual! A carne amaldiçoa, luta e nos agita.

9.21: E perguntou Jesus ao pai dele: Há quanto tempo sucede-lhe isto? Respondeu ele: Desde a infância;

9.21 καὶ ἐπηρώτησεν τὸν πατέρα αὐτοῦ, Πόσος χρόνος ἐστὶν ὡς τοῦτο γέγονεν αὐτῷ; ὁ δὲ εἶπεν, Ἐκ παιδιόθεν·

21 ως] εως p⁴⁵B: εξ ου WΘ al

Por igual modo, os males do pecado e os vícios nos dominam desde os primeiros anos, pois se ocultam em nossa própria natureza. Por quanto tempo os males nos têm dominado? Por quanto tempo podemos lembrar; por quanto tempo a raça humana pode lembrar.

Somente Marcos registra a conversa. Jesus indagou simplesmente porque queria saber. Isso fazia parte de sua simpatia com o sofrimento humano. Outra pergunta importante seria: "Quanto tempo se passará até que chames seriamente Jesus em teu socorro?" Não pedes socorro porque gostas do demônio maligno? Temes que Jesus te livre dos *prazeres doentios* do pecado? Um dos fatos do demonismo é que, normalmente, nenhuma possessão pode ter lugar a menos que o possuído convide o poder maligno. Pode-se fazer isso pelas atitudes íntimas e pela indulgência nos vícios, ou então frequentando os lugares onde operam os poderes malignos. Este autor sabe de um caso de possessão demoníaca em que o exorcista foi repreendido pelo demônio, que defendia seu direito de possessão, dizendo: "Fui convidado!" A isso o exorcista replicou: "Estás convidado a sair!" E pronatamente a mulher foi libertada. Ela já estivera em muitos lugares do mundo, devido aos esforços de seu marido, consultando médicos e psiquiatras que não lhe trouxeram qualquer benefício. Mas a palavra poderosa — do homeme de Deus —, livrou-a imediatamente. Porém, em algum ponto passado de sua vida, devido à indulgência pecaminosa ou à indiferença espiritual, ela convidou o poder maligno para apossar-se dela.

9.22: e muitas vezes o tem lançado no fogo, e na água, para o destruir; mas se podes fazer alguma coisa, tem compaixão de nós e ajuda-nos.

858 |Marcos| NTI

9.22 καὶ πολλάκις καὶ εἰς πῦρ αὐτὸν ἔβαλεν καὶ εἰς ὕδατα ἵνα ἀπολέσῃ αὐτόν· ἀλλ' εἴ τι δύνῃ, βοήθησον ἡμῖν σπλαγχνισθεὶς ἐφ' ἡμᾶς.

Os demônios *malignos*, que muitos convidam para sua vida, não lhes podem fazer o bem. Se porventura protegem nossa vida e nossa saúde, é somente porque somos bons veículos para seus prazeres perversos. Alguns deles, porém, são homicidas, provavelmente de modo literal, e todos o são espiritualmente. Alguns deles matam, e aqueles que estão familiarizados com a literatura das artes *mágicas negras* têm plena consciência disso.

O pai reconheceu a *dificuldade* do caso. Provavelmente, muitos bons exorcistas, além dos discípulos de Jesus, tinham falhado em sua tentativa de ajudar. O leproso aventurara-se a dizer: Se quiseres — dando a entender que a cura dependia da boa vontade daquele cujo poder ele sabia ser suficiente. Este pai, todavia, estava mais desesperado. Hesitou em crer que o próprio grande Jesus pudesse prestar ajuda. Não obstante, tentou; pois sabia de sua grande necessidade e dirigiu-se a um local de ajuda para seu filho.

9.23: Ao que lhe disse Jesus: Se podes! — tudo é possível ao que crê.

9.23 ὁ δὲ Ἰησοῦς εἶπεν αὐτῷ, Τὸ Εἰ δύνῃ[1] - πάντα δυνατὰ τῷ πιστεύοντι.

> [1] **23** {B} τὸ εἰ δύνῃ (p45 *omit* τό) א* (א° C* L δύνασαι) B (W τοῦτο) Δ *f*[1] 892 (it[k] geo[17] *omit* τό) cop[sa?bo?] arm eth geo[2] // εἰ δύνασαι πιστεῦσαι Κ Π (D Θ 28 565 δύνῃ) *f*[13] 700 1009 1010 1071 1079 1195* 1216 1253 1546 2174 *l*[60,185,1627] (*l*[547?847?] δύνῃ) it[aur,b,c,d,f,i,l,q] vg syr[h,h,pal] (Diatessaron[a]) // τὸ εἰ δύνασαι πιστεῦσαι Α (C[vid] πιστεύσει) Χ Ψ 33 700* 1195* 1230 1241 1242 1344 1365 1646 2148 *Byz Lect* (*l*[70,950] τὸ [*sic*] εἰ δύνασε πιστεύσε) goth // *if you believe* syr[s] // *Quid est, si quid potes? Si potes credere* it[a]

> A extrema compressão da sentença deu trabalho aos copistas. Não vendo que em τὸ εἰ δύνῃ Jesus estava repetindo as palavras do pai, a fim de desafiá-los, (1) certa variedade de testemunhos inseriram πιστεῦσαι, que tem o efeito de modificar o sujeito do verbo "poder", de Jesus para o pai. Em resultado, o τό agora parece mais desajeitado do que nunca, e muitos desses testemunhos o omitem.

"[...] Se podes!..." Essa cláusula tem sido traduzida de dois modos: (1) "Se podes crer!" (como se vê na versão portuguesa AA). Jesus lançou a responsabilidade da cura sobre a fé do homem. Assim é que alguns escribas entenderam a questão, tendo chegado a inserir a glosa "crer". Dizem assim D, Theta e a maioria dos manuscritos posteriores, sobretudo na tradição bizantina. Entretanto, os melhores manuscritos, como P(445), Aleph BCL, Delta e 33 não trazem essa glosa. (2) Portanto, é melhor entender as palavras de Jesus como uma réplica indignada: "Se eu posso! Como ousas dar a entender que *não posso*?! Somente a tua incredulidade pode servir de empecilho, pois o poder de Deus repousa sobre mim!" "Em contraposição à dúvida do pai do menino, o Senhor coloca a onipotência da fé, o que põe o poder divino à disposição do homem". (Gould, *in loc.*).

"[...] tudo é possível ao que crê..." Não sem certas condições, mas dependendo da vida do crente. Aquele que realmente "crê" é o homem que entregou sua alma a Deus Pai e a Jesus Cristo, como seu Senhor. Aquele que assim atrai pode atrair e usar o poder divino. Contudo, todo aquele que leva uma vida imoral e indiferente não suponha que tal declaração se aplique a ele. Em primeiro lugar, esse não será capaz de crer corretamente, de confiar corretamente e nem de pedir corretamente. Nem mesmo um momento de crise poderá fazer dele um crente autêntico. A fé forte e eficaz se assemelha a qualquer outra virtude espiritual, sendo resultado do desenvolvimento espiritual. Não pode ser produzida em um instante, em um momento de crise. A fé é "um dos aspectos" do fruto do Espírito (ver Gl 5.22), e esse fruto deve crescer desde a raiz bem nutrida. Para aquele que está em comunhão com o Espírito, não há "se" em seu dicionário espiritual.

V. 23. *Nota textual*. A palavra "[...] crer..." aparece nos mss AC(3)DEFGHKMNSUVX, Gamma e Fam Pi, sendo seguidos pelas traduções AC, F e KJ. Os mss P(45), Aleph, BC(1) Delta e todas as outras traduções, omitem essas palavras. Jesus pareceu ficar ofendido ante a implicação de que ele não podia realizar aquele milagre, porquanto disse: "Se podes!" (Ver as notas expositivas em Mt, onde há uma explicação sobre essa circunstância.)

9.24: Imediatamente o pai do menino, clamando, [com lágrimas] disse: Creio! Ajuda a minha incredulidade.

9.24 εὐθὺς κράξας ὁ πατὴρ τοῦ παιδίου[2] ἔλεγεν, Πιστεύω· βοήθει μου τῇ ἀπιστίᾳ.

> 24 βοήθει...ἀπιστία Lc 17.5

> [2] **24** {A} παιδίου p45 א Α* Β C* L (W) Δ Ψ 28 700 1216 it[k] syr[s] cop[sa,bo] arm eth geo // παιδίου μετὰ δακρύων Α² C² D K X Θ Π (*f*[1] παιδός) *f*[13] 33 565 892 1009 1010 1071 1079 1195 1241 1242 (1253 παιδός, *with* μετὰ δακρύων *before* ὁ πατήρ) 1344 1365 1546 1646 2148 (1230 2174 *l*[547] μετὰ δακρύων *before* ὁ πατήρ) *Byz Lect* it[aur,c,d,f,l,r¹] vg syr[p,h,pal] cop[bo,ms] goth Diatessaron[a,p] // μετὰ δακρύων (*and omit* τοῦ) *l*[547] it[b,i,q]

> A presença das palavras μετὰ δακτύων, nos manuscritos posteriores, refletem uma intensificação natural da narrativa introduzida por copistas e corretores (cf. correções em A e C). Certamente se a frase estivesse presente no texto original, nenhuma razão adequada se poderia encontrar para explicar sua excisão.

"[...] imediatamente..." é o termo grego "*euthus*". O senso de urgência figura por 41 vezes no evangelho de Marcos, assinalando urgência e ação. Jesus acertou em cheio sobre o prego. O homem, contrito, reconhece que são necessários dois milagres. Um em sua pessoa, para que pudesse transcender à incredulidade; e outro em favor de seu garoto. Jesus não queria fazer uma coisa sem a outra, pois ele cura tanto o espírito quanto o corpo. Jesus contempla a eternidade, e não somente o tempo. O homem como que respondeu: "Ajuda-me, quanto à minha falta de fé". De quanto precisamos ver nossa necessidade nesse campo. Era mais fácil ver a necessidade do menino que a do homem; mas ambas as necessidades eram reais. O texto talvez indique, afinal, sendo isso uma verdade, que ser alguém possuído pelo espírito de ceticismo e incredulidade é uma obra dos poderes malignos, mesmo que esses poderes não cheguem a apossar-se de um homem, como sucede no caso de um endemoninhado. Contudo, uma espécie de possessão está envolvida no homem incrédulo. Assim é que tanto o pai quanto o filho precisavam ser livrados de tais poderes. É bem possível que aquele pai não houvesse protegido seu filho contra o mal, tendo vivido em frouxidão moral. Isso sujeitou sua família às invasões de poderes espirituais perversos. Assim sempre sucede. Um pai deve a seu filho a proteção espiritual, para que o filho não venha a cair no pecado, ficando sob o domínio de qualquer vício. Se, entretanto, esse vier a cair, será escolha sua, e não porque o pai lho permitiu. Acima de tudo, um pai deve a seus filhos três coisas: exemplo, exemplo, exemplo.

Alguns eruditos veem no pedido do pai — "Ajuda-me na minha falta de fé" — um pedido de misericórdia que deve ser aplicada apesar da fraqueza e cegueira humanas. Naturalmente, o poder divino ajuda até a esses casos, pois esse clamor por si mesmo é uma luta de fé em busca de expressão. Sem importar as falhas do pai, não lhe faltava amor; e, neste caso, o amor conquistou tudo. É justo dizer que Jesus, ao perceber o amor daquele pai por seu filho, teria curado a este, sem importar a pequena fé por parte do pai. O amor é a maior de todas as virtudes espirituais (ver 1Co 13.13). Outrossim, aquele que ama não pode andar muito longe da verdadeira fé.

V. 24. *Nota textual*. "[...] com lágrimas..." são palavras que figuram nos mss A(2) C(3) DEFGHKMNSUVX, Gamma, Delta e Fam Pi, no que são seguidos pelas traduções AC, F e KJ. Essas palavras são omitidas pelos manuscritos mais antigos do evangelho de Marcos, a saber, P(45), Aleph, A(1)BC(1)DLW, 28, 700 e pelas versões Si(s) e Boh. Todas as traduções, exceto aquelas mencionadas acima, seguem esses manuscritos mais antigos. O texto original de Marcos não continha essas palavras, que foram acrescidas por algum escriba subsequente, a fim de aumentar o efeito dramático.

9.25: E Jesus, vendo que a multidão, correndo, se aglomerava, repreendeu o espírito imundo, dizendo: Espírito mudo e surdo, eu te ordeno: Sai dele, e nunca mais entres nele.

9.25 ἰδὼν δὲ ὁ Ἰησοῦς ὅτι ἐπισυντρέχει ὄχλος ἐπετίμησεν τῷ πνεύματι τῷ ἀκαθάρτῳ λέγων αὐτῷ, Τὸ ἄλαλον καὶ κωφὸν πνεῦμα, ἐγὼ ἐπιτάσσω σοι, ἔξελθε ἐξ αὐτοῦ καὶ μηκέτι εἰσέλθῃς εἰς αὐτόν.

25 οχλ.] ο οχλ. **ℵAW** *al* | τω ακαθαρτω] *om* **W** f₁ sy°

A multidão ia se ajuntando, pois haveria um *espetáculo*, e a natureza humana busca por essas coisas. Jesus, porém, queria evitar atrair uma multidão grande demais, em consonância com seu desejo de evitar a notoriedade. Por isso é que expeliu logo o demônio. O espírito é descrito como "imundo", pois moralmente era tal. E embora a presença desses espíritos torne alguém incapaz da verdadeira adoração, provavelmente não é exatamente isso que está aqui em foco. Não sabemos por que a sua manifestação no menino tornou-o surdo-mudo. É bem possível que essas condições fossem intermitentes, e não constantes, e isso, naturalmente, levaria todos a suporem que um demônio operava, não havendo apenas uma genuína debilidade física. O espírito vinha intermitentemente sobre o menino; mas agora jamais repetiria isso, pois o poder de Jesus fizera intervenção. Quantas vezes dizemos: "Senhor, aqui estou novamente, com o mesmo pecado. Perdoa-me!" Será isso arrependimento? Certamente que não; e nem há perdão para esses pecadores contínuos, que não querem livrar-se dos vícios e da depravação moral. Em algum ponto o poder de Jesus deve fazer intervenção definitiva, pois, de outro modo, não terá havido conversão. De fato, a conversão é uma "intervenção divina" na vida do indivíduo, não sendo genuína sem ela.

9.26: E ele, gritando, e agitando-o muito, saiu; e ficou o menino como morto, de modo que a maior parte dizia: Morreu.

9.26 καὶ κράξας καὶ πολλὰ σπαράξας ἐξῆλθεν· καὶ ἐγένετο ὡσεὶ νεκρός, ὥστε τοὺς πολλοὺς λέγειν ὅτι ἀπέθανεν.

26 κράξας...ἐξῆλθεν   Mc 1.26

16 τους] *om* **DWΘ** f₁ f₁₃ pl ϛ

Marcos apresenta descrições *elaboradas*, que sem dúvida vieram de uma testemunha ocular. É possível que este relato se derive de outra das memórias demoníacas. Ao deixar a vítima, é comum que o espírito agite e sacuda a pessoa de que foi expulso. Pode isso indicar o desligamento das energias vitais entre o espírito imundo e a sua vítima, pois nos casos de possessão demoníaca há alguma espécie de mescla de energias.

O menino parecia *morto*; mas agora estava morto para seu antigo "eu", pois daquele estado comatoso surgiria uma nova pessoa. Assim também sucede à pessoa convertida, segundo se vê em Romanos 6.3ss.

9.27: Mas Jesus, tomando-o pela mão, o ergueu; e ele ficou em pé.

9.27 ὁ δὲ Ἰησοῦς κρατήσας τῆς χειρὸς αὐτοῦ ἤγειρεν αὐτόν, καὶ ἀνέστη.

27 και ανεστη] *om* p⁴⁵vid **W** k sy°·ᵖ

27 Mt 9.25; Mc 1.31; 5.41; Lc 8.54; At 3.7

N. B.: Quando aparecem textos paralelos em Mateus e Marcos, apresentamos a exposição em Mateus; em Marcos, acrescentamos apenas algumas notas suplementares.

A situação era desesperadora, mas foi substituída por uma situação que, aparentemente, era ainda pior. Tudo foi totalmente resolvido pelo poder de Jesus. O "*grande golpe*", que foi a morte aparente do menino, deu origem a uma nova vida.

Jesus tomou o menino pela mão. Esse é um ato *característico* dos taumaturgos. Pelos estudos científicos, sabemos que um taumaturgo realmente transmite energia à pessoa curada. Portanto, o toque da mão é mais que um gesto de consolo e apoio. Essa "mão", como é óbvio, fala-nos de como Deus veio fazer passar, por meio de Jesus Cristo, o sofrimento humano, tanto o físico quanto o espiritual.

9.28: E quando entrou em casa, seus discípulos lhe perguntaram à parte: Por que não pudemos nós expulsá-lo?

9.28 καὶ εἰσελθόντος αὐτοῦ εἰς οἶκον οἱ μαθηταὶ αὐτοῦ κατ' ἰδίαν ἐπηρώτων αὐτόν, Ὅτιᶜ ἡμεῖς οὐκ ἠδυνήθημεν ἐκβαλεῖν αὐτό;ᶜ

ᶜ ᶜ **28** c interrogative, c question: TR WH Bov Nes BF² AV RVᵐᵍ ASV RSV NEB TT Zür Luth Jer Seg // c direct, c statement: RV ASVᵐᵍ   28 Ο τι] Δια τι **D** *al*: (οτι Ημεις...αυτο. R)

9.29: Respondeu-lhes: Esta casta não sai de modo algum, salvo à força de oração [e jejum].

9.29 καὶ εἶπεν αὐτοῖς, Τοῦτο τὸ γένος ἐν οὐδενὶ δύναται ἐξελθεῖν εἰ μὴ ἐν προσευχῇ³.

³ **29** {A} προσευχῇ ℵ* B itᵏ geo¹ Clement // προσευχῇ καὶ νηστείᾳ (ver 1 Co 7.5 mg) p⁴⁵vid ℵᵇ A C D K L W X Δ Θ Π Ψ f₁ f₁₃ 28 33 565 700 892 1009 1010 1071 1079 1195 1216 1230 1241 1242 1253 1344 1365 1546 1646 2148 2174 *Byz Lect* itᵃ·ᵃᵘʳ·ᵇ·ᶜ·ᵈ·ᶠ·ff²·ⁱ·ˡ·q·r¹ vg syrʰ copˢᵃ·ᵇᵒ goth geo² Diatessaronⁿ·ᵖ Basil // νηστείᾳ καὶ προσευχῇ (ver 1 Co 7.5 mg) syrˢ·ᵖ·ᵖᵃˡ copᵇᵒᵐˢˢ arm eth

> À luz da ênfase crescente, na igreja primitiva, sobre a necessidade do jejum, é compreensível que καὶ νηστείᾳ seja uma glosa que encontrou caminho até a maioria dos testemunhos. Entre os testemunhos que resistiram a tal acréscimo, há importantes representantes dos tipos de texto alexandrino, ocidental e cesareano.

Nem todo exorcismo era ou pode ser praticado pela simples palavra de ordem; e este versículo reflete o fato. Ritos *elaborados* foram criados, desde a antiguidade, para expelir poderes malignos. É interessante notar que hoje, em casos especialmente difíceis, o exorcista "prepara" a pessoa a ser liberta, mediante oração etc., antes de ser desfechado o ataque contra o demônio. Nos cultos estranhos são usados ritos e encantamentos mágicos. No espiritismo são efetuadas sessões, para entrar-se em comunicação com o espírito e "raciocinar" com ele, de forma que se vá embora sem ser, por assim dizer, "forçado a sair". Naturalmente, Jesus não precisava de nenhum desses artifícios. Sua palavra majestática era suficiente. No entanto, a maioria dos exorcistas, faltando-lhes o tipo de poder supremo que tinha Jesus, faz uso de orações e de jejum, conforme o texto sugere. É como se Jesus nos dissesse aqui: "Se estivésseis dispostos a operar em um caso como este, empregando a oração, poderíeis obter sucesso; mas não de outro modo". É interessante que as palavras "e jejum" não se acham nos melhores manuscritos (ver as notas abaixo), embora sejam uma glosa antiga, que provavelmente reflete um item histórico genuíno, isto é, o jejum era costumeiramente empregado em casos difíceis de exorcismo. O presente texto tem sido distorcido pela doutrina ascética. O jejum tem seu valor, se disso não se abusar. (Ver as notas a respeito, em At 13.2)

A experiência mostra que a maioria dos espíritos pode ser expelida pela palavra de ordem de quase qualquer ministro cristão. Além disso, a maioria dos cultos estranhos obtém sucesso no exorcismo, como se dá com o espiritismo. Seríamos cegos se não admitíssemos isso. Vez por outra, surge um caso *extremamente* difícil, e já ouvi falar em histórias nas quais ninguém obteve sucesso. Seria mister um Jesus ou um Paulo para expelir tão poderosos espíritos. Há muitos

860 |Marcos| NTI

tipos de espíritos, e os demônios provavelmente representam *vários* níveis do mundo espiritual, muitos níveis de poder, e não apenas o de certos anjos decaídos. Há provas de que alguns espíritos são menos poderosos que o espírito humano, menos inteligentes, dotados de uma forma de vida mais primitiva (embora sem corpo físico) do que sucede no caso do homem mortal. Esses tipos de *macacos* do mundo espiritual, se chegam a influenciar ou possuir uma pessoa, não são difíceis de expulsar. Os espíritos, é claro, também diferem muito em malignidade; e alguns deles são uma combinação de bem e mal, talvez sujeitos à redenção que há em Cristo, podendo ser inquiridores, talvez, como os homens. Confessamos nossa ignorância sobre esse assunto; mas nesta nota oferecemos sugestões sobre a natureza dos espíritos e do exorcismo. (Ver Mc 5.2, quanto a uma nota mais completa sobre esse tema.)

A resposta dada aos discípulos, em Marcos, *difere* daquela dada em Mateus. Supomos que Mateus contém a fonte "Q", e que Marcos segue o "protomarcos". É provável que a essas perguntas, feitas em diversas ocasiões, Jesus tenha fornecido respostas diversas e suplementares. É-nos assegurado que a oração opera prodígios. Entendemos, porém, que isso depende de uma vida dedicada, como expressão desse tipo de vida; pois, de outro modo, a oração será totalmente inútil, tanto para o exorcismo como para outras finalidades. Um poderoso exorcista, sobretudo aquele que tem esse dom e visa a beneficiar a humanidade, pode expulsar um espírito até mesmo quando o possesso não deseja libertar-se. Todavia, normalmente o exorcismo requer pelo menos o desejo de ser liberto, por parte do possesso.

V. 29. *Nota textual.* As palavras "[...] e jejuando..." aparecem nos mss Aleph(4), ABCDEFGHKLMNSUVX, Gamma, Delta e Fam Pi, e esses são seguidos pelas traduções AC, F e KJ. Tais palavras são omitidas pelos mss Aleph(1), B, K e por Clemente, um dos pais da Igreja, bem como por todas as demais traduções que não foram mencionadas acima. Essas palavras foram acrescentadas à guisa de explicação, a fim de intensificar a ideia da dificuldade do exorcismo.

9.30-32 — *Segundo anúncio da aproximação da morte de Jesus.* (Ver as notas expositivas em Mt 17.22,23 e em Lc 9.43-45.)

9.30: Depois, tendo partido dali, passavam pela Galileia, e ele não queria que ninguém o soubesse;

9.30 Κἀκεῖθεν ἐξελθόντες παρεπορεύοντο διὰ τῆς Γαλιλαίας, καὶ οὐκ ἤθελεν ἵνα τις γνοῖ·

Temos aqui o início do *segundo anúncio* de Jesus sobre seus sofrimentos vindouros. (Ver Mt 17.22,23 e Lc 9.43-45; e quanto ao primeiro anúncio, ver Mc 8.3). Os discípulos continuaram sem entendimento, como sempre um tema frequentemente reiterado por Marcos. (Ver Mc 8.17,18, quanto a notas sobre essa característica dos evangelhos.)

Jesus continuou procurando permanecer irreconhecível em sua identidade, uma norma que evidentemente começou desde sua partida para Tiro e Sidom (ver Mc 7.24).

Daquela ocasião em diante, ele se dirigiu quase sempre para lugares estranhos e o seu propósito foi especificamente o de preparar seus discípulos para a tempestade que se avizinhava. "O lugar que deixaram foi as vizinhanças de Cesareia de Filipe. A viagem deles, através da Galileia, até Cafarnaum, deve tê-los levado pelo lado ocidental do rio Jordão". (Gould, *in loc.*). Seria difícil para Jesus que seu desejo de passar despercebido e irreconhecível pelo povo fosse cumprido em qualquer ponto da Galileia.

9.31: porque ensinava a seus discípulos, e lhes dizia: O Filho do homem será entregue nas mãos dos homens, que o matarão; e morto ele, depois de três dias ressurgirá.

9.31 ἐδίδασκεν γὰρ τοὺς μαθητὰς αὐτοῦ καὶ ἔλεγεν αὐτοῖς ὅτι Ὁ υἱὸς τοῦ ἀνθρώπου παραδίδοται εἰς

χεῖρας ἀνθρώπων, καὶ ἀποκτενοῦσιν αὐτόν, καὶ ἀποκτανθεὶς μετὰ τρεῖς ἡμέρας ἀναστήσεται.

31 Ὁ...ἀναστήσεται Mt 16.21; 20.18,19; Mc 8.31; 10.33.34; Lc 18.32,33; 24.7

31 αυτοις] om **B** k | αποκταν θεις] om p) **D** a c k bo eth | μετα τρ.ημ. **אBD** pc it; R] τη τριτη ημερα **AWΘ** fr f13 pl lat ç

Aquele que era o homem representativo, para bem da humanidade, haveria de ser maltratado e até mesmo morto às mãos dos homens. Talvez isso seja um jogo de palavras premeditado, que salienta tão horrendo paradoxo. (Quanto a notas completas sobre o "*Filho do homem*", como título do Messias, ver Mt 8.20 e Jo 1.51.) Jesus "ensinou" seus discípulos acerca de sua morte para breve, ao invés de meramente anunciá-la. Era um *importantíssimo* assunto. Foi também tema importante na apologia cristã posterior, acerca do caráter messiânico de Jesus. O Messias tinha de sofrer e morrer. Os judeus, porém, tinham grande dificuldade em reconhecer a um Messias que também fosse o "Servo Sofredor". (Ver Rm 3.25, quanto à "expiação pelo sangue", e ver Rm 5.11, quanto às várias teorias sobre "a natureza da expiação". Ver sobre a "ressurreição de Cristo", em Lc 24.6, bem como sobre "o fato e o significado da ressurreição", em 1Co 15.20.)

9.32: Mas eles não entendiam esta palavra, e temiam interrogá-lo.

9.32 οἱ δὲ ἠγνόουν τὸ ῥῆμα, καὶ ἐφοβοῦντο αὐτὸν ἐπερωτῆσαι.

Talvez já tivessem aprendido a mostrar *cautela*, não revelando sua ignorância, o que era repugnante para Jesus, pois ele esperava muito mais da parte deles, considerando o privilégio que tinham de estar com ele há tanto tempo. (Ver as incisivas palavras de Jesus sobre a ignorância deles, em Mc 8.17,18. Ver também Mc 6.51,52, neste contexto.) No presente caso, temiam indagar, porque esperavam o pior, e não queriam ouvi-lo. Esperavam que Jesus estivesse equivocado em sua predição de morte, e temiam ficar convencidos de que ele tinha razão.

9.33-37 — *Questão sobre quem é o maior no reino dos céus.* (As notas expositivas são dadas em Mt 18.1-5.)

9.33: Chegaram a Cafarnaum. E estando ele em casa, perguntou-lhes: Que estáveis discutindo pelo caminho?

9.33 Καὶ ἦλθον εἰς Καφαρναούμ. καὶ ἐν τῇ οἰκίᾳ γενόμενος ἐπηρώτα αὐτούς, Τί ἐν τῇ ὁδῷ διελογίζεσθε;

33 διελογ. **אBD** pc lat; R] praem προς εαυτους **A** 700 pm ç: add πρ. ε. **WΘ** fr f13 565 pc sy sa

Se "**pela Galileia**", no v. 30, mostrou a viagem de volta do norte, então "**Cafarnaum**", no v. 33, marca o fim da viagem. Tal como em Marcos 2.1, era o lar de Jesus. Mateus e Lucas, entretanto, ignoram o local e ambos abreviam a seção — Mateus, como é usual, melhora consideravelmente o estilo e adiciona pontos coerentes. Ambos omitem o v. 35, embora Lucas traga um eco do mesmo no final (Lc 9.48b), e podemos ser fortemente tentados a omitir a maior parte do versículo (junto com D e K). A verdadeira resposta de Marcos sobre a pergunta acerca da grandeza, acha-se em Marcos 10.43,44. No entanto, já vimos como Marcos junta material, e 35b é realmente apropriado aqui".

"Talvez haja um indício quanto à interpretação correta da passagem, se reconhecermos que Marcos 9.33—10.45 contém uma série inteira de declarações sobre o discipulado, que Marcos achou em uma de suas fontes informativas, e às quais ele buscou dar um pano de fundo biográfico apropriado, mais ou menos como os outros evangelistas fizeram com as declarações da fonte "Q", sobretudo em Lucas 9.51—18.14. Essas declarações sobre o discipulado, em Marcos, com frequência são vinculadas apenas verbal e *memonicamente*, como poderia ter sucedido em algum primitivo catecismo cristão" (Grant, *in loc.*). O "indício" sugerido por Grant, acerca da

NTI | Marcos | 861

interpretação apropriada, é uma ajuda para que se entenda a natureza aparentemente frouxa da série de declarações. (Quanto a notas sobre "*Cafarnaum*", a cidade adotiva de Jesus, ver Mt 4.13.)

9.34: Mas eles se calaram, porque pelo caminho haviam discutido entre si qual deles era o maior.

9.34 οἱ δὲ ἐσιώπων, πρὸς ἀλλήλους γὰρ διελέχθησαν ἐν τῇ ὁδῷ⁴ τίς μείζων.

---
34 πρὸς...μείζων Lc 22.24
---

⁴ **34** {B} ἐν τῇ ὁδῷ ℵ B C K L W X Θ Π Ψ *f¹ f¹³* 28 565 700 892 1009 1010 1071 1195 1216 1230 1241 1242 1253 1344 1365 1646 2148 2174 *Byz Lect* itᵃᵘʳ,ᶠᶠ²,ᵏ,ˡ vg syrᵖ,ʰ,ᵖᵃˡ copˢᵃ,ᵇᵒ,ᶠᵃʸ arm eth geo² Diatessaronᵖ Origen // *omit* A D Δ 1079 1546 itᵃ,ᵇ,ᵈ,ᶠ,ⁱ,q,rⁱ syrˢ goth geo¹ Diatessaronᵃ,ⁿ,ᵗ

Em face da presença de ἐν τῇ ὁδῷ, vários testemunhos consideram a frase como supérflua no v. 34, pelo que a omitem.

O que recentemente fora motivo de ufania, acompanhado com quentes palavras de afirmação, agora tornou-se *vergonhoso*, preferindo eles guardar silêncio. Jesus, com uma simples pergunta, subitamente colocou a questão em seu foco autêntico. Eles sabiam no coração o que Jesus diria sobre suas disputas e orgulho carnais. Nós sabemos também; mas isso não nos impede de cair em tolas invejas e lutas carnais em busca de poder.

9.35: E ele, sentando-se, chamou os doze e lhes disse: se alguém quiser ser o primeiro, será o derradeiro de todos e o servo de todos.

9.35 καὶ καθίσας ἐφώνησεν τοὺς δώδεκα καὶ λέγει αὐτοῖς, Εἴ τις θέλει πρῶτος εἶναι ἔσται πάντων ἔσχατος καὶ πάντων διάκονος.

---
35 Εἴ...διάκονος Mt 20.26,27; Mc 10.43,44; Lc 22.26
---
35 καὶ λέγει...διάκονος *om* **D** *k*

A lei do amor *governa* o mundo espiritual, embora o ódio e o orgulho governem o mundo terreno. (Ver Gl 5.22, sobre o *amor*.) Este consiste de desejarmos aos outros o que naturalmente desejamos para nós mesmos. Se alguém ama, servirá. E o serviço de amor é benéfico para o próprio homem e é o caminho mais rápido de volta para Deus. Todos os demais dons são inúteis sem o amor, segundo nos diz 1Coríntios 13. (Ver Jo 14.21 e 15.10, quanto às notas de sumário sobre "o amor como força orientadora da vida cristã", onde também há poemas ilustrativos.) Há um aparente paradoxo em "servir para tornar-se grande", tal como há no "sofrimento para obter a glória" ou em "ser manso para triunfar". A experiência humana, porém, confirma para nós que a verdadeira grandeza consiste de servirmos ao próximo, e não a nós mesmos, como quer que isso seja feito. O serviço ao próximo não meramente conduz à grandeza; é ser grande, pois é ser mais semelhante ao Mestre, que foi por toda parte fazendo o bem (ver At 10.38). Os homens em posições elevadas só são realmente grandes quando usam seu poder para servir a outros. Isso é reconhecido até no mundo político, embora não seja seguida essa norma com frequência.

Jesus era um mestre *ético revolucionário*. Reconhecemos a veracidade de suas declarações porque as temos conhecido por tanto tempo; e a sociedade as reconhece pelo menos de lábios. Nos dias de Jesus, "grandeza por meio da humildade e do serviço", apesar de ser reconhecido pelos melhores filósofos morais, não era conceito prestigiado na sociedade comum. O código de Jesus continua sendo tão revolucionário quanto sempre foi, no tocante à prática real. Jesus fez estacar a parada inteira da empáfia humana, ao colocar o servo antes do rei pomposo, e a criada de limpeza antes do general militar. Se Jesus viesse à nossa cidade hoje em dia e escolhesse os "principais cidadãos", não se duvide que sua escolha contradiria frontalmente as escolhas da comunidade. Grande número de "zés-ninguém" encabeçaria a lista, podemos ter certeza. Sem dúvida, o próprio dia do juízo fará surgir inúmeras surpresas

para todos nós. O problema não é tanto reconhecer a *sabedoria* de tais declarações; mas é pôr em prática essa sabedoria em nossa vida diária, como também em nossas ambições e aspirações.

9.36: Então tomou uma criança, pô-la no meio deles e, abraçando-a, disse-lhes:

9.36 καὶ λαβὼν παιδίον ἔστησεν αὐτὸ ἐν μέσῳ αὐτῶν καὶ ἐναγκαλισάμενος αὐτὸ εἶπεν αὐτοῖς,

"Estamos tão afeitos à sequência, em Mateus 18.2-4, que ficamos chocados por não encontrar as palavras aqui em Marcos. A menos que algo tenha sido omitido por Marcos, neste ponto (ou talvez transferido para Marcos 10.15), o sentido parece ser: 'Aquele que recebe uma criança em meu nome demonstrará possuir o correto espírito de humildade; e aquele que recebe a mim, recebe a Deus'. O que isso significava para a igreja primitiva (e para Marcos) sem dúvida incluía a admoestação à hospitalidade e ao cuidado pelos órfãos (cf. Tg 1.27 e outros) A caridade retirava e ainda retira de nossos pensamentos toda a ideia de "grandeza" e de ambição pessoal. Não se pode suspeitar da originalidade — talvez até na 'fonte informativa' de Marcos, se ele estava usando alguma fonte, neste ponto — de que a declaração estava vinculada a Marcos 10.13-16, isto é, especialmente com as declarações em 14b-15" (Grant, *in loc.*).

"A criança, introduzida no início, em Mateus, é agora posta no meio da cena, embora não como um modelo (o que se vê em Mc 10.15), mas como objeto de tratamento gentil [...] Tomou a criança em seus braços para simbolizar como deve ser tratado tudo quanto a criança representa" (Bruce, *in loc.*).

9.37: Qualquer que em meu nome receber uma destas crianças, a mim me recebe; e qualquer que me recebe a mim, recebe não a mim mas àquele que me enviou.

9.37 Ὃς ἂν ἓν τῶν τοιούτων παιδίων δέξηται ἐπὶ τῷ ὀνόματί μου, ἐμὲ δέχεται· καὶ ὃς ἂν ἐμὲ δέχηται, οὐκ ἐμὲ δέχεται ἀλλὰ τὸν ἀποστείλαντά με.

---
37 Ὃς...παιδίων δέξηται...με Mt 10.40; Lc 10.15; Jo 13.20
---
37 ἓν/ εκ **W Θ** f13 it: *om* **D** *pc*

"[...] criança..." Símbolo dos *fracos*, dos menos afortunados, daqueles que precisam de orientação e amor, ou seja, qualquer objeto de tratamento gentil. "[...] em meu nome...", isto é, "como crente", cumprindo a lei do amor, o guia do discipulado cristão. A criança é símbolo dos *humildes* e dos crentes em contraste com os orgulhosos, violentos e arrogantes. É mister que o indivíduo seja como uma criança, se tiver de ganhar o reino (uma das declarações de Jesus); mas também deve tratar os outros bondosa e compassivamente, se tiver de ser grande, conforme Jesus fez à criança (outra declaração de Jesus). Aquele que age com misericórdia está realmente favorecendo a Jesus, ou seja, servindo ao próprio Jesus, tão íntima é a sua identificação com os homens. (Ver Mt 25.44,45, quanto a esse conceito.) O serviço prestado a Jesus é prova de que o temos recebido como Senhor; e, tendo-o recebido como Senhor, também teremos recebido a seu Pai, a fonte de todo o bem. (Ver Cl 2.18, quanto ao crente que tem a Jesus como seu Senhor; e ver Rm 1.4, quanto ao "senhorio de Cristo".) Ninguém tem a Jesus como Salvador, se também não o tem como seu Senhor.

O Pai enviou ao Filho. Essa é uma expressão *frequente* do evangelho de João, e é comentada em João 3.17, com uma lista de suas aparições. Entre outras coisas, subentende a sua preexistência, a sua missão divina e a sua identificação com Deus e com o homem, ou seja, a sua missão e autoridade messiânicas. Portanto, agir caridosamente e servir, é evidenciar que quem assim faz tem a Jesus como o Messias e o serve como tal. Ao servir a outros, como quando se faz a uma criança algum benefício, encontramo-nos com Cristo; sim, com o próprio Deus.

Tomemos uma criança nos braços e nos esqueceremos de nós mesmos. Aprendamos a agonizar em prol do sofrimento humano. Rejeitemos os padrões mundanos de orgulho, ódio e violência.

862 |Marcos| NTI

Ó Deus! seja aquele pão tão caro,
e a carne e o sangue sejam tão baratos!
(Thomas Hood)

9.38-41 — *Jesus ensina a tolerância e o amor* para com outros discípulos. Aqui temos uma repreensão contra o sectarismo. Mateus deixa de lado esta pequena seção, que, sem dúvida, figurava nas fontes informativas por ele utilizadas, mas Lucas a incluiu, no texto de Lucas 9.49,50, onde as notas expositivas devem ser consultadas. O texto de Marcos 9.41 tem paralelo em Mateus 10.40-42. Uma versão similar dessa declaração também ocorre na passagem de Mateus 25.40. O leitor deve consultar as notas expositivas nos textos mencionados.

N. B.: Nos casos em que Mateus e Marcos têm textos paralelos, a exposição se apresenta em Mateus; em Marcos, encontram-se apenas algumas notas suplementares.

9.38: Disse-lhe João: Mestre, vimos um homem que em teu nome expulsava demônios, e nós lho proibimos, porque não nos seguia.

9.38 Ἔφη αὐτῷ ὁ Ἰωάννης, Διδάσκαλε, εἴδομέν τινα ἐν τῷ ὀνόματί σου ἐκβάλλοντα δαιμόνια, καὶ ἐκωλύομεν αὐτόν, ὅτι οὐκ ἠκολούθει ἡμῖν[5].

[5] **38** {C} καὶ ἐκωλύομεν αὐτόν, ὅτι οὐκ ἠκολούθει ἡμῖν (ver Lc 9.49) ℵ B (L οὐκ ἀκολουθῇ μεθ' ἡμῶν) Δ Θ Ψ (892 ἀκολουθεῖ) *l*⁴⁴ᵐ ᵖᵗ itˢᵘʳ·ᶠ syrˢ·ᵖ·ᵖᵃˡ eth Diatessaronˢ·ⁿ·ᵗ // καὶ ἐκωλύσαμεν αὐτὸν ὅτι οὐκ ἀκολουθεῖ ἡμῖν C 1071 *l*⁴⁴ᵐ·ᵖᵗ αὐτῷ for αὐτόν) *l*⁸⁵ copˢᵃ·ᵇᵒ·ᶠᵃʸ // ὃς οὐκ ἀκολουθεῖ ἡμῖν καὶ ἐκωλύσαμεν αὐτόν (D ἀκολουθεῖ μεθ' ἡμῶν...ἐκωλύομεν) (W ἠκολούθει) X (*l*ᵇ ἐκωλύσαμεν) *f*¹³ 28 (565 ἠκολούθει) (700 ἀκολουθεῖ) 1195 1241 1253 1365 itᵃ·ᵇ·ᶜ·ᵈ·ᶠᶠ²·ⁱ·ᵏ·ˡ·ᑫ·ʳ¹ vg syrʰ (arm) geo // ὃς οὐκ ἀκολουθεῖ ἡμῖν καὶ ἐκωλύσαμεν αὐτὸν ὅτι οὐκ ἀκολουθεῖ ἡμῖν A K Π 1010 1079 1216 1344 (1546 ἀκολουθεῖ ὑμῖν...ἀκολουθεῖ ὑμῖν) 1646 2148 2174 *Byz Lect* (*l*ᵏ¹¹²⁷ ὑμῖν *for first* ἡμῖν) syrʰ ᵂⁱᵗʰ* goth // ὃς οὐκ ἀκολουθεῖ ἡμῖν 1009 1230 1242

> Entre muitas variações menores, há três formas principais: (1) "e nós o proibimos, porque não nos seguia"; (2) "quem não nos segue, e nós lho proibimos"; e (3) "quem não nos segue, e nós lho proibimos, porque ele não nos segue". A última forma, mesclada, é a que pressupõe a existência das outras duas. A forma 1 é preferível, porque tem as testemunhas superiores (ℵ B Δ Θ Ψ syrˢ·ᵖ·ᵖᵃˡ *al*) e porque a forma 2 envolve uma transposição da última cláusula, para levá-la mais próxima de seu sujeito (com a mudança também de ὅτι para ὅς).

Talvez não haja declarações de Jesus mais *urgentemente* necessárias (no tocante ao discipulado e às relações entre os discípulos) do que as que se acham nesta breve seção. Certamente ela nos leva ao que é universal. Quem é seu *irmão*? Aquele que tem a Jesus como Senhor. Deus pode cuidar de seu credo. Temos erigido muralhas de dogmas entre nós, e temos perdido a Cristo na luta contra o mal. A bons irmãos reputamos inimigos, e eles a nós. O homem deste relato (expulsava demônios" em nome de Cristo. Fazia um bom trabalho, mas não se dispunha a juntar-se à nossa denominação". Por isso, tornou-se suspeito. O pior é que os discípulos, que deveriam saber agir melhor, tornaram-se hostis contra ele. Como tudo isso é moderno; como é trágico e estúpido! Senhor, livra-nos do sectarismo!

"[...] em teu nome...", isto é, como crente. Na opinião dos discípulos, porém, isso era um fingimento, pois somente eles (o círculo íntimo) poderia ser considerado como os crentes verdadeiros, avançados, superiores.

Consideremos nossas *"magnitudes"* distorcidas, nosso orgulho e nossa adoração ao "eu" e à própria denominação. Magnitudes distorcidas, tal como todas as demais distorções, são más e destruidoras. Consideremos também nossas lealdades distorcidas, que nos levam a prestar lealdade a coisas e organizações, e não a Cristo. Consideremos a autoridade distorcida que nos leva a rejeitar à autoridade do Senhor.

Os exorcistas usualmente invocavam algum nome poderoso em sua atuação, como Abraão, Moisés ou Salomão. Sem dúvida, Jesus tornou-se um nome favorito. Talvez alguns assim o fizessem, embora não conhecessem o Mestre em seu coração; mas até esse uso de seu nome já era alguma lealdade. O exorcista isolado deste texto usava-o não apenas de maneira casual. Jesus sabia disso e honrou-o por esse motivo; mas os discípulos estavam cegos pela lealdade à sua "denominação", digamos assim.

"[...] todas essas restrições são por sua vez limitadas pelo método da operação do Espírito, que se assemelha ao vento, soprando onde quer". (Gould, *in loc.*).

Da covardia que teme novas verdades,
Da preguiça que aceita meias-verdades,
Da arrogância que pensa conhecer toda a verdade,
Ó Senhor, livra-nos.
(Arthur Ford)

9.39: Jesus, porém, respondeu: Não lho proibais; porque ninguém há que faça milagre em meu nome e possa logo depois falar mal de mim;

9.39 ὁ δὲ Ἰησοῦς εἶπεν, Μὴ κωλύετε αὐτόν, οὐδεὶς γάρ ἐστιν ὃς ποιήσει δύναμιν ἐπὶ τῷ ὀνόματί μου καὶ δυνήσεται ταχὺ κακολογῆσαί με·

Alguém fala bem de Jesus? Alguém fala mal de Jesus? Em nome de quem ele opera? Essas perguntas podem mostrar para nós quem é crente e quem não é. Faz alguém o bem em nome de Jesus? Nesse caso, esse é meu irmão. Que Deus me ajude a aceitá-lo como tal. "O ponto frisado por esse apelo vara o tempo. Diz para nós: 'Que tua visão da fé seja lata, e não estreita'. Os seguidores de Jesus não são um *grupinho exclusivo* em um canto, fechado por uma cerca de espinhos. 'Ao Senhor pertence a terra e tudo o que nela se contém...' (Sl 24.1). O reino de Deus tem as dimensões do próprio Deus. Aqueles que fazem o trabalho de Jesus pertencem a ele. O alcance e a amplitude de seu ensino, neste ponto, acham alguma expressão no hino que diz:

Há largueza na misericórdia de Deus,
Como a largueza dos mares...
Pois o amor de Deus é mais amplo
Que a medida da mente humana.
(Frederick W. Faber)

Portanto, Jesus como que dizia: "Não olheis para *títulos*; mas para as *ações*, as atitudes do espírito. Quando nos defrontamos com aquilo em que Jesus se regozijava, como a misericórdia, a justiça, a integridade, a reverência e a fé, então lhe demos boa acolhida. Não lhe façamos amargo e cético antagonismo. Façamos conforme ele fez. Ele disse sobre um romano, que segundo os padrões desdenhosos dos judeus era um pagão: *'Nem mesmo em Israel achei fé como esta'* (Mt 8.10) [...]. Essas palavras de Jesus, pois, são uma reprimenda contra todo o nosso exclusivismo cego, nossas arrogantes suposições de que as ações de Deus no mundo se limitam às formas com as quais estamos familiarizados. 'Algo existe que não ama a uma parede' (Robert Frost). É a mente de Deus. A igreja tem sofrido terrivelmente devido ao seu frenesi por construir cercas. Se um décima parte do tempo que os crentes têm gasto na instituição de cercas se tivesse devotado a construir o caminho de Deus, o mundo seria um lugar muito melhor hoje em dia". (Luccock, *in loc.*).

9.40: pois quem não é contra nós, é por nós.

9.40 ὃς γὰρ οὐκ ἔστιν καθ' ἡμῶν, ὑπὲρ ἡμῶν ἐστιν.

40 Mt 12.30; Lc 11.23

40 ημων...ημων] *p*) υμων...υμων**AD** *al* lat ς

Na igreja primitiva, eram usados este versículo e suas variantes para encorajar a tolerância para com os "de fora", na comunidade cristã. Certa variante nos papiros diz: "Aquele que não é contra vós é por vós. Aquele que está longe hoje estará perto amanhã". O *Didache* e outros escritos cristãos primitivos trazem declarações similares. Faziam parte de uma antiga catequese. (Ver a declaração em forma negativa, em Mateus 12.30 e Lucas 11.23). É possível também que tais declarações tivessem a finalidade de advertir contra o exagero da "autoridade apostólica", ou contra uma suposta "sucessão", que alguns têm dito estar envolvida na autoridade apostólica. Certamente que isso tem sua aplicação moderna. Jesus ensinou que a amizade e a hostilidade são incongruentes, não podendo existir juntas, pelo que quem é um franco amigo seu, dificilmente poderá ser um inimigo secreto. "[...] um pouco de tendência inclina a aumentar para mais, e assim também se dá com a ausência de simpatia". (Bruce, *in loc.*).

9.41: Porquanto qualquer que vos der a beber um copo de água em meu nome, porque sois de Cristo, em verdade vos digo que de modo algum perderá a sua recompensa.

9.41 Ὃς γὰρ ἂν ποτίσῃ ὑμᾶς ποτήριον ὕδατος ἐν ὀνόματι[6] ὅτι Χριστοῦ ἐστε, ἀμὴν λέγω ὑμῖν ὅτι οὐ μὴ ἀπολέσῃ τὸν μισθὸν αὐτοῦ.

[6]41 {A} ἐν ὀνόματι ℵ^c A B C K L Π Ψ f¹ 892 (1071 ἐν τῷ) 1079 1241 1546 syr^{s,p,h} (arm ἐν τῷ or ἐν τούτῳ) geo¹ // ἐν τῷ ὀνόματί μου D Δ Θ 28 565 700 1009 1216 1242 2174 l^{10,32m,185,313,950,1231m,1579,1599m} // ἐν ὀνόματί μου ℵ* C W X Π² 1010 1196 1230 1253 1365 1646 2148 *Byz Lect* // ἐν (or ἐν τῷ) ὀνόματί μου it^{a,aur,b,c,d,ff²,i,k,l,q,r¹} vg syr^{hms} cop^{sa,bo,fay vid} goth eth geo^A Origen^{lat} // ἐπὶ τῷ ὀνόματί μου f¹³ 1344 l^{44m} syr^{pal} // ἕνεκεν τοῦ ὀνόματος l^{1663m} // omit geo^B

> A expressão ἐν ὀνόματι ὅτι ("sob a categoria que", "com base em"; portanto "porque") embora perfeitamente aceitável no grego, parece ter impressionado alguns copistas como algo estranho. Portanto, modificaram-na de diversas maneiras.

Este versículo não se acha no paralelo de Lucas. A própria afirmação encaixa-se melhor com os v. 37 e 41 e não na sequência dos v. 40 e 41. Já notamos que Marcos agrupava declarações segundo seu conteúdo geral (isto é, declarações para os discípulos), não havendo necessidade de terem uma sequência fixa. A declaração deste versículo está contida em Mateus 10.40-42, sendo provável que a forma que ela tem ali se assemelhe mais ao fraseado original.

"[...] galardão..." Em outras palavras, a bênção de Deus agora, em resultado da lei da colheita segundo a semeadura, embora essa afirmativa também tenha um tom escatológico. No "reino", essa pessoa será galardoada pelo próprio Deus. O que deixamos de fazer surte efeito em nosso bem-estar nos mundos celestiais, bem como no longamente esperado reino sobre a terra. (Quanto à nota geral sobre os "galardões", ver 1Co 3.8. Sobre as "coroas", ver 2Tm 2.5.)

Observemos como até mesmo um *serviço elementar*", isto é, um serviço que envolve questões extremamente corriqueiras, de todos os dias, tem a sua recompensa; e como é grande a recompensa! É difícil imaginarmos algum crente que não seja qualificado para receber algum galardão. De fato, isso seria impossível. O alvo do cristianismo é satisfazer às "necessidades presentes", e até mesmo às "comuns necessidades humanas". Não lança olhos apenas para o "mundo vindouro". Os judeus davam grande importância às "esmolas", o que também era atitude da igreja primitiva. Da parte de muitos indivíduos e até mesmo igrejas, porém, esse aspecto "terreno" do cristianismo tem sido eliminado de qualquer consideração séria. (Ver At 3.2, quanto à importância da "caridade".)

Deus mantém em dia os registros e dá grande crédito aos *pequenos serviços*. "Até mesmo um copo de água fria é grande coisa e é lançado no lado do crédito..." (Luccock, *in loc.*). Observando esse elemento no cristianismo, o arcebispo William Temple falou do fato como a mais "*materialista*" de todas as fés; e, ao assim fazer, frisou um tipo válido de materialismo. Corrijamos as coisas e apliquemos esse princípio aos "galardões": não são materialistas. Nossos galardões consistirão essencialmente de

nos tornar, no mundo eterno, aquilo que Cristo é, e não de alguma espécie de possessão celeste material. Ser o que Cristo é, pela graça, compartilhar de sua imagem e natureza — este é o galardão supremo. (Ver notas completas acerca disso em Rm 8.29.) Os atos de caridade, a conduta amorosa, levam-nos a Jesus Cristo, para que compartilhemos de sua forma de vida (notas em Jo 5.25,26 e 6.57), pois a transformação *moral* provoca a transformação *metafísica*. Assim como ele participou de nossa humanidade, compartilhamos de sua divindade, conforme o declara ousadamente o texto de 2Pe 1.4.

9.42-50 — *As pedras de tropeço e o inferno.* (Ver as notas expositivas em Mt 18.6-9.) Acrescentamos, aqui, algumas notas meramente suplementares.

9.42: Mas qualquer que fizer tropeçar um destes pequeninos que creem em mim, melhor lhe fora que se lhe pendurasse ao pescoço uma pedra de moinho, e que fosse lançado no mar.

9.42 Καὶ ὃς ἂν σκανδαλίσῃ ἕνα τῶν μικρῶν τούτων τῶν πιστευόντων [εἰς ἐμέ][7], καλόν ἐστιν αὐτῷ μᾶλλον εἰ περίκειται μύλος ὀνικὸς περὶ τὸν τράχηλον αὐτοῦ καὶ βέβληται εἰς τὴν θάλασσαν.

[7]42 {C} πιστευόντων εἰς ἐμέ (ver Mt 18.6) A B C^{2vid} K L W X Θ Π Ψ f¹ f³ 28 565 700 892 1009 1010 1071 1079 1195 1216 1230 1241 1242 1253 1344 1365 1546 1646 2148 2174 *Byz Lect* it^{aur,c,f,l,q} vg syr^{s,p,h} cop^{sa,bo,fay} goth arm eth geo Diatessaron^p // πιστευόντων ℵ C^{vid} Δ it^{b,ff²,i,k} cop^{bomss} // πίστιν ἐχόντων D it^{a,d}

> A presença de εἰς ἐμέ é fortemente confirmada (A B L W Θ Ψ f¹ f¹³ syr^s cop^{sa} al). Ao mesmo tempo, porém, a ausência das palavras em ℵ D Δ, bem como a possibilidade de terem entrado no texto de Marcos, vindas do paralelo de Mateus 18.6, lança dúvidas sobre o seu direito a um lugar firme no segundo evangelho. A comissão, pois, resolveu incluir a frase dentro de colchetes.

É melhor perecer fisicamente do que levar *outrem* a pecar, prejudicando-o e destruindo sua vida espiritual. Isso é frisado pelo ato de atar ao próprio pescoço uma grande pedra de moinho, que precisava ser empurrada por um animal. Com essa pedra atada ao pescoço, a morte seria inevitável. Esse toque de *hipérbole* oriental ilustra a seriedade do ato de prejudicar os outros. Neste ponto, as "crianças" dos versículos anteriores se tornam "crentes" em Cristo. Podem estar em foco os "fracos" na fé, segundo se vê em Romanos 1.41—15.13; mas mais provavelmente ainda devemos pensar nos jovens na fé. A declaração pode ter circulado a princípio contra os "perseguidores" dos novos crentes. Esses são os crentes "humildes", sem posição e riquezas; e, provavelmente, crentes recém-convertidos, embora isso não seja absolutamente necessário. Seja como for, figuram aqui como crianças inocentes diante de monstros perseguidores do estado romano. Originalmente, usadas por Jesus, essas palavras apontavam para os "escribas e fariseus" perseguidores, ou, noutras palavras, os "lobos" que procuravam tragar as "ovelhas" inocentes.

"[...] tropeçar...", isto é, conforme alguns intérpretes, *pecar*, provocar-lhes um "prejuízo espiritual". O que é físico provavelmente também está em pauta, as "perseguições", conforme se vê acima. O versículo seguinte favorece a explicação como um "pecado", mas Mateus 18.7, o texto paralelo, indica a outra ideia.

9.43: E se a tua mão te fizer tropeçar, corta-a; melhor é entrares na vida aleijado, do que, tendo duas mãos, ires para o inferno, para o fogo que nunca se apaga.

9.43 Καὶ ἐὰν σκανδαλίζῃ σε ἡ χείρ σου, ἀπόκοψον αὐτήν· καλόν ἐστίν σε κυλλὸν εἰσελθεῖν εἰς τὴν ζωὴν ἢ τὰς δύο χεῖρας ἔχοντα ἀπελθεῖν εἰς τὴν γέενναν, εἰς τὸ πῦρ τὸ ἄσβεστον[8].[9]

864 |Marcos| NTI

43 ἐὰν...γέενναν Mt 5.30

8 **43** {A} εἰς τὴν γέενναν, εἰς τὸ πῦρ ἄσβεστον ℵ*·b A B C K X Θ Π 565 1009 1010 1071 1079 1216 1230 1241 1242 1253 1344 1365 1546 1646 2148 2174 (1195 ƒ⁶⁹.³³³,¹¹²⁷ τήν) *Byz Lect* it^{a,aur,f,l} vg (syr^h) cop^{bo} goth arm geo^ms // εἰς τὴν γέενναν ὅπου ἐστίν εἰς τὸ πῦρ τὸ ἄσβεστον D it^{b,c,d,ff2,i,k,r1} // εἰς τὴν γέενναν ℵ^a L Δ Ψ 700 892 *l*¹⁶⁴² syr^c eth / εἰς τὸ πῦρ τὸ ἄσβεστον W ƒ¹ ƒ³ 28 syr^s geo^{LA} // εἰς τὴν γέενναν τοῦ πυρός geo^B // εἰς τὴν γέενναν τοῦ πυρὸς τοῦ ἀσβέστου (it^q) cop^{sa,bo,mss}

> O fato de o texto prevalente do paralelo de Mateus 18.8 apresentar εἰς τὸ πῦρ τὸ αἰώνιον, pareceu sugerir à comissão que Marcos também tinha um modificador adjetival (τὸ ἄσβεστον). Dentre as várias formas com o modificador, aquela apoiada por ℵ*·b A B C K X Θ Π 565 it^{a.1} vg cop^{bo} goth arm *al* melhor explica a origem das outras.

Da ideia de alguém ofender a outro, Jesus agora passa para o *próprio* ofensor. Nem todos os nossos pecados são provocados por influências *externas*. Com frequência, somos os nossos piores adversários, conforme diz a declaração muito trivial mas veraz. O v. 43 menciona a *mão*, e o v. 45 menciona o *pé*, ao passo que o v. 47 menciona o *olho*. Todas são porções importante do corpo humano, e não gostaríamos de ficar sem elas. Em nossa estupidez espiritual, porém, prejudicamos a nós *mesmos* mediante nossos pecados e vícios, mais do que se propositalmente decepássemos algum membro do corpo. Outrossim, ao preservarmos as coisas "preciosas para nós", devido a uma noção pervertida do que é precioso, perdemos o que realmente tem imenso valor, o bem-estar da própria alma. Além disso, recusamo-nos a sacrificar o que é "físico", a fim de garantir o bem-estar do que é espiritual. Essas são lições, entre outras, que podem ser derivadas do texto. Em todas essas lições somos ensinados a sacrificar o que é inferior em prol do superior, a verdade questionável em prol da indubitável, o menor em lugar do maior. É claro que o sacrifício está envolvido no discipulado cristão, e, em nenhum campo da atividade humana, essa sabedoria pode ser ocultada. Conta-se a história da Arthur Wellesley, o qual posteriormente tornou-se Duque de Wellington, que, ao deixar sua terra para iniciar sua carreira militar, propositalmente esmagou seu amado violino em pedaços. Naturalmente, isso foi um *fanatismo*, e até uma estupidez, mas temos aí uma clara lição espiritual. Dar início ao discipulado cristão é algo solene. Pode levar-nos a esmagar muitos "violinos" queridos. Esse é um caso em que o fim justifica os meios. Muitos, dando início ao discipulado, sentam-se na cadeira de embalo, ao invés de tomarem a cruz.

"[...] vida..." Neste caso, trata-se da vida física, por ser impossível alguém entrar "aleijado" na vida eterna. No entanto, a menção à Geena mostra que, em última análise, está em foco a "vida eterna". (Ver Jo 3.15, quanto a uma nota de sumário sobre esse tema. Ver Jo 5.25,26, quanto ao particular no "tipo de vida de Deus", que é a vida divina, "necessária e independente").

Geena. Era um vale a sudoeste de Jerusalém, onde se praticava a adoração a *Moloque* (2Rs 23.10), local que se tornou monturo da cidade, onde havia fogo contínuo a queimar o lixo. Esse nome tornou-se símbolo de punição futura (I Esdras 27.2 e II Esdras 7.36). Os apocalipses judaicos deram ao mundo religioso as suas "imagens" de juízo; e tais imagens vieram a repousar sobre um modo "literal" e popular de descrever o juízo de após-vida. Notemos, porém, neste texto, por exemplo, que tanto há um *verme* quanto há "fogo". Porventura pode uma coisa ser simbólica, e outra, não? As pessoas que gostam de falar sobre o "fogo eterno", como se fosse algo literal, nada têm a dizer sobre o verme que não morre. Ambas as coisas são simbólicas, naturalmente. Isso, contudo, não tornará o juízo final menos real.

9.44: (onde o seu verme não morre, e o fogo não se apaga).

9 {A} *omit verse 44* ℵ B C L W Δ Ψ ƒ¹ 28 565 892 1365 *l*²⁶⁰ it^k syr^s cop^{sa,bo,fay} arm geo // *include verse 44* ὅπου ὁ σκώληξ αὐτῶν οὐ τελευτᾷ

καὶ τὸ πῦρ οὐ σβέννυται. (ver Is 66.24) A D K X Θ Π ƒ³ 700 1009 1010 1071 1079 (1195 τὸ πῦρ αὐτῶν) (1216 omit ὁ) 1230 1241 1242 1253 1344 (1546 σκούλυξ ὁ ἀκύμητος καί) 1646 2148 2174 *Byz Lect* it^{s,aur,b,c,d,ff2,i,l,q,r1} vg syr^{p,h} goth (eth) Diatessaron^{a,p} Irenaeus^{lat} Augustine // ὅπου ὁ σκώληξ αὐτῶν οὐ πελευτᾷ. it^f

V. **44** e **46**. *Variantes textuais*. Os manuscritos que contêm esses versículos são ADEFGHKMNSUVX, Gamma, Fam Pi, Fam 13 e as traduções AA (que em algumas edições assinalam-nos como duvidosos), AC, F, KJ e M. Todas as demais traduções omitem corretamente esses dois versículos, seguindo os manuscritos mais antigos, Aleph, BW, Fam 1, 28, 565, K e as versões Si(s) e o cóptico. Essa declaração, entretanto, é autêntica no v. 48, e foi acrescentada nesses dois versículos para efeito de ênfase, por alguns escribas posteriores.

9.45: Ou, se o teu pé te fizer tropeçar, corta-o; melhor é entrares coxo na vida, do que, tendo dois pés, seres lançado no inferno.

9.45 καὶ ἐὰν ὁ πούς σου σκανδαλίζῃ σε, ἀπόκοψον αὐτόν· καλόν ἐστίν σε εἰσελθεῖν εἰς τὴν ζωὴν χωλὸν ἢ τοὺς δύο πόδας ἔχοντα βληθῆναι εἰς τὴν γέενναν¹⁰.¹¹

10 45 {A} εἰς τὴν γέενναν ℵ B C L W Δ Ψ ƒ¹ (28 omit τήν) 892 1365 *l*²⁶⁰ it^{b,k} syr^{s,p} cop^{sa,bo,fay} arm geo Diatessaron^p // εἰς τὴν γέενναν τοῦ πυρός *l*⁷⁰ (it^{aur,c,l} vg *add* τοῦ ἀσβέστου) // εἰς τὸ πῦρ τὸ ἄσβεστον (X omit τήν) Θ Π ƒ³ 565 1010 1071 1079 1195 1216 1230 1241 1242 1253 1344 1546 1646 2148 2174 *Byz Lect* (*l*⁸⁸³ εἰς πῦρ) it^{a,d,f,(ff2),(i),q,(r1)} syr^h goth eth Diatessaron

> Influenciados pela passagem paralela do v. 43, copistas tenderam a adicionar um ou outro modificador à forma que é decisivamente apoiada por representantes dos tipos de texto alexandrino, ocidental, oriental e egípcio.

O mundo diz que o discipulado cristão é uma *asneira*; e, secretamente, muitos supostos cristãos concordam com essa avaliação. Seja como for, as ações mostram que não são muitos os que se dispõem a sofrer *qualquer* perda por amor a Cristo. Ao assumir tais atitudes, um indivíduo chega a opor-se a si mesmo, e tão teimosamente que perde o contacto com a "realidade". Quanto tempo faz desde que estivemos em contacto com o eterno? Ou ao menos alguma vez fizemos esse contacto? O homem foi feito para o que é eterno. Perdeu, todavia, o seu caminho devido ao pecado. O discipulado cristão, que traz consigo um preço enorme, visa a trazê-lo de volta.

Jesus exigia uma *santa cirurgia*. O cirurgião pode ser atraído pela fama que seu trabalho lhe trará, bem como pelo aplauso dos admiradores. Jesus, porém, exigia uma cirurgia corajosa, para que a operação divina pudesse ser realizada no coração humano, o que decepa fora o "eu", a fim de que Cristo seja tudo em todos.

9.46: (onde o seu verme não morre, e o fogo não se apaga).

11 {A} *omit verse 46* ℵ B C L W Δ Ψ ƒ¹ 28 565 892 1365 *l*⁹ it^k syr^s cop^{sa,bo,fay} arm Diatessaron^a // *include verse 46* ὅπου ὁ σκώληξ αὐτῶν οὐ τελευτᾷ καὶ τὸ πῦρ οὐ σβέννυται. (ver Is 66.24) A D K X Θ Π ƒ³ 700 1010 1079 1079 1195 1216 12340 (1241 πῦρ αὐτῶν) 1242 (1253 omit αὐτῶν) 1344 1546 1646 2148 2174 *Byz Lect* it^{s,aur,b,c,d,ff2,i,l,q,r1} vg syr^{p,h} goth (eth) geo Diatessaron^p Augustine

Ver o comentário sobre o v. 44.

9.47: Ou, se o teu olho te fizer tropeçar, lança-o fora; melhor é entrares no reino de Deus com um só olho, do que, tendo dois olhos, seres lançado no inferno,

9.47 καὶ ἐὰν ὁ ὀφθαλμός σου σκανδαλίζῃ σε, ἔκβαλε αὐτόν· καλόν σέ ἐστιν μονόφθαλμον εἰσελθεῖν εἰς τὴν βασιλείαν τοῦ θεοῦ ἢ δύο ὀφθαλμοὺς ἔχοντα βληθῆναι εἰς τὴν γέενναν,

47 Mt 5.29

47 τὴν 2°] om B *pc* | γέενναν ℵBDW fı 28 565 700 *al* it sy^s; R] *add* του πυρος AΘ f13 *pm* lat sy^p ς

Dói apenas *ler* este versículo, pois um homem lamentaria só a ideia de perder sua mão ou seu pé, mas sentiria agonia ante a ideia de perder um olho. Agora a palavra vida é substituída pela expressão "reino de Deus". (Ver Mt 3.2, quanto a vários conceitos neotestamentários sobre o "reino".) Na boca de Jesus, isso poderia significar o reino terreno, o estado intermediário antes do estado eterno. Para a igreja primitiva, poderia significar o vindouro "reino milenar" ou "vida eterna", conforme se dá no uso comum do termo reino no evangelho de João. Seja como for, é o "bom Deus quem provê para os homens aquilo que transcende ao estado presente e terreno das coisas". Finalmente, entraremos naquele terreno onde "a vontade de Deus é feita", e nossa alma será imensamente abençoada.

9.48: onde o seu verme não morre, e o fogo não se apaga.

9.48 ὅπου ὁ σκώληξ αὐτῶν οὐ τελευτᾷ καὶ τὸ πῦρ οὐ σβέννυται·

48 ὁ...σβέννυται Is 66.24

Para efeito dramático, em uma passagem já bastante dramática, escribas posteriores puseram essa declaração após os v. 43 e 45. Os mais antigos manuscritos omitem a declaração naqueles lugares, e, sem dúvida, isso reflete o original; mas seu aparecimento em um só lugar é suficientemente solene. Naturalmente, o "fogo" é figurado, tal como o "verme". A descrição popular do inferno, promovida em alguns lugares do cristianismo moderno, repousa sobre as descrições dos apocalipses judaicos, segundo se vê em I Enoque e II Esdras. Desses tipos de expressões é que se derivaram certas ideias nos escritos cristãos, pois estavam nos lábios dos judeus naqueles dias. Se defendermos a ideia do fogo literal, também devemos defender a ideia dos vermes que não morrem. Naturalmente, alguns tentarão preservar o sentido literal neste caso, para preservá-lo no outro caso. A maioria dos eruditos, porém, vê aqui um sentido meramente simbólico. Não queremos fazer de Deus o monstro dos séculos, supondo que ele queimará pessoas para sempre, como porcos no espeto. Quanto ao juízo, nada podemos diminuir de seu senso de solenidade e de sua realidade. Há uma lei da colheita segundo a semeadura, e ninguém pode cometer um erro sem que tenha de pagar pelo mesmo. Em segundo lugar, juízo é vingança; em terceiro lugar, visa a produzir uma forma de *restauração*, pois também tem um aspecto disciplinador. Isso fica bem claro em 1Pedro 3.18-20 e 4.6, embora muitos tenham ignorado essas passagens como divinamente inspiradas. Em quarto lugar, esses mesmos textos mostram que o "juízo" não ocorre *logo* após a morte do indivíduo (embora certamente ocorra "depois disso" — ver Hb 9.27), e, sim, por ocasião da parousia de Cristo, isto é, em seu segundo advento. Portanto, Cristo continua operando e remindo no "mundo intermediário". (Isso é comentado em 1Pe 4.6.)

Mas esse juízo, por mais severo que venha a ser, é *um dedo na mão de amor* de Deus, o que fica comprovado em Efésios 1.10, pois, eventualmente, tudo será centralizado em torno de Cristo, visando ao benefício de todos, pois esse é o "mistério da vontade de Deus". Prejudicamo-nos quando negligenciamos essa revelação, ou quando supomos que se poderá formar uma "unidade" com uma "exclusão" de alguns, o que é uma contradição de termos, além de ser contra os conceitos metafísicos por detrás do que se lê em Colossenses e Efésios. Essa *restauração* não significa, obrigatoriamente, que todos venham a participar da vida dos "eleitos"; e assim evitamos que o calvinismo se alie ao universalismo, como se todos os homens, em última analise, estivessem predestinados à eleição. Poderá haver formas *inferiores* de restauração para os perdidos, os quais, segundo uma definição celestial, continuarão perdidos. E para os próprios *perdidos*, isso importará em perda infinita em comparação com aqueles que participarem da vastíssima natureza de Cristo (notas, Rm 8.29), para aqueles que não tiverem sofrido a "perda infinita". Isso será verdade, se importar o que a graça divina venha a fazer em prol dos perdidos. Essa graça, porém, sempre operará mediante a lealdade de Cristo, na atitude que chamamos "fé" (comentado em Hb 11.1). Assim, trata-se de grande verdade que, finalmente, o cântico de louvor, que diz: "Àquele que está sentado no trono, e ao Cordeiro, seja o louvor, e a honra, e a glória, e o domínio pelos séculos dos séculos" (Ap 5.13), subirá não somente da terra, reverberando até os céus, mas subirá da própria Geena. Portanto, concluímos que o Senhor, por meio de Cristo, de alguma forma, finalmente, conquistará para si todas as criaturas inteligentes, para que tenham uma vida útil e que redunde na glória de Deus. E isso será alcançado por todos os homens, eventualmente, embora esteja muito longe da "vida dos eleitos". A essa conclusão se chega quando se consideram as passagens bíblicas acima mencionadas, onde (*in loc.*), cada item é explicado com maiores detalhes.

Ver notas completas sobre o julgamento em Apocalipse 14.11.

9.49: Porque cada um será salgado com fogo.

9.49 πᾶς γὰρ πυρὶ ἁλισθήσεται[12].

[12] **49** {B} πᾶς γὰρ πυρὶ ἁλισθήσεται (א ἐν πυρί) B L (W ἁλισγηθήσεται) Δ *f*¹ *f*¹³ 28* 565 700 *l*²⁵⁰ syrˢ copˢᵃ.⁽ᵇᵒ⁾ arm geo Diatessaronᵃᵖᵗ // πᾶς γὰρ πυρὶ ἁλισθήσεται καὶ πᾶσα θυσία ἁλὶ ἁλισθήσεται A (C ἐν πυρί) K (X πυρὶ ἁλὶ ἁλισθήσεται) (Θ πυρὶ ἀναλωθήσεται) Π (Ψ θυσία ἀναλωθήσεται) 28ᶜ 892 1010* 1071 1079 (1195 ἐν πυρὶ δοκιμασθήσεται) 1216 1230 1241 1242 1253 1344 1365 1646 2148 2174 (1009 1010ᶜ 1546 *l*³⁰³,¹¹²⁷ᶜ omit ἁλί) *Byz Lect* itᶠ.ˡ.q vgᶜˡ (vgʷ omit ἁλί) syrᵖ.ʰ copᵇᵒᵐˢˢ goth eth Diatessaronᵃᵖᵗ.ᵖ // πᾶσα γὰρ θυσία ἁλὶ ἁλισθήσεται (ver Lv 2.13) D itⁱ⁾.ᵇ.ᵈ.ff2,ⁱ (itᵃᵘʳ.ᶜ omit ἁλί) // *Omnia autem substantia consumitur* itᵏ

As palavras iniciais deste versículo foram transmitidas de três maneiras principais: (1) πᾶς γὰρ πυρὶ ἁλισθήσεται (B L Δ— *f*¹ *f*¹³ syrˢ copˢᵃ *al* — "Pois cada um será salgado com fogo"); (2) πᾶσα γὰρ πυρὶ ἁλισθήσεται (D itᵇ.ᶜ.ᵈ.ff2,ⁱ — "Pois todo sacrifício será salgado com sal"; e (3) πᾶς γὰρ πυρὶ ἁλισθήσεται καὶ πᾶσα θυσία ἁλὶ ἁλισθήσεται (A K Π *al* — "Pois cada qual será salgado com fogo, e todo sacrifício será salgado com sal"). A história do texto parece ter sido como segue. Em período bem remoto, algum escriba, tendo achado em Levítico 2.13 um indício para o significado da enigmática declaração de Jesus, escreveu o texto do AT à margem de sua cópia de Marcos. Em cópias subsequentes, a glosa marginal foi substituída pelas palavras do texto, assim criando a forma 2, ou foi adicionada ao texto, assim criando a forma 3. Outras modificações incluem πυρὶ ἀναλωθύσεται (Θ — "[...] será consumido com fogo..."). θυσία ἀναλωθήσεται (Ψ — "[...] sacrifício será consumado...), ἐν πυρὶ δοκιμασθήσεται (1195 — "[...] será testado pelo fogo..."), e πᾶσα δὲ οὐσία ἀναλωθήσεται (*implícito em* itᵏ — "[...] e toda a substância (deles) será destruída", em que a letra foi lida como se fora Θ — e ΑΝΑΛω, em lugar de ΑΛΙΑΛΙC).

Alguns manuscritos adicionam aqui "[...] e todo sacrifício será salgado com sal". Este versículo tem provocado imensa controvérsia falada e escrita, pois não é claro o seu sentido, embora tenham surgido muitas interpretações. Trata-se de um autêntico *cruz interpretum*. Em primeiro lugar, o próprio texto é incerto. Os melhores manuscritos omitem a segunda cláusula, e D e algumas cópias latinas omitem a primeira, retendo a segunda. Alguns supõem que o versículo inteiro seja antiga glosa, pelo que teria sido manuseado de diversos modos nos manuscritos existentes. Outros supõem que o versículo todo é genuíno, e que a segunda parte caiu devido a "homoeoteleuton" (términos similares nas frases), ou porque, sendo difícil de entender (em conjunção com a primeira parte), foi propositalmente omitida.

A *segunda* dificuldade é que o símbolo do "sal" pode ser aplicado aos que foram julgados pelo fogo (nos versículos anteriores), ou aos crentes (no versículo seguinte). E a *terceira* dificuldade é que, já que Marcos reuniu uma série de declarações sobre o "discipulado", embora elas não estejam necessariamente concatenadas entre si, o "arcabouço original" deste versículo pode ter-se perdido. A seguir, damos algumas ideias sobre seus sentidos possíveis:

1. Se tirarmos a segunda cláusula, juntamente com os melhores e mais antigos manuscritos, teremos de explicar apenas a primeira. Nesse caso, pode isso significar que os ímpios serão julgados como se fossem *sacrifícios* à ira de Deus, tal como os *holocaustos* do AT eram acompanhados com sal. Assim, esses sacrifícios também seriam salgados, somente que por meio do "fogo". Essa explicação se adaptaria bem aos versículos anteriores, embora não faça sentido com os que se seguem. Portanto, se essa explanação é correta, podemos meramente supor que essa declaração não está vinculada à seguinte, exceto por sugestão e associação verbal.

2. Leve variação disso seria introduzir Levítico 2.13 na questão, pois o texto menciona, além da necessidade de sal nos sacrifícios, o fato de que o "pacto" de Deus está envolvido em tudo isso. Portanto, por assim dizer, os perdidos se tornarão "sacrifícios" que cumprirão os aspectos "negativos" do pacto, a maldição sobre aqueles que não observarem o acordo com Deus. O sal que era usado nos antigos sacrifícios sugeria sua "higidez", sua pureza e aceitabilidade diante de Deus. Outras significações também podem fazer parte integrante desse símbolo.

3. Se preservássemos ambas as cláusulas, poderíamos fazer o "sacrifício salgado com sal" significar os *fiéis*; e, para esses, o sal não seria o fogo, e, sim a *sabedoria purificadora*, ou até mesmo um preservativo para a vida eterna, o que igualmente cumpriria um aspecto do pacto divino. Combinando as interpretações "2" e "3", teríamos uma excelente explanação de ambas as cláusulas. Entretanto, é bastante incerto o que o Senhor quis dizer, pois há sutilezas que envolvem costumes do AT. Além disso, o significado duplo, dado ao "sal", pode ser duvidoso.

4. Parece melhor *abandonar* a tentativa de fazer o v. 49 harmonizar-se com o v. 50. Provavelmente, ele pertence ao anterior, descrevendo os perdidos que estarão no fogo eterno. Por conseguinte, por assim dizer, seriam "sacrifícios" à ira de Deus. Nesse caso, o v. 50 também seria uma "declaração sobre sal", embora separada devendo aplicar-se aos "salvos". Parece também mais avisado abandonar a segunda cláusula do versículo, com base na autoridade nos melhores manuscritos, e supondo-se que houve uma glosa feita por escribas posteriores, com base no AT. Nesse caso, a primeira interpretação parece ser totalmente lógica e possível.

5. Uma modificação dessa interpretação consiste de supor que estão em foco as propriedades *purificadoras* e *preservadoras* do sal, ao mesmo tempo, e que ambas as coisas se aplicam aos "perdidos". Portanto, o fogo que é o sal, purifica no intenso calor, mas também preserva os indivíduos para alguma espécie de vida em Jesus Cristo. Os *universalistas* pensam que isso envolve a vida eterna conforme a têm os eleitos, mas outros preferem pensar em alguma forma útil de vida. Essa última ideia expressa uma verdade, a qual notamos no v. 48; mas é duvidoso se essa verdade está em foco neste versículo. O *International Critical Commentary* (Gould), entretanto, ao assumir uma interpretação similar a esta, declara: "O objetivo de todas as retribuições, incluindo a retribuição penal da Geena, *é purificar*. A isso é adicionado que todos terão de ser assim purificados, ou pelo próprio "eu", no sacrifício, conforme é sugerido nos versículos anteriores, ou pelo juízo. Presume-se que, em ambos os casos, a "purificação" redunda no "bem" dos que forem assim purificados. Em ambos os casos, de modo admirável, a vontade de Deus, expressa em seu pacto, será cumprida. Essa interpretação não pode ser posta de lado negligentemente, pois encerra uma verdade (conforme fica implícito em Ef 1.10 e 1Pe 4.6), sem importar se este texto ensina essa verdade ou não.

6. Ainda outros, pensando no sal somente como *preservador*, e que é o fogo da Geena, supõem que aqui se deve entender que esse "fogo salgado" preservará os que estiverem sendo queimados, para todo o sempre. O fogo, que consumiria, se seguisse os poderes naturais das chamas, preservaria mediante seu próprio requeimar. Isso é uma interpretação possível, adicionando outra nota *severíssima* à realidade do juízo, além de confirmar sua autêntica eternidade. "Todos serão salgados de alguma forma, ou pelo fogo da Geena, ou pelas chamas da severa autodisciplina. Sábio é aquele que prefere esta última alternativa" (Bruce, *in loc.*). Essa declaração vincula o v. 49 com a ideia anterior do discipulado severo.

7. Finalmente, alguns pensam que o fogo salgador diz respeito somente ao discipulado cristão, não havendo, pois, *nenhuma conexão* com os perdidos, mas tão somente com o v. 50 e com a ideia do discipulado, dos versículos anteriores. Nesse caso, o fogo seria os *rigores dos sofrimentos* que acompanham o discipulado cristão e que purificam os discípulos. Isso, porém, parece ser interpretação menos provável que as outras interpretações acima.

Ainda há outras interpretações, mas o que dissemos acima dá boa ideia do que se tem pensado a respeito. Apesar de ser impossível determinar qual dessas interpretações é a correta, se é que há alguma, a *sexta* parece concordar melhor com a severidade do contexto. E a *quinta* posição não seria falsa por causa disso, já que depende de outras revelações.

9.50: Bom é o sal; mas, se o sal se tornar insípido, com o que o haveis de temperar? Tende sal em vós mesmos, e guardai a paz uns com os outros.

9.50 Καλὸν τὸ ἅλας· ἐὰν δὲ τὸ ἅλας ἄναλον γένηται, ἐν τίνι αὐτὸ ἀρτύσετε; [d]ἔχετε ἐν ἑαυτοῖς ἅλα, καὶ εἰρηνεύετε ἐν ἀλλήλοις.

[d] **50 (51)** *d* no number: TR WH Bov Nes BF² AV RV ASV RSV NEB TT Zür Luth Jer Seg[ed] // *d* number 51: Seg[ed]

50 ἐὰν...ἀρτύσετε Mt 5.13; Lc 14.34 ἔχετε...ἅλα Cl 4.6
εἰρηνεύετε ἐν ἀλλήλοις Rm 12.18; 1Ts 5.13

Consideramos que esse logion está separado do anterior, estando aqui por ter sido sugerido pelo símbolo do sal (previamente usado), e porque ambas as "declarações" têm algo a ver com o discipulado. Já pudemos notar que Marcos reuniu várias declarações sobre o discipulado, embora elas não estejam necessariamente ligadas entre si. Tanto Lucas (14.34) quanto Mateus (5.13) trazem a declaração em diferentes contextos do que o faz Marcos. Provavelmente, tal declaração se achava em mais de uma fonte informativa, o "Q" e o "protomarcos". A última porção do versículo — *"Tende sal em vós mesmos, e paz uns com os outros"* — não se acha nos paralelos, sendo ou uma observação editorial (suprida pelo próprio Marcos), ou ainda outra declaração isolada de Jesus, aqui juntada por Marcos a outros, porquanto envolvia a ideia de "sal". Seja como for, significa o que é "genuíno" no discipulado cristão. O sal tem uma função específica que dele se espera, isto é a "genuinidade". E outro tanto se espera dos discípulos de Cristo. É como se Jesus houvesse dito: "Tende em vós a realidade de vossa profissão cristã, e assim certamente reinará a paz entre vós, sem invejas e ambições carnais, que só vos perturbariam". E isso nos faria voltar às ideias dos v. 33 e 34. O modo com que Marcos usa aqui a declaração subentende que a conversão e a santificação cristãs genuínas naturalmente eliminarão as disputas carnais. Se assim não for, então haverá algo de errado com a espiritualidade do indivíduo. O sentido dado à declaração, nos textos paralelos, entretanto, é diferente.

Capítulo 10

3. JESUS ATRAVESSA O RIO JORDÃO – 10.1 (Ver as notas expositivas em Mt 19.1,2).

a. No caminho

10.1: Levantando-se Jesus, partiu dali para os termos da Judeia, e para além do Jordão; e de novo as multidões se reuniram em torno dele; e tornou a ensiná-las, como tinha por costume.

NTI | Marcos | 867

10.1 Καὶ ἐκεῖθεν ἀναστὰς ἔρχεται εἰς τὰ ὅρια τῆς Ἰουδαίας [καὶ] πέραν¹ τοῦ Ἰορδάνου, καὶ συμπορεύονται πάλιν ὄχλοι πρὸς αὐτόν, καὶ ὡς εἰώθει πάλιν ἐδίδασκεν αὐτούς.

¹1 {C} καὶ πέραν ℵ B C' L Ψ 892 1009 cop^{sa,bo} // διὰ τοῦ πέραν A K X Π 700 1010 1079 1195' 1230 1242^c 1253 1344 1546 (2148 εἰς τὸ πέραν) Byz^{l76,150,185,883} syr^h // καὶ διὰ τοῦ πέραν 1071 // πέραν (ver Mt 19.1) C² D W Δ Θ f¹ f¹³ 28 565 1195 1216 1241 1242' 1365 1646 2174 Lect it^{aur,b,c,d,f,ff²,i,k,l,q} vg syr^{s,p} goth arm geo Diatessaron^{s,p} Augustine

A forma διὰ τοῦ πέραν (A K X Π maioria dos minúsculos, seguidos pelo *Textus Receptus* (cf a tradução AV, "às costas da Judeia pelo lado oposto do Jordão") é manifestamente uma correção explanatória introduzida por copistas que ficaram perplexos pelas dificuldades geográficas envolvidas nas formas anteriores. Ao escolher entre καὶ πέραν (texto alexandrino) e πέραν (textos ocidental, cesareano e antioqueano), a comissão ficou impressionada pela diversidade do apoio externo em prol da segunda forma, mas considerou que a ausência de καί pode-se ter devido à assimilação ao paralelo de Mateus 19.1. A fim de refletir o equilíbrio de testemunhos externos e de probabilidades internas, resolveu-se reter καί, mas dentro de colchetes.

"Esta seção assinala o começo de uma *nova* divisão no evangelho, o que é reconhecido por Mateus e Lucas, embora 'Ministério na Pereia' seja título mal aplicado a esta longa inserção lucana de material não pertencente a Marcos. (Ver Lc 9.51—18.14.) Segundo já observamos, porém, as declarações sobre o discipulado em parte se justapõem à nova divisão: o *caminho da cruz* não é apenas dos discípulos, mas também de Jesus — e literalmente, pois agora ele estava em direitura a Jerusalém, onde seria sua morte. A região da Judeia, além do Jordão, significa, em adição à Judeia, também a Pereia, ou então, segundo a topografia moderna, a Transjordânia. Assim se lê nos manuscritos mais antigos — estes últimos dizem *por*, ao invés de '*e*', provavelmente influenciados por Mateus, que pensava na região além do Jordão (isto é, ao oriente), como pertencente à Judeia. A palavra 'dali' significa Cafarnaum (9.33). 'Ele as ensinava', tal como em 6.34. Mateus diz que ele os curava" (Grant, *in loc.*).

"O ministério de Jesus na Galileia chegava ao fim, e ele foi para a região sul da Palestina" (Gould, *in loc.*).

"Em ambos os lugares, Mateus (14.14 e 19.2) fala de 'cura'. Entretanto, em Marcos temos a menção ao ensino' (aqui e em 6.34)" (Bruce, *in loc.*). Ver Mateus 28.20, quanto a notas sobre a importância do ministério de ensino. Isso faz parte da Grande Comissão.

10.2-12 — *A questão do divórcio.* (Ver as notas expositivas em Mt 19.3-12.)

10.2: Então se aproximaram dele alguns fariseus e, para o experimentarem, lhe perguntaram: É lícito ao homem repudiar sua mulher?

10.2 καὶ προσελθόντες Φαρισαῖοι² ἐπηρώτων αὐτὸν εἰ ἔξεστιν ἀνδρὶ γυναῖκα ἀπολῦσαι, πειράζοντες αὐτόν.

N. B.: Quando aparecem textos paralelos em Mateus e Marcos, apresentamos a exposição em Mateus; em Marcos, acrescentamos apenas algumas notas suplementares.

²2 {C} καὶ προσελθόντες Φαρισαῖοι A B K L Δ Π Ψ f¹³ 28 700 892 1010 1079 1546 1646 Byz^{pt} cop^{bo} goth // καὶ προσελθόντες οἱ Φαρισαῖοι ℵ C X (f¹ οἱ Φαρισαῖοι *after* αὐτόν) 1009 1071 1195 1216 1230 1241 1242 1253 1344 1365 2148 2174 Byz^{pt} (*Lect omit* καὶ *at beginning of lection*) Diatessaron^a // προσελθόντες τῷ Ἰησοῦ οἱ Φαρισαῖοι l¹⁸⁵ // καὶ προσελθόντες οἱ (*or omit* οἱ) Φαρισαῖοι it^{aur,c,f,l,q} vg syr^{p,h} geo // οἱ δὲ Φαρισαῖοι προσελθόντες W Θ 565 cop^{sa,(fay)} arm // *et accendentes quidam* it^{ff²} // καὶ D it^{a,b,d,k,r¹} syr^s Origen

O principal problema apresentado pelas variantes envolve a presença ou ausência das palavras προσελθόντες (οἱ) Φαρισαῖοι. O texto original dizia apenas ἐπηρώτων, um plural impessoal

("pessoas lhe perguntaram" ou *foi-lhe perguntado*), e a alusão aos fariseus entrou em muitos testemunhos por assimilação ao texto paralelo de Mateus 19.3? Apesar da plausibilidade de tal possibilidade o fato o texto de Mateus não ser absolutamente paralelo (προσῆλθον αὐτῷ Φαρισαῖοι) e o apoio generalizado e impressionante em prol da forma mais longa, a maioria da comissão preferiu reter essas palavras do texto. (Visto que o plural impessoal é uma característica do estilo de Marcos, as palavras προσελθόντες Φαρισαῖοι provavelmente são uma intrusão vinda de Mateus; se forem retidas, devem ser postas entre colchetes. B.M.M. e A.W.)

Os oponentes de Jesus não lhe davam *descanso*. Faziam-lhe indagações para apanhá-lo em algum erro, mediante o qual poderiam acusá-lo. Não estavam realmente interessados em obter novo conhecimento da verdade. Quanto frequentemente as "discussões religiosas" têm esse caráter! A maioria delas são dois "monólogos" simultâneos, e não diálogos. Cada sistema tolamente supõe que tem algum direito especial à verdade e que nada tem a aprender de outros. A questão aqui levantada fazia parte de um "atual" e "quente" debate teológico e ético. (Além do paralelo em Mateus, ver também Mateus 5.32 e Marcos 2.1—3.6, quanto a outras "passagens de controvérsias".) Esses textos buscam dar, além de informações, as razões da derrubada de Jesus, que finalmente levaram-no à morte, por imposição das autoridades religiosas. Ele defendia a verdade e entrava em controvérsia em prol da verdade. Contudo, religiosos pejados de preconceitos não queriam deixá-lo viver. Há outras passagens que demonstram que essa "derrubada" fazia parte da missão necessária do Messias. E este texto mostra que isso não se deu devido a nenhuma falha da parte de Jesus. De várias maneiras, as passagens de controvérsias justificam a ideia do "Messias-Servo Sofredor".

Os fariseus indagaram sobre o *divórcio* e suas implicações morais. Milhões, hoje em dia, fazem a mesma pergunta. As notas sobre esse tema figuram em Romanos 7.3. O NT mesmo dá mais de uma resposta a qualquer pergunta, tal como o fazia o judaísmo. O relato de Marcos não permite nenhuma exceção, nenhuma razão para o divórcio. O relato de Mateus modifica isso, permitindo que o adultério seja motivo do divórcio (e, presumivelmente de novo casamento). Além disso, há a "exceção paulina", onde um crente, sob certas circunstâncias, pode divorciar-se de um cônjuge incrédulo e, presumivelmente, casar-se de novo. As notas naquele texto de Romanos investigam essas ideias. A adição de Mateus, para qualquer motivo mostra que, desde o começo, o manuseio da questão seria um tanto diferente do que fizeram outros escritores sagrados. Provavelmente, isso mostra a tentativa da igreja por achar uma solução mais viável do que aquela proposta em Marcos.

Jesus tinha e reivindicava *sabedoria* superior. Assim, testaram-no quanto a essa questão difícil. Sem importar qual fosse sua resposta, alguém não se satisfaria com a mesma. Desse modo, pois, esperavam lançá-lo no descrédito. Imediatamente, Jesus elevou a questão para o mais elevado plano do ideal divino, tirando-a do que era meramente expediente, conforme a regra usada pelos fariseus mais liberais.

10.3: Ele, porém, respondeu-lhes: Que vos ordenou Moisés?

10.3 ὁ δὲ ἀποκριθεὶς εἶπεν αὐτοῖς, Τί ὑμῖν ἐνετείλατο Μωϋσῆς;

Qualquer discussão sobre um problema moral naturalmente seria alicerçada sobre a base das Escrituras do AT, juntamente com suas interpretações rabínicas. Por isso, essa consideração daria *início* a qualquer discussão. A própria lei era ambígua neste ponto, pelo que havia muitas ideias divergentes a respeito (ver Dt 24.1). Isso admite uma interpretação literal, conforme era ensinado pela escola de *Hilel*. Moisés permitiu que houvesse o divórcio

868 |Marcos| NTI

com um certificado, pelo que havia boas bases "tradicionais" para a instituição do divórcio. Jesus, porém, salientaria que o ideal espiritual transcende a qualquer tradição humana. Os que fossem sérios acerca da inquirição espiritual buscariam esse ideal, e não a tradição expediente. O que foi "permitido" não era necessariamente o que era "certo", segundo autênticos padrões espirituais.

10.4: Replicaram eles: Moisés permitiu escrever carta de divórcio, e repudiar a mulher.
10.4 οἱ δὲ εἶπαν, Ἐπέτρεψεν Μωϋσῆς βιβλίον ἀποστασίου γράψαι καὶ ἀπολῦσαι.

4 Ἐπέτρεψεν...ἀπολῦσαι Dt 24.1,3 (Mt 5.31; 19.7)

Essa foi uma *permissão* devido à *fraqueza humana*. Jesus fez a questão voltar ao propósito original de Deus, conforme está revelado no livro de Gênesis. É como se Jesus tivesse dito: "O livro de Gênesis, nesse caso, tem a preponderância sobre o livro de Deuteronômio". Quanto a nós, nos inclinaríamos a supor o contrário, dizendo que textos bíblicos "posteriores" refletem uma revelação mais madura. É interessante, seja como for, que Jesus não hesitava em lançar um texto bíblico contra outro, tendo suas preferências. Ele não via o "mesmo nível" de verdade em todas as revelações. Outrossim, em alguns textos bíblicos, pode haver alguma questão humana prática, e não algum princípio eterno. Sem dúvida, isso se dá em grande parte do NT, como também em algumas ideias e práticas do NT. Não seguimos hoje em dia as regras neotestamentárias quanto ao vestuário e as restrições às mulheres no tocante à adoração na igreja. É *honesto* simplesmente admitir que praticamente ninguém mais observa essas regras; antes, preferem interpretar torcidamente as Escrituras, a fim de adaptá-las às nossas práticas correntes. O próprio NT, porém, eleva a posição das mulheres crentes, e elas aparecem ativas no ensino, em moldes certamente proibidos pela tradição judaica. Isso é mencionado aqui somente à guisa de ilustração, para mostrar que alguns textos bíblicos não representam o que poderia ser o melhor em certas circunstâncias. Jesus reconhecia a natureza "plástica" de alguns textos das Escrituras. Pela discussão desta passagem, parece bastante óbvio que os inquiridores de Jesus pertenciam à escola de Hilel, que se mostrava literal quanto à questão do divórcio. Jesus deve ter ofendido grandemente a liberalidade deles quanto ao assunto; e certamente suas ideias continuam ofendendo a muitos, até mesmo a quem faz parte do cristianismo evangélico, que se julga ortodoxo.

10.5: Disse-lhes: Pela dureza dos vossos corações ele vos deixou escrito esse mandamento.
10.5 ὁ δὲ Ἰησοῦς εἶπεν αὐτοῖς, Πρὸς τὴν σκληροκαρδίαν ὑμῶν ἔγραψεν ὑμῖν τὴν ἐντολὴν ταύτην.

A escola de Hilel *exagerara* a facilidade do divórcio a extremos ridículos, excedendo a tudo quanto fora antecipado na permissão mosaica. Jesus, porém, não ataca apenas o exagero, e, sim, a própria "permissão", como se não fosse digna de homens espiritualmente sérios. Evidentemente, Jesus tinha uma posição ainda mais severa que a da escola de *Shammai,* que permitia a posição de Shammai. Conforme veremos, a resposta de Jesus condena tanto a poligamia quanto o divórcio; e isso era revolucionário, pois ultrapassava a espiritualidade até dos grandes patriarcas, quanto a esse particular. Jesus, naturalmente, nivelou seus ensinamentos à crueldade dos homens, que tratavam as mulheres como meras propriedades; mas suas injunções vão além disso, ressaltando o ponto de vista espiritual do que é o matrimônio. Talvez seja verdade, conforme dizem alguns, que a busca por Deus pode ser mais bem efetuada quando estão juntos um homem e uma mulher, pelo menos no que respeita ao nosso presente nível de vida, com suas potencialidades espirituais. Se esse é o caso, o divórcio dificilmente pode fazer parte na vida dos dois inquiridores. E é óbvio que só

pode haver "dois" nessa aventura, pelo que a poligamia (apesar de legítima, segundo as leis judaicas antigas) é automaticamente tida como "inferior" para o inquiridor sincero pela verdade. O "ideal" esposado por Jesus, naturalmente, transcende imensamente à condição popular. Moisés tentou uma transigência ante a fraqueza humana, certamente uma transigência necessária, mesmo que fosse detrimento para o espírito, do ponto de vista da sabedoria divina. A "tensão" na questão do divórcio, naturalmente, existe devido ao vasto hiato entre o ideal divino e o que ocorre na sociedade humana, entre os homens, que são criaturas decaídas.

Jesus admite aqui que a interpretação da escola de Hilel, quanto a Moisés, estava correta; mas a correção na interpretação de algumas passagens bíblicas não conta, necessariamente, a história toda. Jesus era contrário à *acomodação mosaica.*

"[...] coração..." Trata-se do homem interior, suas emoções, suas propriedades da "alma", incluindo a "inteligência". Com frequência, entretanto, o termo significa apenas a própria "alma", o ser essencial do homem, em contraste do homem com um animal. A própria alma daquela gente ficara prejudicada por uma inquirição espiritual inferior. Eles se deleitavam em uma "permissão", ao invés de buscarem o ideal para o bem de sua alma.

10.6: Mas desde o princípio da criação, Deus os fez homem e mulher.
10.6 ἀπὸ δὲ ἀρχῆς κτίσεως ἄρσεν καὶ θῆλυ ἐποίησεν αὐτούς³·

6 Gn 1.27; 5.2

6 κτισεως | om D it sy

³ 6 {B} αὐτούς (ver Mt 19.4) ℵ B C L Δ 1242 itᶜ copˢᵃ,ᵇᵒ,ᶠᵃʸ geo² Diatessaronᵃ,ᵗ // αὐτοὺς ὁ θεός A K X Θ Π Ψ f¹ f¹³ 28 565 700 892 1009 1010 1071 1079 1195 1216 1230 1241 1253 1344 1365 1546 1646 2148 2174 *Byz Lect* itᵃ,ᵃᵘʳ,ˡ,q vg syrᵖ,ʰ arm geo¹ Diatessaronᵖ Augustine // ὁ θεός D W itᵇ,ᵈ,ff²,ᵏ,ʳ¹ goth eth

> A inserção de ὁ θεός, como sujeito de ἐποίησεν deve ter parecido necessária aos copistas, para que o leitor sem instrução não imaginasse que o sujeito previamente mencionado (Moisés), deveria ser compreendido de novo. Vários testemunhos (D W itᵇ,ᵈ,ff²,ᵏ,ʳ¹ *al*) omitem αὐτούς como palavra supérflua.

O ideal divino original era "*um homem, uma mulher*". A espiritualidade é mais bem promovida nessas circunstâncias. Na Criação, estava em pauta o bem espiritual do homem, e a instituição do matrimônio seguiu esse plano, ou melhor, fazia parte do mesmo. A permissão para o divórcio foi dada porque a "queda" estragara o plano original em favor do bem humano. A queda deu ao homem um olho leviano, transformando-o em um polígamo e em um adúltero. A permissão dada por Moisés foi uma concessão ao homem decaído, e não um princípio espiritual que visasse ao nosso bem. "Jesus retrocede desde a lei mosaica até a constituição original das coisas, em favor do que ele cita o texto de Gênesis 1.27, em conexão com Gênesis 2.24. Ao invés de alicerçar o matrimônio sobre a base que revela que a mulher foi extraída do homem, essa conexão firma-o sobre a base muito mais ampla e racional das relações sexuais entre eles" (Gould, *in loc.*).

10.7: Por isso deixará o homem a seu pai e a sua mãe, [e unir-se-á a sua mulher],
10.7 ἕνεκεν τούτου καταλείψει ἄνθρωπος τὸν πατέρα αὐτοῦ καὶ τὴν μητέρα [καὶ προσκολληθήσεται πρός τὴν γυναῖκα αὐτοῦ]⁴,

7,8 ἕνεκεν...μίαν Gn 2.24 (Ef 5.31)

⁴ 7 {D} καὶ προσκολληθήσεται πρὸς τὴν γυναῖκα αὐτοῦ (ver Gn 2.24) D K W X Θ Π f¹³ 28 565 (700˙ μητέρα *for* γυναῖκα) 700ᶜ 892ᵐᵍ 1009 1010 1071 1079 1195 1216 1230 1241 1242 1253 1344 1365 1646 2148 2174 *Byz Lect* (l⁷⁰ μητέρα) itᵇ,ᵈ,ff²,l,(q) vg syrᵖ,ʰ copˢᵃ,ᵇᵒ,ᶠᵃʸ arm eth geo Diatessaronᵖ Basil // καὶ προσκολληθήσεται τῇ γυναικὶ αὐτοῦ (ver Mt 19.5) A C L Δ f¹ 1546 l¹² itᵃ,ᵃᵘʳ,ᶜ,ʳ¹ // *et inprobitas mulierem* itᵏ // *omit* ℵ B Ψ 892˙ l⁴⁵ syrˢ goth

καὶ προσκολληθήσεται πρὸς τὴν γυναῖκα (ου τῇ γυναῖκι) αὐτοῦ foram adicionadas na maioria das cópias, para assimilar a citação à forma mais completa encontrada em Mateus 19.5 (e Gn 2.24), ou foram elas omitidas por descuido na cópia (o olho do escriba teria passado de καί para καὶ)? A fim de apresentar o equilíbrio quase perfeito, que envolve as probabilidades, a maioria da comissão resolveu incluir a cláusula no texto (onde parece ser necessária para o sentido, pois, de outra maneira, οἱ δύο, no v. 8, poderiam ser tidas como uma alusão ao pai e à mãe"), mas incluiu essas palavras dentro de colchetes. No tocante a entre πρὸς τὴν γυναῖκα e τῇ γυναῖκι, a primeira forma é preferível, porque reproduz mais exatamente a citação extraída do livro de Gênesis, e porque a construção dativa é obviamente uma correção estilística.

O matrimônio envolve uma nova relação que ultrapassa os antigos laços familiares, e isso, por si mesmo, pode ser um sacrifício para alguns. Por causa da intimidade física, o casamento é uma relação mais íntima que a que ocorre entre pais e filhos. Com base no v. 8 (e Ef 5.31), aceitamos que alguma relação "mística" está envolvida, algum entrelaçamento de energias vitais entre marido e mulher, o que emprestaria à relação matrimonial um caráter distintivo. Portanto, é algo que não pode ser anulado facilmente, transcendendo todas as demais relações humanas. A permissão mosaica deixou de lado essas considerações e degradou a relação matrimonial. Os líderes religiosos do *antigo judaísmo*, que já tinham a mulher em pouca conta — pois os fariseus chegaram a debater sobre as mulheres terem alma ou não — pensavam, entretanto, que a permissão mosaica se adaptava bem à mentalidade deles.

10.8: e serão os dois uma só carne; assim já não são mais dois, mas uma só carne.
10.8 καὶ ἔσονται οἱ δύο εἰς σάρκα μίαν· ὥστε οὐκέτι εἰσίν δύο ἀλλὰ μία σάρξ.

Cremos que este versículo transcende à simples ideia de "unidade" no casamento. Cremos que, de alguma forma *mística*, as energias vitais do casal se combinam, de modo que, mui realmente, e não apenas figuradamente, tornam-se eles uma espécie de "unidade", isto é, uma só pessoa. Isso é um mistério, um ensinamento profundo, e já comentamos a respeito em Efésios 5.31, onde o leitor deve consultar as notas. Naturalmente, pois, tal união não pode ser rompida negligentemente, além do que, a poligamia a corrompe, e o adultério e as imoralidades ainda são piores, pois destroem rudemente essa unidade mística. (Em conexão com isso, ver 1Co 6.16.)

A matemática de Jesus diz que *"um mais um é igual a um"*. Os homens, infantis naquilo que fazem, não suportam tal ideia, e nem a entendem. O matrimônio geralmente une juntos "adultos infantis", e quase todos os problemas maritais podem ser atribuídos ao "egoísmo", quando um ou outro dos cônjuges não forma realmente uma unidade com o outro, mas "puxa só para si mesmo as brasas para sua sardinha".

Alguns estudiosos veem aqui somente o ato sexual, como se isso é que fizesse das duas "uma só pessoa". É claro que o sexo está aqui em foco, mas não com exclusividade. O ato sexual evidentemente causa uma mistura de energias vitais, de modo que de, alguma forma, momentaneamente, os dois tornam-se uma só entidade. No casamento, porém, cremos que há mais fatores envolvidos nessa unidade do que isso, de modo que a mistura de energias é maior do que algo que possa ser limitado somente à união física.

10.9: Portanto o que Deus ajuntou, não o separe o homem.
10.9 ὃ οὖν ὁ θεὸς συνέζευξεν ἄνθρωπος μὴ χωριζέτω.

9 ουν] *om* **D** k' Cl

Considerando o que acabamos de dizer, deve ser *óbvio* que essa união não pode ser negligentemente posta de lado. Em Marcos,

Jesus não permite nenhuma exceção e é provável que esse seja seu ensino original. Mateus abre exceção para os casos de adultério; e Paulo adiciona sua exceção, quando há casamento entre crentes e incrédulos. Todas as exceções, como aquela de Moisés, têm algo a ver com alguma "concessão", que respeita o presente nível humano de espiritualidade; mas isso fica aquém do ideal divino.

De Deus vem o *"ato da união"*. O ideal, pois, não admite qualquer "separação", que é ato de homens carnais. O ensinamento de Jesus repousa sobre a espiritualidade pura. As exceções abertas pelos homens repousam sobre a entrada da carnalidade na relação matrimonial.

10.10: Em casa os discípulos interrogaram-no de novo sobre isso.
10.10 Καὶ εἰς τὴν οἰκίαν πάλιν οἱ μαθηταὶ περὶ τούτου ἐπηρώτων αὐτόν.

Os discípulos, e não apenas os *fariseus*, viam no ensino de Jesus muitas *dificuldades*, e queriam explicações mais detalhadas. As exceções a esse ideal derivaram-se da confrontação com as dificuldades, e até mesmo o NT (conforme é explicado acima) retrocedeu um pouco do ensinamento de Jesus, por causa dessa confrontação. A discussão particular, aqui e em Marcos 4.10,34; 7.17; 9.28; 10.23 e 13.3, introduz novo e importante material sobre o tema. O diálogo será sempre útil para esse propósito.

10.11: Ao que lhes respondeu: Qualquer que repudiar sua mulher e casar com outra, comete adultério contra ela;
10.11 καὶ λέγει αὐτοῖς, Ὃς ἂν ἀπολύσῃ τὴν γυναῖκα αὐτοῦ καὶ γαμήσῃ ἄλλην μοιχᾶται ἐπ' αὐτήν,

11,12 Mt 5.32; Lc 16.18; 1Co 7.10,11   11,12 Ὃς αν...μοιχαται
(2°)] trsp 12, 11 **W** I syˢ

Isso porque o *casamento* com outra pessoa nem é casamento, conforme o padrão de Jesus. Mateus permite (aparentemente) a validade do *segundo casamento*, se houve um cônjuge inocente, o qual, por causa de adultério do outro, se divorcia; e então o cônjuge lesado poderia contrair novas núpcias. A *exceção paulina* permite a um crente casar-se de novo, se o cônjuge incrédulo o tivesse abandonado, sem razão especificada quanto ao "porquê" desse abandono. Presume-se que qualquer razão seria válida, excetuando-se o crente estivesse em falta e forçasse o cônjuge incrédulo a partir (ver 1Co 7.15ss). A *servidão* sob a qual o crente não está é a do "laço matrimonial". Se o cônjuge incrédulo se vai, o crente não estaria mais casado, pelo que teria a liberdade de casar-se novamente. Para Jesus, no entanto, um matrimônio não podia ser desfeito sob hipótese nenhuma, pelo que um "segundo" matrimônio nem seria tal; antes, seria uma relação adúltera, pois o primeiro casamento continuaria em efeito. Paulo estabelece a distinção entre o casamento com um incrédulo e o casamento com um crente, mas considera que o casamento com um incrédulo é "válido", isto é, "santificado". O judeu comum não considerava o casamento com um não-judeu como "válido", pelo que seria imundo, ou seja, uma forma de fornicação. Paulo afastou-se dessa mentalidade judaica, embora não "forçasse" o cônjuge crente a manter seu matrimônio sob tais circunstâncias. A mentalidade judaica teria "obrigado" o judeu a dissolver esse "casamento", ou seja, "exigia" o divórcio, e não somente o permitia. Somente se o cônjuge pagão se tornasse judeu poderia contrair legalmente casamento com um judeu; e só então o matrimônio seria "válido", isto é, "santificado", não envolvendo nenhum adultério. Pode-se ver, pois, que Jesus obviamente tinha uma posição ainda mais inflexível que a dos mais estritos judeus sobre a questão. Mateus modificou isso, assumindo mais a posição do rabino Shammai; e Paulo modificou-o ainda mais, levando em consideração o problema de crentes casados com incrédulos. Paulo, pois, fala de uma "situação eclesiástica". Jesus se pronunciou em uma situação "pré-eclesiástica". Talvez se Jesus estivesse na posição de Paulo, teria feito essa exceção como a de

870 | Marcos | NTI

Paulo. Naturalmente, os modernos psicólogos frisam que pode haver "crimes" muito mais sérios em um casamento do que o adultério, e que é possível a um *tirano*, que espanca sua esposa e seus filhos, ser um homem "moral", no sentido de não ter aventuras extramaritais. Esse tirano pode até tornar-se homicida. Porventura uma esposa não poderia divorciar-se dele por essa razão, mas tão somente por um lapso moral e sexual? Muitos problemas de tal natureza podem ser levantados, e parece melhor considerar a injunção de Jesus como o "ideal espiritual" sobre a questão, ao passo que, no plano da vida prática, no nível da experiência humana, onde os homens não estão preparados para ideais muito elevados, várias exceções podem ser feitas, incluindo as propostas por Paulo.

Exageros sobre este versículo. Alguns têm dado um sentido absoluto à ideia de nada de segundo casamento. Segundo eles, mesmo que um cônjuge morra, o cônjuge sobrevivente não pode tornar a casar-se, pois isso destruiria o ideal do casamento de *um homem, uma mulher*. É quase certo que 1Timóteo 3.2 dá a entender que o bispo pode casar-se apenas uma vez, sem importar se a morte vier a entrar no quadro ou não. (Ver a discussão sobre esse problema *in loc.*) Pelo menos para o crente comum, o texto de Romanos 7 mostra que o casamento é *dissolvido* devido à morte, pelo que o cônjuge sobrevivente pode casar-se de novo. Naturalmente, a maioria dos intérpretes acha um meio de negar que 1Timóteo 3.2 significa "qualquer tipo de segundas núpcias"; mas outros reduzem a questão à mera poligamia, isto é, ter um homem duas ou mais esposas ao mesmo tempo. (As notas, *in loc.*, abordam detalhadamente a questão).

10.12: e se ela repudiar seu marido e casar com outro, comete adultério.

10.12 καὶ ἐὰν αὐτὴ ἀπολύσασα τὸν ἄνδρα αὐτῆς γαμήσῃ ἄλλον μοιχᾶται.

12 απολυσ...αλλον] εξελθη απο του ανδρος και αλλον γαμηση D(Θ) *pc* it

Alguns eruditos atribuem essa declaração *a Marcos* (uma glosa) e não a Jesus, já que a lei judaica não permitia que uma mulher se divorciasse de seu marido, pelo que a declaração aparentemente não poderia ter aplicação em uma discussão com os fariseus. Marcos pode ter adicionado isso para benefício de gregos e romanos, que estariam entre seus leitores, já que, naquelas culturas, uma mulher podia divorciar-se de seu marido. Naturalmente, a lei judaica permitia que uma mulher "forçasse" seu marido a divorciar-se dela, e isso equivalia a pedir divórcio pessoalmente. E assim, essa declaração bem pode ter sido feita por Jesus diante dos fariseus. Seja como for, se o divórcio fosse efetuado por iniciativa da mulher, e então, uma vez divorciada, ela tornasse a casar-se, cometeria adultério, simplesmente porque, de acordo com a regra de Jesus, o primeiro casamento jamais pode ser dissolvido, pelo que um segundo casamento nem seria tal. Isso contradiz a lei e a prática judaicas que eram comuns nos dias de Jesus. Pois, se a uma judia fosse dada carta de divórcio, ela tinha a liberdade de casar-se de novo, pois o primeiro matrimônio estaria anulado. É claro, pois, que a posição de Jesus é que qualquer tipo de divórcio e segundo casamento é uma brecha feita no sétimo mandamento (ver Êx 20.14). Para Jesus, nem divórcio e nem adultério podiam romper o laço matrimonial, se ficarmos somente com o que Marcos registrou, sem nos referirmos às exceções abertas por Mateus e Paulo.

10.13-16 — *Jesus abençoa as crianças.* (Ver as notas expositivas em Mt 19.13-15.) Aqui seguem algumas notas suplementares.

10.13: Então lhe traziam algumas crianças para que as tocasse; mas os discípulos o repreenderam.

10.13 Καὶ προσέφερον αὐτῷ παιδία ἵνα αὐτῶν ἅψηται· οἱ δὲ μαθηταὶ ἐπετίμησαν αὐτοῖς.

13 αυτοις ℵB *pc c k* sa(2) bo; R] τοις προσφερουσιν **ADW**(Θ) (f*I*) f*I3 pl* lat sa(I) ς

Para evitar o entendimento de que as palavras ἐπετίμησαν αὐτοῖς indicariam que as crianças foram repreendidas (ao invés daqueles que as trouxeram) grande variedade de testemunhos expandem o texto para ἐπετίμων τοῖς προσφέρουσιν (Θ diz φέρουσιν) αὐτοῖς (A D N W X Y (Θ) 28 543 565 700 1071 *al*, seguidos pelo *Textus Receptus*). A forma adotada no texto é fortemente apoiada em ℵ B C L Δ Ψ 579 892 1342 it^{c.k} cop^{bo} *al*.

"Este breve mas *belo* episódio, que expressa uma atitude tão diferente da atitude acadêmica dos rabinos, para com mulheres e crianças, mas ao mesmo tempo tão caracteristicamente judaica, dificilmente poderia ter sido inventado. A Jesus foi pedido que 'tocasse' nas crianças — não necessariamente 'jovens', conforme se vê em algumas traduções, devido à harmonização com Lucas 18.15 — tal como se lhe fora pedido tocar nos enfermos, presumivelmente porque se esperava alguma bênção especial advinda desse contacto. Isso parece ter aborrecido aos discípulos, pelo que 'repreenderam aos que as trouxeram" (Grant, *in loc.*). *O toque da mão pode curar*, e isso se sabe por meio de modernos estudos científicos, bem como pela própria experiência humana. Os judeus pensavam que, quando um pai abençoava um filho seu, transmitia-lhe alguma bênção espiritual genuína, e a mesma coisa se dizia acerca da imposição de mãos para a ordenação. Não é impossível que isso seja literalmente verdadeiro, e que uma autêntica energia espiritual seja transmitida, quando homens piedosos realizam um ato desses. Seja como for, as pessoas sempre creram no poder do toque; e elas têm razão. Fosse qual fosse o exato "modus operandi" disso, não se reveste de especial importância. Não nos devemos olvidar de que o homem é um ser espiritual, não havendo razão para supor que ele não possa transferir a outrem uma verdadeira energia espiritual, para benefício desse outro. Os dons do Espírito eram, e algumas vezes são dados mediante o toque da imposição de mãos. Certamente que o toque das mãos de Jesus era mais do que algo simbólico ou psicologicamente reconfortante. Cremos que ele transmitia uma verdadeira energia espiritual àqueles em quem tocava.

10.14: Jesus, porém, vendo isto, indignou-se e disse-lhes: Deixai vir a mim as crianças, e não as impeçais, porque de tais é o reino de Deus.

10.14 ἰδὼν δὲ ὁ Ἰησοῦς ἠγανάκτησεν καὶ5 εἶπεν αὐτοῖς, Ἄφετε τὰ παιδία ἔρχεσθαι πρός με, μὴ κωλύετε αὐτά, τῶν γὰρ τοιούτων ἐστὶν ἡ βασιλεία τοῦ θεοῦ.

5 14 {C} καί ℵ A B C D K L X Δ Π Ψ 700 892 1009 1010 1071 1079 1195 1216 1230 1241 1242 1253 1344 1365 1546 1646 2148 2174 *Byz Lect* it^{a.aur,b,c,d,f,ff2,k,l,q,r1} vg syr^{p,h} cop^{sa,bo} goth eth Diatessaron^{s,p} // καί ἐπιτιμήσας W Θ *f f^{I3}* 28 565 syr^{s,hmg} arm geo

A adição de ἐπιτιμήσας, em vários testemunhos (principalmente cesareanos) provavelmente se deveu à influência de ἐπετίμησαν na sentença anterior.

Nas crianças temos as mesmas qualidades que um ser humano *deve ter* a fim de obter entrada ao reino de Deus; pelo que, sob hipótese nenhuma, as crianças podem ser impedidas de receber a bênção do Rei, como se fossem indignas dele, ou como se os adultos não fossem indignos dele. "O reino de Deus no mundo consiste daqueles que substituem a própria vontade e independência pela vontade de Deus, e confiam em sua sabedoria e bondade. E essa é a atitude das crianças. O que as crianças sentem para com seus pais o homem deve sentir para com Deus" (Gould, *in loc.*).

"**Deixai-as vir; não as embaraceis**", disse Jesus, sem usar nenhuma partícula conectiva entre as duas frases, o que adiciona força à declaração. Os discípulos, "espiritualmente crus", o que é tema constante em Marcos (ver Mc 6.51,52; 7.18; 8.33; e 9.6,18), precisavam receber ordens peremptórias, e mereciam a indignação do Mestre devido à falta de entendimento que demonstraram aqui, negligenciado propositalmente às crianças.

Já andavam com Jesus há *tanto tempo*, que deveriam saber o que realmente lhe importava. Deveriam entender melhor a sua compaixão. A história registra a terrível negligência e os abusos contra as crianças. Bem recentemente, em vários países, foram baixadas leis de proteção a elas, em um grau ou outro. Até mesmo na igreja, a teologia com frequência tem abusado das crianças. Alguns têm pensado que elas estão sujeitas à condenação divina, ao mesmo tempo que lhe recusam a capacidade de receber a vida eterna. Assim, por exemplo, uma criança de dois anos, segundo certas ideias doutrinárias, pode vir a ser lançada no inferno; mas, ao mesmo tempo, não tem idade bastante para saber como achar a vida eterna em Cristo. Jesus nunca se mostrou ofendido diante de afrontas pessoais, mas ocasionalmente mostrou desprazer porque algum princípio espiritual estava sendo violado, como quando purificou o templo, ou aqui, quando os discípulos queriam impedir que as crianças recebessem sua bênção.

Podemos não "proibir", mas quem algumas vezes não *embaraça* uma criança de vir a Cristo? Talvez não eliminemos o ensino às crianças, na igreja, mas, em nossa vida, podemos fazer coisas que "impedem" as crianças de realmente se entregarem a Cristo. Um pai deve a seus filhos três coisas: exemplo, exemplo, exemplo. O pai que não dá bom exemplo a seu filho está impedindo que ele se lance na inquirição espiritual.

O altar doméstico. Sabemos que temos a obrigação de ensinar formalmente os nossos filhos, no lar. Se não o fizermos, nós os estaremos embaraçando nas questões espirituais. Como são poucos os que se lançam na remoção desse empecilho! E tão importante quanto isso, se não mais ainda, são aquelas muitas lições "informais" que lhes damos, por palavras e atos. Pode-se observar facilmente que os filhos refletem as atitudes de seus pais, em questões políticas, sociais e religiosas. O menor no reino dos céus será o homem que ensinar os próprios filhos a pecarem, ou que negligenciarem os meios próprios para a inquirição espiritual.

10.15: Em verdade vos digo que qualquer que não receber o reino de Deus como criança, de maneira nenhuma entrará nele.

10.15 ἀμὴν λέγω ὑμῖν, ὃς ἂν μὴ δέξηται τὴν βασιλείαν τοῦ θεοῦ ὡς παιδίον, οὐ μὴ εἰσέλθῃ εἰς αὐτήν.

15 Mt 18.3

"[...] Em verdade..." (Ver as notas sobre essa expressão, em Jo 1.51.) Naquele evangelho, a expressão é sempre dupla — literalmente, *amém, amém*. Com frequência, esse termo introduzia alguma declaração importante aos olhos de Deus.

"[...] reino de Deus..." Em Marcos, Lucas, o reino é sempre assim chamado. Em Mateus, é "reino dos céus". Os termos são totalmente *sinônimos*, pois as mesmas passagens que, em Marcos e Lucas, dizem "reino de Deus" em Mateus dizem "reino dos céus". O termo *céus* era usado como eufemismo para "Deus" pelos judeus piedosos que relutavam em pronunciar, ou mesmo em referir-se diretamente ao nome divino. (Ver as notas sobre o reino, em Mt 3.2). O NT traz muitas ideias variadas sobre o que o termo indica. De modo geral, aponta para o lugar, circunstância ou condição em que "Deus tem as coisas a seu modo". Em sentido escatológico, significa "o reino milenar sobre a terra", o "céu" ou a "vida eterna" vindoura. Neste versículo, pode ser que o uso seja escatológico. É provável que Jesus se referisse ao "reino a ser estabelecido na terra". Nas mãos dos evangelistas, porém, *vida eterna*, a vida dos 'lugares celestiais' (ver as notas, em Ef 1.3) está provavelmente em pauta.

"[...] como uma criança..." (1) Em *inocência*; (2) em *confiança* inabalável; (3) sem o *dolo* dos adultos; (4) em *humildade*;

(5) em *dependência* do Pai. Devemos lançar fora a nossa "independência", para que a imagem de Cristo seja formada em nós. Quando dependemos dele, assumimos sua natureza e imagem. (Ver Rm 8.29 e Cl 2.10, quanto a notas que desenvolvem esse tema.). (6) As crianças também ilustram a atitude de receptividade. O ceticismo é prejudicial à inquirição espiritual.

10.16: E, tomando-as nos seus braços, as abençoou, pondo as mãos sobre elas.

10.16 καὶ ἐναγκαλισάμενος αὐτὰ κατευλόγει τιθεὶς τὰς χεῖρας ἐπ᾽ αὐτά.

16 εμαγκαλισ.] προσκαλεσ- **D** it sy⁸

Ousamos dizer que aquelas crianças foram beneficiadas desse modo; e muitas delas devem ter-se lembrado para sempre de quando se encontraram com o Grande Mestre. Elas tinham tocado no eterno, e todo aquele que já fez isso não pode permanecer o mesmo. Notemos o verbo no imperfeito: Jesus as *abençoava*. Ele dedicou momentos para cuidar separadamente de cada uma. Para outros seria tempo perdido, mas não para ele. O relato de Marcos, mais que os demais, reflete o calor humano de Jesus, e, ao mostrar esses pequenos detalhes de simpatia, ele indicou que uma testemunha ocular estava por detrás do relato.

10.17-22 — *História do jovem rico e das exigências do discipulado cristão.* (As notas expositivas são dadas em Mt 19.16-22.)

10.17: Ora, ao sair para se pôr a caminho, correu para ele um homem, o qual se ajoelhou diante dele e lhe perguntou: Bom Mestre, que hei de fazer para herdar a vida eterna?

10.17 Καὶ ἐκπορευομένου αὐτοῦ εἰς ὁδὸν προσδραμὼν εἷς καὶ γονυπετήσας αὐτὸν ἐπηρώτα αὐτόν, Διδάσκαλε ἀγαθέ, τί ποιήσω ἵνα ζωὴν αἰώνιον κληρονομήσω;

Agora temos três seções que tratam do *discipulado*: (1) Um candidato a discípulo: a *renúncia* exigida no discipulado (v. 17-22). (2) O perigo das riquezas no discipulado (v. 23-27). (3) O galardão da renúncia (v. 28-31). Os v. 28-31, que formam a conclusão, mostram que o evangelista considerava que a questão do discipulado continuava sendo vital, e uma severa mensagem foi transmitida para a igreja primitiva, pelos exemplos da vida e dos ensinamentos de Jesus.

O homem era *jovem* (dado que figura somente em Mt 19.20), líder (homem importante, civil e religiosamente, na comunidade — ver Lc 18.18). E, de acordo com o evangelho segundo aos Hebreus, seria "outro homem rico", conforme comenta Orígenes sobre Mateus 15.14. O homem correu após Jesus, provavelmente disposto a *segui-lo* desde então, para tornar-se um discípulo ambulante. O fato de que ele se "ajoelhou" diante de Jesus mostra que era intenso e sincero. Não era semelhante a outros, que apenas haviam *tentado* a Jesus com suas indagações.

"[...] herdar..." Em outras palavras, *como filho de Deus*, participar das riquezas do Pai. (Ver Rm 8.17, sobre a nossa "herança", baseada na filiação.) A salvação inteira é apenas o desenvolvimento dos resultados lógicos de ser alguém "filho de Deus", modelado segundo "o Filho". (Ver Ef 1.11, sobre a "herança".) Compartilhamos de sua natureza, e então de suas riquezas celestiais; ambos os aspectos fazem parte da salvação. (Ver Hb 2.3, quanto a uma nota de sumário acerca da "salvação".)

"[...] vida eterna.." Esse é o tipo de vida de Deus e não apenas "vida sem fim". (Ver Jo 5.25,26; 6.57, quanto a esse conceito.) Filosófica e teologicamente, o vocábulo "eterno" nunca significa apenas "sem começo ou sem-fim", mas sempre, um *tipo* de vida, isto é uma *essência*. O tipo de vida que Deus tem é dado aos remidos, elevando-os infinitamente acima da vida (essência) dos anjos, por exemplo, pois confere-lhes o mesmo tipo de vida que o Filho de Deus possui (isto é, a mesma essência, ou "forma de energia"). (Ver a nota de sumário sobre a "vida eterna", em Jo 3.15.)

872 |Marcos| NTI

10.18: Respondeu-lhe Jesus: Por que me chamas bom? ninguém é bom, senão um, que é Deus.

10.18 ὁ δὲ Ἰησοῦς εἶπεν αὐτῷ, Τί με λέγεις ἀγαθόν; οὐδεὶς ἀγαθὸς εἰ μὴ εἷς ὁ θεός.

Sem dúvida, essa é a forma *original* da declaração. Jesus parece negar sua "bondade inerente" e chama de bom exclusivamente ao Pai. Teologicamente, porém, isso é difícil de ser explicado, pelo que, no relato de Mateus (nos melhores manuscritos), temos, "Por que me perguntas sobre o que é bom?" Isso, porém, é incoerente com o resto do versículo: *Há um que é bom*. A modificação deixou o versículo um tanto sem sentido. A teologia posterior inferiu deste versículo, sem dúvida erroneamente, que Jesus estava brincando com o homem, a fim de dizer algo sobre sua divindade essencial. Segundo prossegue essa interpretação, deduz-se que já que Jesus era bom, e que somente Deus é bom, portanto, Jesus deve ser *Deus*. Apesar de a divindade de Cristo ser tema claríssimo no NT (anotado em Hb 1.3), tal explicação é totalmente contrária ao texto presente. Tudo quanto se deu aqui é que Jesus, o Filho do homem, reflete como homem a atitude piedosa normal dos judeus para com Deus, e que incluía a ideia de que "somente Deus é bom", pois o melhor dos homens é um pobre representante de sua "bondade absoluta". Como judeu piedoso que era, Jesus admitiria uma bondade secundária ou inferior no homem; mas aqui ignorou isso, a fim de ensinar uma forte lição. A bondade absoluta de Deus exige muito dos discípulos, no caráter, nas ações etc., pois Deus é o alvo de toda a bondade, e o discipulado se move nessa direção. É *exigida* a perfeição, a plena participação na bondade e santidade de Deus (ver Mt 5.48), o que, naturalmente, será uma inquirição eterna, e não meramente deste plano terrestre. Por enquanto, não poderemos obter plenamente sua natureza moral, pois ela é infinita; e o alvo, na realidade, irá se distanciando cada vez mais, na direção da perfeição absoluta. Essa perfeição é mais do que a mera *ausência* do pecado. É também virtudes "positivas", em todas as suas manifestações. Pode haver um jovem sem pecado mas que não seja bom em qualquer sentido absoluto. Jesus, como homem, tomou sobre si mesmo essa inquirição, a fim de mostrar aos homens como se avança. (Ver Hb 5.8,9, que mostra isso claramente.) Portanto, no presente texto, Jesus assume a posição de homem, o que ele realmente fez quando da encarnação e nega que possuísse a *bondade absoluta*, que se acha exclusivamente em Deus. Por outro lado, isso não ensina que Jesus tivesse pecado, pois a bondade vai muito além da questão do pecado. Essa bondade também envolve virtudes positivas, e não a mera ausência de atos pecaminosos. Jesus, como homem, aprendeu a virtude positiva, conforme se vê em Hebreus, onde se lê que ele "aprendeu a obediência". Jesus é o Pioneiro do caminho, e não apenas o Caminho. (Ver Hb 2.10, sobre isso.) Ele foi "aperfeiçoado" pelos sofrimentos. Portanto, na encarnação, ele não estava perfeito, no mesmo sentido em que Deus é perfeito, embora já estivesse sem pecado.

"A *bondade humana* é um crescimento, mesmo onde já não há *imperfeição*. Desenvolve-se, como a sabedoria, da infância à juventude, e daí à idade adulta. E era essa bondade humana que Jesus possuía. (Ver Lc 2.52; Hb 2.10 e 5.8). Isso também está vinculado à questão proposta pelo jovem, porquanto as perguntas acerca do verdadeiro bem, que traz a recompensa prometida, devem ser dirigidas não a um bom mestre como tal, mas tão somente a Deus que é absolutamente bom" (Gould, *in loc.*).

10.19: Sabes os mandamentos: Não matarás; não adulterarás; não furtarás; não dirás falso testemunho; a ninguém defraudarás; honra a teu pai e a tua mãe.

10.19 τὰς ἐντολὰς οἶδας· Μὴ φονεύσῃς, Μὴ μοιχεύσῃς, Μὴ κλέψῃς, Μὴ ψευδομαρτυρήσῃς, Μὴ ἀποστερήσῃς[6], Τίμα τὸν πατέρα σου καὶ τὴν μητέρα.

[6]19 {C} μὴ ἀποστερήσῃς ℵ A B² C D X Θ 565 892 1009 1071 1195 1216 1230 1241 1253 1344 1365 1646 2174 *Byz Lect* it^a,aur,b,c,d,ff²,k,l,q,r1 vg syr^p,h

---

cop^sa,bo goth eth Diatessaron^s,p // *omit* (ver Mt 19:18; Lc 18:20) B* K W Δ Π Ψ *f*¹ *f*¹³ 28 700 1010 1079 1241 1546 2148 *l*^10,883,950,1642 syr^s arm geo Irenaeus Clement

19 Μὴ φονεύσῃς...μητέρα Êx 20:12-16; Dt 5:16-20

Μὴ ἀποστερήσῃς Dt 24:14; Jas 5:4

19 φον...μοιχ ℵ*B *pc* sy^s co; R] φον ℵ*: μοιχ. f1: μοιχ...φον A W Θ *f*13 28 lat Cl ς: μοιχ...προνευσῃς **D** (*pc*) k

> Já que a ordem "Não defraudeis" (reminiscência de Êx 20.17 ou Dt 24.14 mss A F da LXX ou Sir 4.1), pode ter parecido imprópria em uma lista de diversos dos Dez Mandamentos, muitos copistas — bem como Mateus 19.18 e Lucas 18. 20 — a omitem.

As listas de Mateus e Marcos sobre os mandamentos são *iguais*, exceto que Mateus diz que o segundo maior mandamento é amar ao próximo como alguém ama a si mesmo. Ambos citam a segunda "tábua" dos deveres sociais e humanitários. "Não defraudeis (não furteis) (cf. Tg 5.4) tem sido tomado como uma declaração sumária do nono e do décimo mandamentos (Klistermann), ou como citação da forma 'galileia' do Decálogo (Lohmeyer). Entretanto, cf. Levítico 19.13 e Deuteronômio 24.14. Jesus não o diz, e nem se deve supor, que ele se referia somente aos Dez Mandamentos (cf. 12.28-31)" (Grant, *in loc.*). Seja como for, Jesus ignorou as leis de tipo cerimonial, embora os judeus comuns não fizessem clara distinção entre as leis morais e as cerimoniais, como se as primeiras fossem mais obrigatórias que as últimas, segundo se tem feito no cristianismo. Jesus segue a "avaliação cristã" da obrigação moral, pois alude somente à lei "moral", segundo agora é dito, em contraste com a lei cerimonial. Marcos (caps. 3 e 7 — a questão do sábado e do comer sem lavar as mãos) mostra claramente que Jesus não participava da noção judaica comum que dava tanta importância às exigências cerimoniais.

A grande dificuldade *teológica* dessa narrativa: Poderíamos indagar: Como Jesus pode dar uma resposta dessas? A vida eterna poderia basear-se sobre o cumprimento dos mandamentos? Que dizer sobre a doutrina paulina da graça, da salvação pela fé, independentemente de obras? Não se pode ocultar o fato de que aqui Jesus deu a *resposta judaica* para a "questão da salvação", e não a resposta paulina. Qualquer rabino teria respondido similarmente, embora, talvez, enumerasse os mandamentos de outra forma, incluindo mais mandamentos etc. Naturalmente, não podemos imaginar Paulo dando uma resposta assim, embora 1Coríntios 5.10ss e Efésios 5.3-5, na realidade, sejam equivalentes. Ali Paulo mostra que todo aquele que tem um *vício* (que é a quebra habitual de um dos mandamentos morais básicos) jamais poderá esperar entrar na vida eterna. Segue-se, pois, que é mister que o crente seja vitorioso sobre os vícios e pecados (em outras palavras, que *guarde os mandamentos*) a fim de herdar a vida eterna. Contudo, Paulo pregava a graça e a "salvação independentemente de obras". Como podem ser reconciliadas as duas linhas de pensamento? Na igreja, negamos que a "observância da lei" possa salvar; mas aqui Jesus parece inferir que é exatamente isso que confere a vida eterna. Todavia, a contradição não é real, mas apenas aparente. É "real" quanto às palavras, e à maneira de expressão, mas é *irreal* quanto à realidade dos fatos. Na realidade, não há nenhuma contradição entre as "obras" e a "fé" (ou *graça*), quando ambos os termos são corretamente entendidos. As obras que não salvam são os méritos humanos, a obediência às exigências legalistas. Há, porém, uma modalidade de "obras" que salva, pois "Deus é quem opera em nós o querer e o efetuar, segundo o seu querer" (Fp 2.13). Na realidade, essas "modalidades de obras" são a *graça em operação*, pelo que os dois conceitos são sinônimos, e não contraditórios. Para que sejamos *salvos*, é absolutamente necessário que a "lei moral" tenha vitória em nós; mas isso deve ser administrado pelas mãos de Cristo, como uma operação na alma, a lei escrita no coração e não apenas vários deveres realizados a fim de obtermos "mérito" por algo.

Geralmente, nós nos olvidamos de que a *santificação* é, na realidade, a "conversão em ação", sendo algo absolutamente necessário para a salvação (ver 2Ts 2.13). Não haverá "glorificação" (o aspecto essencial da salvação) sem a santificação, o que evidencia a verdade contida em 1Coríntios 5.10ss. e Colossenses 3.5ss. Os princípios da "graça" e das "obras", portanto, não se contradizem entre si, mas são dois ângulos pelos quais é visto a mesma coisa. A "graça" é a salvação vista como *Deus operando em nós*; e as *obras* são o resultado da mesma operação quando posta em prática, o que nos transforma segundo a imagem de Cristo, em quem toda a lei moral foi perfeitamente cumprida. Assim, em um sentido real, podemos "levar ao toque final a nossa salvação" (Fp 2.12, tradução livre). Isso, no entanto, seria impossível, não fora a poderosa graça divina que opera em nós (Fp 2.13). Jesus falou com base na verdade expressa em Filipenses 2.12. Paulo falou, mais frequentemente, com base na verdade expressa em Filipenses 2.13; mas as duas declarações certamente não são contraditórias.

A resposta de Jesus foi uma resposta *judaica*, quando ela é corretamente entendida. A resposta de Paulo foi a resposta cristã tradicional, que difere daquela somente quanto ao *modo de expressão*, mas não, efetivamente, quanto à realidade espiritual frisada. O legalismo era a resposta judaica exagerada. A "crença--fácil" é a corrupção exagerada da resposta paulina. Entretanto, não nos equivoquemos a respeito: Devemos *ser*, e não apenas *crer*, pois a "fé", quando é corretamente entendida, é "ser" e não apenas "provoca alguém a ser". (Ver Hebreus 11.1, sobre a natureza da 'fé'.) A fé consiste da outorga da alma aos cuidados de Cristo, para ser conformada segundo sua natureza e imagem. Primeiramente, vem o aspecto moral, e depois, o metafísico, que dá a real natureza espiritual. A operação da graça divina no cristão deve produzir nele a santidade da lei, pois essa é a santidade de Deus. Em caso contrário, não terá havido a operação da "graça paulina", mas somente a *falsa graça* postulada pelo sistema da crença-fácil, do que não resulta nenhum bem. Não é Cristo no credo que importa, mas *Cristo na vida*; e que isso baste para o cristão! Cristo na vida significa o cumprimento da lei moral no cristão; mas não por meio do esforço *legalista*. Antes, pela operação do Espírito Santo, que nos transforma segundo a imagem de Cristo, o que é o "homem ideal".

10.20: Ele, porém, lhe replicou: Mestre, tudo isso tenho guardado desde a minha juventude.

10.20 ὁ δὲ ἔφη αὐτῷ, Διδάσκαλε, ταῦτα πάντα ἐφυλαξάμην ἐκ νεότητός μου.

O jovem rico vinha cumprindo *todas* aquelas exigências, pelo menos até onde os judeus entendiam o problema moral. Em Mateus 5—7, Jesus faz uma nova aplicação da lei. O adultério pode ser praticado, agora, com os *olhos*. O homicídio pode ocorrer no *coração*. Sob nenhuma hipótese, aquele jovem vinha *cumprindo* a lei segundo o ponto de vista de Jesus. É provável, contudo, que tenha respondido verazmente, até onde ele mesmo entendia as exigências da lei. E a parte subsequente do relato mostra que, no *discipulado cristão*, aquele homem aprenderia mais do que está envolvido no real cumprimento da lei. Certamente isso faz parte do discipulado, pois a "santificação" está envolvida nesse cumprimento, embora se derive da atuação do Espírito Santo no coração, que ali inscreve a lei, conferindo-nos a natureza moral de Cristo, e não o esforço humano carnal para "obedecer" certa lista de exigências. Muito provavelmente, aquele jovem também não pretendia que sua "reivindicação de inocência" fosse entendida de modo absoluto. Ele não praticava nenhum dos vícios condenados pela lei, embora incorresse em lapso, vez por outra. Seja como for, ele tinha um sentimento secreto de que algo lhe faltava, e chegou diante de quem podia mostrar-lhe onde estava a falta. Foi atraído pela vida imensamente superior de Jesus, e corretamente supôs que Jesus lhe daria a resposta para seu problema.

"[...] desde a minha juventude..." Talvez essas palavras indiquem o tempo em que ele se tornou um "bar micwah", aos doze anos, quando todo jovem judeu assumia a responsabilidade de cumprir a lei, que as comunidades judaicas exigiam.Com certeza, antes disso, ele fora cuidadosamente treinado na lei, estando sujeito às suas exigências, mas não participara plenamente de seus ritos e de suas obrigações festivas.

Ele sentia algo da necessidade de Cristo na vida.
Cristo na vida, valor incomparável, que isso te baste;
Nenhum outro argumento, nem defesa, nem apelo eloquente ou artifício,
Eu te apresento, mas antes, Cristo na vida, que isso te baste.

Não falo do excelente e sutil debate da filosofia,
De argumentos ontológicos, teleológicos, cosmológicos, disso não falo;

Desafio-te com as exigências incessantes da alma,
Repreendo teu espírito morto, tua rebeldia e ignorância;

Que esta palavra chegue, a voz que põe fim a toda contenda,
Que isto te baste: Cristo na vida!
(Russel Champlin)

Certo *descontentamento* com as formas conhecidas da fé religiosa enviou esse homem à "inquirição". Isso foi bom. Todavia, ele não teve a coragem de "ir até o fim". Podemos ter certeza de que, quando nos tornamos contentes com a inquirição espiritual, na forma com que outros a deixaram para nós, permitindo que a estagnação se instaure, então é que estamos perdendo algo da verdade e das bênçãos que Deus tem para nós. Jesus veio, a fim de abalar as coisas. Ele continua podendo abalá-las em nossa vida.

10.21: E Jesus, olhando para ele, o amou e lhe disse: Uma coisa te falta; vai, vende tudo quanto tens e dá-o aos pobres, e terás um tesouro no céu; e vem, segue--me.

10.21 ὁ δὲ Ἰησοῦς ἐμβλέψας αὐτῷ ἠγάπησεν αὐτὸν καὶ εἶπεν αὐτῷ, Ἓν σε ὑστερεῖ· ὕπαγε ὅσα ἔχεις πώλησον καὶ δὸς [τοῖς] πτωχοῖς, καὶ ἕξεις θησαυρὸν ἐν οὐρανῷ, καὶ δεῦρο ἀκολούθει μοι.

21 θησαυρὸν ἐν οὐρανῷ Mt 6.20; Lc 12.33   21 δεῦρο ακολ. μοι ℵBDΘ *al* lat; R] *praem* αρας τον σταυρον (σου) W *fi* f13 *a* sy sa: *add ead.* A *700 al q* ς

O jovem não tinha a *devoção* que chega ao "autossacrifício", que deve caracterizar os verdadeiros discípulos. Ele se contentaria em seguir Jesus e escutar os seus admiráveis discursos, aplaudindo seus milagres. Talvez até se dispusesse a sofrer dificuldades; mas queria ter certeza de que sempre possuiria "gorda importância em dinheiro", em casa, se tivesse de depender da mesma. Jesus lançou-lhe o convite de tornar-se seu seguidor pessoal, e, provavelmente, isso era o que o homem buscava, a princípio. No entanto, veio a entender que o preço era alto demais. O texto ensina-nos os rigores do discipulado, seu sacrifício, sua renúncia, e subentende que somente aqueles que realmente se convertem é que realmente são salvos. O ensinamento é árduo, e não devemos suavizá-lo em nenhum sentido. Essa verdade tem uma aplicação *vital* apara a igreja, sobretudo no tempo em que este evangelho de Marcos foi escrito. A igreja, naquela época, perseguida e aflita, precisava ser lembrada de que tais condições eram esperadas da comunidade dos verdadeiros discípulos. Sabiam o que significava um discipulado rigoroso. O discipulado significa "dar a outros" e, então, "seguir até o fim", e não apenas "começar".

"[...] tesouro no céu..." Não se deve entender *materialmente* essa expressão. Poderemos ter "possessões" nos lugares celestiais, mas o tesouro consistirá da natureza e da imagem de Cristo,

874 |Marcos| NTI

que serão formadas em nós, ou seja, o "enriquecimento da alma". Esse pensamento é bem desenvolvido em 1Coríntios 3.14, acerca dos "galardões", e em 1Timóteo 4.8, sobre as "coroas". Notemos que, aqui, "céu" está no singular, ao passo que, normalmente, os documentos judaicos e cristãos falavam sobre os "céus", refletindo a crença em muitas dimensões espirituais. (Ver as notas sobre os "lugares celestiais", em Ef 1.3.)

A dura mensagem. Jesus não *suavizou* sua mensagem ou suas exigências, a fim de conquistar um "discípulo desejável". Jesus não temia "alienar um homem daquela estatura". Preocupava-se em dizer a verdade do verdadeiro discipulado, que conduz à vida eterna. A "crença fácil" da moderna igreja evangélica, que exige pouco mais do que um ato de "receber a Cristo", levantando a mão ou vindo à frente, tem degradado a mensagem de Jesus. A vida inteira do indivíduo deve ser sua confissão, ou a confissão verbal, feita na igreja, não terá qualquer significado.

Jesus apreciava as *sementes*, e não somente a virtude. Ele olhou para o homem, e o amou; sentiu simpatia por ele, pois viu que nele a busca espiritual era genuína, embora fosse imatura. O homem precisava resolver a questão do seu apego excessivo ao dinheiro. O que existe em nós que precisa ser resolvido, a fim de tornar-nos autênticos discípulos de Cristo?

> *Se eu o encontrar, se eu o seguir,*
> *Qual será a recompensa dada por ele aqui?*
> *Muitas tristezas, muitas labutas,*
> *E muitas lágrimas.*
> (J. M. Neale, *Art thou weary, art thou troubled?*)

V. 21. *Nota textual.* "[...] toma a cruz..." são palavras que se leem nos mss AEFGHKMNSUVX, Gamma e Fam Pi, e esses são seguidos pela tradução KJ. Todas as outras traduções acompanham os mss Aleph, BCD, Theta, Delta e a maioria das versões latinas, que omitem essas palavras. Não fazem parte do texto original de Marcos, mas foram acrescentadas por escribas posteriores, à base do texto de Marcos 8.34.

10.22: Mas ele, pesaroso desta palavra, retirou-se triste, porque possuía muitos bens.

10.22 ὁ δὲ στυγνάσας ἐπὶ τῷ λόγῳ ἀπῆλθεν λυπούμενος, ἦν γὰρ ἔχων κτήματα πολλά.

Como foi humana a sua *reação*! Um homem será um grande advogado. Estuda na universidade com zelo. Encontra a necessidade de trabalho árduo, muito dispêndio de dinheiro, muitas horas na biblioteca, sacrifício, sacrifício, *sacrifício*. Ele hesita, desiste ou entra noutra "atividade mais fácil". E quanto mais pode isso suceder com homens que se achegam a Jesus, para serem discípulos! Já calcularam o preço? Quanto a Jesus, "[...] em troca da alegria que lhe estava proposta, suportou a cruz" (Hb 12.2). "Se entrarmos no discipulado com profundidade suficiente para descobrir o que nele está envolvido, qualquer preço parecerá pequeno". (Luccock, *in loc.*). Portanto, o testemunho do crente é o verdadeiro discipulado e é coisa rigorosa, como quem carrega a sua cruz. Por essa razão é que vários escribas acrescentaram aqui a glosa que diz "toma a cruz". Apesar disso não fazer parte genuína do texto sagrado, neste ponto, é uma verdade. Contudo, a experiência humana comprova a validade da decisão de "seguir".

Quando o ardor se transmuta em *tristeza*! Isso sucede quando os homens têm algum defeito em sua maneira de entender o que é a inquirição espiritual; e esses, ao descobrir toda a verdade, se desanimam. As palavras, "[...] contrariado com esta palavra, retirou-se triste..." são trágicas como declaração final; mas também são a chave para a compreensão do incidente inteiro. O homem era sincero, mas sua espiritualidade era rasa. Tinha progredido em sua vida espiritual, mas não era suficientemente sério para a questão seriíssima de seguir a Cristo. Na realidade, seguia a outro Senhor, embora tivesse conseguido ocultar isso. Jesus viu tudo instantaneamente. "*O dinheiro* é teu verdadeiro senhor!", como que disse Jesus. O que Jesus teria dito para nós? Esse homem considerou a condição do discipulado, imposta por Jesus, como condição impossível. Embora possamos afirmar que somos "cristãos", podemos estar de acordo com essa avaliação quando, de fato, não estamos seguindo a Jesus e nem seguindo os seus mandamentos. O pecado secreto na vida, na realidade, diz: "Ser discípulo de Jesus é algo rigoroso demais, exigente demais, impossível de ser cumprido".

N. B.: Nos casos em que Mateus e Marcos têm textos paralelos, a exposição se apresenta em Mateus; em Marcos, encontram-se apenas algumas notas suplementares.

10.23-31 — *O perigo das riquezas e as recompensas do verdadeiro discipulado cristão.* (Ver as notas sobre esse material, em Mt 19.23-30. Ver também a passagem de Lc 18.24-30.)

10.23: Então Jesus, olhando em redor, disse aos seus discípulos: Quão dificilmente entrarão no reino de Deus os que têm riquezas!

10.23 Καὶ περιβλεψάμενος ὁ Ἰησοῦς λέγει τοῖς μαθηταῖς αὐτοῦ, Πῶς δυσκόλως οἱ τὰ χρήματα ἔχοντες εἰς τὴν βασιλείαν τοῦ θεοῦ εἰσελεύσονται.

23 Πῶς...εἰσελεύσονται Mc 4.19

23 *fin.*] add ταχειον καμηλος δια τρυμαλιας ραφιδος διελευσεται η πλουσιος εις την βασιλειαν του Θ εου *et om vs.* 25 **D** (it)

> O texto ocidental (D it^a.b.d,ff2) moveu o v. 25 para seguir εἰσελεύσονται, (na ordem dos versículos 23,25,24 e 26). A transposição parece ser obra do redator ocidental, que procurou melhorar o sentido, apresentando uma sequência mais gradual (primeiro, é difícil os ricos entrarem no reino; depois, é difícil entrarem os que confiam nas riquezas; quanto a essa adição, ver o comentário sobre o v. 24). Embora alguns tenham preferido a sequência transposta, é precisamente (conforme salienta Lagrange, *ad loc.*) a ordem por demais lógica do texto ocidental que a torna suspeita como modificação secundária feita no texto mais primitivo. O manuscrito minúsculo 235 inclui o v. 25 por duas vezes (dizendo v. 23,25,24,25,26).

O *amor* ao dinheiro é a *raiz* de todos os males. Quase todos os valores "humanos" podem ser medidos, até certo ponto, em termos de riqueza econômica. Somente a pessoa espiritual pode vencer esse modo carnal de aquilatar as coisas. O rico é aquele que vive imerso em um tipo terreno de avaliação. Jesus não disse "impossível", pois é óbvio que alguns homens ricos são ricos também em espírito. Consideremos esse jovem rico. Ele era do tipo de homem que nos impressiona com suas virtudes a sinceridade. Todavia, a despeito de seu caráter geralmente bom, ele tinha um defeito fatal. Fizera do dinheiro o seu verdadeiro "deus". Escolheu a pureza, ao invés da concupiscência; a honestidade, ao invés da fraude; a verdade, ao invés de falsidade. No entanto, para que se alcance o reino de Deus é preciso obter a atenção e a devoção da alma toda. A abundância material *pode ser* inimiga da vida abundante, conforme se mede pelos padrões espirituais. "O rico se presta para tornar-se como Gulliver: ele desperta na praia da ilha de Lilipute, imenso entre os pigmeus, mas amarrado à terra por uma multidão de pequenos cordões". (Luccock, *in loc.*).

10.24: E os discípulos se maravilharam destas suas palavras; mas Jesus, tornando a falar, disse-lhes: Filhos, quão difícil é (para os que confiam nas riquezas) entrar no reino de Deus!

10.24 οἱ δὲ μαθηταὶ ἐθαμβοῦντο ἐπὶ τοῖς λόγοις αὐτοῦ. ὁ δὲ Ἰησοῦς πάλιν ἀποκριθεὶς λέγει αὐτοῖς, Τέκνα, πῶς δύσκολόν ἐστιν[7] εἰς τὴν βασιλείαν τοῦ θεοῦ εἰσελθεῖν·

[7] 24 {C} ἐστιν ℵ B Δ Ψ it^k cop^sa,bomss // ἐστιν τοὺς πεποιθότας ἐπὶ χρήμασιν A C K X Π (D Θ ƒ¹ ƒ³ 28 565 1344 ἐπὶ τοῖς) 700 892 1009 1010 1071 1079 1195 1216 1230 1242 1253 1365 (1546 ἐπὶ τὰ χρήματα)

1646 2148 2174 *Byz Lect* it[a],aur,b,d,f,ff2,l,q vg syr[a,p,h] cop[bo] goth arm (eth) geo Diatessaron[a,p] Clement // ἔστιν πλοῦσιν (W πλούσιον *after* εἰσελθεῖν) it[c] // οἱ τὰ χρήματα ἔχοντες 1241

> O rigor da declaração de Jesus foi suavizado pela inserção de uma ou outra qualificação, que a limitou em sua generalização, levando-a a maior conexão com o contexto. Assim, A C D Θ *f*¹ *f*¹³ *al* dizem — ἔστιν τοὺς πεποιθότας ἐπὶ χρήμασιν — ("pois aqueles que confiam em riquezas"); W e it[c] — inserem πλούσιν — ("um rico"); e 1241 — οἱ τὰ χρήματα ἔχοντες — ("os que têm possessões").

Os discípulos ficaram *admirados*, e apesar de, neste mundo, muitos seguirem esse preceito da boca para fora, nada há mais susceptível de prova do que o fato de que o homem é julgado por suas riquezas materiais e que a maior parte do poder político, social e pessoal está diretamente vinculada às possessões terrenas. Os homens naturalmente pensam, falam aberta ou secretamente, ou silenciam, achando que as coisas serão julgadas do mesmo modo nos mundos celestiais. O rico, tal como todos os demais homens, põe sua confiança nas riquezas. Seu orgulho está no que seu dinheiro pode fazer por ele, e no que pensa que pode fazer. E enquanto seu dinheiro perdura, ele pensa que não tem nenhuma necessidade de Deus. Essas condições e atitudes dificilmente se prestam para a iluminação e o progresso espirituais.

10.25 É mais fácil um camelo passar pelo fundo de uma agulha, do que entrar um rico no reino de Deus.
10.25 εὐκοπώτερόν ἐστιν κάμηλον διὰ [τῆς] τρυμαλιᾶς [τῆς] ῥαφίδος διελθεῖν ἢ πλούσιον εἰς τὴν βασιλείαν τοῦ θεοῦ εἰσελθεῖν.

25 τρυμαλιας] *p*) τρηματος אֹ: *p*) τρυπηματος *f*13 | ραφιδος] *p*) βελονης *f*13

> Em lugar de κάμηλον, vários testemunhos (incluindo 13 28 471 543 ara geó) dizem κάμιλον ("uma corda" ou "espia de navio"). (Ver também os comentários sobre Lc 18.25.)

A ideia de que o *"fundo de uma agulha"* seria um pequeno *portão*, ao lado do grande portão da cidade, e que ali, após o cair da noite, um camelo carregado só poderia penetrar se ajoelhado a arrastar-se, parece datar de cerca do século XV. Os intérpretes frisam a impossibilidade de ser essa a ideia passada por Jesus, explicando que esse portão não poderia admitir um camelo, carregado ou descarregado; e certamente nenhum camelo consegue andar arrastando-se de joelhos. Na cultura judaica original, a declaração trazia o elefante em lugar do camelo; e, em ambos os casos, o animal é visto a tentar passar pelo buraco de uma agulha. Naturalmente, isso é impossível, fazendo parte de uma hipérbole oriental. (Cf. Jo 20.31, onde a hipérbole é anotada.) Jesus falou de uma *"monstruosa impossibilidade"*, a fim de destacar uma "dificílima realização espiritual". O que ele quis dizer tem claro sentido, e não precisa ser emendado. Talvez tenha falado com um pouco de humor, embora o tema fosse mortalmente sério. Jesus falou sobre o tremendo perigo da alma, e a necessidade de uma alma não-dividida, para que o indivíduo se aplique às realidades espirituais, garantindo o sacrifício de qualquer coisa necessária, a fim de que a alma se encontre com Cristo, na eternidade.

"[...] reino..." (Ver a nota de sumário a respeito, em Mt 3.2.)

10.26: Com isso eles ficaram sobremaneira maravilhados, dizendo entre si: Quem pode, então, ser salvo?
10.26 οἱ δὲ περισσῶς ἐξεπλήσσοντο λέγοντες πρὸς ἑαυτοὺς[8], Καὶ τίς δύναται σωθῆναι;

[8] **26** {B} πρὸς ἑαυτούς A D K W X Θ Π *f* *f*13 28 565 700 1010 1071 1079 1195 1216 1230 1241 1242 1253 1344 1365 1546 1646 2148 2174 (1009 *l*50,185,883 αὐτούς) *Byz Lect* it[b,d,f,ff2,l,q] vg syr[(s),h] goth arm eth Augustine

// πρὸς ἀλλήλους M* it[(a,sur,c),k] syr[p] geo // πρὸς αὐτόν א B C Δ Ψ 892 cop[sa,bo] // *omit* (ver Mt 19:25; Lc 18:26) 4 179 273 569 (*l*950 *beginning of lection*) Clement

> A forma πρὸς αὐτόν parece ser uma correção alexandrina, que tomou o lugar de πρὸς ἑαυτούς, preservada em — A D W Θ *f*¹ *f*¹³ it vg goth arm eth *al*, e refinada M* it[k] syr[p] geo (πρὸς ἀλλήλους).

Antes, estavam *"estranhando"*; mas após a explicação de Jesus, ficaram "sobremodo maravilhados". Dois termos gregos diferentes são usados, embora possam ser simples sinônimos, conforme qualquer léxico o demonstrará. O segundo vocábulo, entretanto, tem um advérbio intensificador. A maravilha dos discípulos foi tanta, que *extravasou*, conforme a raiz grega dá a entender.

"[...] ser salvo?..." (Quanto a notas completas sobre a "salvação", ver Hb 2.3.) A questão das riquezas, da moralidade e da inquirição espiritual transcende a esta terra, pois o homem não é criatura de uma hora ou de um dia. É um ser eterno. Que tolice, pois, transformar uma coisa material em um "deus"! (Cf. esse texto com Mt 6.19ss.) É um erro juntar tesouros na terra, os quais se decompõem. Ninguém pode servir a esse *tirano material* e a Deus, ao mesmo tempo. Não nos preocupemos, pois, sobre o que é terreno, pois essa preocupação não nos trará nenhum bem. Deus cuida dos lírios do campo e dos pardais; e por que não cuidará de nós? É próprio dos incrédulos buscar riquezas e confortos terrenos. "Mas buscai primeiro o reino de Deus e a sua justiça; e todas estas coisas vos serão acrescentadas."

10.27: Jesus, fixando os olhos neles, respondeu: Para os homens é impossível, mas não para Deus; porque para Deus tudo é possível.
10.27 ἐμβλέψας αὐτοῖς ὁ Ἰησοῦς λέγει, Παρὰ ἀνθρώποις ἀδύνατον ἀλλ' οὐ παρὰ θεῷ, πάντα γὰρ δυνατὰ παρὰ τῷ θεῷ.

27 πάντα...θεῷ Gn 18.14; Jó 42.2; Zc 8.6 (LXX); Mc 14.36.

Jesus aliviou a situação, mas essa "concessão à possibilidade" se dá no plano espiritual, e não no plano humano. Por si mesmo, um homem jamais se livrará do "tirano Mamom" ou do Monstro Plutão, o deus cego das riquezas. É mister o poder de Deus para tanto. E há muitas coisas que escravizam os homens quase tão poderosamente quanto o dinheiro. Há certos problemas que só podem ser solucionados pela graça e pelo poder divinos. Jesus veio para pôr esse poder ao nosso dispor. A "responsabilidade humana" de entrar no reino, subentende que a graça divina é necessária para essa entrada. (Ver Ef 2.8, quanto a notas completas sobre a "graça".) A "criança" entra no reino por ser "dependente", não encontrando seus recursos em si mesma (ver os v. 13-16). O rico deve aprender a ser dependente, por igual modo. E então o poder de Deus não estará longe. "A salvação é impossível para os homens; mas, na salvação, não abordamos os homens, e, sim, Deus. A encarnação e o Espírito Santo não estão dentro da categoria de agências humanas, mas da agência divina; e, dadas essas agências, até mesmo o que é impossível para a natureza humana tornar-se possível" (Gould, *in loc.*).

V. 27. *Nota textual*. Alguns dos manuscritos da igreja ocidental, isto é, D e as versões latinas a e k, dizem por meio de paráfrase "[...] para os homens é impossível, mas para Deus tudo é possível..." Esses textos não se recomendam como originais, pois o texto mais familiar conta com o peso do apoio dos manuscritos mais antigos, e também das traduções.

10.28: Pedro começou a dizer-lhe: Eis que nós deixamos tudo e te seguimos.
10.28 Ἤρξατο λέγειν ὁ Πέτρος αὐτῷ, Ἰδοὺ ἡμεῖς ἀφήκαμεν πάντα καὶ ἠκολουθήκαμέν σοι.

No grego. a palavra *nós* é enfática. Pedro se sentia feliz por não estarem os discípulos seguindo o mau exemplo do rico. Ao

876 |Marcos| NTI

invés disso, tinham negado a si mesmos, tornando-se discípulos de Jesus. O que poderiam eles esperar? Podiam esperar a vida eterna que o rico havia perdido. Sem dúvida, esta seção tornou-se popular na igreja primitiva, sob as perseguições, conferindo aos crentes considerável consolo. Pedro e seus colegas sofreram privações por serem discípulos, pois, certamente, nada ganharam de material por deixarem tudo e seguirem a Jesus. Aquela foi ótima decisão, conforme Jesus agora afirma. Notemos como, neste ponto, o relato de Marcos provavelmente é mais primitivo que o de Mateus. Em Marcos, Pedro não ousa formular a pergunta: *"Que teremos, pois?"* As palavras (naturalmente esperadas) morreram em seus lábios, porquanto em Marcos ele apenas observa sobre o sacrifício deles; mas não ousa segui-las com a pergunta naturalmente esperada. Jesus, porém, respondeu a essa indagação, formulada ou não. "Tudo irá bem convosco", como que disse ele. "Bem, realmente!" Assim seria porque o sacrifício feito por eles era sincero e completo, apesar das faltas deles. Há um "galardão para a renúncia"; e a igreja primitiva sem dúvida ensinava isso com prazer. Reconhecemos de imediato a espiritualidade desse princípio; mas, como muitos outros princípios, é extremamente difícil de ser posto em prática.

> *Encontrando, seguindo, guardando, lutando,*
> *Haverá ele de abençoar certamente?*
> *Santos, apóstolos, profetas e mártires*
> *Respondem: 'Sim!'*
> (J. M. Neale, *Art thou weary, art thou troubled*)

10.29: Respondeu Jesus: Em verdade vos digo que ninguém há, que tenha deixado casa, ou irmãos, ou irmãs, ou mãe, ou pai, ou filhos, ou campos, por amor de mim e do evangelho,

10.29 ἔφη ὁ ʼIησοῦς, ʼAμὴν λέγω ὑμῖν, οὐδείς ἐστιν ὃς ἀφῆκεν οἰκίαν ἢ ἀδελφοὺς ἢ ἀδελφὰς ἢ μητέρα ἢ πατέρα ἢ τέκνα ἢ ἀγροὺς ἕνεκεν ἐμοῦ καὶ ἕνεκεν τοῦ εὐαγγελίου,

29 η τεκνα] praem η γυναικα **A** f 13 pl ç

A narrativa de Lucas traz *"esposa"* nessa lista; mas esse item está ausente em Marcos. Foi uma glosa natural. Como seria de esperar, por harmonia, alguns manuscritos gregos posteriores adicionam "esposa" ao texto de Marcos, a saber, C e a maior parte da tradição bizantina. Essa mesma condição acha-se no texto de Mateus, com uma evidência um tanto melhor; mas é provável que ali, igualmente, haja uma *glosa* escribal. Pode haver algumas circunstâncias em que um homem deixe sua esposa por amor a Cristo, a fim de pregar o evangelho; normalmente, porém, a esposa pode ser conquistada para o modo de pensar do marido.

O texto de Marcos é mais longo aqui, ao dizer *"por amor de mim e por amor do evangelho"*. Lucas diz "por causa do reino de Deus". Notemos como as palavras originais de Jesus foram variegadamente manuseadas; pois os evangelistas não estavam interessados, em todos os casos, de relatar exatamente o que Jesus disse, mas usaram certa liberdade na reprodução de seus documentos. Essa "variedade", apesar de não dar "exatidão verbal", conforme alguns harmonistas gostariam que fosse, na realidade é um ponto em favor da *"historicidade"*. Se a igreja primitiva tivesse produzido uma fraude, ao narrar a história de Jesus e suas palavras, naturalmente teriam tido o cuidado de "harmonizar" as narrativas entre si.

"[...] evangelho..." (Ver notas completas em Rm 1.16.) O uso de Lucas, *"reino"*, provavelmente é mais primitivo, e provavelmente é o termo que Jesus usou.

10.30: que não receba cem vezes tanto, já neste tempo, em casas, e irmãos, e irmãs, e mães, e filhos, e campos, com perseguições; e no mundo vindouro a vida eterna.

10.30 ἐὰν μὴ λάβῃ ἑκατονταπλασίονα νῦν ἐν τῷ καιρῷ τούτῳ οὐκίας καὶ ἀδελφοὺς καὶ ἀδελφὰς καὶ μητέρας καὶ τέκνα καὶ ἀγροὺς μετὰ διωγμῶν, καὶ ἐν τῷ αἰῶνι τῷ ἐρχομένῳ ζωὴν αἰώνιον.

30 οικιας....αιωνιον] om οικιας...διωγμων ℵ* c (k): ος δε αφηκεν οικιαν και αδελφας και αδελφους και μητερα και τεκνα και αγρους μετα διωγμου εμ τω αι. τ. ερχ. λημψεται **D** (700 it): ut text., sed μητερα ℵ°**WΘ** f 565 al syᵉ geo

A fim de suavizar a sintaxe um tanto áspera deste versículo, o texto ocidental (D itᵃˑᵇˑff² vgᵐˢ) omite νῦν e começa uma nova sentença após ἑκατονταπλασίονα ἐν τῷ καιρῷ τούτῳ, a saber, ὃς δὲ ἀφῆκεν οἰκίαν καὶ ἀδελφὰς καὶ ἀδελφοὺς καὶ μητέρα καὶ τέκνα καὶ ἀγροὺς μετὰ διωγμοῦ (conforme D(vid); Latim antigo diz o plural), — ἐν τῷ αἰῶνι τῷ ἐρχομένῳ ζωὴν αἰώνιον λήμψεται "[...] cem vezes mais em seu tempo. E aquele que deixou casa e irmãs e irmãos e mãe e filhos e terras — isto é, por causa de perseguição, na era vindoura receberá a vida eterna"). A variante μετὰ διωγμόν ("após perseguição"), aparece em Σ 25 72 114 157 476ᶜ ʲ⁴⁸ˑ¹⁸⁴ geo² al), e que pode refletir um traço da mesma forma, provavelmente surgiu devido à confusão de — ω com ο.

Clemente, de Alexandria, cita esse versículo como segue (*A Salvação do Rico*, 4; cf. 25): ἀπόλήψεται ἑκατονταπλασίονα. νῦν ἐν τῷ καιτῷ τούτῳ ἀγροὺς καὶ χρήματα καὶ οἰκίας καὶ ἀδελφοὺς ἔχειν μετὰ διωγμῶν εἰς ποῦ;[1] ἐν δὲ τῷ ἐρχομενῳ ζωή ἐστιν αἰώνιος ("receberão de volta cem vezes mais. E com que finalidade espera ele ter agora, neste tempo, campos e riquezas e casas e irmãos, com perseguições? Mas, na era vindoura, há vida eterna").

1. O tratado de Clemente é preservado em dois manuscritos, um, na biblioteca do Escurial, e outro, no Vaticano; este último, cópia daquele. O ms do Escurial diz εἰς που, no cap. 4, e εἰς, no cap. 25. Nem P. Mordaunt Barnard (*The Biblical Text of Clement of Alexandria* Cambridge, 1899, p. 34s) e nem E. Schwartz (Hermes xxxviii 1903, p. 87s) se satisfazem com a(s) forma(s) que Barnard atribui ao amanuense de Clemente, e com a emenda de Schwartz para εἰς τί. O texto acima citado é o adotado por Otto Stahlin, em sua edição na série do *Griechische Christliche Schriftsteller*, que também foi adotado por B. W. Butterworth, na série Loeb Classical Library.

O relato de Marcos deixa de lado os dons do *"reino"* para os discípulos, devido à fidelidade deles, isto é, a posse dos "doze tronos". Mateus e Marcos trazem o termo "cêntuplo" e a expressão "vida eterna". Ambos indicam que os galardões são "aqui" e no "além". Todavia, tanto Mateus quanto Lucas omitem a vívida repetição de Marcos sobre os benefícios temporais, as centenas de casas, irmãos, irmãs etc., embora seja óbvio que a palavra "cêntuplo" se refira a isso, podendo ser considerada como uma forma condensada de dizer a mesma coisa. Lucas diz: "[...] muitas vezes mais, no presente...", o que também é uma forma de condensação. Tanto Mateus quanto Lucas omitem a expressão usada por Marcos: *"com perseguições"*. Evidentemente, essas palavras eram muito dolorosas, em meio a tão gloriosas promessas. Esse, porém, é um tema comum no NT. (Vê-lo, em forma mais eloquente, em Rm 8.18ss. Ver notas sobre a "vida eterna", em Jo 3.15.)

10.31: Mas muitos que são primeiros serão últimos; e muitos que são últimos serão primeiros.

10.31 πολλοὶ δὲ ἔσονται πρῶτοι ἔσχατοι καὶ [οἱ] ἔσχατοι πρῶτοι.

31 Mt 20.16; Lc 13.30

31 οι] om ℵADWΘ f 28 pm bo

Há um eco desse *"logion"* em Barn. 6.13: "O Senhor diz: Eis, farei as últimas coisas primeiras". O fim da era trará muitas *surpresas* e reversões daquilo que se conhece aqui. Também será um novo começo. Essa afirmativa foi usada por Jesus em diversas circunstâncias. (Ver também Mt 20.16.) O reino de Deus reverterá a parada dos valores humanos.

A história ilustra esse "*logion*": Paulo foi maior que Nero: o mártir foi maior que seus verdugos. Lutero era maior que seus detratores. E João Bunyan, maior que Carlos II. E, mais obviamente ainda, Jesus *era maior* que o sistema inteiro — religioso e político — que o crucificou.

> *As vitórias deste mundo*
> *Lembram-me as águas do mar:*
> *Cai lá oiro, vai ao fundo*
> *E um cepo fica a boiar...*
> (*Augusto Gil, Portugal*)

10.32-34 — *Terceira predição de Jesus* sobre a aproximação de sua morte. (As notas expositivas são dadas em Mt 20.17-19.)

10.32: Ora, estavam a caminho, subindo para Jerusalém; e Jesus ia adiante deles, e eles se maravilhavam e o seguiam atemorizados. De novo tomou consigo os doze e começou a contar-lhes as coisas que lhe haviam de sobrevir,

10.32 Ἦσαν δὲ ἐν τῇ ὁδῷ ἀναβαίνοντες εἰς Ἱεροσόλυμα, καὶ ἦν προάγων αὐτοὺς ὁ Ἰησοῦς, καὶ ἐθαμβοῦντο, οἱ δὲ ἀκολουθοῦντες ἐφοβοῦντο. καὶ παραλαβὼν πάλιν τοὺς δώδεκα ἤρξατο αὐτοῖς λέγειν τὰ μέλλοντα αὐτῷ συμβαίνειν,

Este é o "*terceiro anúncio da paixão*", mais detalhado do que os outros. (Ver Mc 8.31 e 9.31.) Este anúncio segue a narração geral da própria narrativa da paixão (caps. 14,15). É bem possível que, dentre todas as fontes "escritas" dos evangelhos, a narrativa da paixão fosse a mais primitiva. Alguns têm sugerido que os próprios evangelhos são apenas relatos extensos da paixão, e, apesar disso ser um exagero, há nessa ideia alguma verdade. O v. 32 pode ser "editorial" em sua substância, um reflexo do que realmente sucedeu, mas isso não é motivo para supormos que Jesus não fez várias predições sobre sua morte, incluindo diversas circunstâncias que acompanhariam sua agonia. Caracteristicamente, Marcos menciona a "apreensão", subentendendo falta de entendimento da parte dos discípulos sobre a predição de Jesus, embora a própria admiração possa ter sido início do entendimento. Mateus omite qualquer comentário, e Lucas (18.34) elabora sobre a falta de entendimento dos discípulos, o que também sucedeu quando do segundo anúncio da paixão (ver Lc 9.45). Lucas, pois, omite os versículos que se seguem, e que tangem ao pedido de Tiago e João sobre a grandeza pessoal no reino futuro.

Alguns estavam admirados, e outros, temerosos. Alguns manuscritos do Latim antigo omitem as palavras "e o seguiam tomados de apreensões". E alguns poucos intérpretes supõem que o "temor" ou "apreensão" pertenciam a Jesus, e não aos discípulos, mais ou menos segundo o que se lê em Marcos 14.33, que é umas das mais admiráveis afirmativas dos evangelhos; mas a omissão provavelmente se deveu à homoeoteleuton.

10.33: dizendo: Eis que subimos a Jerusalém, e o Filho do homem será entregue aos principais sacerdotes e aos escribas; e eles o condenarão à morte, e o entregarão aos gentios;

10.33 ὅτι Ἰδοὺ ἀναβαίνομεν εἰς Ἱεροσόλυμα, καὶ ὁ υἱὸς τοῦ ἀνθρώπου παραδοθήσεται τοῖς ἀρχιερεῦσιν καὶ τοῖς γραμματεῦσιν, καὶ κατακρινοῦσιν αὐτὸν θανάτῳ καὶ παραδώσουσιν αὐτὸν τοῖς ἔθνεσιν

33,34 Mt 16.21; 17.22,23; Mc 8.31; 9.31; Lc 24.7

Como em muitos paralelos, há leves *variações* entre os evangelistas neste ponto. Mateus diz especificamente crucificação — verbo não usado pelos outros evangelistas; Lucas adiciona profecias à questão, o que os outros não fazem. Marcos e Lucas mencionam as "cuspidas", o que Mateus não faz. A fonte

informativa provavelmente foi a mesma para todos; e Mateus e Lucas extraíram de Marcos o esboço histórico. No entanto, cada um deles manuseou a matéria de modo diferente, embora todos preservassem sua substância essencial.

10.34: e hão de escarnecê-lo e cuspir nele, e açoitá-lo, e matá-lo; e depois de três dias ressurgirá.

10.34 καὶ ἐμπαίξουσιν αὐτῷ καὶ ἐμπτύσουσιν αὐτῷ καὶ μαστιγώσουσιν αὐτὸν καὶ ἀποκτενοῦσιν, καὶ μετὰ τρεῖς ἡμέρας[9] ἀναστήσεται.

[9] **34** {A} μετὰ τρεῖς ἡμέρας ℵ B C D L Δ Ψ 892 it[(a),b,(c),d,ff2,i,k,(q),r1] syr[hmg] cop[sa,bo] // τῇ τρίτῃ ἡμέρᾳ (ver Mt 20.19; Lc 18.33) (A[vid] *omit* τῇ) A[c] K W X Θ Π *f[1] f[13]* 28 565 700 1009 1010 1071 1079 1195 1216 1230 1241 1242 1253 1344 1365 1546 1646 2148 2174 *Byz Lect* (l[613] *omit* τῇ) it[aur,f,l] vg syr[s,p,h,pal] goth arm eth geo Diatessaron[a,p] Origen

> A forma típica de Marcos, μετὰ τρεῖς ἡμέρας (que também ocorre em 8.31 e 9.31; noutros lugares, sobre a ressurreição de Jesus, somente em Mt 27.63), foi conformada por copistas à expressão muito mais frequentemente usada, τῇ τρίτῃ ἡμέρᾳ (cf. os paralelos em Mt 20.19 e Lc 18.33).

Jesus predisse realisticamente os seus *sofrimentos*. Ele não buscou diminuir o horror que enfrentaria, e nem suavizou o anúncio aos seus discípulos, pois deveriam ter uma visão realista dos rigores do discipulado. Por isso é que Thomas Hardy disse: "Se há um caminho para o Melhor, lança um longo olhar para o Pior". A vitória espiritual não é conquistada sem agonia, e a agonia de Cristo obteve a mais esmagadora vitória possível. Ele nos convoca para reconhecermos esse ângulo do discipulado. Predisse sofrimentos para si mesmo, mas também predisse tal coisa para seus discípulos (ver Jo 15.18ss). Devemos estar dispostos a agonizar como ele agonizou, contra o pecado e a injustiça, contra os inimigos da alma.

> *Entre feridas e no sangue*
> *Em uma rude cruz,*
> *Ele sofreu a perda*
> *Para parar o dilúvio do pecado.*
>
> *Pode agora ser dada a vitória,*
> *Sem ser testada a coragem,*
> *Sem ser negado o "eu",*
> *Para a alma estranha à agonia?*
> (Russel Champlin)

10.35-45 — *A solicitação de glória, feita por Tiago e João.* (Ver as notas em Mt 20.20-28.)

10.35: Nisso aproximaram-se dele Tiago e João, filhos de Zebedeu, dizendo-lhe: Mestre, queremos que nos faças o que te pedimos.

10.35 Καὶ προσπορεύονται αὐτῷ Ἰάκωβος καὶ Ἰωάννης οἱ υἱοὶ Ζεβεδαίου λέγοντες αὐτῷ, Διδάσκαλε, θέλομεν ἵνα ὃ ἐὰν αἰτήσωμέν σε ποιήσῃς ἡμῖν.

35 Ἰάκωβος...Ζεβεδαίου Mt 4.21; 10.2; 17.1; Mc 1.19,29; 3.17; 5.37; 9.2; 10.41; 13.3; 14.33; Lc 5.10; 6.14; 8.51; 9.28,54; At 1.13

35 οἱ δυο **B** *pc* | οἱ ℵ**D** *al* ς; R: *om* **A**Θ *pm* | λέγοντες] καὶ λεγουσιν **D**Θ *565* (a) d (sy[s,p])

(Ver a lista dos *apóstolos* e informações gerais sobre cada qual, em Lucas 6.12,13. Quanto ao "dom do apostolado" e seu ofício, ver Mt 10.1.) Mateus *poupa* aos doze, e atribui o pedido à mãe de Tiago e João, mas preserva, sem modificações, os v. 38 e 39, que falam diretamente aos discípulos, e não à mãe daqueles dois! Apesar de isso ser suspeito — pois parece mostrar que Mateus modificou o relato de Marcos, para torná-lo favorável aos apóstolos —, também é possível que a modificação tenha alguma base histórica. Provavelmente,

878 |Marcos| NTI

tanto a mãe como seus dois filhos estivessem envolvidos. "Seja como for, o que eles (e ela) fizeram, foi ridículo, mostrando um lado cômico naquele grande drama". (Bruce, *in loc.*).

10.36: Ele, pois, lhes perguntou: Que quereis que eu vos faça?

10.36 ὁ δὲ εἶπεν αὐτοῖς, Τί θέλετέ [με] ποιήσω ὑμῖν;

36 Τί θέλετε...ὑμῖν Mt 20:32; Mc 10:51; Lc 18:41

Confiavam em que Jesus lhes pudesse dar *o que queriam*, apesar da grandiosidade do que pediram. Não nos devemos olvidar do lado "positivo" da história. Jesus os atendeu gentilmente, muito mais do que mereciam. Faremos bem em seguir o seu exemplo de "gentileza humana", até mesmo em circunstâncias difíceis.

Eles apresentaram uma *"oração inaceitável"*. Como é humano isso! E quanto tempo nos custa aprender a "pedir direito". Nossas orações, além de fazerem exigências a Deus, deveriam também impor-nos exigências, em temos de retidão moral, de fixidez de propósito, de pureza de motivos, de altruísmo de desígnio. Se essas "exigências" existirem em nossa vida, então nossas orações serão divinamente respondidas.

10.37: Responderam-lhe: Concede-nos que na tua glória nos sentemos, um à tua direita, e outro à tua esquerda.

10.37 οἱ δὲ εἶπαν αὐτῷ, Δὸς ἡμῖν ἵνα εἷς σου ἐκ δεξῶν καὶ εἷς ἐξ ἀριστερῶν καθίσωμεν ἐν τῇ δόξῃ σου.

37 Δὸς...δόξῃ σου 37 Mt 19.28; Lc 22.30

Eles buscavam *grandeza*, mas se equivocaram quanto ao caminho. O caminho é por meio do serviço. Confiavam em Jesus, mas entravaram seu próprio progresso espiritual equivocando-se sobre o que fazia grande ao próprio Jesus. Queriam grandeza, mas com que intensidade? Estariam dispostos a assumir a posição humilde do serviço? Estariam dispostos a suportar os sofrimentos de Jesus, a fim de cumprirem as exigências da grandeza? De fato, assim fariam, segundo Jesus deixou implícito; mas, por enquanto, estavam na trilha errada.

"[...] na tua glória..." Em outras palavras, *"no teu reino vindouro.* Talvez até esperassem que isso ocorresse subitamente, quando estivessem de visita a Jerusalém. Não é provável que tivessem então nenhuma ideia sobre o "reino celestial". É quase certo que ainda estivessem aferrados à antiga ideia judaica de um Messias militante, que libertaria Israel de Roma; e de um Rei-Messias terreno, que teria auxiliares literais. Queriam ocupar o primeiro e o segundo lugares, quando Jesus fizesse a seleção de seus auxiliares da corte ou "primeiros-ministros".

10.38: Mas Jesus lhes disse: Não sabeis o que pedis; podeis beber o cálice que eu bebo, e ser batizados no batismo em que eu sou batizado?

10.38 ὁ δὲ Ἰησοῦς εἶπεν αὐτοῖς, Οὐκ οἴδατε τί αἰσεῖσθε. δύνασθε πιεῖν τὸ ποτήριον ὃ ἐγὼ πίνω, ἢ τὸ βάπτισμα ὃ ἐγὼ βαπτίζομαι βαπτισθῆναι;

38 τὸ ποτήριον...πίνω Jo 18.11 τὸ βάπτισμα...βαπτισθῆναι Lc 12.50

"Não sabiam o que pediam, por *duas* razões. Uma é que pediam, *para si mesmos,* algo, no mundo espiritual, que só podia ser atingido pelo processo espiritual em seu interior. O outro motivo é que estavam pedindo, em termos *gerais*, algo que só podia ser dado por experiências e atos *particulares* e *específicos*. Com que frequência se dá o fato de que, à semelhança dos discípulos, não sabemos o que pedimos! E isso, pelas mesmas razões. Uma de nossas mais comuns orações é: 'Senhor, abençoa-me'. Sabemos que a verdadeira bênção da vida, dada por Deus, nos levará muito além do que pedimos? Pode significar o aprofundamento da vida pela labuta e o sofrimento, pelo seguir a Jesus, tomando a cruz. Não há outra bênção que Deus possa dar. Uma oração comum é:

'Senhor, apressa a vinda do teu reino'. Entretanto, sabemos o que estamos pedindo? Estamos pedindo que Deus irrompa entre nós, em nosso mundo, quebrando os males que atrasam a vinda do reino, tal como a ganância e o espírito voluntarioso, o orgulho e os preconceitos... Sabemos que a igreja de Cristo não pode prosperar sem trazer as marcas de Cristo em seu espírito e em sua vida? Não poderá prosperar realmente por meio de um orçamento equilibrado ou por sentenças bem ditas do púlpito, ou pela harmonia no coro. 'Se alguma igreja quiser vir após mim...' " (Luccock, *in loc.*).

O cálice de sofrimento: (cf. Is 51.17,22; Jo 18.11ss). O batismo do desastre. (Ver Sl 42.7; 69.2; Is 43.2 e Lc 12.50.) Os melhores manuscritos de Mateus omitem a alusão ao batismo; mas, em manuscritos posteriores isso foi adicionado por meio de harmonia ao texto de Marcos. Os manuscritos que trazem a adição são W Famílias 1 e 13 700, os manuscritos latinos f h e q e o Bo (em parte) e a maioria dos manuscritos bizantinos. Os manuscritos realmente antigos omitem essas palavras, a saber, Aleph, BD, Theta, a maior parte dos manusc. e o S(*sc*). Neste ponto, o termo "batismo" significa "passar pelas águas profundas da tribulação". Podemos ser "imersos" no desastre e nos sofrimentos. Isso é alusão aos vindouros sofrimentos que haveria em Jerusalém. Eventualmente, os discípulos também haveriam de participar desses sofrimentos. (Quanto ao fato de "participarmos das aflições de Cristo", ver Cl 1.24.)

10.39: E lhe responderam: Podemos. Mas Jesus lhes disse: O cálice que eu bebo, haveis de bebê-lo, e no batismo em que sou batizado, haveis de ser batizados;

10.39 οἱ δὲ εἶπαν αὐτῷ, Δυνάμεθα. ὁ δὲ Ἰησοῦς εἶπεν αὐτοῖς, Τὸ ποτήριον ὃ ἐγὼ πίνω πίεσθε καὶ τὸ βάπτισμα ὃ ἐγὼ βαπτίζομαι βαπτισθήσεσθε,

39 Τὸ ποτήριον...βαπτισθήσεσθε At 12.2

(Cf. este versículo com Jo 14.18ss e Rm 8.18ss. Ver também 2Tm 3.12.) Quando Marcos escreveu seu evangelho, a igreja inteira recebia provas de como os discípulos autênticos seguem a Jesus no ato de sorver o cálice amargo e no ser imerso em sofrimentos. De modo pessoal, os dois irmãos, que *pediram glória*, descobriram a veracidade desta declaração. Novamente, tal como no versículo anterior, os manuscritos posteriores, em Mateus, adicionam a questão do batismo; mas isso não exibe o texto mais antigo daquele evangelho. Os manuscritos C e a maioria dos bizantinos, trazem o acréscimo, mas Aleph, BD, Theta e quase todas as antigas versões omitem a referência.

Alguns eruditos supõem que esta referência indica, indiretamente, que João e Tiago já tinham sofrido o martírio, quando este evangelho foi escrito. Há alguma evidência acerca de um *prematuro* martírio, tanto de Tiago quanto de João; mas a questão permanece sem solução até agora. Filipe, de Side, citando Papias, diz: "Papias, em seu segundo livro, afirma que o discípulo João, e Tiago, seu irmão, foram mortos pelos judeus". (Seu livro foi editado por C. DeBoor, em "Texte und Untersuchungen" (Leipzig: J. C. Hinrichs, 1888, v. 2, p. 170). O calendário posterior da igreja síria concorda com isso, e o relato de Hegesipo sobre a morte de Tiago, irmão do Senhor, subentende a mesma coisa. Por outro lado, João 21 dá a entender uma morte muito *adiada* para João, não antes da queda de Jerusalém, o que é confirmado em outras tradições. Alguns intérpretes supõem que Marcos não teria feito essa alusão, a não ser que, ao tempo em que escreveu, João e Tiago já tivessem sofrido o martírio. Não há como resolver o problema, mas não é isso importante para a compreensão do texto. (Quanto ao "batismo relacionado à morte", ver Rm 6.3.) A referência dada por Marcos provavelmente baseia-se em certos versículos do AT, conforme se vê nas notas sobre o v. 38.

"[...] Podemos..." Disseram poucas palavras; mas, no primeiro teste severo, "[...] deixando-o, todos fugiram..." (Marcos 14.50). Com frequência, nossas palavras denotam mais *coragem* que nossos atos. Todavia, eventualmente Jesus os recuperou, e

NTI | Marcos | 879

puderam cumprir sua jactância. Nesse entretempo, porém, essa ufania foi espiritualizada, para que não mais fosse expressão de uma confiança carnal. Quanto a nós, como "poderemos" fazer isso? O NT é um manual que nos mostra o segredo. Empregamos os meios do crescimento e fortalecimento espirituais: a oração e a meditação, o fortalecimento intelectual mediante o estudo das realidades espirituais; os atos caridosos e uma vida moral reta. Nosso condicionamento espiritual nos confere o que poderíamos chamar de "misticismo cristão", isto é, contacto com Cristo por meio de seu Espírito. E é o Espírito Santo que nos concede dons para o serviço e para o desenvolvimento pessoal no espírito. Aqueles que se valem da vantagem desses meios certamente terão um discipulado sério. Os demais falharão ao longo do caminho.

10.40: mas o sentar-se à minha direita, ou à minha esquerda, não me pertence concedê-lo; mas isso é para aqueles a quem está reservado.

10.40 τὸ δὲ καθίσαι ἐκ δεξιῶν μου ἢ ἐξ εὐωνύμων οὐκ ἔστιν ἐμὸν δοῦναι, ἀλλ᾽ οἷς[10] ἡτοίμασται[11].

[10] **40** {B} ἀλλ᾽ οἷς A B (C* ἀλλοι) C² K Θ Π Ψ f¹ f¹³ 28 565 700 892 1009 1010 1071 1079 1195 1216 1230 1241 1242 1253 1344 1365 1546 1646 2148 2174 *Byz Lect* it^aur,c,f,i,l,q vg syr^p,b,pal cop^bo goth arm geo // ἀλλοις ℵ D L W X Δ 0146 // ἄλλοις 225 it^a,b,d,ff2,k cop^sa eth // ἄλλοις δέ syr^s

[11] **40** {B} ἡτοίμασται ℵ* A B C (D* ἡτοίμαθαι, D^c ἡτοίμασθαι) K L W X Δ Π Ψ 0146 f¹³ 28 565 700 892 1009 1010 1079 1195 1216 1230 1242 1253 1344 1646 2148 2174 (1546 l^183,547 ἡτοίμασθαι = l^127 ἡτοίμασθε) *Byz Lect* it^aur,c,f,i,l,g vg syr^s,p,h,pal cop^sa,bo goth arm eth geo // ἡτοίμασται ὑπὸ τοῦ πατρός μου (ver Mt 20.23) ℵ^c,b (Θ 1365 παρά) f¹ 1071 1241 (l^bo παρά *and omit* μου) it^a,r1 vid (syr^hmg) (cop^homs) Diatessaron

[10] Várias versões antigas (it^a,b,d,ff2,k syr^s cop^sa eth) trazem as palavras gregas Αλλοιc como ἄλλοις, a despeito da falta de concordância sintática com a porção anterior da sentença.

[11] A presença da frase ὑπὸ (ου παρά) ποῦ πατρός μου em vários testemunhos, alguns dos quais antigos (como ℵ* it^a,r1 vid) é claramente uma intrusão com base no paralelo de Mateus 20.23.

Alguns estudiosos argumentam extenuantemente aqui contra a ideia da *predestinação*. Tal argumento, porém, parece fora de lugar. Por que temer esse tema? Nas Escrituras aprendemos que os atos divinos de "preordenação" sempre visam ao bem, mesmo que visem à *pluralidade*, isto é, posições diferentes e tipos diferentes de bênçãos. A grande vontade de Deus tem por alvo levar tudo à unidade em torno de Jesus Cristo (ver Ef 1.10), e certamente isso tem por fim "o bem de todos e de cada qual". Outro tanto se dá no campo das "posições" do "serviço". Cada pessoa é ímpar, e assim será por toda a eternidade (ver Ap 2.17), pelo que deverão ter "dons espirituais sem igual", no serviço eterno. É a vontade divina que determina como serviremos, e com que prestaremos esse serviço. Contudo, podemos confiar na vontade de Deus de que ela visa ao direito e ao bem, pois isso vem do Senhor. Há amplo precedente, na teologia judaica, para a ideia da "predestinação", pelo que facilmente o Senhor Jesus poderia ter sustentado e ensinado essa doutrina. Naturalmente, não está em foco a "salvação" neste texto; mas há outros textos do NT que vinculam a predestinação à salvação (por exemplo, Ef 1).

Nada disso, porém, contradiz a *vontade* humana. Deus usa o livre-arbítrio humano sem destruí-lo, embora não saibamos dizer de que modo. (Há notas completas sobre a "predestinação" em Rm 9.15,16; e sobre o "livre-arbítrio", em 1Tm 2.4.) No momento, os dois assuntos formam um "paradoxo", isto é, uma doutrina que parece contraditória. A contradição, entretanto, dá-se somente em nosso entendimento, e não nas próprias verdades consideradas. Confiamos que qualquer ato predestinador, da parte de Deus, visa ao bem e não pode ser arbitrário. Efésios 1 prova isso. Outrossim, em Cristo, há um ato predestinador que traz bem a todos, ainda que não dê a todos os homens a posição de "eleitos", pois somente estes últimos estão destinados a participar da própria natureza e

imagem de Cristo, sua forma de vida, sua modalidade de vida", o que os elevará ao ponto de participarem da "divindade", segundo se vê claramente em 2Pedro 1.4.

Notemos que o ato de *predestinação*, neste versículo, inclui o agente da "preparação". Crescemos no progresso espiritual; e, por esse processo, chegamos a "elevados níveis de ser e de labor". Oramos: "Deus, dá-me um caráter nobre". Deus responde a essa oração; e aqueles dotados de caráter nobre receberão ofícios nobres; e assim será sempre, pois não pode haver estagnação na eternidade, nem no trabalho, nem no desenvolvimento espiritual, pois o Ideal na direção do qual nos movemos é infinito.

10.41: E ouvindo isso os dez, começaram a indignar-se contra Tiago e João.

10.41 Καὶ ἀκούσαντες οἱ δέκα ἤρξαντο ἀγανακτεῖν περὶ Ἰακώβου καὶ Ἰωάννου.

Como é comum que os homens busquem *posição* e *glória*! No caso dos ministros, as igrejas ou denominações são os únicos lugares onde buscam glória pessoal. E isso provoca lutas carnais em busca de autoridade. Isso é muito comum, não havendo outro tipo de inveja mais cruel e desvairada que a "inveja ministerial". Com razão os dez objetaram ao orgulho dos dois irmãos; mas não tenhamos dúvidas de que, no fundo, havia apenas o orgulho carnal, pois não queriam ser "ultrapassados" pelos dois. Deixamo-nos embalar pelo consolo perverso de que até mesmo os apóstolos foram passíveis dessas falhas humanas. O texto, porém, não foi escrito a fim de consolar-nos em nosso pecado, e, sim, a fim de avisar-nos contra o seguir tão mau exemplo. É muito mais fácil seguir aos doze, quando dão um mau exemplo, do que quando dão um bom exemplo. Os dez se indignaram, mas não puramente por "amor à justiça". Não queriam ser "ultrapassados". Assim, a feia cabeça da serpente da inveja se levantou. Freud projetou sobre nós seu raio-X sem misericórdia, exibindo os lugares ocultos da psique humana. O quadro é repelente e perturbador. E tudo isso mostra que a Bíblia é correta ao declarar a queda e depravação do homem. Jesus veio livrar-nos de tudo isso. Um homem pode fazer um discurso incisivo contra os ricos e seus abusos contra os pobres, dizendo as coisas exatas. O motivo para assim falar, todavia, pode ser a inveja que ele tem dos ricos, e não a simpatia pelos pobres. Um homem pode atacar um "pecado" que vê na vida de outrem; mas seu motivo real pode ser uma espécie de insatisfação íntima porque não obtém o prazer que aquele pecador deriva de seu pecado, ou pode ser uma espécie de "inveja perversa" ou frustração, porque gostaria de fazer o que aquele pecador está fazendo, mas teme perder sua reputação. Como tudo isso nos leva para longe do espírito de Cristo! O destino do homem remido é vir a participar da natureza e imagem de Cristo, moral e metafisicamente falando. (Ver as notas sobre isso em Rm 8.29.)

10.42: Então Jesus chamou-os para junto de si e lhes disse: Sabeis que os que são reconhecidos como governadores dos gentios, deles se assenhoreiam, e que sobre eles os seus grandes exercem autoridade.

10.42 καὶ προσκαλεσάμενος αὐτοὺς ὁ Ἰησοῦς λέγει αὐτοῖς, Οἴδατε ὅτι οἱ δοκοῦντες ἄρχειν τῶν ἐθνῶν κατακυριεύουσιν αὐτῶν καὶ οἱ μεγάλοι αὐτῶν κατεξουσιάζουσιν αὐτῶν.

42 Lc 22.25

Jesus ensina por *"exemplo contrastante"*. É como se ele tivesse dito: "Podeis imitar os gentios, se quiserdes, mas isso é contra a espiritualidade que vos tenho ensinado". Comenta Luccock (in *loc.*): "Que esvaziamento da pompa e das circunstâncias humanas! há um menininho na calçada, na historinha das 'Novas roupas de imperador'. Enquanto os subservientes lisonjeavam e exaltavam as supostas roupas finíssimas do imperador, o realista menininho explode com a verdade brutal: 'Ele não tem roupa nenhuma. Está

880 |Marcos| NTI

nu!' Para Cristo, não existe liderança real na tirania do poder... Com frequência, os padrões do mundo têm sido abjetamente aceitos pela igreja, como ídolos pagãos que são exibidos no santuário. Pensemos na contradição de termos que é tão óbvia naquela frase: 'os príncipes da igreja'!"

Os homens governam pela violência do dinheiro ou da *força bruta*. Grande é aquele que primeiramente conquistou as próprias paixões e vícios; e, em seguida, serve ao próximo.

10.43: Mas entre vós não será assim; antes, qualquer que entre vós quiser tornar-se grande, será esse o que vos sirva;

10.43 οὐχ οὕτως δέ ἐστιν[12] ἐν ὑμῖν· ἀλλ᾽ ὃς ἂν θέλῃ μέγας γενέσθαι ἐν ὑμῖν, ἔσται ὑμῶν διάκονος,

[12] **43** {A} ἐστιν (ver Mt 20.26) ℵ B C' D L W Δ Θ Ψ 700 1253 it^a.aur,b,c,d,f,ff2,i,k,l,r1 vg cop^sa,bo // ἔσται (ver 10.43b) A C³ K X Π *f*¹ *f*¹³ 28 565 892 1009 1010 1071 1079 1195 1216 1230 1241 1242 1344 1365 1546 1646 2148 2174 *Byz Lect* (*l*⁷⁶ ᵛⁱᵈ) it^q syr^s.p.h.pal cop^bomss goth arm geo Diatessaron^a **43,44** ὃς ἂν θέλῃ μέγας...δοῦλος Mt 23.11; Mc 9.35; Lc 22.26

> O tempo futuro, apoiado por A C³ K X Π e maioria dos minúsculos (seguidos pelo *Textus Receptus*), parece ser uma melhoria escribal que visava a suavizar o tom peremptório do presente, ἔστιν. É possível também que o futuro tenha surgido como assimilação com ἔσται, na linha seguinte.

Se estacássemos por um momento e víssemos exatamente o quanto fazemos pelo próximo, e se nos permitíssemos ser julgados por esse padrão, quanto nos reputaríamos grandes? Jesus revela-nos aqui que é precisamente assim que somos aquilatados pela mente divina.

Os ricos da terra vivem
Em púrpura e em ouro;
Levantam-se, triunfam e morrem,
E conta-se a história deles.

Somente um reino é divino,
Um pendão continua triunfante,
Seu Rei é um servo, e seu sinal
É uma cruz numa colina.
(Godfrey Fox Bradby)

10.44: e qualquer que entre vós quiser ser o primeiro, será servo de todos.

10.44 καὶ ὃς ἂν θέλῃ ἐν ὑμῖν εἶναι πρῶτος, ἔσται πάντων δοῦλος·

Reconhecemos que o *amor* é o mais excelente motivo que há, bem como o caminho mais rápido de volta a Deus. (Ver Gl 5.22, quanto ao amor como um dos aspectos do "fruto do Espírito".) Deus ama, pelo que nos deu o maior de todos os presentes (ver Jo 3.16). Aquele que verdadeiramente ama mostra isso no "serviço" prestado ao próximo. Assim, torna-se escravo dos outros, conforme o termo grego o indica. Esse se perde em amor e serviço e sua "identidade" mescla-se com os outros; e assim ele comprova ter imensa simpatia pelo sofrimento humano, que procura aliviar. Jesus nos deixou o exemplo supremo de tudo isso, pois o Filho do homem veio para servir, e não para ser servido.

O amor outorga em um instante,
O que o labor dificilmente obtém em uma era.
(*Goethe*)

Assim expressou-se Napoleão Bonaparte: "Nunca amei a ninguém por causa do amor, exceto, talvez, Josefina, *um pouco*". No entanto, de acordo com os padrões humanos, esse homem odioso e destruidor foi um dos "grandes". Jesus, porém, seguia outro padrão. O "pequeno amor" de Napoleão demonstra que ele era um homem minúsculo, sem importar o que o mundo pense dele.

10.45: Pois também o Filho do homem não veio para ser servido, mas para servir, e para dar a sua vida em resgate de muitos.

10.45 καὶ γὰρ ὁ υἱὸς τοῦ ἀνθρώπου οὐκ ἦλθεν διακονηθῆναι ἀλλὰ διακονῆσαι καὶ δοῦναι τὴν ψυχὴν αὐτοῦ λύτρον ἀντὶ πολλῶν.

45 1Tm 2.5,6

Jesus é o *Homem Ideal*. Ele é não só o Caminho, mas também o "*Pioneiro do caminho*", segundo se aprende em Hebreus 2.10. Assim, sua presença permanente continua conosco, e ele continua exigindo uma reação positiva da parte de todos quantos ouvem sua Palavra. Quem pode comparar-se a ele em grandeza? No entanto, ele atingiu esse nível por meio do amor e do serviço, pelo sacrifício, e não por causa de exércitos, ódio e guerra. Jesus, por grande que tenha sido, não estava isento do "padrão de grandeza" que estes versículos nos expõem. E como poderia isentar-se disso qualquer de seus discípulos? Concordamos prontamente com esses princípios, mas é com extrema dificuldade que os aplicamos à nossa vida.

Jesus muito sofreu. Foi crucificado. No entanto, a história tem provado que ele *não foi derrotado*, e, sim, obteve esmagadora vitória. Nossas noções de espiritualidade têm sido erguidas a um plano altíssimo, pelo que ele fez em sua vida e em sua morte, e um novo esplendor foi adicionado aos nossos dias:

Da cruz a luz se irradia,
Adicionando maior brilho do dia.
(John Bowring)

Apresenta-se, pois, diante de nós a *indagação*: Quanto de nossa vida estamos dando? Estamos libertando escravos cativos pelo resgate provido por nossa vida? Quanto de nossa vida diária se caracteriza pelo altruísmo? Ou nada mais nos preocupa senão servir a nós mesmos? O modo com que respondemos a essas perguntas determina nosso valor neste mundo.

10.46-52 — *A cura do cego de Jericó*. (As notas expositivas são dadas em Mt 20.29-34.)

10.46: Depois chegaram a Jericó. E, ao sair ele de Jericó com seus discípulos e uma grande multidão, estava sentado junto do caminho um mendigo cego, Bartimeu, filho de Timeu.

10.46 Καὶ ἔρχονται εἰς Ἰεριχώ. καὶ ἐκπορευομένου αὐτοῦ ἀπὸ Ἰεριχὼ καὶ τῶν μαθητῶν αὐτοῦ καὶ ὄχλου ἱκανοῦ ὁ υἱὸς Τιμαίου Βαρτιμαῖος τυφλὸς προσάτης ἐκάθητο παρὰ τὴν ὁδόν[13].

[13] **46** ἐκάθητο παρὰ τὴν ὁδὸν προσαιτῶν A C² K W X Π *f*¹ *f*¹³ 700 1009 1010 1071 1079 1195 1216 1230 1241 1242 1253 1344 1365 1546 1646 2148 2174 *Byz Lect* it^a.aur,b,c,d,f,ff²,i,l,q,r1 vg syr^s?p?h? cop^sa,bomss? goth eth geo Diatessaron // ἐκάθητο παρὰ τὴν ὁδὸν ἐπαιτῶν D Θ 565 syr^s?p?h? cop^bomss? Or // {C} προσαίτης ἐκάθητο παρὰ τὴν ὁδόν (ℵ καὶ προσαίτης) B L Δ Ψ (892 ἐκαθέζετο) it^k cop^bo arm // ἐκάθητο παρὰ τὴν ὁδόν C' Diatessaron^p

> A forma que melhor explica a origem das outras formas é προσαίτης ἐκάθητο παρὰ τὴν ὁδόν, apoiada pelo grupo alexandrino de testemunhos (ℵ B L Δ Ψ *al*). Porque προσαίτης é uma palavra grega rara e posterior, outros testemunhos a substituem por uma construção participial, ou προσαιτῶν (A K W X Π, seguindo a forma preferida do paralelo lucano (18.35). A omissão, em C e Diatessarom (p) resultou de um descuido escribal.

Diferenças *genuínas* existem no relato deste episódio nos evangelhos sinópticos. Por que isso nos perturbaria e apelaríamos para a desonestidade a fim de harmonizar esses relatos entre si? Tais diferenças mostram que a igreja primitiva não se esforçou para *harmonizar* os diversos relatos, mas deixou-os conforme os encontrou. Portanto, longe de destruírem a "historicidade" dos evangelhos, as diferenças genuínas contribuem para a sua historicidade, pois nesse caso não tratamos com uma fraude ou invenção da igreja. Não é preciso harmonizar perfeitamente as diversas narrativas e, se aqui e acolá surgem pequenas discrepâncias, isso nada é contra o fato de que Jesus disse e fez o que esses relatos dizem. Somente a fé imatura exige mais que isso.

Jesus estava em Jericó. A grande multidão fazia contraste com o solitário e cego esmoler, sentado abjetamente à beira da estrada. Jesus o notaria? Faria alguma coisa por ele? Já *sabemos* que assim seria. Jesus pararia. Ajudaria. Cuidaria daquele indivíduo miserável. Que mensagem de esperança temos nisso! Como Jesus era diferente dos outros homens! Os homens buscam a multidão, a vantagem e a glória pessoal, a segurança de fazer parte de algo grande. Em contraste, Jesus parou e se inclinou para ajudar um pobre homem. Existe aquilo que se poderia chamar de "capitalismo espiritual", onde o sucesso é medido em termos de "quantas pessoas vieram ao culto", "quantas pessoas tivemos no culto de oração", "quantas pessoas fizeram decisão para Cristo" ou de "quanto foi a oferta".

O cego era *Bartimeu*, "filho de Timeu", conforme seu nome significava. Provavelmente, o cuidado de mostrar quem era seu pai mostra que ambos (e talvez a família toda) tornaram-se elementos da igreja cristã, conhecidos nos dias de Marcos. Não é impossível que esse homem tenha podido narrar aos evangelistas a história do episódio, a qual, porém, chegou a nós sob diversas formas, por razões que nos são desconhecidas.

10.47: Este, quando ouviu que era Jesus, o nazareno, começou a clamar, dizendo: Jesus, Filho de Davi, tem compaixão de mim!

10.47 καὶ ἀκούσας ὅτι Ἰησοῦς ὁ Ναζαρηνός[14] ἐστιν ἤρξατο κράζειν καὶ λέγειν, Υἱὲ Δαυὶδ Ἰησοῦ, ἐλέησόν με.

[14] **47** {A} Ναζαρηνός B (D' Ναζορηνός) L W Δ Θ Ψ *f*¹ (28 Ναζωρηνός) 892 it (it^d,l,qc *Nazorenus*) vg cop^sa,bo geo² Diatessaron^p Origen // Ναζωρινός (ver Lc 18.37) ℵ A C (K' Ναζωραῖος) K^c X Π *f*¹³ 565 (700 Ναραῖος) 1009 1010 1071 1079 1195 1216 1230 1241 1242 1253 1344 1365 1546 1646 2148 2174 *Byz Lect* it^fl²,q (it^sur,c *Nazareus*) syr^s?p?h? cop^bomss goth arm geo¹   47 Υἱὲ...με Mt 9.27; 15.22

O fato de que em outros lugares Marcos usa Ναζορηνός por três vezes (1.24; 14.67; 16.6), mas nunca Ναζωραῖος (esta última forma ocorre por 13 vezes no NT), sugere que copistas introduziram o termo mais familiar, em lugar do menos familiar.

Aqui são usados *títulos familiares* de Jesus. Ele se criou em Nazaré, aldeia tão pequena, que Josefo, ao alistar dúzias das cidades e aldeias da Galileia, não mencionou Nazaré. José, pai adotivo de Jesus, e então o próprio Jesus, provavelmente foram os únicos carpinteiros da aldeia. É chamado também de 'Filho de Deus', um de seus títulos messiânicos. (Quanto à tradição de que Jesus era "descendente de Davi", ver notas completas em Rm 1.3.) Jesus era um nome comum; mas ali estava o grande Jesus, de Nazaré, o qual merecia esse título messiânico. As expectações messiânicas se centralizavam em torno de Cristo muito antes deste episódio, conforme se sabe em Marcos 6.14,15 e 8.28. (Ver também Mc 11.8-10.) O esmoler era *cego* e *incapacitado*; mas agora houve um "*salto de esperança*" em sua vida. Cristo provê essa esperança para toda a humanidade. Alguns homens têm de aventurar-se para dar esse salto, pois as "multidões" os entravam. Os gritos do cego representam sua aventura para encontrar a Cristo. Assim também, no mundo atual, há muitos clamores de aflição, muita necessidade de todos saírem

Da sua enfermidade para a tua saúde,
Da sua necessidade para a tua riqueza.
(William T. Sleeper, adaptado).

10.48: E muitos o repreendiam, para que se calasse; mas ele clamava ainda mais: Filho de Davi, tem compaixão de mim.

10.48 καὶ ἐπετίμων αὐτῷ πολλοὶ ἵνα σιωπήσῃ· ὁ δὲ πολλῷ μᾶλλον ἔκραζεν, Υἱὲ Δαυίδ, ἐλέησόν με.

"Essa nota de reprimenda, feita a pessoas que vinham a Jesus, figura em Marcos como se fora uma fuga musical (ver v. 13). Neste caso, a reprimenda vem da multidão, e não dos discípulos. A resposta constante das multidões, a todos quantos clamam acerca da necessidade e do sofrimento, é sempre a mesma: *Aquieta-te e cala-te*. Era uma *dureza* de coração; mas, conforme sabemos, as multidões, com sua imediata intolerância, com suas emoções indisciplinadas, podem fazer coisas cruéis e sem dó. A interrupção aborrece aos homens. Aquela gente estava interessada em Jesus. Essa era a grande excitação, o foco de atenção. Aquele mendigo não tinha importância: o fato de, confiantemente, lançar sua insignificância no meio do palco era um transtorno. Enfrentaram isso com indiferença de pedra e com a ordem de calar-se. A reprimenda deles tem ecoado através das abóbadas dos séculos" (Luccock, *in loc.*).

10.49: Parou, pois, Jesus e disse: Chamai-o. E chamaram o cego, dizendo-lhe: Tem bom ânimo; levanta-te, ele te chama.

10.49 καὶ στὰς ὁ Ἰησοῦς εἶπεν, Φωνήσατε αὐτόν. καὶ φωνοῦσιν τὸν τυφλὸν λέγοντες αὐτῷ, Θάρσει, ἔγειρε, φωνεῖ σε.

A versão de Marcos é *mais gráfica*, dando sinais de ser narrativa de uma testemunha ocular. Jesus parou. Nenhuma necessidade humana poderia ele negligenciar, nem mesmo em ocasião de exaltação. Cantamos: "Não me esqueças, gentil Salvador", e esse é um excelente sentimento. A realidade, porém, é que ele não nos negligencia; e essa é uma verdade ainda melhor. Cantamos: "Ouve meu clamor, entre outros que clamam: não te esqueças de mim". E assim, em nossa alma, há um eco do que disse o cego. E a multidão entravadora não pretende ajudar. Todavia, diante das palavras de Jesus, chamaram-no. Deus pode reverter condições adversas em degraus, se resolvermos seguir a Cristo honesta e fervorosamente.

Jesus fez parar o cortejo de glória, de homenagem pessoal, a fim de *ministrar* a um pobre miserável. Como era ele diferente de outros homens! Essa "parada" faz parte necessária de todos os autênticos ministros espirituais. A multidão veio "animar" o cego. A satisfação de Jesus, entretanto, é maior. Resultou da cura da cegueira do homem. A multidão, mesmo amigável, pode *animar-nos* um pouco, em meio à tribulação. Suas palavras, contudo, não têm sentido, pois são destituídas de poder para corrigir a causa de nosso problema. Na verdade, podem até tornar-se um fardo a mais, pois nos ressentimos por ver outras pessoas tratarem de nosso problema de maneira leviana. Jesus, porém, proveu uma alegria baseada na correção de um problema de outro modo insolúvel. Podemos negligenciar algumas necessidades humanas, considerando-as apenas uma gota no balde em comparação com nosso serviço frenético entre a multidão. No entanto, Jesus achava grande valor em todas as "gotas no balde".

10.50: Nisto, lançando de si a sua capa, de um salto se levantou e foi ter com Jesus.

10.50 ὁ δὲ ἀποβαλὼν τὸ ἱμάτιον αὐτοῦ ἀναπηδήσας ἦλθεν πρὸς τὸν Ἰησοῦν.

50 αποβαλων] επιβ- 565 sy^s

A alegria, em antecipação à cura de sua cegueira, *fortaleceu* as pernas do cego; e ele saltou em um grande movimento. Esses vívidos detalhes sem dúvida baseiam-se na narração de uma *testemunha ocular*. Como foi maravilhoso poder ver uma cena daquelas! O texto descreve habilmente uma imediata e livre confiança em Jesus, um salto da alma, e não apenas das pernas. Bartimeu não se abaixou para dobrar cuidadosamente sua túnica, e nem pediu a alguém que cuidasse dela enquanto ele ia a Jesus. Não lhe sobrava tempo para trivialidades; tinha um encontro imediato com o Mestre. Não se envergonhou de ficar excitado e de

882 |Marcos| NTI

saltar, e as próprias palavras de descrição do ocorrido saltam de júbilo. "Ele te chama", disseram a ele. Ele nos está chamando hoje em dia. Saltamos, a fim de atender ao seu chamado? Essas palavras descrevem, acima de tudo, a "prontidão". Com que medida de prontidão corremos para Cristo, obedecendo à sua palavra, a fim de recebermos sua bênção? Aquele homem era cego; mas não teve dificuldades em correr para Jesus. Lucas 18.40 revela que Jesus ordenou a alguém que trouxesse o cego, pelo que lhe foi fornecido um "guia". Em nossa ocasião de necessidade, ou quando devemos fazer algum avanço espiritual e já estamos preparados para isso, sempre nos é provido um "guia", que nos ajuda a avançar.

10.51: Perguntou-lhe Jesus: Que queres que te faça? Respondeu-lhe o cego: Mestre, que eu veja.

10.51 καὶ ἀποκριθεὶς αὐτῷ ὁ Ἰησοῦς εἶπεν, Τί σοι θέλεις ποιήσω; ὁ δὲ τυφλὸς εἶπεν αὐτῷ, Ραββουνι, ἵνα ἀναβλέψω.

51 Τί...ποιήσω Mc 10.36

51 Ραββουνει] Ραββι *1241* k q syʳ boᵖᵗ: Κυριε *409* bo(I): Κυριε Ραββει **D** it

Sua necessidade era *óbvia*, e a pergunta foi mera formalidade, um ponto de contacto, por assim dizer. Algumas vezes a necessidade não é clara, ou é conhecida somente por quem pede, mas não para a multidão. Existe, porém, um poder de satisfazer a qualquer necessidade, se recorrermos a ele.

Que pergunta nos faria Jesus, a fim de nos ajudar? "Comparar a pergunta de 10.36, e outras perguntas, em 8.27,29; 9.16,21,33; 10.3,18,38. Trata-se de mais do que mero artifício da tradição, ou de Marcos, para prover um diálogo vívido. Esse estilo característico e quase socrático deve ter pertencido ao próprio Jesus. Como bom mestre e pastor que era, ele encorajava outros a expressarem seus desejos, esperanças e aspirações, e lhes dava oportunidade de exprimirem sua fé, em cima do que, então ele podia agir e edificar. 'Senhor' (KJV), em Mateus e Lucas, e nos manuscritos posteriores de Marcos, é 'Raboni', nos melhores textos. Trata-se de forma mais completa de 'rabi', e significa 'meu mestre'. (Cf. Jo 20.16, onde o termo é explicado como 'mestre')". (Grant, *in loc.*).

Os principais manuscritos dizem "*rabboni*", isto é, Aleph, BW Theta. A forma simples, "rabi", aparece em 1241, no latim k e q e no Si e no Bo (em parte). O mero termo "Senhor", figura em 409 e em alguns manuscritos do Bo. "Senhor Rabi" se lê em D e em muitas versões latinas.

O cego achava-se ali a fim de pedir esmolas. No entanto, estando Jesus presente, sem dúvida pediria algo maior; e assim ele fez, não tendo sido desapontado. Com frequência, pedimos pouco demais a Jesus, pois nossa fé é pequena e nosso desenvolvimento espiritual é insuficiente.

N. B.: Nos casos em que Mateus e Marcos têm textos paralelos, a exposição se apresenta em Mateus; em Marcos, encontram-se apenas algumas notas suplementares.

10.52: Disse-lhe Jesus: Vai, a tua fé te salvou. E imediatamente recuperou a vista, e o foi seguindo pelo caminho.

10.52 καὶ ὁ Ἰησοῦς εἶπεν αὐτῷ, Ὕπαγε, ἡ πίστις σου σέσωκέν σε. ª καὶ εὐθὺς ἀνέβλεψεν, καὶ ἠκολούθει αὐτῷ ἐν τῇ ὁδῷ.

ª **52** (53) *a* no number: TR WH Bov Nes BF² AV RV ASV RSV NEB TT Zür Luth Jer Segᵉᵈ // *a* number 53: Segᵉᵈ   52 ἡ πίστις...σε Mt 9.22; Mc 5.34; Lc 7.50; 8.48; 17.19

"[...] imediatamente..." Temos aqui o senso de urgência no grego, que aparece por 41 vezes no evangelho de Marcos, o que normalmente ele faz com o uso do termo grego "euthus". O cego agora se uniu à caravana em direitura a Jerusalém, e sem dúvida esteve presente na entrada triunfal de Jesus na capital.

"[...] a tua fé te salvou..." É claro que essa foi uma declaração frequente de Jesus, usada em muitas ocasiões apropriadas. (Ver Mc 5.34 e Lc 7.50.) Apesar de não ser comum, não se tornou

trivial, pois expressa grande verdade. Marcos menciona apenas a ordem de cura. Mateus alude ao "toque curador". Ambas as coisas se mostraram eficazes. Aquele pobre cego, que naquela manhã acordara para passar outro dia em trevas e para ocupar-se, como era usual, em pedir esmolas, antes do pôr-do-sol havia sido tocado pelo Eterno, e a luz invadira seus olhos físicos e espirituais. Que diferença pode fazer um único dia, quando Cristo vem à nossa vida!

Capítulo 11

11.1-11 — *Entrada triunfal em Jerusalém*. (Ver as notas expositivas em Mt 21.1-11). Aqui são oferecidas algumas notas suplementares.

b. Em Jerusalém

11.1: Ora, quando se aproximavam de Jerusalém, de Betfagé e de Betânia, junto do Monte das Oliveiras, enviou Jesus dois de seus discípulos

11.1 Καὶ ὅτε ἐγγίζουσιν εἰς Ἱεροσόλυμα εἰς Βηθφαγὴ καὶ Βηθανίαν πρὸς τὸ Ὄρος τῶν Ἐλαιῶν, ἀποστέλλει δύο τῶν μαθητῶν αὐτοῦ

11.1 Ι εις Βηθφ. κ. Βηθαν.] και εις Βηθαν. **D** *700* it | των Ιᵒ] το **B** k

(Ver as notas sobre "Betânia", em Mt 21.11). Temos aqui vários relatos de "controvérsias", reunidos no texto de Marcos 11.27—12.40, que conduzem diretamente à narrativa da paixão, em Marcos, caps. 14 e 15. Muitos comentadores têm observado que esses capítulos preservam um esquema cronológico fixo, ou seja, "uma primitiva semana santa". Os evangelhos sinópticos seguem isso de perto, mas a cronologia de João é diferente. Com base no evangelho de João, suporíamos que a visita final de Jesus cobriu um período de vários meses, e não uma única semana. E muitos intérpretes têm considerado a cronologia de João como a mais correta. Segundo temos notado, os evangelhos não se esforçam por apresentar padrões cronológicos exatos e, geralmente, expõem o material por "tópicos", e não "cronologicamente". Assim, pois, as questões que abordam tempo, períodos e sequência de acontecimentos não são necessariamente exatas. É bem possível, portanto, que a apresentação da "semana da paixão", nos evangelhos sinópticos, seja realmente um sumário de eventos que se prolongaram, talvez por diversos meses, e não apenas por uma semana. O esquema de Marcos, seguido por Mateus e Lucas, é como é dado a seguir:

Domingo — Entrada triunfal em Jerusalém e volta a Betânia (11.1-11)

Segunda — Maldição da figueira e purificação do templo (11.12-19)

Terça — Vários discursos (11.20—13.37)

Quarta — Unção em Betânia e a traição (14.1-11)

Quinta — Preparação para a Páscoa; última ceia; Getsêmani; detenção; julgamento diante do Sinédrio (14.12-72)

Sexta — Julgamento diante de Pilatos; condenação; crucificação; sepultamento (15.1-47)

Sábado — Jesus no túmulo (15.42-47)

Domingo — A ressurreição (16.1-8)

Jesus no túmulo (15.42-47); Mistério no hades (1Pe 3.18—4.6).

A diferença entre os evangelhos sinópticos e o de João, quanto aos eventos finais da vida de Jesus, no tocante à cronologia, tem sido discutida desde os *Quartodecimanos*, do século II d.C., mas sem nenhuma solução realmente satisfatória. (Ver outras informações a respeito em Mt 26.1, nas notas sobre Mc 14.1, que figuram naquela referência do evangelho de Mateus. Os Quartodecimanos (assim chamados por cristãos posteriores) eram crentes da Ásia Menor, no século II de nossa era, que criam que a Páscoa deveria ser observada no dia da páscoa judaica, no décimo quarto dia da lua, após o equinócio de verão, sem importar o dia da semana em que isso caísse.

A Entrada Triunfal. Provavelmente, essa ocorrência foi uma demonstração espontânea do povo, em favor do caráter messiânico de Jesus, além de alguns vislumbres políticos. Agora Jesus tomava a iniciativa (1-6), pois parece que queria que as multidões "reconhecessem" sua natureza messiânica, ao passo que, antes, ele mantivera a questão como um "segredo". (Ver as notas sobre o "segredo messiânico", em Mc 8.30, apresentado no texto de Mt 16.13-16.)

11.2: e disse-lhes: Ide à aldeia que está defronte de vós; e logo que nela entrardes, encontrareis preso um jumentinho, em que ainda ninguém montou; desprendei-o e trazei-o.

11.2 καὶ λέγει αὐτοῖς, Ὑπάγετε εἰς τὴν κώμην τὴν κατέναντι ὑμῶν, καὶ εὐθὺς εἰσπορεύομενοι εἰς αὐτὴν εὑρήσετε πῶλον δεδεμένον ἐφ' ὃν οὐδεὶς οὔπω ἀνθρώπων ἐκάθισεν· λύσατε αὐτὸν καὶ φέρετε.

"Este relato expõe pitoresca e *poderosa* representação de algo que precisava ser simbolizado, tanto nos poucos primeiros séculos da igreja como até hoje: o fato de que Jesus é Rei. A igreja cristã, inevitável e corretamente, tem tomado a entrada em Jerusalém como símbolo da vinda ao mundo daquele que tem o direito de governar" (Luccock, *in loc.*).

Ninguém havia usado antes o animal. "Tal como geralmente se dava no mundo antigo (ver 1Sm 6.7; Horácio, "Epodes" IX.22 etc.), todo animal tencionado para o uso sagrado não podia ter sido domado". (Grant, *in loc.*).

11.3: E se alguém vos perguntar: Por que fazeis isso? Respondei: O Senhor precisa dele, e logo tornará a enviá-lo para aqui.

11.3 καὶ ἐάν τις ὑμῖν εἴπῃ, Τί ποιεῖτε τοῦτο; εἴπατε, Ὁ κύριος αὐτοῦ χρείαν ἔχει,a καὶ εὐθὺς αὐτὸν ἀποστέλλει πάλιν[1] ὧδε.

[1] **3** {B} αὐτὸν ἀποστέλλει πάλιν ℵ Dᵍʳ L 892 1241 *Lect* Origen // αὐτὸν ἀποστελεῖ πάλιν lʹ⁰,¹¹²⁷ itᵃ,ᵈ,(ᵠ) copˢᵃ // ἀποστέλλει πάλιν αὐτὸν B (itᶜ) // αὐτὸν πάλιν ἀποστελλει Cᵛⁱᵈ // πάλιν ἀποστελλει αὐτὸν Θ // πάλιν ἀποστελεῖ αὐτὸν eth // ἀποστέλλει πάλιν Δ Origen // αὐτὸν ἀποστελεῖ W Π Ψ fʹ 700 1079 1195 1546 itᶠ·ⁱ vg copᵇᵒ // ἀποστελεῖ αὐτὸν itᶠᶠ² arm geo // ἀποστέλλει αὐτὸν A C K X fʹ³ 28 565 1009 1010 1071 1216 1230 1242 1253 1646 2148 2174 *Byz* lˢ⁴⁷,⁸⁸³,⁹⁵⁰,¹⁶⁴² itᵃᵘʳ,ᵇ,(ᵏ) Origen // ἀποστέλλει αὐτὸν 1344 1365 itˡ // αὐτὸν ἀποστελεῖ or αὐτὸν ἀποστέλλει syrˢ,ᵖ,ʰ goth

ᵃ **3** *a minor:* TR? WH? Bov Nes BF² AV? RV? ASV? (RSV) NEB (TT) Zür (Luth) (Jer) // *a major:* Seg

3 Τι ποιειτε τουτο; ειπατε (τι ποιειτε τουτο ειπ. **L** *pc*) Τι λυετε τον πωλον; ειπ. **DΘ** f13 28 it: Τι (τί *pc*) ειπ. **W** f1 *pc* syˢ geo

> A interpretação deste texto é obscura. As palavras καὶ εὐθὺς αὐτὸν ἀποστέλλει πάλιν ὧδε fazem parte da mensagem, ou da declaração sobre o que sucederá? Mateus 21.3 evidentemente tomou as palavras no segundo sentido. A presença de πάλιν, na maioria dos testemunhos, entretanto, sugere que as palavras, como parte da mensagem, asseguram que o animal seria devolvido após Jesus ter-se utilizado dele. Embora se possa argumentar que copistas, movidos por considerações do que sucederia ao animal, inseriam πάλιν, antes ou depois do verbo, o fato que considerações similares não operavam no caso do paralelo de Mateus, e também a força do testemunho de ℵ Dᵍʳ L 892 *al* sugerem que o texto original era αὐτὸν ἀποστέλλει πάλιν, que, subsequentemente, foi modificado, ou sob a influência do paralelo ou porque não era mais interpretado como parte da mensagem. O tempo futuro, que é mais suave que o presente, parece ser uma correção escribal.

Lição espiritual: Não é de modo nenhum impossível que o proprietário do animal fosse discípulo de Jesus, pelo que teria anuído *imediatamente* ao seu pedido. A lição espiritual que aqui se encerra é que o Senhor tinha razão por esperar obediência e cooperação, sem discussões e limitações. Ele exige muito de nós; e, às vezes, exige coisas difíceis. Aquele homem não podia dizer: "Então o Mestre precisa do animal, não é? Pois bem, digam-lhe que eu também

preciso dele". Isso seria um absurdo; mas muitos de nós, hoje em dia, limitam sua dedicação à pessoa e à obra de Cristo. Com frequência, as nossas "recusas" são polidas, formuladas em meio a argumentos convincentes. Dizemos: "Lamento não poder ajudar no trabalho. Meu tempo é limitado". Assim, mostramos como estamos atarefados em tudo o mais, exceto no serviço espiritual, em cooperação com a igreja. Deus nos pede os nossos talentos, a nossa inteligência, as nossas forças; mas com frequência todos os nossos recursos são usados na atividade de "ganhar dinheiro", ou alguma outra coisa parecida. O resultado é que aquilo que fazemos em favor de Cristo é escasso. Se, naquele dia, as coisas tivessem sido deixadas ao nosso cuidado, Jesus não teria tido meio de transporte até Jerusalém.

Espírito da *ação recíproca*: Jesus queria o animal imediatamente; mas também prometeu devolvê-lo imediatamente, tendo-se servido dele. O que damos a Cristo nos *será devolvido* na forma de mil bênçãos. Nada do que lhe for dado se poderá perder. Uma das pequenas lições que temos aqui é que Jesus estava "pronto" a devolver o que tomara por empréstimo. Este é o espírito da honestidade e da "consideração"; e não há que duvidar de que, como seguidores de Cristo, precisamos de ambas essas atitudes.

11.4: Foram, pois, e acharam o jumentinho preso ao portão do lado de fora na rua, e o desprenderam.

11.4 καὶ ἀπῆλθον καὶ εὗρον πῶλον δεδεμένον πρὸς θύραν ἔξω ἐπὶ τοῦ ἀμφόδου, καὶ λύουσιν αὐτόν.

4 πωλον] τον π. ℵΘ 28 *pm* sa bo(I) ς

Era apenas um pequeno animal, mas o Senhor encontrou *bom uso* para o mesmo. Todo homem, pois, sem nenhuma dúvida, tem um propósito, podendo cumprir uma missão específica de uso, no mundo espiritual. (Ver Ap 2.17, quanto a notas sobre o "caráter único" de cada homem, como ser e como servo.)

11.5: E alguns dos que ali estavam lhes perguntaram: Que fazeis, desprendendo o jumentinho?

11.5 καί τινες τῶν ἐκεῖ ἑστηκότων ἔλεγον αὐτοῖς, Τί ποιεῖτε λύοντες τὸν πῶλον;

Não há motivo para duvidar de que, neste caso, Jesus teve *"conhecimento prévio"*. Ele viu que os discípulos enfrentariam suave oposição, e que precisavam ter uma resposta engatilhada. A personalidade humana tem esses poderes, o que fica indicado pelo estudo dos sonhos. Freud cria na existência de vários "poderes psíquicos" da personalidade humana, tendo chegado essa convicção meramente por meio de estudos. Com demasiada frequência, as pessoas predizem eventos futuros (contidos em seus sonhos), para que se duvide de que há um poder inerente assim no homem, que pode até prever o futuro. Naturalmente, no caso de Jesus, mesmo como homem, ele possuía uma natureza espiritual extraordinariamente desenvolvida, pelo que essas experiências "conscientes" eram *frequentes* nele. Apesar de o NT ensinar a sua divindade (notas em Hb 1.3), não precisamos pensar em nada "sobrenatural", em fenômenos como o de "conhecimento prévio".

O conhecimento especial de Jesus

Nos Evangelhos, este conhecimento especial de Jesus é uma prova de seu messiado. Ver notas completas sobre a polêmica cristã em favor de Jesus como o Messias prometido, em João 20.31.

11.6: Responderam como Jesus lhes tinha mandado; e lho deixaram levar.

11.6 οἱ δὲ εἶπαν αὐτοῖς καθὼς εἶπεν ὁ Ἰησοῦς· καὶ ἀφῆκαν αὐτούς.

Foi suficiente a "resposta *previamente sugerida*" por Jesus. Descobrimos que Cristo nos é suficiente. Ele soluciona todo e qualquer problema. Tragamos a ele os nossos problemas. Aqueles que ouviram a "resposta prévia" de Jesus não mais tentaram impedir os dois discípulos. Cristo na vida remove obstáculos, e dá propósitos que emprestam sucesso à nossa vida.

884 |Marcos| NTI

11.7: Então trouxeram a Jesus o jumentinho e lança-ram sobre ele os seus mantos; e Jesus montou nele.

11.7 καὶ φέρουσιν τὸν πῶλον πρὸς τὸν Ἰησοῦν, καὶ ἐπιβάλλουσιν αὐτῷ τὰ ἱμάτια αὐτῶν, καὶ ἐκάθισεν ἐπ᾽ αὐτόν.

As vestes. Eram as *"túnicas exteriores"* dos discípulos, que foram transformadas em uma espécie de sela para Cristo. Não se duvide que isso tenha sido feito como uma "honra" prestada a Jesus, além de ser um serviço gentil. Os discípulos trouxeram algo que Jesus pôde usar, um pequeno e insignificante animal. Isso, porém, era suficiente para o serviço à frente. É óbvio que nisso temos uma importante lição.

11.8: Muitos também estenderam pelo caminho os seus mantos, e outros, ramagens que tinham cortado nos campos.

11.8 καὶ πολλοὶ τὰ ἱμάτια αὐτῶν ἔστρωσαν εἰς τὴν ὁδόν, ἄλλοι δὲ στιβάδας κόψαντες ἐκ τῶν ἀγρῶν.

As *roupas* foram estendidas em honra a Jesus, tal como os ramos. Essa honra foi prestada ao Messias. Não se duvide de que essa é uma das coisas que Marcos tencionou ensinar-nos mediante este incidente. O entusiasmo foi espontâneo, um momento em que cada qual se esqueceu de si mesmo, naquela multidão. O entusiasmo espontâneo muito tem feito em prol do trabalho da igreja, e tem cumprido muitas tarefas difíceis. Quanto mais "altruísta" se mostra, mais poderoso é.

"[...] ramos..." No grego é *"stibas"*, qualquer camada de folhas, raminhos etc. Provavelmente, o sentido aqui é "ramos com folhas", que podiam servir de colchão na estrada, tornando mais suave a caminhada. A razão real, entretanto, foi a de "fazer um tapete para o Rei". Era um tapete de ramos e folhagens, e não de púrpura, de tecidos caros ou de peles de animais. Todavia, foi algo que o povo deu de coração. Costumamos estender coisas caras diante do Senhor? Um mínimo de oferta da mente, do coração, das habilidades, sem nenhuma prudência estudada para determinar se será suficiente o mínimo ou não?"

V. 8. *Variante textual*. A frase "[...] das árvores e espalharam--nos pelo caminho..." aparece nos mss ADEFHKMNSUV, Gamma e fam Pi, e isso é seguido pelas traduções AC, F, KJ e M. A expressão "[...] dos campos...", ao invés da cláusula acima, encontra-se nos mss Aleph, BCL, Delta e em todas as traduções, excetuando-se aquelas acima mencionadas. Sem dúvida nenhuma, esse texto mais simples representa o original do evangelho de Marcos. O verbo "[...] espalharam...", no princípio do versículo, está vinculado tanto a "ramos" como a "vestes".

11.9: E tanto os que o precediam como os que o se-guiam, clamavam: Hosana! bendito o que vem em nome do Senhor!

11.9 καὶ οἱ προάγοντες καὶ οἱ ἀκολουθοῦντες ἔκραζον, Ὡσαννά· Εὐλογημένος ὁ ἐρχόμενος ἐν ὀνόματι κυρίου·

9 Ὡσαννά...κυρίου Sl 118.25,26 (Mt 21.15; 23.39)   9 Ὡσαννα] *om* **DW** it: *add* τω υψιστω Θ f13 *28 pc*

O peregrino *veio* à festa da Páscoa, e veio em nome do Senhor — mas o povo via isso como uma espécie de entrada do Rei Messias na Cidade Santa.

Jesus sempre fora sujeito a suspeitas, sendo saudado, por assim dizer, com um ponto de interrogação. Naquele dia, porém, foi saudado com um ponto de exclamação: "Hosana!", "Bendito!" Os manuscritos gregos originais não traziam sinais de pontuação; mas, se o tivessem, sem dúvida teríamos aqui um ponto de excla-mação. Os vizinhos de Jesus, em Nazaré, puseram diante dele o ponto de interrogação (ver Mc 6.2), tal como fizeram a João Batista (Mt 11.3), Pilatos (Jo 18.37) e até os próprios irmãos (Jo 7.5) e seus discípulos (Mc 4.41). E o mundo continua a tratar de Jesus, o

Cristo, desse modo, pelo que continua sendo um lugar de violência ódio, miséria e desespero.

"Tens-nos dito a sermos bondosos e perdoadores, mas por vinte sólidos séculos — miseráveis e incorrigíveis — homens têm continuado sem misericórdia, cheios de violência e ódio. Religiosos e ateus, igualmente, têm vivido e governado de modo não-cristão — e considera-nos agora: nunca estivemos em pior situação". (Eva Curie, *Journey Among Warriors*).

11.10: Bendito o reino que vem, o reino de nosso pai Davi! Hosana nas alturas!

11.10 Εὐλογημένη ἡ ἐρχομένη βασιλεία τοῦ πατρὸς ἡμῶν Δαυίδ· Ὡσαννὰ ἐν τοῖς ὑψίστοις.

10 Εὐλογημένη...Δαυίδ Lc 1.32,33; At 2.29   10 Ὡσαννα εν τοις υψ.] Ειρηνη εν τ. υψ. **W** *28 700* sy¹: Ειπ. εν ουρανω και δοξα εν υψ. Θ: *praem* Ειπ. εν ουρ. κ. δοξα *251 pc: add* ειρ. εν ουρ. κ. δοξα εν υψ. f1 *22*

"[...] reino..." (Ver notas completas sobre esse tema, em Mt 3.2.) O termo é usado de muitos modos no NT. Neste caso, pro-vavelmente está em foco o reino "político", que se esperava que libertasse a Israel do domínio romano. Nas mãos dos evangelistas, o "reino futuro do Messias" fica subentendido, pois, em seu segun-do advento, Cristo assumirá o "reino", que alguns esperavam que fosse realizado no seu primeiro advento.

"[...] de nosso pai Davi..." Os paralelos de Mateus e Lucas omitem essa expressão. Sua presença faz a cena inteira ser defi-nidamente um anúncio sobre o "Messias", o Filho de Davi, que se apossaria do trono davídico. (Quanto à tradição de Jesus como filho de Davi, ou seja, herdeiro do trono davídico, ver Rm 1.3 e Mt 1.1.) Ao contrário dos milenaristas comuns, os quiliastas supõem que Davi voltará a fim de, literalmente, reinar de novo, como se fosse uma espécie de primeiro-ministro de Cristo e sob as suas ordens. (Ver as explicações sobre o "milênio", em Ap 20.4.)

"Essa entrada em Jerusalém, com seu acompanhamento de ruídos e *homenagens espontâneas* das multidões, só pode ter um sentido na vida de nosso Senhor. Foi o seu anúncio público de que ele era o Messias, ou antes, sua aceitação pública do título que seus discípulos tão ansiosamente queriam aplicar-lhe; e, no entanto, depois disso, a sua vida entra novamente em dias quie-tos, e uma vez mais ele se torna o mestre e o benfeitor. E assim, a reivindicação distinta de ser um rei é imediatamente seguida pelo revolucionamento da ideia inteira do reinado. Isso, contudo, está apenas de acordo com o que já fora dito aos seus discípulos, que desejavam ocupar lugares no reino, ao lado do rei. 'Quem quiser ser o primeiro, que seja último e servo de todos'. A reivindicação messiânica foi feita a fim de que os homens compreendessem que isso é o que estava envolvido na reivindicação de ser 'rei dos ho-mens' " (Gould, *in loc.*).

V. 10. *Nota textual*. "[...] no nome do Senhor..." são palavras que aparecem nos mss AEFHKMNSVX, Gamma, Fam Pi e nas traduções AC, F, KJ e M. Essa repetição da mesma coisa que apa-rece no v. 9 é omitida pelos melhores manuscritos, isto é, Aleph, BCDLU, Delta e por todas as traduções, excetuando aquelas que foram mencionadas acima. O original do evangelho de Marcos não continha essa repetição, que é mera expansão com base no v. 9, feita por escribas subsequentes.

11.11: Tendo Jesus entrado em Jerusalém, foi ao tem-plo; e tendo observado tudo em redor, como já fosse tarde, saiu para Betânia com os doze.

11.11 Καὶ εἰσῆλθεν εἰς Ἱεροσόλυμα εἰς τὸ ἱερόν· καὶ περιβλεψάμενος πάντα, ὀψίας ἤδη οὔσης τῆς ὥρας, ἐξῆλθεν εἰς Βηθανίαν μετὰ τῶν δώδεκα.

11 εισηλθεν] -θον *i k* sy⁵

"Este versículo é *editorial* e nos prepara para a narrativa da purificação do templo (v. 15-18). Lucas o omite, e Mateus muda seu conteúdo para ponto posterior; pois ambos os paralelos apresen-tam a purificação do templo como sequência imediata e clímax da entrada (sob a influência da palavra 'subitamente', em Ml 3.1-3a). Betânia ficava cerca de dois quilômetros e meio a suleste de Jerusalém" (Grant, *in loc.*).

Jesus olhou ao redor. Viu pecado e corrupção, e logo se sentiu forçado, pelo menos, a *purificar* o templo. Não ficou impressionado diante do esplendor de Jerusalém, conforme tinham ficado seus discípulos, que observaram as dimensões grandiosas do templo (13.1). *Grandiosidade?* Talvez; mas não duradoura, além do que ocultava tremendo pecado, com uma fachada de piedade. Quanto daquela cidade ímpia Jesus poderia recomendar ao Pai? Katherine Mansfield, examinando as histórias que ela mesma escrevera, disse: "Não há nenhuma que eu gostaria de mostrar a Deus". Quanto há em nossa vida, em nossa igreja, em nossa comunidade, que ousaríamos mostrar a Deus? Jesus andou pelas ruas de Jerusalém, um lugar construído pelo homem, um lugar de esplendores, um lugar do qual o homem se orgulhava; mas não havia ali muita coisa que ele pudesse recomendar ao Pai.

"O cortejo agora sai da cena e a atenção fixa-se sobre os movimentos de Jesus. Ele entrou em Jerusalém, e, sobretudo, no templo, e pesquisou sobre tudo com olho intensamente observador, procurando, tal como fez Paulo em Atenas, não o que era pitoresco, mas o que houvesse de elemento moral e religioso. Ele notou o tráfico contínuo no recinto sagrado, embora tivesse adiado sua ação até a manhã seguinte" (Bruce, *in loc.*).

Betânia. "Essa é a primeira vez que Betânia figura no relato dos *sinópticos*; porém, isso se dá de tal modo, que implica em uma narrativa prévia, ou antes, no aparecimento prévio do lugar na vida de nosso Senhor. João nos indica os livres movimentos de Jesus no lugar, na história da ressurreição de Lázaro; mas, ao mesmo tempo, ele situa a intimidade com o lugar bem mais para trás, ao chamar Lázaro de aquele a quem Jesus amava" (Gould, *in loc.*).

Houve *dois lugares* desse nome que tiveram alguma relação com os eventos bíblicos. A Betânia deste texto ficava perto de Jerusalém, na estrada para Jericó. Ali viviam os amigos de Jesus, Lázaro, Maria e Marta (ver Jo 11); e foi ali que Jesus foi ungido (ver Mc 14.3-9). Muitas tradições e lendas cristãs desenvolveram-se em torno do local, o que se dá com muitas outras localidades e personagens bíblicos; mas quase tudo é produto da imaginação. A outra Betânia era o lugar onde João batizava, além do Jordão (ver Jo 1.28); mas nenhuma identificação exata do local se conseguiu fazer. O próprio nome significa *casa de tâmaras*, embora desde há séculos as tâmaras tenham desaparecido dali. Continua, entretanto, havendo oliveiras e figueiras, e esses produtos deram os nomes de Monte das Oliveiras e "Betfagé". É claro que Jesus passava suas noites com amigos dali, mas, de dia, ia pra Jerusalém, durante aquela tremenda semana final.

11.12-14 e 20-22 — *A figueira sem fruto.* (Ver as notas expositivas em Mt 21.18-22.)

11.12: No dia seguinte, depois de saírem de Betânia, teve fome.

11.12 Καὶ τῇ ἐπαύριον ἐξελθόντων αὐτῶν ἀπὸ Βηθανίας ἐπείνασεν.

A narrativa que se segue é o *único* milagre que Marcos atribui a Jesus na área de Jerusalém. Note-se, porém, que Mateus 21.14 registra vários prodígios; e, naturalmente, no evangelho de João, quase todos os prodígios de Jesus foram feitos naquela área. O evangelho de Lucas omite esse relato, bem como sua sequência, de Marcos 11.20-25. Alguns eruditos têm pensado em outras interpretações, não literais, sobre esses eventos. Alguns supõem que se trata de uma parábola teatral (uma parábola em forma de história, na qual Jesus seria o principal ator). Contudo, há outros que veem aqui predições místicas sobre a rejeição de Israel ao Messias. Quaisquer que sejam as lições e elementos que vejamos nisso, não há motivo para supormos que o que nos é dito aqui não tenha de fato sucedido. Foi um evento histórico com sentidos místicos, incluindo o aspecto profético.

Ao deixar Betânia pela manhã, e vir para Jerusalém, Jesus indica seu hábito durante sua última semana. Seu lugar de ação, durante o dia, era Jerusalém; e seu lugar de descanso, à noite, era Betânia.

11.13: e avistando de longe uma figueira que tinha folhas, foi ver se, porventura, acharia nela alguma coisa; e chegando a ela, nada achou senão folhas, porque não era tempo de figos.

11.13 καὶ ἰδὼν συκῆν ἀπὸ μακρόθεν ἔχουσαν φύλλα ἦλθεν εἰ ἄρα τι εὑρήσει ἐν αὐτῇ, καὶ ἐλθὼν ἐπ' αὐτὴν οὐδὲν εὗρεν εἰ μὴ φύλλα· ὁ γὰρ καιρὸς οὐκ ἦν σύκων.

<hr>

13 ἰδὼν...μὴ φύλλα Lc 13.6

Os intérpretes que lançam *dúvidas* sobre a historicidade do milagre supõem que ter Jesus amaldiçoado à figueira, para fazê-la morrer, teria sido um milagre "sem razão", da categoria dos relatos que há nos evangelhos apócrifos. Amaldiçoar uma árvore, sobretudo quando não era tempo de frutos, não estaria *consoante* ao caráter de Jesus, segundo alguns supõem. Por causa dessas dificuldades, pois, alguns preferem pensar aqui em uma "parábola teatral", negando sua historicidade. Entretanto, se o incidente contribui para o "ensinamento espiritual" (conforme se supõe na interpretação mística), por que Jesus não poderia ter realizado um ato, só porque era meio de ensinar uma importante lição, e não porque meramente se desgostou com a figueira que não podia satisfazer-lhe a fome? Seja como for, não se duvide de que Jesus podia fazer isso. Os estudos modernos sobre os poderes da mente mostram que a mente humana normal pode apressar o crescimento das plantas ou entravá-lo; e, em um dado período de tempo, pode até matar uma planta. Quanto mais a *mente de Cristo!* Outrossim, Cristo é tão grande, que seus milagres, em comparação com sua estatura, foram insignificantes.

Parece bem *claro*, bem à parte do problema da historicidade, que o ensinamento central da história é que uma vida, ou profissão religiosa, pessoal ou nacional, se for sem fruto, não tem valor. Da doutrina da santificação aprendemos que a santidade é um dos requisitos da salvação; não é algo optativo. (Ver Gl 5.19-21 e Ef 5.5-7.) Além da santidade, porém, precisamos da participação positiva nas formas de obras que o próprio Cristo operou. O amor é a força motivadora em tudo isso, sendo também o príncipe entre as virtudes. (Ver as notas a respeito em Gl 5.22, onde também apresentamos poemas ilustrativos.)

11.14: E Jesus, falando, disse à figueira: Nunca mais coma alguém fruto de ti. E seus discípulos ouviram isso.

11.14 καὶ ἀποκριθεὶς εἶπεν αὐτῇ, Μηκέτι εἰς τὸν αἰῶνα ἐκ σοῦ μηδεὶς καρπὸν φάγοι. Καὶ ἤκουον οἱ μαθηταὶ αὐτοῦ.

<hr>

14 Μηκέτι...φάγοι Mc 11.20

De que nos *ufanamos?* Alguns homens se vangloriam até de suas vergonhas (Fl 3.19). Jesus tomaria como "exibição" de meras falhas aquilo de que às vezes nos orgulhamos? Israel recebeu revelações de Deus; mas, devido ao exagero no cerimonialismo, tinha muita exibição com poucos frutos. É quase certo que o relato indica, entre outras coisas, como Israel não deu o fruto apropriado, tendo ficado sob o desprazer divino. "Pelos seus frutos os conhecereis" (Mt 7.16). A fé sem obras é morta (ver Tg 2.20.) "Se queres, porém, entrar na vida, guarda os mandamentos" (Mt 19.17). Deus nos deu sua graça a fim de podermos produzir as obras e a qualidade da vida espiritual que mui naturalmente dimana de sua intervenção em Cristo (ver Ef 2.8-10). Jesus amaldiçoou a pretensiosa figueira. A lição é ao mesmo tempo clara e solene.

11.15-19 — *A purificação do templo.* (Ver as notas expositivas em Mt 21.12-17.)

11.15: Chegaram, pois, a Jerusalém. E entrando ele no templo, começou a expulsar os que ali vendiam e compravam; e derribou as mesas dos cambistas, e as cadeiras dos que vendiam pombas;

11.15 Καὶ ἔρχονται εἰς Ἱεροσόλυμα. καὶ εἰσελθὼν εἰς τὸ ἱερὸν ἤρξατο ἐκβάλλειν τοὺς πωλοῦντας καὶ τοὺς ἀγοράζοντας ἐν τῷ ἱερῷ, καὶ τὰς τραπέζας τῶν κολλυβιστῶν καὶ τὰς καθέδρας τῶν πωλούντων τὰς περιστερὰς κατέστρεψεν,

<hr/>

15 κολλυβιστων] add (Jo 2.15) εξεχεεν WΘ f13 28

Alguns têm proposto que a purificação do templo, por Jesus, foi um *ato político*, no qual, talvez, ele tivesse roubado aos ricos para ajudar aos pobres, ao estilo de Robin Hood. Isso significaria que Jesus era, realmente, um ativista político, tendo chegado a um mau fim por causa disso, e não por causa de nenhum conflito religioso. Apesar de admitirmos que Roma temesse a Jesus como possível líder de uma revolta, não há nenhuma prova histórica sólida de que Jesus tivesse interesse na política. Os Evangelhos nos oferecem a ideia oposta, e julgamos que isso é historicamente correto. A outra teoria deve permanecer mera "conjectura", e não muito boa, além disso.

Por várias razões, Jesus fez *objeção* ao que viu no átrio do templo. O que sucedia matava totalmente o espírito da adoração. Outrossim, não temos dúvida de que muita desonestidade era praticada ali por amor ao deus Mamom. "No átrio dos gentios, onde qualquer pagão devoto poderia vir e adorar, havia os animais, com seu ruído, com seu cheiro desagradável e com seu lixo. Como um gentio poderia orar ali? Provavelmente, esse tenha sido o ponto das palavras de Jesus, no v. 17: 'Minha casa [...] de oração' (Is 56.6-8). Covil de salteadores é citação extraída de Jeremias 7.11, mas não subentende necessariamente em extorsões da parte dos mercadores" (Grant, *in loc.*). O mais provável, todavia, é que essa última expressão citada signifique exatamente isso.

Devemo-nos lembrar que agora o coração do crente é templo de Deus, o seu santuário. Este também pode tornar-se um lugar profanado, que expulse qualquer possibilidade de adoração e desenvolvimento espiritual. Jesus veio para endireitar os nossos corações.

11.16: e não consentia que ninguém atravessasse o templo levando qualquer utensílio;

11.16 καὶ οὐκ ἤφιεν ἵνα τις διενέγκῃ σκεῦος διὰ τοῦ ἱεροῦ.

"O átrio exterior, e, sobretudo, o átrio dos gentios, era o local onde esse tráfico era exercido, embora fosse reputado como uma espécie de terreno comum que os homens poderiam usar como atalho, levando por ali vários 'skeuos' (vaso, utensílio)" (Gould, *in loc.*).

"Neste ponto, o mestre Jesus faz o papel de *reformador*. Diante dele, no templo comercializado, havia um grande mal. Ele se movimentou para limpá-lo. Isso não nos faz lembrar que há lugar tanto para o reformador quanto para o mestre? Um lugar de ação vigorosa, bem como para doutrinamento e nutrição pacientes? O cristianismo é mais do que reforma social. Contudo, se nunca resulta em reforma social, nunca tem lugar para a ação dos profetas, tornando-se o sal que perdeu seu sabor". (Luccock, *in loc.*).

A ação de Jesus concordava com o *melhor* que havia nos sentimentos rabínicos, conforme se vê na seguinte citação: "Que reverência se deve ter pelo templo? Que ninguém vá ao monte da casa (o átrio dos gentios) com seu cajado, sapatos, bolsa ou poeira nos pés. Que ninguém o atravesse, degradando o lugar, com cuspa-radas" (*Babul. Jeuamoth*, citado por Ligthfoot, *in loc.*).

11.17: e ensinava, dizendo-lhes: Não está escrito: A minha casa será chamada casa de oração para todas as nações? Vós, porém, a tendes feito covil de salteadores.

11.17 καὶ ἐδίδασκεν καὶ ἔλεγεν αὐτοῖς, Οὐ γέγραπται ὅτι Ὁ οἶκός μου οἶκος προσευχῆς κληθήσεται πᾶσιν τοῖς ἔθνεσιν; ὑμεῖς δὲ πεποιήκατε αὐτὸν σπήλαιον λῃστῶν.

<hr/>

17 Ὁ...ἔθνεσιν Is 56.7   ὑμεῖς...λῃστῶν Jr 7.11

Aqueles que têm visitado os santuários religiosos sabem como esses locais atraem a espécie mais vil de comercialismo. As cidades santas tornam-se covis favoritos das prostitutas, e atraem todas as formas de vícios. O templo de Jerusalém atraía essas condições, e o próprio templo fora controlado por um comercialismo *desonesto* e *exagerado*.

Jesus ensinava. Como é comum, Marcos dá *proeminência* ao ministério de ensino. Nos mesmos lugares onde Marcos faz isso, Mateus frisa o ministério de curas de Jesus. Marcos faz quase total silêncio sobre as curas realizadas por Jesus na área de Jerusalém; e o paralelo de Mateus é nossa única indicação dessa atividade na capital.

O comercialismo busca vantagens pessoais. Quase toda atividade comercial é egoísta por natureza. Jesus ensinava que o templo deve estar acima desse tipo de motivação, porquanto esse era símbolo do princípio espiritual. O templo deveria ser o lugar onde o amor de Deus atinge os homens, e onde estes aprendem o altruísmo.

A autoridade messiânica. Não se duvide de que este episódio tenha um interesse polêmico. Jesus agiu como reformador do templo porque ele lhe pertencia, por ser ele o Messias. Sem dúvida nenhuma os crentes usaram essa história, entre muitas outras, para demonstrar a autoridade messiânica de Jesus e a validade de suas reivindicações.

11.18: Ora, os principais sacerdotes e os escribas ouviram isto, e procuravam um modo de o matar; pois o temiam, porque toda a multidão se maravilhava da sua doutrina.

11.18 καὶ ἤκουσαν οἱ ἀρχιερεῖς καὶ οἱ γραμματεῖς, καὶ ἐζήτουν πῶς αὐτὸν ἀπολέσωσιν· ἐφοβοῦντο γὰρ αὐτόν, πᾶς γὰρ ὁ ὄχλος ἐξεπλήσσετο ἐπὶ τῇ διδαχῇ αὐτοῦ.

<hr/>

18 ἤκουσαν...ἀπολέσωσιν Mc 14.1; Lc 20.19; 22.2   18 ἐξεπλήσσετο] -σσοντο ℵ pc c sy^{s,p}, sa bo^{pt}

Os membros do *Sinédrio* observaram o movimento. As principais autoridades dominavam a situação; e continuaram em seus conluios contra Jesus, sendo diminuído o ímpeto deles apenas momentaneamente. É que Jesus gozava do apoio *popular*. Seus ensinamentos eram impressionantes para o povo. O v. 32 deste capítulo reitera a mesma coisa, tal como o faz Marcos 12.12, incluindo a relutância das autoridades em se lançarem contra Jesus, devido a esse apoio popular. Logo descobriram, porém, um modo de fazer o povo voltar-se contra Jesus. Ele preferiu manter-se impotente perante seus perseguidores, não fora a intervenção divina, que só veio quando de sua ressurreição.

A autoridade da verdade e da bondade. Jesus não tinha poder militar e nem influência política. Seu poder residia em sua *bondade moral* e em sua defesa da verdade. Com sua superioridade espiritual, Jesus deixava os homens superatônitos. Essa é a única maneira legítima de impressionar as pessoas. O resto é carnalidade. No entanto, como é comum aos homens apelar para alguma forma de carnalidade, a fim de impressionar os outros! (Cf. esta "decisão" das autoridades religiosas, com Mc 3.6, onde os fariseus herodianos, na Galileia, tomaram idêntica deliberação. Lucas 19.47,48 também registra o conluio relacionado à purificação do templo; mas, por razões desconhecidas, Mateus deixa de lado o lance. Certamente o incidente estava ao seu dispor, pois se utilizou de Marcos como base de sua narrativa.)

11.19: Ao cair da tarde, saíam da cidade.

11.19 Καὶ ὅταν ὀψὲ ἐγένετο, ἐξεπορεύοντο ἔξω τῆς πόλεως².

> ² **19** {C} ἐξεπορεύοντο ἔξω τῆς πόλεως A B K Δ Π Ψ 565 700 1009 1071 1079 it^{aur,c,d,r¹} syr^{p,hmg} geo¹ // ἐξεπορεύετο ἔξω τῆς πόλεως ℵ C (D^{gr}) X Θ f¹³ 33 892 (1010 ἐπορεύετο) 1195 1216 1230 1242 1242 1253 1344 1365 1546 1646 2148 2174 *Byz Lect* it^{a,b,f,ff²,i,k,l,q} vg syr^{s,h,pal} cop^{sa,bo} goth eth geo² // ἔξω τῆς πόλεως ἐξεπορεύετο f¹ // ἔξω τῆς πόλεως ἐξεπορεύοντο W 28 arm // ἔξω τῆς πόλεως L

> Embora seja possível que o verbo singular (ἐξεπορεύετο) tenha sido alterado para o plural, a fim de adaptar-se ao próximo versículo, o peso da evidência tende por apoiar o plural. A omissão do verbo, em L, resulta de acidente de cópia.

Presumimos que o *ensino* (Marcos) e as *curas* (Mateus) continuaram por várias horas. Jesus tinha um ministério pleno, e não podia ser tolhido, embora estivesse no meio do campo do inimigo. Se o termo grego *otan* (sempre que) é correto aqui, o versículo pode indicar que vários dias estiveram envolvidos no acontecimento; e no fim do período de ensinamento, a cada dia, Jesus (ou aqueles que o ouviam) partia para seu lar. O uso de *otan*, que figura em Aleph, BCKL, Delta e Pi, provavelmente é correto, e não *ote* ("quando", referindo-se definidamente a um único dia); mas, no grego helenista, *otan* poderia tomar o lugar de *ote*, pelo que, seja como for, provavelmente um único dia está aqui em foco.

À semelhança de outros *peregrinos* que tinham subido à festa, Jesus hospedava-se, durante a noite, fora da cidade apinhada de gente. Nessas ocasiões, muitos peregrinos armavam tendas temporárias ou dormiam ao ar livre no Monte das Oliveiras e em outros lugares. O texto de Lucas 21.37 mostra que Jesus passou ali algumas noites; e Mateus 21.17 mostra que ele também passou algumas noites em Betânia.

11.20: Quando passavam na manhã seguinte, viram que a figueira tinha secado desde as raízes.

11.20 Καὶ παραπορευόμενοι πρωῒ εἶδον τὴν συκῆν ἐξηραμμένην ἐκ ῥιζῶν.

20,21 Mc 11.14

Já que se secara a figueira desde as raízes, a morte era total e irreversível. O incidente, narrado em Marcos 11.12-14, acerca da maldição da figueira, torna-se agora a base de um *ensinamento espiritual*. Mateus abrevia a questão inteira e agrupa todas as explanações num bloco. Marcos divide a matéria, o incidente de sua aplicação, e deixa a purificação do templo no meio. Ao fazer isso, ele dá a entender que tudo ocorreu em dois dias separados, cronologia essa que Mateus ignora. Provavelmente, Mateus é mais exato nesse particular; e é provável que Pedro (Mc 11.21) seja a fonte de informação. Já mostramos as lições envolvidas na narrativa, bem como os vários pontos de vista a respeito dela, pelo que nos limitamos aqui a uns poucos comentários adicionais. Marcos mistura algumas das declarações de Jesus, provavelmente ditas em outras ocasiões, mas que teriam boas aplicações neste ponto. Mateus localiza num só ponto essas declarações (os v. 23-26 de Marcos, em diferentes lugares, sem relação com a história da figueira). Lucas omite a história toda.

Aquela figueira, tão promissora em vista de suas muitas folhas, não produziu fruto nenhum. Apesar de sua aparência, ela era *estéril*. Muitas lições espirituais são sugeridas aqui. Israel também desfrutou de muitíssimas vantagens, mas não produziu o fruto certo, quando veio o Messias. A religião professada, *sem* a produção de fruto, é uma hipocrisia, sendo algo falso e vão.

11.21: Então Pedro, lembrando-se, disse-lhe: Olha, Mestre, secou-se a figueira que amaldiçoaste.

11.21 καὶ ἀναμνησθεὶς ὁ Πέτρος λέγει αὐτῷ, Ῥαββί, ἴδε ἡ συκῆ ἣν κατηράσω ἐξήρανται.

Em Marcos, foi Pedro quem *relembrou* a maldição e falou sobre o estranho fenômeno. Em Mateus 21.20, quem fez isso foram os *discípulos*. Em Mateus, Jesus passa a ensinar como a fé pode ser poderosa, já que, pela simples palavra de autoridade, Jesus exerceu poder, fazendo ressecar a figueira. Em Marcos, é ensinada a mesma lição, embora de maneira mais *elaborada*, já que esse autor incluiu várias outras declarações que contribuem para ilustrar o mesmo tema, mas que, como é provável, não fizeram parte do incidente da figueira. As notas, em Marcos 11.23s nos dão os paralelos em Mateus. Apesar de Mateus e Marcos apresentarem a mesma aplicação do fato — o vasto poder da fé —, muitas outras lições podem ser encontradas legitimamente nesse episódio, o que é essencialmente apresentado em Mateus 21.19,20.

11.22: Respondeu-lhes Jesus: Tende fé em Deus.

11.22 καὶ ἀποκριθεὶς ὁ Ἰησοῦς λέγει αὐτοῖς, Ἔχετε³ πίστιν θεοῦ,

> ³ **22** εἰ ἔχετε ℵ D Θ f¹³ 28 33^c 565 700 1071 it^{a,b,d,i,r¹} syr^{s,pal ms} arm geo¹ Ephr // {B} ἔχετε A B C K L W X Δ Π Ψ f¹ 33* 892 1009 1010 1079 1195 1216 1230 1242 1253 1344 1365 1546 1646 2148 2174 *Byz Lect* it^{aur,e,f,ff²,k,l,q} vg syr^{p,h,pal mss} cop^{sa,bo} goth eth geo²

> Visto que noutros lugares a solene expressão ἀμὴν λέγω ὑμῖν é sempre introdutória, e nunca é precedida por uma prótase, parece mostrar que a forma original é a exortação Ἔχετε πίστιν θεοῦ, e que a forma introduzida por εἰ (ℵ D Θ f¹³ 28 *al*) surgiu por assimilação à declaração em Lucas 17.6 (cf. também Mt 21.21).

1. Deve-se observar que εἰ pode ser tomada não só como partícula condicional ordinária ("Se tiverdes fé em Deus..."), mas também ser construída como partícula interrogativa introdutória (como o termo hebraico אִם a uma pergunta direta: Tendes fé em Deus?). Ver Blass-Debrunner-Funk, § 440 (3).

Jesus tinha *fé em Deus* e, pela palavra de poder, foi capaz de reduzir uma árvore saudável a uma massa morta. É como se Jesus tivesse dito: "Qualquer problema que enfrentardes poderá ser solucionado, embora vos pareça impossível". Isso é assim porque a fé não é uma lista nua de proposições doutrinárias; é uma força viva na vida, que se pode extrair do poder divino. Jesus disse: "Segue-me!" E aqueles que se põem a segui-lo e lhe dedicam sua vida passam a desenvolver a "fé" que consiste da "outorga" da própria alma aos cuidados de Cristo. (Esse ponto de vista sobre a "fé" é anotado amplamente em Hb 11.1, com poemas ilustrativos.) Jesus era o senhor da fé, pois também era mestre na dedicação espiritual. A fé denotada por Jesus era demonstração de sua vida: sua fé era a confiança no governo e no poder de Deus. Sua fé era a confiança na bondade de Deus; sua fé era obediência à vontade divina. Segundo a definição popular, a *fé* pode ser a aceitação de um credo, ou até o próprio credo. Entretanto, o uso comum do NT desse termo indica "dedicação da alma" aos princípios espirituais ilustrados em Cristo Jesus. A verdadeira fé é um dos aspectos do "fruto do Espírito", isto é, uma "operação espiritual" no nível da alma, e não o mero "assentimento mental" à verdade de alguma doutrina. (Ver isso anotado em Gl 5.22.)

"A fé não é crença. A crença é passiva. A fé é ativa. É a visão que passa inevitavelmente à ação" (Edith Hamilton, *Witness to the Truth*).

Antes de tudo, temos *fé em Deus*. Isso, contudo, desenvolve-se na fé de Jesus, ou seja, a participação no seu tipo de "dedicação da alma" ao princípio espiritual, mediante o mesmo Espírito que operava nele e que o tornou grande como homem. Chegamos a participar das virtudes espirituais de Cristo, de sua fé, de sua bondade, de sua santidade, pois ele é o "Homem Ideal", em cuja natureza estamos sendo transformados, de modo a participar de sua natureza, de sua "modalidade de vida", de sua "forma de vida". (Ver Cl 2.10, onde esse conceito é amplamente esclarecido.)

888 |Marcos| NTI

11.23-26 — *Diversas declarações sobre a fé e a oração.* Ver as referências a seguir, aqui agrupadas, e que são paralelas a essas declarações:

O v. 23 é paralelo a Mateus 17.20 e Lucas 17.6. O v. 24 generaliza a certeza que transparece no v. 23, e é paralelo à declaração que se lê em João 16.23,24, bem como às ideias gerais dadas em Mateus 7.7-11, onde as notas expositivas devem ser consultadas. Os v. 25 e 26 são equivalentes ao texto de Mateus 6.12-15.

11.23: Em verdade vos digo que qualquer que disser a este monte: Ergue-te e lança-te no mar; e não duvidar em seu coração, mas crer que se fará aquilo que diz, assim lhe será feito.

11.23 ἀμὴν λέγω ὑμῖν ὅτι ὃς ἂν εἴπῃ τῷ ὄρει τούτῳ, Ἄρθητι καὶ βλήθητι εἰς τὴν θάλασσαν, καὶ μὴ διακριθῇ ἐν τῇ καρδίᾳ αὐτοῦ ἀλλὰ πιστεύῃ ὅτι ὃ λαλεῖ γίνεται, ἔσται αὐτῷ.

23 ἀμὴν...αὐτῷ Mt 17.20; Lc 17.6; 1Co 13.2

No paralelo de Mateus (história da figueira), essa declaração *não é* incluída. Entretanto, ela é citada em Mateus 17.20 e em Lucas 17.6. (Ver as notas em Mateus.) Apesar de ser verdade que Jesus tenha feito várias declarações em diversas ocasiões, nas quais há igualmente boa aplicação, conforme o faz qualquer mestre, é também verdade que os evangelistas agrupam declarações, situando-as em diferentes eventos históricos, já que não se preocupavam com a "harmonia", segundo certos estudiosos desejariam que acontecesse. O evangelho de Mateus, por exemplo, é essencialmente "tópico" e não "cronológico", e a maioria das afirmações de Jesus aparece em cinco grandes blocos. Isso significa que ele extraiu suas afirmativas de muitas "ocorrências históricas", reunindo muitas declarações de significado similar, e, com frequência, ignorou a maneira com que essas declarações foram originalmente reunidas aos acontecimentos. Marcos, que faz o registro de poucas das declarações de Jesus, por ser o seu evangelho uma narrativa quase que totalmente dedicada ao relato de suas ações, e não de suas palavras, neste ponto, "abre espaço" para algumas das mais famosas declarações de Jesus, em conexão com um episódio que sugere o tema geral do poder da fé.

Esta declaração é uma *hipérbole*, no tocante a acontecimentos físicos reais. O próprio Jesus não tentou mover literalmente um monte. No terreno espiritual, entretanto, ele arredou muitos obstáculos gigantescos. É que Jesus não estabelecia limites ao poder da fé e da oração. Todo o bem que vem a um homem virá se ele for homem dotado de verdadeira fé. Pois é a fé que traz o divino ao humano, o infinito ao finito. O versículo seguinte faz o "princípio da fé" ser operativo no contexto da oração. Jesus não encorajou seus discípulos a fazerem tentativas de "ordens de poder", à imitação dos mágicos.

11.24: Por isso vos digo que tudo o que pedirdes em oração, crede que o recebereis, e tê-lo-eis.

11.24 διὰ τοῦτο λέγω ὑμῖν, πάντα ὅσα προσεύχεσθε καὶ αἰτεῖσθε, πιστεύετε ὅτι ἐλάβετε⁴, καὶ ἔσται ὑμῖν.

⁴24 {A} ἐλάβετε ℵ B C L W Δ Ψ 892 cop^sa ms,bo ms geo^1,2? // λαμβάνετε A K X Π f¹³ 28 33 1009 1010 1071 1079 1195 1216 1230 1241 1242 1253 1344 1365 1546 1646 2148 2174 Byz Lect syr^s,p,h,pal cop^sa ms,bo goth arm Origen // λήμψεσθε (ver Mt 21.22) D Θ (f¹ 565 700 λήψεσθε) it^a,aur,b,c,d,f,ff²,i,k,l,q vg cop^sa ms,bo ms geo²? Origen Cyprian // omit ὅτι ἐλάβετε l⁷⁰

> O tempo aoristo, que representa o uso semita do perfeito profético (que expressa a certeza de uma ação futura), pareceu ousado demais e foi alterado ou para o tempo presente (λαμβάνετε) ou, sob a influência do paralelo em Mateus 21.22, para o tempo futuro (λήμψεσθε).

Este versículo *generaliza* a declaração do v. 23, reduzindo-o a um princípio espiritual que opera por meio da oração. (A nota geral sobre a oração figura em Ef 6.18, com poemas ilustrativos). O paralelo deste versículo é Mateus 7.7-11 (em forma mais elaborada). (Ver também algo bem similar, em Jo 16.23,24.)

A "fé", tanto aqui como no v. 23, não consiste de mera *crença*. E nem significa "conservar a confiança", como se alguém teimasse em dizer para si mesmo: "Isso sucederá, isso sucederá, isso sucederá..." A fé é uma *relação* com Deus no plano da alma, mediante o que o homem é *espiritualizado*, podendo receber a bênção divina. Quando alguém se "entrega a Cristo", para que todo o seu ser seja absorvido por ele, pois para o tal "o viver é Cristo" (ver Gl 2.20 e Fp 2.21), esse homem terá o poder divino a fluir em sua vida. O homem "espiritualizado" (que vem a participar da própria natureza de Cristo) é aquele que "confia", é aquele que ora segundo a vontade divina, e não de modo humano, egoísta e estúpido. De fato, sua vida diária será a sua oração. Foi feita a certo estadista, quando este se encontrava à morte, a seguinte pergunta: "Quer que alguém ore por você?" Ele respondeu: "Não. Minha vida é minha oração". Há grande verdade nisso. A oração, pois, não é a mera repetição de palavras, como se nelas houvesse mágica. É uma expressão da vida. O homem que ora verdadeiramente, ora com sua alma; e, quando seus lábios estão silentes, ainda assim o Espírito Santo intercede por ele com gemidos que ultrapassam o poder de expressão da humanidade. Desse modo, sob o aspecto da alma, um homem pode "orar sem cessar" (ver 1Ts 5.17).

"*Nossos desejos* não devem ser a *medida* das nossas orações, a menos que a razão e a religião sejam a regra de nossos desejos" (Jeremy Taylor). Jesus como que ensinou: "Orai assim..." Ele investia na oração uma "atitude e forma espirituais". É a oração eficaz e fervorosa do homem "reto" que muito vale (ver Tg 5.16). Nenhum exercício dos lábios e das cordas vocais pode dar poder às orações de um homem viciado.

Meditemos por um momento na presença espiritual conosco. Se Deus *está conosco*, por intermédio de seu Espírito, ou se há guias angelicais, então pensemos no que isso significa para o poder da oração. Minha vida está certa, meus motivos estão certos, e meus alvos são espirituais. Então eu oro. E quando oro, o poder espiritual toma conta de mim, ultrapassando em muito as minhas forças e poderes. Esse poder espiritual faz a obra. Não atuará, porém, no caso de um homem viciado, que se finge de religioso.

11.25: Quando estiverdes orando, perdoai, se tendes alguma coisa contra alguém, para que também vosso Pai que está no céu, vos perdoe as vossas ofensas.

11.25 καὶ ὅταν στήκετε προσευχόμενον, ἀφίετε εἴ τι ἔχετε κατά τινος, ἵνα καὶ ὁ πατὴρ ἡμῶν ὁ ἐν τοῖς οὐρανοῖς ἀφῇ ὑμῖν τὰ παραπτώματα ὑμῶν.⁵

O espírito de *ódio no íntimo*, o espírito de contenda, as relações erradas com o próximo, são forças tolhedoras. Esse é o "ABC" da espiritualidade; mas, algumas vezes, está muito além de nós, no tocante às nossas reais práticas espirituais. Os v. 25 e 26 de Marcos 11 equivalem a Mateus 6.12-15, onde há notas completas. Já que a oração opera em e por meio do campo espiritual e moral, pode ser e é impedida pelas condições morais humanas. Esses ensinamentos nos mostram que nada de espiritual pode ser tomado ao acaso; e que o espírito de ódio, a incapacidade por perdoar, faz parar o crescimento espiritual e anula a oração. Não há bênçãos automáticas na vida espiritual, como quando alguém vai e compra algo em um bazar. As palavras de Jesus, quando ele diz que quem não perdoa não é perdoado, devem ser tomadas literalmente, não sendo modificadas por considerações da "graça divina"; a graça certamente incorpora esse princípio, e de modo nenhum o contradiz. Nas notas de Mateus já mencionamos isso, procurando dar explanação sobre o tema. A graça divina "nos transforma", e nunca nos declara bons, se não o somos. Nessa "transformação moral", naturalmente, temos o "espírito de perdão" aos outros, pois o amor de Deus é derramado em nosso coração. Aquele que odeia dificilmente poderá ser uma pessoa regenerada. (Ver 1Jo 2.9, onde isso é expressamente declarado.) A recusa de perdoar é uma forma de ódio, tal como o perdão pronto é uma obra do amor. O espírito que "não perdoa" é estranho à conversão, à regeneração e à santificação, e torna o indivíduo alheio às operações da graça.

11.26: (Mas, se vós não perdoardes, também vosso Pai, que está no céu, não vos perdoará as vossas ofensas).

⁵ {A} omit verse 26 ℵ B L W Δ Ψ 565 700 892 1216 it^{k,l} vg^{ms} syr^{s,pal} cop^{sa,bo} arm geo // include verse 26 εἰ δὲ ὑμεῖς οὐκ ἀφίετε, οὐδὲ ὁ πατὴρ ὑμῶν ὁ ἐν τοῖς οὐρανοῖς ἀφήσει τὰ παραπτώματα ὑμῶν. (ver Mt 6.15) A (D omit τοῖς and add ὑμεῖν after ἀφήσει) K X Θ Π (C f 1079 l^{1627m} omit τοῖς) (f¹³ ἀφήσει ὑμῖν) 28 (33 omit ὁ ἐν τοῖς οὐρανοῖς and add ὑμῖν after ἀφήσει) (1009 ἀφῇ ὑμῖν) 1010 1071 1195 1230 1241 1242 (1253 omit ὁ ἐν τοῖς οὐρανοῖς and παραπτώματα) 1344 1365 1546 1646 2148 2174 Byz Lect (l^{10,12pt,32s,m,69,70,80,303,333,374} omit ὁ ἐν τοῖς οὐρανοῖς) (l^{313,1579} πατὴρ ὑμῖν and ἀφέσει) it^{ia,aur,b,c,d,f,ff2,(i),q,r1} vg syr^{p,h} cop^{bomss} goth eth Diatessaron (Cyprian) Augustine

N.B.: Nos casos em que Mateus e Marcos têm textos paralelos, a exposição apresenta-se em Mateus; em Marcos, encontram-se apenas algumas notas suplementares.

V. 26. *Nota textual.* Os mss ACDEFGKMNUVX, Gamma, Theta, Fam Pi, Fam 1 e Fam 13 incluem esse versículo, e as traduções BR (que o assinala duvidoso), AC, AA, F, KJ e M também o retêm. A tradução AA, em algumas edições, também o assinala como duvidoso. As demais traduções, usadas para efeito de comparação neste comentário (catorze em número: nove, em inglês, e cinco, em português) omitem este versículo. Quanto à identificação dessas traduções, ver a lista de abreviações na introdução a este comentário. Os manuscritos antigos que omitem este versículo são Aleph, BLSW, Delta, 565 e 700; as traduções ASV, GD, IB, NE, PH, RSV, WM e WY também o omitem. É muito provável que o texto original de Marcos não contivesse este versículo, que parece ter sido acrescentado para efeito de harmonia, por alguns escribas, com base nos textos de Mateus 6.15 e 18.35, onde o mesmo é autêntico.

11.27-33 — A autoridade de Jesus e o batismo de João Batista. (Ver as notas expositivas em Mt 21.23-27.)

11.27: Vieram de novo a Jerusalém. E andando Jesus pelo templo, aproximaram-se dele os principais sacerdotes, os escribas e os anciãos,

11.27 Καὶ ἔρχονται πάλιν εἰς Ἱεροσόλυμα. καὶ ἐν τῷ ἱερῷ περιπατοῦντος αὐτοῦ ἔρχονται πρὸς αὐτὸν οἱ ἀρχιερεῖς καὶ οἱ γραμματεῖς καὶ οἱ πρεσβύτεροι

27 οἱ ἀρχιερεῖς...πρεσβύτεροι Mt 16.21; 27.41; Mc 8.31; 14.43,53; 15.1; Lc 9.22; 22.66

(Ver as notas sobre o *Sinédrio*, em Mt 22.23; sobre os "escribas", em Mc 3.22; sobre os "fariseus", em Mc 3.6; e sobre os "sacerdotes", em Lc 1.5,8,9 e Mt 21.23.)

Conforme são designados aqui, provavelmente os "anciãos" eram os "demais membros do Sinédrio", além dos "principais sacerdotes e escribas", que são especificamente mencionados como os cabeças do grupo que se opunha a Jesus. O termo *ancião* era usado com frequência para designar qualquer membro do Sinédrio, ou líder de qualquer tipo da hierarquia eclesiástica. (Ver Mc 14.51 e 15.1, onde os anciãos figuram como membros do Sinédrio.)

"[...] vieram..." Isso é dito pela *terceira* vez, marcando a sequência dos dias, durante a "semana da paixão". Houve o "dia da chegada", o "dia da purificação", e agora era o "dia da interrogação sobre a autoridade de Jesus", por parte de representantes do Sinédrio. Sem dúvida, ocorreu diretamente como resultado da purificação do templo. Eles vieram afrontar a Jesus, fazendo-o "parar" de qualquer demonstração de poder ou ação, que aumentasse seu favor diante do povo. Neste caso, a controvérsia é a primeira de uma série que teve lugar em Jerusalém. Jesus já tinha experimentado vários desses debates na Galileia, segundo se vê desde Marcos 3. As muitas passagens de "controvérsias" são polêmicas, pelo menos em parte. Em outras palavras, nas mãos da

igreja primitiva, essas passagens foram usadas para mostrar como Jesus foi injustamente perseguido pelas autoridades religiosas apóstatas, e como essa "queda" de conceito, que o levou à crucificação, não se deveu a qualquer falta sua.

11.28: que lhe perguntaram: Com que autoridade fazes tu estas coisas? ou quem te deu autoridade para fazê-las?

11.28 καὶ ἔλεγον αὐτῷ, Ἐν ποίᾳ ἐξουσίᾳ ταῦτα ποιεῖς;^b ἢ τίς σοι ἔδωκεν τὴν ἐξουσίαν ταύτην ἵνα ταῦτα ποιῇς;^b

^{b b} 28 b question, b question: TR WH Bov Nes BF² AV RV ASV NEB TT Zür Luth Jer // b minor, b question: RSV Seg

Não foram honestas as perguntas dirigidas por eles; foram meramente *retóricas*, dando a entender a convicção que tinham de que Jesus não retinha nenhuma autoridade. Sem dúvida, não lhe haviam dado nenhuma autoridade como um "rabino credenciado", e desconheciam autoridade política fora da de Roma. Quanto à "autoridade divina", em seu estúpido orgulho, pensavam que eles eram seus únicos depositários, tal como muitas denominações e seitas, hoje em dia, tolamente imaginam que têm algum caminho especial ou mesmo exclusivo, que repousa sobre a autoridade divina investida sobre a igreja. Jesus aclara essa ideia sobre o "exclusivismo" em Marcos 9.38ss. Não é mister que alguém siga certos discípulos a fim de ser seguidor de Jesus. Esses princípios espirituais só podem ser vistos com dificuldades por aqueles que permitem que o orgulho humano tome o lugar do juízo espiritual sóbrio.

Naturalmente, no contexto desse versículo, a *autoridade* referida é o *direito* de fazer coisas tão radicais como "purificar o templo", abalando a ordem existente das coisas ali. No entanto, não é errado ver aqui algo ainda mais lato. Presumivelmente, se Jesus tivesse a autoridade de um rabino ou de um líder espiritual dentro do judaísmo, ele poderia ter feito isso e muitas outras coisas, contanto que seus motivos fossem corretos, esforçando-se ele pela melhoria da comunidade religiosa.

Marcos lançou mão deste incidente para dar a entender que a autoridade de Jesus vinha diretamente de Deus, tal como a autoridade investida em João; e deixou de lado, por assim dizer, as formas eclesiásticas da época, já que estas tinham apostatado nos pontos principais da antiga revelação divina. Isso equivale a dizer que a autoridade de Jesus era superior à do templo daqueles dias; e, nas mãos da igreja, que aquela autoridade judaica fora substituída por outra. A queda de Jerusalém e a destruição subsequente do Sinédrio, com tudo que este representava, foi uma confirmação da polêmica de Marcos.

"[...] quem te deu tal autoridade...?" Notemos no grego, o pronome pessoal "tis". Não "que organização", mas "que pessoa". As autoridades religiosas pensavam que isso seria respondido com um "ninguém", ou então "vós mesmos". Marcos, porém, quis dar a entender que essa pessoa foi "Deus".

11.29: respondeu-lhes Jesus: Eu vos perguntarei uma coisa; respondei-me, pois, eu vos direi com que autoridade faço estas coisas.

11.29 ὁ δὲ Ἰησοῦς εἶπεν αὐτοῖς, Ἐπερωτήσω ὑμᾶς ἕνα λόγον, καὶ ἀποκρίθητέ μοι, καὶ ἐρῶ ὑμῖν ἐν ποίᾳ ἐξουσίᾳ ταῦτα ποιῶ·

Jesus seguiu o comum estilo *rabínico* nos debates; mas sua "contrapergunta", na realidade, foi uma resposta. É óbvio que a real resposta é que Deus dera a João a autoridade que ele tivera, embora, à semelhança de Jesus, nunca tivesse sido um rabino credenciado. Contudo, o povo reconhecia que Cristo tinha aquela autoridade, e sua vida confirmava essa opinião. Portanto, Jesus como que respondeu: "Sou igual a João". E isso equivalia a dizer: "Deus me deu minha autoridade e meu ministério, tal como dera, comprovadamente, a João".

A autoridade de Jesus tem atingido *milhões* de vidas. Foi dito sobre Helena de Troia que seu semblante era tão belo, que bastava ser visto para que mil navios fossem lançados em uma missão qualquer. A vida de Cristo, no entanto, tem lançado milhões de vidas em uma seriíssima *inquirição espiritual*, acompanhada por muitas ações nobres em seu nome. Naturalmente, alguns o rejeitaram. João foi universalmente reconhecido como profeta, mas a maquinaria eclesiástica o rejeitou; e não se deu diferentemente com Jesus. Contudo, sua verdade reverbera na autêntica experiência humana, e sua força tem sido imensa, através de toda a história humana, desde o seu advento. Sua influência tem sobrevivido ante todos os ataques de seus adversários.

11.30: O batismo de João era do céu, ou dos homens? respondei-me.

11.30 τὸ βάπτισμα τὸ ᾽Ιωάννου ἐξ οὐρανοῦ ἦν ἢ ἐξ ἀνθρώπων; ἀποκρίθητέ μοι.

30 τὸ βάπτισμα...ἦν Jn 1.33

Como era comum, Jesus mostrou ser *habilidosíssimo* no debate; e, usando os métodos rabínicos, confundiu aos rabinos. Não podiam apanhá-lo no rendilhado de um dilema, mas viam-no sempre a tomar a ofensiva, e não a defensiva. Por vezes demais, o cristianismo tem tomado a posição defensiva, e não a posição de atacante; e, triste é dizê-lo, isso é feito geralmente no terreno dos céticos. Quando incorpora o espírito de Cristo, o cristianismo é tão grande, que não precisa da defesa da lógica humana. Se seus méritos positivos e seu poder que transforma vidas forem enfatizados, não haverá necessidade de "apologias", pois suas qualidades inerentes são a sua mais poderosa apologia. Assim, quando o ateu apresenta o "problema do mal", para fazer com que o teísmo pareça impossível, por que não apresentamos o "problema do bem" (isto é, a existência de tanto bem e nobreza)? Por que razão, pelo menos no caso de algumas pessoas, domina o bem, e disso resulta uma conduta nobre, diante de forças adversas esmagadoras? Na máquina do cristianismo, o fantasma é o Espírito Santo.

Os homens queixam-se, dizendo que o cristianismo parece ser uma *bola com corrente*, presa aos pés da liberdade pessoal. Por que os cristãos não salientam o que é realmente a chamada "liberdade pessoal", que geralmente não passa de uma bola e corrente de *vícios*, e escravização da alma? Os homens queixam-se de que o cristianismo não funciona em nosso mundo moderno. Pode-se frisar aos tais que o homem, à parte de Cristo, *nada* tem posto a funcionar neste mundo, e que aquilo que transforma um indivíduo desse o íntimo é, realmente, um sucesso sem-igual.

11.31: Ao que eles arrazoavam entre si: Se dissermos: Do céu, ele dirá: Então porque não o crestes?

11.31 καὶ διελογίζοντο πρὸς ἑαυτοὺς λέγοντες[6], ᾽Εὰνεἴπωμεν, ᾽Εξ οὐρανοῦ, ἐρεῖ, Διὰ τί [οὖν] οὐκ ἐπιστεύσατε αὐτῷ;

31 Mt 21.32; Lc 7.30

[6] **31** {C} λέγοντες (ver Mt 21.25; Lc 20.5) p45vid ℵ A B C K L (W add ὅτι) Χ Δ Π Ψ ƒ1 33 892 1009 1010 1071 1079 1195 1216 1230 1241 1242 1253 1344 1365 1546 1646 2148 2174 *Byz Lect* itaur,f,l,q vg syr(s,p),h copsa,bo goth arm geo // τί εἴπωμεν 69 (itc) // λέγοντες, Τί εἴπωμεν D Θ ƒ13 28 565 700 ita,b,d,(ff2),(i),(k),(r1)

> Apesar de ser possível que τί εἴπωμεν tenha sido descontinuado por acidente (ἐὰν εἴπωμεν segue-se logo depois), a comissão ficou impressionada pela antiguidade e diversidade da evidência em apoio ao texto mais breve, e julgou que a frase tenha sido uma adição coloquial que, com frequência, caracteriza o tipo de texto ocidental (e cesareano também).

Agora os opositores de Jesus estavam nos meandros de um *dilema*, pois nenhuma resposta que dessem lhes conferiria a vitória, para desacreditarem a Jesus. A "autoridade" de João, por assim dizer, caíra dos céus. Não viera por intermédio das escolas rabínicas; apesar disso, o povo a reconhecera. Era pequeno o consolo deles, se dissessem: O povo estava equivocado, pois naquele mesmo momento, estavam interessadíssimos em fazer o povo passar para o lado deles. Se negassem a autoridade de João, entrariam em choque com a "opinião popular". Por implicação, Jesus como que diz que a autoridade de João viera dos céus, isto é, "de Deus" ("céu" era um comum eufemismo para "Deus", usado pelos judeus religiosos, a fim de evitar pronunciar o nome divino), mas que as autoridades religiosas não a tinham reconhecido. E também ficou subentendido: "O mesmo se dá comigo". Por igual modo, ficou entendido que aquelas autoridades tinham repelido uma "autoridade dada pelos céus", investida em João; e que agora aumentavam seu erro, rejeitando uma autoridade celestial ainda maior, que era a do próprio Messias.

11.32: Mas diremos, porventura: Dos homens? — É que temiam o povo; porque todos verdadeiramente tinham a João como profeta.

11.32 ἀλλὰ εἴπωμεν, ᾽Εξ ἀνθρώπων; - [c] ἐφοβοῦντο τὸν ὄχλον, ἅπαντες γὰρ εἶχον[7] τὸν ᾽Ιωάννην ὄντως ὅτι προφήτης ἦν.

[7] **32** {B} εἶχον ℵ A B C K L X Δ Π Ψ ƒ1 ƒ13 33 892 1009 1010 1071 1079 1195 1216 1230 1241 1242 1253 1344 1365 1546 1646 2148 2174 *Byz Lect* iti vg syrs,p,h copsa,bo goth // εἴχοσαν 28 // ἤδεισαν D W Θ 565 ita,aur,b,c,d,f,ff2,i,k,q,r1 arm geo // οἴδασι 700

[c] **32** c question and dash: WH Bov Nes BF2 RVmg ASVmg RSV NEB TT Zür Luth // c question: Jer // c dash: RV ASV // c minor: TR AV // c ellipsis: Seg   **32** ἐφοβοῦντο...ἦν Mt 14.5; 21.46

> As formas ἤδεισαν (D W Θ 565 *al*) e οἴδασι (700) provavelmente são substitutos coloquiais para o uso mais idiomático de ἔχειν – "considerar".

Os opositores de Jesus não se podiam *arriscar* diante do povo. Reconheciam que precisavam do apoio popular, a fim de derrubarem a Jesus. Portanto, tiveram o cuidado de não contradizer a opinião popular. Naquela controvérsia, haviam sido fragorosamente derrotados; embora não permanecessem derrotados por longo tempo. As multidões eram maleáveis e, em breve, seriam conquistadas para o lado oposto, provavelmente porque o povo finalmente reconhecera que Jesus não era o tipo de Messias que os interessava, isto é, um libertador político ou militar, que os pudesse livrar da dominação romana.

O paralelo de Lucas ilustra bem o temor deles, no tocante ao ministério de João Batista. Temiam que o povo os *apedrejasse*, se declarassem que a autoridade de João fora apenas humana. De acordo com o dizer de *Josefo*, isso mostra como João fora poderoso entre o povo.

11.33: Responderam, pois, a Jesus: Não sabemos. Replicou-lhes ele: Nem eu vos digo com que autoridade faço estas coisas.

11.33 καὶ ἀποκριθέντες τῷ ᾽Ιησοῦ λέγουσιν, Οὐκ οἴδαμεν. καὶ ὁ ᾽Ιησοῦς λέγει αὐτοῖς, Οὐδὲ ἐγὼ λέγω ὑμῖν ἐν ποίᾳ ἐξουσίᾳ ταῦτα ποιῶ.

"Devemos recordar exatamente o que estava envolvido nessa recusa. Aquelas eram as autoridades *constituídas* nos assuntos civis e religiosos; e o fato de Jesus se ter recusado a se submeter às reivindicações dessas autoridades mostrava que estas não tinham a verdadeira autoridade. E ele se recusou porque eles tinham acabado de confessar sua incapacidade de julgar um caso precisamente similar, que envolvia a abdicação da autoridade deles. É bom termos isso em mente, ao considerar o silêncio de Jesus, quando do seu julgamento". (Gould, *in loc.*).

NTI | Marcos | 891

Capítulo 12

12.1-12 — *Parábola dos lavradores maus.* (Ver as notas expositivas em Mt 21.33-46.)

12.1: Então começou Jesus a falar-lhes por parábolas. Um homem plantou uma vinha, cercou-a com uma sebe, cavou um lagar, e edificou uma torre; depois arrendou-a a uns lavradores e ausentou-se do país.

12.1 Καὶ ἤρξατο αὐτοῖς ἐν παραβολαῖς λαλεῖν, Ἀμπελῶνα ἄνθρωπος ἐφύτευσεν, καὶ περιέθηκεν φραγμὸν καὶ ὤρυξεν ὑπολήνιον καὶ ᾧ κοδόμησεν πύργον, καὶ ἐξέδετο αὐτὸν γεωργοῖς, καὶ ἀπεδήμησεν.

<small>12.1 Ἀμπελῶνα...πύργον Is 5.1,2</small>

Supomos que parábolas como esta nos dão *exemplos* de como Jesus ensinava no templo (cf. Mc 12.35,38 e 14.49). Esta parábola constitui um ataque aberto contra os oponentes de Jesus, e deve ter aumentado o ódio e a tensão que circundavam Jesus, em seus dias finais. Alguns eruditos pensam que ela não se coaduna com o modo normal de Jesus ensinar, meramente porque ele pinta as ações dos agricultores como "irracionais" (v. 7). Entretanto, essa opinião é ridícula. Naturalmente, foi uma estupidez aqueles imaginários agricultores matarem o herdeiro; mas esse é o ponto central da parábola. Imaginemos a imensa estupidez daqueles que crucificaram a Jesus! Não há razão para supor que Jesus não soubesse claramente o que fariam contra ele, e tenha lançado esta parábola para mostrar a total malignidade deles, a sua inacreditável ignorância e a sua depravação espiritual. Portanto, repelimos a ideia de que esta parábola não tenha sido narrada realmente por Jesus, antes, tenha sido criação de algum antiquíssimo membro da igreja cristã. A parábola tinha aplicação específica à situação de Israel, especialmente de seus líderes, no tocante a Jesus, o Messias; mas também se reveste de um valor perene e de uma aplicação universal, no tocante à mordomia. Consideremos a seriedade de uma custódia repelida!

12.2: No tempo próprio, enviou um servo aos lavradores para que deles recebesse do fruto da vinha.

12.2 καὶ ἀπέστειλεν πρὸς τοὺς γεωργοὺς τῷ καιρῷ δοῦλον, ἵνα παρὰ τῶν γεωργῶν λάβῃ ἀπὸ τῶν καρπῶν τοῦ ἀμπελῶνος·

O proprietário estava em país *distante*, pelo que os agricultores imaginaram poder fazer o que bem entendessem. Ilustram isso muito bem os homens que creem que, porque Deus está *distante*, não pode fazer diferença na vida deles!

"[...] um servo..." No original, temos aqui um *escravo*, alguém que cuida dos negócios de seu senhor. Em Mateus, cada vez que o termo é mencionado, é empregado no plural. Marcos, porém, sempre usa o singular, cada vez que se refere ao envio de um servo. Pequenas variações assim não são importantes, pois representam a liberdade com que Mateus e Lucas manusearam o material de Marcos. Notemos, finalmente, como um grande número de escravos foi enviado; como todos eles foram maltratados, e como alguns foram até mortos. Isso certamente exibe a paciência do proprietário. Não fora a misericórdia de Deus, que se renova a cada manhã, e todos seríamos consumidos.

Quer alguém durma, ande ou se assente no lazer,
A justiça, invisível e sem voz, segue os seus passos,
Ferindo transversalmente sua vereda, da direita para a esquerda,
E nem de noite poderá ser oculto o que for feito de errado:
O que fizeres, de algum lugar Deus te contempla.
E pensar que poderás jamais vencer
A sabedoria divina? E pensas tu
Que a retribuição jaz algures, remota dos mortais?

Bem pertinho, ela mesma invisível,
Vê e sabe plenamente a quem convém ferir.
Mas tu não sabes a hora quando,
Rápida e subitamente,
Ela virá e arrebatará os ímpios da terra.
(Ésquilo)

12.3: Mas estes, apoderando-se dele, o espancaram e o mandaram embora de mãos vazias.

12.3 καὶ λαβόντες αὐτὸν ἔδειραν καὶ ἀπέστειλαν κενόν.

Ao invés de entregarem o produto de seus labores, maltrataram aquele que haveria de "mostrar o bom trabalho que tinham feito", para o proprietário. Os *escravos* enviados sem dúvida foram os vários profetas e servos de Deus, que tentaram levar o povo de Israel ao arrependimento, para que se tornasse espiritualmente produtivo. O primeiro escravo enviaram "vazio", porque, na realidade, nada tinham para dar ao proprietário, mas ambiciosamente guardaram tudo para si mesmos.

12.4: E tornou a enviar-lhes outro servo; e a este feriram na cabeça e o ultrajaram.

12.4 καὶ πάλιν ἀπέστειλεν πρὸς αὐτοὺς ἄλλον δοῦλον· κἀκεῖνον ἐκεφαλίωσαν καὶ ἠτίμασαν.

<small>4 κακεινον ℵBDW f1 28 565 700 al latt; R] add (Mt 21.35) λιθοβολησαντες AΘ f13 pm ς | ητιμασαν ℵB(D) pc; R] απεστειλαν ητιμωμενον A(W)Θ f1 f13 pl ς</small>

Esse escravo foi ferido na cabeça. O tratamento foi ficando cada vez *pior*. Provavelmente, isso é tudo quanto o autor sagrado quis dizer. É altamente improvável que essa "ferida na cabeça" dissesse respeito a João Batista, o qual foi decapitado, conforme alguns intérpretes supõem.

12.4. Nota textual. As palavras "[...] lançaram pedras contra ele..." encontram-se nos mss ACEFGHKMNSUVX, Gamma e Fam Pi, e também aparecem na tradução KJ. Essas palavras, porém, são omitidas pelos mss P(45), Aleph, BDL, Delta e 33, bem como por todas as traduções, excetuando-se a KJ. Essa adição é uma glosa, evidentemente tomada de empréstimo ao paralelo de Mateus 21.35.

12.5: Então enviou ainda outro, e a este mataram; e a outros muitos, dos quais a uns espancaram e a outros mataram.

12.5 καὶ ἄλλον ἀπέστειλεν, κἀκεῖνον ἀπέκτειναν, καὶ πολλοὺς ἄλλους, οὓς μὲν δέροντες οὓς δὲ ἀποκτέννοντες.

Os maus-tratos chegam ao extremo do homicídio. Alguns dos profetas perderam a vida em Israel. Esse é um pensamento espantoso e perturbador sendo prova e vívida demonstração da total depravação dos homens, até mesmo quando se dizem religiosos. "Não se duvide de que Jesus tem em mente, aqui, o tratamento dado aos profetas pelos líderes e pelo povo, do que há menção frequente nos escritores do AT. (Ver 2Cr 36.15,16; Ne 9.26; Jr 23.3-7.) A parábola, pois, não é uma analogia, mas uma alegoria". (Gould, *in loc.*).

12.6: Ora, tinha ele ainda um, o seu filho amado; a este lhes enviou por último, dizendo: A meu filho terão respeito.

12.6 ἔτι ἕνα εἶχεν,ᵃ υἱὸν ἀγαπητόν· ἀπέστειλεν αὐτὸν ἔσχατον πρὸς αὐτοὺς λέγων ὅτι Ἐντραπήσονται τὸν υἱόν μου.

<small>ᵃ 6 a minor: WH Bov Nes BF² RV ASV RSV NEB TT Zür Luth Jer // a none: Seg // different text: TR AV   6 υἱὸν ἀγαπητόν Gn 22.2; Mt 3.17; 17.5; Mc 1.11; 9.7; Lc 3.22; 2Pe 1.17</small>

<small>6 εσχ. πρ. αυτ. ℵBΘ f13 al; R] πρ. αυτ. εσχ. AW f1 28 565 700 pm lat ς; εσχ. D it: πρ. αυτ. 63 pc sy⁸</small>

O filho, naturalmente, é *Jesus*, o amado Filho de Deus, e sem dúvida os anciãos reconheceram isso. Talvez eles se lembrassem dessa parábola, após terem cumprido seu horrendo papel. Os profetas não puderam produzir fruto apropriado de Israel, para Deus,

892 |Marcos| NTI

e nem pôde fazê-lo o próprio Messias. Cristo, o Herdeiro, recebeu o mais revoltante tratamento. (Ver Hb 1.2, quanto a Cristo como "herdeiro de tudo". Ver Rm 8.17, sobre como somos "co-herdeiros de Cristo", filhos do mesmo Pai.) Rejeitamos aqui a ideia de que a parábola era secundária, i.e., não saiu dos lábios de Jesus, mas foi criada por algum escritor cristão posterior a ele, devido à "previsão" dos detalhes dados neste versículo. Não há razão para supor que Jesus, poderoso como era, não tenha previsto a própria morte e suas circunstâncias. Os estudos têm demonstrado que todos os homens têm poderes de conhecimento prévio e os sonhos estão repletos disso. Por que, pois, Jesus não poderia prever claramente os seus dias finais, inteiramente à parte de qualquer consideração de sua natureza divina?

12.7: Mas aqueles lavradores disseram entre si: Este é o herdeiro; vinde, matemo-lo, e a herança será nossa.
12.7 ἐκεῖνοι δὲ οἱ γεωργοὶ πρὸς ἑαυτοὺς εἶπαν ὅτι Οὗτός ἐστιν ὁ κληρονόμος· δεῦτε ἀποκτείνωμεν αὐτόν, καὶ ἡμῶν ἔσται ἡ κληρονομία.

Jesus falou sobre a ação "*absurda*" daqueles lavradores; mas o que ele antecipou que fariam foi realmente um ato absurdo, pelo que não há razão para supor que o próprio Jesus não tenha proferido esta parábola, somente porque ela fala de atos "desnaturais" da parte daqueles homens. Admiramo-nos do embotamento deles, mas a humanidade não mudou muito desde então, e até mesmo em nós achamos motivos totalmente ridículos, que só prejudicam a nossa alma, e impelem Cristo para fora de nossa vida.

12.8: E, agarrando-o, o mataram, e o lançaram fora da vinha.
12.8 καὶ λαβόντες ἀπέκτειναν αὐτόν, καὶ ἐξέβαλον αὐτὸν ἔξω τοῦ ἀμπελῶνος.

8 Hb 13.12

Essas palavras foram escritas de modo *simples*, mas refletem choque e horror. Sentimo-nos atônitos diante do que sucedeu; mas a história da crucificação de Jesus é deveras espantosa. Envolve a totalidade de uma irracional malignidade, de mentes depravadas, de violência insensata, de egoísmo inacreditável e de uma dureza extrema.

Em Mateus, a "*expulsão*" é mencionada primeiro, e então vem a matança, o que se assemelha mais ao que realmente sucedeu, quando Jesus foi levado para fora da cidade, e então foi morto. Em Marcos, porém, a matança tem lugar primeiro, e vindo a expulsão em seguida. Lucas concorda com a versão de Mateus, mas a diferença não se reveste de importância. Trataram Jesus de modo vergonhoso; cobriram seu corpo de indignidades e dores; então o mataram da maneira mais desumana. Ei-lo agora, o filho amado, o Filho unigênito do Pai, tão indignamente tratado! Eis seu corpo exangue, sem vida, frio e morto, do lado de fora da vinha que pertencia a seu pai. Onde estava a sua proteção? Como é que tal coisa poderia ter sucedido a alguém tão bom e importante quanto ele? Como tais indignidades podem existir no mundo? Como a homens tão perversos se poderia permitir que vivessem? Essa, entretanto, é apenas a história de um mundo alienado de Deus, a história de seres espirituais decaídos, os quais não são melhores, e, sim, são piores do que animais irracionais. Contudo, meditemos no admirabilíssimo amor de Deus Pai e de seu Filho, que tiveram interesse por seres desse naipe. (Ver as notas sobre o "amor de Deus", em Jo 3.16.)

12.9: Que fará, pois, o senhor da vinha? Virá e destruirá os lavradores, e dará a vinha a outros.
12.9 τί [οὖν] ποιήσει ὁ κύριος τοῦ ἀμπελῶνος; ἐλεύσεται καὶ ἀπολέσει τοὺς γεωργούς, καὶ δώσει τὸν ἀμπελῶνα ἄλλοις.

"De acordo com Mateus 12.41, Jesus *extraiu* essa resposta dos próprios principais sacerdotes e escribas". (Gould, *in loc.*).

Jesus veio aos seus, mas estes *não o receberam* (ver Jo 1.11). O relato diante de nós é "polêmico". Descreve os maus-tratos impostos por Israel ao Messias, e o juízo necessário que eles tinham de receber. No entanto, a parábola também ilustra que Deus não pode chegar a um ponto morto, em suas relações com os homens. A vinha teria de ser um êxito, eventualmente. Os gentios teriam de ser chamados e convertidos, e Deus nem ao menos se olvidou de Israel (ver Rm 11.26ss). Efésios 1.10 mostra a vontade de Deus em todo o universo, no tocante a todos os seres inteligentes. Essa vontade reveste-se de esperança e poder. As operações de Deus são misteriosas, mas são sempre benéficas. Jesus nasceu em uma manjedoura, lugar altamente impróprio. Sua glória, porém, haverá por fim de encher a criação inteira; e então ele nascerá no coração de todos os seres. Todos os benefícios de Deus são conferidos àqueles que, finalmente, assumem a responsabilidade pelo cultivo da vinha, pessoal ou nacional, isto é, que cuidam do "desenvolvimento espiritual", o que conduz à produção de fruto. Ter a Cristo na vida é o fruto que buscamos; e ter nossa natureza transformada segundo a natureza divina é o alvo mesmo de todo o empreendimento humano (ver 2Co 3.18 e Cl 2.10).

12.10: Nunca lestes esta escritura: A pedra que os edificadores rejeitaram, essa foi posta como pedra angular;
12.10 οὐδὲ τὴν γραφὴν ταύτην ἀνέγνωτε, Λίθον ὃν ἀπεδοκίμασαν οἱ οἰκοδομοῦντες, οὗτος ἐγενήθη εἰς κεφαλὴν γωνίας·

10,11 Λίθον...ἡμῶν Sl 118.22,23
10 Λίθον...γωνίας At 4.11; 1Pe 2.7

Digo que o reconhecimento de Deus em Cristo,
Aceito pela razão, soluciona para ti
Todas as questões na terra e fora dela!
(Robert Browning)

Jesus recuperou-se dos maus-tratos recebidos e da própria morte, e está sendo elevado ao lugar mais elevado do universo, conforme revela a carta de Paulo aos Efésios. Desfizeram-se dele como se fosse "lixo" ou algo "inútil", impróprio para a edificação espiritual. Os pretensos religiosos assim fizeram. Eram piores do que os cegos. Nada de tudo quanto fizeram, entretanto, pôde entravar a operação da vontade de Deus em Cristo, o Homem Ideal.

Até mesmo agora a *grande estatura* de Cristo tem feito dele o cabeça da esquina, a pedra do alicerce. Ele é o grande Mestre. Ele é o Senhor espiritual sem rival. Ele encabeça nossas escolas e nossos estados, embora seu senhorio não seja oficialmente reconhecido. Todavia, nada escapa ao seu poder, e todas as coisas são preservadas por sua vontade benigna. Aqueles que o rejeitam dividem a casa humana contra si mesma. Algum dia, entretanto, ele fará a unidade tornar-se um fato, para que se coadune com a unidade do ideal.

Na profecia, a pedra original era *Israel*. Exilada e despedaçada, ainda assim foi restaurada, e ainda seria a cabeça da esquina na comunidade das nações. Cristo, porém, é o Pai de Israel, pelo que atravessou a mesma experiência. O salmo, pois, sem dúvida, é *messiânico*. Provavelmente, esse salmo foi entoado por Israel ao retornar do exílio; e algum dia o Cristo rejeitado emergirá de seu exílio a fim de trazer avanço espiritual à terra inteira.

Cristo, a *pedra*: (1) Ele é a pedra para Israel, ou como cabeça da esquina de seu templo espiritual, como causa de tropeço, se porventura o rejeitassem (ver Is 8.14,15; 1Pe 2.8 e Rm 9.22,23). (2) Ele é a pedra para a *igreja*, como alicerce e cabeça da esquina (ver 1Co 3.11; Ef 3.11; 2.20-22 e 1Pe 2.4,5). (3) Ele é a pedra para os poderes mundiais *gentílicos*. Ele esmigalhará esses poderes com seu poder. O domínio mundial gentílico será quebrantado por ele, antes do seu reino ser estabelecido. (Ver a batalha de Armagedom, em Ap 16.14 e 19.19.)

12.11: pelo Senhor foi feito isso, e é maravilhoso aos nossos olhos?

12.11 παρὰ κυρίου ἐγένετο αὕτη, καὶ ἔστιν θαυμαστὴ ἐν ὀφθαλμοῖς ἡμῶν;

Há certas obras que somente Deus, que é o Senhor, pode realizar. A *restauração* de Israel é uma dessas coisas; a *ressurreição* de Cristo é outra, o que pode estar indiretamente em foco. Há, porém, mais que isso envolvido nesse versículo. A mensagem de Efésios 1 certamente é o principal elemento aqui em foco. Cristo se tornará cabeça da Criação, e tudo encontrará unidade em torno dele, na restauração. Isso só poderá ocorrer se Deus puser a mão sobre as questões humanas, bem como sobre todos os seres inteligentes. A restauração universal será gloriosa. Ver notas sobre este tema em Efésios 1.10.

12.12: Procuravam então prendê-lo, mas temeram a multidão, pois perceberam que contra eles proferira essa parábola; e, deixando-o, se retiraram.

12.12 Καὶ ἐζήτουν αὐτὸν κρατῆσαι, καὶ ἐφοβήθησαν τὸν ὄχλον, ἔγνωσαν γὰρ ὅτι πρὸς αὐτοὺς τὴν παραβολὴν εἶπεν. καὶ ἀφέντες αὐτὸν ἀπῆλθον.

12 ἐζήτουν...ὄχλον Mt 14.5; Lc 22.2

Neste ponto, o paralelo de Mateus *expande-se*, incluindo as palavras de Jesus em aplicação à parábola. O reino (notas completas em Mt 3.2) seria dado aos gentios. A pedra cairia sobre os incrédulos, pulverizando-os (ver as notas sobre o "juízo eterno", em Ap 14.11). Sem dúvida, Mateus 21.45 é editorial (baseado em Mc 12.12), dizendo-nos que as autoridades religiosas estavam cônscias do fato de que Jesus lhes fizera solene aviso mediante esta parábola. Mateus também aclara a declaração de Marcos, dizendo diretamente que Jesus era considerado "profeta" pelo povo, pelo que teria de ser tratado com cuidado. Nenhuma detenção abrupta poderia ser esperada, se quisessem agradar o povo.

A maravilha da *indiferença* deles. Notemos como foram capazes de evitar qualquer "mudança" de conduta que a parábola exigia deles. Maravilhamo-nos diante disso. No entanto, como temos sido frequentemente culpados da mesma coisa! Pelo contrário, o ensino espiritual provocou aquela gente à violência cega. É verdade que esse ensinamento afasta o indivíduo de Deus, se não o atrai para ele, pois o ímã colocado ao contrário tem essa espécie de efeito.

12.13-17 — *A questão do pagamento de tributo a Roma.* (Ver as notas expositivas em Mt 22.15-22.)

12.13: Enviaram-lhe então alguns dos fariseus e dos herodianos, para que o apanhassem em alguma palavra.

12.13 Καὶ ἀποστέλλουσιν πρὸς αὐτόν τινας τῶν Φαρισαίων καὶ τῶν Ἡρῳδιανῶν ἵνα αὐτὸν ἀγρεύσωσιν λόγῳ.

13 τινας...Ἡρῳδιανῶν Mc 3.6

A presença dos herodianos (3.6) em Jerusalém pode parecer *estranho*; mas não mais aqui do que na Galileia. Arquelau fora deposto em 6 d.C. e, sem dúvida, havia muitos que esperavam o reavivamento de um reinado, o que fica claro com a nomeação de Agripa I, em 41 d.C., e com o grande prestígio de Agripa II e sua influência em Jerusalém, na última parte do primeiro século" (Ver Josefo, *Guerras dos Judeus*, II).

A armadilha fora *armada*. Jesus respondera "sim", apoiando o pagamento de impostos a um governo estrangeiro, e vários judeus seriam contra ele. Se tivesse respondido "não", então estaria em dificuldades com os simpatizantes de Roma. Mostraram assim o tipo de homens que eram, com suas atitudes maliciosas. Jesus percebeu isso instantaneamente, sabendo que a malícia deles vinha disfarçada com um elogio. Tentaram apanhar a Jesus como um animal numa armadilha, conforme é indicado pelo grego. Eram pessoas sem coração, violentas, não se importando com a justiça e nem com a instrução espiritual.

12.14: Aproximando-se, pois, disseram-lhe: Mestre, sabemos que és verdadeiro, e de ninguém se te dá; porque não olhas à aparência dos homens, mas ensinas segundo a verdade o caminho de Deus; é lícito dar tributo a César, ou não? Daremos, ou não daremos?

12.14 καὶ ἐλθόντες λέγουσιν αὐτῷ, Διδάσκαλε, οἴδαμεν ὅτι ἀληθὴς εἶ καὶ οὐ μέλει σοι περὶ οὐδενός, οὐ γὰρ βλέπεις εἰς πρόσωπον ἀνθρώπων, ἀλλ' ἐπ' ἀληθείας τὴν ὁδὸν τοῦ θεοῦ διδάσκεις· ἔξεστιν δοῦναι κῆνσον Καίσαρι ἢ οὔ; ᵇδῶμεν ἢ μὴ δῶμεν;

ᵇ **14,15** b no number, b number 15: TRᵉᵈ WH Bov Nes BF² NEB? Zür Luth Jer Seg // b number 15, b no number: TRᵉᵈ AV RV RSV NEB? TT
14 κῆνσον] ἐπικεφάλαιον **D**Θ pc k syˢ·ᵖ

Contra a vontade disseram a verdade, mas não devido à lealdade a Cristo. Quantos pregadores são culpados disso! O Cristo dos *credos* não tem poder. É Cristo *na vida* que salva e santifica, e por quem estamos sendo transformados. Milhões têm falado bem de Cristo, ao mesmo tempo que ele não faz nenhuma diferença em sua vida.

A grande responsabilidade de conhecer a verdade. A verdade que não é posta em ação será perdida; a verdade conhecida, mas não seguida, serve de juízo. O avanço é condicionado no seu recebimento e na vida diária de acordo com a verdade já conhecida. Dentro de cada pessoa há um herói e um covarde. E diante de cada criatura humana é mostrado o caminho a seguir. O herói avança, apesar das dificuldades. O covarde retrocede para o lazer e as corrupções do mundo.

"Desde o banimento de Arquelau, a Judeia e Samaria se tinham tornado, nominalmente, uma província imperial — diferente de uma província senatorial; era mais fixa — e pagara uma taxa regular ao fisco, o tesouro do imperador. Não era um imposto pesado, mas simbolizava sujeição; e as moedas em circulação, com que essa taxa era paga, traziam em relevo a efígie do imperador, o denário de prata. A moeda comum dos procuradores era de cobre, e trazia símbolos inócuos, como oliveiras, palmeiras etc. Um líder e mestre popular, como Jesus, haveria de pronunciar-se sobre o tema do pagamento desse tributo, e seus adversários tinham a esperança de enredá-lo, sem importar seus pontos de vista a respeito". (Grant, *in loc.*).

12.15: Mas Jesus, percebendo a hipocrisia deles, respondeu-lhes: Por que me experimentais? trazei-me um denário para que eu o veja.

12.15 ᵇ ὁ δὲ εἰδὼς αὐτῶν τὴν ὑπόκρισιν εἶπεν αὐτοῖς, Τί με πειράζετε; φέρετέ μοι δηνάριον ἵνα ἴδω.

15 εἰδώς] ἰδών **א**·**D** f13 28 565 it

"Os fariseus e herodianos, sedentos de lisonjas, confrontavam Jesus com o que pensavam ser uma *obra-prima* de engodo. O senso de sua astúcia cegou-os para o ridículo capenga de seu ato. Pensavam que Jesus era ingênuo e fácil de ser apanhado, como um tabaréu do interior. Descobriram, entretanto, que ele era terrivelmente sofisticado [...]. Que tolos são aqueles mortais que pensam que podem evitar os olhos de Jesus, os quais podem penetrar em todos os engodos, ou que podem evitar os seus ouvidos, sintonizados para apanhar a cadência da mentira!" (Luccock, *in loc.*).

Eram hipócritas. Esse termo vem do grego que significa *replicar*, indicando uma forma nominal de *atores*, isto é, "aqueles que replicam uns aos outros", enquanto desempenhavam um papel teatral. A igreja cristã é um palco, pois há muitos até hoje que atuam, pois poucos existem que realmente vivem o que professam. Hoje em dia, a música mundana acompanha o espetáculo, e é difícil ver-se onde a igreja termina e onde o mundo começa. Quando a igreja vira um "teatro", sempre é um "teatro deficiente", e a mesma coisa sucede na vida cristã individual.

12.16: E eles lho trouxeram. Perguntou-lhes Jesus: De quem é esta imagem e inscrição? Responderam-lhe: De César.

894 |Marcos| NTI

12.16 οἱ δὲ ἤνεγκαν. καὶ λέγει αὐτοῖς, Τίνος ἡ εἰκὼν αὕτη καὶ ἡ ἐπιγραφή; οἱ δὲ εἶπαν αὐτῷ, Καίσαρος.

A resposta de Jesus foi *direta*. Ele não ficou preparando o terreno. Contudo, sua resposta foi acompanhada por uma lógica difícil de resistir. Ele concedeu lugar aos governantes terrenos (Rm 13), e deixou entendido que foram constituídos por Deus. Mais importante ainda, relembrou que também há um Deus a quem se deve servir; que, na hipocrisia humana, eles se tinham olvidado disso, pelo que se tinham tornado ímpios e violentos. Jesus ensinou a obrigação a um "governo humano estrangeiro". Há, porém, aquela obrigação maior diante do "governo dos céus". Contudo, as duas coisas não são contraditórias, e, sim, complementares; e obedecer à lei do país é sem dúvida um dever religioso, o qual, uma vez cumprido, torna-se um serviço espiritual. Esse é um princípio que escapava totalmente de vários líderes religiosos e políticos da época. Veja-se como até hoje há crentes que enganam em seus impostos, a questão mesma em foco do texto à nossa frente!

12.17: Disse-lhes Jesus: Dai, pois, a César o que é de César, e a Deus o que é de Deus. E admiravam-se dele.

12.17 ὁ δὲ ᾽Ιησοῦς εἶπεν αὐτοῖς, Τὰ Καίσαρος ἀπόδοτε Καίσαρι καὶ τὰ τοῦ θεοῦ τῷ θεῷ. καὶ ἐξεθαύμαζον ἐπ᾽ αὐτῷ.

17 Τὰ...Καίσαρι Rm 13.7

Jesus não era um político radical, a dar uma resposta que lhe salvaria a pele. Alguns eruditos têm caído no erro de tentar fazer Jesus passar por líder de uma revolta política. Parecia ser indiferente à política, mas é certo, por esta passagem, que respeitava as leis humanas, e não supunha tolamente que as transcendia. Se o grande Mestre não ultrapassava essas leis, como supor que podemos nós fazê-lo? Jesus não respondeu com uma *astuta evasão* do problema. Isso não seria próprio dele.

Por que se admiraram? César exigia apenas *um pouco* de dinheiro por ano, talvez apenas uma única moeda de cada um. Por que não lhe pagar a mesma, evitando a confusão? Além disso, ele podia até mesmo construir uma estrada com o dinheiro, beneficiando o povo, e isso faria com que todos se sentissem melhor por terem pagado a taxa. No entanto, pensemos no que *Deus* exige! Ele quer nossa *vida inteira*, nosso trabalho, nossos planos, e até mesmo nossos pensamentos. Se dermos uma moeda a César, isso não servirá de entrave, em coisa nenhuma, para o que potencialmente se pode dar a Deus. Portanto, não há contradição entre as duas dádivas. Se dermos a Deus, ele certamente construirá uma "estrada". Em outras palavras, ele nos levará ao "caminho" que entra na vida eterna. Jesus respondeu bem a eles, mas, ao mesmo tempo, ensinou-lhes uma importante e irresistível verdade. É por isso que se maravilhavam dele. Não se deixava envolver por argumentos frívolos, e sua resposta era o fim da disputa para homens espirituais e capazes de pensar.

Conflito de *deveres*: Na vida espiritual bem integrada, não haverá conflito de deveres, embora existam deveres mais importantes do que outros. Todos os deveres podem ser cumpridos por um homem honesto.

O religioso e o secular: *Estritamente* falando, não há essa divisão, pois tudo quanto somos, fazemos e esperamos deve ser incorporado na esmagadora urgência de servir a Cristo. Quando servimos aos homens, servimos a Deus, pois esses são seus filhos. Amamos a Deus amando aos homens, conforme nos é ensinado em Mateus 25.35ss.

12.18-27 — *Controvérsia com os saduceus*, por causa da ressurreição. (As notas expositivas são dadas em Mt 22.23-33.) Acrescentamos, aqui, algumas notas meramente suplementares.

12.18: Então se aproximaram dele alguns dos saduceus, que dizem não haver ressurreição, e lhe perguntaram, dizendo:

12 18 Καὶ ἔρχονται Σαδδουκαῖοι πρὸς αὐτόν, οἵτινες λέγουσιν ἀνάστασιν μὴ εἶναι, καὶ ἐπηρώτων αὐτὸν λέγοντες,

18 ἔρχονται...εἶναι At 23.8

As "*seções de controvérsia*" dos Evangelhos (que começam bem cedo, em Mc 2) certamente são históricas; mas, nas mãos dos evangelistas, são também "polêmicas". Elas nos mostram como o Messias autêntico foi perseguido, derrubado, e, finalmente, morto. Homens ímpios agiram assim, mas isso foi permitido e usado por Deus para produzir a redenção dos homens. Os judeus nunca viram nenhuma verdade em um Messias tipo "Servo Sofredor". O NT procura demonstrar isso de vários modos, incluindo citações do AT. As passagens de controvérsia fazem parte dessa polêmica, pois armam o palco para os sofrimentos do Messias.

Os saduceus eram os "*antigos crentes*", isto é, mantinham a tradição mais antiga, baseada somente nos cinco livros de Moisés. Não tinham respeito pelos recém-chegados profetas como "autoridades religiosas", e nem pelas tradições escritas e orais que ocupavam tanto a mente dos fariseus. Foram eles os "fundamentalistas" iniciais, apesar do fato de que, hoje em dia, devido às suas crenças, poderíamos melhor apodá-los de liberais. Certamente a história diante de nós ensina, de modo indireto, a revelação progressiva. Ninguém pode levantar uma cerca em torno de Deus e dizer onde ele deve cessar de revelar a si mesmo. De fato, já que sua verdade é ilimitada, como um princípio geral, devemos declarar que a revelação será sempre possível, que profetas podem surgir, que novo conhecimento pode ser revelado. Este é o princípio que os saduceus rejeitaram, e que a maioria dos modernos fundamentalistas também rejeitam. Trata-se de um *dogma humano*, e não de uma verdade bíblica, a ideia de que a revelação (em qualquer forma) cessou. Se os saduceus estivessem com a razão (diziam: Moisés somente!), então nunca teríamos aprendido importantes doutrinas como a ressurreição e a imortalidade da alma. Cremos que Deus ainda tem muita coisa a nos ensinar, até mesmo nesta esfera terrena; mas como ele o fará, é questão que cabe a ele. Novas revelações (quando válidas) não contradirão a moralidade, segundo a mesma é entendida em Cristo; antes, exaltarão a pessoa de Jesus, embora de modos que nem sonhamos ser possíveis.

Ver notas completas sobre este tema, em Apocalipse 22.18,19.

12.19: Mestre, Moisés nos deixou escrito que se morrer alguém, deixando mulher sem deixar filhos, o irmão dele case com a mulher, e suscite descendência ao irmão.

12.19 Διδάσκαλε, Μωϋσῆς ἔγραψεν ἡμῖν ὅτι ἐάν τινος ἀδελφὸς ἀποθάνῃ καὶ καταλίπῃ γυναῖκα καὶ μὴ ἀφῇ τέκνον, ἵνα λάβῃ ὁ ἀδελφὸς αὐτοῦ τὴν γυναῖκα καὶ ἐξαναστήσῃ σπέρμα τῷ ἀδελφῷ αὐτοῦ.

19 ἐάν...ἀδελφῷ αὐτοῦ Gn 38.8; Dt 25.5

19 καταλιπη] εχη **DW**(Θ, *28*) it sy^s

Moisés era o *herói* deles. Eram *inflexíveis*, incapazes de novos entendimentos; e, por isso, incapazes de progresso espiritual. Conheciam uma lei, dada por Moisés, e que governava o casamento; e julgavam que essa lei era tão grande, que podia contradizer qualquer verdade que houvesse na doutrina da ressurreição. Tinham ficado de tal modo cegos, que duvidavam da existência e da sobrevivência do próprio "eu" real. O ceticismo sempre conduz a conclusões absurdas. Aquela gente punha obstáculos de granito na estrada do progresso, e ainda pensavam que estavam prestando a Deus um serviço. Hoje em dia, o mundo está repleto de modernos saduceus, religiosos ou não, os quais dizem: "Não há ressurreição!" e, em apoio às suas reivindicações, citam as mesmas supostas fontes fidedignas de informação. Como é triste o caso de um homem quando o ensino da imortalidade humana e a busca pelo destino tornaram-se ideias inertes, ou, mesmo quando cridas, são destituídas de sua importância. (Ver 2Co 5.8, sobre a "imortalidade".) Os céticos tinham argumentos de *reductio ad absurdum*, mas ficavam nas trevas, pois não percebiam que a "percepção dos sentidos" não é o único método (o qual raramente é digno de confiança) de obter conhecimento. Negligenciavam a "intuição", a "razão", e, acima de tudo, a "revelação" (experiências místicas), como meios de "conhecer as coisas". Por essa razão é que os céticos perdem de vista a maioria das mais profundas verdades, as quais transcendem à apreensão dos meros sentidos físicos do corpo.

"A principal *defesa* contra a infecção desse espírito dos saduceus é ter uma experiência tão vital com Deus, tão criativa, que traz à existência precisamente aquilo que é digno de se ter e de se preservar para sempre" (Luccock, *in loc.*).

Eles lançavam uma verdade contra outra. A lei tinha uma provisão para casamentos consecutivos; mas isso não era contra outra verdade, a da "ressurreição". Hoje em dia, até mesmo teólogos lançam o livre-arbítrio contra o determinismo, o cair da graça contra a segurança, as obras contra a graça. No entanto, fazem tudo devido ao seu conhecimento parcial, pois nessas coisas não se encontram contradições. Seja como for, quando a razão não consegue reconciliar verdades aparentemente opostas, simplesmente repousamos sobre ambos os lados da questão e aceitamos ambas as verdades, derivando delas todo o benefício que pudermos, sem nos preocupar com soluções imediatas, que produzem a reconciliação e o conforto mental. (Ver como as obras podem ser reconciliadas com a graça, em Ef 2.8; e como o livre-arbítrio pode ser reconciliado com o determinismo, em 1Tm 2.4.)

12.20: Ora, havia sete irmãos; o primeiro casou-se e morreu sem deixar descendência;

12.20 ἑπτὰ ἀδελφοὶ ἦσαν· καὶ ὁ πρῶτος ἔλάεν γυναῖκα, καὶ ἀποθνῄσκων οὐκ ἀφῆκεν σπέρμα·

<small>20 αποθνησκων] απεθανε και **DWΘ** fı 28 it sy</small>

Eles trouxeram seu *argumento constante*, sua história engatilhada. Era um absurdo, mas batia no centro da questão. Jesus, todavia, deu um ponto ainda mais central. Eles tinham feito os fariseus se consternarem com seus tolos argumentos. Jesus tinha uma lógica superior.

12.21: o segundo casou-se com a viúva, e morreu, não deixando descendência; e da mesma forma, o terceiro; e assim os sete, e não deixaram descendência.

12.21 καὶ ὁ δεύτερος ἔλαβεν αὐτήν, καὶ ἀπέθανεν μὴ καταλιπὼν σπέρμα· καὶ ὁ τρίτος ὡσαύτως·

<small>21 μη καταλιπων **ℵB** pc c; R] και ουδε αυτος (*add* ουκ **D**) αφηκεν **ADWΘ** fı fı3 pl lat sy^{p,h} ς</small>

12.22: Depois de todos, morreu também a mulher.

12.22 καὶ οἱ ἑπτὰ οὐκ ἀφῆκαν σπέρμα. ἔσχατον πάντων καὶ ἡ γυνὴ ἀπέθανεν.

Nessa história, *ninguém* tivera filhos, pelo que faltava um elemento que os distinguisse entre si. Os fariseus devem ter ensinado que haveria "casamentos" celestiais, bem como reagrupamentos de cônjuges terrenos. Portanto, esse quebra-cabeça lhes seria extremamente difícil. Sobre que base aquela mulher seria esposa de um dos sete, ficando postergados os outros seis? Já que isso apresentava um problema aparentemente sem solução, os saduceus deduziram daí uma resposta estúpida: não há ressurreição! Primeiramente, limitaram o poder de Deus em solucionar problemas difíceis; e, em segundo lugar, entenderam de modo totalmente errado a natureza da vida pós-túmulo, pois essa não envolve casamentos, como agora conhecemos; e mesmo que ali haja alguma espécie de casamento, não exigirá o "reagrupamento", de acordo com as mesmas anteriores circunstâncias terrenas.

12.23: Na ressurreição, de qual deles será ela esposa, pois os sete por esposa a tiveram?

12.23 ἐν τῇ ἀναστάσει[, ὅταν ἀναστῶσιν,]¹ τίνος αὐτῶν ἔσται γυνή; οἱ γὰρ ἑπτὰ ἔσχον αὐτὴν γυναῖκα.

<small>¹**23** {D} ἐν τῇ ἀναστάσει, ὅταν ἀναστῶσιν, X 1010 1195 1242 (1344 ἀναστωσοισι) 1365 2148 *Byz*^{pt} *l*^{883} it^q syr^h goth geo // ἐν τῇ οὖν ἀναστάσει, ὅταν ἀναστῶσιν, A K Π 1009 1079 1216 1230 1241 1546 1646 2174 *Byz*^{pt} *Lect* arm? // ἐν τῇ ἀναστάσει οὖν ὅταν ἀναστῶσιν, Θ *f*¹ 28 565 700 1071 it^{c,aur,(b),ff²,(i),l} vg syr^{s.h, with*} arm? // ὅταν οὖν ἀναστῶσιν ἐν τῇ ἀναστάσει, *f*¹³ // ἐν τῇ ἀναστάσει (ver Lc 20.33) ℵ B C* L Δ Ψ it^k cop^{bo} // ἐν τῇ οὖν ἀναστάσει C² 33 1253 *l*^{76,211} // ἐν τῇ ἀναστάσει οὖν (ver Mt 22.28) D W 892 it^{c,d,r¹} syr^p cop^{sa} // ὅταν οὖν ἀναστῶσιν eth</small>

> A ausência de ὅταν ἀναστῶσιν em — ℵ B C D L W Δ Ψ *al* provavelmente é deliberada, tendo sido omitidas essas palavras por copistas, como supérfluas (Mateus e Lucas também as omitem, provavelmente pela mesma razão). É difícil imaginar que um copista seria tentado a fazer uma glosa com ἐν τῇ ἀναστάσει — e o pleonasmo está em consonância com o estilo de Marcos (cf. 13.19s). Ao mesmo tempo, porém, em deferência à generalizada alta reputação dos testemunhos que apoiam sua omissão, a comissão pensou ser justo incluir as palavras entre colchetes.
>
> A fim de sugerir mais claramente que o v. 23 constitui o âmago da indagação, copistas inseriram οὖν em vários lugares, em diversos testemunhos.

Ela não teve filhos com nenhum dos sete maridos, pelo que a nenhum deles se poderia dar preferência. No entanto, tinha de ser a *esposa celestial* de um deles (presumivelmente esse era um ensinamento farisaico comum, pois de outro modo a história não teria força). Segundo sugeriam, era um quebra-cabeça difícil até mesmo para Deus. Segundo imaginavam, o *absurdo* da situação tornava absurdo todo o conceito da ressurreição. Naturalmente, conforme os fariseus algumas vezes explicavam a ressurreição, esse conceito era absurdo. Algumas vezes, os amigos da verdade a prejudicam, através da sua crua representação. Por exemplo, alguns fariseus supunham que somente em Jerusalém haveria a ressurreição corpórea, pelo que os judeus piedosos tinham de ser enviados subterraneamente, por meio de túneis, a Jerusalém, para que ali recebessem vida nova. A ressurreição exige um "novo veículo" para o corpo, de modo que a personalidade inteira seja restaurada ou ressuscitada. Não requer que os elementos do velho corpo sejam "usados de novo", a fim de que seja formado esse veículo. (Ver 1Co 15.20,35, acerca da "natureza do corpo ressurreto".) Esse novo veículo não será físico ou atômico em sua estrutura (ver 1Co 15.50). Antes, será de substância espiritual. Nenhuma outra coisa poderá habitar nas esferas celestiais. Toda a matéria haverá de ser consumida naquele meio ambiente. No entanto, o corpo ressurreto será real, e se tornará instrumento usado pela alma, tal como o corpo físico o é nesta esfera terrena.

V. 23. Nota textual. A expressão "[...] quando eles ressuscitarem...", encontra-se nos mss AEFGHKMSUVX, Gamma, Fam Pi, Fam 1, Fam 13, em algumas versões latinas e na versão Si(s), o mais importante manuscrito da tradição siríaca. É retida nas traduções AA, AC, BR, F, KJ, NE e PH. Essa expressão é omitida nos mss Aleph, BDW, nos manuscritos latinos c, d, k e r(1), no Si(p) e nas traduções ASV, GD, IB, RSV, WM e WY. Embora contenha algum testemunho favorável de valor, mui provavelmente a expressão é uma pequena glosa explanatória, feita por escribas subsequentes.

12.24: Respondeu-lhes Jesus: Porventura não errais vós em razão de não compreenderdes as Escrituras nem o poder de Deus?

12.24 ἔφη αὐτοῖς ὁ Ἰησοῦς, Οὐ διὰ τοῦτο πλανᾶσθε μὴ εἰδότες τὰς γραφὰς μηδὲ τὴν δύναμιν τοῦ θεοῦ;

"O que se segue nos v. 25,26 desenvolve esses *dois defeitos* que havia na consideração deles sobre o tema. A ignorância do poder de Deus é abordada primeiro no v. 25" (Gould, *in loc.*). Aqueles "técnicos", que a si mesmos assim se reputavam, eram ignorantes na própria área em que se julgavam fortes, nas Escrituras e nos conceitos teológicos dali derivados. Presumiam que qualquer

896 | Marcos | NTI

ressurreição tinha de seguir as ideias materialistas crassas de alguns fariseus, as quais, devido ao seu absurdo, tornavam absurda qualquer ideia de ressurreição.

12.25: Porquanto, ao ressuscitarem dos mortos, nem se casam, nem se dão em casamento; pelo contrário, são como os anjos nos céus.

12.25 ὅταν γὰρ ἐκ νεκρῶν ἀναστῶσιν, οὔτε γαμοῦσιν οὔτε γαμίζονται, ἀλλ' εἰσὶν ὡς ἄγγελοι ἐν τοῖς οὐρανοῖς.

Este versículo alude à *"ignorância"* deles nas Escrituras, segundo eram interpretadas na Torah e em outros escritos judaicos. Presumia-se ali que, na ressurreição, os homens atingiriam uma elevada vida espiritual, semelhante à dos anjos. A natureza sem sexo dos anjos era uma comum doutrina judaica. (Ver I Enoque 15.6,7: "Sois espíritos sempre vivos [...] portanto, não criei esposas para vós". Em algumas tradições judaicas, a própria queda dos anjos se devera à concupiscência desnatural deles por mulheres (ver *Tobias* 12.19 e cf. Gn 6.2). Quanto à glorificação do homem, para receber a natureza angelical, havia ensinos judaicos que diziam que a alma humana atravessa sete níveis de glória, isto é, de esferas celestiais. Ao atingir o sétimo nível, é transformada em um ser de natureza espiritual igual à natureza dos anjos. A expressão usada por Lucas — "iguais aos anjos" (20.36) —, provavelmente é um reflexo dessa crença. Todavia, potencialmente falando, a doutrina cristã elevou o homem a um nível muito acima dos mais poderosos arcanjos. (Sobre isso, ver Ef 1.23; 3.19; Cl 2.10.) O homem está destinado a participar da própria natureza divina (ver 2Pe 1.4), o que não pode ser dito acerca dos anjos. Seja como for, o argumento é *claro*. A alma humana será totalmente elevada acima das "circunstâncias e relações terrenas", para uma natureza superior e um novo tipo de vida, onde o matrimônio, segundo é entendido em termos terrenos, deixará de existir. O Pentateuco, no qual os saduceus tanto confiavam, ensinava a existência dos anjos. (Ver Gn 19.1 e Dt 33.2.) Isso, porém, os saduceus preferiam ignorar, negando a existência de qualquer tipo de ser espiritual, excetuando somente o próprio Deus. Portanto, "escolhiam" o que queriam, até mesmo dentro do Pentateuco, apesar do orgulho que tinham na sua interpretação bíblica literal, no tocante aos livros de Moisés. Os saduceus não conseguiam apreciar a grandeza na personalidade humana nos planos divinos. (Ver 2Co 5.8, quanto à nota de sumário sobre a *"imortalidade"*.)

"[...] nem casarão..." Como instituição conhecida aqui na terra, o casamento não existe nos céus. Por conseguinte, um homem não poderá pensar: "Nos céus, me casarei com aquela mulher". E nem uma mulher pode imaginar: "Meu marido, nos céus, será aquele homem".

"[...] nem se darão em casamento..." Nenhum suposto sogro, pode arranjar as coisas para o casamento de sua filha, para então entregá-la ao marido, conforme era costume na cultura judaica. Cf. 1Coríntios 7.38.

12.26: Quanto aos mortos, porém, serem ressuscitados, não lestes no livro de Moisés, onde se fala da sarça, como Deus lhe disse: Eu sou o Deus de Abraão, o Deus de Isaque e o Deus de Jacó?

12.26 περὶ δὲ τῶν νεκρῶν ὅτι ἐγείρονται οὐκ ἀνέγνωτε ἐν τῇ βίβλῳ Μωϋσέως ἐπὶ τοῦ βάτου πῶς εἶπεν αὐτῷ ὁ θεὸς λέγων, Ἐγὼ ὁ θεὸς Ἀβραὰμ καὶ [ὁ] θεὸς Ἰσαὰκ καὶ [ὁ] θεὸς Ἰακώβ;

26 ἐν...βάτου Êx 3.2   Ἐγώ...Ἰακώβ Êx 3.6,15,16

12.27: Ora, ele não é Deus de mortos, mas de vivos. Estais em grande erro.

12.27 οὐκ ἔστιν θεὸς νεκρῶν ἀλλὰ ζώντων· πολὺ πλανᾶσθε.

Segundo a teologia dos *saduceus*, todos esses eram homens mortos. No entanto, a própria existência de Deus garante que continuam *vivos*. Deus foi o Deus deles, pelo que ainda viviam. Os estudos modernos indicam que toda forma de vida (não meramente a vida humana) é espiritual, e que a matéria é apenas um veículo para o espírito. A fotografia Kirliana (uma espécie de radiografia) mostra a parte espiritual que já existia antes da porção física, e que evidentemente controla o desenvolvimento do veículo físico. Por exemplo, em torno de um ovo de rã, já existe o *campo de luz* da rã adulta, que se prolonga por cerca de dez centímetros. Os paralelos espirituais das pernas da rã, do seu sistema nervoso etc. já existem antes desses membros serem formados no plano físico. Portanto, qualquer "vida real", de qualquer plano (pois existem muitas formas ou espécies de vida), é espiritual, e não física. Muitas filosofias, e a maior parte das religiões, sempre ensinaram que a verdadeira vida é a espiritual, e que a parte física é apenas um veículo. Jesus agora confirma essa grande verdade. Este comentário tem tido o cuidado de deixar isso claro. Na introdução, apresentamos vários artigos sobre a "imortalidade", do ponto de vista da investigação científica, da experiência humana e do raciocínio filosófico. Jesus sentiu ser impossível que uma criatura como o homem, criada por Deus, a fonte de toda a existência, terminasse no nada. Deus é Deus de vivos, pelo que o homem viverá para sempre, pois não há Deus dos mortos.

O *caráter de Deus* é o mais forte argumento possível em prol da imortalidade. A própria natureza do homem depende desse "caráter divino". Pode-se presumir corretamente a "indestrutibilidade da alma", com base no que se sabe sobre o próprio Deus. Pode-se também concluir sobre a realidade do corpo ressurreto, o veículo da alma nas regiões celestes, com base nesse mesmo fato, pois esse corpo dá à alma o seu modo de expressão nos lugares celestiais, tal como o corpo físico é um veículo apropriado para o modo de existência aqui na terra. O raciocínio de Jesus, pois, dá apoio tanto à "sobrevivência da alma" quanto à eventual "ressurreição". As ideias judaicas da "sobrevivência" estavam ligadas à "ressurreição", e não apenas com a "sobrevivência da alma". O judaísmo helenista combinou a ressurreição com a sobrevivência da alma, e o cristianismo seguiu essa orientação. A alma sobrevive à morte física; mas, eventualmente, será revestida de seu novo veículo (segundo se vê, detalhadamente, em 2Co 5). Embora os patriarcas ainda não tivessem ressuscitado, mesmo assim viviam; e, como seres vivos, passariam pela experiência da ressurreição (a reunião do corpo com o espírito). E o argumento de Jesus dá a entender que o que era verdade acerca deles, será verdade a nosso respeito, pois o Deus deles é também o nosso Deus. A vida é indestrutível. A morte não a pode matar. A natureza e a bondade de Deus garantem a vida eterna aos homens e, sem Deus, não haveria imortalidade digna de ser por nós possuída.

12.28-34 — *O grande mandamento.* (As notas expositivas aparecem em Mt 22.34-40.)

12.28: Aproximou-se dele um dos escribas que os ouvira discutir e, percebendo que lhes havia respondido bem, perguntou-lhe: Qual é o primeiro de todos os mandamentos?

12.28 Καὶ προσελθὼν εἷς τῶν γραμματέων ἀκούσας αὐτῶν συζητούντων, ἰδὼν ὅτι καλῶς ἀπεκρίθη αὐτοῖς, ἐπηρώτησεν αὐτόν, Ποία ἐστὶν ἐντολὴ πρώτη πάντων;

28 ακουσας] ακουων WΘ fi 28 pc | ειδως] ιδων ℵ DWΘ fi f13 al lat

A resposta a essa pergunta é o "ABC" da *moralidade*; pois estamos afeitos ao problema, e desde há muito conhecemos bem a história. Entretanto, para um sistema totalmente imerso no *legalismo*, e que tinha ramificações bem estranhas (conforme se vê nas notas sobre o texto de Mateus), a resposta não foi fácil; e mais de uma resposta já fora dada pelas escolas rabínicas. É possível que a teologia de uma pessoa se interponha no caminho da compreensão

NTI | Marcos | 897

da verdade, e nenhuma denominação religiosa deixa de ter seus obscurantismos. O orgulho pretende fazê-lo compreender de outro modo; e como é fácil o orgulho penetrar em algum sistema, em alguma igreja, em alguma denominação, em alguma tradição! Essas coisas podem transformar-se em "cadeias" para nós, pois restringem e esmagam, sendo obrigações que obscurecem.

"Os rabinos posteriores insistiam em que não há mandamentos maiores e menores. Contudo, segundo se disse, Hilel (cerca de 20 a.C.) sumariou a lei para os inquiridores gentílicos, de modo equivalente ao que diz o v. 31a: 'O que não queres que seja feito contra ti, não o faças ao próximo; isso é a totalidade da Torah, e todo o resto é comentário' (B. Sabbath 31a). É provável, porém, que Jesus tinha sido o primeiro a combinar os dois 'grandes mandamentos' de Deuteronômio 6.4 e Levítico 19.18b, para formar um sumário da lei; não há indício de que nenhum mestre anterior tenha feito tal coisa, embora Filo (Sobre Leis Especiais, II.63), chegue bem perto [...]. O 'primeiro' mandamento é citado na forma familiar a todo judeu piedoso, como o Shema diário ou oração dita de manhã e à noite; ambos os paralelos omitem o v. 29b" (Grant, in loc.).

O v. 32 parece indicar que esse escriba viera para aprender e não para tentar, fazendo diferente a interpretação de Marcos, daquela que é dada no relato de Mateus. É inútil, porém, pressionar tais discrepâncias para formar argumentos. Não são importantes, e envolvem diferentes opiniões dos evangelistas no tocante a algumas histórias ou declarações de Cristo, o que já seria de esperar aqui ou acolá. Notemos que Lucas concorda com a avaliação de Mateus sobre a razão de o escriba indagar a Jesus (alguma malícia estava envolvida), mas situa o evento no sul da Palestina, no começo do ministério de Jesus, e não no fim. (Ver Lc 10.25-27.) Esse "deslocamento" de material já foi observado antes, e não é algo que nos deva preocupar. Os autores sagrados simplesmente foram mais livres no uso do material de que dispunham do que a maioria dos harmonizadores modernos gostaria que acontecesse.

12.29: Respondeu Jesus: O primeiro é: Ouve, Israel, o Senhor nosso Deus é o único Senhor.
12.29 ἀπεκρίθη ὁ Ἰησοῦς ὅτι Πρώτη ἐστίν, Ἄκουε, Ἰσραήλ, κύριος ὁ θεὸς ἡμῶν κύριος εἷς ἐστιν,

<hr>
29,30 Ἄκουε...ἰσχύος σου Dt 6.4,5; Js 22.5; Lc 10.27

No templo, como chamada à adoração, essas palavras eram usadas pela manhã e à noite. "Senhor" é termo usado aqui em lugar do termo hebraico Yahweh, o impronunciável nome de Deus. A adoração divina não pode ser dividida entre diversas divindades, conforme as práticas pagãs. O Deus único, a fonte de toda a vida e de todo o bem, é o objeto supremo da adoração e do amor, das mais nobres emoções, que são uma qualidade da alma, quando são espiritualmente exercidas. (Ver Gl 5.22, quanto ao "amor como dom do Espírito".) O amor é um produto do crescimento espiritual, o que também se dá com todas as demais virtudes. Aquele que não ama é deficiente no desenvolvimento espiritual, estando cheio apenas do próprio "eu".

Mateus não traz essa introdução "monoteísta" ao mandamento do amor, mas adiciona (além do que Marcos diz): "Desses dois mandamentos dependem a lei e os profetas". Ao incluir o "prefácio monoteísta", queria que soubéssemos que a devoção não pode ser dividida, mas exige intensidade de espírito e de propósitos. Quando Deus é expulso do seu trono, florescem os antigos deuses pagãos. Hoje em dia o sexo é o deus dos incrédulos, tal como Vênus era a deusa dos antigos; a indústria é um deus, tal como o era Vulcano, o ferreiro; a guerra é um deus, tal como o era Marte. Qual é o objeto do nosso amor esse é o nosso deus.

V, 29,30. Nota textual. As repetições da pergunta, que figuram no v. 28, na expressão "[...] de todos os mandamentos..." (v. 29) e na expressão "[...] este é o primeiro mandamento..." (v. 30) são todos casos omitidos nos melhores manuscritos, a saber, Aleph, BL, Delta e pela maioria das versões cópticas e saídicas. Todas as traduções, excetuando AC, F, KJ e M (que, no entanto, conta com a adição do v. 29), também omitem essas repetições, que são expansões feitas por escribas posteriores, com base na própria narrativa.

12.30: Amarás, pois, ao Senhor teu Deus de todo o teu coração, de toda a tua alma, de todo o teu entendimento e de todas as tuas forças.
12.30 καὶ ἀγαπήσεις κύριον τὸν θεόν σου ἐξ ὅλης τῆς καρδίας σου καὶ ἐξ ὅλης τῆς ψυχῆς σου καὶ ἐξ ὅλης τῆς διανοίας σου καὶ ἐξ ὅλης τῆς ἰσχύος σου.

<hr>
30 και εξ ο. τ. δ. σ.] om D pc it

Deus, aquele que ama supremamente (ver Jo 3.16), exige amor de volta. No entanto, a vontade humana não pode fazer um homem amar; antes, sendo criatura decaída, lhe é mais fácil odiar. Somente a obra do Espírito pode fazer isso por um homem. Pelo exercício da vontade, porém, um homem pode usar os meios de desenvolvimento espiritual que, como um dos principais subprodutos, produz o espírito de amor. O amor é uma condição da alma, e não apenas uma emoção característica. É a atitude do dar-se espiritual, o interesse pelo próximo, e se reveste da natureza de "adoração".

O que significa amar a Deus? Muito simplesmente, significa ter interesse pelos outros e servi-los, segundo se vê em Mateus 25.35ss. Esse tipo de "amor a Deus" pode ser desenvolvido por todos os homens. Quem é a pessoa por quem posso fazer hoje algum sacrifício? Darei por ela algum bem, que poderia reter para mim mesmo. E assim estarei amando a Deus. De que maneira posso amar a Deus? Alimentarei os famintos, vestirei os nus, proverei abrigo para os destituídos. Aprenderei a ser menos egoísta; e assim, automaticamente, me tornarei mais amoroso. De que modos, além disso, poderei amar a Deus? Poderei amá-lo diretamente, pela ascensão da alma para que, finalmente, eu contemple sua pessoa e seja consumido em meu ser todo, no amar diretamente ao seu ser. Essa é a mais alta realização espiritual, e poucos são os homens, em seu estado mortal, que têm chegado a esse nível. Ao contemplar as excelências de Deus, minha alma se dá inteiramente a ele, a fim de obedecer aos seus mandamentos e realizar o seu serviço, a fim de pensar os seus pensamentos, a fim de buscar o bem que ele busca. "Quando aprenderás, ó minha alma, a ter sede de Deus como a corça suspira pelas fontes das águas? Que frieza é essa, que só te permite conhecer tão pouco disso?" Naturalmente sou atraído por aqueles que me fazem o bem, e quanto mais quiserem o meu bem, mais genuinamente desejarei o bem deles, e mais exultarei ante a presença deles. Por que, pois, não sou mais atraído para Deus, que é a fonte de todo o bem que me sucede, como até da própria vida? É porque, por ser rebelde, minha alma se afastou dele. Todavia, mediante a obediência, na vereda não só da dedicação, mas também da renúncia do mal e de todos os bens secundários, poderei retornar a ele.

O caminho místico: Deve ser óbvio, pelo que se disse acima, que amar a Deus, diretamente, é caminhar pela vereda mística. E o que é a vereda mística? É o contacto da alma com o Espírito Santo, ou com outro dos agentes de Deus. É o contacto divino, no nível da alma. E quais são os meios desse contacto? São o treinamento do intelecto, mediante a imersão da inteligência nas realidades espirituais, incluindo as Escrituras; e também a oração, a comunhão da alma, na qual a alma louva e roga; é igualmente a meditação, irmã gêmea da oração, quando a alma escuta a Deus em silêncio; é a busca pelos dons espirituais, por meio dos quais o crente serve melhor a outros e cresce no íntimo; e, finalmente, é a santificação, que consiste de renunciar ao mundo e aos seus encantos debilitantes.

12.31: E o segundo é este: Amarás ao teu próximo como a ti mesmo. Não há outro mandamento maior do que esses.
12.31 δευτέρα αὕτη, Ἀγαπήσεις τὸν πλησίον σου ὡς σεαυτόν. Μείζων τούτων ἄλλη ἐντολὴ οὐκ ἔστιν.

<hr>
31 Ἀγαπήσεις...σεαυτόν Lv 19.18. (Rm 13.9; Gl 5.14; Tg 2.8)

O segundo maior *mandamento* do AT não é alçado a uma posição tão dominante quanto o primeiro, mas entra, quase incidentalmente, em Levítico 19.18. E até mesmo nesse caso o próximo é um irmão "judeu". Não se pode duvidar que Jesus tivesse um ponto de vista muito mais lato do que isso, ao usar a expressão "próximo", conforme o demonstra a sua parábola do bom samaritano (ver Lc 10). Até onde se sabe, Jesus foi o primeiro a vincular ousadamente as duas leis do amor, elevando assim, imensamente, o significado do segundo mandamento.

"Agape". Esse é o *amor*, o vocábulo grego usado em nosso texto. Consiste de "boa vontade", de benevolência ilimitada e agressiva em favor do próximo, inspirada pela fonte do amor, que é o próprio Deus, mediante a atuação do Espírito, que nos transforma à imagem de Cristo. O amor deve governar toda a conduta, na igreja e no mundo. (Ver Jo 15.10, sobre esse pensamento.) Qualquer tipo de amor, se for genuíno, deve ser produto do desenvolvimento espiritual. Seu oposto é o egoísmo, uma forma oculta de ódio ao próximo, pois por meio desse sentimento "privamos" os outros do que poderíamos fazer por eles.

"Os estoicos definiam o amor como esforço por formar uma amizade inspirada pela *beleza*" (Cícero, *Tusculanea Disputationes*).

O amor outorga em um momento,

O que o labor não obtém em uma era.

(Goethe, *Torquato Tasso*)

Se queres ser amado, ama (*Hecato*).

Retira da vida o amor, e retirarás seus prazeres.

(Loliere)

12.32: Ao que lhe disse o escriba: Muito bem, Mestre; com verdade disseste que ele é um, e fora dele não há outro;

12.32 καὶ εἶπεν αὐτῷ ὁ γραμματεύς, Καλῶς, διδάσκαλε, ἐπ' ἀληθείας εἶπες ὅτι^c εἷς ἐστιν καὶ οὐκ ἔστιν ἄλλος πλὴν αὐτοῦ·

^c 32 c indirect: WH Bov Nes? BF² RV ASV RSV NEB TT Jer Seg // c direct: Nes? Zür Luth // c casual: TR AV

32 εἶπεν...διδάσκαλε Lc 20.39 εἷς ἐστιν Dt 6.4 οὐκ ἔστιν ἄλλος πλὴν αὐτοῦ Dt 4.35; Is 45.21

Só no evangelho de Marcos se obtém a ideia de que o escriba indagou com *sinceridade*, e não astuciosamente; e então aprovou o que Jesus disse. Os outros (Mateus e Lucas) dão a ideia de que a indagação toda foi uma *farsa*, pois tencionava prejudicar a Jesus. Já vimos como os mesmos materiais são diferentemente manuseados (ver as notas sobre Mc 12.32) pelos evangelistas sinópticos, para consternação dos harmonizadores, que pensam que eles não deveriam ter agido desse modo. Essas questões de diferenças não são importantes. A mensagem transmitida é perfeitamente clara, a despeito das diferentes "roupagens" que acompanham a narração dos incidentes nos evangelhos.

A *"palavra de aprovação"* desse escriba é essencialmente uma repetição e um breve comentário sobre a resposta de Jesus. Os elementos principais são diferentemente manuseados nas Escrituras que os contêm, como segue:

Hebraico: coração, alma e força (alistados nessa ordem)

Septuaginta: mente, alma e força.

Jesus: coração, alma, mente e força.

Escriba: coração, entendimento, força.

Mas a mensagem é a mesma. Um homem, em tudo quanto ele é, deve envolver-se na obediência ao mandamento de amor.

V. 32. *Nota textual.* A expressão "[...] há um só Deus..." aparece nos mss DEFGH e nas traduções AC e KJ. O texto correto, entretanto, é "[...] ele ("Deus", nas traduções F e M) é um...", o que aparece nos antigos mss Aleph, ABKLMSUVX, Gamma, Delta, Fam Pi e em todas as traduções, exceto aquelas mencionadas acima. Trata-se de uma citação mais exata do texto de Deuteronômio 6.4, de onde foi extraída essa citação. Sofreu algumas modificações, em diversos manuscritos, conforme é indicado aqui.

12.33: e que amá-lo de todo o coração, de todo o entendimento e de todas as forças, e amar o próximo como a si mesmo, é mais do que todos os holocaustos e sacrifícios.

12.33 καὶ τὸ ἀγαπᾶν αὐτὸν ἐξ ὅλης τῆς καρδίας καὶ ἐξ ὅλης τῆς συνέσεως καὶ ἐξ ὅλης τῆς ἰσχύος καὶ τὸ ἀγαπᾶν τὸν πλησίον ὡς ἑαυτὸν περισσότερόν ἐστιν πάντων τῶν ὁλοκαυτωμάτων καὶ θυσιῶν.

33 τὸ ἀγαπᾶν αὐτόν...ἰσχύος Dt 6.5; Js 22.5; Lc 10.27 τὸ ἀγαπᾶν τὸν...ἑαυτόν Lv 19.18; Rm 13.9; Gl 5.14; Tg 2.8 περισσότερον...θυσιῶν 1Sm 15.22; Os 6.6

33 συνεσεως] δυναμεως **DΘ** | ισχυος] ψυχης **D** pc (add και εξ ο. τ. ψυχ. σου post συνεσ. **A** f13 700 al ς)

A realidade da experiência *espiritual* expressada na vida diária ultrapassa vastamente em importância às exigências sacramentalistas e legalistas da lei. Alguns rabinos perceberam essa verdade; mas a maioria deles ficou cega pelas "formalidades" da fé, e não podiam perceber claramente a sua substância. Mateus omite inteiramente esse excelente comentário, feito pelo escriba; e Lucas não somente o omite, mas também oferece uma resposta totalmente diferente, na qual o escriba, após ter sofrido uma derrota verbal, tenta fracamente melhorar sua situação, ao indagar: "E quem é meu próximo?" Ali, o paralelo do bom samaritano supre a resposta de Jesus a essa indagação.

A tenda mágica: Há uma *lenda* oriental na qual se descreve uma tenda feita de material tão delicado que, dobrada, cabia na palma da mão de um homem. Contudo, ao ser desdobrada, podia abrigar um exército de milhares de homens. Isso se assemelha ao amor. É a mais *preciosa* possessão que podemos ter, podendo suprir consolo e forças para apenas uma pessoa, mas poderosa bastante para encher a terra inteira.

Polêmica nas mãos da igreja. O evangelho cristão *simplifica* grandemente a adoração religiosa. Aqui o amor é dito mais importante que todos os sacrifícios e as cerimônias levíticas, e mais espiritualmente produtivo que tudo isso. Deve ter sido uma declaração muito usada pela igreja primitiva em sua "argumentação" em prol da superioridade da fé cristã. Em Romanos 13.8ss, o amor figura como cumprimento de toda a lei moral. Que grande coisa, pois, deve ser o amor! Para Paulo (ver 1Co 13) é o amor que torna produtivos todos os dons espirituais. Sem o amor, até mesmo as manifestações carismáticas são vazias como formalidades dos sacrifícios levíticos.

12.34: E Jesus, vendo que havia respondido sabiamente, disse-lhe: Não estás longe do reino de Deus. E ninguém ousava mais interrogá-lo.

12.34 καὶ ὁ Ἰησοῦς ἰδὼν [αὐτὸν] ὅτι νουνεχῶς ἀπεκρίθη εἶπεν αὐτῷ, Οὐ μακρὰν εἶ ἀπὸ τῆς βασιλείας τοῦ θεοῦ. καὶ οὐδεὶς οὐκέτι ἐτόλμα αὐτὸν ἐπερωτῆσαι.

34 οὐδεὶς...ἐπερωτῆσαι Mt 22.46; Lc 20.40

Grande golpe fora dado em favor da *espiritualidade* autêntica. O amor é o caminho mais rápido de volta a Deus, aberto aos homens caídos. Para aquele que ama, o "reino" está próximo. (Ver Mt 3.2, quanto a uma nota de sumário sobre os muitos significados do termo "reino de Deus" no NT.) Mateus deixa de lado essa conclusão da "história da controvérsia", e transfere-se para o fim da próxima controvérsia, aquela acerca do "filho de Davi". (Ver Mt 22.46.) Lucas também deixa-a de lado neste lugar (ver Lc 10.29), mas segue esta controvérsia com a parábola do bom samaritano. Inclui-a, porém, em Lucas 20.40, no término da controvérsia sobre a ressurreição, quando Jesus enfrentou os saduceus. Novamente vê-se os evangelistas sinópticos usando as declarações de Jesus de vários modos, *nem sempre* produzindo relatos de igual natureza, até mesmo ao empregarem as mesmas fontes informativas. Cada um deles exerceu certa dose de liberdade no uso do material, dando tons diversos aos era do próprio Davi, como é que Jesus o atribuiu a Davi? Isso não é problema, realmente. Sabemos que nem todos os salmos foram escritos por Davi; contudo, de modo geral e popular, chamamo-los, coletivamente, de Salmos de Davi. Jesus fez a mesma coisa. É interessante notar aqui que Jesus defendeu a inspiração divina dos salmos, já que foram dados por inspiração do Espírito Santo. Dizemos "eles", embora só haja alusão a um, porque supomos que o que Jesus disse sobre um, teria dito sobre todos, pois no *cânon* da época (excetuando a opinião dos saduceus), os salmos eram considerados divinamente inspirados. Alguns intérpretes sugerem que o conceito do Messias, como Filho celestial do homem (de que um sinônimo possível era "Filho de Deus") estava eliminando o título mais antigo, "Filho de Davi", pois este fazia do Messias apenas um monarca terreno que seria também um profeta.

Jesus como que disse: "*Vossos mestres* não levam em conta todas as Escrituras quando ensinam. Portanto, eles vos desviaram". Jesus disse algo similar aos saduceus, em Marcos 12.24-27.

Divindade de Cristo: Neste ponto, é difícil evitar a inferência da divindade de Cristo, pois o *Messias* deve ser uma pessoa divina. (Ver Hb 1.3, quanto à nota de sumário sobre esse tema.)

Davi corrigiu uma falsa interpretação rabínica. Falando por inspiração Davi dissera *mais* sobre o Messias do que o fazia a interpretação rabínica corrente. Jesus frisou esse ponto. Jesus salientou o fato. É impossível que Jesus tenha sido perseguido por "reivindicar demais" para si mesmo, por meio do que disse acerca do Messias. Aqui ele mostra que dificilmente ele poderia reivindicar para si mesmo mais do que Davi dissera sobre o verdadeiro Messias; e o poder desse argumento é que repousa sobre um texto do AT popularmente admitido como messiânico. Tinham de respeitar o fato.

12.37: Davi mesmo lhe chama Senhor; como é ele seu filho? E a grande multidão o ouvia com prazer.

12.37 αὐτὸς Δαυὶδ λέγει αὐτὸν κύριον, καὶ πόθεν αὐτοῦ ἐστιν υἱός; καὶ [ὁ] πολὺς ὄχλος ἤκουεν αὐτοῦ ἡδέως.

<hr>

37 ὁ...ἡδέως Lc 19.48; 21.38

Filho de Davi, como descrição, é inadequado, pois o próprio Davi chamou-o de "Senhor". O senhorio de Cristo é um tema comum do NT, e Efésios 1 estende isso até o mundo celestial, e sobre "todos os seres e coisas", e não apenas sobre os homens terrenos. Muito maior, pois, é o Messias do que os líderes religiosos daquela época supunham! Não devemos perder de vista aqui, em meio à história da controvérsia, a grande verdade geral. Cristo é o Senhor de todos. É ele o nosso Senhor? Já temos entrado na vereda da renúncia, a fim de que seu senhorio torne-se real em nossa vida?

As multidões ouviam Jesus *alegremente*, e apreciavam sua vitória sobre os líderes religiosos. Apesar disso, Cristo não era o Senhor da vida daquelas pessoas, conforme ficou demonstrado pelos trágicos eventos subsequentes. O que há em nossa vida que demonstre que Cristo não é o nosso Senhor? Não basta admirar a Cristo, por sua habilidade nos debates, ou como homem bom, ou mestre excelente. Ele continuará não nascido se não houver nascido em cada um de nós; ele continuará no sepulcro, enquanto não estiver vivendo em nós.

12.38-40 — *Jesus repreende os escribas.* (As anotações sobre esta seção aparecem em Mt 23.1-12.)

12.38: E prosseguindo ele no seu ensino, disse: Guardai-vos dos escribas, que gostam de andar com vestes compridas, e das saudações nas praças,

12.38 Καὶ ἐν τῇ διδαχῇ αὐτοῦ ἔλεγεν, Βλέπετε ἀπὸ τῶν γραμματέων τῶν θελόντων ἐν στολαῖς περιπατεῖν καὶ ἀσπασμοὺς ἐν ταῖς ἀγοραῖς

<hr>

38 στολαῖς] στοαις sy^{s,pal}

Notemos o *contínuo* ministério de ensino de Jesus. (Ver as notas em Mt 28.20, sobre a "importância do ministério do ensino".)

---

relatos; e, ocasionalmente, dando-lhes até diferentes interpretações. Essas "discrepâncias" não preocupam ninguém, exceto aqueles que exigem absoluta harmonia, o que é impossível. No entanto, não podem deixar de ser vistas por aqueles que estudam o NT versículo por versículo. Ao discutirmos, porém, sobre isso, não devemos perder a força da declaração. Jesus espantou os mais experientes teólogos e os silenciou, porque a verdade estava do seu lado. Nem por isso, entretanto, mudaram de mente, e terminaram por empregar a violência contra ele. De fato, a verdade exposta por eles irritou-os, deixando-os irados e predispostos à violência.

"O menor átomo de verdade representa o amargo labor e a agonia de alguém; para cada fatia ponderável de verdade há o sepulcro de algum bravo inquiridor pela verdade, em algum monturo solitário e uma alma a torrar no inferno" (H. L. Mencken, *Prejudices*).

12.35-37 — *Cristo, como Filho de Davi.* (As notas expositivas desta seção acham-se em Mt 22.41-46.)

12.35: Por sua vez, Jesus, enquanto ensinava no templo, perguntou: Como é que os escribas dizem que o Cristo é filho de Davi?

12.35 Καὶ ἀποκριθεὶς ὁ Ἰησοῦς ἔλεγεν διδάσκων ἐν τῷ ἱερῷ, Πῶς λέγουσιν οἱ γραμματεῖς ὅτι ὁ Χριστὸς υἱὸς Δαυίδ ἐστιν;

A introdução de *Marcos* é muito geral. Jesus estava ensinando no templo, e, em meio a isso, fez essa difícil pergunta. Em Mateus, lê-se que ele fez essa pergunta diretamente aos fariseus. Em Marcos, Jesus se dirige *ao povo*; em Mateus, a seus adversários. Novamente, vê-se como a "roupagem" narrativas e declarações diferem entre os Evangelhos; mas isso não constitui nenhum problema sério. Os evangelistas simplesmente usaram com liberdade as suas fontes de material, o que os harmonizadores modernos prefeririam que não tivesse sucedido.

Com sua *indagação*, Jesus pôs em dúvida os ensinamentos rabínicos acerca do Messias. Eles ensinavam alguma verdade, mas tinham subestimado ao Messias. Ele poderia ser filho de Davi; mas sua pessoa e ofício transcendiam isso. O Messias é o Deus, como nem o grande Davi podia ao menos aproximar-se de ser.

12.36: O próprio Davi falou, movido pelo Espírito Santo: Disse o Senhor ao meu Senhor: Assenta-se à minha direita, até que eu ponha os teus inimigos debaixo dos teus pés.

12.36 αὐτὸς Δαυὶδ εἶπεν ἐν τῷ πνεύματι τῷ ἁγίῳ, Εἶπεν κύριος τῷ κυρίῳ μου, Κάθου ἐκ δεξιῶν μου ἕως ἂν θῶ τοὺς ἐχθρούς σου ὑποκάτω² τῶν ποδῶν σου.

<hr>

36 Εἶπεν...ποδῶν σου Sl 110.1 (At 2.34,35; 1Co 15.25; Hb 1.13)

² **36** {C} ὑποκάτω (ver Mt 22.44) B D^{gr} W Ψ 28 *l*³⁵³ syr^{s} cop^{sa,bo} geo Diatessaron // ὑποπόδιον (ver Sl 109.1 LXX; Lc 20.43; At 2.34) א A K L X Δ Θ Π 092b *f¹* *f¹³* 33 565 700 892 1009 1010 1071 1079 1195 1216 1230 1241 1242 1253 1344 1365 1546 1646 2148 2174 *Byz Lect l*^{rom,211s,h,333s,m} it^{a,aur,(b),(c),d,ff²,i,k,l,} vg (syr^{p,h,pal}) goth arm eth Hilary

> O paralelo no texto preferido de Mateus 22.44 apoia a substituição havida em Marcos de ὑποκάτω (B D^{gr} Ψ 28 syr^{s} cop^{sa,bo} *al*) em lugar do ὑποπόδιον da LXX. Já que esta última forma é citada em Lucas 20.43 e Atos 2.35, copistas teriam sido tentados a substituir a modificação feita por Marcos com a forma "correta".

"[...] **Davi falou...**" Os eruditos parecem concordar que o salmo 110 é um salmo posterior, não-davídico, talvez do período do reino ou mesmo dos macabeus. É possível que o termo "Senhor" aqui, nem ao menos tencione ser o "rei", mas um "ser divino", tal como o Filho do homem, de Daniel 7, e de vários apocalipses judaicos, como I Enoque. Seguindo o próprio uso que Jesus fez desse salmo, o escritor deste evangelho via o Messias como uma personagem celestial, e não apenas um monarca terreno, conforme era a comum interpretação rabínica. Se, porém, o salmo não

900 |Marcos| NTI

Com frequência, isso é olvidado nas igrejas, onde o evangelismo é por demais ressaltado. A igreja medieval era pouco mais que uma escola, um lugar *catequético*. A igreja moderna é pouco mais que um ponto de *evangelização*. Se a igreja se situasse entre esses dois extremos, poderia cumprir melhor a sua missão. Jesus acabara de mostrar "defeitos" no ensinamento dos líderes religiosos. Agora ele demonstra que havia crassos defeitos na moralidade deles, pois não viviam à altura de suas boas palavras. O ensinamento deles era inadequado; e as práticas religiosas eram hipócritas.

Eles traziam *vestes talares* dos dignitários e cobiçavam ser conhecidos como tais. Os ricos também tinham "vestes longas e luxuosas", e os dignitários religiosos gostavam de acompanhá-los. De fato, segundo se sabe, os saduceus provinham das classes abastadas, e facilmente podiam cumprir esses desejos. É indubitável, porém, que até mesmo os fariseus, que vinham das classes comuns, gostavam da ostentação, tanto quanto os saduceus.

"[...] saudações..." Mateus 23.7-10 traz uma descrição mais longa, além de vários dos títulos que eles apreciavam. Podemos estar certos de que cada "título" que gostavam de ouvir visava a fomentar seu orgulho humano. Para eles, a religião se tornara uma exaltação carnal, um autosserviço, quando a verdadeira religião consiste de servir ao próximo.

12.39: e dos primeiros assentos nas sinagogas, e dos primeiros lugares nos banquetes,

12.39 καὶ πρωτοκαθεδρίας ἐν ταῖς συναγωγαῖς καὶ πρωτοκλισίας ἐν τοῖς δείπνοις·[d]

> [d d] **39,40** *d* major, *d* minor: WH[mg] Bov Nes BF² RV ASV NEB (TT) Zür // *d* major, *d* major: TR AV // *d* minor, *d* major: WH RSV Luth Jer Seg

O relato de *Mateus* é bem mais completo, reunindo um "*grupo de declarações*", as denúncias de Jesus contra os hipócritas líderes religiosos, em diversas ocasiões. As fontes informativas usadas por Marcos tinham só algumas dessas asseverações. Várias fontes foram combinadas por Mateus. Marcos 12.39 é mais ou menos equivalente a Mateus 23.6, revertendo a ordem em Mateus, que traz o amor aos lugares proeminentes, nas festas e nas sinagogas, antes da questão que diz respeito ao amor, às saudações e aos cumprimentos.

Vários costumes confundem nosso conhecimento sobre a questão das cadeiras e dos "arranjos de lugares" em festas e sinagogas judaicas. A congregação dos homens geralmente ficava de pé, e somente os mestres se assentavam (ver Lc 4.20), mas parece que em algumas sinagogas todos se sentavam, embora os mestres se sentassem na plataforma frontal. Sem importar qual fosse o arranjo exato, os mestres hipócritas encontravam um meio de assim se exaltarem.

Lugares de honra: Esses lugares eram determinados não por questão de idade, e, sim, por causa de *proeminência* na comunidade. (Ver Lc 14.7-11 e Tg 2.2-4.)

12.40: que devoram as casas das viúvas, e por pretexto fazem longas orações; estes hão de receber muito maior condenação.

12.40 οἱ κατεσθίοντες τὰς οἰκίας τῶν χηρῶν[3] καὶ προφάσει μακρὰ προσευχόμενοι,[d] οὗτοι λήμψονται περισσότερον κρίμα.

> [3] **40** {A} τῶν χηρῶν (ver Mt 23.14 mg; Lc 20.47) א A B K L X Δ Θ Π Ψ *f*¹ 33 700 892 1009 1010 1071 1079 1195 1216 1230 1241 1242 1253 1344 1365 1546 1646 2148 2174 *Byz Lect* it[aur,e,ك,l] vg syr[s,p,h] cop[sa,bo,fay] arm geo // χηρῶν καὶ ὀρφάνων D W *f*¹³ 28 565 it[a,b,c,d,ff²,i,q,r¹] syr[pal]

> Se as palavras καὶ ὀρφάνων (D W *f*¹³ 28 565 *al*) estivessem presentes no original, não haveria razão admissível para sua excisão, ao passo que é fácil entender que copistas provavelmente teriam expandido χηρῶν pela adição das palavras καὶ ὀρφάνων.

Isso equivale mais ou menos a Mateus 23.14, onde são discutidos os itens.

"Não é *exagerar* as palavras dizer que Jesus aqui enfrenta o problema de moradias, em Jerusalém. Esse problema foi muito agudo no fim da Segunda Guerra Mundial. Trata-se, porém, de antiquíssimo problema; de fato, tão antigo e novo quanto a pobreza e a ganância. Jesus não fizera nenhuma pesquisa sobre a distribuição de terras na Palestina. Seria estranho a qualquer teoria econômica de aluguéis. Os homens só o aleijam inapelavelmente quando o veem como uma espécie de Henry George, Adam Smith ou Karl Marx do primeiro século. Entretanto, não desconhecia a cupidez e o sofrimento seculares que a ambição provoca, sob qualquer ordem política e econômica. Ele via os poderes financeiros locais — a acusação desta passagem parece aplicar-se mais diretamente ao sacerdócio explorador do que aos escribas, como uma classe — a tirarem proveito e a imporem cargas intoleráveis sobre homens e mulheres. Se ele não tinha nenhum esquema para uma civilização industrial, ainda assim desnudou as fontes dos males, nos motivos" (Luccock, *in loc.*).

"A advertência é feita ao povo; e ordena-lhes que *tenham cuidado* com os líderes religiosos, que afetavam títulos externos e a pompa de ofício, e procuravam equilibrar sua falta de humanidade com a exibição de piedade" (Gould, *in loc.*).

12.41-44 — *A oferta da viúva pobre.* (Ver o texto de Lc 21.1-4, onde se acham as notas expositivas.)

12.41: E sentando-se Jesus defronte do cofre das ofertas, observava como a multidão lançava dinheiro no cofre; e muitos ricos deitavam muito.

12.41 Καὶ καθίσας κατέναντι τοῦ γαζοφυλακίου[4] ἐθεώρει πῶς ὁ ὄχλος βάλλει χαλκὸν εἰς τὸ γαζοφυλάκιον· καὶ πολλοὶ πλούσιοι ἔβαλλον πολλά·

> 41 καθίσας...γαζοφυλακείου Jo 8.20 ἐθεώρει...γαζοφυλακεῖον 2Rs 12.9

> [4] **41** {B} καθίσας κατέναντι τοῦ γαζοσυλακίου א L D 892 1195 it[a,k] cop[bo,fay] // καθίσας ἀπέναντι τοῦ γαζοφυλακίου B Ψ 2148 // καθίσας ὁ Ἰησοῦς κατέναντι τοῦ γαζοφυλακίου A K X Π 700 1009 1010 1071 1079 1216 1241 1242 1546 1646 2174 *Byz* [84,299,313,883,950,1579,1642] it[aur,b,c,ff²,i,l,r¹] vg syr[p,h] cop[sa] eth // καθίσας ὁ Ἰησοῦς ἀπέναντι τοῦ γαζοφυλακίου 33 1230 1253 1344 1365 *Lect* // κατέναντι τοῦ γαζοφυλακίου καθεζόμενος ὁ Ἰησοῦς D it[d,q] // ἑστὼς ὁ Ἰησοῦς κατέναντι τοῦ γαζοφυλακίου W Θ *f*¹ *f*¹³ 28 565 syr[s,hmg,pal] arm geo Origen

> A forma que melhor explica a origem das outras formas é a preservada em א L D 892 it[a,k] *al*. Mais provavelmente, os copistas teriam inserido as palavras ὁ Ἰησοῦς, a fim de identificar o sujeito, ao invés de apagá-las. Em outros textos, Marcos usa κατέναντι (11.2 e 13.3), mas nunca ἀπέναντι. Aqueles responsáveis pelos manuscritos W Θ *f*¹ *f*¹³ 28 565 *al* obviamente pensaram que seria mais próprio que Jesus ficasse de pé (ἑστώς), do que se assentasse no templo.

A fonte informativa provavelmente é o protomarcos. Por que Mateus deixou de fora essa narrativa, não sabemos dizê-lo. Seu paralelo é Lucas 21.1-4. Em Marcos, imediatamente antes, vemos Jesus como campeão dos pobres e oprimidos. Isso pode ter sugerido o episódio da viúva pobre. Essa história funciona como ilustração da religião hipócrita. Os ricos davam por ostentação, mas sempre cuidando em não se prejudicarem com um real sacrifício, ao passo que qualquer coisa que alguns pobres davam já era um sacrifício. Jesus ensina aqui que o sacrifício pessoal é recomendável e necessário para a verdadeira fé religiosa. Jesus ensinou o sacrifício até a renúncia. A confortável igreja evangélica de hoje pouco sabe desse princípio, e, assim, é paralelo dos religiosos dos dias de Jesus.

"[...] gazofilácio..." Essa é mera transliteração do termo grego usado no texto, e significa "*tesouro*". Provavelmente, alude à "arca" existente no átrio das mulheres do templo, na qual havia treze aberturas à forma de trombeta, por onde se deitavam as ofertas e dádivas para os pobres. Parece que esse nome também

NTI|Marcos| 901

fora aplicado ao "salão" inteiro onde essa arca estava localizada. As ofertas ali depositadas eram voluntárias, algo parecido com as "caixas dos pobres" de algumas igrejas. Conforme seria de esperar, as ofertas deixadas naquela arca eram pequenas. Se algum ricaço desse muito, podemos estar quase certos que o fazia com o propósito de ser visto e ser elogiado por sua generosidade.

12.42: Vindo, porém, uma pobre viúva, lançou dois leptos, que valiam um quadrante.
12.42 καὶ ἐλθοῦσα μία χήρα πτωχὴ ἔβαλεν λεπτὰ δύο, ὅ ἐστιν κοδράντης.

42 πτωχη] om DΘ it

As minúcias subentendem uma *testemunha ocular* como fonte do relato, provavelmente Pedro, o que se dá com muitos dos lances de Marcos. Notemos como a única viúva pobre (v. 42), faz contraste com os "muitos ricos", do v. 41; e como a "pequena oferta" faz contraste com as gordas quantias daqueles homens abastados. Jesus não desprezou e nem criticou as grandes ofertas, exceto que ele pode ter deixado entendido (embora o texto nada nos diga diretamente) que foram dadas por ostentação.

"[...] duas pequenas moedas..." O *"lepton"* era uma pequena moeda de cobre, que valia apenas um oitavo de um centavo. A própria palavra indica algo de "pequeno", sendo usada para se referir a animais minúsculos ou algo "fino". Que a mulher deu "duas" dessas moedas indica a disposição de sacrificar-se. Em sua grande pobreza, ela podia dar apenas uma delas, mas deu duas.

"[...] quadrante..." É um termo latino, que significava quarta parte de um *"as"*. O *denário* valia dez asses e era reputado um bom salário para um dia de trabalho. A mulher, pois, dera o equivalente a 1/40 de um denário, o que custaria a um homem comum apenas quinze minutos de trabalho, se trabalhasse dez horas por dia. Isso demonstra a suprema pobreza dela. Poderia ser tentada a reter sua pequena contribuição, pois equivalia virtualmente a nada, tal como o homem de "um talento", na parábola dos talentos, ocultou o seu único talento na terra, pois aparentemente envergonhou-se de fazê-lo multiplicar-se. (Ver Mt 25.14ss).

12.43: E chamando ele os seus discípulos, disse-lhes: Em verdade vos digo que esta pobre viúva deu mais do que todos os que deitavam ofertas no cofre;
12.43 καὶ προσκαλεσάμενος τοὺς μαθητὰς αὐτοῦ εἶπεν αὐτοῖς, Ἀμὴν λέγω ὑμῖν ὅτι ἡ χήρα αὕτη ἡ πτωχὴ πλεῖον πάντων ἔβαλεν τῶν βαλλόντων εἰς τὸ γαζοφυλάκιον·

43,44 ἡ χήρα...βίον αὐτῆς 2Co 8.12

Jesus *não desprezou* as ofertas polpudas, embora isso não envolvesse sacrifício, mas ele viu claramente que o que *restava* era mais um teste de generosidade do que o que fora "dado". Além disso, é claro que Jesus olhava o "coração" e viu na mulher a atitude de generosidade, o que os grandes doadores não possuíam. Os motivos puros da viúva é que inspiraram sua generosidade, tornando-a a maior das ofertantes. Se aquela viúva se *sacrificasse* ao ponto de nada mais restar-lhe, mas, por exemplo, tivesse agido por mero senso de dever, não é provável que Jesus a tivesse elogiado. Em seu "discernimento messiânico", Jesus sabia que sacrifício fora feito por ela; e, ao mesmo tempo, que os grandes doadores não tinham feito nenhum sacrifício. É provável que o autor sagrado quisesse que entendêssemos que esse estranho conhecimento era prova indireta do caráter messiânico de Jesus, embora a história não tivesse sido escrita para provar isso.

O monge devoto, *Eutímio Zigabeno*, apresenta uma curiosa mas feliz aplicação dessa história, ao dizer: "Que minha alma torne-se uma viúva que expulse o Diabo, ao qual está unida e sujeita, e lance no tesouro de Deus dois 'leptos', o corpo e a mente; o primeiro esvaziado pela temperança e a segunda, pela humildade". Pelo menos ele percebeu que esse episódio aplica-se mais aos valores espirituais do que às ofertas materiais e ilustra o modo livre e completo com que devemos dar todas as coisas para Deus, começando com o próprio "eu" e com tudo quanto possuímos.

12.44: porque todos deram daquilo que lhes sobrava; mas esta, da sua pobreza, deu tudo o que tinha, mesmo todo o seu sustento.
12.44 πάντες γὰρ ἐκ τοῦ περισσεύοντος αὐτοῖς ἔβαλον, αὕτη δὲ ἐκ τῆς ὑστερήσεως αὐτῆς πάντα ὅσα εἶχεν ἔβαλεν, ὅλον τὸν βίον αὐτῆς.

Existe o que se poderia chamar de *"generosidade externa"*, que busca ocultar a "escassez" do íntimo. No entanto, há também a generosidade "interna" que dá sentido a uma doação que reflete a "escassez externa". Há ainda um "valor ideal" nas dádivas, tenham elas a forma de dinheiro, tempo, talento ou a própria vida, o que pode transcender ao valor aparente de tais coisas. É facilmente possível que um homem com muitos talentos, ao "fazer muito", continue sendo um homem espiritualmente pobre, porquanto poderia fazer muito mais. Por outro lado, quem "faz pouco" pode ser rico para com Deus, por estar fazendo tudo quanto pode e usando tudo quanto é. Seja como for, o "sacrifício" e a "renúncia" são as lições constantes neste pequeno episódio. Jesus elogiou aquela que estava disposta a tomar a sério a inquirição espiritual, e que enveredou pelo caminho da renúncia. Outro modo de dizer isso é: "[...] tome a sua cruz, e siga-me". (Ver Mt 10.38 e 16.24.)

"A coisa mais importante que há, em qualquer relacionamento, não é aquilo que se obtém, mas aquilo que *se dá* [...]. Em qualquer caso, a dádiva do amor é uma educação por si mesma" (Eleanor Roosevelt).

"Mais bem-aventurado é dar do que receber" (At 20.35).

Capítulo 13

c. **13.1,2** — O *"pequeno Apocalipse"* — a *destruição de Jerusalém.* (As notas expositivas são dadas em Mt 24.1,2. Ver também Lc 21.5-9). Acrescentamos, aqui, algumas notas suplementares.

13.1: Quando saía do templo, disse-lhe um dos seus discípulos: Mestre, olha que pedras e que edifícios!
13.1 Καὶ ἐκπορευομένου αὐτοῦ ἐκ τοῦ ἱεροῦ λέγει αὐτῷ εἷς τῶν μαθητῶν αὐτοῦ, Διδάσκαλε, ἴδε ποταποὶ λίθοι καὶ ποταπαὶ οἰκοδομαί.

Os comentários sobre o texto de Mateus, alusivos ao *Pequeno Apocalipse*, manuseiam esta "seção de ensinos" como se todos fossem genuinamente de Jesus, mesmo que não derivados todos da mesma fonte informativa. É quase certo que o material exposto por Marcos e por Mateus não foi proferido numa única ocasião, mas representa uma "coletânea" de declarações proféticas de Jesus. Os estudiosos liberais acham aqui um núcleo de declarações de Jesus. Os v. 6-8, 14-20 e 24-27, e talvez outros, seriam declarações e escritos apocalípticos que não saíram originalmente dos lábios de Jesus, antes, seriam pensamentos comuns à cultura cristã primitiva, semelhantes aos que se acham nos livros de Enoque, II Esdras e outros "apocalipses judaicos". A maioria dos intérpretes, porém, admite algumas profecias *autênticas* neste texto, sobretudo aquela sobre a queda de Jerusalém, no ano 70 d.C. Eusébio (*História Eclesiástica*, III.5.3) diz que os cristãos, lembrados da advertência de Jesus, fugiram para *Pela*, a leste do Jordão, assim escapando dos exércitos romanos que avançavam e da agonia que a isso se seguiu. Alguns eruditos chegam a atribuir algum material que aparece em Marcos ao período tão posterior quanto o de Hadriano. Supostamente o sacrilégio desolador seria a estátua equestre de Hadriano, que foi posta no antigo local do templo da aldeia pagã Aélia Capitolina, edificada sobre as ruínas de Jerusalém. Evidências recentes, entretanto, mostram que o evangelho de Marcos provavelmente tenha sido escrito em cerca de 50 d.C., antecedendo Hadriano por cerca de 80 anos. Não pode ser comprovada a teoria que "divide" as predições, atribuindo algumas a Jesus, e outras, não; e, apesar de não ser impossível que algumas declarações cristãs, mas não de Jesus, tenham penetrado no *"pequeno Apocalipse"*, é tarefa impossível

902 |Marcos| NTI

determinar o que pertence a ele ou não. Assim, sem nenhuma hesitação, atribuímos toda a seção a Jesus. Sem dúvida, é verdade que uma parte desse ensinamento foi profético e apocalíptico e seria mesmo de esperar que a igreja primitiva tenha preservado ao menos esse tanto de tais instruções de Jesus.

"Tal como os profetas do AT, antes da invasão assíria (cf. Miqueias 3.12; Jeremias 26.18 e 9.11), Jesus predisse a *destruição* do templo. Essas declarações devem ter sido autenticamente suas, pois foram usadas contra ele, sob nova roupagem, quando de seu 'julgamento' ante o sumo sacerdote (14.58). As pedras do templo eram especialmente grandes, e a 'construção' era impressionante; antigos viajantes diziam tratar-se de uma das maravilhas do mundo, e que valia a pena viajar à Palestina para vê-lo. Haveria de transformar-se, porém, em ruínas, porque abrigava uma adoração falsa — tal como se vê no sermão de Estêvão, em Atos 7, e em outras polêmicas cristãs primitivas — e isso como mais um castigo contra aquela nação (cf. Lc 13.1-9)" (Grant, *in loc.*).

Olha para as construções, que dimensões e que beleza! que maneira comum de avaliar o valor das coisas. Até as congregações evangélicas são medidas pela suntuosidade de seus templos e de sua beleza material. Mas Jesus, tal como faz com os indivíduos, olha para o interior. Qual era a beleza da adoração, qual era a riqueza da espiritualidade? Nada. Portanto, tinha de cair, tal como os hipócritas, finalmente, são desmascarados.

13.2: Ao que Jesus lhe disse: Vês estes grandes edifícios? Não se deixará aqui pedra sobre pedra que não seja derribada.

13.2 καὶ ὁ ᾽Ιησοῦς εἶπεν αὐτῷ, Βλέπεις ταύτας τὰς μεγάλας οἰκοδομάς; οὐ μὴ ἀφεθῇ ὧδε λίθος ἐπὶ λίθον[1] ὃς οὐ μὴ καταλυθῇ.

2 οὐ...καταλυθῇ Lc 19.44 2 καταλυθῇ] *add* (14.58) και δια τριων ημερων αλλος αναστησεται ανευ χειρων **DW** it Cypr

[1] **2 {B}** ὧδε λίθος ἐπὶ λίθον (ver Mt 24.2) א B L W Δ Θ Ψ *f¹ f¹³* 28 33 700 892 1071 *Lect* it^(a.aur,b,d,q) // ὧδε λίθος ἐπὶ λίθῳ D 565 1195 1344 Cyprian // ὧδε λίθος ἐπὶ λίθῳ (*or* λίθου) syr^(a,p,h with*) cop^(sa) arm geo // λίθος ἐπὶ λίθον ὧδε cop^(bo) // λίθος ἐπὶ λίθον X Π 1009 1079 1241 1242 1253 1546 it^(ff²,i,l,r¹) vg // λίθος ἐπὶ λίθῳ (ver Lc 21.6) A K 1010 1216 1230 1365 (1646 ἐπὶ λίθους) 2148 2174 *Byz* l^(76,299,1642) // *in templo* it^k // *in isto templo lapis super lapidem* it^(c-(e))

> Com base na evidência preponderante nos manuscritos (א B L W Δ Θ Ψ *f¹ f¹³* 28 33 700 *al*) a comissão preferiu a forma ὧδε λίθος ἐπὶ λίθον.

"*Mestre, olha para isto!* Que edifícios admiráveis. É a Igreja de São Croeso, com espaço disponível quase tanto quanto uma estação de trens! Ele, porém, não estava impressionado. Tal como nos dias da história de Marcos, seus olhos percorriam o ambiente, em busca de outras coisas, evidências da riqueza da vida interior e da devoção ao reino de Deus. Ele procurava amor e sacrifício similares ao dom da viúva pobre, bem como a lealdade indivisível de vidas que o reconhecessem como Senhor" (Luccock, *in loc.*).

V. 2. *Nota textual.* Os mss DW e as versões latinas acrescentam a este versículo "[...] e em três dias outro ressuscitará (ou será ressuscitado) sem mãos..." Essas palavras não fazem parte integrante do original grego, e nenhuma tradução as contém. Provavelmente trata-se de um reflexo de João 2.19, ou de outra passagem, adicionada aqui como expansão, por alguns escribas posteriores.

13.3-13 — *O começo das dores* (Ver as notas expositivas em Mt 24.3-14.)

13.3: Depois, estando ele sentado no Monte das Oliveiras, defronte do templo, Pedro, Tiago, João e André perguntaram-lhe em particular:

13.3 Καὶ καθημένου αὐτοῦ εἰς τὸ ῎Ορος τῶν ᾽Ελαιῶν κατέναντι τοῦ ἱεροῦ ἐπηρώτα αὐτὸν κατ᾽ ἰδίαν Πέτρος καὶ ᾽Ιάκωβος καὶ ᾽Ανδρέας,

3 συνριψασα] και θραυσασα **DΘ**

Segundo se vê em Mateus, os discípulos agora são chamados por seus *nomes*. Ao usar o material de Marcos, Mateus simplesmente eliminou a natureza específica da questão, e Lucas fez o mesmo. Os nomes são dados na ordem em que os três foram originalmente chamados. A narrativa de Marcos também é a *única* que identifica a área do monte das Oliveiras, como "defronte" do templo. Temos aqui dois pares de irmãos, os primeiros a serem chamados ao discipulado (ver Mc 1.16-20). Talvez esses quatro discípulos acompanhassem Jesus a Betânia, para passarem ali a noite, durante a festa, enquanto os outros ficavam em Jerusalém.

O monte das Oliveiras já havia sido apontado como o lugar da epifania divina (ver Zc 14.4). O Messias seria revelado ali. (Ver também Josefo, *Guerra dos Judeus* II.13:5; Antiq. XX.8.6.) É natural, pois, que essa fosse a cena das "declarações proféticas" que incluem a "parousia", a "epifania do Messias".

13.4: Dize-nos, quando sucederão essas coisas, e que sinal haverá quando todas elas estiverem para se cumprir?

13.4 Εἰπὸν ἡμῖν πότε ταῦτα ἔσται,[a] καὶ τί τὸ σημεῖον ὅταν μέλλῃ ταῦτα συντελεῖσθαι πάντα.[a]

^(a a) **4** *a minor, a major:* WH (Jr) // *a minor, a question:* TR Bov Nes BF² RSV TT Zür Seg // *a question, a question:* AV RV ASV NEB Luth

"[...] coisas..." Acabamos de mencionar a destruição do templo e os eventos paralelos a ela. A menção subsequente dos vindouros "falsos messias" mostra que a vinda do verdadeiro Messias, a "parousia", também está em foco, e não apenas a destruição de Jerusalém. O material subsequente fala também da consumação da era, e, portanto, alude-se aqui a três coisas: a destruição de Jerusalém, a "parousia" e o fim da era, tudo misturado numa única profecia. De fato, estão relacionadas entre si, ainda que separadas cronologicamente. A profecia raramente focalizava a "sequência de tempo" e a exatidão do tempo, sendo isso um "ABC" das questões proféticas, como o sabem seus estudiosos. Essa circunstância não nos deve levar à falsa suposição de que aqui está em foco apenas "um evento", como se este incorporasse esses diversos elementos. Isso é incluir na profecia uma exatidão cronológica que as profecias raramente ou nunca têm.

Notemos Mateus 24.3. Os *sinais* também devem ser de "sua vinda" e não meramente da queda de Jerusalém. Aquela referência fala também sobre o "fim da era". Entretanto, o relato de Marcos inclui esses dois outros eventos, embora não sejam eles especificamente mencionados aqui, na pergunta feita pelos discípulos. As palavras de Mateus são uma interrogação legítima do "intuito" das palavras de Marcos.

13.5: Então Jesus começou a dizer-lhes: Acautelai-vos; ninguém vos engane;

13.5 ὁ δὲ ᾽Ιησοῦς ἤρξατο λέγειν αὐτοῖς, Βλέπετε μή τις ὑμᾶς πλανήσῃ·

Os "*eventos do fim*", simbolizados pela queda de Jerusalém, virão após certas coisas específicas, como "falsos messias" e tumultos terrenos, como guerras, etc. Serão acontecimentos apocalípticos comuns, mas verdadeiros. Os "espiritualmente sábios" saberão como rejeitar esses "messias" e como "ler" o fim dos eventos.

Piedade em meio à *tribulação*: "Deus eterno, que nos entregaste o tesouro urgente e solene da vida; já que não sabemos o que o dia nos trará, mas somente que a hora para servir-te está sempre diante de nós, que despertemos para as reivindicações e instantes da tua santa vontade, não esperando para amanhã, mas cedendo hoje". (Livro da Oração Comum).

13.6: muitos virão em meu nome, dizendo: Sou eu; e a muitos enganarão.

13.6 πολλοὶ ἐλεύσονται ἐπὶ τῷ ὀνόματί μου λέγοντες ὅτι ᾽Εγώ εἰμι, καὶ πολλοὺς πλανήσουσιν.

6 Jo 5.43

"A esperança *messiânica* erroneamente concebida foi a ruína do povo judeu" (Bruce, *in loc.*). Se há "falsos cristos" para os quais devemos olhar, então o retorno do "verdadeiro Cristo" está em foco neste capítulo, tal como é especificamente dito em Mateus 24.3.

"[...] em meu nome..." Assumirão o próprio título de Messias — mas para enganar.

13.7: Quando, porém, ouvirdes falar em guerras e rumores de guerras, não vos perturbeis; forçoso é que assim aconteça; mas ainda não é o fim.

13.7 ὅταν δὲ ἀκούσητε πολέμους καὶ ἀκοὰς πολέμων, μὴ θροεῖσθε· δεῖ γενέσθαι, ἀλλ᾽ οὔτω τὸ τέλος.

7 θροεισθε] θορυβεισθε **D** *pc*

Haverá muitos *sinais preliminares*, como falsos cristos, guerras, ameaças de guerras, terremotos, fomes, todos os acontecimentos apocalípticos comuns; mas tudo será fiel às condições humanas. "Mas ainda não é o fim..." são palavras que não significam que as coisas mencionadas não serão "sinais do fim", mas apenas que serão sinais preliminares. Outros acontecimentos existirão depois desses.

13.8: Pois se levantará nação contra nação, e reino contra reino; e haverá terremotos em diversos lugares, e haverá fomes. Isso será o princípio das dores.

13.8 ἐγερθήσεται γὰρ ἔθνος ἐπ᾽ ἔθνος καὶ βασιλεία ἐπὶ βασιλείαν, ἔσονται σεισμοὶ κατὰ τόπους, ἔσονται λιμοί². ᵇἀρχὴ ὠδίνων ταῦτα.

8 ἐγερθήσεται...βασιλείαν Is 19.2; 2Cr 15.6

² **8** {B} ἔσονται λιμοί (ver Mt 24.7) ℵᵇᵐᵍ B L Ψ copˢᵃᵐˢ,ᵇᵒ (eth) // καὶ λιμοί D itᵃ,ᵃᵘʳ,ᵇ,ᶜ,ᵈ,ᶠᶠ²,ⁱ,ᵏ,ˡ,ⁿ,ʳ¹ vg // λιμοὶ ταραχαί W (syrˢ copˢᵃᵐˢˢ λιμοὶ καί) // καὶ λοιμοὶ καὶ ταραχαί Θ (565 700 geoᴮ λιμοί) // καὶ ἔσονται λιμοὶ καὶ ταραχαί A K X Δ Π *f*¹ *f*¹³ (28 892 *omit first* καί) 33 1009 1010 1071 1079 1195 1216 1230 1241 1242 1253 1344 1365 1546 1646 2148 2174 *Byz Lect* itᵗ¹ syrᵖ,ʰ geoᴬ Origenˡᵃᵗ // καὶ ἔσονται λιμοὶ καὶ λοιμοὶ καὶ ταραχαί (ver Mt 24.7 mg; Lc 21.11) Σ 1342 // καὶ ἔσονται σεισμοὶ καὶ λιμοὶ κατὰ τόπους καὶ ταραχαί *ƒ*⁸⁸³ // λιμοὶ καὶ λοιμοὶ καὶ ταραχαί arm // hunger and thirst geo¹

Embora seja possível que as palavras καὶ ταραχαί tenham sido descontinuadas na cópia, por causa de sua similaridade com a palavra seguinte, ἀρχή, é mais provável que aqui tenhamos um exemplo de texto crescente, expandido por diversos copistas e de diversas maneiras.

As *dores* indicam aqui as dores de *parto*. Essa palavra fazia parte da linguagem apocalíptica comum, para falar das "agonias" que devem anteceder o advento do Messias. Naturalmente, as dores de parto antecedem e são necessárias para o "nascimento" do reino; e o vocábulo também deve incluir essa ideia. O triunfo vem por meio do sofrimento, e isso nunca será tão verdadeiro como quando, pelas dores de parto, o Messias tiver de retornar para estabelecer a era áurea. Alguns psicólogos supõem que, psicologicamente falando, para uma criança, a experiência do processo de nascimento não é diferente da experiência da morte. Espiritualmente, pelo menos, o "nascimento vem através da agonia" e, com frequência, o velho deve morrer antes de o novo poder nascer.

V. 8. *Nota textual*. A expressão "[...] e tribulações..." aparece nos mss AW, Theta, Fam Pi, Fam 1 e Fam 13, bem como em algumas versões saídicas e siríacas, e também figura na tradução KJ. Todas as demais traduções omitem essa expressão, seguindo os mss Aleph, BDL e muitas versões latinas. Essa adição é uma pequena expansão escribal, a um versículo que já menciona tribulações em número suficiente.

13.9: Mas olhai por vós mesmos; pois por minha causa vos hão de entregar aos sinédrios e às sinagogas, e sereis açoitados; também serão levados perante governadores e reis, para lhes servir de testemunho.

13.9ᵇ βλέπετε δὲ ὑμεῖς ἑαυτούς· παραδώσουσιν ὑμᾶς εἰς συνέδριαᶜ καὶ εἰς συναγωγὰςᶜ δαρήσεσθεᶜ καὶ ἐπὶ ἡγεμόνων καὶ βασιλέων σταθήσεσθε ἔνεκεν ἐμοῦ εἰς μαρτύριον αὐτοῖς.ᵈ

ᶜᶜᶜ**9** c none, c none, c none: WH Bov Nes BF² // c minor, c none, c minor: TR AV RV ASV RSV (NEB) TT Zür Luth (Jr) Seg // c none, c minor, c none

ᵈᵈ**9,10** d major, d none: TR WH Bov Nes BF² AV RV ASV RSV NEB TT Zür Luth (Jr) Seg // c none, c minor, c none   **9** Mt 10.17,18

"[...] Estai vós de sobreaviso..." Notemos como a expressão repete-se com frequência — v. 5,9,23,33. Além disso, no v. 37, lê-se: "Vigiai!" Esses avisos mostram a seriedade deste capítulo. O homem acha-se em baixíssimo estágio de desenvolvimento, pouco acima de um animal. Até mesmo sua inteligência, que o distingue dos animais irracionais, é empregada para a violência e o ódio. Nisso, pois, o homem está inferiorizado aos animais, pois perverteu uma vantagem que o fazia diferente deles. Será preciso muitas agonias antes que o homem possa ser reelevado. E é somente a graça de Deus que o torna "capaz" de ser reelevado. (Ver a "graça", explicada em Ef 2.8).

"[...] tribunais..." Provavelmente, os sinédrios judaicos locais, onde muitos crentes foram desgraçados e maltratados; porém, do ponto de vista a longo prazo, isso frisa a perseguição judicial contra os crentes, porquanto o nome de cristão seria desprezado. Antes da *parousia*, nos tempos do poder do anticristo (notas em 2Ts 2.3), haverá uma "perseguição legal", tal como o mundo nunca viu antes.

"[...] sinagogas..." A perseguição religiosa está em foco. As autoridades religiosas não permitiriam que os crentes vivessem em paz. A sinagoga era lugar de julgamentos civis e religiosos. Originalmente, em aplicação ao tempo anterior à destruição de Jerusalém, esse aviso mostrava que os crentes (da raça judaica) seriam maltratados e expelidos das sinagogas, como hereges. Haveria espancamentos contra os "violadores menores", mas a exclusão era a principal ameaça da sinagoga. Isso também indicava a "exclusão social", já que a sinagoga governava a sociedade inteira, e não meramente as funções religiosas.

"[...] governadores..." Originalmente, significava as autoridades romanas. Os crentes seriam perseguidos dentro e fora da religião, religiosa e civilmente, por judeus e gentios igualmente.

"[...] por minha causa..." Em outras palavras, "como cristãos", por mostrarem lealdade a Cristo. O "crime" deles seria essencialmente de lealdade a um senhor odiado pelos perdidos. (Ver Mc 8.35 e 9.41, quanto ao nome pelo qual sofreriam.) Essas expressões mostram que, pelo tempo em que foi escrito o evangelho de Marcos, havia já clara distinção entre os judeus e os cristãos, até mesmo quando os cristãos ainda frequentavam a sinagoga e continuavam realizando a adoração no templo. A destruição de Jerusalém separou totalmente a igreja da sinagoga.

"[...] para lhes servir de testemunho..." Os crentes se defenderiam, mas o testemunho deles, perante os tribunais religiosos e seculares, seria essencialmente a mensagem espiritual de Cristo. As perseguições, pois, serviriam para ajudá-los a cumprirem a Grande Comissão.

"Há Jesus perante Pilatos, Paulo perante Agripa, e grandes multidões de mártires perante os tribunais de Roma. Então mudaram os costumes e as coisas. Huss ante o concílio de Constança; Lutero ante Carlos V, em Worms; Latimer e Ridley condenados a morrer na fogueira. O discípulo não está acima de seu Mestre [...]. A pressão da vida, no plano das ruas, a pressão da tirania do pensamento das massas, são fortes e sutis. Tal como sobrevieram aos crentes do primeiro século, sobrevêm também hoje em dia. 'Basta um pouquinho de incenso queimado perante os ídolos populares', sussurram eles. 'Isso não fará nenhuma diferença'. Ainda precisamos de fé sustentadora dos mártires — fé em Deus, em quem a fidelidade faz uma diferença infinita e eterna" (Luccock, *in loc.*).

904 |Marcos| NTI

13.10: Mas importa que primeiro o evangelho seja pregado entre todas as nações.

13.10 καὶ εἰς πάντα τὰ ἔθνη[d] πρῶτον δεῖ κηρυχθῆναι τὸ εὐαγγέλιον.

Este versículo antecipa vasta *missão gentílica* da Igreja, e a profecia não se pode limitar à pregação durante o período da tribulação, e certamente nem por seus santos. Naturalmente, nisso está envolvida a "questão do arrebatamento", tema amplamente anotado em 1Tessalonicenses 4.15. O "pequeno Apocalipse" de Jesus não antecipa uma "igreja arrebatada antes da tribulação". Pelo contrário. Situa a igreja bem no meio da agonia da tribulação. Assim o faz o tratamento de Paulo, em 1Tessalonicenses 5.

13.11: Quando, pois, vos conduzirem para vos entregar, não vos preocupeis com o que haveis de dizer; mas, o que vos for dado naquela hora, isso falai; porque não sois vós que falais, mas sim o Espírito Santo.

13.11 καὶ ὅταν ἄγωσιν ὑμᾶς παραδιδόντες, μὴ προμεριμνᾶτε τί λαλήσητε, ἀλλ' ὃ ἐὰν δοθῇ ὑμῖν ἐν ἐκείνῃ τῇ ὥρᾳ τοῦτο λαλεῖτε, οὐ γάρ ἐστε ὑμεῖς οἱ λαλοῦντες ἀλλὰ τὸ πνεῦμα τὸ πνεῦμα τὸ ἅγιον.

11 Mt 10.19,20; Lc 12.11,12

I I τι λαλησητε אBDW fr *al* lat syᵉ; R] *praem* μηδε μελετατε (προμελ-Θ *a n*) 28 565 700: *add ead.* A f*13 pm* ς

O absurdo de usar este versículo como *desculpa* para não preparar os sermões é patente. Aplica-se somente aos julgamentos e às *defesas* ante os perseguidores, e não à prédica no púlpito. Temos aqui uma orientação para os "mártires" e não para os pregadores. Um mártir potencial pode estar diante de autoridades civis ou religiosas, a fim de ser julgado, e então, quanto à sua defesa, poderá depender somente do Espírito de Deus. E essa defesa será essencialmente uma proclamação, sem nenhuma transigência com a verdade do evangelho (segundo fica entendido no v. 9). Um pregador diante de sua congregação deve apresentar-se como homem preparado e erudito na Palavra, com muita coisa a ser dita, preparada pela meditação e pela oração, bem como por uma erudição completa nas Escrituras. Não temos aqui licença para a "falação extemporânea". Jesus nunca justificou o estupor mental e a preguiça intelectual. Por outro lado, neste versículo há grande consolo para os crentes. O Espírito Santo, o "alter ego" de Jesus, está conosco e cuidará de nós em tempo de aflição. Isso reflete a posição do "teísmo". Em outras palavras, Deus não abandonou o seu universo, mas está sempre presente para ajudar-nos. O deísmo, entretanto, ensina que Deus abandonou sua criação, deixando-a sob a supervisão de leis naturais. O NT é altamente "teísta". (Ver At 17.27, quanto a notas sobre as várias ideias filosóficas e teológicas sobre "a natureza de Deus" e suas relações com os homens.)

V. 11 – *nota textual*. As palavras "[...] nem premediteis...", encontradas nos MSS AEFGHKSUVX, Gamma, Delta, Fam Pi, bem como na tradução KJ, não passam de uma simples repetição de frase do que já fora dito, "... não vos preocupeis com o que haveis de dizer..." Essa repetição deve ter sido feita por escribas posteriores, porquanto não aparece nos melhores manuscritos, a saber, Aleph, BDLW, FAM 1 e na maioria das versões Latinas e no SI (s).Todas as traduções, excetuando a CJ, omitem essas palavras.

13.12: Um irmão entregará à morte a seu irmão, e um pai a seu filho; e filhos se levantarão contra os pais e os matarão.

13.12 καὶ παραδώσει ἀδελφὸς ἀδελφὸν εἰς θάνατον καὶ πατὴρ τέκνον, καὶ ἐπαναστήσονται τέκνα ἐπὶ γονεῖς καὶ θανατώσουσιν αὐτούς·

12 ἐπαναστήσονται...γονεῖς Mq 7.6

Quando o *anticristo* der início à mais intensa *perseguição* religiosa de todos os tempos, as coisas mencionadas aqui sucederão. Isso transcenderá às condições que houve quando certos membros das famílias judaicas se estavam convertendo ao cristianismo, sendo perseguidos por essa causa, embora esses acontecimentos

ocorressem ocasionalmente. Outro tanto se deu dentro do império romano. Algumas vezes, uma pessoa, ao converter-se ao cristianismo, era traída e perseguida pelos próprios familiares, ou era entregue às autoridades, porque o cristianismo não era uma religião legalizada, e seus seguidores eram tidos como traidores. Mateus mostra-se bem mais elaborado neste ponto. Marcos 13.12 é mais ou menos paralelo a Mateus 24.10-12.

13.13: E sereis odiados de todos por causa do meu nome; mas aquele que perseverar até o fim, esse será salvo.

13.13 καὶ ἔσεσθε μισούμενοι ὑπὸ πάντων διὰ τὸ ὄνομά μου. ὁ δὲ ὑπομείνας εἰς τέλος οὗτος σωθήσεται.

13 Mt 10.22 ἔσεσθε...μου Jo 15.18-21

Este versículo é paralelo a Mateus 24.9b e 24.13 e, sem dúvida, é *fonte* de ambas as declarações, pois Mateus dividiu esta declaração de Marcos. Em Romanos 8.39, o problema da "segurança eterna do crente" é amplamente comentado; é algo abordado neste versículo, embora não de modo formal ou dogmático. A posição deste comentarista é que tanto a "queda" quanto a "segurança eterna" são verdades bíblicas. Há textos bíblicos que ensinam uma coisa, e há outros que ensinam a outra. Supomos que a "queda" é algo "relativo", ou seja, algo que caracteriza a condição possível do crente "durante o caminho", antes da "parousia", antes de se "descerrarem as cortinas da oportunidade". Isso significa que um crente pode cair, pode negar a sua conversão e pode abandonar sua santificação, tornando-se um incrédulo, e até mesmo um apóstata. A experiência mostra que isso realmente sucede a anteriores verdadeiros crentes. No entanto, uma vez que a marca de Deus tenha sido aposta a um homem, uma vez que o "selo do Espírito" lhe tenha sido dado em algum ponto, essa pessoa será trazida de volta, porquanto pertence ao Senhor. Esse "trazer de volta" pode ocorrer além do sepulcro, em algum plano espiritual da existência. No NT, o fim da oportunidade só ocorre quando da segunda vinda de Cristo, e não por ocasião da morte do indivíduo. (Ver 1Pe 4.6, sobre isso.) Seja como for, essa pessoa será trazida *de volta* a Cristo, e sua lealdade lhe será restaurada, embora tenha de passar por muitas lições tortuosas, antes que isso suceda com ela. Desse modo, está segura, pois, finalmente, o Senhor jamais a abandonará, já que confiou em Cristo. Portanto, a segurança do crente é algo absoluto. (Ver Cl 1.23, onde é exposta essa linha de raciocínio.) Parece-me que essa maneira de encarar a verdade é melhor do que abandonar toda uma série de textos bíblicos, em favor de outra série, ou do que lançar o calvinismo contra o arminianismo, pois ambas as posições acham-se claramente exaradas nas Escrituras. Outro tanto se dá com o problema da "liberdade individual" versus "determinismo", e com o problema do "livre-arbítrio" versus "predestinação". Ambas as coisas existem nas Escrituras. Não precisamos perder tempo com nenhuma "reconciliação" imediata entre esses dois lados da verdade bíblica. Muitas doutrinas profundas nos são apresentadas como *paradoxos*; não porque sejam realmente contraditórias entre si, mas simplesmente por não sermos capazes de ver os "dois lados" de uma profunda verdade bíblica, já que não sabemos como reconciliá-los entre si. Supomos que isso é assim porque ainda não progredimos suficientemente no entendimento espiritual para podermos reconciliar os lados difíceis desses "paradoxos".

N.B.: Nos casos em que Mateus e Marcos têm textos paralelos, a exposição apresenta-se em Mateus; em Marcos, encontram-se apenas algumas notas suplementares.

13.14-23 — *A grande tribulação* (As notas expositivas sobre esta seção foram providas em Mt 24.15-28.)

13.14: Ora, quando vós virdes a abominação da desolação estar onde não deve estar (quem lê, entenda), então os que estiverem na Judeia fujam para os montes;

13.14 Ὅταν δὲ ἴδητε τὸ βδέλυγμα τῆς ἐρημώσεως ἑστηκότα ὅπου οὐ δεῖ, ὁ ἀναγινώσκων νοείτω, τότε οἱ ἐν τῇ Ἰουδαίᾳ φευγέτωσαν εἰς τὰ ὄρη,

14 τὸ...ἐρημώσεως Dn 9.27; 11.31; 12.11; 1 Mc 1.54 νοειτω] add τι αναγινωσκει **D** a d g² n

Ver 2Tessalonicenses 2.3, quanto a notas completas sobre o *anticristo*. Ele é a verdadeira "abominação" que deixa desolação, embora já tenha sido prefigurado por outros. As palavras deste versículo — "quem lê, entenda" — parecem subentender que o autor tinha algo de específico em mente, que poderia considerar como o cumprimento ou o começo do cumprimento dessa predição sobre a "abominação". Alguns intérpretes sugerem que a estátua equestre de Hadriano, posta no antigo local da cidade pagã de Aélia Capitolina, que foi edificada sobre as ruínas de Jerusalém, está aqui em pauta. Isso, todavia, é impossível, já que o evangelho de Marcos foi escrito muito antes disso. Não podemos precisar o que o autor sagrado tinha em mente, quanto ao cumprimento "imediato" dessa predição; mas, a "longo prazo", a predição é perfeitamente clara. O "anticristo" é aqui exposto.

Abominações que desolam. O anticristo será o exemplo supremo disso. Em nossa vida, porém, já há muitas dessas abominações. Isaías viu o Senhor em seu templo, elevado e exaltado. Muitas pessoas aparentemente religiosas têm ídolos que foram levantados em seu coração. Cada ídolo, cada vício, representa um ídolo no coração, que é uma abominação que faz o templo da alma tornar-se desolado. Nenhum indivíduo viciado poderá herdar o reino de Deus (ver Ef 5.5). A conversão não será autêntica se não for seguida e confirmada pela santificação. A santificação faz parte integral da salvação (ver 2Ts 2.13), e não algo que possa ser escolhido ou não, conforme o capricho do indivíduo carnal.

Um dos *sinais* do fim será quando o anticristo subir ao poder, e, de algum modo, vier a *profanar* a adoração judaica, e, segundo se presume, a adoração cristã. Lucas também menciona a área ao redor de Jerusalém, que será cercada de exércitos (ver Lc 21.20). Antes da "parousia", estão previstas duas grandes guerras — a do Ocidente contra a Rússia e seus aliados; e a do Ocidente (federação de dez reinos, sob a liderança do anticristo) contra a China. Na primeira dessas guerras, Israel será quase totalmente aniquilada; mas o aparecimento do sinal do Filho do homem, no firmamento — uma grande e luminosa cruz — encorajará Israel à vitória e à sobrevivência. Jesus será visto corporalmente entre os soldados israelenses, e Israel, como nação, se fará cristã, proclamando Jesus como o Messias. Então Israel se tornará uma poderosa *força missionária*.

Em cumprimento *imediato*, os exércitos (segundo a narrativa de Lucas) foram os romanos que destruíram Jerusalém em 70 d.C. Entretanto, como cumprimento a longo prazo, serão os russos, com seus aliados, e, finalmente, anos mais tarde, os chineses. Ambos esses exércitos ameaçarão a própria existência de Israel; mas serão destruídos por armas atômicas, embora com a perda imensa de combatentes de ambos os lados e da população civil do mundo inteiro.

"[...] situado onde não deve estar..." Isto é, no *lugar santo* (conforme Mt 24.15 o diz), ou seja, no templo. Alguns estudiosos pensam que isso indica "a Terra Santa". Notemos como Marcos evita essa expressão. Será que ele se recusou a aplicar o adjetivo "santo" ao lugar onde Jesus foi tão maltratado e morto? Ou evita isso por causa de seus leitores gentios, para os quais essa expressão nada significava?

13.15: quem estiver no eirado não desça, nem entre para tirar alguma coisa da sua casa;
13.15 ὁ [δὲ] ἐπὶ τοῦ δώματος μὴ καταβάτω μηδὲ εἰσελθάτω ἆραί τι ἐκ τῆς οἰκίας αὐτοῦ,

15,16 Lc 17.31

Que se *fugisse* para os montes, lugares naturais de refúgio em tempo de tribulação. Se alguém estivesse no eirado de alguma casa, que escapasse saltando de eirado em eirado, pois descer seria enfrentar soldados brutais, que imediatamente tirariam a vida do crente.Visto que escreveu para leitores gentílicos, Marcos não envolve a proibição acerca da *fuga* no sábado. No entanto, a maioria dos leitores de Mateus compunha-se de judeus crentes, que ainda não haviam rompido definitivamente com o judaísmo. A destruição de Jerusalém, e seu poder político e religioso, pôs fim à

dependência do cristianismo ao judaísmo, e deixou o cristianismo livre para crescer e desenvolver-se segundo novas linhas, sobretudo em terras gentílicas.

13.16: e quem estiver no campo não volte atrás para buscar a sua capa.
13.16 καὶ ὁ εἰς τὸν ἀγρὸν μὴ ἐπιστρεψάτω εἰς τὰ ὀπίσω ἆραι τὸ ἱμάτιον αὐτοῦ.

Um homem ia trabalhar no campo, deixando sua *capa* em casa. Essa era peça muito útil do vestuário antigo e que deveria ser usada para aparecer em público.Se, porém, um homem fosse apanhado de surpresa pelo exército que avançava, deveria deixar de lado a capa, *escapando* imediatamente. Voltar a casa seria um ato fatal. A narrativa mostra a urgência da mera sobrevivência. (Cf. acontece com as preparações mais calmas de Ezequiel, em tempo de perigo, em Ez 12.3,4.).

A vereda da renúncia: Sentindo-se ameaçado, aquele homem deixou para trás a sua capa, e fugiu *despido*, por assim dizer, para enfrentar o mundo. Em nosso orgulho carnal e cobiça, revestimo-nos de vícios e de egoísmo para ir ao encontro do mundo. Recusamo-nos a levar conosco o estigma da cruz. Entretanto, a única maneira de alguém ter uma vida cristã bem-sucedida é entrar na vereda da renúncia. A renúncia dos vícios, do egoísmo e dos motivos inferiores. A vereda da santificação é a vereda do sacrifício; a vereda do sacrifício é a vereda da renúncia. É disso que consiste todo o discipulado cristão.

13.17: Mas ai das que estiverem grávidas, e das que amamentarem naqueles dias!
13.17 οὐαὶ δὲ ταῖς ἐν γαστρὶ ἐχούσαις καὶ ταῖς θηλαζούσαις ἐν ἐκείναις ταῖς ἡμέραις.

17 Lc 23.29

Temos aqui a história *trágica* da guerra e da *deportação*. Quem mais sofre são as mulheres e as crianças. Os exércitos que avançam chegam loucos de ódio e concupiscência. As mulheres são vítimas fáceis da concupiscência, sob tais circunstâncias, e nenhuma delas deve esperar piedade. Sempre foi assim. Essa é a história da guerra, do ódio e da violência humanos. Marcos esboçou o quadro horrendo da tribulação futura com toques gráficos. "A *ciência* está escrevendo um *novo apocalipse*. O que ela diz é tão urgente, que tem a precedência sobre todos os nossos alvos sociais e econômicos. Está lançando a própria conclamação ao arrependimento — que mudemos nossos caminhos, antes que pereçamos miseravelmente" (Luccock, *in loc.*). Sim, a ciência proverá os meios de *vastíssima* destruição, e um mundo ímpio inteiro cairá de joelhos em contrição, desgostoso consigo mesmo.

13.18: Orai, pois, para que isto não suceda no inverno;
13.18 προσεύχεσθε δὲ ἵνα μὴ γένηται χειμῶνος·

As coisas poderão ser extremamente difíceis. Devemos orar para que, pelo menos, a natureza nos seja mais favorável à fuga. Oremos para que a grande *catástrofe* ocorra com bom tempo, dando aos poucos sobreviventes a oportunidade de fugirem sem o empecilho do frio e das estradas lamacentas.

As palavras "*vossa fuga*" formam uma antiga glosa explicativa escribal, que aparece na maioria dos manuscritos posteriores, principalmente da tradição bizantina. Os manuscritos realmente antigos omitem essa expressão, a saber, Aleph, BDL, bem como a maioria das versões latinas. A *catástrofe* está em foco. Oremos para que não suceda no inverno. Naturalmente, se for no inverno, a fuga terá de ser feita em meio a um tempo adverso.

13.19: porque naqueles dias haverá uma tribulação tal, qual nunca houve desde o princípio da criação, que Deus criou, até agora, nem jamais haverá.
13.19 ἔσονται γὰρ αἱ ἡμέραι ἐκεῖναι θλῖψις οἵα οὐ γέγονεν τοιαύτη ἀπ' ἀρχῆς κτίσεως ἣν ἔκτισεν ὁ θεὸς ἕως τοῦ νῦν καὶ οὐ μὴ γένηται.

19 ἔσονται...νῦν Dn 12.1; 1Rs 7.14

906 |Marcos| NTI

O mundo será levado a esses *extremismos* pelo anticristo, e a própria natureza enlouquecerá. (Quanto à nota de sumário sobre a "grande tribulação", ver Ap 7.14. Ver At 14.22, quanto a forma com que a tribulação, se for devidamente recebida, contribuirá para o bem do indivíduo. Ver as notas sobre a "batalha do Armagedom", em Ap 14.14, sobre o que há outras notas em 19.11. Essas notas abordam os detalhes concernentes aos eventos horrendos do fim da era, antes do estabelecimento da era de ouro.)

Alguns estudiosos pensam que a grande tribulação será a *última metade* da "tribulação", e que a própria tribulação se prolongará por sete anos. Parece ser melhor entender esse número como simbólico, e não como literal, e que a tribulação, quanto à sua duração, será consideravelmente mais longa do que isso. Ou os sete anos constituirão, para Israel, uma parte crítica de um período de 40 anos, o número bíblico e místico de *provação*. A tribulação será "divinamente" enviada, o tempo em que Deus — mediante juízo — intervirá na história humana.

Este versículo pode parecer um tanto *exagerado*; mas, considerando-se as predições dos místicos contemporâneos (que situam esses eventos em nossa época), além de outros textos bíblicos, vemos que não há exageros aqui. O mundo nunca viu o horror que será a *grande tribulação*. Considerando o que o mundo já viu de agonia, basta-nos essa declaração para entrever a agonia que então haverá. Este versículo se reveste de um senso um tanto "vago", mas é um senso aterrorizante.

13.20: Se o Senhor não abreviasse aqueles dias, ninguém se salvaria; mas ele, por causa dos eleitos que escolheu, abreviou aqueles dias.

13.20 καὶ εἰ μὴ ἐκολόβωσεν κύριος τὰς ἡμέρας, οὐκ ἂν ἐσώθη πᾶσα σάρξ. ἀλλὰ διὰ τοὺς ἐκλεκτοὺς οὓς ἐξελέξατο ἐκολόβωσεν τὰς ἡμέρας.

Os eleitos, pois, *estarão* durante a tribulação; e não devemos pensar aqui nos "santos da tribulação", como se estes não fizessem parte da igreja. Marcos é um documento cristão, escrito para crentes, a fim de alimentar-lhes a fé, e não essencialmente para criar fé. Portanto, não há como tomar o *pequeno apocalipse* e suas severa mensagem, para fora do quadro da igreja cristã, a qual terá de sofrer muito durante aquele período.

A *curto prazo*, a predição fala sobre a destruição de Jerusalém. O Senhor protegeu a igreja durante aquele tempo, mas não a "tirou" do mundo. O Apocalipse mostra que a igreja sofrerá horrendamente, pois aquele livro é um "manual" dos mártires cristãos. No entanto, alguns serão selados, a fim de cumprir um testemunho e sofrerão como mártires, após terem cumprido essa missão. O texto de Apocalipse 17.10-14 mostra definidamente que os crentes dos fins do primeiro século esperavam ver e viver durante a carreira do anticristo, que as tradições antigas afirmavam que seria Nero reencarnado. Não viam nenhum livramento para fora de tão aterrorizante período, antes, julgavam-se às portas do mesmo. O Apocalipse, que é essencialmente uma descrição prolongada daqueles dias, foi escrito para consolar a igreja mártir, que passaria por tempos tão difíceis, longe de ser livrada desses sofrimentos. O Apocalipse foi escrito para consolar e fortalecer igreja, sob a perseguição romana (historicamente falando), e sob a perseguição do anticristo (profeticamente falando). O autor dessa predição não escreveu para uma *audiência fantasma*, mas para as sete *igrejas* da Ásia Menor, representantes da igreja universal. Disse ele: "Já vimos muitas tribulações sob os diversos imperadores romanos. Mas as coisas ficarão muito piores, e *Nero* retornará. Assim como matou a todos quantos quis, mais ainda matará e assassinará. Muitos crentes serão martirizados. Permaneçamos firmes e não percamos a fé, pois Deus está ao nosso lado. Conquistemos a coroa do martírio". Essa é, essencialmente, a mensagem do Apocalipse. É errado furtar a igreja dessa mensagem, transformando o Apocalipse, essencialmente, em um documento não-cristão, o que

foi algo que o autor nunca imaginou que sucederia. (Ver 1Ts 4.15, quando à "questão do arrebatamento").

O Senhor *abreviou* aqueles dias, o que é declarado no tempo passado, porque a questão é vista na mente divina. Fazia parte do pensamento hebraico que o homem tem a capacidade de "apressar" ou "adiar" os eventos proféticos, por sua conduta e reação; e aqui, temos algo dessa ideia, devido a muitas razões, entre as quais a consideração por seu povo, diminuirá o tempo do anticristo e dos homens ímpios, e acalmará a natureza, a fim de que a humanidade possa *sobreviver*, e mais especificamente ainda, possam sobreviver os crentes em Cristo. (Ver 2Pe 3.12, quanto ao suposto poder de apressar os eventos profetizados.)

13.21: Então, se alguém vos disser: Eis aqui o Cristo! ou: Ei-lo ali! não acrediteis.

13.21 καὶ τότε ἐάν τις ὑμῖν εἴπῃ, Ἴδε ὧδε ὁ Χριστός, Ἴδε ἐκεῖ, μὴ πιστεύετε·

A verdadeira *parousia* ("aparecimento", segundo advento de Cristo) é certa. Antes de isso suceder, entretanto, haverá várias *falsas parousias*. O povo, ansioso por ver a culminação dos eventos proféticos, será enganado por cometas espirituais que brilharão de modo impressionante, mas que se reduzirão a nada. Os religiosos já têm forte "vontade de crer". E impostores hábeis poderão valer-se disso. Os apocalipses judaicos comumente predizem a vinda de falsos profetas, e essa ideia agora foi sancionada por Jesus, tornando-se parte do pequeno Apocalipse cristão.

13.22: Porque hão de surgir falsos cristos e falsos profetas, e farão sinais e prodígios para enganar, se possível, até os escolhidos.

13.22 ἐγερθήσονται γὰρ ψευδόχριστοι καὶ ψευδοπροφῆται καὶ δώσουσιν[3] σημεῖα καὶ τέρατα πρὸς τὸ ἀποπλανᾶν, εἰ δυνατόν, τοὺς ἐκλεκτούς.

22 Dt 13.1-3; 1Rs 13.13

22 ψευδοχριστοι και] *om* **D** *I24 I573 d i k*

[3] **22** {B} δώσουσιν (ver Mt 24.24) א A B C L W X Δ Π Ψ 0235 *f*¹ 700 892 1009 1010 (1071 δώσωσιν) 1079 1195 1216 1230 1241 1242 1253 1344 1365 1546 1646 2148 2174 *Byz Lect* itᵃᵘʳ,ᵇ,ᶜ,ff²,i,k,l,q,r¹ vg syrˢ,ᵖ,ʰ copˢᵃ,ᵇᵒ,ᶠᵃʸ goth arm geo¹ // ποιήσουσιν D K Θ *f*¹³ 28 565 itᵃ,ᵈ eth geo² Diatessaronᵃ (Origen) Victor-Antioch

---

Embora seja possível que δώσουσιν se tenha originado de assimilação ao paralelo de Mateus 24.24, a maioria da comissão considerou ποιήσουσιν (D K Θ *f*¹³ 28 565 *al*) como um substituto escribal para a expressão idiomática semita com διδόνα (cf. Dt 13.2, onde a LXX segue o hebraico, נתן).

Cf. este versículo com 2Tessalonicenses 2.9,10, sobre como o anticristo, o maior dos falsos cristãos, será operador de prodígios. É possível que parte dos mesmos seja da categoria das realizações científicas que enganarão os povos para que pensem que tudo pode ser explicado em *termos naturais*, ficando eliminada a necessidade da crença na existência de Deus. No entanto, além desse tipo de atividade, ele será autêntico operador de prodígios. Agora mesmo, no mundo, muitas pessoas operam prodígios, sobretudo curas miraculosas, e isso não respeita os limites dos dogmas e denominações. Não há razão para duvidar de que certos profetas, até mesmo eivados de defeitos morais, possam realizar coisas extraordinárias, que desafiam toda explicação natural ou científica.

Os falsos profetas realizarão *milagres didáticos*, isto é, *sinais*, tencionados a autenticar sua missão e ensinamentos, assim duplicando aquilo que Cristo fez (ver Jo 20.31 e At 222), ou que os apóstolos fizeram em seu nome (ver At 4.30 e 2Co 12.12), onde são usadas as mesmas expressões. Contudo, seus "sinais" serão "prodígios da mentira", dos quais o anticristo será o mestre supremo (ver 2Ts 2.9). Em outras palavras, promoverão e publicarão uma doutrina falsa, um falso modo de viver, que se opõe ao caminho ensinado por Cristo.

"[...] enganar, se possível, os próprios eleitos..." Isso foi adicionado para mostrar o caráter deveras extraordinário dos feitos dos falsos cristos. Seus "sinais" serão convincentes e inegáveis. A expressão indica que os eleitos, porém, não poderão ser enganados, mas isso devido à influência do Espírito, pois potencialmente, haverá o perigo.

13.23: Ficai vós, pois, de sobreaviso; eis que de antemão vos tenho dito tudo.

13.23 ὑμεῖς δὲ βλέπετε· προείρηκα ὑμῖν πάντα.

Este versículo exibe a *finalidade* central desta profecia. Ela foi dada não para satisfazer a curiosidade sobre o que sucederá no futuro; antes, *instrui* àqueles que viverão no tempo do cumprimento dessas predições. Os "avisos" contidos nas declarações se tornarão veredas em meio aos horrores previstos. Jesus frisa aqui que sua igreja não pertence às "multidões não-informadas", as quais serão tomadas de surpresa e serão enganadas pelos falsos cristos e seus prodígios mentirosos. Estas profecias salvarão os crentes dessa circunstância. Os avisos de Jesus ilustram o antigo mas verdadeiro provérbio: "Ser avisado de antemão é armar-se de antemão".

13.24-33 — *A volta do Filho do homem.* (As notas expositivas aparecem em Mt 24.29-31.)

13.24: Mas naqueles dias, depois daquela tribulação, o sol escurecerá, e a lua não dará a sua luz;

13.24 Ἀλλὰ ἐν ἐκείναις ταῖς ἡμέραις μετὰ τὴν θλῖψιν ἐκείνην ὁ ἥλιος σκοτισθήσεται, καὶ ἡ σελήνη οὐ δώσει τὸ φέγγος αὐτῆς,

24,25 ὁ ἥλιος...σαλευθήσονται Is 13.10; 34.4; Ez 32.7,8; Jl 2.10,31; 3.15; 1Rs 612-14; 812

13.25: as estrelas cairão do céu, e os poderes que estão nos céus serão abalados.

13.25 καὶ οἱ ἀστέρες ἔσονται ἐκ τοῦ οὐρανοῦ πίπτοντες, καὶ αἱ δυνάμεις αἱ ἐν τοῖς οὐρανοῖς σαλευθήσονται.

A *tribulação* aqui referida, a "prazo curto", foi a destruição de Jerusalém, no ano 70 d.C. Cremos, porém, que tal sucesso foi apenas aviso prévio e ilustração da tribulação dos *verdadeiros* últimos dias, nos quais o anticristo se verá envolvido, quando duas guerras mundiais afligirão a humanidade, quase extinguindo o homem da face do planeta. A própria existência da nação de Israel será ameaçada, primeiramente quando as tropas russas vierem ocupar as terras dos combatentes árabes e israelenses, talvez lá por 1985. Nessa ocasião, a federação de dez reinos, liderada pelo anticristo, tentará *expulsar* as tropas soviéticas dali, e irromperá a Terceira Guerra Mundial. Israel enfrentará a possibilidade de total extinção, mas Deus fará intervenção, tal como no Mar Vermelho. Jesus será visto fisicamente entre os soldados israelenses, e seu sinal será visto no firmamento — uma grande cruz luminosa —, e Israel triunfará: as forças da federação de dez reinos aniquilarão as tropas russas. Haverá um conflito atômico em escala mundial, e a Rússia e os Estados Unidos não mais serão grandes potências mundiais. Isso abrirá o caminho para a *China.* E, após longa guerra de conquista, a China tomará largas fatias da Europa e da União Soviética, e a Palestina se tornará, uma vez mais, o alvo da conquista militar. Milhões serão extintos pela guerra, pelas pragas e por perturbações da natureza. As tropas chinesas finalmente chegarão à Palestina, mas somente para ser exterminadas pelos exércitos da federação encabeçada pelo anticristo. Essa será a batalha do Armagedom. (Ver Ap 14.14, quanto a notas sobre o evento.) Conforme este versículo prediz, haverá também imensos sinais na natureza: trevas extraordinárias e perturbações gigantescas. Apesar de as coisas aqui mencionadas serem comuns aos apocalipses judaicos, isso não labora contra o cumprimento desses

tipos de "cataclismos naturais". A ciência já prediz a "mudança de polos", o que reacomodará os continentes, e, naturalmente, matará a maior parte da população da terra. Isso já sucedeu por várias vezes, conforme nos mostram os estudos geológicos; e, evidentemente, estamos às vésperas dessa ocorrência. O dilúvio de Noé parece ter sido a última vez em que isso aconteceu. (Ver Is 13.10, quanto a uma predição similar, bem como Is 34.4; Jl 2.30,31; 3.15, trazem as mesmas predições). Apesar de os "corpos celestes" poderem simbolizar as grandes forças políticas na face da terra, cremos que essas predições vão além de meros simbolismos.

13.26: Então verão vir o Filho do homem nas nuvens, com grande poder e glória.

13.26 καὶ τότε ὄψονται τὸν υἱὸν τοῦ ἀνθρώπου ἐρχόμενον ἐν νεφέλαις μετὰ δυνάμεως πολλῆς καὶ δόξης.

26 τὸν υἱόν...δόξης Dn 7.13,14; Mc 8.38; 1Rs 1.7

"[...] Filho do homem..." Esse é um dos títulos messiânicos de Jesus. (Quanto a notas completas sobre isso, ver Mt 8.20.) Indica tanto seu elevado ofício como a sua condescendência diante dos homens, participando ele do dilema e das condições humanas. O Filho de Deus tomou sobre si a nossa natureza, para que, por fim, venhamos a assumir a própria divindade que lhe pertence, segundo se vê em 2Pedro 1.4. (Ver também Cl 2.10, sobre isso.) Ele é o "Filho do homem", ou seja, o "Homem ideal".

"[...] nas nuvens..." Pensamos que sejam as nuvens das visões e revelações místicas, e não nuvens de vapor d´água. (Quanto a notas sobre as "nuvens" da "parousia", ver 1Ts 4.17.)

"[...] com grande poder e glória..." Cristo trará a glória de Deus até os homens, bem como seu infinito poder, e assim será instaurada a "era áurea", quando haverá o juízo que expurgará a terra de todo o mal que por tanto tempo escravizou os homens. Apesar de essa linguagem ser "simbólica", em certo sentido, contudo, espera-se o cumprimento literal que justifique essas descrições. Cf. Salmos 97.1-5, onde se vê o reino de Deus, sobre a terra, acompanhado por nuvens, trevas e fogo. Outro tanto se lê em Isaías 19.1, onde Yahweh é apresentado sobre quem vem sobre uma nuvem veloz, saída do Egito. E em Zacarias 9.14, o próprio Deus é visto a enviar suas flechas de relâmpagos, tocando a trombeta e vindo em redemoinhos do sul. (Ver também Salmos 18.5-16, onde todos os poderes da natureza são atribuídos à pomba de Yahweh, que virá salvar seu servo.) Daniel 7.13 é o paralelo mais próximo deste versículo, e ali se vê, por igual modo, o Filho do homem vindo entre "nuvens". É óbvio que as coisas mencionadas nestas profecias têm um sentido místico e simbólico, e não devem ser sempre tomadas literalmente. No entanto, o evento predito é perfeitamente literal, e terá pleno cumprimento. A linguagem poética oferece uma base pitoresca para as predições, mas os eventos preditos não se tornam menos reais por causa disso. Cristo virá e tomará conta dos poderes e do sistema deste mundo, e uma nova era será inaugurada. Se a vinda de Cristo é "espiritual", para o mundo, mesmo assim será "real", pois o espiritual é mais real que o material; e a vinda de Cristo será tão real que transformará todas as coisas. No caso do crente, sua vinda será real e visível, isto é, será "visto" por seus discípulos, e estarão onde ele se encontrar.

13.27: E logo enviará os seus anjos, e ajuntará os seus eleitos, desde os quatro ventos, desde a extremidade da terra até a extremidade do céu.

13.27 καὶ τότε ἀποστελεῖ τοὺς ἀγγέλους καὶ ἐπισυνάξει τοὺς ἐκλεκτοὺς [αὐτοῦ] ἐκ τῶν τεσσάρων ἀνέμων ἀπ᾽ ἄκρου γῆς ἕως ἄκρου οὐρανοῦ.

27 ἐπισυνάξει...οὐρανοῦ Dt 30.4; Zc 2.6,10

27 αυτου] *om* **DW** f1 *28 565 pc* it

Apesar de o *recolhimento* dos eleitos ser um processo milenar, podendo, em parte, ser obra de anjos, pois ministram entre os

908 |Marcos| NTI

homens, neste versículo dificilmente se vê esse longo processo. Antes, será um evento *súbito*, apocalíptico. Poderá consistir de mais de um evento, pois a própria volta de Cristo provavelmente se dará por etapas. Tudo isso, porém, descreve um acontecimento futuro, e não o processo da evangelização e da edificação da igreja. O que temos aqui é o que significará a '*parousia* para os crentes', e não "a conversão do mundo através dos séculos". Seu paralelo é 1Tessalonicenses 4.15ss. (Ver 1Jo 3.1ss, quanto às modificações metafísicas que terão lugar no ser mesmo do crente, quando da volta de Cristo.) Haverá grande salto à frente, no desenvolvimento espiritual, pois os remidos receberão a *natureza* de Cristo. Por enquanto, e talvez nunca, não têm toda a "extensão" da natureza divina, mas participarão verdadeiramente de sua natureza, isto é, participarão de sua forma de vida. (Ver Jo 5.25,26; 6.57, quanto a esta doutrina, bem como 2Co 3.18.) Subiremos "de glória em glória" em nossa transformação segundo a imagem de Cristo. E já aqui é infinito aquilo de que participaremos, a própria glorificação será um *processo infinito*. Ele expandirá os limites de sua habitação, os tetos subirão e as paredes se alargarão, e os crentes perenemente participarão de tudo quanto Cristo é, possuindo tudo quanto ele possui. Sua glória e natureza são como o oceano infinito. Podemos mergulhar um vaso no oceano. O vaso não poderá conter o oceano; mas pode-se imaginar que o vaso irá se expandindo para conter mais e mais do oceano. Nesse caso, o vaso irá assumindo mais e mais da natureza do oceano, crescendo eternamente nesse processo. A descrição de Lucas é abreviada de modo geral. Ele omite totalmente este versículo, e, até certo ponto, suaviza suas descrições apocalípticas, seguindo sua interpretação sobre os horrores do sacrilégio (ver Lc 21.20).

13.28: Da figueira, pois, aprendei a parábola: Quando já o seu ramo se torna tenro e brota folhas, sabeis que está próximo o verão.

13.28 Ἀπὸ δὲ τῆς συκῆς μάθετε τὴν παραβολήν· ὅταν ἤδη ὁ κλάδος αὐτῆς ἁπαλὸς γένηται καὶ ἐκφύῃ τὰ φύλλα, γινώσκετε ὅτι ἐγγὺς τὸ θέρος ἐστίν.

<u>28</u> Mt 21.19; Mc 11.13

O *pequeno Apocalipse* termina com uma nota prática de exortação, uma aplicação para a observação diária daquilo que significa para nós essa terrível predição. Jesus nos dá uma parábola como aplicação. (Ver Mt 13.3, quanto a uma nota completa sobre as "parábolas".) A maior parte das parábolas do NT compõe-se de "alegorias", em que cada detalhe significa algo; mas, na concepção moderna, uma parábola é uma espécie de história de exemplo em que uma lição central é ensinada e os detalhes são meros preenchimentos para formar uma narrativa, ou para mostrar o "ambiente básico" da lição. Na realidade, esta parábola é uma "símile" ou "metáfora". O fim e o novo começo iniciados pela "parousia" são como uma figueira que reage ao clima quente do verão, e deita folhas. Assim se sabe que o "verão" está perto. Por igual modo, quando os "sinais" referidos nesta predição estiverem ocorrendo, é que a *parousia* estará próxima, pois haverá o verão de Deus, quando o bem será dado a toda a Criação, e sobre a terra haverá a era áurea (o milênio). Como o horror do inverno tem sua fruição na primavera, e então vem o verão, com o surgimento de nova vida, assim o horror da tribulação redundará em nova vida. Isso é o que se esperaria de Deus, a fonte de toda a vida e bondade. Deus haverá de triunfar finalmente. (Ver isso comentado em Ef 1.10, sobre o "mistério da vontade de Deus", que terá de produzir a unidade universal em torno de Cristo.)

Sem dúvida nenhuma, esta parábola ilustra, com sua *imagem de uma fonte* (um novo começo, após uma experiência árdua), que os juízos de Deus são disciplinadores e restauradores, e não meramente retributivos. (Ver as notas sobre o "juízo", em Ap 14.11, e cf. Rm 11.32, quanto à mesma ideia de "bem derivado do mal".) Isso não quer dizer que todos os homens venham a participar da vida dos eleitos, mas Efésios 1 exige uma espécie de restauração de todas as coisas para o bem, por meio do julgamento divino, que será apenas um dedo amoroso da mão de Deus. Se alguém perder a "vida divina em Cristo" (o destino do crente), terá sofrido uma "perda infinita", sem importar o que mais Deus venha a fazer por ele. E o NT assegura que Deus pode, realmente, fazer muito por alguém, a ponto de ofuscar a mente, do que Efésios 1 e 1Pedro 4.6 certamente são indicações.

13.29: Assim também vós, quando virdes sucederem essas coisas, sabei que ele está próximo, mesmo às portas.

13.29 οὕτως καὶ ὑμεῖς, ὅταν ἴδητε ταῦτα γινόμενα, γινώσκετε ὅτι ἐγγύς ἐστιν ἐπὶ θύραις.

Jesus está *diante* da porta! Ele ainda não foi admitido, mas acha-se ali e pode ser visto. Embora a casa seja bem guardada e o muro seja alto, se alguém olhar atentamente, terá um *vislumbre* de Jesus através do gradeado da porta. Quando foi dita a profecia original, a destruição de Jerusalém estava tão próxima, que muitos dos que a ouviram, participaram da ocorrência. Outro tanto sucederá no caso da parousia. Uma vez que cheguem os eventos anunciadores, na pessoa do anticristo, haverá rápida sucessão de acontecimentos, até sua conclusão. Ver a nota completa sobre este personagem em 2Tessalonicenses 2.3. Logo vamos vê-lo nos jornais e na televisão.

"[...] às portas..." é uma expressão poética comum para *proximidade*. A porta é o meio de "admissão". A parousia está às portas e logo se tornará uma realidade na experiência de todos, "entrando" na vida de todos os homens.

13.30: Em verdade vos digo que não passará esta geração, até que todas essas coisas aconteçam.

13.30 ἀμὴν λέγω ὑμῖν ὅτι οὐ μὴ παρέλθῃ ἡ γενεὰ αὕτη μέχρις οὗ ταῦτα πάντα γένηται.

Este versículo tem gerado *muita discussão*, conforme se esboça nas notas sobre Mateus 24.34. O cumprimento a "curto prazo" (destruição de Jerusalém) na realidade teve lugar antes de morrerem todos quantos ouviram a profecia original. Assim sucederá à geração viva, quando o anticristo se apresentar; e os demais sinais se evidenciarão, resultando inexoravelmente na *parousia*. Isso fala da "subitaneidade do cumprimento", uma vez que se inicie o processo. Cremos que esta predição inclui ambos os eventos, ou seja a primeira e a quarta ideias, na discussão sobre o texto de Mateus. A profecia geralmente segue essas linhas, e sempre foi verdade, no AT, que o "retorno do cativeiro" seria o início da era áurea e do governo teocrático direto sobre a terra. O fato de que estavam equivocados, ou seja, tinham uma interpretação subjetiva, que não se adaptava aos fatos, não invalidou a profecia. O retorno do cativeiro foi fato, e a era áurea, que depende disso (Israel restaurada, sem importar quando isso venha a ocorrer), serão fatos. Aquela geração não morreu toda até que Jerusalém foi destruída, e isso aponta para a outra geração que não morrerá enquanto não se cumprir a parousia — aquela será a geração que verá o começo dos "sinais". Nas profecias, o "elemento tempo" é elástico, não podendo ser forçado para dentro de um molde concreto. Portanto, não consiste de uma dificuldade o fato de as profecias terem duplo propósito: um "imediato" e outro "remoto".

13.31: Passará o céu e a terra, mas as minhas palavras não passarão.

13.31 ὁ οὐρανὸς καὶ ἡ γῆ παρελεύσονται, οἱ δὲ λόγοι μου οὐ μὴ παρελεύσονται.

<u>31</u> Mt 5.18; Lc 16.17

Temos aqui as *palavras* de Jesus, suas profecias e ensinamentos. São certas como a lei, e não podem falhar, mesmo que passem o céu e a terra. (Ver Mt 5.18, quanto ao mesmo tipo de linguagem, no tocante à lei.) Nesta afirmativa, temos uma espécie de *primeira declaração do cânon*, pois quando as palavras de Jesus foram registradas, imediatamente assumiram posição "canônica", em nada ficando a perder para as Escrituras do AT. Não admira, pois, que os Evangelhos (juntamente com dez epístolas paulinas) tenham formado o *cânon* original do NT, e que, muito antes de qualquer formalização do "cânon", as palavras de Jesus fossem consideradas "autoritárias". Proverbialmente, "[...] o céu e a terra..." são as coisas mais perduráveis. São transitórias, em comparação com as palavras de Cristo. De fato, finalmente, se dissiparão (ver 2Pe 3.10). Naturalmente, sua palavra é contínua, não podendo ser contida em um livro ou em uma coleção de livros. Sempre dependeremos de sua palavra doadora de vida. Muito temos ainda para aprender; coisas que ele ainda não nos pode dizer; e sempre as coisas serão assim. Neste caso, a aplicação imediata do vocábulo "palavras" é o pequeno apocalipse (suas predições"; mas, por extensão, todas as suas palavras devem ser incluídas, aquelas que já foram ditas, aquelas que estão sendo ditas, e aquelas que ainda serão ditas.

13.32: Quanto, porém, ao dia e à hora, ninguém sabe, nem os anjos no céu nem o Filho, senão o Pai.

13.32 Περὶ δὲ τῆς ἡμέρας ἐκείνης ἢ τῆς ὥρας οὐδεὶς οἶδεν, οὐδὲ οἱ ἄγγελοι ἐν οὐρανῷ οὐδὲ ὁ υἱός, εἰ μὴ ὁ πατήρ.

—— 32 At 1.7

Essa é uma declaração *forte*, mas, infelizmente, tem causado muita discussão desnecessária. Devemos aceitá-la literalmente, não dependendo de interpretações desonestas, que a suavizam. Devemos aceitar que Jesus *não* sabia tudo. De fato, a encarnação foi aquele ato histórico mediante o qual o Logos Divino propositalmente deixou de lado a sua glória, o seu conhecimento infinito, e assumiu a posição de homem, para que fosse o Caminho e o Pioneiro do caminho de volta a Deus. Ver Filipenses 2.7, quanto a notas sobre a natureza e o fato da encarnação. Ele se encarnou a fim de que Deus se encarnasse no homem. Todavia, ao fazer isso, teve de deixar a sua glória e todos os seus atributos infinitos. Somente assim ele poderia vir habitar entre os homens. Portanto, não é de admirar que Jesus tivesse admitido que não sabia tudo; e assim sucedia, na realidade. Isso fazia parte de seu propósito na encarnação. Como homem, ele sofreu o que deveríamos sofrer. Ele não poderia ter sofrido, se sua humanidade não fosse igual à nossa. Naturalmente, quando ele reassumiu a sua glória, deixou de lado suas limitações humanas — que lhe tinham pertencido durante sua peregrinação terrena. Assim, ao nos identificar com ele na glória, participando de sua natureza, também deixaremos de lado nossas limitações humanas, e assumiremos a imensidade de Cristo, em grau crescente, por toda a eternidade. Notemos como alguns manuscritos de Mateus extraem as palavras "[...] nem o Filho..." É que a fé dos escribas falhou na oportunidade, e não foram capazes de aceitar as palavras do próprio Cristo, quanto às suas limitações, durante a encarnação. E muitos elementos da igreja cristã continuam não podendo apreciar o que significou a encarnação. Jesus teve de sofrer em nossas condições, a fim de poder retirar-nos das mesmas. E isso inclui um conhecimento imperfeito, a fim de que, como homem, pudesse depender do Espírito, assim deixando-nos exemplo.

Gould (*in loc*) lamenta os *debates teológicos* que este versículo tem provocado, por aqueles que não entendem as exigências da encarnação.

13.33: Olhai! vigiai! porque não sabeis quando chegará o tempo.

13.33 βλέπετε ἀγρυπνεῖτε⁴· οὐκ οἴδατε γὰρ πότε ὁ καιρός ἐστιν.

—— 33 Mt 25.13

⁴**33** {C} ἀγρυπνεῖτε B D it^{a.c.d.k} cop^{fay} // ἀγρυπνεῖτε προσεύχεσθε l^{883} cop^{bo mss} // ἀγρυπνεῖτε καὶ προσεύχεσθε (ver 14.38) ℵ A C K L W X Δ Π

Ψ f¹ 700 892 1009 1010 1071 1079 1195 1216 1230 1241 1242 1253 1344 1365 1546 1646 2148 2174 *Byz Lect* l^{rom,183s,m,333s,m} it^{aur,f,ff²,i,l,q,r¹} vg syr^{(s),p,h} cop^{bo} arm Diatessaron Augustine // καὶ ἀγρυπνεῖτε καὶ προσεύχεσθε Θ f¹³ 28 565 l^{211m} cop^{sa} eth geo

> A comissão considerou a forma καὶ προσεύχεσθε como uma adição natural (talvez derivada de 14.38) que muitos copistas devem ter feito independentemente uns dos outros. Se essas palavras estivessem originalmente presentes, seria difícil explicar sua omissão em B D it^{a.c.d.k} cop^{fay}.

Se o próprio Jesus desconhecia o tempo de sua *parousia*, sem dúvida não podemos nós conhecê-lo. Portanto, devemos ser vigilantes, preparando-nos em oração. Todavia, quando virmos os *sinais*, saberemos que isso *não estará longe*, embora nem assim possamos marcar uma data. "As limitações de nosso conhecimento" fazem-nos depender sempre de Deus. A seriedade dos eventos futuros nos dá boas razões para buscarmos seu consolo e poder. Busquemo-los, pois, aplicando os meios espirituais de crescimento, como o estudo, a oração e a meditação, buscando e usando os dons do Espírito Santo. E então, chegando o dia mau, estaremos preparados para enfrentá-lo. Se "soubéssemos de antemão" quando esperar uma crise, seríamos tentados a ficar "fora de guarda" durante todo o tempo, até a crise.

"O final deste capítulo é um *apelo* apaixonado à vigilância, falando diretamente a cada geração, e não só aos do primeiro século cristão. É um apelo para vivermos em estado de alerta, na ponta dos pés, com olhos, mente e coração sobre o 'que vivi'. A palavra 'vigiai' alude à vida terrena inteira do indivíduo. Alguém já disse que o pior "ismo" do mundo não é o fascismo e nem o comunismo, mas o sonambulismo. Há muitas formas de sonambulismo — os olhos vidrados que nunca notam que os ideais da vida estão sendo dissipados, que o propósito da vida está sendo frustrado; que nunca observam as forças do mal no mundo, que vão ganhando forças. 'Vigiai' para que não "negligenciemos" a renovação da vida, em comunhão com Deus, para que nossa simpatia não se esclerose! Vigiai para que a grande oportunidade de servir no reino de Deus não chegue e passe, sem ser vista e sem ser aproveitada" (Luccock, *in loc*.).

A parábola do homem em viagem. Essa parábola não é incluída nem em Mateus e nem em Lucas, no tocante ao *pequeno Apocalipse*, e não tem paralelo exato em parte nenhuma, embora seja similar ao texto de Lucas 12.35-48 e à parábola dos talentos. Alguns intérpretes, porém, pensam que se trata de um paralelo direto, posto que com algumas modificações, texto de Lucas 12.35ss.

13.34: É como se um homem, devendo viajar, ao deixar a sua casa, desse autoridade aos seus servos, a cada um o seu trabalho, e ordenasse também ao porteiro que vigiasse.

13.34 ὡς ἄνθρωπος ἀπόδημος ἀφεὶς τὴν οἰκίαν αὐτοῦ καὶ δοὺς τοῖς δούλοις αὐτοῦ τὴν ἐξουσίαν, ἑκάστῳ τὸ ἔργον αὐτοῦ, καὶ τῷ θυρωρῷ ἐνετείλατο ἵνα γρηγορῇ.ᵉ

ᵉᵉᵉ**34,35** *e* major, *e* minor, *e* minor: WH Bov Nes BF² AV RV ASV TT Luth Jer Seg // *e* minor, *e* minor, *e* minor: TR // *e* major, *e* dash: RSV // *e* major, *e* minor, *e* dash: NEB // *e* dash, *e* ex-clamation, *e* minor: Zür **34** Mt 25.14

"[...] como se um homem que..." e não *"como o Filho do homem"*, conforme alguns intérpretes têm suprido. Naturalmente, essa é uma interpretação correta, pois Cristo, distante como está na pátria celeste, está em foco. A parábola visa a reforçar a ordem anterior (v. 32, repetida no v. 35) de "vigiar". A vida é a aceitação de certa série de deveres, de responsabilidades; é uma missão ímpar. (Ver Ap 2.17, acerca do "caráter ímpar" de cada indivíduo, e, portanto, de sua missão sem igual.) O homem, em espírito de preguiça e indiferença, porém, não pode cumprir a sua missão, e nem demonstrar seu caráter único. A *crise* que precederá à "parousia", e aquele próprio evento, que apanhará a muitos

910 |Marcos| NTI

despreparados, os surpreenderão em atividades vergonhosas. O "senhor" poderia voltar a qualquer instante, e estejamos certos de que ele exigirá a prestação de "contas" de tudo quanto tiver sido feito. E, se ele houver dado muito, exigirá muito. Vigiemos, pois, em contemplação e estudo de sua Palavra, na observação de seus ensinamentos, em oração, na busca pela sua orientação, embora ele esteja em "país distante". Além disso, meditemos, a fim de ouvir a sua voz orientadora sobre a alma, buscando os dons do Espírito, mediante os quais pode-se realizar seu serviço de modo magnificente, dotados de espírito apto, donos de excelente desenvolvimento espiritual e pessoal para o serviço. Sua "recompensa" não será alguma coisa materialista, mas consistirá "do que nos tornaremos na glória", a extensão com que compartilharemos de sua natureza e de seus atributos, sobre a qual possessão se basearão nossas possessões na eternidade. (Ver sobre os "galardões", em 1Co 3.14; e sobre as "coroas", em 2Tm 4.8.) Não nos deixemos enganar. Aquilo em que estamos envolvidos é sério e terá consequências eternas, embora nunca possa chegar ao fim o nosso desenvolvimento espiritual nos mundos eternos, onde Cristo é sempre o objeto de toda a existência.

Meu Deus, ouvi neste dia
Que ninguém edifica habitação imponente
Para que não seja meio de habitar ali.
Que casa mais imponente já houve
Ou poderá haver, que o homem, a cuja criação
Todas as coisas estão em decadência?
....
E já que, meu Deus, tu tens
Tão bravo palácio edificado, habita nele,
Para que possa habitar contigo, finalmente!
Até então permite-nos tanto espírito
Que assim como o mundo nos serve, sirvamos a ti,
E ambos sejam os teus servos.
(George Herbert)

13.35: Vigiai, pois; porque não sabeis quando virá o senhor da casa; se à tarde, se à meia-noite, se ao cantar do galo, se pela manhã;

13.35 γρηγορεῖτε οὖν,ᵉ οὐκ οἴδατε γαρ πότε ὁ κύριος τῆς οἰκίας ἔρχεται, ἢ ὀψὲ ἢ μεσονύκτιον ἢ ἀλεκτοροφωνίας ἢ πρωΐ,ᵉ

35,36 Lc 12.36-38

São destacadas as *quatro vigílias da noite*, os períodos de tempo das 18 horas às 6 horas. O porteiro deve vigiar, pois tem a responsabilidade de cuidar do trabalho do senhor, e dirigir os demais servos. Na economia cristã, cada obreiro é um porteiro, cada indivíduo deve vigiar. O senhor pode voltar à noite, inesperadamente, a qualquer instante (em qualquer vigília). Ele poderá voltar na primeira vigília, desde o pôr-do-sol às 22 horas; ou das 22 horas às 2 horas da madrugada; ou das 2 horas às 6 horas (as três vigílias judaicas). Ou poderá voltar em qualquer das quatro vigílias romanas, que se iniciavam, respectivamente, às 18 horas, às 21 horas, às 24 horas e às 3 horas da madrugada. Ninguém pode predizer quando ele voltará. Mas ele voltará, e cada um de nós terá de comparecer à sua presença.

Quando Jesus vier galardoar seus servos,
Quer seja meio-dia ou meia-noite,
Fiéis a ele, nos achará vigiando,
Com nossas lâmpadas preparadas e brilhantes?

Oh! Podes dizer que estamos prontos, irmão?
Prontos para o lar brilhante da alma?
Achará ele a ti e a mim ainda vigiando,
Esperando, esperando, quando o Senhor vier?
(Fanny J. Crosby)

13.36: para que, vindo de improviso, não vos ache dormindo.

13.36 μὴ ἐλθὼν ἐξαίφνης εὕρῃ ὑμᾶς καθεύδοντας.

Para o homem interessado pela inquirição espiritual, o mais perigoso "ismo" no mundo é o *sonambulismo*, e não o fascismo, o socialismo, o comunismo ou qualquer outro "ismo". Isso é especialmente verdadeiro no aspecto da *crença fácil* da igreja. Podemos enganar a nós mesmos, pensando que, uma vez que tenhamos confessado a Cristo, a santificação, por exemplo, é algo que se pode escolher ou deixar de lado, segundo os caprichos humanos. O texto de 2Tessalonicenses 2.13 exige a santificação e mostra claramente que não há salvação sem ela. De fato, é posta em execução a salvação pela santidade; e é da transformação moral que se origina nossa transformação metafísica segundo a imagem de Cristo. (Ver esse tema amplamente anotado, em Rm 8.29; Cl 2.10; 2Co 3.18.) Suponhamos, porém, que os seguidores de Cristo possam ser "adormecidos" mediante ideias errôneas, e assim fiquem despreparados para o encontro com o Senhor, quando ele voltar inesperadamente.

Notemos, nos v. 35-37, que todas as horas mencionadas são horas *noturnas*. A igreja passava por severa perseguição e esperava o pior. A dor podia levar alguns a buscar consolo na transigência, ou até mesmo abandonando a fé. A dor podia conduzi-los ao sono espiritual. Cuidado com isso, diz o autor: há tal coisa como apostasia genuína.

"No caso de um senhor ausente em uma viagem, os servos não podem saber nem o dia, e nem podem falar na hora ou vigília da noite, conforme podiam nos casos supostos em Lucas 12.36 e Mateus 24.1. Portanto, devem manter-se acordados, não meramente uma noite, mas muitas noites" (Bruce, *in loc.*).

"**Vigiai [...] pois não sabeis**". Foi esse paradoxo que conservou alertas os espíritos dos homens através da longa e torturante vigília dos dias de perseguição e de 'esperança adiada, que adoece o coração' " (Grant, *in loc.*).

13.37: O que vos digo a vós, a todos os digo: Vigiai.

13.37 ὃ δὲ ὑμῖν λέγω, πᾶσιν λέγω, γρηγορεῖτε.

Essa é a *conclusão apropriada* para o "pequeno Apocalipse" de Marcos 13, Mateus 24 e Lucas 21. E em todos os três textos, embora terminem de formas diferentes, está incluído esse pensamento, em essência, mesmo que não em declaração direta. Lucas avisa contra os vícios (Lc 21.34) e o descuido, bem como contra os "cuidados desta vida", as coisas que separam a alma de Deus. Os dias maus virão como uma "armadilha", para apanhar e fazer tropeçar a todos os homens. Portanto, "Vigiai [...] orando, para que possais escapar de todas estas coisas que têm de suceder, e estar em pé na presença do Filho do homem" (Lc 21.36). Somente os que estiverem poderosamente preparados poderão "resistir" às aflições da tribulação, para assim ser libertados de seus maus efeitos, incluindo a apostasia a que o sofrimento leva os homens, e à qual, na realidade, a igreja foi levada pelas primeiras perseguições. Sem dúvida, o autor sagrado conhecia casos de apostasia de almas fracas, que estiveram sob pressão. Assim também ele agora nos adverte e conforta, supondo que o escape e o sucesso na inquirição espiritual, mesmo sob as mais graves circunstâncias, é algo possível, que deve ser buscado.

"[...] no reino de Deus, essa vigilância é *requerida* de todos, embora seja especialmente necessária para os que estão encarregados de coisas. Não tem por intuito levar mais adiante que isso a comparação, que os apóstolos, como porteiros de uma casa, precisavam ser especialmente vigilantes" (Gould, *in loc.*).

Capítulo 14

d. A narrativa da paixão – 14.1 - 15.47

14.1,2 — *O plano para tirar a vida de Jesus.* (Ver as notas expositivas em Mt 26.1-5 e Lc 22.1,2.)

14.1: Ora, dali a dois dias era a páscoa e a festa dos pães ázimos; e os principais sacerdotes e os escribas

NTI | Marcos | 911

andavam buscando como prender Jesus a traição para o matarem.

14.1 Ἦν δὲ τὸ πάσχα καὶ τὰ ἄζυμα μετὰ δύο ἡμέρας. καὶ ἐζήτουν οἱ ἀρχιερεῖς καὶ οἱ γραμματεῖς πῶς αὐτὸν ἐν δόλῳ κρατήσαντες ἀποκτείνωσιν·

14 1 ἐζήτουν...ἀποκτείνωσιν Mc 1.18; Lc 19.47

Problemas de *harmonia* quanto aos eventos finais da vida de Jesus:

Esse problema já foi comentado, no tocante ao dia da paixão de Jesus, em João 18.28. Aquele versículo parece situar a crucificação de Jesus *no dia dos sacrifícios* da Páscoa, ao passo que os sinópticos fazem Jesus participar da Páscoa na noite regular, e então situam sua paixão no dia seguinte. (Cf. Mt 26.17 e 27.1, que nos dão a sequência de dois dias). Apesar de essa mesma sequência poder ser determinada pelo evangelho de João, do tempo da traição ao dia da crucificação, o texto de João 18.28 parece claramente situar aquele acontecimento no dia mesmo da Páscoa, o que, segundo os sinópticos, teria ocorrido no dia seguinte. As notas dadas em João 18,28 buscam reconciliar os dois relatos, ou, pelo menos, sugerem como isso *talvez* possa ser feito. (Ver também Mt 26.17, quanto a outros comentários sobre o problema.) A isso, adicionamos outros comentários. Seja como for, o problema não é *muito* importante, exceto para aqueles que insistem em harmonização absoluta dos Evangelhos, o que o estudo versículo por versículo mostra ser *impossível*. Pequenas discrepâncias nada são contra a *historicidade* dos Evangelhos. Bem pelo contrário, realmente favorecem essa historicidade, pois, se todos eles concordassem perfeitamente entre si, poderíamos ter suspeitado de que a igreja primitiva harmonizou os registros, não permitindo a entrada de nenhuma contradição. Já que há certa dose de discrepâncias, estamos certos de que os registros continuaram como foram originalmente escritos, pelo que refletem os eventos históricos, segundo foram registrados por homens honestos, ainda que, ocasionalmente, tenham feito deslizes da pena.

"Durante séculos, desde os dias dos *quartodecimanos* do século II d.C., o conflito entre a cronologia sinóptica (isto é, Marcos) e a de João tem sido discutido sem nenhuma solução satisfatória. Talvez reflita o que depois tornou-se o conflito entre a observância oriental (em Éfeso) e a ocidental (em Roma) da Páscoa. Pois o que talvez esteja por detrás do esquema de Marcos reflita o uso de Roma na década de 60 d.C., ao passo que o esquema de João reflete uma interpretação teológica ou simbólica de Jesus como o verdadeiro Cordeiro pascal, que morreu quando o cordeiro da Páscoa era imolado, pois, por detrás, tanto de João quanto de Marcos, há o fato histórico de que Jesus morreu na época da Páscoa, embora não no dia exato da festividade. Em outras palavras, Marcos e João nos dão interpretações: Marcos identifica a última Ceia com a refeição da Páscoa, e João identifica a morte de Cristo com a morte do Cordeiro pascal. E as diferenças entre eles podem não envolver tradições históricas divergentes" (Grant, sobre Mc 11.1, introdução).

Os *quartodecimanos* foram cristãos do século II d.C., principalmente da Ásia Menor, que diziam que a Páscoa deveria ser observada segundo a celebração judaica dessa festa, isto é, no décimo quarto dia da lua após o equinócio da primavera, sem importar que dia da semana fosse.

Narrativa da *paixão*: A maioria dos eruditos crê agora que o *relato da paixão* foi a primeira narrativa consecutiva do evangelho a ser posta em forma escrita; e alguns chegam ao extremo de declarar que os próprios Evangelhos sejam narrativas extensas da paixão. Seja como for, apesar da vida extraordinária de Jesus, foi nos dias finais de sua vida terrena, em sua agonia, morte e ressurreição, que nele se concentrou a atenção da humanidade. É provável que, à primeira narrativa básica da paixão usada por Marcos em seu evangelho, tenham sido adicionados outros detalhes e incidentes, provenientes de outras fontes, pelo que qualquer relato desses eventos, conforme se vê nos quatro Evangelhos, seja uma narração combinada, extraída de várias fontes. É provável que o próprio relato de Marcos não seja agora o que foi originalmente. Ele mesmo deve ter adicionado material novo, pois moveu-se para o círculo dos apóstolos e teve acesso a informações advindas de muitas fontes. À narrativa "pré-marcana" oral, e talvez também escrita, Marcos acrescentou detalhes extraídos de consultas pessoais com os próprios apóstolos. Não é de se admirar, pois, que tenha havido, então, alguma deslocação de material. Por exemplo, a narrativa da unção de Betânia (ver Mc 14.3-9) parece interromper a sequência de Marcos 14.1,2,10,11, e ter Lucas empregado a história em um contexto inteiramente diverso, e com forma diferente, situando muito antes na vida de Cristo (ver Lc 7.36-50). João 12.1-8 situa-a antes, e não após a entrada triunfal, ao contrário dos evangelhos sinópticos. É praticamente impossível precisar o que fazia parte da narrativa original, ao que o próprio Marcos adicionou vários eventos; mas a questão não se reveste de importância. Marcos estava em posição de adicionar material "autêntico", pelo que não precisamos duvidar da *historicidade* de sua narrativa, apesar da complexidade das fontes informativas que ele usou na sua compilação. Por igual modo, os eventos adicionados posteriormente por Mateus e Lucas podem ser reputados igualmente dotados de autenticidade histórica.

14.2: Pois eles diziam: Não durante a festa, para que não haja tumulto entre o povo.

14.2 ἔλεγον γάρ, Μὴ ἐν τῇ ἑορτῇ, μήποτε ἔσται θόρυβος τοῦ λαοῦ.

A grande festa judaica que comemora o *êxodo* do Egito, ("Dia da Independência" de Israel), desde há muito combinada com a imemorial festa agrícola da primavera de Maççoth, que continuava por uma semana. A refeição pascal tinha lugar na primeira noite de lua cheia, após o equinócio da primavera, isto é, na noite de 14 de Nisã (igual ao começo de 15 de Nisã), e através das horas seguintes da noite; a festa inteira tinha de ser consumida antes de amanhecer. "A *Maççoth* (festa dos 'pães ázimos', ver Lv 23.6), começava no dia 15 e continuava até o dia 21. Entretanto, após a combinação das duas festas, já que a noite de 14 de Nisã era o começo de 15 de Nisã, o pão ázimo já vinha sendo comido ao tempo da refeição da Páscoa, tendo sido destruído todo o fermento ao meio-dia do dia 14. Nenhum trabalho era permitido naquela tarde; os cordeiros pascais tinham de ser sacrificados antes do pôr-do-sol, e eram comidos assados naquela noite [...] Pela quarta-feira, tornou-se claro para os principais sacerdotes e escribas, que se Jesus tivesse de ser eliminado, teriam de agir rapidamente e em sigilo, e não publicamente, já que os peregrinos para a Páscoa já estavam chegando" (Grant, *in loc.*). É óbvio que o intuito original fora apenas o de manter Jesus em custódia, durante a Páscoa, e então eliminá-lo imediatamente depois. Muitos dos peregrinos viriam do norte, terra natal de Jesus. Não podiam as autoridades arriscar-se com eles. Superestimaram, porém, o verdadeiro poder de Jesus, pois sua popularidade era apenas superficial, conforme ficou comprovado pelos acontecimentos subsequentes.

Os pragmatistas: Notemos como os principais líderes religiosos de Israel, ao odiarem e perseguirem um homem inocente, e muito mais espiritual do que eles, se rebaixaram a qualquer forma de traição, a fim de promoverem a circunstância *prática* de continuarem no poder, dominando o povo. Com frequência, motivos vis fazem parte da vida das pessoas, até mesmo de pessoas que a si mesmas se apresentam como espirituais. Usualmente, esses vis motivos podem ser atribuídos a alguma forma de egoísmo, o que é o principal vício do homem. Quase todos os problemas, espirituais e outros, podem ser atribuídos a alguma forma de egoísmo. O "amor" é o contrário do egoísmo, mas não pode ser desenvolvido com parte do ser, exceto pelo poder e influência do Espírito Santo, pois o amor é um dos aspectos do *fruto do Espírito* (ver Gl 5.22).

912 |Marcos| NTI

Obtém-se a natureza moral de Cristo somente por meio do poder transformador divino. Contudo, somos forçados a "buscar" essa transformação: mediante o estudo bíblico, a oração, a meditação, os dons do Espírito Santo, a moralidade prática e a piedade. A vontade humana é o ponto crítico nessa questão de buscar e ceder ao Senhor. Deus honra a isso e envia o seu Espírito para nos transformar.

14.3-9 — *Unção de Jesus em Betânia.* (As notas expositivas relativas a esta passagem aparecem em Mt 26.6-13. Ver também Jo 12.1-8.)

14.3: Estando ele em Betânia, reclinado à mesa em casa de Simão, o leproso, veio uma mulher que trazia um vaso de alabastro cheio de bálsamo de nardo puro, de grande preço; e, quebrando o vaso, derramou-lhe sobre a cabeça o bálsamo.

14.3 Καὶ ὄντος αὐτοῦ ἐν Βηθανίᾳ ἐν τῇ οἰκίᾳ Σίμωνος τοῦ λεπροῦ κατακειμένου αὐτοῦ ἦλθεν γυνὴ ἔχουσα ἀλάβαστρον μύρου νάρδου πιστικῆς πολυτελοῦς·ᵃ συντρίψασα τὴν ἀλάβαστρον κατέχεεν αὐτοῦ τῆς κεφαλῆς.

> ᵃ3 *a minor*: TR WH Bov Nes BF² AV RV ASV RSV Zür Luth Seg // *a dash*: WHᵐᵍ // *a major*: NEB TT Jer   3 κατακειμένου...κεφαλῆς Lc 7.37,38   3 συντρίψασα] καὶ θραυσασα DΘ

Tudo indica que Jesus ficou profundamente *comovido* pelo ato daquela mulher; ato tão extravagante, mas de tanto amor. Ele estava no meio de uma crise, e certamente sabia que isso o conduziria à morte. Como foi grato, pois, receber um *toque de amor* naquela atmosfera hostil. Não se duvide de que Jesus apreciou, na própria alma, aquele ato. "Evidentemente, vê-se aqui excitação em Jesus, quase um êxtase lírico, como se ele tivesse sentido: 'Essa é a questão. É esquecer-se de si mesmo, é negar-se a si mesmo, o que é sinal do reino de Deus', a incalculável generosidade de sua dádiva o comoveu" (Grant, *in loc.*). O sacrifício daquela mulher equivalia ao trabalho de um homem por quase um ano, segundo se vê no quinto versículo.

14.4: Mas alguns houve que em si mesmos se indignaram e disseram: Para que se fez este desperdício do bálsamo?

14.4 ἦσαν δέ τινες ἀγανακτοῦντες πρὸς ἑαυτούς¹, Εἰς τί ἡ ἀπώλεια αὕτη τοῦ μύρου γέγονεν;

> ¹4 {C} ἦσαν δέ τινες ἀγανακτοῦντες πρὸς ἑαυτούς ℵ B C* L Ψ 892ᶜ (itᵏ) copᵇᵒ ᵐˢˢ // ἦσαν δέ τινες ἀγανακτοῦντες πρὸς ἑαυτοὺς καὶ λέγοντες C² K X Δ Π (28 *omit* καί) 700 892ᵐᵍ (1009 αὐτούς) 1010 1071 1079 1195 (1216 2174 καθ᾽ ἑαυτούς) 1230 1241 1241 1253 1344 1365 1546 1646ᶜ 2148 *Byz* (*Lect* copˢᵃ,ᵇᵒ,ᶠᵃʸ *omit* καί) lⁱⁱ⁰·¹⁸⁵,²⁹⁹ itᵃᵘʳ,ᶠ,l,q vg syrˢ⁾,ʰ (eth) // ἦσαν δέ τινες ἀγανακτοῦντες καὶ λέγοντες πρὸς ἑαυτούς *f*¹ 1646ᶜ geo lⁱⁱᵃⁱ³·⁵⁴⁷ (syrᵖ) // οἱ δὲ μαθηταὶ αὐτοῦ διεπονοῦντο καὶ λέγοντες W *f*¹³ lⁱⁱⁱ⁵⁴⁷ (syrᵖ) // οἱ δὲ μαθηταὶ αὐτοῦ διεπονοῦντο καὶ ἔλεγον D Θ 565 itᵃ⁾,ᵈ,(ff²),(i),rⁱ (arm *omit* αὐτοῦ)

> A natureza secundária da forma οἱ δὲ μαθηταὶ αὐτοῦ διεπονοῦντο καὶ ἔλεγον (D Θ 565 *al*) descobre-se pela substituição da forma não própria de Marcos, διαπονεῖσθαι, em lugar de ἀγανακτεῖν (esta última ocorre também em Mc 10.14,41), bem como pela assimilação do sujeito indefinido, típico de Marcos, τινες, ao preferido por Mateus, οἱ μαθητ (Mt 26.8). Entre outras modificações escribais, temos a inserção de καὶ λέγοντες antes ou depois de πρὸς ἑαυτούς, e a forma mesclada de W *f*¹³ *al* (... τινες τῶν μαθητῶν).

Aquela mulher trouxe a Jesus o que tinha de *luxo*. Não se contentou em dar-lhe alguma coisa "comum", de todos os dias. Há profunda lição nisso. A maioria das ofertas que damos a Deus, na realidade não são as melhores, como essa, mas somente a moeda que daríamos a um esmoler. Certa feita, um pregador lembrou à sua congregação, quando a oferta estava para ser recolhida, que

as *ofertas* que damos aos mendigos são as moedinhas e centavos, que pouco valem. Dizemos a nós mesmos: "Outra pessoa lhe dará algo; e não preciso dar muito". É assim que tratamos dos esmoleres; mas, frequentemente, é assim também que tratamos a igreja. Não sucedeu assim com aquela mulher. Ela trouxe uma dádiva caríssima que deixou atônitos os pobres discípulos, os quais imediatamente começaram a queixar-se ante o imenso "desperdício". Ela trouxe um produto importado e *caro*. Mostrou-se extravagante com Jesus. Tudo isso faz subentender um poderoso amor da parte dela. Somente o amor é deveras generoso. Se dermos "calculisticamente", será raro darmos muito. Jesus apreciou aquela dádiva, que não foi dada com esse espírito. Os discípulos, porém, atarefaram-se em calcular a "perda". No entanto, o presente valiosíssimo não foi uma "perda" para Jesus.

João revela que Judas Iscariotes foi o elemento *calculista*. Os evangelhos sinópticos, porém, não aguilhoam ninguém. Todos os discípulos foram envolvidos em tão egoístico raciocínio. Quem não se mostra egoísta, ocasionalmente? O homem é um ser decaído, e até mesmo os que estão no redil do cristianismo, com frequência exibem as más características que pertencem a uma raça decaída.

14.5: Pois podia ser vendido por mais de trezentos denários que se dariam aos pobres. E bramavam contra ela.

14.5 ἠδύνατο γὰρ τοῦτο τὸ μύρον πραθῆναι ἐπάνω² δηναρίων τριακοσίων καὶ δοθῆναι τοῖς πτωχοῖς· καὶ ἐνεβριμῶντο αὐτῇ.

> ²5 {B} ἐπάνω ℵ A B C D K L W X Δ Θ Π *f*¹ *f*¹³ 28 565 700 892 1009 1010 1071 1079 1195 1216 1230 1241 1242 1253 1344 1365 1546 1646 2148 2174 *Byz Lect* lⁱⁱ⁷⁰ᵐ,³³³ᵃ,ᵐ itᵃ,ᵃᵘʳ,ᵈ,ᶠ,ff²,i,l,q,rⁱ vg syrᵖ,ʰ copˢᵃ,ᵇᵒ goth arm // *omit* (ver Jo 12.5) 517 954 1675 itᶜ,ᵏ syrˢ geo Origen

> Tem-se argumentado que ἐπάνω é uma adição do século II d.C., que reflete a depreciação da moeda após o tempo de Nero. Se assim foi, porém, era de se esperar que as evidências gregas fossem antigas, e não posteriores, em apoio à forma mais breve. É mais provável que vários copistas e/ou tradutores tenham omitido ἐπάνω, ou porque objetavam ao seu uso coloquial (ver Blass-Debrunner-Funk, §185), ou porque foram influenciados pela narrativa paralela de João 12.5, onde essa palavra não é usada.

Eram realmente *sinceros*, quanto a dar esse dinheiro aos pobres? O mais provável é que tenham pensado com eles: "As coisas recentemente têm ficado um pouco difíceis para nós. Poderíamos ter usado parte do dinheiro pelo qual fosse vendido o perfume". E também é possível que houvesse algum genuíno interesse pelos pobres. No entanto, não puderam apreciar o que aquele ato significou para Jesus, e preferiram que o sacrifício tivesse sido feito pelos pobres, e não em favor dele. Até os "bons motivos" podem estar fora de lugar, realizando "obras deficientes". Como se pode saber a diferença? Somente pela comunhão com Deus, o qual nos ensina como empregar melhor nossa vida e nossos recursos. Todo homem é ímpar (ver Ap 2.17) e agora e eternamente estará atarefado em trazer alguma glória especial para Deus, além de contribuir para a glória que todos lhe darão. Quando Deus é glorificado, somos beneficiados, pois isso glorifica a Deus, o qual serve e beneficia o homem. O texto de Mateus 25.35ss mostra claramente esse princípio.

Um servo *autêntico* foi objeto de um ódio momentâneo. Notemos como até mesmo homens bons podem *criticar*, erroneamente, outra pessoa que serve a Cristo melhor que eles. Disseram os discípulos, noutra oportunidade: "Vimos a um homem que se recusava a seguir-nos e que expulsava demônios em teu nome". Desprezaram-no por ser diferente deles, e por não se encaixar ao programa deles. Jesus, porém, fez estimativa diferente daquele homem, tal como no caso da mulher do presente texto. Isto nos

NTI | Marcos | 913

ensina a tolerância, além de nos ensinar que a "crítica justa", pode não passar de uma "inveja carnal".

14.6: Jesus, porém, disse: Deixai-a; por que a molestais? Ela praticou uma boa ação para comigo.

14.6 ὁ δὲ Ἰησοῦς εἶπεν, Ἄφετε αὐτήν· τί αὐτῇ κόπους παρέχετε; καλὸν ἔργον ἠργάσατο ἐν ἐμοί.

Ela era apenas uma mulher, e, para os judeus, valia pouco mais que um cavalo ou um terreno. Alguns rabinos até *debatiam* sobre as mulheres terem ou não terem alma. Os discípulos a humilharam por causa de seu *desperdício*. Por quanto tempo fizeram assim, para vergonha deles, não sabemos dizê-lo. Todavia, finalmente, Jesus os fez parar. O que eles "desprezavam", ele "apreciava". Ao "refletirem, consideraram como nada aquilo que ela fizera "espontaneamente". Jesus apreciou a espontaneidade dela.

14.7: Porquanto os pobres sempre os tendes convosco e, quando quiserdes, podeis fazer-lhes bem; a mim, porém, nem sempre me tendes.

14.7 πάντοτε γὰρ τοὺς πτωχοὺς ἔχετε μεθ᾽ ἑαυτῶν, καὶ ὅταν θέλητε δύνασθε αὐτοῖς εὖ ποιῆσαι, ἐμὲ δὲ οὐ πάντοτε ἔχετε.

7 πάντοτε...ἑαυτῶν Dt 15.11

Essa é uma *predição velada* de sua morte. Se tivessem entendido isso, ou se já houvessem entendido que pouco tempo de vida na carne restava a Jesus, para estar entre eles, não teriam feito objeção à extravagante dádiva que lhe deram, mesmo que isso significasse que os pobres teriam de esperar um pouco para receber dos discípulos alguma dádiva.

As vidas *desperdiçadas*. Moisés deixou o Egito, onde poderia ter sido oficial elevado, e talvez até Faraó. Materialmente falando, perdeu muito. Os homens provavelmente consideram-no um *tolo*. Francisco de Assis, conforme os padrões populares, desperdiçou sua vida. Se tivéssemos de aquilatar a vida de muitos dos santos, conforme os homens pesam em "balanças", nada encontraríamos com que fazer peso na balança. *"Vidas desperdiçadas!"*, dizem outros. E alguns até os consideram fanáticos. Que Deus seja o juiz. Que sua balança faça a decisão. Quanto a mim, dai-me a vereda da renúncia em prol de Cristo; e se eu tiver algum dom extravagante para dar-lhe, que tudo seja dele.

Outras aplicações *práticas* do texto: (1) Não ensina desinteresses pelos pobres, e não se deve pressioná-lo para servir de prova contra a liberalidade em favor dos pobres ou dos programas sociais de alívio à pobreza. O judaísmo e o cristianismo primitivo muito estiveram envolvidos no alívio aos pobres, em "esmolas", algo que não é muito característico da moderna igreja evangélica. (Ver At 3.3, quanto à "importância das esmolas na igreja primitiva".) (2) O texto, porém, certamente indica que é mister pôr ênfase sobre as realidades espirituais, e que as "esmolas" não formam a única forma prática de piedade. Não nos devemos queixar quando um homem quer construir um templo, decorando-o e embelezando-o, somente porque esse dinheiro poderia ser dado aos pobres ou empregado em algum outro projeto *mais prático*. A adoração faz parte vital da vida espiritual e ajuda a ter um belo meio ambiente, se não formos exagerados e nem ridículos a respeito. (3) "A mim nem sempre me tendes", disse Jesus. "Buscai o Senhor enquanto se pode achar" (Is 55.6). E devemos servir ao Senhor agora, enquanto temos oportunidade.

14.8: Ela fez o que pode; antecipou-se a ungir o meu corpo para a sepultura.

14.8 ὃ ἔσχεν ἐποίησεν· προέλαβεν μυρίσαι τὸ σῶμά μου εἰς τὸν ἐνταφιασμόν.

8 προέλαβεν...ἐνταφιασμόν Jo 19.40

Jesus tinha *predito* sua morte em várias ocasiões. (Ver Mc 9.30ss; 10.32ss.) Os estudos sobre sonhos mostram que o "conhecimento prévio" faz parte da personalidade humana, sendo uma de suas funções naturais. É tolice, pois, supormos que o grande Jesus não sabia conscientemente, com bastante antecedência, que ele morreria, em particular, durante aquela Páscoa. Na qualidade de Messias, ele tinha esse conhecimento; e isso já era esperado, pelas tradições judaicas. Provavelmente, há nisso uma "polêmica". Jesus era o Messias — segundo Marcos revela, indiretamente —, porque ele tinha conhecimento prévio, ou seja, um "conhecimento especial".

N.B.: Nos casos em que Mateus e Marcos têm textos paralelos, a exposição se apresenta em Mateus; em Marcos, encontram-se apenas algumas notas suplementares.

14.9: Em verdade vos digo que, em todo o mundo, onde quer que for pregado o evangelho, também o que ela fez será contado, para memória sua.

14.9 ἀμὴν δὲ λέγω ὑμῖν, ὅπου ἐὰν κηρυχθῇ τὸ εὐαγγέλιον εἰς ὅλον τὸν κόσμον, καὶ ὃ ἐποίησεν αὕτη λαληθήσεται εἰς μνημόσυνον αὐτῆς.

9 εὐαγγελιον **𝔑BDW** f13 28 565 it; R] add p) τουτο ΑΘ f1 pl lat co ς

"[...] Em verdade..." (Ver as notas completas sobre esta expressão, em Jo 1.51.) Essa expressão é vinculada a declarações importantes de Jesus, para mostrar a importância e certeza delas; razão pela qual lhes devemos dar atenção.

"[...] Onde for pregado em todo o mundo o evangelho..." Jesus antecipou a missão gentílica e a pregação do evangelho por todo o mundo. Ao registrar essa declaração, Marcos não hesitou em afirmar nela a sua confiança, embora, pelo que se via então, a missão entre os gentios continuava sendo algo bastante primitivo.

"[...] para memória sua..." O Deus que nota até mesmo a queda de um pardal, dará a todos os crentes um "memorial eterno". Não pode ser esquecido nenhum daqueles que vieram a Cristo. E nem suas obras serão esquecidas, conforme se vê em Apocalipse 14.13.

O que os discípulos *desprezaram* obteve reconhecimento universal. Certa feita, um cientista de renome negou que no átomo haja qualquer poder. "Está lá", dizia outro, "e se soubéssemos como obtê-lo, poderíamos usá-lo". O primeiro replicou que todo quanto pensasse assim deveria estar bebendo *muito* whisky. Voltaire chamou Newton de tolo, porque este predisse (mediante o estudo das Escrituras) que algum dia o homem viajaria a 80 km por hora. Voltaire supunha que quem viajasse nessa velocidade, morreria *sufocado*. A história tem um modo de mostrar quais são os verdadeiros tolos.

14.10,11 — *O pacto da traição.* (Ver as notas expositivas em Mt 26.14-16. Ver também Lc 22.3-6.)

14.10: Então Judas Iscariotes, um dos doze, foi ter com os principais sacerdotes para lhes entregar Jesus.

14.10 Καὶ Ἰούδας Ἰσκαριὼθ³ ὁ εἷς τῶν δώδεκα ἀπῆλθεν πρὸς τοὺς ἀρχιερεῖς ἵνα αὐτὸν παραδοῖ αὐτοῖς.

3 **10** {B} Ἰσκαριωθ 𝔑* B C^vid // ὁ Ἰσκαριωθ 𝔑^c L Θ Ψ 565 892 // ὁ Ἰσκαριωτης Α C² Κ W Χ Δ Π f¹ f¹³ 700 1009 1010 1079 1195 1216 1230 1241 1242 1253 1344 1546 2148 2174 (28 1071 1365 1646 l²⁹⁹˙⁵⁴⁷ omit ὁ) Byz Lect vg^cl cop^sa,bo goth // (Origen omit ὁ) Σκαριωτης D it^d,k,l,q (it^a,aur,ff²,i,r¹ Scarioth, it^f Schariothe, it^c syr^s,p Scariotha) vg^ww syr^h arm geo (Augustine Scarioth) 10 αυτουν παραδοι αυτ.] προδοι αυτον **D** lat

> Quanto ao nome próprio, ver os comentários sobre Mateus 10.4. É mais provável que escribas tenham adicionado o artigo definido, e não que o tenham apagado. Os mais antigos representantes dos textos alexandrinos (𝔑* B) e ocidental (D) são acompanhados por 28 1071 1365 1646 al, na confirmação do nome próprio anartro.

Pensemos na *tragédia* que foi Judas! Um homem privilegiado acima de outros, e em grau extraordinário. Um homem com inacreditáveis oportunidades nas mãos. Entretanto, também um

914 |Marcos| NTI

homem com profundas veias maléficas. Poderia ter vencido, mas recusou-se a lutar contra suas más tendências. A vereda do crente requer uma luta resoluta. Exige santificação por meio da renúncia. Aqueles que se recusam a entrar por esse caminho, com frequência alimentam seus vícios e fracassos espirituais. Algum tipo de tragédia é o resultado inevitável. Judas queria seguir a Jesus, mas recusou-se a tomar a cruz. A igreja da "crença fácil", tão comum nos dias de hoje, está infectada com essa atitude do Iscariotes. Quando chega a crise, a pessoa falha e cai, porquanto sua moralidade íntima está apodrecida, apesar de sua bela aparência externa.

Por que Judas falhou? Oferecemos aqui algumas respostas tradicionais:

(1) Sua *ambição* perseguiu-o o tempo todo. Ele realmente queria aquelas poucas moedas da traição. (2) Ficou *desapontado* porque não se cumpriram suas expectações messiânicas; o fato de que Jesus não incluía a *política* em suas reivindicações messiânicas levou-o, finalmente, ao desespero. (3) Ele não queria realmente trair a Jesus, mas tão somente forçá-lo a *declarar-se* o Messias. Na realidade, essa opinião não se encaixa aos fatos do evangelho. (4) Judas era homem de *profundos vícios*, desde o princípio, e os maus atos, finalmente, atingem a superfície, a despeito de um suposto discipulado. (5) Ele foi inspirado por *Satanás* (ver Jo 13.2,27). Assim, podemos ver que nunca ele experimentara real conversão; bem pelo contrário, vivia perto da possessão demoníaca, e sua maldade íntima era facilmente encorajada pelo poder espiritual maligno. (6) Nunca foi crente *verdadeiro*. A teoria do ceticismo de Judas é tão antiga quanto a obra de Irineu, "*Contra Heresias*", V.33.4. No entanto, há aqueles que pensam que Judas fora crente, embora mais tarde tivesse apostatado. E isso não é impossível.

O que Judas *revelou* em sua traição? (1) Alguns dizem: revelou o *segredo messiânico*. Em outras palavras, apesar de Jesus sentir ser o Messias, não o declarava publicamente, talvez por esperar uma boa oportunidade ou circunstâncias favoráveis. (Ver Mc 7.36; 8.26,30 e 9.9, quanto ao "segredo messiânico".) Entretanto, apesar de ser verdade que havia algum segredo, muito antes da semana final Jesus já o tinha revelado. Portanto, não foi a "reivindicação messiânica" de Jesus que Judas revelou às autoridades religiosas. (2) Nem podemos pensar que Jesus realmente tivesse quaisquer intenções *revolucionárias*, que Judas revelou às autoridades, levando-o a tornar-se um "mártir político". (3) A verdade simples parece ter sido a de que Jesus se ocultara e que Judas revelou *onde* poderiam achá-lo e detê-lo. Ele foi o guia dos soldados que detiveram a Jesus (At 1.16). O fato de que Jesus se tornou impopular ante os líderes religiosos (ele era uma ameaça para o poder deles, e era blasfemo contra suas doutrinas, fazendo extravagantes reivindicações messiânicas e tornando-se politicamente perigoso), levou-o a ocultar-se por um tempo, a fim de proteger a si mesmo e aos seus discípulos. Judas, conhecendo os hábitos de Jesus, revelou onde ele estava. É difícil saber se Judas meditou maduramente em sua ação inicial; isto é, se ele previu que isso terminaria na morte de Jesus, ou se pensou que as autoridades o poriam na prisão, ou simplesmente ordenariam que ele cessasse sua atividade. É impossível saber a resposta. É significativo, porém, que, quando ele viu que Jesus seria morto, imediatamente sentiu remorso pelo que fizera. Isso parece sugerir que ele esperava que algo menor seria o resultado de seu ato. No entanto, é claro que ele quis *sair* do movimento iniciado por Jesus, e que parte de seu propósito foi o de fazer Jesus "parar". Todavia, como ele pensava que Jesus deveria ser estacado, é outra questão.

14.11: Ouvindo-o eles, alegraram-se, e prometeram dar-lhe dinheiro. E buscava como o entregaria em ocasião oportuna.

14.11 οἱ δὲ ἀκούσαντες ἐχάρησαν καὶ ἐπηγγείλαντο αὐτῷ ἀργύριον δοῦναι. καὶ ἐζήτει πῶς αὐτὸν εὐκαίρως παραδοῖ.

Mateus e Lucas mostram como Judas *buscava* dinheiro. Não foi um pensamento posterior por parte das autoridades religiosas. Era um de seus *vícios* principais, provavelmente não o único. Judas era ladrão, conforme somos informados em João 12.6. Talvez, se não fosse pela sua "ambição", outros indivíduos envolvidos na traição de Jesus não teriam podido levá-lo à traição. Evidentemente, o relato de Judas deseja mostrar que, na traição de Jesus, temos um autêntico caso de possessão demoníaca (22.3). A possessão demoníaca, porém, é quase impossível, a menos que uma pessoa "se franqueie" para a mesma, por meio de uma vida lassa, ou por contactos insensatos com o oculto. O semelhante atrai o semelhante, e um mau espírito não pode atacar um espírito humano que esteja acima dele em espiritualidade e caráter moral. Portanto, concluímos que Judas era homem de caráter vil, muito antes de seu ato traidor.

Em que você tem sua *alegria*? Muito pode ser dito sobre um homem se soubermos o que lhe dá prazer. Alguns homens se alegram na maldade; outros na vergonha (ver Fp 3.19), e muitos se alegram em suas trivialidades. Pouquíssimos têm seu principal motivo de alegria na *espiritualidade* e seus acompanhamentos. Notemos, aqui, como aqueles homens se sentiram alegres, por poderem deter a Jesus, a fim de que pudessem destruí-lo. Isso nos diz o quanto depravados eram eles.

14.12-16 — *Preparação para a Páscoa*. (Ver as notas expositivas em Mt 26.17-19. Ver também Lc 22.7-13).

14.12: Ora, no primeiro dia dos pães ázimos, quando imolavam a páscoa, disseram-lhe seus discípulos: Aonde queres que vamos fazer os preparativos para comeres a páscoa?

14.12 Καὶ τῇ πρώτῃ ἡμέρᾳ τῶν ἀζύμων, ὅτε τὸ πάσχα ἔθυον, λέγουσιν αὐτῷ οἱ μαθηταὶ αὐτοῦ, Ποῦ θέλεις ἀπελθόντες ἑτοιμάσωμεν ἵνα φάγῃς τὸ πάσχα;

12 τῇ....ἔθυον Êx 12.6,14-20

Os evangelhos sinópticos situam o comer da Páscoa no dia *anterior* à crucificação; pelo que, segundo essa narrativa, Jesus não teria sido morto no próprio dia da Páscoa. Contudo, João 18.28 deixa implícito que Jesus foi crucificado no dia mesmo da Páscoa. (Ver as notas naquela referência, bem como na introdução a Mt 26 — Mc 14 —, quanto ao que os intérpretes dizem sobre essa dificuldade. Ver também as notas em Mt 26.17).

A Páscoa era uma *refeição* formal, com alimentos e vinhos específicos, pelo que era mister alguma preparação para o evento. O abate do cordeiro, originalmente feito pelo chefe da família, posteriormente tornou-se trabalho dos sacerdotes. Jesus e seus discípulos agiram como uma família, ao se prepararem e participarem da festa. Provavelmente, na tarde de 14 de Nisã, começaram a cuidar da festa. Após às 18 horas, começo de 15 de Nisã, seria celebrada a festa. A expressão **"[...] no primeiro dia..."** provavelmente significa "em antecipação a", ou, para todos os propósitos práticos, "antes". A preparação, naturalmente, tinha de ser feita "antes" do começo real do dia da festa.

14.13: Enviou, pois, dois dos seus discípulos, e disse-lhes: Ide à cidade, e vos sairá ao encontro um homem levando um cântaro de água; segui-o;

14.13 καὶ ἀποστέλλει δύο τῶν μαθητῶν αὐτοῦ καὶ λέγει αὐτοῖς, Ὑπάγετε εἰς τὴν πόλιν, καὶ ἀπαντήσει ὑμῖν ἄνθρωπος κεράμιον ὕδατος βαστάζων· ἀκολουθήσατε αὐτῷ,

Jesus demonstra, novamente, seus poderes de *conhecimento especial*, que, neste caso, é o "conhecimento prévio", o que Marcos, sem dúvida, tomou como "prova" de seu caráter messiânico, embora não apresente isso aqui de modo formal. O homem que haveriam de encontrar, transportando água, seria notado imediatamente, porque esse era trabalho feito normalmente

NTI | Marcos | 915

pelas mulheres. Lucas 22.8 nomeia Pedro e João como os dois discípulos enviados nessa missão.

14.14: e, onde ele entrar, dizei ao dono da casa: O Mestre manda perguntar: Onde está o meu aposento em que hei de comer a páscoa com os meus discípulos?

14.14 καὶ ὅπου ἐὰν εἰσέλθῃ εἴπατε τῷ οἰκοδεσπότῃ ὅτι Ὁ διδάσκαλος λέγει, Ποῦ ἐστιν τὸ κατάλυμά μου ὅπου τὸ πάσχα μετὰ τῶν μαθητῶν μου φάγω;

"Aquele dono de casa *merece* mais elogios e honras do que já recebeu. Desempenhou importante papel, ao manter mobiliado e pronto o lugar onde foi efetuada a última ceia. Não fez parte daquele evento espiritual; mas *possibilitou-o* no sentido físico. Fez uma real e grande contribuição para tudo quanto isso significou, nos dias finais de Jesus e em todos os dias e anos da história subsequente. Não seria ele um representante daqueles homens e mulheres, geralmente esquecidos, que prestaram um grande serviço ao reino de Deus, não moldando ou proclamando a mensagem da igreja, mas provendo e sustentando o lugar onde a mensagem podia ser proclamada? Formam um grande exército, impressionante à imaginação, uma grande parada que vai se movimentando ao longo dos anos: as pessoas anônimas em cujos lares a comunidade cristã se reuniu nos primeiros anos, 'a igreja que está na casa deles'; os edificadores de igrejas e catedrais na Europa; aqueles que erigiram as primeiras igrejas da América, de onde foi lançado o avanço do cristianismo para o oeste do continente". (Luccock, *in loc.*).

Jesus indagou: "*Onde é o meu aposento de hóspedes?*" Onde é que ele teria comunhão com seus discípulos? Na tua casa há espaço para comunhão com Cristo? Há espaço, em teu coração, para o Espírito de Deus? No Oriente, é costumeiro preservar-se um aposento da casa somente para meditações. Não é usado para receber hóspedes, e é reputado por sagrado para a família. O que provemos para nós mesmos, a fim de que a comunhão com nosso Senhor seja efetuada de modo confortável e conveniente? O que provemos em nossa vida que seja um bem-vindo aos hóspedes ali?

14.15: E ele vos mostrará um grande cenáculo mobilado e pronto; aí fazei-nos os preparativos.

14.15 καὶ αὐτὸς ὑμῖν δείξει ἀνάγαιον μέγα ἐστρωμένον ἕτοιμον· καὶ ἐκεῖ ἑτοιμάσατε ἡμῖν.

Parece que aquela sala já fora *especificamente* preparada para a refeição da Páscoa, talvez para Jesus ou outros; ou então, era simplesmente um lugar conveniente para tais reuniões, sendo mantido preparado para esses encontros. Esse quarto estava *mobiliado*, provavelmente com tapetes e colchões, além de uma mesa baixa (ver Lc 22.21). O salão de banquetes, com mesas e bancos, naturalmente é uma modernização, pois representa o costume europeu, não descrevendo a Palestina do primeiro século. Não sabemos dizer se na sala havia leitos para as pessoas se reclinarem durante a refeição; e, se havia, quantos. Esse era o costume romano e grego, mas em parte nenhuma havia isso na Palestina, embora, não se possa duvidar que parte desses costumes tivessem sido adotados por alguns judeus. O texto de Mateus 26.20 subentende que, nessa ocasião, foi praticado o estilo romano de comer.

Somente Mateus injeta aqui outra das predições de Jesus sobre sua morte iminente. (Cf. isso com Mc 9.30ss — Mt 17.22,23; 10.32ss — Mt 20.17-19; 14.8 — Mt 26.12.)

14.16: Partindo, pois, os discípulos, foram à cidade, onde acharam tudo como ele lhes dissera, e prepararam a páscoa.

14.16 καὶ ἐξῆλθον οἱ μαθηταὶ καὶ ἦλθον εἰς τὴν πόλιν καὶ εὗρον καθὼς εἶπεν αὐτοῖς, καὶ ἡτοίμασαν τὸ πάσχα.

A obediência é *importante*: fizeram o que Jesus ordenara. Esse é um dos segredos da inquirição espiritual. Se ele é o nosso Senhor,

então devemos guardar seus mandamentos. Como podemos dizer que o amamos, se não lhe obedecemos (ver Jo 14.23)? A obediência está baseada no treinamento.

Fizeram o que lhes foi dito porque já haviam aprendido a confiar na palavra de Jesus. Precisamos aprender a obediência. É dito até mesmo sobre Jesus que ele aprendeu a obediência por aquilo que sofreu (ver Hb 5.8). O caminho da obediência é a vereda do sacrifício. A vereda do sacrifício é a estrada da renúncia espiritual. Sabemos tão pouco acerca dessas importantes realidades! "Senhor, ensina-nos a conhecê-las e a praticá-las!"

14.17-21 — *Jesus mostra quem é o traidor.* (Ver as notas de exposição em Mt 26.20-25.)

14.17: Ao anoitecer chegou ele com os doze.

14.17 Καὶ ὀψίας γενομένης ἔρχεται μετὰ τῶν δώδεκα.

(Quanto a uma lista e breve descrição dos "doze", ver Lc 6.12. Ver sobre o "apostolado", em Mt 10.1). Jesus e os doze, como se fossem uma família, entraram na sala da comunhão, a fim de que Jesus instituísse o *ágape*. Foi na noite de 14 de Nisã, começo do dia 15 (já que, para os judeus, cada dia começava às 18 horas e não às 24 horas, como sucede entre nós.)

14.18: E, quanto estavam reclinados à mesa e comiam, disse Jesus: Em verdade vos digo que um de vós, que comigo come, há de trair-me.

14.18 καὶ ἀνακειμένων αὐτῶν καὶ ἐσθιόντων ὁ Ἰησοῦς εἶπεν, Ἀμὴν λέγω ὑμῖν ὅτι εἷς ἐξ ὑμῶν παραδώσει με, ὁ ἐσθίων μετ᾽ ἐμοῦ.

18 εἷς...παραδώσει...ἐμοῦ Sl 41.9   18 ο Ιησους] om 700 a c ff²

Novamente temos manifestação do *conhecimento especial* do Messias, algo que as tradições judaicas disseram que o caracterizaria. A mera telepatia teria dito a Jesus quais eram as intenções de Judas, e que este já se combinara com as autoridades religiosas a fim de traí-lo.

"[...] Em verdade..." No grego é "*Amém*", "assim seja!" Era palavra de origem hebraica, usada por Jesus para introduzir declarações solenes, que exigem nossa atenção. (Ver as notas a respeito, em Jo 1.51.) Este versículo pode ser comparado com Lucas 22.21. Jesus estava reclinado bem perto de Judas, provavelmente no lugar contíguo ao dele, em um leito, se estivessem comendo ao estilo romano, ou perto dele, sobre um colchão, se estivessem comendo à maneira dos judeus. Trair um homem, com quem nós consentimos comer, para os árabes, até hoje, é a mais grosseira perfídia concebível. Jesus frisou a gravidade da ofensa. "Esse é o homem, tão perto de mim, que come em minha companhia, como se fora um amigo, que me está traindo". E quanto mais solene isso se torna, quando nos lembramos de que isso sucedeu durante o "agape" (festa de amor) original. Foi um dos companheiros de Jesus, e pertencente ao círculo mais íntimo, quem o traiu. Os evangelhos narram a história — em horror e choque, embora para nós isso tenha sido diluído pela familiaridade que temos com o evento.

Continua sendo verdade, que aqueles que estão mais *próximos* de Jesus (aqueles que são conhecidos como seus discípulos fiéis) são os que podem ferir mais a sua causa e, de fato, com frequência, assim sucede. Para a igreja, o que importa que o homem da rua seja imoral? Pensemos, porém, no pastor que seduz ou que é seduzido por uma das mulheres de sua congregação! Até os próprios incrédulos ficam chocados ante esse tipo de escândalo!

14.19: Ao que eles começaram a entristecer-se e a perguntar-lhe um após outro: Porventura sou eu?

14.19 ἤρξαντο λυπεῖσθαι καὶ λέγειν αὐτῷ εἷς κατὰ εἷς, Μήτι ἐγώ;

19 εγω ℵBW al lat sy co; R] add και αλλος Μητι εγω (A)DΘ f1 (f13) pm it ς

Deram início às *indagações* humildemente, ao que parece, pois cada qual se preocupava genuinamente sobre si, que não fosse o

916 |Marcos| NTI

culpado! Perguntaram: *Porventura sou eu?* Quanto é horrível essa pergunta! De lábios trêmulos fizeram a pergunta. "Trair" é verbo feiíssimo, e a "traição" é uma desgraça. Poderia eu ser culpado de tão grosseiro e vil crime? Entretanto, quantas maneiras há de trair a Cristo, e quanto nossas palavras e ações o têm frequentemente ferido em nossa vida, na igreja e diante do próximo! Estou sentado diante de sua mesa de "agape"; finjo desavergonhadamente pertencer a ele; mas permito que minha devoção a ele seja corroída e amortecida por meus atos e atitudes. Alguns traem a Cristo mediante grosseiros atos de imoralidade. Outros, mediante a indiferença. A alguns, falta a devoção; a outros, a atividade. Certos homens o fazem pela contenção com os irmãos. E todos, por alguma forma de egoísmo.

V. 19. *Nota textual.* A frase "[...] e outro disse: Sou eu?..." aparece nos mss ADEFHKMSUVW(2)X, Gamma e nas traduções AC e KJ. Trata-se de uma espécie de acréscimo sem sentido, feito por alguns escribas, mas que ainda não figura em nenhuma outra tradução além daquelas mencionadas, e nem nos manuscritos mais antigos, como Aleph BCLPW(1), Delta e nas versões latinas em geral, bem como nas versões siríacas e cópticas.

14.20: Respondeu-lhes: É um dos doze, que mete comigo a mão no prato.

14.20 ὁ δὲ εἶπεν αὐτοῖς, Εἷς [ἐκ] τῶν δώδεκα, ὁ ἐμβαπτόμενος μετ᾽ ἐμοῦ εἰς τὸ τρύβλιον⁴.

⁴ **20** {B} εἰς τὸ τρύβλιον A C² D K L P W X Δ Π Ψ *f*¹ *f*¹³ 28 700 892 1009 1010 1071 1079 1195 1216 1230 1241 1242 1344 1365 1546 1646 2148 2174 *Byz Lect* it³ cop^{sa,bo} arm? geo Origen // εἰς τὸ ἐν τρύβλιον B C* Θ 565 // ἐν τῷ τρυβλίῳ 1253 *l*^{10,70,950} it^{aur,c,d,f,ff2,i,k,l} vg syr^{s,p,h} arm? Apostolic Constitutions

> A forma com ἐν parece ter-se originado da assimilação ou ao paralelo de Mateus 26.23 ou ao ἐν, na composição com o particípio. A forma εἰς τὸ ἐν τρύβλιον ("no mesmo prato"), o que salienta a vileza do ato, parece ser intensificação secundária da passagem.

Se estivessem reclinados sobre *colchões*, ao estilo romano, parece que Jesus ocupava lugar contíguo a João (ver Jo 13.23) e a Judas, provavelmente *no meio*. De outro modo, os três estavam próximos uns dos outros. Cada pequeno grupo mergulhava o pão no molho que ficava em uma tigela comum. Judas mergulhava pelo poder demoníaco; ele estava dominado pela perversidade e por forte sentimento de traição, estando na presença mesma de Jesus. Quão real isso é! Com frequência, a igreja abriga homens vis, que fazem alta pretensão de piedade.

O texto de Mateus 26.25 indica que Jesus respondeu à pergunta: "*Porventura sou eu?*", diretamente, quando Judas a proferiu. Os demais Evangelhos não dizem tanto. O quarto evangelho (ver Jo 13.26,27) diz que Jesus entregou a Judas um pedaço de pão que fora mergulhado no molho, dando sinal de quem era o traidor; mas isso não foi entendido pelos outros. Pelo menos, é certo que o próprio Judas percebeu que fora identificado, e que Jesus estava perfeitamente cônscio do que ele já fizera e ainda estava prestes a fazer.

14.21: Pois o Filho do homem vai, conforme está escrito a seu respeito; mas ai daquele por quem o Filho do homem é traído! bom seria para esse homem se não houvera nascido.

14.21 ὅτι ὁ μὲν υἱὸς τοῦ ἀνθρώπου ὑπάγει καθὼς γέγραπται περὶ αὐτοῦ, οὐαὶ δὲ τῷ ἀνθρώπῳ ἐκείνῳ δι᾽ οὗ ὁ υἱὸς τοῦ ἀνθρώπου παραδίδοται· καλὸν αὐτῷ εἰ οὐκ ἐγεννήθη ὁ ἄνθρωπος ἐκεῖνος.

Aqui temos outra declaração sobre o Filho do homem (ver Mt 8.20, quanto a notas completas sobre esse título messiânico de Jesus). Entretanto, intérpretes têm suposto erroneamente que Jesus, ao referir-se ao "Filho do homem", falava de algum profeta

ainda futuro; mas a leitura das várias afirmativas de Jesus a respeito disso mostra-nos que Jesus usou *definidamente* o título acerca de si mesmo. Essa autodesignação repete-se por 80 vezes no NT. Ele é o "homem ideal", que participava plenamente da condição humana, a fim de que os homens, por sua vez, pudessem participar de sua condição de ressurreto, chegando a participar da natureza divina. (Ver 2Pe 1.4. Cf. Mc 8.31; 9.31 e 10.32-34, quanto a essas declarações.)

"**[...] como está escrito...**" Em outras palavras, a morte de Jesus (que fez expiação) fez parte de seu destino profetizado. Supomos que passagens do AT, como Salmos 22 e Isaías 53, estão em pauta. O "imperativo divino" repousava sobre sua vida. De algum modo, Judas foi apanhado no mesmo. Cremos que as Escrituras ensinam tanto a predestinação quanto o livre-arbítrio, embora elas não nos deem nenhuma reconciliação entre as mesmas. No entanto, ninguém chega à verdade, ignorando um ou outro lado da mesma. Deus usa o livre-arbítrio do homem em seus propósitos, sem destruí-lo, embora não saibamos dizer como. Judas era livre, e nada o forçou a fazer o que fez. Somente essa circunstância tornou-o "moralmente responsável" pelo que praticou; e certamente por toda a parte se indica que ele foi considerado responsável. Ao mesmo tempo, de alguma forma a vontade divina coincidiu com seu livre-arbítrio, tendo usado o mesmo para realizar o propósito de Deus. Como pode suceder assim, sem ser destruído o livre-arbítrio de Judas, só podemos dizer que não sabemos, conforme o nosso nível atual de conhecimento. Rejeitamos categoricamente, porém, o ponto calvinista extremista que ensina a *reprovação*, que é uma "antieleição", e que pretende fazer-nos crer que Judas foi mero títere da ira divina. (Ver Rm 9.20, sobre a ideia da "reprovação ativa".) Temos de admitir, entretanto, que aqui e ali, na teologia judaica e em seus escritos, pode-se achar essa ideia, com toda a sua negra blasfêmia. Portanto, se a ideia é transportada para o NT, em algumas poucas instâncias isoladas, isso não nos deve surpreender. Contudo, o NT, como documento, faz oposição à reprovação ativa (e até mesmo à passiva). (Ver sobre a "predestinação", em Rm 9.15,16, e sobre o "livre-arbítrio", em 1Tm 2.4.)

A polêmica. Já vimos, por várias vezes, em Marcos e Mateus, o argumento (baseado no AT) de que o Messias seria o *Servo Sofredor* e que seria morto por aqueles a quem foi enviado. Os judeus quase não podiam conceber esse Messias, tão contrário era isso à doutrina deles sobre o tema (embora, ocasionalmente, encontremos um rabino que dizia algo parecido). Os evangelhos, porém, defendem o Messias como Servo Sofredor, que aparece como conceito veterotestamentário, a autoridade final para qualquer judeu. O NT elabora essa defesa vinculando a ideia de expiação aos sofrimentos de Cristo. Ver Romanos 5.11 sobre essa doutrina.

14.22-26 — A última ceia. (Ver as notas expositivas sobre esta passagem em Mt 26.26-30; e, quanto a notas adicionais, ver também Lc 22.19-23.)

14.22: Enquanto comiam, Jesus tomou o pão e, abençoando-o, o partiu e deu-lho, dizendo: Tomai; isto é o meu corpo.

14.22 Καὶ ἐσθιόντων αὐτῶν λαβὼν ἄρτον εὐλογήσας ἔκλασεν καὶ ἔδωκεν αὐτοῖς καὶ εἶπεν, Λάβετε, τοῦτό ἐστιν τὸ σῶμά μου.

22 λαβὼν...αὐτοῖς Mt 14.19; 15.46; Mc 6.41; 8.6; Lc 9.16   22 ἄρτον] τόν α. 22 69 *al* | ἔδωκεν αυτοῖς] add et manducanerunt ex illo omnes (k') k^c (*et om* λαβετε) | Λάβετε] add φαγετε fi3 28 pm ς | εστιν] *om* W

A "*teologia*" desta passagem extremamente controvertida, é amplamente discutida em João 6.48, sob o título, "*Jesus, o Pão da Vida*".

Os problemas e as controvérsias. Os evangelhos sinópticos parecem apresentar a "última ceia" como se fora uma *autêntica* "festa da Páscoa", mas o evangelho de João (18.28) indica que Jesus foi crucificado no dia mesmo da Páscoa. Esse problema já foi discutido naquela referência de João, em Marcos 14.1 (Mt 26.1) e em Mateus 26.17. João pode ter discutido a questão "teologicamente",

NTI | Marcos | 917

e não "cronologicamente". Em outras palavras, o paralelo entre a Páscoa e a morte de Jesus era tão óbvio, que na história do evangelho escrita por João, foi natural situar a crucificação no dia mesmo da Páscoa. Os evangelhos sinópticos podem estar certos, porém, ao dizer que a refeição da Páscoa foi efetuada no dia anterior ao da crucificação, preservando assim a cronologia do acontecido. Alguns pensam que a "última ceia" na qual Jesus esteve envolvido foi em refeição antecipatória, que não deveria ser identificada com a própria Páscoa; e esses apontam para a narrativa dos sinópticos, que não mencionam o "cordeiro", o principal alimento na refeição da Páscoa, ao mesmo tempo que é usado o termo "pão" (no grego, "artos"), e não o "matzoth" (no grego, "adzuma"). Outrossim, as vestes especiais exigidas pela lei não foram mencionadas. (Ver a prescrição a respeito em Êx 12.)

O relato de *Paulo*, em 1Coríntios 11.23-25 nada diz de específico sobre a Páscoa, que poderíamos esperar, se a "última ceia" tivesse sido realmente instituída no dia da celebração da Páscoa. É possível que as narrativas sobre a "última ceia" simplesmente tenham omitido a menção do envolvimento da Páscoa; e a omissão não pode significar, necessariamente, que se deve pensar na distinção entre a "última ceia" e a "Páscoa". O problema tem sido intensamente debatido, mas nunca se chegou a nenhuma conclusão absolutamente certa. Seja como for, dentro da teologia cristã, a "última ceia" tem sido identificada com a "Páscoa", posto que simboliza a própria crucificação. O v. 24 deste capítulo traz tons obviamente próprios da "Páscoa". O v. 26 favorece fortemente a ideia de que a ceia, referida pelos evangelhos sinópticos, se tenha dado durante a celebração regular da Páscoa. Notemos que eles entoaram um "hino", provavelmente o *grande Halel*, a última metade, Salmos 115-118. Ordinariamente, isso era cantado no fim da celebração da Páscoa. Seja como for, porém, não se reveste de capital importância a determinação exata do dia, em relação à Páscoa, em que teve lugar a última ceia. O que importa é que "Cristo, nossa páscoa, foi sacrificado por nós". (1Co 5.7).

Transubstanciação *espiritual*. A realidade espiritual, representada pela ceia, é mais do que simbólica. Jesus, na qualidade de "pão da vida", realmente é "infundido" em nós, mas mediante a ação do Espírito Santo, mediante o que chegamos a participar de sua natureza, sendo transformados em sua imagem. Noutras palavras, chegamos a compartilhar de sua "forma de vida", de sua "modalidade de vida". (Ver Jo 5.25,26 e 6.57, sobre isso. Ver 2Pe 1.4, acerca de como participamos da "natureza divina"; e ver 2Cor 3.18, acerca de como subimos "de glória em glória", enquanto vamos sendo transformados em sua imagem e natureza. Ver Rm 8.29, acerca da nota geral sobre este tema. Ver Cl 2.10, sobre o mesmo tema.) Ao sermos transformados segundo sua imagem e natureza, há lugar uma "transubstanciação mística", na qual a "essência" real de Cristo é infundida em nós, até que, finalmente, a nossa "essência" recebe a própria natureza de sua "essência, ou "substância". A instituição da ceia faz parte disso, tal como disso participam todos os atos e meios cristãos. Tudo quanto nos sucede, se for dirigido por Deus, está envolvido nessa "transubstanciação mística". As notas em João 6.48 abordam mais plenamente esse problema e esse ponto de vista sobre a ceia.

14.23: E tomando um cálice, rendeu graças e deu-lho; e todos beberam dele.

14.23 καὶ λαβὼν ποτήριον εὐχαριστήσας ἔδωκεν αὐτοῖς, καὶ ἔπιον ἐξ αὐτοῦ πάντες.

23,24 λαβὼν...μου   1Co 10.16   23 ποτηριον] το ποτ. **AW** 69 565 *pm* ς

Eles receberam e *participaram* do cálice. No dizer de Luccock (*in loc.*). "A dádiva de Deus, em Cristo, antes de tudo, não é algo a ser 'imitado' na vida, mas, primariamente, é algo a ser 'recebido', humildemente, com gratidão e alegria. Há uma tendência, manifestada por demais frequentemente de pensar que o grande sentido da última ceia é um exemplo a ser seguido. Dando-se essa ênfase

primária, e sem primeiramente receber-se o dom do sacrifício de Cristo em qualquer sentido profundo e pessoal, muitos têm tomado os símbolos do pão e do vinho como uma exortação a uma vida sacrificial. A menos que primeiramente recebamos, nossa entrega será superficial e sem substância. Se não recebermos dele o cálice de seu amor, não teremos, nós mesmos, grande coisa para ali verter. O hino de Issac Watts mostra-nos a verdadeira sucessão de eventos:

Amor tão maravilhoso, tão divino,
Exige minha alma, minha vida, meu tudo.

É quando já recebemos plenamente que uma exigência duradoura nos é imposta à vida, uma exigência que só pode ser satisfeita com o meu tudo. Jesus reputava sua morte como uma dádiva. Assim como ele deu o pão, deu sua vida. O convite 'tomai', foi proferido primeiramente para alguns poucos discípulos. E diz agora para a família humana inteira: *Tomai. Isto é para vós.* Tomai esta dádiva para o lugar central de vossa vida. Somente depois cabem as palavras: 'De graça recebestes, de graça daí' " (Mt 10.8).

14.24: E disse-lhes: Isto é o meu sangue, o sangue do pacto, que por muitos é derramado.

14.24 καὶ εἶπεν αὐτοῖς, Τοῦτό ἐστιν τὸ αἷμά μου τῆς διαθήκης[5] τὸ ἐκχυννόμενον ὑπὲρ πολλῶν·

[5] **24** {B} τῆς διαθήκης (ver Mt 26.28) ℵ B C D[d] L Θ Ψ 565 it[k] cop[sa, ms,bp] geo[1] // τὸ τῆς διαθήκης D* W it[d] // τὸ τῆς καινῆς διαθήκης (ver Mt 26.28 mg; Lc 22.20; 1Co 11.25) A K P Δ Π f[1] f[13] 28 700 892 1009 1010 1071 1079 1195 1216 1230 1241 1253 1365 1546 1646 2148 2174 *Byz Lect* it[b,i,r1] // τῆς καινῆς διαθήκης X 1242 1344 it[a,aur,c,f,l,q] vg syr[s,p,h] cop[sa,bo,mss] arm eth geo[2] Diatessaron // *omit* it[b,i,r1] 24 τὸ αἷμα...διαθήκης Êx 24.8; Zc 9.11; Hb 9.20   πολλω] *add p*) εις αφεσιν αμαρτιων **W** f[13] *pc a g*[2] sa(4) bo

É muito mais provável que καινῆς seja uma adição escribal, derivada das narrativas paralelas de Lucas 22.20 e 1Coríntios 11.25, do que, estando presente originalmente, essa palavra tenha sido omitida de ℵ B C L Θ Ψ 565 it[k] cop[sa, ms,bo] geo[1].

Jesus identifica sua morte próxima como uma *expiação*, sendo essa a maneira mais simples e direta de entender este versículo. (Ver Rm 5.11, quanto a notas completas sobre o assunto.)

" **'Sangue da aliança'**. Segundo o uso judaico posterior, isso apontava para o sangue da circuncisão; mas, indubitavelmente, a referência é à ideia como as que se acham em Êxodo 24.8; Zacarias 9.11; Hebreus 9.20 e 10.29. A ideia de uma 'nova' aliança se fez ausente nos melhores manuscritos de Marcos e Mateus, mas acha-se em Paulo (ver 1Co 11.25), bem como no texto mais longo de Lucas 22.20 (talvez baseado em 1Co 11, e certamente, de alguma forma, relacionado àquele texto.) Provavelmente, derivou-se de Jeremias 31,31-34, mas representa uma interpretação mais avançada das palavras da instituição, do que aquilo que se lê em Marcos". (Grant, *in loc.*).

Tem havido muita discussão a respeito de se deveríamos traduzir o termo *diatheke* como *testamento* ou como *aliança*. Hebreus 9.14-17 certamente tem a ideia de "testamento", embora, normalmente, no NT, "aliança" pareça ser a tradução preferível. Esse debate não é de grande importância, e parece bastante justo dizer que ambas as ideias de "aliança" (acordo) e "testamento" (um acordo que deixa um prêmio a um herdeiro, por motivo de falecimento) estão no NT, e ambas se revestem de bom sentido. (Ver as referências em Hebreus, quanto a uma ampla discussão do problema. O próprio vocábulo pode significar ambas as coisas, e é usado de ambos os modos, conforme nos mostra a consulta em qualquer léxico.)

V. 24. *Nota textual*. O vocábulo "[...] novo..." aparece nos mss AEFHKMPSUV W(2)X, Gamma e Fam Pi e também figura nas traduções AC, F e KJ. Todas as traduções, exceto essas mencionadas, omitem essa palavra, seguindo os melhores manuscritos, a saber, Aleph, BCDL, a versão latina k e as versões cópticas e saídicas.

918 | Marcos | NTI

Obviamente, essa palavra foi inserida por empréstimo do texto de 1Coríntios 11.25 (e também de 2Co 3.6), não somente neste evangelho de Marcos, mas também no evangelho de Mateus, por diversos escribas subsequentes. (Ver as notas sobre Mt 26.28 e Lc 22.20.)

14.25: Em verdade vos digo que não beberei mais do fruto da videira, até aquele dia em que o beber, novo, no reino de Deus.

14.25 ἀμὴν λέγω ὑμῖν ὅτι οὐκέτι οὐ μὴ πίω[6] ἐκ τοῦ γενήματος τῆς ἀμπέλου ἕως τῆς ἡμέρας ἐκείνης ὅταν αὐτὸ πίνω καινὸν ἐν τῇ βασιλείᾳ τοῦ θεοῦ.

> [6] **25** {C} οὐκέτι οὐ μὴ πίω A B K X Δ Π Ψ ƒ¹ ƒ³ 28 700 1009 1010 1071 1079 1195 1216 1230 1241 1242 1253 1355 1365 1546 1646 2148 2174 *Byz Lect* it^aur,b,ff²,i,l,q vg syr^s,p,h cop^sa geo // οὐ μὴ πίω (Ver Mt 26.29) ℵ C L W 892 *l*²¹¹,⁹⁵⁰ it^c,k cop^bo eth // οὐ μὴ προσθῶ πιεῖν D it^a,d,f arm // οὐκέτι οὐ μὴ προσθῶ πιεῖν 565 // οὐκέτι οὐ μὴ προσθῶμεν πιεῖν Θ

> A ausência de οὐκέτι, nos manuscritos a C L W *al* provavelmente pode ser explicada como resultado da assimilação escribal ao texto paralelo de Mateus 26.29. Embora o uso do verbo προστιθέναι, em D Q 565, sugira influência semita (na LXX, προστιθέναι, com um infinitivo, com frequência traduz הוֹסִיף com um infinitivo), nenhuma das três formas é suficientemente apoiada para ser aceita como original.

"[...] Em verdade..." Expressão de uso frequente nos discursos de Jesus, a qual ressalta a importância da declaração em foco. (Ver Jo 1.51, quanto a notas completas a respeito disso.)

"[...] reino de Deus..." (Ver Mt 3.2, quanto a notas completas sobre esse conceito, o qual é muito complexo no NT, que varia segundo o autor sagrado, ou até em diferentes lugares dos escritos de um mesmo autor.). Mui provavelmente, está aqui em foco o reino milenar de Cristo. Deve-se imaginar que Cristo pensava que a "parousia" introduzirá na terra o reino; mas alguns intérpretes duvidam dessas referências e pensam que tudo será estritamente espiritual em sua natureza, embora isso não pareça ajustar-se bem às ideias daquela época.

"[...] àquele dia..." O dia de seu retorno, ou seja, a "parousia" ou segundo advento. Não há razão para duvidar de que Jesus, iluminado como era, por ser o Messias, soubesse desse grande futuro destino, que afetará tão profundamente a vida humana. (Ver Ap 19.11, quanto à "segunda vinda"; e 1Ts 4.15, quanto à "questão do arrebatamento". Ver Ap 19.7, quanto às "bodas do Cordeiro", o que provavelmente é aludido de modo simbólico na comemoração da ceia.)

14.26: E, tendo cantado um hino, saíram para o Monte das Oliveiras.

14.26 Καὶ ὑμνήσαντες ἐξῆλθον εἰς τὸ Ὄρος τῶν Ἐλαιῶν.

É quase certo que este versículo identifica a ceia referida nos evangelhos sinópticos como uma *real* celebração da ceia, e não como uma refeição antecipada. Assim é porque o hino, o Halle, que consistia de Salmos 113—118;136, era entoado regularmente após a refeição pascal. É provável que a segunda metade do Halle, Salmos 115—118, esteja especificamente em foco como o "hino". (Ver Jo 18.18 e Mt 26.17, quanto a esse problema.) Lucas 22.39 mostra-nos que era costume de Jesus ir com frequência ao monte das Oliveiras. (Ver também Lc 21.37.)

Um quadro que pinta a *coragem*: Entre outras lições que podemos aprender desta passagem em geral, este quadro de Jesus e seus discípulos, em meio a tremenda crise, a entoarem o salmo, revela grande coragem. Talvez tivessem entoado o salmo com vozes trêmulas, a princípio, mas gradualmente o tom tornou-se mais vigoroso e saudável. A crise da morte, e morte tão horrível como a de crucificação, não pôde remover de seu coração o louvor a Deus, o qual é o Deus de vivos, e não de mortos. Morte? Não há morte! A

música desempenha papel importante na adoração da igreja. (Ver notas completas sobre esse assunto, em Cl 3.16.)

14.27-31 — *Pedro é avisado sobre sua futura negação.* (Ver as notas expositivas em Mt 26.31-35.)

14.27: Disse-lhes então Jesus: Todos vós vos escandalizareis; porque escrito está: Ferirei o pastor, e as ovelhas se dispersarão.

14.27 Καὶ λέγει αὐτοῖς ὁ Ἰησοῦς ὅτι Πάντες σκανδαλισθήσεσθε, ὅτι γέγραπται, Πατάξω τὸν ποιμένα, καὶ τὰ πρόβατα διασκορπισθήσονται·

> **27** Πατάξω...διασκορπισθήσονται Zc 13.7; Mt 26.56; Mc 14.50

"Outra *predição*, como aquela dos v. 18 e 21, é explicitamente alicerçada sobre uma profecia (ver Zc 13.7; cf. Jo 16.32)". (Grant, *in loc.*).

Poderíamos perguntar: "*O que* alguém acharia em Cristo para nele se escandalizar?" A resposta espiritual é: "*Muito!*" Para segui-lo é mister "renunciar" ao mundo e ao próprio "eu", o que é um teste para a carne, um conflito com as forças espirituais do mal. Um homem pode escolher os prazeres fáceis da vida e vaguear interminavelmente entre eles; mas a determinação de seguir a Jesus significa "tomar a sua cruz", compartilhar dos seus sofrimentos e de sua resoluta inquirição espiritual. É fácil dizer: "Jesus, minha cruz já tomei, deixo tudo e sigo a ti"; mas é algo bem diferente segui-lo na renúncia, dia após dia, em face das tentações carnais e mundanas.Todavia, a vereda da salvação é a vereda do *sacrifício*; e a vereda do sacrifício é o caminho da renúncia; e o caminho da renúncia é a estrada da santificação, sem a qual ninguém jamais verá a Deus (ver Hb 12.14), e sem a qual não haverá salvação nenhuma (ver 2Ts 2.13).

14.28: Todavia, depois que eu ressurgir, irei adiante de vós para a Galileia.

14.28 ἀλλὰ μετὰ τὸ ἐγερθῆναί με προάξω ὑμᾶς εἰς τὴν Γαλιλαίαν.

> **28** Mc 16.7   **28** ος *om* p fayum

Houve muitos *aparecimentos* de Jesus ressurreto (ver Mt 28.9), mas talvez nenhum tão avassalador e jubiloso como aquele na Galileia, aqui predito. Jesus, crucificado na Páscoa, "em Jerusalém"... — que horrendo acontecimento! Isso é algo que os discípulos nunca teriam podido predizer e que deve tê-los espantado imensamente. Não há como possamos julgar o impacto da *derrota* que isso significou para a alma deles. Pensemos, no entanto! Agora ele iria adiante deles para a Galileia, o palco de muitas vitórias, de muitas lições e alegrias. Longe dos homens ímpios e desvairados que haviam cortado a Jesus violentamente; encontrou-se de novo com os seus discípulos sob as mais triunfais circunstâncias possíveis. Portanto, Jesus suavizou a predição de sua morte. Poucos entendiam, então, essa predição; mas esse raio de luz tem trazido esperança para o mundo inteiro. (Quanto a teorias concernentes ao modo da ressurreição de Jesus, ver Lc 24.6. Quanto ao "significado da ressurreição", ver 1Co 15.20.)

Jesus foi adiante deles. Isso é típico do *Pastor* que lidera as ovelhas. Ele foi adiante deles na vida eterna, e mostrou-lhes como também poderiam dela participar. Morreu, mas pôde triunfar, para ir adiante dos seus, conduzindo-os à vida. Essa é a esperança que Jesus, o Cristo, trouxe a todos os homens.

Variante textual e problemas. Este versículo é omitido por Lucas e por um manuscrito de Marcos, o minúsculo fragmento Fayum, do século III d.C., na coleção do arquiduque, em Viena. Mateus traz o mesmo (26.32), e alguns estudiosos supõem que isso tenha sido transportado daqui para Marcos. Contra essa ideia é o fato de que a grande massa de manuscritos gregos e das versões retém o versículo. Os críticos textuais são virtualmente unânimes em sua retenção. Notemos que Marcos 16.7 repete a predição, e ali não temos nenhuma problema textual.

14.29: Ao que Pedro lhe disse: Ainda que todos se escandalizem, nunca, porém, eu.

14.29 ὁ δὲ Πέτρος ἔφη αὐτῷ, Εἰ καὶ πάντες σκανδαλισθήσονται, ἀλλ' οὐκ ἐγώ.

"Tal como em 10.23, um dos apóstolos-*colunas* foi avisado de antemão sobre a sua capacidade de participar do cálice e do batismo de Jesus, pelo que aqui Pedro é apresentado como a protestar veemente a sua lealdade. As palavras apontam para mais adiante, e preparam-nos para as negações, assim como o 'todos disseram a mesma coisa' nos prepara para o v. 50" (Grant, *in loc.*).

14.30: Replicou-lhe Jesus: Em verdade te digo que hoje, nesta noite, antes que o galo cante duas vezes, três vezes tu me negarás.

14.30 καὶ λέγει αὐτῷ ὁ Ἰησοῦς, Ἀμὴν λέγω σοι ὅτι σὺ σήμερον[7] ταύτῃ τῇ νυκτὶ πρὶν ἢ δὶς ἀλέκτορα φωνῆσαι[8] τρίς με ἀπαρνήσῃ.

[7] **30** {B} σήμερον א A B C K L W X Δ Π Ψ 0112 *f*¹ 28 892 1009 1010 1071 1079 1195 1216 1230 1241 1242 1253 1344 1365 1546 1646 2148 *Byz Lect* it^{aur,c,k,(l)} vg syr^{s,p,h} cop^{sa,bo} geo // *omit* (ver Mt 26.34) D Θ *f*³ 565 700 it^{a,b,d,f,ff²,i,q} arm

[8] **30** {C} ἢ δὶς ἀλέκτορα φωνῆσαι A B K L X Δ Π Ψ 0112 *f*¹ 28 892 1010 1071 1079 1195 1216 1230 1241 1242 1253 1344 1365 1546 1646 2174 *Byz Lect* it^{aur,f,q} vg^{ww} syr^{s,p,h} geo // ἢ ἀλέκτορα φωνῆσαι δίς C² cop^{sa,bo} // ἀλέκτορα δὶς φωνῆσαι Θ *f*³ 565 700 1009 it¹ vg^{cl} // ἢ ἀλέκτορα φωνῆσαι C* 2148 // ἀλέκτορα φωνῆσαι (ver Mt 26.34; Lc 22.34; Jo 13.38) א D W *f*⁶·¹⁵⁰·⁹⁵⁰ it^{a,b,c,d,ff²,i,k} arm eth

[7] O pleonástico σήμερον, tão típico do estilo de Marcos, foi omitido por alguns testemunhos ocidentais e cesareanos (D Θ *f*¹³ 565 700 *al*, talvez sob a influência do paralelo, em Mateus 26.34.

[8] A forma que mais bem explica a origem das outras, parece ter sido preservada em A B L Δ Ψ *f*¹ 28 *al*. É provável que a omissão de δίς se tenha originado de assimilação escribal aos relatos paralelos de Mateus 26.34; Lucas 22.34 e João 13.38. (Ver também os comentários sobre Mc 14.68 e 72.)

"[...] duas vezes cante..." Mateus fala apenas em *um* "canto" do galo, uma pequena diferença que não se reveste de importância. O autor deste evangelho (Marcos), porém, fala no duplo canto do galo como parte do drama. Ver os v. 68 e 72, onde a questão volta à baila. Conforme seria de esperar, escribas subsequentes procuram "harmonizar" as duas narrativas, pelo que aqui (v. 30) alguns omitiram as palavras "duas vezes", fazendo Marcos harmonizar-se com Mateus. Os manuscritos que trazem essa omissão são Aleph, DW e algumas poucas versões latinas. Portanto, é uma omissão antiga, mas isso não nos deve surpreender. Naquele versículo, o canto do gato é apoiado por manuscritos posteriores e inferiores, a saber, AD Theta, Fam 1 e Fam 13, a maioria dos latinos e poucos Sa e Bo. A omissão acha-se em Aleph, BW Si geó. No v. 72, porém, a expressão "pela segunda vez" é genuína, embora omitida por Aleph e alguns poucos outros manuscritos, de muito menor valor. Parece que a "dupla coroação" é genuína nos v. 30 e 72, mas adicionada no v. 68, por escribas subsequentes, a fim de "suprir a primeira coroação", o que, de outro modo, não teria sido diretamente mencionado no texto. Problemas de "harmonia", tal como esse, apesar de curiosos, não são importantes para a fé e a prática cristãs.

14.31: Mas ele repetia com veemência: Ainda que me seja necessário morrer contigo, de modo nenhum te negarei. Assim também diziam todos.

14.31 ὁ δὲ ἐκπερισσῶς ἐλάλει, Ἐὰν δέῃ με συναποθανεῖν σοι, οὐ μή σε ἀπαρνήσομαι. ὡσαύτως δὲ καὶ πάντες ἔλεγον.

31 Ἐὰν δέῃ με...σοι Jo 11.16

É sempre fácil resistir ao mal *em geral*, antes das questões "específicas" nos levarem à crise da tentação e da debilidade. É fácil pregar contra o mal em geral, mas não é popular atacar-se males *específicos*. Um tipo de "determinação geral" pode ser fruto do ser "em lazer", longe de indicar um desenvolvimento espiritual superior. O aspecto "atual" da batalha, com frequência, é tempo de queda e não de triunfo. É fácil perdermos o conhecimento de nossa debilidade, bem como da real medida de nossas forças, até sermos testados pela experiência.

14.32-42 — *Jesus ora no jardim do Getsêmani.* (Quanto às notas expositivas acerca desta importante seção, ver Mt 26.36-46. Ver notas adicionais em Lc 22.39-46.)

14.32: Então chegaram a um lugar chamado Getsêmani, e disse Jesus a seus discípulos: Sentai-vos aqui, enquanto eu oro.

14.32 Καὶ ἔρχονται εἰς χωρίον οὗ τὸ ὄνομα Γεθσημανί, καὶ λέγει τοῖς μαθηταῖς αὐτοῦ, Καθίσατε ὧδε ἕως προσεύξωμαι.

32 ἔρχονται...Γεθσημανί Jo 18.1

(Ver a nota geral sobre a "oração", em Ef 6.18.) A narrativa é uma das mais "humanas" dos Evangelhos. Temos aqui um dos pontos altos da narrativa do evangelho; pois esse foi um dos pontos mais altos da experiência de Jesus. O próprio Jesus necessitava do consolo dado pelos amigos. Contudo, em sentido real, foi-lhe mister "ficar sozinho".

14.33: E levou consigo a Pedro, a Tiago e a João, e começou a ter pavor e a angustiar-se;

14.33 καὶ παραλαμβάνει τὸν Πέτρον καὶ [τὸν] Ἰάκωβον καὶ [τὸν] Ἰωάννην μετ' αὐτοῦ, καὶ ἤρξατο ἐκθαμβεῖσθαι καὶ ἀδημονεῖν,

33 Πέτρον...Ἰωάννην Mt 17.1; Mc 5.37; 9.2; 13.3; Lc 5.10; 6.14; 8.51; 9.28; At 1.13

Os evangelhos sinópticos fazem Pedro, Tiago e João serem os discípulos favoritos de Jesus. Alguns evangelhos apócrifos fazem outros dentre os doze serem os favoritos; mas não há razão para duvidarmos da narrativa dos sinópticos. Quando da transfiguração, esses três acompanharam a Jesus, com exclusão dos demais (ver Mt 17), o que também se deu quando da ressurreição da filha de Jairo (ver Mc 5.37). Esse "favoritismo" sem dúvida teve razões espirituais, e não meramente humanas. Podemos imaginar que esses três, de algum modo, eram espiritualmente superiores aos demais; e assim, devido à sua força espiritual, ajudaram a Jesus em seus milagres e em seu bem-estar, com alguma transferência literal de energia. Os estudos atuais no campo do complexo de energias humanas (como se vê na fotografia Kieliana, que fotografa o campo de forças em torno do corpo humano) têm mostrado definidamente que há uma intercomunicação entre as pessoas, no nível espiritual. Supomos que isso nem mesmo se limita à distância. A personalidade humana é muito maior do que se tem suposto, e tem influências a longo prazo, *de alma para alma*, invisíveis, mas reais, o que, à sua maneira, é algo mais real do que qualquer intercomunicação física. Que profunda lição é essa! Se quisermos fazer o bem ao próximo, nossa alma deve estar correta. Além disso, podemos prejudicar as pessoas com nossa influência invisível e silenciosa, que elas sentem e registram, mesmo que não externamente. Os pais, com especialidade, deveriam aprender essa lição. Se levarem vida desonesta, prejudicarão seus filhos, mesmo que (cerebralmente) não tenham "consciência" dos vícios e debilidades de seus pais. A influência "de alma para alma", entre os pais e os filhos, deve ser profunda e, se essa influência for "negativa", não haverá "exortação verbal" que consiga afetar a vida dos filhos. Os pais devem a seus filhos três coisas: exemplo, exemplo, exemplo. Isso, porém, deve envolver o que a pessoa "é", e não meramente o que ela "faz" ou "diz".

Jesus estava "*tomado de pavor e de angústia*". Não devemos tentar *diminuir* a força dessas descrições. Ali estava Jesus, o

920 |Marcos| NTI

homem, a sofrer como qualquer outro precisa sofrer, em face do grande horror que lhe sobreviera. (Ver Fp 2.7, quanto à "encarnação" de Cristo e o que isso significa, no tocante à sua humanidade". Jesus não representou um papel, como se estivesse em um teatro. Seus sofrimentos foram reais, como também suas tentações. Portanto, seu triunfo foi real, em termos humanos, os quais podemos entender.

14.34: e disse-lhes: A minha alma está triste até a morte; ficai aqui e vigiai.

14.34 καὶ λέγει αὐτοῖς, Περίλυπός ἐστιν ἡ ψυχή μου ἕως θανάτου· μείνατε ὧδε καὶ γρηγορεῖτε.

34 Περίλυπος...μου Sl 42.5,11; 43.5; Jo 12.27
Περίλυπος...θανάτου Jn 4.9

Jesus estava *sozinho*. Ele desejava a ajuda de seus discípulos, mas não a recebeu da parte deles. Em sua solidão, pois, alcançou para nós consolo e companheirismo eterno.

Vi, em Louisiana, um carvalho vivo que crescia

Vi em Louisiana um carvalho vivo que crescia,

Sozinho estava, e o musgo se pendurava de seus ramos;

Sem companhia crescia ali, produzindo folhas alegres de um verde-escuro,

E sua aparência rude, inflexível, vital, fez-me pensar em mim mesmo;

E perguntei como podia dar folhas viçosas, estando sozinho,

Sem nenhum amigo, sem ter a quem amar — pois eu não podia fazê-lo;

E quebrei um raminho com certo número de folhas,

com um pouco de musgo enrolado ao redor,

E o trouxe — e o coloquei em meu quarto, onde podia vê-lo;

Não me faz lembrar necessariamente meus amigos queridos,

(pois creio que ultimamente quase só penso neles).

Contudo, para mim, continua sendo sinal curioso — faz-me pensar no amor humano;

Apesar disso, e embora o carvalho vivo viceje em Louisiana, solitário, em um lugar grande e plano,

A produzir folhas verdes a vida toda, sem amigo, sem amante próximo,

Sei muito bem que eu não podia fazê-lo.

(Walt Whitman, 1819-1892).

14.35: E adiantando-se um pouco, prostrou-se em terra; e orava para que, se fosse possível, passasse dele aquela hora.

14.35 καὶ προελθὼν μικρὸν ἔπιπτεν ἐπὶ τῆς γῆς, καὶ προσηύχετο ἵνα εἰ δυνατόν ἐστιν παρέλθῃ ἀπ' αὐτοῦ ἡ ὥρα,

35 προελθών אBWΘ *pm* lat sys; R] *p*) προσελθ **AD** fi f*i*3 565 700 al *ff*

"[...] **um pouco**..." Em outras palavras, de acordo com Lucas, "a distância de um tiro de pedra". Ele precisava do apoio deles, de senti-los perto; mas aquela prova exigia sua total solidão.

"[...] **se possível**..." De algum modo, o plano de Deus talvez pudesse ser alterado, embora não contornado. Entretanto, logo tornou-se evidente para Jesus que isso não podia acontecer, e a ardente oração de Jesus tornou-se o meio de revelar isso para ele. O quadro é intensamente humano, pois muitos esperariam um Cristo "docético", que estivesse "acima de todas as circunstâncias", que soubesse toda a vontade de Deus, de tal modo, que não tivesse nenhuma necessidade de perguntar. Conforme a impressão errônea de muitos, Jesus teria sido um homem não real, que jamais poderia ser vencido pela tristeza e pela angústia, e que nunca poderia tropeçar ao ponto de quase cair. E essa falsa impressão é embalada até mesmo por muitos cristãos.

"[...] **hora**..." Essa palavra se acha somente em Marcos e indica "a hora da crise", o "tempo do teste". Especificamente, está em foco sua morte agonizante. Mateus usa o vocábulo "cálice" no seu paralelo. Jesus falava diretamente sobre sua "morte", e não

sobre os "incidentes" que a acompanhariam, como a traição de Judas ou a agonia dos discípulos. Naqueles instantes, Jesus pedia sobre si mesmo, e não acerca de outros. Outrossim, apesar de ser verdade que o "carregar o pecado", envolvido em sua morte, também deve estar incluído na agonia daquela "hora", não se pode duvidar de que Jesus, tal como qualquer outro homem, naturalmente temia a morte, conforme a cruz tornava esta necessária.

JESUS sofreu as *nossas* condições, em sua humanidade e em seu estado, a fim de que, quando formos glorificados, possamos participar com ele de sua essência ou forma de vida e suas glórias acompanhantes. Tal como ele realmente participou de sua humanidade, com tudo quanto nisso está envolvido, assim também, na realidade, participaremos de sua divindade (ver 2Pe 1.4), com tudo quanto acompanha isso. Este é o mais elevado de todos os conceitos cristãos (ou religiosos), e devemos devolvê-lo ao seu lugar central, na prédica cristã. Isso transcende grandemente ao mero perdão de pecados e à nossa "ida para os céus", algum dia. A vereda da renúncia é que leva a esse final, pois a transformação metafísica dos crentes, segundo a natureza e imagem de Cristo (ver 2Co 3.18; Rm 8.29 e Cl 2.10) é provocada pela transformação moral, mediante a qual participamos de sua perfeita santidade.

14.36: E dizia: Aba, Pai, tudo te é possível; afasta de mim este cálice; todavia não seja o que eu quero, mas o que tu queres.

14.36 καὶ ἔλεγεν, Αββα ὁ πατήρ, πάντα δυνατά σοι· παρένεγκε τὸ ποτήριον τοῦτο ἀπ' ἐμοῦ· ἀλλ' οὐ τί ἐγὼ θέλω ἀλλὰ τί σύ.

36 Αββα ὁ πατήρ Rm 8.15; Gl 4.6   οὐ τί ἐγὼ θέλω...σύ Jo 5.30; 6.38

Todas as coisas são *possíveis* para Deus. (Ver Mc 9.23 e 11.22-24.) Aqui, Marcos tem o "cálice", que é paralelo a Mateus 26.39. (Ver também Mc 10.38,39, acerca dessa expressão.) O versículo não aborda a controvérsia *monotelista*, embora, naturalmente, sugira essa perspectiva; e compreende-se que alguns o tenham pressionado nessa direção. O monotelismo asseverava que o "deus-homem" agia como uma única energia. Posteriormente, passou a dizer que Cristo, na qualidade de deus-homem, tivera apenas uma vontade. O texto à nossa frente, porém, mostra claramente que, apesar de Jesus não ter nenhum conflito com o pecado, como se sua natureza estivesse dividida pelas tentações, contudo, como homem, de modo bem definido, e à semelhança de outros homens, ele teve de buscar a vontade de Deus. Além disso, fica evidente que sua "vontade humana" podia entrar em conflito com a vontade divina, embora sempre tivesse a vitória no Espírito, tal como qualquer outro homem que venha a alcançar a vitória espiritual. Em outras palavras, como homem, Jesus "teve de aprender a obediência", segundo se lê em Hebreus 5.8. Seu aprendizado foi condicionado ao *sofrimento* conforme aquele versículo o diz, o que é abundantemente demonstrado neste texto. Tudo isso equivale a dizer que Jesus era, realmente, um ser humano, e que, como tal, teve de passar por "lições e exercícios espirituais", como sucede a todos os homens, para poder chegar à vitória. Com razão, os pais da igreja primitiva trataram o "monotelismo" como uma heresia, embora, na igreja moderna, em sua "filosofia", essa doutrina seja bem viva.

"[...] **Aba, Pai**..." (Ver as notas sobre essa expressão em Rm 8.15). Jesus confiava na onipotência do Pai celeste, o que o levaria por meio de sua provação, e o que lhe daria conhecimento direto da vontade de Deus Pai, além do poder de segui-la.

14.37: Voltando, achou-os dormindo; e disse a Pedro: Simão, dormes? não pudeste vigiar uma hora?

14.37 καὶ ἔρχεται καὶ εὑρίσκει αὐτοὺς καθεύδοντας, καὶ λέγει τῷ Πέτρῳ, Σίμων, καθεύδεις; οὐκ ἴσχυσας μίαν ὥραν γρηγορῆσαι;

Parece haver aqui uma *referência* direta a Marcos 13.36, o "fio da meada" da parábola do homem que fez viagem a um país distante. "Cuidai para que ele não venha e vos encontre dormindo". A menção de Pedro também nos faz voltar à passagem anterior, a saber, aquela em que ele, em altos brados, e até arrogantemente, declarou a sua lealdade a Cristo (Mc 14.29,31). Sua jactância, agora, é vista como própria de um homem fraco, pois, longe de ser capaz de sofrer as grandes agonias, em companhia de Cristo, não pôde nem evitar o sono por uma hora, a fim de prestar socorro espiritual a Jesus, no momento de suas agonias preliminares.

"[...] vigiar..." No grego é "*gregoreo*", "conservar-se desperto", "manter-se alerta", sensível aos acontecimentos ao redor. Pedro, não tendo feito isso e não tendo "orado" (conforme Mateus adiciona), logo fez o que está registrado neste capítulo. Esqueceu-se de Cristo em meio à batalha. Se tivesse vigiado, poderia ter ajudado a seu Senhor. Entretanto, recusou-se a ser um "vigia".

Ó verdade, ó força, ó participação brilhante,
Ó olhos pacientes que vigiam o alvo,
Ó tu, que passas o arado na alma do pecador,
Ó Jesus, empurra profundamente a sega do arado
Para livrar meu homem vivo da sonolência.
(John Masefield)

14.38: Vigiai e orai, para que não entreis em tentação; o espírito, na verdade, está pronto, mas a carne é fraca.

14.38 γρηγορεῖτε[b] καὶ προσεύχεσθε,[b] ἵνα μὴ ἔλθητε εἰς πειρασμόν· τὸ μὲν πνεῦμα πρόθυμον ἡ δὲ σάρξ ἀσθενής.

> [b b] **38** *b* none, *b* minor: WH Bov Nes BF² AV RV ASV TT Luth Seg // *b* minor, *b* none: RV^mg ASV^mg NEB // *b* minor, *b* minor: Zür // *b* none, *b* none: TR RSV Jer 38 προσεύχεσθε...πειρασμόν Mt 6.13; Lc 11.4
> 38 (γρηγ. κ. προσ., ινα) γρηγ., κ. προσ. ινα R^m)

"O vigiar dificilmente serviria para alguém evitar entrar em tentação (isto é, em 'teste', 'peirasmos'), mas a *oração* tem esse efeito, segundo o v. 36 deixa claro. 'Tentação', cf. Mateus 6.13 (a oração do Pai nosso), tal como acima. 'O espírito, na verdade, está pronto (é preferível a tradução da RSV, 'disposto', 'prothumon', isto é, 'anelante'), *mas a carne é fraca*. Isso soa como a psicologia paulina, mas, por detrás, tem o uso do AT — como também Paulo! Lucas omite o ponto, juntamente com o restante da seção" (Grant, *in loc.*). (No que se refere a Paulo, ver Rm 7.15ss.)

As ideias de "*pneuma*" (espírito) e *sarks* (carne) não são assim contrastadas em nenhuma outra porção dos Evangelhos, mas nada há de novo nesse tipo de dualismo radical, refletido na natureza humana, o que, na verdade, está dividido entre o mais elevado e o mais baixo, entre o mais nobre e o mais vil, entre o mundo elevado e o mundo decaído, entre a inquirição do espírito e a inquirição da carne. Jesus não deu aos discípulos uma *desculpa* pelo fracasso deles, embora tivesse mitigado o que fizeram mediante a observação de que, de fato, a natureza humana acha-se em estado decaído, e, portanto, repleta de conflitos e tensões. Platão observou que o "homem mau" é aquele que está em tensão entre sua natureza espiritual e sua natureza física e as respectivas exigências; portanto, ele não estaria plenamente "integrado" em um só propósito e ação, o que expressaria a nobreza. Isso é apenas outra maneira de dizer que o homem é um ser decaído, eivado de muitas perturbações espirituais, pois tende a desempenhar o papel de um animal, ao invés de seguir o que é espiritual, a porção nobre de seu ser.

Neste caso, "carne" pode ser a expressão da "*natureza decaída*" do homem, controlada pelo princípio do pecado-morte. Pode significar, meramente, "o corpo conforme é usado por essa natureza humana", sem deixar entendido que o próprio corpo seja mau; pois, na realidade, este é inócuo.

14.39: Retirou-se de novo e orou, dizendo as mesmas palavras.

14.39 καὶ πάλιν ἀπελθὼν προσηύξατο τὸν αὐτὸν λόγον εἰπών[9].

> [9] **39** {A} τὸν αὐτὸν λόγον εἰπώ ℵ A B C K L W X Δ Θ Π Ψ 0112 0116^vid *f*¹ *f*¹³ 28 565 700 892 1009 1010 1071 1079 1195 1216 1230 1241 1242 1253 1344 1365 1546 1646 2148 2174 *Byz Lect* it^aur,f,l,q vg syr^s,p,h cop^sa,bo arm geo // *omit* D it^a,b,c,d,ff2,k

> Ainda que alguns tenham pensado que essas palavras sejam uma glosa que penetrou em todos os tipos de texto, exceto o ocidental, é bem mais provável que um copista as tenha omitido por acidente, na cópia (talvez constituíssem uma linha explanatória em um ancestral do códex Bezae).

Mateus e Marcos dividem esse drama da agonia em *três porções*. Mateus repete as palavras ditas por Jesus em cada caso (generalizando na terceira vez); mas Marcos permite que os leitores suponham isso. Quanto às palavras da oração, ver Marcos 14.36 e Mateus 26.39, onde há algumas pequenas diferenças. A *segunda oração*, em Mateus, tem mais um tom de submissão, indicando que Jesus já havia progredido na direção da resposta, embora não fosse aquela que ele havia buscado originalmente. Já havia contemplado o fato que tinha de "beber" do cálice, não havendo outra maneira de cumprir os requisitos de sua missão. Por que deveríamos pensar que, se alguém vive "segundo a vontade de Deus", todas as coisas lhe irão bem? Isso é um autoludíbrio, sendo contrário à experiência humana, incluindo a experiência do próprio Jesus como homem.

14.40: E voltando outra vez, achou-os dormindo, porque seus olhos estavam carregados; e não sabiam o que lhe responder.

14.40 καὶ πάλιν ἐλθὼν εὗρεν αὐτοὺς καθεύδοντας, ἦσαν γὰρ αὐτῶν οἱ ὀφθαλμοὶ καταβαρυνόμενοι, καὶ οὐκ ᾔδεισαν τί ἀποκριθῶσιν αὐτῷ.

Em estupor, quase não podiam formular sentenças, quanto menos responder a Jesus com "bom sentido". Tinham comido pesada *refeição de Páscoa* e isso seria apenas natural. Talvez Marcos tenha em mente algum sono profundo, sobrenaturalmente imposto, adicionado pelas forças do mal. Lucas 22.31 lembra-nos que Satanás estava muito ocupado naquela noite, e que, se não fora a força emanada por Cristo, o Diabo poderia tê-los destruído a todos. Neste ponto, o texto frisa a "vergonha e a sonolência" deles, tornando-os insensíveis para com a necessidade de Jesus.

14.41: Ao voltar pela terceira vez, disse-lhes: Dormi agora e descansai. —Basta; é chegada a hora. Eis que o Filho do homem está sendo entregue nas mãos dos pecadores.

14.41 καὶ ἔρχεται τὸ τρίτον καὶ λέγει αὐτοῖς, Καθεύδετε τὸ λοιπὸν καὶ ἀναπαύεσθε·[c] ἀπέχει·[d] ἦλθεν[10] ἡ ὥρα,[d] ἰδοὺ παραδίδοται ὁ υἱὸς τοῦ ἀνθρώπου εἰς τὰς χεῖρας τῶν ἁμαρτωλῶν.

> [10] **41** {B} ἀπέχει ἦλθεν ℵ A B C K L X Δ Π 0112 *f*¹ 28 700 1010 1070 1195 1230 1241 1242 1253 1344 1546 1646 2148 2174 *Byz Lect* it^aur,l vg cop^sa,bo mss Augustine // ἀπέχει τὸ τέλος ἦλθεν (ver Lc 22.37) (W τέλος ἰδοὺ ἦλθεν) (Θ τὸ τό) *f*¹³ 565 1009 1071 1216 1365 it^(a),b,f,ff²,r¹ syr^(s),p,h arm Diatessaron^a // ἀπέχει τὸ τέλος καί D it^c,d,q (geo *add* ἦλθεν) // ἦλθεν Ψ 892 (it^k) cop^bo mss

> [c] **41** *c* question: ASV^mg RSV NEB Luth // *c* statement: Jer? Seg^mg // *c* command: AV RV ASV TT Zür Seg // *c* statement or command: TR WH Bov Nes BF²

> [d d] **41** *d* major, *d* minor: WH Bov Nes BF² Zür Jer Seg // *d* minor, *d* major: TR AV Luth // *d* major, *d* major: RV ASV RSV NEB // *d* exclamation, *d* exclamation: TT

> É difícil interpretar o uso impessoal de ἀπέχει no contexto, o que levou copistas a introduzirem melhoramentos. Vários testemunhos ocidentais e cesareanos (incluindo D W Θ *f*¹³) adicionam τὸ τέλος (que talvez signifique, "o fim chegou plenamente"),

922 |Marcos| NTI

uma glosa que pode ter sido sugerida por Lucas 22.37. Alguns poucos testemunhos (incluindo Ψ 892 *al*) omitem ἀπέχει. E it^k reescreve a passagem como segue: *et venit tertio et ubi adoravit dicit illis: dormite jam nunc ecce appropinquavit qui me tradit. Et post pusillum excitavit illos et dixit: jam hora est, ecce traditur filius hominis...*" (" e ele veio pela terceira vez, e quando tinha orado, diz a eles: 'Continuai dormindo agora; eis, aquele que me trai se aproximou'. E após um pouco ele os despertou e disse: 'Agora é a hora; eis, o Filho do homem foi traído...'").

A *terceira vez* completou o teste. Tinham tido sua oportunidade de ajudar, mas tinham falhado redondamente. Com que frequência isso acontece conosco! Apesar de muitas oportunidades e privilégios, fracassamos.

"[...] **Filho do homem...**" Um título messiânico comum de Jesus, constantemente empregado por ele mesmo como autodesignação. (Ver notas completas a respeito, em Mt 8.20.)

"[...] **Basta!...**" Os comentadores têm dado muitos sentidos possíveis a esse termo. Como parte do seu significado, talvez mais de um sentido esteja correto. "Já falei e testei o bastante para vos despertar; portanto, continuai dormindo, pois é tarde demais para impedir a tragédia que se aproxima". Esse parece ser um dos sentidos. Ou então "Já dormistes o bastante; vosso fracasso é completo. Vinde agora e enfrentai vossa condenação". E eis como Williams interpreta a palavra: "Estais ainda dormindo e repousando? Nada mais disso!" Assim, alguns dizem: "Já dormistes o bastante!" "O Tempo terminou" — Bruce (*in loc.*) sugere: "Venci na batalha; não preciso mais de vossa simpatia e ajuda. Podeis dormir agora, se quiserdes fazê-lo!"

Variante Textual — A dificuldade de entender o impessoal "*Basta!*" levou alguns escribas a adicionarem "to telos", isto é, talvez, "o fim chegou por fim". (Ver DW Theta e o Latim F). Psi e 892 omitem "*apechei*" ("Basta!"), pois seu escriba encontrou a mesma dificuldade de entendimento. O *it* reescreve a passagem, pela mesma razão: "E ele veio pela terceira vez, e quando tinha orado, diz a eles: 'continuai dormindo agora; eis que aquele que me trai se aproxima'. E após um pouco, despertou-os e disse: 'É chegada a hora; eis que o Filho do homem é traído'".

"[...] **nas mãos dos pecadores...**" No contexto imediato, isso aponta para "todos os que tiveram parte no assassinato de Jesus". No contexto teológico, "todos os homens por quem Jesus morreu", os quais, devido aos seus pecados, causaram a morte de Jesus. Alguns estudiosos, porém, limitam essas palavras aos "*romanos*", comparando-as com Atos 2.23 e Gálatas 2.15; mas isso parece estreitar demais seu sentido, diante do contexto.

14.42: Levantai-vos, vamo-nos; eis que é chegado aquele que me trai.

14.42 ἐγείρεσθε ἄγωμεν· ἰδοὺ ὁ παραδιδούς με ἤγγικεν.

Jesus, sabendo *perfeitamente* bem o que estava sucedendo, por que não fugiu? A resposta é que sua oração e meditação, expressas em agonia de alma, lhe tinham revelado que ele tinha de ficar. De modo estranho e incompreensível, a traição de Jesus cooperava com a vontade divina, no tocante à missão do Messias. Jesus "sabia". Ele possuía um "conhecimento especial", o que é um "sinal" comum, nos Evangelhos, de que Jesus era o verdadeiro Messias. De fato, entre os judeus esperava-se que o Messias tivesse esses poderes. (Ver Mc 2.8, quanto à mesma questão.)

14.43-50 — *Jesus é aprisionado.* (Quanto às notas expositivas sobre esta seção, ver Mt 26.47-56. Outras notas são oferecidas em Lc 22.47-53. Ver também Jo 18.1-11.)

14.43: E logo, enquanto ele ainda falava, chegou Judas, um dos doze, e com ele uma multidão com espadas e varapaus, vinda da parte dos principais sacerdotes, dos escribas e dos anciãos.

14.43 Καὶ εὐθὺς ἔτι αὐτοῦ λαλοῦντος παραγίνεται Ἰούδας εἷς τῶν δώδεκα καὶ μετ' αὐτοῦ ὄχλος μετὰ μαχαιρῶν καὶ ξύλων παρὰ τῶν ἀρχιερέων καὶ τῶν γραμματέων καὶ τῶν πρεσβυτέρων.

43 ἀρχιερέων...πρεσβυτέρων Mt 16.21; 27.41; Mc 8.31; 11.27; 14.53; 15.1; Lc 9.22; 20.1

(Ver Mt 26.3, quanto à referência às notas sobre os vários grupos aqui mencionados, "sacerdotes", "escribas" e "anciãos".)

"[...] **um dos doze...**" Isso já fora dito no v. 10, sendo desnecessário para nossa informação. Entretanto, é reiterado como uma espécie de expressão de horror. "*Foi um dos doze que traiu a Cristo!*" Houve súbita invasão de gente no jardim. Eram homens armados, cheios de ódio e violência; e Judas, com uma 'aparência santarrona' na face, vinha liderando a turba. As espadas e cacetes, ameaçadores como eram, humilharam e aterrorizaram o pequeno grupo de discípulos. Os homens sempre tentaram esmagar o poder e o desenvolvimento espirituais com a violência, seja física ou mental, ou seja mediante a perseguição social. Ora, se Jesus foi tratado desse modo, seus seguidores certamente sofrerão. Todavia, com igual insensatez, os homens podem tentar *lançar uma pedra contra o sol*. O triunfo do espírito é como o firmamento, do qual ninguém se pode aproximar. Contudo, a violência alcança vitórias temporárias e ilusórias.

"O menor átomo de verdade representa a labuta e a agonia amargas de alguém; para toda a porção ponderável da mesma há o sepulcro de um bravo inquiridor da verdade, sobre algum cemitério solitário, e também uma alma ardendo no inferno" (H. L. Mencken, "Prejudices").

"O maior amigo da verdade é o tempo, e seu maior inimigo é o preconceito; e a sua companheira constante é a humildade" (Charles C. Colton).

A verdade, esmagada na terra, se levantará de novo;
Os anos eternos de Deus lhe pertencem;
Mas o erro, ferido, se distorce em dores,
E morre entre seus adoradores.
(William Cullen Bryant).

14.44: Ora, o que o traía lhes havia dado um sinal, dizendo: Aquele que eu beijar, esse é; prendei-o e levai-o com segurança.

14.44 δεδώκει δὲ ὁ παραδιδοὺς αὐτὸν σύσσημον αὐτοῖς λέγων, Ὃν ἂν φιλήσω αὐτός ἐστιν· κρατήσατε αὐτὸν καὶ ἀπάγετε ἀσφαλῶς.

Por que Judas *traiu* o Senhor? Quanto ao que tem sido dito sobre isso, ver as notas sobre Marcos 14.10.

"A *saudação* usualmente dada a um rabino por um seu jovem *discípulo* (cf. v. 45); mas neste caso foi usada como um artifício, para segurar a Jesus até que fosse agarrado. 'Com segurança' (asphalos), isto é, cuidando para que ele não escape; ou, preferivelmente: 'Cuidai para que ele seja levado incólume ao sumo sacerdote', já que a maior responsabilidade era do sumo sacerdote, e não de Judas. Não há nenhuma sugestão de que Jesus pudesse operar um milagre (segundo se lê em Mt 26.53), e assim pudesse escapar deles" (Grant, *in loc.*).

14.45: E, logo que chegou, aproximando-se de Jesus, disse: Rabi! E o beijou.

14.45 καὶ ἐλθὼν εὐθὺς προσελθὼν αὐτῷ λέγει, Ῥαββί, καὶ κατεφίλησεν αὐτόν.

Esse é um dos atos *mais vis* registrados na história. O ósculo de amizade e reconhecimento a um Mestre transformou-se no beijo da traição e do homicídio. Esse ato demonstra a profundeza da perversão de Judas, como não o faz nenhuma outra coisa em toda a história da traição. Assemelha-se a tomar uma suposta esposa amada nos braços, somente para enfiar-lhe um punhal nas costas.

"O último refinamento da traição — fazer de uma palavra de homenagem e de um ósculo de afeição a senha secreta para os capturadores do Mestre! Não é de admirar que o beijo de Judas se tenha tornado no símbolo supremo da traição" (Luccock, *in loc.*).

Como podemos chamar Jesus de Mestre e Senhor, mas *não fazer* o que ele manda? Desse modo também traímos a confiança que Jesus depositou em nós. Reconhecemos o horror do ato de Judas, mas, em nossas ações, parecemos dizer: *"O que ele fez estava certo!"*, porquanto o imitamos, e, ao mesmo tempo, fingimos ter uma inquirição espiritual séria. Falamos em estar "salvos pela graça", mas continuamos a viver nos vícios, pelo que nem ao menos estamos convertidos. (Ver Ef 5.5 acerca desse pensamento.) Cantamos: "Oh, como amo a Jesus!" No entanto, na vida diária, provamos apenas que amamos a nós mesmos e aos prazeres fáceis da vida mundana. Falamos sobre o amor de Deus, mas recusamo-nos a demonstrar o mesmo ao próximo, preferindo os interesses próprios e a mesquinhez, recusando-nos a aliviar os sofrimentos humanos. De que lado nós nos achamos: no lado de Jesus ou no lado de Judas? O que diz a nossa vida sobre isso? Judas tinha um *falso amor*, demonstrado pelo seu beijo traiçoeiro. Quanto *genuíno* é o nosso amor?

14.46: Ao que eles lhe lançaram as mãos, e o prenderam.

14.46 οἱ δὲ ἐπέβαλον τὰς χεῖρας αὐτῷ καὶ ἐκράτησαν αὐτόν.

A *má ação* estava feita! O plano vil estava *completo*! A condenação de Jesus estava selada, mas uma condenação pior esperava Judas. Todo homem colhe o que tiver semeado (Gl 6.7,8), tanto aqui como no outro lado da existência. Isso se aplica ao crente também (ver 2Co 5.10), o que vários teólogos da "crença fácil" gostam de esquecer.

14.47: Mas um dos que ali estavam, puxando da espada, feriu o servo do sumo sacerdote e cortou-lhe uma orelha.

14.47 εἷς δέ [τις] τῶν παρεστηκότων σπασάμενος τὴν μάχαιραν ἔπαισεν τὸν δοῦλον τοῦ ἀρχιερέως καὶ ἀφεῖλεν αὐτοῦ τὸ ὠτάριον.

O sono fugira. Pedro estava *atento*. Lá veio ele com a espada. Enfrentava dificuldades *esmagadoras*; ele parecia a caminho de cumprir sua jactância de imensa lealdade a Cristo. Quando, porém, a razão sóbria retornou, sua bravura momentânea se dissipou. É a crise a longo prazo que nos atrapalha a todos nós. É a "tentação prolongada" que dissolve nossa resolução moral. Qualquer homem pode triunfar temporariamente contra o teste e a tentação. No entanto, é aquele que perdura até o fim que será salvo. Nossa fé exige "poder contínuo", pois, de outro modo, nem será fé. Essa é uma lição dura, mas verdadeira.

Que espada era *aquela*? Jesus encorajou seu uso? Provavelmente, *não*; mas, por que estavam armados? Talvez essas espadas fossem apenas as longas facas dos aldeões, conforme os *sicários* às vezes usavam sob a túnica; e não tencionavam ser armas de guerra, e mais certamente ainda não eram armas de soldados. Essa explicação faz sentido. É difícil imaginar armas de soldados na presença de Jesus. As palavras de Jesus que se seguem (ver Mt 26.52), repreendendo o uso de espadas para aqueles que as usam, pois estes morrerão à espada; e isso certamente indica que ele não teria permitido aquelas armas serem carregadas por seus discípulos.

14.48: Disse-lhes Jesus: Saístes com espadas e varapaus para me prender, como a um salteador?

14.48 καὶ ἀποκριθεὶς ὁ Ἰησοῦς εἶπεν αὐτοῖς, Ὡς ἐπὶ λῃστὴν ἐξήλθατε μετὰ μαχαιρῶν καὶ ξύλων συλλαβεῖν με;

<hr>

48 *e* question: TR WH Nes BF² AV RV ASV RSV NEB TT // *e* statement: Bov Zür Luth Seg // *e* exclamation: Jer

Jesus apelou para sua *reputação* para mostrar o absurdo do que as autoridades religiosas tinham feito; e nisso se vê que é muito improvável que ele tivesse sido um "reformador político"; e

alguns intérpretes assim também têm pensado. Esse reformador teria tido bastante bom senso para saber que o poder sai do cano de um canhão, conforme certo famoso personagem político declarou.

Jesus foi crucificado juntamente com homens *violentos*. Quanto foi grande *a injustiça!*" (ver Mc 15.27).

Mateus omite o comentário deste versículo, embora Lucas 22.52 o apresente. Marcos não faz nenhuma alusão às palavras de um possível socorro angelical (somente Mateus o diz), e também não traz o "pequeno milagre" de poder mental, que está incluído em João, motivo pelo qual os que se aproximavam foram momentaneamente lançados para trás. Várias fontes informativas estão assim por trás da narrativa, e parte disso pode ser polimento editorial.

14.49: Todos os dias estava convosco no templo, a ensinar, e não me prendestes; mas isto é para que se cumpram as Escrituras.

14.49 καθ' ἡμέραν ἤμην πρὸς ὑμᾶς ἐν τῷ ἱερῷ διδάσκων καὶ οὐκ ἐκρατήσατέ με· ἀλλ' ἵνα πληρωθῶσιν αἱ γραφαί.

<hr>

49 καθ' ...διδάσκων Lc 19.47; 21.37; Jo 18.20

Mateus omite os *comentários* deste versículo, mas Lucas 22.53 os apresenta, com comentários adicionais: "Esta é a vossa hora e o poder das trevas". Jesus viu em ação o "mal cósmico", embora isso fosse cumprimento das Escrituras. Jesus alude ao cumprimento das Escrituras naquilo que sucedeu. (Ver 9.12 e 14.21, quanto a outras instâncias sobre isso). Supõe-se que estejam em foco passagens como Isaías 53.6-9,12, que dizem que o Messias seria tratado como um criminoso.

Desde há muito, Jesus entregara-se ao ministério de ensino, e isso de modo pacífico e decente. Ele nunca fora um político radical, e nem jamais apelara para a força ou para nenhuma sorte de ordem para que fosse efetuado o seu trabalho. Repentinamente, porém, apesar dessa verdade patente, foi capturado como se fora líder de um bando armado de homens desesperados e violentos. Ele proferiu palavras de sabedoria e razão, mas homens depravados não podem deixar-se mover por elas.

14.50: Nisto, todos o deixaram e fugiram.

14.50 καὶ ἀφέντες αὐτὸν ἔφυγον πάντες.

<hr>

50 Zc 13.7; Mt 26.31; Mc 14.27

Esse é um dos mais breves e mais *tristes* versículos do NT. Como os grandes caíram! Eles é que tinham gozado de todas as vantagens, que tinham operado milagres, que se tinham coberto de glória na Galileia; que tinham visto a vida de Jesus, a maior de todas as vidas, dotados de admirável poder, mas cuja fé agora tão facilmente falha num momento de crise real. O soldado cru, sem essas vantagens, devido ao simples senso de dever e de lealdade a seu comandante, não teria falhado sob tais circunstâncias. Faltava-lhes, porém, a *dureza* dos soldados, bem como a coragem deles.

Abandonaram Jesus, preocupados apenas com a própria segurança. Isso cumpriu a predição de Jesus, registrada no v. 27 deste capítulo, a qual é ali apresentada como cumprimento de uma profecia, contida no AT.

"A *dúvida* remove a coragem; os discípulos fugiram porque a fé deles *hesitou*" (Gould, *in loc.*).

14.51: Ora, seguia-o certo jovem envolto em um lençol sobre o corpo nu; e o agarraram.

14.51 Καὶ νεανίσκος τις συνηκολούθει αὐτῷ περιβεβλημένος σινδόνα ἐπὶ γυμνοῦ, καὶ κρατοῦσιν αὐτόν·

<hr>

51 αυτω] αυτους D d ff² | επι γυμνου] γυμνος Θ f13: om W f1 c k syᵖ sa(7) | κρατ. αυτον אBD pc lat syᵖ; R] praem οι νεανισκοι WΘ f1 f13: add ead. A 28 pl q ς

V. 51. *Nota textual.* A expressão "[...] jovens homens..." aparece nos mss W, Theta, Fam Pi e Fam 13, e é retida pelas traduções BR e KJ. Todas as outras traduções omitem a palavra "jovens", seguindo os manuscritos mais antigos, como Aleph, BCDL, Delta e as versões

924 | Marcos | NTI

latinas a, c, j, k, l e vg., além das versões cóptica e o Si(sch). A palavra "jovens" mui provavelmente foi incluída no texto, pela primeira vez, por meio da ação de algum escriba descuidado, cujos olhos foram atraídos pela palavra "mancebo", que descreve o principal personagem desta história; e, dessa maneira, aqueles que quiseram prendê-lo, também passaram a ser chamados de "jovens".

14.52: Mas ele, largando o lençol, fugiu despido.
14.52 ὁ δὲ καταλιπὼν τὴν σινδόνα γυμνὸς ἔφυγεν[11].

[11] **52** {C} γυμνὸς ἔφυγεν ℵ B C // ἔφυγεν γυμνός L Ψ 892 it^aur,c,k syr^p cop^sa,bo,fay eth // γυμνὸς ἔφυγεν ἀπ᾽ αὐτῶν A D^gr L P W X Θ Π f^1 f^13 28 565 700 1009 1010 1079 1195 1216 1230 1241 1242 1253 1344 1365 1546 1646 2148 2174 *Byz Lect* it^a,(b),f,l vg syr^h goth geo^1 // ἔφυγεν γυμνὸς ἀπ᾽ αὐτῶν Δ 1071 l^184 it^d,ff2 arm geo^2 // ἔφυγεν ἀ π̄ αὐτῶν γυμνός it^q syr^s

A forma que parece mais bem explicar a origem das outras é preservada em ℵ B C. Nessa forma, a sequência das palavras é apoiada por quase todos os demais testemunhos (incluindo A D^gr W Θ f^1 f^13 565 700 *al*). A adição das palavras ἀπ᾽ αὐτῶν é uma expansão natural que se refere ao sujeito não-expresso de κρατοῦσιν.

14.52 – *O jovem que fugiu*

Esta estranha e breve narrativa compreensivelmente não foi copiada nem por Mateus e nem por Lucas, e também não temos nenhuma razão para saber por que ela foi incluída neste evangelho de Marcos. Tem sido comum, entre os comentadores e intérpretes das Escrituras, identificar esse jovem fugitivo como *João Marcos*, autor deste evangelho, e asseverar que se trata da assinatura do artista em um canto da pintura. Poderíamos compreender a inclusão dessa pequena história, aparentemente sem significado, se realmente, tivesse sido uma ocorrência das experiências pessoais do autor deste evangelho. Essa ideia, no entanto, ignora a declaração feita por Papias (ver a introdução a este evangelho, sob o título "Autor"), de que Marcos *não era* testemunha ocular dos fatos, e "[...] nem ouvira ao Senhor e nem o seguira...", mas que registrara as memórias de Pedro. Todavia, a narrativa tem o sabor de haver sido contada por uma testemunha ocular, e era significativa para o autor do evangelho, por alguma razão desconhecida; porém, também é possível que tivesse sido, simplesmente, um acontecimento estranho, mesmo que não se tivesse revestido de nenhuma significação particular.

Alguns comentadores têm procurado identificar esse *jovem* como Lázaro ou como Simão, de Betânia, à base de algumas observações bastante superficiais, tais como a suposição de que o jovem deve ter sido um conhecidíssimo discípulo, e que estava seguindo o Senhor Jesus, naqueles momentos de prova, ao passo que outros o haviam abandonado e fugido. Esses estudiosos supõem que as circunstâncias da narrativa indicam que, sem dúvida, ele vivia naquelas proximidades, posto que mui provavelmente estivera dormindo em algum lugar perto do monte das Oliveiras. Isso, no entanto, só à base da suposição de que o pano de linho que o envolvia seria o lençol que usava enquanto dormia, e que não tivera tempo suficiente para vestir-se com sua túnica externa, razão pela qual teria sido chamado de "nu", que significa, segundo os costumes antigos, não inteiramente despido, mas apenas com a roupa mais interna. O que tais estudiosos asseveram é que o jovem seguiu a Jesus pressurosamente, sem a preocupação de pôr sua túnica externa. Também se diz que Lázaro seria alguém que os oficiais do templo gostariam de ter aprisionado, e que assim fica esclarecida essa parte da história (ver Jo 12.10). Todavia, alguns têm identificado Lázaro como o jovem rico, mencionado na passagem de Mateus 19.20. Naturalmente que todas essas opiniões estão alicerçadas na mera conjectura, porquanto não possuímos meios de descobrir quem teria sido esse jovem fugitivo, e nem mesmo por que razão a história foi registrada apenas por Marcos. Entretanto, pelo menos é significativo que esse jovem seguiu a Jesus, ao passo que os próprios doze apóstolos fugiram.

Bruce registrou este curioso comentário, relativamente ao v. 52 (*in loc.*): "Faz agora alguns poucos anos, uma jovem esposa, recém-casada, saiu em perseguição a um ladrão que estivera furtando seus presentes de casamento, pelas ruas de Glasgow, nas primeiras horas da manhã, vestida apenas de seu chambre de dormir; e não o fez sem sucesso. Seu esposo, no entanto, ficou modestamente em casa, a fim de vestir as suas roupas".

Bengel (*in loc.*) diz: "Em uma noite não sem lua, o temor foi mais poderoso do que a vergonha, em meio a grande perigo". Alguns estudiosos têm mesmo sugerido que esta história tenha sido acrescentada a fim de demonstrar *quão grande perigo* corria quem quer que quisesse seguir a Jesus.

14.53-65 — *Julgamento de Jesus diante do sinédrio*. (Quanto às notas expositivas acerca deste material, ver o texto de Mt 26.57-68. Ver também Lc 22.63-71.)

14.53: Levaram Jesus ao sumo sacerdote, e ajuntaram-se todos os principais sacerdotes, os anciãos e os escribas.
14.53 Καὶ ἀπήγαγον τὸν Ἰησοῦν πρὸς τὸν ἀρχιερέα, καὶ συνέρχονται πάντες οἱ ἀρχιερεῖς καὶ οἱ πρεσβύτεροι καὶ οἱ γραμματεῖς.

53 ἀρχιερεῖς...γραμματεῖς Mt 16.21; 27.41; Mc 8.31; 11.27; 14.43; 15.1; Lc 9.22; 20.1

O "*Sinédrio*" entrou imediatamente em reunião, porquanto agora tinham em suas mãos o homem que queriam, desde há muito, executar. O mal traça prontamente os seus planos, e os executa violentamente.

"Dois aspectos desse exame, entre muitos, destacam-se *memoravelmente*, e são pertinentes a todo o tempo. Um deles é que não era Jesus, realmente, quem estava sob teste ante a instituição religiosa; era a instituição religiosa que estava em juízo diante dele. Isso é sempre verdade, quando uma autoridade que é inerente e genuína confronta um grupo de juízes autonomeados. Beethoven, na realidade, não estava em juízo diante da audiência do concerto; era a audiência que estava sob julgamento. Rafael não esperava o veredicto da classe dos artistas; esta é que estava sendo julgada. Shakespeare não está sujeito à sentença diante dos segundanistas do ginásio que estudam 'Macbeth', e nem diante de nenhum leitor; o leitor é que está sob julgamento. Assim também aqui, Jesus, com seu discernimento religioso e moral autoautenticador e com a personalidade gigantesca que possuía, não estava sob julgamento diante daquelas filactérias reunidas. Eles é que estavam em julgamento.

Tem-se uma ideia gráfica sobre isso na pintura de Munkacsy — 'Cristo diante de Pilatos'. Quando olhamos o rosto de Jesus, a contemplar o perplexo Pilatos, percebemos que o quadro deveria ter sido chamado "Pilatos diante de Jesus". Em certo sentido, hoje Jesus está sob teste diante da nossa civilização [...] mas, no sentido final e mais profundo, não é Jesus que está em teste. Nossa civilização inteira está em juízo, diante dos julgamentos dele [...] O segundo aspecto desse juízo, que exige contínua memória, é que Jesus estava diante da instituição religiosa de seu tempo e de sua nação. Esse fato apresenta questões sondadoras para todas as instituições religiosas de todas as épocas, particularmente para as igrejas de Cristo. Por que a instituição religiosa fracassou tão terrivelmente em sua hora de visitação? Haverá quaisquer causas desse fracasso que estejam presentes nas instituições que trazem o nome de Cristo, à sua igreja?" (Luccock, *in loc.*).

Neste ponto, a resposta é *óbvia*; eles perderam de vista a *verdade maior*, em defesa dos antigos dogmas; tinham-se tornado tiranos na política e nas finanças. Supuseram erroneamente que toda a revelação terminara entre eles e entre seu sistema. Supuseram, estupidamente, que tinham posto a verdade de Deus em um canto. Não puderam receber alguém como Jesus, que parecia tão revolucionário. Novas verdades só são aceitas com a maior dificuldade.

NTI | Marcos | 925

"[...] os principais sacerdotes, os anciãos e os escribas..." Três grupos distintos dentro do Sinédrio. (Ver as notas em Mt 26.27, sobre as várias seitas do judaísmo.)

14.54: E Pedro o seguiu de longe até dentro do pátio do sumo sacerdote, e estava sentado com os guardas, aquentando-se ao fogo.

14.54 καὶ ὁ Πέτρος ἀπὸ μακρόθεν ἠκολούθησεν αὐτῷ ἕως ἔσω εἰς τὴν αὐλὴν τοῦ ἀρχιερέως, καὶ ἦν συγκαθήμενος μετὰ τῶν ὑπηρετῶν καὶ θερμαινόμενος πρὸς τὸ φῶς.

Sumo sacerdote. Dentro da organização sacerdotal judaica, o mais alto oficial era o sumo sacerdote, o que também é declarado na literatura bíblica. Era a figura mais poderosa do *Sinédrio*. No tempo de Jesus, os sumos sacerdotes eram sempre saduceus, pois pertenciam à seita judaica mais poderosa, a que tinha maior influência política e a classe mais rica. A tradição rabínica apresentava o sumo sacerdote como descendente de Aarão. Historicamente, porém, isso não é verdade. Na realidade, todas as passagens da Bíblia que aludem ao sumo sacerdote datam do último quarto do século V a.C., ou mesmo de mais tarde. O próprio ofício só foi instituído em 411 a.C. O sumo sacerdote era o principal ministrante eclesiástico do templo de Jerusalém, quando das mais importantes festas religiosas do calendário judaico, sobretudo durante as cerimônias anuais do Dia da Expiação. *Nessa oportunidade*, ele entrava no Santo dos Santos, um privilégio que não era dado a ninguém mais, e, mesmo assim, só podia fazê-lo uma vez no ano. O sumo sacerdote, por igual modo, presidia o Sinédrio. Esse ofício chegou ao fim com a destruição do templo pelos romanos, em 70 d.C. (Ver Hb 2.17; 3.1; 4.14,16, quanto a Jesus como nosso "sumo sacerdote", onde há notas adicionais sobre o ofício aqui referido. Ver também Hb 6.20; 7.26; 8.1; 9.7,11,25; 10.21 e 13.11.) Conforme se pode ver, o tema central da epístola aos Hebreus é Jesus como nosso sumo sacerdote.

14.55: Os principais sacerdotes e todo o sinédrio buscam testemunho contra Jesus para o matar, e não o achavam.

14.55 οἱ δὲ ἀρχιερεῖς καὶ ὅλον τὸ συνέδριον ἐζήτουν κατὰ τοῦ Ἰησοῦ μαρτυρίαν εἰς τὸ θανατῶσαι αὐτόν, καὶ οὐχ ηὕρισκον·

(Quanto a notas sobre os vários grupos eclesiásticos aqui mencionados, ver as referências dadas em Mt 26.3.)

O número total dos membros do sinédrio era de *setenta e um*. Não sabemos quantos desses membros estavam presentes quando do julgamento de Jesus. Eles procuravam, porém, provas suficientes para obrigar os romanos a executarem Jesus, já que aquele concílio não tinha o direito de impor punição capital. Não foi um julgamento, sob hipótese nenhuma. Meramente buscaram qualquer tipo de "evidência" que desse apoio às suas conclusões premeditadas. Tudo se baseou no ciúme, no ódio e na rebelião. Sem dúvida, aquelas almas terão de pagar um tremendo preço eterno por seu erro. Não eram "juízes", como pretendiam ser, mas "promotores" da injustiça.

14.56: Porque contra ele muitos depunham falsamente, mas os testemunhos não concordavam.

14.56 πολλοὶ γὰρ ἐψευδομαρτύρουν κατ' αὐτοῦ, καὶ ἴσαι αἱ μαρτυρίαι οὐκ ἦσαν.

Isso *cumpre* a profecia de Salmos 27.12: "[...] contra mim se levantam falsas testemunhas". Não há razão para não crermos no relato, e rejeitamos a inferência de que uma tradição foi moldada para tornar-se uma suposta predição. Isso é quase igual a dizer que o AT não podia predizer sobre o Messias. E isso, por sua vez, é duvidar do "teísmo", ou, pelo menos, diminuí-lo ao máximo. O teísmo assevera que Deus está conosco, e interfere nos negócios humanos.

Falso *testemunho* contra a causa de Cristo: Os falsos mostraram-se ativos na antiguidade; e continuam ativos hoje em dia. O ceticismo, o liberalismo, o comunismo e muitos outros "ismos" disso participaram. Algumas vezes, porém, o pior inimigo de um homem é um falso amigo. Lembremo-nos que servir de testemunha falsa contra Cristo não consiste meramente de "negar alguma doutrina". Pode também ser uma vida de "hipocrisia", que faz o evangelho ser vilipendiado por alguém de fora. Stephen Spender falou sobre a *igreja a apagar o sol*. A luz de Deus, que vem através da igreja, pode transformar-se em trevas, se sua vida não for clara como o cristal. O que a luz de Deus parece, quando brilha por nosso intermédio, ou reflete-se no espelho de nossa vida? "Os lábios mentirosos são abomináveis ao Senhor" (Pv 12.22). No entanto, uma vida mentirosa ainda é pior do que os lábios mentirosos. Podemos ter "Cristo no credo", mas que bem será isso, se não temos "Cristo na vida"? Sem isso certamente somos "testemunhas falsas".

14.57: Levantaram-se por fim alguns que depunham falsamente contra ele, dizendo:

14.57 καὶ τινες ἀναστάντες ἐψευδομαρτύρουν κατ' αὐτοῦ λέγοντες

14.58: Nós o ouvimos dizer: Eu destruirei este santuário, construído por mãos de homens, e em três dias edificarei outro, não feito por mãos de homens.

14.58 ὅτι Ἡμεῖς ἠκούσαμεν αὐτοῦ λέγοντος ὅτι Ἐγὼ καταλυσω τὸν ναὸν τοῦτον τὸν χειροποίητον καὶ διὰ τριῶν

58 Ἐγώ...οἰκοδομήσω Mc 15.29; Jo 2.19   58 τουτον] om **D** sy⁵ | αχειρ. οικοδ.] ανaστησω αχειρ. **D** it

A declaração de Jesus, por detrás dessa acusação, deve ter sido *obscura* para a maioria de seus ouvintes, pelo que foram sujeitas a muitas interpretações. Assim é que o v. 59 mostra que nenhuma acusação coerente pode ser formulada contra Jesus, nem mesmo quando mais de uma pessoa fez a mesma acusação. João 2.18-22 faz essa "declaração" de Jesus ter algo a ver com a ressurreição e com o templo do corpo de Jesus. Provavelmente, a declaração foi tomada por muitos como alguma espécie de ameaça obscura ao bem-estar do templo, talvez até mesmo indicando que Jesus dirigia alguma espécie de operação militar contra o templo. O que Jesus realmente quis dizer é que um templo espiritual substituiria o templo físico, e que esse templo se tornaria uma nova habitação de Deus, mediada por intermédio da vida ressurreta. Naturalmente, a referência pessoal também era apresentada, isto é, ele predisse a própria ressurreição. Talvez a predição original tivesse incluído uma alusão à destruição de Jerusalém, em 70 d.C.

14.59: E nem assim concordava o seu testemunho.

14.59 καὶ οὐδὲ οὕτως ἴση ἦν ἡ μαρτυρία αὐτῶν.

O que a princípio prometeu ser uma acusação *impressionante*, pois os romanos certamente se preocupariam com qualquer ação violenta contra o templo, que viesse a perturbar a tranquilidade já precária em Jerusalém, terminou não funcionando direito, porquanto, tendo sido interrogadas em separado, conforme o costume, as testemunhas não concordaram entre si sobre o que Jesus dissera e quisera dizer.

O variegado testemunho falso *prossegue* até hoje. Fanáticos políticos acusam o cristianismo de ser uma doutrina subversiva que contradiz os ideais do estado. Os céticos zombam do cristianismo como uma ilusão romântica, ou como uma história da Carochinha. Os psicólogos acusam-no de ser um mero "mecanismo de escape", ou um "par de muletas" para os fracos. Entretanto, o pior falso testemunho contra o cristianismo deriva-se dos crentes carnais ou dos pseudocristãos, cuja vida grita aos ouvidos dos outros que o cristianismo não pode produzir o que assevera, pois não tem o poder de transformar a vida. Ora, se não pode fazer isso, então nada é.

926 |Marcos| NTI

O número indefinido de testemunhas falsas, que falaram sobre o "enigma do templo", é especificado como "duas", em Mateus 26.60.

Os Escarnecedores
Zombai, continuai zombando, Voltaire e Rousseau.
Zombai, zombai! Tudo isso é inútil!
Lançais a areia contra o vento,
E o vento a sopra de volta novamente.

Cada grão de areia torna-se em gema
Refletida nos raios divinos;
Soprados de volta, cegam o olho escarninho,
Mas brilham ainda nas veredas de Israel.

Os átomos de Demócrito
E as partículas de luz de Newton
São grãos de areia na praia do mar Vermelho,
Onde as tendas de Israel brilham tanto.
(William Blake)

14.60: Levantou-se então o sumo sacerdote no meio e perguntou a Jesus: Não respondes coisa alguma? Que é que estes depõem contra ti?

14.60 καὶ ἀναστὰς ὁ ἀρχιερεὺς εἰς μέσον ἐπηρώτησεν τὸν Ἰησοῦν λέγων, Οὐκ ἀποκρίνῃ οὐδέν;[f] τί[12] οὗτοί σου καταμαρτυροῦσιν;[f]

60,61 ἐπηρώτησεν...ἀπεκρίνατο οὐδέν Is 53.7; Mc 15.4,5; Lc 23.9

[12] **60** {B} τί (ver Mt 26.62) ℵ A C D K L P X Δ Θ Π 067 *f*¹ *f*¹³ 28 33 565 700 892 1009 1010 1071 1079 1195 1216 1230 1241 1242 1253 1344 1365 1546 1646 (2148 τοί) 2174 *Byz Lect* syr^{s,p,h} cop^{sa,bo,fayvid} goth arm geo Origen // ὅτι B W Ψ *l*¹²⁷ (cop^{bp})

[ff] **60** *f* question, *f* question: TR WH Bov BF² AV RV ASV RSV TT Jer Seg // *f* none, *f* question: Nes NEB (Zür) (Luth) Jer^{mg} Seg^{mg}

> O uso elíptico de τί (=τί ἐστιν ὅ, "Que é que (estes testificam contra ti)?"), parece ter levado vários copistas a substituírem por ὅτι.

Apesar de essa atitude de Jesus haver sido predita (ver Is 53.7), conforme já se observou antes, não há razão para duvidarmos de sua autenticidade histórica. O autocontrole de Jesus, e sua recusa em dignificar as falsas acusações com contradiscursos, foi uma das coisas mais impressionantes do julgamento de Jesus. Isso pode ser contrastado com Paulo, em Atos 23.3, onde o apóstolo não somente respondeu, mas até insultou o sumo sacerdote.

14.61: ele, porém, permaneceu calado, e nada respondeu. Tornou o sumo sacerdote a interrogá-lo, perguntando-lhe: És tu o Cristo, o Filho do Deus bendito?

14.61 ὁ δὲ ἐσιώπα καὶ οὐκ ἀπεκρίνατο οὐδέν. πάλιν ὁ ἀρχιερεὺς ἐπηρώτα αὐτὸν καὶ λέγει αὐτῷ, Σὺ εἶ ὁ Χριστὸς ὁ υἱὸς τοῦ εὐλογητοῦ;

61 Σὺ...εὐλογητοῦ Mt 16.16; Mc 5.7; Lc 8.28. Jo 11.27; 20.31

"[...] sumo sacerdote..." (Ver as notas em Mc 14.54 = Mt 26.58, sobre esse ofício, que também tem referências a outras notas sobre o mesmo tema.)

"[...] Cristo..." (Ver as notas em Mt 11.1, sobre esse termo.)

"[...] Filho de Deus..." (Ver Marcos 1.1, sobre esse título messiânico, que Jesus aplicou com frequência a si mesmo. Cf. isso com o título "Filho do homem", anotado em Mt 8.20. Ver Hb 1.3, sobre a "divindade de Cristo".) Conforme era usado sobre o Messias, na literatura judaica, esse título não subentendia divindade; porém, de acordo com o uso do NT, esse é seu significado. O fato de o sumo sacerdote agarrar-se a esse aspecto mostra que Jesus deve ter dado

mais sentido a essa expressão do que era usual na cultura judaica. Certamente falava sobre o "Messias", mas, com seu uso, Jesus pode ter deixado implícita a natureza divina do Messias. Neste ponto, Marcos diz "Filho do Bendito" (tradução literal do grego), mas isso era comum eufemismo judaico para "Deus", uma forma de evitar proferir o "nome divino". Mateus diz "Filho de Deus", no seu paralelo (ver Mt 26.63).

"[...] Deus Bendito..." Em outras palavras, aquele que é adorado e louvado. Essa expressão era comum na cultura judaica; e, nas páginas do NT, pode ser encontrada aqui e em Lucas 1.68; Romanos 1.25; 9.5; 2Coríntios 1.3; 11.31; Efésios 1.3; 1Timóteo 1.11; 6.15; 1Pedro 1.3, principalmente em doxologias. O termo grego aqui usado é "louvado" ou "consagrado", e, portanto, "honrado" por palavras de louvor ou pela vida espiritual.

14.62: Respondeu Jesus: Eu o sou; e vereis o Filho do homem assentado à direita do Poder e vindo com as nuvens do céu.

14.62 ὁ δὲ Ἰησοῦς εἶπεν, Ἐγώ εἰμι, καὶ ὄψεσθε τὸν υἱὸν τοῦ ἀνθρώπου ἐκ δεξιῶν καθήμενον τῆς δυνάμεως καὶ ἐρχόμενον μετὰ τῶν νεφελῶν τοῦ οὐρανοῦ.

62 ἐκ...δυνάμεως Sl 110.1; Mt 22.44; Lc 20.42; At 2.34; Ef 1.20; Cl 3.1; Hb 1.3,13; 10.12; 12.2 ἐρχόμενον...οὐρανοῦ Dn 7.13; Mt 24.30; Mc 13.26; Lc 21.27; Ap 1.7; 14.14 62 ειπεν] add ετ) συ ειπας οτι B *f*13 *pc* Or

Para evitar aqui o que é óbvio, isto é, que Jesus falou sobre si mesmo, alguns intérpretes têm dito que Jesus falou de algum *ainda vindouro* Filho do homem, algum futuro profeta de grande envergadura, mas não de si mesmo. Entretanto, na comparação com os muitos lugares onde esse título é usado, descobrimos que foi frequentemente empregado por Jesus como *autodesignação*. (Ver Mt 8.20, quanto a notas sobre essa expressão). Não se pode duvidar de que, em seu julgamento, Jesus tenha afirmado ser o Messias e talvez tenha dito coisas sobre o Messias que transcendiam às noções judaicas a respeito dele. Contudo, mesmo que ele tivesse feito apenas uma reivindicação messiânica, de acordo com o uso rabínico comum, mesmo assim teria sido acusado de blasfêmias. A vida inteira de Jesus, bem como a história subsequente, unem-se para dizer que as reivindicações de Jesus eram válidas.

14.63: Então o sumo sacerdote, rasgando as suas vestes, disse: Para que precisamos ainda de testemunhas?

14.63 ὁ δὲ ἀρχιερεὺς διαρρήξας τοὺς χιτῶνας αὐτοῦ λέγει, Τί ἔτι χρείαν ἔχομεν μαρτύρων;

63 διαρρήξας...αὐτοῦ Nm 14.6; At 14.14

Tu, ó tolo, por que negas o que é tão patente?
Eis que marcas profundas deformam a tua consciência;
E o aspecto delas tem crescido com teus vícios;
E não se podem ocultar os crimes que tens cometido.

Foi assim que um homem já de si pervertido e violento, embora não houvesse testemunho coerente contra Jesus, achou conveniente condená-lo com base em um argumento que dependia da teologia rabínica. Jesus não foi o primeiro, e nem o último homem, a ser maltratado por pessoas religiosas devido à defesa arrogante da "teologia".

Ó Deus!... que carne e sangue fossem tão baratos!
Que homens pudessem odiar e matar,
Que homens pudessem silvar e cortar outros homens,
Com línguas de vileza
... por causa da Teologia.
(Russell Champlin)

14.64: Acabais de ouvir a blasfêmia; que vos parece? E todos o condenaram como réu de morte.

14.64 ἠκούσατε τῆς βλασφημίας·γ τί ὑμῖν φαίνεται; οἱ δὲ πάντες κατέκριναν αὐτὸν ἔνοχον εἶναι θανάτου.

> g 64 g statement: TR Bov Nes BF² AV RV ASV RSV NEB TT Zür Luth Jer Seg // g question: WH **64** Lv 24.16; Jo 19.7
>
> 64 τῆς γλασφημιας] την -ιαν αυτου AD pc: τ. -ιαν του στοματος αυτου WΘ f13

"[...] todos..." Marcos diz que foi uma decisão *unânime*. É possível que José de Arimateia e Nicodemos, membros do concílio, ou estivessem ausentes ou se tivessem abstido de votar. É quase certo, porém, que "todos", em sentido absoluto, não votaram contra Jesus. Ele tinha amigos secretos, até mesmo no Sinédrio. Jesus teria sido acusado de blasfêmia, mesmo que tivesse feito reivindicações messiânicas de conformidade com as noções rabínicas comuns sobre esse ofício. Nesse caso, o teriam acusado de falar *abusivamente* contra um augusto ofício, apropriando-se para si mesmo de seus direitos, embora disso não tivesse direitos. A "blasfêmia" era crime punido com a morte, e precisavam achar esse "crime" em Jesus, a fim de matá-lo.

O sumo sacerdote facilmente conseguiu desviar o concílio para que tomassem a pior decisão de toda a história do direito.

Sendo ele mesmo um desviado do caminho estreito,
Não admira que suas tolas ovelhas se tenham desviado.

14.65: E alguns começaram a cuspir nele, e a cobrir-lhe o rosto, e a dar-lhe socos, e a dizer-lhe: Profetiza. E os guardas receberam-no a bofetadas.
14.65 Καὶ ἤρξαντό τινες ἐμπτύειν αὐτῷ καὶ περικαλύπτειν αὐτοῦ τὸ πρόσωπον καὶ κολαφίζειν αὐτὸν καὶ λέγειν αὐτῷ, Προφήτευσον[13], καὶ οἱ ὑπηρέται ῥαπίσμασιν αὐτὸν ἔλαβον.

> 13 65 {C} προφητευσον A B C D K L Π 067 28 1010 1079 1230 1241 1253 1365 1546 1646 *Byz* it⁽ᵈ⁾,ff2,l,q vg syrᵖ copbomss goth it⁽ᵈ⁾,ff2 l,q vg syrᵖ copbomss goth f¹ // προφήτευσον νῦν f¹ // προφήτευσον νῦν ἡμῖν syrˢ // προφήτευσον ἡμῖν Ψ l⁴·⁸⁸³ itᶜ,f,k copˢᵃ mss // προφήτευσον ἡμῖν Χριστέ 1242 itᵃᵘʳ // προφήτευσον νῦν Χριστὲ τίς ἐστιν ὁ παίσας σε W f¹³ (1071 νῦν ἡμῖν) // προφήτευσον ἡμῖν Χριστὲ τίς ἐστιν ὁ παίσας σε (ver Mt 26.68) X (Δ ὁ πέμψας σε) Θ 33 565 700 892 1009 1195 1216 1344 2148 2174 (syrᵖ ἡμῖν *with*') copˢᵃ mss(bo) arm mss geo Diatessaron (Augustine) // προφήτευσον ἡμῖν τίς ἐστιν ὁ παίσας σε (ver Lc 22.64) *Lect*
>
> 65 αυτω...προσωπον] τω προσωπου αυτου D(Θ) a d f (syrᵖ) | ελαβον **ℵAB** al; R] ελαμβανον **DWΘ** f13 al: εβαλον 28 pc ς εβαλον 209 700 al

> A forma mais longa, que envolve a adição da pergunta τίς ἐστιν ὁ παίσας σε; ("Quem é que te feriu?"), com ou sem o Χριστέ, parece ser assimilação ao texto de Mateus 26.68 ou Lucas 22.64. A forma mais breve, προφήτευσον, apoiada pelo texto alexandrino e por várias versões antigas, é que melhor explica o surgimento das demais formas.

Do modo com que Marcos descreve esses *insultos e injúrias*, suporíamos que os membros do Sinédrio fizeram o que é dito ali. Isso, porém, não é provável. Provavelmente, foram alguns dos escravos (e soldados) que mantinham Jesus preso que fizeram isso. (Ver Lc 22.63, onde isso é indicado.) Contudo, ver o caso de Paulo, em Atos 23.2. Nesse caso, o sumo sacerdote mesmo ordenou os que estavam ao lado de Paulo que o ferissem na boca. No caso de Jesus, não se duvide de que o que foi feito foi feito por encorajamento e permissão dos membros do próprio Sinédrio. Que baixíssimo nível moral ocupavam, já que eram capazes de tais ações.

Nós zombamos dele, enquanto ia, com alegria feroz,
Até que seus olhos baços se encheram de lágrimas por nós;
Amaldiçoamos suas mãos inocentes por três vezes miseráveis
E isso foi há mil e novecentos anos passados.
(Edwin Arlington Robinson, *Calvary*)

14.66-72 — *Pedro nega o Senhor Jesus.* (Ver as notas expositivas sobre esta seção, em Mt 26.69-75. Ver também as passagens de Lc 22.54-62 e Jo 18.15-18,25-27.)

14.66: Ora, estando Pedro em baixo, no átrio, chegou uma das criadas do sumo sacerdote
14.66 Καὶ ὄντος τοῦ Πέτρου κάτω ἐν τῇ αὐλῇ ἔρχεται μία τῶν παιδισκῶν τοῦ ἀρχιερέως,

"[...] sumo sacerdote..." (Ver as notas em Mc 14.54; Mt 26.58, sobre esse ofício, onde também há referências sobre a mesma figura.)

Embaixo, no pátio da casa do sumo sacerdote (ver o v. 54), *outro drama* ia ocorrendo, quase tão lamentável quanto o julgamento de Jesus. Sem dúvida, a história baseia-se em uma reminiscência petrina, o que supomos ter-se dado com boa porção do evangelho de Marcos, o evangelho original. (Ver o artigo na introdução a este comentário, intitulado "O problema sinóptico", que investiga o problema das "fontes informativas" dos Evangelhos.)

"Que uma criada estivesse acordada e ocupada em seus deveres, naquela hora tão adiantada, serve de sinal de que algo extraordinário estava acontecendo" (Bruce, *in loc.*).

14.67: e, vendo a Pedro, que se estava aquentando, encarou-o e disse: Tu também estavas com o nazareno, esse Jesus.
14.67 καὶ ἰδοῦσα τὸν Πέτρον θερμαινόμενον ἐμβλέψασα αὐτῷ λέγει, Καὶ σὺ μετὰ τοῦ Ναζαρηνοῦ ἦσθα τοῦ Ἰησοῦ.

Quando um homem se aquece na fogueira *do inimigo*; quando um homem abandona um amigo; quando um homem passa por um lapso moral; quando um homem, temendo por si mesmo, cuida menos da sorte de um amigo; quando a coragem de um homem falha totalmente porque sua anterior preparação espiritual fora deficiente; quando um espírito altivo abandona a verdadeira lealdade — uma vez que venha a perder sua altivez e seja humilhado, logo cai vítima de qualquer ação *vil*.

"[...] estavas com Jesus, o Nazareno..." Em Mateus, isso se torna "com Jesus da Galileia". Na "segunda negação", segundo Mateus, é mencionado, no v. 71, "Jesus de Nazaré". Jesus nasceu em Belém, mas passou a maior parte de sua vida em Nazaré, pequena cidade que Josefo, embora tivesse mencionado dúzias de cidades da Galileia, nem a mencionou. (Ver Mt 2.23 e 4.13, quanto a notas sobre "Nazaré".) O título "Jesus, o Nazareno" acha-se por 20 vezes no NT, com algumas modificações, como *Jesus de Nazaré* (evangelhos e Atos), "Jesus Cristo, de Nazaré" (Atos). (Ver o primeiro título, em Mc 1.24; 10.47; 16.6; Jo 1.45 e 18.5. Ver o segundo em At 3.6 e 4.10.)

14.68: Mas ele o negou, dizendo: Não sei nem compreendo o que dizes. E saiu para o alpendre.
14.68 ὁ δὲ ἠρνήσατο λέγων, Οὔτε οἶδα οὔτε ἐπίσταμαι[h] σὺ τί λέγεις.[h] καὶ ἐξῆλθεν ἔξω εἰς τὸ προαύλιον·[καὶ ἀλέκτωρ ἐφώνησεν][14].

> h h 68 h none, h statement: TR WH Bov Nes BF² AV RV ASV RSV NEB TT (Zür) (Luth) Jer Seg // h major, h question: WHmg RVmg ASVmg
>
> 14 68 {D} καὶ ἀλέκτωρ ἐφώνησεν (ver 14.72) A C D K X Δ Θ Π 067 f¹ f¹³ 28 33 565 700 1009 1010 1071 1079 1195 1216 1230 1241 1242 1253 1344 1365 1546 1646 2148 2174 *Byz Lect* itᵃ,ᵃᵘʳ,d,f,ff²,k,l,q vg syrᵖ,ʰ copˢᵃ mss,bo mss goth arm eth geo² Eusebius // omit (ver Mt 26.71; Lc 22.57; Jo 18.25) ℵ B L W Ψ 892 lⁱ⁷·⁷⁶ itᶜ syrˢ copˢᵃmss,bo geo¹ Diatessaron

> É dificílimo decidir se essas palavras foram adicionadas ou omitidas do texto original. É fácil explicar sua adição: copistas teriam sido tentados a inserir as palavras, a fim de frisar o cumprimento literal da profecia de Jesus, no v. 30 (quiçá copistas também teriam raciocinado que Pedro poderia não ter sabido que o canto do galo era o segundo, se não ouvira o primeiro). É fácil também explicar a omissão das palavras: copistas desejariam pôr a narrativa de Marcos em harmonia com a narrativa dos três outros Evangelhos, que mencionam um só cântico do galo, e não dois (talvez copistas

928 |Marcos| NTI

> também se tenham indagado por que, se Pedro ouvira o galo, não se arrependeu imediatamente).
>
> Em face de tão conflitantes possibilidades, em que cada forma é apoiada por impressionante evidência externa, a comissão resolveu que a solução menos insatisfatória seria incluir as palavras no texto, mas dentro de colchetes.

Pedro fez o papel de *tolo completo*. Negou não só a "acusação", mas até se fez de ignorante sobre o que ele "indicaria", como se não soubesse que o "notório" Jesus estava em julgamento, e que era a ele que a criada se referira.

Pedro negou *enfática* e *cruelmente* o seu Senhor. Portanto, condenamo-lo com razão por isso. No entanto, por quantas vezes, com nossas ações e associações, fazemos outro tanto? Certo pastor, em noites livres, costumava frequentar clubes noturnos e selecionava prostitutas. Somente por acidente é que isso foi descoberto. Aquele homem, que ocupava um púlpito aos domingos e agia tão piedosamente, em outros dias ia a lugares indecentes, longe, muito longe do ideal cristão que nos é exemplificado em Cristo. Esse homem, não menos do que Pedro, agia como se nunca tivesse ouvido falar em Jesus. Todavia, todo pecado, em *algum* sentido, está envolvido na mesma coisa, já que Jesus veio tornar os homens santos. A distorção de seu propósito é, realmente, negação de que o conhecemos. Entretanto, se o conhecemos e amamos, então guardamos seus mandamentos.

Já se notou corretamente, de acordo com o ensinamento moral, que Pedro primeiramente seguiu a Jesus de longe. Então (por causa disso), pôde negá-lo. Como a história poderia ter sido diferente! Imaginemos um *corajoso Pedro* ao lado de seu Senhor, em seu julgamento, recebendo os bofetões que atingiam também a Cristo e sendo crucificado juntamente com ele! Que pintura Rafael ou da Vinci poderiam ter feito de tais cenas! Teria sido saudado como um dos verdadeiros heróis da história, e sua coragem teria sido proverbial. Milhares e milhares de sermões já teriam sido pregados sobre essa cena.

Pedro, *o homem*. Quanto *humano* era Pedro, e como podemos ver-nos tão claramente espelhados em suas experiências! Pareço mais com Pedro, em suas ações de fracasso, do que teria sido com o Pedro heroico. A história desse fracasso é comovente, tal como é a história de sua restauração. Pedro, pois, como que diz ao mundo: "Cuidado com a grande queda, a queda da arrogância para as ações vis. Embora eu tivesse tido mais vantagens e ensinamentos que vós, eu também caí". Contudo, ele também diz: "Considerai o imenso amor da graça restauradora de Deus". Deixemos a história como ela está.

V. 68. *Nota textual*. A frase "[...] e o galo cantou..." é uma adição ao texto original, que se encontra nos mss ACDINX, Gamma, Delta, Fam Pi e em algumas versões latinas, o que é seguido pelas traduções AC, ASV, BR, F, KJ, M e WY. Essa adição, porém, é omitida pelas traduções AA, GD, IB, NE, PH, RSV e WM, as quais seguem os mss Aleph, BL e 17, como também as versões latinas e a cóptica. Provavelmente, trata-se de uma glosa escribal, para certificar-se de que o canto do galo é mencionado por duas vezes, especialmente em face do fato de o verdadeiro texto, no tocante ao v. 72, parecer ser *uma segunda vez*, no que diz respeito ao canto do galo.

14.69: E a criada, vendo-o, começou de novo a dizer aos que ali estavam: Esse é um deles.
14.69 καὶ ἡ παιδίσκη ἰδοῦσα αὐτὸν ἤρξατο πάλιν λέγειν τοῖς παρεστῶσιν ὅτι Οὗτος ἐξ αὐτῶν ἐστιν.

Marcos diz que a *mesma* criada retornou, com outra pergunta. Mateus fala em *outra* criada; e Lucas alude a *um homem*, em associação à segunda negação. Em João é *eles*. A introdução à história, em Mateus, aborda dificuldades como essas. Longe de essas pequenas

coisas serem contra a "*historicidade*" dos evangelhos, realmente são a favor dela. Pois se a igreja se juntasse para inventar ou harmonizar essas histórias não haveria narrativas diferentes, pois tudo teria sido perfeitamente harmonizado. O fato de não demonstrarem isso, mostra que não houve tal coisa e que as narrativas são dignas de confiança, apesar das pequenas diferenças. Somente os céticos e ultramodernistas não se satisfazem com essa explanação.

Notemos as circunstâncias aqui. Como é *natural* tudo isso! A criada, tendo sido despertada em sua curiosidade, parece ter seguido a Pedro ao redor. Pedro ficou profundamente perturbado com isso. Ele não somente negou, mas mentiu de novo; e, finalmente, proferiu juramentos insensatos e linguagem suja, degradando ainda mais a sua pessoa.

14.70: Mas ele o negou outra vez. E pouco depois os que ali estavam disseram novamente a Pedro: Certamente tu és um deles; pois és também galileu.
14.70 ὁ δὲ πάλιν ἠρνεῖτο. καὶ μετὰ μικρὸν πάλιν οἱ παρεστῶτες ἔλεγον τῷ Πέτρῳ, Ἀληθῶς ἐξ αὐτῶν εἶ, καὶ γὰρ Γαλιλαῖος εἶ.

70 Γαλ. ει ℵBD fi 565 700 pc lat syˢ geo; R] add p) και η λαλια σου ομοιαζει AΘ f13 28 pl q s

Tua maneira de falar *nega* tuas palavras; tua maneira de falar revela que não és o que dizes. Certas passagens do NT muito falam do uso da *linguagem*. (Ver Ef 4.25.) A fala deve ser usada para edificar, e devemos falar a verdade. De acordo com Colossenses 3.16, falar é para admoestar e ter cânticos espirituais, e o v. 17 afirma que sempre devemos ser controlados para honrar o nome de Cristo. (Ver Cl 3.9, quanto ao uso apropriado da fala. Ver Tg 1.26, quanto à necessidade de "refrear" a língua, como se ela fosse um cavalo selvagem.) Quase todo o terceiro capítulo de Tiago está dedicado a mostrar como a fé cristã pode controlar a língua.

14.71: Ele, porém, começou a praguejar e a jurar: Não conheço esse homem de quem falais.
14.71 ὁ δὲ ἤρξατο ἀναθεματίζειν καὶ ὀμνύναι ὅτι Οὐκ οἶδα τὸν ἄνθρωπον τοῦτον ὃν λέγετε.

Ele desejou que maldições *divinas* caíssem sobre ele, se porventura estivesse mentindo. Amaldiçoou o dia de seu nascimento, invocou "má sorte" contra si mesmo, ou alguma coisa, conforme era o costume dos judeus, e desejava impressionar alguém, com a "veracidade" absoluta do que dizia. Veja-se como Jesus condenou toda essa frivolidade (Mt 5.34). Os termos gregos aqui usados não indicam, por si, uma "linguagem suja", ou "profanação"; mas muitos intérpretes supõem que a primeira maldição (contra ele mesmo) provavelmente incluiu isso.

14.72: Nesse instante o galo cantou pela segunda vez. E Pedro lembrou-se da palavra que lhe dissera Jesus: Antes que o galo cante duas vezes, três vezes me negarás. E caindo em si, começou a chorar.
14.72 καὶ εὐθὺς ἐκ δευτέρου¹⁵ ἀλέκτωρ ἐφώνησεν. καὶ ἀνεμνήσθη ὁ Πέτρος τὸ ῥῆμα ὡς εἶπεν αὐτῷ ὁ Ἰησοῦς ὅτι Πρὶν ἀλέκτορα φωνῆσαι δὶς τρίς με ἀπαρνήσῃ¹⁶· καὶ ἐπιβαλὼν ἔκλαιεν¹⁷.

¹⁵72 {C} ἐκ δευτέρου (ver 14.68) A B C D K W X Δ Θ Π Ψ fⁱ f13 28 33 565 700 892 1009 1010 1071 1079 1195 (1216 1344 *omit* ἐκ) 1230 1241 1242 1253 1365 1546 1646 2148 2174 Byz Lect itᵃ·ᵃᵘʳ·ᵈ·ff²·ᵏ·ˡ·q vg syrᵖ·ʰ copˢᵃ·ᵇᵒ goth arm Eusebius // *the first time* geo // omit (ver Mt 26.74; Lc 22.60) ℵ Cᵛⁱᵈ L itᶜ Diatessaronˡ·ᵃ

¹⁶72 {B} ὅτι πρὶν ἀλέκτορα φωνῆσαι δὶς τρίς με ἀπατνήσῃ C² L Ψ 892 itᵃᵘʳ vg syrᵃ·ᵖ // ὅτι πρὶν ἀλέκτορα φωνῆσαι δὶς ἀπαρνήσῃ με τρίς A K X Xᵛⁱᵈ Π fⁱ f13 28 33 1009 1010 1071 1079 1195 1216 1230 1242 1253 1344 1365 1546 1646 2148 2174 Byz Lect (lᵃ⁸³ ὃ πρίν) syrʰ copˢᵃ·ᵇᵒ goth // ὅτι πρὶν ἀλέκτορα δὶς φωνῆσαι τρὶς με ἀπαρνήσῃ Θ 565 700 // ὅτι πρὶν ἀλέκτορα δὶς φωνῆσαι τρίς με ἀπαρνήσῃ B itᵏ // ὅτι πρὶν ἀλέκτορα φωνῆσαι τρίς με ἀπαρνήσῃ (ver Mt 26.75; Lc 22.61) ℵ Cᵛⁱᵈ W Δ itᶜ·ff²·ˡ·q (arm add τρίς) eth // ὅτι πρὶν ἀλέκτορα γωνῆσαι δὶς ἀπαρνήσῃ με lᵇ⁶ // *before crows once you shall deny me three times* geo¹ (geo² *omit three times*) // omit D itᵃ·ᵈ

NTI | Marcos | 929

[17] 72 {B} καὶ ἐπιβαλὼν ἔκλαιεν ℵ*c* A*e* B K*vid* L (Δ*gr* ἐπιλαβών) Π Ψ 0250 (W *f* omit καί) *f*[13] 28 33 700 892 (1009 ἐπιλαβόμενος) 1010 1071 1079 1195 1216 1230 1241 1242 1253 1344 1365 1546 1646 2148 2174 *Byz Lect* (*l*[80] ἐπίβαλλω) // καὶ ἐπιβαλών ἔκλαυσεν (ver Mt 26.75; Lc 22.62) ℵ A*vid* C cop*bo?* // καὶ ἤρξατο κλαίειν D Θ 565 it*a.aur.c.d.ff2.k.l.q* vg syr*s.p.h* cop*sa* goth arm geo // *and he wept* eth // omit 37

72 Πρὶν...ἀπαρνήσῃ Mt 26.34; Mq 14.30; Lc 22.34; Jn 13.38

[15] Vários testemunhos omitem ἐκ δευτέρου (ℵ C*+vid* L it*c* Diatessaron[i,s]) provavelmente a fim de harmonizar Marcos com o relato dos outros Evangelhos (Mt 26.74; Lc 22.60 e Jo 18.27). Ver também os comentários sobre Marcos 14.68.

[16] A forma que melhor parece explicar a origem das outras é aquela apoiada por C[2] L Ψ 892 *al*, em que δίς e τρίς aparecem lado a lado. Copistas moveram do lugar a um ou outro desses advérbios, a fim de melhorar o estilo e a eufonia, ou omitiram δίς, em consonância com as mesmas considerações que parecem ter operado nos v. 30 e 68, concernentes ao segundo canto do galo (ver os comentários sobre essas passagens).

[17] A dificuldade de interpretar o sentido de ἐπιβαλών levou copistas a substituírem essa palavra por ἤρξατο em vários testemunhos ocidentais e cesareanos, incluindo D Θ 565 Lat. Antigo al. Em alguns poucos testemunhos (ℵ* A*vid* C) o tempo imperfeito (ἔκλαιεν) foi assimilado ao aoristo (ἔκλαυσεν) das passagens paralelas de Mateus 26.75 e Lucas 22.62.

As lágrimas podem ser um *novo começo*, um ponto nevrálgico nas experiências. As lágrimas chegam com humildade; e algumas vezes precisamos disso a fim de nos desviar de um *mau eu* e assumir uma melhor posição. Em um poema escrito por Thomas More ("Paradise and the Peri"), certa pessoa, incumbida de levar aos céus o maior tesouro do mundo, anuiu ao pedido trazendo uma "lágrima de arrependimento". Esse é o começo da inquirição espiritual, e é necessário a ela. Como um homem pode ser transformado em Cristo, chegando a participar de sua natureza moral e metafísica, sem primeiro arrepender-se de seu antigo "eu", sua vida antiga, sua antiga rebeldia?

Pedro *perdera a coragem*, e quase perdeu sua fé. A lágrima de arrependimento o pôs, uma vez mais, na vereda do discipulado. Deus é o Deus da "segunda oportunidade" e até da *terceira* oportunidade, ou mesmo de "quantas oportunidades precisamos", até que realmente achemos a Cristo. Certamente, essa é uma das lições centrais da história do evangelho. Pedro chorou, ao reconhecer subitamente sua vileza e falsidade. Por muitas vezes teremos oportunidade de fazer a mesma coisa. Precisamos, porém, da coragem que ele teve, a fim de nos humilhar e chorar lágrimas de arrependimento.

Jesus apanhou o olhar de Pedro. Altivo, Pedro continuava suas negações e maldições. Todavia, eis que seus olhares se encontraram. Um simples olhar levou Pedro a cair de joelhos, voltando ao seu "eu" mais nobre. Lucas conta essa história (ver 22.61); e, subsequentemente, fala da restauração de Pedro, depois que Jesus ressuscitou (24.34). João também nos fala sobre isso (21.15-17). Pedro foi totalmente recuperado; mas isso teria sido impossível sem as lágrimas de arrependimento.

V. 72. *Nota textual*. Alguns manuscritos omitem a expressão "[...] pela segunda vez...", isto é, Aleph, 579 e a versão latina c. Nenhuma tradução, entretanto, as omite. Evidentemente, a omissão deve-se ao desejo que algum escriba antigo tinha de eliminar o problema da menção do segundo canto do galo, quando a verdade é que a primeira vez que o galo cantou não foi registrada por Marcos. Ver a nota sobre o v. 68.

Capítulo 15

15.1-15 — *O julgamento de Jesus na presença de Pilatos.* (Quanto às notas expositivas sobre essa seção, incluindo

matéria adicional, registrada por Mateus, ver a passagem de Mt 27.1-16. Ver também o texto de Lc 23.1-25, que acrescenta alguns pormenores adicionais.) A narrativa de Mateus incluiu tudo quanto está neste evangelho de Marcos, mas acrescentou outro material, baseado em outras fontes informativas.

15.1: Logo de manhã tiveram conselho os principais sacerdotes com os anciãos, os escribas e todo o sinédrio; e maniatando a Jesus, o levaram e o entregaram a Pilatos.

15.1 Καὶ εὐθὺς πρωῒ συμβούλιον ποιήσαντες[1] οἱ ἀρχιερεῖς μετὰ τῶν πρεσβυτέρων καὶ γραμματέων καὶ ὅλον τὸ συνέδριον δήσαντες[1] τὸν Ἰησοῦν ἀπήνεγκαν καὶ παρέδωκαν Πιλάτῳ.

[1] 1 {B} ποιήσαντες...δήσαντες A B K W X Δ Π Ψ (0250 ποιήσαντες... καὶ δήσαντες) *f f*[13] 28 33 700 1009 1010 1071 1079 1195 1216 1230 1241 1242 1344 1365 1546 1646 2148 2174 *Byz Lect*pt *l*[69pt,70pt,76pt,211pt,33 3,547,883pt,1127pt] (*l*[185pt] *end of lection*, *l*[950pt] *beginning of lection*) it[l] vg goth arm Augustine // ἑτοιμάσαντες...δήσαντες ℵ C K 892 // ἐποίησαν... δήσαντες *l*[10,12,80,303,333] // ἐποίησαν...καὶ δήσαντες D Θ 565 1253 *Lect*pt*l*[6 9pt,70pt,76pt,185pt,211pt,883pt,950pt,1127pt] it*a.aur.c.d.ff2.k.q* syr*s.p.h* (cop*sa?bo?*) eth geo Origen

15 a πρωΐ...συνέδριον Lc 22.66 ἀρχιερεῖς...γραμματέων Mt 16.21; 27.41; Mc 8.31; 11.27; 14.43.53; Lc 9.22; 20.1

A forma de certos testemunhos ocidentais e cesareanos (incluindo D Θ 565 Latim Antigo), que substituem um verbo finito (ἐποίησαν) por um particípio e inserem καί antes de δήσαντες, é um óbvio melhoramento de estilo. Já que συμβούλιον ποιεῖν é ambíguo, significando ou "convocar um concílio" ou "tomar conselho e fazer um plano", alguns poucos testemunhos (ℵ C I, 892) preferem a expressão -συμβούλιον ἑτοιμάσαντες para assegurar que o leitor entenderia o segundo sentido (pois 14.55-65 subentende que o concílio já estava convocado).

(Quanto a referências onde há notas sobre o Sinédrio e os seus vários grupos componentes, ver Mt 26.3.) A expressão "principais sacerdotes" poderia apontar para os líderes do próprio Sinédrio, o mais elevado corpo de governo civil e eclesiástico do judaísmo. É esse último uso que está em foco no texto diante de nós.

"[...] amarrando a Jesus, levaram-no e o entregaram a Pilatos..." Um triste cortejo, não do ponto de vista de Jesus, mas do ponto de vista dos principais sacerdotes, com os anciãos e os escribas e o concílio inteiro. Pois ali estavam autoridades religiosas a entregarem ao poder político uma questão que era primariamente religiosa e que era da responsabilidade deles. Naturalmente, a razão disso foi simples: tinham decidido, antes da superficial investigação, que entregariam Jesus imediatamente à execução. Não tinham autoridade própria para isso e, provavelmente, nem queriam sujar suas santas mãos com essas coisas. Que os romanos o fizessem!" (Luccock, *in loc.*).

Diferenças nas narrativas. Em Lucas, foi na madrugada do julgamento que arrancaram de Jesus a confissão sobre seu *caráter messiânico*, ao passo que, em Mateus e Marcos, isso sucedeu no *teste preliminar*, na noite anterior. De fato, isso poderia ter sucedido em ambas as ocasiões. Provavelmente, ambos os julgamentos foram feitos diante do Sinédrio, todo ou parte dele. Mateus e Marcos especificam que isso foi durante a noite, mas Lucas diz que foi durante o dia. No tocante a Pilatos, Lucas diz que ele era o "procurador da Judeia" ao tempo que João Batista começou seu trabalho (3.1); e, por outras fontes, sabemos que ele fora procurador por três anos, naquele período. A Judeia fazia parte da província romana da Síria, desde 6 d.C., tendo sido governada por um procurador romano, cuja residência ficava em Cesareia. Pilatos foi o sexto desses procuradores, e sua presença em Jerusalém se deveu à Páscoa, por causa do perigo de perturbações, devido ao influxo de judeus para a festa.

930 | Marcos | NTI

15.2: Pilatos lhe perguntou: És tu o rei dos judeus? Respondeu-lhe Jesus: É como dizes.

15.2 καὶ ἐπηρώτησεν αὐτὸν ὁ Πιλᾶτος, Σὺ εἶ ὁ βασιλεὺς τῶν Ἰουδαίων; ὁ δὲ ἀποκριθεὶς αὐτῷ λέγει, Σὺ λέγεις.[a]

[a] 2 *a* statement: TR WH Bov Nes BF² AV RV ASV RSV NEB TT Zür Luth Jer Seg // *a* question: WH^mg

O que Pilatos *quis dizer*, foi: "És tu o *revolucionário* político que alguns dizem que és?" Dificilmente ele se teria interessado em qualquer compreensão "espiritual" sobre Jesus, como Rei. É possível que os astuciosos membros do Sinédrio tenham dado um tom político à acusação contra Jesus, como se ele tivesse "confessado" algo para eles. Pensaram que uma acusação política forçaria Pilatos a agir. Talvez tivessem superestimado a sua integridade. Parece que Pilatos teria feito quase qualquer coisa para conservar a paz, ao ponto de sacrificar um homem inocente e nobre, apesar de ter pleno conhecimento de sua inocência.

"[...] Tu o dizes..." Essa é uma forma judaica de resposta "afirmativa". (Ver Lc 22.70,71, onde a fórmula é tratada pelo Sinédrio como resposta afirmativa.) É difícil imaginar Jesus a praticar evasivas, mesmo para salvar a si mesmo. Sua afirmativa, entretanto, não interpretou o que foi dito, do mesmo modo que os inimigos de Jesus o fizeram. Talvez Jesus tenha pensado que isso seria claro para Pilatos, com base em sua reputação, o que Pilatos facilmente poderia ter averiguado, e o que provavelmente fez. Isso teria revelado que Jesus era uma figura apolítica.

15.3: E os principais sacerdotes o acusavam de muitas coisas.

15.3 καὶ κατηγόρουν αὐτοῦ οἱ ἀρχιερεῖς πολλά.

Conforme sempre é verdade acerca de pessoas em controvérsia, incluindo até indivíduos religiosos, muitas "questões laterais" foram envolvidas na questão, refletindo ódios pessoais, invejas e descontentamento. Quantos pastores, expulsos de uma igreja, já viram as "diretorias" ocupadas por elementos antiespirituais!

Talvez o propósito de apresentar muitas acusações seja que se tornara óbvio que Pilatos não estava convencido de nenhuma validade da "acusação política". No tocante às muitas coisas, Lucas 23.2,5 cita algumas poucas delas e há várias sugestões a respeito em João 18.33-19.16.

Jesus confessou que era *"rei"*. Entretanto, os "membros do Sinédrio podem ter percebido, pelas maneiras de Pilatos — talvez um sorriso na face —, que ele não tomou essa confissão a sério". (Bruce, *in loc.*).

15.4: Tornou Pilatos a interrogá-lo, dizendo: Não respondes nada? Vê quantas acusações te fazem.

15.4 ὁ δὲ Πιλᾶτος πάλιν ἐπηρώτα αὐτὸν λέγων, Οὐκ ἀποκρίνῃ οὐδέν; ἴδε πόσα σου κατηγοροῦσιν.

4,5 ἐπηρώτα...ἀπεκρίθη Is 53.7; Mc 14.60,61; Lc 23.9

O silêncio de Jesus equivaleu à resposta: Minha vida é minha defesa, e minha única confissão. Contra o ódio e seus muitos dardos, não há defesa verbal adequada. Pois que se enfurecessem. Teriam de tratar com Deus e com a lei da colheita segundo a semeadura.

O poder *das palavras*. Pode-se ver como os homens se utilizam da capacidade de falar para destruir. Os homens matam com suas palavras, lançam reputações no opróbrio e açoitam os inocentes.

15.5: Mas Jesus nada mais respondeu, de maneira que Pilatos se admirava.

15.5 ὁ δὲ Ἰησοῦς οὐκέτι οὐδὲν ἀπεκρίθη, ὥστε θαυμάζειν τὸν Πιλᾶτον.

Jesus não era um *prisioneiro comum* em juízo. Pilatos vira a muitos deles, acovardados, sobranceiros, de todos os tipos. Nunca vira alguém enfrentar a morte com tão calma confiança. Ao ser caluniado, não abriu a boca. O ódio e o erro não mereceram um momento sequer de sua atenção. Era patente que as mentes dos acusadores de Jesus estavam cheias de inveja e ódio. No entanto, Jesus recusou-se a participar da depravação deles. Pilatos admirou-se, e admirou a Jesus. Contudo, Pilatos era um pragmatista superficial. Nada podia provocar nele uma ação justa em favor de Jesus. É bom estarmos afetados pela "admiração". O salmista exclamou: "Quando contemplo os teus céus, obra dos teus dedos..." (Salmos 8.3). E a admiração que foi inspirada por essa consideração lhe conferiu certa disposição para a santidade. O que é mister para despertar em nós a "admiração"? Nossa alma está sujeita à influência divina? Nossa vida revela admiração pelo divino, no íntimo?

Protestos e *clamores* foram os substitutos dos fatos. É assim que "geralmente" sucede. Até mesmo os pregadores podem ocultar a "falta de substância" em suas mensagens, falando alto e apresentando algumas poucas ilustrações. Henry Ward Beecher, um eloquente pregador de outros tempos, dizia que gritava mais alto quanto tinha menos o que dizer.

15.6: Ora, por ocasião da festa costumava soltar-lhes um preso qualquer que eles pedissem.

15.6 Κατὰ δὲ ἑορτὴν ἀπέλυεν αὐτοῖς ἕνα δέσμον ὃν παρῃτοῦντο.

6 ἑορτήν] τὴν ε. D

O coração dos homens expande-se em todos os períodos de festas. Consideremos o Natal, por exemplo. Por igual modo, entre os judeus, um festival oferecia *pleno* perdão a um prisioneiro notável qualquer. O inocente Jesus, nem mesmo sob tais circunstâncias, pôde competir com um ladrão e assassino.

Presumimos que esse *costume* era romano, e não judaico, o que estaria de acordo com o que se sabe sobre como os romanos conquistavam os povos. No entanto, havia uma regra talmúdica (ver a exposição em Mateus) que poderia ter dado precedente a esse ato.

15.7: E havia um, chamado Barrabás, preso com outros sediosos, os quais num motim haviam cometido um homicídio.

15.7 ἦν δὲ ὁ λεγόμενος Βαραββᾶς μετὰ τῶν στασιαστῶν δεδεμένος οἵτινες ἐν τῇ στάσει φόνον πεποιήκεισαν.

Josefo mostra que, naqueles dias, *revoltas*, sobretudo de natureza política, eram comuns na Judeia. Barrabás era apenas mais um político radical, conforme geralmente sucede, era um tipo criminoso qualquer, que usou uma suposta *"nobre causa"* como frontispício para seu desejo de fomentar a violência e o ódio. Sendo "caráter indesejável", ele representa a "humanidade decaída", que os homens liberam, em lugar de Jesus. Além disso, o fato de ele ter sido preferido em lugar de Jesus, certamente envolve uma lição espiritual. O que é que preferimos tão zelosamente, em lugar de Jesus? Que vício existe em nossa vida que crucificam novamente a Jesus, até onde isso nos é possível, no plano moral? Ao mesmo tempo que dizemos "Jesus, Jesus", com os lábios, como se estivéssemos dando nosso voto, nossa vida pode estar clamando *"Barrabás, Barrabás"*.

Mateus alude a Barrabás como um prisioneiro *"notório"*. Marcos fala sobre sua revolta e assassinato. É lamentável que nossas tendências e atos anti-Jesus sejam "notáveis", também.

15.8: E a multidão subiu e começou a pedir o que lhe costumava fazer.

15.8 καὶ ἀναβὰς ὁ ὄχλος[2] ἤρξατο αἰτεῖσθαι καθὼς ἐποίει αὐτοῖς.

[2] 8 {B} ἀναβὰς ὁ ὄχλος ℵ B 892 it^{aur,c,ff2,l,r1} vg cop^{sa,bo} // ἀναβοήσας ὁ ὄχλος ℵ A C K W X Δ Θ Π Ψ *f*¹ *f*¹³ 28 33 565 700 1009 1010 1071 1079 1195 1216 1242 1344 1365 1546 2148 2174 *Byz Lect* syr^{s,p,h} arm geo Diatessaron // ἀναβὰς ὅλος ὁ ὄχλος D it^{a,d} goth // ἀναβοήσας ὅλος ὁ ὄχλος 1230 1241 1253 1646 // ὅλος ὁ ὄχλος *it*

Os verbos ἀναβοᾷν e ἀναβῆναι tendiam por ser confundidos nos manuscritos (cf. a LXX, em 2Sm 23.9; 2Rs 3.21 e Os 8.9). Não há outra ocorrência de ἀναβοᾷν em Marcos, mas ἀναβαίνειν ocorre por nove vezes. A evidência externa, em apoio a (um verbo que seria particularmente apropriado se Pilatos residisse na Torre de Antônia) é forte (ℵ B D 892 maioria do Latim Antigo vg cop^sa,bo gót).

A inserção de ὅλος, em alguns poucos testemunhos, foi feita a fim de intensificar o efeito dramático da narrativa.

A tentativa que Pilatos fez de soltar Jesus desse modo, foi apenas o *ato de um covarde*, pois ele se recusou a soltá-lo diante da realidade de ele ser inocente. É fácil criticar Pilatos por essa ausência de coragem moral; mas nada é mais comum do que isso, dentro e fora da igreja. Traímos Jesus não somente quando estamos sob pressão, mas até mesmo por causa de nossa natureza carnal, que se deleita em agir contra os claros mandamentos do Senhor.

Pilatos tem sido chamado de *"liberal moleirão"*. Ele percebeu as falsas acusações contra Jesus e queria ser generoso com ele, contanto que isso não lhe exigisse firme tomada de posição. "Não tinha convicções suficientemente fortes para gerar nenhum movimento". (Luccock, *in loc.*). Teve bom senso bastante para ver e "desejar" a justiça, mas não teve a coragem moral de pô-la em efeito.

15.9: Ao que Pilatos lhes perguntou: Quereis que vos solte o rei dos judeus?

15.9 ὁ δὲ Πιλᾶτος ἀπεκρίθη αὐτοῖς λέγων, Θέλετε ἀπολύσω ὑμῖν τὸν βασιλέα τῶν Ἰουδαίων;

Vê-se aqui que Pilatos falou *zombeteiramente*, pois, se tivesse realmente crido que Jesus era um pretendente à realeza, não o teria soltado sob quaisquer circunstâncias. Pilatos zombou da acusação deles, mas ainda assim esperava ganhar simpatias em favor de Jesus. Provavelmente, porém, o que ele disse enfureceu ainda mais os judeus, pois estes viram claramente que ele não levara a acusação a sério. O sarcasmo de Pilatos prejudicou seu desejo de livrar a Jesus. Foi mais um entre os vários erros graves de Pilatos. Pilatos poderia ter tomado a decisão sozinho. Sendo político perverso, entretanto, procurou transferir a responsabilidade à escolha de outros. Pilatos queria estar "certo", segundo a estimativa pública, seguindo a "voz da opinião pública". Ele conhecia somente uma "verdade" relativa e pragmática, o que reflete, naturalmente, o nosso mundo moderno.

15.10: Pois ele sabia que por inveja os principais sacerdotes lho haviam entregado.

15.10 ἐγίνωσκεν γὰρ ὅτι διὰ φθόνον παραδεδώκεισαν αὐτὸν οἱ ἀρχιερεῖς³.

³10 {B} οἱ ἀρχιερεῖς ℵ A C D K W X Δ Θ Π Ψ 0250 *f*¹³ 28 33 565 700 892 1009 1010 1071 1079 1195 1216 1230 1241 1242 1253 1344 1365 1546 1646 2148 2174 *Byz Lect* (*l*⁹⁵⁰ οἱ δέ) it^a,aur,c,d,ff²,(k),l,r¹ vg syr^s cop^sa goth arm geo // omit (ver Mt 27.18) B *f l*¹⁰,¹³,⁴⁷ syr^s cop^bo Diatessaron^a,i,n

Em face da ocorrência de οἱ δὲ ἀρχιερεῖς imediatamente depois do v. 11, a omissão de οἱ ἀρχιερεῖς em vários testemunhos, provavelmente deve ser reputada como melhoria de estilo, talvez impulsionada pela lembrança do relato paralelo de Mateus 27.18.

Os *"principais sacerdotes"* eram os líderes do Sinédrio, o mais alto tribunal judaico religioso e civil. (Ver Mt 26.3, quanto aos vários tipos de autoridades que se tornaram adversárias de Jesus naquela hora crítica.) A religião não é necessariamente salvaguarda contra os sentimentos e ações mais vis. A conversão deve atingir a alma, e não meramente a expressão de vida.

Ciúme profissional. É certo que as autoridades religiosas, pregadores, pastores etc não estão isentos disso. É possível alguém ter inveja das realizações espirituais de outrem, e não somente das materiais. "Ele pregou um sermão, poderoso", admitimos; mas, em nosso coração, sentimos inveja porque "Não fui eu quem pregou". Se o ministério de outrem e sua congregação têm crescido, percebo isso, mas sinto a pontada da inveja, porque meu sucesso não tem sido tão grande.

15.11: Mas os principais sacerdotes incitaram a multidão a pedir que lhes soltasse antes a Barrabás.

15.11 οἱ δὲ ἀρχιερεῖς ἀνέσεισαν τὸν ὄχλον ἵνα μᾶλλον τὸν Βαραββᾶν ἀπολύσῃ αὐτοῖς.

11 At 3.14

Aqueles homens usaram da inteligência para *maus* propósitos; mas, em algum ponto, na história eterna da alma, pagarão ou já pagaram por isso. A mente nos é dada como uma ajuda para nos levar a Deus. Quando os homens usam sua mente para o mal, têm de pagar um alto preço. A cada movimento de Pilatos, na tentativa de livrar Jesus, foram suficientemente espertos para achar um meio de entravar suas intenções. Vendo que a multidão perdera a paciência com qualquer ideia de que Jesus era o Messias ou um libertador, acharam fácil convencê-la a não permitirem a soltura dele. Ficamos chocados diante desse aborto da justiça. Como acharíamos estranho, pois, que outros abusem de nós em qualquer circunstância? No mundo, um homem bom deve esperar injustiças. No entanto, de Deus não se zomba. O que for semeado será colhido, e de alguma maneira, algures, o bem finalmente triunfará.

A figura de Barrabás: Ele está *terrivelmente* vivo no mundo de hoje. Homens violentos, enganadores e depravados, mas que se tornam figuras políticas, heróis militares, *nacionalistas* ou ativistas, com frequência se assemelham a Barrabás. Apesar de suas distorções morais, atraem o povo e podem conclamá-lo para causas populares. Barrabás era homem violento. Isso atrai a muitos, o que se patenteia pelo imenso número de livros e filmes cinematográficos que exploram esse tema. Barrabás era superficial, moral e espiritualmente. "Livrem-se dos romanos", dizia ele, "e tudo nos irá bem". Que dizer, entretanto, da corrupção íntima a ganância e o ódio? Ficaria isso resolvido, se se livrassem dos romanos? Naturalmente que não! Jesus oferecia um caminho para converter a alma. Todavia, o povo daquela época preferia as soluções esposadas por Barrabás, e não as de Jesus.

15.12: E Pilatos, tornando a falar, perguntou-lhes: Que farei então daquele a quem chamais rei dos judeus?

15.12 ὁ δὲ Πιλᾶτος πάλιν ἀποκριθεὶς ἔλεγεν αὐτοῖς, Τί οὖν [θέλετε] ποιήσω⁴ [ὃν λέγετε]⁵ τὸν βασιλέα τῶν Ἰουδαίων;

12 ουν] om g² bo^pt |

⁴12 {D} θέλετε ποιήσω (ver Mt 27.21; Lc 23.20) A D K X Θ Π 0250 28 565 700 1009 1010 1071 1079 1195 1216 1230 1241 1242 1253 1344 1365 1546 1646 2174 *Byz Lect* it^a,aur,d,ff²,k,l,r¹ vg syr^s,p,h goth arm eth Diatessaron // θέλετε ἵνα ποιήσω 2148 *l*¹⁵ it^c // ποιήσω (ver Mt 27.22) ℵ B C W Δ Ψ *f*¹ *f*¹³ 33 892 cop^sa,bo geo

⁵12 {C} ὃν λέγετε ℵ C K X Δ Π Ψ 0250 28 33 892 1009 1010 1071 1079 1195 1216 1230 1241 1242 1253 1344 1365 1546 1646 2148 2174 *Byz Lect* syr^p,h cop^bo goth eth // λέγετε B // omit A D W Θ *f*¹ *f*¹³ 565 700 *l*¹³ it^a,aur,c,d,ff²,k,l,r¹ vg syr^s cop^sa arm geo

É difícil decidir se a forma mais breve (apoiada por ℵ B C W Δ Ψ *f*¹ *f*¹³ *al*) é secundária, tendo-se moldado a Mateus 27.22, ou se θέλετε foi inserida por assimilação ao v. 9 ou a Mateus 27.21 ou a Lucas 23.20 (cf. também Mc 10.36). No todo, a comissão julgou melhor incluir θέλετε, mas dentro de colchetes.

²Embora haja forte confirmação externa em prol da omissão de ὃν λέγετε, a forma de Mateus, τὸν λεγόμενον Χριστόν (Mt 27.22) parece pressupor a originalidade de ὅν λέγετε, em Marcos. Por outro lado, porém, a inserção da cláusula pode ser considerada como um melhoramento escribal, introduzido a fim de lançar o ônus do uso do título "O rei dos judeus" sobre os principais sacerdotes. A forma ímpar de B provavelmente deve ser aplicada em resultado de

Marcos | NTI

> omissão acidental de ὄν. Em face do equilíbrio, a comissão julgou que a solução menos insatisfatória seria a de incluir as palavras no texto, mas dentro de colchetes, para indicar dúvida sobre o direito de estarem ali.

A grande *pergunta* acabava de ser feita; e continua a ser feita de milhares de maneiras diversas. A cada dia, enfrentamos essa questão. Que farei com minha vida hoje? Sentirei hoje meus apetites carnais? Buscarei a vereda da renúncia por causa de Cristo? O que Jesus verá em mim hoje?

A questão inevitável: Podemos ignorar a Jesus, mas já que Cristo tem autoridade sobre esta esfera terrena, eventualmente teremos de nos *defrontar* com sua autoridade e fazer uma "escolha" da alma, no tocante a ele. Efésios 1 mostra que todos, eventualmente, serão apanhados na unidade que circundará sua pessoa como cabeça de tudo. Então, Jesus será tudo para todos. Esse é o intuito do "ministério da vontade de Deus" (Ef 1.10). Isso só poderá ser "bom" para toda a humanidade, para todos os seres inteligentes. A vereda que conduz a esse bem é e será difícil, punidora. Além disso, muitos homens, que não reagem favoravelmente a Cristo, terão de sofrer "perda infinita", pois serão privados de participar da "natureza divina" (ver 2Pe 1.4), a qual nos é dada mediante a salvação que Cristo oferece. Sem importar que bem a atingirem, por fazerem parte da unidade final em torno de Cristo — e pensamos que isso será considerável — sofrerão uma "perda infinita". Ser o que Cristo é (ver Cl 2.10), e participar do que ele possui (ver Rm 8.17), será algo que eles desconhecerão.

15.13: Novamente clamaram eles: Crucifica-o!
15.13 οἱ δὲ πάλιν ἔκραξαν, Σταύρωσον αὐτόν.

A horrenda exclamação é ouvida! A escolha terrível fora *feita*! A laringe depravada tomou o lugar da mente espiritual, e deixou escapar palavras que tiveram origem nos meandros negros do coração. Pilatos temia ouvir essa exclamação. Não temeu o bastante, porém. Tememos ter nossa vida arruinada pelo vício, pelo ódio e pela ambição, mas não temos coragem moral suficiente para evitar o que tememos.

O horrendo *poder* das palavras: Elas cortam e requeimam. Seguem-nos para além do sepulcro, pois delas teremos de prestar contas. Palavras, palavras, ditas em segredo, ditas em público, ditas precipitadamente. Palavras *amargas*, palavras *enganadoras*, palavras *volúveis*, palavras *traiçoeiras*, espelhos da mente e da alma. Quem é o que pode falar entre os mestres espirituais? Aquele cuja língua aprendeu a não ferir. Senhor, permite-nos permanecer sentados no fundo do templo, até que tenhamos aprendido essa lição.

15.14: Disse-lhes Pilatos: Mas que mal vos fez? Ao que eles clamaram ainda mais: Crucifica-o!
15.14 ὁ δὲ Πιλᾶτος ἔλεγεν αὐτοῖς, Τί γὰρ ἐποίησεν κακόν; οἱ δὲ περισσῶς ἔκραξαν, Σταύρωσον αὐτόν.

"*Responderam-lhe* com uma violenta e histérica explosão. Esse é um dos perigos para quem permite que um preconceito não-examinado se aloje em sua mente. Quando o tal preconceito é atacado, defende-se, não com a razão, mas aos gritos. E vemos aqui o preconceito e o ódio, com terrível clareza, no prelúdio do Calvário, o qual grita mais ainda quando é feita a tentativa de se lançar luz genuína sobre a questão em foco, podendo isso levar a crucificações" (Luccock, *in loc.*).

O destino das palavras. (Ver as notas sobre esse tema, em Mt 12.37. Quanto ao "uso apropriado da língua", ver Cl 3.16.)

Pilatos confessa aqui o que já havia pensado; e procurou convencer o povo a concordar com ele. No entanto, ele tinha a autoridade de *declarar* Jesus livre. Neste ponto, ele se rebaixou ao nível máximo, pois, mesmo diante daquilo que sabia ser direito, não se quis pôr ao lado da justiça.

15.15: Então Pilatos, querendo satisfazer a multidão, soltou-lhe Barrabás; e tendo mandado açoitar a Jesus, o entregou para ser crucificado.
15.15 ὁ δὲ Πιλᾶτος βουλόμενος τῷ ὄχλῳ τὸ ἱκανὸν ποιῆσαι ἀπέλυσεν αὐτοῖς τὸν Βαραββᾶν, καὶ παρέδωκεν τὸν Ἰησοῦν φραγελλώσας ἵνα σταυρωθῇ.

> *Ó Deus! que o pão seja tão caro,*
> *e a carne e o sangue tão baratos!*
> (*Thomas Hood*)

Quanto Pilatos era humano! Ele queria "[...] contentar a multidão..." Que difícil lição é essa! Com isso, ferimos só a nós mesmos e, às vezes, com um imenso prejuízo espiritual, querendo agradar ao povo! Nosso adversário pode ser um cheque que nos seja dado para "equilibrar" nossas tendências radicais. Nesse caso, devemos dar atenção àquilo que ele diz. Isso é diferente de "agradar às pessoas". Este versículo pode ser comparado ao que Paulo diz em 1Coríntios 4.3: "Todavia, a mim mui pouco se me dá de ser julgado por vós, ou por tribunal humano; nem eu tão pouco julgo a mim mesmo". Apelemos ao nosso superior tribunal satisfazer as próprias exigências íntimas. Se formos espiritualmente desenvolvidos e sérios na inquirição espiritual, essas exigências nos levarão a maior espiritualidade, mesmo que desçamos ao conceito de certos de nossos críticos. Entretanto, como é difícil seguir esse conselho! Todos gostam de ser aceitos pelos outros. Contudo, é quase impossível ser bem aceitos se fizermos grande progresso espiritual, o que nos porá à frente do "entendimento" possuído pela maioria. Alma, me aceitas como sou hoje? Aprovas as minhas ações, os meus desejos, as minhas ambições? Nesse caso, que minha mente descanse. É muito mais importante agradar à própria alma do que ao nosso próximo dado a críticas.

Se eu não reconhecer tribunal *mais alto* que os desejos e caprichos da multidão, então, espiritualmente falando, não terei progredido muito. Se Lutero tivesse sido governado pelos motivos baixos de Pilatos, nunca teria dito: "Eis aqui estou. Não posso fazer outra coisa". Devemos dar atenção àquela nobre galeria de testemunhas (ver Hb 12.1), àqueles que estão em espírito e que contemplam anelantemente o que fazemos com as oportunidades que se põem diante de nós e com nossa inteligência. Não os desapontemos, pois, a fim de agradar aos nossos contemporâneos!

15.16-20 — *Jesus é entregue nas mãos dos soldados.* (Quanto às notas expositivas sobre este material, ver Mt 27.27-31.)

Acrescentamos, aqui, algumas notas meramente suplementares.

15.16: Os soldados, pois, levaram-no para dentro, ao pátio, que é o pretório, e convocaram toda a coorte;
15.16 Οἱ δὲ στρατιῶται ἀπήγαγον αὐτὸν ἔσω τῆς αὐλῆς, ὅ ἐστιν πραιτώριον, καὶ συγκαλοῦσιν ὅλην τὴν σπεῖραν.

O horrendo *carnaval* tivera início. Um homem inocente é assediado pelos cães, que fazem de sua agonia o motivo de um horrível festim.

"[...] todo o destacamento..." Isso envolveria, talvez, 600 homens. Esse detalhe nos permite entrever o "feriado" absurdo que aqueles homens cruéis tiveram à custa de Jesus. Nenhum caso de crucificação exigia tanta atenção. Alguns poucos soldados teriam sido suficientes. Foi um ódio inacreditável que fomentou tudo isso.

15.17: vestiram-no de púrpura e puseram-lhe na cabeça uma coroa de espinhos que haviam tecido;
15.17 καὶ ἐνδιδύσκουσιν αὐτὸν πορφύραν καὶ περιτιθέασιν αὐτῷ πλέξαντες ἀκάνθινον στέφανον·

17-19 Lc 23.11   17 πορφ.] *p*) χλαμυδα κοκκινην και π. Θ f13 *pc*

Vestiram Jesus em trajes falsos. Os soldados queriam-no vestido de acordo com a realeza romana, ou puseram-lhe uma túnica militar escarlate, porquanto não possuíam os trajes autênticos dos reis. Desde então, muitos têm representado falsamente a Jesus. Ele se tem tornado o suposto líder de campanhas militares, de revoltas políticas, de esconderijos de heresias, de "conflitos eclesiásticos", de divisões denominacionais etc. Nossa vida pode impor um falso vestuário em Jesus, e nossas ideias e ensinamentos podem também fazer isso. Na realidade, o "violento" Jesus é Barrabás; e o Jesus dos radicais com frequência não é outro senão Barrabás de nome trocado.

15.18: e começaram a saudá-lo: Salve, rei dos judeus!

15.18 καὶ ἤρξαντο ἀσπάζεσθαι αὐτόν, Χαῖρε, βασιλεῦ τῶν Ἰουδαίων·

Houve os gestos de honra e reconhecimento de seu reino; mas tudo não passava de zombaria. Isso pode suceder em plena igreja, quanto mais na sociedade ímpia. O jogo dos soldados transformou-se num simulacro de lealdade. E nossa lealdade não passará disso, a menos que seja apoiada pela nossa santidade de vida.

O que a minha vida representa? A zombaria de homens ímpios, que mostram fingida lealdade ao bem, ou é antes um meio de

Trazer o diadema real
E coroá-lo Senhor de tudo!
(Edward Peronnet)

A capela da zombaria. No local em que se supõe Jesus ter sido vilipendiado, foi erigida uma capela que se chama *Capela da Derrisão*. Isso, naturalmente, é uma contradição de termos, pois como pode uma capela ser um lugar de zombarias? Contudo, esse nome é bem aplicado à vida humana. O indivíduo que, supostamente, vive consagrado a Cristo, mas que for vencido por um vício, tornar-se indiferente para com a inquirição espiritual, ou então hipócrita, odioso, amargo, esse, sim, se tornará uma *capela de derrisão*, pois sua vida será uma zombaria.

15.19: Davam-lhe com uma cana na cabeça, cuspiam nele e, postos de joelhos, o adoravam.

15.19 καὶ ἔτυπτον αὐτοῦ τὴν κεφαλὴν καλάμῳ καὶ ἐνέπτυον αὐτῷ, καὶ τιθέντες τὰ γόνατα προσεκύνουν αὐτῷ.

Jesus já havia sido açoitado, o que fazia parte da pena da crucificação. Tudo quanto sucedia aqui, os abusos da soldadesca, era extraordinário, não sendo algo requerido. Ficamos admirados com o fato de Pilatos, com sua suposta preocupação com Jesus, ter permitido que tudo isso sucedesse.

Maldito dos malditos,
Uma penalidade excessiva,
Ele suportou.

Maldito dos malditos,
Ferido, batido a sangrar,
Chaga aberta.
(Russell Champlin)

15.20: Depois de o terem assim escarnecido, despiram-lhe a púrpura, e lhe puseram as vestes. Então o levaram para fora, a fim de o crucificarem.

15.20 καὶ ὅτε ἐνέπαιξαν αὐτῷ, ἐξέδυσαν αὐτὸν τὴν πορφύραν καὶ ἐνέδυσαν αὐτὸν τὰ ἱμάτια αὐτοῦ. καὶ ἐξάγουσιν αὐτὸν ἵνα σταυρώσουσιν αὐτόν.

20 τὴν πορφ.] τὴν χλαμυδα και τ. π. Θ f13 pc

O episódio deve ter sido contado *milhares* de vezes, antes de ter sido reduzido à forma escrita; e é seguro dizer que a história de sua agonia foi a primeira coisa que a tradição oral registrou. Quase 25 anos separaram os eventos do seu registro escrito e, no entanto, sua exatidão essencial foi preservada. Eventos poderosos fazem uma impressão inalienável na memória.

15.21 — *Simão, o cireneu, carrega a cruz de Jesus*. (Ver as notas expositivas em Mt 27.32.)

15.21: E obrigaram certo Simão, cireneu, pai de Alexandre e de Rufo, que por ali passava, vindo do campo, a carregar-lhe a cruz.

15.21 Καὶ ἀγγαρεύουσιν παράγοντά τινα Σίμωνα Κυρηναῖον ἐρχόμενον ἀπ’ ἀγροῦ, τὸν πατέρα Ἀλεξάνδρου καὶ Ῥούφου, ἵνα ἄρῃ τὸν σταυρὸν αὐτοῦ.

Cirene, na África do Norte, possuía *numerosa* população judaica. Provavelmente, Simão era judeu daquele lugar, e viera à festa. Viera e conheceu Cristo; e toda a sua família tornou-se cristã. Que imenso privilégio foi o seu de levar a cruz de Jesus! Até hoje, entretanto, Jesus nos oferece sua cruz para levarmos (ver Mt 10.38 e 16.24.) O travessão horizontal da cruz, que Simão carregou, passou para a história e desapareceu. Um pequeno pedaço do mesmo, se fosse comprovadamente autêntico, poderia ser vendido por milhões de dólares. Contudo, hoje em dia, os homens se recusam a pagar qualquer preço substancial para levar e carregar a cruz de Cristo. O que é a cruz? É a vereda da renúncia, o caminho da santificação, sem o que ninguém jamais verá a Deus. (Ver Hb 12.14 e 2Ts 2.13.) É o serviço que prestamos aos outros; é uma inquirição espiritual séria.

15.22-32 — *A crucificação de Jesus*. (Ver as notas expositivas sobre esta passagem, em Mt 27.33-44. Ver também os textos de Lc 23.33-43 e Jo 19.17-27.)

N. B.: Nos casos em que Mateus e Marcos têm textos paralelos, a exposição apresenta-se em Mateus; em Marcos, encontram-se apenas algumas notas suplementares.

15.22: Levaram-no, pois, ao lugar do Gólgota, que quer dizer, lugar da Caveira.

15.22 καὶ φέρουσιν αὐτὸν ἐπὶ τὸν Γολγοθᾶν τόπον, ὅ ἐστιν μεθερμηνευόμενον Κρανίου Τόπος.

15.23: E ofereciam-lhe vinho misturado com mirra; mas ele não o tomou.

15.23 καὶ ἐδίδουν αὐτῷ ἐσμυρνισμένον οἶνον, ὃς δὲ οὐκ ἔλαεν.

23 ἐδίδουν...οἶνον Sl 69.21

Jesus poderia ter morrido em estado de amortecimento. Entretanto, recusou-se a submeter-se a isso. Clemente Dane louvou a Jesus pelo que fez:

Não me prostrarei
Ante o Jesus gentil das mulheres,
Mas ante o homem pendurado entre a terra e o céu,
Seis horas mortais; que viu o fim (conforme as forças
E os costumes) três dias depois, mas que dominou
Sua alma e corpo de tal modo, que, quando a esponja
Bendisse seus lábios partidos com promessa de alívio
E pronto esquecimento, ele não quis beber;
Voltou a cabeça para o outro lado, e não quis beber;
Cuspiu fora o anódino, e não quis beber.
Isso foi um deus para reis e rainhas cheios de orgulho,
E a ele eu seguirei.

15.24: Então o crucificaram, e repartiram entre si as vestes dele, lançando sortes sobre elas para ver o que cada um levaria.

15.24 καὶ σταυροῦσιν αὐτὸν καὶ διαμερίζονται τὰ ἱμάτια αὐτοῦ, βάλλοντες κλῆρον ἐπ’ αὐτὰ τίς τί ἄρῃ.

24 διαμερίζονται...αὐτά Sl 22.18
24 βάλλοντες] βαλοντες Θ pc

O mundo insensível e surdo: "[...] Então o crucificaram..." Não poderiam ter sido ditas palavras mais significativas. E logo se ajuntam no chão, a jogar pela posse de um pedaço de tecido. Aqueles que em nada se importavam com Jesus, agora se contentavam com um pedaço de pano que lhe pertencera.

934 |Marcos| NTI

Ele arcou com a penalidade do pecado de toda a humanidade e, por alguns momentos, sentiu-se avassalado. Cumpriu sua missão em meio à agonia. Quanto nos interessamos pela santidade, pela bondade e pela verdade?

> *Entre feridas e no sangue*
> *Em uma rude cruz,*
> *Ele sofreu a perda*
> *Para parar o dilúvio do pecado.*
>
> *Pode agora ser dada a vitória,*
> *Sem ser testada a coragem,*
> *Sem ser negado o "eu",*
> *Para a alma estranha à agonia?*
> (Russell Champlin)

15.25: E era a hora terceira quando o crucificaram.
15.25 ἦν δὲ ὥρα τρίτη καὶ ἐσταύρωσαν⁶ αὐτόν.

⁶ 25 {A} καὶ ἐσταύρωσαν ℵ A B C K L P X Δ Θ Π Ψ *f*¹ 28 33 565 700 892 1009 1010 1079 1195 1216 1230 1241 1242 1253 1344 1365 1546 1646 2148 2174 *Byz Lect* itᶜ·ˡ vg syrˢ·ʰ·ᵖᵃˡ copᵇᵒ goth arm geo Augustine // ὅτε ἐσταύρωσαν *f*¹³ 1071 itˢᵘʳ syrᵖ copˢᵃᵐˢ·ᶠᵃʸᵛⁱᵈ // ἐφύλασσον (*compare* Mt 27.36) D itᵈ·ff²·ᵏ·ⁿ·ʳ¹ // ἐσταύρωσαν καὶ ἐφύλασσον copˢᵃᵐˢˢ

25 τριτη] (Jn. 19.14) εκτη Θ syʰᵐᵍ |

> No interesse da harmonização com João 19.14, ao invés de τρίτη, alguns poucos testemunhos dizem ἕκτη (Θ 478** syrʰᵐᵍ eth) Segundo a sugestão de vários escritores patrísticos, τρίτη surgiu devido à confusão entre *f* (=6) e Γ (=3). (Ver também os comentários sobre Jo 19.14.)
>
> ⁶ Por amor a um melhor estilo grego, alguns poucos copistas modificaram a paratáctica construção de Marcos ("se eles o crucificaram") para a construção hipotática mais idiomática ("quando eles o crucificaram"). O verbo ἐφύλασσον, em vários testemunhos ocidentais, parece ser harmonização com a narrativa de Mateus 27.36, impelida pelo desejo de evitar a repetição do que diz Marcos (καὶ σταυροῦσιν αὐτόν, v.24).

(Quanto à *controvérsia* sobre a diferença entre o horário apresentado por Marcos e aquele que é dado em Jo 19.14, ver aquela referência.) Nenhuma solução proposta se tem mostrado satisfatória. A maioria dos intérpretes, porém, crê que a razão está com Marcos. Eram cerca de 9 horas, segundo o método romano, ou segundo o método judaico; ainda assim não poderemos chegar a pleno acordo. Se o problema não pode ser solucionado, isso não é assim tão importante. Somente os harmonizadores estritos ficarão perturbados com isso, além de alguns poucos céticos, os quais veem motivo de incredulidade em qualquer mínima discrepância. Alguns sugerem que o "meio-dia" de João (*a hora sexta*), talvez não seja incorreto, em face da "terceira hora" de Marcos, simplesmente porque, de acordo com a opinião popular, continuaria sendo a terceira hora até soar a sexta, já que eles não computavam a passagem do tempo de hora em hora, conforme nós fazemos. Portanto, qualquer tempo entre a hora terceira (9 horas) e a sexta (12 horas), seria chamado de "sexta hora", sobretudo se estivesse mais perto do meio-dia do que das 9 horas. Esta ideia, porém, é mera conjectura. Verdade é que, se aceitarmos as designações de tempo como "*aproximadas*", e não como exatas (conforme costumamos fazer), isso reconciliaria a questão. Contudo, não se pode afirmar isso de maneira absoluta.

Se Jesus foi crucificado mais perto do meio-dia do que das 9 horas, as trevas que sobrevieram na *hora sexta*, ocorreram pouco depois do começo da crucificação (Mc 15.33). Ou talvez Jesus tenha sido crucificado cerca das 11 horas, e então somente uma hora, mais ou menos, se passara antes de as trevas começarem a surgir. Jesus agonizou somente até a hora nona (15 horas). É possível, pois, que ele tivesse agonizado só cerca de quatro horas, ao invés das seis horas tradicionais. Todas as designações de tempo, porém, são aproximadas. Por isso, ele pode ter sofrido de quatro a sete horas, antes de a morte física vir livrá-lo.

15:26: Por cima dele estava escrito o título da sua acusação: O REI DOS JUDEUS.
15.26 καὶ ἦν ἡ ἐπιγραφὴ τῆς αἰτίας αὐτοῦ ἐπιγεγραμμένη, Ὁ βασιλεὺς τῶν Ἰουδαίων.

Todos os Evangelhos falam da *epígrafe* escrita, da acusação, mas nenhum deles diz as mesmas palavras exatamente. É tolice supormos que, *se reunirmos* os títulos, chegaremos ao título exato e completo. Antes, cada qual representa a "memória" que restou, e não uma descrição exata. Uma vez mais, esse ponto de divergência não importa muito, exceto para os harmonizadores, a qualquer preço, e para os céticos destruidores. (Ver o artigo existente na introdução a este comentário, sobre "A historicidade dos Evangelhos".)

É irônico. Que Jesus tenha morrido acusado de traição política é o cúmulo do absurdo e da ironia. Aquele que não tinha ambições políticas, mas que saiu fazendo o bem, foi o mais traído de todos os homens.

15:27: Também, com ele, crucificaram dois salteadores, um à sua direita, e outro à sua esquerda.
15.27 Καὶ σὺν αὐτῷ σταυροῦσιν δύο λῃστάς, ἕνα ἐκ δεξιῶν καὶ ἕνα ἐξ εὐωνύμων αὐτοῦ.7

27 ἕνα ἐκ δεξιῶν...αὐτοῦ Mt 20.21; Mc 10.37

(Ver Is 53.12.) Jesus *cumpriu* a profecia até mesmo quanto a esse detalhe. E, sem dúvida, os cristãos primitivos tomaram isso como outra indicação, entre muitas, do verdadeiro caráter messiânico de Jesus. Lemos que os romanos costumavam executar criminosos em grupos. É provável que os dois "ladrões" fossem insurgentes, pois o vocábulo grego aqui usado foi comumente empregado por Josefo com esse sentido.

> O códex Colbertino (it), em Latim Antigo, provê nomes para os dois ladrões; o da direita de Cristo é chamado *Zoathan*, e o da esquerda, *Chammatha*. (Ver também os comentários sobre Mt 27.38 e Lc 23,32.)

15.28 [E cumpriu-se a escritura que diz: E com os malfeitores foi contado].

⁷ {A} *omit verse 28* ℵ A B C D X Ψ *Lect* itᵈ·ᵏ syrˢ copˢᵃ·ᵇᵒ·ᵐˢˢ·ᶠᵃʸ·ᵛⁱᵈ Eusebian Canonsᵗˣᵗ Ammonius // *include verse 28* καὶ ἐπληρώθη ἡ γραφὴ ἡ λέγουσα, Καί, μετὰ ἀνόμων ἐλογίσθη (ver Lc 22.37; Is 53.12) K L P (Δ καὶ ἡ γραφή) Θ Π 0112 0250 *f*¹ *f*³ 28 33 700 892 1009 1010 1071 1079 1195 1216 1230 1241 1242 1253 1344 1365 1546 1646 2148 2174 *Byz* [ˡ⁰·²¹¹·⁸⁸³·¹⁶⁴²] itᵃᵘʳ·ᶜ·ff²·ˡ·ⁿ·ʳ¹ vg syrᵖ·ʰ·ᵖᵃˡ copᵇᵒ·ᵐˢˢ goth arm eth geo Ps-Hippolytusᵛⁱᵈ Origen Eusebian Canonsᵐˢˢ Vigiliusᵛⁱᵈ

> Os mais antigos e melhores testemunhos dos tipos de texto alexandrino e cesareano, não têm o v. 28. É compreensível que copistas tenham adicionado a sentença à margem, com base em Lucas 22.37, de onde entrou no próprio texto; não há razão para que, se a sentença estava presente no original, tenha sido apagada. É também significativo que Marcos, muito raramente, tenha citado de maneira categórica o AT.

V. 28. *Nota textual.* Os mss EFGHKLMPSUV, Gamma, Delta e Fam Pi, além das traduções AA, AC, F, KJ e M, conservam este versículo. A tradução BR também o inclui, embora o assinale como duvidoso, como também o faz a tradução AA, em algumas edições. Os mss Aleph, ABCDX omitem-no, como também o fazem todas as traduções, exceto as mencionadas acima. Os mss M e Delta assinalam-no como duvidoso. Sem dúvida, ele foi acrescentado a fim de fazer harmonia com o texto de Lucas 22.37, ou à base da memória, extraído de Isaías 53.12, a fim de fazer com que pareça o cumprimento de uma profecia.

15.29: E os que iam passando blasfemavam dele, meneando a cabeça e dizendo: Ah! tu que destróis o santuário e em três dias o reedificas,

NTI | Marcos | 935

15.29 Καὶ οἱ παραπορευόμενοι ἐβλασφήμουν αὐτὸν κινοῦντες τὰς κεφαλὰς αὐτῶν καὶ λέγοντες, Οὐὰ ὁ καταλύων τὸν ναὸν καὶ οἰκοδομῶν ἐν τρισὶν ἡμέραις,

29 κινοῦντες τὰς κεφαλάς Sl 22.7; 109.25; Lm 2.15 ὁ καταλύων... ἡμέραις Mc 14.58; Jo 2.19   29 Καὶ οι אABD pm d k syr sa boᵖˡ fa; Rᵗ] praem (Lc 22.37; Is 53.12) (28) Καὶ επληρωθη η γραφη η λεγουσα, Και μετα ανομων ελογισθη Θ fi f13 al lat syᵖ boᵖᶜ ς; Rᵐ

Não se duvide de que muitos foram os *insultos e apuros*. Até que ponto de profunda crueldade pode afundar a depravação humana! "Foi o grito decisivo e triunfal do mal, antes da batalha ter realmente começado. Os fatos a curto prazo estavam todos do lado dos passantes. Tudo havia terminado, exceto os gritos. Portanto, supriram os gritos. Jesus logo morreria. Estava terminado. Daí os meneios de cabeça e os escárnios: 'Ah! Se o balanço final tivesse sido feito ao pôr-do-sol, eles estariam com a razão. A igreja tem chamado a crucificação de "Boa sexta-feira" — entre os de língua inglesa, "Good friday". Todavia, no fim do dia, para os amigos de Jesus, decisivamente foi uma "Má sexta-feira" — a pior sexta-feira que já raiara. Os atos de Deus, porém, não podem ser medidos a curto prazo. As retribuições nem sempre são efetuadas até o pôr-do-sol' " (Luccock, *in loc.*).

15.30: salva-te a ti mesmo, descendo da cruz.
15.30 σῶσον σεαυτὸν καταβὰς ἀπὸ τοῦ σταυροῦ.

"*Tu, homem de milagres*; homem de *poder*. Por que não fazes um pequeno milagre agora, para te salvares?" Jesus era conhecido como homem poderoso e miraculoso. Agora usavam esse argumento contra ele. Propositalmente, olvidaram as maravilhas que ele fizera, pois agora parecia que não podia ser um homem miraculoso. Se fosse, como é que ele poderia ter chegado àquele estado? Sempre foi difícil para os cristãos primitivos explicar para os zombadores judeus, ou mesmo para os inquiridores honestos, como o grande Jesus, o Messias, poderia ter tido um fim tão triste. Certamente não esperavam um Messias dessa categoria. E que lhes escapava completamente ao entendimento a verdade de que o Messias seria o *Servo Sofredor*, embora isso seja tão claro em várias passagens do AT. Os planos de Deus sempre são maiores que as ideias humanas sobre os mesmos.

Na opinião de muitos, o proveito próprio sempre foi a única maneira de aquilatar a verdade. "Salva-te a ti mesmo...", clamaram eles. Só podiam pensar sobre a verdade em termos de como o próprio "eu" tiraria proveito. Estavam cegos para a verdade maior do fato de que Jesus "morria em favor de outros".

15.31: De igual modo também os principais sacerdotes, com os escribas, escarnecendo-o, diziam entre si: A outros salvou; a si mesmo não pode salvar;
15.31 ὁμοίως καὶ οἱ ἀρχιερεῖς ἐμπαίζοντες πρὸς ἀλλήλους μετὰ τῶν γραμματέων ἔλεγον, Ἄλλους ἔσωσεν,ᵇ ἑαυτὸν οὐ δύναται σῶσαι·ᵇ

ᵇᵇ 31 b minor, b statement: TR WH Bov Nes BF² AV RV ASV RSV NEB TT Zür (Luth) (Jer) Seg // b major, b question: RVᵐᵍ ASVᵐᵍ
31 (σωσαι].ς Rᵗ:; Rᵐ)

"Tanto em Mateus quanto em Marcos, os sacerdotes é que *lideram* a zombaria profana, ao passo que os escribas e anciãos (em Mateus), são mencionados apenas de modo subordinado [...] Um temor comum deu lugar a gracejos comuns, naquela horrenda fraternidade, agora que a causa de seus temores parecia estar removida". (Bruce, *in loc.*).

Consideremos a *baixeza* daqueles homens, que, supostamente, seriam as mais elevadas autoridades religiosas da terra! Jesus não barateou sua retidão, tornando-a isenta de abusos. Em vez disso, sofreu tudo até o sacrifício máximo. A maioria das pessoas não quer mais religiosidade do que aquela que é "segura e popular", para ser usada em público.

15.32: desça agora da cruz o Cristo, o rei de Israel, para que vejamos e creiamos. Também os que com ele foram crucificados o injuriavam.
15.32 ὁ Χριστὸς ὁ βασιλεὺς Ἰσραὴλ καταβάτω νῦν ἀπὸ τοῦ σταυροῦ, ἵνα ἴδωμεν καὶ πιστεύσωμεν. καὶ οἱ συνεσταυρωμένοι σὺν αὐτῷ ὠνείδιζον αὐτόν.

Por muitas vezes, tinham pedido *sinais*. A vida de Jesus, no entanto, foi o maior sinal de todos. Em comparação com ele mesmo, seus milagres foram insignificantes, por maiores que tenham sido. Nem mesmo se ele tivesse descido miraculosamente da cruz teriam crido nele. O ceticismo acha-se na esfera das trevas mentais e espirituais, e não é mera questão de atitude mental. Raramente se dispõe a aprender. Novas ideias são finalmente aceitas; mas não pela geração mais antiga, e, sim, porque aquela geração desaparece e cresce uma nova, já adaptada para as novas ideias.

15.33-41 — *Morte de Jesus* (Ver as notas relativas a esta seção, em Mt 27.45-56. Ver também as passagens de Mc 23.44-49 e Jo 19.28-30.)

Zombaram de Jesus, fazendo contraste entre seus títulos de "*Cristo*" e de "*Rei*" com sua situação então miserável. Alegraram-se naquela miséria e desamparo. Nisso pode-se ver a depravação ilimitada deles. É como se tivessem dito: "Vinde ver. Observai essa estupidez. Um Cristo crucificado, um Rei agonizante!" Pouquíssimos judeus, em sua porcentagem, chegaram a aceitar o Messias como Servo Sofredor.

"Podiam ver o aparente absurdo da posição de Jesus, mas não a insensatez das ideias deles, de que um ato de poder haveria de transformar um fariseu bitolado, formal, um hipócrita legalista, em um homem espiritual, que simpatizasse com os princípios e propósitos de Cristo". (Gould, *in loc.*).

N. B.: Nos casos em que Mateus e Marcos têm textos paralelos, a exposição se apresenta em Mateus; em Marcos, encontram-se apenas algumas notas suplementares.

15.33: E, chegada a hora sexta, houve trevas sobre toda a terra, até a hora nona.
15.33 Καὶ γενομένης ὥρας ἕκτης σκότος ἐγένετο ἐφ' ὅλην τὴν γῆν ἕως ὥρας ἐνάτης.

33 Am 8.9

Quanto à controvérsia devido ao fato de que João diz que a hora da crucificação foi o "meio-dia", mas que Marcos diz ter sido às 9 horas, ver João 19.14. Notas adicionais, com ideias que buscam reconciliar as duas narrativas, são dadas em Mateus 27.36, na nota sobre Marcos 15.25. Aqui encontramos mais duas designações cronológicas, fazendo o drama perdurar por seis horas, o que foi tempo curtíssimo para uma crucificação. Jesus, entretanto, sofrera uma longa *série* de abusos, ao ponto de não poder levar o travessão horizontal de sua cruz; e por isso sucumbiu facilmente ante as agonias da cruz.

As trevas aqui referidas fazem-nos lembrar de Amós 8.9 e Isaías 60.2. Vários mitos antigos falam de fenômenos estranhos, quando da morte de grandes homens. Entretanto, neste caso, rejeitamos a ideia de uma *invenção*, como se a igreja primitiva houvesse criado essa característica da história, o que teria sido sugerido pelo AT ou por antigas lendas heroicas do paganismo. A vida de Jesus foi acompanhada de muitos fenômenos. O próprio Jesus foi maior do que qualquer fenômeno que tivesse acompanhado sua vida ou sua morte. Deus irrompeu em meio à humanidade, na pessoa de Cristo; e, estando Deus no quadro, qualquer coisa é possível. Ver notas completas sobre as *trevas*, em Mateus 27.45.

15.34: E, à hora nona, bradou Jesus em alta voz: Eloí, Eloí, lamá sabactani? que, traduzido, é: Deus meu, Deus meu, por que me desamparaste?
15.34 καὶ τῇ ἐνάτῃ ὥρᾳ ἐβόησεν ὁ Ἰησοῦς φωνῇ μεγάλῃ, Ελωι ελωι λεμα σαβαχθανι; ὅ ἐστιν μεθερμηνευόμενον Ὁ θεός μου ὁ θεός μου, εἰς τί ἐγκατέλιπές με⁸;

936 | Marcos | NTI

---

34 Ελωι...με Sl 22.1

[8] 34 {B} ἐγκατέλιπές με (ver Sl 22.2; Mt 21.2, LXX) ℵ B Ψ 059 0112 (L 565 892 ἐγκατέλιπες) vg syr^{s,p} cop^{sa,bo,fay} geo? Valentinians^{acc.to.Irenaeusgr and Justin} Eusebius Epiphanius // με ἐγκατέλειπες (ver Mt 27.46) C P X Δ Θ (A Π ἐγκατέλειπες) Π² f¹³ 28 700 1010 1071 1079 1195 1216 1230 1241 1242 1253 1344 1365 1546 1646 2148 2174 Byz Lect it^{aur,d,ff2,l,n} goth arm? geo? Irenaeus^{lat} // με ἐγκατέλειπας K 1009 (33 ἐγκατέλιπας) (l^{ro}) arm? // ὠνείδισάς με D^{gr} it^{c,i} syr^h Porphyry mss^{acc.to Macarius}

34 Ελωι] Ηλι DΘ it | λαμα BDΘ I pc it; R] λεμα ℵ al: λιμα A f13 700 al: λειμα 28 al: λαμμα vg ς | σαβαχθανει] ζαφθανει D d: ζαβαφθανει B

> A forma ηλει ηλει de D Θ (59 ελει) 0192 (131 ηλι) 565 *al* representa o hebraico אֵלִי ("*meu Deus*") e foi assimilada ao paralelo de Marcos 27.46. A grande maioria dos manuscritos unciais e minúsculos dizem ελωι ελωι, o que representa o aramaico אֱלָהִי ("*meu Deus*"), em que a letra ω substitui o som *a*, devido à influência do hebraico אֱלֹהָי.
>
> A soletração λεμα (ℵ C L Δ Ψ 72 495 517 579 1342 1675 *al*), representa o aramaico לְמָא ("por quê?") que também deve ser entendido, provavelmente, como o termo por detrás de λιμα (A K M P U X Γ Π f¹³ 33 106 118 131 209 543 697 700 1270 *al*), ao passo que λαμα (B D N Θ Σ 1 22 565 1295 1582 *al*) representa o hebraico לָמָה ("por quê?").
>
> Todos os manuscritos gregos, exceto o códex Bezae, dizem σαβαχθαν ou algo similar (αιβακθανει, A; ζαβαφθανει, B; ασβαχθανει, C *al*), o que representa o aramaico שְׁבַקְתַּנִי ("tu me esqueceste"). A forma ζαφθανι de D (o it^d diz *zaphthani*; o it^k diz *zaphani*; o it^{ff2} diz *sapthani*; o it^i diz *izrthani*) é uma correção erudita que representa o original hebraico de Salmos 22.1, עֲזַבְתָּנִי ("tu me tens abandonado"). [1]
>
> Assim, no texto preferido pela comissão, a declaração inteira representa um original aramaico, ao passo que o paralelo de Mateus é parcialmente hebraico e parcialmente aramaico (ver os comentários sobre Mt 27.46.)
>
> Talvez seja mais provável que copistas tenham alterado ἐγκατέλιπές με para concordar com a forma de Mateus με ἐγκατέλιπῆς (Mt 27.46), do que terem modificado as palavras με ἐγκατέλιπες para ἐγκατέλιπες με, para concordar com Salmos 22.2, na LXX.
>
> A forma de D (apoiada por uns poucos testemunhos ocidentais[2]), ὠνείδισάς με ("(*Por que*) tu me repreendeste (ou insultaste)?") pode ter sido substituída pela forma usual por alguém que não podia entender como Deus poderia ter abandonado Jesus na cruz.

[1]. Talvez não seja de surpreender que a maioria dos testemunhos tenham perdido o som "*a*" inicial (com o "*ain*"), pois vem imediatamente após a vogal final de λαμα. Por outro lado, é notório que uma vogal tenha persistido no ms Latim Antigo i e no lecionário Eslavônico Antigo (o Ostromir Lectionário, 1056-57 d.C.); quanto a este último, ver Pavel Vyskoeil, "**.434С'ТАННН** v *Ostromirove evangeliári*", *Slavia. Casopis pro slouanskou filologii*, xxxii (1963), p. 395-97. Segundo a informação gentilmente dada a este escritor pelo prof. Josef B. Soucek, o Lectionário Ostromir contém o grito de angústia por duas vezes, ambas em perícopes extraídas do texto do evangelho de Mateus (Mc 15.34 não aparece no Lectionário); em um caso (folio 190), a palavra em foco é soletrada *azau'tanii*, e em outro (folio 200), é soletrada como no hebraico, apenas com um "i".

[2]. Os três manuscritos do Latim Antigo que apoiam, cada qual a seu modo, a forma de D(gr): *exprobasti me*, it(c); *me in opprobrium dedisti*, it(i); *e me maledixisti*, it(k).

Jesus ficou na cruz por *seis* horas, ou menos que isso, um período comparativamente curto para uma crucificação, já que nenhum órgão vital era afetado naquela maneira imensamente cruel de matar. A crucificação equivale à *morte por tortura*. As evidências arqueológicas mostram que um homem foi assentado sobre uma espécie de barra, cravado a uma cruz, e que assim suportou a maior parte do seu peso. Um homem pendurado na posição vertical logo se sufocaria, pois seus órgãos não poderiam suportar a tensão. Portanto, se alguns executados na cruz conseguiram durar dias, doze horas eram a média. Josefo, após a queda de Jerusalém, quando um número incontável de judeus foi crucificado pelos romanos, encontrou três de seus amigos ainda vivos nas cruzes respectivas, evidentemente, 'vários dias' após terem sido ali crucificados. Ele os tirou do suplício; mas dois deles morreram nas mãos dos médicos. (Vida, 75).

O *grito de desamparo* é uma das sete afirmativas tradicionais de Jesus, proferidas na cruz. Marcos registra apenas esta declaração, juntamente com o grito de agonia (em que foi dito), quando Jesus expirou. No entanto, tendo Jesus estado consciente por três horas inteiras, pelo menos, não se pode duvidar do que os outros evangelistas declararam. Devemos lembrar que esses relatos vieram de várias fontes, e não de uma só; e há muitos suplementos de detalhes. (Ver as notas em Mt 27.50, onde há uma lista de sete declarações.)

Tomamos este grito de desamparo como *autêntico*, e não como interpretação de Salmos 22.2, o salmo da paixão, que teria sido injetado em um mero grito inexpressivo de agonia. Igualmente insensata é aquela interpretação que diz que Jesus não se poderia ter sentido desamparado, e nem poderia ter soltado esse grito, porque isso não seria possível para um judeu piedoso. Poucos judeus sofreram as agonias de Jesus, e qualquer homem, sob tal miséria, se sentiria abandonado por Deus. A fé *recompõe-se* com o tempo, a despeito dos horrores das circunstâncias; mas qualquer indivíduo está sujeito a esses sentimentos de abandono. Naturalmente, isso não significa que Jesus estivesse, de fato, abandonado. Pelo contrário, naquele instante estava sendo aceito, e, juntamente com ele, toda a humanidade. Desnecessário é dizer que muita controvérsia teológica se tem centralizado em torno desse "grito de desamparo". Pelo menos isso ilustra sua autêntica humanidade, e como veio participar dos mais profundos sofrimentos humanos. O fato de que foi o "carregador do pecado" também faz parte desse senso de abandono, pois ele carregava consigo imensa miséria espiritual, e não somente um sofrimento físico.

Notemos que as palavras de Marcos, aqui, são essencialmente *aramaicas*, ao passo que Mateus apresenta seus equivalentes hebraicos. Por isso é que ali lemos "eloi" em lugar de "eli".

V. 34. *Nota textual*. O códex D e as versões latinas c e i, além dos escritos de Porfírio (pai da Igreja do século IV d.C.), dizem "[...] me envergonhaste..." ou "[..] .me repreendeste..." Essa variante, porém, apesar de curiosa, não reflete o original. Em nenhum manuscrito, o paralelo, em Mateus 27.46, contém essa variante.

15.35: Alguns dos que ali estavam, ouvindo isso, diziam: Eis que chama por Elias.

15.35 καί τινες τῶν παρεστώτων ἀκούσαντες ἔλεγον, Ἴδε Ἠλίαν φωνεῖ.

Não é impossível que alguns dos circunstantes romanos, tendo vivido por algum tempo em Jerusalém, e que estavam familiarizados com a história de Elias, tivessem interpretado desse modo as palavras de Jesus. Ou circunstantes judeus poderiam ter feito essa observação. Jesus, clamando em meio à agonia, pode ter atropelado um pouco as suas palavras, pelo que foram mal-entendidas até pelos judeus. Ou então, conforme tem sido sugerido por alguns, zombaram ainda mais de Jesus, distorcendo propositalmente as suas palavras.

15.36: Correu um deles, ensopou uma esponja em vinagre e, pondo-a numa cana, dava-lhe de beber, dizendo: Deixai, vejamos se Elias virá tirá-lo.

15.36 δραμὼν δέ τις [καὶ] γεμίσας σπόγγον ὄξους περιθεὶς καλάμῳ ἐπότιζεν αὐτόν, λέγων, Ἄφετε ἴδωμεν εἰ ἔρχεται Ἠλίας καθελεῖν αὐτόν.

36 γεμίσας...ἐπότιζεν αὐτόν Sl 69.21; Mt 27.34; Mc 15.23; Lc 23.36
36 γεμίσας]p) πλησας DΘ

Este versículo parece indicar que pelo menos alguns dos que ouviram o grito de desamparo realmente tivessem pensado que Jesus chamara por *Elias*, e que talvez este viesse mesmo a responder a seu chamado. O fato de chegarem a pensar isso por um momento mostrou que continuavam admirando a Jesus, até mesmo em sua hora de maior miséria.

Pelo menos um dos circunstantes teve dó de Jesus; e quis dar algo a Jesus para beber, naquele momento. Isso, porém, foi entravado por outros, que virtualmente disseram: "Não te metas nisso. Deixa Elias vir ajudá-lo, se quiser".

15.37: Mas Jesus, dando um grande brado, expirou.

15.37 ὁ δὲ Ἰησοῦς ἀφεὶς φωνὴν μεγάλην ἐξέπνευσεν.

Marcos *nada indica* sobre o ato "voluntário" de Jesus, mediante o qual ele entregou o espírito a Deus Pai. Fala somente de um estertor. Quanto é humano o relato de Marcos! Contudo, o estertor da morte foi a entrada do espírito ao Criador dos espíritos. E nas mãos do Pai o espírito de Cristo estava seguro. O coração físico de Jesus rompeu-se ante esse clamor? Não sabemos dizê-lo, mas alguns pensam que assim aconteceu.

O grito da morte foi um clamor de vitória. De fato, grande é a vitória quando o espírito retorna *aos mundos da luz*, e tanto mais quando isso ocorre "em meio à grande agonia". O centurião ficou impressionado (v. 39ss) sobre a maneira pela qual Jesus morreu como grande herói. Não sabemos dizer que fatores exatos participaram disso, mas aquela não foi uma morte ordinária, a sua maneira de morrer não foi comum. Os circunstantes reconheceram isso. Jesus fortalecera-se a si mesmo, após o grito de desamparo.

15.38: Então o véu do santuário se rasgou em dois, de alto a baixo.

15.38 Καὶ τὸ καταπέτασμα τοῦ ναοῦ ἐσχίσθη εἰς δύο ἀπ᾽ ἄνωθεν ἕως κάτω.

38 Hb 10.19,20

O "*Véu rasgado*" sugere (conforme se vê na exposição de Mateus) diversas *lições*. Uma das principais lições é que o "caminho para a presença de Deus" está agora aberto. Em Cristo Jesus, há *pleno acesso*, o que fora velado no judaísmo. (Quanto à teologia que circunda isso, ver as notas em Hb 10.20 e no contexto geral.) O real acesso a Deus vem por meio da infusão da própria natureza do Filho de Deus nos demais filhos de Deus, pois assim são conduzidos à glória divina (ver Hb 2.10). Isso significa ser elevado a uma posição de glória, muito acima dos anjos (ver Ef 1.23), e envolve a participação na própria natureza divina (ver 2Pe 1.4). (Ver Cl 2.10 e Ef 3.19, sobre como os homens haverão de participar de "toda a plenitude de Deus", por meio de Cristo, pois essa lhes será transmitida. Ver João 5.25,26, sobre como chegamos a participar da própria "forma de vida" de Deus, mediante Cristo, mediado pela ressurreição. Portanto, temos um destino indizivelmente elevado, que ultrapassa infinitamente ao mero perdão dos pecados e à futura mudança de endereço para os céus.

15.39: Ora, o centurião, que estava defronte dele, vendo-o assim expirar, disse: Verdadeiramente este homem era filho de Deus.

15.39 Ἰδὼν δὲ ὁ κεντυρίων ὁ παρεστηκὼς ἐξ ἐναντίας αὐτοῦ⁹ ὅτι οὕτως ἐξέπνευσεν¹⁰ εἶπεν, Ἀληθῶς οὗτος ὁ ἄνθρωπος υἱὸς θεοῦ ἦν.

⁹**39** {B} ἐξ ἐναντίας αὐτοῦ ℵ A B C K L X Δ Π Ψ 0112 *f*¹³ 28 33 700 892 1009 1010 1071 1079 1195 1216 1230 1241 1242 1253 1344 1365 1546 1646 2148 2174 *Byz Lect* it^(aur),c,ff²,(k),(l) (vg) syr^h cop^sa,bo,fay goth Augustine // αὐτῷ W *f*¹ syr^s,p eth geo // ἐκεῖ D Θ 565 it arm Origen^lat

¹⁰**39** {C} ὅτι οὕτως κράξας ἐξέπνευσεν A C K X Δ Π *f*¹ *f*¹³ 28 33 700 1009 1010 1071 1079 1195 1216 1230 1241 1242 1253 1344 1365 1546 1646 2174 *Byz Lect* it^aur,c,ff²,(i),l,n,q vg syr^p,h goth eth Augustine // ὅτι οὕτως ἐξέπνευσεν ℵ B L Ψ 892 (2148 cop^bo *omit* οὕτως) cop^sa,fay // ὅτι κράξας ἐξέπνευσεν W Θ 565 syr^s arm geo Origen^lat // οὕτως αὐτὸν κράξαντα καὶ ἐξέπνευσεν D (it^d) *quia sic exclamuit* it^k

⁹ Vários testemunhos alteram, por razões de estilo, a construção elíptica, ἐξ ἐναντίας αὐτοῦ,³ substituindo-a por αὐτῷ ou por ἐκεῖ (D Θ *al*).

¹⁰ Embora os testemunhos que incluem κράξας, ou seu equivalente sejam diversificados e generalizados, ao passo que aqueles nos quais essa palavra se faz ausente são principalmente de um só tipo de texto (o alexandrino), a maioria da comissão preferiu a forma mais breve, reputando o particípio como antiga interpolação feita com base em Mateus 27.50.

3. Cf. Blass-Drubrunner-Funk, parágrafo 241 (1).

A narrativa é *menos adornada* que a de Mateus. O terremoto, as ressurreições etc figuram no relato ali. Seja como for, o que sucedeu bastou para *convencer* o centurião, que liderava o grupo de soldados, diante da cruz, que algo imenso e importante acabara de suceder. Ele não fez a "confissão evangélica" sobre a divindade de Cristo, conforme alguns intérpretes têm forçado o texto a dizer. Entretanto, viu algo mais do que humano, no modo com que Jesus morreu. O mais provável é que sua declaração possa ser traduzida por: "Em verdade, este era filho de um deus". E isso faria de Jesus (conforme a concepção pagã do centurião) uma espécie de *herói*, conforme se via na antiga literatura grega e latina. Um herói era uma espécie de "meio-deus", homem que tivesse pai que era deus e mãe humana, ou mãe deusa e pai humano. O uso que Marcos fez da declaração do centurião, porém, visou a impressionar os leitores com o fato de que até um pagão, na hora da maior derrota aparente de Jesus, viu algo extremamente incomum na ocorrência, dispondo-se a ver nele algo de divino, ainda que segundo suas concepções pagãs. Se um soldado pagão e endurecido pode assim falar acerca de Jesus, embora ficasse aquém de sua verdadeira identidade, não é difícil aceitar seu "caráter messiânico" e sua "missão divina", tendo os Evangelhos sido escritos nesse sentido. (A "divindade de Cristo" é uma doutrina do NT, o que é comentado em Hb 1.3.)

15.40: Também ali estavam algumas mulheres olhando de longe, entre elas Maria Madalena, Maria, mãe de Tiago, o Menor, e de José, e Salomé;

15.40 Ἦσαν δὲ καὶ γυναῖκες ἀπὸ μακρόθεν θεωροῦσαι, ἐν αἷς καὶ Μαρία ἡ Μαγδαληνὴ καὶ Μαρία ἡ Ἰακώβου τοῦ μικροῦ καὶ Ἰωσῆτος μήτηρ καὶ Σαλώμη,

40,41 γυναῖκες...διηκόνουν αὐτῷ Lc 8.2,3   40 Ἰωσῆτος ℵ^c B D Θ *f*₃] Ιωση ℵ^* A W *28 700 pl* sy^p sa ς; R: Ioseph lat sy^s

Que caso estranho! Na hora da crise, quem ficou com Jesus? Algumas poucas *mulheres*, e somente o apóstolo João, entre os homens, o que é mencionado no quarto evangelho (ver Jo 19.26). E onde estavam os homens? A maioria deles se escondeu, por temerem perder a vida. Pensemos na vergonha daquela circunstância. Todavia, assim sucede até hoje. As mulheres, essencialmente, com seus filhos, é que mostram o maior interesse pela igreja. Há evidência de que as mulheres tendem por ser mais puras de alma e mais sujeitas aos impulsos espirituais do que os homens. Pelo menos, como uma classe, as mulheres se têm aproveitado melhor das oportunidades espirituais do que os homens.

O Deus *da segunda oportunidade*: Os discípulos homens, entretanto, voltaram e foram restaurados, para nunca mais hesitar. Deus é Deus da segunda oportunidade. Sem isso, onde estaríamos hoje?

Aquelas mulheres estavam diante da cruz; contemplaram o sepultamento (v. 47); viram o túmulo vazio (Mc 16.1-6). Sem dúvida, foram elas algumas das *testemunhas oculares* que preservaram para nós a história daqueles eventos momentosos.

Atos finais de devoção. Realmente estavam impotentes, em face das brutais circunstâncias. No entanto, fizeram o que puderam. Emprestaram a Jesus sua simpatia. E jamais perderão sua recompensa por isso.

938 | Marcos | NTI

V. 40. *Nota textual.* A palavra "[...] Joses..." (que aparece em algumas traduções, como o a KJ), figura nos mss Aleph (1), AW, 28, 700 e nas versões Si (p) e saídica, bem como na maioria dos manuscritos mais recentes. "José" é o vocábulo que se lê nos mss Aleph (3), BD, Theta, Fam 13, na maioria das versões latinas e no Si (s). Muito provavelmente esta última palavra representa o texto correto.

15.41: as quais o seguiam e o serviam quando ele estava na Galileia; e muitas outras que tinham subido com ele a Jerusalém.

15.41 αἳ ὅτε ἦν ἐν τῇ Γαλιλαίᾳ ἠκολούθουν αὐτῷ καὶ διηκόνουν αὐτῷ, καὶ ἄλλαι πολλαὶ αἱ συναναβᾶσαι αὐτῷ εἰς Ἱεροσόλυμα.

A caravana, vinda da *Galileia* para Jerusalém, trazendo muitos peregrinos à festa, incluiu grande número dos discípulos de Jesus, entre os quais muitas mulheres. Acompanharam Jesus até o fim, e tornaram-se fontes de informação sobre a história maravilhosa. Elas o tinham servido bem na Galileia, durante todo o seu ministério. O texto de Lucas 8.3 indica que certas mulheres tinham sido a fonte de sustento de Jesus e seus discípulos, quando ministravam na Galileia. Eram firmes em seu propósito de servir. Fizeram o que puderam, *até o fim.*

15.42-47 — *Sepultamento de Jesus.* (Quanto a notas sobre esta seção, ver o texto de Mt 27.57-61. Consultar, igualmente, as passagens de Lc 23.50-56 e Jo 19.38-42.)

N. B.: Nos casos em que Mateus e Marcos têm textos paralelos, a exposição se apresenta em Mateus; em Marcos, encontram-se apenas algumas notas suplementares.

15.42: Ao cair da tarde, como era o dia da preparação, isto é, a véspera do sábado,

15.42 Καὶ ἤδη ὀψίας γενομένης, ἐπεὶ ἦν παρασκευή, ὅ ἐστιν προσάββατον,

Notemos como este versículo *prova*, além de qualquer dúvida, que a *sexta-feira* foi o dia da crucificação. (Ver essa questão discutida em Mt 27.1, onde são dadas várias provas sobre isso.) O dia da preparação era a sexta-feira, pois nesse dia se faziam os preparativos para o sábado. Era preparação muito especial, pois aquela era a época da Páscoa.

15.43: José de Arimateia, ilustre membro do sinédrio, que também esperava o reino de Deus, cobrando ânimo foi a Pilatos e pediu o corpo de Jesus.

15.43 ἐλθὼν Ἰωσὴφ [ὁ] ἀπὸ Ἀριμαθαίας εὐσχήμων βουλευτής, ὃς καὶ αὐτὸς ἦν προσδεχόμενος τὴν βασιλείαν τοῦ θεοῦ, τολμήσας εἰσῆλθεν πρὸς τὸν Πιλᾶτον καὶ ᾐτήσατο τὸ σῶμα τοῦ Ἰησοῦ.

43 ο απο] απο **BD** *28 al* latt sy⁸ bo^pc | σωμα] πρωμα **D** k sy⁸

"Era violação da lei e dos sentimentos judaicos deixar os corpos crucificados na cruz noite adentro (ver Dt 21.22,23; cf. Josefo, *Guerras dos Judeus*, IV.5.2), e especialmente em dia de sábado (v. 42; cf. Jo 19.31); a ideia primitiva era de que corpos pendurados amaldiçoavam a terra. Outrossim, era reconhecido e um costume altamente recomendado entre os piedosos sepultar até mesmo um estrangeiro morto, ou seja, aqueles sem família e sem amigos, conforme o livro de Tobias ilustra de modo notável". (Grant, *in loc.*).

Ação atrasada, mas *ousada*: José, que não era um dos discípulos *imediatos* de Jesus, cuidou do sepultamento de Jesus. Já foi chamado de "discípulo das trevas" e "discípulo do lusco-fusco", porquanto, até então, seguira a Jesus apenas secretamente. Todavia, quando do julgamento de Jesus, ele se manifestou em sua defesa e agiu com singular coragem; e aqui se adiantou ousadamente para cuidar do sepultamento de Jesus, algo pelo que ele teria sido severamente criticado pelos demais membros do Sinédrio. Portanto, na realidade, parece que ele tinha mais coragem que todos os demais, pelo que podemos olvidar seu silêncio anterior. Com demasiada frequência, é nas "crises" que os homens fazem silêncio, embora, antes disso, se tornem vocíferos sobre suas boas ações e propósitos.

15.44: Admirou-se Pilatos de que já tivesse morrido; e chamando o centurião, perguntou-lhe se, de fato, havia morrido.

15.44 ὁ δὲ Πιλᾶτος ἐθαύμασεν εἰ ἤδη τέθνηκεν, καὶ προσκαλεσάμενος τὸν κεντυρίωνα ἐπηρώτησεν αὐτὸν εἰ πάλαι11 ἀπέθανεν·

¹¹ **44** {C} εἰ πάλαι ℵ A C K L X Π Ψ f¹ f¹³ 28 33 700 892 1010 1071 1079 1195 1216 1230 1241 1242 1253 1344 1365 1546 1646 2148 2174 *Byz Lect* syr^p.h cop^sa (geo¹⁷) Theodoret // εἰ ἤδη B D W Δ Θ 1009 ^f⁶⁹,1127 it^aur,c,d,ff²,k,l,n,q vg syr^pal cop^bo?fay? goth arm geo^(1?).2 Origen^lat Theophylact // εἰ 544 syr⁸ Diatessaronⁿ // *and said, "Is he truly already dead?"* arm

Embora a forma πάλαι talvez possa ter surgido por meio do desejo de evitar a repetição de – ἤδη na sentença, é mais provável que copistas, sentindo que πάλαι era um tanto imprópria para o contexto, buscaram melhorar a passagem substituindo-a por ἤδη. Vários manuscritos que dizem ἤδη (incluindo D W Θ) também alteram para o tempo perfeito.

A morte por crucificação, em média, tomava *doze* horas. Algumas vítimas aguentavam o sofrimento por dias, já que nenhum órgão vital era afetado. Portanto, não é de admirar que Pilatos, que já vira muitas mortes por crucificação, tenha ficado surpreendido diante da morte de Jesus em *seis* horas, ou menos que isso. Pilatos tinha de certificar-se de que Jesus realmente morrera. Não seria impossível remover um corpo vivo da cruz e trazê-lo de volta à saúde. Pilatos ficou satisfeito ao ter a certeza de que Jesus realmente morrera. Isso é importante no quadro da doutrina da ressurreição. Pois alguns têm crido que Jesus apenas desmaiara e entrara em estado de coma, para mais tarde reviver. Isso poderia ser dito como uma "ressurreição". (Ver Lc 24.6, quanto to a uma ampla discussão sobre as teorias que circundam o "modo" da ressurreição de Jesus.)

15.45: E, depois que o soube do centurião, cedeu o cadáver a José;

15.45 καὶ γνοὺς ἀπὸ τοῦ κεντυρίωνος ἐδωρήσατο τὸ πτῶμα τῷ Ἰωσήφ.

45 πτωμα ℵBDΘ *565* sy⁸; R] σωμα **AW** f¹ f¹³ 28 *700 pl* latt ς

O nobre propósito estava cumprido, e com a ajuda de *pagãos*. O propósito de Deus em nós opera com poder, enquanto formos honestos e desejarmos cumprir nossa missão.

"[...] corpo..." Os manuscritos mais antigos, Aleph, BDL, Theta e Si dizem "*ptoma*", "*carcaça*", "*cadáver*". Os escribas piedosos, porém, em AW Fam 1 Gam 13, e na maioria dos manuscritos gregos posteriores, bem como nas versões latinas, modificaram essa palavra brutal para a mais suave: "*corpo*". A palavra mais crua, porém, é melhor. Jesus estava morto. Seu ser físico estava reduzido a um mero cadáver, devido à maldade de homens ímpios e desvairados.

15.46: o qual, tendo comprado um pano de linho, tirou da cruz o corpo, envolveu-o no pano e o depositou num sepulcro aberto em rocha; e rolou uma pedra para a porta do sepulcro.

15.46 καὶ ἀγοράσας σινδόνα καθελὼν αὐτὸν ἐνείλησεν τῇ σινδόνι καὶ ἔθηκεν αὐτὸν ἐν μνημείῳ ὃ ἦν λελατομημένον ἐκ πέτρας, καὶ προσεκύλισεν λίθον ἐπὶ τὴν θύραν τοῦ μνημείου.

46 καθελὼν...μνημείῳ At 13.29   46 μνηματι ℵ B *1342.*] *p*) μνημειω *rell* ς; R

O texto de Mateus 28.6 traz uma discussão sobre a famosa "*mortalha de Turim*", a qual talvez seja uma relíquia autêntica, isto é, o próprio lençol de linho mencionado. No momento (fins de 1974), outra investigação está sendo feita, para saber se esse lençol data realmente dos dias de Jesus. Há muita coisa favorável à sua "autenticidade".

A investigação mostrou (estou escrevendo esta nota em 1978) que o lençol podia ter sido fabricado no tempo de Jesus.

"Há um aspecto *terrível* de fim nas tumbas. Contudo, é um fim enganoso. *Nenhuma* pedra será jamais o último ato, quando é rolada contra qualquer evento do qual Deus tem parte. Há tantas coisas, na vida e na história, acerca das quais parece nada se poder fazer senão fechá-las, como o túmulo foi fechado — fracassos, derrotas e frustrações. O capítulo terminou. O bom começo que fizemos em nome de Deus terminou em desastre. Que se role uma pedra e se feche tudo. A história, porém, mostra que Deus nunca dá atenção a pedras. Os fins, na terra, nunca pertencem a Deus. Ele tem muitos modos de abrir túmulos fechados. Às vezes, nasce uma criança, e é quanto basta. Algumas vezes é semeada uma semente — e ela amadurece e cresce. Algumas vezes, uma força pronunciada morta ressuscita. Vemos isso na vida pessoal. Muitos pastorados já foram tidos como falidos por algum ministro desencorajado, somente para que, quarenta anos mais tarde, se transforme em uma vitória triunfal, devido à contribuição feita à vida de algum jovem. Pode-se ver isso na história. Roma rolou uma imensa pedra contra o túmulo onde foi sepultada a minúscula igreja cristã. Tenhamos fé em Deus, e *não nas pedras*!" (Luccock, *in loc.*).

15.47: E Maria Madalena e Maria, mãe de José, observavam onde fora posto.

15.47 ἡ δὲ Μαρία ἡ Μαγδαληνὴ καὶ Μαρία ἡ Ἰωσῆτος ἐθεώρουν ποῦ τέθειται.

47 Ιωσητος ℵ^{c}**B** f1 f13 *565 k*] Ιωση **W** *28 700 pl* ς; R: Ιακωβου **D** *pc* it sy^{s}: Ιακ. και Ιωσητος Θ (c): Ιωσηφ **A** *pc* lat | εθεωρουν] εθεασαντο **DΘ** | που] τον τοπον οπου **D** it

É triste quando uma pessoa morre *sozinha*, sem amigos e sem parentes que estejam em seu sepultamento. Algumas vezes, a vida humana leva uma pessoa a esse desespero final. A *Jesus* foi poupado isso. José sepultou-o ternamente, em seu próprio túmulo. Algumas poucas mulheres fiéis observaram isso, e tiveram a oportunidade de embalsamar o corpo de Jesus. A tragédia com frequência é aliviada por alguma demonstração de simpatia humana. Aqueles que mostram essa simpatia têm aprendido algo do amor de Deus, o perfume da vida humana.

Capítulo 16

4. A RESSURREIÇÃO DE JESUS – 16. 1-8 (Ver as notas expositivas relativas a esta seção, em Mt 28.1-10. Consultar, igualmente, Lc 24.1-12, onde há pormenores adicionais, bem como o texto de Jo 20.1-10. Ver as notas em Lc 24.6, onde se alistam as diversas teorias sobre o modo da ressurreição de Jesus.)

16.1: Ora, passado o sábado, Maria Madalena, Maria, mãe de Tiago, e Salomé, compraram aromas para irem ungi-lo.

16.1 Καὶ διαγενομένου τοῦ σαββάτου1 Μαρία ἡ Μαγδαληνὴ καὶ Μαρία ἡ [τοῦ] Ἰακώβου καὶ Σαλώμη[1] ἠγόρασαν ἀρώματα ἵνα ἐλθοῦσαι ἀλείψωσιν αὐτόν.

[1] **1** {A}διαγενομένου τοῦ σαββάτου...καὶ Σαλώμη ℵ A B C K L W Δ Π Ψ f^{1} f^{13} 28 33 565 700 892 1009 1010 1071 1079 1195 1216 1230 1241 1242 1253 1344 1365 1546 1646 2148 2174 *Byz Lect* it^{l,q} vg syr$^{(s),p,h}$ cop^{sa,bomss} (goth) geo // διαγενομένου τοῦ σαββάτου...καὶ Σαλώμη πορευθεῖσαι Θ it^{aur,c,ff2} syr^{pal} cop^{bo} arm // πορευθεῖσαι D it$^{d,(k),n}$

A omissão em D it^{k} dos nomes das duas mulheres (que são identificadas na sentença anterior) é claramente feita a interesse da simplificação, e da omissão em D it^{d,n} da menção da passagem do sábado permite a compra das especiarias na sexta-feira (similarmente a Lc 23.56). A esmagadora preponderância da confirmação de todos os demais testemunhos apoia o texto adotado pela comissão.

(Quanto ao que se sabe sobre essas mulheres, ver Mt 27.56,61, e uma nota sobre as "Marias" do NT, em Jo 11.1.)

É bem provável que a *perícope*, originalmente fosse independente, e, tal como as várias outras unidades que podem ser distinguidas nos Evangelhos, tenha vindo a ser incorporada na História Maravilhosa.

Encontrando o *inesperado*: "Essas mulheres, que figuram com tanto destaque nas narrativas da ressurreição, retratam poderosamente o amor, que não termina com a morte. Elas amaram a Jesus para além do fim. Procuraram fazer-lhe a última reverência possível. Em sua triste jornada de fidelidade, porém, tiveram uma surpresa. A fidelidade tem a sua maneira de topar com surpresas. Quando alguém prossegue fielmente com seus deveres, fazendo tudo mesmo em termos de trevas, desapontamentos ou derrota, aquilo que com frequência é apenas um pouco de devoção a Cristo, transforma-se no inesperado. Novas forças, o conforto de corações fortalecidos; a nova consciência da presença do Carregador de Fardos, que segue conosco; o caminho aberto em meio a obstáculos aparentemente insuperáveis — todas essas surpresas divinas têm sido encontradas ao longo da estrada da fidelidade". (Luccock, *in loc.*).

"[...] compraram..." Compraram especiarias, para que, misturadas com azeite, pudessem ungir mais perfeitamente o corpo do Senhor Jesus. O aoristo subentende que essa compra foi feita no primeiro dia da semana. Lucas 23.56 aponta para a noite da sexta-feira anterior. Os harmonizadores (Grotius etc.) buscam reconciliação ao pensar que o verbo grego *"agorazo"* esteja no mais-que-perfeito. 'Após o pôr-do-sol, havia um vívido comércio, feito entre os judeus, porque nenhuma compra podia ser feita no sábado' (Schanz)". (Bruce, *in loc.*).

"O processo não foi um *embalsamento*, que era desconhecido para os judeus; apenas uma *unção*. (Gould, *in loc*).

16.2: E, no primeiro dia da semana, foram ao sepulcro muito cedo, ao levantar do sol.

16.2 καὶ λίαν πρωῒ τῇ μιᾷ τῶν σαββάτων ἔρχονται ἐπὶ τὸ μνημεῖον ἀνατείλατος τοῦ ἡλίου.

2 μνημα ℵ***C*WΘ** 565.] μνημειον *rell* ς; R | ανατειλ.] ανατελλοντος **D** it

Era cedo, no *domingo*: A crucificação teve lugar na sexta-feira, conforme dizem Marcos 15.42 e vários outros versículos. Descansaram no sábado, conforme aquele mesmo versículo o diz. Então voltaram no domingo pela manhã, para a unção. Marcos 15.47 mostra que essas mulheres tinham observado onde José de Arimateia pusera o corpo de Jesus. Portanto, puderam voltar, a fim de ungir o corpo de Jesus, sem ter tido de inquirir onde ele fora sepultado. Supomos que a ressurreição de Jesus teve lugar algum tempo entre o pôr-do-sol no sábado e antes do nascer do sol no domingo. Alguns supõem que isso ocorrera no sábado, mas a observação do "domingo", pela igreja primitiva, como o novo dia de guarda, quase certamente mostra que criam que o domingo fora, realmente, o dia da ressurreição. Estavam eles em melhor posição de sabê-lo do que nós. Lucas diz *de madrugada*, falando da hora em que as mulheres foram ao sepulcro. João diz "quando ainda era escuro". Marcos diz "ao despontar do sol". E assim, ao contemplarem a cena, contavam com luz suficiente para não se equivocarem. Todos os relatos indicam que a viagem até o túmulo foi feita cedo pela manhã. Provavelmente, partiram ainda quando escuro; mas, a caminho, o sol que despontava lançou seus primeiros raios dourados, prometendo a aurora de um novo dia e de uma era espiritual interminável.

16.3: E diziam uma às outras: Quem nos revolverá a pedra da porta do sepulcro?

16.3 καὶ ἔλεγον πρὸς ἑαυτάς, Τίς ἀποκυλίσει ἡμῖν τὸν λίθον ἐκ τῆς θύρας τοῦ μνημείου;

Mateus não menciona essa *pergunta* que as mulheres fizeram umas às outras; e isso também não é aludido por Lucas. Este diz somente que, quando elas chegaram, descobriram que a pedra já estava removida. Elas tinham enfrentado um "problema terreno". Era um obstáculo que desejavam fervorosamente que fosse removido. Todavia, apesar de ser terreno, era algo que não podiam remover, pois uma pedra imensa como aquela não haveria de ceder aos esforços de umas poucas mulheres. *Quem as ajudaria?* Essa foi a pergunta delas. Quando temos uma missão a realizar, Deus sempre nos envia um "ajudador" ou mensageiro para nos auxiliar. Ele emprega instrumentos humanos para realizar em nós os propósitos divinos. Algumas vezes, porém, Deus transcende a tais instrumentos; mais frequentemente, porém, nossas vitórias ocorrem quando "ajudamos outros a nos ajudarem", ou então, quando "ajudamos outros". Essa é uma grande lição a ser aprendida. Que privilégio é fazer parte do plano divino, removendo obstáculos da vida do próximo, quando este não tem o poder de fazê-lo por si mesmo!

Aqueles que se *demoram* sobre os obstáculos, logo descobrem que eles são por demais volumosos para serem tirados. O homem espiritual, porém, descobre um meio de atravessar ou rodear os obstáculos. O próprio túmulo, aparentemente tão sem esperanças, não era um beco sem saída, mas uma avenida, que levou a novos e admiráveis horizontes para toda a humanidade. As mulheres disseram: "A pedra é grande demais". Era grande para elas; mas, para outro, não era desafio apreciável. Outras missões se entremeiam e justapõem, e quando realizamos aquilo que nos é determinado, geralmente ajudamos outros de modo vital.

A questão sobre os *guardas*, que foram postados à entrada do túmulo é totalmente olvidada por Marcos, mas é grandemente destacada em Mateus 27.62ss e 28.4ss. É óbvio que várias fontes foram empregadas para compilar os relatos da crucificação e da ressurreição, e nenhum dos evangelistas teve acesso a todas essas fontes.

16.4: Mas, levantando os olhos, notaram que a pedra, que era muito grande, já estava revolvida;
16.4 καὶ ἀναβλέψασαι θεωροῦσιν ὅτι ἀποκεκύλισται ὁ λίθος, ἦν γὰρ μέγας σφόδρα.

No começo do v. 4, o códex Bobiensis em Latim Antigo (it) introduz uma descrição da ressurreição mesma de Jesus Cristo. Em um ou dois lugares, o texto da glosa não parece ser hígido, e várias emendas têm sido propostas:

Subito autem ad horam tertiam tenebrae diei factae sunt per totam orbem terrae, et descenderunt de caelis angeli et surgent(surgentes? surgente eo? surgit?) in claritate vivi Dei (viri duo?+et) simul ascenderunt cum eo; et continuo lux facta est. Tunc illae accesserunt ad monimentum... ("Mas subitamente, na terceira hora do dia, houve trevas sobre o círculo inteiro da terra, e anjos desceram dos céus, e quando ele, o Senhor, ressurgia [lendo-se *surgente eo*] na glória do Deus vivo, ao mesmo tempo eles desciam com ele; e imediatamente se fez luz. Então, as mulheres foram ao túmulo..." A emenda, *viri duo*, que no contexto parece ser desnecessária, tem sido proposta em face do relato que há no evangelho de Pedro, acerca de dois homens que, tendo descido dos céus em grande brancura, tiraram Jesus do túmulo, e "as cabeças dos dois atingiam os céus, mas a cabeça daquele que estava sendo levado por eles ultrapassava aos céus" (seções 35-40).

Essa foi a primeira vitória que tiveram, na vereda da *fidelidade*. Elas tinham iniciado a jornada de coração confrangido. Esperavam realizar uma tarefa relativamente terrena, mas que demonstrasse amor e fidelidade. Sabiam que tinham de enfrentar um *obstáculo*, até mesmo para realizar aquela tarefa simples, mas foram avante, fazendo tudo quanto podiam. De pronto, estavam envolvidas no mais sagrado drama de toda a história humana. Onde a fidelidade as levou! Notemos como exerceram essa fidelidade em face da tristeza, da derrota e da agonia. É nessa altura que a maioria dos homens se desvia e desiste. Que vida, à sua maneira, pode ser a história das "grandes pedras da oposição" que foram roladas. No entanto, a inquirição espiritual bem-sucedida exige que entremos na vereda da renúncia, por amor a Cristo.

Aquelas mulheres tiveram vitória *imediata* sobre a pedra. A vida, normalmente, não segue essa norma. *É preciso luta*, pois por meio do sofrimento aprendemos muito mais do que pelo sucesso fácil. Quem rolara a pedra? Marcos não nos diz. Mateus 28.2 diz que foi um anjo do Senhor, vindo dos céus. Ele rolou a pedra e se assentou sobre ela, qual símbolo de sua completa vitória sobre o obstáculo. Sim, algumas vezes obtemos uma "ajuda divina" vinda diretamente dos céus. Temos dado pouquíssima importância ao "ministério angelical" (ver Hb 1.14, sobre esse tema). É razoável supormos que todos os homens, que mostram qualquer intenção séria de tornar bem-sucedida a sua busca espiritual, contem com a ajuda angelical, embora, normalmente, não sejam observáveis esses casos segundo a maneira "empírica" de saber as coisas.

16.5: e entrando no sepulcro, viram um moço sentado à direita, vestido de alvo manto; e ficaram atemorizados.
16.5 καὶ εἰσελθοῦσαι εἰς τὸ μνημεῖον εἶδον νεανίσκον καθήμενον ἐν τοῖς δεξιοῖς περιβεβλημένον στολὴν λευκήν, καὶ ἐξεθαμβήθησαν.

16 5 περιβεβλημένον...λευκήν 1 Rs 7:9,13

Esse é o anjo referido em Mateus 28.2ss, que é especificamente chamado "anjo" ali, mas que aqui é apenas *um jovem*. Em meio àqueles notáveis eventos, seria insensatez pensar que o "jovem" fosse um ser humano comum, e que, por adorno, o relato de Mateus tenha feito dele um anjo de rosto brilhante. O modo "controlado" da narrativa de Marcos explica por que ele não adornou seu material com detalhes. Lucas, porém, diz dois homens, que sem dúvida também seriam "anjos". Não podemos explicar essa diferença e nem é ela importante. A historicidade não depende de harmonia absoluta. De fato, a própria existência de minúsculas discrepâncias mostra que as narrativas não foram "harmonizadas" propositalmente pela igreja primitiva. Assim, apesar de não se harmonizarem em certos pontos, trazem as marcas de narrativas autênticas de testemunhas oculares. Os eventos se precipitavam, e eram de imensa importância. Foi natural que os evangelistas houvessem produzido relatos "frouxos", que não podem ser harmonizados em todos os pontos. (Ver artigo na introdução a este comentário sobre *A historicidade dos Evangelhos*, que aborda amplamente esse problema.)

O(s) anjo(s) *sabia(m)* com antecedência o propósito da vinda das mulheres; e assim, sem fazer nenhuma indagação prévia, anunciou(aram) a notícia — arrebatadora. Em Marcos, ele se acha "dentro do túmulo". Em Mateus, do lado de fora assentado sobre a pedra. O texto de Lucas 22.4 parece subentender a presença de dois anjos, dentro do sepulcro. É impossível reconstituir com exatidão a sequência exata de eventos. Isso, porém, não nos deve perturbar. O que realmente importa é que os eventos foram reais. E nisso confiamos sem duvidar. A grandeza dos "resultados" desses eventos é prova absoluta da realidade dos próprios acontecimentos.

A narrativa de João fala apenas de *um* visitante, Maria Madalena, que observou a pedra ser removida. Ela correu para contar o fato para Pedro e João. Acharam o túmulo *vazio*. Nesse ínterim, Maria voltou ao túmulo, viu dois anjos, e o próprio Jesus. Supomos que houve visitas diferentes do que as relatadas nos evangelhos sinópticos, mas se essas coisas sucederam antes ou depois daquelas relatadas nos sinópticos, não sabemos dizê-lo.

16.6: Ele, porém, lhes disse: Não vos atemorizeis; buscais a Jesus, o nazareno, que foi crucificado; ele ressurgiu; não está aqui; eis o lugar onde o puseram.
16.6 ὁ δὲ λέγει αὐταῖς, Μὴ ἐκθαμβεῖσθε· Ἰησοῦν ζητεῖτε τὸν Ναζαρηνὸν τὸν ἐσταυρωμένον· ἠγέρθη, οὐκ ἔστιν ὧδε· ἴδε ὁ τόπος ὅπου ἔθηκαν αὐτόν.

6 τον Ναζ.] om ℵ D d

Que notícias tens para dizer-me, *anjo de luz*? Haverá alguma coisa que possas dizer-me, que me conforte em meio à minha agonia? *Ele ressuscitou!* "Milagre de Deus", que isso mergulhe profundamente em minha alma.

> *A única novidade para mim*
> *É boletins recebidos todos os dias,*
> *Provenientes da imortalidade.*
> (Emily Dickinson)

Ele está vivo! Essa mensagem é confirmada pela experiência humana, e não meramente pelos registros históricos. Consideremos os três pontos abaixo:

1. Milhões de pessoas têm achado a narrativa perfeitamente *crível* como fato histórico. Poucos, ou mesmo nenhum, dos "fatos" da história antiga têm tido a confirmação de tão grande número de testemunhas oculares como este.

2. O fato histórico é comprovado pelo *fato espiritual*. Ele injetou vida nova em minha alma. Minha conversão, minha santificação, minha esperança de vida eterna, não surgiram do vácuo. Elas têm bases espirituais tão reais quanto os acontecimentos empíricos.

3. Há muitas *evidências*, até mesmo *empíricas*, de que a "imortalidade' é um fato. Sendo essa a verdade, por que se pensaria ser estranho que ele tenha sido soerguido dentre os mortos, e que seu corpo mortal tenha sido espiritualizado? Em que sentido isso é mais maravilhoso do que a "sobrevivência da alma" ante a morte física? O mesmo Deus da Vida que está por detrás de uma coisa, está por detrás da outra.

Jesus, o Nazareno: Esse milagre teve lugar em um corpo humano, pois esse Jesus foi homem autêntico. Portanto, a vitória que ele obteve, será minha também, já que estou seguindo as pisadas desse homem ideal. (Ver 1Co 15.20, que diz: "Mas de fato Cristo ressuscitou dentre os mortos, sendo ele as primícias dos que dormem".) Essa referência traz a nota geral sobre o "fato da ressurreição", e especula sobre a natureza do "corpo ressuscitado". (Ver Lc 24.6, sobre as diversas teorias sobre o "modo" da ressurreição de Jesus.)

Nazareno. (Quanto a esse *título* de Jesus, ver Mt 2.23.) Jesus era chamado de "profeta de Nazaré" (Mt 21.11), pois, apesar de não haver nascido ali, passou quase todos os seus primeiros trinta anos ali. O livro de Atos tem várias referências a Jesus como quem era de Nazaré. (Ver At 2.22; 3.6; 4.10; 6.14; 10.38; 22.8 e 26.9).

16.7: Mas ide, dizei a seus discípulos, e a Pedro, que ele vai adiante de vós para a Galileia; ali o vereis, como ele vos disse.

16.7 ἀλλὰ ὑπάγετε εἴπατε τοῖς μαθηταῖς αὐτοῦ καὶ τῷ Πέτρῳ ὅτι[a] Προάγει ὑμᾶς εἰς τὴν Γαλιλαλίαν· ἐκεῖ αὐτὸν ὄψεσθε, καθὼς εἶπεν ὑμῖν.

[a] 7 *a direct*: WH Bov Nes? BF² RV ASV NEB TT Zür // *a indirect*: TR Nes? AV RSV Luth Jer Seg   7 Προάγει...ὑμῖν Mt 26.32; Mc 14.28

Ide, dizei!

> *Desde os montes nevados da Groenlândia,*
> *Desde as praias de coral da Índia.*
> (Reginald Heber)

A mensagem evangélica começa, infundida e motivada pelo maior fato de todos: *A morte não mata*; a vida de Cristo foi posta à disposição de todos os homens; vinde e vede por vós mesmos! Ele vos espera, para encontrar-se convosco face a face, tal como ele disse que faria.

A cada ano, ficamos sabendo de *novas e terríveis* armas. A cada ano, vê-se como o homem pende mais e mais para a própria destruição. Todavia, por que temeríamos? A própria destruição trará os homens "de volta" aos pés de Jesus, o doador da vida. Ele foi levantado a fim de *atrair todos* os homens a si (ver Jo 12.32). Há algo de significativo no fato de que o próprio Armagedom é referido como o primeiro estágio de uma série de eventos, os

quais comporão a "parousia" ou segundo advento de Cristo. (Ver Ap 14.14ss.) Portanto, apesar de rodeado por todos os lados pela morte e pela destruição, o Cristo vivo propaga sua luz de esperança sobre todos.

Um visitante de *outro mundo* proferiu as palavras: **"Ele ressuscitou; ide e dizei a seus discípulos e a Pedro"**. Não fosse esquecido Pedro, aquele que falhou. Essa mensagem também é para ele, pois não há fracasso que o amor doador de Cristo não possa reverter. O relato de Mateus omite, curiosamente, as significativas palavras "[...] e a Pedro..." E a narrativa de Lucas deixa de fora a ordem para irem à Galileia.

"[...] e a Pedro..." Por quê? Porque: (1) Ele *fracassou*; mas agora seria restaurado. (2) Ele era muito *amado*, e o amor de Deus não podia deixá-lo no esquecimento. (3) Ele tinha uma *grande* missão a realizar, que reverteria totalmente sua falha. (4) Ele é *um dos nossos*; ele esteve conosco na Galileia; e deverá estar ali conosco novamente. *Maravilhosa graça de Deus!*

16.8: E, saindo elas, fugiram do sepulcro, porque estavam possuídas de medo e assombro; e não disseram nada a ninguém, porque temiam.

16.8 καὶ ἐξελθοῦσαι ἔφυγον ἀπὸ τοῦ μνημείου, εἶχεν γὰρ αὐτὰς τρόμος καὶ ἔκστασις· καὶ οὐδενὶ οὐδὲν εἶ παν, ἐφοβοῦντο γάρ.

8 ἐξελθ.] ακουσασαι Θ: ακουσ. εξηλθον και **W** sy^s sa(2) | προμος φοβος] **DW** it
8-20 *om* fa^vid

As condições naturais são *temporárias*. A visão as aterrorizou. Sua mente e língua ficaram geladas. No entanto, a alegria logo as soltou. Mateus 28.8 frisa a "grande alegria" da ocasião. É possível experimentar grande alegria e grande temor ao mesmo tempo, e ambas as coisas devem fazer parte daqueles acontecimentos momentosos. O fim abrupto do evangelho de Marcos (nos melhores manuscritos e versões — ver Mc 16.9, *in loc.*, quanto a esse problema), não pôs fim ao drama. Os demais evangelistas continuam a história. Talvez nunca saibamos por que Marcos terminou seu livro tão abruptamente. Trata-se de fascinante assunto de pesquisa, mas que não tem produzido resultados totalmente satisfatórios. O que nos importa, porém, é notar que nem mesmo o término abrupto do primeiro evangelho (Marcos) foi capaz de fazer parar a maré que insufla Cristo no coração de milhões de pessoas. O evangelho de Marcos é uma história não terminada, pois o evangelho não tem fim. Ainda não atingiu o seu clímax; ainda não fez tudo quanto pode. De fato, o futuro é mais brilhante do que o passado, se Efésios 1 pode ser uma vara de medir. De algum modo, Cristo atingirá eventualmente a todos os homens. Todos devem achá-lo eventualmente em tudo, já que ele será "tudo para todos", conforme ensina Efésios 1.23. E assim, eternamente, não poderá haver fim para esse evangelho, embora essa restauração não precise significar que a maioria dos homens será eleita. Todavia, a imensidão da graça de Deus desconhece limites. Seu poder é tão grande, que nenhuma barreira pode fazê-la estacar. Assim é que as coisas devem ser. (Ver Ef 1.10, quanto a notas sobre o "mistério da vontade de Deus".) O que Deus está fazendo no mundo? Trata-se de algo grandiosíssimo. Muito maior do que a igreja tem imaginado. O que Deus está fazendo indica um evangelho sem fim. A história jamais terminará, pois a *graça divina não descansa*.

> *Boas novas, mundo antigo, boas novas;*
> *Os rios e os ventos se recusam*
> *A manter a questão tranquila;*
> *Há boas novas sobre as colinas.*
> (William L. Stidger)

V. 9-11. Esta seção parece ser um sumário do aparecimento do Senhor Jesus a *Maria Madalena*, segundo está registrado na belíssima seção de João 20.11-18, juntamente com algumas poucas outras ideias, extraídas do texto de Lucas 24.9-11, que menciona

|Marcos| NTI

especificamente as dúvidas que assaltaram os apóstolos, ao ouvirem o relato das mulheres (incluindo o de Maria Madalena), concernente à ressurreição de Jesus. (Quanto a anotações completas sobre essa questão, ver acima os textos dos evangelhos de Lucas e João.)

16.9: [Ora, havendo Jesus ressurgido cedo no primeiro dia da semana, apareceu primeiramente a Maria Madalena, da qual tinha expulsado sete demônios.

16.9² ᾿Αναστὰς δὲ πρωῒ πρώτῃ σαββάτου ἐφάνη πρῶτον Μαρίᾳ τῇ Μαγδαληνῇ, παρ᾽ ἧς ἐκβεβλήκει ἑπτὰ. δαιμόνια.

9 Μαρία...δαιμόνια Lc 8.2 9 εφανη πρωτον] ε γανερωσεν πρωτοις **D**

16.9-20 – *Términos do evangelho de Marcos*

1. Quatro términos do evangelho segundo Marcos figuram nos manuscritos. (1) Os últimos doze versículos do texto comumente recebido de Marcos fazem-se ausentes nos dois mais antigos manuscritos gregos (ℵ e B)[1], no códex Bobiensis em Latim Antigo (it^k), nos manuscritos siríaco Sinaítico, em cerca de 100 manuscritos armênios[2] e nos dois mais antigos manuscritos geórgicos (escritos em 897 e 913 d.C.)[3].

Clemente de Alexandria e Orígenes não demonstraram conhecer a existência desses versículos; outrossim, Eusébio e Jerônimo atestam que a passagem não aparecia em quase todas as cópias gregas de Marcos, que eles conheciam. A forma original das seções de Eusébio (extraídas por Amônio) não faz provisão para seções numeradas do texto após 16.8. Não são poucos os manuscritos que contêm a passagem e que trazem notas escribais declarando que às cópias gregas mais antigas faltam esses versículos; e, em outros testemunhos, a passagem é assinalada por asteriscos ou obeli, os sinais convencionais usados pelos copistas para indicar uma adição espúria a um documento.

2. Vários testemunhos, incluindo quatro manuscritos gregos unciais dos séculos VII, VIII e IX d.C. (L Ψ 099 0112) bem como o Latim Antigo *k*, a margem do siríaco Harcleano, vários manuscritos saídicos e boáricos,[4] e não poucos manuscritos etíopes[5] continuam após o v. 8 como segue (com variações negligenciáveis): "Mas noticiaram-no de passagem a Pedro e aos que com ele estavam, de tudo quanto lhes tinha sido dito. E após isso, o próprio Jesus enviou por meio deles, do oriente para o ocidente, a sagrada e imperecível proclamação da salvação eterna". Todos esses testemunhos, exceto it^k, também continuam com os v. 9-20.

3. O fim tradicional de Marcos, tão familiar através da tradução inglesa AV, e de outras formas, feitas com base no *Textus Receptus*, figura em vasto número de testemunhos, incluindo A C D K X W Δ Θ Π Ψ 099 0112 *f*^{13} 28 33 *al*. O mais antigo testemunho patrístico, à parte ou à totalidade do término longo, vem de Ireneu e do Diatessarom. Não há certeza se Justino Mártir estava familiarizado com esse texto; em sua Apologia (I.45), ele inclui cinco palavras que ocorrem, em uma sequência diferente, no v. 20 (τοῦ λόγου τοῦ ἰσχυροῦ ὅν ἀπὸ ᾿Ιερουσαλὴμ οἱ ἀπόστολοι αὐτοῦ ἐξελθόντες πανταχοῦ ἐκήρυξαν).

4. No século IV d.C., o término tradicional, também circulava, segundo o testemunho preservado por Jerônimo, em forma expandida, preservada hoje em um só manuscrito grego. O códex Washingtonianus inclui as seguintes palavras, após o v. 14: "E eles se exauriram, dizendo 'Esta era de impiedade e incredulidade está sob Satanás, o qual não permite que a verdade e o poder de Deus prevaleçam sobre as imundícies dos espíritos (ou, não permite que o que jaz sob os espíritos imundos entenda a verdade e o poder de Deus). Portanto, revela agora a tua justiça' – assim falavam a Cristo. E Cristo lhes replicou: 'O período de anos do poder de Satanás se cumpriu, mas outras coisas terríveis se aproximam. E por aqueles que pecaram eu fui entregue à morte, para que retornem à verdade e não mais pequem, a fim de que herdem a glória espiritual e incorruptível da justiça que há nos céus".

Como se deve avaliar a evidência de cada um desses términos? É óbvio que a forma expandida do fim mais longo (4) não tem direito à originalidade. Não só a evidência externa é por demais limitada, mas a expansão contém várias palavras e expressões que não pertencem a Marcos (incluindo ὁ αἰὼν οὗτος, ἁμαρτάνω, ἀπολογέω, ἀληθινός, ὑποστρέφω) além de várias outras que não ocorrem em nenhuma outra parte do NT. (δεινός, ὅρος, προσλέγω). A expansão toda se reveste de um inequívoco sabor apócrifo. Provavelmente, foi obra de algum escriba dos séculos II ou III d.C., que desejou suavizar a severa condenação aos "onze", em 16.14.

A forma mais longa (3), embora corrente em boa variedade de testemunhos, alguns dos quais antigos, também deve ser julgada pelas evidências internas como secundária, (a) O vocabulário e o estilo dos v. 9-20 não são próprios de Marcos (e.g. ἀπιστέω, βλάπτων, βεβαιόω, ἐπακολουθέω, θεάομαι, μετὰ ταῦτα, πορεύομαι, συνεργέω, ὕστερον, que não se acham em nenhuma outra porção de Marcos; e θανάσιμον ἐ τοῖς μετ᾽ αὐτοῦ γενομένοις como designações dos discípulos, ocorrem somente aqui no NT). (b) A conexão entre os v. 8 e 9-20 é tão desajeitada, que é difícil crer que o evangelista tencionava que a seção fosse uma continuação do evangelho. Assim, o sujeito do v. 8 é as mulheres, ao passo que Jesus é o presumível sujeito do v. 9; no v. 9, Maria Madalena é identificada, embora já tenha sido mencionada poucas linhas antes (15.47 e 16.1); as demais mulheres, dos v. 1-8, são agora esquecidas; e o uso de ἀναστὰς δέ e a posição de πρῶτον são próprios no começo de uma narrativa compreensiva, mas não cabem em uma continuação dos v. 1-8. Em suma, todas essas características indicam que essa seção foi adicionada por alguém que sabia que certa forma do evangelho de Marcos terminava abruptamente no v. 8, e que desejou suprir uma conclusão mais apropriada. Em face da falta de ajustamento entre os v. 1-8 e 9-20, é improvável que a terminação longa tenha sido composta *ad hoc*, a fim de preencher um hiato óbvio; é mais provável que a seção tenha sido extraída de outro documento, talvez datado da primeira metade do século II d.C.

A evidência interna em prol da forma mais breve (2) decisivamente a condena, não podendo a mesma ser genuína.[6] Além de conter alta porcentagem de palavras não usadas por Marcos, seu tom retórico difere totalmente do estilo simples do evangelho de Marcos.

Finalmente, deve-se notar que a evidência externa em prol do término mais breve (2) resume-se em testemunhos adicionais que apoiam a omissão dos v. 9-20. Ninguém que tivesse à disposição, como conclusão do evangelho de Marcos, os v. 9-20, tão ricos em material interessante, os teria substituído deliberadamente, por quatro linhas de um sumário generalizado e descolorido. Portanto, a evidência documentar em apoio a (2) deve ser adicionada à evidência em apoio a (1). Assim, com base sobre boa evidência externa e forte considerações internas, parece que a mais antiga forma discernível do evangelho de Marcos terminava em 16.8[7]. Ao mesmo tempo, porém, devido à deferência à evidente antiguidade do fim mais longo e à sua importância na tradição textual do evangelho, a comissão resolveu incluir os v. 9-20 como parte do texto, embora dentro de colchetes duplos, indicando que fazem parte dos escritos de outro autor, que não o próprio evangelista.

1. Dois outros manuscritos gregos, ambos do século XII d.C., também não têm os v. 9-20, a saber, 304 e 2386. Este último, porém, é apenas um testemunho aparente em prol da omissão, pois embora a última página de Marcos termine com as palavras ἐφοβοῦντο γάρ, falta a próxima página do manuscrito e após 16.8 há o sinal indicando o término de uma lição eclesiástica (τλ = τέλος), ficando claramente implícito que o manuscrito continuava originalmente com material adicional extraído de Marcos (ver Kurt Aland, "Bemerkungen zum Schluss des *Markusevangeliums*, em *Neotestamentica et Semitica, Studies in Honour of Matthew Black*, ed. por E. Earle Ellis e Max Wilcox (Edimburgo, 1969, p. 157-180, especialmente p. 159s, e *idem*, "Der wirdergefundene Markusschluss?" *Zeitschrift für Theologie und Kirche*, 1xvii 1970, p. 3-13, especialmente p. 8s.)

2. Quanto à identidade deles, ver Ernest C. Colwell, em *Journal of Biblical Literature*, 1v (1937), p. 369-386.

3. Com frequência, se tem dito que três manuscritos etíopes, agora no Museu Britânico, não trazem os últimos 12 versículos de Marcos. Essa declaração, originalmente feita por D. S. Margoliouth e noticiada por William Sanday, em seu *Appendices*

ad Novum Testamentum Stephanicum (Oxford, 1889), p. 195, é errônea; quanto a detalhes, ver o artigo deste escritor, "The Ending of the Gospel accordin to Mark in Ethiopic Manuscripts", que contribuiu para o futuro Festschrift for Morton Scott Enslin (*Understanding the Sacred Text*, ed. por John Reumann et. al, Valley Forge, Pa. c. 1972).

O manuscrito árabe, Rom. Vat. Arab. 13, já foi citado algumas vezes (e.g. por Tischendorf e Tregelles), em testemunho em favor da forma do evangelho que termina no v. 8. Entretanto, já que mediante a perda acidental de folhas escritas a mão, o original do manuscrito interrompe-se imediatamente antes do fim de Marcos 16.8, seu testemunho não tem significação na discussão desse problema textual. Ver F. C. Burkitt, "Arabic Versions", Hastings'*Dictionary of the Bible*, I. p. 136, pé da col. a, e C. R. Williams, *The Appendices to the Gospel according to Mark* (= *Transactions of the Connecticut Academy of Arts and Sciences*, xviii; New Haven, 1915), p. 398-399.

4. Ver P. E. Kahle, "*The End of St. Mark's Gospel. The Witness of the Coptic Versions*", Journal of Theological Studies, n. s. II (1951), p. 49-57.

5. Ver o artigo mencionado no rodapé 3, acima.

6. Quanto à ampla discussão sobre a evidência grega e latina em prol dos términos de Marcos, com mais favorável estimativa da originalidade do fim mais breve, ver o artigo de Aland no Festschrift, em honra a Matthew Blac, referido na nota 1, acima.

7. Três possibilidades se abrem: (a) o evangelista tencionou encerrar seu evangelho nesse ponto; (b) o evangelho nunca foi terminado; ou, como parece mais provável, (c) o evangelho acidentalmente perdeu sua última folha, antes de ser multiplicado por meio de cópias.

Avaliação do Escritor do Comentário

Solução:

Qualquer solução definitiva talvez seja impossível, mas pode-se observar o seguinte, analisando-se cada terminação:

1. Final nº 1 (do Códex W). Essa terminação, que aparece em apenas um ms existente, obviamente não é da autoria de Marcos, e não conta com nenhuma evidência objetiva ou interna em seu favor.

2. (De Psi, o Lat. *K*, versões Sah e L). Embora mais provável que a terminação de nº 1, esta também conta com pouca evidência objetiva ou interna, capaz de apoiá-la. Contém alta percentagem de palavras não usadas por Marcos, e seu estilo é totalmente diverso da apresentação simples de Marcos.

3. Ainda que o *final familiar* esteja presente na maioria dos mss atualmente existentes, Jerônimo diz que o oposto é que era a verdade em seus dias (ver acima, quanto ao nº 3). Nesta seção, existem 17 palavras estranhas ao vocabulário de Marcos. A ligação entre os versos 8 e 9 é inadequada, e isso indica que, evidentemente, alguém usou um ms que terminava no versículo 8, tendo suprido então o agora familiar final longo, com alguma dificuldade. Um ms armênio dos Evangelhos, de 989 d.C., contém uma nota que indica que essa seção foi escrita pelo presbítero Ariston, o que alguns têm considerado ser referência a Aristion, contemporâneo de Papias, no início do século II, e tradicionalmente discípulo do apóstolo João. Bem poucos historiadores, porém, consideram essa nota historicamente digna de confiança.

Embora esses argumentos contra a autenticidade do término sejam fortes, três outros mostram ser ainda mais conclusivos.

1. *Os mais antigos mss* existentes omitem verdadeiramente os versículos, e poucos os continham nos dias de Jerônimo (século IV).

2. *Pais da Igreja mais antigos*, que não conheciam esse término, são em maior número que os pais da Igreja mais recentes, que o conheciam.

3. Talvez o mais decisivo argumento contra a autenticidade desses versículos seja a observação de que *não há razão* para certos escribas terem omitido esse término, se, de fato, fizessem parte do evangelho original de Marcos. O fato, porém, é que realmente foram omitidos pela maioria dos escribas mais antigos. Os primeiros escribas omitiram-nos simplesmente porque não se encontravam nas cópias à sua frente, para que das mesmas tirassem cópias. Em suma, não há razão para terem sido omitidos. Parece certo, pois, que, embora os versículos sejam familiares a todos, não fossem, de fato, conhecidos por muitos na Igreja, durante diversos séculos. Parece tratar-se mais de um sumário de acontecimentos, feito à base de outros evangelhos e adicionado a Marcos, para que este evangelho terminasse de modo mais natural.

É evidente, portanto, que temos nessa terminação o relato de outro escritor evangélico, que não o próprio Marcos. Nesse caso, seriam cinco escritores evangélicos, e não quatro. Alguns têm asseverado que esse texto é inspirado apesar de admitirem que não é da autoria de Marcos.

4. Finalmente, consideremos a evidência em favor da *omissão desse término*. O fato de que os mss mais antigos, apoiados por muitas traduções para vários idiomas, omitem todos esses términos, parece indicar a princípio que o evangelho de Marcos, em realidade terminava no versículo oitavo. Essa conclusão pode ainda ser fortalecida notando-se que a maioria dos primitivos pais da Igreja ou não tinham consciência dessas terminações ou duvidavam de sua autenticidade. Não obstante, muitos eruditos concordam em que *não é provável* que Marcos tivesse concluído tão notável relato com uma conclusão tão melancólica. Metzger salienta que o versículo termina com a palavra grega "porquanto", o que é de fato uma terminação rara em qualquer literatura grega, e apenas alguns exemplos disso, relativamente poucos, têm sido encontrados em todo o grande tesouro da literatura grega. Marcos talvez tivesse sido interrompido pela morte ou por outras circunstâncias. Se não foi esse o caso, é possível que a finalização original se tivesse perdido, e isso desde bem no princípio, de tal modo que nenhum ms existente o contém. Alguns têm sugerido que o evangelho de Mateus talvez tenha suplantado desde cedo ao de Marcos, e que quando a coleção dos quatro Evangelhos foi organizada, e seus lugares no cânon ficaram firmemente estabelecidos, nenhuma cópia com a terminação original havia em disponibilidade. Nesse ponto, alguns escribas tomaram sobre si a responsabilidade de *suprir um final*, quer sumariando os outros evangelhos (o que explica a terminação mais longa, com a qual estamos familiarizados), quer por meio de seu engenho (o que explicaria os dois finais mais breves, atualmente conhecidos, incluindo outras terminações que desconhecemos inteiramente em nossos dias). A única coisa que parece bastante certa é que nenhuma das terminações conhecidas (incluindo a conclusão no versículo oitavo) goza de suficiente aprovação como original do evangelho de Marcos, e, possivelmente, só com a descoberta do próprio manuscrito original é que se poderia resolver esse problema com segurança; porquanto, embora esse documento não contenha uma terminação aparentemente apropriada, podemos pelo menos determinar, à base do mesmo, se tal terminação realmente existiu algum dia.

Goodspeed comenta da seguinte maneira sobre os diversos términos existentes em relação a este versículo: "A conclusão mais breve vincula-se muito melhor ao texto de Marcos 16.8 do que à conclusão mais longa; contudo, nem uma nem outra pode ser reputada como parte integrante do evangelho de Marcos. A explicação mais razoável sobre *a perda* das linhas finais do evangelho de Marcos, parece ser que, tendo sido quase inteiramente absorvido pelo evangelho de Mateus, o de Marcos caiu em desuso, após o aparecimento do de Mateus; e então, quando foi traçado o plano de coligir os quatro Evangelhos e publicá-los em conjunto, em cerca de 115-120 d.C., nenhuma cópia completa do evangelho de Marcos se pôde encontrar, e os editores da coletânea tiveram de ficar satisfeitos com o evangelho truncado de Marcos, justamente perto do fim. Essa perda facilmente poderia ter sido produzida pelo desgaste, tendo-se rasgado algum rolo de papiro, o qual, tal como qualquer livro moderno, de folhas, primeiramente perderia o começo ou o fim". (*In loc.*, na tradução GD).

Alguns têm chegado à suposição de que, na realidade, o *final perdido* não se perdeu, crendo que, muito provavelmente, a cópia de Marcos, anterior à de Mateus (e que ele usou como uma de suas principais fontes informativas), reflete-se no evangelho de Mateus (e parcialmente em Lucas) que preserva a terminação de Marcos relativamente intacto.

Outros eruditos acreditam que a cópia do evangelho de Marcos, de que Mateus dispunha, terminava subitamente no v. 8, conforme

944 |Marcos| NTI

sucede às cópias mais antigas desse evangelho que têm sido descobertas; assim, o término do evangelho de Mateus foi feito de modo independente, sem ter necessitado do evangelho de Marcos como fonte informativa.

Mas no presente, com as evidências de que dispomos, *é impossível* fazer qualquer julgamento correto sobre essa questão. No entanto, se algum dia for descoberta alguma cópia extremamente primitiva do evangelho de Marcos, nas areias do Egito ou da Palestina, ou no solo da cidade de Roma, e se essa cópia for bastante parecida com o término existente no evangelho de Marcos, poderemos afirmar que essa teoria está com a razão. Todavia, se essa não se assemelhar muito ao término do evangelho de Mateus, poderemos asseverar que essa teoria é incorreta. Essa cópia do evangelho de Marcos, se expusesse um término inteiramente diferente de tudo o que conhecemos, poderia fornecer o verdadeiro final do evangelho de Marcos. Entretanto, enquanto não for feita essa descoberta, teremos simplesmente de continuar afirmando que nenhum dos términos representativos e conhecidos do evangelho de Marcos — e nem mesmo a interrupção do v. 8 deste décimo sexto capítulo — representa realmente o original. Entretanto, podemos supor com segurança que o verdadeiro final do evangelho de Marcos não divergia grandemente daquele que encontramos nos outros evangelhos, porquanto todos os evangelistas tiveram acesso às antigas fontes de informação e às tradições que corriam nas diferentes comunidades cristãs; e, pelo menos Lucas, foi companheiro de atividades de algumas testemunhas oculares, quais sejam os apóstolos mesmos. Sem dúvida, pelo menos ele tinha consciência de tudo quanto se conhecia acerca dos dias finais de Jesus Cristo neste mundo, pois fornece o *sumário* essencial desse conhecimento, tanto no evangelho que traz o seu nome como no seu livro de Atos dos Apóstolos.

Este versículo leva-nos à *aparição a Maria Madalena*, o que não é realmente mencionado nos evangelhos sinópticos, exceto agora, neste "sumário", que constitui adição ao evangelho original de Marcos. Este versículo confirma a autenticidade das fontes informativas de João, o qual oferece alguns incidentes acerca da ressurreição de Jesus e seus aparecimentos que os evangelhos sinópticos não trazem. (Ver Mt 28.9, quanto às "aparições de Jesus ressurreto", onde se faz a tentativa de chegar a uma harmonia frouxa dos acontecimentos.)

Notemos que este versículo declara especificamente que a ressurreição de Jesus deu-se cedinho, na manhã de domingo. Há estudiosos que têm pensado que isso ocorreu no sábado à noite. (Ver Jo 20.11-18, quanto à história que este e os dois versículos seguintes sumariam de modo tão breve. Ver sobre as várias "Marias" do NT, descritas em Jo 11.1. Quanto à história de como Jesus expeliu aos demônios que controlavam essa Maria, ver Lc 8.2.) A menção disso teve por propósito "identificar" essa Maria, como se os leitores não se lembrassem de quem era ela.

16.10: Foi ela anunciá-lo aos que haviam andado com ele, os quais estavam tristes e chorando;
16.10 ἐκείνη πορευθεῖσα ἀπήγγειλεν τοῖς μετ' αὐτοῦ γενομένοις πενθοῦσι καὶ κλαίουσιν·

O *pathos* e o *choque emocional* da narrativa de João são eliminados pela descrição descolorida do autor quanto a essa aparição de Jesus a Maria.

A palavra aqui traduzida por "foi" (no grego, "poreuo") é usada por três vezes nesse apêndice ao evangelho de Marcos; aqui e nos v. 12 e 15; mas não é empregada em nenhum outro texto de Marcos, pelo que corretamente se pode chamar de um uso estranho a Marcos, indicando que o apêndice não veio do autor original. Os eruditos contam 17 dessas palavras nesta breve seção.

16.11: e ouvindo eles que vivia, e que tinha sido visto por ela, não o creram.

16.11 κἀκεῖνοι ἀκούσαντες ὅτι ζῇ καὶ ἐθεάθη ὑπ' αὐτῆς ἠπίστησαν.

O termo *ethathe*, derivado de *theaomai* (ver, contemplar), é usado novamente no v. 14, sendo palavra que não se acha em nenhum outro texto de Marcos; é contada entre os 17 vocábulos não pertencentes a Marcos, que figuram neste apêndice adicionado por um autor diferente. *Apistein* também cai dentro dessa categoria. Reaparece no v. 16.

Este versículo reflete exatamente o fato histórico de não se ter acreditado na notícia inicial sobre a ressurreição. (Ver Lc 2411.) O texto de Mateus 28.10,16 dá a entender que o relatório foi crido imediatamente, sem nenhum tipo de incredulidade. Nisso não há, realmente, nenhuma contradição. Era natural que a primeira reação fosse de dúvida, pois foi um acontecimento deveras espantoso, produzido por um poder prodigioso. No entanto, a dúvida logo cedeu lugar à esperança; e a esperança resultou na visão.

16.12: Depois disso manifestou-se sob outra forma a dois deles que iam de caminho para o campo,
16.12 Μετὰ δὲ ταῦτα δυσὶν ἐξ αὐτῶν περιπατοῦσιν ἐφανερώθη ἐν ἑτέρᾳ μορφῇ πορευομένοις εἰς ἀγρόν·

V. 12 e 13. Aparecimento de Jesus a dois discípulos, *no caminho de Emaús*. Nesta seção, como é óbvio, encontramos um sumário extremamente abreviado da extensa e encantadora narrativa de Lucas 24.13-35, o que empresta mais vigor à teoria que diz que essa conclusão mais longa do evangelho de Marcos, realmente não passa de um resumo de materiais já existentes em outros evangelhos. (Quanto a notas expositivas completas sobre essa aparição de Jesus, ver as notas em Lc 24.13-35.)

Os v. 12 e 13, *descoloridamente* mencionam a narrativa vibrante de Lucas 24.13-35. Aqui, infelizmente, os versículos frisam demais o elemento da "dúvida". Os elementos "triunfais" e "espantosos" da história estão em falta, e esses redundaram em crença autêntica, e não na dúvida. Lucas diz que o fato de não terem "reconhecido" a Jesus foi um propósito divino.

"[...] em outra forma..." Provavelmente, isso significa que o Jesus ressurreto não tinha apenas uma "forma", mediante a qual aparecia às pessoas. Sua forma era "plástica", pertencente a um tipo inteiramente diferente de ser daquilo que Jesus fora. Isso não nos dá licença de supor que suas aparições tivessem sido meras "visões", e não uma forma viva real. Ele estava verdadeiramente vivo; e apareceu a eles, sem nenhuma dúvida. Ele, porém, apareceu em um tipo de forma de vida que não obedecia às leis físicas, conforme as conhecemos agora.

"[...] meta tauta..." Essa expressão grega também é peculiar, pois em Marcos figura somente neste apêndice.

16.13: os quais foram anunciá-lo aos outros; mas nem a estes deram crédito,
16.13 κἀκεῖνοι ἀπελθόντες ἀπήγγειλαν τοῖς λοιποῖς· οὐδὲ ἐκείνοις ἐπίστευσαν.

Conforme é mencionado acima, isso põe a ênfase errônea sobre a admirável história de Lucas. Alguns intérpretes zelosos, apesar de reconhecerem que este final não pertence a Marcos, reivindicam inspiração divina para o mesmo. Os v. 9-13 certamente são contrários a isso, pois o "sumário" é descolorido, e os v. 12 e 13 não fazem justiça à história aqui referida. Longe de não crerem, os dois creram, e, imediatamente depois, os olhos deles foram abertos para contemplarem as maravilhas do Cristo ressurreto. Neste ponto, nenhuma dúvida está implícita em Lucas. Ali, o Cristo repreendeu aos mesmos devido às suas dúvidas originais (v. 25), mas agora isso fazia parte do passado incerto. A narrativa de Lucas nos conduz ao triunfo completo. Não nos deixa na dúvida, conforme este versículo faz subentender.

V. 14-18 — Aparecimento de Jesus, já ressuscitado, *aos doze*, de mistura com elementos da Grande Comissão. Encontramos aqui uma espécie de sumário, com algumas poucas minúcias de natureza independente, feito à base do texto de Mateus 28.16-20. (Quanto aos versículos 14 e 15, ver as notas expositivas sobre Mateus 28.16-20, que incluem notas bastante extensas a respeito da Grande Comissão.)

16.14: Por último, então, apareceu aos onze, estando eles reclinados à mesa, e lançou-lhes em rosto a sua incredulidade e dureza de coração, por não haverem dado crédito aos que o tinham visto já ressurgido.

16.14 Ὕστερον [δὲ] ἀνακειμένοις αὐτοῖς τοῖς ἕνδεκα ἐφανερώθη, καὶ ὠνείδισεν τὴν ἀπιστίαν αὐτῶν καὶ σκληροκαρδίαν ὅτι τοῖς θεασαμένοις αὐτὸν ἐγηγερμένον[3] οὐκ ἐπίστευσαν.

[3] **14** {A} ἐγηγερμένον C³ D K L W Θ Π Ψ 099 700 1009 1010 1079 1242 1344 1365 1646 2148 2174 *Byz Lect* l⁸⁵ᵐ itᵃᵘʳ,ᶜ,ᵈ,ˢᵘᵖᵖ,ff²,l,o,q vg syrᵖ,ᵖᵃˡ copˢᵃ,ᵇᵒ mss eth geoᴮ Diatessaron // ἐκ νεκρῶν X // ἐγηγερμένον ἐκ νεκρῶν A C Δ f¹ f¹³ 28 33 565 892 (1071 ἐκ τῶν) 1195 1216 1230 1241 1253 1546 l⁵⁴⁷ syrʰ copᵇᵒ mss arm

[4] **14,15** {A} ἐπίστευσαν καὶ εἶπεν αὐτοῖς A C (D εἶπεν πρὸς αὐτούς) K L X Δ Θ Π Ψ 099 f¹ f¹³ 28 33 565 700 892 1009 1010 1071 1079 1195 1216 1230 1241 1242 1253 1344 1365 1546 1646 2148 2174 *Byz Lect* l⁸⁵ᵐ,(⁸⁸ʲ) itᵃᵘʳ,ᶜ,ˢᵘᵖᵖ,ff²,l,o,q vg syrᵖ,ʰ,ᵖᵃˡ copˢᵃ,ᵇᵒ arm geoᴮ // ἐπίστευσαν κἀκεῖνοι ἀπελογοῦντο λέγοντες ὅτι ὁ αἰὼν οὗτος τῆς ἀνομίας καὶ τῆς ἀπιστίας ὑπὸ τὸν σατανάν ἐστιν, ὁ μὴ ἐῶν τὰ ὑπὸ τῶν πνευμάτων ἀκάθαρτα τὴν ἀλήθειαν τοῦ θεοῦ καταλαβέσθαι δύναμιν· διὰ τοῦτο ἀποκάλυψον σοῦ τὴν δικαιοσύνην ἤδη. ἐκεῖνοι ἔλεγον τῷ Χριστῷ, καὶ ὁ Χριστὸς ἐκείνοις προσέλεγεν ὅτι πεπλήρωται ὁ ὅρος τῶν ἐτῶν τῆς ἐξουσίας τοῦ σατανᾶ, ἀλλὰ ἐγγίζει ἄλλα δεινά καὶ ὑπὲρ ὧν ἐγὼ ἁμαρτησάντων παρεδόθην εἰς θάνατον ἵνα ὑποστρέψωσιν εἰς τὴν ἀλήθειαν καὶ μηκέτι ἁμαρτήσωσιν· ἵνα τὴν ἐν τῷ οὐρανῷ πνευματικὴν καὶ ἄφθαρτον τῆς δικαιοσύνης δόξαν κληρονομήσωσιν. ἀλλὰ W Greek mssᵃᶜᶜ.ᵗᵒ Jerome

[3] A adição de ἐκ νεκρῶν foi uma expansão natural que muitos copistas seriam tentados a fazer, após ἐγηγερμένον, e que nenhum deles teria apagado deliberadamente.

[4] Quanto à adição preservada em W, ver a seção (4) nos comentários sobre os v. 9-20, acima.

O verdadeiro ceticismo é as *trevas da alma*, e não apenas uma atitude mental que requer provas empíricas. Agostinho disse: "Creio, para que possa entender". Mediante essas palavras, ele indicava que a compreensão é dada ao indivíduo cuja mente habita na "esfera da fé". O homem que vive no ceticismo, como sua maneira de pensar, metafisicamente tem as "trevas" como habitação de sua alma. Aqueles que podem contemplar a "aura" humana, o campo de luz que circunda todas as coisas vivas, dizem que os céticos têm manchas negras em sua aura, um sinal de degeneração espiritual. Essa é uma consideração séria, uma das razões para alguém fugir da prisão que representa a mente cética. Com razão, Jesus criticou os seus discípulos, devido ao ceticismo deles, que exerceram perante a face mesmo de relatos de testemunhas oculares fidedignas, indo contrários ao que, para eles, teria sido uma "crença natural", já que desde há muito o judaísmo ensinava a realidade da ressurreição.

Este sumário do autor do *apêndice* em Marcos, frisa desnecessariamente, como antes, a porção negativa desses acontecimentos. Os paralelos de Mateus, Lucas e João, apesar de mostrarem que os primeiros relatórios não foram criados, não transportam essa situação para os relatórios posteriores. (Ver as notas sobre o v. 13, acima.)

O termo *usteron* não figura no evangelho de Marcos e em nenhum outro lugar, pelo que é uma das dezessete palavras que só figuram neste apêndice de Marcos 16.9-20.

O apêndice de Marcos, um sumário de eventos, com alguma mistura de narrativas, recebe o seguinte comentário de Bruce (*in loc.*): "O que se segue no v. 15, contendo a comissão final, parece salientar a aparição de despedida na Galileia, em Mateus 28.16; mas o termo *anakeimenois* (v. 14) leva-nos à cena relatada em Lucas 24.36-43, embora mais que os onze estivessem presentes

nessa ocasião. A sugestão tem sido feita (Meyer, Weiss etc.) que essa narrativa reúne características extraídas de várias aparições. Os pontos principais para o narrador são que Jesus apareceu aos 'onze', e que ele os encontrou na atitude de incredulidade".

16.15: E disse-lhes: Ide por todo o mundo, e pregai o evangelho a toda criatura.

16.15 καὶ εἶπεν αὐτοῖς[4], Πορευθέντες εἰς τὸν κόσμον ἅπαντα κηρύξατε τὸ εὐαγγέλιον πάσῃ τῇ κτίσει.

15 καὶ ειπεν αυτοις] αλλα W

Notemos que essas palavras, em Mateus, são dadas *no monte da Galileia* (Mt 28.16-20); mas em Lucas 24.50,51, por implicação, são dadas na despedida em Betânia. Se foram ditas apenas uma vez, então os dois evangelistas simplesmente vincularam as declarações a circunstâncias diversas, o que não é nada incomum nos Evangelhos. Naturalmente, é possível que tenham sido ditas em mais de uma ocasião, mas não devemos buscar "harmonia a qualquer preço". A comissão, registrada em Mateus e Marcos, dá uma tintura *universalista* a essas palavras. Todas as criaturas, o mundo inteiro, são objeto da pregação. Quando essas palavras foram escritas, a missão gentílica já estava em funcionamento; mas é tolice supor que Jesus não a tenha antecipado, ou mesmo que não atenha ordenado. A comissão, em Mateus, frisa o "ensino" que desenvolverá a mensagem e a confirmará aos ouvintes, um toque que não figura no evangelho de Marcos.

16.16: Quem crer e for batizado será salvo; mas quem não crer será condenado.

16.16 ὁ πιστεύσας καὶ βαπτισθεὶς σωθήσεται, ὁ δὲ ἀπιστήσας κατακριθήσεται.

16 ὁ πιστεύσας...σωθήσεται At 2.38; 16.31,33

V. 16. Este versículo é equivalente ao texto de Mateus 28.19; mas a sua expressão peculiar (diferente da do evangelho de Mateus), que parece confirmar o ponto de vista da *regeneração batismal*, tem dado grande trabalho a muitos expositores, mais ou menos como a passagem de Atos 2.38. É comum, entre os expositores o desejo de negar essas implicações, salientar o fato de este versículo não vincular a ausência do batismo à condenação, o que realmente parece deixar entendido o fato de a mera falta de fé ser suficiente para levar o pecador à condenação, e, por outro lado, o fato de a fé (por parte daquele que foi batizado, o que seria mencionado apenas incidentalmente) levar o penitente à salvação. Entretanto, apesar de isso prover um argumento que vai de encontro àqueles que defendem a "regeneração batismal", a verdade é que um *pouco* de reflexão honesta indica não ser isso que o escritor original dessas palavras estava procurando dizer. E isso significa que o texto não pode ser julgado por méritos próprios, mas deve ser interpretado à luz do que a doutrina do NT tem a dizer sobre a questão, por tratar-se de uma passagem de sentido um tanto obscuro.

Devemos frisar, tão somente, que esse versículo na realidade não é autêntico no evangelho de Marcos, de conformidade com as evidências que são oferecidas pelas notas textuais relativas ao v. 9 deste capítulo; e se ele ensina ou não a doutrina da "regeneração batismal", torna-se questão de *secundária* importância.

Contudo, é perfeitamente possível, e passível de ser demonstrado, que alguns cristãos primitivos criam na doutrina da "regeneração batismal", e que, quem quer que tenha escrito a conclusão mais longa deste evangelho de Marcos, deve ter crido nessa doutrina, pois este versículo reverbera essa crença. Que tal autor escreveu isso, embora não faça parte do evangelho original de Marcos, é algo que se reveste de pouca importância, e não merece nem defesa e nem ataque.

No que diz respeito a versículos bíblicos como Atos 2.38, que parecem ensinar a mesma coisa, podemos argumentar que as passagens dogmáticas que abordam esses assuntos, como aquelas que se leem nos escritos do apóstolo Paulo, e até mesmo aqueles

946 |Marcos| NTI

outros textos que apresentam descrições pormenorizadas sobre a justificação pela fé e sobre as condições para a salvação, não mencionam jamais o batismo. Por conseguinte, é demonstração de insensatez destacar versículos isolados, que não fazem parte de passagens dogmáticas sobre o assunto em pauta, que não ensinam a necessidade do batismo para a salvação do pecador. (Ver outras notas sobre o assunto, At 2.38. Quanto ao significado do *batismo*, ver as notas existentes em Rm 6.3; e quanto ao *batismo do Espírito Santo*, ver o texto de 1Co 12.13).

16.17: E estes sinais acompanharão aos que crerem: em meu nome expulsarão demônios; falarão novas línguas;
16.17 σημεῖα δὲ τοῖς πιστεύσασιν ταῦτα παρακολουθήσει· ἐν τῷ ὀνόματί μου δαιμόνια ἐκβαλοῦσιν, γλώσσαις λαλήσουσιν καιναῖς[5],

17 ἐν...ἐκβαλοῦσιν λγώσσαις...καιναῖς At 2.4,11; 10.46; 19.6; 1Co 14.2-40

[5] 17 {B} λαλήσουσιν καιναῖς A C² (D^supp λαλήσωσιν) K W X Θ Π f f³ 28 33 565 700 892 1009 1010 1071 1079 1195 1216 1230 1241 1242 1253 1344 1365 1546 1646 2148 2174 Byz Lect l^85m it^aur,c,dsupp,ff²,l,q vg geo^B7 Ambrose Augustine // καιναῖς λαλήσουσιν it° syr^c,p,h,pal geo^B7 Hippolytus Jacob-Nisibis Apostolic Constitutions // λαλήσουσιν C^r L Δ Ψ cop^sa,bo arm

> Embora seja possível que καιναῖς tenha sido adicionada em imitação a καινὴ διαθήκη ϵ καίὸς ἄνθρωπος καὶ ἐν ταῖς, é mais provável que tenha sido tirada de diversos testemunhos a homoeoteeleuton com as palavras seguintes, καὶ ἐν ταῖς (i. e. κᾶν ταῖς].

Quando o *autor do apêndice* registrou essas palavras, a era da igreja já estava em pleno vigor, e as "maravilhas" que são aqui descritas já vinham sendo postas em prática. Essas palavras acham-se somente em Marcos, mas não da parte do autor original, embora seja possível que se baseiem em uma "declaração de despedida" da parte de Jesus, ao invés de serem mero reflexo do que "sucedia" na igreja, quando elas foram reduzidas à forma escrita. Naturalmente, descrições como essas têm sido usadas abusadamente por amigos do evangelho, mais do que por seus inimigos. Por isso é que temos "cultos de manuseio de serpentes"; e na própria igreja evangélica há o abuso contra os "dons espirituais", que equivalem ao surgimento do "ocultismo", no seio do moderno movimento cristão. Contudo, com base no próprio NT, os "dons espirituais", em *alguma forma de manifestação*, devem existir em todos os séculos, pois são entre os meios do "crescimento espiritual", conforme se sabe com base em Efésios 4, Romanos 12 e 1Coríntios 12-14. Reduzir esses dons espirituais a um fenômeno que ocorreu somente no primeiro século, em confirmação à mensagem profética, é dar-lhe um papel muitíssimo inferior àquilo que diz o próprio NT.

Os dons espirituais, todavia, não devem se manifestar, necessariamente, na mesma forma, hoje em dia, como se manifestaram no primeiro século. Desde o princípio, o dom de línguas, por exemplo, foi sujeito ao abuso, e, de fato, foi um meio fraco de expressão espiritual. Enquanto, por dogma, não podemos falar sobre o *fim* de nenhuma expressão de espiritualidade (como nos dons originais), parece quase certo que o processo histórico e espiritual tem ultrapassado o tipo de expressão de espiritualidade que existia na igreja primitiva. Quanto mais vemos do movimento carismático de hoje, menos ficamos convencidos que é do Espírito.

"[...] sinais..." No NT, esse termo indica *milagres didáticos*. Esses dons mostram a outros que Deus está conosco, contanto que sejam devidamente buscados e usados. Atuam como confirmações da verdade do evangelho, bem como dos grandes fatos da vida e do ministério de Jesus, que agora continuam em nós. (Quanto a "sinais e maravilhas", frase de uso frequente no NT, acerca de Cristo e seus apóstolos, ver Jo 20.30; At 2.22,43; 4.30; 5.12; 7.36 e 8.13.)

Paulo agia desse modo na missão gentílica, conforme se aprende em Romanos 15.19.

"[...] aqueles que creem..." Em outras palavras, os que entregam sua alma a Cristo, para serem transformados em sua imagem moral e metafísica, que é o desígnio inteiro do evangelho. (Ver notas completas sobre a "fé", em Hb 11.1.)

"[...] expelirão demônios..." Os demônios são reais, e as possessões demoníacas são reais. (Ver Mc 5.2, quanto aos "demônios"; e Mt 8.28, quanto à "possessão demoníaca".) Qualquer ministro de Cristo, se sua vida for limpa, pode expelir um demônio, pelo menos na grande maioria dos casos. Algumas vezes, porém, surgem espíritos difíceis e teimosos, e é preciso a atuação de alguém especialmente santificado e dotado para tanto.

"[...] falarão novas línguas..." (Ver At 2.4, e o contexto geral, quanto a notas sobre as "línguas". Ver as notas sobre os vários "dons do Espírito", na introdução a 1Co 12.)

As diversas "expressões espirituais" dos crentes tomam o lugar da "presença miraculosa" de Cristo, o Senhor. Isso certamente fica implícito nesta seção. A expressão espiritual do crente deve ser feita com poder, isto é, por meio dos dons, se a presença miraculosa de Cristo houver de ser duplicada, conforme Jesus disse que poderia ser e seria (ver Jo 14.12).

O vocábulo grego *parakolouthesei*, derivado de uma raiz usada somente aqui no evangelho de Marcos, é uma das 17 palavras peculiares ao apêndice, que não se acham no resto do livro, demonstrando sua qualidade externa a Marcos.

16.18: pegarão em serpentes; e se beberem alguma coisa mortífera, não lhes fará dano algum; e porão as mãos sobre os enfermos, e estes serão curados.
16.18 [καὶ ἐν ταῖς χερσὶν] ὄφεις[6] ἀροῦσιν, κᾶν θανάσιμόν τι πίωσιν οὐ μὴ αὐτοὺς βλάψῃ, ἐπὶ ἀρρώστους χεῖρας ἐπιθήσουσιν καὶ καλῶς ἕξουσιν.

18 εμ...ἀροῦσιν   At 28.3-6
18 ἐπὶ...ἕξουσιν At 4.30; 5.16; 8.7; Tg 5.15,15

18 {C} καὶ ἐν ταῖς χερσὶν ὄφεις C L X Δ Ψ f 33 565 892 1230 1253 l^6,253 syr^h with ' geo^B Acts of Pilate^mss // καὶ ἐν ταῖς χερσὶν αὐτῶν ὄφεις (syr^c) cop^sa,bo arm // ὄφεις A D^supp K W Θ Π f¹³ 28 700 1009 1010 1071 1079 1195 1216 1241 1242 1344 1365 1546 1646 2148 2174 Byz Lect l^85m it^aur,c,d,supp,l,o,q vg syr^p,pal Diatessaron Acts of Pilate^txt Hippolytus

> Embora seja possível que a expressão καὶ ἐν ταῖς χερσὶν tenha sido adicionada em imitação à narrativa de Atos 28.3-6, a maioria da comissão preferiu seguir o grupo de testemunhos alexandrinos. Ao mesmo tempo, em face da ausência de qualquer boa razão para explicar sua ausência de testemunhos como A D^supp W Q P f¹³ 28 700 it^c,dsupp,l,o,q vg syr^p,pal al, julgou-se mister incluí-las entre colchetes.

Deus pode proteger, *quando surge* a necessidade. Não há aqui nenhuma licença para se "saltar do pináculo do templo", por assim dizer, conforme muitos fanáticos têm feito esse texto querer dizer. Paulo foi mordido pela serpente, mas não sentiu nenhum efeito adverso, conforme se vê em Atos 28.3ss. Não é mesmo impossível que o elemento da "serpente", neste versículo, dependa diretamente deste incidente. É possível que o "beber veneno" fosse algo forçado por oficiais romanos, os quais perseguiam a igreja primitiva. É possível também que alguns crentes tivessem sobrevivido a esse tratamento, tornando-se isso o motivo inspirador destas palavras, a menos, naturalmente, que sejam palavras proféticas genuínas do próprio Jesus, as quais não precisam forçar a nossa credulidade.

O irmão carnal do autor deste comentário, desafiado por um médico-feiticeiro, andou por cima de brasas de fogo e vidro quebrado com os pés descalços, sem ter sido atingido por nenhum dano. A proteção prometida neste versículo foi suficiente para sua vitória e proteção. Seria absurdo, porém, se meu irmão, somente para provar como é grande espiritualmente, tentasse duplicar continuamente esses feitos. Esses incidentes são sagrados e devem

NTI | Marcos | 947

ser entesourados, e não devem tornar-se coisas corriqueiras por meio de práticas fanáticas. Esses incidentes são relativamente raros, e, quando são necessários, ocorrem, não por mero *esporte* e nem para fazer *exibições* carnais de uma suposta elevada espiritualidade.

"[...] se impuserem as mãos sobre enfermos..." (Ver Tg 2.14, quanto às "curas na igreja", bem como a introdução a 1Co 12, onde esse dom é descrito. 1Tm 4.14 encerra notas sobre a *imposição de mãos*, que é mais usada para curas espirituais.) Essa forma de cura é tanto popular quanto eficaz. Os estudos modernos têm demonstrado que uma força real deixa as mãos do taumaturgo e entra na pessoa curada, e esse processo tem sido radiografado na chamada fotografia *Kirliana*. Outrossim, os taumaturgos podem deixar marcas em filmes de raios-x, até mesmo quando estes estão envoltos em chumbo. Algum dia a ciência talvez consiga descrever essa energia curativa. Naturalmente, há curas que transcendem a isso, procedendo de poderes angelicais ou do próprio Espírito; mas é provável que, mesmo nesses casos, haja uma espécie de transferência de energia. Essa energia algumas vezes é sentida na forma de um choque elétrico, calor ou vibração; mas isso não é necessário ao processo curador, pois essa energia pode operar sem ser vista e sem ser sentida. (Ver Mt 9.18 e Mc 6.5, quanto às curas de Jesus feitas mediante "imposição de mãos".)

16.19,20 — No que diz respeito à *ascensão de Jesus*, ver as notas expositivas sobre Atos 1.6, na introdução ao parágrafo.

16.19: Ora, o Senhor, depois de lhes ter falado, foi recebido no céu, e assentou-se à direita de Deus.

16.19 Ὁ μὲν οὖν κύριος Ἰησοῦς[7] μετὰ τὸ λαλῆσαι αὐτοῖς ἀνελήμφθη εἰς τὸν οὐρανὸν καὶ ἐκάθισεν ἐκ δεξιῶν τοῦ θεοῦ.

---

[7] **19** {C} κύριος Ἰησοῦς C* K L Δ *f¹* *f¹³* 33 565 892 1071 1079 1230 1241 1546 *l*[174,230,547,983] it[aur,c,ff²,q] vg[cl] syr[c,p,h,pal] cop[sa,bo] arm eth Irenaeus[gr.lat] // κύριος A C³ D[supp] X Θ Π[supp] Ψ 28 700 892* 1009 1010 1195 1216 1242 1253 1344 1365 1646 2148 2174 *Byz Lect* l[185m] it[supp,1] vg[ww] geo[B] Irenaeus[lat ms] // Ἰησοῦς H 474 // κύριος Ἰησοῦς Χριστός W it[c]

19 ἀνελήμφθη...οὐρανόν 2Rs 2.11; At.19-11; 1Tm 3.16   ἐκάθισεν.. θεοῦ Sl 110.1; Mt 22.44; 26.54; Mc 12.36; 14.62; Lc 20.42; 22.69; At 2.33,34; 5.31; 7.55,56; Rm 8.34; Ef 1.20; Cl 3.1; Hb 1.3,13; 8.1; 10.12; 12.2; 1Pe 3.22

> Entre os vários títulos dados a Jesus pela igreja, o uso de κύριος, isolado, parece ser um desenvolvimento posterior, mais solene que κύριος Ἰησοῦς.

Jesus agora é o Senhor. (Ver sobre o "senhorio de Cristo", em Rm 1.4 e 10.9. Ver como isso terá efeito universal, em Ef 1.10,21-23 e Fp 2.9-11.) O evangelho garante sua vitória eventual e seu senhorio universal. Ele é o Senhor, primeiramente na igreja. E, por meio disso, Deus mostrará de modo exato como ele será Senhor sobre todos. O Senhor também é "Jesus" (seu nome é comentado em Mt 1.21), já que, na qualidade de homem, ele se identificou com todos os homens, na qualidade de homem ideal, tendo assumido esse senhorio. (Ver Hb 1.8ss, quanto a essa verdade.) Na qualidade de membro da trindade divina, Jesus sempre foi o Senhor. , na forma de homem, identificou-se com a humanidade, como *o padrão a ser duplicado*; e, por intermédio de sua plena vitória moral e sobre a morte, tornou-se o Senhor. Isso, pois, aconteceu mediante o sucesso de sua missão messiânica. Na qualidade de homem, portanto, é que ele eleva outros homens a si mesmo, e eles receberão de sua plenitude, de sua expressão, nos mundos eternos, trazendo a bênção de Cristo para todos, universalmente, tal como aqui e agora a igreja traz as bênçãos de Cristo ao mundo. Esse "elevar dos homens" significa que virão a compartilhar da natureza moral e metafísica de Cristo, segundo se vê em João 5.25,26; Colossenses 2.10 e Efésios 3.19. É assim que os remidos haverão de participar da divindade (ver 2Pe 1.4), o que é o grande alvo do evangelho, o que excede em muito ao comum "perdão dos pecados" e à "futura

mudança de endereço para os céus", a que o evangelho tem sido reduzido em muitas igrejas atuais. É o senhorio de Cristo que possibilita esse imenso lucro no evangelho.

"[...] foi recebido no céu..." (Ver At 1.11, quanto a essa doutrina.)

"[...] à destra de Deus..." (Ver Hb 1.3, quanto à doutrina de Cristo "à direita de Deus".) Temos nisso um simbolismo sobre a *corte real*. O que se dava nas cortes dos monarcas e altos oficiais é aqui transferido para o terreno espiritual. Não devemos antecipar um trono literal, e um subtrono, à direita daquele, um ocupado por Deus Pai e outro ocupado por Jesus Cristo. Antes, são meros símbolos espirituais. O rei punha seu "principal auxiliar" à sua direita, passando este a ter a autoridade do rei, como seu "primeiro-ministro", por assim dizer. Outro tanto sucede no caso de Jesus Cristo, na economia eterna das coisas. Assim como ele foi antes a Palavra, a manifestação de Deus a todos, assim sempre será.

A narrativa de ascensão repousa sobre o relato de Lucas. Mateus e João não registraram o fato, apesar do que, no quarto evangelho, há *alusões* a ele. Outro tanto se dá no caso de Paulo. (Quanto a problemas textuais que circundam a narrativa da ascensão, no terceiro evangelho, ver Lc 24.51.) O texto de Atos 1.10,11 não apresenta nenhum problema textual. A ascensão é um fato, sendo uma experiência que será compartilhada por todos quantos confiam em Cristo. A ascensão subentende a ideia de "glorificação" (ver Rm 8.29, quanto a essa doutrina).

16.20: Eles, pois, saindo, pregaram por toda parte, cooperando com eles o Senhor, e confirmando a palavra com os sinais que os acompanhavam.]

16.20 ἐκεῖνοι δὲ ἐξελθόντες ἐκήρυξαν πανταχοῦ, τοῦ κυρίου συνεργοῦντος καὶ τὸν λόγον βεβαιοῦντος διὰ τῶν ἐπακολουθούντων σημείων.[8]]]

---

[8] **20** {B} σημείων A C *f¹* 33 1079 it[aur,ff²,q] vg[cl] syr[c,p,h,pal] cop[sa] arm geo[B] // σημείων. ἀμήν. C[vid] D[supp] K L W X Δ Θ Π[supp] Ψ *f¹³* 28 565 700 892 1009 1010 1071 1195 1216 1230 1241 1242 1253 1344 1365 1546 1646 2148 2174 *Byz Lect* l[c,dsupp,0] vg[ww] cop[bo] eth

[9] Short ending/Curto término {A} Ἰησοῦς L 0112 579 syr[h mg] eth[mss] Ἰησοῦς ἐφάνη Ψ 274[mg] it[k] // Ἰησοῦς ἐφάνη αὐτοῖς 009 cop[sa mss,bo mss]

[10] Short ending/Curto término {C} σωτηρίας ἀμήν Ψ 099 0112 274[mg] 579 it[k] syr[hmg] cop[sa mss,bo mss] // σωτηρίας L cop[bo ms]

[11] Short ending/Curto término

> Quanto à adição de ἀμήν na maioria dos testemunhos, ver os comentários sobre Mateus 28.20.

Diversos vocábulos estranhos ao vocabulário de Marcos figuram no versículo final, como *"pantachou"*, *"sunergountos"*, *"bebaiountos"* e *"epakolouthounton"*. Fazem parte dos 17 termos que aparecem somente neste apêndice (v. 9-20), mas não no resto do evangelho de Marcos.

"[...] pregaram em toda parte..." Isso reflete as primeiras missões da igreja, incluindo o trabalho missionário entre os gentios. (Ver Cl 1.6, quanto à sua vastidão, bem como todo o livro de Atos, quanto à sua descrição.)

"[...] cooperando com eles o Senhor..." Em outras palavras, através do Espírito Santo, que é seu *alter ego*, Jesus operava entre os crentes. (Ver Jo 14.16, quanto a essa doutrina. Jesus, como o "Senhor", é tema comentado no v. 19 deste capítulo.)

"[...] por meio de sinais..." Os sinais "confirmam a Palavra". Esses *sinais* são aqueles mencionados e descritos nas notas sobre os v. 17 e 18. Trata-se de uma óbvia nota proveniente dos dias apostólicos. Este versículo demonstra como as palavras e promessas finais de Jesus foram confirmadas na experiência da igreja primitiva, o que serve mais de um elemento comprobatório da validade das reivindicações messiânicas de Jesus. Elas esperam ser confirmadas agora, em nós. Devemos provar a sua validade em nossa própria vida!

"A história não concluída: Ter-se-ia perdido a página final do evangelho de Marcos? Existiria outra conclusão, além daquelas duas que foram supridas para preencher a lacuna, das quais a mais longa se encontra impressa no final do evangelho de Marcos, em 16.9-20? Que nenhuma das duas conclusões foi escrita por Marcos é uma ideia geralmente aceita pelos estudiosos. É possível que ele jamais houvesse terminado a sua narrativa. Talvez a última página se tivesse perdido. Não obstante, há grande propriedade no fato de que Marcos seja o *evangelho não-terminado*, porquanto 'o evangelho de Jesus Cristo, o Filho de Deus', sempre será um fato ainda não-concluído. Trata-se de uma narrativa contínua, que deve ter prosseguimento na vida do crente. Paulo acrescentou a sua página ao mesmo ao dizer: '[...] e, afinal, depois de todos, foi visto também por mim...' (1Co 15.8). Existe uma página em branco reservada para cada um de nós fazer ali os seus assentamentos, o nosso registro daquilo que Jesus disse e fez por nosso intermédio". (Halford E. Luccock, *in loc*.).

〚Πάντα δὲ τὰ παρηγγελμένα τοῖς περὶ τὸν Πέτρον συντόμως ἐξήγγειλαν. Μετὰ δὲ ταῦτα καὶ αὐτὸς ὁ Ἰησοῦς9 ἀπὸ ἀνατολῆς καὶ ἄχρι δύσεως ἐξαπέστειλεν δι' αὐτῶν τὸ ἱερὸν καὶ ἄφθαρτον κήρυγμα τῆς αἰωνίου σωτηρίας. ἀμήν.¹⁰〛¹¹

Quanto a uma discussão sobre o término mais breve, ver a seção(2) nos comentários sobre os v. 9-20, acima. A forma Ἰησοῦς deve ser preferida às demais, que são expansões naturais. É provável que desde o começo a forma mais breve tenha sido provida com a conclusão ἀμήν, e que sua ausência de diversos testemunhos (L cop^bo ms eth^most mss) se deva ou a descuido de cópia, ou, mais provavelmente, ao sentimento de que ἀμήν seja impróprio, uma vez que se seguem os v. 9-20.

Anotações

Anotações

Anotações

Anotações

Anotações

Anotações

Anotações

Anotações

Sua opinião é importante para nós.
Por gentileza, envie-nos seus comentários pelo e-mail:

editorial@hagnos.com.br

Visite nosso site:

www.hagnos.com.br